BIOGRAPHISCH-BIBLIOGRAPHISCHES KIRCHENLEXIKON

Biographisch-Bibliographisches KIRCHENLEXIKON

Bearbeitet und herausgegeben von Friedrich Wilhelm Bautz

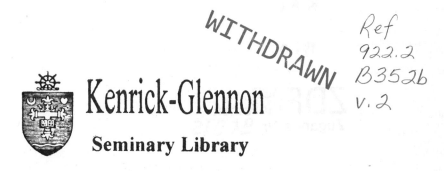
Verlag Traugott Bautz 4700 Hamm (Westf.)

CIP—Titelaufnahme der Deutschen Bibliothek

Biographisch-Bibliographisches Kirchenlexikon / begr. und
hrsg. von Friedrich Wilhelm Bautz. Fortgef. von Traugott
Bautz. - Herzberg : Bautz
NE: Bautz, Friedrich Wilhelm [Begr.]; Bautz, Traugott [Hrsg.]

Bd. 2. Faustus von Mileve - Jeanne d' Arc

Verlag Traugott Bautz, Herzberg 1990
ISBN 3-88309-032-8

VORWORT

Nach dem Tod des früheren alleinigen Herausgebers und Bearbeiters Friedrich Wilhelm Bautz im Jahre 1979 mußte die Fortführung des Biographisch-Bibliographischen Kirchenlexikons über mehrere Jahre hin ruhen, bis die Studien gesichtet und ergänzt und neue Mitarbeiter für das inzwischen wichtige Nachschlagewerk gefunden werden konnten.

Als Sohn von F.W. Bautz, Verleger des BBKL und neuer Herausgeber freue ich mich, zwischenzeitlich über 500 Wissenschaftler des In- und Auslandes gewonnen zu haben, die an der Fortführung des Lebenswerk meines Vaters arbeiten. Zwar werden jetzt die einzelnen Artikel nicht mehr so ausgewogen sein können wie bei einem einzigen Bearbeiter, dafür gewinnen sie qualitativ durch die besonderen Kenntnisse, die die Bearbeiter aus ihren unterschiedlichen Fachbereichen mitbringen.

Neu aufgenommen in das Lexikon wurden auf mehrfaches Nachfragen vieler BBKL-Benutzer Personen des Alten und Neuen Testaments, da vielfach neue Bibliographien fehlen. Hier versucht das Biographisch- Bibliographische Kirchenlexikon eine Lücke zu schließen. Die bislang nicht berücksichtigten Personen aus der Bibel werden in den Nachtragsbänden Berücksichtigung finden.

In den Lieferungen 16, 17 und 18 (Spalten 801-1280) sind die Namen der Autoren durch Kürzel angegeben (vgl. S. XXXIX), ab Lieferung 19 sind alle Artikel mit vollem Namen gekennzeichnet. Das vollständige Mitarbeiterverzeichnis erscheint im Registerband und gibt Hinweise auf die Wissenschaftler und ihre Artikel.

Auf vielfachen Wunsch häufiger Benutzer des Biographisch-Bibliographischen Kirchenlexikons wurden ab Lieferung 19 eine größere Schrift und ein breiterer Durchschuß gewählt, die das Arbeiten mit dem Werk weniger anstrengend für die Augen machen.

Nach vollständiger Herausgabe des Lexikons A-Z werden Nachtragsbände mit den zwischenzeitlich verstorbenen Personen und denjenigen, die nicht berücksichtigt worden sind, erscheinen.

Hinweise auf eventuelle Ergänzungen und Anregungen werden dankbar aufgenommen.

3420 Herzberg, im Herbst 1990 Traugott Bautz
Verleger und seit dem Tod von
F.W. Bautz im Jahr 1979 Herausgeber

VERZEICHNIS DER ABKÜRZUNGEN

I. Biblische Bücher

A. Altes Testament

Gen	Genesis (= 1. Mose)	Mi	Micha
Ex	Exodus (= 2. Mose)	Nah	Nahum
Lev	Leviticus (= 3. Mose)	Hab	Habakuk
Num	Numeri (= 4. Mose)	Zeph	Zephanja
Dtn	Deuteronomium (= 5. Mose)	Hag	Haggai
Jos	Josua	Sach	Sacharja
Ri	Richter	Mal	Maleachi
1Sam	1. Samuelbuch	Ps(s)	Psalm(en)
2Sam	2. Samuelbuch	Spr.	Sprüche
1Kön	1. Königsbuch	Hi	Hiob (Job)
2Kön	2. Königsbuch	Hhld	Hoheslied
Jes	Jesaja	Ruth	—
Dtjes	Deuterojesaja	Klgl	Klagelieder
Jer	Jeremia	Pred	Prediger
Ez	Ezechiel (Hesekiel)	Est	Esther
Hos	Hosea	Dan	Daniel
Jo	Joel	Esr	Esra
Am	Amos	Neh	Nehemia
Ob	Obadja	1Chr	1. Buch der Chronik
Jon	Jona	2Chr	2. Buch der Chronik

B. Neues Testament

Mt	Matthäus	1Tim	1. Timotheusbrief
Mk	Markus	2Tim	2. Timotheusbrief
Lk	Lukas	Tit	Titusbrief
Joh	Johannes	Phlm	Philemonbrief
Apg	Apostelgeschichte	Hebr	Hebräerbrief
Röm	Römerbrief	Jak	Jakobusbrief
1Kor	1. Korintherbrief	1Petr	1. Petrusbrief
2Kor	2. Korintherbrief	2Petr	2. Petrusbrief
Gal	Galaterbrief	1Joh	1. Johannesbrief
Eph	Epheserbrief	2Joh	2. Johannesbrief
Phil	Philipperbrief	3Joh	3. Johannesbrief
Kol	Kolosserbrief	Jud	Judasbrief
1Thess	1. Thessalonicherbrief	Apk	Johannes-Apokalypse (Offenbarung des Johannes)
2Thess	2. Thessalonicherbrief		

II. Sammelwerke, Zeitschriften, Monographien, Handbücher u. a.

A

AA	Archäologischer Anzeiger. Beiblatt zum Jahrbuch des Deutschen Archäologischen Instituts, Berlin 1896 ff.
AAA	The Annals of Archaeology and Anthropology, Liverpool 1908 ff.
AAB	Abhandlungen der Deutschen (bis 1944: Preußischen) Akademie der Wissenschaften zu Berlin. Phil.-hist. Klasse, Berlin 1815 ff.
AAG	Abhandlungen der Akademie der Wissenschaften in Göttingen (bis Folge III, 26, 1940: AGG), Göttingen 1941 ff.
AAH	Abhandlungen der Heidelberger Akademie der Wissenschaften. Phil.-hist. Klasse, Heidelberg 1913 ff.
AAL	Abhandlungen der Sächsischen Akademie der Wissenschaften in Leipzig (bis 30, 1920: AGL), Leipzig 1850 ff.
AAM	Abhandlungen der Bayerischen Akademie der Wissenschaften. Phil.- hist. Klasse, München 1835 ff.
AAMz	Abhandlungen (der geistes- und sozialwissenschaftlichen Klasse) der Akademie der Wissenschaften und der Literatur, Mainz 1950 ff.
AAS	Acta Apostolicae Sedis, Città del Vaticano 1909 ff.
AASOR	The Annual of the American Schools of Oriental Research, (New Haven) Philadelphia 1919 ff.
AAug	Acta Ordinis Eremitarum Sancti Augustini, Rom 1956 ff.
AAW	Abhandlungen der Österreichischen Akademie der Wissenschaften, Wien
ABR	American Benedictine Revue, Newark/New Jersey 1950 ff.
ACA	Apologia Confessionis Augustanae (in: BSLK)
ACO	Acta Conciliorum Oecumenicorum, ed. E. Schwartz, Berlin 1914 ff.
AcOr	Acta Orientalia, Kopenhagen 1922/23 ff.
ACW	Ancient Christian Writers. The Works of the Fathers in Translation, ed. by J. Quasten and J. C. Plumpe, Westminster/Maryland und London 1946 ff.
Adam	A. Adam, Lehrbuch der Dogmengeschichte I ff., Gütersloh 1965 f.
ADB	Allgemeine Deutsche Biographie, 55 Bde. und 1 RegBd., Leipzig 1875-1912
AdPh	Archives de Philosophie, Paris 1923 ff.
AELKZ	Allgemeine evangelisch-lutherische Kirchenzeitung, Leipzig 1868 ff.
AElsKG	Archiv für elsässische Kirchengeschichte, hrsg. von der Gesellschaft für elsässische Kirchengeschichte, red. von J. Brauner, Rixheim im Oberelsaß 1926 ff.; ab 1946 red. von A. M. Burg, Strasbourg
AER	The American ecclesiastical Review, Washington 1889 ff.
AevKR	Archiv für evangelisches Kirchenrecht, Berlin 1937 ff.
AfMf	Archiv für Musikforschung, Leipzig 1936-1943
AfMw	Archiv für Musikwissenschaft, Trossingen/Württemberg 1918-1926 und 1952 ff.
AfO	Archiv für Orientforschung, Graz 1923 ff.
AFP	Archivum Fratrum Praedicatorum. Institutum historicum Fratrum Praedicatorum, Romae ad S. Sabinae, Rom 1931 ff.
AFrH	Archivum Franciscanum Historicum, Florenz - Quaracchi 1908 ff.
AGG	Abhandlungen der Gesellschaft der Wissenschaften zu Göttingen (ab Folge III, 27, 1942: AAG), Göttingen 1843 ff.
AGL	Abhandlungen der Sächsischen Gesellschaft der Wissenschaften in Leipzig (31, 1921: AAL), Leipzig 1850 ff.
AGPh	Archiv für (1889-1894 und 1931. 1932: die Geschichte der) Philosophie, Berlin 1889-1932
AH	Analecta hymnica medii aevi, hrsg. von G. Dreves und C. Blume, 55 Bde., Leipzig 1886-1922
AHA	Archivo Historico Augustiniano Hispano, Madrid 1914-1934. 1950 ff.
AHDL	Archives d'histoire doctrinale et littéraire du Moyen âge, Paris 1926 ff.
AHP	Archivum Historiae Pontificiae, Roma 1, 1963 ff.
AHR	The American Historical Review, New York 1895 ff.

AHSI	Archivum historicum Societatis Iesu, Rom 1932 ff.
AHVNrh	Annalen des Historischen Vereins für den Niederrhein, insbesondere das alte Erzbistum Köln, Köln 1855 ff.
AJA	American Journal of Archaeology, New York 1855 ff.
AJP	American Journal of Philology, Baltimore 1880 ff.
AJSL	American Journal of Semitic Languages and Literatures, Chicago 1884-1941
AkathKR	Archiv für katholisches Kirchenrecht, (Innsbruck) Mainz 1857 ff.
AKG	Arbeiten zur Kirchengeschichte, begründet von K. Holl und H. Lietzmann, Berlin 1927 ff., ab Bd. 29, 1952, hrsg. von K. Aland, W. Eltester und H. Rückert
AKultG	Archiv für Kulturgeschichte, (Leipzig) Münster und Köln 1903 ff.
Algermissen	K. Algermissen, Konfessionskunde, 7. vollst. neu gearb. Aufl., Paderborn 1957
ALKGMA	Archiv für Literatur- und Kirchengeschichte des Mittelalters, hrsg. von H. Denifle und F. Ehrle, 7 Bde., (Berlin) Freiburg/Breisgau 1885-1900
ALMA	Archivum Latinitatis medii aevi, Brüssel 1924 ff.
ALT	A. Alt, Kleine Schriften zur Geschichte des Volkes Israel, I-III, München 1953-1959
Altaner	B. Altaner, Patrologie. Leben, Schriften und Lehre der Kirchenväter, 6. Aufl., durchgesehen und ergänzt von A. Stuiber, Freiburg/Breisgau 1960; 7. Aufl., völlig neu bearbeitet, ebd. 1966
Althaus	P. Althaus, Die christliche Wahrheit. Lehrbuch der Dogmatik, Gütersloh 1952³
ALW	Archiv für Liturgiewissenschaft (früher: JLW), Regensburg 1950 ff.
AMN	Allgemeine Missionsnachrichten, Hamburg 1928 ff.
AMNG	Abhandlungen zur mittleren und neueren Geschichte. Hrsg. von G. v. Below, H. Finke, F. Meinecke, Berlin 1907 ff.
AMrhKG	Archiv für mittelrheinische Kirchengeschichte, Speyer 1949 ff.
AMus	Acta musicologica. Revue de la Société internationale de musicologie. Zeitschrift der Internationalen Gesellschaft für Musikwissenschaft, Basel und Kassel 1929 ff.
AMZ	Allgemeine Missionszeitschrift. Monatsschrift für geschichtliche und theoretische Missionskunde, Gütersloh 1874-1923
AmZ	Allgemeine musikalische Zeitung, Leipzig 1885 ff.
AnAug	Analecta Augustiniana, Rom 1905 ff.
AnBibl	Analecta Biblica, Rom 1952 ff.
AnBoll	Analecta Bollandiana. Société des Bollandistes, Brüssel 1882 ff.
AnCap	Analecta Ordinis Fratrum Minorum Capuccinorum, Rom 1884 ff.
AnCarmC	Analecta Ordinis Carmelitarum Calceatorum, Rom 1909 ff.
AnCarmD	Analecta Ordinis Carmelitarum Discalceatorum, Rom 1926 ff.
AnCist	Analecta Cisterciensa, Rom 1945 ff.
ANET	Ancient Near Eastern Texts relating to the Old Testament, ed. J. B. Pritchard, Princeton/New York 1950 (ANET²: 2. edition corrected and enlarged, 1955)
AnFranc	Analecta Franciscana sive Chronica aliaque varia Documenta ad historiam Fratrum Minorum spectantia, edita a Patribus Collegii s. Bonaventurae, Quaracchi 1885 ff.
Angelicum	Angelicum. Periodicum trimestre facultatum theologicae, juris canonici, philosophicae, Rom 1924 ff.
Angelos	Angelos. Archiv für neutestamentliche Zeitgeschichte und Kulturkunde, 4 Bde., Göttingen 1925-1932
AnGreg	Analecta Gregoriana cura Pontificiae Universitatis Gregorianae, Rom 1930 ff.
Anima	Anima. Vierteljahresschrift für praktische Seelsorge, Olten/Schweiz 1946-1965 (ab 1966: Diakonia)
AnLov	Analecta Lovaniensia Biblica et Orientalia, Löwen 1947 ff.
AnMon	Analecta monastica, Rom 1948 ff.
AnnéeC	L'Année Canonique, Paris 1952 ff.
AnnPont	Annuario Pontificio, Rom 1912 ff.
AnOr	Analecta Orientalia, Rom 1931 ff.
AnPraem	Analecta Praemonstratensia. Commissio historica Ordinis Praemonstratensis, Averbode/Belgien 1925 ff.

ANRW	Aufstieg und Niedergang des römischen Weltreiches. Geschichte u. Kultur Roms im Spiegel d. neueren Forschung. Hrsg. v. Hildegard Temporini u. Wolfgang Haase, Berlin, New York 1972 ff.
Antike	Die Antike. Zeitschrift für Kunst und Kultur des klassischen Altertums, Berlin 1925 ff.
Antonianum	Antonianum. Periodicum philosophico-theologicum trimestre. Editum cura professorum Pontificii Athenaei de Urbe, Rom 1926 ff.
ANVAO	Avhandlinger utgitt av Det Norske Videnskaps-Akademi i Oslo, Oslo
AnzAW	Anzeiger der (ab 48, 1947: Österreichischen) Akademie der Wissenschaften, Wien 1864 ff.
AO	Der Alte Orient, Leipzig 1899-1945
AÖG	Archiv für österreichische Geschichte, Wien 1848 ff.
AÖR	Archiv des öffentlichen Rechts, Tübingen 1886 ff.
AoF	H. Winckler, Altorientalische Forschungen, 21 Hefte, Leipzig 1893-1906
AOFM	Acta Ordinis Fratrum Minorum vel ad Ordinem quoquomodo pertinentia, I-V, Rom 1882-1886; VI ff., Quaracchi 1887 ff.
AOP	Analecta Sacri Ordinis Praedicatorum, Rom 1892 ff.
APh	Archiv für Philosophie, Stuttgart 1947 ff.
APo	Acta Pontificiae Academiae Romanae S. Thomae Aquinatis, Rom 1934 ff.
Apollinaris	Apollinaris. Commentarius iuris canonici, Rom 1928 ff.
ARC	Acta reformationis catholicae ecclesiam Germaniae concernentia saeculi XVI, ed. G. Pfeilschifter, 6 Bde., Regensburg 1959 ff.
ArchOC	Archives de l'Orient Chrétien, Bukarest 1948 ff.
ARG	Archiv für Reformationsgeschichte, (Leipzig) Gütersloh 1903 ff.
ArOr	Archiv Orientální, Prag 1929 ff.
ARPs	Archiv für Religionspsychologie und Seelenführung, Berlin 1914 ff.; Göttingen 1930 ff.
ArtB	The Art Bulletin, New York 1913 ff.
ArtQ	Art Quarterly, Detroit 1938 ff.
ArtS	L'art sacré, Paris 1935 ff.
ARW	Archiv für Religionswissenschaft, (Freiburg/Breisgau, Tübingen) Leipzig 1898 ff.
AS	Acta Sanctorum, ed. Bollandus etc., (Antwerpen, Brüssel, Tongerloo) Paris 1643 ff.; Venedig 1734 ff.; Paris 1863 ff. Neudruck Brüssel 1940 ff.
ASKG	Archiv für schlesische Kirchengeschichte, hrsg. v. K. Engelbert, I-VI, Breslau 1936-1941; VII ff., Hildesheim 1949 ff.
AslPh	Archiv für slavische Philologie, Berlin 1876 ff.
ASm	Schmalkaldische Artikel (in: BSLK)
ASNU	Acta Seminarii Neotestamentici Upsaliensis (1, 1936 bis 8, 1937 unter dem Titel: Arbeiten u. Mitteilungen aus dem Neutestamentlichen Seminar zu Uppsala), Uppsala 1936 ff.
AS OSB	J. Mabillon, Acta sanctorum ordinis S. Benedicti, 9 Bde., Paris 1668-1701; 2. Aufl., 6 Bde., Venedig 1733-1740. Neuausg. Bd. I, Mâcon 1935
ASS	Acta Sanctae Sedis, Rom 1865-1908
AST	Analecta Sacra Tarraconensia, Barcelona 1925 ff.
AstIt	Archivio storico Italiano, Florenz 1842 ff.
ATA	Alttestamentliche Abhandlungen, begonnen von J. Nikel, hrsg. von A. Schulz, Münster 1908 ff.
ATD	Das Alte Testament Deutsch, hrsg. von V. Herntrich und A. Weiser, 25 Bde., Göttingen 1951 ff.
ATG	Archivo Teológico Granadino, Granada 1938 ff.
ATh	L'année théologique, Paris 1940 ff.
AThA	L'année théologique augustinienne, Paris 1951 ff. (ab 1955: RevÉAug)
AThANT	Abhandlungen zur Theologie des Alten und Neuen Testaments, Basel - Zürich 1942 ff.
AThR	The Anglican Theological Review, Evanston/Illinois 1918 ff.
AuC	Antike und Christentum. Kultur- und religionsgeschichtliche Studien von E. J. Dölger, 6 Bde., Münster 1929-1950
AUF	Archiv für Urkundenforschung, 18 Bde., Berlin 1908-1944

Augustiniana	Augustiniana. Tijdschrift voor de studie van Sint Augustinus ed de Augustijnenorde, Leuven 1951 ff.
Aurenhammer	H. Aurenhammer, Lexikon der christlichen Ikonographie, Wien 1959 ff.
AVK	Archiv für Völkerkunde, Wien 1946 ff.
AVR	Archiv des Völkerrechts, Tübingen 1948/49 ff.

B

BA	The Biblical Archaeologist, New Haven/Connecticut 1938 ff.
BAC	Biblioteca de Autores Cristianos, Madrid 1945 ff.
BadBiogr	Badische Biographien, begründet von F. von Weech, hrsg. von A. Krieger, 6 Tle., Karlsruhe und Heidelberg 1875 ff.
Bächtold-Stäubli	Handwörterbuch des deutschen Aberglaubens, hrsg. v. H. Bächtold-Stäubli, 10 Bde., Berlin - Leipzig 1927-1942
BAKultG	Beihefte zum Archiv für Kulturgeschichte, Köln 1951 ff.
BAL	Berichte über die Verhandlungen der Sächsischen Akademie der Wissenschaften zu Leipzig (bis 71, 1, 1919: BGL), Leipzig 1846 ff.
Bardenhewer	O. Bardenhewer, Geschichte der altkirchlichen Literatur, Freiburg/Breisgau 1902 ff.; I², 1913; II², 1914; III², 1923; IV¹·², 1924; V, 1932 (unveränderter Nachdruck I-V, Darmstadt 1962)
Baring-Gould	S. Baring-Gould, Lives of the Saints, 16 Bde., 2. Aufl., Edinburgh 1914 ff.
Baronius	C. Baronius, Annales ecclesiastici, ed. Mansi, mit Fortsetzung des A. Bzovius, O. Raynald und Laderchi, 38 Bde., Lucca 1738-1759
Barth, KD	K. Barth, Die Kirchliche Dogmatik I/1, Zollikon-Zürich 1932 (1955⁷); I/2, 1938 (1948⁴); II/1, 1940 (1948³); II/2, 1942 (1948³); III/1, 1945 (1947²); III/2, 1948; III/3, 1950; III/4, 1951; IV/1, 1953; IV/2, 1955; IV/3, 1959; IV/4, 1967
Barth, PrTh	K. Barth, Die protestantische Theologie im 19. Jahrhundert. Ihre Vorgeschichte und ihre Geschichte, Zollikon Zürich 1952²; 1961³
BASOR	The Bulletin of the American Schools of Oriental Research, New Haven/Connecticut 1919 ff.
Bauer	W. Bauer, Griechisch-deutsches Wörterbuch zu den Schriften des Neuen Testaments und der übrigen urchristlichen Literatur, 5. verbesserte und stark vermehrte Aufl., Berlin 1958 (durchgesehener Nachdruck 1963)
Baumstark	A. Baumstark, Geschichte der syrischen Literatur mit Ausschluß der christlich-palästinensischen Texte, Bonn 1922
BBB	Bonner Biblische Beiträge, Bonn 1950 ff.
BBKG	Beiträge zur bayerischen Kirchengeschichte, Erlangen 1885-1925
BBLAK	Beiträge zur biblischen Landes- und Altertumskunde, Stuttgart 1878 ff.
BC	Biblischer Commentar über das Alte Testament, hrsg. von C. F. Keil und F. Delitzsch, Leipzig 1861 ff.
BdtPh	Blätter für deutsche Philosophie, Berlin 1927/28 ff.
Beck	H.-G. Beck, Kirche und theologische Literatur im byzantinischen Reich, München 1959
Bedjan	Acta martyrum et sanctorum (syriace), ed. P. Bedjan, 7 Bde., Paris 1890-1897
Benedictina	Benedictina, Rom 1947 ff.
Bénézit	E. Bénézit, Dictionnaire Critique et Documentaire des Peintres, Sculpteurs, Dessinateurs et Graveurs de Tous les Temps et de Tous les Pays par un Groupe d'Écrivains Spécialistes Français et Etrangers, 8 Bde., Paris 1948 ff. (Nouvelle édition, ebd. 1966)
BEStPh	Bibliographische Einführungen in das Studium der Philosophie, hrsg. von I. M. Bochenski, Bern 1948 ff.
BEvTh	Beiträge zur evangelischen Theologie. Theologische Abhandlungen, hrsg. von E. Wolf, München 1940 ff.; NF 1945 ff.
BFChTh	Beiträge zur Förderung christlicher Theologie, Gütersloh 1897 ff.
BGDSL	Beiträge zur Gesch. der deutschen Sprache und Literatur, Halle 1874 ff.
BGE	Beiträge zur Geschichte der neutestamentlichen Exegese, Tübingen 1955 ff.
BGL	Berichte über die Verhandlungen der Sächsischen Gesellschaft der Wissenschaften zu Leipzig (ab 71, 2, 1919: BAL), Leipzig 1846 ff.
BGPhMa	Beiträge zur Geschichte der Philosophie (ab 27, 1928-30: und Theologie) des Mittelalters, hrsg. von M. Grabmann, Münster 1891 ff.

BhEvTh	Beihefte zur Evangelischen Theologie, München 1935 ff.
BHG	Bibliotheca hagiographica graeca, ed. socii Bollandiani, Brüssel 1909²; 3 Bde., ed. F. Halkin, ebd. 1957³
BHK	Biblia Hebraica, ed. R. Kittel, Stuttgart 1951⁷
BHL	Bibliotheca hagiographica latina antiquae et medii aetatis, ed. socii Bollandiani, 2 Bde., Brüssel 1898-1901; Suppl. editio altera, ebd. 1911
BHO	Bibliotheca hagiographica Orientalis, ed. P. Peeters, Brüssel 1910
BHR	Bibliothèque d'humanisme et renaissance. Travaux et documents, Genf 1939 ff.
BHTh	Beiträge zur historischen Theologie, Tübingen 1929 ff.
Bibl	Biblica. Commentarii ad rem biblicam scientifice investigandam. Pontificium Institutum Biblicum, Rom 1920 ff.
BiblCap	Bibliotheca Scriptorum Ordinis Minorum S. Francisci Capuccinorum, Venedig 1747; Appendix 1747-1852, Rom 1852
BiblCarm	Bibliotheca Carmelitana, 2 Bde., Orléans 1752; neue Aufl. mit Suppl., hrsg. von G. Wessels, Rom 1927
BiblMiss	Bibliotheka Missionum, begonnen von R. Streit, fortgeführt von J. Dindinger, J. Rommerskirchen und J. Metzler, (Münster, Aachen) Freiburg/Breisgau - Rom 1916 ff.
BiblS	Bibliotheca Sacra, London 1843 ff.
BiblThom	Bibliothèque Thomiste, Le Saulchoir 1921 ff.
BIES	The Bulletin of the Israel Exploration Society, Jerusalem 1950 ff. (früher: BJPES)
BIFAO	Bulletin de l'Institut Français d'Archéologie, Kairo 1901 f.
Bihlmeyer-Tüchle	K. Bihlmeyer - H. Tüchle, Kirchengeschichte I: Das christliche Altertum, Paderborn 1966¹⁸; II: Das Mittelalter, 1968¹⁸; III: Die Neuzeit und die neueste Zeit, 1969¹⁸
Bijdragen	Bijdragen. Tijdschrift voor Filosofie en Theologie, Nijmegen 1938 ff.
BiKi	Bibel und Kirche. Organ des Katholischen Bibelwerkes, Stuttgart 1947 ff.
Billerbeck	(H. L. Strack und) P. Billerbeck, Kommentar zum Neuen Testament aus Talmud und Midrasch, I-IV, München 1922-1928 (Neudruck 1956); V: Rabbinischer Index, hrsg. von J. Jeremias, bearb. von K. Adolph, ebd. 1956
BiOr	Bibliotheca Orientalis, Leiden 1943 ff.
BJ	Biographisches Jahrbuch und Deutscher Nekrolog (für die Jahre 1896-1913), 18 Bde., Berlin 1897-1917
BJber	Bursians Jahresbericht über die Fortschritte der klassischen Altertumswissenschaft, Leipzig 1873 ff.
BJPES	Bulletin of the Jewish Palestine Exploration Society, Jerusalem 1933 ff. (ab 1950: BIES)
BK	Biblischer Kommentar. Altes Testament, hrsg. von M. Noth, Neukirchen-Vluyn 1955 ff.
BKV	Bibliothek der Kirchenväter, 79 Bde., Kempten 1869-1888; BKV²: Bd. 1-61, München 1911-1931; II. Reihe: Bd. 1-20, ebd. 1932-1938
BL	Bibel-Lexikon, hrsg. von H. Haag, Einsiedeln - Zürich - Köln 1951-1956 (1968²)
BLE	Bulletin de littérature ecclésiastique, Toulouse 1899 ff.
Blume	F. Blume, Gesch. der evangelischen Kirchenmusik, Kassel 1931, 2., neubearbeitete Aufl., ebd. 1965
BM	Benediktinische Monatsschrift (1877-1918: Benediktsstimmen), Beuron 1919 ff.
BMevR	Beiträge zur Missonswissenschaft und evangelischen Religionskunde, Gütersloh 1951 ff.
BMCL	Bulletin of Medieval Canon Law, Berkeley 1971 ff.
BnatBelg	Biographie nationale. Publiée par l'Académie de Belgique, Bd. 1-28, Brüssel 1866-1944; Bd. 29-32 (Suppl.), 1956-1964
BollAC	Bollettino di archeologia cristiana, hrsg. von G. B. de Rossi, Rom 1863-1894
BollStA	Bollettino Storico Agostiniano, Florenz 1924-1952
Braun	J. Braun, Tracht und Attribute der Heiligen in der deutschen Kunst, Stuttgart 1943 (unveränderter Nachdruck 1964)
BRL	Biblisches Reallexikon, hrsg. von K. Galling, Tübingen 1937
Brockelmann	C. Brockelmann, Geschichte der arabischen Literatur, 2 Bde., Leiden 1933/44²; 3 SupplBde., 1936-1942
Brown	J. D. Brown, Biographical Dictionary of Musicians, London 1886 (Nachdruck Hildesheim - New York 1970)

BS	Bibliotheca sanctorum I-XII, Rom 1961-1969
BSHPF	Bulletin de la Société de l'Histoire du Protestantisme Français, Paris 1852 ff.
BSKG	Beiträge zur sächsischen Kirchengeschichte, (Leipzig) Dresden 1882-1942
BSLK	Die Bekenntnisschriften der evangelisch-lutherischen Kirche, hrsg. vom Deutschen Evangelischen Kirchenausschuß, Göttingen 1956³
BSOAS	Bulletin of the School of Oriental (Vol. 10 ff.: and African) Studies, London 1917 ff.
BSRK	Die Bekenntnisschriften der reformierten Kirche, hrsg. von E. F. K. Müller, Leipzig 1903
BSt	Biblische Studien, Freiburg/Breisgau 1895 ff.
BSt(N)	Biblische Studien, Neukirchen-Vluyn 1951 ff.
BThAM	Bulletin de Théologie Ancienne et Médiévale, Löwen 1929 ff.
BThH	Biblisch-Theologisches Handwörterbuch zur Lutherbibel und zu neueren Übersetzungen, hrsg. von E. Osterloh und H. Engelland, Göttingen 1954
BThKG	Beiträge zur Thüringischen Kirchengeschichte, Gotha 1929-1940
BThWB	Bibeltheologisches Wörterbuch, hrsg. von J. B. Bauer, 2 Bde., Graz 1959 (1967³)
BuL	Bibel und Leben, Düsseldorf 1959 ff.
BWA(N)T	Beiträge zur Wissenschaft vom Alten (und Neuen) Testament, Leipzig 1908 ff.; Stuttgart 1926 ff.
BWGN	Biographisch Woordenboek van Protestantsche Godgeleerden in Nederland, 's Gravenhage 1919 ff.
ByZ	Byzantinische Zeitschrift, Leipzig 1892 ff.
Byz(B)	Byzantion, Brüssel 1924 ff.
BZ	Biblische Zeitschrift, Freiburg/Breisgau 1903-1929; Paderborn 1931-1939. 1957 ff.
BZAW	Beihefte zur Zeitschrift für die alttestamentliche Wissenschaft, Berlin 1896 ff.
BZfr	Biblische Zeitfragen, hrsg. von P. Heinisch und F. W. Maier, Münster 1908 ff.
BZNW	Beihefte zur Zeitschrift für die neutestamentliche Wissenschaft und die Kunde der älteren Kirche, Berlin 1923 ff.
BZThS	Bonner Zeitschrift für Theologie und Seelsorge, Düsseldorf 1924-1931

C

CA	Confessio Augustana (in: BSLK)
CahArch	Cahiers Archéologiques. Fin de l'Antiquité et Moyen âge, Paris 1945 ff.
CAR	Caritas, Freiburg/Breisgau 1896 ff.
Caspar	E. Caspar, Geschichte des Papsttums von den Anfängen bis zur Höhe der Weltherrschaft, 2 Bde., Tübingen 1930. 1933
Cath	Catholica. Jahrbuch (Vierteljahresschrift) für Kontroverstheologie, (Paderborn) Münster 1932 ff.
CathEnc	The Catholic Encyclopedia, hrsg. von Chr. Herbermann u. a., 15 Bde., New York 1907-1912; dazu Index-Bd. 1914 und Suppl.Bd,. 1922
Catholicisme	Catholicisme. Hier - Aujourd'hui - Demain. Encyclopédie, dirigée par G. Jacquemet, Paris 1948 ff.
CBE	Catholic Biblical Encyclopedia, Old and New Testament, by J. E. Steinmueller - K. Sullivan, New York 1950
CBL	Calwer Bibellexikon. In 5. Bearbeitung hrsg. von Th. Schlatter, Stuttgart 1959-1961
CBQ	The Catholic Biblical Quarterly, Washington 1939 ff.
CCathCorpus	Catholicorum, begründet von J. Greving, hrsg. (seit 1922) von A. Erhard, Münster 1919 ff.
CChr	Corpus Christianorum seu nova Patrum collectio, Turnhout - Paris 1953 ff.
CConf	Corpus Confessionum. Die Bekenntnisse der Christenheit, hrsg. von C. Fabricius, Berlin 1928 ff.
CcW	Chronik der christlichen Welt, Leipzig 1891-1917
Chalkedon	Das Konzil von Chalkedon. Geschichte und Gegenwart, hrsg. von A. Grillmeier und H. Bacht, 3 Bde., Würzburg 1951-1954 (Nachdruck mit Ergänzung 1962)

Chevalier	U. Chevalier, Répertoire des sources historiques du Moyen âge: Bio-Bibliographie, Paris 1877-1886; SupplBd. 1888; 2. Aufl., 2 Bde., 1903-1907
ChH	Church History, New York 1932 ff.
ChK	Die christliche Kunst, München 1904-1937
ChQR	The Church Quarterly Review, London 1875 ff.
CHR	The Catholic historical Review, Washington 1915 ff.
ChuW	Christentum und Wissenschaft, Desden 1925-1934
ChW	Die christliche Welt, (Leipzig, Marburg, Gotha) Leipzig 1886-1941
CIG	Corpus Inscriptonum Graecarum, 4 Bde., Berlin 1825-1877
CIJ	Corpus Inscriptonum Judaicarum, ed. J. B. Frey, Rom 1936 ff.
CIL	Corpus Inscriptonum Latinarum, Berlin 1863 ff.
CIS	Corpus Inscriptonum Semiticarum, Paris 1881 ff.
Cist	Cistercienser-Chronik, Mehrerau 1889 ff.
CivCatt	La Civiltà Cattolica, Rom 1850 ff. (1871-1887 Florenz)
CKL	Calwer Kirchenlexikon. Kirchlich-theologisches Handwörterbuch, 2 Bde., Stuttgart 1937-1941
CollFr	Collectanea Franciscana, Rom 1931 ff.
CollOCR	Collectanea ordinis Cisterciensium Reformatorum. Rom - Westmalle/Belgien 1934 ff.
CollSCarm	Collectio Scriptorum Carmelitarum Excalceatorum, 2 Bde., Savona 1884
Concilium	Concilium. Internationale Zeitschrift für Theologie, Einsiedeln - Zürich - Mainz 1965 ff.
CorpAp	J. C. Th. von Otto, Corpus Apologetarum, 9 Bde., Jena 1847-1872
CPL	Clavis Patrum Latinorum, ed. E. Dekkers, Steenbrugge 1951
CR	Corpus Reformatorum, (Braunschweig) Berlin 1834 ff.; Leipzig 1906 ff.
CSCO	Corpus scriptorum christianorum orientalium, Paris 1903 ff.
CSEL	Corpus scriptorum ecclesiasticorum latinorum, Wien 1866 ff.
CSHB	Corpus Scriptorum Historiae Byzantinae, 50 Bde., Bonn 1828-1897
CSS	Cursus Scripturae Sacrae, Paris 1884 ff.
CTom	Cienca Tomista, Madrid 1910 ff.

D

DA	Deutsches Archiv (Weimar 1937-1943: für Geschichte des Mittelalters) für Erforschung des Mittelalters, Köln - Graz 1950 ff.
DAB	Dictionary of American Biography, 21 Bde., New York 1928-1944
DACL	Dictionnaire d'archéologie chrétienne et de liturgie, hrsg. von F. Cabrol - H. Leclerq - H. Marrou, 15 Bde., Paris 1924-1953
DAFC	Dictionnaire apologétique de la foi catholique, ed. A. d'Alès, 4 Bde., Paris 1911-1922; Table analytique, 1931
Dalman	G. Dalman, Arbeit und Sitte in Palästina, 7 Bde., Gütersloh 1918-1942 (Nachdruck Hildesheim 1964)
DB	A Dictionary of the Bible, ed. J. Hastings with assistance of J. A. Selbie, 5 Bde., Edinburgh 1942-1951[8-13] (frühere Aufl. ebd. 1898 ff.; 1909 ff.)
DBF	Dictionnaire de biographie française, Paris 1933 ff.
DBI	Dizionario Biografico degli Italiani, Rom 1960 ff.
DBJ	Deutsches Biographisches Jahrbuch. Überleitungsbd. I: 1914-1916, Berlin und Leipzig 1925; Überleitungsbd. II: 1917-1920, 1928; Bd. III: 1921, 1927; Bd. IV: 1922, 1929; Bd. V: 1923, 1930; Bd. X: 1928, 1931; Bd. XI: 1929, 1932 (mehr nicht erschienen)
DBL	Dansk Biografisk Leksikon, Bd. 1-27, Kopenhagen 1933-1944
DBV	Dictionnaire de la Bible, hrsg. von F. Vigouroux, 5 Bde., Paris 1895-1912
DBVS	Dictionnaire de la Bible, Supplément, ed. L. Pirot, fortgesetzt von A. Robert (seit 1955 von H. Cazelles), I ff., Paris 1928
DCB	A Dictionary of Christian Biography, Literature, Sects and Doctrines, 4 Bde., London 1877-1887
DDC	Dictionnaire de droit canonique, 7 Bde., Paris 1935-1965
DDT	Denkmäler deutscher Tonkunst. Folge I, 65 Bde., Leipzig bzw. Augsburg 1892-1931

DE	Dizionario ecclesiastico, hrsg. von A. Mercati und A. Pelzer, 3 Bde., Turin 1953-1958
DEBl	Deutsch-Evangelische Blätter, Halle 1876-1908
De Boor	H. de Boor u. R. Newald, Gesch. der deutschen Literatur von den Anfängen bis zur Gegenwart, München 1949 ff.
Delacroix	Histoire universelle des missions catholiques, ed. S. Delacroix, 4 Bde., Paris 1956-1959
Denzinger	H. Denzinger - A. Schönmetzer, Enchiridion Symbolorum, Definitionum et Declarationum de rebus fidei et morum, Barcelona - Freiburg/Breisgau - Rom - New York 1965³³
DHGE	Dictionnaire d'histoire et de géographie ecclésiastiques, Paris 1912 ff.
Diakonia	Diakonia. Internationale Zeitschrift für Theologie, Mainz - Olten/Schweiz 1966 ff. (Fortsetzung von: Anima)
DictEnglCath	A Literary and Biographical History or Bibliographical Dictionary of the English Catholics from 1534 to the Present Time, by J. Gillow, 5 Bde., London und New York 1885-1902; neubearbeitet von H. Thurston, London 1925 ff. (Nachdruck New York 1961
Diekamp	F. Diekamp, Katholische Dogmatik nach den Grundsätzen des hl. Thomas, neubearbeitet von K. Jüssen, I, Münster 1958¹³; II, 1959¹²; III, 1962¹³
DLL	Deutsches Literatur-Lexikon. Begründet von Wilhelm Kosch. Hrsg. von Bruno Berger und Heinz Rupp. 3., völlig neubearbeitete Aufl., Bern und München 1968 ff. (I, 1968; II, 1969; III, 1971; IV, 1972)
DLZ	Deutsche Literaturzeitung, Berlin 1930 ff.
DNB	The Dictionary of National Biography, 67 Bde., London 1885-1903; Neuaufl. 22 Bde., 1908/09; Fortsetzungen, 1901-29
DomSt	Dominican Studies, Oxford 1948 ff.
Doyé	F. von Sales Doyé, Heilige und Selige der römisch-katholischen Kirche, deren Erkennungszeichen, Patronate und lebensgeschichtliche Bemerkungen, 2 Bde., Leipzig 1930
DSp	Dictionnaire de Spiritualité ascétique et mystique. Doctrine et Histoire, hrsg. von M. Viller, Paris 1932 ff.
DTB	Denkmäler der Tonkunst in Bayern (= DDT, Folge II), 30 Bde., Leipzig bzw. Augsburg 1900-1931
DTh	Divus Thomas (vor 1914: Jahrbuch für Philosophie und spekulative Theologie; ab 1954: Freiburger Zeitschrift für Theologie und Philosophie), Fribourg/Schweiz 1914-1954
DThC	Dictionnaire de théologie catholique, hrsg. von A. Vacant und E. Mangenot, fortgesetzt von E. Amann, I-XV, Paris 1903-1950; Table analytique und Tables générales XVI ff., ebd. 1951 ff.
DTÖ	Denkmäler der Tonkunst in Österreich, Wien 1894 ff.
DtPfrBl	Deutsches Pfarrerblatt, Essen 1905 ff.; NF 1949 ff.
DTT	Dansk Teologisk Tidsskrift, Kopenhagen 1938 ff.
Duhr	B. Duhr, Geschichte der Jesuiten in den Ländern deutscher Zunge I. II, Freiburg/Breisgau 1907-1913; III. IV, Regensburg 1921-1928
DVfLG	Deutsche Vierteljahresschrift für Literaturwissenschaft und Geistesgeschichte, Halle 1923 ff.
DZKR	Deutsche Zeitschrift für Kirchenrecht, Tübingen 1861-1917
DZPh	Deutsche Zeitschrift für Philosophie, Berlin 1953 ff.

E

EA	Erlanger Ausgabe der Werke M. Luthers, 1826 ff.
EB	Encyclopaedia Biblica, ed. T. K. Cheyne and J. Black, 1899-1903
EBB	Encyclopaedia biblica, thesaurus rerum biblicarum ordine alphabetico digestus, Jerusalem 1950 ff.
EBio	Enciclopedia biografica. I grandi del cattolicesimo, Rom 1955 ff.
EBrit	The Encyclopaedia Britannica, 23 Bde., dazu 1 Bd. Index und Atlas, Chicago - London - Toronto 1968
EC	Enciclopedia Cattolica, 12 Bde., Rom 1949-1954
ECarm	Ephemerides Carmelitae, Florenz 1947 ff.
EchtB	Echter-Bibel, hrsg. von F. Nötscher und K. Staab, Würzburg 1947 ff.
Eckart	Eckart. Blätter für evangelische Geistesarbeit, Berlin 1924 ff.
ECQ	The Eastern Churches Quarterly, Ramsgate 1936 ff.

EE	Estudios eclesiásticos, Madrid 1922-1936. 1942 ff.
Éfranc	Études franciscaines, Paris 1909-1940; NS 1950 ff.
ÉGr	Études Grégoriennes, Tournai 1954 ff.
ÉHPhR	Études d'histoire et de philosophie religieuses, Strasbourg 1922 ff.
EHR	English Historical Review, London 1886 ff.
Ehrismann	G. Ehrismann, Geschichte der deutschen Literatur bis zum Ausgang des Mittelalters I, München 1918 (1932²); II, 1935 (unveränderter Nachdruck 1954)
EI	Enzyklopädie des Islam, 5 Bde., Leipzig - Leiden 1913-1938
EI²	Encyclopédie de l'Islam, nouvelle édition, Leiden - Paris 1954 ff.
Eichrodt	W. Eichrodt, Theologie des Alten Testaments I, Berlin 1957⁷; II.III, 1964⁵
Eißfeldt	O. Eißfeldt, Einleitung in das Alte Testament, Tübingen 1964³
EItal	Enciclopedia Italiana di scienze, lettere ed arti, 35 Bde., Rom 1929-1937; ErgBd., 1938; Index-Bd., 1939; 2 ErgBde. (1938-1948), ebd. 1948/49
Eitner	R. Eitner, Biographisch-bibliographisches Quellen-Lexikon der Musiker und Musikgelehrten christlicher Zeitrechnung bis Mitte des 19. Jahrhunderts, 11 Bde., Graz 1959/60²
EJud	J. Klatzkin und I. Elbogen, Encyclopaedia Judaica. Das Judentum in Geschichte und Gegenwart, 10 Bde. (unvollständig: bis Lyra), Berlin 1928-1934
EKG	Evangelisches Kirchengesangbuch
EKL	Evangelisches Kirchenlexikon. Kirchlich-theologisches Wörterbuch, hrsg. von H. Brunotte und O. Weber, 3 Bde. und 1 RegBd., Göttingen 1955-1961
Elert	W. Elert, Morphologie des Luthertums, 2 Bde., München 1931 (1958³)
ELKZ	Evangelisch-lutherische Kirchenzeitung, München 1947 ff.
EMM	Evangelisches Missionsmagazin, Basel 1816-1856; NF 1857 ff.
EMZ	Evangelische Missionszeitschrift, Stuttgart 1940 ff.
EncF	Enciclopedia Filosofica, 4 Bde., Venedig - Rom 1957/58
EnchB	Enchiridion biblicum. Documenta ecclesiastic Sacram Scripturam spectantia, Rom 1961⁴
EncJud	Encyclopaedia Judaica, 16 Bde., Jerusalem 1971/72
EnEc	Enciclopedia ecclesiastica. Dir. A. Bernareggi, Mailand 1943 ff.
EO	Echos d'Orient, Paris 1897 ff.
EphLiturg	Ephemerides Liturgicae, Rom 1887 ff.
Eppelsheimer, BLW	H. W. E. Eppelsheimer, Bibliographie der deutschen Literaturwisenschaft I, Frankfurt/Main 1957; II, 1958; III, 1960; IV, 1961; V, 1963; VI, 1965
Eppelsheimer, WL	H. W. E. Eppelsheimer, Handbuch zur Weltliteratur. Von den Anfängen bis zur Gegenwart. 3. neubearbeitete und ergänzte Aufl., Frankfurt/Main 1960
ER	The Ecumenical Review, Genf 1948 ff.
ERE	Encyclopaedia of Religion and Ethics, ed. I. Hastings, 12 Bde., New York 1908-1921; 2. impr. vol. 1-12 and Index vol., Edinburgh 1925-1940 (Nachdruck 1951)
Erich-Beitl	O. A. Erich - R. Beitl, Wörterbuch der deutschen Volkskunde, Stuttgart 1955²
ErJb	Eranos-Jahrbuch, Zürich 1933 ff.
Escobar	Ordini e Congregazioni religiose, hrsg. von M. Escobar, 2 Bde., Turin 1951. 1953
ESL	Evangelisches Soziallexikon, hrsg. von F. Karrenberg, Stuttgart 1954 (1965⁴)
EstB	Estudios Bíblicos, Madrid 1929-1936. 1941 ff.
ÉtB	Études Bibliques, Paris 1907 ff.
EThLov	Ephemerides Theologicae Lovanienses, Brügge 1924 ff.
Études	Études religieuses, historiques et littéraires publiées par les pères de la Compagnie de Jésus (ab 1897: Études), Paris 1856 ff.
EuG	J. S. Ersch und J. G. Gruber, Allgemeine Enzyklopädie der Wissenschaften und Künste, 167 Bde., Leipzig 1818-1890
Euph	Euphorion. Zeitschrift für Literaturgeschichte, Heidelberg 1894 ff.
EvFr	Evangelische Freiheit, 1879-1901 (1901-1920: MkPr)
EvMiss	Die evangelischen Missionen. Illustriertes Familienblatt. Zeitschrift der Deutschen Evangelischen Missions-Hilfe, Gütersloh 1895 ff.
EvTh	Evangelische Theologie, München 1934 ff.
ExpT	The Expository Times, Edinburgh 1889 ff.

F

FBPG	Forschungen zur Brandenburgischen und Preußischen Geschichte (NF der »Märkischen Forschungen«), 55 Bde., (Leipzig) München 1888-1944
FC	Formula Concordiae (in: BSLK)
FChLDG	Forschungen zur christlichen Literatur- und Dogmengeschichte, hrsg. von A. Ehrhard und J. P. Kirsch, (Mainz) Paderborn 1900 ff.
Feine, RG	H. E. Feine, Kirchliche Rechtsgeschichte. I: Die katholische Kirche, Weimar 1988[5]
Feine, ThNT	P. Feine, Theologie des Neuen Testaments, Berlin 1951[8]
Feine-Behm	P. Feine und J. Behm, Einleitung in das Neue Testament, Heidelberg 1965[14] (völlig neu bearbeitet von W. G. Kümmel)
Fellerer	Geschichte der katholischen Kirchenmusik, hrsg. von K. G. Fellerer. I: Von den Anfängen bis zum Tridentinum, Kassel - Basel - Tours - London 1972
FF	Forschungen und Fortschritte. Korrespondenzblatt (später: Nachrichtenblatt) der deutschen Wissenschaft und Technik, Berlin 1925-1967
FGLP	Forschungen zur Geschichte und Lehre des Protestantismus, München 1927 ff.
FGNK	Th. Zahn, Forschungen zur Geschichte des neutestamentlichen Kanons und der altkirchlichen Literatur, 9 Bde., Erlangen - Leipzig 1881-1916
Fischer-Tümpel	A. Fischer - W. Tümpel, Das deutsche evangelische Kirchenlied des 17. Jahrhunderts, 6 Bde., Gütersloh 1904-1916 (Nachdruck Hildesheim 1964)
FKDG	Forschungen zur Kirchen- und Dogmengeschichte, Göttingen 1953 ff.
FKGG	Forschungen zur Kirchen- und Geistesgeschichte, Stuttgart 1932 ff.
Fliche-Martin	Histoire de l'Église depuis les origines jusqu'à nos jours, publiée sous la direction de A. Fliche et V. Martin, Paris 1935 ff.
Flórez	H. Flórez, España Sagrada. Teatro geográfico-histórico de la Iglesia de la España, 51 Bde., Madrid 1754-1879
FreibDiözArch	Freiburger Diözesan-Archiv, Freiburg/Breisgau 1865 ff.
FreibThSt	Freiburger Theologische Studien, Freiburg/Breisgau 1910 ff.
Friedberg	E. Friedberg, Lehrbuch des katholischen und evangelischen Kirchenrechts, Leipzig 1909[6]
FRLANT	Forschungen zur Religion und Literatur des Alten und Neuen Testaments, Göttingen 1903 ff.
FrSt	Franciscan Studies, St.-Bonaventure (New York) 1940 ff.
FS	Franziskanische Studien, (Münster) Werl 1914 ff.
FSThR	Forschungen zur systematischen Theologie und Religionsphilosophie, Göttingen 1955 ff.
FZThPh	Freiburger Zeitschrift für Theologie und Philosophie (vor 1914: Jahrbuch für Philosophie und spekulative Theologie; 1914-1954: Divus Thomas), Fribourg/Schweiz 1955 ff.

G

GCS	Die griechischen christlichen Schriftsteller der ersten drei Jahrhunderte, Leipzig 1897 ff.
GDV	Die Geschichtsschreiber der deutschen Vorzeit. In deutscher Bearbeitung, hrsg. von G. H. Pertz u. a., 92 Bde., Leipzig - Berlin 1949-1892; 2. Gesamtausgabe besorgt von W. Wattenbach u. a., Leipzig 1884-1940 (teilweiser Neudruck 1940)
Gebhardt - Grundmann	B. Gebhardt, Handbuch der deutschen Geschichte, 8. Aufl., völlig neu bearbeitet, hrsg. von H. Grundmann, 4 Bde., Stuttgart 1954-1963
Gerber	L. Gerber, Neues historisch-biographisches Lexikon der Tonkünstler, 4 Tle., Leipzig 1812-1814 (Nachdruck Graz 1966); Ergänzungen, Berichtigungen, Nachträge, Graz 1966
Gerbert	M. Gerbert, Scriptores ecclesiastici de musica sacra, 3 Bde., St. Blasien 1784 (Neudruck Graz 1905)
GermRev	The Germanic Review, New York 1926 ff.
Gesenius-Buhl	W. Gesenius, Hebräisches und Aramäisches Handwörterbuch über das Alte Testament, bearbeitet von F. Buhl, Leipzig 1921[17] (unveränderter Nachdruck Berlin - Göttingen - Heidelberg 1949)
Gesenius-Kautzsch	W. G.' hebräische Grammatik, völlig umgearbeitet von E. Kautzsch, Leipzig 1909[28]
GGA	Göttingische Gelehrte Anzeigen, (Berlin) Göttingen 1738 ff.

Gn	Gnomon. Kritische Zeitschrift für die gesamte klassische Altertumswissenschaft, (Berlin) München 1925 ff.
Goedeke	K. Goedeke, Grundriß zur Geschichte der deutschen Dichtung, Dresden 1884-1904²
Goodmann	A.A. Goodmann, Musik von A-Z, München 1971
Grabmann, GkTh	M. Grabmann, Die Geschichte der katholischen Theologie seit dem Ausgang der Väterzeit, Freiburg/Breisgau 1933
Grabmann, MGL	M. Grabmann, Mittelalterliches Geistesleben, 3 Bde., München 1926-1956 (Darmstadt 1966²)
Grabmann, SM	M. Grabmann, Die Geschichte der scholastischen Methode I, Freiburg/Breisgau 1909; II, ebd. 1911 (unveränderter Nachdruck Graz 1957)
Graetz	H. Graetz, Geschichte der Juden, 11 Bde., Berlin - Leipzig 1853-1870 (Neuausgabe 1923)
Graf	G. Graf, Geschichte der christlichen arabischen Literatur, 5 Bde., Rom 1944-1953
Gregorianum	Gregorianum. Commentarii de re theologica et philosophica, Rom 1920 ff.
Gregorovius	F. Gregorovius, Geschichte der Stadt Rom im Mittelalter, 8 Bde., Stuttgart 1859-1872; 7. Aufl. von F. Schillmann, Dresden 1926 ff.
Grove	Grove's Dictionary of Music and Musicians, ed. E. Blom, 9 Bde., London 1954⁵; Supplementary Volume to the Fifth Edition, ebd. 1961
GThT	Gereformeerd Theologisch Tijdschrift, Kampen 1900 ff.
GuG	Glaube und Gewissen. Eine protestantische Monatsschrift, Halle/Saale 1955 ff.
GuL	Geist und Leben. Zeitschrift für Aszese und Mystik (bis 1947: ZAM), Würzburg 1947 ff.
GWU	Geschichte in Wissenschaft und Unterricht, Stuttgart 1950 ff.

H

Haag	Émile und Eugène Haag, La France protestante, ou Vies des protestants qui s'ont fait un nom dans l'histoire depuis les premiers temps de la Réformation jusqu'à la reconnaissance du principe de la liberté des cultes par l'Assemblée nationale, 10 Bde., Paris 1846-1859 (2. Aufl., bearbeitet von H. Bordier und A. Bernus, 5 Bde., [nur bis zum Buchstaben G], 1877 f.)
Haller	J. Haller, Das Papsttum, 5 Bde., 2., verbesserte und ergänzte Aufl., Stuttgart 1950-1953
Hallinger	K. Hallinger, Gorze-Kluny. Studien zu den monastischen Lebensformen und ihren Gegensätzen im Hochmittelalter, 2 Bde., Rom 1950/51
HAOG	A. Jeremias, Handbuch der altorientalischen Geisteskultur, Berlin 1929²
Harnack, DG	A. von Harnack, Lehrbuch der Dogmengeschichte, 3 Bde., Tübingen 1909/10⁴ (= 1931/32⁵)
Harnack, Lit	A. von Harnack, Geschichte der altchristlichen Literatur, 3 Bde., Leipzig 1893-1904 (1958²)
Harnack, Miss	A. von Harnack, Die Mission und Ausbreitung des Christentums in den ersten drei Jahrhunderten, Leipzig 1902 (2 Bde., 1906²; 1923⁴)
HAT	Handbuch zum Alten Testament, hrsg. von O. Eißfeldt, Tübingen 1934 ff.
Hauck	A. Hauck, Kirchengeschichte Deutschlands, Leipzig, I, 1952⁷; II, 1952⁶; III, 1952⁶; IV, 1953⁶; V, 1953⁵ (Nachdruck 1958)
HAW	Handbuch der Altertumswissenschaft, begründet von I. von Müller, neu hrsg. von W. Otto, München 1925 ff. (Neuaufl. 1955 ff.)
HB	E. Hübner, Bibliographie der klassischen Altertumswissenschaft, Berlin 1889²
HBLS	Historisch-Biographisches Lexikon der Schweiz, 7 Bde., Neuenburg 1921-1934
Hdb. z. EKG	Handbuch zum Evangelischen Kirchengesangbuch, hrsg. von Ch. Mahrenholz und O. Söhngen. II/1: Lebensbilder der Liederdichter und Melodisten, bearbeitet von W. Lueken, Göttingen 1957
HDEK	Handbuch der deutschen evangelischen Kirchenmusik, Göttingen 1935 ff.
HDG	Handbuch der Dogmengeschichte, hrsg. von M. Schmaus, J. Geiselmann und A. Grillmeier, Freiburg/Breisgau 1951 ff.
HdKG	Handbuch der Kirchengeschichte, hrsg. von H. Jedin, 6 Bde., Freiburg/Breisgau - Basel - Wien 1962 ff.
Hefele	C. J. von Hefele, Conciliengeschichte, 9 Bde. (VIII.IX, hrsg. von J. Hergenröther), Freiburg/Breisgau 1855-1890 (I-VI², 1873-1890)
Hefele-Leclerq	Histoire des conciles d'après les documents originaux, par Ch. J. Hefele. Traduite par H. Leclerq, I-IX, Paris 1907 ff.
Heimbucher	M. Heimbucher, Die Orden und Kongregationen der katholischen Kirchen, 3. Aufl., 2 Bde., Paderborn 1933/34

Hélyot	P. Hélyot, Dictionnaire des Ordres Religieux, publiée par J. P. Migne, 4 Bde., Paris 1847-1859 (Neuaufl. von 1714-1719, 8 Bde.)
HEM	A History of the Ecumenical Movement 1517-1948, hrsg. von R. Rouse und St. Ch. Neill, London 1954 (dt. Göttingen 1956)
Hennecke	Neutestamentliche Apokryphen in deutscher Übersetzung, hrsg. von E. Hennecke, Tübingen 1924²; 3. Aufl., hrsg. von W. Schneemelcher, 2 Bde., Tübingen 1959-1964
HerKorr	Herder-Korrespondenz, Freiburg/Breisgau 1946 ff.
Hermelink	H. Hermelink, Das Christentum in der Menschheitsgeschichte von der Französischen Revolution bis zur Gegenwart, 3 Bde., Stuttgart - Tübingen 1951-1955
Hermes	Hermes. Zeitschrift für klassische Philologie, Berlin 1866 ff.
HGR	Histoire Générale des Religions, 5 Bde., Paris 1948-1952
HibJ	The Hibbert Journal. A quarterly review of religion, theology and philosophy, London 1902 ff.
Hinschius	P. Hinschius, Das Kirchenrecht der Katholiken und Protestanten in Deutschland, 6 Bde., Berlin 1869-1897
Hirsch	E. Hirsch, Geschichte der neueren evangelischen Theologie im Zusammenhang mit den allgemeinen Bewegungen des europäischen Denkens, 5 Bde., Gütersloh 1949-1954
HIsl	Handwörterbuch des Islam, hrsg. von A. J. Wensinck und J. H. Kramers, Leiden 1941
HistLittFrance	Histoire littéraire de la France, I-XII, hrsg. von den Maurinern, Paris 1733-1763; XIII-XXXVI, hrsg. vom Institut de France, ebd. 1814-1927; I-XXIX, Neudruck, ebd. 1865 ff.
HistSJ	N. Orlandini, F. Sacchini, J. Jouvancy, J. C. Cordara, Historia Societatis Jesu, Rom 1614-1859
HJ	Historisches Jahrbuch der Görres-Gesellschaft, Köln 1880 ff.; München - Freiburg/Breisgau 1950 ff.
HK	Handkommentar zum Alten Testament, hrsg. von W. Nowack, Göttingen 1892-1929
HKG	Handbuch der Kirchengeschichte, hrsg. von G. Krüger, 4 Bde., Tübingen 1923-1931²
HLitW	Handbuch der Liturgiewissenschaft, hrsg. von A.-G. Martimor, 2 Bde., Freiburg/Breisgau 1963-1965
HLW	Handbuch der Literaturwissenschaft, hrsg. von O. Walzel, Wildpark-Potsdam 1923 ff.
HN	H. Hurter, Nomenclator literarius theologiae catholicae, 3. Aufl., 6 Bde., Innsbruck 1903-1913 (I⁴, hrsg. von F. Pangerl, 1926)
HNT	Handbuch zum Neuen Testament, begründet von H. Lietzmann, jetzt hrsg. von G. Bornkamm, 23 Abteilungen, Tübingen 1906 ff.
HO	Handbuch der Orientalistik, hrsg. von B. Spuler, Leiden - Köln 1948 ff.
Hochland	Hochland. Monatsschrift für alle Gebiete des Wissens, der Literatur und Kunst, Kempten - München 1903 ff.
Hochweg	Der Hochweg. Ein Monatsblatt für Leben und Wirken, Berlin 1913 ff.
Holl	K. Holl, Gesammelte Aufsätze zur Kirchengeschichte. I: Luther, Tübingen 1921 (1932⁶ = 1948⁷); II: Der Osten, ebd. 1927/28; III: Der Westen, ebd. 1928
Holweck	F. G. Holweck, A Biographical Dictionary of the Saints, with a general introduction on hagiology, London 1924
Honegger	M. Honegger, Dictionnaire de la Musique, 2 Bde., Bordas 1970
HPBl	Historisch-politische Blätter für das katholische Deutschland, 171 Bde., München 1838-1923
HPh	Handbuch der Philosophie, hrsg. von A. Baeumler und M. Schröter, Berlin 1927 ff.
HPTh	Handbuch der Pastoraltheologie, hrsg. von F. X. Arnold - K. Rahner - V. Schurr - L. M. Weber, Freiburg/Breisgau 1964 ff.
HRW(L)	Handbuch der Religionswissenschaft, hrsg. von J. Leipoldt, Berlin 1922
HRW(M)	Handbuch der Religionswissenschaft, hrsg. von G. Mensching, Berlin 1948 ff.
HS	Hispania Sacra, Madrid 1948 ff.
HStud	Historische Studien, hrsg. von E. Ebering, Berlin 1896 ff.
HThK	Herders Theologischer Kommentar zum Neuen Testament, hrsg. von A. Wilkenhauser - A. Vögtle, Freiburg/Breisgau 1953 ff.
HThR	The Harvard Theological Review, Cambridge/Massachusetts 1908 ff.
HUCA	Hebrew Union College Annual, Cincinnati 1914 ff.
Hutten	K. Hutten, Seher - Grübler - Enthusiasten und religiöse Sondergemeinschaften der Gegenwart, Stuttgart 1966¹⁰ (1968¹¹)
HV	Historische Vierteljahresschrift, Leipzig 1898-1937

HZ	Historische Zeitschrift, München 1859 ff.

I

ICC	The International Critical Commentary of the Holy Scriptures of the Old and New Testament, Edinburgh - New York 1895 ff.
IEJ	Israel Exploration Journal, Jerusalem 1950 ff.
IKZ	Internationale Kirchliche Zeitschrift, Bern 1911 ff.
IM	Die Innere Mission. Monatsblatt des Central-Ausschusses für die Innere Mission der deutschen evangelischen Kirche (früherer Titel: Die Innere Mission im evangelischen Deutschland), 1906 ff.
IQ	Islamic Quarterly, London 1954 ff.
Irénikon	Irénikon, Chevetogne 1926 ff.
IRM	International Review of Missions, Edinburgh 1912 ff.
Istina	Istina, Boulogne-sur-Seine 1954 ff.
IThQ	The Irish Theological Quarterly, Dublin 1906-1922. 1951 ff.
IZBG	Internationale Zeitschriftenschau für Bibelwissenschaft und Grenzgebiete, Stuttgart - Düsseldorf 1952 ff.

J

JAA	Jaarboek der koninklijke nederlands(ch)e Akademie van Wetenschappen. Amsterdam
JAC	Jahrbuch für Antike und Christentum, Münster 1958 ff.
Jacobs	Reformierte Bekenntnisschriften und Kirchenordnungen in deutscher Übersetzung. Bearbeitet und hrsg. von P. Jacobs, Neukirchen-Vluyn 1950
Jaffé	Ph. Jaffé, Regesta pontificum Romanorum ab condita ecclesia ad annum 1198, Leipzig 1851; 2. Aufl., 2 Bde., 1881-1888 (Nachdruck Graz 1956)
JAOS	The Journal of the American Oriental Society, New Haven 1843 ff.
JB	Theologischer Jahresbericht, 1866-1875
JBL	Journal of Biblical Literature, published by the Society of Biblical Literature and Exegesis, Boston 1881 ff.
JBR	The Journal of Bible and Religion, Brattleboro/Vermont 1933 ff.
JBrKG	Jahrbuch für brandenburgische Kirchengeschichte, Berlin 1906-1941
JDAI	Jahrbuch des Deutschen Archäologischen Instituts (Beiblatt: Archäologischer Anzeiger), Berlin 1886 ff.
JDTh	Jahrbücher für deutsche Theologie, Stuttgart 1856-1878
JEA	The Journal of Egyptian Archaeology, London 1914 ff.
Jedin	H. Jedin, Geschichte des Konzils von Trient I, Freiburg/Breisgau 1951²; II, ebd. 1957
JEH	The Journal of Ecclesiastical History, London 1950 ff.
JewEnc	The Jewish Encyclopedia, 12 Bde., New York - London 1901-1906
JGNKG	Jahrbuch der Gesellschaft für niedersächsische Kirchengeschichte, Göttingen 1941 ff. (1896-1941: ZGNKG)
JGPrÖ	Jahrbuch der Gesellschaft für die Geschichte des Protestantismus in Österreich, Wien 1880 ff.
JJS	The Journal of Jewish Studies, London 1948 ff.
JK	Junge Kirche. Evangelische Kirchenzeitung, (Oldenburg) Dortmund 1933 ff.
JLH	Jahrbuch für Liturgik und Hymnologie, Kassel 1955 ff.
JLW	Jahrbuch für Liturgiewissenschaft, Münster 1921-1941 (jetzt: ALW)
JNES	Journal of Near Eastern Studies, Chicago 1942 (früher: AJSL)
Jöcher	Allgemeines Gelehrten-Lexicon, hrsg. von Chr. G. Jöcher, I-IV, Leipzig 1750/51; Fortsetzung und Ergänzung von J. Chr. Adelung, fortgesetzt von W. Rotermund, I-VI, 1784-1819; VII, hrsg. von O. Günther, 1897
JPOS	The Journal of the Palestine Oriental Society, Jerusalem 1920 ff.
JpTh	Jahrbücher für protestantische Theologie, (Leipzig, Freiburg/Breisgau) Braunschweig 1875-1892
JQR	The Jewish Quarterly Review, Philadelphia 1888 ff.

JR	The Journal of Religion, Chicago 1921 ff.
JRAS	Journal of the Royal Asiatic Society of Great Britain and Ireland, London 1833 ff.
JSOR	Journal of the Society of Oriental Research, Chicago 1917-1932; Madras 1936 ff.
JSS	Journal of Semitic Studies, Manchester 1956 ff.
JThS	The Journal of Theological Studies, Oxford 1900 ff.
Judaica	Judaica. Beiträge zum Verständnis des jüdischen Schicksals in Vergangenheit und Gegenwart, Zürich 1945 ff.
JüdLex	Jüdisches Lexikon. Ein enzyklopädisches Handbuch des jüdischen Wissens, begründet von G. Herlitz und B. Kirschner, 4 Bde., Berlin 1927-1930
Jugie	M. Jugie, Theologia dogmatica Christianorum orientalium ab ecclesia catholica dissidentium I-V, Paris 1926-1935

K

KÅ	Kyrhohistorisk Årsskrift, Uppsala 1900 ff.
Kairos	Kairos. Zeitschrift für Religionswissenschaft und Theologie, Salzburg 1959 ff.
KantSt	Kant-Studien. Philosophische Zeitschrift, begründet von H. Vaihinger, Berlin 1896 ff.; Leipzig 1938 ff.
KAT	Kommentar zum Alten Testament, hrsg. von E. Sellin, Leipzig 1913 ff.
KatBl	Katechetische Blätter. Kirchliche Jugendarbeit. Zeitschrift für Religionspädagogik und Jugendarbeit, München 1875 ff.
KathMiss	Die katholischen Missionen. Zeitschrift des Päpstlichen Werkes der Glaubensverbreitung, Freiburg/Breisgau 1873 ff.
Katholik	Der Katholik. Zeitschrift für katholische Wissenschaft und kirchliches Leben, Mainz 1821 ff.
Kautzsch, AP	Die Apokryphen und Pseudepigraphen des Alten Testaments, übersetzt und hrsg. von E. Kautzsch, 2 Bde., Tübingen 1900 (Neudruck 1921. 1929²)
Kautzsch, HSAT	Die Heilige Schrift des Alten Testaments, übersetzt von E. Kautzsch. 4., umgearbeitete Aufl., hrsg. von A. Bertholet, 2 Bde., Tübingen 1922. 1923
Kehrein	J. Kehrein, Katholische Kirchenlieder, Hymnen, Psalmen. Aus den ältesten deutschen gedruckten Gesang- und Gebetbüchern I-IV, Würzburg 1859-1865 (Nachdruck Hildesheim 1965)
KGA	Kirchengeschichtliche Abhandlungen, Breslau 1902 ff.
KH	Kirchliches Handbuch für das katholische Deutschland, (Freiburg/Breisgau) Köln 1907 ff.
KHC	Kurzer Hand-Commentar zum Alten Testament, hrsg. von K. Marti, Tübingen 1897 ff.
KiG	Die Kirche in ihrer Geschichte. Ein Handbuch, hrsg. von K. D. Schmidt - E. Wolf, Göttingen 1961 ff.
Kirch-Ueding	C. Kirch - L. Ueding, Enchiridion, fontium historiae ecclesiastique antiquae, Freiburg/Breisgau 1966⁹
Kittel	R. Kittel, Geschichte des Volkes Israel I, Gotha - Stuttgart 1923⁵⁻⁶; II, 1925⁶; III/1-2, Stuttgart 1927-1929²
KJ	Kirchliches Jahrbuch für die evangelische Kirche in Deutschland, Gütersloh 1873 ff.
KLL	Kindlers Literatur Lexikon, 7 Bde., Zürich 1965-1972; ErgBd. 1974
Kl. Pauly	Der kleine Pauly. Lexikon der Antike, bearbeitet und hrsg. von K. Ziegler und W. Sontheimer, Stuttgart 1964 ff.
KmJb	Kirchenmusikalisches Jahrbuch, Köln 1886 ff.
KML	Kindlers Malerei Lexikon, 6 Bde., Zürich 1964-1971
KNT	Kommentar zum Neuen Testament, hrsg. von Th. Zahn, 18 Bde., Leipzig 1903 ff.
Koch	E. E. Koch, Geschichte des Kirchenlieds und Kichengesangs, 3. Aufl., 8 Bde., Stuttgart 1866-1876
Koch, JL	L. Koch, Jesuitenlexikon. Die Gesellschaft Jesu einst und jetzt, Paderborn 1934 (Nachdruck mit Berichtigung und Ergänzung, 2 Bde., Löwen - Heverlee 1962)
Köhler	L. Köhler, Theologie des Alten Testaments, Tübingen 1966⁴
Körner	J. Körner, Bibliographisches Handbuch des deutschen Schrifttums, Bern 1949³ (völlig umgearbeitet und wesentlich vermehrt)

Kosch, KD	Das Katholische Deutschland. Biographisch-bibliographisches Lexikon von W. Kosch, Augsburg 1930-1938
Kosch, LL	Deutsches Literatur-Lexikon. Biographisches und bibliographisches Handbuch von W. Kosch, 2., vollständig neubearbeitete und stark vermehrte Aufl., 4 Bde., Bern 1949-1958
KRA	Kirchenrechtliche Abhandlungen, Stuttgart 1902 ff.
Kraus	H.-J. Kraus, Geschichte der historisch-kritischen Erforschung des Alten Testaments von der Reformation bis zur Gegenwart, Neukirchen-Vluyn 1956 (1969²)
Krumbacher	K. Krumbacher, Geschichte der Byzantinischen Literatur, München 1890; 2. Aufl. unter Mitwirkung von A. Ehrhard und H. Gelzer, ebd. 1897
KStuT	Kanonistische Studien und Texte, hrsg. von A. M. Koeninger, Bonn 1928 ff.
KuD	Kerygma und Dogma. Zeitschrift für theologische Forschung und kirchliche Lehre, Göttingen 1955 ff.
Kümmerle	Encyclopädie der evangelischen Kirchenmusik. Bearbeitet und hrsg. von S. Kümmerle, 4 Bde., Gütersloh 1888-1895
Künstle	K. Künstle, Ikonographie der Heiligen, Freiburg/Breisgau 1926
Kürschner, GK	Kürschners Deutscher Gelehrten-Kalender, Berlin 1925 ff.
Kürschner, LK	Kürschners Deutscher Literatur-Kalender, Berlin 1878 ff.

L

Landgraf	A. M. Landgraf, Dogmengeschichte der Frühscholastik, I/1-IV/2, Regensburg 1952-1956
Latourette	K. S. Latourette, A History of the Expansion of Christianity, 7 Bde., New York - London 1937-1945
LB	Lexikon zur Bibel, hrsg. von F. Rienecker, Wuppertal 1960
LChW	The Lutheran Churches of the World, ed. A. R. Wentz, Genf 1952
Leiturgia	Leiturgia. Handbuch des evangelischen Gottesdienstes, hrsg. von K. F. Müller und W. Blankenburg, 3 Bde., Kassel 1952-1956
LexCap	Lexicon Capuccinum. Promptuarium Historico-Bibliographicum (1525-1590), Rom 1951
LexP	Hans Kühner, Lexikon der Päpste, Zürich - Stuttgart 1956
LF	Liturgiegeschichtliche Forschungen, Münster 1918 ff.
LibPont	Liber pontificalis, ed. L. Duchesne, 2 Bde., Paris 1886-1892 (Neudruck ebd. 1955); III, ed. C. Vogel, ebd. 1957
Lichtenberger	Encyclopédie des sciences religieuses, publiée sous la direction de F. Lichtenberger, 13 Bde., Paris 1877-1882
Lietzmann	H. Lietzmann, Geschichte der alten Kirche. I, Berlin 1937² (= 1953³); II-IV, 1936-1944 (= 1953²)
LitHandw	Literarischer Handweiser, (Münster) Freiburg/Breisgau 1863 ff.
LJ	Liturgisches Jahrbuch, Münster 1951 ff.
LM	Lexikon der Marienkunde, hrsg. von K. Algermissen u. a., I (Aachen bis Elisabeth von Thüringen), Regensburg 1957-1967
LML	Luther. Mitteilungen der Luthergesellschaft, (Leipzig) Berlin 1919 ff.
Loofs	F. Loofs, Leitfaden zum Studium der Dogmengeschichte, hrsg. von K. Aland, 2 Bde., Halle 1951-1953⁵
Lortz	J. Lortz, Die Reformation in Deutschland, 2 Bde., Freiburg/Breisgau 1939/40 (1965⁵)
LPäd(B)	Lexikon der Pädagogik, 3 Bde., Bern 1950-1952
LexPäd(F)	Lexikon der Pädagogik, 4 Bde., Freiburg/Breisgau 1952-1955; ErgBd. 1964
LQF	Liturgiegeschichtliche Quellen und Forschungen, Münster 1909-1940. 1957 ff.
LR	Lutherische Rundschau. Zeitschrift des Lutherischen Weltbundes, Stuttgart 1951 ff.
LS	Lebendige Seelsorge. Zeitschrift für alle Fragen der Seelsorge, Freiburg/Breisgau 1950 ff.
LSB	La sainte Bible, hrsg. von der École Biblique de Jérusalem, Paris 1948 ff.
LThK	Lexikon für Theologie und Kirche. Begründet von Michael Buchberger. 2., völlig neu bearbeitete Aufl. Hrsg. von Josef Höfer und K. Rahner, 10 Bde., Freiburg/Breisgau 1957-1966; ErgBd. 1967

LThKVat	Lexikon für Theologie und Kirche. Das Zweite Vatikanische Konzil. Konstitutionen, Dekrete und Erklärungen, lateinischer und deutscher Kommentar, hrsg. von H. S. Brechter - B. Häring - J. Höfer - H. Jedin - J. A. Jungmann - K. Mörsdorf - K. Rahner - J. Ratzinger - K. Schmidthüs - J. Wagner, 3 Tle., Freiburg/Breisgau 1966 ff.
LUÅ	Lunds Universitets Årsskrift, Lund
LuJ	Luther-Jahrbuch. Jahrbuch der Luther-Gesellschaft (seit 1971: Organ der internationalen Lutherforschung), (Leipzig - Wittenberg - München - Amsterdam - München - Weimar -Gütersloh - Berlin - Hamburg) Göttingen 1919 ff.
LuM	Liturgie und Mönchtum. Laacher Hefte, (Freiburg/Breisgau) Maria Laach 1948 ff.
LumVitae	Lumen Vitae. Revue internationale de la formation religieuse, Brüssel 1946 ff.
Luthertum	Luthertum (= NF der NKZ), Leipzig 1934-1942
LVTL	L. Koehler - W. Baumgartner, Lexicon in Veteris Testamenti libros, Leiden 1948-1953
LZ	Literarisches Zentralblatt für Deutschland, Leipzig 1850 ff.

M

MALe	Moyen âge. Revue d'histoire et de philologie, Paris 1888
MAA	Medede(e)lingen der koninklijke nederlands(ch)e Akademie van Wetenschappen, Amsterdam
MAB	Mémoires de l'Académie Royale de Langue et de Littérature Fançaise de Belgique, Brüssel
Mai	A. Mai, Scriptorum veterum nova collectio e vaticanis codicibus edita, 10 Bde., Rom 1825-1838
Manitius	M. Manitius, Geschichte der lateinischen Literatur des Mittelalters I, München 1911; II, 1923; III, 1931
Mann	H. K. Mann, The Lives of the Popes in the Early Middle Ages from 590 to 1304, 18 Bde., London 1902-1932
Mansi	J. D. Mansi, Sacrorum conciliorum nova et amplissima collectio, 31 Bde., Florenz - Venedig 1757-1798. - Neudruck und Fortsetzung unter dem Titel: Collectio conciliorum recentiorum ecclesiae universae, 60 Bde., Paris 1899-1927
MAOG	Mitteilungen der Altorientalischen Gesellschaft, Leipzig 1925 ff.
Mar	Marianum, Rom 1939 ff.
Maria	Maria. Études sur la Sainte Vierge, sous la direction d'H. Du Manoir, 4 Bde., Paris 1949-1956
MartFr	Martyrologium Franciscanum, Rom 1938
MartHier	Martyrologium Hieronymianum, ed. H. Quentin - H. Delehaye, Brüssel 1931
MartRom	Martyrologium Romanum, ed. H. Delehaye, Brüssel 1940
Mausbach-Ermecke	J. Mausbach - G. Ermecke, Katholische Moraltheologie I, Münster 1959[9]; II, 1959[11]; III, 1961[10]
MBP	Maxima Bibliotheca veterum Patrum et antiquorum scriptorum ecclesiasticorum, hrsg. von den Theologen der Kölner Universität, 27 Bde., Lyon 1677-1707
MBTh	Münsterische Beiträge zur Theologie, Münster 1923 ff.
MDAI	Mitteilungen des Deutschen Archäologischen Instituts, Römische Abteilung, München 1886 ff.
MdKI	Materialdienst des Konfessionskundlichen Instituts, Bensheim 1950 ff.
MDOG	Mitteilungen der Deutschen Orientgesellschaft zu Berlin, Berlin 1898-1943
MennEnc	The Mennonite Encyclopedia, 4 Bde., Hillsboro/Kansas - Newton/Kansas - Scottdale/Pennsylvanien 1955-1959
MennLex	Mennonitisches Lexikon I, Frankfurt/Main und Weierhof/Pfalz 1913; II, ebd. 1937; III, Karlsruhe 1958; IV (Saarburg - Wyngaard), ebd. 1959-1966
Meulemeester	M. de Meulemeester, Bibliographie générale des écrivains rédemptoristes, 3 Bde., Louvain 1933-1939
Meusel	J. G. Meusel, Das Gelehrte Teutschland oder Lexikon der jetzt lebenden teutschen Schriftsteller, 23 Bde., Lemgo 1796-1834 (ab Bd. 13 auch unter dem Titel: Das Gelehrte Teutschland im 19. Jahrhundert, Bd. 1 ff.)
Meyer, KNT	Kritisch-exegetischer Kommentar über das Neue Testament, begründet von H. A. W. Meyer, 16 Bde., Göttingen 1832 ff.
Mf	Die Musikforschung, Kassel und Basel 1948 ff.
MfM	Monatshefte für Musikgeschichte, Leipzig 1869 ff.

MFr	Miscellanea francescana, Rom 1886 ff.
MG	Monumenta Germanicae historica inde A.C. 500 usque ad 1500, Hannover - Berlin 1826 ff.
MG AA	MG Auctores antiquissimi
MG Cap	MG Capitularia
MG Conc	MG Concilia
MG Const	MG Constitutiones
MG DD	MG Diplomata Karolinum
MG Epp	MG Epistolae selectae
MG Liblit	MG Libelli de lite
MG LL	MG Leges
MG Necr	MG Necrologia
MG PL	MG Poetae Latini
MG SS	MG Scriptores
MG SS rer. Germ.	MG SS rerum Germanicarum
MG SS rer. Merov.	MG SS rerum Merovingicarum
MG SS rer. Lang.	MG SS rerum Langobardicarum
MGG	Die Musik in Geschichte und Gegenwart. Allgemeine Enzyklopädie der Musik, hrsg. von F. Blume, 14 Bde., Kassel - Basel - Paris - London - New York 1949-1968; XV: Supplement A-D, 1973
MGkK	Monatsschrift für Gottesdienst und kirchliche Kunst, Göttingen 1896-1940
MGWJ	Monatsschrift für Geschichte und Wissenschaft des Judentums, Beslau 1851 ff.
MHSI	Monumenta Historica Societatis Iesu, Madrid 1894 ff.; Rom 1932 ff.
MIC	Monumenta Iuris canonici, Roma 1965 ff.
MIÖG	Mitteilungen des Instituts für österreichische Geschichtsforschung, (Innsbruck) Graz - Köln 1880 ff.
MIOr	Mitteilungen des Instituts für Orientforschung, hrsg. von F. Hintze, Berlin 1953 ff.
Mirbt	C. Mirbt, Quellen zur Geschichte des Papsttums und des römischen Katholizismus, Tübingen 1924[4] = 1934[5]
MkPr	Monatsschrift für die kirchliche Praxis, Tübingen 1901-1920
MNDPV	Mitteilungen und Nachrichten des Deutschen Palästinavereins, Leipzig 1878 ff.
MO	Le Monde Oriental. Archives pour l'histoire et l'ethnographie, les langues et littératures, religions et traditions de l'Europe orientale et de l'Asie, Uppsala - Leipzig 1906 ff.
MOP	Monumenta ordinis Fratrum Praedicatorum historica, ed. B. M. Reichert, 14 Bde., Rom 1896-1904; Fortsetzung Paris 1931 ff.
Moser	H. J. Moser, Musiklexikon, 2 Bde., Hamburg 1955[4]; ErgBd. 1963
MPG	J. P. Migne, Patrologiae cursus completus, series Graeca, 161 Bde., Paris 1857-1866
MPL	J. P. Migne, Patrologiae cursus completus, series Latina, 217 Bde. und 4 Erg. Bde., Paris 1878-1890
MPTh	Monatsschrift für Pastoraltheologie zur Vertiefung des gesamten pfarramtlichen Wirkens, Berlin 1904 ff.
MRS	Mediaeval and Renaissance Studies, London 1949 ff.
MS	Mediaeval Studies, hrsg. vom Pontifical Institute of Mediaecal Studies, Toronto - London 1939 ff.
MSR	Mélanges de science religieuse, Lille 1944 ff.
MStHTh	Münchener Studien zur historischen Theologie, (Kempten) München 1921-1937
MThS	Münchener Theologische Studien, München 1950 ff.
MThZ	Münchener Theologische Zeitschrift für das Gesamtgebiet der katholischen Theologie, München 1950 ff.
MuA	Musik und Altar. Zeitschrift für die katholischen Priester und Kirchenmusiker, Freiburg/Breisgau 1948/49 ff.
MuG	Musik und Gottesdienst. Zeitschrift für evangelische Kirchenmusik, Zürich 1947 ff.
MuK	Musik und Kirche, Kassel 1929 ff.
MuSa	musica sacra. Cäcilien-Verbands-Organ für die deutschen Diözesen im Dienste des kirchenmusikalischen Apostolats, Regensburg - Bonn - Köln 1868 ff.

Muséon	Le Muséon. Revue d'Études Orientales, Löwen 1831 ff.
MWAT	Missionswissenschaftliche Abhandlungen und Texte. Veröffentlichungen des internationalen Instituts für missionswissenschaftliche Forschungen, hrsg. von Th. Ohm, Münster 1917 ff.

N

NA	Neues Archiv der Gesellschaft für ältere deutsche Geschichtskunde zur Beförderung einer Gesamtausgabe der Quellenschriften deutscher Geschichte des Mittelalters, Hannover 1876 ff. (ab 1937: DA)
NAG	Nachrichten von der (ab 1945: der) Akademie der Wissenschaften in Göttingen (bis 1940: NGG), Göttingen 1941 ff.
NAKG	Nederlandsch Archief voor Kerkgeschiedenis, Leiden 1829 ff.; 's Gravenhage 1885 ff.
NAMZ	Neue Allgemeine Missionszeitschrift, Gütersloh 1924-1939
NBG	Nouvelle biographie générale, 46 Bde., Paris 1857-1866
NBL	Norsk Biografisk Leksikon, Kristiania 1923 ff.
NC	La Nouvelle Clio. Revue mensuelle de la découverte historique, Brüssel 1947 ff.
NDB	Neue Deutsche Biographie, Berlin 1953 ff.
NedThT	Nederlands theologisch Tijdschrift, Wageningen 1946 ff.
NELKB	Nachrichten der Evangelisch-Lutherischen Kirche in Bayern, München 1946 ff.
Nelle	W. Nelle, Geschichte des deutschen evangelischen Kirchenliedes, Leipzig 1928[3]
NewCathEnc	New catholic encyclopedia, New York 1, 1967 ff.
NGG	Nachrichten von der Gesellschaft der Wissenschaften zu Göttingen (ab 1941: NAG), Berlin 1845-1940
NHC	Nag Hammadi Codex, Leiden 1975 ff.
Niesel, BS	Bekenntnisschriften und Kirchenordnungen der nach Gottes Wort reformierten Kirche, hrsg. von W. Niesel, München 1938 (Zürich 1945[2])
Niesel, Symb	W. Niesel, Das Evangelium und die Kirchen. Ein Lehrbuch der Symbolik, Neukirchen-Vluyn, 1960[2]
NKZ	Neue kirchliche Zeitschrift, Leipzig 1890-1933
NNBW	Nieuw Nederlandsch Biographisch Woordenboek, 10 Bde., Leiden 1911 ff.
NÖB	Neue Österreichische Biographie 1815-1918, Wien 1923 ff.
Noth	M. Noth, Geschichte Israels, 1959[4] = 1956[3] = 1954[2]
NovTest	Novum Testamentum. An international quarterly for New Testament and related studies, Leiden 1956 ff.
NRTh	Nouvelle Revue Théologique, Tournai - Löwen - Paris 1869 ff.
NTA	Neutestamentliche Abhandlungen, Münster 1909 ff.
NTD	Das Neue Testament Deutsch, hrsg. von P. Althaus - J. Behm (Neues Göttinger Bibelwerk), Göttingen 1932 ff.
NThT	Nieuw Theologisch Tijdschrift, Haarlem 1912-1944/46
NTL	Norsk Teologisk Leksikon
NTS	New Testament Studies, Cambridge - Washington 1954 ff.
NTT	Nors Theologisk Tidsskrift, Oslo 1900 ff.
NTU	Nordisk Teologisk Uppslagsbok, Lund 1948-1956
Numen	Numen. International Review for the History of Religions, Leiden 1954 ff.
NZM	Neue Zeitschrift für Missionswissenschaft, Beckenried 1945 ff.
NZSTh	Neue Zeitschrift für systematische Theologie, Berlin 1959 ff. (1923-1957: ZSTh)

O

ODCC	The Oxford Dictionary of the Christian Church, ed. F. L. Cross, London 1957 (1974[2])
ÖAKR	Österreichisches Archiv für Kirchenrecht, Wien 1950 ff.
ÖBL	Österreichisches Biographisches Lexikon 1815-1950, Graz - Köln 1954 ff.
ÖP	Ökumenische Profile. Brückenbauer der einen Kirche, hrsg. von G. Gloede, I, Stuttgart 1961; II, 1963

ÖR	Ökumenische Rundschau, Stuttgart 1952 ff.
OLZ	Orientalische Literaturzeitung, Leipzig 1898 ff.
Or	Orientalia. Commentarii Periodici Pontificii Instituti Biblici, Rom 1920 ff.
OrChr	Oriens Christianus, (Leipzig) Wiesbaden 1901 ff.
OrChrA	Orientalia Christiana (Analecta), Rom (1923-1934: Orientalia Christiana; 1935 ff.: Orientalia Christiana Analecta)
OrChrP	Orientalia Christiana periodica, Rom 1935 ff.
Orientierung	Orientierung. Katholische Blätter für weltanschauliche Information, Zürich 1936 ff.
OrSyr	L'Orient Syrien. Revue trimestrielle d'études et de recherches sur les églises de langue syriaque, Paris 1956 ff.
OstKSt	Ostkirchliche Studien, Würzburg 1952 ff.
OTS	Oudtestamentische Studiën, Leiden 1942 ff.

P

PädLex	Pädagogisches Lexikon, hrsg. von H. Schwartz, Bielefeld 1928-1931
PädR	Pädagogische Rundschau. Monatsschrift für Erziehung und Unterricht. Erziehungswissenschaftliche Monatsschrift für Schule und Hochschule, Ratingen 1947 ff.
v.Pastor	L. von Pastor, Geschichte der Päpste seit dem Ausgang des Mittelalters, 16 Bde., Freiburg/Breisgau 1885 ff.
Pauly-Wissowa	A. Pauly - G. Wissowa, Real-Encyclopädie der klassischen Altertumswissenschaft, Stuttgart 1893 ff.
PBl	Pastoralblätter für Predigt, Seelsorge und kirchliche Unterweisung (NF von »Gesetz und Zeugnis«), (Leipzig, Dresden) Stuttgart 1859 ff.
PEFA	Palestine Exploration Fund Annual, London 1911 ff.
PEFQSt	Palestine Exploration Fund Qarterly Statement, London 1869-1936
PEQ	Palestine Exploration Quarterly, London 1937 ff. (früher: PEFQSt)
PGfM	Publikation älterer praktischer und theoretischer Musikwerke, hrsg. von der Gesellschaft für Musikforschung, 29 Bde., Leipzig 1873-1905
Philologus	Philologus. Zeitschrift für das klassische Altertum, (Leipzig) Wiesbaden 1846 ff.
PhJ	Philosophisches Jahrbuch der Görres-Gesellschaft, (Fulda) Freiburg/Breisgau - München 1888 ff.
PhLA	Philosophischer Literaturanzeiger, München - Basel 1949 ff.
PhR	Philosophische Rundschau. Eine Vierteljahresschrift für philosophische Kritik, Tübingen 1953 ff.
PJ	Palästinajahrbuch des Deutschen Evangelischen Instituts für Altertumswissenschaft des Hl. Landes zu Jerusalem, Berlin 1905-1941
Plöchl	W. Plöchl, Geschichte des Kirchenrechts. I: Das Recht des 1. christlichen Jahrtausends, Wien 1960²; II: Das Kirchenrecht der abendländischen Christenheit, 1962²; III. IV: Das katholische Kirchenrecht der Neuzeit, 1959. 1966
PO	Patrologia orientalis, hrsg. von R. Graffin und F. Nau, Paris 1903 ff.
Pohle-Gummersbach	J. Pohle - J. Gummersbach, Lehrbuch der Dogmatik I, Paderborn 1952¹⁰; II, 1966¹¹; III, 1960⁹
Potthast	A. Potthast, Bibliotheca historica medii aevi. Wegweiser durch die Geschichtswerke des europäischen Mittelalters bis 1500, 2 Bde., Berlin 1896² (Nachdruck Graz 1954)
PrBl	Protestantenblatt, Bremen 1867 ff.
Preger	J. W. Preger, Geschichte der deutschen Mystik im Mittelalter, 3 Bde., Leipzig 1874-1893
PrJ	Preußische Jahrbücher, Berlin 1858 ff.
PrM	Protestantische Monatshefte, Leipzig 1897 ff.
PrO	Le Proche-Orient chrétien. Revue d'études et d'information, Jerusalem 1951 ff.
PS	Patrologia Syriaca, ed. R. Graffin, 3 Bde., Paris 1894-1926
PsR	Psychologische Rundschau, Göttingen 1949 ff.

Q

QD	Quaestiones disputatae, hrsg. von K. Rahner - H. Schlier, Freiburg/Breisgau 1958 ff.
QFG	Quellen und Forschungen aus dem Gebiet der Geschichte, hrsg. von der Görres-Gesellschaft, Paderborn 1892 ff.
QFIAB	Quellen und Forschungen aus italienischen Archiven und Bibliotheken, Rom 1897 ff.
QFRG	Quellen und Forschungen zur Reformationsgeschichte (früher: Studien zur Kultur und Geschichte der Reformation), (Leipzig) Gütersloh 1911 ff.
QGProt	Quellenschriften zur Geschichte des Protestantismus, hrsg. von J. Kunze und C. Stange, Leipzig 1904 ff.
QKK	Quellen zur Konfessionskunde, hrsg. von K. D. Schmidt und W. Sucker, Lüneburg 1954 ff.
QRG	Quellen der Religionsgeschichte, Göttingen - Leipzig 1907-1927
Quasten	J. Quasten, Patrology, 3 Bde., Utrecht - Brüssel 1950-1960
Quétif-Échard	J. Quétif und J. Échard, Scriptores Ordinis Praedicatorum, 2 Bde., Paris 1719-1721; 3 SupplBde., 1721-1723; fortgesetzt von R. Coulon, Paris 1909 ff.

R

RA	Revue d'Assyriologie et d'Archéologie Orientale, Paris 1886 ff.
RAC	Reallexikon für Antike und Christentum, hrsg. von Th. Klauser, Stuttgart 1941 ff.
Rad	G. von Rad, Theologie des Alten Testaments, 2 Bde., München 1962-1965[4]
RÄRG	H. Bonnet, Reallexikon der ägyptischen Religionsgeschichte, Berlin 1952
Räß	A. Räß, Die Konvertiten seit der Reformation, 10 Bde., Freiburg/Breisgau 1866-1871; 1 RegBd., 1872; 3 SupplBde., 1873-1880
RAM	Revue d'ascétique et de mystique, Toulouse 1920 ff.
RB	Revue biblique, Paris 1892 ff.; NS 1904 ff.
RBén	Revue Bénédictine, Maredsous 1884 ff.
RDC	Revue de droit canonique, Strasbourg 1951 ff.
RDK	Reallexikon zur deutschen Kunstgeschichte, Stuttgart 1937 ff.
RDL	Reallexikon der deutschen Literaturgeschichte, hrsg. von P. Merker und W. Stammler, 4 Bde., Berlin 1925-1951; neu bearbeitet und hrsg. von W. Kohlschmidt und W. Mohr, ebd. 1955 ff.[2]
RE	Realencyclopädie für protestantische Theologie und Kirche, begründet von J. J. Herzog, hrsg. von A. Hauck, 3. Aufl., 24 Bde., Leipzig 1896-1913
RÉA	Revue des Études Anciennes, Bordeaux 1899 ff.
Réau	L. Réau, Iconographie de l'art chrétien, I-III/3, Paris 1955-1959
RÉByz	Revue des Études Byzantines, Paris 1946 ff.
Reformatio	Reformatio. Zeitschrift für evangelische Kultur und Politik, Zürich 1952 ff
RÉG	Revue des Études Grecques, Paris 1888 ff.
RÉI	Revue des Études Islamiques (1906 ff.: Revue du Monde Musulman), Paris 1927 ff.
RÉJ	Revue des Études Juives, Paris 1880 ff.
RÉL	Revue des Études latines, Paris 1923 ff.
RepBibl	F. Stegmüller, Repertorium Biblicum Medii Aevi, 7 Bde., Madrid 1950-1961
RepGerm	Repertorium Germanicum, hrsg. vom Kgl. Preußischen historischen Institut in Rom, 4 Bde., Berlin 1916-1943
RÉS	Revue des Études Sémitiques, Paris 1940 ff.
RET	Revista Española de teología, Madrid 1941 ff.
RevArch	Revue Archéologique, Paris 1844 ff.
RevÉAug	Revue des études Augustiniennes, Paris 1955 ff. (Fortsetzung von: AThA)
RevGrég	Revue Grégorienne, Solesme 1922 ff.
RevHist	Revue Historique, Paris 1876 ff.
RevSR	Revue des Sciences Religieuses, Strasbourg 1921 ff.
RF	Razón y Fe, Madrid 1901 ff.
RFN	Rivista di filosofia neoscolastica, Mailand 1909 ff.

RG	Religion und Geisteskultur. Zeitschrift für religiöse Vertiefung des modernen Geisteslebens, Göttingen 1907-1914
RGA	Reallexikon der germanischen Altertumskunde, hrsg. von J. Hoops, 4 Bde., Straßburg 1911-1919
RGG	Die Religion in Geschichte und Gegenwart. Handwörterbuch für Theologie und Religionswissenschaft. Hrsg. von Kurt Galling, 6 Bde., Tübingen 1957-1962; RegBd. 1965
RGST	Reformationsgeschichtliche Studien und Texte, begründet von J. Greving, Münster 1906 ff.
RHE	Revue d'histoire ecclésiastique, Löwen 1900 ff.
RHÉF	Revue d'histoire de l'Église de France, Paris 1910 ff.
RheinMus	Rheinisches Museum für Philologie, Bonn 1833 ff.
RHLR	Revue d'histoire et de littérature religieuse, Paris 1896-1907
RHM	Revue d'histoire des missions, Paris 1924 ff.
RHPhR	Revue d'histoire et de philosophie religieuses, Strasbourg 1921 ff.
RHR	Revue de l'histoire des religions, Paris 1880 ff.
Riemann	Riemann Musik Lexikon, 12., völlig neu bearbeitete Aufl., hrsg. von W. Gurlitt, I, Mainz 1959; II, 1961; III, 1967; 2 ErgBde., hrsg. von C. Dahlhaus, 1972. 1975
RIPh	Revue Internationale de Philosophie, Brüssel 1938/39 ff.
RITh	Revue Internationale de Théologie, Bern 1893-1910
Ritschl	O. Ritschl, Dogmengeschichte des Protestantismus, 4 Bde., Göttingen 1908-1927
RivAC	Rivista de Archeologia Cristiana, Rom 1924 ff.
RKZ	Reformierte Kirchenzeitung, (Erlangen, Barmen-Elberfeld) Neukirchen-Vluyn 1851 ff.
RLA	Reallexikon der Assyriologie, hrsg. von E. Ebeling und B. Meißner, 2 Bde., Berlin 1928-1938
RLV	Reallexikon der Vorgeschichte, hrsg. von M. Ebert, 15 Bde., Berlin 1924-1932
RMAL	Revue du Moyen âge latin, Strasbourg 1945 ff.
RNPh	Revue néoscolastique de philosophie, Löwen 1894 ff.
ROC	Revue de l'Orient chrétien, Paris 1896 ff.
Rosenthal	D. A. Rosenthal, Konvertitenbilder aus dem 19. Jahrhundert, 3 Bde. in 6 Abt. mit 2 SupplBdn. zu Bd. I, Regensburg 1868-1902
Rouse-Neill	H. Rouse - St. Ch. Neill, Geschichte der Ökumenischen Bewegung 1517-1948, 2 Bde., Göttingen 1957-58 (Original: HEM)
RPh	Revue de Philologie, littérature et d'histoire anciennes, Paris 1914 ff.
RPhL	Revue philosophique de Louvain, Löwen 1945 ff.
RQ	Römische Quartalschrift für christliche Altertumskunde und für Kirchengeschichte, Freiburg/Breisgau 1887-1942
RQH	Revue des questions historiques, Paris 1866 ff.
RR	Review of Religion, New York 1936-1957/58
RSPhTh	Revue des sciences philosophiques et théologiques, Paris 1907 ff.
RSR	Recherches de science religieuse, Paris 1910 ff.
RSTI	Rivista di storia della chiesa in Italia, Rom 1947 ff.
RThAM	Recherches de Théologie Ancienne et Médiévale, Löwen - Paris 1929 ff.
RThom	Revue Thomiste, Paris 1893 ff.
RThPh	Revue de Théologie et de Philosophie, Lausanne 1868 ff.

S

SA	Studia Anselmiana philosophica theologica. Edita a professoribus Instituti pontificii S. Anselmi de Urbe, Rom 1933 ff.
SAB	Sitzungsberichte der Deutschen (bis 1944: Preußischen) Akademie der Wissenschaften zu Berlin. Phil.-hist. Klasse, Berlin 1882 ff.
Saeculum	Saeculum. Jahrbuch für Universalgeschichte, Freiburg/Breisgau 1950 ff.
SAH	Sitzungsberichte der Heidelberger Akademie der Wissenschaften. Phil.-hist. Klasse, Heidelberg 1910 ff.
SAM	Sitzungsberichte der Bayerischen Akademie der Wissenschaften. Phil.-hist. Abteilung, München 1871 ff.

SAT	Die Schriften des Alten Testaments in Auswahl übersetzt und erklärt von H. Gunkel u. a., Göttingen 1920-1925[2]
SAW	Sitzungsberichte der (ab 225, 1, 1947: Österreichischen) Akademie der Wissenschaften in Wien, Wien 1831 ff.
SBE	The Sacred Books of the East, ed. F. M. Müller, Oxford 1879-1910
SBU	Svenskt Bibliskt Uppslagsverk, hrsg. von I. Engnell und A. Fridrichsen, Gävle 1948-1952
SC	Sources chrétiennes. Collection dirigée par H. de Lubac et J. Daniélou, Paris 1941 ff.
ScCatt	Scuola cattolica, Mailand 1873 ff.
Schanz	M. von Schanz, Geschichte der römischen Literatur, 4 Bde., München 1890-1920 (I, 1927[4]; II, 1914[3]; III, 1922[3]; IV/1, 1914[2], IV[2], 1920)
Scheeben	M. J. Scheeben Handbuch der katholischen Dogmatik I, Freiburg/Breisgau 1959[3]; II, 1948[3]; III.IV, 1961[3]; V, 1-2, 1954[2]; VI, 1957[3]
Schmaus	M. Schmaus, Katholische Dogmatik I, München 1960[6]; II/1, 1962[6]; II/2, 1963[6]; III/1, 1958[5]; III/2, 1965[6]; IV/1, 1964[6]; IV/2, 1959[5]; V, 1961[2]
Schmitz	Ph. Schmitz, Geschichte des Benediktinerordens, 4 Bde., Einsiedeln 1947-1960
Schnabel	F. Schnabel, Deutsche Geschichte im 19. Jahrhundert I, Freiburg/Breisgau 1959[5]; II, 1949[2]; III, 1954[3]; IV, 1955[3]
Schönemann	C. T. G. Schönemann, Bibliotheca historico-litteraria patrum latinorum a Tertulliano principe usque ad Gregorium M. et Isidorum Hispalensem ad Bibliothecam Fabricii latinam accommodata, 2 Bde., Leipzig 1792-1794
Scholastik	Scholastik. Vierteljahresschrift für Theologie und Philosophie, Freiburg/Breisgau 1926 ff. (ab 1966: ThPh)
Schottenloher	Bibliographie zur deutschen Geschichte im Zeitalter der Glaubensspaltung 1517-1585, hrsg. von K. Schottenloher, 6 Bde., Leipzig 1933-1940; VII: Das Schrifttum von 1938 bis 1960. Bearbeitet von U. Thürauf, Stuttgart 1966
Schürer	E. Schürer, Geschichte des jüdischen Volkes im Zeitalter Jesu Christi I, Leipzig 1920[5]; II.III, 1907-1909[4]
Schulte	J. F. von Schulte, Die Geschichte der Quellen und der Literatur des kanonischen Rechts, 3 Bde., Stuttgart 1875-1880
SD	Solida Declaratio (in: BSLK)
SDGSTh	Studien zur Dogmengeschichte und systematischen Theologie, Zürich 1952 ff.
SE	Sacris Erudiri. Jaarboek voor Godsdienstwetenschappen, Brügge 1948 ff.
SEÅ	Svensk Exegetisk Årsbok, Uppsala 1936 ff.
Seeberg	R. Seeberg, Lehrbuch der Dogmengeschichte I.II, Leipzig 1922/23[3]; III, 1930[4]; IV/1, 1933[4]; IV/2, 1920[3]; I-IV (Neudruck), Basel 1953/54
Sehling	E. Sehling, Die evangelischen Kirchenordnungen des XVI. Jahrhunderts, I-V, Leipzig 1902-1913; VI/1 ff., hrsg. vom Institut für evangelisches Kirchenrecht der EKD, Tübingen 1955 ff.
Semitica	Semitica. Cahiers publiés par l'Institut d'Études Sémitiques de l'Université de Paris, Paris 1948 ff.
Seppelt	F. X. Seppelt, Geschichte der Päpste von den Anfängen bis zur Mitte des 20. Jahrhunderts, I.II.IV.V, Leipzig 1931-1941; I, München 1954[2]; II, 1955[2]; III, 1956; IV, 1957[2]; V, 1959[2]
SGV	Sammlung gemeinverständlicher Vorträge und Schriften aus dem Gebiet der Theologie und Religionsgeschichte, Tübingen - Leipzig 1903 ff.
SHVL	Skrifter utgivna av Kungl. Humanistiska Vetenskapssamfundet i Lund, Lund
SIMG	Sammelbände der Internationalen Musikgesellschaft, Leipzig 1899-1914
Sitzmann	F. E. Sitzmann, Dictionnaire de Biographie des Hommes Célèbres d'Alsace, 2 Bde., Rixheim (Elsaß) 1909/10
SJTh	The Scottish Journal of Theology, Edinburgh 1948 ff.
SKRG	Schriften zur Kirchen- und Rechtsgeschichte, hrsg. von E. Fabian, Tübingen 1956 ff.
SKZ	Schweizerische Kirchenzeitung, Luzern 1832 ff.
SM	Sacramentum Mundi. Theologisches Lexikon für die Praxis, 4 Bde., Freiburg/Breisgau - Basel - Wien 1967-1969
SMK	Svensk Män och Kvinnor. Biografisk Uppslagsbok, 10 Bde., Stockholm 1942-1955
SMSR	Studi e Materiali di Storia delle Religioni, Rom 1925 ff.
SNT	Die Schriften des Neuen Testaments, neu übersetzt und für die Gegenwart erklärt von W. Bousset und W. Heitmüller, 4 Bde., Göttingen 1917-1919[3]

SNVAO	Skrifter utgitt av Det Norske Videnskaps-Akademi i Oslo, Oslo
SO	Symbolae Osloenses, ed. Societas Graeco-Latina, Oslo 1922 ff.
Sommervogel	C. Sommervogel, Bibliothèque de la Compagnie de Jésus, I-IX, Brüssel - Paris 1890-1900²; X (Nachträge von E. M. Rivière), Toulouse 1911 ff.; XI (Histoire par P. Bliard), Paris 1932
Speculum	Speculum. A Journal of mediaeval studies, Cambridge/Massachusetts 1926 ff.
SQS	Sammlung ausgewählter kirchen- und dogmengeschichtlicher Quellenschriften, Tübingen 1893 ff.
SSL	Spicilegium sacrum Lovaniense, Löwen 1922 ff.
Stählin	O. Stählin, Die altchristliche griechische Literatur = W. von Christ, Geschichte der griechischen Literatur, umgearbeitet von W. Schmid und O. Stählin, II/2, München 1924⁶
StC	Studia Catholica, Roermond 1924 ff.
StD	Studies and Documents, ed. K. Lake - S. Lake, London - Philadelphia 1934 ff.
StG	Studia Gratiana, hrsg. von J. Forchielli und A. M. Stickler, I-III, Bologna 1953 ff.
StGreg	Studi Gregoriani, hrsg. von G. B. Borino, I ff., Rom 1947 ff.
StGThK	Studien zur Geschichte der Theologie und der Kirche, Leipzig 1897-1908
SThKAB	Schriften des Theologischen Konvents Augsburgischen Bekenntnisses, Berlin 1951 ff.
SThZ	Schweizerische Theologische Zeitschrift, 1899-1920
StI	Studia Islamica, Paris 1953 ff.
StL	Staatslexikon, hrsg. von H. Sacher, 5 Bde., Freiburg/Breisgau 1926-1932⁵; hrsg. von der Görres-Gesellschaft, 8 Bde., 1957-1963⁶; ErgBde., 1968 ff.
StM	Studia Monastica. Commentarium ad rem monasticam investigandam, Barcelona 1959 ff.
StMBO	Studien und Mitteilungen aus dem Benediktiner- und Zisterzienser-Orden bzw. zur Geschichte des Benediktinerordens und seiner Zweige, München 1880 ff. (seit 1911: NF)
StMis	Studia Missionalia. Edita a Facultate missiologica in Pont. Universitate Gregoriana, Rom 1943 ff.
StML	Stimmen aus Maria Laach, Freiburg/Breisgau 1871-1914
StMw	Studien zur Musikwissenschaft. Beihefte der Denkmäler der Tonkunst in Österreich, Wien
StOr	Studia Orientalia, ed. Societas Orientalis Fennica, Helsinki 1925 ff.
StP	Studia patristica. Texte und Untersuchungen zur Geschichte der altchristlichen Literatur, Berlin 1955 ff.
Strack	H. L. Strack, Einleitung in Talmud und Midrasch, München 1921⁵ (Neudruck 1930)
Strieder	F. W. Strieder, Grundlage zu einer Hessischen Gelehrten- und Schriftsteller Geschichte, 20 Bde., Göttingen - Kassel - Marburg 1781-1863
StT	Studi e Testi, Rom 1900 ff.
StTh	Studia Theologica, cura ordinum theologicorum Scandinavicorum edita, Lund 1948 ff.
StudGen	Studium Generale. Zeitschrift für die Einheit der Wissenschaften im Zusammenhang ihrer Begriffsbildungen und Forschungsmethoden, Berlin - Göttingen - Heidelberg 1948 ff.
StZ	Stimmen der Zeit (vor 1914: StML), Freiburg/Breisgau 1915 ff.
Subsidia	Subsidia hagiographica, Brüssel 1886 ff.
SVRG	Schriften des Vereins für Reformationsgeschichte, Halle 1883 ff.
SVSL	Skrifter utgivna av Vetenskaps-Societeten i Lund, Lund
SvTK	Svensk Teologisk Kvartalskrift, Lund 1925 ff.
SyBU	Symbolae Biblicae Upsalienses, Uppsala 1943 ff.
Sym	Symposion. Jahrbuch für Philosophie, Freiburg/Breisgau - München 1948 ff.
Syria	Syria. Revue d'art oriental et d'archéologie, Paris 1920 ff.

T

TF	Tijdschrift voor filosofie, Leuven 1939 ff.
ThBl	Theologische Blätter, Leipzig 1922-1942
Theophaneia	Theophaneia. Beiäge zur Religions- und Kirchengeschichte des Altertums, Bonn 1940 ff.
ThEx	Theologische Existenz heute, München 1933 ff.
ThGl	Theologie und Glaube. Zeitschrift für den katholischen Klerus, Pderbormm 1909 ff.

ThHK	Theologischer Handkommentar zum Neuen Testament mit Paraphrase, bearbeitet von P. Althaus, O. Bauernfeind u. a., Leipzig 1928 ff.
Thielicke	H. Thielicke, Theologische Ethik I, Tübingen 1965³; II/1, 1965³; II/2, 1966²; III, 1964
Thieme-Becker	Allgemeines Lexikon der bildenden Künstler von der Antike bis zur Gegenwart, begründet von U. Thieme und F. Becker, hrsg. von H. Vollmer, 37 Bde., Leipzig 1907-1950
ThJb	Theologische Jahrbücher, Leipzig 1842-1857
ThJber	Theologischer Jahresbericht, Leipzig 1866 ff.
ThLBl	Theologisches Literaturblatt, Leipzig 1880-1943
ThLZ	Theologische Literaturzeitung, Leipzig 1878 ff.
ThPh	Theologie und Philosophie (früher: Scholastik), Freiburg/Breisgau 1966 ff.
ThPQ	Theologisch-praktische Quartalschrift, Linz/Donau 1848 ff.
ThQ	Theologische Quartalschrift, Tübingen 1819 ff.; Stuttgart 1946 ff.
ThR	Theologische Rundschau, Tübingen 1897-1917; NF 1929 ff.
ThRv	Theologische Revue, Münster 1902 ff.
ThSt	Theological Studies, Woodstock/Maryland 1940 ff.
ThSt(B)	Theologische Studien, hrsg. von K. Barth, Zollikon 1944 ff.
ThStKr	Theologische Studien und Kritiken, (Hamburg) Gotha 1828 ff.
ThToday	Theology Today, Princeton/New Jersey 1944 ff.
Thurston-Attwater	Butler's Lives of the Saints, edited, revised and supplemented by H. Thurston and D. Attwater, 4 Bde., London 1956
ThViat	Theologia Viatorum. Jahrbuch der Kirchlichen Hochschule Berlin, Berlin 1948/49 ff.
ThW	Theologisches Wörterbuch zum Neuen Testament, begründet von G. Kittel, hrsg. von G. Friedrich, Stuttgart 1933 ff.
ThZ	Theologische Zeitschrift, hrsg. von der Theologischen Fakultät der Universität Basel, Basel 1945 ff.
Tillemont	L. S. Le Nain de Tillemont, Mémoires pour servir à l'histoire ecclésiastique des six premiers siècles, 16 Bde., Paris 1693-1712
Tixeront	L. J. Tixeront, Histoire des dogmes dans l'antiquité chrétienne, 3 Bde., Paris 1930¹¹
Torsy	Lexikon der deutschen Heiligen, Seligen, Ehrwürdigen und Gottseligen, hrsg. von J. Torsy, Köln 1959
Traditio	Traditio. Studies in ancient and medieval history, thought and religion, New York 1943 ff.
TRE	Theologische Realenzyklopädie, Berlin, New York 1976 ff.
TSt	Texts and Studies, ed. Armitage Robinson, Cambridge 1891 ff.
TT(H)	Teologinen Aikakauskirja - Teologisk Tidskrift, Helsinki 1896 ff.
TT(K)	Teologisk Tidskrift, Kopenhagen 1884 ff.
TTh	Tijdschrift voor Theologie (vormals: StC); Nijmegen 1961 ff.
TThZ	Trierer Theologische Zeitschrift (bis 1944: Pastor Bonus), Trier 1888 ff.
TTK	Tidsskrift for Teologie og Kirke, Oslo 1930 ff.
TU	Texte und Untersuchungen zur Geschichte der altchristlichen Literatur. Archiv für die griechisch-christlichen Schriftsteller der ersten drei Jahrhunderte, Leipzig - Berlin 1882 ff.

U

Überweg	F. Überweg, Grundriß der Geschichte der Philosophie, Basel und Graz; I, bearbeitet von K. Praechter, 1953¹³; II, bearbeitet von B. Geyer, 1951¹²; III, bearbeitet von M. Frischeisen-Köhler und W. Moog, 1953¹³; IV.V, bearbeitet von T. K. Österreich, 1951-1953¹³ (3 Bde., Basel - Stuttgart 1956-1957)
UJE	The Universal Jewish Encyclopedia, ed. by I. Landman, 10 Bde., New York 1939-1943 (Nachdruck 1948)
UNT	Untersuchungen zum Neuen Testament, begründet von H. Windisch, ab 1938 hrsg. von E. Klostermann, Leipzig 1912 ff.
US	Una Sancta. Rundbriefe, Meitingen bei Augsburg 1946 ff. (seit 1954: Rundbriefe für interkonfessionelle Begegnung; seit 1960: Zeitschrift für interkonfessionelle Begegnung; seit 1963: Zeitschrift für ökumenische Begegnung)

UUÅ

Uppsala Universitets Årsskrift, Uppsala 1861 ff.

V

VAA | Verhandelingen der Koninklijke (ab Nr. 40, 1938: nederlands[ch]e) Akademie van Wetenschappen, Amsterdam

VAB | Vorderasiatische Bibliothek, Leipzig 1907-1916

VC | Verbum Caro. Revue théologique et oecuménique, Neuchâtel - Paris 1947 ff.

VD | Verbum Domini. Commentarii de re biblica, Rom 1921 ff.

VEGL | O. Söhngen und G. Kunze, Göttingen 1947 ff.

VerfLex | Die deutsche Literatur des Mittelalters. Verfasserlexikon, hrsg. von W. Stammler und (ab Bd. 3) K. Langosch, 5 Bde. in 2. völlig neu bearb. Auflage , Berlin und Leipzig

VfM | Vierteljahresschrift für Musikwissenschaft, Leipzig 1885-1894

VigChr | Vigiliae Christianae, Amsterdam 1947 ff.

VIO | Veröffentlichungen des Instituts für Orientforschung der Deutschen Akademie der Wissenschaften, Berlin 1949 ff.

VIÖG | Veröffentlichungen des Instituts für österreichische Geschichtsforschung, Wien 1935 f.; 1946 ff.

VS | La Vie Spirituelle, (Ligugé, Juvisy) Paris 1869 ff.

VSAL | Berichte über die Verhandlungen der Sächsischen Akademie der Wissenschaften zu Leipzig. Phil.-hist. Klasse, Leipzig 1849 ff.

VSB | Baudot et Chaussin, Vies des Saints et des Bienheureux selon l'ordre du Calendier avec l'historique des Fêtes, 13 Bde., Paris 1935-1959

VT | Vetus Testamentum. A quarterly published by the International Organization of Old Testament Scholars, Leiden 1951 ff.

VuF

Verkündigung und Forschung. Theologischer Jahresbericht, München 1940 ff.

W

WAM. Luther, Werke. Kritische Gesamtausgabe, Weimar 1883 ff.

WAB | M. Luther, Werke. Kritische Gesamtausgabe. Briefwechsel, Weimar 1930 ff.

Wackernagel | Ph. Wackernagel, Das deutsche Kirchenlied von der ältesten Zeit bis zu Anfang des 17. Jahrhunderts, 5 Bde., Leipzig 1864-1877

WADB | M. Luther, Werke. Kritische Gesamtausgabe. Die Deutsche Bibel, Weimar 1906 ff.

Wasmuth | Wasmuths Lexikon der Baukunst, hrsg. von G. Wasmuth, 5 Bde., Berlin 1929-1937

WATR | M. Luther, Werke. Kritische Gesamtausgabe. Tischreden, Weimar 1912 ff.

Wattenbach | W. Wattenbach, Deutschlands Geschichtsquellen im Mittelalter bis zur Mitte des 13. Jahrhunderts I, Stuttgart - Berlin 1904[7]; II, Berlin 1894[6]

Wattenbach-Holtzmann | W. Wattenbach, Deutschlands Geschichtsquellen im Mittelalter. Deutsche Kaiserzeit, bearbeitet von R. Holtzmann und W. Holtzmann, Berlin 1938 ff.; Tübingen 1948[3] (Neudruck der 2. Aufl. von 1938-1943)

Wattenbach-Levison | W. Wattenbach, Deutschlands Geschichtsquellen im Mittelalter. Vorzeit und Karolinger, hrsg. von W. Levison und H. Löwe, Hh. 1-4, Weimar 1952-1963

Watterich | J. B. Watterich, Pontificum romanorum qui fuerunt inde ab exeunt saeculo IX usque ad finem saeculi XIII virae ab aequalibus conscripte, I (972-1099) und II (1099-1198), Leipzig 1862

WBKL | Wiener Beiträge für Kulturgeschichte und Linguistik, Wien 1930 ff.

WChH | World Christian Handbook, ed. E. J. Bingle and K. G. Grubb, New York 1952

Weber | O. Weber, Grundlagen der Dogmatik I, Neukirchen-Vluyn 1955 (1964[3]); II, 1962

Weiser | A. Weiser, Einleitung in das Alte Testament, Göttingen 1966[6]

WeltLit | Die Weltliteratur. Biographisches, literarisches und bibliographisches Lexikon in Übersichten und Stichwörtern, hrsg. von E. Frauwallner, G. Giebisch und E. Heinzel, I-III, Wien 1951-1954

Werner | K. Werner, Geschichte der katholischen Theologie. Seit dem Trienter Konzil bis zur Gegenwart, München - Leipzig 1889[2]

Wetzer-Welte | Wetzer und Weltes Kirchenlexikon, 12 Bde. und 1 RegBd., Freiburg/Breisgau 1882-1903[2]

WI | Die Welt des Islams. Zeitschrift für die Entwicklungsgeschichte des Islams besonders in der Gegenwart, Berlin 1913-1943; NS 1 ff., Leiden 1951 ff.

Will	G. A. Will, Nürnbergisches Gelehrten-Lexikon oder Beschreibung aller Nürnberger Gelehrten in alphabetischer Ordnung, 4 Tle., Nürnberg 1755-1758; Fortsetzung 6.-8. Tl. oder Supplement 1.-4. Bd. von C. K. Nopitzsch, Altdorf 1801-1808
Wilpert	Lexikon der Weltliteratur, hrsg. von Gero von Wilpert. I: Handwörterbuch nach Autoren und anonymen Werken, Stuttgart 1963 (1975²); II: Hauptwerke der Weltliteratur in Charakteristiken und Kurzinterpretationen, 1968
Wimmer	O. Wimmer, Handbuch der Namen und Heiligen, Innsbruck - Wien - München 1966³
v.Winterfeld	K. v. Winterfeld, Der evangelische Kirchengesang und sein Verhältnis zur Kunst des Tonsatzes, 3 Tle., Leipzig 1843-1847
Winter-Wünsche	J. Winter und K. A. Wünsche, Die jüdische Literatur seit Abschluß des Kanons, 3 Bde., Trier - Berlin 1891-1896
WiWei	Wissenschaft und Weisheit. Zeitschrift für augustinisch-franziskanische Theologie und Philosophie in der Gegenwart, Düsseldorf 1934 ff.
WKL	Weltkirchenlexikon. Handbuch der Ökumene, hrsg. von F. H. Littel und H. H. Walz, Stuttgart 1960
WO	Die Welt des Orients. Wissenschaftliche Beiträge zur Kunde des Morgenlandes, Wuppertal - Stuttgart - Göttingen 1947 ff.
Wolf	G. Wolf, Quellenkunde der deutschen Reformationsgeschichte, 3 Bde., Gotha 1915-1923
WuD	Wort und Dienst. Jahrbuch der Theologischen Schule Bethel, NF 1948 ff.
WUNT	Wissenschaftliche Untersuchungen zum Neuen Testament, hrsg. von J. Jeremias - O. Michel, Tübingen 1950 ff.
Wurzbach	C. von Wurzbach, Biographisches Lexikon des Kaisertums Österreich, 60 Bde., Wien 1856-1891
WuT	Wort und Tat. Zeitschrift für den Dienst am Evangelium und an der Gemeinde, hrsg. von der Vereinigung Evangelischer Freikirchen in Deutschland, Bremen 1940 ff.
WVDOG	Wissenschaftliche Veröffentlichungen der Deutschen Orientgesellschaft, Leipzig 1900 ff.
WZ	Wissenschaftliche Zeitschrift (folgt jeweils der Name einer mitteldeutschen Universitätsstadt)
WZKM	Wiener Zeitschrift für die Kunde des Morgenlandes, Wien 1887 ff.

X

Xiberta	B. M. Xiberta, De scriptoribus scholasticis saeculi XIV ex ordine Carmelitarum, Löwen 1931

Y

YLS	Yearbook of Liturgical Studies, ed. J. H. Miller, Notre Dame (Indiana) 1960 ff.

Z

ZA	Zeitschrift für Assyriologie und verwandte Gebiete, Leipzig 1886 ff.
ZÄS	Zeitschrift für Ägyptische Sprache und Altertumskunde, Leipzig 1863 ff.
ZAGV	Zeitschrift des Aachener Geschichtsvereins, Aachen 1879 ff.
Zahn	J. Zahn, Die Melodien der deutschen evangelischen Kirchenlieder, 6 Bde., Gütersloh 1889-1893
ZAM	Zeitschrift für Aszese und Mystik (seit 1947: GuL), (Innsbruck, München) Würzburg 1926 ff.
ZAW	Zeitschrift für die alttestamentliche Wissenschaft, (Gießen) Berlin 1881 ff.
ZBG	Zeitschrift für Brüdergeschichte, Herrnhut - Gnadau 1907-1920
ZBKG	Zeitschrift für bayerische Kirchengeschichte, Gunzenhausen 1926 ff.
ZBlfBibl	Zentralblatt für Bibliothekswesen, Leipzig 1884
ZBLG	Zeitschrift ür Bayerische Landesgeschichte, München 1928 ff.
ZchK	Zeitschrift für christliche Kunst, begründet und hrsg. von A. Schnütgen, fortgesetzt von F. Witte, 34 Bde., Düsseldorf 1888-1921
ZDADL	Zeitschrift für deutsches Altertum und deutsche Literatur, (Leipzig, Berlin) Wiesbaden 1841 ff.
ZDMG	Zeitschrift der Deutschen Morgenländischen Gesellschaft, Leipzig 1847 ff.
ZdPh	Zeitschrift für deutsche Philologie, Berlin - Bielefeld - München 1869 ff.

ZDPV	Zeitschrift des Deutschen Palästina-Vereins, Leipzig 1878 ff.
ZdZ	Die Zeichen der Zeit. Evangelische Monatsschrift, Berlin 1947 ff.
ZE	Zeitschrift für Ethnologie. Organ der Deutschen Gesellschaft für Völkerkunde, (Berlin) Braunschweig 1869 ff.
ZEE	Zeitschrift für evangelische Ethik, Gütersloh 1957 ff.
ZevKM	Zeitschrift für evangelische Kirchenmusik, Hildburghausen 1923-1932
ZevKR	Zeitschrift für evangelisches Kirchenrecht, Tübingen 1951 ff.
ZfK	Zeitschrift für Kulturaustausch, Stuttgart 1951 ff.
ZfM	Zeitschrift für Musik, (Leipzig) Regensburg 1835 ff.
ZfMw	Zeitschrift für Musikwissenschaft, Leipzig 1918-1935
ZGNKG	Zeitschrift der Gesellschaft für niedersächsische Kirchengeschichte, Braunschweig 1896 ff. (seit 46, 1941: JGNKG)
ZGORh	Zeitschrift für die Geschichte des Oberrheins, Karlsruhe 1851 ff.
ZHTh	Zeitschrift für historische Theologie, 45 Bde., Leipzig - Gotha 1832-1875
ZIMG	Zeitschrift der Internationalen Musikgesellschaft, Leipzig 1899 ff.
Zimmermann	A. Zimmermann, Kalendarium Benedictinum. Die Heiligen und Seligen des Benediktinerordens und seiner Zweige, 4 Bde., Metten/Niederbayern 1933-1938
ZKG	Zeitschrift für Kirchengeschichte, (Gotha) Stutgart 1876 ff.
ZKGPrSa	Zeitschrift des Vereins für Kirchengeschichte der Provinz Sachsen (ab 25, 1929: und des Freistaates Anhalt), Magdeburg 1904-1938
ZKR	Zeitschrift für Kirchenrecht, Berlin u.a. 1, 1861-16 (=NS1) 1881-22 (=NS7) 1889 fortgeführt DZKR
ZKTh	Zeitschrift für katholische Theologie, (Innsbruck) Wien 1877 ff.
ZM	Zeitschrift für Missionswissenschaft und Religionswissenschaft, Münster 1950 ff. (1-17, 1911-1927 und 26-27, 1935-1937: Zeitschrift für Missionswissenschaft)
ZMR	Zeitschrift für Missionskunde und Religionswissenschaft, Berlin-Steglitz 1886-1939
ZNW	Zeitschrift für die neutestamentliche Wissenschaft und die Kunde der älteren Kirche, Gießen 1900 ff.; Berlin 1934 ff.
ZP	Zeitschrift für Pädagogik, Weinheim 1955 ff.
ZphF	Zeitschrift für philosophische Forschung, Reutlingen 1946-1949; Meisenheim/Glan 1950 ff.
ZprTh	Zeitschrift für praktische Theologie, Frankfurt/Main 1879-1900
ZRGG	Zeitschrift für Religions-und Geistesgeschichte, Marburg 1948 ff.
ZS	Zeitschrift für Semitistik, Leipzig 1922 ff.
ZSavRGgerm	Zeitschrift der Savigny-Stiftung für Rechtsgeschichte. Germanistische Abteilung, Weimar 1863 ff.
ZSavRGkan	Zeitschrift der Savigny-Stiftung für Rechtsgeschichte. Kanonistische Abteilung, Weimar 1911 ff.
ZSavRGrom	Zeitschrift der Savigny-Stiftung für Rechtsgeschichte. Romanistische Abteilung, Weimar 1880 ff.
ZSKG	Zeitschrift für Schweizer Kirchengeschichte, Fribourg/Schweiz 1907 ff.
ZslPh	Zeitschrift für slawische Philologie, Heidelberg 1925 ff.
ZSTh	Zeitschrift für systematische Theologie (seit 1959: NZSTh), (Gütersloh) Berlin 1923-1957
ZThK	Zeitschrit für Theologie und Kirche, Tübingen 1891 ff.
ZVThG	Zeitschrift des Vereins für thüringische Geschichte und Altertumskunde, Jena 1853 ff.
ZW	Zeitwende. Monatsschrift, Berlin 1929 ff.
Zwingliana	Zwingliana. Beiträge zur Geschichte Zwinglis, der Reformation und des Protestantismus in der Schweiz, Zürich 1897 ff.
ZWL	Zeitschrift für kirchliche Wissenschaft und kirchliches Leben, Leipzig 1880-1889
ZWTh	Zeitschrift für wissenschaftliche Theologie, (Jena, Halle, Leipzig) Frankfurt/Main 1858-1913
ZZ	Zwischen den Zeiten. Zweimonatsschrift, München 1923 ff.

III. Allgemeine Abkürzungen

A

a.a.O.,	am angeführten Ort
Abb.	Abbildung
Abdr.	Abdruck(e)
abgedr.	abgedruckt
Abh. Abhh.	Abhandlung(en)
Abk.	Abkürzung
Abs.	Absatz
Abt.	Abteilung
ägypt.	ägyptisch
äthiop.	äthiopisch
afr.	afrikanisch
ahd.	althochdeutsch
amer.	amerikanisch
Ang.	Angabe
angelsächs.	angelsächsisch
anglik.	anglikanisch
Anh.	Anhang
Anm.	Anmerkung(en)
Ann.	Annalen, Annales, Annals
Anz.	Anzeiger, Anzeigen
ao.	außerordentlich
apl.	außerplanmäßig
Apokr., apkr.	Apokryphen, apokryphisch
apost.	apostolisch
App.	Apparat
arab.	arabisch
aram.	aramäisch
Arch.	Archiv
armen.	armenisch
Art.	Artikel
assyr.	assyrisch
AT, at.	Altes Testament, alttestamentlich
Aufl.	Auflage
Aufs., Aufss.	Aufsatz, Aufsätze
Ausg., Ausgg.	Ausgabe(n)
Ausl.	Auslegung
Ausw.	Auswahl
Ausz.	Auszug

B

b.	bei(m)
babyl.	babylonisch
bayr.	bayrisch
Bd., Bde.	Band, Bände
Bearb., Bearbb.	Bearbeitung(en), Bearbeiter
bearb.	bearbeitet
begr.	begründet
Beibl.	Beiblatt
Beih., Beihh.	Beiheft(e)
Beil., Beill.	Beilage(n)
Bem.	Bemerkung
Ber., Berr.	Bericht(e)
Berücks.	Berücksichtigung
bes.	besonders
Bespr.	Besprechung
Bez., bez.	Bezeichnung, bezeichnet
Bibl.	Bibliothek
bibl.	biblisch
Bibliogr., Bibliogrr.	Bibliographie(n)
Bisch., bisch.	Bischof, bischöflich
Bist.	Bistum

Bl., Bll.	Blatt, Blätter
Btr., Btrr.	Beitrag, Beiträge
Bull.	Bulletin
Bw.	Beiwort
byz.	byzantinisch
Bz.	Bezirk
bzgl.	bezüglich
bzw.	beziehungsweise

C

c.	Kapitel
ca	zirka
can.	canon, canones
CatRom	Catechismus Romanus
c f.	confer (vergleiche)
chald.	chaldäisch
Chron.	Chronik
CIC Iuris Canonici	Codex
Cod.	Codes, Codices
Coll.	collectio(n)
Const.	Constitutio
CorpIC	Corpus Iuris Canonici

D

d. Ä.	der Ältere
dän.	dänisch
Darst., dargest.	Darstellung(en), dargestellt
das.	daselbst
dass.	dasselbe
Decr.	Decretum
DEK	Deutsche Evangelische Kirche
Dep.	Departement
ders.	derselbe
DG	Dogmengeschichte
dgl.	dergleichen
d. Gr.	der Große
d.h.	das heißt
d.i.	das ist
Dict.	Dictionnaire, Dictionary
dies.	dieselbe
Diöz.	Diözese
Diss.	Dissertation
Distr.	Distrikt
d.J.	der Jüngere
dt.	deutsch
Dtld.	Deutschland
Dyn.	Dynastie

E

EB	Erzbischof
ebd.	ebenda
Ed., Edd., ed.	Edition(en), ediert
ehem.	ehemalige(r), ehemaliges, ehemals
ehrw.	ehrwürdig
eig.	eigentlich
Einf.	Einführung
Einl., eingel.	Einleitung, eingeleitet
EKD	Evangelische Kirche in Deutschland
EKG	Evangelisches Kirchengesangbuch
em.	emeritiert
Engl., engl.	England, englisch

entspr.	entspricht, entsprechend
entw.	entweder
Enz.	Enzyklopädie
Erg., Ergg., erg.	Ergänzung(en), ergänzt
Erkl., erkl.	Erklärung, erklärt
Erl., Erll., erl.	Erläuterung(en), erläutert
erw.	erweitert
Erz., Erzz., erz.	Erzählung(en), erzählt
Erzb.	Erzbistum
etc	etcetera
ev.	evangelisch
Ev., Evv.	Evangelium, Evangelien
ev.-luth.	evangelisch-lutherisch
ev.-ref.	evangelisch-reformiert
evtl.	eventuell
Expl.	Exemplar

F

f.	für
f. (nach Zahlen)	folgende Seite, folgender Jahrgang
ff. (nach Zahlen)	folgende Seiten, folgende Jahrgänge
Fak.	Fakultät
Faks.	Faksimile
Festg.	Festgabe
Festschr.	Festschrift
finn.	finnisch
Fkr.	Frankreich
Forsch.	Forschung(en)
Forts., Fortss., fortges.	Fortsetzung(en), fortgesetzt
Frgm., frgm.	Fragment(e), fragmentarisch
Frhr.	Freiher
frz.	französisch
Ftm	Fürstentum

G

GA	Gesamtausgabe
Geb.	Geburtstag
geb. (*)	geboren
gedr.	gedruckt
gef.	gefallen
gegr.	gegründet
Geistl.	Geistlicher
Gem.	Gemälde
gen.	genannt
Gen.Sekr.	Generalsekretär
Gen.Sup.	Generalsuperintendent
germ.	germanisch
Ges.	Gesellschaft
ges.	gesammelt
Gesch.	Geschichte
gest. (+)	gestorben
gez.	gezeichnet
Gf., Gfn., Gfsch.	Graf, Gräfin, Grafschaft
gg.	gegen
Ggs.	Gegensatz
Ggw.	Gegenwart
Ghzg., Ghzgn.	Großherzog, Großherzogin
Ghzgt., ghzgl.	Großherzogtum, großherzoglich
Gouv.	Gouvernement
GProgr.	Gymnasialprogramm
Grdl.	Grundlage
Grdr.	Grundriß
griech.	griechisch

GW	Gesammelte Werke

H

H., Hh.	Heft(e)
Hbd.	Halbband
Hdb.	Handbuch
hd.	hochdeutsch
Hdwb.	Handwörterbuch
hebr.	hebräisch
Hist., hist.	Historia, Histoire, History; historisch
Ill., Illl., hl.	Heilige(r), Heilige (Plural), heilig
holl.	holländisch
Holzschn.	Holzschnitt(e)
Hrsg., hrsg.	Herausgeber(in), herausgegeben
HS	Heilige Schrift
Hs., Hss., hs.	Handschrift(en), handschriftlich
Hzg., Hzgn.	Herzog, Herzogin
Hzgt., hzgl.	Herzogtum, herzoglich

I

ib.	ibidem
i.J.	im Jahr
Ill., ill.	Illustration(en), illustriert
ind.	indisch
insbes.	insbesondere
Inst.	Institut
Instr.	Instrument
internat.	international
islam.	islamisch
israel.	israelitisch
It., it.	Italien, italienisch

J

J., j.	Jahr(e), jährig
jap.	japanisch
Jb., Jbb.	Jahrbuch, Jahrbücher
Jber., Jberr.	Jahresbericht(e)
Jg., Jgg.	Jahrgang, Jahrgänge
Jh., Jhh.	Jahrhundert(e)
Jt.	Jahrtausend
Jub.	Jubiläum
jüd.	jüdisch
jun.	junior
jur.	juristisch

K

Kal.	Kalender
Kard.	Kardinal
Kat.	Katalog
Kath., kath.	Katholizismus, katholisch
Kf., Kfn., Kft.	Kurfürst, Kurfürstin, Kurfürstentum
KG	Kirchengeschichte
Kg., Kgn.	König, Königin
Kgr., kgl.	Königreich, königlich
Kl.	Klasse
klass.	klassisch
KO	Kirchenordnung
Komm.	Kommentar
Komp., komp.	Komponist, Komposition, komponiert
Kongreg.	Kongregation
Konk.	Konkordat
Kons.Rat	Konsistorialrat
kopt.	koptisch
Korr., Korrbl.	Korrespondenz, Korrespondenzblatt
KR	Kirchenrecht

Kr.	Kreis	ökumen.	ökumenisch
krit.	kritisch	Östr., östr.	Österreich, österreichisch
Kt.	Kanton	o.J.	ohne Jahr(esangabe)
Kupf.	Kupferstich(e)	O.Kons.Rat	Oberkonsistorialrat
L		OKR	Oberkirchenrat
lat., latin.	lateinisch, latinisiert	o.O.	ohne (Erscheinungs-)Ort
Lb.	Lebensbild(er)	orient.	orientalisch
Lehrb.	Lehrbuch	orth.	orthodox
Lfg.	Lieferung	**P**	
Lit.	Literatur(angaben)	P.	Pastor, Pater
Lith.	Lithographie	p.	pagina (= Seite)
LKR	Landeskirchenrat	Päd., päd.	Pädagogik, pädagogisch
Ll.	Lebensläufe	par	und Parallelstellen
luth.	lutherisch	passim	da und dort#Rzerstreut
LWB	Lutherischer Weltbund	Patr.	Patron(e), Patronat(e)
LXX	Septuaginta (griech. Übers. des AT)	PDoz	Privatdozent
M		pers.	persisch
MA, ma.	Mittelalter, mittelalterlich	philolog.	philologisch
Mag.	Magister	Philos., philos.	Philosophie, philosophisch
m.a.W.	mit anderen Worten	phön.	phönizisch
Mbl., Mbll.	Monatsblatt, Monatsblätter	Plur.	Plural
Mél.	Mélanges	poln.	polnisch
Mém	Mémoires	port.	portugiesisch
meth.	methodisch	Pr.	Prediger
method.	methodistisch	Präs.	Präsident
Mgf., Mgfn.	Markgraf, Markgräfin	Prn.	Prinzessin
Mgfsch., mgfl.	Markgrafschaft, markgräflich	Prof.	Professor
Mgz.	Magazin	Progr.	Programm
Mh., Mhh.	Monatsheft(e)	Prot., prot.	Protestantismus, protestantisch
mhd.	mittelhochdeutsch	Prov.	Provinz
Min.	Minister, Ministerium	Pseud.	Pseudonym
Miss.	Missionar	psychol.	psychologisch
Miss.Dir.	Missionsdirektor	PT	Praktische Theologie
Miss.Insp.	Missionsinspektor	publ.	publié
Mitgl., Mitgll.	Mitglied(er)	Publ.	Publikation(en)
Mitt.	Mitteilung(en)	**Q**	
Monogr.	Monographie	Qu.	Quelle(n)
Ms., Mss.	Manuskript(e)	Qkde.	Quellenkunde
Mschr., Mschrr.	Monatsschrift(en)	Qschr.	Quellenschrift
MT	masoretischer Text (hebr. Text des AT)	Qsmlg.	Quellensammlung
		R	
Mus.	Museum	R.	Reihe
N		rabb.	rabbinisch
Nachdr.	Nachdruck	Rdsch.	Rundschau
Nachf.	Nachfolger	Red., red.	Redaktion, redigiert
Nachr., Nachrr.	Nachricht(en)	Ref., ref.	Reformation, reformiert
nam.	namentlich	Reg.	Register
nat.	national	Regg.	Regesten, Regesta
ndrl.	niederländisch	Rel., rel.	Religion, religiös
Nekr.	Nekrolog	Rep.	Repertorium
Neudr.	Neudruck	resp.	respektive
NF	Neue Folge	Rev.	Revolution
nord.	nordisch	rhein.	rheinisch
norw.	norwegisch	rit.	rituell
nouv. éd.	nouvelle édition	röm.	römisch
NR	Neue Reihe	röm.-kath.	römisch-katholisch
NS	Neue Serie	roman.	romanisch
NT, nt.	Neues Testament, neutestamentlich	russ.	russisch
O		Rv.	Revue, Review
o.	ordentlich	**S**	
obj.	objektiv	S.	Seite(n)
od.	oder	s., s.a.	siehe, siehe auch
öff.	öffentlich	säk.	säkularisiert

sanskrit.	sanskritisch
SB	Sitzungsbericht(e)
Schol., schol.	Scholastik, scholastisch
Schr., Schrr.	Schrift(en)
schwed.	schwedisch
schweizer.	schweizerisch
scil.	scilicet, nämlich
s.d.	siehe dort
Sekr.	Sekretär
sel.	selig
Sem.	Seminar, Seminary, Séminaire
sem.	semitisch
sen.	senior
Ser.	Serie, series
Sess.	Sessio
Sing.	Singular
skand.	skandinavisch
slaw.	slawisch
slow.	slowakisch
Smlg.	Sammlung
s.o.	siehe oben
Soc.	Société, Società, Societas
sog.	sogenannt
soz.	sozial
Sp.	Spalte(n)
Span., span.	Spanien, spanisch
spez.	speziell
SS	Scriptores
ST	Systematische Theologie
St.	Saint, Sankt
st.	stimmig
Stud.	Studie(n)
s.u.	siehe unten
Sup.	Superintendent
Suppl.	Supplement
syn.	synonym
Synop., synopt.	Synoptiker, synoptisch
syr.	syrisch

T

t.	tomus, tome, Buch, Band
Tab.	Tabelle
Taf.	Tafel
term. techn.	terminus technicus
Tg.	Targum
Tgb.	Tagebuch
Theol., theol.	Theologie, theologisch
thom.	thomistisch
Tl.	Teil
transl.	translated
tsch.	tschechisch
tschsl.	tschechoslowakisch
Tsd.	Tausend

U

u.a.	unter anderem, und andere
u.ä.	und ähnliche(s)
u.a.m.	und anderes mehr
UB	Urkundenbuch
u.d.T.	unter dem Titel
Überl., überl.	Überlieferung, überliefert
Übers., Überss., übers.	Übersetzung(en), übersetzt
Übertr., übertr.	Übertragung, übertragen
unbek.	unbekannt
ung.	ungarisch
ungedr.	ungedruckt

Univ.	Universität
u.ö.	und öfter
Unters., Unterss.,	Untersuchung(en)
unters.	untersucht
unv.	unverändert
Urk., Urkk.	Urkunde(n)
urspr.	ursprünglich
usw.	und so weiter
u.U.	unter Umständen
u.zw.	und zwar

V

V.	Vers
v.	von, vom
VELKD	Vereinigte Evangelisch-Lutherische Kirche Deutschlands
Ver.	Verein
Verb. Verbb., verb.	Verbesserung(en), verbessert
Verdt., verdt.	Verdeutschung, verdeutscht
Verf., verf.	Verfasser, verfaßt
Verh., Verhh.	Verhandlung(en)
verm.	vermehrt
Veröff., veröff.	Veröffentlichung(en), veröffentlicht
Vers., Verss.	Versuch(e)
versch.	verschiedene
Verw.	Verwaltung
Verz., verz.	Verzeichnis(se), verzeichnet
vgl.	vergleiche
viell.	vielleicht
Vj.	Vierteljahr
Vjh., Vjschr.	Vierteljahresheft, Vierteljahresschrift
Vol.	Volume(n)
vollst.	vollständig
vorm.	vormals
Vors.	Vorsitzender
Vorst.	Vorstand, Vorsteher
Vortr., Vortrr.	Vortrag, Vorträge
Vulg.	Vulgata

W

wahrsch.	wahrscheinlich
Wb.	Wörterbuch
Wbl., Wbll.	Wochenblatt, Wochenbläter
Wiss., wiss.	Wissenschaft, wissenschaftlich
w.o.	wie oben
wörtl.	wörtlich
Wschr., Wschrr.	Wochenschrift(en)

Z

Z.	Zeile(n)
z.	zu, zum, zur
zahlr.	zahlreich
z.B.	zum Beispiel
Zbl.	Zentralblatt
Zschr., Zschrr.	Zeitschrift(en)
Zshg.	Zusammenhang
z.St., z. d. St.	zur Stelle, zu dieser Stelle
z.Tl.	zum Teil
Ztg., Ztgg.	Zeitung(en)
zugl.	zugleich
zus.	zusammen
Zus., Zuss.	Zusammensetzung(en)
zw.	zwischen
z.Z.	zur Zeit

IV. Kürzel der Namen der Autoren

Kürzel der Autoren für die Artikel in Spalte 800-1280. Ein ausführliches Verzeichnis aller Mitarbeiter und ihrer Artikel wird im Registerband erscheinen.

Ar	=	Kirstin Arndt
Ba	=	Friedrich Wilhelm Bautz
Bo	=	Gabriele Bowgon
Co	=	Norbert Collmar
Ed	=	Christiane Edelmann
Gr	=	Karin Groll
Hal	=	Eckhard Hallemann
Ha	=	Michael Hanst
Ho	=	Cornelia Hoß
Lo	=	Kristina Lohrmann
Pet	=	Regina Peters
Sf	=	Franz Seiffer
Ta	=	Udo Tavares
Ty	=	Michael Tilly
Ue	=	Thomas Uecker
Wi	=	Bernhard Wildermuth
Wt	=	Gunda Wittich
Wit	=	Rainer Witt

Nachtrag zum Artikel Huguccio: Die Biographie stammt von Ba.

FAUSTUS *von Mileve,* der bedeutendste Vertreter des abendländischen Manichäismus (s. Mani), * um 350 in Mileve (Numidien in Nordafrika), † vor 400. – Innerlich unbefriedigt und am Manichäismus fast irre geworden, erwartete Aurelius Augustinus (s. d.), der seit 373 den Manichäern als Auditor angehörte, schon lange F., der nach längerer Lehrtätigkeit in Rom 383 nach Karthago kam. Augustinus aber wurde von F., dessen Wissen er überschätzt hatte, enttäuscht; denn er konnte weder die Fragen des Augustinus klären noch seine Zweifel zerstreuen. So führte die Begegnung mit F. den inneren Bruch des Augustinus mit dem Manichäismus herbei, dem dann bald darauf auch der äußere folgte. F. wurde später auf eine Insel verbannt und schrieb dort eine umfangreiche Apologie des Manichäismus, in der er das Alte Testament, die Geburtsgeschichte Jesu und verschiedene Briefstellen des Paulus verwarf und die Auferstehung allegorisch erklärte. In einer sehr ausführlichen Gegenschrift »Contra Faustum libri XXIII« (CSEL 25, 1, 1891, 249 ff.), die Augustinus um 400 verfaßte und 404 Hieronymus (s. d.) übersandte, widerlegte er Abschnitt für Abschnitt die Irrlehren des F. Das polemische Werk des »Winkelbischofs« F. gegen die katholische Lehre ist nicht erhalten, uns aber bekannt, da die Gegenschrift umfangreiche wörtliche Auszüge aus ihm enthält.

Lit.: Albert Bruckner, F. v. M. Ein Btr. z. Gesch. des abendländ. Manichäismus, Basel 1901; – Prosper Alfarik, Les écritures manichéennes, 2 Bde., Paris 1918/19; – Paul Moncier, Le Manichéen F. de M. Restitution de ses Capitula, ebd. 1924; – Ders., Le Manichéen F., in: Comptes rendus de l'Académie des Inscriptions et Belles-Lettres 43/1, ebd. 1933; – John Patrick Maher, St. Augustine's Defense of the Hexaemeron against the Manichaeans (Diss. Gregoriana), Rom 1946; – Lodewijk Hermen Grondijs, Numidian Manicheism in Augustinus' Time, in: NedThT 9, 1954, 21 ff.; – Déodat Roché, F. de M., »Chapitres de la foi chrétienne et de la verité«, in: Cahiers d'études cathares 6, 1955, 168 ff.; 7, 1956, 3 ff. 211 ff.; 8, 1957–58, 225 ff.; – Louis Rougier, La critique biblique dans l'antiquité: Marcion et F. de M., Paris 1958; – Julien Ries, La Bible chez S. Augustin et chez les manichéens, in: RevEAug 7, 1961, 231 ff.; – Bardenhewer IV, 512; – DCB II, 472; – DACL XI, 1104 ff.; – DThC Tables générales 1501; – Catholicisme IV, 1121 f.; – DHGE XVI, 729 ff.; – LThK IV, 43; – RE XII, 225; – RGG II, 889.

FAUSTUS *von Reji,* bedeutender Vertreter des Semipelagianismus, * zwischen 405 und 410 in Britannien, † zwischen 490 und 500. – F. wurde früh Mönch und 433 Abt des berühmten Klosters auf der Insel Lérins (St.-Honorat) an der Südostküste Frankreichs, gegenüber Cannes. Er wirkte seit etwa 458 als Bischof von Reji (Riez in der Provence) und als Führer und Ratgeber der gallischen Kirche. In kaiserlichem Auftrag führte F. mit anderen Bischöfen 474 Friedensverhandlungen mit dem Westgotenkönig Eurich (460–485), der Gallien bis zur Loire und Rhône eroberte und als eifriger Arianer (s. Arius) die katholischen Bischöfe verfolgte. F. wurde als Bekämpfer des Arianismus von Eurich 477 verbannt und kehrte erst nach dessen Tod in sein Bistum zurück. Die Synoden von Arles 473 und von Lyon 474 verurteilten die extrem prädestinatianischen Anschauungen des Presbyters Lucidus (s. d.) und beauftragten F. mit der Widerlegung der überspitzten augustinischen Prädestinationslehre (s. Augustinus, Aurelius). Daraufhin verfaßte F. »De gratia Dei libri duo«, die bedeutendste Schrift des 5. Jahrhunderts der in Südgallien vorherrschenden semipelagianischen Richtung, und brachte Lucidus durch einen Brief zu einem weitgehenden Widerruf.

F. will von dem »pestifer doctor« Pelagius (s. d.) ebensowenig wissen wie von dem »error praedestinationis«. Er erklärte, der Mensch habe durch die Erbsünde an seiner Willensfreiheit wohl Einbuße erlitten, aber nicht die Fähigkeit verloren, zu wählen und das Heil zu ergreifen. Die skythischen Mönche verwarfen die Schriften des F. und veranlaßten Bischof Fulgentius (s. d.) von Ruspe in Nordafrika, gegen ihn zu schreiben. Das sog. »Decretum Gelasianum de libris recipiendis et non recipiendis« (s. Gelasius I.) erklärte die Schriften des F. für apokryph. In »De spiritu sancto« verfocht F. gegen die Pneumatomachen oder Macedonianer (s. Macedonius von Konstantinopel) die Gottheit des Heiligen Geistes. Claudianus Mamertus (s. d.), einer der entschiedensten Vertreter des Dualismus von Leib und Seele in der Alten Kirche, verteidigte in »De statu animae« gegen F. die Unkörperlichkeit der Seele. Bischof Caesarius von Arles (s. d.) setzte es durch, daß die 2. Synode von Orange 529 die Gnadenlehre des F. und seine Schriften verurteilte und so den semipelagianischen Streit beendete. F. wird in Südfrankreich als Heiliger verehrt.

Werke: De gratia Dei et humanae mentis libero arbitrio libri duo; De spiritu sancto libri duo; Adversum Arianos et Macedonianos parvum libellum, in quo et essentialem provocat trinitatem; Adversum eos qui dicunt esse in creaturis aliquid incorporeum, in quo et divinis testimoniis et patrum confirmat sententiis nihil credendum incorporeum praeter deum; eine große Anzahl v. Predigten. – GA v. August Engelbrecht, in: CSEL 21, 1891. – MPL 58, 783 ff. – Briefe, hrsg. v. Bruno Krusch, in: MG AA 8, 265 ff.

Lit.: August Engelbrecht, Stud. über die Schrr. des Bisch. v. Reii F., Prag 1889; – Carl Franklin Arnold, Caesarius v. Arelate u. die gall. Kirche seiner Zeit, Paris 1894, 324 ff.; – Anton Koch, Der hl. F., eine dogmengeschichtl. Monogr., 1895; – Friedrich Wörter, Btrr. z. DG des Semipelagianismus, 1898, 47 ff.; – Wilhelm Bergmann, Stud. zu einer krit. Sichtung der südgall. Predigtlit. des 5. u. 6. Jhs. Tl. 1: Der hs. bezeugte Nachlaß des F. v. R., 1898 (Neudr. Aalen 1972); – Franz Bömer, Der lat. Neuplatonismus u. Neupythagorismus u. Claudianus Mamertus in Sprache u. Philos., Leipzig 1936 (umgearb. u. erw. Diss. Bonn, 1936); – Arvid Göstasson Elg, In Faustum Riensem studia. Commentatio academica, Uppsala 1937; – Ders., In epistolam Fausti Riensis tertiam adnotationes, Lund 1945; – G. Weigel, F. of R., Philadelphia 1938; – Josef Huhn, De ratione fidei als ein Werk des F. v. R., in: ThQ 130, 1950, 176 ff.; – Ders., Eine uned. Fides sancti Ambrosii, ebd. 133, 1953, 408 ff.; – Harald Hagendahl, La Correspondance de Ruricius, Göteborg 1952; – Norah Chadwick, Poetry and Letters in Early Christian Gaul, London 1955; – Bernard Leeming, F. and the Ps.-Eusebius, in: Studia patristica 2, 1957, 122 ff.; – Élie Griffe, La Gaule chrétienne I, Paris 1958, 210 ff.; – Bardenhewer IV, 582 ff.; – Altaner⁷ 473 f.; – Hefele-Leclercq II, 886 f. 900 f. 908 bis 912. 1085–1110; – DACL VIII, 2596 ff.; – Catholicisme IV, 1122 f.; – DThC V, 2101 ff.; Tables générales 1501 f.; – RE V, 1064 ff.; – DSp V, 117 f.; – DHGE XVI, 731 ff.; – LThK IV, 43 f.; – NCE V, 861; – RE V, 782 ff.; XXIII, 447; – RGG II, 889.

FAYE, Eugène de, ref. Theologe, * 1860 in Lyon, † 1929 in Paris. – F. studierte in Lyon und Paris und arbeitete als Student mit in einer von Tommy Fallot (s. d.) geleiteten Pariser Volksmissionsgruppe. Er promovierte 1884 zum Dr. theol. und wurde 1890 Pfarrer an der freikirchlichen Chapelle du Nord in Paris, erhielt zugleich einen Lehrauftrag an der École des Hautes Études der Sorbonne und wurde 1908 als Nachfolger Jean Révilles (s. d.) Direktor der Section des sciences religieuses an der École des Hautes Études und Professor der Patristik an der freien Fakultät für protestantische Theologie in Paris. – F. wurde als Patristiker bekannt durch seine Arbeiten über den Gnostizismus, Clemens von Alexandrien (s. d.) und Origenes (s. d.).

Werke: Étude sur les idées religieuses d'Eschyle, 1884; De vera indole Pauli apostoli epistolarum ad Thessalonicenses, 1892; Les apocalypses juives, 1892; Clément d'Alexandrie, 1898 (1906²);

Introduction à l'étude du gnosticisme au IIe et au IIIe siècle, 1903; La christologie des pères apologètes grecs et la philosophie religieuse de Plutarque, 1906; Étude sur les origines des églises de l'âge apostolique, 1909; Le mysticisme de S. Paul, 1912; Gnostiques et gnosticisme, 1913 (1925²); S. Paul, problèmes de la vie chrétienne, 1913² (1929³); De l'originalité de la philosophie chrétienne de Clément d'Alexandrie, 1919; Idéalisme et réalisme, une application aux problèmes d'après guerre des idées politiques et sociales de Platon et d'Aristote, 1920; Origène, sa vie, son oeuvre, sa pensée, 3 Bde., 1923–29; Esquisse sur la pensée d'Origène, 1925.

Lit.: DThC Tables générales 1503; – RGG II, 890; – DBF XIII, 895.

FEBRONIUS, Justinus s. HONTHEIM, Johann Nikolaus von

FECHT, Johannes, Theologe, * 25. 12. 1636 in Sulzberg (Breisgau) als Sohn eines Superintendenten, † 5. 5. 1716 in Rostock. – F. besuchte das »Gymnasium illustre« in Durlach und bezog 1655 die Universität Straßburg. Er studierte Philologie und Philosophie, semitische Sprachen und Geschichte. Sein theologischer Lehrer wurde Johann Konrad Dannhauer (s. d.) und Philipp Jakob Spener (s. d.) sein Freund. 1661 begab sich F. auf eine fünfjährige akademische Reise und studierte an mehreren deutschen Universitäten, u. a. in Wittenberg und Gießen. Er wurde 1669 Hofprediger und Professor der Theologie in Durlach und 1688 Generalsuperintendent der Markgrafschaft Baden-Durlach. Als Durlach 1689 im Krieg von den Franzosen eingeäschert wurde, floh F. nach Calw. Dort lernte ihn der Herzog Gustav Adolf von Mecklenburg kennen, der ihn auf Speners Empfehlung an die Universität Rostock berief. Dort wirkte er seit 1690 als Professor der Theologie und Superintendent. – F. ist bekannt als Hauptvertreter der lutherischen Orthodoxie im Kampf gegen den Pietismus, galt aber als »vir pacificus«. Er hielt bereits 1696 Vorlesungen »De pietismo«. F. drang wie Spener entschieden auf Frömmigkeit des Herzens und Lebens und billigte auch manche Forderung des Pietismus, u. a. die der intensiveren Beschäftigung mit dem Wort Gottes, bekämpfte aber scharf, jedoch sachlich den Pietismus in dem ernsten Bestreben, die lutherische Orthodoxie gegen jede häretische Abweichung und alle »novatores« rein zu erhalten, und in der Überzeugung, »daß aus dem noch guten pietismo wegen der vielen Nebenlehren, damit man die Pietät befördern wolle, der Grillenpietismus und aus diesem der vollkommene Indifferentismus Arnoldinus, Thomasianus und Dippelianus erwachse«. Die Behauptung, F. habe nach Speners Tod diesem die Seligkeit abgesprochen, beruht nicht auf Wahrheit.

Werke: Historiae ecclesiasticae saeculi XVI supplementum, Frankfurt – Speyer – Durlach 1684; Selectiorum ex universa theologia controversiarum, recentiorum praecipue Sylloge, Rostock 1698; Geistl. Reim-Gedichte, 1699; Philocalia sacra, 1707; Der theol. Fak. zu Rostock Beantwortung der Frage: Ob die Pietisterey ein Fabel sey (als Streitschr. gg. die Gießener Fak.), 1715; Compendium universam theologicam theticam et polemicam complexum, ed. J. Hoxa, Zerbst 1740 (verb. Aufl. 1883).

Lit.: Karl Gustav Fecht, Urkundl. Gesch. der Familie F., 1857; – August Tholuck, Das kirchl. Leben des 17. Jh.s II, 1862, 183 ff.; – Wilhelm Gaß, Gesch. der prot. Dogmatik III, 1862, 36. 148; – Gustav Frank, Gesch. der prot. Theol. II, 1865, 165. 286. 308; – Paul Grünberg, Philipp Jakob Spener III, 1906, 15 ff.; – Hans Leube, Die Reformideen in der dt. luth. Kirche im Zeitalter der Orthodoxie, 1924, 79 f.; – Kurt Schmaltz, KG Mecklenburgs III, 1952; – DLL IV, 810; – ADB VI, 592 f.; – NDB V, 38 f.; – RE V, 788; – RGG II, 892.

FEDDERSEN, Jakob Friedrich, Volks- und Jugendschriftsteller, auch Kirchenliederdichter, * 31. 7. 1736 in Schleswig als Sohn eines Kaufmanns, † 31. 12. 1788 in Altona. – F. sollte Kaufmann werden, gab aber seine Lehrstelle bald auf und besuchte die Domschule seiner Vaterstadt. Er studierte 1755–58 in Jena Theologie und war dann Hauslehrer in Schleswig. F. wurde 1760 in Augustenburg Hofprediger des Herzogs Friedrich Christian von Holstein-Sonderburg, 1766 in Ballenstedt am Harz Hofprediger der Gemahlin des Fürsten von Anhalt-Bernburg, 1769 in Magdeburg Prediger an der Johanniskirche, 1777 Domprediger in Braunschweig und 1788 in Altona Hauptpastor und Propst des Konsistoriums von Altona und Pinneberg. – F. hat für die Kinder und Jugend und zur Erbauung des Volkes mancherlei geschrieben. Von seinen Liedern sei das »Lied eines Alten« genannt: »Durch viele große Plagen…« oder nach Umwandlungen in ein Gebetslied durch Johann Samuel Diterich (s. d.) im Hausgesangbuch von 1787: »Du, Herr von meinen Tagen…«

Werke: Die Gemütsruhe auf dem Sterbebette, als das würdigste Lob, welches dem aufgelösten Christen in die Gruft nachschallet, 1757; Beredsamkeit u. Dichtkunst sind die vertrautesten Freundinnen der Gottesgelahrtheit. Eine Abh., 1758; Der Lebenswandel Jesu Christi ist das beste Muster der Sittenlehre, 1762; Die großen Seligkeiten der verklärten Gerechten, 1765; Würden u. Glückseligkeiten des Christen, in vermischten Betrachtungen, 1766; Die öff. Erneuerung des Taufbundes, als eine segensreiche Handlung f. das ganze zukünftige Leben, 1768; Andachten im Leiden u. auf dem Sterbebette (mit 69 Liedern, davon 9 eigene), 1872; Unterhaltungen mit Gott in besonderen Fällen u. Zeiten, 1774 (1789⁴); Das Leben Jesu f. Kinder, 1775; Lehrreiche Erzz. f. Kinder aus der bibl. Gesch., 1776; Nachrr. v. dem Leben u. Ende gutgesinnter Menschen, 6 Tle., 1776–90; Betrachtungen u. Gebete über das wahre Christentum (Neubearb. der »Vier Bücher v. wahren Christentum« des Johann Arndt), 3 Tle., 1777–79; Beispiele der Weisheit u. Tugend aus der Gesch., 2 Tle., 1777–80.

Lit.: Friedrich Wilhelm Wolfrath, F.s Leben u. Charakter, Halle 1790; – Koch VI, 296 ff.; – ADB VI, 594 f.

FEDDERSEN, Johann Daniel, Liederdichter, * 3. 11. 1836 in Deezbüll (Nordschleswig), † 9. 3. 1902 in Elmshorn. – F. kam nach seiner Schulzeit nach Husum zu einem Buchbinder in die Lehre. Er zog später nach Elmshorn und begründete dort eine Baptistengemeinde, deren Ältester er wurde. – 1853 wurde Husum durch eine Feuersbrunst zum größten Teil eingeäschert. Nach dem Brand brachten die Leute dem Lehrherrn F.s viele Bücher ins Haus, die auf dem Speicher Platz fanden. F. benutzte seine Freistunden und Sonntage dazu, sich in diese Bücher zu vertiefen, u. a. in die »Evangelische Gnadenordnung« (1751) von David Hollatz (s. d.), die ihn ˑur Erkenntnis Christi führte. – Von seinen Liedern sind bekannt: »Jesus nur alleine! bleibt mein Losungswort, nein, von meinem Heiland geh ich nicht mehr fort«, »Hoherpriester deines Volks, vertrete die erlöste, bluterkaufte Schar« und »Hingeopferter Versöhner auf dem Hügel, bleich und bloß, bist du mein, kann nimmer schöner werden mein gefallnes Los.«

Werke: Zionslieder, Hamburg 1864 (1873²).

Lit.: Walter Schulz, Reichssänger. Schlüssel z. dt. Reichsliederbuch, 1930, 35; – DLL IV, 814.

FEDER, Albin, Theologe, * 1710 im Vogtland, † (ertrunken) 17. 1. 1740 bei der Insel Tortola. – F. kam 1738 als Theologe in die Brüdergemeine in Herrnhut bei Zittau (Oberlausitz) und wurde 1739 mit dem lahmen und kränklichen Schneidergesellen Christian

Gottlieb Israel (s. d.) als Missionar nach Westindien, nach der dänischen Insel St. Thomas, ausgesandt. Sie erlitten Schiffbruch. Israel rettete sein Leben, während F. vor seinen Augen ertrank.

Lit.: August v. Dewitz, In Dänisch-Westindien. 150 J. der Brüdermission in St. Thomas, St. Croix u. St. Jan. I. Tl.: Die erste Streiterzeit in des Gf. v. Zinzendorf Tagen. Von 1732 bis 1760, 1882, 244 ff.

FEDER, Johann Michael, kath. Theologe, * 25. 5. 1754 in Öllingen bei Schweinfurt, † 6. 7. 1824 in Würzburg. – F. studierte in Würzburg, promovierte 1777 zum Lic. theol. und empfing in demselben Jahr die Priesterweihe. 1786 wurde er Dr. theol. und ao. Professor für orientalische Sprachen und war 1791–1811 Direktor der Universitätsbibliothek in Würzburg und 1795–1803 Professor der Moraltheologie und Patristik. – F. war ein von der Aufklärung stark beeinflußter Philologe, Exeget und Moraltheologe.

Werke: Neubearb. der Bibelübers. v. Heinrich Braun, 2 Bde., 1803; Übers. der Schrr. Cyrills v. Jerusalem, 1776; der Reden des Chrysostomus über Mt u. Joh (mit Eulogius Schneider), 4 u. 3 Bde., 1786–88; der Reden des Theodoret v. Cyrus über die Vorsehung, 1788. – Gab heraus: Mgz. z. Beförderung des Schulwesens im kath. Dtld., 3 Bde., 1791–97; Prakt.-theol. Mgz. f. kath. Geistliche, 3 Bde., 1798–1800.

Lit.: Franz Carl Felder u. Franz Josef Waizenegger, Gelehrten- u. Schr.steller-Lex. der dt. kath. Geistlichkeit I, Landshut 1817, 210 ff.; III, 1822, 486; – Anton Ruland, Series et vitae professorum Ss. Theologiae qui Wirceburgi . . . docuerunt, Würzburg 1835, 193 ff.; – Johannes Stelzenberger, A. J. Fahrmann, A. J. Rosshirt, J. M. F., in: Aus der Vergangenheit der Univ. Würzburg. Festschr. z. 350j. Bestehen der Univ. Hrsg. v. Max Buchner, 1932 (286–295: Verz. der Werke F.s); – R. Haas, Die geist. Haltung der kath. Univ.en Dtld.s im 18. Jh., 1952, 77 f.; – ADB VI, 597; – DHGE XVI, 809 f.; – LThK IV, 49.

FEICHTMAIR, Joseph Anton s. FEUCHTMAYER, Joseph Anton.

FEINE, Paul, Theologe, * 9. 9. 1859 in Golmsdorf bei Jena als Sohn eines Schulrektors, † 31. 8. 1933 in Halle (Saale). – F. studierte seit 1879 in Jena und Berlin. Er wurde 1884 Gymnasiallehrer in Jena, 1886 Erzieher der Fürstlich Wiedischen Prinzen in Neuwied (Rhein), 1889 Gymnasiallehrer und 1893 Privatdozent in Göttingen, 1894 o. Professor für Neues Testament in Wien, 1907 in Breslau und 1910 in Halle. – F. ist durch seine Lehrbücher bekannt als Vertreter einer besonnenen Vermittlung zwischen kritischer und konservativer Theologie.

Werke: Eine vorkanon. Überl. des Lukas in Ev. u. Apg., 1891; Das gesetzesfreie Ev. des Paulus in seinem Werdegang dargest., 1899; Jesus Christus u. Paulus, 1899; Die Erneuerung des paulin. Christentums durch Luther, 1903; Paulus als Theologe, 1906; Theol. des NT, 1910 (1953⁸, hrsg. v. Kurt Aland); Einl. in das NT, 1913 (1964¹⁴, völlig neubearb. v. Werner Georg Kümmel); Die Abfassung des Phil.briefes in Ephesus, 1916; Zur Reform des Stud. der Theol., 1920; Die Rel. des NT, 1921; Die Gestalt des apostol Glaubensbekenntnisses in der Zeit des NT, 1925; Der Apostel Paulus, 1927; Jesus, 1930; Kirche, HS, Ev., 1933.

Lit.: Die Rel.wiss. der Gegenw. in Selbstdarst., hrsg. v. Erich Stange, V, 1929, 39 ff.; – ThBl, Nov. 1933; – NDB V, 61; – LThK IV, 63.

FÉKAMP, Johannes s. JOHANNES Fékamp

FELBIGER, Johann Ignaz, kath. Schulorganisator, * 6. 1. 1724 in Glogau (Schlesien) als Sohn eines Postmeisters, † 17. 5. 1788 in Preßburg. – F. studierte in Breslau Theologie und trat 1746 in das Augustinerchorherrenstift in Sagan ein, dessen Abt er 1758 wurde. Da es sein ernstes Anliegen und Bemühen war, den niedrigen Stand des Volksschulwesens in seinem Stiftsgebiet zu heben, suchte F. anerkannte evangeli-

sche Pädagogen auf und lernte von ihnen. So reiste er 1762 heimlich nach Berlin, um in seinen pädagogischen Bestrebungen sich von dem Leiter der »Königlichen Realschule«, dem Pfarrer und Oberkonsistorialrat Johann Julius Hecker (s. d.), raten und anregen zu lassen. Auf Grund der dort gewonnenen Anschauungen begann F. mit der Reform des Volksschulwesens in seinem Stiftsgebiet und führte in seinen Schulen die als »Sagansche Methode« bekannte Tabellar- oder Buchstabenmethode eines früheren Inspektors der Berliner Realschule ein, des Generalsuperintendenten und Abtes Johann Friedrich Hähn (s. d.), den er 1765 im Kloster Bergen bei Magdeburg besuchte. F.s Wirken als Pädagoge und Schulreformer wurde bekannt und fand Anerkennung. Der Minister Graf Schlabrendorf ernannte ihn zum königlich preußischen Inspizienten des katholischen Schulwesens in Schlesien und der Grafschaft Glatz. Nach dem Muster des »General-Landschulreglements« von 1763, des ersten für den ganzen preußischen Staat geltenden Volksschulgesetzes, arbeitete F. 1765 im Auftrag Friedrichs des Großen das katholische Landschulreglement für die neuerworbenen Landesteile Schlesien und Glatz aus und gliederte damit auch diese Gebiete in die bestehende preußische Schulorganisation ein. Sein Seminar in Sagan wurde das Vorbild für eine Reihe neuer Lehrerbildungsstätten. Mit Einwilligung Friedrichs des Großen berief ihn Maria Theresia 1774 nach Wien zur Neuordnung des gänzlich verwahrlosten Volksschulwesens. F. arbeitete 1774 die »Allgemeine Schulordnung« aus, die die Leitung des ganzen Volksschulwesens in die Hand des Staates legte und die Gründung von »Normalschulen« (Musterschulen mit Seminar) in jeder Provinz, von »Hauptschulen« (gehobenen Volksschulen) in jedem Kreis und von »Trivialschulen« (gewöhnlichen Volksschulen mit nur einem Lehrer) in jeder Gemeinde anordnete. 1778 verzichtete er auf seine Abtei und wurde Propst in Preßburg und Oberdirektor des Normalschulwesens für die österreichischen Staaten. Die Kaiserin erhob ihn 1777 in den Adelsstand, starb aber 1780. Unter Joseph II. verlor F. seinen weitgehenden Einfluß. Der Kaiser beauftragte ihn zwar mit der Verbesserung des Schulwesens in Ungarn, entließ ihn aber 1782.

Werke: Generalreglement f. die Römisch-Katholischen in Städten u. Dörfern des souveränen Hzgt. Schlesien u. der Gfsch. Glatz, 1765; Eigenschaften, Wiss.en u. Bezeigen rechtschaffener Schulleute, 1768 (umgearb. als »Methodenb.«, 1775, hrsg. v. Wilhelm Kahl, 1915); Allg. Schulordnung f. die Normal-, Haupt- u. Trivialschulen in sämtl. k. u. k. Erbländern, 1774; Vorlesung über die Kunst zu katechisieren, 1775; Christl. Grundsätze u. Lebensregeln, 1786. – Ausgew. Schrr., bes. v. Julius Scheveling, 1958.

Lit.: Karl Bormann, Die Berliner Realschule u. die kath. Schulen Schlesiens u. Östr.s, 1854; – A. Volkmer, J. I. v. F. u. seine Schulreform. Ein Btr. z. Gesch. der Päd. des 18. Jh.s, 1890; – Karl Arthur Wiedemann, Die päd. Bedeutung des Abtes I. v. F. Ein Btr. z. Gesch. der Päd. des 18. Jh.s (Diss. Leipzig), 1890; – Franz Xaver Thalhofer, Entwicklung des kath. Katechismus in Dtld. v. Canisius bis Deharbe, 1899, 28 ff.; – Albert Schiel, I. v. F. u. Ferdinand Kindermann, 2 Bde., 1902; – Emil Guido Walther, Die Grundzüge der Päd. I. v. F.s Ein Btr. z. Gesch. der Päd. des 18. Jh.s (Diss. Leipzig), 1903; – Wilhelm Otto Nicolay, Der Reformator des kath. Schulwesens in Schlesien u. Östr., J. v. F. als Begründer der Methodik des kath. Rel.unterrichts in der Volksschule (Diss. Bonn), 1908; – Anton Weiß, Gesch. der Theresian. Schulreform in Böhmen, 2 Bde., Wien 1908–10; – Sebastian Merkle, Beurteilung des Aufklärungszeitalters (Vortr.), 1909, 23 ff.; – J. Herzog, Die Beziehungen F.s zu Johann Julius Hecker, 1909; – Franz Schubert, J. I. v. F., in: Schles. Lb. II, 1926, 69 ff.; – K. Hilscher, J. I. v. F.s Ansichten über die Bildung geistig defekter Kinder, in: Die östr. Schule, 1934, 478 ff.; – Heinrich Kreutzwald, Zur Gesch. des bibl. Unterrichts u. z. Formgesch.

des bibl. Schulbuches, 1957, 37 ff.; – Ekke Luhniz, Heimweh nach Sagan. Eine Erz. um den Saganer Abt J. I. v. F., in: Sagan-Sprottauer Heimatbrief 8, Lippstadt 1957, Nr. 12, S. 18 f.; – P. Blühm, J. I. v. F. u. die Saganer Schulreform, in: Der Schlesier. Breslauer Nachr. 11, Recklinghausen 1959, Nr. 51, S. 5; – Scholz, J. I. v. F. u. sein Wirken, in: Sagan-Sprottauer Heimatbrief 12, Lippstadt 1961, Nr. 6, S. 23 f.; – Ulrich Krömer, J. I. v. F. Leben u. Werk (Diss. Münster), Freiburg/Breisgau – Basel – Wien 1966 (Rez. v. Bertram Hartling, in: Wichmann Jb. f. KG im Bist. Berlin 21–23, 1967–69, 75 f.); – Kosch, KD IV, 860 f.; – DLL IV, 860 f.; – Wurzbach IV, 166 f.; – ADB VI, 610 f.; 610 f.; – NDB V, 65 f.; – LPäd(F) I, 1179 f.; – CathEnc VI, 27 f.; – DHGE XVI, 836 ff.; – LThK IV, 63; – NCE V, 878; – RGG II, 894.

FELDER, Hilarin, Kapuziner, * 20. 7. 1867 in Flühli (Kt. Luzern), † 27. 11. 1951 in Fribourg (Schweiz). – F. trat 1866 in den Kapuzinerorden ein. Er studierte in Fribourg und wurde dort Professor der Theologie. – F. war ein fruchtbarer Forscher und Schriftsteller auf dem Gebiet der Apologetik, Christologie und franziskanischen Geschichte. Orden und Kirche übertrugen ihm wichtige Aufgaben als Visitator von Klöstern, Seminarien und Ritterorden.

Werke: Gesch. der wiss. Stud. im Franziskanerorden bis um die Mitte des 13. Jh.s, 1904 (frz. 1908; it. 1911); Jesus Christus. Apologie seiner Messianität u. Gottheit gg.über der neuesten ungläubigen Jesus-Forsch. I: Das Bewußtsein Jesu; II: Die Beweise Jesu, 1911–14 (1923–24³; engl. 1924); Apologetica sive theologia fundamentalis in usum scholarum, 2 Bde., 1920 (1923²); Die Ideale des hl. Franziskus v. Assisi, 1923 (1952⁶; zahlr. Überss.); Die Antoniuswunder nach den älteren Qu. unters., 1933; Jesus v. Nazareth. Ein Christusbuch, 1937 (1947³; zahlr. Überss.); Der Christusritter v. Assisi, 1941; General u. EB P. Bernhard Christen v. Andermatt (1837–1909) u. die Erneuerung des Kapuzinerordens, Schwyz 1943.

Lit.: P. H. F. Magister u. Lektor der hl. Theol., in: Sankt Fidelis. Bulletin de la province suisse des Frères mineurs capucins 2, 1918–19, 298 ff.; – H. F., ebd. 25, 1938, 136 ff.; – Gedenkschr. an Mgr. H. F., ebd. 39, 1952, 195–354; 40, 1953, 5–20. 54–72. 90–106. 185–191. 233–237; – C. Moser, Nekrolog, in: AnCap 68, 1952, 115 ff.; – Koch, JL 544 f.; – LexCap 571; – DThC Tables générales 1505 f.; – DHGE XVI, 844 ff.; – LThK IV, 63 f.

FELDMANN, Franz, kath. Alttestamentler, * 17. 5. 1866 in Hüsten (Westfalen) als Sohn eines Schneidermeisters, † 9. 2. 1944 in Bonn. – F. studierte in Bonn, Würzburg und Paderborn, empfing 1891 die Priesterweihe und wirkte 2 Jahre in der Seelsorge. Während eines dreijährigen Studienurlaubs erwarb er sich in Berlin gründliche Kenntnisse der orientalischen Philologie und promovierte 1896 in Freiburg/Breisgau zum Dr. theol. F. wurde Repetent am Priesterseminar in Paderborn und Dozent für semitische Sprachen an der dortigen Akademie und 1901 Professor der Apologetik und der orientalischen Philologie. 1903 folgte er dem Ruf nach Bonn als ao. Professor für alttestamentliche Theologie und Exegese und lehrte dort 1907 bis 1934 als o. Professor. – F. vertrat in seiner akademischen Lehrtätigkeit einen konservativen Standpunkt, ohne sich modernen Fragestellungen zu verschließen. Bekannt ist er durch das von ihm und H. Herkenne ab 1923 herausgegebene »Bonner Altes Testament«, das als Kommentarwerk »für Theologen und gebildete Kreise« neben das von Fritz Tillmann (s. d.) begründete »Bonner Neues Testament« trat.

Werke: Syr. Wechsellieder v. Narses, 1896; Textkrit. Materialien z. Buche der Weisheit, 1902; Der Knecht Gottes in Isaias 40–55, 1907; Die Weissagungen über den Gottesknecht im Buche Isaias, 1909 (1913³); Das Psalterium des Röm. Breviers, 1915; Gesch. der Offb. des AT, 1916 (1930³); Israels Rel., Sitte u. Kultur in der vormosaischen Zeit, 1917; Bekehrung der Heiden im Buch Isaias, 1919; Das Buch Isaias übers. u. erkl., 2 Bde., 1925–26; Das Buch der Weisheit, 1926.

Lit.: Chron. der Rhein. Friedrich-Wilhelms-Univ. 64, NF 53, 1939/40–1948/49, 1950, 36; – Kosch, KD 726; – DThC Tables générales 1506; – LThK IV, 64; – NCE V, 878; – NDB V, 69.

FELGENHAUER, Paul, Theosoph und Chiliast, * 16. 11. 1593 in Putschwitz (Böhmen) als Sohn eines lutherischen Pfarrers, † etwa 1677. – F. studierte in Wittenberg und wurde an der dortigen Schloßkirche Diakonus, mußte aber vermutlich wegen seiner schwärmerischen Anschauungen die Stadt bald verlassen und zog wieder nach Böhmen, wo er durch Schriften seine Ansichten verbreitete. Auf Grund seiner phantastischen Berechnungen behauptete F. in seiner »Chronologie« (1620), Christus sei im Jahr 4235 geboren und die Welt müsse in 145 Jahren untergehen, da ihre Dauer 6000 Jahre betrage. Er verkündigte aber als seine Überzeugung, daß der Jüngste Tag nahe bevorstehe, da um der Auserwählten willen die Zeit verkürzt werde. In seinem »Zeitspiegel« (1620) bekämpfte F. die lutherische Kirche und ihre Pfarrer als »fleischlich, menschlich, animalisch Sektenbabel«. Während der gewaltsamen Rekatholisierung seines Vaterlandes infolge der Niederlage des Kurfürsten Friedrich von der Pfalz (s. d.) in der Schlacht am Weißen Berge (1620) verließ F. Böhmen und fand wie viele andere um des Glaubens willen Verfolgte Zuflucht in Amsterdam. Hier veröffentlichte er mehrere chiliastische und mystische Schriften und wechselte einige Streitschriften mit Theologen, die ihn angriffen und die Gemeinden vor ihm warnten. Die geistlichen Ministerien von Lübeck, Hamburg und Lüneburg wandten sich gegen ihn an das Ministerium in Amsterdam. 1638–54 hielt sich F. als Arzt in Bederkesa bei Bremen auf und sammelte heimliche Gemeinden, in denen er das Abendmahl austeilte und Kinder taufte. Als F. dort ausgewiesen wurde, kehrte er vermutlich nach Holland zurück. 1657 wurde F. in Sulingen (Grafschaft Hoya) auf Befehl der Regierung von Celle und Hannover festgenommen und in Syke gefangengesetzt. Nach seiner Entlassung ging F. nach Hamburg. Wann und wo er gestorben ist, wissen wir nicht.

Werke: Rechte Chronologia, 1619; Speculum temporis, 1620; Aurora sapientiae, 1628; Das Geheymnis v. Tempel des Herrn in seinem Vorhof, Heyligen u. Allerheyligsten, 1631; Monarchien-Spiegel v. dreyerlei Reiche, 1633; Apologia Christiana im puncte v. der person Christi, o. O. 1634; Grundliche Verantwortung, 1636; Das Büchlein Iehior oder Morgenröthe der Weszheit. Von den drey Principiis aller Dinge, 1640; Eine rede oder schrifft v. abendmahl, Amsterdam 1650; Sphaera sapientiae, 1650; Harmony des Glaubens, wie u. auf welche Weise alle Menschen beydes Christen, Juden, Türken u. Heiden – zu einerlei Glauben gelangen können, Amsterdam 1654; Geistl. Schrr., 1654; Bonum nuncium Israeli de Messia. Frohe Botschaft f. Israel v. Messias, daß nämlich die Erlösung Israels aus allen seinen Nöten, auch die Befreiung aus der Gefangenschaft u. die ruhmreiche Ankunfft des Messias nahe sei, Amsterdam 1655; Palmbaum des Glaubens, Schlüssel der Weisheit u. Christianus Simplex, ebd. 1656; Prognosticon astrologico-propheticum, 1656; Confessio oder Glauben-Bekenntniß in drey Punkten, o. O. 1658; Schola passionis, o. O. 1658; Novum lumen fidei et religionis, welches der wahre seligmachende glaube u. die rechte rel. sey, Amsterdam 1659; Neues theol. Licht über die confession u. glaubensbekänntniß P. F.s, o. O. u. J. (wohl 1659); Cosmographia nova et dimensio circuli, 1660.

Lit.: Gottfried Arnold, Unparteiische Kirchen- u. Ketzerhistorie II, Schaffhausen 1741, 373 ff.; – Johann Christoph Adelung, Gesch. der menschl. Narrheit IV, Leipzig 1787, 388 ff. (mit Bibliogr.: 400 ff.); – Gustav Frank, Gesch. d. prot. Theol. I, 1862, 357; – Karl Rudolf Hagenbach, KG V, 1871³, 343 ff.; – Ernst Georg Wolters, Briefe v. u. gg. F., in: ZGNKG 29–30, 1924–25, 186 ff.; – Ders., P. F.s Leben u. Wirken, in: JGNKG 54, 1956, 65, 1957, 54 ff.; – Hans-Joachim Schoeps, Vom himml. Fleisch Christi. Eine dogmengeschichtl. Unters., 1951; – Ders., Barocke Juden, Christen, Judenchristen, 1965; – DLL IV, 883 f.; – ADB VIII, 278 f.; – NDB V, 69 f.; – RE VI, 23 f.; – RGG II, 894 f.; – LThK IV, 65.

FELICE, Guillaume Adam de, Theologe, * 12. 3. 1803 als Pfarrerssohn in Otterberg bei Porrentruy (Schweizer Jura), † 23. 10. 1871 in Lausanne. – F. studierte 1821–25 in Straßburg und wirkte seit 1828 als Pfarrer in Bolbec. 1838 wurde er Professor für Moral an der protestantisch-theologischen Fakultät Montauban (Südfrankreich). Während des Deutsch-Französischen Krieges 1870/71 legte er sein Amt nieder und zog sich nach Lausanne zurück. – F. ist neben Adolphe Monod (s. d.) der bedeutendste Vertreter der Orthodoxie des Réveil in Frankreich.

Werke: Histoire des Protestants de France depuis la réformation jusqu'au temps présent, 1850 (1895⁸); Histoire des Synodes Nationaux des Églises réformées de France, 1864; Droits et devoirs des laïques dans la situation présente des Églises réformées de France, 1865; Sermons, 1873.

Lit.: Jean Pédézert, G. de F., professeur et prédicateur: Souvenirs et Études, Paris 1888, 23 ff.; – Lichtenberger IV, 686 ff.; – Haag VI², 470 ff.; – RGG II, 895; – DBF XIII, 947 f.

FELICITAS s. PERPETUA und FELICITAS

FELIX I., Papst, Heiliger, † 30. 12. 274, beigesetzt in der Calixtkatakombe. – F. I., ein Römer von Geburt, wurde als Nachfolger des Dionysius (s. d.) am 5. 1. 268 Papst. Während seines Pontifikats entschied der Kaiser Aurelian (s. d.) im antiochenischen Bischofsstreit, »daß das Kirchenhaus dem Bischof eingeräumt werden solle, mit dem die Bischöfe von Italien und in der Stadt Rom in kirchlichem Verkehr ständen« (Eusebius, Historia ecclesiastica VII, 30, 19). – In einem Brief an den Bischof Maximus von Alexandrien sprach sich F. I. gegen die Lehre des Paulus von Samosata (s. d.) über die Inkarnation des Logos aus. Das in »apollinaristischem« Sinn umgearbeitete Schreiben lag im Jahr 431 dem Konzil von Ephesus vor. Ein griechisches Fragment dieser Überarbeitung findet sich in den Akten des Konzils (Mansi IV, 1108). – Die Angabe des »Liber pontificalis«, F. I. habe das Martyrium erlitten und sei an der »Via Aurelia« begraben, beruht auf einer Verwechslung oder einer tendenziösen Erfindung. Sein Fest ist der 30. Mai.

Lit.: Hans Lietzmann, Apollinaris v. Laodicea u. seine Schule, 1904, 91 ff. 318 ff. – Gustave Bardy, Paul de Samosate. Étude historique, Louvain – Paris 1923, 358 ff.; – Johann Peter Kirsch, Le memorie dei martiri nelle vie Aurelia e Cornelia, in: StT 38, 1924, 63 ff.; – Gerhart Bunidan Ladner, I ritratti dei Papi I, Città del Vaticano 1941, 16 ff.; – Baudouin de Gaiffier, Les notices des Papes F. dans le Martyrologe Romain, in: AnBoll 81, 1963, 333 ff.; – LibPont I, CXXV. 158; – Jaffé I, 23; II, 690; – AS VII, 236 f.; – MartHier 15 f.; – MartRom 215; – VSB V, 585 f.; – BS V, 574 ff.; – Harnack, Lit I, 659 f.; – Caspar I, 43. 84. 468; – Seppelt I, 64 f.; – DCB III, 479 f.; – Catholicisme IV, 1147 f.; – DHGE XVI, 886 f.; – LThK IV, 67; – NCE V, 878 f.; – RE VI, 24; – RGG II, 895.

FELIX II., Papst, † 22. 11. 365 in Porto. – Als Papst Liberius (s. d.) 355 von dem Kaiser Konstantius (s. d.) nach Beröa (Thrazien) verbannt wurde, verpflichteten sich der Archidiakon Felix und der römische Klerus durch einen feierlichen Eid, keinen anderen Papst anzuerkennen, solange der Verbannte lebe. Dennoch ließ sich Felix noch vor Ende des Jahres 355 zum Papst wählen und von drei arianischen Bischöfen im kaiserlichen Palast weihen. Während der römische Klerus sich ihm bald anschloß, verweigerte das Volk dem eidbrüchigen F. II. den Gehorsam. Darum gab Konstantius nach und gestattete im Sommer 358 Liberius die Rückkehr nach Rom unter der Bedingung, daß er gemeinsam mit F. II. amtiere. Noch vor dem Eintreffen des Liberius vertrieben Volk und Senat F. II. Seit dem 6. Jahrhundert wurde er als Märtyrer und Heili-

ger verehrt. Das beruht auf seiner Verwechslung mit einem afrikanischen Märtyrerbischof Felix. Sein Fest ist der 29. Juli.

Lit.: Josef Langen, Gesch. der röm. Kirche I, 1881, 471 ff. – Ignaz v. Döllinger, Die Papstfabeln des MA, 1890², 126 ff.; – L. Saltet, La formation de la légende des Papes Libère et F., in: BLE 26, 1905, 222 ff.; – Johann Peter Kirsch, Die Grabstätte der »Felices duo pontifices et martyres« an der Via Aurelia, in: RQ 28, 1925, 1 ff.; – Stanley Lawrence Greenslade, Church and State from Constantine to Theodosius, London 1954; – Baudouin de Gaiffier, Les notices des Papes F. dans le Martyrologe Romain, in: AnBoll 81, 1963, 336 ff.; – LibPont I, CXXX ff. 211; – Jaffé I, 35 f.; – AS Jul. VII, 54 f.; – MartHier 403 f.; – MartRom 311 f.; – VSB VII, 701 ff.; – BS V, 576 ff.; – Caspar I, 188 ff. 194 ff.; – Seppelt I, 98 f.; – Haller I, 71 ff. 503 f.; – Catholicisme IV, 1148 f.; – DHGE XVI, 887 ff.; – EC V, 1134 f.; – LThK IV, 67 f.; – RE VI, 24 f.; – RGG II, 895 f.

FELIX III., Papst, Heiliger, † Ende Februar 492, beigesetzt in San Paolo. – Mit Zustimmung Odoakers, des Königs von Italien, wurde der verheiratete Diakon Felix, der Sohn des römischen Presbyters Felix, Anfang März 483 zum Papst gewählt. – Um den »monophysitischen« Streit im Orient zu beseitigen, schuf der Patriarch Acacius von Konstantinopel (s. d.) die berühmte Einigungsformel, das sog. »Henetikon«. Auf seine Veranlassung erließ der Kaiser Zeno (s. d.) 482 dieses Edikt. Da Acacius von Konstantinopel die Anerkennung des »Chalcedonense« verweigerte, sprach F. III. auf einer römischen Synode 484 Bann und Absetzung über ihn aus. Acacius kehrte sich aber nicht daran, sondern ließ den Namen des Papstes aus den »Diptychen« streichen und führte somit die erste große Spaltung zwischen der morgen- und der abendländischen Kirche herbei. Dieses »Acacianische Schisma« wurde erst nach 35jähriger Dauer dadurch beseitigt, daß Justin I. (s. d.) das »Henotikon« formell aufhob und das »Chalcedonense« anerkannte. – Das Fest F.' III. ist der 25. Februar.

Lit.: Epistolae romanorum pontificum, hrsg. v. Andreas Thiel, I, Braunsberg 1867, 221 ff.; – Eduard Schwartz, Publizist. Smlg. z. acacian. Schisma, in: AAM NF 10, 1934, 202 ff.; – Hugo Koch, Gelasius im kirchenpolit. Dienste seiner Vorgänger, der Päpste Simplicius (468–483) u. F. III. (483–492), in: SAM 6, 1935; – Ottorino Bertolini, Roma di fronte a Bisanzio e ai Longobardi, Bologna 1943, 31 ff.; – Trevor Gervase Jalland, The Church and the Papacy, London 1944, 315 ff.; – Renzo Uberto Montini, Le tombe dei Papi, Rom 1957, 104; – Walter Ullmann, The Growth of Papal Government in the Middle Ages; a study in the ideological relation of clerical to lay power, New York 1963²; – Baudouin de Gaiffier, Les notices des Papes F. dans le Martyrologe Romain, in: AnBoll 81, 1963, 346 ff.; – LibPont I, 92 ff. 252 ff.; – Jaffé I, 80 ff.; II, 693. 736; – AS III, 502 ff.; – MartRom 76 f.; – VSB III, 9 f.; – BS V, 579 f.; – Caspar II, 22 ff. 749 ff.; – Haller I, 222 ff. 532 ff.; – Seppelt I, 217 ff.; – Hefele Leclerq II, 921 ff.; – Chalkedon II, 43 ff. 269 ff.; – DACL XIII, 1211; – Catholicisme IV, 1149 f.; – DHGE XVI, 889 ff.; – EC V, 1135; – LThK IV, 68; – NCE V, 879; – RE VI, 25 f.; – RGG II, 896.

FELIX IV., Papst, † 20. (?) 9. 530. – Nach dem Tod des eingekerkerten Johannes I. (s. d.) wurde der aus Benevent gebürtige Felix durch den Ostgotenkönig Theoderich den Großen zum Papst erhoben und am 12. 7. 526 geweiht. – F. IV. führte die Verurteilung des »Semipelagianismus« (s. Faustus von Reji) und die Beendigung des »semipelagianischen« Streites dadurch herbei, daß er an Caesarius von Arles (s. d.) eine Anzahl »Capitula« über die Gnadenlehre sandte, die die Synode von Orange 529 annahm. – Zu seinem Nachfolger bestimmte F. IV. Bonifatius II. (s. d.).

Lit.: Josef Langen, Gesch. der röm. Kirche I, 1881, 300 ff.; – Carl Franklin Arnold, Caesarius v. Arelate u. die gall. Kirche seiner Zeit, 1894, 350 ff.; – Johannes Sundwall, Abhh. z. Gesch. des ausgehenden Römertums, Helsinki 1919, 265 ff.; – Louis Duchesne, L'Église au VIe siècle, Paris 1925, 134. 142 ff.; – Maïeul

Cappuyns, L'origine des »capitula« d'Orange (529), in: RThAM 6, 1934, 121 ff.; – Gerhart Bunidan Ladner, I ritratti dei Papi I, Città del Vaticano 1941; – Ottorino Bertolini, Roma di fronte a Bisanzio e ai Longobardi, Bologna 1943; – Wilhelm Enßlin, Theoderich d. Gr., 1947; – Ders., I Goti in Occidente, Spoleto 1956, 509 ff.; – Heinz Löwe, Theoderich d. Gr. u. Papst Johann I., in: HJ 72, 1953, 83 ff.; – Renzo Uberto Montini, Le tombe dei Papi, Rom 1957; – Baudouin de Gaiffier, Les notices des Papes F. dans le Martyrologe Romain, in: AnBoll 81, 1963, 349 f.; – BS V, 580 f.; – LibPont I, 106. 270. 279 f.; III, 91; – Jaffé I, 110 f.; II, 694. 737; – AS Jan. II, 1032 f.; – MartRom 40 f.; – VSB IX, 460 f.; – Caspar II, 151 ff. 193 ff. 201 f. 315. 526; – Haller I, 250. 255 ff.; – Seppelt I, 257 ff. 306; – Catholicisme IV, 1150 f.; – DThC V, 2131 f.; – DHGE XVI, 895 f.; – DACL XIV, 2669 ff.; – EC V, 1136; – LThK IV, 68 f.; – NCE V, 879 f.; – RE VI, 26 f.; – RGG II, 896.

FELIX V., letzter Gegenpapst, * 4. 12. 1383, † 7. 1. 1451 in Genf. – Graf Amadeus VIII. von Savoyen folgte schon 1398 in der Regierung Savoyens und wurde von dem Kaiser Sigismund (s. d.) 1416 zum Herzog erhoben und 1422 auch mit der Grafschaft Genf belehnt. Amadeus VIII. stiftete 1430 für »Ritter des Ordens vom hl. Mauritius« die Einsiedelei Ripaille bei Thonon am Genfer See. 1434 ernannte er seinen Sohn, den Prinzen Ludwig, zum Reichsverweser und nahm das Einsiedlergewand. Das Basler Konzil suspendierte am 24. 1. 1438 Eugen IV. (s. d.), setzte ihn am 25. 6. 1439 ab und wählte am 5. 11. 1439 den Herzog Amadeus VIII. zum Papst. Am 5. 1. 1440 nahm er die Wahl an, verzichtete nun völlig auf die Regierung Savoyens und wurde am 24. 7. 1440 in Basel durch den Bischof von Arles zum Bischof geweiht und dann mit der Tiara gekrönt. F. V. residierte in Lausanne und Genf, wurde aber fast nirgends anerkannt. 1449 verzichtete er gegenüber Nikolaus V. (s. d.) und zog sich nach Ripaille zurück.

Lit.: Hugo Manger, Die Wahl Amadeos v. Savoyen z. Papste durch das Basler Konzil, 1439 (Diss. Marburg), 1901; – Alexander Eckstein, Zur Finanzlage F.' V. u. des Basler Konzils, 1912 (Neudr. Aalen 1973); – Virgil Redlich, Eine Univ. auf dem Konzil in Basel, in: HJ 49, 1929, 92 ff.; – Francesco Cognasso, Amadeo VIII, 2 Bde., Turin 1930; – Josef Stutz, F. V. u. die Schweiz, 1439–49 (Diss. Fribourg/Schweiz), 1930; – Ders., in: Zschr. f. Schweizer. Gesch. 24, 1930, 1–22. 105–120. 189–204. 278–299; – Joseph Gill, The Council of Florence, London 1959, 80 ff. 298. 315 ff. 347; – Theodora von der Mühll, Vorspiel z. Zeitenwende. Das Basler Konzil, 1431–1448, 1959; – v.Pastor I⁵⁻⁷, 335 ff.; – DHGE XVI, 896; II, 1166 ff.; – LThK I, 413 (Amadeus VIII.); – RE VI, 27 f.; – RGG II, 896.

FELIX, Antonius, römischer Statthalter in Palästina von 53–60 (?) n. Chr. – F. war ein Freigelassener des claudianischen Hauses, Bruder des Pallas, des Günstlings des Kaisers Claudius, und durch seine zweite Gemahlin Drusilla mit dem herodianischen Haus verschwägert. Die Apg 24, 24 erwähnte Drusilla, Tochter Agrippas I., hatte er dem König Azizus von Emesa genommen. Nach dem römischen Geschichtsschreiber Tacitus hat F. »mit aller Grausamkeit und Lüsternheit königliches Recht in sklavischer Sinnesart gehandhabt«. Darum nahm unter ihm der Haß der Juden gegen Rom gewaltig zu, und F. hatte mit den Zeloten und der antirömischen Partei beständig zu kämpfen. Das Jahr seiner Abberufung ist umstritten.

Lit.: Hermann Gerlach, Die röm. Statthalter in Syrien u. Judäa v. 69 vor Chr. bis 69 nach Chr. Ein Btr. aus der Profangesch. z. Exegese des NT. 1865, 75 ff.; – Eduard Meyer, Ursprünge u. Anfänge des Christentums III, 1923, 47 ff.; – Theodor Zahn, Einl. in das NT II, 1924⁴, 647 ff.; – Frederick John Foakes Jackson – Kirsopp Lake, The Beginnings of Christianity V, London 1933, 464 ff.; – Giuseppe Ricciotti, Storia d'Israele. II: Dall'esilio al 135 dopo Cristo, Turin 1934, 410 ff.; – Félix Marie Abel, Histoire de la Palestine depuis la conquête d'Alexandre jusqu'à l'invasion arabe I, Paris 1952, 463 ff.; – Ernst Haenchen, Die Apg. (Meyer, KNT III¹⁰), 1956, 63 ff. (1959¹²); – Schürer I, 571 ff.; – EJud VI, 952 f.; – EncJud VI, 1218; – Pauly-Wissowa I,

2616 ff. – Harnack, Lit II/1, 233 ff.; – RE VI, 28 ff.; – RGG II, 896; – DB II, 2186 f.; – Catholicisme IV, 1158 f.; – EC V, 1132; – LThK IV, 70; – NCE V, 881.

FELIX von Cantalice, Kapuziner-Laienbruder, Heiliger, * 1515 in Cantalice (Umbrien), † 18. 5. 1587 im ehemaligen Kloster S. Bonaventura in Rom. – F. war seit 1543 Kapuziner-Laienbruder, zuerst in Anticoli und Monte S. Giovanni, dann über 40 Jahre in Rom Almosensammler; wegen seiner ständigen Dankesworte »Bruder Deogratias« genannt. Mit Karl Borromäus (s. d.) und Philipp Neri (s. d.) war er in inniger Freundschaft verbunden. F. war von unermüdlicher Geduld, Demut und Freundlichkeit. In einer Erscheinung hat ihm Maria das Jesuskind gereicht. F. wurde am 1. 10. 1625 selig- und am 22. 5. 1712 heiliggesprochen. Sein Fest ist der 18. Mai.

Lit.: Francesco Marchese, Vita del beato F. da C., Rom 1671; – Angelo M. da Voltaggio, Vita del beato F. da C., ebd. 1706; – Annabel Kerr, A son of St. Francis. St. F. of C., St. Louis (Missouri) – London 1900; – Jean de Dieu de Champsecret, Les sources de la vie de S. F. de C., in: Efranc 33, 1921, 97 ff.; – Ders., Les capucins et S. F. de C., ebd. 35, 1923, 89 ff.; – Ders., S. F. de C. aux couvents d'Anticoli et de Monte San Giovanni, ebd. 532 ff.; – Ders., Mort et glorieuse sépulture de s. F. de C., ebd. 48, 1936, 415 ff.; – Bernardino da Palmas Arborea, Vita di s. F. da C., Rom 1928²; – Cutberto da Brighton, I Cappuccini e la Controriforma, Faenza 1930, 189–213; – Melchior de Pobladura, Die Biogrr. v. Bernardino da Colpetrazzo († 1594) u. Mattia Bellintani († 1611), in: Monumenta historica O. F. M. Cap., III, Assisi 1940, 462 ff.; VI, Rom 1950, 469 ff.; – Ilarino da Milano, Fra F. da C., il santo delle vie di Roma, in: L'Italia francescana 23, Rom 1948, 126 ff.; – Arsenio da Casorate, Un ritratto di S. F. da C., voluto da un santo, ebd. 24, 1949, 88 ff.; – Salvator Maschek, Nachahmer Gottes. Ein Buch f. Priester wie auch f. Laienapostel im Geiste des allg. Priestertums II, Innsbruck 1952², 143 ff.; – Mariano da Alatri, Fra F. da C.: il santo del popolo romano, Rom 1958; – Ders., Processus sixtinus fratris F. da C. cum selectis de eiusdem vita vetustissimis testimoniis, ebd. 1964; – Hans Hümmeler, Helden u. Hll., 1959 (501.–510. Tsd.), 249 f.; – Remo Branca, L'asino dei frati, Fra F. da C., Mailand 1963; – BS V, 538 ff.; – LexCap 574 f.; – AS Maii IV, 202 ff.; – Catholicisme IV, 1153 f.; – DHGE XVI, 901 f.; – EC V, 1133; – LThK IV, 69; – NCE V, 880.

FELIX und REGULA, die Stadtheiligen von Zürich. – Die geschichtlich wertlose Legende, deren älteste uns erhaltene Fassung aus dem Anfang des 9. Jahrhunderts stammt, berichtet: Die Geschwister F. und R. gehörten der »Legio Thebaica« an, einer aus christlichen Soldaten bestehenden im Orient stationierten Legion. Auf einem Feldzug des Maximianus Herculius (286–305) gegen die Gallier verweigerte diese Legion die Mitwirkung bei der Verfolgung ihrer Glaubensgenossen. Darum wurde die »Legio Thebaica« zweimal dezimiert und schließlich bis auf den letzten Mann, 6600 an der Zahl, niedergehauen (s. Mauritius). F. und R. entkamen und gelangten auf ihrer Flucht an den Zürcher See und die Limmat bei der Burg Zürich, wo beide als die ersten Verbreiter des Christentums 303 nach furchtbaren Martern schließlich enthauptet wurden. Nach der Enthauptung richteten sie sich wieder auf, nahmen ihr zur Seite liegendes Haupt auf und trugen es dahin, wo sie begraben sein wollten. Über ihrem Grab erhob sich im 9. Jahrhundert ein Chorherrenstift, das Großmünster. Das Siegel der Stadt Zürich stellt die beiden Heiligen mit den abgeschlagenen Häuptern in der Hand dar. Ihr Fest ist der 11. September.

Lit.: Qu. z. Schweizer. Gesch. 18, 1900, 17 ff.; – Ernst Alfred Stückelberg, Die schweizer. Hll. des MA, Zürich 1903, 33 ff.; – Albert Poncelet, La date de la fête des SS. F. et R., in: AnBoll 24, 1905, 343 ff.; – Heinrich Günter, Legendenstud., 1906, 95 ff.; – Germain Morin, Die Zürcher Hll. F. u. R. u. ihre afr. Namensvettern v. Abitinae, in: Festg. des Zwingli-Ver. f. seinen Präs.

Hermann Escher z. 70. Geb., 1927, 6 ff.; – Eugen Egloff, Der Standort des Monasteriums Ludwigs des Deutschen in Zürich (Diss. Zürich), 1949; – Paul Kläui, Zur Frage des Zürcher Monasteriums, in: Schweizer. Zschr. f. Gesch. 2, Zürich 1952. 396 ff.; – Helen Roeder, Saints and the attributes, London 1955, 74; – AS Sept. III, 763 ff.; – MartHier 502; – VSB IX, 235 f.; – BS V, 594 f.; – Réau III, 490; – Wimmer[3] 218; – Torsy 156; – Holweck 374; – Doyé I, 357. 375; – Künstle 225 f.; – Braun 254 ff.; – DHGE XVI, 882 f.; – LThK IV, 72; – RE VI, 30; – RGG II, 896 f.

FELIX, Bischof *von Urgel* in der Spanischen Mark, † 816/818 in Lyon. – F. ist bekannt durch den abendländischen »adoptianischen« Streit (782–799), der im sarazenischen Spanien entstand. Der Erzbischof Elipandus von Toledo (s. d.) und F., die Hauptvertreter des »Adoptianismus«, entwickelten auf Grund des »Chalcedonense« und im Anschluß an Formeln der mozarabischen Liturgie ihre adoptianische Christologie: Christus ist nach seiner göttlichen Natur »Dei filius natura«, seiner menschlichen Natur nach »filius Dei adoptivus«, »filius Dei gratia«. Christus ist nach seiner Menschheit Adoptivsohn Gottes: »non genere sed adoptione, non natura sed gratia«. In der Kirche von Asturien im nordwestlichen Spanien, der heutigen Provinz Oviedo, erhob sich dagegen sofort Widerspruch. Hadrian I. (s. d.) verwarf 787 diese Lehre als »Nestorianismus« (s. Nestorius). Die meisten Bischöfe im sarazenischen Spanien vertraten die vom Papst verdammten »adoptianischen« Anschauungen. Während Elipandus unter sarazenischer Herrschaft stand, gehörte das Bistum des F. zum Reich Karls des Großen (s. d.). Darum mischte sich dieser in den Streit. Auf der Synode in Regensburg 792 verteidigte F. den »Adoptianismus«, der aber von den Bischöfen verworfen wurde. Obwohl er widerrief, sandte ihn Karl der Große in Begleitung des Abtes Angilbert (s. d.) von St. Riquier bei Abbeville in der Picardie nach Rom. Hadrian I. ließ F. gefangenhalten, bis er ein orthodoxes Bekenntnis feierlich beschworen hatte. Nach seiner Rückkehr in das Bistum Urgel bekannte er sich aber wieder zu seinen früheren Anschauungen und floh auf sarazenisches Gebiet. Vergeblich mahnte ihn Alkuin (s. d.) brieflich, seine Irrlehre aufzugeben. Elipandus wandte sich an Karl den Großen mit der Bitte um Untersuchung der christologischen Streitfrage und Wiedereinsetzung des F. Der »Adoptianismus« wurde auf der Synode in Frankfurt 794 verurteilt und von Alkuin literarisch bekämpft. Eine Synode in Rom verdammte 798 F., falls er nicht widerrufe. Erzbischof Leidrad von Lyon (s. d.), ein eifriger Gegner des »Adoptianismus«, erlangte von F. die eidliche Zusage, einer Vorladung Karls des Großen Folge zu leisten, wenn er ihm freies Gehör vor den Bischöfen zusichere. Nach einer sechstägigen öffentlichen Disputation mit Alkuin widerrief F. im Juni 800 auf der Synode in Aachen seine christologische Irrlehre und richtete an den Klerus des Bistums Urgel eine »confessio fidei«, um die Irrlehrer und die Irrenden dem katholischen Glauben zurückzugewinnen. F. wurde nicht wieder in sein Bischofsamt eingesetzt, sondern Leidrad übergeben, unter dessen Aufsicht er den Rest seines Lebens in Lyon verbrachte. Elipandus und die übrigen Bischöfe im sarazenischen Spanien aber verharrten bei ihren »adoptianischen« Anschauungen.

Werke: MPL 96, 847 ff. 881 ff.
Lit.: Hermann Größler, Die Ausrottung des Adoptianismus im Reiche Karls d. Gr., 1879; – Zacarías García-Villada, Historia eclesiástica de España II, Madrid 1936, 58 ff.; – José Madoz, Una obra de F. de U., falsamente adjudicada a San Isidoro de Sevilla, in EE 23, 1949, 147 ff.; – Angel C. Vega, El liber de variis quaestionibus no es de F. de U., in: La Ciudad de Dios 161, Escorial 1949, 217 ff.; – Hauck II, 307 f.; – Wattenbach-Levison 2, 226; – DCB II, 497 ff.; – Catholicisme IV, 1159 f.; – DHGE XVI, 915 f.; - EC V, 1137; – LThK IV, 71; – RE I, 181 f.; – RGG II, 896.

FELL, John, anglikanischer Theologe, Patristiker, * 23. 6. 1625 in Longworth (Berkshire) oder in Sunningwell bei Abingdon (Berkshire), † 10. 7. 1686 in Cuddesdom oder in Oxford. – F. studierte seit 1636 im Christ Church College von Oxford und erhielt als Pfarrer seit 1647 mit einer winzigen Minderheit in einem Privathaus in Oxford den anglikanischen Gottesdienst aufrecht. Nach der Restauration wurde F. 1660 Dekan von Christ Church. Als Vizekanzler von 1666–69 war er der eigentliche Reorganisator der Universität. 1676 wurde er Bischof von Oxford. – F.s Forschungen als Patristiker galten vor allem den Kirchenvätern Cyprian (s. d.) und Clemens von Alexandrien (s. d.). Auch ist er bekannt als einer der Bahnbrecher der neutestamentlichen Textkritik.

Werke: The Interest of England stated, 1659.
Lit.: Martin Schmidt, Das Erbauungsbuch »The Whole Duty of Man« u. seine Bedeutung f. die engl. KG, in: ThViat 7, 1957/1958; – DNB VI, 1157 ff.; – RGG II, 897.

FELTEN, Joseph, kath. Theologe, * 9. 2. 1851 in Düren, † Dezember 1929. – F. wurde 1877 Dozent für Theologie am St.-Cuthbert's-College in Ushaw-Durham (England), 1886 Kaplan in Süchteln, 1888 ao. und 1892 o. Professor für neutestamentliche Exegese in Bonn. 1921 trat er in den Ruhestand. F. war seit 1892 Vorsitzender des Vereins vom hl. Karl Borromäus (s. d.).

Werke: Papst Gregor IX., 1886; Robert Grosseteste, Bisch. v. Lincoln, 1887; Die Apg., übers. u. erkl., 1892; Die Gründung u. Tätigkeit des Ver. v. hl. Karl Borromäus, 1895; Nt. Zeitgesch. oder Judentum u. Heidentum z. Z. Christi u. der Apostel, 2 Bde., 1910 (1925[2]).
Lit.: Germania-Festschr., 1914, 169; – Prälat Prof. Dr. J. F. †, in: Bücherwelt 27, 1930, 123; – Kosch, KD 730 f.

FENDT, Leonhard, kath., seit 1918 ev. Theologe, * 2. 6. 1881 in Baiershofen (Bayern), † 9. 1. 1957 in Augsburg. – Als Subregens des Priesterseminars in Dillingen wurde F. besonders mit der Liturgiewissenschaft betraut. 1915 übernahm er den Lehrstuhl für Dogmatik an der dortigen Hochschule, verzichtete aber schon nach zwei Jahren auf sein theologisches Lehramt, weil er nicht mehr guten Gewissens seine Schüler die römischen Dogmen lehren konnte. F. ging nach Halle (Saale), wo er sich vor allem bei Friedrich Loofs, einem Meister der Kirchen- und Dogmengeschichte, mit der evangelischen Theologie vertraut machte. Dort trat er 1918 zum Protestantismus über und übernahm eine Pfarrstelle in Gommern bei Magdeburg. Neben einer religionsgeschichtlichen Studie über »Gnostische Mysterien« entstand dort sein bedeutendes liturgiegeschichtliches Werk über den lutherischen Gottesdienst des 16. Jahrhunderts. 1923 veröffentlichte er unter dem charakteristischen Titel »Erfüllung. Vom wohlgemuten Luthertum« sein persönliches Bekenntnis des lutherischen Glaubens. 1925 wurde F. Pfarrer in Magdeburg und kam 1927 an die Kirche »Zum Heilsbronnen« in Berlin. 1931 nahm er die akademische Lehrtätigkeit wieder auf, nachdem er sich in der Berliner Theologischen Fakultät für

Praktische Theologie habilitiert hatte. 1934 wurde ihm der o. Lehrstuhl für dieses Fach übertragen, den er bis zum Kriegsende versah. Nach vorübergehender Tätigkeit an der Universität Erlangen kam F. nach Bad Liebenzell als Mitarbeiter am Missionshaus. Die letzten Jahre verbrachte er in Augsburg.

Werke: Die Dauer der öffentl. Wirksamkeit Jesu, 1906; Die Theol. des Nestorius (Diss. Straßburg), Kempten 1910; Des hl. Methodius u. Olympius Gastmahl über die Jungfräulichkeit, 1911; Die rel. Kräfte des kath. Dogmas, 1921; Gnostische Mysterien. Ein Betr. z. Gesch. des christl. Gottesdienstes, 1922; Erfüllung. Ein Büchlein v. hochgemuten Luthertum, 1923 (1930²); Der luth. Gottesdienst des 16. Jh.s. Sein Werden u. sein Wachsen, 1923; Das Gebet, in: ThStKr 96/97, 1925, 238–262; Symbolik des röm. Kath., 1926; Die kath. Theol. der Ggw., in: ZThK NF 7, 1926, 430–459; 9, 1928, 432–451; Luthers Schule der Heiligung, 1929; Der Wille der Ref. im Augsburg. Bekenntnis. Ein Komm. f. Prediger u. Predigthörer, 1930; Die Bedeutung der Liturgie f. die Persönlichkeit u. Arbeit des Predigers (Vortr.), 1930; Die Alten Perikopen f. die theol. Praxis erl., 1931; Wir glauben an den dreieinigen Gott. – Was ist das?, 1932 (1934²); Die Stellung der PT im System der theol. Wiss. (Erw. Antritts-Vorlesung), 1932; Von der Nachfolge Jesu Christi im bewußten Glauben. Drei Reden, 1934; »Natürl. Theol.« im Kath., in: ZThK NF 15, 1934, 329–343; Katechetik. Einf. in die Grdl.n des kirchl. Unterrichts der Ggw., 1935 (1951²); Die PT in Karl Barths Dogmatik v. 1932, in: MPTh 32, 1936, 34–43. 71–87; Die Abendmahlsnot des Ggw.menschen, 1936; Der Christus der Gemeinde. Eine Einf. in das Mc nach Lukas, 1937; Grdr. der PT f. Studenten u. Kandidaten, 3 Bde., 1938/39 (1949²); Die Bedeutung der wiss. Theol. f. das prakt. Leben, 1939; Die Neuen Perikopen f. die theol. Praxis erl., 1941; Die Existenz der Kirche Jesu Christi. Eine Lehre v. der Gemeinde f. die Gemeinde Jesu Christi, 1949; Homiletik. Theol. u. Technik der Predigt, 1949; Die kath. Lehre v. Messe u. Abendmahl, 1954; Einf. in die Liturgiewiss., 1958. – Gab heraus: MPTh 26–33, 1930–37. – Bibliogr.: ThLZ 76, 1951, 439 ff.; 83, 1958, 75 f.

Lit.: Otto Eberhard, L. F.: Brückenbauer v. Katheder z. Welt u. z. Zeit, in: DtPfrBl 46, 1942, 195; – Robert Frick, L. F. z. 75. Geb., in: MPTh 45, 1956, 193 ff.; – Gerhard Jacobi, Die Eigenart v. D. F.s Predigt, ebd. 196 f.; – Georg Marquardt, F.s Predigtweise als Hilfe f. unser Predigen, ebd. 197 ff.; – Friedrich Heiler, Ein Lutheraner im Leben u. Sterben. Zum Tode v. Prof. D. Dr. L. F., in: Materialdienst des konfessionskundl. Instituts 8, 1957, 39 f.; – L. F. †, ebd. 19 f.; – Prof. Dr. L. F. z. Gedächtnis, in: JLH 3, 1957; – Gottesdienst u. Kirchenmusik 8, 1957, 65; – DtPfrBl 57, 1957, 69; – Kurt Hutten, »Attacke« mit der Letzten Ölung. Zum Tode des Prof. Dr. L. F., in: Kirchenbl. f. die ref. Schweiz 113, Basel 1957, 75 f.; – Hans Urner, In memoriam L. F., in: ThLZ 83, 1958, 73 ff.; – Karl Gerhard Steck, Der Btr. L. F.s z. Konfessionskunde, in: Erneuerung der Einen Kirche. Arbeiten aus KG u. Konfessionskunde. Heinrich Bornkamm z. 65. Geb. Hrsg. v. Joachim Lell, 1966, 56 ff.; – RGG II, 898 f.

FENEBERG, Johann Michael, kath. Pfarrer, * 9. 11. 1751 als Bauernsohn in Oberdorf (Allgäu), † 12. 10. 1812 in Vöhringen bei Ulm. – F. erhielt seine Erziehung bei den Jesuiten in Augsburg und wurde 1770 Jesuitennovize in Landsberg (Lech), wo er in Johann Michael Sailer (s. d.) einen Lebensfreund fand. Da Clemens XIV. (s. d.) am 21. 7. 1773 den Jesuitenorden aufhob, vollendete F. seine Studien in Ingolstadt und Regensburg und wurde nach seiner Priesterweihe 1775 Professor am Gymnasium St. Paul in Regensburg. Seit 1778 war er Benefiziat in seiner Heimat. Auf Sailers Veranlassung kam F. 1785 als Professor der Rhetorik und Poesie an das Gymnasium in Dillingen und verkehrte rege mit Sailer und anderen gleichgesinnten Universitätsprofessoren, deren Gegner den Bischof aber zum Einschreiten veranlaßten. Als gegen sie eine Untersuchung eröffnet wurde, die zu Sailers Maßregelung führte, trat F. bei seiner Zeugenvernehmung für seine Freunde mannhaft ein. Er hielt es nun für ratsam, Dillingen zu verlassen, und übernahm 1793 die Pfarrei Seeg bei Füssen (Allgäu). Martin Boos (s. d.) fand 1796/97 als vertriebener Kaplan bei seinem Vetter F. Zuflucht und übte auf ihn starken Einfluß aus, ohne ihn jedoch für das Herzstück des Evangeliums,

die Rechtfertigung durch den Glauben, zu gewinnen. F. wurde mit zweien seiner Kapläne wegen »Aftermystizismus« bei dem Bischof von Augsburg verklagt und zur Verantwortung geladen. Nachdem er am 11. 9. 1797 10 Sätze, die er aber nicht als von ihm gelehrt anerkannte, widerrufen hatte, konnte er in seine Pfarrei zurückkehren. F. blieb Boos und der Richtung Sailers treu, ohne sich eines Gegensatzes zum Dogma der katholischen Kirche bewußt zu sein. Von seinen Kaplänen seien Johannes Evangelista Goßner (s. d.) und Christoph von Schmid (s. d.) genannt. Seit 1805 wirkte F. als Pfarrer in Vöhringen.

Werke: Fragen f. Kinder über Begebenheiten aus der ev. Gesch. z. Weckung des Nachdenkens über dieselben, 3 Hh., 1788–92; Lehrplan, 1789; Smlg. erbaulicher Lieder z. Gebrauch in christl. Häusern, 1807; Blumen- u. Dornen-Stücke. Eine Smlg. interessanter aus dem Leben genommener Erzz. f. die Jugend, o. J.; Freude u. Schmerz, o. J.; Dichtung u. Wahrheit (8 Erzz.), 1816. – Übers. des NT, hrsg. v. Georg Michael Wittmann, 1808 (1829²⁵).

Lit.: Johann Michael Sailer, Aus F.s Leben (39. Bd. der Sämtl. Werke), 1814 (1841²); – Christoph v. Schmid, Erinnerungen aus meinem Leben III, 1855, 98 ff.; – Friedrich Wilhelm Bodemann, J. M. Sailer, 1856; – Valentin Thalhofer, Btr. zu einer Gesch. des Aftermystizismus im Bist. Augsburg, 1857, 68 ff.; – Remigius Stölzle, J. M. Sailer seine Maßregelung an der Akad. zu Dillingen u. seine Berufung nach Ingolstadt, 1910; – Kurt Aland, Der Inquisitionsprozeß gg. Anton Bach u. seine Anhänger, in: ZBKG 18, 1949, 110 ff.; 22, 1953, 217 ff.; – Matthias Simon, Die Entstehung des Zentralbibelver. in Bayern, in: Festg. Herrn Landesbisch. D. Hans Meiser z. 70. Geb., 1951, 45 ff.; – Hubert Schiel, J. M. Sailer. Leben u. Briefe II, 1952, 623 ff.; – Ders., M. F. u. Xaver Bayr vor dem Geistl. Gericht in Augsburg, in: ZBKG 26, 1957, 163 ff.; – Ders., Martin Boos vor dem Geistl. Gericht in Augsburg u. sein Inquisitionsprotokoll, ebd. 29, 1960, 51 ff.; – Friedrich Wilhelm Kantzenbach, J. M. Sailer u. der ökumen. Gedanke, 1955, 46 ff.; – Ders., Die Erweckungsbewegung. Stud. z. Gesch. ihrer Entstehung u. ersten Ausbreitung in Dtld., 1957, 27 ff.; – Hildebrand Dussler, J. M. F. u. die Allgäuer Erweckungsbewegung. Ein kirchengeschichtl. Btr. aus den Qu. z. Heimatkunde des Allgäus, 1959; – Ders., J. M. F., in: Lb. aus dem bayer. Schwaben VIII, 1961, 328 ff.; – Ders., J. M. F. u. die Allgäuer Erweckungsbewegung in der Sicht des Freisinger Moraltheologen Magnus Jocham, 1961; – Ders., Zur Allgäuer Erweckungsbewegung, in: Festg. Matthias Simon, 1963, 246 ff.; – Ders., Das Nachlaß des Pfr. J. M. F., in: ZBKG 35, 1966, 62 ff.; – Ders., Zum Bild des Sailerfreundes J. M. F., ebd. 230; – Kosch, KD 732; – DLL IV, 911 f.; – ADB VI, 619 f.; – NDB V, 77; – CathEnc VI, 34 f.; – DThC Tables générales 1510; – DHGE XVI, 957 f.; – LThK IV, 75; – NCE V, 882; – RE VI, 31 f.; – RGG II, 899.

FÉNELON, François de Salignac de la Mothe-F., Erzbischof, Schriftsteller, * 6. 8. 1651 auf Schloß Fénelon (Dordogne), † 7. 1. 1715 in Cambrai. – Nach kurzem Besuch der Universität Cahors widmete sich F. in Paris im Collège du Plessis und im Séminaire Saint-Sulpice philosophischen und theologischen Studien. Nach Priesterweihe und Vikariat an der Gemeinde Saint-Sulpice übertrug ihm der Erzbischof von Paris die Leitung einer zur Aufnahme von Konvertitinnen bestimmten Anstalt (Nouvelles Catholiques). Auf Wunsch der Herzogin von Beauvilliers verfaßte F. 1681 die pädagogische Schrift »Traité de l'éducation des filles«. Seine Erziehungsmaximen fanden schon im zeitgenössischen Frankreich sowie im Ausland, vor allem in Deutschland, lebhaften Anklang. Während dieser Zeit wurde er mit Jacques Bénigne Bossuet (s. d.), Bischof von Meaux, bekannt und vertraut. Nach der Aufhebung des Edikts von Nantes im Oktober 1685 betraute der König 1686 F. mit der Rekatholisierung der Hugenotten in den Provinzen Saintonge und Poitou; aber trotz milden Vorgehens hatte er wenig Erfolg. 1689–95 war F. Lehrer und Erzieher des Thronfolgers, Duc de Bourgogne, des Enkels Ludwigs XIV., und verfaßte für ihn u. a.

die »Fables«, »Dialogues des morts« und als sein Hauptwerk den staatspolitisch-pädagogischen Bildungsroman »Les aventures de Télémaque, fils d'Ulysse«, der das Idealbild eines weisen Königs entwirft. F. wurde 1693 Mitglied der Académie Française und 1695 Erzbischof von Cambrai. Ohne sein Wissen erfolgte 1699 durch die Indiskretion eines Abschreibers die anonyme und unvollständige Veröffentlichung seines Werkes »Les aventures de Télémaque«. Es erregte ungeheures Aufsehen und brachte dem Verfasser die Ungnade des Königs ein. Ludwig XIV. erblickte an vielen Stellen dieses Fürstenspiegels im Gewand eines griechischen Romans Kritik an seinem rücksichtslosen Absolutismus und ließ den Druck sofort einstellen. Erst nach dem Tod Ludwigs XIV. und F.s erschien die offizielle Erstausgabe dieses Werkes, das zu einem der erfolg- und einflußreichsten Bücher des 18. Jahrhunderts wurde. – In der Kirchengeschichte ist F. bekannt durch den jahrelangen erbitterten Quietismusstreit mit Bossuet. Er war seit 1688 befreundet mit Madame de Guyon (s. d.), der Hauptvertreterin der quietistischen Mystik, und verteidigte sie in der Ende Januar 1697 von ihm veröffentlichten »Explication des maximes des Saints sur la vie intérieure«. Er lieferte darin den Nachweis, daß die »ketzerischen« Lehren der Madame de Guyon auch bei anerkannten Heiligen zu finden seien, und stellte in 45 Artikeln die wahren und falschen Ansichten über das innere Leben zusammen. In diesen heftigen Auseinandersetzungen ging es vor allem um die Lehre, die christliche Vollkommenheit bestehe in dem Seelenzustand reiner Liebe zu Gott (pur amour) mit Ausschluß jedes anderen Motivs unseres Handelns. Zur Entscheidung des Quietismusstreits rief F. am 26. 4. 1697 den Papst an, dasselbe taten am 6. 8. 1697 seine Gegner, ebenso am 26. 8. 1697 der König, der im Verlauf der Auseinandersetzungen F. im Januar 1699 vom Hof verwies. Nach langen Beratungen in Rom verbot Innozenz XII. (s. d.) mit Breve »Cum alias« vom 12. 3. 1699 die »Explicatio« und verurteilte daraus 23. Sätze. F. unterwarf sich sofort dem Urteil des Papstes und ließ die Restauflage seines Buches vernichten. – F. war neben Bossuet der bedeutendste Bischof und Theologe im Zeitalter Ludwigs XIV.

Werke: Traité de l'éducation des filles (verf. 1681). – *Ausgg.*: Paris 1687 (Neuausg. v. A. Chérel, 1920); v. Ch. Defodon 1881; v. P. Feuille (mit Anm.), 1883; v. A. Périer (Ausz.), 1953. – *Überss.*: F. A. Arnstädt, Über Töchtererziehung, Leipzig 1879; J. Esterhues, Über die Erziehung der Mädchen, Paderborn 1956. – Dialogues entre les cardinaux Richelieu et Mazarin et autres (Verschiedene Gespräche zw. den Kard. R. u. M. u. a.). – *Ausgg.*: (anon.) Köln – Paris 1700; (anon.) Dialogues des morts, composez pour l'éducation d'un prince, 1712; Dialogues des morts anciens et modernes avec quelques fables, composez pour l'éducation d'un prince, 2 Bde., 1718; Choix de dialogues des morts (Ausw.), 1946. – *Übers.*: (anon.) Gespräche der Todten, Frankfurt/Main 1745. – Dialogues sur l'éloquence en général et sur celle de la chaire en particulier, avec une lettre écrite à l'Académie (Gespräche über die Kunst der Rede im allg. u. über die des Kanzelredners im bes., mit einem an die Frz. Akad. gerichteten Brief; geschr. zw. 1681 u. 1686). – *Ausgg.*: Paris 1718; v. S. Howell (mit Einl. u. Anm.), Princeton (New Jersey) 1951. – *Übers.*: P. M. Schon, Über das Malerische, in: Der frz. Geist. Die Meister des Essays v. Montaigne bis z. Ggw. Hrsg. v. G. R. Hocke, Leipzig 1938 (Ausw.). – – Réflexions sur la grammaire, la rhétorique, la poétique et l'histoire ou Mémoire sur les travaux de l'Académie française à M. Dacier (Überlegungen z. Grammatik, Rhetorik, Poetik und Gesch. oder Denkschr. über die Arbeiten der Académie Française an Herrn Dacier). – *Ausgg.*: Paris 1716; v. A. Cahen (mit Einl., Anm. u. Anh.), 1899 (1911⁵). – – Suite du quatrième livre de l'Odyssée d'Homère, ou les aventures de Télémaque, fils d'Ulysse (Forts. des 4. Buchs der

Odyssee v. Homer oder Die Abenteuer des Telemach, Sohn des Odysseus; entstanden 1695/96 während der Tätigkeit F.s als Erzieher des Duc de Bourgogne). – *Ausgg.*: Den Haag – Brüssel 1699 (anon. unberechtigte Veröff.); Paris 1717 (nach dem Originalms.); v. A. Cahen, 2 Bde., Paris 1920; v. J.-L. Goré, Florenz 1962; mit Einl. v. dems., Paris 1968. – *Übers.*: B. Stehle, Die Erlebnisse des Telemach, Paderborn 1891; – Fables, 1734; Explication des maximes des Saints sur la vie intérieure, 1697 (Neuausg. v. A. Chérel, 1911). – Oeuvres complètes, hrsg. v. P. Querbeuf, 9 Bde., 1787–92; hrsg. v. Gosselin u. Caron, 35 Bde., 1820–30; Oeuvres complètes, 10 Bde., 1848–52; Oeuvres choisies, 4 Bde., 1862 (1900–09²); Lettres et écrits politiques, hrsg. v. C. Urbain, 1921; Lettres spirituelles, hrsg. v. S. de Sacy, 3 Bde., 1856; Les plus belles pages de F., hrsg. v. H. Bremond, 1930; Pages nouvelles, hrsg. v. M. Langlois, 1935; Correspondance, hrsg. v. Gosselin, 11 Bde., 1827–29. – *Übers.*: Sämtl. Werke, 5 Bde., 1781–82; Rel. Schrr., dt. v. M. Claudius, 2 Bde., 1800–09 (1878²); v. A. Arndt, 3 Bde., 1885²; Briefe an einen Stiftshauptmann. Eingel. v. Carl Muth. Übers. v. Robert Scherer, 1940 (1947²); F. Persönlichkeit u. Wirken. Aus Briefen u. Werken ausgew. u. übers. v. Bernard v. Koskull, 1950; Geistl. Werke. Einl. u. Textausw. v. François Varillon. Dt. Ausg. u. Übers. v. Peter Manns, 1961.

Lit.: Louis-François de Bausset, Histoire de F., 3 Bde., Paris 1803 (4 Bde., 1862²); – Paul Janet, F., ebd. 1892 (1912³); – Léon Crouslé, F. et Bossuet. Études morales et littéraires, ebd. 1894–95; – Louis Boutié, F., ebd. 1900; – Ella King Sanders, F. His friends and his enemies, London 1901; – Moïse Cagnac, F. directeur de conscience, Paris 1901; – Ders., F. archevêque, ebd. 1906; – Ders., F. apologiste de la foi, ebd. 1917; – C. Lecigne, F. et l'éducation du duc de Bourgogne, ebd. 1903; – Henri Druon, F., archevêque de Cambrai, 2 Bde., ebd. 1907; – M. Masson, F. et Mme Guyon, ebd. 1907; – Albert Delplanque, F. et la doctrine de l'amour pur (Thèse), Lille 1907; – Ders., F. et ses amis, Paris 1910; – Ders., La pensée de F., ebd. 1930; – Eugène Griselle, F. Études critiques, ebd. 1910; – Jules Lemaître, F., ebd. 1910; – Henri Bremond, Apologie pour F., ebd. 1910; – Ders., Les plus belles pages de F., ebd. 1930; – Ludovic Navatel, F. La confrérie secrète du pur amour, ebd. 1914; – Pierre Pourrat, La spiritualité chrétienne, ebd. 1918 (Neuaufl. 1947); – Albert Chérel, F. au XVIII⁰ siècle en France, son prestige, son influence (Thèse), ebd. 1918; – Ders., F ou la religion du pur amour, 1934; – Max Wieser, Dt. u. roman. Religiosität. F., seine Qu. u. seine Wirkungen (Diss. Heidelberg 1918), Berlin 1919; – Josef Bernhart, F. u. Madame Guyon: Rel. Erzieher der kath. Kirche, hrsg. v. Sebastian Merkle u. Bernhard Bless, 1921, 155 ff.; – Maxime Leroy, F., Paris 1928; – Paul Egon Hübinger, F. als polit. Denker, in: HJ 57, 1937, 61 ff.; – Karl Muth, F., in: Hochland 35, 1938, I, 275 ff. 352 ff.; – James Lewis May, F. A study, London 1938; – Gabriel Joppin, F. et la mystique du pur amour, Paris 1938; – Jean Calvet, La littérature religieuse de François de Sales à F., ebd. 1938; – Ely Carcassonne, État présent des travaux sur F., ebd. 1939; – Ders., F., l'homme et l'oeuvre, ebd. 1946; – Ders., F., ebd. 1965; – Alwina Helene Ruf, Bossuet u. F. Vers. einer psycholog. Darst. ihrer persönlichen Beziehungen (Diss. Würzburg), 1940; – M. Barbano, F., Turin 1950; – Katharine Day Little, F. de F. Study of a personality, New York 1951; – Kauko Kyyrö, F.s Ästhetik u. Kritik, Helsinki 1951; – F. Persönlichkeit u. Werk. Festgabe z. 300. Wiederkehr seines Geb. Hrsg. v. Johannes Kraus u. Josef Calvet, 1953; – Henri Sanson, St. Jean de la croix entre Bossuet et F. Contribution à l'étude de la querelle du pur amour, Paris 1953; – Peter Manns, Ergebnisse frz. u. dt. F.-Forsch., 1953; – Alfred Lombard, F. et le retour à l'antique au XVIII⁰ siècle, Neuchâtel 1954; – Madeleine Clamorgan Daniélou, F. et le duc de Bourgogne. Étude d'une éducation. Paris 1955; – Raymond Schmittlein, L'aspect politique du différend Bossuet-F., Baden-Baden – Paris 1955; – Antoine Adam, Histoire de la Littérature française au XVII⁰ siècle, Paris 1956, 132 ff.; – Michael de la Bedoyère, The Archbishop and the Lady: The Story of F. and Madame Guyon, New York 1956; – M. Rat, F., grammairien et amateur du beau langage, in: Vie et Langage 5, Paris 1956, 349 ff.; – Jeanne-Lydie Goré, L'itinéraire de F. Humanisme et Spiritualité (Thèse Grenoble), Paris 1957; – Ronald Arbuthnott Knox, Christl. Schwärmertum. Ein Btr. z. Rel.gesch. Dt. v. Paula Havelaar u. Auguste Schorn, 1957, 289 ff.; – François Varillon, F. et le pur amour, Paris 1957; – Agnès de La Gorce, Le vrai visage de F., ebd. 1958; – Louis Cognet, Crépuscule des mystiques: le conflit F.-Bossuet, ebd. 1958; – Arnaldo Pizzorusso, La poetica di F., Mailand 1959; – Bernard Dupriez, F. et la Bible. Les origines du mysticisme fénelonien, Paris – London 1961. – Françoise Gallouédec-Genüys, Le Prince selon F., Paris 1963; – Robert Spaemann, Reflexion u. Spontaneität. Stud. über F. (Hab.-Schr.), Münster 1962; Stuttgart 1963; – Gisbert Kranz, Polit. Hll. u. kath. Reformatoren III, 1963, 217 ff.; – Marcel Raymond, F., Brügge 1967; – Henk Hillenaar, F. et les Jésuites, Den Haag 1967 (Rez. v. J. F. Maclear, in: ChH 38, 1969, 381 f.; v. W. G. Moore, in: Modern language review 65, Cambridge 1970, 166 ff.; v. J. Michael Hayden, in: Catholic historical review 56, Washington 1970, 568 ff.; v. Jean-Robert Armogathe, in: Revue philosophique de Louvain 68, Louvain 1970, 119 f.; v. dems., in: Erasmus. Speculum scientiarum 25, London 1973, 552 ff.); – Pietro Zovatto, F. e il quietismo, Udine 1968 (Rez. v. Ettore Passerin d'Entrèves, in: Rivista di storia e letteratura religiosa 7, Florenz 1971, 552 ff.); – François Ribadeau Dumas, F. et les saintes folies de madame Guyon, Genf 1968; – Carlo Terzi, F., Rom 1971 (Rez. v. A. M. Dell'Oro, in: Sophia 40, Padua 1972, 133 f.); – Eva Mohr, F. u. der Staat (Diss. Frankfurt/Main), 1971; – Wolfgang-Hermann Bensiek, Die ästhet.-literar. Schrr. F.s u. ihr Einfluß in der 1. Hälfte des 18. Jh.s in Dtld. (Diss. Tübingen), 1972; – WeltLit I, 490 f.; – Wilpert I², 490 f.; II, 4 f. 1045; – KLL II, 184 f.; VI, 64 f. 2099 ff.; Suppl. 425 f.; – DBF XIII, 982 ff.; – DThC V, 2137 ff.; – DHGE XVI, 958 ff.; – LThK IV, 75 f.; – NCE V, 882 ff.; – EC V, 1146 ff.; – RGG II, 899 f.

FERRANDUS, seit 523 Diakonus in Karthago, † vor 546. – F. war ein Schüler des Bischofs Fulgentius (s. d.) von Ruspe (Nordafrika), mit dem er während der Verfolgung der Katholiken unter dem Vandalenkönig Thrasamund (496–523) in Calaris (Sardinien) das Los der Verbannung teilte. Nach dem Tod Thrasamunds durften beide unter dessen Nachfolger, dem milden, den Katholiken geneigten Hilderich, nach Afrika zurückkehren. – F. ist mit großer Wahrscheinlichkeit der Verfasser der ausführlichen anonymen »Vita Fulgentii«. Wir besitzen von ihm eine Anzahl Briefe und Sendschreiben, darunter ein im »Dreikapitelstreit« (544–553) von dem römischen Klerus erbetenes Gutachten, in dem F. sich ganz entschieden gegen die Verurteilung der sog. »Drei Kapitel« (s. Justinian I.) erklärt. Von seinen Werken ist ferner erhalten die »Breviatio canonum«, eine für die Quellengeschichte des Kirchenrechts sehr wertvolle Sammlung wichtiger griechischer und afrikanischer Synodalbeschlüsse.

Werke: Breviatio Canonum (die 1. afr. KR-Smlg.), in: MPL 67, 949–962; 88, 817–830; 7 Briefe, in: MPL 65, 378–394; 67, 887 bis 950; 5 weitere 1871 aufgefundene Briefe, veröff. v. A. Reifferscheid, Anecdota Casinensia, 1871, 5 ff.; Vita Fulgentii, in: MPL 65, 117–150; BKV² II, 9, 49–118 (seine Verfasserschaft noch heute umstritten).

Lit.: Friedrich Maaßen, Gesch. der Qu. u. der Lit. des kanon. Rechts im Abendlande bis z. Ausgange des MA I, Graz 1870, 799 ff.; – Gerhard Ficker, Zur Würdigung der Vita Fulgentii, in: ZKG 21, 1901, 9 ff.; – Henri Leclercq, L'Afrique chrétienne II, Paris 1904, 204 ff.; – Hermann Jordan, Gesch. der altchristl. Lit., 1911, 359; – Gustav Krüger, F. u. Fulgentius, in: Harnack-Ehrung. Btrr. z. KG ihrem Lehrer Adolf v. Harnack z. 70. Geb. dargebr. v. einer Reihe seiner Schüler, 1921, 219 ff.; – L.-J. Tixeront, Précis de patrologie, Paris 1923⁴, 465; – Gabriel G. Lapeyre, St. Fulgence de Ruspe, par Ferrand, Étude de Carthage, ebd. 1929; – Ders., L'ancienne église de Carthage. Études et documents, 2ᵉ série, ebd. 1932, 153 ff.; – Paul Fournier u. Gabriel Le Bras, Histoire des collections canoniques en occident depuis les fausses décrétales jusqu'au Décret de Gratien I, ebd. 1931, 34 f.; – Umberto Moricca, Storia della letteratura latina cristiana II/2, Turin 1934, 1390 ff.; – Wolfgang Pewesin, Imperium, Ecclesia universalis, Rom. Der Kampf um die afr. Kirche um die Mitte des 6. Jh.s (Diss. Berlin), Stuttgart 1937, 17 ff.; – Heinz Eberhard Giesecke, Die Ostgermanen u. der Arianismus, 1939, 189 f.; – Schanz IV, 572 ff.; – Bardenhewer V, 316 ff.; – Pauly-Wissowa VI, 2219 ff.; – Altaner⁷ 489; – DCB II, 583 f.; – DThC II, 2174 f.; – Catholicisme IV, 1196 f.; – DHGE XVI, 1171 f.; – DDC II, 1111 ff.; V, 831; – DSp V, 181 ff.; – LThK IV, 89; – NCE V, 892; – EC V, 1181; – Chalkedon II, 807 ff.; – RE VI, 315 f.; XXIII, 492; – RGG II, 904 f.

FERRATA, Domenico, päpstlicher Diplomat, Kardinal, * 4. 3. 1847 in Gradoli (Provinz Viterbo), † 10. 10. 1914 in Rom. – F. wurde 1876 Professor des Kirchenrechts an S. Apollinare in Rom und 1877 am Kolleg der Propaganda, 1879 Auditor an der Pariser Nuntiatur, 1883 Unterstaatssekretär und 1889 Sekretär der Kongregation für außerordentliche Angelegenheiten in Rom, 1885 Präsident der Accademia dei Nobili Ecclesiastici und Nuntius in Brüssel. Auf mehreren Reisen in die Schweiz regelte F. die durch Altkatholizismus und Kulturkampf verwirrten Zustände der Diözese Basel und die seit dem Krieg von 1859 ungeklärten Verhältnisse des Kantons Tessin. 1891 bis 1896 wirkte er als Nuntius in Paris und bemühte

sich um den Zusammenschluß der in mehrere Gruppen geteilten Katholiken im Sinn des »Ralliements«, der von Leo XIII. (s. d.) den französischen Katholiken empfohlenen Politik der Zusammenarbeit mit der Republik, erreichte aber nur eine vorübergehende Besserung des Verhältnisses zwischen Staat und Kirche in Frankreich. F. wurde 1896 Kardinal und war unter Pius X. (s. d.) Präfekt verschiedener Kongregationen und Mitarbeiter an der Kodifizierung des Kirchenrechts, des Codex Iuris Canonici. Er wurde 1914 Sekretär des Hl. Offiziums, und kurz vor seinem Tod ernannte ihn Benedikt XV. (s. d.) zum Kardinalstaatssekretär.

Werke: Discorsi, Rom 1910; Mémoires, 3 Bde., Rom 1920–21.

Lit.: Carlo Salotti, L'opera diplomatica e sacerdotale del cardinale F., Rom 1915; – Léon Grégoire (d. i. G. Goyau), Le Card. F., in: Revue des deux mondes Pér. 6, Paris 1921, 392 ff.; – Ch. Terlinden, Card. D. F., Mémoires, in: RHE 19, 1923, 274 ff.; – Pietro Pirri, La politica di Leone XIII nelle Memorie del card. F., in: CivCatt, 1926, III, 227 ff. 488 ff.; – Ulrich Stutz, Die päpstl. Diplomatie unter Leo XIII. Nach den Denkwürdigkeiten des Kard. D. F. (AAB 1925, 3/4), 1926; – Eduardo Soderini, Il pontificato di Leone XIII, I, Mailand – Verona 1932, 398. 435 f.; II, 1933, 40–485; – Joseph Schmidlin, Papstgesch. der neuesten Zeit III, 1936, 187 ff. u. ö.; – Ludwig v. Pastor, Tagebücher, Briefe, Erinnerungen. 1854–1928, hrsg. v. Wilhelm Wühr, 1950, 928 (Reg.); – Friedrich Engel-Janosi, Östr. u. der Vatikan. 1846–1918, II, Graz 1960, 183 f.; – C. Zerba, Nel cinquantenario del decreto Quam singulari ..., Città del Vaticano 1961, 13 f.; – Amato Pietro Frutaz, La Sezione storica della S. Congregazione dei Riti, ebd. 1963, 9. 33 ff.; – Max Liebmann, Card. Piffl. Les conclaves de Benoît XV et de Pie XI, in: La Revue nouvelle 38, 1963, 34 ff.; – EItal XV, 58; – Catholicisme IV, 1198 f.; – DHGE XVI, 1229 ff.; – EC V, 1195 f.; – LThK IV, 89; – NCE V, 894; – RGG II, 905.

FERRER, Vincenz, Bußprediger, Heiliger, * 23. 1. 1350 in Valencia, † 5. 4. 1419 in Vannes (Bretagne). – F. wurde am 5. 2. 1374 Dominikanermönch und studierte an der Ordensschule in Valencia und seit 1380 an den Universitäten Barcelona und Lérida. Sein »Tractatus de moderno Ecclesiae schismate«, eine Schrift über das durch die zwiespältige Papstwahl von 1378 herbeigeführte große Schisma, in der er für Clemens VII. (s. d.) eintrat, brachte ihm auf Betreiben des Kardinals Pedro de Luna (s. Benedikt XIII., Gegenpapst), des Legaten Clemens' VII., 1384 in Lérida die Promotion zum Dr. theol. ein. F. wirkte seit 1384 als Lehrer der Theologie an der Kathedrale in Valencia und seit 1391 am Hof Johannes I. von Aragonien als Ratgeber und als Beichtvater der Königin. Er wurde 1395 von Benedikt XIII. als Großpönitentiar nach Avignon berufen, kehrte aber 1398 nach Valencia in sein Kloster zurück. 1399 bis 1419 durchzog F. als eschatologischer Bußprediger Spanien, Norditalien und Frankreich, begleitet von einer großen Volksmenge, vielen Priestern und endlosen Scharen von Flagellanten, die mit dicken, am Ende mit Knoten versehenen Stricken die entblößten Schultern geißelten. Durch seine erschütternden Bußpredigten und durch seine Prophezeiungen von dem nahe bevorstehenden Ende der Welt und der großen Schlacht gegen den Antichrist übte er auf die Volksmassen einen gewaltigen Einfluß aus. F. soll 35 000 Juden und 8000 Mohammedaner bekehrt und über 100 000 Waldenser und Katharer der Kirche zurückgewonnen haben. Er wurde am 29. 6. 1455 von Calixt III. (s. d.) heiliggesprochen. Sein Fest ist der 5. April.

Werke: Tractatus de vita spirituali, Valencia 1591, Lyon 1585, Köln 1616, Paris 1619 (fand die weiteste Verbreitung u. beeinflußte die Exercitia spiritualia des Ignatius v. Loyola); Tractatus de moderno Ecclesiae schismate, hrsg. v. A. Sorbelli: Il trattato di S. V. intorno al grande scisma d'Occidente, Bologna 1905²;

Epistola ad Benedictum XIII., papam Avenione sedentem, de fine mundi et tempore Antichristi (in verschiedenen Sprachen öfter gedr.); Sermones, hrsg. v. Simon Berthier, Lyon 1516. – Opera omnia, 2 Bde., Augsburg 1729; 4 Bde., Valencia 1793/94; hrsg. v. Henry Fages, 2 Bde., Paris 1909. – Opuscula ascetica, hrsg. v. Rousset, Paris 1901. – Biografía y escritos de San V. F. (BAC 153), Madrid 1956.

Lit.: Ludwig Heller, V. F. u. sein Leben u. Wirken, 1830; – Henry Fages, Histoire de S. V. F., apôtre de l'Europe, 2 Bde., Paris 1892–94 (1901²); – Ders., Procès de la Canonisatiom de s. V. F., ebd. 1904; – Ders., Notes et documents de l'histoire de V. F., ebd. 1905; – Max Frhr. v. Droste, Die kirchenpolit. Tätigkeit des hl. V. F. (Diss. Freiburg/Breisgau), 1903; – Albano Sorbelli, Il trattato di S. V. intorno al grande scisma d'Occidente, Bologna 1905; – Stanislaus M. Hogan, St. V. F., London 1911; – Vicente Cuenca Creus, S. V. F., su influencia social y política, Madrid 1919; – Sigismund Brettle, San V. F. u. sein literar. Nachlaß, 1924; – Matthieu Maxime Gorce, Les bases de l'étude historique de s. V. F., Paris 1925; – Ders., S. V. F., ebd. 1935; – Heinrich Finke, Drei span. Publizisten . . ., in: Span. Forsch. der Goerres-Ges. I, 1928; – Ders., Die Quaresma-Predigten 1430 des hl. V. F., in: Stud. aus dem Gebiete v. Kirche u. Kultur. Festschr. Gustav Schnürer z. 70. Geb. Hrsg. v. Leo Helbig, 1930, 24 ff.; – René Johannet, S. V. F., Marseille 1930; – Georg Schreiber, Dtld. u. Span. Volkskundl. u. kulturkundl. Beziehungen. Zus.hänge abendländ. u. ibero-amer. Sakralkultur, 1936, 289 ff.; – Henri Ghéon, St. V. F. Transl. by Francis Joseph Sheed, London 1939; – Vicente Genovés Amorós, S. V. F. en la política de su tiempo, Madrid 1943; – Ders., S. V. F., Apóstol de la Paz, Barcelona 1944; – Josef Teixidor, S. V. F., promotor y causa principal del antiguo estudio general de Valencia, Madrid 1945; – Joseph María de Garganta, El tratado »De vita spirituali« de s. V. F., Barcelona 1948; – Ders. u. V. Forcada, Biografía y escritos de S. V. F., Madrid 1956; – Elías Tormó Monzó, En el sexto centenario de S. V. F., in: Boletín de la Real Academia de la Historia 126, 1950, 207–270; – V. Galluf, Vida de San V. F., Valencia 1950; – E. Sauras, La teologia del cuerpo místico en los escritos de s. V. F., ebd. 1951; – M. Miralles, El misterio de la Asunción en s. V. F., in: RET, 1951, 65 ff.; – Jesús Ernesto Martínez Ferrando, El nostre Sant V. F., Valencia 1952; – U. Carmarino, I viaggi di s. V. F. in Italia, Florenz 1955; – Vicente Martínez Morellá, S. V. en Orihuela y Códices vicentinos en la Catedral de Valencia, 1955; – Hans Hümmeler, Helden u. Hll., 1959 (501.–510. Tsd.), 177 f.; – Angelus Walz, V. F., in: Die Hll., hrsg. v. Peter Manns, 1975, 416 ff.; – Quétif-Échard I, 763 f.; II, 338. 822. 987; – AS I, 482 ff.; – VSB IV, 115 ff.; – BS XII, 1168 ff.; – Wimmer³ 509 f.; – Torsy 546 f.; – Künstle 578 f.; – Braun 724 f.; – DThC XV, 3033 ff.; – EC XII, 1444 f.; – LThK X, 798 ff.; – RE VI, 48 ff.; – RGG II, 905; – EItal XXXV, 383; – NCE XIV, 680 f.

FERRETTI, Paolo Maria, Choralforscher, * 3. 12. 1866 in Subiaco, † 23. 5. 1938 in Bologna. – F. studierte Theologie am Benediktiner-Kolleg San Anselmo in Rom und wurde 1901 Abt von San Giovanni Evangelista in Parma. 1913 berief ihn Pius X. an die Pontificia scuola superiore di musica sacra in Rom. Pius XI. ernannte ihn 1922 zum Präsidenten des Pontificio Istituto di Musica Sacra, der päpstlichen Musikhochschule in Rom. – Die Bedeutung F.s auf dem Gebiet der Kirchenmusik liegt in seiner choralischen Lehrtätigkeit und vor allem in seiner »Estetica Gregoriana«, einer systematischen Formenlehre des gregorianischen Chorals.

Werke: Principii teorici e pratici di canto gregoriano, Rom 1905; Il cursus metrico e il ritmo delle melodie gregoriane, ebd. 1913; Étude sur la notation aquitaine d'après le graduel de Yrieix, in: Paléographie musicale der Benediktiner v. Solesmes 13, 1925, 54–211; Estetica Gregoriana; ossia, Trattato delle forme musicali del Canto Gregoriano I (mehr nicht ersch.), Rom 1934 (frz. Übers. v. Amandus Agaësse, Esthétique grégorienne; ou Traité des formes musicales du chant grégorien, Paris – Tournai 1938; mit einem neuen c.: Caractère de l'accent tonique dans le chant grégorien, neu hrsg. v. P. M. Ernetti, Quaderni dei padri benedettini di S. Giorgio Maggiore III, Venedig 1964; Harmonica e ritmica nella musica antica, 1937; Neuausg.: Jucunda laudatio VII, 1969, Nr. 3/4.

Lit.: J. B. W., Death of the Right Reverend Abbot Dom. F., in: Catholic Choirmaster 24, 1938, 111 ff.; – Armandus Agaësse, Hommage à dom F., in: RevGrég 16, 1938, 121 ff.; – P. Thomas, Le Révérendissime père abbé F., in: La Vie Bénédictine 35, 1938, 156 ff.; – G. Parma, Produzione scientifico-musicale dell' abbate P. M. F., in: Sacro Speco 40, 1938, 160 ff.; – A. Bernier, Le révérendissime père M. F., in: Le Devoir 26, 1938, 95 ff.; – Gesch. der kath. Kirchenmusik, hrsg. v. Karl Gustav Fellerer. I: Von den Anfängen bis z. Tridentinum, 1972, 133. 238. 240. 313. 334; – MGG IV, 78 f.; – Riemann I, 503; ErgBd. I, 353; – LThK IV, 92; – NCE V, 896.

FERRY, Paul, ref. Theologe, * 24. 2. 1591 in Metz, † daselbst 28. 12. 1669. – F. studierte in La Rochelle und Montauban und wirkte seit 1612 als Pfarrer in Metz. Er war ein hervorragender Prediger (»Goldmund«) und ein bekannter Kontroverstheologe. Mit dem schottischen Theologen John Durie (s. d.), der ihn 1662 besuchte, korrespondierte F. jahrelang über die Frage der innerprotestantischen Union in Europa.

Werke: Nachlaß in der Metzer Staatsbibl. – Schrr. in der Bibliothèque du Protestantisme in Paris.

Lit.: Charles Cuvier, Notice sur P. F., 1870; – Thiron, Étude sur l'histoire du protestantisme à Metz, 1884, 209; – Roger Mazauric, Le pasteur P. F., Metz 1964; – Haag VI², 511 f.; – RGG II, 905 f.; – DBF XIII, 1179 f.

FESCH, Joseph, Erzbischof von Lyon, * 3. 1. 1763 in Ajaccio auf Korsika, † 13. 5. 1838 in Rom. – F.s Vater war Leutnant in einem Schweizerregiment, das in französischen Diensten stand. Er hatte 1757 die italienische Witwe Ramolini geheiratet, deren Tochter aus erster Ehe, Lätitia, später die Mutter Napoleons I. (s. d.) wurde. F. studierte seit 1780 im Seminar in Aix-en-Provence. Er empfing 1787 die Priesterweihe und wurde 1791 Archidiakonus in Ajaccio. Während der Französischen Revolution trat F. in die Kriegsverwaltung ein und erhielt 1796 beim ersten italienischen Feldzug seines Neffen Bonaparte eine Anstellung als Kriegskommissar. Unter dem Konsulat Napoleons kehrte er zum geistlichen Stand zurück und wurde Domkanonikus in Bastia, 1802 Erzbischof von Lyon und 1803 Kardinal und französischer Gesandter am päpstlichen Hof. Erfolgreich verhandelte F. mit Pius VII. (s. d.) über die Kaiserkrönung Napoleons I. und begleitete 1804 den Papst nach Paris, wo er am 1. 12. die Ehe seines Neffens einsegnete und am nächsten Tag Pius VI. bei der Krönungsfeier assistierte. F. wurde 1805 Großalmosenier des Kaiserreichs und Mitglied des Senats, widersetzte sich aber den kirchenpolitischen Forderungen Napoleons und wurde darum 1806 von seinem Gesandtschaftsposten abberufen. Er sollte zur Entschädigung dafür Koadjutor und Nachfolger des deutschen Kurerzkanzlers Karl Theodor von Dalberg (s. d.) werden. F. verzichtete aber darauf und lehnte auch seine geplante Erhebung zum Erzbischof von Paris ab. Sein Verhältnis zum Kaiser wurde dadurch noch gespannter, daß er sich weigerte, die durch ein geistliches Gericht Ende 1809 aufgelöste Ehe Napoleons mit Josephine Beauharnais für ungültig zu erklären. Auf dem von Napoleon I. 1811 nach Paris berufenen Nationalkonzil sprach sich F., den der Kaiser zum Präsidenten bestimmt hatte, so entschieden für den Papst aus, daß er bei Napoleon I. in Ungnade fiel. Nach dem Sturz des Kaisers zog sich F. nach Rom zurück und lebte hier seinen künstlerischen und literarischen Neigungen, verzichtete aber nicht auf das Erzbistum von Lyon.

Lit.: Abbé Lyonnet, Le cardinal F., 2 Bde., Paris 1841; – Charles Guérin, J. F., Bastia (Korsika) 1855; – Histoire des négotiations diplomatiques, précédée de la correspondance de l'empereur Napoléon avec le cardinal F., hrsg. v. A. du Casse, 3 Bde., Paris 1855; – L. Ricard, Le cardinal F., archevêque de Lyon, Paris 1893; – Basler Biogrr. II, 1905, 71 ff.; – Jacob Schneider, Kard. J. F., Basel 1905; – Joseph Schmidlin, Papstgesch. der neuesten Zeit I, 1933, 71 ff. 81 ff. 106 ff. 122 ff. u. ö.; – André Latreille, Napoléon et le Saint-Siège (1801–18): l'ambassade du cardinal F. à Rome, Paris 1936; – Ders., Le cardinal F. et l'administration du diocèse de Lyon de 1803 à 1806, in: La Révolution française 12, 1937, 321 ff.; – Ders., L'Église catholique et la Restauration II, Paris 1950; – Lichtenberger IV, 719; – RE VI, 52; –

RGG II, 906; – DBF XIII, 1196 ff.; – Catholicisme IV, 1211 ff.; – DHGE XVI, 1315 ff.; – LThK IV, 94; – NCE V, 899 f.

FESSLER, Ignaz Aurelius, Kapuziner, Orientalist, Freimaurer, luth. Generalsuperintendent, * 18. 5. 1756 in Czurendorf (Ungarn) als Sohn kath. Eltern, † 15. 12. 1839 in St. Petersburg. – F. trat 1773 in Stuhlweißenburg in den Kapuzinerorden ein und empfing 1779 die Priesterweihe, obwohl er früh unter dem Einfluß der Aufklärung dem Katholizismus entfremdet war. Joseph II. ernannte ihn 1784 zum o. Professor der orientalischen Sprachen und des Alten Testaments an der Universität Lemberg. Wegen seines Trauerspiels »Sidney« sah sich F. 1787 genötigt, sein Amt niederzulegen und nach Breslau zu fliehen. Dort wurde er Hofmeister eines Prinzen, lernte die Brüdergemeine kennen und trat 1791 zur evangelischen Kirche über. Die nächsten Jahre verbrachte F. auf Reisen und mit literarischen Arbeiten und lebte seit 1796 in Berlin. Die Mitglieder der dortigen Freimaurerloge Royal York beauftragten ihn und Johann Gottlieb Fichte, die Statuten und das Ritual dieser Loge zu reformieren. Vielfach angefeindet, schied F. 1802 aus dem Freimaurerbund. 1798–1807 war er Rechtskonsulent in Kirchen- und Schulsachen in den damals Preußen zugefallenen polnischen Provinzen. 1809 wurde F. Professor der orientalischen Sprachen und der Philosophie an der Alexander-Newskij-Akademie in St. Petersburg, verlor aber auf Betreiben der russischen Orthodoxie bald dieses Amt. Er wurde Mitvorsteher einer Erziehungsanstalt in Wolsk. 1815 fand F. in der Brüdergemeine Sarepta (Wolga), »daß der Friede Gottes höher sei als alles Treiben und Trachten und Streben des Verstandes«, und von nun an war die Bibel sein »tägliches Handbuch«. Er wurde 1820 Superintendent und Konsistorialpräsident der evangelischen Gemeinden in Saratow und 1833 lutherischer Generalsuperintendent und Kirchenrat in St. Petersburg.

Werke: Ansichten v. Rel. u. Kirchentum, 3 Bde., Berlin 1805; Gesch. der Ungarn u. deren Landsassen, 10 Bde., Leipzig 1815 bis 1825 (hrsg. v. Ernst Klein, 5 Bde., 1867–83²); Die Gesinnung Jesu Christi, St. Petersburg 1817; Christl. Reden, 2 Bde., Riga 1822; Liturg. Hdb. z. belieb. Gebrauch ev. Liturgen u. Gemeinden, ebd. 1823; Rückblicke auf seine 70j. Pilgerschaft, Breslau 1824 (1851²); als Anh. dazu: Resultate seines Denkens u. Erfahrens, ebd. 1826; vielgelesene hist. Romane (u. a.: Mark Aurel, 3 Bde., Breslau 1790–92; Aristides u. Themistokles, Berlin 1792). – *Lit.:* Johann Christian Daniel Geiser, Nachrr. aus dem Leben des Herrn Prof. Dr. I. A. F., 1806; – L. Abafi (Aigner), I. A. F., Budapest 1886; – Ernst Benz, Bisch.amt u. apostol. Sukzession im dt. Prot., 1953, 98 ff.; – Peter Friedrich Barton, I. A. F. Vom Barock-Kath. z. Erweckungsbewegung, 1969 (Rez. v. Helmut Obst, in: ThLZ 95, 1970, 929 ff.; v. Hans Wagner, in: Mitt. des Östr. Staatsarch. 24, Wien 1971, 554 f.; v. Norbert Conrads, in: AKultG 54, 1972, 186 f.; v. Paul Bernard, in: CHR 57, 1972, 671 f.; v. Günther Stöckl, in: Jb. f. Gesch. Osteuropas NF 20, 1972, 618 ff.)); – DDL IV, 945 ff.; – Kosch, KD 741 f.; – Wurzbach IV, 201 ff.; – ADB VI, 723 ff.; – NDB V, 103 f.; – DHGE XVI, 1324 f.; – LThK IV, 95; – RGG II, 906.

FESSLER, Joseph, kath. Theologe, * 2. 12. 1813 in Lochau bei Bregenz, † 25. 4. 1872 in St. Pölten. – F. studierte in Feldkirch, Innsbruck, Brixen und am »Pazmaneum« in Wien und wurde 1837 Priester, 1838 Dozent der Kirchengeschichte und des Kirchenrechts in Brixen und 1842 o. Professor in diesen Fächern, 1852 Professor der Kirchengeschichte an der Universität Wien und 1856 Professor des Kirchenrechts, 1862 Weihbischof und Generalvikar von Vorarlberg und 1864 Bischof von St. Pölten. – F. war ein bedeutender Gelehrter auf patrologischem und kanonistischem Ge-

biet, ein Hauptvertreter des Unfehlbarkeitsdogmas in Österreich und darum 1869/70 Generalsekretär des Vatikanischen Konzils.

Werke: Über die Provinzial-Konzilien u. Diözesan-Synoden I, 1849; Institutiones Patrologiae, 2 Bde., 1850/51 (hrsg. v. Bernard Jungmann, 1890–96²); Stud. über das östr. Concordat, 1856¹⁻³; Gesch. der Kirche Christi als Rel.-Lehrb., 1857 (1877⁴); Das kirchl. Bücherverbot, 1858; Ansprüche der Protestanten in Östr., 1859; Der kanon. Prozeß, 1860; Der Kirchenbann u. seine Folgen, 1860; Die Protestantenfrage in Östr., 1861; Zur Orientierung über die gemischten Ehen in Östr., 1861; Das letzte u. das nächste allg. Konzil, 1869; Smlg. verm. Schrr. über KG u. KR, 1869; Die wahre u. die falsche Unfehlbarkeit der Päpste. Zur Abwehr gg. Herrn Schulte, 1871³; Das Vatikan. Konzil, dessen äußere Bedeutung u. innerer Verlauf, 1871. – *Lit.:* J. Zelger, Erinnerungen an die letzten Tage, das Hinscheiden u. die feierl. Bestattung des hochsel. Bisch. v. St. Pölten, Dr. J. F., St. Pölten 1872; – Anton Erdinger, Dr. J. F., Bisch. v. St. P. u. Sekretär des vatikan. Konzils. Ein Lb., Brixen 1874; – Ders., Bibliogr. des Klerus der Diözese St. Pölten, Wien 1889², 73 ff.; – M. Ransauer, J. F., Bisch. v. St. P., 1875; – Anton Kerschbaumer, Gesch. des Bist. St. Pölten II, Wien 1876, 641 ff.; – Theodor Granderath, Gesch. des Vatikan. Konzils, 1903–06; I, 396 f.; II, 270; III, 73. 450 f. 650. 653 f.; – Emilio Campana, Il Concilio Vaticano I, Lugano – Bellinzona 1926, 745 ff.; – Josef Wodka, Das Bist. St. Pölten. Abriß der Diözesangesch., St. Pölten 1950, 30 ff. 41; – Ders., Anton de Waal, Wien 1959, 335 f. 459; – Karl Eder, Der Liberalismus in Altöstr. Geisteshaltung, Politik u. Kultur, ebd. 1955, 148. 159. 169; – G. Winner, Das Diözesanarch. St. Pölten, St. Pölten 1962, 43 ff. 56. 385 f. 388; – Kosch, KD 742; – ÖBL I, 305; – ADB VI, 726 f.; – Wetzer-Welte IV, 1388 ff.; – Catholicisme IV, 1213 f.; – DThC Tables générales 1515; – DHGE XVI, 1325 ff.; – LThK IV, 95; – NCE V, 900; – RGG II, 906.

FESTA, Costanzo, päpstlicher Kapellsänger und Komponist, * um 1480 in Villafranca Sabauda bei Turin, † 10. 4. 1545 in Rom. – F. wurde 1517 als Sänger in die Cappella Sistina aufgenommen und gehörte ihr bis zu seinem Tod an. – F. ist bekannt als Begründer der auf Palestrina (s. d.) hinführenden römischen Schule. Er gilt als der erste namhafte italienische Vertreter des durchimitierenden Motettenstils, war aber auch einer der allererster Madrigalkomponisten im a-capella-Stil. Sein Te Deum wird noch heute bei großen Festlichkeiten im Vatikan gesungen.

Werke: Messen, Hymnen, Magnificats, Lamentationen, Motetten, Madrigale. – *Neuere Ausgg.:* Hymni per totum annum 3–6 v., hrsg. v. Glen Haydon = Monumenta polyphoniae Italicae III, Rom 1958. – The Medici Codex of 1518, hrsg. v. Edward Elias Lowinsky, 3 Bde. (Monuments of Renaissance Music III–V), Chicago 1968. – 2 Madrigale, in: A Renaissance Entertainment. Festivities for the Marriage of Cosimo I, Duke of Florence, in 1539, hrsg. v. Andreas Collier Minor u. Bonner Mitchell, Columbia (Missouri) 1968. – Opera omnia, hrsg. v. Alexander Main = Corpus mensurabilis musicae XXV, Antwerpen 1962 ff. (bisher ersch.: I, Messen u. Messenteile, 1962; II, Magnificats u. Fragmente, 1968). – *Lit.:* Franz Xaver Haberl, Bibliogr. u. themat. Kat. des päpstl. Kapellarch. im Vatican zu Rom, 1888; – Ders., Die röm. Schola Cantorum u. die päpstl. Kapellsänger bis z. Mitte des 16. Jh.s, 1888, 74–82; – Theodor Kroyer, Die Anfänge der Chromatik im it. Madrigal des 16. Jh.s, 1902; – Hugo Leichtentritt, Gesch. der Motette, 1908 (Nachdr. Hildesheim 1967); – Gaetano Cesari, Die Entstehung des Madrigals im 16. Jh. (Diss. München), Cremona 1908; – Peter Wagner, Gesch. der Messe, 1913 (Nachdr. 1963); – Alberto Cametti, Per un precursore del Palestrina il Compositore piemontese C. F., Mailand 1931, 5–20; – Karl-Heinz Illing, Zur Technik der Magnificat-Komposition des 16. Jh.s (Diss. Kiel), Wolfenbüttel – Berlin 1936; – Alfred Einstein, The Italian Madrigal, 3 Bde., Princeton (New Jersey) 1949 (Nachdr. ebd. 1970); – Edward Elias Lowinsky, The Medici Codex, in: Annales Musicologiques 5, 1957, 61–178; – Glen Haydon, The Hymns of C. F., in: Journal of the American Musicological Society 12, New York 1958; – Alexander Montague Main, C. F.; the masses and motets (Diss. New York univ.), 1960; – Hans Musch, C. F. als Madrigalkomponist (Diss. Freiburg/Breisgau), 1967; – Albert Dunning, Die Staatsmotette 1480–1555, Utrecht 1970; – MGG IV, 90 ff.; – Riemann I, 504 f.; ErgBd. I, 354; – Moser I, 340 f.; – Eitner III, 432 f.; – Grove III, 74; – Honegger I, 339 f.; – Goodman 132; – EC V, 1211 f.; – LThK IV, 95; – NCE V, 900.

FESTUS, Porcius, römischer Statthalter in Palästina von 60 (?) bis 62 n. Chr. – Im Unterschied zu seinem

Vorgänger Antonius Felix (s. d.) war F. ein rechtlich denkender und handelnder Mann, der aber die Spannungen zwischen Juden und Römern nicht verringern konnte. Unter ihm endete der Prozeß des Paulus mit der Berufung des Apostels auf den Kaiser (Apg 25 bis 27).

Lit.: Hermann Gerlach, Die röm. Statthalter in Syrien u. Judäa v. 69 vor Chr. bis 69 nach Chr. Ein Btr. aus der Profangesch. z. Exegese des NT, 1865, 75 ff.; – Urban Holzmeister, Der hl. Paulus vor dem Richterstuhle des Festus (Apg 25, 1–12), in: ZKTh 36, 1912, 489 ff. 742 ff.; – Ders., Historia aetatis Novi Testamenti, Rom 1932, 117 ff.; – E. Springer, Der Prozeß des Paulus, in: PrJ 218, 1929, 182 ff.; – Giuseppe Ricciotti, Paolo apostolo, Rom 1946, 146; – Félix Marie Abel, Histoire de la Palestine depuis la conquête d'Alexandre jusqu'à l'invasion arabe I, Paris 1952, 468 ff.; – Pauly-Wissowa XXII, 220 ff.; – Schürer I, 579 ff.; – RE VI, 28 ff.; – RGG II,924; – DB II, 2216 f.; – Catholicisme IV, 1215; – EC IX, 1768 f. (Porcio Festo); – LThK IV, 101; – NCE V, 900.

FEUCHTMAYER (Feichtmair), Joseph Anton, Holzschnitzer, Steinbildhauer, Stukkator, Altarbauer, * 6. 3. 1696 in Linz (Donau) als Sohn des Bildhauers und Stukkators Franz Joseph F. (1660–1718), † 2. 1. 1770 in Mimmenhausen bei Überlingen (Bodensee). – F. wuchs in Schongau (Lech) auf. Sein Vater siedelte 1706 nach Mimmenhausen im Gebiet des Zisterzienserklosters Salem über. F. ist 1715 als Bildhauergeselle in Augsburg nachzuweisen. Nachhaltigste künstlerische Eindrücke empfing er von dem auch in Weingarten arbeitenden oberitalienischen Stukkator Diego Francesco Carlone, von dem er gegen 1721 die »Kunst der Glanzarbeit« erlernte, die Herstellung selbständiger frei modellierter Stuckfiguren mit glänzend polierter, an weißen Marmor erinnernder Oberfläche. F. wurde in dieser Stuckalabaster-Technik Fortsetzer und Vollender von Carlones Kunst nördlich der Alpen. – F. führte ornamentale und figürliche Arbeiten in Holz, Stein und Ton aus und arbeitete hauptsächlich für die Abteikirche in Weingarten (1720 ff.), das Neue Schloß in Meersburg (1720 ff.), die Stiftskirche in St. Gallen (vor allem 1762/63 und 1768/69) und die ehemalige Zisterzienserabteikirche Salem (1766 ff.).

Werke: Engel, 1737/38 (Insel Mainau, Bodensee, Schloßkapelle); Maria, vermutl. zw. 1738–40 (ehemal. Staatliche Museen, Berlin); Gesamtausstattung der Wallfahrtskirche Birnau am Bodensee, 1748 ff.; Hochaltar der Franziskanerkirche Überlingen, 1760; Chorgestühl der Stiftskirche St. Gallen, 1762–68; Stukkaturen im Kreuzgang des Klosters Salem, 1721 ff.; Altar- u. Stifterfiguren der Klosterkirche St. Peter (Schwarzwald), um 1730; Raumausstattungen in der Kapelle des ehem. Dt.ordensschlosses auf der Mainau (1737–38), in der ehem. Bisch. Kapelle des Neuen Schlosses zu Meersburg (1741–43), in der Stadtpfarrkirche zu Scheer/Württemberg (1743 ff.); Immaculata (Berlin, ehem. Dt. Museen); Lautenengel (Karlsruhe, Landesmus.); Figuren der Madonna, des Christophorus u. der Mutter Anna in der Reichlin-Meldeggschen Kapelle in Überlingen (1746 u. 1750); Hll. v. Choraltar auf Schloß Zeil bei Leutkirch (1763/64); Holzplastiken f. das Chorgestühl in Weingarten (1720–24) u. gleichzeitig Krucifix f. die dortige Sakristei; Hochaltar in Beuron (1760); Laurentius in der Franziskanerkirche in Überlingen (um 1760). – Altarentwürfe in der Stiftsbibl. in St. Gallen u. im Wessenberghaus in Konstanz.

Lit.: Adolf Feulner, Skulptur u. Malerei des 18. Jh.s, 1929, 77 bis 86; – Horst Sauer, Archivalien zu J. A. F., in: ZGORh NF 55, 1942, 382–457; – Wilhelm Boeck, J. A. F., 1948; – Ders., Kat. der J. A. F.-Ausst. in . . Überlingen, 1951; – J. A. F. Meisterwerke. Hrsg. v. dems., 1963; – Paul Zinsmaier, Neue Btrr. aus Salemer Archivalien zu J. A. F., in: ZGORh NF 59, 1950, 147 bis 180; – Ders., Notizen z. Kunstgesch. des Bodenseegebietes III, Konstanz, in: FreibDiözArch 73, 1953, 207 f.; – Gertrud Henel, Unterss. z. Werke J. A. F.s (Diss. Tübingen) 1954; – Alfons Kasper, Das Weingartener Chorgestühl, in: Zschr. f. Württ. Landesgesch. 13, 1954, 320 ff.; – Thieme-Becker XI, 353 f.; – Bénézit III, 699; – NDB V, 108 f.; – LThK IV, 103.

FEUERBACH, Ludwig, Philosoph, * 28. 7. 1804 in Landshut als Sohn des Strafrechtlers Anselm F. (1775 bis 1833), † 13. 9. 1872 auf dem Rechenberg bei Nürnberg, begraben auf dem Johanniskirchhof in Nürnberg. – F. besuchte das Gymnasium in Ansbach und studierte seit 1823 in Heidelberg evangelische Theologie bei Karl Daub (s. d.), der ihn für die Philosophie Georg Wilhelm Friedrich Hegels (s. d.) gewann, und 1824–26 in Berlin, um Hegel zu hören. 1825 ging er von der Theologie zur Philosophie über, promovierte 1828 und habilitierte sich im gleichen Jahr in Erlangen. Seine 1830 anonym erschienene Schrift »Gedanken über Tod und Unsterblichkeit«, in der er die persönliche Unsterblichkeit leugnete und die polizeilich beschlagnahmt wurde, entschied über F.s fernere Zukunft: dreimal bewarb er sich um eine ao. Professur, und auch seine Versuche, in Paris, Bern und in Griechenland eine Stellung zu finden, scheiterten. Darum verließ F. 1836 die akademische Laufbahn und lebte seit 1837 in völliger Zurückgezogenheit auf Schloß Ansbach, wo seine Frau Mitbesitzerin einer ererbten Porzellanfabrik war, und seit 1860 wegen Bankrotts der Fabrik in dürftigen Verhältnissen in einem Gutspächterhaus auf dem Rechenberg. – Bekannt wurde F. durch sein religionskritisches Hauptwerk »Das Wesen des Christentums« (1841). Für ihn ist Gott nur die Verkörperung menschlicher Empfindungen, von Hoffnung, Furcht und Sehnsucht, und Unsterblichkeit ein Wunschtraum. »Gott ist das offenbare Innere, das ausgesprochene Selbst des Menschen; die feierliche Enthüllung der verborgenen Schätze des Menschen, das Eingeständnis seiner innersten Gedanken, das öffentliche Bekenntnis seiner Liebesgeheimnisse.« – F.s Philosophie ist ein anthropologischer Materialismus und war von bedeutendem Einfluß auf die Hegelsche Linke, auf Karl Marx und Friedrich Engels.

Werke: Schrr.: De ratione una, universali, infinita (Diss.), 1828; Gedanken über Tod u. Unsterblichkeit, aus den Papieren eines Denkers, nebst einem Anh. theol.-satyr. Xenien, hrsg. v. einem Freunde, 1830; Gesch. der neuern Philos., v. Bacon v. Verulam bis Benedict Spinoza, 1833; Abälard u. Heloise oder Der Schr.steller u. der Mensch. Eine Reihe humorist.-philos. Aphorismen, 1834; Kritiken aus dem Gebiete der Philos., 1. H., 1835 (auch u. d. T.: Kritik des »Anti-Hegels«. Zur Einl. in das Stud. der Philos.); Gesch. der neuern Philos. Darst., Entwicklung u. Kritik der Leibnitz'schen Philos., 1837; Pierre Bayle, nach seinen f. die Gesch. der Philos. u. Menschheit interessantesten Momenten, dargest. u. gewürdigt, 1838; Über Philos. u. Christentum in Beziehung auf den der Hegel'schen Philos. gemachten Vorwurf der Unchristlichkeit, 1839; Das Wesen des Christentums, 1841; Vorläufige Thesen z. Reform der Philos., 1842; Grundsätze der Philos. der Zukunft, 1843; Das Wesen des Glaubens im Sinne Luthers. Ein Btr. z. »Wesen des Christentums«, 1844; Das Wesen der Rel., 1845; Erll. u. Ergg. z. Wesen des Christentums, 1846; Philos. Kritik u. Grundsätze, 1846; Vorlesungen über das Wesen der Rel. Nebst Zusätzen u. Anm., 1851; Anselm Ritter v. Feuerbach's . . Leben u. Wirken aus seinen abgedr. Briefen u. Tagebüchern, Vortrr. u. Denkschrr. veröff., 2 Bde., 1852; Theogonie nach den Qu. des class., hebr. u. christl. Altertums, 1857; Gottheit, Freiheit u. Unsterblichkeit v. Standpunkte der Anthropologie, 1866; L. F. in seinem Briefwechsel u. Nachlaß sowie in seiner philos. Charakterentwicklung dargest., hrsg. v. K. Grün, 2 Bde., 1874. – *Briefe:* Briefwechsel zw. L. F. u. Christian Kapp 1832 bis 1848, hrsg. u. eingel. v. A. Kapp, 1876; Briefe v. u. an L. F. Zum Säkulargedächtnis hrsg. u. biogr. eingel. v. Wilhelm Bolin, 2 Bde., 1904; Briefwechsel, hrsg. v. Werner Schuffenhauer, 1963 (RUB 105. Ges.wiss.en, Philos.); Ausgew. Briefe v. u. an L. F., neu hrsg. u. erw. v. Hans-Martin Saß, 1964. – *GA:* Sämtl. Werke, 10 Bde., 1846–66; Sämtl. Werke, neu hrsg. v. Wilhelm Bolin u. Friedrich Jodl, 10 Bde., 1903–11; Neudr. hrsg. v. Hans-Martin Saß, 10 Bde., 3 ErgBde., 1959–64; Ges. Werke, hrsg. v. Werner Schuffenhauer, IV, 1967; VI, 1967; II, 1969; III, 1969; VII, 1969; VIII, 1969; IX, 1970; V, 1973; XI, 1972; X, 1970 (auf 16 Bde., berechnet). – *Neudrucke u. a.:* Der Mensch schuf Gott nach seinem Bilde. Kritisches über Rel., Theol. u. Kirche. Ausgew. u. eingel. v. Werner Schuffenhauer, 1958. – Grundsätze der Philos. der Zukunft. Hrsg. v. G. Schmidt, 1967. – Philos. Kritiken u. Grundsätze (Tl.smlg.). Hrsg. v. W. Schuffenhauer, 1969 (RUB 58: Philos.). – Das Wesen des Christentums (RUB 4571–4577), 1969. – Das Wesen des Glaubens im Sinne Luthers

(Reprograf. Nachdr. der Orig.-Ausg. Leipzig 1944), Darmstadt 1970. – Vorlesungen über die Gesch. der neueren Philos., bearb. v. Carlo Ascheri u. Erich Thieß, 1974.

Lit.: Karl Grün, L. F. in seinem Briefwechsel u. Nachlaß sowie in seiner philos. Charakterentwicklung dargest., 2 Bde., 1874; – Friedrich Engels, L. F. u. der Ausgang der klass. dt. Philos., 1888; – Theodor Ludwig Turban, Das Wesen des Christentumes. Von L. F. (Diss. Leipzig), Karlsruhe 1894; – Wilhelm Wintzer, Die eth. Unterss. L. F.s (Diss Leipzig), 1898; – Martin Meyer, L. F.s Moralphilos. in ihrer Abhängigkeit v. seinem Anthropologismus u. seiner Rel.kritik (Diss. Berlin), 1899; – Ausgew. Briefe v. u. an L. F. Hrsg. u. biogr. eingel. v. Wilhelm Bohlin, 2 Bde., 1904; – Friedrich Jodl, L. F., 1904 (1921²); – Ders., L. F., in: Ders., Vom Lebenswege. Ges. Vortrr. u. Aufss., hrsg. v. Wilhelm Börner, I, 1916, 235 ff.; – Reinhold Schmerler, L. F.s Leibniz-Darst. (Diss. Leipzig), 1911; – Paul Genoff, L. F.s Erkenntnistheorie u. Metaphysik (Diss. Bern), 1911; – Kurt Leese, Die Prinzipienlehre der neueren ST im Lichte der Kritik L. F.s (Diss. Kiel), Leipzig 1912; – Theobald Ziegler, L. F., in: Ders., Menschen u. Probleme. Reden, Vortrr. u. Aufss., 1914, 205 ff.; – Hans Girkon, Darst. u. Kritik des rel. Illusionsbegriffs bei L. F. (Diss. Erlangen), Tübingen 1914; – Hermann Henne, Die rel.-philos. Methode F.s (Diss. Tübingen), Borna – Leipzig 1918; – Oskar Blumschein, Leibniz u. L. F. Die Persönlichkeiten u. ihre eth. Lehren (Diss. Erlangen), 1919; – Paul Hensel, L. F., in: Ders., Kleine Schrr. u. Vortrr. Hrsg. v. Ernst Hoffmann, 1920, 37 ff.; – Kurt Böhme, Die theoret. u. prakt. Philos. L. F.s in ihrem geschichtl. Zshg. (Diss. Halle), 1922; – Hans Aengeneyndt, Der Begriff der Anthropologie bei L. F. (Diss. Halle), 1923; – Simon Rawidowicz, L. F.s philos. Jugendentwicklung u. seine Stellung zu Hegel bis 1839 (Diss Berlin), 1927; – Ders., L. F.s Philos. Ursprung u. Schicksal, 1931; – Karl Barth, L. F., in: ZZ 5, 1927, 11 ff.; – Karl Löwith, L. F. u. der Ausgang der klass. dt. Philos., in: Logos. Internat. Zschr. f. Philos. der Kultur, 17, 1928, 323 ff.; – Ders., Von Hegel zu Nietzsche. Der revolutionäre Bruch im Denken des 19. Jh.s, 1941 (1964⁵); – Julius Ebbinghaus, L. F., in: DVfL 8, 1929, 283 ff.; – Ernst v. Aster, Philosoph L. F., in: Ll. aus Franken IV, 1930, 187 ff.; – Franco Lombardi, Ludovico F., Florenz 1935; – Hermann Adolf Weser, Sigmund Freud u. L. F.s Rel.kritik. Ein Btr. z. Verständnis des 19. Jh.s (Diss. Leipzig), Bottrop (Westfalen) 1936; – Gregor Nüdling, L. F.s Rel.philos. Die Auflösung der Theol. in Anthropologie (Diss. Bonn), Paderborn 1936 (1961²); – Ders., Die Auflösung des Gott-Mensch-Verhältnisses bei L. F., in: Der Mensch vor Gott. Btrr. z. Verständnis der menschl. Gottbegegnung. Theodor Steinbüchel zu seinem 60. Geb. Hrsg. v. Philipp Weindel u. Rudolf Hofmann, 1948, 208 ff.; – Werner Bohlsen, Der Begriff des Menschen bei L. F. im Licht des neuzeitl. Ansatzes des Problems bei Descartes (Diss. Freiburg/Breisgau), 1939; – William Benton Chamberlain, Heaven Wasn't His Destination. The Philosophy of L. F., London 1941; – Werner Schilling, Das objektive Moment in L. F.s Rel.theorie (Diss. Leipzig), 1948; – Ders., F. u. die Rel., 1957; – Werner Schuffenhauer, L. F.s Entwicklung z. philos. Materialisten. Stud. z. Schaffen der J. 1830–40 u. z. »Wesen des Christentums« u. 1841 (Diss. Berlin), 1956; – Ders., F. u. der junge Marx. Zur Entstehungsgesch. der marxist. Weltanschauung (Hab.-Schr., Berlin 1966), 1965 (1972²); – Pudolf Lorenz, Zum Ursprung der Rel.-theorie L. F.s, in: EvTh. 17, 1957, 171 ff.; – Ulrich Hommes, Hegel u. F. Eine Unters. der Philos. F.s in ihrem Verhältnis z. Denken Hegels (Diss. Freiburg/Breisgau), 1957; – Helmut Gollwitzer, Zur Rel.kritik v. F. u. Marx, in: VuF 1958–59, 201 ff.; – Joachim Höppner, L. F. u. seine materialist. Weltanschauung in ihrer hist. Bedeutung f. die wiss. Philos., in: WZ Leipzig 9, 1959/60, 721 ff.; – Klaus (Erich) Bockmühl, Leiblichkeit u. Ges. Stud. z. Rel.kritik u. Anthropologie im Frühwerk v. L. F. u. Karl Marx (Diss. Basel), Göttingen 1961; – Wolfgang Naucke, Kant u. die psycholog. Zwangstheorie F.s, 1962; – Th. Scharle, The Development of L. F.'s Humanist Weltanschauung in 1839 to 1843, Rom 1962; – Peter Christian Ludz, L. F., in: De Homine. Der Mensch im Spiegel seines Gedankens. Von Michael Landmann u. a., 1962, 465 ff.; – Hans-Joachim Klimkeit, Das Wunderverständnis L. F.s in rel.phänomenolog. Sicht (Diss. Bonn, 1964), 1965; – Willy Bretschneider, Rel. oder Atheismus? Die Auflösung der Rel. u. Metaphysik durch L. F., in: KatBl 91, 1966, 701 ff.; – Erik Schmidt, L. F.s Lehre v. der Rel., in: NZSTh 8, 1966, 1 ff.; – Ernst Walter Schmidt, die christl. Hoffnung ein Wunschtraum? Zur Rel.theorie L. F.s u. Ernst Blochs, in: DtPfrBl 66, 1966, 679 ff.; – Richard Steer, Zum Ursprung der Rel.kritik v. L. F., in: Jb. f. christl. Sozialwiss.en 9, 1968, 43 ff.; – Milan Sobotka, Der Mensch u. sein Wesen in der Philos. F.s, in: Wiener Jb. f. Philos. 1, 1968, 92 ff.; – Peter Cornehl, F. u. die Naturphilos. Zur Genese der Anthropologie u. Rel.kritik des jungen F., in: NZSTh 11, 1969, 37 ff.; – S. Decloux, Le mystère de l'esprit d'amour. A propos de l'athéisme de F., in: NRTh 91, 1969, 347 ff.; – Ders., Théologie et anthropologie. A propos de l'athéisme de F. ebd. 6 ff.; – Ders., La présence et l'action du Médiateur. A propos de l'athéisme de F., ebd. 849 ff.; – Friedrich Wilhelm Kantzenbach, Der Philosoph L. F. in Bruckberg. Ein Btr. z. F.-Biogr., in: Jb. des Hist. Ver. f. Mittelfranken 85, 1969–70, 177 ff.; – Johannes Wallmann, L. F. u. die theol. Tradition, in: ZThK 67, 1970, 56 ff.; – Hans-Martin Barth, Glaube als Projektion. Zur Auseinandersetzung mit L. F., in: NZSR 12, 1970, 363 ff.; – Michael v. Gagern, L. F. Philos.- u. Rel.kritik. Die Neue Philos. (Diss. Frei-

burg/Schweiz), München u. Salzburg 1970 (Rez. v. A. Häußling, in: Wiss. Lit.anz. 9, 1970, 193; v. Norbert Henrichs, in: Bibliographie de la philosophie 18, Paris 1971, 370; v. L. Cilleruelo, in: Estudio Augustiniano 6, Valladolid 1971, 588 f.· v. T. J. Blakely, in: Studies in Soviet thought 12, Dordrecht 1972, 404 ff.); – Eugene Kamenka, The philosophy of L. F., London 1970 (Rez. v. Bernard Sharratt, in: New black friars. A monthly review ed. by the English Dominicans 51, Cambridge 1970, 537 ff.; v. Eva Schaper, in: Bibliographie de la philosophie 18, Paris 1971, 129; v. Z. A. Jordan, in: Philosophical quarterly. Scots Philosophical Clubs 21, St. Andrews 1971, 173 f.; v. T. J. Blakely, in: Studies in Soviet thought 12, Dordrecht 1972, 404 ff.; v. Lennart Bromander, in: Lychnos. Annual of the Swedish History of Science Society 1971, Uppsala 1973, 440 f.); – Gert Hummel, Die Sinnlichkeit der Gotteserfahrung. L. F.s Philos. als Anfrage an die Theol. der Ggw., in: NZSTh 12, 1970, 44 ff.; – Ders., Gesch. u. Natur, L. F.s Philos. als Anfrage an die Theol. der Ggw., in: Christsein in einer pluralist. Ges. 25 Bttr. aus ev. Sicht. Hrsg. v. Hans Schulze u. Hans Schwarz, 1971, 94 ff.; – Marcel Xhauflaire, F. et la théologie de la sécularisation. Paris 1970 (Rez. v. Sisto Cartechini, in: Gregorianum 51, 1970, 572 ff.; v. Otto König, in: Wort u. Wahrheit. Mschr. f. Rel. u. Kultur 25, 1970, 553 ff.; v. G. Varet, in: Bibliographie de la philosophie 17, Paris 1970, 422 f.; v. Leonardo Boff, in: Revista eclesiástico brasileira 30, Petrópolis 1970, 488 ff.; v. R. Duval, in: VS 53, 1971, 642 f.; v. M. Frassineti, in: Sacra doctrina. Studio generale domenicano di Bologna 61, Mailand 1971, 157 f.; v. Erich Thies, in: ThZ 28, 1972, 292 f.; v. Benoît Garceau, in: Revue d'Université d'Ottawa 42, Ottawa 1972, 320 ff.; v. Paul-Dominique Dognin, in: Angelicum 49, 1972, 54 ff.; v. K. A. Wohlfarth, in: TThZ 82, 1973, 315 f.; v. Victor Masino, in: Augustinus 18, Madrid 1973, 87 f.); – Ders., F. u. die Theol. der Säkularisation (Aus dem Frz. v. Birgitt u. Manfred Werkmeister), München – Mainz 1972 (Diss. Münster 1969 u. d. T.: Signification théologique de l'antithéologie de L. F.; Rez. v. Heinzgünter Frohnes, in: LR 24, 1974, 127 ff.); – Hans-Jürg Braun, L. F.s Lehre v. Menschen, 1971 (Rez. v. Otto Pöggeler, in: Bibliographie de la philosophie 20, Paris 1973, 194); – Erich Schneider, Die Reaktion der Theol. des 19. Jh.s auf L. F.s Rel.-kritik (Diss. Zürich, 1969), Göttingen 1972 u. d. T.: Die Theol. u. F.s Rel.kritik. Die Reaktion der Theol. des 19. Jh.s auf L. F.s Rel.kritik. Mit Ausblicken auf das 20. Jh. u. einem Anh. über F. (Rez. v. Otto Pöggeler, in: Bibliographie de la philosophie 21, Paris 1974, 58 f.; v. S. Milan Pavlinek, in: ThZ 30, 1974, 119; v. F. v. d. Oudenrijn, in: TTh 14, 1974, 91); – Ugo Perone, Teologia ed esperienza religiosa in F., Mailand 1972 (Rez. v. Celina A. Lértora Mendoza, in: Sapientia 29, La Plata 1974, 157 ff.); – J. T. Bakker, H. J. Heering u. G. Th. Rothuizen, L. F., profeet van het atheïsme. De mens, zijn ethiek en religie, Kampen 1972 (Rez. v. F. v. d. Oudenrijn, in: TTh 14, 1974, 91); – Oswald Bayer, Gg. Gott f. den Menschen. Zu F.s Lutherrezeption, in: ZThK 69, 1972, 34 ff.; – Gottfried Stiehler, L. F.s Kritik der Rel., in: DZPh 20, 1972, 1136 ff.; – Uwe Schott, Die Jugendentwicklung L. F.s bis 1825 u. ihre Bedeutung f. seine spätere Rel.kritik (Diss. Heidelberg, 1971), Göttingen 1973 (u. d. T.: Die Jugendentwicklung L. F.s bis z. Fak.wechsel 1825: ein Btr. z. Genese der F.schen Rel.kritik; mit einem bibliogr. Anh. z. F.-Lit.); – Alfred Schmidt, Emanzipator. Sinnlichkeit. L. F.s anthropolog. Materialismus 1973 (Rez. v. Ursula Homann, in: Philos. Lit.anz. 26, 1973, 325 ff.); – Joseph Brechtken, Die Wirklichkeit Gottes in der Philos. L. F.s, in: TF 35, 1973, 87 ff.; – Peter Chang, Mensch als Denkhorizont bei L. F. (Diss. München), 1973; – Biogr. Wb. z. dt. Gesch. I², 1973, 688 – DLL IV, 963 ff.; – KLL III, 1242 f. (Grundsätze der Philos. der Zukunft); VII, 1074 ff. (Das Wesen des Christentums); – NDB V, 113 f.; – EKL I, 1283 f.; – RGG II, 928 ff.; – LThK IV, 110; – NCE V, 904 f.

FEUERBORN, Justus, luth. Theologe, * 13. 11. 1587 in Herford als Sohn eines Amtmanns, † 6. 2. 1656 in Gießen. – F. studierte seit 1612 in Gießen und promovierte 1614 zum Magister und 1616 zum Dr. theol. Er wurde dort 1616 ao. und 1618 o. Professor der Theologie. 1624 wurde die Universität nach Magdeburg verlegt. F. lehrte dort bis zu ihrer Rückverlegung nach Gießen im Jahr 1650. Er war im Nebenamt 1616 bis 1624 Stipendiatenephorus, 1617–50 Pfarrer und danach Superintendent. – F. ist bekannt als orthodoxer Streittheologe des 17. Jahrhunderts: als treuer Kampfgenosse seines Schwiegervaters Balthasar Mentzer (s. d.) gegen die Kryptiker in dem christologischen Streit zwischen den Gießener und Tübinger Theologen und als heftiger Verfechter der reinen Lehre gegen Papsttum und »Synkretismus« gemeinsam mit seinem Schwiegersohn Peter Haberkorn (s. d.). F. übte neben seiner akademischen auch eine weitgehende praktische Tätigkeit als Prediger und Kirchen- und Schulvisitator.

Werke: Bibliogr.: Strieder IV, 98 ff.

Lit.: Heinrich Heppe, KG beider Hessen II, 1876, 194 ff.; – Die Univ. Gießen 1607–1907. Festschr. I, 1907, 425; – Emil Weber, Der Einfluß der prot. Schulphilos. auf die orthodox-luth. Dogmatik, 1908, 96 ff.; – Hassia Sacra, hrsg. v. Wilhelm Diehl, II, 1925, 106 f.; – ADB VI, 753; – NDB V, 115; – RGG II, 931 f.

FEY, Klara, Ordensstifterin, * 11. 4. 1815 in Aachen als Tochter eines Fabrikanten, † 8. 5. 1894 in Simpelveld (Diözese Roermond, Niederlande). – Als Schülerin der Aachener Töchterschule wurde K. F. von ihrer Lehrerin Luise Hensel (s. d.) religiös und sozial angeregt und war darum zunächst eifrig karitativ tätig. 1837 eröffnete sie eine Armenschule für verwahrloste Mädchen und widmete sich mit ihren Helferinnen seit 1844 ausschließlich den armen Kindern. 1848 gründete K. F. zur Erziehung und Unterweisung armer, verlassener Mädchen die Kongregation vom armen Kinde Jesus, deren Generaloberin sie zeitlebens war. Infolge des Kulturkampfes wurden die zahlreichen Niederlassungen und das Mutterhaus in Aachen aufgelöst. 1878 siedelte K. F. nach Haus Loreto in Simpelveld über, das bis heute Sitz der Generaloberin und das Mutterhaus der Genossenschaft geblieben ist. – K. F. war eine begnadete Erzieherin und Führerin zu einem Wandel in der Gegenwart Gottes und starb im Ruf der Heiligkeit. So wurde 1916 der bischöfliche und 1958 der Apostolische Seligsprechungsprozeß in Rom eingeleitet. – Die Genossenschaft zählt heute etwa 2000 Mitglieder.

Werke: Die »Übung der Mutter K. F.«. Eine Anleitung z. Leben im Gott unserer Altäre, 1913 (1958[16]); Betrachtungen, 4 Bde., 1927 (1936–51[2]), außerdem gesondert: Fastenbetrachtungen, 1920 (1925[2]); Advents- u. Weihnachtsbetrachtungen, 1921; Die kleinen Betrachtungen, 3 Bde., 1927; Kapitelermahnungen, 3 Bde., 1929–34; Jesus der Gekreuzigte. Erwägungen u. Anmutungen, 1929; Pange lingua. Erwägungen u. Anmutungen über das allerheiligste Sakrament des Altars u. die allerheiligste Jungfrau Maria, 1930; Gottfrohes Wandern, 1935; Immer beim Herrn. Wandel in der Ggw. Gottes nach Mutter K. F. Dargest. u. erl. v. Jos. Solzbacher, Mödling bei Wien 1955 (1958[2]).

Lit.: Otto Pfülf, Mutter K. F. v. Armen Kinde Jesus u. ihre Stiftung, 1913[2] (holl Den Haag 1953); – Mutter Kondura, K. F., Mutter der Armen (frei nach dem Holl.), 1925; – Schwester Adalberta-Maria, Mutter K. v. ihr Werk f. die Kinder, 1926; – Ignaz Watterott, Mutter K. F., Stifterin der Genossenschaft der Schwestern v. Armen Kinde Jesus, 1928[5] (holl. Den Haag 1958); – A. Schumacher, Zur Fam.gesch. der Ordensgründerin K. F., in: Mitt. der Westd. Ges. f. Fam.kunde 8, 1934, 54 ff.; – Schwester Angelika, Mutter K. F. v. Armen Kinde Jesus, 1950; – Dies., Mutter K. F. v. Armen Kinde Jesus u. der Geist ihrer Stiftung, 1956; – Hans Hümmeler, Helden u. Hll., 1959 (501.–510. Tsd.), 231 ff.; – AAS 51, 1959, 160 ff.; – Marie-Joseph André, Au secours de l'enfant pauvre. Mère Claire F., Colmar 1956; – Kosch, KD 748; – NDB V, 118; – DHGE XVI, 1356 ff.; – LThK IV, 113; – NCE V, 905 f.

FICKER, Gerhard, Theologe, * 3. 2. 1865 in Leipzig-Thonberg, † 11. 4. 1934 in Kiel. – F. wurde in Halle (Saale) 1893 Privatdozent für Kirchengeschichte und 1903 ao. Professor. Er folgte 1906 als o. Professor dem Ruf nach Kiel.

Werke: Die Mitralis des Sikardus, 1889; Stud. z. Vigilius v. Thapsus, 1893; Das ausgehende MA u. sein Verhältnis z. Ref., 1903; Die Petrusakten. Btrr. zu ihrem Verständnis, 1903; Die Petrusakten. Übers. u. Komm., 1904; Amphilochiana, 1906; Die Phundagiagiten. Ein Btr. z. Ketzergesch. des byzantin. MA, 1908; Eutherius v. Tyana. Ein Btr. z. Gesch. des Ephesinischen Konzils v. J. 431, 1908; KG des MA (in Gustav Krügers Hdb. z. KG), 1912. – Gab heraus: Schrr. des Ver. f. Schleswig-Holstein. KG.

FICKER, Johannes, Theologe und Archäologe, * 12. 11. 1861 als Pfarrerssohn in Leipzig-Neureudnitz, † 19. 6. 1944 in Halle (Saale). – F. studierte seit 1880 in Leipzig und wurde 1884 Mitglied des dortigen Predigerkollegiums. Er war 1886–89 auf wissenschaftlichen Reisen in Italien und Spanien. F. wurde 1890 Privatdozent in Halle, 1892 ao. und 1900 o. Professor der Kirchengeschichte in Straßburg. Seit 1919 lehrte er in Halle. – F. ist bekannt als Herausgeber der Frühvorlesungen Martin Luthers (s. d.).

Werke: Die Bedeutung der altchristl. Dichtungen f. die Bildwerke, 1885; Die Qu. f. die Darst. der Apostel in der altchristl. Kunst (Diss. Leipzig, 1886), 1887; Die altchristl. Bildwerke im christl. Mus. des Laterans, 1890; Die Konfutation des Augsburg. Bekenntnisses, ihre erste Gestalt u. ihre Gesch., 1891; (mit Otto Winckelmann) Hss.proben des 16. Jh.s nach Straßburger Originalen, 2 Bde.; 1902–05; Druck u. Schmuck des neuen ev. Gesangb. f. Elsaß-Lothringen, 1903; Anfänge reformator. Bibelausl. I: Luthers Vorlesung über den Römerbrief 1515/16, 1908 (1930[4]); II: Luthers Vorlesung über den Hebräerbrief 1517/18, 1929; Altchristl. Denkmäler u. Anfänge des Christentums im Rheingebiet, 1909 (1914[2]); Bildnisse der Straßburger Reformatoren, 1913; Älteste Bildnisse Luthers, 1920; Die Kaiser-Wilhelms-Univ. Straßburg u. ihre Tätigkeit, 1922; Neue alte Bilder Luthers, 1924; Das Problem der ev. Kirchenbaus, 1924; Die früheren Lutherbildnisse Cranachs, 1925; Zu Luthers Vorlesung über den Galaterbrief 1516, 1925; Druck u. Schmuck des Jub.-Gesangb. der ev. Brüdergemeine, 1927; Luther als Professor, 1928; Die neuen Glasgem. in St. Moritz in Halle u. die bes. Aufgaben der kirchl. Glasmalerei in der Ggw., 1940. – Gab heraus: Archäolog. Stud. z. christl. Altertum u. MA, 5 Hh., 1895–99; Stud. über christl. Denkmäler, 24 Hh., 1902–36; Qu. u. Forsch. z. Kirchen- u. Kulturgesch. v. Elsaß u. Lothringen, 5 Bde., 1913–17; (mit Karl Eger) Stud. z. Gesch. u. Gestaltung des ev. Gottesdienstes u. z. kirchl. Kunst, 4 Bde., 1924–40.

Lit.: Festg. z. 70. Geb.: Forsch. z. KG u. z. christl. Kunst, hrsg. v. Walter Elliger, 1931; – Rudolf Koch, J. F. u. das ev. Gesangb., ebd. 243 ff.; – J. F., Bibliogr., hrsg. v. Oskar Thulin, 1936; – Ders., Nachtr. z. J. F.-Bibliogr., 1937; – J. F. z. 80. Geb., in: DtPfrBl 45, 1941, 405; – Ernst Wolf, In memoriam J. F., in: ThLZ 69, 1944, 189 ff.; dazu ebd. 65, 1940, 338 ff.; – NDB V, 134; – RGG II, 935.

FICKERT, Georg Friedrich, Kirchenliederdichter, * 20. 11. 1758 in Bartzdorf bei Striegau (Schlesien) als Sohn eines Schneidermeisters, † 6. 5. 1815 in Großwilkau bei Nimptsch (Schlesien). – F. studierte in Halle und kam in allerlei Zweifel und Glaubensanfechtungen, drang aber zum lebendigen Glauben durch. Er wurde 1795 Pfarrer in Reichau (Kreis Nimptsch) und erlebte in seiner Gemeinde eine Erweckung; von nah und fern kamen die Leute zu seinen Bibelstunden. Seit 1810 wirkte er in Großwilkau. – In dem von F. herausgegebenen »Christlichen Wochenblatt für gesammelte und zerstreute Kinder Gottes und alle, die den Herrn Jesum von ganzem Herzen suchen« (1806–13) veröffentlichte er 22 seiner Lieder, von denen bekannt sind: »O daß doch bald dein Feuer brennte, du unaussprechlich Liebender« (EKG 219), »Wirf Sorgen und Schmerz ins liebende Herz des mächtig dir helfenden Jesus« und »In unsers Königs Namen betreten wir die Bahn.«

Lit.: Johann Heinrich Höck, O daß doch bald dein Feuer brennte, du unaussprechlich Liebender. Eine hymnolog. Auffindung, 1922; – Hdb. z. EKG II/1, 273 f.

FIDELIS, Gegenreformator, Heiliger, * 1577 in Sigmaringen als Sohn des Schultheißen Johann Roy, † 24. 4. 1622 in Seewis (Prätigau). – Markus Roy studierte bis 1603 in Freiburg (Breisgau) die Rechte. Ausgedehnte Studienreisen von 1604–10 als Hofmeister adeliger junger Männer förderten seine wissenschaftliche Bildung. 1611 promovierte er zum Dr. juris utriusque und ließ sich in Ensisheim als Rechtsanwalt nieder, trat aber noch in demselben Jahr als Pater F. in den Kapuzinerorden ein. Er empfing die Priesterweihe und widmete sich in den Klöstern zu Konstanz und Frauenfeld mit Eifer dem Studium der Theologie. F. wurde Prediger in Rheinfelden, dann in

Freiburg (Schweiz) und 1621 Guardian des Klosters Feldkirch (Vorarlberg). Im Herbst 1621 fielen die Österreicher in das untere Engadin und den Prätigau ein und besetzten diese beiden Täler. Nun begann die gewaltsame Rekatholisierung der den Graubündnern entrissenen Landesteile, und F. wurde der Leiter der von der römischen »Congregatio de Propaganda Fide« für Rhätien gegründeten Mission. Als F. am 24. 4. 1622 unter militärischem Schutz in der Kirche in Seewis predigte, drangen die Bauern in das Gotteshaus ein, überwältigten die Soldaten und erschlugen den fliehenden Prediger auf der Straße. Der Leichnam des F. wurde zuerst in Seewis, später in Chur begraben, das Haupt in Feldkirch bestattet. Benedikt XIV. (s. d.) sprach F. am 29. 6. 1746 heilig. Sein Fest ist der 24. April.

Lit.: Peter Lechner, Das Leben der Hll. aus dem Orden der Kapuziner I, 1863, 1–78; – Augustinus Maria Ilg, Geist des hl. Franziskus Seraphicus dargest. in Lb. aus der Gesch. des Kapuziner-Ordens I², 1883, 335 ff.; – Ders., Friar Faithful St. F. of S., Detroit 1934; – Antonius M. Augscheller v. Brixen, Lebensgesch. des hl. F., Bregenz 1889; – Ferdinand v. Scala, Der hl. F. v. Sigmaringen (Trauerspiel), Lindau 1897; – Fidèle de la Motte-Servole, Avocat, Religieux, Martyre, ou S. F. de S., martyrisé par les protestants, Paris 1901; – Leone da Lavertezzo, S. F. d. S., dell'Ordine dei Min. Cappuccini Protomartire della Congregazione di Propaganda, Mailand 1922; – L. Schanté, F. v. S., 1. Blutzeuge der Propaganda, in: KathMiss 50, 1922, 132; – Balduinus Hürth v. Berg, St. F. v. S., der getreue Hl., Einsiedeln 1923; – Bruno Gossens, Der hl. F. v. S., 1933; – Festschr. anläßl. des 200j. Jub. der Hl.sprechung, in: St. Fidelis. Stimmen aus der Schweizer. Kapuzinerprov. 33, Luzern 1946, 167–318; – Siegfried v. Kaiserstuhl, Zur Chronologie des Lebens des hl. F. v. S., in: CollFr 18, 1948, 273 ff.; – Fidèle de Ros, Les »Exercitia« de s. F. de S., ebd. 22, 1952, 319 ff.; – Ronald Ross, F. Anwalt des Rechts, in: Die Großen der Kirche, hrsg. v. Georg Popp, 1957³, 155 ff.; – Hans Hümmeler, Helden u. Hll., 1959 (501.–510. Tsd.), 205 ff.; – Wilhelm Hünermann, F. Der Getreue, in: Ders., Der endlose Chor. Ein Buch v. den Hll. f. das christl. Haus, 1960⁸, 215 ff.; – Eberhard Moßmaier, F., in: Die Hll., hrsg. v. Peter Manns, 1975, 501 ff.; – LexCap 585 ff.; – BS V, 521 ff.; – VSB IV, 626 ff.; – Wimmer³ 220 f.; – Torsy 159; – Künstle 228 f.; – Braun 258 f.; – ADB VII, 4 f.; – NDB V, 137 f.; – Catholicisme IV, 1262 ff.; – DHGE XVI, 1415 ff.; – EC V, 1108 f.; – LThK IV, 118 f.; – NCE V, 910; – RE VI, 63; – RGG II, 935.

FIEBIG, Paul, Neutestamentler und Talmudist, * 3. 2. 1876 in Halle (Saale) als Sohn eines Prokuristen, † 11. 11. 1949 in Calbe/Milde (Altmark). – F. studierte in Berlin und Halle, wo er sich besonders an Martin Kähler (s. d.) und Emil Kautzsch (s. d.) anschloß, und kam 1902 als stellvertretender Direktor an das »Institutum Judaicum Delitzschianum« in Leipzig. 1903 wurde F. Studieninspektor am Predigerseminar in Wittenberg, 1904 Oberlehrer am Gymnasium Ernestinum in Gotha und 1918 Pfarrer an der Petrikirche in Leipzig. 1924 habilitierte er sich für Neues Testament und wurde 1930 ao. Professor. Sein besonderes Interesse galt dem Bemühen, »die historischen Überlieferungen von Jesus wirklich zu verstehen und alle nur immer erreichbaren Mittel bereit zu stellen, um dieses Verständnis zu fördern«. Darum übertrug er die von der Literaturwissenschaft entwickelte vergleichende Arbeitsweise auf die Texte des Neuen Testaments, des Talmud und Midrasch und untersuchte so die Formen und Gattungen der neutestamentlichen und rabbinischen Literatur.

Werke: Der Menschensohn. Jesu Selbstbezeichnung mit bes. Berücks. des aram. Sprachgebrauches f. »Mensch« unters., 1901; Altjüd. Gleichnisse u. die Gleichnisse Jesu, 1904; Friede sei mit Euch! 10 Predigten, 1905; Die Off. des Joh. u. die jüd. Apokalyptik der röm. Kaiserzeit, 1907; Jüd. Wundergesch.n des nt. Zeitalters unter bes. Berücks. ihres Verhältnisses z. NT, 1911; Weltanschauungsfragen. Das geschichtl. Material z. Verständnis Jesu. Konfessionskunde, 1911; Die Gleichnisreden Jesu im Lichte der rabbin. Gleichnisse des nt. Zeitalters, 1912; Rel.gesch. u.

betes, 1927; Der Talmud, seine Entstehung, sein Wesen, sein Inhalt unter bes. Berücks. seiner Bedeutung f. die nt. Wiss. dargest., 1929; Rabbin. Formgesch. u. Geschichtlichkeit Jesu, 1931; Wir schau'n zu deinem Kreuz hinan! Passions-Predigten, 1936. – Gab heraus: Ausgew. Mischnatraktate m dt. Übers., seit 1905.

Lit.: Johannes Leipoldt, In memoriam P. F., in: ThLZ 75, 1950, 124; – NDB V, 139.

FINCK, Heinrich, Komponist, * 1444 oder 1445 in Bamberg (?), † 9. 6. 1527 im Schottenkloster in Wien (kath.). – Das Leben F.s ist weitgehend unerforscht. Viele Punkte sind noch dunkel, und manche Hypothese bedarf der genaueren Überprüfung. – F. war vermutlich Mitglied der Krakauer Hofkapelle, bevor er 1482 an der Universität Leipzig immatrikuliert wurde. Dann wird er eine Anstellung gesucht haben bei den Königen von Polen und von Ungarn, vielleicht auch in Torgau. 1510 wurde F. Kapellmeister der Stuttgarter Hofkapelle, die 1514 aufgelöst wurde. Er ging nach Augsburg oder Innsbruck, wohl als Komponist in der Hofkapelle Maximilians I. 1524 war F. Komponist des Salzburger Domkapitels und 1527 Kapellmeister der Hofkapelle Ferdinands I. – F. gilt unumstritten als der erste deutsche »Großmeister« der Musik.

Werke: Messen u. Motetten; dt. Lieder. – Ausgew. Werke, T. I (Messen u. Motetten z. Proprium missae), hrsg. v. Lothar Hoffmann-Erbrecht = Das Erbe Dt. Musik LVII, Abt. Ausgew. Werke VI, Frankfurt/Main 1962.

Lit.: August Wilhelm Ambros, Gesch. der Musik III, 1891³, 377 ff. (Nachdr. Hildesheim 1968); – Robert Eitner, Das alte dt. mehrst. Lied u. seine Meister, in: MfM 25, 1893, 172 ff.; – Peter Wagner, Gesch. der Messe I, 1913 (Nachdr. 1963), 275 ff.; – Hans Joachim Moser, H. F., in: Der Kreis VI, 1. 10. 1928, 73 ff.; – Ders., Musikgesch. in 100 Lb., 1952, 45 ff.; – Otto zur Nedden, Zur Gesch. der Musik am Hofe Kaiser Maximilians I., in: ZfMw 15, 1933, 24 ff.; – Lothar Hoffmann-Erbrecht, H. F. in Polen, in: Ber. über den Internat. musikwiss. Kongreß, 1962, Kassel, hrsg. v. Georg Reichert u. Martin Just, 1963; – Miroslaw Perz, in: Kongreß-Ber., Ljubljana 1967, 107 f.; – MGG IV, 205 ff.; – Riemann I, 512 f.; ErgBd. I, 357; – Moser I, 344 f.; – Eitner III, 449 f.; – Grove III, 111 f.; – Honegger I, 343; – Goodman 135; – NDB V, 149 f.; – LThK IV, 137.

FINK, Gottfried Wilhelm, Theologe und Musikschriftsteller, * 8. 3. 1783 als Pfarrerssohn in Sulza (Sachsen-Weimar), † 27. 8. 1846 in Leipzig. – F. begann schon früh, Lieder zu komponieren. Er studierte 1804–08 in Leipzig Theologie und war dort 1809–16 Hilfsprediger. 1814–27 leitete F. eine von ihm gegründete Erziehungsanstalt in Leipzig. Seit 1808 war er ein eifriger Mitarbeiter an der »Allgemeinen musikalischen Zeitschrift« und übernahm 1827–41 ihre Redaktion. 1838–43 hielt F. Vorlesungen an der Universität Leipzig. Zahlreiche Ehrungen des In- und Auslandes wurden ihm zuteil. Die Philosophische Fakultät der Universität Leipzig verlieh ihm 1838 die Ehrendoktorwürde. 1841 wurde er Mitglied der »Preußischen Akademie der Künste« und 1842 Universitätsmusikdirektor. Bekannt ist F. durch seinen »Musikalischen Hausschatz der Deutschen« mit über 1000 Liedern und Gesängen. Wir verdanken ihm die Weise des Liedes von Wilhelm Hermann »Wir reichen uns zum Bunde die treue Bruderhand«.

Werke: Musiktheoret. Schrr.: Erste Wanderung der ältesten Tonkunst als Vorgesch. der Musik oder als erste Periode derselben, 1831; Musikal. Grammatik oder theoret.-prakt. Unterricht in der Tonkunst, 1836 (1839²; erneuter Abdr. 1862); Wesen u. Rel.philos., 1912; Die synopt. Evv. Texte u. Unters. z. Einf. in ihre wiss. Beurteilung, 1913; Die Gleichnisse Jesu u. die Bergpredigt mit rabbin. Parallelen erl., 1914; Jesu Bergpredigt. Rabbin. Texte z. Verständnis der Bergpredigt, ins Dt. übers., in ihren Ursprachen dargeb. u. mit Erll. u. Lesarten vers., 1924; Der Erz.stil der Evv. im Lichte des rabbin. Erz.stils unters., 1925; Die Umwelt des NT, 1926; Die Umwelt des AT, 1927; Das Vaterunser. Ursprung, Sinn u. Bedeutung des christl. Hauptge-

Gesch. der Oper, 1838; System der musikal. Harmonielehre, 1842; Der musikal. Hauslehrer oder theoret.-prakt. Anleitung, 1846 (1851²); Musikal. Kompositionslehre, hrsg. v. Theodor Coccius, 1847. – Eigene Kompositionen (enthalten auch eigene Dichtungen): Häusl. Andachten in christl. mehrst. Liedern, 2 Hh., 1811 u. 1814; Romanzen u. Balladen, 1812; Volkslieder mit u. ohne Klavierbegleitung v. ihm selbst gedichtet u. komponiert, 5 Hh., 1812–15; Kindergesangb., 2 Hh., 1815; Neue häusl. Andachten, 1834. – Literar. Werke: Gedichte, 1813; Häusl. Andachten, 1814; Predigten, 1815; Gedichte, 1816; Fam.-Unterhaltungen in kurzen Erzz., 1835. – Gab heraus: Musikal. Hausschatz der Dt., eine Smlg. v. 1000 Liedern u. Gesängen mit Singweisen u. Klavierbegleitung, 1844–45 (1904¹²); Die dt. Liedertaf., 1845 (1863³).

Lit.: Hermann Rosenwald, Das dt. Lied zw. Schubert u. Schumann (Diss. Heidelberg), 1930, 34; – Martha Bigenwald, Die Anfänge der Leipziger AmZ (Diss. Freiburg/Breisgau), 1938, 36 ff.; – Kurt Dolinsky, Die Anfänge der musikal. Fachpresse in Dtld. Geschichtl. Grdl.n (Diss. Berlin), 1940, 67 ff.; – Wolfgang Boetticher, Robert Schumann, 1941, 122. 343. 613; – Karl Gustav Fellerer, Adolph Bernhard Marx u. G. W. F., in: Festschr. Alfred Orel z. 70. Geb. Hrsg. v. Hellmut Federhofer, Wien – Wiesbaden 1960; – Günther Kraft, Btrr. z. Musikgesch. des Vormärz, 1960; – Kurt-Erich Eicke, Der Streit zw. Adolph Bernhard Marx u. G. W. F. um die Kompositionslehre, 1966; – Ders., Das Problem des Historismus im Streit zw. Marx u. F., in: Die Ausbreitung des Historismus über die Musik. Aufss. u. Diskussionen. Hrsg. v. Walter Wiora, 1969; – R. Schmitt-Thomas, Die Entwicklung der dt. Konzertkritik im Spiegel der Leipziger AmZ (1798–1848), 1969; – MGG IV, 223 ff.; – Riemann I, 514; ErgBd. I, 358; – ADB VII, 17 f.; – NDB V, 159 f.

FINKE, Heinrich, kath. Historiker, * 13. 6. 1855 in Krechting (Westfalen) als Sohn eines Webers, † 19. 12. 1938 in Freiburg (Breisgau). – F. wurde 1888 Privatdozent, 1891 ao. und 1897 o. Professor für Geschichte in Münster. Er lehrte seit 1898 in Freiburg (Breisgau) und war seit 1924 Präsident der Görresgesellschaft. Sein besonderes Forschungsgebiet war die Kirchen- und Kulturgeschichte des späten Mittelalters, vor allem die Geschichte des Konzils von Konstanz.

Werke: Forsch. u. Qu. z. Gesch. des Konstanzer Konzils, 1889; Acta Concilii Constanciensis I, 1896; II, 1923; III, 1926; IV, 1928; Aus den Tagen Bonifaz' VIII., 1902; Papsttum u. Untergang des Templerordens, 2 Bde., 1907; Acta Aragonensia. Qu.z. dt., it., frz., span., z. Kirchen- u. Kulturgesch. aus der diplomat. Korr. Jaymes II. (1291–1327) I u. II, 1908; III, 1923; Nachtrr. u. Ergg. = Span. Forsch., 1. Reihe, Bd. 4, 1933, 355–536; Das Qu.material z. Gesch. des Konstanzer Konzils, in: ZGORh 31, 1916, 253–275; Weltimperialismus u. nat. Regungen im späteren MA, 1916; Staat u. Kirche vor der Ref., 1931. – Gab heraus: Vorreformationsgeschichtl. Forschungen, seit 1900. – *Bibliogr.*: Josef Hermann Beckmann, in: HJ 55, 1935, 466 ff.

Lit.: Die Gesch.wiss. der Ggw. in Selbstdarst. I, 1925, 91 ff. (Autobiogr. u. Bibliogr.); – Aus dem Gebiete der mittleren u. neuen Gesch. Eine Festg. z. 70. Geb., 1925; – Hermann Baier, Acta concilii Constantiensis v. H. F., in: ZGORh NF 49, 1936, 272 ff.; – Walter Goetz, H. F. z. 80. Geb., in: AKultG 26, 1936, 1 ff.; – Ders., H. F., in: Ders., Historiker in meiner Zeit. Ges. Aufss. Hrsg. v. Herbert Grundmann, 1957, 246 ff.; – Johannes Spörl, H. F., in: HJ 58, 1938, 241 ff.; – Clemens Bauer, H. F., in: Hochland 36, 1938/39, I, 432 ff.; – Ders., Die Gesch.wiss. in Freiburg, in: Btrr. z. Gesch. der Freiburger Philos. Fak. 1957, 183 ff.; – Hermann Heimpel, H. F., in: HZ 160, 1939, 534 ff.; – Engelbert Krebs, H. F. †, in Jber. der Görresges. 1938, 1939, 15 ff.; – Johannes Vincke, H. F., in: ZSavRGkan 59, 1939, 687 ff. (Kanonist. Chron.); – Oswald Redlich, H. F., in: Alm. der Akad. der Wiss. in Wien 89, 1939, 291 ff.; – Martin Grabmann, H. F., in: SAW 1939, 15 ff.; – Friedrich Meinecke, Straßburg – Freiburg – Berlin 1901–1919. Erinnerungen, 1949, 79 ff.; – Karl Zuhorn, H. F. Gedenkrede zu seinem 100. Geb., in: Westfäl. Zschr. 105, 1955, 83 ff.; – Wilhelm Spael, Die Görres-Ges. 1876 bis 1941. Grundlegung, Chron., Leistungen, 1957; – Max Braubach, Zwei dt. Historiker aus Westfalen. Briefe H. F.s an Aloys Schulte, in: Westfäl. Zschr. 118, 1968, 9 ff.; – Ders., Zwei dt. Historiker aus Westfalen, Köln 120, 1970, 239 ff.; – Kosch, KD 758 f.; – NDB V, 162; – DHGE XVII, 213 ff.; – EC V, 1387 f.; – LThK IV, 140 f.; – RGG II, 957.

FINNEY, Charles Grandison, Evangelist, * 29. 8. 1792 in Warren (Connecticut), † 1. 9. 1875 in Oberlin (Ohio). – F. wuchs im Staat New York völlig religionslos heran auf einer Farm in Oneida County und später in Jefferson County am Südufer des Ontariosees. Mit 20 Jahren verließ er das Elternhaus und war an verschiedenen Orten als Lehrer tätig. F. trat 1818

in Adams (Jefferson County) als Lehrling in ein Advokatenbüro ein. Er besuchte regelmäßig die Gottesdienste und Gebetsversammlungen der Presbyterianer und kaufte sich mit 29 Jahren zu eifrigem Studium eine Bibel. F. suchte Gott von ganzem Herzen, der sich darum auch am 10. 10. 1821 von ihm finden ließ, als er in einem Gehölz ernsthaft betete. Als F. an diesem Abend allein im Büro war, empfing er den Heiligen Geist und sah Jesus leibhaftig vor Augen. F. gab sofort seine Rechtsstudien auf und ging zu seinen Eltern, die mitsamt der ganzen Nachbarschaft bekehrt wurden. Er trieb nun bei dem presbyterianischen Pastor in Adams theologische Studien und begann nach seinem Examen im März 1824 seine Wirksamkeit als Prediger in Jefferson County. 1834 trat F. aus der presbyterianischen Kirche aus und übernahm eine Kongregationalistengemeinde. Er wurde 1835 in Oberlin (Ohio) Pfarrer und theologischer Lehrer am College, dessen Präsident er 1852–66 war. Im Sommer hielt F. Vorlesungen, während er im Winter Pfarrer in New York war, wo man ihm 1834 das »Broadway Tabernacle« gebaut hatte. F. rief als Evangelist zahlreiche Erweckungen in den Vereinigten Staaten hervor und wirkte 1849/51 und 1858/59 auch in England in reichem Segen. Er gab 1872 sein Pfarramt auf, stellte aber erst 1875 seine Vorlesungen ein.

Werke: Lectures on Revivals of Religion, 1835 (Ed. by William Gerald Mac Loughlin, Cambridge/Massachusetts 1960); Sermons on Important Subjects, 1836; Lectures to Professing Christians, 1837; Skeletons of a Course of Theological Lectures, 1840; Lectures on Systematic Theology, 2 Bde., 1846/47; Guide to the Saviour: or, the secret of a holy life, 1859; Sermons on Gospel Themes, 1876; The Way of Salvation. Sermons, 1896.

Lit.: Memoirs of Ch. G. F., written by himself, London 1876 (dt.: Leben u. Wirken Ch. G. F.s u. die neuesten Erweckungen in den Vereinigten Staaten, 1879); – George Frederick Wright, Ch. G. F., Boston – New York 1891; – Delavan Levant Leonard, The Story of Oberlin: the institution, the community, the idea, the movement, Boston 1898; – Lebenserinnerungen v. Ch. G. F. übers. v. Emmy v. Feilitzsch, 1902 (1927²: Ch. G. F., Erinnerungen u. Reden, bearb. v. Karl Richter); – Frank Hugh Foster, A Genetic History of the New England Theology, 1907; – William Cox Cochran, Ch. G. F., Philadelphia 1908; – Otto Riecker, Das evangelist. Wort. Pneumatologie u. Psychologie der evangelist. Bewegung, Träger, Rede u. Versmlg., 1935; – Whitney Rogers Cross, The Burned-Over District: The Social and Intellectual History of Enthusiastic Religion in Western New York 1800 bis 1850, Ithaca (New York) 1950; – James Edwin Orr, The Second Evangelical Awakening in America, 1952, 45 ff.; – F.'s Life and Lectures, London – Edinburgh 1956; – William Gerald Mac Loughlin, Modern Revivalism, New York 1959; – Friedrich Hauß, Väter der Christenheit III, 1959, 72 ff.; – Ch. G. F., Lebenserinnerungen. Aus dem Engl. übers. v. Emmy v. Feilitzsch, 1956; – James E. Johnson, Ch. G. F. and a theology of revivalism, in: ChH 38, 1969, 338 ff.; – Ch. G. F. Die gekürzte Lebensgesch. Ch. G. F.: Autobiogr., 1970 (1971²); – John Opie, F.'s failure of nerve: The untimely demise of evangelical theology, in: Journal of Presbyterian history 51, Lancaster (Pennsylvania) 1973, 155 ff.; – DAB VI, 394 f.; – RE VI, 63 ff.; – RGG II, 957 f.; – NCE V, 928.

FINSLER, Diethelm Georg, Theologe, * 24. 12. 1819 als Pfarrerssohn in Zürich, † daselbst 1. 4. 1899. – F. wurde 1844 Vikar in Zürich, 1850 Pfarrer in Berg am Irchel, 1867 in Wipkingen und 1871 am Großmünster in Zürich. Er war der letzte »Antistes« der Zürcher Kirche – mit Einführung der neuen Kirchenverfassung 1895 hörte dieses Amt auf –, zuletzt noch Präsident des Kirchenrats, ein Führer der vermittelnden Richtung.

Werke: Kirchl. Statistik der ref. Schweiz, 1854–56; Arbb. über Johann Kaspar Lavater, 1856; Johann Jakob Füßli, Pfr. in Neumünster u. alt Antistes. Erinnerungen an seinen Leben u. Wirken, 1860; Georg Geßner, weiland Pfr. am Großmünster u. Antistes in Zürich. Ein Lb. aus der zürcher. Kirche, 1862; Ulrich Zwingli, 3 Vortrr., 1873; Die Trunksucht als soziales Übel u. die Mittel z. Abhilfe ders., 1880; Gesch. der theol.-kirchl. Entwicklung in der dt.-ref. Schweiz seit den 30er J., 1881²; Zürich in der 2 Hälfte des 18. Jh.s. Ein Gesch.- u. Kulturbild, 1884; Ulrich Zwingli. Festschr. z. Feier seines 400j. Geb., 1884; Melchior Ulrich. 1895· Bibliogr. der Ev. ref. Kirche. 1 H Die dt. Kantone, 1896; Die Gesch. der zürcher. Hülfsges. 1799–1899, 1899.

Lit.: Georg Finsler, D. G. F., der letzte Antistes der zürcher. Kirche, 1. Hälfte, in: Neujahrsbl. 116, hrsg. v. der Hülfsges. in Zürich, 1916; – Rudolf Finsler, dass., 2. Hälfte, ebd. 117, 1917; - Anton Largiadèr, Gesch. v. Stadt u. Landschaft Zürich II, 1945, 228. 263; – HBLS III, 159; – ADB 48, 556 ff.; – NDB V, 164 f.

FINSLER, Georg, Theologe, * 1860 in Zürich, † 18. 11. 1920 in Basel. – F. wirkte als Pfarrer in Hombrechtikon (Kanton Zürich) und dann als Religionslehrer am Gymnasium in Basel. Er wurde bekannt als Zwingliforscher (s. d.) und Mitherausgeber der kritischen und der sog. populären Zwingli-Ausgabe.

Werke: Zwingli-Biogr., 1879; Zwingli-Bibliogr. Verz. der gedr. Schrr. v. u. über Ulrich Zwingli, 1897; Die Chron. des Bernhard Wyß 1519–1530, 1901.

Lit.: Walther Koehler, G. F. u. Zwingli, in: Zwinglia 4, 1921, 1 ff.; – Ders., in: Zwingli-Ausg. Bd. IX, 1925; – G. F. †, in: Jb. aes Ver. schweizer. Gymnasiallehrer 45, 1921, 5; – HBLS III, 159.

FINX, Erasmus, genannt Francisci, Polyhistor, Kirchenliederdichter, * 19. 11. 1627 in Lübeck als Sohn eines Rechtsanwalts, der sich vor Wallensteins Heer von Schwerin dorthin geflüchtet hatte, † 20. 12. 1694 in Nürnberg. – F. studierte die Rechte und bereiste ganz Deutschland und andere Länder. Er lebte als Schriftsteller in Nürnberg. F. nahm 1688 die Stelle eines Rats beim Grafen Heinrich Friedrich zu Hohenlohe-Langenberg und Gleichen an, der ihm gestattete, in Nürnberg wohnen zu bleiben. – Als Polyhistor hat F. eine Menge Schriften verschiedenen Inhalts verfaßt. Von den geistlichen Dichtern des Nürnberger »Pegnesischen Hirten- und Blumenordens« ist er vielleicht der barockste. Schon die Titel seiner Erbauungsschriften zeigen seinen schwülstigen Stil. In der Liebessprache des Hohenliedes preist F. Jesus als den »Herzenszucker« und freut sich der Vereinigung mit ihm: »Dann gibt's Umfahung, Kuß um Kuß, dem Wein und Honig weichen muß« oder seufzt in sehnsüchtigem Verlangen: »Wann schaut mein Auge sich gesund an dir? Wann küsset mich dein Mund? Komm oder hol mich hin zu dir, daß ich dich herze für und für.« Geschmacklos ist oft die Bildersprache, z. B.: »Säume ich? Sporne mir die Seiten. Ist mein Fleisch ein harter Gaul, der sich nicht will lassen reiten von dem Geist? Leg ihm ins Maul, Herr, dein Kreuzgebiß und Zaum.« Von seinen mehr als 200 Liedern sind etwa 50 noch zu seinen Lebzeiten in die Gesangbücher aufgenommen worden. Bekannt sind: »Ein Tröpflein von den Reben der süßen Ewigkeit kann mehr Erquickung geben als dieser eitlen Zeit gesamte Wollustflüsse«, »Die Liebe leidet nicht Gesellen, im Fall sie treu und redlich brennt« und »Ewig sei dir Lob gesungen, o du menschgeborner Held«.

Werke: Die geistl. Goldkammer der I. bußfertigen, II. gottverlangenden u. III. jesusverliebten Seelen, deren Geschmeide u. Juwelen durch wehklagende Reuebegierden, gläubige Wünsche u. inbrünstige Seufzer den Liebhabern der Himmelsschätze zuteil werden, 1664 (1675²); Christl. Spazierbüchlein, 1668 (Pseud.: Christian Minsicht); Die lustige Schaubühne allerhand Curiositäten in einer Sprachhaltung einiger guter Freunde vorgestellet I, 1969; II, 1671; III, 1673; Erinnerung der Morgenröte oder geistl. Hahnengeschrei an die im Schatten des Todes vertieften Herzen in 63 Aufmunterungen der menschl. Seele u. Buße u. wahrer Bekehrung u. z. Glauben u. gläubigen Wandel, 1672 (1699⁴); Deren nach der ewigen u. beständigen Ruhe trachtenden seelenlabende Ruhestunden in den unruhigen Mühen u. Tränen dieser

Welt, 3 Bde., 1676–80; Lorbeerkranz der christl. Rittersleute, 1680; Letzte Rechenschaften jeglichen Menschen, 1681; Ehr- u. freudenreiches Wohl der Ewigkeit f. die Verächter der Eitelkeit, in 52 Betrachtungen erwogen, 1683 (1717³).

Lit.: Helmut Sterzl, Leben u. Werk des Erasmus Francisci (Diss. Erlangen), 1951; – Koch III, 526 ff.; – Jöcher II, 703 ff.; – Will I, 462 ff.; – Kosch, LL I, 538; – ADB VII, 207.

FIRMIAN, Leopold Anton Freiherr von, Erzbischof von Salzburg, * 27. 5. 1679 in München, † 22. 10. 1744 in Salzburg. – F. wurde 1713 Propst und 1714 Domdechant in Salzburg, 1718 Bischof von Lavant, 1724 auch von Seckau und 1727 von Laibach und am 4. 10. 1727 Erzbischof von Salzburg. – Nach einer ruhigen Zeit unter dem gemäßigten Erzbischof Johann Ernst und Franz Anton wurde die Lage der Evangelischen in den Salzburger Landen sehr ernst, als F. den erzbischöflichen Stuhl bestieg. Er rief aus Bayern die Jesuiten in das Land, um mit ihrer Hilfe das evangelische Glaubensbekenntnis auszurotten. Auf den Marktplätzen oder auf freiem Feld veranstalteten die Jesuiten große Versammlungen, zu denen alle Einwohner bei hohen Strafen kommen mußten. Die Ketzergerichte mehrten sich, die Kerker füllten sich, hohe Geldstrafen wurden verhängt. Aber alle Bekehrungsversuche der Jesuiten hatten nur den Erfolg, daß die Evangelischen sich zu um so freudigerem Bekenntnis ihres Glaubens zusammenschlossen. Am 10. 7. 1731 überreichten 16 Bauern dem Vikar von St. Veit ein Schriftstück, in dem sie sich offen zum evangelischen Glauben bekannten und mitteilten, daß sich die Evangelischen beschwerdeführend an das »Corpus Evangelicorum« in Regensburg, die Vertretung der evangelischen Fürsten, gewandt und ihre Hilfe angerufen hätten. Der Vikar berichtete darüber dem Dechanten in Werfen und schilderte ihm die Urheber des Schriftstücks als Rebellen, die mit Aufruhr drohten. Auch bei den evangelischen Fürsten suchte man die Evangelischen in den Salzburger Landen als Rebellen zu verdächtigen, um ihnen deren Teilnahme zu entziehen. Um einer Untersuchung durch die Reichsregierung zuvorzukommen, kündigte F. eine Kommission an, die die Beschwerden der Evangelischen untersuchen solle. Im Juli 1731 begann diese in Werfen ihre Arbeit, die sie im Lauf des Juli von Ort zu Ort fortsetzte. Überall bekam die Kommission Klagen über harte Bedrückungen der Evangelischen zu hören. F. versprach den Evangelischen, er werde allen Beschwerden abhelfen, wenn sie sich nur gedulden wollten. Zugleich aber kündigte er ihnen an, daß Truppen kommen würden; sie kämen aber nur, damit etwaige schlimmere Folgen zu ihrem eigenen Besten verhütet würden. Die Ankündigung von Truppen gab den Anlaß zu der berühmten Versammlung am 5. 8. 1731 in Schwarzach an der Salzach. Etwa 150 Vertreter der Evangelischen kamen aus verschiedenen Gegenden in einer Schenke dieses Ortes zusammen. Vor der Eröffnung der Verhandlungen tauchte einer nach dem andern die Finger der rechten Hand in das Salzfaß, das auf dem Tisch stand, hob sie in die Höhe und schwur, daß er bei dem evangelischen Glauben beharren und sich durch nichts davon abbringen lassen wolle. Man beschloß, evangelische Prediger zu verlangen und Gewissensfreiheit zu fordern, inzwischen aber sich ruhig zu verhalten. Die Versammlung beschloß ferner, eine Abordnung nach Regensburg zu der Vertretung der evangelischen Reichsstände zu entsenden und zu fragen, wo man sie aufnehmen werde, wenn sie um ihres Glaubens willen genötigt sein würden, die Heimat zu verlassen. F. stempelte die gemeinsame Verabredung des »Salzbundes« von Schwarzach zum Verbrechen der Rebellion und wandte sich um militärische Hilfe nach Wien an den Kaiser und nach Bayern. 5000 Mann Fußvolk des Kaisers rückten in das Land und erhielten nur bei den Evangelischen Quartier. Die Bauern wurden entwaffnet und die Grenzen gesperrt. Als die Bedrückungen immer ärger wurden, wandten sich die Evangelischen noch einmal in einer Bittschrift an den Kaiser, um bei ihm ihr Recht zu suchen. Sie baten um eine Untersuchung ihrer Beschwerden durch eine aus beiden Glaubensbekenntnissen bestehende Kommission. Ehe die Antwort des Kaisers eintraf, unterzeichnete F. am 31. 10. 1731 den berüchtigten Emigrationserlaß, der am 10. 11. bekanntgemacht wurde. F. verfügte, die Nichtkatholiken hätten das Erzstift zu verlassen, die »Angesessenen«, d. h. Grundbesitzenden, in längstens drei Monaten, die »Unangesessenen«, wie Tagelöhner, Bergleute, Arbeiter und Handwerker, in acht Tagen. F.s Emigrationserlaß stand in offenem Widerspruch zu der Vereinbarung des »Westfälischen Friedens« von 1648, nach der ausdrücklich eine dreijährige Frist für die vorgesehen war, die sich von der Religion des Landesherrn getrennt hielten und deshalb des Landes verwiesen werden durften. Unter Berufung auf diese Bestimmung des »Westfälischen Friedens« legten die evangelischen Reichsstände in Regensburg gegen den erzbischöflichen Erlaß Verwahrung ein und verlangten die Innehaltung der dreijährigen Frist bis zur Verweisung aus dem Land. Ihnen gegenüber wurde der Emigrationserlaß des Erzbischofs mit der Behauptung gerechtfertigt, daß die Evangelischen nicht wegen der Religion, sondern wegen aufrührerischer Umtriebe des Landes verwiesen würden. Kaiser Karl VI. war mit dem eigenmächtigen Vorgehen F.s in keiner Weise einverstanden; aber aus politischen Gründen mußte er auf den Erzbischof Rücksicht nehmen. Darum wagte er es nicht, den Emigrationserlaß rückgängig zu machen, sondern begnügte sich damit, F. zur Milde in der Anwendung und Durchführung seines Erlasses zu ermahnen. Schon nach 14 Tagen mußten die ersten Evangelischen unter militärischem Schutz das Salzburger Land verlassen und ihre Kinder unter 12 Jahren zurücklassen. Der erste Zug von 800 aus der Heimat ausgewiesenen Evangelischen kam am 27. 12. in Kaufbeuren an. Den eigentlichen Mittelpunkt für die Züge der vertriebenen Salzburger bildete Ulm. Von dort aus ging der Zug durch württembergisches Gebiet hindurch und verteilte sich nach verschiedenen Richtungen. Man erwog den Gedanken einer Ansiedlung im Schwarzwald. Da kam Hilfe von Preußen. Nachdem Friedrich Wilhelm I. einen Kommissar nach Salzburg entsandt und dieser ihm eingehenden Bericht von der Not und Bedrängnis der Evangelischen in Salzburg erstattet hatte, unterzeichnete er am 2. 2. 1732 das Immigrationspatent, das die Heimatlosen nach Ostpreußen einlud und die Vertriebenen unter den Schutz des preußischen Staates stellte. Am 29. 4. 1732 kamen die ersten vertriebenen Salzburger in Potsdam an. Von dort ging es der neuen Heimat zu, dem ostpreußischen Litauen. – In der

schmerzensreichen Entscheidung zwischen Glauben und Heimat haben sich weit über 20 000 Salzburger zum Verlassen der Heimat entschlossen.

Lit.: Georg Abdon Pichler, Salzburgs Landesgesch., Salzburg 1863, 522 ff.; – Karl Franklin Arnold, Die Vertreibung der Salzburger Protestanten u. ihre Aufnahme bei den Glaubensgenossen, 1900; – Ders., Die Ausrottung des Prot. in Salzburg unter EB F. u. seinen Nachfolgern, 2 Bde., 1900/01; – Hans Widmann, Gesch. Salzburgs III, Salzburg 1914, 384 ff.; – Gerhard Florey, Der Prot. im Lande Salzburg, 1927; – Georg Loesche, Neues über die Ausrottung des Prot. in Salzburg 1731/32, in: JGPrÖ 50, 1929, 1 ff.; – Ders., Gesch. des Prot. im vorm. u. neuen Östr., 1930; – Joseph Karl Mayr, Die Emigration der Salzburger Protestanten v. 1731–32, Salzburg 1931; – Hermann Gottlob, Die Salzburger Protestanten, Wien 1939; – Franz Martin, Salzburgs Fürsten in der Barockzeit, 1587–1771, Salzburg 1949, 177 ff.; – Friedrich Wilhelm Bautz, Die Vertreibung der Salzburger, in: Ders., Es kostet viel, ein Christ zu sein, 1900, 24 ff.; – Gertraud Schwarz-Oberhummer, Die Verfolgung u. Austreibung der Gasteiner Protestanten unter EB L. A. v. F. (Diss. Innsbruck), 1950; u. in: Mitt. der Ges. f. Salzburger Landeskunde 95, Salzburg 1955, 1–85; – Ernst Tomek, KG Östr.s III, Innsbruck 1959, 181 ff.; – Erich Zöllner, Gesch. Östr.s. Von den Anfängen bis z. Ggw., Wien 1961, 270 f.; – Kosch, KD 2570; – Wurzbach IV, 233 ff.; – ADB VII, 29 f.; – RE XVII, 408 ff.; – DHGE XVII, 244 ff.; – EC V, 1424; – LThK IV, 143 f.; – NCE V, 935.

FIRMILIAN, seit etwa 230 Bischof von Cäsarea (Kappadozien), † 268 in Tarsus. – F., einer der angesehensten Bischöfe seiner Zeit im Orient, war ein Freund des Origenes (s. d.), der sich nach seiner Flucht aus Alexandrien während der Verfolgung unter Maximinus Thrax (s. d.) eine Zeitlang bei ihm aufhielt. Bekannt ist F. durch den Ketzertaufstreit, der 255–257 zwischen Rom und Karthago geführt wurde. Der Bischof Cyprian von Karthago (s. d.) vertrat den Standpunkt, daß die von häretischen und schismatischen Klerikern gespendete Taufe ungültig sei, und forderte darum die Taufe der von jenen Getauften vor ihrer Aufnahme in die Kirche, während Stephanus I. (s. d.) von Rom die mit trinitarischer Glaubensformel vollzogene Taufe durch häretische und schismatische Kleriker anerkannte, den von jenen Getauften nur den Geistesempfang absprach und sie darum nur durch Handauflegung statt durch Neutaufe in die Kirche aufnahm. Cyprian wandte sich durch Gesandte und Briefe an die hervorragenden Bischöfe anderer Kirchenprovinzen, um sie zu Bundesgenossen im Ketzertaufstreit gegen Stephanus I. zu gewinnen. F. trat entschieden auf Cyprians Seite: er erklärte ihm in einem Brief die völlige Übereinstimmung der Kirchen seiner Provinz mit ihm hinsichtlich der Ungültigkeit der durch Ketzer und Schismatiker erteilten Taufen und wandte sich in sehr scharfer Weise gegen die Anmaßung (audacia, insolentia und stultitia) des römischen Bischofs. F.s Brief an Cyprian, das einzige Schriftstück, das wir von ihm besitzen, ist in einer lateinischen, fast wörtlichen Übersetzung unter den Briefen Cyprians enthalten (Nr. 75 der Briefsammlung Cyprians) und bildet eins der wertvollsten Dokumente über den Ketzertaufstreit. Auf der Reise zur zweiten antiochenischen Synode, die Paulus von Samosata (s. d.) exkommunizierte, starb F.

Lit.: Joseph Ernst, Die Echtheit des Briefes F.s über den Ketzertaufstreit, in: ZKTh 18, 1894, 209 ff.; 20, 1896, 364 ff.; – Ders., Papst Stephan I. u. der Ketzertaufstreit, 1905, 29 ff. 64 ff.; – Adhémar Alès, La théologie de S. Cyprien, Paris 1922, 202 ff.; – Friedrich Loofs, Paulus v. Samosata. Eine Unters. z. altkirchl. Lit.- u. DG, 1924, 35 ff.; – Erich Caspar, Primatus Petri. Eine philolog.-hist. Unters. über die Ursprünge der Primatslehre, 1927, 58 ff.; – Bernhard Poschmann, Paenitentia secunda. Die kirchl. Buße im ältesten Christentum bis Cyprian u. Origenes. Eine dogmengeschichtl. Unters., 1940, 399 ff.; – Josef

Ludwig, Die Primatworte Mt 16, 18.19 in der altkirchl. Exegese, 1952, 33 f.; – G. A. Michell, F. and eucharistic consecration, in: JThS NF 5, 1954, 215 ff.; – Pierre Nautin, Lettres et écrivains des IIe et IIIe siècles, Paris 1961, 152 ff. 238 f. 250; – Harnack, Lit I, 407 f.; II/2, 47 ff. 102 f. 359 f.; – TU 23/2, 24 ff.; – Bardenhewer II, 312 f.; – Quasten II, 128 f.; – Altaner[7] 212; – DThC V, 2552 ff.; – CathEnc VI, 80 f.; – DHGE XVII, 249 ff.; – LThK IV, 144; – NCE V, 936; – RE VI, 79; XXIII, 448; – RGG II, 967.

FISCHER, Albert, Hymnologe, * 1829, † 1896 in Groß-Ottersleben bei Magdeburg. – F. wirkte als Pfarrer in Groß-Ottersleben und ist bekannt durch sein »Kirchenliederlexikon«. Er begann »Das deutsche evangelische Kirchenlied des 17. Jahrhunderts«, eine Sammlung, »die ... das bekannte große Werk von Philipp Wackernagel (s. d.) über das 16. Jahrhundert fortzusetzen bestimmt ist«. Nach F.s Tod wurde das Werk, das bis etwa 1675 geht, von Wilhelm Tümpel (s. d.) fortgesetzt, 6 Bde., 1904–16.

Werke: Kirchenliederlex. Hymnolog.-liturg. Nachweisungen über etwa 4500 der wichtigsten u. verbreitetsten Kirchenlieder aller Zeiten, 2 Bde., 1878/79; Die kirchl. Dichtung, haupts. in Dtld., 1892. – Gab heraus: Bll. f. Hymnologie, seit 1883; das Gesang- u. Gebetb. des Christian Karl Josias Frhrn. v. Bunsen, 1883.

FISCHER, Christoph, Theologe, Kirchenliederdichter, * um 1519 in Joachimsthal (Böhmen), † 11. 9. 1598 in Celle. – F. studierte in Wittenberg. Er war Martin Luthers (s. d.) Famulus und Hausgenosse und stand auch Philipp Melanchthon (s. d.) nahe. F. promovierte zum Magister, wurde 1544 ordiniert und kam auf Luthers und Melanchthons Empfehlung an die Propstei der Liebfrauenkirche in Jüterbog und 1552 auf Melanchthons Empfehlung als Superintendent nach Schmalkalden. Er hielt 1555 eine Kirchenvisitation im ganzen Land ab. 1571 wurde F. Superintendent in Meiningen und 1574 in Celle Adjunkt des Generalsuperintendenten. 1577 folgte er dem Ruf nach Halberstadt als Pastor primarius an der Martinikirche, kehrte aber 1583 als Hofprediger und Generalsuperintendent nach Celle zurück und hielt gleich im ersten Jahr eine Generalvisitation ab. – F. war ein überaus fruchtbarer Erbauungsschriftsteller und ist bekannt als Dichter des Passionsliedes »Wir danken dir, Herr Jesu Christ, daß du für uns gestorben bist« (EKG 59).

Lit.: Johann Caspar Wetzel, Hymnopoeographia I, Herrnstadt 1719, 235 ff.; – Rudolf Steinmetz, Die Gen.sup. v. Lüneburg-Celle. 4.: Chr. F., in: ZGNKG 20, 1915, 47 ff.; – Johannes Giffey, in: MGkK 1938, 180 f.; – Koch II, 265 f.; – Hdb. z. EKG II/1, 105 f.; – Kosch, LL I, 512.

FISCHER, Hermann, Mitglied der Steyler Missionsgesellschaft, Schriftleiter und Schriftsteller, * 13. 9. 1867 in Bedingrade bei Essen-Frintrop (Ruhr) als Sohn eines Arbeiters, † 18. 10. 1945 in Haan bei Düsseldorf. – F. trat 1886 in die Missionsgesellschaft des Göttlichen Wortes (SVD) in Steyl (Holland) ein, machte die Gymnasialstudien in Steyl und die philosophischen und theologischen Studien in Mödling bei Wien und empfing 1897 die Priesterweihe. 1898–99 besuchte er zur weiteren Ausbildung in Mathematik und Naturwissenschaften die Universität in Berlin und widmete sich dann während eines Jahrzehnts in den Studienanstalten seines Ordens dem Lehrerberuf. 1910–22 und 1934–41 war F. Schriftleiter der illustrierten katholischen Monatszeitschrift »Stadt Gottes« und 1929–41 Herausgeber des »Katholischen Jahrbuches«. 1920–32 war er Mitglied des Generalrates der Gesellschaft des Göttlichen Wortes. F. entfaltete eine rege literarische Tätigkeit und suchte als Schriftleiter und Schriftsteller Interesse für die Missionen zu wecken und die Jugend für den Missionsberuf zu begeistern.

Werke: Jesu letzter Wille, 1906; Mit Herz u. Hand f.s Heidenland, 1915; Beispielsmig. aus der Heidenmission, 3 Bde., 1919; Arnold Janssen, Gründer des Steyler Miss.werkes. Ein Lb., 1919; Ich will! Ein Buch über Selbsterziehung des Willens u. Veredelung des Herzens, 1919; Mehr Priester f. das Heil der Welt! Ein Aufruf z. Mehrung u. Förderung der Priesterberufe f. Heimat u. Mission, 1920 (verm. u. verb. 1948[3]); Im Dienste des Göttl. Wortes. Jub.schr. der Ges. des Göttl. Wortes. 1875–1925, 1925; Vater Arnolds Getreuen. Die Mitbegründer beim Steyler Miss.-werk, 1925; Sämann Gottes. Kurzes Lb. des Steyler Gründers P. Arnold Janssen, 1931; Miss.brüder, ihr Werden, Wirken u. Vollenden, 1931; Tempel Gottes seid ihr! Die Frömmigkeit im Geiste P. Arnold Janssens, 1932; Licht Christi. Leben Jesu in 370 Schr.lesungen mit Erwägungen z. kurzen tägl. rel. Lesung oder Betrachtung I, 1935; II, 1936; P. Joseph Freinademetz. Steyler Miss. in China 1879–1908. Ein Lb., 1936; Mutter Maria Michaele, Adolfine Tönnies. Mitbegründerin u. erste Generaloberin der Steyler Anbetungsschwestern. Lb., 1938; Augustin Henninghaus. 53 J. Miss. u. Miss.bisch. Lb., 1940; Ich gehe z. Vater. Ein Buch über unsere Himmelshoffnung, 1940.

Lit.: Kosch, KD 766; – NDB V, 188 f.

FISCHER, Johann, Theologe, getauft 15. 12. 1636 in Lübeck als Sohn eines Tuchhändlers, † 17. 5. 1705 in Magdeburg. – F. studierte in Rostock und Altdorf bei Nürnberg und wurde Pfarrer in Hamburg und 1667 Superintendent in Sulzbach. Karl XI. von Schweden berief ihn nach Livland. Seit 1678 wirkte F. dort als Generalsuperintendent und erwarb große Verdienste um die Reform der lutherischen Landeskirche, vor allem um die Übersetzung der Bibel und geistlicher Schriften ins Lettische und Estnische und um den Aufbau des bäuerlichen Volksschulwesens. Bei Wiedereröffnung der 1632 gegründeten Universität Dorpat 1690 wurde er Prokanzler. Als Gegner der zentralistischen Tendenzen des schwedischen Absolutismus in den baltischen Provinzen und an der Universität wurde F.s Stellung unhaltbar. Hinzukam der Gegensatz zu der herrschenden Orthodoxie wegen seiner Hinneigung zum Frühpietismus und seiner Verbindung zu Philipp Jakob Spener (s. d.). 1699 kehrte F. nach Deutschland zurück und wirkte in Hamburg und Halle und seit 1700 als Generalsuperintendent von Magdeburg.

Lit.: Johann Friedrich v. Recke u. Carl Eduard Napiersky. Schr.-stellerlex. der Prov. Livland, Estland u. Kurland, Mitau 1827 bis 1832; – Fredrik Westling, Btrr. z. KG Livlands, in: Verhh. der Gel. Estn. Ges., Dorpat 1904, 3–67; – Georg v. Rauch, Die Univ. Dorpat u. das Eindringen der frühen Aufkl. in Livland, 1943; – ADB VII, 72 f.; – NDB V, 189; – RGG II, 970.

FISCHER, Johann Georg, Baumeister, * 21. 1. 1673 in Marktoberdorf (Allgäu), † 26. 4. 1747 in Füssen (Allgäu) (kath.). – F. war Mitarbeiter, später »Palier« seines Onkels Johann Jakob Herkomer (s. d.), so beim Bau von Kloster und Kirche St. Mang in Füssen (1701 bis 1717) und der Pfarrkirche St. Jakob in Innsbruck (1717–24), deren Bau er nach dem Tod seines Onkels († 1717) zu Ende führte. Seit 1717 arbeitete er als selbständiger Meister. – F. gilt als Hauptmeister der früheren Rokokoarchitektur im Allgäu.

Werke: Die Pfarrkirchen Bernbeuren (Kr. Schongau), 1722/23, u. Bertoldshofen (Kr. Marktoberdorf, 1727–33, u. St. Martin in Marktoberdorf, 1732/33; Kloster Oberelchingen (Kr. Neu-Ulm), um 1720; Waldburg-Zeilsches Schloß mit Kapelle in Kißlegg (Kr. Wangen), 1721–27; Schloß Marktoberdorf, 1723–25; Pfarrkirche in Pinswang (Kr. Reutte/Tirol), 1725–27; Stiftskirche Wolfegg (Kr. Waldsee), 1733–42; Chor der Pfarrkirche in Kißlegg, 1734 bis 1738; Franziskanerinnenkirche in Dillingen, 1736–38; Pfarrkirche Sulzschneid (Kr. Marktoberdorf), 1736–40; Kapelle St. Anna Neutann, Gemeinde Wolfegg, 1738.

Lit.: Max Hauttmann, Gesch. der kirchl. Baukunst in Bayern, Schwaben u. Franken, 1929³, 50. 187 f.; – Georg Lill, Kath. Pfarrkirche Markt Oberdorf, 1940, 2 ff.; – Adolf Layer, Füssen-St. Mang als künstler. Mittelpunkt des Lechtaler Barock u. Rokoko, in: Festschr. z. 1200j. Jub. des hl. Magnus, 1950, 60 ff.; – Joseph Weingartner, Die Kirchen Innsbrucks, 1950², 49 ff.; – M. Dömling, J. G. F., der größte Rokoko-Baumeister des Allgäu, in: Das schöne Allgäu 13, 1950, 21 ff.; – Ders., Heimatbuch, Gesch., Land u. Leute v. Markt Oberdorf im Allgäu, 1952, 263. 374 ff.; – R. Rauh, J. G. F. v. Füssen als Baumeister des neuen Schlosses in Kißlegg, in: Das Münster 4, 1951, 236 f.; – Hildebrand Dussler, Der Allgäuer Barockbaumeister Johann Jakob Herkomer. Leben u. Werk, 1956, 50 ff. u. ö.; – Thieme-Becker XII, 27; – NDB V, 191; – LThK IV, 156.

FISCHER, Johann Michael, Baumeister, * 18. 2. 1692 in Burglengenfeld (Oberpfalz) als Sohn des gleichnamigen Stadtmaurermeisters und Ratsherrn, † 6. 5. 1766 in München (kath.). – Nach seiner Ausbildung als Maurer bei seinem Vater kam F. um 1715 auf seiner Wanderschaft über Böhmen nach Brünn (Mähren). 1718/19 wurde er »Palier« beim Münchner Stadtmaurermeister und erwarb 1723 das bürgerliche Meisterrecht. – F. ist der beste und fruchtbarste Kirchenarchitekt in der Blütezeit des Rokokos in Altbayern und zählt zu den Hauptmeistern des deutschen Spätbarocks. Auf seinem Grabstein an der Münchner Frauenkirche steht: »Er hat durch sein kunsterfahrne und unermüdte hand 32 gotteshäuser 23 clöster nebst sehr vielen palästen erbauet.«

Werke: Kollegiatskirche, Dießen am Ammersee (1733–39); Klosterkirchen: Zwiefalten (1741–53), Ottobeuren (1737–66), Rott/Inn (1759–63); St. Michael, Berg am Laim (1737–52); Pfarrkirche Murnau (1725–27); Klosterkirche St. Anna am Lehel, München (1727–36); Augustinerkirche Ingolstadt (1739; im 2. Weltkrieg zerstört); Prämonstratenserkirche Osterhofen (1727 ff.); Stiftskirche Aufhausen (1736 ff.); Altomünster (1763–73).
Lit.: Adolf Feulner, J. M. F. Ein bürgerl. Baumeister der Rokokozeit, Wien 1922; – Max Hauttmann, Gesch. der kirchl. Baukunst in Bayern, Schwaben u. Franken. 1550-1780, 1929³; – Paul Heilbronner, Stud. über J. M. F. (Diss. München), 1933; – Walter Hege u. Gustav Barthel, Barockkirchen in Altbayern u. Schwaben, 1938; – Richard Zürcher, Der Anteil der Nachbarländer an der Entwicklung der dt. Baukunst im Zeitalter des Spätbarocks, Basel 1938, 52–57; – Norbert Lieb, Der Münchner Barockbaumeister J. M. F. u. seine Familie, in: Bll. des Bayer. Landesver. f. Fam.kunde 17, 1938, 97 ff.; – Ders., J. M. F., das Leben eines bayer. Baumeisters des 18. Jh.s, in: Münchner Jb. der bildenden Kunst NF 13, 1938/39, 142 ff.; – Ders., Münchener Barockbaumeister. Leben u. Schaffen in Stadt u. Land, 1941, 116 f. u. ö.; – Ders., Barockkirchen zw. Donau u. Alpen, 1958², 8. 11 f. 13 f. 32. 41. 45. 55–94. 96–98. 117. 124. 134. 136–42. 152–54 u. ö.; – Werner Hager, Die Bauten des dt. Barocks. 1690–1770, 1942; – Harro H. Ernst, Der Raum bei J. M. F. (Diss. München), 1950; – Günther Neumann, Die Gestaltung der Zentralbauten J. M. F.s u. deren Verhältnis zu It., in: Münchener Jb. der bildenden Kunst 3. Folge 2, 1951, 238 ff.; – Felicitas Hagen-Dempf, Der Zentralbaugedanke bei J. M. F. (Diss. Wien), 1954; – Thieme-Becker XII; – NDB V, 193 f.; – LThK IV, 156 f.

FISCHER, Ludwig Eberhard, Theologe, Politiker und Kirchenliederdichter, * 6. 8. 1695 als Pfarrerssohn in Aichelberg bei Schorndorf (Württemberg), † 24. 2. 1773 in Stuttgart. – F. studierte in Tübingen und erwarb 1716 die Magisterwürde. Er wurde 1727 Pfarrer in Zavelstein bei Teinach (Schwarzwald), 1732 Professor der Poesie am Obergymnasium in Stuttgart und zugleich Mittwochsprediger, 1742 Stadtpfarrer an St. Leonhard, 1743 Stadtdekan an der Hospitalkirche und 1744 Oberhofprediger und Konsistorialrat, daneben 1746 Abt von Hirsau, 1748 Beichtvater der regierenden Herzogin, der Prinzessin Elisabeth Sophie Friederike von Brandenburg-Kulmbach, und 1757 Abt und Generalsuperintendent von Adelberg. – F. wurde 1752 Mitglied des größeren landständischen Ausschusses und 1757 Mitglied des engeren Ausschusses. Damit beginnt seine politische Tätigkeit. Der Ausschuß hatte damals mit dem Herzog Karl Eugen, der sich alle mög-

lichen Übergriffe in die Gerechtsame der Landschaft erlaubte, heftige Kämpfe, besonders nachdem der Landschaftskonsulent Johann Jakob Moser (s. d.) 1759 vom Herzog abgesetzt und auf die Festung Hohentwiel gebracht worden war. Auf F.s Betreiben reichte der Ausschuß am 30. 7. 1764 eine gerichtliche Klage gegen das verfassungswidrige Vorgehen des Herzogs beim Reichshofrat ein. Auf mehreren Landtagen wurde darüber verhandelt. Den Bemühungen F.s war es zu verdanken, daß 1770 der Erbvergleich zwischen dem Herzog und der Landschaft zustande kam, wodurch Karl Eugen alle älteren Landesverträge bis 1753 samt allen Rechten und Freiheiten auch für die Zukunft anerkannte und alle seitherigen Mißbräuche abzustellen versprach. – F. war Mitarbeiter an dem Württembergischen Landesgesangbuch von 1741, das von ihm vier Lieder enthält. Davon haben drei weitere Verbreitung gefunden: »Es ist ein köstlich Ding und Zeugnis deiner Treue . . .« auf den Reformationstag; »Gott, der du groß von Gnad und Güte . . .« zur Ernte- und Herbstzeit; »Herr Jesu, der du selbst von Gott als Lehrer kommen . . .« auf den Tag der Ordination eines Predigers.

Werke: Smlg. v. 30 geistl. Betrachtungen über die christl. Lehre der Wahrheit, wie sie ist z. Gottseligkeit, Stuttgart u. Ludwigsburg 1747.
Lit.: Koch V, 85 ff.; – ADB VII, 78.

FISCHER von Erlach (Reichsadel 1696), Johann Bernhard, Barockarchitekt, * 18. 7. 1656 in Graz als Sohn eines Bildhauers, † 5. 4. 1723 in Wien. – F. kam mit 14 Jahren nach Rom in die Lehre der Tiroler Künstlersippe Schor und begab sich 1684 nach Neapel. 1686 kehrte er in die Heimat zurück und ging 1687 nach Wien. 1705 wurde er kaiserlicher Oberbauinspektor. – F. gilt mit Andreas Schlüter (s. d.) als Begründer der spätbarocken deutschen Architektur.

Werke: Wiener Karlskirche (1715–30); in Salzburg: Dreifaltigkeits-, Kollegien-, Ursulinen- u. Johannisspitalkirche, Schloß Klesheim; in Wien: Böhm. Hofkanzlei, Hofstallungen, Hofbibl.; zahlr. Kirchen, Schlösser u. Adelspaläste in Östr. u. Böhmen. – Hist. Architektur, 1721 (umfaßt auf 84 Taf. die »Architectura sacra Salomonis« v. Tempel in Jerusalem über die Antike bis auf die neue »Röm. Baukunst«, dazu den nahen u. fernen Orient).
Lit.: Albert Ilg, Leben u. Werke J. B. F.s v. E., 1895; – Georg Dehio, Hdb. der Kunstdenkmäler Östr.s, Wien 1954; – Hans Sedlmayr, J. B. F. v. E., 1956; – George Kunoth, Die Hist. Architektur F.s v. E., 1956; – Hans Aurenhammer, Kat. der Ausst. F. v. E., Graz – Wien – Salzburg 1956/57; – Ders., J. B. F. v. E., Wien 1957; – Walter Ernst Buchowiecki, Der Barockbau der ehem. Hofbibl. in Wien, im Werk J. B. F.s v. E., Wien 1957; – NDB V, 209 ff.; – LThK IV, 157 f.

FISHER, John, Bischof von Rochester und Kardinal, Heiliger, * um 1459 in Beverley (Yorkshire), † (enthauptet) 22. 6. 1535 in London, beigesetzt im Tower. – F. studierte an der Universität Cambridge und wurde dort 1487 Bakkalaureus, 1491 magister artium, 1497 Beichtvater der Königinmutter Lady Margaret, 1501 Dr. theol. und Vizekanzler, 1503 Professor der Theologie und 1504 Kanzler der Universität Cambridge und Bischof von Rochester. F. war neben Thomas Morus (s. d.) der bedeutendste Humanist seiner Zeit. Er stand mit Johannes Reuchlin (s. d.) in Verbindung und war ein Freund des Erasmus von Rotterdam (s. d.). F. zählte zu den schärfsten Gegnern Martin Luthers (s. d.) in England und hielt 1521 bei der öffentlichen Verbrennung von Lutherschriften in London die Rede. Der Ehescheidung Heinrichs VIII. (s. d.) von

Katharina von Aragonien widersprach er heftig, verfiel darum der Ungnade des Königs und wurde im April 1534 im Tower eingekerkert. Während seiner Gefangenschaft erhob ihn Paul III. (s. d.) am 20. 5. 1535 zum Kardinal. Das Suprematsgesetz von 1534 erklärte den König zum Oberhaupt einer von Rom losgelösten, eigenständigen Kirche. Da er den Suprematseid verweigerte, erlitt F. den Märtyrertod für den römischen Katholizismus. Er wurde am 20. 12. 1886 selig- und am 19. 5. 1935 heiliggesprochen. Sein Fest ist der 22. Juni.

Werke: Opera latina, ed. G. Fleischmann, Würzburg 1597; Sacri Sacerdotii Defensio contra Lutherum, 1525; neu hrsg. v. Hermann Klein Schmeink (CCath 9), 1925 (engl. Übers. v. Philip Edward Hallet, London 1935); English Works, ed. John Eyton Bickersteths Mayor, London 1876, Suppl., ebd. 1921; A Spiritual Consolation and other Treatises of J. F., ed. Daniel Stephen O'Connor, ebd. 1935.

Lit.: Moritz Kerker, J. F., der Bisch. v. R. u. Martyrer f. den kath. Glauben. Sein Leben u. Wirken, 1860; – Thomas Edward Bridgett, Life of Blessed J. F., London – New York 1888 (1924⁴); – R. Hall, Vie du bienheureux martyr J. F., cardinal, évêque de R. (1535), hrsg. v. F. van Ortroy, in: AnBoll 10, 1891, 121 ff.; 12, 1893, 97 ff.; – V. Thureau, Le bienheureux Jean F., Paris 1907; – C. A. Kneller, Der sel. J. F. u. Luis Molina, in: ZKTh 43, 1919, 551 ff.; – Ronald Bayne, Life of F., London 1921; – Gustave Constant, La Réforme en Angleterre I, Paris 1930; – F. P. Bellabriga, De doctrina beati J. F. in operibus adversus Lutherum conscriptis, Rom 1934; – Francis Underhill, J. F., London 1935; – Josef Grisar, Der hl. Martyrer J. F., in: StZ 129, 1935, 217 ff.; – Pierre Janelle, L'Angleterre catholique à la veille du schisme, Paris 1935; – Vincent Joseph Mac Nabb, St. J. F., London 1935; – AAS 27, 1935; – H. O. Evennett, J. F. and Cambridge, in: The Clergy Review 9, London 1935, 377 ff.; – F. Giancane, Il pensiero di s. G. F. intorno al sacrificio di Cristo, Lecce 1935; – Philip Hughes, Earliest English Life of S. J. F., London 1935; – Ders., The Reformation in England I, ebd. 1950; – Valens Heynck, Die Verteidigung der Sakramentenlehre des Duns Scotus durch den hl. J. F. gg. die Anschuldigungen Luthers, in: FS 24, 1937, 165 ff.; – Paul Mac Cann, A Valiant Bishop against a Ruthless King. The Life of St. J. F., London 1938; – Richard Lawrence Smith, St. J. F., ebd. 1945; – Olaf Hendriks, J. F., bisschop en martelaar, Nijmegen 1947; – George Henry Duggan, The Church in the Writings of St. J. F. Pars dissertationis, Napier 1953; – Ernest Edwin Reynolds, S. J. F., London 1955; rev. ed., Wheathampstead 1972 (Rez. v. Jeremy Goring, in: JEH 25, 1974, 102 f.); – Hans Hümmeler, Helden u. Hll., 1959 (501.–510. Tsd.), 315; – Michael Macklem, God have mercy. The life of J. F. of R., Ottawa 1967 (Rez. v. William A. Clebsch, in: ChH 38, 1969, 266 f.); – Edward Louis Surtz, The works and days of J. F. An introduction to the position of St. J. F., Bishop of R., in the English Renaissance and the Reformation, Cambridge (Massachusetts) 1967 (Rez. v. Thomas M. Parker, in: The history. The journal of the Historical Association 54, London 1969, 94 f.; v. William A. Clebsch, in: ChH 38, 1969, 266 f.; v. dems., in: ARG 61, 1970, 289 f.); – Jean Rouschausse, Erasmus and F. Their correspondence 1511–1524, Paris 1968 (Rez. v. Jean-Claude Margolin, in: BHR 31, 1969, 408 f.); – Ders., La vie et l'oeuvre de J. F., évêque de R., Nieuwkoop 1972 (Rez. v. Jeremy Goring, in: JEH 25, 1974, 102 f.); – Hilde Firtel, J. F., in: Die Hll., hrsg. v. Peter Manns, 1975, 499 f.; – Schottenloher I, Nr. 6320a–6320k; VII, Nr. 54584 f.; – CathEnc VIII, 462 f.; – Catholicisme IV, 460 ff.; – DictEnglCath II, 262 ff.; – DThC V, 2555 ff.; – LThK IV, 158 f.; – NCE V, 946 ff.; – VSB VI, 370 ff.; – BS VI, 997 ff.; – Thurston-Attwater III, 45 ff.; – RE VI, 80 ff.; – RGG II, 970 f.; – DNB VII, 58 ff.; – EBrit IX (1968), 361 f.

FISK, Plinius, Pioniermissionar in Palästina und Syrien, * 24. 6. 1792 in Massachusetts, † 23. 10. 1825 in Jerusalem. – F. studierte 1815–18 in Andover und wurde 1819 mit Levi Parsons (s. d.) von dem »American Board« zur Gründung einer Mission im Orient gesandt. Er bereiste und beschrieb Kleinasien, insbesondere die Gemeinden der sieben Sendschreiben aus der Offenbarung des Johannes, Malta und Ägypten. Seit 1823 wirkte F. in Jerusalem unter Griechen, Katholiken, Juden und Mohammedanern.

Lit.: Alvan Bond, P. F. (dt.), hrsg. v. G. P. Heller, 1835.

FLACIUS (eigentlich: Vlacich), Matthias, Haupt der Gnesiolutheraner, * 3. 3. 1520 in Albona an der Südostküste von Istrien (daher nannte er sich auch Illy-

ricus), das damals zu Venedig gehörte, † 11. 3. 1575 in Frankfurt am Main. – Als Schüler des Humanisten Baptista Egnatius erwarb F. in Venedig eine gründliche philosophische Bildung. Er wollte dort in den Franziskanerorden eintreten. Sein Oheim, der Franziskanerprovinzial Baldo Lupetino (s. d.), der ein geheimer Anhänger Martin Luthers (s. d.) war, nach langer Haft 1547 zum Tod verurteilt wurde und 1556 als Märtyrer starb, riet ihm aber entschieden davon ab und schickte ihn 1539 nach Deutschland. F. zog nach Augsburg, widmete sich dann in Basel und Tübingen dem Studium der griechischen Sprache und kam 1541 über Regensburg nach Wittenberg. Philipp Melanchthon (s. d.) nahm sich seiner an und wurde sein Freund. Johann Bugenhagen (s. d.) und Luther halfen ihm seelsorgerlich zurecht, so daß er nach dreijährigen inneren Kämpfen zur evangelischen Heilsgewißheit durchdrang. F. wurde 1544 in Wittenberg Professor der hebräischen Sprache und promovierte 1545 zum Magister. In den nach Luthers Tod ausbrechenden dogmatischen Streitigkeiten war er ein Vorkämpfer der Orthodoxie, des »genuinen Luthertums«, aber in der Bekämpfung seiner theologischen Gegner maßlos. Er veröffentlichte pseudonym drei Schriften gegen das »Augsburger Interim«, den im Augsburger Reichstagsabschied vom 30. 5. 1548 zum Reichsgesetz erhobenen Entwurf einer kirchlichen Neuregelung. Dieser Entwurf, dessen theologische Urheber auf katholischer Seite vor allem der Naumburger Bischof Julius von Pflug (s. d.) und der Mainzer Weihbischof Michael Helding (s. d.) und auf evangelischer Seite Johann Agricola (s. d.) waren, stellte in der Lehre einfach die katholischen Anschauungen wieder her und machte in den »Zeremonien« nur geringe Zugeständnisse bezüglich des Laienkelchs und der Fortdauer der Ehe verheirateter Priester, und auch diese nur bis zum Konzil. Im Anschluß an das »Augsburger Interim« wurde für Kursachsen im Dezember 1548 das »Leipziger Interim« beschlossen und 1549 veröffentlicht, ein im Auftrag des Kurfürsten Moritz von Sachsen (s. d.) und unter Melanchthons Verantwortung ausgearbeitetes Statut, das in der Verfassung und den »Zeremonien« den Katholiken weit entgegenkam. Um das »Interim« entbrannte nun der »interimistische« oder »adiaphoristische« Streit. Der von F. eröffnete Kampf gegen das »Leipziger Interim« führte zum Bruch mit Melanchthon und den Wittenbergern. Er legte seine Professur nieder und zog über Magdeburg und Lüneburg nach Hamburg, kehrte dann aber nach »unseres Hergotts Kanzlei«, Magdeburg, zurück, wohin die theologischen Gegner des Augsburger und des Leipziger »Interims« flüchteten. Gemeinsam mit Nikolaus von Amsdorf (s. d.), Erasmus Alber (s. d.), Nikolaus Gallus (s. d.) und anderen gleichgesinnten Theologen bekämpfte F. von Magdeburg aus durch Streitschriften und Flugblätter das »Interim« und die »Adiaphoristen«, die ohne Verletzung der Heiligen Schrift den größten Teil der katholischen Kultusformen und Gebräuche als »Adiaphora« = Mitteldinge übernehmen zu können glaubten. In seiner Hauptschrift »De veris et falsis adiaphoris« (Magdeburg 1549) vertrat F. die These: »Nihil est ἀδιάφορον in casu confessionis et scandali« = Wo es das Bekenntnis gilt oder Ärgernis entstehen kann, darf auch in den sonst freien Dingen nicht gewichen werden. Der nach der Kapitulation Magdeburgs am 4. 11. 1551 von dem Superintendenten Theodor Fabricius (s. d.) von Zerbst unternommene Versuch, zwischen F. und Melanchthon, den Magdeburger Theologen und den »Adiaphoristen« in Wittenberg, Leipzig und Dresden Frieden zu stiften, scheiterte aber an F., der eine Verständigung für unmöglich hielt: »Impossibile est inter Christi seu Lutheri ac Satanae ac Georgii (Majoris) spiritum pacem concordiamque facere.« Die »Konkordienformel« von 1577 entschied im 10. Artikel »De ceremoniis ecclesiasticis quae vulgo adiaphora seu res mediae et indifferentes vocantur« im Sinne des F. Den »adiaphoristischen« Streit löste 1551 der »majoristische« ab, in dem F. Georg Major (s. d.) bekämpfte, Nikolaus von Amsdorf (s. d.) den Satz des »Interims« verteidigte, daß die guten Werke zur Seligkeit notwendig seien. Im Kampf gegen die Lehre des Kaspar Schwenckfeld (s. d.) vom innerlichen Wort Gottes betonte F. 1553 als der erste Vertreter der Verbalinspiration unter den lutherischen Theologen die Identität von Schrift und Wort Gottes. In dem »osiandrischen« Streit (1549–66) stellte sich F. auf die Seite Melanchthons. Andreas Osiander (s. d.) verfocht gegen die Lehre Luthers von der »justitia imputativa« die »effektive« Rechtfertigungslehre: der Sünder wird gerecht gemacht, nicht nur für gerecht erklärt, und zwar durch die Einwohnung der Gerechtigkeit Gottes, die durch den Glauben an Christus vermittelt und zugerechnet wird. Seit 1557 wirkte F. als Superintendent und Professor für Neues Testament an der Universität Jena, die eine Hochburg des »Gnesioluthertums« wurde. Die flacianischgesinnten Theologen sprengten 1557 das von Ferdinand I. veranstaltete Religionsgespräch in Worms, das den Katholiken ein klägliches Schauspiel evangelischer Uneinigkeit bot. Die Bemühungen der führenden evangelischen Fürsten, den Streit zwischen den »Gnesiolutheranern« und den »Philippisten« zu schlichten, führten auf dem Frankfurter Reichstag anläßlich der Kaiserproklamation Ferdinands I. im März 1558 zu Verhandlungen, denen ein von Melanchthon ausgearbeiteter Entwurf zugrunde lag. Das Ergebnis der Beratungen war der »Frankfurter Rezeß« (auch »Frankfurter Buch«, »Formula pacis Francofordianae« genannt), ein Vergleich, der am 18. 3. 1558 von 6 Fürsten unterzeichnet wurde: von den Kurfürsten Otto Heinrich von der Pfalz (s. d.), August von Sachsen (s. d.) und Joachim II. von Brandenburg (s. d.), dem Pfalzgrafen Wolfgang von Zweibrücken (s. d.), dem Herzog Christoph von Württemberg (s. d.) und dem Landgrafen Philipp von Hessen (s. d.). Auf Betreiben des F. trat der Herzog von Sachsen, Johann Friedrich der Mittlere (s. d.), dem »Frankfurter Rezeß« nicht bei, sondern stellte 1559 der »Formula pacis Francofordianae« ein gnesiolutherisches Sonderbekenntnis entgegen, die von F. redigierte »Weimarische Confutatio«, die im Herzogtum Sachsen als Lehrnorm eingeführt wurde. Im Kurfürstentum gelangte 1560 ein philippistisches Sonderbekentnis zur Geltung, das »Corpus doctrianae christianae«. Auch der Einigungsversuch auf dem Naumburger Fürstentag 1561 scheiterte, da Johann Friedrich (s. d.) mit seinen Theologen u. a. die Unterschrift verweigerten.

Inzwischen war zwischen Johann Pfeffinger (s. d.) und Nikolaus von Amsdorf der »synergistische« Streit entbrannt, der durch das Eingreifen des F. an Heftigkeit gewann. Auf der öffentlichen Disputation zwischen F. und Victorinus Strigel (s. d.) über das Verhältnis des menschlichen Willens zur göttlichen Gnade im Werk der Bekehrung im August 1560 in Weimar vertrat Strigel den »Synergismus« seines Lehrers Melanchthon, während F. dabei blieb, der natürliche Mensch sei ganz tot in der Gewalt der Sünde, daß er unvermeidlich das Böse tue, und sich zu dem später für ihn so verhängnisvoll gewordenen Satz hinreißen ließ, die Erbsünde sei nicht »Akzidenz«, sondern »Substanz« des Menschen. Im Dezember 1560 versuchte der Hof vergeblich, F. und Strigel auszusöhnen. Die Stimmung für F. schlug um. Der Herzog verbot im April 1561 den Professoren in Jena das Predigen und beschränkte ihre Disputationen und ihre Zensurfreiheit. Als F. im Juni 1561 ohne Erlaubnis des Hofes eine Streitschrift gegen Paul Eber (s. d.) drucken ließ, zog er sich eine ernste Verwarnung zu. Auf Rat des Superintendenten Johann Stößel (s. d.) wurde durch Dekret vom 8. 7. 1561 das Weimarer Konsistorium als oberste Kirchenbehörde des Herzogtums errichtet, dem die Vorzensur aller Schriften sowie der Entscheid in Lehrstreitigkeiten übertragen wurde. Dagegen protestierten F. und seine Genossen. Ihre Opposition führte die Absetzung des F. und des Professors Johann Wigand (s. d.) in Jena am 10. 12. 1561 und den Sturz der ganzen Flacianerpartei herbei. F. zog zu seinem Freund Gallus nach Regensburg, wo er vergeblich eine lutherische Gelehrten-Akademie zu gründen suchte. Seine polemische Schriftstellerei setzte F. unermüdlich fort: er kämpfte gegen Strigel, die calvinistische Abendmahlslehre, aber auch gegen das Konzil von Trient, den Katechismus des Petrus Canisius (s. d.) und die vermeintliche Einigkeit unter den Katholiken. Das brachte ihm Haß und Verfolgung ein. Auf dem Reichstag in Augsburg 1566 sollte F. verhaftet werden; er konnte aber noch rechtzeitig entkommen. Im Oktober 1566 wurde F. Pfarrer der sich bildenden lutherischen Gemeinde in Antwerpen, für die er eine Konfession und eine Agende ausarbeitete. Vor dem Eintreffen des Herzogs Alba (s. d.), der von Philipp II. (s. d.) mit der Unterdrückung der Ketzerei beauftragt war, verließ F. im Februar 1567 Antwerpen und begab sich nach Frankfurt am Main und von dort im November nach Straßburg. 1572 kam es zum Bruch mit dem Kirchenkonvent, weil er den Einigungsbemühungen des Jakob Andreae (s. d.) nicht in allem beipflichten wollte und seine Erbsündenlehre, die er schon 1560 gegen Strigel in Weimar vorgetragen und 1567 in einem Traktat veröffentlicht hatte, heftigen Widerspruch hervorrief. F. wurde von einer Ratskommission der »manichäischen« Ketzerei für schuldig befunden und mußte am 1. 5. 1573 Straßburg verlassen. Nach vorübergehendem Aufenthalt auf einem Schloß in der Nähe von Fulda fand er in Frankfurt am Main Zuflucht im Weißfrauenkloster, deren Priorin ihn tapfer schützte, als ihn der Rat ausweisen wollte. Der Rat verschob den Ausweisungsbefehl von einem Termin zum andern. Ende 1574 erkrankte F. ernstlich; wenige Wochen vor dem endgültigen Termin, die Stadt zu räumen, starb er. – F.

ist nicht nur bekannt als streitbarer Theologe, der sich um die Abwehr des »Interims« und die Reinerhaltung der lutherischen Lehre bleibende Verdienste erworben hat, sondern auch als Begründer der lutherischen Kirchengeschichtschreibung durch die 1559 bis 1574 in Basel erschienene »Ecclesiastica historia«, die sog. »Magdeburger Centurien«, eine von F. angeregte und geleitete Gemeinschaftsarbeit mehrerer lutherischer Theologen. Seine bedeutendsten Mitarbeiter waren Wigand und Matthäus Judex (s. d.). Dieses einzige, größere, auf Quellenforschungen beruhende kirchengeschichtliche Werk des Protestantismus der Reformationszeit behandelt – nach Jahrhunderten (Centurien) eingeteilt – die Kirchengeschichte bis zum Ende des 13. Jahrhunderts. An der 13. Centurie hat F. wegen des Erbsündestreits nicht mehr mitgearbeitet. Wigand setzte das Werk fort, ohne es jedoch zum Abschluß zu bringen. Die Bearbeiter der »Magdeburger Centurien« suchen zu beweisen, daß die Papstkirche im Lauf der Jahrhunderte immer mehr von der ursprünglichen Reinheit und Einfalt der apostolischen Kirche abgefallen sei und die Reformationskirche, die sich auf viele »testes veritatis« der früheren Jahrhunderte berufen könne, keine Neuerung sei. Cäsar Baronius (s. d.) bemühte sich in seinen »Annales ecclesiastici« (12 Bde., Rom 1588–1607), dem katholischen Gegenstück zu den »Magdeburger Centurien«, um den Nachweis, daß die katholische Kirche nie von der Lehre und der Verfassung der Alten Kirche abgewichen sei. Vorläufer der »Magdeburger Centurien« ist des F. »Catalogus testium veritatis«, ein Verzeichnis von rund 400 Männern, die als Zeugen der Wahrheit in Wort und Schrift gegen den Papst und seine Irrtümer gekämpft hatten. Auch auf dem Gebiet der Schriftauslegung hat F. Bedeutsames geleistet. Seine »Clavis scripturae sacrae« ist die wichtigste Darlegung reformatorischer Hermeneutik. Das Werk enthält im 1. Teil ein biblisch-theologisches Wörterbuch, im 2. Teil in sieben Abschnitten Regeln der Schriftauslegung. Es folgte seine »Glossa compendiaria in Novum Testamentum«, die den griechischen Text mit Lesarten und die verbesserte Übersetzung des Erasmus von Rotterdam (s. d.) und einen Kommentar bietet. Die unvollendete Bearbeitung des Alten Testaments blieb ungedruckt.

Werke: Catalogus testium veritatis, qui ante nostram aetatem reclamarunt Papae, Basel 1556 (verm. Aufl. 1562; hrsg. v. Johann Conrad Dietericus, Frankfurt 1672); Ecclesiastica historia, integram Ecclesiae Christi ideam . . . secundum singulas Centurias, perspicuo ordine complectens . . . ex vetustissimis historicis . . . congesta: Per aliquot studiosos et pios viros in urbe Magdeburgica, 13 Bde., Basel 1559–74; Clavis Scripturae Sacrae seu de Sermone Sacrarum literarum, ebd. 1567; Glossa compendiaria in Novum Testamentum, 1570. – Gab heraus: Otfrids Evv.buch, 1571.

Lit.: Johann Wilhelm Preger, M. F. I. u. seine Zeit I, 1859; II, 1861, 540 ff.: vollst. Bibliogr. (Nachdr. Hildesheim u. Nieuwkoop 1964); – J. Wilhelm Schulte, Btrr. z. Entstehungsgesch. der Magdeburger Centurien, 1877; – Ernst Schaumkell, Btr. z. Entstehungsgesch. der Magdeburger Centurien, 1898; – Johann Kvačala, Die Beziehungen der Unität zu F. u. Laski, in: JGPrÖ 30, 1909, 138 ff.; 31, 1910, 81 ff.; – Paul Tschackert, Die Entstehung der luth. u. der ref. Kirchenlehre, 1910, 475–572; – Walter Friedensburg, Die Anstellung des F. I. an der Univ. Wittenberg, in: ARG 11, 1914, 302 ff.; – Johannes Haußleiter, M. F. als Hrsg. v. Luthers Koburger Briefen u. Trostsprüchen (1530), in: NKZ 28, 1917, 149 ff ; – Karl Heussi, Centuriae, in: Harnack-Ehrung. Btrr. z. KG ihrem Lehrer Adolf v. Harnack z. 70. Geb. dargest. v. einer Reihe seiner Schüler, 1921; – Ders., Gesch. der Theol. Fak. zu Jena, 1954, 31 ff. u. ö.; – Gustav Bossert, Ein unbekanntes Stück aus dem Leben des F., in: ARG 20, 1924, 49 ff.; – Karl Schottenloher, Pfalzgf. Ottheinrich u. das Buch, 1927; – Pontien Polman, F. I., historien de l'Église, in: RHE 27, 1931,

27–73; – Karl Adolf Schwartz, Die theol. Hermeneutik des M. F. I. (Diss. Erlangen), 1932; – Walter Nigg, Die KG.schreibung, 1934; – Günter Moldaenke, Schr.verständnis u. Schr.deutung im Zeitalter der Ref. I: M. F. I., 1936; – Macholz, Zur Hermeneutik des F., in: MPTh 32, 1936, 374 ff.; – Otto Michaelis, Im Mutterlande der Ref., 1938, 95 ff.; – Hans Christoph v. Hase, Die Gestalt der Kirche Luthers. Der »casus confessionis« im Kampf des M. F. gg. das Interim v. 1548, 1940; – Hans Emil Weber, Ref., Orthodoxie u. Rationalismus I/2, 1940, 327 ff.; – Ein öff. Anschlag gg. M. F., in: ZSTh 19, 1942, 334 ff.; – Hans Kropatscheck, Das Problem theol. Anthropologie auf dem Weimarer Gespräch v. 1560 zw. M. F. I. u. Viktorin Strigel (Diss. Göttingen), 1943; – Ernst Walter Zeeden, Martin Luther u. die Ref. im Urteil des dt. Luthertums I, 1950, 47 ff. u. ö.; II, 1952, 41 ff. u. ö.; – Lauri Haikola, Gesetz u. Ev. bei M. F. I. Eine Unters. z. luth. Theol. vor der Konkordienformel (Diss. Lund), 1952; – A. A. van Schelven, De Maagdenburgse Centuriën als getuigenis van reformatorische samenwerking, in: NAKG 39, 1952–53, 1 ff.; – Ragner Bring, Das Verhältnis v. Glauben u. Werken in der luth. Theol. (Aus dem Schwed. übers. v. Karl-Heinz Becker), 1955, 92 ff. 203 ff.; – Hans-Werner Gensichen, Damnamus. Die Verwerfung v. Irrlehre bei Luther u. im Luthertum des 16. Jh.s (Hab.-Schr., Göttingen 1951), 1955, 94 ff.; – Werner Goez, Translatio imperii. Ein Btr. z. Gesch. des Gesch.denkens u. der polit. Theorien im MA u. in der frühen Neuzeit, 1958, 291 ff.; – B. Hägglund, De homine. Människouppfattningen i äldre luthersk tradition, Lund 1959, 128 ff. 234 ff. (über die FC); – Mijó Mirković, M. F. I., Sagreb 1960 (H. Zus.fassung: 487–549); – Simon Leendert Verheus, Kroniek en Kerugma. Een theologische studie over de Geschichtbibel van Sebastiaan Franck en de Maagdenburger Centuriën (Diss. Amsterdam), Arnhem 1958; – Ders., Zeugnis u. Gericht: Kirchengeschichtl. Betrachtungen bei Sebastian Franck u. M. F., Nieuwkoop 1971 (Rez. v. Rollin S. Armour, in: ChH 41, 1972, 544); – Heinz Scheible, Der Plan der Magdeburger Centurien u. ihre ungedr. Ref.gesch. (Diss. Heidelberg), 1960; – Ders., Die Entstehung der Magdeburger Zenturien, 1966; – Die Anfänge der reformator. Gesch.schreibung. Melanchthon, Sleidan, F. u. die Magdeburger Zenturien. Hrsg. v. dems., 1966; – Joachim Maßner, Kirchl. Überl. u. Autorität im F.kreis. Stud. zu den Magdeburger Zenturien (Diss. Göttingen, 1961), Berlin u. Hamburg 1964; – Henry William Reimann, M. F. I., in: Concordia theological monthly 35, St. Louis 1964, 69 ff.; – Martin Steinmann, Johannes Oporinus. Ein Basler Buchdrucker um die Mitte des 16. Jh.s (Diss. Basel), 1966, 69 ff.; – Oliver K. Olson, F. I. als Liturgiker, in: JLH 12, 1967, 45 ff.; – Schottenloher I, Nr. 6322 bis 6372; V, Nr 46285–46300a; VII, Nr. 54586–54591; – Holl I, 578 ff.; – Ritschl II, 431 ff.; – Weber I, 620, Anm. 1 (zu der These des F., die Erbsünde sei die »Substanz« des Menschen); – Wolf II/2, 54 ff.; – ADB VII, 88 ff.; – NDB V, 220 ff.; – RE VI, 82 ff.; XXIII, 448; – EKL I, 1298 ff.; – RGG II, 971; – DThC VI, 1 ff.; – DHGE XVII, 311 ff.; – LThK IV, 161 f.; – NCE V, 954.

FLAD, Christian Rudolf, Liederdichter, * 18. 4. 1804 in Stuttgart als Sohn eines Hofschuhmachers, † daselbst 15. 7. 1830. – F. schloß auf dem Seminar in Urach mit Johann Tobias Beck (s. d.) ein Herzensbündnis. Er studierte in Tübingen und war Vikar in Oßweil und Stuttgart. F. siechte an der Schwindsucht dahin. – Von seinen Liedern ist bekannt: »Ist's auch eine Freude, Mensch geboren sein?« Er dichtete es am 16. 1. 1830 auf den Geburtstag eines Freundes. Das Lied findet sich zuerst in der »Liedersammlung für gläubige Kinder Gottes« des Pfarrers Christian Gottlob Pregizer (s. d.), Backnang 1849[2].

Lit.: Walter Schulz, Reichssänger. Schlüssel z. dt. Reichsliederbuch, 1930, 36 f.

FLAD, Johann Martin, Missionar, * 7. 1. 1831 in Undingen (Württemberg) als Sohn eines Bauern, † 1. 4. 1915 in Korntal bei Stuttgart. – F. kam nach seiner Konfirmation in die Lehre zu einem Sattlermeister in Erpfingen und beendete im Frühjahr 1848 seine Lehrzeit. Nach seiner Bekehrung nahm sein Plan, einmal Missionar zu werden, feste Formen an. Er meldete sich zur Missionsausbildung in der Ausbildungsstätte der Pilgermission auf St. Chrischona bei Basel und wurde im März 1850 aufgenommen. Im Frühjahr 1855 kam F. nach einer seiner vielen mühsamen Reisen zum erstenmal nach Äthiopien. Dort wandte er seine ganze Aufmerksamkeit und Kraft der in leeren Formen erstarrten koptischen Kirche zu und gründete eine Mission unter den Falaschas, den braunen Juden Äthiopiens. Diese verheißungsvolle Arbeit wurde durch Mißtrauen und Launen des äthiopischen Monarchen mehr und mehr erschwert und kam nach der Gefangennahme F.s und seiner Mitarbeiter fast zum Erliegen. Es folgten vier Jahre ständiger Bedrohung und größter Entbehrungen, bis die Gefangenen endlich in ihre Heimat zurückkehren konnten. Von da an blieb die Tür nach Äthiopien verschlossen. Lediglich von der Heimat aus konnte F. die von Eingeborenen fortgeführte Mission weiterhin leiten. Daneben übernahm er die mühevolle Arbeit einer Revision der Bibel in amharischer Sprache. Obwohl sein sehnlicher Wunsch, wieder nach Äthiopien ausreisen zu können, nicht in Erfüllung ging, blieb sein Dienst nicht fruchtlos. Sein Sohn Friedrich konnte im Herbst 1922 endlich nach Äthiopien reisen und erhielt nicht nur die Erlaubnis zur Reise in das alte Missionsgebiet im Norden des Landes, sondern auch zur Einreise von Missionaren und zur Wiederaufnahme der Missionsarbeit. So wurde endlich im Frühjahr 1926 von Chrischonabrüdern die Arbeit F.s in Äthiopien fortgesetzt.

Lit.: Friedrich Flad, J. M. F., Missionar in Abessinien, in: EMM 1915, 417 ff.; – Ders., Der Gefangene v. Magdala. J. M. F.s Leben u. Arbeit f. Abessinien. Erz. v. seinem Sohne, 1935; – W. Dilger, Missionar M. F., in: Württ. Nekrolog f. 1915, 1919, 47 ff.; – J. M. F., in: Christl. Volkskal. f. Minden-Ravensberg 66, 1925, 69 ff.; – M. F. Ein Leben f. Abessinien. Hrsg. v. Hans-Georg Feller, 1936; – Friedrich Veiel, Die Pilgermission v. St. Chrischona, Basel 1940; – Julius Flad, J. M. F. Ein Leben f. Äthiopien, 1968.

FLANDRIN, Hippolyte, Maler, * 23. 3. 1809 in Lyon als Sohn eines Malers, † 21. 3. 1864 in Rom. – F. trat 1829 in die École des Beaux-Arts in Paris ein als Schüler des Jean Auguste Dominique Ingres (s. d.), der ihn auf den Weg der Historienmalerei wies. Er begab sich nach Rom und faßte unter dem Eindruck der Fresken Santi Raffaels (s. d.) den Entschluß, sich ganz der religiösen Malerei zu widmen. F. kehrte im Sommer 1838 nach Frankreich zurück, ging aber 1863 nach Rom.

Werke: Jesus segnet die Kinder, 1838 (Mus. Lisieux); Wandgem. in der Chapelle St. Jean in St.-Séverin: Berufung des Johannes u. Jakobus, Abendmahl u. Apk., 1840–41; Chorgem. in St.-Germain-des-Prés, 1842–46: Einzug Jesu in Jerusalem, Kreuztragung u. Allegorien der christl. Tugenden; Gem. in St.-Paul in Nîmes; gemeinsam mit anderen Künstlern, 1847–49: Thronender Christus (Apsis), Märtyrer u. Jungfrauen (Seitenschiffe); Krönung Mariä u. Entzückung des Paulus (Seitenapsiden); Wandgem. in St.-Vincent-de-Paul, 1849–53: Zug v. Aposteln u. männl. u. weibl. Hll.; Apsismalereien in St.-Martin-d'Aindy in Lyon: Segnender Christus, 1855; Wandgem. im Mittelschiff v. St.-Germain-des-Prés: 20 Szenen aus dem AT u. NT, 1856–61. – Lettres et pensées d'H. F. Hrsg. v. Henri Delaborde, Paris 1865.
Lit.: Maxime de Montrond, H. F., étude biographique et historique, Lille 1889⁴; – Louis Flandrin, H. F., sa vie et son oeuvre, Paris 1902 (1909²); – Thieme-Becker XII, 72 f.; – Bénézit III, 775 f.; – LThK IV, 164.

FLATT, Carl Christian, Theologe, * 18. 8. 1772 in Stuttgart als Bruder des Johann Friedrich F. (s. d.), † daselbst 20. 11. 1843. – F. erwarb seine philosophische und theologische Bildung in Tübingen und widmete sich in Göttingen eifrig dem Studium der Philosophie Immanuel Kants (s. d.). Er wurde 1803 Diakonus in Cannstatt und 1804 ao. und 1805 o. Professor der Dogmatik in Tübingen als Nachfolger des ihm gleichgesinnten Friedrich Gottlieb Süskind (s. d.). 1812 bis 1823 wirkte F. als Stiftsprediger in Stuttgart und war seit 1812 auch Oberkonsistorialrat. Er wurde

1828 zugleich Generalsuperintendent von Ulm und 1829 außerdem noch Direktor des Oberstudienrats. – F. war wie sein älterer Bruder Johann Friedrich Flatt (s. d.) und Süskind einer der Hauptvertreter des biblisch begründeten rationalen Supranaturalismus der älteren Tübinger Schule. Er übersetzte das »Lehrbuch der christlichen Dogmatik« seines Lehrers Gottlob Christian Storr (s. d.) ins Deutsche und versah es mit Zusätzen aus dessen übrigen Schriften und den Werken anderer Theologen. Vergeblich trat F. der Ausbreitung der Philosophie Hegels (s. d.) und dem Einbruch der Theologie Ferdinand Christian Baurs (s. d.) in die Tübinger Fakultät entgegen. Seine amtliche Beurteilung des 1835 erschienenen 1. Bandes der aufsehenerregenden Schrift »Das Leben Jesu, kritisch bearbeitet« von David Friedrich Strauß (s. d.) hatte zur Folge, daß Strauß als Repetent am Tübinger Stift seines Amtes entsetzt wurde. – F. ist der Hauptverfasser des württembergischen Spruchbuchs von 1839.

Werke: Philos.-exeget. Unterss. über die Lehre v. der Versöhnung der Menschen mit Gott, 1. Tl., Göttingen 1797; 2. Tl., Stuttgart 1798 (vertrat darin eine v. Kant bestimmte pelagian. Versöhnungslehre, die er aber später zurücknahm); übers.: Gottlob Christian Storr, Lehrb. der christl. Dogmatik, 1803 (1813²); Morgen- u. Abendgebete auf alle Tage des J., 1821.
Lit.: Albrecht Ritschl, Die christl. Lehre v. der Rechtfertigung u. Versöhnung I, (1870) 1889³, 471 ff.; – NDB V, 224 f.; – RE XX, 156; – RGG II, 972 f.

FLATT, Jeremias, Privatlehrer, * 17. 7. 1744 in Balingen (Württemberg) als Sohn eines Glasermeisters, † 23. 7. 1822 in Stuttgart. – F. wuchs in sehr ärmlichen Verhältnissen auf, bis die Eltern auf die Festung Hohentwiel übersiedelten, wo der Vater als Glaser und Mesner Arbeit gefunden hatte. Er wurde mit dem dortigen Garnisonprediger Jakob Friedrich Dettinger (s. d.) bekannt, mit dessen Hilfe er die für einen Schullehrer nötigen Kenntnisse erwarb. F. arbeitete 15 Jahre als Schulgehilfe am Waisenhaus in Stuttgart, an das Dettinger 1767 als Pfarrer berufen worden war. Er gab 1782 infolge seiner Heirat dieses bescheidene Amt auf und widmete sich nun dem Privatunterricht in christlichen Familien. – F.s Arbeit war unscheinbar; aber er wirkte in großem Segen als gläubiger Lehrer und eifriger Beter, als einer der Väter des württembergischen Pietismus.

Lit.: Wilhelm Claus, Württ. Väter II, 1933³, 247.

FLATT, Johann Friedrich, Theologe, * 20. 2. 1759 als Pfarrerssohn in Tübingen, † daselbst 24. 11. 1821. – F. studierte in Tübingen Philosophie, Theologie und Mathematik und setzte 1784/85 seine Studien auf einer gelehrten Reise vor allem in Göttingen fort. 1785 wurde er in Tübingen ao. Professor der Philosophie, 1792 ao. und 1798 o. Professor der Theologie. F. war ein Schüler von Gottlob Christian Storr (s. d.) und ist bekannt als Vertreter des biblisch begründeten rationalen Supranaturalismus der älteren Tübinger Schule. Sein Arbeitsgebiet waren die Philosophie Immanuel Kants (s. d.), über die er als erster in Tübingen Vorlesungen hielt, Ethik und neutestamentliche Exegese.

Werke: Commentatio in qua symbolica ecclesiae nostrae de deitate Christi sententia probatur et vindicatur, Göttingen 1788; Observationes quaedam ad comparandam Kantianam disciplinam cum christiana doctrina pertinentes, Tübingen 1792; Vorlesungen über christl. Moral, hrsg. v. Johann Christian Friedrich Steudel, ebd. 1823 (mit der v. seinem Bruder Karl Christian verf. Biogr. u. Bibliogr.); Vorlesungen über die Briefe Pauli, hrsg. v. Christian Daniel Friedrich Hoffmann u. Christian Friedrich Kling,

1825–31. – Begründete u. gab heraus: Mgz. f. christl. Dogmatik u. Moral, Tübingen 1796–1802 (fortges. v. Friedrich Gottlieb Süskind).

Lit.: Christoph Kolb, Die Aufklärung in der württ. Kirche, 1908, 71 ff.; – Karl Aner, Die Theol. der Lessingzeit, 1929; – Heinrich Hermelink, Gesch. der ev. Kirche in Württemberg, 1949; – Hirsch IV, 99; V, 72 ff.; – ADB VII, 103; – NDB V, 223 f.; – RE XVI, 459 f.; XX, 148 ff. 154 f.; – RGG II, 972.

FLATTICH, Johann Friedrich, Pfarrer, ein Original des württembergischen Pietismus, * 3. 10. 1713 in Beihingen bei Ludwigsburg als Sohn eines gutsherrlichen Amtmanns und als Nachkomme eines im 16. Jahrhundert um des Glaubens willen von Mähren nach Württemberg ausgewanderten Edelmanns, † 1. 6. 1797 in Münchingen bei Leonberg. – F. besuchte die Klosterschulen in Denkendorf und Maulbronn und studierte in Tübingen. Er wurde 1737 Vikar in Hoheneck bei Ludwigsburg und 1742 Garnisonprediger auf dem Hohenasperg und wirkte 1747–60 als Pfarrer in Metterzimmern bei Ludwigsburg, danach in Münchingen. – F. war ein Schüler Johann Albrecht Bengels (s. d.) und ist durch seine pädagogische Tätigkeit bekannt. Im Lauf des Jahrzehnte nahm er etwa 300 Kinder und junge Männer aus jedem Stand in sein Haus auf und hat als gottbegnadeter Erzieher und Vertreter echt salomonischer Lebensweisheit durch den Einfluß seiner originalen Persönlichkeit aus fast allen Zöglingen tüchtige, brauchbare Menschen gemacht, obwohl viele »wurmstichige« darunter waren.

Werke: Soldaten-Postille, darinnen die Sonn-, Fest- u. Feyertags-Evangelia deutlich erkläret, Tübingen 1731–1733; Sendschreiben v. der rechten Art, Kinder zu unterweisen, o. J.; Unterschiedliche Anm. über das Informationswerk, o. J.; Nachgelassene Regeln der Lebensklugheit, Ludwigsburg 1825.

Lit.: Karl Christian Eberhard Ehmann, Päd. Lebensweisheit aus den nachgelassenen Papieren des J. F. F., 1860; – Karl Friedrich Ledderhose, Leben u. Schrr. v. J. F. F., 1873⁵ (neu bearb. v. Friedrich Roos, 1926); – Philipp Paulus, F., ein Sokrates unserer Zeit, 1875; – Willy Friedrich, Die Päd. J. F. F.s im Lichte ihrer Zeit u. der modernen Anschauung (Diss. Leipzig), Langensalza 1908; – Wilhelm Jörn, J. F. F., ein alter Meister der Erziehungskunst. Züge aus seinem Leben u. Auszüge aus seinen Schrr., 1920 (1931²); – J. F. F., in: Christl. Volkskal. f. Minden-Ravensberg, 1929, 94 ff.; – Wilhelm Claus, Württ. Väter II, 1933³, 83 ff.; – Friedrich Hauß, Die uns das Wort Gottes gesagt haben, 1937 (1939²), 28 ff.; – Ders., Väter der Christenheit II, 1957, 110 ff.; – Ernst Müller, Stiftsköpfe. Schwäb. Ahnen des dt. Geistes aus dem Tübinger Stift, 1938, 189 ff.; – Georg Schwarz, Tage u. Stunden aus dem Leben eines leutseligen, gottfröhlichen Menschenfreundes, der J. F. F. hieß, 1940 (1958¹⁰); – Heinrich Hermelink, Gesch. der ev. Kirche in Württ. v. der Ref. bis z. Ggw., 1949; – Otto Schuster, J. F. F. Der Freund der Jugend, 1954³; – Sigrid Schäfer-Schradin, J. F. F., in: Sozialpäd. Zschr. f. Mitarbeiter 3, 1961, 254 ff.; – Walter Hagen, J. F. F., in: Schwäb. Lb. X, 1966, 61 ff.; – PädLex II, 118 ff.; – ADB VII, 103 ff.; – NDB V, 225; – RE VI, 92 f.; – RGG II, 973.

FLAVIAN, Bischof von Antiochien, * um 320, † Juni 404. – In den christologischen Kämpfen jener Zeit war F. I. (im Unterschied zu dem 498–512 amtierenden Bischof F. II. von Antiochien, der von den Monophysiten abgesetzt wurde und in der Verbannung zu Petra in Arabien starb) Führer der Jungnicäner in Antiochien. Schon als Laie trat er mit seinem Freund Diodor (s. d.) erfolgreich dem arianischen Bischof Leontius (344–357) von Antiochien entgegen und leitete als Presbyter während der Verbannung des Bischofs Meletius (s. d.) die jungnicänische Gemeinde von Antiochien. F. wurde 381 als Nachfolger des Meletius Bischof von Antiochien. Als die aufständischen Antiochener 387 die kaiserlichen Bildsäulen zertrümmert hatten und Theodosius der Große (s. d.) Strafmaßnahmen beschloß, reiste F. an den Hof nach Konstantinopel und stimmte den erzürnten Kaiser wieder günstig. – F. wird in der orientalischen Kirche als Heili-

ger verehrt. Sein Fest ist der 27. September.

Lit.: Ferdinand Cavallera, Le schisme d'Antioche (IVᵉ – Vᵉ siècle), Paris 1905; – Robert Devreesse, Le pariarcat d'Antioche depuis la paix de l'Église jusqu'à la conquête arabe, ebd. 1945; – André-Jean Festugière, Antioche païenne et chrétienne, ebd. 1959; – Glanville Downey, A History of Antioch in Syria from Seleucus to the Arab Conquest, Princeton (New Jersey) 1961; – Fliche-Martin II, 448 ff.; III, 143 f.; – Kl. Pauly II, 568; – AS Jul. IV, 62 ff.; – DCB II, 527 ff.; – Catholicisme IV, 1335 f.; – DThC Tables générales 1533; – DHGE XVII, 380 ff.; – LThK IV, 161; – RE VI, 93 ff.; XXIII, 448 f.; – RGG II, 973 f.

FLAVIAN, Bischof von Konstantinopel, † 449 oder 450. – F. war Presbyter in Konstantinopel. Er wurde dort 466 Bischof und ist bekannt durch den »Eutychianischen Streit« (444–451). Unter seinem Vorsitz tagte im November 448 in Konstantinopel eine »endemische« Synode, σύνοδος ἐνδημοῦσα (eine Synode, an der nur die gerade in der Residenz anwesenden Bischöfe teilnehmen), auf der Bischof Eusebius von Doryläum (s. d.) in Phrygien Eutyches (s. d.) der christologischen Häresie anklagte. F. empfahl zunächst private Verständigung; aber Eusebius bestand darauf, daß Eutyches vor die Synode geladen werde. Nach mehrfacher vergeblicher Vorladung erschien Eutyches auf der Synode, die ihn seiner Presbyter- und Archimandritenwürde entsetzte und exkommunizierte. Mit Hilfe des dem F. feindseligen Eunuchen Chrysaphius gelang es dem Patriarchen Dioskur von Alexandrien (s. d.), daß der Kaiser Theodosius II. (s. d.) zur nochmaligen Untersuchung der Sache 449 eine Synode nach Ephesus berief und ihm den Vorsitz übertrug. Die »Räubersynode« (σύνοδος ληστρική) in Hypaipa bei Ephesus 449 erklärte Eutyches für rechtgläubig, verdammte die Lehre von den zwei Naturen in Christus und setzte Eusebius von Doryläum und F. ab. Es ist nicht wahr, daß F. auf dieser Synode, auf der es zu tumultuarischen Auftritten kam, mißhandelt worden ist. Er soll drei Tage später an den Folgen jener Mißhandlungen gestorben sein. Tatsache ist, daß F., ohne nach Konstantinopel zurückgekehrt zu sein, in Hypaipa, auf der Straße von Ephesus nach Sardes, gestorben ist. – Die orientalische Kirche verehrt F. als Märtyrer und Heiligen. Sein Fest ist der 18. Februar.

Werke: 3 Briefe an Leo I., in: MPG 54, 723 ff. 743 ff.; der 3. hrsg. v. Amelli, S. Leone Magno, Montecassino 1890; 1 Brief an Theodosius II., in: MPG 65, 889 ff.

Lit.: H. Grisar, Die neu aufgefundene Appellation F.s an Papst Leo I., in: ZKTh 7, 1883, 191 ff.; – Louis Duchesne, Histoire ancienne de l'Église, I, Paris 1911, 389 ff.; – Pierre Batiffol, Le Siège Apostolique, ebd. 1924; – Eduard Schwartz, Der Prozeß des Eutyches, in: SAM 1929, 5; – Trevor Gervase Jalland, The Life and Times of St. Leo the Great, London 1941; – Francis Xavier Murphy, Peter Speaks Through Leo. The Council of Chalcedon, Washington 1952; – Ernst Honigmann, Patristic Studies (StT 173), Città del Vaticano 1953, 160; – Henry Chadwick, The Exile and Death of F. of C., in: JThS 6, 1955, 16 ff.; – Thomas Camelot, Éphèse et Chalcédoine, Paris 1963, 90 f.; – AS Febr. III, 72 ff.; – VSB II, 392 f.; – BS V, 889 f.; – Pauly-Wissowa VI, 2514; – Chalkedon I, 195 ff. 350 ff.; – Fliche-Martin IV, 209. 215 ff.; – Bardenhewer IV, 214 ff.; – DCB II, 532; – Catholicisme IV, 1336 f.; – DHGE XVII, 390 ff.; – LThK IV, 161; – NCE V, 958 f.; – RE VI, 95; XXIII, 449; – RGG II, 974.

FLÉCHIER, Esprit, Bischof und Kanzelredner, * 10. 6. 1632 in Pernes (Grafschaft Avignon) als Sohn armer Eltern, † 16. 2. 1710 in Montpellier. – Der gelehrte Mönch Hercule Audiffret nahm seinen Neffen F. in das Collège der »Congrégation des Doctrinaires« (s. Bus, César de) auf, dessen Direktor er war. 1648 trat F. in die Doktrinarierkongregation ein, verließ sie aber nach dem Tod seines Oheims, 1658, und begab sich nach Paris. Ohne rechten Erfolg widmete er sich der Dichtkunst und mußte darum Hauslehrer auf dem Land werden. Später übernahm F. die Leitung einer öffentlichen Schule, kehrte aber 1668 nach Paris zurück und wurde am Hof Vorleser des Dauphin. In Paris begründete er seinen Ruf als Kanzelredner und gewann die Gunst Ludwigs XIV., der ihn 1685 zum Bischof von Lavaur ernannte. 1687 erhielt F. das Bistum Nîmes. Er zeichnete sich aus durch Herzensgüte und Wohltätigkeit und war auch tolerant gegen die durch die 1685 erfolgte Aufhebung des Edikts von Nantes für vogelfrei erklärten Protestanten. F. wurde 1673 zugleich mit Jean Baptiste Racine (s. d.) Mitglied der »Académie française«. F.s Leichenreden, besonders die auf den Marschall Turenne (1676), sind Meisterwerke geistlicher Beredsamkeit.

Werke: Oraisons funèbres, 1681 (zuletzt 1878; dt. v. Jos. Lutz, 1847); Histoire de Théodose le Grand, 2 Bde., 1679 (neue Ausg. 1881); Histoire du cardinal Ximénès, 2 Bde., 1693 (dt. v. Fritz, 1828); Panégyriques des saints, 3 Bde., 1690. – Oeuvres complètes, 10 Bde., hrsg. v. Gabriel Marin Ducreux, Nîmes 1782; hrsg. v. Antonin-V. Fabre, 10 Bde., Paris 1826–28. – Oeuvres choisies, hrsg. v. Henri Bremond, ebd. 1911. – Werke, dt., 6 Tle., Liegnitz 1757–64. – Mémoires sur les Grands-Jours d'Auvergne en 1665, hrsg. v. Fernand Dauphin (mit biogr. Einl.), Paris 1930.

Lit.: Alfred Gilly, F., évêque de Nîmes, Arras 1865; – Alphonse Delacroix, Histoire de F., 2 Bde., Paris 1865 (1883³); – Antonin Fabre, La jeunesse de F., 2 Bde., ebd. 1882 (1886²); – Ders., F. orateur (1672–90), étude critique, ebd. 1885; – Albert Wassermann, Der Stil der Predigten F.s (Diss. Frankfurt/Main), 1930; – Georges Grente, F., Paris 1934; – André Ducasse, La guerre des Camisards. La résistance huguenote sous Louis XIV, ebd. 1946; – A. Prioult, La date de composition des Mémoires, in: Les Lettres Romanes 6, 1952, 3 ff.; – J. Vier, Tryptique de Chrysostomes, in: L'École 48, 1956, 193 ff.; – Wladimir d'Ormesson, Le clergé et l'Académie, Namur – Paris 1965; – RE VI, 95 f.; – RGG II, 974; – Catholicisme IV, 1340 f.; – DHGE XVII, 418 f.; – LThK IV, 165; – DBF XIII, 1518 ff.

FLEMING (Flemming), Paul, Dichter, * 5. 10. 1609 als Pfarrerssohn in Hartenstein an der Mulde im sächsischen Vogtland, † 2. 4. 1640 in Hamburg. – F. besuchte die Lateinschule in Mittweida und die Thomasschule in Leipzig und studierte dort ab 1628 Medizin. Er widmete sich der Dichtkunst und wurde 1631 zum »kaiserlichen Poeten« gekrönt. F. ging 1633 nach Holstein und bewarb sich um die Stelle eines Hofjunkers und Truchsesses bei der Gesandtschaft, die Herzog Friedrich III. von Holstein-Gottorp nach Persien zu schicken beabsichtigte, um den ostindischen Seidenhandel auf dem Landweg über Rußland nach Holstein zu leiten. Er hatte mit seiner Bewerbung Erfolg, da sein Freund Adam Olearius, der zum Sekretär und Gesandtschaftsrat ernannt worden war, sich für ihn verwandte. F. trat im November 1633 mit der Gesandtschaft die Reise nach Rußland an. Sie verhandelte in Moskau erfolgreich wegen eines freien Durchzugs durch Rußland. Während ein Teil der Gesandtschaft nach Gottorp zurückkehrte, um Weisungen einzuholen und das Unternehmen endgültig vorzubereiten, verweilte F. mit dem Rest in Reval, bis man nach Rückkehr der »Prinzipalpersonen« aus Holstein im März 1635 nach Persien aufbrach. Im Sommer 1639 kehrte er von der gefahrvollen und strapazenreichen Reise nach Holstein zurück. F. setzte in Leiden sein Studium fort und erwarb im Januar 1640 den medizinischen Doktorgrad. Er wollte nun über Hamburg nach Reval, um sich dort als Arzt niederzulassen. Auf der Rückreise von Persien nach Holstein hatte sich E. im Mai 1639 in Reval mit der Tochter eines aus Hamburg stammenden Kaufmanns und Senators verlobt. Er erkrankte aber in Hamburg an Lungenentzündung und starb. – F. ist der bedeutendste Schüler von Martin Opitz (s. d.). Er schrieb geistliche und weltliche Lieder in deutscher und lateinischer Sprache, kraftvolle, ursprüngliche Lyrik. Am bekanntesten ist sein zu Beginn jener Gesandtschaftsreise gedichtetes Vertrauenslied »In allen meinen Taten laß ich den Höchsten raten« (EKG 292). Die Perle seiner weltlichen Dichtung ist »Ein getreues Herze wissen hat des höchsten Schatzes Preis«. Weniger bekannt ist sein Trostlied »Laß dich nur nichts nicht dauern mit Trauern, sei stille«. – Die zahlreichen Gedichte, mit denen F. die Ereignisse des abenteuerlichen Zuges von 1633–39 besang, bilden eine schätzbare Ergänzung zum Reisebericht des Olearius.

Werke: Davids, des hebr. Kg. u. Propheten. u. Manasses, des Kg. Juda, Gebet, als er zu Babel gefangen war. In dt. Reime gebr., 1631; Klagegedichte über das unschuldigste Leiden u. Tod unseres Erlösers Jesu Christi, 1632; Königisches Klagelied auf Gustav Adolf, 1632; Poetischer Gedichte . . . Prodromus, hrsg. v. Adam Olearius, 1641; Teutsche Poemata, 1642; Geist- u. weltl. Poemata, 1651. – *Ausgg.:* Erlesene Gedichte, hrsg. v. W. Müller, 1802. – Teutsche Poemata, in: Dt. Gedichte, hrsg. v. Johann Martin Lappenberg, 2 Bde., Stuttgart 1865 (Nachdr. Darmstadt 1965). – Gedichte. Ausw. u. Nachw. v. Johannes Pfeiffer (RUB 2454), 1964. – Nachdr. der Ausg. v. 1642, Hildesheim 1969. – Lat. Gedichte, hrsg. v. J. M. Lappenberg, Stuttgart 1863 (Nachdr. Amsterdam 1969). – Ausgew. lat. Gedichte, übers. u. mit einer Einl. vers. v. Carl Kirchner, 1901. – Gedichte. Ausw. v. Julius Tittmann, 1870. – Rel. Dichtungen, hrsg. v. Rudolf Eckart, 1909.

Lit.: Adam Olearius, Moskowit. u. Persian. Reisebeschreibung, 1647 (verm. 1656; zuletzt 1696); – Karl August Varnhagen v. Ense, Biogr. Denkmale IV, 1846, 1–168; – Karl W. Schmitt, F. nach seiner lit.geschichtl. Bedeutung dargest., 1851; – Albert Bornemann, Die Überl. der dt. Gedichte F.s (Diss. Greifswald), Stettin 1882; – Ders., P. F. (Veranlassung zu seiner Reise. – Seine Gelegenheitsdichtung), ebd. 1899; – Stephan Tropsch, F.s Verhältnis z. röm. Dichtung, 1895; – Friedrich Spitta, in: MGkK 11, 1906, 64 ff. 109 f. 141 f.; – Konrad Unger, Stud. über F.s Lyrik (Diss. Greifswald), 1907; – Hermann v. Staden, P. F. als rel. Lyriker (Diss. Heidelberg), 1908; – Ders., P. F.s Ode »In allen meinen Taten«, in: MPTh 6, 1909, 1 ff.; – Bernhard Rost, P. F., 1909; – Friedrich Wilhelm Schmitz, Metr. Unters. zu P. F.s dt. Gedichten (Diss. Bonn), Straßburg 1910; – Wilhelm Nelle, Unsere Kirchenliederdichter III, 1916, 49 ff.; – Herbert Cysarz, Dt. Barockdichtung, 1924; – Paul Rave, P. F.s lat. Lyrik (Diss. Heidelberg), 1925; – Anton Englert, Übertrr. bekannter u. unbekannter lat. Gedichte F.s, in: ZdPh 50, 1925, 429 ff.; – Günther Müller, Gesch. des dt. Liedes v. Zeitalter des Barock bis z. Ggw., 1925 (unv. Nachdr. Darmstadt 1959); – Guido Karl Brand, Die Frühvollendeten. Ein Btr. z. Lit.gesch., 1929, 13 ff.; – Rudolf Alexander Schröder, P. F., in: Abhh. u. Vortrr., hrsg. v. der Bremer Wiss. Ges., V, 1931, 153 ff.; – Ders., Dichtung u. Dichter der Kirche, 1936, 90 ff.; – Ders., P. F., in: Ges. Aufss. u. Reden II, 1939, 187 ff.; – Hans Pyritz, P. F.s »Suavia« (Diss. Berlin), 1931; – Ders., P. F.s »Suavia«, in: Münchener Mus. f. Philologie des MA u. der Renaissance. Hrsg. v. Friedrich Wilhelm, V, 1931, 251 ff.; – Ders., Der Liebeslyriker P. F. in seinen Überss., in: ZdPh 56, 1931, 410 ff.; – Ders., P. F.s dt. Liebeslyrik in: Palaestra 180, 1932; – Ders., P. F.s Liebeslyrik. Zur Gesch. des Petrarkismus, 1932 (Nachdr. 1963); – Ders., P. F. u. der Petrarkismus, in: Dt. Barockforsch. Dokumentation einer Epoche. Hrsg. v. Richard Alewyn, 1965, 336 ff.; – Eugen Honsberg, Stud. über den barocken Stil in P. F.s dt. Lyrik (Diss. Marburg, 1937), Würzburg 1938 (s. dazu: Hans Pyritz, Schrr. z. dt. Lit.gesch. Hrsg. v. Ilse Pyritz, 1962, 126 ff.); – Walter Schlesinger, P. F., in: Sächs. Lb. II, 1938, 133 ff.; – Chrisfrieda Ruegenberg, P. F. Vers. einer Darst. seiner Dichtungsmotive u. seiner Sprache (Diss. Köln), Würzburg – Aumühle 1939; – P. F. Seine literarhist. Nachwirkungen in 3 Jhh.: Imprimatur. Jb. d. Bücherfreunde 9, 1939/40, Beil.; – Kurt Arnold Findeisen, P. F., der Dichter u. Ostlandfahrer, 1939; – Ders., Der Stifl. Traum. Ein Roman v. Freundschaft, Liebe u. großer Fahrt, 1940 (1941²); – Otto Michaelis, »So sei nun, Seele, deine«, in: DtPfrBl 44, 1940, 112 f.; – G. Kunze, P. F., in: Eckart 16, 1940, 107 ff.; – Otto Eberhard, Zeugnisse dt. Frömmigkeit v. der Frühzeit bis heute, 1940, 240; – Hans Rodenberg, P. F. u. seine Rußlandreise, in: Sinn u. Form. Bttr. z. Lit. 5, 1953, 232 ff.; – Eugenie Felice Edigna Schrembs, Die Selbstaussage in der Lyrik des 17. Jh.s bei F., Gryphius, Günther (Diss. München), 1953; – Walter Grundmann, Das Lied der Kirche. H. 9: P. F., In allen meinen Taten, 1953; – Liselotte Beck-Supersaxo, Die Sonette P. F.s. Chronologie u. Entwicklung (Diss. Zürich) Singen 1956; – Edzard Schaper, z. 350. Geb. des Dichters, in: Ostdt. Mhh. 25, Stollhamm (Oldenburg) 1958 bis 1959, 740 ff.; – Erik Thomson, Zum 350. Geb. v. P. F., ebd.

331 ff.; – Karl Hans Pollmer, »In allen meinen Taten laß ich den Höchsten raten . . .« Zum 350. Geb. P. F.s, in: ZdZ 13, 1959, 389 ff.; – Kahape, Zum 350. Geb. P. F.s, in: GuG 5, 1959, 208 ff.; – Paul Johansen, Der Dichter P. F. u. der Osten, in: Hamburg mittel- u. ostdt. Forsch.en II, 1960, 9 ff.; – Paul Hankamer, Dt. Gegenref. u. dt. Barock. Die dt. Lit. im Zeitraum des 17. Jh.s, 1964³; – Eva Dürrenfeld, P. F. u. Johann Christian Günther. Motive, Themen, Formen (Diss. Tübingen), 1964; – Paul Böckmann, Formgesch. der dt. Dichtung, 2 Bde.; – Walter Naumann, Traum u. Tradition in der dt. Lyrik, 1966; – Gisbert Kranz, Europas christl. Lit. v. 1500 bis heute, 1968², 92 ff. 582 u. ö.; – B. J. Rogers, P. F.: Between life and dream, in: Criticism. A quarterly for literature and the arts 12, Detroit (Michigan) 1970, 259 ff.; – Anna Maria Carpi, P. F., Mailand 1973; – Dieter Lohmeier, P. F., in: Schleswig-Holstein. Biogr. Lex. III, 1974, 111 ff.; – Goedeke III, 58 ff.; – Eppelsheimer, WL 292; – Kosch, LL I, 520 f.; – KLL VI, 2537 f. (Teutsche Poemata); – Wilpert I², 507; II, 1024 f. (Teutsche Poemata); – Koch III, 73 ff.; – Fischer-Tümpel I, 433 ff.; – Blume 125. 134. 160; – Hdb. z. EKG II/1, 158 f.; – MGG IV, 305 ff.; – ADB VII, 115 ff.; – NDB V, 238 f.; – RE VI, 105 ff.; – RGG II, 977.

FLESCH, Maria Rosa (Taufname: Margaretha), Stifterin der Franziskanerinnen von Waldbreitbach (amtlich: Franziskanerinnen der allerseligsten Jungfrau Maria von den Engeln), * 24. 2. 1826 in Schönstatt bei Vallendar (Rhein) als Tochter eines Müllermeisters, † 25. 3. 1906 in Waldbreitbach bei Neuwied. – M. F. verlor mit 6 Jahren die Mutter und wurde von ihrer Stiefmutter hart behandelt. Sie nähte und strickte, sammelte Heilkräuter zum Verkauf und arbeitete im Tagelohn, besuchte und pflegte auch die Kranken der Pfarrei. Mit ihrer jüngeren, kranken Schwester siedelte M. F. 1850 über in die leerstehende Wohnung der erloschenen Vikarie an der Kreuzkapelle bei Waldbreitbach und erteilte neben der bisherigen Arbeit in den Schulen der Umgebung den Handarbeitsunterricht. Auf der Höhe des Berges gegenüber der Kreuzkapelle erwarb sie ein Stück Land und baute dort 1861 eine Niederlassung. 1863 legte M. F. mit ihren Gefährtinnen in der Kreuzkapelle die Gelübde ab. Damit war die Genossenschaft gegründet, deren Arbeitsgebiete Unterricht und Erziehung, Pflege von Kranken, Alten und Siechen und sonstige Tätigkeiten christlicher Nächstenliebe sind. Von 1863–78 war M. F. Generaloberin. Sie gab der Genossenschaft auch eine Regel und eigene Konstitutionen, die 1869 bischöflich und 1929 päpstlich bestätigt wurden. Die Kongregation wuchs rasch und zählte 1875 bereits 21 Niederlassungen. 1965 hatte sie 1212 Mitglieder in 89 Niederlassungen, davon 79 in Deutschland, 5 in den Niederlanden, 4 in den USA und eine Missionsstation in Nordbrasilien (Bacabal). – 1957 wurde der Seligsprechungsprozeß in Trier eröffnet.

Lit.: Hans Carl Wendlandt. Die weibl. Orden u. Kongregationen der kath. Kirche u. ihre Wirksamkeit v. 1818 bis 1918, 1924, 157 ff.; – Ansgar Sinnigen, Kath. Frauengenossenschaften in Dtld., 1933, 161 ff.; – J. A. Backes, Wenn das Weizenkorn nicht stirbt (Joh 12, 24). Lb. der Dienerin Gottes, Mutter M. R. F., 1959; – 100 J. Kongregation der Franziskanerinnen der Allerseligsten Jungfrau Maria v. den Engeln, München 1961; – Maura Böckeler, Die Macht der Ohnmacht. Mutter R. F., Stifterin der Franziskanerinnen BMVA v. Waldbreitbach, 1962 (1963²); 100 J. Franziskanerinnen Waldbreitbach, Neuwied 1963; – NDB V, 243; – DHGE XVII, 433 f.; – LThK IV, 166 f.; X, 929 (Waldbreitbach); – NCE V, 691.

FLESSA, Johann Adam, Kirchenliederdichter, * 24. 12. 1694 auf der Goldmühle bei Bayreuth, † 11. 10. 1776 in Oldenburg (Holstein). – F. wurde 1723 Professor der Geschichte und Mathematik in Bayreuth, bald auch Hofdiakonus und Inspektor der Alumnen, 1741 Professor der Theologie in Altona, 1742 Konsistorialrat, 1749 Hauptpastor und Propst in Sonderburg, 1751 Generalsuperintendent für Oldenburg und Delmen-

horst, auch Obervorsteher des Klosters Blankenburg. – Von seinen Liedern ist bekannt: »Ich will dich immer treuer lieben; mein Heiland, gib mir Kraft dazu.« Es findet sich in dem sog. »Marcheschen Gesangbuch«, Herrnhut und Görlitz 1731.

Lit.: Georg Wolfgang August Fikenscher, in: Gelehrtes Ftm. Bayreuth II, Augsburg u. Nürnberg 1793, 420 ff.; – Ders., Btr. z. Gelehrtengesch. oder Nachrr. v. Zöglingen des Ernestin. Gymn. zu Bayreuth, Coburg 1793, 187 ff.; – Meusel III, 391 ff.; – ADB VII, 188.

FLEURY, Claude, kath. Kirchenhistoriker und Pädagoge, * 6. 12. 1640 in Paris als Sohn eines Advokaten, † daselbst 14. 7. 1723. – F. erhielt seine Bildung im Jesuitenkollegium in Clermont. Er studierte die Rechte und wurde mit 18 Jahren Parlamentsadvokat. Der Umgang mit Jacques Bénigne Bossuet (s. d.) und Louis Bourdaloue (s. d.) und der kontemplative Zug seines Wesens führten den Entschluß zum Theologiestudium herbei, das F. 1667 begann. Er wurde 1672 Priester und Erzieher des Prinzen von Conti und 1680 des Grafen von Vermandois, des natürlichen Sohnes Ludwigs XIV., 1684 Kommendatarabt von Loc-Dieu und 1704 von Argenteuil, 1696 Mitglied der »Académie française«, 1689 zweiter Hofmeister der Prinzen von Bourgogne, Anjou und Berry und 1716 Beichtvater des sechsjährigen Ludwig XV. F. war befreundet mit Bossuet, dem er als Verfechter des »Gallikanismus« bei der Versammlung des Klerus 1682 zur Seite stand, und mit François Fénelon (s. d.), den er begleitete, als ihn Ludwig XIV. nach der Aufhebung des Edikts von Nantes 1685 in die Landschaften Saintonge und Aunis sandte, um »die wenigen noch übriggebliebenen Reformierten zu bekehren«. Die ihm angetragenen kirchlichen Würden, u. a. das Bistum Montpellier, lehnte er ab, um ganz seinem Erzieherberuf und seinen gelehrten Studien zu leben. Sein Hauptwerk ist die umfangreiche, volkstümlich und unparteiisch geschriebene bis 1414 reichende »Histoire ecclésiastique«, die von dem Oratorianer Jean Claude Fabre (s. d.) und dem Karmelitermönch Alexander a S. Joanne de Cruce (s. d.) bis 1778, aber nicht in ebenbürtiger Weise, fortgesetzt wurde. Friedrich der Große besorgte einen Auszug des Werkes mit eigener Vorrede: »Abrégé de l'histoire ecclésiastique de Fleury«, 1766.

Werke: Histoire ecclésiastique, 20 Bde., Paris 1691–1720; fortges. v. 1414–1495 v. Jean Claude Fabre, 16 Bde., Brüssel 1726–40, v. Alexander a. S. Joanne de Cruce, 6 Bde., Paris 1776–87; neue Ausg. des Werkes v. F. mit einer hs. hinterlass. Forts. bis 1517, 6 Bde., Paris 1840; dt. Übers., Leizig 1752–76; lat. Übers., Augsburg 1758–94; Histoire du droit français, Paris 1674 (neue Ausg., ebd. 1822); Traité du choix et de la méthode des études, ebd. 1675; Grand catéchisme historique, ebd. 1679 (lat. 1705; span. 1707; dt. 1750, neu hrsg. v. Laboulaye u. Dareste, 1858); Les moeurs des Israélites, ebd. 1681; Les moeurs des Chrétiens, ebd. 1682 (Neuausg. Lyon 1810); Discours sur les libertés de l'église gallicane, ebd. 1690; Institution du droit français, ebd. 1692. – Opuscules de l'Abbé F. par Eméry, ebd. 1807. – Aimé Martin, Oeuvres de l'abbé F. f, ebd. 1844.

Lit.: Jean Baptiste Vanel, L'abbé F., in: Bulletin du diocèse de Lyon 3, 1902, 143 ff.; – François Gaquère, La vie et les oeuvres de C. F. (Thèse, Paris 1925; – Eduard Fueter, Gesch. der neueren Historiogr., 1936³, 315; – Adolf Herte, Das kath. Lutherbild im Bann der Lutherkomm. des Cochläus I, 1943, 244 ff.; – Franco Simone, Tendenze storiografiche di C. F., Venedig 1961; – HN IV, 1173 ff.; – DThC VI, 21 ff.; – Catholicisme IV, 1343 f.; – DHGE XVII, 479 ff.; – EC V, 1450 f.; – DSp V, 412 ff.; – LThK IV, 167 f.; – NCE V, 962 f.; – RE VI, 107 f.; – RGG II, 978.

FLIEDNER, Fritz, Begründer des Evangelisationswerkes und eifriger Förderer des Deutschtums in Spanien,

* 10. 6. 1845 in Kaiserswerth (Rhein) als Sohn des Diakonissenvaters Theeodor Fliedner (s. d.), † 25. 4. 1901 in Madrid. – F. besuchte das Gymnasium in Gütersloh und studierte in Halle und Tübingen. August Tholuck (s. d.) und Johann Tobias Beck (s. d.) übten starken Einfluß auf ihn aus. In dem Krieg zwischen Österreich und Preußen (1866) bewährte sich F. als Felddiakon. Auf einer Reise nach Italien besuchte er die Waldenser und gewann die Evangelisationsarbeit lieb. Ostern 1869 reiste er nach Spanien und lernte die dortige evangelische Bewegung kennen. Seit Herbst 1870 arbeitete F. in Madrid im Auftrag des Berliner Evangelisationskomitees für Spanien. Er gründete in vielen Städten Gemeinden und Schulen und schuf durch Zusammenschluß der zerstreuten Gemeinden die »Iglesia Evangelica Española«. Zur Erziehung und Ausbildung von spanischen Lehrern und Pfarrern baute er ein Jugendheim und ein Gymnasium in Madrid und gründete auch drei Waisenhäuser und ein kleines Hospital und zum Vertrieb evangelischen Schrifttums eine Buchhandlung in Madrid und Barcelona. Als »Gesandtschafts- resp. Botschaftsprediger ohne Gehalt« war F. auch um die Sammlung und Betreuung der Deutschen bemüht. Er eröffnete in seinem Haus eine kleine deutsche Schule, veranlaßte die Gründung der deutschen Gemeinden Barcelona und Malaga und schloß in der »deutsch-iberischen Pastoralkonferenz« die deutschen Pfarrer von Spanien und Portugal zusammen. Seine Söhne setzten sein Werk fort.

Werke: Span. Schulbücher, Jugendschrr. u. Biogrr. – Übersss. ins Span.: geistl. Lieder, die Evv. u. die Paulin. Briefe.

Lit.: Fritz Fliedner, Aus meinem Leben I, 1901 (1902⁴); II, 1903 (1903³); – F. F.sche Mission in Span., in: Lehre u. Wehre. Theol. u. kirchl.-zeitgeschichtl. Mbl. 68, 1923; 265 ff.; – Das dt. Hilfswerk f. die ev. Kirche in Span., eine Darst. seiner Wirksamkeit v. seiner Begründung bis z. Ggw., 1957; – Kosch, LL I, 522; – BJ VI, 290; – NDB V, 244 f.; – RE XXIII, 449 ff.; – RGG II, 978.

FLIEDNER, Theodor, Pfarrer, Erneuerer des apostolischen Diakonissenamtes, * 21. 1. 1800 als Pfarrerssohn in Eppstein (Taunus), † 4. 10. 1864 in Kaiserswerth (Rhein). – Seit 1822 wirkte F. als Pfarrer in Kaiserswerth. Da die dortige Samtfabrik Bankrott machte, geriet die kleine reformierte Diasporagemeinde in größte Not. Darum begab sich F. auf Kollektenreisen durch das Bergische Land, nach Holland und England. Im Lauf von 14 Monaten brachte er die für den weiteren Bestand seiner Gemeinde nötigen Geldmittel zusammen. Gleichzeitig lernte er Männer und Frauen, Vereine und Anstalten christlicher Liebesarbeit kennen, u. a. Elizabeth Fry (s. d.), die Bahnbrecherin der weiblichen Gefangenenfürsorge in England, und in holländischen Mennonitengemeinden das Diakonissenamt. Angeregt durch das Wirken der E. Fry, begann nun auch F. seine Arbeit an den Gefangenen. Jeden zweiten Sonntag wanderte er drei Jahre hindurch nach Düsseldorf, um dort im Gefängnis die frohe Botschaft von dem Heiland der Sünder zu verkündigen. Am Sonntagabend und Montagmorgen sprach er dann seelsorgerlich mit den einzelnen Gefangenen. Damit begnügte sich F. nicht. Er besuchte die meisten Gefängnisse in Rheinland und Westfalen. Die Gefangenen waren in engen, schmutzigen Räumen, oft in feuchten Kellern zusammengepfercht. Auch die halbwüchsigen Burschen, die wegen eines geringen

Vergehens zum erstenmal ins Gefängnis gekommen waren, saßen mit alten abgefeimten Verbrechern zusammen; selbst Untersuchungsgefangene waren nicht von denen getrennt, die eine langjährige Strafe zu verbüßen hatten. Niemand dachte daran, durch geregelte Arbeit und strenge Aufsicht, durch Unterricht und Seelsorge auf die Gefangenen erzieherisch einzuwirken. F. gewann den Eindruck, daß die Gefängnisse und Zuchthäuser Hochschulen des Verbrechens und Lasters waren. Darum schaute er nach Hilfe aus und gründete am 18. 6. 1826 die »Rheinisch-Westfälische Gefängnisgesellschaft«, die dafür sorgen sollte, daß die Gefangenen nach Alter und Art ihrer Verbrechen gesondert untergebracht und beschäftigt und Pfarrer und Lehrer für sie angestellt würden. Auch sollte diese Gesellschaft, die staatliche Genehmigung und Unterstützung fand, um die Betreuung der Strafentlassenen bemüht sein. Für besonders notwendig hielt man die Gründung eines Heims für weibliche Strafentlassene. F. erklärte sich dazu bereit und nahm am 17. 9. 1833 eine aus dem Zuchthaus in Werden Entlassene vorläufig in sein Gartenhaus auf. – F.s Bedeutung liegt jedoch auf einem anderen Gebiet, auf dem der weiblichen Diakonie. Durch seine Hausbesuche und Reisen kannte er die Not der Kranken. In vielen Städten gab es keine Krankenhäuser, und die Pflege der Kranken in den Anstalten der Großstädte war schlecht. F. kam der Gedanke, es müßten junge Mädchen gefunden werden, die sich der Armen und Kranken in dienender Liebe annähmen, wie es einst die Diakonissen der ersten Christenheit getan hatten. Darum ging er zu den Amtsbrüdern in Düsseldorf, Elberfeld, Barmen und Mettmann und bat sie, eine Anstalt zu gründen, in der junge Mädchen auf den Beruf der Krankenpflege und den Dienst in der Gemeinde ausgebildet würden. Sie lehnten alle ab und erklärten ihm, er solle die Sache nur frisch in die Hand nehmen, da er bei seiner Gemeinde von 200 Seelen die Zeit dazu habe und die Stille des abgelegenen Kaiserswerth für eine solche Anstalt besonders günstig sei. Nun schaute sich Fliedner mit seiner Gattin (s. Münster, Friederike) in der Stille um nach einem für ein Hospital geeigneten Haus. Da wurde auf einmal das größte und schönste Haus in Kaiserswerth für 2300 Taler zum Kauf angeboten. F. kaufte es am 20. 4. 1836, ohne zu wissen, woher die Summe, die am 11. 11. 1836 bezahlt werden sollte, erhalten werde. Sein Glaube aber wurde nicht zuschanden; rechtzeitig war das Geld da. Dann gründete F. den »Rheinisch-Westfälischen Diakonissenverein«, dessen Statuten am 30. 5. 1836 in Düsseldorf unterzeichnet wurden. Bei der Verwirklichung seiner Pläne stieß F. auf viel Widerstand seitens der katholischen Bevölkerung, fand aber auch auf evangelischer Seite wenig Verständnis und Unterstützung. Die größte Schwierigkeit jedoch war, geeignete Kräfte für den Diakonissenberuf zu gewinnen. Am 13. 10. 1836 eröffnete F. in aller Dürftigkeit das Diakonissenhaus und nahm drei Tage später als die erste Kranke eine katholische Magd auf. Am 20. 10. trat die 48jährige Gertrud Reichardt (s. d.) als die erste Diakonisse ein. Nach 14jähriger Ehe verlor F. 1842 seine Gattin durch den Tod; aber Gott gab ihm ein Jahr später in Karoline Bertheau (s. d.) eine Lebensgefährtin und Mitarbeiterin und seinen verwaisten Kindern und Schwestern eine neue Mutter. Um sich dem wachsenden Diakonissenwerk ganz widmen zu können, legte F. 1849 sein Pfarramt nieder. Er reiste nach Nordamerika, Jerusalem und Konstantinopel, nach England, Frankreich und der Schweiz und gründete Stationen des Kaiserswerther Mutterhauses oder regte die Gründung neuer Diakonissenhäuser an. Als F. nach jahrelangem Lungenleiden starb, gab es 30 Diakonissenhäuser mit 1600 Diakonissen. 425 davon gehörten dem Kaiserswerther Mutterhaus an und arbeiteten auf mehr als 100 Stationen in vier Weltteilen.

Werke: Kollektenreise nach Holl. u. Engl., 2 Bde., 1831; Kurze Gesch. der Entstehung der ersten ev. Liebesanstalten in Kaiserswerth, 1856. – Gab heraus: Liederb. f. Kleinkinderschulen, 1842; Kaiserswerther Volkskal., seit 1842; Armen- u. Krankenfreund, seit 1849; Buch der Märtyrer u. anderer Glaubenszeugen der ev. Kirche, 4 Bde., 1850 ff.
Lit.: Theodor Schäfer, Th. F., 1900; – Georg Fliedner, Th. F., sein Leben u. Wirken I, 1908; II, 1910; III, 1912; – Ders., Th. F. Kurzer Abriß seines Lebens u. Wirkens, 1936⁵; – Niedner, Th. F. u. die Feier des Abendmahls, in: MGkK, 1916, 182; – August Lomberg, Th. F. Diakonissenvater, in: Ders., Bergische Männer. Ein Btr. z. Gesch. der Heimat, 1927², 265 ff.; – Martin Gerhardt, Th. F. – Arch. in Kaiserswerth, in: IM 26, 1931, 373; – Ders., Th. F. I, 1933; II, 1937; – Ders., Th. F., in: Nassauische Lb. I, 1939, 119 ff.; – Wilhelm Rotscheidt, Missionar u. Pfr. Th. F. u. sein Wirken im Urteil der Mit- u. Nachwelt, in: Mhh. f. rhein. KG 28, 1934, 251 ff.; – Tim Klein, Th. F., in: Ders., Lebendige Zeugen. Dt. Gestalten im Gefolge Christi, 1938, 247 ff.; – Erich Schick, Th. F., der Begründer der ev. Diakonie, Basel 1948; – Eduard Grimmell, Die Bedeutung F.s f. das Werk Wicherns, in: IM 38, 1948, H. 7–8, S. 49 ff.; – Gertrud Thomä, Th. F. Ein Herold der Liebe, 1950; – Albert Krebs, Th. F., in: Zschr. f. Strafvollzug 1, 1950, Nr. 4, S. 17 ff.; – A. Fritz, Zum 150. Geb. Th. F.s, in: ZdZ 4, 1950, 419 ff.; – Zum 150. Geb. Th. F.s, in: DtPfrBl 50, 1950, 45 f.; – Anna Sticker, Th. F., der Diakonissenvater, 1950 (1959² umgeänd. u. d. T.: Th. F. Von den Anfängen der Frauendiakonie); – Dies., Th. F. u. die Berufsarbeit der Frau, in: Dt. Schwesternztg. 9, 1956, 276 ff.; u. in: EvU 21, 1966, 105 ff.; – Dies., Die Entstehung der neuzeitl. Krankenpflege. Dt. Qu.stücke aus der 1. Hälfte des 19. Jh.s. Hrsg. u. mit Erll. vers., 1960; – Dies., Friederike F. u. die Anfänge der Frauendiakonie. Ein Qu.buch, 1961 (1963²); – Dies., Th. u. Friederike F. Von den Anfängen der Frauendiakonie, 1965; – Dies., Das Diakoniewerk Kaiserswerth, seine geschichtl. Entwicklung von 1836–1966, in: Diakonissenmutterhaus Kaiserswerth, 1967; – Dies., Th. F., in: Rhein. Lb. V, hrsg. v. Bernhard Poll, 1973, 75 ff.; – Konrad Korth, Th. F., in: Christenlehre, 1951, 61 ff.; – Jörg Erb, Die Wolke der Zeugen II, 1954, 405 ff.; – Friedrich Hauß, Väter der Christenheit 1959, 96 ff.; – Helmut Ollesch, Th. F. Der Diakonissenhausvater, 1963; – Kurt Hünerbein, Th. F. u. Johann Hinrich Wichern. Eine Betrachtung z. 100. Todestag Th. F.s in: IM 54, 1964, 386 ff.; – Hans Wulf, Die Gründung ev. Gemeindepflegestationen durch Th. F. (Diss. Münster), 1965; – Ders., Die ev. Gemeindekrankenpflege. Th. F.s Plan, seine Verwirklichung u. seine Krise in der Ggw., 1965; – A. M. Frick, Th. F., zum Verständnis v. Rel. u. Reaktion in der Erziehungstheorie des 19. Jh.s, 1968; – H. Fromme, Der Lebensentwurf der Frau u. die päd. Grdl.n im Werk Th. F.s, 1968; – ADB VII, 119 ff.; – NDB V, 245 f.; – RE VI, 108 f.; – EKL I, 301 f.; – RGG II, 978 f.; – LThK IV, 168 f.

FLIERL, Johann, Gründer der Neuendettelsauer Mission in Neuguinea, * 16. 4. 1858 in Buchhof (Oberpfalz) als Sohn eines Gütlers, † 30. 9. 1947 in Neuendettelsau (Mittelfranken). – F. kam 1886 als erster evangelischer Missionar in das damalige Kaiser-Wilhelms-Land. Das mörderische Klima, die Unkenntnis der Sprache und die Wildheit der Papuas stellten an ihn fast übermenschliche Anforderungen. Er gründete die Missionsstation Simbang, verlegte sie einige Jahre später auf einen Hügel und überließ dann die fertig ausgebaute Station seinen Mitarbeitern. F. ging an den Bau einer Erholungsstation auf dem 900 m hohen Sattelberg und bahnte dadurch zugleich der Mission den Weg zu den Bergstämmen. Er baute schließlich die Missionsstation Heldsbach, die im Lauf der Zeit zu einer bedeutenden Schulstation wurde. Als F. 1930 von seinem Missionsfeld Abschied nahm, gab

es 18 Hauptstationen, von denen jede einen Kreis von Schul- und Außenposten um sich hatte. Die Zahl der Christen betrug 25000. Über 2000 Kinder wurden von papuanischen Lehrern unterrichtet. Gegenwärtig zählt die inzwischen gegründete Papuanische Kirche über 200000 Glieder.

Werke: Wie ich Miss. wurde, 1909 (1928⁵); Gedenkbll. der Neuendettelsauer Mission, 1909 (1910²); 30 J. Miss.arb., 1910; Forty Years in New Guinea, Chicago 1927; Gottes Wort in den Urwäldern v. Neuguinea, 1929; Wunder der göttl. Gnade, 1931; Christ in New Guinea, Tanunda, Süd-Australien, 1932.
Lit.: Year Book of the Ev. Luth. Mission in New Guinea, Chicago 1926; – Julius Richter, Allg. Ev. Miss.gesch. V, 1932, 255. 282; – Kenneth Scott Latourette, History of the expansion of Christianity. V: The Great Century A.D. 1800 – A.D. 1914: America, Australasia, Africa, 1943, 244; – Wilhelm Oehler, Gesch. der Dt. Ev. Miss. II, 1951, 20. 258; – Georg Pilhofer, J. F., der Bahnbrecher des Ev. unter den Papua, 1953 (1956²); – NDB V, 246 f.

FLIESTEDEN, Peter, Märtyrer, * in Fliesteden bei Brauweiler, † 28. 9. 1529 in Köln. – F. wurde im Dezember 1527 als Student in Köln im Dom verhaftet, weil er während der Messe bei der Elevation der Hostie das Haupt bedeckte, sich umkehrte und ausspuckte. Seit Januar 1529 verbrachte er die letzten acht Monate seiner Haft mit dem am 3. 4. 1528 verhafteten Adolf Clarenbach (s. d.) in einem tiefen, dunklen Gewölbe. F. wurde mit seinem Leidensgenossen vor den Toren der Stadt verbrannt, verstarb aber schon, bevor man ihn an den Brandpfahl befestigen konnte, da ihm der Henker, damit er schweige, die Kette um den Hals zu stark angezogen hatte. – Clarenbach und F. sind die beiden ersten deutschen Märtyrer der Reformation.

Lit.: Karl Krafft, Btrr. z. Ref.gesch. des Niederrheins, in: Zschr. des Berg. Gesch.ver. 9, 1873, 113 ff. 142 ff.; 10, 1874, 176 ff.; – Ders., Die Gesch. der beiden Märtyrer der ev. Kirche Adolf Clarenbach u. P. F., 1886; – Ders., Der Märtyrer P. F., in: Theol. Arbb. aus dem rhein. wiss. Prediger-Ver., 1892, 1 ff.; – Wilhelm Rotscheidt, Ein Martyrium in Köln i. J. 1529, 1903; – Fr. Julius Schollmayer, Adolf Clarenbach u. P. F. Zwei ev. Märtyrer, 1905 (1935²); – Hermann Klugkist Hesse, Frühlicht am Rhein. Adolf Clarenbach, sein Leben u. Sterben, 1929; – Heinrich Müller-Diersfordt, Der blaue Stein in Köln u. Adolf Clarenbachs u. P. F.s Hinrichtung 1529, in: Mhh. f. rhein. KG 3, 1960, 74 ff.; – Oskar Schnetter, Adolf Clarenbach u. P. F. Die ersten ev. Märtyrer am Rhein, in: Menschen vor Gott, hrsg. v. Alfred Ringwald, IV, 1968, 192 f.; – ADB 40, 90 f.; – NDB V, 247; – RGG II, 979; – LThK IV, 169.

FLIMMER, Johannes, Kirchenliederdichter, * 1520, † 1578 in Straßburg. – F. wirkte seit 1537 als Pfarrer an der Kreuzkirche in Augsburg. Er wurde 1548 infolge des »Interims« (s. Agricola, Johann) vertrieben, kehrte aber, nachdem er inzwischen Hofprediger des Königs Christian III. von Dänemark geworden war, auf Verlangen seiner früheren Gemeinde nach Augsburg zurück. Wegen seines offenen Bekenntnisses wurde F. dort wieder vertrieben und kam 1553 als Diakonus an die St. Aurelienkirche in Straßburg. Er unterzeichnete am 23. 4. 1554 den Brief der Straßburger Prediger an die in Naumburg (Saale) versammelten lutherischen Theologen, in dem sie sich von der »Confessio Tetrapolitana«, dem Vierstädtebekenntnis von 1530, lossagten und sich zur »Confessio Augustana« bekannten. F. wurde 1556 als Prediger an die Heiliggeistkirche in Heidelberg berufen, kehrte aber schon 1558 nach Straßburg zurück. – Von den Liedern F.s seien genannt: »Lobet den Herren, alle Heiden« und »Wir Kindlein danken Gottes Güt, daß er noch Kirch und Schul behüt't.«

Lit.: Koch II, 278 f.

FLITTNER, Johann, Kirchenliederdichter, * 1. 11. 1618 in Suhl (Thüringen) als Sohn des Besitzers eines Eisenbergwerks, †7. 1. 1678 in Stralsund. – F. besuchte das Gymnasium in Schleusingen (Thüringen) und studierte in Wittenberg, Jena, Leipzig und Rostock. Er wurde 1644 Kantor und 1646 Diakonus in Grimmen bei Greifswald. F. mußte 1659 während des ersten brandenburgischen Krieges, als das vereinte kaiserlich-brandenburgische Heer in das damals schwedische Pommern einfiel, nach Stralsund flüchten. Er kehrte 1660 nach Friedensschluß nach Grimmen zurück, mußte aber 1676 nach Ausbruch des zweiten brandenburgischen Krieges wiederum nach Stralsund flüchten. – Von den Liedern F.s seien genannt: »Selig, ja selig, wer willig erträget dieser Zeit Leiden, Verachtung und Streit«, das Buß- und Beichtlied »Ach, was soll ich Sünder machen? Ach, was soll ich fangen an?« und »Menschenhülf ist nichtig, Gunst und Kunst ist flüchtig.« Das Nürnberger Gesangbuch von 1677 nahm 9 Lieder von F. auf.

Werke: Dominus Messis, der Herr der Ernte, 1655; Himml. Lustgärtlein, in welchem zu finden allerhand schöne Beicht- u. Kommuniongebete, Historien- u. Liederblümlein, gepflanzet aus dem großen Paradiesgarten der HS u. reinen Kirchenlehren, Greifswald 1661 (enthält außer 33 Liedern anderer Dichter 11 v. ihm selbst).

Lit.: Gottlieb Christian Friedrich Mohnike, Hymnolog. Forsch. II, Stralsund 1832, 1 ff.; – W. Koss, Ein Suhler Kirchenlieder-dichter: J. F., in: Henneberger Heimatbll., 1930, Nr. 3; – Ders., Ein Grimmener Kirchenliederdichter, in: Unser Pommerland 15, 1930, 325; – Koch III, 442 ff.; – Kosch, LL I, 523.

FLODOARD *von Reims*, Geschichtschreiber, Archivar der Reimser Kirche, * 894 in Espernay bei Reims, † 966 in Reims. – F. studierte in Reims und wurde Kleriker der Reimser Kathedralkirche. Im Auftrag des Bischofs Arthold von Reims ging er 936 nach Rom, wo ihn Leo VII. (s. d.) zum Priester weihte. Als man in den Wirren im Reimser Bistum Artold seinen Bischofssitz streitig machte, floh F. mit ihm zum Erzbischof Rotbert von Trier und nahm 948 an der Synode in Ingelheim teil, auf der Artold von Agapet II. (s. d.) restituiert wurde. Zum Dank für seine Anhänglichkeit ernannte ihn Arnold zum Archivar der Reimser Kirche. F. wurde 952 zum Bischof von Tournay gewählt, konnte aber aus politischen Gründen dieses Amt nicht antreten. 963 zog er sich in das Kloster St. Basle zurück. F. verfaßte außer einem großen Werk in lateinischen Hexametern über die Geschichte Christi und der Päpste eine bis 948 reichende, wegen ihres urkundlichen Materials wertvolle, aber mangelhaft verarbeitete Geschichte der Reimser Kirche und die Reimser Jahrbücher von 916–966, ein hervorragendes Quellenwerk.

Werke: Annales (919–966): MG SS III, 363–408; hrsg. v. Philippe Lauer, Paris 1905; Historia Remensis ecclesiae (bis 948): MG SS XIII, 405–599; Hll.epen: De triumphis Christi sanctorumque Palaestinae; De triumphis Christi Antiochiae gestis; De triumphis Christi apud Italiam: MPL 135, 491–826. – GA.: MPL 135. – Oeuvres (mit frz. Übers.), hrsg. v. M. Le Jeune, 3 Bde., Reims 1854/55. – Extraits traduits, in: Robert Folz, La naissance du Saint Empire, Paris 1967.

Lit.: Ph. Lauer, Les Annales de F., 1905; – A. Dumas, L'Église de Reims au temps des luttes entre Carolingiens et Robertiens, in: RHEF 30, 1944, 5 ff.; – Gian Andri Bezzola, Das Otton. Kaisertum in der frz. Gesch.schreibung des 10. u. beginnenden 11. Jh.s, Graz 1956, 20 ff.; – Wattenbach-Holtzmann I/2, 290 ff.; – Manitius I, 346 ff. 350 ff.; II, 125 ff. 155 ff.; – Catholicisme IV, 1348; – DHGE XVII, 501 ff.; – LThK IV, 169; – NCE V, 964; – RE VI, 110 f.; – RGG II, 979 f.

FLOR, Wilhelm, Reichsgerichtsrat, * 1886, † 19. 11. 1938 in Leipzig. – F. war seit 1923 Oberlandesgerichtsrat in Oldenburg und nebenamtliches juristisches Mitglied im dortigen Evangelischen Oberkirchenrat. 1931 folgte er dem Ruf an das Reichsgericht in Leipzig. Bekannt wurde F. als Begründer und Hauptvertreter des »Bekenntnisrechts« in den kirchlichen Auseinandersetzungen seit 1933. In seinem Aufsatz »Der Kirchenstreit vom Rechtsstandpunkt aus beurteilt« in der »Jungen Kirche« vom 19. 10. 1933 machte er dem Dritten Reich den Vorwurf des Rechtsbruchs und der Überschreitung staatlicher Machtbefugnisse und führte den Nachweis, daß die Bestellung von Staatskommissaren für die preußischen evangelischen Kirchen am 28. 6. 1933 mit dem damals geltenden Recht in Widerspruch stand. In einem neuen Rechtsgutachten vom 20. 4. 1934 bezeichnete F. die Versuche des Reichsbischofs Ludwig Müller (s. d.), als Landesbischof in Altpreußen die Befugnisse des Kirchensenats an sich zu ziehen, als rechtsungültig und erklärte die entsprechende Verordnung als »Willkürakt« des Reichsbischofs. F. war Mitglied des Reichsbruderrats und gehörte von November 1934 bis Ende 1935 der 1. Vorläufigen Leitung der Deutschen Evangelischen Kirche an. Da er dieses Amt nicht ausüben durfte, wurde F. durch den Rechtsanwalt Eberhard Fiedler vertreten. In Gemeinschaft mit ihm arbeitete er weiter und gab den Kampf um die Geltung des Rechts und für die Unabhängigkeit der Kirche nicht auf. Die sächsische Bekennende Kirche wählte ihn 1937 zum Präsidenten ihrer Bekenntnissynode.

Werke: Zahlr. Aufss. in JK, 1933–35.

Lit.: W. F. †, in: AELKZ 71, 1938, 1038; – Heinz Kloppenburg, W. F., Kirchenrechtler, z. Gedächtnis: Verzehrt im Kampf um das Recht, in: Lb. aus der bekennenden Kirche, hrsg. v. Wilhelm Niemöller, 1949; u. in: JK 11, 1950, 409 ff.; – EKL I, 1302.

FLORENTINI, Theodosius, Theologe, Ordensstifter und Philanthrop, * 23. 5. 1808 in Münster (Graubünden), † 15. 2. 1865 in Heiden (Appenzell). – F. trat 1825 in Sitten in den Kapuzinerorden ein und wurde 1830 Priester, 1832 Lektor und 1838 Guardian in Baden. Als 1841 die Klosteraufhebung im Aargau erfolgte, geriet er in Gefangenschaft, entfloh aber. F. wurde 1845 Pfarrer und Superior in Chur und 1860 Generalvikar seines Vetters, des Bischofs Nikolaus Florentini von Chur. Er gründete 1844 zur Erziehung der weiblichen Jugend das »Institut der Lehrschwestern vom hl. Kreuz« in Menzingen (Zug), gemeinsam mit Therese Scherer (1825–88) 1850 das Kreuzspital und 1852 die »Kongregation der Kreuzschwestern«, die in Ingenbohl (Schwyz) ihr Mutterhaus fand, 1855 das Waisenhaus in Paspels, 1856 das »Kollegium Maria Hilf« in Schwyz (Real- und Industrieschule, Gymnasium, Lyzeum), 1857 eine Baumwollfabrik und 1859 eine Buchdruckerei und Buchbinderei in Ingenbohl, 1859 in Oberleutensdorf (Böhmen) eine Tuch- und in Thul bei St. Gallen eine Papierfabrik unter klösterlicher Leitung, aber ein finanzieller Mißerfolg, 1863 den »Verein für inländische Mission« (für die katholische Diaspora in der Schweiz) und 1865 den Bücherverein für die katholische Schweiz. Auch als Volksschriftsteller ist F. bekannt durch sein »Leben der Heiligen« (4 Bde.) und seine Bearbeitung der Hauspostille von Leonard Goffine (s. d.).

Lit.: Cornelia Führer, Th. F., 1878; – Peter Conradin v. Planta, P. Theodosius, ein menschenfreundl. Priester, Bern 1893; – Johannes Oesch, P. Th. F., Ingenbohl 1897; – Alfred Amann, Th. F., der schweizer. Sozialist in der Mönchskutte, o. J.; – Wilhelm Siedler, Archival. Stud. über Th. F., in: ZSKG 1, 1907, 139 ff.; – P. O.C. Albuin, P. Th. F., Brixen 1908; – Th. F., Erziehung u. Selbsterziehung, aus seinen Schrr. zus.gest. u. hrsg. v. Rufin Steimer, 1911; – Veit Gadient, Der Caritasapostel Th. F., Luzern 1944 (1946²); – Rudolf Henggeler, Das Institut der Lehrschwestern v. Hl. Kreuz in Menzingen, Menzingen (Kt. Zug) 1944; – P. Sulpice d'Ayent, Vollst. Bibliogr. der Werke des Th. F., in: Collectanea helvetica-franciscana 5, 1950, 137–158; – Josef Zimmermann, Biogr. Lex. des Aargaus, in: Argovia. J.schr. der hist. Ges. des Kt. Aargau 68–69, 1958, 213 f.; – Adelhelm Bünter, Die industriellen Unternehmungen v. P. Th. F. (Diss. Rom, 1956), Fribourg (Schweiz) 1962; – mehrere Autoren, Th. F. u. sein Werk, Ingenbohl 1965; – Kosch, KD 787 f.; – ADB 37, 715 f.; – NDB V, 253; – DHGE XVII, 602 ff.; – EC V, 1453; – LThK IV, 170; – NCE V, 974 f.; – RGG II, 980.

FLORENTIUS *Radewijns,* Leiter der Devotenbewegung, * 1350 in Leerdam bei Utrecht, † 24. 3. 1400 in Deventer. – F. studierte 1375–78 in Prag und wurde Kanonikus von St. Peter in Utrecht, vertauschte aber 1380 diese reiche Pfründe mit der Vikarie bei St. Lebuin in Deventer, um Geert Groote (s. d.) öfter hören zu können, der durch seine Bußpredigt die »devotio moderna«, die »neue Innigkeit« im Gegensatz zum weltlichen Leben, weckte. Zu den Männern, die sich um diesen Buß- und Erweckungsprediger sammelten, gehörte auch F., dessen Vikariatshaus, als Groote 1384 starb, Mittelpunkt der Freundesgemeinschaft der Devoten war. Aus dem Schüler- und Freundeskreis Grootes und seines Schülers F. entstand die Bewegung der »Brüder vom gemeinsamen Leben« = »Fratres communis vitae«, eine freie Vereinigung von Klerikern und Laien, die ein mönchisches Leben führten, ohne sich durch ein Gelübde zu binden, nicht vom Bettel, sondern von der Arbeit lebten und sich besonders der Jugenderziehung widmeten. Die Brüderbewegung ist die praktische Verwirklichung des neuen nichtmönchischen Lebensideals der »devotio moderna«. Die »Brüder vom gemeinsamen Leben« bezogen 1391 ein eigenes Haus in Deventer und 1395 in Zwolle und in Amersfoort. Als die Pest 1398 in Deventer verheerend auftrat, flüchtete F. mit seinem Freund Gerhard Zerbolt (s. d.) von Zütphen nach Amersfoort und blieb dort fast ein Jahr. Aus der »devotio moderna« ist auch die »Windesheimer Kongregation« entstanden, eine mönchische Reformbewegung, deren Ausgangspunkt das Augustinerchorherrenstift Windesheim bei Zwolle war, das einige Schüler Grootes 1386 gründeten.

Lit.: Jan Hendrik Gerretsen, F. R. (Diss. Utrecht), Nijmegen 1891; – Ernst Barnikol, Stud. z. Gesch. der Brüder v. gemeinsamen Leben, 1917, 12 ff. 190 f.; – Regnerus Richardus Post, Middeleeuwen in de Geschiedenis van Nederland II, Amsterdam 1935, 114 f.; – Ders., De moderne devotie. Geert Groote en zijn stichtingen, ebd. 1940; – Stephanus Axters, Geschiedenis van de vroomheid in de Nederlanden III: De moderne Devotie, ebd. 1956; – Theodore P. van Zijl, Gerard Groote, Ascetic and Reformer, 1340–1384 (Diss. Catholic University of America), Washington 1963; – LThK VIII, 964 f.; – NCE V, 975; – RE VI, 111 ff.; XXIII, 451; – RGG II, 980 f.

FLOREZ, Henrique, kath. Kirchenhistoriker, * 14. 2. 1701 in Valladolid, † 5. 5. 1773 in Madrid. – F. trat 1715 in den Augustinerorden ein und studierte in Salamanca. Er wurde Professor der Theologie an der Universität in Alcalá und war zuletzt Generalassistent seines Ordens in Madrid. – F. ist bekannt durch das für die Kirchengeschichte Spaniens grundlegende Werk »España sagrada, teatro geografico-historico de la iglesia de España«. Die ersten 29 Bände dieses Wer-

kes bearbeitete F. selbst. Die drei ersten behandeln die kirchliche Geographie, Chronologie und die ersten Zeiten des Christentums bis 680. Vom 4. Band an werden die einzelnen Provinzen mit ihren Heiligen, Bistümern, Kirchen, Klöstern, Konzilien usw. durchgenommen. Das von ihm begonnene Werk wurde von Ordensgenossen und anderen Gelehrten fortgesetzt.

Werke: Theologia scholastica, 5 Bde., Madrid 1732–38; Clave Historial, ebd. 1743 (1854¹⁸); España sagrada, teatro geografico-historico de la iglesia de España, 29 Bde., ebd. 1747–75; Medallas de las colonias, municipios y pueblos antiguos de España, 3 Bde., ebd. 1757–73 (über die alten span. Münzen); Memorias de las reynas católicas, 2 Bde., ebd. 1761 (1790³; über die Verdienste der span. Königinnen um Kirche u. Staat).
Lit.: Franzisco Méndez, Noticia sobre la vida, escritos y viajes del H. F., Madrid 1780 (1860²); – Pius Bonifatius Gams, KG v. Span. III/2, 1879, 404 ff.; – B. Sánchez Alonso, Historia de la historiografía española III, Madrid 1950; – Indice-catálogo de la biblioteca del padre H. F., ed. Angel Custodio Vega, ebd. 1952; – Catholicisme IV, 1359 f.; – DHGE XVII, 612 ff.; – LThK IV, 177 f.; – NCE V, 975; – RE VI, 114 f.; – Enciclopedia universal ilustrada Europeo-Americana XXIV, 150 ff.

FLORIAN, Heiliger, † 4. 5. 304. – Die geschichtlich wertlose Legende erzählt: F., ein römischer Veteran, eilte bei Ausbruch der Christenverfolgung unter Diokletian (s. d.) auf die Kunde, in Lauriacum (Lorch) in Noricum (Oberösterreich) seien 40 Christen ins Gefängnis geworfen, von seinem Wohnsitz Cetium nach Lauriacum. Da er sich als Christ weigerte, den Göttern zu opfern, wurde er auf Befehl des Statthalters mit einem Stein um den Hals von einer Brücke herab in die Enns geworfen. Der Leichnam wurde an einen Felsen geschwemmt, wo ihn ein Adler mit ausgebreiteten Flügeln beschützte. Eine fromme Frau begrub die Leiche an dem ihr in einer Vision bezeichneten Ort, zwischen den Mündungen der Traun und der Enns etwas landeinwärts. Über dem Grab des F. wurde eine Kapelle gebaut und später das Augustinerchorherrenstift St. Florian in Oberösterreich. – F. wird erstmalig im 8. Jahrhundert erwähnt. Er ist der Schutzheilige Oberösterreichs und wird besonders hier und in Süddeutschland als Patron gegen Feuersgefahr und anhaltende Dürre angerufen. Sein Fest ist der 4. Mai.

Lit.: Passio s. Floriani, hrsg. v. Bruno Krusch, in: MG SS rer. Merov. III, 65 ff.; – Bruno Krusch, Zur F.s- u. Lupuslegende, in: NA 24, 1889, 535 ff.; 28, 1903, 567 ff.; – Bernhard Sepp, Die Passio s. Floriani, 1903; – Ders., Die Cellula s. Floriani u. die Civitas Lauriacensis, 1904; – Hermann Ubell, Zur Ikonogr. der F.-Legende, in: Btrr. z. Landeskunde in Östr. ob der Enns 56, 1904, 1 ff.; – Julius Strnadt, Legenden v. Hl. F. u. Maximilian, 1905; – Max Heuwieser, Gesch. des Bist. Passau I, 1939, 13 f. 294 f.; – Ämilian Kloiber, in: Jb. der oberöstr. Musealver. 1951; – Rudolf Noll, Frühes Christentum in Östr. u. den Anfängen bis um 600 n. Chr., Wien 1954, 22 ff.; – Ignaz Zibermayr, Die F.-Legende als erstes Zeugnis des Christentums in Ufernoricum, in: Ders., Noricum, Baiern u. Östr. Lorch als Hauptstadt u. die Einf. des Christentums, Horn (Niederöstr.) 1956², 17 ff.; – Wilhelm Hünermann, F. Unter dem Adler, in: Ders., Der endlose Chor. Ein Buch v. den Hll. f. das christl. Haus, 1960⁸, 242 ff.; – Willibrord Neumüller, Sie gaben Zeugnis – Lorch, Stätte des Hl. F. u. seiner Gefährten, 1968; – Ders., Hl. F. u. seine »Passio«, in: Mitt. des Oberöstr. Landesarch. 10, Linz 1971, 1–35; – Reguliertes Augustiner-Chorherrenstift Sankt F.: Erbe u. Vermächtnis; Festschr. z. 900-J.-Feier, 1971; – Bernhard Kötting, F., in: Die Hll., hrsg. v. Peter Manns, 1975, 92 f.; – AS Maii I, 467 ff.; – VSB V, 86 f.; – BS V, 937 ff.; – Réau III, 507; – Künstle 232 ff.; – Braun 261 ff.; – Bächtold-Stäubli I, 1635 f.; VII, 528; VIII, 965; IX, 263; – NDB V, 254 f.; – RE VI, 115; XXIII, 452; – RGG II, 981; – DHGE XVII, 622 ff.; – EC V, 1454 f.; – LThK IV, 178; – Doyé I, 390; – Wattenbach-Levison 42.

FLORUS *von Lyon,* Diakon und kirchenpolitischer und literarischer Helfer seiner Bischöfe, † um 860. – Mit seiner umfassenden Gelehrsamkeit hat F. den Bischöfen Lyons Agobard (s. d.), Amolo (s. d.) und Remigius (s. d.) treu gedient. Er bekämpfte die Liturgiereformen des Amalarius von Metz (s. d.) mit einer Meßerklärung und Anklageschriften an die Synoden von Diedenhofen (835) und Quiercy (838), beteiligte sich am Prädestinationsstreit um Gottschalk (s. d.) und Johannes Scotus Eriugena (s. d.), stellte einen Kommentar zu den Paulinischen Briefen aus den Kirchenvätern, besonders Aurelius Augustinus (s. d.), zusammen, verfaßte einen Zusatz zum Martyrologium Bedas (s. d.), eine Sammlung alter Rechtssätze und Gedichte und eine Streitschrift für die freie Bischofswahl.

Werke: MPL 119, 11–422; MG PL II, 507 ff.; IV, 930 f.; MG Epp V, 206 ff. 267 ff. 340 ff.

Lit.: Henri Quentin, Les Martyrologes historiques du moyen âge, Paris 1908, 222 ff.; – Elias Avery Lowe, Codices Lugdunenses antiquissimi. Le scriptorium de Lyon, la plus ancienne école de calligraphique de France, Lyon 1924; – André Wilmart, Un lecteur ennemie d'Amalaire, in: RBén 36, 1924, 317 ff.; – Ders., La collection de Bède le Vénérable sur l'Apôtre, ebd. 38, 1926, 16 ff.; – Ders., Sommaire de l'Exposition de F. sur les Épîtres, ebd. 205 ff.; – Ders., Une lettre sans adresse écrite vers le milieu du IXe siècle, ebd. 42, 1930, 149 ff.; – Paul Fournier et Gabriel Le Bras, Histoire des collections canoniques en Occident I, Paris 1931, 312 ff.; – Jean Michel Hanssens, De Flori Lugdunensis opusculis contra Amalarium, in: EphLiturg 47, 1932, 15 ff.; – Amalarii episcopi opera liturgica omnia (StT 138–140), hrsg. v. dems., 3 Bde., Città del Vaticano 1948–50; – Maïeul Cappuyns, Jean Scot Érigène. Sa vie, son oeuvre, sa pensée (Diss. Universitas Catholica Lovaniensis), Louvain 1933 (Nachdr. 1964); – Denys Buenner, L'ancienne liturgie romaine. Le rite lyonnais, Paris – Lyon 1935; – Paul Duc, Étude sur l'»Expositio missae« de F. de L. suivie d'une édition critique du texte (Thèse Lyon), Belley 1937; – Adrien Bressolles. La question juive au temps de Louis le Pieux, in: RHÉF 28, 1942, 51 ff.; – S. Agobard, évêque de L., Paris 1949; – Célestin Charlier, Les manuscrits personnels de F. de L. et son activité littéraire, in: Mélanges Emm. Podechard, Lyon 1945, 71 ff.; – Ders., La compilation augustinienne de F. sur l'Apôtre. Sources et authenticité, in: RBén 57, 1947, 132 ff.; – Ders., Une oeuvre inconnue de F. de L. La collection »de fide« de Montpellier, in: Traditio 8, 1952, 81 ff.; – Ders., Alcuin, F. et l'apocryphe hiéronymien »Cogitis me« sur l'Assomption, in: StP 1, 1957, 70 ff.; – Adolf Kolping, Amalar v. Metz und F. v. L. Zeugen eines Wandels im liturg. Mysterienverständnis in der Karolingerzeit, in: ZKTh 73, 1951, 424 ff.; – Irénée Fransen, Les commentaires de Bède et de F. sur l'apôtre et s. Césaire d'Arles, in: RBén 65, 1955, 262 ff.; – Bernhard Blumenkranz, Deux compilations canoniques de F. de L. et l'action antijuive d'Agobard, in: Revue historique de droit français et étranger 33, 1955, 227 ff. 560 ff.; – Allen Cabaniss, F. of L., in: Classica et mediaevalia 19, Kopenhagen 1958, 212 ff.; – K. Schmitt, Die Messerkl. des Diakons F. v. L., in: Universitas. Dienst an Wahrheit u. Leben. Festschr. f. Bisch. Dr. Albert Stohr. Hrsg. v. Ludwig Lenhart, I, 1960, 396 ff.; – Henri Barré, Les homéliaires carolingiens de l'école d'Auxerre (StT 225), Città del Vaticano 1962; – Jacques Dubois, Le martyrologe d'Usuard. Texte et commentaire (Subsidia 40), Brüssel 1965; – Hefele-Leclercq IV, 73–235; – Wattenbach-Levison 3, 324 ff. 353; – Manitius I, 560 ff.; II, 811; III, 83. 347 u. ö.; – AH 50, 1907, 210 ff.; – Catholicisme IV, 1364 f.; – DThC VI, 53 ff.; – DHGE XVII, 648 ff.; – DSp V, 514 ff.; – EC V, 1456; – LThK IV, 181; – NCE V, 908 f.; – RE VI, 116 f.; – RGG II, 982.

FÖRNER, Friedrich, kath. Theologe, die Seele der Gegenreformation im Hochstift Bamberg, * 1570 in Weismain (Oberfranken), † 5. 12. 1630 in Bamberg. – F. studierte in Würzburg und am »Collegium Germanicum« in Rom. Der Bamberger Fürstbischof Neithard von Thüngen (1591–98) ernannte ihn nacheinander zum Kanonikus, Domprediger, Pfarrvikar und Geistlichen Rat. Ungehemmt gegenreformatorisch wirken konnte er erst nach dem Tod des milden Fürstbischofs Johann Philipp von Gebsattel (1599–1609) und der Absetzung des evangelischgesinnten Weihbischofs Johann Schöner (1610). Unter dem Fürstbischof Johann Gottfried von Aschhausen (1609–22) wurde F. 1610 Generalvikar und 1612 Weihbischof. An der Gründung des Bamberger Jesuitenkollegs war er beteiligt. Es gelang ihm aber nicht, Nürnberg der katholischen Kirche zurückzugewinnen.

Werke: Vom Ablaß u. Jubelj., 1600; Notwehr u. Ehrenrettung der kath. Rel., 1600; De temulentiae malo eiusque remediis, 1603; Christl. kath. Kinderlehre, 1612; Rex Hebronensis, 2 Bde., 1618/19; Beneficia miraculosa, 1620; Palma triumphalis miraculorum ... Virginis Mariae, 1621/22; Duo specula principis ecclesiastici, 1623; Historia hactenus sepulta colloquii Wormatiensis 1557 instituti, 1624; Leopoldi de Bebenburg ... De zelo catholicae religionis, 1624; Panoplia armaturae dei adversus omnem superstitionum divinationum, excantationum daemonolatriam, 1626; Glycyrrhizetum caelestis paradisi. Süßholtzgarten des himmlischen Paradeyß. Ein andechtig catholisch Bettbuch, 1628.

Lit.: J. W. Jäck, Pantheon der Literaten u. Künstler Bambergs, 1812, 279 f.; – Leonard Clemens Schmitt, Gesch. des Ernestin. Klerikal-Seminars zu Bamberg, 1857, 159 ff.; – Anton Ruland, Briefe F. F.s, in: Ber. des Hist. Ver. f. Bamberg 34, 1872, 147 ff.; – Patritius Wittmann, F. F., in: HPBl 80, 1878, 565 ff. 656 ff.; – Johannes Looshorn, Gesch. des Bist. Bamberg V, 1903, 343 ff.; – Karl Braun, Nürnberg u. die Verss. z. Wiederherstellung der alten Kirche im Zeitalter der Gegenref., 1925, 25. 95 f. 105 ff.; – Götz v. Pölnitz, Julius Echter v. Mespelbrunn, 1934; – Johannes Kist, Bamberg u. das Tridentinum, in: Das Weltkonzil v. Trient. Sein Werden u. Wirken, hrsg. v. Georg Schreiber, II, 1951, 119–134; – Gerhard Pfeiffer, Die Einf. der Ref. in Nürnberg, in: Bll. f. dt. Landesgesch. 89, 1952, 112 ff.; – Lothar Bauer, Die Bamberger Weihbisch. Johann Schöner u. F. F. Bttr. z. Gegenref., in Bamberg, in: Ber. des Hist. Ver. f. Bamberg 101, 1965, 306–528; – Ders., F. F., in: Fränk. Lb. (NF der Ll. aus Franken) I, 1967, 182 ff.; – Kosch, KD 797 ff.; – ADB VII, 157 ff.; – NDB V, 270; – DHGE XVII, 690 ff.; – LThK IV, 215; – RGG II, 986.

FOERSTER, Erich, Theologe, * 4. 11. 1865 in Greifswald als Sohn des Ministerialdirektors im preußischen Kultusministerium Franz Foerster (1819–78), † 12. 10. 1945 in Frankfurt am Main. – F. wurde 1893 Pfarrer in Hirschberg und wirkte seit 1895 als Pfarrer an der deutsch-reformierten Gemeinde in Frankfurt am Main und seit 1915 zugleich als Honorarprofessor an der dortigen Universität. – F. war ein Schüler Adolf von Harnacks (s. d.) und Freund und Mitarbeiter Martin Rades (s. d.) und der »Christlichen Welt«.

Werke: Die Möglichkeit des Christentums in der modernen Welt, 1898; Das Christentum der Zeitgenossen. Eine Stud., 1899 (1902²); Lebensideale, 1901; Die Rechtslage des dt. Prot. 1800 u. 1900, 1901; Das Ziel des Wollens. Predigten, 1902; Weshalb wir in der Kirche bleiben, 1905; Die Entstehung der preuß. Landeskirche unter der Regierung Friedrich Wilhelms III. Ein Btr. z. Gesch. der Kirchenbildung im dt. Prot., 2 Bde., 1905–07; Die christl. Rel. im Urteil ihrer Gegner, 1916; Gottes Ernst u. Güte. Predigten, 1920; Sozialer Kapitalismus, 1924; Kirche u. Schule in der Weimarer Verfassung, 1925; Adalbert Falk. Sein Leben u. Wirken als Preuß. Kultusminister, 1927; Das Erbe der Flüchtlingsgemeinden, 1939; Rudolph Sohms Kritik des KR, 1942. – Gab heraus: CcW, 1891–1903.

Lit.: Otto Herpel, F. E.s Kirchenbegriff, in: ZThK 22, 1912, 145 ff.; – Abschied v. D. Dr. F., 1945; – Johannes Rathje, Die Welt des freien Prot. Ein Btr. z. dt.-ev. Geistesgesch. Dargest. an Leben u. Werk v. Martin Rade, 1952; – NDB V, 277 f.; – RGG II, 986 f.

FÖRSTER, Heinrich, Fürstbischof von Breslau, * 24. 11. 1800 in Großglogau (Schlesien) als Sohn eines Kunstmalers, † 20. 10. 1881 auf Schloß Johannisberg. – F. studierte in Breslau und wurde 1825 Kaplan in Liegnitz, 1828 Pfarrer in Landeshut und 1837 Domkapitular, erster Domprediger und Inspektor des Priesterseminars in Breslau. In dieser Stellung begründete er seinen Ruf als einer der bedeutendsten Kanzelredner der katholischen Kirche in Deutschland und trat in den vierziger Jahren Johannes Ronge (s. d.) und der von ihm entfachten deutsch-katholischen Bewegung energisch entgegen. Im Sommer 1848 wurde F. in die Nationalversammlung in Frankfurt gewählt und vertrat im November 1848 auf der Synode der deutschen Bischöfe in Würzburg den Fürstbischof von Breslau, Melchior von Diepenbrock (s. d.), dessen Nachfolger er 1853 wurde. Nach der päpstlichen Verurteilung der Theologie Anton Günthers (s. d.) schritt F. 1860 gegen Johannes Baptista Baltzer (s. d.) ein, der seine Unterwerfung verweigerte, und entzog ihm die »missio canonica«. Auf dem Vatikanischen Konzil gehörte F. zur Opposition gegen das Unfehlbarkeitsdogma, stimmte am 13. 7. 1870 mit 87 anderen Bischöfen gegen das Dogma und verließ mit der Mehrheit nach dem Protest am 17. 7. Rom, unterwarf sich aber später und ging bereits im Oktober gegen Joseph Hubert Reinkens (s. d.) und die übrigen dem Unfehlbarkeitsdogma widerstrebenden Mitglieder der Breslauer Katholisch-Theologischen Fakultät vor. Im Kulturkampf wurde F. wegen unterlassener Anzeige von Pfarrbesetzungen und Exkommunikation staatstreuer Priester mehrfach zu Geldstrafen verurteilt und schließlich am 6. 10. 1875 vom Gerichtshof für kirchliche Angelegenheiten abgesetzt, waltete aber von dem im österreichischen Teil seiner Diözese gelegenen Schloß Johannisberg aus weiter seines Amtes.

Werke: Predigten auf die Sonntage des kath. Kirchenj., 2 Bde., 1843 (1878⁵); Homilien auf die Sonntage des kath. Kirchenj., 2 Bde., 1845/46 (1878⁴); Der Ruf der Kirche in die Ggw. Zeitpredigten, 2 Bde., 1848/49 (1879⁴); Ges. Kanzelvortrr., 6 Bde., 1848 ff. (1900⁶); Die christl. Familie, 1850 (1904⁷); Kard. Diepenbrock Lb., 1859 (1878³); Ges. Hirtenbriefe, 2 Bde., 1880; Abschiedsgabe. Predigten auf die Sonn- u. Festtage, 2 Bde., 1880.

Lit.: Ad. Franz, H. F., Fürstbisch. v. B. Ein Lb., 1875 – G. Schneemann, Fürstbisch. F. auf der Würzburger Bisch.versmlg., in: StMl 16, 1879, 21 ff.; – August Meer, Charakterbilder aus dem Klerus Schlesiens. 1832–1881, 1884, 312 ff.; – Johannes Baptist Kißling, Gesch. des Kulturkampfes im Dt. Reiche II. III, 1913–16; – Heinrich Schrörs, Ein vergessener Führer aus der rhein. Geistesgesch. des 19. Jh.s, Johann Wilhelm Joseph Braun (1801–1863), 1925, 381 ff. 385 ff.; – Hermann Hoffmann, Bisch. H. F., in: Festschr. der 300J.feier 1626–1926 des Staatl. kath. Gymn. in Glogau, 1926, 94 ff.; – Ders., Fürstbisch. H. F., in: ASKG 12, 1954, 257 ff.; – Franz Xaver Seppelt, Gesch. des Bist. Breslau, 1929, 111 ff.; – E. Winter, Fürstbisch. H. F. aus B. u. die Güntherianer, in: Zschr. des Ver. f. Gesch. Schlesiens 65, 1933, 529 ff.; – A. Nowack, Fürstbisch. H. F. als Mäzen der bildenden Künste, in: ASKG 2, 1937, 207 ff.; – Kurt Engelbert, Btrr. z. Biogr. des Fürstbisch. H. F., ebd. 7. 1949, 147 ff.; – Ders., Gesch. des Breslauer Domkapitels 1800–1945, 1964; – G. Schmitt, Fürstbisch. H. F., in: Königsteiner J.büchlein, 1960, 62 f.; – Erich Kleineidam, Die Kath.-theol. Fak. der Univ. Breslau 1811–1945, 1962; – Jochen Köhler, Ein Predigtereignis f. Schlesien. Ein Btr. z. KG Schlesiens im 19. Jh., in: ASKG 23, 1965, 149 ff.; – Ders., Die Tätigkeit H. F.s auf der Versammlung der dt. Bisch. in Würzburg 1848, in: Btrr. z. schles. KG. Gedenkschr. f. Kurt Engelbert. Hrsg. v. Bernhard Stasiewski. Forsch. u. Qu. z. Kirchen- u. Kulturgesch. Ostdtlds VI, 1969, 474 ff.; – Alfred A. Strnad, Die Verleihung des erzbisch. Palliums an Fürstbisch. H. F. (1875), in: ASKG 31, 1973, 187 ff.; – Kosch, KD 792 f.; – ADB 48, 670 f.; – NDB V, 278 f.; – DHGE XVII, 692 ff.; – EC V, 1534 f.; – LThK IV, 218 f.

FÖRTSCH, Basilius, Kirchenliederdichter, * in Roßla (Grafschaft Stolberg), † 1619 in Gumperda bei Orlamünde (Thüringen). – F. war erst Rektor in Kahla. Seit 1612 wirkte er als Pfarrer in Gumperda. – Mehrere Lieder, die ihm zugeschrieben werden, sind schon früher entstanden. So z. B. das Osterlied »Heut triumphieret Gottes Sohn, der von dem Tod erstanden schon« (Eisleben 1591), dessen Dichter der Pfarrer Kaspar Stolshagen (s. d.) in Iglau (Mähren) ist, und das Abendmahlslied »Ich weiß ein Blümlein hübsch und fein, es tut mir wohlgefallen«, das Pfarrer Valentin Triller (s. d.) in Panthenau bei Nimptsch (Schlesien) gedichtet hat für seine Liedersammlung »Ein schlesisch Singebüchlein aus göttlicher Schrift von den vornehmsten Festen des Jahres«, Breslau 1555.

Werke: Geistl. Wasserqu., Halle 1609 (Andachtsb. mit vielen geistl. Liedern, auch einige v. ihm selbst).
Lit.: Koch II, 346.

FOLMAR, seit 1146 Propst des Augustinerchorherrenstifts Triefenstein am Main (Franken), † 13. 4. 1181. – F. ist bekannt durch seinen Streit über Abendmahl und Christologie mit den Brüdern Gerhoh (s. d.) und Arno von Reichenberg (s. d.). F. lehrte, Christus sei nicht »corporaliter« im Sakrament, da der Leib des Herrn seit der Himmelfahrt lokal umschrieben im Himmel sei, und behauptete, der Christ trinke das Blut allein und rein, ohne das Fleisch, und esse das Fleisch Christi für sich und rein, ohne die Knochen und Glieder des Leibes. Gerhoh griff nicht nur F.s Abendmahlslehre, sondern auch seine Christologie an, die er als Erneuerung des »Adoptianismus« beurteilte. In seiner Schrift »De carne et anima Verbi Dei« übte F. hauptsächlich an Gerhohs Christologie Kritik, und Arno von Reichenberg verteidigte in seinem »Apologeticus contra Folmarum« 1163/64 die Lehre von der wahren Gegenwart Christi in der Eucharistie sowie die Einheit der Person Christi in der Zweiheit der Naturen und darum auch die Anbetungswürdigkeit der Menschheit Christi. F. mußte 1164 seine Anschauungen über das Abendmahl vor dem Bischof von Würzburg widerrufen, hielt aber an seiner »adoptianischen« Christologie fest. Gerhoh bemühte sich um die Verurteilung F.s und wandte sich darum an Alexander III. (s. d.). Der Papst aber erklärte, er könne nicht urteilen, ohne beide Teile gehört zu haben, und untersagte darum Gerhoh die Fortsetzung der dogmatischen Fehde mit F.

Werke: De carne et anima Verbi Dei (fast nichts erhalten; Fragmente bei MPL 194, 1481 f.).

Lit.: Joseph Bach, DG des MA I, 1873, 398 ff.; II, 1875, 470 ff.; – O. Kaltner, F. v. T., in: ThQ 65, 1883, 523 ff.; – Ludwig Ott, Unterss. z. theol. Brieflit. der Frühscholastik unter bes. Berücks. des Viktorinerkreises, 1937, 95 ff.; – Eligius Buytaert, The Apologeticus of Arno of Reichersberg, in: FrSt 11, 1951, Nr. 3/4, 1 ff.; – D van den Eynde, L'œuvre littéraire de Géroch de Reichersberg, Rom 1957; – Peter Classen, Gerhoh v. Reichersberg, 1960; – NDB V, 287 f.; – DThC I, 415 f.; V, 1264 ff.; – DHGE XVII, 776 f.; – EC V, 1471; – LThK IV, 193 f.; – RE VI, 122 f.; – RGG II, 988.

FONCK, Leopold, Jesuit, Exeget, * 14. 1. 1865 in Wissen bei Weeze (Niederrhein) als Sohn eines Rentmeisters, † 19. 10. 1930 in Wien. – F. besuchte das Gymnasium in Kempen, studierte 1883–90 Philosophie und Theologie am Germanicum in Rom und empfing 1889 die Priesterweihe. Seit 1890 war er Spiritual und Seelsorger in Teltge bei Münster (Westfalen) und trat 1892 in den Jesuitenorden ein. F. setzte 1893 in England seine biblischen und orientalischen Studien fort, war 1895 zur weiteren Ausbildung in Ägypten und Palästina und studierte 1896–99 an den Universitäten Berlin und München. 1901–07 war er Professor für neutestamentliche Exegese in Innsbruck. 1908 folgte F. dem Ruf an die Gregoriana nach Rom als Professor für Exegese des Neuen Testaments. Pius X. betraute ihn mit der Gründung (1909) und Leitung des päpstlichen Bibelinstituts und ernannte ihn zum Konsultor der päpstlichen Bibelkommission. 1911 und 1913 war F. wieder in Palästina, um die Gründung einer Zweiganstalt des Bibelinstituts vorzubereiten. 1915–18 wurde seine Arbeit durch den Weltkrieg unterbrochen; er verbrachte diese Zeit in der Schweiz. 1919–29 lehrte F. wieder am Bibelinstitut in Rom als Professor der Exegese und Geschichte des Neuen Testaments. Im Herbst 1929 kam er als Akademikerseelsorger und deutscher Prediger nach Prag und im Sommer 1930 als Seelsorger und Kongregationspräses nach Wien. – F. war ein einflußreicher Hauptvertreter der konservativen Bibelwissenschaft.

Werke: Streifzüge durch die bibl. Flora, 1900; Die Parabeln des Herrn im Ev., exeget. u. prakt. erl., 1902 (1909³ = 1927⁴); Die Wunder des Herrn im Ev., exeget. u. prakt. erl., 1903 (1907²); Der Kampf um die Wahrheit der HS seit 25 J. Btrr. z. Gesch. u. Kritik der modernen Exegese, 1905; Ausgew. Reden u. Gespräche des Herrn, 1905; Geheimnisse des Lebens Jesu, 1906; Wiss. Arbb. Btrr. z. Methodik u. Praxis des akad. Stud., 1908 (1926³); Kath. Weltanschauung u. freie Wiss., 1908; Die rel. Gefahren der Ggw., 1908; Die Irrtumslosigkeit vor dem Forum der Wiss., 1916; Moderne Bibelfragen, 1917.
Lit.: P. L. F., in: VD 10, 1930, 353 ff.; – Augustin Bea, P. L. F., in: Bibl 11, 1930, 369 ff.; – Mitt. der kath. dt. Gemeinde in Rom, hrsg. v. der dt. Nationalkirche der Anima, Dez. 1930; – J. Lindner, P. L. F. SJ, z. frommen Gedenken, in: Dt. Auslandsseelsorge 5, 1931, H. 1; – Koch, JL 562 f.; – Kosch, KD 796; – NDB V, 194 f.; – DBS III, 310 ff.; – DThC Tables générales 1574 f.; – EC V, 1471 f.; – LThK IV, 194 f.; – NCE V, 994 f.; – ÖBL I, 336.

FORCHHAMMER, Theophil, Kirchenmusiker, * 29. 7. 1847 als Pfarrerssohn in Schiers (Kt. Graubünden), † 1. 8. 1923 in Magdeburg. – F. besuchte die Kantonsschule in Chur und wurde 1866 Schüler des Stuttgarter Konservatoriums. Auf Empfehlung seines Lehrers Immanuel Faißt übernahm er bereits 1867 ein Organistenamt in Thalwil bei Zürich und wurde 1869 Organist in Olten und 1871 an St. Marien in Wismar. 1878 kam F. als Dirigent, Kirchen- und Schulmusiker nach Quedlinburg und wurde 1886 als Nachfolger von August Gottfried Ritter (s. d.) Domorganist in Magdeburg. Hier entfaltete er eine reiche künstlerische und pädagogische Tätigkeit und wurde 1888 zum Musikdirektor und 1905 zum Professor ernannt. Er gewann weitreichenden Einfluß und formte das kirchenmusikalische Leben der Provinz Sachsen maßgeblich. – F. war ein Orgelspieler von hohem Rang, als Virtuose und Improvisator gleichbedeutend. Seine Choralbearbeitungen seien besonders erwähnt. Von 1886 bis 1918 zeichnete der Komponist rund 1800 Choralvorspiele auf, die nur zum Teil gedruckt worden sind.

Werke: Oratorium »Kgn. Luise«, 1886–1905; 130. Ps. f. Soli, Chor u. Orchester, 1886; Orgelkonzert B dur, 1873; Orgelsonaten G moll op. 8, 1886; Zur Totenfeier op. 15, 1886; Orgel- u. Klavierstücke, Lieder u. Kammermusik; sehr viele Choralbearb. – Schrr.: (mit Bernhard Kothe) Führer durch die Orgellit., 1890 (neue Ausgg. v. Otto Burkert, 1909²; v. Bruno Weigl, 1931³).
Lit.: Peter Schmidt, T. F., ein unbekannter Meister des 19. Jh.s, 1937; – Ders., T. F. Gedenkschr., 1948; – Ders., Abseits v. Lärm des Tages, in: Musica 15, 1961, 158 ff.; – Otto Riemer, Musik u. Musiker in Magdeburg, ein geschichtl. Überblick über Magdeburgs Btr. z. dt. Musik, hrsg. v. der Stadt Magdeburg, 1941; – MGG IV, 506 ff.; – Riemann I, 531; ErgBd. I, 370; – Moser I, 355; – NDB V, 295.

FORELL, Birger, schwedischer Theologe, * 27. 9. 1893 in Söderhamn, † 4. 7. 1958 in Borås, beigesetzt in Onsala an der Westküste Südschwedens. – F. studierte 1919/20 in Tübingen und Marburg. Er trat in enge Verbindung zu Nathan Söderblom (s. d.) und seinen ökumenischen Bestrebungen. F. wirkte 1921–26 in Rotterdam als Seemannspastor und bereiste 1927/28 mit Rudolf Otto (s. d.) als dessen Assistent Indien. Er wurde Pfarrverweser in Tillinge-Svinnegarn in Uppland und war 1929–42 Pfarrer der schwedischen Gesandtschaft in Berlin. So erlebte F. mit die politische und kirchliche Entwicklung in Deutschland. Er unterstützte die Bekennende Kirche und half jüdischen Flüchtlingen. Als Sammler zeitgenössischer Dokumente brachte F. eine Sammlung für die Zeit des Kirchenkampfes zusammen. Seine Witwe hat den deutschen Teil dieser Sammlung dem Archiv des Kirchenkampfes in Bielefeld übereignet, das damit eine wesent-

liche Bereicherung erfahren hat. Von 1942–51 war F. Pfarrer in Borås Caroli. Nach dem deutschen Zusammenbruch 1945 organisierte er Hilfsdienste für deutsche Kriegsgefangene in Großbritannien und für deutsche Flüchtlinge. Unvergeßlich ist F. in der Geschichte der Stadt Espelkamp bei Lübbecke (Westfalen). Als er die deutschen Kriegsgefangenen in England besuchte, stellte eines Tages einer von ihnen F. die Frage: »Kann man nicht die alten Hallen der früheren Munitionsanstalt in Espelkamp aus- und umbauen zu Häusern und Fabriken?« Diese Frage ließ ihn nicht wieder los. Er flog nach Espelkamp, gewann den Generalgouverneur der britischbesetzten Zone zum Verbündeten und drang mit Energie und Hilfe seiner vielen Beziehungen auf die Verwirklichung seines Plans, aus der ehemaligen Munitionsanstalt eine Flüchtlingssiedlung zu schaffen. 1947 übertug die englische Besatzungsmacht die ehemalige Munitionsanstalt mit 130 noch erhaltenen Gebäuden der Kirche zur Erschließung für karitative und soziale Aufgaben. Die Entstehung und schnelle Aufwärtsentwicklung von Espelkamp ist F. zu verdanken. Von 1951–58 war er Leiter der Deutsch-schwedischen Flüchtlingshilfe in Köln-Nippes.
Lit.: Gerhard Plantico, Der Ruf in den Wald. Espelkamp – Sehet den Menschen, in: Ostdt. Mhh. 22, 1955/56, 77 ff. 149 ff.; – Carl Lange, P. B. F. Ein treuer schwed. Freund der Vertriebenen, ebd. 25, 1958/59, 113; – Harald v. Koenigswald, Ein Helfer in dt. Not. B. F. z. Gedächtnis, in: Ev. Welt 12, 1958, 421 f.; – Wilhelm Niemöller, B. F., in: EvTh 19, 1959, 470 ff.; – RGG II, 990.

FORMOSUS, Papst, * etwa 816 wahrscheinlich in Rom, † 4. 4. 896. – Nikolaus I. (s. d.) erhob F. 864 zum Kardinalbischof von Porto und sandte ihn 866 zum Bulgarenfürsten Bogoris (s. d.), der um römische Missionare gebeten hatte. Auch Hadrian II. (s. d.) betraute ihn mit wichtigen Missionen: 869 war er als päpstlicher Legat in Gallien und 872 in Trient. 876 wurde F. von einer römischen Synode gebannt und exkommuniziert, weil er u. a. eine Verschwörung gegen Johannes VIII. (s. d.) und Karl den Kahlen (s. d.) angestiftet habe. 878 wurde auf der Synode in Troyes der Bann feierlich wiederholt. Johannes VIII. nahm F., der bei dem Abt Hugo von Tours Zuflucht gefunden hatte, als Laie wieder in die Kirchengemeinschaft auf, nachdem er ihm eidlich versprochen hatte, er werde Rom nie wieder betreten und nichts unternehmen, um in den Besitz seines früheren Bistums zu gelangen. F. hielt sich in Sens (Westfranken) auf. Marinus I. (s. d.) sprach ihn 883 von dem erzwungenen Eid los, rief ihn nach Rom zurück und setzte ihn wieder in das Bistum Porto ein. F. erteilte Stephan V. (s. d.) 885 die päpstliche Weihe und wurde 891 selbst zum Papst gewählt. Er war nicht geneigt, den Streit mit der griechischen Kirche beizulegen. Im Auftrag des orientalischen Klerus baten ihn Gesandte von Konstantinopel, die von Photius (s. d.), dem Patriarchen von Konstantinopel, ordinierten, aber von den früheren Päpsten exkommunizierten Kleriker wieder in die Kirchengemeinschaft aufzunehmen. F. erklärte ihnen, daß die von Photius vollzogenen Weihen ungültig seien und er die exkommunizierten Kleriker nur als Laien wieder in die Kirchengemeinschaft aufnehmen könne. So mußten die Gesandten unverrichteterdinge nach Konstantinopel zurückkehren. In dem Streit zwischen dem

Erzbischof Hermann I. von Köln und dem Erzbischof Adalgar (s. d.) von Hamburg-Bremen über die Zugehörigkeit des Bistums Bremen zu der Kölner Metropole entschied F., daß Adalgar bis auf weiteres im Besitz Bremens bleiben sollte. In Italien stritten Herzog Wido von Spoleto (s. d.) und Herzog Berengar von Friaul (s. d.) um die Kaiserwürde. F. schloß sich dem 891 von Stephan V. gekrönten Kaiser Wido an, wiederholte seine Krönung und erhob zugleich seinen Sohn Lambert (s. d.) zum Mitregenten. Schon im nächsten Jahr, 893, rief er gegen Wido den deutschen König Arnulf (s. d.) zur Hilfe, der 894 über die Alpen zog, aber nur bis Piacenza vordrang. Wido starb Ende 894, und F. rief den ostfränkischen König wiederum zur Hilfe. Arnulf nahm auf seinem zweiten Zug nach Italien Rom im Sturm und wurde am 22. 2. 896 von F. zum Kaiser gekrönt. Ohne die Macht der Parteien in Italien wirklich gebrochen zu haben, mußte Arnulf wegen schwerer Erkrankung nach Deutschland zurückkehren. Bald darauf starb F., und Lambert besetzte Rom. Stephan VI. (s. d.) hielt im Mai 896 über F. ein grausiges Totengericht. Die aus dem Grab gerissene Leiche wurde in vollem Ornat auf die päpstliche Kathedra gesetzt. F. wurde der widerrechtlichen Besitzergreifung des päpstlichen Stuhls angeklagt und von der Synode feierlich abgesetzt, da er den Johannes VIII. geleisteten Schwur gebrochen und sein Bistum widerrechtlich vertauscht habe. Die von ihm erteilten Weihen erklärte man für ungültig. Dann riß man der Leiche die päpstlichen Gewänder ab, legte ihr Laienkleider an und hackte die drei Finger der rechten Hand ab. Die Leiche begrub man an einem abgelegenen Ort, versenkte sie aber später in den Tiber. Theodor II. (s. d.) hob 897 die Beschlüsse des Totengerichts auf, während Johannes IX. (s. d.) 898 auf den Synoden in Rom und in Ravenna und sein Nachfolger Benedikt IV. (s. d.) die von F. erteilten Weihen als kirchlich vollgültig anerkannten. Sergius III. (904–911; s. d.) zwang die von F. ordinierten Kleriker, sich von neuem weihen zu lassen. Eugenius Vulgarius (s. d.) und Auxilius (s. d.) verteidigten die Erhebung des F. auf den päpstlichen Stuhl und die Gültigkeit der von ihm erteilten Weihen so glänzend, daß die spätere Kirche F. als rechtmäßigen Papst anerkannte.

Werke: MPL 129, 837 ff.

Lit.: Auxilius, In defensionem sacrae ordinationis papae Formosi, in: Ernst Dümmler, Auxilius u. Vulgarius, Qu. u. Forsch. z. Gesch. des Papsttums im Anfang des 10. Jh.s, 1866, 59 ff.; – Ders., De ordinationibus a Formoso factis, in: Ernst Dümmler, a.a.O., 107 ff.; – Eugenius Vulgarius, De causa Formosiana libellus, in: Ernst Dümmler, a.a.O., 117 ff.; – Invectiva in Romam pro Formoso papa, in: Ernst Dümmler, Gesta Berengarii imperatoris, Bttr. z. Gesch. It.s im Anfang des 10. Jh.s, 1871, 137 ff.; – Alfred v. Reumont, Gesch. der Stadt Rom II, 1868, 222 ff.; – Georg Dehio, Gesch. des Erzbist. Hamburg-Bremen I, 1877, 99 f.; – P. Dworski, De ordinationibus Formosi papae, 1900; – C. Domenici, Il papa F., in: CivCatt 75.1, 1924, 106 ff. 518 ff.; 75.2, 121 ff.; – J. Duhr, Le concile de Ravenne, 898. La réhabilitation du pape F., in: RSR 22, 1932, 541 ff.; – Ders., Humble vestige d'un grand espoir déçu. Épisode de la vie de F., ebd. 42, 1954, 361 ff.; – Démètre Pop, La défense du pape F. (Thèse), Paris 1933; – Francis Dvornik, The Photian Schism, Cambridge 1948, 251 ff. u. ö.; – G. Arnaldi, Papa F. e gli imperatori della casa di Spoleto, in: Annali della Facoltà di Lettere di Napoli 1, 1951, 85 ff.; – Harald Zimmermann, Papstabsetzungen des MA. 1: Die Zeit der Karolinger, in: MIÖG 69, 1961, 1–47; – P. Devos, Le mystérieux épisode final de la Vita Gregorio de Jean Diacre. F. et sa fuite de Rome, in: AnBoll 82, 1964, 355 ff.; – Haller II, 188 ff. 545 f.; – RE VI, 127 ff.; – RGG II, 1005; – DThC VI, 594 ff.; Tables générales 1584; – Catholicisme IV, 1452 ff.; – DHGE XVII, 1093 f.; – EC V, 1526; – LThK IV, 214 f.; – NCE V, 1024.

FORSTER, Johann, luth. Theologe und Hebraist, * 10. 7. 1496 in Augsburg als Sohn eines Schlossers, † 8. 12. 1558 in Wittenberg. – F. bezog 1515 die Universität Ingolstadt und promovierte 1520 zum Magister. Unter Johannes Reuchlin (s. d.) trieb er eifrig hebräische Sprachstudien. Als im Sommer 1521 die Universität sich wegen der Pest fast auflöste, zog F. nach Leipzig und wurde Schüler des Gräzisten Petrus Mosellanus (s. d.), auf dessen Empfehlung er 1522 an der neugegründeten griechisch-lateinischen Schule in Zwickau Lehrer des Hebräischen wurde. Da man ihn bei einem Wechsel im Rektorat übergangen hatte, erbat F. 1529 seine Entlassung und studierte seit 1530 in Wittenberg als Schüler Martin Luthers (s. d.), dessen Hausfreund, Gevatter und Gehilfe bei der Bibelübersetzung er wurde. Seit 1535 wirkte F. als Prediger in Augsburg, mußte aber wegen Streitigkeiten mit dem zwinglischgesinnten Prediger Michael Keller (s. d.) 1538 sein Amt aufgeben und wurde auf Empfehlung Luthers und des Joachim Camerarius (s. d.) 1539 in Tübingen Professor des Hebräischen. Er wurde 1541 als Antizwinglianer vom Herzog Ulrich von Württemberg entlassen, fand aber 1542 eine neue Wirksamkeit als Propsteiverwalter von St. Lorenz in Nürnberg. Der dortige Rat beurlaubte ihn 1542 für ein Vierteljahr zur Einführung der Reformation in Regensburg, schlug aber die Bitten um Verlängerung des Urlaubs ab. Mit Zustimmung des Nürnberger Rats trat F. auf dringendes und wiederholtes Bitten des Grafen Georg Ernst von Henneberg 1543 in dessen Dienst und führte von Schleusingen aus 1544 und 1546 in zwei großen Visitationen in der Grafschaft Henneberg die Reformation durch. Da er aber mit seinen Kirchenzuchtsplänen beim Grafen auf Widerstand stieß, legte er nach dreijähriger reformatorischer Wirksamkeit sein Amt nieder. F. wurde 1548 Superintendent in Merseburg und 1549 in Wittenberg als Nachfolger des Matthias Flacius Illyricus (s. d.) Professor des Hebräischen und als Nachfolger des älteren Kaspar Cruciger (s. d.) Prediger an der Schloßkirche. In dem letzten Jahrzehnt seines Lebens war F. ein Gesinnungsgenosse Philipp Melanchtons (s. d.). In der Frage der Kirchenzucht vertrat er einen milderen Standpunkt und zeigte sich auch in der Abendmahlslehre versöhnlicher als früher. Durch ein Sondergutachten beteiligte er sich 1552 an dem Kampf gegen Andreas Osiander (s. d.) gemeinsam mit Melanchthon und stand auch 1554 auf dem Konvent von Naumburg auf dessen Seite. – F.s Lebenswerk ist sein großes hebräisch-lateinisches Lexikon, halb Bibelkonkordanz, halb Wurzelwörterbuch, das lange Zeit eins der wertvollsten Hilfsmittel des hebräischen Sprachstudiums war.

Werke: Dictionarium hebraicum novum, non ex Rabbinorum Commentis nec ex nostratium doctorum stulta imitatione descriptum sed ex ipsis thesauris S. Biblicorum et eorundem accurata collatione depromptum, Basel 1557 (1564²).

Lit.: H. Zeibich, Lebensbeschreibung der Stiftssup. in Merseburg, 1732; – Förster, J. F., ein Bild aus der Ref.zeit, in: ZHTh 39, 1869, 210 ff.; – Ludwig Geiger, Das Stud. der hebr. Sprache in Dtld. v. Ende des 15. bis z. Mitte des 16. Jh.s, 1870, 97 ff. 138 ff.; – Wilhelm Germann, D. J. F., der Henneberg. Reformator, ein Mitarbeiter u. Mitstreiter D. Martin Luthers, 1894; – Friedrich Roth, Augsburgs Ref.gesch. II u. III, 1904–07; – Ernst Koch, Die Bestallung des henneberg. Reformators J. F., in: Schrr. des Henneberg. Gesch.ver. 6, 1943, 34 ff.; – Rudolf Herrmann, Thüring. KG II, 1947; – François Secret, Les kabbalistes chrétiens de la Renaissance, Paris 1964, 275; – Schottenloher I, Nr. 6444 bis 6451; V, Nr. 46314–46316; VII, Nr. 54602; – Wolf II/2, 66; – ADB VII, 165 f.; – NDB V, 304; – RE VI, 129 ff.; – RGG II, 1005 f.; – DHGE XVII, 1115; – LThK IV, 219.

FORTUNATUS, Venantius, christlich-lateinischer Dichter, * um 530 in Treviso (Oberitalien), † vor 610 in Poitiers. – F. studierte in Ravenna und unternahm 565 zum Dank für die Befreiung von einem Augenleiden eine Wallfahrt zum Grab des heiligen Martin von Tours (s. d.), die aber durch einen zweijährigen Aufenthalt am Hof Sigiberts von Australien unterbrochen wurde. 567 kam er nach Poitiers. F. trat der dort als Nonne lebenden thüringischen Prinzessin Radegunde (s. d.) und ihrer Pflegetochter, der Äbtissin Agnes, näher. Später empfing er die Priesterweihe und wurde noch gegen Ende seines Lebens Bischof von Poitiers. – F. verfaßte u. a. die epische Dichtung »De vita Martini Turonensis« und andere Heiligenleben in Prosa, eine Elegie über den Untergang des Thüringerreichs und die Schilderung einer Moselreise von Metz bis Andernach. Von seinen religiösen Gedichten sind bekannt die Passionshymnen »Vexilla regis prodeunt« und »Pange lingua gloriosi proelium certaminis« sowie das Marienlied »Quem terra pontus aethera«.

Werke: F. opera poetica, hrsg. v. Fr. Leo, in: MG AA IV/1; F. opera pedestria, hrsg. v. Bruno Krusch, in: MG AA IV/2; W. Levison, Vita Severini, in: MG SS rer. Merov. VII, 205 ff.; Vita Germani, ebd. 372 ff.

Lit.: Fr. Leo, V. F., der letzte röm. Dichter, in: Dt. Rdsch. 32, 1882, 414 ff.; – Wilhelm Meyer, Der Gelegenheitsdichter V. F., 1901; – Hermann Elß, Unterss. über den Stil u. die Sprache des V. F. (Diss. Heidelberg); 1907; – Guido Maria Dreves, Die Kirche der Lateiner in ihren Liedern, 1908, 31 ff.; – Ders., Hymnolog. Stud. zu V. F. u. Hrabanus Maurus, 1908; – Richard Koebner, V. F., 1915; – Arthur Sumner Walpole, Early latin Hymns, Cambridge 1922, 164 ff.; – Sven Ake Blomgren, Studia Fortunatiana, 2 Bde., Uppsala 1933–34; – Baudouin de Gaiffier, S. V. F., évêque de Poitiers. Les témoignages de son culte, in: AnBoll 70, 1952, 262 ff.; – Frederic James Edward Raby, A History of Christian Latin Poetry, Oxford 1953², 86 ff.; – Ders., A History of Secular Latin Poetry in the Middle Ages I, ebd. 1957², 127 ff.; – Reto Radwulf Bezzola, Les origines et la formation de la littérature courtoise en occident I, Paris 1958, 55 ff.; – Convivium Dominicum. Studi sull'Eucarestia nei Padri della Chiesa antica e miscellanea patristica, Catania 1959, 87 ff.; – Pierre Riché, Education et culture dans l'Occident barbare, Paris 1962, 265 ff. u. ö.; – Manitius I, 170 ff.; II, 797 f.; III, 1061; – Pauly-Wissowa VIII, 677 ff.; – Wattenbach-Levison I, 96 ff.; – Altaner⁷ 499 ff.; – DACL V, 1892 ff.; – VSB XII, 445 ff.; – RE VI, 131 ff.; XXIII, 452; – RGG II, 1008; – LThK X, 656 f.; – NCE V, 1034 f.

FOSCARARI, Egidio, Dominikaner und Bischof, * 27. 1. 1512 in Bologna, † 23. 12. 1564 in Rom. – F. trat in seiner Vaterstadt früh in den Dominikanerorden ein und lehrte in verschiedenen Klöstern. Paul III. (s. d.) berief ihn 1546 nach Rom als »magister sacri palatii«, und Julius III. (s. d.) ernannte ihn 1550 zum Bischof von Modena. F. nahm in päpstlichem Auftrag 1551/52 an den Sitzungen der zweiten Periode des Konzils von Trient teil. Er wurde bei Paul IV. (s. d.) der Häresie verdächtigt, am 28. 1. 1558 verhaftet und sieben Monate in der Engelsburg gefangengehalten. Erst am 1. 1. 1560 erklärte ihn Pius IV. (s. d.) feierlich für unschuldig, setzte ihn wieder in sein Bischofsamt ein und sandte ihn 1561 nach Trient zu der dritten Periode der Verhandlungen des Konzils. F. mußte die öffentlichen Vorträge der Theologen und Prediger überwachen und gehörte der Kommission an, die über die geistliche Bücherzensur beriet und den »Index librorum prohibitorum« aufstellen sollte. Pius IV. schloß 1563 das Konzil von Trient und berief auch F. in die Kommission, die er mit der Verbesserung des Breviers und des »Missale Romanum« betraute.

Lit.: Sforza Pallavicino, Istoria del concilio di Trento, 2 Bde., Rom 1656/57; – Giovanni Fantuzzi, Notizie degli scrittori Bolognesi III, Bologna 1873, 347 ff.; – Josef Susta, Die röm. Kurie u. das Konzil v. Trient, 4 Bde., 1904–14; – Stefan Ehses, Briefe v. Trienter Konzil unter Pius IV., in: HJ 37, 1916, 49 ff.; – Pio Paschini, Il catechismo del concilio di Trento, 1923 (Neuausg., in: Cinquecento romano e riforma cattolica, Rom 1958, 33–89); – Paolo Cherubelli, Il contributo degli Ordini religiosi al concilio di Trento, Florenz 1946/47; – Georg Schreiber, Das Weltkonzil v. Trient II, 1951; – Muzio Calini, Lettere conciliari, Marani – Brescia 1963, 156 ff.; – Quétif-Échard II, 184 f.; – DHGE XVII, 1198 f.; – EC V, 1545; – LThK IV, 225; – RE VI, 134; – RGG II, 1009.

FOSCARINI, Paolo Antonio, Karmeliter, Theologe, * um 1580 in Montalto (Kalabrien), † 1616. – F. wirkte als Professor der Theologie in Neapel und Messina und war 1607/08 Ordensprovinzial. Er hat als einer der ersten die Schriften des Galileo Galilei studiert und erklärte sich für die Weltanschauung des Nikolaus Kopernikus, die er mit den widersprechenden Stellen der Heiligen Schrift in Einklang zu bringen suchte.

Werke: Lettera sopra l'opinione de' Pittagorici e del Copernico della mobilità della terra e stabilità del Sole e del nuovo Pittagorico sistema del mondo, Cosenza 1615 (indiziert 1616).

Lit.: Bibliotheca Carmelitana II, Orléans 1752, 525 f.; – Adolf Müller, Galileo Galilei u. das kopernikan. Weltsystem, 1909; – A. Franco, P. A. F., in: AnCarm 2, 1911, 461 ff. 493 ff. 524 ff.; – Carlo Nardi, Notizie di Montalto in Calabria, Rom 1954, 257 ff.; – DThC XII, 53 ff.; Tables générales 1593; – EC V, 1545 f.; – DSp V, 727 f.; – LThK IV, 225 f.; – NCE V, 1038.

FOWLER, Charles Henry, nordamerikanischer methodistischer Kirchenführer, * 11. 8. 1837 in Burford (heute: Clarendon, Kanada), † 20. 3. 1908 in New York. – F. wurde 1873 Präsident der methodistischen Northwestern University in Evanston (Illinois), 1876 Schriftleiter der »Christian Advocate«, 1880 Sekretär der methodistischen Missionsgesellschaft, 1884 methodistischer Bischof von San Francisco, 1892 von Minneapolis, 1904 von Buffalo und 1908 von New York City. Auf einer Missionsreise nach China gründete er 1888 die Peking- und die Nanking-Universität.

Werke: Fallacies of Colenso reviewed, 1681 (gg. theol. Liberalismus); Missions and World Movements, 1903; Missionary Addressed, 1906; Addressed on Notable Oceasions, 1910.

Lit.: A. H. Wilde, Northwestern University, 1905; – DAB VI, 562; – RGG II, 1009 f.

FOX, George, Begründer der Quäker, * Juli 1624 in Drayton-in-the-Clay (jetzt: Fenny Drayton in Leicestershire) als Sohn eines Webers, † 13. 1. 1691 in London. – Schon im frühesten Alter trat bei F. der Hang zu ernster Lebensführung und grüblerischem Nachdenken hervor. Als er 12 Jahre alt war, gab ihn sein Vater ihn einem Schuhmacher in Nottingham in die Lehre, der zugleich Viehzüchter, Woll- und Lederhändler war; dort wurde er Schaf- und Viehzüchter. Eines Tages »vernahm er in seinem Herzen die Stimme Gottes«: »Du siehst, wie die Jungen sich in Eitelkeiten stürzen und die Alten in die Erde. Du mußt beide vergessen, dich fern von ihnen halten und ihnen sein wie ein Fremder.« Am 9. Juli 1643 trat der Bruch ein. Alles, was ihm bis dahin lieb und teuer war, Eltern, Verwandte, Freunde, Heimat, gab er endgültig auf, und sein Wanderleben voll der schwersten Entbehrungen und Kämpfe begann. Über Lutterworth wanderte F. nach den mittleren Grafschaften Englands, von furchtbaren inneren Anfechtungen und Zweifeln gequält und vom Spott der Leute verfolgt.

Durch Unterredungen mit den Pfarrern der Staatskirche und den Sektierern suchte er Aufschluß über das, was ihn innerlich bewegte; aber Trost fand er keinen. An einem Sonntagmorgen im Februar 1646 »tat ihm Gott kund, das Studium in Oxford oder Cambridge genüge nicht, ein Diener Christi zu sein«. »Es war mir genug, daß Gott mir das offenbart hatte. – Die Salbung von oben genügt; die Gläubigen bedürfen niemandes, sie zu lehren. – Ich wurde allen ein Fremder, indem ich mich auf den Herrn Jesus verließ.« Er nahm die Bibel zur Hand; aber »aus ihr erkannte ich ihn nicht.« Da kam »eine Stimme vom Himmel«, sein Name sei in das Buch des Lebens geschrieben. »Als der Herr Jesus so sprach, glaubte ich. Das war meine neue Geburt.« Einige Zeit später gebot ihm der Herr, »hinaus in die Wildnis der Welt zu gehen. Dieser Stimme gehorchte ich.« Der Stimme des Herrn gehorchend, ging er eines Sonntags mit seinen frühesten »Freunden«, die er seit 1649 gewonnen hatte, in die Kathedrale von Nottingham. Dem Prediger, der das »feste, prophetische Wort« (2Petr 1, 19) auf die Heilige Schrift als die maßgebende Norm für alle christliche Lehre bezog, rief F. mit lauter Stimme zu: »Nein, nein, es ist nicht die Schrift; es ist der Geist, aus dem die heiligen Propheten geredet und geschrieben haben.« Wegen dieses öffentlichen Ärgernisses wurde er verhaftet. Mit der Zahl seiner Anhänger wuchsen auch die Verfolgungen. F. ist auf Grund eines Reichsgesetzes gegen unerlaubte Kulte immer wieder festgenommen worden: 1650 in Darby, 1653 in Carlisle, 1654 in London, 1656 in Lanceston, 1660 und 1663 in Lancaster, 1666 in Scarborough und 1674 in Worcester; aber überall ließ man ihm im Kerker Tinte und Feder, und diese »reichte weiter und war wirksamer als seine Stimme«. 1652 fand F. eine Heimat und wurde in Swarthmoor Hall (bei Moorstone) seßhaft. Der äußere Aufschwung der Gemeinde setzte ein. 1652 zogen 25, zwei Jahre später schon 60 Wanderprediger durchs Land. Während anfangs nur arme Leute, Handwerker und Arbeiter gewonnen wurden, folgten die mittleren Stände. Es kamen neue Verfolgungen. Seine Anhänger aber teilten mit ihm Mut, Ausdauer und Leiden. Von 1661 bis 1667 wurden 13562 Quäker in England eingekerkert, von denen 338 im Gefängnis an ihren Wunden oder infolge der fürchterlichen Zustände der damaligen Gefängnisse starben. F. widmete seine Kräfte der inneren Befestigung der unter den Verfolgungen immer mehr aufblühenden Gesellschaft. Ende 1670 reiste F. nach Westindien, Barbados, Jamaica und Nordamerika, kehrte 1673 nach England zurück und unternahm 1677 eine zweite Missionsreise nach Holland und Deutschland. Seit 1681 eröffnete William Penn (s. d.) den Quäkern eine Zuflucht in Pennsylvanien, wo sie nach ihren Grundsätzen leben konnten. – »Quäker« war ursprünglich ein Spottname (engl. Quakers = Zitterer, wegen der im früheren Quäkertum vorkommenden ekstatischen Erscheinungen). Sie selbst bezeichnen sich als »Gesellschaft der Freunde« (Society of Friends) oder »Freunde«. Kennzeichnend für die Frömmigkeit der Quäker ist der Glaube an das von Christus im Menschen gewirkte »innere Licht«. Sie lehnen den Kriegsdienst und die Eidesleistung ab. Im Mittelpunkt ihres Gottesdienstes steht das anbetende Schweigen (silent Worship), das Harren auf Erleuchtung und das freie Glaubensbekenntnis eines erleuchteten Freundes: »Während wir auf den Herrn im Schweigen warten, was oft durch Stunden hindurch gemeinsam geschieht, empfangen wir vielfach den auf uns niederströmenden Geist; unsere Herzen werden dadurch froh gemacht, unsere Zungen gelöst, unser Mund geöffnet und die Herrlichkeit des Vaters geoffenbart.«

Lit.: John Selby Watson, The Life of G. F., the Founder of Quakerism, 1860; – William Beck, Six Lectures on G. F. and his Times, London 1877; – Thomas Hodgkin, G. F., ebd. 1896; – G. F., Journal, hrsg. v. Norman Penney, Cambridge 1901; – John Lawrence Nickalls, ebd. 1952; – G. F., Aufzeichnungen u. Briefe des ersten Quäkers. In Ausw. übers. v. Margarete Stählin. Mit einer Einf. v. Paul Wernle, 1908; – William Charles Braithwaite, The beginnings of Quakerism, 1912 (1955²); – Alfred Neave Brayshaw, The personality of G. F., London 1918; – Ders., The Quakers: their story and message, ebd. 1938 (1969³); – Rachel Knight, The Founder of Quakerism, a psychological study of the mysticism of G. F., ebd. 1922; – Rufus Matthew Jones, G. F., Seeker and Friend, 1930; – Hans Ebbinghaus, Das Verhältnis v. Inneren Licht u. HS bei G. F., dargest. auf Grund seiner Autobiogr. Ein Btr. z. Geistesgesch. des Quäkertums (Diss. Münster), Emsdetten (Westfalen) 1934; – Heinrich Otto, Die Begründung des Erziehungswesens der Freunde durch G. F., in: Mhh. der »Freunde«. Der Quäker 13, 1936, 79; – E. Fuchs, Jakob Böhme u. G. F., ebd. 15, 1938, 329 ff.; – Elbert Russell, The History of Quakerism, New York 1942; – Geoffrey Fillingham Nuttal, The Holy Spirit in puritan faith and experience, Oxford 1946; – Paul Held, Der Quäker G. F. Sein Leben, Wirken, Kämpfen, Leiden, Siegen, Basel 1949; – G. F., Tgb. Aus dem Engl. v. Martha Röhn, 1950; – John Philip Wragge, G. F., London 1950; – Vernon Noble, The Man in Leather Breeches (The life & times of G. F.), ebd. – New York 1953; – Henry van Etten, G. F. et les Quakers, Paris 1956 (transl. and revised by Edward Kelvin Osburn, New York – London 1959); – Hugh Barbour, The Quakers in puritan England, New Haven (Connecticut) – London 1964; – Harry Emerson Wildes, Voice of the Lord. A biography of G. F., Philadelphia 1965; – Helmut Schmidt, Die Formen des rel. Selbstverständnisses u. die Struktur der Autobiogr. in G. F.' Journal, 1972; – DNB VII, 557 ff.; – DHGE XVII, 1350 ff.; – NCE V, 1047 f.; – RGG II, 1010; – EBrit IX (1968), 675.

FOXE, John, anglikanischer Pfarrer, * 1516 oder 1517 in Boston (Lincolnshire), † 18. 4. 1587 in London. – F. studierte im Brasenose College in Oxford. 1553 emigrierte er und war 1554 in der Flüchtlingsgemeinde in Frankfurt/Main und 1555 als Korrektor bei Oporinus in Basel. F. kehrte 1559 nach England zurück und wirkte als anglikanischer Pfarrer in Salisbury und Shipton, später wahrscheinlich in London. – F.s bedeutendes und weitverbreitetes Werk »Book of Martyrs« (1563) schildert die Reformationsgeschichte als Märtyrergeschichte.

Lit.: Rudolf Kapp, Hll. u. Hll.legenden in Engl. Stud. z. 16. u. 17. Jh., 1934; – James Frederic Mozley, J. F. and His Book, London 1940; – Helen Constance White, Tudor Books of Saints and Martyrs, Madison 1963; – William Haller, The elect nation. The meaning and relevance of F.'s »Book of Martyrs«, New York 1963 (Rez. v. Leslie P. Fairfield, in: Mennonite quarterly review 44, Goshen/Indiana 1970, 203 ff.); – Viggo Norscov Olsen, J. F. an the Elizabethan Church, Berkeley 1973 (Rez. v. Rudolf Guggisberg, in: ThZ 30, 1974, 181 f.); – Two latin comedies by J. F. the martyrologist. Ed. by John Hazel Smith, Ithaca (New York) 1973 (Rez. v. Leicester Bradner, in: Renaissance quarterly 26, New York 1973, 357 f.); – DNB VII, 581 ff.; – EBrit IX (1968), 676 f.; – RGG II, 1010 f.; – NCE V, 1048 f.

FRA ANGELICO, s. ANGELICO, Fra

FRÄSSLER, Joseph, Herz-Jesu-Priester, Missionar, * 26. 1. 1878 in Freiburg/Breisgau als Sohn eines Rebmanns, † daselbst 13. 1. 1929. – F. trat 1900 in die Gesellschaft der Herz-Jesu-Priester ein, studierte in Luxemburg, Rom und Löwen und wirkte nach seiner Priesterweihe seit 1905 als Missionar eifrig und tatkräftig unter unsäglichen Entbehrungen in Belgisch-

Kongo am Lohali, bis er 1920 infolge schwerer Erkrankung nach Deutschland zurückkehren mußte, arbeitete jedoch durch seine Missionspredigten und Schriftstellerei für seine Urwaldneger weiter.

Werke: Fünf J. als Miss. im Herzen Afrikas, Sittard o. J.; Jugendsport im afr. Urwald, ebd. o. J.; Meiner Urwaldneger Denken u. Handeln, 1923 (1929² u. d. T.: Meine Urwaldneger); Negerpsyche im Urwald am Lohali. Beobachtungen u. Erfahrungen, 1926; Afr. Missionsgeschichtlein f. Kinder groß u. klein, 2 Bde., 1926–28.

Lit.: Das Reich des Herzens Jesu 29, 1929, 80 f.; – Kosch, KD 804; – NDB V, 313; – LThK IV, 293.

FRANCESCA, Piero della s. PIERO della Francesca.

FRANCISCUS SYLVESTER *von Ferrara*, General des Dominikanerordens, * um 1474 in Ferrara, † (auf einer Visitationsreise) 19. 9. 1528 in Rennes. – F. S. trat 1488 in den Dominikanerorden ein. Er war Professor in Bologna, Prior in Ferrara und Bologna, Generalvikar der lombardischen Observanten und 1525 bis 1528 Ordensgeneral. – F. S. ist bedeutender Vertreter der italienischen Dominikaner- und Thomistenschule zu Beginn der Neuzeit und neben Johannes Capreolus (s. d.) und Kardinal Thomas Cajetan (s. d.) der berühmteste Erklärer des Thomas von Aquin (s. d.).

Werke: Komm. z. Summa contra Gentiles des Thomas v. Aquin, verf. 1508–17, gedr. Venedig 1524 (auf Anordnung Pius' V. den »Opera omnia S. Thomae« beigegeben, ebenso der krit. Neuaufl. der Ausg. Leos XIII., Rom 1918–31); Vita der sel. Terziarin OP Osanna v. Mantua (deren Seelenführer er war); mehrere Schrr. zu Aristoteles u. gg. Luther eine Apologie der röm. Kirche, De falsa libertate, Rom 1525.

Lit.: A. Mortier, Histoire des maîtres généraux de l'ordre des frères prêcheurs, Paris 1903 ff.; – Friedrich Lauchert, Die it. literar. Gegner Luthers, 1912, 269 ff.; – Carlo Giacon, La seconda scolastica I, Mailand 1944, 37–162; – Hermann Lais, Die Gnadenlehre des hl. Thomas in der Summa contra gentiles u. der Komm. des F. S. v. F. (Hab.-Schr., München 1948), 1951; – Johannes Hegyi, Die Bedeutung des Seins bei den klass. Kommentatoren des hl. Thomas v. Aquin, Capreolus, S. v. F., Cajetan, 1959; – Grabmann, MGL III, 394 ff. u. ö.; – Quétif-Échard II, 59 f.; – DThC XIV, 2085 ff.; – EC XI, 594 ff.; – LThK IV, 247; – NCE V, 893 f.

FRANCK, César, Organist und Komponist, * 10. 12. 1822 in Lüttich, † 8. 11. 1890 in Paris. – F. studierte in Lüttich und Paris und ließ sich 1843 als Klavierlehrer in Paris nieder. Er wurde Organist an Notre-Dame-de-Lorette und 1851 an Saint-Jean-Saint-François, 1853 Kapellmeister und 1859 Organist an Sainte Clotilde, 1872 Orgelprofessor am Conservatoire. – F. war in seinem Schaffen bahnbrechend für die französische Instrumentalmusik und von starkem Einfluß bis ins 20. Jahrhundert durch seine umfangreiche Lehrtätigkeit und seine zahlreichen Werke. Bachsche und romantische Elemente sind in seinen Kompositionen verschmolzen. F. war als Orgelimprovisator bedeutend.

Werke: Ruth. Eglogue biblique pour Soli, Choeurs et Orchestre, 3 Tle. (1843–45); La Tour de Babel, petit oratorio pour soli, choeur et orchestre (1865); Rédemption, poème symphonie (1871; umgearb. 1874); Les Béatitudes d'après l'Évangile. Oratorium f. Soli, Chor u. Orchester (1869–79); Auff. des ganzen Werkes 1891 in Dijon); Rébecca, scène biblique pour soli, choeur et orchestre (1881); Urauff. Paris 1911); Messen, Kantaten, Motetten, Lieder sowie Opern, Orgel- und Klavierstücke. – Verz. der Werke in MGG IV, 643 ff.

Lit.: Vincent d'Indy, C. F., l'artiste et son oeuvre, Paris 1906 (1930¹⁶); engl. London 1910 (Nachdr. New York u. Gloucester/ Massachusetts 1965); – Charles van den Borren, L'oeuvre dramatique de C. F. (über die Opern »Hulda« u. »Ghisella«), Brüssel 1907; – Ders., C. F., ebd. 1950; – Maurice Emmanuel, C. F., étude critique, Paris 1930; – Charles Tournemire, C. F., ebd. 1931; – Herbert Haag, C. F. als Orgelkomponist (Diss. Heidelberg), Kassel 1936; – Peter Kreutzer, Die sinfon. Form C. F.s (Diss. Köln, 1939), Düsseldorf 1938; – Wilhelm Mohr, C. F.,

1942 (erw. 1969²); – Reinhold Zimmermann, C. F., ein dt. Musiker in Paris, 1942; – Maurice Kunel, La vie de C. F., l'homme et l'oeuvre, Paris 1947; – Ders., C. F. inconnu, d'après des documents inédits, Brüssel 1958; – Norman Demuth, C. F., London 1949; – Marius Monnikendam, C. F., Amsterdam 1949 (Neuausg. Haarlem 1966); – Ders., De symfonie v. C. F., Antwerpen 1963; – Charles Taube, C. F. – u. wir. Eine Biogr., 1951; – Léon Vallas, La véritable histoire de C. F., Paris 1955; – Emory Moore Fanning jr., The Nineteenth Century French organ of Cavaille Coll and the organ works of C. F. (Diss. Boston University), 1964; – Laurence Davies, C. F. and his circle, Boston (Massachusetts) 1970; – Flor Peeters, Die Orgelwerke C. F.s, in: MuSa 91, 1971, 12 ff. 53 ff. 88 ff.; – MGG IV, 637 ff.; – Riemann I, 540 f.; ErgBd. I, 376; – Moser I, 362 f.; – Grove III, 465 ff.; – Honegger I, 359 ff.; – Goodman 142; – LThK IV, 249.

FRANCK, Johann, Kirchenliederdichter, * 1. 6. 1618 in Guben (Niederlausitz) als Sohn eines Advokaten und Ratsherrn, † daselbst 18. 6. 1677. – F. studierte die Rechte in Königsberg, wo er sich mit Simon Dach (s. d.) befreundete, der seine Dichtergabe weckte und pflegte. Er ließ sich als Rechtsanwalt in Guben nieder und wurde 1648 Ratsherr, 1651 Bürgermeister und 1670 Landesältester der Niederlausitz. – F. ist einer der bedeutendsten Kirchenliederdichter. In seinen weltlichen Gedichten erscheint er als Nachahmer von Martin Opitz (s. d.). Durch seine geistlichen Lieder weht der christliche Glaubensgeist Paul Gerhardts (s. d.) und der kindlich fromme Ton der Bibelsprache. Seine Sprache aber ist schwungvoller und glänzender als die Gerhardts. Schon zu seinen Lebzeiten haben viele seiner 110 Lieder weite Verbreitung gefunden durch die Aufnahme in die Berliner und Königsberger Gesangbücher, auch durch Johann Crügers (s. d.) Melodien zu seinen Liedern. Wir verdanken F. als Krone seiner Dichtung »Jesu, meine Freude, meines Herzens Weide« (EKG 293), mehr ein Vertrauensals ein Jesuslied; das Abendmahlslied »Schmücke dich, o liebe Seele« (EKG 157); das Epiphaniaslied »Herr Jesu, Licht der Heiden, der Frommen Schatz und Lieb« (EKG 113) und das Lied zur Friedensfeier von 1648 »Herr Gott, dich loben wir; regier, Herr, unsre Stimmen« (EKG 393). Bekannt ist auch das Adventslied »Komm, Heidenheiland, Lösegeld, komm schönste Sonne dieser Welt«. Erwähnt sei noch, daß F. 338 kurze, meist nur einstrophige Lieder auf bekannte Kirchenmelodien über das Vaterunser gedichtet hat.

Werke: Hunderttönige Vaterunsarharfe, 1646; Poet. Werke, Frankfurt/Oder 1648, Dt. Gedichte. I: Geistl. Sion, Guben 1672; II: Irdisches Helikon, ebd. 1674. – Ausg. seiner Lieder v. Julius Leopold Pasig, Grimma 1846.

Lit.: J. F. Jentsch, J. F. v. Guben, Guben 1872; – Ders., J. F., in: Neues Lausitz. Mgz. 52, 1876, 191 ff.; 53, 1877, 1 ff.; – Hugo Jentsch, Die Abfassungszeit u. die erste Veröff. der geistl. Lieder J. F.s, in: Niederlausitzer Mitt. 10, 1907, 51 ff.; – Koch III, 378 ff.; – Fischer-Tümpel IV, 66 ff.; – MGG IV, 657; – Eitner IV, 52; – Hdb. z. EKG II/1, 161; – Kosch, LL I, 539; – ADB VII, 211 f.; – NDB V, 317; – RE VI, 141 f.

FRANCK, Johann Wolfgang, Komponist, getauft 17. 6. 1644 in Unterschwaningen bei Dinkelsbühl als Sohn eines Vogts und Kastners, † zwischen 1696 und 1719. – F. war 1673–78 Fürstlicher Kapellmeister und Operndirektor in Ansbach. Er flüchtete 1679 nach Hamburg, weil er einen Kapellmusiker aus Eifersucht erstochen hatte. 1682 wurde F. Leiter der Dommusik in Hamburg und schrieb bis 1686 17 Opern, darunter die bedeutendste »Diokletian« (1682). 1687 trennte er sich von seiner Familie, die nach Schwäbisch Hall, der Heimat seiner Frau, zurückkehrte, während er nach London ging. Mit Robert King, Kammermuker König Karls II. und Wilhelm III. von England, veranstaltete F. 1690–93 Konzerte und beteiligte sich auch als Komponist an dem dortigen Musikleben. Über sein Ende und das Datum und den Ort seines Todes wissen wir nichts Genaues. – Von seinen Kirchenkompositionen sind seine »Geistlichen Lieder« bekannt und erhalten. »Bei den geistlichen Liedern F.s stehen wir vor fertiger, reicher Musik«, urteilt Hermann Kretzschmar in seiner »Geschichte des deutschen Liedes« (1911), »die in ihrer Art ebenso klassisch ist wie die der Bachschen Fugen und Beethovenschen Symphonien.« F.s Melodien gehören zu den schönsten Blüten im Garten der geistlichen Musik. Für den Gemeindegesang sind sie nicht geeignet; aber einige von ihnen sind zu Chorälen umgestaltet worden.

Werke: Geistl Lieder, schrieb M. Heinrich Elmenhorst, mit Johann Wolfgang Francken C. M. anmutigen Melodien, 1681. Die Liedertexte sind v. Wilhelm Osterwald in bessere Form gebracht u. mit den Melodien F.s f. eine Singstimme mit Klavierbegleitung v. dem Merseburger Organisten Daniel Hermann Engel 1856 in Leipzig hrsg. worden. Arrey v. Dommer brachte 1859 12 Melodien F.s in vierst. Bearb. heraus. 1914 ersch. 20 geistl. Lieder v. J. W. F. f. gem. Chor bearb. v. Johannes Dittberner. Das geistl. Liederb. f. das musikal. Haus, hrsg. v. C. Schmidt, enthält v. F. 10 Lieder. – Weitere Ausgg.: MGG IV, 663 f.

Lit.: Friedrich Zelle, J. W. F., GProgr. Berlin 1889; – Arno Werner, Briefe v. J. W. F., in: SIMG VII, 1905/06; – Ders., J. W. F.s Flucht aus Ansbach, ebd. XIV, 1912/13, 208 ff.; – Curt Sachs, Die Hofkapelle unter Mgf. Johann Friedrich (1672 bis 1686), ebd. XI, 1909/10, 105 ff.; – William Barclay Squire, J. W. F. in London, in: The Mus. Antiquary, Juli 1911; – Hermann Kretzschmar, Gesch. des Neuen dt. Liedes, 1911, 137 ff.; – Hans Mersmann, Christian Ludwig Boxberg u. seine Oper »Sardanapalus«. Btr. z. Ansbacher Musikgesch. (Diss. Berlin), 1916; – Gustav Friedrich Schmidt, Zur Gesch., Dramaturgie u. Statistik der frühdt. Oper, in: ZfMw 5/6, 1923/24; – Ders., Die frühdt. Oper u. die musikdramat. Kunst Georg Caspar Schürmanns, 2 Bde., 1933/34; – Irmgard Schreiber, Dichtung u. Musik der dt. Opernarien. 1680–1700 (Diss. Berlin), Bottrop/Westfalen 1934; – Richard Klages, J. W. F. Unterss. zu seiner Lebensgesch. u. seinen geistl. Kompositionen (Diss. Hamburg), 1937; – Günther Schmidt, Die Musik am Hofe der Markgrafen v. Brandenburg-Ansbach v. ausgehenden MA bis 1806. Mit Btrr. z. dt. Choral-Passion des 16. Jhs., frühdt. Oper des 17. Jh.s u. vorklass. Kammermusik (Diss. München), 1953; – Hellmut Christian Wolff, Die Barockoper in Hamburg 1678–1738 (Hab.-Schr., Kiel), 2 Bde., Wolfenbüttel 1957 (in Bd. II zahlr. Stücke v. J. W. F.); – MGG IV, 658 ff.; – Eitner IV, 52 f.; – Gerber II, 179 f.; – Honegger I, 361; – Goodman 142; – Blume 154. 160. 162. 176; – Riemann I, 541; ErgBd. I, 376; – Moser I, 363; – ADB VII, 212 f.; – NDB V, 317 f.

FRANCK, Melchior, Hofkapellmeister und Komponist, * um 1580 in Zittau (Oberlausitz) als Sohn eines Malers, † 1. 6. 1639 in Coburg. – F. besuchte wahrscheinlich in Zittau und nachweislich in Augsburg die Schule und war Kompositionsschüler Hans Leo Haßlers (s. d.), mit dem er Ende 1601 nach Nürnberg ging. F. wurde dort 1602 »Schuldiener bei St. Egidien« und schon 1603 in Coburg Kapellmeister am Hof des Herzogs Johann Casimir. Dieses Amt hatte er bis zu seinem Tod inne. – F. ist einer der bedeutendsten deutschen Meister zu Anfang des 17. Jahrhunderts, besonders auch auf dem Gebiet der weltlichen Komposition. Der größte Teil seiner Werke entfällt auf die vokale Kirchenmusik. Für den Chorgesang komponierte F. 1623 die »Gemmulae evangeliorum musicae«. Hier wird je ein Spruch aus dem Sonntagsevangelium in der Form einer Motette mit einer unerschöpflichen Fülle eindrucksvoller Akkordverbindungen dargeboten. Ludwig Friedrich Schöberlein (s. d.) hat in seinem »Schatz des liturgischen Chor- und Gemeindegesangs in der deutschen evangelischen Kirche, aus den Quellen vornehmlich des 16. und 17. Jahrhunderts geschöpft« (3 Bde., 1863–72) eine große Zahl dieser Sprüche den Kirchenchören wieder zugänglich

gemacht. Wir verdanken F. die Weise des Liedes »Gen Himmel aufgefahren ist« und die zu dem Sterbelied des Nikolaus Herman (s. d.) »Wenn mein Stündlein vorhanden ist«, die im »Gothaer Cantional« von 1646 für das Lied »Wenn ich in Todesängsten bin« von Johann Kempff (s. d.) verwandt ist und zu diesem Lied auch heute noch in kirchlichem Gebrauch ist. Aller Wahrscheinlichkeit nach hat F. auch die Weise zu dem Lied »Jerusalem, du hochgebaute Stadt« von Johann Matthäus Meyfart (s. d.) erfunden, die in einem Erfurter Gesangbuch von 1663 erschien.

Werke: Melodiae sacrae, 4 Tle., 1601–07; Contrapuncti compositi (4st. dt. Kirchengesänge), 1602; Opusculum etlicher newer u. alter Reuterliedlein, 4st., 1603; Dt. weltl. Gesänge u. Tänze, 4–8st., 2 Tle., 1604/05; Geistl. Gesänge, 5–8st., 1608; Der 121. Ps., 5st., 1608; Flores musicales, 4–8st. Gesänge, 1610; Musikal. Fröhlichkeit, 4–8 st. Gesänge u. Tänze, 1610; Opusculum etlicher neuer geistl. Gesänge, 4–8st., 1611; 6 dt. Konzerte v. 8 St., 1611; Recreationes musicae, 4–5st. Gesänge u. Tänze, 1614; Threnodiae Davidicae (die 7 Bußpss.), 6st., 1615; Geistl. musikal. Lustgarten Erster Teil, 4–9st. Motetten, 1616; Newes teutsches musical. fröhliches Konvivium, 4–8st. Gesänge, 1621; Laudes dei vespertinae, 4–8st., 4 Tle., 1622; Newes liebliches musical. Lustgärtlein, 5–8st. dt. Gesänge u. Intraden, 1623; 40 teutsche lustige musikal. Tänze, 1623; Gemmulae evangeliorum musicae, 2 Tle. 1623/24; Rosetulum musicum (4–8st. geistl. Sätze), 1628; Evangelium paradisiacum, 1628; Cithara ecclesiastica et scholastica, 1628; Sacri convivii musica sacra, 1628; Votiva columbae Sioniae suspiria, 1629; Prophetia evangelica, 4st., 1629; Dulces mundani exilii deliciae, 1631; Der 51. Ps. f. 4 St., 1634; Paradisus musicus, 2 Tle., 1636. – *Ausgg.:* MGG IV, 678 f.; Riemann ErgBd. I, 376.

Lit.: Robert Eitner, M. F. Biogr. u. Verz. der Werke, in: MfM 17, 1885, 40 ff.; – Aloys Obrist, M. F. Ein Btr. z. Gesch. der weltl. Composition in Dtld. in der Zeit vor dem 30j. Krieg (Diss. Berlin), 1892; – Karl Nef, Gesch. der Sinfonie u. Suite, 1921; – Otto Ursprung, 4 Stud. z. Gesch. des dt. Liedes IV, in: AfMw 6, 1924, 262–323; – H. Knorr, Bilder aus der heimatl. Musikgesch. Die fürstl. Kapellen u. Kapellmeister im alten Coburg, in: Coburger Heimatbll. 10, Coburg 1928; – Hans Joachim Moser, Die mehrst. Vertonung des Ev., 1931; – Ders., Corydon, das ist: Gesch. des mehrst. Generalbaßliedes u. des Quodlibets im dt. Barock, 2 Bde., 1933; – Ders., Tönende Volksaltertümer, 1935; – Ders., Hausmusik v. M. F., in: Zschr. f. Hausmusik 8, 1939, H. 3; – Ders., M. F. als Förderer musikal. Volkskunde, in: Ders., Musik in Zeit u. Raum. Ausgew. Abhh., 1960, 58 ff. 345; – Anna Amalie Abert, Die stilist. Grdl.n der »Cantiones sacrae« v. Heinrich Schütz (Diss. Berlin), München 1935; – Konrad Ameln, M. F.s dt. ev. Sprüche f. das Kirchenj., in: MuK 9, 1937, 173 ff.; – Ders., Komponist M. F., in: Der Kirchenchor 14, 1954, 5 ff.; – Günther Kraft, Die thüring. Musikkultur um 1600. Eine landschaftl. Stud. I. Tl.: Die Grdl.n der thüring. Musikkultur um 1600, 1941; – Franz Peters-Marquardt, M. F., ein Altmeister dt. Musikschaffens, in: Oberfränk. Heimatkal., 1954; – Kurt Gudewill, M. F. u. das geistl. Konzert, in: Ber. über den 7. internat. Kongreß Köln 1958, 1959; – Ders., Die »Laudes Dei vespertinae« v. M. F., in: Hans Albrecht in memoriam. Gedenkschr. Hrsg. v. Wilfried Brennecke u. Hans Haase, 1962; – Ders., M. F.s »Newes Teutsches Musicalisches Fröliches Convivium«, 1621, in: Musa – Mens – Musici. Gedenkschr. Walther Vetter, Leipzig 1969; – Wolfgang Rogge, Das Quodlibet in Dtld. bis M. F. (Diss. Kiel, 1960), Wolfenbüttel u. Zürich 1965; – Helga Taeschner, Aus den letzten J. M. F.s Ergg. z. Lebensgesch. des Komponisten, in: Jb. der Coburger Landesstiftung 12, 1967, 165 ff.; – Knut Gramss, Einblicke in das Schaffen M. F.s, ebd. 16, 1971, 245 ff.; – Gerber II, 180 ff.; – v.Winterfeld II, 50 ff.; – Kümmerle I, 421 ff.; – Hdb. z. EKG II/1, 97 f.; – MGG IV, 664 ff.; – Eitner IV, 53 f.; – Riemann I, 541 f.; ErgBd. I, 376; – Moser I, 363 f.; – Honegger I, 361 f.; – Goodman 142; – Blume 78. 89. 92. 96. 100. 102. 108 f. 113. 127. 151 f.; – ADB VII, 213; – NDB V, 319 f.; – EKL I, 1317; – RGG II, 1012; – Kosch, LL I, 509.

FRANCK, Michael, Kirchenliederdichter und Komponist, * 16. 3. 1609 in Schleusingen (Thüringen) als Sohn eines Handelsmannes und Ratsmitglieds, † 24. 9. 1667 in Coburg. – Als F.s Vater 1622 auf dem Sterbebett lag, bestimmte er, daß wegen der geringen Mittel von seinen fünf Söhnen nur der älteste, Sebastian, und der jüngste, Peter, studieren sollten. F. kam 1625 zu einem Bäcker in Coburg in die Lehre und erwarb sich in Schleusingen das Meisterrecht, verarmte aber ganz wegen nächtlicher Diebstähle und Plünderungen seines Hauses, so daß er 1640 mit Frau und Kind auswanderte. F. fand bei einem Bäcker in Coburg Arbeit und Unterkunft und widmete sich am Feierabend und an den Sonntagen den Wissenschaften und der Dicht- und Tonkunst. Er wurde 1644 Lehrer an der Stadtschule in Coburg. Der bekannte Pfarrer und Liederdichter Johann Rist (s. d.) krönte ihn 1659 als Kaiserlicher Pfalzgraf mit dem Dichterlorbeer und nahm ihn später in seinen »Elbschwanorden« unter dem Namen »Staurophilus« auf. – Von F. stammen Text und Weise des Liedes »Ach wie flüchtig, ach wie nichtig ist der Menschen Leben!« (EKG 327). Das Lied erschien 1650 auf einem fliegenden Blatt und fand eine Verbreitung, wie es keinem Lied Paul Gerhardts zu seiner Zeit beschieden war. Das Lied hatte darum einen solchen Erfolg, weil es die Stimmung wiedergab, die nach dem Menschenalter des furchtbaren Krieges unser Volk erfüllte. Es wurde in Nürnberg, Augsburg, Hof, Erfurt und anderswo nachgedruckt. Johann Sebastian Bach (s. d.) hat zu diesem Lied eine Kantate geschrieben. Von F.s Liedern sind ferner bekannt: »Sei Gott getreu, halt seinen Bund, o Mensch, in deinem Leben« und »Was mich auf dieser Welt betrübt, das währt nur kurze Zeit«.

Werke: Das alte sichere u. in Sünden schlafende Teutschland (gereimte Gesch. des 30j. Krieges u. seiner eigenen Schicksale), Coburg 1651; Geistl. Harfenspiel (mit 36 Liedern u. eigens dazu v. ihm gefertigten 4st., v. einem Generalbaß begleiteten Melodien), ebd. 1657; Geistl. Lieder erstes Zwölf (in Noten mit 4 St.), ebd. 1662.

Lit.: Johann Caspar Wetzel, Hymnopoeographia oder Hist. Lebensbeschreibung der berühmtesten Liederdichter I, Herrnstadt 1719, 276 ff.; – Unschuldige Nachrr. 6. Btr., Leipzig 1725, 904 ff.; – Heinrich Cornelius, Schleusinger Dichterbrüder, Sebastian, M. u. Peter F., in: Schrr. des Henneberg. Gesch.ver. 4, 1914, 3 ff.; – Ders., Sebastian, M. u. Peter F. Die Thüringer Dichterbrüder u. ihre Werke, in: Siona 14, 1915, 85 ff.; – Th. Linschmann, Die Dichterbrüder Sebastian, M. u. Peter F., in: MGkK 1918, 29 ff.; – Friedrich Wilhelm Bautz, . . . u. lobten Gott um Mitternacht. Liederdichter in Not u. Anfechtung, 1966, 48 ff.; – v.Winterfeld II, 473 ff.; – Koch III, 435 ff.; IV, 115; – Kümmerle I, 424 f.; – Fischer-Tümpel IV, 218 f.; – Hdb. z. EKG II/1, 167 f.; – Eitner IV, 57; – Blume 162; – Kosch, LL I, 539; – Goedeke III, 177; – ADB VII, 259 f.

FRANCK, Peter, Kirchenliederdichter, * 27. 9. 1616 in Schleusingen (Thüringen) als Sohn eines Handelsmannes und Ratsmitglieds, † 22. 7. 1675 in Gleußen bei Lichtenfels (Oberfranken). – F. studierte seit 1636 in Jena und seit 1640 in Altdorf bei Nürnberg und kam 1643 als Hofmeister nach Ahorn bei Coburg. Er wurde 1645 Pfarrer in Thüngen (Franken), danach in Roßfeld, hierauf Diakonus in Rodach und schließlich Pfarrer in Gleußen und Herreth. – Von F.s Liedern fanden weitere Verbreitung das Adventslied »Auf, Zion, auf, auf, Tochter, säume nicht« und das Sterbelied »In Christo will ich sterben, wenn's meinem Gott gefällt«.

Lit.: Heinrich Cornelius, Schleusinger Dichterbrüder, Sebastian, Michael u. P. F., in: Schrr. des Henneberg. Gesch.ver. 4, 1914, 3 ff.; – Ders., Sebastian, Michael u. P. F. Die Thüringer Dichterbrüder u. ihre Werke, in: Siona 14, 1915, 85 ff.; – Th. Linschmann, Die Dichterbrüder Sebastian, Michael u. P. F., in: MGkK 1918, 29 ff.; – Koch III, 441 f.; – ADB VII, 261.

FRANCK, Salomo, Kirchenliederdichter, * 6. 3. 1659 in Weimar als Sohn eines Kammersekretärs, † daselbst 11. 7. 1725. – F. wurde nach juristischem Studium 1689 Regierungssekretär in Arnstadt, 1697 Regierungs- und Konsistorialsekretär in Jena und 1702 Oberkonsistorialsekretär in Weimar, wo er zugleich die Bibliothekarsstelle bekleidete und das herzogliche Münzkabinett verwaltete. – F. gehört zu den besten

und fruchtbarsten Dichtern seiner Zeit. Als Hofpoet dichtete er im Auftrag des Herzogs Wilhelm Ernst 1715 drei Jahrgänge Kantaten für die Weimarer Kapelle, an deren Komposition sich der Hoforganist Johann Sebastian Bach (s. d.) zu beteiligen hatte. Von seinen Liedern sind bekannt: das Lied zum Begräbnis Jesu (1685) »So ruhest du, o meine Ruh, in deiner Grabeshöhle« (EKG 74); die Vertrauenslieder »Ach Gott, verlaß mich nicht! Gib mir die Gnadenhände« (EKG 301), 1714 im zweiten Teil des Naumburger Gesangbuches von Johann Martin Schamelius (s. d.) erschienen: »Mein Gott, wie bist du so verborgen« (1711) mit dem Kehrvers »Mein Gott und Vater, führe mich nur selig, ob gleich wunderlich«; »Ich weiß, es kann mir nichts geschehen in meiner ganzen Lebensfrist, als was des Höchsten Rat versehen« (1711) mit dem Kehrvers »Herr, mach es, wie du willst, mit mir; ich bleibe dennoch stets an dir«; »Ich halte Gott in allem stille« (1685) mit dem Kehrvers »Was Gott gefällt, gefällt auch mir«; das Passionslied »Es ist vollbracht! Er ist verschieden« (1711); das Sterbelied »Auf meinen Jesum will ich sterben, getrost, voll Fried und Freudigkeit« (1716) mit dem Kehrvers »Auf Jesum leb und schlaf ich ein«; das Lied der Heilsgewißheit »Ich bin im Himmel angeschrieben, ich bin ein Kind der Seligkeit« (1716), irrtümlich Johann Ernst Wenigk (s. d.) zugeschrieben.

Werke: Geistl. Poesie, 1685; Madrigal. Seelen-Lust über das hl. Leiden unseres Erlösers, 1697; Geistl. u. Weltl. Poesien, 2 Bde., 1711–16; Ev. Andachts-Opfer in geistl. Kantaten, 1715; Ev. Sonn- u. Festtags-Andachten in geistl. Arien, 1717; Epistol. Andachts-Opfer in geistl. Kantaten, 1718; Heliconische Ehren-, Liebes- u. Trauer-Fackeln, 1718. – Ausg. seiner geistl. Lieder v. J. K. Schauer (mit Lebensbeschreibung u. Charakteristik des Dichters), Halle 1855.

Lit.: Lothar Hoffmann-Erbrecht, Bachs Weimarer Textdichter, S. F., in: Johann Sebastian Bach in Thüringen. Festg. z. Gedenkj. 1950, Weimar 1950, 120 ff.; – Anneliese Bach, S. F. als Verf. geistl. Dichtungen, ebd. 135 ff.; – Alfred Dürr, Über Kantatenformen in den geistl. Dichtungen S. F.s, in: Mf 3, 1950, 18 ff.; – Goedeke III, 299 f.; – Hdb. z. EKG II/1, 226; – Blume 188 f. 191. 193. 196; – Koch V, 420 ff.; – MGG IV, 681 ff.; – Kosch, LL I, 539 f.; – Honegger I, 362; – ADB VII, 213 f.; – NDB V, 320.

FRANCK, Sebastian, Vertreter des mystischen Spiritualismus, * 20. 1. 1499 in Donauwörth als Sohn eines Feinwebers, † 1542 oder 1543 in Basel. – F. studierte in Ingolstadt und Heidelberg, wurde Priester im Bistum Augsburg und war 1526 Frühmesser in Buchenbach bei Schwabach. Er schloß sich voll Begeisterung der reformatorischen Bewegung an und wurde 1527 evangelischer Frühprediger in Gustenfelden bei Nürnberg. F. war ein strenger Lutheraner. Er verdeutschte die Schrift des Andreas Althamer (s. d.) gegen die Schwarmgeister »Diallage oder Vereinigung der streitigen Sprüch in der Schrift« und gab sie mit einer Einleitung heraus. F. legte 1528 sein Predigtamt nieder und ging nach Nürnberg, wo er sich am 17. 3. 1528 mit Ottilie Behaim verheiratete. Im Herbst 1529 zog F. nach Straßburg, wo er in regen Verkehr mit Täufern und Freigeistern trat, mit Hans Bünderlin (s. d.), Kaspar Schwenckfeld (s. d.) und Michael Servet (s. d.). Hier vollendete er seine »Chronika«, deren bedeutendster Teil die »Ketzerchronik« ist, in die er auch Desiderius Erasmus von Rotterdam (s. d.) einreihte, auf dessen Klage er am 30. 12. 1531 aus Straßburg ausgewiesen und der Verkauf seiner »Chronika« verboten wurde. F. ging nach Esslingen und lebte hier als Seifensieder. 1533 zog er nach Geislingen, von wo er mit seiner Ware die Wochenmärkte in Ulm befuhr und gute Geschäfte machte. F. fand in Ulm Aufnahme und erhielt am 28. 10. 1534 das Bürgerrecht. Er trat in die Buchdruckerei des Hans Varnier als Korrektor ein und eröffnete 1535 eine eigene Druckerei mit Buchhandlung. Trotz der Freundschaft mit einflußreichen Persönlichkeiten der Stadt konnte sich F. nicht lange halten, da seine Gegner, unterstützt von Martin Frecht (s. d.), Martin Bucer (s. d.), Philipp Melanchthon (s. d.) und dem Landgrafen Philipp von Hessen (s. d.), nicht ruhten, bis er und auch Schwenckfeld 1539 aus Ulm ausgewiesen und beide am 25. 3. 1540 auf einem Theologenkonvent in Schmalkalden als Spiritualisten verdammt wurden. F. zog mit seiner Familie im Juli 1539 nach Basel, wo er sich als Drucker und Verleger niederließ und seine letzten Jahre in Ruhe verlebte. – In seinem Lied »Von vier zwieträchtigen Kirchen, deren jede die andere verhasset und verdammet«, bekennt F. von sich: »Ich will und mag nit Bäpstlich sein. Ich will und mag nit Lutherisch sein. Ich will und mag nit Zwinglisch sein. Kein Wiedertäufer will ich sein.« Am nächsten verwandt fühlte er sich mit den Täufern, von denen er sagt, sie seien »näher bei Gott denn ander all drei Haufen«. F. vertrat den reinsten, völlig kultlosen Spiritualismus panentheistischer Richtung. Er lehnte die lutherische Rechtfertigungslehre ab, weil diese zum Ausruhen auf den Verdiensten Christi, der ja alles schon geleistet habe, führe, so daß Zügellosigkeit und Unsittlichkeit als deren Folgen festzustellen seien. Vor allem kämpfte F. gegen den »papiernen Papst« der Schriftautorität und stellte dem entgegen die innerliche Erleuchtung durch Gottes Geist. Er war allem dogmatischen Gezänk und Kirchentum abhold, lehnte auch die täuferischen Konventikel ab. F. war ein bedeutender Historiker und Geograph, einer der meistgelesenen Schriftsteller der Reformation.

Werke: Von dem greulichen Laster der Trunkenheit, 1528; Chronika u. Beschreibung der Türkei aus der Hand eines 22 J. in türk. Gefangenschaft gewesenen Siebenbürgers, 1530; Chronika, Zeitbuch u. Gesch.bibel, 3 Bde., 1531 (Übersicht über die Weltgesch. mit Kritik der Kirche u. Ketzerchron.); Weltbuch, 1534 (ein Vorläufer der »Cosmographia« des Sebastian Münster, 1535); Paradoxa oder 280 Wunderreden u. Rätsel hl. Schr., 1534; Übers. des »Encomion Moriae« des Erasmus v. Rotterdam mit Beigabe dreier Traktate, 1534 (sog. »Kronbüchlein«); Güldin Arch, 1538; Germaniae Chronicon, 1538; Das Verbütschierte (= versiegelte) Buch, 1539; Kriegsbüchlein des Friedens – wider den Krieg, 1539; Die dt. Sprichwörter, 2 Bde., 1541; kleinere Traktate u. Lieder. – Neuausg. einzelner Schrr.: Das Lob der Torheit, aus dem Lat. des Erasmus v. Rotterdam verdt. v. S. F., hrsg. v. E. Goetzinger, 1884. – Lat. Paraphrase der »Dt. Theol.« u. seine holl. erhaltenen Traktate, hrsg. v. Alfred Hegler, 1901. – Paradoxa, hrsg. v. Heinrich Ziegler, 1909; hrsg. u. eingel. v. Siegfried Wollgast, 1966 (Rez. v. Philip L. Kintner, in: ARG 61, 1970, 118 f.) – Kriegsbüchlein des Friedens, hrsg. v. V. Klink, 1929. – Erste namenlose Sprichwörtersmlg. Mit Erl. u. cultur- u. literargeschichtl. Beil. hrsg. v. Friedrich Latendorf, Poesneck 1876 (Nachdr. Hildesheim – New York 1970. – Nachdr. der Originalausg. Frankfurt/Main 1548, Darmstadt 1972).

Lit.: Hermann Bischof, S. F. u. die dt. Gesch.schreibung (gekrönte Preisschr. der Philos. Fak. v. Tübingen), 1857; – Carl Alfred Hase, S. F. v. Wörd der Schwarmgeist. Ein Btr. z. Ref.gesch., 1869; – Otto Haggenmacher, S. F., sein Leben u. seine rel. Stellung. Eine Stud. aus der Ref.zeit, in: Theol. Zschr. aus der Schweiz 3, 1886, 23 ff. 65 ff.; – Jan Hendrik Maronier, Het unwendig woord, Amsterdam 1890; – Alfred Hegler, Geist u. Schr. bei S. F. Eine Stud. z. Gesch. des Spiritualismus in der Ref.zeit (Hab.-Schr., Tübingen), Freiburg/Breisgau 1892; – Ders., Zur Gesch. der Mystik in der Ref.zeit, hrsg. v. Walther Köhler, 1906 (113–216: Zu F.s Aufenthalt in Ulm) – Edwin Tausch, S. F. v. Donauwörth u. seine Lehrer. Eine Stud. z. Gesch. der Rel.philos. (Diss. Halle), 1893; – Karl Pusch, Über F.s Sprichwörtersmlg. v. J. 1541, GProgr. Hildburghausen 1894; – Hermann Oncken, S. F. als Historiker, in: HZ 82, 1899, 385 ff.; u.

in: Ders., Hist.-polit. Aufss. u. Reden I, 1914, 275 ff.; – Heinrich Ziegler, S. F. Kurze Darst. seines theol. Standpunktes nach seinem Buch der 280 Paradoxa, in: ZWTh 50, 1907, 383 ff.; – Ders., S. F.s Bedeutung f. die Entwicklung des Prot., ebd. 118 ff.; – Willi Prenzel, Krit. Unters. u. Würdigung v. S. F.s »Chronicon Germaniae« (Diss. Marburg), 1908; – Otto Borngräber, Das Erwachen der philos. Spekulation der Ref., in ihrem stufenweisen Fortschreiten beleuchtet an Schwenkfeld, Thamer u. S. F. v. Wörd (Diss. Erlangen), 1908; – Paul Kirmß, S. F., in: PrBl, 1909, Nr. 33; – Walther Glawe, S. F.s unkirchl. Christentum, 1912; – Johannes Herzog, S. F., in: ChW 26, 1912, 26 ff. 86 ff. 103 ff. 146 ff.; – Wilhelm Dilthey, Ges. Schrr. II, 1921³, 1 ff.; – Arnold Reimann, S. F. als Gesch.philosoph. Ein moderner Denker im 16. Jh., 1921; – Charlotte Littauer, S. F.s Anschauungen v. polit. u. sozialen Leben (Diss. Leipzig), 1922; – Luise Wacker, Die Sozial- u. Wirtschaftsauffassung im Pietismus unters. in ihrer ideellen Ausgestaltung bei Spener, in ihrer prakt. Auswirkung bei F. (Diss Heidelberg), 1922; – Eberhard Teufel, Luther u. Luthertum im Urteil S. F.s, in: Festg. f. Karl Müller, 1922, 132 ff.; – Ders., Gestalten u. Urkk. S. F., der dt. Mystiker des 16. Jh.s, in: Dt. Glaube, 1939, 547 ff.; – Ders., »Dt. Theol.« u. S. F. im Lichte der neueren Forsch., in: ThR NF 11, 1939, 304 ff.; 12, 1940, 99 ff.; – Ders., »Landräumig«. S. F., ein Wanderer an Donau, Rhein u. Neckar, 1954; – Rufus Matthew Jones, Geist. Reformatoren des 16. u. 17. Jh.s, übers. v. E. Charlotte Werthenau, 1925, 57 ff. (S. F., ein Apostel der inneren Rel.); – Karl Gruber, Die Staats- u. Ges.auffassung S. F.s (Diss. Heidelberg), 1925; – Paul Joachimsen, Zur inneren Entwicklung S. F.s, in: BdtPh 2, 1928, 1 ff.; – Gerhard Lehmann, Realdialektik u. Subjektivitätsprinzip in F.s Rel.philos., ebd. 29 ff.; – Lotte Blaschke, Der Toleranzgedanke bei S. F., ebd. 40 ff. 73 ff.; – Rudolf Stadelmann, Vom Geist des ausgehenden MA: Stud. z. Gesch. der Weltanschauung v. Nicolaus Cusanus bis S. F., 1929; – Alexandre Koyré, S. F., in: RHPhR 11, 1931, 353 ff.; u. in: Ders., Mystiques, spirituels, alchimistes. Schwenckfeld, S. F., Weigel, Paracelse, Paris 1955, 21 ff. = Ders., S. F., ebd. 1932; – Rudolf Kommoss, S. F. u. Erasmus v. Rotterdam (Diss. Berlin), 1934 (Nachdr. Nendeln/Liechtenstein 1967); – Hermann Körner, Stud. z. geistesgeschichtl. Stellung S. F.s (Diss. Breslau), 1935; – Julius Endriß, S. F.s Ulmer Kämpfe, 1935; – Christiane Kolbenheyer, Die Mystik des S. F. v. Wörd (Diss. München), Würzburg 1935; – Otto Henning Nebe, Zum Begriff des Glaubens bei S. F., in: ThStKr 107, 1936, 266 ff.; – Ders., Einsames Denken. Zu Gestalt u. Wort der S. F., in: Neue Jbb. f. dt. Wiss. u. Jugendbildung 13, 1937, 454 ff.; – Karl Klemm, Das Paradoxon als Ausdrucksform der spekulativen Mystik S. F.s (Diss. Leipzig), 1937; – Th. C. van Stockum, S. F., in: NThT 29, 1940, 31 ff.; – Will-Erich Peuckert, S. F. Ein dt. Sucher, 1943; – Walter Nigg, Buch der Ketzer, Zürich 1949, 382 ff.; – Georg Hetzelein, Paradoxus-Orthodoxie. S. F. in: Frankenspiegel. Mschr. f. geistiges Leben in Franken 1, 1950, Nr. 4, S. 19 ff.; – Kuno Räber, Stud. z. Gesch.bibel S. F. (Diss. Basel); 1952; – Johannes Lindeboom, Een Franc-tireur der Reformatie. S. F., Arnhem 1952; – Kurt v. Raumer, Zu S. F.s »Kriegsbüchlein des Friedens«, in: Ders., Ewiger Friede. Friedensrufe u. Friedenspläne seit der Renaissance, 1953, 25 ff.; – Gerhard Müller, S. F.s »Krieg-Büchlein des Friedens« u. der Friedensgedanke im Ref. zeitalter (Diss. Münster); 1954; – Ders., S. F.s »Krieg-Büchlein des Friedens«, Ausz., in: Friedenswarte 55, Zürich 1959, 46 ff. 138 ff.; 56, 1961, 43 ff.; – Joseph Lecler, Au temps de Luther: les premiers apologistes du »Libre Examen«, in: RSR 43, 1955, 56 ff.; – Ders., Histoire de la tolérance au siècle de la réforme I, Paris 1955, 177 ff.; – Kurt Goldammer, Friedensidee u. Toleranzgedanke bei Paracelsus u. den Spiritualisten: II: F. u. Weigel, in: ARG 47, 1956, 180 ff.; – Maria Zelzer, S. F., in: Lb. aus dem bayer. Schwaben VI, 1958, 217 ff.; – Simon Leendert Verheus, Kroniek e Kerugma. Een theologische studie over de geschichtbibel van S. F. en de Maagdeburger Centuriën. Mit Zusfassung in dt.Sprache (Diss. Amsterdam), Arnhem 1958; – Ders., Zeugnis u. Gericht. Kirchengeschichtl. Betrachtungen bei S. F. u. Matthias Flacius, Nieuwkoop 1971; – Doris Rieber, S. F., in: BHR 21, 1959, 190 ff.; – Joel Lefebvre, S. F. et l'idée de tolérance, in: Études germaniques 14, Paris 1959, 227 ff.; – Friedrich Heer, Die dritte Kraft. Der europ. Humanismus zw. den Fronten des konfessionellen Zeitalters, 1960; – E. Peters, S. F.'s Theory of religious Knowledge, in: Mennonite Quarterly Review 35, Goshen (Indiana) 1961, 267 ff.; – Itsne Hagiwara, No-Church Movement. Ein Vergleich des Kirchenbegriffs v. S. F. u. Kanzo Utschimura (Diss. Marburg), 1962; – Der linke Flügel der Ref., hrsg. v. Heinold Fast, 1962; – Josef Benzing, Die Buchdrucker des 16. u. 17. Jh.s im dt. Sprachgebiet, 1963, 36 f. 441; – G. Fraccari, S. F., in: Grande Antologia filosofica 8, Mailand 1964, 1517 ff.; – Meinulf Barbers, Toleranz bei S. F. (Diss. Bonn, 1963), 1964; – Robert Stupperich, S. F. u. das münster. Täufertum, in: Dauer u. Wandel der Gesch. Aspekte europ. Vergangenheit. Festg. f. Kurt v. Raumer z. 15. 12. 1965. Hrsg. v. Rudolf Vierhaus u. Manfred Botzenhart, 1966, 144 ff.; – Friedrich Seiler, Dt. Sprichwörterkunde, 1967; – Siegfried Wollgast, S. F. – Leben u. philos. Schaffen, in: DZPh 15, 1967, 50 ff.; – Ders., Der dt. Pantheismus im 16. Jh.: S. F. u. seine Wirkungen auf die Entwicklung des pantheist. Philos. im Dtld., 1972; – Horst Weigelt, S. F. u Caspar Schwenckfeld in ihren Beziehungen zueinander, in ZBKG 39, 1970, 3 ff.; – Ders., S. F. u. die luth. Ref., 1972; – S. F., o la libertà interiore: in: Carlo Ginzburg, Il nicodemismo. Simulazione e dissimulazione religiosa nell'Europa del '500, Turin 1970, 125 ff.; – J. Lebeau, »Le rire de Démocrite« et la philosophie de l'histoire de S. F., in BHR 33, 1971, 241 ff.; – Ders., Érasme, S. F. et la tolérance, in: Publications de la Société savante d'Alsace. Recherches et documents 8, 1971, 117 ff.; – Holl I, 420 ff.; – Schottenloher I, Nr. 6472–6536; V, Nr. 46321–46334; VII, Nr. 54608–54623; – Goedeke II, 8 ff.; – Kosch, LL I, 540; – WeltLit I, 526 f.; – Wilpert I², 522; – KLL I, 2552 f. (Chronica); V, 1377 ff. (Paradoxa); VI, 1850 f. (Sprichwörter); – ADB VII, 214 ff.; – NDB V, 320 f.; – RE VI, 142 ff.; XXIII, 452; – EKL I, 1317 f.; – RGG II, 1012 f.; – DHGE XVIII, 655 ff.; – LThK IV, 250; – NCE VI, 73.

FRANCK, Sebastian, Kirchenliederdichter, * 18. 1. 1606 in Schleusingen (Thüringen) als Sohn eines Handelsmannes und Ratsmitglieds, † 12. 4. 1668 in Schweinfurt. – F. erhielt auf dem Gymnasium seiner Vaterstadt eine treffliche Ausbildung in der Musik. Er studierte in Straßburg und Leipzig Theologie und war eine Zeitlang Hauslehrer in Breslau und Umgegend. F. wurde 1630 in Jena Magister, dann Hauslehrer in Roßdorf (Thüringen), 1632 Inspektor am Gymnasium in Schleusingen und 1634 der erste evangelische Prediger der Pfarrei Leuchtersbach im Stift Fulda. Er mußte noch in demselben Jahr flüchten, da die Katholiken nach der für sie siegreichen Schlacht bei Nördlingen in das Stift eindrangen, und irrte in den Kriegsunruhen fast zwei Jahre umher. F. wirkte seit 1636 als Pfarrer von Geroda und Platz in Franken, wo er unter den Kriegswirren unsagbar zu leiden hatte. Der Rat der freien Reichsstadt Schweinfurt berief ihn 1653 auf die Pfarrei Zell und Weipoldshausen und 1660 zum Diakonus in der Stadt. – Quelle der Kraft und des Trostes in allem Unglück war ihm der Psalter. 1634 hatte F. das Gelübde getan, »alle Tage aus dem Psalterbüchlein Davids zum wenigsten zwei Psalmen des Morgens und Abends zu beten«. Darum legte er in mehreren Schriften einen oder mehrere Psalmen aus und schrieb dazu Gebete und Lieder. Das verbreitetste seiner Lieder ist »Hier ist mein Herz, Herr, nimm es hin, dir hab ich mich ergeben«. Es erschien im Coburger Gesangbuch von 1645.

Werke: Rosarium animae, d. i.: Neues Davidisches Rosengärtlein einer andächtigen gottliebenden Seel. Aus dem Paradies-Rosengarten des andern Psalms, 1653; Lutherisches Blumengärtlein, d. i.: Lehr-, trost- und geistreiche Erkl. des andern Psalms. Aus den Schrr. des teuren Manns Gottes, Herrn D. Lutheri, als geistl., Herz u. Seel erfreuende Kraftblümlein abgebrochen u. mit Fleiß zu Hauf gesammelt, 1654; Hortulus animae über den 3. Ps., 1654; Neueröffnetes Beicht-, Buß- u. Tränen-Kämmerlein über die 7 Bußpss., 1655–61; Davidischer Herzwecker z. wahren Gottseligkeit, d. i.: Geistreiche Erkl. des 1. Ps., 1666.

Lit.: Heinrich Cornelius, Schleusinger Dichterbrüder, S., Michael u. Peter F., in: Schrr. des Henneberg. Gesch.ver. 4, 1914, 3 ff.; – Ders., S., Michael u. Peter F. Die Thüringer Dichterbrüder u. ihre Werke, in: Siona 14, 1915, 85 ff.; – Th. Linschmann, Die Dichterbrüder S., Michael u. Peter F., in: MGkK 1918, 29 ff.; – Friedrich Wilhelm Bautz, . . . u. lobten Gott um Mitternacht. Liederdichter in Not u. Anfechtung, 1966, 69 ff.; – v.Winterfeld II, 468 ff.; – Koch III, 431 ff.; – Fischer-Tümpel IV, 243 ff.; – Goedeke III, 178; – ADB VII, 262 f.

FRANCKE, August Hermann, Hauptvertreter des Hallischen Pietismus, * 22. 3. 1663 in Lübeck als Sohn eines Rechtsanwalts und Syndikus, † 8. 6. 1727 in Halle (Saale). – F. war drei Jahre alt, als Herzog Ernst der Fromme (s. d.) seinen Vater als Hof- und Justizrat nach Gotha berief, und erst sieben Jahre alt, als sein Vater starb. Für seine damals 35jährige Mutter war es keine leichte Aufgabe, die Erziehung der sechs Kinder, die ihr von neun geblieben waren, allein in die Hand zu nehmen, zumal sie wenige Monate später auch ihren Vater, den Bürgermeister von Lübeck, durch den Tod verlor. F. erhielt seine Schulbildung durch Privatlehrer. Nach einjährigem Besuch des Gymnasiums in Gotha erlangte er mit 14 Jahren die Reife zum akademischen Studium, blieb aber noch zwei Jahre daheim und widmete sich Privatstudien. Ostern 1679 bezog F. die Universität Erfurt und studierte von Herbst 1679 bis Frühjahr 1682 in Kiel, wo Christian Kortholt (s. d.) großen Einfluß auf ihn gewann. Dann trieb er noch zwei Monate bei Esra Edzardi (s. d.) in Hamburg hebräische Sprachstudien, die er in Gotha fortsetzte. Auch übte sich F. in der in Kiel erlernten englischen Sprache und bereicherte seine Sprachkenntnisse durch Erlernen der französischen Sprache. Im Frühjahr 1684 zog er als Informator eines wohlhabenden Theologiestudierenden nach Leipzig, erwarb 1685 die Magisterwürde und begann mit Vorlesungen. F. erlernte auch noch die italienische Sprache und übersetzte zwei Schriften Michael de Molinos (s. d.) ins Lateinische. Mit dem ihm befreundeten Magister Paul Anton (s. d.) und anderen Magistern gründete er im Juli 1686 das »collegium philobiblicum« zu dem Zweck, gemeinsam die Bibel zu lesen und in ihrer wissenschaftlichen und praktischen Auslegung gefördert zu werden. Auf Veranlassung seines Oheims reiste F. im Oktober 1687 nach Lüneburg zu dem Superintendenten Kaspar Hermaɪn Sandhagen und erlebte dort während der Meditation über den Predigttext Joh 20, 31 seine Bekehrung. Im Frühjahr 1688 setzte er in Hamburg bei Johannes Winckler (s. d.) seine Bibelstudien fort und weilte seit Ende 1688 einige Zeit in Dresden im Hause Philipp Jakob Speners (s. d.), dessen bedeutendster Schüler er wurde. Im Frühjahr 1689 nahm F. in Leipzig seine Lehrtätigkeit wieder auf und rief durch seine erwecklichen exegetischen Vorlesungen und das »collegium philobiblicum« eine tiefgehende Bewegung hervor. Die Fakultät untersagte ihm im August 1689 das Halten seiner Vorlesungen. Im März 1690 erhielt F. einen Ruf nach Erfurt als Diakonus an der Augustinerkirche und traf kurz vor Ostern in Erfurt ein. Sein Amtsantritt aber verschob sich bis zum Pfingstfest, weil man noch Gutachten über ihn einholte und auf einer öffentlichen Prüfung seiner Rechtgläubigkeit bestand. Er hatte an dem Senior und Professor Joachim Justus Breithaupt (s. d.), der seine Berufung auch veranlaßt hatte, einen treuen, gleichgesinnten Freund und Mitarbeiter. F. hielt theologische Vorlesungen und predigte ganz im Geist Speners. Seinen Feinden gelang es, daß der katholische Kurfürst von Mainz, der damals noch Landesherr von Erfurt war, F.s Privatversammlungen und Vorlesungen verbot. Sie erreichten schließlich auch, daß F. auf kurfürstlichen Befehl aus Erfurt ausgewiesen wurde und innerhalb zweier Tage die Stadt verlassen mußte, »da man dort nicht den Urheber einer neuen Sekte dulden könne«. F. verließ am 27. 9. 1691 Erfurt und ging zu seiner Mutter nach Gotha. Kurfürst Friedrich III. von Brandenburg berief ihn am 22. 12. 1691 als Professor der griechischen und hebräischen Sprache an der in Halle entstandenen Universität und zugleich als Pfarrer an der Georgenkirche in Glaucha, der Vorstadt von Halle. In dem Kandidaten Johann Anastasius Freylinghausen (s. d.) fand F. 1694 einen Gehilfen, dem er 1715 seine Tochter zur Gattin gab. 1698 wurde F. Professor der Theologie und 1715 Pfarrer an der Ulrichskirche in Halle. – Mit ganz geringen Mitteln begann F. um Ostern 1695 eine Armenschule: »Ich ließ in der Wohnstube des Pfarrhauses eine Büchse festmachen«, erzählt F., »und darüber schreiben: 1. Joh. 3, 17: ›So jemand der Welt Güter hat und sieht seinen Bruder darben und schließt sein Herz vor ihm zu, wie bleibt die Liebe Gottes bei ihm?‹ und darunter 2. Kor. 9, 7: ›Einen fröhlichen Geber hat Gott lieb.‹ Da etwa ein Vierteljahr die Armenbüchse in der Pfarrwohnung befestigt gewesen, gab eine gewisse Person auf einmal 4 Taler 16 Groschen hinein. Als ich dies in die Hände nahm, sagte ich mit Glaubensfreudigkeit: ›Das ist ein ehrliches Kapital, davon muß man etwas Rechtes stiften; ich will eine Armenschule anfangen.‹ Ich besprach mich nicht darüber mit Fleisch und Blut, sondern fuhr im Glauben zu und machte noch desselbigen Tages Anstalt, daß für 2 Taler Bücher gekauft wurden, und bestellte einen armen Studenten, die armen Kinder täglich zwei Stunden zu unterrichten, dem ich wöchentlich 6 Groschen dafür zu geben versprach, in der Hoffnung, Gott werde indessen, da ein paar Taler auf diese Weise in acht Wochen ausgegeben würden, mehr bescheren.« Da sich niemand um die Waisenkinder kümmerte, gedachte F., ein Waisenhaus zu bauen, obwohl er keinen Pfennig Geld hatte. Aber er vertraute auf die Hilfe Gottes, und bald schenkte ihm ein Mann 500 Taler, damit er von den Zinsen ein Waisenkind unterhalten könnte. Statt eines Kindes wurden ihm vier gebracht. Da behielt er alle und begann im Vertrauen auf Gott den Bau eines Waisenhauses. Sein Glaube wurde nicht enttäuscht: »Von Woche zu Woche, von Monat zu Monat hat mir der Herr zugebröckelt, wie man den kleinen Küchlein das Brot zubröckelt, wie es die Notdurft erfordert«, schreibt F. Auf dem Giebel des Haupthauses steht ein zur Sonne strebender Adler mit der Inschrift: »Die auf den Herrn harren, kriegen neue Kraft, daß sie auffahren mit Flügeln wie Adler« (Jes 40, 31). Auf F.s Denkmal im Waisenhaus steht nur der Satz: »Er vertraute Gott.« Das ist das Geheimnis seiner Schaffenskraft und die Erklärung für das Wachstum seiner Anstalten. Im Sommer 1696 eröffnete F. das Pädagogium, eine Art Ritterakademie für Söhne vornehmer Familien, die für das Universitätsstudium vorbereitet werden sollten. Bis 1746 sind 25 Grafen und 69 Freiherren durch das Pädagogium gegangen. Im September 1697 erfolgte die Gründung einer Lateinschule (Latina) für künftige Studierende und 1698 einer höheren Mädchenschule (Gynäceum). 1701 wurde der Bau des Waisenhauses vollendet. Unterricht und Aufsicht darin übertrug F. armen Studenten, für die er 1696 einen Freitisch gegründet hatte. Hinzukam 1707 noch das »Seminarium praeceptorum selectum«, dessen Mitglieder unter Gewährung eines Freitisches und mancherlei anderer Vergünstigungen für den Unterricht an den höheren Schulen seiner Anstalt vorbereitet wurden. So wuchs in verhältnismäßig kurzer Zeit das große Werk der »Franckeschen Stiftungen«. Das Unternehmen wurde in den nächsten Jahren durch die von Heinrich Julius Elers (s. d.) begründete Buchhandlung, eine Apotheke und mancherlei Stiftungen und staatliche Vorrechte wirtschaftlich sichergestellt. In F.s Todesjahr (1727) wurden in seinen Anstalten mehr als 2200 Kinder

von 167 Lehrern, 8 Lehrerinnen und 8 Inspektoren unterrichtet, und 250 Studenten hatten dort ihren Freitisch mit der Gelegenheit und Verpflichtung zur Mitarbeit. Der Geist dieser Anstalten war der Geist F.s. »Die Ehre Gottes muß in allen Dingen, aber sonderlich in Auferziehung und Unterweisung der Kinder, als der Hauptzweck immer vor Augen sein.« Aufgabe und Ziel der Erziehung ist nicht, daß »die Kinder vornehm und hochangesehen in der Welt werden«, sondern daß sie »zur beständigen Furcht und Liebe des allgegenwärtigen Gottes erweckt« werden. Diese Erziehung zur wahren Gottseligkeit geschieht durch Brechung des natürlichen Eigenwillens, durch Nachahmung des frommen Beispiels und durch christliche Unterweisung. Katechismuslehre, erläutert durch biblische Geschichte, und fleißige Lektüre der Heiligen Schrift, sorgfältige Aufsicht, damit nichts Böses aufkomme, Erweckung eines regen Gebetslebens und eines »tätlichen Christentums mit aller Liebe und Sanftmut«, das waren die Kernstücke der F.schen Pädagogik. Das Hauptgewicht legte F. auf den Religionsunterricht, der täglich drei bis vier Stunden in Anspruch nahm. In den höheren Schulen betrug die Zahl der täglichen Unterrichtsstunden anfangs 10, später 8. Die Schüler gehörten nicht in allen Fächern derselben Klasse an, sondern waren in jedem Fach der Stufe zugeteilt, die ihnen nach ihren Kenntnissen zukam. Um die Hebung des Volksunterrichts und die Waisenerziehung, um die Förderung des deutschen, des Real- und Anschauungsunterrichts, um die Einführung und Verbreitung der höheren Mädchenschulen und die fachmännische Ausbildung der Lehrer hat sich F. verdient gemacht. Auch die 1710 gegründete von Cansteinsche Bibelanstalt (s. Canstein, Karl Hildebrand Freiherr von) wurde dem Werk angegliedert. – F. ist auch der Vater der deutschen evangelischen Mission. Dem Dänenkönig Friedrich IV. stellte er 1705 die Kandidaten Bartholomäus Ziegenbalg (s. d.) und Heinrich Plütschau (s. d.) für die Missionsarbeit in der dänischen Kolonie Trankebar in Ostindien zur Verfügung. Er wurde der geistige Träger der Dänisch-Hallischen Mission, für die er Gaben sammelte, zur Fürbitte aufrief und um Missionare warb. Er gab das erste Missionsblatt heraus, das als »Missionsnachrichten der Ostindischen Missionsanstalt« bis 1880 erschien. – Auch als Liederdichter sei F. erwähnt. Wir verdanken ihm das Lied zum Jahresschluß: »Gottlob, ein Schritt zur Ewigkeit ist abermals vollendet« und die Bearbeitung des 62. Psalms: »Was von außen und von innen täglich meine Seele drückt . . .«

Werke: Segensvolle Fußstapfen des noch lebenden u. waltenden liebreichen u. getreuen Gottes z. Beschämung des Unglaubens u. Stärkung des Glaubens entdeckt durch eine wahrhafte u. umständliche Nachr. v. Waisenhaus u. übrigen Anstalten zu Glaucha vor Halle, 1701 (mit noch 6 Forts., 1702–09); Kurzer u. einfältiger Unterricht, wie die Kinder z. wahren Gottseligkeit u. christl. Klugheit anzuführen sind, 1702; Timotheus z. Fürbilde allen theologiae studiosi vorgestellet, 1695; Idea studiosi theologiae, 1712; Methodus studii theologici, 1723. – Öff. Zeugnis v. Werk, Wort u. Dienst Gottes. Theol. Schrr. v. A. H. F., 3 Bde., Halle 1702. – Der Große Aufs. Schr. über eine Reform des Erziehungs- u. Bildungswesens als Ausgangspunkt einer geistl. u. sozialen Neuordnung der Ev. Kirche des 18. Jhs. Mit einer qu.krit. Einf. hrsg. v. Otto Podczelck, 1962. – Päd. Schrr. Hrsg. v. Gustav Kramer, Langensalza 1885² (Nachdr. 1966). – Päd. Schrr. Hrsg. v. Hermann Lorenzen, 1957 (1964²). – Werke in Ausw. Hrsg. v. Erhard Peschke, 1969.

Lit.: C. Ecke, A. H. F., seine Wirksamkeit als Diaconus an der Augustinergemeinde zu Erfurt u. seine Vertreibung 1690 u. 1691 (Vortr.), 1877; – Gustav Kramer, A. H. F., 2 Bde., 1880–82; –

Guido Stemmler, Die päd. Grundsätze u. Ansichten A. H. F.s systemat. dargest. u. beurteilt (Diss. Rostock), Jena 1885; – Richard Siegemund, A. H. F.s Stellung z. weibl. Erziehung (Diss. Leipzig), Großenhain (Sachsen) 1889; – R. Julius Hartmann, A. H. F. Ein Lb., 1897; – Gustav Friedrich Hertzberg, A. H. F. u. sein Hall. Waisenhaus, 1898; – August Otto, A. H. F., 2 Bde., 1902–04; – Otto Benkenstein, Das rel. Moment im Erziehungs- u. Unterrichtsplane A. H. F.s: Ein Btr. z. Charakteristik u. Kenntnis der Päd. u. Methodik des Pietismus (Diss. Erlangen), Borna – Leipzig 1909; – E. Breest, 1. Privileg A. H. F.s u. der Buchladen des Waisenhauses, in: ThStKr, 1911, 293 ff.; – P. Graff, Stellung A. H. F.s in der Gesch. der Liturgik, in: MGkK, 1913, 315; – Wilhelm Fries, Die Stiftungen A. H. F.s, 1913; – Adolf Sellschopp, Neue Qu. z. Gesch. A. H. F.s, 1913; – Hermann Werdermann, Die Päd. A. H. F.s, insbes. sein Rel.-unterricht. Im Rahmen seiner Zeit u. unter vergleichender Heranziehung der Aufklärung (Diss. Erlangen), 1920; – Hans Leube, Die Gesch. der pietist. Bewegung in Leipzig (Diss. Leipzig), 1921; – Albert Krebs, A. H. F. u. Friedrich Wilhelm I. Ein Btr. z. Gesch. des Schul- u. Anstaltswesens (Diss. Frankfurt), Langensalza 1925; – Max Riedmann, A. H. F., in: Ders., Bilder v. Schaffen älterer päd. Meister, 1925, 44 ff.; – Johannes Biereye, A. H. F. in Erfurt, in: ZKGPrSa 21, 1925, 31 ff.; 22, 1926, 26 ff.; – G. Körner, A. H. F., ein großer Erzieher, in: Neue Christoterpe 48, 1926, 136 ff.; – Leopold Cordier, Der junge F., 1927; – Hellmut Heyden, A. H. F. Der Mann u. sein Werk, 1927; – K. Heilmann, A. H. F. als Begründer der ev. Mission, in: EvMiss 33, 1927, 121 ff.; – Martin Richter, A. H. F. u. die Heidenmission, in: NAMZ 4, 1927, 193 ff.; – A. Gehring, A. H. F. u. die Mission, in: Ev.-luth. Missionsbl. 82, 1927, 122 ff.; – Karl Eger, A. H. F. Rede z. 200. Todestag, 1927; – Fedor Sommer, A. H. F. u. seine Stiftungen, 1927; – Karl Weiske, A. H. F.s Päd., 1927; – A. H. F. der Deutschen Seelsorger, F. als Philologe, 1927; – Friedrich Mahling, Carl Mirbt u. August Nebe, Zum Gedächtnis A. H. F.s, 1927; – August Nebe, Neue Qu. zu A. H. F., 1927; – Ders., A. H. F. u. die Bibel, in: Zum Gedächtnis A. H. F.s, hrsg. v. Friedrich Mahling u. a., 1927, 1 ff.; – Ignaz Klug, Ringende u. Reife. Lb. vollendeter Menschen, 1928 (25. bis 27. Tsd.), 23 ff.; – Walther Michaelis, A. H. F., in: Mitteldt. Lb. IV, 1929, 41 ff.; – Ders., A. H. F., 1938 (1947³); – Alfred Roth, A. H. F., 1932; – Moritz Wachter, Das psycholog. Moment in der Erziehungs- u. Unterrichtsmethode A. H. F.s (Diss. Erlangen), Kulmbach 1930; – Ernst Bartz, Die Wirtschaftsethik A. H. F.s (Diss. Heidelberg), 1934; – Fritz Blanke, A. H. F.s Bekehrung, in: Die Furche 20, 1934, 373 ff.; – Richard Kammel, A. H. F.s Tätigkeit f. die Diaspora des Ostens, in: Die ev. Diaspora 20, 1938, 312 ff.; – August Klepper, Der König u. die Stillen im Lande. Begegnungen Friedrich Wilhelms I. mit A. H. F., Gotthilf August Francke, Johann Anastasius Freylinghausen, Nikolaus Ludwig Gf. v. Zinzendorf, 1938². 1956; – Herbert Stahl, A. H. F. Der Einfluß Luthers u. Molinos auf ihn (Diss. Berlin), Stuttgart 1939; – Ernst Bunke, A. H. F. Der Mann des Glaubens u. der Liebe, 1939 (1960²); – Karl Hinrichs, Friedrich Wilhelm I. Kg. v. Preußen. Eine Biogr., I: Jugend u. Aufstieg, 1943; – Ders., Pietismus u. Militarismus im alten Preußen, in: ARG 49, 1958, 270 ff.; – Oskar Vogelhuber, Gesch. der neueren Päd., 1949; – Jörg Erb, Die Wolke der Zeugen I, 1951, 323 ff.; – Gerhard Hultsch, A. H. F. Der Vater der Waisen, 1951; – Hans Ahrbeck, Über die Erziehungs- u. Unterrichtsreform A. H. F.s u. ihre Grdl.n, in: 450 J. Martin-Luther-Univ. Halle-Wittenberg II, Halle (Saale) 1952, 77 ff.; – Ders., Über einige fortschrittl. Elemente in der Päd. A. H. F.s, in: Jb. f. Erziehungs- u. Schulgesch. 3, 1963, 3 ff.; – Eduard Winter, Halle als Ausgangspunkt der dt. Rußlandkunde im 18. Jh., 1953; – Erich Beyreuther, A. H. F. u. die Ökumene (Diss. Leipzig), 2 Bde., 1953; – Ders., A. H. F., Zeuge des lebendigen Gottes, 1956 (1969³); – Ders., A. H. F. u. die Anfänge der ökumen. Bewegung, Leipzig – Hamburg-Bergstedt 1957; – Ders., Die große Wendung im Leben A. H. F.s, in: WuT 11, 1957, 130 ff.; – Heinz Welsch, Die F.schen Stiftungen als wirtschaftl. Großunternehmen. Unters. auf Grund der Rechnungsbücher der F.schen Stiftungen (Diss. Halle), 1956; – Joachim Böhme, Heinrich Julius Elers. Ein Freund u. Mitarbeiter A. H. F.s (Diss. Berlin F.U.), 1956; – Kurt Aland, A. H. F. u. die Privatbeichte, in: MPTh 45, 1956, 272 ff.; – Ders., Bem.en zu A. H. F. u. seiner Bekehrungserlebnis, in: Ders., Kirchengeschichtl. Entwürfe. Alte Kirche, Ref. u. Luthertum, Pietismus u. Erweckungsbewegung, 1960, 543 ff.; – Walther Schwarz, A. H. F. u. Schlesien, in: Jb. f. schles. Kirche u. KG NF 36, 1957, 106 ff.; – Friedrich Hauß, Väter der Christenheit II, 1957, 29 ff.; – Otto Podczeck, Die Arbeit am AT in Halle z. Z. des Pietismus. Das »Collegium Orientale theologicum« A. H. F.s, in: WZ Halle 7, 1957–58, 1059 ff.; – Ders., A. H. F.s Schr. über eine Reform des Erziehungs- u. Bildungswesens als Ausgangspunkt einer geistl. u. sozialen Neuordnung der Ev. Kirche des 18. Jh.s (Diss. Halle, 1960), 1959; u. in: AAL 53, 1962, H. 3, 1–163; – Rudolf Erckmann, Via humana. Wohltäter der Menschheit, 1958, 7 ff.; – Gerhard Morgenroth, Das Bild eines Menschen. A. H. F., in: Sozialpäd. Zschr. f. Mitarbeiter 3, 1961, 159 ff.; – Klaus Deppermann, Der hall. Pietismus u. der preuß. Staat unter Friedrich III. (Diss. Freiburg/Breisgau, 1958), Göttingen 1961; – Ders., Die Päd. A. H. F.s u. ihre Bedeutung f. die Ggw., in: IM 53, 1963, 277 ff.; – Erhard Peschke, Zur Struktur der Theol. A. H. F.s, in: ThLZ 86, 1961, 881 ff.; – Ders., Kirche u. Welt in der Theol. A. H. F.s, ebd. 88, 1963, 241 ff.; – Ders., Zur Hermeneutik A. H. F.s, ebd. 89, 1964, 98 ff.; – Ders., Stud. z. Theol.

A. H. F.s, 1964; – Ders., Die Abendmahlsanschauung A. H. F.s, in: Kirche – Theol. – Frömmigkeit. Festg. f. Gottfried Holtz z. 65. Geb., 1965, 128 ff.; – Ders., Stud. z. Theol. A. H. F.s (Gert Haendler), in: ThLZ 90, 1965, 922 ff.; – Ders., Die Bedeutung der Mystik f. die Bekehrung A. H. F.s, ebd. 91, 1966, 881 ff.; – Ders., Stud. z. Theol. A. H. F.s, ebd. 92, 1967, 926 ff.; – Ders., Die theol. Voraussetzungen der universalen Reformpläne A. H. F.s, in: Wort u. Gemeinde. Festschr. f. Erdmann Schott z. 65. Geb. Aufss. u. Vortrr. z. Theol. u. Rel.wiss., 1967, 97 ff.; – Ders., Das Lutherverständnis A. H. F.s, in: ThLZ 94, 1969, 81 ff.; – Kurt Meier, A. H. F. u. der Hallenser Pietismus, in: GuG 9, 1963, 45 f.; – W. Brix, A. H. F., in: Päd. Arbeitsbll. z. Fortbildung f. Lehrer u. Erzieher 15, 1963, 301 ff.; – A. H. F. u. die Anfänge der Tranquebar-Miss., in: LR 13, 1963, 372 ff.; – Amedo Molnár, A. H. F. u. die Bedeutung des hall. Pietismus f. die tschech. Protestanten, in: ThLZ 89, 1964, 1 ff.; – A. H. F. Festreden u. Kolloquium über die Bildungs- u. Erziehungsgedanken bei A. H. F. aus Anlaß der 300. Wiederkehr seines Geb. 22. 3. 1963, Halle (Saale) 1964; – Gerhard Meyer, Der Hallenser Pietismus A. H. F.s in seinem Verhältnis z. brandenburg-preuß. Staat, in: Jb. der schles. Friedrich-Wilhelms-Univ. zu Breslau 10, Würzburg 1965, 59 ff.; – A. H. F. Wort u. Tat. Ansprachen u. Vortrr. z. 300. Wiederkehr seines Geb., hrsg. v. Dietrich Jungklaus, 1966; – Erkki Kansanaho, Der Einfluß F.s auf den nordeurop. Pietismus, in: A. H. F. Wort u. Tat. Ansprachen u. Vortrr. z. 300. Wiederkehr seines Geb., 1966, 62–77; – Arno Lehmann, A. H. F.s weltweites Wirken, ebd. 78–102; – Helmut König, A. H. F. in seiner Zeit u. f. unsere Zeit, ebd. 103–118; – Martin Schmidt, A. H. F.s Stellung in der pietist. Bewegung, ebd. 18–41; – Ders., A. H. F.s Katechismuspredigten, in: LuJ 33, 1966, 88 ff.; – Ders., A. H. F.s Erkl. des 139. Psalms, in: Wort – Gebet – Glaube. Btrr. z. Theol. des AT. Walther Eichrodt z. 60. Geb. Zus. mit Johann Jakob Stamm u. a. hrsg. v. Hans Joachim Stoebe, Zürich 1970, 263 ff.; – Friedrich de Boor, A. H. F.s paränet. Vorlesungen u. seine Schrr. z. Methode der theol. Studiums, in: ZRGG 20, 1968, 300 ff.; – Peter Menck, Neuere Lit. zu A. H. F., in: PädR 22, 1968, 175 ff.; – Ders., Die Erziehung der Jugend z. Ehre Gottes u. z. Nutzen des Nächsten. Begründung u. Intentionen der Päd. A. H. F.s (Diss. Bonn), Wuppertal – Ratingen – Düsseldorf 1969; – Wolf Oschlies, Die Arbeits- u. Berufspäd. A. H. F.s Schule u. Leben im Menschenbild des Hauptvertreters des Hallischen Pietismus (Diss. Hamburg), Witten (Ruhr) 1969; – Der Briefwechsel Carl Hildebrand v. Cansteins mit A. H. F., hrsg. v. Peter Schicketanz, Berlin – New York 1972; – Kosch, LL I, 540 f.; – KLL V, 823 f. (Öff. Zeugnis v. Werk, Wort u. Dienst Gottes); – MGG IV, 683 ff.; – Honegger I, 362; – Blume 124. 169 f. 173. 408; – ADB VII, 219 ff.; – NDB V, 322 ff.; – LexPäd(F) II, 68 ff.; – RE VI, 150 ff.; – EKL I, 1318 f.; – RGG II, 1013 ff.; – LThK IV, 250 f.; – NCE VI, 73 f.

FRANCKE, Gotthilf August, Theologe, * 1. 4. 1696 in Glaucha bei Halle (Saale) als Sohn des Theologen August Hermann F. (s. d.), † daselbst 2. 9. 1769. – F. wurde 1727 o. Professor der Theologie an der Universität Halle und Direktor der Franckeschen Stiftungen. Sein Lebenswerk bestand in der treuen Pflege des väterlichen Erbes und dem weiteren Ausbau der Missionsarbeit in Indien. Hervorragende Mitarbeiter, wie Johann Anastasius Freylinghausen (s. d.), Johann Georg Knapp (s. d.) und August Hermann Niemeyer (s. d.), die ihm als Mitdirektoren zur Seite standen, und die Unterstützung durch den preußischen König brachten die Franckeschen Stiftungen zu höchster Entfaltung. F. erlebte die Blütezeit des Hallischen Pietismus, aber auch den Niedergang.

Lit.: Johann Georg Knapp, Denkmal der schuldigen Hochachtung . . . Herrn D. G. A. F., Halle 1710; – Wilhelm Schrader, Gesch. der Friedrichs-Univ. zu Halle I, 1894, 135 f.; – Wilhelm Stolze, Friedrich Wilhelm I. u. der Pietismus, in: JBrKG 5, 1909, 172 ff.; – Erich Beyreuther, August Hermann Francke u. die Anfänge der ökumen. Bewegung, 1958, 197 f.; – ADB VII, 231 f.; – NDB V, 325; – RGG II, 1016.

FRANCKE, Meister (Frater Francke), Maler, * um 1380 in Hamburg, † nach 1430. – F. war Sproß der angesehenen, aus Zutphen (Gelderland) zugewanderten Schuhmacherfamilie Lubberdes-Francke; seine Mutter entstammte einer aus Hameln nach Hamburg gekommenen Großböttcherfamilie. Er trat früh in das Hamburger Dominikanerkloster St. Johannis ein. F. war also nicht ein bürgerlicher Meister, sondern wie

Fra Angelico (s. d.) ein Mönchsmaler. Um 1430 malte F. einen Altar für die Bruderschaft der Schwarzhäupter in der Katharinenkirche zu Reval und zwei Tafeln für den Dom zu Münster (Westfalen). Diese Werke sind verloren. Seine Hauptwerke sind der von der Hamburger Gesellschaft der Englandfahrer bestellte »Thomasaltar« (Englandfahrer-Altar) mit Szenen aus dem Marienleben und dem Leben des hl. Thomas von Canterbury (s. d.), der Barbaraaltar aus Nykyrko mit Szenen aus der Legende der hl. Barbara (s. d.) und »Christus als Schmerzensmann«. – F. war im ersten Drittel des 15. Jahrhunderts neben dem Westfalen Konrad von Soest (s. d.) und Stefan Lochner (s. d.) in Köln der bedeutendste Meister des »Weichen Stils«, in dem sich die Gotik aus einer Periode stark naturalistischer Auffassung zu lieblicheren und mehr verinnerlichten Ausdrucksmöglichkeiten wandelte und vor allem die für die weitere Entwicklung der Malerei charakteristischen »Schönen Madonnen« schuf.

Werke: Hamburg, Kunsthalle, v. »Thomasaltar«, um 1424: »Die Frauen unter dem Kreuz« (Fragment der Mitteltaf.); v. linken Flügel, außen oben: »Geburt Christi«, unten: »Verhöhnung des hl. Thomas v. Canterbury«; innen oben: »Geißelung Christi«, unten: »Kreuztragung Christi«; v. rechten Flügel, außen oben: »Anbetung der Könige«; unten: »Martertod des hl. Thomas v. Canterbury«; innen oben: »Auferstehung Christi«; unten: »Grablegung Christi«; »Christus als Schmerzensmann«. – Helsinki, Kunsallismuseo, »Barbara-Altar«, aus Nykyrko, vor 1424, 4 bemalte Flügel, linke Flügel oben: »Disput der hl. Barbara« u. »Das Mauerwunder«, unten: »Verurteilung der hl. Barbara« u. »Geißelung der hl. Barbara«; rechte Flügel oben: »Verrat des Hirten« u. »Einkerkerung der hl. Barbara«, unten: »Feuermarter der hl. Barbara« u. »Enthauptung der hl. Barbara«. – Leipzig, Mus. der Bildenden Künste; »Christus als Schmerzensmann«.

Lit.: Alfred Lichtwark, M. F., 1899; – Bella Martens, M. F., 2 Bde., 1929; – Alfred Stange, Dt. Malerei der Gotik III, 1938, 10 ff.; – Othmar Kerber, M. F. u. die dt. Kunst um 1400. I: Der Barbara-Altar, 1939; – Otto Fischer, Gesch. der dt. Malerei, 1942; – R. Herrlinger, Der Thomasaltar M. F.s u. die dt. Plastik des frühen 15. Jh.s, in: Zschr. f. Kunst 2, 1948, 230 ff.; – H. S. Francis, The Schlaegl altarpiece, in: The Bulletin of the Cleveland Museum of Art 39, 1952, 268 ff.; – Kat. der Alten Meister der Hamburger Kunsthalle, 1956⁴, 61 ff.; – Lottlisa Behling, Die Pflanze in der ma. Tafelmalerei, Weimar 1957, 33 ff.; – Heinrich Reincke, Genealog. Fragen um den »M. F.«, in: Zschr. f. niedersächs. Fam.kunde 33, 1958, 49 ff.; – Ders., Probleme um den »M. F.«, in: Jb. der Hamburger Kunstsmlg.en 4, 1959, 9 ff.; – Thieme-Becker XII, 334 f.; – KML II, 438 ff.

FRANCO, Apollinaris, Missionar und Märtyrer, * in Aguilar del Campo (Spanien) aus adeligem Geschlecht, † (verbrannt) 12. 9. 1622 in Omura (Japan). – F. studierte und promovierte in Salamanca und wurde Priester und Franziskaner. Er wirkte 1602–11 als Missionar auf den Philippinen, danach in Japan: in Nagasaki, Osaka, Arima und Kuchinotsu. F. wurde 1616 Kommissar der Franziskanermission und nach fünfjähriger Kerkerhaft mit 8 Gefährten zum Tod verurteilt. Pius IX. sprach ihn am 7. 7. 1867 selig.

Lit.: Giuseppe Boero, Relazione della gloriosa morte di ducento e cinque beati martiri nel Giappone, Rom 1867, 49. 81 f.; – Louis Charles Profillet, Le Martyrologe de l'Église du Japon 1549–1649, Paris 1895, 175 ff.; – Marcellinus v. Civezza, Histoire universelle de Mission Française II, ebd. 1899, 343 ff. 381 ff.; – Lorenzo Pérez, Vida y escritos del B. A. F., Santiago 1911; – VSB IX, 268 f.; – BS V, 1248; – BiblMiss V, 430; – EC VI, 375 f.; – LThK IV, 251 f.

FRANK, Franz Hermann Reinhold (durch Verleihung des bayrischen Zivilverdienstordens geadelt), luth. Theologe, * 2. 5. 1827 als Pfarrerssohn in Altenburg, † 7. 2. 1894 in Erlangen. – F. studierte seit 1845 in Leipzig. Er wurde einer der eifrigsten und treuesten Schüler von Adolf Harleß (s. d.) und entwickelte sich zu einem begeisterten bekenntnistreuen Lutheraner. 1850 promovierte F. zum Dr. phil. und 1851 zum

Lic. theol. Er widmete sich eifrig philosophischen Arbeiten und legte den Grund zu seiner umfassenden Kenntnis der neueren Philosophie. Vor allem galten seine Studien der Dogmatik, besonders der Durcharbeitung der altlutherischen Dogmatiker. Herbst 1851 folgte er dem Ruf als Subrektor an die Gelehrtenschule in Ratzeburg. 1853 wurde F. Gymnasialprofessor für Religion am Gymnasium in Altenburg, unterrichtete aber wie in Ratzeburg auch in den alten Sprachen und in der deutschen Literaturgeschichte. 1857 wurde er als ao. Professor für Kirchengeschichte und Systematische Theologie nach Erlangen berufen und 1858 zum o. Professor ernannt und blieb in dieser Stellung bis an sein Ende. – F. gilt als der eigentliche Systematiker der Erlanger Schule, der von der Erfahrung der Wiedergeburt aus das System der orthodoxen Theologie aufbaute, und ist auch bekannt als Gegner der Theologie Albrecht Ritschls (s. d.) und der Union zwischen Lutheranern und Reformierten.

Werke: Die Theol. der Concordienformel hist.-dogmat. entwickelt u. beleuchtet. I: Die Art. v. summar. Begriff der Lehre, v. der Erbsünde u. v. freien Willen, 1858; II: Die Art. v. der Gerechtigkeit des Glaubens, v. den guten Werken, v. Gesetz u. Ev. u. v. dritten Brauch des Gesetzes, 1861; III: Die Art. v. hl. Abendmahl, v. der Person Christi u. v. der Höllenfahrt Christi, 1863; IV: Die Art. v. den kirchl. Mitteldingen, v. der ewigen Vorsehung u. Wahl Gottes u. v. den außerkirchl. Häretikern, 1865; System der christl. Gewißheit I, 1870 (1884²); II, 1873 (1881²); System der christl. Wahrheit, 2 Bde., 1878–80 (1885/86²; 1894³); System der christl. Sittlichkeit I, 1884; II, 1887; Über die kirchl. Bedeutung der Theol. A. Ritschls, 1888 (1891³); Über die Lebensmacht der Gnadenmittel im Sinne luth. Lehre (Vortr.), 1891; Vademecum f. angehende Theologen, 1892; Dogmat. Stud., 1892; Gesch. u. Kritik der neueren Theol., insbes. der systemat., hrsg. v. P. Schaarschmidt, 1894 (1908⁴).

Lit.: Johannes Gottschick, Die Kirchlichkeit der sog. kirchl. Theol., 1890, 110 ff.; – Friedrich Karl Edmund Weber, F. H. R. F.s Gotteslehre u. deren erkenntnistheoret. Voraussetzungen (Diss. Würzburg), Naumburg (Saale) 1900 (vollst. Leipzig 1901); – Erich Schaeder, Theozentr. Theol. I, 1909, 22 ff.; – Bruno Doehring, Vergleichende Darlegung u. krit. Beurteilung der Stellung F.s u. Ritschls z. Apologetik mit Bezug auf die gegenwärt. apologet. Aufgabe (Diss. Erlangen), Naumburg (Saale) 1912; – Alfred Römer, Der Gottesbegriff F.s im Lichte der neueren Stud. über Gottes Absolutheit u. Persönlichkeit (Diss. Heidelberg), Halle (Saale) 1912; – Richard Grützmacher, Die Theol. v. F., in: NKZ 1914, 991 ff.; – Christian Gahr, F.s Stellung z. Erkenntnistheorie u. Metaphysik (Diss. Erlangen), 1919; – Otto Haendler, Die Christologie F.s (Theol. Thesen, Berlin), 1925; – F. H. R. F.s 100. Geb., in: Sächs. Kirchenbl., 1927, 122 ff.; – Philipp Bachmann, F. H. R. F., in: AELKZ, 1927, 513 ff.; – Reinhold Seeberg, F. H. R. F., der Mann u. sein Werk, in: NKZ 38, 1927, 156 ff.; – Wilhelm Heyderich, Die Bedeutung einer christl. Gewißheitslehre f. die ST in Auseinandersetzung mit den v. F. H. R. F. u. Karl Heim vertretenen Grundpositionen (Diss. Göttingen), Gotha 1935; – Helmut Scheler, Die Prinzipien der Ethik F.s (Diss. Erlangen), 1946; – Wolfgang Conradi, Die Funktion des Kirchenbegriffes bei F. H. R. v. F. (Diss. Hamburg), 1974; – ADB 48, 683 ff.; – RE VI, 158 ff.; XXIII, 452; – EKL I, 1319 f.; – RGG II, 1017; LThK IV, 254.

FRANK, Gustav, Theologe, * 25. 9. 1832 in Schleiz (Thüringen) als Sohn eines Weißgerbermeisters, † 24. 9. 1904 in Hinterbrühl bei Wien. – F. studierte in Jena, wo er Karl August Hase (s. d.) nahetrat, mit dem er innige Freundschaft schließen durfte. Er wurde 1859 Privatdozent und 1864 ao. Professor in Jena. 1867 folgte F. dem Ruf nach Wien als o. Professor für Systematische Theologie und Symbolik und wurde zugleich Mitglied des österreichischen evangelischen Oberkirchenrats. 1902 trat er in den Ruhestand.

Werke: Gesch. der prot. Theol. I, 1862 (v. Luther bis Johann Gerhard: die Heroenzeit der Kirche, die Epigonenzeit, die Zeit der konfessionellen Polemik, die Zeit der orthodoxen Systematik); II, 1865 (v. Georg Calixt bis z. Wolffschen Philos. in 3 Abschn.: Synkretismus, Salmurianismus u. wiss. Emanzipationen; Pietismus u. Coccejanismus; Kritiker, Freigeister u. Philosophen); III, 1875 (Gesch. des Rationalismus u. seiner Ggs. in 2 Abschn.: Verstandesaufklärung u. Gefühlsvertiefung; Philos. u. Theol., Rationalismus u. Supranaturalismus); IV, aus dem Nachlaß hrsg. v. Georg Loesche, 1905 (Entwicklung im 19. Jh., aber nur bis etwa in die 60er J.).

Lit.: Georg Loesche, G. F. Ein Gedenkbl. (mit vollst. Bibliogr.), 1905; – RE XXIII, 452 ff.

FRANKE, **Friedrich Wilhelm**, Organist, * 21. 6. 1862 in Barmen als Sohn eines Lehrers, † 3. 4. 1932 in Köln-Lindenthal. – F. besuchte das Gymnasium in Barmen und studierte seit 1879 an der Hochschule für Musik in Berlin Orgel, Klavier, Theorie und Komposition. Der Musikhistoriker Philipp Spitta (s. d.) führte ihn vor allem in die Welt Johann Sebastian Bachs (s. d.) und Georg Friedrich Händels (s. d.) ein. Nach vorübergehender Tätigkeit als Organist an St. Jacobi in Stralsund und im Stift Preetz (Holstein) wurde F. 1891 als Lehrer für Orgel, Harmonielehre und Kontrapunkt an das Konservatorium in Köln berufen und war zugleich Organist der Gürzenichkonzerte und zahlreicher rheinischer Musikfeste. Auch war er Organist an der Kölner Christuskirche und wurde 1900 zum Professor ernannt. – F.s Lebensarbeit galt den Erneuerungsbestrebungen innerhalb der evangelischen Kirchenmusik. So hat er sich um die Wiedererweckung altevangelischer Kirchenmusik-Formen verdient gemacht.

Werke: Schrr.: Theorie u. Praxis des harmon. Tonsatzes, 1898 (1918³); Das Orgelspiel. Für den Unterricht u. das Stud., um 1900 (um 1910⁴); Prakt. Übungen in der Harmonielehre (Generalbaß), 1920; Johann Sebastian Bachs Kirchenkantaten. Mit einer Einf. in ihre Gesch., ihr Wesen u. ihre Bedeutung (RUB 6565. 6818), 2 Bde., 1925–27; Die Reform des dt. Chorals, in: Der ev. Kirchenmusiker, 1928, 69 f.; Zur Choralreform, ebd. 1929, 82. – Vokal- u. Orgelwerke s. MGG IV, 706. – Gab mit Karl Sandmann heraus: Cantus-firmus-Präludien, 4 Bde., 1928 bis 1932.
Lit.: H. Landgreber, F. W. F., in: Der ev. Kirchenmusiker, 1927, 53; – W. Jacobs, F. W. F., in: Köln. Ztg., 5. April 1932; – Hans Joachim Moser, F. W. F., in: MuK 4, 1932, 140 ff.; – Lorna Kay Lutz, F. W. F., in: Rhein. Musiker VI, hrsg. v. Dietrich Kämper, 1969, 53 ff.; – Dies., F. W. F. Seine Bedeutung in der Kirchenmusik (Diss. Köln), 1970; – MGG IV, 705 ff.; – Riemann I, 544; ErgBd. I, 378; – Moser I, 365.

FRANKENBERG, **Abraham von**, Mystiker, * 24. 6. 1593 in Ludwigsdorf bei Oels (Schlesien) als Sohn eines Landhofgerichtsassessors, † daselbst 25. 6. 1652. – Von der lutherischen Orthodoxie nicht befriedigt, wandte sich F. nach seinem juristischen Studium der mittelalterlichen Mystik zu, beeinflußt durch Jakob Böhme (s. d.) und Valentin Weigel (s. d.). Zu dem schlesischen Mystikerkreis um F. und Daniel Czepko (s. d.) gehörte der als Angelus Silesius bekannte Johann Scheffler (s. d.). F. verehrte Böhme; er wurde sein Freund und Biograph, sammelte dessen Werke und gab sie heraus.

Werke: Via veterum sapientium, oder weg der alten Weisen. I: Von der Furcht des HErrn u. ihren Früchten; II: Von der Weisheit GOttes u. ihren kräfften, Amsterdam 1675; Mir nach! oder eine ernstliche u. treuherzige vermahnung an alle Christliche gemeine zu hl. u. gottsel. wandel in der fürbilde u. der Nachfolge Jesu Christi, ebd. 1675; Nosce te ipsum, oder gründl. durchsuchung u. eigentl. nachforschung, wie der mensch in scharffer anatom. betrachtung sich selbst als das edelste u. nach dem ebenbild GOttes erschaffene geschöpff sich selbst erkennen lernen solle u. müsse u. wie er sich in dreyerlei stand wol zu prüfen habe, Frankfurt am Main 1675.
Lit.: Gottfried Arnold, Unparteiische Kirchen- u. Ketzerhistorie III, Frankfurt (Main) 1700, 92 ff.; – Gustav Koffmane, Die rel. Bewegungen in der ev. Kirche Schlesiens während des 17. Jh.s, 1880, 29 ff. 14 ff.; – Georg Ellinger, A. v. F., in: Familienzschr. derer v. F. 3, 1921, H. 3/4; – Ders., Angelus Silesius, 1927, 50 ff.; – Hubert Schrade, Bttr. zu den Dt. Mystikern des 17. Jh.s II. A. v. F. (Diss. Heidelberg), 1923; – Will-Erich Peuckert, Die Entwicklung A.s v. F. bis z. J. 1641 (Diss. Breslau), 1927; – Ders., Die Rosenkreutzer, 1928, 243 ff.; – Ders., A. v. F., in: Schles. Lb. III, 1928, 47 ff.; – Christine Stewing, Boehmes Lehre v. »inneren Wort« in ihrer Beziehung z. F.s Anschauung v.

Wort (Diss. München), 1953; – Kosch, LL I, 541; – ADB VII, 243 f.; – NDB V, 348 f.; – RGG II, 1019.

FRANKENBERG, **Johann Heinrich Graf von**, kath. Theologe, * 18. 9. 1726 in Großglogau (Schlesien), † 11. 6. 1804 in Breda (Holland). – F. besuchte das Jesuitenkollegium seiner Vaterstadt und studierte Philosophie an der Universität Breslau und Theologie im »Collegium Germanicum« in Rom. Er wurde 1750 Koadjutor des Erzbischofs von Görz (Österreich), 1754 Stiftsdekan in Prag, 1755 Dekan in Bunzlau, am 20. 1. 1759 Erzbischof von Mecheln und damit Primas von Belgien, das damals zu Österreich gehörte, aber 1794 französisch wurde, und am 1. 6. 1778 Kardinal. – F. war ein entschiedener Gegner der kirchlichen Reformpläne Josephs II. Der Kaiser hob die bischöflichen Seminare auf und errichtete 1786 als einzige anerkannte Ausbildungsstätte für den belgischen katholischen Klerus das staatliche Generalseminar in Löwen. F. protestierte dagegen, wandte sich aber vergeblich an Joseph II. Als Unruhen unter den Seminaristen in Löwen das Seminar auflösten, wurde der Erzbischof 1787 zur Verantwortung nach Wien geladen, aber mit Rücksicht auf die gespannte Lage in Belgien nach kurzer Haft entlassen. F. setzte den Kampf gegen das aufs neue eröffnete Generalseminar in Löwen fort, dessen theologischen Unterricht er nach eingehender Prüfung in kaiserlichem Auftrag 1789 als nicht orthodox erklärte. Als wegen der kirchlichen Reformpolitik Josephs II. 1790 ein allgemeiner Aufstand in Belgien ausbrach, bezeichnete der Minister Graf Trautmannsdorf F. als Haupt einer Verschwörung und befahl ihm, das Kreuz des Stephansordens und das Dekret seiner Ernennung zum Staatsrat einzusenden. F. appellierte an Joseph II.; der Kaiser aber starb, ehe ihn der Brief des Erzbischofs erreichte. Auch der Französischen Revolution leistete F. mutigen Widerstand und wurde darum 1797 zur Deportation verurteilt. Er lebte zunächst in Emmerich, dann in Borken und ging nach seiner Ausweisung aus Preußen nach Breda.

Werke: Denkschrr. im Recueil des représentations, protestations et réclamations faites à S. M. Joseph par les représentants et états des Pays-Bas autrichiens, 1787–90.
Lit.: Augustin Theiner, Der Kard. F. u. sein Kampf um die Freiheit der Kirche, 1850; – Arthur Verhaegen, Le Cardinal de F., Lille 1890; – L. Delplace, Joseph II et la révolution brabançonne, Brügge 1891; – Henri Pirenne, Histoire de Belgique V. VI, Brüssel 1926⁵; – Hermann Hoffmann, Glogauer Bisch., 1927, 19 ff.; – Ders., J. H. Gf. v. F., in: Schles. Lb. IV, 1931, 191 ff.; – Léon van der Essen, L'Université de Louvain 1425–1940, Brüssel 1945; – C. de Clercq, in: SE 10, 1958, 298 ff.; – Kosch, KD 815; – Wurzbach IV, 330 ff.; – ADB VII, 270 f.; – NDB V, 349 f.; – DHGE XVII, 963 ff.; – LThK IV, 251; – NCE VI, 76; – RE VI, 165 f.

FRANKFURTER, Verfasser der mystischen Schrift »Theologia Deutsch« aus dem Anfang des 15. Jahrhunderts. – Die einzige bis jetzt bekannte Handschrift der »Theologia Deutsch« stammt aus dem Zisterzienserkloster Bronnbach an der Tauber und ist datiert 1497. Verfasser ist »Der Franckforter«, von dem wir aus der Vorrede der Handschrift nur erfahren, daß er ein Priester und Custos des Deutsch-Herrenhauses zu Frankfurt gewesen sei. Martin Luther gab 1516 einige Kapitel aus der Handschrift eines unbekannten Verfassers als »Eyn geystlich edles Buchleynn« heraus. Schon 1518 ließ er ihnen eine vollständige Ausgabe des Werkes folgen. Der Traktat will die Art der wahren »Gottesfreunde« im Gegensatz zu den

»falschen freien Geistern«, die der Kirche schädlich sind, aufzeigen. Die »Deutsche Theologie« bleibt in der Lehre von Kirche und Heilsmitteln ganz im katholischen Rahmen; darum darf man reformatorische Theologie nicht in sie hineinlesen.

Werke: Theologia Deutsch. – *Ausgg.:* Eyn geystlich edles Buchleynn, hrsg. v. Martin Luther (unvollst.), Wittenberg 1516; v. dems. (vollst.), ebd. 1518 (WA I, 152 ff.). – Theologia deutsch. Die leret gar manchen lieblichen underscheit gotlicher warheit u. seit gar hohe u. gar schone ding von einem volkomen leben. Neue nach der einzigen bis jetzt bekannten Hs. bes. vollst. Ausg. v. Franz Pfeiffer, Stuttgart 1851 (1900⁴). – Krit. Textausg., hrsg. v. Viktor Dollmayr, 1906 (= Neudrucke dt. Lit.werke des 16. u. 17. Jh.s, 212–214). – Der Franckforter. Eyn deutsch Theologia, hrsg. v. Willo Uhl (Lietzmanns Kleine Texte 96), 1912 (1926²). – Übers. v. Jos. Bernhart, 1920⁶ (Neudr. 1946). – Theologia Deutsch, hrsg. v. Gottlob Siedel, 1929. – Deutsche Theologie. Das ist ein edles Büchlein u. rechten Verstande, was Adam in Christus sei u. wie Adam in uns sterben u. Christus erstehen soll. Mit den Vorreden Martin Luthers u. Johann Arnds. 3., neubearb. Aufl. v. Ernst Dinkelacker, 1935. – Das Buch v. vollkommenen Leben. Die Theologia Deutsch des Frankfurter Deutschherren. Nach der Bronnbacher Hs. v. 1497 in der Fassung v. Franz Pfeiffer ed., übers. u. mit einem Komm. vers. v. Kurt Franziskus Riedler, Thalwil – Zürich 1947.

Lit.: Willo Uhl, Btrr. z. stilist. Kunst der »Theologia Deutsch« (Diss. Greifswald), 1912; – Jules Paquier, Un mystique allemand, Paris 1922; – Karl Müller, Zum Text der »Theologia Deutsch«, in: ZKG 49, 1930, 307 ff.; – Jean Chuzeville, Les mystiques allemands du XIIIᵉ au IXXᵉ siècle, Paris 1935, 188 ff.; – Edward Schröder, Die Überl. des Frankfurter, in: ZKG 49, 1930, 307 ff.; – Erich Vogelsang, Luther u. die Mystik, in: LuJ 19, 1937, 32 ff.; – Eberhard Teufel, Die »Dt. Theol.« u. Sebastian Franck im Lichte der neueren Forsch. I, in: ThR NF 11, 1939, 304 ff.; – Giuseppe Faggin, Maestro Eckhart e la mistica tedesca preprotestante, in: Storia universale della filosofia 10, Mailand 1944, 341 ff.; – Friedrich Wilhelm Wentzlaff-Eggebert, Dt. Mystik zw. MA u. Neuzeit, 1947², 160 ff. 324 f.; – Werner Kohlschmidt, Luther u. die Mystik, 1947; – J.-A. Bizet, La querelle de l'anonyme de Francfort, in: Études Germaniques 3, Lyon 1948, 201 ff.; – Karl Helm – Walther Ziesemer, Die Lit. des Dt. Ritterordens, 1951, 129 f.; – C. Vasoli, La »Teologia Tedesca«, in: Rivista Critica della Filosofia 8, Mailand 1953, 63 ff.; – K. Wessendorft, Ist der Verf. der »Theologia Deutsch« gefunden?, in: EvTh 16, 1956, 188 ff.; – Georg Baring, Neues v. »Theologia deutsch« u. ihrer weltweiten Bedeutung, in: ARG 98, 1957, 1 ff.; – Ders., Ludwig Hätzers Bearb. der »Theologia Deutsch«, Worms 1528, in: ZKG 70, 1959, 218 ff.; – Ders., Die frz. Ausgg. der »Theologia Deutsch«, in: ThZ 16, 1960, 176 ff.; – Ders., Bibliogr. der Ausgg. der »Theologia Deutsch« (1516–1961), 1963 (mit 190 Ausgg. u. Übersz.); – Rudolf Haubst, Johannes v. Frankfurt als der mutmaßliche Verf. v. »Eyn deutsch Theologia«, in: Scholastik 33, 1958, 149 ff.; – Jan J. Kiwiet, Die »Theologia Deutsch« u. ihre Bedeutung während der Zeit der Ref., in: Mennonit. Gesch.bll. 15, 1958, 29 ff.; – VerfLex IV, 426 ff.; V, 1086; – Wilpert I², 524; – KLL I, 1077 ff. (Eyn Deutsch Theologia); – EKL III, 1353 f.; – RGG II, 107 f.; – DThC IX, 1259 ff.; – LThK X, 61 f.; – NDB V, 359 f.

FRANZ von Assisi (Taufname: Giovanni; von seinem Vater Francesco genannt), Stifter der Franziskaner, Klarissen und Terziaren, Heiliger, * 1181 oder 1182 in Assisi (der am Berg gelagerten Stadt des schönen Tals von Spoleto) als Sohn des wohlhabenden Tuchhändlers Pietro Bernardone und seiner aus der Provence (Südfrankreich) stammenden Gattin Pica, † daselbst 3. 10. 1226. – F. verlebte eine sorglose und fröhliche Kindheit und Jugend. Er besuchte die Pfarrschule bei S. Giorgio und blieb bis 1202 im väterlichen Geschäft. F. hatte Freude an Festen und heiterer Geselligkeit und war im Kreis seiner Altersgenossen »princeps iuventutis«; doch zeigten sich in seinem Wesen auch Züge liebevoller Hinwendung zu den Armen. Sein Sinn war nicht auf Gewinn und Reichtum gerichtet, sondern auf den Glanz irdischer Ehren. So nahm er 1204 an dem Städtekrieg zwischen Perugia und Assisi teil und verbrachte ein Jahr in harter Gefangenschaft, der eine schwere Krankheit folgte. Es war eine Zeit der Einkehr und Besinnung. Ein Kriegszug nach Apulien sollte ihm Ruhm und Ritterschlag bringen. Eine Vision und eine Stimme vom Himmel geboten ihm aber die Rückkehr. Nun kam es zu einer vollkommenen Lebenswende. F. sonderte sich von der Welt ab und lebte dem Gebet und den Werken der Buße und Liebe. Sein Vater enterbte und verstieß ihn; aber F. verzichtete freudig auf alles. Er verbrachte die Jahre 1206–08 als Eremit und widmete sich der Baureparatur zerfallener Kirchen in und um Assisi, vor allem seiner Lieblingskapelle Santa Maria degli angeli, Portiuncula genannt, eine halbe Stunde unterhalb Assisi. Als er am 24. 2. 1209 dort der Messe beiwohnte, hörte F. die Worte des Herrn verlesen (Mt 10, 7 ff.), mit denen er seine Jünger aussandte: sie sollten hinausgehen und das Evangelium verkünden, kein Gold und Silber, kein Geld im Gürtel, keine Reisetasche, keine Schuhe noch Reisestab haben. Diese Worte erschienen ihm als ein an ihn persönlich gerichteter Befehl und offenbarten ihm seinen Beruf und die Idee seines Ordens. F. entschloß sich zu einem Leben in völliger apostolischer Armut und begann das an Mühen und Entbehrungen so reiche Leben eines Wanderpredigers. Ihm schlossen sich Gefährten an, die er zu zweit aussandte als arme Bußprediger und als Pfleger der Kranken und Elenden. Für ihr Zusammenleben schrieb F. die erste – aber verlorene – Regel, die nur aus einigen Worten der Schrift bestand. 1209/10 reiste er mit seinen Gefährten nach Rom zum Papst. Innozenz III. (s. d.) bestätigte mündlich die Regel der Armen von Assisi, die sich »Fratres minores« = »Minderbrüder« nannten. 1212 gründete F. mit der 18jährigen adligen Klara von Assisi (s. d.) seinen 2. Orden, den Klarissenorden. Er hatte sie durch seine Predigt für das Armutsideal gewonnen. Darum floh sie 18./19. 3. 1212 aus dem Elternhaus zu F. und legte in der Portiunculakapelle in seine Hände die drei Ordensgelübde ab. Klara wurde von ihm zuerst im Benediktinerinnenkloster S. Paolo untergebracht, dann wegen der Verfolgung ihrer Verwandten im Kloster St. Angelo de Panso (beide außerhalb der Stadt), endlich mit ihrer jüngeren Schwester Agnes in einem Häuschen bei der von ihm wiederhergestellten Kapelle S. Damiano. Der klösterlichen Gemeinschaft traten später die 3. Schwester, Beatrix, und ihre verwitwete Mutter Hortulana bei. F. durchzog Italien 1214–15, Südfrankreich und Spanien auf einer Missionsreise nach Marokko zur Bekehrung der Mauren; doch eine Krankheit hinderte ihn, nach Afrika überzusetzen. 1219 kam er auf dem 5. Kreuzzug nach Ägypten und predigte vor dem Sultan. 1220 übernahm die Ordensleitung als Vertreter des erkrankten, fast erblindeten F. Petrus Cataneo und nach dessen Tod 1221 Elias v. Cortona (s. d.). F. zog sich in die Einsamkeit der Alverner Berge bei Arezzo zurück. Für die Männer und Frauen, die in ihrer Familie und ihrem Beruf bleiben, nach den Grundsätzen des F. leben wollten, gründete er 1221 den »Dritten Orden«, den Orden der »Terziaren«, und gab ihnen eine »Lebensform« unter Mitwirkung des Kardinals Ugolino von Segni, des späteren Papstes Gregor IX. (s. d.), dessen organisatorische Begabung als Protektor der Minoriten für die Gestaltung des Franziskanerordens von größter Bedeutung war. F. entwarf 1221 für seinen Orden eine ausführlichere Regel als die erste; sie wurde umgestaltet und am 29. 11. 1223 von Honorius III. (s. d.) endgültig bestätigt. Am 17. 9. 1224 empfing F. in mystischer Verzückung die Wundmale Christi. Es ist die erste geschichtlich feststehende Stigmatisation der Kirchengeschichte. Nach einer mißglückten Augenoperation 1225 ließ sich F. im September 1226 zur Portiuncula zurückbringen. Sein Testament ist erfüllt von der Sorge um den Bestand und die weitere Entwicklung des Ordens. F. wurde am 15. 7. 1228 von Gregor IX. heiliggesprochen und am 18. 6. 1939 von Pius XII. (s. d.) zum Schutzheiligen Italiens erklärt. Sein Fest ist der 4. Oktober. – F. ist auch bekannt durch seine Dichtung »Sonnengesang« (»Cantico delle creature«, auch: »Cantico di frate solo«). F. lobt den Schöpfer mit allem und für alles, was er uns gegeben hat. Zum allgemeinen Lobpreis werden die vier Elemente aufgerufen: Himmel, Wasser, Feuer und Erde, die wie auch der Wind, die Gestirne und der Tod Brüder und Schwestern sind. Bei dem »Sonnengesang« handelt es sich um eine rhythmische Prosa, thematisch in Anlehnung an den 148. Psalm. Er gehört zu den allerersten dichterischen Gestaltungen der italienischen Sprache überhaupt.

Lit.: Paul Sabatier, Vie S. F. d'A., Paris 1894 u. ö.; édition définitive, 1931 (dt. v. Margarete Lisco, Zürich 1919; 1935⁸); – Bernhard Christen, Leben des hl. F. v. A., Innsbruck 1899 (1924⁷); – Heinrich Tilemann, »Speculum perfectionis« u. »Legenda trium sociorum«. Ein Btr. z. Qu.kritik der Gesch. des hl. F. v. A. (Diss. Leipzig), 1902; – Ders., Stud. z. Individualität des F. v. A., 1914 (Nachdr. Hildesheim 1973); – Walter Goetz, Die Qu. z. Gesch. des hl. F. v. A. Eine krit. Unters., 1904; – Ders., It. im MA I, 1942; – Henry Thode, F. v. A. u. die Anfänge der Kunst der Renaissance in It., 1904²; – Analekten z. Gesch. des F. v. A. Hrsg. v. Heinrich Böhmer, 1904 (1961³); – A. Fierens, La question franciscaine, in: RHE 7, 1906, 410 ff.; – Gustav Schnürer, F. v. A., 1907²; – Johannes Jørgensen, F. v. A., Kopenhagen 1907 (dt. v. Henriette Gfn. Holstein-Ledreborg, 1925²); – Ephrem Baumgartner, Qu.stud. z. F.-Legende des Jacobus de Voragine, in: AFrH 2, 1909, 17 ff.; – Leonhard Lemmens, Die Bedeutung des hl. Franz u. seines Werkes f. die rel. u. soziale Erneuerung, in: Apologet. Rdsch. 5, 1910, 21 ff.; – Testimonia minora saeculi XIII de S. F. a. hrsg. v. dems., 1926; – Karl Hampe, Altes u. Neues über die Stigmatisation des Hl. F. v. A., in: AKultG 8, 1910, 257 ff.; – Josef Merkt, Die Wundmale des hl. F. v. A. (Diss. Tübingen), Leipzig 1910 (Nachdr. Hildesheim 1973); – Beda Kleinschmidt, S. F. v. A. in Kunst u. Legende, 1911 (1926⁴·⁵); – Ders., Maria u. F. v. A. in Kunst u. Gesch., 1926; – Autbert Groeteken, Die goldene Legende. F. v. A. in der Poesie der Völker, 1912; – Elizabeth Wilson Grierson, The Story of St. F. of A., London – Oxford 1912 (1950⁷); – P. Cuthbert (d. i. Lawrence Cuthbert Hess), Life of St. F. of A., London 1912 u. ö. (dt. v. Justinian Wildlöcher, 1931²; neue Ausg. 1948); – Johannes v. Walter, F. v. A. im Lichte der neueren Forsch., in: AELKZ, 1914, Nr. 15–23; – Vlastimil Kybal, Die Ordensregeln des hl. F. v. A. u. die urspr. Verfassung des Minoritenordens: ein qu.krit. Vers., 1915 (Nachdr. Hildesheim 1973); – Ders., Das Testament des hl. F. v. A., in: MIÖG 36, 1916, 312 ff.; – Karl Wenck, F. v. A., in: Unsere rel. Erzieher. Eine Gesch. des Christentums in Lb. Hrsg. v. Bernhard Beß, I, 1917², 213 ff.; – Fidentius van den Borne, Die F.-Forsch., 1917; – Ders., Een rondgang langs de moderne F.-biografiën, in: Franciscana. St. Truiden 1949, 1950; – P. W. Thieme, Dichter des Sonnengesanges, F. v. A., in: Hochweg 6, 1918, 13 ff.; – Gilbert Keith Chesterton, F. of A., London 1923 (1943²²); dt. v. Jacques L. Benvenisti, 1927 (Liz.ausg. 1959); – Hilarin Felder, Die Ideale des hl. F. v A., 1923 (1951⁴); – Ders., Der Christusritter v. Assisi, Zürich 1941; – Vittorio Facchinetti, Iconografia francescana, Mailand 1924; – Ernst (P. Robert) Hammer, Die Armutsschule des hl. F. v. A. Ein Btr. z. Erforsch. der Qu. franziskan. Erziehungsgeistes (Diss. München), 1924; – Maria Sticco, S. F. d'A., 1926; 15. ed., 2. ristampa, Mailand 1967 (Rez. v. Octavianus Schmucki, in: CollFr 39, 1969, 193 f.); – Pio Pecchiai, S. F. d'A. e la missione della povertà, Mailand 1926; – Francis Newton, S. F. and his Bailica, Assisi 1926; – Arnoldo Fortini, Vita di S. F., Mailand 1926; – Ders., Nova Vita di S. F., 4 Bde., Assisi 1959; – Friedrich Heiler, Wo ich St. F. fand, in: Rel. Besinnung. Vjschr. im Dienste christl. Vertiefung u. ökumen. Verständigung 1, 1927, 76 ff.; – Georg Pfeilschifter, Die rel. Mission des hl. F. v. A., in: FS 13, 1927, 213 ff.; – Michael Bihl, Disquisitiones Celanenses, in: AFrH 20, 1927, 433 ff.; 21, 1928, 3 ff. 161 ff.; – Romano Guardini, Der hl. F. v. A., in: Die Schildgenossen 7, 1927, 3 ff.; – Ders., F. v. A., Zürich 1951; – Ambrosius Styra, F. v. A. in der neueren dt. Lit. (Diss. Breslau, 1927), 1928; – Kurt Zentgraf, Der Sonnengesang des hl. F. in der Musik, in: Mhh. f. kath. Kirchenmusik 12, 1930, 136 ff. 210; – Salvatore Attal, S. F. d'A., Livorno 1930; – Lilli Martins, Die Franziskuslegende in der Oberkirche v. San Francesco

in Assisi u. ihre Stellung in der kunstgeschichtl. Forsch. (Diss. Kiel), 1931; – Liselotte Junge, Die Tierlegenden des hl. F. v. A. Stud. über ihre Voraussetzungen u. ihre Eigenart (Diss. Königsberg), Leipzig 1932; – Alice Salomon, F. v. A., in: Dies., Soziale Führer. Ihr Leben, ihre Lehren, ihre Werke, 1932, 7 ff.; – Felix Timmermans, F. (aus dem Fläm. übertr. v. Peter Mertens. Übertr. des Sonnengesangs v. Max Lehrs), 1932 (1960: 31.–34. Tds.); – Ernst Benz, Ecclesia spiritualis. Kirchenidee u. Gesch.-theol. der franziskan. Ref. 1934; – Thomas Sherrer Ross Boase, St. F. of A., London 1936; – Ders., S. F. of A.; with 16 lithographs by Arthur Boyd. ebd. 1968 (Rez. v. Edoardo A. Lèbano, in: Modern language journal 54, Menasha/Wisconsin 1970, 217 f.); – K. Eder, F. v. A. u. seine Bedeutung f. seine Zeit, in: Sanctificatio nostra. Rel. Mschr. f. den kath. Klerus 8, 1937, 239 ff. 288 ff.; – Hanns Lilje, Der sonnige Hl. Zum Todestag des F. v. A., in: Die Furche 23, 1937, 450 ff.; – Ders., F. v. A. Spielmann Gottes u. Apostel des Volkes, ebd. 25, 1939, 311 ff.; – Dimitri Mereschkowski, F. v. A. (dt.), 1938; – Auguste Bailly, S. F. d'A. et la révolution évangélique, Paris 1939; – Anton Chroust, F. v. A., in: Ders., Aufss. u. Vortrr., 1939, 333 ff.; – Piero Bargellini, S. F., 1941 (Dt. v. Helene Moser, 1949; v. Werner Cohn, Florenz 1954); – L. F. Benedetto, Il »Cantico di frate sole«, Florenz 1941; – Ray C. Petry, F. of A., Apostle of Poverty, Durham (North Carolina) 1941; – Maurice Villain, St. F. et les peintres d'Assise, Grenoble – Paris 1941; – Fidelis Schwendinger, Franziskan. Frömmigkeit. Das Beten des Hl. F. v. A., in: WiWei 8, 1941, 57 ff. 85 ff.; – Johannes Lortzing, F. v. A. als Reformator, ebd. 9, 1942, 61 ff. 126 ff.; – Josef Bernhart, F. v. A. Leben u. Wort, 1944 (1956²); – Alfred Stucki, F. v. A. Ein Gottesbote f. unsere harte Ggw., Basel 1945; – Norberto Romagnoni, S. F. v. A., 2 Bde., Mailand 1945; – Otto Karrer, F. v. A., Legende u. Laude, Zürich 1945; – Reinhold Schneider, Die Stunde des hl. F. v. A., 1946 (1956²); – Hans Wirtz, Bruder Franz in unserer Zeit, 1946; – Dominic Devas, S. F. d'A., London 1946; – Walter Nigg, Große Hll., Zürich 1946; – Leonhard Küppers, F. v. A., Überwinder der Welt, 1947; – Ders., F. v. A., 1964 (engl. v. Hans H. Rosenwald, 1967); – Omer Englebert, La Vie de s. F. d'A., Paris 1947 (dt. v. Alban Haas – Annemarie Hogg, 1952); – Ders., St. F. of A., Chicago 1965; – Kajetan Eßer, Das Testament des hl. F. v. A. Eine Unters. über seine Echtheit u. seine Bedeutung (Diss. Münster), 1947; – Ders., Das »ministerium generale« des hl. F. v. A., in: FS 33, 1951, 329 ff.; – Die Schrr. des Hl. F. v. A. (dt.). Einf., Übers., Auswertung: Ders. u. Lothar Hardick, 1951; – Ders., Die Marienfrömmigkeit des hl. F. v. A., in: WiWei 17, 1954, 176 ff.; – Ders., Die Lehre des hl. F. v. A. v. der Selbstverleugnung, ebd. 18, 1955, 161 ff.; – Ders., Homo alterius saeculi. Endzeitl. Heilwirklichkeit im Leben des hl. F., ebd. 20, 1957, 180 ff.; – Ders., Die rel. Bewegungen des Hoch-MA u. F. v. A., in: FS, hrsg. Joseph Lortz. Hrsg. v. Erwin Iserloh u. Peter Manns. II, 1958, 287 ff.; – Ders. u. Engelbert Grau, Antwort der Liebe. Der Weg des franziskan. Menschen zu Gott, 1958; – Ders., Missarum sacramenta. Die Eucharistielehre des hl. F. v. A., in: WiWei 23, 1960, 81 ff.; – Sancta Mater Ecclesia Romana. Die Kirchenfrömmigkeit des hl. F. v. A., in: Sentire Ecclesiam. Hugo Rahner z. 60. Geb. Hrsg. v. Jean Daniélou u. Herbert Vorgrimler, 1961, 218 ff.; u. in: WiWei 24, 1961, 1 ff.; – Ders., Die »Regula pro eremitoriis data« des hl. F. v. A., in: FS 44, 1962, 383 ff.; – Ders. F. u. die Überwindung der Arbeit, in: Ders., Franziskus u. die Seinen. Ges. Aufss., 1963, 11 ff.; – Der Bund des Hl. Franziskus mit Herrin Armut (Sacrum commercium beati Francisci cum domina paupertati, dt.). Einf., Übers., Anm.: Ders. u. Engelbert Grau, 1966; – Ders., Die dem hl. F. v. A. zugeschr. »Expositio in Pater noster«, in: CollFr 40, 1970, 241 ff.; – Ders., Das missionar. Anliegen des hl. F., in: WiWei 35, 1972, 12 ff.; – Ders., Über die Chronologie der Schrr. des hl. F. v. A., in: AFrH 65, 1972, 20 ff.; – Ders. u. R. Oliger, La tradition manuscrite des opuscule de S. F. d'A., Rom 1972; – Marianne Geulen, Die Armut des Hl. F. v. A. im Lichte der Wertethik (Diss. Bonn), 1948; – Peter Browe, Der Bettler v. Assisi, in: StZ 143, 1948/49, 1 ff.; – Piero Bargellini, F. Dt. v. Helene Moser, 1949; – A. R. Heyligers, F. v. A. oder die oriental. Mystik im Westen, in: IKZ 39, 1949, 105 ff.; – Friederike Maria Zweig, Joculatore Domini, Wunder u. Zeichen. Große Gestalten des Hoch-MA, 1949, 143 ff.; – Laurentius Casutt, Das Erbe eines großen Herzens. Stud. z. franziskan. Ideal, Graz – Salzburg – Wien 1949; – Ders., Bettel u. Arbeit nach dem hl. F. v. A., in: CollFr 37, 1967, 229 ff.; – Giuseppe Abate, Storia e leggenda intorno alla nascita di S. F. d'A., Rom 1949; – Ders., La Casa natale di S. F. e la topografia di Assisi nella prima metà del secolo XIII, ebd. 1966; – Hans Adam, F. v. A. Seine Lebensgesch., 1950; – George Kaftal, St. F. in Italian Painting, London 1950; – V. Branca, Il »Cantico di frate sole«, Florenz 1950; – Quirinus van Alphen, In den Spuren des hl. F. Aus dem Holl., 1951 (1959³); – Johannes Lebek, Der Sonnengesang des hl. F. Eine Holzschnittfolge, 1951; – Rudolf Meyer, F. v. A. Stufen des myst. Lebens, 1951; – Theodor Steinbüchel, Große Gestalten des Abendlandes, 1951, 159 ff.; – Johannes Maria Höcht, F. v. A., in: Ders., Träger der Wundmale Christi I, 1951, 19 ff.; – Jörg Erb, Die Wolke der Zeugen I, 1951, 185 ff.; – Hans Alt, Der Sonnengesang des hl. F. v. A., in: PädR 6, 1951–52, 465 ff.; – Friedrich Laubscher, F. v. A. Ein Werkzeug des Friedens, 1952; – Karl Heinz Kurz, F. v. A. Der Herold des großen Königs, 1952; – Josef Lortz, Der unvergleichliche Hl. Gedanken um F. v. A. (Vortr.), 1952; – Leonard v. Matt u. Walter Hauser, F. v. A., 1952; – René Fülop-Miller, S. F. Der Hl. der Liebe, in: Ders., Die die Welt bewegten, Salzburg 1952, 193–325; – Wilfrid Busenbender, Der Hl. der Inkarnation. Zur Frömmigkeit des hl. F. v. A., in: WiWei 15, 1952, 1 ff.; – Gangolf Diener, Umbrien, das Heimatland des Hl. F., 1952 (1966⁵); – Ders., F. Der Arme v. Assisi, 1972⁶; – Sophronius Clasen, F. v. A. im Lichte der neueren hist. Forsch., in: GWU 3, 1952, 137 ff.; – Ders., »Das Erbe eines großen Herzens«. Kritisches z. Kritik. Über die neuere F. v. A.-Lit., in: WiWei 16, 1953, 57 ff.; – Ders., Priesterl. Würde u. Würdigkeit. Das Verhältnis des hl. F. zum Priestertum der Kirche, ebd. 20, 1957, 43 ff.; – Ders., Die Armut als Beruf: F. v. A., in: Btrr. z. Berufsbewußtsein des ma. Menschen. Hrsg. v. Paul Wilpert unter Mitarb. v. Willehad Paul Eckert, 1964, 73 ff.; – Ders., Vom F. der Legende z. F. der Gesch., in: WiWei 29, 1966, 15 ff.; – Ders., Legenda antiqua S. Francisci: Unters. über die nachbonaventurian. Franziskusqu., Legenda trium Sociorum, Speculum perfectionis, Actus B. Francisci et Sociorum eius u. verwandtes Schr.tum, Leiden 1967 (Rez. v. C. van Hulst, in: HZ 210, 1970, 402 f.); – Ders., F. v. A., in: Die Hll., hrsg. v. Peter Manns, 1975, 383 ff.; – S. Madia, La fonte del »Cantico delle creature«, Mailand 1953; – Carl Andresen, Asket. Forderung u. Krankheit bei F. v. A., in: ThLZ 79, 1954, 129 ff.; – Dietrich v. Hildebrand, Der hl. F. v. A., in: Ders., Die Menschheit am Scheideweg. Ges. Abhh. u. Vortrr. Hrsg. v. Karla Mertens, 1954, 496 ff.; – J. Cambell, Les écrits de s. F. devant la critique, Werl (Westfalen) 1954, 82–109. 205–64; – Josef Stierli, F. v. A. – der weise Tor, in: Der große Entschluß. Mschr. f. lebendiges Christentum 10, Wien 1954–55, 11 ff.; u. in: Ders., Sie gaben Zeugnis. Lb. christl. Propheten, Einsiedeln 1956, 26 ff.; – Aenne Bäumer, F. v. A., 1955; – Karlmann Beyschlag, Die Bergpredigt u. F. v. A., Gütersloh 1955 (veränd. Fassung der Diss. Erlangen 1953 u. d. T.: Die Bergpredigt bei F. v. A. u. Luther); – Friedrich Engelhardt, F. v. A., 1955; – Ignatius Klug, Ringende u. Reife. Lb. vollendeter Menschen, 1955 (33. Tsd.), 19–103; – Reinhold Messner, Was kann eine den Forderungen unserer Zeit entsprechende Anleitung z. christl. Vollkommenheit v. F. lernen?, in: Seid vollkommen. Formen u. Führung christl. Aszese. Hrsg. v. Karl Rudolf, Wien 1955, 69 ff.; – Jacques Schreurs, F. De kleine arme van Assisi, Utrecht – Antwerpen 1955; – M. Bigaroni, Il Cantico di Frate Sole, Assisi 1956; – G. Getto, Francesco d'Assisi e il »Cantico di frate sole«, Turin 1956; – Chrysostomus Dukker, Umkehr des Herzens. Der Bußgedanke des hl. F. v. A., 1956; – Giovanni Getto, F. d'A. e il Cantico di Frate Sole, Turin 1956; – Friedrich Hauß, Väter der Christenheit I, 1956, 108 ff.; – Werner Dettloff, Die Geistigkeit des hl. F. in der Theol. der Franziskaner, in: WiWei 19, 1956, 197 ff.; – Ders., Die Geistigkeit des hl. F. in der Christologie des Johannes Duns Scotus, ebd. 22, 1959, 17 ff.; – Ders., La spiritualité de s. F. et la théologie franciscaine, in: Éfranc 16, 1966, 189 ff.; – Ernst J. Görlich, F. v. A. Der Sohn des Bernardone, in: Die Großen der Kirche, hrsg. v. Georg Popp, 1957³, 235 ff.; – Robert Saitschick, F. v. A., 1957⁶; – Erhard-Wolfram Platzeck, Das Sonnenlied des hl. F. v. A. Eine Unters. seiner Gestalt u. seines inneren Gehaltes nebst neuer dt. Übers., 1957; – Agathon Kandler, F. v. A. u. seine Ordensgründung, in: Das Wirken der Orden u. Klöster in Dtld. Hrsg. v. Peter Josef Hasenberg u. Adam Wienand. I, 1957, 187 ff.; – Roger Brien, Poète de l'amour. Commentaires sur F. d'A., Québec (Kanada) 1957; – Dino Campini, Vita del Seràfico, Mailand 1957; – Luigi Cellucci, Le Leggende francescane del secolo XIII nel loro aspetto artistico, Modena 1958²; – G. Sabatelli, Studi recenti sul »Cantico di frate sole«, in AFrH 51, 1958, 3 ff.; – Hans Kuhn, F. Sein Leben, 1958; – F. v. A. in Selbstzeugnissen u. Bilddokumenten Dargest. v. Ivan Gobry. Aus dem Frz. übertr. v. Oswald v. Nostitz. Den dokumentar. u. bibliogr. Anh. bearb. Paul Raabe, 1958 (1975⁸); – Rigobert Koper, F. der Gottsucher, in: FS 40, 1958, 115 ff.; – Ders., Das Weltverständnis des hl. Franziskus v. A. Eine Unters. über das »Exivi de saeculo« (Diss. München), Werl (Westfalen) 1959; – Heinrich Federer, Der hl. Habenichts, 1959; – Hans Hümmeler, Helden u. Hll., 1959 (501 –510. Tsd.), 466 ff.; – Elizabet Goudge, St. F. of A., London 1959; - Dies., F. v. A. (Aus dem Engl. übers. v. Léonie Paula Brockmann), 1961; – Sigismund Verhey, Das Leben in der Buße nach F. v. A., in: WiWei 22, 1959, 161 ff.; – Ders., Der Mensch unter der Herrschaft Gottes. Vers. einer Theol. des Menschen nach dem hl. Franziskus v. A. (Diss. München, 1959), Düsseldorf 1960; – Raymund Linden, Vater u. Vorbild, F. – Forma minorum, 1960; – Laurence Temple, F. v. A., Bruder im Lichte (The shining Brother, dt.). Übers. aus dem Engl. v. Greta Freund, 1960; – Gerhard Dautzenberg, Eucharistie als Heilsgeschehen. Die Eucharistie in Frömmigkeit u. geistl. Lehre des hl. F. v. A., in: Sein u. Sendung. Mschr. des kath. Klerus 25, 1960, 353 ff.; – Lothar Hardick, Geist. Menschenformung durch F. v. A., in: WiWei 23, 1960, 147 ff.; – Norbert Marie Bettez, L'Influence de S. F. d'A. et du Tiers-Ordre franciscain, Montréal (Kanada) 1960; – Joseph Delteil, F. d'A., Paris 1960; – Olive Mary Scanlan, St. F. of A., Dublin – London 1960; – Bonaventura, Bonaventuras Legenda Sancti Francisci (mhd.). In der Übers. der Sibilla v. Bondorf. Hrsg. v. David Brett-Evans, 1960; – Wilhelm Hünermann. F. v. A. Der Spielmann Gottes, in: Ders., Der endlose Chor. Ein Buch v. den Hll. f. das christl. Haus, 1960⁸, 572 ff.; – M. D. Lambert, Franciscan Poverty. The doctrine of the absolute poverty of Christ and the Apostles in the Franciscan order, 1210–1323, London 1961; – Antonellus Engemann, Entflammt v. hl. Geist. Die sieben Gaben des Hl.

Geistes im Leben des hl. F. v. A., 1961; – Alberto Shinato, Profilo spirituale di S. F., Rom 1961; – Christine Chaundler, Great Saints Library (Nr. 4: St. F. of A.), London 1961; – Pierre Leprohon, F. d'A., Paris 1961; – Bonaventura, F., Engel des 6. Siegels (Tl.smlg., dt.). Sein Leben nach den Schrr. des hl. Bonaventura. Einf., Übers., Anm.: Sophronius Clasen, 1962; – Michael De La Bédoyère, F. A. biography of the St. of A., London 1962; – Leonetto Tintori u. Millard Meiss, The Painting of the Life of St. F. of A., New York 1962; – Joachim Dachsel, F. v. A. Ein Bild seines Lebens u. Wirkens, 1962 (1963²); – Oktavian Schmucki, Die Stellung Christi im Beten des hl. F. v. A., in: WiWei 25, 1962, 128 ff.; – Leo Scheffczyk, Der »Sonnengesang« des nl. Franziskus v. A. u. die »Hymne an die Materie« des Teilhard de Chardin. Ein Vergleich z. Deutung der Struktur christl. Schöpfungsfrömmigkeit, in: GuL 35, 1962, 219 ff.; – Elizabeth Nancy Allen, The Patron Saint of Animals, Glasgow 1962; – Francis De Beer, La Conversion de s. F. selon Thomas de Celano. Étude comparative des textes relatifs à la conversion en Vita I et Vita II, Paris 1963; – Mary Mac Culloch, Men of God. F. of A., London 1963; – John Richard Humpidge Moorman, St. F. of A., ebd. 1963; – Joseph Ratzinger, Eine dt. Ausg. der Franziskuslegende Bonaventuras, in: WiWei 26, 1963, 87 ff.; – Auspicius van Corstanje, Gottes Bund mit den Armen (Het verbond van Gods armen, dt.). Bibl. Grundgedanken bei F. v. A. (Übertr. aus dem Holl.: Ludger Lubbers), 1964; – Der hl. F. in 24 Wandgemälden v. Giotto (di Bondone), 1964; – Hubert Schrade, F. v. A. u. Giotto, 1964; – Hermann Waldenmaier. Alle Geschöpfe nannte er Bruder. F. v. A., 1964; – Heribert Roggen, Die Lebensform des hl. F. v. A. in ihrem Verhältnis z. feudalen u. bürgerl. Ges. It.s, in: FS 46, 1964, 1 ff. 297 ff.; – Thomas v. Celano, Leben u. Wunder des hl. F. v. A. Einf., Übers., Anm.: Engelbert Grau, 1964²; – Agostino Gemelli, S. F. d'A. e la sua gente poverella, Mailand 1964⁴; – António de Guedes de Amorim, F. de S., renovador da humanidade. Biografia, Coimbra (Portugal) 1965³; – Gabriele Pepe, F. d'A. tra Medioevo e Rinascimento, Manduria 1965; – Philipp Schweinfurth, Das Leben des F. in den Fresken der Oberkirche v. Assisi, 1965; – Peter Morant, Unser Weg zu Gott. Das Vollkommenheitsstreben im Geiste des hl. F., 1965; – Ephrem Lonpré, F. d'A. et son expérience spirituelle, Paris 1966 (Rez. v. Isaac Vázquez, in: Antonianum 44, 1969, 371 f.); – Erich Rohr, Der Herr u. F., 1966; – Agrippino Grieco, S. F. d'A. e a poesia cristã, Rio de Janeiro 1967; – Edith Martha v. Almedingen, St. F. of A.; a great life in brief, New York 1967 (Rez. v. Jeremiah J. Smith, in: CHR 56, 1970, 351 f.); – F. v. A., der ev. u. kath. Mann, hrsg. v. Otto Hophan, 1967; – Karl Ipser, F. Der himml. Kommunist. Welterneuerung aus dem Vatikan?, 1967; – Theophil Spoerri, Der Sonnengesang des hl. F. v. A., in: Gestalt, Gedanke, Geheimnis. Festschr. f. Johannes Pfeiffer zu seinem 65. Geb. Hrsg. v. Rolf Bohnsack, Hellmut Heeger, Wolf Hermann, 1967, 345 ff.; – Louis Antoine Djari, Lire F. d'A. Essai sur la spiritualité d'après ses écrits, Paris 1967 (Rez. v. Octavianus Schmucki, in: CollFr 39, 1969, 434 ff.); – Mariano d'Alatri, Genuinità del messaggio francesano dei Fioretti comprovata da un raffronto filologico con gli scritti di S. F., in: CollFr 38, 1968, 5 ff.; – Aldo Bergamaschi. S. F., homme oecuménique, in: Éfranc 18. 1968. 86 ff.; – Birgitta zu Münster, F. – der Erneuerer, in: Motive des Glaubens. Eine Ideengesch. des Christentums in 18 Gestalten. Hrsg. v. Johannes Lehmann, 1968, 82 ff.; – Alfred Dollmann, Bruder u. Diener. Das Apostolat bei F. u. in der Frühzeit seines Ordens, 1968 (Rez. v. Octavianus Schmucki, in: CollFr 39, 1969, 193 f.); – Franco Bernarello, La fede secondo S. F., Rom 1968 (Rez. v. Octavianus Schmucki, in: CollFr 39, 1969, 434 ff.); – Stéphane Joseph Piat, S. F. d'A. à la découverte du Christ pauvre et crucifié, Paris 1968 (Rez. v. Octavianus Schmucki, in: CollFr 39, 1969, 434 ff.; – v. E. Doëns de Lambert, in: Éfranc 20, 1970, 185 ff.; – v. A. Donot, in: Livres et lectures. Revue bibliographique, Issy-les-Molineaux 1970, 35 f.); – S. F. d'A. Documents écrits et premières biographies rassemblés et présentés par les Frères Théophile Desbonnets et Damien Vorreux, Paris 1968 (Rez. v. Doëns de Lambert. in: Éfranc 39. 1969. 320 ff.; v. André Vauchez, in: RHÉF 56, 1970, 433 f.); – M.-B. Péteul, Note sur la vocation de S. F., in: Éfranc 19. 1969, 410 ff.; – Introduzione alla Regola francescana. Contributi e studi sulla Regola di s. Francesco a cura dei frati minori tedeschi. Versione italiana a cura dei frati minori cappuccini di Lombardia, Mailand 1969 (Rez. v. Octavianus Schmucki, in: CollFr 40, 1970, 443 ff.); – Maurus Heinrichs, Der große Durchbruch. F. v. A. im Spiegel japan. Lit., 1969 (Rez. v. Octavianus Schmucki, in: CollFr 39, 1969, 437 ff.); – Kurt-Victor Selge, F. v. A. u. die röm. Kurie, in: ZThK 67, 1970, 129 ff.; – Ignace Schlauri, S. F. et la Bible. Essai bibliographique de sa spiritualité évangélique, in: CollFr 40, 1970, 365 ff.; – D. Gagnan, Le bâtisseur d'églises, in: Éfranc 20. 1970. 343 ff.; – Mario v. Galli, Gelebte Zukunft. F. v. A., Luzern 1970 (Rez. v. Walter Dirks, in: Orientierung 35, 1971, 11 f.; v. Kajetan Eßer, in: WiWei 34, 1971, 38 ff.; v. Hanfried Krüger, in: ÖR 21, 1972, 132); – Leonardo Izzo, La semplicità evangelica nella spiritualità di S. F. d'A., Rom 1971 (Rez. v. Eugenio Bronzetti, in: L'Italia francescana. Rivista di cultura 47, Rom 1972, 123 f.); – John Holland Smith, F. v. A., New York 1972 (Rez. v. Robert Hugh, in: AThR 55, 1973, 366 ff.); – Fioretti, F. v. A. in der Legende seiner ersten Gefährten (Übers. aus dem Lat. u. Bildlegenden v. Xaver Schnieper), 1972; – Leone (Bruder), Die Dreigefährtenlegende des hl. F. Die Brüder Leo, Rufin u. Angelus erzählen v. Anfang seines Ordens.

Einf. v. Sophronius Clasen. Übers. u. Anm. v. Engelbert Grau, 1972; – Luise Rinser, Die Aktualität des F. v. A. Ein Werkber., in: Neues Hochland 64, 1972, 60 ff.; – Théophile Desbonnets, La Légende des Trois Compagnons. Nouvelles recherches sur la Généalogie des Biographies primitives de s. F., in: AFrH 65, 1972, 66 ff.; – Rudolf G. Binding, Die Blümlein des hl. F. v. A. Aus dem It. nach der Ausg. der Tipografia Metastasio, Assisi 1901. Mit Initialen v. Carl Weidemeyer, 1973; – Walter Nigg u. Toni Schneiders, Der Mann aus Assisi. F. u. seine Welt. Mit 72 vierfarb. Taf., 1975; – BS V, 1052 ff.; – Wimmer³ 226 ff.; – Torsy 164 f.; – Künstle 237 ff.; – Braun 267 f.; – Réau III, 516 ff.; – Kosch, LL I, 549; – Epelsheimer, WL 174 f.; – KLL I, 2102 f. (»Il Cantico delle creature«, auch: »Cantico di frate sole«; dt.: »Der Gesang der Geschöpfe« bzw. »Sonnengesang«); – DThC VI, 809 ff.; – EC V, 1578 ff.; – DSp V, 1268 ff.; – DHGE XVIII, 683 ff.; – LThK IV, 231 ff.; – NCE VI, 28 ff.; – RE VI, 197 ff.; – EKL I, 1334 ff.; – RGG II, 1057 f.

FRANZ *von Borgia*, dritter General des Jesuitenordens, * 28. 10. 1510 in Gandia (Spanien) als Enkel des Herzogs Juan de Borja (Borgia) und als Urenkel des Papstes Alexander VI. (s. d.) und des Königs Ferdinand II. von Aragonien, † 1. 10. 1572 in Rom. – F. war 1539–43 Vizekönig von Katalonien und 1543 bis 1550 Herzog von Gandia. Seine Gemahlin Eleonora de Castro, mit der er seit 1529 in glücklicher Ehe lebte, starb am 27. 3. 1546. Am 2. 6. 1546 gelobte F., in den Jesuitenorden einzutreten, und legte am 2. 2. 1548 die Gelübde ab, behielt aber mit päpstlicher Genehmigung noch drei Jahre seine weltliche Stellung bei, um die Zukunft seiner fünf Söhne und drei Töchter zu sichern. Sein Vermögen verwandte er 1551 zur Stiftung des »Collegium Romanum«. F. empfing 1551 die Priesterweihe und war seit 1554 Leiter der spanischen und portugiesischen Ordensprovinzen. 1561 ging er nach Rom und wurde dort Assistent des Generals für Spanien, Generalvikar von Jakob Laynez (s. d.) und am 2. 7. 1565 als dessen Nachfolger der dritte General der Gesellschaft Jesu. F. gab 1567 die Konstitutionen und die Studienordnung für das »Collegium Romanum« heraus und gründete neue Ordensniederlassungen, z. B. in Florida, Perú und Mexiko. Auch die päpstliche Approbation des Exerzitienbüchleins des Ignatius von Loyola (s. d.) durch die Bulle »Pastoralis officii cura« vom 31. 7. 1548 ist sein Verdienst. F. wurde 1624 selig- und 1671 heiliggesprochen. Sein Fest ist der 10. Oktober.

Werke: El Evangelio meditado, Madrid 1912; Meditaciones sobre los Evangelios de las fiestas de los santos, Barcelona 1925; Cándido de Dalmases u. Jean-François Gilmont, Las obras de s. F. de B., in: AHSI 30, 1961, 125 ff.; S. F. de B., Tratados espirituales, introduction et édition par Cándido de Dalmases, Barcelona 1964. – Briefe, in: Monumenta Borgiana, 5 Bde., Madrid 1894–1911. – Lat. GA der geistl. Schrr., Brüssel 1675.

Lit.: Monumenta Borgiana, 5 Bde., Madrid 1894–1911; – Juan Eusebio Nieremberg, Vida de S. F. de B. Con el texto de sus obras inéditas, ebd. 1901; – Luis Coloma, Historia de las Sagradas Reliquias de S. F. de B., Bilbao 1903; – Pierre Suau, Histoire de S. F. de B., Paris 1905 (1910²); – Otto Karrer, F. v. B., 1921; – Margaret Yeo, The Greatest of the Borgias. A biography of St. F. B., London 1936; – Georg Schreiber, Dtld. u. Span. Volkskundl. u. kulturkundl. Beziehungen. Zus.hänge abendländ. u. ibero-amer. Sakralkultur, 1936, 232 ff. u. ö.; – Adro Xavier, El Duque de Gandia, Madrid 1940 (1943²); – Manuel da Fonseca, S. F. de B., Rio de Janeiro 1942; – H. Dennis, St. F. B., Madrid 1956; – Saint-Paulien (d. i. Maurice Yvan Sicard), S. F. B., l'expiateur, Paris 1959; – Hans Hümmeler, Helden u. Hll., 1959 (501.-510. Tsd.), 476 ff.; – Wilhelm Hünermann, F. v. B. Das Antlitz des Todes, in: Der endlose Chor. Ein Buch v. den Hll. f. das christl. Haus, 1960⁸, 588 ff.; – Jean-François Gilmont, Les écrits spirituels des premiers jésuites, in: Bibliotheca Instituti Historici societatis Jesu, Rom 1961, 169 ff.; – Juan Pastor, Borja espiritu universal. Breve biografía de s. F. de B., Bilbao 1970 (Rez. v. Manuel Ruiz Jurado, in: AHSI 40, 1971, 195 f.); – AHSI 41, 1972 (Sondernummer z. 400. Todestag); – Cándido de Dalmases, S. F. de B. y la inquisición española, ebd. 48 ff.; – Mario Scaduto, Il governo di S. F. de B., ebd. 136 ff.; – Manuel Ruiz Jurado, S. F. de B. y el instituto de la Compañía, ebd. 176 ff.; – Koch, JL 584 ff.; – Sommervogel I, 1808 ff.; VIII, 1875 ff.; XII, 373 f. 967 f.; – BS V, 1190

ff.; – Wimmer³ 227 f.; – Torsy 165; – Braun 268 f.; – Künstle 254; – RE VIII, 769 f.; – RGG II, 1058 f.; – CathEnc VI, 213 ff.; – DHGE XVIII, 699 ff.; – EC V, 1610 f.; – LThK IV, 235 f.; – NCE II, 709 f.

FRANZ *de Hieronymo* (de Geronimo, di Girolamo), Jesuit, Heiliger, * 17. 12. 1642 in Grottaglie bei Tarent (Unteritalien), † 11. 5. 1716 in Neapel. – F. wurde 1666 Priester und 1670 Mitglied des Jesuitenordens und wirkte 1671 in der Provinz Otranto und danach in Neapel und Umgebung als Bußprediger und Volksmissionar. Er nahm sich mit großer Liebe der Galeerensträflinge, Armen und Bedrängten an. Man nannte ihn Apostel, Vater der Armen, Wundertäter. F. wurde 1806 selig- und 1839 heiliggesprochen. Sein Fest ist der 11. Mai.

Lit.: Carlo Stradiotti, Della vita del P. F. G., Venedig 1719 (dt. 1809); – Longard degli Oddi, Vita del B. F. di G., Rom 1760 (zuletzt Monza 1869; dt. 1843); – Giuseppe Boero, S. F. di G. e le sue missioni dentro e fuori di Napoli, Florenz 1882; – Fausto Nicolini, Aspetti della vita italo-spagnola nel Cinque e Seicento, Neapel 1934, 30 ff.; – Francesco Maria d'Aria, Un restauratore sociale. Storia critica della Vita di S. F. de G., Rom 1943; – Sommervogel I, 772. 1726 f.; V, 1865 f.; VII, 1617 f.; X, 1637 f.; XI, 1642 ff.; – BS V, 1201 ff.; – Koch, JL 589; – DHGE XVIII, 719 ff.; – EC V, 1592 f.; – LThK IV, 238; – NCE VI, 31 f.

FRANZ *von Paris*, Jansenist, * 1690, † 1. 5. 1727 in Paris. – Durch die Bulle »Unigenitus« vom 8. 9. 1713 verurteilte Clemens XI. (s. d.) 101 Sätze aus dem »Nouveau Testament en français avec des réflexions« des Paschasius Quesnel (s. d.), darunter wörtliche Zitate aus den Schriften des Aurelius Augustinus (s. d.). Auf Befehl Ludwigs XIV. nahmen das Parlament und die Sorbonne diese Bulle an, die die endgültige Verdammung des »Jansenismus« (s. Jansen, Cornelius) bedeutete. Man nannte sie »Akzeptanten«. Eine Minderheit der Prälaten und die Jansenisten verweigerten die Annahme. Zahlreiche Bischöfe und Hunderte von Welt- und Ordensgeistlichen schlossen sich den Gegnern der Bulle an. Sie appellierten 1717 an ein allgemeines Konzil und wurden darum »Appellanten« genannt. Zu ihnen gehörte auch F., der seit 1720 Diakonus in Paris und ein strenger Asket war. Clemens XI. exkommunizierte 1718 die »Appellanten«, und die Regierung ging gegen sie schärfer vor. Der Streit dauerte fort. Benedikt XIII. (s. d.) bestätigte 1725 auf dem Laterankonzil die Bulle »Unigenitus«. Mit der Appellationsurkunde in der Hand starb F. infolge seiner übertriebenen Selbstpeinigungen. Er wurde von den »Appellanten« als Heiliger verehrt. Tausende wallfahrteten zu seinem Grab auf dem Friedhof St.-Médard und erlebten dort wunderbare Heilungen. Den Jansenisten galten diese als Gotteswunder, während die Jesuiten und ihre Anhänger sie für Teufelswunder erklärten. Unzählige, selbst Kinder, gerieten in Konvulsionen und Verzückungen. Als die Zahl der Konvulsionen stetig wuchs und die fanatische Schwärmerei immer weiter um sich griff, ließ der König 1732 den Friedhof zumauern und militärisch absperren. Die ekstatische Bewegung aber ließ sich dadurch nicht aufhalten; nur langsam ebbte sie ab. Noch lange schrieb und stritt man über die Wunder am Grab des jansenistischen »Appellanten« F.

Lit.: Vie de M. F. de P., Utrecht 1729; – Relation des miracles de St. F. de P., Brüssel 1731; – Louis Basile Carré de Montgeron, La vérité des miracles de M. F. de P., Utrecht 1737; – Johann Lorenz v. Mosheim, Dissertationes ad historiam ecclesiasticam pertinentes II, 1743, 307 ff.; – August Tholuck, Vermischte Schrr. I, 1839, 133 ff.; – Pierre François Mathieu, Histoire des miracles et des convulsionnaires de St.-Médard, Paris 1864; – Albert Le Roy, Le Gallicanisme au XVIIIᵉ siècle, ebd. 1892; – Augustin Marie Pierre Ingold, Rome et France: la seconde phase du Jansénisme, ebd. 1901; – P. Gagnol, Le Jansénisme convulsionnaire et l'affaire de la Planchette, Paris 1911; – Josef Hergenröther – Johann Peter Kirsch, Hdb. der allg. KG IV, 1917⁵, 61 f.; – DAFC I, 705 ff.; – RGG II, 1059; – v.Pastor XV, 706 ff.; – DThC III, 1756 ff.

FRANZ *von* **Paula,** Stifter und erster Generalsuperior des »Ordo fratrum minimorum«, der »Minimen«, * 1416 in Paolo bei Cosenza (Kalabrien) als Sohn armer Eltern, † 2. 4. 1507 in Plessis-lès-Tours (Frankreich). – Mit 12 Jahren kam F. in das nahe Franziskanerkloster San Marco. In der strengen Beobachtung der Ordensregel übertraf er die eifrigsten Mönche dieses Konvents. Von seinem 14. Lebensjahr an führte F. in der Nähe von Paolo in einer Felsengrotte ein strenges Eremitenleben und erbaute 1454 für die um ihn sich sammelnden »Eremiten des heiligen Franz von Assisi« ein Kloster. Sixtus VI. (s. d.) bestätigte am 23. 5. 1474 den von F. gegründeten Orden und bestellte den Stifter zum Generalsuperior. Alexander VI. (s. d.) bestätigte 1503 endgültig den Orden des F. und stattete ihn aus mit den Privilegien der Bettelorden. Er gab den Eremiten des hl. Franz den Namen »Minimen« = »mindeste Brüder« (wohl mit Bezug auf Jesu Wort in Mt 25, 40). Die erst 1493 aufgezeichnete, endgültig durch Pius IV. (s. d.) 1560 bestätigte Regel der »Minimen«, die nach dem Geburtsort ihres Stifters auch »Paulaner« oder »Pauliner« genannt werden, fügt zur verschärften Franziskanerregel ein 4. Gelübde hinzu, das des steten strengen Fastens. Der »Minime« soll alles Fleisch meiden, auch alle von Tieren stammenden Speisen, wie Eier, Fett, Butter, Käse und Milch. Seine einzige Nahrung sind Brot und Wasser, Öl, Gemüse und Früchte. Verschärft wird die Lebensordnung der »Minimen« außerdem durch strenge Schweigsamkeitsvorschriften. Die »Minimen« suchen durch schroff gesetzliche Strenge ihre »minoritischen« Vorgänger, die Franziskaner, zu übertreffen. Trotz der überaus strengen Regel vermehrten sich die Niederlassungen der »Minimen« zusehends. Der Orden zählte beim Tod seines Stifters schon 5 Provinzen in Italien, Frankreich, Spanien und Deutschland und erlebte seine Blüte im 16. Jahrhundert mit 450 Klöstern. F. gründete 1495 in Andujar (Spanien) den weiblichen »Zweiten Orden« der »Minimitinnen« (»mindeste Schwestern«), der aber heute nicht mehr besteht. Der von ihm gestiftete »Dritte Orden« für Weltleute beiderlei Geschlechts, die »Minimen-Tertiarier« und »-Tertiarinnen«, blieb unbedeutend. 1482 wurde F. an das Krankenbett Ludwig XI. († 1483) gerufen und blieb in Frankreich unter Karl VIII., der ihn zwei Klöster bauen ließ, das eine in dem Park von Plessis-lès-Tours, das andere in Amboise. Der durch sein asketisches Leben und seine Wunderheilungen weitberühmte F. wurde schon am 1. 5. 1519 von Leo X. (s. d.) heiliggesprochen. Sein Fest ist der 2. April.

Werke: Centuria di lettere del glorioso patriarca S. F. di P. fondatore dell'ordine dei minimi, hrsg. v. Francesco da Longobardi. Rom 1655. – Francesco Russo, Bibliografia di S. F. di P., ebd. 1957.

Lit.: Lukas Holstenius – M. Brockie, Codex regularum monasticarum et canonicarum III, Augsburg 1759, 34 ff. (die Ordensregeln der Minimen); – Giacinto da Belmonte, S. F. da P. e il suo tempo. Discorso storico-filosofico-sacro, Florenz 1870; – Abbé Rolland, Histoire de s. F. de P., Paris 1874; – Dabert, Histoire de St. F. de P. et de l'ordre des Minimes, ebd. 1875; –

Abbé Pradier, St. F. de P., Tours 1903; – Giuseppe Maria Roberti, S. F. di P., Rom 1915 (1963²); – Augustin Renaudet, Préréforme et humanisme 1494–1517, Paris 1916 (1953²); – Ernesto Pontieri, Per la storia del regno di Ferrante I d'Aragona, re di Napoli, Neapel 1947, 278 ff.; – Hans Hümmeler, Helden u. Hll., 1959 (501.–510. Tsd.), 172 ff.; – Robert Fiot, Jean Bourdichon et s. F. de P., Tours 1961; – A. Galuzzi, Origini dell'ordine dei minimi, in: Corona lateranensis 11, Rom 1967; – Gilberte Vezin, S. F. de P., fondateur des minimes, et la France, ebd. 1971; – Peter Manns, F. v. P., in: Die Hll., hrsg. v. dems., 1975, 434 ff.; – AS Apr., 102 ff.; – BS V, 1163 ff.; – Torsy 166 f.; – Braun 269; – Chevalier I, 1576 ff.; – Catholicisme IV, 1538 f.; – DHGE XVIII, 742 ff.; – EC V, 1597 ff.; – DSp V, 1040 ff.; – LThK IV, 242; – NCE VI, 33 f.; – RE VI, 223 f.; – RGG II, 1059.

FRANZ *von* **Sales,** Ketzerbekehrer von Savoyen, Bischof von Genf mit dem Sitz in Annecy, mystischer Theologe und weltgewandter Seelenführer, Kirchenlehrer, Heiliger, * 21. 8. 1567 auf dem Schloß Sales bei Annecy (Savoyen) als Sproß eines französischen Grafengeschlechts, † 28. 12. 1622 in Lyon. – Mit 12 Jahren kam F. in das Jesuitenkollegium in Paris und studierte die alten Klassiker und Philosophie. Schon damals legte er das »votum perenne virginitatis« ab. Seit 1584 widmete sich F. in Padua dem Studium des Zivil- und Kirchenrechts, aber auch der Theologie unter Leitung des Jesuiten Antonio Possevino (s. d.), der ihm einschärfte, daß die Reformation wegen der Unwissenheit des Klerus so große Fortschritte gemacht habe. Während einer gefährlichen Krankheit entschloß sich F. zum Eintritt in den geistlichen Stand und führte, als er 1590 über Loreto und Rom nach Sales zurückkehrte, diesen Entschluß durch gegen den Wunsch seines Vaters, der ihm schon eine Ratsstelle im Senat von Chambéry verschafft und eine Braut erwählt hatte. Der Papst ernannte F. am 7. 3. 1593 zum Propst an der Domkirche in Annecy. Am 18. 12. 1593 empfing er die Priesterweihe und wurde beauftragt mit der Wiedereinführung des Katholizismus in der Provinz Chablais (dem nördlichen, an den Genfer See angrenzenden Teil von Savoyen) und in der Landschaft Gex. Die Berner hatten 1536 diese Länder erobert, aber sie 1564 im Vertrag von Lausanne dem Herzog von Savoyen zurückgegeben, der den evangelisch gewordenen Bewohnern Religionsfreiheit zusicherte, dessen Sohn aber ihre Rekatholisierung forderte. F. kam zu der Überzeugung, daß er durch Predigten, Hausbesuche und Unterredungen mit einzelnen trotz aller Geduld und Ausdauer nichts erreichen könnte: »Während 27 Monate habe ich den Samen des Wortes Gottes in diesem armen Lande ausgestreut; soll ich sagen: unter Dornen oder auf felsigen Boden? Gewiß, außer der Bekehrung des Herrn von Avully und des Advokaten Poncet, habe ich weiter nicht viel zu rühmen.« Darum änderte F. seinen Ketzerbekehrungsplan: er verlangte u. a. die Vertreibung aller evangelischen Prediger und die Errichtung eines Jesuitenkollegiums in Thonon, dem Hauptort der Provinz Chablais, und wandte nun auch Gewaltmittel an. Soldaten wurden bei den Bewohnern in Stadt und Land einquartiert und reiche Belohnungen an die Konvertiten verteilt. So machte die Rekatholisierung von Chablais und Gex rasche Fortschritte. Auf Wunsch Clemens' VIII. (s. d.) besuchte F. in Genf 1597 den damals 78jährigen Theodor Beza (s. d.) und versuchte, ihn durch theologische Gespräche und schließlich durch Bestechung zum Abfall zu bewegen. Beza aber trat auf die Tür zu und sagte: »Vade retro, Satanas!« F. wurde

1599 zum Koadjutor des Bischofs von Genf, Claudius von Granier, ernannt und am 8. 12. 1602 in der Dorfkirche von Thornes bei Annecy zum Bischof von Genf geweiht, residierte aber in Annecy. Er gründete ein Priesterseminar in Annecy, führte Priesterkonferenzen und jährliche Diözesansynoden ein und war um die Hebung des innerkirchlichen Lebens bemüht. Seine Fastenpredigten in Paris, Lyon und Dijon verschafften ihm den Ruf eines bedeutenden Predigers. F. war der vornehme Beichtvater der französischen Gesellschaft und gewann als Seelenführer weitgehenden Einfluß auf die Damen der adeligen Kreise. Innige Freundschaft verband ihn mit der verwitweten Baronin Johanna Franziska de Chantal (s. d.), deren Seelenführung er 1604 übernahm. Die beide beherrschende Frömmigkeitsart ist der mystische Quietismus. Auf seine Anregung und mit seiner Hilfe gründete sie am 6. 6. 1610 den Orden der »Salesianerinnen« oder »Visitantinnen«, den »Orden von der Heimsuchung Mariä« (»Ordo de visitatione beatae Mariae virginis«), zuerst als Genossenschaft zum Alten-, Gefangenen- und Krankendienst, ohne Klausur, am 6. 10. 1618 von Paul V. (s. d.) zu einem Orden nach der Augustinerregel und den Konstitutionen des hl. F. v. S. umgewandelt. Der Orden, der sich später vor allem auch dem Unterricht der Jugend widmete, erreichte im 18. Jahrhundert mit 200 Klöstern seine weiteste Ausbreitung. Im Spätherbst 1622 begleitete F. den Herzog von Savoyen zu einer Zusammenkunft mit Ludwig XIII. nach Avignon. Auf der Rückreise starb er in Lyon und wurde in der Kirche der Heimsuchung in Annecy beigesetzt. F. wurde am 18. 12. 1661 seliggesprochen, am 19. 4. 1665 heiliggesprochen, am 19. 7. 1877 zum 19. »Doctor ecclesiae« und 1922 anläßlich seines 300. Todestags zum Patron des katholischen Schrifttums erklärt. Durch seine Schriften hat F. auf Mit- und Nachwelt mächtig eingewirkt und die französische Mystik des 17. Jahrhunderts stark beeinflußt.

Werke: Introduction à la vie dévote (gen. Philothea), Lyon 1608 dt. v. Otto Karrer, 1951²); – Traité de l'amour de Dieu (gen. Theotimus), ebd. 1616 (dt. Eichstätt – Wien 1957); Les vrays entretiens spirituels, Annecy 1629 (dt. v. Franz Reisinger, 1947); Lettres, Lyon 1632 (dt. in Ausw. v. Elisabeth Heine; v. Otto Karrer, 1928); Sermons, Annecy 1641; Les controverses, Annecy 1672. – Oeuvres complètes, 27 Bde., ebd. 1892–1964. – Oeuvres, textes présentés et annotés par André Ravier avec la collaboration de Roger Devos, Paris 1969. – Dt. Ausw., hrsg. v. Otto Karrer, 4 Bde., 1925 ff.; neue dt. Ausg., 2 Bde., 1948–51.

Lit.: L. de la Rivière, L'histoire de notre Bienheureux Père F. de S., Lyon 1624; – H. de Maupas du Tour, F. de S., Paris 1657; – A. Marsollier, F. de S., ebd. 1700; – G. Gallizia, Vita di S. F. de S., Venedig 1743; – André Hamon, Vie de St. F. de S., Paris 1854 (in der Neubearb. v. Gonthier u. Letourneau 1917; dt. v. J. Chr. Lager 1903); – Théodore Boulangé, Stud. über F. v. S. Sein Leben, sein Geist, sein Herz, seine Werke, seine Schrr. u. seine Lehre. Aus dem Frz., 2 Bde., 1861–62; – François Pérennès, Histoire de St. F. de S., Paris 1864; – Franz Xaver Eggersdorfer, Die Aszetik des hl. F. v. S. in ihren theoret. Grdl.n (Hab-Schr., München), 1909; – Die Stellung des hl. F. v. S. z. weltl. Leben, in: Der kath. Seelsorger, 1909, 318 ff. 365. 407 ff. 453 ff. 505. 559 ff.; – M. Piccard, St. F. de S. et sa famille, Paris 1910; – Das Leben des hl. F. v. S., in: Pharus. Kath. Mschr. 4, 1913, 75 ff.; – M. Hiemenz, Der hl. F. v. S. in seinen Frauenbriefen, in: Die christl. Frau, 1916, 108 ff. 133 ff.; – Max Wieser, Dt. u. roman. Religiosität, 1919; – Julie Berliet, Les amis oubliés de Port Royal, Paris 1921; – Otto Karrer, Vom Leben u. Geiste F.' v. S., in: StZ 102, 1922, 171 ff.; – Maurice Henry-Couannier, St. F. de S. et ses amitiés, Paris 1922; – Alois Mager, Der Geist des hl. F. v. S., in: BM 4, 1922, 29 ff.; – Ders., Der hl. F. v. S. als Seelsorger, ebd. 25, 1949, 113 ff.; – Henry Camille Bordeaux, Au pays de S. F. de S., Grenoble 1922; – Ders., St. F. de S. et notre coeur de c{oe}ur, Paris 1924; – Ders., S. F. de S., ebd. 1952; – E. Truptin, L'amour de Dieu dans s. F. de S., Autun 1923; – Francis Vincent, S. F. de S., directeur d'âmes. L'éducation de la volonté (Thèse), Paris 1923 (1932²); – Ders., Le travail de style chez

S. F. de S., ebd. 1923; – Michael Müller, Die Freundschaft des hl. F. mit der hl. Johanna Franzisca v. Chantal. Eine moral-theol.-hist. Stud., 1924 (1937³); – Ders., Willens- u. Charakterbildung nach der Lehre des hl. F. v. S., in: Pharus. Kath. Mschr. 16, 1925, 213 ff.; – Ders., St. F. de S., 1936; – Ders., Die Psychologie der Liebe nach der Lehre des Kirchenlehrers F. v. S., in: Anima 8, 1953, 114 ff.; – Ders., Frohe Gottesliebe. Das Ideal des hl. F. v. S., Neuausg. 1968 (Rez. v. Ludwig Königbauer, in: Jb. f. salesian. Stud. 8, 1970, 173 ff.); – Harold Burton, The Life of St. F. de S., London 1925; – E. Schulte, Der hl. F. v. S. als Lehrer der geistl. Beredsamkeit, in: Kirche u. Kanzel 3, 1925 ff.; – Pierre-Paul Bonneval, Une des grandes lumières de l'Église, Paris 1925; – Pierre Pourrat, La spiritualité chrétienne III, Paris 1925, 406 ff.; – Paul v. Chastonay, Die Mystik des hl. F. v. S., in: ZAM 1, 1925/26, 45 ff.; – H. Lanier, La vie d'oraison d'après s. F. de S., Paris 1926; – Amédée de Margerie, S. F. de S., ebd. 1927; – Auguste Saudreau, Oraison d'après St. F. de S., ebd. 1927; – Fortunat Strowski, S. F. de S., ebd. 1928; – G. Arnaud d'Agnel, Les femmes d'après S. F. de S., ebd. 1928; – Jacques Leclercq, S. F. de S., docteur de la perfection, ebd. 1928; – V. Baroni, Les étapes d'une vie mystique et F. de S., analyse psychologique d'un mysticisme, in: RThPh 16, 1928, 85 ff. 165 ff.; – Ella King Sanders, St. F. de S., London 1928; – Briefe der hl. Johanna Franziska v. Chantal an den hl. F. v. S. u. ihre Aussagen über sein Tugendleben, übertr. v. Elisabeth Heine; 1929; – Paul Archambault, S. F. de S., Paris 1930³; – L. Blin, Commentaire du Directoire spirituel de s. F. de S., 2 Bde., Le Mans 1930; – Richard v. Schaukal, F. v. S., in: Menschen u. Hll. Kath. Gestalten. Hrsg. v. Heinrich Mohr, 1930, 111 ff.; – Antoine Libert Joseph Daniels, Les rapports entre St. F. de S. et les Pays-Bas (Diss. Amsterdam), Nijmegen 1932; – Josef Martin, Theol.-krit. Unters. über ein System bei F. v. S., in: ThQ 114, 1933, 278 ff.; – Ders., Die Theol. des hl. F. v. S. (Diss. Fribourg/Schweiz), Rottenburg/Neckar 1934; – Ders., Systematisierung des »Traité de l'amour de Dieu«, in: ThQ 124, 1943, 47 ff.; – Léon Lecestre, St. F. de S., Paris 1934; – George Lacey May, S. F. de S., London 1934; – Friedrich Rotter, Das Seelenleben in der Gottesliebe nach dem »Theotimus« des hl. F. v. S. (Diss. Freiburg/Breisgau, 1934), 1935; – Elisabeth Watrin, Die weltanschaul. Grdl.n der »Introduction à la vie dévote« des hl. F. de S. u. die Auswirkung des Buches auf Werke der frz. Lit. des 17. Jh.s (Diss. Münster), Bochum-Langendreer 1935; – Ernestine Lecouturier, A l'école de S. F. de S., Paris 1935; – Tommaso Mandrini, La spiritualità di S. F. di S., Mailand 1938; – Mother Mary Majella (d. i. Marcelle Marie Rivet), The Influence of the Spanish Mystics on the Works of S. F. de S. (Diss. Catholic University of America), Washington 1941; – Francis Mugnier, Toute la vie sanctifiée, Paris 1941; – Francis Trochu, S. F. de S. d'après ses écrits, ses premiers historiens et les deux procès inédits de sa canonisation, 2 Bde., ebd. 1941–46; – Raffaello Cioni, Vita di S. F. di S., Florenz 1942; – Antoine Dufournet, La jeunesse de s. F. de S. (1567–1602), Paris 1942; – Josef Leidenmühler, Die Stellung der theol. Tugend der Liebe im übernatürl. Organismus der Seele nach der Lehre des hl. F. v. S. (Diss. Pontificio Instituto »Angelicum«, Rom), Eichstätt und Wien 1942 (1963²); – Ders., Das Vollkommenheitsideal des hl. F. v. S., in: Seid vollkommen. Formen u. Führung christl. Aszese. Hrsg. v. Karl Rudolf, Wien 1955, 160 ff.; u. in: Jb. f. salesian. Stud. 1, 1963, 19 ff.; – James Francis Cassidy, St. F. de S., Dublin 1944; – Walter Nigg, Große Hll., Zürich 1946, 265 ff.; – Idesbald Houtryve, La vie intérieure selon St. F. de S., Louvain 1946; – Angela Hämel-Stier, F. v. S. Der Hl. der Harmonie. Ein Lb., 1946 (1956²); – Dies., Frauen um F. v. S., 1954; – Johanna Franziska Frémyot v. Chantal, Briefe. Aus dem Frz. übers. v. Angela Hämel-Stier. I: An F. v. S. u. Verwandte, 1961; – Angela Hämel-Stier, F. v. S. u. die Jugend, in: Jb. f. salesian. Stud. 6, 1968, 96 ff.; – Joseph Russmann, F. v. S., ein Hl. des christl. Humanismus, Wien 1948; – Antony Francis Allison, Crashaw and St. F. de S., Oxford 1948; – Claude Montaz, A l'école de St. F. de S., Paris 1948; – H. Tessier, Le sentiment de l'amour d'après St. F. de S., Strasbourg 1948; – E. Thaméry, Le mysticisme de St. F. de S., ebd. 1948; – Georges Hourdin, F. v. S. Das zeitüberwindende Menschenbild. Nach dem Frz. bearb. v. Johannes Ehle, 1948; – F. v. S., Die Freude des Lebens. Aus »Philothea« des hl. F. v. S. (dt.). Anleitung zu einem frommen Leben. Hrsg. u. erl. v. Josef Casper, St. Florian 1948; – Maria Gfn. v. Preysing-Lichtenegg, F. v. S. u. Johanna Franziska v. Chantal. Ein Beispiel gegenreformator. Seelenführung (Diss. Erlangen), 1949; – Jean Pierre Camus, Die Weisheit des F. v. S. Ausgew. u. eingel. v. Jacques Carvl. Dt. v. François Marie Kamnitzer, Olten 1949; The Spirit of St. F. de S. Ed. and newly transl. and with an introduction by Carl Franklin Kelley, London 1953; Vom Geist der Heiligkeit (Ausz., dt.). Aus den Erinnerungen des J. P. C., Bisch. v. Belly, an den hl. F. v. S., 1956; – Claude Quinard, Message de St. F. de S. pour ce temps, Paris 1950; – Benedikt Albert, Der hl. F. v. S., ein Bahnbrecher kirchl. Einheit, in: Der Friedensstadt 14, 1951, 3 ff.; – L. Groppi, Formazione teologica di S. F. de S., Rom 1951; – Carl Franklin Kelley, The Spirit of Love, based on the Teaching of St. F. de S., New York 1951; – Vytautas Balciunas, La vocation universelle à la perfection chrétien selon s. F. de S. (Diss. Rom), Annecy 1952; – Jules Roose, Introduction à la spiritualité de s. F. de S., Paris 1952; – Paul Broutin, Les deux grands évêques de la réforme catholique (Charles Borromée et F. de S.), in:

NRTh 75, 1953, 282 ff. 380 ff.; – Cecilian Streebing, Devout Humanism as a Style: St. F. de S.' Introduction à la vie dévote (Diss. Catholic University of America), Washington 1954; – Linus Bopp, Meister der marian. Predigt. 3.: Der hl. F. v. S., in: Oberrhein. Pastoralbl. 55, 1954, 113 ff.; – Ders., Die christozentr. Grundstruktur des hl. F. v. S. u. ihr Ausbau durch die École française, ebd. 68, 1967, 225 ff.; – Ludwig Königbauer, Das Menschenbild bei F. v. S. (Diss. Würzburg, 1954), 1955; – Hildegard Waach, F. v. S. Das Leben eines Hl., 1955; – Jeanne Zöbelein (geb. Navarre), Les Relations de S. F. de S. et du Cardinal de Bérulle (Diss. Erlangen), 1956; – Milan Stanislav Durica, Opere e scritti riguardanti S. F. di S. Repertorio bibliografico 1623–1955, Turin 1956; – Franz Herrmann, F. v. S.: Über die Predigt, in: TThZ 66, 1957, 336 ff.; – Kurt Heinrich Heizmann, F. v. S. Die sanfte Gewalt, in: Die Großen der Kirche, hrsg. v. Georg Popp, 1957³, 363 ff.; – Hubert Pauels, Gottes Leuchten auf einem Menschenantlitz. Das Leben u. die Theol. des hl. F. v. S., 1957; – Ders., Matthias Joseph Scheeben u. F. v. S., in: Zur Gesch. u. Kunst im Erzbist. Köln. Festschr. f. Wilhelm Neuß. Hrsg. v. Robert Haaß u. Josef Hoster, 1960, 268 ff.; – Ders., Die Mystik des hl. F. v. S. in ihrer Grundhaltung u. Zielsetzung. Eine qu.krit. Stud. (Diss. Bonn, 1948), Eichstätt u. Wien, 1963; – Pierre Serouet, De la vie dévote à la vie mystique. Ste Thérèse d'Avila. S. F. de S., Brügge – Paris 1958; – F. v. S. Über die Gottesliebe. Gedanken aus dem »Traité de l'amour de Dieu« (Ausz., dt.). Ausgew. u. frei ins Dt. übertr. v. Elisabeth Nikrin. Mit einem Lb. des Hl. v. Reinhold Schneider, 1958; – Hans Berghuis, Gods humanist. Leven, werken en dood van F. de S., Brügge 1958; – Hans Hümmeler, Helden u. Hll., 1959 (501.–510. Tsd.), 60 ff.; – Antanas Liuima, Aux sources du »Traité de l'amour de Dieu« de S. F. de S., 2 Bde., Rom 1959 bis 1960; – Wilhelm Hünermann, F. v. S. Unter den Wölfen von Chablais, in: Ders., Der endlose Chor. Ein Buch v. den Hll. f. das christl. Haus, 1960⁸, 55 ff.; – Katherine Brégy, The Story of St. F. de S., Patron of Catholic Writers, Dublin 1960; – Michael De La Bédoyère, F. de S., London 1960; – Annette Thoma, F. v. S. u. Johanna Franziska v. Chantal, 1960; – A. Mor, S. F. di S. scrittore, Rom 1960; – Jeanne Danemarie (d. i. Marthe Ponet-Bordeaux), S. F. de S. (dt. Übertr. v. Adolf Rodewyk, 1961; – Mildred Violet Woodgate, S. F. de S., Dublin 1961; – Maurice Henri-Coüannier, S. F. de S. et ses amitiés, Tournai 1962²; – Jean Étienne Marie, S. F. de S. et l'esprit salésien, Paris 1962; – Ruth Kleinman, St. F. de S. and the Protestants, Genf 1962; übers. v. F. Delteil, S. F. de S. et les protestants, Lyon 1967 (Rez. v. Julien-Evmard d'Angers, in: Efranc 39, 1969, 215 ff.); – Etienne-Marie Lajeuni, S. F. de S. et l'esprit salésien, Paris 1962; – Ders., S. F. de S. L'homme, la pensée, l'action, 2 Bde., ebd. 1966; – Margaret Trouncer, The Gentleman Saint. St. F. de S. and his times, London 1963; – François Charmot, Deux maîtres, une spiritualité. Ignace de Loyola, F. de S., Paris 1963; – André Ravier, F. v. S. (Dt. Übertr. aus dem Frz. v. Hildegard Kremers u. Karlhermann Bergner, 1963; – Josef Zweifel, Der Wortschatz der rel. Polemik in frz. Sprache um 1600. Lexikolog. Unters. der Kontroverse um die Kreuzesverehrung zw. Antoine de la Faye v. Genf u. F. v. S. v. Savoyen (Diss. Fribourg/Schweiz), Eichstätt u. Wien 1963; – Henri Lemaire, Les images chez s. F. de S. (Thèse), Paris 1963; – Ders., F. de S., docteur de la confiance et de la paix. Étude de spiritualité à partir d'un choix important d'images, ebd. 1963; – Otto Lux, Augustin. Einflüsse in der Ethik des hl. F. v. S., 1964 (Rez. v. Victorino Capánaga, in: Augustinus 15, Madrid 1970, 74 f.); – Clement Francis Kelley, Der Geist der Liebe (The Spirit of love, dt.). Nach der Lehre des hl. F. v. S. (Übers. v. Joseph Niederehe), 1964; – Ruth Murphy, S. F. de S. et la civilité chrétienne, Paris 1964; – Anton Nobis, F. v. S. u. die Einheit der Kirche, in: Jb. f. salesian. Stud. 2, 1964, 103 ff.; – Ders., Die Oeuvres de S. Überblick – Entstehung – Authentizität, ebd. 5, 1967, 26 ff.; – F. v. S. (Franciscus Salesius) u. Johanna Franziska v. Chantal (Jeanne Françoise Frémiot de Chantal): Geistl. Briefwechsel (Briefe, dt.). Hrsg. u. erl. v. dems., 1967; – Ders., Frömmigkeit – salesianisch. Ein Btr. z. Begriffserkl., in: Jb. f. salesian. Stud. 6, 1968, 116 ff.; – Ders., Das Gebet in der Lehre u. Seelsorge des hl. F. v. S., ebd. 6, 1968, 19–55; 7, 1969, 19–73; 8, 1970, 21–122; – Franz Reisinger, Die Mystik des hl. F. v. S., ebd. 2. 1964, 41 ff.; – Ders., Die Theol. des hl. F. v. S. ebd. 53 ff.; – Irene Beck, Liebe u. Werk in der Theol. des hl. F. v. S. (Diss. München, 1964), 1965; – Edward John, The Mariology of St. F. de S., Eichstätt u. Wien 1965; – Blanche Jennings Thompson, St. F. de S., New York – London 1965; – E. J. Carney, The Mariology of S. F. de S., 1965; – Anton Mattes, F. v. S. u. die Verkündigung des Wortes Gottes, in: Jb. f. salesian. Stud. 3, 1965, 72 ff.; – Jacob Langelaan, Die theol. Grdl.n der Pastoral des hl. F. v. S., ebd. 13 ff.; – Ders., La mère la plus aimée et la plus aimante. La Sainte Vierge selon la doctrine de F. de S. (Diss. Rom), Eichstätt u. Wien 1965; – Hugo Schwendenwein, F. v. S. in der Entwicklung neuer Formen des Ordenslebens, 1966 (Rez. v. Franziskus Disch, in: Apollinaris 43, 1970, 478 f.); – F. v. S., par les témoins de sa vie. Textes extraits des procès de béatification choisis et présentés par Roger Devos, Annecy 1967; – Mémorial du IVᵉ centenaire de la naissance de s. F. de S., I, ebd. 1967 (Rez. v. Marie Th. Hipp, in: BHR 31, 1969, 655 ff.); – F. de S. Témoignages et mélanges, Ambilly-Annemasse 1968 (Rez. v. Roger Devos, in: RHÉF 56, 1970, 209); – Henri Lemaire, Les textes essentiels de s. F. de S. présentés pour notre temps avec son message: Amour

filial et douceur fraternelle, Paris 1968 (Rez. v. A. Donot, in: Livres et lectures. Revue bibliographique, Issy-les-Molineaux 1969, Nr. 240, S. 83; v. Roger Devos, in: RHÉF 56, 1970, 210); – D. Balducelli, Vita di S. F., Rom 1968; – Paolo Brezzi, S. F. di S. e il suo tempo, in: Salesianum 30, Turin 1968, 423 ff.; – Julien-Eymard d'Angers, Les degrés de perfection d'après S. F. de S., in: RAM 44, 1968, 11 ff.; – Ders., L'humanisme chrétien au XVIIᵉ siècle. S. F. de S. e Yves de Paris, Den Haag 1970 (Rez. v. J. Sartenaer, in: Les lettres romanes 26, Louvain 1972, 205 ff.; v. Jean-Robert Armogathe, in: RPhL 71, 1973, 338 ff.); – Carlo Ascheri, F.s Bruch mit der Spekulation. Aus dem It. v. Heidi Ascheri, Wien – Frankfurt/Main 1969; – Henri Chirat, Questions disputées. I.: S. F. de S. et les protestants, in: RSR 43, 1969, 27 ff.; – Anthony Levi, F. v. S.: Christl. Humanismus, in: Große Gestalten christl. Spiritualität. Hrsg. v. Josef Sudbrack u. James Walsh, 1969, 282 ff. 410; – André Brix, Der Einfluß des hl. F. v. S. v. Descartes u. Pascal bis in die Ggw., in: Jb. f. salesian. Stud. 8, 1970, 123 ff.; – Lauro A. Colliard, Studi e ricerche su san F. de S., in: Archivum Augustanum 4, Aosta 1970; – Erich Hehberger, Voraussetzungen u. Prinzipien der rel. Bildung bei F. v. S., 1972; – Manfred Tietz, S. F. de S.' »Traité de l'amour de Dieu« (1616) u. seine span. Vorläufer: Cristóbal de Fonseca, Diego de Estella, Luis de Granada, Santa Teresa de Jesús u. Juan de Jesús María (Diss. Mainz, 1971), Wiesbaden 1973; – Louis Cognet, F. v. S., in: Die Hll., hrsg. v. Peter Manns, 1975; 521 ff.; – BS V, 1207 ff.; – Torsy 167 f.; – Künstle 254 f.; – KLL III, 2608 f. (Introduction à la vie dévote); VI, 2938 ff. (Traité de l'amour de Dieu); VII, 886 ff. (Les vrais entretiens spirituels); – DThC VI, 736 ff.; – DHGE XVIII, 753 ff.; – DSp V, 1057 ff.; – LThK IV, 244 f.; – NCE VI, 34 ff.; – RE VI, 224 ff.; – EKL I, 1337 f.; – RGG II, 1059 f.

FRANZ von Vitoria, Dominikaner, Theologe, * 1480/83 oder 1492/93 in Burgos, † 12. 8. 1546 in Salamanca. – F. wurde Dominikaner und studierte in der Ordensschule in Burgos Philosophie und Theologie. Seine Studien vollendete er in Paris im Dominikanerkolleg St. Jacques. Dort lehrte F. seit 1516 und promovierte 1522 an der Universität in Paris zum Dr. theol. Nach dreijähriger theologischer Lehrtätigkeit im Dominikanerkonvent San Gregorio in Valladolid wurde er 1526 erster Theologieprofessor an der Universität Salamanca. Unter ihm und seinen Schülern Dominikus Báñez (s. d.), Bartholomé de Medina (s. d.), Melchior Cano (s. d.), Dominikus de Soto (s. d.) und Petrus de Ledesma (s. d.) erreichte die Theologie in Spanien ihre Blütezeit. – F. ist bekannt als Begründer der spanischen thomistischen Neuscholastik und des naturrechtlichen Völkerrechts.

Werke: Comentarios a la Secunda Secundae de Santo Tomás, hrsg. v. V. Beltrán de Heredia, 6 Bde., Salamanca 1932–52; Relecciones Teológicas Edición crítica (lat. u. span.) v. Luis G. Alonso Getino, 3 Bde., Madrid 1933–36; hrsg. v. T. Urdanoz, 1960; Die Grundsätze des Staats- u. Völkerrechts bei F. de V. Ausw. der Texte u. Einf. u. Anm. v. Antonio Truyol Serra, dt. v. Carl J. Keller-Senon, Zürich 1947 (1957²); De Indis recenter inventis et de jure belli Hispanorum in barbaros relectiones. Vorlesungen über die kürzlich entdeckten Inder u. das Recht der Spanier z. Kriege gg. die Barbaren 1539. Lat. Text nebst dt. Übers., hrsg. v. Walter Schätzel, eingel. v. Paul Hadrossek, 1952; Summa Sacramentorum Ecclesiae, Valladolid 1561; Confessionario, Salamanca 1562. – Ungedr.: Commentaria in universam Summam Thomas Aq.

Lit.: Ernest Nys, Les origines de droit international, Brüssel – Paris 1894; –Peter Tischleder, Ursprung u. Träger der Staatsgewalt nach der Lehre des Hl. Thomas u. seiner Schule; 1923; – Ders., in: Aus Ethik u. Leben. Festschr. f. Joseph Mausbach. Hrsg. v. Max Meinertz u. Adolf Donders, 1931, 90 ff.; – Ders., Die naturrechtl. Grdl. der Staats-, Kirchen- u. Kolonialpolitik nach der Lehre des F. v. V., in: Volkstum u. Kulturpolitik. Eine Smlg. v. Aufss. Gewidmet Georg Schreiber z. 50. Geb., 1932, 37 ff.; – Anuario de la Asociación F. v. V. 1 ff.; Madrid 1927/1928 ff.; – Camilo Barcia Trelles, F. de V., fundador del derecho internacional moderno, Valladolid 1928; – Rafael Barris Muñoz, Notas Crítico-Biográficas de F. de V., Sevilla 1928; – Vicente Beltrán de Heredia, Los Manuscritos del Maestro Fray F. de V., Madrid 1928; – Ders., F. de V., Barcelona 1939; – Luis G. Alonso Getino, El Maestro F. F. de V. Su vida, su doctrina e influencia, Madrid 1930; – Joseph Ternus, Zur Vorgesch. der Moralsysteme v. Vitoria bis Medina, 1930; – Venancio Diego Carro, Los Colaboradores de F. de V. Domingo Soto y el derecho de gentes, Madrid 1930; – Yves Marie de Leroy de La Brière, La conception du droit international chez les théologiens catholiques, Paris 1930; – Luis Recaséns Siches, Las Teorías políticas de F. de V., Madrid 1931; – v. d. Heydte, F. de V. u. sein Völkerrecht, in: Zschr. f. öff. Recht 12, Wien 1932, 239 ff.; –

James Brown Scott, The Spanish Origin of International Law. F. de V. and his Law of Nations, Oxford – London 1933; – V., in: Scholastik 9, 1934, 410 ff.; – Friedrich Stegmüller, F. de V. y la doctrina de la gracia en la escuela salamantina, Barcelona 1934; – Frederico Puig Peña, La Influencia de F. de V. en la Obra de Hugo Grocio, Madrid 1934; – Herbert Francis Wright, Catholic Founders of Modern International Law, Washington 1934; – Honorio Muñoz, F. de V. and the Conquest of America, Manila 1935; – Ders., The International Community according to F. de V., in: Thomist 10, 1947, 1–55; – Jean Baumel, Les problèmes de la colonisation et de la guerre dans l'oeuvre de F. de V., Montpellier 1936; – Rolf Hentschel, F. de V. u. seine Stellung im Übergang v. ma. z. neuzeitl. Völkerrecht. Ein Btr. z. Gesch. der Völkerrechtswiss. (Diss. Breslau), 1937; – Aemilius Naszályi, Doctrina F. de V. de Statu, Rom 1937; – Matthias Oeffling, Glaubenszustimmung u. Glaubensbegründung nach F. v. V., München 1937 (Teil einer Diss. der Pontificia Universitas Gregoriana); – Teodore Andrés Marcos, V. y Carlos V. en la sobernía hispano-americano, Salamanca 1937 (1946²); – Ricardo García-Villoslada, La Universidad de París durante los estudios de F. de V., 1507–22, Rom 1938; – Gerald Francis Benkert, The Thomistic Conception of an International Society (Diss. Catholic University of America), Washington 1942; – Rubén C. González, F. de V. Estudio bibliográfico, Buenos Aires 1946; – Alfred Verdroß-Droßberg, Die Versuchung des F. v. V. Ein Btr. z. Herausbildung der christl. Humanismus u. des modernen Völkerrechts, in: Wort u. Tat. Internat. Zschr. 1, Innsbruck 1946, H. 3, S. 13 ff.; – Josef Höffner, Christentum u. Menschenwürde. Das Anliegen der span. Kolonialethik im goldenen Zeitalter (Hab.-Schr., Freiburg/Breisgau 1944), 1947; – Salvador Lissarague, La Teoría del poder en F. de V., Madrid 1947; – Gustav Gundlach, Der Nürnberger Prozeß u. die Moral, in: StZ 143, 1948–49, 286 ff.; – Atilio dell' Oro Maini u. a., La Conquista de América . . . Estudios sobre la ideas de F. de V., Buenos Aires 1951; – Enrique de Gandía, F. de V. y el Nuevo Mundo. El problema teológico y jurídico del hombre americano y de la independencia de América, ebd. 1952; – Paul Hadrossek, Leben u. Werk des F. de V., in: Die Klassiker des Völkerrechts, hrsg. v. Walter Schätzel, II, 1952; – Ders., Natur- u. Völkerrecht im Aufbau der Weltgemeinschaft nach F. de V. (Ms.); – Josef Soder, Die Idee der Völkergemeinschaft. F. de V. u. die philos. Grdl.n des Völkerrechts, 1955; – S. J. Reidy, Civil Authority according to F. de V., River Forest (Illinois) 1959; – Gerhard Otte, Das Privatrecht bei F. de V. (Diss. Münster, 1962), 1964; – Juan F. Radrizzani Goñi, Papa y obispos en la potestad de jurisdicción según el pensamiento de F. de V., Rom 1967; – William Daniel, The Purely penal law theory, in the Spanish theologians from V. to Suárez, ebd. 1968; – R. A. Jannarone, La maturazione delle coloniali in F. de V., in: Angelicum 47, 1970, 3 ff.; – Quétif-Échard II, 128 ff.; – DThC XV, 3117 ff.; – EC V, 1607 ff.; – LThK X, 823 ff.; – NCE XIV, 727 f.; – RGG II, 1060 f.

FRANZ XAVER (Francisco de Jassu y Javier), Jesuit, Apostel Indiens und Japans, Heiliger, * 7. 4. 1506 auf Schloß Javier bei Sangüesa (Navarra) als Sohn des Vorsitzenden des Königlichen Rats v. Navarra, † 3. 12. 1552 auf der Insel Sancian (San Tschao) bei Kanton. – F. X. studierte seit 1525 in Paris, schloß sich hier Ignatius von Loyola (s. d.) an und empfing am 24. 6. 1537 in Venedig die Priesterweihe. Er kam 1538 nach Rom und arbeitete als Mitbegründer der Societas Jesu mit an der ersten Ordensverfassung. Am 7. 4. 1541 segelte F. X. als Päpstlicher Legat im Auftrag des Königs von Portugal von Lissabon nach Ostindien und landete am 6. 5. 1542 in Goa. Als Reformator, Organisator und Missionspionier wirkte er 10 Jahre unter der portugiesischen Kolonialbevölkerung, unter Neuchristen und Heiden, seit 1551 als Provinzial der von ihm gegründeten indischen Jesuitenprovinz. 1542–44 arbeitete F. X. unter den Parava-Perlfischern an der Südostspitze Indiens und im benachbarten Königreich Tranvankor. Im Frühjahr 1545 fuhr er von Mailapur (Madras) nach Malakka und im Januar 1546 nach den Molukken zu den verlassenen Neubekehrten in Ambon und auf den Moro-Inseln und kehrte 1547 nach Malakka zurück. Auf die Kunde vom neuentdeckten Japan segelte F. X. 1549 dorthin mit drei in Goa getauften Japanern als Dolmetschern und zwei Mitbrüdern. Er wirkte ein Jahr in Kagoshima, kurz in Hirado, dann in Yamaguchi und zu-

letzt am Hof von Bungo. 1552 nach Goa zurückgekehrt, wollte F. X. als Missionspionier in China eindringen, starb aber auf der Fahrt dorthin. – F. X. wurde am 25. 10. 1619 selig- und am 12. 3. 1622 heiliggesprochen. Sein Fest ist der 3. Dezember. Er wird verehrt als Patron der Seefahrer und Missionare, gegen Sturm und Pest, für eine gute Sterbestunde; seit 1927 als Patron aller Missionen. F. gilt als Begründer der Mission in der Kulturwelt des Fernen Ostens und der Jesuitenmissionen überhaupt.

Lit.: Henry James Coleridge, The Life and Letters of St. F. X., 3 Bde., London 1881–88; – Léonard Joseph Marie Cros, S. F. X. Son pays, sa famille, sa vie. Documents nouveaux, Toulouse 1894 (1900²); – Ders., S. F. X. Sa vie et ses lettres, 2 Bde., ebd. – Paris 1900; – Monumenta Xaveriana, 2 Bde. (MHSI), Madrid 1899–1914; – Cecilia Mary Caddell, The Cross in Japan. A history of the missions of St. F. X. and the early Jesuits, London 1904; – Manoel Teixeira, Vida del bienaventurado Padre F. X., in: Monumenta Xaveriana II, Madrid 1912, 815 ff. (neu hrsg. v. R. Gavina, Bilbao 1951); – Alexandre Brou, St. F. X., 2 Bde., Paris 1912 (1922²); – Ders., S. F. X., conditions et méthodes de son apostolat, Brügge 1925; – André Bellessort, L'Apôtre des Indes et du Japon. S. F. X., Paris 1917; – Edith Anne Stewart, The Life of St. F. X., London 1917; – M. T. Kelly, A Life of St. F. X.: based on authentic sources, St. Louis (Missouri) – London 1918; – Francisco Apalategui, Empresas y Viajes apostólicos de S. F. X., Madrid 1920; – Abbé J. E. Laborde, L'esprit de S. F. X., Bordeaux 1920; – Joam de Lucema, Vida do Padre F. de X., 2 Bde., Paris – Lissabon 1921; – Georg Schurhammer, Die Hl.sprechung F. X.s, in: KathMiss 50, 1921–22, 106 ff.; – Ders., X.forsch. im 16. Jh., in: ZM 12, 1922, 129 ff.; – Ders., Der hl. F. X., der Apostel v. Indien u. Japan, 1925; – Ders., Der hl. F. X. in Japan (1549–1551), Schöneck/Beckenried (Schweiz) 1947; – Ders., Maria u. der hl. F. X., in: GuL 25, 1952, 336 ff.; – Ders., F. X. Sein Leben u. seine Zeit I, 1955; II, 1971 (Rez. v. Josef Glazik, in: ZM 56, 1972, 226 f.); III (Hbd.), 1973; – Ders., Die zeitgenöss. Qu. z. Gesch. Portugiesisch Asiens u. seiner Nachbarländer z. Z. des Hl. F. X., 1538–1552, Rom 1962² (Nachdr. der 1. Ausg. Leipzig 1932; Suppl.: 486–515); – Anton Huonder, Ignatius v. Loyola u. F. v. X, ein Freundschaftsbund zweier Hll., in: KathMiss 50, 1922, 185 ff.; – Camilo María Abad, S. F. J., Madrid 1922; – Edith Anne Stewart Robertson, F. X. Knight errant of the Cross, London 1930; – Walter Goetze, F. X.s Missionsarbeit in Japan u. sein Ende (Diss. Berlin); 1930; – Margaret Yeo, St. F. X. Apostle of the East, London 1931; – Charles James Stranks, The Apostle of the Indies. A life of F. X., ebd. 1933; – Theodore Maynard, The Odyssey of F. X., ebd. 1936; – Georg Rendl, Der Eroberer F. X., 1940 (1956²); – A. Zwißler, Hl. F. X., in: Sanctificatio nostra. Rel. Mschr. f. den kath. Klerus 12, 1941, 211 ff.; – Alessandro Valignano, Historia del principio y progreso de la Compañía de Jesús en las Indias Orientales (1583), hrsg. v. Josef Wicki, in: Bibliotheca Instituti Historici Societatis Jesu II, Rom 1944; – George S. Burns, Saint under Sails. The story of F. X., London 1944; – G. G. Ubillos, El espíritu de S. F. J., Bilbao 1946; – Albert Bessières, S. F. X., maître d'héroïsme, Le Puy 1946; – Franz Xaver Riß, F. X., 1947; – Jean Joseph Maria Timmers, Symboliek en iconographie der christelijke kunst, Roermond 1947, 915; – Josef Wicki, Die Mitbrüder F. X.s in Indien. Methode ihrer Heidenbekehrung u. Unterweisung der Christen (1545–1552), Schöneck/Beckenried (Schweiz) 1947; – Ders., Das Ergebnis der X.-Forsch., in: ZMR 36. 1952, 299 ff.; – Ders., Zur neueren Lit. über F. X., in: Orientierung 18, 1954, 250 f.; – Juan Ferrando Roig, Iconografía de los santos, Barcelona 1950, 116; – Émile Mâle, L'art religieux de la fin du XVIe siècle, du XVIIe et du XVIIIe siècle, Paris 1950, 99 ff. 210. 437 ff. 442; – Ignacio Iparraguirre, Los Ejercicios espirituales ignacianos, el método misional de S. F. Javier y la misión jesuítica de la India en el siglo XVI, in: StMis 5, 1950, 3 ff.; – Henri Alexandre Chappoulie, La stratégie missionnaire de s. F. X., in: Études 275, 1952, 289 ff.; – Rudolf Steinwede, Vom Geist getrieben. Zum 400j. Todestag des hl. F. X., in: KathMiss 71, 1952, 163 ff.; – Felix Zubillaga, Der hl. F. X. Der charakterist. Grundzug seiner Frömmigkeit: das Nichts, das vergöttlicht wird, in: GuL 25, 1952, 326 ff.; – Unerfüllte Sehnsucht: China. Das Leben des Hl. F. X., in: Erdkreis, 1952, 258 f.; – Wilhelm Oehler, F. X. ein Feldherr der Weltmission, in: DtPfrBl 52, 1952, 657 f.; – Joseph Peters, F. X., in: Ecclesia apostolica. Jb. des kath. Akad. Missionsbundes 4, 1952, 13 ff.; – Edward O'Connor, Call on X. St. F. X. and his novena, Dublin 1952; – A. B. de Bragança Pereira, S. F. X., Esboço histórico, Goa 1952; – Juan Iparra J.-A. Eguren, Javier en las Indias orientales. Factores decisivos en su actuación misionera, Barcelona 1952; – H. Marin, S. F. X. y S. Ignazio de Loyola, in: RF 146, 1952, 45 ff.; – Francisco Mateos, Compañeros españoles de S. F. J., in: Missionalia hispanica 9, 1952, 277–364; – Georg Alfred Lutterbeck, F. X.s Tod, in: Priester u. Mission, 1952, Nr. 3, S. 11 ff.; – Ders., Das des hl. F. X. in Japan, in: Klerusbl. Organ der Diözesanpriesterver. Bayerns 38, 1958, 365 f.; – James Brodrick, St. F. X., London 1952; – Ders., Abenteurer Gottes. Leben u. Fahrten des hl. F. v. X.

Übers. v. Oskar Simmel, Luzern 1954 (1959²); – Hugo Rahner, Das verlorene Leben. Zum 400. Todestag des hl. F. X., in: Der große Entschluß. Mschr. f. lebendiges Christentum 8, Wien 1952–53, 65 ff.; – Ders., Francisco u. sein Meister. Zum 400. Todestag des hl. F. X., in: StZ 151, 1952–53, 161 ff.; – Xavier Léon-Dufour, S. F. X., Itinéraire mystique de l'apôtre, Paris 1953; – Matthias Leitenbauer, Der hl. F. X. – ein Herold der Liebe, in: ThPQ 101, 1953, 130 ff.; – León Lopetegui, S. F. J. y S. Ignacio de Loyola de 1548 a 1556, in: Studia missionalia 7, 1953, 5 ff.; – Leo Oster, Priestersendung. Zum 400. Todestag des hl. F. X., in: Diözesanpriester 5, Münster 1953, 33 ff.; – Joseph Loosen, F. X., der Hl. der Hoffnung, in: GuL 26, 1953, 90 ff.; u. in: Jesuiten. Stimmen aus ihren eigenen Reihen, 1954, H. 1, 109 ff.; – Josef Hofinger, Das katechet. Apostolat des hl. F. X., in: KatBl 79, 1954, 56 ff.; – Hubert Becher, Der Abenteurer Gottes, in: StZ 155, 1954–55, 216 f.; – Georg Albrechtkirchinger, Der hl. F. X., 1955; – Helen Roeder, Saints and the attributes, London 1955, 326; – José Ignacio Tellechea Idígoras, La teologia sacerdotal de S. F. J., in: Surge 15, Vitoria 1955, 484 ff.; 16, 1956, 99 ff. 243 ff.; – Sebastião Gonçalves, Primeira parte da história dos religiosos da Companhia de Jesús, hrsg. v. Josef Wicki. I: Vida de B. P. F. X. e comeco la história da Companhia de Jesús no Oriente, Coimbra 1957; – Ronald Ross, F. X. Piratendschunke, in: Die Großen der Kirche, hrsg. v. Georg Popp, 1957³, 270 ff. – Paul Mianecki, F. X. u. die Völker Asiens, in: Missionsbll. v. St. Ottilien 54, 1959, 169 ff.; – Ders., Pioniere der Menschlichkeit, 1959; – Hans Hümmeler, Helden u. Hll., 1959 (501.–510. Tsd.), 559 ff.; – Wilhelm Hünermann, F. X. Das Kruzifix v. Xavier, in: Ders., Der endlose Chor. Ein Buch v. den Hll. f. das christl. Haus, 1960⁸, 700 ff.; – Reinhold Schneider, F. X., in: Ders., Gelebtes Wort, 1961, 254 ff. 334; – Jean François Gilmont, Les écrits spirituels des premiers jésuites, Rom 1961, 126 ff.; – Ignacio Elizalde, S. F. X. en la literatura española, Madrid 1961; – Johannes Beckmann, F. X. in Indien u. Indonesien, in: NMZ 20, 1964, 286 ff.; – Hugh Kelly, St. F. X., Dublin 1964; – Paul Aoyama Gen, Die Missionstätigkeit des hl. F. X. in Japan aus japan. Sicht, 1967; – Josef Glazik, F. X., in: Die Hll., hrsg. v. Peter Manns, 1975, 504 ff.; – Koch, JL 591 ff.; – BS V, 1226 ff.; – Künstle 255 f.; – Braun 269 f.; – Réau III, 538 ff.; – DHGE XVIII, 773 ff.; – DSp V, 1099 ff.; – LThK IV, 248 f.; – NCE XIV, 1059 f.; – RGG VI, 1853.

FRANZ, Adolf, kath. Theologe, * 21. 12. 1842 in Langenbielau (Schlesien), † 6. 11. 1916 in Baden-Baden. – F. studierte in Breslau und München und wurde 1867 zum Priester geweiht. Er kam als Kaplan nach Sprottau und 1869 als Dozent und Repetent nach Breslau an das fürstbischöfliche Konvikt. Einige Zeit redigierte F. die ultramontane »Schlesische Volkszeitung«, dann das »Schlesische Kirchenblatt«. 1878–87 war er Chefredakteur der »Germania« in Berlin, 1875–92 Mitglied des Preußischen Abgeordnetenhauses und 1876–92 auch des Reichstages, 1882–93 Domkapitular in Breslau. 1893 siedelte F. nach Gmunden (Oberösterreich) über. Seit 1907 war er o. Honorarprofessor für Liturgik in München. Die letzten Lebensjahre verbrachte F. in Baden-Baden. Er ist auch bekannt als Erforscher mittelalterlicher Liturgie.

Werke: M. Aurelius Cassiodorus Senator, 1872; – Johannes Baptista Baltzer. Ein Btr. z. neuesten Gesch. der Diözese Breslau, 1873; Heinrich Förster, Fürstbisch. v. Breslau, 1875; Das kath. Kirchenvermögen, 1875; René François Rohrbachers Bearb. der Universalgesch. der kath. Kirche, 15. Bd., 1877; Die Kirchenpolitik Friedrichs II. v. Preußen, 1878; Die gemischten Ehen in Schlesien, 1878; Die Messe im dt. MA, 1902 (Nachdr. 1963); Das Rituale v. St.-Florian, 1904; Drei dt. Minoritenprediger aus dem 13. u. 14. Jh., 1907; Die Leistungen u. Aufgaben der liturg. Forsch. in Dtld., in: HPBl 141, 1908, 84–99; Die kirchl. Benediktionen im MA, 2 Bde., 1909; Das Rituale des Bisch. Heinrich I. v. Breslau, 1912.

Lit.: Alois Meister, in: Germania-Festschr., 1914, 170·; – Andreas Bigelmair, A. F. †, in: HPBl 158, 1916, 860 ff.; – E. K., A. F. †, in: HJ 38, 1917, 210 ff.; – Josef Jungnitz, Prälat A. F., 1917; – Ludwig Frhr. v. Pastor, Tagebücher – Briefe – Erinnerungen, 1854–1928, hrsg. v. Wilhelm Wühr, 1950, 928 u. ö.; – Walter Dürig, Schlesiens Anteil an der liturgiewiss. Forsch. u. an der liturg. Erneuerung im dt. Kath., in: ASKG 9, 1951, 206 ff.; – Kosch, KD 817 f.; – NDB V, 373 f.; – DThC XVI, 90; – EC V, 1700; – LThK IV, 272.

FRANZ, Agnes, Dichterin, * 8. 3. 1794 in Militsch (Schlesien) als Tochter eines Regierungsrats, † 13. 5. 1843 in Breslau. – F. verlor mit 7 Jahren ihren Vater und verlebte nun ihre Kindheit und Jugend in Steinau (Oder), Schweidnitz, Landeck und Dresden. Seit ihrem 13. Lebensjahr war sie infolge eines durch Umsturz ihres Reisewagens erlittenen schweren Falles gebrechlich und fortwährend leidend. Nach dem Tod ihrer Mutter (1822) weilte sie bei einer mit dem Hauptmann von Rekowsky verheirateten Schwester in Wesel (Rhein), wo sie einen Jungfrauenverein und eine Arbeitsschule für arme Mädchen gründete und leitete, dann in Siegburg bei Bonn und seit 1826 in Brandenburg, wo sie ihr wohltätiges Wirken fortsetzte. F. zog 1837 mit ihrer Schwester nach dem Tod ihres Gatten nach Breslau, wo sie Vorsteherin der Armenschule wurde und die Erziehung der vier Kinder einer jüngeren Schwester überwachte. – Bekannt ist ihr Kinderlied »Wie könnt ich ruhig schlafen in dunkler Nacht, wenn ich, o Gott und Vater, nicht dein gedacht?« Das Lied erschien 1838 und fand durch seine Weise, die ihm Friedrich Silcher (s. d.) 1842 gab, weite Verbreitung.

Werke: Glycerion (Smlg. kleiner Erzz. u. Romane), 1823; Erzz. u. Sagen, 1825; Gedichte, 2 Bde., 1826; Parabeln, 1829; Der Christbaum, 1829; Volkssagen, 1830; Angela (Gesch. in Briefen), 4 Bde., 1831; Cyanen (Gesch.n), 2 Bde., 1833–35; Andachtsb. f. die Jugend, 1838; Gebete f. Kinder, 1838; Führungen, 1840; Buch f. Kinder, 2 Bde., 1840; Neue Smlg. v. Parabeln, 1841; Literar. Nachlaß, hrsg. v. Julie v. Großmann, 4 Bde., 1845.

Lit.: A. Siebelt, A. F., eine vaterländ. Dichterin, in: Wir Schlesier 5, 1924–25, 113; – Koch VII, 323; – Kosch, LL I, 548; – ADB VII, 314 f.

FRANZ, Ignaz, kath. Kirchenliederdichter, * 12. 10. 1719 in Protzan bei Frankenstein (Schlesien), † 19. 8. 1790 in Breslau. – F. wirkte als Priester in Großglogau und Schlawa und seit 1778 als Leiter des Priesteralumnats in Breslau. – F. hat den sog. »Ambrosianischen Lobgesang« ins Deutsche übertragen: »Großer Gott, wir loben dich« (1711), ein schwächlicher Ersatz für das altkirchliche »Tedeum« und Martin Luthers (s. d.) »Herr Gott, dich loben wir«.

Werke: Die christ.-kath. Lehre in Liedern, 1768; Schles. Gesangb. z. Gebrauch der Römisch-Katholischen, 1768; Lobgesänge zu den Tagzeiten v. der Todesangst Christi am Ölberge, 1771; Geistreiche Gesänge auf die Sonn- u. Festtage, 1771; Acht Gesänge bei den Fronleichnamsprozessionen, 1772; Rel.pflichten z. Unterricht u. z. Erbauung heilsbegieriger Christen, in Gesänge verfaßt, 1774.

Lit.: Hermann Petrich, Das geistl. Volkslied, 1924², 79 ff.; – Wilhelm Nelle, Schlüssel z. ev. Gesangbuch f. Rheinland u. Westfalen, 1924³, 320 ff.

FRANZ, Wolfgang, luth. Theologe, * Oktober 1564 in Plauen (Vogtland), † 26. 10. 1628 in Wittenberg. – F. studierte in Frankfurt an der Oder und in Wittenberg, wo er 1598 Professor der Geschichte wurde und zum Dr. theol. promovierte. F. wirkte seit 1601 als Propst in Kemberg und seit 1605 in Wittenberg als Professor der Theologie und Propst an der Schloßkirche. F. verfaßte Streitschriften gegen Katholiken, Calvinisten und Sozinianer sowie Schriften zur Bibelauslegung.

Werke: De interpretatione S. Scripturarum maxime legitima, 1619 (hermeneut. Hauptwerk); Augustanae confessionis articuli priores decem, 1609 f.; Syntagma controversiarum theologicarum, 1612; Animalium historia sacra, 1612 (bibl. Zoologie).

Lit.: Erdmann Uhse, Leben der berühmtesten Kirchen-Lehrer u. Scribenten des 16. u. 17. Jh.s, Leipzig 1710, 643 f.; – Walter Friedensburg, Gesch. der Univ. Wittenberg, 1917, 401 ff.; – ADB VII, 319 f.; – RGG II, 1061.

FRANZELIN, Johannes Baptist, Jesuit, bedeutender Dogmatiker, Kardinal, * 15. 4. 1816 in Aldein (Südtirol), † 11. 12. 1886 in Rom. – F. war Jesuitenschüler in Bozen und trat 1834 in Graz in den Jesuitenorden ein. Nach den philosophischen Studien und einigen Jahren der Lehrtätigkeit in Tarnopol und Lemberg kam er 1845 nach Rom, um am Collegium Romanum Theologie zu studieren. Wegen des Aufstandes von 1848 floh F. nach England und vollendete in Löwen die theologischen Studien. In Vals (Frankreich) lehrte er orientalische Sprachen und empfing 1849 die Priesterweihe. Nach seiner Rückkehr nach Rom lehrte F. 1850–57 am Collegium Romanum Hebräisch, Arabisch, Syrisch und Aramäisch und danach bis 1876 Dogmatik. Er war zugleich Konsultor verschiedener Kongregationen. An den Vorbereitungen für das Vatikanische Konzil und am Konzil nahm F. teil und hat durch seine Ekklesiologie und als Sachverständiger die Glaubensentscheidungen des I. Vatikanischen Konzils maßgeblich mitbestimmt; die Konstitution »De fide catholica« folgte weitgehend seinem Entwurf. Pius IX. (s. d.) erhob ihn 1876 zum Kardinal.

Werke: De eucharistia, 1868; De sacramentis in genere, 1868; De Deo trino, 1869; De divina Traditione et Scriptura, 1870; De Deo uno, 1870; De Verbo incarnato, 1870; Examen doctrinae Macarii Bulgakow, 1876; De Ecclesia, 1887.

Lit.: Hubert, Card. F., in: Katholik 67, 1887, I, 225 ff.; – Giuseppe Bonavenia, Raccolta di memorie intorno alla vita dell'Em. Card. Giovanni Battista F., Rom 1887; – Nicholas Walsh, J. B. F., Dublin 1895; – August Merk, Kard. F. u. die Inspiration, in: Scholastik 1, 1926, 368 ff.; – Max-Georg v. Twickel, Die Kontroverse um die Definition des Vaticanum z. Glaubenszweifel (Diss. Innsbruck), 1955; – Franz Gaar, Das Prinzip der göttl. Tradition nach J. B. F. (Hab.-Schr., München 1961), Regensburg 1973 (Überarb.; Rez. v. Henryk Bogacki, in: Collectanea theologica 44, Warschau 1974, 201 f.); – Sommervogel III, 950 f.; – ADB 48, 730 f.; – DThC VI, 765 ff.; – Catholicisme IV, 1564 ff.; – HN V, 1507 ff.; – EC V, 1700 f.; – LThK IV, 272 f.; – NCE VI, 80 f.

FRANZISKA *von Amboise*, Karmelitin, Selige, * 9. 5. 1427 in Rieux als Tochter Ludwigs von Amboise, Vicomte de Thouars, † 4. 11. 1485 als Priorin des Klosters Notre-Dame-des-Couëts bei Nantes. – F. wurde 1442 vermählt mit dem Herzog Peter II. von der Bretagne († 1457) und gründete 1463 in Vannes das erste französische Karmelitinnenkloster in der Bretagne, in das sie 1467 selbst eintrat. Ihr Kult wurde von Pius IX. 1863 bestätigt. Ihr Fest ist der 4. November in der Diözese Vannes und der 5. November in der Erzdiözese Paris.

Lit.: François Marie Benjamin Richard, Vie de la bienheureuse F. d'A., duchesse de Bretagne et religieuse carmélite, 2 Bde., Nantes 1865 (dt. 1892); – Anne Daix, La merveilleuse odyssée de F. d'A., Paris 1930; – AS Nov. II, 520 f.; – VSB XI, 153 f.; – BS V, 1005 f.; – Catholicisme IV, 1558 f.; – DSp V, 1121 ff.; – EC V, 1567; – LThK IV, 273.

FRANZISKA *von Chantal* s. CHANTAL, Jeanne-Françoise.

FRANZISKA *von Rom*, Stifterin einer klösterlichen Vereinigung, Mystikerin, Heilige, * 1384 in Rom aus dem Adelsgeschlecht de Bussi, † daselbst 1440, begraben in der Kirche S. Maria Nova am Forum Romanum. – F. vermählte sich 1395 mit Lorenzo de' Ponziani († 1436) und wurde Mutter von 6 Kindern. 1425 gründete sie die »Compania delle Oblate del Monastero Olivetano di S. Maria Nova«. Die Mitglieder schlossen sich 1433 zum gemeinsamen Leben zusammen, um ihre karitative Tätigkeit auszubauen. Die Stiftung wurde am 4. 7. 1433 päpstlich bestätigt. Seit dem Tod ihres Mannes leitete F. die Genossenschaft. Sie erwarb 1443 die torre de' Specchi und nannte nun ihre Stiftung »Nobili Oblati di Tor de' Specchi«. Ihr

Leben war den Werken der Gottes- und Nächstenliebe geweiht und mit hohen mystischen Gaben begnadet. F. wurde am 29. 5. 1608 von Paul V. heiliggesprochen. Ihr Fest ist der 9. März.

Lit.: M. Armellini, Vita di S. F. scritta nell' idioma volgare di Roma del secolo XV (1649), Rom 1883 (it. Übers. der lat. Aufzeichnungen v. F.s Beichtvater); – Hilda Montesi Festa, S. F. R., Turin 1931; – S. Berthem-Bontoux, S. F. R. et son temps, Paris 1931/32; – Carlotta Albergotti, S. F. R. la vita e l'opera, Rom 1940; – Maria Concetta Ferrari, S. F. R., ebd. 1940; – B. De' Capitani d'Hoé, S. F. R., Mailand 1941; – Klara M. u. Maria Faßbinder, Der hl. Spiegel. Müttergestalten durch die Jhh., 1941, 182 ff.; – P. Placido Tomasso Lugano, I processi inediti per Francesca Bussa dei Ponziani (S. F. R.), in: StT 120, Città del Vaticano 1945; – Marianne Marduel, S. F. R., Lyon 1951; – Ernst Hello, Hll.gestalten, 1953³, 78 ff.; – Hans Hümmeler, Helden u. Hll., 1959 (501.–510. Tsd.), 125 ff.; – Wilhelm Hünermann, F. v. R. Wie durch einen Besen ein Wunder geschah, in: Ders., Der endlose Chor. Ein Buch v. den Hll. f. das christl. Haus, 1960⁸, 131 f.; – Maria Benedetta Rivaldi, S. F. R., Rom 1964; – Die Hll., hrsg. v. Peter Manns, 1975, 424 ff.; – BHL 3094, Suppl. 3093m–3094f.; – BS V, 1011 ff.; – Réau III, 543 f.; – Wimmer³ 229; – Torsy 171; – Catholicisme IV, 1559 f.; – EC V, 1567 ff.; – LThK IV, 273.

FRASSINETTI, Paola, Stifterin der Suore (Maestre) di S. Dorotea, Selige, * 3. 3. 1809 in Genua, † 11. 6. 1882 in Rom. – P. F. kam 1830 zu ihrem Bruder Giuseppe, Pfarrer in Quinto bei Genua. Sie widmete sich der christlichen Mädchenerziehung und gründete hierfür einen frommen Verein, der sich bald in Genua zum klösterlichen Institut der »Dorotee« entwickelte. Unter ihrer Leitung nahm es 1841 seinen Hauptsitz in Rom und wurde 1863 vom Papst endgültig bestätigt. Die »Schwestern von der hl. Dorothea« leiten Erziehungsanstalten, Spitäler, Altersheime und führen den Haushalt der Seminare. Dem Mutterhaus in Rom unterstehen etwa 2000 Schwestern. P. F. wurde am 8. 6. 1930 seliggesprochen.

Lit.: Alfonso Capecelatro, Vita della Serva di Dio P. F. Fondatrice delle Suore di Santa Dorotea, Rom 1900; – Vincenzo Gilla Gremigni, La Beata P. F., ebd. 1930; – AAS XII, 1930, 316 ff.; – BS V, 1259 f.; – VSB VI, 202; – EC V, 1703 f.; – LThK IV, 293.

FRAYSSINOUS, Denis de, royalistischer Führer des französischen Reformkatholizismus, * 9. 5. 1765 in Curière (Gascogne), † 12. 12. 1841 in St. Geniès (Gascogne). – F. wurde 1789 Priester und wirkte in der Revolutionszeit heimlich als Seelsorger in den Bergen von Rouergue. Er wurde 1800 Professor der Dogmatik an St. Sulpice und begann als Kanonikus von Notre Dame seine vielbesuchten royalistischen und antimaterialistischen Vorträge, die ihm 1809 wegen seiner Kritik des Kaiserreichs untersagt und erst nach der Restauration der Bourbonen 1814/15 wieder gestattet wurden. Ludwig XVIII. zog ihn 1815 zur öffentlichen Unterrichtsreform heran. F. wurde 1819 Generalvikar des Erzbischofs von Paris, 1821 Almosenier und Hofprediger des Königs, 1822 Titularbischof von Hermopolis, Großoffizier der Ehrenlegion, Graf und Pair de France, 1823 Grand-Maître der Universität (= Unterrichtsminister) und Mitglied der Académie française und 1824 Kultusminister. Wegen Begünstigung der Jesuiten und Orden mußte er aus dem Ministerium ausscheiden, blieb aber nach wie vor in der Gunst Karls X. Bei der Julirevolution 1830 folgte F. der königlichen Familie in die Verbannung nach Rom und leitete 1833–38 in Görz (Österreich) die Erziehung des Herzogs von Bordeaux. Er kehrte dann nach Frankreich zurück, lebte aber in stiller Zurückgezogenheit.

Werke: Les vrais principes de l'Église gallicane, Paris 1818;

Défense du christianisme (F.s Konferenzreden), 3 Bde., ebd. 1825 (1846[17]; neue Ausg., 2 Bde., 1889; in versch. Sprachen übers.); Conférences et discours inédits, ebd. 1843. – Oeuvres oratoires complètes, hrsg. v. Jacques Paul Migne, ebd. 1856.

Lit.: Mathieu Richard Auguste Henrion, Vie de Mgr. F., évêque d'Hermopolis, 2 Bde., Paris 1844; – François Colombet, Étude sur F., Lyon 1853; – Louis Bertrand, Bibliothèque sulpicienne II, Paris 1900; – Adrien Garnier, F., son rôle dans l'Université sous la Restauration, 1822–1828, ebd. 1925; – Ders., F. et la jeunesse, ebd. 1932; – Edgar Hocedez, Histoire de la théologie au XIXe siècle I, Brüssel – Paris 1948, 88 ff.; – Louis Grimaud, Histoire de la liberté de l'enseignement en France V, Paris 1950, 93 ff. 154 ff.; – CathEnc VI, 251; – DThC VI, 794 ff.; – EC VI, 1754 f.; – Catholicisme IV, 1574 f.; – LThK IV, 311; – NCE VI, 83; – RE VI, 241 f.; – RGG II, 1089 f.

FRECH, Johann Georg, Musikdirektor und Organist, * 17. 1. 1790 in Kaltenthal bei Stuttgart als Sohn eines Uhr- und Orgelmachers, † 23. 8. 1864 in Esslingen. – F. besuchte das Gymnasium in Stuttgart und nahm zugleich Unterricht in der Musik. Er wude 1806 Lehrgehilfe in Degerloch und setzte seine Studien in der Musik in Stuttgart fort. 1811 kam F. als Lehrgehilfe nach Esslingen, wurde 1812 Musiklehrer an dem dortigen neuerrichteten Lehrerseminar und erhielt 1820 noch das Amt eines städtischen Musikdirektors und Organisten an der Hauptkirche in Esslingen. 1860 trat er in den Ruhestand. – F. hat auf dem Gebiet des württembergischen Kirchengesanges in Gemeinschaft mit Konrad Kocher (s. d.) und Friedrich Silcher (s. d.) eine rege Tätigkeit entfaltet. Das Württembergische Choralbuch von 1828 ist das gemeinsame Werk dieser drei Männer; sie waren auch bei der Herausgabe des Württembergischen Choralbuchs von 1844 beteiligt. Für diese Choralbücher hat F. im ganzen 22 Choräle komponiert, von denen die Weise zu dem Lied »Kehre wieder, kehre wieder, der du dich verloren hast« von Philipp Spitta (s. d.) bekannt ist.

Lit.: Koch VII, 466 f.; – Kümmerle I, 427 f.; – Blume 232.

FRECHT, Martin, Theologe der Reformationszeit, * 1494 in Ulm als Sohn eines Schuhmachers und Ratsherrn, † 14. 9. 1556 in Tübingen. – F. studierte seit 1513 in Heidelberg Philosophie und Theologie und promovierte 1515 zum Bakkalaureus, 1517 zum Magister und später zum Lizentiaten der Theologie. Er lehrte Philosophie in humanistischem Geist und war 1523–26 Dekan der Artistenfakultät. Martin Luthers (s. d.) Disputation in Heidelberg vor dem Generalkapitel der Augustinerkongregation am 26. 4. 1518 gewann ihn für die Reformation. 1529 wurde F. Professor der Theologie in Heidelberg und war 1530/31 Rektor der Universität. Dem schon 1529 an ihn ergangenen Ruf in seine Vaterstadt folgte er erst 1531 als Lektor der Schrift. 1533 wurde F. als Nachfolger des Konrad Sam (s. d.) der Leiter der Ulmer Kirche. In seinem Kampf gegen die Schwärmer und Täufer, besonders gegen Sebastian Franck (s. d.) und Kaspar Schwenckfeld (s. d.), deren Verdammung er 1540 auf dem Konvent in Schmalkalden durchsetzte, näherte er sich Luther. In der Abendmahlslehre vermittelte F. zwischen Wittenberg und den Oberländern. Er beteiligte sich 1536 an der »Wittenberger Konkordie«, 1539 an den Verhandlungen in Frankfurt, 1540 an dem Religionsgespräch in Worms und 1541 und 1546 an dem in Regensburg. F. wehrte sich standhaft gegen das vom Augsburger Reichstag im Mai 1548 angenommene »Augsburger Interim«, das in der Lehre

einfach die katholischen Anschauungen wiederherstellte und in den »Zeremonien« nur geringe Zugeständnisse machte bezüglich des Laienkelchs und der Fortdauer der Ehe verheirateter Priester, und auch diese nur bis zum nächsten Konzil. Darum wurde er, als Karl V. (s. d.) nach Ulm kam, am 16. 8. 1548 mit drei anderen Predigern verhaftet. Sie wurden mit einem schon früher verhafteten Prediger und F.s Bruder Georg, der den Gefangenen Mut zugesprochen hatte, nach der Feste Kirchheim unter Teck gebracht. Die fünf Prediger erlangten unter schweren Bedingungen am 3. 3. 1549, F.s Bruder erst im Juli 1549 die Freiheit. F. zog zu seiner Schwester nach Nürnberg und lebte dann in aller Stille in Blaubeuren. Herzog Christoph von Württemberg (s. d.) berief ihn 1551 zum Vorsteher des Stifts in Tübingen und 1552 zum Professor der Theologie. 1555 übertrug ihm der Senat das Rektorat der Universität.

Lit.: Karl Theodor Keim, Die Ref. der Reichsstadt Ulm, 1851; – Gustav Bossert, Das Interim in Württemberg, 1895; – Sebastian Fischer, Chron. v. Ulm, hrsg. v. Gustav Veesenmeyer, 1896; – Friedrich Fritz, Ulmische KG v. Interim bis z. 30j. Krieg, in: Bll. f. württ. KG NF 35, 1931, 130 ff. (auch separat 1934, 14–20); – Julius Endriß, Das Ulmer Ref.j. 1531, 1931; – Ders., Sebastian Francks Ulmer Kämpfe, 1935; – Ders., Die Ulmer Synoden u. Visitationen der J. 1531–47, 1935; – Ders., Kaspar Schwenckfelds Ulmer Kämpfe, 1936; – Schottenloher I, Nr. 6548–6552a; V, Nr. 46338; VII, Nr. 54625; – ADB VII, 325 ff.; – NDB V, 384 f.; – RE VI, 242 f.; XXIII, 482; – RGG II, 1090 f.; – LThK IV, 312.

FREDER, Johann, luth. Theologe, einer der fruchtbarsten niederdeutschen Liederdichter, * 29. 8. 1510 als Sohn des Bürgermeisters in Köslin (Pommern), † 25. 6. 1562 in Wismar (Mecklenburg). – F. bezog 1524 die Universität Wittenberg und wurde dort Magister und Dozent und 1537 auf Empfehlung Johann Bugenhagens (s. d.) Konrektor an der Johannisschule in Hamburg und 1570 Prediger am Dom. Er kam Anfang 1547 als Superintendent nach Stralsund; aber der Rat entließ ihn im März 1549, weil er das »Augsburger Interims« (s. Agricola Johann) nicht anerkennen wollte. F. zog im Juni 1549 nach Greifswald auf Einladung des Herzogs Philipp von Pommern, der ihn im Herbst 1549 zum o. Professor der Theologie ernannte und ihm im Frühjahr 1550 die Superintendentur auf der Insel Rügen übertrug. Der Rat von Wismar wählte ihn 1556 zum Hauptpastor an der Marienkirche mit dem Amtstitel eines Superintendenten. – Bekannt ist F. durch seinen Ordinationsstreit. Als er 1540 zum Prediger am Dom in Hamburg berufen wurde, konnte er nicht ordiniert werden, weil die katholischen Domherren die Handauflegung verweigerten. Bei seiner Berufung nach Stralsund verlangte der Generalsuperintendent Johannes Knipstro (s. d.) seine Ordination, die aber zugleich die kirchliche Unterordnung Stralsunds unter die Generalsuperintendentur Wolgast bedeutete. Der Rat von Stralsund lehnte das Ansinnen Knipstros ab. Der Streit wurde nicht entschieden und brach erneut in Rügen aus, als Peter Palladius (s. d.), der Bischof von Roeskild, dem Rügen kirchlich unterstand, die Ordination forderte. F. verlangte die Entscheidung Wittenbergs. Das Gutachten Philipp Melanchthons (s. d.) und Bugenhagens vom 25. 2. 1551 erklärte, die ordnungsmäßige Berufung sei für die rechtmäßige Anstellung maßgebend, die Handauflegung zwar ein löblicher, apostolischer Brauch, aber nicht notwendig. F. ließ sich am 1. 10. 1551 von dem

Bischof von Roeskild durch Handauflegung ordinieren und unterstellte sich damit dänischer kirchlicher Jurisdiktion. – F.s Lieder sind meist nur in niederdeutschen Gesangbüchern zu finden. Manche sind auch in die hochdeutsche Sprache übertragen worden. Als bekannt sei der Morgensegen genannt, der niederdeutsch im Magdeburger Gesangbuch von 1559 und hochdeutsch im Greifswalder Gesangbuch von 1597 steht: »Ich dank dir, Gott, für all Wohltat, daß du auch mich so gnädiglich die Nacht behüt't durch deine Güt.« Im Evangelischen Kirchengesangbuch von 1950 findet sich von F. das Tauflied »Ach lieber Herre Jesu Christ, der du ein Kindlein worden bist« (149).

Lit.: Gottlieb Christian Friedrich Mohnicke, Des J. F. Leben u. geistl. Gesänge, 3 Tle., Stralsund 1837–40; – Karl Schmaltz, KG Mecklenburgs II, 1936; – Koch I, 421 ff. – Hdb. z. EKG II/1, 56 f.; – Blume 16; – ADB VII, 327 ff.; – NDB V, 367 f.; – Schottenloher I, Nr. 6554–6556a; V, Nr. 46339; VII, Nr. 54626; – Kosch, LL I, 554; – RE X, 594 ff.; – RGG II, 1091.

FREIFELDT, Konrad Raimund, luth. Theologe, * 22. 3. 1847 in Dorpat, † 31. 5. 1923 in St. Petersburg. – F. wirkte seit 1871 als Pfarrer im deutsch-lutherischen Kirchendienst in St. Petersburg. Er wurde 1887 Mitglied und 1902 Präses des Generalkonsistoriums der evangelisch-lutherischen Kirche Rußlands. Nach dem Zusammenbruch Rußlands wählte man ihn zum Bischof. F. hat sich um die Erhaltung einer einheitlichen lutherischen Kirche Rußlands große Verdienste erworben.

Lit.: G. v. Kügelgen, in: ChW 37, 1923, 455 ff.; – Die ev. Diaspora. Mhh. des Gustav-Adolf-Ver. 5, 1923, 31 ff. 63 ff.; – Hans Maurer, Die Ev.-luth. Kirche in der Sowjetunion 1917–37, in: Die Kirche im Osten II, 1959, 69 ff.; – Waldemar Gutsche, Rel. u. Ev. in Sowjetrußland zw. zwei Weltkriegen (1917–44), 1959; – Deutschbalt. Biogr. Lex. 1710–1960, hrsg. v. Wilhelm Lenz, 1970, 223; – DBJ V, 79 ff.; – NDB V, 396 f.; – RGG II, 1099.

FREINADEMETZ, Joseph, Steyler Missionar in China, * 15. 4. 1852 in Abtei (genannt Badia) im Gadertal (Südtirol) als Sohn eines Bauern, † 28. 1. 1908 in Taikia (Provinz Schantung, China). – F. studierte in Brixen, empfing 1875 die Priesterweihe und wurde Kaplan in St. Martin im Gadertal (Südtirol). Er trat 1878 in die 1875 von Arnold Janssen (s. d.) in Steyl (Holland) gegründete Missionsgesellschaft des Göttlichen Wortes (Societas Verbi Divini, SVD) ein, die 1879 Johann Baptist Anzer (s. d.) und F. als die ersten Missionare nach China aussandte. So wurde F. Mitbegründer der deutschen Südschantung-Mission und hat fast 30 Jahre ununterbrochen als Missionar gewirkt, wiederholt in leitender Stellung. Die Zahl der Christen stieg von 158 im Jahr 1882 auf rund 46000 im Jahr 1908. – F. war bei den Missionaren und Christen sehr geschätzt und stand auch bei den Behörden in hohem Ansehen. Er war besonders bemüht um Heranbildung eines einheimischen Klerus. – Der Seligsprechungsprozeß wurde am 22. 6. 1951 eingeleitet.

Werke: Sanctissimum Novae Legis sacrificium (f. chines. Theol.-studenten), Yenchowfu 1896 (Steyl 1948³).
Lit.: Augustin Henninghaus, P. J. F. SVD. Sein Leben u. Wirken, Yenchowfu 1926²; – Jos. M. Aulitzky, Fu-Schenfu. Ein Sohn des »Hl. Land Tirols« im »Hl. Lande des Konfuzius«! Kurzes Lb. des P. J. F., Mödling bei Wien 1932; – Hermann Fischer, P. J. F., Steyler Miss. in China. Ein Lb., 1936; – Leopold Maria Berg, »Fu-Flück«. Aus dem Leben des hl.mäßigen Miss. P. J. F. SVD, Steyl 1939 (1950²); – Johannes Baur, Der Diener Gottes, P. J. F. SVD, ein hl.mäßiger Chinamiss., 1939 (1956⁴); – Ders., F. in der Schule Mariens, Bozen 1954 (1958²); – S. Lichius, Fu-Schenfu, Buenos Aires 1949; – C. J. King, A Man

of God, Techny 1959; – NDB V, 398 f.; – BS V, 1270 f.; – EC V, 1763; – LThK IV, 348 f.

FREISEN, Joseph, kath. Kirchenrechtler, * 14. 9. 1853 in Warstein (Westfalen) als Sohn eines Landwirts, † 5. 2. 1932 in Würzburg. – F. besuchte das Gymnasium in Brilon (Westfalen) und studierte von Herbst 1873 bis Ostern 1875 Philosophie und Theologie an der Akademie in Münster (Westfalen), bezog dann die Universität Tübingen, studierte dort 4 Semester Theologie und Rechtswissenschaft, darauf noch 2 Semester Theologie im Seminar zu Eichstätt. 1878 empfing er die Priesterweihe und widmete sich an der Universität München weitere Semester der Theologie sowie den Rechts- und Geschichtswissenschaften. F. promovierte 1881 in München zum Dr. jur. utr. und 1884 in Tübingen zum Dr. theol. und habilitierte sich 1885 an der Theologischen Fakultät Freiburg/Breisgau für Kirchenrecht, verzichtete aber auf die Dozentur, weil das erzbischöfliche Ordinariat in Freiburg eine Reihe von Stellen seiner gerade im Druck befindlichen »Geschichte des kanonischen Eherechtes« beanstandete. Er wirkte nun als Kooperator 14 Monate in Hoinkhausen (Kreis Lippstadt), konnte aber seine Absicht, sich nun an der Theologischen Fakultät in Breslau zu habilitieren, nicht verwirklichen, da ihm der Fürstbischof von Breslau mit Berufung auf Freiburg die »missio canonica« versagte. Bis 1892 war F. in der Seelsorge tätig: zunächst bis Sommer 1889 als Vikarie-, dann Pfarrverweser in Hellefeld (Westfalen), hierauf als erster Domvikar in Erfurt. Als Professor des Kirchenrechts an der Philosophisch-Theologischen Hochschule in Paderborn seit 1892 erlebte F., daß er im Herbst 1904 von den Universitäten Würzburg und Prag als Ordinarius für Kirchenrecht vorgeschlagen wurde; an seinem Paderborner Bischof aber lag es, daß keine Berufung erfolgte. Darum legte F. 1905 sein Lehramt nieder, habilitierte sich nun an der Juristischen Fakultät in Würzburg für kirchliche und deutsche Rechtsgeschichte und wurde 1910 Honorarprofessor. Als er im Sommer 1909 als Ordinarius für Kirchenrecht an der Juristischen Fakultät der Universität Czernowitz vorgeschlagen wurde, scheiterte auch diesmal seine Berufung an der Opposition der kirchlichen Kreise. – F. war ein hervorragender Kanonist und Kirchenrechtslehrer.

Werke: Gesch. des canon. Eherechts bis z. Verfall der Glossenlit., 1888 (1893²); Der kath. u. der prot. Pfarrzwang u. seine Aufhebung in Östr. u. den dt. Bundesstaaten, 2 Bde., 1906; Die kath. Ritualbücher der nord. Kirche u. ihre Bedeutung f. die german. Rechtsgesch., 1909; Das Militärkirchenrecht in Heer u. Marine des Dt. Reiches, 1913; Verfassungsgesch. der kath. Kirche Dtld.s in der Neuzeit, 1916; Das Eheschließungsrecht in Span., Großbritannien u. Irland u. Skandinavien in geschichtl. Entwicklung, 2 Bde., 1918/19.
Lit.: Franz Joseph Bendel u. Nikolaus Hilling, J. F., in: AkathKR 112, 1932, 534 ff.; – Hans-Erich Feine, Kanonist. Chron., in: ZSavRGkan 52, 1932, 529 f.; – NDB V, 399; – LThK IV, 350 f.

FRENTZEL, Johannes, lateinischer Anagramm- und Kirchenliederdichter, * 8. 5. 1609 als Sohn eines Kaufmanns in Annaberg im sächsischen Erzgebirge, † 24. 4. 1674 in Leipzig. – F. besuchte die Fürstenschule in Meißen und studierte in Leipzig, wo er 1640 Magister wurde und auch nach vollendeten Studien blieb. F. widmete sich den schönen Wissenschaften, besonders der Dichtkunst. Er wurde 1650 mit dem Dichterlorbeer gekrönt und lehrte seit 1658 im kleinen Fürstenkollegium die Dichtkunst. 1659 erhielt F. die Pfründe eines »vicarius in summo« an der Moritzkirche in Magdeburg und später auch die eines Kanonikus des Zeitzer Domstifts. – Von seinen Bußgesängen fanden Verbreitung: »Jesu, hilf, daß ich mit Schmerzen . . .« (im Nürnberger Gesangbuch von 1677 mit einer eigenen Melodie), »Ihr Töchter Zions, geht heraus« (Lk 23, 27–31) und »Herr Zebaoth, du starker Held . . .« (in großem Ungewitter).

Werke: Lobgedichte der wahren u. ungefärbten Gottesfurcht, o. J.; 10 andächtige Bußgesänge, Leipzig 1655².
Lit.: Georg Heinrich Götz, Sendschreiben v. Annaberg. Liederfreunden, 1722, 14 ff.; – Koch III, 357 ff.

FRESENIUS, Johann Philipp, Pfarrer, * 22. 10. 1705 als Pfarrerssohn in Niederwiesen bei Kreuznach, † 4. 7. 1761 in Frankfurt am Main. – F. bezog 1723 die Universität Straßburg, mußte aber 1725 wegen plötzlicher Erkrankung seines Vaters ins Elternhaus zurückkehren. Er vertrat ein Jahr seinen Vater im Amt, wurde dann Erzieher der jungen Rheingrafen von Salm-Grumbach und 1727 Nachfolger seines Vaters in Oberwiesen. Sein 1731 gegen die Schmähschrift »Friß Vogel oder stirb« des Johann Nikolaus Weislinger (s. d.) gerichteter »Antiweislingerus« rief unter dem katholischen Klerus eine große Erbitterung hervor. Der ihm drohenden Gefahr der Festnahme entging er durch die Flucht nach Darmstadt. Landgraf Ernst Ludwig ernannte ihn 1734 zum Burgprediger in Gießen. F. war zugleich Lehrer am Pädagogium und hielt auch Vorlesungen an der Universität. Innige Freundschaft verband ihn mit Johann Jakob Rambach (s. d.). 1736 wurde F. Hofdiakonus in Darmstadt und gewann durch die von ihm gegründete »Proselytenanstalt« 400 Juden für den evangelischen Glauben, wies aber 600, die sich angemeldet hatten, als Betrüger ab. 1742 kehrte er als ao. Professor und Stadt- und Burgprediger nach Gießen zurück. Seit 1743 entfaltete F. in Frankfurt am Main eine segensreiche Wirksamkeit als Prediger und Seelsorger. Er wurde 1748 Senior des lutherischen Predigerministeriums, Konsistorialrat und Hauptprediger an der Barfüßerkirche, »von seiner Gemeinde, ja von der ganzen Stadt als ein exemplarischer Geistlicher und guter Kanzelredner verehrt« (Goethe, Dichtung und Wahrheit, Buch 4). – F. war Vertreter einer gemäßigten Orthodoxie, in seiner seelsorgerlichen Amtsführung beeinflußt durch August Hermann Francke (s. d.), einer der eifrigsten und bedeutendsten Gegner der Herrnhuter Brüdergemeine (s. Zinzendorf, Nikolaus Ludwig Graf von), aber ebenso der Reformierten in Frankfurt am Main, die sich darum vergeblich um die Erlaubnis zum Bau von Kirchen bemühten.

Werke: Beicht- u. Kommunionbr., 1746 (bearb. v. C. F. Jäger, 1885¹⁰); Von der Rechtfertigung eines armen Sünders vor Gott, 1747; Bewährte Nachrr. v. Herrnhutischen Sachen, 4 Bde., 1747 bis 1751; Nötige Prüfung der Zinzendorfschen Lehrart, 1748; Pastoral-Smlg.en, 24 Tle., 1748–60; Heilsame Betrachtungen über die Sonn- u. Festtagsevv., 1750 (hrsg. v. Karl Friedrich Ledderhose, 1872); Zuverlässige Nachrr. v. dem Leben, Tode u. Schrr. D. Johann Albrecht Bengels, 1753; Epistelpredigten, 1754 (hrsg. v. K. F. Ledderhose, 1858).
Lit.: Albrecht Ritschl, Gesch. des Pietismus III, 1886, 366; – Die Univ. Gießen v. 1607 bis 1907. Festschr. I, 1907, 426; – Hess. Chron. 4, 1915, 313 f.; 7, 1918, 285 f.; 11, 1922, 123; – Hermann Dechent, KG v. Frankfurt am Main II, 1921, 166 ff.; – Hassia sacra, hrsg. v. Wilhelm Diehl, II, 1925, 517 ff. 552 ff. 620 ff.; – Gerhard Johannes Raisig, Theol. u. Frömmigkeit bei J. Ph. F.: eine Stud. z. Theorie u. Lebenspraxis im Pietismus der frühen Aufklärung (Diss. Frankfurt/Main, 1974),

Bern – Frankfurt/Main 1975; – Strieder IV, 182 ff.; – Kosch, LL I, 561; – ADB VII, 353 f.; – RE VI, 265 ff.; – RGG II, 1126 f.

FREUDENTHEIL, Wilhelm Nikolaus, Kirchenliederdichter, * 5. 6. 1771 in Stade (Hannover) als Sohn eines Kaufmanns, † 7. 3. 1853 in Hamburg. – F. besuchte das Gymnasium in Hamburg und studierte seit 1789 in Göttingen Theologie. Er kam 1792 als Lehrer der alten Literatur und Geschichte an die Wichmannsche Erziehungsanstalt in Celle. F. wurde in Stade 1796 Subrektor, 1805 Konrektor und 1809 Rektor. Er wirkte als Pfarrer seit Herbst 1814 in Mittelkirchen im Alten Lande und seit Anfang 1816 an der St. Nikolaikirche in Hamburg. – Von F.s geistlichen Liedern sind 18 in das Hamburger Gesangbuch von 1842 aufgenommen worden.

Werke: Gedichte, 1803; Siona (Darst. aus dem AT), 1809 (1817 u. 1820 neu hrsg.); Eustach v. St-Pierre oder Triumph der Bürgertreue, 1811. – Gedichte (Ausw. mit biogr. Einl. v. Johannes Geffcken), 1854.
Lit.: Hans Schröder, Lex. der Hamburg. Schr.steller II, 1854; – Koch VII, 71 f.; – Kosch, LL I, 563; – ADB VII, 356 f.

FREUNDT (Bonamicus), Cornelius, Kantor und Komponist, * um 1535 in Plauen, begraben 26. 8. 1591 in Zwickau. – Über F.s Herkunft, Jugend und Ausbildung ist nichts bekannt. Er wirkte als Kantor in Borna und wurde 1565 Kantor an St. Marien und Lehrer an der Ratsschule in Zwickau. F. schrieb Motetten und Gelegenheitsgesänge; von den 28 Sätzen des von ihm gesammelten 4st. Weihnachtsliederbuches verfaßte er 15 selbst.

Werke: Das Weihnachtsliederbuch des Zwickauer Cantors C. F., hrsg. v. Georg Göhler, 1897; Neuausg. als Weihnachtsliederbuch v. C. F., hrsg. v. Konrad Ameln, 1950.
Lit.: Georg Göhler, C. F. (Diss. Leipzig), 1896; – Wilfried Brennecke, Zwei Btrr. z. mehrst. Weihnachtslied. I: Psallite – Singt u. klingt, in: Mf 5, 1952, 150 ff.; II: Das Weihnachtsliederbuch des C. F., ebd. 6, 1953, 313 ff.; – MGG IV, 929 ff.; – Riemann I, 549; – NDB V, 414.

FREYLINGHAUSEN, Johann Anastasius, Kirchenliederdichter und -sammler, * 2. 12. 1670 in Gandersheim (Fürstentum Wolfenbüttel) als Sohn eines Kaufmanns und Bürgermeisters, † 12. 2. 1739 in Halle (Saale). – F. studierte seit 1689 in Jena. Er wohnte mit dem durch Joachim Justus Breithaupt (s. d.) in Erfurt erweckten Studenten Homeyer zusammen, der ihn veranlaßte, die Schriften Johann Arndts (s. d.) und Philipp Jakob Speners (s. d.) zu lesen. F. reiste mit Homeyer und einigen anderen Studenten um Ostern 1691 und nach 6 Wochen noch einmal nach Erfurt, um Breithaupt und August Hermann Francke (s. d.) kennenzulernen. Er beschloß dann, sein Studium in Erfurt fortzusetzen, womit aber seine dem Pietismus abgeneigten Eltern nicht einverstanden waren, erhielt jedoch schließlich durch die Bemühungen Breithaupts ihre Erlaubnis. Eines Tages sollte F. von seinem älteren Bruder nach Hause geholt werden, weil sein Vater auf einer Reise den Namen seines Sohnes in dem sogar am Galgen angeschlagenen Verzeichnis der »Prophetenkinder und Pietistenschüler« gelesen hatte, man in Erfurt von allen Kanzeln ausgeschlossen habe. Er durfte aber 1692 in Halle, wohin Francke und Breithaupt berufen worden waren, sein Studium fortsetzen, weil sein Bruder, der Franckes Vertreibung aus Erfurt miterlebt hatte und von dessen Glaubensfreudigkeit stark beeindruckt worden war, die Eltern umgestimmt hatte, so daß bald das ganze Haus als gläubig und pietistisch verschrien wurde. F. kehrte Ende 1693 nach Gandersheim zurück, hatte aber keine Aussicht auf eine Anstellung in der Heimat, weil er eine landesherrliche Verordnung gegen die »pietistische Sektiererei« nicht unterschreiben wollte. F. wurde 1695 Franckes Vikar und Mitarbeiter am Waisenhaus in Halle und heiratete 1715 als Franckes Adjunkt an St. Ulrich dessen einzige Tochter Johanna Anastasia, deren Taufzeuge er war. Er wurde 1723 Subrektor des Pädagogiums und des Waisenhauses und nach Frankkes Tod 1727 sein Nachfolger im Pfarramt und in der Leitung der Anstalten. – F. war eine bescheidene, selbstlose und demütige Persönlichkeit. Zugunsten des Waisenhauses hat er 20 Jahre als Franckes Gehilfe gearbeitet, ohne einen Kreuzer Gehalt zu beziehen. Wegen seiner Predigtgabe wurde er von der Theologischen Fakultät mit der Leitung homiletischer Übungen betraut. Er verfaßte das erste Religionslehrbuch für Gymnasien: einen Abriß der Glaubenslehre im Geist des Pietismus. Am bekanntesten ist F. durch die Herausgabe seiner beiden Gesangbücher, die nach seinem Tod Gotthilf August Francke (s. d.) zu einem verarbeitet und 1741 als das »Vollständige Freylinghausensche Gesangbuch« mit 1581 Liedern und 609 Melodien herausgegeben hat. F. dichtete 44 Lieder und soll 22 Melodien erfunden und in sein Gesangbuch aufgenommen haben. Von seinen Liedern sind u. a. bekannt: »Wer ist wohl wie du, Jesu, süße Ruh?«, das Buß- und Beichtlied »Zu dir, Herr Jesu, komme ich«, das Weihnachtslied »Ein Kind ist uns geboren heut«, das Trostlied »Mein Herz, gib dich zufrieden« und die Abendlieder »Der Tag ist hin« und »Herr und Gott der Tag und Nächte, der du schläfst noch schlummerst nicht . . .«.

Werke: Grundlegung der Theol., darin die Glaubenslehren aus göttl. Wort deutlich vorgetragen u. zum tätigen Christentum wie auch ev. Trost angewendet werden, 1703; Compendium oder kurzer Begriff der ganzen christl. Lehre, 1705 (Ausz. aus der erstgenannten Schr. f. die oberen Klassen der Bürgerschulen); Ordnung des Heils, 1713 (f. die unteren Klassen der Volksschule); Predigten über die Sonn- u. Festtagsepp., 1708 (1728[4]); Bußpredigten, 1734; Katechismuspredigten, 1734; Evv.predigten, 1735. – Gab heraus: Geistreiches Gesangb., den Kern alter u. neuer Lieder wie auch die Noten der unbekannten Melodien in sich haltend. Erster Tl., 1704 (683 Lieder u. 174 Melodien), 1705[2] (758 Lieder u. 195 Melodien), 1733[17]; Neues geistreiches Gesangb., auserlesene, so alte als neue, geistreiche u. liebliche Lieder nebst den Noten der unbekannten Melodien in sich haltend. Anderer Tl., 1714 (815 Lieder u. 157 Melodien); Ausz. aus beiden Tln., 1718 (1056 Lieder). – F.s Lieder, hrsg. v. Ludwig Grote, Halle 1855.

Lit.: Gotthilf August Francke, Wohlverdientes Ehrengedächtnis des Herrn J. A. F., Halle 1740; – Nachrr. v. dem Charakter u. der Amtsführung rechtschaffener Prediger u. Seelsorger V, ebd. 1777, 188 ff. – Heinrich Doering, Die gelehrten Theologen Dtld.s im 18. u. 19. Jh. I, 1831, 439 ff. (mit Bibliogr.); – August Walter, Das Leben J. A. F.s, 1864; – Gustav Knuth, August Hermann Franckes Mitarbeiter an seinen Stiftungen, 1898, 18 ff.; – J. A. F., Sieben Tage am Hofe Friedrich Wilhelms I. Tgb. über den Aufenthalt in Wusterhausen vom 4.–10. 9. 1727. Mit Einl. u. Erkl. hrsg. v. Bogdan Krieger, 1900; – Wilhelm Stolze, Friedrich Wilhelm I. u. der Pietismus, in: JBrKG 5, 1909, 172 ff.; – Walter Serauky, Musikgesch. der Stadt Halle II/1, 1939, 455 ff. u. ö.; – Hans Joachim Moser, Die ev. Kirchenmusik in Dtld., 1954, 169 ff. u. ö.; – Jochen Klepper, Der Kg. u. die Stillen im Lande. Begegnungen Friedrich Wilhelms I. mit August Hermann Francke, Gotthilf August Francke, J. A. F., Nikolaus Ludwig Gf. v. Zinzendorf, 1956; – Hdb. z. EKG II/1, 220 f.; – Koch IV, 300 ff. 322 ff.; V, 586 ff.; – v.Winterfeld III, u. 115 ff.; – Kümmerle I, 219; – Eitner IV, 77; – Moser I, 371; – Blume 162. 173. 175. 389 f. 409 f.; – ADB VII, 370 f.; – NDB V, 422 f.; – Kosch, LL I, 566; – EKL I, 1318 ff.; – RE VI, 269 ff.; – RGG II, 1132; – LThK IV, 365.

FREYSTEIN, Johann Burchard, Jurist, Kirchenliederdichter, * 18. 4. 1671 in Weißenfels, † 1. 4. 1718 in Dresden. – F. lebte als Rechtsanwalt, zuletzt als Hof- und Justizrat in Dresden und wurde durch Philipp Jakob Spener (s. d.) zum lebendigen Glauben geführt. Er ist bekannt als Dichter des Liedes »Mache dich, mein Geist, bereit, wache, fleh und bete« (EKG 261). Es findet sich bereits im »Hasselschen Gesangbuch« von 1695.

Lit.: Koch IV, 222; – Hdb. z. EKG II/1, 216.

FREYTAG, Walter, bedeutender Vertreter deutscher Missionsarbeit, * 28. 5. 1899 in Neudietendorf bei Erfurt, † 24. 10. 1959 in Heidelberg. – F. erhielt seine theologische und philosophische Ausbildung an den Universitäten in Tübingen, Marburg und Halle und promovierte 1925 zum Dr. phil. Er wurde 1928 Direktor der Deutschen Evangelischen Missions-Hilfe in Berlin. F. war 1929–53 Hanseatischer Missionsdirektor in Hamburg und Dozent für Missionswissenschaft dort und in Kiel und wurde 1947 Honorarprofessor und 1953 o. Professor für Missionswissenschaft und zwischenkirchliche Beziehungen in Hamburg. Die Theologische Fakultät der Universität Tübingen verlieh ihm 1950 die Ehrendoktorwürde. F. war Vorsitzender des Deutschen Evangelischen Missions-Tages und zugleich Vorsitzender des Deutschen Evangelischen Missions-Rates. Er wude 1954 Vorsitzender der Studienabteilung des Ökumenischen Rates und 1958 Vizepräsident des Internationalen Missions-Rates. – F.s besonderes Interesse galt den neuentstandenen Kirchen im Fernen Osten. Er erkannte den engen Zusammenhang zwischen der missionarischen und der ökumenischen Aufgabe. So war er einer der wichtigsten leitenden Persönlichkeiten in dem schwierigen Werk der Vereinigung von Internationalem Missionsrat und Ökumenischem Rat der Kirchen.

Werke: Die junge Christenheit im Umbruch des Ostens. Vom Gehorsam des Glaubens unter den Völkern, 1938; Blick über die Grenzen. Zur Lage der Weltmiss., 1946; Das Rätsel der Rel.en u. die bibl. Antwort, 1956; Kirchen im neuen Asien. Eindrücke einer Stud.reise, 1958; Reden u. Aufss. (Tl.smlg.). Hrsg. v. Jan Hermelink u. Hans Jochen Margull, 2 Tle., 1961. – Gab heraus: Die Weltrel.en u. das Christentum. Vom ggw. Stand ihrer Auseinandersetzung (mit Paul Althaus, Hilko Wiardo Schomerus, K. Steck), 1928 ff.; Die dt. ev. Heidenmiss. Jb. der vereinigten dt. Miss.konferenzen, 1930 ff.; EMZ, 1940 ff.; Allg. Miss.-Stud. (mit Martin Schlunk), 1941 ff.; Der große Auftrag. Weltkrise und Weltmiss. im Spiegel der Whitby-Konferenz des Internat. Miss.-Rates. Ber. der dt. Teilnehmer, 1948; Allg. Miss.-Nachrr., 1950 ff.; Btrr. z. Miss.wiss. u. ev. Miss.kunde (mit Gerhard Rosenkranz u. a.), 1951 ff.; Miss. zw. gestern u. morgen. Vom Gestaltwandel der Weltmiss. der Christenheit im Licht der Konferenz des Internat. Miss.rats in Willingen, 1952; Weltmiss. heute (mit Karl Hartenstein), 1952 ff.; ÖR, 1952 ff.; – Jb. der Dt. Ev. Weltmiss., 1955 ff.; – Miss. in der ggw. Weltstunde. Berr., Vortrr. u. Dokumente v. der Weltmiss.-Konferenz in Ghana, 1958.

Lit.: Gerhard Brennecke, In memoriam W. F., in: ZdZ 100, 1959, 463; – Curt Ronicke, W. F. gest., in: EMZ 16, 1959, 161 ff.; – Hans Jochen Margull, W. F. als Lehrer, ebd. 165 ff.; – Prof. W. F. 60 J. alt, in: DtPfrBl 59, 1959, 284; – Georg Friedrich Vicedom, Prof. D. Dr. W. F. gest., in: ELKZ 13, 1959, 364 f.; – Carl Ihmels, W. F. u. die dt. ev. Missionen, in: Basileia. W. F. z. 60. Geb. Hrsg. v. Jan Hermelink u. Hans Jochen Margull, 1959, 9 ff.; – John A. Mackay, A tribute to W. F., ebd. 13 f.; – Sir Kenneth Grubb, Communication with W. F., ebd. 15 ff.; – Kurt Dietrich Schmidt, W. F.s akad. Tätigkeit, ebd. 18 ff.; – Karl Witte, Lieber Bruder W. F., ebd. 21 ff.; – Peter Beyerhaus, W. F.s Begriff des Gewissens in der Sicht südafr. Missionsarbeit, ebd. 146 ff.; – Max A. C. Warren, The thought and pratice of missions. Notes on W. F.'s contribution, ebd. 158 ff.; – Hanfried Krüger, Edmund Schlink, In memoriam W. F., in: ÖR 9, 1960, 1 f.; – Manfred Linz, Herrschaft Christi u. Mission. Zu W. F.s »Reden u. Aufss.«, in: EMZ NF 19, 1962, 25 ff.

FRICK, Constantin, Pfarrer, * 5. 3. 1877 als Pfarrerssohn in Barmen, † 19. 2. 1949 in Bremen-Lesum. – F. empfing entscheidende Eindrücke als Kandidat im Domkandidatenstift in Berlin. – Fast seine ganze Amtszeit brachte er in Bremen zu, zunächst als Inspektor des Landesvereins für Innere Mission, dann als Vorsteher des Diakonissenhauses und gleichzeitig als Pastor an der Liebfrauenkirche. 1934 wurde F. unter Beibehaltung seiner Ämter in Bremen zum Präsidenten des Zentralausschusses für die Innere Mission berufen und leitete als solcher bis 1946 mit viel Weisheit unter schwierigen Verhältnissen die Geschicke der Inneren Mission. Er wirkte als Vorsitzender des Evangelischen Krankenhausverbandes und als Vorsitzender des Reichsverbandes der gemeinnützigen Kranken- und Pflegeanstalten über den kirchlichen Bereich hinaus für die Interessen der allgemeinen Wohlfahrtspflege. 1946 nahm F. seinen Wohnsitz in Bremen-Lesum in der Anstalt »Friedehorst«, an deren Aufbau er bis zuletzt rege mitarbeitete. – F. ist eine der bedeutendsten Gestalten der Inneren Mission. In jenen schwierigen Jahren 1934–46 hat er erfolgreich den Kampf um den Fortbestand der karitativen Arbeit geführt.

Lit.: Martin Gerhardt, Gesch. des Centralausschusses der Inneren Mission, 1948; – C. F. Gesegnetes Leben, in: Ev. Welt. Informationsbl. f. die EKD 3, 1949, 166; – P. C. F. †, in: IM 39, 1949, H. 1–2, S. 1; – J. Steinweg, Erinnerung an C. F., in: DtPfrBl 57, 1957, 398; – Georg Bessell, Pastor C. F., 1957; – NDB V, 430 f.

FRICK, Heinrich, Theologe, * 2. 11. 1893 in Darmstadt, † 31. 12. 1952 in Marburg (Lahn). – F. wurde 1919 Privatdozent für allgemeine Religionswissenschaft und Missionskunde in Darmstadt und 1921 in Gießen, 1924 ao. und in demselben Jahr o. Professor für Praktische Theologie und 1926 o. Professor für Systematische Theologie und Allgemeine Religionsgeschichte in Gießen. Seit 1929 lehrte er in Marburg als Professor der Systematischen Theologie und Religionswissenschaft.

Werke: Nationalität u. Internationalität der christl. Mission, 1917; Ghazālīs Selbstbiogr. Ein Vergleich mit Augustins Konfessionen, 1919; Die ev. Mission. Ursprung, Gesch., Ziel, 1922; Anthroposoph. Schau u. rel. Glaube. Eine vergleichende Erörterung, 1923; Rel. Strömungen der Ggw. Das Hl. u. die Form, 1923; Vom Pietismus z. »Volkskirchentum«. Ein Btr. z. Frage nach dem dt. Gepräge der Mission, 1924; Das Reich Gottes in amer. u. in dt. Theol. der Ggw., 1926; Mission oder Propaganda?, 1927; Wissenschaftl. u. pneumat. Verständnis der Bibel, 1927; Vergleichende Rel.wiss., 1928; Das Ev. u. die Rel.en, 1933; Die Kirchen u. der Krieg, 1933; Sinn u. Recht der Mission, 1934; Dtld. innerhalb der rel. Weltlage, 1936 (1941²); Christl. Verkündigung u. vorchristl. Erbgut, 1939. – Unveröff. vollst. Verz. seiner Schrr. in der Rel.kundl. Smlg. der Univ. Marburg.
Lit.: Otto Eberhard, Brückenbauer v. Katheder z. Welt u. z. Zeit. H. F., in: DtPfrBl 47, 1943, 4; – H. F. †, ebd. 53, 1953, 68 f.; – Georg Wünsch, H. F. in memoriam, in: ThLZ 78, 1953, 435 ff.; – Heinz Röhr, Der Einfluß der Rel.wiss. auf die Missionstheorie H. F.s (Diss. Marburg), 1959.

FRICKE, Gustav Adolf, Theologe, * 22. 8. 1822 in Leipzig als Sohn eines Porträtmalers, † daselbst 30. 3. 1908. – F. besuchte die Thomasschule und die Universität in Leipzig und wurde dort 1846 Privatdozent für Theologie und Philosophie und 1849 ao. Professor. Seit 1851 lehrte er in Kiel als o. Professor der Systematischen Theologie. 1865 kehrte F. nach Leipzig zurück als Oberkatechet an St. Petri, d. h. als Prediger und auch Leiter des »Katechetikums« für junge Theologen. 1866 ging er als Feldpropst mit der sächsischen

Armee nach Österreich. F. wurde 1867 zugleich o. Professor, 1876 auch Pfarrer an St. Petri, 1882 Konsistorialrat und 1887 Geheimer Kirchenrat. Er verwaltete das Pfarramt bis 1887 und übte bis 1901 seine Lehrtätigkeit aus. F. gehörte der Landessynode und als Vertreter der Universität der ersten Kammer des Landtags an. Als ältester Professor war er Domherr des Domstifts Meißen und auch Vorsitzender der landeskirchlichen Konferenz in Meißen. – F. ist bekannt durch seine Arbeit im Gustav-Adolf-Verein. Während seiner Kieler Zeit war er 11 Jahre Schriftführer des Schleswig-Holsteinischen Hauptvereins. Dem Zentralvorstand gehörte F. 1861–65 als auswärtiges Mitglied an und war seit 1867 Schriftführer und 1874–99 Präsident des Gustav-Adolf-Vereins. – Als Theologe verhielt sich F. der Ritschlschen Schule (s. Ritschl, Albrecht) gegenüber ablehnend.

Werke: Lehrb. der KG, 1850 (reicht bis z. 8. Jh.); Metaphysik u. Dogmatik in ihrem gegenseitigen Verhältnis unter bes. Beziehung auf die Ritschlsche Theol., 1882; Der paulin. Grundbegriff der Gerechtigkeit Gottes erörtert auf Grund v. Röm 3, 21 bis 26, 1888; Ist Gott persönlich?, 1896. – Predigten: Gottesgrüße I, 1883; II, 1885.
Lit.: Georg Buchwald, G. A. F., in: BSKG 1908, 1 ff.; 1909, 157 ff.; 1910, 82 ff.; – Ders., G. A. F., in: Sächs. Lb. I, 1930, 69 ff.; – RE XXIII, 484 ff.

FRICKE, Otto, Pfarrer, * 28. 2. 1902 in Haimbach (Hessen) als Sohn eines Oberförsters, † 8. 3. 1954 in Frankfurt am Main. – F. wirkte seit 1926 als Pfarrer der Dreifaltigkeitsgemeinde in Frankfurt am Main. Er wurde während des Kirchenkampfes Mitglied der Vorläufigen Leitung der Evangelischen Kirche und des Reichsbruderrats, nach dem Zusammenbruch Bevollmächtigter des Hilfswerks der Evangelischen Kirche in Hessen und Nassau und Mitglied des Hilfswerksausschusses der Evangelischen Kirche in Deutschland. Er erwarb sich als Begründer der Bewegung der Evangelischen Baugemeinden besondere Verdienste um die Linderung der Flüchtlingsnot.

Lit.: Pfr. Lic. theol. O. F. DD z. Gedächtnis, in: Die Stimme der Gemeinde. Mschr. der Bekennenden Kirche 6, 1954, 191 f.; – Adolf Freudenberg, Dem Gründer der ev. Baugemeinden O. F. z. Gedächtnis, in: JK 15, 1954, 174 ff.

FRICKER, Johann Ludwig, Pfarrer, * 14. 6. 1729 in Stuttgart als Sohn eines Arztes, † 13. 9. 1766 in Dettingen bei Urach. – F. widmete sich seit Herbst 1747 in Tübingen philosophischen und naturwissenschaftlichen und 1749 bis Herbst 1752 theologischen Studien. Er empfing reichen Gewinn durch seinen Umgang mit einem Kreis gläubiger Studierender, unter denen besonders die Repetenten Karl Heinrich Rieger (s. d.) und Magnus Friedrich Roos (s. d.) hervorragten, und kam durch diesen Kreis auch unter den gesegneten Einfluß Johann Albrecht Bengels (s. d.), dessen Schriften er fleißig studierte und in Herz und Sinn aufnahm. F. suchte und fand besondere Anregung und Förderung bei Friedrich Christoph Ötinger (s. d.) in Walddorf bei Tübingen, der ihn auch in das Studium der Physik und Mathematik einführte, und später bei Friedrich Christoph Steinhofer (s. d.) in Dettingen. Nach Abschluß seiner Studien erweiterte er auf gelehrten Reisen nach Mähren und Ungarn seine naturwissenschaftlichen und astronomischen Kenntnisse. F. übernahm 1753 eine Hauslehrerstelle in Stuttgart und 1755 in Amsterdam in einer reichen mennonitischen Kaufmannsfamilie, mit deren Sohn er auch ein Jahr

in London zubrachte, wo er den Methodismus kennenlernte. F. besuchte 1760 auf der Rückreise in die Heimat die Städte am Niederrhein und das Wuppertal
und kam so in nähere Berührung mit Samuel Collenbusch (s. d.), Matthias Jorissen (s. d.), Johann Christian Henke (s. d.) und Gerhard Tersteegen (s. d.). F.
wurde 1761 Pfarrweser in Kirchheim unter Teck,
danach Vikar in Uhingen bei Göppingen. Er wirkte
seit 1762 als Diakonus und seit 1764 als Pfarrer in
Dettingen. – F. war der begabteste Schüler Ötingers,
ein geistreicher Theosoph, »eine mächtige Prediger-
stimme, die im Geist Eliä die wahre Gerechtigkeit gelehrt«, der geistliche Vater einer großen Anzahl pietistischer Hausgemeinschaften auf und unter der mittleren Schwäbischen Alb. F. verfaßte zahlreiche Schriften und dichtete auch Schriftlieder, u. a. über den
Brief des Jakobus.

Werke: Die Weisheit im Staube, d. i. Anweisung, wie man unter den allergewöhnlichsten u. gemeinsten Umständen, die man
gleichwie Staub gering ansieht u. wenig beachtet, auf die ein-
fältig leitende Stimme Gottes bei sich merken soll, 1750.
Lit.: Carl Christian Eberhard Ehmann, J. L. F. (Lb. nebst Briefen u. hinterlass. Aufss.), 1864; – Albrecht Ritschl, Gesch. des
Pietismus III, 1886, 147 ff.; – Constantin Große, Die alten Tröster. Ein Wegweiser in die Erbauungslit. der ev.-luth. Kirche des
16.–18. Jh.s, 1900, 502 ff.; – Wilhelm Claus, Württemberg. Väter II, 1933³, 56 ff.; – Heinrich Hermelink, Gesch. der ev. Kirche
in Württemberg, 1949; – Friedrich August Henn, Matthias Jorissen, der dt. Psalmist in Leben u. Werk, 1955, 19 ff.; – W. Ludwig, Neue Hss. v. J. L. F., in: Bll. f. württ. KG NF 56, 1956,
168 ff.; – Koch V, 150 ff.; – ADB VII, 382; – NDB V, 434 f.; –
RE IV, 236; XV, 687; – RGG II, 1132.

FRIDOLIN, Glaubensbote des 7. Jahrhunderts, Heiliger. – Nach der von Balther, einem Hörigen aus
Säckingen, um 1000 verfaßten Vita, der einzigen
Quelle, kam F., Sohn vornehmer Eltern aus Irland,
als Missionar nach Poitiers in Gallien, erhob dort Reliquien des hl. Hilarius (s. d.) und baute zu dessen
Ehren eine Kirche. Er wurde von Hilarius im Traum
aufgefordert, nach einer Rheininsel in Alemannien
zu ziehen, die er sich zum voraus von Chlodwig I.
(s. d.) schenken ließ. So zog F. über Helera (Elle an
der Mosel [?]), Straßburg, Konstanz rheinaufwärts bis
Chur und gründete überall Hilariuskirchen. Als er die
gesuchte Rheininsel in Säckingen fand, baute er dort
Kirche und Doppelkloster. In Säckingen starb er und
wurde dort begraben. Evangelische Gelehrte bestreiten, namhafte katholische verteidigen die Echtheit dieser Legende. – F. wird als Heiliger verehrt und ist
Schutzpatron des Kantons Glarus. Er gilt als Glaubensbote des alemannischen Volkes. Sein Fest ist der
6. März.

Lit.: Franz Joseph Mone, Qsmlg. z. bad. Landesgesch. I, 1848,
4 ff.; – Hermann Leo, Der hl. F., 1886; – J. Schuler, S. F. Leben
u. Verehrung, 1887; – G. Meer, S. F. der Apostel Alemanniens,
Zürich 1889; – Schulte, in: Jb. f. Schweizer. Gesch. 18, 1893, 134
ff.; – Vita Fridolini Confessoris Seckingensis auctore Balthero,
hrsg. v. Bruno Krusch, in: MG SS. rer. Merov. III, 1896, 350
ff.; – Joseph Sauer, Die Anfänge des Christentums u. der Kirche
in Baden, 1911, 30 ff.; – Karl Josef Benziger, Die F.legende nach
einem Ulmer Druck des Johann Zainer, 1913; – Hans v. Schubert, Gesch. der christl. Kirche im Früh-MA, 1921, 291; – Louis
Gougaud, Les saints irlandais hors d'Irlande, Löwen 1936, 47.
104 ff. 155; – M. Beck, Die Schweiz im polit. Kräftespiel des
merowing., karoling. u. otton. Reiches, in: ZGORh NF 50, 1937,
280 ff.; – Alfons Hug, Der hl. F. Zur 1400j. Wiederkehr seines
Todestages, in: BM 20, 1938, 110 ff.; – André Marcel Burg,
Histoire de l'Église d'Alsace, Colmar 1946, 34 ff.; – M. Barth,
Zur Mission des Hl. F., in: Archives de l'Église d'Alsace 1,
1946, 21 ff.; – Ders., St. F. u. sein Kult in alemann. Raum,
in: FreibDiözArch 75, 1955, 112 ff.; 77, 1957, 361; – Josef Anton Amann, Der hl. F., Höchst (Vorarlberg) 1947; – A. Reinle,
Der Schatz des Münsters zu Säckingen, in: Zschr. f. Schweizer.
Arch. z. Kunstgesch. 10, 1948–49, 131 ff.; – Ders., Zur Ikono-
graphie des hl. F., in: Jb. des hist. Ver. des Kt. Glarus 55,

1952, 222 ff.; – Heinrich Feurstein, Zur ältesten Missions- u.
Patroziniumskunde im alemann. Raum, in: ZGORh 97, 1949,
21 ff.; – Jakob Winteler, Gesch. des Landes Glarus I, 1952, 25
ff.; – Margrit Koch, St. F. u. sein Biograph Balther. Ir. Hll. in
der literar. Darst. des MA (Diss. Zürich), 1959; – Hans Hümmeler, Helden u. Hll., 1959 (501.–510. Tsd.), 116 f.; – Wilhelm
Hünermann, F. Der Klosterherr v. Säckingen, in: Ders., Der
endlose Chor. Ein Buch v. den Hll. f. das christl. Haus, 1960⁸,
121 f.; – John Hennig, F., in: Die Hll., hrsg. v. Peter Manns,
1975, 237 ff.; – AS Martii I, 433 ff.; – VSB III, 107 f.; – BS V,
1274 ff.; – Réau III, 545; – Künstle 256 f.; – Braun 270 f.; –
Bächtold-Stäubli III, 83 f.; – MPL IX, 199 ff.; – Kosch, LL I,
568; – ADB VII, 385 ff.; – NDB V, 439; – CathEnc V, 1775; –
Catholicisme IV, 1645 f.; – LThK IV, 366; – NCE VI, 199; –
RE VI, 272 f.; – RGG II, 1132.

FRIEDBERG, Emil, Kirchenrechtslehrer, * 22. 12. 1837
in Konitz (Westpreußen) als Sohn eines Stadt- und
Landrichters, † 7. 9. 1910 in Leipzig. – F. studierte
1856–59 in Berlin und Heidelberg und wurde 1862
Privatdozent in Berlin, 1865 ao. Professor in Halle
und 1868 o. Professor in Freiburg (Breisgau). 1869
folgte er dem Ruf nach Leipzig, wo er als Lehrer des
Kirchenrechts, des Handelsrechts, des Deutschen Rechts,
des Staats- und Völkerrechts eine bedeutende Wirksamkeit entfaltete. – F. war ein entschiedener Verfechter der Rechte des Staates gegenüber der Kirche, aber
kein Anhänger der völligen Trennung von Staat und
Kirche. Er hat mit anderen dem preußischen Staat das
historische und gelehrte Rüstzeug für seinen Streit
mit der römisch-katholischen Kirche geliefert und
durch seine Schriften den sog. »Kulturkampf« und die
Stellungnahme des Staates wesentlich beeinflußt.

Werke: Das Recht der Eheschließung in seiner geschichtl. Entwicklung, 1865; Das Veto der Regierungen bei Bisch.wahlen,
1869; Die Gesch. der Zivilehe, 1870 (1877²); Der Staat u. die
kath. Kirche im Ghzgt. Baden, 1871 (1873²); Das Dt. Reich u. die
kath. Kirche, 1872; Die Grenzen zw. Staat u. Kirche u. die Ga-
rantien gg. deren Verletzung. Hist.-dogmat. Stud., 1872; Smlg.
der Aktenstücke z. 1. Vatikan. Konzil, 1872; Die preuß. Gesetz-
entwürfe über die Stellung der Kirche z. Staate, 1873; Johann
Baptist Baltzer. Ein Btr. z. neuesten Gesch. des Verhältnisses
zw. Staat u. Kirche in Preußen, 1873; Der Staat u. die Bisch.-
wahlen in Dtld., 1874; Aktenstücke, die altkath. Bewegung betr.,
1876; Lehrb. des kath. u. ev. KR, 1879 (1909⁶); Die geltenden
Verfassungsgesetze der ev. dt. Landeskirchen, 1885; Lehrb. d.
eingeleitet, 1885 ff. (neue Ausg. mit 4 ErgBdn., 1890–98); Das
geltende Verfassungsrecht der ev. Landeskirchen in Dtld. u.
Östr., 1888. – Gab heraus: mit Richard Wilhelm Dove ZKR,
1864–90, u. als deren Folge mit Emil Sehling DZKR, 1891 bis
1910; Corpus iuris canonici, 2 Bde., 1879–81 (wiss.-krit. Ausg.,
dazu die Quinque compilationes antiquae, 1882); Kanonensmlg.en
zw. Gratian u. Bernhard v. Pavia, 1897.
Lit.: Festschr. E. F. z. 70. Geb. Btrr. z. KR, 1908; – H. M.
Gietl, in: HJ 31, 1910, 945 f.; – Rudolph Sohm, in: DJZ 15,
1910, 1061 ff.; – Emil Sehling, in: DZKR 20, 1910/11, I–VIII; –
Bertrand Kurtscheid u. Felix Antonius Wilches, Historia iuris
canonici I, Rom 1941, 307 f.; – Alfonso M. Stickler, Historia
iuris canonici latini I, Turin 1950, 290; – Schulte III/2, 238 ff.;
– Feine, RG I, 260. 593. 611. 639; – BJ 16, 313; – NDB V, 443
f.; – DDC V, 909 ff.; – RE XXIII, 489 ff.; – RGG II, 1133; –
EC V, 1775 f; – LThK IV, 366; – NCE VI, 199 f.

FRIEDHOFEN, Peter, Gründer der Genossenschaft der
Barmherzigen Brüder von Maria-Hilf, * 25. 2. 1819
in Weitersbach bei Neuwied als Sohn eines Bauern
und Schornsteinfegers, † 21. 12. 1860 in Koblenz,
1928 beigesetzt in der Maria-Hilf-Kapelle in Trier. –
F. verlor in einem Jahr seinen Vater und mit neun
Jahren seine Mutter und wuchs in großer Armut auf.
Er erlernte in Ahrweiler das Schornsteinfegerhand-
werk und war seit 1834 Schornsteinfeger in Vallendar
(Rhein) und Ahrweiler. Während seiner Gesellenjahre
schloß er an vielen Orten der Trierer Diözesen die
Jugend zu Aloysiusgemeinschaften zusammen. 1850
gründete F. in Weitersbach eine Genossenschaft von
Laienbrüdern zur Haus- und Hospitalpflege männ-
licher Kranker, die er 1851 nach Koblenz verlegte.

Am 14. 3. 1852 legte F. die Gelübde ab. Die Kongregation breitete sich schon 1853 aus und erhielt 1905 die päpstliche Bestätigung. Pius XII. gestattete ihr 1946, den Namen »Barmherzige Brüder von Maria-Hilf« zu führen. Die Kongregation zählte 1957 330 Mitglieder. F.s Seligsprechungsprozeß wurde 1926 in Trier eingeleitet.

Lit.: Nikolaus Scheid, Bruder P. F., 1922; – Johann Kröll, P. F., 1926; – Ferdinand Conrath, Die Gesch. P. F.s, 1933; – Ders., P. F., ein hl. Schornsteinfeger, Fribourg (Schweiz) 1938; – Hans Hümmeler, Eines Menschen Weg zu Gott. Das Leben P. F.s, 1951; – Ders., Helden u. Hll., 1959 (501.–510. Tsd.), 580 f.; – Kosch, KD 845 f.; – NDB V, 451; – LThK IV, 377.

FRIEDRICH III. der Fromme, seit 1557 Pfalzgraf von Simmern, seit 1559 auch Kurfürst von der Pfalz,

* 14. 2. 1515 in Simmern (Hunsrück) als Sohn des Pfalzgrafen Johann II. von Simmern (1492–1557), † 26. 10. 1576 in Heidelberg. – F. wuchs auf in Nancy, Paris, Lüttich und Brüssel und vermählte sich 1537 mit Maria (1519–67), Tochter des Markgrafen Kasimir von Brandenburg-Kulmbach († 1527). Sie gewann ihn für das Luthertum, das er aber wegen der streng antireformatorischen Einstellung seines Vaters erst zu bekennen wagte, als er während des Schmalkaldischen Krieges (1546/47) von der Plassenburg aus die Bayreuther Lande seines Schwagers Albrecht Alcibiades regierte. 1559 wurde F. in Heidelberg Kurfürst von der Pfalz. Er trat 1561 vom Luthertum zum Calvinismus über mit dem Vorsatz, die Streitigkeiten zwischen den strengen Lutheranern und philippistisch- bzw. schweizerischgesinnten Männern zu beenden und die kirchlichen Verhältnisse in der Kurpfalz neu zu ordnen. F. veranlaßte die Abfassung des »Heidelberger Katechismus« durch Zacharias Ursinus (s. d.) und Kaspar Olevianus (s. d.). Er erschien 1563 und wurde zur angesehensten und am meisten verbreiteten Bekenntnisschrift des Calvinismus. Durch den Heidelberger Katechismus und die neue Kirchenordnung von 1564 schuf F. die Grundlage der Neuordnung der kirchlichen Verhältnisse in der Pfalz. Mit großer Energie führte er in seinem Land die Lehre des Johannes Calvin (s. d.) ein und erhob die Universität Heidelberg zur bedeutendsten wissenschaftlichen Lehrstätte des Calvinismus in Deutschland.

Lit.: August Kluckhohn, Wie ist Kf. F. III. v. der Pfalz Calvinist geworden?, in: Münchner HJ 1866, 421–520; – Briefe F. des F. Kf. v. der P. mit verwandten Schr.stücken, hrsg. v. dems., 2 Bde., 1868–72; – Ders., Das Testament F.s des Kf. v. der P., in: AAM III/12, 1874, 43–104; – Ders., F. der F., Kf. v. der P., der Schützer der ref. Kirche, 1559–76, 1879; – A. Gillet, F. III., Kf. v. der P., u. der Reichstag zu Augsburg, in: HZ 19, 1868, 38–102; – Moriz Ritter, August v. Sachsen u. F. III. v. der P., in: Arch. f. die Sächs. Gesch. NF 5, 1879, 289 ff.; – Ders., Dt. Gesch. im Zeitalter der Gegenref. u. des 30j. Krieges (1555 bis 1648) I, 1889; – H. Rott, Kirchen- u. Bildersturm bei der Einf. d. Ref., in: Neues Arch. f. die Gesch. der Stadt Heidelberg u. d. rhein. Pfalz 6, 1905, 229 ff.; – Kf. F. III., der F., v. der P., in: RKZ 65, 1915, Nr. 22. 23. 24; – N. Lossen, Die Glaubensspaltung in der Kurpfalz, in: FreibDiözArch 45, 1917, 208 ff.; – H. Wind, F. der F., Kf. v. der P. (zum anderen 350. Todestag am 26. 10. 1926), in: RKZ 76, 1926, 345 ff.; – Wilhelm Diehl, Zur Gesch. der kalvinist. Ref. des Kf. F. III. v. der P., in: Hess. Chron. 14, 1927, 173 ff.; 15, 1928, 20 ff. 42 ff.; – Johann Baptist Götz, Die erste Einf. des Kalvinismus in der Oberpfalz, 1559–76, 1933; – Qu. z. Gesch. der Täufer. IV: Baden u. Pfalz, hrsg. v. Manfred Krebs, 1951; – Willy Mathern, F. der F., in: Ders., Männer des Hunsrück- u. Nahelandes, 1952, 194 ff.; – Ernst Walter Zeeden, Kleine Ref.gesch. v. Baden-Durlach u. Kurpfalz, 1956, 56 ff.; – Hans Gotthilf Strasser, F. der F. u. seine Mitarbeiter, in: Ruperto-Carola. Mitt.bl. der Ver. der Freunde der Studentenschaft der Univ. Heidelberg 10, 1958, 28 ff.; – Peter Güß, Das Verhalten der kurpfälz. Regierung gegenüber dem Täufertum bis z. 30j. Krieg (Diss. Freiburg/Breisgau) 1959; – Werner Braselmann, F. der F. u. sein Heidelberger Katechismus 1963; – Biogr. Wb. z. dt. Gesch. I², 1973, 780 f.; – Schottenloher III, Nr. 32112–32149; VII, Nr. 61666 f.; – ADB VII, 606 ff.; – NDB V, 530 ff.; – Blume 370 f.; – RE VI, 275 ff.; – LThK IV, 384.

FRIEDRICH der Weise, Kurfürst von Sachsen,

* 17. 1. 1463 in Torgau als ältester Sohn des Kurfürsten Ernst, † 5. 5. 1525 in Lochau, beigesetzt in der Schloßkirche in Wittenberg. – Als sein Vater 1486 starb, übernahm F. die Kurwürde mit dem Kurkreis, während er die übrigen ernestinischen Gebiete gemeinsam mit seinem Bruder, Johann dem Beständigen (s. d.), regierte. Seinen ersten Unterricht erhielt F. auf der Fürstenschule in Grimma und gewann dadurch, daß sich dort ein blühendes Augustinereremitenkloster befand, schon damals besondere Vorliebe für diesen Orden. Als frommer Katholik versäumte er keinen Tag die Messe und beteiligte sich 1493 auch an einer Wallfahrt nach Palästina. Er bemühte sich eifrig um die Vermehrung seiner Reliquiensammlung, die 1509 5005 und 1520 bereits 19013 Partikeln zählte. F. stiftete 1502 die Wittenberger Universität und bewilligte, da ihm an der rechten Besetzung der Lehrstühle viel gelegen war, im Oktober 1512 die Promotionskosten für Martin Luther (s. d.) auf Bitten des Johann von Staupitz (s. d.). Er mußte dem Kurfürsten versprechen, daß »Martinus dafür die bisher ihm zuständige«, aber tatsächlich schon längst nicht mehr von ihm versehene »lectura in Biblia in der Theologischen Fakultät sein Leben lang versorgen werde«. F. hat mit Luther nie ein Wort gesprochen, vermittelte aber in dessen Konflikt mit Rom, als Leo X. (s. d.) am 23. 8. 1518 von ihm die Auslieferung des »Sohnes der Bosheit« verlangte. Durch persönliche Verhandlung mit dem Kardinal Thomas Cajetan (s. d.) im Fuggerhaus in Augsburg erreichte der Kurfürst, daß Luther im Auftrag des Papstes vom 12. bis 14. 10. 1518 in Augsburg durch den zum Reichstag entsandten Cajetan verhört wurde. F. lehnte Cajetans Antrag vom 25. 10. 1518, den »schwäbischen Bettelmönch« nach Rom auszuliefern, ab und gab auch nicht nach, als der päpstliche Kurtisan Karl von Miltitz (s. d.) im Januar 1519 auf dem Schloß Altenstein versuchte, ihn zur Auslieferung Luthers dadurch zu bewegen, daß er ihm die »goldene Tugendrose«, die höchste Auszeichnung des Papstes, überbrachte und seine beiden unehelichen Kinder der Anna von Molsdorf von den rechtlichen Nachteilen ihrer Geburt befreite. F. wurde 1519 nach dem Tod Maximilians I. (s. d.) Reichsvikar, lenkte aber die Kaiserwahl von sich auf Karl V. Seinem Einfluß in der Kurfürsten- und Fürstenkurie war es zu verdanken, daß der Reichstag in Worms am 19. 2. 1521 den Kaiser ersuchte, Luther nach Worms zu laden und dort von sachverständigen Gelehrten verhören zu lassen, womit sich Karl V. einverstanden erklärte. F. rettete Luther dadurch vor der ihm drohenden Gefahr, daß er ihn auf der Rückfahrt von Worms in Thüringen überfallen und auf eine seiner Burgen bringen ließ, deren Wahl er in das Ermessen seiner Räte stellte. – F. d. W., Luthers Schutz- und Landesherr, hat bei persönlicher Zurückhaltung durch kluge Diplomatie die Reformation begünstigt. Seine Stellung zu Luther ist verschieden beurteilt worden. Theodor Kolde (s. d.) sah in ihm nur den Beschützer seiner Universität und ihres berühmten Professors, während Paul Kalkoff (s. d.) behauptet, er sei ein überzeugter

Anhänger der lutherischen Lehre gewesen. Vermittler zwischen Luther und F. d. W. war dessen Hofkaplan Georg Spalatin (s. d.), von dem sich der Kurfürst auf dem Sterbebett das Abendmahl unter beiderlei Gestalt reichen ließ, wodurch er sich öffentlich zum evangelischen Glauben bekannte.

Lit.: Georg Spalatin, F.s d. W. Leben u. Zeitgesch., hrsg. v. Christian Gotthold Neudecker u. Ludwig Preller, 1851; – Theodor Kolde, F. d. W. u. die Anfänge der Ref., 1881; – Otto Nasemann, F. d. W., Kf. v. S., 1889; – Bernhard Rogge, Dt.-ev. Charakterbilder, 1894, 92 ff.; – Amanda Hoppe-Seyler, F. d. W., Kf. v. S. Ein Charakterbild, 1898; – Adolf Krencker, F. d. W. v. S. beim Beginn der Ref. Eine Charakterstud. (Diss. Heidelberg), 1905; – Paul Kalkoff, Ablaß u. Reliquienverehrung an der Schloßkirche zu Wittenberg unter F. d. W., 1907; – Ders., F. d. W , der Beschützer Luthers u. des Ref.werkes, in: ARG 14, 1917, 249 ff.; – Ders., F. d. W., dennoch der Beschützer Luthers u. des Ref.werkes, in: ZKG 43, 1924, 179 ff.; – Ders., Die Kaiserwahl Friedrichs IV. u. Karls V., 1925; – Ders. F. d. W. u. Luther, in: HZ 132, 1925, 29 ff.; – Ders., Die Stellung F.s d. W. z. Kaiserwahl v. 1519 u. die Hildesheimer Stiftsfehde, in: ARG 24, 1927, 270 ff.; – Robert Hessen, F. d. W., in: Ders., Dt. Männer. 50 Charakterbilder, 1912, 95 ff.; – Walter Friedensburg, Gesch. der Univ. Wittenberg, 1917; – Paul Mönch, Kf. F. d. W. v. S. als Reichsfürst (Diss. Jena), 1922; – Elisabeth Wagner, Luther u. F. d. W. auf dem Wormser Reichstag, in: ZKG 42, 1923, 331 ff.; – Johannes v. Walter, F. d. W. u. Luther (Rede), 1925; – Ernst Kroker, F. d. W. u. Luther, in: Die ev. Diaspora. Zschr. des Gustav-Adolf-Ver. 7, 1925, 79 ff.; – Anni Koch, Die Kontroverse über die Stellung F.s z. Ref., in: ARG 23, 1926, 213 ff.; – Gustav Wolf, F. d. W. z. Frage des Kaisertums, in: ZKG 45, 1926, 22 ff.; – Paul Kirn, F. d. W. u. die Kirche. Seine Kirchenpolitik vor u. nach Luthers Hervortreten im J. 1517, 1926; – W. Gussmann, Kf. F. d. W. v. S., in: Kirchl. Zschr. 51, 1927, 417 ff.; – Ernst Borkowsky, Das Leben F.s d. W., Kf. v. S., 1929; – Otto Michaelis, Im Mutterlande der Ref., 1938, 31 ff.; – Anton Blaschka, Der Stiftsbrief Maximilians I. u. das Patent F.s d. W. z. Gründung der Univ. Wittenberg, in: 450 J. Martin-Luther-Univ. Halle-Wittenberg I, Halle (Saale) 1952, 69 ff.; – Irmgard Höss, Der Brief des Erasmus v. Rotterdam an Kf. F. d. W. v. 30. Mai 1519, in: ARG 46, 1955, 209 ff.; – Dies., Georg Spalatin. Ein Leben in der Zeit des Humanismus u. der Ref., 1956; – Kurt Aland, Wendepunkte der Weltgesch. Das Problem des Glaubenswechsels bei Konstantin d. Gr., Chlodovech u. F. d. W., in: Ders., Kirchengeschichtl. Entwürfe. Alte Kirche, Ref. u. Luthertum, Pietismus u. Erweckungsbewegung, 1960, 13 ff.; – In der Hut des Höchsten. Martin Luthers Brief an F. d. W., 5. März 1522, in: Zeugnis u. Glauben. Reden, Briefe, Dokumente. Hrsg. v. Friedrich Wilhelm Kantzenbach, 1964, 19 ff.; – Eberhard Winkler, Lob des friedliebenden Regenten. Melanchthons lat. Leichenrede auf Kf. F. d. w., in: WZ Rostock 13, 1964, 221 ff.; – Ernst Benz, Der Traum Kf. F. d. W., in: Humanitas-Christianitas. Walther v. Loewenich z. 65. Geb. Hrsg. v. Karlmann Beyschlag, 1968, 134 ff. (Rez. v. Franz Lau, in: LuJ 36, 1969, 116 ff.); – Karlheinz Blaschke, Kf. F. d. W. u. S. u. die Luthersache, in: Der Reichstag zu Worms 1521. Reichspolitik u. Luthersache. Im Auftrag der Stadt Worms z. 450-J.gedenken in Verbindung mit Anton Philipp Bruch u. a. hrsg. v. Fritz Reuter, 1971, 316 ff.; – Heinrich Bornkamm, Kf. F. d. W., in: ARG 64, 1973, 79 ff.; – Biogr. Wb. z. dt. Gesch. I², 1973, 810 ff.; – Schottenloher III, Nr. 32975–33028; – ADB VII, 779 ff.; – NDB V, 568 ff.; – RE VI, 279 ff.; – RGG II, 1150; – LThK IV, 386.

FRIEDRICH, Caspar David, Maler, * 5. 9. 1774 in Greifswald als Sohn eines Seifensieders und Lichtgießers, † 7. 5. 1840 in Dresden. – F. besuchte 1794 bis 1798 die Kunstakademie in Kopenhagen und siedelte im Herbst 1798 nach Dresden über, einem Mittelpunkt der deutschen romantischen Bewegung. Er verdiente sich durch die damals beliebte Prospektmalerei (Federzeichnungen) seinen Lebensunterhalt. Die Beteiligung an der Ausstellung der Weimarer Kunstfreunde 1805 brachte ihm den ersten Erfolg. Goethe würdigte F.s Arbeiten in der Jenaischen Allgemeinen Literatur-Zeitung. 1807 wandte er sich der Ölmalerei zu. In den Weihnachtstagen 1808 stellte F. in seinem Atelier ein Gemälde aus, das für den Altar in der Hauskapelle der Gräfin Thun und Hohenstein auf Schloß Tetschen (Böhmen) bestimmt war. Dieses Gemälde, »Das Kreuz im Gebirge«, stellte nichts dar als einen dunkel gegen den Himmel steil aufragenden Felsgipfel und auf dessen Spitze, die Tannenwipfel

überragend, ein hohes Kruzifix, vom letzten Abendstrahl beleuchtet; dahinter, ohne Horizont, die unendliche Weite des Abendhimmels. Das Bild war so neu in der Wahl des Motivs, des Standpunkts, so neu in Bildausschnitt und räumlichem Aufbau; die alten konventionellen Maßstäbe versagten so völlig bei seiner Beurteilung, daß sich sofort um diese neue Kunst eine heftige literarische Fehde entspann. Von diesem heiß umstrittenen Bild, das für die Jugend das programmatische Werk romantischer Kunst bedeutete, ging F.s schnell ansteigende Berühmtheit aus. Die folgenden Jahre festigten seinen Ruf. Im Herbst 1810 war F. auf der Ausstellung der Berliner Akademie mit zwei großen Gemälden vertreten: »Mönch am Meer« und »Klosterruine Eichenwald an einem Winterabend«, die beide von dem kunstliebenden Kronprinzen von Preußen, dem späteren König Friedrich Wilhelm IV., erworben wurden. F. wurde 1810 auswärtiges Mitglied der Berliner Akademie, 1816 Mitglied der Dresdener Akademie und 1824 ao. Professor. Seit den zwanziger Jahren ließ das Interesse für F.s Kunst nach. Kränklichkeit und wirtschaftliche Nöte überschatteten sein Alter. 1835 lähmte ein Schlaganfall seine Kräfte. Seit 1837 konnte er nicht mehr arbeiten. – F. ist einer der größten Landschafter und der bedeutendsten Romantiker. Seine stimmungsvollen Landschaften, meist mit symbolischen Motiven der Unendlichkeit oder Vergänglichkeit, sind als Ausdruck stark verinnerlichten Naturgefühls religiös bestimmt.

Werke: Ruine Eldena, um 1808 (Berlin, Stiftung Staatl. Museen, West, Nationalgalerie); Mondaufgang am Meer, 1823 (ebd.); Der Watzmann, um 1824 (ebd.); Mönch am Meer, um 1808–09 (Berlin, Schloß Charlottenburg, Verwaltung der staatl. Schlösser u. Gärten); Das Kreuz im Gebirge, 1808 (Dresden, Schloß Pillnitz); Zwei Männer, den Mond betrachtend, 1819 (ebd.); Hünengrab im Herbst, um 1820 (ebd.); Hünengrab im Schnee, um 1810 (ebd.); Die gescheiterte »Hoffnung«, 1821 (Hamburg, Kunsthalle); Sonnenaufgang bei Neubrandenburg (unvoll.), 1830–35 (ebd.); Wiesen bei Greifswald, 1820–30 (ebd.); Frau am Strande v. Rügen, um 1809 (Winterthur, Stiftung Oskar Reinhart); Kreidefelsen auf Rügen, 1818 (ebd.); Kloster Eldena bei Nacht, um 1800 (Würzburg, Privatbesitz); Die 4 Tageszeiten, um 1820 (Hannover, Ndr.sächs. Landesgalerie); Die Lebensstufen, vor 1815 (Leipzig, Mus. der Bildenden Künste); Der Ilsestein, 1820 bis 1830 (ebd.).

Lit.: Willi Wolfradt, C. D. F. u. die Landschaft der Romantik, 1924; – Friedrich Wiegand, Aus dem Leben C. D. F.s Geschwisterbriefe, 1924; – C. D. F., Bekenntnisse. Ausgew. u. hrsg. v. Kurt Eberlein, 1924; – Ders., C. D. F. in seinen Meisterwerken, 1925; – Ders., C. D. F., der Landschaftsmaler, 1939 (1941²); – Karl Wilhelm Jähnig, C. D. F., in: Pommersche Lb. I, 1934, 25 ff.; – Fritz Meichner, Landschaft Gottes. Ein Roman um C. D. F., 1937 (1943: 10.–14. Tsd.); – Ders., Geheiligte Malerei. Aus dem Leben C. D. F.s, 1941; – Ders., Unendl. Landschaft. Ein C.-D.-F.-Buch, 1948; – Ders., C. D. F. Roman seines Lebens, Berlin 1971; – Fritz Nemitz, C. D. F. Die unendl. Landschaft, 1938 (1949⁴); – Herbert v. Einem, C. D. F., 1938 (1950³); – Ders., C. D. F. in: Kirche u. Kultur im dt. Osten. Stud. z. Deutschtum im Osten, 1970, H. 7, S. 12 ff.; – Otto Eberhard, Zeugnisse dt. Frömmigkeit v. der Frühzeit bis heute, 1940, 132; – Wilhelm-Kästner, Ludwig Rohling u. Karl Friedrich Degner, C. D. F. u. seine Heimat, 1940; – Gustav Friedrich Hartlaub, C. D. F.s Melancholie, in: Zschr. des dt. Ver. f. Kunstwiss. 8, 1941, 261 ff.; – Ernst Sigismund, C. D. F. Eine Umrißzeichnung, 1943; – Karl Gustav Carus, F., der Landschaftsmaler, 1944; – Ingeborg Engler, Die Nachwirkung des 18. Jh.s auf die Kunst C. D. F.s (Diss. Marburg, 1949), 1945; – Heinz Stolz, Sieben Malerpoeten, 1948; – Klaus Lankheit, C. D. F. u. der Neuprot., in: DVfLG 24, 1950, 129 ff.; – Paul Ortwin Rave, Zwei Winterlandschaften C. D. F.s, in: Zschr. f. Kunstwiss. 5, 1951, 229 ff.; – Gottfried Richter, C. D. F. Der Maler der Erdenfrömmigkeit, 1953; – Walter Bauer, C. D. F. Bild u. Leben der dt. Landschaft, 1953; – Ders., Der Einsame. Bildnis v. C. D. F., Dresden 1957; – Günther Grundmann, Dt. Heimat im Werk C. D. F.s, in: Aurora. Eichendorff-Alm. 14, 1954, 42 ff.; – C. D. F. 8 farb. Gem.wiedergaben. Text v. Eva Herbig, Leipzig 1956; – Werner Petrenz, Ndrl. Einflüsse in der Kunst C. D. F.s (Diss. Berlin F.U.), 1957; – Erhard Kriegel, C. D. F. – der Meister dt. Landschaftsmalerei, in: Ostdt. Mhh. 24, Stollhamm (Oldenburg) 1958, 487 ff.; – Heinrich Gerhard Franz, Die Bildform bei C. D. F., in: FF 32, 1958, 373 ff.; – Felix Alexander Dargel, C. D. F.,

1960; – H. G. Mentzel, Einsam, doch im Glauben getrost. Dem Gedenken an C. D. F., in: Stettiner Nachrr. 11, Göttingen 1960, Nr. 5, S. 11 f.; – Heinz Demisch, C. D. F. u. das Kunstverständnis des 20. Jh.s, in: Die neue Schau. Mschr. f. das kulturelle Leben im dt. Haus 21, 1960, 5 ff.; – Hans Günther Prescher, C. D. F., 1960; – Helmut Börsch-Supan, Die Bildgestaltung bei C. D. F. (Diss. Berlin F.U., 1958), München 1960; – Ders., C. D. F., 1973; – Franz Bauer, C. D. F. Ein Maler der Romantik. Eine Betrachtung, 1961; – Erika Platte, C. D. F. Die Jahreszeiten (RUB Nr. B 9065), 1961; – C. D. F., Religiöse Landschaft (mit 8 farb. Taf.), hrsg. v. ders., 1975; – Wolfgang Hütt, C. D. F. u. die Romantik in Dresden, in: Sächs. Heimatbll. 7, Dresden 1961, 321 ff.; – C. D. F. (Tl.smlg.). Text v. Johannes Beer, 1962; – Gerhard Eimer, C. D. F. u. die Gotik, in: Balt. Stud. NF 49, 1962–63, 39 ff.; – H.-M. Pleßke, C. D. F., in: GuG 10, 1964, 68 ff.; – Irma Emmrich, C. D. F. (Mit Titelbild, 6 farb. u. 46 einfarb. Taf.), Weimar 1964; – H. J. Neidhardt, C. D. F. »Das Kreuz im Gebirge«, in: Dresdener Kunstbll. 9, 1965, 78 f.; – Erhard Krause, Das Kreuz im Riesengebirge. C. D. F.s Wanderung, in: Heimat u. Glaube. Zschr. der kath. Heimatvertriebenen 18, 1966, Nr. 3, S. 9; – C. D. F. (Tl.-smlg.). 10 farb. Reproduktionen, 6 einfarb. Taf. Hrsg. v. Angelo Walther, Berlin 1967; – Hans Feldbusch, C. D. F. Basteigalerie der großen Maler, Nr. 59, 1968; – Wolfgang Paschinski, Das Unendl. ist sein Ziel. Aus dem Leben des Malers C. D. F., Berlin 1968; – C. D. F. in Briefen u. Bekenntnissen (Tl.smlg.). Hrsg. v Sigrid Hinz, 1968 (Rez. v. Ingeborg L. Carlson, in: Germanistik. Internat. Referatorgan mit bibliogr. Hinweisen 10, 1969, 600); – Werner Sumowski, C.-D.-F.-Stud. (Hab.-Schr., Stuttgart), 1970 (Werkeverz.: 270–286; Rez. v. H. G. Franz, in: Jb. des Kunsthist. Instituts der Univ. Graz 5, 1970, 97 ff.; v. W. R. Deusch, in: Wiss. Lit.anz. 9, 1970, 165; v. Walther Scheidig, in: Erasmus. Speculum scientiarum 23, London 1971, 416 ff.; v. C. G. Heise, in: Universitas. Zschr. f. Wiss., Kunst u. Lit. 26, 1971, 1221; v. Klaus Lankheit, in: Pantheon. Internationale Zschr. f. Kunst 29, 1971, 545 ff.; v. Helmut Börsch-Supan, in: Zschr f. Kunstgesch. 34, 1971, 314 ff.); – Karl-Otto Konow, C. D. F.s Riesengebirgslandschaften, in: Balt. Stud. NF 57, 1971, 79 ff.; – Ernst Weissert, Bem. zu C. D. F., in: Erziehungskunst. Zschr. f. Päd. Rudolf Steiners 36, 1972, 155; – Diether Rudloff, Aufbruch zu einer neuen Kunst. Die Wiederentdeckung des Malers C. D. F., in: Die Kommenden. Eine unabhäng. Zschr. f. geist. u. soziale Erneuerung 26, 1972, Nr. 21, 9 ff.; – Ders., Der meditative Malprozeß. C. D. F. u. die Situation der Kunst in der Ggw., aus: Nr. 27, 9 ff.; – Willi Geismeier, C. D. F., 1973; – Dorothea Baumer, C. D. F. z. 200. Geb., in: Die Kunst u. das schöne Heim 86, 1974, 536 ff.; – Wieland Schmied, C. D. F., 1975; – Karl Ude, Malerpoeten. Die romant. Welt des 19. Jh.s, 1976; – Thieme-Becker XII, 464 ff.; – KML II, 460 ff.; – ADB VIII, 64 ff.; – NDB V, 602 f.; – RGG II, 1151.

FRIEDRICH, Johannes, kath. Theologe, ein Führer der Altkatholiken, * 5. 5. 1836 in Poxdorf (Oberfranken) als Sohn eines Lehrers, † 19. 8. 1917 in München. – F. studierte seit 1854 in Bamberg und München. Er empfing 1859 die Priesterweihe und kam als Kaplan nach Markt Scheinfeld bei Neustadt an der Aisch. F. wurde 1862 Privatdozent und 1865 ao. Professor der Kirchengeschichte an der Universität München. 1869/ 1870 wohnte er dem Vatikanischen Konzil als theologischer Berater des Prinzen Adolf von Hohenlohe-Schillingsfürst (s. d.) bei. Da F. mit Ignaz von Döllinger (s. d.) die am 20. 10. 1870 geforderte Unterwerfung der theologischen Fakultät unter die Beschlüsse des Vatikanischen Konzils verweigerte, wurden beide am 17. 4. 1871 exkommuniziert. König Ludwig II. ernannte 1872 F. trotzdem zum o. Professor der Theologie. An der altkatholischen Bewegung nahm F. regen Anteil und blieb ihr bis zu seinem Tod treu. So war er auch an der Gründung der Altkatholischen Theologischen Fakultät in Bern beteiligt und hielt an ihr 1875 ein Semester lang Vorlesungen über Kirchengeschichte. 1882 wurde F. aus der Theologischen in die Philosophische Fakultät der Universität München versetzt.

Werke: Johann Wessel Ein Bild aus der KG des 15. Jh.s, 1862; Die Lehre des Johann Hus u. ihre Bedeutung f. die Entwicklung der neueren Zeit (Hab.-Schr.), 1862; Johann Hus. Ein Lb., 1864; KG Dtld.s, 2 Bde. (die Römer- u. die Merowingerzeit), 1867–69; Tgb., während des Vatikan. Konzils geführt, 1871 (1873²); Documenta ad illustrandam Concilium Vaticanum anni 1870, 1871; Die Wortbrüchigkeit u. Unwahrhaftigkeit dt. Bisch., 1873; Gott, meine einzige Hoffnung. Christkath. Andachtsbuch, 1873; Der

Mechanismus der vatikan. Rel., 1875 (1876²); Der Kampf gg. die dt. Theol. u. die theol. Fak.en in den letzten 20 J., Bern 1875; Btrr. z. KG des 18. Jh.s, 1876; Gesch. des Vatikan. Konzils, 3 Bde., 1877–87; Zur ältesten Gesch. des Primats in der Kirche, 1879; Btrr. z. Gesch. des Jesuitenordens, 1881; Die Konstantin. Schenkung, 1889; Johann Adam Möhler, der Symboliker. Ein Btr. zu seinem Leben u. seiner Lehre, 1894; Ignaz v. Döllinger, 3 Bde., 1899–1901; Die Unechtheit der Canones v. Sardica, 1902/03. – Gab heraus: Döllingers »Papstfabeln des MA« (1863), 1890²; Döllingers »Der Papst u. das Konzil« (1869) als Neubearb. u. d. T.: Das Papsttum, 1892.

Lit.: Theodor Granderath, Gesch. des Vatikan. Konzils, 3 Bde., 1903–06; – E. A. Roloff, Die »Röm. Briefe v. Konzil«. Unterss. über ihre Gewährsmänner u. ihren Qu.wert, in: ZKG 35, 1914, 205 ff.; – H. Pratz, J. F., in: Jb. der Bayer. Akad. der Wiss., 1918, 69 ff.; – Friedrich Heinrich Hacker, J. F. als Führer der alt-kath. Bewegung, in: IKZ 8, 1918, 252 ff.; – Hermann Grauert, J. F., in: Jb. der Ludwig-Maximilian-Univ. f. die J. 1914–19, 1927, 46 ff.; – Stefan Lösch, Döllinger u. Fkr., 1955; – Claude Beaufort Moss, The Old Catholic Movement, London 1964²; – DBJ II, 74 ff.; – Kosch, KD 848; – NDB V, 601; – RGG II, 1151; – LThK IV, 387; – NCE VI, 200.

FRITH, John, Märtyrer der Reformation, * 1503 in Westerham (Kent), † (verbrannt) 4. 7. 1533 in Smithfield. – F. studierte in Cambridge und wandte sich bei Beginn seiner Lehrtätigkeit in Oxford dem Luthertum zu. 1527 wurde er der Ketzerei verdächtigt und verhaftet, kam aber durch Vermittlung des Kardinals Thomas Wolsey (s. d.) bald wieder frei und ging 1528 nach Antwerpen zu William Tyndale (s. d.), dem er bei seiner Übersetzung des Neuen Testaments half, dann nach Marburg. Dort traf F. andere reformationsfreundliche Engländer, vor allem Patrick Hamilton (s. d.), dessen »Loci« er ins Englische übersetzte. F. schrieb gegen John Fisher (s. d.) und Thomas Morus (s. d.), gegen das Fegfeuer und die Transsubstantiation. 1534 kehrte F. nach England zurück. Auf Veranlassung von Morus wurde er wegen Häresie verhaftet und schließlich als hartnäckiger Ketzer zum Tod verurteilt.

Werke: The Whole Works of William Tyndale, J. F. and Dr. Barnes, three worthy Martyrs and principall Teachers of this Church of England, ed. John Foxe, London 1573; Neuausg. v. Thomas Russell (Works of the English Reformers III), ebd. 1831.
Lit.: Life and Martyrdom of J. F., London 1824; – John Foxe, Acts and Monuments (ed. George Townsend, 1843–49) V, 1–16; – Deborah Alcock, Six Heroic Men, 1906; – RE VI, 286 ff.; – RGG II, 1154; – LThK IV, 392 f.; – DNB (Neudr. 1949/50) VII, 718 ff.

FRITSCH, Ahasverus, Jurist, Kirchenliederdichter, * 16. 12. 1629 in Mücheln (Bezirk Halle) als Sohn eines Bürgermeisters und Syndikus, † 24. 8. 1701 in Rudolstadt. – F.s Vater flüchtete mit seiner Familie 1631 ins Vogtland, während die Stadt in Flammen aufging und vier seiner Häuser niederbrannten. F. mußte als Knabe oft in Wäldern und auf Feldern umherirren und in Kellern und Büschen sich vor den umherstreifenden Soldaten verbergen, geriet aber doch sechsmal in die Hand der Feinde, die ihn seiner Kleider beraubten und jämmerlich schlugen. F. besuchte das Gymnasium in Halle (Saale) und studierte seit 1650 die Rechte in Jena mit einer zweijährigen Unterbrechung als Hauslehrer in Halle. Er wurde 1657 in Rudolstadt Hofmeister des Grafen Albert Anton von Schwarzburg-Rudolstadt und gewann das Vertrauen der gräflichen Familie, so daß er rasch zu hohen Ämtern aufstieg. F. wurde 1661 von der regierenden Witwe des Grafen Ludwig Günther zum Hof- und Justizrat und 1679 von dem 1665 zur Regierung gelangten Grafen Albert Anton zum Kanzleidirektor und Konsistorialpräsidenten und 1687 zum Kanzler ernannt. – Zu häuslicher Erbauung, gegenseitiger Ermunterung und Versorgung armer und verlassener Kinder gründete F. 1673 die »Fruchtbringende Jesusgesellschaft«, der viele vornehme und gelehrte Männer angehörten, auch die Gräfinnen Ämilie Juliane (s. d.) und Ludämilie Elisabeth von Schwarzburg-Rudolstadt (s. d.), die er zur geistlichen Dichtkunst anregte. – F. war einer der fruchtbarsten Schriftsteller seiner Zeit. Er verfaßte in lateinischer Sprache eine Menge juristischer Schriften, die einer seiner Söhne 1732 in zwei starken Foliobänden herausgab; außerdem erschienen von ihm 186 theologische und erbauliche Schriften in deutscher Sprache. – Von seinen »Jesus-« und »Himmelsliedern« ist bekannt: »Der am Kreuz ist meine Liebe, meine Lieb ist Jesus Christ.« Genannt sei auch »Ist's oder ist mein Geist entzückt?«, dessen letzte Strophe durch das Oratorium »Der Tod Jesu« von Karl Heinrich Graun weite Verbreitung gefunden hat: »Wie herrlich ist die neue Welt, die Gott den Frommen vorbehält! Kein Mensch kann sie erwerben.«

Werke: 121 neue himmelsüße Jesuslieder, 1668 (nur 72, »teils neu verfaßt, teils als liebliche herzstärkende Röslein aus verschiedenen Paradiesgärtlein colligiert«, ohne Angabe der Verfasser), 1675³ (119, weil 2 doppelt aufgeführt; im Anh. noch 4 ältere Morgen-, Abend- u. Loblieder); Schöne Himmelslieder, 1670 (1679²: 55 Lieder).
Lit.: Hans Renker, A. F., ein pietist. Pädagoge vor Francke u. ein Vorläufer F.s Ein Btr. z. Gesch. der pietist. Päd. (Diss. Würzburg), Paderborn 1916; – Koch IV, 40 ff.; – Blume 162; – Goedeke III, 285 f.; – ADB VIII, 108 f.; – RGG II, 1155.

FRITZ, Samuel, Jesuit, Indianermissionar am Amazonas, * 9. 4. 1654 in Trautenau (Böhmen), † 20. 4. 1725 in Jéveros (Perú). – F. trat 1673 in Brünn (Böhmen) in den Jesuitenorden ein und promovierte an der Universität in Prag zum Magister der Philosophie. Der Orden entsandte ihn 1684 als Missionar in die spanischen Kolonien am oberen Amazonas zu den Omagnas-Indianern. Dort arbeitete er als Kulturpionier und Siedlungsgründer, siedelte 40000 Indianer in 41 Dörfern längs des Stromes bis zum Rio Negro an und unterwies sie in Ackerbau und Handwerk. 40 Jahre wirkte er unter ihnen und anderen Stämmen als Missionar, 1704–12 als Oberer der Gesamtmission, die letzten 10 Jahre in Jéveros. Als Forschungsreisender hat F. den Amazonas vom Ursprung bis zur Mündung erkundet und die erste genaue Karte des Amazonas entworfen. Er verfaßte auch geographische, ethnographische und linguistische Werke. – F. ist bekannt als einer der größten Missionare Südamerikas.

Lit.: Carl Platzweg, Lb. dt. Jesuiten in auswärtigen Missionen, 1882, 137 ff.; – Anton Huonder, Dt. Jesuitenmissionäre des 17. u. 18. Jh.s, 1899, 124 f.; – José Chantre y Herrera, Historia de las misiones de la Compañía de Jesús en el Marañón Español, ed. Aurelio Elias Mera, Madrid 1901; – C. Wessels, Studiën, 's Hertogenbosch 1923, 245 ff. 348 ff. 427 ff.; – Joseph u. Renée Gicklhorn, Im Kampf um den Amazonenstrom. Das Forscherschicksal v. P. S. F., Prag 1943; – Dies., S. F. Leben – Reisen – Wirken – Würdigung, in: Petermann Geogr. Mitt., 1943, H. 5/6; – Sommervogel III, 1003 f.; IX, 377; – Koch, JL 620 f.; – BiblMiss II, 627; III, 14. 653 u. ö.; – Kosch, KD 863; – ADB 49, 156 ff.; – NDB V, 632 f.; – LThK IV, 393; – NCE VI, 208 f.

FRITZHANS, Johannes, erst Franziskaner, dann luth. Pfarrer, * in Frauenreuth (Thüringen), † 1540 in Magdeburg. – F. war 1520 Mitglied des Franziskanerkonvents in Leipzig. Er verteidigte seinen Ordensbruder Seiler gegen Andreas Bodenstein (s. d.), genannt Karlstadt, und trat auch für seinen Lehrer Augustin von Alfeld (s. d.) literarisch ein. Als er in den Magdebur-

ger Konvent versetzt wurde, schloß sich F. der reformatorischen Bewegung an, verließ 1523 das Kloster und ging nach Wittenberg. Anfang 1524 kehrte er nach Magdeburg zurück und wurde dort am 28. 7. 1524 lutherischer Pfarrer an der Heilig-Geist-Kirche. F. verfaßte mehrere deutsche Streitschriften gegen die Verteidiger der katholischen Kirche und war an der Einführung der Reformation in Magdeburg wesentlich beteiligt.

Werke: Epistola exhortatoria ad fratrem Augustinum Alveldianum Franciscanum, 1520; Was die Meß sei, 1527.
Lit.: Waldemar Kawerau, Eberhard Weidensee u. die Ref. in Magdeburg (in: Neuj.bll., hrsg. v. der hist. Kommission der Prov. Sachsen, H. 18) 1893; – Ders., J. F., in: Gesch.bll. f. Stadt u. Land Magdeburg 29, 1894, 214 ff.; – Leonhard Lemmens, P. Augustin v. Alfeld († um 1532). Ein Franziskaner aus den ersten J. der Glaubensspaltung in Dtld., 1899, 17 ff.; – Hermann Barge, Andreas Bodenstein v. Karlstadt I, 1905, 215 ff.; – WA III, 337 ff.; V, 39 f.; VI, 138 f.; – Schottenloher I, Nr. 6656–6660; II, Nr. 22184; – ADB VIII, 117; – NDB V, 635; – LThK IV, 393.

FRITZSCHE, Christian Friedrich, Theologe, * 17. 8. 1776 als Pfarrerssohn in Nauendorf bei Zeitz, † 19. 10. 1850 in Zürich. – F. besuchte die Lateinschule des Waisenhauses in Halle (Saale) und studierte seit 1792 in Leipzig. Er wurde 1799 Pastor in Steinbach und Lauterbach bei Borna und 1809 Schloßprediger und Superintendent in Dobrilugk (Niederlausitz). F. arbeitete erfolgreich mit an der Neuordnung der Kirchen- und Schulverhältnisse der 1815 an Preußen gefallenen Niederlausitz. Schwerhörigkeit nötigte ihn, sein Amt aufzugeben. F. wurde 1827 Honorarprofessor und 1830 o. Professor der Theologie in Halle. 1848 zog er sich zu seinem jüngsten Sohn nach Zürich zurück. – F. war Vertreter des Supranaturalismus und suchte in den kirchlichen Kämpfen seiner Zeit zu vermitteln.

Werke: exeget., hist. u. dogmat. Abhh., wieder abgedr. in: Fritzschiorum opuscula academica, Leipzig 1838; Nova opuscula academica, ebd. 1846.
Lit.: RE VI, 289.

FRITZSCHE, Karl Friedrich August, Theologe, * 16. 12. 1801 in Steinbach bei Borna als Sohn des Pfarrers Christian Friedrich Fritzsche (s. d.), † 6. 12. 1846 in Gießen. – F. besuchte seit 1814 die Thomasschule in Leipzig und bezog 1820 die dortige Universität. Er habilitierte sich 1823 in der Philosophischen Fakultät und wurde 1825 zum ao. Professor ernannt. F. folgte 1826 dem Ruf als o. Professor der Theologie nach Rostock und 1841 nach Gießen. Als ein Schüler des Philologen Gottfried Hermann wandte er dessen streng grammatische und philologische Methode auf das Neue Testament an. F. war Rationalist und ist bekannt als ein Vorläufer streng historisch-philologischer Bibelauslegung. Seine lateinischen Kommentare zum Matthäus- und Markusevangelium, die David Friedrich Strauß (s. d.) als die trefflichste Vorarbeit für eine kritische Bearbeitung des Lebens Jesu anerkannte, und zum Römerbrief zeichnen sich durch sprachliche Akribie und streng grammatische Methode mehr aus als durch theologische Tiefe und religiösen Gehalt.

Werke: Lat. Komm. zu Mt, 1826; Mk, 1830; Röm, 3 Bde., 1836 bis 1843; – arbeitete mit an »Grammatik des nt. Sprachidioms« v. Georg Benedikt Winer, 1822 (1825²).
Lit.: RE VI, 289 ff.; – ADB VIII, 121 f.

FRITZSCHE, Otto Fridolin, Theologe, * 23. 9. 1812 in Dobrilugk (Niederlausitz) als Sohn des Pfarrers Christian Friedrich Fritzsche (s. d.), † 9. 3. 1896 in Zürich. – Nach dem Besuch des Gymnasiums in Halle studierte F. seit 1831 an der dortigen Universität und habilitierte sich 1836. Er folgte 1837 dem Ruf nach Zürich als ao. Professor der Theologie und wurde 1842 o. Titularprofessor und 1860 o. Professor der Theologie. Sein Arbeits- und Forschungsgebiet waren Bibelexegese und Kirchengeschichte. Mit der Herausgabe und Erklärung der Apokryphen des Alten Testaments hat sich F. ein literarisches Denkmal errichtet. Er lieferte auch Proben einer neuen kritischen Ausgabe der »Septuaginta«.

Werke: De Theodori Mopsuestiae vita et scriptis, 1836. – Gab heraus: Apokryphen des AT, 1871; (mit Willibald Grimm) Kurzgefaßtes exeget. Hdb. zu den Apokryphen des AT, 6 Bde., 1851 bis 1860; griech. Übers. des Buches Esther mit den griech. Zusätzen, 1848/49, des Buches Ruth, 1864, u. des Buches der Richter, 1866/67; Brief des Clemens an Jakobus in der lat. Übers. des Rufinus, 1873; die Werke des Lactantius, 1842–44; Theodors v. Mopsuestia exeget. Schrr. z. NT u. die Fragmente seiner Schr. »De incarnatione filii Dei«, 1847; Anselms v. Canterbury Schr. »Cur Deus homo?«, 1893³; Confessio Helvetica posterior, 1839.
Lit.: Nekrolog v. Viktor Ryssel, in: Theol. Zschr. aus der Schweiz, 1896, 108 ff.; – ADB 49, 160 f.; – RE VI, 291 ff.

FROBEN, Johannes, Buchdrucker, * 1460 in Hammelburg an der fränkischen Saale, † Oktober 1527 in Basel. – F. studierte in Basel die alten Sprachen und trat als Korrektor in die dortige Druckerei des Johannes Amerbach (s. d.) ein. 1491 gründete er in Basel eine eigene Druckerei. Sein erster Druck war eine lateinische Bibel: »Biblia integra« (1491). Es folgte die Herausgabe der lateinischen Kirchenväter Hieronymus (s. d.), Cyprian (s. d.) und Rufinus (s. d.), Tertullian (s. d.), Hilarius (s. d.) und Ambrosius (s. d.) sowie die der Werke seines Freundes Erasmus von Rotterdam (s. d.). Im Februar 1516 erschien bei ihm die für die Reformation grundlegende Ausgabe des griechischen Neuen Testaments von Erasmus. Die Druckerei des Johannes F. erlangte Weltruf. Sein Sohn Hieronymus und sein Schwiegersohn Nikolaus Episcopius und seine Enkel Ambrosius Aurelius F. setzten das Geschäft fort, die zu den obengenannten Kirchenväterausgaben noch die Ausgaben des Augustinus (s. d.), Basilius (s. d.) und Chrysostomus (s. d.) hinzufügten.

Lit.: Immanuel Stockmeyer u. Balthasar Reber, Btrr. z. Basler Buchdruckergesch., Basel 1840, 86 ff.; – Charles William Heckethorn, The printers of Basel in the XV. and XVI. centuries: their biographies, printed books and devices, London 1897; – Percy Stafford Allen, Erasmus' Relations with his Printers, in: Transact. of the Bibl. Soc 13, London 1916, 297 ff.; – Ernst Voullième, Die dt. Drucker des 15. Jh.s, 1922²; – Bonaventura Kruitwagen, Erasmus en zijn drukkers-editgevers, Amsterdam 1923; – Alfred Forbes Johnson, The first century of printing at Basle, London 1926 (dt. v. Hanna Keil, 1927; Neuausg. 1928); – J. F. Ein Erinnerungsbl. z. 400. Todestage, hrsg. v. Frobenius AG Basel, 1927; – Combertus Pieter Burger, Een Griecksch-Latijnsch Abecedarium v. J. F., in: Het Boek 17, Den Haag 1928, 74 ff.; – Brief des Buchdruckers F. an Luther. 14. Februar 1529, in: Ernst Staehelin, Das Buch der Basler Ref., Basel 1929, 23 f.; – O. Bettmann (Erasmus u. F.), in: The Publisher's Weekly 130, New York 1936, 2224 f.; – Fritz Husner, J. F., in: Große Schweizer, Zürich 1938, 141 ff.; – Karl Schottenloher, Bücher bewegten die Welt I, 1951, 186; – Josef Benzing, F. Buchdruckerlex. des 16. Jh.s, 1952, 22; – Ders., Die Buchdrucker des 16. u. 17. Jh.s im dt. Sprachgebiet, 1963; – Aloys Ruppel, J. F., in: Große Drucker v. Gutenberg bis Bodoni. Ausst. des Gutenberg-Mus., 1953, 24; – Oswald Schäfer, J. F. aus Hammelburg als Drucker in Basel, in: Mainlande. Beil. z. Mainpost, 1953, Nr. 5, S. 19 f.; – Sigfrid Heinrich Steinberg, Five hundred years of printing, London 1959, 19. 42 ff. 92. 94. 102 f. 213; – A. Hernandez u. K. Brandler, Kat. der J.-F.-Ausst. 1960 in Hammelburg, 1960; – K. Brandler, J. F. Eine Stud. über den berühmten humanist. Drucker des 16. Jh.s (Beil. z. Jber. des Frobenius-Gymn. Hammelburg 1960/61), 1961; – Schottenlohr I, Nr. 6665–6669; V, Nr. 46355a–46357; VII, Nr. 54649–54651; – HBLS III, 343 f.; – ADB VIII, 127 f.; – NDB V, 638 ff.; – LThK IV, 395; – NCE VI, 209.

FROBÖSS, Georg, luth. Theologe, * 22. 4. 1854 in Breslau, † daselbst 26. 3. 1917. – F. studierte 1872 bis 1875 in Leipzig und Erlangen und wurde 1878 Hilfsprediger in Breslau, 1880 Pastor in Altkranz bei Glogau und 1886 in Schwirz bei Namslau, 1896 Mitglied und 1906 Direktor des Oberkirchenkollegiums der Evangelisch-Lutherischen Kirche in Preußen. – Infolge Streitigkeiten über die kirchenregimentlichen Befugnisse des Oberkirchenkollegiums trennten sich 1864 7 Pfarrer mit ihren Gemeinden von der Evangelisch-Lutherischen Kirche in Preußen und schlossen sich als »Immanuelsynode« in Magdeburg zusammen. Um ihre 1904 erfolgte Wiedervereinigung mit dem Oberkirchenkollegium in Breslau hat sich F. verdient gemacht. Auch um das Zustandekommen der Vereinigung lutherischer Freikirchen hat sich F. erfolgreich bemüht.

Werke: Lutheraner, separierte, in: RE XII, 1 ff.; XXIV, 47 ff.; – Eduard Gustav Kellner, ein Zeuge der luth. Kirche, gewürdigt, um der Wahrheit willen zu leiden, 1893 (1905²); 50 J. luth. KG, 1896; Die ev.-luth. Freikirchen in Dtld. Ihr Entwicklungsgang u. ggw. Bestand, 1902 (1913²); Kurze Abwehr der gg. die Ev.-luth. Kirche in Preußen erhobenen Vorwürfe, 1905; Gesch. der St. Katharinenkirche in Breslau, 1908; Drei Lutheraner an der Univ. Breslau. Die Prof. Scheibel, Steffens, Huschke in ihrer rel. Entwicklung, 1911.
Lit.: KJ 44, 611; – RGG II, 1155.

FRÖBEL, Friedrich, Pädagoge, Schöpfer des Kindergartens, * 21. 4. 1782 als Pfarrerssohn in Oberweißbach (Thüringer Wald), † 21. 6. 1852 in Marienthal bei Liebenstein (Thüringer Wald). – Nach Landwirtschafts- und Försterlehre sowie mathematisch-naturwissenschaftlichen Studien in Jena war F. 1802–05 Landmesser. Seine Erziehertätigkeit begann er 1805 an einer Musterschule in Frankfurt/Main und lernte dort die Ideen Johann Heinrich Pestalozzis (s. d.) kennen. Seit 1806 war F. Hauslehrer der drei Söhne einer adeligen Familie in Frankfurt und lebte mit seinen Zöglingen 1808–10 in Pestalozzis Institut in Iferten (Schweiz). 1811 setzte er seine Studien in Göttingen und Berlin fort und machte im Lützowschen Freikorps die Feldzüge von 1813 und 1814 mit. Nach der Rückkehr wurde F. Assistent am Museum für Mineralogie in Berlin, gab aber diese Stelle auf und gründete 1816 in Griesheim bei Arnstadt (Thüringen) die »Allgemeine Deutsche Erziehungsanstalt« (Vorläufer der Landerziehungsheime), die er ein Jahr später nach Keilhau bei Rudolstadt verlegte und 1831 an seinen Gehilfen abtrat. 1831–36 lebte F. in der Schweiz. Er gründete 1831 in Wartensee (Kt. Luzern) eine Tochteranstalt, die 1833 nach Willisau übersiedelte, und leitete 1835–36 das Waisenhaus in Burgdorf (Kt. Bern). Nach Deutschland zurückgekehrt, widmete sich F. fast ausschließlich der Erziehung der Kinder im vorschulpflichtigen Alter und begründete 1837 in Blankenburg (Thüringer Wald) eine »Pflege-, Spiel- und Beschäftigungsanstalt« für Kleinkinder, die 1840 als »Kindergarten« nach Keilhau verlegt wurde. Kinder sollten hier durch planvoll gruppierte Bewegungs- und Geistesspiele, Sprüche, Lieder bei ständiger Berührung mit der Natur ihrem Alter entsprechend allseitig angeregt und angeleitet werden. F.s Idee des Kindergartens fand großen Anklang; aber die Ausbreitung in Deutschland wurde dadurch gehemmt, daß das preußische Kultusministerium am 7. 8. 1851 die Kindergärten wegen angeblicher »destruktiver Tendenzen auf dem Gebiet der Religion und Politik« als »atheistisch und demagogisch« verbot und erst 1860 wieder zuließ.

Werke: Die Menschenerziehung, 1826; Plan z. Errichtung einer Armenerziehungsanstalt; Entwurf eines Planes z. Begründung u. Ausführung eines Kindergartens, 1840; Mutter- u. Koselieder, 1844. – Ausgew. Schrr. Hrsg. v. Erika Hoffmann (2. Aufl.), Bd. 1: Kleine Schrr. u. Briefe v. 1809–1851, 1964; Bd. 2: Die Menschenerziehung, 1961; Bd. 3: Texte u. Vorschulerziehung u. Spieltheorie, hrsg. v. Helmut Heiland, 1974. – Ges. päd. Schrr. Hrsg. v. Wichard Lange (Neudr. Osnabrück). Abt. 1. F. F. in seiner Entwicklung als Mensch u. Pädagog. Bd. 1. Aus F.s Leben u. erstem Streben. Autobiograph. u. kleine Schrr. Neudr. der Ausg. 1862, 1966; Bd. 2. Ideen F. F.s über die Menschenerziehung u. Aufss. verschiedenen Inhalts. Neudr. der Ausg. 1863, 1966; Abt. 2. F. F. als Begründer der Kindergärten. Die Päd. des Kindergartens. Gedanken F. F.s über das Spiel u. die Spielgegenstände des Kindes. Neudr. der Ausg. 1862 u. 1874, 1966. – Ausgew. päd. Schrr. Bes. v. Julius Scheveling, 1965. – F.s Theorie des Spiels (Werke, Ausz.). 1. Der Ball als erstes Spielzeug des Kindes. Eingel. v. Elisabeth Blochmann, 1965⁴; 2. Die Kugel u. der Würfel als zweites Spielzeug des Kindes. Eingel. v. Hel. L. Klostermann, 1962²; 3. Aufss. z. 3. Gabe, dem einmal in jeder Raumrichtung geteilten Würfel. Eingel. v. Erika Hoffmann, 1967⁴. – Die Menschenerziehung, die Erziehungs-, Unterrichts- u. Lehrkunst angestrebt in der allg. dt. Erziehungsanstalt zu Keilhau; dargest. v. dem Stifter, Begründer u. Vorsteher derselben. Hrsg. u. eingel. v. Hans Zimmermann (RUB 6685–6689), 1926; Die Menschenerziehung: die Erziehungs-, Unterrichts- u. Lehrkunst. Hrsg. v. Hermann Holstein, 1973. – Mutter- u. Koselieder. Von Johannes Prüfer, 1927⁴. – F. F. u. die Muhme (Friederike) Schmidt. Ein Briefwechsel. Hrsg. v. Conradine Lück, 1929. – Mein Herzenskind. F.s Briefwechsel mit Kindern. Hrsg. v. Erika Hoffmann, 1940 (1952²). – F. F. an Gfn. Therese Brunszvik. Aus der Werdezeit des Kindergartens. Hrsg. v. Erika Hoffmann u. Karl Hagen. Ein Briefwechsel aus den J. 1844–1880. Hrsg. u. bearb. v. derselben, 1948.

Lit.: Robert Herbert Quick, Essays on Educational Reformers, New York 1896 (Neuaufl.); – Franklin Verzelius Newton Painter, Great Pedagogical Essays, ebd. 1905; – Johannes Schulz, Die philos. Grdl. der Päd. F. F.s (Diss. Leipzig), Jauer 1905; – Nicolae Regman (Siebenbürgen) 1907; – Johannes Prüfer, Die päd. Bestrebungen F. F.s in der J. 1836–1842 (Diss. Leipzig), Berlin 1909; – Ders., F. F., sein Leben u. Schaffen, 1914 (1927³); – Frank Pierrepont Graves, Great Educators of Three Centuries, their work and its influence on modern education, New York 1912; – Reinhard Stiebitz, F. F.s Beziehungen zu Pestalozzi in den J. 1805 bis 1810 u. ihre Wirkungen auf seine Päd. Leipzig), Bautzen 1913; – Albert Weise, Die Entwicklung v. F. F.s Naturanschauung bis z. J. 1816. Ein Btr. z. Entwicklungsgesch. der philos. Ideen F. F.s (Diss. Leipzig), 1918; – Heinz Pritschow, Die Päd. F. F.s in ihrem Zshg. mit der nachkant. monist. Philos. (Diss. Halle), 1922; – Fritz Halfter, F. F. Btr. zu seiner inneren Entwicklung. 1782–1811 (Diss. Berlin), 1924; – Ders., F. F., ihr Werdegang u. seines Menschenerziehers, 1931; – Maria Bode, F F.s Erziehungsidee u. ihre Grdl. (Diss. Bonn), 1925; – Gerhard Schulz, Die Bedeutung der Individualität in der Päd. F.s (Diss. Breslau), Freiburg (Schlesien) 1926; – Alfons Josef Rinke, F. F.s philos. Entwicklung unter dem Einfluß der Romantik (Diss. Freiburg/Breisgau), Langensalza 1935; – Hermann Stöcker, Das Problem der Gemeinschaft bei F. F. (Diss. Halle), Düsseldorf 1936; – Gerhard Richter, Dt. Spracherziehung bei F F. (Diss. Halle, 1938), Eisleben 1937; – Peter Goeldel, F. F. als Vorkämpfer dt. Leibeserziehung (Diss. Göttingen), Leipzig 1938; – Paul Dahmen, Die sittl.-rel. Bedeutung des Gemeingefühls bei F. (Diss. Freiburg/Breisgau), Rheydt-Odenkirchen 1938; – Otto Michaelis, Im Mutterlande der Ref., 1938, 179 ff.; – Käthe Scholz, F.s Entwicklungslehre. Ihre philos. Voraussetzungen u. ihre Ergebnisse f. die Auffassung des Spiels (Diss. Breslau), Tübingen 1940; – Martha Gebert, Die Idee der Mütter- u. Kindergärtnerinnenbildung bei F. F. (Diss. Jena), 1945; – Helmut Bock, F.s Kinderseelenkunde im Lichte moderner Entwicklungspsychologie (Diss. Erlangen), 1950; – Marie Anne Kuntze, F. F., sein Weg u. sein Werk, 1951 (1952²). – Dies., F. F. Ein Lb. nach seinen Schrr. u. Briefen, 1951 (1963⁴); – Fritz Neukamm, F. F., sein Leben u. sein Werk, 1952; – Evelyn Mary Lawrence, F. F. and English Education, London 1952; – Georg Bell, F. F. – Erzieher u. Christ, in: DtPfrBl 52, 392 ff.; – Eduard Spranger, Aus F. F.s Gedankenwelt, 1952 (1964⁴); – Ders., F. F., in: Bll. des Pestalozzi-F.-Verbandes 16, 1965, 71 ff.; – Alois Heinzel, F. F., in: Unser Weg. Päd. Zschr. 8, Graz 1953, 1 ff.; – Hans Netzer, Die Päd. F. F.s, in: Schola. Lebendige Schule 8, 1953, 365 ff.; – Fritz Stippel, Die Kerngedanken der Erziehungslehre F. F.s, in: Päd. Welt 7, 1953, 10 ff.; – Hermann Holstein, Die Grundstruktur der Bildung bei Kant, Herbart u. F. (Diss. Köln), 1954; – Josef Rattner, F. F., sein Kindergarten u. seine Menschenerziehung, in: Ders., Große Pädagogen, 1956, 138 ff.; u. August Wolff, Menschenbild u. Menschenbildung bei F. F., in: Schule u. Leben. Zschr. f. christl. Erziehung u. Unterweisung 8, 1956–57, 250 ff. 291 ff.; – Christiane Osann, F. F. Lb. eines Menschenerziehers, 1956; – Dies., Die letzten J. F. F.s, in: Geist u. Zeit. Eine Zweimschr.

f. Kunst, Lit. u. Wiss., 1957, 127 ff.; – Erika Hoffmann, F. F., in: Die Großen Deutschen. Hrsg. v. Hermann Heimpel, Theodor Heuß, Benno Reifenberg, V, 1957, 220 ff.; – Ilsabe v. Viebahn, F.s Päd. des frühen Kindesalters im Aspekt der Freud'schen Psychoanalyse (Diss. Berlin F.U.), 1957; – Klaus Giel, Fichte u. F. Die Kluft zw. konstruierender Vernunft u. Gott u. ihre Überbrückung in der Päd. (Diss. Tübingen), Heidelberg 1959; – Marcel Müller-Wieland, Menschenbild u. Menschenbildung im Geiste F. F.s, in: Vom Geist abendländ. Erziehung. 6 Vortrr. v. Maria Bindschedler u. a., Zürich 1961, 81 ff. 195 f.; – Heinz Schuffenhauer, F. F., 1962; – D. Rose, Religiosität u. Rel.unterricht bei F. F., in: ThZ 21, 1965, 522 ff.; – Helmut Heiland, Die Symbolwelt F. F.s. Ein Btr. z. Symbolgesch., 1967; – Ders., Lit. u. Trends in der F.forsch.: ein krit. Lit.ber. über Qu. u. Sekundärlit. v. den Anfängen bis z. Ggw. mit vollst. Bibliogr. z. F.lit., 1972; – Johanna Hoffmann, Spiele fürs Leben. Hist. Roman um F. F., Rudolstadt 1971; – LPäd(F) II, 163 f.; – Kosch, LL I, 586; – KLL IV, 2460 f. (Die Menschenerziehung); – ADB VIII, 123 f.; – NDB V, 643 f.; – EKL I, 1397; – RGG II, 1155 ff.; – LThK IV, 394 f.; – NCE V, 209.

FRÖBING, Johann Christoph, Liederdichter, * 8. 5. 1746 in Ohrdruf (Thüringen), † 25. 1. 1805 in Mark-Oldendorf bei Hildesheim. – F. wurde 1776 Konrektor an der Neustädter Stadtschule in Hannover, 1796 Pfarrer in Lehrte und 1800 Diakonus in Mark-Oldendorf. – Von seinen etwa 100 Liedern sei das Gebetslied »Hocherhabner, ich trete . . .« genannt, das in der Bearbeitung des Württembergischen Gesangbuchs von 1842 beginnt: »Herr, vor dem die Engel knieen . . .«

Werke: Gedichte, Leipzig 1791 (37 Lieder u. 8 Kantaten); Gesänge f. Kinder, Celle 1799; Christl. Morgen- u. Abendlieder f. Familien, Lüneburg 1802. – Gab heraus: Gesangb. f. den häusl. Gottesdienst (571 neuere Lieder, darunter etwa 50 v. ihm selbst), Hannover 1797.

Lit.: Koch VI, 262.

FRÖHLICH, Cyprian (Taufname: Franz Xaver), Kapuziner, Caritasapostel, * 20. 3. 1853 in Eggolsheim (Oberfranken) als Sohn eines Lehrers, † 6. 2. 1931 in München. – F. studierte zunächst an der Technischen Hochschule München Mathematik, dann Theologie. Er empfing 1877 die Priesterweihe und trat 7 Wochen später in den Kapuzinerorden ein. Mit Hilfe des Dritten Ordens gründete er 1889 in Ehrenbreitstein das Seraphische Liebeswerk zur Rettung gefährdeter Kinder, das er 1893 von Altötting aus weiter ausbaute. Mit den Anstalten des Liebeswerkes verband F. seit 1894 auch Exerzitienhäuser. Er war Mitbegründer des deutschen Caritasverbandes und Gründer des Mädchenschutzvereins, aus dem die katholische Bahnhofsmission hervorging. Nach 1921 wirkte F. vor allem in der Slowakei und in Karpathorußland.

Werke: 25 J. im Dienste des göttl. Kinderfreundes. Eine Gesch. des Seraph. Liebeswerkes u. eine Zeitgeschichte, Altötting 1914.
Lit.: Angelikus Eberl, Gesch. der bayer. Kapuzinerprov., 1902, 745 ff.; – C. F. – 25 J. im Dienste des göttl. Kinderfreundes. Eine Gesch. des Seraphischen Liebeswerkes, Altötting 1914; – AnCap 47, 1931, 199 ff.; – LexCap 486 f. 1245 f. (Opus Seraphicum Caritatis); – NDB V, 648; – LThK IV, 396.

FRÖHLICH, Samuel Heinrich, Begründer der »Fröhlichianer« (auch »Neutäufer«, »Gemeinschaft ev. Taufgesinnter«, in Ungarn »Gläubige in Christo« und »Nazarener«, in den USA »Apostolic Christian Church« genannt), * 4. 7. 1803 in Brugg (Aargau), † 15. 1. 1857 in Straßburg. – F. studierte Theologie und wurde 1827 in das aargauische Ministerium aufgenommen. Als Vikar in Leutwil wurde er bald durch seine Erweckungspredigten bekannt und gründete aus den Erweckten in Brunnschweiler die erste Gemeinschaft der Taufgesinnten. Darum schloß man ihn aus dem Kirchendienst aus. Hauptwyl (St. Gallen) wurde 1833

Mittelpunkt der Bewegung. Es entstanden Gemeinschaften im Kanton Zürich, Thurgau, Toggenburg. Zwei in der Schweiz arbeitende Handwerker aus Ungarn, die Brüder Hencsey, schlossen sich den »Neutäufern« an und verbreiteten nach ihrer Rückkehr in die Heimat die täuferischen Gedanken. Durch den Evangelisten Stephan Kalmar kam es zu Gründungen von Gemeinschaften und weiterer Ausbreitung der »Nazarener« in Ungarn. Da ihn die schweizerischen Behörden – auch wegen seiner nicht landeskirchlich geschlossenen Ehe – bedrängten, siedelte F. 1843/44 nach Straßburg über, gewann Anhänger unter den Pietisten im benachbarten Illkirch und drang mit seiner Gemeinschaft evangelischer Taufgesinnter weiter in Elsaß-Lothringen ein. 1850 reiste er nach Amerika und gründete dort Gemeinden, besonders im Staat Illinois. – Die »Fröhlichianer« verwerfen die Kindertaufe und vollziehen die Glaubenstaufe durch Untertauchen in fließendem Wasser. Sie lehnen den Eid und den Waffendienst ab, betonen neben der Glaubensgerechtigkeit stark den Lohngedanken und lehren die baldige Wiederkunft Christi und den Anbruch des »Tausendjährigen Reiches«. Sie haben biblische Bräuche neu aufgenommen, wie Bruderkuß und Loswahl. Die Gesamtzahl der »Fröhlichianer« wird auf 15000 bis 20000 geschätzt.

Werke: Ein Wort über das Verhältnis der bekehrten Gläubigen z. Staatskirche u. der Staatsrel. z. Ev. Jesu Christi, 1834; Das Geheimnis der Gottseligkeit u. das Geheimnis der Gottlosigkeit, 1838; Die Ehe überhaupt u. meine Ehe insbes. betr., 1842; Die Errettung des Menschen durch das Bad der Wiedergeburt u. die Erneuerung des hl. Geistes, 1847; Einzelne Briefe u. Betrachtungen aus dem Nachlaß, 1898. – *Lit.:* J. A. Pupikofer (Pfr. in Hauptwyl; Gegner der F.), Die neue Kirche in der Schweiz, bes. in Hauptwyl, oder Darst. der kirchl. Bewegungen in Hauptwyl, St. Gallen 1834; – A. Fröhlich, Sektentum u. Separatismus im jetzigen kirchl. Leben der ev. Bevölkerung Elsaß-Lothringens, 1889, 23 ff.; – Ludwig Szeberenyi, Die Sekte der Nazarener in Ungarn, in: JpTh 16, 1890, 484 ff.; – Ernst Müller, Gesch. der bern. Täufer, 1895, 389 ff.; – C. L. Hylkema, De Nazareners, in: Doopgezinde Bijdragen 44, 1904, 160 ff.; – H. Rüegger, Die Gemeinschaft der ev. Taufgesinnten, 1948; – Elmer Talmage Clark, Small sects in America, Abingdon 1957, 70; – Algermissen[8] 744 f.; – Hutten[10] 443 f.; – RGG II, 1157 f.; – LThK VII, 928.

FRÖLICH, Bartholomäus, Kirchenliederdichter. – F. wirkte 1580–90 als Pfarrer in Perleberg (Mark Brandenburg). Über seine Lebensverhältnisse ist Näheres nicht bekannt. – F.s Lieder finden sich in einer Erbauungsschrift von ihm. Drei davon erschienen schon in der Sammlung des Nikolaus Selnecker (s. d.) »Christliche Psalmen, Lieder und Kirchengesänge«, Leipzig 1587. Bekannt ist: »Ein Würmlein bin ich arm und klein, mit Todesangst umgeben.«

Werke: Seelentrost, d. i. christl. Ber. v. Zustand u. Glück der lieben Seelen in jener Welt bis an den Jüngsten Tag u. daß gläubige Christen keine Ursache haben, sich vor dem Tod zu fürchten. Samt sehr schönen Gebetlein aus hl. Schr., reimweis gestellt, Leipzig 1590. – *Lit.:* Koch II, 190 f.

FRÖSCHEL, Sebastian, luth. Theologe, * 24. 2. 1497 in Amberg (Oberpfalz), † 20. 12. 1570 in Wittenberg. – F. studierte seit 1514 in Leipzig und promovierte Anfang 1519 zum »magister artium«. Die »Leipziger Disputation« zwischen Martin Luther (s. d.) und Dr. Johann Eck (s. d.) im Sommer 1519 war für sein Leben entscheidend. Er empfing 1521 die Priesterweihe, wurde aber bald wegen seiner reformationsfreundlichen Gesinnung angefochten und begab sich darum im Herbst 1522 nach Wittenberg. Bei einem Besuch in

Leipzig im Oktober 1523 predigte F. auf Bitten seiner dortigen Freunde. Als ihm die Kirchentür verschlossen wurde, kam es zu einem Volksauflauf. Auf den Bericht des Bischofs erschien Herzog Georg von Sachsen (s. d.) in Leipzig, ließ F. festnehmen und verwies ihn als eine »in der Wittenberger Ketzergrube voll Gift gesogene Kröte« des Landes. Über Halle (Saale) kehrte er 1525 nach Wittenberg zurück und wirkte von 1528 bis an sein Lebensende als Diakonus an der dortigen Stadtkirche, von seiner Gemeinde hochgeschätzt als Seelsorger und Prediger, mit den Reformatoren befreundet, die jahrelang Hörer seiner Predigten waren. Philipp Melanchthon (s. d.) lieferte ihm jahrzehntelang zu seinen Predigten exegetisches und dogmatisches Material. Johann Bugenhagen (s. d.) empfahl den Predigern F.s Katechismuspredigten als Muster volkstümlicher Katechismusbehandlung.

Werke: Conciones explicantes integrum evangelium S. Matthaei, 1558 (v. Melanchthon f. F.s Predigten niedergeschr. u. v. F. hrsg.; abgedr. unter M.s Werken CR XIV, 535 ff.; daraus dt.: Kurtze Auslegung etlicher Capitel des Ev. Matthei, c. V–VIII, 1559); Catechismus, 1559 (neue verm. Aufl. 1560. 1562. 1564); Vom Kgr. Christi, 1566. – *Lit.:* Johann Christoph Erdmann, Biogr. sämtl. Pastoren usw. zu Wittenberg, 1801, 11; Suppl., 1808, 55 ff.; – Karl Friedrich Köhler, M. S. F., in: ZHTh 42, 1872, 514 ff.; – Georg Laubmann, Bio-Bibliogr. über M. S. F., ebd. 43, 1873, 442 ff.; – Oscar Germann, S. F., sein Leben u. seine Schrr., in: BSKG 14, 1899, 1 bis 126; – Maximilian Weigel, Die Beziehungen des Diaconus S. F. in Wittenberg zum Humanismus, in: ZBKG 14, 1939, 1 ff.; – Schottenloher I, Nr. 6685–6689; V, Nr. 46361 f.; VII, Nr. 54653; – ADB VIII, 149 f.; – RE VI, 295 f.; – LThK IV, 407 f.

FROHBERGER, Christian Gottlieb, Kirchenliederdichter, * 27. 7. 1742 in Wehlen bei Pirna als Sohn eines Schuhmachers, † 1827 in Oschatz (Sachsen). – F. studierte in Halle und Leipzig und wurde Pfarrer in Rennersdorf bei Herrnhut (Oberlausitz) unter dem Patronat des Bischofs der Brüdergemeine Johannes von Watteville (s. d.). Er trat 1820 in den Ruhestand und zog nach Oschatz zu seinem Schwiegersohn, dem Superintendenten Steinert. – Von den Liederveränderungen, die auch F. wie die Kirchenliederdichter seiner Zeit für nötig hielt, sagt er: »Man verbessere aber nur nicht, wo nichts zu verbessern ist. Man verbessere nicht auf Kosten der Wahrheit. Man raube alten Liedern, indem man ihnen ohne Not schöner klingende Worte gibt, nicht ihre kernvollen Gedanken und damit ihre stärkende und tröstende Kraft auf das menschliche Herz.« Von seinen 89 Liedern sind bekannt: »Zum Arzte hin, ihr Sünder! Er heißet Jesus Christ« und als Lied zum Jahresschluß »Kommt, Christen, kommt und laßt uns Gott lobsingen.«

Werke: Geistl. Lieder nach bekannten Kirchenmelodien, Leipzig 1782; Bibl. Christentumsunterricht nebst Gebeten u. Liedern f. Schulkinder, Zittau u. Leipzig 1795. – *Lit.:* Koch VI, 289 f.

FROIS, Luis (Taufname: Polycarpo), Jesuit, Missionshistoriker des 16. Jahrhunderts in Indien und Japan, * um 1532 in Lissabon, † 8. 7. 1597 in Nagasaki. – F. war im Königlichen Sekretariat beschäftigt, als er im Februar 1548 in die Gesellschaft Jesu eintrat. Einen Monat später reiste der junge Novize nach Goa und traf im Oktober 1548 in der Hauptstadt Portugiesisch-Ostindiens ein. Hier studierte er und wurde nach seiner Priesterweihe Sekretär des Rektors des St. Paulskollegs und des aus Japan zurückgekehrten Provinzials, der ihn 1562 für Japan bestimmte. Mit geringen Unterbrechungen wirkte F. dort bis zu seinem Tod: 1565–75 vor allem in Kyôto und Sakai, 1576–80 in Bungo, dann in Nagasaki. – Durch seine 137 umfang- und inhaltsreichen Briefe, von denen 81 gedruckt sind, und seine »Geschichte Japans« (1549–1578) ist F. der bedeutendste Missionsschriftsteller des 16. Jahrhunderts und die Hauptquelle für das Japan jener Zeit.

Werke: Die Gesch. Japans (1549–1578). Nach der Hs. der Ajudabibl. in Lissabon übers. u. komm. von Georg Schurhammer und Ernst Artur Voretzsch, Leipzig 1926.

Lit.: Georg Schurhammer, P. L. F., ein Missionshistoriker des 16. Jh.s in Indien u. Japan, in: StZ 109, 1925, 453 ff.; – H. van Laak, De re apologetica in Japonia inter annos 1549–1578, in: Gregorianum 12, 1931, 314 ff.; 14, 1933, 97 ff.; – Sommervogel III, 1029 ff.; – Koch, JL 623; – BiblMiss IV, 382; – EC V, 1783; – LThK IV, 397.

FROMENT, Antoine, Reformator in der französischen Schweiz, * 1508 in Mens bei Grenoble (Dauphiné), † 6. 11. 1581 in Genf. – F. trat früh mit Jakob Faber Stapulensis (s. d.) und Wilhelm Farel (s. d.) in Verbindung und verkündigte eifrig das Evangelium in der Westschweiz: 1529 in Aigle, 1530 in Tavennes und 1531 in Bienne, Orbe und Grandison. Er wurde Prediger in Yvonand am Genfer See und begab sich im November 1532 auf Bitten Farels nach Genf. Da ihm der Rat am 31. 12. das Predigen in den Häusern verbot, hielt F. Neujahr 1533 auf dem Markt die erste öffentliche Predigt. Er wurde mehrfach vertrieben, kehrte aber, von Bern geschützt, immer wieder nach Genf zurück. F. besuchte 1534 die Waldenser in Piemont und in der Dauphiné und wirkte 1536 reformatorisch in dem zu Bern gehörigen Landstrich Chablais und Faucigny. 1537 wurde er Diakonus in Thonon. 1550/51 half er in Genf Franz Bonivard (s. d.) bei der Abfassung seiner Chronik. F. entsagte dem geistlichen Stand und ließ sich 1552 zum Notar ernennen. 1553 erhielt er das Bürgerrecht, wurde aber 1562 wegen Unzucht eingekerkert und verbannt. F. führte ein Wanderleben in Not und Trübsal, bis er 1572 nach Genf zurückkehren durfte und 1574 die Notarstelle wieder erhielt.

Werke: Les actes et gestes merveilleux de la cité de Genève, nouvellement convertie à l'Évangile, ed. Gustave Revilliod, Genf 1854 (Chron. der Ref.j. 1532–36).

Lit.: Henri Meylan, Silhouettes du XVIe siècle, Lausanne 1943; – Henri Delarue, La première offensive évangélique à Genève, in: Bulletin de la Société et d'archéologie de Genève 9, 1948, 83 ff.; – Paul-Edmond Martin u. a., Histoire des origines à 1798, 1951; – Haag VIe, 724 f.; – RE VI, 296 ff.; – RGG II, 1164; – LThK IV, 397 f.; – HBLS III, 347.

FROMHOLD-TREU, Ernst, Märtyrer, * 3. 2. 1861 als Pfarrerssohn in Oppekaln (Livland), † 22. 5. 1919 in Riga. – F. studierte in Dorpat und wirkte seit 1885 als Pastor in Dickeln bei Wolmar (Livland). Er wurde 1904 Direktor der Korrektionsanstalt für minderjährige Verbrecher in Rodenpois bei Riga und übernahm 1907 die Leitung der Blindenanstalt in Strasdenhof bei Riga. F. mußte bei Anbruch der Bolschewikenherrschaft in Riga das Los der mitgefangenen Amtsbrüder teilen, obwohl man ihm beim Verhör vor dem Tribunal versichert hatte, daß keine besondere Anklage gegen ihn vorläge. Er wurde am Tag der Befreiung Rigas durch die Baltische Landeswehr von den Bolschewiken noch vor ihrer Flucht erschossen.

Lit.: Oskar Schabert, Balt. Märtyrerbuch, 1926, 165.

FROMHOLD-TREU, Paul, Märtyrer, * 22. 5. 1859 in Mitau (Kurland), † 16. 3. 1919 in Riga. – F. studierte in Dorpat Philologie und Theologie und wurde 1883 Pastor in Irben (Nordkurland). Er mußte 1891 eine zweimonatige Gefängnishaft verbüßen, weil er in Predigt und Seelsorge der Propaganda der griechischen Kirche, durch die der Friede in seiner Gemeinde ernstlich gestört wurde, unerschrocken entgegengearbeitet hatte. F. erhielt zwei Tage vor seiner Entlassung die Mitteilung, daß er in Kurland kein Amt bekleiden dürfe. F. fand schließlich Arbeit als Stadtvikar in Riga, mußte aber wegen seines geringen Gehalts trotz aufreibenden Dienstes noch viele Privatstunden geben. Seit 1896 wirkte er als Pastor an der Trinitatiskirche in Riga. F. wurde am 4. 1. 1919 verhaftet, in das Matthäigefängnis gebracht und am 16. 3. erschossen, weil er 1905 an der Erschießung zweier Gemeindeglieder beteiligt gewesen sei, in Wahrheit aber zwei vom Kriegsgericht Verurteilte als Pastor zur Richtstätte hatte begleiten müssen. – Beim Heranrahen der Bolschewiken Ende 1918 dachte F. nicht an Flucht: »Wo Gott uns hingestellt hat, da müssen wir bleiben. Gefahren gibt es überall; aber Gott kann überall schützen.« – Den Kommissaren erklärte er vor seiner Erschießung: »Meinen Leib könnt ihr mir wohl nehmen; meiner Seele könnt ihr nichts anhaben.«

Lit.: Oskar Schabert, Balt. Märtyrerbuch, 1926, 122.

FROMM, Andreas, Theologe und Komponist (ev., seit 1668 kath.), * 1621 als Pfarrerssohn in Plänitz bei Ruppin (Mark Brandenburg), † 16. 10. 1683 in Strahov bei Prag. – F. studierte in Frankfurt/Oder und Wittenberg und kam als Kantor an die Schule in Neudamm. 1649 wurde er in Stettin Kantor am Marienstiftsgymnasium und an der Marienkirche, gleichzeitig Professor Musices am Pädagogium. Im Herbst 1651 promovierte F. in Rostock zum Lic. theol. Er ging als Pastor und Praepositus nach Kölln an der Spree und wurde 1654 Mitglied des Konsistoriums. Zur Durchführung ihrer Unionsbestrebungen verwandte die kurbrandenburgische Regierung in erster Linie F., der aber, statt an die Vereinigung der beiden Religionsparteien zu denken, auf ausgedehnten Reisen Beziehungen zur katholischen Hierarchie anknüpfte. Er trat nun so leidenschaftlich gegen die reformierte Kirche auf, daß ihm auf Anweisung des Großen Kurfürsten das Amt eines Konsistorialrats entzogen wurde. 1668 trat F. mit seiner Familie in Prag zur katholischen Kirche über. Seine Frau wurde mit ihren 5 Kindern in ein Kloster aufgenommen, während F. nach Empfang der Weihen Dechant in Kamnitz (Nordböhmen) und 1671 Domherr in Leitmeritz wurde; 1681 trat er in das Prämonstratenserkloster Strahov ein. – Bekannt ist F. durch seine Evangelienmusik »Actus musicus de Divite et Lazaro«, eines der ersten deutschen Oratorien.

Werke: Vom Reichen Manne u. Lazaro. Actus musicus de divite et Lazaro, hrsg. v. Hans Engel, 1936 (H. 5 der Denkmäler der Musik in Pommern); Wiederkehrung z. kath. Kirche, 1668 (Nachdr. Köln 1669; Prag 1762); Streitschr. gg. die ev. Kirche.

Lit.: Johann Gottfried Walther, Musikal. Lex., 1732. Faks.-Ausg. v. Richard Schaal, 1953, 264 f. (1967³); – E. Müller, Conversion des Berliner Propstes A. F., in: Berliner Bonifacius-Kal., 1873, 2 ff.; 1874, 77 ff.; – Ders., A. F. als Propst u. Mönch, ebd. 1883, 139 ff.; – Rudolf Schwartz, Das erste dt. Oratorium, in: Mbl. der Ges. f. pommersche Gesch. u. Altertumskunde, 1898/1899, 59 ff.; auch in: Jb. der Musikbibl. Peters 5, 1899, 66 ff.;

u. in: JBrKG 25, 1930, 181 ff.; – Arnold Schering, Gesch. des Oratoriums, 1911, 141. 148. 154 f.; – Hans Engel, Drei Werke pommerscher Komponisten, 1931, 5 ff.; – Räß VII, 333 ff.; XIII, 283 ff.; – Kosch, KD 868; – Jöcher II, 781 f.; – ADB VIII, 139. 796; – NDB V, 657; – MGG IV, 1007 f.; – Riemann I, 557 f.; – Moser I, 375; – HN IV, 402; – LThK IV, 398.

FROMMEL, Emil, Pfarrer und Volksschriftsteller, * 5. 1. 1828 in Karlsruhe als Sohn des Kupferstechers und Malers Karl Ludwig F. (1789–1863), † 9. 11. 1896 in Plön (Schleswig-Holstein), beigesetzt auf dem Garnisonfriedhof in Berlin. – F. besuchte eine Zeitlang bei Verwandten in Straßburg das Gymnasium und wurde von Franz Härter (s. d.) konfirmiert. Er studierte in Halle und Erlangen und kam dort durch die Begegnung mit einem deutsch-russischen Kandidaten der Theologie zum lebendigen Glauben an Christus. Er schied aus der studentischen Verbindung aus, sagte dem bisherigen Tun und Treiben Lebewohl und widmete sich ganz dem Studium der Theologie. F. wurde Vikar in dem am Rhein gegenüber Speyer gelegenen Dorf Altlußheim. Mit seinem Bruder Max Frommel (s. d.) unternahm er eine Italienreise und verlebte dann noch eine kurze Vikarszeit bei Aloysius Henhöfer (s. d.) in dem Hardtdorf Spöck. F. verheiratete sich mit der Tochter Amalie des Oberkirchenrats Karl Christian Wilhelm Felix Bähr (s. d.) in Karlsruhe und wurde Pfarrverweser in Altlußheim. 1854 kam er als Hof- und Stadtvikar nach Karlsruhe. Seine Predigten übten durch ihren volkstümlichen, farbenreichen Stil und vor allem durch die Kunst, Erzählungen einzuflechten, eine große Anziehungskraft aus. Es war für ihn eine unruhige, aufreibende Zeit angestrengter Berufsarbeit und schwerer kirchlicher Kämpfe. Die liberalen Theologen unter Führung Daniel Schenkels (s. d.) reformierten in liberalem Sinn Verfassung, Agende und Katechismus und drängten den positiven Einfluß zurück. 1864 folgte F. dem Ruf als Pfarrer nach Barmen, wo er genötigt war, ein tiefgründiges Bibelstudium und eifrige Seelsorge zu treiben. Er hielt auf seinem Posten tapfer aus, obwohl seine Künstlerseele im Wuppertal nicht so recht aufatmen konnte. Darum empfand es F. als eine Befreiung vom inneren Druck, als er 1869 als Garnisonprediger nach Berlin berufen wurde und am 25. 2. 1870 dort sein neues Amt antrat. Auf sein dringendes Ersuchen wurde F. im September 1870 als »außeretatsmäßiger Feld-Divisionspfarrer« zur Gardelandwehrdivision vor das belagerte Straßburg beordert. Er erhielt 1872 den Titel eines Hofpredigers und trat in enge seelsorgerliche Beziehungen zum Kaiserhaus, zumal er Wilhelm I. 14mal zu einem Kuraufenthalt in Bad Gastein begleiten durfte. F. wurde 1875 Mitglied der Generalsynode und gehörte auf der Provinzial- und Generalsynode der Evangelischen Vereinigung, der Mittelpartei, an. F. erfreute sich auch der Gunst Wilhelms II. und besonders der Kaiserin Auguste Viktoria (s. d.) und wurde häufig zu Predigten in der Schloßkapelle herangezogen. Im März 1894 begleitete er den Kaiser auf einer Reise nach dem italienischen Seebad Abbazia in Istrien. 1895 mußte sich F. wegen eines Nierenleidens einer gefährlichen Operation unterziehen. Danach fühlte er, daß seine alte Kraft nicht wiederkehrte, und bat den Kaiser um seine Entlassung aus dem Militärpfarramt. In dem reizend zwischen Seen und Wäldern gelegenen Plön, wo er die beiden

ältesten Söhne Wilhelms II. auf die Konfirmation vorbereitete, erholte sich F. zwar, mußte aber, da das Leiden von neuem auftrat, sich noch einmal operieren lassen. – F. war ein hervorragender Prediger. Weit über die Berliner Gemeinde hinaus wirkte er als Volksschriftsteller. Er war ein Meister der Kurzgeschichte. Quellen seiner Erzählungskunst sind seine Heimat- und Jugenderinnerungen und seine Erlebnisse im Amt und auf Reisen.

Werke: Predigten: Die 10 Gebote Gottes, 1857; Das Gebet des Herrn, 1861; In Fest- u. Fastenzeit, 1872; Das Ev. Lk, 1895 ff. – Erzz.: Das Heinerle u. Lindelbronn; Chron. eines geistl. Herrn; Aus der Hausapotheke; Aus allen vier Winden; Beim Ampelschein; Festflammen; Nachtschmetterlinge; Beim Lichtspan; Pfingstrosen; O Straßburg, du wunderschöne Stadt; In des Königs Rock; Ernstes u. Heiteres; Aus einem Kellnerleben; Aus der Sommerfrische. – Lb.: Alois Henhöfer; Maria v. Schaumburg-Lippe; Ludämilie v. Schwarzburg-Rudolstadt; Johann Abraham Strauß.

Lit.: D. Richter, Ein Kranz auf E. F.s Grab, 1897; – Max Reichard, Zur Erinnerung an E. F., 1897; – Hermann Scholz, Erinnerungen an E. F., in: ChW 1897, 209 ff.; – Hans Schöttler, E. F. Schlichte Bilder aus seinem Leben, 1897; – Ders., E. F., ein Menschensucher, 1932; – Konrad Kayser, E. F. Ein Lb., 1898; – Glob. Mayer, E. F. als christl. Volksschr.steller, 1898; – Otto Heinrich Frommel, F.s Lb., 2 Bde., 1900/01; – Ders., E. F. in: Neue Christoterpe 50, 1928, 33 ff.; – Theodor Kappstein, E. F., ein biogr. Gedenkbuch, 1906³; – Ders., E. F. Blicke in seine u. f. unsere Zeit, 1928 (1955³ u. d. T.: E. F. Seelsorger u. Menschenfreund); – Karl Hesselbacher, Silhouetten bad. Dichter, 1910; – Adolf Schmitthenner, Aus Dichters Werkstatt, 1911, 164 ff.; – Ludwig Schneller, E. F., in: Ders., Allerlei Pfarrherren, 1925, 49 ff.; – Otto Frommel, Persönl. Erinnerungen an E. F., in: ZW 4, 1928, 548 ff.; – Ders., E. F., Bürger zweier Welten, 1938; – Johannes Keßler, Ich schwöre mir ewige Jugend, 1936, 185 ff.; – A. v. Grolman, Über E. F., in: Elsässer Bauernkal., Straßburg 1942, 74 ff.; – Arno Pagel, Leben, Leuchten, Geben – das ist Christenart! Aus dem Leben des Hofpredigers E. F., in: Die Jugendhilfe 49, 1951, 324 ff. 364 ff.; – Anna Katterfeld, Die Frau Galeriedirektor. Aus dem Leben der Frau Henriette Frommel (E. F.s Mutter), 1951; – Dies., E. F. Blicke in sein Leben, 1951 (1952²); – Gerhard Hultsch, E. F. Ein Lehrer f. die Jugend, 1952; – Hans Brandenburg, Büchsel u. F. Zwei Zeugen Christi aus Nord u. Süd, 1966; – Kosch, LL I, 589; – ADB 49, 184 ff.; – NDB V, 660; – BJ I, 108 f.; – RGG II, 1164.

FROMMEL, Max, Theologe, * 15. 3. 1830 in Karlsruhe als Sohn des Kupferstechers und Malers Karl Ludwig F. (1789–1863), † 5. 1. 1890 in Celle. – F. wollte zuerst Künstler werden, wandte sich dann aber wie sein älterer Bruder Emil Frommel (s. d.) der Theologie zu. Er wurde als Student in Leipzig durch Adolf von Harleß (s. d.) und in Erlangen besonders durch Johann Christian Konrad von Hofmann (s. d.) und Gottfried Thomasius (s. d.) zum konfessionellen Lutheraner und trat darum 1852 als Vikar aus der unierten Landeskirche Badens aus. F. schloß sich den preußischen Altlutheranern an und wurde Hilfsprediger 1853 in Liegnitz und 1854 in Reinswalde bei Sorau und 1858 Pfarrer in Ispringen bei Pforzheim. Er löste sich mit seiner Gemeinde 1865 von dem Oberkirchenkollegium in Breslau und begründete sie als »badisch-lutherische Kirchengemeinde«. 1880 folgte er dem Ruf in die evangelisch-lutherische Landeskirche Hannovers als Generalsuperintendent und Konsistorialrat in Celle. – F. ist bekannt durch seine Predigt- und Erbauungsbücher, die sich durch Gedankentiefe und vollendete Form auszeichnen.

Werke: Kirche der Zukunft oder Zukunft der Kirche. Den Brüdern z. Dienst, den Gegnern z. Prüfung, 1869; Der Kampf der dt. Freikirche in der Ggw. u. seine Bedeutung f. die Zukunft, 1877; Charakterbilder z. Charakterbildung. Altes u. Neues, 1881 (1905⁶); Herzpostille (Evv.predigten), 1882 (1915⁵); Hauspostille (Epp.predigten), 1886 (1903⁸); Einwärts, Aufwärts, Vorwärts. Pilgergedanken u. Lebenserfahrungen, 1886² (1902⁸); Pilgerpostille, 1890 (1893²).

Lit.: M. F. u. R. Löber, in: PBl 52, 1910, 205 ff.; – ADB 49, 202 ff.; – NDB V, 660 f.; – RGG II, 1164 f.

FROSCH, Johannes, Bahnbrecher der Reformation in Augsburg, * um 1490 in Bamberg, † 1533 in Nürnberg. – F. trat in Toulouse in den Karmeliterorden ein. Seit 1514 studierte er in Wittenberg. 1517 wurde F. Prior der Karmeliter zu St. Anna in Augsburg. Er nahm 1518 Martin Luther (s. d.) gastlich auf und begleitete ihn zum Verhör vor Cajetan (s. d.). F. verkündigte offen das lautere Evangelium als Luthers Gesinnungsgenosse und Anhänger. Darum stellte ihn der Rat 1522 mit Stephan Agricola (s. d.) als evangelische Prediger an der Kreuz- und Mauritiuskirche an. 1527 hielt er eine Disputation mit den Täufern, die sich in Augsburg festsetzen wollten, dann aber gefangengenommen wurden. Als strenger Lutheraner wollte F. mit den Zwinglianern, die allmählich im Augsburger Rat die Mehrheit gewannen, keinerlei Gemeinschaft haben und wurde darum 1531 mit Agricola entlassen. Er ging als Prediger nach Nürnberg. – Zur Einführung deutschen Kirchengesanges verfaßte F. auch deutsche Psalmlieder, von denen seine Bearbeitung des 46. Psalms genannt sei: »Gott selbst ist unser Schutz und Macht.« Das Lied erschien 1529 auf einem Einzeldruck des Buchdruckers Wolfgang Köpphel in Straßburg und dann auch in den Straßburger Psalmen 1530, wurde aber durch Luthers »Ein feste Burg ist unser Gott« verdrängt.

Lit.: Matthias Simon, J. F., in: Lb. aus dem Bayer. Schwaben II, 1953, 181 ff.; – Adolf Layer, Augsburger Musikkultur der Renaissance, in: Musik in der Reichsstadt Augsburg, hrsg. v. Ludwig Wegele, 1965; – Koch I, 405 f.; II, 475 f.; – MGG IV, 1011 ff.; – Riemann I, 558; ErgBd. I, 385; – ADB VIII, 147 f.; – NDB V, 663 f.

FROUDE, Richard Hurrel, anglikanischer Theologe, Mitbegründer der Oxfordbewegung, * 25. 3. 1803 in Dartington (Devonshire), † daselbst 28. 2. 1836. – F. war 1827–32 Tutor am Oriel College in Oxford und mit John Henry Newman befreundet. Er wurde Mitbegründer der Oxfordbewegung, der inneren, liturgisch-theologischen Erneuerungsbewegung der Kirche von England im 19. und 20. Jahrhundert. Mit Newman reiste F. 1832 nach Rom, um den Katholizismus an seinem Mittelpunkt kennenzulernen, war aber weithin enttäuscht und blieb Anglikaner, während Newman 1845 zur römisch-katholischen Kirche übertrat.

Lit.: Remains of the late Reverend R. H. F., hrsg. v. John Henry Newman u. John Keble, 4 Bde., London 1838–39; – Richard William Church, The Oxford Movement, ebd. 1892, 34–64; – Louise Imogen Guiney, H. F. Memoranda and comments, ebd. 1904; – John Henry Newman, Apologia, 1957², 43 ff.; – DNB XX, 290 ff.; – LThK IV, 408; – NCE VI, 213.

FRUCTUOSUS, Erzbischof von Braga, eifriger Förderer des Mönchwesens auf der Pyrenäischen Halbinsel, Heiliger, † um 665. – F. stammt aus dem Königsgeschlecht der Westgoten in Spanien. Er besuchte die Schule, die der Bischof von Palencia zur Ausbildung seiner Kleriker gegründet hatte. F. verkaufte seine Güter und verwandte den Erlös zur Unterstützung der Armen und zu Klosterstiftungen. Er selbst zog sich in die Einsamkeit zurück, übernahm aber auf Bitten der Mönche von »Complutum« bei Astorga im nordwestlichen Leon die Aufsicht ihres Klosters. F. weckte in vielen die Neigung zum Klosterleben, so daß mehrere Neugründungen erfolgten. Er entwarf zwei Mönchsregeln, die sich durch große Strenge, besonders der Askese, auszeichneten: die eine für »Complutum« in

25 Kapiteln, die andere, »Regula communis«, mit 20 Kapiteln für die Klöster, die ganze Familien aufnahmen. F. wurde später Bischof von Duma (Portugal). Die Synode in Toledo übertrug ihm 656 die Verwaltung des Erzbistums Braga. Seine Reliquien wurden 1102 nach San Jago in Compostella übergeführt und sollen zahlreiche Wunder gewirkt haben. Sein Festtag ist der 16. April.

Werke: MPL 80, 690 ff.; 87, 1087 ff.

Lit.: Lukas Holstenius – M. Brockie, Codex regularum monasticarum et canonicarum I, Augsburg 1759, 200 ff.; – Antonio Caetano do Amaral, Vida e régras religiosas de S. Fructuoso Bracarense, Lissabon 1805; – Pius Bonifatius Gams, KG v. Span. II/2, 1874, 152 ff.; – Otto Zöckler, Askese u. Mönchtum, 1897², 378 ff.; – Ildefons Herwegen, Das Paktum des Hl. F. v. B. Ein Btr. z. Gesch. des suevisch-westgot. Mönchtums u. seines Rechts, 1907; – G. A. Ferreira, Fastos episcopales da Igreja primacial de Braga, Braga 1928, 106 ff.; – Zacarías García-Villada, Historia eclesiástica de España II, Madrid 1936, 317 ff.; – Justo Pérez de Urbel, Los monjes españoles en la edad media I, ebd. 1945², 377 ff.; – Francis Clare Nock, Vita Sancti Fructuosi; text, with a traduction, introduction, and commentary (Diss. Catholic University of America), Washington 1946; – Mario Martins, O monacato de S. F. de B., in: Biblos 26, Coimbra 1950, 315 bis 412; – Justo Fernández Alonso, La cura pastoral en la España romano-visigoda, Madrid 1955, 488 ff.; – Flórez XV, 141 ff.; – BS V, 1295 f.; – MartRom 140; – AS Apr. II, 431 ff.; – AS OSB II, 581 ff.; – Catholicisme IV, 1655 f.; – EC V, 1790 f.; – LThK IV, 410 f.; – NCE VI, 213; – RE VI, 306 f.; – RGG II, 1168 f.

FRUCTUOSUS, Bischof von Tarragona und Märtyrer, † 21. 1. 259. – Während der Christenverfolgung unter Valerianus (s. d.) und Gallienus (s. d.) wurde F. gemeinsam mit seinen Diakonen Augurius und Eulogius ins Gefängnis geworfen. Sie legten vor Gericht ein standhaftes Bekenntnis ab und wurden zum Feuertod verurteilt. Unter Gebet und Segen bestiegen die drei den brennenden Scheiterhaufen.

Lit.: Thierry Ruinart, Acta primorum martyrum, 1859⁵, 264 ff.; – Plieninger, F., in: Ferdinand Pipers J. 12, 1861, 82 ff.; – Pius Bonifatius Gams, KG. v. Span. I, 1862, 265 ff.; – Zacarías García-Villada, Historia eclesiástica de España I, Madrid 1929, 257 ff.; – J. Vivès, in: Analecta Sacra Tarraconensia 8, Barcelona 1933, 247 ff.; – Pio Franchi de' Cavalieri, ebd. 129 ff.; – Ders., Note agiografiche 8 (StT 65), Rom 1935, 127 ff.; – Joan Serra i Vilaró, Fructuós, Auguri i Eulogi, màrtirs sants de Tarragona, Tarragona 1936; – Ders., Sepulcros y ataúdes de la necrópolis de S. F., Tarragona-Ampurias 1944, 179 ff.; – Angel Fábrega Grau, Pasionario Hispánico I, Madrid 1953, 86 ff.; II, 1955, 183 ff.; – Giuseppe Lazzati, Gli sviluppi della letteratura sui martiri nei primi quattro secoli, Turin 1956; – BS V, 1296 ff.; – Réau III, 549 f.; – AS Jan. II, 339 ff.; – DCB II, 571 f.; – LThK IV, 411; – NCE VI, 214; – RE VI, 307.

FRÜHWIRT, Andreas (Taufname: Franz), Dominikaner, Kardinal, * 21. 8. 1845 in St. Anna am Aigen (Steiermark), † 9. 2. 1933 in Rom. – F. trat 1863 in den Dominikanerorden ein und lehrte 1871–76 am Ordenshaus in Graz und 1885–90 in Wien. Er war seit 1880 Provinzial der österreichisch-ungarischen Ordensprovinz und wurde 1891 Generalmagister des ganzen Ordens und als solcher Konsultor des hl. »Offizium«. Pius X. (s. d.) ernannte ihn 1908 zum Apostolischen Visitator in Österreich, Titularerzbischof von Heraklea und Nuntius in München und Benedikt XV. (s. d.) 1915 zum Kardinal. F. lebte seit 1917 in Rom und wurde 1925 Großpönitentiar und 1927 Kanzler der Römischen Kirche. Er hat sich um die Herausgabe der Werke des Thomas von Aquin (s. d.) und des Albertus Magnus (s. d.) große Verdienste erworben.

Lit.: AOP 23, 1925, 9 ff. (Festschr. zu F.s 80. Geb.); – Martin Stanislas Gillet, Litterae de obitu Em. mi. Card. F. A. F., ebd. 31, 1933, 97 ff.; – Angelus Walz, Kard. F., Wien 1950; – Kosch, KD 869; – Catholicisme IV, 1656 f.; – EC V, 1786 f.; – LThK IV, 438; – RGG II, 1169; – ÖBL I, 375 f.; – NDB V, 669 f.

FRUTOLF, Benediktiner, Chronist, † 17. 1. 1103. –
F. war Mönch und Priester des Klosters Michelsberg
bei Bamberg. Ob er tatsächlich Prior war, ist fraglich.
Von den verschiedenen ihm zugeschriebenen Schriften
sind nur zwei völlig ohne Zweifel sein eigenes Werk:
das »Breviarium de musica« und eine Weltchronik.
Zu dem »Breviarium de musica«, einer Kompilation
aus einer Reihe namhafter Quellen, gehört in der
Handschrift ein »Tonarius«, eine Abhandlung über
die Ordnung der gregorianischen Gesänge nach den
Kirchentönen. F.s Hauptwerk ist eine Weltchronik von
der Erschaffung der Welt bis zum Jahr 1101, eins der
bedeutendsten Geschichtswerke des Mittelalters. F.s
Weltchronik wurde in mittelalterlichen Quellen verschiedentlich erwähnt, galt aber als verloren, bis Hans
Breßlau sie wiederentdeckte und feststellte, daß die
Weltchronik des Ekkehard von Aura (s. d.) nicht dessen eigenes Werk, sondern eine tendenziöse Überarbeitung der Weltchronik des F. von Michelsberg ist.

Werke: Breviarium de musica et tonarius, hrsg. v. Cölestin Vivell, in: SAW 188, II, 1919; Weltchron., vermischt mit Ekke-
hards Werk, hrsg. v. Georg Waitz, in: MG SS VI, 33–223.

Lit.: Dominik Mettenleiter, Musikgesch. der Stadt Regensburg,
1866, 13–22; – Hans Breßlau, Bamberger Stud. II, die Chroniken
des F. v. Bamberg u. des Ekkehard v. Aura, in: NA 21, 1895,
197–234; – Cölestin Vivell, Das Breviarium de musica des Mönches F. v. Michelsberg, in: StMBO 34, 1913, 413 ff.; – Otto Ursprung, Die kath. Kirchenmusik, 1931, 87; – VerfLex V, 240 ff.;
– Wattenbach-Holtzmann I, 491 ff.; – Manitius III, 350 ff.; –
Riemann, ErgBd. I, 385; – LThK IV, 439.

FRY, Elizabeth, Bahnbrecherin der weiblichen Gefangenenfürsorge, * 21. 5. 1780 in Earlham Hall bei Nor-
wich (Ostengland) als Tochter des Quäkers John Gurney, eines Gutsbesitzers, † 12. 10. 1845 in Ramsgate
(Kent). – E. F. verlor mit 12 Jahren ihre fromme Mutter und geriet nun immer mehr in weltliches Leben
und Treiben, bis sie mit 18 Jahren, durch die Predigt
eines amerikanischen Quäkers erweckt, eine entschiedene Quäkerin wurde. 1800 heiratete sie den Quäker
Joseph Fry, einen reichen Londoner Handelsherrn, der
aber 1828 Bankrott machte, und wurde in glücklicher
Ehe Mutter von 11 Kindern. E. F. gründete auf dem
Familienlandsitz Plashet House bei London eine Mädchenschule und betätigte sich auch in der Armenpflege.
Sie besuchte 1813 das Gefängnis in Newgate in London und erkannte angesichts der grauenhaften Zustände dort als ihre Lebensaufgabe die Fürsorge für
die weiblichen Gefangenen. Sie entfaltete als »Engel
der Gefangenen« eine rege und gesegnete Wirksamkeit in England, Schottland und Irland und erreichte
durch ihr mutiges und zielbewußtes Auftreten bei den
Behörden, daß Frauengefängnisse unter weiblicher
Aufsicht geschaffen oder in den Gefängnissen besondere Abteilungen für Frauen eingerichtet wurden. Sie
sorgte dafür, daß den Gefangenen Arbeit und Unterricht, Gottesdienst und Seelsorge gewährt wurden.
1817 gründete E. F. den »Frauenverein zur Besserung
weiblicher Sträflinge«. Seit 1837 besuchte sie viele Gefängnisse des europäischen Festlandes und warb überall, auch bei Fürsten und Ministern, Königen und Königinnen, um Mitarbeit an der Gefängnisreform und
Gefangenenfürsorge. Bei Friedrich Wilhelm IV. von
Preußen (s. d.), der ihren Besuch 1842 in London erwiderte, fand E. F. volles Verständnis für ihre Bestrebungen und wirkte anregend auf Theodor Fliedner
(s. d.) und Johann Hinrich Wichern (s. d.).

Werke: Observations on the visiting, superintendence and government of female prisoners, London 1827; Texts for every
Day in the Year, principally practical and devotional, ebd. 1831.

Lit.: Memoir of the Life of E. F., ed. Katharine Fry and Rachel
Cresswell, London 1847; – Memoirs of the life of E. F., 2 Bde.,
ebd. 1848 (dt.: Leben u. Denkwürdigkeiten der E. F., 2 Bde.,
Hamburg 1858³); – John Howard, Der Zustand der Gefängnisse
in Engl. u. Wales, 1848; – Susanna Corder, Life of E. F., 1853;
– John Ashton, The Dawn of the 19th Century in England. A
social sketch of the times, 2 Bde., London 1886; – Georgina
King Lewis, E. F., ebd. 1910 (dt. Ausg. v. Friedrich Siegmund-
Schultze, 1911); – Ernst Kochs, E. F., der Engel der Gefangenen,
1913; – Hanna Beckmann, Ev. Frauen in bahnbrechender Liebes-
tätigkeit im 19. Jh., 1927; – Elizabeth Gurney, E. F.'s Journeys
on the Continent 1840–41, from a Diary kept by her Niece Eli-
zabeth Gurney, ed. R. Brimley Johnson, London 1931; – Janet
Payne Whitney, E. F., Boston 1936 (dt. 1939); – Doris Mary
Bromby, E. F., Exeter 1937; – Wilfred Monod, E. F., Paris 1940;
– Morwenna Rayson Bielby, Lady in Prison (E. F.), Edinburgh
– London 1942; – Rudolf Stickelberger, Der schiefergraue Engel.
Das Leben der Quäkerin E. F., Basel 1942 (1946: 4. Tsd.); –
Marion Catherine Barne-Streatfeild, E. F. A story biography,
Harmondsworth 1950; – Dies., E. F., London 1953; – Jörg Erb,
Die Wolke der Zeugen I, 1951, 411 ff.; – Elisabeth Rotten, E. F.
u. Mathilde Wrede, Gefängniswesen in Engl., in: Zschr. f.
Strafvollzug 2, 1951, 44 ff.; – Hans Ziegler, E. F. Kgn. im
Reich der Barmherzigkeit, 1952; – Priscilla Bailey, E. F., Lon-
don 1953; – Patrick Pringle, The Prisoner's Friend. The story
of E. F., ebd. 1953; – Frauen im Dienst der Liebe, Bielefeld
1955, 13–17; – Evelyne Elizabeth McIntrosh Jardine-White,
Women of Devotion and Courage. Nr. 1: E. F., London 1957; –
Friedrich Hauß, Väter der Christenheit III, 1959, 150 ff.; –
E. F., in: Zschr. f. Strafvollzug 9, 1959/60, 195 ff.; – Dennis
Bardens, The True Book about E. F., London 1961; – John
Henry Somerset Kent, E. F., London 1962; – EBrit IX (1968),
974 f. – DNB XX, 294; – RE VI, 308; – EKL I, 1405; – RGG
II, 1169; – LThK IV, 439 f.; – NCE VI, 215.

FUCHS, Alois, kath. Theologe, * 19. 6. 1877 in Andernach (Rhein), † 25. 7. 1971 in Paderborn. – F. besuchte das Theodorianum in Paderborn und studierte
Philosophie und Theologie in Paderborn, Tübingen und
Münster. 1900 empfing er die Priesterweihe und war
dann – jeweils für kurze Zeit – Kaplan in Dortmund,
Repetent am Leokonvikt in Paderborn und Subregens
am dortigen Priesterseminar. 1907 promovierte F. in
Tübingen zum Dr. theol. 1910 wurde er Professor für
Apologetik und Geschichte der Philosophie an der
philosophisch-theologischen Akademie in Paderborn
und lehrte seit 1911 auch Kunstgeschichte. 1938 wurde
F. in das Metropolitankapitel von Paderborn berufen.
1947 verlieh ihm die Philosophische Fakultät der Universität Münster die Ehrendoktorwürde, und die Stadt
Paderborn ernannte ihn zum Ehrenbürger. 1955 wurde er päpstlicher Hausprälat. Sein eigentliches Ar-
beits- und Forschungsgebiet war die Kunstgeschichte.
Seine Arbeiten auf dem Gebiet der Kunst- und Kulturgeschichte des Paderborner Raumes waren bahnbrechend. F. war Fachberater des Baudezernats im Paderborner Generalvikariat. Für die Domrenovierung
1924–26 war er der entscheidende Berater und stellte
bei dem Wiederaufbau des Domes nach dem 2. Weltkrieg seine reichen wissenschaftlichen Erfahrungen
zur Verfügung.

Werke: Der Paderborner Domschatz, 1914; Die Tragaltäre des
Rogerus in Paderborn. Btr. z. Rogerusfrage, 1916; Die Reste des
Atriums der karoling. Domes zu Paderborn, 1923; Die Jesuitenkirche in Büren, 1925; Die karoling. Westwerke u. a. Fragen der
karoling. Baukunst, 1929; Im Streit um die Externsteine. Ihre
Bedeutung als christl. Kultstätte, 1934; Der Dom zu Paderborn,
1936; Die Wallfahrtskapelle Le Corbusiers in Ronchamp. Krit.
beurteilt, 1956; Paderborn, 1965. – Bibliogr., in: Festg. f. A. F.
z. 70. Geb. Hrsg. v. Wilhelm Tack, 1947, 521 ff.

Lit.: Festg. f. A. F. z. 70. Geb. Hrsg. v. Wilhelm Tack, 1950; –
Josef Ernst, Zum Gedenken an Domkapitular Prälat Prof. Dr.
Dr. A. F., in: ThGl 61, 1971, 441 ff.; – Karl-Josef Schmitz,
A. F. – Leben u. Werk, ebd. 62, 1972, 34 ff.; – Klemens Hon-
selmann, A. F., in: Westfäl. Zschr. 121, 1971, 461 ff.; – Kosch,
KD 871 f.

FÜGER, Kaspar (der Ältere), Kirchenliederdichter, * vor 1521 in Dresden, † daselbst nach 1592. – F. war sächsischer Hofprediger in Torgau, dann Pfarrer an der Kreuzkirche in Dresden. Er ist bekannt als Dichter des Weihnachtsliedes »Wir Christenleut habn jetzund Freud« (EKG 22).

Lit.: Koch II, 215 f.; – Hdb. z. EKG II/1, 94 f.; – Kümmerle IV, 446 ff.

FÜHRICH, Joseph Ritter von (1861), Maler, * 9. 2. 1800 in Kratzau (heute: Chrastava, Nordböhmisches Gebiet) als Sohn eines Malers, † 13. 3. 1876 in Wien (kath.). – F. lernte zuerst bei seinem Vater, der schon früh den künstlerischen Sinn des Sohnes geweckt hatte. Mit Unterstützung seines Gutsherrn, des Grafen Christian Clams-Gallas, kam er 1819 auf die Prager Kunstschule. Durch Vermittlung des Fürsten Metternich erhielt F. ein Reisestipendium für Italien. In Rom, wo er im Januar 1827 eintraf, schloß sich F. dem Kreis um Johann Friedrich Overbeck (s. d.) an, dem 1809 in Wien gegründeten »Lukasbund«, der eine Erneuerung der Kunst auf religiöser Grundlage erstrebte. Die Lukasbrüder siedelten 1810 nach Rom über und bezogen das leerstehende Kloster San Isidore am Pincio. Damit war die Richtung von F.s eigener Kunst bestimmt. An der Ausgestaltung des Casino Massimi mit Fresken zur italienischen Dichtung durfte er mitarbeiten. 1829 kehrte F. als »Nazarener« nach Prag zurück, folgte aber 1834 einem Ruf nach Wien und blieb dort mit Unterbrechungen durch Aufenthalte in Venedig (1838) und in Nordböhmen (Schönlinde 1848–50). Er war bis 1840 Kustos an der Akademischen Gemäldegalerie und danach bis 1872 Professor an der Akademie der bildenden Künste. – F. ist der bedeutendste Vertreter des späten Nazarenertums, das Haupt der religiösen Epoche in Österreich.

Werke: Der barmherzige Samariter (Wien, Östr. Galerie); Moses auf dem Berge Horeb, 1832 (ebd.); Waldesruhe, 1835 (ebd.); Jakob begegnet Rahel bei den Herden ihres Vaters, 1836 (ebd.); Gang nach Golgatha, 1839 (ebd.); Maria überschreitet das Gebirge, 1841 (ebd.); Vision der Bewohner Jerusalems, 1844 (ebd.); Gang nach Emmaus, 1837 (Bremen, Kunsthalle); Kreuzweg-Fresken, 1844–46 (Johann-Nepomuk-Kirche in Wien); Freskenzyklus, 1854–61 (Altlerchenfelder Kirche in Wien).

Lit.: Selbstbiogr., 1884; hrsg. v. C. Oswald, Lebenserinnerungen, Höchst-Bregenz 1926; – Sebastian Brunner, J. Ritter v. F., 1888; – Moriz Dreger, J. F., Wien 1912; – Heinrich v. Wörndle, J. Ritter v. F., sein Leben u. seine Kunst, 1912; – Ders., J. F.s Werke. Nebst dokumentar. Btrr. u. Bibliogr., Wien 1914; – Paul Ferdinand Schmidt, J. v. F.s rel. Kunst, 1920; – Gustav Pauli, Die Kunst des Klassizismus u. der Romantik, 1925; – Wilhelm Tetzel, J. v. F., 1925; – Josef Kreitmaier, J. Ritter v. F., ein Künstler-Apostel, in: StZ 111, 1926, 294 ff.; – Karl Krattner, J. Ritter v. F. in: Sudetendt. Lb. I, hrsg. v. Erich Gierach, Reichenberg 1926, 168 ff.; – Hans Geller, Ernste Künstler, fröhliche Menschen. J. F. u. seine Freunde. Zeichnungen u. Aufzeichnungen dt. Künstler in Rom zu Beginn des 19. Jh.s, 1947; – J. v. F., Der Bethlehemitische Weg. Eine katechet. Einf. v. Heinrich Mayer, Wien 1948; – J. v. F., Er ist auferstanden! Bilder. Erkl. v. Theodor Innitzer, ebd. 1949; – J. v. F., Der verlorene Sohn. Nach den F.-Bildern erkl. v. Johann Seipel, hrsg. v. Jakob Schäfer, ebd. 1949; – Thieme-Becker XII, 558 f.; – KML II, 494 ff.; – ÖBL I, 380 f.; – ADB VIII, 185 ff.; – NDB V, 688; – LThK IV, 442.

FÜLLKRUG, Gerhard, Theologe, * 6. 7. 1870 als Pfarrerssohn in Krotoschin (Provinz Posen), † 11. 11. 1948 in Neinstedt (Harz). – F. studierte in Tübingen, Berlin, Erlangen und Halle und promovierte 1899 in Jena zum Lic. theol. Er wurde 1900 Pfarrer in Bentschen und kam in Berührung mit der Jugendarbeit und dem Werk der Inneren Mission. Nach kurzem Wirken im Pfarramt an der Martini- und Auferstehungskirche in Kassel (1915/16) wurde F. als Geschäftsführender Sekretär in den Central-Ausschuß für Innere Mission berufen und übernahm die Leitung des »Komitees für Seemannsmission« und die Redaktion der Zeitschrift »Die Innere Mission«. Er erstrebte den internationalen Zusammenschluß aller Zweige der Inneren Mission und der Diakonie. 1923 wurde die »Kontinentale Konferenz für Innere Mission und Diakonie« gegründet und F. zu deren Geschäftsführer berufen. Die Theologische Fakultät der Universität Berlin verlieh ihm 1922 die Ehrendoktorwürde. – F. ist bekannt als einer der Bahnbrecher der kirchlichen Volksmission.

Werke: Jesus in der Kleinstadt. Sonntagspredigten, 1912; Zur Seelenkunde der weibl. Jugend. Die Neugeburt des Ich, 1913; Die Mutter als rel. Erzieherin ihrer Kinder, 1918; Glückliche Familien. Eine Lebensfrage f. das dt. Volk, 1919; Kämpfe u. Kränze. Predigten f. das innere Leben des Christen, 1920; Das Rätsel des Todes, 1920; Der Selbstmord. Eine moralstatist. u. volkspsycholog. Unters., 1920; Die Bedeutung der Volksmission f. die Erweckung u. Erneuerung unseres Volkes, 1920; Unsere Bibel u. ihre Bedeutung im Volksleben, 1922; 400 J. Lutherbibel, 1922; Das hl. Abendmahl, 1922; Die Botschaft des heiml. Kg.s, 1923. – Gab heraus: Vom Worte. Worte an das dt. Haus (mit Gerhard Tolzien), 1915 ff.; Hdb. der Volksmission, 1919; Die innere Mission im ev. Dtld. (mit Martin Hennig, Friedrich Mahling), 1920 ff.; Die Volksmission. Mschr. f. Evangelisation, Apologetik u. Vertiefung christl. Volkslebens (mit Ludwig Weichert), 1920 ff.; Zeitfragen der inneren Mission, 1920 ff.

Lit.: Die Rdsch. Mitt.bl. der IM 11, Nr. 7, 1940; – IM 38, 1948, H. 11/12; – NDB V, 689.

FÜRSTENBERG, Franz Freiherr von, münsterischer Staatsmann, * 7. 8. 1729 auf dem Familienbesitz Herdringen bei Arnsberg (Westfalen), † 16. 9. 1810 in Münster (Westfalen). – F. studierte 1746–48 an der Jesuitenschule in Köln, 1750–51 an der Universität Salzburg und 1751–53 in Rom und empfing 1757 die Weihe zum Subdiakon. Er wurde 1748 Domkapitular in Münster und Paderborn. Maximilian Friedrich von Königsegg (s. d.), Kurfürst von Köln und Bischof von Münster, ernannte ihn 1762 zum Minister für das Fürstbistum Münster und 1770 zum Generalvikar. F. leitete mit großer Machtbefugnis die Verwaltung des Hochstifts Münster, überwand die Schäden des Siebenjährigen Krieges und führte seine Reformen durch. Seine besondere Liebe und Fürsorge galten dem Schulwesen. Er veröffentlichte 1776 eine »Schulordnung« für das Gymnasium, die in ganz Deutschland Aufsehen erregte. Bei der Neuordnung der Elementarschulen stand ihm seit 1783 Bernhard Heinrich Overberg (s. d.) zur Seite. F. betrieb auch die Gründung einer Universität in Münster, die 1773 vom Papst und Kaiser bestätigt und 1780 eröffnet wurde. Zum Koadjutor wurde 1780 nicht F., sondern Erzherzog Maximilian Franz von Österreich, der Sohn der Maria Theresia, gewählt. F. erhielt seine Entlassung als Minister, behielt aber bis 1807 das Generalvikariat und die Leitung des Schulwesens. – F. war zunächst Vertreter der katholischen Aufklärung, überwand diese aber in seinen späteren Jahren. Er lernte die Fürstin Amalie von Gallitzin (s. d.) kennen. Zwischen beiden entstand eine vergeistigte Freundschaft. Seine Briefe an die Fürstin gehören zu den schönsten deutschen Briefen des Jahrhunderts. Im »Kreis von Münster« wurde F. sehr geschätzt.

Lit.: Wilhelm Esser, F. v. F., dessen Leben u. Wirken nebst seinen Schrr. über Erziehung u. Unterricht, 1842; – Joseph Galland, Die Fürstin Amalie v. Gallitzin u. ihre Freunde, 2 Bde., 1880; –

Joseph Esch, F. v. F. Sein Leben u. seine Schrr., 1891; – Heinrich Herold, F. v. F. u. Bernhard Overberg in ihrem gemeinsamen Wirken f. die Volksschule, 1893; – Anton Pieper, Die alte Univ. Münster 1773–1818, 1902; – Heinrich Joseph Brühl, Die Tätigkeit des Ministers F. Frhr. v. F. auf dem Gebiet der inneren Politik der Ftm. Münster 1763–1780 (Diss. Münster), 1905; – Johann Jakob Hansen, Ein Staatsminister u. Gen.vikar: F. v. F., in: Lb. hervorragender Katholiken des 19. Jh.s V, 1909; – Heinrich Hardewig, Die Tätigkeit des Frhr. v. F. f. die Schulen des Ftm. Münster (Diss. Münster), Hildesheim 1912; – August Schröder, Overberg u. F. in ihrer Bedeutung f. die geistige u. kulturelle Hebung der ländl. Bevölkerung (Diss. Münster), 1937; – Hermann Rothert, Westfäl. Gesch. III: Absolutismus u. Aufklärung, 1951; – Pierre Brachin, Le cercle de Münster (1779 bis 1806) et la pensée religieuse de F. L. Stolberg, Lyon 1952; – Leo Scheffczyk, Friedrich Leopold zu Stolbergs »Gesch. der Rel. Jesu Christi«. Die Abwendung der kath. KG.schreibung v. der Aufklärung u. ihre Neuorientierung im Zeitalter der Romantik, 1952; – Ernst Marquardt, F. v. F. als Staatsmann, in: Westfalen 31, 1953, 58 ff.; – Ewald Reinhard, Die Münsterische »Familia sacra«. Der Kreis um die Fürstin Gallitzin: F., Overberg, Stolberg u. ihre Freunde, 1953; – F., Fürstin Gallitzin u. ihr Kreis. Qu. u. Forsch., zsgest. v. Erich Trunz, 1955; – Ders., F.s Persönlichkeit u. geistige Welt, in: Westfalen 39, 1961, 1 ff.; – Westfalen 39, 1961 (Sonder-H. F. v. F.); – Kosch, KD 885 f.; – ADB VIII, 232 ff.; – NDB V, 696 ff.; – LThK IV, 471; – NCE VI, 229 f.; – RGG II, 1175 f.

FÜSSLE, Gottlieb, Prediger und Liederdichter der »Evangelischen Gemeinschaft«, * 4. 9. 1839 in Plochingen am Neckar, † 17. 3. 1918 in Stuttgart. – Mit 15 Jahren entschied sich F. für die Nachfolge und den Dienst Jesu. Er ließ sich mit seinen Eltern, die in demselben Jahr gläubig geworden waren, in die »Evangelische Gemeinschaft« aufnehmen. Nach sechsjähriger Probezeit im praktischen Dienst und eifrigen Studien empfing F. 1865 die Ordination zum Dieneramt und 1868 die zum Ältestenamt. Er begann 1865 seinen Dienst in Hallau bei Schaffhausen, mußte aber nach kurzer Zeit als Ausländer die Schweiz verlassen. Nun kam F. nach Reutlingen als Mitarbeiter seines väterlichen Freundes und Lehrers Johann Georg Wollpert (s. d.). 1868 wurde er nach Nordheim und ein Jahr später nach Stuttgart versetzt. 1872 wies man ihm wiederum Reutlingen als Arbeitsfeld zu. Von dort ging es 1875 nach Nürtingen und 1878 wiederum nach Stuttgart. – F. war der erste Prediger aus der Arbeit der »Evangelischen Gemeinschaft in Deutschland« und wurde im Lauf der Jahre einer ihrer führenden Männer. Seine Wirksamkeit war überaus gesegnet und erfolgreich. Wegen seiner schriftstellerischen Begabung wurde F. zum Schriftleiter der Zeitschriften der »Evangelischen Gemeinschaft« berufen. 43 Jahre – davon 23 Jahre nebenamtlich – leistete er diese Arbeit und brachte die Auflage dieser Zeitschriften, vor allem den »Evangelischen Botschafter«, auf eine beachtliche Höhe. F. war auch ein Dichter von Jugend an und hat einige Sammlungen seiner Gedichte veröffentlicht. Von seinen Liedern fanden 22 Aufnahme in dem Gesangbuch der »Evangelischen Gemeinschaft«. Genannt sei: »Nur eines kann dir wahren Frieden geben, nur eines macht dich wahrhaftig frei.«

Werke: Lebensblumen aus dem Garten des Ev., 1870[2]; Ewigkeitsklänge, 1875[2] (1880[3]); Veilchen unter Dornen. Leidenslieder, 1892 (1906[2]).

Lit.: Alfred Füßle, G. F., in: Zeugen des Lichtes, hrsg. v. Ernst Humburger, 1950, 16 ff.

FULBERT, Bischof von Chartres, * um 950 in Italien oder Frankreich, vermutlich in Aquitanien oder in der Diözese Laudun (= Laon), † 10. 4. 1028 in Chartres. – F. war in Reims Schüler des berühmten Gerbert von Aurillac (s. Silvester II.). Er begründete um 990 die Schule von Chartres, die er als Lehrer zu hoher Blüte brachte. F. wurde 1003 Kanzler der Kirche von Chartres, Schatzbewahrer der St. Hilariuskirche in Poitiers und 1006 wahrscheinlich auf Betreiben des Königs Robert, seines früheren Mitschülers, Bischof von Chartres. – F. war einer der einflußreichsten Theologen des 11. Jahrhunderts, Hauptträger und Pfleger des neu erwachenden wissenschaftlichen Lebens in Frankreich, das sich später zur Scholastik entwickelte. Er vertrat die Transsubstantiationslehre und förderte die Marienverehrung. Zu seinen Schülern zählten u. a. Berengar von Tours (s. d.) und Adelmann von Lüttich (s. d.).

Werke: MPL 141, 189–278 (Briefe, Reden, Traktate, liturg. Stükke).

Lit.: Karl Werner, Gerbert v. Aurillac, 1878, 273 ff.; – Christian Pfister, De Fulberti Carnotensis episcopi vita et operibus, Nancy 1885; – Jules Alexandre Clerval, Les écoles de Chartres au moyen âge du Ve au XVIe siècle, Paris 1895, 31 ff. 58 ff.; – Th. Heitz, Essai historique sur les rapports entre la philosophie et la foi de Bérenger à s. Thomas d'Aquin, ebd. 1909, 31 ff.; – Gabriel Robert, Les écoles et l'enseignement de la théologie pendant la première moitié du XIIe siècle, ebd. 1909, 158 f.; – Josef Anton Endres, Stud. z. Gesch. der Frühscholastik, in: PhJ 25, 1912, 364 ff.; – Ders.: in: BGPhMA 17, 1916, 21 ff.; – Franz Overbeck, Vorgesch. u. Jugend der ma. Scholastik, 1917, 161. 178 f.; – Joseph Rupert Geiselmann, Der Vorscholastik, 1926, 286 ff.; – Loren Carey Mac Kinney, Bishop F. of Ch., in: Isis 17, 1927, 285 ff.; – Ders., Bishop F. and Education at the School of Chartres, Notre Dame (Indiana) 1957; – Joseph de Ghellinck, Le mouvement théologique du XIIe siècle. Études, recherches et documents, Brügge 1948[2], 41 f. 48 f. 74. 134; – Yves Delaporte, F. de Ch. et l'école chartraine de chant liturgique au XIe siècle, in: ÉGr 2, 1957, 51 ff.; – José Martinez Canal, Los sermones marianos de San Fulberto de Ch., in: RThAM 29, 1962, 33 ff.; 30, 1963, 55 ff. 329 ff.; – Henri Barré, Prières anciennes de l'occident à la mère du Sauveur, Paris 1963, 150 ff.; – Frederick Behrends, Kingship and feudalism according to F. of Ch., in: MS 25, 1963, 93 ff.; – José M. Canal, Los sermones marianos de san F. de Ch. Conclusión, in: RThAM 33, 1966, 139 ff.; – Überweg II, 181 ff.; – Manitius II, 682 ff.; – Grabmann, SM I, 215 ff.; – RE VI, 310 f.; – RGG II, 1176; – DThC VI, 964 ff.; – Catholicisme IV, 1662 ff.; – DSp V, 1605 ff.; – LThK IV, 443; – NCE VI, 216 f.

FULCHER *von Chartres*, Geschichtschreiber, * 1059 in Chartres, † nach 1127. – F. war Mönch in der Abtei St. Père en Vallée, nahm 1095 an dem ersten Kreuzzug teil und wurde Kaplan bei Balduin I. (s. d.), dem zweiten König von Jerusalem. Er verfaßte eine bis 1127 reichende zuverlässige Geschichte des ersten Kreuzzugs und des Königreichs Jerusalem.

Werke: Historia Hierosolymitana (urspr.: Gesta Francorum cum armis Hierusalem peregrinantium), in: MPL 155, 823 ff. – Mit Erll. u. einem Anh. hrsg. v. Heinrich Hagenmeyer, Fulcheri Carnotensis Historia Hierosolymitana (1095–1127), 1913. – Transl. by Martha Evelyn McGinty, Philadelphia 1941. – A history of the expedition to Jerusalem 1095–1127. Transl. by Sister Frances Rita Ryan. Ed. with an introduction by Harold S. Fink, Knoxville 1970 (Rez. v. James A. Brundage, in: ChH 40, 1971, 213 f.).

Lit.: Heinrich v. Sybel, Gesch. des 1. Kreuzzuges, 1881[2], 46 ff.; – O. Herrigel, Historia Hierosolymitana des F. v. Ch., in: PrM 1914, 33; – Nicolae Iorga, Les narrateurs de la première croisade, Paris 1928; – Dana Carleton Munro, A Crusader, in: Speculum 7, 1932, 321 ff.; – Adolf Waas, Gesch. der Kreuzzüge, 2 Bde., 1956; – Wattenbach-Holtzmann 780 f.; – Manitius III, 428 ff.; – RE VI, 312; – RGG II, 1176; – LThK IV, 443 f.; – NCE VI, 217.

FULGENTIUS, Bischof von Ruspe (Nordafrika), * 468 in Telepte (Provinz Byzacene), † 1. 1. 533 in Ruspe. – F. wurde in jungen Jahren Prokurator seiner Vaterstadt, trat aber, durch Schriften des Aurelius Augustinus (s. d.) für das Mönchsleben gewonnen, gegen den Willen seiner Mutter in ein Kloster in der Provinz Byzacene ein, wo er sich der strengsten Askese unterwarf. Die Verfolgungen der Katholiken unter dem

Vandalenkönig Thrasamund vertrieben ihn zunächst in ein anderes Kloster, dann nach Sizilien und Rom. In die Heimat zurückgekehrt, lebte F. eine Zeitlang als einfacher Mönch in einem kleinen Inselkloster, wurde aber bald zum Abt und Priester geweiht und um 507 trotz seines ernsten Widerstrebens zum Bischof der kleinen Seestadt Ruspe (Provinz Byzacene) gewählt, aber kurz nach Antritt seines Amtes mit 60 anderen Bischöfen der Provinz von Thrasamund nach Sardinien verbannt. Um das kirchliche Leben auf der Insel machte er sich verdient durch Armenfürsorge und Gründung eines Klosters in Calaris und entfaltete auch eine rege theologisch-literarische Tätigkeit. Wahrscheinlich 515 berief ihn der Vandalenkönig nach Karthago zu einer Disputation mit den Arianern. Aus Furcht vor seinem Einfluß drangen die arianischen Bischöfe auf seine erneute Verbannung nach Sardinien. Seine Lage änderte sich 523 durch den Tod Thrasamunds: unter seinem Nachfolger, dem milden, den Katholiken geneigten Hilderich, durfte F. nach Afrika zurückkehren und verwaltete noch bis 532 vorbildlich sein Bistum. Dann zog er sich in das Inselkloster Circina an der nordafrikanischen Küste zurück, verbrachte aber die letzten Monate seines Lebens im Kloster in Ruspe. – F. hat erfolgreich gewirkt als Bekämpfer des Arianismus (s. Arius) der Vandalen und des südgallischen »Semipelagianismus« (s. Faustus von Reji) und Verteidiger der orthodoxen Trinitätslehre, Christologie und augustinischen Gnadenlehre. Seine Schriften sind hauptsächlich dogmatisch-polemischen Inhalts. Der Verfasser der ausführlichen anonymen Lebensbeschreibung des F. ist vermutlich Ferrandus (s. d.), Diakon in Karthago.

Werke: Antitrinitar. Schrr.: Contra Arianos liber unus; Ad Thrasamundum regem Vandalorum libri tres; Adversus Pintam liber unus; De Spiritu sancto ad Abragilam presbyterum commonitorium parvissimum; Contra sermonem Fastidiosi Ariani ad Victorem liber unus; Contra Fabianum libri decem; De trinitate ad Felicem notarium liber unus; De fide seu de regula verae fidei ad Petrum liber unus; De incarnatione filii Dei et vilium animalium auctore ad Scarilam liber unus; De remissione peccatorum ad Euthymium liber duo. – Antipelagian. Schrr.: Ad Monimum libri tres; De veritate praedestinationis et gratiae Dei ad Ioannem et Venerium libri tres; Contra Faustum Reiensem libri septem. – 13 Briefe u. etwa 7 Predigten. – Ausg. v. Luc Urbain Mangeant, Paris 1684; Venedig 1742; Nachdr. bei MPL 65, 117–959; BKV² II, 9.

Lit.: Joseph Feßler, Institutiones Patrologiae, hrsg. v. Bernhard Jungmann, II/2, Innsbruck 1896², 398 ff.; – Friedrich Wörter, Zur DG des Semipelagianismus, 1900, c. 3: Die Lehre des F.; – Gerhard Ficker, Zur Würdigung der Vita Fulgentii, in: ZKG 21, 1901, 9 ff.; – Henri M. Leclercq, L'Afrique chrétienne II, Paris 1904, 204 ff.; – Gustav Krüger, Ferrandus u. F.; in: Harnack-Ehrung. Btrr. z. KG ihrem Lehrer Adolf v. Harnack z. 70. Geb. dargebr. v. einer Reihe seiner Schüler, 1921, 219 ff.; – Hans v. Schubert, Gesch. der christl. Kirche im Früh-MA, 1921, 81 ff.; – Joseph Stiglmayr, Das »Quicumque« u. F. v. R., in: ZKTh 49, 1925, 341 ff.; – Bernhard Nisters, Die Christologie des hl. F. v. R. (Diss. Münster), 1929; – Vie de s. F., Paris 1929 (vermutl. übers u. hrsg. v. Gabriel G. Lapeyre); – Gabriel G. Lapeyre, St. F. de R., un évêque catholique africain sous la domination vandale. Essai historique, ebd. 1929; – Ders., L'Ancienne église de Carthage, 2 Bde., ebd. 1932; – F. di Sciascio, Fulgenzio di Ruspe. Un grande discepolo di Agostino, Rom 1941; – J. Beumer, Zw. Patristik u. Scholastik. Gedanken z. Wesen der Theol. an Hand des Liber de fide ad Petrum des hl. F. v. R., in: Gregorianum 23, 1942, 326 ff.; – Alois Grillmeier, F. v. R. De Fide ad Petrum u. die Summa Sententiarum. Eine Stud. z. Werden der frühscholast. Systematik, in: Scholastik 34, 1959, 526 ff.; – Pauly-Wissowa VII, 214 ff.; – Kl. Pauly II, 568; – Schanz IV/2, 575 ff.; – Bardenhewer V, 303 ff.; – Altaner⁷ 489 f.; – Chalkedon II, 802 ff. u. ö.; III, 115 ff. u. ö.; – DCB II, 576 ff.; – DThC VI, 968 ff.; – EC V, 1802 ff.; – LThK IV, 447 f.; – NCE VI, 220; – RE VI, 316 ff.; XXIII, 492; – RGG II, 1177.

FULKO von Neuilly, Volksprediger, † 2. 3. 1201 in Neuilly bei Paris. – F. war Pfarrer in Neuilly und ist bekannt als gewaltiger Buß- und erfolgreicher Kreuzzugsprediger. Er suchte die der Kirche völlig Entfremdeten auf und drang in die Schlupfwinkel der Dirnen, strafte auch die Kleriker und Fürsten und erduldete willig Spott und Hohn, auch Kerkerhaft. Mit päpstlicher Vollmacht zog F. durch das Land und warb für den vierten Kreuzzug. Auf dem Kapiteltag des Zisterzienserordens 1201 versicherte er, innerhalb der drei Jahre als Kreuzzugsprediger 200 000 Männern das Kreuz angeheftet zu haben.

Lit.: Abbé A. Charasson, Un curé plébéien: F. de N., Paris 1904; – Steven Runciman, A History of the Crusades III, Cambridge 1954, 107 ff.; – LThK IV, 448; – NCE VI, 221; – RE VI, 312 f.; – RGG II, 1177.

FUNCK, Johann, Theologe, * 7. 2. 1518 in der Vorstadt Wöhrd bei Nürnberg, † (enthauptet) 28. 10. 1566 in Königsberg (Preußen). – F. studierte seit 1536 in Wittenberg und wurde 1539 Magister. Er wirkte als Pfarrer in Seyda, Oschatz und Wöhrd. Als im Schmalkaldischen Krieg im Frühjahr 1547 die kaiserlichen Truppen herannahten, verließ F. seine Stelle und wurde vom Rat entlassen. F. blieb den Sommer über noch in Nürnberg, begab sich dann mit einem Empfehlungsschreiben von Veit Dietrich (s. d.) zum Herzog Albrecht von Preußen (s. d.) nach Königsberg, der ihn nach Litauen sandte. F. kehrte bald nach Königsberg zurück und wurde mit der interimistischen Verwaltung des Pfarramts an der Altstädtischen Kirche betraut. Als Andreas Osiander (s. d.) Anfang 1549 nach Königsberg kam, erhielt er definitiv das Altstädtische Pfarramt; F. aber wurde Hofprediger und gewann das volle Vertrauen des Herzogs. Im osiandrischen Streit (1549–1566) gehörte er zu den eifrigsten Parteigängern Osianders und geriet dadurch in Gegensatz zu der großen Mehrheit der preußischen Pfarrer. Während der Verhandlungen übergab F. 1551 ein osiandrisch gefärbtes Glaubensbekenntnis ab. Nach dem Tod Osianders († 17. 10. 1552) war F. nun der bedeutendste Vertreter der Lehre Osianders. Durch seinen Einfluß auf den Herzog geriet F. auch in Gegensatz zu den Landständen. So wurde der Streit mit dem Kampf um die Gunst des Königsberger Hofes verquickt. Auf der Synode zu Riesenburg im Frühjahr 1556 mußte sich F. nach vielem Widerstreben zum Widerruf der ihm aus seinen Schriften vorgelegten »Irrlehren« bereit erklären. Der Herzog entschädigte ihn für diese Demütigung durch erhöhte Gunst, so daß der von F. versprochene Widerruf vor der Gemeinde unterblieb; 1563 mußte er ihn aber leisten. Damit gaben sich seine kirchlichen und politischen Feinde nicht zufrieden. Die Stände wandten sich nun mit ihren Beschwerden an die Krone Polen, die kraft ihrer oberherrlichen Rechte eine Untersuchungskommission im August 1566 nach Königsberg sandte. Die polnische Kommission übergab die gerichtliche Untersuchung dem Kneiphöfischen Gericht, d. h. den Anklägern und Feinden der Angeklagten. F. und die Räte Horst und Schnell wurden zum Tod verurteilt, eine Appellation an Polen nicht gestattet; nur Steinbach kam mit Landesverweisung davon.

Werke: Chronologia ab orbe condita, Tl. 1, 1545; voll. 1552 (öfter aufgel. u. weiter fortgef.); Der 46. Ps. allen frommen Christen . . . zu Trost ausgel., 1548; Der 103. Ps. . . . gepr. u. ausgel., 1549; Der 9. Ps. gepr. u. ausgel., 1551; Ausz. u. kurzer Ber. v. der Gerechtigkeit der Christen f. Gott, 1552; Wahrhaftiger u. gründl. Ber., wie u. was Gestalt die ärgerl. Spaltung v. der Gerechtigkeit des Glaubens sich anfängl. im Lande Preußen erhoben . . ., 1553; Der Patriarchen Lehre u. Glauben, 1554; 4 Predigten v. der Rechtfertigung des Sünders durch den Glauben f. Gott, 1563.

Lit.: Acta Borussica III, Königsberg u. Leipzig 1736; – Karl August Hase, Hzg. Albrecht v. Preußen u. sein Hofprediger, 1879; – Paul Tschackert, UB f. Ref.gesch. des Hzgt. Preußen I–III, 1890; – Leonhard Theobald, Die Katechismusausl. des J. F. v. 1542, in: ZBKG 12, 1937, 193 ff.; – Weder, J. F., in: Altpreuß. Biogr. I, hrsg. v. Christian Krollmann, 1941, 202; – M. Simon, Nürnberg. Pfr.buch, 1965, 71; – Walther Hubatsch, Gesch. der ev. Kirche Ostpreußens I, 1968; – Schottenloher I, Nr. 6838–6841a; V, Nr. 46400 f.; VII, Nr. 54725 f.; – Will I, 505 ff.; Suppl. I, 379 ff.; – ADB VIII, 197 ff.; – RE VI, 320 ff.; – RGG II, 1177 f.; – LThK IV, 450.

FUNCKE, Otto, Pfarrer und volkstümlicher Schriftsteller, * 9. 3. 1836 in Wülfrath bei Elberfeld als Sohn eines Arztes, † 26. 12. 1910 in Bremen. – F. besuchte das Gymnasium in Gütersloh und studierte in Halle, Tübingen und Bonn. Er wurde Vikar seines Großvaters in Wülfrath und war dann Hilfsprediger in Elberfeld. 1862 kam F. als Pfarrer nach Holpe bei Waldbröl und heiratete Maria Jäger, die Tochter eines Baumeisters in Elberfeld, die aber nach neun Monaten einen Nervenschlag erlitt: »Es war am Morgen des 17. 8. 1863, als gewisse Zeichen meldeten, daß uns ein Kindlein geboren werden solle. Des Kindleins Geburt sollte zum Tode der Mutter werden. Wie das aber zugegangen, darüber will ich lieber nichts sagen. Was das arme Weib an ihrem Leibe und was ich an meiner Seele gelitten – wie wir beide Tag und Nacht mit Gott gerungen haben –: Er allein weiß es, der ins Verborgene schaut und die Tränen seiner Kinder zählt.« Im Juli 1865 fand F. eine neue Lebensgefährtin und Mutter für sein Kind in Maria Rehmann, der Schwester seines Freundes in St. Goar, die aber das Opfer der Halsschwindsucht wurde: »In den ersten Augusttagen des Jahres 1867 rief mich ein Telegramm nach Mülheim: ›Höchste Gefahr!‹ Ich fand die Kranke so leidend, daß es zum Erbarmen war; aber doch und dennoch war sie so reich und glücklich in ihrem Heiland, daß man sie nur beneiden konnte. ›Selig werde ich; aber es geht noch durch das Feuer eines schweren Todeskampfes.‹ – Sie hatte leider recht. Am Abend des Tages, da Maria vor einem Jahr unter tausend Schmerzen ihrem Kindlein das Leben gab, begann ein siebenstündiger Todeskampf, ein Todeskampf so schwer, wie ich noch keinen gesehen. Um 3 Uhr morgens am 14. 8. drückte ich ihr die Augen zu. Dann eilte ich hinaus in die Nacht. Unter dem hohen Sternenhimmel weitete sich mein zusammengepreßtes Herz; ich konnte weinen und beten, ja endlich auch danken.« – 1868 folgte F. dem durch Karl Ninck (s. d.) vermittelten Ruf als Inspektor der Inneren Mission nach Bremen, wo in der »östlichen Vorstadt« eine neue Gemeinde aufgebaut werden sollte. Er weihte am 3. Advent 1869 die aus freiwilligen Gaben erbaute Friedenskirche ein und gründete am 12. 5. 1872 die Friedensgemeinde, der er bis zum 15. 5. 1904 als Pfarrer diente. Am 4. 4. 1870 schloß er mit der Tochter des Bremer Bürgermeisters Meier eine dritte Ehe. – F. war der Vertreter eines gesunden Pietismus, ein echter Mensch und ein ganzer Christ, der in seiner Schriftstellerei Tiefe und Anschaulichkeit mit sonnigem Humor verband.

Werke: Christl. Fragezeichen, oder: Wie man in schwierigen Fragen u. Entscheidungen des Lebens erfahren könne, welches

der Wille Gottes sei, 1867; Reisebilder u. Heimatklänge I, 1869; II, 1871; III, 1873; Die Schule des Lebens, oder: Christl. Lb. im Lichte des Buches Jonas, 1870; Tägl. Andachten, 2 Bde., 1875; St. Paulus zu Wasser u. zu Lande, 1877; Freud, Leid, Arbeit im Ewigkeitslicht, 1879; Seelenkämpfe u. Seelenfrieden. Predigten (David u. Elias), 1881; Willst du gesund werden? Btrr. z. christl. Seelenpflege, 1882; Jeremias, der Mann der Schmerzen u. der Hoffnung, 1883; Die Welt des Glaubens u. die Alltagswelt (Abraham), 1885; Brot u. Schwert. Ein Buch f. hungernde, zweifelnde u. kämpfende Herzen, 1888; Der Wandel vor Gott (Joseph), 1890; Christi Bild in seinen Nachfolgern, oder: Der Weg z. wahren Lebensfreude, 1891; Ges. Schrr., 1893/94; Wie man glücklich wird und glücklich macht, 1897; Die Fußspuren des lebendigen Gottes in meinem Lebenswege I, 1898; II, 1900 (1952²⁸); Reisegedanken u. Gedankenreisen eines Emeritus, 1905; Vademekum f. junge u. alte Eheleute, 1908; Alltagsfragen im Ewigkeitslicht, hrsg. v. Gottlieb Funcke, 1912. – Die schönsten Gesch. Ges. u. hrsg. v. Hans Berneck: 1. In der Schmiede Gottes. Lebenserinnerungen (Verkürzte Volksausg. der Selbstbiogr. »Fußspuren des lebendigen Gottes in meinem Lebenswege«), 1930; 2. Mit O. F. auf Reisen. Erlebte Gesch.n daheim u. draußen, 1931; 3. Der Weg nach Hause. Mit O.F. in Freud u. Leid, 1933. – Rezepte gg. das Sorgen (Tl.smlg.). Erinnerungen u. Betrachtungen, 1963. – O. F., Fußspuren Gottes in meinem Leben. Gekürzte u. überarb. Ausg., 1967 (90.–99. Tsd.).

Lit.: Das Geschlecht F. 500 J. Lehensträger u. Gutsbesitzer auf Funckenhausen bei Hagen in Westfalen, hrsg. v. M. Funcke, 1936, 244 f.; – Walter Porzig, O. F. Wege u. Ziele. Ausgew. Aufss. u. Vortrr., in: DLZ 72, 1951, 437 ff.; – Karl Hesselbacher, O. F. Ein fröhlicher Wanderer, 1953²; – Arno Pagel, O. F. Ein echter Mensch – ein ganzer Christ, 1962³; – KJ 38, 658; – NDB V, 729 f.; – Kosch, LL I, 598; – RE XXIII, 492 ff.; – RGG II, 1178.

FUNK, Franz Xaver, kath. Theologe, * 22. 10. 1840 in Abtsgmünd bei Aalen (Württemberg), † 24. 2. 1907 in Tübingen. – F. empfing 1864 die Priesterweihe. Er studierte 1865/66 in Paris und kam als Repetent an das Tübinger Wilhelmsstift. F. war 1868/69 Karl Joseph Hefeles (s. d.) Gehilfe beim vorbereitenden Ausschuß des Vatikanischen Konzils. Er wurde 1870 in Tübingen ao. und 1875 o. Professor für Kirchengeschichte, Patrologie und christliche Archäologie. – F. war ein Hauptvertreter der sog. kath. Tübinger Schule und wurde durch sein Lehrbuch der Kirchengeschichte bekannt.

Werke: Zins u. Wucher. Eine moral-theol. Abh., 1868; Gesch. des kirchl. Zinsverbotes, 1876; Opera Patrum apostolicorum, 1881 (1887²; 1901 u. d. T.: Patres apostolici, 2 Bde.); Die Echtheit der Ignatius. Briefe, aufs neue verteidigt, 1883; Lehrb. der KG, 1886 (1907⁵; 1940¹¹, neu bearb. v. Karl Bihlmeyer); Doctrina duodecim Apostolorum, 1887; Die Apostol. Konstitutionen. Eine literar-hist. Unters., 1891; Das 8. Buch der Apostol. Konstitutionen u. die verwandten Schrr., auf ihr Verhältnis neu unters., 1893; Kirchengeschichtl. Abhh. u. Unterss. I, 1897; II, 1899; III, 1907; Das Testament unseres Herrn u. die verwandten Schrr., 1901; Didascalia et Constitutiones Apostolorum, 2 Bde., 1905. – Gab mit heraus: ThQ, seit 1875.

Lit.: Karl Bihlmeyer, F. X. v. F., in: RHE 8, 1907, 620 ff.; – Anton Koch, Erinnerungen an F. X. F., in: ThQ 90, 1908, 95 ff.; – Paul Godet, F. X. F., in: Revue du clergé français 56, 1908, 121 ff.; – Hubert Schiel, Franz Xaver Kraus u. die kath. Tübinger Schule, 1958, 73 ff.; – August Hagen, F. X. F., in: Lb. aus Schwaben u. Franken VIII, 1962, 335 ff.; – Kosch, KD 897 f.; – CathEnc VI, 322 ff.; – Catholicisme IV, 1682; – LThK IV, 460; – RGG II, 1179.

FUNK, Gottfried Benedikt, Pädagoge und Kirchenliederdichter, * 29. 11. 1734 in Hartenstein (Sachsen) als Sohn eines Hof- und Stadtkantors und späteren Pfarrers, † 18. 6. 1814 in Magdeburg. – Da er nach dem Willen seines Vaters Theologie studieren sollte, wandte sich F. als Gymnasiast in Freiberg wegen seiner Glaubenszweifel brieflich an Johann Andreas Cramer (s. d.), dessen Schriften ihm dazu machten. F. studierte in Leipzig die Rechte und wurde 1756 Hauslehrer bei Cramer, der seit 1754 Hofprediger in Kopenhagen war. Da ihm Cramer eine Anstellung im dänischen Kirchendienst zu verschaffen versprach, studierte F. Theologie und orientalische Sprachen. Er verkehrte rege mit Friedrich Gottlieb Klopstock (s. d.), der ihn dichterisch beeinflußte, und trat als Pädagoge hervor durch eine treffliche Sammlung von Fabeln und Erzählungen. Da die Verpflichtung auf die Bekenntnisschriften gegen sein Gewissen war, wurde er 1769 Subrektor und 1772 Rektor an der Domschule in Magdeburg und 1785 zugleich Konsistorialrat. – F. war ein tüchtiger Pädagoge. Die Aufgabe des theologischen Unterrichts sah er darin, »den Schülern die Religion überhaupt als wichtig für ihr Leben zu zeigen und sie vor den Klippen des Zeitalters, am meisten vor der an der Tagesordnung befindlichen Gleichgültigkeit gegen die Religion zu bewahren«. Von seinen 25 im Geist eines milden Rationalismus gedichteten Liedern ist das Osterlied bekannt: »Halleluja, jauchzt, ihr Chöre, singt Jesu Christo Lob und Ehre!«

Werke: Briefe z . Beförderung der Humanität. 124 fiktive Briefe in 10 Smlg.en, Riga 1793–1797. – G. B. F.s Schrr. nebst einem Anh. über sein Leben u. Wirken, 2 Bde., Berlin 1820–21.
Lit.: H. Nöthe, Die Magdeburger Domschule u. G. B. F., in: Sokrates. Zschr. f. das Gymnasialwesen, 1915, 177 ff.; – Paul Sturm, Das ev. Gesangb. der Aufklärung. Ein Btr. z. dt. Geistesgesch. des 17. u. 18. Jh.s, 1923; – Fritz Borchert, G. B. F., in: Mitteldt. Lb. III, 1928, 101 ff.; – Koch VI, 344 ff.; – Blume 231; – Kosch, LL I, 599; – KLL I, 1872 (Briefe über Merkwürdigkeiten der Lit., verf. v. Heinrich Wilhelm v. Gerstenberg, gemeinsam mit Helferich Peter Sturz, G. B. F., Gottlob Friedrich Ernst Schönborn u. Friedrich Gabriel Resewitz; ersch. 1766/67); – ADB VIII, 201 ff.

FUNKE, Friedrich, Kirchenliederdichter, * 27. 3. 1642 in Nossen (Erzgebirge), † 20. 10. 1699 in Lüneburg. – F. war Kantor in Perleberg (Mark Brandenburg), dann an St. Johannis in Lüneburg. Seit 1694 wirkte er als Pfarrer in Römstedt bei Lüneburg. – F. ist der Dichter des Himmelfahrtsliedes »Zeuch uns nach dir, so kommen wir mit herzlichem Verlangen« (EKG 94).

Werke: Trostvolle Gesch. v. der sieg- u. freudenreichen Auferstehung Jesu Christi, 1665; Danck- u. Denck-Mahl über den starcken u. unverhofften Donnerschlag, welcher . . . den Thurm der Haupt-Kirchen zu St. Johannis in Lüneburg, jedoch durch des allgütigen Gottes Gnade u. Väterliche Regierung ohne sonderbahren Schaden berühret, 1666; Wiederholtes Lüneburgisches Danck-Opfer f. die Wiedereroberung v. Trier, 1675; Die unendl. u. immer neue Gottes-Güte, 1682; Die Gesch. v. dem selig machenden Leiden u. Sterben unseres süssesten Heilands Jesu Christi nach dem Ev. des Lucas, 1683; Litania, wahrscheinlich 1689; 43 Melodien der Stadt-Lüneburgischen Gesangbuchs, 1686. – Ausg.: Matthäuspassion, hrsg. v. Joachim Birke, in: Das Chorwerk 78/79, Wolfenbüttel 1961.
Lit.: Bll. f. Hymnologie, 1884, 115. 135; 1885, 95. 121; – Georg Schünemann, Gesch. der dt. Schulmusik, 1931/32²; – Gustav Fock, Der junge Bach in Lüneburg 1700–02, 1950; – Joachim Birke, Eine unbekannte anon. Matthäuspassion aus der 2. Hälfte des 17. Jh.s, in: AfMw 15, 1958, 162 ff.; – Horst Walter, Musikgesch. der Stadt Lüneburg. Vom Ende des 16. bis z. Anfang des 18. Jh.s (Diss. Köln, 1968), Tutzing 1967; – MGG IV, 1146 f.; – Riemann ErgBd. I, 388; – Hdb. z. EKG II/1, Kümmerle I, 442 ff.; – Fischer-Tümpel IV, 523 f. (Nr. 625–627); – Zahn V, 435 (Nr. 166).

FURTMEYR, Berthold, Miniaturmaler. – F., von 1470 bis 1501 als Bürger von Regensburg nachweisbar, war ein berühmter Miniaturist seiner Zeit. Sein Name findet sich erstmals 1740 in der Inschrift eines Alten Testaments in der fürstlich Oettingen-Wallersteinschen Bibliothek in Maihingen (2 Bde., geschrieben 1468 von G. Rorer, illuminiert 1470–72; jetzt Schloß Harburg). Diese Handschrift wurde von ihm mit zahlreichen kleinen Deckfarbenbildern, prächtigen Initialen und phantasievollem Rankenwerk ausgeschmückt. Ein weiteres Hauptwerk F.s ist die Ausmalung eines

fünfbändigen Missales für Erzbischof Bernhard von Rohr in Salzburg (1481/82 vollendet; München, Bayerische Staatsbibliothek), überwiegend ganzseitige Bilder.

Lit.: Bertold Haendke, B. F. Sein Leben u. seine Werke (Diss. München), 1885; – Berthold Riehl, Stud. z. Gesch. der bayr. Malerei des 15. Jh.s, 1895, 144 ff.; – Georg Leidinger, B. F., in: Kal. bayer. u. schwäb. Kunst, 1924, 1 ff.; – Heinz Zirnbauer, Ulrich Schreier. Ein Btr. z. Buchmalerei Salzburgs im späten MA, 1927, 76 ff.; – Münchner Jb. der bildenden Kunst NF 7, 1930, 61; – Edeltraud Jantschke (vereh. Bauer), Stilkrit. Beschreibung der Miniaturen des Regensburger Illuministen B. F. (Diss. Erlangen), 1951; – Kat. der Ausst. Bayerns Kirche im MA 9, München 1960, Nr. 268 (Missale f. EB Bernhard v. Salzburg, mit Abb.); – Alfred Stange, Dt. Malerei der Gotik. X: Salzburg, Bayern u. Tirol in der Zeit v. 1400 bis 1500, 1960, 105 ff.; – Thieme-Becker XII, 603 f.; – ADB VIII, 252; – NDB V, 738; – LThK IV, 475.

FUSCO, Alfonso Maria, Ordensstifter, * 23. 3. 1839 in Nocera dei Pagani, † daselbst 6. 2. 1910. – F. empfing 1863 die Priesterweihe und gründete 1878 in Angri (Kampanien) mit Maddalena Caputo die 1935 endgültig päpstlich bestätigte Kongregation »Suore di San Giovanni Battista (oder Battistine)« (»Schwestern vom hl. Johannes dem Täufer«) für Jugenderziehung und Krankenpflege, die er bis zu seinem Tod leitete. Sein Seligsprechungsprozeß wurde am 22. 6. 1951 eingeleitet.

Lit.: anonym, Il servo di Dio can. A. M. F., Rom 1939; – Congregazione delle Suore di S. Giovanni Battista 1937–47, 1948; – AAS 43, 1951, 866; – EC V, 1824; – LThK IV, 475.

FUST, Johannes, Geldmakler, Verleger, * um 1400 in Mainz, † 30. 10. 1466 in Paris. – F., der in Mainzer Urkunden als »Fürsprech« (Advokat) genannt wird, war auch Geldmakler und trat mit Johann Gutenberg in Verbindung, der seit 1445/46 in Mainz die ersten Drucke der Welt herstellte. F. lieh Gutenberg Ende 1449 oder Anfang 1450 800 Gulden, ließ sich eine sechsprozentige Verzinsung verbriefen, erklärte aber mündlich, keine Zinsen nehmen zu wollen. Als Sicherheit mußte Gutenberg die Druckereigeräte verpfänden, die er mit dem geliehenen Geld anfertigte. Als Gutenberg 1452 neues Geld für den Druck der geplanten großen Werke benötigte, erklärte sich F. bereit, weitere 800 Gulden in jährlichen Raten von je 300 Gulden für das »Werk der Bücher« herzugeben, aber jetzt nicht als Darlehn, sondern als Geschäftseinlage. Mitte 1455, als der Druck der 42zeiligen Bibel vor dem Abschluß stand und der dreifarbige Mainzer Psalter schon weit fortgeschritten war, verklagte F. seinen Teilhaber Gutenberg auf Rückzahlung aller empfangener Gelder einschließlich Zinsen und Zinzeszinsen. Das Mainzer Stadtgericht fällte 1455 sein Urteil zugunsten F.s, der vor dem Notar Ulrich Helmasperger am 6. 11. 1455 einen Eid darauf ablegte, daß er das Gutenberg gegebene Kapital selbst geliehen und dafür Zinsen gezahlt habe oder noch schuldig sei. Gutenberg verlor den verpfändeten Teil seiner Druckerei an F., der durch den bisherigen Gutenbergschüler Peter Schöffer das von Gutenberg bereits begonnene prachtvolle dreifarbige »Psalterium Moguntinum« herstellen ließ, das am 14. 8. 1457 mit dem gemeinsamen Druck- und Verlagssignet erschien. Unter beider Namen kamen weitere Drucke heraus: 1458 der dreifarbige »Canon Missae«, 1459 das für die Bursfelder Kongregation bestimmte dreifarbige »Psalterium Benedictinum« und das »Rationale divinorum officiorum« des Durandus in einer neuen kleineren Werktype, die »Constitutiones« des Papstes Clemens V. (s. d.) und noch zwei Werke des Aurelius Augustinus (s. d.), 1460 das Mainzer »Catholicon«, 1462 die 48-zeilige (lat.) Bibel und weitere heute sehr geschätzte Drucke. Peter Schöffer († 1503), der 1467/68 F.s Tochter heiratete, führte das Unternehmen weiter. Von F.s Enkel Johannes Schöffer stammt die Legende, sein Großvater sei erster Erfinder oder doch Miterfinder der Buchdruckerkunst. F. war überhaupt kein Schriftschneider und -gießer, Setzer oder Drucker, sondern Verleger.

Lit.: Festschr. z. 500j. Geb. v. Johannes Gutenberg, 1900, 196 ff.; – Aloys Ruppel, Peter Schöffer aus Gernsheim, 1937; – Ders., Johannes Gutenberg, sein Leben u. sein Werk, 1947²; – Walter Menn, Das Helmaspergersche Notariatsinstrument v. 6. 11. 1455, 1941; – Hellmut Lehmann-Haupt, Peter Schoeffer of Gernsheim and Mainz, New York 1950; – Rudolf Juchhoff, Urteilsspruch u. Eidesleistung im Helmaspergerschen Notariatsinstrument, 1951; – Rudolf Blum, Der Prozeß F. gg. Gutenberg; eine Interpretation des Helmaspergerschen Notariatsinstruments im Rahmen der Frühgesch. des Mainzer Buchdrucks, 1954; dazu Besprechung v. Friedrich Adolf Schmidt-Künsemüller, in: Gutenberg-Jb, 1955, 22–32; – Walter Koschorreck, Zum Prozeß F. gg. Gutenberg, ebd. 33–43; – Irvine Masson, The Mainz Psalters and Canon Missae 1457–59, London 1954; – Ferdinand Geldner, Das F.-Schöffersche Signet, in: Börsenbl. f. den Dt. Buchhandel 12, 1956, 1179 ff.; – Ders., Das F.-Schöffersche Signet u. das Schöffersche »Handzeichen«, in: Arch. f. Gesch. des Buchwesens 1, 1958, 171; – Der ggw. Stand der Gutenberg-Forsch. Hrsg. v. Hans Widmann, 1972; – ADB VIII, 267 ff.; – NDB V, 743 f.; – LThK IV, 478.

FUX, Johann Joseph, Komponist und Musiktheoretiker, * 1660 in Hirtenberg bei St. Marein am Pickelbach (Oststeiermark) als Sohn eines Bauern, † 13. 2. 1741 in Wien. – Über Jugendzeit und Lehrjahre wissen wir nichts. F. trat 1680 in die Grammatikklasse der Jesuiten-Universität Graz ein und fand dort 1681 als Alumne und »Musicus« Aufnahme im Ferdinandeum, aus dem er aber zu einem unbekannten Zeitpunkt heimlich entwich. Höchstwahrscheinlich wandte er sich nach Innsbruck und verbrachte dort die Hauptstudienjahre. F. war 1696–1702 Organist an der Schottenkirche in Wien, wurde 1698 Hofkomponist des Kaisers Leopold I., 1705 2. Kapellmeister am Stephansdom, 1713 Vizehofkapellmeister und 1715 1. Hofkapellmeister und war 1713–15 noch Kapellmeister der Kaiserin Amalie. Das Schwergewicht seines Schaffens lag auf dem Gebiet der Kirchenmusik. – F. gilt als bedeutendster Tonsetzer des österreichischen Spätbarocks. Als Theoretiker und Lehrer erlangte er Weltruhm durch seinen »Gradus ad Parnassum« (Wien 1725), der durch seine Übersetzungen ins Deutsche, Italienische, Französische und Englische zur Grundlage aller Kontrapunkt-Lehren wurde. Die 1955 mit Sitz in Graz gegründete Johann-Joseph-Fux-Gesellschaft veranstaltet eine Gesamtausgabe seiner über 500 Kompositionen.

Werke: über 500 Werke: 18 Opern; 15 Oratorien; über 60 Messen; über 12 Requiem; über 250 sonstige geistl. Werke; 57 Kirchen- u. Kammersonaten zu 3, 26 Instrumentalwerke zu 4 u. mehr St. – GA, Kassel u. Graz 1959 ff.; bisher ersch.: Serie I (Messen u. Requiem), Bd. 1, Missa Corporis Christi (hrsg. v. Hellmut Federhofer), 1959; Missa Lachrymantis Virginis (hrsg. v. dems.), 1971; II (Litaneien, Vespern, Kompletorien), 1, Te Deun (hrsg. v. István Kecskeméti), 1963; III (Kleinere Kirchenmusikwerke), 1, Motetten u. Antiphonen f. Sing- u. Instrumentalbegleitung (hrsg. v. H. Federhofer u. Renate Federhofer-Königs), 1961; IV (Oratorien), 1, La fede sacrilega nella morte del Precursor S. Giovanni Battista (hrsg. v. Hugo Zelzer), 1959; V (Opern), 1, Julo Ascanio, re d'Alba (hrsg. v. H. Federhofer), 1962; 2, Pulcheria (hrsg. v. dems. u. Wolfgang Suppan), 1967; VI (Instrumentalmusik), 1, Werke f. Tasteninstr. (hrsg. v. Friedrich Wilhelm Riedel), 1964; VII (Theoret. u. päd. Werke), 1, Gradus ad Parnassum. Faks. der Ausg. Wien 1725 (hrsg. v. Alfred Mann), 1967.

Lit.: Ludwig Ritter v. Koechel, J. J. F. (mit Werkverz. u. themat. Kat.), Wien 1872; – C. Schnabl, J. J. F., der östr. Palestrina, in: Jb. der Leo-Ges., Wien 1895; – Arnold Schering, Gesch. des Oratoriums, 1911 (Nachdr. Wiesbaden 1966), 203 ff.; – Heinrich Rietsch, Der »Concentus« v. J. J. F., in: StMw 4, 1916; – Vita Halpern, Die Suiten v. J. J. F. (Diss. Wien), 1917; – Karl Nef, Gesch. der Sinfonie u. Suite, 1921 (Nachdr. Wiesbaden 1970), 88 ff.; – Knud Jeppesen, J. J. F. u. die moderne Kontrapunkt-Lehre, in: KgrBer, 1925; – Karl Gustav Fellerer, Der Palestrinastil u. seine Bedeutung in der vokalen Kirchenmusik des 18. Jh.s, 1929; – Franz Brenn, Die Meßkomposition des J. J. F. Eine stilkrit. Unters. (Diss. Wien) 1931; – Andreas Ließ, Die Triosonaten v. J. J. F., eine Stud. z. dynam. Gesch.bilde im süddt. Spätbarock, 1940; – Ders., J. J. F., in: Das Joanneum III, Graz 1941; – Ders., J. J. F., ein steir. Meister des Barock, nebst Verz. neuer Werkfunde, Wien 1947; – Ders., Bach, F. u. die Wiener Klassik, in: Musica. Mschr. f. alle Gebiete des Musiklebens 4, 1950, 261 ff.; – Ders., Neues aus der biogr. J. J. F.-Forsch., in: Mf 5, 1952, 194 ff.; – Ders., J. J. F., in: Neue Zschr. f. Musik 118, 1957, 285 f.; – Ders., Fuxiana, Wien 1958; – Herbert Birtner, J. J. F. u. der musikal. Historismus, in: Dt. Musikkultur VII, 1942; – Frieda Krause, J. J. F.s »Gradus ad Parnassum« (Diss. Königsberg), 1944; – Hans Joachim Moser, Musikgesch. in 100 Lb., 1952, 262 ff.; – Franz Posch, Heimat u. Herkunft des J. J. F., in: MIÖG 63, 1955, 396 ff.; – Arnold Feil, Zum »Gradus ad Parnassum« v. J. J. F., in: AfMw 14, 1957, 184 ff.; – Hellmut Federhofer, Der »Gradus ad Parnassum« v. J. J. F. u. seine Vorläufer in Östr., in: Musikerziehung 11, Wien 1957/58, 31 ff.; – Ders., Unbekannte Kirchenmusik v. J. J. F., in: KmJb 43, 1959, 113 ff.; – Ders., J. J. F. als Musiktheoretiker, in: Hans Albrecht in memoriam, hrsg. v. Wilfried Brennecke u. Hans Haase, 1962, 109 ff.; – Ders. u. Friedrich Wilhelm Riedel, Qu.kundl. Btrr. z. J.-J.-F.-Forsch., in: AfMw 21, 1964, 111 ff. 253 f.; – Renate Federhofer-Königs, Aufgaben u. Ziele der J.-J.-F.-Ges., in: Mf 12, 1959, 213; – Ernst Tittel, Der neue Gradus. Lehrb. des strengen Satzes nach J. J. F., 2 Bde., Wien 1959; – Ders., J. J. F. sein »Gradus ad Parnassum«, in: Östr. Musik-Zschr. 15, Wien 1960, 129 ff.; – Ders., Wiener Musiktheorie v. F. bis Schönberg, in: Btrr. z. Musiktheorie des 19. Jh.s, hrsg. v. Martin Vogel. Stud. z. Musikgesch. des 19. Jh.s IV, 1966, 163 ff.; – Wolfgang Suppan, J. J. F. Zur 300. Wiederkehr seines Geb., in: Musica. Zschr. f. alle Gebiete des Musiklebens 14, 1960, 808; – Karl Wisiko, F. u. die Hofmusikkapelle, in: Östr. Musik-Zschr. 15, Wien 1960, 132 ff.; – L. Welter, Ein »Östr. Palestrina« im 18. Jh. Röm. Sondertradition bei dem Wiener Hofkomponisten J. F., in: Dt. Forsch.dienst, hrsg. v. Otto Häcker, 8, 1961, Nr. 39, Bl. 4 f.; – John Henry van der Meer, J. J. F. als Opernkomponist, 4 Bde., Bilthoven 1961; – Friedrich Wilhelm Riedel, J. J. F. u. die röm. Palestrina-Tradition, in: Mf 14, 1961, 14 ff.; – Ders., Musikgeschichtl. Beziehungen zw. J. J. F. u. Johann Sebastian Bach, in: Festschr. Friedrich Blume. Hrsg. v. Anna Amalie Abert u. Wilhelm Pfannkuch, 1963, 290 ff.; – Ders., Abt Berthold Dietmayr v. Melk u. der kaiserl. Hofkapellmeister J. J. F. Zur Musikkultur Niederöstr.s im Barockzeitalter, in: Unsere Heimat. Mbl. des Ver. f. Landeskunde v. Niederöstr. u. Wien 36, 1965, 58 ff.; – Egon Wellesz, J. J. F., London 1965; – Charles Leonard Rutherford, The instrumental music of J. J. F. (Diss. Colorado State College), 1967; – Othmar Wessely, J. J. F. im Urteil der Umwelt u. Nachwelt, in: Östr. Musik-Zschr. 25, 1970; – Wurzbach V, 41 f.; – ADB VIII, 272 ff.; – NDB V, 745 f.; – MGG IV, 1159 ff.; – Riemann I, 566 f.; ErgBd. I, 390; – Moser I, 384 f.; – Eitner IV, 105 f.; – Grove III, 527 ff.; – Gerber II, 225 ff.; – Honegger I, 373 f.; – Goodman 149; – LThK IV, 478; – NCE VI, 230 f.; – Kosch, KD 902.

G

GABIROL, Salomon s. AVICEBRON

GABLER, Johann Philipp, Theologe, * 4. 6. 1753 in Frankfurt am Main als Sohn eines Aktuars am Konsistorium, † 17. 2. 1826 in Jena. – G. studierte 1772 bis 1778 in Jena. Johann Gottfried Eichhorn (s. d.) und Johann Jakob Griesbach (s. d.) bestimmten seine theologische Richtung. G. wurde 1780 Repetent in Göttingen und 1783 Professor am Archigymnasium in Dortmund. 1785 folgte er dem Ruf nach Altdorf bei Nürnberg als o. Professor der Theologie und Diakonus und lehrte seit 1804 in Jena. – G. war ein rationalistischer Theologe von ernster Frömmigkeit und lauterer Gesinnung. In seiner akademischen Rede »De iusto discrimine theologiae biblicae et dogmaticae regundisque recte utriusque finibus« (Altdorf 1787) forderte er als erster eine deutliche Grenzziehung zwischen Dogmatik und biblischer Theologie, die er als historische Disziplin verstanden wissen wollte.

Werke: Exeget., dogmat. u. hist. Btrr. in den v. ihm hrsg. »Journalen«, 18 Bde., 1798–1811; Kleinere theol. Schrr., hrsg. v. seinen Söhnen Theodor August u. Johann Gottfried G., 2 Bde., Ulm 1831. – Gab heraus: J. G. Eichhorn, Urgesch., mit Einl. u. Anm., 2 Bde., Altdorf u. Nürnberg, 1790–93.
Lit.: Wilhelm Schröter, Erinnerungen an J. P. G., Jena 1827; – Gottfried Thomasius, Das Wiedererwachen des ev. Lebens in der luth. Kirche Bayerns, 1867, 21 ff.; – Gustav Frank, Gesch. der prot. Theol. III, 1875, 349 f. 355; – Christian Hartlich – Walter Sachs, Der Ursprung des Mythosbegriffs in der modernen Bibelwiss., 1952; – Karl Heussi, Gesch. der theol. Fak. zu Jena, 1954, 215 ff. 237; – Werner Georg Kümmel, Das NT. Gesch. der Erforsch. seiner Probleme, 1958, 115 ff. 120 ff. u. ö.; – Rudolf Smend, J. P. G.s Begründung der bibl. Theol., in: EvTh 22, 1962, 345 ff.; – Otto Merk, Bibl. Theol. des NT in ihrer Anfangszeit: ihre method. Probleme bei J. P. G. u. Georg Lorenz Bauer u. deren Nachwirkungen (Hab.-Schr., Marburg 1970), Marburg 1972; – Hirsch V, 33.45.57; – Kraus 136 ff. u. ö.; – ADB VIII, 294 ff.; – NDB VI, 8; – RE VI, 326 f.; – RGG II, 1185.

GABLER, Joseph, Orgelbauer, * 6. 7. 1700 in Ochsenhausen (Oberschwaben) als Sohn eines Zimmermanns, † 8. 11. 1771 in Bregenz. – G. war von 1719 an als Schreinergeselle in Mainz und erlernte dort den Orgelbau. 1729–33 hielt er sich in Ochsenhausen auf, dann an verschiedenen Orten. Seit 1736 oder 1737 bis mindestens 1750 lebte G. in Weingarten bei Ravensburg und 1763–68 in Ravensburg. Die letzten Lebensjahre verbrachte er in Bregenz und wurde dort beim Bau der Stadtkirchenorgel vom Schlag getroffen. – G. gilt neben Karl Riepp (s. d.) als der bedeutendste Orgelbauer Oberschwabens.

Werke: Von G.s Orgelbauten sind erhalten: Klosterkirche Ochsenhausen (1729) mit 49 St. auf 3, urspr. 4 Manualen; Münster Weingarten (1737–50) mit 66 St. auf 4 Manualen; Wallfahrtskirche Maria-Steinbach bei Memmingen (1755–59) mit 20 St. auf 2 Manualen.
Lit.: Franz Bärnwick, Die große Orgel im Münster zu Weingarten, 1923 (1947⁴); – Joseph Wörsching, J. G. Btrr. z. Leben u. Schaffen des großen schwäb. Orgelbauers, in: KmJB 29, 1934, 54 ff.; – Adam Gottron, Die Mainzer Lehrj. J. G.s. Ein Btr. z. Mainzer Musikgesch., in: Mainzer Zschr. 34, 1939, 38 ff.; – Paul Smets, Die große Orgel der Abtei Weingarten, 1940; – Walter Supper u. Hermann Meyer, Barockorgeln in Oberschwaben, 1941; – Der Barock, seine Orgeln u. seine Musik in Oberschwaben, hrsg. v. Walter Supper, 1952; – Gregor Klaus, Zur Restauration der G.-Orgel in Weingarten, in: MuA 7, 1954, 108 f.; – Ulrich Siegele, Die Disposition der G.-Orgel zu Ochsenhausen, in: MuK 26, 1956, 8 ff.; – Franz Hoernle, Die Orgelbauer J. G. u. Josef Bergöntzle in Vorarlberg. 1.: J. G. u. die v. ihm erbaute Orgel in Bregenz, in: Östr. Musikzschr. 25, 1970, 473 f.; – ADB VIII, 296 f.; – NDB VI, 8 f.; – MGG IV, 1184 ff.; – Riemann I, 568; ErgBd. I, 391; – Moser I, 385.

GABRIEL, Charles H., amerikanischer Liederdichter und Komponist, * 1856 im Staat Jowa, † 1932 in Berkeley (Kalifornien). – G. zeigte früh musikalische Begabung und leitete Singklassen und Musikinstitute. Er ließ sich in Kalifornien nieder, wo der Musikverleger Professor E. O. Excell auf ihn aufmerksam wurde. Auf seine Veranlassung wurde G. musikalischer Autor und Komponist in Chicago. Er lebte zuletzt in Berkeley. Sein »Glory Song« »When all my labours and trials« erschien 1900 bei E. O. Excell und wurde 1905 in die »Blankenburger Lieder« in der Übersetzung von Hedwig von Redern (s. d.) aufgenommen: »Wenn nach der Erde Leid, Arbeit und Pein ich in die goldenen Gassen zieh ein...« Die Melodie stammt ebenfalls von G. Das Lied wurde in mehr als 20 Sprachen übersetzt.

Lit.: Walter Schulz, Reichssänger. Schlüssel z. dt. Reichsliederbuch, 1930, 179.

GABRIEL SEVERUS, griechisch-orthodoxer Theologe, * 1541 in Monembasia (Peloponnes), † (auf einer Visitationsreise) 21. 10. 1616 in Dalmatien. – G. studierte in Padua, hielt sich dann in Kreta auf und wirkte seit 1573 als Priester der griechischen Gemeinde in Venedig. Obwohl er 1577 zum Metropoliten von Philadelphia (Alascheher) in Lydien befördert wurde, blieb G. in Venedig. 1591 wurde ihm der Titel eines Exarchen über die griechisch-orthodoxen Gemeinden Venetiens, Dalmatiens und schließlich ganz Italiens verliehen. – G. war einer der gelehrtesten Theologen der neueren griechischen Kirche. Als Systematiker und Polemiker hat er Beachtliches geleistet. G. schrieb ein Werk über die Sakramente, rechtfertigte in drei Traktaten die griechische Abendmahlslehre und die liturgischen Sitten und Gebräuche der Abendmahlsfeier und verteidigte die Rechtgläubigkeit seiner Kirche gegen die Behauptung der Jesuiten Robert Bellarmin (s. d.) und Antonio Possevino (s. d.), die Griechen seien Häretiker. G. war ein Gegner der Einigungsbestrebungen.

Werke: Ekthesis, Konstantinopel 1627. – Ausw. der dogmat. Schrr. (griech. u. lat.): Richard Simon, Fides Ecclesiae orientalis, Paris 1671.
Lit.: Émile Legrand, Bibliographie hellénique, ou Description raisonnée des ouvrages publiés en grec par des Grecs aux XVᵉ et XVIᵉ siècles, 2 Bde., Paris 1885; – Ders., Bibliographie hellénique du XVIIᵉ siècle, ebd. 1894 ff.; – Philipp Meyer, Die theol. Lit. der griech. Kirche im 16. Jh., 1899, 78 ff.; – Darwell Stone, A History of the Doctrine of the Holy Eucharist I, 1909, 173 ff.; – Martin Jugie, Un théologien grec du XVIᵉ siècle, G. S. et les divergences entre les deux Églises, in: ÉO 16, 1913, 97 ff.; – DThC VI, 977 ff.; XVI, 1760; – LThK IV, 482; – ODCC² 543; – RE VI, 327 f.; – RGG II, 1185 f.

GABRIEL *Sionita*, Maronite, Hauptmitarbeiter an der Pariser »Polyglotte«, * 1577 in Edden (Libanon), † 1648 in Paris. – G. kam mit 7 Jahren nach Rom in das »Collegium Maronitarum« (s. Maron) und lernte Lateinisch, Syrisch und Hebräisch, während Arabisch seine Muttersprache war. 1614 wurde er zur Mitarbeit an der »Polyglotte« nach Paris berufen und erhielt auch eine Professur der arabischen und syrischen Sprache am »Collège de France«. G. wurde 1620 Dr. theol. und 1622 Priester. Er bearbeitete 1614–45 für die Pariser »Polyglotte« die syrischen und arabischen Texte sowie deren lateinische Übersetzung. 1640 kam es zwischen ihm und den Herausgebern der »Polyglotte« zu einem Zerwürfnis. Man berief darum Abraham Eckhellensis (s. d.) als neuen Mitarbeiter. Nach dreimonatiger Haft erlangte G. die Freiheit wieder unter der Bedingung weiterer Mitarbeit an der »Polyglotte«. Abraham Eckhellensis verzichtete freiwillig auf die Mitarbeit und kehrte nach Rom zurück.

Lit.: Jacques Le Long, De bibliis Polyglottis Parisiensibus, in: Bibliotheca sacra, hrsg. v. Andreas Gottlieb Masch, I, Paris 1778, 350 ff.; – Joh. Fück, Die arab. Stud. in Europa bis in den Anfang des 20. Jh.s, 1955, 57. 73 ff.; – EuG I, 52. 73 ff.; – Jöcher IV, 619; – Biographie universelle XV, 325 f.; – CathEnc VI, 331; – DThC X, 115; – LThK IV, 482; – NCE VI, 236; – Graf I, 93 ff.; III, 351 ff.; V, 55b.

GABRIELI, Andrea, Komponist, * um 1510 in Canareggio, einem Stadtteil von Venedig, † Ende 1586 in Venedig. – G. trat 1536 als Sänger in die Kapelle von S. Marco in Venedig ein. Als Nachfolger des Claudio Merulo (s. d.) wurde er 1566 zweiter und 1585 erster Organist an S. Marco. – G. war ein Hauptvertreter des venezianischen Stils, einer der einflußreichsten und größten Meister der Renaissancezeit auf den Gebieten der kirchlichen, weltlichen und Orgelmusik. Seine bedeutendsten Schüler sind sein Neffe Giovanni Gabrieli (s. d.) und Hans Leo Haßler (s. d.).

Werke: 5st. Sacrae cantiones, 1565 (1590⁴); 4st. Cantiones ecclesiasticae, 1576 (1589²); 6–16st. Cantiones sacrae, 1578; 6st. Messen, 1572; 3 Bücher 5st. Madrigale, 1566 (1584³); 1570 (1588³); 1589 (posthum, hrsg. v. Giovanni Gabrieli); 1 Buch 4st. Madrigali e Ricercari, 1589 (1590²); 1 Buch 3st. Madrigale, 1575 (1607⁴); 2 Bücher 6st. Madrigale, 1574 (1587²); 1580 (1588³); 6st. Psalmi Davidici, qui poenitentiales nuncupantur, 1583 (1602²); 3–6st. Chöre zu Oedipus tyrannus (Sophokles), 1588. – *Ausgg.:* Die 7 Bußpsalmen. Psalmi Davidici (1583), hrsg. v. Bruno Grusnick, 1936 (Neudr. 1954); Missa brevis, hrsg. v. H. Hübsch (Musica spiritualis I/1), 1950; 3 Orgelmessen u. Toccata f. Orgel, hrsg. v. S. Dalla Libera, Mailand 1959 bzw. 1962; 10 Madrigale f. gemischte St., hrsg. v. Denis Arnold, Oxford 1970. – GA der Orgelwerke, hrsg. v. Pierre Pidoux, 5 Bde., 1942–53 (Neudr. 1952–59).

Lit.: s. Lit. zu Gabrieli, Giovanni.

GABRIELI, Giovanni, Komponist, * zwischen 1554 und 1557 in Venedig als Neffe des Andrea Gabrieli (s. d.), † daselbst 12. 8. 1612 oder 1613. – G. gehörte 1575–79 der Münchener Hofkapelle unter Orlando die Lasso (s. d.) an. Er wurde 1584 zweiter und 1586 erster Organist an S. Marco. – G. ist die bedeutendste Gestalt der Musikgeschichte an der Wende vom 16. zum 17. Jahrhundert, der einflußreichste Vertreter der venezianischen Schule, einer der Schöpfer des musikalischen Barockstils. Er hat auf die geistliche Musik Deutschlands im 17. Jahrhundert stärkste Wirkung ausgeübt. Sein bedeutendster Schüler war Heinrich Schütz (s. d.), dem der Meister auf dem Sterbebett einen seiner Ringe zum Andenken schenkte. Hans Leo Haßler (s. d.) hat das bei Andrea G. begonnene Studium bei Giovanni G. fortgesetzt.

Werke: Ecclesiasticae Cantiones 4–6 vocum, 1589; Sacrae Symphoniae, 2 Bde., 6–19st., f. Gesang oder Instrumente, 1597/1615; Canzoni e sonate a 3–22 voci, 1615; Madrigali a 6 voci o istromenti, 1585 (verschollen); Madrigali e ricercari a 4 voci, 1587; Concerti di Andrea e di Giovanni G., 1587 (enthalten 4 Motetten u. 4 Madrigale v. G. G., in der Hauptsache aber Kompositionen v. A. G.). – Gab heraus: Intonazioni e ricercari per l'organo, 4 Tle. 1593–95 (enthalten zahlr. Stücke v. G. G.). – *Ausgg.:* Opera omnia, hrsg. v. Denis Arnold, Rom 1956 ff.: bisher ersch.: I–II, 1956–59: Concerti (1587) u. Sacrae symphoniae (1597); III–IV, 1962–69: Sacrae symphoniae (1615). – Opera omnia, hrsg. v. der Fondazione Cini Venedig, I: Sacrae symphoniae libro primo, Tl. II, hrsg. v. V. Fagotto, Wien 1969.

Lit.: Carl v. Winterfeld, Johannes G. u. sein Zeitalter, 3 Bde., 1834 (Nachdr. Hildesheim 1965); – Francesco Caffi, Storia della Musica Sacra nella già Cappella Ducale di San Marco in Venezia dal 1318 al 1797, 2 Bde., Venedig 1854/55 (Nachdr. Mailand

1931); – Wilhelm Joseph v. Wasielewski, Gesch. der Instrumentalmusik, 1878; – August Gottfried Ritter, Zur Gesch. des Orgelspiels im 14.–18. Jh., 2 Bde., 1884 (Nachdr. 2 Bde. in 1 Bd., Hildesheim 1969; Neubearb. v. Gotthold Frotscher, Gesch. des Orgelspiels I, 1935; 1959²; 1966³); – August Wilhelm Ambros, Gesch. der Musik III, hrsg. v. Otto Kade, 1891³, 535 ff. 542 ff.; – Luigi Torchi, La Musica Instrumentale in Italia nei Secoli XVI, XVII e XVIII, in: Rivista Musicale Italiana 5, 1895, 465 ff.; – Hugo Leichtentritt, Gesch. der Motette, 1908 (Nachdr. Hildesheim 1967), 218 ff. 221 ff.; – Otto Kinkeldey, Orgel u. Klavier in der Musik des 16. Jh.s, 1910 (Nachdr. Hildesheim u. Wiesbaden 1968), 120 ff. 264 ff.; – Peter Wagner, Gesch. der Messe, 1913 (Nachdr. Hildesheim u. Wiesbaden 1963), 408 f. 413 f.; – André Pirro, Heinrich Schütz, Paris 1924, 24 ff.; – Robert Haas, Die Musik des Barocks, 1928; – Alfred Einstein, Heinrich Schütz, 1928; – Ders., It. Musik u. it. Musiker am Kaiserhof, in: StMw 21, 1934; – Ders., The Italian Madrigal I, Princeton (New Jersey) 1949 (Nachdr. ebd. 1970), 789 f. 867; – Guido Adler, Hdb. der Musikgesch., 1930²; – Otto Ursprung, Die kath. Kirchenmusik, 1931, 203 ff.; – Friedrich Blume, Die ev. Kirchenmusik, 1931 (2., neubearb. Aufl. 1965); – Heinrich Besseler, Die Musik des MA u. der Renaissance, 1931; – Giacomo Benvenuti, A. e G. G. e la musica strumentale in San Marco, in: Istituzioni e monumenti dell'arte musicale italiana I. II (Vorwort), 2 Bde., Mailand 1931/32; – Ilse Zerr-Becking, Stud. zu A. G. (Diss. Prag), 1933; – Anna Amalie Abert, Die stilist. Grdl.n der »Cantiones sacrae« v. Heinrich Schütz (Diss. Berlin, 1935), 1936, 149 u. ö.; – Hans Joachim Moser, Heinrich Schütz, 1936 (1954²); – Ders., Musikgesch. in 100 Lb., 1952, 140 ff.; – Edith Kiwi, Stud. z. Gesch. des it. Liedmadrigals im 16. Jh. Satzlehre u. Genealogie der Kanzonetten (Diss. Heidelberg), 1937; – Helmut Schultz, Das Madrigal als Formideal. Eine stilkundl. Unters. mit Belegen aus dem Schaffen des A. G. 3 Madrigale A. G.s im Anh. (Hab.-Schr., Leipzig 1940), 1939 (Nachdr. Hildesheim – Wiesbaden 1968); – Manfred Bukofzer, Music in the Baroque Era, New York 1947, 20 ff.; – Gerald Stares Bedbrook, The Genius of G. G., in: The Music Review 8, Cambridge 1947; – Ders., Keyboard Music from the middle ages to the beginnings of the Baroque, London 1949, 77 ff. 88 ff.; – Willi Apel, The Early Development of the Organ Ricercar, in: Musica Disciplina 3, Rom 1949, 144 ff.; – Hellmut Federhofer, Alessandro Tadei, a Pupil of G. G., ebd. 6, 1952, 115 ff.; – Denis Arnold, Ceremonial Music in Venice at the Time of the G.s, in: Proceedings of the Royal Musical Association 82, 1955/56; – Ders., Music at the Scuola di San Rocco, in: Music and Letters 40, London 1959, 229 ff.; – Ders., A. G. u. die Entwicklung der »cordi-spezzati« Technik, in: Mf 12, 1959, 258 ff.; – Ders., Gli allievi di G. G., in: Nuova rivista musicale italiana 5, Turin 1971, 943 ff.; – R. Wiesenthal, G. G. (Diss. Jena), 1956; – J. A. Fowler, G. G.s »Sacrae Symphoniae« (Diss. Univ. of Michigan), 2 Bde., 1956; – Walter Henry Simson, The Motets of A. G., »Catalogue raisonné« and Critical Edition (Diss. Yale Univ. Connecticut), 2 Bde., 1962; – Egon Francis Kenton, The Late Style of G. G., in: Musical Quarterly 48, New York 1962, 427 ff.; – Ders., G. G. His Life and Works (Musicological Studies and Documents XVI), Rom 1967 (Rez. v. Denis Stevens, in: Journal of the American Musicological Society 22, New York 1969, 517 ff.); – Klaus-Ulrich Düwell, Stud. z. Kompositionstechnik der Mehrchörigkeit im 16. Jh. (Diss. Köln), 1963; – Stefan Kunze, Die Instrumentalmusik G. G.s, 2 Bde., 1963; – Ders., Die Entstehung des Concertoprinzips im Spätwerk G. G.s, in: AfMw 21, 1964, 81 ff.; – Wendelin Müller-Blattau, Tonsatz u. Klanggestaltung bei G. G. (Hab.-Schr., Saarbrücken), 1966; – Ders., Klangliche Strukturen im Satzbau des Psalmus primus aus den »Sieben Bußpss.« v. A. G., in: Festschr. Joseph Müller-Blattau (Saarbrücker Stud. z. Musikwiss. I), 1966; – Karl Gustav Fellerer, Zum G.-Bild C. v. Winterfelds, in: Festschr. Leo Brandt, Köln 1968; – Gesch. der kath. Kirchenmusik, hrsg. v. dems., II, 1976 (s. Reg.); – Siegfried Schmalzriedt, Heinrich Schütz u. anderen zeitgenöss. Musiker in der Lehre G. G.s. Stud. zu ihren Madrigalen (Diss. Tübingen, 1969), Neuhausen (Stuttgart) 1972; – MGG IV, 1185 ff.; – Eitner IV, 111 ff.; – Riemann I, 568 ff.; ErgBd. I, 391 f.; – Moser I, 385 ff.; – Grove III, 531 ff. 534 ff.; – Gerber II, 231 ff.; – Honegger I, 375 f.; – Goodman 149; – RGG II, 1186; – LThK IV, 483; – NCE VI, 236 f.

GÄNSBACHER, Johann Baptist, Komponist, * 28. 5. 1778 in Sterzing (Südtirol) als Sohn des Chorregenten der Pfarrkirche und Komponisten, † 13. 7. 1844 in Wien. – Seit seinem 6. Lebensjahr sang G. in Kirchenchören; 1785–86 war er Singknabe in Innsbruck, 1786–90 in Hall, dann in Bozen. 1795–1801 studierte G. in Innsbruck Philosophie, dann Jura und machte während seines Universitätsstudiums als freiwilliger Landesverteidiger vier Feldzüge gegen Napoleon mit. 1801 studierte er Musik in Wien als Schüler von Georg Joseph Vogler (s. d.) und Johann Georg Albrechtsberger und bestritt seinen Lebensunterhalt durch Musikunterricht, bis ihn der Reichshofrat Karl Max Graf Firmian in seine Familie aufnahm. 1806–13 hielt sich G. mit der Familie Firmian hauptsächlich in Böhmen und auf Reisen auf. April bis Juli 1810 setzte er bei Vogler in Darmstadt das Musikstudium fort und wurde 1823 Kapellmeister am Stephansdom in Wien. – G. komponierte seit seiner Tätigkeit als Domkapellmeister fast nur Werke für die Kirche. Er war ein fleißiger Kirchenkomponist.

Werke: 35 Messen, 8 Requiem, Offertorien, Vespern u. Hymni; weltl. Vokalmusik, Lieder, Klavierwerke, Kammermusik, Orchesterwerke.

Lit.: Conrad Fischnaler, J. G. Sein Leben u. Wirken, Innsbruck 1878; – Johann Georg Ritter v. Woerz, Zur Säcularfeier J. G.s, ebd. 1878; – Ders., J. G., ebd. 1893; – MGG IV, 1230 ff.; – Riemann I, 572; Moser I, 387; – Grove III, 561; – Honegger I, 377; – Goodman 152; – Wurzbach V, 48 ff.; – ÖBL I, 388 f.; – ADB VIII, 363 ff.; – NDB VI, 19 f.; – Eitner IV, 118 f.; – LThK IV, 514.

GAETANO *da Tiene s.* CAJETAN *von Tiene*

GAFERT, Ernst, Kirchenmusiker, * 1904 in Berlin, † daselbst 24. 7. 1966. – Neben seiner Lehrzeit als Bankkaufmann betrieb G. das Orgelstudium mit großem Eifer und wuchs schließlich so in den kirchenmusikalischen Dienst hinein, daß ihm 1929 das Amt eines Kantors und Organisten in Berlin-Treptow übertragen wurde. Von 1934–37 studierte er an der Staatlichen Hochschule für Musik in Berlin mit dem Abschluß des Staatsexamens für Chorleiter und Organisten. Bezeichnend für ihn ist der Satz: »Das Herz echter evangelischer Kirchenmusik schlägt im Gottesdienst.« Hier sah G. seine musikpädagogische, chorerzieherische, künstlerische und gemeindeaufbauende Aufgabe. Als Landesobmann der Berliner Kantoren kümmerte er sich intensiv um die Ausbildung und Weiterbildung der Kirchenmusiker. Als Landesobmann des evangelischen Kirchenchorwerkes Berlin sorgte er für den Bestand und Zusammenhalt der Chöre und war bemüht, durch Singwochen und Chortreffen die Chorarbeit anzuregen und zu fördern. G. war Leiter des Evangelischen Kirchenmusikwerkes in der DDR und gehörte der Kammer für Kirchenmusik der Evangelischen Kirche Berlin-Brandenburg an.

Lit.: Hans Heinrich Albrecht, E. G. z. Gedenken, in: MuK 36, 1966, 201 f.

GAGARIN, Jean Xavier (ursprünglich: Ivan Sergeevič), russischer Jesuit, * 1. 8. 1814 in Moskau als Sproß eines russischen Fürstengeschlechts, † 19. 7. 1882 in Paris. – G. wurde 1832 Gesandtschaftssekretär in München und 1838 in Paris. Dort konvertierte er am 19. 4. 1842 zur römisch-katholischen Kirche und trat am 12. 8. 1843 in den Jesuitenorden ein. G. lehrte Kirchengeschichte und Philosophie 1849–51 in Brugelette und 1854/55 in Laval. Durch wissenschaftliche Werke bemühte er sich, die Russen für den Anschluß an Rom zu gewinnen, und gründete darum 1857 mit Charles Daniel die »Études de théologie, de philosophie et d'histoire«. 1858 gab er die »Oeuvres des Saints Cyrille et Méthode« heraus. 1862–65 war G. in Beirut, danach als Schriftsteller und Seelsorger fast ständig in Paris.

Werke: Les starovères, l'église russe et le pape, Paris 1857; La Russie sera-t-elle catholique?, ebd. 1857. – Gab 1862 die Werke des russ. Rel.phil. Peter Tschaadajev heraus.

Lit.: Ludwig Berg, Russ. Convertitenbilder, 1926; – J. G. A. M. Remmers, De Herenigingsgedachte van I. S. G., Tilburg 1951; – Sommervogel III, 1089 ff.; – Rosenthal III/2, 194 ff.; – Koch, JL 629; – DThC VI, 988 f.; – EC V, 1847 f.; – LThK IV, 484; – NCE VI, 238 f.; – RGG II, 1187.

GALEN, Christoph Bernhard von, Fürstbischof von Münster, * 12. 10. 1606 in Haus Bisping bei Rinkerode (Westfalen), † 19. 9. 1678 in Ahaus. – G. besuchte das Jesuitengymnasium in Münster und studierte in Köln, Mainz, Löwen und Bordeaux. Er wurde 1630 Domschatzmeister in Münster, am 14. 11. 1650 Fürstbischof von Münster, 1661 auch Administrator der Abtei Corvey und 1674 dazu noch Landesherr von Höxter. G. bemühte sich ernstlich um die Erneuerung der durch die Wirren des Dreißigjährigen Krieges in Verfall geratenen kirchlichen Zucht, entfaltete eine rege priesterliche Tätigkeit, führte zahlreiche Visitationen durch und hielt zweimal jährlich Diözesansynoden ab, drang auf eine Reform des Klerus in Lehre und Wandel, zog die Orden, besonders die Jesuiten, für die Seelsorge heran, ordnete das Schulwesen und die Armenpflege, förderte Klostergründungen und wirkte im Geist der Gegenreformation mit dem Ziel der restlosen Ausrottung des Protestantismus. G. war auch ein streitbarer Kriegsmann. 1661 eroberte er Münster und zwang die Stadt, seine Fürstenrechte anzuerkennen. Durch siegreiche Kriege gegen Holland und Schweden gewann G. die alten Stiftslehen Borkelo in Holland und Delmenhorst bei Bremen; Holland und Schweden mußten für kurze Zeit noch weitere Gebiete abtreten.

Lit.: Johann v. Alpen, De vita et rebus gestis Christophori Bernardi, Episcopi et Principis Monasteriensis Decas I, Coesfeld 1694; II, Münster 1703 (dt. Ausz. v. Kurz, Münster 1790); – Karl Tücking, Gesch. des Stifts Münster unter C. B. v. G., 1865; – Augustin Hüsing, Fürstbisch. C. B. v. G., ein kath. Reformator des 17. Jh.s, 1887; – Josef Minn, Die Lebensbeschreibungen des Fürstbisch. C. B. v. G. im 17. Jh. Mit bes. Berücks. der v. Johannes v. Alpen verf. Biogr. (Diss. Münster), Hildesheim 1907; – Franz Heers, Die Wahl C. B.s v. G. z. Fürstbisch. v. Münster (Diss. Münster), Hildesheim 1908; – Theodor Verspohl, Das Heerwesen des Münsterschen Fürstbisch. C. B. v. G. (Diss. Münster), Hildesheim 1909; – Joseph Schmidlin, C. B. v. G. u. die Diözese Münster, in: Westfalen 2, 1910, 1 ff.; – Heinrich Berkenkamp, Das Fürstbist. Corvey unter dem Administrator C. B. v. G., 1913; – Theodor Bading, Die innere Politik C. B.s v. G., Fürstbisch. v. Münster (Diss. Münster, 1912), 1921; – Annemarie Neuburg, C. B. v. G. Der Münstersche Krieg u. sein Einfluß auf die europ. Politik (Diss. Berlin), 1922; – Hans Hüer, Fürstbisch. C. B. v. G. u. sein Baumeister Peter Pictorius, 1923; – Albert Brand, Gesch. des Fürstbist. Münster, 1925, 194 ff.; – G. Pfeiffer, C. B. v. G. in seinem Verhältnis zu Kaiser u. Reich, in: Westfäl. Zschr. 90, 1934, 1 ff.; – Lothar-Engelbert Levin Schücking, C. B. v. G., Fürstbisch. v. M. Ein Charakterbild des Barock, 1940; – Hermann Rothert, Westfäl. Gesch. III, 1951; – Alois Schröer, Das Tridentinum u. Münster, in: Das Weltkonzil v. Trient, sein Werden u. Wirken, hrsg. v. Georg Schreiber, II, 1951, 367 ff.; – Die Korr. des Münsterer Fürstbisch. C. B. v. G. mit dem Hl. Stuhl (1650–1678), hrsg. v. dems., 1972 (Rez. v. Robert Stupperich, in: Jb. der westfäl. KG 67, 1974, 249 f.; v. Rudolf Reinhardt, in: HZ 218, 1974, 137 ff.); – Heinrich Börsting, Gesch. des Bist. Münster, 1951; – Ernst Marquardt, C. B. v. G., Fürstbisch. v. Münster, 1951; – Friedrich Brune, Der Kampf um eine ev. Kirche im Münsterland 1520–1802, 1953, 158 ff.; – Willy Köhl, Grundzüge der Politik C. B.s v. G. 1650 bis 1678, in: Westfalen 34, 1956, 103 ff.; 36, 1958, 91 ff.; – Ders., C. B. v. G., in: Westfäl. Lb. VII, 1959, 40 ff.; – Ders., C. B. v. G. Polit. Gesch. des Fürstbist. Münster 1650–1678, 1964 (Rez. v. Georges Livet, in: RevHist 247, 1972, 220 ff.); – Helmut Lahrkamp, G.s städt. Widersacher. Streiflichter z. Erhellung der münster. Opposition gg. den Bischof, in: Westfalen 51, 1973, 238 ff.; – Manfred P. Becker, Die Ernennung v. Johannes Alpen z. Gen.vikar u. Siegler durch C. B. v. G. Ein Btr. zu den Archidiakonatsstreitigkeiten im Bist. Münster im 17. Jh., in: Studia Westfalica. Btr. z. KG u. rel. Volkskunde. Festschr. f. Alois Schröer. Hrsg. v. Max Bierbaum. Westfalia sacra 4, Münster 1973; – Erich Hüttenhain, Die Geheimschrr. des Fürstbist. unter C. B. v. G., 1974; – ADB II, 427 ff.; – NDB III, 245 f.; – Kosch, KD 914 f.; – LThK IV, 490; – RGG II, 1190.

GALEN, Clemens August Graf von, Erzbischof von Münster, Kardinal, * 16. 3. 1878 auf der Burg Dinklage im Oldenburger Münsterland als das 11. der 13 Kinder des Ferdinand Heribert von G. (1831–1906), eines der namhaftesten Mitglieder der Zentrumsfraktion des Deutschen Reichstags, † 22. 3. 1946 in Münster (Westfalen). – G. und sein Bruder Franz widmeten sich 1890–94 in Feldkirch (Vorarlberg) am Gymnasium der Jesuiten und im dortigen Konvikt »Stella matutina« humanistischen Studien und besuchten dann bis zur Reifeprüfung im August 1896 das katholische Gymnasium in Vechta (Oldenburg), da die preußische Regierung das Jesuitengymnasium nicht anerkannte. Bis Ostern 1897 blieben die beiden im Elternhaus und studierten dann zwei Semester Philosophie und Geschichte an der Universität Freiburg (Schweiz). Bei den Benediktinern in Maria Laach nahm G. im Oktober 1897 an Exerzitien teil, die den Entschluß herbeiführten, Priester zu werden. Nach seelsorgerlicher Unterredung vor Beginn des Wintersemesters 1897/98 war er seiner Berufung zum Priester gewiß. Das tiefste Erlebnis seiner ersten Romfahrt im Februar 1898 war eine Privataudienz bei Leo XIII. (s. d.). Im Herbst 1898 begann G. seine theologischen Studien in Innsbruck und bezog im Frühjahr 1903 das Priesterseminar in Münster. Am 28. 5. 1904 empfing er die Priesterweihe und wurde zum Domvikar ernannt und seinem Onkel, dem münsterischen Weihbischof Maximilian Gereon Grafen von Galen, als Kaplan beigegeben. So lernte G. als Begleiter seines Onkels auf den Firmungsreisen das weite Bistum kennen. Im Herbst 1904 reiste er mit ihm nach Rom zum 50jährigen Jubiläum der Verkündigung des Dogmas von der Unbefleckten Empfängnis der Maria. Pius X. (s. d.) gewährte beiden Pilgern eine Privataudienz. G. wurde 1906 Kaplan an der von Priestern des Bistums Münster verwalteten Pfarrei St. Matthias in Berlin und 1911 Kuratus (Pfarrverweser) der neugegründeten Gemeinde St. Clemens. Mit besonderer Liebe und Erfolg wirkte er als Gesellenvater und -präses. 1919 wurde G. Pfarrer an St. Matthias in Berlin und 1929 an St. Lamberti in Münster. Pius XI. (s. d.) ernannte ihn am 5. 9. 1933 zum Bischof von Münster. Er wurde am 28. 10. geweiht und feierlich inthronisiert. Pius XII. (s. d.) ernannte ihn am 18. 2. 1946 zum Kardinal. – G. ist bekannt als entschiedener Kämpfer gegen die Kirchen- und Rassenpolitik des Nationalsozialismus. Da er klar erkannte, wohin der Kurs des Nationalsozialismus ging, setzte sich G. in seinem Hirtenbrief vom 26. 3. 1934 umfassend und klärend mit dem zweideutigen »Bekenntnis« der Partei zum »positiven Christentum« auseinander. Er nahm den Kampf auf gegen die Irrlehre Alfred Rosenbergs vom Herrenrang der arischen Rasse und seine Verherrlichung des deutschen Blutes und bekannte sich im Oktober 1934 mit seinem Geleitwort zu den von nichtgenannten Theologen verfaßten »Studien zum Mythus des 20. Jahrhunderts« als Antwort an den weltanschaulichen Leiter der NSDAP. Im Frühjahr 1937 ließ G. das päpstliche Rundschreiben »Mit brennender Sorge«, das die Verlogenheit des nationalsozialistischen Regimes vor aller Welt enthüllte, von allen Kanzeln des Bistums verlesen und in allen Kirchen als Broschüre verteilen. Zum offenen Angriff gegen die Staatsmoral trat er auf in den drei Predigten vom Juli und August 1941 gegen die Beschlagnahme der beiden münsterischen Jesuitenniederlassungen und die Vertreibung ihrer Insassen und gegen die Anwendung der Euthanasie in westfälischen Heilanstalten.

Werke: Die Pest des Laizismus u. ihre Erscheinungsformen. Erwägungen u. Besorgnisse eines Seelsorgers über die rel.-sittl. Lage der dt. Katholiken, 1932. – Korr. mit seiner Fam., hrsg. v. Max Bierbaum, 1958.

Lit.: Joseph Leufkens, C. A. Kard. v. G. Ein Gedenkbl. z. Rückkehr des Bisch. v. M. aus Rom nach seiner Ernennung z. Kard., 1946; – Gottfried Hasenkamp, Heimkehr u. Heimgang des Kard., 1946; – Ders., In memoriam C. A. Kard. v. G./Adolf Donders, 1946; – Ders., Der Kard. Taten u. Tage des Bisch. v. M., C. A. Gf. v. G., 1957; – Max Bierbaum, Die letzte Romfahrt des Kard. v. G., 1946; – Ders., Kard. v. G., Bisch. v. M., 1947; – Ders., Nicht Lob, nicht Furcht. Das Leben des Kard. v. G. nach unveröff. Briefen u. Dokumenten, 1955 (1974⁷); – Ders., Kard. v. G., in: StL⁶ III, 1958, 639 f.; – Heinrich Portmann, Bisch. Gf. v. G. spricht. Ein apostol. Kampf u. sein Widerhall, 1946; – Ders., Der Bisch. v. M. Das Echo eines Kampfes f. Gottesrecht u. Menschenrecht, 1946; – Ders., Dokumente um den Bisch. v. M., 1948; – Ders., Kard. v. G. Ein Gottesmann seiner Zeit. Mit einem Anh.: Die drei weltberühmten Predigten, 1948 (1976¹³); – Karl Hofmann, Zeugnis u. Kampf des dt. Episkopats, 1946; – Josef Neuhäusler, Kreuz u. Hakenkreuz, 1946; – Max Pribilla, Das Schweigen im Gericht, in: StZ 139, 1946, 15 ff.; – Wilhelm Hünermann, C. A. Aus dem Lebensbuch des Kard., 1947; – Anton Koch, Vom Widerstand der Kirche 1933–45, in: StZ 140, 1947, 468 ff.; – Wilhelm Neuß, Kampf gg. den Mythus des 20. Jh.s. Gedenkbl. an C. A. Gf. v. G., 1947; – Alois Schröer, Der Hohe Dom zu Münster, 1947; – Rudolf Pechel, Dt. Widerstand, Erlenbach-Zürich 1947, 58 ff.; – Ludwig Deimel, C. A. Gf. v. G., Bisch. v. M., 1948; – Franz Rensing, C. A. Gf. v. G. als Kuratus v. St. Clemens u. Kolpingspräses in Berlin, in: Paulus u. Liudger. Ein Jb. aus dem Bist. Münster, 1948, 28 ff.; – Heinrich Börsting, Gesch. des Bist. Münster, 1951, 172 ff.; – Robert Quardt, Unsterbl. Christusjünger. 40 Priestergestalten, 1951, 174 ff.; – Wilhelm Vernekohl, Über das Unzerstörbare, 1952, 77 ff.; – Georg Popp, Die Großen der Kirche. Männer u. Frauen der Kirche, die jeder kennen sollte, 1956, 130 ff.; – Walter Conrad, Der Kampf um die Kanzeln. Erinnerungen u. Dokumente aus der Hitlerzeit, 1957; – Gerhard Oesterle, Zum Seligsprechungsprozeß des Kard. v. G., 1957; – Annedore Leber, Das Gewissen entscheidet. Bereiche des Widerstandes v. 1933 bis 1945 in Lb., 1957, 178 ff.; – Reinhard Schmoeckel, Stärker als Waffen, 1957, 167–198; – Hans Rothfels, Die dt. Opposition gg. Hitler. Eine Würdigung, 1958, 48. 186; – Michael Keller, Zum 10. J.tag des Todes v. C. A. Kard. v. G., in: Ders., Inter para tutum. Apostolat in der modernen Welt. Hrsg. v. Laurenz Böggering, 1961, 27 ff.; – Gisbert Kranz, Polit. Hll. u. kath. Reformer III, 1958, 358 ff.; – Thomas Bundschuh, Der »Löwe v. Münster«. Zum Gedenken des Kard. Gf. v. G., in: Begegnung. Mschr. dt. Katholiken 3, 1963, H. 3, 18 ff.; – Eugen Kogon, Erinnerung an Bisch. C. A. Gf. v. G., in: Frankfurter Hh. Zschr. f. Kultur u. Politik 21, 1966, 318 ff.; – Rudolf Morsey, Vers. einer hist. Würdigung, in: Jb. des Instituts f. Christl. Sozialwiss. der Westfäl. Wilhelms-Univ. Münster VII–VIII, 1966–67, 367 ff.; – Ders., C. A. Kard. v. G. (Vortr.), 1967; – Ders., C. A. Kard. v. G., in: Zeitgesch. in Lb. Aus dem dt. Kath. des 20. Jh.s. Hrsg. v. dems., I, 1975, 37 ff. 215 f.; – Biogr. Wb. z. dt. Gesch. I², 1973, 849 f.; – Torsy 320; – NDB VI, 41 f.; – EC V, 1864; – LThK IV, 490 f.; – NCE VI, 247 f.; – RGG II, 1190 f.

GALERIUS, Gajus G. Valerius Maximianus, römischer Kaiser, * um 250 in Serdica (heute: Sofia), † Mai 311 in Nikomedia (heute: Izmit). – Als Offizier ausgezeichnet, wurde G. 293 durch Diokletian (s. d.) adoptiert und als Schwiegersohn zum Caesar (Mitregenten) in Illyrikum (Donaugebiet und Balkanhalbinsel) ernannt. Er war ein erbitterter Gegner des Christentums und reinigte das Heer von den Christen. Das am 3. 2. 303 zusammen mit Diokletian erlassene Edikt gegen das Christentum hat er mit äußerster Härte durchgeführt, mußte aber erkennen, daß er das Christentum nicht ausrotten konnte. Darum erließ G. im April 311, zu Tode erkrankt, in Serdica ein Edikt, in dem er den Christen Toleranz gewährte, sofern sie nichts »contra disciplinam« unternähmen. Damit war das Christentum »religio licita«.

Lit.: Hermann Hülle, Die Toleranzerlasse röm. Kaiser f. das Christentum bis z. J. 313 (Diss. Greifswald), Berlin 1895; – Otto Seeck, Gesch. des Untergangs der antiken Welt I, 1921⁴ (Nachdr. Darmstadt 1966); – Ernst Stein, Gesch. des spätröm. Reiches I, 1928, 98 ff.; – Henry Michael Denne Parker, A History of the Roman World from A. D. 138 to 337, London 1935, 229 ff.; – William Seston, Dioclétien et la Tetrarchie I, Paris 1946; – Josef Vogt, Constantin d. Gr. u. sein Jh., 1960²; – Hans Ulrich Instinsky, Die alte Kirche u. das Heil des Staates, 1963; – Pauly Wissowa XIV, 2516 ff.; – Kl. Pauly II, 676; – RAC VIII, 786 ff.; – EItal XVI, 270; – EC V, 1867 f.; – LThK IV, 491; – NCE VI, 248; – ODCC² 545.

GALGANI, Gemma, Stigmatisierte, Heilige, * 12. 3. 1878 in Camigliano bei Lucca (Mittelitalien), † 11. 4. 1903 in Lucca, beigesetzt in der Kirche des dortigen Passionistinnenklosters. – G. lebte in Lucca und empfing am 8. 6. 1899 die Wundmale Christi, die jeden Donnerstag sich in Ekstasen erneuerten, während sie am Samstag und Sonntag verschwanden, am 19. 7. 1900 auch die »Stigmen« der Dornenkrönung und am 1. 3. 1901 die der Geißelung: blutende Wunden am ganzen Körper. Ihr Seelenführer, der Passionist Germanus vom hl. Stanislaus, sammelte ihre Briefe und beschrieb ihr Leben. G. wurde 1933 selig- und am 2. 5. 1940 heiliggesprochen. Ihr Fest ist der 14. Mai. Sie wird dargestellt als Jungfrau mit dem Herz-Kreuz-Symbol auf der Brust.

Werke: Lettere, Rom 1941; Estasi, diario, autobiografia, ebd. 1943. – Germano di Stanislao, Der Dienerin Gottes G. G., Jungfrau v. Lucca, Briefe u. Ekstasen. Dt. Ausg. v. Leo Schlegel, Saarlouis 1913. – G. G. Selbstbekenntnisse einer Hl. Aus dem It. ins Dt. übertr. v. Egon v. Petersdorff, Innsbruck 1952. – G. G. Myst. Tgb., dt. v. dems., Klagenfurt 1958.

Lit.: August Friedrich Ludwig, G. G., eine Stigmatisierte aus jüngster Zeit. Ein Btr. z. Erforsch. des Phänomens der Stigmatisation, 1912; – Beda Ludwig, Reiseerinnerungen aus Lucca am Grabe der stigmatisierten Jungfrau u. Dienerin Gottes G. G., Saarlouis 1914; – Ders., Tugendschule G. G.s, Dienerin Gottes u. stigmatisierten Jungfrau u. Lucca, 1926⁴·⁵; – Germano di Stanislao, Leben der Jungfrau u. Dienerin Gottes G. G., aus dem It. (Rom 1907) bearb. v. Leo Schlegel, Saarlouis 1920¹⁰ (bearb. v. Friedrich Ritter v. Lama, 1934); – Konstantin Kempf, Die Heiligkeit der Kirche im 19. Jh., Einsiedeln 1928⁸, 500; – Gesualda dello Spirito Santo, G. G. Un Fiore di Passione della Città del Volto Santo, Alba 1930; – M. A. Ignis, G. G., Freiburg/Schweiz 1931; – Die Leidensblume v. Lucca. Leben u. Briefe, hrsg. v. Leo Schlegel, 1933; – Padre Amedeo, La B. G. G. Vergine Lucchese, Rom 1933; – G. Antonelli, Le Estasi e le Stigmate della B. G. G., Isola del Liri 1933; – Athos Carrara, G. G., Rom 1940; – G. Casali, La Stigmatizzata di Lucca, Lucca 1940; – Maria Eugenia Pietromarchi, S. G. G., Florenz 1940; – Leone Proserpio, S. G. G., Milwaukee 1940; – Icilio Felici, S. G. G., Florenz 1940; – A. Geeraart, Une héroïne de l'Amour Crucifié, Brüssel 1941; – Piergiovanni Bonardi, S. G. G., Varese 1949; – Sister Saint Michael, Portrait of St. G., a Stigmatic, New York 1950; – Maria Veronika Rubatscher, Bei G. G. I, 1950; II, 1955; – Johannes Maria Höcht, Träger der Wundmale Christi. Eine Gesch. der bedeutendsten Stigmatisierten v. Franziskus bis z. Ggw. II, 1952, 205 ff.; – C. Fabro, La povera G., in: Ecclesia, 1953, 212 ff.; – A. Ghinato, La vita spirituale di S. G. G., in: Vita Christiana 22, 1953, 225 ff.; – Enrico Zoffoli, La povera G. Saggi critici storico-teologici, Rom 1957; – G. G. Myst. Tgb. der hl. G. Zum 1. Male aus dem It. übers. u. hrsg. v. Egon v. Petersdorff, Klagenfurt 1957; – G. Maria Woerner, G. G. Mystikerin u. Heldin im Alltag, 1962; – VSB IV, 272 ff.; – BS VI, 106 f.; – Wimmer³ 236; – Torsy 181; – Catholicisme IV, 1810 f.; – EC V, 1994 f.; – LThK IV, 492.

GALLANDI, Andrea, gelehrter Oratorianer, * 7. 12. 1709 in Venedig, † daselbst 12. 1. 1779. – G. ist als Patristiker bekannt.

Werke: Gab heraus: Bibliotheca veterum Patrum antiquorumque scriptorum ecclesiasticorum Graeco-Latina (Smlg. kleinerer Schrr. v. 380 kirchl. Schr.stellern bis z. 12. Jh. mit wertvollen Einl. u. Anm.), 14 Bde., Venedig 1765–81 (1788²); Index-Bd., Bologna 1863; De vetustis canonum collectionibus dissertationum sylloge (Smlg. v. Abhh. berühmter Kanonisten), Venedig 1778; 2 Bde., Mainz 1790. – Thesaurus antiquitatis ecclesiasticae (eine Art Gesch. der christl. Lit. bis 1200) blieb ungedruckt.

Lit.: John Goulter Dowling, Notitia Scriptorum Ss Patrum, Oxford 1839, 191 ff.; – DDC V, 931; – Bardenhewer I, 51. 58; – HN V, 111 f.; – DThC VI, 1095; – EC V, 1882; – LThK IV, 496; – NCE VI, 257; – ODCC² 546; – RE VI, 344.

GALLICIUS, Philipp, Reformator des Engadins, * 4. 2. 1504 in Puntwil bei Taufers, † 7. 6. 1566 in Chur. – G. wirkte zuerst als Kaplan, wandte sich etwa 1525 lutherischen Gedanken zu und war seit 1529 reformierter Prädikant in Lavin, dann Pfarrer in Langwies, Schanans, Malans, 1540 wieder in Lavin, 1542 Lehrer an der Nikolaischule in Chur, 1544–50 zum drittenmal in Lavin und dann bis zu seinem Tod Pfarrer an der St. Regulakirche in Chur. Auf der Dispu-

tation in Ilanz 1526 vertrat er die Reformation und bekämpfte 1544 die Täufer. G. entwarf 1552 die »Confessio Raetica«, die 1553 nach Zustimmung Heinrich Bullingers (s. d.) angenommen wurde. Er übersetzte einige Kapitel der Genesis, den Dekalog und das Vaterunser sowie das Apostolikum und Athanasianum ins Rätoromanische.

Werke: Confessio Raetica, Orig. im Matrikelbuch der Ev. Rät. Synode, erstmals gedruckt in: P. D. R. a Porta, Historia Reformationis Ecclesiarum Raeticarum I, Chur 1771.

Lit.: Traugott Schieß, Bullingers Korr. mit den Graubündnern I, 1904, XIX–XXXVII; – Emil Camenisch, Bündner. Ref.gesch., Chur 1920; – Jakob Rudolf Truog, Aus der Gesch. der ev.-rät. Synode 1537–193/, ebd. 1937, 14 ff.; – Peter Dalbert, Die Ref. in den it. Talschaften Graubündens nach dem Briefwechsel Bullingers; ein Btr. z. Gesch der Ref. in der Schweiz, Zürich 1948; – Conradin Bonorand, Die Entwicklung des ref. Bildungswesens in Graubünden z. Z. der Ref. u. Gegenref. (Diss. Zürich), 1949, 28 f.; – Rudolf Jenny, Nachtr. z. J. A. v. Sprechers »Kulturgesch. der Drei Bünde im 18. Jh.«, 1951, 626 ff.; – ADB VIII, 335 f.; – NDB VI, 50; – HBLS III, 382 f.; – RGG II,

GALLIENUS, Publius Licinius Egnatius, römischer Kaiser, * um 218 bei Mailand, † (ermordet) Juli oder August 268 vor Mailand. – G. wurde 253 Caesar und Mitregent seines Vaters Valerianus (s. d.) und 259 Alleinherrscher. Nach der Gefangennahme des Valerianus 259 brach G. die Christenverfolgung ab und hob die christenfeindlichen Edikte seines Vaters auf. Die Kirchen, Friedhöfe und andere Güter, die eingezogen waren, gab man den Christen zurück. Den Bischöfen gewährte er Freiheiten für die Ausübung ihres Amtes. Die Maßregel des G. kam in ihrer Wirkung einem eigentlichen Toleranzedikt nahe.

Lit.: Anton Linsenmayer, Die Bekämpfung des Christentums durch den röm. Staat, 1905, 158 ff.; – Alfonso Manaresi, L'impero romano ɇ il cristianesimo nei primi tre secoli. Studio storico, Turin 1914, 403 ff.; – Henri Gregoire, Note sur l'édit de tolérance de l'empereur G., in: Byzantion 13, 1938, 587 f.; – Ders., Les persécutions dans l'Empire Romain, Brüssel 1951 (1966²); – Eugenio Manni, L'impero di G., Rom 1949; – Giovanni Pugliese-Carratelli, L'età di Valeriano e di G., 1951; – Roger A. Hornsby, Studies in the Reign of Valerian and G. (Diss. Princeton), 1952; – Gerold Walser – Thomas Pekáry, Die Krise des Röm. Reiches. Ber. über die Forsch. z. Gesch. des 3. Jh.s (193–284 n. Chr.) v 1938 bis 1959, 1962, 28 ff.; – Andreas Alföldi, Stud. z. Gesch. der Weltkrise des 3. Jh.s n. Chr. I, 1967; – Pauly-Wissowa XIII, 350 ff.; – Kl. Pauly II, 684 ff.; – RAC VIII, 962 ff.; – Eltal XVI, 326 f.; – EC V, 1902; – LThK IV, 498; – NCE VI, 267.

GALLITZIN, Amalie Fürstin von, Mittelpunkt des Münsterschen Kreises religiös lebendiger Katholiken, * 28. 8. 1748 in Berlin als Tochter des preußischen Feldmarschalls Reichsgrafen Samuel von Schmettau, † 27. 4. 1806 in Münster (Westfalen). – Mit drei Jahren verlor Amalie ihren Vater, der evangelisch war. Sie wurde im Kloster im Glauben ihrer katholischen Mutter erzogen, aber in ihrer Jugend von dem Geist der Aufklärung stark beeinflußt. Amalie war seit etwa 1765 Hofdame am preußischen Hof. Als sie 1768 eine Prinzessin in die Bäder von Spa und Aachen begleitete, lernte Amalie den russischen Gesandten von Paris kennen, den Fürsten Dimitrij Aleksejewitsch Golizyn (1738–1803), der sie im August 1768 heiratete. Das junge Paar reiste über Brüssel und Berlin nach St. Petersburg und nach der Ernennung des Fürsten zum Gesandten für Den Haag Ende 1769 über Berlin nach der niederländischen Residenzstadt. Der Fürst war mit Voltaire (s. d.) und den »Enzyklopädisten« befreundet, von denen besonders Claude Adrien Helvétius (s. d.) durch seine Schriften und Denis Diderot persönlich auf die Fürstin einwirkten. Um sich der Philosophie und der Erziehung ihrer beiden Kinder Marianne und Dimitri († 1840 in Nordamerika als katholischer Missionsprediger unter den Indianern im Alleghanygebirge) ungestört widmen zu können, verließ A. v. G. 1775 mit Einwilligung des Fürsten Den Haag und bezog ein einsames Bauernhaus am Weg nach Scheveningen. Nun gewann auf sie starken Einfluß Franz Hemsterhuis (s. d.), der die Fürstin in die platonische Philosophie einführte. Die Kunde von den epochemachenden Schulreformen, die Franz Freiherr von Fürstenberg (s. d.) als Generalvikar und Minister im Hochstift Münster anbahnte, veranlaßte A. v. G. 1779, mit ihren Kindern nach Münster (Westfalen) überzusiedeln. Mit vielen bedeutenden Zeitgenossen stand sie in regem brieflichem und mündlichem Verkehr. 1785 besuchte A. v. G. mit ihren Kindern Weimar und Jena, dann Halle (Saale) und auf dem Rückweg wieder Weimar. So traf sie mit Goethe zusammen, der 1792 von Düsseldorf aus die Fürstin in Münster aufsuchte. Matthias Claudius (s. d.) war ihr ein willkommener Gast. A. v. G. schätzte den Generalvikar von Fürstenberg als geistig bedeutenden Mann, bat ihn aber, sie mit etwaigen Bekehrungsversuchen zu verschonen. Während einer schweren Erkrankung im Frühjahr 1783 schickte er ihr seinen Beichtvater; die Fürstin lehnte zwar dankend seinen Zuspruch ab, erklärte ihm aber, sie wolle im Fall der Wiedergenesung sich mit den Fragen des christlichen Glaubens ernsthaft beschäftigen. Die Lektüre der »Sokratischen Denkwürdigkeiten« und anderer Schriften des Königsberger Johann Georg Hamann (s. d.), die ihr ein junger westfälischer Verehrer des Verfassers 1784 lieh, halfen ihr weiter im Ringen um Klarheit und in der Überwindung des Geistes der Aufklärung. Sie trat Hamann persönlich nahe, als er 1787/88 auf seiner Besuchsreise nach Westfalen die letzten Wochen seines Lebens in Münster zubrachte; in ihrem Garten fand der »Magus des Nordens« seine letzte Ruhestätte. Unter dem Einfluß des Leiters der Normalschule in Münster, Bernhard Heinrich Overberg (s. d.), kehrte A. v. G. zum christlichen Glauben und zur katholischen Kirche zurück: an ihrem 38. Geburtstag, dem 28. 8. 1786, legte sie eine Generalbeichte ab und empfing die Kommunion. Auf ihren Wunsch siedelte Overberg als ihr Beichtvater 1789 in ihr Haus über. Es wurde der Mittelpunkt des Münsterschen Kreises, der sich um die Fürstin sammelte. Zu diesem »familia sacra« gehörten u. a. die Brüder Kaspar Max und Clemens August Droste-Vischering (s. d.), später auch Friedrich Leopold Graf von Stolberg (s. d.), dem A. v. G. die Anregung zur Konversion gab und der mit seiner Gattin am 1. 6. 1800 in ihrer Hauskapelle das katholische Glaubensbekenntnis ablegte. Der Münstersche Kreis um A. v. G. wurde von großer Bedeutung für die innere Erneuerung des deutschen Katholizismus.

Werke: Mitteilungen aus dem Tgb. u. Briefwechsel der Fürstin Adelheid A. v. G., 1868; Briefwechsel u. Tagebücher der Fürstin A. v. G., hrsg. v. Christoph Bernhard Schlüter, 3 Bde., 1874–76.

Lit.: Theodor Katerkamp, Denkwürdigkeiten aus dem Leben der Fürstin A. v. G., 1828 (1839²); – Joseph Galland, Die Fürstin A. v. G. u. ihre Freunde, 2 Tle., 1880; – Johannes Janssen, Friedrich Leopold Gf. zu Stolberg, 1882, 67 f. 80 f. 199 ff.; – Georges Goyau, L'Allemagne religieuse. Le Catholicisme I, Paris 1905, 253 ff.; – Hanny Brentano, A. Fürstin v. G., 1910 (1920³); – Gotthilf Hillner, Johann Georg Hamann u. das Christentum. III: Hamann u. die Fürstin G., Riga 1925; – L. Schmitz-Kallenberg, in: Overberg-Festschr., hrsg. v. Richard Stapper, 1926, 201 ff.; – H. Rehder, Die Bedeutung des Münsterkreises f. die dt.

Lit., in: Journal of English and Germanic philology 37, Urbana 1938, 488 ff.; – Isabella Rüttenauer, Hamann u. die Fürstin G., in: Hochland 36/I, 1938, 203 ff.; – Joseph Nadler, J. G. Hamann. Der Zeuge des Corpus mysticum, Salzburg 1949; – Wilhelm Sahner, Die Fürstin A. v. G. als Erzieherin u. Schulmeisterin ihrer Kinder, 1949 (1956²); – Pierre Brachin, Le cercle de Münster (1779–1806) et la pensée religieuse de F. L. Stolberg, Lyon u. Paris 1952; – Fritz Blanke, Hamann u. die Fürstin G., in: ThLZ 77, 1952, 601 ff. (= Hamann-Stud., Zürich 1956, 113 ff.); – Ottmar Wolf, Die Fürstin A. v. G. u. Friedrich Leopold Gf. zu Stolberg-Stolberg. Ein Btr. z. Stellung des G.-Kreises in der dt. Lit.- u. Geistesgesch. (Diss. Würzburg), 1952; – Ewald Reinhard, Die Münsterische »Familia sacra«. Der Kreis um die Fürstin G.: Fürstenberg, Overberg, Stolberg u. ihre Freunde, 1953; – Elisabeth van Randenborgh, Die Reise der Fürstin. Eine Erz. aus dem Leben der Fürstin A. A. v. G., 1954; – Dies., Gebeugt zu deiner Spur. Wege u. Begegnungen im Leben der Fürstin G. Roman, 1956; – Fürstenberg, Fürstin G. u. ihre Kreis. Quellen u. Forschungen, hrsg. v. Erich Trunz, 1955; – Walter Horace Bruford, Fürstin G. u. Goethe, 1957; – Siegfried Sudhof, Die Fürstin G. u. ihre Bedeutung f. das dt. Geistesleben, in: Euph 53, 1959, 75 ff.; – Ders., Fürstin G. u. Claudius, in: ihre Bedeutung f. d. dt. Geistesleben, in: Reallex. der dt. Lit.gesch. II, 1961², 439 ff.; – Der Kreis v. Münster. Briefe u. Aufzeichnungen Franz v. Fürstenbergs, der Fürstin G. u. ihrer Freunde, hrsg. v. dems., I, 1769–88, 1962 bis 1964; – Gisbert Kranz, Polit. Hll. u. kath. Reformatoren III, 1963, 252 ff.; – Biogr. Mit. z. dt. Gesch. I², 1973, 851 f.; – Kosch, KD 919 ff.; – ADB VIII, 338 ff.; – NDB VI, 51 ff.; – LThK IV, 506; – NCE VI, 268; – RE XIV, 541 ff.; – RGG II, 1196.

GALLUS, Heiliger, * um 550 in Irland, † um 640 in Arbon (Schweiz). – Als Columba der Jüngere (s. d.) um 590 von Irland über England und die Bretagne nach Burgund zog, war G. einer der 12 Gefährten des irischen Glaubensboten. Nach seiner Vertreibung ließ sich Columba in Bregenz am Bodensee nieder und trieb eine rege Missionsarbeit unter den Alemannen, zog aber weiter nach Oberitalien, während G. in Bregenz blieb und die Arbeit seines Meisters fortsetzte. Er war aber mehr Anachoret als Missionar; ihm kommt der Ehrentitel »Apostel Alemanniens« nicht zu. G. gründete 612 in der Gebirgswildnis an der Steinach zwischen Bodensee und Säntis eine Mönchsniederlassung, aus der die spätere Benediktinerabtei St. Gallen erwuchs. – Die Attribute des Heiligen sind der Bär, der ihm seine Höhle einräumte, Brot und Pilgerstab. Sein Fest ist der 16. Oktober.

Lit.: Vitae: MG SS rer. Merov. IV, 229 ff.; – Ernst Alfred Stükkelberg, Die schweizer. Hll. des MA, Zürich 1903, 49 ff.; – Leonhard Korth, Die Patrocinien der Kirchen u. Kapellen im Erzbist. Köln, 1904, 67; – Pierre André Pidoux, Vie des Saints de Franche-Comté II, Lons-le-Saunier 1908, 168 ff.; – Hans v. Schubert, Gesch. der christl. Kirche im Früh-MA, 1921, 291; – James Midgley Clark, The Abbey of St. Gall as a centre of literature and art, Cambridge 1926, 1 ff. 18 ff.; – Albert Brackmann, Germania pontificia II/2, 1927, 32 ff.; – Maud Joynt, The Life of St. G., London 1927; – Rudolf Henggeler, Professbuch der fürstl. Benediktiner-Abtei St. Gallen, Zug 1929, 39 ff.; – James Francis Kenney, The sources for the early History of Ireland I, New York 1929, 206 ff.; – Heinrich Timerding, Die christl. Frühzeit Dtld.s in den Berr. über die Bekehrer, 1929; – Johannes Walterscheid, Dt. Hll. Eine Gesch. des Reiches im Leben dt. Hll., 1934, 49 ff.; – Anton Stonner, Hll. der dt. Frühzeit I, 1934, 27 ff.; – Theodor Schwegler, Gesch. der kath. Kirche der Schweiz. Von den Anfängen bis auf die Ggw., Zürich 1935; – Louis Gougaud, Les Saints Irlandais hors d'Irlande (Bibliothèque de la Revue d'histoire ecclésiastique 16), Löwen – Oxford 1936, 114 ff.; – Wettinus, Leben des hl. G., übers. v. August Potthast, neu bearb. u. eingel. v. Wilhelm Wattenbach, 1939³ (Nachdr. New York – London 1970); – Fritz Blanke, Columban u. G. Urgesch. des Christentums, 1940; – Ders., Die letzten Lebensj. des hl. G., in: NSR NF 9, 1941/42, 494 ff.; – Laurenz Kilger, Die Qu. z. Leben der hll. Kolumban u. G., in: ZSKG 36, 1942, 107 ff.; – Ders., Kolumban in Tuggen, in: NZM 6, 1950, 241 ff.; – Ders., Vom Leben des hl. G., in: St. G.-Gedenkblt., hrsg. v. Johannes Duft, St. Gallen 1952, 15 ff.; – Juan Ferrando Roig, Iconografía de los Santos, Barcelona 1950, 121 f.; – Ernst Gerhard Rüsch, G. und der Bär. Gesch. u. Legende, St. Gallen 1950; – Ders., Das Charakterbild des hl. G. im Wandel der Zeit, ebd. 1959; – Georg Schreiber, Irischott. u. angelsächs. Wanderkulte in Westfalen mit Ausblicken auf den gesamtdt. Raum, in: Westfalia sacra II, hrsg. u. Heinrich Börsting u. Alois Schröer, 1950, 28 ff.; – Ders., Irland im dt. u. abendländ. Sakralraum, 1956, 44 ff.; – Ders., Alpine Bergwerkskultur. Bergleute zw. Graubünden u. Tirol in den letzten 4 Jhh.,

Innsbruck 1956, 45 ff.; – Jörg Erb, Die Wolke der Zeugen I, 1951, 106 ff.; – Th. Mayer, Konstanz u. St. Gallen in der Frühzeit, in: Zschr. f. schweizer. Gesch., 1952; – Helen Roeder, Saints and the attributes, London 1955, 57; – Wilhelm Hünermann, Der endlose Chor. Ein Buch v. den Hll. f. das christl. Haus, 1960⁸, 606 ff.; – Barbara Hebling, Hanno Hebling, Der hl. G. in der Gesch., in: Schweizer. Zschr. f. Gesch. 12, 1962, 1–62; – Ludwig Hertling, S. G. in Switzerland, in: Irish Monks in the Golden Age, ed. John Ryan, Dublin 1963, 59 ff.; – Iso Müller, Die älteste G.-Vita, in: ZSKG 66, 1972, 209 ff.; – Zimmermann III, 186 ff. 203; – Hauck I, 338 ff.; – AS Oct. VII, 856 ff.; 555 f.; – VSB X, 500 ff.; – BS VI, 15 ff.; – Künstle 258; – Braun 273 f.; – DACL VI, 80–248; – CathEnc VI, 346 f.; – Catholicisme IV, 1717 f.; – LThK IV, 507 f.; – NCE VI, 255 f.; – ODCC² 546; – RE VI, 345 f.; – RGG II, 1197; – ADB VIII, 345 f.; – NDB VI, 54; – HBLS III, 384.

GALLUS, Caius Vibius Trebonianus, römischer Kaiser, * um 207 in Perusia, † (ermordet) 253 in Interamna. – G. wurde 251 von der Armee zum Kaiser ausgerufen. Die Christen konnten sich in den ersten Monaten seiner Regierungszeit von den Schrecken der Verfolgung unter Decius (s. d.) erholen. Als aber 252 die Pest das Land heimsuchte, ordnete G. Opfer an und verbannte die nicht opfernden Kleriker. Die Verfolgung traf vielleicht nur die römische Gemeinde.

Lit.: Anton Linsenmeyer, Die Bekämpfung des Christentums durch den röm. Staat, 1905, 143 ff.; – Alfonso Manaresi, L'impero romano e il cristianesimo, Turin 1914, 381 ff.; – Pio Pietro Franchi de' Cavalieri, Note agiografiche VI, Rom 1920, 181 ff.; – Pauly-Wissowa XV, 1269 ff.; – EC V, 1909; – LThK IV, 508; – RE VI, 359 ff.

GALLUS (Handl, Hándl, Händl, Hähnel, Handelius; slowenisch: Petelin), Jacob, Komponist, * zwischen 15. 4. und 31. 7. 1550 in Reifnitz/Unterkrain (Ribnica/Slowenien), † 18. 7. 1591 in Prag. – G. lebte gegen 1568 als Kapellsänger im Kloster Melk (Niederösterreich), war von 1574 an Mitglied der Wiener Hofkapelle und wirkte nach Reisen in Mähren und Schlesien seit 1579 als bischöflicher Chordirektor in Olmütz. 1585 siedelte er nach Prag über, übernahm dort das Kantorat an der Kirche St. Johann und verwaltete es bis an sein Lebensende. – G. ist einer der großen Vertreter des venezianischen mehrchörigen Stils und gehört zu den Meistern der katholischen Kirchenmusik. Er schrieb Messen, Passionen, Motetten und andere geistliche Kompositionen. G. war Mitglied des 1581 von Kaiser Rudolph II. in Olmütz neu bestätigten Jesuitenordens.

Werke: Selectiores quaedam Missae, 4 Bücher, Prag 1580; Opus musicum harmoniarum 4, 5, 6, 8 et plurium vocum (Motetten z. Offizium des ganzen J.) I, ebd. 1586; II u. III, 1587; IV, 1591; Quatuor vocum Liber I Harmoniarum moralium, Nürnberg 1589; II, 1590; III. 1590; Moralia, ebd. 1596; Sacrae Cantiones de praecipuis festis, ebd. 1597. – *Neuere Ausgg.:* Messen, hrsg. v. Paul Amadeus Pisk, 3 Bde., (DTÖ XCIV/XCV, CXVII u. CXIX), Wien 1959–70; Harmoniae morales quatuor vocum, hrsg. v. Dragotin Cvetko, Ljubljana 1966; Moralia, hrsg. v. dems., ebd. 1968; The Moralia of 1596, hrsg. v. Allen Bennet Skei, 2 Bde. (Recent Researches in the Music of the Renaissance VII–VIII), Madison/Wisconsin 1970.

Lit.: Hugo Leichtentritt, Gesch. der Motette, 1908 (Nachdr. Hildesheim u. Wiesbaden 1967), 290 ff.; – Peter Wagner, Gesch. der Messe, 1913 (Nachdr. Hildesheim u. Wiesbaden 1963), 330 ff.; – Paul Amadeus Pisk, Das Parodieverfahren in den Messen des J. G. (Diss. Wien, 1916), in: StMw 5, 1918, 35 ff.; – Hans Joachim Moser, Gesch. der Musik I, 1930⁵, 488 ff.; – Ders., Die mehrst. Vertonung des Ev., 1931; – Helmuth Osthoff, Einwirkungen der Gegenref. auf die Musik des 16. Jh.s, in: Jbb. der Musikbibl. Peters 41, 1934, 32 ff.; – Anna Amalie Abert, Die stilist. Grdl.n der »Cantiones sacrae« (Diss. Berlin), Wolfenbüttel 1935; – Gustave Reese, Music in the Renaissance, London 1954, 736 ff.; – Klaus-Ulrich Düwell, Stud. z. Kompositionstechnik der Mehrchörigkeit im 16. Jh. (Diss. Köln), 1963; – Heinz Walter Lanzke, Die weltl. Chorgesänge (»Moralia«) v. J. G. (Diss. Mainz), 1963; – Lucijan Marija Skerjanc, Kompozijska tehnika J. Petelina-Gallusa (mit dt. Zus.fassung), Ljubljana 1965; – Allen Bennet Skei, J. Handl's »Moralia« (Diss. University of Michigan), 2 Bde. (I Text; II Ausw.-Ausg), 1965 (Ausz. in: The Musical Quarterly 52, New York 1966, 431 ff.); – Ders.,

J. Handl's Polychoral Music, in: The Music Review 29, Cambridge 1968, 81 ff.; – Dragotin Cvetko, J. G. Carniolus (mit frz. Zus.fassung), Ljubljana 1965; – Ders., Le problème du rythme dans les oeuvres de J. G., in: Festschr. Bruno Stäblein, 1967; – Gesch. der kath. Kirchenmusik, hrsg. v. Karl Gustav Fellerer, II, 1976, 28. 36. 228. 244; – MGG IV, 1329 ff.; – Eitner V, 13 ff. (Handl); – Moser I, 389; – Riemann I, 580; ErgBd. I, 398; – Grove IV, 62 (Handl); – Honegger I, 382; – Goodman 151.

GALLUS (eigentlich: Hahn), Nikolaus, luth. Theologe, * 1516 in Köthen als Sohn des Bürgermeisters Hahn, † Juni 1570 während eines Erholungsaufenthalts in Wildbad (Schwarzwald), begraben in Regensburg. – G. studierte seit 1530 in Wittenberg und wurde 1543 Diakonus in Regensburg, gab aber 1548 als Gegner des »Augsburger Interims« (s. Agricola, Johann) das Predigtamt auf und ging nach Wittenberg, wo er zunächst den todkranken Kaspar Cruciger den Älteren (s. d.) an der Schloßkirche vertrat. G. wurde 1549 Pfarrer an der Ulrichskirche in Magdeburg und der Bundesgenosse des Matthias Flacius Illyricus (s. d.) in dem »interimistischen« oder »adiaphoristischen« Streit, aber auch in der Bekämpfung der Lehre und Anhänger des Andreas Osiander (s. d.) und des Kaspar Schwenckfeld (s. d.). 1553 rief man ihn nach Regensburg zurück. Dort wirkte er bis zu seinem Tod in großem Segen als Pfarrer und Superintendent. G. war ein Hort des Luthertums in Bayern; er förderte und schützte aber auch die Evangelischen in Österreich und der Steiermark. Dem aus Jena vertriebenen Flacius gewährte G. 1562–66 eine Zuflucht in Regensburg.

Werke: Bedenken aufs Interim (entschieden ablehnend), hrsg. v. Gustav Kawerau, in: BBKG 19, 1913, 39 ff.; Ein Disputation v. Mitteldingen, Magdeburg 1550; Proba des geists Osiandri von der rechtfertigung durch die eingegossene wesentliche gerechtigkeit Gottes, ebd. 1552; Responsio de libro professorum Wittembergensium data ecclesiae, ut iudicet in his, quae sua intersunt, Regensburg 1559; Vom bäpstlichen abgött. Fronleichnamstag, 1561; Kurtze Bekandtnuss Der Diener des Euangelij inn der Kirchen zu Regenspurg, Von gegenwertigen Streit-Artickeln, Regensburg 1562; Trewe Warnung Für dem hochschedlichen betrug des Bapsts vnnd seiner Concilij, damit sie vnnder einem schein des nachgebens etlicher Artickel die einfeltigen Christen zu allen jhren greweln zwingen vnd auffs höchste verbinden wöllen (gemeinsam mit Flacius), ebd. 1563.

Lit.: Josua Opitius, Eine Christliche Leichpredigt. Bey dem Begrebnuss des Ehrwirdigen vnnd Hochgelehrten Herrn Nicolai Galli, Pfarrhers vnd Superintendenten der Christlichen Gemein zu Regenspurg, gethan am tag Johannis Baptistae, Regensburg 1570; – Ignaz v. Döllinger, Die Ref. II, 1848, 571 ff.; – Wilhelm Germann, Johann Forster, der henneberg. Reformator, 1894, 371 ff.; – Eduard Böhl, Btrr. z. Gesch. der Ref. in Östr., 1902, 179 ff. 461 ff.; – J. Friedrich Koch, Austriaca aus Regensburger Briefwechsel des N. G. mit ev. Geistlichen, Adeligen in Östr. v. J. 1568–70, in: JGPrÖ 24, 1903, 31 ff.; – Johann Michael Reu, Qu. z. Gesch. des kirchl. Unterrichts in der ev. Kirche Dtld.s v. 1530–1600. I. Tl.: Qu. z. Gesch. des Katechismusunterrichts. I. Bd.: Süddt. Katechismen, 1904, 446 ff. 735 f.; – Wilhelm Geyer, N. G. der Reichsstadt Regensburg vornehmster Reformator. Gedenkbl. z. 400j. Gedächtnisfeier seiner Geburt, 1916; – Karl Schottenloher, N. G. u. Matthias Flacius. Zusammenstöße mit den Höfen v. Sachsen u. Bayern, in: Das Regensburger Buchgewerbe im 15. u. 16. Jh., 1920; – Leonhard Theobald, Einiges über die Lebensschicksale des G. während seiner Regensburger Superintendenturzeit, in: ZBKG 18, 1949, 69 ff.; 19, 1950, 100; – Ders., Die Ref.gesch. der Reichsstadt Regensburg II, 1951, 14. 36 ff. u. ö.; – Grete Mecenseffi, Gesch. des Prot. in Östr., 1956; – Schottenloher I, Nr. 6882–6885a; V, Nr. 46414a–46416; VII, Nr. 54731 f.; – Wolf II/2, 67; – ADB VIII, 351 ff.; – NDB VI, 55 ff.; – RE VI, 361 ff.; XXIII, 497 f.; – RGG II, 1197; – LThK IV, 508.

GALURA, Bernhard, Fürstbischof von Brixen, * 21. 8. 1764 in Herbolzheim (Breisgau) als Sohn eines Gast- und Landwirts, † 7. 5. 1856 in Brixen (Südtirol). – G. studierte Theologie in Freiburg/Breisgau und Wien und empfing 1788 die Priesterweihe. Er wurde als Dr. theol. Studienpräfekt in Freiburg und zugleich Katechet und war dort 1791–1805 Münsterpfarrer und 1810–15 Pfarrer an St. Martin. Kaiser Franz berief

G. 1815 zum Regierungsrat nach Innsbruck. Er wurde 1818 Generalvikar von Vorarlberg, 1820 Weihbischof von Brixen mit dem Sitz in Feldkirch und 1829 Fürstbischof von Brixen. – G. wirkte segensreich als Seelsorger und Katechet und als überaus fruchtbarer Schriftsteller. Er führte eigene Kindergottesdienste ein und sorgte für Verlängerung der Christenlehrpflicht. G. war Vertreter der sokratischen »Katechisiermethode«, aber ohne rationalistische Färbung, durchaus im kirchlichen Geist. Sein Hauptkatechismus in Frage-Antwort-Form besteht aus Lehrstücken mit Merksätzen, die vor allem der Bibel entnommen sind.

Werke: Grundsätze der sokrat. Katechisiermethode, 1793 (1796²); Die ganze christkath. Rel. in Gesprächen eines Vaters mit seinem Sohne, 5 Bde., 1796–99 (1802–04²); Die Christkath. Rel. in Fragen u. Antworten f. Kinder, 5 Bde., 1796–99 (1800–03²); Neueste Theol. des Christentums, 6 Bde., 1800–04 (1844–45³); Bibl. Gesch. der Welterlösung durch Jesum den Sohn Gottes, 1806; Vollst. Katechismus, 1806 (1818²); Kurzer Katechismus v. unserem Berufe z. Himmelreich, 1807 (1808²); Lehrb. christl. Wohlgezogenheit, 1822 (1865⁸); Sittenlehre nach der Ordnung der Zehn Gebote Gottes . . . in 29 Christenlehren, 1824; Galerie bibl. Bilder mit erklärendem Text, 1842–56.

Lit.: Georg Tinkhauser, Bll. der Erinnerung an B. G., Innsbruck 1856; – Friedrich Wilhelm Bürgel, Fürstbisch. G. als Katechet, in: Katechet. Mschr. 24, 1924, 219 ff. 249 ff. 283 ff. 309 ff.; – Joseph Hemlein, B. G.s Btr. z. Erneuerung der Kerygmatik, 1952 (mit vollst. Verz. der gedr. Schrr. u. vorhandenen Hss.: XI–XV); – Franz Bläcker, Johann Baptist v. Hirscher u. seine Katechismen in zeit- u. geistesgeschichtl. Zshg., 1953, 100 ff. u. ö.; – Josef Andreas Jungmann, Katechetik. Aufgabe u. Methode der rel. Unterweisung, 1953 (1955² ausg. u. verm.); – Heinrich Kreutzwald, Zur Gesch. des bibl. Unterrichts u. z. Formgesch. des bibl. Schulbuches, 1957, 129 ff. u. ö.; – Theodor Filthaut, Das Reich Gottes in der Katechet. Unterweisung. Eine hist. u. systemat. Unters. (Hab.-Schr., Tübingen 1956), 1958, 46 ff. 164 ff. u. ö.; – ADB VIII, 356 f.; – NDB VI, 57 f.; – Wurzbach V, 76 ff.; – ÖBL I, 396 f.; – EC V, 1914; – LThK IV, 508 f.

GAMS, Pius (Taufname: Bonifatius), Benediktiner, Kirchenhistoriker, * 23. 1. 1816 in Mittelbuch bei Biberach (Württemberg) als Sohn eines Lehrers, † 11. 5. 1892 in München. – G. besuchte seit 1826 das Gymnasium in Biberach und Rottweil und studierte seit 1834 in Tübingen Philosophie und Theologie. Er wurde im Herbst 1838 in das Klerikalseminar in Rottenburg aufgenommen und dort am 11. 9. 1839 zum Priester geweiht. G. kam dann als Vikar nach Aichstetten und 1840 nach Gmünd und 1841 als Präzeptoratsverweser und Kaplan nach Horb. Im Frühjahr 1844 wurde er Pfarrverweser in Wurmlingen bei Tübingen, Ende 1844 Professoratsverweser in Rottweil und 1845 Oberpräzeptor an der Lateinschule in Gmünd. Seit 1847 lehrte G. als Professor an der theologischen Lehranstalt in Hildesheim Philosophie und allgemeine Weltgeschichte. Am 29. 9. 1855 trat er zu St. Bonifaz in München in den Benediktinerorden ein und wurde dort später Novizenmeister, Subprior und Prior, entfaltete aber auch eine umfangreiche und bedeutende wissenschaftliche Tätigkeit. 1864/65 weilte G. studienhalber in Spanien. Durch seine kirchengeschichtlichen Werke wurde er bekannt. Sein Hauptwerk ist die »Kirchengeschichte von Spanien«.

Werke: Gesch. der Kirche Jesu Christi im 19. Jh., mit bes. Rücks. auf Dtld., 3 Bde., 1854–58; Katechet. Reden, 2 Bde., 1862; KG v. Span., 3 Bde. in 5 Abt., 1862–79 (Nachdr. Graz 1956); Das J. des Martyrtodes der Apostel Petrus u. Paulus, 1867; Series Episcoporum Ecclesiae catholicae, quotquot innotuerunt a beato Petro Apostolo, 1873, mit 2 Suppl.: Hierarchia catholica Pio IX. Pontifice Romano, 1879, Series Episcoporum, quae apparuit 1873 completur et continuatur ab anno 1870 ad 20. Febr. 1885, 1886 (Manualdr. mit Ergg., 1931; Nachdr. Graz 1957). – Gab heraus: Johann Adam Möhler, KG, 3 Bde. mit Reg.Bd., 1867–70 (darin der letzte Teil, die neueste KG seit 1814, v. G.); aus dem Nachlaß des Balthasar Wörner, J. A. Möhler, Ein Lb., 1866. – Vollst. Bibliogr.: in: StMBO 25, 1904.

Lit.: August Lindner, Die Schr.steller u. die um die Wiss. u. Kunst verdienten Mitglieder des Benediktiner-Ordens im heutigen Kgr. Bayern v. J. 1750 bis z. Ggw. II, 1880, 271 f.; III, 1884, 76 f.; – Odilo Rottmanner, Zu einem Jub. (P. Gams), in: HPBl 104, 1889, 478 ff.; – Ders., P. G., in: HJ 13, 1892, 689 f.; – Ders., Geistesfrüchte aus der Klosterzelle. Ges. Aufss., hrsg. v. Rupert Jud, 1908, 297 ff.; – Karl Grube, P. P. B. G. Ein Gedenkbl., in: HPBl 110, 1892, 233 ff.; – Friedrich Lauchert, Die kirchengeschichtl. u. zeitgeschichtl. Arbeiten v. P. B. G. in Zshg. gewürdigt, in: StMBO 27, 1906, 634 ff.; 28, 1907, 53 ff. 299 ff. (305–315: Verz. der Werke); – August Hagen, Gestalten aus dem Schwäb. Kath. II, 1950, 310 ff.; – Hugo Land, 100 J. St. Bonifaz in München 1850–1950, 1951; – Kosch, KD 924 f.; – ADB 49, 249 ff.; – NDB VI, 58 f.; – DThC VI, 1141 f.; – LThK IV, 511; – NCE VI, 277; – ODCC² 549.

GANDULF *von Bologna*, Theologe und Kanonist, † nicht vor 1185. – G. lehrte um 1150 in Bologna und ist bekannt durch sein von Petrus Lombardus (s. d.) abhängiges Sentenzenwerk und »Glossen« (Erläuterungen) zum Dekret des Gratian (s. d.).

Werke: Magistri Gandulphi Bononiensis Sententiarum libri IV, hrsg. v. Johannes v. Walter, Wien 1924; Glossen z. Dekret des Gratian, z. T. hrsg. v. Johann Friedrich v. Schulte, Die Glossen z. Dekret Gratians, 1872.

Lit.: Friedrich Heinrich Suso Denifle, in: ALKGMA I, 1885, 621 ff.; – Johann Nepomuk Espenberger, Die Philos. des Petrus Lombardus u. ihre Stellung im 12. Jh., 1901, 6 ff.; – Otto Baltzer, Die Sentenzen des Petrus Lombardus. Ihre Qu. u. ihre dogmengeschichtl. Bedeutung, 1902, 10; – Louis Saltet, Les réordinations. Étude sur le sacrement de l'ordre, Paris 1906, 316 ff.; – Polykarp Schmoll, Die Bußlehre der Frühscholastik, 1909, 65 ff.; – Joseph de Ghellinck, Les »Sententiae« de Gandulphe de Bologne et les »Libri sententiarum« de Pierre Lombard, in: RNPh 16, 1909, 440 ff. – Ders., Les »Sententiae« de Gandulphe de Bologne ne sont-elles qu'un resumé de celles de Pierre Lombard?, ebd. 582 ff.; – Ders., La diffusion des oeuvres de Gandulphe de Bologne au moyen âge, in: RBén 27, 1910, 352 ff. 386 ff.; – Ders., Le mouvement théologique du XIIᵉ siècle, (Paris 1914) Brügge 1948², 297 ff.; – Johannes v. Walter, Einl. zu seiner Ausg., 1924, IX bis CXXXI; – Stephan Kuttner, Repertorium der Kanonistik, Rom 1937, 525; – Friedrich Stegmüller, Repertorium commentariorum in sententias Petri Lombardi I, 1947, 110 f.; – Artur Michael Landgraf, Einf. in die Gesch. der theol. Lit. der Frühscholastik, 1948, 101 f.; – Schulte I, 132; – Grabmann, SM II, 389 ff.; – Grabmann, MGL I, 561; – Landgraf I., Feine, RG I, 250 f.; – Überweg II, 276. 711; – DDC V, 934; – DThC VI, 1142 ff.; IX, 2156 f.; – Catholicisme IV, 1744 f.; – EC V, 1931; – LThK IV, 513; – RGG II, 1199.

GANGANELLI, Lorenzo s. CLEMENS XIV.

GANSFORT, Wessel, ein Vorläufer der deutschen Reformation, * um 1419 in Groningen, † daselbst 4. 10. 1489. – G. besuchte die berühmte Schule in Zwolle und wohnte in einem Konvikt der Brüder vom gemeinsamen Leben. Er studierte seit 1449 in Köln und erwarb dort die Magisterwürde, setzte 1456/57 das Studium in Heidelberg fort und lehrte auch in der Artistenfakultät. Dann wirkte er als akademischer Lehrer in Paris. In dem »Universalienstreit« trat G. für den »Realismus« ein, wurde aber bald für den »Nominalismus« gewonnen. Vorübergehend weilte er in Angers, Rom, Venedig und Basel. 1474 kehrte G. in die Heimat zurück und lebte abwechselnd in verschiedenen Klöstern ganz der Wissenschaft und Frömmigkeit. – Unter dem Einfluß der »Brüder vom gemeinsamen Leben« und der Schriften des Aurelius Augustinus (s. d.) näherte sich G. gewissen Anschauungen der Bibel, so daß Martin Luther (s. d.) 1522 in seinem Vorwort zu einer Sammlung kleinerer Traktate und Briefe des G. schreibt: »Wenn ich den Wessel zuvor gelesen hätte, so ließen meine Widersacher sich dünken, Luther habe alles Wessel entnommen, also stimmt unser beider Geist zusammen.« In grundlegenden Punkten, z. B. in dem Artikel von der Rechtfertigung, steht G. noch ganz auf dem Boden der mittelalterlichen Lehre. Darum ist er nur sehr bedingt ein »Vorläufer der Reformation« gewesen.

Werke: Farrago rerum theologicarum uberrima, 1522 (letzte Aufl.: Gießen 1617). – GA, hrsg. v. A. Hardenberg, Groningen 1614.

Lit.: Karl Ullmann, Reformatoren vor der Ref. II, 1866², 235 ff.; – Nikolaus Paulus, Über W. G.s Leben u. Lehre, in: Katholik 1900, II, 11 ff. 138 ff. 226 ff.; – Oedoen Fizély, W. G., 1911; – Edward Waite Miller, W. G. Life and writings, 2 Bde., New York 1917; – Maarten van Rhijn, W. G., Den Haag 1917; – Ders., De Invloed van W. G., in: NAKG 20, 1927, 1 ff.; – Ders., De dogmenhistorische Achtergrond van W. G.s Avondmaalsleer, ebd. 15 ff.; – Ders., Studien over W. G. en zijn tijd, Utrecht 1933; – Herman Jan Jozef Wachters, W. G., Nijmegen 1940; – Gerhard Ritter, Romant. u. revolutionäre Elemente in der dt. Theol. am Vorabend der Ref., in: DVfLG 5, 1927, 342 ff.; – Augustin Renaudet, Préréforme et Humanisme à Paris, Paris 1953², 82 ff. 92 ff. u. ö.; – Jacques Huijben – Pierre Debongnie, L'Auteur ou les Auteurs de l'Imitation, Louvain 1957, 110 ff.; – Regenerus Richardus Post, Kerkgeschiedenis van Nederland in de Middeleeuwen I, Utrecht 1957, 397 ff.; II, 31 f. u. ö.; – De Katholieke Encyclopaedie XI, 263 f.; – Catholicisme IV, 1746; – DThC XV, 3531 ff.; – DSp III, 734; – LThK V, 1034 f.; – NCE VI, 280; – Christelijke Encyclopedie III, 105 f.; – RE XXI, 131 ff.; – RGG II, 1199 f.; – ADB 42, 761 ff.

GARAMPI, Giuseppe Conte, Gelehrter und päpstlicher Diplomat, * 29. 10. 1725 in Rimini, † 4. 5. 1792 in Rom. – G. war Schüler des Ludovico Antonio Muratori (s. d.) und wurde 1751 Präfekt des Vatikanischen Archivs und 1759 auch des Archivs der Engelsburg. Er unternahm die systematische Katalogisierung der Riesenbestände. Die 124 Indexbände sind auch heute noch grundlegend für die archivalische Forschung. Mit namhaften Gelehrten Europas arbeitete G. an einem auf 22 Bände berechneten »Orbis christianus«, einer Geschichte sämtlicher Bistümer; das Werk blieb unvollendet und unveröffentlicht. Als Diplomat vertrat G. die vermittelnde Richtung Benedikts XIV. (s. d.). 1761 wurde er als päpstlicher Vertreter auf den geplanten Augsburger Friedenskongreß zum Abschluß des Siebenjährigen Krieges geschickt und begleitete 1764 den Nuntius N. Oddi zur Wahl und Krönung Josephs II. in Frankfurt am Main. G. wurde 1785 Bischof von Montefiascone und Corneto und Kardinal.

Werke: Memorie ecclesiastiche appartementi all' istorie e al culto della B. Chiara di Rimini, Rom 1755; Saggi di asservazioni sul valore della antiche monete pontificie (unvoll.), ebd. 1766.

Lit.: E. Bianchi, Commentario intorno la vita e gli scritti del card. G. G., Foligno 1876; – Gregorio Palmieri, Viaggio in Germania, Svizzera, Baviera . . . Diario del card. G. G., Florenz 1889; – Ignaz Philipp Dengel, Ber. des Nuntius G. über Böhmen 1776, in: Sitzungsberr. der Böhm. Ges. der Wiss., Prag 1902; – Ders., Nuntius G. in Preußisch-Schlesien u. Sachsen 1776, in: QFIAB 5, 1903, 223 ff.; – Ders., Gutachten des Wiener Nuntius J. G. über den vatikan. Bibl. aus dem J. 1780, in: MIÖG 25, 1904, 292 ff.; – Ders., Die polit. u. kirchl. Tätigkeit des J. G. in Dtld. 1761–63, Rom 1905; – Ders., Sull' Orbis Christianus di G. G., in: Atti del II Congresso Nazionale di Studi Romani II, Rom 1931, 497 ff.; – Ladislaus Tóth, 2 Berr. des Wiener Nuntius G. über die kirchl. Verhältnisse um 1776, in: RQ 34, 1926, 330 ff.; – Sussidi per la consultazione dell' archivio Vaticano I, in: StT 45, 1926, 1 ff.; – Carlo Frati, Dizionario bibliofico dei bibliotecari e bibliofili italiani, Florenz 1933, 247 ff.; – Heribert Raab, Briefe des Mainzer Hofgerichtsrats Johann Georg Reuther an G. G., in: AMrhKG 9, 1957, 221 ff.; – EC V, 1932 f.; – LThK V, 515; – NCE VI, 282 f.; – RGG II, 1200 f.

GARASSE, François, Jesuit, * 1584 in Angoulême, † 14. 6. 1631 in Poitiers. – G. trat 1600 in den Jesuitenorden ein und wirkte als Lehrer an den Kollegien in Bordeaux und Poitiers und als volkstümlicher Kanzelredner eine Zeitlang auch in Paris. Er ist durch seine gehässigen Streitschriften gegen die Reformierten bekannt. G. bekämpfte auch die in Frankreich innerhalb der katholischen Kirche aufkommenden Freigeister und Skeptiker, z. B. Pierre Charron (s. d.). Er starb als Opfer seines Dienstes an den Pestkranken.

Werke: Horoscopus Anticotonis (gg. die Feinde der Jesuiten), Antwerpen 1614; Elixir calvinisticum, Charenton (?) 1615; Le Rabelais réformé par les ministres (gg. Pierre Du Moulin), Brüssel 1619; La doctrine curieuse des beaux esprits de ce temps,

Paris 1623; Somme théologique des vérités capitales de la religion chrétienne, ebd. 1625 (1626 v. der Sorbonne verurteilt).

Lit.: Henri Fouqueray, Histoire de la Compagnie de Jésus en France III, Paris 1922, 563 ff. u. ö.; IV, 1925, 22 ff. 84 ff.; – J. Lecler, Le Père F. G., in: Études 209, 1931, 553 ff.; – Julien-Eymard d'Angers, Sénèque et le stoïcisme dans l'oeuvre de F. G., in: Revue de l'Université d'Ottawa 24, 1954, 280 ff.; – Sommervogel III, 1184 ff.; – Catholicisme IV, 1751; – DThC VI, 1153 f.; – LThK IV, 516; – RE VI, 364 f.; – RGG II, 1201.

GARDELLINI, Luigi, Liturgiker, * 4. 8. 1757 in Rom, † daselbst 8. 10. 1829. – G. wurde auf Grund seiner Fachkenntnisse und Verdienste zum Assessor der Ritenkongregation ernannt und gab die »Decreta authentica S. C. R.« heraus als eines der wichtigsten Quellenwerke für Recht und Geschichte des nachtridentinischen Ritus.

Werke: Gab heraus: Decreta authentica S. C. R., 7 Bde., Rom 1807–26 (letzte offizielle Ausg.: 6 Bde., Rom 1898–1927).

Lit.: Philippus Oppenheim, Tractatus de iure liturgico II, Turin 1939, 50–68; – HN V, 1065 f.; – DDC V, 938; – DThC VI, 1155 f.; – LThK IV, 518.

GARDINER, Allen, Begründer der Mission auf Feuerland, † 6. 9. 1851 auf der Piktoninsel. – G. war ein frommer, vielgereister Schiffskapitän mit brennendem Missionseifer. Nachdem er in Südafrika und im Innern Südamerikas vergebens eine Arbeitsstätte gesucht hatte, wandte er seine Liebe Patagonien und Feuerland zu, einer Inselgruppe an der Südspitze von Südamerika. G. gründete 1844 eine eigene Missionsgesellschaft und unternahm den ersten Missionsversuch auf Feuerland. Er landete im Herbst 1850 in Begleitung von fünf Missionaren von Patagonien aus auf der Piktoninsel. Der Fahrzeuge beraubt und ausgeplündert, verhungerten alle allmählich, als letzter G., der eine ergreifende Sterbeurkunde hinterließ. – Ein neuer Missionsversuch wurde 1856 unternommen.

Lit.: EMM 1874, 385.

GARNIER, Jean, Jesuit, * 11. 11. 1612 in Paris, † (auf einer Ordensreise nach Rom) 26. 11. 1681 in Bologna. – G. trat 1628 in Rouen in den Jesuitenorden ein und lehrte 1643–53 Literatur und Philosophie in Clermont-Ferrand und 1653–79 Theologie am »Kolleg Clermont« in Paris. – G. ist bekannt als Patristiker und Kirchenhistoriker.

Werke: Regula fidei catholicae de gratia Dei per Jesum Christum, 1655; Systema bibliothecae collegii Parisiensis S. J., 1678; Tractatus de officiis confessarii erga singula poenitentium genera, 1689. – Gab heraus: Juliani Eclanensis episcopi libellus fidei primum editus cum notis et dissertationibus III, 1648; Marii Mercatoris opera (mit Komm. u. wertvollen Abhh. über den Pelagianismus), 1673 (MPL 48); Breviarium causae Nestorianorum et Eutychianorum (geschichtl. Werk des 6. Jh.s über die nestorian. u. eutychian. Streitigkeiten v. dem Archidiakonus Liberatus v. Karthago), 1675; Liber diurnus Romanorum pontificum (mit Abh. über die causa Honorii), 1680 (MPL 18); Auctarium Theodoreti Cyrensis episcopi seu opera V (Schlußbd. der v. Jacques Sirmond 1612 hrsg. Werke des Theodoret v. Kyrrhos), 1684 (MPG 84).

Lit.: Liber diurnus Romanorum pontificum. GA v. Hans Förster, Bern 1958, 15 ff.; – Sommervogel III, 1228 ff.; – HN IV, 490 ff. 858; – DThC VI, 1160 ff.; – EC V, 1945; – LThK IV, 521; – ODCC² 550; – RE VI, 368 f.; – RGG II, 1202.

GARNIER, Julien, Mauriner, * 1670 in Connerré (Dep. Sarthe), † 3. 6. 1725 in Charenton (Dep. Seine). – G. war seit 1690 Mitglied der 1618 von Laurent Bénard (s. d.) gegründeten »Maurinerkongregation« und seit 1699 Mitarbeiter des Jean Mabillon (s. d.) in St. Germain-des-Prés bei Paris, dem bedeutendsten Kloster der »congregatio S. Mauri«, die sich besonders gelehrten Forschungen widmete. Der Orden beauftragte G. 1701 mit der Gesamtausgabe und Übersetzung der Werke des Basilius des Großen (s. d.).

Werke: Sancti Patris Basilii omnia opera, 2 Bde., Paris 1721/22 (voll. v. Prudentius Maran: 3. Bd., ebd. 1730; Nachdr.: MPG 29–32).

Lit.: Philippe Le Cerf de la Viéville, Bibliothèque historique et critique des auteurs de la Congrégation de Saint-Maur, Den Haag 1726, 143 ff.; – Magnoald Ziegelbauer, Historia rei litterariae Ordinis S. Benedicti, ed. Oliverius Legipontius, IV, Augsburg – Würzburg 1754, 105. 411; – Archives de la France monastique 47, Paris 1943, 119; – NBG XIX, 512; – HN IV, 1148 f. 1453; – DThC VI, 1163; – LThK IV, 521; – RE VI, 369; – RGG II, 1202.

GARVE, Karl Bernhard, Prediger und Liederdichter der Brüdergemeine, * 24. 1. 1763 in Jeinsen bei Hannover als Sohn eines Rittergutspächters, † 21. 6. 1841 in Herrnhut bei Zittau (Oberlausitz). – G. kam schon mit fünf Jahren in die Knabenanstalt der Brüdergemeine in Zeist (Holland) und dann in die in Neuwied (Rhein) und zu seiner wissenschaftlichen Ausbildung 1777 in das Pädagogium in Niesky (Schlesien) und 1780 in das theologische Seminar in Barby (Sachsen). Er wurde 1784 Lehrer am Pädagogium, 1789 Dozent der historischen und philosophischen Wissenschaften an dem von Barby nach Niesky verlegten theologischen Seminar und 1797 Archivar der Unität in Zeist, 1799 Prediger in Amsterdam, 1801 in Ebersdorf, 1809 in Norden, 1810 in Berlin und 1816 in Neusalz (Oder). 1836 setzte er sich in Herrnhut zur Ruhe. – Durch gründliches Studium der Dichter alter und neuer Zeit bildete G. seinen Geschmack und sein poetisches Formverständnis. Das kam seinen Liedern zugute. Sie zeichnen sich aus durch Innigkeit der Empfindung und eindringliche Kraft. Albert Knapp (s. d.) nahm von G. 63 Lieder auf in seinen »Evangelischen Liederschatz für Kirche und Haus« und das Berliner Gesangbuch von 1829 durch den ihm befreundeten Friedrich Schleiermacher (s. d.) 36. Bekannt sind u. a.: »Stark ist meines Jesu Hand, und er wird mich ewig fassen«; »Reich des Herrn, Reich des Herrn, brich hervor in vollem Tag«; »Dein Wort, o Herr, ist milder Tau für trostbedürftge Seelen«; »Wie ein Hirt, dein Volk zu weiden, ließest du dich mild herab«; »Amen! Deines Grabes Friede wird auch unser Grab durchwehn« und »Ihr aufgehobnen Segenshände voll Heil, voll Wunderkraft des Herrn, ihr wirkt und waltet bis ans Ende.«

Lit.: Gerhard Meyer, Pietismus u. Herrnhutertum in Niedersachsen, in: Niedersächs. Jb. f. Landesgesch. 24, 1952, 97 ff.; – Koch VII, 334 ff.; – Goedeke X, 632 f.; – ADB VIII, 392 ff.; – NDB VI, 78; – RE VI, 370 f.; – RGG II, 1203.

GASPARIN, Agenor de, Graf, französischer Politiker und Schriftsteller, * 1810 in Orange (Dép. Vaucluse, unweit der Rhône), † 1871 in Genf. – G. studierte die Rechte in Paris und wurde unter der Julimonarchie Kabinettschef seines Vaters im Ministerium des Innern. 1842 als Vertreter von Bastia (Korsika) in die Kammer gewählt, kämpfte er als eifriger Anwalt aller humanitären Bestrebungen gegen die Sklaverei und gegen die Beschränkung der religiösen Freiheit der Protestanten, seiner Glaubensgenossen, für die er das Recht der Evangelisation und der Bibelkolportage in Anspruch nahm. 1846 zog sich G. aus dem politischen Leben zurück und widmete sich fast ausschließlich den Interessen der reformierten Kirche Frankreichs. Anläßlich der kirchlichen Umwälzungen im Waadt-

land verteidigte er das Prinzip der Trennung von Kirche und Staat. Als auf der Generalsynode 1848 die Forderung eines formulierten Glaubensbekenntnisses durchfiel, gründete er mit Frédéric Monod (s. d.) 1849 die »Union des Églises libres évangéliques de France«. Er lebte am Genfer See und beteiligte sich von dort aus in Schriften und Vorträgen am religiösen und literarischen Leben und an den Kämpfen der Orthodoxie gegen den Liberalismus.

Werke: Esclavage et traité, 1838; – Christianisme et paganisme, 2 Bde., 1846–50; Les écoles du doute et l'école de la foi, 1853; La famille, ses devoirs, ses joies et ses douleurs, 1865 (dt. 1870).

Lit.: Adrien Naville, Le comte A. de G., 1871; – Théodore Borel, Le comte A. de G., Lausanne 1878; – Lichtenberger V, 415 ff.; – RGG II, 1203.

GASPARIN, Valérie de, geb. Boissier, Schriftstellerin, * 1813 in Genf in einer Refugiésfamilie, † daselbst 1894. – V. Boissier vermählte sich 1837 und nahm als literarische Mitarbeiterin ihres Gatten, des Grafen Agenor de Gasparin (s. d.), an seinen politischen und religiösen Bestrebungen lebhaften Anteil. Als Vertreterin einer strengen Orthodoxie bekämpfte sie das Aufkommen der Diakonissensache im französischen Protestantismus ebenso wie das Eindringen der Heilsarmee. Nach dem Tode ihres Gatten widmete sie ihre Zeit und ihr Vermögen christlichen Liebeswerken. V. G. wurde auch bekannt als Verfasserin ausgezeichneter Jugendschriften.

Werke: Le mariage au point de vue chrétien, 3 Bde., 1842 (1853³; dt. 1844); Les corporations monastiques au sein du protestantisme, 2 Bde., 1855 (gg. die Diakonissen); Les tristesses humaines, 1863 (1888⁶; dt. 1865); Les horizons prochains, 1858 (1872⁸; dt. 1864); Les horizons célestes, 1859 (1868⁹); Lisez et jugez: Armée soi-disant du Salut, 1883.

Lit.: Marie Dutoit, La comtesse A. de G., Lausanne 1901; – Caroline Barbey-Boissier, La comtesse A. de G. et sa famille. Correspondance et souvenirs, 2 Bde., Paris 1902.

GASPARRI, Pietro, Kanonist und Diplomat, * 5. 5. 1852 in Ussita (Provinz Perugia in Italien), † 18. 11. 1934 in Rom. – G. wurde 1877 Priester und 1880 Professor des kanonischen Rechts am »Institut catholique« in Paris. 1896 trat er als Diplomat in die päpstlichen Dienste und wurde 1898 Apostolischer Delegat für Ecuador, Bolivien und Peru. 1901–07 war G. Sekretär der Kardinalskongregation für die außerordentlichen Angelegenheiten in Rom. Er wurde 1898 Titularerzbischof von Iconium und 1907 Kardinal. Seit 1904 war G. Vorsitzender der Kommission, die Pius X. (s. d.) mit der Neugestaltung des kanonischen Rechts beauftragte. So hat G. hervorragenden Anteil an der Abfassung des »Codex Iuris Canonici«, der mit seinen 2414 Canones als das Gesetzbuch der römisch-katholischen Kirche Pfingsten (19. 5.) 1918 in Kraft trat, nachdem Benedikt XV. (s. d.) Pfingsten (27. 5.) 1917 die Publikationsbulle »Providentissima mater ecclesia« erlassen hatte. Damit war das gesamte ältere Kirchenrecht, insbesondere das »Corpus Iuris Canonici«, die Tridentinischen Reformdekrete und die späteren Papstgesetze bis auf wenige Ausnahmen, die dem »Codex Iuris Canonici« beigegeben sind, außer Kraft gesetzt. Von G. stammen die Vorrede zum »Codex Iuris Canonici« mit wichtigem Überblick über seine Entstehung, der Quellennachweis zu den einzelnen Canones und das Sachverzeichnis. Er war auch seit der Veröffentlichung des »Codex Iuris Canonici« Vorsitzender der päpstlichen Kommission zur Auslegung dieses Gesetzbuches und wurde 1929 Vorsitzender der Kardinalskommission für die Kodifikation des Ostkirchenrechts. G. war 1914–30 Kardinalstaatssekretär unter Benedikt XV. und Pius XI. (s. d.) und hatte auf die päpstliche Politik während des ersten Weltkriegs und der Nachkriegsjahre maßgeblichen Einfluß. Er verfaßte die päpstliche Friedensnote vom 1. 8. 1917, die die streitenden Völker zum Frieden mahnte und Richtlinien für eine Verständigung unter den kriegführenden Staaten enthielt. Die Note wurde von den Ententemächten nicht einmal beantwortet und von Deutschland wegen der von ihm erwarteten Gebietsabtretungen abgelehnt. G. leitete 1926 bis 1929 die Verhandlungen des Päpstlichen Stuhles mit Italien, die am 11. 2. 1929 zu den Lateranverträgen geführt haben.

Werke: Tractatus canonicus de matrimonio, 2 Bde., Paris – Lyon 1891 (Rom 1932⁴); Tractatus canonicus de sacra ordinatione, 2 Bde., Paris – Lyon 1893/94; Tractatus canonicus de sanctissima eucharistia, 2 Bde., ebd. 1897; Catechismus Catholicus, Rom 1930 (dt. 1932). – Gab heraus: Codicis iuris canonici fontes, 6 Bde., Rom 1923–32 (VII–IX, hrsg. v. G. Seredi, ebd. 1935–39).

Lit.: Ulrich Stutz, Der Geist des Codex iuris canonici, Einf. in das Gesetzbuch der kath. Kirche, 1918; – Friedrich Ritter v. Lama, Papst u. Kurie in ihrer Politik nach dem Weltkrieg. Dargest. unter bes. Berücks. des Verhältnisses zw. dem Vatikan u. Dtld., 1925; – Joseph Schmidlin, Papstgesch. der neuesten Zeit III, 1936, 343 u. ö.; IV, 1939, 225 u. ö.; – Francesca Maria Taliani, Vita del cardinale G., segretario di Stato e povero prete, Mailand – Verona 1938; – E. Blanchet, Actes du congrès de droit canonique, Paris 1950, 17 f. u. ö.; – Ludwig Frhr. v. Pastor, Tagebücher, 1950, 929 u. ö.; – Walter Hermann Peters, The Life of Benedict XV, Milwaukee (Wisconsin) 1959; – Il cardinale P. G., hrsg. v. L. Fiorelli, Rom 1960; – Wilhelm Sandfuchs, Die Außenminister der Päpste, 1962; – Giovanni Spadolini, Il cardinale G. e la questione romana, Florenz 1973 (Rez. v. Larsimont Pergameni, in: Risorgimento 25, Mailand 1973, 143 f.; v. Luis Portero Sánchez, in: Revista del derecho español y americano 30, Madrid 1974, 149 f.); – Feine, RG I, 639 ff. 674 f.; – StL⁶ III, 647 ff.; – Catholicisme IV, 1765 ff.; – EC V, 1953 ff.; – LThK IV, 524; – NCE VI, 296 f.; – RGG II, 1203.

GASS, Joachim Christian, Theologe, * 26. 5. 1766 als Pfarrerssohn in Leopoldshagen bei Anklam (Pommern), † 19. 2. 1831 in Breslau. – G. besuchte die Klosterschule Bergen bei Magdeburg und studierte 1785–89 in Halle. Er wurde 1795 Feld- und Garnisonprediger in Stettin und siedelte Ende 1807 nach Auflösung seines Regiments nach Berlin über, wo er seit 1808 als Prediger an der Marienkirche wirkte. G. wurde 1810 Konsistorialrat in Breslau und 1811 als Professor für Systematische Theologie an die von Frankfurt/Oder nach Breslau verlegte Universität berufen. Er übernahm auch die Oberleitung des Breslauer Schullehrerseminars und stiftete das homiletische Seminar der Theologischen Fakultät. – Als Theologe schloß sich G. der Richtung des ihm seit 1803 befreundeten Friedrich Schleiermacher (s. d.) an, der ihm 1807 seine Schrift über den 1. Timotheusbrief widmete. Diese Abhängigkeit zeigt sich am meisten in der Dogmatik. In den äußerst erregten Streitigkeiten über Union, Verfassung und Agende wurde G. auf die Seite der Opposition gedrängt, unterzeichnete aber 1829 doch die neue Liturgie.

Werke: Über den christl. Kultus, 1815; Über den Rel.unterricht in den oberen Klassen der Gymnasien, 1828; Über den Reichstag zu Speyer v. 1529, 1827. – Gab heraus: Jb. des prot. Kirchen- u. Schulwesens v. u. f. Schlesien, 2 Bde., 1818. 1820.

Lit.: Schleiermachers Briefwechsel mit G., hrsg. v. Wilhelm Gaß, 1852 (in der Einl. Biogr.); – ADB VIII, 394 ff.; – RE VI, 371 ff.

GASS, Joseph, Kirchenhistoriker, * 24. 5. 1867 in Mutzig, † 25. 12. 1951 in Straßburg. – G. empfing 1892 die Priesterweihe und war seit 1896 Professor der Kirchengeschichte am Priesterseminar in Straßburg. Er wurde 1903 Professor der elsässischen Kirchengeschichte und Bibliothekar am Priesterseminar und 1928 Domkapitular. – G. war langjähriger Schriftleiter des Straßburger Diözesanblattes und der »Revue catholique d'Alsace«.

Werke: Das Straßburger Priesterseminar während der frz. Rev.-zeit, 1914; Konstitutionelle Professoren am Straßburger Priesterseminar, 1916; Straßburger Theologen im Aufklärungszeitalter, 1917; Der fränk. Schr.steller u. elsäss. Konstitutionspriester Georg Klarmann, 1917; Stud. z. elsäss. KG, 2 Bde., 1924–26.

Lit.: R. Metz, Le Chan. J. G., in: Cahiers d'Archéologie et d'Histoire d'Alsace 132, Straßburg 1952, 2–5; – LThK IV, 525.

GASS, Wilhelm, Theologe, * 28. 11. 1813 in Breslau als Sohn des Theologieprofessors Joachim Christian Gaß (s. d.), † 21. 2. 1889 in Heidelberg. — G. studierte seit Herbst 1832 in Breslau, Halle und Berlin. Er trat August Neander (s. d.) persönlich nahe, der ihn nachhaltig beeinflußte. G. wurde 1839 Privatdozent und 1846 ao. Professor in Breslau und 1847 nach Greifswald versetzt, wo er 1855 eine o. Professur erhielt. 1862 folgte G. als o. Professor für Systematische Theologie dem Ruf nach Gießen und siedelte 1868 nach Heidelberg über als Nachfolger von Richard Rothe (s. d.). Er wurde vom Großherzog als Vertreter der Fakultät in die Generalsynode von 1871, 1876 und 1881 berufen und 1885 zum Kirchenrat ernannt. – G. war ein hervorragend gelehrter Theologe vermittelnder Richtung und kirchenpolitisch Vertreter eines gemäßigten Liberalismus und des Unionsgedankens. Als Michael Baumgarten (s. d.) in Rostock 1858 seines theologischen Lehramts entsetzt wurde, äußerte sich G. neben dem Gesamtgutachten der Greifswalder Fakultät auch in einer besonderen Schrift, in der er den Standpunkt der mecklenburgischen Kirchenbehörde energisch bekämpfte und das Urteil als ungerecht verwarf. – G.s wissenschaftliches Arbeitsgebiet war die Geschichte der griechischen Kirche im Mittelalter, die Geschichte der protestantischen Dogmatik und die Geschichte der christlichen Ethik.

Werke: Gennadius u. Pletho (behandelt den Kampf des Aristotelismus u. Platonismus in der griech. Kirche des MA), 1844; Die Mystik des Nikolaus Kabasilas v. Leben in Christo, 1849; Zur Gesch. der Athosklöster, 1865; Symbolik der griech. Kirche, 1872; Gesch. der prot. Dogmatik I, 1854; II, 1857; III, 1862; IV, 1867; Die Lehre v. Gewissen, 1869; Optimismus u. Pessimismus oder der Gang der christl. Welt- u. Lebensansicht, 1876; Gesch. der Ethik I, 1881; II/1, 1886; II/2, 1887. – Gab mit Alexander Vial 1874–80 die Neuere KG v. der Ref. bis 1870 v. Ernst Ludwig Theodor Henke, 3 Bde., heraus.

Lit.: Heinrich Bassermann, Grabrede auf W. G., in: Prot. KZ 1889, 251 ff.; – Carl Holsten, G., in: Bad. Biogrr. IV, 1906, 527 ff.; – Götz v. Selle, W. G., in: Ostdt. Biogrr., 1955, Nr. 331; – ADB 49, 255 ff.; – RE VI, 373 ff.

GASSMANN, Florian Leopold, Kapellmeister und Komponist, * 3. 5. 1729 in Brüx (Böhmen) als Sohn eines Gürtlers, † 20. 1. 1774 in Wien. – G. wurde 1763 Hofkomponist in Wien und 1772 Hofkapellmeister und gilt als bedeutender Vorläufer der Wiener Klassik.

Werke: Kirchenmusik: Bisher 54 Mss. nachgewiesen, darunter 5 Messen, 1 unvollst. Requiem, 1 vollst. Vesper, 18 Propriumstücke, 3 Hymnen, 2 Antiphonen u. a. – Opern, Kantaten, Kammermusik, Orchesterwerke. – Ausgew. Kirchenwerke, bearb. v. Franz Kosch, DTÖ XLV (= Bd. 83), 1938.

Lit.: Ludwig Ritter v. Köchel, Die kaiserl. Hofmusikkapelle in Wien v. 1543–1867, Wien 1869; – Erich Steinhard, Ein alter dt.-böhm. Tonkünstler, in: Dt. Arbeit VII, 1908, 745 ff.; – Gustav Donath u. Robert Haas, F. L. G. als Opernkomponist, in: StMw 2, 1914, 34 ff.; – Erwin Leuchter, Die Kammermusikwerke F. L. G.s (Diss. Wien), 1926; – Franz Kosch, F. L. G. als Kirchenkomponist, in: StMw 14, 1927, 213 ff.; – Robert Haas, F. L. G., in:

Sudetendt. Lb., hrsg. v. Erich Gierach, II, Reichenberg 1930; – Eve Rose Meyer, F. L. G. and the Viennese Divertimento (Diss. Univ. of Pennsylvania, 2 Bde., 1963; – MGG IV, 1431 ff.; – Eitner IV, 165 ff.; – Riemann I, 589; ErgBd. I, 405; – Moser I, 393; – Grove III, 573 f.; – Honegger I, 388; – Goodman 154; – NDB VI, 82 f.

GASSNER, Johann Joseph, kath. Pfarrer und Exorzist,

* 22. 8. 1727 in Braz (Vorarlberg), † 4. 4. 1779 in Pondorf (Donau). – G. studierte in Innsbruck und Prag, empfing 1750 die Priesterweihe und wurde 1751 Frühmeßner in Dalas und 1758 Pfarrer in Klösterle (Bistum Chur). – Nach 15jähriger stiller Wirksamkeit in diesem Amt trat G. als Exorzist auf, zunächst bei sich selbst, bald auch bei anderen. Da die gegen vielfache körperliche Leiden, besonders nervöse Kopfschmerzen, angewandten ärztlichen Mittel vergeblich waren, kam G. zu der Überzeugung, daß seine Krankheit vom Teufel gewirkt sei und nur geheilt werden könne durch die ihm durch die Ordination verliehene Macht, im Namen Jesu Christi Teufel auszutreiben. Der Versuch verlief erfolgreich. Dieses Erlebnis ermutigte ihn, andere in ähnlicher Weise von ihrem Leiden zu befreien. Viele Kranke suchten seine Hilfe. Graf Fugger, Erzbischof von Regensburg, berief ihn 1774 nach Ellwangen. Hier feierte G. in Krankenheilungen seine glänzendsten Triumphe. Auch in Amberg, Sulzbach und Regensburg erregte er durch exorzistische Heilung von Krankheiten großes Aufsehen und veranlaßte dadurch evangelische und katholische Gelehrte zu Untersuchungen über Exorzismus und Wunderkuren. Obwohl die Ingolstädter Universitätskommission G. recht gab, verbot die Wiener Regierung ihm im Herbst 1775 die exorzistische Tätigkeit. Die Erzbischöfe von Prag und Salzburg erklärten sich gegen ihn, und verschiedene Regierungen verboten den Verkauf seiner Schriften. So nahm G.s Wirken als Exorzist ein schnelles Ende. Der Fürstbischof von Regensburg ernannte ihn zum Hofkaplan und geistlichen Rat und verlieh ihm 1776 die Dechantenstelle in Pondorf. – In mehreren Schriften hat G. seine Ansichten über Krankheit und exorzistische Heilung entwickelt: Es gibt böse Geister, die den Menschen nicht nur der Seele nach anfechten, sondern ihm auch dem Leib nach schaden und Schmerzen und Krankheiten verursachen können. Es gibt drei Gattungen der vom Teufel geplagten Menschen: 1. »circumsessi«: angefochtene; 2. »obsessi« oder »maleficiati«: verzauberte; 3. »possessi«: besessene. Die durch den Teufel gewirkten Krankheiten können durch den Exorzismus im Namen Jesu geheilt werden. Augenzeugen berichten, daß G. den Kranken fest anschaute, mit der einen Hand, in der er ein Kreuz hielt, ihm die Stirn, mit der anderen das Genick drückte und den ganzen Körper des Kranken schüttelte, während er die Beschwörungsformel über ihn aussprach.

Werke: Weise, fromm u. gesund zu leben, auch ruhig u. gottselig zu sterben, oder Nützlicher Unterricht, wider den Teufel zu streiten, durch Beantwortung der Fragen: I. Kann der Teufel dem Leibe der Menschen schaden? II. Welchem am meisten? III. Wie ist zu helfen?, Kempten 1774 (1787[12]); J. J. G.s Antwort auf die Anm., welche in der münchner. Intelligenzbl. v. 12. Nov. wider seine Gründe u. Weise zu exorzieren wie auch v. der dt. Chron. u. anderen Zeitungsschreibern gemacht worden, Augsburg 1774 (1775[3]); Tägl. Ermahnungen an alle Christgläubigen, 1775.

Lit.: Ferdinand Sterzinger, Die aufgedeckten G.schen Wunderkuren aus authent. Urkk. beleuchtet u. durch Augenzeugen bewiesen, 1774 (1776[2]); – Die durch die G.schen u. Schröpferschen Geistesbeschwörungen, 2 Bde., 1775/76; – Allg. Dt. Bibl. 24, 1775, 608 ff.; 27, 1775, 596 ff.; – Staatsbibl. Bamberg, Hs. E IV 22: Die Heilungen

des Pfr. G. durch Exorzismen mit versch. Urkk., 1775–79; – Eugen Sierke, Schwärmer u. Schwindler zu Ende des 18. Jh.s, 1874, 222 ff.; – Ludwig Rapp, Hexenprozesse, Innsbruck 1874, 130 ff.; – J. A. Zimmermann, J. J. G., der berühmte Exorzist, sein Leben u. wundersames Wirken, 1879; – Hans Fieger, Don Ferdinand Sterzinger, Bekämpfer des Aberglaubens u. Hexenwahns u. der Pfr. G.schen Wunderkuren, 1907, 169 ff. 263 ff.; – L. Gernhardt, Teufelsbeschwörer J. J. G., in: Münchener med. Wschr. 74, 1927, 1512 f.; – Georg Pfeilschifter, Des Exorzisten G. Tätigkeit in der Konstanzer Diöz. im J. 1774, in: HJ 52, 1932, 401 ff.; – Joseph Hanauer, Der Exorzist J. J. G. Eine Monogr. (Diss. Würzburg, 1950), Bubach 1949; – U. B. Staudenmayer, J. J. G., der Exorzist u. Wunderdoktor, in: Der Daniel. Heimatkundlich-kulturelle Zweimschr. f. das Ries u. Umgebung 7, Nördlingen 1971, H. 4, S. 21 f.; – EuG I/54, 213 ff.; – ADB VIII, 407 f.; – NDB VI, 84 f.; – RGG II, 1204 f.; – Kosch, KD 839 f.

GASTOLDI, Giovanni Giacomo, Komponist, * um

1556 in Caravaggio (Lombardei) als Sohn eines Hofdieners, † 1622 wahrscheinlich in Mailand. – G. wurde 1581 Sänger am Hof von Mantua und 1582 Kapellmeister der herzoglichen Kapelle an Santa Barbara in Mantua. 1609 war er Kapellmeister am Dom in Mailand. – G. schuf Canzonen, 5-, 6- und 8stimmige Madrigale, Tanzlieder zum Spielen und Singen, Messen, Vespern u. a. 1591 erschien von ihm in Venedig eine Sammlung »Balleti«. Eine von diesen Melodien erschien 1598 zu dem Lied von Johann Lindemann (s. d.) »In dir ist Freude in allem Leide« (EKG 288) und dann zu dem Lied »O Gott, mein Herze« in einem Augsburger Gesangbuch von 1609.

Lit.: Edith Kiwi, Stud. z. Gesch. des it. Liedmadrigals im 16. Jh. Satzlehre u. Genealogie der Kanzonetten (Diss. Heidelberg), Würzburg 1937; – Alfred Einstein, The Italian Madrigal I. II, Princeton (New Jersey) 1949 (Nachdr. ebd. 1970); – Hdb. z. EKG II/1, 135; – Kümmerle I, 456. 676; – MGG IV, 1437 ff.; – Riemann I, 590 f.; – Moser I, 393 f.; – Eitner IV, 168 ff.; – Grove III, 575; – EItal XVI, 437 f.; – LThK IV, 528; – NCE VI, 299 f.

GASTORIUS (Bauchspieß), Severus, Kantor, * 1646

in Öttern bei Weimar als Sohn eines Lehrers, begraben 8. 5. 1682 auf dem Friedhof der Johanniskirche in Jena. – G. studierte in Jena und wurde dort 1670 Kantorsubstitut seines Schwiegervaters und 1677 nach dessen Tod als sein Nachfolger Kantor. Von ihm stammt die Melodie des Liedes »Was Gott tut, das ist wohlgetan« (EKG 299). Über die Entstehung dieser Weise berichtet der Hymnologe Johann Martin Schamelius (s. d.): Samuel Rodigast (s. d.), Adjunkt der Philosophischen Fakultät in Jena, dichtete 1675 das Lied »Was Gott tut, das ist wohlgetan, es bleibt gerecht sein Wille« »dem damals krank liegenden Jenaischen Contori Severo Gastorio als seinem getreu gewesenen Schul- und akademischen Freunde auf seine Bitte um Trost, welcher dadurch gestärkt, auf dem Krankenbette die Melodie dazu komponiert und bei seinem Begräbnis zu musizieren befohlen. Nachdem er aber wieder genesen, hat die Cantorei wöchentlich es ihm vor der Tür singen müssen. So geschah es denn auch, da es manche fromme Studiosus hörte, nahm er es zurück in sein Vaterland und verursachte damit, daß es im ganzen Luthertum bekannt wurde.«

Lit.: Reinhold Jauernig, S. G., in: JLH 8, 1963, 163 ff.; – Siegfried Fornaçon, Werke v. S. G., ebd. 165 ff.; – Winterfeld II, 586 ff. 627 ff.; – Zahn V, 437; – Kümmerle I, 457; IV, 108 f.; – Hdb. z. EKG II/1, 173 f.; – Eitner IV, 171.

GASTOUÉ, Amédée Henri Gustave Noël, Musikfor-

scher, auch Kirchenkomponist, * 13. 3. 1873 in Paris als Sohn eines Handlungsbevollmächtigten in einem Verlag, † 1. 6. 1943 in Clamart (Seine). – G. war Schüler von Albert Lavignac und Alexandre Guilmant und wirkte als Kapellmeister an St. Jean-Baptiste de

Belleville (Paris) und Lehrer des Gregorianischen Gesangs an der »Schola Cantorum« und an der katholischen Universität, hielt auch Vorträge an der »École
des hautes études sociales«.

Werke: Histoire du chant liturgique à Paris I (bis z. Z. der Karolinger), 1904; Cours théorique et pratique de chant grégorien,
1904; Le drame liturgique, le Mystère des Vierges sages et des
Vierges folles, 1906; Les origines du chant romain: L'antiphonaire grégorien, 1907; César Franck, 1908; Traité d'harmonisa-
tion du chant grégorien sur un plan nouveau, 1910; La musique
d'église, 1911; L'art grégorien, 1911 (1920³; rumän. Bukarest
1967); Les messes royales de H. Dumont, 1912; Variations sur
la musique d'église, 1912; Le Graduel et l'antiphonaire romains,
1913; L'orgue en France de l'antiquité au début de la période
classique, 1921; La vie musicale de l'église, 1929; L'église et la
musique, 1936. – An Kompositionen hinterließ G.: Bühnen- u.
zahlr. kirchenmusikal. Werke, Orchesterstücke, Kammermusik,
Orgel- u. Klavierstücke.

Lit.: Diccionario de la música, hrsg. v. Joaquin Pena – Higini
Anglès, I, Barcelona 1954, 1032 f.; – Gesch. der kath. Kirchen-
musik, hrsg. v. Karl Gustav Fellerer, II, 1976, 209. 277. 289; –
MGG IV, 1445 ff.; – Riemann I, 591; – Moser 394; – Honegger
I, 389; – LThK IV, 528.

GATES, Ellen Maria, geb. Huntington, amerikanische Liederdichterin, * 1835 in Torrington (Connecticut),
† 1920 in New York. – G. lebte 1860/61 in Beaver
Dam (Wisconsin), seit 1863 in Elizabeth (New Jersey) und später als Gattin des Isaac G. Gates in New
York. – Eines ihrer verbreitetsten Lieder ist »Come
home«, 1865 zuerst erschienen in dem Liederbuch
»The singing Pilgrim«, deutsch von Ernst Gebhardt
(s. d.) im »Evangelist«, 1874, und dann in den »Glaubensliedern«, Basel 1875: »Komm heim, komm heim,
o du irrende Seel!«

Werke: Gedichte: Night; At Noontide; Treasures of Kurium,
New York 1895.
Lit.: Walter Schulz, Reichssänger. Schlüssel z. dt. Reichslieder-
buch, 1930, 180.

GAUCHERIUS, Augustinerchorherr, Heiliger, * um
1060 in Meulan-sur-Seine bei Rouen, † 9. 4. 1140 in
Aureil (Diözese Limoges). – G. war Stifter und 1.
Prior des Augustinerchorherrenklosters Saint-Jean-d'
Aureil. Er wurde von Cölestin III. (s. d.) 1194 heilig-
gesprochen. Sein Fest ist der 9. April.

Lit.: Jean Becquet, La vie de s. G., fondateur des Chanoines ré-
guliers d'Aureil en Limousin, in: Revue Mabillon. Archives de
la France monastique 54, Ligué – Vienne 1964, 25 ff.; – AS
Apr. I, 841 ff.; – VSB IV, 218 f.; – BS VI, 45; – BHL 3271 f.; –
Catholicisme IV, 1771; – EC V, 1961 f.; – LThK IV, 530; – NCE
VI, 302.

GAUDENTIUS, Bischof von Brescia (Brixia), Heiliger,
† nach 406. – Auf einer Reise in den Orient erfuhr
G., daß er vom Klerus und Volk einmütig zum Nachfolger seines Lehrers, des Bischofs Philastrius (s. d.)
von Brescia, gewählt worden sei. Auf Drängen be-
nachbarter Bischöfe, besonders seines Freundes Ambrosius (s. d.) von Mailand, nahm er die Wahl an
und trat etwa 387 das Bischofsamt an. Mit noch zwei
anderen Abgesandten des Kaisers Honorius (s. d.)
und des Papstes Innozenz I. (s. d.) reiste G. 404/405
nach Konstantinopel. Vergeblich bemühten sie sich um
Aufhebung der Verbannung des Bischofs Johannes
Chrysostomos (s. d.): Kaiser Arkadius (s. d.) wies
die Vermittlung Roms scharf ab. Chrysostomos dankte G. brieflich herzlich für den ihm erwiesenen Liebesdienst. – G. wird als Heiliger verehrt. Sein Fest ist
der 25. Oktober.

Werke: 21 Predigten (darunter 10 Osterpredigten, die übrigen
versch. Inhalts): MPL 20, 827 ff.; MPG 52, 715 ff. – Bibliogr.:
CSEL 68.
Lit.: Joseph Nirschl, Lehrb. der Patrologie u. Patristik II, 1883,
488; – Joseph Wittig, Filastrius, G. u. Ambrosiaster, 1909, 1–56;

– C. R. Norcock, St. G. of Brescia and the Tome of St. Leo, in:
JThS 15, 1913–14, 593 ff.; – Francesco Lanzoni, Le Diocesi
d'Italia dalle origini al principio del secolo VII, II, Faenza 1927²,
963 ff.; – Umberto Moricca, Storia della letteratura cristiana II,
Turin 1928, 585 ff.; – Fedele Savio, Gli antichi vescovi d'Italia
dalle origini al 1300 descritti per regioni. II/1: Bergamo, Brescia, Como, Bergamo 1929, 149 ff.; – Pierre de Labriolli – Gustave Bardy, Histoire de la littérature latine chrétienne, 1947³,
416 ff.; – Pierre Nautin, Hippolyte contre les hérésies, Paris
1949, 149 ff.; – B. M. Xiberta, Enchiridion de Verbo incarnato,
Madrid 1957, 276 ff.; – Y. M. Duval, S. Léon le Grand et s. G.
de B., in: JThS NS 11, 1960, 82 ff.; – Francesco Trisoglio, S. G.
da Brescia Scrittore, Turin 1960; – Ders., Storia di Brescia I,
Brescia 1961, 341 ff. 361 ff. 973 ff.; – L. Ruggini, Economia e
società nell' »Italia annonaria«, Mailand 1961; – A. Brontesi, Ricerche su G. da B., in: Memorie storiche della diocesi di Brescia 29, 1962, 99–198; – Pauly-Wissowa VII, 859 ff.; – Schanz
IV, 361 f.; – Bardenhewer III, 485 f.; – Altaner⁷ 369; – AS Oct.
XI, 587 ff.; – VSB X, 869 f.; – BS VI, 47 ff.; – Catholicisme VI,
1773; – DThC VI, 1166; – EC V, 1962; – LThK IV, 531; – NCE
VI, 302; – ODCC² 550 f.; – DSp VI, 139 ff.; – RE VI, 377 f.; –
RGG II, 1206.

GAUGER, Joseph, Theologe, * 2. 4. 1866 in Winnenden (Württemberg) als Sohn eines Lehrers, † 1. 2.
1939 in Elberfeld. – G.s Vater starb 1873 in Dagersheim bei Böblingen, worauf seine Mutter, die er mit
13 Jahren verlor, nach Esslingen zog. G. besuchte das
dortige Lehrerseminar und wurde Lehrer in Dürnau
bei Bad Boll, entschloß sich aber zum Studium und
erwarb in Stuttgart die Hochschulreife. 1889 begann
er in Tübingen mit dem Studium der Rechte, ging
aber nach dem 1. Semester zur Theologie über. G.
wurde 1893 Vikar in Mägerkingen auf der Alb und
dann in Großheppach (Remstal), 1898 2. Inspektor
der »Evangelischen Gesellschaft« in Elberfeld. Er widmete seine Zeit und Kraft der Schriftenmission und
der Verlagsarbeit, vor allem aber den Zeitschriften
der »Evangelischen Gesellschaft«. Seit 1911 gehörte
G. dem Vorstand des »Gnadauer Verbandes« (»Deutscher Verband für evangelische Gemeinschaftspflege
und Evangelisation«) an und war seit 1921 Vorsitzender des »Evangelischen Sängerbundes«. Auch zu allerlei besonderen Aufgaben des kirchlichen Lebens wurde
er berufen, u. a. 1921 in die »Verfassunggebende Versammlung der Evangelischen Kirche der altpreußischen Union«. Er diente einer großen, weitverzweigten
und mannigfaltig zusammengesetzten Gemeinde, der
Lesergemeinde der Wochenschrift »Licht und Leben«,
die 1925 das Erholungsheim der »Evangelischen Gesellschaft« auf der Hohegrete bei Au an der Sieg um
ein Bibelheim erweiterte. G. geriet mit dem Nationalsozialismus in schwere Konflikte, weil er an dem
Grundsatz festhielt, alles von seinem christlich-konservativen Standpunkt aus zu beleuchten und zu allem
eindeutig Stellung zu nehmen. In seinem Bemühen
um Erhaltung von »Licht und Leben« zog er sich
Haussuchungen, Verhaftungen und dauernde Schikane
zu. 1934 wurde er aus der Berufsliste der Schriftleiter
gestrichen und im Januar 1939 aus der Reichsschrift-
tumskammer ausgeschlossen. – Über das Verhältnis
der Kirche zur Gemeinschaftsbewegung sagt G.: »Luther hat bereits im Geist vor sich gesehen das ›Kirchlein in der Kirche‹ und hat die ›Kerngemeinde‹ in der
Idee erfaßt. Die geschichtliche Entwicklung hat es mit
sich gebracht, daß die ›Kerngemeinde‹ nicht im organischen Zusammenhang mit der Kirche erwuchs,
sondern sich in freier Form gestaltete als von der Kirche
unabhängige, aber in der Kirche und zum Besten der
Kirche wirkende Gemeinschaft, vielfach befruchtet
durch Männer der Kirche. In dem Maß, als die ver-

faßte Kirche den Gemeinschaften Vertrauen entgegenbringt, sie nicht bevormundet, die Leitung nicht an sich zieht, sondern die unbeamteten Kräfte frei walten läßt, in dem Maß hat die Kirche den Gewinn.«

Werke: Direktor Ziegler, ein Erzieher v. Gottes Gnaden, 1909 (1910²); – Vom Abendland ins Morgenland, 3 Bde., 1928. – Gab heraus: Licht u. Kraft f. den Tag (Andachtsbuch zu den Losungen u. Lehrtexten der Brüdergemeine), 1905–38; Licht u. Leben (1889 v. Julius Dammann begr.), seit 1906 gemeinsam mit Dr. Wilhelm Busch, seit 1910 allein (1938 endgültig verboten); Gotthardbriefe (polit. Bl. im ev. Sinn), 1923–36; Im Dienst des Kinderfreundes (Handreichung f. Sonntagsschule u. Kindergottesdienst); Ev. Psalter (Gemeinschaftsliederb.), 1914 (1930³).
Lit.: Siegfried u. Joachim Gauger, J. G., sein Leben u. sein Werk, 1950; – NDB VI, 97 f.; – RGG II, 1206.

GAUME, Jean-Joseph, kath. Theologe, * 5. 6. 1802 in Fouans (Dép. Doubs), † 19. 11. 1879 in Paris. – G. wurde 1827 Professor der Dogmatik am Großen Seminar in Nevers (Dép. Nièvre) und war 1843–52 Generalvikar in Nevers, später in Reims und zuletzt in Montauban. – G. war Vertreter der ultraklerikalen Reaktion auf dem Gebiet des Unterrichts. Er bekämpfte die Lektüre der alten Klassiker in den Gymnasien und verlangte die Einführung des Studiums der mittelalterlichen Kirchenväter an Stelle der heidnischen Klassiker, weil die echte christliche Bildung nur zu holen sei aus dem Zeitraum zwischen dem Untergang des Römischen Reiches und der Renaissance. Damit entfachte G. einen heftigen Streit, in den Pius IX. (s. d.) mit einer Enzyklika vom 21. 3. 1853 eingriff, wonach die besten heidnischen Klassiker neben den christlichen Autoren zu lesen seien.

Werke: Le vers rongeur des sociétés modernes ou le paganisme dans l'éducation, 1851 (dt.: Nagender Wurm der Ggw. oder Das Heidentum in der Erziehung, 1852); Lettres à Mgr. Dupanloup sur le paganisme dans l'éducation. 1852; Du catholicisme dans l'éducation, 1835; Le manuel des confesseurs, 1837 (1880¹¹); dt. 1861²); Les Trois Rome, 4 Bde., 1848 (1876⁴; dt. 1870); La Révolution, 12 Bde., 1856–59 (dt.: Tl. 1–6, 1856/57); Traité du Saint Esprit, 2 Bde., 1864 (1869/70²); Pie IX et les études classiques, 1875; La question des classiques, 1872.
Lit.: Antoine Ricard, Étude sur Mgr. G., ses oeuvres, son influence, ses polémiques, Paris 1872; – Henry Parry Liddon, Life of Edward Bouverie Pusey, IV, 1897, 303 ff.; – LPäd(F) II, 217; – Catholicisme IV, 1783; – DThC VI, 1168 ff.; – HN V, 1818 ff.; – EC V, 1964 f.; – CathEnc VI, 398 ff.; – LThK IV, 533; – NCE VI, 308 f.; – ODCC² 551; – RGG II, 1206 f.

GAUNILO, Benediktiner, * um 1000. – G. war ein Graf von Montigni und bereits vor 1023 weltlicher Schatzverwalter und Propst der Abtei St. Martin in Tours. Unglücksfälle, die er 1044 in Fehden erlitten hatte, veranlaßten ihn, Mönch zu werden. G. verließ Frau und Kinder und trat in die Benediktinerabtei Marmoutier (Maursmünster) bei Tours ein. In der kleinen anonymen Schrift »Liber pro insipiente« suchte er den ontologischen Gottesbeweis des Anselm von Canterbury (s. d.) zu widerlegen. Daraufhin schrieb Anselm seinen »Liber apologeticus adversus respondentem pro insipiente« als Verteidigung und Ergänzung seines ontologischen Gottesbeweises.

Werke: Liber pro insipiente: MPL 158, 247 ff.; S. Anselmi Opera omnia, ed. Franciscus Salesius Schmitt, I, 1938, 123 ff.
Lit.: Julius Köstlin, Die Beweise f. das Dasein Gottes, in: ThStKr 47, 1875, 611 ff.; – Georg Runze, Der ontolog. Gottesbeweis. Krit. Darst. seiner Gesch. seit Anselm bis auf die Ggw., 1882; – Jean Barthélemy Hauréau, Singularités, Paris 1894, 201 ff.; – Edmond Charles Eugène Domet de Vorges, St. Anselme, ebd. 1901, 267 ff.; – Beda Adlhoch, Anselm u. G., in: StMBO 31, 1910; – Arrigo Levasti, Sant' Anselmo. Vita e pensiero, Bari 1929, 71 ff.; – Franciscus Salesius Schmitt, S. Anselmus Cant.: Liber proslogion; acc. G.nis monachi objectio necnon Anselmi responsio, 1931; – Karl Barth, Fides quaerens intellectum, 1931; – Sofia Vanni Rovighi, S. Anselmo e la Filosofia del sec. XI, Mailand 1949, 90 ff.; – Überweg II, 200 f. 698 f.; – LThK IV, 533 f.

GAUSSEN, Louis, ref. Theologe, * 25. 8. 1790 in Genf als Sohn eines Mitglieds des Rats der Zweihundert, † daselbst 18. 6. 1863. – G. studierte in Genf und wurde 1816 Pfarrer in Satigny bei Genf. Er war Anhänger des damaligen Rationalismus. Der Tod seiner Gattin nach einjähriger Ehe und der Verkehr mit dem schottischen Erweckungsprediger Robert Haldane (s. d.) führten ihn dem »Réveil« zu, der Erweckungsbewegung des frühen 19. Jahrhunderts in der deutsch sprechenden Schweiz und in Frankreich. G. geriet in Gegensatz zur »Vénérable Compagnie des pasteurs« in Genf, weil er die »Confessio Helvetica«, die im Anfang des 18. Jahrhunderts in Genf abgeschafft worden war, neu herausgab, beim Unterricht die Bibel und nicht den offiziellen – rationalistischen – Katechismus verwandte, außerhalb der Kirche religiöse Versammlungen hielt und bei der Gründung der »Evangelischen Gesellschaft« und ihrer theologischen Schule mitgewirkt hatte. Im Lauf der Auseinandersetzung mit G. beschloß die »Vénérable Compagnie des pasteurs« am 30. 9. 1831 seine Absetzung. Das Konsistorium und der Staatsrat bestätigten den Beschluß der »Compagnie«. 1834 wurde G. Professor der Dogmatik an der Theologischen Schule der »Evangelischen Gesellschaft«. – G. ist bekannt als Vertreter der strengen Orthodoxie. In seiner »Theopneustie« (1840 und 1842) lehrte er die wörtliche Inspiration aller Schriften des Alten und Neuen Testaments.

Lit.: Hermann v. der Goltz, Die ref. Kirche Genfs im 19. Jh. oder der Individualismus der Erweckung in seinem Verhältnis z. christl. Staat der Ref., Basel 1862; – Léon Maury, Le réveil religieux dans l'Église Réformée à Genève et en France. Étude historique et dogmatique, 2 Bde., Paris 1892; – F. C. Hugon, L. G. et l'époque du Réveil, 1897; – Haag V, 238 f.; – Lichtenberger V, 442 f.; – RE VI, 382 ff.; – RGG II, 1207.

GEBAUER, Christian August, Dichter, Volks- und Jugendschriftsteller, * 28. 8. 1792 in Knobelsdorff bei Waldheim (Sachsen), † 15. 11. 1852 in Tübingen. – G. war nach vollendeten Studien erst Kollaborator an der Fürstenschule in Meißen, die er als Schüler besucht hatte, dann Institutslehrer in Köln. G. wurde mit der Erziehung eines Prinzen von Wittgenstein betraut und war 1818–23 Professor der Philosophie an der Universität Bonn. Er zog sich als Privatgelehrter und Schriftsteller nach Mannheim zurück und siedelte 1825 nach Stuttgart, 1831 nach Karlsruhe und 1848 nach Tübingen über. – Bekannt ist sein Sonntagslied »So feierlich und stille als heute nah und fern, sei's auch in meinem Herzen am schönen Tag des Herrn.«

Werke: Veilchenkranz, 1811; Geistl. u. weltl. Gedichte, 1814 (1818³); Blüten rel. Sinnes, 1821; Der dt. Jugendfreund, 1823/24; Der rhein. Kinderfreund, 1821; Lb., 2 Bde., 1825/26; Erzählende u. belehrende Schrr., 1826; Dt. Dichtersaal v. Luther bis auf die Ggw. (Ausw.), 2 Bde., 1827; Luther u. seine Zeitgenossen als Kirchenliederdichter, 1828; Simon Dach u. seine Freunde als Kirchenliederdichter, 1828; Volksnaturgesch., 1838 (1877⁷: Naturgesch. f. Schule u. Haus, bearb. v. G. Jäger, H. Wagner, O. Fraas); Auserles. Dichtungen, 1835; Christl. Gedichte, 1843; Erbauliches u. Beschauliches ausgew., 1845; Hl. Seelenlust. Geistl. Lieder u. Sprüche v. Spee, Angelus Silesius u. Novalis, 1863.
Lit.: Franz Brümmer, Lex. der dt. Dichter u. Prosaisten des 19. Jh.s, 1854⁴, 412; – Hermann Petrich, Unser geistl. Volkslied, 1924²; – Goedeke IX, 234 ff.; – Koch VII, 290 f.; – ADB VIII, 449.

GEBHARD *Truchseß von Waldburg*, Kurfürst und Erzbischof von Köln, * 10. 11. 1547 in Heiligenberg bei Überlingen aus dem schwäbischen Geschlecht der Reichstruchsessen von Waldburg, † 31. 5. 1601 in Straßburg und beigesetzt im dortigen Münster. – G.

studierte in Dillingen, Ingolstadt, Löwen und Perugia und erhielt Dompfründen in Augsburg, Köln und Straßburg. Er wurde am 5. 12. 1577 mit 12:10 Stimmen gegen Ernst von Bayern zum Erzbischof von Köln gewählt. Am 19. 3. 1578 empfing er die Priesterweihe und leistete den Tridentinischen Glaubenseid. Im April 1578 erfolgte die kaiserliche Belehnung und die Aufnahme in das Kurfürstenkollegium. Die päpstliche Bestätigung seiner Wahl erhielt er am 29. 3. 1580. Mit der evangelischen Anna Gräfin von Mansfeld, Stiftsdame des Klosters Gerresheim, unterhielt G. seit etwa 1579 ein Liebesverhältnis; er wollte sie heiraten und das Erzstift als weltliches Fürstentum weiterführen. Am 19. 12. 1582 sagte sich G. öffentlich von der Kirche los und verkündigte die Gleichberechtigung der beiden Konfessionen und die »Freistellung« des Bekenntnisses für die Domherren. Am 2. 2. 1583 fand in Bonn die Hochzeit statt. Das bedeutete Verletzung der »Goldenen Bulle«, der Kölner Erblandesvereinigung von 1550, des »Reservatum ecclesiasticum« von 1555 und des tridentinischen Eides. G. wurde am 1. 4. 1583 von Gregor XIII. (s. d.) exkommuniziert und abgesetzt. Das Domkapitel wählte am 23. 5. 1583 Ernst von Bayern zum Erzbischof von Köln und sicherte sich dadurch bayrische und spanische Truppenhilfe. G. mobilisierte seine Truppen und erhielt kurpfälzische Hilfe. Es kam zum »Kölnischen Krieg« (1583–88), der für G. ungünstig verlief. Nach der Eroberung der Godesburg bei Bonn am 7. 12. 1583 durch bayrisch-spanische Truppen floh G. in das kurkölnische Westfalen, dann in die Niederlande und setzte den Krieg fort mit niederländischen Truppen, die am 23. 12. 1587 Bonn eroberten und furchtbar verwüsteten. G. gab 1589 den Kampf auf, siedelte nach Straßburg über und starb dort als protestantischer Domdechant.

Lit.: Johann Heinrich Hennes, Der Kampf um das Erzstift Köln z. Z. der Kf. G. T. u. Ernst v. Baiern, 1878; – Ludwig Keller, Die Gegenref. in Westfalen u. am Niederrhein 1555–1623. Aktenstücke u. Erll., 3 Bde., 1881–95; – Max Lossen, Gesch. des Köln. Krieges I.II, 1882–97; – Ders., Röm. Nuntiaturberr. als Qu. z. Gesch. des Köln. Krieges, in: HZ 75, 1895, 1 ff.; – Joseph Hansen, Der Informationsprozeß De vita et moribus des Kölner EB G. Tr., in: Mitt. des Kölner Stadtarch. 20, 1892, 39 ff.; – Nuntiaturberr. aus Dtld. III/1. 2, bearb. v. dems., 1892/94; – A. Hoeynck, Die Truchsessischen Rel.wirren u. die Folgezeit bis 1590 mit Rücks. auf das Hzgt. Westfalen, in: Zschr. f. vaterländ. Gesch. u. Altertumskunde (Westf.) 52, 1894, II, 1–76; 53, 1895, II, 1–96; – Qu. u. Forsch. auf dem Gebiet der Gesch. IV/1: Die Kölner Nuntiatur, bearb. v. Stephan Ehses u. Aloys Meister, 1895; – Gustav Wolf, Aus Kurköln im 16. Jh. (Hist. Stud. 51), 1905; – Theodor Legge, Flug- u. Streitschrr. der Ref.-zeit in Westfalen (RGST 58/59), 1933, 21 ff. 94 ff.; – Günther v. Lojewski, Bayerns Weg nach Köln. Gesch. der bayer. Bist.politik in der 2. Hälfte des 16. Jh.s, 1962; – Schottenloher III, Nr. 30821–30836. 30897–30917; – ADB VIII, 457 ff.; – NDB VI, 113 f.; – EC XII, 584 f.; – LThK X, 931 f.; – NCE XIV, 322 f.; – RGG II, 1235 f.; – Biogr. Wb. z. dt. Gesch. I², 1973, 854 f.

GEBHARDI, Heinrich Brandanus, Orientalist und Theologe, * 6. 11. 1657 als Pfarrerssohn in Braunschweig, † 1. 12. 1729 in Greifswald. – G. studierte seit 1676 in Jena Philosophie und Theologie. Während er die Erziehung der Söhne des Kanzlers J. A. Kielmannsegg in Hamburg leitete, widmete sich G. dort unter dem berühmten Orientalisten Esra Edzardi (s. d.) und später in Kiel dem Studium der orientalischen Sprachen. Er wurde 1686 in Greifswald Professor für orientalische Sprachen, 1699 zugleich ao. Professor für Theologie und 1705 Pastor an der Jakobikirche. Auf einer Reise hatte G. 1691 Philipp Jakob

Spener (s. d.) in Berlin kennengelernt und mit ihm Freundschaft geschlossen. Auf seine Anregung unterzog er die Lehren des Pietismus einer genaueren Prüfung und lehrte sie dann in seinen Vorlesungen und Schriften. – G. ist bekannt als der erste Vertreter der Spenerschen Schule in Greifswald. Er veranlaßte die Berufung ihm gleichgesinnter Theologen und trug wesentlich dazu bei, daß der Pietismus seinen Einzug in die Universität Greifswald hielt.

Lit.: Helmut Lother, Pietist. Streitigkeiten in Greifswald. Ein Btr. z. Gesch. des Pietismus in der Prov. Pommern, 1925; – Hellmut Heyden, KG Pommerns II, 1957²; – ADB VIII, 481 f.; – NDB VI, 118 f.; – RGG II, 1236.

GEBHARDT, Eduard von, Maler, * 13. 6. 1838 als Pfarrerssohn in St. Johannes (Estland), † 3. 2. 1925 in Düsseldorf. – G. wuchs auf in dem strengen lutherischen Glauben seines Elternhauses. Er besuchte das Gymnasium in Reval und ging nach dreijährigem Studium an der Kunstakademie in St. Petersburg 1858 nach Düsseldorf. Dann unternahm G. Studienreisen nach Belgien und Holland, wo er die alten flandrischen Meister kennenlernte, auch nach München und Wien. Eine Zeitlang besuchte er die Malerschule in Karlsruhe und kehrte 1860 nach Düsseldorf zurück. G. wurde Schüler Wilhelm Sohns und 1873 Professor an der Akademie. Es begann für ihn eine Zeit emsigsten Schaffens, bis im hohen Greisenalter der Tod ihm den Pinsel aus der rastlosen Hand nahm. – Das Christusbild G.s stellt den schärfsten Gegensatz dar zu der Auffassung von religiöser Kunst, wie sie die »Spätnazarener« Heinrich Hofmann (s. d.), Bernhard Plockhorst (s. d.) und Karl Gottfried Pfannschmidt (s. d.) vertraten. Er versetzte Christus in seine deutsche Heimat und in die klassische Zeit deutscher Frömmigkeit, in die Reformationszeit: »Wir lesen die heilige Geschichte in Luthers Sprache; sollten wir die heiligen Gestalten nicht auch in der Tracht aus Luthers Zeit darstellen dürfen?« So wandelt Christus durch deutsche Fluren und deutschen Wald, und die germanischen und estländischen Bürger- und Bauerntypen fügen sich wundervoll ein in die schöne mittelalterliche Stadt und ins behagliche Familienhaus jener Zeit. – Die preußische Kunstverwaltung beauftragte 1883 G., das Refektorium des Klosters Loccum bei Wunstorf (Niedersachsen) auszumalen. Von 1884–91 nahm ihn die Arbeit in Anspruch. Es entstanden 6 Wandgemälde: 1. Johannes führt seine Jünger zu Jesus; 2. Bergpredigt; 3. Tempelreinigung; 4. Hochzeit zu Kana; 5. Heilung des Gichtbrüchigen; 6. Ehebrecherin im Tempel. Dazu kommen an der Fensterwand auf vier kleinen Wandflächen: Zug zum Kreuz und Kreuzigung. – Das preußische Kultusministerium übertrug G. die Ausmalung der Friedenskirche in Düsseldorf. 1899 bis 1907 führte er den Auftrag aus. Von diesen Bildern seien genannt: Paulus und Petrus, Johannes und Jakobus, Johannestaufe, Bergpredigt, Moses Berufung, Moses Eifer für Gott, Wasser aus dem Felsen, Moses Tod, Jesu Einzug in Jerusalem, Tempelreinigung, Abendmahl, Kampf in Gethsemane. – »Was ich von Kunst und Christentum in mir trage, das ist in der Friedenskirche.«

Werke: Die Auferweckung der Tochter des Jairus, 1864 (Smlg. Krupp v. Bohlen u. Halbach in Hügel bei Essen); Der reiche Mann u. der arme Lazarus, 1865; Christus am Kreuz, 1866 (Dom in Reval); Das Abendmahl, 1870 (Nat.galerie in Berlin); Die Kreuzigung, 1873 (Kunsthalle in Hamburg); Christus u. die Jünger v. Emmaus, 1876; Die Himmelfahrt Christi, 1881 (Nat.galerie in Berlin); Die Pflege des Leichnams Christi, 1883 (Galerie in Dresden); Christus in Bethanien, 1891 (Galerie in Barmen); Jesus u. der reiche Jüngling, 1892 (Kunsthalle in Düsseldorf); Jesus u. Nikodemus, 1898 (ebd.); Tod des armen Lazarus, 1907; Botschaft Jesu an Johannes den Täufer im Gefängnis, 1907; Heimkehr des verlorenen Sohnes, 1908; Der reiche Jüngling, 1922.

Lit.: Adolf Rosenberg, E. v. G., 1899; – Eduard Schaarschmidt, E. v. G. Eine Künstlerbiogr., 1899; – Ders., Loccum. Ein luth. Kloster u. ein Denkmal prot. kirchl. Malerei, in: Aus Kunst u. Leben, 1901, 105 ff.; – Wilhelm Neumann, Balt. Maler u. Bildhauer des 19. Jh.s. Biogr. Skizzen mit den Bildnissen der Künstler und Reproduktionen nach ihren Werken, Riga 1902; – Th. Händlein, E. v. G.s Wandgemälde in der Düsseldorfer Friedenskirche, in: ChW 22, 1908, H. 1; – David Koch, E. v. G., 1910; – A. Huppertz, E. v. G., in: ChK 22, 1925/26, 313 ff.; – Rudolf Burckhardt, Zum Schauen bestellt. E. v. G., 1928; – Gottfried Kittel, Unser Onkel Theodor. Erinnerungen an E. v. G., 1930; – Kataloog mälestusnäitusche Kunstihoones E. v. G. Bildverz. z. Gedächtnisausst., Reval 1938; – Hermann Petersen, Der Kg. des Gottesreiches. Gem. E. v. G.s der Christenheit erkl., 1948; – Erik Thomson, E. v. G., ein rel. Maler der Dt., 1957; – Ders., E. v. G. Ein balt. Künstlerporträt, in: Ostdt. Mhh. 25, 1958, 137 ff.; – Götz v. Selle, E. v. G., in: Ostdt. Biogrr., 1955, Nr. 35; – Dt.-balt. Biogr. Lex., 1710–1960, hrsg. v. Wilhelm Lenz, 1970, 236; – Thieme-Becker XIII, 310 ff.; – NDB VI, 119 f.; – RGG II, 1236; – LThK IV, 556 f.

GEBHARDT, Ernst, Methodistenprediger und Liederdichter, * 12. 7. 1832 in Ludwigsburg (Württemberg) als Sohn eines Lehrers, † daselbst 9. 6. 1899. – G. wollte sich dem Apothekerberuf widmen, ging aber später zur Landwirtschaft über und wanderte 1851 mit seinen Verwandten nach Chile aus, wo er auf einer Farm bei Valdivia arbeitete. Er entschloß sich nach fünf Jahren, von Heimweh getrieben, zur Rückkehr nach Deutschland. G. wurde auf der Heimfahrt am Kap Horn angesichts eines unvermeidlich scheinenden Schiffbruchs gründlich erweckt. In Ludwigsburg besuchte er mit seiner Mutter die Versammlungen der Methodistengemeinde und erlebte in ihrem Gottesdienst in der Silvesternacht 1858/59 seine Lebenswende. G. trat in das methodistische Predigerseminar in Bremen ein und wirkte als Reiseprediger 1860–62 in Ludwigsburg, dann in Heilbronn, 1866 bis 1868 in Pforzheim, dann in Bremen, 1871–74 in Ludwigsburg, dann in Zürich, 1877–80 in Straßburg (Elsaß), dann in Biel (Kt. Bern), 1884–88 in Zwickau und zuletzt in Karlsruhe bis 1899. G. war langjähriger Schriftleiter des »Evangelist« und des »Kinderfreundes« und Begründer des »Abstinent«. Er zählte 1879 zu den Mitbegründern des »Christlichen Sängerbundes«, dessen Vorsitzender er 1892 wurde. G. war ein geistesmächtiger Zeuge in Wort und Lied. Durch seine Liedersammlungen »Frohe Botschaft«, Basel 1875, und »Evangeliumslieder«, Basel 1880, führte er das englisch-amerikanische Erweckungs- und Heiligungslied ein. Von seinen eigenen Liedern seien genannt: »Ein volles, freies, ewges Heil hat Jesus uns gebracht«, »Kommt, stimmt alle jubelnd ein: Gott hat uns lieb!« und »Viktoria! Der Heiland lebt; er ist vom Tod erstanden.« Von seinen vielen Liederübersetzungen sind u. a. bekannt: »Welch Glück ist's, erlöst zu sein«, »Es ist ein Born, draus heilges Blut für arme Sünder quillt«, »Welch ein Freund ist unser Jesus«, »Ich weiß einen Strom«, »Komm zu dem Heiland«, »Sag, warum noch warten, mein Bruder«, »Fels des Heils, geöffnet mir, birg mich, ewger Hort, in dir«, »Brüder, seht die Bundesfahne in den Lüften wehn!«, »Komm heim, komm heim, o du irrende Seel'«, »Solang mein Jesus lebt«, »Ich will von meinem Jesus singen«, »Ich brauch dich allezeit«, »Einzig dich, mein

Herzensheiland, hab ich mir zum Herrn ersehn« und »Brüder, auf zu dem Werk in dem Dienste des Herrn!«

Werke: Frohe Botschaft in Liedern. Meist aus engl. Qu. übertr., Basel 1875 (1921⁸⁵); Ev.s-Lieder, ebd. 1880; Jub.sänger. Auserw. amer. Negerlieder in dt. Gewand nebst anderen, beliebten Hymnen; Männer-Perlenchöre. Smlg. auserw. Lieder f. christl. Männergesang, 2 Tle.

Lit.: A. J. Bucher, Ein Sänger des Kreuzes. Bilder aus dem Leben v. E. G., Basel 1912; – Franz Brümmer, Lex. dt. Dichter des 19. Jh.s II, 1913, 330 ff.; – Hermann Petrich, Unser geistl. Volkslied, 1924², 200 ff.; – Walter Schulz, Reichssänger. Schlüssel z. dt. Reichsliederbuch, 1930, 44 ff.; – Ders., Die Bedeutung der v. angelsächs. Methodismus beeinflußten Liederdichtung f. unsere dt. Kirchengesänge, ill. an den Gesängen v. E. G. Ein Btr. z. Gesch. der Frömmigkeit (Diss. Greifswald), Bamberg 1934; – Theophil Funk, E. G., der Ev.sänger, 1969; – NDB VI, 121.

GEBHARDT, Oskar Leopold von, Theologe und Bibliothekar, * 22. 6. 1844 in Wesenberg (Estland) als Sohn eines Schulinspektors, † 9. 5. 1906 in Leipzig. – G. verlor mit zwei Jahren seine Mutter und mit vier seinen Vater. Da nahm ihn seines Vaters Bruder, der Pfarrer in St. Johannes (Estland) war, zu sich. Er besuchte das Gymnasium auf der Insel Ösel und studierte seit 1862 in Dorpat, Tübingen, Erlangen, Göttingen und Leipzig, wo er 1872 Adolf Harnack (s. d.) traf, der sein Freund und Arbeitsgenosse wurde. G. widmete sich nach theologischen Studien und Reisen der griechischen Handschriftenkunde und dem Bibliotheksfach. Er wurde im Mai 1875 Volontär an der Bibliothek in Straßburg und im Oktober 1875 Assistent an der Universitätsbibliothek in Leipzig. Seit Oktober 1876 arbeitete G. als Kustos und seit Januar 1877 als Unterbibliothekar in Halle. Er ging als solcher im Januar 1880 nach Göttingen und wurde im Mai 1884 Bibliothekar an der Königlichen Bibliothek in Berlin. Im Januar 1889 erhielt G. den Professorentitel und übernahm im September 1891 als Direktor die Druckschriftenabteilung. Im April 1893 wurde er in Leipzig an der Universitätsbibliothek Oberbibliothekar und an der Universität o. Honorarprofessor für Buch- und Schriftwesen und erhielt im Mai 1901 den Direktorentitel. – G. war ein bedeutender Kenner griechischer Handschriften, ein hervorragender Forscher auf dem Gebiet des Neuen Testaments und der altchristlichen Literatur.

Werke: Graecus Venetus (griech. Übers. v. Pentateuch, v. Spr, Ruth, Hhld, Pred, Klgl u. Dan aus einer Hs. der Markusbibl.), 1875; Patrum apostolicorum opera (mit Adolf Harnack u. Theodor Zahn), 1875–77 (1902⁴); Evangeliorum Codex Graecus purpureus Rossanensis (mit A. Harnack), 1880; Novum Testamentum graece, 1880 (1901⁸); Das NT griech. u. dt., 1881 ff. (1894⁶); Das Ev. u. die Apk. des Petrus, 1893; Die Pss Sal, 1895; Acta martyrum selecta (Ausgew. Märtyrerakten u. andere Urkk. aus der Verfolgungszeit der christl. Kirche), 1902; Passio S. Theclae virginis, 1902; Die Akten der Edessen. Bekenner Gurjas, Samonas u. Abibos, hrsg. v. Ernst v. Dobschütz, 1911. – Gab mit Adolf Harnack heraus: TU, 30 Bde., 1882–1906.

Lit.: Dt. Zeitgenossen-Lex., 1905, 426 f.; – R. Helssig, in: ZBlfBibl 23, 1906, 253 ff.; – E. Jacobs, Der wiss. Nachlaß O. v. G.s, ebd. 24, 1907, 15 ff.; – K. Bader, Dt. Bibliotheksana, 1925, 71; – Dt.balt. Biogr. Lex., 1710–1960, hrsg. v. Wilhelm Lenz, 1970, 236 f.; – NDB VI, 120; – RE XXIII, 498 f.; – LThK IV, 557.

GEDICKE, Lambert, Kirchenliederdichter, * 6. 1. 1683 in Gardelegen (Altmark) als Sohn eines Superintendenten, † 21. 2. 1735 in Berlin. – G. besuchte in Fürstenwalde die höhere Schule und in Berlin das Friedrich-Werdersche Gymnasium, dessen Rektor Joachim Lange (s. d.) war. Er studierte seit 1701 in Halle als Schüler August Hermann Franckes (s. d.), der ihn nach Abschluß seines Studiums zum Lehrer an seinem Waisenhaus machte. G. wurde 1709 in Berlin Erzieher in der Familie des Freiherrn von Loebe und auf dessen Empfehlung noch in demselben Jahr Feldprediger bei dem Garderegiment in Berlin, mit dem er im Spanischen Erbfolgekrieg nach Brabant ins Feld zog, 1713 Feldprediger bei dem Regiment von Wartensleben und zugleich Garnisonprediger in Berlin und 1717 Inspektor sämtlicher Garnison- und Feldprediger mit dem Titel eines Feldpropstes. – G. ist bekannt als der fromme, charakterfeste Soldatenpfarrer Friedrich Wilhelms I. Im Auftrag des Königs schuf er das erste Preußische Militärgesangbuch. – Als Student in Halle dichtete G. über Ps 31, 4 das Lied »von der christlichen Gelassenheit«: »Wie Gott mich führt, so will ich gehn ohn alles Eigenwählen« (EKG 302). Johann Porst (s. d.) nahm dieses Lied auf in die 2. Auflage des von ihm herausgegebenen Berliner Gesangbuchs von 1711 und Johann Anastasius Freylinghausen (s. d.) in den 2. Teil seines »Neuen geistreichen Gesangbuchs«, Halle 1714. Dadurch fand es weiteste Verbreitung. Erwähnt sei auch G.s Lied vom geistlichen Kampf und Sieg: »Entbinde mich, mein Gott, von allen meinen Banden, womit mein armer Geist noch so gebunden ist.«

Lit.: Wilhelm Nelle, Unsere Kirchenliederdichter, 1905, 321 ff.; – Johannes Plath u. Johannes Kulp, Liederkunde, 1931, 179; – Johannes Kulp, L. G., erster Feldpropst der Preuß. Armee z. 200. Todestag am 21. 2. 1935, in: DtPfrBl 40, 1936, 103 f.; – Koch IV, 414 f.; – Hdb. z. EKG II/1, 223 ff.; – RGG II, 1242.

GEFFCKEN, Johannes, luth. Pfarrer, * 20. 2. 1803 in Hamburg als Sohn eines Kaufmanns, † daselbst 2. 10. 1864. – G. besuchte das Gymnasium seiner Vaterstadt und studierte Theologie in Göttingen, Halle und wieder in Göttingen. Von 1829 an bis zu seinem Tod wirkte er als Pfarrer an der St. Michaeliskirche in Hamburg. Sein Arbeits- und Forschungsgebiet war die Kirchengeschichte seiner Vaterstadt, die Hymnologie und die Katechetik.

Werke: Johannes Winkler, 1861; – Die hamburg.-niedersächs. Gesangbücher des 16. Jh.s, 1857; Der Bilderkatechismus des 15. Jh.s u. die katechet. Hauptstücke in dieser Zeit bis auf Luther, 1855; Entwurf zu einem Allg. Gesangbuch, 1853.
Lit.: Sengelmann, Dr. J. G. Nekrolog, in: Allg. Kirchenztg. 43. Jg., Darmstadt 1864, Nr. 82; – ADB VIII, 494 f.

GEIBEL, Johannes, ref. Pfarrer und Kirchenliederdichter, * 1. 4. 1776 in Hanau als Sohn eines Ratsdieners und Hausbesitzers, † 23. 7. 1853 in Lübeck. – G. besuchte das Gymnasium in Hanau und bezog mit 17 Jahren die Universität Marburg. Nach zweijährigem Studium wurde er Hauslehrer in Kopenhagen und 1797 Vikar und ein halbes Jahr später Pastor der reformierten Gemeinde in Lübeck. Seinen Ruhestand verlebte er von 1847 bis Frühjahr 1853 in Detmold, kehrte dann nach Lübeck zurück. – G. vertrat einen Biblizismus ohne konfessionelle Engherzigkeit. Als gläubiger Prediger verkündigte er in hinreißender und begeisternder Sprache das Evangelium von Christus und der rechtfertigenden Gnade. Weit über die Grenzen seiner Gemeinde hinaus entfaltete er eine tiefgreifende Wirksamkeit. G. gehört zu den großen reformierten Predigern seiner Zeit, deren Verdienst es ist, mit dazu beigetragen zu haben, daß der Rationalismus in Deutschland überwunden wurde und neues geistliches Leben zu Anfang des 19. Jahrhunderts in den Gemeinden erwachte. – Von seinen Liedern ist bekannt: »Herr, schaue auf uns nieder!«

Werke: Prüfet alles u. behaltet das Gute. Reden f. ev. Freiheit u. Wahrheit, 1818; Wiederherstellung der ersten christl. Gemeinde, v. Philaletes, 1840 (1842²).
Lit.: Wilhelm Deiß, Gesch. der ev.-ref. Gemeinde in Lübeck, 1866; – K. Siebert, Hanauer Biogr., in: Hanauer Gesch.bll., 1919, 61; – NDB VI, 140 f.; – RE VI, 423 ff.; – RGG II, 1266.

GEIER, Martin, Theologe, Erbauungsschriftsteller und Kirchenliederdichter, * 24. 4. 1614 in Leipzig als Sohn eines Kaufmanns, † 12. 9. 1680 in Freiberg (Sachsen). – G. studierte in Leipzig, Straßburg und Wittenberg und wurde 1639 Professor der orientalischen Sprachen an der Universität Leipzig, 1643 zugleich Diakonus an der Nikolaikirche und später Pastor an der Thomaskirche, Superintendent und Professor der Theologie. Kurfürst Johann Georg II. von Sachsen berief ihn 1665 zum Oberhofprediger und Kirchenrat nach Dresden. – G. war ein hervorragender Prediger und ist bekannt als Geistesverwandter von Johann Arndt (s. d.). Um das Kirchenlied hat er sich durch Herausgabe des Dresdener Hofgesangbuches von 1673 verdient gemacht. Von seinen eigenen Liedern haben Verbreitung gefunden: »Herr, auf dich will ich fest hoffen« und »Ich liebe dich, mein Herr und Gott.«

Werke: G.s wiss. Werke (Komm. zu den Proverbien, 1653, Dan, 1666, Pred, 1668, Pss, 1668) erschienen in 2 starken Foliobänden, 1895/96. – Zeit u. Ewigkeit (Predigten über die Sonntagsevv.), 1670; Todesgedanken (Traktat mit 9 Liedern v. G.), 1681. – Gab heraus: Vorrat v. alten u. neuen christl. Gesängen (1520 Lieder), 1673.
Lit.: Koch III, 359 ff.; – Goedeke III, 185; – ADB VIII, 504 f.

GEILER von Kaysersberg, Johannes, der volkstümlichste Prediger des ausgehenden Mittelalters, * 16. 3. 1445 in Schaffhausen als Sohn eines Notariatsgehilfen und späteren Stadtschreibers, † 10. 3. 1510 in Straßburg (Elsaß). – G. wuchs auf in dem Kaysersberg benachbarten Ammersweiler (Oberelsaß), wo sein Vater 1447 im Kampf mit einem der Weinberge verwüstenden Bären ums Leben kam, und im Haus seines Großvaters in Kaysersberg (daher der Beiname). Er bezog 1460 die Universität Freiburg (Breisgau), studierte und lehrte dort Philosophie und empfing 1470 die Priesterweihe. 1471 wandte sich G. in Basel dem Studium der Theologie zu und promovierte 1475 zum Dr. theol. Er wurde 1476 Rektor der Universität Freiburg (Breisgau) und 1478 Prediger an der St. Lorenzkirche in Straßburg und 1486 am Liebfrauendom. – G. v. K. predigte in urwüchsiger Volkssprache, derb und humorvoll. An den kirchlichen Zuständen übte er rücksichtslos scharfe Kritik und geißelte unerschrocken ihre Schäden, vor allem die Verweltlichung und Entsittlichung des Klerus und Mönchtums. Trotz seiner Forderung einer Reform der Kirche und des Klerus, trotz seiner humanistischen Bildung und Freundschaft mit Sebastian Brant (s. d.) war G. durchaus ein Vertreter mittelalterlich-katholischer Frömmigkeit und scholastischer Theologie. Seine Predigten und erbaulichen Schriften sind wichtig für die Geschichte vorreformatorischer Predigt.

Werke: Der Bilger, 1494; Predigten teutsch, 1508; Der Seelen Paradiß, 1510 (hrsg. v. Franz Xaver Zacher, 1922); Das Buch Granatapfel, 1510; Das irrig Schaf, 1510; Navicula sive speculum fatuorum, 1510 (Das Narrenschiff, dt. 1520); Navicula poenitentiae, 1511 (dt. 1514); Christenlich Bilgerschaft, 1512; Der Passion, 1514 (hrsg. v. Richard Zoozmann, 1905); Das Evangelibuch, 1515; Emeis, 1516; Postill, 1522. – *Ausg.:* Die ältesten Schr. G. v. K.s, hrsg. v. Léon Dacheux, 2 Bde., 1877–82 (Nachdr. Amsterdam 1965); Ausgew. Schrr., hrsg. v. Philipp de Lorenzi, 4

Bde., 1881–83; Ein A.B.C. wie man sich schicken soll zu einem köstlichen, seligen Tod. Faks.-Ausg. v. Luzian Pfleger, 1930.

Lit.: Jacob Wimpfeling, Doctrina et vita J. K. (1510), u.: Beatus Rhenanus, J. G. vita (1511): Das Leben des J. G. v. K. Eingel., komm. u. hrsg. v. Otto Herding, 1970; – August Stoeber, Essai historique et littéraire sur la vie et les sermons de Jean G. v. K., Straßburg 1834; – Léon Dacheux, Un réformateur catholique à la fin du XVe siècle, Jean G. de K., prédicateur à la cathédrale de Strasbourg. Étude sur sa vie et son temps, Paris et Strasbourg 1876 (dt. Bearb. v. Wilhelm Lindemann, J. G. v. K., ein kath. Reformator am Ende des 15. Jh.s, 1877); – Rudolf Cruel, Gesch. der dt. Predigt im MA, 1879 (Nachdr. Hildesheim 1966), 538 ff.; – Charles Schmidt, Histoire littéraire de l'Alsace à la fin du XVe siècle et au commencement du XVIe siècle, Paris 1879, I (Nachdr. Hildesheim 1966), 335 ff.; II, 373 ff. (Bibliogr.); – Ottokar Lorenz u. Wilhelm Scherer, Gesch. des Elsasses, 1886³, 157 f.; – Hermann Hering, Lehrb. der Homiletik, 1895, 81 f.; – Joseph M. B. Clauß, Krit. Übersicht der Schrr. über G. v. K., in: HJ 31, 1910, 485 ff.; – Franz Xaver Zacher, G. v. K. als Pädagog. Eine päd.-katechet. Stud. (Diss. Freiburg/Breisgau), 1916; – Ders., J. G. v. K., 1931; – Elvire Freiin Röder v. Diersburg, Komik u. Humor bei G. v. K. (Germanist. Stud. 9), 1921 (Nachdr. Neudeln/Liechtenstein 1967); – Hermann Koepcke, J. G. v. K. Ein Btr. z. rel. Volkskunde des MA (Diss. Breslau 1927), 1926; – Luzian Pfleger, G. v. K. u. die Bibel, in: AElsKG 1, 1926, 119 ff.; – Ders., Der Franziskaner Joh. Pauli u. seine Ausg. G.scher Predigten, ebd. 3, 1928, 47 ff.; – Ders., Zur hs. Überl. G.scher Predigten, ebd. 6, 1931, 195 ff.; – Ders., G. v. K. »Von den zwölf schefflin«. Eine unbekannte Predigt G.s v. K., ebd. 206 ff.; – Ders., »Von den XV Aest«. Eine unbekannte Predigt G.s v. K., ebd. 10, 1935, 139 ff.; – Ders., Von der artt der kind, ebd. 15, 1941/42, 129 ff.; – Otto Lauffer, G. v. K. u. das Deutschtum des Elsaß im Ausgang des MA, in: AKultG 17, 1927, 38 ff.; – Lorenz Bianchi, G. v. K. u. Abraham a S. Clara, in: Oberdt. Zschr. f. Volkskunde 3, 1929, 137 ff.; – F. Landmann, Die unbefleckte Empfängnis Mariä in der Predigt zweier Straßburger Dominikaner u. G.s v. K., in: AElsKG 6, 1931, 189 ff.; – A. Vonlanthen, G.s »Seelenparadies« im Verhältnis z. Vorlage (Diss. Strasbourg), 1931; – Wilhelm Fluhrer, J. G. v. K., 1935; – E. Breitenstein, Die Autorschaft der G. v. K. zugeschriebenen Emeis, in: AElsKG 13, 1938, 149 ff.; – Richard Newald, Elsäss. Charakterköpfe aus dem Zeitalter des Humanismus, 1944, 29 ff.; – Wolfgang Stammler, Von der Mystik z. Barock, 1950², 271 ff. 615 ff.; – Rainer Rudolf, Ars Moriendi. Von der Kunst des heilsamen Lebens u. Sterbens, 1957, 102 f. 114. 117; – Ernst Staehelin, J. G. v. K., in: Prof. der Univ. Basel aus 5 Jhh. Bildnisse u. Würdigungen, hrsg. v. Andreas Staehelin, Basel 1960, 16 f.; – A. Murray u. M. L. Cowie, G. v. K. and abuses in fifteenth century Straßburg, in: Studies in Philology 58, Chapel Hill 1961, 483 ff.; – Irmgard Weithase, Zur Gesch. der gesprochenen dt. Sprache I, 1961, 40 ff.; – E. Jane Dempsey Douglass, Justification in late medieval preaching. A study of John G. of K., (Diss. Harvard), Cambridge (Massachusetts) 1962; Leiden 1966; – Biogr. Wb. z. dt. Gesch. I², 1973, 856; – KLL I, 2507 f. (Christenlich Bilgerschafft zum ewigen Vaterland); V, 314 f. (Navicula penitentie). 315 (Navicula sive speculum fatuorum); VI, 1058 f. (Der Seelen Paradies); – WeltLit I, 575; – Wilpert I², 560; – Kosch, LL I, 622; – VerfLex II, 8 ff.; V, 251; – Sitzmann I, 573 f.; – ADB VIII, 509 ff.; – NDB IV, 150 f.; – RE VI, 427 ff.; XXIII, 501; – RGG II, 1266 f.; – CathEnc VI, 403 ff.; – DSp VI, 174 ff.; – LThK IV, 606 f.; – NCE VI, 313 f.; – ODCC² 551 f.

GEISSEL, Johannes von (seit 1839), Erzbischof von Köln, Kardinal, * 5. 2. 1796 in Gimmeldingen (Rheinpfalz) als Sohn eines Winzers, † 8. 9. 1864 in Köln. – G. studierte seit 1815 an dem von Leopold Liebermann (s. d.) geleiteten Priesterseminar in Mainz und empfing 1818 die Priesterweihe. Er wirkte seit 1819 in Speyer als Professor und Religionslehrer am Gymnasium und wurde 1822 zum Domkapitular und 1836 zum Domdechanten ernannt, am 13. 8. 1837 in Augsburg durch den Erzbischof von Bamberg zum Bischof von Speyer geweiht und am 30. 8. im Dom zu Speyer inthronisiert. Gregor XVI. (s. d.) ernannte ihn durch Breve vom 24. 9. 1841 zum Koadjutor des Erzbischofs Clemens August Droste-Vischering (s. d.) von Köln mit dem Recht der Nachfolge und zum apostolischen Administrator der Erzdiözese Köln und am 15. 5. 1842 zum Erzbischof von Ikonium in partibus infidelium. Am 19. 10. 1845 starb Clemens August, und es folgte ihm der Koadjutor nunmehr als Erzbischof von Köln. G. wurde am 11. 1. 1846 inthronisiert. Pius IX. (s. d.) verlieh ihm am 30. 9. 1850 die Kardinalswürde. – G. war einer der bedeutendsten katholischen Bischöfe

des 19. Jahrhunderts und ist bekannt als einer der Hauptförderer des »Ultramontanismus« in Deutschland. Als Kirchenpolitiker vertrat er zielbewußt die Machtansprüche der Kurie gegenüber dem Staat. G. bekämpfte den »Hermesianismus« (s. Hermes, Georg) und beendete 1843 die hermesianischen Wirren durch Suspension der Professoren Johann Wilhelm Josef Braun (s. d.) und Johann Heinrich Achterfeldt (s. d.) und Berufung von Franz Xaver Dieringer (s. d.) nach Bonn auf den Lehrstuhl für Dogmatik und Homiletik. G. leitete im Oktober 1848 die von ihm einberufene Versammlung der deutschen Bischöfe in Würzburg, die den Einspruch gegen das landesherrliche »Placet« einstimmig beschloß: »Die versammelten deutschen Bischöfe behaupten das unveräußerliche Recht, mit dem apostolischen Stuhl, dem Klerus und dem Volk frei zu verkehren sowie auch die päpstlichen und bischöflichen Verordnungen und Hirtenbriefe ohne landesherrliches ›Placet‹ zu veröffentlichen.« Es gelang G. 1850, den unmittelbaren Verkehr der preußischen Bischöfe mit dem Vatikan unter Ausschaltung der Staatsbehörden durchzusetzen. 1860 berief G. nach mehr als 300jähriger Unterbrechung wieder ein Provinzialkonzil der Kölner Kirchenprovinz, auf dem die »Unfehlbarkeit des Papstes« als Lehre der Kirche ausgesprochen wurde, die dann auf dem »Vatikanischen Konzil« 1870 dogmatisiert wurde. 1842 legte G. den Grundstein für den Weiterbau des Kölner Doms. 1863 war der Dom bis auf die Türme vollständig ausgebaut. G. förderte die Volksmissionen und Priesterexerzitien, die Ausbreitung der Orden und die Gründung von Klöstern und klösterlichen Anstalten. Er führte das »Ewige Gebet« ein und belebte neu die Verehrung der Mutter Gottes im Anschluß an die 1854 erfolgte Dogmatisierung der »Unbefleckten Empfängnis« der Maria. Für den theologischen Nachwuchs gründete G. die Knabenseminare in Neuß 1852 und in Münstereifel 1856. König Ludwig I. von Bayern verlieh ihm 1839 den persönlichen Adel und Friedrich Wilhelm IV. 1855 den höchsten Orden des Landes, den des »Schwarzen Adlers«.

Werke: Hist. Arbeiten, Novellen u. Dichtungen, Reden. – Der Kaiserdom zu Speyer, 3 Bde., 1826–28; Der Kirchensprengel des alten Bist. Speyer, 1832; Die Schlacht am Hasenbühl u. das Königskreuz bei Göllheim, 1835. – Schrr. u. Reden, hrsg. v. Karl Theodor Dumont, I–III, 1869/70; IV (= 2. Aufl. v. G.s Hauptwerk »Der Kaiserdom zu Speyer«), 1876.

Lit.: Acta et decreta sacrorum conciliorum recentiorum Collectio Lacensis, 1870–90, V, 959 ff.; – Franz Xaver Remling, Kard. v. G., Bisch. v. Speyer u. EB zu Köln, im Leben u. Wirken. Samt Urkk.buch, 1873; – Karl Theodor Dumont, Diplomat. Korr. über die Berufung des Bisch. J. v. G. z. Coadjutor des EB Clemens August Frhr. v. Droste zu Vischering v. Köln, 1880; – Johann Anton Friedrich Baudri, Der EB v. K., Kard. G., 1881; – Otto Pfülf SJ, Kard. J. v. G., 2 Bde., 1895/96; – Adolf Beck, Die Kirchenpolitik des EB v. K., J. Kard. v. G. (Diss. Gießen), 1905; – Heinrich Kipper, J. Kard. v. G., EB v. K., 1914; – Johann Heinrich Schrörs, Ein vergessener Führer der rhein. Geistesgeschichte des 19. Jh.s, Johann Wilhelm Josef Braun, 1925, 182 f. 340 ff. 406 ff.; – Alexander Schnütgen, G. u. die Anfänge einer period. kirchl. Publizistik im Kölner Erzbist., in: AHVNrh 112, 1928, 156 ff.; – Hans Neuenhaus, Vom Bauernbub' z. Kirchenfürsten. Der Lebensweg des Kard. EB J. v. G. u. sein Werk, in: Die Pfalz am Rhein 34, 1961, 104 ff.; – Rudolf Gill, Die Belegung der Kölner Wirren 1840–1842, 1962; – Ders., Die ersten dt. Bisch.konferenzen, 1964; – Ders., J. v. G., in: Rhein. Lb. III, 1968, 133 ff.; – Eduard Hegel, Zum 100. Todestage des Kölner EB J. Kard. v. G., in: Pastoralbl. f. die Diöz. Aachen, Essen u. Köln 16, 1964, 272 ff.; – Karl Lutz, J. G.s Berufung z. Erwecker pfälz. Gesch.bewußtseins, in: Pfälzer Heimat 16, 1965, 141 ff.; – Friedrich Keinemann, Preuß. Erkundigungen über den Speyer Bisch. J. v. G. im Hinblick auf seine Berufung z. Koadjutor der Erzdiöz. Köln (1841), in: AMrhKG 22, 1970, 241 ff.; – ADB VIII, 520 ff.; – NDB VI, 157 f.; – EC V, 1979 f.; – LThK IV, 608 f.; – NCE VI, 314; – Kosch, KD 962 ff.; – RGG II, 1267.

GEISSLER, Johann Gottlieb, Missionar, * 1830, † 1870. – G. erhielt seine Ausbildung in Berlin durch Johannes Evangelista Goßner (s. d.) und wurde von ihm mit Karl Ottow an den holländischen Missionsmann und Pfarrer Gerhard Heldring (s. d.) in Hemmen bei Nijmegen und von ihm 1852 durch die »Utrechter Missionsgesellschaft« nach Neuguinea gesandt. Nach längerem Aufenthalt auf Java und Ternate landeten beide am 5. 2. 1855 in Mansinam auf dem Eiland Manaswari und wirkten hier unter dem wilden Volk der Papuas, die in kleine Stämme zersplittert waren und ständig miteinander im Krieg lebten. Die beiden Missionare ließen sich in Doreh nieder, wo es ihnen nach Überwindung der Anfangsschwierigkeiten gelang, sich allmählich die Sprache anzueignen und das Vertrauen der Leute zu gewinnen, so daß sie schon bald Schiffbrüchige retten konnten, die früher regelmäßig getötet worden waren. Als Ottow 1862 starb, blieb G. allein übrig, erhielt aber mehrfach von Holland Verstärkung. Nach unsagbaren Mühen und vielen Enttäuschungen durfte er 1869 sechs Erstlinge aus seinem geliebten Papuavolk taufen. Dann trat G. eine Urlaubsreise an, starb aber, noch ehe er seine Heimat erreicht hatte.

Lit.: Baltin, Morgenröte auf Neuguinea.

GELASIUS I., Papst, Heiliger, * in Rom als Afrikaner, † daselbst 19. 11. 496. – G. übte unter Felix III. (s. d.) als Verfasser amtlicher Schreiben auf die päpstliche Politik entscheidenden Einfluß aus und wurde am 1. 3. 492 dessen Nachfolger. Als Gegner der »Monophysiten« setzte er den Kampf seines Vorgängers fort gegen das seit 484 bestehende »Acacianische Schisma« (s. Acacius von Konstantinopel), die erste große Spaltung zwischen der morgen- und abendländischen Kirche. In der Auseinandersetzung mit Ostrom um die Geltung des »Chalcedonense« von 451, das den einen Christus, vollkommenen Gott und vollkommenen Menschen, in zwei Naturen bekennt, die weder miteinander vermischt (gegen s. Eutyches) noch voneinander scharf getrennt (gegen s. Nestorius) sind, vertrat G. gegenüber Konstantinopel und dem Kaiser Anastasios I. (s. d.) energisch die Primatsansprüche Roms: nur dem römischen Bischof kommt der »primatus iurisdictionis« zu. Über das Verhältnis von Kirche und Staat lehrte er: Beide Gewalten sind göttlichen Ursprungs und auf ihren Gebieten selbständig und gleichberechtigt; aber die priesterliche Gewalt ist höher zu werten als die königliche. In den Kämpfen des Mittelalters zwischen Kaisertum und Papsttum wurde oft der Satz aus einem Brief des G. an Anastasios I. vom Jahr 494 zitiert: »Zwei Dinge sind es, durch die grundsätzlich die Welt gelenkt wird: die geheiligte Autorität der Priester und die königliche Gewalt. Von ihnen ist das Ansehen der Priester um so gewichtiger, als sie auch für die Könige der Menschen im göttlichen Gericht Rechenschaft abzulegen haben.« G. ist kirchenpolitsch der bedeutendste Papst des 5. Jahrhunderts nach Leo I. (s. d.), den er an theologischer Bildung überragte. G. bekämpfte den »Pelagianismus« (s. Pelagius) und den »Manichäismus« (s. Mani), durchdrungen von dem Gedanken: »Duldung gegen die Häretiker sei verderblicher als die schlimmste Verwüstung der Provinzen durch die Barbaren.« Er drang beim Senat auf Abschaffung der Feier des altrömischen Festes der »Lupercalien«. G. verfaßte dogmatische und polemische Schriften. Das »Decretum Gelasianum de libris recipiendis et non recipiendis« stammt nicht von G., sondern ist die Arbeit eines privaten Redaktors vom Anfang des 6. Jahrhunderts. Das Dekret enthält: 1. ein Verzeichnis der Bücher des biblischen Kanons; 2. eine Erörterung über den Primat der römischen Kirche und die zweite und dritte »sedes apostoli Petri« in Alexandrien und Antiochien; 3. ein Verzeichnis der Synoden, die angenommen werden dürfen: Nicäa (325), Ephesus (431), Chalcedon (451); 4. eine Aufzählung der Schriften, die »recipit catholica et apostolica romana ecclesia«; 5. »noticia librorum apocryphorum (seu haereticorum), qui nullatenus a nobis recipi debent«. Das »Sacramentarium Gelasianum« ist ein pseudonymes römisches Meßbuch aus späterer Zeit. Eine Anzahl liturgischer Texte geht auf G. zurück. Das Werk, dessen älteste Handschrift aus der Mitte des 8. Jahrhunderts stammt, enthält in drei Büchern: 1. Meßgebete für die Zeit von Weihnachten bis Pfingsten, 2. für die Heiligenfeste und den Advent und 3. für die Sonntage und besonderen Anlässe mitsamt dem Kanon. Der Festkalender und die Namen der Heiligen und liturgischem Gut aus der Zeit nach G., zum Teil gallischer Herkunft, erweitert. – G. gilt als Heiliger. Sein Fest ist der 21. November.

Werke: 6 dogmat. Traktate (I. Gesta de nomine Acacii vel Breviculus historiae Eutychianarum; II. De damnatione nominum Petri et Acacii; III. De duabus naturis in Christo adversus Eutychem et Nestorium; IV. De anathematis vinculo; V. Dicta adversus Pelagianam haeresim; VI. Adversus Andromachum senatorem ceterosque Romanos, qui Lupercalia secundum morem pristinum colenda constituebant; zahlr. Briefe. – *Ausgg.:* MPL 59, 13 ff.; – Andreas Thiel, Epistolae Romanorum Pontificum, 1868, 285 ff.; – S. Löwenfeld, Epistolae Pontificum Romanorum ineditae, 1885, 1 ff.; – O Günther, Epistulae imperatorum pontificum aliorum, in: CSEL 35, 218 ff.; – Neuausg. der Epistolae 1. 3. 8–10. 12. 27. 45 u. Tract. II–IV v. Eduard Schwartz, Publizist. Smlg. z. Acacian. Schisma, 1934. – *Unechte Schrr.:* Decretum Gelasianum de libris recipiendis et non recipiendis, hrsg. u. unters. v. Ernst v. Dobschütz, 1912; Sacramentarium Gelasianum, hrsg. v. A. H. Wilson, Oxford 1894; MPL 74.

Lit.: Ferdinand Christian Baur, Die christl. Lehre v. der Dreieinigkeit II, 1842, 56 ff.; – Alois Pichler, Gesch. der kirchl. Trennung zw. dem Orient u. Occident I, 1864, 74 ff.; II, 1865, 639 ff.; – Josef Hergenröther, Photius, Patriarch v. Konstantinopel, I, 1867, 129 ff.; – Rudolf Baxmann, Die Politik der Päpste v. Gregor I. bis Gregor VII., I, 1868, 16 ff.; – Carl Thoenes, De Gelasio I Papa. Dissertatio ecclesiastico-historica, Wiesbaden 1873; – Bernhard Niehues, Gesch. des Verhältnisses zw. Kaisertum u. Papsttum I, 1877², 349 ff.; – A. Roux, Le pape s. Gélase I. Étude sur sa vie et ses écrits, Bordeaux – Paris 1880; – Josef Langen, Gesch. der röm. Kirche II, 1885, 159 ff.; – Theodor Zahn, Gesch. des nt. Kanons II/1, 1890, 259 ff.; – Suidbert Bäumer, Über das sog. Sacramentarium Gelasianum, in: HJ 14, 1893, 241 ff.; – Anton Koch, Faustus v. Riez, 1895, 58 ff.; – Joseph Hilgers, Die Bücherverbote in Papstbriefen. Kanonist. bibliogr. Stud., 1907; – Eugène Michaud, La papauté romaine d'après le pape Gélase, in: RITh 16, 1908, 38 ff.; – Wilhelm Kißling, Das Verhältnis zw. Sacerdotium u. Imperium nach den Anschauungen der Päpste v. Leo d. Gr. bis G. I. Eine hist. Unters., 1921, 123 ff.; – Hugo Koch, G. I. im kirchenpolit. Dienste seiner Vorgänger der Papst Simplicius u. Felix III. Ein Btr. z. Sprache des Papstes G. I. u. früherer Papstbriefe, 1935; – Lotte Knabe, Die gelasian. Zweigewaltentheorie bis z. Ende des Investiturstreits (Diss. Berlin), 1936; – Ulrich Gmelin, Geistl. Grdl.n röm. Kirchenpolitik, 1937, 135 ff.; – N. Ertl, G. I. dictator v. Papstbriefen unter Felix III., in: AUF 15, 1937, 56 ff.; – Kunibert Mohlberg, Das fränk. Sacramentarium Gelasianum, 1939²; – Peter Charanis, Church and State in the Later Roman Empire. The religious policy of Anastasius the First, 491–518, Madison (Wisconsin) 1939; – F. Illwitzer, Die Theol. der Gnade des Papstes G. I. (Diss. Rom), 1940; – Ottorino Bertolini, Roma di fronte a Bisanzio e ai Longobardi, Bologna 1941; – Ziegler, in: CHR 28, 1942, 412 ff (Staat u. Kirche); – Bernard Capelle, Messes du pape S. G. dans le Sacramentaire léonien, in: RBén 56, 1944/45, 12 ff.; – Ders., L'oeuvre liturgique de S. G., in: JThS NS 2, 1951, 129 ff.; – Philip Vincent Bagan, The Syntax of the Letters of P. G. I. (Diss. Cath. Univ. of America), Washington 1945; – František Dvorník, Pope G. and Emperor Anastasius I, in: ByZ 44, 1951, 111 ff.; – Ders., The Idea of Apostolicity in Byzantium, Cambridge (Massachusetts) 1958; – C. Coebergh, Le pape s. G. I auteur de plusieurs messes et préfaces du soi-disant Sacramentaire Léonien, in: SE 4, 1952, 46 ff.; – Henry Ashworth, Gregorian elements in the Gelasian sacramentari, in: EphLiturg 67, 1953, 9 ff.; – Ferdinand Gregorovius, Gesch. der Stadt Rom im MA, neu hrsg. v. Waldemar Kampf, I, 1953; Wilhelm Enßlin, Auctoritas u. Potestas. Zur Zweigewaltenlehre des Papstes G. I., in: HJ 74, 1955,? 661 ff.; – Artur Paul Lang, Leo d. Gr. u. die Texte des Altgelasianums, 1957; – Jean Gaudemet, L'Église dans l'Empire romain, IVᵉ-Vᵉ siècles, Paris 1958; – Travaux liturgiques II, Louvain 1962, 79–115. 146–160; – Braun 279 f.; – LibPont I, 255 ff.; – Jaffé I, Nr. 619–743; II, 693; – Bardenhewer IV, 625 ff.; – Altaner⁷ 462 f.; – Mirbt 85 ff.; – Caspar II, 44 ff. 749 ff.; – Haller I, 229 ff.; – Seppelt I, 223 ff.; – LexP 31 f.; – Chalkedon II, 52 ff. 527 ff. 557 ff.; – DDC V, 940 ff.; – EC V, 1980 ff.; – LThK IV, 630; – NCE VI, 315 f.; – ODCC² 552; – RE VI, 473 ff.; – RGG II, 1380.

GELASIUS II., Papst, † 18. 1. 1119 in Cluny, beigesetzt daselbst.

– Johannes von Gaeta wurde als Knabe dem Kloster Montecassino (Kampanien) auf Lebenszeit übergeben (»oblatus«), damit er in der Klosterschule erzogen und unterrichtet und als Erwachsener unter seine Mönche aufgenommen werde. Er wurde 1088 Kardinaldiakon und Leiter der päpstlichen Kanzlei. Am 24. 1. 1118 wählte das Kardinalskollegium ihn heimlich als G. II. zum Nachfolger des am 21. 1. 1118 verstorbenen Paschalis II. (s. d.). Unmittelbar nach der Wahl überfiel Cencio, ein Sproß des römischen Adelsgeschlechts der »Frangipani« und Parteigänger Heinrichs V. (s. d.), mit einer bewaffneten Schar G. und nahm ihn gefangen, mußte ihn aber wieder freilassen, weil die Römer zu den Waffen eilten und seine Freigabe dringend forderten. Als Heinrich V., ohne dessen Kenntnis die Wahl des neuen Papstes erfolgt war, in Eilmärschen aus der Lombardei heranrückte, floh G. aus Rom und fand Zuflucht in seiner Vaterstadt Gaeta, wo er am 10. 3. 1118 geweiht wurde. Da G. die Rückkehr nach Rom verweigerte und in der Investiturfrage keine Verständigung erzielt werden konnte, ließ der Kaiser am 8. 3. 1118 den Erzbischof Mauritius von Braga (Portugal) als Gregor VIII. (s. d.) zum Gegenpapst wählen. G. sprach am 7. 4. 1118 in Capua über Heinrich V. und Gregor VIII. den Bann aus. Als der Kaiser Rom verließ, kehrte G. dorthin zurück. Mit Mühe entkam er einem erneuten Überfall der »Frangipani« und floh nach Frankreich. G. hielt im Januar 1119 in Vienne eine Synode und ließ sich dann in Cluny nieder. Bevor das große geplante Konzil zur Beilegung des Investiturstreits stattfand, starb er.

Lit.: MPL 163, 473 ff. (Vita u. Briefe); – LibPont II, 311 ff.; – Jaffé I, 775 ff.; II, 714; – C. Gaetano, Vita del pontifice G. II, 1802; – Julius v. Pflugk-Harttung, Acta pontificum Romanorum inedita I, 1880, 115; II, 1884, 217 ff.; – Josef Langen, Gesch. der röm. Kirche III, 1893, 271 ff.; – Heinrich Gerdes, Gesch. des dt. Volkes u. seiner Kultur im MA. II: Gesch. der salischen Kaiser u. ihrer Zeit, 1898, 354 ff.; – August Brackmann, in: NA 37, 1912, 615 ff.; – Richard Krohn, Der päpstl. Kanzler Johannes v. Gaëta (Diss. Marburg) 1918; – G. Caetani (Diss. Caetana I/1, 1927, 23 ff.; – Pier Fausto Palumbo, Lo Scisma del 1130, Rom 1942; – Reinhard Elze, Die päpstl. Kapelle im 12. u. 13. Jh., in: ZSavRGkan 36, 1950, 145 ff.; – Ferdinand Gregorovius, Gesch. der Stadt Rom im MA, neu hrsg. v. Waldemar Kampf, II, 1954, 164 ff.; – Odilo Engels, Johannes v. Gaeta als Hagiograph. Ein Btr. z Gesch. der Stilschule v. Montecassino (Diss. Bonn), 1954 (Tldr. in: QFIAB 35, 1955, 1 ff.); – Ders., Die Herasmuspassio Papst G.' II. Mit Text, in: RQ 51, 1956, 16 ff.; – Ders., Die hagiogr. Texte Papst G.' II. in der Überl. der Eustachius-, Erasmus- u. Hypolistuslegende, in: HJ 76, 1957, 118 ff.; – Dietrich Lohrmann, Die Jugendwerke des Johannes v. Gaeta, in: QFIAB 47, 1967, 355 ff.; – Haller II, 503 ff.; – Seppelt III, 151 ff.; – LexP 89 f.; – Hefele-Leclercq V, 563 ff.; – RE VI, 475 ff.; – RGG II, 1308 f.; – LThK IV, 631.

GELASIUS *von Cäsarea*, Kirchenhistoriker, † 395.

– G. war ein Neffe des Bischofs Cyrill von Jerusalem (s. d.), der ihn 367 zum Bischof von Cäsarea in Palästina einsetzte. Er gehörte der orthodoxen Richtung an und nahm 381 an der 2. ökumenischen Synode von Konstantinopel teil. – G. ist bekannt durch seine bis zum Jahr 395 reichende, aber nicht erhaltene Fortsetzung der Kirchengeschichte des Eusebius von Cäsarea (s. d.). Tyrannius Rufinus (s. d.), Gelasius von Cyzicus (s. d.), Sokrates Scholastikus (s. d.) u. a. haben vieles daraus für ihre kirchengeschichtlichen Werke verwertet.

Werke: 17 z. T. uned. Fragmente bei Franz Diekamp, Analecta Patristica, Rom 1938, 16 ff.

Lit.: Anton Glas, Die KG des G. v. Kaisareia, die Vorlage f. die beiden letzten Bücher der KG Rufins, 1914; – P. van den Ven, in: Muséon, 1915, 92 ff.; 1946, 281 ff.; – Ders., La légende de s. Spyridon, Louvain 1953, 195 ff. (gg. Scheidweiler, 1953); – P. Heseler, Hagiographica, in: Byzantin.-neugriech. Jbb. 9, Athen 1932/33, 113 ff. 320 ff.; 12, 1936, 347 ff.; – Francis Xavier Murphy, Rufinus v. Aquileia. His life and works (Diss. Catholic Univ. of America), Washington 1945, 61 ff.; – Felix Scheidweiler, Die KG des G. v. K., in: ByZ 46, 1953, 277 ff. (gg. Rufin als Verf. der Bücher 10/11); – Ders., P. van den Ven, La légende de S. Spyridon, ebd. 48, 1955, 154 ff.; Nachwort, 162 ff.; – Ders., Die Bedeutung der »Vita Metrophanis et Alexandri« f. die Qu.kritik bei den griech. Kirchenhistorikern, ebd. 50, 1957, 74 ff.; – Ders., Die Verdoppelung der Synode v. Tyros v. J. 335, ebd. 51, 1958, 87 ff.; – Ernst Honigmann, G. de C. et Rufin Aquilée, in: Bulletin de l'Académie royale de Belgique 40, 1954, 122 ff.; – Friedhelm Winkelmann, Das Problem der Rekonstruktion der Historia Ecclesiastica des G. v. C., in: FF 38, 1964, 311 ff.; – Ders., Unterss. z. KG des G. v. K., in: SAB, 1965, Nr. 3; – Ders., Zu einer Ed. der Fragmente der KG des G. v. K., in: Byzantinoslavica 34, Prag 1973, 193 ff.; – Altaner⁷ 225 f.; – Quasten III, 347 f.; – Bardenhewer III, 282. 673; – RGG II, 1309; – LThK IV, 630; – ODCC² 552.

GELASIUS *von Cyzicus*, Kirchenhistoriker des 5. Jahrhunderts.

– G., Sohn eines Presbyters, verfaßte in Bithynien um 475 eine Geschichte des Konzils von Nicäa (325) mit wichtigen Urkunden und Briefen. Das Werk ist im wesentlichen eine Kompilation aus Eusebius von Cäsarea (s. d.), Sokrates Scholastikus (s. d.), Theodoret von Kyrrhos (s. d.), Tyrannius Rufinus (s. d.) und Gelasius von Cäsarea (s. d.).

Werke: Syntagma. – *Ausg.:* MPG 85, 1191 ff. (Buch 1 u. 2); GCS 28 (das 3. Buch nur teilweise).

Lit.: Gerhard Loeschke, Das Syntagma des G. Cyzicenus (Diss. Bonn), 1906; – Anton Glas, Die KG des G. v. Kaisareia, die Vorlage f. die beiden letzten Bücher der KG Rufins, 1914; – Hans-Georg Opitz, Unterss. z. Überl. der Schrr. des Athanasius, 1935, 4. 31. 74; – Theodoretus (Theodoret) episcopus Cyrensis, KG (Historia ecclesiastica, dt.), hrsg. v. Léon Parmentier, bearb. v. Felix Scheidweiler, 1954², XIX f.; – Bardenhewer IV, 145 ff.; – Altaner⁷ 227 f. 246 f.; – RE VI, 477; – RGG II, 1309; – LThK IV, 630; – ODCC² 552 f.

GELLERT, Christian Fürchtegott, Lieder- und Fabeldichter, * 4. 7. 1715 als Pfarrerssohn in Hainichen bei Freiberg (Sachsen), † 13. 12. 1769 in Leipzig.

– Schon früh hatte, mit wenigem zufrieden zu sein, da es im Elternhaus bei 13 Kindern knapp herging. Als 11-jähriger Knabe suchte er durch Abschreiben gerichtlicher Akten sich einen kleinen Verdienst zu verschaffen, der der Familie zugute kommen sollte. G. besuchte seit 1729 die Fürstenschule in Meißen und bezog 1734 die Universität Leipzig, um Philosophie und Theologie zu studieren, verzichtete aber aus angeborener Schüchternheit auf den Pfarrerberuf. Er widmete sich literarhistorischen Studien, erwarb 1744 die Magisterwürde und ließ sich 1745 an der Universität in Leipzig als Privatdozent nieder. G. wurde 1751 ao. Professor der Dichtkunst und Beredsamkeit, später auch der Moral, lehnte aber 1761 aus Bescheidenheit und mit Rücksicht auf seine Gesundheit die ordentliche Professur ab. – G. ist als Dichter und Mensch einer der großen Lebenslehrer der Deutschen. Innige

Frömmigkeit und demütige Bescheidenheit waren die Grundzüge seines Charakters. Weit über die akademischen Kreise hinaus erwarb er sich allgemeine Achtung und Verehrung, selbst bei Friedrich II., der, wie bekannt ist, von den deutschen Poeten sonst gar nichts hielt. Die Bedeutung G.s, dem die echt dichterische Kraft fehlte, liegt auf dem Gebiet der Fabel und des geistlichen Liedes. Seine volkstümlichen Fabeln verbinden in einfacher und ungesuchter Sprache einen köstlichen Schalkssinn mit leichtem, aber treffendem Spott (Der Prozeß; Die Geschichte von dem Hute; Das Gespenst; Der sterbende Vater; Die Bauern und der Amtmann u. a.). Seine Lieder sind das Beste, was jene Zeit der Aufklärung auf dem Gebiet der geistlichen Dichtkunst aufzuweisen hat, tragen jedoch von dem Charakter des alten evangelischen Kirchenliedes fast keine Spur mehr an sich, haben aber zur Erhaltung einfachen Bibelglaubens und schlichter häuslicher Frömmigkeit viel beigetragen. Bekannt sind u. a. das Weihnachtslied »Dies ist der Tag, den Gott gemacht« (EKG 34), das Passionsgebet »Herr, stärke mich, dein Leiden zu bedenken« (EKG 71), der Ostergesang »Jesus lebt, mit ihm auch ich!« (EKG 89), das Abendmahlslied »Ich komme, Herr, und suche dich, mühselig und beladen«, das Morgenlied »Mein erst Gefühl sei Preis und Dank; erheb ihn, meine Seele!« (EKG 350), die beiden Abendlieder »Herr, der du mir das Leben bis diesen Tag gegeben, dich bet ich kindlich an« und »Für alle Güte sei gepreist, Gott Vater, Sohn und Heilger Geist«, die beiden Vertrauenslieder »Auf Gott und nicht auf meinen Rat will ich mein Glücke bauen« und »Ich hab in guten Stunden des Lebens Glück empfangen und Freuden ohne Zahl«, die Loblieder »Wenn ich, o Schöpfer, deine Macht, die Weisheit deiner Wege, die Liebe, die für alle wacht, anbetend überlege . . .« und »Wie groß ist des Allmächtgen Güte!« und die von Ludwig van Beethoven (s. d.) komponierten sechs Lieder: »Gott, deine Güte reicht so weit, so weit die Wolken gehen«, »Die Himmel rühmen des Ewigen Ehre«, »Gott ist mein Lied, er ist der Gott der Stärke«, »An dir allein, an dir hab ich gesündigt und übel oft vor dir getan«, »So jemand spricht, ich liebe Gott, und haßt doch seine Brüder, der treibt mit Gottes Wahrheit Spott« und »Meine Lebenszeit verstreicht, stündlich eil ich zu dem Grabe.« Genannt seien ferner: »Nach einer Prüfung kurzer Tage erwartet uns die Ewigkeit« und »Gott ist mein Hort, und auf sein Wort soll meine Seele trauen.«

Werke: Die Betschwester, 1745; Leben der schwed. Gfn v. G. . . ., 2 Bde., 1746; Fabeln u. Erzz., 1746–48; Lustspiele, 1747; Von den Trostgründen wider ein siethes Leben, 1748; Moral. Gedichte, 1754; Geistl. Oden u. Lieder, 1757; Tgb., 1761; Moral. Vorlesungen, aus dem Nachlaß hrsg. v. J. A. Schlegel u. Gottlieb Leberecht Heyer, 1770. – Sämtl. Schrr., 10 Bde., 1769–74 (Nachdr. Bern 1967). – Werke, hrsg. v. Julius Ludwig Klee, 1839 u. ö., zuletzt 1879. – Werke (in Ausw. mit Einl.), hrsg. v. Fritz Behrend, 1917. – Verz. der Werke: Goedeke IV/1, 74 ff. – Ausgg.: G.s Tgb., hrsg. v. Theodor Oswald Weigel, 1863². – Fabeln u. Erzz. Ausgew. v. Friedhelm Kemp, 1959. – Die Betschwester. Text u. Materialien z. Interpretation besorgt von Wolfgang Martens, 1962. – Fabeln u. Erzz. Hist.-krit. Ausg., bearb. v. Siegfried Scheibe, 1966. – Schrr. z. Theorie u. Gesch. der Fabel. Hist.-krit. Ausg., bearb. v. dems., 1966. – Sämtl. Fabeln u. Erzz. Geistl. Oden u. Lieder. Hrsg. v. Herbert Klinkhardt (Die Fundgrube XIII), 1965.

Lit.: Johann Andreas Cramer, G.s Leben, in: G.s Sämtl. Schrr. X, Leipzig 1774; – Heinrich Döring, G.s Leben, 2 Bde., 1833; – Karl Otto Frenzel, G.s rel. Wirken (Diss. Leipzig), Bautzen 1894; – Georg Ellinger, G.s »Fabeln u. Erzz.«, Progr. Berlin 1895; – Johannes Coym, G.s Lustspiele. Ein Btr. z. Entwicklungsgesch. des dt. Lustspiels (Diss. Berlin, 1898), Berlin 1899

(Nachdr. New York – London 1967); – Rudolf Nedden, Qu.stud. zu G.s »Fabeln u. Erzz.« (Diss. Leipzig), 1899; – Wilhelm Nelle, Unsere Kirchenliederdichter, 1905, 449 ff.; – Matthäus Schneiderwirth, Das kath. dt. Kirchenlied unter dem Einfluß G.s u. Klopstocks, 1908; – Walter Eiermann, G.s Briefstil, 1912; – Else Höhler, G.s Moral. Vorlesungen (Diss. Heidelberg), 1917; – Hans Rust, G.s Frömmigkeit, in: ThStKr 91, 1918, 65 ff.; – Max Dorn, Der Tugendbegriff G.s auf der Grdl. des Tugendbegriffes der Zeit (Diss. Greifswald), 1919; – Paul Sturm, Das ev. Gesangbuch der Aufklärung. Ein Btr. z. dt. Geistesgesch. des 17. u. 18. Jh.s, 1923; – Fritz Brüggemann, G.s Schwed. Gfn. Der Roman der Welt- u. Lebensanschauung des vorsubjektivist. Bürgertums. Eine entwicklungsgeschtl. Analyse, 1925; – Kurt May, Das Weltbild in G.s Dichtung (Hab.-Schr., Erlangen 1925), Frankfurt/Main 1928; – Paul Fechter, Dichtung der Deutschen, 1932; – Emil Werth, Unterss. zu G.s Geistl. Oden u. Liedern (Diss. Breslau), 1936; – Fritz Helber, Der Stil G.s in den Fabeln u. Gedichten. Btr. z. Stilgesch. der Aufklärungszeit (Diss. Tübingen, 1938), Würzburg 1937; – Moritz Durach, C. F. G., Dichter u. Erzieher, 1938; – Liese Striegel, Der Leipziger Goethe u. G. (Diss. Tübingen), 1938; – Theodor Goldschmid, Das Lied unserer ev. Kirche, Zürich 1941; – Stefanie Schweitzer, Der Stil der G.schen Lustspiele (Diss. Gießen), 1943; – Franz Stegmeyer, Ruhm u. Nachruhm C. F. G.s, in: Ders., Europäische Profile. Essays, 1947, 44 ff.; – Katharine Russell, »Das Leben der schwed. Gfn. v. G.« A Critical Discussion, in: Mhh. f. dt. Unterricht, dt. Sprache u. Lit. 40, Madison (Wisconsin) 1948, 328 ff.; – Louis Capt, G.s Lustspiele (Diss. Zürich), 1949; – Walter Matthias, Kunst u. Offb. Ein Btr. z. Gesch. des Kirchenliedes der Aufklärung. Dargest. an den »Geistl. Oden u. Liedern« v. C. F. G. (Diss. Göttingen), 1950; – J. Stamm, G. Religion und Rationalism, in: GermRev 28, 1953, 195 ff.; – Alfred Stucki, C. F. G. Der ev. Sänger, Basel 1954; – Götz v. Selle, C. F. G., in: Ders., Ostdt. Biogrr., 1955, Nr. 348; – Erich Dauzenroth, Pädagogisches in C. F. G.s »Moral. Vorlesungen«, in: Vjschr. f. wiss. Päd. 36, 1960, 218 ff.; – Gottfried M. Merkel, G.s Stellung in der dt. Sprachgesch., in: Btrr. z. Gesch. der dt. Sprache u. Lit. 82, Sonderbd., 1961, 395 ff.; – Herbert Singer, Stud. z. dt. Roman in der 1. Hälfte des 19. Jh.s (Hab.-Schr., Berlin F.U., 1959), 1963 (Tl.dr. u. d. T.: Der dt. Roman zw. Barock u. Rokoko); – Karl Kupisch, Die Himmel rühmen . . . Zum 250. Geb. G.s, in: Zeichen der Zeit. Ev. Mschr. 19, 1965, 266 ff.; 20, 1965, 319 ff.; – Hans Sprenger, Der Fabeldichter. Zu G.s 250. Geb., in: Westermanns päd. Btrr. 17, 1965, 279 ff.; – Alessandro Pellegrini, Die Krise der Aufklärung. Das dichter. Werk v. C. F. G. u. die Ges. seiner Zeit, in: Lit.wiss. Jb. NF 7, 1966, 37 ff.; – Hans Urner, C. F. G., in: Wort u. Gemeinde. Festschr. f. Erdmann Schott z. 65. Geb. Aufss. u. Vortrr. z. Theol. u. Rel.wiss., 1967, 123 ff.; – Carsten Schlingmann, G., eine lit.hist. Revision, 1967; – Dieter Kimpel, Der Roman der Aufklärung, 1967 (Verz. v. Warren R. Maurer, in. Mhh. f. dt. Unterricht, dt. Sprache u. Lit. 61, Madison/Wisconsin 1969, 412 f.; v. Jörg-Ulrich Fechner, in: German life and letters 23, Oxford 1970, 284 f.; v. Alan Marshall, in: Modern language review 65, Cambridge 1970, 455 f.; v. Norbert W. Feinäugle, in: Lessing Yearbook 11, München 1970, 253 f.; v C. Scholz-Villard, in: Études germaniques 26, Paris 1971, 383 f.); – Theophil Bruppacher, C. F. G., in: Der ev. Kirchenchor 74, 1969, 93 ff.; – Kosch, LL I, 626 f.; – WeltLit I, 575 f.; – Wilpert I² 561; II, 111 (Die Betschwester). 280 (Fabeln u. Erzz.). 356 (Geistl. Oden u. Lieder). 621 (Das Leben der schwed. Gfn. v. G. . . .); – KLL I, 1555 f. (Die Betschwester); II, 2625 ff. (Fabeln u. Erzz.); IV, 1077 f. (Das Leben der schwed. Gfn. v. G. . . .); – ADB VIII, 544 ff.; – NDB VI, 174 f.; – Koch VI, 263 ff.; – Hdb. z. EKG II/1, 264 f.; – MGG IV, 1633 ff.; – Riemann I, 603; ErgBd. I, 411; – RE VI, 482 ff.; – EKL I, 1467 f.; – RGG II, 1321; – ODCC² 553

GEMMA GALGANI s. GALGANI, Gemma

GENÄHR, Ferdinand, Pionier der Rheinischen Mission in China, * 17. 7. 1823 in Ebersdorf bei Sprottau (Schlesien), † 6. 8. 1864 in Hoau bei Kweischin (Provinz Kwangtung). – Der Chinamissionar Karl Gützlaff (s. d.) vertrat den Grundsatz, China müsse durch Chinesen bekehrt werden, und hat darum eine große Menge Chinesen getauft und als Volksprediger in alle Provinzen gesandt. Da er durch seine amtliche Stellung als Dolmetscher bei der englischen Regierung in Hongkong stark in Anspruch genommen war, bat Gützlaff die Missionsgesellschaften in Barmen und Basel um junge Missionare, die er als Aufseher (Superintendenten) seiner chinesischen Volksprediger gebrauchen könne. So wurde G. nach seiner Vorbildung im Missionsseminar in Barmen 1846 als der erste rheinische Missionar nach Südchina ausgesandt und traf mit Heinrich Köster am 13. 3. 1847 in Hongkong ein, wo sich beide im verrufenen Chinesenviertel niederließen. Köster starb bereits am 1. 10. 1847. G. jagte die meisten seiner Helfer, die ihn betrogen und bestahlen, fort, zog sich völlig von dem Unternehmen Gützlaffs zurück und begründete selber eine kleine Evangelistenschule in der Küstenstadt Taiping, unweit der Bocca Tigris. Er widmete sich vor allem der Ausbildung von Gehilfen, Sprachstudien und literarischen Arbeiten, aber auch der im fremdenfeindlichen China gefahrvollen Reisepredigt. Mit seinem Seminar siedelte er im Mai 1849 über nach Seiheong, einem Strandstädtchen an der Lingtingbai, wohin ihn Wilhelm Lobscheid (s. d.) zu Hilfe gerufen hatte. G. hielt tapfer aus und durfte im Krieg zwischen England und China Gottes Bewahrung erfahren. Als der Friede von Peking den Europäern 1860 das Inland erschloß, nahm G. mit seinem Seminar in Hoau seinen Wohnsitz, wo er vier Jahre später mit zwei Söhnen an der Cholera erkrankte und starb.

Werke: Chines. Liederbüchlein; Leben Jesu in chines. Versen; Übers. der Bibl. Lektüre v. Franz Ludwig Zahn; Glaubenslehre in 1000 Fragen u. Antworten; zahlr. Überss. dt. Traktate.

Lit.: Ludwig v. Rohden, Gesch. der Rhein. Missionsges., 1871², 339 ff. – ADB VIII, 558 f.

GENEVIÈVE s. GENOVEFA

GENGENBACH, Pamphilus, Buchdrucker und Dichter, * um 1480 in Basel als Sohn eines Druckers, † daselbst 1525. – G. ist der erste deutsche Dramatiker des 16. Jahrhunderts und bekannt als Dichter von Meisterliedern, Fastnachtsspielen und politisch-religiösen Satiren. Durch Johann Eberlin von Günzburg (s. d.) wurde er ein eifriger Anhänger der Reformation.

Werke: Meisterlieder: Der alt Eidgenoß, 1514. – Schauspiele: Die 10 Alter der Welt, 1515; Die Gouchmatt, 1516; Der Nollhart, 1517. – Büchlein: Der welsch Fluß, 1513; Der Bundschuh, 1514; Der Pfaffenspiegel; Der Laienspiegel (Stellen aus den Paulin. Briefen über Gesetz u. Glauben); Die Totenfresser (= die Geistl., die v. den Totenmessen Unterhalt u. Wohlleben gewinnen); Die Novella (scharfe u. beste Satire gg. Thomas Murner, der die Ref. beschwören will, aber v. ihrem Geist verschlungen wird). – *Ausg.:* P. G., hrsg. v. Karl Goedeke, 1856.

Lit.: Hugo Holstein, Die Ref. im Spiegelbilde der dramat. Lit. des 16. Jh.s, 1896, 166 ff. – Die Totenfresser des P. G., hrsg. v. Richard Froning, 1894; S. Singer, Die Werke des P. G., in: Zschr. f. dt. Altertum u. dt. Lit. 45, 1901, 153 ff.; – Hans König, P. G. als Verf. der »Totenfresser« u. der »Novella« (Diss. Halle-Wittenberg), 1904 (erw. in: ZdPh 37, 1905, 40 ff. 207 ff.); – Ders., Zu G., in: ZdPh 43, 1911, 457 ff.; – Alfred Götze, Hochdt. Drucker der Ref.zeit, 1905, 14; – Flugschrr. aus den ersten J. der Ref., hrsg. v. Otto Clemen, I, 1907, 213 ff.; III, 1909, 7 ff.; – Franz Stütz, Die Technik der kurzen Reimpaare des P. G., 1912; – Karl Lendi, Der Dichter P. G. Btrr. zu seinem Leben u. zu seinen Werken (Diss. Bern), 1926 (Nachdr. 1970); – Willi Schein, Stilist. Unterss. zu den Werken P. G.s (Diss. Jena), 1927 (Tl.dr.: Zeulenroda/Thüringen 1926); – Gottfried Blochwitz, Die antiröm. dt. Flugschrr. der frühen Ref.zeit (bis 1522) in ihrer rel.sittl. Eigenart. Exkurs II. G., in: ARG 27, 1930, 223 ff.; – Rudolf Raillard, P. G. u. die Ref. (Diss. Zürich), 1936; – D. M. van Abbé, Development of dramatic form in P. G., in: Modern Language Review 45, Cambridge 1950, 46 ff.; – weitere dt. Lit. hrsg. v. Heinz Otto Burger, 1951, 300 ff.; – Schottenloher I, Nr. 6971–6987; V, Nr. 46445 f.; VII, Nr. 54747; – Goedeke II, 146 f.; – Kosch, LL I, 629; – Wilpert I² 563; II, 399 (Die Gouchmat der Buhler). 771 (Der Nollhart). 1184 (Die zehn Alter dieser Welt); – KLL II, 1337 f. (Disz ist die Gouchmat); – Biogr. Wb. z. dt. Gesch. I², 858 f.; – ADB VIII, 566 f.; – NDB VI, 187 f.; – HBLS III, 471 f.; – RGG II, 1384 f.; – LThK IV, 675.

GENNADIUS I., Patriarch von Konstantinopel, † 25. 8. 471. – G. war Presbyter und Abt eines Klosters in Konstantinopel. Kaiser Leo I. (s. d.), der Thracier, erhob ihn 458 auf den Patriarchenstuhl. G. verteidigte gegen den »Monophysitismus« die Lehre des »Chalcedonense« von 451, das den einen Christus, vollkommen Gott und vollkommen Menschen, in

zwei Naturen bekennt. Er verfaßte viele Homilien und Kommentare zu biblischen Büchern, u. a. zu Daniel und allen Paulusbriefen, von denen zahlreiche Fragmente in »Katenen« (aneinandergereihten Kirchenväterexzerpten) erhalten sind. So besitzen wir von seinem Römerbriefkommentar etwa drei Viertel des Textes und beachtliche Fragmente aus einer heftigen Streitschrift gegen die 12 »Anathematismen« des Patriarchen Cyrill von Alexandrien (s. d.) und einer Abhandlung gegen Parthenios, einen Parteigänger des Nestorius. (s. d.).

Werke: MPG 85, 1613 ff.; – Karl Staab, Pauluskomm. aus der griech. Kirche, 1933, XXXV ff. 352 ff.; – Robert Devreesse, Les anciens commentateurs grecs de l'octateuche. XVII. Gennade de Constantinople, in: RB 45, Paris 1936, 384; – Ders., Les anciens commentateurs grecs de l'Octateuque et des Rois, in: StT 201, 1959, 183 ff.; – Franz Diekamp, Analecta Patristica, Rom 1938, 54 ff. (z. T. unbekannte Texte).

Lit.: AS Aug. VI, 106 ff.; – Altaner⁷ 335 f.; – RE VI, 510; – RGG II, 1385; – LThK IV, 676; – ODCC² 556.

GENNADIUS II. (Georgios Scholarios), 1. Patriarch von Konstantinopel unter türkischer Herrschaft, * etwa 1405 in Konstantinopel, † nach 1472. – Johannes VIII. Palaeologus (s. d.) ernannte den philosophisch, theologisch und juristisch trefflich gebildeten Georgios Scholarios zum kaiserlichen Richter oder Rat. Der byzantinische Kaiser wandte sich an Eugen IV. (s. d.) und das Basler Konzil mit der Bitte um die Hilfe des Abendlandes gegen die Türken und erklärte sich zu Verhandlungen über eine Glaubenseinigung bereit. Man stritt sich über den Ort der Unionsverhandlungen. Während eine geringe Mehrheit sich für Basel oder Avignon oder einen Ort in Savoyen entschied, forderte Eugen IV. die Verlegung des Konzils nach Italien. Nach stürmischen Sitzungen brach das Basler Konzil auseinander. Die Mehrheit blieb in Basel und tagte dort weiter, während die Minderheit mit dem Papst das Konzil verließ, das er am 18. 9. 1437 nach Ferrara verlegte, wo es am 8. 1. 1438 zusammentrat. Am 4. 3. 1438 traf Johannes VIII. Palaeologus ein. In seinem Gefolge befand sich auch sein Sekretär Georgios Scholarios. Am 9. 4. 1438 fand die feierliche Eröffnung des Unionskonzils statt. Da Gregorios Scholarios als Laie an den eigentlichen Verhandlungen nicht teilnehmen konnte, überredete er der Synode drei Reden, in denen er sehr entschieden für die Union eintrat. Das Konzil wurde im Januar 1439 nach Florenz verlegt. Es kam zu einer Verständigung: man erkannte den päpstlichen Primat an, vertuschte dogmatische Gegensätze und duldete den Ritus und die Priesterehe der Griechen. Am 5. 7. 1439 wurde das von 115 Lateinern und 33 Griechen unterschriebene »Decretum unionis Graecorum« durch die päpstliche Bulle »Laetentur Coeli« feierlich verkündigt. Da aber die in Florenz mühsam zustande gekommene Union mit Rom nicht die Zustimmung des griechischen Volkes fand und der Papst die dem Kaiser versprochene Hilfe gegen die Türken nicht zu leisten vermochte, sagte sich Georgios Scholarios von ihr los und schloß sich seinem früheren Lehrer und geistlichen Vater an, dem Metropoliten Markus Eugenikus (s. d.) von Ephesus, der als Hauptgegner der Union mit Rom auf dem Konzil Ferrara-Florenz dem »Decretum unionis Graecorum« seine Unterschrift verweigert hatte. Georgios Scholarios wurde der Führer der antiunionistischen

Partei in Konstantinopel und zog sich, beim Hofe in Ungnade gefallen, in das Kloster des Pantokrator in Konstantinopel zurück, wo er seinen Kampf gegen die Union fortsetzte. Das Unionswerk fand 1453 durch die Eroberung Konstantinopels durch die Türken sein Ende. Mehmed der Eroberer drang auf Wiederbesetzung des erledigten Patriarchenstuhls. Die Synode wählte einstimmig G., obwohl ihm die klerikalen Weihen fehlten und er die ihm aufgedrungene Würde entschieden ablehnte. Im Frühjahr 1454 erhielt er die Weihe durch den Metropoliten von Heraklea und aus der Hand des Sultans den Hirtenstab und die feierliche Belehnung, mußte aber 1456 abdanken. G. zog sich auf den Athos zurück, dann in das »Prodromoskloster« bei Serres in Mazedonien. Er kehrte 1462 und 1464, aber jedesmal nur für kurze Zeit, auf den Patriarchenstuhl zurück. – G. ist der bedeutendste byzantinische Theologe der Palaeologenzeit, ein äußerst fruchtbarer und vielseitiger Schriftsteller. Er schrieb Erklärungen zu Aristoteles und Porphyrius, Streitschriften zur Verteidigung des orthodoxen Aristotelismus gegen den neuplatonischen Philosophen Gemistos Plethon (s. d.) und übersetzte Werke des Thomas von Aquin (s. d.), Gilbert von Poitiers (s. d.) und Petrus Hispanus (s. Johannes XXI.) ins Griechische. Von seinen theologisch-kirchlichen Schriften ist die bekannteste das auf Wunsch des Sultans verfaßte Glaubensbekenntnis Ἔκθεσις τῆς πίστεως τῶν ὀρθοδόξων χριστιανῶν, eine Darstellung der Hauptpunkte des christlichen Glaubens in 12 Paragraphen, denen später noch 8 von anderer Hand hinzugefügt worden sind. Symbolische Bedeutung hat dieses Glaubensbekenntnis nicht erlangt.

Werke: GA: L. Petit – X. A. Siderides – M. Jugie, Georges (Gennade) Scholarios. Oeuvres complètes, 8 Bde., Paris 1928–36. – Ekthesis, hrsg. griech. u. lat. v. dem Wiener Humanisten u. Juristen Alexander Brassicanus, Wien 1530; dann v. David Chyträus, Frankfurt 1582; griech., lat. u. türk. v. Martin Crusius in seiner Turcograecia, Basel 1854; Abdr. bei Wilhelm Gaß, Symbolik der griech. Kirche, 1872, 34 ff.; MPG 160, 333 ff. – Johann Carl Theodor Otto, Des Patriarchen G. Confession krit. unters. u. hrsg., 1864. – Jon Michalcescu, Die Bekenntnisse u. die wichtigsten Glaubenszeugnisse der griech. orient. Kirche, 1904, 11 ff. 253 ff.

Lit.: Martin Jugie, Un thomiste à Byzance au XVᵉ siècle, in: ÉO 23, 1924, 129 ff.; – Ders., Theologia dogmatica Christianorum orientalium ab ecclesia catholica dissidentium I, Paris 1926, 459 ff.; – Ders., (Polemik gg. Plethon), in: Byzantion 10, Brüssel 1935, 517 ff.; – Franz Babinger, Mehmed der Eroberer u. seine Zeit. Weltenstürmer einer Zeitenwende, 1953, 109 ff. u. ö.; – M. Bonis, Georgios Scholarios (griech.), Athen 1953; – Ders., G. S., der 1. Patriarch v. Konstantinopel nach der Eroberung (1454), u. seine Politik Rom gg.über, in: Kyrios. Vjschr. f. Kirchen- u. Geistesgesch. Osteuropas NF 1, 1960–61, 83 ff.; – Hammerschmidt, Hypostasis u. verwandte Begriffe in den Bekenntnisschrr. des G. II. v. K. u. des Metrophanes Kritopulos, in: OrChr 40, 1956, 78 ff.; – Joseph Gill, The Council of Florence, Cambridge 1959; – Ders., Personalities of the Council of Florence and other essays, Oxford 1965, 79 ff.; – C. J. G. Turner, G.-G. Scholarius and the Union of Florence, in: JThS NS 18, 1967, 83 ff.; – Krumbacher 119 ff.; – Beck 760 ff.; – DThC XIV, 1521 ff.; – LThK IV, 676 f.; – NCE VI, 333 f.; – ODCC² 558; – RE VI, 510 f.; – EKL I, 1498; – RGG II, 1385.

GENNADIUS *von Massilia,* fruchtbarer theologischer Schriftsteller, † 492/505. – G. war Presbyter in Massilia (Marseille). Er neigte zum »Semipelagianismus« der südgallischen Theologen. Bekannt ist G. durch sein Werk »De viris illustribus«, eine Fortsetzung des gleichnamigen Werkes von Hieronymus (s. d.) von 392 bis auf seine Zeit. Es ist eine wertvolle Quellenschrift für die altchristliche Literatur.

Werke: De viris illustribus, in: MPL 58, 1059 ff.; hrsg. v. Carl Albert Bernoulli, 1895; v. Ernest Cushing Richardson, in: TU

14/1, 1896, 57 ff.; Liber ecclesiasticorum dogmatum (Abriß der kath. Glaubenslehre), in der Originalfassung (mit semipelagian. Tendenz), hrsg. v. C. H. Turner, in: JThS 7, 1906, 78 ff.; 8, 1907, 103 ff.; in der Überarb. durch einen Gegner des Semipelagianismus, in: MPL 58, 979 ff. – Verloren sind: 8 Bücher Adversus omnes haereses (der Schlußabschnitt wahrsch. im Liber ecclesiasticorum dogmatum enthalten); 5 gg. Nestorius; 10 gg. Eutyches; 3 gg. Pelagius; Überss. v. Schrr. des Evagrius Ponticus u. des Timotheus Aelurus ins Lat. – Den Tractatus de mille annis de apocalypsi hält man für ein pseudoaugustin. Apk.komm., in: MPL 35, 2417 ff., oder schreibt ihn dem Caesarius v. Arles zu, in: Caesarii Arelatensis opera, ed. Germain Morin, II, 1942, 210 ff. – Die dem Papst Gelasius I. gewidmete »Epistula de fide mea« (Carl Paul Caspari, Kirchenhist. Anecdota I, Christiania 1883, XIX ff. 301 ff.) stammt aus dem MA.

Lit.: Bruno Czapla, G. als Literarhistoriker, 1898; – Franz Diekamp, in: RQ 12, 1898, 411 ff.; – Germain Morin, Le Liber Dogmatum de G. de M. et problèmes qui s'y rattachent, in: RBén 24, 1907, 445 ff.; – Ders., Le commentaire homilétique de S. Césaire sur l'apocalypse, ebd. 45, 1933, 43 ff.; – Benedikt Kolon, Die Vita S. Hilarii Arelatensis. Eine eidogr. Stud., 1925, 117 ff.; – Alfred Feder, Der Semipelagianismus im Schr.stellerkat. des G., in: Scholastik 2, 1927, 481 ff.; – Ders., Zusätze z. Augustinuskap. des gennad. Schr.stellerkat., ebd. 3, 1928, 238 ff.; – Ders., Zusätze des gennad. Schr.stellerkat., ebd. 8, 1933, 380 ff.; – Henry Arthur Sanders, Beati in Apocalypsin libri XII, Rom 1930; – J. Madoz, (Echtheit des Liber ecclesiasticorum dogmatum), in: RF 122, 1941, 237 ff.; – Ch. Munier, La profession de foi du Statuta ecclesiae antiqua et les écrits de G. de M., in: Studia patristica 8, 1961, 248 ff.; – Ernst Robert Curtius, Europ. Lit. u. lat. MA, 1965⁵, 443 ff.; – KLL II, 1099 f. (De viris illustribus); – Altaner⁷ 335 f.; – CPL 957 ff. 1016; – Chalkedon II, 771 f.; – Pauly-Wissowa VII/1, 1171 ff.; – Bardenhewer IV, 595 ff.; – RE VI, 513 f.; – RGG II, 1385; – LThK IV, 677 f.; – ODCC² 556.

GENNADIUS von Nowgorod, russischer Theologe des 15. Jahrhunderts, † 4. 12. 1505. – G. war Archimandrit in Moskau und von 1485 an bis zu seiner Absetzung am 26. 6. 1505 durch den Großfürsten Iwan III. Erzbischof von Nowgorod. Er ist bekannt als Sammler der Gennadiusbibel. G. stellte vorhandene kirchenslawische Übersetzungen der biblischen Bücher zusammen und ließ nur da, wo man solche nicht hatte, aus der Vulgata neu übersetzen. Die älteste Handschrift dieser Gennadiusbibel von 1499 befindet sich in der Moskauer Synodalbibliothek. Ihre Revision ist die Ostroger Bibel von 1581. – G. bekämpfte die russische »Judensekte«, die die Bilder, Sakramente, Fasten und Marienverehrung ablehnte.

Lit.: Martin Jugie, Theologia dogmatica Christianorum orientalium ab ecclesia catholica dissidentium I, Paris 1926, 556; – Albert Maria Ammann, Abriß der ostslaw. KG, Wien 1950, 170 ff. 175. 181; – William K. Medlin, Moscow and East Rome. A political study of the relations of Church and State in Muscovite Russia, Genf 1952, 84 f.; – RE III, 155; – RGG II, 1386; – EC VI, 8; – LThK IV, 675 f.

GENOVEFA (franz.: Geneviève), Heilige, Patronin von Paris, * um 422 in Nanterre bei Paris, † 3. 1. um 502 in Paris. – Die Legende berichtet: G. wurde mit 15 Jahren Nonne und führte ein vielfach durch Wunder ausgezeichnetes Leben der Buße und des Gebets. Durch ihre Fürbitte blieb beim Hunneneinfall des Attila 451 Paris vor der Zerstörung bewahrt. G. erbaute die Kirche Saint-Denis bei Paris zu Ehren des hl. Dionysius von Paris (s. d.). Über ihrem Grab wurde 1759–90 die Kirche Sainte-Geneviève erbaut, die aber 1791 zum Panthéon als Begräbnisstätte großer Männer der französischen Nation umgewandelt wurde. Ihre Reliquien wurden 1793 öffentlich verbrannt. – Im Mittelalter war G. die volkstümlichste Heilige Frankreichs. Mittelpunkt ihrer Verehrung ist jetzt die Kirche Saint-Étienne-du-Mont in Paris und ihr Fest der 3. Januar. Der historische Wert ihrer in drei Hauptrezensionen erhaltenen Vita ist äußerst stark umstritten.

Lit.: C. Kohler, Étude critique sur le texte de la vie latine de Ste. G., in: Bibliothèque de l'École des Hautes Études 48, 1881, 5 ff.; – Henri Lesêtre, Les saints, Paris 1899 (1930¹³); – Carl Albrecht Bernoulli, Die Hll. der Merowinger, 1900, 191. 216; – Karl Künstle, Vita sanctae Genovefa virginis, Parisiorum patronae, Paris 1910; – G. Kurth, Étude critique sur la vie de Ste. G., in: RHE 14, 1913, 5–80; – A. D. Sertillanges, Ste. G., Paris 1917; – Elphegius Vacandard, Études de critique et d'histoire religieuse, ebd. 1923, 67 ff. 255 ff.; – Madame Reynès-Monlaur, Ste. G., ebd. 1924; – Ch. Bauvais, Ste. G., Marseille 1930; – Franz Maria Stratmann, Die Hll. u. der Staat IV, 1952, 65 ff.; – N. Jacquin, Ste. G., ses images et son culte, Paris 1952; – C. Giteau, Ste. G. dans l'art parisien du Moyen âge, ebd. 1953; – Bulletin de littérature ecclésiastique 56, Toulouse 1955, 10 ff. 16 f. 21 f.; – Wilhelm Hünermann, Der endlose Chor. Ein Buch v. den Hll. f. das christl. Haus, 1960⁸, 2 ff.; – M. Barth, Der Kult der hl. G. (v. Paris) im dt. Sprachraum, in: FreibDiözArch 84, 1964, 213 ff.; – BS VI, 157 ff.; – Wimmer³ 236 f.; – Torsy 182; – Künstle 261 ff.; – Braun 280 ff.; – Réau III, 563 ff.; – AS Jan. I, 137 f.; – MG SS rer. Merov. III, 204 ff.; – MartHier 24; – DACL VI, 960 ff.; – VSB I, 53 f.; – Catholicisme IV, 1829 ff.; – EC IV, 26 f.; – LThK IV, 679; – NCE VI, 331 f.; – ODCC² 555; – RGG II, 1389 f.

GENSCH, Christoph, Edler von Breitenau, Jurist und Kirchenliederdichter, * 12. 8. 1638 in Naumburg (Saale) als Sohn eines Stiftsamtmanns, † 11. 1. 1732 in Lübeck. – G. studierte in Leipzig die Rechte und wurde 1667 Hofrat des Herzogs von Holstein-Plön. Seit 1678 stand er im Dienst Christians V. von Dänemark, der ihn in den wichtigsten Staatsangelegenheiten zu Rate zog, 1681 adelte und 1682 zum Kanzler in der Grafschaft Oldenburg machte. Friedrich IV. von Dänemark ernannte ihn 1696 zu seinem Staatsminister und Konferenzrat, 1698 zum Landdrost im Budjadingerland, 1700 zum Geheimrat und 1701 zum Ritter vom Danebrogorden. 1706 zog er sich in den Ruhestand nach Lübeck zurück. – Wir besitzen von G. über 20 Lieder, teils Verbesserungen und Umarbeitungen älterer Lieder, teils ganz neu und frei von ihm gedichtet. Bekannt sind: »Gott, mein Vater, sei gepriesen für die große Gütigkeit, welche du mir hast erwiesen« und »Vater, laß mich Gnade finden, gib mir Trost in Herz und Sinn.«

Werke: Gab heraus: Plöner Gesangbuch, 1674 (1687⁶).
Lit.: Koch III, 463 ff.; – ADB III, 287 f.

GENTILE da Fabriano, Maler, * zwischen 1360 und 1370 in Fabriano, † 1427 in Rom. – Gegen Ende des Jahrhunderts arbeitete G. in seiner Vaterstadt, um 1408 in Venedig, 1414–19 in Brescia, 1422–25 in Florenz, 1425–26 in Siena und zuletzt in Rom. – G. war bedeutender Vertreter der internationalen Gotik und hat zur Verbreitung dieses Stils in Ober- und Mittelitalien entscheidend beigetragen.

Werke: Maria mit Kind, den Hll. Katharina u. Nikolaus sowie dem Stifter, um 1390–95 (Berlin, Staatl. Mus./West, Gem.gal.); Anbetung der Könige, 1423 (Florenz, Galleria degli Uffizi); Stigmatisation des hl. Franziskus (Genna di Gallarate, Smlg. Carminati); Polyptychon Quaratesi, 1425 (Hampton Court, Palace); Maria mit Kind u. Engeln (ebd.); Maria mit Kind, 1425 (Orvieto, Duomo); Maria mit Kind, um 1410 (Perugia, Galleria Nazionale); Maria mit Kind, um 1415 (Pisa, Museo Nazionale); Maria mit Kind, 1427 (Velletri, Capitolo del Duomo).
Lit.: Arduino Colasanti, G. da F., Bergamo 1909; – Bruno Molajoli, G. da F., Fabriano 1927 (1934²); – Luigi Grassi, G. da F. e aspetti del gotico internazionale nella pittura italiana, Rom 1949–50; – Ders., Tutta la pittura di G. da F., Mailand 1953; – EItal XVI, 579 f.; – KML II, 581 f.; – Thieme-Becker XIII, 403 ff.; – EC VI, 30 f.; – LThK IV, 681; – NCE VI, 337.

GENTILIS (Gentile), Giovanni Valentino, Antitrinitarier, * um 1520 in Cosenza (Kalabrien), † (enthauptet) 10. 9. 1566 in Bern. – G. floh 1556 (1557?) nach Genf und schloß sich der dortigen italienischen Flüchtlingsgemeinde an, in der Streitigkeiten über die Trinitätslehre aufkamen. Darum mußten sämtliche Italie-

ner 1558 ein orthodoxes Glaubensbekenntnis unterschreiben. Als aber G. den Trinitätsstreit fortsetzte, mußte er öffentlich Buße tun; unter Androhung der Todesstrafe wurde ihm verboten, die Stadt ohne Erlaubnis zu verlassen. Dennoch floh G. auf den Landsitz seines Gesinnungsgenossen Matteo Gribaldi (s. d.) in Farges, dann nach Lyon, wo eine größere Zahl Italiener sich niedergelassen hatte. Eifrig studierte er die älteren Kirchenväter und suchte überall Bestätigung für seine Trinitätslehre. Von dort ging G. nach Grenoble, wo sich inzwischen Gribaldi niedergelassen hatte, und begab sich um 1561 in die unter Berner Hoheit stehende savoyische Landschaft Gex. Er wurde gefangengesetzt, aber nach Abgabe eines Glaubensbekenntnisses wieder freigelassen. G. ging nach Lyon und 1563 nach Polen. Als dort 1566 das Edikt gegen die Antitrinitarier erneuert wurde, zog er nach Mähren, dann über Wien nach Gex zurück. G. wurde verhaftet und nach Bern gebracht. Die Anklage lautete auf Abweichung von der orthodoxen Trinitätslehre, Lästerung der heiligen Dreifaltigkeit und Schmähung der reformierten Kirche. Das Urteil lautete auf Tod durch das Schwert und wurde am Tag darauf vollstreckt.

Lit.: F. Trechsel, Die prot. Antitrinitarier. II: Lelio Sozini u. die Antitrinitarier seiner Zeit, 1844, 316 ff.; – Henri Fazy, Procès de V. G. et de Nicolas Gallo (1558), publié d'après les documents originaux, Genf 1879; – Wilhelm Niesel, Zum Genfer Prozeß gg. V. G., in: ARG 26, 1929, 270 ff.; – T. R. Castiglione, V. G., antitrinitario calabrese del XVI secolo, in: Archivio storico per la Calabria e Lucania 8, 1938, 109 ff.; 9, 1939, 41 ff.; 14, 1945, 101 ff.; 28, 1959, 97 ff.; – Ders., La »Impietas Valentini Gentilis« e il corruccio di Calvino, in: Ginevra e l'Italia, Florenz 1959, 149 ff.; – Delio Cantimori, Eretici italiani del Cinquecento. Ricerche storiche, ebd. 1939 (dt. v. Werner Kaegi, It. Häretiker des Spätrenaissance, Basel 1949); – Schottenloher I, Nr. 6994–6998; V, Nr. 46448; VII, Nr. 54748–54751; – EItal XVI, 581; – HBLS III, 475; – EC VI, 36; – LThK IV, 682; – RE VI, 517 ff.; – RGG II, 1390.

GEORG, Märtyrer, Heiliger, einer der 14 Nothelfer. – G. war ein hochgestellter Kriegsmann aus Kappadokien (Kleinasien) und erlitt in der Verfolgung des Diokletian (s. d.) um 303 den Märtyrertod, vielleicht in Diospolis = Lydda bei Jaffa in Palästina. Die Legende überwucherte schon sehr früh seine historische Persönlichkeit, die wir darum nicht mehr recht zu fassen vermögen. Seit dem 4. Jahrhundert ist seine Verehrung bezeugt. In der morgenländischen Kirche wird G. als »Großmärtyrer« verehrt. Wallfahrten ins Heilige Land und vor allem die Kreuzzüge brachten seinen Kult nach Westen, wo G. seit dem 12. Jahrhundert als junger, hoch zu Roß mit dem Drachen kämpfender Held volkstümlich wurde. Als Patron der Krieger und Ritter wurde er in die Gruppe der Nothelfer aufgenommen. G., seit dem 13. Jahrhundert Patron von England, ist der meistverehrte Märtyrer des christlichen Altertums und Mittelalters. Sein Fest ist der 23. April.

Lit.: Ferdinand Vetter, Der hl. G. des Reinbot v. Durne, 1896; – M. Huber, Zur G.legende, in: Festschr. z. XII. Allg. Dt. Neuphilologentage in München Pfingsten 1906, 1906, 175–235; – Hippolyte Delehaye, Les légendes grecques des Saints militaires, Paris 1909, 45 ff.; – Paul Peeters, Une passion arménienne de S. G., in: AnBoll 28, 1909, 249 ff.; – Otto Frhr. v. Taube v. der Issen, Die Darst. des hl. G. in der it. Kunst (Diss. Halle), 1910; – Karl Krumbacher, Der hl. G. in der griech. Überl., 1911; – Johannes B. Aufhauser, Das Drachenwunder des hl. G. in der griech. u. lat. Überl., 1911; – Ders., Miracula S. G., 1913; – Wolfgang Fritz Volbach, Der hl. G. Bildl. Darst. in Süddtld. mit Berücks. der norddt. Typen bis z. Renaissance, 1917; – E. W. Brooks, Acts of St. G., in: Muséon 38, 1925, 67 ff.; – G. J. Marcus, S. G. of England, London 1929; – Ernest Alfred Wallis Budge, G. of Lydda, the Patron Saint of England. A study of the cultus of St. G. in Ethiopia. The Ethiopic texts in facsimile ed. with translations and an introduction, London 1930; – Karl Erdmann, Die Entstehung des Kreuzzugsgedankens, 1935, 254 ff.; – Franz Cumont, La plus ancienne légende de S. G., in: RHR 114, 1936, 5 ff.; – Heinrich Günter, Psychologie der Legende. Stud. zu einer wiss. Hll.gesch., 1949, 69 ff.; – Isabel Hill Elder, G. of Lydda. Soldier, saint and martyr, London 1949; – Wilhelm Hünermann, Der endlose Chor. Ein Buch v. den Hll. f. das christl. Haus, 1960⁸, 211 f.; – Orlando Grosso, S. G. nell'arte e nel cuore dei popoli, Mailand 1964; – Paolo Toschi, La leggenda di S. G. nei canti popolari italiani, Florenz 1964; – Leonhard Küppers, Der Hl. G., 1964; – Bächtold-Stäubli III, 647 ff.; – AS Apr. III, 101 ff.; – BHL 3360–3406; – BHO 309–322; – BHG³ 669y–691y; – MartHier 205. 209; – MartRom 152; – BS VI, 512 ff.; – VSB IV, 591 ff.; – Wimmer³ 237 f.; – Torsy 183; – Réau III, 571 ff.; – Künstle 263 ff.; – Braun 283 ff.; – DACL VI, 1021 ff.; – LThK IV, 690 ff.; – NCE VI, 354 f.; – ODCC² 557; – RGG II, 1395.

GEORG der Bärtige, Herzog von Sachsen, erbitterter Gegner Martin Luthers (s. d.), * 27. 8. 1471 in Meißen als Sohn Albrechts des Beherzten, † 17. 4. 1539 in Dresden, beigesetzt in Meißen, Dom, Georgskapelle. – Nach zwölfjähriger Vertretung folgte G. 1500 seinem Vater in der Regierung der albertinischen Lande, die er als einer der tüchtigsten Fürsten seiner Zeit vorzüglich verwaltete. Der Gegensatz zwischen Luther und G. zeigte sich zum erstenmal 1519 während der Leipziger Disputation. G. hatte die zunächst durch Dr. Johann Eck (s. d.) veranlaßte Disputation gegen manchen Widerstand von seiten der Theologischen Fakultät und der Kirche betrieben. Da er für die geistliche Laufbahn bestimmt gewesen war, hatte G. eine weit über seinen Stand hinausgehende Bildung erhalten und war nicht nur des Lateinischen kundig, sondern auch so weit in theologische Fragen eingedrungen, daß er mit ungewohnter Anteilnahme der Leipziger Disputation folgen konnte in der Debatte zwischen Luther und Eck über das Papsttum. Sebastian Fröschel (s. d.) berichtet: »Eins aber muß man sagen, das ich auch selbst gehöret habe, das sich in der Disputation begeben hat in Beyseyn des Hertzog Georgen, der offtmahls in die Disputation kam und fleißig zuhöret, das auf einmahl D. Martin Luther seliger diese Worte saget zum D. Ecken, der ihn hart beschweret mit Johann Hussen: Lieber Hr. Doctor, Non omnes Articuli Hussitici sunt Haeretici. Darauf sprach Hertzog Georg mit lauter Stimme, laut, daß man über das ganze Auditorium höret: Das walt die Sucht und schüttelt den Kopff und setzet beide Armen in die beiden Seiten. Das habe ich selber gehöret und gesehen.« Von dieser Disputation an war G. Luthers Feind und sah seine wichtigste Lebensaufgabe im Kampf gegen Luther und seine Anhänger. Auf dem Reichstag in Worms 1521 forderte er ein Konzil und drang energisch auf die Durchführung des Wormser Edikts. G. verbot in seinem Land die Verbreitung von Luthers Übersetzung des Neuen Testaments. Er beauftragte Hieronymus Emser (s. d.) mit einer Korrektur der lutherischen Übersetzung und gab das korrigierte Neue Testament mit einer selbstverfaßten Vorrede heraus. Vereint mit dem Landgrafen Philipp von Hessen (s. d.) und Herzog Heinrich von Braunschweig, schlug G. im Bauernkrieg am 15. 5. 1525 die Bauern bei Frankenhausen und übte strenges Gericht. Im Juli 1525 schlossen G., Albrecht von Mainz (s. d.), Joachim I. von Brandenburg (s. d.), Erich und Heinrich von Braunschweig das Bündnis von Dessau zum Schutz der Altgläubigen und zur Ausrottung der lutherischen Lehre. Er war unter den deut-

schen Fürsten der geistig bedeutendste Gegner der Reformation. Trotz aller seiner Bemühungen konnte G. es nicht verhindern, daß Luthers Lehre in sein Land eindrang. Die Nachfolge seines lutherischgesinnten Bruders Heinrich versuchte er vergeblich zu vereiteln.

Lit.: Adolf Moritz Schulze, G. u. Luther oder Ehrenrettung des Hzg. G. v. S., 1834; – Oscar Lehmann, Hzg. G. v. S. im Briefwechsel mit Erasmus v. Rotterdam u. dem EB Sadolet (Diss. Leipzig), Neustadt/Sachsen 1889; – Heinrich Frhr. v. Welck, G. d. B., Hzg. v. S. Sein Leben u. Wirken. Ein Btr. z. dt. Ref.gesch., 1900; – Akten u. Briefe z. Kirchenpolitik Hzg. G.s v. S., hrsg. v. Felician Geß, I, 1905, Nr. 35, 28 f.; II, 1917; – Ludwig Cardauns, Zur Kirchenpolitik Hzg. G.s v. S., in: QFIAB 10, 1907, 101 ff.; – Oswald Artur Hecker, Rel. u. Politik in den letzten Lebensj. Hzg. G.s d. B. v. S., 1912; – Hans Becker, Hzg. G. v. S. als kirchl. u. theol. Schr.steller, in: ARG 24, 1927, 161 ff.; – Waldemar Goerlitz, Staat u. Stände unter den Herzögen Albrecht u. G., 1928; – Georg Buchwald, Zur ma. Frömmigkeit am kursächs. Hof kurz vor der Ref., in: ARG 27, 1930, 62 ff.; – Elisabeth Werl, Elisabeth, Hzgn. v. Sachsen (Diss. Leipzig), 1938; – Dies., Hzgn. Sidonia v. S. u. ihr ältester Sohn Hzg. G., in: Herbergen der Christenheit. Jb. f. dt. KG 3, 1959, 8 ff.; – Dies., Hzg. G. v. S. Bisch. Adolf v. Merseburg u. Luthers 95 Thesen, in: ARG 61, 1970, 66 ff.; – Gisela Reichel, Hzg. G. d. B. u. Erasmus v. Rotterdam. Eine Stud. über Humanismus u. Ref. im albertin. Sachsen (Diss. Leipzig), 1948; o. O. 1947; – Herbert Helbig, Die Ref. der Univ. Leipzig im 16. Jh., 1953; – Otto Vossler, Hzg. G. d. B. u. seine Ablehnung Luthers, in: HZ 184, 1957, 272 ff.; – Ingetraut Ludolphy, Die Ursachen der Gegnerschaft zw. Luther u. Hzg. G. v. S., in: LuJ 32, 1965, 28 ff.; – Biogr. Wb. z. dt. Gesch. I², 1973, 869 f.; – Schottenloher III, Nr. 33035e–33080a; – ADB VIII, 684 ff.; – NDB VI, 224 ff.; – RE VI, 529 ff.; – MennLex II, 72 f.; – RGG II, 1395 f.; – LThK IV, 695.

GEORG III. *der Gottselige,* seit 1530 mit 2 Brüdern regierender Fürst von Anhalt-Dessau, 1544–50 Koadjutor des Bistums Merseburg, * 15. 8. 1507 in Dessau als Sohn des Fürsten Ernst von Anhalt, aus dem Geschlecht der Askanier, † daselbst 17. 10. 1553. – G. verlor mit 9 Jahren seinen Vater und wurde von seiner aufrichtig frommen Mutter Margarete, Tochter des Herzogs Heinrich I. von Münsterberg, erzogen. Auf Veranlassung des ihm verwandten Bischofs Adolf von Merseburg wurde G. 1518 Kanonikus in Merseburg und bezog die Universität Leipzig zum Studium des kanonischen Rechts. Adolf weihte ihn 1524 zum Priester und verschaffte ihm die in Magdeburg freigewordene Dompropstei. Voll »herzlicher Liebe zu den väterlichen Satzungen und Lehren« haßte G. »die Lutherische Sekte heftiglich.« Um die Gegner noch gründlicher widerlegen zu können, widmete er sich dem eingehenden Studium der Bibel im Urtext und der Kirchenväter. 1529 wurde G. juristischer Rat des Erzbischofs Albrecht von Magdeburg (s. d.). Er war 1530–53 mit seinen Brüdern Johann und Joachim gemeinsam Fürst von Anhalt-Dessau. Erst nach dem Tod seiner Mutter († Juni 1530) drang G. zu voller Glaubensklarheit durch und bekannte sich zum evangelischen Glauben. Er stand Martin Luther (s. d.) persönlich sehr nahe, wurde aber von Philipp Melanchthon (s. d.) noch nachhaltiger beeinflußt. 1532 wurde Nikolaus Hausmann (s. d.) als erster evangelischer Hofprediger nach Dessau berufen. Am Gründonnerstag, dem 2. 4. 1534, wurde durch die Austeilung des Abendmahls unter beiderlei Gestalt im Dessauer Landesteil die Reformation offiziell eingeführt. Von 1539 an wirkte G. mit bei der Reformation in Brandenburg und 1541 auch beim Regensburger Religionsgespräch. 1544 wurde Kurfürst August von Sachsen (s. d.) weltlicher Administrator des Bistums Merseburg und übertrug die geistliche Verwaltung G. unter dem Titel eines »Koajutors in geistlichen Sachen«. Als solcher führte er die Reformation im Bistum ein und hielt 1544 und 1545 eine Visitation. Unter seinem Vorsitz wurde 1545 ein Konsistorium eingesetzt. G. ließ sich 1545 im Dom zu Merseburg von Luther ordinieren, um das bischöfliche Amt fortzusetzen. G. ist der einzige fürstliche Kleriker, der nach dem Bruch mit der alten Kirche ein evangelisches Predigtamt übernahm. Er war ein eifriger Prediger. 1548 wurde G. Dompropst von Meißen. Die Lage änderte sich durch den Ausgang des Schmalkaldischen Krieges und den Verzicht Augusts von Sachsen auf die Administration des Bistums Merseburg. Dem Domkapitel blieb endlich nichts anderes übrig, als Michael Helding (s. d.) am 28. 5. 1549 zum Bischof von Merseburg zu wählen; die päpstliche Bestätigung erfolgte erst am 16. 4. 1550. G. zog sich nach Dessau zurück.

Lit.: Emil Sehling, Die Kirchengesetzgebung unter Moritz v. Sachsen 1544–49 u. G. v. A., 1899; – F. Westphal, Fürst G. d. G. v. A., 1907; – Nikolaus Müller, Fürst G.s III., des Gottsel. v. A. schr.steller. Tätigkeit in den J. 1530–1538 u. sein Ber. v. der Lehre u. Zeremonien, in der G.s Haus gehalten worden, v. J. 1534, 1907; – J. Herrmann, Augsburg – Leipzig – Passau. Das Leipziger Interim nach Akten des Landeshauptarch. Dresden 1547 bis 1552 (Diss. Leipzig), 1952; – Franz Lau, G. III. v. A., in: WZ Leipzig 3, 1953/54, 139 ff.; – ADB VIII, 595 f.; – NDB VI, 197; – RE VI, 521 f.; – RGG II, 1394 f.; – LThK IV, 693.

GEORGI, Karl August, religiöser Dichter, * 1. 4. 1802 in Naumburg (Saale), † 26. 4. 1867 in Dresden. – G. studierte in Leipzig und wurde 1832 Direktor der Blindenanstalt in Dresden, um die er sich große Verdienste erwarb. – Von G.s religiösen Liedern nahm Ferdinand Seinecke 8 in seinen »Evangelischen Liedersegen von Gellert bis auf unsere Zeit« auf, Dresden 1862.

Werke: Rel. Lieder, Leipzig 1847; Das Gebet des Herrn in 15 Gesängen, ebd. 1849.

Lit.: Franz Brümmer, Lex. der dt. Dichter u. Prosaisten v. Beginn des 19. Jh.s bis z. Ggw. II, 1913, 350; – Koch VII, 303.

GEORGII, David Samson, Kirchenliederdichter, * 28. 9. 1697 in Neuffen (Württemberg) als Sohn eines Oberamtmanns, † 29. 5. 1756 in Backnang. – G. studierte in Tübingen und erwarb 1717 die Magisterwürde. Er wurde 1722 Pfarrer in Enzweihingen an der Enz, wo er, wie er selber sagt, »in der Einsamkeit des Landlebens durch geistliche Dichtungen die Beschwerlichkeit des Amtes würzet«. Seit 1738 wirkte G. als Dekan und Stadtpfarrer in Backnang. – Von G.s geistlichen Dichtungen nahm Johann Jakob Rambach (s. d.) 11 auf in sein »Geistreiches Hausgesangbuch«, Frankfurt und Leipzig 1735, und Albert Knapp (s. d.) weitere 8 in die 2. Ausgabe seines »Evangelischen Liederschatzes für Kirche und Haus«, Stuttgart 1850.

Werke: Übungen in der Gottseligkeit in allerlei geistl. Dichtungen. 1. Tl.: Geistl. Frühling u. Sommer. 2. Tl.: Geistl. Herbst u. Winter, Tübingen 1728.

Lit. Koch V, 64 ff.

GEORGIOS SCHOLARIOS s. GENNADIUS II.

GERBEL, Nikolaus, Humanist, * um 1485 in Pforzheim als Sohn eines Malers, † 20. 1. 1560 in Straßburg. – G. besuchte die Lateinschule in Pforzheim und bezog 1502 die Universität in Wien und 1506 in Köln. Er lehrte 1507 an der Lateinschule in Pforzheim und studierte 1508–12 in Tübingen. Dann widmete sich G. bis 1514 dem Rechtsstudium in Wien und promovierte im Herbst 1514 in Bologna zum Dr. jur. Er war 1515 in Straßburg als Rechtskonsulent und bald als Domsekretär tätig und 1541–43 Professor der Ge-

schichte. G. arbeitete in Straßburg – ebenso wie früher in Wien – nebenberuflich als gelehrter Korrektor mehrerer Druckereien und Herausgeber klassischer, religiöser und geschichtlicher Werke. Von früh an unterhielt er freundschaftliche Beziehungen zu Martin Luther (s. d.), den er über die kirchlichen Verhältnisse und die theologischen Anschauungen der Straßburger Pfarrer laufend unterrichtete. Luther wandte sich schon von der Wartburg aus an ihn, machte ihn später zum Paten seines ältesten Sohnes und stellte ihm 1528 ein glänzendes Zeugnis aus. Auch mit Philipp Melanchthon (s. d.) und Johannes Bugenhagen (s. d.), Martin Bucer (s. d.) und Kaspar Hedio (s. d.) verkehrte G. Johann Schwebel (s. d.), der Reformator von Zweibrücken, stand bis zu seinem Tod mit ihm in regelmäßigem vertrautem Briefwechsel. In der Abendmahlslehre war G. strenger Lutheraner und ist bekannt als eifriger Förderer lutherischer Reformation in Straßburg. Er verfaßte drei Streitschriften gegen Thomas Murner, (s. d.). Lange hat man G. »Eccius dedolatus« zugeschrieben; aber als Hauptverfasser dieser Satire gegen Dr. Johann Eck (s. d.) gilt Fabius Zonarius aus Goldberg (Schlesien), ein Schüler und Freund Ulrichs von Hutten (s. d.).

Lit.: Melchior Adam, Vitae jureconsultorum, Heidelberg 1620, 133 ff.; – Timotheus Wilhelm Röhrich, Gesch. der Ref. im Elsaß und bes. in Straßburg, 3 Bde., 1829–32; – André Jung, Gesch. der Ref. in Straßburg I, 1830, 195 ff.; – Auguste-Frédéric Liebrich, N. G., Jurisconsulte-Théologien du temps de la Réformation (Diss. Straßburg), 1857; – Adalbert Horawitz, Analekten z. Gesch. des Humanismus in Schwaben, Wien 1877, 49 ff. 55 ff.; – Joseph v. Aschbach, Gesch. der Wiener Univ. I. Jh. ihres Bestehens II, 1878, 316 ff.; – Adolf Büchle, Der Humanist N. G. aus Pforzheim, in: Beil. z. Progr. des Pro- u. Realgymn. Durlach, 1886; – Charles Schmidt, Répertoire bibliographique Strasbourgeois II, 1893; – Heinrich Heidenheimer, Der Humanist N. G. in Mainz, in: Korr.bl. der Westdt. Zschr. f. Gesch. u. Kunst 15, 1896, 184 ff.; – Conrad Varrentrapp, N. G. Ein Btr. z. Gesch. des wiss. Lebens in Straßburg im 16. Jh., in: Straßburger Festschr. zur 46. Versmlg. dt. Philologen u. Schulmänner, 1901, 221 ff.; – Wilhelm Horning, Der Humanist Dr. N. G., Förderer luth. Ref. in Straßburg, 1918; – Paul Merker, Der »Eccius dedolatus« u. anderer Ref.dialoge (N. G.), 1923 (mit G.-Biogr. u. Lit.); – ZBlfBibl 41, 1924, 4 ff. (über G.s Beteiligung an den »Epistolae obscurorum virorum«); – Hans Rupprich, Der »Eccius dedolatus« u. sein Verf., Wien 1931; – J. Rott, L'humaniste N. G. et son diaire, in: Bulletin philologique et historique 1946/47, Paris 1950, 69 ff.; – Schottenloher I, Nr. 7005–7010; V, Nr. 46451 f.; VII, Nr. 54752 f.; – Sitzmann I, 590 f.; – ADB VIII, 716 ff.; – NDB VI, 249 f.; – LThK IV, 710.

GERBER, Christian, Erbauungsschriftsteller und Kirchenliederdichter, * 27. 3. 1660 als Pfarrerssohn in Görnitz bei Borna (Sachsen), † 25. 5. 1731 in Lockwitz. – G. studierte in Jena und Leipzig, war eine Zeitlang Hauslehrer in Dresden und erwarb 1684 in Wittenberg die Magisterwürde. Er wurde 1685 Pfarrer in Roth-Schönberg und führte, durch Philipp Jakob Spener (s. d.) dazu angeregt, die Katechismusübungen ein. Seit 1690 wirkte er als Pfarrer in Lockwitz. – Von den Liedern G.s fand weitere Verbreitung: »Wohl dem, der Gott zum Freunde hat«, zuerst in seiner »Christlichen Hausmusik« erschienen, Dresden 1698.

Werke: Geheimnisse des Reiches Gottes (Evv.postille); Geistl. Himmelswagen gottsel. Alten (Kommunionbüchlein); Unerkannte Wohltaten Gottes in der Ober- u. Unterlausitz, 1720 (mit mehreren seiner Lieder); Unerkannte Sünden der Welt I, 1692; II, 1703; III, 1706; Historie der Wiedergeborenen in Sachsen oder Exempel solcher Personen, mit denen sich im Leben oder im Tode viel Merkwürdiges zutrugen, 4 Bde., 1725/26 (wurde durch die beiden letztgenannten Werke berühmt, aber auch ihretwegen viel angefochten).

Lit.: Johann Georg Walch, Hist. u. theol. Einl. in die Rel.streitigkeiten in der ev.-luth. Kirche V, 1739, 1177 ff.; – Koch IV, 275 ff.; – ADB VIII, 718 f.

GERBERT *von Aurillac* s. SILVESTER II.

GERBERT, Martin (Taufnamen: Franciscus Dominicus Bernardus), Benediktiner, Fürstabt von St. Blasien, * 11. 8. 1720 (getauft: 12. 8.) in Horb am Neckar als Sohn eines Kaufmanns, † 13. 5. 1793 in St. Blasien (Schwarzwald).– Nach Besuch der Jesuitenschulen in Freiburg/Breisgau und in Klingnau (Kt. Aargau) wurde G. 1736 Novize bei den Benediktinern in St. Blasien, legte 1737 seine Profeß ab und empfing nach philosophisch-theologischen Studien 1744 die Priesterweihe. Fürstabt Meinrad Troger (s. d.) ernannte ihn 1755 zum Bibliothekar und bald zum Professor der Philosophie und Theologie. In diesen Jahren wurde G. Wissenschaftler. Seine wissenschaftliche und literarische Tätigkeit galt in der theologischen Epoche von 1750–59 der Reform des theologischen Studienbetriebs und der Ausarbeitung der methodologischen Einführungsschriften wie einer Gesamtdarstellung der Theologie in einer Anzahl von Lehrbüchern. Auf ausgedehnten Studienreisen 1759–63 durch Deutschland, Italien und Frankreich sammelte er ein riesiges Quellenmaterial für seine liturgiegeschichtlichen und musikgeschichtlichen Arbeiten. 1764 wurde G. zum 46. Abt von St. Blasien gewählt. Unter seiner Leitung erfuhr das Kloster in seiner jahrhundertealten Geschichte eine letzte Spätblüte. G. gehört zu den landesgeschichtlich bedeutendsten Persönlichkeiten im südwestdeutschen oberrheinischen Raum. Als Abt blieb er den Wissenschaften treu, ohne im geringsten die Aufgaben der Verwaltung und Regierung der umfangreichen Klosterherrschaft zu vernachlässigen. Er war ein erfolgreicher Verwaltungsmann, ein vorzüglicher Diplomat und ein gewissenhafter Seelsorger. 1774 schloß G. seine Arbeiten über die Geschichte der Kirchenmusik ab, ein Werk, das für die Kenntnis der mittelalterlichen Musik grundlegend ist. Seine liturgiegeschichtlichen Forschungen haben nahezu gleiche Bedeutung. Obwohl er ein treuer österreichischer Reichsvasall war und in guten Beziehungen zu Österreich stand, protestierte G. im Namen der breisgauischen Äbte bei Maria Theresia und nach ihrem Tod 1780 bei Joseph II. und Leopold II. gegen die kirchenpolitischen Gesetze der Wiener Regierung, da diese die Klöster in ihrer Existenz bedrohten. 1768 fiel das Kloster mit der Kirche einem verheerenden Brand zum Opfer. Nach fünf Vierteljahren stand das neue Kloster. Die Kirche ließ G. in klassizistischem Stil völlig neu errichten als einen Rundtempel und weihte den Neubau 1783 ein.

Werke: Principia theologiae, 8 Bde., 1757–59; De legitima ecclesiastica potestate, 1761; Iter alemannicum, accedit italicum et gallicum, 1765 (1773²; dt. 1767); De cantu et musica sacra a prima ecclesiae aetate usque ad praesens tempus, 2 Bde., 1774; Vetus Liturgia alemannica, disquisitionibus, praeviis, notis et observationibus illustrata, 2 Bde., 1776; Monumenta Veteris Liturgiae alemannicae, 2 Bde., 1777–79; Historia Nigrae Sylvae, 3 Bde., 1783–88; Scriptores ecclesiastici de musica sacra potissimum, 3 Bde., 1784; De Rudolpho Suevico, 1785; De sublimi in Evangelio Christi juxta divinam Verbi incarnati oeconomiam, 3 Bde., 1793.
Lit.: Joseph Bader, Fürstabt M. G. v. St. B. Ein Lb., 1875; – Georg Pfeilschifter, Fürstabt M. G. v. St. B., 1912; – Ders., Die St. Blasian. Germania sacra, 1921; – Die Korr. des Fürstenabts M. II. G. v. St. B., bearb. v. dems., 2 Bde., 1931–34; – Ludwig Schmieder, Das Benediktinerkloster St. Blasien. Eine baugeschichtl. Stud., 1929; – Chrysostomus Großmann, Fürstabt M. G. als Musikhistoriker, in: KmJb 27, 1932, 123; – Alfons Deißler, Fürstabt M. G. v. St. B. u. die theol. Methode. Eine Stud. z. dt. Theol.gesch. des 18. Jh.s, 1940; – Ders., Fürstabt M. G. v. St. B.

u. die HS, in: BM 47, 1971, 393 ff.; – Joseph Bayer, Die Stellung M. G.s in der Gesch. der Liturgieforsch. u. der liturg. Bewegung (Diss. Freiburg/Breisgau, 1942), o. O. 1943; – Annemarie Cloer, Fürstabt M. G. u. der Streit um die Verfassung der röm.-kath. Kirche in der 2. Hälfte des 18. Jh.s (Diss. Münster), 1949; – A. Lederle, Die Abstammung des Fürstabts M. II. v. St. B., in: Bad Heimat 36, 1956, 291 ff.; – Briefe u. Akten des Fürstabts M. II. G. v. St. B. 1764–1793. Nach Vorarbeiten v. Georg Pfeilschifter u. Arthur Allgeier bearb. v. Wolfgang Müller. I: Polit. Korr., 1782–1793, 1957; – II: Wiss. Korr., 1782 bis 1793, 1962; – Ders., M. G. im Umbruch seiner Zeit, in: MB 47, 1971, 105 ff.; – Ders., M. G. u. die gute Beth v. Reute, in: StMBO 82, 1971, 379 ff.; – Franz Hilger, Fürstabt M. G. v. St. B., in: Ekkhart. Jb. f. das Badener Land, 1968, 100 ff.; – Ursmer Engelmann, M. G., Abt. v. St. B., zu seinem 250. Geb., in: BM 46, 1970, 352 ff.; – Maurus Pfaff, Fürstabt M. G. u. die Musikhistoriogr. im 18. Jh., ebd. 47, 1971, 108 ff.; – Biogr. Wb. z. dt. Gesch. I², 1973, 876 f.; – Elisabeth Hegar, Die Anfänge der neueren Musikgesch.schreibung um 1770 bei G., Burney u. Hawkins (Diss. Freiburg/Breisgau), Straßburg 1932; – ADB VIII, 725 ff.; – NDB VI, 257 ff.; – Wurzbach V, 149 ff.; – MGG IV, 1783 ff.; – Riemann I, 608 f.; – ErgBd. I, 414; – DThC VI, 1294 ff.; – EC VI, 94 f.; – LThK IV, 710 f.; – RGG II, 1401 f.

GERHARD *von Borgo San Donnino* (jetzt: Fidenza bei Parma), Franziskaner, † um 1276. – G. studierte in Paris und veröffentlichte dort 1254 den »Liber introductorius in evangelium aeternum« als Einleitung zu den drei Hauptschriften des Joachim von Fiore (s. d.). Er erklärte diese für das »Ewige Evangelium« (Apk 14, 6) und die Franziskaner-Spiritualen für den von Joachim verkündeten neuen Orden. Auf Grund der Untersuchungen durch die von Alexander IV. (s. d.) in Anagni eingesetzte Kommission verurteilte der Papst am 23. 10. 1255 den »Liber introductorius«, und G. wurde von seinem Orden zu lebenslänglichem Kerker in seiner sizilianischen Heimatprovinz verurteilt.

Lit.: Friedrich Heinrich Suso Denifle, in: ALKGMA 1, 1885, 49 ff. (99 ff.: Text des Protokolls v. Anagni); – Ders., Chartularium universitatis Parisiensis I, Paris 1889, 272 ff.; – Guido Bondatti, Gioachinismo Francesanesmo nel Dugento, Porziuncula 1924, 63 ff.; – Herbert Grundmann, Stud. über Joachim v. Floris, 1927, 15 f. 103. 162. 185; – Alois Dempf, Sacrum imperium, München 1929 (Darmstadt 1954), 303 ff.; – Ernst Benz, Ecclesia spiritualis. Kirchenidee u. Gesch.theol. der franziskan. Reform, 1934, 244 ff.; – Joseph Ratzinger, Die Gesch.theol. des hl. Bonaventura, 1959; – MG SS XXXII, 236 f. 455 f. 458; – EC VI, 85; – LThK IV, 719 f.

GERHARD *von Brogne*, Klosterreformer, Heiliger, * um 885 in Staves (Diözese Namur), † 3. 10. 959 in Brogne bei Namur. – In seiner Jugend stand G. im Dienst des Grafen Berengar von Namur. Auf seinem Grundbesitz in Brogne erbaute er 914 eine Kirche und ein Stift für Kanoniker. G. trat 918/19 als Mönch in die Abtei St. Denis (nordöstlich von Paris) ein. Er lernte den ganzen Psalter, durchforschte die »sacri codices« und wurde der »scripta doctorum« kundig. Nach seiner Presbyterweihe kehrte G. etwa 923 nach Brogne zurück, wo er das Kanonikat in ein Benediktinerkloster umwandelte und als dessen Abt wirkte. Das nach ihm benannte Kloster, dem G. aus St. Denis Reliquien des Eugen von Toledo (s. d.) verschaffte, wurde zum Mittelpunkt der niederlothringischen und flämischen Klosterreform des 10. Jahrhunderts. Im Auftrag des Herzogs Giselbrecht von Lothringen und des Grafen Arnulf von Flandern hat G. 18 Klöster nach streng benediktinischen Grundsätzen reformiert. – G. wird seit 1131 als Heiliger verehrt. Sein Fest ist der 3. Oktober.

Lit.: P. Günther, Das Leben des hl. G., 1877; – Adolphe Servais, Essai sur la vie de St. G., Namur 1775; – Walter Schultze, G. v. B. u. die Klosterreform in Nieder-Lothringen u. Flandern, in: Forsch. z. dt. Gesch. 25, 1885, 243 ff.; – Ursmer Berlière, Monasticon Belge I, Maredsous 1890–97, 28 ff.; – Étude sur la Vita Gerardi Broniensis, in: RBén 9, 1892, 157 ff.; – Ders., Ernst Sackur, Die Cluniacenser in ihrer kirchl. u. allg.geschichtl. Wirksamkeit bis z. Mitte des 11. Jh.s I, 1892, 121 ff. 366 ff.; – Bruno Albers, Unterss. zu den ältesten Mönchsgewohnheiten, 1905, 9 ff.; – Étienne Sabbe, Deux points concernant l'histoire de l'abbaye de St-Pierre du Mont-Blandin (Xᵉ–XIᵉ siècles), in: RBén 47, 1935, 52 ff.; – Ders., Étude critique sur la biographie et la réforme de G. de B., in: Mélanges Félix Rousseau. Études sur l'histoire du pays mosan au moyen âge, Brüssel 1958, 497 ff.; – M. Dierickx, Der hl. G. v. B., in: Ons geestelijk erf 1, Antwerpen 1944, 48 ff.; – Édouard Moreau, Histoire de l'Église en Belgique dès origines aux débuts du XIIᵉ siècle II, Brüssel 1945², 142 ff.; – A. Hodüm, in: Collationes Brugenses 41, Brügge 1945, 134 ff. 341 ff.; – François Louis Ganshof, Note sur une charte de S. G. pour l'église de B., in: Études d'histoire et d'archéologie namuroises dédiées à Ferdinand Courtoy, I, Namur 1952, 219 ff.; – Gerhard Oesterle, Zum 1000j. Todestag des hl. G. v. B., in: BM 35, 1959, 393 ff.; – Kongreß anläßlich der 1000-J.feier z. Tode des hl. G. v. B. v. 1.–3. 10. 1959 in Maredsous, in: RBén 70, 1960 (Sondernr.); – J. M. de Smet, Recherches critiques sur la Vita G. abbatis Broniensis, ebd. 5–61; – J. Wollasch, G. v. B. u. seine Klostergründung, ebd. 62 ff.; – Albert D'Haenens, G. de B. à l'abbaye de Saint-Ghislain (931–941), ebd. 101 ff.; – Vita Gerardi, in: MG SS XV, 654 ff.; – AS II Oct., 220 ff.; – AS OSB V, 248 ff.; – Zimmermann III, 132 ff.; – Schmitz I, 148 f. u. ö.; – Wattenbach-Holtzmann I, 112. 133 ff.; – Hauck III, 349 ff.; – VSB X, 58 ff.; – BS VI, 178 ff.; – Wimmer³ 239; – Torsy 186; – Catholicisme IV, 1866 f.; – DHGE X, 818 ff.; – LThK IV, 720; – NCE VI, 376; – RE VI, 553 f.; XXIII, 552; – RGG II, 1412.

GERHARD, zweitältester Bruder des Bernhard von Clairvaux (s. d.), Zisterzienser, Seliger, † 13. 6. 1138 in Clairvaux bei Troyes. – G. wurde bei einer Belagerung schwer verwundet und gefangen. Nachdem er aus dem Kerker wundersam entkommen war, trat G. mit vier seiner Brüder 1112 in das strenge Reformkloster Cîteaux bei Dijon ein, das Stammkloster des 1098 gestifteten Zisterzienserordens. Er war einer der zwölf Mönche, mit denen sein Bruder Bernhard als Abt 1115 zur Gründung des Klosters Clairvaux ausgesandt wurde. G. übte dort das Amt des »Cellerars« aus. Sein Fest im Zisterzienserorden ist der 30. Januar.

Lit.: Elphegius Vacandard, Vie de St. Bernard, dt. v. Matthias Sirp, Der hl. Bernhard, II, 1898, 50 ff.; – Les Fragments de Vita et Miraculis S. Bernardi, in: AnBoll 50, 1932, 83 ff.; – Seraphinus Lenssen, Hagiologium Cisterciense I, Tilburg 1948, 64 ff.; – MPL 183, 903 ff. (Bernhard widmete im sermo 26 über das Hhld seinem Bruder G. einen tiefempfundenen Nachruf); – AS Jun. III, 192 f.; – Zimmermann I, 144 f.; – LThK IV, 720.

GERHARD, Johann, luth. Theologe, * 17. 10. 1582 in Quedlinburg als Sohn eines Ratskämmerers und Schatzmeisters, † 17. 8. 1637 in Jena. – Johann Arndt (s. d.) gewann G. für den geistlichen Beruf. G. bezog 1599 die Universität Wittenberg und wandte sich unter dem Einfluß eines Verwandten dem Medizinstudium zu, das er nach zwei Jahren aufgab, um nun in Jena Theologie zu studieren. G. setzte 1604 sein Studium in Marburg fort, wo besonders Balthasar Mentzer der Ältere (s. d.) starken Einfluß auf ihn ausübte, und kehrte 1605 nach Jena zurück. Herzog Johann Kasimir von Coburg berief G. 1606 zum Superintendenten von Heldburg. Er leitete 1613 die Visitationen in Thüringen und Franken. 1615 wurde G. Generalsuperintendent in Coburg und verfaßte 1615 im Auftrag seines Fürsten eine Kirchenordnung. Seit 1616 wirkte er in Jena als Professor der Theologie. – G. ist der bedeutendste Vertreter der lutherischen Orthodoxie.

Werke: Loci theologici, 9 Bde., 1610–22 (die bedeutendste orthodoxe Dogmatik; Neuausg. v. Johann Friedrich Cotta, 1762 ff., v. Ed. Preuß, 1863 ff., 1885²; Übers. v. K.F., 1906 ff.); Confessio catholica, 4 Bde., 1634–37 (Konfessionskunde in Form v. Apologie u. Polemik; Harmonia Evangelistarum, 1626/27 (voll. v. Martin Chemnitz u. Polykarp Leyser); Meditationes sacrae ad veram pietatem excitandam, 1606 (Erbauungsbuch mit 51 Betrachtungen, das aus Augustin, Bernhard, Anselm u. Tauler schöpft; neu dargeb. von Karl Kindt, Vom Kampf u. Trost der angefochtenen Christenheit, 1937); Exercitium pietatis quotidianum, 1612. 1615 (Gebetbuch); Methodus studii theologici, 1620;

Schola pietatis, 1622/23 (Korrektur des »Wahren Christentums« v. Johann Arndt); Disputationes isagogicae, 1634.

Lit.: Erdmann Rudolf Fischer, Vita J. G., Leipzig 1723; – Wilhelm Gaß, Gesch. der prot. Dogmatik I, 1854, 246 ff.; – Carl Julius Boettcher, Das Leben D. J. G.s, 1858; – August Tholuck, Lebenszeugen der luth. Kirche, 1859, 177 ff.; – Gustav Frank, Gesch. der prot. Theol. I, 1862, 371 ff.; – Ernst Troeltsch, Vernunft u. Offb. bei J. G. u. Melanchthon. Unters. z. Gesch. der altprot. Theol. (Diss. Göttingen), 1891; – Georg Carl Bernhard Berbig, D. J. G.s Visitationswerk in Thüringen u. Franken (Diss. Leipzig), 1896; – Renatus Hupfeld, Die Ethik J. G.s. Ein Btr. z. Verständnis der luth. Ethik, 1908; – Hans Leube, Die Reformideen in der dt. luth. Kirche z. Z. der Orthodoxie, 1924, bes. 110 ff.; – Friedrich Schenke, Stud. z. Kirchengedanken des Luthertums. I: Der Kirchengedanke J. G.s u. seine Zeit, 1931; – Ernst Uhl, Die Sozialethik J. G.s, 1932; – J. T. Mueller, J. G. als luth. Kirchenlehrer, in: Concordia theological monthly 8, St. Louis 1937, 592 ff.; – Wilhelm Burkert, J. G. als Erbauungsschr.steller (Diss. Breslau), 1939; – R. Fraenkel, Enquête sur l'épistémologie théologique d'après les »Loci theologici« de J. G. (Diss. Faculté libre de théologie protestante, Paris), 1948; – Bengt Hägglund, Die HS u. ihre Deutung in der Theologie J. G.s. Eine Unters. über das altluth. Schr.verständnis (Diss. Lund), 1951; – Georg Hoffmann, Die Fragen der KO in der Theol. J. G.s, in: ELKZ 10, 1956, 226 ff.– Johannes Wallmann, Der Theol.begriff bei J. G. u. Georg Calixt, 1961; – Robert P. Scharlemann, Thomas Aquinas and J. G., New Haven u. London 1964; – Louis Bouyer, La spiritualité orthodoxe et la spiritualité protestante et anglicane, Paris 1965, 139 ff.; – Martin Honecker, Die Kirchengliedschaft bei J. G. u. Robert Bellarmin, in: ZThK 62, 1965, 21 ff.; – Ders., Cura religionis magistratus Christiani. Stud. z. KR im Luthertum des 17. Jh.s, insbes. bei J. G., 1968 (Rez. v. Christoph Link, in: ZevKR 14, 1968–69, 414 ff.; v. Ingmar Brohed, in: Kyrkohistorisk aarsskrift 70, Uppsala – Stockholm 1970, 238. 240–242); – Hermann Strathmann, Die Krisis des Kanons der Kirche. J. G.s u. Johann Salomo Semlers Erbe, in: Das NT als Kanon. Dokumentation u. krit. Analyse z. ggw. Diskussion. Hrsg. v. Ernst Käsemann, 1970, 41 ff.; – Konrad Stock, Annihilatio mundi. J. G.s Eschatologie der Welt, 1971 (Rez. v. Hans Riniker, in: Kirchenbl. f. die ref. Schweiz 128, Basel 1972, 76 f.); – Biogr. Wb. z. dt. Gesch. I², 1973, 877; – Ritschl I, bes. 166 ff. 396 ff.; – Elert; – ADB VIII, 767 ff.; – NDB IV, 281; – RE VI, 554 ff.; – RGG II, 1412 f.; – EKL I, 1507 f.; – DSp VI, 300 ff.; – Catholicisme IV, 1880; – LThK IV, 724; – ODCC² 559.

GERHARD MAJELLA, Heiliger, * 23. 4. 1726 in Muro Lucano (östlich von Neapel), † 16. 10. 1755 im Kloster Caposele bei Neapel. – G. erlernte das Schneiderhandwerk und war 1741–44 Diener des Bischofs von Lacedogna. Er wurde 1749 Laienbruder bei den Redemptoristen in Iliceto und wirkte segensreich als Pförtner, Küster und Begleiter der Patres, mystisch hoch begnadet und durch Wunder im Leben und nach dem Tod verherrlicht. G. wurde am 29. 1. 1893 selig- und am 11. 12. 1904 heiliggesprochen. Sein Fest ist der 16. Oktober.

Lit.: C. Berruti, Vita del Ven. Servo di Dio G. M., Neapel 1847; – F. Kuntz, G. M., Tournai 1878; – Revelli, G. M., Genua 1901; – Cl. Benedetti, G. M., Rom 1904; – Joseph Alois Krebs, Der hl. G. M., Laienbruder aus dem Redemptoristenorden kurz dargest. in seinem Leben u. seiner wundertätigen Fürbitte, 1905¹¹; – Dunoyer, G. M., 1905; – Johann Kox, St. G.s Büchlein. Leben u. Wirken des hl. Laienbruders G. M. aus dem Redemptoristenorden, 1916¹⁶; – Karl Dilgskron, Leben des hl. G. M., 1923⁷; – Lettere e Scritti di S. G. M., Materdomini 1949; – John Carr, To Heaven Through a Window. St. G. M., New York 1949; – D. De Felipe, S. G. M., Madrid 1954; – Erwin Görlich, Von Gott erfüllt. Leben u. Sterben des hl. Redemptoristenbruders G. M. zu seinem 200. Todestage am 16. 10. 1955. Hl. u. Helfer, 1955; – Spicilegium historicum CSSR III, Rom 1955, 498 ff.; – Nicola Ferrante, Storia meravigliosa di S. G. M., ebd. 1955 (1959²); – Meulemeester, II, 265 f.; III, 345; – BS VI, 192 ff.; Wimmer³ 239; – Torsy 186; – EC VI, 90 ff.; – LThK IV, 1291; – NCE IX, 90 f.

GERHARD *Sagredo,* Bischof von Csanád (heute: Szerb Csanád), östlich von Szegedin, Märtyrer, Heiliger, * in Venedig, † 24. 9. 1046 in Ofen (Budapest). – G. war Benediktinermönch und Abt in San Giorgio Maggiore in Venedig und kam auf der Pilgerfahrt ins Heilige Land um 1015 nach Ungarn. König Stephan I., der Heilige (s. d.), berief ihn zum Erzieher seines Sohnes Emerich. 1023 zog sich G. in das Benediktinerstift Bakony-Beel zurück. Er wurde um 1030 der erste

Bischof von Csanád in Maroswar (Maroschburg) und organisierte die Diözese mit Hilfe von Benediktinern. Auch unter den beiden heidnischgesinnten Nachfolgern Stephans I. verwaltete G. das Bistum, bis er von einer feindlichen Rotte durch Steinwürfe und Lanzenstiche ermordet wurde. G. wurde 1083 heiliggesprochen. Sein Fest ist der 24. September.

Lit.: Ludwig Crescens Dedek, Leben des hl. G., Budapest 1900; – Kaindl, in: AÖG 91, 1902, 1 ff.; – Germain Morin, Un théologien ignoré du XIe siècle: L'évêque-martyr G. de C., in: RBén 27, 1910, 516 ff.; – Joh. Karácsonyi, G., Budapest (1887) 1925²; – Coloman Juhász, Die Stifte der Tschanader Diöz., 1927, 28 ff.; – Ders., Die Beziehungen der »Vita Gerardi maior« z. »Vita minor«, in: RBén 47, 1929, 129 ff.; – Ders., G. der Hl., Bisch. v. Maroschburg, ebd. 48, 1930, 1 ff.; – Ders., Das Tschanad-Temesvarer Bist., 1030–1307, 1930; – Wilhelm Hünermann, Der endlose Chor. Ein Buch v. den Hll. f. das christl. Haus, 1960⁸, 550 ff.; – H. Barré, L'oeuvre mariale de S. G. de C., in: Marianum 25, 1963, 292 ff.; – Gabriel Silagi, Unterss. z. »Deliberatio supra hymnum trium puerorum« des G. v. Csanád (Diss. München), 1967; – Zimmermann III, 86 ff.; – AS Sept. VI, 713 ff.; – BS VI, 184 ff.; – Wimmer³ 238 f.; – Künste 279; – Catholicisme IV, 1868 f.; – LThK IV, 721; – RE VI, 561.

GERHARD *von Sauve-Majeure*, Stifter der Benediktinerkongregation von Sauve-Majeure, Heiliger, * um 1025 in Corbie/Somme (Pikardie), † 5. 4. 1095. – G. wurde Mönch in Corbie und 1075 Abt von St. Vincent in Laon. Er gründete 1079 das Kloster Sauve-Majeure bei Bordeaux, das der Mittelpunkt einer gleichnamigen Kongregation von etwa 70 Benediktinerklöstern wurde. Coelestin III. (s. d.) sprach G. 1197 heilig. Sein Fest ist der 5. April und 13. Oktober (Translatio).

Lit.: Abbé Cirot de la Ville, Histoire de la Congrégation de Notre Dame de la Grande Sauve, 2 Bde., Bordeaux 1844 (1869²); – P. Moniquet, Saint Gérard de l'ordre de S. Benoît, fondateur de la ville et de la congrégation bénédictine de la Sauve, Paris 1895; – Lawrence Henry Cottineau, Répertoire topo-bibliographique des abbayes et prieurés I, Mâcon 1935, 1324 ff.; – AS Apr. I, 414 ff. 423 ff.; – VSB IV, 106 ff.; – Catholicisme IV, 1869 f.; – EC VI, 90; – LThK IV, 722; – RE VI, 561.

GERHARD *von Toul*, Bischof, Heiliger, * 935 in Köln, † 23. 4. 994 in Toul. – Seine Bildung erwarb G. an der Domschule in Köln. Nach dem Tod seiner Mutter, die der Blitz erschlagen hatte, trat er in den geistlichen Stand und zeichnete sich aus durch strenge Askese und eifriges Streben nach Vollkommenheit. Otto I. ernannte auf Vorschlag seines Bruders, des Erzbischofs Bruno (s. d.) von Köln, G. zum Bischof von Toul, der am 3. 3. 963 in Trier die Weihe empfing. Er begann den Neubau der Stephanskathedrale in Toul, die 1081 geweiht wurde, und gründete das dortige Nonnenkloster St. Gengoul, das 986 Kollegiatstift wurde. Während der schweren Hungersnot und Pestzeit des Jahres 981 bewährte sich G. als aufopfernder Oberhirt seiner Diözese. Leo IX. (s. d.) sprach G. 1050 heilig. Sein Fest ist im Erzbistum Köln der 23. April und im Bistum Nancy-Toul der 24. April.

Lit.: Vita v. Abt Widrich v. St. Mansuet, in: MG SS IV, 485 ff.; – AS Apr. III, 206 ff.; – BHL I, Nr. 3431–34; – Benoît Picard, La vie de St. G., évêque de Toul, Toul 1700; – Revue de l'art chrétien 3, Paris 1885, 437 ff.; – Ernst Sackur, Die Cluniacenser in ihrer kirchl. u. allg.geschichtl. Wirksamkeit bis z. Mitte des 11. Jh.s II, 1894, 114 ff.; – Eugène Martin, Histoire des diocèse de Toul, Nancy et St. Dié I, Nancy 1900, 159 ff.; – Mathilde Uhlirz, Jbb. Ottos III., 1954, 7. 19. 28 f. 38 f. 178; – Anton Michel, Die Akten G.s v. T. als Werk Humberts u. die Anfänge der päpstl Reform (1028–1050), 1957; – Hauck III, 1062 u. ö.; – Wattenbach-Holtzmann I, 188 f.; – Hefele-Leclercq V, 741. 747 ff.; – BS VI, 190 ff.; – VSB IV, 596 ff.; – Wimmer³ 238 f.; – Torsy 187; – Catholicisme IV, 1870 f.; – LThK IV, 723; – RE VI, 561; – NDB VI, 270.

GERHARDINGER, Karolina (Ordensname: Maria Theresia von Jesus), Gründerin und 1. Generaloberin der »Armen Schulschwestern von Unserer Lieben Frau«, * 20. 6. 1797 in Stadtamhof bei Regensburg als Tochter eines Schiffsmeisters, † 9. 5. 1879 in München. – Der Dompfarrer und spätere Bischof von Regensburg Georg Michael Wittmann (s. d.) bereitete K. G. für das klösterliche Leben vor und beauftragte sie, eine zeitgemäße Kongregation nach der Regel der »Chorfrauen de Notre Dame« für Erziehung und Unterricht der weiblichen Jugend zu gründen. Sie eröffnete 1833 in Neunburg vorm Wald (Oberpfalz) das erste Haus der »Armen Schwestern de Notre Dame« (U. L. F.). Das klösterliche Institut wurde 1834 landesherrlich und 1854 päpstlich genehmigt. König Ludwig I. von Bayern schenkte der jungen Genossenschaft 1843 im »Angerkloster« in München ein geeignetes Mutterhaus. Die Kongregation erlebte eine rasche Verbreitung über ganz Deutschland und in 13 Staaten Europas. Die Schulschwestern kamen 1847 nach den USA, 1937 nach Brasilien und 1939 nach Argentinien und folgten nach dem 2. Weltkrieg dem Ruf nach Japan, Bolivien, Guatemala und Honduras. Sie betreuen mehr als 400 000 Schüler in Volks-, Mittel- und höheren Schulen, in Berufsfachschulen, Lehrgängen und Kursen, in sozialen und karitativen Einrichtungen, auf Seelsorgehilfeposten in der Diaspora und in der nordischen und lateinamerikanischen Mission. Das Mutterhaus wurde 1944 völlig zerstört. Nach dem Wiederaufbau 1957 wurde das Generalat der Kongregation nach Rom verlegt. – Als K. G. starb, zählte die Kongregation bereits mehr als 3 000 Mitglieder. Der Bestand von 1964 wird angegeben mit 20 Provinzen, 938 Niederlassungen mit 11 537 Mitgliedern. – Der Seligsprechungsprozeß wurde 1928 eingeleitet.

Lit.: Franz Sebastian Job, Geist der Verfassung des rel. Ver. der Armen Schulschwestern der N. D., 1836; – Die Armen Schulschwestern, 1846; – Die Armen Schulschwestern. Ihr Entstehen, inneres Leben u. Wirken, hrsg. vom einem kath. Geistl., 1854; – Chrysostomus Stangl, Die Bayer. Schulschwestern, 1875; – Max Heimbucher, Die Armen Schulschwestern der N. D., in: Mitt. der Ges. f. dt. Erziehungs- u. Schulgesch., 1907; – Friedrich Frieß, Leben der ehrw. Mutter Maria Theresia v. Jesus, 1907; – M. K. Gietl, M. Maria Theresia v. Jesus, 1921; – Konstantin Kempf, Die Hl.keit der Kirche im 19. Jh., Einsiedeln 1928⁸, 416 ff.; – Mother C. and the Schoolsisters of Notre Dame in North-America, 2 Bde., St. Louis 1928; – Johannes Walterscheid, Dt. Hll. Eine Gesch. des Reiches im Leben dt. Hll., 1934, 436 ff.; – Maria Liobgid Ziegler, Die Armen Schulschwestern v. U. L. Fr. Ein Btr. z. bayer. Bildungsgesch., 1935; – Dies., Mutter Th. v. J. G. Ihr Leben u. ihr Werk, 1950; – Albert Köhler – Josef Sauren, Kommende dt. Hll. mäßige Dt. aus jüngerer Zeit, 1936, 72 ff.; – Ludwig Rosenberger, Bavaria sancta. Bayer. Hll.legende, 1948, 299 ff.; – Elisabeth Kawa, Mutter u. Magd . . ., 1958; – M. Dolorita Mast, Through C.'s Consent. Life of Mother T. of J. G. Foundress of the School Sisters of Notre Dame, Baltimore 1958; – Heimbucher I³, 465 ff.; – BS VI, 217 ff.; – Torsy 523; – NDB VI, 281 f.; – EC VI, 111; – LThK IV, 724; – NCE VI, 383.

GERHARDT, Carl, ev. Kirchenmusiker, * 1. 4. 1900 in Straßburg (Elsaß) als Sohn eines Universitätsprofessors der Medizin, seit Ende April 1945 als Soldat bei den Straßenkämpfen in Berlin vermißt. – G. besuchte die Volksschule in Jena und Basel sowie das humanistische Gymnasium in Basel und Würzburg. Er widmete sich dem Studium der Philologie und Naturwissenschaft, ging aber nach 5 Semestern ganz zur Musik über und studierte seit 1920 am Staatskonservatorium Würzburg, das er 1924 mit dem Reifezeugnis für Komposition und dem Berechtigungszeugnis für den Unterricht an höheren Lehranstalten verließ. Als Chordirektor am Stadttheater in Würzburg begann G. seine musikalische Laufbahn. 1925–28 war er Musiklehrer am Landerziehungsheim Schondorf am Ammersee und an den Hermann-Lietz-Schulen Buchenau und Spiekeroog. Darauf besuchte G. die Staatliche Musikhochschule Berlin und studierte 1930–33 an der Universität Musikwissenschaft. Seit 1930 widmete er sich mit besonderer Liebe der Kirchenmusik und bestand 1936 in Berlin die große kirchenmusikalische Prüfung. 1942 promovierte er in Kiel. Seine Begegnung mit der Jugendmusikbewegung gab ihm starke Anregungen; so war G. 1928–31 Mitarbeiter von Fritz Jöde, besonders bei der Herausgabe der Chorbuchs. Seit 1931 wirkte er als wissenschaftlicher Mitarbeiter bei der Herausgabe des »Handbuchs der deutschen evangelischen Kirchenmusik« und 1930–33 als Kompositionslehrer an der Kirchenmusikschule in Berlin-Spandau und von 1934 bis Mai 1942 als Organist und Chordirigent der Ernst-Moritz-Arndt-Gemeinde in Berlin-Zehlendorf. – G. ist bekannt als Vertreter kirchenmusikalischer Erneuerungsbewegung.

Werke: Orchester- u. Bühnenmusik; Kammermusik; weltl. u. geistl. Vokalwerke, darunter eine Messe (nur Kyrie, Credo u. Sanctus) u. Choräle f. versch. Choralsmlg.en; Choralkantaten: Macht hoch die Tür; Wie soll ich dich empfangen; Mit Freud; Freud; Ach Gott u. Herr; Die güldne Sonne; Es geht daher des Tages Schein; Christe, du bist der helle Tag. – Die Torgauer Walter-Hss. Eine Stud. z. Qu.kunde der Musikgesch. der Ref.-zeit (Diss. Kiel, 1942), Kassel 1949; – Gemeinsam mit Konrad Ameln: Die dt. Gloria-Lieder, in: MGkK 43, 1938, 225 ff.; u.: Johann Walter u. die ältesten Dt. Passionshistorien, ebd. 44, 1939, 105 ff.

Lit.: Oskar Söhngen, C. G. Eine Gedenkrede, in: MuK 22, 1952, 87 f.; – Ders., Die Wiedergeburt der Kirchenmusik. Wandlungen u. Entscheidungen, 1953, 160 ff.; – Otto Brodde, Zum Gedenken an C. G., in: MuK 30, 1960, 104 ff.; – Walter Blankenburg, C. G., ebd. 40, 1970, 139; – Friedrich Blume, Gesch. der ev. Kirchenmusik, 1965², 291. 293. 316; – MGG IV, 1787 ff.; – Riemann I, 609; ErgBd. I, 415; – Moser I, 404.

GERHARDT, Paul, Kirchenliederdichter, * 12. 3. 1607 in Gräfenhainichen bei Wittenberg als Sohn eines Bürgermeisters, Ackerbauers und Gastwirts, † 27. 5. 1676 in Lübben (Niederlausitz). – G. verlor 1619 seinen Vater und 1621 seine Mutter, die Tochter des Superintendenten Kaspar Starcke in Eilenburg. Er trat im April 1622 in die Fürstenschule in Grimma ein und begann am 2. 1. 1628 mit dem Studium der Theologie in Wittenberg. G. hielt sich 1643 als Kandidat in Berlin auf und wohnte 1651 im Haus des Kammergerichtsadvokaten Andreas Berthold. Das erfahren wir aus zuverlässiger Quelle, während wir für den Zeitraum 1628–42 ohne jede Nachricht und darum nur auf Vermutungen angewiesen sind. G. wurde Ende 1651 Propst in Mittenwalde bei Berlin und Inspektor der umliegenden Landpfarreien und verheiratete sich am 11. 2. 1655 mit Anna Maria, der jüngsten Tochter des genannten Kammergerichtsadvokaten. Im Sommer 1657 kam er nach Berlin als Diakonus an St. Nikolai, in einer Zeit schwerer Lehrstreitigkeiten unter den lutherischen und reformierten Theologen und Predigern. Sie wurden dadurch verschärft, daß Friedrich Wilhelm, der Große Kurfürst, in seinem Bestreben, seinem Volk und Land den so notwendigen Kirchenfrieden zu verschaffen, die Verpflichtung der Pfarrer auf die »Konkordienformel« bei der Ordination aufhob, »das unnötige Eifern, Gezänk und Disputieren der Geistlichen auf den Kanzeln« verbot und seinen Landeskindern das Studium der Theologie und Philosophie in Wittenberg untersagte. G. arbeitete vorzügliche lutherische Gutachten aus für das von dem Großen Kurfürsten ausgeschriebene Religionsgespräch zwischen den lutherischen und reformierten Predigern Berlins. Es dauerte von Anfang September 1662 bis Ende Mai 1663, erweiterte aber nur noch den Riß, den es heilen sollte. G. konnte sich auf Grund seiner einstigen Verpflichtungen auf die Konkordienformel nicht dazu entschließen, durch Unterschrift die kurfürstliche Verordnung vom 16. 9. 1664 anzuerkennen, die unter Androhung der Amtsenthebung den Kirchenstreit verbot. G. wurde deswegen am 13. 2. 1666 seines Amtes entsetzt, aber am 9. 1. 1667 durch den Großen Kurfürsten wieder in sein Amt eingesetzt wegen der vielen Bittschriften und Bemühungen der Bürgerschaft und des Magistrats, der »Gewerke« und der märkischen Landstände. Er konnte seiner Wiedereinsetzung nicht recht froh werden, weil ihm die Unterschrift zwar erlassen war, der Kurfürst aber von ihm erwartete, daß er sich auch so den Verordnungen fügen werde. Darum nahm G. seine Amtsgeschäfte wohl wieder auf, aber noch nicht die Predigttätigkeit, so daß sich der Magistrat an den Kurfürsten wandte mit der Bitte, er möchte ihm den Gehorsam gegen die Verordnungen erlassen und ihm gestatten, bei allen lutherischen Bekenntnisschriften, namentlich der Konkordienformel, zu verbleiben und nach ihr seine Gemeinde zu unterweisen. Da der Große Kurfürst auf diese Bitte nicht einging, glaubte G. um seines Gewissens und Bekenntnisses willen im Februar 1667 freiwillig auf sein Amt verzichten zu müssen. Am 5. 3. 1668 verlor er seine Gattin, die ihm fünf Kinder geschenkt hatte, von denen aber vier bereits gestorben waren. Vom Tag seiner Amtsenthebung an bis August 1668 bezog G. sein Gehalt unverkürzt weiter und behielt auch seine Amtswohnung bei. Im Oktober 1668 wählte ihn der Magistrat von Lübben einstimmig als Archidiakonus, und am Trinitatisfest 1669 wurde er in sein neues Amt eingeführt. – Nächst Martin Luther (s. d.) ist G. der bedeutendste Liederdichter der evangelischen Kirche. Seine dichterische Schaffenskraft erreichte während der Kandidatenjahre in Berlin ihren Höhepunkt; denn die meisten und wertvollsten seiner Lieder sind die Frucht eines einzigen Jahrzehnts: etwa der Zeit von 1643–53. Die »Praxis pietatis melica« von 1647, das älteste Berliner Gesangbuch von Johann Crüger (s. d.), enthält 18 Lieder von G., die Ausgabe von 1653 bereits 81. Für die Verbreitung seiner Lieder hat der Dichter selbst nichts unternommen. Daß sie bekannt wurden, ist das Verdienst Crügers und dessen Nachfolger Johann Georg Ebeling (s. d.). Lieder von G. geleiten uns durch das ganze Kirchenjahr. Eins der bekanntesten Adventslieder ist »Wie soll ich dich empfangen« (EKG 10). Zu Weihnachten singen wir: »Fröhlich soll mein Herze springen« (EKG 27), »Kommt und laßt uns Christum ehren« (EKG 29), »Ich steh an deiner Krippen hier« (EKG 28) und »Wir singen dir, Immanuel« (EKG 30). Die Jahreswende ist nicht denkbar ohne das Lied »Nun laßt uns gehn und treten« (EKG 42). Auf die Passion Jesu hat G. 13 Lieder gedichtet. Zum Eingang in die Passionszeit singen wir gern: »Ein Lämmlein geht und trägt die Schuld« (EKG 62). Unter das Kreuz von Golgatha führt uns G. in seinem Lied »O Welt, sieh hier dein Leben« (EKG 64). 7 seiner Passionslieder sind Nachdichtungen von 7 mittelalterlichen lateinischen Hymnen, die man lange Zeit Bernhard von Clairvaux (s. d.) zugeschrieben hat, aber von dem Zisterzienserabt Arnulf von Löwen († 1250) stammen. Dieser besingt in den Hymnen, von denen jeder mit »Salve« = »Sei gegrüßt« beginnt, die leidenden Gliedmaßen des Herrn, die Füße, Knie, Hände, Seite, Brust, das Herz und Angesicht Jesu. Von G.s Nachdichtungen dieser Salvelieder finden sich noch in unseren Gesangbüchern: »Sei mir tausendmal gegrüßet« und »O Haupt voll Blut und Wunden« (EKG 63). In einem Lied von 29 Strophen besingt G. in christlichem Balladenton die Leidensgeschichte Jesu: »O Mensch, beweine deine Sünd.« Ein anderes Lied behandelt »die sieben Worte, die der Herr Jesus am Kreuz geredet«: »Hör an, mein Herz, die sieben Wort.« Zu Ostern jubeln wir: »Auf, auf, mein Herz, mit Freuden nimm wahr, was heut geschicht!« (EKG 86). Pfingsten feiern wir mit zwei Liedern G.s: »Zeuch ein zu deinen Toren« (EKG 105) und »O du allersüßte Freude.« Lieder von G. sind auch unsere Gefährten am Morgen und Abend, in Freude und Leid, zu allen Zeiten und in allen Lagen unseres Lebens. Am Morgen stimmen wir an: »Wach auf, mein Herz, und singe« (EKG 348), »Die güldne Sonne voll Freud und Wonne« (EKG 346) oder »Lobet den Herren alle, die ihn ehren« (EKG 347). Am Abend wählen wir: »Nun ruhen alle Wälder« (EKG 361). Im Sommer singen wir das geistliche Volkslied »Geh aus, mein Herz, und suche Freud« (EKG 371). Mehrere Lob- und Danklieder hat uns G. geschenkt: »Ich singe dir mit Herz und Mund« (EKG 230), »Sollt ich meinem Gott nicht singen?« (EKG 232), »Nun danket all und bringet Ehr« (EKG 231) und »Du meine Seele, singe« (EKG 197). G.s Kreuz- und Trostlieder wollen uns Lichtstrahlen in unserem Dunkel sein und uns zu einer Quelle des Trostes und der Kraft werden: »Befiehl du deine Wege« (EKG 294), »Warum sollt ich mich denn grämen?« (EKG 297), »Gib dich zufrieden und sei stille in dem Gotte deines Lebens« (EKG 295), »Ich hab in Gottes Herz und Sinn mein Herz und Sinn ergeben«, »Noch dennoch mußt du drum nicht ganz in Traurigkeit versinken«, »Auf den Nebel folgt die Sonn«, »Schwing dich auf zu deinem Gott, du betrübte Seele!« (EKG 296), »Nicht so traurig, nicht so sehr, meine Seele, sei betrübt« und »Du bist ein Mensch, das weißt du wohl.« Diesen Liedern verwandt ist G.s »christliches Trost- und Freudenlied«, wie er es selber nannte: »Ist Gott für mich, so trete gleich alles wider mich« (EKG 250). In seinem »Trostgesang christlicher Eheleute« besingt G. das Glück der ehelichen Liebe und Treue: »Wie schön ist's doch, Herr Jesu Christ, im Stande, da dein Segen ist, im Stande heilger Ehe!« (EKG 172). Sein Hochzeitslied von 1643 für den Archidiakonus Joachim Fromm und Sabina Berthold »Der aller Herz und Willen lenkt« ist das älteste uns von ihm bekannte deutsche Gedicht. G.s Liebe zu seinem Volk und Vaterland hat in der Nachdichtung des 85. Psalms ihren Niederschlag gefunden: »Herr, der du vormals hast dein Land mit Gnaden angeblicket« (EKG 185) und »Gottlob, nun ist erschollen das edle Fried- und Freudenwort« (EKG 392). G.s Sterbenssehnsucht und Heimweh nach dem himmlischen Vaterhaus kommt in seinem »Pilgerlied« ergreifend zum Ausdruck: »Ich bin ein Gast auf Erden« (EKG 326). Wir besitzen von G. einschließlich seiner

Gelegenheitsgedichte 133 Lieder. So gering der Umfang seiner Dichtung, so umfassend ist ihr Inhalt. Das Evangelische Kirchengesangbuch enthält von ihm 30 Lieder.

Werke: Johann Georg Ebeling, Pauli Gerhardi geistl. Andachten bestehend in 120 Liedern mit neuen 6st. Melodien geziert, Berlin 1667; Geistl. Lieder, hrsg. v. Philipp Wackernagel, 1843 (neu bearb. u. hrsg. v. Wilhelm Tümpel, 1907⁹); Lieder, hist.-krit. Ausg. v. Johann Friedrich Bachmann, 1866; Gedichte, hrsg. v. Karl Goedeke, 1877; Geistl. Lieder, hrsg. v. Karl Gerok, 1878 (1907⁶); Friedrich Mergner, P. G.s geistl. Lieder in neuen Weisen, 1876 (1918²; besorgt v. Friedrich Spitta); Gedichte, hrsg. v. August Ebeling, 1898; Fischer-Tümpel III, 1906, 295 ff.; Sämtl. Lieder, bearb. u. hrsg. v. Paul Kaiser, 1906; Lieder u. Gedichte, hrsg. v. Wilhelm Nelle, 1907; Geistl. Lieder, hrsg. v. Friedrich v. Schmidt (Reclam 1741-43), 1927; Wach auf, mein Herz. Die Lieder des P. G., hrsg. v. Eberhard v. Cranach-Sichart, 1949; P. G.s Dichtungen u. Schrr., hrsg. v. dems., 1957; Auf, auf, mein Herz, mit Freuden. P. G.s Lieder, ausgew. u. eingel. v. Albert Leube, 1957; Ich singe dir mit Herz u. Mund. Die schönsten Lieder P. G.s mit Bildern v. Rudolf Schäfer (81. bis 85. Tsd.), Lahr-Dinglingen (Verlag der St.-Johannis-Druckerei Schweickhardt), 1957.

Lit.: Hermann Petrich, P. G. Seine Lieder u. seine Zeit. Ein Btr. z. Gesch. des dt. Geistes. Auf Grund neuer Forsch. u. Funde, 1907 (1914³); Gustav Kawerau, P. G.s Dichtungen in der Musik v. 17. bis 20. Jh., in: Siona. Mschr. f. Liturgie u. Kirchenmusik 32, 1907, 1 ff. 21 ff.; Paul Wernle, P. G., 1907; Paul Kaiser, P. G. Ein Bild seines Lebens, 1908; Ernst Kochs, P. G. Sein Leben u. seine Lieder, 1908 (1926²); Rudolf Eckart, P.-G.-Bibliogr., 1908; Ders., P. G. Urkk. u. Aktenstücke zu seinem Leben u. Kämpfen, 1909; Eugen Aellen, Qu. u. Stil der Lieder P. G.s. Ein Btr. z. Gesch. der rel. Lyrik des 17. Jh.s (Diss. Bern), 1912; Theodore Brown Hewitt, P. G. as a Hymnwriter and his Influence on English Hymnodie (Diss. Yale Univ., New Haven), 1918; Hans Joachim Moser, Die ev. Kirchenmusik in volkstüml. Überblick, 1926, 60 ff.; Ders., Die ev. Kirchenmusik in Dtld., 1953; Johann Daniel v. der Heydt, P. G.s Bedeutung f. die ev. Kirchenmusik, in: Festg. z. Dt. Pfr.tag in Berlin, 1928; Wilhelm Nelle, Gesch. des dt. ev. Kirchenliedes, 1928³, 129 ff.; Ders., P. G. Der Dichter u. seine Deutung, 1935 (1940²); Günther Müller, Dt. Dichtung v. der Renaissance bis z. Ausgang des Barock, 1930; Friedrich Blume, Die ev. Kirchenmusik, 1931 (2., neubearb. Aufl. 1965); R. Daenicke, P. G.s Berufung nach Lübben u. seine dortige Amtszeit, in: Niederlausitzer Mitt. 22, 1934, 244 ff.; Karl August Meissinger, P. G., in: Die Großen Deutschen. Neue dt. Biogr., hrsg. von Willy Andreas u. Wilhelm v. Scholz, I, 1935, 616 ff.; Paul Scheurlen, P. G. der Sänger u. Bekenner, 1935; Paul Gabriel, Das dt. ev. Kirchenlied 1935 (1951², 86 ff.); Ders., P. G. Zum 350. Geb. des Kirchenliederdichters, in: Zeichen der Zeit. Ev. Mschr. 11, 1957, 115 ff.; Hermann Vortisch, Harnisch u. Harfe. Bilder aus dem Leben P. G.s, 1936; Karl Hesselbacher, P. G., der Sänger fröhlichen Glaubens, 1936 (neu hrsg. v. Siegfried Heinzelmann, P. G. Sein Leben, seine Lieder, 1963; 1969²); Herbert Schöffler, Dt. Geistesleben zw. Ref. u. Aufklärung. Von Martin Opitz zu Christian Wolff, 1940 (1956²); Gottfried Keller, P. G., Basel 1948; Gerhard Hultsch, P. G. Gesungenes Ev., 1953 (1954²); Kurt Berger, Barock u. Aufklärung im geistl. Lied, 1951; Friedrich Seebaß, P. G., der Sänger der ev. Christenheit, 1951 (1958³); Winfried Zeller, P. G. Lebenszeugen. Gestalten u. Gestalt luth. Frömmigkeit, in: Ev. u. orthodoxes Christentum in Begegnung u. Auseinandersetzung, hrsg. v. Ernst Benz u. Leo Alexander Zander, 1952, 180 ff.; Ders., P. G. Zum 350. Geb. des ev. Kirchenliederdichters, in: MuK 27, 1957, 161 ff.; Friedrich Wilhelm Bautz, Schwing dich auf zu deinem Gott! Aus dem Leben u. den Liedern des Kreuzträgers P. G., 1952; Ders., . . . und lobten Gott um Mitternacht. Liederdichter in Not u. Anfechtung, 1966, 78 ff.; Eberhard v. Cranach-Sichart, Vom Trostamt der Lieder P. G.s, in: Vom göttl. u. menschl. Wort, hrsg. v. Otto Riedel, 1953, 57 ff.; P. G. Der Kirchensänger, hrsg. v. Ernst Kurt Exner, 1953; Jörg Erb, Die Wolke der Zeugen II, 1954, 354 ff.; Jutta Zimmermann, Luth. Vorsehungsglaube in P. G.s Dichtung (Diss. Halle), 1955; Friedrich Hauß, Väter der Christenheit I, 1956, 237 ff.; Walter Kuschke, P. G. Der Meistersänger u. Bekenner der luth. Kirche, 1956 (1963³); Wolfgang Trillhaas, P. G., in: Die Großen Deutschen. v. Hermann Heimpel, Theodor Heuss u. Benno Reifenberg, I, 1956, 533 ff.; Ders., P. G., in: Lutheran quarterly 12, Gettysburgh (Pennsylvanien) 1960, 331 ff.; Kurt Ihlenfeld, Huldigung f. P. G., 1956 (1957²); Ders., Ein Botschafter der Freude. Dokumente u. Gedichte aus P. G.s Berliner Zeit, 1957; Ders., P.-G.-Feier der Akad. der Künste, 1957; Ders., Luthers Glaube in P. G.s Liedern, in: Im Lichte der Ref. Fragen u. Antworten. Jb. des Ev. Bundes 1, 1958, 67 ff.; Gustav Adolf Benrath, Licht u. Trost bei schwerem Leben aus unbekanntem Liedern unseres P. G., 1957; Ingeborg Röbbelen, Theol. u. Frömmigkeit im dt. ev.-luth. Gesangbuch des 17. u. frühen 18. Jh.s, 1957, bes. 404 ff.; Karl Hauschildt, Die Botschaft der Ref. in den Liedern P. G.s, in: Luther. Mitt. der Luther-Ges. 28, 1957, 63 ff.; Otto Brodde, P. G.s Melodisten, in: Der Kirchenchor 8, 1957, 37 ff.; Ernst Barnikol, P. G. - Seine geschichtl., kirchl. u. ökumen. Bedeutung, in: WZ Halle-Wittenberg 7, 1957–58, 429 ff.; – Martin Wittenberg, Worum kämpfte P. G.?, in: GuK 9, 1958, 5 ff. 116 ff.; – Curt v. Faber du Faur, German baroque Literature, New Haven 1958, 126 f.; – Siegfried Fornaçon, Zu P. G.s Liedern, in: JLH 4, 1958–59, 119 ff.; – E. Stutz, Das Fortleben der mhd. Zwillingsformel im Kirchenlied, bes. bei P. G., in: Medium aevum vivum. Festschr. f. Walther Bulst. Hrsg. v. Hans Robert Jauss u. Dieter Schaller, 1960, 238 ff.; – Helmut Lamparter, In Ihm ruht aller Freuden Fülle. Unsere lieben P -G.-Lieder, 1962; – Kurt Keinath, P. G. – ein ökumen. Liederdichter, in: Ut omnes unum. Organ des Winfriedbundes z. Ausbreitung u. Vertiefung des Glaubens 25, 1962, 108 ff.; – P. G. Der Sänger fröhl. Glaubens. Eine Hörfolge v. Johannes Lehmann, 1964; – Siegfried Heinzelmann, Sein Herze geht in Sprüngen u. kann nicht traurig sein. Ein Lb. P. G.s aus seinen Liedern, 1965⁵; – Joachim Hoffmeister, Gott aber stehet. P. G.s Lebensweg, Berlin 1966; – Hedwig S. Dejon, P. G.s »Geistl. Lieder«, in: Gazette of the Yale University Library 43, New Haven (Connecticut) 1968, 13 ff.; – Kaj Mogensen, P. G.s forsynstro, in: DTT 32, 1969, 118 ff.; – Waldtraut-Ingeborg Sauer-Geppert, Eine Vorlage zu P. G.s »O Welt, sieh hier dein Leben«, in: JLH 15, 1970, 153 ff.; – Leonard Forster, Three evening hymns. G., Claudius and Bridges, in: Deutung u. Bedeutung. Studies in German and comparative literature presented to Karl-Werner Maurer. Ed. by Brigitte Schuldermann. De proprietatibus litterarum. Ser. Maier. 25, Den Haag – Paris 1973, 3127 ff.; – Biogr. Wb. z. dt. Gesch. I², 1973, 878 f.; – Goedeke III, 182; – Kosch, LL I, 637 f.; – Wilpert I², 566; – Koch III, 297 ff.; – Hdb. z. EKG II/1, 188 ff.; – ADB VIII, 774 f.; – NDB VI, 286 ff.; – MGG IV, 1790 ff.; – Riemann I, 609 f.; – ErgBd. I, 415; – Moser I, 404; – RE VI, 561 ff.; – EKL I, 1509 f.; – RGG II, 1413 ff.; – LThK IV, 724; – ODCC² 559.

GERHOH *von Reichersberg*, Propst des oberösterreichischen Augustinerchorherrenstifts Reichersberg, * 1093 in Polling (Oberbayern), † 27. 6. 1169 in Reichersberg bei Passau. – G. studierte in Freising, Moosburg und Hildesheim und wurde 1119 Domherr und Scholastikus der Domschule in Augsburg. 1124 trat er in das Augustinerchorherrenstift Raitenbuch (Rottenbuch) bei Weilheim ein. Hier sowohl wie in Augsburg drang G. vergeblich auf strenge Innehaltung der kirchlichen Zucht und der kanonischen Regeln und Einführung der »vita communis cleri«. Er wurde 1126 Priester und Pfarrer in Cham (Bistum Regensburg) und 1132 Propst von Reichersberg am Inn. Durch Reformtätigkeit und literarische Arbeit haben G. und sein Bruder Arno, der dort als Propst 1169 sein Nachfolger wurde, den Ruhm des Stifts erhöht. Beide bekämpften die Frühscholastiker Petrus Abaelard (s. d.), Gilbert de la Porrée (s. d.), Petrus Lombardus (s. d.) und den Propst Folmar von Triefenstein (s. d.). G. griff nicht nur Folmars Abendmahlslehre, sondern auch seine Christologie an, die er als Erneuerung des »Adoptianismus« beurteilte. In dem Streit zwischen Papst und Kaiser stellte sich G. auf die Seite des Papstes und wurde darum als Anhänger Alexanders III. (s. d.) von Friedrich I. Barbarossa geächtet. G. trat entschieden ein für eine Reform der Kirche gegen alle Verweltlichung; er rügte scharf die Habsucht der Kurie sowie die päpstlichen Weltherrschaftsgelüste und forderte die reinliche Scheidung der beiden Gewalten und ihre Grenzregulierung.

Werke: Liber de aedificio Dei; Adversus duas haereses: Contra Simoniacos; Pss.komm.; De corrupto ecclesiae statu; Ad Cardinales de schismate; De quarta vigilia noctis; De investigatione Antichristi; De gloria et honore filii Dei. – *Ausgg.:* Hrsg. v. Bernhard Pez, Paris 1721–29, abgedr.: MPL 193/194; erg. bzw. ern. v. F. Scheibelberger, in: Östr. Vjschr. f. kath. Theol. 10, Wien 1871; hrsg. v. Ernst Sackur, in: MG Liblit III, 131 ff.; Opera inedita, hrsg. v. D. u. O. Van den Eynde, A. Rijmersdael, P. Classen, 2 Bde., Rom 1955/56.
Lit.: Vita: Magnus v. Reichersberg, Chron., in: MG SS XVII, 490 ff.; – Josef Bach, Die DG des MA II, 1873, 390 ff.; – Heinrich F. A. Nobbe, G. v. R. Ein Bild der Kirche aus dem 12. Jh., 1881; – W. Ribbeck, in: Forsch. z. dt. Gesch. 24, 1884, 1 ff.; – Konrad Sturmhöfel, Der geschichtl. Inhalt v. G. v. R. 1. Buch über die »Erforsch. des Antichrist«, Progr. der Thomasschule in Leipzig, 1887; – Otto Baltzer, Btrr. z. Gesch. d. christolog. Dogmas, 1898, 69 ff.; – Johann Heinrich Schrörs, Unterss. zu

dem Streite Friedrichs I. mit Hadrian IV., 1915, 34 ff.; – Zacharius Größlhuber, G. v. R. Ein Kulturbild aus dem 12. Jh., 1930; – H. Jacobs, Stud. über G. v. R. Zur Geistesgesch. des 12. Jh.s, in: ZKG 1931, 315 ff.; – Heinrich v. Fichtenau, Stud. zu G. v. R., in: MIÖG 52, 1938, 1 ff.; – Joseph Günster, Die Christologie des G. v. R. Eine dogmengeschichtl. Stud. zu seiner Auffassung v. der hypostat. Union (Diss. Münster) 1940; – Ders., Der ungedr. christologische Tl. einer Denkschr. G.s, in: Scholastik 30, 1955, 215 ff.; – Erich Meuthen, Kirchenreform u. Gesch.theol. bei G. v. R. (Diss. Köln), 1954; – Ders., Kirche u. Heilsgeschen bei G. v. R., Leiden 1959; – Ders., Der Gesch.symbolismus G.s v. R., in: Gesch.denken u. Gesch.bild im MA. Ausgew. Aufss. u. Arbeiten aus den J. 1933–1959. Hrsg. v. Walther Lammers, 1961, 200 ff.; – A. Grab, Der Kirchenbegriff des G. v. R. (Diss. Freiburg/Schweiz), 1955; – Peter Classen, Das Konzil v. Konstantinopel 1166 u. die lat. Väter, in: ByZ 48, 1955, 339 ff.; – Ders., G. v. R. Eine Biogr. Mit einem Anh. über die Qu., ihre hs. Überl. u. ihre Chronologie (Hab.-Schr., Mainz 1959) Wiesbaden 1960 (Rez. v. Karl Bosl, in: Zschr. f. bayr. Landesgesch. 25, 1962, 202–214; v. Karl-Engelhardt Klaar, in: Ostbair. Grenzmarken. Passauer Jb. f. Gesch., Kunst u. Volkskunde 6, 1962–63, 325 ff.); – Ders., Aus der Werkstatt G.s v. R., in: DA 23, 1967, 31 ff.; – Friedrich Zoepfl, Das Bist. Augsburg u. seine Bisch. im MA, 1956; – Damianus Van den Eynde, L'oeuvre littéraire de G. de R., Rom 1957 (Rez. v. Karl-Engelhardt Klaar, in: Ostbair. Grenzmarken. Passauer Jb. f. Gesch., Kunst u. Volkskunde 6, 1962–63, 325 f.); – Heinz Hürten, Neue Arbeiten über G. v. R., in: HJ 80, 1961, 265 ff.; – Nicholas Martin Haring, G. v. R. and the Latin Acts of the Council of Ephesus (431), in: RThAM 35, 1968, 26 ff.; – Wolfgang Beinert, Die Kirche, Gottes Heil in der Welt: die Lehre v. der Kirche nach den Schrr. des Rupert v. Deutz, Honorius Augustodunensis u. G. v. R. als Btr. z. Ekklesiologie des 12. Jh.s (Hab.-Schr., Regensburg 1971) Münster/Westfalen 1973; – Biogr. Wb. z. dt. Gesch. I², 1973, 879 f.; – Wilpert I², 566; – KLL II, 756 f. (De investigatione Antichrist); – Hauck IV, 455 ff.; – Seeberg III, 250 ff.; – ADB VIII, 783 f.; – NDB VI, 288 f.; – RE VI, 565 f.; – RGG II, 1415; – LThK IV, 725 f.; – ODCC² 559 f.; – DSp VI, 303 ff.

GERICKE, Christian Wilhelm, Missionar, * 5. 4. 1742 in Kolberg (Pommern), † 2./3. 10. 1803 (auf einer Reise) in der Nähe von Madras (Indien), beigesetzt in Madras. – G. wuchs im Geist des Pietismus auf. Seit 1760 studierte er in Halle Theologie und unterrichtete zugleich am dortigen Waisenhaus. An der damit verbundenen Mädchenschule wurde G. 1763 Inspektor. Die Hallischen Missionsberichte weckten in ihm die Freudigkeit zum Missionsberuf. Darum folgte er dem Ruf der englischen »Gesellschaft zur Ausbreitung des Christentums« (Society for the Propagation of the Gospel in Foreign Parts) und reiste 1765 nach London zum Studium der englischen Sprache. Im Frühjahr 1766 segelte G. nach Indien und erreichte nach mehrmonatigem Aufenthalt auf Ceylon im Frühjahr 1767 Coromandel, die Südostküste Vorderindiens. Nach kurzer Einführung in die Missionsarbeit in Trankebar reiste er nach seinem Bestimmungsort Kudelur. Diese Gemeinde, die Wirkungsstätte früherer Missionare, war infolge andauernder Kriegswirren zerstreut und verwildert. Als durch eifrige Arbeit das Missionswerk in Kudelur zu einiger Blüte gelangt war, brachen neue Kriegsunruhen, Seuchen, Teuerung und Hungersnot aus. Die Missionsgemeinde in Kudelur zerstreute sich. G. hielt aber trotz aller Widerwärtigkeiten und schwerer Krankheit lange aus. Als er seines Lebens nicht mehr sicher war, zog er 1782 nach Madras zur Unterstützung des alternden Johann Philipp Fabricius (s. d.), kehrte aber 1783 zurück und suchte nun auf ausgedehnten Landreisen die Überreste der zersprengten christlichen Gemeinden. 1788 übernahm G. die Station Madras und blieb dort, als Fabricius 1791 starb, als einziger Missionar zurück, bis 1794 aus der Heimat ein neuer Mitarbeiter eintraf. Nun unternahm er wieder Missionsreisen durch ganz Südindien.

Werke: Reisediarium bis Cuddalore. Briefe, Tagebücher u. Berr. (Halle/Saale, Arch. der Franckeschen Stiftungen, Indienabt.). Druck, in: Der Kgl. Dän. Missionarien aus Ost-Indien eingesandter, ausführl. Berr. 1. Tl., 9, Halle 1767, u. in: Neuere Gesch. der Ev. Missionsanstalten zu Bekehrung der Heiden in Ostindien 1–6, ebd. 1776–1827, daraus: Herrn Missionarii G.s merkwürdige Seereise v. London nach Ceylon u. Cudelur in den J. 1766 u. 1767, ebd. 1773.

Lit.: Johannes Ferdinand Fenger, Den Trankebarske Missions Historie, Kopenhagen 1843, Kap. 14 (dt. Grimma 1845); – Reinhold Vormbaum, C. W. G., ev.-luth. Miss. in Trankebar (Ev. Missionsgesch. in Biogrr. II, H. 5/6), 1852; – C. W. G., ev.-luth. Miss. in Kudelur u. Madras (Smlg. v. Missionsschrr., hrsg. v. der ev.-luth. Mission zu Leipzig, H. 2), 1888; – Gustav Leopold Plitt – Otto Hardeland, Gesch. der luth. Mission I, 1894, 180 f.; – ADB 49, 299 f.; – NDB VI, 289 f.

GERLACH *von Houthem*, Einsiedler, Heiliger, * um 1100, † 1177 in Houthem bei Valkenburg (Holland). – G. war Ritter. Auf einem Ritt nach Jülich zum Turnier erreichte ihn die Kunde von dem Tod seiner Frau. Er wurde von dieser Nachricht tief erschüttert und sagte aller Ritterschaft ab. G. pilgerte nach Rom und Jerusalem und diente dort 7 Jahre den Kranken in einem Spital. Nach seiner Rückkehr in die Heimat lebte er noch 14 Jahre als Einsiedler in einer hohlen Eiche. Sein Grab wurde zum Wallfahrtsort, an dem später ein Prämonstratenser-Chorherrenstift erbaut wurde.

Lit.: Joseph Habets, Houthem S. G. en het adelijke Vrouwenstift aldaar, Maastricht 1869; – I. Van Spilbeeck, Vie de St. G., Tamines 1894; – Franz Wesselmann, Der hl. G. v. H. Sein Büßerleben u. seine Verehrung, 1897; – Frederick Alfons Houck, The Life of S. G., New York – London 1900; – D. Stracke, Uit het leven van den Hl. G., in: Tijdschrift voor taal en letteren 15, 1927, 93 ff.; – Norbert Backmund, Monasticon Praemonstratense, id est Historia circariarum atque canoniarum candidi et canonici ordinis Praemonstratensis I, 1949, 171; – Ad. Welters, Kluizenaars in Limburg, Heerlen 1950; – C. Damen, Studie over S. G. van H., in: Jaarboek van Limburgs Geschied- en Oudheidkundig Genootschap., nr. 92/93, 1956–57, 49–113; – Giovanni Battista Valvekens, De S. G. eremita, in: AnPraem 35, 1959, 348 ff.; – Herbert Grundmann, Zur Vita s. Gerlaci eremitae, in: DA 18, 1962, 539 ff.; – Ders., Dt. Eremiten, in: AKultG 45, 1963, 60 ff.; – AS Jan. I, 304 ff.; – VSB I, 103 f.; – BS VI, 222 ff.; – BHL 3449; – Wimmer³ 239 f.; – Torsy 188; – NDB VI, 293 f.; – EC VI, 116; – LThK IV, 748; – NCE IV, 384 f.

GERMANN, Wilhelm, Pfarrer, * 4. 4. 1840 in Gardelegen (Altmark), † 9. 2. 1902 in Meiningen. – G. wirkte 1865–67 als Missionar unter den Tamulen in Indien, dann als Pfarrer in Spechtsbrunn (Sachsen-Meiningen). Er wurde 1886 Kirchenrat und Superintendent in Wasungen und trat 1898 in den Ruhestand.

Werke: Lb. der Miss. Johann Philipp Fabricius, 1865; Bartholomäus Ziegenbalg u. Heinrich Plütschau, 2 Tle., 1868; Christian Friedrich Schwartz, 1870; Die Kirche der Thomaschristen, 1877; Heinrich Melchior Mühlenberg, Patriarch der luth. Kirche Nordamerikas, 1881; Altenstein, Fichte u. die Univ. Erlangen, 1889; Dr. Johann Forster, der henneburg. Reformator, 1894. – Gab heraus: Karl Graul, Bibliotheca Tamulica sive Opera praecipua Tamuliensium I, 1865; Bartholomäus Ziegenbalg, Genealogie der malabar. Götter (1713), 1867; in tamul. Sprache die »Evv.-postille« des Johann Philipp Fabricius u. die Apokryphen des AT.

Lit.: Nestle, in: ThJber 22, 1902, 1436.

GERMANUS von Auxerre (Autissiodorum), Bischof, Heiliger, * um 378 in Auxerre (südöstlich von Paris) aus vornehmer Familie, † 31. 7. 448 in Ravenna (Oberitalien), beigesetzt in Auxerre. – G. studierte in Gallien die freien Künste und in Rom Rechtswissenschaft. Kaiser Honorius (s. d.) ernannte ihn zum Präfekten über Armorica (Bretagne) und Nervicanum mit dem Sitz in Auxerre. Nach seiner Bekehrung wurde G. Priester und Lehrer des Patrick (s. d.) und am 1. 7. 418 zum Bischof von Auxerre gewählt und am 7. 7. geweiht. Er übte strengste Askese und lebte fortan mit seiner Gattin Eustachia wie mit einer Schwester: »uxor in sororem mutator ex coniuge.« Auf Bitten einer britischen Gesandtschaft wurde G. 429 von einer gallischen Synode mit dem Bischof Lupus von Troyes zur Bekämpfung des »Pelagianismus« (s. Pelagius) nach England abgeordnet. 444 reiste er noch einmal dorthin, da pelagianische Anschauungen aufs neue den Bestand der orthodoxen Christentums in Britannien gefährdeten. Als die aufständischen Armoriker von dem Feldherrn Aetius bedrängt wurden, begab sich G. nach Ravenna zur Kaiserin Galla Placidia (s. d.) und ihrem Sohn Valentinian III. (s. d.) und erwirkte den Armorikern volle Verzeihung. Sein Schüler, der Presbyter Konstantius von Lyon, verfaßte um 480 eine »Vita Germani«. – G. wird als Heiliger verehrt. Sein Fest ist der 31. Juli.

Lit.: Vita: AS Julii VII, 200 ff. (legendar. erw.); Bonius Mombritius, Sanctuarium seu Vitae Sanctorum I, Mailand 1480, 319 ff. (urspr. Fassung); MG SS rer. Merov. VII/1, 225 ff.; metr. bearb. v. dem Mönch Heirich (Heiricius) v. Auxerre, in: MG PL III, 428 ff.; – Beda Venerabilis, Historia ecclesiastica gentis Anglorum, hrsg. v. Holder, I, 1890², 17 ff. 25 ff.; – Prosper v. Aquitanien, Chron., hrsg. v. Theodor Mommsen, in: MG AA IX, 1892, 472; – Heirich, Miracula s. Germani, Ausz., in: MG SS XIII, 401 ff.; vollst., in: Duru, Bibl. hist. de l'Yonne, Auxerre – Paris 1850–63, I, 45; II, 193 ff.; – Carl Albrecht Bernoulli, Die Hll. der Merowinger, 1900, 240; – Wilhelm Levison, Bisch. G. v. A. u. die Qu. zu seiner Gesch., in: NA 29/1, 1904, 95–175; – Louis Marie Olivier Duchesne, Fastes épiscopaux de Gaule II, 1910², 438 f.; – Dietrich Heinrich Kerler, Die Patronate der Hll., 1905, 494; – Louis N. Prunel, St. G. d'A., Paris 1929; – Heinrich Günter, Psychologie der Legende. Stud. zu einer wiss. Hll.-Gesch., 1949, 348; – Festschr. aus Anlaß seines 1500. Todestages: S. G. d'A. et son temps, Auxerre 1950; – René Louis, Autissiodorum christianum, Paris 1952; – Baudouin Gaiffier, La vie de S. G. d'A., in: AnBoll 73, 1955, 331 ff.; – Norah Kershaw Chadwick, Poetry and Letters in Early Christian Gaul, London 1955, 240 ff.; – St. G. in Stadt u. Bist. Speyer. Ein Btr. z. Gesch. des Bischöfl. Priesterseminars Speyer, hrsg. v. A. Kloos, 1957; – E. A. Thompson, A Chronological Note on St. G. of A., in: AnBoll 75, 1957, 135 ff.; – Paul Grosjean, Notes d'hagiographie celtique nn. 27–29, ebd. 158 ff.; – Élie Griffe, L'Église des Gaules au V° siècle, Paris 1958, 231 ff.; – Ders., L'hagiographie gauloise au V° siècle: La vie de S. G. d'A., in: BLE 66, 1965, 289 ff.; – Costanzo Lione, Vie de St. G. d'A., Paris 1965; – MartRom 315; – BS VI, 232 ff.; – Wimmer³ 241; – Torsy 188; – Catholicisme IV, 1882 f.; – EC VI, 177 ff.; – LThK IV, 755 f.; – NCE VI, 385; – ODCC² 560; – RE VI, 606 f.; – RGG II, 1446.

GERNOLT, Diepold s. BILLICANUS, Theobald

GEROK, Karl, Theologe und Dichter, * 30. 1. 1815 als Pfarrerssohn in Vaihingen an der Enz, † 14. 1. 1890 in Stuttgart. – G. besuchte das Gymnasium in Stuttgart, wo Gustav Schwab sein Lehrer war und seine Dichtergabe weckte. Er bezog 1832 das »Theologische Stift« in Tübingen und wurde 1837 Vikar seines Vaters in Stuttgart, 1840 Repetent am »Tübinger Stift« und 1844 Diakonus in Böblingen. Seit 1849 wirkte G. in Stuttgart, zunächst als Diakonus an der Hospital- und dann an der Stiftskirche, 1852 bis 1862 als Archidiakonus an der Stiftskirche und Dekan der Landdiözese, danach als Stadtpfarrer an der Hospitalkirche und Dekan der Stadtdiözese, seit 1868 als Oberhofprediger und Mitglied des Konsistoriums mit dem Titel und Rang eines Prälaten. – G. war ein hervorragender Prediger und ist bekannt als der meistgelesene religiöse Lyriker der zweiten Hälfte des 19. Jahrhunderts. Seine Gedichte sind aber für den Gemeindegesang nicht geeignet und haben darum nur wenig in den Gesangbüchern Aufnahme gefunden. Genannt seien: »Sieh uns fertig, gegenwärtig, anzubeten, Herr, vor dir«, »Danket dem Schöpfer und preist den Erhalter, dessen Barmherzigkeit immer noch neu!«, »Ich klopfe an zum heiligen Advent und stehe vor der Tür«, »Selig, wer im Weltgebrause nach der obern Gottesstadt, nach dem rechten Vaterhause stets ein Fenster offen hat«, »Durch manche Länderstrecke trug ich den Wanderstab« und »Ich möchte heim! Mich zieht's zum Vaterhause.«

Werke: Evv.predigten, 1856; Epistelpredigten, 1858; Pilgerbrot, 1866; Aus ernster Zeit, 1873; Hirtenstimmen, 1880; Brosamen, 1887; Trost u. Weihe (Kasualreden), 1890; Von Jerusalem nach Rom. Bibelstunden über die Apg, 2 Bde., 1868; Die Pss in Bibelstunden, 3 Bde., 1891; Das Gebet des Herrn in Morgen- u. Abendgebeten, 1854. – Gedichtsmlg.en: Palmbll., 1857 (1902¹³¹); Pfingstrosen (dichter. Behandlung der Apg), 1864 (1876⁶); Blumen u. Sterne (Smlg. verm. Gedichte), 1868 (1896¹⁶); Dt. Ostern (vaterländ. Lieder), 1871 (1872³); Palmbll. (NF), 1878 (1885⁸ u. d. T.: Auf einsamen Gängen); Von Bethlehem bis Golgatha, 1881; Der letzte Strauß (NF der »Blumen u. Sterne«), 1884; Unter dem Abendstern, 1886 (1890⁵); Christkind (13 Lieder zu den Bildern v. Paul Mohn), 1887; Vor Feierabend (Nachlaßwerke), 1890. – Ausgew. Dichtungen, 1907. – Gab heraus: Paul Gerhardts (1878, 1907⁶) u. Martin Luthers geistl. Lieder.

Lit.: Karl Gerok, Jugenderinnerungen, 1876 (1898⁶); – AELKZ 1890, 149 ff.; – Hermann Mosapp, K. G., 1890; – Friedrich Braun, Erinnerungen an K. G., 1891; – Gustav Gerok, K. G. Ein Lb. aus seinen Briefen u. Aufzeichnungen, 1892; – August Otto, K. G., 1898; – Rudolf Krauß, Schwäb. Lit.gesch. II, 1899, 239 ff.; – DEBL 1901, 22 ff.; – Johannes Plath u. Johannes Kulp, Liederkunde, 1931, 277; – Alfred Niebergall, Die Gesch. der christl. Predigt, in: Leiturgia II, 1955, 329; – Karl Gerok, Schwäb. Jugend Jugenderinnerungen (Ausz.). Bearb. v. Kurt Breitenbücher, 1970; – Kosch, LL I, 641; – Wilpert I², 567; – ADB 49, 307 ff.; – NDB VI, 314 f.; – RE VI, 608 ff.; – RGG II, 1446.

GEROLD, Johann Karl, Komponist, * 2. 8. 1745 in Straßburg (Elsaß), † 2. 4. 1822 in Kolbsheim bei Straßburg. – G. entstammte einer Familie Giroldi, die zur Reformationszeit um des Glaubens willen aus Mailand geflüchtet war. Er studierte 1762–69 in Straßburg und wurde 1776 in Rappoltsweiler (Elsaß) Hofkantor und Hofvikar und 1781 Diakonus. Seit 1783 wirkte G. als Pfarrer in Boofzheim. Im Juli 1794 wurde er trotz seiner rupublikanischen Gesinnung verhaftet und nach der Festung Besançon gebracht, aber am 31. 8., einige Wochen nach dem Sturz Robespierres, wieder entlassen. 1810 wurde G. Pfarrer in Kolbsheim. Er war ein Freund des blinden Fabeldichters Gottlieb Konrad Pfeffel (s. d.) in Kolmar (Elsaß) und hat viele seiner Gedichte vertont. Allgemeine Verbreitung fand G.s Weise zu Pfeffels Hymne »Jehova, Jehova, Jehova, deinem Namen sei Ehre, Macht und Ruhm!« Sie erschien in dem Choralbuch der protestantischen Gemeinden des Ober- und Niederrheins, Straßburg 1809.

Werke: Bilder aus der Schreckenszeit, Straßburg 1883.

Lit.: MGG IV, 1827 f.

GERSBACH, Joseph, Komponist, * 22. 12. 1787 in Säckingen (Rhein) als Sohn eines Müllers, † 3. 12. 1830 in Karlsruhe. – G. besuchte seit 1800 das mit der dortigen Abtei in Verbindung stehende Gymnasium in Säckingen. Mit Vorliebe trieb er Dichtkunst und Musik. Ihm wurde die Leitung des Kirchengesangs und das Orgelspiel im Kloster übertragen. Seit 1807 studierte G. in Freiburg (Breisgau) Philologie, Philosophie und Mathematik. Er wurde 1809 Musiklehrer an einer privaten Erziehungsanstalt in Göttstadt bei Biel (Schweiz) und war dann mehrere Jahre Musiklehrer in Zürich, 1816/17 Lehrer an einem Institut in Würzburg, das nach Nürnberg verlegt wurde, danach Gesanglehrer in Ifferten (Yverdon) am Neuenburger See (Schweiz), 1818/19 Lehrer am Schullehrerseminar in Rastatt, danach Lehrer an Karl von Raumers (s. d.) Institut in Nürnberg. 1823 wurde G. zum Lehrer an das Schullehrerseminar in Karlsruhe berufen, wo er nicht nur in der Musik, sondern auch in der deutschen

Sprache, Mathematik und den Naturwissenschaften Unterricht erteilte. – G. hat schlichte, volkstümliche Weisen in der Art von Hans Georg Nägeli (s. d.) erfunden. Bekannt sind seine Melodien zu den Liedern Simon Dachs (s. d.) »Ein getreues Herze wissen hat des höchsten Schatzes Preis« und »Der Mensch hat nichts so eigen . . .« – G. trat 1822 in Rastatt von der katholischen zur evangelischen Kirche über.

Werke: Schulliederbücher: Singvöglein (30 4st. Lieder), 1859⁴; Wandervöglein (60 4st. Lieder); 4st. Choralgesänge der ev. Kirche Badens, 1826. – Reihenlehre oder Begründung des musikal. Rhythmus aus der allg. Zahlenlehre, hrsg. v. seinem Bruder Anton G., 1832; Liedernachlaß. Mehrst. Gesänge f. gem. Chor u. Männerstimmen, hrsg. v. dems., 1839.

Lit.: A. Stierlin, Biogr. der Brüder Anton u. Joseph G., in: 52. Neujahrsstück der Allg. Musik-Ges. in Zürich, Zürich 1864; – Riemann I, 612; – ADB IX, 45 f.

GERSDORF, Henriette Katharina von, Kirchenlieder-dichterin, * 6. 10. 1648 in Sulzbach als Tochter des Freiherrn Karl von Friesen, des späteren Konsistorialpräsidenten und Oberhofrichters in Leipzig, † 6. 3. 1726 in Großhennersdorf bei Zittau (Oberlausitz). – G. erhielt eine vielseitige Ausbildung, las die Bibel in den Grundsprachen und erwarb sich in der Malerei, Dicht- und Tonkunst ausgezeichnete Kenntnisse. Sie vermählte sich 1672 mit dem Freiherrn Nikolaus von Gersdorf in Dresden, dem kursächsischen Geheimratsdirektor und Landvogt der Oberlausitz. Sie hatte in den höchsten maßgebenden Kreisen Einfluß auf Staats- und Kirchenangelegenheiten und förderte die Berstrebungen der Männer, denen die Reform der Kirche am Herzen lag, vor allem die des Oberhofpredigers Philipp Jakob Spener (s. d.). Als G. 1702 Witwe wurde, zog sie sich auf ihr Gut Großhennersdorf zurück, wo Nikolaus Ludwig Graf von Zinzendorf (s. d.), ihr Enkel, seine Kindheit verlebte. Ihre geistlichen Lieder gehören zu den besten ihrer Zeit. Genannt seien: »O gnadenvolles Heute, da sich der Gottesheld für uns gefalle Leute zum Heiland eingestellt«, »Herr, mein Heil, in aller Angst wend ich meine Glaubensblicke zu dem Kreuze, da du hangst«, »Gott, der an allen Enden viel große Wunder tut, in dessen treuen Händen mein ganzes Leben ruht« und »Treuer Hirte deiner Herde, deiner Glieder starker Schutz . . .«

Werke: Geistreiche Lieder u. poet. Betrachtungen (99 Lieder; vollst. Smlg.), hrsg. v. Paul Anton, Halle 1729.

Lit.: Christian Gerber, Historie der Wiedergeborenen in Sachsen, 2. Anh., Greitz (Vogtland) 1737, 39 ff.; – Gottlieb Friedrich Otto, Lex. der oberlaus. Schr.steller u. Künstler I, Görlitz 1800, 462 f.; – August Jakob Rambach, Anthologie christl. Gesänge aus allen Jhh. der Kirche IV, Altona u. Leipzig 1822, 62 ff.; – Goedeke III, 328; – Koch V, 212 ff.; – ADB IX, 53 ff.

GERSDORF, Johanna Magdalena von, Kirchenlieder-dichterin, * 31. 12. 1706 in Großhennersdorf bei Zittau (Oberlausitz), † 17. 12. 1744 in Saalfeld. – G. verlor mit 11 Jahren ihre Mutter und wurde von ihrer frommen verwitweten Großtante Henriette Katharina von Gersdorf (s. d.) erzogen. Sie lernte die lateinische, griechische und französische Sprache und erwarb sich in der deutschen Dichtkunst manche Kenntnisse und Fertigkeiten. G. weihte ihr junges Leben dem Herrn und kam in ihrem 17. Lebensjahr durch einen Vortrag des dortigen Pastors Gottlob Adolph (s. d.) über die Wiedergeburt nach Joh 3 zu einer gründlichen Bekehrung. Sie wurde 1740 an den frommen Hof nach Kopenhagen berufen als Hofdame der Erbprinzessin von Dänemark. 1742 vermählte sich G. mit dem Freiherrn

Rudolf von Geusau in Saalfeld, Hofmarschall des Herzogs von Sachsen-Saalfeld. – Von ihren glaubensinnigen Liedern wurden durch Aufnahme in die »Sammlung neuer Lieder«, Wernigerode 1752, bekannt: »Gott, mein Gott, du bist die Liebe« und »So ruh ich denn getrost in deinen Wunden.«

Lit.: Christoph Bürkmann, Bündlein der Lebendigen, 6. Smlg., Nürnberg 1746, 3 ff.; – Gottlieb Friedrich Otto, Lex. der oberlausitz. Schr.steller u. Künstler I, Görlitz 1800, 464; – Goedeke III, 328 f.; – Koch V, 238 ff.; – ADB IX, 129.

GERSON, Johannes (eigentlich: Jean Charlier aus Gerson), Theologe und Kirchenpolitiker, * 14. 12. 1363 in Gerson bei Rethel (Diözese Reims) als Sohn eines Bauern, † 12. 7. 1429 in Lyon. – In Reims vorgebildet, kam G. 1377 nach Paris in das Kollegium von Navarra und ging 1381 nach seinem artistischen Studium zur Theologie über. Schon 1383 zum Prokurator der französischen Nation gewählt, beteiligte er sich 1387 an der Gesandtschaft zu Clemens VII. (s. d.). G. promovierte 1392 zum Dr. theol. und wurde 1395 als Nachfolger seines Lehrers Pierre d'Ailly (s. d.) Kanzler der Universität Paris und 1397 Dekan in Brügge. Seit 1401 lebte er in Flandern, kehrte aber 1404 nach Paris zurück. Nachdem jede Hoffnung geschwunden war, mit Hilfe der Päpste das große abendländische Schisma zu beseitigen, verfocht G. als Kirchenpolitiker energisch den konziliaren Gedanken, die Anschauung, daß das Konzil die oberste Gewalt in der Kirche habe und dem Papst überlegen sei. Im Sinn des Konzils von Pisa schrieb er sein Buch »Von der Einheit der Kirche« und die Schrift »Von der Absetzung des Papstes«; sein Programm für das Konzil von Konstanz enthält seine Abhandlung »Von der Kirchengewalt und dem Ursprung des Rechts«. Auf dem Konstanzer Konzil war G. als Verfechter der Kirchenreform Kampfgenosse des Pierre d'Ailly. Nach der Flucht Johannes' XXIII. (s. d.) trat er in scharfen gegen das Papsttum gerichteten Sätzen für die Erhaltung des Konzils ein und erwies sich als Gegner des Johann Hus (s. d.). Nach Abschluß des Konzils zog sich G. nach Rattenberg (Inn), Neuburg (Donau) und später nach Melk (Niederösterreich) zurück, kehrte aber 1419 nach Frankreich zurück. Die letzten 10 Jahre in der Stille des Kollegiatsstifts St. Paul in Lyon wurden sehr fruchtbar an literarischer Arbeit. – In der Philosophie vertrat G. den »Nominalismus«, vermittelte aber zwischen »Nominalismus« und »Realismus«. In der Theologie stellte er die Mystik, die ihm die wahre Theologie bedeutete, weit über die Scholastik.

Werke: Hrsg. v. Louis Ellies Dupin, 5 Bde., Antwerpen 1706; – GA, 4 Bde., Köln 1483–84. – Oeuvres complètes. Hrsg. v. Palémon Glorieux, Paris 1960 ff. – *Neuausgg.*: Six sermons inédits, hrsg. v. Louis Mourin, ebd. 1946; Initiation à la vie mystique, hrsg. v. Pierre Pascal, Paris 1943; De mystica theologia, hrsg. v. André Combes, Lugano 1958.

Lit.: Johann Baptist Schwab, J. G., Prof. der Theol. u. Kanzler der Univ. Paris. Eine Monogr., 1858 (Nachdr. 2 Bde., New York 1964); – James Louis Conolly, J. G. Reformer and Mystic, Louvain 1928; – Albert Auer, Johannes v. Dambach u. die Trostbücher v. 11. bis z. 16. Jh., 1928; – Johann Stelzenberger, Die Mystik des J. G., 1928; – Marie Josèphe Pinet, La vie ardente de G., 1929; – Henri Dacremont, G., Paris 1929; – Walter Dress, Die Theol. G.s Eine Unters. z. Verbindung v. Nominalismus u. Mystik im Spät-MA 1931; – Ders., G. u. Luther, in: ZKG 52, 1933, 122 ff.; – Edmond van Steenberghe, G. à Bruges, in: RHE 31, 1935, 5 ff.; – Karl Schäfer, Die Staatslehre des J. G. Köln), Bielefeld 1935; – Douglas Gordon Barron, J. Ch. de G. the Author of the »De Imitatione Christi«, Edinburgh u. London 1936; – André Combes, J. G. commentateur dionysien, Paris 1940; – Ders., Jean de Montreuil et le Chancelier G. Contribution à l'histoire des rapports de l'humanisme et de la théolo-

gie en France au début du XVe siècle, ebd. 1942; – Ders., Essai sur la critique de Ruysbroeck par G., 3 Bde., 1945–59; – Ders., La consolation de la théologie d'après G., in: La Pensée Catholique 14, 1960, 8 ff.; – Ders., La Théologie mystique de G. Profil de son évolution, 2 Bde., 1963–65; – Ders., G. et l'eucharistie, in: Divinitas. Pontificiae Academiae theologicae Romanae commentarii 10, Rom 1966, 467 ff.; – Pierre Pourrat, La spiritualité chrétienne, Paris 1947 ff., II, 406 ff.; III, 416 ff.; – Max Liebermann, Chronologie gersonienne, in: Romania 70, Paris 1948, 51 ff.; 73, 1952, 480 ff.; 74, 1953, 289 ff.; 76, 1955, 289 ff.; 78, 1957, 433 ff.; 79, 1958, 339 ff.; 80, 1959, 289 ff.; 81, 1960, 44 ff. 338 ff.; 83, 1962, 52 ff.; – Ders., Gersoniana, ebd. 78, 1957, 1 ff. 145 ff.; – Ders., Autour de l'iconographie gersonienne, ebd. 84, 1963, 307 ff.; 85, 1964, 49 ff. 230 ff.; – Palémon Glorieux, La vie et les oeuvres de G. Essai chronologique, in: AHDL 18, 1950–51, 149 ff.; – Ders., L'activité littéraire de G. à Lyon, in: RThAM 18, 1951, 238 ff.; 22, 1955, 95 ff.; 23, 1956, 88 ff.; – Ders., Comment G. préparait son père à la mort, in: MSR 14, 1957, 63 ff.; – Ders., Note sur le »Carmen super Magnificat« de G., in: RThAM 25, 1958, 143 ff.; – Ders., »Contre l'observation superstitieuse des jours«. Le traité de G. et ses divers états, 35, 1968, 177 ff.; – Louis Mourin, J. G., prédicateur français, Brügge 1952; – Josef Schneider, Die Verpflichtung im menschl. Gesetzes nach J. G., in: ZKTh 75, 1953, 1 ff.; – Z. Rueger, G. and Occam, London 1956; – Ders., Le »De auctoritate Concilii« de G., in: RHE 53, 1958, 775 ff.; – Dorothy G. Wayman, The Chancellor (G.) and Jeanne d'Arc, February – July A. D. 1429, in: FrSt 17, 1957, 273 ff.; – Paschal Boland, The Concept of Discretio Spirituum in J. G.'s »De Probatione Spirituum« and »De Distinctione Verarum Visionum a Falsis« (Diss. Catholic university of America), Washington 1959; – John Brimyard Morrall, G. and the Great Schism, Manchester/USA 1960; – L. Barrey, Essai sur la théologie mystique de G. (Thèse des facultés catholiques, Paris), 1960 – A. Ampe, Les Rédactions successives de l'Apologie schoonhovienne pour Ruusbroec contre G., in: RHE 55, 1960, 401 ff.; – François Vandenbroucke, La spiritualité du moyen âge, Paris 1961, 526 ff. u. ö.; – F. Scalvini, Lo scrittore mistico G. G., in: Rivista di ascetica e mistica 32, 1963, 40 ff.; – F. Poulet, La pauvreté et les pauvres dans l'oeuvre de G. (Diplome d'études supérieures), Paris 1963; – Guillaume Henri Marie Posthumus Meyjes, J. G. Zijn Kerkpolitiek en ecclesiologie (Diss.), Den Haag 1963; – Erwin Iserloh, Luther u. die Mystik, in: Kirche, Mystik, Heiligung u. das Natürl. bei Luther. Vortrr. des 3. Internat. Kongresses f. Lutherforsch., Järvenpää, Finnland, 11.–16. 8. 1966. Hrsg. v. Ivar Asheim, Göttingen 1967, 60 ff.; – H. A. Obermann, Simul gemitus et raptus: Luther u. die Mystik, ebd. 20 ff.; – Luis Arias, Obras completas de J. G., in: Salmanticensis. Commentarius de sacris disciplinis cura Facultatum Pontificiae Universitatis editus 15, Salamanca 1968, 465 ff.; – Luise Abramowski, J. G., De consiliis evangelicis et statu perfectionis, in: Stud. z. Gesch. u. Theol. der Ref. Festschr. f. Ernst Bizer, 1969, 63 ff.; – Steven Edgar Ozment, Homo spiritualis. A comparative study of the anthropology of Johannes Tauler, J. G. and Martin Luther, 1509–16, in the context of their theological thought, Leiden 1969 (Rez. v. Martin Greschat, in: LR 20, 1970, 380 f.; v. Ludvik Nemec, in: ThSt 31, 1970, 333 f.; v. David G. Schmiel, in: ARG 61, 1970, 293 f.; v. John W. O'Malley, in: Renaissance quarterly 23, New York 1970, 292 ff.; v. Lewis W. Spitz, in: ChH 39, 1970, 405 f.; v. Bernd Moeller, in: ThLZ 97, 1972, 43 ff.; v. Helmar Junghans, in: LuJ 39, 1972, 127 ff.); – Remigius Bäumer. Nachwirkungen des konziliaren Gedankens in der Theol. u. Kanonistik des frühen 16. Jh.s (Hab.-Schr., Freiburg/Breisgau 1967), Münster/Westfalen 1971; – Karl-Heinz zur Mühlen, Nos extra nos. Luthers Theol. zw. Mystik u. Scholastik (Diss. Zürich, 1969), Tübingen 1972, 110 ff.; – Wolfgang Hübner, Der theol.-philos. Konservativismus des J. G., in: Antiqui u. moderni. Traditionsbewußtsein u. Fortschrittsbewußtsein im späten MA. Hrsg. v. Albert Zimmermann, Miscellanea mediaevalia IX, Berlin – New York 1974, 171 ff.; – KLL II, 185 (Consolatio theologiae). 925 f. (De potestate ecclesiastica et origine iuris). Suppl., 355 ff. (De mystica theologica). – EncF II, 673 f.; – BS VI, 809 ff.; – DThC VI, 1313 ff.; XVI, 1804 ff.; – EC VI, 185 ff.; – DSp VI, 314 ff.; – LThK V, 1036 f.; – NCE V, 449 f.; – ODCC² 561 f.

GERTRUD *von Hackeborn*, 2. Äbtissin von Helfta, * 1232, † 1292. – G., Schwester der Mechthild von Hackeborn (s. d.), wurde 1251 Äbtissin des Benediktinerinnenklosters Rodersdorf und gründete 1253 mit Hilfe ihrer Brüder Albert und Ludwig das Tochterkloster Hedersleben bei Quedlinburg. Ihr eigenes Kloster verlegte sie 1258 wegen Wassermangels nach Helfta (Helpede) bei Eisleben. Die Benediktinerinnenabtei Helfta erlebte unter ihr ihre Blütezeit.

Lit.: Hermann Größler, Die Blütezeit des Klosters Helfta bei Eisleben, GProgr. Eisleben 1887; – Lucie Félix-Faure Goyau, Christianisme et culture féminine, Paris 1914, 165 ff.; – Karl Richstätter, Die Herz-Jesu-Verehrung I, 1924², 13; – Séraphin Lenssen, Hagiologium Cisterciense II, Tilburg 1949, 115 ff.; –

Zimmermann III, 319 ff. 330; – Torsy 191; – ADB IX, 73 f.; – EC VI, 194; – LThK IV, 760 f.; – RE VI, 618; – RGG II, 1449.

GERTRUD, die Große, von Helfta, Mystikerin, Heilige, * 6. 1. 1256 wahrscheinlich in Thüringen, † 1302 in Helfta bei Eisleben. – G. kam schon mit fünf Jahren in das Benediktinerinnenkloster Helfta (Helpede) und erhielt als Klosterschülerin und Nonne eine feine geistige Ausbildung durch die Äbtissin Gertrud von Hackeborn (s. d.). Am 27. 1. 1281 erlebte G. die für ihr Leben entscheidende Erscheinung des Heilandes, mit dem sie bis zu ihrem Tod in innig-zarter, mystischer Vereinigung aufs engste verbunden blieb, und begann 1289 mit der Aufzeichnung ihrer Offenbarungen, die uns einen ergreifenden Einblick in ihr ungetrübt reines, geheimnisvolles Liebesleben mit dem Heiland gewähren. G. hat auf die Mystik und Erbauungsliteratur großen Einfluß ausgeübt und durch ihre »Jesusminne« der liturgischen »Verehrung des Herzens Jesu« den Weg bereitet. 1677 wurde ihr Name in das »Martyrologium Romanum« aufgenommen. Ihr Fest ist im Benediktinerorden der 17., sonst der 15. November.

Werke: Legatus divinae pietatis (2. Buch stammt v. G. selbst; 3.–5. Buch sind nach ihrem Tod zus.gest.; das 1. Buch enthält Erinnerungen an G.; übers. v. Johannes Weißbrodt: Gesandter der göttl. Liebe, 1876, 1963¹⁴); Liber specialis gratiae (Das Buch der Offb.en der hl. Mechthild v. Helfta, v. G. u. einer anderen Nonne niedergeschr.); Exercitia spiritualia (dt. hrsg. v. Maurus Wolter, 1919⁹). – *GA:* Revelationes Gertrudianae ac Mechtildianae, hrsg. v. den Mönchen v. Solesmes, 2 Bde., Poitiers – Paris 1875–77 (dt. v. Johannes Weißbrodt, 1877; 1922⁹; frz. 1907). – *Ausgg. u. Ausw.:* Ausw. in der Collectio »Pax« XX u. XXVI, Maredsous 1925/27; – Wilhelm Oehl, Dt. Mystikerbriefe des MA, 1931, 240 ff.; – Werken. Ingeleid en uit het Latijn vertaald door Maurits Molenaar, 2 Tle., Bussum 1951; – Le mémorial spirituel de Ste. G. (Buch I–II des »Legatus«). Einl. u. Übers. v. Pierre Doyère, Paris 1954; – The Exercises of Ste. G., Westminster/Maryland 1956; So beten Hll. (Preces Gertrudianae, dt.). Gebete der hl. G. u. Mechtild. Aus dem Lat. übers. v. den Benediktinerinnen der Abtei St. Gertrud, Tettenweis/Niederbayern 1956 (1959²); – Das neue Gertrudenbuch (»Geistl. Übungen« u. Ausz. aus dem »Gesandten der göttl. Liebe«), hrsg. v. Willibrord Verkade, 1956²; – Pilgers Sehnsucht. Geistl. Lehren u. Sinnsprüche der hl. G. u. Mechtild v. Magdeburg, 1958. – Oeuvres spirituelles, hrsg. v. Pierre Doyère, I, 1967 (Rez. v. V., in: RHÉF 55, 1969, 134 f.); II. III, 1968 (Rez. v. A. Burg, in: Het christelijk oosten 21, Nijmegen 1969, 135 f.; v. J. Paul, in: RHÉF 56, 1970, 202).

Lit.: Johann Wilhelm Preger, Gesch. der dt. Mystik im MA I, 1874, 126 ff.; – Philipp Strauch, Die jüngere G., in: Zschr. f. dt. Altertum 27, 1883, 373 ff.; – Hermann Größler, Die Blütezeit des Klosters Helfta bei Eisleben, GProgr. Eisleben 1887; – Ursmer Berlière, Ste. Mechtilde et Ste. G. furent-elles Bénédictines?, in: RBén 16, 1899, 457 ff.; – Ders., La dévotion au Sacré-Coeur dans l'Ordre de St. Bénédict, Paris – Maredsous 1923, 24 ff.; – Emil Michael, Die hl. Mechthild u. die hl. G. d. Gr. Benediktinerinnen?, in: ZKTh 23, 1899, 548 ff.; – Ders., Gesch. des dt. Volkes III, 1903, 181 ff.; – Gabriel Ledos, Ste. G., Paris 1900 (1924⁷; dt. v. Emil Prinz zu Oettingen-Spielberg, 1904); – Gilbert Dolan, Ste. G. the Great, London 1912; – Ders., ebd. 1922 (1926²; frz. Maredsous 1923); – G. Hasse, Im Tale der Wunderblume v. Helfta, 1913; – Georg Munk, St. Gertruden Minne (Erz., 1921; – Willy Müller-Reif, Zur Psychologie der myst. Persönlichkeit. Mit bes. Berücks. G.s d Gr. v. H., 1921; – Pierre Pourrat, La spiritualité chrétienne II, Paris 1921, 126 ff.; – Jean Martial Léon Besse, Les mystiques bénédictins au XIIIe siècle, ebd. – Maredsous 1922, 216 ff.; – Revue liturgique et monastique 2. sér. 8, Maredsous 1922, 172 f. (Zum Problem der Ordenszugehörigkeit); – Karl Richstätter, Die Herz-Jesu-Verehrung des dt. MA, 1924², 87 ff. 293 ff.; – Auguste Hamon, Histoire de la dévotion au Sacré-Coeur II, Paris 1924, 109 ff.; – R. Medici, Questioni critiche intorno a S. G. la Grande, in: Rivista Storia Benedettina 15, Rom 1924, 256 ff.; – Maurits Molenaar, G. van H., Amsterdam 1925; – Willibrord Lampen, De spiritu St. Francisci in operibus St. G. Magnae, in: AFrH 19, 1926, 733 ff.; – Ders., St. G. de Grote, Hilversum 1939; – P. A. J. Terhünte, Die hl. G. v. H., in: ZAM 2, 1927, H. 2; – Anne Marie Heiler, Mystik dt. Frauen im MA, 1929; – Michael Oliver, Ste. G. the Great, Dublin 1930; – A. Rojo, S. G. La primera confidente del Sagrado Corazón, Salamanca 1930; – Ailbe John Luddy, Ste. G. the Great, Dublin 1931; – Johannes Walterscheid, Dt. Hll. Eine Gesch. des Reiches im Leben dt. Hll., 1934, 334 ff.; – C. Poggi, Vita e virtù della santa G. la Grande, Rom 1934; – Jean Chuzeville, Les mystiques allemands du XIIIe

au XIVe siècle, 1935; – Ansgar Volmer, G. d. Gr. v. H., 1937; – Étienne Gilson, Regio Dissimilitudinis de Platon à S. Bernard de Clairvaux, in: MS 9, 1947, 108 ff.; – Alberto Gómez, Santa Gertrudis la Magna y Santa Matilde de Hackeborn en nuestros antiguos historiadores españoles, in: CollOCR 11, 1949, 227 ff.; – Oliver Leonard Kapsner, A Benedictine Bibliography, Author Part, Collegeville/Minnesota 1950, 148 f.; – Johannes Maria Höcht, Träger der Wundmale Christi. Eine Gesch. der bedeutendsten Stigmatisierten v. Franziskus bis z. Ggw. I, 1951, 46 ff.; – Ernst Hello, Hll.gestalten, 1953³, 278 ff.; – Gerta Krabbel, Die hl. G. d. Gr. Zu ihrem Gedenken 500 J. nach ihrem Tode, 1953; – Eduard Winterhalter, Verehrung der hl. G., 1954; – Maria Andrea Goldmann, Die hl. G. d. Gr., in: Die Seele. Mschr. im Dienste christl. Lebensgestaltung 32, 1956, 14 ff.; – Mary Jeremy, »Similitudes« in the writing of St. G. of H., in: MS 19, 1957, 48 ff.; – Dies., Scholars and mystics, Chicago 1962; – Cipriano Vagaggini, Cor Jesu II, Rom 1959, 29 ff.; – Ders., Initiation théologique à la liturgie (Kap. 22: Ste. G. et la spiritualité liturgique) II, Brügge – Paris 1963, 206 ff.; – Wilhelm Hünermann, Der endlose Chor. Ein Buch v. den Hll. f. das christl. Haus. 1960⁸, 671 ff.; – Pierre Doyère, Ste. G. et les sens spirituels, in: RAM 36, 1960, 429 ff.; – Mathilde Hain, St. G., die Schatzmeisterin, in: Zschr. f. Volkskunde 57, 1961, 75 ff.; – François Vandenbroucke, La spiritualité du moyen âge, Paris 1961, 537 ff.; – Gertrudis Schinle, Ein verschlossener Garten. Aus dem inneren Leben der hl. G. d. Gr., 1969; – Otmar Wieland, G. v. H., ein botte der göttl. miltekeit (Diss. München, 1970), Augsburg 1973; – Grabmann, MGL I, 471 ff.; – Zimmermann III, 319 ff.; – Kosch, LL I, 644; – VerfLex II, 43 f.; – Wilpert I², 568; – KLL Suppl., 660 f. (Legatus divinae pietatis); – BS VI, 277 ff.; – Wimmer³ 242 f.; – Torsy 191; – Hauck V, 390 f.; – VSB XI, 520 ff.; – Künstle 281; – Braun 293 f.; – Réau III, 587 f.; – DThC I, 1332 ff.; – EC VI, 192 f.; – DSp VI, 331 ff.; – LThK IV, 761; – NCE VI, 450 f.; – ODCC² 562; – Catholicisme IV, 1896 ff.; – RE VI, 617 f.; XXIII, 557; – RGG II, 1450; – ADB IX, 74 f.; – NDB VI, 334.

GERTRUD *von Nivelles*, Äbtissin, Heilige, * 626 als Tochter Pippins des Älteren, † 17. 3. 653 oder 659. – G. war eine Schwester der Äbtissin Begga (s. d.) von Andenne an der Maas. Ihre Mutter Iduberga (s. d.) stiftete auf Veranlassung des Bischofs Amandus (s. d.) von Maastricht das Kloster Nivelles bei Brüssel, in dem sie nach dem Tod ihres Gemahls als Nonne lebte. G. verzichtete auf eine glänzende Heirat und trat in das Kloster Nivelles ein, dessen erste Äbtissin sie nach dem Tod ihrer Mutter 652 wurde. G. zeichnete sich aus durch große Schriftkenntnis, Werke der Barmherzigkeit an Armen und Kranken und unermüdlichen Tugendeifer. Sie ist Patronin der Reisenden und fahrenden Gesellen und wird besonders gegen Ratten- und Mäuseplagen angerufen. Scheidende und versöhnte Feinde tranken die »St. Gertrudenminne«. G. wird dargestellt mit Spindel und Mäusen. Ihr Fest ist der 17. März.

Lit.: Heinrich Eduard Bonnell, Die Biographen der hl. G., in: Ders., Die Anfänge des karoling. Hauses, 1866, 149 ff.; – Johannes Friedrich, KG Dtld.s II, 1869, 341 ff. 667 ff.; – Annales de la société archéologique de Nivelles 3, Nivelles 1892, 323 ff.; – Carl Albrecht Bernoulli, Die Hll. der Merowinger, 1900, 197 ff.; – E. Lemke, in: Brandenburgia. Mbl. der Ges f. Heimatkunde der Prov. Brandenburg 12, 1903/04, 445 ff.; – Leonhard Korth, Die Patrocinien der Kirchen u. Kapellen im Erzb. Köln, 1904, 75; – Ernst v. Moeller, Die Elendenbrüderschaften. Ein Btr. z. Gesch. der Fremdenfürsorge im MA, 1906, 56 f.; – P. Wenzel, Drei Frauenstifte der Diöz. Lüttich, 1909; – Léon van der Essen, Étude critique et littéraire sur les Vitae des Saints mérovingiens de l'ancienne Belgique, Löwen – Paris 1907, 1 f.; – Arch. f. christl. Kunst 37, 1919, 20 ff.; – Folklore Brabançon 4, Brüssel 1925, 205 ff.; – Rudolf Kriß, Volkskundl. aus altbayer. Gnadenstätten, 1930, 304; – A. F. Stocq, Vie critique de s. G. de N., Nivelles 1931; – Édouard de Moreau, Histoire de l'église en Belgique dès origines aux débuts du XIIe siècle, Brüssel 1940, I², 144 ff. 156 f. 174 f. 177 ff.; – B. Delanne, Histoire ... Nivelles, in: Annales de la société archéologique de Nivelles 14, Nivelles 1944, 157 ff.; – Jan Joseph Marie Timmers, Symboliek en iconographie der christelijke kunst, Roermond 1947, 921; – Juan Ferrando Roig, Iconografía de los santos, Barcelona 1950, 6; – J. J. Hoebanx, L'abbaye de Nivelles dès origines au XIVe siècle, Brüssel 1952, 22 ff.; – Jean de Vincennes, G., dame de N., Brüssel – Paris 1954; – A. Mottart, La collégiale Ste-G. de N., Nivelles 1954; – Gertrud Zender, Die Gärtnerin v. Brabant. Ein biogr. Roman um G. v. N., 1954; – R. Hanon de Louvet, in: Annales de la société archéologique de Nivelles 17, 1957, 249 ff.; – Matthias Zender, Räume u. Schichten ma. Hll.verehrung in ihrer Bedeutung f. die Volkskunde,

1959, 89–143; – Wilhelm Hünermann, Der endlose Chor. Ein Buch v. den Hll. f. das christl. Haus, 1960[8], 149 ff.; – Carl Nagel, St. G. u. ihre Hospitäler in der Mark Brandenburg, in: Jb. f. brandenburg. Landesgesch. 14, 1963, 7 ff.; – AS OSB II, 594 ff.; – MG SS rer. Merov. II, 447 ff.; – BS VI, 288 ff.; – Wimmer[3] 242; – Torsy 191 f.; – Réau III, 586 f.; – BHL 3490 ff.; – Bächtold-Stäubli III, 699 ff.; – Künstle 280 f.; – Braun 294 ff.; – Zimmermann I, 338; – Potthast II, 1339 f.; – Catholicisme IV, 1848; – LThK IV, 761 f.; – NCE VI, 451; – ODC[2] 562; – RE VI, 617; – RGG II, 1450.

GERTRUD van Oosten, mystisch begnadete, »stigmatisierte Begine«, Selige, * um 1300 in Voorburg (Südholland), † 6. 1. 1358 in Delft. – G. war das Kind armer Landleute und kam früh als Dienstmagd nach Delft. Sie verlobte sich mit einem jungen Mann, der aber eine andere heiratete. Das veranlaßte G., sich den »Beginen« anzuschließen, Asketinnen, die nach Art der Nonnen, aber ohne bindende Gelübde, in den »Beginenhöfen« in kleineren Gruppen lebten. G. führte ein vorbildliches Leben und hatte außer den »Stigmen« Christi die Gabe der Prophezeiung. Ihr Beiname »van Oosten« wird von ihrem Lieblingslied »Het daghet in den Oosten« hergeleitet.

Lit.: Het Leven . . . G. v. O., Baghijnken tot Delft (anonym), Löwen 1589; – J. G. a Ryckel, Vita S. Beggae, ebd. 1631, 357 ff.; – Joseph v. Görres, Die christl. Mystik, 1836–42, IV, 437; – AS Jan. I, 348 ff.; – VSB I, 128 f.; – Torsy 192; – Catholicisme IV, 1895; – EC VI, 195 f.; – LThK IV, 762; – ADB XXIV, 364 f.

GERVIN, Benediktinerabt von Oudenburg (Aldenburg in Westflandern), Heiliger, † 17. 4. 1107 oder 1117 im Wald von Kosfort. – G. pilgerte zweimal nach Jerusalem und einmal nach Rom. Er wurde Mönch in Bergues-St-Winnoc und lebte als Einsiedler an verschiedenen Orten, u. a. in Corbie bei Amiens und in der Nähe des Klosters Oudenburg bei Ostende, dessen Mönche ihn 1095 zu ihrem zweiten Abt wählten. G. trat aber 1105 zurück und lebte wieder als Einsiedler. – G. wird als Heiliger verehrt. Sein Fest ist der 17. April.

Lit.: Joannes Molanus, Natales Sanctorum Belgii, Löwen 1595, 71 f.; – AS Apr. II, 495 f.; – VSB IV, 418; – BS VI, 304 f.; – Wimmer[3] 243; – Torsy 193; – Zimmermann II, 61 f.; – Catholicisme IV, 1898 f.; – LThK IV, 765; – NCE VI, 454.

GESENIUS, Justus, luth. Theologe, * 6. 7. 1601 als Pfarrerssohn in Esbeck (Hannover), † 18. 9. 1673 in Hannover. – G. studierte seit 1618 unter Georg Calixt (s. d.) in Helmstedt, wurde aber 1626 von dort durch die Pest vertrieben. Er begleitete die Söhne eines sächsischen Kanzlers nach Jena und erwarb dort 1628 die Magisterwürde. Seit 1629 wirkte G. als Pastor an St. Magnus in Braunschweig. Er wurde 1636 in Hildesheim 2. Hofprediger des Herzogs Georg von Braunschweig-Lüneburg und Konsistorialassessor und 1642, als Herzog Christian Ludwig Hildesheim an den Erzbischof von Köln abtrat und das Konsistorium nach Hannover verlegt wurde, Oberhofprediger, Konsistorialrat und Generalsuperintendent des Fürstentums Calenberg-Göttingen, 1666 auch noch des Fürstentums Grubenhagen. – G. hat der hannoverschen Kirche das Gepräge eines gemäßigten Luthertums gegeben und die wichtigsten Bücher für den Gottesdienst und den Religionsunterricht geschaffen. In Gemeinschaft mit David Denicke (s. d.) gab er 1646 ein Gesangbuch für die Privatandacht heraus, aus dem dann das Hannoversche Gesangbuch von 1659 hervorging. Von den eigenen Liedern des G. ist das Passionslied bekannt »Wenn meine Sünd mich kränken, o mein

Herr Jesus Christ, so laß mich wohl bedenken, daß du gestorben bist« (EKG 61).

Werke: Kleine Katechismusschule, d. i. kurzer Unterricht, wie die Katechismuslehre bei der Jugend u. den Einfältigen zu treiben, 1631; Kleine (später: kurze) Katechismusfragen über den Kleinen Katechismus Luthers, 1639 (öff. Lehrb. in den Kirchen u. Schulen des Landes bis 1790; wurde auch in vielen anderen dt. Landeskirchen eingef.); Biblische Historien AT u. NT, 1656 (zweimal je 54 Lektionen); Erörterung der Frage: Warum willst du nicht röm.-kath. werden, wie deine Vorfahren waren?, 4 Tle., 1669–72; Evv.predigten, 3 Tle., 1653/54; Epistelpredigten, 4 Tle., 1671/72; Passionspredigten, 1671.

Lit.: Wilhelm Bode, Qu.nachweis über die Lieder des hannover. u. lüneburg. Gesangbuches, 1881, 11 ff. 76; – Eduard Bratke, J. G., sein Leben u. sein Einfluß auf die hannover. Landeskirche, 1883; – Karl Kayser, Die Generalvisitation des J. G. im Ftm Göttingen 1646 u. 1652, in: ZGNKG 11, 1906, 147 ff.; – Rudolf Steinmetz, Die Gen.sup.en v. Calenberg, ebd. 13, 1908, 93 ff.; – Rudolf Vandré, Der Katechismus des J. G. in den luth. Gemeinden Ostfrieslands, in: JGNKG 68, 1970, 59 ff.; – Goedeke III, 179 f.; – Koch III, 230 ff.; – Fischer-Tümpel II, 373 ff.; – Hdb. z. EKG II/1, 184 f.; – ADB IX, 87 f.; – NDB VI, 339 f.; – RE VI, 622 ff.; – RGG II, 1510 f.

GESENIUS, Wilhelm, Theologe und Orientalist, * 3. 2. 1786 in Nordhausen als Sohn eines Arztes, † 23. 10. 1842 in Halle (Saale). – G. studierte in Helmstedt Theologie als Schüler des Rationalisten Heinrich Philipp Henke (s. d.) und widmete sich auch eifrig klassischen und semitischen Sprachstudien. Er wurde Ostern 1806 in Göttingen, wo Johann Gottfried Eichhorn (s. d.) als Orientalist sein Lehrer war, theologischer Repetent und im Herbst 1806 Privatdozent. Da er keine Aussicht auf baldige Beförderung hatte, ging G. 1809 als Professor an das katholische Gymnasium in Heiligenstadt. 1810 wurde er ao. und 1811 o. Professor für Altes Testament an der Universität in Halle, der er trotz ehrenvoller Rufe treu blieb. – G. war der Bahnbrecher einer neuen Ära der hebräischen Sprachforschung. Lexikographie und Grammatik waren seine Hauptarbeitsgebiete.

Werke: Hebr.-dt. Hdwb. über die Schrr. des AT, 1810–12 (ab 1886[10] u. d. T.: Hebr. u. aram. Hdwb. über das AT; 1895[12] bis 1921[17] bearb. v. Frants Buhl; Neudr. bis 1959); Hebr. Grammatik, 1813 (14.–21. Aufl. v. Emil Rödiger, 22.–28. Aufl. v. Emil Kautzsch zuletzt in 29. Aufl. v. Gotthelf Bergsträßer bearb.; 1. Tl. 1918; 2. Tl. 1929; in viele Fremdsprachen übers.); Thesaurus philologicus criticus linguae hebraeae et chaldaeae Veteris Testamenti, I, 1828; II, 1839; III/1, 1842; III/2, 1853; Indices, 1858 (die 2 letzten Bde. hrsg. v. Emil Rödiger; das Standardwerk der hebr. Lexikogr.); Der Prophet Jes, 1820/21 (das einzige exeget. Werk v. G., theol. stark rationalist., aber noch heute wertvoll durch seine philolog. u. archäolog. Notizen).

Lit.: Robert Haym, G. Eine Erinnerung f. seine Freunde, 1842 (anonym); – Hermann Gesenius, W. G. Ein Erinnerungsbl. an den 100j. Geb. (3 ausführl. Nekrologe), 1886; – Thomas Cheyne, Founders of Old Testament Criticism, 1893, 53 ff.; – K. Benkenstein, W G., in: Festschr. z. 400 J.feier des Gymn. zu Nordhausen, 1924, 128 ff.; – Edward Fred Miller, The influence of G. on Hebrew Lexicography, New York 1927; – Otto Eißfeldt, W. G. als Archäologe, in: FF 18, 1942, 297 ff.; – Ders., W. G. u. die Palästinawiss., in: ZDPV 65, 1942, 105 ff.; – Ders., W. G., in: 250 J. Univ. Halle, 1944, 88 ff.; – Ders., Von den Anfängen der phön. Epigraphik. Nach einem bisher unveröff. Brief v. W. G., 1948; – Kraus 151 f.; – ADB IX, 89 ff.; – NDB VI, 340 f.; – DB III, 215 ff.; – RE VI, 624 ff.; – RGG II, 1511; – LThK IV, 814 f.; – NCE VI, 454; – ODC[2] 563.

GESIUS (eigentlich: Göß), Bartholomäus, Kantor, Komponist, * 1562 in Müncheberg bei Frankfurt/Oder als Sohn eines Ackerbürgers und Ratsherrn, † (an der Pest) August 1613 in Frankfurt/Oder. – G. studierte zwischen 1578 und 1585 an der »Viadrina« (Universität) in Frankfurt/Oder. Er war 1582 vorübergehend Kantor in Müncheberg und 1587 Lehrer und Musiker auf Schloß Muskau (Oberlausitz). Im Frühjahr 1593 wurde G. in Frankfurt/Oder Kantor an der Marienkirche und zugleich Lehrer an der Ratsschule. Wir verdanken ihm die Weise zu dem Osterlied des Kaspar Stolshagen (s. d.) »Heut triumphieret Gottes Sohn« (EKG 83). Sie findet sich in seinen »Geistlichen deutschen Liedern«, 1601. In seinem »Enchiridion« von 1603 erschien die Weise unbekannten Ursprungs zu dem Lied »Lobet Gott, unsern Herren« (Psalm 150), die seit 1730 mit dem Lied Paul Gerhardts (s. d.) »Befiehl du deine Wege« weite Verbreitung gefunden hat.

Werke: Historia v. Leiden u. Sterben unseres Herrn u. Heilandes Jesu Christi, wie sie uns der Evangelista Johannes im 18. vnd 19. Cap. beschrieben, mit 2. 3. 4. vnd 5 Stimmen componiret vnd in den Druck gegeben, Wittenberg 1588; Teutsche geistl. Lieder (4st.), 1594; Hymni 5 vocum de praecipuis festis anniversariis, Frankfurt/Oder 1595; Novae Melodiae, 1596; Hymni scholastici in schola Francofurtensi ad Oderam, Frankfurt/Oder 1597 (1609² als: Melodiae scholaticae; 1621⁴ als: Vierst. Handbüchlein, in welchem verfasset sind der Altväter Ambrosii, Augustini, Prudentii, Sedulii u. a. M. Lobgesenge, nebenst den deutschen Kirchenliedern); Melodiae 5 vocum, 1598; Psalmodia choralis, 1600; Geistliche Deutsche Lieder D. Mart. Lutheri und anderer frommen Christen, welche durchs gantze Jahr in der christl. Kirchen zusingen gebreuchlich, mit vier vnd fünff Stimmen nach gewöhnlicher Choral melodien richtig . . . gesetzet, Frankfurt/Oder 1601 (1607³); Enchiridion etlicher deutscher und lateinischer Gesänge zu 4 Stimmen, 1603; Psalmus C, 1603; Hymni patrum cum cantu, 1603; Christliche Musica (Bittgesänge), 1605; 108. Psalm, 10st., 1606; 90. Psalm, 5st., 1607; Synopsis musicae practicae (theoret. Kompendium), 1609 (1618⁸); Cantiones sacrae chorales (4–6st.), 1610; Christliche Choral- und Figuralgesänge, 1611; Cantiones ecclesiasticae, 2 Bde., 1613; Fasciculus etlicher deutscher und lateinischer Motetten auf Hochzeiten und Ehrentage 4–8st.), 1616; Missae 5, 6 et plurium vocum, 1621, Vierstimmiges Handbüchlein, 1621; Teutsche und lateinische Hochzeitsgesänge (5–8 u. mehrst.), 1624. – *Ausgg.:* Johannespassion, in: Hdb. der dt. ev. Kirchenmusik, hrsg. v. Konrad Ameln, Christhard Mahrenholz u. Wilhelm Thomas, 1935 ff., I/3, 92 ff.; I/4, 56 ff. (als Sonderdr. 1939).

Lit.: R. Schwarze, Die G.schen Gesangbücher u. ihre Vorläufer, in: Mitt. des Hist.-Statist. Ver. zu Frankfurt a. O. 1873, 136 ff.; – Otto Kade, Die ältere Passionskomposition bis z. J. 1631, 1893, 63 ff. 216 ff.; – Friedrich Wilhelm Schönherr, B. G. (Munchbergensis). Ein Btr. z. Musikgesch. der Stadt Frankfurt an der Oder im 16. Jh. (Diss. Leipzig), 1920; – Paul Blumenthal, Der Frankfurter Kantor B. G. zu Frankfurt/Oder. 1926; – Hans Joachim Moser, Gesch. der dt. Musik I, 1926⁴; – Ders., Die ev. Kirchenmusik in Dtld., 1954; – Friedrich Blume, Die ev. Kirchenmusik, 1931 (2. neubearb. Aufl. 1965); – Norbert Hampel, Deutschsprachige prot. Kirchenmusik Schlesiens bis z. Einbruch der Monodie (Diss. Breslau), Liebau im Riesengebirge 1937; – Heinrich Grimm, Altfrankfurter Buchschätze, 1940; – Ders., Meister der Renaissancemusik an der Vadrina. Qu.btrr. z. Geisteskultur des Nordosten Dtld.s vor dem 30j. Kriege, 1942; – Hans Borlisch, B. G., in: MuK 22, 1952, 19 ff.; – Otto Brodde, B. G., in: Der Kirchenchor 23. 1963, 21 ff.; – Klaus Wolfgang Niemöller, Unterss. z. Musikpflege u. Musikunterricht an den dt. Lateinschulen v. ausgehenden MA bis um 1600 (Hab.Schr., Köln), Regensburg 1969; – Winterfeld I, 359 f.; – ADB IX, 93 f.; – MGG V, 34 f.; – Eitner IV, 214 ff.; – Riemann I, 615 f.; ErgBd. I, 418; – Moser I, 416 f.; – Grove III, 610 f.; – Honegger I, 403; – Goodman 161; – Hdb. z. EKG II/1, 121 ff.

GESS, Wolfgang, Theologe, * 27. 7. 1819 als Pfarrerssohn in Kirchheim unter Teck (Württemberg), † 1. 6. 1891 in Wernigerode. – G. bezog 1833 die Klosterschule in Blaubeuren und studierte seit 1837 in Tübingen. 1841 wurde er Vikar seines Vaters, der inzwischen als Generalsuperintendent nach Heilbronn berufen worden war. Nach der in Württemberg üblichen Kandidatenreise war G. Vikar in Stuttgart und Pfarrverweser in Maulbronn. 1846 wurde er Repetent in Tübingen, 1847 Pfarrer in Großaspach und 1850 theologischer Lehrer am Basler Missionshaus. 1864–71 lehrte G. als o. Professor für Systematische Theologie in Göttingen, danach in Breslau. 1880 wurde er Generalsuperintendent der Provinz Posen und lebte seit 1885 im Ruhestand in Wernigerode. – G. ist bekannt als Hauptvertreter der »Kenose«, der Lehre von der Entäußerung des göttlichen »Logos«.

Werke: Entwicklungsgesch. der Lehre v. der Person Christi nach dem Ref.zeitalter bis z. Ggw., 1856 (neu bearb. u. d. T.: Christi Selbstzeugnis, 1870; u.: Das apostol. Zeugnis v. Christi Person u. Werk nach seiner geschichtl. Entwicklung I, 1878; II,

1879; Das Dogma v. Christi Person u. Werk entwickelt aus Christi Selbstzeugnis u. den Zeugnissen der Apostel, 1887); Bibelstunden über die Abschiedsreden Jesu, 1871 (1900⁵); Bibelstunden über den Brief des Apostels Paulus an die Römer, I (Kap. 1–8), 1885 (1892²); II (Kap. 9–16), 1888; Die Inspiration der Helden der Bibel u. der Schrr. der Bibel, 1891; Vortrr.: Der Stufengang Jesu in der Unterweisung seiner Jünger, 1869; Gottesvolk ein Kgr. v. Priestern, 1872; Die Souveränität des Herrn Jesu gg.über den Propheten, 1879.

Lit.: Josef Oscar Bensow, Die Lehre v. der Kenose, 1903; – ADB 49, 322 ff.; – NDB VI, 349 f.; – RE VI, 642 ff.; – LThK IV, 837 f.; – ODCC² 563.

GESSNER, Georg, ref. Theologe, Kirchenliederdichter, * 16. 3. 1765 als Pfarrerssohn in Dübendorf bei Zürich, † 28. 7. 1843 in Zürich. – G. fand in dem Kandidaten der Theologie Diethelm Schweizer aus Zürich den Wecker und Pfleger seines geistlichen Lebens. Er wurde 1791 Diakonus und 1794 Pfarrer am Waisenhaus in Zürich, 1795 Diakonus und 1799 Pfarrer am Frauenmünster und 1798 zugleich Professor der Pastoraltheologie in Zürich. G. war 1828–37 Antistes der Zürcher Kirche und Pfarrer am Großmünster. Mit Johann Jakob Heß (s. d.) und anderen begründete er 1812 die Zürcher Bibelgesellschaft und 1819 mit einigen Freunden einen Missionsverein, aus dem 1828 die Zürcher Missionsgesellschaft hervorging. – G. war ein Erweckungsprediger in jener rationalistischen Zeit und wirkte auf allen Gebieten der Kirche, Schule, Mission und der Presse. Er ist bekannt als Schwiegersohn und Biograph von Johann Kaspar Lavater (s. d.) und war nach dessen Tod (1801) der Führer der gläubigen Kreise in der Schweiz. – Von G.s Liedern fand weite Verbreitung »Lobt froh den Herrn, ihr jugendlichen Chöre!« Es erschien 1795 in Zürich als Nr. 1 der Sammlung »Zwölf christliche Lieder für die lieben Kinder im Zürcherschen Waisenhause. Von ihrem neuerwählten Pfarrer.«

Werke: Erweckungen (Predigten), 1794; Ruth (6 Gesänge). 12 christl. Lieder f. die lieben Kinder im Zürcherschen Waisenhause, 1795; Geschichtl. Festlieder zu Ehren unsers Herrn, 1796; Boas (Gesang z. Erweckung häusl. Tugenden), 1796; Die Nacht (Gedichte), 1797; Morgenstunden, 1797; Lebensbeschreibung Lavaters, 3 Bde., 1802/03; Christl. Unterhaltungen f. Leidende u. Kranke, 1805; Verm. Schrr., 2 Bde., 1811/12; Wilhelm u. Luise (Goldner Spiegel f. Eltern u. Ehelustige), 1812.

Lit.: Diethelm Georg Finsler, G. G., Basel 1862; – Rudolf Finsler, Aus den Tagebüchern v. G. G. (Neujahrsbl. der Zürcherschen Hülfsges.), 1905; – HBLS III, 500; – ADB IX, 96.

GEYER, Christian, Pfarrer, * 1. 10. 1862 als Pfarrerssohn in Manau (Unterfranken), † 23. 12. 1929 in Nürnberg. – G. studierte 1880–84 in Erlangen und Leipzig und wurde 1887 Pfarrer in Altdorf bei Nürnberg und 1891 in Nördlingen, 1895 Präfekt des Lehrerseminars in Bayreuth und 1902 Hauptprediger an St. Sebald in Nürnberg. – G. war mit Friedrich Rittelmeyer (s. d.), der 1903–16 als Pfarrer an der Heilig-Geist-Kirche in Nürnberg wirkte, befreundet. Beide haben als Vertreter einer »freier gerichteten« Theologie Jahre hindurch um deren Anerkennung innerhalb ihrer Landeskirche gekämpft. Mit Rittelmeyer gab G. Predigtbände heraus, die weite Verbreitung und starke Beachtung fanden. Beide waren bestrebt, besonders an moderne gebildete Menschen mit der Predigt heranzukommen. Als Rittelmeyer Vorkämpfer der »Anthroposophie« Rudolf Steiners (s. d.) und 1922 Gründer und »Erzoberlenker« der »Christengemeinschaft« wurde, trennte sich G. von ihm.

Werke: Die Nördlinger ev. KO.en des 16. Jh.s, 1896; Bilder aus der KG, 1893 (1929¹⁸); KG f. das ev. Haus, 1903³; Gott u. die Seele. Ein Jg. Predigten (gemeinsam mit Friedrich Rittelmeyer), 1906 (1929⁹); Leben aus Gott. Neuer Jg. Predigten (gemeinsam mit

F. Rittelmeyer), 1910 (1918⁸); Ewige Freude. Rel. Gedanken u. Erfahrungen, 1912; Theol. des ältesten Glaubens. Ein Wegweiser f. die kirchl. Ggw., 1913; Warum bleiben wir in der Kirche? Eine Aussprache über Kirche, Bekenntnis, Liturgie, 1913; Erlebtes Christentum. Ein Wegweiser f. die rel. Ggw., 1914; Die Stimme des Christus im Krieg. Predigten aus dem 3. Kriegsjahr, 1917; Theosophie u. Rel., 1918 (1919² erweitert u. d. T.: Theosophie u. Rel. – Theosophie u. Rel.); Rudolf Steiner u. die Rel., 1921; Die Rel. Stefan Georges. Ein Btr. z. Wiedergeburt unseres Volkes aus dem Geist der Jugend, 1924; Der Menschen suchende Gott (Jg. Predigten), 1926; Der lebendige Kal. Ein Hilfsbuch z. Gebrauch des Namenkal., 1927; Heiteres u. Ernstes aus meinem Leben, 1929; Im Schatten der Vergebung (Gebete), 1932. – Gab heraus: (mit Friedrich Rittelmeyer) das Mbl. »Christentum u. Ggw.«, 1910–22; (mit Georg Merkel) das Mbl. »Christentum u. Wirklichkeit«, seit 1922.

Lit.: C. G. z. Gedächtnis, in: ChuW 21, 1930, H. 1–3; – Friedrich Rittelmeyer, C. G. †, in: Die Christengemeinschaft. Mschr. z. rel. Erneuerung 6, 1930, 328 ff.; – Georg Merkel, C. G., in: Ll. aus Franken V, 1936, 100 ff.; – Emil Bock, Zeitgenossen, Weggenossen, Wegbereiter, 1959; – Wilhelm Stählin, Zum Gedächtnis an C. G., in: Quatember. Ev. J.briefe 26, 1961–62, 189 f.; – Wilhelm Kelber, Zu C. F.s 100. Geb., in: Die Christengemeinschaft 34, 1962, 308 ff.; – Walther v. Löwenich, C. G. Zur Gesch. des »freien Prot.« in Bayern, in: Jb. f. fränk. Landesforsch. 24, 1964, 283 ff. (auch als Sonderdr.); – NDB VI, 355 f.; – RGG II, 1564.

GEYSER, Paul, ref. Pfarrer, * 30. 10. 1824 in Altstätten (Kt. St. Gallen) als Sohn eines Schreiners, † 7. 8. 1882 in Elberfeld. – G. besuchte die Realschule seiner Vaterstadt und das Lehrerseminar in Lausanne. Als Lehrer an einem Privatinstitut in St. Gallen verdiente er sich die Mittel zum Besuch des Aargauer Gymnasiums. Im Herbst 1843 bestand G. in Zürich das Abiturientenexamen und begann dort mit dem theologischen Studium, das er aber bereits im Frühjahr 1845 aufgab, weil die rationalistische Theologie seiner Zeit ihn nicht befriedigte: »Ich denke noch mit Schaudern daran, was ich in meiner Jungend hören mußte. Ich kam zur Universität mit der Überzeugung, daß alle Schrift von Gott eingegeben sei, wie Paulus Timotheus gelehrt hat. Der Herr Professor aber, vor welchem ich mich mit unendlichem Respekt niedersetzte, redete von den Büchern Moses als von einem Sammelsurium, das irgendein levitischer Skribifax aus den und den Quellen zusammengetragen habe. Wie er auf die Propheten zu sprechen kam, da suchte er uns vor allem klarzumachen, daß es Propheten im eigentlichen Sinn des Wortes gar nicht geben könne; er entblödete sich nicht, Israels gottbegeisterte Zeugen mit den Hexenmeistern der griechischen Orakel zusammenzustellen. Wie ein Kadaver auf der Anatomie, so wurden die Propheten hergenommen, wobei ich nichts lernte, sondern der ganzen Wissenschaft überdrüssig wurde. Sooft in einem Kapitel etwas Wunderbares vorlag, fällte der Herr Doktor das Urteil, daß es unecht sei. Wir armen Schlucker schrieben das Gefasel mit wissensenschaftlicher Begeisterung oder Unbesonnenheit auf und hörten nicht darauf, wie Bileams Esel gegen Bileams Weg protestierte.« Geyer ging nach Leipzig, um sich dem Studium der Sprachen zu widmen. Wegen Geldmangels kehrte er aber bald in die Schweiz zurück und lebte in den ärmsten Verhältnissen in Basel. Darum nahm G. im Herbst 1847 die Einladung eines Freundes in Amerika an, der ihm dort eine Lehrerstelle verschaffte. Schon nach wenigen Monaten kam es aber zwischen G. und dem Direktor der Schule zum Bruch; er wurde entlassen und geriet dadurch in größte Bedrängnis: »Ich lebte von Spottgedichten, die ich für Zeitungen lieferte. Zigarren und Branntwein waren meine Hauptnahrung.« Da erlebte G. die entscheidende Wegwende seines Lebens,

über die Otto Funcke (s. d.) berichtet: »G. war in großer finanzieller Not und im Begriff, sich das Leben zu nehmen. Einsam stand er am Mississippi. Hier sollte sein elendes Dasein enden. Wie er nun so in den Strom hineinstarrte, schaute er die Abspiegelung eines leuchtenden Sternes, der zwischen zerrissenen Wolken stand. Dieser Stern brachte den jungen Mann, der sich selbst verloren hatte, wieder zu sich selbst. Das Sternlein war wie ein Gruß aus der ewigen Heimat. Ein unendliches Weh ergriff die Seele des Mannes, und er redete mit dem Gott, an den er, wie er meinte, nicht mehr glaubte. Gott führte ihm dann auch die rechten Menschen zu. Nach schweren Kämpfen fand er in Jesus den einzigen Trost im Leben und im Sterben.« Im Gedenken an jene Zeit schreibt G.: »Als es Gott gefiel, mir in der Not des Lebens zu zeigen, daß ich ein armer Sünder sei, und ich von neuem anfing, die Schrift sorgfältig zu studieren, welche Wehmut, welche Entrüstung, welcher Zorn über verlorene Zeit hat mich da erfüllt!« In ihm erwachte eine große Sehnsucht, seine theologischen Studien in der Heimat wieder aufzunehmen. Das Geld zur Überfahrt verdiente sich G. durch dreijährige rastlose Arbeit, zum Teil auch dadurch, daß er das Gesetzbuch des Staates Indiana ins Deutsche übersetzte. 1853 setzte G. in Basel das theologische Studium wieder fort. Sein Studiengenosse Friedrich von Bodelschwingh (s. d.) erzählt von ihm: »Paul G. war genötigt, in einem Basler Studentenwohnheim Quartier zu nehmen, wo man für ein geringes Entgelt Wohnung und Nahrung erhielt. Abgemagert, in dürftigster Kleidung und, um durch die Kälte das Einschlafen zu verhindern, ohne wärmenden Ofen saß er oft bis 3 Uhr nachts auf und arbeitete mit einem wahrhaft staunenswerten Eifer, während er bei Tage Unterrichtsstunden gab, durch die er sich das nötigste Kostgeld verdiente.« 1855 legte G. das theologische Examen ab und wurde zum Predigtamt ordiniert. ¾ Jahr war er dann Lehrer am Schullehrerseminar in Schliers. Nach kurzem Dienst als Vikar in Chur verbot ihm 1856 der Rat der Stadt wegen zweier Predigten die Kanzel und nahm ihm damit auch für die Zukunft das Recht zur Anstellung in einem schweizerischen Pfarramt. Trotz seiner notvollen Lage konnte sich G. nicht dazu entschließen, die ihm angetragene Professur in Genf zu übernehmen, und schrieb darum an die Fakultät: »Ich beschloß, mich sogleich an die Arbeit zu machen, die Aufschluß über meine wissenschaftliche Bildung sowie meine theologische Überzeugung geben sollte. Aber je mehr ich arbeitete, desto schwerer wurde mir zu Sinn. Mein Gewissen sagte mir, daß ich selbst in den Anfängen des christlichen Lebens noch viel zu oft fehle, als daß ich in Israel als Lehrer auftreten dürfte. Wohl ist Gott der, der uns zu seinem Dienst tüchtig macht, wie Sie liebreich und freundlich bemerken; aber zum theologischen Lehramt gehört in dem dermaligen Stand der Kirche vieles, was, Gott sei Dank, nicht zur Tüchtigkeit für das Reich Gottes gehört.« Klarheit über seinen weiteren Weg gewann G. erst durch den Brief eines Kaufmanns in Bremen, der ihn aufforderte, sich um die Pfarrstelle der kleinen im Weserkreis gelegenen reformierten Gemeinde Ringstedt zu bewerben, und ihm gleichzeitig das Reisegeld für die Gastpredigt schickte. Als G. am 29. 1. 1857 gegen vier Mitbewerber zum Pfarrer von Ringstedt gewählt wurde, bekannte er: »Ich bin überzeugt, daß er mir diese Tür aufgetan hat.« Friedrich von Bodelschwingh, der G. in den ersten Jahren seiner Ringstedter Wirksamkeit besucht hat, schreibt: »Den blutarmen Schweizerknaben, der sein ganzes Leben mit Hunger und Not gekämpft hatte, nun im Besitz eines so prächtigen Pfarrhofes zu sehen und all seine Freude zu teilen war wirklich schön. – Gott hat an diesem merkwürdigen Mann noch viel und recht zu arbeiten gehabt, bis endlich die Gnade das stolze Herz zerbrochen und die Schlakken im Schmelztiegel ausgeschmolzen hatte.« Von 1861 bis zu seinem Tod wirkte G. als Pfarrer der reformierten Gemeinde in Elberfeld. »Tausende lauschten ihm mit innerster Andacht und Rührung der Seele, wenn er aus tiefer Lebenserfahrung heraus die Gedanken der Herzen und ihr verborgenes Seufzen aufschloß; wenn er das menschliche Sündenverderben, die Vergänglichkeit und Nichtigkeit alles Irdischen in Gegensatz stellte zu der Heiligung, der Majestät und der Herrlichkeit Gottes; wenn er dann in heiligem Eifer bezeugte die Bekehrung zu Ihm und den Glauben an den Herrn Jesus und mit unwiderstehlicher Begeisterung die göttliche Gnade pries, daß er uns gemacht ist zur Weisheit, zur Gerechtigkeit samt Heiligung und zur Erlösung.« So urteilt über G.s Predigttätigkeit Dr. Abraham Frowein, eins seiner Gemeindeglieder. G. liebte es, in den Gottesdiensten fortlaufend über ganze Bücher der Heiligen Schrift zu predigen. Seine Predigten waren, wie man gesagt hat, nichts anderes als die Ausführung zu dem Thema: »Siehe, der Richter ist vor der Tür.« G. wirft die Frage auf: »Was soll in Zion, auf dem Berg der Heiligkeit, mit Posaunenstimmen gepredigt werden?« und gibt darauf die Antwort: »Keine Lirum-Larum-Moral, auch keine interessant sein sollenden Geschichtchen. Es gibt Predigten, womit die Leute nicht aufgeweckt, sondern nur noch tiefer in den Schlaf gelullt werden. Einem schlafenden, einem vom Weltrausch taumelnden Geschlecht soll mit Posaunenstimme verkündigt werden der Tag des Herrn, also das bevorstehende Gericht.« Das Forschen in Gottes Wort war ihm ein Lebensbedürfnis: »Wie oft habe ich ganze Nächte über diesen heiligen Blättern des Lebensbaumes gesessen wie einer, der nicht mehr auf Erden weilt, ganz versenkt in jene selige Welt, aus der diese Zeugnisse der Wahrheit uns zugekommen sind.« Otto Funcke (s. d.) schildert ihn uns als Schriftausleger: »In den ersten Monaten lasen G. und ich jeden Tag eine Stunde lang Hebräisch zusammen. Ich habe dann oft nicht nur alle theologischen Studenten, sondern auch alle Professoren Deutschlands als Zuhörer des originellen Mannes herbeigewünscht; denn nicht nur seine Sprachkenntnis war gewaltig, noch gewaltiger war die Auslegung des klargestellten Texts.« An der Schriftauslegung der Theologen seiner Zeit übte G. scharfe Kritik: »In dem großen Kommentar von Gesenius zum Jesaja siehst du wohl den Professor in Lebensgröße, aber vom Propheten selbst weniger als nichts.« Johannes Coccejus (s. d.) schätzte er als Schriftausleger sehr: »Am höchsten unter allen Exegeten, die mir vorgekommen sind, stelle ich Johannes Coccejus, einen Mann, der wie kein anderer bei jeder einzelnen

Stelle sofort die Totalität des Schriftgehaltes präsent hat; der den Sprachgebrauch so vollständig beherrscht, daß er fast überall die lehrreichsten und frappantesten Parallelen zur Verfügung hat – ein Meister in der Kunst, die Schrift durch die Schrift zu erklären.« G. vertrat ganz entschieden die Lehre von der Inspiration der Heiligen Schrift. Die Schreiber der Bibel »waren auserlesene Werkzeuge, um dem heiligen Volk die Ratschlüsse Gottes kundzutun; und wenn es nicht durch Träume oder Gesichte geschah, so widerfuhr ihnen die Offenbarung durch den Heiligen Geist, der Gottes Gedanken in ihnen aufleuchten ließ, und zwar bei hellem, klarem Selbstbewußtsein, so daß sie ihre eigenen Gedanken genau davon unterscheiden konnten.« Die literarkritische Methode lehnte G. ab und urteilte über die textkritischen Untersuchungen zum Pentateuch so: »Wir glauben, daß das Gesetz von Mose geschrieben wurde, alle 5 Bücher, wie wir sie haben; daß er aber alles, was er schrieb, aus Gottes Mund gehört hat. Daß einzelne Notizen auf eine spätere Hand hindeuten, wissen wir uns zu erklären, ohne das Zeugnis der Apostel, des Herrn Jesus und aller Propheten Israels deshalb in Frage zu stellen.« G. kämpfte leidenschaftlich gegen jede Verbindung von Staat und Kirche: »Die protestantische Kirche hat vom Tag ihres Entstehens an dem Staat eine solche Unterwürfigkeit und Ehrfurcht um Gottes willen erzeigt, daß sie den Schein der Knechtschaft und Leibeigenschaft in den Augen der Welt erwarb. – Viele wollen nicht, daß die Kirche Jungfrau bleibe. Sie muß einen Mann haben, und der Mann heißt Staat. Also betrachten sie in ihren Studierstuben das Verhältnis von Kirche und Staat wie einen Ehebund. O weh! Wenn aber eine dem Himmel versprochen ist und nimmt dann einen von unten, was ist das? Und was für Kinder wird eine solche Ehe erzeugen? O die schändlichen Giftmischer!« Nach dem Urteil seines Biographen Hermann Klugkist Hesse (s. d.) ist G. »einer der seltenen Männer, die in einer Zeit, da ein Rausch die Menschheit gefangenzunehmen begann, der auch die Weisesten mit fortriß, die Brüchigkeit des ›Fortschrittoptimismus‹ tief eingesehen hat und den bekannten Kulturprotestantismus als etwas rein Diesseitiges erkannte und abtat.« Zwischen den beiden geistesverwandten Männern in Elberfeld, G. und Hermann Friedrich Kohlbrügge (s. d.), ist es zu keiner näheren Verbindung gekommen.

Werke: P. G. Schrr. Ges. u. hrsg. v. einem Kreise seiner Freunde, I–IV, Neukirchen o. J.; V–VII, 1921 ff. – *Lit.:* Hermann Klugkist Hesse, P. G., ein Zeuge v. lebendigen Gott, 1927; – Martin Gerhardt, Friedrich v. Bodelschwingh I, 1950, 158 ff. 210 ff.; – Otto Funcke, Die Fußspuren Gottes in meinem Lebenswege, in Neubearb. hrsg. v. Friedrich Seebaß, 1952²⁸, 208 ff.; – Julius Roeßle, P. G. Ein Leben im Kampf um die Autorität des göttl. Wortes, 1954; – EKL I, 1578 f.

GICHTEL, Johann Georg, Mystiker und Spiritualist, getauft 4. 3. 1638 in Regensburg als Sohn eines Steueramtsassessors, † 21. 1. 1710 in Amsterdam. – G. studierte Theologie, ging aber nach dem Tod seines Vaters († 1654) auf Wunsch seiner Vormünder zum Studium der Rechte über und arbeitete dann bei einem Advokaten in Speyer. Nach dessen Tod lehnte er den Heiratsantrag der Witwe ab, kehrte nach Regensburg zurück und wirkte dort als Rechtsanwalt. G. befreundete sich mit dem Freiherrn Justinian von Wel(t)z (s. d.), dem Vorkämpfer des Missionsgedankens. Als dessen Aufruf zur Gründung einer »christlichen Jesusgesellschaft« mit dem Ziel der Heidenmission 1664 erfolglos blieb und auch vom »Corpus Evangelicorum« (Körperschaft der Evangelischen) in Regensburg abgelehnt wurde, entschloß sich Wel(t)z zum Freimissionar. G. begleitete ihn nach den Niederlanden. Wel(t)z ließ sich von dem Mystiker Friedrich Breckling (s. d.), Pfarrer in Zwolle, ordinieren und trat von Amsterdam aus seine Missionsreise nach Südamerika an. Wel(t)z ließ G. zurück, damit er in der Heimat für das Missionswerk werbe. Durch Breckling wurde G. ein mystischer Spiritualist und unerbittlicher Kirchenkritiker. Auf seiner Rückkehr nach Deutschland richtete er von Nürnberg aus einen Brief voll heftiger Anklagen an die Pfarrer seiner Vaterstadt. G. wurde an Regensburg ausgeliefert und dort wochenlang in harter Gefangenschaft gehalten, schließlich der Advokatur entsetzt, des Bürgerrechts und seiner Habe für verlustig erklärt und für immer aus Regensburg verbannt. Im Februar 1665 trat er seine Wanderung an: er hielt sich kurz in Gersbach (Baden) auf, dann längere Zeit in Wien, traf Anfang 1667 wieder bei Breckling in Zwolle ein und ging nach seiner Ausweisung aus Zwolle und der ganzen Provinz Oberijssel nach Amsterdam. – G. ist bekannt als Anhänger und Schüler des Mystikers und Naturphilosophen Jakob Böhme (s. d.) und erster Herausgeber seiner Werke (1682). Er forderte wie andere Mystiker ein praktisches, in Selbstverleugnung und Liebe sich bewährendes Christentum. Er verwarf die Ehe und verlangte von seinen Anhängern, den »Gichtelianern«, die Ehelosigkeit; sie hießen auch nach Matthäus 22, 30 »Engelsbrüder«. An die Stelle der Ehe tritt für den Wiedergeborenen das geistliche Ehebündnis mit der himmlischen Jungfrau Sophia. G.s Anhänger in Holland und Deutschland hielten sich nicht lange.

Werke: Theosophia practica, 7 Tle., Leiden 1722.
Lit.: Johann Georg Walch, Hist. u. theol. Einl. in die Rel.streitigkeiten der ev.-luth. Kirche, Jena 1733–39, II, 796 ff.; – Adolf Gottlieb Christoph v. Harleß, Jakob Böhme u. die Alchymisten. Ein Btr. z. Verständnis J. Böhmes (Anh.: J. G. G.s Leben u. Irrtümer, 117–185), 1870 (1882²); – Cornelis Bonnes Hylkema, Réformateurs; geschiedkundige studien over de godsdienstige bewegingen van de nadagen onzer gouden eeuw. II, Haarlem 1902, 409 ff.; – Erich Seeberg, Gottfried Arnold. Die Wiss. u. die Mystik seiner Zeit, 1923, 364 ff.; – Ernst Benz, Der vollkommene Mensch bei Jakob Böhme 1937; – Matthias Simon, Ev. KG Bayerns, 1952², 459 f.; – Fritz Tanner, Die Ehe im Pietismus, Zürich 1952; – ADB IX, 147 ff.; – NDB VI, 369; – MennLex II, 112 f.; – MennEnc IV, 515; – RE VI, 657 ff.; – RGG II, 1568 f.; – LThK IV, 886; – ODCC² 565.

GIESE, Adam Ludwig, Kirchenliederdichter, * 12. 5. 1704 wahrscheinlich in Mecklenburg, † 26. 1. 1762 in Kopenhagen. – G. wurde 1731 erster Hofprediger in Wernigerode, 1735 Pfarrer in Heuersen (Lippe), dann Hofprediger bei der verwitweten Fürstin von Ostfriesland und 1741 deutscher Garnisonprediger in Kopenhagen. – Von G.s Liedern ist bekannt: »A und O, Anfang und Ende, nimm mein Herz in deine Hände wie ein Töpfer seinen Ton.« Es erschien in der ersten Sammlung der »Cöthnischen Lieder«, die Johann Ludwig Konrad Allendorf (s. d.) in Verbindung mit Leopold Franz Friedrich Lehr (s. d.) und einigen anderen Gleichgesinnten aus Cöthen und ähnlichen kleineren pietistischen Residenzen herausgab: »Einige ganz neue Lieder zum Lobe des dreieinigen Gottes

und zur gewünschten reichen Erbauung vieler Menschen«, Cöthen 1736.
Lit.: Koch IV, 441.

GIESEBRECHT, Friedrich, Theologe, * 30. 7. 1852 als Pfarrerssohn in Kontopp bei Grünberg (Schlesien), † 21. 8. 1910 in Stettin. – G. kam nach dem frühen Tod des Vaters mit seiner Mutter nach Halle (Saale), wo er das Pädagogium der »Franckeschen Stiftungen« (s. Francke, August Hermann) besuchte. G. studierte 1869–73 in Halle und Erlangen Theologie und semitische Philologie und wurde nachhaltig beeinflußt durch Johann Christian Konrad von Hofmann (s. d.) und Martin Kähler (s. d.). Seit 1876 war er Adjunkt am Domkandidatenstift in Berlin. G. wurde 1879 Privatdozent, 1883 ao. Professor für Altes Testament und 1895 o. Honorarprofessor in Greifswald. 1898–1908 lehrte er als o. Professor in Königsberg und ging nach schwerem Nervenleiden heim. – In den ersten Jahren seiner Greifswalder Tätigkeit trat G. in nahe persönliche und wissenschaftliche Beziehungen zu Julius Wellhausen (s. d.), dem er bis ans Ende in Treue zugetan blieb. Seine Liebe galt den Propheten der klassischen Zeit.

Werke: Btrr. z. Jes.kritik, 1890; Komm. z. Jer, 1894 (1907²); Die Berufsbegabung der at. Propheten, 1897; Geschichtlichkeit des Sinaibundes, 1900; Die at. Schätzung des Gottesnamens u. ihre rel.geschichtl. Grdl., 1901; Der »Knecht Jahves« des Dtjes, 1901; Friede f. Babel u. Bibel, 1903; Grundzüge der israel. Rel.-gesch., 1904 (1908²); Jer.s Metrik, 1905.
Lit.: Chron. der Kgl. Albertus-Univ. zu Königsberg in Preußen f. das Stud.j. 1910/11, 15 f.; – Altpreuß. Biogr., hrsg. v. Christian Krollmann, I, 1941, 214; – ADB IX, 162; – DJ XV, 85; – RE XXIII, 557 ff.

GIESECKE, Friedrich, Theologe, * 6. 6. 1871 als Pfarrerssohn in Sankt Georgsberg (Holstein), † 25. 10. 1949 in Creglingen bei Mergentheim. – G. besuchte die Lauenburgische Gelehrtenschule in Ratzeburg und studierte in Erlangen, Leipzig und Kiel. Er promovierte in Erlangen zum Dr. phil. und beendete seine Studien durch einen Lehrgang am Lehrerseminar in Tondern (Schleswig) und am Predigerseminar in Preetz (Holstein). G. stellte sich dem Diasporadienst in Österreich zur Verfügung und wurde 1899 in Arriach (Kärnten) Beauftragter der österreichischen Kirchenleitung für das Schulwesen. Hier gewann er wertvolle Einblicke in das Volksleben im Gebirge und in den Städten, in die politischen, innerkirchlichen und nationalen Verhältnisse der österreichisch-ungarischen Monarchie mit ihren Gegensätzen, aber auch mit ihrem reichen aufgeschlossenen Leben. G. war Mitglied aller Lehrkörper und Prüfungskommissionen, später 30 Jahre hindurch auch Mitglied der theologischen Prüfungskommission für das Amtsexamen. 1902 wurde er als Pfarrer nach Leitmeritz (Böhmen) berufen, einer Stadt von 15 000 Katholiken und 700 Evangelischen. Von Anfang an war G. um eine klare deutsche Linie des Vertrauens, der sachlichen Beurteilung und der friedlichen Lösung aller nationalen und kirchlichen Fragen bemüht. Da es bis 1919 keine nach Nationen getrennten Gemeinden gab, zählte er außer den deutschen Gemeindegliedern zugleich auch Slowaken, Ruthenen, Ungarn, Kroaten, Tschechen und Rumänen zu Gliedern seiner böhmischen Gemeinde, zu der auch 7 Filialen im Umkreis von 50 km gehörten. Als er 1920 in Teplitz-Schönau in kirchlichem Auftrag zur Gründung nationaler Kirchen Stellung nehmen mußte, konnte G. infolge der nach dem Krieg erfolgten Verselbständigung der tschechischen evangelischen Kirche die dann auch vom tschechischen Staat genehmigte Gründung der deutschen evangelischen Kirche in Böhmen, Mähren und Schlesien nicht verhindern, zu deren stellvertretendem Präsidenten er 1926 berufen wurde. G. bildete mit dem Präsidenten D. Dr. Wehrenpfennig (s. d.) und drei juristischen Oberkirchenräten die Kirchenleitung. Die Kirche zählte 100 Gemeinden mit 140 000 Seelen. Er vertrat sie auf Kirchenkonferenzen und ökumenischen Tagungen, in Eisenach, Stockholm, Kopenhagen, Lausanne, Prag und Oxford. Als 1940 infolge der Eingliederung von Österreich und den sudetendeutschen Gebieten (1938) in das Deutsche Reich die Kirche ihre Selbständigkeit verlor, blieb G. Pfarrer in Leitmeritz, bis er im Mai 1945 ausgewiesen wurde. Nach einer Leidensfahrt von mehreren Monaten fand er als Zufluchtsort die Gemeinde Archshofen bei Mergentheim, wo er dann als Seelsorger noch wirkte.

GIESELER, Johann Karl Ludwig, Theologe, * 3. 3. 1792 als Pfarrerssohn in Petershagen bei Minden (Westfalen), † 8. 7. 1854 in Göttingen. – Seine Vorbildung zum Studium an der Universität Halle erhielt G. von seinem 10. Lebensjahr an in der Lateinschule der dortigen »Franckeschen Stiftungen« (s. Francke, August Hermann) und wurde dort 1812 Lehrer. 1813 folgte er dem Ruf des Vaterlandes und trat als freiwilliger Jäger in die Reihe der Freiheitskämpfer ein. 1814 kehrte G. in das Lehramt nach Halle zurück und wurde 1817 Konrektor am Gymnasium in Minden und 1818 Direktor des Gymnasiums in Kleve. Eine wissenschaftliche Arbeit aus dem Gebiet der Evangelienforschung brachte ihm 1819 den Ruf nach Bonn ein als o. Professor der Theologie. Seit 1831 lehrte er in Göttingen Kirchen- und Dogmengeschichte und Dogmatik und entfaltete daneben im öffentlichen Leben eine vielseitige Tätigkeit. – G. war historisch-kritischer Rationalist und ein bedeutender Kirchenhistoriker. Sein »Lehrbuch der Kirchengeschichte«, das Ferdinand Christian Baur (s. d.) »das nützlichste Werk der neueren kirchenhistorischen Literatur« genannt hat, ist noch wertvoll wegen der vielen und trefflich ausgewählten Quellenstücke. G. ist auch bekannt durch seine Mitarbeit an der Lösung des synoptischen Problems. Er ist der wichtigste Vertreter der »Traditionshypothese«, nach der jeder der Synoptiker aus der mündlichen Tradition geschöpft habe, die schon einen einigermaßen festen Typus angenommen hatte.

Werke: Nazaräer u. Ebioniten, 1819; Hist.-krit. Vers. über die Entstehung u. die frühesten Schicksale der schriftl. Evv., 1818; Über den Reichstag zu Augsburg, 1821; Lehrb. der KG I. II. III, 1824–35 (I/1, 1844[4]; I/2, 1845[4]; II/1, 1846[4]; II/2, 1848[4]; II/3, 1849[2]; II/4, 1835; III/1, 1855; III/2, 1835); IV. V. VI (= DG), hrsg. v. Ernst Rudolf Redepenning, 1855 ff.; Rückblick auf die theol. Richtungen der letzten 50 J., 1837; – Bibliogr., in: RE VI, 663 f.

Lit.: Georg Heinrich Oesterley, Gesch. der Univ. Göttingen v. 1820–1837 (nach G.s eigenen Angaben), 1838, 410 ff.; – Ferdinand Christian Baur, Die Epochen der kirchl. Gesch.schreibung, 1852, 232 ff.; – Ernst Rudolf Redepenning, G.s Leben u. Wirken, in: G.s Lehrb. der KG V, 1855, XLIII ff.; – Erich Fascher, Die formgeschichtl. Methode, in: BZNW 2, 1924, 23 ff.; – J. Meyer, Gesch. der Göttinger Theol. Fak., in: ZGNKG 42, 1937, 52 f.; – Heinrich Hermelink, Das Christentum in der Menschheitsgesch. v. der Frz. Rev. bis z. Ggw. I, 1951; III, 1952; – Robert Stupperich, J. C. L. G.s Auffassung von der Union u. seine Berufung nach Göttingen, in: JGNKG 67, 1969, 158 ff.; – Hirsch V, 52; – ADB IX, 163 ff.; – NDB VI, 388; – RE VI, 663 f.; – RGG II, 1570 f.; – ODCC[2] 565 f.

GIFFEY, Johannes, Chordirigent und Komponist im Dienst der »Freien evangelischen Gemeinden in Deutschland«, * 24. 12. 1872 in Düsseldorf, † 24. 5. 1948 in Mülheim (Ruhr)-Saarn. – G. traf in der Jugend eine klare Entscheidung für Christus und trat mit 17 Jahren in die »Freie evangelische Gemeinde« in Düsseldorf ein. Mit 20 Jahren wurde er Dirigent des Gemischten Chores und blieb es länger als 30 Jahre. G. war von Beruf Kaufmann. Er diente der Gemeinde als Ältester von 1927 an bis zu seinem Weggang nach Mülheim (Ruhr)-Saarn im Jahr 1931. G. war in dem allianzbestimmten »Christlichen Sängerbund« jahrzehntelang Vorsitzender des Liederausschusses und erwarb sich mit großem Fleiß beachtliche musikwissenschaftliche und hymnologische Kenntnisse. Er bearbeitete den »Gemeindepsalter«, das Gesangbuch der »Freien evangelischen Gemeinden«, das 11 Weisen von ihm enthält, und gab den Sonntagsschulen der »Freien evangelischen Gemeinden« den »Kinderpsalter«. 1927 bearbeitete G. neu das »Blankenburger Liederbuch«, dem er eine für jene Zeit unverkennbare Höhenlage gab.

Werke: Ernst Gottlieb Woltersdorf, 1925; – 50 J. Christl. Sängerbund; Gesch. der Freien ev. Gemeinde Düsseldorf zu deren 50j. Bestehen.

Lit.: Der Gärtner, Witten (Ruhr) 1948, Nr. 29/30, S. 508.

GIFFTHEIL, Ludwig Friedrich, Apokalyptiker und Pazifist, getauft 18. 10. 1595 als Pfarrerssohn in Böhringen bei Reutlingen, † 1661 in Amsterdam. – G., gelernter Barbier, erlebte am Anfang des Dreißigjährigen Krieges als Feldscher die Schrecken und Nöte des Krieges so sehr, daß er leidenschaftlicher Pazifist wurde. Er war einer der letzten Anhänger des Spiritualisten Kaspar Schwenckfeld (s. d.) und übte in seinem Eifer für ein spiritualistisches, praktisches Christentum im Sinn Johann Arndts (s. d.) scharfe Kritik an der Kirche und Theologie seiner Zeit, die er für den konfessionellen Hader und das Blutvergießen verantwortlich machte. Sein Bruder Abraham (1597 bis 1624), Diakonus in Hornberg (Schwarzwald), wurde 1622 wegen Irrlehren verdächtig und am 7. 12. 1622 in Hohenwittlingen bei Urach eingekerkert. Nun trat G. zur Verteidigung seines Bruders in Württemberg hervor; er wurde darum mit Zwangsarbeit bestraft und floh. In der Überzeugung, er sei berufen, die Gerichte Gottes anzukündigen und als Herold Christi zu wirken, zog G. in Deutschland und Skandinavien ruhelos umher. In einer Fülle von Flugschriften und Sendbriefen an europäische Herrscher, deutsche Stände und Universitäten kündigte er als der »Kriegsfürst Michael« (Dan 12) das bevorstehende Strafgericht Gottes an und rief eindringlich zur Buße auf. Die letzten Jahre verbrachte er in Holland. – G. ist bekannt als politisch-apokalyptischer Publizist. Durch seine vielen Schriften in lateinischer und deutscher, englischer und holländischer Sprache beeinflußte er den separatistischen Pietismus und die »Quintomonarchisten« im Heer des Oliver Cromwell (s. d.).

Lit.: Christoph Kolb, in: Bll. f. Württ. KG 4, 1900, 75 ff.; – Ernst Eylenstein, L. F. G. Zum myst. Separatismus des 17. Jh.s in Dtld., in: ZKG 41, 1922, 1–62; – Ernst Benz, ebd. 53, 1934, 505 ff.; – Arnold Schleiff, Selbstkritik der luth. Kirchen im 17. Jh. (Diss. Jena), Berlin 1937; – F. Fritz, in: Bll. f. Württ. KG 44, 1940, 90 ff.; 49, 1949, 135 ff.; – Heinrich Hermelink, Gesch. der ev. Kirche in Württemberg, 1949, 165; – RE VI, 664; XXIII, 560; – RGG II, 1575 f.; – LThK IV, 888.

GILBERT, Prämonstratenserprior von Neuffontaines in der Auvergne, Ritter und Kreuzfahrer, Heiliger, * um 1076, † 6. 6. 1152. – G. war Kreuzfahrer unter König Ludwig VII. (s. d.). Er gründete nach 1150 das Prämonstratenser-Frauenkloster Aubeterre, dessen erste Vorsteherinnen seine Gemahlin Petronella und seine Tochter Pontia waren, und das Herrenstift Neuffontaines (Neuffon), als dessen Prior er wirkte. Sein Kult wurde 1725 genehmigt. Sein Fest ist der 24. Oktober.

Lit.: Jean Savaron, De s. G., Paris 1620; – Joannes Le Paige, Bibliotheca Praemonstratensis Ordinis, ebd. 1633, 1042 ff.; – Spillbeck, Le famille d'un noble croisé, Brüssel 1890; – Bulletin de la Société d'émul. Bourbonnais, Moulins 1927, 369 ff.; 1952, 182 ff.; – Léon Cote, Un chevalier qui se fait moine: St. G., abbé de N., ebd. – Paris 1952; – AS Jun. I, 762 ff.; – BS VI, 448 f.; – Wimmer³ 244; – Catholicisme V, 9; – LThK IV, 890; – NCE VI, 478.

GILBERT *von Poitiers* (G. de la Porrée; auch: G. Porreta, Gilbertus Porretanus), scholastischer Theologe und Philosoph, * um 1080 in Poitiers, † daselbst 4. 9. 1154. – G. studierte in der bischöflichen Schule seiner Vaterstadt, dann in Chartres unter Bernhard von Chartres (s. d.) und in Laon als Schüler der Brüder Anselm (s. d.) und Radulf (s. d.) und war als Lehrer der »artes liberales« und der Theologie in Poitiers und Chartres, wo er 1124 Kanonikus wurde und 1126 Kanzler war. Seit 1137 lehrte G. in Paris und siedelte 1141 in seine Vaterstadt über als Leiter der bischöflichen Schule. Er wurde dort 1142 Bischof, führte aber seine Lehrtätigkeit ununterbrochen weiter. – Als Vertreter des »Realismus« erregte G. durch seine sprachlogisch zu verstehenden Unterscheidungen von »Gott« und »Gottheit« in der Trinitätslehre Aufsehen und Widerspruch; er wurde vor allem von Bernhard von Clairvaux (s. d.) angegriffen. Im »Universalienstreit« begründete G. eine besondere Schule.

Werke: Komm. zu den »Opuscula sacra« (I–III. V) des Boethius, in: MPL 64, 1247–1412; krit. Ausg. v. Nicholas Martin Haring, Toronto 1966; Liber de sex principiis, in: MPL 188, 1257–1270; krit. Ausg. v. Alban Heysse, 1929, u. Damian Van den Eynde, 1953 (Autorschaft zweifelhaft).

Lit.: Auguste Berthaud, G. de la P., évêque de Poitiers, et sa philosophie, Poitiers 1892; – Karl Prantl, Gesch. der Logik im Abendlande II, 1927, 217 ff.; – Anton Maxsein, Die Philos. des G. P. mit bes. Berücks. seiner Wiss.lehre (Diss. Freiburg/Breisgau, 1930), Münster/Westfalen 1929; – Artur Michael Landgraf, Unterss. zu den Eigenlehren G.s de la P., in: ZKTh 54, 1930, 180 ff.; – Ders., Einf. in die Gesch. der theol. Lit. der Frühscholastik, 1948, 79 ff.; – Marie Dominique Chenu, Un essai de méthode théologique au XIIᵉ siècle, in: RSPhTh 24, 1935, 258 ff.; – A. Hayen, Le concile de Reims et l'erreur théologique de G. de la P., in: AHDL 10, 1936, 29 ff.; – Jean de Ghellinck, Le mouvement théologique du XVIIᵉ siècle, Brügge 1948², 175 ff.; – Michael E. Williams, The Teaching of G. P. on the trinity, as found in his commentaries on Boethius, Eom 1951; – Nicholas Martin Haring, The Case of G. de la P., Bishop of Poitiers, 1142–1154, in: MS 13, 1951, 1–40; – Ders., Petrus Lombardus u. die Sprachlogik in der Trinitätslehre der Porretanerschule, in: Miscellanea Lombardiana, Novara 1957, 113 ff.; – Ders., Sprachlog. u. philos. Voraussetzungen z. Verständnis der Christologie G.s v. P., in: Scholastik 32, 1957, 373 ff.; – Ders., Bisch. G. II. v. P. u. seine Erzdiakone, in: DA 21, 1965, 150 ff.; – Ders., Das sogen. Glaubensbekenntnis des Reimser Konsistoriums v. 1148, in: Scholastik 40, 1965, 55 ff.; – Ders., The writings against G. of P. by Geoffrey of Auxerre, in: AnCist 22, 1966, 3 ff.; – Ders., Texts concerning G. of P., in: AHDL 37, 1970, 169 ff.; – Martin Anton Schmidt, Gottheit u. Trinität nach dem Komm. des G. P. zu Boethius, De trinitate, Basel 1956; – S. Vanni Rovighi, La filosofia di G. P., in: Miscellanea del Centro di Studi Medievali. Serie prima, Mailand 1956, 1–64; – Herbert Gammersbach, G. v. P. u. seine Prozesse im Urteil der Zeitgenossen, 1959; – Antoine Charles Marie Dondaine, Écrits de la »Petite École« Porrétaine, Montreal – Paris 1962; – H. C. van Elswijk, G. P. Sa vie, son oeuvre, sa pensée, Löwen 1966; – Grabmann, SM II, 408 ff.; – Manitius III, 210 ff.; – KLL II, 981 f. (De sex principiis); – DThC VI, 1350 ff.; – LThK IV, 890

f.; – NCE VI, 478 f.; – ODCC² 566; – RGG II, 1576; – EncF II, 728 ff.

GILBERT *de la Porrée* s. GILBERT *von Poitiers*

GILBERT *von Sempringham* (Grafschaft Lincoln in Mittelengland), Stifter des Gilbertinerordens, Heiliger, * 1083/89, † 4. 2. 1189. – G. studierte in Paris, wurde 1123 vom Bischof von Lincoln zum Priester geweiht und wirkte als Pfarrer von Sempringham. Auf dem dortigen väterlichen Besitz gründete er um 1131 ein Kloster für arme Mädchen, die nach der Benediktinerregel in strenger Klausur lebten, und in Verbindung damit ein Kloster nach der Regel der Augustinerchorherren mit besonderen Zusätzen aus der Zisterzienserregel. Sowohl den Chorherren als auch den Nonnen wurden »laici fratres« und »laicae sorores« als dienende Klostergenossen beigesellt. Der Vorsteher der Chorherren leitete als »magister generalis« den Gesamtorden. Der Doppelorden der Gilbertiner wurde 1148 von Eugen III. (s. d.) bestätigt und 1536 im Klostersturm unter Heinrich VIII. (s. d.) aufgehoben. Außerhalb Englands hat er keine Verbreitung gefunden. Innozenz III. (s. d.) sprach G. 1202 heilig. Sein Fest ist der 4. Februar.

Lit.: Rose Graham, St. G. of S. and the Gilbertines. A History of the only English monastic Order, London 1901, bes. 1–28; – John Dobrée, Life of St. G., Prior of S., in: The Lives of the English Saints IV, ebd. 1901, 3–155; – John Capgrave, John Capgrave's Lives of St. Augustine and St. G. of S., hrsg. v. John James, London 1910; – M. R. James, The Salomites, in: JThS 25, 1934, 287 ff.; – Un procès de canonisation à l'aube du XIIIᵉ siècle, 1201–1202. Le livre de S. G. de S., hrsg. v. Raymonde Foreville, Paris 1943; – David Knowles, The Monastic Orders in England, Cambridge 1949, 205 ff. u. ö.; – AS Febr. I, 567 ff.; – BHL 3529–3538; – BS VI, 453 f.; – VSB II, 99 ff.; – Wimmer³ 243 f.; – Heimbucher I, 417; – Helyot II, 188 ff.; – Catholicisme V, 9 f. 13 f.; – DSp VI, 374 ff.; – LThK IV, 891 f.; – NCE VI, 479 f.; – ODCC², 566; – RE VI, 664 f.; – RGG II, 1576 f.; – DNB VII, 1194 ff.

GILBERT, Wilhelm, Märtyrer, * 24. 12. 1868 in Hofzumberge (Kurland) als Sohn lettischer Landleute, † 16./17. 11. 1919 in der Nähe von Siuxt (Kurland). – G. studierte in Dorpat und wurde 1904 Vikar in Setzen und 1905 in Würzau. Seit 1907 wirkte er als Pfarrer in Siuxt. Weihnachten 1918 brachte G. seine Familie vor der herannahenden Bolschewikenflut nach Deutschland in Sicherheit. Er kehrte als Freiwilliger der »Baltischen Landeswehr« in die Heimat zurück und wurde einer ihrer Feldprediger. Mit viel Mühe erreichte er endlich im April 1919 seine Gemeinde. Am 16. 11. 1919 wurde G. verhaftet und des Landesverrats beschuldigt, wies aber die Anschuldigungen zurück und verlangte, vor ein ordentliches Gericht gestellt zu werden, was man ihm auch gewährte. Er sollte nach Riga gebracht werden, wurde aber unterwegs erschossen. – Mutig und bestimmt trat G. auf gegen Lug und Betrug, Raub und Mord. Er wußte, daß er jederzeit ein Opfer des Hasses werden konnte: »Was tut es? Das Reich muß uns doch bleiben.«

Lit.: Oskar Schabert, Balt. Märtyrerbuch, 1926, 169 ff.

GILDAS, *der Weise* (»Sapiens«), der früheste christliche Geschichtschreiber Britanniens, Heiliger, * um 500 in Schottland, † 570. – G. wirkte in Wales und besuchte um 565 Irland. Er verfaßte vor 547 eine »Geschichte Britanniens« von der ältesten Zeit an bis zu seiner Gegenwart. Sie war Beda (s. d.) für seine »Angelsächsische Kirchengeschichte« eine wertvolle Quelle. Weitere G. zugeschriebene Arbeiten sind entweder unecht, überarbeitet oder zweifelhaft. Schon im Anfang des 8. Jahrhunderts gilt G. als Heiliger; sein Fest ist der 29. Januar. Er soll der Gründer und erste Abt des Klosters St.-Gildas-de-Rhuis bei Vannes (Frankreich) gewesen sein.

Werke: De excidio et conquestu Britanniae ac flebili castigatione in reges, principes et sacerdotes, hrsg. v. Theodor Mommsen, in: MG AA XIII, 1–110; MG PL IV, 618 f.

Lit.: Heinrich Zimmer, Nennius vindicatus. Über Entstehung, Gesch. u. Qu. der Historia Brittonum, 1893; – Hugh Williams, Commentary on works of G., 1900; – Marius Sepet, S. G. de Rhuys, Paris 1900; – Arthur William Evans, Notes on the »Excidium Britanniae«. A Contribution towards a Re-Statement of Early Saxon Welsh History, in: Celtic Review 1, 1905, 289 ff.; – Ders., The Ruin of Britannia. Notes on the »Excidium Britanniae«, ebd. 2, 1905, 46 ff. 126 ff.; – Ders., The »Picti« and »Scotti« in the »Excidium Britanniae«, ebd. 9, 1914, 35 ff.; – Ders., The Saxones in the »Excidium Britanniae«, ebd. 10, 1915, 215 ff.; 11, 1916, 322 ff.; – Ders., Further Remarks on the »De excidio«, in: Archaeologia Cambrensis 98, 1944, 113 ff.; – Joseph Paul Émile Marie Fonssagrives, St. G. de R. et la société bretonne au VIᵉ siècle, Paris 1908; – André Oheix, Notes sur la vie de s. G., Nantes 1913; – Hans v. Schubert, Gesch. der christl. Kirche im Früh-MA, 1921, 205 f.; – F. Lot, De la valeur du »De Excidio« de G., in: Medieval Studies in Memory of Gertrude Schoepperle Loomis, Paris u. New York 1927, 229 ff.; – James Francis Kenney, The Sources for the Early History of Ireland I, New York 1929, 150 ff. u. ö.; – John Ryan, Irsih Monasticism: origin and early development, Dublin 1931, 112 f.; – Robert Howard Hodgkin, A History of the Anglo-Saxons, Oxford 1935, London 1952³, 76 ff. u. ö.; – C. E. Stevens, G. Sapiens, in: EHR 56, 1941, 353 ff.; – P. K. Johnstone, in: Antiquity 20. Gloucester 1946, 211 ff.; 22, 1948, 38 ff.; – George Osborne Sayles, The Medieval Foundations of England, London 1952²; – Paul Grosjean, Notes d'hagiographie celtique, in: An. Boll 75, 1957, 158 ff.; – Nora Kershaw Chadwick u. a., Studies in the Early British Church, Cambridge 1958; – AS Jan. II, 952 ff.; – BS VI, 456 ff.; – VSB I, 583 ff.; – Baring-Gould III, 81 ff.; – Bardenhewer V, 399 ff.; – Manitius I, 208 ff. u. ö.; II, 798; III, 476 ff.; – KLL IV, 1333 f. (Liber querulus de calamitate, excidio et conquestu Britanniae); – BHL 3541 ff.; – Chevalier 1782; – Potthast 525 f.; – DCB II, 670 ff.; – CathEnc VI, 557 f.; – Catholicisme V, 15 f.; – EC VI, 394 f.; – LThK IV, 893; – NCE VI, 483; – ODCC² 566 f.; – RE VI, 667; – RGG II, 1577; – DNB VII, 1223 ff.

GINER, Johann der Ältere, Krippenschnitzer, * 8. 5. 1756 in Thaur (Tirol) als Sohn eines Krippenschnitzers und Bauern, † daselbst 20. 4. 1833. – G. lernte seit etwa 1770 bei einem Bildhauer in Imst und kam auf der Wanderschaft nach München. Nach seiner Rückkehr nach Thaur arbeitete er ausschließlich als Holzbildhauer. Bekannt wurde G. vor allem durch seine Weihnachtskrippen als Hauptmeister der Thaurer Krippenkunst. Die Maler- und Bildhauerfamilie G. machte nahezu ein Jahrhundert lang das Dorf Thaur bei Hall zum Mittelpunkt der Nordtiroler Krippenkunst.

Werke: Kirchenkrippen in Absam, Thaur u. Breitenbach u. zahlr. Krippenfiguren im Tiroler Volkskunstmus., im Diözesanmus. u. im Nordtiroler Privatbesitz; Marienstatue in der Pfarrkirche in Gossensaß am Brenner, 1793; Statuen des hl. Dominikus u. der hl. Katharina am Hochaltar in Thaur; Figuren der Seitenaltäre, Prozessionsstatuen u. ein Engl. Gruß, ebd. (letztere Gruppe auch in der Pfarrkirche in Rum); 4 Evangelisten in der Pfarrkirche in Rum); 4 Evangelisten in der Pfarrkirche in Oberndorf, Salzburg.

Lit.: Josef Ringler, Das Thaurer Künstlergeschlecht der »Giner«, in: Tiroler Heimatbll. 15, 1937, 65 ff.; 27, 1952, 82 – K. Dietscher, Die Giner in Thaur (Diss. Innsbruck), 1953 (Ms. im Mus. Ferdinandeum, Innsbruck); – Thieme-Becker XIV, 60; – NDB VI, 403.

GIOTTO *di Bondone*, Maler und Baumeister, * 1266 in Colle di Vespignano bei Florenz, † 8. 1. 1337 in Florenz. – G. war Schüler von Cenni di Pepo, genannt Cimabue (s. d.) und Pietro Cavallini (s. d.). Er arbeitete in Florenz, Assisi, Rom, Padua, Rimini, Neapel und Mailand und gründete eine jahrhundertlang blühende Schule. Die Zuschreibung wichtiger Werke, besonders der Fresken der Franziskuslegende in Assisi, sind noch immer umstritten. Manche Werke werden

heute fast einstimmig nur noch als Werkstattarbeiten angesehen. Das letzte große Werk G.s ist der 1334–37 nach seinen Plänen erbaute Kampanile des Domes von Florenz. – G. war der Erneuerer der italienischen Malerei an der Wende vom 13. zum 14. Jahrhundert.

Werke: Fresken: Josef im Brunnen; Wiederauffindung des Trinkbechers Josefs; Beweinung Christi; Auferstehung Christi; Himmelfahrt Christi; Pfingsten; Täuschung Isaaks; Abweisung Esaus, um 1285–90 (Assisi, S. Francesco, Oberkirche); Fresken: Szenen aus dem Leben des hl. Franziskus, 1296–99 (ebd.); Tod Mariä, um 1315–20 (Berlin, Stiftung Staatl. Museen, West, Gem.gal.); Darbringung im Tempel, 1320–29 (Boston/Massachusetts, Isabella Stewart Gardner Museum); Maestà, um 1305–10 (Florenz, Galleria degli Uffizi); Szenen aus dem Leben des hl. Franziskus, um 1325–29 (ebd., S. Croce, Cappella Bardi); Szenen aus dem Leben Johannes' des Täufers u. Johannes' des Evangelisten, nach 1320 u. vor 1329 (ebd., Cappella Peruzzi); Maria mit Kind, um 1290–95 (ebd., S. Giorgio alla Costa); Kruzifix, um 1295 (ebd., S. Maria Novella); Abendmahl; Kreuzigung; Höllenfahrt Christi, 1320–29 (London, National Gallery); Anbetung der Könige, 1320–29 (New York, Metropolitan Museum of Art); Szenen aus dem Leben Mariä u. Christi; Allegorien der 7 Tugenden u. der 7 Laster; Jüngstes Gericht, zw. 1303 u. 1310 (Padua, Cappella degli Scrovegni all'Arena); Kruzifix, um 1315–17 (ebd., Museo Civico); Kruzifix, um 1312 (Rimini, Tempio Malatestiano); Kreuzabnahme (Settignano bei Florenz, Smlg. B. Berenson); Kreuzigung, um 1312 (Straßburg, Musée des Beaux-Arts).

Lit.: Max Georg Zimmermann, G. u. die Kunst It. im MA I, 1899; – Henry Thode, G., 1899 (1926³); – Friedrich Rintelen, G. u. die G.-Apokryphen, 1912 (Basel 1923²); – Osvald Sirén, G. and some of his Followers. English translation by Frederic Schenck, 2 Bde., Cambridge/Massachusetts – London 1917; – Wilhelm Hausenstein, G., 1923; – Erwin Rosenthal, G. in der ma. Geistesentwicklung, 1924; – Carlo Derain Carrà, G., Rom 1924; – Ders., G. La Cappella degli Scrovegni, Mailand 1945; – G. Des Meisters Gem. in 293 Abb. v. Curt H. Weigelt, 1925; – Beda Kleinschmidt, Die Basilika San Francesco in Assisi I. II, 1926; – Aleksander Koltonski, St. Francis of Assisi and G. Translated by Edward Weintal, London 1926; – Pietro Toesca, Die Florentin. Malerei des 14. Jh.s, 1929; – Ders., G., 1945; – Ders., Gli affreschi della vita di S. Francesco nella chiesa superiore del santuario di Assisi, Florenz 1947; – J. Gy-Wilde, G.-Stud., in: Wiener Jb. f. Kunstgesch. 7, 1930, 45 ff.; – Peter Johansen, G. in Assisi 1930; – Emilio Cecchi, G., Mailand 1937; – Ugo Ojetti, G., Rom 1937; – Jean Alazard, G. Biographie critique, Paris 1937; – Roberto Salvini, G. Bibliografia, Rom 1938; – Ders., Tutta la pittura di G., Mailand 1962²; – Theodor Hetzer, G. Seine Stellung in der europ. Kunst, 1941 (1960²); – L. Brunetti u. G. Sinibaldi, Pittura Italiana del Duecento e del Trecento (Kat. der G.-Ausst. 1937), Florenz 1943; – Robert Oertel, Wende der G.-Forsch., in: Zschr. f. Kunstgesch. 11, 1943/44, 1 ff.; – Ders., Die Frühzeit der it. Malerei, 1953, 62–111 u. ö. (1966²); – Ders., G., in: Meilensteine europ. Kunst. Hrsg. v. Erich Steingräber, 1965, 171 ff. 431; – Luigi Coletti, Gli affreschi della basilica di Assisi, Bergamo 1949; – G. Werke, hrsg. v. Paul Gay, Paris 1949 (Neuaufl. 1953; Text in dt., engl. u. frz. Sprache); – Walter Paatz, Die Gestalt G.s im Spiegel einer zeitgenöss. Urk., in: Eine Gabe der Freunde f. Carl Georg Heise, 1950, 85 ff.; – Gustav Friedrich Hartlaub, G.s zweites Hauptwerk in Padua, in: Zschr. f. Kunstwiss. 4, 1950, 19 ff.; – Dagobert Frey, G. u. die maniera greca. Bildgesetzlichkeit u. psycholog. Deutung, in: Wallraf-Richartz-Jb. Westdt. Jb. f. Kunstgesch. 14, 1952, 73 ff.; – Kurt Bauch, Die geschichtl. Bedeutung v. G.s Frühstil, in: Mitt. des Kunsthist. Inst. in Florenz 7, 1953, 43 ff.; – Peter Murray, Notes on Some Early G. Sources, in: Journal of the Warburg and Courtauld Institutes 16, 1953, 58 ff.; – Gerhard Gollwitzer, Ecce homo – victor mortis. Zum Passionszyklus des Lebens Jesu v. G. di B., in: In dieser österl. Zeit. Ein Passions- u. Osterbrevier, hrsg. v. Hans Jürgen Schultz, 1955, 132 ff.; – G. di B. Die Fresken der Kirche des hl. Franz v. Assisi. Text v. Jean-Dominique Rey. Aus dem Frz. übertr. v. Guido G. Meister, 1955; – Ursula Schlegel, Zum Bildprogr. der Arenakapelle, in: Zschr. f. Kunstgesch. 20, 1957, 125 ff.; – Wolfgang Schöne, Stud. z. Oberkirche v. Assisi, in: Festschr. Kurt Bauch, Geschichtl. Btr., hrsg. v. Berthold Hackelsberger u. a., 1957, 50 ff.; – Ders., G.s Kruzifixustafeln u. ihre Vorgänger, in: Festschr. Friedrich Winkler, 1959, 49 ff.; – Hans Möhle, 1959, 49 ff.; – Julius Meier-Graefe, G. u. ein Schritt weiter, in: Ders., Grundstoff der Bilder. Ausgew. Schrr. Hrsg. v. Carl Linfert, 1959, 38 ff. 249; – Cesare Gnudi, G., Mailand 1959; – Ders., Cappella Bardi in Santa Croce, ebd. 1959; – Millard Meiss, G. and Assisi, New York 1960; – Eugenio Battisti, G. (dt.). Biogr.-krit. Stud. Aus dem It. v. Karl Georg Hemmerich, Genf 1960; – G. Die Gesch. Christi (Tl.smlg.). Nach den Fresken in der Arena-Kapelle zu Padua. Aufnahmen v. Walter Dräyer. Nachw. v. Gotthard Jedlicka, 1960; – Martin Gosebruch, G.s Stefaneschi-Altarwerk aus Alt-St. Peter in Rom, in: Miscellanea Bibliotheca Hertzianae zu Ehren v. Leo Bruhns, Franz Gf. Wolff Metternich, Ludwig Schudt, 1961, 104 ff.; – Ders., G. u. die Entwicklung des neuzeitl. Kunstbewußtseins 1962; – Leonetto Tintori u. Millard Meiss, The painting of the life of St. Francis in Assisi, New York 1962; – Maria v. Nagy, Die Wandbilder der Scrovegni-Kapelle zu Padua. G.s Verhältnis zu seinen Qu., 1962; – G. Die Fresken in der Arena-Kapelle zu Padua. Hrsg.: Ordenberg Bock v. Wülflingen (durchges. u. erg. v. Robert Oertel), Brigitte Klesse, Lit. z. Trecentomalerei in Florenz, in: Zschr. f. Kunstgesch. 25, 1962, 251 ff.; – Decio Gioseffi, G. architetto, Mailand 1963; – G. (Tl.smlg.), hrsg. v. Edit u. Heinrich Trost, Berlin 1964; – Hubert Schrade, F. v. Assisi u. G., 1964; – Der hl. Franziskus in 24 Wandgem. v. G., München 1964; – William Douglas Hall, G.: Florentine school, London 1964; – Kunstbetrachtung. Anregungen z. Betrachten v. Kunstwerken. Hrsg. v. Ernst Strassner. 13. G. Der Judaskuß, 1965; – G. (Tl.smlg.). Text: Camillo Semenzato (Übertr. aus dem It.: Erich Scheinfeld. Mit 24 mehrfarb. u. 30 einfarb. Taf.), 1965; – P. H. Feist, Die Geburt eines neuen Bildes v. Menschen. Zum 700. Geb. G.s, in: Bildende Kunst, Dresden 1966, 643 ff.; – Gustav Hillard, Visionen eines Hl.lebens (Franziskus), in: Merian. Das Mh. der Städte u. Landschaften 20, 1967, 82 ff.; – Giovanni Previtali, G. e la sua bottega, Mailand 1967 (Rez. v. Hanno-Walter Kruft, in: Zschr. f. Kunstgesch. 32, 1969, 47 ff.); – Mario Bucci, G., Barcelona 1967 (Rez. v. Salvador Aldana Fernández, in: Arbor. Revista general de investigación y cultura 72, Madrid 1969, 120 f.); – Walter Euler, G.-Fresken. Die Scrovegnikapelle in Padua, 1968; – Heinrich Schwamborn, G. Basteigalerie der großen Maler, Nr. 67, 1968; – Armin Winkler, 1968; – The complete paintings of G.; introduction by Andrew Martindale, notes and catalogues by Edi Baccheschi (translated from the Italian), London 1969 (dt. Luzern 1970); – Giovanni Spadolino, Il mondo di G., Florenz 1969 (Rez. v. Claudio Marabini, in: Nuova antiologia 104, Rom 1969, 543 ff.); – James H. Stubblebine, G. The Arena Chapel frescoes. An introduction to G.'s frescoes in Padua with an analytic essay, documents and source materials, critical essays, New York 1969 (Rez. v. Hanna Kiel, in: Pantheon. Internat. Zschr. f. Kunst 28, 1970, 350; v. David Wilkins, in: Art quarterly. Detroit Institute of Arts 34, Detroit/Michigan 1971, 113 ff.); – Ferdinando Bologna, Novità su G. G. al tempo della Cappella Peruzzi, Turin 1969 (Rez. v. Hanna Kiel, in: Pantheon 29, 1971, 442; v. David Wilkins, in: Art quarterly 34, Detroit/Michigan 1971, 113 ff.); – Giuseppe Palumbo, G. e i giotteschi in Assisi, Rom 1969 (Rez. v. Hanna Kiel, in: Pantheon 29, 1971, 442 ff.; v. Vincent Flint, in: L'Italia franciscana. Rivista di cultura 47, Rom 1972, 306); – G. Mit Btrr. v. Martin Gosebruch, Roberto Salvini, Wilhelm Messerer, Konstanz 1970; – G. e il suo tempo. Atti del Congresso internazionale per la celebrazione del settimo centenario della nascita di G. 1967, Rom 1971; – Erling Skaug, Contributions to G.'s workshop, in: Mitt. des Kunsthist. Inst. in Florenz 15, 1971, 141 ff.; – Michael Baxandall, G. and the orators. Humanist observers of painting in Italy and the discovery of pictorial composition 1350–1450, Oxford 1971 (Rez. v. Richard Woodfield, in: British journal of aesthetics 12, London 1972, 199 f.; v. Myron P. Gilmore, in: Art bulletin. A quarterly 55, New York 1973, 148); – Alastair Smart, The Assisi problem and the art of G. A study of the legend of St. Francis in the upper church of San Francesco, Assisi, Oxford 1971 (Rez. v. Francis A. Ames-Lewis, in: British journal of aesthetics 12, London 1972, 108 f.; v. Christopher Lloyd, in: Italian studies. An annual review 27, Cambridge 1972, 116 ff.; v. David Wilkins, in: Renaissance quarterly 26, New York 1973, 36 f.); – M. Trachtenberg, The campanile of Florence cathedral. G.'s tower, New York 1972; – Enid Falaschi, G.: The literary legend, in: Italian studies. An annual review 27, Cambridge 1972, 1 ff.; – KML II, 633 ff.; – EItal XVII, 211 ff.; – EC VI, 475 ff.; – LThK IV, 897 f.; – NCE VI, 494 ff.; – RGG II, 1580 f.

GIOVANNELLI, Ruggiero, Komponist, * um 1560 in Velletri, † 7. 1. 1625 in Rom. – G. war wahrscheinlich ein Schüler von Giovanni Palestrina (s. d.). Er wurde 1583 Kapellmeister an der Kirche S. Luigi dei Francesi in Rom, 1590 am Collegium Germanicum, 1594 Nachfolger Palestrinas als Kapellmeister an S. Pietro, 1599 Sänger und 1614 Kapellmeister an der Cappella Sistina. – G. gilt als einer der besten Meister der römischen Schule. Er komponierte Motetten, Messen, Psalmen, Madrigale.

Werke: Von G.s Werken sind erhalten: 2 Bücher 5–8st. Motetten, 1593. 1604; 3 Bücher 5st. Madrigale, 1586. 1593. 1599; GA, 1606; 2 Bücher 4st. Madrigale Gli Sdruccioli, 1585. 1589; ein Buch 3st. Madrigale, 1605; 3st. Kanzonetten nebst Arrangement f. Laute, 1592; ein Buch 3st. Villanellen, 1588. – Viele kirchl. Werke sind im Ms. in den vatikan. Arch. erhalten (Messen, Pss., Motetten); Madrigale finden sich noch in vielen Sammelwerken v. 1583 bis 1620.

Lit.: Attilio Gabrielli, R. G., musicista insigne, Velletri 1907; – Ders., R. G., nella vita e nelle opere, ebd. 1926; – Hans-Walther Frey, G. e inne biogr. Stud., in: KmJb 22, 1909, 49 ff.; – Alberto Cametti, R. G., in: Musica d'oggi, 1925; – Karl Winter, R. G., Nachfolger Palestrinas an St. Peter in Rom. Eine stilkrit. Unters. z. Gesch. der röm. Schule um die Wende des 16. Jh.s (Diss. München), 1935; – Hans Joachim Moser, Vestiva i colli,

in: AfMf 4, 1939, 137 ff.; – Hermann-Walther Frey, Die Kapellmeister an der frz. Nationalkirche S. Luigi dei Francesi in Rom im 16. Jh., Tl. 2, in: AfMw 23, 1966, 32 ff.; – Gesch. der kath. Kirchenmusik, hrsg. v. Karl Gustav Fellerer, II, 1976, 20 f. 36; – MGG V, 150 ff.; – Eitner IV, 260 ff.; – Riemann I, 629; Erg-Bd. I, 428; – Moser I, 420; – Grove III, 649; – Honegger I, 412; – Goodman 164; – LThK IV, 898.

GIRGENSOHN, Herbert, Theologe, * 27. 9. 1887 als Pfarrerssohn in Wolmar-Weidenhof, † 11. 9. 1963 in Glücksburg/Ostsee. – G. besuchte seit 1903 die St. Petri-Schule in St. Petersburg und studierte seit 1906 in Dorpat Theologie, 1910–11 in Berlin und 1912–13 in Erlangen, wo er 1913 zum Dr. phil. promovierte. G. leistete in Smilten/Livland sein Probejahr ab, war 1914 Walkscher und 1915/16 Wolmarscher Sprengelsvikar und 1919–20 Feldprediger bei der Baltischen Landeswehr. 1920–39 wirkte er in Riga: zunächst als Religionslehrer an der Lutherschule und Stadtvikar, 1921–29 Pastor an der St. Petri-Kirche, 1927–39 auch Dozent für Praktische Theologie am Herder-Institut. **Die Universität Königsberg verlieh ihm 1934 die theologische Ehrendoktorwürde.** 1940–42 war G. in Posen Pfarrer an der Kreuzkirche und 1942–45 an der Christuskirche, 1945 Flüchtlingspastor in Rathenow und Lübeck, 1945–46 Pastor an der St. Marienkirche in Lübeck, 1946–55 Dozent und dann Professor der Praktischen Theologie an der Theologischen Schule in Bethel bei Bielefeld. Seit 1946 war er Leiter des Hilfskomitees der evangelisch-lutherischen Deutschbalten, zeitweise Vorsitzender des Ostkirchenausschusses.

Werke: Katechismus-Ausl. 1.: Was z. Christsein zu wissen notwendig ist, 1956; 2.: Taufe, Beichte, Abendmahl, 1958; Kreuz u. Auferstehung Jesu. Meditationen z. Leidens- u. Auferstehungsgesch. nach Lk, 1958; Dein Reich komme. 15 Predigten, 1959; Die Bergpredigt. Eine Ausl. f. die Gemeinde, 1962; Gemeinschaft in der Kirche, Liebe ohne Grenzen, 1964; Festtagspredigten, 1966; Heilende Kräfte der Seelsorge (Tl.smlg.). Aufss., 1966.

Lit.: Gerhard Gülzow, H. G. z. 70. Geb., in: Der Remter. Bll. ostdt. Besinnung, 1957, Nr. 5, S. 3 ff.; – Ders., H. G. in memoriam, in: Europ. Begegnung 3, 1963, 592; – R. Wittram, Nekrolog, in: Balt. Briefe. Mschr. 16, 1963, Nr. 10, S. 3 f.; – Leonid v. Cube, H. G., in: Jb. des balt. Deutschtums 12, 1965, 14 ff.; – Dt.balt. Biogr. Lex. 1710–1960, hrsg. v. Wilhelm Lenz, 1970, 244; – H. G. Seelsorge als Lebensinhalt. Ein Gedenkbuch. Hrsg. v. Sibylle Harff, 1970 (237–248: Bibliogr.).

GIRGENSOHN, Karl, luth. Theologe, * 22. 5. 1875 als Pfarrerssohn in Karmel (Insel Ösel), † 20. 9. 1925 in Leipzig. – G. besuchte 1888–92 das Gymnasium in Dorpat und studierte dort 1892–96. Als cand. theol. war er 1896–97 Hauslehrer in Kudding (Livland), 1897–98 Freiwilliger im Finnländischen Regiment in St. Petersburg und 1898–1900 Hauslehrer in Rappin (Livland). G. studierte 1900–01 in Berlin bei Reinhold Seeberg (s. d.). 1903 promovierte er in Dorpat zum Mag. theol. und war dort 1903–07 Privatdozent und Religionslehrer am Puschkin-Mädchengymnasium, 1907–16 ao. Professor der Systematischen Theologie, zeitweise Dekan, zugleich Organist an der Universitätskirche. Die Universität Berlin verlieh ihm 1910 die theologische Ehrendoktorwürde. Als 1916 die russische Unterrichtssprache eingeführt wurde, trat G. zurück. 1917 war er Vorsitzender einer deutschen Kirchenversammlung in Dorpat und wurde 1918 Professor und Dekan der Theologischen Fakultät und Dr. phil. h. c. der Universität Dorpat. Er lehrte als o. Professor 1919–22 in Greifswald und dann in Leipzig. – G.s besonderes Arbeitsgebiet war die Religionspsychologie. Er führte die Methoden der experimentellen Denkpsychologie in die Religionswissenschaft ein. G.

hat der Religionspsychologie internationale Geltung verschafft.

Werke: Die Rel., ihre psych. Formen u. ihre Zentralidee. Ein Btr. z. Lösung der Frage nach dem Wesen der Rel., 1903 (1925²); Die moderne hist. Denkweise u. die christl. Theol., 1904; 12 Reden über die christl. Rel. Ein Vers., modernen Menschen die alte Wahrheit zu verkündigen, 1906 (1921⁴); Seele u. Leib, 1908; Die geschichtl. Offb., 1910; Der Schr.beweis in der ev. Dogmatik einst u. jetzt, 1914; Der seel. Aufbau des rel. Erlebens. Eine rel.psychol. Unters. auf experimenteller Grdl., 1921 (1930² erw. durch einen Nachtr. »Forsch.methoden u. Ergebnisse der exakten empir. Rel.psychologie seit 1921«, hrsg. v. Werner Gruehn); Der Rationalismus des Abendlandes. Ein Votum z. Fall Spengler, 1921; Rel.psychologie, Rel.wiss. u. Theol., 1923 (1925²); Grdr. der Dogmatik, 1924; Die Inspiration der HS, 1925 (1926²); Sechs Predigten, 1926; Theol. Ethik, hrsg. v. Carl Schneider, 1926. – Begründete u. gab heraus: ChuW, 1925.
Lit.: Werner Gruehn, K. G.s rel.psycholog. Entwicklung, in: Arch. f. die gesamte Psychologie 55, 1926, 219 ff.; – Ders., Die Theol. K. G.s. Umrisse einer christl. Weltanschauung, 1927; – Selbstbiogr., in: Die Rel.wiss. der Ggw. in Selbstdarst., hrsg. v. Erich Stange, II, 1926, 41–76; – Villiam Grönbaek, Rel.psykologi, Kopenhagen 1958, 52 ff.; – Dt.balt. Biogr. Lex., 1710 bis 1960, hrsg. v. Wilhelm Lenz, 1970, 245; – NDB VI, 410.

GISENIUS, Johannes, Theologe, Vertreter der luth. Orthodoxie, * 1577 in Dissen bei Osnabrück, † 6. 5. 1658 in Lemgo. – G. besuchte das Gymnasium in Lemgo, studierte in Wittenberg und lehrte dort von 1605–07. Er war 1610–15 Rektor in Lemgo und wurde 1616 Professor der Theologie in Gießen und 1619 in Straßburg. 1621 folgte G. dem Ruf an die neuerrichtete Universität in Rinteln, die damals einzige lutherische Volluniversität in Nordwestdeutschland. 1623 wurde die Stadt vom Herzog Christian von Braunschweig-Lüneburg überfallen, erobert und geplündert. Die meisten Studenten verließen Rinteln, auch die Professoren, soweit sie die Möglichkeit dazu hatten. G., der in diesem Jahr Rektor der Universität war, hielt es für seine Pflicht, auf seinem Posten zu bleiben. Er wurde mit Einquartierung geplagt, zeitweilig in Haft genommen und auch sonst benachteiligt, übte aber trotzdem sein Lehramt aus, soweit es ging. Durch das »Restitutionsedikt« vom 6. 3. 1629 war das ganze Gebiet zwischen Rhein und Elbe der Gegenreform ausgeliefert. Benediktinermönche aus Hildesheim kamen nach Rinteln und waren die Herren der Universität. Auf die Anzeige der Mönche hin wurde G. gefangengenommen, nach Minden in das Gefängnis gebracht und fast ein Jahr lang festgehalten. Erst die politische und militärische Wendung brachte ihm die Befreiung. Die Schweden boten G. das Amt des Superintendenten in Osnabrück an, das er übernahm und einige Jahre verwaltete. Um seiner alten akademischen Wirkungsstätte näher zu sein, wechselte G. sein kirchliches Amt mit dem in Bückeburg, gab sich aber mit der Aufgabe des kirchlichen Neuaufbaus nicht zufrieden, sondern erstrebte mit größter Energie die Wiedereröffnung der »Ernestina« in Rinteln. Sie erfolgte 1641. Bis 1646 war er das einzige Mitglied der Theologischen Fakultät. Kaiserliche Soldaten aus Wiedenbrück überfielen 1644 die Stadt und plünderten sie gründlich aus. Trotz dieses neuen Unglücks ließ G. nicht nach in seinem Eifer, für seine Universität zu wirken. Als kurz vor Kriegsende in Schaumburg die Erbteilung des Landes vorgenommen wurde, fiel der nördliche Landesteil mit der Universität Rinteln an den Landgrafen Wilhelm VI. von Hessen-Kassel. 1650 schied der jüngere Balthasar Mentzer (s. d.) aus dem Lehrkörper aus. Mit seinem Nachfolger Johann Henich, einem Schüler von

Georg Calixt (s. d.) in Helmstedt, geriet G. zusammen, da er ungünstige Urteile anderer Professoren und ihre irrigen Meinungen weitergegeben hatte. Der Streit führte zu der Entlassung G.s. Er zog sich in das Kloster Loccum zurück, dessen Abt sein Freund war. Von dort führte G. einen Prozeß gegen die hessische Regierung auf Auszahlung seines rückständigen Gehalts und Rückerstattung der für die Universität Rinteln verauslagten Summen. Den Prozeß beim Reichskammergericht gewann er. Nun erwarb G. den Steinhof bei Lemgo, auf dem er die letzten Jahre seines Lebens zubrachte.

Lit.: Robert Stupperich, J. G. u. sein Kampf um die Univ. Rinteln, in: JGNKG 63, 1965, 140 ff.; – ADB IX, 199 f.

GLANDORFF (im Taufbuch: Glandorp), Franz Hermann, Jesuit, Missionar, * 28. 10. 1687 in Schwagstorf bei Osterkappeln (Diözese Osnabrück), † 9. 8. 1763 auf der Missionsstation Tomochic (Mexiko). – G. studierte am Jesuitenkolleg in Osnabrück und trat 1708 in Trier in die »Gesellschaft Jesu« ein. Seine theologischen Studien machte er in Paderborn und empfing 1718 die Priesterweihe. 1719 reiste G. über Amsterdam und Cadiz nach Mexiko und wirkte seit 1722 als Missionar unter den Indianern im Hochgebirge von Tarahumara im Norden Mexikos, meist auf der Wanderung, in großen Gefahren und Entbehrungen.

Lit.: Anton Huonder, Dt. Jesuitenmissionäre des 17. u. 18. Jh.s, 1899, 97 f. 108; – KathMiss 54, 1926, 3–9; – Peter Masten Dunne, Pioneer Jesuits in northern Mexico, Berkeley 1944; – Ders., Early Jesuit Missions in Tarahumara, ebd. 1948, 104–117; – Sommervogel III, 1497; – LThK IV, 908.

GLASSIUS, Salomo, luth. Theologe, * 20. 5. 1593 in Sondershausen (Thüringen) als Sohn eines Rentschreibers, † 27. 7. 1656 in Gotha. – G. besuchte die Schule in Arnstadt und das Gymnasium in Dessau und studierte 1612–15 in Jena, dann in Wittenberg und nach einem Jahr wieder in Jena, wo er Johann Gerhards (s. d.) Lieblingsschüler und Tischgenosse war. Er promovierte 1617 zum Magister und wurde 1619 Adjunkt der Philosophischen Fakultät und 1621 Professor der hebräischen und griechischen Sprache. 1625 folgte G. als Superintendent dem Ruf nach Sondershausen und promovierte 1626 in Jena zum Dr. theol. 1638 wurde er in Jena als Nachfolger Gerhards Professor der Theologie. Herzog Ernst der Fromme (s. d.) berief ihn 1640 nach Gotha zum Generalsuperintendenten, Oberhofprediger, Konsistorialassessor und Ephorus des Gymnasiums. – G. ist als orthodoxer Lutheraner bekannt. Sein Hauptwerk »Philologia sacra« ist eine Art biblisch-philologische Enzyklopädie. Er war Mitarbeiter und nach Gerhards Tod Leiter der »Ernestinischen« oder »Weimarischen Bibel«, einer für die Hausandacht kommentierten Bibel. Als hervorragender Kenner der hebräischen Sprache und der rabbinischen Literatur bearbeitete er darin die poetischen Bücher des Alten Testaments.

Werke: Philologia Sacra, 5 Bde., 1623–36 (1776–96¹⁰); Meditationes sacrae, Jena 1636; Prophet. Spruch-Postill, 4 Tle., Nürnberg 1642/47/54; Enchiridion sacrae scripturae practicum oder Bibl. Handbüchlein, Gotha 1651; Christl. Anfechtungsschule, ebd. 1652 (1669³); Adnotationes in compendium Hutteri in usum gymnasii et aliarum scholarum principis Gothani, ebd. 1656 (1670³); Bedenken über die unter etlichen . . . chursächs. u. helmstedt. Theologen entstandenen Streitigkeiten, 1662 (1731² hrsg. v. Adam Lebrecht Müller; mit Vita u. Lit.]; Betbüchlein nach Ordnung des catechismi Lutheri, Gotha 1664; Christl. Haus-Postill, Jena 1668. – Glassii opuscula, Leiden 1700.

Lit.: August Beck, Ernst der Fromme, Hzg. zu Sachsen-Gotha u. Altenburg. Ein Btr. z. Gesch. des 17. Jh.s, 1865; – F. Waas, Die Generalvisitation 1641–45, in: Zschr. des Ver. f. thüring. Gesch. u. Altertumskunde NF 19–22, 1909, 15 u. ö.; – Wilhelm Dilthey, Ges. Werke II, 1923, 120 ff.; – Rudolf Herrmann, Thüring. KG II, 1947; – ADB IX, 671 ff.; – NDB VI, 434 f.; – RE VI, 671 ff.; XXIII, 560; – RGG II, 1586.

GLINZ, Gustav Adolf, ref. Pfarrer, * 22. 8. 1877 als Pfarrerssohn in St. Antoni (Kt. Fribourg), † 24. 4. 1933 in Zürich. – G. studierte Theologie an den Universitäten Neuchâtel, Basel, Berlin und Marburg als Schüler von Adolf Harnack (s. d.), Wilhelm Herrmann (s. d.), Otto Pfleiderer (s. d.) und Julius Kaftan (s. d.) und wurde von der Theologie Friedrich Schleiermachers (s. d.) stark beeinflußt. Er wirkte als Pfarrer in mehreren Schweizer Gemeinden, zuletzt in Müllheim (Kt. Thurgau). Als aktives Mitglied der liberalen Schweizer Reformer wandte sich G. unter dem Einfluß der Schriften Johann Christoph Blumhardts (s. d.) und Adolf Schlatters (s. d.) von der liberalen Theologie einer biblizistisch-evangelischen und schließlich, besonders unter dem Einfluß der Schriften Wilhelm Löhes (s. d.), einer kirchlich-sakramentalen, »evangelisch-katholischen« Theologie zu. 1922 wurde er Vorsteher der »kirchlichen« (d. h. hochkirchlichen) Abteilung des »Schweizer Diakonievereins«, einer karitativ wirkenden ökumenischen Organisation, die in einer »ecclesiola« die Gesamtheit der Kirchen darstellen will. G. war Hauptmitarbeiter an der Zeitschrift »Una sancta« und wurde 1926 1. Vorsitzender des »Hochkirchlichen ökumenischen Bundes« und 1927 nach dessen Wiedervereinigung mit der »Hochkirchlichen Vereinigung« deren 2. Vorsitzender. 1930 trat G. wegen seines Gesundheitszustandes in den Ruhestand. Er widmete sich in Rüschlikon, der Zentrale des »Schweizer Diakonievereins«, ganz dem ökumenischen Werk und empfing 1930 von dem Bischof der gallikanischen Kirche Pierre Gaston Vigué (Bordeaux) die Bischofsweihe. – G. ist bekannt als ein Vorkämpfer der hochkirchlich-sakramentalen Erneuerung der evangelischen Kirche und des Una-Sancta-Gedankens.

Werke: Monatl. Betrachtungen über die Feste des Kirchenj., in: Una Sancta 1, 1924; Vom Wiedererwachen der ökumen. Kirche, ebd. 2, 1926, 26 ff.; Vom eigenen Recht der Kirche u. seine notwendigen Grenzen, ebd. 353 ff.; Kath. Geisteshaltung u. Theol. der Krisis, ebd. 3, 1927, 167 ff.; Von der ewigen Geltung der ökumen. Symbole, ebd. 284 ff.; – Der ev. Charakter unserer ökumen. Bewegung in der Schweiz, in: Hochkirche 14, 1932, 256 ff.

Lit.: Friedrich Heiler, G. A. G. †, der Vorkämpfer der ev. Katholizität in der Schweiz, in: Hochkirche 15, 1933, 109 ff.; – NDB VI, 455 f.; – RGG II, 1621.

GLOCK, Paul, Täufer, * in Rommelshausen bei Waiblingen (Württemberg), † 30. 1. 1585 in Schädowitz (Mähren). – G. führte in seiner Jugend ein leichtsinniges Leben. Wer ihn für das Täufertum gewann, ist unbekannt. Er schloß sich den »Huterern« oder »Huterischen Brüdern« an (s. Huter, Jakob) und lag Ende Dezember 1550 mit seinem Vater, seiner Mutter und seiner Ehefrau in Cannstatt in Haft. Über die nächsten Jahre erfahren wir nichts. G. wirkte für die Täufer in der Gegend von Rudersberg bei Schorndorf. Da er an seinem täuferischen Glauben festhielt, kam G. in lebenslängliche Haft im Schloß Hohenwittlingen bei Urach. Kein Freund durfte ihn besuchen. Die Gefangenschaft war hart, wurde aber später milde, so daß er Briefe schreiben konnte. Er erwarb sich beim Burgvogt solches Vertrauen, daß man ihn als Boten

meilenweit gehen ließ, weil er versprach wiederzukommen. Längere Zeit teilte ein Gesinnungsgenosse die Haft mit ihm. Als dieser aber zur Verhandlung nach Stuttgart gebracht und des Landes verwiesen wurde, war G. wieder allein, bis 1574 der Schneider Matthias Binder von Frickenhausen bei Neuffen zu ihm in die Zelle kam. 1576 brach im Schloß ein Feuer aus. Beide Gefangene halfen bei den Löscharbeiten kräftig mit. Als der Herzog das erfuhr, befahl er ihre Entlassung aus dem Gefängnis und gab ihnen Reisegeld, damit sie nach Mähren ziehen konnten. So war G. nach 19jähriger Haft wieder frei. Noch 15 Jahre waren ihm vergönnt, als Prediger der Gemeinde zu dienen.

Lit.: Rudolf Volkan, Die Lieder der Wiedertäufer, 1903, 231 ff.; – Die Lieder der Hutterischen Brüder, Scottdale/Pennsylvanien 1914, 708 ff.; – Qu. z. Gesch. der Wiedertäufer. I: Hzgt. Württemberg, hrsg. v. Gustav Bossert, 1930; – Andreas Johann Friedrich Zieglschmid, Die älteste Chron. der Hutterischen Brüder, Ithaca/New York, 1943; – MennLex II, 123 f.; – MennEnc II, 525 f.; – NDB VI, 457.

GLODESINDIS, Heilige, † angeblich 25. 7. 609. – G., Tochter des Dux Wintrio von der Champagne, gründete das Nonnenkloster St. Glodesindis in Metz, dessen Äbtissin sie 30 Jahre war. Ihr Fest ist in der Diözese Metz der 27. Juli und in der Diözese Trier der 25. Juli. Der Benediktinerabt Johannes von St. Arnulf in Metz beschrieb ihr Leben und ihre Wunder.

Lit.: Jean Baptiste Pelt, Études sur la Cathédrale de Metz. IV: La Liturgie I, Metz 1937, 145. 153. 242. 421 f.; – Theresia Zimmer, Das Kloster St. Irminen-Oeren in Trier, 1956, 47 f.; – Vita: AS OSB IV/1, 416 ff.; – Miracula et historia translationis, in: AS OSB IV/1, 416 ff.; – BHL 3562 f.; – MartHier 395 f.; – VSB VII, 609 f.; – Torsy 196; – Zimmermann II, 496; – Hauck I, 239; – Wattenbach I, 413 ff.; – Potthast II, 1342 f.; – LThK IV, 966 f.; – NCE VI, 510.

GLOEL, Johannes, Theologe, * 22. 4. 1857 als Pfarrerssohn in Cörbelitz bei Magdeburg, † 16. 6. 1891 in Erlangen. – G. besuchte das Gymnasium in Magdeburg und studierte in Halle und Berlin. Eine Zeitlang war er Hauslehrer, dann Domhilfsprediger und Inspektor des Domkandidatenstifts in Berlin. Nach kurzer Tätigkeit als Schloßprediger des Fürsten Reuß in Ernstbrunn wurde G. in Halle Inspektor am schlesischen Konvikt und 1886 Privatdozent für Neues Testament in Halle. Seit 1888 lehrte er als ao. Professor in Erlangen.

Werke: Hollands kirchl. Leben (Ber. der 1884 i. A. des Domkandidatenstifts unternommenen Stud.reise nach Holland), 1885; Der Stand im Fleische nach paulin. Zeugnis, 1886; Der Hl. Geist in der Heilsverkündigung des Paulus, 1888; Die jüngste Kritik des Gal.briefes auf ihre Berechtigung geprüft (gg. Rudolf Steck, Der Gal.brief nach seiner Echtheit unters., 1888), 1890.

Lit.: RE VI, 709.

GLONDYS, Viktor, Bischof der ev. Landeskirche Augsburgischen Bekenntnisses in Rumänien, * 7. 12. 1882 in Bielitz-Biala (Schlesien) als Sohn eines Bäckermeisters * 28. 10. 1949 in Hermannstadt (Siebenbürgen). – G. besuchte das Staatsgymnasium in Bielitz und studierte in Graz Philosophie. Der römisch-katholischen Kirche entfremdet, gewann ihn Martin Luthers (s. d.) Rechtfertigungslehre für den evangelischen Glauben. Unbeeinflußt von der Los-von-Rom-Bewegung, konvertierte G. 1903. Er studierte evangelisch-lutherische Theologie in Wien und Marburg (Lahn) und legte sein Examen in Wien ab. G. wurde 1907 Vikar in Eisenau (Bukowina), 1909 Personalvikar in Czernowitz und 1911 dort Stadtpfarrer. 1916 promovierte er in Graz zum Dr. phil. und hablilitierte sich 1919 an der Philosophischen Fakultät der Universität Czernowitz. 1922 wurde G. Stadtpfarrer in Kronstadt, 1930 Bischofsvikar und im November 1932 Bischof der evangelischen Landeskirche Augsburgischen Bekenntnisses in Rumänien. Kirchenfeindliche Mächte erzwangen im Februar 1941 seine Versetzung in den Ruhestand. G. setzte seine geistliche Tätigkeit in der Lutherakademie in Hermannstadt fort. Am 22. 8. 1944 kehrte er in sein Bischofsamt zurück und ging 1945 in den Ruhestand, nahm aber in der Lutherakademie seine Vortragstätigkeit wieder auf. – G. vertrat seine Kirche im Lutherischen Weltbund und im Gustav-Adolf-Werk. Er war Begründer und Leiter der Arbeitsgemeinschaft der deutsch-evangelischen Kirchen Südosteuropas und Mitglied des Senats der Lutherakademie in Sondershausen. Die Theologische Fakultät der Universität Breslau verlieh ihm 1930 die Ehrendoktorwürde.

Werke: Einf. in die Erkenntnistheorie I, Wien 1923; Zur Problematik des christl. Gottesglaubens. Ein Vers. z. Überwindung intellektueller Glaubenshemmungen, Hermannstadt 1929; Auf ewigem Grunde. Predigten, ebd. 1933.

Lit.: RGG II, 1627.

GLOYER, Ernst, Missionar, * 15. 10. 1863 als Pfarrerssohn in Breitenburg bei Itzehoe, † 3. 11. 1936 in Flensburg. – G. verlebte seine Kindheit in Jevenstedt bei Rendsburg. Er besuchte seiner schwachen Gesundheit wegen das Gymnasium in Rendsburg nur bis Obertertia und trat dann in die Kunstgärtnerlehre ein. Da die gesunde Arbeit seinen Körper zusehends stählte, konnte G. Neujahr 1883 in das Missionsseminar in Breklum bei Bredstedt (Schleswig) aufgenommen werden. Er wurde 1888 nach Indien ausgesandt und wirkte dort mit einer durch den ersten Weltkrieg bedingten 12jährigen Unterbrechung bis 1936 als Vater der Gemeinde Kotapad und später als Vorsteher des ganzen indischen Gebiets.

Lit.: Peter Piening, Menschen, die sich senden ließen, in: Unter dem Sendungsauftrag Jesu Christi. Btrr. aus Gesch. u. Ggw. der Breklumer Mission, hrsg. v. Wilhelm Andersen, 1953, 81 ff.

GLÜCK, Ernst, Theologe, Übersetzer, * 18. 5. 1654 als Pfarrerssohn in Wettin bei Halle (Saale), † 5. 5. 1705 in Moskau. – G. kam 1673 nach Livland und wurde Pfarrer in Dünamünde. Er trieb dann Sprachstudien bei dem Orientalisten Esra Edzardi (s. d.) in Hamburg, kehrte 1680 nach Livland zurück und wurde Pfarrer in Marienburg (unweit der russischen Grenze). G. übersetzte die Bibel ins Lettische und gründete die ersten lettischen Schulen. Im Nordischen Krieg geriet er 1702 in russische Kriegsgefangenschaft, blieb aber nach seiner Entlassung in Moskau und gründete 1703/ 1705 eine russische Aristokratenschule. G. schuf Lehrbücher für den Unterricht, übersetzte den lutherischen Katechismus ins Russische und gab die erste russische Wochenzeitschrift heraus. Das Manuskript seiner Übersetzung der kirchenslawischen Bibel ins Russische ist verlorengegangen. Mit Philipp Jakob Spener (s. d.) und August Hermann Francke (s. d.) stand er im Briefwechsel.

Werke: Übers. des NT, Riga 1685, des AT, ebd. 1899. – Verz. seiner dt. u. lett. Arbeiten bei J. F. v. der Recke – K. E. Napiersky, Allg. Schr.steller- u. Gelehrtenlex. der Prov. Livland, Estland u. Kurland II, Mitau 1828, 68 ff.

Lit.: G. Hillner, E. G., Riga 1918 (lett.); – W. Klutschewskij, Gesch. Rußlands IV, 1926, 255 ff.; – Georg v. Rauch, Die Univ. Dorpat u. das Eindringen der frühen Aufklärung in Livland 1690–1710, 1943; – H. Tichovskis, Provost E. G. as educator in Livonia and Russia, in: Slavic review. American quarterly of Soviet and East European studies 24, Philadelphia/Pennsylvanien 1965, 307 ff.; – Herbert Rönicke, Joh. E. G. Ein Widerstandskämpfer im Zeitalter der Frühaufklärung im Nordosten Europas, in: Kirche im Osten. Stud. z. osteurop. KG u. Kirchenkunde 13, 1970, 104 ff.; – NDB VI, 469 f.; – RGG II, 1269 f.

GLÜSING, Johann Otto, Sektierer, * 1575/76 als Pfarrerssohn in Altenesch bei Delmenhorst, † 2. 8. 1727 in Altona. – G. studierte 1696–1700 in Jena Theologie und hielt als Hauslehrer in Kopenhagen »collegia pietatis« ab; es sind dort die ersten Spuren des Pietismus. Er entwickelte sich vom Pietisten zum Schwärmer und übte an den kirchlichen Verhältnissen scharfe Kritik. Auch als Hauslehrer in Oslo hielt er religiöse Versammlungen ab und setzte die Angriffe gegen die Kirche fort; er wurde deswegen ausgewiesen. Von März 1708 bis Februar 1709 war G. in Hamburg. Da das dortige geistliche Ministerium von seiner sektiererischen Tätigkeit erfuhr, ging er nach Altona, das damals eine Freistatt für Sektierer und Schwärmer war. Die Einäscherung der Stadt durch die Schweden 1713 veranlaßte ihn zur Rückkehr nach Hamburg. Dort konnte G. bis 1725 ungestört wirken. Da kam es zu neuen Verfolgungen in Friedrichstadt, wo er Anhänger hatte. Im Februar 1726 wurde er aus Hamburg ausgewiesen und fand Unterschlupf in Altona. – G. gehörte zu der von Johann Georg Gichtel (s. d.) begründeten Gemeinschaft der »Engelsbrüder« oder »Gichtelianer«. Die Sekte hat nach seinem Tod in Altona und Hamburg noch weiter bestanden.

Lit.: Johann Andreas Bolten, Hist. Kirchen-Nachr. v. der Stadt Altona u. deren verschiedene Rel.parteien II, Altona 1791, 102 ff.; – O. Olssen, Sekteriske Bevaegelser i Kristiania omkring 1706, in: Teologisk Tidsskrift for den Evangelisk-Lutherske Kirke i Norge NR 1, Christiania 1871, 190 ff.; – Karl Bertheau, Philipp Georg Wihten u. J. O. G., in: Mitt. des Ver. f. Hamburg. Gesch. 1, 1878, 130 ff.; – J. Pedersen, Forsamlinger i København 1704–06, in: TT(K) 5. R., Bd. 7, 1936, 256 ff.; – Hans Haupt, Der Altonaer Sektierer J. O. G. u. sein Prozeß v. 1725/26, in: Schrr. des Ver. f. Schleswig-Holstein. KG, 2. R., Bd. 11, 1952, 1360 ff.; – DBL VIII, 182 f.; – ADB IX, 258 ff.; – NDB VI, 472 f.

GNAPHEUS, Guilielmus (eigentlich: Willem van de Voldersgraft; auch: Willem de Volder, Guilielmus Fullonius), Humanist, Schulmann und Dramendichter, * 1493 in Den Haag, † 29. 9. 1568 in Norden (Ostfriesland). – G. studierte in Köln und wurde in seiner Vaterstadt Rektor an der Lateinschule. Er schloß sich dem reformatorischgesinnten Kreis an um den Rechtsanwalt Cornelis Hoen (s. d.) und den Rektor Hinne Rode (s. d.) und wurde um seines Glaubens willen verfolgt und auch mehrfach verhaftet. Mit dem Priester Johann Pistorius (s. d.; Jan de Bakker), dem ersten nordniederländischen Märtyrer, teilte G. die Gefangenschaft und beschrieb später dessen Lebensschicksale. Die Verfolgung durch die Inquisition nötigte ihn schließlich zur Flucht. So kam er 1531 nach Elbing. Im Auftrag des Rats richtete G. dort ein Gymnasium ein, das er zu hoher Blüte brachte. Auf Drängen des Bischofs von Ermland vom Rat entlassen, begab sich G. 1543 nach Königsberg und wurde dort Rat des Herzogs Albrecht von Preußen (s. d.), Rektor der neugegründeten Schule, des sogenannten »Partikulars«, und Professor der Philosophie an der 1544 gegründeten Universität. Friedrich Staphylus (s. d.), der 1545

Professor der Theologie in Königsberg wurde, beschuldigte G. der Hinneigung zu anabaptistischer Schwarmgeisterei und dogmatischer Abweichungen. Er bekämpfte ihn und erreichte schließlich sein Ziel: G. wurde trotz der Geneigtheit des akademischen Senats und des Herzogs seines Amtes entsetzt und durch ein geistliches Gericht unter Johannes Briesmann (s. d.) am 9. 6. 1547 exkommuniziert. Durch Vermittlung des Johannes Laski (s. d.; à Lasco) fand er in Emden Aufnahme bei der Gräfin Anna von Ostfriesland. G. wurde Erzieher der jungen Grafen, aber auch in Regierungsgeschäften mehrfach verwendet. Zuletzt war er gräflicher Rentmeister in Emden. – G. ist bekannt als Begründer und Förderer der lateinischen Schuldramen aus der heiligen Geschichte. Durch seinen berühmten »Acolastus«, die dramatische Behandlung des Gleichnisses vom verlorenen Sohn, übte er auf die dramatische Dichtung des 16. Jahrhunderts großen Einfluß aus.

Werke: Acolastus de filio prodigo, Antwerpen 1529 (1577¹⁴); Een troost ende spieghel der siecken ende derghenen, die in lijden zyn, 1525 im Kerker geschr., um 1531 (1547 erw. u. d. T.: Tobias ende Lazarus), Joannis Pistorii martirium, Straßburg 1546; Lobspruch der Stadt Emden u. ganz Ostfrieslands, 1557; übers. 1562 ins Holl. die »Summa der christl. Rel.« v. Heinrich Bullinger. – *Ausgg.:* Acolastus, hrsg. v. Johannes Bolte, in: Lat. Lit.denkmäler des 15. u. 16. Jh.s I, 1891; The Comedy of Acolastus, übers., mit Einf. u. Anm. hrsg. v. Patrick Langworthy, London 1937; Acolastus. Latijnse tekst mit Nederlandse vertaling, ingeleid en met aantekeningen voorzien door Dr. Pieter Minderaa, Zwolle 1956; Een troost . . ., hrsg. v. Fredrik Pijper, Samuel Cramer, Bibliotheca Reformatoria Neerlandica I, 's Gravenhage 1903; Ziekentrost (1531), hrsg. v. W. J. Kooiman, in: Documenta Reformatoria. Teksten uit de geschiedenis van Kerk en theologie in de Nederlanden sedert de hervorming 1, 1960, 37 f.; Joannis Pistorii martirium, hrsg. v. Paul Fredericq, in: Corpus documentorum inquisitionis haereticae pravitatis Neerlandicae IV, 1900, Nr. 378; Heinrich Babucke, W. G., ein Lehrer aus dem Ref.zeitalter. Lobspruch der Stadt Emden u. ganz Ostfrieslands, nach der Originalausg. v. 1557 aus dem Lat. übers. u. mit einer Einl. vers., enthaltend das Leben des G., 1875.

Lit.: Christoph Hartknoch, Preuß. Kirchen-Historia, Frankfurt am Main 1686, 295 ff. 978 ff.; – Vita Guilielmi Gnaphei, in: Acta Borussica III, 1732, 925 ff.; – Christian August Salig, Vollst. Historie der Augspurgischen Confession u. derselben Apologie II, 1733, 902 ff.; – Hendrik Roodhuyzen, Het leven van G. G., een' der eerste hervormers in Nederland (Diss. Amsterdam), 1858; – Albert Reusch, W. G., der erste Rector des Elbinger Gymn., GProgr. 1868, Beil. 1 f.; 1877, 1 ff.; – Jakob Gijsbert de Hoop-Scheffer, Geschiedenis der Kerkhervoring in Nederland van haar ontstaan tot 1531, 1873 (dt. v. P. Gerlach, 1886, 318 ff.); – Hugo Holstein, Das Drama v. verlorenen Sohn, Progr. Geestemünde 1880; – Ders., Die Ref. im Spiegelbilde der dramat. Lit. des 16. Jh.s, 1886, 54 ff.; – Edwin Volckmann, Das städt. Gymn. in Elbing. Festschr., Elbing 1882; – Franz Spengler, Der verlorene Sohn im Drama des 16. Jh.s. Zur Gesch. des Dramas, Innsbruck 1888; – Paul Tschackert, Urkk.buch z. Ref.gesch. des Hzgt. Preußen I, 1890, 254 ff.; III, 1890, 333; – Johannes Reitsma – Johannes Lindeboom, Geschiedenis van de Hervorming en de Hervormde Kerk der Nederlanden, 1893 (1949⁵, 36 f.); – Bruno Schumacher, Ndrl. Ansiedelungen im Hzgt. Preußen z. Z. Hzg. Albrechts (1525–1568), 1903; – Fredrik Pijper, in: Bibliotheca reformatoria neerlandica. I: Polemische geschriften der Hervormingsgezinden, 1903, 137 ff.; – Johannes Lindeboom, Het Bijbelsch Humanisme in Nederland, 1913; – J. W. Gunst, Johannes Pistorius Woerdensis, Hilversum 1925, 219 f. 323 f.; – T. J. Geest, G. Humanist – Hervormer – Paedagog, in: Bijdragen voor vaderlandsche geschiedenis en oudheidkunde 6, 1926, 77 ff.; – Günther Müller, Dt. Dichtung v. der Renaissance bis z. Ausgang des Barock, 1927 (Nachdr. Darmstadt 1957); – Adolf Schweckendiek, Bühnengesch. des verlorenen Sohnes in Dtld.: I: 1527–1627, 1930, 472 ff.; – Theodor Wotschke, Hzg. Albrecht v. Preußen u. W. G., in: ARG 27, 1930, 122 ff.; – Kurt Michel, Das Wesen des Ref.dramas, entwickelt am Stoff des verlorenen Sohnes (Diss. Gießen), 1934; – Joannes Franciscus Maria Kat, De verloren zoon als letterkundig motief (Diss. Nijmegen, 1952), Bussum 1953; – W. E. D. Atkinson, »Acolastus«. A Study of Its Dramatic Structure and Didactic Intent and of Its Relation to English Literature in the sixteenth Century (Diss. Chicago), 1954; – Schottenloher I, Nr. 7179–7185; IV, Nr. 46512 bis 46514; VII, Nr. 54783 f.; – Goedeke II, 132 f. – Wilpert I², 585; II. 10 (Acolastus); – KLL I, 81 f. (Acolastus. De filio prodigo comoedia); – NNBW III, 471; – RE VI, 727; – RGG II, 1647; – ADB IX, 279 f.; – NDB VI, 482 f.

GOAR, Heiliger, † um 575. – G., ein Priester aus Aquitanien (Südwestfrankreich), kam während der Regierung des Frankenkönigs Childebert I. (511–538) an den Rhein. Er baute an der Stelle der späteren Stadt St. Goar eine Zelle und eine Kapelle und wirkte dort als Missionar. Die Legende berichtet, G. sei wegen seiner Gastfreundschaft, die er besonders den anlegenden Rheinschiffern erwies, bei dem in jener Zeit nicht nachweisbaren Bischof Rusticus von Trier ververklagt worden, habe sich aber durch Wundertaten gerechtfertigt. Pippin übertrug 765 dem Abt von Prüm G.s Zelle und Kapelle. Sie wurde später in das bereits Ende des 11. Jahrhunderts bezeugte Chorherrenstift St. Goar umgewandelt, das aber 1527 von dem Landgrafen Philipp von Hessen (s. d.) säkularisiert wurde. – G.s Fest ist in der Diözese Limburg der 9. Juli, in der Diözese Trier der 24. Juli.

Lit.: Johannes Heinrich August Ebrard, Die iroschott. Missionskirche des 6., 7. u. 8. Jh.s u. ihre Verbreitung u. Bedeutung auf dem Festland, 1873, 261 ff.; – Leonhard Korth, Die Patrocinien der Kirchen u. Kapellen im Erzb. Köln, 1904, 77; – Henri Quentin, Les martyrologes historiques du moyen âge. Étude sur la formation du martyrologe romain, Paris 1908, 20. 241. 432. 477; – J. Depoin, Études mérovingiennes, in: Revue des études historiques 75, Paris 1909, 369 ff.; – Johannes Walterscheid, Dt. Hll. Eine Gesch. des Reiches im Leben dt. Hll., 1934, 60 ff.; – Emmanuel Munding, Die Kalendarien v. St. Gallen, 1951, 76; – Ernst Hello, Hll.gestalten, 1953³, 174; – Eugen Ewig, Trier im Merowingerreich, 1954, 88 ff.; – Wolfgang Brüggemann, Unterss. z. Vitae-Lit. der Karolingerzeit (Diss. Münster), 1957, 72 f. 77 f. 93; – Wilhelm Hünermann, Der endlose Chor. Ein Buch v. den Hll. f. das christl. Haus, 1960⁸, 381 f.; – Ferdinand Pauly, Der hl. Goar u. Bisch. Rustikus, in: TTZ 70, 1961, 47 ff.; – Vita et miracula Goaris, in: AS Jul. II, 327 ff.; AS OSB II, 276 ff.; MG SS XV, 361 ff.; MG SS rer. Merov. IV, 402 ff.; – MartHier 355 f.; – MartRom 273; – BHL 3563; – VSB VII, 137 f.; – BS VII, 64 f.; – Wimmer³ 245; – Torsy 196; – Künstle 283; – Braun 299 f.; – Hauck I, 282; – Chevalier I, 1808; – Potthast II, 1343; – Gallia christiana XIII, 591 ff.; – DCB II, 687; – Catholicisme V, 75; – LThK VI, 1032; – NCE VI, 534 f.; – RE VI, 738; – RGG II, 1662; – ADB IX, 294 f.; – NDB VI, 490.

GOBAT, Samuel, Missionar, * 26. 1. 1799 in Crémines (Kt. Bern), † 11. 5. 1879 in Jerusalem. – G. trat 1820 in das Basler Missionshaus ein und studierte 1823/24 in Paris die arabische Sprache. 1826 wurde er von der »englischen Kirchenmission« ausgesandt und arbeitete in Kairo, 1829–32 in Abessinien und nach seiner Hochzeit mit Maria, Tochter des Inspektors Christian Heinrich Zeller (s. d.) in Beuggen bei Basel, 1834–36 wiederum in Abessinien. G. stand dann in der Heimat im Dienst der Mission, soweit es sein geschwächter Gesundheitszustand zuließ. Er wurde 1839 nach Malta gesandt, um vor dort aus Missionsreisen durchzuführen und den Druck der amharischen Bibel zu überwachen. G. kehrte 1843 in die Schweiz zurück und übernahm später die Leitung einer evangelischen Erziehungsanstalt auf Malta. Friedrich Wilhelm IV. von Preußen ernannte ihn 1846 zum evangelischen Bischof in Jerusalem als Nachfolger des anglikanischen Bischofs Michael Salomo Alexander (s. d.). G. sammelte Gemeinden, richtete Schulen ein und gründete Krankenhäuser in Jerusalem, Jaffa, Bethlehem, Nabus und Nazareth.

Lit.: Heinrich Thiersch, S. G., 1884; – Th. Schölly, S. G. Ein Lb., Basel 1900; – Alfred Krafft, Ein ev. Bisch. im Hl. Lande. Lb. des Bisch. S. G., 1928; – Hans Huppenbauer, Dem Mutigen hilft Gott. Aus dem Leben v. S. G., Basel 1942; – Friedrich Schick, S. G., der Bisch. v. Jerusalem, 1958; – Karl Heinrich Rengstorf, Der Brief des Bisch. S. G. v. J. an den Kaiser Theodoros II. v. Äthiopien v. 28. 11. 1865, in: OrChr 48, 1964, 221 ff.

GODEHARD (Gotthardt), Abt von Niederaltaich, Bischof von Hildesheim, Heiliger, * 960 oder Anfang 961 in Reichersdorf bei Niederaltaich als Sohn eines Dienstmannes und Hauptverwalters des Stifts Niederaltaich, † 5. 5. 1038 in Hildesheim. – G. erwarb seine Grundausbildung in der Stiftsschule Niederaltaich. Es folgten drei Lehrjahre im Gefolge des Erzbischofs Friedrich von Salzburg. Auf einer Italienreise machte er sich vertraut mit den politischen und künstlerischen Zeitströmungen. Nach seiner Rückkehr wurde G. 990 Mönch, bald danach Prior und Schulrektor. 993 empfing er die Priesterweihe und wirkte seit 996 als Abt von Niederaltaich und zugleich von Hersfeld (1001/1002) und Tegernsee (1012–13) eifrig im Sinn der von der Benediktinerabtei Gorze bei Metz ausgehenden Kluniazenserreform. Auf Wunsch Heinrichs II. wurde G. am 30. 11. 1022 zum Bischof von Hildesheim gewählt und am 2. 12. in der Pfalzkapelle in Grona bei Göttingen von Aribo von Mainz (s. d.) zum Bischof geweiht. Er setzte das Werk seines Vorgängers Bernward (s. d.) in der Pflege kirchlicher Kunst und in der Förderung des Kirchenbaus fort. Mehr als 30 Kirchen im Bistum wurden von ihm geweiht. – Innozenz II. (s. d.) sprach G. am 29. 10. 1131 heilig. Sein Fest ist der 4. Mai.

Lit.: Hermann Adolf Lüntzel, Gesch. der Stadt u. Diöz. Hildesheim I, 1858, 195 ff.; – Franz Xaver Sulzbeck, Leben des hl. G., 1863; – Adolf Bertram, Gesch. des Bist. H. I, 1899, 88 ff. 146 ff.; – Ernst Tomek, Stud. z. Reform der dt. Klöster im 11. Jh. I: Die Frühreform, 1910, 106 ff.; – J. Machens, in: Zschr. des Ver. f. Heimatkunde im Bist. H., 1931, 91 ff.; – W. Wühr, Die Wiedergeburt Montecassinos unter seinem Reformabt Richer v. Niederaltaich † 1055, in: StGreg 3, 1948, 369–450; – Romuald Bauerreiß, KG Bayerns II, 1950, 36 ff.; – Kassius Hallinger, Gorze-Kluny, Stud. zu den monast. Lebensformen u. Gg.sätzen im Hoch-MA I, Rom 1950, bes. 163 ff.; – Otto Josef Blecher, Das Leben des hl. G., 1957²; – Konrad Algermissen, Herkunft, Entwicklung u. Wirken G.s, in: Bernward u. G. v. H. Ihr Leben u. Wirken, hrsg. v. dems., 1960, 216 ff.; – Wilhelm Hünermann, Der endlose Chor. Ein Buch v. den Hll. f. das christl. Haus, 1960⁸, 247 ff.; – Winfried Haller, Bisch.amt im MA. Bernward u. G. v. H., 1970; – Josef Fellenberg-Reinold, Die Verehrung des hl. G. v. H. in Kirche u. Volk (Diss. Bonn), 1970 (Rez. v. Heinrich Büttner, in: Bll. f. dt. Landesgesch. 106, 1970, 630 ff.; v. Hermann Engfer, in: Niedersächs. Jb. f. Landesgesch. 43, 1971, 248 ff.); – Biogr. Wb. z. dt. Gesch. I², 1973, 904 f.; – Künstle 283 f.; – Braun 301 ff.; – AS Maii I, 501 ff.; – Wolfhere, Vita Godehardi prior et posterior: in: MG SS XI, 167 ff.; dt. v. B. Gerlach, in: GDV, 1939; – Translatio et Miracula, in: MG SS XII, 639 ff.; – Hauck III, 451 ff. 549 ff.; – Wattenbach-Holtzmann I, 62 ff. 287 f. u. ö.; – LThK IV, 1034 f.; – NCE VI, 576; – ODCC² 584; – ADB IX, 482 ff.; – NDB VI, 495 ff.

GODET, Frédéric, ref. Theologe, * 25. 10. 1812 in Neuchâtel (Neuenburger See), † daselbst 29. 10. 1900. – G. studierte in Neuchâtel, Bonn und Berlin und wurde 1837 Vikar des Bezirks Val-de-Ruz, 1838 französischer Lehrer des preußischen Kronprinzen, des späteren Kaisers Friedrich III., und 1844 Pfarrer in Val-de-Ruz. Er wirkte 1851–66 als Pfarrer und bis 1873 zugleich als Professor der alt- und neutestamentlichen Exegese an der staatlichen Akademie in Neuchâtel. G. trat 1873 aus der Staatskirche aus und wurde Mitbegründer der »Église évangélique indépendante« und Professor der neutestamentlichen Exegese an der Theologischen Fakultät in Neuchâtel, wo er seit 1887 im Ruhestand lebte. – G. ist der bedeutendste Bibelausleger des französischen Protestantismus im 19. Jahrhundert und wurde durch seine vielfach übersetzten neutestamentlichen Kommentare auch in Deutschland bekannt. Auf den westschweizerischen und französischen Protestantismus hat er starken Einfluß ausgeübt.

Werke: Histoire de la Réformation et du Refuge dans le Pays de Neuchâtel, 1859; Commentaires sur l'évangile de St. Jean, 2 Bde., 1864 (3 Bde., 1881); St. Luc, 2 Bde., 1871 (1881³; dt. 1888³); Romains, 2 Bde., 1879 (1881²; dt. 1883²); Corinthiens, 2 Bde., 1886 (dt. 1888); Conférences apologétiques, 1869; Études bibliques, 2 Bde., 1873/74 (1900⁵; dt. 1876³); Introduction au Nouveau Testament, 2 Bde., 1893–1904 (dt. 1894–1901). – Bibliogr.: Livre d'Or de Belles-Lettres, Neuchâtel 1909.

Lit.: Philippe Ernest Godet, F. G., d'après sa correspondance et d'autres documents inédits, Neuchâtel 1913; – RGG II, 1663; – ODCC² 578.

GÖBEL, Max, ref. Theologe, * 13. 3. 1811 in Solingen, † 13. 12. 1857 in Koblenz. – G. verdankte seiner Mutter eine Erziehung nach den Grundsätzen Gottfried Menkens (s. d.) und Samuel Collenbuschs (s. d.). 1829 bezog er die Universität Bonn. Karl Immanuel Nitzsch (s. d.), dessen »Haus- und Tischgenosse« G. war, gewann bestimmenden Einfluß auf ihn. G. wirkte seit 1840 als Pfarrer an der Irrenanstalt in Siegburg. 1844 wurde er Hilfsarbeiter im Konsistorium in Koblenz. Die Theologische Fakultät der Universität Göttingen verlieh ihm 1855 ehrenhalber die Doktorwürde. – G. trat für die Union und die presbyterial-synodale Verfassung ein und hat sich durch seine Erforschung des Pietismus um die rheinisch-westfälische Kirchengeschichte verdient gemacht.

Werke: Die rel. Eigentümlichkeit der luth. u. der ref. Kirche. Ein Denkmal f. die Union der ev. Kirche, 1837 (neu hrsg. v. Wilhelm Rotscheidt, 1907); Gesch. des christl. Lebens in der rhein.-westf. ev. Kirche I (bis 1609), 1849; II (17. Jh.), 1852; III (Die niederrhein. ref. Kirche u. der Separatismus in Wittgenstein u. am Niederrhein im 18. Jh.), hrsg. v. Theodor Link, 1860.

Lit.: G.s Leben u. Wirken, in: Ev. Gemeindebl. aus d. Rheinland u. Westfalen 1858, 33 ff.; – Wilhelm Rotscheidt, in: Mhh. f. Rhein. KG 1, 1907, 529 ff.; – J. F. Gerhard Goeters, M. G. Eine biogr. Skizze, in: Mhh. f. rw. KG des Rheinlandes 8, 1959, 1 ff.; – ADB IX, 299 f.; – RGG II, 1663.

GÖLLER, Emil, kath. Theologe, * 25. 1. 1874 in Berolzheim (Baden), † 29. 4. 1933 in Freiburg (Breisgau). – G. war Schüler von Franz Xaver Kraus (s. d.) und Heinrich Finke (s. d.). Er wurde 1897 Priester und 1900 Mitglied des »Historischen Instituts der Görresgesellschaft« und 1903 des »Preußischen Historischen Instituts« in Rom. Als o. Professor an der Universität Freiburg lehrte G. seit 1909 Kirchenrecht, seit 1917 Kirchengeschichte. 1924 wurde er »päpstlicher Hausprälat«. – G. war Mitherausgeber der »Römischen Quartalschrift für christliche Altertumskunde und für Kirchengeschichte« (seit 1922) und Herausgeber der »Abhandlungen zur Oberrheinischen Kirchengeschichte« (seit 1922). Sein Hauptforschungsgebiet war die kirchliche und kuriale Finanz- und Verfassungsgeschichte sowie die Geschichte der kirchlichen Bußdisziplin.

Werke: Kg. Sigismunds Kirchenpolitik, 1902; Mitt. u. Unterss. über das päpstl. Register- u. Kanzleiwesen im 14. Jh., 1904; Der Liber taxarum der päpstl. Kammer, 1905; Die päpstl. Pönitentiarie v. ihrem Ursprung bis zu ihrer Umgestaltung unter Pius V., 2 Bde., Rom 1907/11; Die Einnahmen der apostol. Kammer unter Johann XXII., 1910; Repertorium Germanicum I, 1916; Das Eherecht im neuen kirchl. Gesetzbuch, 1918²; Die Periodisierung der KG, 1919; Die Einnahmen der apostol. Kammer unter Benedikt XII., 1920; Kirchengeschichtl. Probleme des Renaissancezeitalters, 1924; Aus der Camera apostolica der Schismapäpste, 1925.

Lit.: Heinrich Finke, E. G., in: HJ 53, 1933, 277 ff.; – J. Sauer, E. G., in: FreibDiözArch NF 34, 1933, VII–XXXI; – Johann Peter Kirsch, E. G. †, in: RQ 41, 1933, 1 ff.; – Karl August Finke, Verz. der Schrr. E. G.s, ebd., 9 ff.; – Alberto Maria Ammann, Storia della Chiesa Russa e dei paesi limitrofi, Turin 1948, 473 f.; – EC VI, 910 f.; – LThK IV, 1048; – RGG II, 1664 f.

GOEPFERT, Franz Adam, kath. Theologe, * 31. 1. 1849 in Würzburg als Sohn eines Schmieds, † 18. 4. 1913 in Gries bei Bozen, begraben in der Adalberokirche in Würzburg. – G. besuchte 1859–61 die Lateinschule in Würzburg und danach das Gymnasium in Aschaffenburg. Er studierte 1867–71 an der Universität Würzburg Philosophie und Theologie. Seine Lehrer waren Heinrich Denzinger (s. d.), Joseph Hergenröther (s. d.), Franz Hettinger (s. d.) und der Regens des Priesterseminars Johannes Baptist Renninger. G. wurde 1871 Kaplan in Kitzingen, 1873 Subregens im bischöflichen Knabenseminar in Würzburg, 1879 ao. und 1884 o. Professor für Moral- und Pastoraltheologie an der Universität Würzburg. 1890 erhielt er auch den Lehrauftrag der Homiletik und 1892 als weiteres Nominalfach das der christlichen Sozialwissenschaft. G. war 1882–92 Universitätsprediger. 1909 wurde er zum »päpstlichen Hausprälaten« ernannt. – G. ist bekannt als Vertreter der jesuitischen Morallehre.

Werke: Die Katholizität der Kirche, eine dogmengeschichtl. Stud. (Diss. Würzburg), 1876; Der Eid, 1883; Moraltheol., 3 Bde., 1897 (1922/23⁹, hrsg. v. Karl Staab). – Gab heraus: Johann Baptist Renninger, Pastoraltheol. (1893), 1909/10⁶.
Lit.: Oskar Braun, Gedächtnisrede auf den Heimgang des F. A. G., 1913; – Valentin Weber, F. A. G., in: Ll. aus Franken III, 1927, 176 ff.; – BJ XVIII, 74 ff.; – Kosch, KD 1054 f.; – LThK IV, 1055.

GÖRCKE, Moritz, Pfarrer und Kirchenliederdichter, * 26. 9. 1803 in Stettin als Sohn eines Rendanten, † 6. 3. 1883 in Zarben bei Kolberg. – G. studierte in Halle und Berlin und wurde 1827 in Pyritz Hilfsprediger und Konrektor und 1833 Rektor. Seit 1836 wirkte er als Pfarrer in Zarben in der Synode Treptow an der Rega. In jener dürren Zeit des Rationalismus weckte G. in Pommern neues geistliches Leben durch seine klare, entschiedene Predigtweise, treue Seelsorge und Erbauungsstunden, in denen er aber jede Neigung zur Schwarmgeisterei und Gefahr zur Absonderung kräftig abwehrte. G. war wie sein Schwager Gustav Knak (s. d.) ein eifriger Förderer der Heidenmission. Von seinen Liedern sind bekannt: »Auf, Christen, stimmt ein Loblied an und laßt uns fröhlich sein«, »Auf, laßt uns Zion bauen mit fröhlichem Vertrauen im Namen Jesu Christ!« und »Herr, du hast uns reich gesegnet und bist so freundlich uns begegnet.«

Lit.: Walther Zilz, M. G. oder »Er wird die Starken z. Raube haben«, 1938; – ADB 49, 460 f.

GOEZE, Johann Melchior, luth. Theologe, * 16. 10. 1717 als Pfarrerssohn in Halberstadt, † 19. 5. 1786 in Hamburg. – Nach dem Besuch der Schule in Halberstadt und später in Aschersleben, wohin sein Vater versetzt worden war, studierte G. in Jena und Halle/Saale und wurde in Aschersleben 1741 Adjunctus ministerii und 1744 Diakonus, 1750 Pastor in Magdeburg und 1760 Hauptpastor an der Katharinenkirche in Hamburg. 1760–70 war er auch Senior des Geistlichen Ministeriums. – Bekannt ist G. als Verfechter der lutherischen Orthodoxie gegen die verschiedensten Richtungen der theologischen Aufklärung. Er befehdete heftig Johann Bernhard Basedow (s. d.), den Hauptvertreter der Aufklärungspädagogik, wegen seiner Erziehungsgrundsätze. Gegen Johann Salomo Semler (s. d.) verteidigte G. die komplutensische Polyglottenbibel. In dem »zweiten Hamburger Theaterstreit« mit dem Bergedorfer Pfarrer Johann Ludwig Schlosser eiferte er gegen die Unsittlichkeit der Schaubühne. Eine im wesentlichen berechtigte Kri-

tik übte G. an der Übersetzung des Neuen Testaments von Karl Friedrich Bahrdt (s. d.), der »die Aufklärungsperiode in ihrer schlechtesten und frivolsten Gestalt« darstellt. Sein Hauptgegner war Gotthold Ephraim Lessing (s. d.), der 1774–77 7 »Wolfenbüttelsche Fragmente eines Ungenannten« veröffentlichte, Auszüge aus der Schrift »Die Apologie oder Schutzschrift für die vernünftigen Verehrer Gottes«, die Hermann Samuel Reimarus (s. d.) hinterlassen hatte. – G. hat sich der immer mehr um sich greifenden Aufklärung widersetzt und darum Hohn und Spott erdulden müssen. Er hatte fast ununterbrochen literarische Fehden; aber manche seiner Streitschriften hätten ungeschrieben bleiben können. Doch G. hat nicht als streitlustiger Theologe und nicht als der Typus einer fanatischen Orthodoxie geredet und geschrieben, sondern als überzeugter Lutheraner in der Verantwortung seines Amtes.

Werke: Betrachtungen über die Grundwahrheit der christl. Rel., 1754; Betrachtungen über die Lehre v. Gott u. seinen Eigenschaften, 1857; Auszüge aus Predigten über das Ev. u. andere Texte, 1757; Auszüge aus Sonntags-, Fest- u. versch. Wochen-Predigten, 1762; Erweis u. Verteidigung des Begriffs v. der Auferstehung der Toten, gg. Basedow, 1764; Ausführl. Verteidigung der complutens. Bibel, insonderheit des NT, gg. Semler, 1765; Betrachtungen über den Zustand der Welt u. der Menschen nach dem Jüngsten Gericht, 1765; Theol. Unters. d. Sittlichkeit der heutigen dt. Schaubühne, 1770; Beweis, daß die Bahrdtsche Verdt. des NT keine Übers. sondern nur eine vorsätzl. Verfälschung u. frevelhafte Schändung der Worte des lebendigen Gottes sei, 1773; Vers. einer Historie der gedr. niedersächs. Bibeln v. J. 1470 bis 1621, 1775; Verz. einer Smlg. seltener u. merkwürdiger Bibeln in versch. Sprachen mit krit. u. literar. Anm., 1777; Apologie Melanchthons wider einige neuere Vorwürfe, 1783. – G.s Streitschrr. gg. Lessing, hrsg. v. Erich Schmidt, 1893.
Lit.: Johann Dietrich Winkler, Nachr. v. Niedersächs. berühmten Leuten u. Familien, Hamburg 1768/69, 73 ff.; – Friedrich Lorenz Hoffmann, J. M. G., der Bibelsammler u. Bibliograph. Sein Sohn Gottlieb Friedrich Goeze, der Schenker der väterl. Bibelsmlg. an die Hamburg. Stadtbibl., 1852; – Lex. der Hamburg. Schr.steller II, 1854, 515 ff. (Verz. der Werke u. Lit.); – August Boden, Lessing u. G. Ein Btr. z. Lit.- u. KG des 18. Jh.s, 1862; – Johannes Cropp, Lessings Streit mit Hauptpastor G., 1881; – Johann Heinrich Höck, Bilder aus der Gesch. der hamburg. Kirche seit der Ref., 1900; – Leopold Zscharnack, Lessings Theol. Schrr. IV, 1910, 19 ff.; – Simon Schöffel, in: Das luth. Hamburg. Festschr. z. XX. Hauptagung des Einigungswerkes in Hamburg-Altona, hrsg. v. Theodor Knolle, 1928; – B. Diederich, Hauptpastor G., der stärkste u. unbesiegte Gegner Lessings, in: Hamburg. Kirchenztg., 1936, Nr. 7; – Wolfgang Philipp, Das Werden der Aufklärung in theol.geschichtl. Sicht, 1957; – Harald Schultze, Toleranz u. Orthodoxie. J. M. G. in seiner Auseinandersetzung mit der Theol. der Aufklärung, in: NZSTh 4, 1962, 197 ff.; – Hirsch II. IV; – ADB IX, 524 ff.; – NDB VI, 598 f.; – Goedeke IV, 324 f.; – RE VI, 757 ff.; – EKL I, 1698; – RGG II, 1682 f.; – LThK IV, 1152.

GOFFINÉ, Leonhard, Prämonstratenser, religiöser Volksschriftsteller, * 6. 12. 1648 in Broich bei Jülich, † 11. 8. 1719 in Idar-Oberstein (Nahe). – G. trat 1667 in Steinfeld (Eifel) in den Prämonstratenserorden ein und legte 1669 die Ordensgelübde ab. Er studierte Theologie im »Collegium Norbertinum« in Köln und empfing im Dezember 1675 die Priesterweihe. Er wirkte als Seelsorger bei den Prämonstratenserinnen in Dünnwald und Ellen, 1680–85 als Novizenmeister, dann als Pfarrer in Klarholz, Niederehe, 1685–91 an der St. Lamberti-Pfarrei in Coesfeld (Bistum Münster), 1691–94 in Wehr bei Maria Laach und im Auftrag des Erzbischofs von Trier in der pfälzischen Pfarrei Rheinböllen (Hunsrück), seit 1696 in Idar-Oberstein. – G. is bekannt durch die volkstümliche Hauspostille, eine Erklärung der Sonntagsepisteln und -evangelien in Fragen und Antworten. Sie hat inzwischen mehr als 120 Auflagen erlebt und wurde in viele Sprachen übersetzt.

Werke: Hauspostill oder Christ-Cath. Unterrichtungen v. allen Sonn- u. Feyr-Tagen des gantzen Jahrs, Mainz 1690 (in fast alle europ. Sprachen übers., bis heute oft aufgelegt, v. vielen bearb., z. B. v. Theodosius Florentini, Einsiedeln 1843, 1872[29]); Ausl. der Regel des hl. Augustin, Köln 1692; Trostbuch in Trübsalen, ebd. 1695; Seelenlicht, d. i. Sonn- u. Feiertagspredigten, 2 Bde., Nürnberg 1705; Cibus animae matutinalis, Köln 1705; Erkl. des Catechismi Petri Canisii, ebd. 1712; Lehre Christi, ebd. 1715; Kleiner Katechismus f. die Jugend, ebd. 1717; Der Wächter des göttl. Wortes, ebd. 1718; Praxes sacrae seu modus explicandi caeremonias per annum, Frankfurt 1719. – Bibliogr.: Jöcher II, 1514.

Lit.: Joseph Hartzheim, in: Bibliotheca Coloniensis, Köln 1747, 222 f.; – Georg Bärsch, Das Prämonstratenser Mönchskloster Steinfeld, 1857, 23 f. 90; – Ernst Raßmann, L. G., in: Nachrr. v. dem Leben u. den Schrr. münsterländ. Schr.steller, 1866; – André-Léon Goovaerts, Dictionnaire bio-bibliographique des écrivains, artistes et savants de l'Ordre de Prémontré IV, Brüssel 1909, 315 ff.; – Norbert Backmund, Monasticon Praemonstratense I, 1949, 192 ff.; III, 1956, 566 f.; – Peter Al, L. G. Verf. der Handpostille, in: Jb. f. Gesch. u. Kunst des Mittelrh. u. seiner Nachbargebiete 18–19, 1966–67, 60 ff.; – Al Peter, L. G. Sein Leben, seine Zeit u. seine Schrr. (Diss.), Averbode 1969 (Rez. v. J. Andriessen, in: Ons geestelijk erf 44, Antwerpen 1970, 239 f.; v. L. Horstkötter, in: AnPraem 46, 1970, 352 ff.); – Johannes Meier, Stud. z. nachtridentin. Frömmigkeitsgesch. Über das Lebenswerk v. L. G., in: ThGl 61, 1971, 444 ff.; – Kosch, KD 1070; – ADB IX, 326 f.; – NDB VI, 599 f.; – LThK IV, 1036; – RGG II, 1683.

GOGARTEN, Friedrich, Theologe, * 13. 1. 1887 in Dortmund, † 16. 10. 1967 in Göttingen. – G. wurde 1913 Synodalvikar in Stolberg (Rheinland), 1914 Hilfsprediger in Bremen, 1917 Pfarrer in Stelzendorf (Thüringen), 1925 in Dorndorf/Saale und Privatdozent für Systematische Theologie in Jena. Er lehrte seit 1931 als o. Professor in Breslau und 1935–55 in Göttingen. – G. wurde bekannt als einer der Begründer der »Dialektischen Theologie«. Zunächst war er Bundesgenosse Karl Barths in der Bekämpfung des Historismus und Anthropozentrismus der evangelischen Theologie des 19. Jahrhunderts, gegen den sie den absoluten Gegensatz von Gott und Mensch herausstellten. Es kam später zum Bruch mit Barth und zum Beitritt zu den »Deutschen Christen«. G.s Generalthema ist »Der Mensch zwischen Gott und Welt«, »Die Kirche in der Welt« und die Säkularisierung als Folge der christlichen Offenbarung.

Werke: Fichte als rel. Denker, 1914; Rel. u. Volkstum, 1915; Rel. weither, 1917; Die rel. Entscheidung, 1921; Vom Glauben u. Offb. 4 Vortr., 1923; Ich glaube an den dreieinigen Gott. Eine Unters. über Glauben u. Gesch., 1926; Illusionen. Eine Auseinandersetzung mit dem Kulturidealismus, 1926; Theol. Tradition u. theol. Arbeit. Geistesgesch. oder Theol., 1927; Glaube u. Wirklichkeit, 1928; Wider die Ächtung der Autorität, 1930; Die Selbstverständlichkeiten unserer Zeit u. der christl. Glaube, 1932; Polit. Ethik, 1932; Das Bekenntnis der Kirche, 1934; Gericht oder Skepsis. Streitschr. gg. Karl Barth, 1937; Weltanschauung u. Glaube, 1937; Der Zerfall des Humanismus u. die Gottesfrage, 1937; Die Verkündigung Jesu Christi. Grdl.n u. Aufgabe, 1948 (1965[2]); Die Kirche in der Welt, 1948; Der Mensch zw. Gott u. Welt. Eine Unters. über Ges. u. Ev., 1952 (1960[3]); Entmythologisierung u. Kirche, 1953 (1958[2]); Verhängnis u. Hoffnung der Neuzeit. Die Säkularisierung als theol. Problem, 1953 (1958[2]); Was ist Christentum, 1956 (1963[3]); Die Wirklichkeit des Glaubens. Zum Problem des Subjektivismus in der Theol., 1957; Der Schatz in irdenen Gefäßen. Predigten, 1960. – Gab heraus: Martin Luther, Vom unfreien Willen. Mit Nachwort, 1924; Ders., Predigten. Mit Nachw., 1927; Ders., Predigten. Mit Einl., 1957. – Bibliogr., in: ThLZ 77, 1952, 745–748; 87, 1962, 155 f.

Lit.: Glaube u. Gesch. Festg. f. F. G., hrsg. v. Heinrich Runte, 1948; – Ders., Konkrete Rechenschaft. Ein Dankeswort zu F. G.s 70. Geb., in: DtPfrBl 57, 1957, 25 f.; – Regin Prenter, Das Ev. der Säkularisierung. Bem. zu F. G.s letzten Werken, in: ThZ 12, 1956, 605 ff.; – Ernst Käsemann, Nt. Fragen v. heute. F. G. z. 70. Geb., in: ZThK 54, 1957, 1 ff.; – Rudolf Bultmann, Allg. Wahrheiten u. christl. Verkündigung. F. G. z. 70. Geb., ebd. 244 ff – Roland Wagler, Der Ort der Ethik bei F. G. Der Glaube als Ermächtigung z. rechten Unterscheiden, 1961 (mit Verz. der Werke G.s); – Ernst Fuchs, F. G. z. 75. Geb., in: ThLZ 87, 1962, 231 f.; – Hans-Ulrich Nievergelt, Die theol. Idealismuskritik des frühen G. in ihrer päd. Bedeutung (Diss. Zürich, 1963), Zürich 1963 (u.d.T.: Autorität u. Begegnung ...); – Walter Kreck, Die Christologie G.s u. ihre Weiterführung in

der heutigen Frage nach dem hist. Jesus, in: EvTh 23, 1963, 169 ff.; – Walther Fürst, Glaube u. Existenz. Fragen an die »Wirklichkeit des Glaubens« v. F. G., in: VuF, 1963, 106 ff.; – Anfänge der dialekt. Theol., hrsg. v. Jürgen Moltmann. II: Rudolf Bultmann, F. G., Eduard Thurneysen, 1963, 93 f.; – Eberhard Hübner, Ev. Theol. in unserer Zeit, 1966; – Dorothee Sölle, F. G., in: Tendenzen der Theol. im 20. Jh. Hrsg. v. Hans Jürgen Schultz, 1966, 291 ff.; – Hermann Fischer, Der Historismus u. seine Folgen. Glaube u. Gesch. bei Ernst Troeltsch u. F. G. (Hab.-Schr., Mainz 1964), Gütersloh 1967 (Überarb. u. d. T.: Glaube u. Gesch. Voraussetzungen u. Folgen der Theol. F. G.); – Armin Volkmar Bauer, Freiheit z. Welt. Zum Weltverständnis u. Weltverhältnis des Christen nach der Theol. F. G.s (Diss. Münster, 1968), Paderborn 1967 (Rez. v. Heinz-Horst Schrey, in: ThRv 65, 1969, 394 f.; v. Friedrich Duensing, in: ThLZ 95, 1970, 542 ff.); – Zum Andenken an F. G., in: Kirchenbl. f. die ref. Schweiz 123, Basel 1967, 353 ff.; – Albrecht Peters, F. G., Luthers Theol., in: ThLZ 93, 1968, 929 ff.; – Mathias Kroeger, F. G., in: DtPfrBl 68, 1968, 393 ff.; – Rudolf Weth, Gott in Jesus. Der Ansatz der Christologie F. G.s. Mit einer G.-Bibliogr. (Diss. Bonn, 1966). Überarb. München 1968 (Rez. v. W. van Soom, in: TTh 10, 1970, 90 f.; v. Johannes Dantine, in: Ev. Komm. Mschr. z. Zeitgeschehen in Kirche u. Ges. 4, 1971, 231 f.); – L. Shiner, La question de Dieu, in: RHPhR 49, 1969, 156 ff.; – Friedrich Duensing, Gesetz als Gericht. Eine luth. Kategorie in der Theol. Werner Elerts u. F. G.s (Diss. Göttingen, 1969), München 1970 (Rez. v. Hans-Volker Herntrich, in: LuJ 1971, 91 f.; v. Hans Martin Müller, in: LR 21, 1971, 390 f.); – Theodor Strohm, Konservative polit. Romantik. Eine wissenschafts-soziolog. Anfrage an die Theol. F. G.s (Diss. Berlin FU, 1961), München – Mainz 1970 u. d. T.: Theol. im Schatten polit. Romantik ... (Rez. v. Richard Hauser, in: ThRv 67, 1971, 572; v. Armin Mohler, in: Das hist.-polit. Buch 19, 1971, 81 f.; v. E. Kerckhof, in: Bijdragen 33, 1972, 102 f.; v. J. Visser, in: TTh 12, 1972, 258 f.; v. Dieter Schellong, in: ZEE 18, 1974, 249 ff.); – Karl-Wilhelm Thyssen, Der Weg der Theol. F. G.s von Anfängen bis z. Zweiten Weltkrieg (Diss. Zürich, 1970), Tübingen 1970 u. d. T.: Begegnung u. Verantwortung. Der Weg ... (Rez. v. Gottlob Wieser, in: Kirchenbl. f. die ref. Schweiz 127, Basel 1971, 265 f.; v. Friedrich Duensing, in: LR 21, 1971, 499 f.; v. I. Flórez, in: Archivo teologico granadino 34, Granada 1971, 302; v. Hermann Fischer, in: Wiss. u. Praxis in Kirche u. Ges. 61, 1972, 130 ff.; v. V. Breed, in: TTh 12, 1972, 112 f.; v. F. F. Bruce, in: Erasmus. Speculum scientiarum 24, London 1972, 275 ff.); – Christian Möller, Von der Predigt z. Text. Hermeneut. Vorgaben der Predigt z. Ausl. v. bibl. Texten. Erarb. u. dargest. an der Analyse v. Predigten Karl Barths, F. G.s u. Rudolf Bultmanns (Diss. Marburg), München 1970 (Rez. v. Ernst Jenssen, in: ThLZ 96, 1971, 227 f.); – Heinz Zahrnt, Die Sache mit Gott. Die prot. Theol. im 20. Jh., 1970 (57.–61. Tsd.); – M. C. Laurenzi, Realtà e salvezza dell'uomo nel pensiero di F. G., in: Rivista di filosofia neo-scolastica 63, Mailand 1971, 107 ff.; – Ulrich Hedinger, Verhängnis u. Wende bei F. G. u. bei Theodor W. Adorno, in: Judaica 28, 1972, 57 f.; – Peter Lange, Konkrete Theol.? Karl Barth u. F. G. zw. den Zeiten (1922–33), eine theol.geschichtl.-systemat. Unters. im Blick auf die Praxis theol. Verhaltens (Diss. Zürich), 1972; – Eckhard Lessing, Das Problem der Ges. in der Theol. Karl Barths u. F. G.s (Hab.-Schr., Mainz 1969), Gütersloh 1972 (Rez. v. Helmut Gollwitzer, in: LR 23, 1973, 396; v. W. van Soom, in: TTh 13, 1973, 351); – Carlos Naveillan, Strukturen der Theol. F. G.s (Diss. München), 1972 (Rez. v. W. van Soom, in: TTh 13, 1973, 350); – Alfred Dubach, Glauben in säkularer Ges. z. Thema Glaube u. Säkularisierung in der neueren Theol., bes. bei F. G., 1973; – Gottfried W. Hunold, Ethik im Bannkreis des Sozialanthropologie: eine theol.-moralanthropolog. Kritik des Personalismus (Diss. Bonn, 1971), Bern – Frankfurt/Main 1974; – ODCC[2] 578 f.

GOLLER, Vinzenz (Pseudonym: Hans von Berthal), kath. Kirchenmusiker und Komponist, * 9. 3. 1873 in St. Andrä bei Brixen als Sohn eines Volksschullehrers und Organisten, † 11. 9. 1953 in St. Michael (Lungau). – G. erhielt den ersten Musikunterricht bei seinem Vater und wurde dann Sängerknabe im Chorherrnstift Neustadt bei Brixen. Er besuchte seit 1888 das Lehrerseminar in Innsbruck und war 1892–1903 Volksschullehrer im Pustertal, aber seit 1898 zum weiteren Musikstudium bei Franz Xaver Haberl (s. d.) und Michael Haller (s. d.) an der Kirchenmusikschule in Regensburg beurlaubt. 1903 kam G. als Chorregent nach Deggendorf (Bayern). Er widmete sich ganz dem kirchenmusikalischen Arbeitsbereich. 1910 wurde G. zur Organisation der neugeschaffenen kirchenmusikalischen Abteilung der Wiener Akademie der Tonkunst nach Klosterneuburg bei Wien berufen, deren Leiter er bis 1933 blieb, lehrte aber noch 4

Jahre weiter in Kontrapunkt und kirchlicher Komposition. 1913 gründete G. den Kirchenmusikverein »Schola Austriaca«, redigierte die Sammlung »Meisterwerke kirchlicher Tonkunst in Österreich« (Wien 1913 ff.) und war Mitbegründer der österreichischen Kirchenmusikzeitschrift »Musica divina«. 1933 wurde er mit dem Titel eines Hofrats ausgezeichnet und an seinem 80. Geburtstag 1953 als erster Kirchenmusiker zum Ehrenmitglied der Wiener Akademie der Tonkunst ernannt. – G. schrieb über 100 kirchliche Werke: Messen, Requiem, Offertorien, Prozessionsgesänge, Kommunionlieder, auch weltliche Lieder und Chorlieder. Als Dirigent, Pädagoge und Kirchenkomponist hatte er auf die Entwicklung der neueren Kirchenmusik in Österreich entscheidenden Einfluß.

Lit.: Andreas Weißenbäck, V. G., in: MuSa 64, 1933, 199 ff.; – Ders., V. G., in: Musica divina 21, 1933; – F. Kosch, V. G. 80 J., in: Zschr. f. Kirchenmusik 73, 1953, 140 ff.; – Ernst Tittel, V. G. †, ebd. 274 ff.; – Ders., V. G. Zum 80. Geb. des Meisters, in· Musica orans 5, Graz u. Wien 1953, 6 f.; – V. G. †, in: Singende Kirche. Zschr. f. kath. Kirchenmusik 1, Wien 1953, H. 2, S. 10 ff.; – V. G., in: Klerusbl. 86, Salzburg 1953, 170; – J. Unfried, V. G., in: BM 30, 1954, 124 ff.; – Rudolf Quoika, Die Klosterneuburger Kirchenmusik-Schule, in: Musik u. Altar 6, Freiburg/Breisgau 1954, 232 ff.; – S. Schnabel, V. G., in: Singende Kirche 7, 1959; – Fritz Goller, V.-G.-Gedenken – Reminiszenz oder mehr?, in: MuSa 93, 1973, 101 ff.; – Gesch. der kath. Kirchenmusik, hrsg. v. Karl Gustav Fellerer. II: Vom Tridentinum bis z. Ggw., 1976, 3. 228 f. 297. 302. 309. 311. 358; – MGG V, 491 ff.; – Riemann I, 652; ErgBd. I, 440; – Moser I, 433; – NDB VI, 624 f.; – LThK IV, 1048.

GOLTZ, Eduard Freiherr von der, Theologe, * 31. 7. 1870 in Langenbruck bei Basel als Sohn des Freiherrn Hermann von der Goltz (s. d.), † 7. 2. 1939 in Greifswald. – G. studierte 1889–93 in Berlin, Halle und Bonn und wurde 1898 Pfarrer in Deyelsdorf (Neuvorpommern), 1902 Privatdozent in Berlin, 1906 Direktor des Predigerseminars in Wittenburg (Westpreußen), 1907 ao. und 1912 o. Professor für Praktische Theologie in Greifswald und 1925 zugleich Konsistorialrat im Evangelischen Konsistorium in Stettin. Er gehörte zur »Evangelischen Vereinigung« und arbeitete 1929–33 auch im preußischen Kirchensenat mit am Verfassungsleben der Kirche.

Werke: Ignatius v. Antiochien als Christ u. Theologe, 1894; Das Gebet in der ältesten Christenheit, 1901; Der Dienst der Frau in der christl. Kirche, 1905 (1914²); Tischgebete u. Abendmahlsgebete in der altchristl. u. in der griech. Kirche, 1905; Die Verfassung der ev. Kirche der altpreuß. Union, 1925; Christentum u. Leben. Ges. Reden u. Aufss., 5 Tle., 1926; Die ev. Theol. Ihr jetziger Stand u. ihre Aufgaben. 5: Die Prakt. Theol., 1930. – Gab heraus: Hermann von der Goltz, Kirche u. Staat, 1908; Grdl.n der christl. Sozialethik, 1908.

Lit.: Walter Bülck, E. Frhr. v. d. G. Akadem. Gedenkrede, 1939; – RGG II, 1690.

GOLTZ, Hermann Freiherr von der, Theologe und Kirchenpolitiker, * 17. 3. 1835 in Düsseldorf als Sohn eines Oberstleutnants, † 25. 7. 1906 in Berlin. – G. entstammt einem altpreußischen Adelsgeschlecht aus Dramburg (Pommern). Er verlebte seine Kindheit in Koblenz, wohin sein Vater, Sohn eines Generals, versetzt worden war. G. bezog im Herbst 1853 die Universität Erlangen, wo Johann Christian Konrad von Hofmann (s. d.) Einfluß auf ihn gewann. Nach drei Semestern setzte er sein Studium in Berlin fort und studierte im Winter 1856/57 in Tübingen, wo er sich an Johann Tobias Beck anschloß, und das letzte Semester in Bonn. G. wurde nach einer Hauslehrerzeit am Genfer See, einer Studienreise durch Südfrankreich und wissenschaftlichem Aufenthalt in Genf 1861 preußischer Gesandtschaftsprediger in Rom, 1865 ao. und 1870 o. Professor der Theologie in Basel, 1876 Propst an St. Petri in Berlin, Mitglied des »Evangelischen Oberkirchenrats« und o. Honorarprofessor, 1881 als o. Professor Mitglied der Fakultät ohne Verpflichtung zum Halten von Vorlesungen, 1892 geistlicher Vizepräsident des »Evangelischen Oberkirchenrats«. – Über neutestamentliche Exegese, Symbolik, Dogmatik und Ethik hielt G. Vorlesungen. Die Aufgabe der Theologie sah er darin, »die christliche Wahrheit aus dem Weltbild der antiken und mittelalterlichen Kultur in das Weltbild der modernen Kultur zu übertragen«. – Das Hauptarbeitsgebiet seines Lebens war die kirchenpolitische Tätigkeit. Er arbeitete mit an der preußischen Kirchenverfassung und nahm an der ersten außerordentlichen Generalsynode von 1875 teil. G. war Mitbegründer der »Evangelischen Vereinigung«. Der stillen Mitarbeit an praktischer Gesetzesarbeit, ohne Einfluß auf den Gang der Kirchenpolitik, folgte 1891 die Periode schöpferischer und einflußreicher Mitleitung der preußischen Kirchenpolitik. Mit seinem Freund Paul Kleinert (s. d.) leitete er die Revision der preußischen Agende und setzte sich auf der Generalsynode von 1894 tatkräftig für ihre Einführung ein. Über Preußen hinaus wirkte er durch seine Mitarbeit an der »Eisenacher Konferenz« deutscher evangelischer Kirchenregierungen und an der Vereinigung der deutschen Landeskirchen, die 1903 durch Gründung des »Deutschen Evangelischen Kirchenausschusses« zustande kam.

Werke: Die theol. Bedeutung Johann Albrecht Bengels und seiner Schule, in: JDTh VI, 1861, 460 ff.; Die ref. Kirche Genfs im 19. Jh. oder der Individualismus der Erweckung in seinem Verhältnis z. christl. Staat der Ref., Basel u. Genf 1862 (auch frz.); Gottes Offb. durch hl. Gesch., nach ihrem Wesen beleuchtet in einer Reihe öff. Vortrr., Basel 1868; Die rel. Gg.sätze der Ggw., verglichen mit denen der Ref.zeit, 1870; Nach dem Tode. Ein Ausblick in die Hoffnung der Christen I, 1870; II, 1907; Die christl. Grundwahrheiten oder die allg. Prinzipien der christl. Dogmatik, 1873; Die Grenzen der Lehrfreiheit in Theol. u. Kirche, 1873; Unionsgesinnung als Bedingung f. die positive Lösung der Aufgaben, welche der ev. Kirche in Dtld. ggw. gestellt sind, 1881, Zum 50j. Jub. des Ev. Oberkirchenrats in Preußen, 1900; Kirche u. Staat, 1907; Grdl.n der christl. Sozialethik, 1908.

Lit.: Aus der Werdezeit v. H. v. der G. Studentenbriefe, in: ZKG 44, 1925, 282 ff. 429 ff.; – Eduard v. der Goltz, in: Christentum u. Leben 5, 1926, 15 ff.; – Ernst v. Schubert, Gesch. der dt. ev. Gemeinde in Rom 1819 bis 1928, 1930, 180 ff.; – Johannes Wendland, H. v. der G. in Basel (1865–73) u. die kirchl.-theol. Kämpfe seiner Zeit, 1933; – Paul Gennrich u. Eduard v. der Goltz, H. v. der G. Ein Lb. als Btr. z. Gesch. der ev. Kirche im 19. Jh., hrsg. z. 100j. Gedenktag seiner Geburt, 1935; – Paul Gennrich, H. v. der G. u. die Kirchenpolitik des Oberkirchenrats, in: DtPfrBl 42, 1938, 804 ff.; – 100 J. Ev. Oberkirchenrat der altpreuß. Union, hrsg. v. Oskar Söhngen, 1950; – BJ XI, 22 ff.; – NDB VI, 629; – RE XXIII, 568 ff.; – RGG II, 1690 f.

GOMARUS, Franciscus, ref. Theologe, * 30. 1. 1563 in Brügge (Flandern), † 11. 1. 1641 in Groningen. – G. wurde 1578 von seinen Eltern, die wegen ihres reformierten Glaubens in die Pfalz ausgewandert waren, zu humanistischen Studien nach Straßburg zu Johannes Sturm (s. d.) geschickt. Von 1580 an studierte er Theologie am »Casimirianum« in Neustadt (Ersatz für das vorübergehend lutheranisierte Heidelberg), wo Zacharias Ursinus (s. d.), Hieronymus Zanchi (s. d.) und David Toussain (s. d.) seine Lehrer waren. Nach kurzem Aufenthalt in Oxford und Cambridge beendete er in dem wiederum reformierten Heidelberg unter denselben Professoren seine Studien. G. wurde 1587 Pastor der niederländischen Gemeinde in Frankfurt/Main und nach der Promotion zum Dr. theol. 1594

Professor der Theolgie in Leiden. 1603 kam Jakob Arminius (s. d.) als Professor der Theologie nach Leiden. Als Gegner der schroffen Prädestinationslehre vertrat er die mildere Ansicht, »daß niemand durch absoluten göttlichen Ratschluß zur Verdammnis prädestiniert sei«; Gottes Wahl sei vielmehr bedingt durch den vorausgegangenen Glauben oder Unglauben. Er betonte, daß das Heil allen geboten werde, weil Gott auch alle retten wolle (1Tim 2, 4), und verfocht somit den Universalismus der Gnade. Als strenger »supralapsarischer« Calvinist war G. von Anfang an sein Gegner. Der Streit zwischen den beiden Professoren in der Lehre von der Prädestination dehnte sich auf die Studenten und die Gemeinden aus und nahm von Jahr zu Jahr an Schärfe zu. Die Anhänger des G. drängten auf eine allgemeine Synode, die die Sache entscheiden sollte; aber die Staaten gestatteten es nicht. Der Staatsmann Johan van Oldenbarnevelt verschaffte Arminius und G. im Mai 1608 die Gelegenheit zu einem Streitgespräch vor dem Hohen Rat im Haag, das aber erfolglos verlief. Die Staaten von Holland und Westfriesland luden die beiden Professoren mit je vier Predigern zu neuen Verhandlungen ein, die im August 1609 im Haag stattfanden, aber die Aussöhnung der beiden Richtungen nicht herbeiführten. Arminius starb am 19. 10. 1609 in Leiden und hinterließ eine starke Partei, die unter der Führung des Johannes Uytenbogaert (s. d.) und Simon Episcopius (s. d.) den Kampf fortsetzte. Aus Protest gegen die geplante Berufung des Konrad Vorstius (s. d.) nach Leiden legte G. 1611 seine Professur nieder und wurde Prediger der reformierten Gemeinde in Middelburg und Dozent an der dortigen theologischen Schule, 1615 Professor in Saumur und 1618 in Groningen. G. nahm an der Dordrechter Synode vom 13. 11. 1618 bis 29. 5. 1619 teil, ohne jedoch seiner streng supralapsarischen Lehre bezüglich der Gnadenwahl volle Alleinherrschaft verschaffen zu können.

Werke: Opera theologica omnia, Amsterdam 1644 (1664²).

Lit.: Klaas Dijk, De strijd over infra- en supralapsarisme in de gereformeerden kerken van Nederland, Kampen 1912; – Albert Eekhof, De theologische Faculteit te Leiden in de 17de eeuw, Utrecht 1921; – Gerrit Pieter van Itterzon, F. G., 's Gravenhage 1929; – Arie B. W. M. Kok, F. G., Amsterdam 1944; – DThC VI, 1477 ff.; – Catholicisme V, 92 f.; – LThK IV, 1048 f.; – NCE VI, 604; – ODCC² 579 f.; – EC VI, 912 f.; – RE VI, 763 f.; – RGG II, 1691 f.; – BWGN III, 285 ff.

GORETTI, Maria, Heilige, »eine Märtyrerin der Reinheit«, * 16. 10. 1890 in Corinaldo, westlich von Ancona an der Adria (Mittelitalien), als Tochter eines Landarbeiters, † 6. 7. 1902 in Ferriere di Conca bei Nettuno, südlich von Rom. – Die Familie G. siedelte 1899 in das Dorf Ferriere über. Mit 10 Jahren verlor Maria ihren Vater. Während die Mutter auf dem Feld arbeitete und sie ihre vier jüngeren Geschwister verwahrte, wurde Maria am 5. 7. 1902 von einem Burschen aus dem gleichen Haus durch 14 Messerstiche schwer verwundet, weil sie sich seinen Zudringlichkeiten standhaft widersetzte. Maria verzieh sterbend ihrem Mörder. Sie wurde am 27. 4. 1947 selig- und am 24. 6. 1950 heiliggesprochen. M. G. wurde 1951 Patronin der »Marianischen Kongregationen«. Ihr Fest ist der 6. Juli.

Lit.: Armando Gualandi, Die Märtyrerin der Reinheit, M. G., übers. u. mit einigen Ergg. vers. v. German Abgottspon, Aarau 1947; – Assumpta Volpert, M. G., eine Märtyrerin der Reinheit, 1949²; – Josef Anton Amann, Die neuen Sel. 1946/47, Höchst

(Vorarlberg) 1949, 16 ff.; – Ders., Die neuen Hll. 1950, ebd. 1950, 23 ff.; – AAS 42, 1950, 579 ff.; – Wilhelm Hünermann, Um Mädchenehre. M. G.s Kampf u. Martyrium, 1950; – Aurelio della Passione, La s. Agnese del secolo XX, Rom 1950; – Artur Riedel, M. G. Martyrin der hl. Reinheit, 1950 (1954⁵); – Maria Cecilia Buehrle, M. G., Milwaukee 1950; – Luigi Novarese, Was Mutter Goretti erzählt (Mamma Assunta racconta, dt.). Vom hl. Leben u. heldenhaften Sterben ihrer Tochter M. G., übers. aus dem It. v. Othmar Bauer, 1951; – Martin Bruyns, M. G. Aus dem Holl. übertr. v. Hugo Zulauf, 1951; – Alfred MacConastair, Lily of the Marshes: The Story of M. G., New York 1951; – Jean Du Parc (d. i. Wilhelm Putmann), Himmel überm Sumpf. Die Tragödie der Reinheit. Roman (Antwerpen 1950). Aus dem Fläm. übers. v. Wolfgang Frieben, 1952; – Elisabeth v. Schmidt-Pauli, Die Hl. u. ihr Mörder. M. G.s Leben u. Sterben, 1952 (1960⁵); – Rochus Spiecker, La Ferriere im Sommer 1902. Die Gesch. v. Gott u. M. G., 1954; – Hans Weidner, M. G., Heldin der Reinheit. Eine Blutzeugin unserer Tage, 1955³; – Georg Popp, Die Großen der Kirche. Männer u. Frauen der Kirche, die jeder kennen sollte, 1956, 472 ff.; – Ida Lüthold, M. G., 1957; – Carl Julius Abegg, M. G. Qu. der Reinheit, Zürich 1966; – Wimmer³ 369 f.; – Torsy 373; – EC VI, 632; – LThK IV, 1056 f.

GOSSNER, Johannes Evangelista, Erweckungsprediger, Missionsmann und Schriftsteller, * 14. 12. 1773 in Hausen bei Waldstätten im bayrischen Schwaben als Sohn eines frommen katholischen Bauern, † 30. 3. 1858 in Berlin. – G. besuchte das »Salvatorgymnasium« in Augsburg und bezog 1793 das Priesterseminar in Dillingen, danach das »Collegium Gregorianum« in Ingolstadt. Am 9. 10. 1796 empfing er die Priesterweihe und wurde nach einer vierteljährigen Ausbildung im geistlichen Seminar in Pfaffenhausen Kaplan in Stoffenried und im September 1797 in Neuburg. Eines Tages besuchten ihn zwei junge Priester, die auch von jener Erweckungsbewegung in der katholischen Kirche Südbayerns erfaßt waren, die von Martin Boos (s. d.) und Johann Michael Sailer (s. d.) ausging. Die beiden führten mit G. ein theologisches Gespräch, das durch Briefe von Boos, die ihm einer von ihnen später sandte, vertieft wurde. Im November 1798 kam G. als Kaplan nach Seeg bei Füssen (Allgäu) zu Johannes Michael Feneberg (s. d.), der mit seinen Kaplänen ebenfalls zu dem Kreis um Boos und Sailer gehörte. Mit ihnen las G. die Schriften des Aurelius Augustinus (s. d.) und anderer Kirchenväter und stellte ihre Übereinstimmung mit seiner neugewonnenen Glaubenserkenntnis fest. Im April 1801 verließ er das friedliche Seeg und ging als Domkaplan nach Augsburg. Auf Betreiben der Jesuiten wurde G. am 13. 3. 1802 vor das geistliche Gericht geladen. Obwohl er widerrief und sich der Kirchenlehre unterwarf, bestrafte man ihn zu mehreren Wochen Priestergefängnis in Göggingen. G. wurde 1803 Pfarrer in Dirlewang an der Tiroler Grenze. Schon hier zeigte sich seine Predigtgabe. Bald konnte die alte Kirche die Menge der Zuhörer nicht mehr fassen. Von weit her strömte man herzu, so daß er oft im Freien predigen mußte. Wegen Kränklichkeit gab G. 1811 das arbeitsreiche Amt auf und wurde Benefiziat in München. Die größten Kirchen waren bald zu klein, wenn er predigte. Viele fanden sich schon eine Stunde vor dem Beginn des Gottesdienstes ein. »Menschen von verschiedenen Klassen«, schreibt G., »Barone, Beamte, Sekretäre, Offiziere, Soldaten, Damen, Künstler, Studenten, Ärzte, sogar Schauspieler, Ballettänzer, Theaterdiener, Hofmusikanten, Bürger, Handelsleute, Mägde und Knechte, Metzger, Krankenwärter und Kranke, kurz, von allen Gattungen hören mit Freuden und Dank das Evangelium von dem für ihre Sünden Gekreuzigten.« Die Jesuiten verfolgten ihn. Seiner Pfründe beraubt, trat G. 1819 als Religionslehrer in Düsseldorf in preußische Dienste. 1820 folgte er dem Ruf an die Malteserkirche in St. Petersburg. »Hier ist ein großes Volk, das den Herrn sucht«, schreibt G., »ich finde, daß ich mich nicht betrogen habe, sondern daß hier viele Lydias, viele Seelen sind, denen Gott das Herz auftut, daß sie glauben, was ihnen gesagt wird vom Wort des Lebens. Sie verschlingen heißhungrig, was ihnen gepredigt wird, Leute von allen Ständen, Nationen und Konfessionen, Katholiken und Protestanten, Griechen und Juden, Tataren, Samojeden, Kirgisen und Kamtschadalen, Schweden und Finnen, Deutsche und Franzosen, Polen und Italiener – kurz, von allen Sprachen und Zungen finden sich hier Menschen, die alle mehr oder weniger vernehmen von dem Rumor, den die Predigt des Evangeliums macht; denn einer sagt und erzählt es dem andern. Die meine Zunge nicht verstehen, verstehen doch meine Zuhörer, die ihnen in ihrer eigentümlichen Mundart dolmetschen, was verkündigt wird.« Hier in der russischen Hauptstadt erreichte G. den Höhepunkt seiner Wirksamkeit als Prediger. Seine Gottesdienste waren überfüllt, während in den anderen Kirchen die Besucherzahl mehr und mehr abnahm. In dem Bestreben, seinen Sturz herbeizuführen, verbündeten sich die Petersburger Prediger aller Konfessionen mit Ausnahme der Brüdergemeine und erreichten auch, daß der Zar Alexander I. Pawlowitsch (s. d.) ihn 1824 auswies. Seitdem führte G. ein »geistliches Vagabundenleben«, wie er es selber nannte. 1824 hielt er sich in Altona auf und 1824–26 in Leipzig und auf den Gütern des preußischen Hochadels. Am 23. 7. 1826 trat G. in Königshain (Schlesien) zur evangelischen Kirche über und kam im Herbst 1826 nach Berlin. Friedrich Wilhelm III. übertrug ihm 1829 als Patron die durch den Tod des Johannes Jänicke (s. d.) erledigte Pfarrstelle an der Bethlehemskirche, die er bis 1846 innehatte. Auch in Berlin gelang es G., hoch und niedrig, alt und jung unter seiner Kanzel zu einer Personalgemeinde zusammenzuschließen. – G. ist bekannt durch seine Arbeit auf dem Gebiet der Inneren und Äußeren Mission. Als er als Gemeindpfarrer den herrschaftlichen Diener einer befreundeten Petersburger Familie in Berlin während seiner Krankheit besuchte und seine Verlassenheit sah, bat er seine Freunde, den Kranken zu besuchen. Nach dessen Tod äußerten G.s Freunde selbst den Wunsch, diesen Dienst nun auch an den anderen Kranken zu üben. So entstand am 9. 9. 1833 der »Männer-Krankenverein«. Am 16. 11. 1833 gründete G. einen »Frauen-Krankenverein«. Sechs Bezirksvorsteherinnen in den verschiedensten Stadtteilen übernahmen die Pflicht, für die hilflosen Wöchnerinnen, Alten und Siechen zu sorgen. Der Verein erwarb für 22 000 Taler vor dem Potsdamer Tor ein Grundstück zum Bau des ersten Berliner Krankenhauses. G. gründete 1834 die ersten Kleinkinderbewahranstalten in Berlin und weihte am 18. 10. 1837 das »Elisabeth-Krankenhaus« ein, mit dem eine Ausbildungsschule für Pflegerinnen verbunden war und aus dem das Diakonissenhaus wurde. – G.s Name lebt auch in seinem Missionswerk noch heute fort. 1831 trat er in das Komitee der Berliner Missionsgesellschaft ein, aber 1834 wieder aus, weil er in Fragen der Ausbildung, der Verwaltung und Organisation

anderer Meinung war als die Herren des Komitees. G. dachte aber nicht im geringsten daran, eine eigene Gesellschaft zu gründen. Doch es kam anders. Am 12. 12. 1836 traten 6 junge Männer, die in keinem Missionsseminar Aufnahme gefunden hatten, an G. mit dem Wunsch heran, »als christliche Handwerker, Lehrer, Katecheten Lücken ausfüllen« zu dürfen. Er brachte sie bei Berliner Handwerkern unter und rüstete sie in den Abendstunden in seinem Haus für den Missionsdienst aus. Am 9. 7. 1837 fand die Abordnung der ersten Missionare nach Australien und am 1. 7. 1838 nach Kalkutta statt. G. stellte die von ihm vorbereiteten Missionsarbeiter jedem zur Verfügung, der sie für irgendein Arbeitsfeld anforderte. Regierung und Kirchenbehörde nötigten G., seine Arbeit organisatorisch zu verfestigen. Friedrich Wilhelm IV. bestätigte am 28. 6. 1842 den »Evangelischen Missionsverein zur Ausbreitung des Christentums unter den Eingeborenen der Heidenländer« und gewährte dem Verein auch die zum Erwerb von Kapitalien und Grundstücken erforderlichen Korporationsrechte. G. sandte insgesamt 141 Missionare, darunter 16 Theologen, in die Heidenwelt. Sein Nachfolger in der Leitung des Missionswerks und des Elisabethkrankenhauses wurde der Missionar Dr. Johann Detlef Prochnow (s. d.). – Auch durch seine Schriften hat G. in reichem Segen gewirkt. Als Beispiel seiner Auslegung des Neuen Testaments sei die Erklärung von Joh 1, 13 mitgeteilt: »Eitel ist der Ruhm: ich bin von christlichen Eltern geboren und erzogen, wie der Juden Ruhm: wir sind Abrahams Kinder. Die Wahrheit erbt nicht fort. Es kann einer von schlechtestem Geschlecht abstammen, das schadet ihm nicht, wenn er durch den Glauben aus Gott geboren ist. Er kann von heiligen Eltern herkommen, das nutzt ihm nichts, wenn er nicht aus Gott wiedergeboren ist. Alte Geburt ist alte Geburt. Sie kann Mäntel umhängen, welche sie will. – Das ist das Verderben aller Namenchristen, daß sie glauben, wie man des Vaters Gut erbt, so erbe man auch des Vaters Glauben und Kirche. Das geht nicht. Man ist darum noch kein Christ, weil man leiblich von Christen abstammt; man muß aus Gott, nicht aus einem christlichen Vater erzeugt und geboren sein. Ein Leben von oben, aus Gott, muß erweckt werden in den Kindern und in jedem Menschen; die natürliche Geburt tut es nicht, christliche Erziehung und Unterricht allein auch nicht; die Wiedergeburt tut es allein.« – Von seinen Schriften sind u. a. bekannt: »Herzbüchlein«, eine derb-anschauliche Schrift, in der das Herz des Menschen auf vielen Seiten bildhaft dargestellt wird; »Das Schatzkästlein«, ein Andachtsbuch; »Goldkörner«, Betrachtungen aus dem Schrifttum des Johannes Tauler (s. d.).

Werke: Herzbüchlein, 1812 (derb-anschauliche Schr., in der das Herz des Menschen auf vielen Seiten bildhaft dargest. wird; in 22 Sprachen übers.); Übers. des NT, 1815 (v. bisch. Generalvikariat genehmigt; nach kaum 2 J. 27 000 Stück verbreitet); Geist des Lebens u. der Lehre Jesu Christi, 1818 (Ausl. des NT; 1823³ u. d. T.: Das Erbauungsbuch der Christen); Das Schatzkästchen, 1825 (Andachtsbuch, f. seine Petersburger Gemeinde geschr.; in 7 Sprachen übers.); Goldkörner, 1825 (Betrachtungen aus dem Schr.tum des Johannes Tauler f. seine Petersburger Gemeinde; 1904⁸); Martin Boos, der Prediger der Gerechtigkeit, die vor Gott gilt, 1826 (Neubearb. v. Otto Bornhak u. d. T.: M. B., ein furchtloser Bekenner, 1929); Die ev. Hauskanzel, 1843 (kurze, kernige Ausl. der Sonn- u. Festtagsevv.); Vergißmeinnicht, 1859 (Predigten). – Gab heraus: Smlg. auserlesener Lieder v. der erlösenden Liebe, 1820 (darin das G. zugeschr. Lied »Segne u. behüte uns durch deine Güte, Herr, erheb dein Angesicht über uns

u. gib uns Licht!«); Der christl. Hausfreund (Mbl.), seit 1847; Die Biene auf dem Missionsfelde (das 1. Missionsbl. in Ostdtld.), seit 1834.

Lit.: Worte des Dankes u. der Liebe (beim Begräbnis) v. Gustav Knak u. Karl Büchsel, 1858; – v. Bethmann-Hollweg, J. G., in: Dt. Zschr. f. christl. Wiss. u. christl. Leben, 1858, 177 ff.; – Ev. KZ 1858, 837 ff.; – Johann Detlef Prochnow, J. E. G. Biogr. aus Tagebüchern u. Briefen, 1864; Hermann Dalton, J. G., 1874 (1898³); – Rudolf Bendixen, Bilder aus der letzten rel. Erwekkung in Dtld., 1897, 167 ff.; – Adolf Hermann, J. E. G. Vom kath. Priester z. ev. Zeugen, 1926; – Alfred Roth, J. E. G., ein Flüchtling u. Bote des Ev., 1929; – Hans Lokies, J. G. Werk u. Botschaft, 1936 (1956² u. d. Tit.: J. G. Ein Bekenner u. Diener Jesu Christi); – Walter Holsten, J. E. G., sein Glaube – seine Gemeinde, 1949; – Jörg Erb, Die Wolke der Zeugen I, 1951, 421 ff.; – Hans Brandenburg, Rufer Gottes in der Großstadt (Johannes Jänicke, Baron Kottwitz, J. E. G., Gustav Knak), 1951; – Matthias Simon, J. G., in: Lb. aus dem bayer. Schwaben III, 1954, 389 ff.; – Hubert Schiel, G. vor dem bisch. Inquisitionsgericht in Augsburg, in: ZBKG 23, 1954, 165 ff.; – Friedrich Hauss, Väter der Christenheit II, 1957, 172 ff.; – Karl Kupisch, Wenn Gottes Würze triefen. Zum 100. Todestag v. J. E. G., in: Zeichen der Zeit. Ev. Mschr. 12, 1958, 95 ff.; – Hans-Werner Gensichen, G. – Harms – Löhe, in: EMZ 15, 1958, 76 ff. 142 ff.; – Johannes Heintze, Zu G.s 100. Todestag, in: Eine hl. Kirche, 1957–58, 1959, 111 ff. – Hildebrand Dußler, Johann Michael Feneberg u. die Allgäuer Erweckungsbewegung. Eine kirchengeschichtl. Btr. aus den Qu. z. Heimatkunde des Allgäus, 1959; – H. Long, J. E. G., Gründer des Elisabeth-Krankenhauses (Berlin), in: Berliner Medizin 13, 1962, 454 ff.; – Franz-Heinrich Philipp, Ad fontes. J. E. G. Leben u. Lebenswerk, 1964; – Charlotte Sauer, Fremdling u. Bürger. Lb. des J. E. G., Berlin 1966; – Ernst Staehelin, J. G.s Aufenthalt in Basel, in: ThZ 25, 1969, 307 ff.; – ADB IX, 407 ff.; – NDB VI, 652 f.; – RE VI, 770 ff.; – EKL I, 1634; – RGG II, 1896 f.; – LThK IV, 1063 f.

GOTTER, *Ludwig Andreas*, Jurist und Kirchenliederdichter, * 26. 5. 1661 in Gotha als Sohn eines Oberhofpredigers und Generalsuperintendenten, † daselbst 19. 9. 1735. – G. war in seiner Vaterstadt seit 1719 Geheimsekretär, später Hof- und Assistenzrat und Minister. – G. gehört zu den besten Liederdichtern des Halleschen Pietismus. Seine Lieder erschienen zuerst vereinzelt und anonym im »Geistreichen Gesangbuch«, Halle 1697 und Darmstadt 1698. Verbreitung fanden sie vor allem durch Johann Anastasius Freylinghausen (s. d.), der in sein »Geistreiches Gesangbuch«, Halle 1704, 9 und in sein »Neues geistreiches Gesangbuch«, Halle 1714, weitere 14 Lieder von G. aufnahm. Bekannt sind u. a.: »Womit soll ich dich wohl loben, mächtiger Herr Zebaoth?«, »Schaffet, schaffet, Menschenkinder, schaffet eure Seligkeit« und »Herr Jesu, Gnadensonne, wahrhaftes Lebenslicht« (EKG 258). Die meisten seiner freien »Übersetzungen der Psalmen Davids« blieben ungedruckt.

Werke: Die Harfe des Kg. David (vollst. Ms. seiner 150 Pss.-überss. in der großen Bibel- u. Gesangbuchsmlg. auf dem Schloß in Wernigerode).

Lit.: J. Boehmer, in: MGkK 1929, 255 ff.; – Koch IV, 400 ff.; – Hdb. z. EKG II/1, 217; – Goedeke III, 304; – ADB IX, 456.

GOTTFRIED *von Bouillon*, der Eroberer von Jerusalem im 1. Kreuzzug, seit 1076 Herzog von Niederlothringen, * um 1060, † (an der Pest) 18. 7. 1100 in Jerusalem. – Auf der Synode in Clermont-Ferrand rief Urban II. (s. d.) 1095 zu einem Kreuzzug auf, für den u. a. der Eremit Peter von Amiens (s. d.) als Kreuzzugsprediger in Frankreich und in Deutschland am Rhein erfolgreich warb. Unter dem Einfluß der kirchlichen Reformpartei der Cluniazenser nahm G. als einziger Reichsfürst mit seinen Brüdern Balduin und Eustach am 1. Kreuzzug teil. August 1096 zog er mit einem Kreuzheer die Donau hinab durch Ungarn und Bulgarien nach Konstantinopel, das sie gegen Weihnachten erreichten. Dort verhandelte G. mit Alexios I. Komnenos (s. d.) und leistete ihm den Lehnseid für die zu erobernden Gebiete seines Rei-

ches. Im April 1097 setzte G. nach Kleinasien über. Er beteiligte sich an der Belagerung der Festung Nizäa, die am 20. 6. 1097 erobert wurde, und kämpfte am 1. 7. mit in der siegreichen Schlacht bei Doryläum. Erst am 3. 6. 1098 wurde Antiochia genommen. Im Juni 1099 gelangte man vor die Tore Jerusalems. Bei der Eroberung der Stadt griff G. entscheidend ein. Am 15. 7. 1099 drang er in Jerusalem ein. Die Führer des Kreuzfahrerheeres boten die Krone des Reiches, das man zu errichten beschlossen hatte, dem Grafen Raimund von Toulose an. Als dieser ablehnte trug man sie G. an. Er ließ sich aber nicht krönen und nannte sich nur »Beschützer des heiligen Grabes« (»Advocatus sancti Sepulchri«). Erzbischof Daimbart (Dagobert) von Pisa wurde Patriarch von Jerusalem. G. hatte keinen leichten Stand. Der Besitz des Heiligen Landes war gefährdet. Die weltlichen Fürsten leisteten ihm nicht den nötigen Gehorsam. Der Patriarch behauptete, Jerusalem dürfe keinen weltlichen Herrn haben. Durch den glänzenden Sieg bei Askalon am 14. 8. 1099 wies G. einen übermächtigen Angriff des Sultans von Ägypten ab, konnte sich aber nicht gegen die sich steigernden hierarchischen Ansprüche des Klerus behaupten. Nach seinem Tod wurde sein Bruder Balduin (s. Balduin I.) König von Jerusalem.

Lit.: Heinrich v. Sybel, Gesch. des 1. Kreuzzugs, 1841 (1899³); – François Monnier, Godefroi de B. et les accises de Jérusalem, 1874; – Alphonse Vétault, Godefroi de B., Tours 1874 (1881⁵); – Julius Fröböse, G. v. B., 1879; – Bernhard Kugler, in: Forsch. z. Dt. Gesch. 26, 1886, 302 ff.; – Charles Nicolas Gabriel, Verdun au XIᵉ siècle, Verdun 1892; – Reinhold Röhricht, Regesta regni Hierosolymitani, Innsbruck 1893 (Additam. 1904); – Ders., Die Dt. im Hl. Lande, ebd. 1894; – Ders., Gesch. des Kgr. Jerusalem (1100–1291), ebd. 1898; – Ders., Gesch. des 1. Kreuzzuges, ebd. 1901; – Theodor Breysig, G. v. B. vor dem Kreuzzuge, in: Westdt. Zschr. f. Gesch. u. Kunst 17, 1898, 169 ff.; – Emil Hampel, Unterss. über das lat. Patriarchat v. Jerusalem v. Eroberung der hl. Stadt bis z. Tode des Patriarchen Arnulf (1099–1118). Ein Btr. z. Gesch. der Kreuzzüge (Diss. Erlangen, 1898), Breslau 1899; – Ferdinand Chalandon, Essai sur le règne d'Alexis Comnène, Paris 1900; – Ders., Histoire de la première croisade jusqu'à l'élection de Godefroi de B., ebd. 1925; – Franz Diekamp, Die lothring. Ahnen G.s, Progr. Osnabrück 1904; – C. Moeller, G. de B. et l'avouerie du saint-sépulcre, in: Mélanges Godefroy Kurth, I, 1908, 73 ff.; – Albert v. Aachen, Historia Hierosolymitanae expeditionis seu Chronicon Hierosolymitanum de bello sacro, übers. u. eingel. v. Hermann Hefele, 2 Bde., 1923; – Marcel Lobet, G. de B. Essai de biographie anti-légendaire, Brüssel 1943; – Paul Rousset, Les origines et les caractères de la première croisade, Neuchâtel 1945; – Ders., Histoire des Croisades, Paris 1957; – John Carl Andressohn, The Ancestry and Life of Godfrey of B., Bloomington/Indiana 1947; – Henry Dorchy, G. de B. Duc de Bas-Lotharingie, in: Revue Belge de Philologie et d'Histoire 26, Brüssel 1948, 961 ff.; – Steven Runciman, The First Crusader's Journey across the Balkan Peninsula, in: Byzantion 19, Brüssel 1949; – Ders., A History of the Crusades, 3 Bde., London – Toronto 1951–53 (dt. 1957 ff.); – Adolf Waas, Gesch. der Kreuzzüge I, 1956, 123 ff. 130 ff. u. ö.; II, 1956, ö.; – ADB IX, 471 ff.; – NDB VI, 663; – LThK IV, 1137; – NCE VI, 577; – ODCC² 578.

GOTTFRIED *von Cappenberg*, westfälischer Graf und Prämonstratenser, als Heiliger verehrt, * um 1096, † 13. 1. 1127 in Ilbenstadt bei Friedberg (Oberhessen). – Die mit den Saliern und Staufern verwandten Cappenberger Grafen gehörten zu den angesehensten, reichsten und mächtigsten Herren des Landes. Im Investiturstreit waren Westfalen und seine Bischöfe überwiegend kaiserlich, nicht päpstlich gesinnt. Erst nach der Schlacht am Wefesholz bei Mansfeld 1115 begann der Umschwung. Im Februar 1121 zog Herzog Lothar von Sachsen mit starker Heeresmacht nach Münster, um den vertriebenen Bischof Dietrich zurückzuführen. Er brachte die Stadt in seine Gewalt. Ein großer Teil von Münster wurde zerstört, auch der alte Dom ging in Flammen auf. Die Grafen Gottfried und Otto von Cappenberg waren auf der Seite Herzog Lothars an dem Kampf um Münster beteiligt und galten als Hauptschuldige an dem Dombrand. Sie bereuten diese Untat, gaben ihr weltliches Leben auf und wandelten ihre Burg in ein Kloster um. Gegen den äußersten Widerstand seines Schwiegervaters, des Grafen Friedrich von Arnsberg, schenkte G. im Einvernehmen mit seinem jüngeren Bruder im Spätherbst 1121 Norbert (s. d.) von Xanten, der 1120 im Tal von Prémontré bei Laon den Prämonstratenserorden gegründet hatte, seinen ganzen Grundbesitz, um darauf drei Prämonstratenserstifte für Männer und Frauen in Cappenberg, Ilbenstadt in der Wetterau und Varlar bei Coesfeld, später noch ein Frauenstift in Averndorp bei Wesel zu errichten. Drei Jahre später wurden G. und sein Bruder Prämonstratensermönche. Seine Gattin Jutta und seine Schwestern Godberga und Beatrix traten in das mit der Propstei Cappenberg verbundene Frauenstift ein. Sein Bruder Otto war seit 1156 Propst in Cappenberg und brachte das Stift zu hohem Ansehen. Fast 7 Jahrhunderte, bis zum Reichsdeputationshauptschluß von 1803, haben die Prämonstratenserstifte Cappenberg, Ilbenstadt und Varlar bestanden. – Obgleich G. trotz mancher Bemühungen nicht offiziell heiliggesprochen wurde, ist seine kirchliche Verehrung anerkannt, ein Offizium in das Missale und Brevier aufgenommen worden. Sein Fest ist der 14., im Orden der 16., im Bistum Münster der 19. Januar.

Lit.: Lebensbeschreibungen aus dem 12. Jh., in: AS Jan. I, 834 bis 863, die älteste auch in: MG SS XII, 513–530; dt. v. Gustav Hertel, in: GDV 64, 1941²; die jüngste Vita, in: Roman. Forsch. 6, 1891, 435–444; – BHL I, 3575–3578; – Caspar Geisberg, Das Leben des Gf. G. v. C. u. seine Klosterstiftung, in: Westfäl. Zschr. 12, 1851, 309 ff.; – Heinrich Overhage, Gf. G. v. C., 1855; – Gustav Hertel, Lebensbeschreibung des Gf. v. C., 1881; – Augustin Hüsing, Der hl. Gf. G. v. C., Prämonstratensermönch, u. das Kloster C., 1882; – H. Ilgen, Zur älteren Geschichtl. Überl. des Klosters C., 1888; – Ignace van Spilbeeck, Le bienheureux Godefroid, de l'ordre de Prémontré, Tamines 1892; – Franz Schöne, Btrr. z. Gesch. des Prämonstratenserklosters C. (Diss. Münster), 1913 u. in: Westfäl. Zschr. 71, 1913, 105–208; – Heinrich Kissel, Zum 800j. Todestag des hl. G. v. C., in: AnPraem 2, 1926, 3 ff.; – G. Pfeiffer, Das Prämonstratenserstift C. vor der Aufhebung, in: Westfäl. Zschr. 88, 1931, 208 ff.; – Hermann Busen, Die Klosterkirche K. u. die Baukunst der Prämonstratenser (Diss. Münster), 1941; – Norbert Backmund, Monasticon Praemonstratense I, 1949, 158 f.; – Stephan Schnieder, Cappenberg, 1949, 24 ff.; – Wilhelm Hümmeler, Helden u. Hll., 1959 (501.–510. Tsd.), 28 f.; – Franz-Paul Mittermaier, Die Anfänge der Prämonstratenserstifte Ober- u. Nieder-Ilbenstadt in der Wetterau, in: AmrhKG 11, 1959 f.; – Herbert Grundmann, Der Cappenberger Barbarossa-Kopf u. die Anfänge des Stiftes Cappenberg (Münstersche Forsch. 12), 1959; – Ders., Der kl. Theodor oder G. v. C. im Domparadies zu Münster, in: Westfalen 37, 1959, 160 ff.; – Ders., G. v. C., in: Westfäl. Lb. VIII, 1959, 1 ff.; – Wilhelm Hünermann, Der endlose Chor. Ein Buch v. den Hll. f. das christl. Haus, 1960⁸, 21 ff.; – Johann Baptist Valvekens, De Biographia S. Godefridi Cappenbergensis, in: AnPraem 37, 1961, 142 ff.; – Rolf Fritz, Die Ikonogr. des hl. G. v. C., in: Westfäl. Zschr. 111, 1961, 1 ff.; – BS VII, 85 f.; – Wimmer³ 247; – Torsy 201; – NDB VI, 670; – DHGE XI, 917 ff.; – LThK IV, 1138.

GOTTFRIED *von Clairvaux* (oder von Auxerre), Zisterzienserabt, * um 1115/20 in Auxerre (südöstlich von Paris), † nach 1188. – G. studierte in Paris als Schüler Peter Abaelards (s. d.). Bernhard von Clairvaux (s. d.) gewann ihn um 1140 für den Zisterzienserorden. G. wurde Mönch in Clairvaux, nach einiger Zeit Bernhards Sekretär (notarius) und Begleiter, 1157 Abt von Igny und 1162 Abt von Clairvaux. 1165 legte er im Auftrag Alexanders III. (s. d.) sein Amt nieder und begab sich in das Stammkloster des Zisterzienserordens Cîteaux bei Dijon. G. wurde 1170 Abt

von Fossanuova bei Rom und 1176 Abt von Hautecombe in Savoyen. Er war ein Gegner von Abaelard und Gilbert de la Porrée (s. d.) und ist bekannt als Biograph Bernhards von Clairvaux und Sammler seiner Briefe.

Werke: G. veranstaltete 1145 die 1. Smlg. v. 310 Briefen Bernhards; machte Aufzeichnungen über dessen Leben u. Wunder, die Arnold v. Bonneval u. Wilhelm v. St. Thierry f. ihre Lebensbeschreibungen Bernhards benutzt haben; überarb. die v. zwei anderen verf. beiden Bücher der 1. Biogr. Bernhards, verf. die Bücher III–V dieser »Vita prima« u. schrieb auch den 3. Tl. der »Historia miraculorum in itinere Germanico patratorum«, die man auch als VI. Buch der »Vita« bezeichnet; Lebensbeschreibung des EB Petrus II. v. Tarentaise: AS Maii II, 323 ff.; Streitschrr. gg. Gilbert de la Porrée; Komm. z. Hhld u. z. Apk; viele Predigten (u. a.: Predigt vor dem Konzil v. Tours 1163, in: MPL 184, 1095 ff.).

Lit.: Pierre Louis Péchenard, Histoire de l'abbaye d'Igny de l'Ordre de Citeaux au diocèse de Reims, Reims 1883, 89 ff.; – Georg Hüffer, Der hl. Bernhard v. Clairvaux. Eine Darst. seines Lebens u. Wirkens. I: Vorstud., 1886, 27 ff.; – Bernhard Geyer, Die Sententiae divinitatis, ein Sentenzenbuch der Gilbertschen Schule, 1909, 50 ff.; – Ludwig Ott, Unterss. z. theol. Brieflit. der Frühscholastik unter bes. Berücks. des Viktorinerkreises, 1937, 91 f.; – Friedrich Stegmüller, Repertorium commentariorum in sententias Petri Lombardi I, 1947, 111; – Ders., Repertorium biblicum medii aevi, Madrid 1940–54, II, 332 ff.; – Jean Leclercq, Les écrits de G. d'A., in: RBén 62, 1952, 274 ff.; – Ders., Analecta monastica 31, Rom 1953, Studia Anselmiana 31, Rom 1953, 174 ff.; – Ders., Études sur S. Bernard et le texte de ses écrits, ebd. 1953; – M. Séraphin Lenssen, L'abdication du bienheureux Geoffroy d'Auxerre comme Abée de Clairvaux, in: CollOCR 17, 1955, 98 ff.; – Ferruccio Gastaldelli, Ricerche su Goffredo di A. Il compendio anonimo del »Super Apocalypsim«. Introduzione ed edizione critica, Rom 1970 (Rez. v. Hufnagel, in: ThQ 151, 1971, 366 f.; v. Edmundus Mikkers, in: Citeaux. Commentarii cistercienses 22, Abdij Achel 1971, 203 f.; v. Ephrem Boulerand, in: Bulletin de la littérature ecclésiastique 73, Toulouse 1972, 312 f.; v. Bernard McGinn, in: ChH 41, 1972, 538 f.; v. Gérard Mathon, in: RHE 68, 1973, 161 f.); – DThC VI, 1227 f.; – Catholicisme IV, 1849; – LThK IV, 1138 f.; – RE VII, 36; – RGG II, 1809.

GOTTFRIED *von Vendôme* (Vindocinensis), Benediktinerabt, * um 1070 in Angers, † daselbst 26. 3. 1132. – G. wurde 1093 Abt von Vendôme, später auch römischer Kardinalpriester. In seinem ausgedehnten Briefwechsel und mehreren Streitschriften verfocht er eifrig die päpstlichen Rechte in dem Streit Urbans II. (s. d.) gegen den Erzbischof Wibert von Ravenna (s. Clemens III., Gegenpapst) und in den Investiturkämpfen unter Paschalis II. (s. d.) und seinen Nachfolgern, aber auch die Interessen seiner Abtei.

Werke: Briefe u. Traktate über die Investiturfrage, Eucharistie, Taufe, Firmung, Wiederholbarkeit der Sakramente; Predigten u. Hymnen, in: MPL 157, 9 ff.; MG Liblit II, 676 ff.; ungedr. Komm zu Pss 1–50. *Lit.:* L. Compain, Étude sur Geoffroi de V., Paris 1891; – Ernst Sackur, Zur Chronologie der Streitschrr. des G. v. V., in: NA 17, 1892, 329 ff.; – Ders., Die Briefe G.s v. V., ebd. 18, 1893, 666 ff.; – Carl Mirbt, Die Publizistik im Zeitalter Gregors VII., 1894; – Hermann Meinert, in: AUF 10, 1928, 232 ff.; – A. Wilmart, La collection chronologique des écrits de G. abbé de V., in: RBén 43, 1931, 239 ff.; – Hauck III, 904. 915 f.; – DThC VI, 1229 f.; – Catholicisme IV, 1852 f.; – EC VI, 900; – LThK IV, 1140; – RE VII, 37 f.; – RGG II, 1810.

GOTTHELF, Jeremias s. BITZIUS, Albert der Ältere

GOTTSCHALD (ursprünglich: Gottschalck), Johann Jakob, Hymnologe und Kirchenliederdichter, * April 1688 in Eubenstock (sächsisches Erzgebirge), † 1748 in Schöneck (Vogtland). – G. studierte in Leipzig und Wittenberg und erwarb 1711 in Leipzig die Magisterwürde. Er hielt sich seit 1713 als Kandidat in Dresden auf und fand 1716 seine erste Anstellung als Pfarrer in Somsdorf bei Dresden. G. wurde 1721 Diakonus in seiner Vaterstadt und 1739 Pfarrer in Schöneck. – G. ist als Hymnologe bekannt durch seine Mitteilungen über verschiedene Gesangbücher und mancherlei

Lieder und ihre Dichter, besonders aber durch die Herausgabe zweier Gesangbücher. Sein »Universalgesangbuch« von 1737 enthält 17 Lieder von ihm.

Werke: Allerhand Lieder-Remarquen, 6 Stcke., Leipzig 1737–48. – Gab heraus: Das Erzgebirg. Gesangbuch v. 800 Liedern, Schneeberg 1730; Theologia in Hymnis oder Universalgesangbuch, welches auf alle Fälle, alle Zeiten, alle Glaubenslehren, alle Lebenspflichten, auf alle Evv. u. Epp., auf allerlei Stände u. Personen, bes. auf den Katechismus gerichtet u. aus 1 300 absonderlich erlesenen Liedern alter u. neuer Theologorum u. Poeten bestehet, Leipzig 1737 (enthält 17 Lieder v. G.).

Lit.: Koch V, 501 ff.

GOTTSCHALK (Godescalc) *der Sachse* (G. von Orbais), Theologe und Dichter, * um 803 als Sohn des sächsischen Grafen Bern, † um 869 in Hautvillers bei Espernay. – G. wurde noch sehr jung als »puer oblatus« dem Kloster Fulda übergeben und weilte auch längere Zeit auf der Reichenau. Durch Hrabanus Maurus (s. d.) und Wetti von Reichenau (s. d.) erhielt der vielseitig begabte Grafensohn eine ausgezeichnete Ausbildung. G. wollte nicht im Kloster bleiben; aber sein Abt Hrabanus Maurus zwang ihn gegen seinen Willen zur Tonsur. Das stand im Gegensatz zu den von Karl dem Großen (s. d.) erlassenen Gesetzen, in denen immer wieder auf die Freiwilligkeit des Eintritts in ein Kloster hingewiesen wurde. Mit Unterstützung seiner Verwandten wandte sich G. an den Erzbischof Otgar von Mainz. So wurde die Streitsache vor der Mainzer Synode im Juni 829 erörtert und G. zwar die Freiheit, aber nicht die Rückzahlung des väterlichen Erbes zugestanden. Gegen dieses Urteil protestierte Hrabanus Maurus, so daß Kaiser Ludwig die Sache im August 829 in Worms noch einmal verhandeln ließ. Das Urteil ist unbekannt; aber man darf annehmen, daß zuungunsten G.s entschieden wurde. 830 ist G. als Mönch im Kloster Corbie (Nordfrankreich) bezeugt. Er ging bald aus unbekannter Ursache in das nahe gelegene Kloster Orbais. Hier suchte er Trost für sein tragisches Geschick in der Beschäftigung mit den Wissenschaften. G. wurde als Mönch zum Priester geweiht und trat als Lehrer hervor. Er studierte eifrig die Schriften des Aurelius Augustinus (s. d.) und machte sich dessen Lehre von der doppelten Prädestination des Menschen zu eigen. 838/839 verließ G. das Kloster und verkündete überall seine Prädestinationslehre, zog nach Rom und hielt sich jahrelang in Oberitalien auf, besonders in der Grafschaft Friaul. Aus uns unbekannten Gründen war er zwei Jahre auf einer einsamen Insel des Mittelmeers verbannt. 848 kehrte G. nach Deutschland zurück, als gerade die Mainzer Reichssynode tagte, und stellte sich ihr freiwillig. Er verteidigte seine Prädestinationslehre vor der Synode gegen Erzbischof Hrabanus Maurus, seinen früheren Abt, der in zwei Schriften sich gegen sie gewandt hatte. Doch die Synode, auf der Hrabanus Maurus Vorsitzender, Ankläger und Richter in einer Person war, sprach das Verdammungsurteil über G. aus und schob ihn zur Vollstreckung des Urteils an Erzbischof Hinkmar von Reims (s. d.) ab, zu dessen Diözese Orbais gehörte. G. wurde nach Orbais gebracht und 849 vor die Synode Quierzy gestellt. Da er trotz allen Zuredens von seiner Prädestinationslehre nicht abzubringen war, erklärte man ihn für einen unverbesserlichen Ketzer, nahm ihm die Priesterwürde und geißelte ihn fast zu Tode. G. kam zu lebenslanger Kerkerhaft in das Kloster Hautvillers

bei Reims, wo er nach 20 Jahren ungebeugt, aber auch unversöhnt starb. In den letzten Jahren seines Lebens war sein Geist umnachtet. – G. war der beste Augustinuskenner des Frühmittelalters, ein ebenso kenntnisreicher wie selbständiger Grammatiker, Verfasser theologischer Traktate und Dichter lateinischer Hymnen in klassischen Versmaßen, zum Teil mit Reim. Außer einer Anzahl Einzelverse sind bisher 11 Gedichte G.s bekannt.

Werke: Opera omnia, in: MPL 121, 347–372. – Oeuvres théologiques et grammaticales, mit Einl. u. Anm. hrsg. v. Cyrille Lambot, Louvain 1945. – Ders., Lettre inédite de G. d'O., in: RBén 68, 1958, 41 ff. – Carmina, 7 hrsg. v. Ludwig Traube, in: MG PL III, 724 ff.; – 1 hrsg. v. Karl Strecker, ebd. IV, 934 ff.; 3 hrsg. v. Norbert Fickermann, ebd. VI, 89 ff. – Manitius I, 568 ff.

Lit.: Victor Borrasch, Der Mönch G. v. O. Sein Leben u. seine Lehre. Eine hist.-dogmat. Abh., Thorn 1868; – Heinrich Schrörs, Hinkmar, EB v. Reims. Sein Leben u. seine Schrr., 1884, 88 ff.; – Albert Freystedt, Stud. zu G.s Leben u. Lehre. 1.: G.s Verurteilung u. Ende, in: ZKG 18, 1898, 1 ff.; 2.: Die Zeit der Propaganda, 161 ff.; 3.: G.s Schrr. u. Lehre, 529 ff.; – Hans v. Schubert, Gesch. der christl. Kirche im Früh-MA, 1921, 451 ff.; – Germain Morin, G. retrouvé, in: RBén 43, 1931, 303 ff.; – Giuseppe Ludovico Perugi, G., Rom 1931; – Benoît Lavaud, Précurseur de Calvin ou témoin de l'augustinisme? Le cas de G., in: RThom NS 15, 1932, 71 ff.; – Norbert Fickermann, Wiedererkannte Dichtungen G.s, in: RBén 44, 1932, 314 ff.; – Walter Elliger, Gottes- u. Schicksalsglauben im frühdt. Christentum, 1935; – Erich Dinkler, G. d. S. Btr. z. Frage nach Germanentum u. Christentum. Mit lat. Hymnen G.s u. einer Übertr. ins Dt. von Erwin Wißmann, 1936; – H. Grabert, Der sächs. Edeling G., in: ARW 33, 1936, 215 ff.; – Emmanuel Aegerter, G. et le problème de la prédestination au IXᵉ siècle, in: RHR 116, 1937, 187 ff.; – Walter Kagerah, G. d. S. (Diss. Greifswald, 1938), Bordesholm/Holstein 1937; – Hermann Dörries, G. ein christl. Zeuge der dt. Frühzeit, in: JK 5, 1937, 670 ff.; – Ders., Sächs. Predigten, in: JGNKG 48, 1950, 29 ff.; – D. Kadner, Aus den neuentdeckten Traktaten des Mönches G., in: ZKG 61, 1942, 348 ff.; – Otto Herding, Über die Dichtungen G.s v. Fulda, in: Festschr. Paul Kluckhohn u. Hermann Schneider, 1948, 46 ff.; – F. Chatillon, Augustine in G. and Peter the Venerable, in: RMAL 3, 1949, 234 ff.; – Julius Groß, Die Erbsünde in der Theol. G.s d. S., in: ZSTh 22, 1953, 352 ff.; – Jörg Erb, Die Wolke der Zeugen II, 1954, 109 ff.; – Ingeborg Schröbler, Glossen eines Germanisten zu G. v. O., in: BGDSL 77, 1955, 89 ff.; – Friedrich Hauß, Väter der Christenheit I, 1956, 90 f.; – Klaus Vielhaber, G. d. S. (Diss. Bonn, 1954), 1956; – Maria Christine Mitterauer, G. d. S. u. seine Gegner im Prädestinationsstreit (Diss. Wien), 1956; – Jean Jolivet, Godescalc d'O. et la Trinité. La Méthode de la théologie à l'époque carolingienne, Paris 1958; – Josef Szövérffy, Die Annalen der lat. Hymnendichtung I, 1964, 235 ff.; – Siegfried Epperlein, Herrschaft u. Volk im karoling. Imperium. Stud. über soziale Konflikte u. dogmat.-polit. Kontroversen im fränk. Reich (Hab.-Schr., Berlin Humboldt Univ.), 1969; – Peter v. Moos, G.s Gedicht O mi custos – eine confessio, in: Früh-ma. Stud. Jb. des Instituts Früh-MAforsch. der Univ. Münster 4, 1970, 201 ff.; 5, 1971, 317 ff.; – Biogr. Wb. z. dt. Gesch. I², 1973, 933 f.; – Hauck II, 668 ff.; – VerfLex V, 288 ff.; – Wilpert I², 606; – ADB IX, 493 ff. (Gottschalk); – NDB VI, 684 f.; – RE VII, 39 ff.; – EKL I, 1696; – RGG II, 1813; – DThC VI, 1500 ff.; XII, 2901 ff.; – EC VI, 888 f.; – LThK IV, 1144 f.; – NCE VI, 648; – ODCC² 584 f.

GOTTSCHICK, Johannes, Theologe, * 23. 11. 1847 als Pfarrerssohn in Rochau (Kreis Stendal, Altmark), † 3. 1. 1907 in Tübingen. – G. besuchte 1859–65 das Pädagogium in Putbus auf der Insel Rügen. Er studierte bis Herbst 1866 in Erlangen, wo Johann Christian Konrad von Hofmann (s. d.) bestimmenden Einfluß auf ihn ausübte, dann bis Ostern 1668 in Halle und war nach seiner ersten Dienstprüfung zwei Jahre im theologischen Konvikt in Magdeburg. G. wirkte in kurzer Hauslehrertätigkeit in einem Altonaer Patrizierhaus als Gymnasiallehrer 1872–75 in Halle, dann in Wernigerode, 1875–78 in Torgau und danach als geistlicher Inspektor am »Kloster Unsrer lieben Frau« in Magdeburg und als Leiter des damit verbundenen Kandidatenkonvikts. 1882 wurde er o. Professor der Praktischen Theologie in Gießen und 1893 in Tübingen. – In seiner theologischen

Grundanschauung erlebte G. durch die Kenntnis der großen Monographie Albrecht Ritschls (s. d.) »Die christliche Lehre von der Rechtfertigung und Versöhnung« (3 Bde., 1870–74) einen völligen Umschwung. Er wurde ein treuer Schüler Ritschls und eifriger Mitarbeiter an der 1876 begründeten »Theologischen Literaturzeitung«, dem Hauptorgan der Ritschlschen Schule. Hinzukam 1891 die von G. gegründete »Zeitschrift für Theologie und Kirche«, die er bis 1906 herausgab. G.s hervorragende Neigung und Begabung für systematisches Denken kam seiner Behandlung der Praktischen Theologie zugute.

Werke: Schleiermachers Verhältnis zu Kant, 1876; Kants Beweis f. das Dasein Gottes, 1878; Luther als Katechet, 1883; Luthers Anschauungen v. christl. Gottesdienst u. seine tatsächl. Reform desselben, 1887; Die Glaubenseinheit der Ev. gg.über Rom, 1888; Die Kirchlichkeit der sog. kirchl. Theol. geprüft, 1890; Das Verhältnis des christl. Glaubens z. modernen Geisteslében, 1891; Die Bedeutung der hist.-krit. Schr.forsch. f. die ev. Kirche, 1893; Theol. Wiss. u. Pfarramt, 1895; Dein Glaube hat dir geholfen (Predigten), 1904; Ethik, 1907; Homiletik u. Katechetik, 1908; Luthers Theol., 1914.

Lit.: Gustav Ecke, Die theol. Schule Albrecht Ritschls I, 1897; – Wilhelm Herrmann u. Martin Rade, J. G., in: ZThK 17, 1907, 70 ff.; – A. Leube, J. G., in: Kirchl. Anz. f. Württemberg 16, 1907, 67 ff.; – NDB VI, 688; – RE XXIII, 579 ff.

GOUDIMEL, Claude, Komponist, * um 1514 in Besançon (Franche Comté) als Sohn eines Bäckers, † 28./29. 8. 1572 in Lyon. – G. studierte an der Universität in Paris und wurde Korrektor des Pariser Misikdruckers und Verlegers Nicolas Du Chemin und später dessen Teilhaber. G. lebte seit 1557 in Metz und kurze Zeit in Besançon und zog drei Monate vor seinem Tod nach Lyon. In den blutigen Hugenottenverfolgungen wurde er vom Krankenbett weg ertränkt. – G. ist bekannt durch seine drei verschiedenen vierstimmigen Bearbeitungen des Psalters in der Übersetzung von Clément Marot (s. d.) und Theodor Beza (s. d.). Die Psalmenmelodien sind nicht von ihm erfunden; er behandelte nur überliefertes Melodiengut. G.s Psalmenbearbeitungen erschienen seit 1551 in einzelnen Büchern zu 8, 9 und 10 Psalmen, die erste Gesamtausgabe des Psalters 1565. Der Psalter Marot-Beza fand durch Übersetzung in 22 Sprachen weiteste Verbreitung. Ambrosius Lobwasser (s. d.) gab seine Übersetzung des französischen Psalters mit den einfachsten Sätzen G.s heraus, Leipzig 1573.

Werke: Chansons, Oden (auf Texte des Horaz), Motetten, Messen u. Pss. – *Ausgg.:* Les Pseaumes, mis en rime françoise par Clément Marot et Théodore de Bèze, mis en musique à 4 parties par Claude Goudimel. Genève 1565. Facs. de l'éd. orig. publ. par Pierre Pidoux et Konrad Ameln, à l'occasion du 400e anniversaire de la réforme vaudoise: 1536–1936, Kassel 1935; 150 Pss., die Zehn Gebote u. Lobgesang Simeons (in der 2. Fass. nach einer Ausg. v. 1580, hrsg. v. Henry Exprit, Les Maîtres Musiciens de la Renaissance française II. IV. VI, Paris 1894–97; 17 Pss., in: Ludwig Friedrich Schöberlein u. Franz Xaver Riegel, Schatz des liturg. Chor- u. Gemeindegesangs, 3 Bde., 1868–72; Missae tres, Paris 1588, hrsg. v Henry Expert, in: Les Monuments de la Musique française au temps de la Renaissance IX, Paris 1928. – *GA.:* Oeuvres complètes, hrsg. v. Institute of Mediaeval Music (New York) u. der Société suisse de musicologie (Basel) unter der Leitung v. Luther Albert Dittmer u. Pierre Pidoux, New York u. Basel 1967 ff.; bisher ersch.: I. (hrsg. v. Henri Gagnebin, 1967) Premier livre des psaumes en forme de motets (1557); II. (hrsg. v. Eleanor Lawry, 1967) Second livre . . . (1559); III. (hrsg. v. H. Gagnebin u. L. A. Dittmer, 1969) Troisième livre . . . (1557 u. 1561); IX (hrsg. v. P. Pidoux, 1967) Les 150 psaumes (1564 u. 1565); X. (hrsg. v. dems., 1969) Les 150 psaumes (1568 u. 1580); XI. (hrsg. v. Rudolf Häusler, 1969) Motets lat. et magnificats).

Lit.: Orentin Douen, Clément Marot et la psautier hugenot; étude historique, musicale et bibliographique I. II, Paris 1878/79; – Georges Becker, G. et son oeuvre, notice biographique et critique, in: Bulletin de la Société d'histoire du protestantisme français 34, Paris 1885, 337 ff.; – Michel Brenet, C. G., in: Annales franc-comtoises, Besançon 1898, Mai/Juni; –

Georges Maurice Guiffrey, Oeuvres de Clément Marot, Paris 1911; – Peter Wagner, Gesch. der Messe I, 1913 (Nachdr. Hildesheim u. Wiesbaden 1963), 260 f.; – Antoine-Elisée Cherbuliez, Die Schweiz in der dt. Musikgesch., Frauenfeld 1932; – Ders., Gesch. der Musikpäd. in der Schweiz, Zürich 1944; – Johannes Maresch, Bedeutung des G.schen Hugenottenpsalters v. 1565 f. die prot. Kirchenmusik, in: MuK 10, 1938, 89 ff.; – Waldo Selden Pratt, The music of the French Psalter of 1562. A historical survey and analysis, New York 1939; – Edwin Nievergelt, Die Tonsätze der dt.-schweizer. ref. Kirchengesangbücher im 17. Jh., Zürich 1944, 23 ff. u. ö.; – François Lesure, C. G., étudiant, correcteur et éditeur parisien, in: Musica Disciplina 2, Rom 1948, 225 ff.; – Paul-André Gaillard, Loys Bourgeoys. Sa vie – son oeuvre comme pédagogue et compositeur (Diss. Zürich), Lausanne 1948; – E. Trillat, C. G. Le Psautier huguenot et la Saint-Barthélemy lyonnaise, Lyon 1949; – Jean Rollin, Les Chansons de Clément Marot. Étude historique et bibliographique, Paris 1951; – La musique française de ses origines à nos jours, hrsg. v. Armand Machabey, ebd. 1953/54, 153; – Eleanor McChesney Lawry, The Psalm Motets of C. G. (Diss. New York, Columbia Univ.), 1954; – Hendrik Hasper, Calvijns beginsel voor den zang in den eredienst I, 's Gravenhage 1955; – Walter Blankenburg, Die Kirchenmusik in den ref. Gebieten des europ. Kontinents, in: Friedrich Blume. Gesch. der ev. Kirchenmusik, 1965², 341 ff.; – Ders., Zum 400. Todestag v. C. G., in: MuK 42, 1972, 183 f.; – Pierre Pidoux, 400 J. G.-Pss., in: MuG 19, 1965, 141 ff.; – Ders., C. G. Zu seinem 400. Todestag, in: Der ev. Kirchenchor 77, Zürich 1972, 50 ff.; – Marguerite Falk, C. G., in: MuG 20, 1966, 93 ff.; – Rudolf Häusler, Satztechnik u. Form in C. G.s lat. Vokalwerken (Diss. Zürich), Bern 1968; – Dieter Gutknecht, Vergleichende Betrachtung des G.-Psalters mit dem Lobwasser-Psalter, in: JLH 15, 1970, 132 ff.; – MGG V, 584 ff.; – Eitner IV, 317 ff.; – Riemann I, 660; ErgBd. I, 447 f.; – Moser I, 436; – Grove III, 724 ff.; – Honegger I, 427 f.; – Goodman 173; – Hdb. z. EKG II/1, 79; – RGG II, 1813.

GOULART, Simon, ref. Theologe, * 20. 10. 1543 in Senlis, † 3. 2. 1628 in Genf. – G. studierte die Rechte, schloß sich der Reformation an und wählte den kirchlichen Dienst zu seinem Lebensberuf. Er kam 1566 nach Genf und wurde noch in demselben Jahr Pfarrer in Chancy und 1571 in Genf. Mit Erlaubnis der Genfer Regierung diente G. vorübergehend mehreren französischen Gemeinden: 1576 in der Provinz Forèz, 1582 in der Champagne und 1600 in Grenoble. Nach dem Tod Theodor Bezas (s. d.) führte er auf Wunsch des Rats sieben Jahre den Vorsitz in der »Vénérable Compagnie des pasteurs«. – G. war ein fruchtbarer Schriftsteller und ist bekannt als Sammler kleinerer Schriften und Aktenstücke über die französischen Religionskriege und als Herausgeber der von Jean Crespin (s. d.) begonnenen Leidensgeschichte der Hugenotten.

Werke: Mémoires de l'Estat de France sous Charles IX, 3 Bde., Meidelburg 1578; Recueil contenant les choses plus mémorables advenues sous la Ligue, tant en France, Angleterre, qu'autres lieux, 6 Bde., Genf 1590–99 (verm. u. mit Anm. vers. Ausg. v. Abbé Goujet, 6 Bde., Amsterdam 1758); Recueil des choses mémorables sous le règne des roys Henri II etc., depuis l'an 1547 bis 1591, 1598; Histoire des martyrs, Genf 1570. – Bibliogr.: Encyclopédie des scienses religieuses V, 639 ff.; Jean Senebier, Histoire littéraire de Genève II, 71 ff.

Lit.: Eugène Choisy, L'état chrétien Calviniste à Genève au temps de Théodore de Bèze, Genf 1902; – Leonard Chester Jones, S. G. Étude biographique et bibliographique, ebd. 1917; – Herman de Vries de Heekelingen, Genève pépinière du Calvinisme hollandais. II: Correspondance des élèves de Théodore de Bèze après leur départ de Genève, Fribourg/Schweiz 1924; – Pontien Polman, L'élément historique dans la Controverse religieuse du XVIe siècle (Diss. Universitas Catholica Lovaniensis), Gembloux 1932; – Paul F. Geisendorf, Théodore de Bèze, Genf 1949; – Société d'histoire et d'archéologie de Genève, Histoire de Genève des origines à 1798, Genf 1951; – Eugénie Droz, S. G. éditeur de musique, in: BHR 14, 1952, 266 ff.; – RE VII, 44; – RGG II, 1814.

GRABAU, Johannes, luth. Theologe, Begründer und Führer der »Buffalosynode«, * 18. 3. 1804 in Olvenstedt bei Magdeburg als Sohn eines Bauern, † 2. 6. 1879 in Buffalo (New York). – G. besuchte das Domgymnasium in Magdeburg und studierte 1825–30 in Halle Theologie. Er wurde Lehrer in Magdeburg und Sachsa und wirkte seit Juni 1834 als Pfarrer an St.

Andreas in Erfurt, wurde aber im September 1836 seines Amtes entsetzt, weil er die preußische Unions-agende ablehnte. Verfolgt und wiederholt mit Gefäng-nis bestraft, entschloß sich G. im Sommer 1839 mit etwa 1000 Anhängern zur Auswanderung nach Nord-amerika. Sie ließen sich in und um Buffalo nieder und gründeten die »Dreifaltigkeitsgemeinde«. G. blieb ihr Pfarrer bis an sein Lebensende. Am 15. 7. 1845 gründete er mit 4 Pastoren die »Synode der aus Preußen eingewanderten Lutheraner«, die sich später »Buffalosynode« nannte. Ihre theologische Lehran-stalt war das »Martin-Luther-Kollegium« in Buffalo. G. vertrat einen extremen lutherischen Amtsbegriff, wonach das Amt der Gemeinde übergeordnet ist, wäh-rend Karl Ferdinand Wilhelm Walther (s. d.), der Mit-begründer und Führer der 1847 gegründeten »Mis-sourisynode«, erklärte, das Predigtamt sei das »in Funktion gesetzte allgemeine Pristertum«. Wegen der Lehre von Kirche und Amt entbrannte zwischen den beiden streng lutherischen Synoden ein heftiger Streit, der 1866 durch das »Kolloquium« mit der »Missouri-synode« zu einem vorläufigen Abschluß kam: 11 Pa-storen der »Buffalosynode« schlossen sich nach diesem Kolloquium der »Missourisynode« an, während sich G. mit dem geringen Rest für die Fortsetzung der alten »Buffalosynode« erklärte.

Lit.: J. A. Grabau, Lebenslauf des Ehrw. J. A. A. G., Buffalo 1879; – Chr. Hochstetter, Gesch. der ev.-luth. Missouri-Synode in Nordamerika u. ihrer Lehrkämpfe, 1895; – E. Denef, Gesch. der Buffalo-Synode, 1929; – DAB VII, 461 f.; – NDB VI, 693 f.; – RGG II, 1818.

GRABE, Johannes Ernst (luth., seit 1697 anglik.), Theologe, * 10. 7. 1666 in Königsberg (Preußen) als Sohn eines Professors der Theologie, † 3. 11. 1711 in Oxford, beigesetzt in London, St. Pancras. – G. bezog 1682 die Universität seiner Vaterstadt und wurde 1685 Magister und Dozent. 1686/87 besuchte er mehrere deutsche Universitäten und setzte nach seiner Rückkehr seine Vorlesungen über Kirchengeschichte fort. G. lehnte die Übernahme einer theologischen Professur ab, weil er unter dem Einfluß des Königs-berger »Synkretismus« und durch das Studium der Schriften des Jesuiten Robert Bellarmin (s. d.) in immer stärker werdende Glaubensanfechtung und Zweifel an der Wahrheit der lutherischen Lehre ge-raten war. Als 1694 mehrere Dozenten und Studen-ten zur katholischen Kirche übertraten, wurde auch G. in die vom Kurfürsten angeordneten Untersuchun-gen hineingezogen und mußte dem Konsistorium seine schriftlichen »Dubia« einreichen, in denen er Martin Luther (s. d.) des Abfalls von der wahren Kirche und fünffacher Häresie beschuldigte. Nach kurzer Haft in Pillau und Hausarrest in Königsberg wurde G. im Mai 1695 ausgewiesen. Philipp Jakob Spener (s. d.) hielt ihn von dem Vorhaben zurück, zur katholischen Kirche überzutreten. 1697 wanderte G. nach England aus. Er ließ sich zum anglikanischen Priester weihen, widmete sich aber in Oxford wissen-schaftlichen Studien. Als Patristiker und Septuaginta-forscher leistete G. Großes. Sein Lebenswerk ist die Neuausgabe der »Septuaginta« auf der Grundlage des »Codex Alexandrinus« mit wertvollen Prolegomena über ihre Rezensionen. Der 2. und 3. Band des vier-bändigen Werkes erschien erst nach seinem Tod. Die

Oxforder Universität verlieh ihm 1706 die theolo-gische Doktorwürde. In der Westminsterabtei in Lon-don wurde ihm 1726 ein kostbares Denkmal aus Alabaster gesetzt.

Werke: Animadversiones historicae in controversias Bellarmini, 1692; Abgenötigte Ehrenrettung, 1696 (gg. die auf Befehl des Kf. gg. ihn gerichteten Schrr. v. Philipp Jakob Spener, Johann Wilhelm Baier u. Bernhard v. Sanden); Specilegium patrum et haereticorum saeculi I–III p. Chr., I, 1698; II, 1700 (1714²); Li-turgia graeca, hrsg. v. Christoph Matthäus Pfaff, Den Haag 1715. – Gab heraus: Justins Apologie, 1700; Irenäus, Contra haereses libri V, 1702; Septuaginta I, 1707; II, hrsg. v. Francis Lee, 1719; III, hrsg. v. G. Wigan, 1720; IV, 1729 (Nachdr. v. Breitinger, 4 Bde., Zürich 1730–32; v. Reineccius, Biblia sacra quadrilingua, Leipzig 1750/51; v. Fr. Field, Oxford 1859).

Lit.: Samuel Schelwig, De eruditionis gloria in Anglia per adve-nas propagata in memoriam J. E. Grabii, 1712; – M. S. Grabe, D. J. E. G.s Leben, Tod u. Schrr., in: Acta Borussica I, Königs-berg 1730, 1 ff.; – Paul Grünberg, Philipp Jakob Spener I, 1893, 266; – Henry Barclay Swete, An Introduction to the Old Testa-ment in Greek, 1900, 182 ff.; – Hans Leube, Kalvinismus u. Lu-thertum. I: Der Kampf um die Herrschaft im prot. Dtld., 1928, 351 ff.; – ADB IX, 536 f.; – NDB VI, 696 f.; – DNB VIII, 306 f.; – RE VII, 56 f.; – RGG II, 1818 f.; – LThK IV, 1156; – ODCC² 585.

GRABMANN, Martin, kath. Theologe, Erforscher der mittelalterlichen Philosophie und Theologie, * 5. 1. 1875 in Winterzhofen bei Berching (Oberpfalz) als Sohn eines Bauern, † 9. 1. 1949 in Eichstätt. – G. be-suchte das Humanistische Gymnasium in Eichstätt und studierte 1893–98 am dortigen Bischöflichen Lyzeum Philosophie und Theologie. Er empfing 1898 die Priesterweihe und übte zwei Jahre Seelsorgetätigkeit aus in Kipfenberg, Allersberg und Neumarkt (Ober-pfalz). Dann setzte G. in Rom am »Thomaskolleg« der Dominikaner seine Studien fort und promovierte 1901 zum Dr. phil. und 1902 zum Dr. theol. An-regung und Förderung verdankte er Franz Ehrle (s. d.) und Heinrich Denifle (s. d.). Im Herbst 1906 wurde G. ao. Professor der Dogmatik am Bischöflichen Lyzeum in Eichstätt und 1913 o. Professor für Christ-liche Philosophie an der Theologischen Fakultät in Wien. Von 1918 an bis zur Aufhebung der Theolo-gischen Fakultät 1939 lehrte er in München Dogmatik und siedelte im Mai 1943 nach Eichstätt über. – G. ist bekannt durch seine quellenmäßige Erforschung der scholastischen Theologie und Philosophie. 1954 wurde das »Grabmann-Institut« zur Erforschung der Philosophie und Theologie an der Universität Mün-chen von Michael Schmaus (s. d.), dem Nachfolger G.s, begründet.

Werke: Die Gesch. der scholast. Methode I, 1909; II, 1911 (Nach-dr. Graz 1955); Thomas v. Aquin, 1912 (1949⁸); Forsch. über die lat. Aristotelesüberss. des 13. Jh.s, 1916; Einf. in die Sum-ma theologiae des hl. Thomas v. Aquin, 1919 (1925²); Die Phi-los. des MA, 1921; Wesen u. Grdl.en der kath. Mystik, 1922 (1923²); Die Kulturphilos. des hl. Thomas v. Aquin, 1925; Ma. Geistesleben. Abhh. z. Gesch. der Scholastik u. Mystik I, 1926; II, 1936 (Nachdr. 1956); III, hrsg. v. Ludwig Ott, 1956; Grund-gedanken des hl. Augustinus über Seele u. Gott, 1929²; Die Werke des hl. Thomas v. Aquin, 1931 (1949³); Der Lat. Aver-roismus, 1931; Die Gesch. der kath. Theol. seit dem Ausgang der Väterzeit, 1933; Ma. Deutung der aristotel. Lehre v. Nous poietikos, 1936; Methode des Aristoteles-Stud. im MA, 1939; Die theol. Erkenntnis- u. Einl.lehre des hl. Thomas v. Aquin, Freiburg/Schweiz 1948. – Bibliogr. v. Ludwig Ott, in: Grab-mann, MGL III, 10 ff.

Lit.: Autobiogr., in: Grabmann, MGL III, 1 ff. – Aus der Gei-steswelt des MA. Festg. z. 60. Geb. G.s, 2 Bde., 1935; – P. Leh-mann, M. G., in: Jb. der Bayer. Akad. der Wiss.en, 1949, 103 ff.; – E. Filthaut, M. G., in: Die Neue Ordnung 3, 1949, 178 ff.; – Ludwig Ott, M. G. z. Gedächtnis, 1949; – Ders., M. G. u. sei-ne Verdienste um die Thomas-Forsch., in: Divus Thomas 27, 1949, 129 ff.; – Ders., M. G. u. die Erforsch. der ma. Philos., in: PhJ 59, 1949, 137 f.; – Ders., M. G., in: Ll. aus Franken VI, 1960, 204 ff.; – Michael Schmaus, M. G.: Geist u. Ge-stalt. Biogr. Bttr. z. Gesch. der Bayer. Akad. der Wiss.en I, 1959, 221 ff.; – Ders., Leben u. Werk M. G.s, in: Mitt. des G.-

Instituts der Univ. München 3, 1959, 4 ff.; – NDB VI, 699 f.; – DThC XVI, 1843 f.; – Catholicisme V, 133 ff.; – EC 979 ff.; – LThK IV, 1156; – NCE VI, 657; – ODCC² 585 f.; – RGG II, 1819.

GRÄTER, Kaspar, Theologe, * um 1501 in Gundelsheim bei Heilbronn (Neckar) als Sohn eines Schultheißen, † 21. 4. 1557 in Stuttgart. – G. studierte seit 1519/20 in Heidelberg, mußte aber 1522 sein Studium abbrechen und wurde Hauslehrer bei Dietrich von Gemmingen auf Guttenberg (Neckar). Auf Empfehlung von Johannes Brenz (s. d.) kam er 1527 als lateinischer Schulmeister nach Heilbronn und vollendete den von dem dortigen Prediger Johann Lachmann (s. d.) begonnenen Katechismus. Im Herbst 1533 nahm G. in Heidelberg das Studium wieder auf, promovierte Anfang 1534 zum Magister und wurde im Herbst 1534 Pfarrer in Herrenberg bei Tübingen, 1538 in Cannstatt und 1541 Hofprediger bei Herzog Ulrich von Württemberg (s. d.). Er besaß das volle Vertrauen seines Fürsten, auch das seines Nachfolgers, des Herzogs Christoph (s. d.), der 1550 die Regierung antrat. Seit 1537 war G. als einer der führenden Theologen des Landes an allen wichtigen kirchlichen Beratungen und Entscheidungen beteiligt (Einführung der Visitation, 1544; »Confessio Virtembergica«, 1551) und übte seit 1553 als Mitglied des Kirchenrats auf die Pfarrstellenbesetzung maßgebenden Einfluß aus.

Werke: Catechesis oder vnderricht der Kinder, wie er zu Haylbrunn gelert und gehalten wirdt, 1528; Das der Christlich Glaub der einich, gerecht vnd warhafftig sey, Nürnberg 1530.
Lit.: Christian Friedrich Schnurrer, Erll. der württ. Kirchen-, Ref.- u. Gelehrten-Gesch., Tübingen 1798, 183 ff.; – Karl Friedrich Jäger, Mitt. z. schwäb. u. fränk. Ref.gesch., 1828, 80 ff. 256; – Julius Hartmann, Älteste katechet. Denkmale der ev. Kirche, 1844, 81 ff.; – Theodor Pressel, Anecdota Brentiana, 1868, 306. 309. 363. 434 ff.; – Ferdinand Cohrs, Die ev. Katechismusverss. vor Luthers Enchiridion II, 1900, 313 ff.; – Johann Michael Reu, Qu. z. Gesch. des Katechismusunterrichts I, 1904, 290 ff. 314 ff.; – Heilbronner Urkk.buch IV, bearb. v. Moriz v. Rauch, 1922 (Briefe u. Widmungsschreiben); – ADB IX, 599 f.; – NDB VI, 717 f.; – RE VII, 58 ff.; XXIII, 588; – RGG II, 1822.

GRAETZ, Heinrich, jüdischer Geschichtsforscher und Exeget, * 31. 10. 1817 in Xions (Provinz Posen) als Sohn eines Metzgers, † 7. 9. 1891 in München. – G. war 1827–40 Schüler und Hausgenosse des Landrabbiners Samson Raphael Hirsch in Oldenburg und besuchte zugleich das dortige Gymnasium. Danach wurde er Hauslehrer in Ostrowo. 1842 bezog G. die Universität Breslau und promovierte 1845 in Jena zum Dr. pihl. mit der Dissertation »Gnostizismus und Judentum«. Nach abgelegter Lehrerprüfung wurde er Leiter der von der orthodoxen Partei der Breslauer Gemeinde neugegründeten Religionsschule, die bis 1848 bestand, dann Hauslehrer bei Samson Raphael Hirsch in Nicolsburg, der von Oldenburg dorthin als Landesrabbiner von Mähren berufen worden war, und 1850 Leiter der jüdischen Schule in Ludenburg. 1852 folgte G. der Einladung der Berliner Gemeinde und hielt nun dort Vorlesungen über jüdische Geschichte. 1853 wurde er als Dozent für jüdische Geschichte an das neugegründete »Jüdisch-Theologische Seminar« in Breslau berufen und entfaltete neben seiner Lehrtätigkeit eine reiche literarische Wirksamkeit. Die Breslauer Universität ernannte ihn 1869 zum Honorarprofessor. 1872 besuchte G. Palästina und gründete in Jerusalen ein Waisenhaus. – G. ist bekannt durch seine »Geschichte der Juden«.

Werke: Gesch. der Juden v. den ältesten Zeiten bis auf die Ggw., 11 Bde., 1853–76; neu bearb. v. Philipp Bloch, Markus Brann u. a., 12 Bde., 1911–23; volkstüml. Ausg. in 3 Bdn., 1888/89 (neue Ausg. 1922); Komm. z. Hhld, 1871, z. Pred, 1871, zu den Pss, 2 Bde., 1882/83; Emendationes in plerosque Sacrae Scripturae Veteris Testamenti libros (textkrit. Bem. z. AT), hrsg. v. Wilhelm Bacher, 3 Bde., 1892–94; Tgb. v. 1833–56, in Ausz. veröff. v. Markus Brann, in: MGWJ 1919/20. – Bibliogr.: in: MGWJ 1917/18.
Lit.: Jubelschr. z. 70. Geb. des Prof. Dr. H. G., 1887 (Nachdr. Hildesheim – New York 1973); – Philipp Bloch, Memoir of H. G., in: G.' history of the Jews VI, Philadelphia 1898; – Ders., H. G., 1904; – Ders., H. G., 1917; – Ders., Aus H. G.ens Lehr- u. Wanderj., in: MGWJ 62, 1918, 231 ff.; 63, 1919, 34 ff.; – Josef Meisl, H. G. Würdigung des Historikers u. Juden, 1917; – H. G. Sonderh. z. 100. Geb., MGWJ 1917; – H. G. u. die jüd. Gesch., Sonderh. der Neuen jüd. Mhh., 1917, Nr. 3–4; – Salo W. Baron, G.ens Gesch.schreibung, in: MGWJ 62, 1918, 5 ff.; – Ders., G.ens Gesch.schreibung, in: Wiss. des Judentums im dt. Sprachbereich. Ein Querschnitt. Mit einer Einf. hrsg. v. Kurt Wilhelm, I, 1967, 353 ff.; – Ismar Elbogen, Von G. bis Dubnow, in: Dubnow-Festschr., 1930; – Ernst J. Cohn, H. G., in: Jb. der Schles. Friedrich-Wilhelms-Univ. zu Breslau V, Würzburg 1960, 220 ff.; – Ders., H. G., in: Das Breslauer Seminar. Jüd.-theol. Seminar in Breslau, 1854–1938. Gedächtnisschr., 1963, 187 ff.; – Michael Reuven, The unknown H. G. From his diaries and letters, in: Yearbook. Publications of the Leo Baeck Institute 13, London – Jerusalem – New York 1968, 34 ff.; – EJud VII, 645 ff.; – UJE VI, 64 ff.; – EncJud VII, 845 f.; – ADB 49, 510 f.

GRAF, Georg, kath. Orientalist, * 15. 3. 1875 in Munzingen bei Nördlingen als Sohn eines Schreinermeisters, † 18. 9. 1955 in Dillingen (Donau). – G. besuchte das Humanistische Gymnasium und seit 1894 die »Philosophisch-Theologische Hochschule« in Dillingen, empfing 1898 die Priesterweihe und war bis 1930 in der Seelsorge tätig. Er promovierte 1904 in München zum Dr. phil. und 1918 in Freiburg/Breisgau zum Dr. theol. – G.s Lebenswerk galt der Erforschung der christlichen arabischen Literatur. Auf wiederholten Studienreisen seit 1907 sammelte er das Material für seine »Geschichte der christlichen arabischen Literatur«. So war er als Stipendiat der Görresgesellschaft 1910/11 in Jerusalem und Beirut. G. wurde 1930 zum Honorarprofessor für die Literaturen des christlichen Orients an der Theologischen Fakultät der Universität München ernannt. Seine Arbeit fand Anerkennung: er wurde 1946 »päpstlicher Hausprälat«, 1949 Leiter der arabischen Abteilung »Corpus Scriptorum Christianorum Orientalium« in Löwen, 1952 Leiter der orientalischen Sektion der Görresgesellschaft und 1953 Herausgeber des »Oriens Christianus«, dessen Redaktion er seit 1926 angehört hatte. – G. ist bekannt als bahnbrechender Erforscher der christlichen arabischen Literatur. Aus jahrzehntelangen Vorarbeiten erwuchs seine umfassende »Geschichte der christlichen arabischen Literatur« als eine unentbehrliche Grundlage für jede weitere Arbeit auf diesem Gebiet.

Werke: Catalogue des manuscrits arabes chrétiens conservés au Caire, Città del Vaticano 1934; Gesch. der christl. arab. Lit., 5 Bde., ebd. 1944–53; Schrr. des Habib ibn Hidma Abu Ra'ita (mit dt. Übers.), 2 Bde., in: CSCO 130/131, Löwen 1951.
Lit.: Andreas Bigelmair, in: HJ 75, 1956, 516 ff.; – Hieronymus Engberding, G. G. Nachruf, in: OrChr 40, 1956, 138 ff.; – NDB VI, 722; – LThK IV, 1160; – NCE VI, 687.

GRAF, Karl Heinrich, Theologe und Orientalist, * 28. 2. 1815 in Mülhausen (Elsaß) als Sohn eines Kaufmanns, † 16. 7. 1869 in Meißen. – G. besuchte das Gymnasium und das protestantische Seminar in Straßburg und studierte dort 1833–36 Theologie und orientalische Sprachen als Schüler von Eduard Reuß (s. d.), der ihm auch ein Freund wurde und mit dem er von 1837 an bis zu seinem Tod in regem Briefwechsel stand. G. ging 1837 nach Genf, um sich in der französischen Sprache zu vervollkommnen. 1839–43 war er Hauslehrer in Paris und erwarb 1842 in Straßburg den Lic. theol. G. wurde 1843 Lehrer an einer privaten Knabenanstalt in Kleinzschocher bei Leipzig und besuchte von dort aus die Vorlesungen des Orientalisten Heinrich Leberecht Fleischer in Leipzig. Er verstand außer Hebräisch sehr gut das Persische. 1846 bestand G. die Prüfung für das höhere Lehramt und erwarb in Leipzig den Dr. phil. Er wurde 1847 an der Landesschule zu Meißen Lehrer für Hebräisch und Französisch und erhielt 1852 den Professortitel und 1864 von Gießen die theologische Doktorwürde ehrenhalber. 1868 gab er wegen zunehmender Kränklichkeit den Dienst auf. – In der Geschichte der Pentateuchkritik hat sich G. einen Namen verschafft. Angeregt durch die bereits 1834 von seinem Lehrer Reuß geäußerte Vermutung, daß die gesetzlichen Teile des Pentateuchs jünger als die Propheten seien, ging G. dieser Behauptung nach und kam 1866 auf Grund einer mühsamen literarkritischen Analyse der Bücher Gen bis 2Kön 25 zu dem Ergebnis, daß die »Grundschrift« des Pentateuchs (heute als »Priesterkodex« bezeichnet), die man bisher für eine einheitliche Quellenschrift gehalten hatte, in zwei Quellen zu scheiden sei, und zwar in das »Geschichtsbuch des Elohisten«, die »Urschrift«, und in die gesetzlichen Stücke der Bücher Ex bis Num, die nach dem Exil abgefaßt seien. Durch Abraham Kuenen (s. d.) von der Unmöglichkeit einer solchen Trennung überzeugt, dehnte er die späte Datierung auf die gesamte »Grundschrift« des Pentateuchs aus. Diese Erkenntnis G.s übernahm Julius Wellhausen (s. d.) und verschaffte ihr als »Graf-Wellhausensche Hypothese« allgemeine Anerkennung.

Werke: Moslicheddin Sadis Rosengarten, nach dem Text u. dem arab. Komm. Sururis aus dem Pers. übers. mit Anm., 1846; Sadis Lustgarten, Boston 1850; Le boustân de Sadi, texte persan avec un commentaire persan, 1858. – Der Segen Moses (Dtn 33) erkl., 1857; Der Prophet Jer erkl., 1862 (ein Komm., den noch Karl Cornill 1905 »zu den besten, gediegensten u. wertvollsten Komm.« zählt u. »eine großartige Leistung« nennt); Die geschichtl. Bücher des AT, zwei hist.-krit. Unterss., 1866 (das in der Gesch. der Pentateuchkritik epochemachende Werk). – Pseudonym: Afrika, v. Karl Elsässer, 2 Bdchn., 1855/56.
Lit.: Adalbert Merx, in: Arch. f. wiss. Erforsch. des AT I, 1869, 466 ff.; – Friedrich Bleek, Einl. in das AT, hrsg. v. Julius Wellhausen, 1886⁵, 615 ff.; – Eduard Reuß' Briefwechsel mit G., hrsg. v. Karl Budde u. Heinrich Julius Holtzmann, 1904; – Karl Budde, Meister u. Schüler, Eduard Reuß u. K. H. G., in ChW 18, 1904, 904 ff.; – Kraus 222 ff.; – ADB IX, 549 f.; – NDB VI, 723 f.; – RE XXIII, 588 ff.; – RGG II, 1822.

GRAFE, Eduard, Theologe, * 12. 3. 1855 in Elberfeld als Sohn des Kaufmanns Hermann Heinrich Grafe (s. d.), † 13. 6. 1922 in Bonn. – G. wurde 1884 Privatdozent für Neues Testament in Berlin, 1886 ao. Professor in Halle und 1888 o. Professor in Kiel. Seit 1890 lehrte er in Bonn. Seine Forschung war wesentlich von Karl Heinrich Weizsäcker (s. d.) bestimmt.

Werke: Über Veranlassung u. Zweck des Röm.briefes, 1881; Die Paulin. Lehre v. Gesetz, 1884 (1893²); Das Verhältnis der Paulin. Schrr. z. Sapientia Salomonis: Abhh., Weizsäcker gewidmet, 1892; Die neuesten Forsch. über die urchristl. Abendmahlsfeier, 1895; Die Stellung u. Bedeutung des Jak.briefes in der Entwicklung des Urchristentums, 1904; Das Urchristentum u. das AT (Rektoratsrede), 1907.
Lit.: Philipp Vielhauer, E. G., in: Bonner Gelehrte. Bttr. z. Gesch. der Wiss.en in Bonn, 1968, 130 ff.

GRAFE, Hermann Heinrich, Gründer der ersten »Freien evangelischen Gemeinde« Deutschlands, * 3. 2. 1818 in Palsterkamp bei Bad Rothenfelde als Sohn eines Müllers und Mühlenpächters, † 25. 12. 1869 in Elberfeld. – Nach kurzem Besuch der Gewerbeschule in Bielefeld kam G. 1834 als kaufmännischer Lehrling nach Duisburg. Ohne Hilfe eines andern fand er mit 16 ½ Jahren durch das Lesen der Bibel den Frieden Gottes und die Gewißheit des Heils. 1838 trat G. als Handlungsgehilfe in die Seidenweberei Neviandt & Pfleiderer in Mettmann ein, die ihn im Spätherbst 1841, weil man die Gründung eines neuen Unternehmens plante, nach Lyon schickte, damit er sich dort weitere Kenntnisse in der Seidenweberei aneigne. In Lyon lernte er die von Adolphe Monod (s. d.) gegründete »Église évangélique libre« kennen und half in ihrer Sonntagsschule mit. 1843 gründete G. mit Eduard Neviandt in Elberfeld den neuen Betrieb und verheiratete sich 1844 mit Maria Theresia Neviandt. 1846 trat er aus der reformierten Gemeindevertretung aus und legte damit auch sein Amt als Diakon nieder, weil ihm die Teilnahme offenbar Ungläubiger am Abendmahl und die zwangsweise Beitreibung der Kirchensteuer Not bereitete. 1850 gründete G. den »Evangelischen Brüderverein«, der geeignete Brüder als »Boten« anstellte, die durch Einzelseelsorge, Verbreitung erwecklicher Schriften und Evangeliumsverkündigung die Fernstehenden für Christus gewinnen sollten. Er war die Seele des Vereins, verwaltete aber in den ersten Jahren nur den Posten eines Rechnungsführers und übernahm erst viel später den Vorsitz. Auf Grund neutestamentlicher Forschungen gewann G. die Überzeugung, daß der neutestamentlichen Gemeinde nicht die Volkskirche entspricht, sondern nur eine Gemeinde, deren Glied nur werden kann, der bekennt, daß er zum heilsgewissen Glauben an Jesus Christus, den gekreuzigten und auferstandenen Gottessohn, gekommen und der Vergebung seiner Sünden gewiß sei. G. vertrat den Standpunkt: »Wenn es wahr ist, daß die ›unsichtbare Kirche‹ aus allen denen besteht, die von Herzen glauben, dann ist es ebenso wahr, daß die ›sichtbare Kirche‹ nur aus solchen bestehen soll, die jenen Glauben mit ihrem Mund und ihrem Leben wirklich bekennen.« G. wurde immer mehr dazu gedrängt, sich in der Kirchenfrage zu entscheiden. Er wollte gern Mitglied der um diese Zeit in Wuppertal sich bildenden Baptistengemeinde werden, mit deren Prediger, Julius Köbner (s. d.), er in einem brüderlichen Verhältnis stand, verzichtete aber darauf, weil die Baptisten auf der Forderung bestanden, er müsse sich zuvor noch einmal taufen lassen. Seine Gedanken von der Gemeinde entwickelte G. im Bruderkreis, stieß aber auf viel Widerspruch und Ablehnung, fand jedoch nach und nach mehrere, die bereit waren, den in der Kirchenfrage aus dem Neuen Testament als richtig erkannten Weg im Glauben und Gehorsam zu gehen. So kamen am 15. und 16. 11. 1854 je drei Brüder aus Elberfeld und Barmen zur Gründung der »Freien evangelischen Gemeinde Elberfeld-Barmen« zusammen. Ihr erster Prediger wurde Heinrich Neviandt (s. d.). 1862 rief G. zur Gründung der Wuppertaler Stadtmission auf, die auf Allianzboden stehen sollte: »Wo wir das Feuer der Liebe Christi empfinden, da fragen wir nicht lange, auf welchem Herd es brennt.« – G. war ein fruchtbarer Liederdichter. Der »Gemeindepsalter« enthält von ihm 36, der »Evangelische Psalter« und das neue Reichsliederbuch je 4 Lieder. Bekannt ist u. a.: »Darf ich wiederkommen mit der alten Schuld?« – Otto Funcke (s. d.) schreibt in seinen Erinnerungen: »Gewaltigen Eindruck machte mir ferner ein Kaufmann namens Grafe. Jeder Zoll an ihm war ein Mann und jeder Zoll ein Christ.«

Werke: Geistl. Lieder, 1863.
Lit.: Walther Hermes, H. H. G. u. seine Zeit. Ein Lebens- u. Zeitbild aus den Anfängen der westdt. Gemeinschaftsbewegung, 1933 (395 ff.: G.s Lieder u. Gedichte); – Ders., Die Eigenart der Freien ev. Gemeinden, 1922; – Wilhelm Wöhrle, Die Freien ev. Gemeinden, 1922; – Ders., H. H. G., der »kgl. Kaufmann«, 1948; – Richard Hoenen, Die Freien ev. Gemeinden in Dtld. Ihre Entstehung u. Entwicklung, 1930.

GRAMANN (Poliander), Johann, einer der Reformatoren Preußens, Kirchenliederdichter, * 5. 7. 1487 in Neustadt an der Aisch (Mittelfranken), † 29. 4. 1541 in Königsberg. – G. studierte seit 1503 in Leipzig und erwarb 1516 die Magisterwürde. Er wurde Lehrer und 1520 Rektor an der Thomasschule in Leipzig. G. nahm als Johann Ecks (s. d.) Sekretär teil an der Disputation des Dr. Eck mit Martin Luther (s. d.) und Karlstadt (s. Bodenstein, Andreas) auf der Pleißenburg bei Leipzig vom 27. 6. – 16. 7. 1519 und wurde von Luther und seinem Auftreten so beeindruckt, daß er bald darauf »dem papistischen Heerlager den Rücken kehrte und von dem Fechtmeister Eck zu dem Gewissensstreiter Luther überging«. G. studierte nun in Wittenberg und kam 1522 als Domprediger nach Würzburg, wo er das Evangelium verkündigte und maßvoll, aber entschieden der Heiligenverehrung entgegentrat. Wegen der daraus entstandenen Konflikte gab G. 1524 sein Amt auf und wurde nach kurzer Tätigkeit in Nürnberg auf Empfehlung Luthers 1525 von dem Herzog Albrecht von Preußen (s. d.) nach Königsberg berufen als Pfarrer an der Altstädtischen Kirche. – G. war des Herzogs Ratgeber in allen kirchlichen Angelegenheiten, ordnete in seinem Auftrag das Schulwesen und wirkte auch mit bei der Kirchenvisitation von 1531. In seinem Kampf mit den Täufern erreichte er durch die vom Herzog 1531 einberufene Disputation zu Rastenburg zwischen den lutherischen Predigern und den Schwarmgeistern, daß die Anhänger des Kaspar Schwenckfeld (s. d.) in Preußen zurückgedrängt wurden. – G. dichtete im Auftrag des Herzogs Albrecht nach dem 103. Psalm das erste Loblied der evangelischen Kirche: »Nun lob, mein Seel, den Herren« (EKG 188, 1–4). Es erschien anonym in Johann Kugelmanns (s. d.) »Concentus novi trium vocum«, Augsburg 1540, mit seinem Namen zuerst in der Rigischen Kirchenordnung »Eyn korte Ordnung«, Lübeck 1548.

Lit.: Bayer, J. Polianders Leben, in: Erläutertes Preußen II, 1725, 432 ff. 665 ff.; – Paul Tschackert, Urkk.buch z. Ref.gesch. des Hzgt. Preußen, 1890, I, 123 ff.; II (s. Reg.); – Theodor Kolde, Paul Speratus u. J. P. als Domprediger in Würzburg, in: BBKG 6, 1900, 49 ff.; – Wilhelm Nelle, Unsere Kirchenliederdichter, 1905, 30 ff.; – Friedrich Spitta, Zu J. P.s Lebensgesch., in: ZKG 29, 1908, 389 ff.; – Christian Krollmann, Neues v. J. P., in: Mitt. des Ver. f. die Gesch. v. Ost- u. Westpreußen 1, 1926, 20 ff.; – Otto Clemen, Aus Briefen J.ns, in: ZKG NF 12, 1930, 175 ff.; – Paul Gennrich, Die ostpreuß. Kirchenliederdichter, 1938, 39 ff.; – Walther Hubatsch, Albrecht v. Brandenburg-Ansbach. Deutschordens-Hochmeister u. Hzg. in Preußen, 1960, 350; – Koch I, 355 ff.; – Kümmerle I, 505 f.; – Hdb. z. EKG II/1, 46 f.; – ADB 26, 388 ff.; – RE XV, 525 ff.; – RGG II, 1823 f.; – LThK VIII, 588 f. (Poliander).

GRAMMLICH, Johann Andreas, Erbauungsschriftsteller und Liederdichter, * 1. 7. 1689 in Stuttgart als Sohn eines Kanzlisten beim Konsistorium und Kir-

chenrat, † daselbst 7. 4. 1728. – G. besuchte die Klosterschulen in Blaubeuren und Bebenhausen und studierte in Tübingen. Eine Zeitlang war er Präzeptoratsverweser in Bebenhausen. G. wurde 1716 Hofkaplan in Stuttgart, hatte aber wie auch Samuel Urlsperger (s. d.) keinen leichten Stand am Hof des Herzogs Eberhard Ludwig. Er wirkte im Geist des früheren Hofpredigers Johann Reinhard Hedinger (s. d.), durch dessen Predigten er schon in seiner Jugend erweckt worden war. – Einige seiner Lieder zu seinen Passionsbetrachtungen hat Johann Jakob Rambach (s. d.) in sein »Geistreiches Hausgesangbuch«, Frankfurt und Leipzig 1735, aufgenommen, haben aber sonst keine weitere Verbreitung gefunden.

Werke: 40 Betrachtungen v. Christi Leiden u. Tod auf die 40 Tage in den Fasten, Tübingen 1722 (ohne Lieder; 1727² zu jeder Betrachtung ein Lied, auch von anderen Dichtern; neu hrsg. v. A. Koppen, Marburg 1859); Erbaul. Betrachtungen auf alle Tage des ganzen J., Stuttgart 1724 (neu hrsg. v. Böck, Breslau 1853). – Lit.: Koch V, 66 ff.

GRANDERATH, Theodor, Jesuit, * 19. 6. 1839 in Giesenkirchen (Rheinland) als Sohn eines Lehrers und Küsters, † 19. 3. 1902 in Valkenburg (Holland). – G. besuchte das Gymnasium in Neuß und studierte in Tübingen Theologie. Er trat 1860 in Münster (Westfalen) in den Jesuitenorden ein, studierte in Maria Laach Rhetorik, Philosophie, Theologie und Kirchenrecht und empfing 1872 die Priesterweihe. G. wurde 1874 im Jesuitenkolleg in Ditton Hall (England) Professor des Kirchenrechts und lehrte dort 1876–87 Dogmatik und Apologetik. Vorwiegend wissenschaftlichen Studien widmete er sich seit 1887 im Kolleg in Exaeten (Holland) und 1893–98 in Rom. Im Herbst 1901 siedelte G. über in das »Ignatiuskolleg« in Valkenburg. – G.s Hauptarbeits- und Forschungsgebiet war die Geschichte des Vatikanischen Konzils.

Werke: Gesch. des Vatikan. Konzils I. II, 1903; III, hrsg. v. Konrad Kirch, 1906 (frz. Ausg. Brüssel 1907–10); zahlr. Art. in StML u. ZKTh. – Gab die Qu.werke heraus: Acta et decreta sacrosancti oecumenici concilii Vaticani, 1890 (Bd. VII der Acta et decreta sacrorum conciliorum recentiorum, Collectio Lacensis); Constitutiones dogmaticae sacrosancti oecumenici concilii Vaticani ex ipsis eius actis explicatae atque illustratae, 1892. – Lit.: Carl Mirbt, Gesch.schreibung des Vatikan. Konzils, in: HZ 101, 1908, 529 ff.; – Koch, JL 723; – BJ VII, 265 f.; – DThC VI, 1693 f.; – Catholicisme V, 187 f.; – EC VI, 997 f.; – LThK IV, 1164; – NCE VI, 694; – RGG II, 1825; – NDB VI, 743.

GRANVELLE, Antoine Perrenot de, Kardinal und Staatsmann, * 20. 8. 1517 in Ornans bei Besançon als Sohn des Staatsmanns Nicolas Perrenot de († 1550), † 21. 9. 1586 in Madrid. – G. begann seine Studien in Dôle, besuchte dann zu seiner weiteren Ausbildung die Universitäten Paris, Padua und Löwen und promovierte zum Dr. phil. und zum Dr. theol. Sein Vater führte ihn in die Staatsgeschäfte ein. G. wurde 1538 zum Bischof von Arras erhoben und von jetzt an mit diplomatischen Aufträgen von Karl V. (s. d.) betraut. Mit seinem Vater nahm er 1541 teil an dem Religionsgespräch in Worms und 1542 an dem Reichstag in Regensburg und hielt am 9. 6. 1543 auf dem einberufenen, aber noch nicht eröffneten Konzil in Trient eine bedeutende Rede. Nach der Entscheidungsschlacht im »Schmalkaldischen Krieg« am 24. 4. 1547 bei Mühlberg auf der Lochauer Heide führte G. die Verhandlungen mit dem Kurfürsten Johann Friedrich von Sachsen (s. d.) und dem Landgrafen Philipp von

Hessen (s. d.). Nach dem Tod seines Vaters wurde er 1550 dessen Amtsnachfolger als Staatssekretär Karls V. Als Kurfürst Moritz von Sachsen (s. d.) den Kaiser 1552 in Innsbruck überfiel, begleitete G. Karl V. auf seiner Flucht nach Villach in Kärnten. Der Kaiser sah sich in seiner bedrängten Lage genötigt, am 2. 8. 1552 den »Passauer Vertrag« zu unterschreiben, den G. abgefaßt hatte. Er beauftragte ihn 1553 mit den Unterhandlungen über die Vermählung seines Sohnes Philipp mit der Königin von England, Maria der Katholischen (s. d.). Nach dem Thronverzicht Karls V. 1555/56 wurde G. Minister des Königs Philipp II. (s. d.) von Spanien. 1559 schloß und unterzeichnete er in Château-Cambrésis den Frieden zwischen Frankreich und Spanien. G. wurde 1559 erster Berater der Statthalterin in den Niederlanden, Margarete von Parma, und 1561 nach der neuen kirchlichen Einteilung des Landes in 3 Erzbistümer und 14 Bistümer erster Erzbischof von Mecheln und Kardinal. Diese Neuordnung der kirchlichen Verhältnisse durch Pius IV. (s. d.) fand überall die schärfste Opposition. Wegen wachsenden Widerstandes der Stände mußte Philipp II. 1564 G. aus Brüssel abberufen. Er widmete sich nun in Besançon humanistischen Studien. G. wurde 1570 spanischer Gesandter in Rom und brachte am 25. 5. 1571 ein zwischen Spanien, Venedig und dem Papst angeregtes Bündnis gegen die Türken zum Abschluß. 1571–75 war G. Vizekönig von Neapel. Er sicherte die Küste gegen die Seeräuber, schuf eine Landmiliz und erwarb sich durch treffliche Maßnahmen und umsichtige Anordnungen nicht geringe Verdienste um das Wohl und die Sicherheit des Landes. Auf sein Betreiben wurde am 14. 5. 1572 der Kardinal Ugo Buoncompagni zum Papst gewählt, der sich Gregor XIII. (s. d.) nannte. Nach dem Sturz des Antonio Pérez berief Philipp II. 1579 G. nach Madrid zum Präsidenten des Staatsrats und übertrug ihm 1581, als er nach Portugal reiste, die Regierung seines Reiches. G. entsagte 1581 dem Erzbistum Mecheln und wurde 1584 zum Erzbischof von Besançon gewählt, starb aber vor Antritt dieses Amtes.

Werke: Papiers d'état du Cardinal de G. d'après les manuscrits de la bibliothèque de Besançon publiés sous la direction de M. Ch. Weiss, 9 Bde., Paris 1841–52; Correspondance du Cardinal de G., 1565–1586, publiée par Edmond Poullet (ab Bd. IV: par Charles Piot). Faisant suite aux Papiers d'état du Cardinal de G., publiés dans la Collection de Documents inédits sur l'histoire de France, 12 Bde., Brüssel 1877–96.

Lit.: P. Levêque, Mémoires pour servir à l'histoire du Cardinal de G., 2 Bde., Paris 1753; – Luc Courcheteld'Esnans, Histoire du cardinal de G., ebd. 1761 (Brüssel 1784²); – Étienne Constantin de Gerlache, Philippe II et G., Brüssel 1842; – P. Claessens, Le Cardinal de G., in: Revue catholique 37, 1874, 501 ff. 605 ff.; 38, 1874, 217 ff.; – Martin Philippson, Ein Ministerium unter Philipp II. Kard. G. am span. Hofe, 1579–86, 1895; – E. Perrin, Nicolas Perrenot de G., Besançon 1901; – Ernst Marx, Stud. z. Gesch. des ndrl. Aufstandes, 1902; – Felix Rachfahl, Wilhelm v. Oranien, II, 1907, 136 ff.; – Pieter Geyl, The Revolt of the Netherlands, 1555–1609, London 1932 (New York 1958²); – L. J. C. van Gorkom, Kardinaal G. buiten de Nederlanden, in: Historisch Tijdschrift 12, 1933, 168 ff.; – Maurice van Durme, A. P. van beschermheer van Christoffel Plantijn, Antwerpen 1948; – Ders., Antoon Perrenot, Bisschop van Utrecht, Kardinaal van G., Brüssel 1953 (span. Ausg.: El Cardenal G. [1517–86]. Imperio y revolucion bajo Carlos V y Felipe II, Barcelona 1957); – Ders., Notes sur la correspondance de G., in: Bulletin de la Commission royale d'histoire 121, Brüssel 1956, 25 ff.; – Ders., Lettres inédites du Cardinal de G. à Christophe Plantin, in: Gutenberg-Jb. 37, 1962, 280 ff.; – Michael Dierickx, De oprichting der nieuwe bisdommen in de Nederlanden onder Filips II 1559–70, Antwerpen – Utrecht 1950; – Schottenloher I, Nr. 7293–7298; V, Nr. 46535–46536a; VII, Nr. 54803–54809; – Jedin I², 1951; II, 1957; – ADB IX, 582 f.; – EC VI, 1002; – LThK IV, 1166; – NCE VI, 695 f.; – RGG II, 1825.

GRAPHEUS (De Schrijver, Scribonius), Cornelius, Humanist, Schriftsteller und Dichter, * 1482 in Aalst (Flandern), † 19. 12. 1558 in Antwerpen. – G. war Stadtsekretär in Antwerpen, befreundet mit Erasmus von Rotterdam (s. d.), Willibald Pirkheimer (s. d.), Albrecht Dürer (s. d.) u. a. und einer der ersten Förderer der reformatorischen Bestrebungen in den Niederlanden. Mit einer Vorrede vom 29. 3. 1521 gab er die Hauptschrift des Johann Pupper (s. d.) von Goch »De libertate Christiana« heraus und mit einer Vorrede vom 23. 8. 1521 dessen »Epistola apologetica«. Die beiden Vorreden waren von heftiger Polemik gegen die Verderbnis der Kirche und bitterer Klage über die Unterdrückung der evangelischen Wahrheit. So blieb die Verfolgung nicht aus. Anfang Februar 1523 wurde G. verhaftet und nach Brüssel gebracht. Er mußte am 23. 4. einige seiner Äußerungen schriftlich widerrufen und entsprechende Antithesen anerkennen, am 29. 4. auf dem Markt in Brüssel öffentlich widerrufen und seine Vorrede zu Puppers »De libertate Christiana« selbst verbrennen und am 6. 5. von der Kanzel der Brüsseler Kathedrale herab seinen öffentlichen Widerruf wiederholen, nachdem man ihn am 29. 4. mit Einziehung seiner Güter und Verlust seines Amtes bestraft und ihm die Fähigkeit zur Bekleidung öffentlicher Ämter überhaupt aberkannt hatte. Erst 1540 wurde G. wieder Stadtsekretär in Antwerpen.

Werke: Divi Caroli Imperatoris desyderatissimus in Germaniam Reditus, Antwerpen 1520 (auch in: Bibliotheca Reformatoria Neerlandica 6, Den Haag 1910, 587 ff.); Divo Carolo Quinto, Imp. Caes. semper Aug. An. 1540 ex Hispaniis per medias Gallias in Patriam reduci, Aggratulatio, ebd.

Lit.: Karl Ullmann, C. G., der erste Verbreiter Goch'scher Schrr. u. Lehren, in: Ders., Reformatoren vor der Ref., vornehml. in Dtld. u. den Niederlanden I, 1866²; 371 ff.; – Otto Clemen, Johann Pupper v. Goch, 1896, 269 ff.; – Paul Fredericq, Corpus documentorum inquisitionis haereticae pravitatis Neerlandicae IV, 1900, 105 ff. (Qu. z. Ketzerprozeß des G.); – Paul Kalkoff, Die Anfänge der Gegenref. in den Niederlanden, 2 Bde., 1903/04; – Samuel Cramer – Fredrik Pijper: Bibliotheca Reformatoria Neerlandica 6, Den Haag 1910, 4 ff. 256 ff. 345 ff. 593 ff.; – Johannes Lindeboom, Het Bijbelsch Humanisme in Nederland, 1913, 200 ff.; – Maurits Sabbe, Erasmus en zyn Antwerpsche vrienden, Gent 1936, 7 ff.; – Floris Prims, Het ontluiken van het humanisme te Antwerpen, ebd. 1938, 523 ff.; – Biographisch Woordenboek der Nederlanden XVII, Haarlem 1874, 498 f.; – BnatBelg V, 721 ff.; – RE VII, 61 f.; XXIII, 592; – RGG II, 1826; – LThK IV, 1166 f.; – ADB 33, 487 f.

GRATIAN, Begründer der kirchlichen Rechtswissenschaft, * Ende des 11. Jahrhunderts wahrscheinlich in Carraria bei Orvieto, † in Bologna. – G. war Kamaldulensermönch (OSBCam) und lehrte als Magister praktische Theologie im Kloster St. Felix und Nabor in Bologna. Mehr wissen wir von seinem Leben nicht; auch sein Todesjahr ist unbekannt. – G. hat als erster die kirchliche Rechtswissenschaft als selbständigen Wissenszweig, als »theologia practica externa«, getrennt von der übrigen Theologie, betrieben und vorgetragen. Er hat um 1140 das in den verschiedensten Sammlungen zerstreute kirchliche Rechtsmaterial gesichtet und in einer einheitlichen Sammlung zum Studium und kirchlichen Gebrauch verarbeitet. Unter Anwendung der scholastischen Methode stellte G. meist kurze Lehrsätze (distinctiones) und Rechtsfälle (causae) nach systematischen Gesichtspunkten zusammen (paragraphi oder dicta Gratiani) und belegte sie jedesmal, immer wieder unterteilend (capitula, später canones genant), mit möglichst vielen Stellen aus der Heiligen Schrift, aus Konzilien, Papstbriefen, liturgischen Büchern, Väterschriften (autoritates), wobei er bemüht war, die Widersprüche in den Belegen auszugleichen. Man gab dem Werk den Namen »Concordia (Concordantia) discordantium canonum« (»Ausgleichende Zusammenstellung der nicht übereinstimmenden Canones«) und nannte es später kurz »Decretum Gratiani«. Das Werk blieb stets reine Privatarbeit. Auch Gregor XIII. (s. d.) erklärte 1582 nur den durch die »Correctores Romani« verbesserten Text als authentisch. Das »Decretum Gratiani« erlangte durch die Aufnahme in das »Corpus Iuris Canonici« hohes Ansehen.

Lit.: Paucopalea, Summa über das Decretum Gratiani, hrsg. v. Johann Friedrich v. Schulte, 1890 (Nachdr. Aalen 1965); – Rudolph Sohm, Das altkath. KR u. das Dekret G.s, 1918 (Nachdr. Darmstadt 1967); – Franz Gillmann, Einteilung u. System des Gratian. Dekrets, 1926; – Alphonse van Hove, Commentarium Lovaniense in Codicem Iuris Canonici. I: Prolegomena, Mecheln – Rom 1945², 339. 344 f.; – Stephan Kuttner, The Father of the Science of Canon Law, in: The Jurist 1, 1948, 2 ff.; – Alfons Maria Stickler, Historia iuris canonici latini. I: Historia fontium, Turin 1950, 202 ff.; – Ders., Zur Entstehungsgesch. u. Verbreitung des Dekretapparats »Ordinaturus Magister Gratianus«, in: StG 12, 1967, 111 ff.; – Emma Coen, La Miniatura bolognese nella illustrazione del testo del »Decretum Gratiani«, Bologna 1952; – Decretum of G. Studia Gratiana post Octava Decreti Saecularia, 14 Bde., Bonn 1953–67; – Pablo Pinedo, En torno al título del Decreto de Graciano »Decretum seu Concordia discordantium canonum«, in: Anuario de historia del derecho español 25, 1955, 845 ff.; – G. Fransen, La Date du décret de G., in: RHE 51, 1956, 521 ff.; – N. Hilling, Das Schlußprotokoll 800J.feier des Gratian. Dekrets v. 17.–22. 4. 1952, in: AkathKR 128, 1957–58, 430 ff.; – Willibald Maria Plöchl, Gesch. des KR II, Wien 1962, 469 ff.; – G. le Bras, Histoire du droit et des institutions de l'Église en Occident. VII: L'Age classique, 1965, 47–129; – Jacoba J. H. M. Hanenburg, Decretals and decretal collections in the second half of the twelfth century, in: Tijdschrift voor rechtsgeschiedenis 34, Groningen 1966, 552 ff.; – Joseph Weitzel, Begriff u. Erscheinungsformen der Simonie bei G. u. den Dekretisten, 1967 (Rez. v. Hans Liermann, in: ThLZ 94, 1969, 952; v. Walenty Wójcik, in: Prawo kanoniczne 13, Warschau 1970, 373 ff.); – Jean Gaudemet, G. et le célibat ecclésiastique, in: StG 13, 1967, 339 ff.; – Carl Gerold Fürst, Zur Rechtslehre G.s, in: ZSavRGkan 88, 1971, 276 ff.; – Stanley Chodorow, Christian political theory and Church politics in the mid-twelfth century. The ecclesiology of G.'s Decretum, Berkeley 1972 (Rez. v. Giovanni Cherubini, in: Archivio storico italiano 130, Florenz 1972, 140; v. James A. Corbett, in: The review of politics 35, Notre Dâme/Indiana 1973, 265 ff.); – Gianfranco Garancini, Razionalismo e volontarismo nella concezione di diritto naturale nel »Decretum« di G., in: Aevum 47, Mailand 1973, 1 ff.; – Feine, RG; – KLL II, 125 f. (Concordantia discordantium canonum); – DDC IV, 611 ff.; – DThC VI, 1727 ff.; – LThK IV, 1168 f.; – NCE VI, 706 ff.; – ODCC² 589; – RGG II, 1380 f.

GRATIAN, Flavius Gratianus, weströmischer Kaiser, * 359 in Sirmium als Sohn des späteren Kaisers Valentinian I. (s. d.), † (ermordet) 25. 8. 383 in Lugdunum (Lyon). – G. wurde am 24. 8. 367 zum Augustus erhoben und übte nach dem Tod seines Vaters 375 die Herrschaft selbständig aus, während sein Onkel Valens (s. d.) im Osten regierte. Sein Lehrer Decimus Magnus Ausonius (s. d.) hatte entscheidenden Einfluß auf ihn und bestimmte ihn zu einer Politik der Milde und zur Beilegung des unter Valentinian I. ausgebrochenen Zwistes mit dem Senat. G. residierte meist in Trier, zog aber 378 nach Abschluß der Kämpfe mit den Alemannen nach Sirmium. Valens fiel am 9. 8. 378 bei Adrianopel im Kampf gegen die Westgoten. Am 19. 1. 379 erhob G. in Sirmium Theodosius I. (s. d.) zum Mitkaiser für den Osten. Im Winter 382/83 residierte er in Mailand, dessen Bischof Ambrosius (s. d.) seit 378 immer stärkeren Einfluß auf ihn gewonnen hatte. Auf die Nachricht, daß Maximus (s. d.) von der Armee in Britannien zum Kaiser erhoben und nach Gallien übergesetzt war, eilte G. dem Usurpator bis Paris entgegen. Da seine Soldaten von

ihm abfielen, floh er. – Unter dem Einfluß des Ambrosius, der G. seine Bücher »De fide« und »De Spiritu, Sancto« widmete, entschied sich der Kaiser nach anfänglicher Toleranz kompromißlos für die Orthodoxie. Er ging nun schärfer gegen die Arianer und Donatisten vor, verbot ihre Gottesdienste und gab ihre Kirchen an die Katholiken zurück. Durch mehrere Gesetze begünstigte G. den orthodoxen Klerus. Er befreite alle Kleriker von allen Zwangsämtern und persönlichen Lasten und erklärte den Kleinhandel der Kleriker für steuerfrei. 379 legte G. den Titel des »Pontifex Maximus« ab. Das am 28. 2. 380 gemeinsam mit Theodosius I. erlassene Gesetz machte der Religionsfreiheit ein Ende und erhob die katholische Kirche zur alleinberechtigten Staatskirche. Es begann der Kampf gegen die heidnische Religion. Das unbewegliche Vermögen des heidnischen Kultus wurde dem Fiskus überwiesen, die Staatszuschüsse eingestellt und die Vorrechte der Priester und Vestalinnen aufgehoben. 381 entfernte G. den Altar der Victoria aus dem Sitzungssaal des Senats. Er begünstigte auch das Streben des Bischofs von Rom, den Bereich seiner Gerichtsbarkeit über andere Bischöfe auszudehnen.

Lit.: Otto Seeck, Gesch. des Untergangs der antiken Welt V, 1913, 37–158; – Giovanni Costa, Religione e politica nell'Impero Romano, Turin 1923, 304 ff.; – Ernst Stein, Gesch. des spätröm. Reiches I, Wien 1928, 282–311; – Jean Remy Palanque, L'empereur G. et le grand pontificat païen, in: Byzantion 8, 1933, 41 ff.; – Jehler Wytzes, Der Streit um den Altar der Viktoria. Die Texte der betr. Schrr. des Symmachus u. Ambrosius mit Einl., Übers. u. Komm., Amsterdam 1936; – A. Lolari, Il rinovamento dell'Imperio Romano I, Mailand 1938, 107 ff.; – Roberto Paribeni, Da Diocleziano alla caduta dell'Impero d'Occidente, Bologna 1942, 166 ff. 195 ff.; – André Piganiol, L'Empire Chrétien 325–395, Paris 1947; – Andrâs Alföldi, The Conflict of Ideas in the Late Roman Empire; the clash between the Senate and Valentinian I (translated by Harold Mattingly), Oxford 1952; – Georg Ostrogorsky, Gesch. des byzantin. Staates, 1952², 39. 43 f.; – Marcello Fortina, L'Imperatore Graziano, Turin 1955; – Guido Gigli, Il regno dell'imperatore Graziano, Rom 1963; – Gunther Gottlieb, Ambrosius v. Mailand u. Kaiser G. (Hab.-Schr., Heidelberg 1971), Göttingen 1973; – Pauly-Wissowa VII, 1831 ff.; – Kl. Pauly II, 870 f.; – Caspar I, 205 ff. 267 ff.; – Seppelt I, 111–114. 118 f.; – DCB II, 721 ff.; – EC VI, 1029 f.; – LThK IV, 1169; – NCE VI, 706.

GRATIUS (van Graes), Ortwin, Humanist, Theologe, * um 1480 in Holtwick bei Coesfeld (Westfalen), † 22. 5. 1542 in Köln. – G. wurde im Haus seines Oheims in Deventer erzogen und von Alexander Hegius (s. d.) unterrichtet. 1501 bezog er die Universität Köln, promovierte 1506 zum »magister artium« und lehrte dort seit 1507 an der Artistenfakultät in scholastischem Geist. Seit 1509 arbeitete G. nebenberuflich in der Druckerei von Quentell in Köln als Korrektor und Herausgeber klassischer und mittelalterlicher Werke. 1514 empfing er die Priesterweihe. – Der getaufte Jude Johann Pfefferkorn (s. d.), ein fanatischer Gegner des Judentums, beantragte in Verbindung mit den Kölner Dominikanern bei Maximilian I. erfolgreich die Vernichtung der rabbinischen Literatur, da sie voller Schmähungen gegen das Christentum sei. In dem vom Kaiser eingeforderten Gutachten stimmte Johannes Reuchlin (s. d.) der Vernichtung der antichristlichen Schmähschriften der Juden zu, trat aber für die Erhaltung ihrer philosophischen und religiösen Literatur ein. Hieran schloß sich die literarische Fehde zwischen Reuchlin und Kölner Dominikanern, in die auch G. als Übersetzer einiger judenfeindlicher Schriften Pfefferkorns ins Lateinische (1507–09) hineingezogen wurde. In diesem Streit war G. der literarische Vorkämpfer der Kölner Theologen, während die jüngeren Humanisten sich entschieden auf die Seite Reuchlins stellten. Als Reuchlin 1514 eine Anzahl zustimmender Äußerungen und Aufmunterungsschreiben seiner Freunde unter dem Titel »Clarorum virorum epistolae ad Johannem Reuchlin Phorcensem« veröffentlichte, erschien als Gegenstück aus dem Kreis der Humanisten (Crotus Rubeanus [s. d.] und Ulrich von Hutten [s. d.]) 1515 der 1. und 1517 der 2. Teil der »Epistolae obscurorum virorum«. Diese Sammlung erdichteter Briefe von Anhängern der Kölner Theologen an G. ist eine drastische Verspottung der Dominikaner in treffender Satire. Die beiden Gegenschriften des G. von 1518 hatten nicht den gewünschten Erfolg. – G. ist auch bekannt als Herausgeber einer Sammlung von über 60 Schriften verschiedener Verfasser zur Geschichte und Gesetzgebung des deutschen Reiches und der Kirche und zur Frage der Kirchenreform. Sie enthält u. a. die Geschichte des Basler Konzils von Aeneas Sylvius (s. Pius II.). Das Werk kam unter Benedikt XIV. (s. d.) 1554 auf den »Index librorum prohibitorum«.

Werke: Orationes quodlibeticae, Köln 1508; Epistola apologetica, ebd. 1518 (Text bei Eduard Böcking, Ulrici Hutteni Operum Supplementum I, 1864, 396 ff.); Lamentations obscurorum virorum, o. O. 1518 (Text ebd. 330 ff.; ein Klaglied der Verf. der »Epistolae obscurorum virorum« über den Mißerfolg ihrer Satire). – Gab heraus: Fasciculus rerum expetendarum ac fugiendarum, Köln 1535.

Lit.: Karl Eduard Förstemann, Einige Bem. über den Verf. der »Lamentationes obscurorum virorum« (O. G.), 1837; – Gottlieb Mohnike, O. G. in Beziehung auf die »Epistolae obscurorum virorum«, in: ZHTh 13, 1843, III, 114 ff.; – Hubert Cremans, O. G. u. der »Fasciculus rerum expetendarum ac fugiendarum«, in: AHVNrh 23, 1871, 192 ff.; – Ludwig Geiger, Johannes Reuchlin, 1871, 359 ff. 387 ff.; – Franz Heinrich Reusch, Der Index der verbotenen Bücher I, 1883, 247; II, 1885, 1220; – Dietrich Reichling, O. G. Sein Leben u. Wirken, 1884; – Walter Brecht, Die Verf. der »Epistolae obscurorum virorum«, 1904; – Epistolae obscurorum virorum, hrsg. v. Aloys Bömer, 1924, 6 ff. 35 ff. 103 f.; – Schottenloher I, Nr. 7310–7314; V, Nr. 46541 f.; – Goedeke I, 448 f.; – ADB IX, 600 ff.; – RGG II, 1831; – LThK IV, 1171 f.

GRAU, Rudolf Friedrich, luth. Theologe, * 20. 4. 1835 als Pfarrerssohn in Heringen an der Werra (Niedersachsen), † 5. 8. 1893 in Königsberg (Preußen). – G. besuchte das Gymnasium in Hersfeld und studierte 1854–57 in Leipzig, Erlangen und Marburg. Er wurde 1860 Repetent an der Marburger »Stipendiatenanstalt«, dem »Seminarium Philippinum«, 1861 Privatdozent und 1865 ao. Professor in Marburg und lehrte seit 1866 in Königsberg als o. Professor für Neues Testament. – G. war als Schüler Johann Christian Konrad von Hofmanns (s. d.) und August Vilmars (s. d.) ein entschiedener Lutheraner, aber kein antiunionistischer Polemiker. Er ist bekannt durch sein »Bibelwerk für die Gemeinde«.

Werke: Semiten u. Indogermanen in ihrer Beziehung zu Rel. u. Wiss. Eine Apologie des Christentums v. Standpunkte der Völkerpsychologie, 1864 (1867²); Entwicklungsgesch. des nt. Schr.-tums, 2 Bde., 1871; Ursprünge u. Ziele unserer Kulturentwicklung, 1875 (engl. 1892); Bibl. Theol. des NT, in: Otto Zöckler, Hdb. der theol. Wiss. I, 1882, 549 ff. (II, 1889³, 275 ff.); Das Selbstbewußtsein Jesu, 1887; Luthers Katechismus, erkl. aus bibl. Theol. Eine kurze Glaubenslehre, 1891. – Gab heraus: Bibelwerk f. die Gemeinde, 2 Bde., 1877–80 (1889²; mit Robert Kübel, Georg Behrmann, J. Röntsch u. L. Füller); Beweis des Glaubens (apologet. Zschr.), 1865 ff. (mit Otto Zöckler).

Lit.: Otto Zöckler, R. F. G., in: Beweis des Glaubens 29, 1893, 357 ff.; – Konstantin Wilhelm v. Kügelgen, R. G., ein akad. Zeuge der luth. Kirche, 1894; – RE VII, 66 ff.; – ADB 49, 513 ff.

GRAUL, Karl, luth. Theologe, Missionsdirektor und Bahnbrecher der Missionswissenschaft, Dravidologe, * 6. 2. 1814 in Wörlitz (Anhalt) als Sohn eines Webermeisters, † 10. 11. 1864 in Erlangen. – G. wurde bis zu seinem 17. Lebensjahr von dem Rektor E. Hoppe in Wörlitz unterrichtet, seinem väterlichen Freund, von dem G. später sagte: »Er hat mich zum Christen, zum Theologen, zum Lutheraner gemacht.« 1831/32 besuchte er das Gymnasium in Dessau, dann das in Zerbst. 1834–38 studierte G. in Leipzig und war dann zwei Jahre Hauslehrer in Italien. Er wurde Institutslehrer in Dessau und 1844 Direktor der am 17. 8. 1836 in Dresden gegründeten »Evangelisch-lutherischen Missionsgesellschaft in Sachsen«. G. war ein entschiedener Lutheraner und hat seine Gesellschaft zum Mittelpunkt lutherischer Missionsbestrebungen gemacht. Er beschloß die Verlegung der Dresdener Missionsgesellschaft nach Leipzig, weil ihm die Universität allein die Möglichkeit zu einer gründlichen theologischen und sprachlichen Vorbildung der Missionare zu gewähren schien und Leipzig mit seiner Theologischen Fakultät der geistige Mittelpunkt des Luthertums in Deutschland ist. Mit seinem Antrag stieß er in Dresden auf Widerstand, drang aber schließlich durch, so daß am 31. 8. 1847 die Verlegung als »Evangelisch-lutherische Mission zu Leipzig« beschlossen wurde. G. reiste 1849 über Palästina und Ägypten nach Indien, um die Verhältnisse seiner Mission gründlich kennenzulernen und auch die anderen Missionen zu studieren. Als schwerkranker Mann kehrte er 1853 zurück, so daß man ihm Friedrich Wilhelm Besser (s. d.) zur Seite stellte, damit er möglichst die Ergebnisse der Reise auswerten könnte. G. drang auf wissenschaftliche Bildung der Missionare und sandte darum nur bestgeschulte Theologen hinaus. Er wollte die Mission befreien von der Gefühlsschwärmerei und den Einseitigkeiten des Pietismus und bekämpfte in der Kastenfrage die strengere, englische Praxis, als in Indien der Kastenstreit ausbrach und auch die Heimat so stark erschütterte, daß das Komitee auseinanderzubrechen drohte. Neuen Schwierigkeiten begegnete er im Missionshaus, als sich die preußischen separierten Lutheraner gegen die bayrischen wandten und erklärten, es gäbe in ganz Leipzig keinen Altar, wo sie zum Abendmahl hingehen könnten, da sie nirgends sicher seien, daß nicht ein Unierter teilnähme. G. übergab Ostern 1860 sein Amt an Julius Hardeland (s. d.) und siedelte 1861 nach Erlangen über. Als erster Deutscher wurde G. 1864 in Erlangen mit der Habilitationsschrift »Über Stellung und Bedeutung der Mission im Ganzen der Universitätswissenschaften« Dozent für Missionswissenschaft und legte die Grundlagen für eine solide Missionswissenschaft. – G. war auch Indologe, d. h. Dravidologe, kein Dilettant, sondern *der* deutsche Dravidologe des 19. Jahrhunderts, der zu den dravidologischen Größen seines Jahrhunderts gehörte. Er erkannte die Bedeutung der Tamilsprache und der Tamilliteratur für die Theologen und wagte sich an die dravidische Pionierarbeit. Tamil ist eine vorarische, eine dravidische Sprache und steht ihrer Bedeutung und ihrem Umfang nach an der Spitze der 19 Sprachen dieser Gruppe. Sie ist von allen gesprochenen Sprachen Indiens die älteste. G. war sprachbegabt und hat viele

Sprachen gelernt: Italienisch (er übersetzte den 1. Teil der »Divina Comedia« von Dante Alighieri; s. d.), Französisch, Englisch (neben den drei alten Sprachen), in Leipzig vor seiner Ausreise (1849) Persisch und Sanskrit und während seines vierjährigen Indien-aufenthaltes Hindustani und Tamil, nicht nur das im Land gesprochene Tamil, sondern auch das Hoch-tamulische, die Sprache der Dichtung. Als Dravidologe war G. vor allem Übersetzer. Seine Sprachstudien und -kenntnisse befähigten ihn zu schwersten Übertra-gungen aus dem Tamil ins Deutsche und zur Ab-fassung einer tamulischen Grammatik. In dem Vor-wort seiner »Bibliotheca Tamulica« schreibt G.: »Die Anzahl der Bände wird sich nach dem Maße von Zeit und Kraft richten, die mir Gott hienieden schenkt.« Er hat es auf 4 Bände dieses Hauptwerkes ge-bracht.

Werke: Übers. v. Dante Alighieri's Göttl. Komödie, 1843; Un-terscheidungslehren der verschiedenen christl. Bekenntnisse, 1845 (1899[13], hrsg. v. Reinhold Seeberg); Die Ev.-Luth. Mission an die ev.-luth. Kirche aller Lande, 1845; Explanations concerning the principles of the Leipzig Society with regard to the Caste-Question, Madras 1851; Reise nach Ostindien, 5 Bde., 1854–56; Bibliotheca Tamulica sive Opera Praecipia Tamuliensium I–III, 1854; IV, 1856 (Übers. u. Erkl. klass. Lit. des Tamulenlandes); Outline of Tamil Grammar, 1855; Die christl. Kirche an der Schwelle des irenäischen Zeitalters, 1860; Die Stellung der ev.-luth. Mission in Leipzig z. ostind. Kastenfrage, 1861; Über Stellung u. Bedeutung der christl. Missionen im Ganzen der Univ.wiss.en, 1864; Ind. Sinnpflanzen u. Blumen z. Kennzeich-nung des ind., vornehml. tamul. Geistes, 1864.

Lit.: Gottfried Thomasius u. Christoph Ernst Luthardt, Reden bei der Beerdigung des K. G., 1864; – G. Hermann, K. G. u. seine Bedeutung f. die luth. Mission, 1867; – EMM 12, 1868, 353 ff.; – D. K. G. Reden bei der Gedächtnisfeier in Leipzig am 1. 2. 1914 (v. Ludwig Ihmels, K. Paul, August Cordes), 1914; – Albrecht Oepke, in: AMZ 1917, 314 ff.; – Julius Richter, Ev. Missionskunde, 1927, 3 ff.; – Carl Ihmels, K. G. u. die Leipzi-ger Mission, in: Jb. der dt. Missionskonferenz, 1936; – Paul Fleisch, 100 J. luth. Mission, 1936; – Olav Guttorm Myklebust, The Study of Missions in Theol. Education I, Oslo 1955, 93 ff. u. ö.; – Devanesan Rajarigam, Christl. Lit. in der Tamil-Spra-che, Madras Leipzig 1961, 9 ff.; – Arno Lehmann, Ein dt. Dravidologe des 19. Jh.s; G., in: WZ Halle 13, 1964, 605 ff.; – Siegfried Krügel, Ziel u. Wege der Mission in der Theol. K. G.s, in: EMZ 21, 1964, 165 ff.; – Ders., 100 J. G.-Interpretation (Diss. Halle, 1963), Berlin u. Hamburg 1965 (Bibliogr. K. G.: 175–186; Rez. v. Wolfgang Günther, in: ThLZ 92, 1967, 442 ff.); – ADB IX, 604 f.; – NDB VII, 8; – RE VII, 70 ff.; – RGG II, 1832.

GRAUN, Karl Heinrich, Komponist, * 7. 5. 1704 in Wahrenbrück bei Bad Liebenwerda (Sachsen) als Sohn eines Steuereinnehmers, † 8. 8. 1759 in Berlin. – G. besuchte 1714–20 die Kreuzschule in Dresden. 1723 unternahm er eine Kunstreise nach Prag und kam 1725 als Tenorist an die Braunschweiger Hofkapelle, wo er bald Vizekapellmeister wurde. G. führte am 13. 6. 1733 bei der Vermählung des Kronprinzen Friedrich von Preußen mit der Prinzessin Elisabeth Christine von Braunschweig die von ihm komponierte italienische Oper »Lo specchio della fedeltà« auf. Sie gefiel dem Kronprinzen so gut, daß er 1735 nach dem Tod des Herzogs Ludwig Rudolf G. an seine Kapelle in Rheinsberg bei Neuruppin berief. Friedrich II., der Große, ernannte ihn 1741 zu seinem Kapellmeister und beauftragte ihn mit der Errichtung einer Oper in Berlin. Noch in demselben Jahr führte G. im Ko-mödiensaal des Schlosses seine Oper »Rodelinda« auf; es war die erste italienische Opernaufführung in Ber-lin. Am 7. 12. 1742 wurde mit G.s Oper »Cesare e Cleopatra« das neue Berliner Opernhaus eröffnet. Bis zum Ausbruch des Siebenjährigen Krieges 1756 schrieb G. 28 Opern, unter denen besonders »Semi-ramide« (1754) hervorragt. Als Friedrich der Große

1756 bei Prag den großen Sieg erfochten hatte, schuf G. das herrliche »Tedeum«. Von seinen kirchlichen Werken ist am bekanntesten die Passionskantate »Der Tod Jesu« (Text von Karl Wilhelm Ramler), die am 26. 3. 1755 im Berliner Dom zum erstenmal und bis 1884 fast alljährlich am Karfreitag in Berlin aufgeführt wurde. Bekannt ist auch seine vierstimmige Ver-tonung von Friedrich Gottlieb Klopstocks (s. d.) »Auferstehn, ja auferstehn« (1758).

Werke: MGG V, 713 ff.; – Ausg.: ebd. 717 ff.; – *Neueste Aus-gg.:* Trio f. 3 Melodieinstr., hrsg. v. K. Janetzky, Leipzig 1967; – Triosonate F dur, hrsg. v. Reinhard Gerlach, Celle 1968; – Kantate »Dein Geist mein Leib u. Seel regier«, hrsg. v. Lothar Hoffmann-Erbrecht, Köln 1969.

Lit.: A. Stierlin, K. H. G., Zürich 1850; – A. Mayer-Reinach, K. H. G. als Opernkomponist, in: SIMG I, 1899/1900, 448 ff.; – Carl Mennicke, Hasse u. die Brüder G. als Symphoniker. Nebst Biogrr. u. themat. Kat. (Diss. Leipzig), 1906; – Max Flueler, Die württl. Sinfonie z. Z. Friedrichs d. Gr. (Diss. Berlin), 1908; – J. Blaschke, G.s Bedeutung als Kirchenkomponist, in: Die Or-gel 9, 1909; – Berthold Kitzig, Briefe C. H. G.s, in: ZfMw 9, 1927, 385 ff.; – Ders., C. H. G., in: Mitteldt. Lb. IV, 1929, 108 ff.; – Lothar Hoffmann-Erbrecht, Die Sinfonie, 1967; – MGG V, 710 ff.; – Eitner IV, 346 ff.; – Riemann I, 670 f.; – ErgBd. I, 453; – Moser I, 441 f.; – ADB IX, 606 ff.; – NDB VII, 10 f.

GRAUPNER, Christoph, Komponist, * 13. 1. 1683 in Kirchberg (sächsisches Erzgebirge) als Sohn eines Schneidermeisters, † 10. 5. 1760 in Darmstadt. – Seinen ersten Musikunterricht erhielt G. in Kirchberg bei dem Kantor Wolfgang Mylius und dem Organi-sten Nikolaus Küster. Seit 1626 setzte er auf der Thomasschule in Leipzig seine musikalische Aus-bildung fort bei den Thomaskantoren Johann Schelle und Johann Kuhnau; auch studierte er zwei Jahre die Rechte. Als 1706 die Schweden in Sachsen einrückten, ging G. nach Hamburg und war etwa drei Jahre dort als Cembalist unter Reinhard Keiser an der Oper. Landgraf Ernst Ludwig berief ihn 1709 als Vizeka-pellmeister an den Hessen-Darmstädter Hof und er-nannte ihn 1712 zum Kapellmeister. 1722 wurde G. in Leipzig zum Thomaskantor gewählt, aber vom Land-grafen in Darmstadt festgehalten. – G. war zu seiner Zeit ein hochgeschätzter Musiker und Komponist. Er schrieb von 1709–54 1418 mit größter Sorgfalt ge-arbeitete Kirchenkantaten, fast ausnahmslos in der neuen seit Erdmann Neumeister (s. d.) üblichen Form mit Rezitativen und Arien.

Werke: 5 Opern f. Hamburg; 3 Opern f. Darmstadt; 1418 Kir-chenkantaten, 1709–54; 24 weltl. Kantaten; 113 Symphonien, 87 Ouvertüren u. 44 Konzerte; 20 Triosonaten, 4 Violinsonaten u. weitere Kammermusik; Neu verm. Darmstädt. Choral-Buch (mit 24 Melodien G.s), 1728. – Ausgg.: Ausgew. Werke, hrsg. v. Friedrich Noack, 4 Bde., 1955–57; Ausgew. Kantaten, hrsg. v. dems., 1926 (Neudr. Wiesbaden 1960); 2 Kantaten, hrsg. v. dems., 1955 (1964–66[2]).

Lit.: Wilibald Nagel, Das Leben Ch. G.s, in: SIMG 10, 1908/09, 568 ff.; – Ders., Ch. G. als Sinfoniker, 1912; – Johann Mat-theson, Grdl. einer Ehrenpforte (1740), Neudr. v. Max Schneider, 1910, 410 ff. (mit autobiogr.). Nachdr. 1969; – Friedrich Noack, Ch. G.s Kirchenmusiken. Ein Btr. z. Gesch. der Musik am land-gräfl. Hofe zu Darmstadt (Diss. Berlin), Leipzig 1916; – Ders., Ch. G. als Kirchenkomponist, in: DDT Beih. 1, 1926 (Neudr. Wiesbaden – Graz 1960); – Ders., Ch. G. (nebst autobiogr. No-tizen v. G.), in: Vom Geist einer Stadt. Ein Darmstädter Lese-buch, hrsg. v. Heinz-Winfried Sabais, 1956; – Hans Joachim Moser, Gesch. der Musik II, 1928[4], 249 ff.; – Hermann Kai-ser, Barocktheater in Darmstadt. Gesch. des Theaters einer Fürst-Residenz im 17. u. 18. Jh., 1951; – Lothar Hoffmann-Erbrecht, J. Ch. G. als Klavierkomponist, in: AfMw 10, 1953, 140 ff.; – Ders., Dt. u. ital. Klaviermusik z. Bachzeit. Stud. z. Thematik u. Themenverarbeitung in der Zeit v. 1725–1750 (Diss. Jena, 1951), Leipzig 1954, 50–63; – Hellmut Christian Wolff, Die Barockoper in Hamburg 1678–1738 (Hab.-Schr., Kiel), 2 Bde., Wolfenbüttel 1957 (in Bd II 4 Beisp.); – Siegfried Fornaçon, Ch. G., in: Der Kirchenmusiker 14, 1963, 89 ff.; – Martin Witte, Die Instrumen-talkonzerte v. J. Ch. G. (Diss. Göttingen), 1964; – Elisabeth Noack, Musikgesch. Darmstadts v. MA bis z. Goethezeit, 1967;

– MGG V, 720 ff.; – Riemann I, 671; ErgBd. I, 453; – Moser I, 442; – Grove III, 763 f.; – Honegger I, 434; – Goodman 175; – ADB IX, 607 ff.; – NDB VII, 11 f.

GREBEL, Konrad, Vertreter der Täuferbewegung, * 1489 (?) in Grüningen (Kt. Zürich) als Sohn eines Landvogts, † (an der Pest) Juli oder August 1526 in Maienfeld (Kt. Graubünden). – G. war Schwager des Joachim Vadian (s. d.), des Humanisten und Reformators seiner Vaterstadt St. Gallen. Er studierte 1515 bis 1518 in Wien, dann in Paris, seit 1520 in Zürich, vorübergehend 1521 in Basel. Seit 1517 war G. mit Huldrych Zwingli (s. d.) befreundet, der ihn durch seine Predigt für die Reformation gewann. G. und seine Freunde forderten eine radikale Umgestaltung der christlichen Kirche nach apostolischem Muster und legten im Sommer 1523 Zwingli ihre Gedanken von der »neuen christlichen Gemeinde« dar. Zwingli aber, der ihnen zu lau und zu langsam vorging, wies die Zumutung, eine vom Staat völlig unabhängige Gemeinde zu gründen, entschieden ab. G. und seine Freunde verlangten ferner die baldige Abschaffung der Messe, Meßgewänder und Meßgesänge. Im Herbst 1523 kam es zum Bruch zwischen G. und Zwingli. Im Sommer 1524 begann der Kampf um die Kindertaufe. Die Bewegung des Täufertums griff immer weiter um sich. Am 17. 1. 1525 fand im großen Rathaussaal in Zürich das erste öffentliche Gespräch über die Kindertaufe statt. Der Rat erhob die Kindertaufe zum Staatsgesetz und bedrohte alle Zuwiderhandelnden mit der Strafe der Vertreibung aus der Stadt und dem Gebiet Zürich. An einem der nächsten Tage vollzog G. an Georg Blaurock (s. d.) auf dessen Bitten in den eiskalten Fluten der Limmat die erste »Wiedertaufe«. Nach ihm empfingen die 15 Anwesenden ebenfalls die Glaubenstaufe. Mit aller Strenge ging der Rat gegen die Täufer vor. G. zog nach Schaffhausen und sammelte dort Anhänger um sich. Am 20. 3. 1525 fand in Zürich das zweite Täufergespräch statt. Im Anschluß daran weilte G. kurze Zeit in St. Gallen, warb Anhänger und taufte. Er war mehrfach in Haft und wirkte auch in Appenzell und Maienfeld.

Werke: Briefe u. »Protestation u. Schutzschr.«, in: Krit. Zwingli-Ausg. III, 1914, 368 ff.

Lit.: Emil Egli, Die Zürcher Wiedertäufer z. Ref.zeit, 1879; – Walther Koehler, Die Zürcher Täufer, in: Gedenkschr. z. 400j. Jub. der Mennoniten oder Taufgesinnten, hrsg. v. der Konferenz der süddt. Mennoniten, 1925, 48 ff.; – Christian Neff, K. G., sein Leben u. Wirken, ebd. 65 ff.; – Edward Yoder, C. G. as a humanist, in: The Mennonite Quarterly Review 3, Goshen/Indiana 1929, 132 ff.; – Leonhard v. Muralt, K. G. als Student in Paris, in: Zürcher Taschenbuch auf das J. 1937, 1936, 113 ff.; – Harald Stauffer Bender, C. B., the first leader of the Swiss Brethren (Anabaptists), in: The Mennonite Quarterly Review 10, 1936, 5 ff. 91 ff. 151 ff.; – Ders., The Theology of C. G., ebd. 12, 1938, 27 ff. 114 ff.; – Peter v. Zahn, Stud. z. Entstehung der soz. Ideen des Täufertums in den ersten J. der Ref. (Diss. Freiburg/Breisgau, 1939), o. O. 1942, 70 ff.; – John Christian Wenger, Glimpses of Mennonite History and Doctrine, Scottdale – Paris 1947²; – Ernest Corell u. Edward Yoder, Den letters of C. G. I: C. G. The Founder of the Swiss Brethren sometime called anabaptists, Goshen/Indiana 1950; – Qu. z. Gesch. der Täufer in der Schweiz, hrsg. v. Leonhard v. Muralt u. Walter Schmid, I, Zürich 1952; – Konradin Bonorand, Joachim Vadian u. die Täufer, 1953, 43 ff.; – Fritz Blanke, Brüder in Christo. Die Gesch. der ältesten Täufergemeinde, Zollikon 1525, 1955; – Ders., Harald S. Bender als Biograph C. G.s, in: Mennonit. Gesch.bll. 14, 1957, Nr. 9, S. 40 ff.; – Ekkehard Krajewski, Leben u. Sterben des Zürcher Täuferführers Felix Mantz (Diss. Zürich), Kassel 1957 (1958²) u. d. T.: . . . Über die Anfänge der Täuferbewegung u. des Freikirchentums in der Ref.zeit; – A. Mettler, K. G. u. die Anfänge des Täufertums, in: Kirchenbl. f. die ref. Schweiz 114, Basel 1958, 370 ff.; – George Hunston Williams, The Radical Reformation, Philadelphia 1962, 92 ff.; – Der linke Flügel der Ref., hrsg. v. Heinold Fast, 1962, 9 ff.; – Hans J. Hillerbrand, The Origin of Sixteenth-Century Ana-

baptism: Another Look, in: ARG 53, 1962, 152 ff.; – John Howard Yoder, Die Gespräche zw. Täufern u. Reformatoren in der Schweiz, 1523–1538 (Diss. Basel, 1962), Weierhof bei Marnheim/Pfalz u. Karlsruhe 1962 (u. d. T.: Täufertum u. Ref. in der Schweiz. 1: Die Gespräche . . .); – Alan J. Beachy, C. G.'s programmatic letters. A review discussion, in: The Mennonite Quarterly Review 47, Goshen/Indiana 1973, 153 ff.; – Biogr. Wb. z. dt. Gesch. I², 1973, 937 f.; – Schottenloher I, Nr. 7316 bis 7320a; V, Nr. 46543 f.; VII, Nr. 54824–54828; – MennLex II, 163 ff.; – MennEnc II, 566 ff.; – ADB IX, 619 ff.; – NDB VII, 15 f.; – RGG II, 1834; – NCE VI, 717.

GREDING, Johann Ernst, Kirchenliederdichter, * 30. 6. 1676 in Weimar als Sohn eines Chirurgen, † 13. 4. 1748 in Altheim bei Darmstadt. – G. studierte in Jena und kam 1696 als Hauslehrer zu dem Kammer- und Konsistorialrat Handwerck in Hanau, dessen Tochter er später heiratete. G. wurde 1698 Rektor der lutherischen Schule in Hanau und 1718 Pfarrer in Altheim. – In dem Hanauer Gesangbuch von 1723 »Hanauisches singendes Zion« finden sich von G. das Passionslied »Der am Kreuz ist meine Liebe und sonst nichts in dieser Welt« und das Abendmahlslied »Wer zu Gottes Tische gehen und den Glauben stärken will . . .«

Lit.: Koch V, 411 f.; – Goedeke III, 355.

GREGOR I., der Große, Papst, Kirchenlehrer, Heiliger, * um 540 in Rom aus senatorischem Adelsgeschlecht, † daselbst 11. 3. 604, beigesetzt 12. 3. 604 im Vatikan. – G. studierte die Rechte und war 572/73 römischer Stadtpräfekt. Nach dem Tod seines Vaters verwandte er sein Erbe zum Bau von 6 Klöstern in Sizilien und wandelte den väterlichen Palast in Rom auf dem Monte Velio um in das Benediktinerkloster St. Andreas, in das er um 575 als Mönch eintrat. Benedikt I. (s. d.) weihte ihn 577 zum Regionardiakon, und Pelagius II. (s. d.) sandte ihn 579 als seinen »Apokrisiar« nach Konstantinopel. 585 kehrte G. in sein Kloster nach Rom zurück. Nach dem Tod Pelagius' II., der am 8. 2. 590 an der Pest starb, wurde er vom Senat, Klerus und Volk einstimmig zum Papst gewählt, weigerte sich aber, die Wahl anzunehmen. Als ihre Bestätigung durch den Kaiser Mauritius (s. d.) eintraf, floh G. aus der Stadt, wurde aber am dritten Tag vom Volk aufgefunden, im Triumphzug zur Peterskirche geleitet und am 3. 9. 590 zum Papst geweiht. G. beseitigte die Mißstände der kirchlichen Latifundienwirtschaft und ordnete völlig neu die Verwaltung des päpstlichen Grundbesitzes (patrimonium Petri) in Italien, Dalmatien, Gallien und Nordafrika. Die bis dahin meist verpachteten Güter wurden durch eigene Beamten (Rektoren) verwaltet. G. forderte von ihnen genaueste Rechenschaft über Einnahmen und Ausgaben und erteilte ihnen eingehende Vorschriften über die Bewirtschaftung der Güter und die Behandlung der Gutsuntertanen. Auf diese Weise legte er den Grund zum späteren Kirchenstaat. Die Einnahmen aus der Bewirtschaftung des »Patrimonium Petri« verwandte G. für eine ausgedehnte sozial-karitative Fürsorge, zur Befestigung Roms und zum Schutz der Bevölkerung gegen die Langobarden. Er sandte 591 zur Unterstützung des kaiserlichen Heeres Truppen gegen den langobardischen Herzog Ariulf von Spoleto, der ihn zu einem Waffenstillstand nötigte. Es kam aber nicht zum Abschluß eines Friedensvertrages, weil der Exarch von Ravenna, der Träger der byzantinischen

Herrschaft in Italien, die dazu erforderliche Zustimmung verweigerte. Als die Langobarden 592 gegen Rom zogen, der Exarch aber keine Hilfe sandte, schloß G. auf eigene Verantwortung Frieden mit Ariulf von Spoleto. Der Exarch aber erkannte den Frieden nicht an, sondern führte den Krieg fort und besetzte Perugia. Darum zog der Langobardenkönig Agilulf 593 mit einem Heer nach Süden, eroberte Perugia und rückte gegen Rom vor. In der belagerten volkreichen Stadt brach die Hungersnot aus. G. mußte dem Belagerer ein reiches Lösegeld schicken und sich zu einem jährlichen Tribut verpflichten. Vergeblich versuchte er, Mauritius von der Notwendigkeit des Friedens zu überzeugen. Der Kaiser erklärte G.s Schilderung der Zustände, die in Italien infolge der andauernden Kriegswirren herrschten, für eine übertriebene Entstellung der wirklichen Lage und nannte den Friedensschluß des Papstes mit den Langobarden eine »Einfältigkeit«. Der Herzog Ariulf von Spoleto und Arigis von Benevent verheerten 596 Kampanien und den Südwesten Italiens. G. sandte Gelder, um damit Gefangene loszukaufen, und wies den Bischof von Neapel an, für diesen Zweck auch heilige Geräte zu verwenden. Im Frühjahr 599 konnte schließlich mit Einverständnis des Kaisers Frieden mit den Langobarden geschlossen werden. Mit Hilfe der katholischen Langobardenkönigin Theodelinde (s. d.) versuchte G., die zum Teil noch heidnischen, zum Teil arianischen Langobarden Norditaliens für den Katholizismus zu gewinnen. Theodelinde, Tochter des Bayernherzogs Garibald I., hatte sich 589 mit dem arianischen Langobardenkönig Authari (584–590) und dann mit dem als ihren Gemahl auf den Thron erhobenen Agilulf (590–615) vermählt, der ebenfalls Arianer war. G. trat zu ihr in Beziehung und stand mit ihr in Briefwechsel. Unter seiner Mitwirkung bahnte Theodelinde († 628) einen Zusammenschluß mit den Römern sowie den katholischen Germanen an. G. war sehr erfreut, daß Theodelindes Kinder aus zweiter Ehe, Gundeberga und Adaloald, katholisch getauft und erzogen wurden. Es dauerte aber noch ein halbes Jahrhundert, bis der Neffe Theodelindes, Aribert (652–662), dem Katholizismus gegen Heidentum und Arianertum zum Sieg verhalf. G. war bestrebt, auf die fränkische Kirche, die sich großer Selbständigkeit erfreute, Einfluß zu gewinnen. Er trat in Beziehung zum fränkischen Königshof, besonders zu Brunehildis, der Gemahlin des 575 ermordeten Frankenkönigs Sigibert I. und Regentin für ihren Sohn Childebert II. († 596) und ihre Enkel in Austrasien und seit 593 auch in Burgund. Darum unterstützte G. Brunehildis so, anstößig ihm ihr Leben und Treiben auch sein mußte, und erkannte rühmend schmeichelnd ihren Eifer um die Kirchen und Klöster an. Er erreichte aber nicht die Abhängigkeit der fränkischen Kirche von Rom. Auch um die enge Verbindung mit dem spanischen Westgotenreich bemühte sich G. eifrig. Rekkared (586–601), König der Westgoten, trat 589 auf der Synode von Toledo feierlich zum Katholizismus über und verfolgte fortan den Arianismus. Sehr lebhafte Beziehungen unterhielt G. zu dem ihm von seinem Aufenthalt in Konstantinopel her befreundeten Leander (s. d.) von Sevilla, dem Erzbischof von Toledo, und erreichte, daß auch der König

mit ihm in brieflichen Verkehr trat. G. sandte 599 Leander von Sevilla das Pallium und Rekkared ein Dank- und Mahnschreiben. Die spanische Kirche, deren Leitung in der Hand des Königs lag, bewahrte als Landeskirche ähnlich wie die fränkische Kirche ihre Selbständigkeit dem Papst gegenüber. Erfolgreich war die von G. ins Leben gerufene Mission unter den Angelsachsen. Er sandte 595/96 den Prior des St. Andreasklosters in Rom, Augustin (s. Augustin v. Canterbury), mit einer Schar seiner Mönche nach Britannien zur Christianisierung der Angelsachsen. In Südgallien erfuhren die Missionare, wie roh und wild das Heidenvolk in Britannien sei. Da entschwand ihnen der Mut. Augustin kehrte nach Rom zurück und bat den Papst im Namen seiner Genossen, sie von seinem Auftrag zu entbinden. G. ging auf diese Bitte nicht ein und forderte darum die fränkischen Fürsten und Bischöfe auf, sich an dieser Missionsarbeit zu beteiligen und sie zu unterstützen. Er ernannte Augustin zum Abt, der sich mit neuem Mut auf die Reise nach Britannien begab. Augustin landete im Frühjahr 597 mit ungefähr 40 Begleitern in Kent und suchte den König Ethelbert, den Gemahl der fränkischen Prinzessin Bertha, auf. Dieser gewährte ihm und seinen Begleitern Aufnahme in Canterbury und die Erlaubnis zur Predigt. Noch in demselben Jahr konnte Augustin Ethelbert taufen und hatte mit seiner Missionsarbeit solchen Erfolg, daß er 598 zu Arles im südöstlichen Frankreich von dem dortigen Erzbischof und päpstlichen Legaten Virgilius zum Bischof geweiht und 601 von G. zum Erzbischof von Canterbury ernannt wurde mit dem Auftrag, als Primas von England zwei Kirchenprovinzen, London für den Süden und York für den Norden, mit je 12 Suffraganbistümern zu errichten. Nur einen ganz kleinen Teil dieser großen Aufgabe konnte Augustin ausführen, da er bereits 604 starb. Durch ihn aber kam die englische Kirche in engste Verbindung mit Rom, in der sie auch für die Folgezeit blieb. Während im Abendland G.s Ansehen und Einfluß wuchs, verschärfte sich der Gegensatz zwischen Rom und Konstantinopel. Johannes Jejunator (»der Fastende«), als Johannes IV. (s. d.) 582–595 Patriarch von Konstantinopel, hatte zwei kleinasiatische Presbyter 593 wegen Ketzerei körperlich züchtigen lassen. Sie wandten sich klageführend an G. In den ihm von Johannes IV. übersandten Prozeßakten war der Patriarch von Konstantinopel als »ökumenischer Patriarch« bezeichnet worden. Gegen diese Bezeichnung, die auch in den Akten einer 588 in Konstantinopel unter dem Vorsitz des Patriarchen abgehaltenen Synode, vorkommt, hatte G.s Vorgänger, Pelagius II., Protest erhoben. In einem heftigen Antwortschreiben an Johannes IV. rügte G. dessen »Frechheit« und »Hochmut« und untersagte seinem »Apokrisiar«, der Messe des Patriarchen beizuwohnen, solange dieser an jenem Titel festhalte, der eine teuflische Anmaßung bedeute. Gleichzeitig wandte er sich an Mauritius mit der Bitte, Johannes IV. die Führung des Titels »ökumenischer Patriarch« nicht zu gestatten. Die beiden kleinasiatischen Presbyter wurden auf einer Synode in Rom für rechtgläubig erklärt. Der Streit wegen jenes Titels setzte sich auch unter dem Nachfolger Johannes' IV., dem Patriarchen Cyriakus von Konstantinopel (595 bis 606), fort. Als der Patriarch Eulogius von Alexandrien (s. d.) 598 in einem Schreiben G. »papa universalis« nannte, lehnte G. diese Bezeichnung ab, obwohl er sich der Vorrechte des römischen Bischofs bewußt war. G. selbst nannte sich »servus servorum«, was die Päpste beibehalten haben. Ein halbes Jahr, nachdem Muritius im November 602 durch den Centurio Phokas (602–610) vom Thron gestoßen und mit seinem Bruder, seiner Gattin und acht Kindern hingerichtet worden war, wünschte G. dem Usurpator mit der unwürdigsten Schmeichelei zu seiner Thronbesteigung Glück. Er schrieb ihm, die Himmel müssen sich freuen und die Erde jubeln, daß mit dem Fall des Unterdrückers das Volk befreit und dafür seine Frömmigkeit und Mildtätigkeit von der Vorsehung auf den Thron erhoben sei; er bete zu Gott, daß seine Hände gegen alle seine Feinde gestärkt werden mögen, und hoffe, daß er erst nach langer siegreicher Regierung das zeitliche mit dem ewigen Königtum vertauschen würde. Im Vertrauen auf die Unterstützung durch den Kaiser ermahnte G. nochmals den Patriarchen, »das Ärgernis des gottlosen und stolzen Titels aus der Kirche zu entfernen«, und sandte als seinen »Apokrisiar« den späteren Bonifatius III. (s. d.) nach Konstantinopel, der sich energisch dafür einsetzte, daß Phokas dem Patriarchen Cyriakus die Führung des ihm 595 von der Synode zu Konstantinopel bestätigten Titels »ökumenischer Patriarch« untersage. Auf Grund seiner guten Beziehungen zu Phokas, dessen Regierung fast nur eine ununterbrochene Kette von Grausamkeiten aller Art war, erreichte Bonifatius III. 607, daß der Kaiser Rom als »caput omnium ecclesiarum« anerkannte. – G. war der erste Mönchspapst und ein eifriger Förderer des Mönchtums. Er verfaßte eine umfangreiche, von Legenden überwucherte Biographie des Benedikt von Nursia (s. d.) und wirkte erfolgreich für die Verbreitung der Benediktinerregel, die die alten Mönchsregeln verdrängte und fast die alleinige Regel des abendländischen Mönchtums wurde. G. bekämpfte die Irrlehren und die Reste des Heidentums, während er zugleich als »pater superstitionum« den Aberglauben des Reliquienkults weithin förderte. Ihm werden große Verdienste um die Reform der römischen Liturgie und den Kirchengesang zugeschrieben. Das heutige römische Meßbuch, das »Missale Romanum«, geht zurück auf das »Sacramentarium Gregorianum«, das in seiner ursprünglichen Gestalt von G. stammt und in seiner ältesten erreichbaren Gestalt dem Jahr 595 angehört. Durch seine Schriften hat G. auf die Nachwelt entscheidenden Einfluß ausgeübt. Seine »Regula pastoralis«, eine Anweisung für das geistliche Amt und Handbuch für die Seelsorge, blieb jahrhundertelang Richtschnur für die abendländische Geistlichkeit. Was die »Regula S. Benedicti« für das Mönchtum, das bedeutet G.s »Regula pastoralis« für den Weltklerus. Sein allegorisch-moralisch-mystischer Kommentar zum Buch Hiob wurde das ganze Mittelalter hindurch als Kompendium der christlichen Sittenlehre verwertet. Seine Homilien zu den Evangelien, Ezechiel und zum Hohenlied und seine »Dialoge über das Leben und die Wunder italienischer Väter« fanden auch in Laienkreisen weiteste Verbreitung. Von größtem Wert für die Geschichte jener Zeit sind die 848 Briefe, die

wir von G. besitzen. Er ließ ein Register seiner Amtsschreiben anfertigen, das für die späteren Papstregister vorbildlich wurde. Die Kirche nahm ihn unter die Zahl ihrer Heiligen auf und ehrte ihn durch den Beinamen »der Große«. Bonifatius VIII. (s. d.) hat ihn als vierten neben Ambrosius (s. d.), Augustinus (s. d.) und Hieronymus (s. d.) den »egregii doctores ecclesiae« beigezählt. Durch G. ist der vulgäre Typus des mittelalterlichen Katholizismus geschaffen. Er schließt sich Augustinus an, den er reproduzieren will. G. trägt Augustinus' Lehre von der Erbsünde und der »gratia praeveniens« vor. Es setzt eine leise charakteristische Umbildung ein. Die »gratia« ist nicht »irresistibilis«; der menschliche Wille muß die Gnade annehmen, sonst wirkt sie nicht: »Bonum quod agimus et Dei est et nostrum; Dei per praevenientem gratiam, nostrum per obsequentem liberam voluntatem.« Nicht die Gnade allein schafft die Erlösung, sondern die Gnade und unser Wille. G. betont im Sinn Augustinus', daß der Christ, nachdem der freie Wille die Gnade angenommen hat, stets der göttlichen Gnadenhilfe zum Guten bedürfe. Trotz seines Augustinismus vollzieht sich eine semipelagianische Wandlung. – Gott hat eine Anzahl zum Heil prädestiniert, und zwar die, von denen er wußte, daß sie mit ihrem freien Willen auf die göttliche Gnade reagieren und im Glauben und in den guten Werken beharren würden. Diese »Prädestination« ist nichts anderes als eine »Präszienz«. Keiner weiß, ob er in diesem Sinn prädestiniert ist. Die Heilsunsicherheit, das stete Bangen um das Heil wird von ihm aufs schärfste betont. – Die Bedeutung des Todes Christi hat G. darin gesehen, daß er dem Teufel die Seelen durch Überlistung abgewonnen hat. Der Teufel ist der Fisch, der den Hamen, das Fleisch Christi, verschlingt, ohne seine Gottheit zu ahnen, die ihm verderblich wird. Nur von der Strafe der Erbsünde und der Sünde vor der Taufe sind wir durch Christus befreit; für die späteren Sünden bedarf es der Buße. Aber auch die vergebene Sünde wird noch gestraft, wenn sie nicht gebüßt ist. So tritt die Buße als sündentilgend neben den Tod Christi. Durch die Buße sind zwar die Sünden nach der Taufe getilgt; aber die Sündenstrafen bleiben und müssen getilgt werden. Neben der »conversio mentis« und der »confessio oris« steht »vindicta peccati«. – Im Abendmahl wiederholt sich nach G. das Opfer Christi als ein Sühnopfer für Lebende und Tote: »Christus pro nobis iterum in hoc mysterio sacrae oblationis immolatur.« Es ist eine feierliche Wiederholung des Opfers Christi: »In suo mysterio pro nobis iterum patitur. Nam quoties ei hostiam suae passionis offerimus, toties nobis ad absolutionem nostram passionem illius reparamus.« Auch den Verstorbenen kommt es zugut. G. hat das Fegfeuer in sein Lehrsystem eingeordnet. Schon Cyprian (s. d.), Bischof von Karthago († 258), hatte davon geredet, daß ein Reinigungszustand für die Sünden nach dem Tod anzunehmen sei. Augustinus neigte der Annahme eines Fegfeuers zu, das den Zweck hat, die Seelen zu reinigen, die noch nicht gereinigt sind. Caesarius von Arles († 543; s. d.) predigte bereits über das Fegfeuer. G. hat diese Gedanken ausgebaut und beruft sich dabei auf Matthäus 12, 31 f. Durch die Seelenmessen kann man auf den Zustand der Verstorbenen im Fegfeuer einwirken. Auch den Heiligenkult hat G. in die Theologie eingebaut. – G.s Fest ist der 12. März.

Werke: Liber regulae pastoralis, 4 Bücher (Progr.schr. über Aufgaben des Seelenhirten); Expositio in beatum Job seu moralium libri XXXV (allegorisch-mystischer Komm. zu Job); 40 Homilien zu Evv.-Perikopen und 22 zu Ez; 2 Homilien zu Hhld 1, 1–8 u. Komm. zu 1Kön; Libri IV dialogorum de vita et miraculis patrum Italicorum et de aeternitate animarum (die ersten 3 Bücher enthalten Berr. über Wundertaten, Prophezeiungen u. Visionen v. Hll. It., das 4. Berr. über Totenerscheinungen als Beweise f. die Unsterblichkeit der Seelen; das ganze 2. Buch ist Benedikt v. Nursia gewidmet); Registrum Epistolarun (854 Briefe erhalten, davon 848 aus dem Ur-Reg.); Liturg. Texte. (Es ist aber sehr umstritten, ob G. auch ein Sakramentar redigiert hat u. ob dieses im wesentl. durch das überl. »Sacramentarium Gregorianum« erhalten ist. G. hat keine Melodien komponiert u. auch den »Cantus Gregorianus« nicht geschaffen.) – *Ausgg.:* Liber regulae pastoralis, ed. Heinrich Hurter, 1872. – Dialogi, hrsg. v. U. Moricca (Fonti per la storia d'Italia 57), Rom 1924. – Sancti Gregorii Magni Expositiones in Canticum canticorum, in librum primum Regum. Recensuit Patricius Verbraken (CChr 144), Turnhout – Paris 1963. – Sacramentarium Gregorianum, nach dem Aachener Urexpl. hrsg. v. Hans Lietzmann, 1921; hrsg. v. Klaus Gamber, 2 Bde., 1966–67. – Registrum Epistolarum, hrsg. v. Paul Ewald – Ludo Moritz Hartmann, in: MG Epp I u. II. – Egloga quam scripsit Lathcen filius Baith de Moralibus Job quas Gregorius fecit. Cura et studio M. Adriaen (CChr 145), 1969. – Ez-Komm., hrsg. v. M. Adriaen (CChr 142), 1971. – *GA.:* Lyon 1516; Paris 1518 u. 1675; Rom 1588–93; beste GA die der Mauriner, 4 Bde., Paris 1705; danach J. P. Gallicoli, 16 Bde., Venedig 1768–76, abgedr. MPL 75–79. – *Übersс.:* Regula pastoralis, zu G.s Lebzeiten ins Griech. u. im 9. Jh. ins Angelsächs. – Regula pastoralis u. Dialogi v. Jos. Funk, in: BKV² II/ 3.4, 1933. – Evv.homilien, 2 Bde., Klosterneuburg bei Wien 1931/32. – Franz Faessler, Leben des hl. Benedikt (Buch 2 der Dialoge), Luzern 1949. – Maurus Feyerabend, Sämtl. Briefe, 5 Bde., Köln 1807–09. – Theodor Kranzfelder, Briefe, 1874.

Lit.: Vita Gregorii v. einem unbekannten Mönch des Klosters Streaneshalch in Northumbrien (um 713), hrsg. v. Francis Aidan Gasquet, London 1901; v. Betram Colgrave, Lawrence/Kansas 1968; – Vita Gregorii v. Paulus Diaconus (nach 760), hrsg. v. Hartmann Grisar, in: ZKTh 11, 1887, 158 ff.; – Vita Gregorii v. Johannes Diaconus (872–882), in: MPL 75, 59–242; – Georg Johann Theodor Lau, G. I. d. Gr. nach seinem Leben u. seiner Lehre, 1845; – Samuel Sugenheim, Gesch. der Entstehung u. Ausbildung des Kirchenstaates, 1854, 3 ff.; – Pius Bonifatius Gams, KG v. Span. II/2, 1862 (Neudr. Graz 1956); – Alois Pichler, Gesch. der kirchl. Trennung zw. Orient u. Occident II, 1865, 647 ff.; – Josef Hergenröther, Photius, Patriarch v. Konstantinopel, I, 1867, 183 ff. 549 ff.; – Alfred v. Reumont, Gesch. der Stadt Rom II, 1868, 79 ff.; – Rudolf Baxmann, Die Politik der Päpste v. G. I. bis Gregor VII., I, 1868, 44 ff. 129 ff.; – Joseph Fehr, Staat u. Kirche im fränk. Reich, Wien 1869, 301 ff.; – Wilhelm Wattenbach, Gesch. des röm. Papsttums, 1876, 18 ff.; – Hartmann Grisar, Ein Rundgang durch die Patrimonien des hl. Stuhles um das J. 600, in: ZKTh 4, 1880, 321 ff.; – Ders., Ökumen. Patriarch u. Diener der Diener Gottes, ebd. 468 ff.; – Ders., Verwaltung u. Haushalt der päpstl. Patrimonien um das J. 600, ebd. 526 ff.; – Ders., G. d. Gr., Rom 1904 (1928²); – Josef Langen, Gesch. der röm. Kirche II, 1885, 414 ff. 446 ff.; – Louis Heinrich Armbrust, Die territoriale Politik der Päpste v. 500–800 (Diss. Göttingen), 1885; – Joseph Nirschl, Lehrb. der Patrologie u. Patristik III, 1885, 533 ff.; – Franz Görres, Leander, Bisch. v. Sevilla, in: ZWTh 29, 1886, 36 ff.; – Ders., Rekared der Kath., ebd. 42, 1899, 270 ff.; – Ders., Der span.-westgot. Episkopat u. das röm. Papsttum (586–680), ebd. 45, 1902, 42 ff. 69 ff.; – Heinrich Gelzer, Der Streit um den Titel des ökumen. Patriarchen, in: JpTh 13, 1887, 549 ff.; – Julius Weise, It. u. die Langobardenherrscher v. 568–628, 1887, 154 ff.; – Karl Schwarzlose, Die Patrimonien der röm. Kirche bis z. Gründung des Kirchenstaats (Diss. Berlin), 1887; – Ders., Die Verwaltung u. die finanzielle Bedeutung der Patrimonien der röm. Kirche bis z. Gründung des Kirchenstaats, in: ZKG 11, 1890, 62 ff.; – Adolf Ebert, Allg. Gesch. der Lit. des MA im Abendlande I, 1889², 546 ff.; – Paul Luther, Rom u. Ravenna bis z. 9. Jh. Ein Btr. z. Papstgesch., 1889, 29 ff.; – Cölestin Wolfsgruber, G. d. Gr., 1890 (1897²); – François Auguste Gevaert, Les origines du chant liturgique de l'église latine, Gent 1890 (dt. v. Hugo Riemann: Der Ursprung des röm. Kirchengesanges, 1891); – Germain Morin. Les véritables origines du chant grégorien, Maredsous 1890 (1912³; dt. v. Thomas Elsässer: Der Ursprung des gregorian. Gesanges. Eine Antwort auf Gevaerts Abh. über den Ursprung des röm. Kirchengesanges, 1892); – Ferdinand Kattenbusch, Lehrb. der vergleichenden Konfessionskunde I, 1890, 112 ff.; – Friedrich Edmund Bassenge, Die Sendung Augustins z. Bekehrung der Angelsachsen (Diss. Leipzig), 1890; – Georg Grützmacher, Die Bedeutung Benedikts v. Nursia u. seiner Regel in der Gesch. des Mönchtums, 1892, 54 ff.; – Terence Benedict Snow, St. G., his works and his spirit, London 1892 (1924²); – Theodor Mommsen, Die Bewirtschaftung der Kirchengüter unter Papst G. I., in: Zschr. f. Social- u. Wirtschaftsgesch. 1, 1893, 43 ff.; – R. Heinrichs, G. d. Gr. Ein Btr. z. Würdigung seiner so-

cialen Tätigkeit, in: Katholik, 1894, 12 ff.; – Wilhelm Brambach, Gregorianisch. Bibliogr. Lösung der Streitfrage über den Ursprung des gregorian. Chorals, 1895 (1901²); – Bruno Holtheuser, Die Gründung der angelsächs. Kirche, Progr. Aschersleben 1897; – Arthur James Mason, The Mission of St. Augustine to England, Cambridge 1897; – Ludo Moritz Hartmann, Gesch. It. im MA II/1, 1900, 93 ff.; – Franz Seraph Renz, Gesch. des Meßopferbegriffs I, 1901, 298 ff.; – Gustav Anrich, Clemens u. Origenes als Begründer der Lehre v. Fegfeuer, in: Theol. Abhh. Festg. f. Heinrich Julius Holtzmann, 1902, 97 ff.; – Bonifaz Sentzer, G. I., 1904; – Leonhard Korth, Die Patrocinien der Kirchen u. Kapellen im Erzb. Köln, 1904, 78; – Cölestin Vivell, Der gregorian. Gesang, eine Stud. über die Echtheit der Tradition, Graz 1904; – Ders., Die liturg.-gesangl. Reform G.s, Seckau 1904; – Ders., Vom Musiktraktat G.s d. Gr., 1911; – Frederick Homes Dudden, G. the Gr. His Place in History and Thought, 2 Bde., London 1905; – H. Moretus, Les deux anciennes vies de S. G. le Gr., in: AnBoll 26, 1907, 66 ff.; – Amédée Gastoué, Les origines du chant romain: L'antiphonaire grégorien, Paris 1907; – Ders., Le Graduel et l'Antiphonaire romain, ebd. 1913; – Franciscus Tarducci, Storia di S. G. Magno e del suo tempo, Rom 1909; – Peter Wagner, Einf. in die Gregorian. Melodien. I: Ursprung u. Entwicklung der liturg. Gesangsformen bis z. Ausgang des MA, 1911³ (Nachdr. Hildesheim u. Wiesbaden 1962), 191 ff.; – Alfred Plummer, The churches in Britain before 1000, 2 Bde., Oxford 1911; – Hugh Williams, Christianity in Early Britain, ebd. 1912; – B. Danzer, G. d. Gr. in der Missionsbewegung seiner Zeit, in: StMBO 33, 1912, 205 ff.; – Hoyle Henry Howorth, G. the Gr., London 1912; – Ders., St. Augustine of Canterbury. The Birth of the English Church, ebd. 1913; – Karl Schmitz, Ursprung u. Gesch. der Devotionsformeln bis zu ihrer Aufnahme in die fränk. Kg.urk. (Diss. Bonn), Stuttgart 1913, 120 ff. (servus servorum Dei); – Walter Stuhlfath, G. I., sein Leben bis zu seiner Wahl z. Papst nebst einer Unters. der ältesten Viten, 1913; – Joseph McCabe, Crises in the history of the Papacy, New York 1916, 55 ff.; – L. Eisenhofer, Augustinus in den Evv.-Homilien G.s d. Gr., in: Festg. Alois Knöpfler, 1917, 56 ff.; – Wilhelm M. Peitz, Das Reg. G.s I. Btrr. z. Kenntnis des päpstl. Kanzlei- u. Reg.wesens bis auf Gregor VII., 1917; – Ders., Liber Diurnus. Btrr. z. Kenntnis der ältesten päpstl. Kanzlei v. G. d. Gr. I: Überl. des Kanzleibuches u. sein vorgregorian. Ursprung, 1918; – Edward Spearing, The Patrimony of the Roman Church in the Time of G. the Gr., 1918; – Hans v. Schubert, Gesch. der christl. Kirche im Früh-MA, 1921, 214 ff.; – Edward Cuthbert Butler, Western Mysticism. The teaching of Augustine, G. and Bernard on contemplation and the contemplative life, London 1922, 89–133. 211 bis 241 (1967³); – Erich Caspar, G. I.: Meister der Politik, hrsg. v. Erich Marcks u. Karl Alexander v. Müller, 1923², I, 325 ff.; III, 117 ff.; – Gregori María Sunyol, Introducció a la Palaeografia Musical Gregoriana, Montserrat 1925; – G. Gaßner, Das Selbstzeugnis G.s d. Gr. über seine liturg. Reformen, in: JLW 6, 1926, 218 ff.; – Ferdinandus Antonelli, De re monastica in Dialogis S. G. Magni, in: Antonianum 2, 1927, 401 ff.; – Kunibert Mohlberg – Anton Baumstark, Die älteste erreichbare Gestalt des Liber sacramentorum anni circuli der röm. Kirche, 1927; – Pierre Batiffol, S. G. le Gr., Paris 1928 (1931⁴); – Hans Lietzmann, Auf dem Wege z. Urgregorianum, in: JLW 9, 1929; – W. J. Boast, The Relations of Pope G. the Gr. with the Churches of the Romain Empire of the East, Birmingham 1930; – Eugène Fleury, Hellénisme et christianisme. St. G. et son temps, Paris 1930; – F. Bouchage, S. G. le Gr. Méthode de vie spirituelle tirée de ses écrits, Paris 1930; – Wolfram v. den Steinen, Hll. als Hagiographen, in: HZ 143, 1931, 229 ff.; – Otto Ursprung, Die kath. Kirchenmusik, 1931, 21 ff.; – Max Borromeo Dunn, The Style of the Letters of St. G. (Diss. Catholic university of America), Washington 1931; – Gerhard Pietzsch, Die Musik im Erziehungs- u. Bildungsideal des ausgehenden Altertums u. frühen MA., 1932; – Jos. Rupert Geiselmann, Die Abendmahlslehre an der Wende der christl. Spätantike z. Früh-MA. Isidor v. Sevilla u. das Sakrament der Eucharistie, 1933, 209 ff.; – Franz Lieblang, Grundfragen der myst. Theol. nach G.s d. Gr. Moralia u. Ez.homilien (Diss. Freiburg/Breisgau), 1933; – Hans Schwank, G. d. Gr. als Prediger (Diss. Berlin), Hannover-Linden 1934; – Vitalis Stephanus Martič, De genere dicendi S. G. Magni I in 40 homiliis in Evangelia (Diss. Freiburg/Schweiz), 1934; – James Francis O'Donnel, The Vocabulary of the Letters of St. G. the Gr.; a study in late Latin lexicography (Diss. Catholic university of America), Washington 1934; – Ann Julia Kinnirey, The Late Latin Vocabulary of the Dialogi of St. G. the Gr. (Diss. Catholic university of America), Washington 1935; – A. Boros, Doctrina de haereticis ad mentem S. G. Magni, Rom 1935; – Johannes Spörl, in: Festschr. f. Romano Guardini, 1935, 198 ff. (G. u. die Antike); – Dorothy May Wertz, The influence of the Regula Pastoralis to the Year 900 (Diss. Cornell-Univ.), Ithaca (New York) 1936; – Justin McCann, St. Benedict by St. G. the Gr., Rugby (England) 1937; – Dag Norberg, In Registrum G. Magni studia critica, 2 Bde., Uppsala 1937–39; – Leonard Bauer, De Christo Vivificatore S. G. Magni doctrina (Thesis – St. Mary of the Lake seminary), Mundelein/Illinois 1938; – Rose Marie Hauber, The Late Latin Vocabulary of the Moralia of St. G. the Gr. A morphological and semasiological study (Diss. Catholic university of America), Washington 1938; – Leopold Kurz, G.s d. Gr. Lehre v. den Engeln (Diss. Rom), Rottenburg 1938; – Marcel Viller u. Karl

Rahner, Aszese u. Mystik in der Väterzeit, 1939, 265 ff.; – Kathleen Brazzel, The Clausulae in the Works of St. G. the Gr. (Diss. Catholic university of America), Washington 1939; – Giacomo Ferroni, S. G. Magno e la difesa di Roma, Rom 1939; – Suso Brechter, War G. d. Gr. Abt vor seiner Erhebung z. Papst?, in: StMBO 57, 1939, 209 ff.; – Ders., Die Qu. z. Angelsachsenmission G.s d. Gr. Historiogr. Stud. (Diss. München), 1941; – Ders., in: St. Bonifatius. Gedenkgabe z. 1200. Todestag, 1954, 22 ff. (G.s Missionsinstruktion bei Bonifatius); – Fr. Westhoff, Die Lehre G.s d. Gr. über die Gaben des Hl. Geistes, Hiltrup/Westfalen 1940; – Helmut Goll, Die Vita Gregorii des Johannes Diaconus. Stud. z. Fortleben G.s d. Gr. u. zu der historiogr. Bedeutung der päpstl. Kanzlei im 9. Jh. (Diss. Freiburg/Breisgau, 1936), ebd. 1940; – Nikolaus Hill, Die Eschatologie d. Gr. (Diss. Freiburg/Breisgau), 1941; – Max Walther, Pondus, dispensatio, examen. Werthist. Unterss. z. Frömmigkeit Papst G.s d. Gr. (Diss. Bern), Kriens bei Luzern 1941; – Ottorino Bertolini, Roma di fronte a Bisanzio e ai Longobardi, Rom 1941, 231 ff.; – Kurt Dietrich Schmidt, Die Bekehrung der Germanen z. Christentum II, 1942, 111 ff.; – Paul Henry Láng, Music in Western Civilization, New York 1942 (dt.: Die Musik im Abendland, 2 Bde., 1947; I, 82 ff.); – Georg Schreiber, Kultwanderungen u. Frömmigkeitswellen im MA, in: AKultG 31, 1942, 19 ff.; – Paul Benkert, Die Missionsidee G. s. G. I. in Theorie u. Praxis. Eine rel.geschichtl. Unters. z. Christianisierung der Germanen (Diss. Leipzig), 1946; – Leonhard Weber, Hauptfragen der Moraltheol. G.s d. Gr. Ein Bild altchristl. Lebensführung (Diss. Freiburg/Schweiz), 1947; – Ders., G. als Seelsorger, in: Anima 5, Olten 1950, 267 ff. 351 ff.; – A. Farkas, Typ. Formen der Contemplation bei G. d. Gr. (Diss. Rom), 1948; – Josef Andreas Jungmann, Missarum sollemnia. Eine genet. Erkl. der röm. Messe, Wien 1948 (1962⁵); – Gerard G. Carluccio, The Seven Steps to Spiritual Perfection according to St. G. the Gr., Ottawa 1949; – J. Zimmermann – R. Avery, Life and Miracles of St. Benedict by Pope St. G. the Gr., Collegeville 1949; – Neil Sharkey, St. G. the Gr.'s Concept of Papal Power (Diss. Catholic university of America), Washington 1950; – Eugen Heinrich Fischer, G. d. Gr. u. Byzanz. Ein Btr. z. Gesch. der päpstl. Politik, in: ZSavRGkan 67, 1950, 15–144; – Olegario M. Porcel, La Doctrina monástica de S. G. Magno y la »Regula monachorum« (Diss. Catholic university of America), Washington 1951; – E. M. Marian, S. G. I, papa della carità (Diss. Rom), 1951; – Jörg Erb, Die Wolke der Zeugen I, 1951, 99 ff.; – Franziska Maria Stratmann, Die Hll. u. der Staat IV, 1952, 73 ff.; – René Wasselynck, Les »Moralia in Job« de S. G. et leur influence sur la morale du Haut Moyen Age latin (Diss. Lille), 1952; – Ders., L'influence des »Moralia in Job« de S. G. le Gr. sur la Théologie entre les VIIe et le XIIe siècles, ebd. 1956; – Ders., L'influence de l'exégèse de S. G. le Gr. sur les commentaires bibliques médiévaux (VIIe–XIIe siècles), in: RThAM 32, 1965, 157 ff.; – Ders., La présence des Moralia de S. G. le Gr. dans les ouvrages de morale du XIIe siècle, ebd. 35, 1968, 197 ff.; – Ernst Hello, Hll.gestalten, 1953³, 87 ff.; – Ferdinand Gregorovius, Gesch. der Stadt Rom im MA, neu hrsg. v. Waldemar Kampf, I, 1953, 252 ff.; – Spencer Cecil Carpenter, The Church in England 597–1688, London 1954; – Egon Wellesz, G. the Gr.'s Letter on the Alleluia, in: Annales musicologiques 2, 1954, 7 ff.; – François Halkin, Le pape G. le Gr. dans l'hagiographie byzantine, in: OrChrP 21, 1955, 109 ff.; – Aldo Valori, G. Magno Turin 1955; – Helmut Hucke, Die Entstehung der Überl. v. einer musikal. Tätigkeit G.s d. Gr., in: Mf 8, 1955, 259 ff.; – Ders., Zu einigen Problemen der Choralforsch., ebd. 11, 1958, 385 ff.; – Charles Chazottes, Sacerdoce et ministère pastoral d'après la correspondance de S. G. le Gr., Lyon 1955; – Ders., S. G. le Gr., Paris 1958; – Michael Frickel, Deus totus ubique simul. Unterss. z. allg. Gottesggw. im Rahmen der Gotteslehre G.s d. Gr., 1956; – Joseph P. McClain, The Doctrine of Heaven in the Writings of S. G. the Gr. (Diss. Catholic university of America), Washington 1956; – Remigius Rudmann, Mönchtum u. kirchl. Dienst in den Schrr. G.s d. Gr., St. Ottilien 1956; – Friedrich Hauß, Väter der Christenheit I, 1956, 62 ff.; – Klaus Gamber, Wege z. Urgregorianum. Erörterung der Grundtatsachen u. Rekonstruktionsvers. des Sakramentars G.s d. Gr. v. J. 592, 1956; – Kassius Hallinger, Papst G. d. Gr. u. der hl. Benedikt, in: Commentationes in Regulam S. Benedicti, hrsg. v. Basilius Steidle, in: Studia Anselmiani 42, 1957, 231–319; – Guy Ferrari, Early Roman Monasteries, Rom 1957; – Ernst J. Görlich, Papst G. I. Die Engel des Papstes, in: Die Großen der Kirche, hrsg. v. Georg Popp, 1957³, 25 ff.; – Henry Ashworth, Did St. G. the Gr. compose a sacramentary?, in: Studia patristica 2, 1957, 3 ff.; – Ders., The Liturgical Prayers of St. G. the Gr., in: Traditio 15, 1959, 107 ff.; – A. Dumas, La règle des moines et vie de S. Benoît par S. G. le Gr., Namur 1958; – André Pons, Droit ecclésiastique et musique sacrée I, St-Maurice 1958; – O Redon, Les monastères italiens à la fin du VIe siècle d'après les lettres de G. le Gr. (diplôme d'études supérieures), Paris 1958; – Georg Dufner, Die Moralia G.s d. Gr. im it. Volgarizzamento, Padua 1958; – Ders., Die Dialoge G.s d. Gr. im Wandel der Zeiten u. Sprachen, ebd. 1968 (Rez. v. Pierre Courcelle, in: Annales de la Faculté des lettres de Bordeaux 71, 1969, 268 f.; v. Hermann Tüchle, in: HJ 90, 1970, 175 f.; v. Raniero Cantalamessa, in: Rivista di filologia e di istruzione classica 98, Turin 1970, 227 ff.); – H. Erharter, Schwerpunkte im Glaubensbewußtsein G.s d. Gr. (Diss. Innsbruck), 1959; – M. Balsavich, The Witness of St. G. the Gr. to the place of Christ in Prayer,

Rom 1959; – Henri de Lubac, Exégèse médiévale. Les quatre sens de l'Écriture I, Paris 1959, 187 ff. 537 ff.; II, ebd. 1961, 53 ff. 387 ff.; – Wilhelm Hünermann, Der endlose Chor. Ein Buch v. den Hll. f. das christl. Haus, 1960⁸, 136 ff.; – Jean Leclercq, La doctrine de S. G., 2 Bde., Paris 1961; – Heinz Hürten, G. d. Gr. u. das ma. Episkopat, in: ZKG 73, 1962, 16 ff.; – J. P. van Dijk, G. the Gr., Founder of the Urban Schola Cantorum, in: EphLiturg 77, 1963, 345 ff.; – Donatien Roland, Activisme ou pastorale. Le message de S. G. le Gr., Paris 1963; – R. A. Markus, The Chronology of the Gregorian Mission to England: Bede's narrative and G.s correspondence, in: JEH 15, 1963, 16 ff.; – Raoul Manselli, G. Magno e la Bibbia, in: La Bibbia nell'Alto Medioevo, Spoleto 1963, 67 ff.; – Ders., G. Magno, Turin 1967; – Paul Meyvaert, Bede and G. the Gr., Jarrow/Durham 1964; – George Sanderlin, St. G. the Gr., Consul of God, London – New York 1964; – Antonin Burda, G. d. Gr. als Musiker, in: Mf 17, 1964, 388 ff.; – Tilmann Buddensieg, G. the Gr., the destroyer of pagan idols, in: Journal of the Warburg and Courtauld Institutes 28, London 1965, 44 ff.; – Higini Anglès, Sakraler Gesang u. Musik in den Schrr. G.s d. Gr., in: Essays . . . Festschr. Egon Wellesz, Oxford 1966; – F. F. Bruce, Literature and theology to G. the Gr., in: JEH 18, 1967, 227 ff.; – Vincenzo Recchia, L'esegesi di G. Magno al Cantico dei Cantico dei Cantici, Turin 1967 (Rez. v. Massimo Marocchi, in: Athenaeum. Studii periodici di letteratura e storia dell'antichità 47, Pavia 1969, 370 f.; v. J. H. Waszink, in: VigChr 27, 1973, 74 ff.); – Dietram Hofmann, Die geist. Ausl. der Schr. bei G. d. Gr., 1968 (Rez. v. A. Segovja, in: Archivo teologico granadino 32, Granada 1969, 302 f.); – Martin Gerbert, De cantu et musica sacra . . . (1774). Faks. hrsg. v. Othmar Wessely (= Die großen Darst. der Musikgesch. in Aufklärung u. Barock IV), Graz 1968; – Suso Frank, Actio u. Contemplatio bei G. d. Gr., in: TThZ 78, 1969, 283 ff.; – Claude Dagens, La »Conversion« de S. G. le Gr., in: RÉAug 15, 1969, 149 ff. (Rez. v. Vincenzo Recchia, in: Vetera christianorum. Instituto di letteratura cristiana antica 6, Bari 1969, 177. 193–199); – Patrick Catry, Epreuves du juste et mystère de Dieu. Le commentaire littéral du Livre de Job par S. G. le Gr., in: RÉAug 18, 1972, 124 ff.; – Gaetano Corti, Le lettere di G. Magno. Dal libro primo: Lettere 1–50. Introduzione, testo latino, traduzione, note, Mailand 1972 (Rez. v. Enzo Bellini, in: La scuola cattolica 102, Venegano Inferiore/Varese 1974, 228 f.); – Peter McEniery, Pope G. the Gr. and infallibility, in: Journal of ecumenical studies 11, Philadelphia/Pennsylvanien 1974, 263 ff.; – Manitius I, 92 ff.; – Bardenhewer V, 284 ff.; – Loofs 244 ff.; – Seeberg II, 1 ff.; – Harnack, DG III, 233 ff.; – Hauck I, 397 ff.; – Mirbt 97 ff.; – Caspar II, 306 ff.; – Seppelt II, 9 ff. 427 f.; – LexP 38 f.; – Altaner⁷ 466 ff.; – Mann I/1, 1 ff.; – BS VII, 222 ff.; – Wimmer³ 249 f.; – Torsy 203; – Künstle 285 ff.; – Braun 305; – MGG V, 772 ff.; – Riemann I, 674; ErgBd. I, 455; – Moser I, 443; – DCB II, 779 ff.; – DACL VI, 1753 ff.; VIII, 2861 ff.; – Catholicisme V, 229 ff.; – DThC VI, 1776 ff.; XVI, 1919 ff.; – DSp VI, 872 ff.; – EC VI, 1112 ff.; – LThK IV, 1177 ff.; – NCE VI, 766 ff.; – ODCC² 594 f.; – RE VII, 78 ff.; – EKL I, 1702 ff.; – RGG II, 1837.

GREGOR II., Papst, Heiliger, * 669 in Rom, † daselbst 11. 2. 731. – G., von Kindheit an im Lateran für den kirchlichen Dienst erzogen, wurde unter Sergius I. (s. d.) Subdiakon und begleitete als Diakon 709–711 Konstantin I. (s. d.) auf seiner Reise nach Byzanz. Am 19. 5. 715 gelangte er als Nachfolger des am 8. 4. 715 verstorbenen Konstantin I. auf den Stuhl Petri. G. war der erste Römer nach sieben Päpsten griechischer und syrischer Herkunft. Er beschloß, zum Schutz gegen das Langobardenreich die verfallenen Stadtmauern des Kaisers Lucius Domitius Aurelian (s. d.) wiederherzustellen. Den Langobarden entriß G. das Kastell Cumä und gewann 728 von ihrem König Liutprand (712–744) Stadt und Gebiet von Sutri zurück. Als der oströmische Kaiser Leo III. (s. d.) 726 die Bilderverehrung verbot und die Entfernung aller heiligen Bilder aus den Kirchen gebot, entbrannte im Orient und im byzantinischen Italien der Bilderstreit. G. trat entschieden für die Bilderverehrung ein, verdammte auf einer römischen Synode die Bilderstürmer und richtete an Leo III. zwei Schreiben, in denen er ihn schroff zurechtwies. Das bilderfeindliche Edikt des Kaisers entfachte in Rom und Italien den Aufruhr gegen die byzantinische Herrschaft. Die von Byzanz geplante gewaltsame Beseitigung G.s scheiterte an der Anhänglichkeit und Treue des italienischen Volkes zum Papst. Überall an der Ostküste von Venedig bis Osimo wurde die byzantinische Herrschaft beseitigt, von den Städten eine autonome Verwaltung eingesetzt und der Exarch von Ravenna, der Träger der byzantinischen Herrschaft in Italien, für vogelfrei erklärt. Dem neuen von Leo III. nach dem Westen entsandten Exarchen gelang es, Liutprand zum Bundesgenossen gegen den Papst zu gewinnen. Als der Langobardenkönig mit seinem Heer gegen Rom zog, mußte sich G. mit dem Exarchen verständigen; denn er wünschte weder in kirchlicher noch in politischer Beziehung einen Bruch mit Byzanz. – Bekannt ist G. ferner durch seine Beziehungen zu dem angelsächsischen Missionar Wynfrith Bonifatius (s. d.), dem Bahnbrecher der römischen Herrschaft in Deutschland. Im Spätherbst 718 reiste Bonifatius nach Rom, um sich vor seiner weiteren missionarischen Wirksamkeit in Deutschland der Unterstützung durch den Papst zu versichern. Am 15. 5. 719 erhielt er von G. seine Bestallungsurkunde als Prediger unter den Heiden und zugleich den Auftrag, in dem bereits als christlich geltenden Land Thüringen die bestehende Kirche zu reformieren, zu organisieren und Rom unterzuordnen. Auf einer zweiten Romreise empfing Bonifatius am 30. 11. 722 durch G. die Weihe zum Missionsbischof gegen die eidliche Verpflichtung, mit den Bischöfen, die sich nicht an die kanonischen Vorschriften hielten, keine Gemeinschaft zu haben, sondern ihnen vielmehr ihre Tätigkeit zu wehren oder sie dem Papst anzuzeigen. – Während seines Pontifikats trat Ine, König von Wessex, in ein römisches Kloster ein, stiftete in Rom die »Schola Saxona« und führte zur Beschaffung ihres Unterhalts in seinem Reich den »Peterspfennig« ein. – G. bemühte sich eifrig um die Ausbreitung des Benediktinerordens, dessen am 581 von den Langobarden zerstörtes Stammkloster Montecassino auf sein Betreiben 720 wiederhergestellt wurde. In Rom stiftete er auf seinem Erbgut ein Benediktinerkloster. Auch lag ihm daran, den päpstlichen Grundbesitz zu vermehren und das kirchliche Leben in Rom zu heben. – G. wird als Heiliger verehrt. Sein Fest ist der 13. Februar.

Lit.: LibPont I, 396 ff.; – Jaffé I, 253 f. (Nr. 2180 u. 2182: die beiden Briefe G.s an Leo III.); – MPL 89, 453 f. (die beiden Briefe G.s an Leo III.); – Rudolf Baxmann, Die Politik der Päpste v. Gregor I. bis Gregor VII., I, 1868, 195 ff.; – Alfred v. Reumont, Gesch. der Stadt Rom II, 1868, 99 ff.; – Josef Langen, Gesch. der röm. Kirche II, 1885, 602 ff.; – Josef Dahmen, Das Pontifikat G.s II., II/1, 1888; – Ignaz v. Döllinger, Die Papstfabeln des MA, hrsg. v. Johannes Friedrich, 1890², 177 ff.; – Louis Duchesne, Les premiers temps de l'État pontifical (754 bis 1073), Paris 1898 (1912³); – Ludo Moritz Hartmann, Gesch. It. im MA II/2, 1903, 87 ff.; – Giacinto Romano, Le dominazioni barbariche in Italia 395–888, Mailand 1909, 329 ff.; – August Schäfer, Die Bedeutung der Päpste G. II. u. G. III. f. die Gründung des Kirchenstaates (Diss. Münster), 1913, bes. 14–33; – Hermann Nottarp, Bist.errichtung in Dtld. im 8. Jh. (Diss. Berlin, 1918), Stuttgart 1920; – Hans v. Schubert, Gesch. d. christl. Kirche im Früh-MA, 1921, 246 ff.; – H. Grégoire: in Byzantion 8, Paris 1933, 762 f. (bestreitet die Echtheit der beiden Briefe G.s an Leo III.); – Erich Caspar, G. II. u. der Bilderstreit, in: ZKG 52, 1933, 29 ff. (tritt f. die Echtheit der beiden Briefe G.s an Leo III., die er neu herausgibt, ein); – Ottorino Bertolini, Roma di fronte a Bisanzio e ai Longobardi, Bologna 1941, 423 ff.; – Ders., I papi e le relazioni politiche di Roma con i ducati longobardi di Spoleto e di Benevento III/1 (Il secolo VIII), in: Rivista di Storia della Chiese in Italia 9, Rom 1955, 1 ff.; – Ferdinand Gregorovius, Gesch. der Stadt Rom im MA, neu hrsg. v. Waldemar Kampf, I, 1953, 357 ff.; – Theodor Schieffer, Winfrid-Bonifatius u. die christl. Grundlegung Europas, 1954; – Walter Ullmann, The Growth of the Papal Government in the Middle Ages. A Study in the theological Relation of Clerical to Lay Power, London 1955 (1962²), 45 ff.; – Guy Ferrari, Early Roman Monasteries, Rom 1957, 379 ff.; – Pio Paschini – Vincenzo Monachino, I Papi nella storia I, ebd. 1961, 226 ff.; – Jean Gouillard, Les Lettres de G. II à Léon III devant la critique du XIVᵉ siècle, in: Mélanges Georgos Ostrogorsky, hrsg. v. Franjo Barišić, I, Belgrad 1963, 103 ff.; – Ders., Aux origines de l'iconoclasme: le témoignage de G. II, in: Centre de recherche d'histoire et civilisation byzantines. Travaux et Mémoires 3, 1968, 243 ff.; – BS VII, 1941 ff.; – AS Febr. II, 692 ff.; – Mart-Rom 61; – MPL 89, 453 ff.; – MG LL III, 451 ff.; – MG Epp I, 266 ff. 273 ff.; – Mirbt 106; – Mann I/2, 141 ff.; – Caspar II, 644 ff.; – Haller I, 351 ff. (bestreitet die Echtheit der beiden Briefe G.s an Leo III.: I, 548); – Seppelt II, 85 ff.; – LexP 48; – Hauck I, 379 f. 457 ff.; – DThC VI, 1781 ff.; – Catholicisme V, 232 f.; – EC VI, 1126 f.; – LThK IV, 1181; – NCE VI, 770; – ODCC² 595; – RE VII, 89 ff.; – RGG II, 1837 f.

GREGOR III.

GREGOR III., Papst, Heiliger, † 10. 12. 741 in Rom. – G. war ein Syrer von Geburt und Priester an S. Crisogono. Er gelangte am 18. 3. 731 als Nachfolger Gregors II. (s. d.) auf den Stuhl Petri. G. ist nächst seinem Vorgänger der bedeutendste Papst des 8. Jahrhunderts und bekannt durch den Bilderstreit und seine Verbindung mit dem angelsächsischen Missionar Wynfrith Bonifatius (s. d.). Der oströmische Kaiser Leo III. (s. d.) verbot 726 die Bilderverehrung und gebot die Entfernung aller heiligen Bilder aus den Kirchen. Damit entfesselte er die byzantinischen Bilderstreitigkeiten. Das Volk spaltete sich in zwei Parteien: die Bilderverehrer und die Bilderstürmer. Ein zweites bilderfeindliches Ediket erfolgte 730. Wie G. II., so trat auch G. III. entschieden für die Bilderverehrung ein. Wiederholt bemühte er sich durch Gesandtschaften an Leo III. um die Zurücknahme seiner bilderfeindlichen Erlasse. Der Kaiser aber blieb fest. Als G. im November 731 auf einer römischen Synode alle Bilderstürmer exkommunizierte, sandte Leo III. eine Flotte nach Italien, die aber auf dem Adriatischen Meer zugrunde ging. Nun wandte der Kaiser andere Mittel an: er beraubte den Papst eines großen Teils seiner Einkünfte, indem er die Diözesen in Unteritalien und auf Sizilien und das unter dem Vikariat von Thessalonich stehende östliche Illyrien von der Unterordnung von Rom losriß und diese Gebiete in den Sprengel des Patriarchen von Konstantinopel eingliederte. G. brach daraufhin den Verkehr mit Byzanz ab. Zum Schutz gegen die Langobarden schloß der Papst ein Bündnis mit den lombardischen Herzögen von Benevent und Spoleto. Als der Langobardenkönig Liutprand 739 gegen Rom zog, wandte sich G. in seiner Not mit der Bitte um Hilfe an den fränkischen Hausmeister Karl Martell, der aber eine militärische Intervention ablehnte. Auch ein zweiter und dritter Hilferuf des Papstes war vergeblich. Wie G. II., so förderte auch G. III. die missionarische Wirksamkeit des Wynfrith Bonifatius. Er ernannte ihn 732 zum Erzbischof und verlieh ihm das Recht, in Deutschland nach Belieben Bistümer zu gründen. Als Bonifatius 738 zum drittenmal nach Rom reiste, bewog ihn G., seine sächsischen Missionspläne aufzugeben und als päpstlicher Vikar die Organisation der bayrischen und alemannischen Kirche zu übernehmen. – G. wird als Heiliger verehrt. Sein Fest ist der 28. November.

Lit.: LibPont I, 415 ff.; – Jaffé I, 257 ff.; – MPL 89, 597 ff.; – Rudolf Baxmann, Die Politik der Päpste v. Gregor I. bis Gregor VII, I, 1868, 209 ff.; – Josef Langen, Gesch. der röm. Kirche II, 1885, 618 ff.; – Louis Duchesne, Les premiers temps de l'État pontifical (754–1073), Paris 1898 (1912²); – Ludo Moritz Hartmann, Gesch. It. im MA II/2, 1903, 169 ff.; – Agostino Saba, Storia dei Papi, Turin 1936, 304 ff.; – Ottorino Bertolini, Roma di fronte a Bisanzio e ai Longobardi, Bologna 1941, 453 ff.; – Ferdinand Gregorovius, Gesch. der Stadt Rom im Ma, neu hrsg.

v. Waldemar Kampf, I, 1953, 349 ff.; – Walter Ullmann, The Growth of the Papal Government in the Middle Ages. A Study in the theological Relation of Clerical to Lay Poper, London 1955 (1962²), 45 ff.; – Paolo Rabikauskas, Papstname u. Ordnungszahl, in: RQ 51, 1956, 1 ff.; – Klemens Honselmann, Der Brief G.s III. an Bonifatius über die Sachsenmission, in: HJ 76, 1957, 83 ff.; – Pio Paschini – Vincenzo Monachino, I Papi nella storia I, Rom 1961, 234 ff.; – BS VII, 290 ff.; – MartRom 553; – MG Epp III, 290 ff. 703 ff.; – Mann I/2, 203 ff.; – Caspar II, 664 ff. u. ö.; – Haller I, 358 ff.; – Seppelt II, 102 ff.; – LexP 49; – Hauck I, 484 ff. 498 ff. 506 ff.; – DThC VI, 1785 ff.; – EC VI, 1127 f.; – LThK IV, 1181 ff.; – NCE VI, 770 f.; – RE VII, 91 f.; – RGG II, 1838.

GREGOR IV., Papst, † Januar 844 in Rom. – G., ein Römer von vornehmer Herkunft, war seit Paschalis I. (s. d.) Priester der Basilika von S. Marco und gelangte im Herbst 827 nach dem Tod Valentins (s. d.) als erster auf den Stuhl Petri gemäß den Bestimmungen der »Constitutio Romana«, die Lothar I. im Einvernehmen mit Eugen II. (s. d.) 824 erlassen hatte, wonach der neugewählte Papst vor seiner Weihe dem Kaiser den Treueid zu leisten habe. G. ernannte Ansgar (s. d.) zum Erzbischof von Hamburg und zum Legaten in den nördlichen und östlichen Ländern. Er verlegte um 835 das Allerheiligenfest auf den 1. November. Das verfallene Ostia baute G. wieder auf als starke Festung gegen die Sarazenen. Er ist ferner bekannt durch seine Einmischung in die Zwistigkeiten im Kaiserhaus. Ludwig der Fromme (814–840; s. d.) hatte 817 sein Reich unter seine Söhne Lothar, Pipin und Ludwig geteilt, änderte aber 829 diese Teilung zugunsten Karls des Kahlen, der ihm 823 in seiner zweiten Ehe geboren worden war. Da empörten sich die älteren Söhne gegen ihren Vater. Lothar I. berief G. zum Schiedsrichter. Der Papst reiste 833 über die Alpen nach Deutschland, um im Streit zwischen Ludwig dem Frommen und seinen Söhnen »zur Erhaltung des Friedens und der Eintracht« für die Erbfolgeordnung von 817 zu wirken. Der Kaiser und die auf seiner Seite stehenden Bischöfe begegneten seinem Kommen mit lebhaftem Protest und der Drohung seiner Absetzung. Es kam trotzdem auf dem Rotfeld bei Kolmar im Lager Ludwigs des Frommen zu einer persönlichen Begegnung zwischen dem Kaiser und dem Papst. Während G. in mehrtägigen Verhandlungen das Vertrauen Ludwigs des Frommen wiedergewann und von ihm die Vollmacht zur Vermittlung eines Friedens erhielt, bewogen Lothar I. und seine Brüder das kaiserliche Heer zum Abfall. Der größte Teil des Heeres ging in der Nacht nach der Rückkehr G.s aus dem kaiserlichen Lager zu Lothar I. über. Ludwig der Fromme fiel im Kampf seinen Söhnen in die Hände. Weil sein Heer Verrat geübt hatte, wurde der Kampfplatz »Lügenfeld« genannt. G.s Friedensvermittlung war also völlig erfolglos verlaufen.

Lit.: LibPont II, 73 ff.; – Jaffé I, 323 ff. – Rudolf Baxmann, Die Politik der Päpste v. Gregor I. bis Gregor VII., I, 1868, 339 ff.; – Bernhard v. Simson, Jbb. des Dt. Reiches unter Ludwig dem Frommen, I, 1874, 285 f.; II, 1876, 32 ff. 164 ff.; – Josef Langen, Gesch. der röm. Kirche II, 1885, 816 ff.; – Max Heimbucher, Die Papstwahlen unter den Karolingern, 1889, 144 ff.; – Wilhelm Ohr, Die Reise G.s IV. nach Fkr., in: ZKG 24, 1903, 333 ff.; – Roland Faulhaber, Der Reichseinheitsgedanke in der Lit. der Karolingerzeit bis z. Vertrag v. Verdun, 1931, 61 ff.; – Paolo Brezzi, Roma e l'Impero medioevale, 774–1252, Bologna 1947; – Louis Halphen, Charlemagne et l'Empire carolingien, Paris (1947) 1949², 279 ff.; – Ferdinand Gregorovius, Gesch. der Stadt Rom im MA, neu hrsg. v. Waldemar Kampf, I, 1953, 497 ff.; – Henri-Xaxier Arquillière, L'Augustinisme politique, Paris 1955²; – Haller II, 29. 45 f. 526; – Seppelt II, 214 ff.; – Mann II, 187 ff.; – LexP 57; – Hauck II, 513 ff.; – LThK IV, 1182; – NCE VI, 771; – RE VII, 92 f.; – RGG II, 1838.

GREGOR V., Papst, * 972 als Sohn des Herzogs Otto von Kärnten und Urenkel Ottos I. (s. d.), † 18. 2. 999 in Rom (an der Malaria, nicht an Gift). – Brun von Kärnten wurde am Hof des Bischofs Hildebrand von Worms erzogen und begleitete 996 als königlicher Hofkaplan Otto III. (s. d.) auf seinem ersten Zug nach Rom. In Pavia erfuhr der König, daß Johannes XV. (s. d.), der ihn gegen den Führer des römischen Stadtadels, Johannes Crescentius Nomentanus, zu Hilfe gerufen hatte, Anfang April 996 gestorben sei. Eine Abordnung römischer Adliger verhandelte in Ravenna mit Otto III. über die Wiederbesetzung des Apostolischen Stuhles. Der König bestimmte Brun zum Nachfolger Johannes' XV., und Erzbischof Williges (s. d.) von Mainz und Bischof Hildebald von Worms geleiteten ihn nach Rom. Brun wurde zum Papst gewählt und am 3. 5. 996 feierlich als G. V. inthronisiert. Er war der erste deutsche Papst. Am 21. 5. 996 krönte der 24jährige Papst seinen 16jährigen Vetter Otto III. zum Kaiser. Crescentius II., der als »Patricius« in Rom unumschränkt geherrscht hatte, unterwarf sich Otto III., der ihn auf Fürsprache G.s begnadigte und in seinen Würden als »Patricius« bestätigte. Nach dem Abzug des Kaisers revoltierte Crescentius II. aufs neue. Er vertrieb Ende 996 G. aus Rom und erhob den Griechen Johannes Philagathos, den Erzbischof von Piacenza und kaiserlichen Gesandten in Konstantinopel, als Johannes XVI (s. d.) auf den päpstlichen Stuhl. Beide wurden gebannt. G. weilte das ganze Jahr 997 in Oberitalien. In dem Streit um das Erzbistum Reims setzte er sich nachdrücklich für den von der Synode in St. Bâle bei Reims abgesetzten Arnulf (s. d.) ein und erkannte den auf jener Synode zum Erzbischof von Reims gewählten Gerbert, den späteren Silvester II. (s. d.), den er als Eindringling bezeichnete, nicht an, obwohl dieser ein Günstling des Kaisers war. Auf der Synode von Pavia im Frühjahr 997 suspendierte G. alle französischen Bischöfe, die sich an der Absetzung Arnulfs beteiligt hatten, und setzte es durch, daß Arnulf vom französischen Hof freigelassen und als Erzbischof von Reims wieder anerkannt wurde. Den König Robert II. von Frankreich, der seine Gemahlin verjagt und Bertha, die Witwe eines Grafen Odo, geheiratet hatte, bedrohte G. wegen seiner konkubinarischen Ehe mit dem Bann. Unter Androhung der Suspension forderte er Gisiler (Giselher) zur Verantwortung nach Rom, weil er als Bischof von Merseburg sein Bistum verlassen, den erzbischöflichen Stuhl von Magdeburg auf unwürdige Weise 981 an sich gebracht und das Bistum Merseburg aufgehoben und aufgeteilt hatte. Ende 998 oder Anfang 999 beschloß eine römische Synode unter dem Vorsitz des Kaisers die Wiederherstellung des Bistums Merseburg. Sie erfolgte aber erst nach dem Tod Gisilers 1004 durch Heinrich II. Otto III. führte G., der Ende Dezember 997 mit ihm in Pavia zusammengetroffen war, im Februar 998 nach Rom zurück, das dem Kaiser bereitwillig die Tore öffnete. Otto III. belagerte die stark befestigte Engelsburg und ließ nach ihrer Erstürmung Crescentius II. mit 12 Genossen enthaupten und aufhängen. Johannes XVI. war auf eine feste Burg fern von Rom geflohen, wurde aber im März 998 ergriffen, der Augen beraubt und an Nase, Ohren und Zunge verstümmelt, nach Heilung seiner Wunden auf einem Konzil im Lateran abgesetzt, auf einem Esel durch die Straßen der Stadt geführt und von G. in einem römischen Kloster eingekerkert, wo er am 2. 4. 1013 starb. Seitdem war G. vom Kaiser stark abhängig. So verlieh er ohne weiteres 998 dem von Otto III. zum Erzbischof von Ravenna erhobenen Gerbert das Pallium.

Lit.: LibPont II, 261 f.; – Jaffé I, 489 ff.; – Constantin Höfler, Die dt. Päpste I, 1839, 94 ff. 307 ff.; – Rudolf Baxmann, Die Politik der Päpste v. Gregor I. bis Gregor VII., II, 1869, 147 ff.; – Adolf Otto, Papst G. V. (Diss. Münster), 1881; – Ernst Erich Schmidt, Giselher, Bisch. v. Merseburg, EB v. Magdeburg (Diss. Halle, 1887), ebd. 1886; – Josef Langen, Gesch. der röm. Kirche III, 1892, 381 ff.; – Ludo Moritz Hartmann, Gesch. It. im MA IV/1, 1915, 101 ff.; – Karl Guggenberger, Die dt. Päpste. Ihr Leben u. ihre geschichtl. Bedeutung, 1916, 15 ff.; – Robert Holtzmann, Die Aufhebung u. Wiederherstellung des Bist. Merseburg, in: Sachsen u. Anhalt 2, 1926, 35 ff.; – Ders., Gesch. der sächs. Kaiserzeit, 1955³, 33 ff. u. ö.; – Karl Hampe, in: HZ 140, 1929, 513 f.; – Percy Ernst Schramm, Kaiser, Rom u. Renovatio. Stud. z. Gesch. des röm. Erneuerungsgedankens v. Ende des karoling. Reiches bis z. Investiturstreit I, 1929 (1957², 90 ff.); – A. Celli, Sulla morte di G. V, in: Ricerche religiose 6, Rom 1930, 137 ff.; – Willy Kölmel, Rom u. der Kirchenstaat im 10. u. 11. Jh., 1935; – Ferdinand Gregorovius, Gesch. der Stadt Rom im MA, neu hrsg. v. Waldemar Kampf, I, 1953, 650 ff.; – Mathilde Uhlirz, Jbb. des Dt. Reiches unter Otto III., 1954 – H. May, G. V., der erste dt. Papst, in: Das Münster am Hellweg 11, 1958, 140 ff.; – Harald Zimmermann, Papstabsetzungen des MA, in: MIÖG 69, 1961, 270 ff.; – Teta E. Moehs, G. V: 996 bis 999; a bibliographical study, Stuttgart 1972 (Rez. v. Hans-Joachim Diesner, in: ThLZ 99, 1974, 58 f.; v. Robert Folz, in: Erasmus. Speculum scientiarum 26, London 1974, 764 f.; v. W. H. C. Frend, in: Theology. A monthly review 77, London 1974, 94 f.); – Hauck III, 259 ff.; – Mann IV, 389 ff.; – Haller II, 219 ff.; – Seppelt II, 387 f.; – LexP 74 f.; – ADB IX, 626 f.; – RE VII, 93 f.; – RGG II, 1838; – LThK IV, 1182; – NCE VI, 771.

GREGOR VI., Gegenpapst, † nach 1018. – Die Tusculaner erklärten Theophylakt, den Sohn des Grafen von Tusculum, zum Nachfolger Sergius' IV. (s. d.) und behaupteten ihn mit Waffengewalt gegen G. VI., den Gegenpapst des römischen Adelsgeschlechts der Crescentier, so daß Theophylakt als Benedikt VIII. (s. d.) am 20. 4. 1012 geweiht wurde. G. floh zu Heinrich II. und trat am Weihnachtsfest 1012 in vollem päpstlichem Schmuck am Königshof in Pöhlde auf. Heinrich II. nahm das päpstliche Kreuz in Verwahrung und untersagte ihm, die päpstlichen Insignien zu tragen, versprach ihm aber, den Streitfall zu untersuchen, sobald er nach Rom käme. Heinrich II. hatte sich aber schon für Benedikt VIII. entschieden, der ihn mit seiner Gemahlin Kunigunde am 14. 2. 1014 in Rom zum Kaiser krönte. G. wird zum letztenmal 1018 erwähnt.

Lit.: Thietmar, Chronicon VI, 101, hrsg. v. Robert Holtzmann, in: MG SS rer Germ., 1935 (Neudr. 1955), 394 f.; – Hauck III, 518 f.; – LThK IV, 1182; – RE VII, 94; – RGG II, 1838.

GREGOR VI., Papst, † November 1047. – Graf Alberich von Tusculum erhob 1033 nach dem Tod Johannes' XIX. (s. d.) seinen noch sehr jungen Sohn Theophylakt durch Simonie als Benedikt IX. (s. d.) auf den Stuhl Petri. Wegen seines lasterhaften Lebenswandels vertrieben ihn aber die Römer im September 1044 und wählten im Januar 1045 den Bischof Johann von Sabina, der seine Wahl auch erkauft hatte, als Silvester III. (s. d.) zum Papst. Er wurde aber bereits im März von Benedikt IX. aus Rom vertrieben und kehrte als Bischof in die Sabina zurück. Da Benedikt IX. seine Lage trotzdem als unhaltbar erkannte, entsagte er urkundlich am 1. 5. 1045 der päpstlichen Würde und verkaufte sie für die Summe von 1000 oder sogar 2000 Pfund Silber an seinen »patrinus« (Taufpate oder Beichtvater) Johannes Gratianus, den Erzpriester an S. Giovanni a Porta Latina, der sich als

Papst Gregor VI. nannte. Er ließ die Römer schwören, niemals einen anderen zum Papst zu wählen, solange er lebe. G. fand Anerkennung in Italien, Frankreich und Deutschland. Im Herbst 1046 trat Heinrich III. seinen ersten Zug nach Rom an und berief im November 1046 G. an seinen Hof in Piacenza. Nach dieser Zusammenkunft beschloß der König aus uns unbekannten Gründen die Absetzung G.s. Unter seinem Vorsitz tagte am 20. 12. 1046 die Synode zu Sutri. Aktenstücke sind nicht vorhanden, die Nachrichten darüber dürftig und nicht übereinstimmend. Heinrich III. lud G., Benedikt IX. und Silvester III. vor die Synode. G. wurde nicht abgesetzt, da nach allgemein anerkanntem Rechtssatz der römische Bischof von niemandem gerichtet werden kann. Die Synode überließ ihm selbst, das Urteil über sich zu sprechen. So erfolgte seine Absetzung in Form einer Selbstverurteilung. Der König verwies ihn mit Hildebrand, dem späteren Gregor VII. (s. d.), als seinem Begleiter in die Verbannung nach Deutschland, »ad ripas Rheni«, wahrscheinlich nach Köln. Die Synode verurteilte Silvester III. zum Verlust der bischöflichen und priesterlichen Würde und zur Einschließung in ein Kloster. Benedikt IX. war nicht erschienen. Auf der am 23. und 24. 12. 1046 in Rom stattfindenden Synode wurde er abgesetzt. Heinrich III. nominierte den Bischof Suidger von Bamberg zum Papst, und Klerus und Volk stimmten zu. Am darauffolgenden Tag wurde er als Clemens II. (s. d.) inthronisiert und krönte Heinrich III. zum Kaiser.

Lit.: Jaffé I, 524 f.; II, 709; – MPL 142, 573 ff.; – Constantin Höfler, Die dt. Päpste, 1839, 224 ff.; – Rudolf Baxmann, Die Politik der Päpste v. Gregor I. bis auf Gregor VII., II, 1869, 199 ff.; – Ernst Steindorff, Jbb. des Dt. Reiches unter Heinrich III., I, 1874; II, 1881; – Josef Langen, Gesch. der röm. Kirche III, 1892, 432 ff.; – Ernst Sackur, Die Cluniacenser in ihrer kirchl. u. allg.geschichtl. Wirksamkeit bis z. Mitte des 11. Jh.s, II, 1894, 281 ff.; – Carl Mirbt, Die Publizistik im Zeitalter Gregors VII., 1894, 241 ff. 361. 571 ff.; – Hedwig Kromayer, Über die Vorgänge in Rom im J. 1045 u. die Synode v. Sutri 1046, in: HV 10, 1907, 161 ff.; – Giovanni Battista Borino, L'elezione e la deposizione di G. VI, in: Archivio della Reale Società Romana di Storia Patria 39, Rom 1916, 142 ff. 295 ff.; – Ders., Invitus ultra montes cum domno Papa Gregorio abii, in: StGreg 1, 1947, 3 ff.; – Reginald Lane Poole, Benedict IX and G. VI, in: Proceedings of the British Academy 8, London 1917/18, 200 ff.; – Augustin Fliche, La réforme grégorienne I, Löwen 1924, 106 ff.; – Ferdinand Gregorovius, Gesch. der Stadt Rom im MA, neu hrsg. v. Waldemar Kampf, II, 1954, 21 ff.; – Harald Zimmermann, Papstabsetzungen des MA, 1968; – Watterich I; – Mann V, 252 ff.; – Haller II, 279 f. 572 ff.; – Seppelt II, 415 ff.; – LexP 79; – Hauck III, 570 f. 583 ff.; – RE VII, 94 f.; – RGG II, 1838 f.; – LThK IV, 1182 f.; – NCE VI, 772.

GREGOR VII. (Hilbebrand), Papst, * etwa 1020 bei Soana in Tuskien als Sohn einfacher Eltern, † 25. 5. 1085 in Salerno. – Hildebrand wurde in Rom im Marienkloster auf dem Aventin, dessen Abt sein Oheim war, im Geist der von Cluny ausgehenden kirchlichen Reformbewegung erzogen. Er wurde wahrscheinlich dort Mönch, vielleicht aber auch erst 1048 in Cluny. Hildebrand begleitete Gregor VI. (s. d.), den Heinrich III. am 20. 12. 1046 auf der Synode von Sutri seines Amtes entsetzt hatte, in die Verbannung nach Deutschland (Köln?). Mit dem Bischof Bruno von Toul, den Heinrich III. im Dezember 1048 auf dem Reichstag zu Worms zum Nachfolger des am 9. 8. 1048 verstorbenen Damasus II. (s. d.) ernannt hatte, kehrte er nach Rom zurück und wurde von ihm, dem am 12. 2. 1049 inthronisierten Leo IX. (s. d.), als Subdiakon in den Kreis der Kardinalkleriker aufgenommen. 1054 oder 1056 war Hildebrand Legat in Frankreich. Unter Viktor II. (s. d.) fand er Zugang zur päpstlichen Kanzlei. Nachdem Stephan IX. (s. d.) ohne vorherige Verständigung mit der Kaiserin Agnes, der Witwe Heinrichs III., die für den unmündigen Heinrich IV. (s. d.) die Regentschaft führte, am 2. 8. 1057 zum Nachfolger Viktors II. gewählt worden war, verschaffte ihm Hildebrand Anfang 1058 die Anerkennung durch den deutschen Hof. Auf der Reise nach Deutschland verhandelte er in Mailand im Auftrag des Papstes über die »Pataria« (s. Arialdus), der sozial-revolutionären Partei in den großen Städten der Lombardei. Als der römische Adel in der Nacht vom 4. auf den 5. 4. 1058 den Kardinalbischof Johann von Velletri mit Waffengewalt als Benedikt X. (s. d.) und Nachfolger des am 29. 3. 1058 verstorbenen Stephan IX. auf den Stuhl Petri erhob, ließ Hildebrand im Einverständnis mit der Kaiserin Agnes im Dezember 1058 in Siena durch die dort versammelten Kardinäle der Reformpartei den Bischof Gerhard von Florenz zum Papst wählen, der am 24. 1. 1059 in Rom als Nikolaus II. (s. d.) inthronisiert wurde. Er setzte im Januar 1059 auf der Synode zu Sutri Benedikt X. ab und bannte ihn. Hildebrand, seit 1059 Archidiakon der römischen Kirche, war unter ihm der Leiter der kurialen Politik. Er hatte hervorragenden Anteil an dem Zustandekommen des Bündnisses mit der »Pataria« in Oberitalien und mit den Normannen in Süditalien, auch an der Neuordnung der Papstwahl auf der Lateransynode von 1059. Auf sein Betreiben wurde ohne vorheriges Einvernehmen mit dem deutschen Hof der Bischof Anselm von Lucca am 30. 9. 1061 durch das Kardinalskollegium zum Nachfolger des am 27. 7. 1061 verstorbenen Nikolaus II. gewählt und am darauffolgenden Tag als Alexander II. (s. d.) inthronisiert. Auf einer von der Kaiserin Agnes einberufenen Synode reformfeindlicher deutscher und lombardischer Bischöfe in Basel wurde am 28. 10. 1061 der Bischof Cadalus von Parma als Honorius II. (s. d.) gegen Alexander II. zum Papst erhoben. Hildebrand verhalf Alexander II. zum Sieg über Honorius II. Nach anfänglichen Erfolgen des Gegenpapstes setzte sich Alexander II. durch: er wurde im Oktober 1062 auf der deutsch-italienischen Synode zu Augsburg vorläufig und am 31. 5. 1064 auf Betreiben des Erzbischofs Anno (s. d.) von Köln auf der Synode in Mantua endgültig anerkannt. Während der Beisetzung des am 21. 4. 1073 verstorbenen Alexander II. wurde Hildebrand am 22. 4. vom Volk und vom Klerus in tumultuarischer Weise zum Papst ausgerufen. Seine Erhebung auf den Stuhl Petri entsprach nicht dem Papstwahlgesetz von 1059. G. teilte seine Wahl dem deutschen König mit, und Heinrich IV. erkannte sie an; in Gegenwart seines Kanzlers fand am 30. 6. 1073 G.s Weihe statt. In ihm erreichte die kirchliche Reformbewegung des 11. Jahrhunderts ihren Höhepunkt. Er erstrebte die »libertas ecclesiae«, d. h. die Loslösung der Kirche aus ihrer Verbindung mit dem Weltlichen, die monarchische Regierung aller Kirchen von Rom aus und die Unterwerfung aller weltlichen Mächte unter die Oberhoheit des Papstes. Seine Grundsätze hat G. niedergelegt in den 27 kurzen Sätzen des »Dictatus Papae«: »1. Quod Romana ecclesia a solo Domino sit fundata. – 2. Quod solus Romanus pontifex

iure dicatur universalis. – 3. Quod ille solus possit deponere episcopos vel reconciliare. – 4. Quod legatus eius omnibus episcopis praesit in concilio, etiam inferioris gradus et adversus eos sententiam depositionis possit dare. – 5. Quod absentes papa possit deponere. – 6. Quod cum excommunicatis ab illo inter cetera nec in eadem domo debemus manere. – 7. Quod illi soli licet pro temporis necessitate novas leges condere, novas plebes congregare, de canonica abbatiam facere et e contra, divitem episcopatum dividere et inopes unire. – 8. Quod solus possit uti imperialibus insigniis. – 9. Quod solius papae pedes omnes principes deosculentur. – 10. Quod illius solius nomen in ecclesiis recitetur. – 11. Quod hoc unicum est nomen in mundo. – 12. Quod illi liceat imperatores deponere. – 13. Quod illi liceat de sede ad sedem, necessitate cogente, episcopos transmutare. – 14. Quod de omni ecclesia quocunque voluerit clericum valeat ordinare. – 15. Quod ab illo ordinatus alii ecclesiae praeesse potest, sed non militare; et quod ab aliquo episcopo non debet superiorem gradum accipere. – 16. Quod nulla synodus absque praecepto eius debet generalis vocari. – 17. Quod nullum capitulum nullusque liber canonicus habeatur absque illius auctoritate. – 18. Quod sententia illius a nullo debeat retractari, et ipse omnium solus retractare possit. – 19. Quod a nemine ipse iudicari debeat. – 20. Quod nullus audeat condemnare apostolicam sedem appellantem. – 21. Quod maiores causae cuiuscunque ecclesiae ad eam referri debeant. 22. Quod Romana ecclesia numquam erravit nec in perpetuum scriptura testante errabit. – 23. Quod Romanus pontifex, si canonice fuerit ordinatus, meritis beati Petri indubitanter efficitur sanctus testante sancto Ennodio Papiensi episcopo et multis sanctis patribus faventibus, sicut in decretis beati Symmachi papae contineatur. – 24. Quod illius praecepto et licentia subiectis liceat accusare. – 25. Quod absque synodali conventu possit episcopos deponere et reconciliare. – 26. Quod catholicus non habeatur, qui non concordat Romanae ecclesiae. – 27. Quod a fidelitate iniquorum subiectos potest absolvere.« – Das Verhältnis zwischen G. und Heinrich IV. war zunächst friedlich. Da der König im Juli 1073 durch den Aufstand der Sachsen in schwere Bedrängnis geriet, war er um ein gutes Einvernehmen mit dem Papst bemüht. Heinrich IV. schrieb einen unterwürfigen Brief an G. und vollzog im Mai 1074 in Nürnberg vor zwei römischen Kardinalbischöfen seine völlige Unterwerfung: er tat Buße für seinen Umgang mit den wegen Simonie exkommunizierten, aber von ihm nicht entlassenen Räten und gelobte Gehorsam und Unterstützung der Reformbestrebungen G.s. Die unter seinem Einfluß von seinen Vorgängern begonnene Reform führte G. weiter. Auf der Fastensynode 1074 verbot er die »Simonie«, die Erwerbung oder Übertragung eines geistlichen Amtes um Geld, und gebot den »Zölibat«, d. h. die Ehelosigkeit der Priester. Seit Leo IX. waren frühere Verbote der Priesterehe auf mehreren Synoden erneuert worden, ohne daß die Bischöfe davon Notiz nahmen. G. erneuerte die Bestimmungen von 1059 und 1063, nach denen der verheiratete oder im Konkubinat lebende Priester, der das Sakrament verwalte, ebenso wie der Laie, der es von ihm empfange, exkommuniziert werden soll. Da die Zölibatvorschriften heftigen Widerspruch hervorriefen und ihre Durchführung auf nachhaltigen Widerstand stieß, suchte G. die Ehelosigkeit der Priester mit den schärfsten Mitteln zu erzwingen: er verfügte auf der Fastensynode 1075 den Ausschluß der widerspenstigen Kleriker vom Meßgottesdienst und forderte die Laien auf, von verheirateten Priestern keine Amtshandlungen anzunehmen und diese mit Gewalt zu nötigen, ihre Frauen zu entlassen. Auf der Fastensynode von 1075 erließ G. das Verbot der Laieninvestitur und eröffnete damit den Kampf mit dem deutschen Königtum. Unter »Investitur« versteht man das mittelalterliche kirchliche Recht die Übertragung des Bischofsamts mit seinen geistlichen und weltlichen Rechten durch den König durch Übergabe von Bischofsstab und später auch Bischofsring, ebenso die Amtsübergabe bei Äbten königlicher Klöster. – Zum Verlauf des Investiturstreits s. HEINRICH IV.

Lit.: August Friedrich Gfrörer, Papst G. VII. u. sein Zeitalter, 7 Bde. u. Namen- u. Sach-Reg., Schaffhausen 1859–64; – Bibliotheca rerum Gregorianam. II: Monumenta Gregoriana. Hrsg. v. Philipp Jaffé, 1865 (Neudr. Aalen 1964); – Wilhelm v. Giesebrecht, Die Gesetzgebung der röm. Kirche z. Z. G.s VII. in: Münchener Hist. Jb. 1866, 93 ff.; – Ders., Gesch. der dt. Kaiserzeit III, 1890⁵; – Rudolf Baxmann, Die Politik der Päpste v. Gregor I. bis auf G. VII., II, 1869; – Paul Hinschius, Das KR der Katholiken u. Protestanten in Dtld. I, 1869, 114 ff. (Zölibat); II, 1878, 530 ff. (Laieninvestitur); – Georg Waitz, Dt. Verfassungsgesch. VII, 1876, 265 ff. (Laieninvestitur); VIII, 1878, 433 ff. (dgl.); – Georg Hoffmann, Das Verhältnis G.s VII. zur Fkr. (Diss. Breslau), 1877; – Wilhelm Martens, Die Besetzung des päpstl. Stuhles unter den Kaisern Heinrich III. u. Heinrich IV., 1887; – Ders., Heinrich IV. u. G. VII. nach der Schilderung v. Rankes Weltgesch., 1887; – Ders., G. VII., sein Leben u. Wirken, 2 Bde., 1894; – William Richard Wood Stephens, Hildebrand and his Times, 1888; – Paul Dehnicke, Die Maßnahmen G.s VII. gg. Heinrich IV. während der J. 1076 bis 1080 (Diss. Halle), 1889; – Rudolf Bonin, Die Besetzung der dt. Bistümer in den letzten 30 J. Heinrichs IV. 1077 bis 1105 (Diss. Leipzig), 1889; – Richard Schroeder, Lehrb. der dt. Rechtsgesch., Jena 1889, hrsg. v. Eberhard Frhr. v. Künßberg, 1922⁶, 305 ff. (Laieninvestitur), 1932⁷; – Odon Delarc, St. G. VII et la réforme de l'église au XIᵉ siècle, 3 Bde., Paris 1889/90; – Carl Mirbt, Heinrich IV. in Canossa, in ChW 1889, Nr. 26–28; – Ders., Die Absetzung Heinrichs IV. durch G. VII. in der Publizistik jener Zeit, 1890; – Ders., Die Wahl G.s VII., 1892; – Ders., Die Publizistik im Zeitalter G.s VII., 1894, 131 ff. (Absetzung Heinrichs IV. auf der röm. Fastensynode 1076). 239 ff. (Zölibat). 343 ff. (Simonie). 463 ff. (Laieninvestitur). 543 ff. (Verhältnis v. Kirche u. Staat); – Gerold Meyer v. Knonau, Jbb. des Dt. Reiches unter Heinrich IV. u. V., 5 Bde., 1890–1904; – E. Meyer, Zum Investiturgesetz G.s VII., 1892; – Paul Sander, Der Kampf Heinrichs IV. u. G.s VII. v. der 2. Exkommunikation des Kg. bis zu seiner Kaiserkrönung. März 1080 bis März 1084 (Diss. Straßburg), Berlin 1893; – Curt-Bogislav G. v. Hacke, Die Palliumverleihungen bis 1143. Eine diplomat.-hist. Unters. (Diss. Göttingen), 1898, 102 ff. (G. VII.: Notwendigkeit des Palliums f. die Ausübung erzbisch. Funktionen); – Albert Grosse, Der Romanus Legatus nach der Auffassung G.s VII. (Diss. Halle), 1901; – Anton Leinz, Die Simonie. Eine kanonist. Stud., 1902; – Walter Norden, Das Papsttum u. Byzanz. Die Trennung der beiden Mächte u. das Problem ihrer Wiedervereinigung bis z. Untergange des byz. Reiches (1453), 1903, 38 ff.; – Friedrich Kropatscheck, Das Schr.prinzip der luth. Kirche I, 1904, 106 ff. (G. VII.: Dunkelheit der HS); – Robert Warrand Carlyle and Alexander James Carlyle, A History of mediaeval political theory in the West III, Edinburgh 1905, 93 ff.; – Albert Werminghoff, Gesch. der Kirchenverfassung Dtld.s im MA I, 1905, 143 ff. (Verhältnis v. Kirche u. Staat). 179 ff. (Laieninvestitur); – Johannes Haller, Canossa: in: Neue Jbb. f. klass. Altertum 9, 1906, 102 ff.; – Ders., G. VII., in: Meister der Politik, hrsg. v. Erich Marcks u. Karl Alexander v. Müller, I, 1923², 487 ff.; – Albert Predeek, Papst G. VII., Heinrich IV. u. die dt. Fürstenversammlung (Diss. Münster), 1907; – Johannes Massino, G. VII. im Verhältnis zu seinen Legaten (Diss. Greifswald), 1907; – Bernhard Messing, Papst G.s VII. Verhältnis zu den Klöstern (Diss. Greifswald), 1907; – Joseph Schmidlin, Das Investiturproblem, in: AkathKR 87, 1907, 87 ff.; – Hermann Kulot, Die Zus.stellung der päpstl. Grundsätze (Dictatus papae) im Registrum Gregorii VII in ihrem Verhältnis zu den KRsmlg.en der Zeit (Diss. Greifswald, 1908), ebd. 1907; – Otto Meine, G. VII. Auffassung v. Fürstenamt im Verhältnis zu den Fürsten seiner Zeit (Diss. Greifswald), 1907; – Ernst Bernheim, Qu. z. Gesch. des Investiturstreites. I: Zur Gesch. G.s VII. u. Heinrichs IV., 1907 (1930³); – Ders., Ma.

Zeitanschauungen in ihrem Einfluß auf Politik u. Gesch.schreibung, 1918; – Anton Scharnagl, Der Begriff der Investitur in den Qu. u. der Lit. des Investiturstreits, 1908; – Karl Hampe, Dt. Kaisergesch. in der Zeit der Salier u. Staufer, (1909) 1929⁶, 38 ff. (1949¹⁰); – Ders., Das Hoch-MA, 1953⁴; – Hermann Sielaff, Stud. über G.s VII. Gesinnung u. Verhalten gg. Kg. Heinrich IV. in den J. 1073–80 (Diss. Greifswald), 1910; – Heinrich Krüger, Was versteht G. VII. unter »justitia« u. wie wendet er diesen Begriff im einzelnen an? (Diss. Greifswald), 1910; – Wilhelm M. Peitz, Das Originalreg. G.s VII. im Vatikan. Arch., in: SAW phil.-hist. Kl. 165, 1911; – Otto Blaul, Stud. z. Reg. G.s VII. (Diss. Straßburg), 1911; – Ders., Stud. z. Reg. G.s VII., in: AUF 4, 1912, 113 ff.; – Otto Schumann, Die päpstl. Legaten in Dtld. z. Z. Heinrichs IV. u. Heinrichs V. 1056–1125 (Diss. Marburg), 1912; – Richard Hammler, G.s VII. Stellung zu Frieden u. Krieg im Rahmen seiner Gesamtanschauung (Diss. Greifswald), 1912; – Albert Brackmann, Heinrich IV. u. der Fürstentag zu Tribur, in: HV 1912, 153 ff.; – Ders., Heinrich IV. als Politiker beim Ausbruch des Investiturstreites, 1927; – Ders., Tribur, 1939; – Ders., Canossa u. das Reich, 1943; – Ders., G. VII. u. die kirchl. Reformbewegung in Dtld. II, 1947, 7 ff.; u. in: Ders., Ges. Aufs., 1967²; – Willy Reuter, Die Gesinnungen u. die Maßnahmen G.s VII. gg. Heinrich IV. in den J. 1080 bis 1085 (Diss. Greifswald), 1913; – Erich Caspar, Stud. z. Reg. G.s VII., in: NA 38, 1913, 144 ff.; – Das Reg. G.s VII., hrsg. v. dems., in: MG Epp II, 1920–23 (Neudr. 1955); – Ders., Papst G. VII. in seinen Briefen, in: HZ 130, 1924, 1 ff.; – Gottfried Herzfeld, G.s VII. Begriff der bösen Obrigkeit (tyrannus, rex injustus, iniquus) im Sinne der Anschauungen Augustins u. Papst Gregors d. Gr. (Diss. Greifswald), 1914; – Fritz Kern, Gottesgnadentum u. Widerstandsrecht im frühen MA, 1914, 108 ff.; – Johannes Lange, Das Staatensystem G.s VII. auf Grund des Augustin. Begriffs v. der »libertas ecclesiae« (Diss. Greifswald), 1915; – Augustin Fliche, Études sur la polémique religieuse à l'époque de G. VII, Paris 1916; – Ders., St. G. VII, 1920³; – Ders., La réforme grégorienne I, Paris – Löwen 1923; II, 1925; III, 1937; – Ders., La réforme grégorienne et la reconquête chrétienne, 1057–1123, Paris 1940; – Fritz Schillmann, Kaiser u. Papst. Der Kampf Heinrichs IV. u. G.s VII., 1918; – V. Cathrein, G.s VII. Lehre v. Staat, in: Arch. f. Rechts- u. Wirtschaftsgesch. 1918, 230 ff.; – Wilhelm Schneider, Stud. z. dt. Kirchengut (Diss. Greifswald, 1920), 1919; – Erich Weinert, Die Bedeutung der superbia u. humilitas in den Briefen G.s VII. (Diss. Greifswald), 1920; – Das Leben Kaiser Heinrichs IV., übers. v. Johannes Bühler (Insel-Bücherei 333), 1921 (neu übers. v. Irene Schmale-Ott, 1963); – Emil Kröning, Die Lehnspolitik der röm. Kurie unter dem Pontifikat G.s VII. (Diss. Greifswald), 1921; – Friedrich Heyn, Der Petrusglaube G.s VII. (Diss. Greifswald), 1921; – Erich Kittel, Die Staatsauffassung der kirchl. Reformpartei im Zeitalter G.s VII. (Diss. Berlin), 1925; – Élie Voosen, Papauté et pouvoir civil à l'époque de G. VII. Contribution à l'histoire du droit public (Diss. Universitas Catholica Novaniensis), Gembloux 1927; – Wilhelm Wühr, Stud. zu G. VII. Kirchenreform u. Weltpolitik (Diss. München, 1928), München-Freising 1930; – Allan John MacDonald, Hildebrand, a Life of G. VII, London 1932; – James Pounder Whitney, Hildebrandine Essays, Cambridge 1932; – Karl Hofmann, Der »Dictatus Papae« G.s VII. Eine rechtsgeschichtl. Erkl. (Hab.-Schr., München 1933), Paderborn 1933; – Anton Meyer-Pfannholz, Die Wende v. Canossa. Eine Stud. z. Sacrum Imperium, in: Hochland 30/2, 1933, 385 ff.; – Heinrich IV. u. G. VII. im Lichte der Geistesgesch., 1936; – Henri-Xavier Arquillière, St. G. VII. Essai sur sa conception du pouvoir pontifical, Paris 1934; – Ders., Die jurist. Bedeutung der Absolution v. Canossa, 1950; – Ders., Der Pontifikat G.s VII. in seiner theol. Bedeutung, 1950; – Ders., L'Augustinisme politique. Essai sur la formation des théories politiques du Moyen âge, Paris 1955²; – Rudolf Wahl, Canossa. Eine hr. Kg. Eine Historie, 1935; – Karl Erdmann, Die Entstehung des Kreuzzugsgedankens, 1935 (Nachdr. 1955), 107–249. 347–362; – Ders., Tribur u. Rom. Zur Vorgesch. der Canossafahrt, 1937; – Ders., Zum Fürstentag v. Tribur, 1941; – Gerd Tellenbach, Libertas. Kirche u. Weltordnung im Zeitalter des Investiturstreites, 1936, 151 ff.; – Alexander Cartellieri, Der Aufstieg des Papsttums im Rahmen der Weltgesch. 1047–1095, 1936; – Eugen Söhngen, Die Bestätigung der dt. Kg.wahl durch Papst G. VII. unter bes. Berücks. seines Reg. u. seiner Briefe (Diss. Münster), Emsdetten/Westfalen 1936; – Julia Gauß, Die Dictatusthesen G.s VII. als Unionsforderungen. Ein hist. Erkl.-vers., in: ZSavRGkan 29, 1940, 1 ff.; – Raffaello Morghen, G. VII, Turin 1942; – Ders., L'Origine e la formazione del programma della riforma gregoriana, Rom 1959 – Studi Gregoriani per la storia di G. VII e della riforma gregoriana, hrsg. v. Giovanni Battista Borino, 7 Bde., Rom 1947–61; – Ders., L'investitura laica dal decreto di Niccolò II al decreto di Gregorio VII, ebd. 1956; – Friedrich Heer, Papst G. VII. u. die Revolutio Christiana, in: Wort u. Wahrheit. Mschr. f. Rel. u. Kultur 3, 1948, 926 ff.; – Ders., Aufgang Europas. Eine Stud. z. den Zshg. zw. polit. Religiosität, Frömmigkeitsstil u. dem Werden Europas im 12. Jh., Wien – Zürich 1949; – August Nitschke, Die Welt G.s VII. Stud. z. Reformpapsttum (Diss. Göttingen, 1951), 1950; – Ders., Hll. in dieser Welt. Persönl. Autorität u polit. Wirksamkeit, 1962 (100–121: G. VII.); – Leone Tondelli, Archäolog. Ausgrabungen in Canossa, 1952; – Leo Santifaller, Btr. z. Gesch. der Beschreibstoffe im MA, in: MIÖG ErgBd. 16/1, 1953, 94 ff.; – Ders., Qu. u. Forsch. z. Urkk.- u. Kanzleiwesen G.s I.

(StT 190), Rom 1957; – Ferdinand Gregorovius, Gesch. der Stadt Rom im MA, neu hrsg. v. Waldemar Kampf, II, 1954, 73 ff.; – Die Briefe Heinrichs IV. mit den Qu. zu Canossa, übers. u. erl. v. Karl Langosch, GDV 3. GA, 98, 1954; – Karl Jordan, Dt. Reich u. Kaisertum. Anfänge u. Aufstieg bis z. Beginn des Investiturstreits 911–1056, in: Bruno Gebhardt, Hdb. der dt. Gesch. I⁸, hrsg. v. Herbert Grundmann, 1955, 253 ff.; – Alfons Becker, Stud. z. Investiturproblem in Fkr. Papsttum, Königtum u. Episkopat im Zeitalter der gregorian. Kirchenreform (1049–1119), 1955, 21 ff.; – Irmtraut Amann, G. VII. in der dt. Gesch.schreibung v. Gottfried Arnold bis Wilhelm Martens. Ein Btr. z. hist. Urteilsbildung (Diss. München), 1955; – Walter Ullmann, The Growth of Papal Government. A Study in the theological Relation of Clerical to Lay Power, London 1955 (1962²), 262–309; – Ders., A short history of the papacy in the Middle Ages, New York 1972, 142 ff. 349 ff.; – Marcel Pacaut, La Théocratie. L'Église et le pouvoir au Moyen Age, Paris 1957, 63 ff.; – Wolfram v. den Steinen, Canossa. Heinrich IV. u. die Kirche, 1957 (Nachdr. Darmstadt 1969); – Franziska Maria Stratmann, Die Hll. in der Versuchung der Macht, 1958 (187–235: G. VII.); – Walther v. Loewenich, Macht u. Ohnmacht in der Kirche. G. VII. u. Luther, in: Ders., Von Augustin zu Luther, 1959, 118 ff.; – Franz-Josef Schmale, Papsttum u. Kurie zw. G. VII. u. Innozenz II., in: HZ 193, 1961, 265 ff.; – Karl Bosl, G. VII. u. Heinrich IV., in: Die Europäer u. ihre Gesch. 11 Vortrr., 1961, 19 ff. 212 ff.; – Yves Marie-Joseph Congar, Der Platz des Papsttums in der Kirchenfrömmigkeit der Reformer des 11. Jh.s, in: Sentire Ecclesiam. Festschr. f. Hugo Rahner, 1961, 196 ff.; – Canossa als Wende. Ausgew. Aufss. zu neueren Forsch. Hrsg. v. Hellmut Kämpf, 1963, 337 ff. (Nachdr. Darmstadt 1969); – Gisbert Kranz, G. VII., in: Ders., Polit. Hll. u. kath. Reformer III, 1963, 86 ff.; – The Gregorian epoch: reformation, revolution, reaction, hrsg. v. S. Williams, Indianopolis/Indiana 1964; – L. F. J. Meulenberg, Der Primat der röm. Kirche im Denken u. Handeln G.s VII., in: Mededelingen van het Nederlands Historisch Instituut re Rome. Reeks 3, 33, Den Haag 1965; – Johannes Spörl, G. VII. u. das Problem der Autorität, in: Reformata reformanda. Festg. f. Hubert Jedin. Hrsg. v. Erwin Iserloh u. Konrad Repgen. I, 1965, 59 ff.; – Alexander Murray, Pope G. VII and his Letters, in: Traditio 22, 1966, 149 ff.; – Giovanni Miccoli, Chiesa gregoriana, Florenz 1966; – Friedrich Kempf, Die gregorian. Reform (1046–1124), in: Hdb. der KG, hrsg. v. Hubert Jedin, III/1, 1966, 401–461; – Ders., Die innere Wende des christl. Abendlandes während der gregorian. Reform, ebd. 485–539; – John Gilchrist, G. VII and the juristic sources of his ideology, in: StG 12, 1967, 1 ff.; – Ders., G. VII and the primacy of the Roman church, in: Tijdschrift voor rechtsgeschiedenis. Revue d'histoire du droit 36, Groningen – Brüssel – Den Haag 1968, 123 ff.; – Josephus Nicolaas Arnoldus Huijbregts, Frankrijk en het officie van G. VII (Diss. Tilburg), 1968; – Werner Goez, Zur Erhebung u. ersten Absetzung G.s VII., in: RQ 63, 1968, 117 ff.; – Klaus Ganzer, Das Kirchenverständnis G.s VII., in: ThZ 78, 1969, 94 ff.; – La vita e il tempo di G. VII, Mailand 1970; – Harald Zimmermann, Wurde G. VII. 1076 in Worms abgesetzt?, in: MIÖG 78, 1970, 121 ff.; – Herbert Edward John Cowdrey, The Cluniacs and the Gregorian reform, Oxford 1970 (Rez v. José Oroz, in: Augustinus 16, Madrid 1971, 106 f.; v. Harald Zimmermann, in: ThLZ 96, 1971, 604 ff.; v. C. Alonso, in: Augustinianum 11, Rom 1971, 578 f.; v. A. Stacpoole, in: Medium aevum 41, Oxford 1972, 174 ff.; v. M. D. Legge, in: French Studies 27, Oxford 1973, 441; v. Josef Semmler, in: Cahiers de civilisation médiéval 16, Poitiers 1973, 158 ff.; – Ders., The Epistolae vagantes of Pope G. VII, Oxford 1972 (Rez. v. Henning Hoesch, in: HZ 217, 1973, 412 f.; v. Robert Somerville, in: ChH 42, 1973, 279); – Christian Schneider, Prophet. Sacerdotium u. heilsgeschichtl. Regnum im Dialog 1073–1077: z. Gesch. G.s VII. u. Heinrichs IV. (Diss. Münster, 1969), München 1972 (Rez. v. Franz-Josef Schmale, in: Das hist.-polit. Buch 20, 1972, 357 f.; v. R. Folz, in: RHE 68, 1973, 146 ff.; v. Hermann Jakobs, in: HZ 217, 1973, 400 ff.; v. Harald Zimmermann, in: MIÖG 81, 1973, 158 f.); – Gottfried Koch, Auf dem Wege z. sacrum imperium. Stud. z. ideolog. Herrschaftsbegründung der dt. Zentralgewalt im 11. u. 12. Jh., 1972; – Paul Egon Hübinger, Die letzten Worte Papst G.s VII., 1973 (Rez. v. Robert E. Lerner, in: American historical review 79, New York 1974, 1527 f.); – Watterich III, 293–546; – Mirbt 146 ff.; – MG Liblit I. II. III; – Hauck III, 597 ff. 672 ff. 753 ff.; – Mann VII, 1–217; – Haller III, 365 ff. 599 ff. u. ö.; – Seppelt III, 65 ff. 600 ff.; – LexP 84 ff.; – Jaffé I, 594 ff.; – AS Maii VI, 102 ff.; – BS VII, 294–379; – Wimmer³ 251; – DThC VI, 1791 ff.; – EC VI, 1931 f.; – HZ 193, 1961, 265 ff.; – LThK VI, 1183 ff.; – NCE VI, 772 ff.; – ODCC² 595 f.; – RE VII, 96 ff.; – XXIII, 592 f.; – EKL I, 1706 f.; – RGG II, 1839.

GREGOR VIII., Gegenpapst, * in Südfrankreich, † nach 1137 in La Cava (Unteritalien.) – Der Cluniazenser Mauritius wurde 1099 Bischof von Coimbra (Portugal) und 1108 Erzbischof von Braga (Portugal). Wegen Rechtsstreitigkeiten mit dem Erzbischof Bernhard von Toledo (s. d.). dem Primas von Spanien, der ihn abgesetzt hatte, kam er 1114 nach Rom und wurde

von Paschalis II. (s. d.) rehabilitiert. Da der Papst die Rechte von Braga verkürzte, trat Mauritius auf die Seite des gebannten Heinrich V. und wurde darum im April 1117 auf der Synode in Benevent von Paschalis II. mit dem Bann belegt. Gelasius II. (s. d.), der am 24. 1. 1118 zum Nachfolger Paschalis' II. gewählt worden war, floh vor Empfang der Weihe aus Rom, als der Kaiser, ohne dessen Kenntnis die Wahl des neuen Papstes erfolgt war, in Eilmärschen aus der Lombardei heranrückte. Heinrich V. traf am 2. 3. 1118 in Rom ein. Als Gelasius II., der in seiner Vaterstadt Gaeta Zuflucht gefunden und dort am 8. 3. die Weihe empfangen hatte, die Rückkehr nach Rom verweigerte und in der Investiturfrage keine Verständigung erzielt werden konnte, ließ der Kaiser am 8. 3. 1118 Mauritius als G. VIII. zum Gegenpapst wählen. Gelasius II. sprach am 7. 4. 1118 in Capua über Heinrich V. und den Gegenpapst den Bann aus. Calixt II. (s. d.), der am 2. 2. 1119 in Cluny zum Nachfolger des dort am 18. 1. 1119 verstorbenen Gelasius II. gewählt worden war, erneuerte auf der Synode in Reims am 29./30. 10. 1119 das Verbot der Laieninvestitur und die Exkommunikation des Kaisers und des Gegenpapstes. Im Frühjahr 1120 zog Calixt II. nach Italien und hielt glänzenden Einzug in Rom. G., von Heinrich V. im Stich gelassen, floh nach Sutri. Nach achttägiger Belagerung der Stadt Sutri lieferten die Bürger im April 1121 den Gegenpapst an Calixt II. aus, der ihn zu Kerkerhaft verurteilte. Unter dem Spott des Pöbels mußte G., während der Papst voranritt, rücklings auf einem Kamel mit dem Schwanz als Zügel in der Hand seinen Einzug in Rom halten. Er wurde zunächst in dem »Septizonium« eingekerkert, dann auf die Burg Passarano, in die Abtei La Cava, später nach Rocca Iemola bei Montecassino, 1125 von Honorius II. (s. d.) nach Castel Fumone gebracht. Lothar III. sah im August 1137 auf seinem Zug nach Sizilien G. in La Cava. Die Römer gaben ihm den Beinamen »Burdinus« (Esel).

Lit.: Josef Langen, Gesch. der röm. Kirche IV, 1893; – Carl Mirbt, Die Publizistik im Zeitalter Gregors VII., 1894, 445; – Karl Erdmann, Mauritius Burdinus (G. VIII.), in: QFIAB 19, 1927, 205 ff.; – Pier Fausto Palumbo, Lo scisma del 1130, Rom 1942; – Eduard David, Études historiques sur la Galice et le Portugal du VIᵉ au VIIᵉ siècle, Coimbra 1947, 441 ff. (L'énigme de Maurice Bourdin); – Ferdinand Gregorovius, Gesch. der Stadt Rom im MA, neu hrsg. v. Waldemar Kampf, II, 1954, 162 ff.; – Watterich II, 99. 105 ff.; – Jaffé I, 281 f.; II, 715; – LibPont II, 415. 347; III, 162 f. 169; – Haller II, 503 ff.; – Seppelt III, 152 ff. u. ö.; – LThK IV, 1185 f.; – RE VII, 115 f.; – RGG II, 1839.

GREGOR VIII., Papst, * zwischen 1105 und 1110 in Benevent, † 17. 12. 1187 in Pisa. – Albertus de Morra wurde Augustinerchorherr, 1155/56 durch Hadrian IV. (s. d.) Kardinal und 1178 Kanzler der römischen Kirche unter Alexander III. (s. d.). Am 21. 10. 1187 wurde er in Ferrara zum Nachfolger des am vorhergehenden Tag verstorbenen Urban III. (s. d.) gewählt und am 25. 10. als G. VIII. geweiht. Urban III. und G. haben Rom niemals betreten; die ununterbrochenen Streitigkeiten mit dem römischen Senat hielten sie fern. Die Nachricht von der Vernichtung des christlichen Heeres bei Hittin am See Genezareth durch den Sultan Saladin von Ägypten am 4./5. 7. 1187 und dem Fall Jerusalems am 2. 10. 1187 legte ihm den Gedanken an einen neuen Kreuzzug nahe, für den er eifrig warb. Darum erstrebte G. eine Verständigung mit Friedrich I. Barbarossa. Auch bemühte er sich um den Frieden zwischen den Pisanern und Genuesen, um sie für eine gemeinsame Beteiligung am Kreuzzug zu gewinnen.

Lit.: Paul Scheffer-Boichorst, Kaiser Friedrich I. letzter Streit mit der Kurie, 1866, 149 ff.; – Paul Nadig, G.s VIII. 57tägiges Pontifikat (Diss. Basel), 1890; – Josef Langen, Gesch. der röm. Kirche IV, 1893, 570 ff.; – Gustav Kleemann, Papst G. VIII., (Diss. Jena), 1912; – Paul Kehr, G. als Ordensgründer, in: Miscellanea Francesco Ehrle II, Rom 1924, 248 ff.; – Karl Wenck, in: Papsttum u. Kaisertum. Forsch. z. polit. Gesch. u. Geisteskultur des MA. Festschr. f. Paul Kehr, hrsg. v. August Brackmann, 1926, 427 ff.; – Harry Breßlau, Urkk.lehre f. Dtld. u. It., hrsg. v. Hans-Walter Klewitz, II, 1931², 365 ff.; – Wilhelm Holtzmann, Die Dekretalen G.s VIII., in: MIÖG 58, 1950, 113 ff.; – Ferdinand Gregorovius, Gesch. der Stadt Rom im MA, neu hrsg. v. Waldemar Kampf, II, 1954, 166. 170. 258; – G. Volkaerts, G. VIII, Albert de Mora, chanoine prémontré?, in: AnPraem 44, 1968, 128 ff.; – Watterich II, 683 ff.; – Mann X, 312 ff.; – Haller III, 262 ff. 521; – Seppelt III, 301 ff.; – LexP 97; – Jaffé II, 528 ff.; – LThK IV, 1186; – NCE VI, 775; – RE VII, 116; – RGG II, 1839 f.

GREGOR IX., Papst, * um 1170 in Anagni, † 22. 8. 1241 in Rom. – Ugolino Graf von Segni studierte in Paris Theologie und in Bologna die Rechte. Er wurde unter Innozenz III. (s. d.), seinem Oheim, päpstlicher Kaplan, 1198 Kardinaldiakon von St. Eustachius und 1206 Kardinalbischof von Ostia. Innozenz III. und Honorius III. (s. d.) betrauten ihn mit wichtigen Missionen. Am 22. 11. 1220 assistierte er bei der Kaiserkrönung Friedrichs II. in Rom und wurde 1221 zum Kreuzzugsprediger für Mittel- und Oberitalien bestellt. Franz von Assisi (s. d.) erbat sich 1220 von Honorius III. zum Protektor der »fratres minores« Ugolino, der mit dem Franziskaner Elias von Cortona (s. d.) eifrig die Umwandlung der freien Minoriten in einen Mönchsorden betrieb. Die dritte, endgültige Fassung der Ordensregel ist im wesentlichen ein Werk Ugolinos und wurde am 29. 11. 1223 von Honorius III. bestätigt. 1218/19 verfaßte er im Anschluß an die Benediktinerregel die erste Regel des Klarissenordens, des zweiten Ordens des Franz von Assisi, den dieser gemeinsam mit Klara von Assisi (s. d.) am 18. 3. 1212 begründet und bis 1217 selber geleitet hatte. Ugolino wurde am 19. 3. 1227 zum Nachfolger des am vorhergehenden Tag verstorbenen Honorius III. gewählt und als G. IX. inthronisiert. Er hat die Zwei-Schwerter-Theorie in voller Konsequenz ausgesprochen: »Uterque gladius ecclesiae traditur; sed ab ecclesia exercendus est unus, alius pro ecclesia manu saecularis principis eximendus, unus a sacerdote, alius ad nutum sacerdotis administrandus a milite.« G. war leidenschaftlich auf die Erhaltung der päpstlichen Weltherrschaft und die Freiheit des Kirchenstaates bedacht und darum der entschlossenste Gegner des deutschen Kaisertums. Schon im ersten Pontifikatsjahr kam es zum völligen Bruch zwischen G. und Friedrich II. Der Kaiser schob die von ihm schon bei seiner Aachener Krönung zum deutschen König 1215 gelobte Kreuzfahrt immer wieder auf, um zuvor seine Macht im Königreich Sizilien zu stärken. Der Papst drängte auf die Erfüllung seines mehrfach wiederholten Versprechens. Am 8. 9. 1227 trat Friedrich II. in Brindisi die Kreuzfahrt an, gab sie aber bereits zwei Tage später in Otranto auf, weil unter den Kreuzfahrern eine Fieberepidemie ausgebrochen und er selber erkrankt war. G. empfing nicht die Boten des Kaisers, die ihn über seine Umkehr aufklären sollten, sondern verkündigte am 29. 9. die Exkommunikation Friedrichs II. und wiederholte die Bannung am 18. 11. 1227 und am 23. 3. 1228. Unter Protest des Papstes brach der gebannte Kaiser am 28. 6. 1228 von Brindisi aus zum 6. Kreuzzug auf und erreichte durch diplomatisches Geschick ohne Schwertstreich mehr, als die früheren Kreuzfahrer durch blutige Schlachten gewonnen hatten. Es gelang ihm, am 18. 2. 1229 mit dem Sultan El-Kamil von Ägypten einen Vertrag zu schließen: gegen einen zehnjährigen Waffenstillstand und freie Religionsausübung der Muslimen in der Jerusalemer Moschee wurde den Christen das Gebiet von Jerusalem, Bethlehem und Nazareth und der Küstenstrich von Sidon und Joppe abgetreten. Trotz des Widerstandes von seiten des Patriarchen Gerold von Jerusalem, der Johanniter und Templer krönte Friedrich II. am 18. 3. 1229 in der Grabeskirche sich selbst zum König von Jerusalem. Daraufhin belegte der Patriarch die heiligen Stätten mit dem Interdikt. In Italien benutzte G. die Abwesenheit des Kaisers, um durch seine »Schlüsselsoldaten« den Kampf gegen die Stauferherrschaft in Sizilien zu führen. Als Friedrich II. das erfuhr, kehrte er aus dem Heiligen Land rasch zurück. Am 10. 6. 1229 landete der Kaiser in Brindisi und vertrieb in wenigen Wochen die päpstlichen Truppen aus Sizilien. Durch Vermittlung des Hochmeisters des Deutschen Ordens, Hermann von Salza (s. d.), kam es nach Vorverhandlungen in San Germano Ende Juli 1230 zum Frieden von Ceperano: Friedrich II. erkaufte durch wichtige Zugeständnisse am 28. 8. die Lösung vom Bann. Bei dem grundsätzlichen Widerstreit der kaiserlichen und päpstlichen Interessen in Norditalien konnte der Friede keinen Bestand haben. Der Kaiser gewann in Deutschland durch Niederwerfung der Empörung seines Sohnes Heinrich eine feste Stellung und errang am 27. 11. 1237 einen glänzenden Sieg bei Cartenuova über den Bund der lombardischen Städte. Nach der vergeblichen Belagerung von Brescia im August 1238 durch Friedrich II. verbündete sich der Papst mit den Lombarden sowie mit Venedig und Genua und belegte am 20. 3. 1239 den Kaiser aufs neue mit dem Bann. Es kam zu einem heftigen Streitschriftenkrieg, in dem der Kaiser G. als den Drachen der Apokalypse und den Antichrist bezeichnete, während der Papst Friedrich II. des Unglaubens beschuldigte und behauptete, er habe gesagt, Jesus, Mose und Mohammed seien die drei großen Betrüger der Menschheit, was aber der Kaiser entschieden bestritt. G. betrieb durch Albert von Behaim, seinen Legaten in Deutschland und Vollstrecker der Bannbulle gegen Friedrich II., erfolglos die Aufstellung eines Gegenkönigs. Der Papst berief für Ostern 1241 nach Rom eine allgemeine Synode, die den Kaiser aburteilen sollte. Da Friedrichs II. Protest gegen die Einberufung der Synode vergeblich war, verhinderte er ihre Tagung. Die kaiserlich-pisanische Flotte errang am 3. 5. 1241 südöstlich von Elba, zwischen den Inseln Monte Christo und Giglio, einen glänzenden Sieg über die Flotte der Genuesen, die am 25. 4. unter starkem Schutz abgefahren war, um die auswärtigen kirchlichen Würdenträger sicher nach Rom zum Konzil zu bringen. Mehr als 60 Prälaten gerieten dabei in kaiserliche Gefangenschaft. Weite Teile des Kirchenstaates waren von Friedrich II. besetzt. Der Papst aber lehnte alle Versuche des Kaisers, eine Verständigung herbeizuführen, entschieden ab. Er verlangte von ihm bedingungslose Unterwerfung. Als Friedrich II. vor den Toren Roms stand, starb sein Gegner. – G. förderte die Bettelorden, deren Stifter er heiligsprach: Franz von Assisi am 16. 7. 1228 und Dominikus (s. d.) am 13. 7. 1234. Schon zu Lebzeiten des Franz von Assisi begannen die Streitigkeiten um das Armutsideal des Ordensstifters. Der Orden spaltete sich in zwei einander heftig bekämpfende Parteien, die laxe Richtung der »fratres de communitate«, die die ursprüngliche Strenge zu mildern suchte, und die schroffe Richtung der »Spirituales« oder »Zelatores«, die an der alten Strenge festhielt. G.s Bulle »Quo elongati« vom 28. 9. 1230 erklärte das Testament des Franz von Assisi für nicht streng verbindlich und gestattete dem Orden gegen die Regel von 1223 die Sammlung von Geld durch Mittelspersonen, die nicht dem Orden angehören. Auf dem Pfingstkapitel 1239, das G. persönlich in Rom leitete, wurde Elias von Cortona, der seit 1232 »minister generalis« war, sich aber mit beiden Parteien verfeindet hatte, mit Zusimmung G.s, seines bisherigen Gönners, abgesetzt. Mit einem Teil seiner Anhänger schloß sich Elias dem Kaiser an und wurde darum vom Papst gebannt. – 1227 beauftragte G. den Weltpriester Konrad von Marburg (s. d.) mit ausgedehnten Vollmachten mit der Inquisition in Deutschland. Nach sechsjährigem Schreckensregiment wurde der erste deutsche Ketzermeister von erbitterten Rittern erschlagen. G. organisierte 1232 das kirchliche Inquisitionsverfahren, indem er zur Aufspürung der Ketzer in jeder Diözese einen eigenen Gerichtshof einrichtete, den er direkt dem Papst unterstellte und mit Dominikanern besetzte. – G. beauftragte 1230 den spanischen Dominikaner Raimund von Penaforte (s. d.) mit der Abfassung einer neuen Dekretalensammlung. Raimund verarbeitete die fünf älteren Kompilationen (Quinque Compilationes antiquae) in Verbindung mit den gregorianischen Dekretalen in eine Sammlung von 5 Büchern, die man »Liber extra Decretum« oder »Libri V decretalium Gregorii IX«. nennt. Diese neue Gesetzessammlung, ein Hauptteil des »Corpus Iuris Canonici«, wurde mit der Bulle »Rex pacificus« vom 5. 9. 1234 den Universitäten Bologna und Paris übersandt. – Für die Geschichte der mittelalterlichen Theologie und Philosophie war es von Bedeutng, daß G. das Studium des Aristoteles freigab, nachdem in seinem Auftrag drei französische Theologen aus den Schriften des Aristoteles über die Naturphilosophie alles entfernt hatten, was nicht mit dem kirchlichen Dogma übereinstimmt. – G. sprach am 30. 5. 1232 Antonius von Padua (s. d.) heilig und am 27. 5. 1235 Elisabeth von Thüringen (s. d.).

Lit.: Pietro Balan, Storia di G. IX e dei suoi tempi, 3 Bde., Modena 1872/73; – Joseph Felten, Papst G. IX., 1886; – Karl Köhler, Das Verhältnis Friedrichs II. zu den Päpsten seiner Zeit, 1888; – Jakob Marx, Die Vita Gregorii IX. quellenkrit. unters., 1889; – Guido Levi, Registri dei cardinali Ugolino d'Ostia e Ottaviano degli Ubaldini, Rom 1890, 3–154; – Les registres de G. IX; recueil des bulles de ce pape, publiées ou analysées d'après les manuscrits originaux du Vatican, hrsg. v. Lucien Auvray, 4 Bde., Paris 1890–1955; – Carl Rodenberg, Die Vorverhh. z. Frieden v. San Germano 1229–1230, in: NA 18, 1892, 177 ff.; – Victor Domeier, Die Päpste als Richter über die dt. Könige v. der Mitte des 11. bis z. Ausgang des 13. Jh.s, 1897, 58 ff.; – Reinhold Röhricht, Gesch. des Kgr. Jerusalem (1100 bis 1291), Innsbruck 1898, 757 ff.; – Walter Norden, Papsttum u. Byzanz. Die Trennung der beiden Mächte u. das Problem ihrer Wiedervereinigung bis z. Untergang des byz. Reiches (1453), 1903, 305 ff.; – Paul Braun, Der Beichtvater der hl. Elisabeth u.

dt. Inquisitor, Konrad v. Marburg (Diss. Jena), 1909; – Wilhelm Fuchs, Die Besetzung der dt. Bistümer unter Papst G. IX. u. bis z. Regierungsantritt Papst Innozenz' IV. (Diss. Berlin), 1911; – Ernst Brem, G. IX. bis z. Beginn seines Pontifikats, 1911; – Hieronymus Golubovich, Disputatio Latinorum et Graecorum seu Relatio Apocrisiariorum G. IX de gestis Nicaeae in Bithynia et Nymphaeae in Lydia gestis (1234), in: AFrH 12, 1919, 418 ff.; – Karl Hampe, Die Aktenstücke z. Frieden v. San Germano, 1926; – Ders., Das Hoch-MA, 1953⁴, 121 ff.; – Lilly Zarncke, Der Anteil des Kard. Ugolino an der Ausbildung der drei Orden des hl. Franz, 1930 (Nachdr. Hildesheim 1972); – Ludwig Förg, Die Ketzerverfolgung in Dtld. unter G. IX. Ihre Herkunft, ihre rechtl. Grdl.n (Diss. München), Berlin 1932; – Benedikt Zöllig, Kard. Hugolin u. der hl. Franziskus, in: FS 20, 1933, 1 ff. (vgl. AFrH 19, 1926, 350 ff.); – Jean Guiraud, Histoire d'inquisition au moyen âge, 2 Bde., Paris 1935–38; – Martin Grabmann, I divieti ecclesiastici di Aristotele sotto Innocenzo III e G. IX, Rom 1941; – P. Marchetti-Longhi, Ricerche sulla famiglia di G. IX, in: Archivio della Reale Deputazione Romana di storia patria 67, Rom 1944, 275 ff.; – Christine Thouzellier, La légation en Lombardie du cardinal Hugolin (1221). Un épisode de la cinquième croisade, in: RHE 45, 1950, 508 ff.; – Kajetan Eßer, Die Briefe G.s IX. an die hl. Klara v. Assisi, in: FS 35, 1953, 274 ff.; – Bruno Gebhardt, Hdb. der dt. Gesch. I, hrsg. v. Herbert Grundmann, 1954⁸, 360 ff.; – Ferdinand Gregorovius, Gesch. der Stadt Rom im MA, neu hrsg. v. Waldemar Kampf, II, 1954, 354 ff.; – Hans Martin Schaller, Die Antwort G.s IX. auf Petrus de Vinea I,1 »Collegerunt pontifices«, in: DA II, 1954, 140 ff.; – Ders., Das letzte Rundschreiben G.s IX. gg. Friedrich II., in: Festschr. f. Percy Schramm I, 1964, 309 ff.; – G. Abate, in: Miscellanea Francescana 55, Rom 1955, 367 ff.; – Salvatore Sibilia, G. IX, Mailand 1961; – Pierre Michaud-Quantin, Remarques sur l'œuvre législative de G. IX, in: Études d'histoire du droit canonique dédiées à Gabriel Le Bras, I, Paris 1965, 273 ff.; – Ernesto Pontieri, Federico II d'Hohenstaufen e i suoi tempi, Neapel 1970; – Odilo Engels, Die Staufer, 1972; – MG Epp I, 261 ff.; – Schulte II, 408 ff.; – Mirbt 194 ff.; – Mann XIII, 165–441; – Haller IV, 47 ff.; – Seppelt III, 411 ff. 614 f. u. ö.; – LexP 102 ff.; – Hefele-Leclercq V/2, 1467–1611; – Hauck IV, 803 ff.; – EC VI, 1134 ff.; – LThK IV, 1186 ff.; – NCE VI, 775 ff.; – ODCC² 596 f.; – RE VII, 118 ff.; – XXIII, 593; – EKL I, 1707 f.; – RGG II, 1840.

GREGOR X., Papst, * 1210 in Piacenza, † 1. 10. 1276 und begraben in Arezzo. – Tedaldo Visconti, Archidiakon von Lüttich, wurde am 1. 9. 1271, obwohl er weder Priester noch Kardinal war und sich zur Zeit als Kreuzfahrer im Heiligen Land aufhielt, nach fast dreijähriger Sedisvakanz durch Kompromiß in Viterbo zum Papst gewählt. Die Nachricht von seiner Wahl zum Nachfolger Clemens' IV. (s. d.) erreichte ihn in Akko. Er traf am 13. 3. 1272 in Rom ein und wurde am 19. 3. zum Priester geweiht und am 27. 3. als G. X. zum Papst gekrönt. Zur Vorbereitung eines neuen Kreuzzugs und Beendigung des Schismas mit der griechischen Kirche berief er bereits am 31. 3. 1272 ein allgemeines Konzil auf den 1. 5. 1274 ein, das laut Ankündigung vom 13. 4. 1273 in Lyon tagen sollte. Am 7. 5. 1274 eröffnete G. die – nach römischer Berechnung – 14. allgemeine Synode. Vergeblich bemühte sich G. um die Neubelebung der Kreuzzugsbegeisterung; er erreichte nur die Bewilligung eines Zehnten der kirchlichen Einkünfte auf sechs Jahre für den bevorstehenden Kreuzzug, für den sich auch die Könige von England, Frankreich und Sizilien bereit erklärten, der aber nicht zustande kam. Aus politischer Berechnung schloß der Kaiser von Byzanz, Michael VIII. Palaeologus (s. d.), durch seine Legaten am 6. 7. 1274 eine Union der griechischen Kirche mit der römischen. Andronikus II. Palaeologos (s. d.), der Sohn und Nachfolger Michaels VIII., ein Gegner der Einigungsbestrebungen zwischen Rom und Byzanz, widerrief nach seinem Regierungsantritt 1282 die 1274 in Lyon vollzogene Union mit der römisch-katholischen Kirche. Der wichtigste Beschluß der Synode von Lyon betraf die Papstwahl. Zur Abkürzung der Sedisvakanzen führte G. durch die Konstitution »Ubi periculum maius« das »Konklave« ein, den

Brauch, die Wähler zur Beschleunigung der Wahl in einem Gemach einzuschließen und nötigenfalls auch durch Einschränkung der Beköstigung einen Druck auf sie auszuüben. G. drang auf Beendigung des Interregnums in Deutschland: er forderte Ende Juli 1273 die Kurfürsten zur Wahl eines Königs auf, widrigenfalls er einen solchen ernennen würde. Am 1. 10. 1273 wurde in Frankreich der Graf Rudolf von Habsburg als König proklamiert. Am 26. 9. 1274 erkannte ihn G. an: »Te regem Romanorum nominamus« und kündigte am 15. 2. 1275 ihm und den deutschen Fürsten als Tag der Kaiserkrönung den 1. 11. 1275 an. Im Oktober 1275 trafen sich König und Papst in Lausanne. Als Tag der Kaiserkrönung wurde nun der 2. 2. 1276 verabredet. Auf dem Weg nach Rom starb G.

Lit.: Pietro Piacenza, Compendio della storia del b. G. X papa, Piacenza 1876; – Friedrich Wertsch, Die Beziehungen Rudolfs v. Habsburg z. röm. Kurie bis z. Tode Nikolaus' III. (Diss. Göttingen), Bochum 1880; – Ferdinand Kaltenbrunner, Aktenstücke z. Gesch. des Dt. Reiches unter den Königen Rudolf I. u. Albrecht I., Wien 1889; – A. Zisterer, G. X. u. Rudolf v. Habsburg in ihren beiderseitigen Beziehungen. Mit bes. Berücks. der Frage über die grundsätzl. Stellung v. Sacerdotium u. Imperium in jener Zeit, 1891; – Jean Guiraud, Les registres de G. X, Paris 1892–1906 (Neuausg. 1960); – August Giese, Rudolf I. v. Habsburg u. die röm. Kaiserkrone (Diss. Halle), 1893; – Fritz Walter, Die Politik der Kurie unter G. X. (Diss. Berlin), 1894; – Oswald Redlich, Eine Wiener Briefsmlg. z. Gesch. des Dt. Reiches u. der östr. Länder in der 2. Hälfte des 13. Jh.s, Wien 1894; – Ders., Rudolf v. Habsburg, Innsbruck 1903; – Heinrich Otto, Die Beziehungen Rudolfs v. Habsburg zu Frankreich (Diss. Erlangen, 1893), Innsbruck 1895; – Ury Adolf v. Hirschgereuth, Stud. z. Gesch. der Kreuzzugsidee nach den Kreuzzügen. 1. Tl.: Die Kreuzzugspolitik G.s X. (Diss. München), 1896; – Johann Friedrich Böhmer, Regesta imperii VI. Die Regesten des Kaiserreichs unter Rudolf, Adolf, Albrecht, Heinrich VII. 1273 bis 1313, neu hrsg. v. Oswald Redlich, 1. Abt. (1273–1291), Innsbruck 1898; – Walter Norden, Das Papsttum u. Byzanz. Die Trennung der beiden Mächte u. das Problem ihrer Wiedervereinigung bis z. Untergang des byz. Reiches (1453), 1903, 470 ff.; – Walther Neumann, Die dt. Kg.wahlen u. päpstl. Machtanspruch während des Interregnums, 1921; – R. Diaccini, G. X e i domenicani, in: Memorie domenicani 43, Florenz 1926, 22 ff.; – Olga Joelson, Die Papstwahlen des 13. Jh.s bis z. Einf. der Conclaveordnung G.s X., 1928; – Johannes Müller, Die Legationen unter Papst G. X., 1271–1276 (Diss. Freiburg/Breisgau, 1928) = RQ 37, 1929, 57–135; – Édouard Fournier, Questions d'histoire du droit canonique I. II, Paris 1936; – Palmer Allan Throop, Criticism of the Crusade: a study of public opinion and crusade propaganda, Amsterdam 1940, 214 ff. u. ö.; – Wilhelm Hotzelt, G. X., der weltliche Kreuzzugspapst, in: Das Hl. Land in Vergangenheit u. Ggw. III, 1941, 92 ff.; – V. Laurent, La croisade et la question d'Orient sous le pontificat de G. X, in: Revue historique du Sud-Est européen, Bukarest 1945, 105 ff.; – Augustin Fliche, Le problème oriental au second concile oecuménique de Lyon (1274), in: OrChrP 13, 1947, 475 ff.; – Stephan Kuttner, in: Miscellanea P. Paschini II, Rom 1949, 39 ff.; – Palémon Glorieux, Autour des registres de G. X, in: Rivista di storia della chiesa in Italia 5, Rom 1951, 305 ff.; – Friedrich Bock, Problemi di datazione nei documenti di G. X, ebd. 7, 1953, 307 ff.; – Ferdinand Gregorovius, Gesch. der Stadt Rom im MA, neu hrsg. v. Waldemar Kampf, II, 1954, 488 ff.; – H. Ewert-Kappesowa, Byzance et le Saint-Siège à l'époque de l'union de Lyon, in: Byzantinoslavica 16, Prag 1955, 297 ff.; – Ludovico Gatto, Il pontificato di G. X, Rom 1959; – Renato Pasini, Un sommo conciliatore (G. X), Mailand 1962; – Hans Walter u. Henri Holstein, Lyon I et Lyon II (Histoire des conciles oecuméniques 7), Paris 1966; – Paolo Brezzi, La svolta della politica ecclesiastica sotto G. X, in: Studi Romani 18, 1970, 419 ff.; – Burkhard Roberg, Der konziliare Wortlaut des Ubi-periculum-Dekrets Ubi periculum. 1274, in: Annuarium Historiae Conciliorum. Internat. Zschr. f. Konziliengesch.forsch. 2, 1970, 231 ff.; – Marc Dykmans, Le cérémonial de G. X (vers 1273), in: Gregorianum 53, 1972, 535 ff.; – Martin Bertram, Zur wiss. Bearb. der Konstitutionen G.s X., in: QFIAB 53, 1973, 459 ff.; – Mirbt 204 ff.; – Mann XV, 347–501; – Haller V, 20 ff. 317 ff.; – Seppelt III, 519 ff. 619 f.; – LexP 109 f.; – AS Jan. I, 600; – MartRom 150; – BS VII, 379 ff.; – DThC VI, 1806 f.; – LThK IV, 1187 f.; – ODCC² 597; – RE VII, 122 ff.; – RGG II, 1840.

GREGOR XI., Papst, * 1329 in Maumont (Bistum Limoges), † 27. 3. 1378 in Rom. – Pierre Roger de Beaufort wurde am 28. 5. 1348 von Clemens VI. (s. d.), seinem Oheim, zum Kardinaldiakon von Sta. Maria Nuova ernannt. Er setzte in Perugia seine Stu-

dien fort und wurde ein hervorragender Kanonist. Das Kardinalskollegium wählte ihn am 30. 12. 1370 in Avignon zum Nachfolger des am 19. 12. 1370 verstorbenen Urban V. (s. d.). Vergeblich suchte G. zwischen England und Frankreich Frieden zu vermitteln. Die nationale Erhebung Italiens unter der Führung von Florenz gegen das französische Papsttum gefährdete den Besitz der Kirche in Italien. G. belegte 1376 Florenz mit dem Interdikt. Katharina von Siena (s. d.) reiste 1376 nach Avignon, um die Republik Florenz mit G. zu versöhnen, und bestimmte den Papst zur Rückkehr nach Rom. Am 17. 1. 1377 hielt G. unter dem Jubel des Volkes seinen Einzug in Rom. In seinem Auftrag schlug der grausame Kardinal Robert Graf von Genf, der spätere Gegenpapst Clemens VII. (s. d.), als Legat in Oberitalien mit Hilfe bretonischer Söldnerbanden den Aufstand nieder. Durch das von ihm im Februar 1377 angeordnete Blutbad von Cesena erlitt das Papsttum weitere Einbuße an Ansehen. Am 22. 5. 1377 erließ G. fünf Bullen gegen John Wiclif (s. d.), die an den Erzbischof von Canterbury, den Bischof von London, an Eduard III., den Kanzler und die Universität gerichtet waren. Von Wiclifs Sätzen wurden 18 als anstößig, irrig, kirchen- und staatsgefährlich verurteilt. Ehe noch von Rom aus ein weiterer Schritt gegen ihn erfolgte, starb G. Es gelang dem Papst nicht, Ruhe und Ordnung im Land zu schaffen. Ende Mai 1377 verließ G. Rom und begab sich nach Anagni. Erst am 7. 11. 1377 kehrte er nach Rom zurück.

Lit.: Alessandro Gherardi, La guerra dei Fiorentini con G. XI detta la guerra Otto Santi, Florenz 1867/68; – Johann Friedrich Böhmer, Regesta imperii VIII, 1874–77, 519; – Johann Peter Kirsch, Die Rückkehr der Päpste Urban V. u. G. XI. v. Avignon nach Rom, Paris 1898, 169–262; – Léon Mirot, La politique pontificale et le retour du Saint-Siège à Rome en 1376, ebd. 1899; – Eleonore Freiin v. Seckendorff, Die kirchenpolit. Tätigkeit der hl. Katharina v. Siena unter G. XI., 1917; – Lettres sécrètes et curiales du Pape G. XI relatives à la France, hrsg. v. dems. u. Henri Jassemin, ebd. 1936; hrsg. v. Guillaume Mollat, ebd. 1962; – Friedrich Bock, in: QFIAB 31, 1941, 15 ff. 49 ff.; – Guillaume Mollat, Les Papes d'Avignon, 1950², 1222 ff. u. ö.; – Ders., G. XI et sa légende, in: RHE 49, 1954, 873 ff.; – Ders., Relations politiques de G. XI avec les Siennois et les Florentins, in: Mélanges d'archéologie et d'histoire 68, Paris 1956, 335 ff.; – J. Glénisson, Les origines de la révolte de l'État pontifical en 1375, in: Rivista di storia della chiesa in Italia 5, Rom 1951, 145 ff.; – Petrus Amelii, Le Voyage de G. XI ramenant la papauté d'Avignon à Rome, 1376–77, suivi du text latin et de la traduction française de l'Itinerarium G. XI de Pierre Ameilh, Florenz 1952; – Ferdinand Gregorovius, Gesch. der Stadt Rom im MA, II, 1954, 777 ff.; – Lettres de G. XI, 1371–78. Textes et analyses publiés par Camille Tihon, 3 Bde., Brüssel 1958–64; – Acta G. XI, hrsg. v. A. L. Tautu, Rom 1966; – M. Hayez, Un codicille de G. XI, in: Bibliothèque de l'École des Chartres 126, 1968, 223 ff.; – Seppelt IV, 164 ff.; – LexP 128 f.; – DThC VI, 1807 f.; – Catholicisme V, 242 ff.; – EC VI, 1140 f.; – LThK IV, 1188; – ODCC² 597; – RE VII, 126; – RGG II, 1840 f.

GREGOR XII., Papst, * um 1327, † 18. 10. 1417 in Recanati. – G. hieß ursprünglich Angelo Correr und stammte aus venezianischem Patriziergeschlecht. Er wurde 1380 Bischof von Castello, 1390 lateinischer Patriarch von Konstantinopel und 1405 Kardinalpriester bei San Marco. Die römischen Kardinäle wählten ihn am 30. 11. 1406 zum Nachfolger des am 6. 11. 1406 verstorbenen Innozenz VII. (s. d.). In Avignon residierte seit 1394 als Gegenpapst Benedikt XIII. (s. d.), dem G. mitteilte, er sei unter allen Bedingungen zur Wiederherstellung der Kircheneinheit bereit. Beide Päpste wollten im Herbst 1407 darum in Savona zusammentreffen. Aber es kam nicht dazu. Als Karl VI. im Mai 1408 die völlige Neutralität Frankreichs im Streit der beiden Päpste erklärte, siedelte Benedikt XIII., von seinen Kardinälen im Stich gelassen, nach Aragon über. Auch die römischen Kardinäle verließen ihren Papst. Die Kardinäle der beiden Päpste beriefen für 1409 ein allgemeines Konzil nach Pisa. Die Synode setzte am 5. 6. 1409 die beiden nicht erschienenen Päpste ab und wählten als neuen Papst Alexander V. (s. d.). Da aber die beiden anderen nicht abdankten, hatte die Kirche nun drei Päpste. Das Konzil von Konstanz beseitigte das Schisma: Johannes XXIII. (s. d.), der Nachfolger Alexanders V., wurde am 29. 5. 1415 gefangengenommen und abgesetzt; G. dankte am 4. 7. 1415 ab; Benedikt XIII. wurde am 26. 7. 1417 abgesetzt und exkommuniziert, weil man ihn zur Abdankung nicht hatte bewegen können. G. lebte noch zwei Jahre als Kardinalbischof von Porto.

Lit.: H. V. Sauerland, G. XII. v. seiner Wahl bis z. Vertrage v. Marseille, in: HZ 34, 1875, 74 ff.; – Augustin Rösler, Kard. Joh. Dominici, 1357–1419. Ein Reformatorenbild aus der Zeit des großen Schisma, 1893, 120 ff.; – Heinrich Finke, Acta Concilii Constanciensis I, 1896, 264 ff.; II, 1926, 306 ff.; – Emil Göller, Kg. Sigmunds Kirchenpolitik 1404–1413, 1902; – Franz Bliemetzrieder, Das Gen.konzil im großen abendländ. Schisma, 1904; – Erich König, Kard. Giordano Orsini, 1906, 6 ff.; – Gustav Sommerfeldt, Eine Invektive aus der Zeit des Pisaner Konzils: Bartholomäus de Monticulo gg. Papst G. XII. (1. 11. 1408), in: ZKG 28, 1907, 188 ff.; – Julius Hollerbach, Die gregorian. Partei, Sigismund u. das Konstanzer Konzil, in: RQ 23, 1909, 3,4, 129 ff.; 24, 1910, 3,4, 3 ff. 121 ff.; – Repertorium Germanicum, hrsg. v. Kgl. preuß. Institut in Rom, I, 1916; – Angelo Mercati, in: StT 41, 1924, 128 ff. (Privat-Bibl. u. Kapelle G.s XII.); – Ferdinand Gregorovius, Gesch. der Stadt Rom im MA, neu hrsg. v. Waldemar Kampf, II, 1954, 833 ff.; – Das Konzil v. Konstanz. Hrsg. v. August Franzen u. Wolfgang Müller, 1964, 113 ff. 522 ff.; – Joseph Gill, Constance et Bâle-Florence, Paris 1965 (dt. 1967); – A. Moroni, Recanati u. G. XII, 1966; – Acta Urbani VI, Bonifatii IX, Innocentii VII. Hrsg. v. A. L. Tautu, Rom 1970; – Seppelt IV, 509; – LexP 132 f.; – Catholicisme V, 244 f.; – EC VI, 1141 f.; – LThK IV, 1188; – RE VII, 126; XXIII, 593; – RGG II, 1841.

GREGOR XIII., Papst, * 7. 1. 1502 in Bologna, † 10. 4. 1585 in Rom. – Ugo Buoncompagni lehrte als Professor an der Universität seiner Vaterstadt 1531–39 das kanonische Recht. Er nahm 1546 und seit 1561 an dem Konzil von Trient teil und wurde 1565 Kardinal und Legat in Spanien und am 14. 5. 1572 auf Betreiben des Kardinals Antoine Perrenot de Granvelle (s. d.) Nachfolger des am 1. 5. 1572 verstorbenen Pius V. (s. d.). G. war ein zielbewußter Förderer der Gegenreformation im Geist des Tridentinums. Er feierte die Pariser »Bartholomäusnacht« (23./24. 8. 1572; s. Coligny, Gaspard de) durch Prozession und eine Denkmünze, unterstützte Heinrich III. von Frankreich gegen die Hugenotten und die irische Aufstandsbewegung gegen Elisabeth von England und betrieb die Ausrüstung und Entsendung der spanischen »Armada«. G. war um die Durchführung der Beschlüsse des Konzils von Trient eifrig bemüht, konnte aber ihre Anerkennung in Frankreich nicht erreichen. Er berief 1573 die »Congregatio Germanica«, einen ständigen Ausschuß von Kardinälen zur Behandlung der deutschen Frage, und errichtete 1581 in Wien, 1582 in Köln und 1586 in Luzern eine ständige Nuntiatur. Unter ihm stieg die Zahl der Nuntiaturen bereits auf 13. G. gründete oder unterstützte 23 von Jesuiten geleitete Seminare in allen Ländern. Er schuf in Rom 1577 das griechische, 1579 das englische und 1584 das maronitische Kolleg, vereinigte 1580 das XVII von ihm geschaffene ungarische Kolleg mit dem von Ignatius von Loyola (s. d.) gegründeten »Collegium Germanicum« zum »Collegium Germanicum et Hungaricum« und

wurde der zweite Stifter des »Collegium Romanum«, der »Gregorianischen Universität«, der jesuitischen Lehranstalt für Philosophie, Theologie und Kirchenrecht. Diese Nationalkollegien schuf G. als Missionsanstalten gegen die alten und neuen Ketzer: »Täglich sehen wir die Kirche mit Hinterlist und Gewalt von ihren Feinden angegriffen. Zu ihren älteren Gegnern, Ungläubigen, Türken und Juden, sind noch neue, Ketzer und Schismatiker, hinzugekommen, die voll Gottlosigkeit und lästerlichen Wahnsinns gegen sie toben. Diesem Angriff setzen Wir nach der Pflicht Unseres Amtes die Uns zu Gebot stehenden Kräfte entgegen und verteidigen nach Vermögen die Völker, die unter Unserem Schutz sind. Der wirksamste Schutz aber und das kräftigste Gegenmittel ist, in den von jener Pest befallenen Ländern die Jugend, deren weicheres Gemüt leicht zum Guten zu wenden sein wird, im katholischen Glauben zu festigen.« G. förderte auch die Mission der Jesuiten in Indien und Japan. In seinem Auftrag reiste Antonio Possevino (s. d.) 1577 nach Schweden, um Johann III. und sein Volk für die katholische Kirche zu gewinnen. Die Konversion des Königs gelang ihm zwar; aber die Wiedereinführung des Katholizismus in Schweden scheiterte, weil die von Johann III. geforderten Reservatrechte, Abendmahl unter beiderlei Gestalt, Priesterehe u. a., nicht zugestanden wurden. 1581 sandte der Papst Possevino nach Polen, um den Frieden zwischen Stephan Bathory und Iwan IV. zu vermitteln und die Union der russischen Kirche mit Rom herbeizuführen. Er erreichte aber vom Zaren nur einige Freiheiten für die römischen Katholiken. Erfolglos waren auch G.s Bemühungen um einen Türkenkrieg zur Befreiung von Byzanz. Um den Streit um die augustinische Gnadenlehre an der Universität Löwen zu beenden, verurteilte G. 1579 durch das Breve »Provisionis nostrae« die Lehre des Michael Bajus (s. d.), nachdem bereits Pius V. 1567 76 Sätze ohne Namensnennung verdammt hatte. Bajus unterwarf sich und blieb als Professor und Kanzler der Universität im Amt. G. beauftragte 1577 eine römische Kommission mit der Revision des »Julianischen Kalenders«, die das Konzil von Trient beschlossen hatte. Einer der Hauptmitarbeiter an der Gregorianischen Kalenderreform war der Jesuit Christoph Clavius aus Bamberg, der seit 1565 am Jesuitenkolleg in Rom lehrte. Diese berichtigte den Fehler des »Julianischen Kalenders«, dessen Ursache die nicht ganz genaue Berechnung der Jahresdauer war, durch Überspringen eines Zeitraumes von 10 Tagen und durch Beseitigung der Schalttage in den Säkularjahren mit nicht durch vier teilbaren Hunderten. G. führte durch die Bulle »Inter gravissimas« vom 24. 2. 1582 den neuen Kalender ein, der die Tage vom 5. bis 14. 10. 1582 ausfallen ließ. Italien, Spanien, Portugal und Frankreich nahmen 1582 den »Gregorianischen Kalender« an, die meisten katholischen deutschen Reichsstände 1583–85. Die übrigen Gebiete hielten am »Julianischen Kalender« fest, so daß »alter« und »neuer« Stil mit der Differenz von 10 Tagen nebeneinander herliefen. Die Mehrheit der protestantischen deutschen Reichsstände führte erst 1700 den neuen Kalender ein, zunächst in der Form des »verbesserten« Kalenders. – Die Arbeit der »Correctores Romani«, der von Pius V. zur Besorgung einer kritischen Ausgabe des »Decretum Gratiani« (s. Gratian) 1566 eingesetzten und später bis auf 35 Mitglieder verstärkten römischen Kommission von Kardinälen und Gelehrten, wurde 1580 vollendet, und 1582 erschien – wenn auch unter anderem Titel – die offizielle Ausgabe des »Corpus Iuris Canonici«. – Die großen Ausgaben zur Förderung der Kollegien und Studien und Ausführung von Prachtbauten zerrütteten die päpstliche Finanzwirtschaft.

Lit.: Marc'Antonio Ciappi, Compendio delle heroïche attioni et santa vita di Papa G. XIII, Rom 1596; – C. Clavius, Romani Calendarii a G. XIII P.M. Restituti Explicatio, ebd. 1603; – I. Bompiano, Historia Pontificatus G. XIII, ebd. 1655; – Giampietro Maffei, Degli annali di G. XIII Pontifice Massimo, 11 Bde., ebd. 1742; – Ferdinand Kaltenbrunner, Die Vorgesch. der gregorian. Kal.reform, in: SAW 82, 1876, 289–414; – Ders., Die Polemik über die gregorian. Kal.reform, ebd. 87, 1877, 485–586; – Ders., Btrr. z. Gesch. der gregorian. Kal.reform, ebd. 97, 1880, 7–54; – Moritz Brosch, Gesch. des Kirchenstaates I, 1880, 247 ff.; – Raphael Molitor, Die nachtridentin. Choralreform zu Rom. Ein Btr. z. Musikgesch. des 16. u. 17. Jh.s, 1901 (Nachdr. Hildesheim 1967); – Hermann Grotefend, Taschenbuch der Zeitrechnung des dt. MA u. der Neuzeit, 1905², 23 ff.; – Paul Herre, Papsttum u. Papstwahl im Zeitalter Philipps II., 1907; – Liisi Karttunen, G. XIII comme politicien et souverain, Helsinki 1911; – Karl Schellhass, Wiss. Forsch. unter G. XIII. f. die Neuausg. des Gratian Dekrets, in: Papsttum u. Kaisertum. Forsch. z. polit. Gesch. u. Geisteskultur des MA. Festschr. f. Paul Kehr, hrsg. v. August Brackmann, 1926, 674 ff.; – Johannes Baptist Barnikel, Der Bamberger Mathematiker u. Astronom P. Christoph Clavius u. die Kal.reform, in: Altfranken 5, 1929; 6, 1930; – Michel de Boüard, La mort de G. XIII, in: RevHist 168, 1931, 91 ff.; – Actus congressus iuridici internationalis III, Rom 1936; – L. Lopetegni, El Papa G. XIII y la ordenacion de mestizos hispano-incaicos, in: Miscellanea Historiae Pontificiae VII, Rom 1943, 177 ff.; – Giorgio Levi della Vida, Documenti intorno alle relazioni delle Chiese orientali con la S. Sede durante il pontificato di G. XIII (StT 143), Vatikanstadt 1948; – O. Halecki, Possevino's Last Statement on Polish-Russian Relations, in: OrChrP 19, 1953, 261 ff.; – F. Claeys-Boüaert, La soumission de Michel Baius fut-elle sincère?, in: EThLov 30, 1954, 457 ff.; – Hans Wolter, Antonio Possevino (1533–1611). Theol. u. Politik im Spannungsfeld zw. Rom u. Moskau, in: Scholastik 31, 1956, 321 ff.; – St. Polcin, Une tentative d'union au XVIe siècle. La mission religieuse du P. A. Possevin SJ en Moscovie 1581/82, in: OrChrA 150, 1957; – A. Fini, Un tentativo di unione religiosa di Roma con Mosca: G. XIII e Ivan il Terribile, in: Oikumenikon 7, 1967, H. 2, 283 ff.; 8, 1968, H. 1, 316 ff. 430 ff. 509 ff.; H. 2, 45 ff.; – Burkhart Schneider, G. XIII. vor 400 J. z. Papst gewählt, in: BM 48, 1972, 243 ff.; – Schottenloher IV, Nr. 37544a–37571; – Seppelt V, 151 ff.; – LexP 209 ff.; – DThC VI, 1809 ff.; – EC III, 357 f. (Calendario Riforma gregoriana); VI, 1143 f.; – LThK IV, 1188 f.; – ODCC² 597 f.; – RE VII, 126 f.; – EKL I, 1708; – RGG II, 1841.

GREGOR XIV., Papst, * 11. 2. 1535 in Somma bei Mailand, † 15. 10. 1591 in Rom. – Niccolò Sfondrato wurde 1560 Bischof von Cremona, 1583 Kardinal und am 5. 12. 1590 Nachfolger des am 27. 9. 1590 verstorbenen Urban VII. (s. d.). Als Anhänger der spanischen Politik unterstützte er mit Geld und durch Entsendung von Truppen die am 16. 1. 1585 von den Guisen unter Mitwirkung Philipps II. (s. d.) von Spanien erneuerte »Heilige Liga« der französischen Katholiken und bannte Heinrich IV. von Frankreich.

Lit.: Moritz Brosch, Gesch. des Kirchenstaates I, 1880, 300 ff.; – Paul Herre, Papsttum u. Papstwahl im Zeitalter Philipp II., 1907; – Maria Facini, Il pontificato di G. XIV, Rom 1911; – Paul Maria Baumgarten, in: ZKG 46, 1927, 243 f.; – Ders., Neue Kunde v. alten Bibeln II/1, 1927, 114 ff.; – Luigi Castano, Niccolò Sfondrati, vescovo di Cremona, al Concilio di Trento 1561–63, Turin 1939; – Ders., G. XIV, Niccolò Sfondrati, ebd. 1957; – Seppelt V, 210 ff.; – LexP 218 f.; – EC VI, 1144 ff.; – LThK IV, 1190; – RE VII, 127; – RGG II, 1841 f.

Gregor XV., Papst, * 9. 1. 1554 in Bologna, † 8. 7. 1623 in Rom. – Alessandro Ludovisi trat 1567 in Rom als Konviktor in das von den Jesuiten geleitete »Collegium Germanicum« ein und widmete sich im »Collegium Romanum« zunächst humanistischen und 1569 bis 1571 philosophischen und theologischen Studien,

studierte dann in Bologna die Rechte und promovierte dort 1575. Nach seiner Priesterweihe berief ihn Gregor XIII. (s. d.) in päpstliche Dienste. Er wurde 1612 Erzbischof von Bologna, 1616 Kardinal und am 9. 2. 1621 Nachfolger des am 28. 1. 1621 verstorbenen Paul V. (s. d.). Am 15. 2. 1621, einen Tag nach seiner Krönung, ernannte G. seinen 25jährigen Neffen Ludovico Ludovisi, der wie sein Oheim im »Collegium Germanicum« seine Bildung und Richtung erhalten hatte, zum Kardinal. Da er alt und kränklich war, betraute G. seinen Neffen mit der Leitung der Geschäfte, die dieser mit Umsicht und Erfolg führte. Mit großem Geschick betrieb G. die Gegenreformation und erlebte in seinem kurzen Pontifikat die brutale Rekatholisierung von Böhmen, Mähren und Österreich und den für den Katholizismus günstigen Verlauf des Dreißigjährigen Krieges. Er erhöhte um mehr als das Doppelte die bisher an Ferdinand II. gezahlten päpstlichen Subsidien und sandte im April 1621 den Bischof von Aversa, Carlo Caraffa, als Nuntius an den kaiserlichen Hof in Wien mit dem Auftrag, die unverzügliche Übertragung der durch die Achtserklärung des Pfälzer Friedrich V. erledigten Kur an Herzog Maximilian von Bayern energisch zu betreiben und die Gegenreformation in Böhmen und Mähren so schnell und kräftig wie möglich durchzuführen. Da die Übertragung der pfälzischen Kurwürde an Bayern im Kurfürstenkollegium auf hartnäckigen Widerstand stieß, setzte sich G. mit aller Kraft für Maximilian ein und erreichte, daß der Kaiser am 22. 9. 1621 die geheime Belehnung Maximilians mit der Pfälzer Kur unterzeichnete. Den weiteren unermüdlichen Bemühungen des Papstes hatte es Maximilian zu verdanken, daß ihm am 25. 2. 1623 in einer feierlichen Fürstenversammlung die pfälzische Kurwürde übertragen wurde. Aus seiner Kriegsbeute schenkte Maximilian dem Papst zum Dank für seine Bemühungen um ihn die Heidelberger Bibliothek, die berühmte »Bibliotheca«. Im Auftrag G.s leitete Leo Allatius (s. d.), der Skriptor an der Vatikanischen Bibliothek, ihre Überführung nach Rom, wo sie in der »Vaticana« als »Gregoriana« aufgestellt wurde. Zur Verbreitung des katholischen Glaubens unter Heiden und Protestanten und zur einheitlichen Leitung und Organisation des gesamten Missionswesens gründete G. am 6. 1. 1622 die »Congregatio de Propaganda Fide«, kurz »Propaganda« genannt, und organisierte sie durch die Konstitution »Inscrutabili divinae providentiae« vom 22. 6. 1622 als eine Kongregation von 13 Kardinälen und 2 Prälaten mit einem Sekretär, deren Rechte, Vollmachten und Privilegien er noch weiter regelte durch die Konstitution »Cum inter multiplices« vom 14. 12. 1622. Die wichtigste innerkirchliche Verfügung G.s betrifft die Papstwahl. Durch Bulle vom 15. 11. 1621 und vom 12. 3. 1622 führte er die »electio per scrutinium« ein, die geheime Abstimmung durch Stimmzettel, und gab durch das »Ceremoniale in electione Romani pontificis observandam« der Papstwahl im wesentlichen ihre jetzige Form. Am 20. 3. 1623 erließ G. eine Bulle wider die Zauberer und Hexenmeister, die eingemauert oder beständig im Gefängnis der Inquisition festgehalten werden sollten. Am 12. 3. 1622 kanonisierte G. Ignatius von Loyola (s. d.), den Gründer des

Jesuitenordens, Franz Xaver (s. d.), den Missionspionier des Jesuitenordens in Indien und Japan, Filippo Neri (s. d.), den Gründer der Oratorianer, die Reformatorin des Karmelitenordens, Therese von Jesu (s. d.), Hauptvertreterin der Gegenreformation in Spanien, und den spanischen Bauern Isidor († 15. 5. 1130; s. d.) und sprach Albertus Magnus (s. d.), den größten deutschen Philosophen und Theologen des Mittelalters, am 15. 9. 1622 selig.

Lit.: Bullarium Pontificium S. Congregationis de Popaganda Fide I, Rom 1839, 26 ff.; – Augustin Theiner, Die Schenkung der Heidelberger Bibl., 1844; – Karl Christian Bähr, Die Entführung der Heidelberger Bibl. nach Rom, 1845; – Otto Mejer, Die Propaganda, ihre Territorien u. ihr Recht, 2 Bde., 1852/53; – Johannes Anthieny, Der päpstl. Nuntius Caraffa. Ein Btr. z. Gesch. des 30j. Krieges, 1869; – Moritz Brosch, Gesch. des Kirchenstaates I, 1880, 370 ff.; – Andreas Galante, Fontes iuris canonici selecti, 1906, 433 ff. 523 ff.; – Joseph Schmidlin, Kath. Missionslehre im Grdr., 1919, 135 ff.; – Karl Pieper, Die Propaganda, 1922; – ZM 1922, Festnr. zum Jub. der Propaganda; – G. Gabrieli, Il Conclave di G. XV, in: Archivio della Reale Società Romana di Storia Patria 50, Rom 1927, 5 ff.; – Dieter Albrecht, Die dt. Politik Papst G.s XV. Die Einwirkung der päpstl. Diplomatie auf die Politik der Häuser Habsburg u. Wittelsbach 1621–23, 1956; – Josef Semmler, Das päpstl. Staatssekretariat in den Pontifikaten Pauls V. u. G.s XV. 1605–1623, Rom 1969; – Bernard Jacqueline, La Sacrée Congrégation »De propaganda fide« (6 janvier 1622) et la France sous le pontificat de G. XV, in: RHE 66, 1970, 46 ff.; – Mirbt 368; – LexP 227 f.; – Catholicisme V, 248 f.; – EC VI, 1146 f.; – LThK IV, 1190; – RE VII, 127; – RGG II, 1842.

GREGOR XVI., Papst, * 28. 9. 1765 in dem zur damaligen Republik Venedig gehörigen Städtchen Belluno als Sohn eines Juristen, † 1. 6. 1846 in Rom. – Unter dem Namen Fra Mauro trat Bartolommeo Alberto Cappellari 1783 in den Orden der Kamaldulenser ein als Mönch des Klosters S. Michele auf der Laguneninsel Murano bei Venedig und wurde nach seiner Priesterweihe 1787 Lehrer der Philosophie und Thoelogie am Kollegium auf Murano und 1790 Lesemeister des Ordens. 1795 kam er nach Rom und wurde dort 1805 Abt des Klosters San Gregorio auf dem Monte Celio. Während der Auflösung der Orden durch Napoleon 1809–14 lebte Cappellari als Laienlehrer auf Murano und in Padua. Er kehrte 1814 in das Kloster San Gregorio zurück und wurde 1818 Generalprokurator und 1823 General seines Ordens. 1826 ernannte ihn Leo XII. (s. d.) zum Kardinal und Präfekten der »Congregatio de Propaganda Fide« (s. Gregor XV.). Am 2. 2. 1830 wurde er zum Nachfolger des am 1. 12. 1829 verstorbenen Pius XIII. (s. d.) gewählt und am 6. 2. geweiht und gekrönt. Noch vor den Krönungsfeierlichkeiten in Rom brach in Bologna die Revolution des Geheimbundes der »Carbonari« aus, die in wenigen Tagen fast auf den ganzen Kirchenstaat übergriff. Nur mit Hilfe Österreichs konnte die Revolution 1831 und 1832 niedergeschlagen werden. Bis 1838 hielten österreichische und französische Truppen Gebiete des Kirchenstaates besetzt. Da G. die von den fünf Großmächten in einem gemeinsamen »Memorandum« vom 21. 5. 1831 geforderten Verwaltungsreformen nicht durchführte und die Finanzwirtschaft im Kirchenstaat infolge zunehmender Überschuldung zerrüttete, wuchs die Unzufriedenheit der Bevölkerung und ihre Erbitterung gegen die reformfeindliche Regierung G.s, der seit 1836 von dem ihm gleichgesinnten Kardinalstaatssekretär Luigi Lambruschini (s. d.), einem schroffen Vertreter des starren Konservativismus, beraten und

in seiner Politik unterstützt wurde. Während seines ganzen Pontifikats glimmte das Feuer des Aufruhrs im verborgenen fort und drohte wiederholt in helle Flammen auszuschlagen. Als der der modernen Welt fremd und feindlich gegenüberstehende, vom Geist der Reaktion beherrschte Papst verdammte G. in seiner Enzyklika »Mirari vos« vom 15. 8. 1832, die sich zunächst gegen den »liberalen Katholizismus« des französischen Theologen und Politikers Hugues Félicité Robert de Lamennais (s. d.) und die neue belgische Verfassung richtete, die Forderung der Gewissensfreiheit als Wahnsinn und pestilenzialischen Irrtum, desgleichen ihre Wurzel, den »Indifferentismus«, d. h. die Meinung, auch außerhalb der römischen Kirche das Heil finden zu können, und ihre Begleiterscheinungen, die Forderung der Pressefreiheit und der Trennung von Kirche und Staat. Mit ihrer schroffen Verdammung aller modernen Ideen ist die Enzyklika die wichtigste Vorstufe für die Enzyklika seines Nachfolgers Pius IX. (s. d.) »Quanta cura« vom 8. 12. 1864 mit dem »Syllabus« (= Verzeichnis), in dem 80 »Irrtümer« in Fragen der Religion, der Wissenschaft, der Politik und des Wirtschaftslebens verdammt wurden. In der Enzyklika »Singulari nos« vom 25. 6. 1834 verdammte G. Lamennais' Schrift »Paroles d'un croyant«, durch das Breve »Dum acerbissimas« vom 26. 9. 1835 den besonders auf den Lehrstühlen in Bonn (s. Braun, Johann Wilhelm Joseph; s. Achterfeldt, Johann Heinrich) und Breslau (s. Elvenich, Peter Josef; s. Baltzer, Johannes Baptista) vertretenen »Hermesianismus«, die Lehre und Schriften des 1831 verstorbenen Bonner Dogmatikers Georg Hermes (s. d.), und in der Enzyklika »Inter praecipuas« vom 8. 5. 1844 erneut die Bibelgesellschaften. Im Kölner Kirchenstreit (1837–40) vertrat G. in der Frage der Mischehen erfolgreich die Rechte der Kirche gegenüber dem Staatsabsolutismus: trotz scharfen Vorgehens gegen die Erzbischöfe Clemens August von Droste-Vischering (s. d.) von Köln und Martin von Dunin (s. d.) von Gnesen-Posen mußte die preußische Regierung schließlich doch nachgeben. Alle bisher für die gemischten Ehen erhobenen Forderungen wurden zurückgezogen und beim preußischen Kultusministerium eine katholische Abteilung eingerichtet. So endete der Kölner Kirchenstreit mit einer völligen Niederlage Preußens. Dagegen erfolglos waren G.s Bemühungen seit 1839 zugunsten der unterdrückten römischen Katholiken in Rußland. Als Zar Nikolaus I. (1825–55) im Dezember 1845 G. in Rom besuchte, hoffte der Papst, daß Nikolaus I. als Ergebnis der persönlichen Verhandlungen der römischen Kirche gewisse Erleichterungen zusichern würde. Trotz begütigender Worte des Zaren änderte sich aber die Lage der römischen Katholiken in Rußland nicht im geringsten. In den Thronstreitigkeiten in Portugal nach dem Tod Johannes' VI. († 1826) zwischen den Brüdern Dom Miguel und Pedro I. von Brasilien für seine unmündige Tochter Maria II. da Gloria erklärte sich G. in der Bulle »Sollicitudo ecclesiarum« vom 7. 8. 1831 für Miguel, der aber vertrieben wurde. Dadurch erlitt die Kirche schwere Verluste. Pedro († 1834) vertrieb die Jesuiten, verwies den päpstlichen Nuntius des Landes, hob die Mönchsklöster auf und verstaatlichte ihre Güter, beseitigte die geistlichen

Patronate und sicherte dem Staat bei der Anstellung der Priester weitgehende Rechte. Unter Maria II. (1834–53) hielt die Verfolgung der Kirche zunächst noch an. Erst 1841 wurde die Verbindung zwischen Rom und dem Hof in Lissabon wiederhergestellt. Der Papst schickte der Königin 1842 die »Goldene Rose« und übernahm Patenstelle bei ihrem Sohn. Ähnlich ging es in Spanien. Durch die »Pragmatische Sanktion« vom 29. 3. 1830 hatte Ferdinand VII. (1814–33) seiner 1830 geborenen Tochter Isabella die Nachfolge gesichert zum Nachteil seines Bruders Don Carlos, der sich 1833 als Karl V. zum König von Spanien erklärte. So brach der Bürgerkrieg aus zwischen den Carlisten und den Anhängern Isabellas II., für die zunächst die Königinmutter Christine von Neapel die Regentschaft führte. G. entschied sich für Don Carlos. Die Folge war, daß die spanische Volksvertretung (Cortes) im Juli 1835 zunächst den Jesuitenorden aufhob und seine Güter einzog, dann auch die übrigen Orden und die Klöster mit weniger als 12 Mönchen auflöste und das Vermögen dieser (901) Klöster konfiszierte und im Oktober 1835 viele Klöster schloß, obwohl sie mehr als 12 Mönche zählten. Später wurde das gesamte Kirchengut für Staatseigentum erklärt und auch das geistliche Gericht der Nuntiatur in Madrid aufgehoben. Erst nachdem der Bürgerkrieg zwischen Carlisten und Christinos 1839 durch den Vertrag von Vergara zugunsten Isabellas entschieden und die Königin 1843 für volljährig erklärt worden war, bahnte sich allmählich eine Verständigung mit der Kurie an. G. förderte die Mission, besonders in Amerika, und errichtete überall in der nichtchristlichen Welt zahlreiche Bistümer und Apostolische Vikariate. 1839 verbot er ohne Einschränkung den Negerhandel. Seine besondere Gunst wandte G. den Orden zu. Den Jesuiten übertrug er am 2. 10. 1836 die ausschließliche Leitung der »Congregatio de Propaganda Fide«. Am 29. 4. 1836 bestätigte G. die Regel der »Gesellschaft Mariens« (Societas Mariae), der »Maristenpatres«, denen er zugleich die Missionierung Ozeaniens anvertraute. Am 29. 5. 1839 sprach G. Alfonso Maria de Liguori (s. Liguori) heilig, den Begründer des Ordens der »Redemptoristen« (Congregatio Sanctissimi Redemptoris). 1835 bestätigte er die neuere Regel des hl. Vincentius a Paulo (s. d.) der selbständigen deutschen Mutterhäuser der Vicentinerinnen, der »Barmherzigen Schwestern« vom hl. Vincenz. Schon unter G. zeigte sich eine starke Tendenz zur Dogmatisierung der Lehre von der »Unbefleckten Empfängnis« der Maria (immaculata conceptio), die sein Nachfolger, Pius IX., am 8. 12. 1854 durch die Bulle »Ineffabilis Deus« als göttlich geoffenbartes Dogma verkündigte. In seiner Schrift »Il trionfo della Santa e della Chiesa« von 1799 verteidigte G. die Souveränität und Unfehlbarkeit des Papstes. Er war ein gelehrter Theologe und Kanonist, aber auch ein Freund der Kunst und Wissenschaft. G. erweiterte die Vatikanische Bibliothek, errichtete im Vatikan das ägyptische und das etruskische Museum und legte im Lateran den Grund zum christlichen Museum. Er förderte den 1825 begonnenen Wiederaufbau der einige Jahre früher abgebrannten St. Pauluskirche. 1838 ernannte G. die beiden Gelehrten Angelo Mai (s. d.) und Giuseppe Mezzofanti aus Bologna, eins

der größten Sprachgenies der neueren Zeit, zu Kardinälen.

Werke: Il trionfo della Santa Sede e della Chiesa contro gli assalti dei Novatori combattuti e respintti colle medesime loro armi, Venedig 1799 (dt.: Der Triumph des Hl. Stuhles u. der Kirche, 1848²).

Lit.: Bernhard Wagner, Papst G. XVI., sein Leben u. sein Pontificat, 1846; – Jean Baptiste Malou, La lecture de la Sainte Bible en langue vulgaire, Louvain 1846 (übers. v. Ludwig Clarus, Das Lesen der Bibel in den Landessprachen II, 1848, 528 ff.); – Alfred v. Reumont, Don Mauro Cappellari u. Gasparo Salvi, Btrr. z. it. Gesch. II, 1853, 343 ff.; – Ders., Gesch. der Stadt Rom III/2, 1870, 681 ff.; – Nicholas Wiseman, Recollections of the last four Papes and of Rome in their Times, London 1858, part IV, 415–532 (übers v. Franz Heinrich Reusch, 1888⁴); – Hermann Reuchlin, Gesch. It. v. der Gründung der regierenden Dynastien bis z. Ggw. I, 1859, 226 ff.; – Eugenio Cipolletta, Memorie politiche sui conclavi da Pio VII a Pio IX, Mailand 1863, 184 ff.; – Emil Ruth, Gesch. v. It. v. J. 1815–1850, I, 1867, 369 ff.; – Ignaz v. Döllinger, Kirche u. Kirchen, 1861, 561 ff.; – Ders., Das Papsttum, 1892, 234 ff.; – Karl Werner, Gesch. der kath. Theol. Dtld.s seit dem tridentin. Konzil, 1866, 405 ff.; – Francess Bunsen, A Memoir of Baron Bunsen, dt. verm. Ausg. v. Friedrich Nippold, I, 1868, 384 ff.; – Johannes Friedrich, Gesch. des Vatikan. Konzils I, 1877, 210 ff.; – Moritz Brosch, Gesch. des Kirchenstaates II, 1882, 337 ff.; – David Silvagni, La corte e la società Romana nei secoli XVIII e XIX, III, Rom 1885², 461 ff.; – Franz Heinrich Reusch, Der Index der verbotenen Bücher II, 1885, 851 f. 1112 ff.; – Heinrich Brück, Gesch. der kath. Kirche in Dtld. im 19. Jh., 1887–1905, II, 382 ff. 496 ff.; – Charles Sylvain, Histoire de G. XVI, Brügge 1890; – Otto Pfülf, Kard. Johannes v. Geißel I, 1895, 199 ff.; – Joseph Alexander v. Helfert, G. XVI. u. Pius IX. Ausgang u. Anfang ihrer Regierung, Okt. 1845 bis Nov. 1846, Prag 1895; – August Josef Nürnberger, Papsttum u. Kirchenstaat I, 1897, 151 ff.; – Carl Mirbt, Die preuß. Gesandtschaft am Hofe des Papstes, 1899, 28 ff.; – Acta Gregorii Papae XI, hrsg. v. Antonius Maria Bernasconi, 4 Bde., Rom 1901–04 (Nachdr. Graz 1971); – Joseph Hergenröther, Hdb. der allg. KG III, 1904⁴, bearb. v. Johann Peter Kirsch, 791 ff.; – Fritz Vigener, Gallikanismus u. episkopalist. Strömungen im dt. Kath. zw. Tridentinum u. Vaticanum. Stud. z. Gesch. der Lehre v. dem Universalepiskopat u. der Unfehlbarkeit des Papstes, 1913, 71 ff.; – Fernand Mourret, L'église contemporaine I, Paris 1920, 159 ff.; – Johann Heinrich Schrörs, Gesch. der kath.-theol. Fak. zu Bonn 1818–1831, 1922; – Klemens Löffler, Papstgesch. v. der Frz. Rev. bis z. Ggw., 1924², 49 ff.; – Fernand Hayward, Le dernier siècle de la Rome pontificale II, Paris 1928, 174 ff.; – Hubert Bastgen, Forsch. u. Qu. z. Kirchenpolitik G.s XVI., 2 Bde., 1929; – Joseph Schmidlin, G. XVI. als Missionspapst, in: ZMR 21, 1931, 209 ff.; – Ders., Papstgesch. der neuesten Zeit I, 1933⁴, 511 ff.; – Ernesto Vercesi, Tre pontificati: Leone XII, Pio VIII, G. XVI, Turin 1936; – Adriano Ventrone, L'amministrazione dello Stato Pontificio dal 1814 al 1870, Rom 1942; – Domenico Federici, G. XVI tra favola e realtà, Rovigo 1947; – Domenico Demarco, Il tramonto dello stato pontificio: Il papato di G. XVI, Turin 1948; – G. XVI. Miscellanea Commemorativa, 2 Bde., Rom 1948; – Emilia Morelli, La politica estera di Tommaso Bernetti, Segretario di Stato di G. XVI, Rom 1953; – Ders., Lo stato pontificio e l'Europa nel 1831–32, ebd. 1966; – Luigi M. Manzini, Il cardinale Luigi Lambruschini, ebd. 1960; – Mirbt 438 f. 441 ff.; – Seppelt V, 301 ff.; – LexP 276 ff.; – DThC VI, 1822 ff.; – Catholicisme V, 249 ff.; – EC VI, 1148 ff.; – LThK IV, 1190 ff.; – NCE VI, 783 ff.; – ODCC² 598; – RE VII, 127 ff.; – RGG II, 1842 f.

GREGOR *von Elvira*, Bischof von Elvira (Eliberis) bei Granada, † nach 392. – G. war Anhänger des Bischofs Lucifer (s. d.) von Calaris (Cagliari) auf Sardinien und ist bekannt als radikaler Vorkämpfer der Orthodoxie in Spanien gegen den Arianismus (s. Arius). G. wandte sich nicht nur gegen die Synode von Rimini (359), sondern auch gegen den vermittelnden Hosius von Córdoba (s. d.). Erst die neuere Forschung hat ihm mehrere unter anderen Namen überlieferte Schriften zuerkannt. – G. wird in Spanien als Heiliger verehrt. Sein Fest ist der 24. April.

Werke: De fide orthodoxa contra Arianos (Verteidigung der Homoousie des Sohnes), hrsg. unter den Werken des Phoebadius, in: MPL 20, 31–50; dgl. bei Ambrosius, in: MPL 17, 549–568; bei Vigilius v. Thapsus, in: MPL 62, 449–468; bei Gregor v. Nazianz, in: MPG 36, 669–676. – Tractatus in Cantica (5 Homilien z. Hhld; 1. abendländ. Übertr. der Brautmystik auf Christus u. die Kirche), hrsg. v. Gotthilf Heine, in: Bibliotheca anecdotorum I, Leipzig 1848, 134 ff.; v. André Wilmart, in: BLE 8, 1906, 233–299. – De arca Noe (allegor. Deutung auf die Kirche), hrsg. v. André Wilmart, in: RBén 26, 1909, 1–12. – Tractatus XX Origenis de libris s. Scripturarum (19 Homilien zu Stellen des AT u. eine zu Apg 2, 1), hrsg. v. Pierre Batiffol u.

André Wilmart, Paris 1900. – Opera omnia, hrsg. v. Angel Custodio Vega, I (20 Traktate), Escorial 1944. – Werke, hrsg. v. dems., in: España Sagrado 55, Madrid 1957. – Werke, hrsg. v. Vincentius Bulhart, in: CChr Series Latina 69, 1967, 1–247. 251–283. – MPL Suppl. I, 1958, 352–527. 1744–1746.

Lit.: Gustav Krüger, Lucifer, Bisch. v. Calaris u. das Schisma der Luciferianer (Diss. Gießen), Leipzig 1886, 76–80; – Germain Morin, L'attribution du »De fide« à G. d'E., in: RBén 19, 1902, 229 ff.; – Paul Lejay, L'héritage de G. d'E., ebd. 25, 1908, 435 ff.; – Zacarías García Villada, Historia Eclesiástica de España I/2, Madrid 1929, 52–73; – Hugo Koch, Zu G. v. E. Schrr. u. Qu., in: ZKG 51, 1932, 238 ff.; – F. Regina, Il de fide di G. d'E., Pompeji 1942; – Angel Custodio Vega, in: La Ciudad de Dios, Madrid 1944, 205–258. 515–553 (Gesamtwürdigung); – S. González, Las obras completas de S. G. de E., in: Revista de Espiritualidad 6, Madrid 1947, 178 ff.; – Victor C. De Clercq (Diss. Ossius of Cordova (Diss. Catholic univ. of America), Washington 1954, 483 ff.; – Justo Collantes, S. G. de E. Estudio sobre su eclesiología, Granada 1954; – Ayuso Marazuela, El Salterio de G. de E. y la Vetus Latina Hispana, in: Bibl 40, 1959, 135 ff.; – F. J. Buckley, Christ and the Church according to G. of E., Rom 1964; – Pauly-Wissowa VII, 1864 ff.; – Kl. Pauly II, 875; – AS III, 269 ff.; – VSB IV, 611 f.; – BS VII, 178; – Bardenhewer III, 396 ff.; – KLL II, 726 (De fide orthodoxa contra Arianos); – Altaner⁷ 370; – EC VI, 1085 f.; – LThK IV, 1192 f.; – NCE VI, 790; – ODCC² 598; – RGG II, 1843.

GREGOR ILLUMINATOR (lusarovič = der Erleuchter), Apostel Armeniens, Begründer der armenischen Nationalkirche, * um 240, † etwa 332.

– Nach armenischer Überlieferung stammte G. aus vornehmer Familie. Er wurde in Kappadozien, wohin er geflüchtet war, im Christentum erzogen und kehrte dann nach Armenien zurück. Nach seiner Vermählung und der Geburt zweier Söhne soll G. Einsiedler geworden sein. Er begann seine missionarische Wirksamkeit. Nach anfänglicher Ablehnung und Einkerkerung gelang es ihm, König Tiridates und die Großen für das Christentum zu gewinnen, das zur Staatsreligion erhoben wurde. Auf Wunsch des Königs ließ sich G. in Cäsarea vom Bischof Leontios zum »Katholikos« (Titel der armenischen Bischöfe) weihen.

Lit.: Antonio Maria Bonucci, Istoria della vita, martirio, e miracoli di S. G. arcivescovo e primate dell'Armenia, Rom 1717; – Collection des historiens anciens et modernes de l'Arménie, hrsg. v. Victor Langlois, I, Paris 1867, 109–193; – Matthew of Tokhat, The Life and Times of S. G., the Ill., the Founder and Patron Saint of the Armenian Church. Translated from the Armenian by Salomon Caesar Malon, London 1868; – Heinrich Gelzer, Die Anfänge der armen. Kirche, 1895; – Simon Weber, Die kath. Kirche in Armenien, ihre Begründung u. Entwicklung vor der Trennung, 1903, 55–231: Die Begründung des Christentums; – N. Adontz, G. l'I. et Anak le Parth, in: Revue des études arméniennes 8, Paris 1928, 233 ff.; – J. Markwart, Die Entstehung der armen. Bistümer, in: OrChrA 27, 1932, 141–236; – Paul Peeters, S. G. l'I. dans le calendrier lapidaire de Naples, in: AnBoll 60, 1942, 91–130; – Gérard Garitte (Hrsg.), Documents pour l'étude du livre d'Agathange (StT 127), Città del Vaticano 1946, bes. Kap. X; – Ders., Une vie arabe de St. G. d'Arménie, in: Muséon 65, 1952, 51–71; – Ders., La Vie grecque inédite de s. G. d'Arménie, in: AnBoll 83, 1965, 233–290; – Nerses Akinian, Die Reihenfolge der Bisch. Armeniens des 3. u. 4. Jh.s (219–439), ebd. 67, 1949, 74 ff.; – Ders., Der hl. G. der Erleuchter (armen.), in: Handes Amsorya. Zschr. f. armen. Philologie 63, Wien 1949, H. 4–12, 3–58; – R. Duchamblo, Vie et culte de St. G., évêque de la grande Arménie, patron titulaire de Tallard, 1953; – Paolo Ananian, La data e le circostanze della consacrazione di S. G., in: Muséon 74, 1961, 43 bis 73. 317–360; – J. Mécérian, Histoire et institutions de l'Église arménienne, Beirut 1966, 32 ff.; – Guy Lafontaine, nouveau remaniement grec de la vie de s. G. l'I., in: Muséon 88, 1975, 125 ff.; – AS Sept. VIII, 295 bis 413; – MartRom 426 f.; – VSB IX, 628 ff.; – BS VII, 180 ff.; – Bardenhewer V, 182 ff.; – RAC I, 683 ff.; – HO 241; – DHGE II, 294 f.; – Catholicisme V, 252; – DThC Tables générales I, 1928; – EC VI, 1086 f.; – LThK IV, 1206 f.; – NCE VI, 790 f.; – ODCC² 598 f.; – RE II, 75 f.; – RGG II, 1844.

GREGOR von Nazianz, genannt »der Theologe«,

griechischer Kirchenlehrer, Heiliger, * 329 auf dem Landgut Arianz bei Nazianz (Kappadozien) als Sohn des Bischofs Gregor von Nazianz (* um 280, † 374) und seiner Gattin Nonna, † daselbst 390. – Nonna, unter deren Einfluß ihr Gatte 325 Christ geworden war,

hatte den Sohn vom Herrn erbeten und ihn dann wieder dem Herrn geschenkt. G. besuchte die Schulen in Cäsarea (Kappadozien), wo er Basilius (s. Basilius von Cäsarea) kennenlernte, in Cäsarea (Palästina), in Alexandrien und endlich in Athen, wo er mit dem bald nach ihm ankommenden Basilius Freundschaft fürs Leben schloß. »Meine einzige Liebe war die Wissenschaft. Im Orient und Okzident und in Athen, der Zierde Griechenlands, habe ich sie gesucht und mit Anstrengung und lange Zeit hindurch mich um sie bemüht. Indes auch sie habe ich zu den Füßen Christi niedergelegt und dem Wort des großen Gottes unterworfen.« Um 357 verließ G. Athen und kehrte, »fast 30 Jahre alt«, über Konstantinopel heim. 358/359 weilte er bei seinem Freund in der pontischen Einsiedelei am Iris. Um 362 wurde G. auf Wunsch der Gemeinde, aber gegen seinen Willen von seinem Vater zum Priester geweiht. Aus Unmut über die ihm angetane »Gewalt« floh er zu Basilius, kehrte aber bald nach Nazianz zurück und unterstützte seinen Vater bei der Verwaltung der Diözese. Widerstrebend ließ sich G. 372 in Nazianz durch Basilius zum Bischof der kleinen Stadt Sasima weihen, eines »verwunschenen und elenden Fleckens« zwischen Tyana und Nazianz; er trat aber das Amt nicht an. G. verließ 375 Nazianz und zog sich zu einem beschaulichen Leben nach Seleucia (Isaurien) zurück, folgte aber 379 dem Ruf nach Konstantinopel und übernahm die Leitung und Neuordnung der nizänischen Gemeinde, die unter dem arianischen Kaiser Valens (s. d.) zu einem fast verschwindend kleinen Häuflein zusammengeschmolzen war. Theodosius der Große (s. d.), der 379 zum Herrscher des Ostens erhoben worden war, schlug sofort eine antiarianische Kirchenpolitik ein: er stellte sich auf die Seite G.s, entriß den Arianern die Kirchen Konstantinopels und geleitete am 27. 11. 380 G. persönlich unter militärischem Schutz in die Kathedrale, die Apostelkirche. Das von Theodosius einberufene und im Mai 381 eröffnete 2. ökumenische Konzil zu Konstantinopel bestätigte G. als Bischof von Konstantinopel. Wegen mancherlei Wirren und Intrigen dankte er aber nach wenigen Tagen ab und nahm mit einer glänzenden Rede an die Bischöfe und das Volk Abschied von Konstantinopel, kehrte nach Nazianz zurück und betreute die noch immer verwaiste heimatliche Diözese, bis sein Vetter und Freund Eulalius 383 sein Nachfolger wurde. Dann zog er sich auf das Landgut Arianz zurück und lebte dort der Askese und literarischen Arbeiten. – G. war im arianischen Streit (318–381) einflußreicher Führer der orthodoxen (jungnizänischen) Partei. Mit Basilius dem Großen und Gregor von Nyssa (s. d.) gehörte er zu den »drei großen Kappadoziern«, die die Lehren vom Heiligen Geist und von der Trinität zum Abschluß brachten. G. war ein hervorragender Redner, Schriftsteller und Dichter. Seine Reden, Briefe und Gedichte zählen zu den besten Leistungen der altkirchlichen Literatur. – G. wird als Heiliger verehrt. Sein Fest ist der 9. Mai.

Werke: Reden, Briefe, Gedichte. – Ausg.: MPG 35–38. – CSEL 46, 1910 (9 Reden in lat. Übers.). – Gregorii Nazianzeni sygkrisis biou. Carmen edidit, apparatu critico munivit, quaestiones peculiares adiecit Henricus Martinus Werhahn, 1953. – Macht des Mysteriums. 6 geistl. Reden an den Hochtagen der Kirche. Eingel. u. übers. v. Thomas Michels, 1956. – Homélies. Textes introduits par Thomas Becquet, choisis, présentés et traduits par Edmond Devolder, Namur 1962. – Die 5 theol. Reden. Text u.

Übers. mit Einl. u. Komm. (Paralleldr.). Hrsg. v. Joseph Barbel, 1963. – Lettres. Texte établi et traduit par Paul Gallay, 2 Bde., Paris 1964–67. – BKV 1/2 (25 Reden), 1874–77. – BKV² 59 (or. 1–20), 1928.

Lit.: Karl Ullmann, G. v. N., der Theologe. Ein Btr. z. Kirchen-u. DG des 4. Jh.s. 1825 (1867²); – Friedrich Karl Hümmer, Des hl. G. v. N., des Theologen, Lehre v. der Gnade. Eine dogmat.-patrist. Stud. (Diss. München), 1890; – Walter Ackermann, Die didakt. Poesie des G. v. N. (Diss. Leipzig), 1903; – Karl Weiß, Die Erziehungslehre der drei Kappadozier. Eine päd.-philos. Stud. (Diss. Freiburg/Breisgau), 1903; – Karl Holl, Amphilochius v. Ikonium in seinem Verhältnis zu den großen Kappadoziern, 1904, 158–196 (Nachdr. Darmstadt 1969); – Johannes Dräseke, Neuplatonisches in des G. v. N. Trinitätslehre, in: ByZ 15, 1906, 141 ff.; – Richard Gottwald, De Gregorio Nazianzeno Platonico (Diss. Breslau), 1906; – Karl Gronau, De Basilio, Gregorio Nazianzeno Nyssenoque, Platonis imitatoribus (Diss. Göttingen), 1908; – Adolf Donders, Der hl. Kirchenlehrer G. v. N. als Homilet (Diss. Münster), 1909; – Marcel Guignet, St. G. de N. et la rhétorique (Diss.), Paris 1911; – Ders., Les procédés epistolaires de S. G. de N., ebd. 1911; – Johannes Focken, De Gregorio Nazianzeni orationum et carminum dogmaticorum argumentandi ratione (Diss. Berlin), 1912; – Jan Sajdak, Historia critica scholiastarum et commentatorum G. N., Krakau 1914; – Ders., Die päd. Anschauungen G.s v. N. (poln.), Poznán 1933; – Johannes Maier, Die Eucharistielehre der drei großen Kappadozier, des hl. Basilius, G. v. N. u. Gregor v. Nyssa (Diss. Breslau), 1915; – Tadeusz Sinko, De traditione orationum G. N., 2 Tle., Krakau 1917–23; – Ders., Literatura Grecka III/2, Breslau 1954, 144–224; – François Martroye, Le testament de s. G. de N., in: Mémoires de la Société nationale des antiquaires de France 76, Paris 1924, 219–263; – Eduard Weigl, Christologie v. Tode des Athanasius bis z. Ausbruch des Nestorian. Streites, 1925, 53–79; – Henri Pinault, Le Platonisme de G. de N. Essai sur les relations du christianisme et de l'hellénisme dans son oeuvre théologique, La Roche-sur-Yon – Paris 1925; – Aimé Puech, Histoire de la littérature grecque chrétienne II, Paris 1930, 318–395; – Eugène Fleury, Hellénisme et Christianisme. S. G. de N. et son temps, Paris 1930; – Paul Kletzer, Johannes Eriugena. Eine Unters. über die Entstehung der ma. Geistigkeit, 1931 (Nachdr. Hildesheim 1971); – Michele Pellegrino, La poesia di S. G. N., Mailand 1932; – Paul Gallay, Langue et style de S. G. de N. dans sa correspondance, Paris 1933; – Ders., La vie de St. G. de N., Lyon – Paris 1943; – Ders., Les manuscrits des lettres de St. G. de N., Paris 1957; – G. N. Übertr. aus dem Frz. ins Dt. v. Elisabeth Klein, 1964; – Leo Stephan, Die Soteriologie des hl. G. v. N., Wien-Mödling 1938; – Rose de Lima Henry, The late greek optative and its use in the writings of G. of N. (Diss. Catholic univ. of America), Washington 1943; – J. Lercher, Die Persönlichkeit des hl. G. v. N. (Diss. Innsbruck), 1949; – Georg Misch, Gesch. der Autobiogr. I/2, Bern 1950³, 612 ff.; – Jean Plagnieux, S. G. N., theologien (Diss. Strasbourg), Paris 1952 (Rez. v. L. Cilleruelo, in: Estudio Augustiniano 7, Valladolid 1972, 411); – Franz Xaver Portmann, Die göttl. Paidagogia bei G. v. N. Eine dogmengeschichtl. Stud., 1954; – Friedhelm Lefherz, Stud. zu G. v. N. Mythologie, Überl., Scholiasten (Diss. Bonn, 1957), 1958; – Antonio Salvatore, Tradizione e originalità negli epigrammi de G. N., Neapel 1960; – Marie-Madeleine Hauser-Meury, Prosopographie zu den Schrr. G.s v. N. (Diss. Basel), Bonn 1960; – Bernhard Wyss, G. v. N. Ein griech.-christl. Denker des 4. Jh.s, 1962; – I. M. Szymusiak, Eléments de théologie de l'homme selon S. G. de N. (Diss. Rom) 1963; – Justin Mossay, La mort et l'au-delà dans s. G. de N., Louvain 1966; – Bernhard Delfgaauw, G. v. N. Antikes u. christl. Denken, in: Eranos-Jb. 1967/36, 1968, 113 ff.; – Rosemary Radford Ruether, G. N. Rhetor and Philosopher, Oxford 1969 (Rez. v. F. C. C., in: Bibliographie de la Philosophie 16, Paris 1969, 303; v. José Oroz, in: Augustinus 15, Madrid 1970, 84; v. Enzo Bellini, in: La scuola cattolica 98, Venegono Inferiore/Varese 1970, 182* ff.; v. Heinz Althaus, in: ThRv 67, 1971, 534 f.; v. Walter Schultz, in: ThLZ 96, 1971, 435 f.; v. Virgil R. Westlund, in: LR 21, 1971, 532 f.); – G. v. N. La Passion du Christ. Tragédie. Introduction, texte critique, traduction, notes et index d'André Tuilier, Paris 1969 (Rez. v. François Halkin, in: AnBoll 87, 1969, 506. 508; v. Pierre Courcelle, in: Annales de la Faculté des lettres de Bordeaux 71, 1969, 572 f.; v. P.-M. Bogaert, in: RBén 80, 1970, 180; v. Jean Darrouzès, in: Revue des études byzantines 28, Paris 1970, 274 ff.; v. D. A. Sykes, in: JThS 21, 1970, 488 f.); – George Galavaris, The illustrations of the liturgical homilies of G. N., Princeton (New Jersey) 1969; – Hella Theill-Wunder, Die archaische Verborgenheit. Die philos. Wurzeln der negativen Theol. (Diss. München) 1970; – Heinrich Dörrie, Die Epiphanias-Predigt des G. v. N. (Hom. 39) u. ihre geistesgeschichtl. Bedeutung, in: Kyriakon. Festschr. Johannes Quasten. Hrsg. v. Patrick Granfield u. Josef A. Jungmann, I, Münster (Westfalen) 1970, 409 ff.; – Enzo Bellini, La Chiesa nel mistero della salvezza in S. G. N., Venegono Inferiore/Varese 1970 (Rez. v. J. Moran, in: Estudio Augustiniano 6, Valladolid 1971, 532 f.; v. A. Bandara, in: Angelicum 49, 1972, 118); – Ders., Bibliografia su S. G. N., in: La scuola cattolica 98, Venegono Inferiore/Varese 1970, suppl. bibliogr. 3, 167*–181*; – Thomas Spidlík, G. de N. Introduction à l'étude de sa doctrine spirituelle (OrChrA 189), Rom 1971 (Rez. v. Christian Jouvenot, in: RAM 47, 1971, 219 f.; v. I. H. Dalmais, in: VS 54, 1972, 768 f.; v. J. Verhees, in: TTh 12,

1972, 104; v. Alfonso M. di Nola, in: Studi francescani 69, Florenz 1972, 369 f.; v. Enzo Bellini, in: La scuola cattolica 102, Venegono Inferiore/Varese 1974, 234 f.); – Christopher Walter, Liturgy and the illustration of G. of N.'s homilies. An essay in iconographical methodology, in: RÉByz 29, 1971, 183 ff.; – Francesco Trisoglio, S. G. di N. scrittore e teologo in quaranta anni di recerche (1925–1965), in: Rivista di storia e letteratura religiosa 8, Florenz 1972, 341 ff.; – Heinz Althaus, Die Heilslehre des hl. G. v. N. (Diss. Münster), 1972 (Rez. v. Hermenegild M. Biedermann, in: Ostkirchl. Stud. 22, 1973, 206 f.; v. D. A. Sykes, in: JEH 25, 1974, 90 f.; v. Joseph A. Fischer, in: ThRv 70, 1974, 465 f.); – G. v. N., Gg. die Putzsucht der Frauen: verb. griech. Text mit Übers., motivgeschichtl. Überblick u. Komm. v. Andreas Knecht (Diss. Basel), Heidelberg 1972; – Alphonse Benoit, S. G. de N.: sa vie, ses oeuvres et son époque (Nachdr. der Ausg. Marseille u. Paris 1876), Hildesheim – New York 1973; – G. v. N. De vita sua: Einl., Text, Übers., Komm. Hrsg., eingel. u. erkl. v. Christoph Jungck, 1974; – Claudio Moreschini, Il Platonismo cristiano di G. N., in: Annali della Scuola normale superiore di Pisa. Classi di lettere e filosofia 4, Pisa 1974, 1347 ff.; – Adalbert Hamman, G. v. N., in: Die Hll., hrsg. v. Peter Manns, 1975, 142 ff.; – Der große Namenskal., hrsg. v. Jakob Torsy, 1975, 18; – Bardenhewer III, 162 ff.; – Stählin 1413 ff.; – WeltLit I, 632 f.; – Wilpert I², 620; – Graf I, 330 f.; – Pauly-Wissowa VII, 1859 ff.; – Kl. Pauly II, 874; – DACL VI, 1667 ff.; – Altaner⁷ 298 ff.; – VSB V, 173 ff.; – BS VII, 194 ff.; – Réau III, 607; – AS Maii II, 369 ff.; – RE VII, 138 ff.; XXIII, 595; – RGG II, 1844; – Catholicisme V, 255 ff.; – DThC VI, 1839 ff.; Tables générales I, 1391 ff.; – DSp VI, 932 ff.; – EC VI, 1088 ff.; – LThK IV, 1209 ff.; – NCE VI, 791 ff.; – ODCC² 599.

GREGOR *von Nyssa,* griechischer Kirchenvater, Heiliger, * etwa 331 in Caesarea (Kappadozien), † nach 394 in Nyssa (Kappadozien). – Seine Bildung erhielt G. in den heidnischen Rhetorenschulen und von seinem älteren Bruder Basilius dem Großen (s. d.). Vorübergehend war er Lektor, wurde dann Rhetor und verheiratete sich, gab aber seinen Beruf auf und zog sich in die Einsamkeit des Mönchslebens am Iris (Pontus) zurück. Seit 371 wirkte G. als Bischof von Nyssa am Halys. Er wurde 375 verleumderisch beschuldigt, Kirchengut verschwendet zu haben, und deswegen 376 auf einer Synode der pontischen und galatischen arianischen Bischöfe zu Nyssa »in absentia« abgesetzt. Nach dem Tod des arianischgesinnten Kaisers Valens (s. d.; † 9. 8. 378) kehrte G. als Bischof nach Nyssa zurück. Er besuchte 379 die Synode von Antiochien und wurde 380 zum Metropoliten von Sebaste (Kleinarmenien) gewählt. Auf der 2. ökumenischen Synode von Konstantinopel 381 war er einer der bedeutendsten Synodalen und Hauptverteidiger der Orthodoxie und nahm 383 wahrscheinlich auch an den Religionsverhandlungen in Konstantinopel teil. 386 hielt G. der Prinzessin Pulcheria und kurz darauf ihrer Mutter, der Kaiserin Flaccilla, die Leichenrede. Zum letztenmal wird er 394 in den Akten einer Synode zu Konstantinopel erwähnt. – G. ist bekannt als der größte christlich-philosophische Denker seiner Zeit. Von dem Neuplatonismus und Origenes (s. d.) war er stark beeinflußt. Mit Hilfe der Philosophie verteidigte G. die christlichen Wahrheiten gegen Ungläubige und Häretiker. Seine polemischen Schriften sind gerichtet gegen Eunomius (s. d.), der ein fanatischer Vorkämpfer des radikalen Arianismus (s. Arius; s. Athanasius) war, und Apollinaris von Laodicea (s. d.), den Vorläufer des großen im 5. Jahrhundert beginnenden christologischen Streites, dessen Lehre auf der 2. ökumenischen Synode zu Konstantinopel 381 offiziell verurteilt wurde. Er bekämpfte auch die Mazedonianer und Pneumatomachen. G. verwarf die Lehre des Origenes von der Präexistenz der Seelen, übernahm aber von ihm die Lehre von der »Wiederbringung aller Dinge« (ἀποκατάστασις πάντων), nach der schließlich alle, auch der Teufel, der Seligkeit teilhaftig werden, die aber dem Dogma von der Ewigkeit der Höllenstrafen widerspricht. G., sein Freund Gregor von Nazianz (s. d.) und sein Bruder Basilius, diese »drei großen Kappadozier«, vertraten in der Endphase (363–381) des Arianischen Streites die Richtung der Neuorthodoxie oder der Jungnicäner, die das altnicänische ὁμοούσιος (»wesenseins«) neunicänisch als ὁμοιούσιος (»wesensgleich«) verstanden. Sie waren um eine weitere Einigung der Alt- und Jungnicäner bemüht. Diese »drei großen Kappadozier« begründeten die kirchliche Trinitätslehre. Sie betonten den scharfen Unterschied zwischen οὐσία und ὑπόστασις. Οὐσία ist das göttliche Wesen, das allen drei hypostatisch gemeinsam ist. Ὑπόστασις ist das, was jedem der drei Wesen eigentümlich ist. Sie schufen die Formel: Μία οὐσία τρεῖς ὑποστάσεις. Die neunicänische Theologie setzte sich durch und brachte dadurch den Arianischen Streit zum Abschluß: die 2. ökumenische Synode zu Konstantinopel bestätigte 381 das Nicänum und erkannte die jungnicänische Trinitätslehre an. – G. war einer der großen Mystiker des christlichen Altertums. Er hat das mystische Erleben als ἀπόλαυσις θεοῦ (»fruitio Dei«, »Gottgenießen«) beschrieben.

Werke: Dogmat. Schrr.: 4 Werke gg. Eunomius; gg. andere Häretiker: Adversus Apollinarem; Antirrheticus adversus Apollinarem (die bedeutendste der erhaltenen antiapollinarist. Schrr. u. darum f. die Gesch. der christolog. Frage im 4. Jh. v. größtem Wert); gg. Macedonianer u. Pneumatomachen; f. die Trinitätslehre wichtige Abhh.: An Eustathius über die Trinität; Gegen die Heiden; An Ablabius; An Simplicius; wichtigste dogmat. Hauptschr.: Oratio catechetica magna (apologet.-dogmat. Abh. über Trinität u. Menschwerdung Christi u. Belehrung über Taufe u. Abendmahl); Dialogus de anima et resurrectione (Gespräch zw. G. u. seiner sterbenden Schwester Makrina über die Letzten Dinge). – Exeget. Abhh. u. Homilien: 2 Abhh. über den bibl. Schöpfungsber.: De hominis opificio; Explicatio apologetica in Hexaemeron (die bedeutendsten u. nüchternsten exeget. Werke); Die Lebensschicksale der Mose: De vita Moysis; In psalmorum inscriptiones (Werk schrankenloser Allegorese); 15 Homilien über das Hohelied; eine Abh. über die Hexe v. Endor (1Sam 28, 12 ff.); 8 Homilien über den Prediger; 8 Homilien über die Seligkeiten (Mt 5, 1–10); 5 Homilien über das Gebet des Herrn. – Asket. Schrr.: De virginitate (schildert die »Brautschaft Christi mit der Seele«); Vita Macrinae (erbaul. Lb. seiner Schwester). – Reden u. Predigten. – 30 Briefe (meist Gelegenheitsschreiben rein persönl. Inhalts). – Ausgg.: die 1. griech.-lat. GA v. Fronto Ducaeus, 2 Bde., Paris 1615, u. Appendix ad S. Gregorii Nysseni opera, hrsg. v. Jakob Gretser, 1 Bd., ebd. 1618; MPG 44–46; neue krit. Ausg. v. Werner Jaeger u. a., Leiden 1952 ff. – Neuere Einzelausgg. u. Überss.: Ausgew. Schrr., übers. v. Heinrich Hayd, in: BKV 1, 1874; v. J. Fisch, in: BKV 2, 1880; v. Karl Weiß, in: BKV² 56, 1927; – Friedrich Julius Winter, G. v. N. ausgew. Reden, 1895; – De vita Moysis, hrsg. v. Carl Schmidt u. Wilhelm Schubart, in: Berliner Klassikertexte VI, 1910, 38 ff.; – La Vie de Moïse, ou Traité de la perfection en matière de vertu. Introduction et traduction de Jean Daniélou, Paris 1955²; – Contra Eunomium, hrsg. v. Werner Jaeger, 2 Bde., 1921; – Oratio catechetica magna, hrsg. v. James Herbert Srawley, Cambridge 1903; v. Louis Méridier, Paris 1908; hrsg. u. übers. v. Joseph Barbel, 1971 (Rez. v. E. Sauser, in: ThZ 81, 1972, 255; v. Pierre Maraval, in: RHPhR 53, 1973, 445 f.; v. Emil Stanula, in: Collectanea theologica 43, Warschau 1973, 224 f.); – Hans Urs v. Balthasar, Der versiegelte Quell (Hoheliedkomm.), 1939; – La création d'homme. Introduction et traduction de Jean Laplace. Notes de Jean Daniélou. Paris 1944; – The Lord's Prayer. – The Beatitudes. Translated and annotated by Hilda C. Graef, in: ACW 18, 1954; – Der hl. Bisch. G. v. N. (Werke, Ausz. dt.). Einf. u. Ausw. v. Franz Weissengruber, hrsg. v. Severin Leidinger, 1960; – G. N. De pauperibus amandis orationes duo, hrsg. mit einem Komm. v. Arie van Heck (Diss. Leiden), 1964; – From glory to glory. Texts from G. of N.'s mystical writings. Selected and with an introduction by Jean Daniélou. Translated and edited by Herbert Musurillo, New York 1961; London 1962; – Traité de la virginité. Introduction, texte critique, traduction, commentaire et index de Michel Aubineau, Paris 1966 (Rez. v. Jean Pépin, in: Annales de la Faculté des lettres de Bordeaux 71, 1969, 573 ff.); – Encomium in Sanctum Stephanum Protomartyrem. Griech. Text, eingel. u. hrsg. mit apparatus criticus u. übers. v. Otto Lendle (Hab.-Schr., Marburg), Leiden 1968 (Rez. v. Hans-Diet-

rich Altendorf, in: ThLZ 95, 1970, 112 f.); – Abh. über die Hexe v. Endor, hrsg. v. Erich Klostermann, in: Keline Texte f. Vorlesungen u. Übungen, hrsg. v. Hans Lietzmann, 83, 1912.

Lit.: Adam Krampf, Der Urzustand des Menschen nach der Lehre des hl. G. v. N. Eine dogmat.-patrist. Stud. (Diss. Würzburg), 1889; – Franz Hilt, Des hl. G. v. N. Lehre v. Menschen systemat. dargest. (Diss.), 1890; – Johannes Bauer, Die Trostreden des G. v. N. in ihrem Verhältnis z. antiken Rhetorik (Diss. Marburg), 1892; – Wilhelm Meyer, Die Gotteslehre des G. v. N. Eine philos. Stud. aus der Zeit der Patristik (Diss. Jena), 1894; – Franz Diekamp, Die Gotteslehre des hl. G. v. N. (Diss. Münster, 1895), 1896; – Ders., Lit.geschichtliches z. Eunomian. Kontroverse, in: ByZ 18, 1909, 1 ff. 190 ff.; – Franz Preger, Die Grdl.n der Ethik bei G. v. N. (Diss. Leipzig), 1897; – Wilhelm Vollert, Die Lehre G. v. N. v. Guten u. Bösen u. v. der schließlichen Überwindung des Bösen, 1897; – Armin Reiche, Die künstler. Elemente in der Welt- u. Lebensanschauung des G. v. N. (Diss. Jena), 1897; – Friedrich Loofs, Eustathius v. Sebaste u. die Chronologie der Basiliusbriefe, 1898; – H. Koch, Das myst. Schauen beim hl. G. v. N., in: ThQ 80, 1898, 397 ff.; – E. Michaud, St. G. de N. et l'apocatastase, in: Revue internationale de théologie 10, Bern 1902, 37 ff.; – Karl Weiß, Die Erziehungslehre der drei großen Kappadozier. Eine päd.-philos. Stud. (Diss. Freiburg/Breisgau), 1903; – Karl Holl, Amphilochius v. Ikonium in seinem Verhältnis zu den großen Kappadoziern, 1904 (Nachdr. Wiesbaden 1969), 196 ff.; – Louis Méridier, L'influence de la seconde sophistique sur l'oeuvre de G. de N. (Thèse), Paris 1906; – James Herbert Srawley, St. G. of N. on the sinlessness of Christ, in: JThS 7, 1906, 434 ff.; – Karl Gronau, De Basilio, Gregorio Nazianzeno Nyssenoque Platonis imitatoribus (Diss. Göttingen), 1908; – Johannes Baptist Aufhauser, Die Heilslehre des hl. G. v. N. (Diss. München, 1908), 1910; – Konrad Burdach, in: SAB 1912, 397 ff. 786 ff.; – Johannes Maier, Die Eucharistielehre der drei großen Kappadozier, des hl. Basilius, G. v. Nazianz u. G. v. N. (Diss. Breslau), 1915; – Ronald Burn, Adversaria in Gregorium Nyssenum, in: JThS 25, 1924, 172 ff.; – Edward Charles Everard Owen, St. G. of N., ebd. 26, 1924/25, 64 ff.; – Johann Lenz, Jesus Christus nach der Lehre des hl. G. v. N. Eine dogmengeschichtl. Stud., 1925; – James Aloysius Stein, Encomium of St. Gregory, bishop of N., on the brother St. Basil (Diss. Catholic univ. of America), Washington 1928; – Harold Fredrik Cherniss, The Platonism of G. of N., Berkeley 1930; – George William Patrick Hoey, The Use of the Optative Mood in the Works of St. G. of N. (Diss. Catholic Univ. of America), Washington 1930; – Johannes Bayer, G.s v. N. Gottesbegriff (Diss. Gießen), 1935; – Victor Koperski, Doctrina Gregorii Nysseni de processione filii Dei (Diss. Rom), 1936; – Émile Mersch, Le Corps mystique du Christ. Étude de théologie historique, Brüssel – Paris 1936², 374 ff.; – Michael Gomes de Castro, Die Trinitätslehre des hl. G. v. N. (Diss. Freiburg/Breisgau), 1938; – Severino González, La fórmula mía phýsis treis hypostáseis en S. G. d. N., (Diss. Rom), 1939; – Ceslaus van den Eynde, La Version syriaque du commentaire de G. de N. sur le Cantique des Cantiques. Ses origines, ses témoins, son influence, Louvain 1939; – H. O. Knackstedt, Die Theol. der Jungfräulichkeit beim hl. G. v. N. (Diss. Rom), 1940; – Jean Daniélou, in: RSR 30, 1940, 328 ff. (l' apocatastase); – Ders., Platonisme et théologie mystique. Essai sur la doctrine spirituelle de s. G. de N., Aubier 1944 (Paris 1954²); – Ders., La résurrection des corps chez G. de N., in: VC 7, 1953, 154 ff.; – Ders., Salbung u. Taufe bei G. v. N., in: Kyrios NF 10, 1970, 1 ff.; – Ders., L'être et le temps chez G. de N., Leiden 1970 (Rez. v. Joachim Dalfen, in: Philos. Lit.anz. 25, 1972, 34 ff.; v. J. C. M. van Winden, in: VigChr 26, 1972, 237 ff.; v. Jean-Luc Marion, in: RPhL 70, 1972, 141 ff.; v. Werner Beierwaltes, in: Erasmus. Speculum scientiarum 25, London 1973, 513 ff.); – Hans Urs v. Balthasar, Présence et pensée. Essai sur la philosophie religieuse de G. de N., Paris 1942; – Aloisius Lieske, Die Theol. der Christusmystik G.s v. N. (Münster), 1943; – Ders., Die Theol. der Christusmystik G.s v. N., in: ZKTh 70, 1948, 49 ff. 129 ff. 315 ff.; – Thomas Aquinas Goggin, The Time of St. G. of N. as reflected in the letters and the »Contra Eunomium« (Diss. Catholic Univ. of America), Washington 1947; – John Trinick, St. G. of N. and the Rise of Christian Mysticism, Shorne (Kent) 1950; – Roger Leys, L'image de Dieu chez s. G. de N., Brüssel – Paris 1951; – Hubert Merki, Homoíosis Theõ. Von der platon. Angleichung an Gott z. Gottähnlichkeit bei G. v. N. (Diss. Freiburg/Schweiz), 1952; – Alcuin A. Weiswurm, The Nature of Human Knowledge according to St. G. of N. (Diss. Catholic Univ. of America), Washington 1953; – Jérôme Gaith, La conception de la liberté chez G. de N., Paris 1953; – Werner Jaeger, Two rediscovered Works of Ancient Christian Literature: G. of N. and Macarius, Leiden 1953; – Ders., G. v. N.s Lehre v. Hl. Geist. Aus dem Nachlaß hrsg. v. Hermann Dörries, ebd. 1966; – Walther Völker, Die Mystik G.s v. N. in ihren geschichtl. Zus.hängen, in: ThZ 9, 1953, 338 ff.; – Ders., G. v. N. als Mystiker, 1955; – Gerhart Burian Ladner, The Philosophical Anthropology of St. G. of N., in: Dumbarton Oaks Papers 12, Cambridge (Massachusetts) 1958, 59 ff.; – R. Gillet, L'homme divinisateur cosmique dans la pensée de s. G. de N., in: Studia patristica 6, 1962, 62 ff.; – Hermann Dörries, Griechentum u. Christentum bei G. v. N., in: ThLZ 88, 1963, 569 ff.; – Alan Sidney, The Atonement in G. of N., London 1964; – Reinhart Staats, Der Traktat des G. v. N.

»De instituto christiano«. Beweis seiner Abhängigkeit v. Großen Brief des Symeon v. Mesopotamien (Diss. Göttingen), 1965; Überarb. u. d. T.: G. v. N. u. die Messalianer. Die Frage der Priorität zweier altkirchl. Schrr., 1968 (Rez. v. Alfons Kemmer, in: ThLZ 95, 1970, 216 ff.; v. Alfred Schindler, in: ThZ 26, 1970, 142 f.); – Ders., G. v. N. u. das Bisch.amt, in: ZKG 84, 1973, 149 ff.; – Ekkehard Mühlenberg, Die Unendlichkeit Gottes bei G. v. N. Gregors Kritik am Gottesbegriff der klass. Metaphysik (Diss. Mainz, 1963), Göttingen 1966 (Rez. v. Peter Stockmeier, in: ThRv 65, 1969, 127 f.); – Evangelos Konstantinou, Die Tugendlehre G.s v. N. im Verhältnis zu der antik-philos. u. jüd.-christl. Tradition (Diss. Berlin F.U., 1963), Würzburg 1966; – David L. Balás, Metousía Theou. Man's Participation in God's Perfections According to S. G. of N., Rom 1966; – Sibbile de Boer, De anthropologie v. G. v. N. (Diss. Amsterdam mit engl. Zus.fassung), Assen 1968 (Rez. v. Mariette Canévet, in: RÉG 82, 1969, 264 f.; v. Basil Studer, in: FZThPh 17, 1970, 254 f.; v. Georg Bertram, in: ThLZ 96, 1971, 273 f.); – Konstantin Skouteris, Die Ekklesiologie des Hl. G. v. N. (griech.), Athen 1969 (Rez. v. Stavros Panou, in: Kyrios. Vjschr. f. Kirchen- u. Geistesgesch. 10, 1970, 255); – Paul Zemp, Die Grdl.n heilsgeschichtl. Denkens bei G. v. N. (Diss. München, 1968), 1970 (Rez. v. J. Verhees, in: TTh 11, 1971, 460 f.; v. J. A. de Aldama, in: ATG 34, 1971, 263 f.; v. Jean Daniélou, in: ThRv 67, 1971, 446 f.); – María Mercedes Bergadá, Contribución bibliográfica para el estudio de G. de N., Buenos Aires 1970 (Rez. v. Roland Hissette, in: RPhL 70, 1972, 430; v. Marie Laffranque, in: Revue philosophique de la France et de l'étranger 164, Paris 1974, 186 ff.); – Écriture et culture philosophique dans la pensée de G. de N. Actes du colloque de Chevetogne (22–26 septembre 1969). Ed. par Marguerite Harl, Leiden 1971 (Rez. v. Karl Treu, in: ThLZ 97, 1972, 675 ff.); – T. di Stefano, La libertà radicale dell'imagine secondo S. G. di N., in: Divus Thomas 75, 1972, 431 ff.; – Apostolos Bournalas, Das Problem der Materie in der Schöpfungslehre des G. v. N. (Diss. Freiburg/Breisgau), 1972; – Maria-Barbara v. Stritzky, Zum Problem der Erkenntnis bei G. v. N. (Diss. München, 1970), 1973 (Rez. v. A. Lascaris, in: ByZ 15, 1975, 328 f.); – Igino Grego, S. G. N. pellegrino in Terra santa. Lo scontro con i giuedo-cristiani, in: Salesianum 38, Rom 1976, 109 ff.; – AS Martii II, 4 ff.; – Bardenhewer III, 188 ff.; – Stählin 1420 ff.; – WeltLit I, 633; – Wilpert I², 620; – KLL IV, 1579 f. (Große Katechese); V, 1710 ff. (Über die Ausstattung des Menschen). 1719 (Über die Jungfräulichkeit des Menschen). 1743 ff. (Über Seele u. Auferstehung). 2724 f. (Kampfschr. gg. Eunomius); – Pauly-Wissowa VII, 1863 f.; – Kl. Pauly II, 874; – Altaner⁷ 303 ff.; – DThC VI, 1847 ff.; – DSp VI, 971 ff.; – EC VI, 1006 ff.; – LThK IV, 1211 ff.; – NCE VI, 794 ff.; – RE VII, 146 f.; XXIII, 595 f.; – EKL I, 1709 f.; – RGG II, 1844 f.; – ODCC² 599 f.

GREGOR von Rimini

GREGOR *von Rimini*, Theologe und Philosoph aus dem Orden der Augustinereremiten, * etwa 1300, † 1358 in Wien. – G. wurde früh Augustinereremit und studierte in Italien, Frankreich und England. Er lehrte in Bologna, Padua und Perugia und las 1340–44 an der Sorbonne in Paris als Bakkalaureus über die Sentenzen. G. wurde 1345 »magister in theologia« und 1357 General seines Ordens. Er ist ein bekannter nominalistischer Scholastiker und wurde verehrt als »lucerna spendens, doctor acutus« und »doctor authenticus«. Als Philosoph schloß sich G. dem »Nominalismus« des Wilhelm von Ockham (s. d.) an. Als Theologe vertrat er einen strengen, ziemlich schroffen Augustinismus. Geschätzt war sein Kommentar zu den Sentenzen des Petrus Lombardus (s. d.). Die Hauptautorität G.s ist Aurelius Augustinus (s. d.).

Werke: Komm. z. 1. u. 2. Buch der Sentenzen, Paris 1482; Valencia 1560; Rimini 1522. 1622; Franciscan Institute Publications, Text Series 7, St. Bonaventure (New York) 1955 = Nachdr. der Ausg. v. 1522; Tractatus de usuris, Rimini 1622; Schr.-komm. u. Predigten (deren Echtheit aber umstritten ist).

Lit.: Johann Felix Ossinger, Bibliotheca Augustiniana historica, critica et chronologia, Ingolstadt u. Augsburg 1768, 74 ff.; – Lanteri, Postrema saecula sex religionis Augustinianae I, Tolentino 1858, 287 ff.; – Karl Werner, Scholastik des späteren MA III, 1883, 1 ff.; – Joseph Würsdörfer, Erkennen u. Wissen nach G. v. R. Ein Btr. z. Gesch. der Erkenntnistheorie des Nominalismus (Diss. München), Münster 1917; – Karl Feckes, Die Rechtfertigungslehre des Gabriel Biel u. ihre Stellung innerhalb der nominalistischen Schule, 1925; – David Aurelius Perini, Bibliographia Augustiniana I, Florenz 1929, 53 ff.; – Friedrich Stegmüller, Gratia sanans, in: Aurelius Augustinus 1930, 395 ff.; – Martin Schüler, Prädestination, Sünde u. Freiheit bei G. v. R. (Diss. Berlin), Stuttgart 1934; – Paul Vignaux, Justification et Prédestination au XIVᵉ siècle, Paris 1934, 141 ff.; – Hubert Elie, Le complexe significabile (Thèse Paris), 1936; – J. de Sax, Liber

vitae Fratrum, New York 1943, LII ff. 241. 477; – W. Kölmel, Von Ockham zu Gabriel Biel. Zur Naturrechtslehre des 14. u. 15. Jh.s, in: FS 37, 1955, 218 ff.; – Damasus Trapp, Augustinian Theology in the fourteenth Century, in: Augustiniana 6, 1956, 164 ff.; – Ders., Peter Ceffons of Clairvaux, in: RThAM 24, 1957, 101 ff.; – Gordon Leff, G. of R. Tradition and innovation in 14ᵗʰ Century Thought, Manchester 1961; – Johann Fuchs, Die Naturrechtslehre des G. v. R. (Diss. München), 1962; – Leif Grane, G. v. R. u. Luthers Leipziger Disputation, in: Studia theologica. Scandinavian journal of theology 22, Oslo 1968, 29 ff.; – Eliseo García Lescún, La teología trinitaria de G. de R., Burgos 1970 (Rez. v. C. Vansteenkiste, in: Angelicum 47, 1970, 385 ff.; v. Aldo Bodrato, in: Rivista di storia e letteratura religiosa 7, Florenz 1971, 518 ff.; v. G. Crosignani, in: Divus Thomas 74 (92), 1971, 372 f.); – Grabmann, MGL III, 370 ff.; – Überweg II, 588 ff. 783; – Catholicisme V, 269 f.; – DThC VI, 1852 ff.; – EC VI, 1156 f.; – LThK IV, 1193; – NCE VI, 797; – ODCC² 600; – RE XVII, 725 f.; – RGG II, 1846.

GREGOR SINAITES

GREGOR SINAITES, Vertreter eines gemäßigten Hesychasmus, Hymnendichter, Heiliger, * Ende des 13. Jahrhunderts in Kukulos bei Klazomenä (Lydien), † 27. 11. 1346 im Kloster Paroria (Thrazien). – G. kam in die Gefangenschaft der Agarener nach Laodicea, wurde aber von dortigen Christen losgekauft. Auf Zypern wurde er Mönch, ging zum Sinai und über Jerusalem nach Kreta, wo ihn der Mönch Arsenios das »innerliche Gebet« lehrte, für das er nach seiner Übersiedlung auf den Athos zahlreiche Schüler gewann. Vor dem Einfall der Agarener floh G. vom Athos und gründete schließlich auf dem Berg Katakryomenos u. a. das berühmte Kloster Paroria, das ein wissenschaftliches und geistiges Zentrum der Balkanländer wurde. – G. gilt als Heiliger. Sein Fest ist bei den Griechen der 27. November (auch der 11. Februar und 6. April), bei den Slawen der 8. August.

Werke: MPG 150, 1239–1346.

Lit.: J. Bois, De la sinaïte et l'hésychasme à l'Athos au XIVᵉ siècle, in: ÉO 5, 1901, 65 ff.; – Martin Jugie, Theologia dogmatica christianorum orientalium I, Paris 1926, 432 ff.; – Wassil Pandursky, G. S. u. seine Mystik (Diss. Marburg), 1945; – Émile Turdeanu, La littérature bulgare du XIVᵉ siècle et sa diffusion dans les pays roumains, Paris 1947, 5 ff.; – J. Meyendorff, Introduction à l'étude de Grégoire Palamas, ebd. 1959; – F. Halkin, Un ermite du Balkans au XIVᵉ siècle. La Vie grecque inédite de saint Romylos, in: Byzantion 31, Brüssel 1961, 111 ff.; – Krumbacher 157 f.; – Beck 694 f.; – Catholicisme V, 266 f.; – DSp VI, 1011 ff.; – LThK IV, 1214 f.; – NCE VI, 797.

GREGOR THAUMATURGOS

GREGOR THAUMATURGOS (der Wundertäter), Bischof von Neocäsarea, Heiliger, * um 213 in Neocäsarea (Pontus) als Kind einer vornehmen heidnischen Familie, † daselbst zwischen 270 und 275. – G., ursprünglich Theodor genannt, wandte sich rhetorischen und später juristischen Studien zu und wollte zur Vollendung seiner juristischen Studien nach Berytus (Phönizien) begeben, wurde aber durch seine Schwester, deren Gatte nach Cäsarea (Palästina) in den Dienst des kaiserlichen Statthalters von Palästina berufen worden war, veranlaßt, zuvor noch nach Cäsarea zu reisen, um seine Schwester in die neue Heimat zu geleiten. In Cäsarea lernte er Origenes (s. d.) kennen, der ihn durch seinen Lehrvortrag fesselte. Origenes gewann G. für die Philosophie und die Theologie und zugleich für das Christentum. So wurde ihm der Besuch Cäsareas zum Wendepunkt seines Lebens. Fünf Jahre blieb er. 238 nahm G. in einer öffentlichen Dankesrede von Origenes und Cäsarea Abschied und trat die Rückreise nach Pontus an. Wenige Jahre später wurde er erster Bischof seiner noch heidnischen Vaterstadt. G. wirkte erfolgreich für die Ausbreitung des Christentums in Pontus und wurde durch seine Missionstätigkeit der Begründer der kappadozischen Kirche. 265 nahm er an der Synode gegen Paulus von Samosata (s. d.) teil. – Die Kirche zählt ihn zu ihren Heiligen und begeht sein Fest am 17. November.

Werke: Dankrede an Origenes (MPG 10, 1051–1104; gibt Auskunft über die Lehrmethode seines Lehrers); ein trinitar. Glaubenssymbol: Ékthesis thês písteōs (MPG 10, 983–988; überliefert v. Gregor v. Nyssa in seiner Vita des Thaumaturgen); der »Kanon. Brief« (MPG 10, 1019–1048; aufschlußreich f. das damalige kirchl. Bußverfahren); die Erkl. über Pred (MPG 10, 987–1018; nur eine Paraphrase dieses Buches); An Theopompus über die Leidensunfähigkeit und Leidensfähigkeit Gottes (ein nur syr. erhaltenes philos.-apologet. Gespräch); An Philagrius über die Wesensgleichheit (kurze Darlegung der Trinitätslehre; MPG 46, 1101–1108). – Dankrede an Origenes. Ausg.: Paul Koetschau, 1894; Remerciement à Origène, suivi de la Lettre d'Origène à G. Texte grec, introduction, traduction et notes par Henri Crouzel, Paris 1969; Dt. v. Hermann Bourier, Lobrede auf Origenes, in: BKV² 2, 1911, 211–270.

Lit.: Carl Paul Caspari, Alte u. neue Qu. z. Gesch. des Taufsymbols u. der Glaubensregel, Christiania (Oslo) 1879, 25–146 (Nachdr. Brüssel 1964); – Victor Ryssel, G. Th. Sein Leben u. seine Schrr., 1880; – Ders. syr. Lebensgesch. des G. Th., in: Theol. Zschr. aus der Schweiz 11, Zürich 1894, 228 ff.; – Johannes Dräseke, Der Brief an Diognetos. Nebst Bttr. z. Gesch. des Lebens u. der Schrr. des Gregorios Neocaesarea, 1881; – Paul Koetschau, Zur Lebensgesch. G.s des Wundertäters, in: ZWTh 41, 1898, 211 ff.; – August Brinkmann, G. des Th. Panegyricus auf Origenes, in: RheinMus 56, 1901, 55 ff.; – J. Lebreton, Le Traité de l'âme de s. G. le th., in: BLE 8, 1906, 73 ff.; – Albert Poncelet, La Vie latine de S. G. le th., in: RSR 1, 1910, 132 ff. 567 ff.; – N. I. Sagarda, S. G. Th., Bisch. v. Neocaesarea. Sein Leben, sein Werk (russ.), St. Petersburg 1916; – Martin Jugie, Les homélies mariales attribuées à s. G. le th., in: AnBoll 53, 1925, 86 ff.; – F. Froidevaux, Le symbole de s. G. le th., in: RSR 19, 1929, 193 ff.; – William Telfer, The latin Life of St. G. Th., in: JThS 31, 1930, 142 ff. 354 ff.; – Ders., The Cultus of St. G. Th., in: HThR 29, 1936, 225 ff.; – A. Soloviev, St. G., patron de Bosnie, in: Byzantion 19, Brüssel 1949, 263 ff.; – M. Simonetti (Echtheit v. »An Philagrios«), in: Rendiconti dell'Istituto lombardo di Scienze e Lettere 86, Mailand 1953, 101 ff.; – Henri Crouzel, La passion de l'Impassible. Un essai apologétique et polémique du III⁵ siècle, in: L'homme devant Dieu (Mélanges Henri de Lubac) I, Paris 1963, 269 ff.; – Ders., Le »Remerciement à Origène« de s. G. le th. Son contenu doctrinal, in: Sciences ecclésiastiques 16, Montréal 1964, 59 ff.; – U. W. Knorr, G. der Wundertäter als Missionar, in: EMM 110, 1966, 70 ff.; – Pauly-Wissowa VII, 1857 ff.; – Kl. Pauly II, 873 f.; – Bardenhewer II, 315 ff.; – Stählin 1352 ff.; – KLL II, 1922 f. (Lobrede auf Origenes); – Altaner⁷ 211 f.; – Quasten II, 123 ff.; – EC VI, 1158 f.; – DSp VI, 1014 ff.; – LThK IV, 1216 f.; – NCE VI, 797 f.; – ODCC² 600 f.; – RE VII, 155 ff.; – RGG II, 1846.

GREGOR *von Tours*, Bischof, fränkischer Geschichtsschreiber, * 30. 11. 538 oder 539 in Averna, dem heutigen Clermont-Ferrand, † 17. 11. 594 in Tours. – G. entstammte einem gallorömischen Senatorengeschlecht. Er verlor früh seinen Vater und wurde von dem Bruder seines Vaters, Gallus, Bischof von Clermont (546 bis 554), in christlicher Frömmigkeit erzogen. Damals bereits entschied sich G. für den geistlichen Stand und ließ sich nach dem Tod des Bischofs Gallus durch Avitus, Presbyter und 571–592 Bischof von Clermont, in den heiligen Schriften unterweisen. Nach seiner Diakonatsweihe unternahm er um 563 während einer gefährlichen Krankheit eine Wallfahrt nach Tours und fand dort am Grab des hl. Martin (s. d.) die erhoffte Genesung. G. wurde 573 Bischof von Tours und wirkte als einer der kirchlich und politisch einflußreichsten Männer des Merowingerreichs. Er war ein sehr fleißiger und fruchtbarer Schriftsteller. Sein Hauptwerk ist die »Historia Francorum«, die bis 591 reicht und die wichtigste Quelle für das frühe Merowingerreich ist. – G. wird als Heiliger verehrt. Sein Fest ist der 17. November.

Werke: Historiarum libri X (Historia Francorum), 591 vollendet; Miraculorum libri VIII; De cursu stellarum ratio; Reste eines Komm. zu den Pss. – *GA:* MPL 71; MG SS rer. Mer. 1/1 (Historia Francorum), 1937–42 (1951²). – *Übers.:* Zehn Bücher Gesch.n. Auf Grund der Übers. W. Giesebrechts neubearb. v. Rudolf Buchner, 2 Bde., 1956 (1970–724⁵). – Histoire des Francs.

Traduite par Robert Latouche, Paris 1963 ff. – Engl. v. Ormonde Maddock Dalton, The History of the Francs by G. of T., 2 Bde., Oxford 1927.

Lit.: Johann Wilhelm Loebell, G. v. T. u. seine Zeit, 1869²; – Karl Weimann, Die sittl. Begriffe in G. v. T.s »Historia Francorum« (Diss. Leipzig), 1900; – Carl Albrecht Bernoulli, Die Hll. der Merowinger, 1900, 88–121; – Siegmund Hillmann, Stud. z. ma. Gesch.schreibung. I: G. v. T., in: HZ 107, 1911, 1 ff.; – Victor Frederik Büchner, Merovingica (Diss. Amsterdam), 1913, 39 ff.; – G. Kurth, De l'autorité de G. de T., in: Études Franques 2, Brüssel 1919, 117–206; – Ernst Hoffmann, G. v. T. Vers. einer Darlegung seiner rel. u. sittl. Anschauungen u. seiner Auffassung v. geschichtl. Leben (Diss. Erlangen), 1922; – Hippolyte Delehaye, Les Receuils antiques de miracles des Saints, in: AnBoll 43, 1925, 305 ff.; – Samuel Dill, Roman Society in Gaul in the Merovingian Age, London 1926; – Bruno Krusch, Die Unzuverlässigkeit der Gesch.schreibung G.s v. T., in: MIÖG 45, 1931, 486 ff.; – Ders., Die hs. Grdl.n der »Historia Francorum« G.s v. T., in: HZ 146, 1932, 673 ff.; 148, 1933, 1 ff.; – Ders., Kulturbilder aus dem Frankenreiche z. Z. G. v. T.s, 1934 (SAB); – Sara Hansell Mac Gonagle, The Poor in G. of T. A study of the attitude of Merovingian Society towards the poor, as reflected in the literature of the time (Diss.), New York 1936; – Karl Friedrich Stroheker, Der senator. Adel im spätantiken Gallien, 1948, 179 f. (urspr. als Hab.-Schr. ersch.); – John Michael Wallace-Hadrill, The Work of G. of T. in the Light of Modern Research, in: Transactions of the Royal Historical Society, London 1951, 25 ff.; – Kath. Marienkunde. Hrsg. v. Paul Sträter, I², 1952, 176. 180; – D. Bianchi, Da G. di T. a Paolo Diacono, in: Aevum. Rassegna di scienze storiche, linguistiche e filologiche 35, Mailand 1961, 150 ff.; – François Louis Ganshof, Een historicus uit de VI⁵ eeuw. G. van T. (mit frz. Zus.fassung), Brüssel 1966; – Biogr. Wb. z. dt. Gesch. I², 1973, 938; – WeltLit I, 632 f.; – Eppelsheimer, WL 144; – Wilpert I², 619; – KLL III, 1943 f. (Historia Francorum); IV, 1349 (Libri miraculorum); – Pauly-Wissowa VII, 1867 f.; – Kl. Pauly II, 875 f.; – Hauck I, 186 ff.; – Wattenbach-Levison I, 99 ff.; – Bardenhewer V, 357 ff.; – Manitius I, 216 ff.; – Altaner⁷ 477 f.; – DACL VI, 1711 bis 1753; – DSp VI, 1020 ff.; – LThK IV, 1193 f.; – NCE VI, 798 f.; – ODCC² 601; – RE VII, 153 ff.; – RGG II, 1846 f.; – NDB VII, 20 f.

GREGOR *von Utrecht*, Leiter der Friesenmission nach dem Tod des Wynfrith Bonifatius (s. d.), * 707 oder 708, † 25. 8. 775 in Utrecht. – G. entstammte einer vornehmen fränkischen Familie und wurde an der Hofschule erzogen. Er lernte um 722 in dem von seiner Großmutter, der Äbtissin Addula, geleiteten Kloster Pfalzl bei Trier Bonifatius kennen, der ihn als seinen Begleiter und Gehilfen in der Missionsarbeit in Hessen und Thüringen mitnahm. Später wurde G. Presbyter und Vorsteher der unter ihm aufblühenden Schule am St. Martinsmünster in Utrecht und 754 nach dem Märtyrertod des Bonifatius der Leiter des gesamten friesischen Missionswerkes. Er verwaltete auch, jedoch ohne Bischofsweihe, mit Hilfe seines angelsächsischen Mitarbeiters Aluberht das Bistum Utrecht. – Der Friese Liudger (s. d.) war G.s Schüler und Biograph.

Lit.: Liudgeri Vita Gregorii, ed. O. Holder-Egger, in: MG SS XV/1, 63 ff.; Einf. u. dt. Übertr. v. Basilius Senger, 1959; – H. J. A. Coppens, Algemeen overzicht der kerkgeschiedenis van Noord-Nederland, Utrecht 1902², 62 ff.; – Hans v. Schubert, Gesch. der christl. Kirche im Früh-MA, 1921, 334 ff.; – Franz Flaskamp, Das hess. Missionswerk des hl. Bonifatius, 1926², 41 ff. 132 ff.; – Ders., Wilbrord-Clemens u. Wynfrith-Bonifatius, in: Sankt Bonifatius. Gedenkgabe z. 1200. Todestag, 1954, 167 ff.; – Jörg Erb, Die Wolke der Zeugen I, 1951, 126 ff.; – Theodor Schieffer, Winfrid-Bonifatius u. die christl. Grundlegung Europas, 1954; – Regnerus Richardus Post, Kerkgeschiedenis van Nederland in de Middeleeuwen, Utrecht u. Antwerpen 1957, I, 34. 37; II, 177; – Zimmermann II, 619; – Torsy 204; – Hauck II, 356 ff.; – ADB IX, 627 f.; – NDB VII, 21; – VSB VIII, 479 f.; – Catholicisme V, 265 f.; – LThK IV, 1194; – NCE VI, 799; – RE VII, 155; – RGG II, 1847.

GREGOR *von Valencia*, Jesuit, Theologe, * im März 1549 in Medina del Campe (Kastilien), † 25. 4. 1603 in Neapel. – G. studierte seit 1564 in Salamanca und war nach seinem Eintritt in den Jesuitenorden 1565/ 1566 Novize in Medina. Er widmete sich dem theologischen Studium 1566–68 in Salamanca, dann in Valladolid und 1571/72 wieder in Salamanca. Der Ordensgeneral Franz von Borgia (s. d.) sandte ihn als Professor der Theologie nach Deutschland. G. lehrte seit 1573 in Dillingen und 1575–92 in Ingolstadt Dogmatik und Kontroverstheologie. 5 ½ Jahre Urlaub gewährte man ihm dann zur Vollendung seines Hauptwerkes, eines Kommentars zur »Summa« des Thomas von Aquin (s. d.). Die bayrischen Herzöge Wilhelm V. und Maximilian I. zogen ihn öfter zu Rate. In der Streitfrage, ob man trotz des kanonischen Zinsverbots Zinsen nehmen dürfe, hielt G. unter gewissen Voraussetzungen 5 % Zins für erlaubt. Als der Herzog 1590 der Theologischen und Juristischen Fakultät der Universität Ingolstadt einige Fragen über das Hexenwesen vorlegte, gab er ein Gutachten ab, das den damals herrschenden Anschauungen entsprach, wie sie z. B. der Weihbischof und Generalvikar des Erzbistums Trier, Peter Binsfeld (s. d.), der Hauptverteidiger des bisherigen Hexenprozeßverfahrens, vertrat. Im Januar 1598 kam G. nach Rom als Professor der Theologie und Studienpräfekt am »Collegium Romanum«. In dem zwischen den Dominikanern und Jesuiten ausgebrochenen Streit über das Verhältnis der menschlichen Freiheit zum göttlichen Handeln verteidigte er die »Concordia« seines Ordensgenossen Ludwig Molina (s. d.) gegen Dominikus Bañez (s. d.) vor der »Congregatio de auxiliis gratiae«, der von Clemens VIII. (s. d.) eingesetzten theologischen Prüfungskommission zur Untersuchung des Streites über das Wesen der wirksamen Gnade, und vor dem Papst, der 1602 zur weiteren Aufklärung feierliche Disputationen im Vatikan unter seinem Vorsitz anordnete. Durch seine Streitschriften wurde G. der Vorkämpfer der wissenschaftlichen deutschen Gegenreformation. Er ist neben seinem Schüler Adam Tanner (s. d.) der bedeutendste katholische Theologe, der in Deutschland im nachtridentinischen Jahrhundert wirkte. Clemens VIII. nannte ihn mit Recht »Doctor doctorum«; denn G. hat eine neue Generation von Professoren der Philosophie und Theologie in Deutschland herangebildet. Er erneuerte die deutsche Scholastik durch Übertragung der Reformen der Salmantizenser, der Dominikanertheologen der Universität Salamanca, nach Deutschland.

Werke: Analysis fidei catholicae, Ingolstadt 1585 (dt. v. Franz Steffan, Waldsassen 1932; G.s polem. Hauptwerk); De rebus fidei hoc tempore controversis, Lyon 1591, Paris 1610 (Smlg. seiner Streitschrr.: 34 bis dahin ersch. Einzelschrr. u. 13 neue Abhh.); Commentarii theologici, 4 Bde., Ingolstadt 1591–97 (in etwa 20 J. 12 Aufl.; eine systemat. Gesamttheol. mit Einschluß der Philos.). – Bibliogr.: Sommervogel VIII, 388 ff.; IX, 897 (42 gedr. Werke u. 6 Mss.).

Lit.: Nathanael Southwell (Sotvellus), Bibliotheca Scriptorum Societatis Jesu, Rom 1676, 308 ff.; – Mederer, Annales Ingolstadiensis Academiae, Ingolstadt 1782, 16 ff.; – Karl Werner, Gesch. der kath. Theol. seit dem Trienter Concil, 1866, 650; – Sigmund Riezler, Gesch. der Hexenprozesse in Bayern, 1896, 187 ff.; – Thomas Specht, Gesch. der ehem. Univ. Dillingen (1549 bis 1804), 1902, 301; – Adolf Christl, Der span. Jesuit G. v. V., Dtld.s bedeutendster Kontroversist im 16. Jh. (Diss. Freiburg/Breisgau), 1918 (1921); – Wilhelm Hentrich, G. v. V. u. der Molinismus. Ein Btr. z. Gesch. des Prämolinismus mit Benutzung ungedr. Qu. (Diss. München), Innsbruck 1928; – Ders., War G. v. V. ein Prämolinist?, in: Scholastik 4, 1929, 91 ff.; – Ders., G. v. V. u. die Erneuerung der dt. Scholastik im 16. Jh., in: Philosophia Perennis, 1930, 293 ff.; – Xaver Marie Le Bachelet, Prédestination et grâce efficace. Controverses dans la Compagnie de Jésus au temps d'Aquava, 1610–1613, 3. Löwen 1931, 14 ff.; – J. Esposa, Relción entre la fe infusa y la adquirida en G. de V., in: ATG 8, 1945, 99 ff.; – Sommervogel VIII, 388 ff.; IX, 897; – Schottenloher II, Nr. 21660–21667; – Duhr I, 665 ff. 725 ff. 746 f.; – ADB IX, 629 f.; – NDB VII, 21 f.; – HN III, 401 ff.; – DThC XV, 2465 ff.; – EC XII, 972 f.; – LThK IV, 1194 f.; – NCE VI, 799; – RGG II, 1847.

GREGOR (»Bruder Gregor«), Mitbegründer der Böhmisch-mährischen Brüderunität, † 1474. – G. war der Sohn eines unvermögenden Adligen und Neffe des Prager Erzbischofs Johannes Rokycana (s. d.), dessen Predigten mit ihrer heftigen Kritik an den bestehenden kirchlich-sittlichen Zuständen auf G. u. seine Freunde starken Einfluß ausübten. Er war Laie, ohne gelehrte Bildung und von Beruf Schneider. Um ihn sammelte sich etwa in den Jahren 1453 und 1454 ein Freundeskreis, der sich nach dem Dienst guter Priester umsah. So kam G. auf Rokycanas Empfehlung hin mit dem tschechischen Laientheologen Peter Chelčický (s. d.) in Verbindung. Wahrscheinlich 1457 siedelten sich die Böhmischen Brüder in Kunwald (Ostböhmen) an und bildeten eine Gemeinde.

Lit.: Joseph Theodor Müller, Gesch. der Böhm. Brüder I, 1922; – RGG II, 1843.

GREGOR, Christian, Liederdichter der Brüdergemeine, * 1. 1. 1723 in Diersdorf bei Reichenbach (Schlesien) als Sohn einer Bäuerin, die 14 Tage zuvor Witwe geworden war, † 6. 11. 1801 in Berthelsdorf (Oberlausitz). – G. verlor mit 7 Jahren seine Mutter und kam in das Haus des frommen Grafen von Pfeil. Nach seiner Konfirmation erhielt er weiteren Unterricht in den für den Lehrerberuf nötigen Fächern und im Orgelspiel. G. durfte im Dezember 1740 die gräfliche Familie nach Herrnhut (Oberlausitz) begleiten und empfing von dem, was er in der Brüdergemeine sah und hörte, einen starken und nachhaltigen Eindruck. Als während des ersten Schlesischen Krieges ihm ein plündernder Husar die geladene Pistole vor die Stirn setzte, gelobte G. Gott, er wolle, falls er sein Leben behalte, sich der Brüdergemeine anschließen, um ihm allein zu dienen. G. hielt sein Gelübde, obwohl man ihm gerade jetzt eine gute Schul- und Organistenstelle in seiner Heimat anbot. Er wurde in Herrnhut zunächst beim Unterricht der adeligen Jugend verwendet und 1743 in die Gemeine aufgenommen. G. wirkte als Organist und Direktor der Gemeinmusik in Herrnhaag (Wetterau) und seit 1749 in Zeist (Holland). Er wurde 1753 Kassierer und Rechnungsführer beim Generaldirektorat in Herrnhut, 1756 zum Diakonus geweiht, 1764 von der Synode zu Marienborn (Wetterau) zum Mitglied der Unitätsdirektion gewählt und 1767 zum Presbyter in Zeist ordiniert. G. verwaltete seit 1769 das Gemeinhelferamt in Herrnhut und wurde 1770 beauftragt, die Gemeinen und Missionsstationen in Nordamerika und gegen Ende 1774 die von der Brüdergemeine 1765 neuangelegte Stadt Sarepta an der Wolga im russischen Gouvernement Saratow zu besuchen. 1789 wurde er zum Bischof geweiht und erhielt 1792 nach dem Tod August Gottlieb Spangenbergs (s. d.) das Präsidium der Unitätsältestenkonferenz. – Die Unitätsältestenkonferenz beauftragte G. 1773 mit der Redaktion eines neuen Gesangbuchs, das er 1778 herausgab. Die hierfür notwendige Überarbeitung der Lieder des Grafen Nikolaus Ludwig von Zinzendorf (s. d.) ist sein alleiniges Werk. Um zu zeigen, daß G. reichlich Arbeit hatte, um aus Zinzendorfs Liedern gemeindefähige Gesänge zu machen, sei die 1.

Strophe eines bekannten Liedes im Original mitgeteilt: »Herz und Herz vereint zusammen, sucht in Gottes Herzen Ruh, keusche Liebesgeistesflammen lodern auf das Lämmlein zu, das vor jenes Alten Throne in der Blutrubinenpracht und in seiner Unschuldskrone liebliche Parade macht.« Viele eigene Lieder und Liedstrophen nahm G. in das Gesangbuch von 1778 auf. Am verbreitetsten davon ist das Lied »von der innigen Gemeinschaft der Seele mit Christo«: »Ach mein Herr Jesu, dein Nahesein bringt großen Frieden ins Herz hinein.« Bekannt ist ferner: »Ach mein Herr Jesu, wenn ich dich nicht hätte und wenn dein Blut nicht für die Sünder redte, wo sollt ich Ärmster unter den Elenden mich sonst hinwenden?« Die Unitätsältestenkonferenz beauftragte G. 1782, zum Gesangbuch von 1778 das entsprechende Choralbuch auszuarbeiten. Vorhanden war eine handschriftliche Sammlung von 1740–1761 mit 575 Melodienarten. Er schied die in der Brüdergemeine nicht gebrauchten aus und fügte eine große Zahl neuer hinzu. Das Choralbuch erschien 1784. Die Melodie zu dem Adventslied von Friedrich Rückert »Dein König kommt in niedern Hüllen« und zum apostolischen Gruß »Die Gnade unsers Herrn Jesu Christi« sind von G.s Melodien noch heute in kirchlichem Gebrauch.

Werke: Gebete u. Betrachtungen in Versen auf alle Tage des J., Neudietendorf 1795; Selbstbiogr.: Beyträge z. Erbauung aus der Brüdergemeine II, 1818, 427 ff.

Lit.: E. W. Cröger, Gesch. der erneuerten Brüderkirche III, 1854; – Nachrr. aus der Brüdergemeine 1, 1882, 865 ff.; – Joseph Theodor Müller, Hymnolog. Hdb. z. Gesangbuch der Brüdergemeine, 1916, bes. 44 ff.; – Herwig Hafa, Die Brüdergemeine Sarepta. Btr. z. Gesch. des Wolgadeutschtums (Diss. Breslau), 1936, 73 ff.; – Koch VI, 436 ff. 484 ff.; – Zahn V, 452; – Hdb. z. EKG II/1, 263 f.; – Kosch, LL I, 723; – ADB IX, 630; – NDB VII, 22; – RGG II, 1847 f.

GREGOROVIUS, Ferdinand, Geschichtsschreiber, * 19. 1. 1821 in Neidenburg bei Allenstein (Ostpreußen) als Sohn eines Kreisjustizrats und Advokaten, † 1. 5. 1891 in München (ev.). – G. besuchte eine Privatschule in Neidenburg, seit 1832 das Gymnasium in Gumbinnen. Er studierte seit 1838 in Königsberg Theologie und Philosophie, nach dem 1. theologischen Examen (1841) Philosophie, Literaturwissenschaft und Geschichte und promovierte 1843 zum Dr. phil. G. war dann Hauslehrer in Ostpreußen, von 1845 an Lehrer an einer Privatschule in Königsberg und gleichzeitig seit 1848 Redakteur der »Neuen Königsberger Zeitung«, aber auch literarisch rege tätig. 1852 reiste er nach Italien, wanderte fast drei Monate durch Korsika und verbrachte den Winter in Rom zur Ausarbeitung seines »Corsica«-Buches. Rom wurde ihm zur zweiten Heimat. 1874 siedelte G. nach München über, kehrte aber jährlich für längere Zeit nach Rom zurück. 1880 und auch 1882 unternahm er Reisen nach Griechenland und dem Orient. G. wurde 1875 Mitglied der Bayerischen Akademie der Wissenschaften und 1876 der Accademia dei Lincei in Rom und erhielt 1876 das römische Bürgerrecht. – Bekannt wurde G. durch seine »Geschichte der Stadt Rom im Mittelalter«, ein Meisterwerk der Geschichtsschreibung, das auf zahlreichen Quellenstudien in römischen und italienischen Archiven und Bibliotheken beruht. Der wissenschaftliche Ertrag seiner »Geschichte der Stadt Athen im Mittelalter« ist noch gewichtiger als der der »Geschichte der Stadt Rom«. – G. gilt als Begründer der historischen Landschaftsschilderung.

Werke: Gesch. des röm. Kaisers Hadrian u. seiner Zeit, 1851 (1884³); Corsica, 2 Bde., 1854 (1878³); Wanderj. in It., 5 Bde., 1856–77 (neueste Ausg. mit Einf. v. Hanno-Walter Kruft, 1967); Die Grabmäler der röm. Päpste. Hist. Stud., 1857 (1881²; 1911³, hrsg. v. Fritz Schillmann); Gesch. der Stadt Rom im MA v. 5. bis 16. Jh., 8 Bde., 1859–72 (1886–96⁴; 1922⁵·⁶; krit. Neuausg. v. Waldemar Kampf, 3 Bde., Basel – Stuttgart 1953–57 [1. unv. Nachdr. 1963]); Lucrezia Borgia. Nach Urkk. u. Korr. ihrer eigenen Zeit, 2 Bde., 1874 (mit einem Nachw. hrsg. v. Hans Krey, 1952); Kleine Schrr. z. Gesch. u. Kultur, 3 Bde., 1887–92; Gesch. der Stadt Athen im MA, 2 Bde., 1889 (1892²); Briefe an Staatssekretär Hermann v. Thile, 1894.

Lit.: Franz Rühl, F. G. Gedächtnisrede, 1891; – Carl Theodor v. Heigel, F. G., in: Biogr. Jb. der Altertumskunde 15, 1892, 106 ff.; – Cornelius, F. G., in: SAM, 1892, 173 ff.; – Sigmund Münz, F. G. u. seine Briefe an Gfn. Ersilia Caetani Lovatelli, 1896; – Franz Xaver Kraus, Essays, 2. Smlg., 1901; – Karl Krumbacher, Populäre Aufss., 1909; – Johannes Hönig, F. G. als Dichter, 1914; – Ders., F. G. der Gesch.schreiber der Stadt Rom. Mit Briefen an Cotta, 1921 (2. völlig neu gestaltete Aufl. u. d. T.: F. G. Eine Biogr., 1944); – Kurt Forstreuter, Neues über F. G., in: Mitt. des Ver. f. die Gesch. v. Ost- u. Westpreußen 3, 1929, 57 ff.; – Eduard Loch, F. G., in: Altpreuß. Biogr. I, hrsg. v. Christian Krollmann, 1941, 229 f.; – Annelies Schühner, Die polit. Jugendentwicklung v. F. G. (Diss. Heidelberg), 1943; – Heinrich v. Srbik, Geist u. Gesch. v. dt. Humanismus bis z. Ggw. I, 1950, 320 ff. (1964³); – F. Vercauteren, F. G. et »l'Histoire de Rome au moyen âge«, in: NC 4, 1952, 199 ff.; – Waldemar Kampf, F. G. u. sein Korsika-Buch, in: F. G. Hist. Skizzen auf Korsika, 1954, 7–23; – Ders., Entstehung, Aufnahme u. Wirkung der »Gesch. der Stadt Rom im MA«, in: III der Neuausg., 1957, 741–88; – Biogr. Wb. z. dt. Gesch. I², 1973, 940 ff.; – Kosch, LL I, 724 f.; – WeltLit I, 633 f.; – Eppelsheimer, WL 491; – Wilpert I², 620; – KLL III, 676 f. (Gesch. der Stadt Rom); – ADB 49, 524 ff.; – NDB VII, 25 ff.; – Catholicisme V, 290; – EC VI, 1160 f.; – LThK IV, 1218 f.; – NCE VI, 765; – ODCC² 594.

GREGORY, Caspar René, Theologe, * 6. 11. 1846 in Philadelphia als Sohn des Leiters und Besitzers einer angesehenen Privatschule, † 9. 4. 1917 in einem Feldlazarett bei Neuchâtel-sur-Aisne (Frankreich). – G. studierte Theologie an den beiden Seminaren der Presbyterianer: 1865–67 in Philadelphia und danach in Princeton (New Jersey), entschloß sich 1873, sein Studium in Leipzig unter Konstantin von Tischendorf (s. d.) fortzusetzen, auf dessen Arbeit der neutestamentlichen Textforschung ihn sein Lehrer Ezra Abbot hingewiesen hatte. Er verwaltete das wissenschaftliche Erbe des 1874 verstorbenen Tischendorf und führte dessen Arbeit fort. G. habilitierte sich 1884 und wurde 1889 ao. Professor und 1891 o. Honorarprofessor in Leipzig. Als der älteste Kriegsfreiwillige trat der Deutsch-Amerikaner G., der seit 1881 sächsischer Staatsbürger war, im August 1914 in das deutsche Heer ein. Er wurde 1916 Leutnant und fiel an der Westfront. – Um die Erforschung der neutestamentlichen Handschriften und um die Textkritik des Neuen Testaments hat sich G. bedeutende Verdienste erworben.

Werke: Prolegomena zu Tischendorfs Novum Testamentum Graece (editio VIII. critica major), 2 Bde., 1884–94 (dt. Neubearb.: Textkritik des NT, 3 Bde., 1900–09); Canon and Text of the New Testament, Edinburgh 1907; Das Freer-Logion, 1908; Die griech. Hss. des NT, 1909; Einl. in das NT, 1909; Vorschläge f. eine krit. Ausg. des griech. NT, 1911; Die Koridethi-Evv., 1913; Zu Fuß in Bibellanden, hrsg. v. Hermann Guthe, 1919.

Lit.: Ludwig Ihmels, C. R. G. † Gedächtnisworte, 1917; – Karl Josef Friedrich, Prof. G., Amerikaner, Christ, Volksfreund, dt. Held, 1917 (1941⁴ mit einem Anh.: G.s Fußwanderung durch die Wüste, v. ihm selbst in Briefen beschr.); – Ders., C. R. G., in: Sächs. Lb. I, 1930, 125 ff.; – Hermann Frankfurth, C. R. G., ein Bekenner, in: Zeitwende 2, 1926, 113 ff.; – Die Unvergessenen, hrsg. v. Ernst Jünger, 1928, 117 ff.; – Gerhard Schultze-Pfaelzer, Ein Herz für uns. Roman v. Leben u. Sterben des C. R. G., 1937; – Hans Noll, Ein Leben im Dienste der Bibel: C. R. G., ein Lb., 1939²; – Martin Haug, Die einen guten Kampf gekämpft, 1955⁴, 145 ff.; – Marianne Fleischhack, C. R. G. Ein Leben im Dienst an der Bibel, 1957; – KJ 44, 612; – DAB VII, 601 f.; – NDB VII, 27 ff.; – RGG II, 1850; – LThK IV, 1219.

GREIDERER, Vigil, Franziskaner, Ordenshistoriker, * 10. 12. 1715 in Kufstein, † 26. 12. 1780 in Schwaz (Tirol). – G. besuchte das Jesuitengymnasium in Hall (Tirol) und studierte an der Universität Innsbruck Philosophie. 1736 trat er in Schwaz in den Franziskanerorden ein und wirkte nach Vollendung der theologischen Studien und Empfang der Priesterweihe 14 Jahre als Lektor an verschiedenen Lehranstalten der Tiroler Ordensprovinz. Als Custos der Ordensprovinz nahm G. 1768 an dem Generalkapitel des Ordens in Valencia teil. Er wurde 1774 zum »Vicarius Provincialis« der Tiroler Ordensprovinz gewählt. – G.s wissenschaftliche Studien waren der Geschichte seines Ordens gewidmet. Sein Hauptwerk ist die »Germania Franciscana«, eine ungemein reichhaltige Fundgrube von bleibendem Wert.

Werke: Geogr. Übersichtskarten über die Niederlassungen des Ordens in Dtld., Ungarn u. Polen: Germania Seraphico-observans, Augustae Vindelicorum (Augsburg) 1751; Hungaria Seraphico-observans, ebd. 1752; Polonia Seraphico-observans, ebd. 1754; Germania Franciscana seu Chronicon geographico-historicum Ordinis s. Francisci. I: Provincia Carniola (Laibach), Austria (Wien), Bohemia, Silesia, Innsbruck 1777; II: Tyrolia (mit Vorderöstr.), Bavaria, Tridentina, Helvetica, ebd. 1781. *Lit.:* Spiritus et vita 19, Schwaz 1939, 62 ff.; – Dominikus de Gubernatis, Orbis Seraphicus VI/2, Quaracchi 1945, XXXIV; – ADB 49, 532 f.; – Kosch, KD 1114; – LThK IV, 1219.

GREIS(S)ING, Joseph, Barockbaumeister, * 9. 1. 1664 in Hohenweiler (Vorarlberg) als Sohn eines Zimmermeisters, † 12. 12. 1721 in Würzburg (kath.). – Über G.s Ausbildung wissen wir nichts. In den 90er Jahren war er in Würzburg Polier des dortigen Stadtzimmermeisters Adam Niek, erwarb 1698 das Bürgerrecht und erscheint zwei Jahre später urkundlich als Baumeister. – G. ist bekannt als führender Baumeister in Franken im frühen 18. Jahrhundert.

Werke: Neubau der Stiftskirche in Großkomburg bei Schwäbisch Hall, 1706–15 (auf ma. Fundamenten eine dreischiffige Hallenkirche); Umbau der Neumünsterkirche in Würzburg, 1711–21 (G. setzte an die Stelle des ruinösen roman. Westchores einen oktogonalen Kuppelbau); Nordflügel des Priesterseminars in Würzburg, 1715–19; Rückermainhof in Würzburg, 1715 oder 1717–23; Ehrenhofanlage der Zisterzienserabtei zu Ebrach im Steigerwald, 1716–21; Benediktinerabtei in Münsterschwarzach am Main, 1717; Peterskirche in Würzburg, 1717–20. *Lit.:* Joseph Ostler, J. G. Ein Lb., 1918; – Klemens Schenk, Petrini-G. Bauanalyt. Unterss. z. Würzburger Barock (Diss. Würzburg), 1921; – Max Herchenröder, J. G. als Vorarlberger Baumeister. Ein Btr. z. fränk. Künstlergesch. (Diss. Frankfurt/ Main), Darmstadt 1933; – Rainer Kengel, J. G., der Architekt der fränk. Barockkirchen; in: Herbipolis Jubilans. Festschr. z. Säkularfeier . . . = Würzburger Gesch.bll. 14/15, 1952/53, 565 ff.; – Adolf M. Greissing, Der Barockbaumeister J. G., in: Jber. des Bundesgymn. Bregenz, 1955, 4 ff.; – Karl Sitzmann, Künstler u. Kunsthandwerker in Ostfranken, 1957, 213; – Norbert Lieb u. Franz Dieth, Die Vorarlberger Barockbaumeister, 1960, 92 f. u. ö. (1967² völl. neubearb. u. erw.); – Heinrich Kreisel u. Leo Gundermann, Würzburg, 1962²; – Hanna Lasch, Architektenbiogr. Dt.sprachige Veröff. 1920–1960, Leipzig 1962, 69 f.; – Rudolf Kömstedt, Von Bauten u. Baumeistern des fränk. Barocks, hrsg. v. Hans Reuther, 1963, 28 ff. 72; – Eberhard Hempel, Baroque art and architecture in central Europe, Harmondsworth 1965; – Thieme-Becker XIV, 590 ff.; – NDB VII, 40 f.; – Kosch, KD 1121; – LThK IV, 1220.

GREITER, Matthäus, Komponist und Kantor, * um 1495 in Aichach an der Paar (Oberbayern), † (an der Pest) 20. 12. 1550 in Straßburg. – G. war als Mönch Vorsänger (Cantor praebendarius) am Münster und Seelmesser an der Stephanskirche in Straßburg. Mit seinem Freund Wolfgang Dachstein (s. d.) verließ er um des Evangeliums willen 1524 das Kloster, heiratete und erwarb das Straßburger Bürgerrecht. Er wurde 1528 Diakonus an der St. Martinskirche und kam etwa

ein Jahr später als Diakonus an die St. Stephanskirche, behielt aber sein Kantoramt am Münster bei. 1538 übertrug man ihm den Musikunterricht an dem von Johannes Sturm (s. d.) gegründeten »Gymnasium Argentinense«. Für seine Schüler schrieb G. ein kurzes, übersichtliches Lehrbuch der Musik. Während die anderen evangelischen Prediger Straßburgs die Anerkennung des »Interims« (s. Agricola, Johann) entschieden verweigerten, fügte sich G. und wirkte 1549/ 1550 mit bei der Einführung des »Interims«. – Dachstein und G. lieferten die Tonstücke zu der 1524 und 1525 geschaffenen evangelischen Gottesdienstordnung in Straßburg. Von G. stammen das deutsche Kyrie, Gloria, Halleluja und Credo im »Teutsch Kirchenampt« von 1524. Er schrieb Texte und Melodien zu Ps 13, 51, 114, 115, 119 und 125. G.s Weisen zum 119. und 51. Psalm wurden von Johannes Calvin (s. d.) als Melodie zum 36. und 91. Psalm in den Genfer Psalter aufgenommen. Wir verdanken G. die Melodie zu dem Lied Martin Luthers (s. d.) »Aus tiefer Not schrei ich zu dir«, die in den lutherischen Kirchen Norddeutschlands später angewandt wurde auf das Lied von Kaspar Bienemann (s. d.) »Herr, wie du willst, so schick's mit mir«. Verbreitung fand auch seine Melodie zu Ps 51 »O Herre Gott, begnade mich«, die Luther 1545 in das Babstsche Gesangbuch (s. Bapst, Valentin) aufnahm. Die dem französischen Volksgesang entstammende Melodie G.s zu Ps 119, 1–16 »Es sind doch selig alle, die im rechten Glauben wandeln hie« wurde mit dem Lied von Sebald Heyden (s. d.) »O Mensch, bewein dein Sünde groß« (EKG 54) verbunden und durch Johann Sebastian Bach (s. d.) in seiner »Matthäuspassion« verewigt. Die Straßburger Melodie zu Luthers Bearbeitung des 67. Psalms »Es wolle Gott uns gnädig sein« (EKG 182) stammt auch von G. Er ist »als Komponist einer der besten seiner Zeit: Wohlklang, Innigkeit und kontrapunktische Kunst vereinigen sich bei ihm in meisterhafter Weise« (Robert Eitner). G. schuf nicht nur einige der schönsten Weisen der Reformationszeit, sondern auch kunstvolle weltliche Lieder, u. a.: »Ich stund am Morgen«, »Es wollt ein Jäger jagen.«

Werke: Elementale musicum juventuti accomodum, Straßburg 1544 (1546²); etwa 20 Kirchenliedmelodien; 14 4st. dt. Lieder (hs. u. in Sammelwerken 1535–40); Christ ist erstanden (5st.; hs.). – *Ausgg.:* Ich stund an einem Morgen, in: August Wilhelm Ambros, Gesch. der Musik V, hrsg. v. Otto Kade, 1882 (1911³), 361; Joseph Maria Müller-Blattau, Das Elsaß, ein Grenzland dt. Musik, 1922; Hans Joachim Moser, Facs.-Ausg. des Liederbuchs v. Christian Egenolff »Gassenhawerlin«, 1927, Einl. 13. – Es wollt ein Jeger jagen, in: Denkmäler dt. Jagdkultur III, hrsg. v. Carl Clewing, 1938; Gesellige Zeit I, hrsg. v. Walter Lipphardt, 1933. – Sämtl. weltl. Lieder zu 4 u. 5 St., hrsg. v. H.-Chr. Müller, 1962. – 5 Lieder, in: 65 dt. Lieder f. 4–5st. gem. Chor nach dem Liederbuch v. Peter Schöffer, hrsg. v. H. J. Moser, 1967. – 3 Lieder, in: Frische teutsche Liedlein II, hrsg. v. K. Gudewill u. H. Siuts, 1969. – 4 Stücke, in: Die Orgeltabulatur des Cl. Hör, hrsg. v. H. J. Marx, Basel 1970. *Lit.:* G. H. A. Rittelmeyer, Die ev. Liederdichter des Elsaß, Jena 1855; – Martin Vogeleis, Qu. u. Bausteine zu einer Gesch. der Musik u. des Theaters im Elsaß 500–1800, Straßburg 1911, 213. 240. 247 ff.; – Théodore Gérold, Les plus anciennes mélodies de l'Église protestante de Strasbourg et leurs auteurs, Paris 1928, 11 ff. 45 ff.; – Siegfried Fornaçon, M. G., in: Die Hugenottenkirche, Juni 1954; – Ders., M. G., in: Der Kirchenmusiker 6, 1955, 71 ff.; – Friedrich Blume, Gesch. der ev. Kirchenmusik, 1965², 344 ff. 349 ff. u. ö.; – Klaus Wolfgang Niemöller, Unterss. zu Musikpflege u. Musikunterricht an den dt. Lateinschulen v. ausgehenden MA bis um 1600 (Hab.-Schr., Köln), Regensburg 1969; – Koch II, 27 f. 104 f.; – Kümmerle I, 516. 299; – Hdb. z. EKG II/1, 64 f.; – MGG V, 799 ff.; – Eitner IV, 365; – Riemann I, 675; ErgBd. I, 455; – Moser I, 446 f.; – ADB IX, 636; – NDB VII, 41 f.

GREITH, Karl Johannes, Bischof von St. Gallen, * 25. 5. 1807 in Rapperswil am Zürichsee (Kanton St. Gallen) als Sohn eines Musikers und Goldschmieds, † 17. 5. 1882 in St. Gallen. – G. studierte in Luzern, München und Paris und empfing 1831 die Priesterweihe. Er wurde in St. Gallen Bibliotheksadjunkt, Subregens des Priesterseminars und Professor der Theologie, aber 1834 als Vorkämpfer der kirchlichen Richtung von der Regierung abgesetzt. G. ging nun nach Rom und widmete sich in den dortigen Bibliotheken historischen und literarischen Studien, kehrte aber nach drei Jahren in die Heimat zurück und wurde Pfarrer in Mörschwil am Bodensee, 1839 Pfarrer in St. Gallen und als Mitglied des kantonalen Großen Rats ein Führer der konservativen Partei, 1847 Domdekan und bischöflichen Offizial, 1849 Professor der Philosophie und 1862 zum Bischof gewählt und 1863 geweiht. – G. war ein vielseitiger Gelehrter und Schriftsteller. In Anerkennung seiner wissenschaftlichen Arbeit verlieh ihm die Theologische Fakultät der Universität Tübingen die Ehrendoktorwürde. – Im Vatikanischen Konzil 1871 schloß sich G. als einziger Bischof aus der Schweiz der Opposition der deutschen und französischen Bischöfe gegenüber der Opportunität der Dogmatisierung der päpstlichen Unfehlbarkeit an. Das gemeinsame Hirtenschreiben stammt aus seiner Feder, während er für die Diözese St. Gallen mit der Promulgation (Verkündigung) des Dogmas bis zum Fastenmandat von 1873 wartete.

Werke: Spicilegium Vaticanum. Btrr. z. näheren Kenntnis der Vatican. Bibl. f. dt. Poesie des MA, Frauenfeld 1838; Apologien in Kanzelreden über kath. Glaubenswahrheiten gg.über den Irrlehren alter u. neuer Zeit f. Priester u. Laien, Schaffhausen 1847; Hdb. der Philos. f. die Schule u. das Leben (mit Georg Ulber), Freiburg/Breisgau 1853–57; Die dt. Mystik im Prediger-Orden (v. 1250–1350) nach ihren Grundlehren, Liedern u. Lb. aus hs. Qu., ebd. 1861; Gesch. der altir. Kirche u. ihrer Verbindung mit Rom, Gallien u. Alemannien (v. 430–630) als Einl. in die Gesch. des Stifts St. Gallen. Nach hs. u. gedr. Qu.schrr., ebd. 1867.

Lit.: François Rothenflue, Dr. C. J. G., Bisch. v. St. Gallen, 1874; – Ders., Dr. K. J. G., Bisch. v. St. G., in: HPBl 90, 1882, 501 ff.; – Franz Xaver Wetzel, Er ist nicht gestorben. Gedenkbl. z. Totenfeier des Hochwürdigsten Herrn Dr. K. J. G., Bisch. v. St. G., Einsiedeln 1882; – Alexander Baumgarten, Erinnerungen an Dr. K. J. G., Bisch. v. St. G., 1884; – Johannes Oesch, Dr. C. J. G., Bisch. v. St. G. Biogr.-hist. Stud., St. Gallen 1909; – Fridolin Gschwend, Dr. K. J. G., 1932; – J. Müller, in: 100 J. Diöz. St. Gallen, hrsg. v. Josephus Meile, Uznach 1947, 95 ff.; – Johannes Duft, Das Schr.tum der St. Galler Katholiken, 1847 bis 1960. Ein bibliogr. u. geistesgeschichtl. Btr. z. Gesch. des Bist. St. Gallen, St. Gallen 1964; – ADB 49, 533 ff.; – NDB VII, 42; – HBLS III, 730; – LThK IV, 1220.

GRESSMANN, Hugo, Theologe, * 21. 3. 1877 in Mölln (Lauenburg) als Sohn des Bahnhofsverwalters, † 7. 4. 1927 in Chicago (auf einer Vortragsreise). – G. studierte in Greifswald, Göttingen, Marburg und Kiel und promovierte in Göttingen zum Dr. phil. Er wurde 1902 Privatdozent für Altes Testament in Kiel und war 1906 Mitarbeiter des »Deutschen evangelischen Instituts für Altertumswissenschaft des Heiligen Landes in Jerusalem«. G. wirkte seit 1907 als ao. und seit 1920 als o. Professor in Berlin. – Aus der Schule des Julius Wellhausen (s. d.) hervorgegangen, wurde G. mit Hermann Gunkel (s. d.) der bedeutendste Vertreter der Religionsgeschichtlichen Schule. Er war seit 1924 Herausgeber der »Zeitschrift für die alttestamentliche Wissenschaft« und seit 1925 Direktor des »Institutum Judaicum«.

Werke: Über die in Jes 56–66 vorausgesetzten zeitgeschichtl. Verhältnisse (Diss. Göttingen), 1898; Musik u. Musikinstrumente

im AT, 1903; Stud. zu Eusebs Theophanie, 1903, u. Ausg., 1904; Der Ursprung der israel.-jüd. Eschatologie, 1905; Die Ausgrabungen in Palästina u. das AT, 1908; Altorient. Texte u. Bilder z. AT, 2 Bde., 1909 (1927²; Nachdr. 1953); Älteste Gesch.schreibung u. Prophetie Israels (= Schrr. des AT in Ausw. II, 1), 1909 (1921²); Das Gilgamesch-Epos, gemeinverständl. erkl. (neu übers. v. Arthur Ungnad), 1911; Mose u. seine Zeit. Ein Komm. zu den Mose-Sagen, 1913; Nonnen- u. Mönchsspiegel des Euagrios Pontikos, 1913; Die Anfänge Israels (= Schrr. des AT in Ausw. I, 2), 1914 (1922²); Das Weihnachtsev. u. Gesch. unters., 1914; Albert Eichhorn u. die rel.geschichtl. Schule, 1914; Vom reichen Mann u. armen Lazarus, 1918; Die Lade Jahves u. das Allerheiligste des Salomon. Tempels, 1920; Die Salomos 23, 1921; Die ammonit. Tobiaden, 1921; Tod u. Auferstehung des Osiris nach Festbräuchen u. Umzügen, 1923; Die Aufgaben der at. Forsch., 1924; Die Aufgaben der Wiss. des nachbibl. Judentums, 1925; Die hellenist. Gestirnrel., 1925; Israels Spruchweisheit im Zshg. der Weltlit., 1925; Der Messias, hrsg. v. Hans Schmidt, 1929; Die orient. Rel.en im hellenist.-röm. Zeitalter, hrsg. aus dem Nachlaß v. Walter Horst u. Kurt Galling, 1930. – Gab heraus: Wilhelm Bousset, Die Rel. des Judentums im späthellenist. Zeitalter, 1926³. – Vollst. Bibliogr., in: ZAW 69, 1957, 211 ff.

Lit.: H. G. Gedächtnisworte v. Arthur Titius, Theodore Henry Robinson, Ernst Sellin, Johannes Hempel, in: ZAW 45, 1927, I–XXIV; – Kraus 296 ff. 305 ff. u. ö.; – NDB VII, 50 f.; – RGG II, 1856; – DB Suppl. III, 1372 f.; – LThK IV, 1222; – NCE VI, 800 f.

GRETSER (auch: Gretscher), Jakob, Jesuit, * 27. 3. 1562 in Markdorf (Baden), † 29. 1. 1625 in Ingolstadt. – G. trat 1579 in den Jesuitenorden ein. Er lehrte als Gymnasialprofessor in Fribourg (Schweiz) und in Ingolstadt humanistische Fächer, besonders Griechisch, seit 1589 als Universitätsprofessor in Ingolstadt Philosophie, 1592–1605 scholastische Theologie und 1609–15 Moral. – G. war ein überaus fruchtbarer Schriftsteller, schärfster Bekämpfer der Protestanten und vielverleumdeter Apologet des Jesuitenordens. Die Jesuiten nannten ihn »magnus Lutheranorum domitor ac malleus haereticorum et calumniatorum Societatis Jesu terror«. Auf dem Regensburger Religionsgespräch von 1601 verteidigte Ägidius Hunnius (s. d.) als Hauptwortführer der Protestanten die lutherische Orthodoxie gegen G., der im Auftrag Maximilians I. als Hauptgegner der Protestanten auftrat.

Werke: De cruce Christi, Ingolstadt 1598; 3 Bde., ebd. 1605; zuletzt dt. Regensburg 1886; Instituta Linguae graecae, Ingolstadt 1593; zuletzt Barcelona 1887. – GA (234 Schrr.), 17 Bde., Regensburg 1734–41 (Biogr. in I). – Das Bruder-Klausen-Spiel des P. J. G. v. J. 1586, hrsg. v. Emmanuel Scherer, 1928.

Lit.: Bernhard Duhr, Die alten dt. Jesuiten als Historiker, in: ZKTh 13, 1889, 62 ff.; – Ders., Zur Gesch. des Jesuitenordens, in: HJ 25, 1904; – Adam Hirschmann, J. G. als Apologet der Ges. Jesu, in: Theol. Prakt. Mschr. 6, 1896; – Ders., G. Schrr. über das Kreuz, in: ZKTh 20, 1896, 256 ff.; – Ders., Das Rel.gespräch zu Regensburg im J. 1601, ebd. 22, 1898; – A. E. Schönbach, Stud. z. Erz.lit. des MA, Tl. 3, in: SAW 144, 1902, H. 2; – Anton Dürrwächter, J. G. u. seine Dramen. Ein Btr. z. Gesch. des Jesuitendramas in Dtld., 1912; – Willi Flemming, Gesch. des Jesuitentheaters in den Landen dt. Zunge, 1923; – Wilhelm Herbst, Das Regensburger Rel.gespräch v. 1601, geschichtl. dargest. u. dogmengeschichtl. beleuchtet, 1928; – Johannes Müller, Das Jesuitendrama in den Ländern dt. Zunge v. Anfang (1555) bis z. Hochbarock (1665), 2 Bde., 1930; – Franz Mack, Das rel.-kirchl. Brauchtum im Schr.tum J. G.s (Diss. Freiburg/Breisgau), 1949; – Theodor Kurrus, Die liturgiewiss. Bestrebung J. G.s nach Umfang, Qu. u. Motiven dargest. (Diss. Freiburg/Breisgau), 1950; – Ders., in: Oberrhein. Pastoralbl. 51, 1950, 258 ff.; – H. König, J. G., in: FreibDiözArch 77, 1957, 136 ff.; – Karl Max Haas, Das Theater der Jesuiten in Ingolstadt. Ein Btr. z. Gesch. des geistl. Theaters in Süddtld., 1958; – Urs Herzog, J. G.s Leben u. Werk, in: Lit.wiss. Jb. NF 11, 1970, 1 ff.; – Ders., J. G.s »Udo v. Magdeburg« 1598. Edition u. Monogr. (Diss. Zürich), Berlin 1970 (Rez. v. Jean-Marie Valentin, in: Germanistik 14, 1973, 393; v. Josef Schmidt; in: Wirkendes Wort. Dt. Sprache in Forsch. u. Lehre 23, 1973, 129 ff.; v. Jozef Ijsewijn, in: Daphnis. Zschr. f. mittlere dt. Gesch. 2, 1973, 119 ff.); – Wilpert I², 622; – KLL II, 1186 ff. (Dialogus de Udone archiepiscopo Magdeburgensi); – Sommervogel III, 1743 ff.; – Duhr I, 669 ff.; – Kosch, KD 1125 f.; – ADB IX, 644 f.; – NDB VII, 51 ff.; – RE VII, 159; – RGG II, 1856; – CathEnc VII, 29; – DThC VI, 1866 ff.; – EC VI, 1164; – LThK IV, 1223; – NCE VI, 801.

GREVINCHOVEN, Nicolaas, Remonstrant, † im Mai 1632 in Hamburg. – G. studierte in Leiden und wurde 1601 Prediger in Rotterdam. Zwischen Jacobus Arminius (s. d.), der als Gegner der durch Theodor Beza (s. d.) verschärften Prädestinationslehre den Universalismus der Gnade verfocht, und Franciscus Gomarus (s. d.), einem strengen, »supralapsarischen« Calvinisten, begann 1604 der »arminianische Streit«. Als Arminius 1609 starb, setzten seine zahlreichen Anhänger, zu denen auch G. zählte, unter Führung des Johannes Uytenbogaert (s. d.) und Simon Episcopius (s. d.) den Kampf fort und überreichten 1610 den Staaten von Holland und Westfriesland die von 44 Predigern unterzeichnete »Remonstrantie«, in der sie eine Revision der »Confessio Belgica« und des »Heidelberger Katechismus« forderten und in 5 Artikeln ihr gegen die schroffe Lehre von der Prädestination gerichtetes Glaubensbekenntnis vortrugen. Man nannte sie seitdem »Remonstranten« und die Anhänger des Gomarus »Contraremonstranten«, weil sie die Glaubensartikel der »Remonstrantie« 1611 in einer »Contra-Remonstrantie« widerlegten. Zur Schlichtung des »arminianischen Streites«, der sich zu einer großen inneren Krisis des niederländischen Staatswesens entwickelte, wurde 1618 von den Generalstaaten die Synode von Dordrecht einberufen, die im April 1619 den »Arminianismus« verurteilte. Die Gottesdienste der Remonstranten wurden verboten, über 200 remonstrantische Prediger abgesetzt und die von ihnen des Landes verwiesen, die sich weigerten, urkundlich auf jede weitere Predigttätigkeit zu verzichten. G. war bereits 1618 von der Synode von Delft seines Amtes enthoben worden. Er begab sich 1619 nach Antwerpen und übernahm mit Episcopius und Uytenbogaert die Leitung der »Remonstrantsch-gereformeerde Broederschap«. 1621 zog G. nach Köln, dann über Hamburg nach Friedrichstadt (Schleswig) und wirkte 1624 bis 1626 als Pfarrer der dortigen remonstrantischen Gemeinde. 1632 wollte er nach Rotterdam zurückkehren, starb aber auf der Reise dorthin.

Lit.: Hendrik Cornelius Rogge, Bibl. der Remonstrantsche Geschriften, stuk I, afd. I, 1863, 110 ff.; – Hermanus Ijsbrand Groenewegen, Het Remonstrantisme te Rotterdam, Leiden 1906; – BWGN III, 338 ff.; – ADB IX, 650; – NDB VII, 54; – RGG II, 1857.

GREVING, Joseph, kath. Theologe, * 24. 12. 1868 in Aachen als Sohn eines Volksschullehrers, † 6. 5. 1919 in Bonn. – G. studierte in Bonn und München als Schüler von Johann Heinrich Schrörs (s. d.) und Alois Knöpfler (s. d.) und wirkte seit 1894 als Kaplan in Essen und Köln. Er wurde 1899 Privatdozent in Bonn und 1909 o. Professor für Kirchengeschichte in Münster und lehrte seit 1917 wieder in Bonn. – G. wurde bekannt als Herausgeber der »Reformationsgeschichtlichen Studien und Texte« (seit 1906) und als Begründer des »Corpus Catholicorum, Werke katholischer Schriftsteller im Zeitalter der Glaubensspaltung« (seit 1919).

Werke: Gesch. des Klosters der Windesheimer Chorherren zu Aachen, 1891; Gesch. der ref. Ref. 1517–1555, 1904; Johann Eck als junger Gelehrter, 1906; Johann Ecks Pfarrbuch, 1908; Plan f. ein Corpus Catholicorum, in: ThRv 14, 1915, 385 ff.; Ber. über den Stand des Corpus Catholicorum, ebd. 16, 1917, 145 ff. – Gab heraus: Colloquium Cochlaei cum Luthero Wormatiae olim habitum (1521); 1910; Johann Eck, Defensio contra amarulentas A. Bodenstein invectiones (1518), 1919.
Lit.: Joseph Schlecht, J. G., in: HPBl 164, 1919, 129 ff.; – Fritz

Tillmann, J. G., in: CCath I, 1919, 9 ff.; – Hubert Jedin, J. G. Zur Erinnerung an die Begründung der »RGST« im J. 1905, 1954; – NDB VII, 53 f.; – Kosch, KD 1127; – LThK IV, 1224; – RGG II, 1856 f.

GRIBALDI, Matteo, Antitrinitarier, * in Piemont, † (an der Pest) im September 1564 in Farges bei Genf. – G. war Rechtsgelehrter in Padua. Er weilte oft in Genf und auf seinem Landsitz Farges. In der italienischen Gemeinde in Genf erregte G. durch seine antitrinitarischen Anschauungen 1554 Anstoß und mußte, als Ketzer verdächtigt, auch bald Padua verlassen. Pietro Paolo Vergerio (s. d.) verschaffte ihm einen Ruf nach Tübingen als Rechtslehrer. Vor seiner Abreise nach Tübingen besuchte G. Genf und Johannes Calvin (s. d.), wurde aber der Stadt verwiesen. Heinrich Bullinger (s. d.), mit dem er auf der Durchreise durch Zürich zusammentraf, billigte das Glaubensbekenntnis, das ihm G. ablegte, wurde aber bald durch Theodor Beza (s. d.) gegen ihn umgestimmt. Wegen seiner antitrinitarischen Anschauungen konnte sich G. auch in Tübingen nicht halten. Darum kehrte er heimlich nach Farges zurück, wurde aber an Bern ausgeliefert. Nach längeren Verhandlungen erlaubte ihm der Rat auf Grund eines geschickt verfaßten Glaubensbekenntnisses den Aufenthalt in Farges. Von dort aus wirkte G. als einflußreicher Antitrinitarier. Der führende polnische Antitrinitarier und Täufer Petrus Gonesius verteidigte bereits auf der reformierten Synode zu Secemin am 2. 1. 1556 Glaubenssätze G.s. Giovanni Valentino Gentilis (s. d.), der sich in Genf der italienischen Flüchtlingsgemeinde angeschlossen hatte und unter dem Einfluß G.s Antitrinitarier geworden war, fand 1558 auf seiner Flucht aus Genf und 1566 nach seiner Vertreibung aus Polen Zuflucht in Farges.

Lit.: F. Trechsel, Die prot. Antitrinitarier vor Faustus Socin nach Qu. u. Urkk. geschichtl. dargest. II, 1844, 277 ff.; – Eduard Bähler, Der bern. Antitrinitarier Johann Hasler u. seine Vorgänger d'Aliod, G. u. Gentilis, in: Neues Berner Taschenbuch 27, 1921, 38 ff.; – Karl Völker, KG Polens, 1930, 188 ff.; – St. v. Dunin Borkowski, Die Gruppierung der Antitrinitarier des 16. Jh.s, in: Scholastik 7, 1932, 481 ff.; – Schottenloher I, Nr. 7355 f.; – RE VII, 159 f.; – RGG II, 1857.

GRIESBACH, Johann Jakob, Neutestamentler, * 4. 1. 1745 als Pfarrerssohn in Butzbach (Hessen), † 12. 3. 1812 in Jena. – G. wuchs in Frankfurt am Main auf, wohin sein Vater 1747 berufen worden war. Er studierte in Tübingen, Halle und Leipzig und promovierte 1768 in Halle zum Magister der Philosophie. Auf einer fast zweijährigen Studienreise zu den Bibliotheken in Deutschland, Holland, England und Paris legte sich G. eine große Sammlung von Lesarten neutestamentlicher Handschriften, von Kirchenväterzitaten und weniger bekannten Übersetzungen an, die später von ihm ausgewertet werden sollten. Er wurde in Halle 1771 Privatdozent und 1773 Professor für Neues Testament. Von 1775 bis zu seinem Tod lehrte er in Jena. – G. ist bekannt als einer der Bahnbrecher der neutestamentlichen Textkritik. Er hat an die textkritische Arbeit Johann Albrecht Bengels (s. d.) angeknüpft und als erster eine kritische Ausgabe des Neuen Testaments veranstaltet, die an mehr als 350 Stellen vom überlieferten »textus receptus« abweicht. Mit seiner Hypothese von den drei Textrezensionen, der alexandrinischen oder orientalischen, der okzidentalischen und der byzantinischen, wurde G. der Begründer einer neutestamentlichen Textgeschichte. Er nannte die ersten drei Evangelien »Synoptiker« und veröffentlichte die erste »Synopse« (Textausgabe mit Parallelkolumnen). Die später aufgegebene »G.sche Hypothese« erklärt Markus für den letzten Synoptiker, der Matthäus und Lukas benutzt habe.

Werke: De codicibus quatuor evangeliorum Origenianis, 1771; GA des NT in 3 Abt., 1774–75; 2. Ausg. in 2 Bdn., 1796 u. 1806; 3. Ausg., 4 Bde., 1803–07; Synopsis Evangeliorum Matthaei, Marci et Lucae, 1776 (1797²); Anleitung z. Stud. der populären Dogmatik, 1779 (1769⁴); Symbolae criticae ad supplendas et corrigendas Novi Testamenti lectionum collectiones, 2 Bde., 1785–93; Commentatio qua Marci evangelium totum e Matthaei et Lucae commentariis descriptum esse demonstratur, 1789–90; Commentarius criticus in textum graecum Novi Testamenti, 1794 ff.; Opuscula academica, hrsg. v. Johann Philipp Gabler, 2 Bde., 1824–25.

Lit.: Johann Christian Wilhelm Augusti, Über J. J. G.s Verdienste, Breslau 1813; – Caspar René Gregory, Textkritik des NT, III, 1909, 910 f. 955 ff.; – Joachim Wach, Das Verstehen. Grundzüge einer Gesch. der hermeneut. Theorie im 19. Jh., II, 1929, 121–140; – Werner Georg Kümmel, Das NT. Gesch. der Erforsch. seiner Probleme, 1958, 88 f. 529 (1970²); – George Wesley Buchanan, Has the G. hypothesis been falsified?, in: JBL 93, 1974, 550 ff.; – ADB IX, 660 ff.; – NDB VII, 62 f.; – RE VII, 170 ff.; – RGG II, 1876; – EC VI, 1165 f.; – LThK IV, 1235 f.; – NCE VI, 803; – ODCC² 602.

GRIESBACHER, Peter, Kirchenmusiker, Musiktheoretiker, * 25. 3. 1864 in Egglham (Niederbayern) als Sohn eines Müllers, † 28. 1. 1933 in Regensburg. – Als Seminarist in Passau erhielt G. seine erste musikalische Ausbildung und empfing dort 1886 die Priesterweihe. Er war dann einige Jahre als Seelsorger tätig und widmete sich als Autodidakt eifrig musikalischen Studien. 1894 wurde G. Musikpräfekt am Studienseminar St. Emmeram in Regensburg und war dann aus Gesundheitsgründen längere Zeit Benefiziat in Osterhofen an der Donau, von 1911 an wieder in Regensburg als Kanonikus am Kollegiatstift St. Johann und als Lehrer für Kontrapunkt und Stil-Lehre an der Kirchenmusikschule und Redakteur und Herausgeber kirchenmusikalischer Zeitschriften. – G. wurde bekannt als Komponist zahlreicher musikalischer Werke, Musikschriftsteller und international anerkannter Glockenexperte.

Werke: 254 Opera (und 64 Stücke ohne Opuszahl), darunter 40 Messen (Emmeramsmesse op. 14; Benedictus-Messe op. 133; Missa Stella maris op. 141; Friedensmesse op. 200; Missa Virgo potens op. 222; Canisius-Messe op. 240); mehrere Requiem, Te Deum, ein Stabat Mater, Motetten, Litaneien, Gradualien, Singspiele, weltl. Kantaten u. Liederzyklen. – Schrr.: Kontrapunkt. Übungsbuch, 2 Hh., 1910; Kirchenmusikal. Stilistik u. Formenlehre 4 Bde., 1912–16; Stud. zu Bruckners Te Deum. Führer, 1919; Glockenmusik. Ein Buch f. Glockenexperten und Glockenfreunde mit Anleitung z. Glockenprüfung, 1927. 1929. – Gab heraus: Literar. Handweiser f. Freunde der kath. Kirchenmusik, 1906 ff.; Sursum Corda. Monats-Zschr. f. kath. Kirchenmusik, 1919; Mhh. f. kath. Kirchenmusik, 1925 ff.

Lit.: Karl Weinmann, Gesch. der Kirchenmusik, 1913; – Otto Ursprung, Die kath. Kirchenmusik, 1931; – Max Tremmel, P. G. Sein Leben u. sein Werk, 1935; – Ders., P. G., ein altbayer. Komponist v. Weltruf, in: Heimat zw. Inn u. Rott 11, 1964; – Gesch. der kath. Kirchenmusik, hrsg. v. Karl Gustav Fellerer, II, 1976; – MGG V, 910 f.; – Riemann I, 680; ErgBd. I, 456; – Moser I, 453; – Kosch, KD 1130; – NDB VII, 63; – LThK IV, 1236.

GRIESINGER, Georg Friedrich, rationalistischer Pfarrer, * 16. 3. 1734 als Pfarrerssohn in Marschalkenzimmern (Württemberg), † 17. 4. 1828 in Stuttgart. – G. besuchte die Klosterschulen in Blaubeuren und Bebenhausen und studierte 1749–58 in Tübingen. Er wurde 1761 Repetent am »Theologischen Stift« in Tübingen, 1766 Diakonus und 1783 Stadtpfarrer an St. Leonhard in Stuttgart, 1786 Konsistorialrat und 1791 Prälat von

St. Georgen. 1822 trat er in den Ruhestand. – G. war Hauptvertreter der kirchlichen Aufklärung in Württemberg und ist bekannt als Mitarbeiter an dem rationalistischen Württembergischen Gesangbuch von 1791 und an der Neuausgabe der Tübinger »Summarien«. Noch als Neunzigjähriger gab G. eine mit geschichtlichen Einleitungen versehene Bibelausgabe heraus »nach den neuesten besten deutschen Übersetzungen«, in der von 11 apostolischen Briefen die Übersetzung von Karl Friedrich Bahrdt (s. d.) geboten wurde.

Werke: Einl. in die Schrr. des Neuen Bundes, 1799; Über die Authentie der at. Schrr., 1804; Prüfung des gemeinen Begriffs v. dem übernatürl. Urspr. der prophet. Weissagungen, 1818; Theologia dogmatica, 1825; Initia theologiae moralis, 1826.

Lit.: Christoph Kolb, Die Aufklärung in der württ. Kirche, 1908, bes. 81 ff. 113 ff.; – E. Schmid, Prälat G., in: Bll. f. württ. KG NF 44, 1940, 106 ff.; – Heinrich Hermelink, Gesch. der ev. Kirche in Württemberg v. der Ref. bis z. Ggw., 1949; – ADB IX, 667; – NDB VII, 64; – RGG II, 1876.

GRIGNION *de Montfort*, Louis-Marie, Volksmissionar und Ordensstifter, * 31. 1. 1673 in Montfort (Ille et Vilaine) als eins von den 18 Kindern einer Advokatenfamilie, † 28. 4. 1716 in Saint-Laurent-sur-Sèvre (Vendée). – G. studierte 1693–1700 Theologie an St-Sulpice in Paris. 1701–03 war er Spitalseelsorger in Poitiers und stiftete hier 1703 die »Töchter der Weisheit« zur Pflege der Kranken. 1703–04 wirkte G. in Paris, wo die »Gemeinschaft vom Heiligen Geist« des Abbé Poulard-Desplaces die spätere Pflanzschule wurde für G.s seit 1700 geplante Missionskongregation »Gesellschaft Mariens« (auch Grignioniten oder Montfortaner genannt). Als »Apostel des Poitou, der Bretagne und Vendée« entfaltete G. seit 1704 eine rege, umfangreiche Volksmissionstätigkeit. Er zeichnete sich aus durch aufopfernde Liebe zu den Armen und Kindern, Selbstverleugnung und innige Marienverehrung. Leo XIII. (s. d.) sprach ihn am 22. 1. 1888 selig und Pius XII. (s. d.) am 20. 7. 1947 heilig. Sein Fest ist der 28. April.

Werke: Traité de la vraie dévotion à la Ste Vierge, Luçon 1843. Dt. v. Marie Freiin v. Gebsattel, Augsburg 1950. – Oeuvres complètes, hrsg. v. Marcel Gendrot u. a., Paris 1966. – Ges. Werke. Getreu nach dem hs. Urtext übers. u. mit Anm. vers., hrsg. v. Bonaventura Leo Sommenginger, Konstanz 1929.

Lit.: Joseph Grandet, La vie de Messire L.-M. G. de M., Nantes 1724; – Pierre Joseph Picot de Clorivière, La vie de L.-M. G. de M., Paris 1785; – J. M. Quérard, Vie du bienheureux L.-M. G. de M., 4 Bde., Rennes 1887 (dt. Ausz. 1890); – Cruishank, Blessed L.-M. G. de M. and his devotion, 2 Bde., London 1892; – Antonin Lhoumeau, La vie spirituelle à l'école du L. M. G. de M., Paris 1902; – Ernest Jac, Le Bienheureux G. de M., ebd. 1903 (1924⁵; dt. Freiburg/Schweiz 1929); – P. Laveille, Le bienheureux G. de M., ebd. 1906; – Ders., Le B. L.-M. G. de M. et ses familles religieuses, Tours 1916; – Georges Rigault, L.-M. G. de M., Marseille 1930; – G. de Lucca, S. L. M. G. de M., Rom 1943; – Gaëtan Bernoville, G. de M., apôtre de l'École et les Frères de Saint-Gabriel, Paris 1946; – Louis Le Crom, Un apôtre marial: St. L.-M. G. de M., Tourcoing 1946; – Raymond Christoflour, G. de M., apôtre des derniers temps, Paris 1947; – Maria Thomas Poupon, Le poème de la parfaite consécration à Marie suivant S. L.-M. G. de M. et les spirituels de son temps. Sources et doctrine, Lyon 1947; – Abramo Buondonno, S. L.-M. G. de M., Redona bi Bergamo 1947; – Ronald Lloyd, St. L.-M. de M., Totton 1947; – Pierre Eyckeler, De heilige M. L.-M. G., Maastricht 1947; – Ders., Le Testament de S. L.-M. G. de M. Étude historique, ebd. 1953; – Eugène Tisserant, L. M. G. de M., le scuole di carità e le origini dei Fratelli di S. Gabriele, Rom 1948; – Ders., Le testament de S. L.-M. G. de M., in: AnBoll 68, 1950, 464 ff.; – James Francis Cassidy, Our Lady's Missioner. St. L.-M. G. de M., Dublin 1950; – Jeanne-Françoise Dervaux, Folie ou Sagesse. Marie-Louise Trichet et les premières filles de M. de M., Colmar – Paris 1950; – Benjamin Marie Morineau, Sturm u. Feuer (St. L. M. G. de M., dt.). Der Weg des hl. L.-M. G. v. M. Übertr. u. eingel. v. René Michel, Freiburg/Schweiz 1952; – Joseph Deery, S. L.-M. de M., Dublin, 1952²; – Mary Beattie, The Servant of Mary: St. L. M. de M., ebd. 1954;

– Joseph-Marie Dayet, Les exercices préparatoires à la parfaite consécration de S. L.-M. de M., Tourcoing 1957; – John Patrick Gaffeney, The Holy Slavery of Love, in: Mariology, ed. Juniper Benjaminus Carol, III, Milwaukee 1961, 143 ff.; – Hildegard Waach, Ludwig Maria G. v. M. Eine Skizze, 1966; – Louis Pérouas, G. de M. Les pauvres et les Missions, Paris 1966 (Rez. v. Pierre Deyon, in: Annales Economies, sociétés, civilisation 25, Paris 1970, 518 f.); – Ders., Ce que croyait G. de M. et comment il a vécu sa foi, ebd. 1973; – J.-B. Blain, Abrégé de la vie de L.-M. G. de M. (1724), Rom 1973; – AAS 39, 1947, 329 ff. 408 ff.; – DSp IX, 1073 ff.; – VSB IV, 701 ff.; – BS VIII, 357 ff.; – Wimmer³ 346 f.; – EC VII, 1675 f.; – LThK IV, 1236 f.; – NCE VI, 805; – ODCC² 602.

GRISAR, Hartmann, Jesuit, Kirchenhistoriker, * 22. 9. 1845 in Koblenz als Sohn eines Hofbäckermeisters, † 25. 2. 1932 in Innsbruck. – G. studierte in Münster und Innsbruck und trat in Rom nach seiner Priesterweihe 1868 in den Jesuitenorden ein. 1871 wurde er Professor für Kirchengeschichte an der Universität Innsbruck, gab aber 1896 seine Professur auf und siedelte nach Rom über, 1902 nach Forstenried vor München und schließlich nach Innsbruck. – G.s Hauptarbeitsgebiet war zunächst die Geschichte Roms und des Papsttums im christlichen Altertum, seit 1902 die Lutherforschung. Seine 1911/12 erschienene dreibändige Lutherbiographie rief starken Widerspruch hervor wegen seiner pathologischen Lutherdeutung, die aber heute nicht mehr vertreten wird.

Werke: Galileistud., 1882; Reformatorenbilder, 1883 (Pseud.: Const. Germanus); Analecta Romana I, Rom 1899; Gesch. Roms u. der Päpste im MA I, 1901 (frz. 1907; engl. 1908; it. 2 Bde., 1899–1907, dazu Bd. 3: San Gregorio Magno, 1904); Das MA einst u. jetzt, 1902 (1903³); Die röm. Kapelle Sancta Sanctorum u. ihr Schatz, 1908 (it. 1907); Luther, 3 Bde., 1911/12 (1924–25³); engl. 6 Bde., 1913 ff.; Die Lit. des Lutherjub. 1917, ein Bild des heutigen Prot., in: ZKTh 42, 1918, 591 ff. (auch gesondert); Lutherstud., 6 Hh., 1921–23; Der dt. Luther im Weltkrieg und in der Ggw., 1924 (1925²); Das Missale im Lichte röm. Stadtgesch., 1925; Martin Luthers Leben u. sein Werk, 1926 (1927²; ung. 1929; engl. 1930; frz. 1931; jap. Tokio 1948; it. Turin 1956⁶); Marienblüten. Systemat. Marienlehre aus dem großen Marienwerk des Petrus Canisius, 1930; Selbstbiogr., in: Die Rel.wiss. der Ggw. in Selbstdarst., hrsg. v. Erich Stange, III, 1927, 37–56. – Gab heraus: Jacobi Lainez Disputationes Tridentinae, 2 Bde., 1886.

Lit.: Otto Scheel, Ausschnitte aus dem Leben des jungen Luther, in: ZKG 32, 1911, 386 ff. 531 ff.; – Ders., Die hist.-psycholog. Methode in G.s Luther, in: ThStKr 87, 1914, 126 ff.; – Gustav Kawerau, Luther in kath. Beleuchtung. Glossen zu H. G.s Luther, 1911; – Walther Koehler, Luther u. die Lüge, 1912; – Ders., Das kath. Lutherbild der Ggw., 1922; – Peter Sinthern, Kritiker u. Kritisches zu G.s »Luther«, in: ZKTh 36, 1912, 550 ff.; – Hubert Jedin, Die Erforsch. der kirchl. Ref.gesch. seit 1876, 1931, 23 f.; – Nachruf, in: ZKTh 56, 1932, 145 ff.; – Franz Schnabel, Dtld.s Gesch.qu. u. Darst. in der Neuzeit I, 1931, 323 ff.; – Adolf Herte, Das kath. Lutherbild im Bann der Lutherkomm. des Cochläus II, 1943, 170 ff. 351 ff. u. ö.; – Schottenloher I, 480 f.; – Wolf II, 233–236); – Kosch, KD 1144 f.; – NDB VII, 95 f.; – RGG II, 1878 f.; – EC VI, 1171 ff.; – LThK IV, 1238; – NCE VI, 807 f.

GRÖBER, Conrad, Erzbischof von Freiburg im Breisgau, * 1. 4. 1872 in Meßkirch als Sohn eines Schreinermeisters, † 14. 2. 1948 in Freiburg (Breisgau). – G. besuchte das Gymnasium in Konstanz und studierte im »Collegium Germanicum« in Rom. 1897 empfing er die Priesterweihe und war in Konstanz von 1899–1902 Rektor des Knabenkonvikts »Konradihaus«, dann Pfarrer der Dreifaltigkeitspfarrei und seit 1922 Münsterpfarrer. G. wurde 1925 Domkapitular in Freiburg, 1931 Bischof von Meißen und 1932 Erzbischof von Freiburg. Er brachte das badische Konkordat 1932 zum Abschluß und war beteiligt an dem Zustandekommen des Reichskonkordats von 1933. – G. hat 1933 in öffentlichen Kundgebungen und in einigen Verlautbarungen an den Klerus ein entschiedenes Ja zum neuen Staat gesprochen, je stärker er sich in die Verhandlungen über das Reichskonkordat einzuschalten vermochte. Seit Beginn 1935 aber wurde seine Distanz zum neuen Staat zunehmend deutlicher. Doch galt für ihn wie für seine Kirchenbehörde als Grundregel des Verhältnisses zwischen Kirche und Staat sowie Partei die kluge Zurückhaltung sowie legale Loyalität. Dem späteren kirchlichen Widerstand gegen das NS-Regime waren die entscheidenden Grenzen durch das Reichskonkordat gesetzt. Obwohl die Parteistellen immer wieder zu bedenken gaben, daß das Reichskonkordat für sie keine Bedeutung mehr habe, verharrte G. bis zuletzt auf dem Standpunkt, es habe Gültigkeit und bestimme die kirchenpolitische Auseinandersetzung.

Werke: Gesch. des Jesuitenkollegs u. -Gymn. in Konstanz, 1904; Das Konstanzer Münster. Seine Gesch. u. Beschreibung, 1914 (1948³); Die Mutter. Wege, Kraftqu. u. Ziele christl. Mutterschaft, 1922 (1952⁶); Reichenauer Kunst, 1924²; Heinrich Ignaz Frhr. v. Wessenberg, in: FreibDiözArch 55, 1927; 56, 1928; Christus Pastor. Bildnisse der guten Hirten, 1931; Kirche u. Künstler, 1932; Hdb. d. rel. Ggw.fragen, 1937; Die Reichenau, 1938 (1948³); Der Mystiker Heinrich Seuse. Die Gesch. seines Lebens. Die Entstehung u. Echtheit seiner Werke, 1941; Das Leiden unseres Herrn Jesus Christus im Lichte der vier hll. Evv. u. der nt. Zeitgesch., 1946; Aus meinem röm. Tgb., 1947; Hirtenrufe des EB G. in die Zeit, hrsg. v. Konrad Hofmann, 1947.

Lit.: Josef Sauer, Nekrolog. Dr. C. G., EB v. Freiburg, in: Das Münster 2, 1949, 253 ff.; – FreibDiözArch 69, 1949, 15 ff.; 71, 1951, 216 ff.; – Alfred Beer, EB Dr. C. G. Ein Lb., 1958; – Clemens Bauer, EB G. u. das Reichskonkordat, in: Festschr. f. Wolfgang Müller = Alemann. Jb., 1970, 287 ff.; – Hugo Ott, Dokumentation z. Verurteilung des Freiburger Diözesanpriesters Dr. Max Josef Metzger u. z. Stellungnahme des Freiburger EB Dr. C. G., in: FreibDiözArch 90, 1970, 303 ff.; – Ders., Möglichkeiten u. Formen kirchl. Widerstands gg. das Dritte Reich v. seiten der Kirchenbehörde u. des Pfarrklerus. Dargest. am Bsp. der Erzdiöz. Freiburg im Breisgau, in: HJ 92, 1972, 312 ff.; – StL⁶ III, 1034 ff.; – NDB VII, 109; – LThK IV, 1239.

GROOTE, Geert, Buß- und Erweckungsprediger, * im Oktober 1340 in Deventer als Sohn eines wohlhabenden und angesehenen Bürgers, † (an der Pest) daselbst 20. 8. 1384. – G. studierte in Paris und später in Köln nicht nur Theologie, sondern auch Medizin, Astronomie und besonders Kirchenrecht. Er wurde Magister und führte als Kanonikus von Utrecht und Aachen ein genußfreudiges Leben, bis er 1374 durch seinen Jugendfreund Heinrich von Kalkar (s. d.) zu ernster Einkehr geführt wurde. Er verzichtete auf seine Pfründen und behielt von seinem Vermögen nur soviel, wie er zu einem äußerst einfachen Leben benötigte. G. widmete sich in völliger Zurückgezogenheit in Deventer und mehrere Jahre im Kartäuserkloster in Mönnikhuizen dem Studium der Schrift und der Kirchenväter, besonders des Paulus und des Aurelius Augustinus (s. d.). Am 20. 9. 1379 bestimmte er den letzten Rest seines Erbes zu einem Haus für Jungfrauen und Witwen, die ohne Klostergelübde, jedoch gehorsam und keusch unter der Leitung einer Meisterin leben wollten. Seit Herbst 1379 wirkte G. als einfacher Diakon, aber in bischöflicher Vollmacht, im ganzen Bistum Utrecht mit großem Erfolg als Buß- und Erweckungsprediger, bis einflußreiche Gegner, darunter auch die Bettelmönche und die im Konkubinat lebenden Geistlichen, 1383 beim Bischof ein Predigtverbot gegen Nichtpriester durchsetzten. Er verteidigte sich dagegen in einer »Publica protestatio de veredica praedicatione Evangelii« und appellierte an den Papst, aber ohne Erfolg. Kurz darauf starb er. – G. ist bekannt als Begründer der »devotio moderna«, einer der deutschen Mystik verwandten religiösen Erneuerungsbewegung des 14./15. Jahrhunderts, die eine persönliche, innere Frömmigkeit in der Nachfolge Christi erstrebte. Durch seine praktische Mystik verinnerlichte er die Kirchenfrömmigkeit zur »devotio moderna«, deren Träger die »Brüder vom gemeinsamen Leben« und die Windesheimer Kongregation der Augustinerchorherren wurden. Diese beiden Bewegungen aber hat G. nicht geschaffen. Nur die Schwesternbewegung kann wenigstens ihr Stammhaus als eine fromme Stiftung G.s nachweisen.

Werke: Gerardi Magni Epistolae, hrsg. v. Willem Mulder, Antwerpen 1933; De simonia ad beguttas. De middelnederlandsche tekst opnieuw uitgegeven met inleiding en aanteekeningen door Willem de Vreese. Met facsimiles, 's Gravenhage 1940; De Navolging van Christus. Naar de oudste teksten in de authentieke volgorde bewerkt door Jacobus van Ginneken, Amsterdam 1944; G. G.s tractaat Contra turrim Traiectensem teruggevonden. Uitgegeven door Regenerus Richardus Post, 's Gravenhage 1967.

Lit.: Gaston Bonet-Maury, G. de G., un précurseur de la réforme au quatorzième siècle, Paris 1878; – Karl Lorenz Grube, G. G. u. seine Stiftungen, 1883; – Paul Mestwerdt, Die Anfänge des Erasmus-Humanismus u. der Devotio moderna, 1917; – Ernst Barnikol, Stud. z. Gesch. der Brüder v. gemeinsamen Leben, 1917, 14 ff.; – Maarten van Rhyn, De bekeering van G. de G., in: NAKG 19, 1926, 159 ff.; – K. C. L. M. de Beer, Studie over de spiritualiteit van G. G., Brüssel – Nijmegen 1938; – Regenerus Richardus Post, De Moderne Devotie. G. G. en zijn Stichtingen, Amsterdam 1940 (1950²); – Ders., The Modern Devotion. Confrontation with Reformation and Humanism, Leiden 1968, bes. 51–196; – F. v. de Borne, G. en Moderne devotie in de geschiedenis van het Middeleeuwse Ordewezen, in: StC 16–18, 1940–42; – Joannes Gerardus Jozef Tiecke, De Werken van G. G. (Diss. Nijmegen), Utrecht – Nijmegen 1941; – Johannes Lindeboom, G.s preeksuspensie. Een bijdrage tot zijn geestelijke plaatsbepaling, Amsterdam 1941; – Martin H. Mulders, G. en het huwelijl. Uitgave van zijn tractaat De Matrimonio en onderzoek naar de bronnen, Nijmegen 1941; – Jacobus Johannes Antonius van Ginneken, G. G.s Levensbeeld naar de oudste gegevens bewerkt, Amsterdam 1942; – Fritz Kern, Die Nachfolge Christi oder das Buch v. inneren Trost v. G. G., Olten 1947; – Maria Alberta Lücker, Meister Eckhart u. die Devotio moderna, Leiden 1950; – L. A. M. Goossens, De Meditatie in de eerste tijd van de Moderne devotie, 1952; – Stephanus Axters, Geschiedenis van de vroomheid in de Nederlanden. III: De moderne Devotie, Antwerpen 1956; – Jacques Huijben – Pierre Debongnie, L'auteur ou les auteurs de l'Imitation, Louvain 1957, 272 ff.; – Jörg Erb, Die Wolke der Zeugen III, 1958, 146 ff.; – W. Jappe Alberts, Zur Historiogr. der Devotio moderna u. ihrer Erforsch., in: Westfäl. Forsch. 11, 1958; – C. van der Wansen, Het onstaan en de Geschiedenis van de broederschap van het gemene leven tot 1400, Louvain 1958; – Theodore P. Van Zijl, G. G., ascetic and reformer (Diss. Catholic Univ. of America), Washington 1963; – Georgette Epiney-Burgard, G. G. et les débuts de la Dévotion moderne, Wiesbaden 1970 (Rez. v. C. d. B., in: NAKG 51, 1970–71, 99 ff.; v. Jean-Marie Aubert, in: Erasmus. Speculum Scientiarum 23, London 1971, 17 f. 782 f.; v. J. Roelink, in: Tijdschrift voor geschiedenis 84, Groningen 1971, 592 ff.; v. L. Goegebuer, in: Augustiniana 21, Leuven 1971, 769 f.; v. André Rayez, in: RAM 47, 1971, 223 ff.; v. P. Brachin, in: Études germaniques 27, Paris 1972, 145 f.; v. Ad. v. d. Zevden, in: Citeaux. Commentarii cistercienses 23, Abdij Achel 1972, 138); – ADB IX, 730 ff.; – Christelijke Encyclopedie III, 1956; – RE VII, 185 ff.; III, 432 ff.; XXIII, 597 f.; – RGG II, 1882 f.; – DSp VI, 265 ff.; – LThK IV, 1241; – NCE VI, 809; – ODCC² 603; – NBWB V, 399 ff.

GROPPER, Johann, kath. Kirchenpolitiker des Reformationszeitalters, Jurist und Theologe, * 24. 2. 1503 in Soest (Westfalen), † 13. 3. 1559 in Rom. – G. studierte in Köln Philosophie und die Rechte und erwarb 1525 die juristische Doktorwürde. Er wurde 1525 Offizial des Dompropstes Hermann von Neuenahr, 1526 Siegelbewahrer des Erzstifts und 1527 Scholastiker von St. Gereon, 1532 Kanonikus, 1533 Scholastiker und 1543 Dekan in Xanten und war seit 1530 auch Stiftsherr, später Pfarrer und Dekan in Soest. Als eifriger Anhänger des Erasmus von Rotterdam (s. d.) förderte G. in seinem Sinn auch die Reformbestrebungen des Erzbischofs Hermann von Wied (s. d.). Er wurde dadurch und auch durch seine Teilnahme an dem Reichstag zu Augsburg 1530 veranlaßt, sich eingehend dem Studium theologischer Fragen zu widmen, und begann nun, die Bibel und die Kirchenväter zu lesen, »aber privatim, ohne Lehrer«. G. entfaltete 1536

in Köln eine einflußreiche Tätigkeit auf dem Provinzialkonzil und redigierte dessen Beschlüsse sowie das Landrecht von 1538. Im Auftrag jenes Konzils verfaßte er sein »Enchiridion«, ein Handbuch christlicher Lehre, in dem er sich in der Rechtfertigungslehre der Anschauung der Reformatoren näherte, aber ihre Lehre von der Kirche und dem allgemeinen Priestertum verwarf und die sieben Sakramente wie die hierarchische Ordnung und den Primat des Papstes verteidigte. G. nahm 1540/41 an den Religionsgesprächen in Hagenau, Worms und Regensburg hervorragenden Anteil und kam bei diesen Unionsverhandlungen den Evangelischen weit entgegen. Er trat besonders Martin Bucer (s. d.) nahe, mit dem er im Februar 1542 in Köln freundschaftliche Besprechungen über die vom Erzbischof geplante kirchliche Reform führte. G. wurde aber Bucers Gegner, als Hermann von Wied ihn im Dezember 1542 zur Durchführung der Reformation berief und mit der evangelischen Predigt zu Münster in Bonn beauftragte. Er setzte sich als Abgeordneter des Domkapitels im März und Juli 1543 auf dem Landtag energisch, aber erfolglos dafür ein, die Stände für ein gemeinsames Vorgehen gegen Bucer und den Erzbischof zu gewinnen, und arbeitete gegen das »Bedenken christlicher Reformation«, das Hermann von Wied im Juli 1543 dem Landtag vorlegte, eine Gegenschrift aus. Mit Bucer wechselte er mehrere Streitschriften und bekämpfte die Reformation aufs heftigste. G. wandte sich auch an den Papst und den Kanzler und erreichte, daß Paul III. (s. d.) am 2. 1. 1546 Hermann von Wied suspendierte, am 16. 4. exkommunizierte und am 3. 7. absetzte und den bisherigen Koadjutor Adolf von Schaumburg (s. d.) zum Erzbischof von Köln ernannte, worauf Hermann von Wied am 26. 1. 1547 als Administrator von Paderborn und am 25. 2. als Erzbischof von Köln resignierte. G. galt als Retter des katholischen Glaubens, so daß ihm 1547 in Anerkennung seiner Verdienste die dem Bruder Hermanns, Friedrich von Wied, entzogene Propstei in Bonn übertragen wurde. Mit Hilfe der Jesuiten war er um die Rekatholisierung des Erzstifts eifrig bemüht und führte auch im Auftrag Karls V. (s. d.) das »Augsburger Interim« von 1548 (s. Agricola, Johann) in Soest durch. Mit Eberhard Billick (s. d.) begleitete er 1551 Adolf von Schaumburg zum Konzil von Trient. Als Paul IV. (s. d.) ihn am 18. 12. 1555 zum Kardinal S. Luciae in Silice ernennen wollte, lehnte G. ab, weil er glaubte in Deutschland für die Kirche besser wirken zu können. G. reiste 1558 nach der Wahl des Grafen Gebhard von Mansfeld zum Erzbischof von Köln nach Rom, um ihre Bestätigung durch Paul IV. zu verhindern, was ihm aber nicht gelang. Wegen seiner Rechtgläubigkeit mußte sich G. vor der Inquisition, der er denunziert worden war, verteidigen, überzeugte aber den Papst davon, daß die gegen ihn erhobenen Anklagen nicht berechtigt seien.

Werke: Canones provincialis concilii Coloniensis sub Rev. in Christo patre Hermanno celebrati anno 1536, 1538; Enchiridion, 1538 (»die ausführlichste u. wichtigste vortridentin. Dogmatik des Ref.zeitalters«; v. Clemens VIII. 1596 auf den Index gesetzt); Antididagma seu Christianae et Catholicae religionis propugnatio, 1544 (lat. u. dt.); Wahrhaftige Antwort u. Gegenber. auf Buceri freventl. Klage, 1545; Von wahrer u. bleibender Ggw. des Leibes u. Blutes Christi u. der Kommunion unter einer Gestalt, 1548; Institutio Catholica seu Isagoge ad pleniorem cognitionem universae religionis Catholicae, 1550.

Lit.: Hermann Joseph Liessem, J. G.s Leben u. Wirken (bis 1538), Progr. Köln 1876, 1 ff.; – Konrad Varrentrapp, Hermann v. Wied u. sein Ref.vers. in Köln, 1878; – Ders., Charakteristik Hermanns v. Wied, Bucers u. G.s, in: ZKG 20, 1900, 37 ff.; – W. Schwarz, Röm. Bttrr. zu J. G.s Leben u. Wirken, in: HJ 7, 1886, 392 ff. 594 ff.; – Wilhelm van Gulik, Der Scholaster J. G. u. seine Tätigkeit im Kft. Köln bis z. J. 1540 (Diss. Münster), 1902; – Ders., J. G. Btr. z. KG Dtld.s, bes. der Rheinlande, im 16. Jh., 1906; – Stephan Ehses, J. G.s Rechtfertigungslehre auf dem Konzil v. Trient, in: RQ 20, 1906, 175 ff.; – Joseph Schmidlin, Ein kath. Ireniker des 16. Jh.s, in: HPBl 137, 1906, 862 ff.; – Ders., Gesch. der dt. Nationalkirche in Rom S. Maria dell' Anima, 1906, 294 ff.; – Wilhelm Rotscheidt, Zur Charakteristik J. G.s, in: Mhh. f. rhein. KG 2, 1908, 56 ff.; – Hanns Rückert, Die theol. Entwicklung Gasparo Contarinis, 1926; – Hubert Jedin, Stud. z. Schr.stellertätigkeit Albert Pigges, 1931; – Ders., Gesch. des Konzils v. Trient I, 1949 (1954²); II, 1957; – Ders., Fragen um Hermann v. Wied, in: HJ 74, 1955, 687 ff.; – Josef Hermann Beckmann, J. G., in: Westfäl. Lb. IV, 1933, 62 ff.; – Robert Stupperich, Der Humanismus u. die Wiedervereinigung der Konfessionen, 1936; – Ders., Der Ursprung des Regensburger Buches u. seine Rechtfertigungslehre, in: ARG 36, 1939, 88 ff.; – Ders., Unbekannte Briefe u. Merkbll. J. G.s, in: Westfäl. Zschr. 109, 1959, 97 ff.; – Gertrud Oebels, J. G. u. die Kölner Reformbestrebungen bis 1541 (Diss. Köln), 1944; – Walter Lipgens, Bttrr. z. Wirksamkeit J. G.s in Westfalen 1523–59, in: Westfäl. Zschr. 100, 1950, 135 ff.; – Ders., Neue Bttrr. z. Ref.vers. Hermanns v. Wied aus dem J. 1545, in: AHVNrh 149–150, 1951, 46 ff.; – Ders., Kard. J. G. u. die Anfänge der kath. Reform in Dtld. (Diss. Tübingen, 1948), Münster 1951; – Ders., J. G., designierter Kard., in: Rhein. Lb. II, 1966, 75 ff.; – Lutz Hatzfeld, G., die Wetterauer Gf. u. die Ref. in Kurköln 1537/47, in: AKultG 36, 1954, 208 ff.; – Heinrich Lutz, Reformatio Germaniae. Drei Denkschrr. J. G.s (1546. 1558), in: QFIAB 37, 1957, 220 ff.; – Gérard Gilles Meersseman, J. G.s Enchiridion u. das Tridentin. Pfr.ideal, in: Reformata reformanda. Festg. f. Hubert Jedin. Hrsg. v. Erwin Iserloh u. Konrad Repgen, II, 1965, 19 ff.; – C. Augustijn, De gesprekken tussen Bucer en G. tijdens het godsdienstgesprek te Worms in December 1540, in: NAKG NS 47, 1965–66, 208 ff.; – Jacques v. Pollet, J. G. u. Julius Pflug nach ihrer Korr., in: Paderbornensis ecclesia. Bttrr. z. Gesch. des Erzbist. Paderborn. Festschr. für Lorenz Kard. Jaeger z. 80. Geb. Hrsg. v. Paul-Werner Scheele, 1972, 223 ff.; – Alois Schröer, Vatikan. Qu. z. G.forsch., in: Von Konstanz nach Trient. Bttr. z. Gesch. der Kirche v. den Reformkonzilien bis z. Tridentinum. Festg. f. August Franzen. Hrsg. v. Remigius Bäumer, 1972, 497 ff.; – Reinhard Braunisch, Die »Artikell« der »Warhaftigen Antwort« (1545) des J. G. Zur Verfasserfrage des Worms-Regensburger Buches (1540/41), ebd. 519 ff.; – Ders., Cardinalis designatus. Zur Ablehnung des Roten Hutes durch J. G., in: AHVNrh 176, 1974, 58 ff.; – Ders., Die Theol. der Rechtfertigung im »Enchiridion« (1538) des J. G. Eine krit. Dialog mit Philipp Melanchthon (Diss. Freiburg/Breisgau, 1970), Münster 1974 (Rez. v. A. Segovia, in: ATG 37, 1974, 250 f.); – Johannes Meier, Das »Enchiridion christianae institutionis« (1538) v. J. G. Gesch. seiner Entstehung, Verbreitung u. Nachwirkung, in: ZKG 86, 1975, 289 ff.; – Ders., J. G. zw. Humanismus u. Ref. Zur Bestimmung seines geistl. Standorts bis 1543, in: RQ 69, 1974, 192 ff.; – Biogr. Wb. z. dt. Gesch. I², 1973, 951 f.; – Schottenloher I, Nr. 7376–7381; II, Nr. 54839–54847; V, Nr. 46560 bis 46564; – Kosch, KD 1154 f.; – ADB IX, 734 ff.; – NDB VII, 133 ff.; – RE VII, 191 ff.; – RGG II, 1883 f.; – DThC VI, 1880 ff.; – DSp VI, 1054 ff.; – LThK IV, 1241 f.; – ODCC² 603.

GROS, Jakob Friedrich, Pfarrer, getauft 16. 12. 1733 in Nagold bei Calw als Sohn eines Stadtschreibers, † 6. 1. 1767 in Stuttgart. – G. besuchte die Klosterschule in Blaubeuren und studierte seit 1753 in Tübingen, wo er sich mit anderen erweckten Studenten zu gegenseitiger Förderung zu einer Gemeinschaft verband. Er wurde 1758 in Eßlingen und 1761 in Leonberg Vikar und Ende 1762 als Nachfolger von Georg Leonhard Seiz (s. d.) Pfarrer am Waisenhaus in Stuttgart. – G. wirkte als volkstümlicher, erwecklicher Prediger und trug mit dazu bei, daß das 1710 gegründete Waisenhaus in Stuttgart eine besondere Segensstätte für das christliche Leben Württembergs im 18. Jahrhundert war.

Lit.: Wilhelm Claus, Württ. Väter II, 1933³, 31 ff.

GROSCHE, Robert, kath. Theologe, * 7. 6. 1888 in Düren, † 21. 5. 1967 in Köln. – G. wirkte seit 1912 als Seelsorger in der Erzdiözese Köln. 1920–30 war er Studentenpfarrer in Köln, dann Pfarrer an der Basilika St. Gereon in Köln, seit 1943 Stadtdechant,

1944 Domkapitular an der Hohen Metropolitankirche, 1954 Honorarprofessor der Theologie an der Universität Köln. – G. ist bekannt als Kontroverstheologe und als Wegbereiter des Dialogs zwischen katholischer und evangelischer Theologie: »Wir wissen, daß tiefgreifende Unterscheidungen uns trennen; sie sind da, aber sie machen das Gespräch nicht unmöglich, im Gegenteil: sie fordern es.« Er war Begründer und Herausgeber der Vierteljahresschrift für Kontroverstheologie »Catholica« (1932–39 und seit 1952) und führend an der ökumenischen Bewegung beteiligt. Seine Arbeiten in den beiden Sammelbänden zu seinem 50. und 70. Geburtstag sind Beiträge zur Christologie, Ekklesiologie, Mariologie, Schriftauslegung, aber vor allem auch zur ökumenischen Situation in Deutschland, zur Einheit des Christenheit, zur Frage von Christentum und Kultur.

Werke: Der Kölner Altarbau im 17. u. 18. Jh. (Diss. Köln), 1924; Der Kol.brief in Homilien erkl., 1926; Paul Claudel, 1928; Wenn du die Gabe Gottes kenntest (Predigten aus dem Akadem. Gottesdienst 1920–30), 1930; Pilgernde Kirche (Ges. Aufss.), 1938 (1969²); Brauchen wir einen Papst? Zus. mit Hans Asmussen. Ein Gespräch zw. den Konfessionen, 1957, 45–70; Et Intra et Extra. Theol. Aufss., 1958. – Bibliogr.: Aus den Veröff. v. R. G., zus.gest. v. Maria Steinhoff, in: Cath 22, 1968, 68–79.
Lit.: Walter Rest, R. G., in: Tendenzen der Theol. im 20. Jh. Hrsg. v. Hans Jürgen Schultz, 1966, 321 ff.; – Hermann Volk, R. G., in: Cath 21, 1967, 165 ff.; – Walter Warnach, Die Welt als Zeugnis des Wortes. Zum Wirken R. G.s, ebd. 22, 1968, 6 ff.; – Hans Hofmann, R. G., in: US 23, 1968, 196 ff.; – R. G. Kölner Tgb. 1944–1946. Aus dem Nachlaß hrsg. v. Maria Steinhoff u. a. Mit einer Einf. v. Auguste Schorn, 1969 (Rez. v. Catharina Nosthoff, in: Die Zeit im Buch 24, Wien – Salzburg 1970, 28; w. Heinz Boberach, in: Rhein. Vjbll. Mitt. des Instituts f. Geschichtl. Landeskunde der Rheinlande an der Univ. Bonn 36, 1972, 398 ff.); – Albert Brandenburg, Das ökumen. Vermächtnis R. G.s, in: Cath 25, 1971, 1 ff.; – Heinrich Fries, (Pilgernde Kirche) – in heutiger Sicht, ebd. 13 ff. (Einf. z. Neuaufl. v. R. G., Pilgernde Kirche, 1969); – Kosch, KD 1156.

GROSJEAN, Paul, Jesuit, Hagiograph, * 26. 5. 1900 in Uccle (Belgien), † 13. 6. 1964 in Brüssel. – Nach seinem Studium im Nouveau Collège St. Michel in Brüssel trat G. 1917 in den Jesuitenorden ein und wurde Bollandist. Bekannt ist er durch seine Arbeiten in den »Acta Sanctorum« und den »Analecta Bollandiana«.

Werke: Bibliogr., in: AnBoll 82, 1964, 307 ff.
Lit.: Maurice Coens, Le R. P. P. G., in: AnBoll 82, 1964, 289 ff.; – Ders., P. G. SJ, bollandistes, in: RHE 59, 1964, 1025 f.; – NCE VI, 809 f.

GROSSER, Samuel, Schulmann und Kirchenliederdichter, * 18. 2. 1664 als Pfarrerssohn in Paschkerwitz im schlesischen Fürstentum Oels, † 24. 6. 1736 in Görlitz. – G. besuchte das Gymnasium in Brieg, Breslau und Zittau (Oberlausitz), dessen Rektor Christian Weise (s. d.) war. Seit 1683 studierte in Leipzig und wurde 1690 Konrektor an der Nikolaischule in Leipzig, 1691 Rektor in Altenburg und 1695 Rektor am Gymnasium in Görlitz. – G. wirkte als echt christlicher Schulmann in großem Segen und war ein gelehrter Schriftsteller auf dem Gebiet der Pädagogik, Logik, Grammatik und Länderkunde. Er wurde 1712 Mitglied der Akademie der Wissenschaften in Berlin. Von seinen Liedern seien die Bußlieder genannt »Gerechter und getreuer Gott, ich schrei zu dir in meiner Not« und »Ach wende dich, o Gott, zu deinem Kinde«, das Sonntagmorgenlied »Der Sabbat ist erschienen«, das Lied nach dem Abendmahl »Gottlob, die Sünden sind vergeben« und das Sterbelied »Weiche, Todesfurcht, entweiche«.

Werke: Der studierenden Jugend gottgeheiligte Bet- u. Singeschule, 1707; Christl. Vorbereitung z. Reise aus der Welt nach dem Himmel, 1730; Gottgeweihte Beicht- u. Abendmahlsandachten, 1732.
Lit.: Gottlieb Friedrich Otto, Lex. der oberlausitz. Schr.steller u. Künstler I, Görlitz 1800, 527 ff.; – Schütt, Zur Gesch. des Gymn. in Görlitz, 1865, 75 ff. 108 f.; – Koch V, 442 ff.; – Goedeke III, 306; – ADB IX, 749 f.

GROSSGEBAUER, Theophil, Theologe, * 24. 11. 1627 in Ilmenau (Thüringen) als Sohn des Bürgermeisters, † 8. 7. 1661 in Rostock. – G. erhielt seine wissenschaftliche Vorbildung in Rudolstadt, Ilmenau, Arnstadt und Stralsund und studierte von 1648 an in Rostock. Seit 1653 wirkte er dort als Diakonus an St. Jakobi und hielt als Magister an der Universität auch theologische und philosophische Vorlesungen und Disputationen. – G. war ein Freund der Reformbewegung in der deutschen lutherischen Kirche zur Zeit der Orthodoxie. Seine »Wächterstimme aus dem verwüsteten Zion« ist eine der hervorragendsten Anklage- und Reformschriften nicht nur des 17. Jahrhunderts, sondern der gesamten nachreformatorischen Zeit. G. schildert zunächst rückhaltlos das Maß der Verwüstung in der lutherischen Kirche, geht dann näher auf ihre Ursachen ein und macht schließlich entsprechende Reformvorschläge. Er setzt ein mit einer Kritik des Predigtamtes und fordert die Wiederbelebung des altkirchlichen Amtes der Ältesten, für die er nicht nur das Aufsichts- und Strafrecht über die Gemeinde, sondern auch über das sittliche und berufliche Verhalten der Prediger verlangt. Zu den Synoden sollen nicht nur die Prediger, sondern »auch andere verständige gottselige Männer aus allen Ständen« hinzugezogen werden. Die Gemeinde soll wie in den Zeiten der Alten Kirche öffentliche Kirchenzucht üben. Auch an der Verwaltung der beiden Sakramente übt G. Kritik. Er fordert die Ergänzung der Taufe durch Glauben und Bekehrung und darum die Konfirmation und beim Abendmahl außer dem wirklichen Brechen des Brotes vor der Austeilung die Anmeldung der Kommunikanten einige Tage vorher und ihre ernste sittliche Prüfung. G. war Zeit- und Gesinnungsgenosse von Heinrich Müller (s. d.) und Johann Quistorp dem Jüngeren (s. d.) und zählt wie sie zu den Vorläufern des Pietismus auf deutschem Boden.

Werke: Wächterstimme aus dem verwüsteten Zion. Das ist: Treuherzige und nothwendige Entdeckung, aus was Ursachen die vielfältige Predigt des Worts Gottes, bey Evangelischen Gemeinen wenig zur Bekehrung und Gottseligkeit fruchte, und warum Evangelische Gemeinen bey den heutigen Predigten des heiligen Wortes Gottes, ungeistlicher und ungöttlicher werden? samt einem treuen Unterricht von der Wiedergeburt, Rostock 1661; Praeservativ wider die Pest der heutigen Atheisten, die uns die Gewißheit u. göttl. Autorität der HS u. unserer Seelen Unsterblichkeit in Zweifel ziehen, Frankfurt/Main 1661 (1682²); übers. 1661 die gg. den Kath. gerichtete Schr. »The olde Religion« (London 1628) des Bisch. Joseph Hall v. Exeter: Die alte Rel.: das ist Ein Traktat, darin ganz herrlich, kurz u. sinnreich aus der HS, aus der Antiquität u. aus der Vernunft erwiesen wird, daß die Rel. der Ev. Kirchen die uralte Rel. – Ges. Werke: Drei geistreiche Schrr. des T. G., 1667 (1753). – 26 geistreiche u. erbaul. Predigten über die Epistel Pauli an die Eph, hrsg. v. seinem Sohn Johann Valentin mit einer Vorrede v. Philipp Jakob Spener, 1689.
Lit.: Georg Heinrich Götze, Elogia theologorum Germanorum II, Lübeck 1709, 285 ff.; – Johann Georg Walch, Hist. u. theol. Einl. in die Rel.streitigkeiten der Ev.-luth. Kirche IV, Jena 1739, 1066 ff.; – Heinrich Schmid, Gesch. des Pietismus, 1863, 9 ff.; – Otto Krabbe, Heinrich Müller u. seine Zeit, 1866, 187 ff.; – Albrecht Ritschl, Gesch. des Pietismus II, 1884, 130 f.; – Karl Holl, Die Bedeutung der großen Kriege f. das rel. u. kirchl. Leben innerhalb der dt. Prot. Vorträge, 1917 (= Holl III, 302 ff.; bes. 325 ff. 345 ff.); – Hans Leube, Die Reformideen in der dt. luth. Kirche z. Z. der Orthodoxie, 1924, 74 ff. 164 ff.; – Martin Schmidt, Speners Pia Desideria, in: ThViat 3, 1951, 95 ff.; – ADB IX, 750 f.; – NDB VII, 153; – RE XXIII, 598 ff.; – RGG II, 1884 f.

GROSSMANN, Burkhard, Kirchenliederdichter, * in Römhild (Thüringen), † 1637 in Jena. – G. war zunächst fürstlicher Kanzleiverwalter in Weimar und wurde später Bürgermeister in Jena. – Von seinen Liedern haben Verbreitung gefunden: »Brich an, du lieber Morgen« und »Keinen hat Gott verlassen, der ihm vertraut allzeit.« Das letztgenannte Lied findet sich schon im Erfurter Gesangbuch von 1612 und ist von G. nur »in Ordnung gebracht«, nachdem es ursprünglich von seiner Mutter als Witwe zu ihrem Trost gedichtet worden war. Irrtümlich wird es Andreas Kesler (s. d.) zugeschrieben, der aber erst 1595 geboren wurde.

Werke: 50 gottsel. Andachten, reimweise, Jena 1608.
Lit.: Koch II, 270.

GROSSMANN, Christian Gottlob Leberecht, Theologe, * 9. 11. 1783 als Pfarrerssohn in Prießnitz bei Naumburg (Saale), † 29. 6. 1857 in Leipzig. – G. besuchte 1796–1802 die Fürstenschule Pforta bei Naumburg und studierte danach in Jena. Er wurde 1808 Adjunkt seines Vaters, 1811 Pfarrer in Gröbitz bei Naumburg, 1822 »Collega extraordinarius« und Diakonus in Schulpforta, 1823 Generalsuperintendent von Altenburg und 1829 Pfarrer an der Thomaskirche, Superintendent, Konsistorialassessor und Professor der Theologie in Leipzig. – G. ist bekannt durch sein Eintreten für die Einführung der Synodalverfassung in Sachsen und als Begründer des Gustav-Adolf-Vereins. Am 6. 11. 1832 regte er aus Anlaß der 200. Wiederkehr des Tages der Schlacht bei Lützen, in der Gustav Adolf (s. d.) den Heldentod starb, die Errichtung eines würdigen Denkmals für den Schwedenkönig an und rief zu einer Geldsammlung dafür auf, deren Überschuß für eine »Gustav-Adolf-Stiftung zu unentgeltlicher Bildung protestantischer Jünglinge oder zur Förderung irgendeines anderen geistigen Zweckes« verwandt werden sollte. Der Plan fand eine Erweiterung in einem erneuten Aufruf im »Leipziger Tageblatt« vom 9. 12. 1832: es wurden Spenden erbeten »zur Errichtung einer Anstalt zur brüderlichen Unterstützung bedrängter Glaubensgenossen und zur Erleichterung der Not, in welche durch die Erschütterung der Zeit und durch andere Umstände protestantische Gemeinden in und außer Deutschland mit ihrem kirchlichen Zustande geraten«. Leipzig und Dresden wurden die beiden Hauptvereine der »Gustav-Adolf-Stiftung«, die trotz Unterstützung durch die Könige von Preußen und Schweden »jahrelang ein lediglich sächsisches Unternehmen« von sehr bescheidenem Umfang blieb. Ohne vom Vorhandensein der »Gustav-Adolf-Stiftung« zu wissen, veröffentlichte der Hofprediger Karl Zimmermann (s. d.) am 31. 10. 1841 in der »Darmstädter Kirchenzeitung« einen »Aufruf an die protestantische Welt zur Gründung eines Vereins für die Unterstützung hilfsbedürftiger protestantischer Gemeinden«. Am 16. 9. 1842 kam es in Leipzig zur Vereinigung beider Unternehmen im »Evangelischen Verein der Gustav-Adolf-Stiftung«.

Werke: Quaestiones Philoneae, 2 Bde., 1830; Über eine Reform der prot. Kirchenverfassung im Kgr. Sachsen, 1833; De Judaeorum disciplina arcani, 2 Tle., 1833/34; De philosophia Sadducaeorum, 3 Tle., 1836–39.
Lit.: Franz Blanckmeister, Vater G., der Gründer des GAV, 1888 (1908²); – Ders., Sächs. KG, 1899 (1906²), 374 ff.; – Georg Müller, Verfassungs- u. Verwaltungsgesch. der sächs. Landeskirche I,

1894, 206 ff.; – Hermann Ferdinand v. Criegern, Gesch. des GAV, 1903, 9 ff.; – Oskar Pank, Was jedermann v. dem GAV wissen sollte, 1904, 14 ff.; – Eduard Mangner, Gesch. der Leipziger Winkelschulen, 1906, 212 ff.; – Gerhard Fuchs, Chr. G. L. G., der Leipziger Sup., ein Bannerträger ev. Kultur, 1907; – Otto Kirn, Die Leipziger Theol. Fak. in 5 Jhh., 1409–1909, 1909, 164 ff.; – Otto Kämmel, Gesch. des Leipziger Schulwesens v. Anfang des 13. bis gg. die Mitte des 19. Jh.s, 1909, 568 ff.; – Johannes Pfeiffer, Die Entwicklung der sächs. Kirchenverfassung v. 1830–1914, 1923; – Julius Richter, Gesch. der sächs. Volksschule, 1930; – Hermann Wolfgang Beyer, Die Gesch. des GAV in ihren kirchen- u. geistesgeschichtl. Zus.hängen, 1932; – ADB IX, 751 f.; – NDB VII, 155 f.; – RE VII, 199 f.; XXIII, 602.

GROTIUS, Hugo (eigentlich: Huig de Groot), Jurist, Staatsmann, Gelehrter, * 10. 4. 1583 in Delft (Holland) als Sohn des dortigen Bürgermeisters, dann Kurators der Universität Leiden, † 28. 8. 1645 in Rostock. – Nach seinem Studium in Leiden und Orléans ließ sich G. 1599 in Den Haag als Rechtsanwalt nieder und arbeitete für die Vereinigte Ostindische Kompanie. Er wurde 1607 Generalanwalt der Provinzen Holland, Zeeland und Westfriesland und 1613 Ratspensionär von Rotterdam und Mitglied der Generalstaaten. Als Anhänger des Jacobus Arminius (s. d.) und Gefolgsmann des Staatsmanns Johan van Oldenbarnevelt (s. d.) wurde G. in den arminianischen Streit verwickelt und 1619 zu lebenslänglichem Gefängnis und Konfiskation seiner Güter verurteilt. Als Gefangener auf Schloß Loevestein lebte er seinen literarischen und theologischen Studien, für die ihm Freunde regelmäßig Bücher verschafften. Seine Gattin ließ ihn am 22. 3. 1621 in einer Bücherkiste nach Gorcum bringen. Als Maurer verkleidet, floh G. von dort nach Antwerpen und traf kurz darauf in Paris ein, wohin ihm die Seinen folgten. Als unter dem Statthalter Friedrich die Remonstranten Johannes Uytenbogaert (s. d.) und Simon Episcopius (s. d.) und andere Verbannte heimkehrten, begab sich auch G. 1631 nach Holland, verließ aber im nächsten Jahr enttäuscht das Vaterland. 1635 trat er als Gesandter in Paris in schwedische Dienste, bat aber nach 10 Jahren Königin Christine von Schweden (s. d.) um seine Abberufung. Auf der Rückreise von Stockholm erlitt er vor Lübeck Schiffbruch und kam krank in Rostock an. – G. war einer der Großen in der holländischen Geistesgeschichte des 17. Jahrhunderts und ist bekannt als Begründer des modernen Naturrechts und als Initiator des neuzeitlichen Völkerrechts. Kirchengeschichtlich bedeutsam waren seine theologischen und kirchenpolitischen Schriften. In seinen letzten Jahren bemühte er sich um die Wiedervereinigung der Christen.

Werke: Mare liberum, 1609, De jure belli et pacis, 1625 (dt. v. Julius Hermann v. Kirchmann, 1877); Christus patiens, 1608; Defensio fidei . . . adversus F. Socinum, 1617; De veritate religionis christianae; 1627; Annotationes ad NT, 1641; Annotationes ad AT, 1644. – Opera omnia theologica, 4 Bde., 1732. – Epistulae . . . theologicae, 1704³. – De Briefwisseling van H. G. Hrsg. v. Philippus Christianus Molhuijsen, Amsterdam 1928 ff. – Bibliogr.: Jacob ter Meulen – Pieter Johan Jurrian Diermanse, Bibliographie des écrits de H. G., Den Haag 1950.

Lit.: H. Basdevant, H. G., in: Les Fondateurs du droit international, Paris 1904; – Ilse Veronika Berlin-Neubart, Die Stellung des H. G. in der Gesch. der Nationalökonomie (Diss. Erlangen), 1912; – Robert Sleightholmer Franks, A History of the Doctrine of the Work of Christ in its Ecclesiastical Development II, London – New York 1918, 48–73; – Eckart Groth, Ein Beitr. justum nach H. G. Ein Btr. z. Gesch. des Völkerrechts (Diss. Leipzig), 1919 (1921); – Joachim Schlüter, Die Theol. des H. G., 1919; – Rudolf Helm, H. G., 1920; – Albert Mühlmeister, Thomas v. Aquino u. H. G. Kath. u. Rationalismus im Naturrecht u. Völkerrecht (Diss. Marburg), 1923; – William Stanley Mac Bean Knight, The life and works of H. G., London 1925; – Johan Huizinga, Tien studiën (u. a.: Twee herdenkingsreden over H. de G.), Haarlem 1926; – Guenther Hans Grüninger,

George Sandys als Übersetzer des »Christus patiens« v. H. G. (Diss. Freiburg/Breisgau, 1928), Tauberbischofsheim 1927; – Ernst Treidel, Die kriegsrechtl. Grundanschauungen des H. G. (Diss. Würzburg), 1928; – Cornelis van Vollenhoven, The Framework of G.' Book »De iure belli ac pacis libri tres«, Amsterdam 1931; – Werner Fritzemeyer, Christenheit u. Europa, 1931, 117 f.; – Robert Warden Lee, H. G., London 1931; – J. Coert, Spinoza en G., met betrekking tot het volkenrecht, Leiden 1936; – Otto Kluge, Die Dichtung des H. G. im Rahmen der neulat. Kunstpoesie, ebd. 1940; – C. W. Roldanus, Vossius' Verhouding tot H. de G. voor de Synode van Dordt, in: Tijdschrift voor Geschiedenis 57, Groningen 1942, 241 ff.; – A. H. Chroust, H. G. and the Scholastic Natural Law Tradition, in: The New Scholasticism 17, Washington 1943, 101 ff.; – Willem Jan Mari van Eysinga, H. de G. Een schets, Haarlem 1945 (dt. v. Maria Plemp van Duiveland, H. G. Eine biogr. Skizze. Mit einem Vorwort v. Werner Kaegi, Basel 1952); – Hugo Fortuin, De naturrechtelijke grondslagen van de G.' volkenrecht, Den Haag 1946; – Hommage à G. (Études et documents pour servir à l'histoire de l'Université de Lausanne 4), Lausanne 1946; – Anne Hallema, H. de G. Een levensschets van een groot Nederlander uit de 17e eeuw, 's Gravenhage 1946; – Antonie Hendrik Haentjens, H. de G. als godsdienstig denker, Amsterdam 1946; – Antonio Corsano, Ugo Grozio, l'humanista, il teologo, il giurista, Bari 1948; – Hans Wolters, Die rechts- u. staatsphilos. Anschauungen des H. G. u. ihre Bedeutung f. die Ggw. (Diss. Köln), 1949; – Paul Ottenwälder, Zur Naturrechtslehre des H. G. (Diss. Heidelberg, 1944), Tübingen 1950; – Erik Wolf, Große Rechtsdenker der dt. Geistesgesch., 1951³, 252–305; – R. Voeltzel, La méthode théologique de H. G., in: RHR 32, 1952, 126 ff.; – S. Polman, in: StC 29, 1954, 134 ff.; – Giovanni Ambrosetti, I presupposti teologici e speculativi della concezioni giuridiche di G., Bologna 1955; – Hans Wehberg, H. G. (Vortr.), 1956; – Ernst Reibstein, Völkerrecht. Eine Gesch. seiner Ideen in Lehre u. Praxis I, 1958, 333 ff. 631 ff.; – Werner Georg Kümmel, Das NT. Gesch. der Erforsch. seiner Probleme, 1958, 28–36; – Malte Diesselhorst, Die Lehre des H. v. Versprechen (Diss. Freiburg/Breisgau), 1959; – Peter Pavel Remec, The Position of the Individual in International Law according to G. and Vattel, Den Haag 1960; – Jacob ter Meulen – Pieter Johan Jurrian Diermanse, Bibliographie des écrits sur H. G. au XVIIe siècle, ebd. 1961; – Meinulf Stoltenberg, Das Eigentum im Naturrecht. Ein Vergleich der Lehren des Thomas v. Aquin, H. G., Samuel v. Pufendorf u. Christian Thomasius (Diss. Kiel), 1961; – Jörg Erb, H. G., in: Quatember. Ev. J.briefe 27, 1962–63, 122 ff.; – Giorgio Del Vecchio, G. u. die Gründung des Völkerrechts, in: Ders., Grdl.n u. Grundfragen des Rechts, 1963, 274 ff. 306; – Frans de Pauw, G. and the law of sea, Brüssel 1965; – Liesje van Someren, Umpire to the Nations. H. G., London 1965; – Joan D. Tooke, The Just War in Aquina and G., ebd. 1965; – Fiorella de Michelis, Le origini-storiche e culturali del pensiero di Ugo Grozio, Florenz 1967; – Antonio Droetto, Studi groziani, Turin 1968 (Rez. v. Georg Lutz, in: HZ 211, 1970, 702 ff.); – Carlo Cordié, in: Paideia 25, Brescia 1970, 251 f.; v. B. L. Meulenbroek, in: Tijdschrift voor geschiedenis 83, Groningen 1970, 598 f.); – Edward Dumbauld, The life and legal writings of H. G., Oklahoma 1969 (Rez. v. Alfred P. Rubin, in: American journal of international law 64, Washington 1970, 732 f.); – Dieter Wolf, Die Irenik des H. G. nach ihren Prinzipien u. biogr.-geistesgeschichtl. Perspektiven (Diss. Frankfurt/Main), Marburg 1969; – Günter Hoffmann-Loerzer, Stud. zu H. G. (Diss. München, 1972), 1971; – Barbara Knieper, Die Naturrechtslehre des H. G. als Einigungsprinzip, dargest. an seiner Stellung z. Calvinismus (Diss. Frankfurt/Main, 1970), 1971; – Magda Esch-Pelgroms, Levensgeschiedenis van H. de G., in: Revue des langues vivantes 37, Brüssel 1971, 559 ff. 683 ff. – B. L. Meulenbroek, De dichtwerken van H. G. I: Oorspronkelijke dichtwerken; II/1: A Tekst en vertaling, Assen 1972 (Rez. v. D. Kuiper, in: Tijdschrift voor Nederlandse taal- en letterkunde 89, Leiden 1973, 70 ff.); – M. Esch-Pelgroms, Über die Rechtsterminologie in der H. de Groots »Inleiding tot de Hollandse Rechtsgeleerdheid«, in: Btrr. z. Gesch. der dt. Sprache u. Lit. 93, Halle/Saale 1972, 340 ff.; – Jonathan Ziskind, International law and ancient sources: G. and Selden, in: The review of politics 35, Notre Dâme/Indiana 1973, 537 ff.; – Biogr. Wb. z. dt. Gesch. I², 1973, 955 f.; – Karl Zemanek, H. G., in: Die Großen der Weltgesch. V, Zürich 1974, 644 ff.; – Hirsch I, 13 ff. 225 ff.; – KLL II, 763 ff. (De iure belli ac pacis libri tres); – LThK IV, 1243 f.; – NCE VI, 812 f.; – ODCC² 604 f.; – EKL I, 1726 ff.; – RGG II, 1885 f.; – WKL 517 f.

GRUBER, Eberhard Ludwig, pietistischer Separatist, * 12. 6. 1665 in Stuttgart, † 11. 12. 1728 in Schwarzenau bei Berleburg. – G. studierte seit 1683 in Tübingen und war dort 1687–92 Repetent am »Theologischen Stift«. Er wurde 1692 Diakonus in Großbottwar bei Marbach (Neckar). G. hielt mit dem schwäbischen Sporergesellen Johann Georg Rosenbach (s. d.) Betstunden und trat Pfingsten 1703 in einer Predigt gegen seinen Stadtpfarrer auf, so daß es zu einem

Volksaufstand kam. Er wurde deswegen auf die Pfarrei Hofen bei Lauffen (Neckar) versetzt und schließlich 1706 abgesetzt. G. ging nun nach Himbach bei Hanau, einer Zufluchtsstätte der Separatisten in der Grafschaft Isenburg-Büdingen, wo er zu der Sekte der »Inspirierten« übertrat. G. wurde 1715 ausgewiesen und zog mit vielen seiner Anhänger in die Grafschaft Wittgenstein-Berleburg nach Schwarzenau. Er organisierte die sieben kleinasiatischen Gemeinden Schwarzenau, Homrighausen, Himbach, Ronneburg, Düdelsheim, Birnstein und Büdingen, deren Oberhaupt er dann wurde. – G. war auch ein fruchtbarer Liederdichter, der seinen Gemeinden drei Sammlungen von insgesamt 500 »Jesusliedern« gab.

Werke: Unterweisung v. dem inneren Wort Gottes, 1704.

Lit.: Albrecht Ritschl, Gesch. des Pietismus II, 1884, 359 ff.; – Christoph Kolb, Die Anfänge des Pietismus u. Separatismus in Württemberg, 1902, 80 ff.; – Heinrich Hermelink, Gesch. der ev. Kirche in Württemberg v. der Ref. bis z. Ggw., 1949, 165 ff. u. ö.; – Koch VI, 164 ff.; – NDB VII, 179 f.; – RE IX, 203 ff.

GRUBER, Franz, Komponist, * 25. 11. 1787 in Unterweizberg, Pfarrei Hochburg (Oberösterreich) als Sohn eines Leinewebers, † 7. 6. 1863 in Hallein bei Salzburg. – G. war 1807–29 Lehrer und Organist in Arnsdorf bei Salzburg, danach in Berndorf und seit 1835 Stadtpfarrchorregent und Organist in Hallein an der Salzach. – G. ist bekannt als Komponist des Liedes »Stille Nacht, heilige Nacht«. Gedichtet wurde es kurz vor Weihnachten 1818 von dem ihm befreundeten Hilfspriester Joseph Mohr (s. d.) in Oberndorf bei Salzburg. Am 24. 12. 1818 schuf G. die Melodie dazu. Am Heiligabend 1818 wurde das Lied zum erstenmal in der Kirche in Oberndorf mit Gitarrenbegleitung als Ersatz der unbrauchbar gewordenen Orgel gesungen. Mohr sang die Melodie im Tenor und spielte die Gitarre. G. sang den Baß, einige aus dem Dorf herzugeholte und rasch eingeübte Sängerinnen sangen die Wiederholung der beiden Schlußzeilen jeder Strophe. Bekannt wurde das Lied durch ein Zillertaler Sängerquartett, das es 1833 nach Leipzig brachte. Von dort fand es rasche Verbreitung. Das Lied hat ursprünglich 6 Strophen. Die Strophen 1, 6 und 2 sind verbreitet, die übrigen unbekannt.

Lit.: Franz Peterlechner, Stille Nacht, hl. Nacht. Die Gesch. eines Volksliedes, Linz o. J. (1916); – Karl Weinmann, Stille Nacht, hl. Nacht. Die Gesch. des Weihnachtsliedes, 1918 (1919²); – Hermann Petrich, Unser geistl. Volkslied, 1924², 128 ff.; – Wilhelm Nelle, Schlüssel z. ev. Gesangbuch f. Rheinland u. Westfalen, 1924³, 352 ff.; – Otto Michaelis, Liederschlüssel. Hdb. z. Gesangbuch, 1928, 275; – Otto Ursprung, Die kath. Kirchenmusik, 1931, 260; – Otto Erich Deutsch, F. G.s Stille Nacht, Wien 1937; – Bruno Friton, Stille Nacht, hl. Nacht. Zur Gesch. eines kleinen Liedes, 1948²; – Luis Grundner, Stille Nacht, hl. Nacht. Gesch. unseres Weihnachtsliedes, Salzburg 1950²; – J. Gassner, F. X. G.s Autographen v. »Stille Nacht, hl. Nacht«, Salzburg 1958, erw. Oberndorf a. d. Salzach 1968; – J. Mühlmann, F. X. G., Salzburg 1966; – Alois Schmaus u. Lenz Kriss-Rettenbeck, Stille Nacht, hl. Nacht. u. Ausbreitung eines Liedes, Innsbruck 1967; – A. Leeb, Bibliogr. des Weihnachtsliedes »Stille Nacht, hl. Nacht«, in: Oberöstr. Heimatbll. 23, 1969; – Maria Sonnewend, Aus der Fam.gesch. des »Stille Nacht, hl. Nacht«-Komponisten, in: Unsere Heimat. Mbl. des Ver. f. Landeskunde v. Niederöstr. u. Wien 43, Wien 1972, 230 f.; – MGG V, 978 f.; – Riemann I, 687; ErgBd. I, 460; – Kosch, KD 1165; – Kosch, LL I, 754; – ADB 50, 555; – NDB VII, 180.

GRÜBER, Heinrich, Propst, * 24. 6. 1891 in Stolberg (Rheinland), † 29. 11. 1975 in Berlin (West). – G. wurde 1920 Pfarrer in Dortmund, 1925 Leiter der Düsseltaler Anstalten und 1926 Erziehungsdirektor des Waldhofes in Templin. Seit 1934 wirkte er als Pfarrer in Berlin-Kaulsdorf. 1937 wurde G. Gründer

und Leiter der Evangelischen Hilfsstelle für nichtarische Christen. Das von der Bekennenden Kirche als Hilfsstelle für Christen jüdischer Abstammung geschaffene »Büro Pfarrer Grüber« in Berlin mit Nebenstellen an verschiedenen Orten leistete im Rahmen des Möglichen hervorragende Arbeit in Beratung und Betreuung aller Art, auch in Auswanderungshilfe. 1940 bis 1943 war G. im Konzentrationslager Sachsenhausen und Dachau. 1945 wurde er in Berlin Propst und nebenamtlicher Pfarrer der niederländischen Gemeinde. 1949–59 war G. Bevollmächtigter des Rats der Evangelischen Kirche in Deutschland bei der Regierung der Deutschen Demokratischen Republik.

Werke: Dona nobis pacem. Ges. Predigten u. Aufss. aus 20 J. Zus.gest. u. bearb. v. Günter Wirth u. Gottfried Kretzschmar, 1956; Leben in Spannungen. Auch in Kraft der Christen, 1958; Leben an der Todeslinie. Dachauer Predigten, 1965; Erinnerungen aus sieben Jahrzehnten, 1968.

Lit.: Das aufgebrochene Tor. H. G.: Sylvesterpredigt 1942, in: Zeugnis u. Zeichen. Reden, Briefe, Dokumente. Hrsg. v. Friedrich Wilhelm Kantzenbach, 1964, 217 ff.; – Ruth Wendland, H. G. Christl. Verantwortung in dämon. Zeit, in: ÖP II, 208 ff.

GRUEBER, Johann, Jesuit, Missionar, Forschungsreisender, * 28. 10. 1623 in Linz/Donau, † 30. 9. 1680 in Sárospatak (Ungarn). – G. besuchte das Jesuitengymnasium in Linz und trat 1641 in Wien in den Jesuitenorden ein. Er studierte in Wien und Leoben, 1644–47 in Graz Philosophie und dann noch Mathematik und lehrte als Gymnasialprofessor in Graz, Ödenburg und Leoben. 1651–55 widmete sich G. in Graz dem Studium der Theologie und empfing 1655 die Priesterweihe. 1656 erteilte ihm der Ordensgeneral den Auftrag, mit P. Bernhard Diestel einen Landweg nach China zu erforschen. Beide Patres segelten durch das östliche Mittelmeer, landeten in Smyrna und erreichten Ende 1656 Isfahan. Sie konnten aber wegen drohender Kriegsgefahr ihre Reise quer durch Asien nicht fortsetzen, sondern zogen nach Indien, segelten dann weiter nach Macao und gelangten schließlich nach Peking, wo sie in das kaiserliche astronomische Amt berufen wurden und sich eifrig zur Rückreise auf dem Landweg nach Europa vorbereiteten. Diestel starb 1660 in Tsinanfu. Zu G.s Begleiter wurde der belgische Jesuit Albert d'Orville bestimmt. Beide brachen am 13. 4. 1661 auf, durchzogen zunächst China in westlicher Richtung, durchquerten das tibetanische Hochland und betraten am 8. 10. 1661 als erste Europäer die Stadt Lhasa. Mitten im Winter überschritten sie den Himalaja, durchzogen Nepal und Indien und kamen Ende März 1662 im Jesuitenkolleg zu Agra an. Wenige Tage später starb hier d'Orville, an dessen Stelle P. Heinrich Roth von der Agra-Mission trat. Am 4. 9. 1662 brachen G. und Roth von Agra auf, durchquerten Indien, Persien, Kleinasien und erreichten Rom am 20. 2. 1664. G. erkrankte 1665 in Skutari schwer und wurde nach seiner Genesung für die ungarische Mission bestimmt.

Lit.: R. Tronnier, Die Durchquerung Tibets seitens der Jesuiten J. G. u. Albert de Dorville im J. 1661, in: Zschr. der Ges. f. Erdkunde zu Berlin 39, 1904, 328 ff.; – C. Wessels, Early Jesuit Travellers in Central Asia 1603–1721, Den Haag 1924, 164 ff.; – Ders., New Documents relating to the journey of Fr. J. G., in: AHSI 9, 1940, 281 ff.; – Bruno Zimmel, J. G. in Lhasa. Ein Österreicher als erster Europäer in der Stadt der Dalai-Lama, Wien 1953; – Ders.: in: Östr. Naturforscher, Ärzte u. Techniker, 1957, 11 ff.; – Ders., J. G.s letzte Missionsreise, in: Oberöstr. Heimatbll. 11, 1957, 161 ff.; – Ders., J. G. in China, in: Biblos. Östr. Zschr. f. Buch- u. Bibl.wesen, Dokumentation u.

Bibliogr. 13, Wien 1964, 161 ff.; – BiblMiss V, 813 f. 994; – Koch, JL 741; – Kosch, KD 1172 f.; – NDB VII, 183 f.; – LThK IV, 1246.

GRUEHN, Friedrich Albert, baltischer Märtyrer, * 22. 4. 1859 in Kandau (Kurland), † 11. 5. 1906 bei Erwahlen (Kurland). – G. wurde 1884 Pastor in Ballgaln bei Kandau. 1890 übernahm er die 10 000 Seelen zählende und sich auf viele Quadratmeilen erstreckende Gemeinde Erwahlen im Norden Kurlands mit den Filialkirchen in Saßmacken und Rohjen. Auf rastlosen Fahrten durch das Land suchte G. vor allem das Familienleben seiner Gemeindeglieder zu vertiefen und das Schulwesen zu heben. Er sorgte für die Armen und schuf in Saßmacken ein modern eingerichtetes Krankenhaus für Aussätzige. G. blieb bei seiner Gemeinde, obwohl ihn das Revolutionskomitee 1905 durch einen Brief vor die Wahl stellte, »entweder zu weichen oder sein Bleiben mit dem sicheren Tod zu bezahlen«. Er wurde auf der Fahrt nach Rohjen zur Konfirmation in einem dichten Wald, 6 km vom Pfarrhaus entfernt, überfallen und erschossen. – Als das Konsistorium seinen Pastoren freistellte, ihr Amt zeitweilig aufzugeben, äußerte G.: »Ich werde das Amt, wohin mich Gott gestellt hat, nicht verlassen. Ich kann mir keinen schöneren Tod wünschen als in der Ausübung meiner Amtspflichten.« – Als G. beerdigt wurde, kniete ein altes lettisches Mütterchen an seinem Sarg nieder und sprach laut: »Du, lieber Pastor, bitte Gott, er möge gnädig die große Sünde verzeihen, die die lettischen Leute an dir verübt; sie haben uns Arme vaterlos gemacht.«

Lit.: Oskar Schabert, Balt. Märtyrerbuch, 1926, 59 ff.

GRÜNBECK, Esther, geborene Magdalena Augusta Naverowsky, Liederdichterin der Brüdergemeine, * 21. 10. 1717 in Gotha, † 13. 10. 1796 in Zeist (Holland). – M. A. Naverowsky stammt aus einer polnisch-jüdischen, später zum Christentum übergetretenen Familie. Sie verheiratete sich 1734 mit dem Maler und Bildhauer Grünbeck in Gotha und trat mit ihm 1738 in die Brüdergemeine über. Esther G. verlor 1742 ihren Gatten, worauf sie Arbeiterin im Witwenchor wurde. Sie verheiratete sich 1746 zum zweitenmal mit David Kirchhof, einem getauften Juden, mit dem sie einige Jahre unter den Juden in Preußen und Polen missionierte. Sie wurde 1786, wiederum Witwe geworden, Vorsteherin des Witwenchors in Zeist. – Ihre Lieder stammen meist aus den ersten Jahren nach ihrem Eintritt in die Brüdergemeine, 1739–46. Bekannt sind: »Gnade ist ein schönes Wort« und »Dem blutgen Lamme, das sich für meine Not . . .« Genannt seien ferner: »Herr, auf den so viele Juden hoffen, da ihr Wünschen doch längst eingetroffen . . .« und »Friedenskönig, weil's dein Wille, daß dein Volk hier grünen soll, o so gib uns deine Fülle, mach uns alle Geistes voll.«

Lit.: Koch V, 348.

GRÜNDLER, Johann Ernst, Missionar, * 7. 4. 1677 als Sohn des Ratskämmerers in Weißensee (Thüringen), † 19. 3. 1720 in der dänischen Kolonie Trankebar an der Ostküste Südindiens. – G. besuchte die Lateinschule seiner Vaterstadt und das Gymnasium in Quedlinburg und Weißenfels. Er studierte in Leipzig und Wittenberg Theologie und setzte 1701 seine Studien in Halle fort unter August Hermann Francke (s. d.), der ihn zum Informator an seinem Pädagogium ernannte. Die ersten ausführlichen Missionsberichte des Bartholomäus Ziegenbalg (s. d.) aus Trankebar weckten in ihm die freudige Bereitschaft zum Missionsberuf. Francke empfahl ihn 1708 dem König Friedrich IV. von Dänemark zum Missionsdienst in Trankebar. G. wurde noch in demselben Jahr in Kopenhagen geprüft und ordiniert und von der Dänisch-Halleschen Mission als Mitarbeiter Ziegenbalgs nach Trankebar ausgesandt. 1714 übernahm er die Leitung der dortigen Missionsstation, als Ziegenbalg nach Europa reiste. Nach dessen Rückkehr 1716 arbeiteten beide vereint weiter. Als Ziegenbalg 1719 starb, führte G. das Missionswerk in Trankebar weiter im Sinn seines heimgegangenen Freundes. G.s Nachfolger wurde Benjamin Schultze (s. d.).

Lit.: Johannes Ferdinand Fenger, Gesch. der Trankebarschen Mission nach den Qu. bearb. Aus dem Dän. übers. v. E. Francke, Grimma 1845; – Reinhold Vormbaum, Bartholomäus Ziegenbalg u. J. E. G., 1850 (1859²); – Wilhelm Germann, Bartholomäus Ziegenbalg u. Heinrich Plütschau, 2 Bde., 1868; – Gustav Leopold Plitt – Hardeland, Gesch. der luth. Mission I, 1894, 72 ff.; – Arno Lehmann, Es begann in Tranquebar. Die Gesch. der ersten ev. Kirche in Indien, 1956²; – Ders., Hallesche Mediziner u. Medizin am Anfang der dt.-ind. Beziehungen, in: WZ Halle, Math.-Naturwiss. R. 5, 1955, 117 ff.; – ADB 49, 595 f.; – NDB VII, 189 f.

GRÜNEISEN, Karl, Theologe, * 17. 1. 1802 in Stuttgart als Sohn eines Oberregierungsrats, † daselbst 28. 2. 1878. – G. besuchte in Stuttgart das »Gymnasium illustre« und bezog 1819 die Universität Tübingen. 1824 trat er eine Studienreise an, die ihn über Frankfurt, Hannover und die Hansestädte nach Berlin führte, wo Friedrich Schleiermachers (s. d.) Theologie auf sein ganzes Denken bestimmenden Einfluß gewann. Daran schloß sich eine Kunstreise nach Italien. In Florenz erreichte ihn 1825 die Berufung des Königs Wilhelm I. (1816–64) nach Stuttgart zum Hofkaplan und Feldprediger. G. wurde 1835 Hofprediger, Oberkonsistorialrat und Feldpropst. 1845 Prälat und 1846 Oberhofprediger. König Karl, der ihm von Anfang an nicht gewogen war, versetzte ihn 1868 in den Ruhestand. – Als Prediger wurde G. besonders von den Gebildeten sehr geschätzt. Er war eins der einflußreichsten Mitglieder der Kommission für das Gesangbuch von 1842 und 1843 Vorsitzender der Choralbuchkommission. Seine Bemühungen um liturgische Bereicherung des Gottesdienstes blieben vorläufig erfolglos; erst 1866 wurde eine kleine Altarliturgie in der Hofkirche eingeführt. G. war ferner bemüht um den synodalen Ausbau der Kirchenverfassung, erreichte aber nur, daß 1851 die Pfarrgemeinderäte, 1854 die Diözesansynoden und 1867 die Landessynoden eingeführt wurden. Der Schwerpunkt seines literarischen Wirkens lag auf dem Gebiet der christlichen Kunst. Er gründete 1847 mit Immanuel Faißt den »Verein für klassische Kirchenmusik« und leitete ihn 13 Jahre. Von 1857 bis zu seinem Tod war G. Vorsitzender des »Vereins für christliche Kunst in der evangelischen Kirche Württembergs«. 1858 begründete er das »Christliche Kunstblatt für Kirche, Schule und Haus« und redigierte es mit dem Kunstgeschichtler Karl Schnaase (s. d.) und dem Maler Julius Schnorr von Carolsfeld (s. d.), später mit Karl Gottfried Pfannschmidt (s. d.). G. ist auch bekannt als Vorkämpfer einer Annäherung der einzelnen deutschen Landeskirchen. Er war 1846 Abgeordneter zur ersten deutschen evangelischen Kirchenkonferenz in Berlin, die ihn zum Vizepräsidenten wählte. Daraus ging 1852 die »Eisenacher Kirchenkonferenz« hervor, deren Präses G. 1852 bis 1868 war.

Werke: Lieder, 1823; Predigten f. Gebildete in der Gemeinde, 1835; Abh. über Johann Valentin Andreaes »Christenburg« (brachte ihm die theol. Doktorwürde v. Leipzig ein), in: ZHTh 1836; Nikolaus Manuel, Leben u. Werke eines Malers u. Dichters, Kriegers, Staatsmanns u. Reformators im 16. Jh., 1837; De protestantismo artibus haud infesto, 1839; Über Gesangbuchsreform, 1839; Die ev. Gottesdienstordnung in der oberdt. Landen, 1839; Abriß einer Gesch. der rel. Gemeinschaften in Württ., 1841; Predigten (1 Jg.), 1842; Christl. Hausbuch in Gebeten u. Liedern, 1846 (1887⁷); Christl. Reden, 5 Smlg.en, 1856–63.

Lit.: Meßner, in: Neue ev. Kirchenztg. 1878, 183 ff.; – Christoph Ernst Luthardt, in: AELKZ 1878, 233 ff.; – W. Lübke, in: Kunstchron. 1878, 386 ff.; – H. Merz, in: Christl. Kunstbl. 1878, 65 ff.; – Calwer württ. KG, 1893, 599 ff.; – ADB X, 36 f.; – Kosch, LL I, 756 f.; – RE VII, 203 ff.

GRÜNER, Wilhelm, baltischer Märtyrer, * 1. 9. 1891 als Pfarrerssohn in Apricken bei Hasenpoth (Kurland), † 7./8. 2. 1919 in Ronneburg (Livland). – Weil sein Bruder in Riga und sein Vater in dem benachbarten Neuermühlen Pastor waren, wollte G. nach beendetem Studium 1914 zunächst in Riga die Arbeit der Inneren Mission kennenlernen, um in der unruhigen Kriegszeit in der Nähe seiner Angehörigen zu sein, zumal man die Eroberung Rigas durch die Deutschen in Kürze erwartete. Er übernahm trotzdem im Herbst 1916 die Adjunktur in Groß-Roop (Livland) und folgte 1918 dem Ruf nach Ronneburg, wo ihm nur ein halbes Jahr gesegneten Wirkens im eigenen Pfarramt beschieden war. G. wurde am 12. 1. 1919 verhaftet: er hatte von der Kanzel die Mütter ermahnt, ihre Kinder in Gottesfurcht und in der Lehre des Wortes Gottes zu erziehen, weil in den Schulen der Religionsunterricht verboten worden war. Als man ihn mit fünf Leidensgefährten in der Nacht vom 7. zum 8. 2. 1919 zur Hinrichtungsstätte führte, stimmte er unterwegs das Lied an: »Jesus, meine Zuversicht und mein Heil, ist im Leben.« Er wurde im Schloßgarten beim Singen der Strophe »Wenn ich einmal soll scheiden, so scheide nicht von mir« von den Kugeln der Henker durchbohrt. – G. schrieb am 12. 12. 1918 an seine Eltern: »Ich bin froh, daß ich Euch in größerer Sicherheit weiß; wir sind preisgegeben allen zügellosen Elementen. Ich rechne damit, daß ich diese Zeit nicht überstehen werde. Ich bleibe jedenfalls bei meiner Gemeinde bis zum letzten Augenblick; sie sollen es wissen, ihr Pastor verläßt sie nicht in Gefahr; und ich bin ganz bereit, wenn Gott mich abrufen sollte, mit Freuden zu ihm zu gehen.«

Lit.: Oskar Schabert, Balt. Märtyrerbuch, 1926, 113 ff.

GRÜNEWALD, Matthias (eigentlich: Mathis oder Matthäus Gothart mit dem Beinamen Nithart oder Neithart?), Maler und Baumeister, * wahrscheinlich um 1480 in Würzburg, † Ende August 1528 in Halle (Saale). – Auf Grund neuerer Forschungen muß die Behauptung, G. habe in Seligenstadt gelebt und gearbeitet, fallengelassen werden. Er hat sich meist in Mainz aufgehalten. Als Maler des Mainzer Hofes ist G. vielleicht schon seit 1508, seit 1511 sicher nachweisbar, erst unter Erzbischof Ulrich von Gemmingen und seit 1516 unter Erzbischof Albrecht von Branden-

burg (s. d.). 1510 wird er als Baumeister des Schlosses Aschaffenburg genannt. Da er vom Bauernkrieg und der Reformation nicht unberührt geblieben war, verlor G. 1526 sein Hofamt. Er zog nach Frankfurt am Main, verließ aber im Sommer 1527 die Stadt und begab sich nach Halle, wo er mit wasserbautechnischen Aufgaben beschäftigt war. – G. ist der bedeutendste deutsche Maler neben Albrecht Dürer (s. d.), einer der größten Koloristen der deutschen Kunst. Sein Meisterwerk und eine der größten Schöpfungen der abendländischen Malerei überhaupt sind die Gemälde des Hochaltars der Antoniterkirche in Isenheim bei Colmar (Oberelsaß).

Werke: Isenheimer Altar, um 1513–15 (Colmar, Musée d'Unterlinden); Altar aus Tauberbischofsheim: Kreuztragung u. Kreuzigung, um 1525 (Karlsruhe, Kunsthalle); Beweinung Christi, um 1524–25 (Aschaffenburg, Stiftskirche); Verspottung Christi, 1503 (München, Alte Pinakothek); Die hll. Erasmus u. Mauritius aus der Stiftskirche in Halle, 1521–23 (ebd.); Lindenhardter Altar: Christus als Schmerzensmann, 14 Nothelfer, 1503 (Kirche Lindenhardt bei Bayreuth); Kreuzigung Christi, um 1505 (Basel, Kunstmus.); Altar der Maria-Schnee-Kapelle in Aschaffenburg, rechter Seitenflügel: Das Schneewunder, 1517–19 (Freiburg, Augustinermus.); Mittelbild: Maria mit dem Kind, um 1518 (Stuppach bei Mergentheim, Pfarrkirche); Kleine Kreuzigung Christi, um 1519–20 (?) (Washington, National Gallery of Art); Standflügel des v. dem Frankfurter Ratsherrn Jakob Heller f. die Predigerkirche gestifteten Altars: die hll. Laurentius u. Cyriakus, um 1510–12 (Frankfurt, Städelsches Kunstinstitut) u. die hll. Elisabeth und Lucia, um 1510–12 (Donaueschingen, Fürstlich Fürstenbergische Gem.galerie).

Lit.: Franz Bock, Die Werke des M. G. (Hab.-Schr., Marburg), 1904; – Heinrich Alfred Schmid, Gem. u. Zeichnungen v. M. G., I (Taf.), 1908; II (Text), 1911; – Max J. Friedländer, G.s Isenheimer Altar, 1908; – Ders., Die Zeichnungen des M. G., 1927; – Paul Schubring, Isenheimer Altar, 1911; – Mela Escherich, G.-Bibliogr., 1914; – Hans Heinz Josten, G., 1913 (1921²); – Wilhelm Hausenstein, Der Isenheimer Altar, 1919; – Oskar Hagen, M. G., 1919 (1934³); – Ders., G.s Isenheimer Altar, 1919; – Wilhelm Niemeyer, Der Maler des Isenheimer Altars. Gem. u. Zeichnungen des Meisters, 1921 (1922²); – Wilhelm Rolfs, Die G.-Legende. Krit. Btrr. z. G.-Forsch., 1923; – Fritz Götz u. Wilhelm Pinder, Der Isenheimer Altar, 1923; – R. Weser, Zur Ikonogr. des Isenheimer Altars, in: Arch. f. christl. Kunst des Rottenburger Diözesanverbandes, 1926; – Karl Sitzmann, Die Lindenhardter Taf.bilder, 1926; – Ders., Unbekannte Altarwerke v. Dürer u. G. in Nördlingen u. Wimpfen, 1933; – Margarete Hausenberg, M. G. im Wandel der dt. Kunstanschauung (Diss. Greifswald), Leipzig 1927; – Heinrich Feuerstein, G. G., 1930; – Hans Heinrich Naumann, Das G.-Problem u. das neuentdeckte Selbstbildnis des 20j. Mathis Nithart aus dem J. 1475, 1930; – Paul Hindemith, Oper u. Symphonie »Mathis der Maler«, 1934/ 1935; – Fritz Knapp, G., 1935 (1937³); – Arthur Burkhard, M. G., personality and accomplishment, Cambridge (Massachusetts) 1936; – Wilhelm Fraenger, M. G. in seinen Werken. Physiognom. Vers., 1936; – Ders. u. Christian Zervos, Der Isenheimer Altar, Basel 1937 (1938²); – Adelbert Alexander Zinn, Meister Mathis gen. G. Ein Leben unter Gott, 1937 (1940: 19.–23. Tsd.); Walter Karl Zülch, Der hist. G. Mathis Gothardt-Neithardt, 1938 (1949²); – Ders., G. Mathis Neithart gen. Gothart, 1953 (1954²); – Martin Hürlimann u. Werner Richard Deusch, Das Werk des Meisters Mathis Gothardt Neithardt, 1939; – Albrecht Gubalke, Nacht voller Pracht. M. G.s Isenheimer Altar der Christenheit erkl., 1940; – Leo Weismantel, Mathis-Nithart-Roman, 1943 (1950²); – Guido Schönberger, The drawings of Mathis Gothardt-Nithardt called G., New York 1948 (1952²); – Jakob Eschweiler, Der Isenheimer Altar. Mit 19 farb. u. 43 einf. Bildern, 1948 (1958²); – Arpad Weixlgärtner, Dürer u. G. Ein Vers., die beiden Künstler zus. – in ihren Besonderheiten, ihrem Gegenspiel, ihrer Zeitgebundenheit – zu verstehen, Göteborg 1949; – Ders., G. Vorw. v. Erwin Panofsky. Bibliogr. Anh. v. Otto Kurz. 114 Bilder, davon 6 farb., 1962; – G. Meyer-Erlach, Die Familie des M. G.: Gothart oder Neithart, in: Mainfränk. Jb. f. Gesch. u. Kunst 3, 1951, 298 ff.; – Walter Nigg, G., in: Ders., Maler des Ewigen. Meditationen über die Kunst, Zürich 1951, 29–99; – Chr. Altgraf Salm, G.s Flügel z. Heller-Altar, in: Münchner Jb. der Bildenden Kunst 3. F. II, 1951, 118 ff.; – Kurt Bauch, Der Isenheimer Altar (26 farb. u. 4 einf. Bilder), 1951; – Ders., Aus G.s Frühzeit, in: Pantheon. Internat. Zschr. f. Kunst 27, 1969, 83 ff.; – P. Frauendorfer, Altes u. Neues z. G.forsch., in: Herbipolis Jubilans. Festschr., 1952, 373 ff.; u. in: Würzburger Diözesangesch.bll. 14–15, 1952–53, 373 ff.; 20, 1958, 178 ff.; – Nikolaus Schwarzkopf, Mathis der Maler. Roman, 1953; – Hans Werner Hegemann, M. G.s Isenheimer Altar in 47 Bildern, 1954 (29.–38. Tsd.); – Lorenz Dittmann, Die Farbe bei G. (Diss. München), 1955; – Georg Scheja, Der Isenheimer Altar, 1955; – Ders., Der Isenheimer Altar des M. G., 1969

(Rez. v. Rainer Volk, in: Kunst u. Kirche 32, 1969, 190 f.; v. Ewald M. Vetter, in: Kunstchron. 23, 1970, 119 ff. 129 f.); – Lottlisa Behling, Die Handzeichnungen des Mathis Gothart Nithart gen. G., 1955; – Dies., M. G. 88 Abb., davon 32 farb., 1969 (Rez. v. Peter Strieder, in: Pantheon 29, 1971, 168 f.; v. Friedbert Ficker, in: Kunstchron. 24, 1971, 65 ff.); – Wolfgang Medding, Der junge G., in: Das Münster 9, 1956, 210 ff.; – Robert Thomas Stoll, M. G., in: Die Großen Deutschen, hrsg. v. Hermann Heimpel, Theodor Heuss u. Benno Reifenberg, I, 1956, 343 ff.; – Friedrich Hauß, Väter der Christenheit I, 1956, 241 ff.; – Friedrich Husemann, Der Isenheimer Altar. Ein Vers., seinen geist. Gehalt zu ergründen, 1957³; – Michael Meier, G. Das Werk des Mathis Gothardt Nithardt, Zürich 1957³; – Herbert v. Einem, Die »Menschwerdung Christi« des Isenheimer Altars, 1957; – Adolf Max Vogt, G., Mathis Gothart Nithart. Meister gegenklass. Malerei, 1957; – Der Isenheimer Altar. Einf. v. dems. (RUB 9112), 1966; – Günther Jacobi, Krit. Stud. zu den Handzeichnungen v. M. G. Vers. einer Chronologie (Diss. Köln), 1958; – Nikolaus Pevsner and Michael Meier, G., New York 1958; – Pierre Schmitt, Der Isenheimer Altar. Aus dem Frz. übertr. v. Hans Rieben, Bern 1959; – Ders. u. Émile Ohresser, Ewige Schönheit alter Meister. G. u. Schongauer in Colmar, 1961; – Eberhard Ruhmer, M. G. Die Gem. Vollst. Ausg. Weiß Wiedergaben in schwarz-weiß u. 16 Farbtaf., 1959; – Ders., G. Zeichnungen. GA, 1970 (Rez. v. Friedbert Ficker, in: Kunstchron. 24, 1971, 65 ff.); – Herbert Vossberg, M. G. Mathis Gothart, des Stammes Neithart. Ein Meister der Christusdarst., Berlin 1960; – Ders., G. u. die Wittenberger Ref., in: Herbergen der Christenheit. Jb. f. dt. KG 4, 1965, 9 ff.; – Walter Hotz, Meister Mathis, G. Die Plastik G.s u. seines Kreises, 1961; – Hans Hoffmann, Das Bekenntnis des Meisters Mathis. Eine Deutung der Erasmus-Mauritius-Taf. des M. G., 1961; – August Feigel, Stud. z. Isenheimer Altar u. seiner Symbolik, in: AMrhKG 14, 1962, 81 ff.; – Maria Gfn. Lanckorońska, Matthäus Gotthart Neithart. Sinngehalt u. hist. Untergrund der Gem., 1963; – Dies., Matthäus Neithart Sculptor. Der Meister des Blaubeurer Altars u. seine Werke, 1965; – Dies., Neithart in It. Ein Vers., 1967; – Dies., Das Buch u. seine Bedeutung im Werk des Bildhauer-Bildschnitzers u. Malers Matthäus Gotthart Neithart, in: Gutenberg-Jb. 42, 1967, 286 ff.; – Ingeborg Krummer-Schroth, Zu G.s Aschaffenburger Maria-Schnee-Altar, in: Anz. des German. National-Mus., 1964, 32 ff.; – Gottfried Richter, Der Isenheimer Altar, in: Die Christengemeinschaft. Mschr. z. rel. Erneuerung 36, 1964, 69 ff. 103 ff.; – Anton Kehl, G.-Forsch. (Diss. Erlangen), Neustadt a. d. Aisch 1964; – P. Dehnert, Der Meister des Isenheimer Altars, in: GuG 11, 1965, 72 f.; – Horst Ziermann, Der Meister des Oberissigheimer Altars, in: Zschr. f. Kunstgesch. 29, 1966, 162 ff.; – Joris-Karl Huysmans, G.s Kreuzigungsbilder (Là-bas, Tl.-ausg., frz. u. dt.). Hans Rieben, 1966; – H. Lüdecke, Verwurzelt in seiner revolutionären Zeit. Anm. z. Isenheimer Altar, in: Bildende Kunst, Dresden 1967, 81 ff.; – Stephan Lackner, M. G. Basteigalerie der großen Maler, Nr. 32, 1967; – Adolf Rettelbach, Spätwerke des Meisters M. G. N. in Würzburg, in: Frankenland NF 19, 1967, 293 f.; 20, 1968, 3 ff.; – Wolfgang Hütt, Mathis Gothardt, gen. G. Leben u. Werk im Spiegel der Forsch., 1968 (Rez. v. Friedbert Ficker, in: Kunstchron. 24, 1971, 65 ff.); – Ewald Maria Vetter, Die Kreuzigungstaf. des Isenheimer Altars, in: SAH 1968, 2. Abh., 7–66; – Ders., Der Isenheimer Altar des M. G., in: Jb. der Staatl. Kunstsmlg.en in Baden-Württemberg 8, 1971, 35 ff.; – Natalie Beer, Mathis der Maler. Ein M.-G.-Roman, 1970; – Hans Jürgen Rieckenberg, Zum Namen u. z. Biogr. des Malers M. G., in: Festschr. f. Hermann Heimpel z. 70. Geb. I, 1971, 729 ff.; – Ders., M. G. – Name u. Leben neu betrachtet, in: Jb. der Staatl. Kunstsmlg.en in Baden-Württemberg II, 1974, 47–120; – Bernhard Saran, M. G. Mensch u. Weltbild, 1972 (Rez. v. Peter Strieder, in: Pantheon 30, 1972, 520 f.); – Georg Eckert, Der Isenheimer Altar: seine geist. Wurzeln u. sein spirituellkünstler. Gehalt, 1973; – Joseph Bernhart, Die Symbolik im Menschwerdungsbild des Isenheimer Altars (Vortr. geh. 1920 in der Kunstwiss. Ges. in München, 1921), 1975; – Schottenloher I, Nr. 7408–7618; V, Nr. 46568–46617; VII, Nr. 54850–54918; – Thieme-Becker XV, 134 ff.; – Bénézit IV, 461 f.; – KML II, 785 ff.; – ADB X, 52 f.; – NDB VII, 191 ff.; – EKL I, 1731; – RGG II, 1887 ff.; – LThK IV, 1253; – NCE VI, 818 ff.; – ODCC² 605 f.

GRÜNWALD, Martin, Erbauungsschriftsteller und Kirchenliederdichter, * 26. 4. 1664 in Zittau (Oberlausitz) als Sohn eines Leinewebers, † daselbst 2. 4. 1716. – G. besuchte das Gymnasium seiner Vaterstadt und war dann noch zwei Jahre Gehilfe des Rektors Christian Weise (s. d.). Er bezog 1687 die Universität Leipzig und wurde durch August Hermann Franckes (s. d.) Vorlesungen dazu angeregt, mit einigen Freunden ein biblisches Buch nach dem andern durchzuarbeiten. G. erwarb 1689 die Magisterwürde und kam Ende 1690 als Konrektor nach Bautzen. Franckes Wir-

ken in Halle weckte in ihm den Gedanken, ein Waisenhaus zu gründen. Im Vertrauen auf Gott bat er am 2. 5. 1698 um Beiträge zur Verwirklichung seines Plans, der auch bei Henriette Katharina von Gersdorf (s. d.) und ihrem Gemahl, dem Landvogt der Oberlausitz, wohlwollende Zustimmung fand. Da reichlich Geld einkam, eröffnete G. am 26. 5. in einer Privatwohnung mit 6 Kindern die Anstalt, in die bald 9 aufgenommen werden konnten, so daß der Magistrat beschloß, auf städtische Kosten ein Waisenhaus zu bauen. 1699 wurde G. in seine Vaterstadt berufen als erster Katechet und auch mit der Verwaltung der neugegründeten Pfarrstelle in dem nahen Lückendorf betraut. 1710 rückte er auf zum Mittagsprediger an St. Peter und Paul und 1715 zum Archidiakonus. – G. verfaßte katechetische und erbauliche Schriften im Geist Christian Scrivers (s. d.) und Heinrich Müllers (s. d.), auch eine Haus- und Schulpostille. Schon als Gymnasiast dichtete er manches geistliche Lied. Auch mehrere Übersetzungen und Verbesserungen älterer Lieder befinden sich unter seinen Dichtungen. Genannt seien sein Bußlied »Großer Gott, hier kommt ein Sünder« und das Sterbelied »O Elend, wer von Adam stammt, muß auch wie Adam sterben.«

Werke: Andächtige Seelenbraut, 1687; – Gläubige, bußfertige u. tröstl. Sabbatgedanken über die Sonn- u. Festtagsevv., Bautzen 1694; Der bußfertige Sünder, Zittau 1702; Dresden u. Leipzig 1704; ebd. 1707; 1712; 1719; 1738; Himml. Kleebl. oder frommer Christen tägl. Hdb., Leipzig 1703; Die andächtige Hausmutter, Görlitz 1703; Ausführl. Beschreibung des Zittauer Waisenhauses, 1710; Standhaftiger Lutheraner, Bautzen 1716; Kurzgefaßte Haus- u. Schulpostille über die Sonn- u. Festtagsevv. u. -episteln, 1716.

Lit.: Johann Nikolaus Lochner, Denkschr. f. M. G., Dresden 1716; – S. Dietmann, Die der Augsburg. Konfession zugetane Priesterschaft im Mgft. Oberlausitz, 1777, 376 ff.; – Heinrich Julius Kämmel, M. G. Ein Btr. z. Gesch. der Päd., 4 GProgr., Zittau 1859 (Sept. u. Okt.), 1861 (Okt. u. Nov.); – Gottlieb Friedrich Otto, Lex. der Oberlausitz. Schr.steller u. Künstler I, Görlitz 1800, 543 ff.; – Koch V, 444 ff.; – Goedeke III, 293; – Kosch, LL I, 758; – ADB X, 59 f.

GRUMBACH, Argula von, eine tapfere Bekennerin aus der Zeit der Reformation, * 1492 auf der Burg Ehrenfels (Oberpfalz) als Tochter des Reichsfreiherrn Bernhardin von Stauff, † 1554 in Zeilitzheim (Unterfranken). – Argula von Stauff kam sehr jung – noch zu Lebzeiten des am 18. 3. 1508 verstorbenen Herzogs Albrecht IV. von Bayern – an den Münchener Hof und wurde Hofdame der Herzogin Kunigunde, Tochter Friedrichs III. und Schwester Maximilians I. 1509 verlor sie Vater und Mutter, die innerhalb weniger Tage von der Pest dahingerafft wurden. 1515 oder 1516 verheiratete sich Argula von Stauff mit Friedrich von Grumbach, der seit 1515 als Pfleger (= Statthalter) von Dietfurt im Dienst der bayrischen Herzöge stand. Auf uns unbekannte Weise wurde A. v. G. schon früh mit der reformatorischen Botschaft vertraut. Als begeisterte Anhängerin Martin Luthers (s. d.) trat sie durch Paul Speratus (s. d.) und Georg Spalatin (s. d.) mit ihm in Verbindung und schrieb 1523, daß sie alles gelesen habe, »was von Doktor Martinus in deutscher Sprache ausgegangen sei, und das sei wahrlich viel«. A. v. G. wurde bekannt durch ihr tapferes Eintreten für Arsacius Seehofer, der als Student in Wittenberg für die evangelische Lehre gewonnen worden war und als Magister in Ingolstadt 1523 in einen Ketzerprozeß verwickelt wurde. Durch Gefängnishaft und schwere Drohungen mürbe gemacht, leistete er am 7. 9. 1523 mit dem Neuen Testament in der Hand vor der gesamten Universität unter Tränen den geforderten Widerruf und wurde zu Klosterhaft in Ettal verurteilt. A. v. G. erfuhr davon. Nach Rücksprache mit Andreas Osiander (s. d.) in Nürnberg war ihr klar, daß sie zu dem ketzerrichterlichen Verfahren der Ingolstädter Universität nicht schweigen dürfe, sondern dagegen schriftlichen Protest einlegen müsse ohne Rücksicht darauf, was für Folgen ihr Vorgehen für ihren Gatten als herzoglichen Beamten haben könnte. Obwohl der Herzog im März 1522 eine scharfe Verordnung erlassen hatte, die allen bayrischen Untertanen streng verbot, Lehren und Schriften Luthers anzunehmen oder darüber zu disputieren, wagte sie es doch, ihren evangelischen Glauben nun öffentlich zu bekennen. Am 20. 9. 1523 schrieb A. v. G. einen geharnischten Sendbrief an den Rektor und die gesamte Universität zu Ingolstadt: »... Ich finde einen Spruch Matthäus am 10., also lautend: ›Wer mich bekennt vor den Menschen, den will ich auch bekennen vor meinem himmlischen Vater.‹ Und Lukas am 9.: ›Wer sich mein schämt und meiner Worte, des werde ich mich auch schämen, wenn ich komme in meiner Herrlichkeit.‹ Solche Worte, von Gott selbst geredet, sind mir allezeit vor meinen Augen; denn es werden weder Frauen noch Männer darin ausgeschlossen. Aus diesem werde ich als ein Christ gedrungen, Euch zu schreiben. Denn Ezechiel 33 heißt es: ›Siehst du sündigen deinen Bruder, so straf ihn, oder ich will sein Blut fordern von deinen Händen.‹ ... Ach Gott, wie werdet Ihr bestehen mit Eurer Hohen Schule, daß Ihr so töricht und gewalttätig handelt wider das Wort Gottes und mit Gewalt zwingt, das heilige Evangelium in der Hand zu halten und dasselbige dazu zu verleugnen, wie Ihr denn mit Arsacius Seehofer getan habt und ihn mit Gefängnis und Drohung des Feuers dazu gezwungen habt, Christum und sein Wort zu verleugnen. Hat Euch das Christus gelehrt oder seine Apostel, Propheten und Evangelisten? Zeigt mir, wo es steht, Ihr hohen Meister, ich finde es an keinem Ort der Bibel, daß Christus noch seine Apostel oder Propheten jemanden eingekerkert, gebrannt noch gemordet haben oder das Land verboten. ... Man weiß wohl, wie weit man der Obrigkeit gehorsam sein soll. Aber über das Wort Gottes haben sie nicht zu gebieten, weder Papst, Kaiser noch Fürsten, wie es Apostelgeschichte 4 und 5 heißt. Ich bekenne aber bei Gott und meiner Seelen Seligkeit, wo ich Luthers und Melanchthons Schriften verleugnete, daß ich Gott und sein Wort verleugnete, davor Gott ewig sei. Amen.« Am gleichen Tag ließ A. v. G. noch ein zweites Schreiben ausgehen, an den ihr vom Münchener Hof wohlbekannten Herzog Wilhelm von Bayern. Ohne ihr Zutun erschienen beide Briefe im Druck unter dem Titel »Ein christenliche Schrift ainer Erbarn frawen vom adel, darin sy alle christenliche stendt und obrigkeiten ermant, bey der warheyt und dem wort Gottes zu bleiben und sollichs aus christlicher pflicht zum ernstlichsten zu handhaben.« Als A. v. G. auf ihre beiden Briefe keine Antwort erhielt, richtete sie am 27. 10. 1523 an den Bürgermeister und die Ratsherren zu Ingolstadt ein Schreiben, um die, »die heimliche Jünger des Herrn sind und vor Furcht wie Nikodemus Christus nicht zu bekennen wagen«, an ihre Pflicht

zu mahnen, Christus vor den Menschen zu bekennen. Im Spätherbst 1523 schrieb A. v. G. auch an Luthers Landesherrn, den Kurfürsten Friedrich den Weisen (s. d.) von Sachsen. In ihrem Schreiben vom 29. 6. 1524 an den Bürgermeister und die Ratsherren der Reichsstadt Regensburg bittet A. v. G.: »Liebe Brüder, seid eingedenk, daß Euch Gott zu Hütern und Aufsehern gesetzt hat, nehmet wahr der Seelen in Eurem Gebiet, nicht mit Gold oder Silber erkauft, sondern mit einem teuren Wert des rosenfarbenen Bluts des Herrn Christus. Es ist Zeit, aufzustehen vom Schlaf; denn unser Heil ist näher, denn da wir gläubig wurden. Laßt uns ritterlich wider die Feinde Gottes kämpfen; er wird sie erschlagen mit dem Hauch seines Mundes. Das Wort Gottes muß unsere Waffe sein – nicht mit Waffen dreinzuschlagen, sondern den Nächsten zu lieben und Frieden untereinander zu haben. Das ist die Ursach, daß ich hab gewagt, Euer Lieben zu schreiben und zu ermahnen. Es ist Zeit, daß die Steine bei uns schreien.« In einem Brief an einen Vetter ihrer Mutter, Adam von Törring, den Statthalter der jungen Pfalzgrafen Ottheinrich und Philipp in Neuburg an der Donau, schrieb A. v. G.: »Man heißt mich lutherisch, ich bin es aber nicht, ich bin im Namen Christi getauft, den bekenn ich und nicht Luther. Aber ich bekenn, daß ihn Martinus auch als ein getreuer Christ bekennt. Gott helf, daß wir solches nimmermehr verleugnen, weder durch Schmach, Schande, Kerker, Peinigung, auch durch den Tod. Das helf und verleihe Gott allen Christen. Amen.« Ihre Sendbriefe und Flugschriften, zu denen der Nürnberger Reichstag von 1524 sie veranlaßte, sind Zeugnisse ihres Bekennermutes und ihrer Bibelkenntnis. Die Folge ihres Bekenntnisses zum evangelischen Glauben vor aller Öffentlichkeit und ihres mutigen Auftretens gegen das ketzerrichterliche Verfahren der Ingolstädter Universität war die Absetzung ihres Gatten, der mit ihr im Glauben nicht eines Sinnes war. A. v. G. war aber dessen gewiß: »Meine vier Kindlein wird Gott wohl versorgen und sie speisen mit den Vögeln in der Luft, auch bekleiden mit den Blümlein des Feldes. Er hat's gesagt, er kann nicht lügen.« Ihr Mann kümmerte sich um nichts, sondern überließ ihr allein die Verwaltung der verschuldeten Güter in Lenting, Burggrumbach und Zeilitzheim. Sie blieb im Briefwechsel mit Spalatin und auch mit Luther. Als Luther 1530 während des Reichstags in Augsburg auf der Veste Coburg weilte, besuchte ihn A. v. G. Noch in demselben Jahr wurde sie Witwe und verheiratete sich 1533 zum zweitenmal mit einem Grafen von Schlick, der aber schon nach 1½ Jahren starb. Nach der durch keinerlei Urkunde bestätigten Überlieferung starb A. v. G. 1554 in Zeilitzheim. Sie ist aber vielleicht identisch mit der alten »Staufferin«, der Frau von Köfering, die 1563 zum zweitenmal in Straubing verhaftet war, weil sie, wie es in der Anklageschrift der herzoglichen Regierung heißt, »die einfältigen und unverständigen Untertanen von Köfering und anderen Orten zum Abfall verursacht und zum Ungehorsam angereizt, unserer alten wahren katholischen Religion widerwärtige und aufrührerische Bücher vorgelesen, sie vom christlichen Gottesdienst abwendig gemacht und zu sich in ihre sektische Winkelschul gezogen habe«.

Lit.: Johann David Schreber, Memoria Argulae Grumbachiae,

Naumburg 1730; – Georg Konrad Rieger, Das Leben Argulae v. G., gebohrner von Stauffen, als einer Jüngerin Jesu, Zeugin der Wahrheit u. Freundin Lutheri, samt eingemengter Nachricht v. Arsacio Seehofer, Stuttgart 1737; – Felix Joseph Lipowsky, A. v. G., gebohrne Freiin v. Stauffen, eine hist. mit Urkk. belegte Abh., 1801; – Frau A. v. G., geborne v. Stauffen, u. ihr Kampf mit der Univ. Ingolstadt, aufs neue bearb. v. Hermann Alexander Pistorius, 1845; – Eduard Engelhardt, A. v. G., die bayer. Tabea, ein Lb. aus der Ref.zeit, 1860; – Sigmund Riezler, Gesch. Bayerns, 1878–1914, IV, 86 ff.; – G. Traub, A. v. G. u. der Seehofersche Prozeß, 1893; – Theodor Kolde, Arsacius Seehofer u. A. v. G., in: BBKG 11, 1905, 49 ff. 97 ff. 149 ff. (vgl. ebd. 28, 1922, 162 ff.); – Karl Schottenloher, Philipp Ulhart, ein Augsburger Winkeldrucker, 1921, 22 f. 93 ff.; – K.-A. Deubner, Das Leben der A. v. G., zus.gest. nach ihren Briefen u. Schrr., in: Die Wartburg 29, 1930, 73 ff.; – Maria Heinsius, Das Bekenntnis der Frau A. v. G., 1935 (1939²); – Dies., Das unüberwindl. Wort. Frauen der Ref.zeit, 1951, 134 ff.; – Leonhard Theobald, Das Sendschreiben der Stauferin A. v. G. an Kammer u. Rat. Regensburg, in: ZBKG 11, 1936, 50 ff.; – Jörg Erb, Die Wolke der Zeugen II, 1954, 276 ff.; – Robert Stupperich, Die Frau in der Publizistik der Ref., in AKultG 37, 1955, 219 ff.; – Ders., Eine Frau kämpft f. die Ref. Das Leben v. A. v. G., in: Zeitwende 27, 1956, 676 ff.; – H. Saalfeld, A. v. G., die Schloßherrin v. Lenting, in: Sammelbll. des Hist. Ver. Ingolstadt 69, 1960, 42 ff.; – Schottenloher I, Nr. 7636–7646a; V, Nr. 46620 f.; VII, Nr. 54921–54924; – ADB X, 7 f.; – NDB VII, 212; – Kosch, LL I, 728; – RE XVIII, 779 ff.; – RGG II, 1889.

GRUNDEMANN, Reinhold, Pfarrer, * 9. 1. 1836 in Bärwalde (Neumark), † 3. 5. 1924 in Belzig. – G. wurde 1861 Pfarrer in Bitterfeld und 1863 in Frankfurt/Oder, 1865 Kartograph bei Justus Perthes in Gotha und 1869 Pfarrer in Mörz bei Belzig. Seit 1912 lebte er in Belzig im Ruhestand. – G. ist bekannt als der erste deutsche Missionskartograph und Mitbegründer der Missionswissenschaft. Er gründete 1879 die Brandenburgische Missionskonferenz und leitete sie 25 Jahre. Durch volkstümliche und wissenschaftliche Schriften regte G. weithin das Missionsinteresse an.

Werke: Missionsweltkarte, 1863; Allg. Missionsatlas, 1866–71; Neuer Missionsatlas, 1896 (1903²); Kleiner Missionsatlas, 1883 (1905³); Kleine Missionsgeogr. u. Statistik, 1901. – Johann Friedrich Riedel, 1873; Die Entwicklung der ev. Mission 1878–88, 1890; Missionsstud. u. -kritiken, 2 Bde. u. 1894 u. 1898; Unser heimatl. Missionswesen, 1916. – Gab seit 1874 als Gustav Warnecks Mitarbeiter die AMZ heraus. – Bearbeitete neu die »Kleine Missionsbibl.« v. Gustav Emil Burkhardt, 4 Bde., 1876–81.

Lit.: Julius Richter, In piam memoriam R. G., in: AMZ 51, 1924, 210 ff.; – R. G., in: EMM NF 68, 1924, 220; – Die ev. Missionen 30, 1924, 86 ff.; – Ev. Pfr.buch f. die Mark Brandenburg, 1941, 274; – Olav Guttorm Myklebust, The Study of Missions in Theological Education I, Oslo 1955, 297 ff. u. ö.; – NDB VII, 221 f.; – RGG II, 1889 f.

GRUNDTVIG, Nikolai Frederik Severin, Begründer der unter dem Namen »Grundtvigianismus« bekannten kirchlichen Reformbewegung in Dänemark, * 8. 9. 1783 als Pfarrerssohn in Udby bei Vordingborg auf Seeland, † 2. 9. 1872 in Kopenhagen. – G. studierte in Kopenhagen und beschäftigte sich als Hauslehrer in Langeland und als Geschichtslehrer in Kopenhagen viel mit altnordischer Dichtung und Mythologie. Er veröffentlichte unter dem Titel »Warum ist das Wort des Herrn aus seinem Hause verschwunden?« im Frühjahr 1810 seine Probepredigt. Sie veranlaßte Kopenhagener Pfarrer zu einer Beschwerde wegen beleidigender Beschuldigungen gegen den ganzen geistlichen Stand. Das Konsistorium erteilte dem Kandidaten im Januar 1811 einen Verweis. G. erlebte im Winter 1810/11 einen schweren Glaubens- und Gewissenskampf, in dem er sich zu dem Entschluß durchrang, das alte Luthertum gegenüber dem in der Staatskirche herrschenden Rationalismus zu erneuern. Er wurde im Juni 1811 ordiniert und zum Adjunkten seines Vaters bestellt. Nach dessen Tod zog G. im Sommer 1813 nach Kopenhagen und widmete sich mythologischen

und historischen Studien. Friedrich IV. ernannte ihn 1821 zum Pastor in Prästö auf Seeland und 1822 zum Kaplan an der Erlöserkirche in Kopenhagen. G. richtete gegen den rationalistischen Theologieprofessor Henrik Clausen (s. d.), dessen Buch »Verfassung, Lehre und Ritus des Katholizismus und Protestantismus« im August 1825 erschien, die Streitschrift »Kirkens Genmäle« (Erwiderung der Kirche). Clausen zeigte ihn wegen Beleidigung an. G. verzichtete 1826 auf sein Pfarramt, ohne damit die Einstellung des Verfahrens zu erreichen. Er wurde am 30. 10. 1826 zu einer Geldstrafe verurteilt und unter Zensur gestellt, die man erst 1838 aufhob. G. reiste zum Studium angelsächsischer Handschriften 1829–31 und 1843 nach England, wo er auch mancherlei Eindrücke und Anregungen empfing, die für seine kirchlichen Reformpläne von Bedeutung waren. G. predigte mit Erlaubnis der Regierung seit 1832 an jedem Sonn- und Festtagnachmittag in der Friedenskirche auf Christianshavn, wo er eine rasch wachsende Zahl von Anhängern um sich sammelte. Damit er das Recht zur Spendung der Sakramente und Trauung habe, übernahm G. 1839 das Pfarramt an dem Vartouhospital in Kopenhagen. Von der Kapelle dieses Hospitals nahm der Grundtvigianismus, der das gesamte kirchliche Leben Dänemarks Jahrzehnte hindurch stark beeinflußt hat, seinen Ausgang. In Anerkennung seines Lebenswerkes ernannte der König G. 1861 anläßlich seines 50jährigen Ordinationsjubiläums zum Bischof mit dem Rang des Bischofs von Seeland, d. h. des Primas der dänischen Kirche. – Nicht die Schrift, sondern das »Apostolikum« ist für G. die Glaubensnorm der Kirche. Die Grundtvigianer verlangten Befreiung der Pfarrer von jedem dogmatischen und liturgischen Zwang und Aufhebung des Parochialzwangs. Sie haben die erste Forderung nicht durchzusetzen vermocht; aber die zweite ist 1855 verwirklicht worden. Die Grundtvigianer bekamen 1868 durch das Wahlgemeindegesetz das Recht, innerhalb der Volkskirche freie Gemeinden zu gründen. Auch den Kirchengesang hat der Grundtvigianismus erneuert. G. bearbeitete Hymnen lateinischen, griechischen, englischen und deutschen Ursprungs und dichtete zahlreiche Lieder, von denen viele über seine Gemeinde hinaus in der Kirche und den Schulen Eingang fanden. – Bekannt ist G. auch als Gründer der Volkshochschule, in der die Jugend in christlichem Geist zu kirchlicher und politischer Reife fortgebildet werden sollte. Die erste dieser Volkshochschulen wurde 1844 in Rödding (Nordschleswig) eröffnet.

Werke: Poetiske Skrifter, hrsg. v. Svend Grundtvig, 7 Bde., Kopenhagen 1880–89; Bd. 8 u. 9, hrsg. v. Georg Christensen, ebd. 1929/30. – Udvalgte Skrifter, hrsg. v. Holger Begtrup, 10 Bde., ebd. 1904–09. – Vaerker i Udvalg, hrsg. v. Georg Christensen u. Hal Koch, 10 Bde., ebd. 1940–49. – Salmer og aandelige Sangs, 5 Bde., ebd. 1868–81; Sang Vaerk, 6 Bde., 1944–56. – Dt. Ausg.: Vom wahren Christentum, 1844; Übers. der Weltchron., 1877; Schrr. z. Volkserziehung u. Volkheit, hrsg. v. Johannes Tiedje, 2 Bde., 1927. – Bibliogr.: Steen Johansen, Bibliografi over N. F. S. Gs Skrifter, 4 Bde., Kopenhagen 1948–54.

Lit.: Julius Kaftan, G., der Prophet des Nordens, 1876; – Holger Begtrup, N. F. S. G.s kristelige opvaekkelse, Kopenhagen 1899; – Ders., N. F. S. G. som Bibelkristen, 1900; – Ders., N. F. S. G.s Danske Kristendom, 2 Bde., 1936; – Georg Rónberg Madsen, Bisch. N. F. S. G. u. seine Bedeutung als Pädagog (Diss. Jena), 1905; – Ders., G. u. die dän. Volkshochschulen, 1905; – Frederik Vilhelm Valdemar Rønning, N. F. S. G., 4 Bde., Kopenhagen 1907–14; – Fritz Wartenweiler-Haffter, Ein nord. Volkserzieher. Die Entwicklung G.s z. Vater der Volkshochschule, Bern 1913; – Maria Holmström, G., Uppsala 1917; – Edvard Lehmann, G. och det danska fromhetslivet, Stockholm

1927 (dt. v. Andreas Öster, mit biogr. Einl. v. Valdemar Am-
mundsen, 1932); – A. Skrondal, G. og Noreg. Kyrkje og skule
1812–1872, Bergen 1929; – Jacob Peter Bang, G.s arv, Kopenhagen 1930²; – Ders., G. og England, ebd. 1932; – Svend Leopold, G. Danmarks Profet, Kopenhagen 1933; – Johannes Lorentzen, Diesseits u. jenseits der Grenze. G. u. Claus Harms. Ggw.-
fragen im Lichte der Vergangenheit, 1934; – Gunnar Furuland,
G., Malung 1934; – Paul Victor Rubow, Det store Vendepunkt i
G.s Liv, in: Ders., Smaa kritiske Studier, Kopenhagen 1935; –
Anders Nørgaard, Grundtvigianismen. Et historisk Bidrag, 3 Tle.,
ebd. 1935–38; – U. Hansen, G.s Salmedigtning, 2 Bde., ebd. 1937
bis 1951; – Hal Koch, G., Stockholm 1941; Kopenhagen 1943
(übers. v. Hans Winkler u. Victor Schmitz, 1951); – Ders., Den
Danske Kirkes Historie VI, 1954, 235 ff.; VII, 1958, 113 ff.; –
Ders., N. F. S. G. Aus dem Dän. ins Dt. übertr. v. Grete
Schwemm, Bremen 1960; – G. Albeck, G. og Norden, Kopenhagen
1942, 28–53; – Johann Borup, G., ebd. 1943; – Ders., Minderige
steder i G.s liv. Fotografisk billedbog, ebd. 1955; – Frank Schaef-
fer, Unterss. über G.s Entwicklung z. Prediger u. seine christl.
Auffassung mit bes. Bezugnahme auf seine letzten Predigten
(Diss. Greifswald), 1944; – Elisabeth Sonntag, N. F. S. G., Er-
zieher seines Volkes (Diss. Genf), Bern 1946; – C. I. Scharling,
G. og Romantiken, Kopenhagen 1947; – Steen Johansen u. H.
Højrup, G.s Erindringer og Erindringer om G., ebd. 1948; – Gre-
gor Steffen, N. F. S. G.s Verständnis des Christentums (Diss.
Kiel), 1948; – H. Højrup, G.s syn paa tro og erkendelse (Diss.
Kopenhagen), 1949; – Regin Prenter, G.s Ansicht v. Menschen,
in: EvTh 9, 1949/50, 395 ff.; – Poul Engberg, G., dt. v. Viktor
August Schmitz, 1950; – H. Toldberg, G.s symbolverden (Diss.
Kopenhagen), 1950; – M. Stevns, Fra G.s Salmevoerksted, Kopenhagen 1950; – Jörg Erb, Die Wolke der Zeugen I, 1951, 453 ff.; –
Poul Georg Lindhardt, G. An introduction, London 1951; – Ders.,
G., ebd. 1964; – William Michelsen, Den Saelsomme forvandling
i N. F. S. G.s liv. Tilblivelsen af G.s Historiesyn, Kopenhagen
1954; – Søren Peter Holm, Mythe og Kult i G.s Salmedigtning,
ebd. 1955; – Ders., G. u. Kierkegaard. Parallelen u. Kontraste,
übers. v. Günther Jungbluth, 1956; – Axel Schützsack, Die nationale Ideenwelt G.s u. ihre Auswirkungen auf die Entwicklung des
dän. Nationalismus v. 1830–1864 (Diss. Berlin F. U.), 1956; –
A. P. Thyssen, Den nygrundtvigske Bevaegelse I, 1958; – Friedrich Hauß, Väter der Christenheit III, 1959, 48 ff.; – V. Hellern, G.
og romantikken, in: Nordisk Tidskrift foer vetenskap, konst och
industri NS 36, Stockholm 1960, 92 ff.; – Marie Hay, N. F. S.
G., Danmarks store seer og skjald, Kopenhagen 1960; – Harry
Aronson, Mänskligt och kristet. En studie i G.s teologi (mit engl.
Zus.fassung), Stockholm 1960; – Povil Eller, N. F. S. G. Portraet-
ter, Kopenhagen 1962; – Erik Heinemeier, G.s menneskesyn, ebd.
1962; – Walter Görnandt, G. als Kirchenliederdichter in luth. u.
ökumen. Sicht, ebd. 1963 (1969²); – Kaj Thaning, Menneske
først –. G.s opgør med sig selv, 3 Bde., ebd. 1963; – Ders., Das
Menschliche u. das Christliche bei N. F. S. G., in: Das Menschliche u. das Christliche. Btrr. z. Einf. in die Diskussion um Kierkegaard u. G. v. Harald Østergaard-Nielsen u. a. Kontroverse
um Kierkegaard u. G., I, 1966, 50–80; – Ders., Der Däne N. F.
S. G., Odense 1972 (Rez. v. Thomas Buske, in: ThZ 30, 1974, 183
f.); – Ders., N. F. S. G., Kopenhagen 1973 (Rez. v. David Isitt,
in: Scandinavia. An international journal of Scandinavian studies 13, London – New York 1974, 152 f.); – Trygve R. Skarsten,
Rise and fall of Grundtvigianism in Norway, in: Lutheran quarterly 17, Gettysburgh/Pennsylvanien 1965, 122 ff.; – Georg Simon, Sucher, Prediger, Dichter. N. F. G. Erneuerer der dän. Kirche, Berlin 1965; – Knud Eyvin Bugge, Skolen for livet. Studier
over N. F. S. G.s paedagogiske tanker (Diss. mit engl. Zus.-
fassung), 2 Bde., Kopenhagen 1965; – Hinrich Buss, Das Menschliche u. die Existenz, G. u. Kierkegaard, in: Das Menschliche u.
das Christliche. Btrr. z. Einf. in die Diskussion um Kierkegaard
u. G. v. Harald Østergaard-Nielsen u. a. Kontroverse um Kierkegaard ud G., I, 1966, 81–93; – Erica Simon, L'universalité de G.,
in: Études germaniques 22, Lyon 1967, 445 ff.; – Ernest D. Nielsen, N. F. S. G. on Luther, in: Interpreters of Luther. Essays in
honor of Wilhelm Pauck. Ed. by Jaroslav Pelikan, Philadelphia
1968, 159 ff.; – Tord Ehnevid, Förmsamlingsetik. Studier över G.,
Morten Pontoppidan och Einar Billing (Diss. Lund mit engl.
Zus.fassung), 1969; – Donald J. Sneen, The hermeneutics of
N. F. S. G., in: Interpretation. A journal of Bible and theology
26, Richmond/Virginia 1972, 42 ff.; – Götz Harbsmeier, Was ist
der Mensch? G.s Btr. z. humanen Existenz. Alternativen zur Kierkegaard, 1972 (Rez. v. Thomas Buske, in: ThZ 30, 1974, 183 f.);
– Johannes Knudsen, One hundred years later. The Grundtvigian
heritage, in: Lutheran quarterly 25, 1973, 71 ff.; – WeltLit II,
653 f.; – Eppelsheimer, WL 417 f.; – Wilpert I², 631; – KLL V,
587 f. (Die Mythologie des Nordens). 716 f. (Neujahrsmorgen);
Suppl. 966 f. (Gesangbuch f. die dän. Kirche); – RE VII, 206 ff.;
– EKL I, 1729 ff.; – RGG II, 1894 f.; – DSp VI, 1085 ff.; –
LThK IV, 1252 f.; – NCE VI, 818; – ODCC² 605; – DBL VIII,
356 ff.

GRUNER, Johann Friedrich, luth. Theologe, * 1. 8.
1723 in Coburg als Sohn des sachsen-coburgischen
Konsistorialpräsidenten Johann Friedrich Gruner (1688
bis 1756), † 29. 3. 1778 in Halle (Saale). – G. studierte
1742–45 in Jena und Leipzig und begann 1745 als

Magister der Philosophie mit Vorlesungen innerhalb
der Philosophischen Fakultät. Er wurde 1747 Professor am akademischen Gymnasium in Coburg und 1764
auf Betreiben Johann Salomo Semlers (s. d.) o. Professor der Theologie an der Universität Halle. – G.
war ein entschiedener Anhänger der theologischen
Aufklärung (»Neologie«), der im ganzen christlichen
Dogma entstellende Einflüsse des Platonismus und
Aristoteles wahrnahm und sich unumwunden zu den
leitenden Interessen des theologischen Fortschritts, der
historisch-grammatischen Auslegung und zum maß-
vollen Gebrauch der Vernunft bekannte.

Werke: Prakt. Einl. in die Rel. der HS, Halle 1773; Institutum
theol. dogmat. libri III, ebd. 1777. – Bibliogr., in: Meusel IV,
419 ff.

Lit.: Wilhelm Gaß, Gesch. der prot. Dogmatik IV, 1867, 226
ff.; – Albrecht Ritschl, Die christl. Lehre v. der Rechtfertigung
u. Versöhnung I, (1870) 1889³, 414 ff.; – Walther Glawe, Die
Hellenisierung des Christentums in der Gesch. der Theol., 1912;
– Karl Aner, Die Theol. der Lessingzeit, 1929; – Hirsch IV, 100
f.; – NDB VII, 226 f.; – RGG II, 1896.

GRYNÄUS, Johann Jakob, ref. Theologe, * 1. 10. 1540
in Bern als Sohn eines Lehrers der griechischen Sprache, † 30. 8. 1617 in Basel. – G. besuchte seit 1551 in
Basel das Pädagogium, später die theologischen Vorlesungen an der Universität. 1559 wurde er seinem
Vater, der inzwischen zum Schloßprediger des Markgrafen Karl von Baden in dem nahe bei Basel gelegenen Dorf Röteln berufen worden war, als Vikar beigegeben. 1563 ging G. zum Studium der Theologie nach
Tübingen und promovierte 1564 zum Dr. theol. Er
wurde 1565 Nachfolger seines Vaters in Röteln und
1575 Professor für Altes Testament in Basel. G. war
ursprünglich eifriger Vertreter der Ubiquitätslehre,
gab aber auf Grund sorgfältiger Studien patristischer
und reformatorischer Schriften die lutherische Abendmahlsauffassung auf und wies auch die »Konkordienformel« beharrlich zurück. Pfalzgraf Johann Kasimir,
der den Calvinismus in der Kurpfalz wiederherstellte,
berief 1584 G. nach Heidelberg zur Neuordnung der
Universität in calvinistischem Geist und zur Befestigung des reformierten Dogmas in den pfalzgräflichen
Landen. 1586 wurde er Antistes der Kirche von Basel
und an der Universität Professor für Neues Testament.
Als strenger Calvinist hat G. in der Basler Kirche die
von seinem Vorgänger Simon Sulzer (s. d.), einem
entschiedenen Anhänger Martin Luthers (s. d.), eingeleitete Annäherung an das Luthertum wieder zurückgedrängt und ihre Verbindung mit der in der übrigen Schweiz anerkannten reformierten Lehre endgültig befestigt. Die wieder durch ihn zu Ansehen gekommene »Confessio Basileensis« von 1534, die er
1590 neu herausgab, bezeichnet den endgültigen Bruch
Basels mit dem Luthertum.

Werke: Ber. v. dem hl. Nachtmahl Jesu Christi unsers Säligma-
chers, Zürich 1568; Neuausg. der »Confessio Basileensis« v. 1534
u. d. T.: Das geistl. Kleinod der Kirchen Gottes in der Stadt u.
Landschaft Basel in Verbindung mit dem Katechismus u. der
Agende u. unter Beifügung der v. Sulzer weggelassenen Randglossen, Basel 1590.

Lit.: F. Weiss, J. J. G., in: Basler Biogrr. I, 1900, 159 ff.; –
Karl Gauss, Basilea Reformata; die Gemeinden der Kirche Basel
Stadt u. Land u. ihre Pfr. seit der Ref. bis z. Ggw., Basel 1930,
78 ff.; – Max Geiger, Die Basler Kirche u. Theol. im Zeitalter
der Hochorthodoxie (Diss. Basel), Zollikon-Zürich 1952, 40 ff. –
Ders., J. J. G.: in: Prof. der Univ. Basel aus 5 Jhh. Bildnisse u.
Würdigungen. Hrsg. v. Andreas Staehelin, Basel 1960, 56 f.; –
Schottenloher I, Nr. 7682–7690; – HBLS III, 783; – RE VII, 219
ff.; – RGG II, 1898; – NDB VII, 241.

GRYNÄUS, Simon, Humanist und ref. Theologe, * 1493 in Veringendorf (Hohenzollern) als Sohn eines Bauern, † (an der Pest) 1. 8. 1541 in Basel. – G. besuchte die Stadtschule in Pforzheim; einer seiner Mitschüler war Philipp Melanchthon (s. d.). Er studierte in Wien und wurde Lehrer und Bibliothekar in Buda. 1523 hielt sich G. in Wittenberg auf. 1524–29 war er Professor der griechischen Sprache an der Universität in Heidelberg, wo ihm 1526 auch die Professur der lateinischen Sprache übertragen wurde. 1529 folgte G. dem durch Johannes Oekolampad (s. d.) vermittelten Ruf nach Basel als Professor der griechischen Sprache. Er reiste im Frühjahr 1531 nach England und übernahm 1532 in Basel zu seiner Professur noch eine ao. der Theologie. Im Auftrag des Herzogs Ulrich von Württemberg (s. d.) reorganisierte G. mit Ambrosius Blarer (s. d.) von Konstanz 1534/35 in reformatorischem Geist die Universität Tübingen und half mit bei der Einführung der Reformation. Nach seiner Rückkehr nach Basel verfaßte er 1536 in Gemeinschaft mit Heinrich Bullinger (s. d.), Oswald Myconius (s. d.), Leo Jud (s. d.) und Kaspar Megander (s. d.) die »Confessio Helvetica prior« (»Confessio Basileensis posterior«) und beteiligte sich an den Verhandlungen über die Annahme der Wittenberger Konkordie von 1536 durch die Schweizer Theologen. Als einziger Abgeordneter schweizerischer Kirchen nahm G. 1540 an dem Religionsgespräch in Worms teil.

Werke: Editionen v. Werken des Aristoteles, Plato, Euklid, Claudius, Ptolemäus, Plutarch, Aristophanes u. a. – Novus orbis regionum ac insularum veteribus incognitarum (geogr. Sammelwerk), Basel 1532; Griech.-Lat. Lex., ebd. 1539.

Lit.: Wilhelm Theodor Streuber, Simonis Grynaei clarissimi quondam academiae Basiliensis theologi ac philologi epistolae. Accedit index auctorum eiusdem Grynaei opera et studio editorum, Basel 1847; – Ders., S. G., in: Basler Taschenbuch 4, 1853, 1–43; – Rudolf Thommen, Gesch. der Univ. Basel 1532 bis 1632, Basel 1889, 109–113; – Karl Gauss, Die Berufung des S. G. nach Tübingen, 1534/35, in: Basler Jb., 1911, 88–130; – Max Geiger, Die Basler Kirche u. Theol. im Zeitalter der Hochorthodoxie (Diss. Basel), Zollikon-Zürich 1952, 40 ff.; – Ernst Staehelin, S. G., in: Prof. der Univ. Basel aus 5 Jhh. Bildnisse u. Würdigungen. Hrsg. v. Andreas Staehelin, Basel 1960, 32 f.; – Edgar Bonjour, Die Univ. Basel v. den Anfängen bis z. Ggw., 1460–1960, ebd. 1960; – M. E. Welti, Der Gräzist S. G. u. Engl., in: AKultG 45, 1963, 232–242; – Schottenloher I, Nr. 7691–7699; – HBLS III, 783; – ADB X, 72 f.; – NDB VII, 241 f.; – RE VII, 218 f.; – RGG II, 1898.

GRYPHIUS (eigentlich: Greif), Andreas, der bedeutendste Dichter des deutschen Barocks, * 2. 10. 1616 in Glogau (Schlesien) als Sohn eines Archidiakonus, † daselbst 16. 7. 1664. – Als G. vier Jahre alt war, starb sein Vater plötzlich: »Er fiel durch Gift, das ihm ein falscher Freund gegeben, der oft vor seinem Mut und hohen Geist erblaßt.« Mit elf Jahren verlor er auch seine Mutter, die sich ein Jahr nach dem Tod ihres Mannes mit dem Pfarrer Michael Eder in Driebitz wiederverheiratet hatte. Seit Ostern 1631 besuchte G. die Schule in Görlitz. Von dort durch die Kriegsunruhen vertrieben, flüchtete er zu seinem älteren Bruder Paul in Rickersdorf, der bald darauf Pfarrer in Freistadt wurde. G. setzte die unterbrochene Schulausbildung in Glogau fort. Als eine Feuersbrunst einen großen Teil der Stadt in Asche legte, nahm ihn sein Stiefvater, der inzwischen Pfarrer in Fraustadt geworden war, wieder zu sich und ließ ihn die dortige Schule besuchen. Mit größtem Fleiß widmete er sich dem Studium der alten Sprachen und dehnte es aus auch auf die hebräische, chaldäische und syrische Spra-

che, während er zugleich im Umgang die polnische und schwedische Sprache erlernte. Trotz dieser Studien fand G. noch Zeit zu dichterischen Versuchen. 1634 bezog er das akademische Gymnasium und unterrichtete in seinen Freistunden junge Edelleute. 1636 wurde G. Erzieher der Kinder des Freiherrn Georg von Schönborn, der in der Nähe von Fraustadt seinen Rittersitz hatte, wo unterdessen sein Bruder Paul Pfarrer geworden war. Freiherr von Schönborn krönte als kaiserlicher Pfalzgraf 1637 G. in Anerkennung seiner dichterischen Begabung zum kaiserlichen Poeten und erhob ihn zur Würde eines Magisters der Philosophie. Mit dem in Köben bei Glogau wohnenden Pfarrer Johann Heermann (s. d.), der auch als junger Mann mit dem Dichterlorbeer gekrönt worden war, schloß G. einen Freundschaftsbund. Doch die Ruhe und das Glück sollten nicht lange währen. Die Lage der Evangelischen wurde in Schlesien immer ernster. An vielen Orten wurden die evangelischen Kirchen zugeschlossen und die Prediger abgesetzt. Auch Paul G. wurde vertrieben. Andreas G. hatte sich in mehreren Schriften als einen entschiedenen Protestanten zu erkennen gegeben. Darum setzten ihm die Feinde der evangelischen Sache heftig zu. Hinzu kam, daß sein Gönner und Beschützer, Georg Freiherr von Schönborn, Ende 1637 starb. Da G. seines Lebens in Schlesien nicht mehr sicher war, flüchtete er im Sommer 1638 aus seinem Vaterland und gelangte nach einem gefährlichen Seesturm von Danzig aus nach Holland. In Leiden ließ sich G. als Studierender immatrikulieren und hielt dann 1639–43 Vorlesungen über verschiedene Wissenschaften. 1640 erhielt er aus der Heimat die Nachricht vom Tod einer geliebten Schwester und seines treuen Bruders Paul, der inzwischen Superintendent in Crossen an der Oder geworden war. Diese Trauerbotschaft hat ihn tief erschüttert. Er wurde krank. Bis an den Rand des Grabes brachte ihn die Krankheit. Als Reisegesellschafter eines reichen Pommern trat G. 1644 eine gelehrte Reise an, die sie durch Frankreich, Italien, Holland und einen großen Teil von Deutschland brachte. Auf dieser Reise vermehrte er nicht nur seine Sprachkenntnisse, sondern feierte auch als Dichter einen wirklichen Triumphzug. 1647 kehrte G. nach Schlesien zurück und ließ sich als Advokat in Fraustadt nieder. 1649 verheiratete er sich mit Rosina Deutschländer, der Tochter eines angesehenen Handelsherrn in Fraustadt. 1650 wählten ihn die Landstände des Fürstentums Glogau zu ihrem Syndikus. Vier seiner Kinder mußte er der Reihe nach dahinsterben sehen. Eine Tochter verlor im fünften Lebensjahr plötzlich den Gebrauch der Glieder und der Sprache, um noch 40 Jahre ein qualvolles Dasein zu führen. Eine Feuersbrunst vernichtete ihm 1657 Haus und Habe. In der Versammlung der Landesältesten in Glogau traf ihn der Schlag. – G. ist der begabteste Vertreter der Barockdichtung. Als Lyriker und Dramatiker hat er Bedeutsames geleistet. Beeinflußt wurde G. in seinem Schaffen von William Shakespeare, Joost van den Vondel, Lucius Annaeus Seneca, den Jesuiten und den Franzosen. Seine Tragödien preisen eindringlich das heldenhafte Leiden und unschuldige Sterben christlich-stoischer Märtyrer, die in allem Wandel ihres Geschicks die innere Beständigkeit bewahren. In seinen Lustspielen tollen sich übermütige Freude und harmloser Spaß aus. »Peter Squentz« und »Horribilicribrifax« sind die besten Lustspiele des ganzen Jahrhunderts. In der leidenschaftlichen Verkündigung der »vanitas mundi« schuf G. erschütternde Werke barocker Welt- und Lebensauffassung. Seiner dichterischen Kraft tritt er den bedeutendsten Dichtern seiner Zeit, einem Paul Gerhardt (s. d.) und Paul Fleming (s. d.), ebenbürtig zur Seite. Seine Gedichte gehören zu den menschlich ergreifendsten und künstlerisch wuchtigsten lyrischen Erzeugnissen der Hochbarockdichtung. Von seinen geistlichen Dichtungen ist vor allem die Ode bekannt »Die Herrlichkeit der Erden muß Rauch und Asche werden« (EKG 328).

Werke: Absurda comica. Oder Herr Peter Squentz (Schimpff-Spiel), ersch. 1657. – Cardenio u. Celinde. Oder unglücklich Verliebete (Trauerspiel), entstanden um 1650, ersch. 1657, uraufgef. 1661 in Breslau. – Catharina v. Georgien. Oder Bewehrete Beständigkeit (Trauerspiel), entstanden 1646/47, ersch. 1657, uraufgef. 1651 in Köln. – Ermordete Majestät. Oder Carolus Stuardus Kg. v. Groß Britannien (Gesch.gedicht), entstanden 1649/50, veröff. in zwei stark voneinander abweichenden Fassungen 1657 u. 1663, uraufgef. wahrsch. 1650 in Thorn. – Großmüttiger Rechts-Gelehrter, Oder Sterbender Aemilius Paulus Papinianus (Trauerspiel), 1659, uraufgef. 1660 in Breslau. – Horribilicribrifax. – Teutsch. Wehlende Liebhaber (Schertz-Spiel), entstanden um 1650, ersch. 1663, uraufgef. in Altenburg 1674. – Leo Armenius, Oder Fürsten-Mord (Trauerspiel), abgeschlossen 1646, ersch. 1650, im 17. Jh. versch. Breslauer Aufführungen bezeugt. – Verlibtes Gespenste. Gesang-Spil. – Die gelibte Donrose. Schertz-Spill (Doppeldrama), uraufgef. Glogau 1660; ersch. 1660? (nur Verlibtes Gespenste). 1661. – Son- undt Feyertags Sonnete, 1639. – Epigrammata, 1643. – *GA* der dt.sprachigen Werke. Hrsg. v. Marian Szyrocki u. Hugh Powell, 1963 ff. – *Ausgg.:* Lat. u. dt. Jugenddichtungen, hrsg. v. Friedrich-Wilhelm Wentzlaff-Eggebert, 1938. – Dt. Gedichte. Ausgew. v. Hans Magnus Enzenberger, 1962. – Wenn mir der Himmel bleibt. Gedichte. Hrsg. u. ausgew. von Wolfgang Kraus, 1962. – Verlibtes Gespenst. Gesangspiel. Die geliebte Dornrose. Scherzspiel. Text u. Materialien z. Interpretation bes. v. Eberhard Mannack, 1963. – Frühe Sonette. Abdr. der Ausgg. v. 1637, 1643 u. 1650. Hrsg. v. Marian Szyrocki, 1964. – Nacht, mehr denn lichte Nacht. Geistl. Gedichte. Hrsg. v. Heinz Ludwig Arnold, 1965. – Dichtungen. Hrsg. v. Karl Otto Conrady, 1968. – Gedichte. Hrsg. v. Adalbert Elschenbroich, 1968 (RUB 8799/8800). – Catharina v. Georgien. Abdr. der Ausg. v. 1663 mit den Lesarten u. 1657. Hrsg. v. Willi Flemming, 1968⁴. – Cardenio u. Gelinde (RUB 8532). Hrsg. v. Rolf Tarot, 1968 (Rez. v. Conrad Wiedemann, in: Germanistik. Internat. Referateorgan mit bibliogr. Hinweisen 11, 1970, 98). Nachdr. 1974. – Herr Peter Squentz. Second ed. Ed. by Hugh Powell, Leicester 1969 (Rez. v. Peter Skrine, in: Modern language review 66, Cambridge 1971, 447). – Ausgew. Sonette. Gedichte und Epigramme. Hrsg. v. Otto Rohse, 1970. – Leo Armenius. Hrsg. v. Peter Rusterholz, 1971 (RUB 7960/61). – Menschl. Lebens Traum (Faks.-Dr.). Hrsg. v. Gerhard Hay, 1972; – Carolus Stuardus. Hrsg. v. Hans Wagener, 1972 (RUB 9366/67). – Großmütiger Rechtsgelehrter. Bes. v. Ilse-Marie Barth, 1973 (RUB 8935/36). – Absurda omnia. Hrsg. v. Herbert Cysarz, 1974. – Catharina v. Georgien. Hrsg. v. Alois M. Haas, 1975 (RUB 9751/52).

Lit.: Balthasar Sigmund v. Stosch, Hist. Ll. A. Gryphii, Leipzig 1665; – Julius Herrmann, Über A. G., Progr. Leipzig 1851; – Onno Klopp, A. G. als Dramatiker, Progr. Hannover 1852; – Th. Wissowa, Btrr. z. Kenntnis v. A. G.' Leben u. Schrr., 1876; – Louis Georges Wysocki, A. G. et la tragédie allemande au XVII᷉ siècle (Diss.), Paris 1893; – Victor Manheimer, Die Lyrik des A. G. Stud. u. Materialien (Diss. Göttingen), 1903/04; – Ernst Gnerich, A. G. u. seine Herodesepen (Diss. Breslau), 1905; – Willi Harring, A. G. u. das Drama der Jesuiten (Diss. Halle), 1907 (Nachdr. 1972); – Ernst Keppler, G. u. Shakespeare (Diss. Tübingen), 1921; – Willi Flemming, A. G. u. die Bühne (Diss. Marburg, 1914), 1921 (erw.); – Ders., A. G. Eine Monogr., 1965 (Rez. v. Erik Lunding, in: Anz. f. dt. Altertum u. dt. Lit. 77, 1966, 172–180; v. A. G. de Capua, in: Colloquia Germanica, Internat. Zschr. f. german. Sprach- u. Lit.wiss., Bern 1970, 298 ff.); – Johann Liebe, Die Deutung des Gotteswillens in Rel. u. im Drama des A. G. (Diss. Leipzig), 1923; – Wolfgang Schieck, Stud. z. Lebensanschauung des A. G. (Diss. Greifswald); 1924; – Emil Ermatinger, A. G. Ein prot. Dichter des Barock, in: Ders., Krisen u. Probleme der neueren dt. Lit. Aufss. u. Reden, 1927, 75 ff.; – Friedrich Gundolf, A. G., 1927; – Paul Merker, A. G., in: Schles. Lb. III, 1928, 109 ff.; – Wilhelm Theodor Runzler, Die ersten Dramen des A. G. »Leo Armenius«, »Catharina v. Georgien«, »Cardenio u. Celinde« nach ihrem Gedankengehalt unters. (Diss. Erlangen); 1929; – Hans Heckel, Gesch. der dt. Lit. in Schlesien I, 1929; – Walther Jockisch, A. G. u. das lit. Barock (Diss. Frankfurt), 1930 (Nachdr. Nendeln/Liechtenstein 1967); – Adolf Strutz, A. G. Die Weltanschauung eines dt. Barockdichters (Diss. Zürich), Horgen 1931; – Edith Schlosser, A. G., seine

Persönlichkeit u. Weltanschauung (Diss. Prag), 1931; – Paschalis Neyer, Das geistl. J. v. Annette v. Droste-Hülshoff u. Sonn- u. Feiertags-Sonette v. G., in: An hl. Qu. 24, 1931; – Dora Schulz, Das Bild des Herrschers in der dt. Tragödie. Vom Barock bis z. Z. des Irrationalismus (Diss. München), 1931; – Gertrud Lazarus, Die künstler. Behandlung der Sprache bei A. G. (Diss. Hamburg), Berlin 1932; – Gustav Schönle, Das Trauerspiel Carolus Stuardus des A. G. Qu. u. Gestaltung des Stoffes (Diss. Köln), Würzburg 1933; – Gerhard Fricke, Die Bildlichkeit in der Dichtung des A. G. Materialien u. Stud. z. Formproblem dt. Lit.-Barock, 1933 (Nachdr. Darmstadt 1967); – Walter Mawiek, Der anthropolog. u. soziolog. Gehalt in G.' Staatstragödie »Leo Armenius« (Diss. Münster, 1936), Gütersloh 1935; – Johannes Pfeiffer, A. G. als Lyriker, in: Das Innere Reich 2, 1935/36; – Helmut Kappler, Der barocke Gesch.begriff bei A. G. (Diss. Frankfurt/Main), 1936; – Friedrich-Wilhelm Wentzlaff-Eggebert, Dichtung u. Sprache des jungen A. G. Die Überwindung der lat. Tradition u. die Entwicklung z. dt. Stil (Hab.-Schr., Berlin 1938), 1936 (1966²); – Isabella Rüttenauer, »Lichte Nacht«. Weltangst u. Erlösung in den Gedichten v. A. G., 1940; – Herbert Schöffler, Dt. Osten im dt. Geist v. Martin Opitz zu Christian Wolff, 1940 (1956² u. d. T.: Dt. Geistesleben zw. Ref. u. Aufklärung); – Erik Peter Lunding, Das schles. Kunstdrama. Eine Darst. u. Deutung, Kopenhagen 1940; – Ders., Assimilierung u. Eigenschöpfung in den Lustspielen des A. G., in: Stoffe, Formen, Strukturen. Stud. z. dt. Lit. Hrsg. v. Albert Fuchs u. Helmut Motekat. Hans Heinrich Borcherdt z. 75. Geb., 1962, 80 ff.; – Lisel Meier, Die Religiosität des A. G. (Diss. Göttingen), 1948; – Paul Böckmann, Formgesch. der dt. Dichtung I, 1949, 416 ff.; – Modris Zeberins, Welt, Angst u. Eitelkeit der Lyrik des A. G. (Diss. Münster), 1950; – Günther Rühle, Die Träume u. Geistererscheinungen in den Trauerspielen des A. G. u. ihre Bedeutung f. das Problem der Freiheit (Diss. Frankfurt), 1952; – Gerhard Scharnhorst, Stud. z. Entwicklung des Heldenideals bei A. G. (Diss. Wien), 1955; – Heidel Joos, Die Metaphorik im Werke des A. G. (Diss. Bonn), 1956; – Hugh Powell, Probleme der G.-Forsch., in: German.-roman. Mschr. NF 7, 1957, 328 ff.; – Clemens Heselhaus, G.s Catharina v. Georgien, in: Das dt. Drama I, hrsg. v. Benno v. Wiese, 1958, 35 ff.; – Dietrich Wintterlin, Pathetisch-monolog. Stil im barocken Trauerspiel des A. G. (Diss. Tübingen), 1958; – Peter Wolters, Die szen. Form der Trauerspiele des A. G. (Diss. Frankfurt/Main), 1958; – Erika Geisenhof, Die Darst. der Leidenschaften in den Trauerspielen des A. G. (Diss. Heidelberg), 1958; – Herbert Heckmann, Elemente des barocken Trauerspiels. Am Bsp. des »Papinian« v. A. G. (Diss. Frankfurt, 1957), Darmstadt 1959; – Marian Szyrocki, Der junge G., 1959; – Ders., A. G. Sein Leben u. Werk, 1964; – Paulus Bernardus Wessels, Das Gesch.bild im Trauerspiel »Catharina v. Georgien« des A. G., 's Hertogenbosch 1960; – Dietrich Jungermann, Fortuna u. Vanitas. A. G. u. Johann Frank als Zeugen barocker Dichtung u. Frömmigkeit, in: MPTh 50, 1961, 477 ff.; – Karl Otto Conrady, Lat. Dichtungstradition u. dt. Lyrik des 17. Jh.s, 1962, 222 ff.; – Hans-Dietrich Klaus, Leben u. Werk des A. G., in: Europ. Begegnung 4, 1964, 573 ff.; – Katherine Kleikamp, A. G., in: Schlesien 9, 1964, 65 ff.; – John P. Liebe, Krise im Leben des A. G., in: The German Quarterly 37, Menasha/Wisconsin 1964, 54 f.; – Hans-Henrik Krummacher, A. G. u. Johann Arndt. Zum Verständnis der »Sonn- u. Feiertags-Sonette«, in: Formwandel. Festschr. Paul Böckmann. Hrsg. v. Walter Müller-Seidel u. Wolfgang Preisendanz, 1964, 116 ff.; – Ders., Zur Kritik der neuen G.-Ausg., in: ZdPh 84, 1965, 183 ff.; – Ders., Der junge G. u. die Tradition. Stud. zu den Perikopensonetten u. Passionsliedern, München 1976 (erw. Hab.-Schr., Köln 1966/67); – Max Wehrli, A. G. u. die Dichtung der Jesuiten, in: StZ 175, 1964–65, 25 ff.; – Eberhard Mannack, A. G.s Lustspiele – ihre Herkunft, ihre Motive u. ihre Entwicklung, in: Euph 58, 1964, 1 ff.; – Ders., A. G., 1968 (Rez. v. Hermann Tisch, in: Germanistik 10, 1969, 800 f.; v. Peter Skrine, in: Modern language review 66, Cambridge 1971, 213 f.); – Hans-Jürgen Schings, Die patrist. u. stoische Tradition bei A. G. Unterss. zu den Dissertationes Funebres u. Trauerspielen (Diss. Köln), 1966 (Rez. v. Elida Maria Szarota, in: Neophilologus 53, Groningen 1969, 448 f.; v. A. Menhennet, in: Modern language review 65, Cambridge 1970, 453 f.); – Götz Großklaus, Zeitentwurf u. Zeitgestaltung in den Trauerspielen des A. G. (Diss. Freiburg/Breisgau), 1966; – Dietrich Walter Jöns, Das »Sinnen-Bild«. Stud. z. allegor. Bildlichkeit bei A. G. (Hab.-Schr., Kiel 1965) Stuttgart 1966 (Rez. v. Keith Spalding, in: Muttersprache. Zschr. z. Pflege u. Erforsch. der dt. Sprache 82, 1972, 194 f.); – Friedrich Wilhelm Bautz, . . . u. lobten Gott um Mitternacht. Liederdichter in Not u. Anfechtung, 1966, 154 ff.; – Maria Fürstenwald, A. G.' Dissertationes Funebres. Stud. z. Didaktik der Leichabdankungen, 1967 (Rez. v. A. Menhennet in: Modern language review 65, Cambridge 1970, 451 ff.; v. Hugh Powell, in: German life and letters 23, Oxford 1970, 283 f.); – Wilhelm Voßkamp, Unterss. z. Zeit- u. Gesch.auffassung im 17. Jh. bei A. G. u. Daniel Casper v. Lohenstein (Diss. Kiel, 1965), Bonn 1967 (Rez. v. Volker Meid, in: German.-roman. Mschr. 21, 1971, 108 ff.; v. Hans-Jürgen Schings, in: Anz. f. dt. Altertum u. dt. Lit. 82, 1971, 117 ff.; v. Ernst Alfred Philippson, in: GermRev 46, 1971, 146 ff.); – Werner Eggers, Wirklichkeit u. Wahrheit im Trauerspiel v. A. G., 1967; – Gisbert Kranz, Europas christl. Lit. v. 1500 bis heute, 1968², 105 ff. 587 f. u. ö.; – Wilfried Barner, G. u. die Macht der Rede, in: DVfLG 42, 1968, 325 ff.; – J. Hermann Tisch, Leo Armenios (Diss. Univ. of Tasmania), 1968 (Rez. v. Conrad Wiedemann, in: Germanistik 11, 1970, 98); – Die Dramen des A. G. Eine Smlg. v. Einzelinterpretationen. Hrsg. v. Gerhard Kaiser, 1968 (Rez. v. Harald Steinhagen, in: Germanistik 10, 1969, 584 f.; v. Hugh Powell, in: German life and letters 24, Oxford 1970, 115 f.; v. Ernst Alfred Philippson, in: GermRev 46, 1971, 148 ff.); – Roger Paulin, G.' »Cardenio u. Celide« u. Arnims »Halle u. Jerusalem«. Eine vergleichende Unters. (Diss. Heidelberg, 1965), Tübingen 1968 (Rez. v. Herbert Anton, in: Neophilologus 53, Groningen 1969, 448; Germanistik 10, 1969, 801); – Hans Moritz Meyer, A. G., in: Große Deutsche aus Schlesien. Hrsg. v. Herbert Hupka, 1969, 34 ff.; – Robert Fred Bell, Critical Studies in the »Son- undt Feyrtags Sonnete« of A. G. (Diss. Univ. of Illinois), 1969; – Renate Gerling, Schr.wort u. lyr. Wort. Die Umsetzung bibl. Texte in der Lyrik des 17. Jh.s (Diss. Bochum), Meisenheim/Glan 1969, 47–125; – Theo Vennemann u. Hans Wagener, Die Anredeformen in den Dramen des A. G., 1970 (Rez. v. Ludwig Fischer, in: Germanistik 12, 1971, 305 f.; v. Hinrich Lührmann, in: Daphnis. Zschr. f. mittlere dt. Gesch. 1, 1972, 219 ff.); – Peter Rusterholz, Theatrum vitae humanae. Funktion u. Bedeutungswandel eines poet. Bildes. Stud. zu den Dichtungen v. A. G., Christian Hofmann v. Hofmannswaldau u. Daniel Casper v. Lohenstein (Diss. Zürich), Berlin 1970 (Rez. v. Josef Sulbrack, in: GuL 44, 1971, 318 f.; v. Jürgen Hein, in: Germanistik 12, 1971, 302 f.); – Armin Schlienger, Das Komische in den Komödien des A. G. Ein Btr. z. Ernst u. Scherz im Barocktheater (Diss. Zürich), Bern 1970 (Rez. v. D. M. Moore, in: Daphnis 1, 1972, 105 f.); – Marvin S. Schindler, The sonnets of A. G., use of the poetic word in the seventeenth century (Diss. Univ. of Florida), Gainesville 1971 (Rez. v. Peter M. Daly, in: Seminar. A journal of Germanic studies 8, Toronto 1972, 138 ff.; v. Keith L. Roos, in: Modern language journal 57, Menasha 1973, 295 f.; v. Peter Skrine, in: Modern language review 68, Cambridge 1973, 448 f.; v. Joseph Strelka, in: Mhh. f. dt. Unterricht. dt. Sprache u. Lit. 65, Madison/Wisconsin 1973, 185 f.; v. Hugo Bekker, in: Journal of English and Germanic philology 72, Urbana/Illinois 1973, 78 f.; v. G. H. Sutton, in: German life and letters 27, Oxford 1973, 86); – Peter Schütt, Die Dramen des A. G. Sprache u. Stil (Diss. Hamburg), 1971 (Rez. v. Harald Steinhagen, in: Germanistik 15, 1974, 128); – Hugo Bekker, A. G., poet between epochs, 1973; – Biogr. Wb. z. dt. Gesch. I², 1973, 960 f.; – Peter Schäublin, A. G.' erstes Trauerspiel »Leo Armenius« u. die Bibel, in: Daphnis 3, 1974, 1 ff.; – Sibylle Rusterholz, Rostra, Sarg u. Predigtstuhl: Stud. zu Form u. Funktion der Totenrede bei A. G. (Diss. Zürich, 1971), Bonn 1974; – Kosch, LL I, 761 f.; – Goedeke III, 215 ff.; – WeltLit II, 654; – Eppelsheimer, WL 292 f.; – Wilpert I², 631 f.; II, 158 (Cardenio u. Celinde); 159 (Carolus Stuardus). 160 (Catharina v. Georgien). 477 f. (Horribilicribrifax). 634 (Leo Armenius). 800 (Papinianus). 817 (Peter Squentz). 978 (Sonn- u. Feiertags-Sonette). 1104 (Verliebtes Gespenst. Die geliebte Dornrose); – KLL I, 52 f. (Absurda comica oder Herr Peter Squentz). 2152 f. (Cardenio u. Celinde oder unglücklich Verliebte). 2244 ff. (Catharina v. Georgien. Oder Bewehrete Beständigkeit); II, 2304 ff. (Ermordete Majestät Oder Carolus Stuardus Kg. v. Groß Britannien); III, 1207 ff. (Großmütiger Rechtsgelehrter Oder sterbender Aemilius Paulus Papinianus). 2158 ff. (Horribilicribrifax. Dt. Wehlende Liebhaber); IV, 1203 ff. (Leo Armenius. Oder Fürstenmord); VII, 441 ff. (Verliebtes Gespenste. Die geliebte Dornrose); Suppl. 1028 ff. (Sonn- u. Feiertagssonette); – Koch III, 44 ff.; – Fischer-Tümpel I, 384 ff.; – Hdb. z. EKG II/1, 147 ff.; – ADB X, 73 ff.; – NDB VII, 242 ff.; – RGG II, 1898 f.

GUALTHER (Walther, Gwalter), Rudolf, ref. Theologe, * 2. 10. 1519 als Sohn eines Zimmermanns, † 25. 12. 1586 in Zürich. – G. kam als Waise 1528 in die Klosterschule von Kappel, deren Vorsteher Heinrich Bullinger (s. d.) ihn später in Zürich in sein Haus aufnahm und für ihn väterlich sorgte. 1537 begleitete er einen vornehmen Engländer in dessen Heimat. 1538 bis 1541 studierte G. Theologie und andere Wissenschaften in Basel, Straßburg, Lausanne und Marburg und durfte 1541 im Gefolge des Landgrafen Philipp von Hessen (s. d.) an dem Religionsgespräch in Regensburg teilnehmen. Er wurde Pfarrer in Schwamendingen, dann Katechist am Großmünster in Zürich und 1542 als Nachfolger von Leo Jud (s. d.) Pfarrer an St. Peter. G. heiratete 1541 Regina (1524–65), Tochter des Reformators Huldrych Zwingli (s. d.), die nach dem Tod ihres Vaters (1531) in Bullingers Haus ein Heim gefunden hatte, und zum zweitenmal 1565 Anna, Tochter des früheren Bürgermeisters Thomas Blarer (s. d.) von Konstanz. Seit 1547 war G. Dekan des Zürichseekapitels und führte 1566 mit Schaffhausen, Basel und Mülhausen die Unterhandlungen über den Bei-

tritt zu der von Bullinger verfaßten »Confessio Helvetica posterior«. Als Nachfolger Bullingers wirkte er 1575–83 als Antistes der Zürcher Kirche. – G. war geschätzt als Prediger und Schriftsteller. Seine Homilien und Bibelauslegungen erschienen in großer Anzahl und vielen Auflagen. Seine 5 Predigten über den »Endchrist« (»Antichrist«), Homilien über Mt 24 wider Rom und das Papsttum, erregten großes Aufsehen, fanden weiteste Verbreitung und wurden in alle Sprachen der reformierten Welt übersetzt. Für die 1. Gesamtausgabe der Werke Zwinglis von 1547 übersetzte er über 30 deutsche Schriften seines Schwiegervaters ins Lateinische und schrieb die »Apologia pro Zwinglio et operum eius editione«. Lebenslang pflegte G. die Dichtkunst. Er verfaßte Komödien, Epigramme, Epitaphe, dichterische Bearbeitungen biblischer Stoffe und geistliche Lieder, von denen Ambrosius Blarer (s. d.) zwei in sein Gesangbuch aufnahm.

Werke: De syllabarum et carminum ratione libri duo, Zürich 1542; Argumenta omnium tam veteris quam novi testamenti capitum elegiaco carmine conscripta, ebd. 1543; – Der Endtchrist. Kurtze ... bewysung, in fünff Predigen begriffen, dass der Papst ... eigentlich Endtchrist sye, 1546; Comoedia Sacra »Nabal«, ebd. 1549 (v. Wolfgang Haller am 27. 9. 1570 aufgeführt); Von der hl. Gschrifft u. ihrem Ursprung, ebd. 1553; Das Vatter unser. Vom Gebätt der Christglöubigen, ebd. 1556; Genesis. Das erste Buch Mosis grundlich verteutschet, ebd. 1593; Archetypi homiliarum in 4 Evang., hrsg. v. R. Simmler, ebd. 1601.

Lit.: Georg Rudolph Zimmermann, Die Zürcher Kirche v. der Ref. bis z. 3. Ref.jub. (1519–1819), nach der Reihenfolge der Zürcher Antistes geschildert, Zürich 1877, H. 1; – Theodor Vetter, Rudolf Zwingli u. R. G., die Enkel des Reformators u. ihre Schicksale in Engl. 1571/72, in: Zwingliana 1, 1897–1904, 254 ff.; – Georg Finsler, Zwinglis Schr. »Eine Antwort, Valentin Compar gegeben« v. Engl. aus zitiert, ebd. 3, 1913–20, 115 ff.; – Paul Boesch, R. G.s Reise nach Engl. im J. 1537, ebd. 8, 1944 bis 1948, 433 ff.; – Oskar Farner, Ein neuentdeckter Brief R. G.s an Theodor Beza, ebd. 9, 1949–53, 104 ff.; – Schottenloher I, Nr. 7755–7762; V, Nr. 46638–46640; VII, Nr. 54932–54934; – HBLS IV, 26; – ADB X, 239 f.; – NDB VII, 360 f.; – RE VII, 222 ff.; – RGG II, 1899 f.

GUARDINI, Romano, kath. Theologe und Religionsphilosoph, * 17. 2. 1885 in Verona, † 1. 10. 1968 in München. – G. war 1923–39 Professor für Religionsphilosophie und katholische Weltanschauung in Berlin, 1945–48 in Tübingen und 1948–63 in München. Er wurde zuerst bekannt als führende Persönlichkeit in der katholischen Jugendbewegung des »Quickborn« und der deutschen Liturgischen Bewegung. G. ist ein bedeutender Vertreter des deutschen Katholizismus in allen Zeit-, Glaubens- und Kulturfragen und geschätzt als Interpret literarischer Werke.

Werke: Vom Geist der Liturgie, 1918 (1962⁶); Der Kreuzweg unseres Herrn u. Heilandes, 1919 (1967: 324.–333. Tsd.); Kath. Jugendgemeinschaft, 1921; Die Lehre des hl. Bonaventura v. d. Erlösung. Ein Btr. z. Gesch. u. z. System der Erlösungslehre, 1921; Neue Jugend u. kath. Geist, 1921 (1924: 6.–8. Tsd.); Quickborn. Tatsachen u. Grundsätze, 1921 (1922⁸); Vom Sinn der Kirche. 5 Vortrr., 1922 (1955⁴); Von hl. Zeichen, 1922 (1966: 162.–171. Tsd.); Briefe über Selbstbildung, 1922 (bearb. v. Ingeborg Klimmer, 1968¹¹: 83.–85. Tsd.); Auf dem Wege. Verss., 1923; Liturg. Bildung. Verss., 1923; Hl. Anzeit. Liturg. Texte aus Missale u. Brevier. Übertr., 1925; Der Gegensatz. Verss. zu einer Philos. des Lebendig-Konkreten, 1925 (1955²); In gloria sanctorum. Liturg. Texte, übertr., 1928; Das Gute, das Gewissen u. die Smlg., 1929 (1962⁵); Vom lebendigen Glauben, 1930 (1962: 21.–23. Tsd.); In Spiegel u. Gleichnis. Bilder u. Gedanken, 1932 (1960⁶); Das Gebet des Herrn, 1932 (1959⁸); Wille u. Wahrheit. Geistl. Übungen, 1933 (1958: 15.–17. Tsd.); Der Mensch u. der Glaube. Verss. über die Existenz in Dostojewskijs großen Romanen, 1933 (1947⁸ u. d. T.: Rel. Gestalten in Dostojewskijs Werk; 1951⁴ u. d. T.: ... Studien über den Glauben; Neuaufl. 1964); Unterscheidung des Christl. Ges. Stud. Hrsg. v. Heinrich Kahlefeld, 1935 (hrsg. v. Hans Waltmann, 1963²); Vom Leben des Glaubens, 1935 (1963⁵); Die Bekehrung des Aurelius Augustinus. Der innere Vorgang in seinen Bekenntnissen, 1935 (1959³); Christl. Bewußtsein. Verss. über Pascal, 1935 (1956³; dtv 38, 1962); Das Bild v. Jesus, dem Christus, im NT, 1936 (1967⁵); Der Herr. Betrachtungen über die Person u. das

Leben Jesu Christi, 1937 (1964¹³); Dante-Stud. I: Der Engel in Dantes Göttl. Komödie, 1937 (1951²); Das Wesen des Christentums, 1938 (1958⁵); Hölderlin. Weltbild u. Frömmigkeit, 1939 (1955²); Welt u. Person. Verss. z. christl. Lehre v. Menschen, 1939 (1950³); Besinnung vor der Feier der hl. Messe, 1939 (1961⁷); Ein Wort z. liturg. Frage, 1940; Die Offb., ihr Wesen u. ihre Formen, 1940; Die letzten Dinge. Die christl. Lehre v. Tode, der Läuterung nach dem Tode, Auferstehung, Gericht u. Ewigkeit, 1940 (1966⁸: 29.–31. Tsd.); Jesus Christus. Sein Bild in den Schrr. des NT. 1. Das Christusbild der Paulin. Schrr. 2. Das Christusbild der Johanneischen Schrr., 1940 (1961²); Der Rosenkranz Unserer Lieben Frau, 1940 (1964⁷); Zu Rainer Maria Rilkes Deutung des Daseins. Eine Interpretation der 2., 8. u. 9. Duineser Elegie, 1941 (1948³); Vorschule des Betens, 1943 (1952³); Glaubenserkenntnis. Verss. z. Unterscheidung u. Vertiefung, Basel 1944 (Würzburg 1949); Der Tod des Sokrates. Eine Interpretation der platon. Schrr., 1944 (1969¹⁰: 91.–98. Tsd.); Form u. Sinn der Landschaft in den Dichtungen Hölderlins, 1946; Vision u. Dichtung. Der Charakter v. Dantes Göttl. Komödie, 1946 (1951: 11. u. 12. Tsd.); Theol. Gebete, 1948 (1960⁶); Freiheit, Gnade, Schicksal. 3 Kap. z. Deutung des Daseins, 1948 (1956⁴); Das J. des Herrn. Ein Betrachtungsbuch, 1949 (1954²); 3 Schr.ausl. Im Anfang war das Wort. Joh 1, 1–18. Das Harren der Schöpfung. Röm 8, 12–39. Die christl. Liebe. 1Kor 13, 1949 (1958²); Lebendiger Geist (Aufss.), Zürich 1950; Die Sinne u. rel. Erkenntnis. 2 Verss. über die christl. Vergewisserung, 1950 (1958²); Das Ende der Neuzeit. Ein Vers. z. Orientierung, 1950 (1959⁷); Der hl. Franziskus, Zürich 1951; Gläubiges Dasein. 3 Meditationen, 1951 (1955²); Nur wer Gott kennt, kennt den Menschen, 1953 (1965⁴ u. d. T.: Den Menschen erkennt nur, wer v. Gott weiß); Zu Rainer Maria Rilkes Deutung der Duineser Elegien, 1953 (1961²); Die Lebensalter. Ihre päd. u. eth. Bedeutung, 1953 (1967⁹); Wahrheit u. Ordnung. Univ.predigten, 1955 ff.; Vom stilleren Leben (mit Eduard Spranger), 1956; Das Licht bei Dante, 1956; Begegnung u. Bildung (mit Otto Friedrich Bollnow), 1956 (1965⁴); Grundlegung der Bildungslehre. Vers. einer Bestimmung des Pädagogisch-Eigentlichen, 1956 (1965⁷); Jesus Christus. Geistl. Wort, 1957; Ggw. u. Geheimnis. Eine Ausl. v. 5 Gedichten Eduard Mörikes, 1957 (1967²); Dante-Stud. II: Landschaft der Ewigkeit, 1958; Rel. u. Offb. I, 1958; Die menschl. Wirksamkeit des Herrn. Btrr. zu einer Psychologie Jesu, 1958; Die Annahme seiner selbst, 1959 (1965⁴); Gebet u. Wahrheit. Meditationen über das Vaterunser, 1960 (1963²); Nähe des Herrn. Betrachtungen über Advent, Weihnachten, Jahreswende u. Epiphanie, 1960 (1964³); Der Anfang aller Dinge. Meditationen über Gen 1–3, 1961 (1965²); Johanneische Botschaft. Meditationen über Worte aus den Abschiedsreden u. dem 1. Joh.brief, 1962 (1966²); Sorge um den Menschen I, 1962 (1967³); II, 1966; Weisheit der Pss. Meditationen, 1963; Predigten z. Kirchenj. Ges. u. hrsg. v. Werner Becker, 1963; Tugenden. Meditationen über Gestalten sittl. Lebens, 1963 (1967²); Systembildende Elemente in der Theol. Bonaventuras. Die Lehren v. lumen mentis, v. der gradatio entium u. der influentia sensus et motus. Hrsg. v. Werner Dettloff, Leiden 1964; Die Kirche des Herrn. Meditationen über Wesen u. Auftrag der Kirche, 1965; Stationen u. Rückblicke, 1965; Liturgie u. liturg. Bildung, 1966; Rel. Erfahrung u. Glauben (Smlg.), 1974; Der Weg z. Menschwerden (Smlg.), 1975.

Lit.: Heinrich Getzeny, Auf dem Wege R. G.s, in: Hochland 21/II, 1924, 637 ff.; – Erich Przywara, Tragische Welt?, in: StZ 111, 1926, 183 ff.; – Maria Schlüter-Hermkes, Die Gegensatzlehre R. G.s, in: Hochland 26/I, 1928–29, 529 ff.; – Christl. Verwirklichung. R. G. z. 50. Geb. Hrsg. v. Karlheinz Schmidthüs, 1935; – Ludwig A. Winterswyl, R. G. Eigenart u. Ertrag seines theol. Werkes, in: Hochland 34/II, 1937, 363 ff.; – Arthur Hübscher, Philosophen der Ggw., 1949; – Heinrich Fries, Die kath. Rel.philos. der Ggw., 1949; – Viktor v. Weizsäcker, Begegnungen u. Entscheidungen, 1949, 31 ff.; – Paul Fechter, An der Wende der Zeit. Menschen u. Begegnungen, 1950; – Theoderich Kampmann, Gelebter Glaube, 1957, 72 ff.; – Theologen unserer Zeit. Eine Vortr.reihe des Bayer. Rundfunks. Hrsg. v. Leonhard Reinisch, 1960; – Helmut Kuhn, R. G. Der Mensch u. das Werk, 1961; – Ders., R. G. z. 80. Geb., in: StZ 175, 1964 bis 1965, 430 ff.; – Bernhard Langemeyer, Der dialog. Personalismus in der Theol. Eine theol.geschichtl. Unters. ausgehend v. Ferdinand Ebner (Diss. Münster, 1964), 1963 (u. d. T.: Der dialog. Personalismus in der ev. u. kath. Theol. der Ggw.); – Richard Wisser, In der Zeit gg. die Zeit, in: ZRGG 15, 1963, 377 ff.; – Ders., Verantwortung im Wandel der Zeit. Einübung in geist. Handeln. Jaspers, Buber, R. G. v. Weizsäcker, G., Heidegger, 1967; – Mario Bendiscioli, L'ora della liturgia. R. G. e il movimento liturgico in Germania, in: Miscellanea Carlo Figini, Hildephonsiana 6, Venegono Inferiore/Varese 1964, 489 ff.; – Anton Menke, Das Gegenstands-Verständnis personaler Päd. Systemat. erörtert im Anschluß an Martin Buber u. R. G. als Btr. z. Diskussion um den Begriff des Bildungsgutes, 1964; – Isabella Rüttenauer, Die Sorge um den Menschen. Festvorlesung z. 80. Geb. v. R. G. in der PH Münster, in: KatBl 90, 1965, 194 ff.; – Interpretation der Welt. Festschr. f. R. G. z. 80. Geb. Hrsg. v. Helmut Kuhn, Heinrich Kahlefeld u. Karl Forster, 1965; – Akadem. Feier z. 80. Geb. v. R. G., hrsg. v. Karl Forster, 1965; – Giovanni Bortolaso, L'uomo e il existianesimo in R. G., in: CivCatt 116, 1965, 3. 133 ff.; – Ders., R. G. interprete di Dio, ebd. 119, 1968, 233 ff.; – Berthold Gerner, Perso-

nengerechte Erziehung. Päd. Meditationen z. Personenlehre R. G.s, in: Vjschr. f. wiss. Päd. 42, 1966, 198 ff.; – Henri Engelmann – Francis Ferrier, R. G., Paris 1966; – Walter Dirks, R. G., in: Tendenzen der Theol. im 20. Jh. Hrsg. v. Hans Jürgen Schultz, 1966, 248 ff.; – Alfonso López Quintas, R. G. y la dialéctica de lo viviente. Estudio metodológico, Madrid 1966; – Marian Jaworski, Religijne poznanie Boga wedlug R. G. Studium analityczno-krytyczne (mit frz. Zus.fassung), Warschau 1967; – Gisbert Kranz, Europas geistl. Lit. v. 1500 bis heute, 1968², 404 ff. 588 f. u. ö.; – Karl Wucherer-Huldenpfeld, Die Gegensatzphilos. R. G.s in ihren Grdl.n u. Folgerungen (Diss. Wien, 1953), 1968; – Ursula Berning-Baldeaux, Person u. Bildung im Denken R. G.s, 1968; – Burkhard Neunheuser, R. G. Ein Rückblick, in: BM 44, 1968, 483 ff.; – Friedrich Heer, Der Glaube u. die moderne Welt – Dem Gedenken an R. G., in: Universitas. Zschr. f. Wiss., Kunst u. Lit. 23, 1968, 1193 ff.; – Albino Babolin, R. G. filosofo dell'alterità. I: Realtà e persona, Bologna 1968 (Rez. v. G. Bortolaso, in: CivCatt 120, 1969, 202 f.; v. F. C., in: Rivista internazionale di filosofia del diritto 47, Mailand 1970, 144 f.); – Ders., II: Situazione umana ed esperienza religiosa, ebd. 1969 (Rez. v. G. Bortolaso, in: CivCatt 120, 1969, 411 f.; v. L. Turco, in: Bibliographie de la Philosophie 17, Paris 1970, 106); – Gabriel v. Roth, Gedenkworte f. R. G., in: Universitas »pour le mérite« f. Wiss. u. Künste. Reden u. Gedenkworte 9, 1968–69, 147 ff.; – Joseph Pascher, In memoriam R. G., in: EphLiturg 83, 1969, 126 ff.; – Giuliano Riva, R. G. e il suo tempo, in: La scuola cattolica 97, Venegono Inferiore/Varese 1969, 378 ff.; – Alfred Kumpf, R. G., Berlin 1969 (Liz.ausg. München u. Salzburg, R. G. Diener des Herrn, 1970); – Alfred Schüler, R. G., eine Denkergestalt an der Zeitenwende, in: AMrhKG 21, 1969, 133 ff.; – Ernst Tewes, R. G., in: LJ 19, 1969, 129 ff.; – Felix Messerschmid, In memoriam R. G., in: GWU 21, 1970, 709 ff.; – Hans Urs v. Balthasar, R. G. Reform aus dem Ursprung, 1970 (Rez. v. Josef Sudbrack, in: GuL 44, 1971, 480; v. T. M. Schoof, in: TTh 13, 1973, 237); – Ders., R. G. Riforma dalle origini, Mailand 1970 (Rez. v. G. Bortolaso, in: CivCatt 122, 1971, 194 f.); – Dieter Höltershinken, Das personalist. Erziehungsverständnis im Werke Martin Bubers, R. G.s u. Peter Petersens (Diss. Münster, 1970), Weinheim – Berlin – Basel 1971 (u. d. T.: Anthropolog. Grdl.n u. personalist. Erziehungslehren. M. Buber, R. G., P. Petersen); – Werner Dettloff, Begegnung im Wort. Gedanken aus einem Gespräch mit R. G. über das Diskutieren, in: Begegnung. Btrr. zu einer Hermeneutik des theol. Gesprächs. Heinrich Fries gewidmet. Hrsg. v. Max Seckler (u. a.), 1972, 761 ff.; – Fridolin Wechsler, R. G. als Kerygmatiker, 1973 (Rez. v. Urs Eigenmann, in: Civitas. Mschr. des schweizer. Studentenver. 29, Immensee 1973–74, 201 f.; v. Josef Bommer, in: Diakonia. Der Seelsorger. Internat. Zschr. f. prakt. Theol. 5, 1974, 359; v. Horst Fuhrmann, in: ThRv 71, 1975, 65 f.; v. Franz-Josef Hungs, in: KatBl 100, 1975, 255 f.); – Heinz Robert Schlette, R. G. Werk u. Wirkung, 1973; – W. Ferber, R. G., in: Zeitgesch. in Lb. Aus dem dt. Kath. des 20. Jh.s. Hrsg. v. Rudolf Morsey, 1973, 287 ff.; – Paul Schmidt, Die päd. Relevanz einer anthropolog. Ethik: eine Unters. z. Werke R. G.s (Diss. Marburg, 1972), Düsseldorf 1973; – Ders., Glaubenserfahrung u. Glaubenskritik. Der Btr. R. G.s zu einer krit. Theol. des Glaubens, in: ThGl 64, 1974, 323 ff.; – Das geschichtl. Erbe R. G.s. Referate der Theol. Werk- u. Besinnungswoche auf Burg Rothenfels, 6.–11. Okt. 1975, 1975; – KLL III, 526 ff. (Der Gegensatz); – Kosch, LL I, 762 f.; – Kosch, KD 1190; – EKL I, 1732; – RGG II, 1900.

GÜNTHARDT, Emil, Dichter der Heilsarmee, * 1860 in Winterthur (Schweiz), † 1888 in Kilchberg bei Zürich. – G. war in seiner Vaterstadt ein begabter Lehrer und sollte auf Wunsch des Vaters Professor werden. Er studierte in Genf und wurde dort durch die Heilsarmee bekehrt. G. setzte in Zürich, wohin seine Familie übergesiedelt war, seine Studien fort und wurde ein eifriges Mitglied der Heilsarmee. 1886 trat er zum großen Schmerz seines Vaters ganz in das Werk der Heilsarmee ein. G. kam nach Paris in die Kadettenschule und erhielt einen Posten, wo er viel Verfolgung und Mangel litt. G. kehrte 1887 zur Beerdigung seines Vaters nach Zürich zurück und blieb seiner geschwächten Gesundheit wegen in der Schweiz als Kapitän der Heilsarmee in Kilchberg. – Von seinen Liedern fand durch Aufnahme in das deutsche Reichsliederbuch weitere Verbreitung »Laß mich, Jesu, dir nachstreben, dir, der meine Schuld gesühnt.«

Lit.: Walter Schulz, Reichssänger. Schlüssel z. dt. Reichsliederbuch, 1930, 55.

GÜNTHER, Anton, kath. Philosoph und Theologe, * 17. 11. 1783 in Lindenau (Böhmen) als Sohn des Dorfschmieds, † 24. 2. 1863 in Wien. – G. besuchte das Gymnasium in Leitmeritz und studierte in Prag Philosophie und die Rechte und in Raab (Ungarn) Theologie. 1821 empfing er die Priesterweihe und trat 1822 in Starlwieś (Galizien) als Novize in die Gesellschaft Jesu ein, verließ aber nach zweijährigem Noviziat den Jesuitenorden, der ihm zu autoritär erschien, und lebte seit 1824 als Privatgelehrter in Wien. – G. versuchte im Gegensatz zur Neuscholastik eine anthropologische Fundierung und rationale Begründung der übernatürlichen Wahrheiten und Mysterien des Christentums. Er geriet mit seiner spekulativen Bearbeitung des Dogmas in Widerspruch zur kirchlichen Lehre, unterwarf sich aber der 1857 erfolgten kirchlichen Verurteilung seiner Schriften. Der »Güntherianismus«, das philosophische und theologische System G.s und seiner Freunde, gewann etwa 1830–70 großen Einfluß auf katholische Theologen und Philosophen sowie auf den Altkatholizismus.

Werke: Vorschule z. speculativen Theol. des positiven Christentums, 2 Bde., 1828/29 (1846/48²); Peregrins Gastmahl, 1830; Süd- u. Nordlichter am Horizont speculativer Theol., 1832; Janusköpfe, 1833; Der letzte Symboliker, 1834; Thomas a scrupulis, 1835; Die Juste-Milieus in der dt. Philos. gegenwärtiger Zeit, 1838; Eurysteus u. Herakles, 1843; Lydia, 5 Tle., 1849–54 (zus. mit Johann Emanuel Veith); Lentigos u. Peregrins Briefwechsel, 1857; Anti-Savarese, 1883. – GA, 9 Bde., 1882.

Lit.: Ernst v. Lasaulx, Zu G. u. Antigüntherianerlit., 1855; – Karl Werner, Gesch. der kath. Theol. seit dem Trienter Konzil bis z. Ggw., 1866, 452 ff.; – Ders., Gesch. der apologet. u. polem. Lit. der christl. Theol. V, Schaffhausen 1867, 283 ff.; – Peter Knoodt, A. G. Eine Biogr., 2 Bde., Wien 1881; – Eduard Winter, Die Wiener theol. Schule A. G.s in seinen u. F. Egerers Briefen an K. Werner, in: Jb. d. östr. Leo-Ges. 6, 1929, 243 ff.; – Ders., A. G., in: Sudetendt. Lb. II, 1930, 218 ff.; – Ders., Die geist. Entwicklung A. G.s u. seiner Schule, 1931; – Ders. u. Maria Winter, Domprediger Johann Emanuel Veith u. Karl Friedrich Schwarzenberg, Der G.prozeß im unveröff. Briefen u. Akten, Wien 1972 (Rez. v. Augustinus Kurt, in: Arch. f. KG v. Böhmen – Mähren – Schlesien 3, 1973, 333 ff.; v. Robert Stupperich, in: Kirche im Osten. Stud. z. osteurop. KG u. Kirchenkunde 16, 1973, 181 f.); – Franz Lakner, Die »Idee« bei A. G. Hist. Voraussetzung der Grundkonzeption v. G.s philos.-theol. Organon, in: ZKTh 59, 1935, 1–56. 197–245; – Ladislao Orbán, Theologia güntheriana et Concilium Vaticanum. Inquisitio historico-dogmatica de re Güntheriana iuxta vota inedita consultoris J. Schwetz actaque Concilii Vaticani exarata (An-Greg 28. 50), I, Rom 1942 (Neuausg. 1950); II, ebd. 1949; – Rainer Dempf, Die Staatsphilos. A. G.s v. J. 1848 (Diss. Wien), 1948; – Alois Dempf, Weltordnung u. Heilsgesch., Einsiedeln 1958, 109 ff.; – Theo Schäfer, Die erkenntnistheoret. Kontroverse Kleutner-G. Ein Btr. z. Entstehungsgesch. der Neuscholastik (Diss. Bonn), Paderborn 1961; – Paul Wenzel, Das Anliegen des Güntherianismus. Ein Btr. z. Theol.gesch. des 19. Jh.s (Diss. Rom, 1957), 1961; – Ders., Der Freundeskreis um A. G. u. die Gründung Beurons. Ein Btr. z. Gesch. des Kath. im 19. Jh., 1965; – Georg Schwaiger, A. G. u. der Güntherianismus, in: MThZ 13, 1962, 297 ff.; – Joseph Pritz, Die Auffassung v. Tradition u. Schr. bei A. G., in: ZKTh 84, 1962, 323 ff.; – Ders., Glauben u. Wissen bei A. G. Eine Einf. in sein Leben u. Werk. Mit einer Ausw. aus seinen Schr., Wien 1963; – Ders., Zur Lehre A. G.s v. der Kirche, in: Dienst an der Lehre. Stud. z. heutigen Philos. u. Theol. Hrsg. v. der kath.-theol. Fak. der Univ. Wien. Wiener Btr. z. Theol. 10, 1965, 275 ff.; – Ders., Zur Gesch. der philos.-theol. Schule A. G.s. Briefe A. G.s an den Philosophen J. H. Löwe, in: Festschr. Franz Loidl z. 65. Geb. Hrsg. v. Viktor Flieder, I, Wien 1970, 204 ff.; – Wegweisung z. Theol.: Briefe A. G.s an Johann Nepomuk Ehrlich, mit einer Einl. v. dems., ebd. 1971; – Ders., Offb. Eine philos.-theol. Analyse nach A. G., in: ZKTh 95, 1973, 249 ff.; – Ders., Glaube u. Wissen. Ein Vers. z. Lösung des Problems nach A. G., ebd. 97, 1975, 253 ff.; – Wilhelm Kosch, Biogr. Staatshdb. I, 1963, 435 f.; – Ursmar Engelmann, A. G. in Beuron, in: MB 42, 1966, 240 ff.; – Karl Beck, Offb. u. Glaube bei A. G., Wien 1967 (Rez. v. Hermann H. Schwedt, in: ThRv 65, 1969, 326 ff.); – Erwin Mann, Das zweite Ich A. G.s. Johann Heinrich Pabst, Wien 1970 (Diss. Wien 1967 u. d. T.: Dr. med. Johann Heinrich Pabst. Sein Leben u. seine Bedeutung als engster Freund u. Mitarbeiter A. G.s); – Johann Reikerstorfer, Zum Offb.begriff A. G.s, in: Sacerdos et pastor semper ubique. Festschr. z. 40j. Priesterjub. Prälat Univ.Prof. Dr. Franz Loidl, Wien 1972, 125 ff.; – Erbe als Auftrag: z. Theol. u. Geistesgesch. des 19. Jh.s: Joseph Pritz z. 60. Geb., hrsg. v. dems., Wien 1973; – Hans Klinger, Sündenfall u. Erbsünde bei A. G., ebd. 119 ff.; – Johann Reikerstorfer, Zur Frage nach dem Motiv der Schöpfung bei A. G., ebd. 205 ff.; – Biogr. Wb. z. dt. Gesch. I², 1973, 965; – Kosch, KD 1195 f.; – Wurzbach VI, 10 ff.; – ÖBL II, 100 f.; – ADB X, 146 ff.; – NDB VII, 268 f.; – Überweg IV, 259 ff. 699; – ERE VI, 455 f.; – CathEnc VII, 85 ff.; – DThC VI, 1992 f.; Tables générales I, 2005; – EC VI, 1307 ff.; – LThK IV, 1276 ff.; – NCE VI, 865; – ODCC² 607 f.; – Kosch, LL I, 765; – Kosch, KD 1195 f.; – RGG II, 1902 f.

GÜNTHER, Cyriakus, Lehrer und Kirchenliederdichter, * 15. 1. 1650 in Goldbach bei Gotha, † 7. 10. 1704 in Gotha. – G. besuchte die Schulen in Goldbach und Gotha, studierte in Jena und wurde Lehrer in Eisfeld, dann am Gymnasium in Gotha. Sein Sohn Friedrich Philipp, Küster an der St. Georgenkirche in Glaucha bei Halle/Saale, gab Johann Anastasius Freylinghausen (s. d.), der damals August Hermann Franckes (s. d.) Vikar an dieser Kirche war, das geschriebene Liederbuch seines heimgegangenen Vaters mit über 30 Liedern. Freylinghausen nahm daraus 10 auf in den 2. Teil seines »Neuen geistreichen Gesangbuches«, Halle 1714. Von G.s Liedern sind u.a. bekannt: »Halt im Gedächtnis Jesum Christ« (EKG 257), eine schlichte Auslegung des 2. Artikels; »O herrlicher Tag, o fröhliche Zeit, da Jesus lebt ohn alles Leid!« und das Lob- und Danklied »Bringt her dem Herren Lob und Ehr aus freudigem Gemüte.« Genannt sei auch sein Pfingstlied »Heilger Geist, du Himmelslehrer, mächtger Tröster und Bekehrer, ach laß meines Herzens Schrein deine ewge Wohnung sein«.

Lit.: Koch IV, 268 f.; – Hdb. z. EKG II/1, 225 f.; – Goedeke III, 288.

GÜNTHER, Ignaz, der bedeutendste Bildhauer des deutschen Rokoko, * 22. 11. 1725 in Altmannstein bei Riedenburg (Oberpfalz) als Sohn eines Schreiners, Bildhauers, Faßmalers und Bürgermeisters, † 28. 6. 1775 in München. – Nach seiner Lehre in der väterlichen Werkstatt war G. 1743–50 Geselle und Mitarbeiter des Hofbildhauers Johann Baptist Straub in München und arbeitete 1751–52 in Mannheim vermutlich bei dem Hofbildhauer Paul Egell. Nach dem Besuch der Kaiserlichen Akademie in Wien 1753 ließ er sich 1754 in München nieder und wurde neben seinem ehemaligen Lehrer Straub zum angesehensten Bildhauer der Landeshauptstadt. Vor allem Klöster und Kirchen Münchens und des Umlandes erteilten ihm große Aufträge.

Werke: Ausstattung der ehem. Benediktinerabteikirche in Rott am Inn (1761/62); Schutzengelgruppe im Bürgersaal, München (1763); Hochaltar der alten Pfarrkirche in Starnberg (1764/65); Hochaltar der ehem. Prämonstratenserklosterkirche Neustift Sankt Peter und Paul bei Freising (um 1765); Hochaltar der ehem. Benediktinerabteikirche in Mallersdorf (1768); Pietà in der Friedhofskapelle in Nenningen bei Göppingen (1774); Hochaltar und Monstranz in der Pfarrkirche Geppersdorf, Bez. Mährisch-Schönberg (1752–53); Hll., Starnberg, Mus. – Madonna in Attel bei Wasserburg (um 1762); Tabernakel u. Prozessionstragfiguren, Klosterkirche Weyarn (1763–64); Pfarrkirche Starnberg (1766–68); Madonna, Cleveland/USA, Museum of Art (vor 1770).

Lit.: Adolf Feulner, I. G., kf.-bayr. Hofbildhauer, 1920; – Ders., Münchner Barockskulptur, 1923; – Ders., Bayer. Rokoko, 1923, 125 ff.; – Ders., Skulptur u. Malerei des 18. Jh.s in Dtld., 1929, 63 ff.; – Ders., I. G. Der große Bildhauer des Bayer. Rokoko. Mit Aufn. v. Erika Schmauß, 1947; – Gerhard Woeckel, Stud. zu I. G. (Diss. München), 1949; – Arno Schönberger u. Gerhard Woeckel, I. G. Ausst.kat. München, 1951; – Ders., I. G., 1954; – Theodor Müller, Zur Nenninger Pieta I. G.s, in: Hl. Kunst, 1951, 5 ff.; – Ders., I. G. Bildwerke in Weyarn, 1964; – Hugo Schnell, I. G., in: Das Münster 14, 1961, 334 ff.; – Gerhard P. Woeckel, Notizen zu I. G., in: Die Weltkunst. Zschr. f. Kunst, Buch, alle Sammelgebiete u. ihren Markt 45, 1975, Sondernr., 1830 f.; – Thieme-Becker XV, 204 ff.; – NDB VII, 275 f.; – LThK IV, 1278.

GÜNTHER, Martin, Kirchenliederdichter, * 1690 in Großrückerswalde bei Marienberg im sächsischen Erzgebirge, † 1736 in Leimen bei Heidelberg. – G. war Predigtamtskandidat in Dresden und Hauslehrer bei Valentin Ernst Löscher (s. d.) und wurde 1721 Pfarrer in Klingenmünster und Godramstein bei Landau und 1735 in Leimen. – Löscher gab 1720 einen Jahrgang seiner Predigten heraus: »Übung der Gottseligkeit«. Jeder dieser Predigten ist ein Lied von G. ohne Angabe seines Namens angehängt. In dem Universal-Gesangbuch des Johann Jakob Gottschald (s. d.), Leipzig 1737, finden sich 13 Lieder G.s aus der Postille Löschers, von denen weitere Verbreitung fanden: »Herr Gott, du bist von Ewigkeit und bleibest sonder Ende«, »Rede, Herr, denn dein Knecht höret«, »Wie lieblich ist es in der Stille, wo Gott allein zugegen ist« und »Gottlob, ich bin im Glauben, wer will mir Eintrag tun?«

Werke: Gottgeweihter Spiele des Herzens erste Eröffnung, Dresden 1720 (Smlg. seiner Lieder).

Lit.: Koch V, 401 f.

GÜNTHER, Matthäus, Freskomaler, * 7. 9. 1705 in Tritschengreith bei Unterpeißenberg (Oberbayern) als Sohn eines Bauern, † 30. 9. 1788 in Haid bei Wessobrunn (Oberbayern). – G. lernte in Murnau und wurde um 1723 Geselle von Cosmas Damian Asam (s. d.) in München, bei dem er bis 1728 blieb. G. ging dann auf Wanderschaft. 1730 hielt er sich in Augsburg auf, erlangte 1731 die Meistergerechtigkeit und war 1762 bis 1784 katholischer Direktor der Augsburger Stadtakademie. Er siedelte dann in sein Haus auf der Haid über. – G. gehört zu den bedeutendsten Vertretern der bayerisch-schwäbischen Freskomalerei des 18. Jahrhunderts, die in Augsburg ihren Sitz hatte. Gegen 70 Deckenfresken und über 25 Tafelbilder führte er in den 55 Jahren seiner ununterbrochenen künstlerischen Tätigkeit aus.

Werke: Amorbach, ehem. Benediktinerabtei: Szenen aus dem Leben des hl. Benedikt (Deckenfresken), 1745–47. – Augsburg, ehem. Kongregationssaal der Jesuiten: Jesaja weissagt Ahab die Geburt des Messias (Deckenfresko), 1765. – Götzens (bei Innsbruck), Pfarrkirche, Szenen aus dem Leben der Hll. Petrus u. Paulus (Deckenfresken), 1775. – Indersdorf (Oberbayern), ehem. Augustinerchorherrenstiftskirche: Szenen aus dem Leben des hl. Augustinus (Wand- u. Deckenfresken), 1755. – Innsbruck, Wiltener Pfarrkirche: Judith u. Esther als at. Vorbilder Mariä (Deckenfresken), 1754. – Neustift (bei Brixen), Stiftskirche: Szenen aus dem Leben des hl. Augustinus (Fresken), 1736 u. 1743. – Oberammergau, Pfarrkirche: Martyrium u. Glorie der Hll. Petrus u. Paulus (Kuppelfresken), 1741. – Rott am Inn (Oberbayern), ehem. Benediktinerklosterkirche: Apotheose des Benediktinerordens, Tod u. Glorie der Hll. Anianus u. Marinus (Kuppelfresken), 1763. – Rottenbuch, ehem. Augustinerchorherrenstiftskirche: Szenen aus dem Leben des hl. Augustinus (Wand- u. Deckenfresken), 1742. – Sterzing (Südtirol), Elisabethkirche: Die hl. Elisabeth almosenspendend vor der Dreifaltigkeit (Kuppelfresko), 1733. – Sünching (Oberpfalz), Schloß, Großer Saal: Die vier Jahreszeiten, Kapelle: Aufnahme Mariä in den Himmel (Fresken), 1761. – Würzburg, Wallfahrtskirche Käppele: Szenen aus dem Leben Mariä (Deckenfresken), 1752 u. 1781.

Lit.: A. Schröder, M. G., in: Arch. f. christl. Kunst 25, 1907, 97 ff.; – Hermann Gundersheimer, M. G. Die Freskenmalerei im süddt. Kirchenbau des 18. Jh.s, 1930; – Otto Benesch, A group of unknown drawings by M. G. for some of his main works, in: The Art Bulletin 29, New York 1947, 47 ff.; – Bruno Bushart, Ein unbekanntes Frühwerk M. G.s in Ellwangen, in: Münchner Jbb. der Bildenden Kunst 3. F., I, 1950, 235 ff.; – Ders., Die dt. Ölskizze als autonomes Kunstwerk, ebd. 15, 1964, 145 ff.; – Gerhard Woeckel, Vier unbekannte Handzeichnungen M. G.s, in: Das Münster 4, 1951, 292 ff.; – Hans Tintelnot, Die barocke Freskomalerei in Dtld. Ihre Entwicklung u. europ. Wirkung, 1951, 156 ff.; – Hermann Bauer, Eine wiedergefundene Skizze M.s f. Rott am Inn, in: Das Münster 11, 1958, 267 ff.; – W. Neu, Unbekanntes aus der Lebensgesch. M. G.s u. aus der Gesch. seines Heimathofes, in: Lechisarland,

1961, 52 ff.; – Der barocke Himmel. Ausst.kat. Stuttgart, 1964, Abb. Nr. 30–32; – Thieme-Becker XV, 209 f.; – KML II, 813 f.; – NDB VII, 277; – Kosch, KD 1199; – LThK IV, 1278.

GUÉRANGER, Prosper-Louis-Pascal, Erneuerer der französischen Benediktinerkongregation und Begründer einer liturgischen Bewegung, * 4. 4. 1805 in Sablé-sur-Sarthe, † 30. 1. 1875 im Kloster Solesmes bei Cambrai. – G. empfing 1827 die Priesterweihe. Am 14. 12. 1832 kaufte er das verlassene Maurinerpriorat Solesmes und eröffnete das Kloster am 11. 7. 1833, legte am 26. 7. 1837 in Rom in St. Paul feierlich Profeß ab und wurde schon am 1. 9. 1837 von Gregor XVI. (s. d.) zum 1. Abt von Solesmes und zum Generalobern der künftigen französischen Benediktinerkongregation bestellt. Am 25. 11. 1853 konnte G. das Martinsheiligtum von Ligugé besiedeln und 1865 Ste-Marie-Madeleine in Marseille und 1866 die Nonnenabtei Ste-Cécile bei Solesmes gründen. Als Liturgiker erstrebte G. mit Erfolg die Einführung der römischen Liturgie an Stelle der einzelnen Diözesanriten und bekämpfte darum die Sonderliturgien. Er war ein bedeutender Vertreter des Ultramontanismus, ein eifriger Förderer der Dogmatisierung der Unbefleckten Empfängnis (Immaculata Conceptio) von 1854 und der Unfehlbarkeit des Papstes auf dem Vatikanum von 1870.

Werke: Institutions liturgiques, 3 Bde., Le Mans – Paris 1840–51 (1878–85²); L'Année liturgique, 9 Bde., ebd. 1841–66 (dt. 1875 bis 1880); Mémoire sur la question de l'Immaculée Conception, Paris 1850; De la monarchie pontificale, ebd. 1870. – Bibliogr.: Bibliographie des Bénédictins de la Congrégation de Solesmes, 2 Bde., Paris 1906², 55–71.

Lit.: Alphonse Guépin, Solesmes et Dom G., Le Mans 1876; – Thomas Bühler, Prosper P. G., Abt v. Solesmes u. Neubegründer des Benediktinerordens in Fkr., in: StMBO 26, 1905, 95 ff. 275 ff. 573 ff.; – Dom G., abbé de Solesmes, par un Moine Bénédictin de la Congrégation de France (= Paul Delatte), 2 Bde., Paris 1909; – Norbert Rousseau, L'école grégorienne de Solesmes 1833–1910, Paris – Tournai 1910; – R. Delègue, Dom P. G., abbé de Solesmes, in: VS 18, 1928, 210 ff.; – Ernest Sevrin, Dom G. et Lamennais, Paris – Tournai 1933; – Germain Cozien, L'oeuvre de Dom G., Solesmes 1933; – Louis Dimier, Introduction aux textes de Dom G., Paris 1937, VII–LXVIII; – Bernard Capelle, Dom G. et l'esprit liturgique, in: Questions liturgiques et paroissiales 22, Louvrain 1937, 131 ff.; – Maurice Blanc, L'enseignement musical de Solesmes et la prière chrétienne, Paris 1952; – Léon Robert, Dom G. chez Pie IX, Solesmes 1960; – Étienne Catta, Dom G. et le premier concile du Vatican, ebd. ebd. 1962; – Antoine Des Mazis, La vocation monastique de Dom G. Milieu et influence, in: RBén 83, 1973, 119 ff.; – Louis Soltner, Die Feiern z. 100. Todestag v. Dom G., in: BM 51, 1975, 479 f.; – DACL VI, 1875 ff.; – Catholicisme V, 325 f.; – DThC VI, 1894 ff.; – DSp VI, 1097 ff.; – LThK IV, 1263 f.; – NCE VI, 831 f.; – EC VI, 1226 f.; – ODCC² 606; – RGG II, 1903 f.

GUERICKE, Ferdinand, Theologe, Altlutheraner, * 25. 2. 1803 als Pfarrerssohn in Wettin (Saale), † 4. 2. 1878 in Halle (Saale). – Nach dem Besuch der Lateinschule der Franckeschen Stiftungen (s. Francke, August Hermann) in Halle studierte G. an der dortigen Universität seit 1820 Theologie und promovierte 1824 zum Dr. phil. und 1825 zum Lic. theol. Er habilitierte sich 1825 und wurde 1829 ao. Professor. 1833 verlieh ihm die Theologische Fakultät der Universität Tübingen die Ehrendoktorwürde. Als Gegner der Union sagte sich G. 1833 von ihr los und wurde am 5. 11. 1834 seiner Professur enthoben. Johann Gottfried Scheibel (s. d.) ordinierte ihn am 19. 11. 1834 zum Pastor der Gemeinde der Altlutheraner in und um Halle/Saale, die aber allmählich durch Auswanderung ihrer Mehrheit nach Amerika einging. Nach dem Regierungsantritt des Königs Friedrich Wilhelm IV. wurde G. wieder in seine Professur eingesetzt.

Werke: August Hermann Francke, 1827; Hdb. der KG, 1833 (1866⁹); Theol. Bedenken (hrsg. mit J. G. Scheibel), 1834; Allg. christl. Symbolik, 1839 (1861³); Ev. Zeugnisse. Predigten, 1839; Hist.-krit. Einl. in das NT, 1843 (1867³ u. d. T.: Nt. Isagogik); Lehrb. der christl.-kirchl. Archäologie, 1847 (1859²). – Gab seit 1840 heraus: die v. ihm begr. »Zschr. f. die gesamte luth. Theol. u. Kirche« (zuerst mit Andreas Gottlob Rudelbach, seit 1862 mit Franz Delitzsch).

Lit.: AELKZ 1878, 207 ff.; – Ernst Barnikol, Karl Schwarz (1812–85) in Halle vor u. nach 1848 u. das Gutachten der Theol. Fak., in: WZ Halle 10, 1961, 499–633, bes. 595. 601 ff. 629; – W. Nixdorf, Die staatl. Behandlung der luth. Separation in Halle unter Friedrich Wilhelm III. Ein Akteneinblick, in: »... u. fragten nach Jesus.« Festschr. f. Ernst Barnikol, 1964, 219 ff.; – ADB X, 91 ff.; – NDB VII, 282 f.; – RE VII, 225 ff.; – RGG II, 1904.

GÜTZLAFF, Karl, Missionar, * 8. 7. 1803 in Pyritz (Pommern) als Sohn eines Schneiders, † 8. 8. 1851 in Hongkong. – G. wuchs in einer pietistischen Familie auf und kam nach Stettin zu einem Gürtler in die Lehre. Mit großem Fleiß suchte er sich weiterzubilden und pflegte eifrig die Dichtkunst. G. überreichte 1820 Friedrich Wilhelm III. anläßlich einer Truppenschau in Stettin ein selbstverfaßtes Huldigungsgedicht. Der König versprach, für seine Weiterbildung zu sorgen, und wies ihn durch Kabinettsorder vom 19. 1. 1821 in die Missionsschule des Johannes Jänicke (s. d.) in Berlin ein. Die Niederländische Missionsgesellschaft sandte ihn 1826 nach Niederländisch-Indien aus als Missionspionier unter den Batak auf Sumatra. Da er wegen kriegerischer Unruhen in Batavia zurückgehalten wurde, begleitete G. den Londoner Missionar W. Henry Medhurst (s. d.) auf seinen Predigtwanderungen unter Malaien und Chinesen und begann mit der Missionsarbeit auf der Insel Bintang im Riouw-Archipel in der Nähe Singapurs. Er drang mit dem Londoner Missionar Tomlin nach Siam vor und entfaltete 1828 bis 1831 in Bangkok eine rege missionarische Wirksamkeit. Dann nahm G. seinen ursprünglichen Plan, in China selbst einzudringen, wieder auf. Nachdem er den »American Board of Commissioners for Foreign Missions« für die Fortsetzung seiner Arbeit in Siam gewonnen hatte, begann G. ein abenteuerliches Reiseleben an der Küste Chinas entlang bis nach Korea und Japan, wohin noch kein evangelischer Missionar gekommen war. Er trat durch den Missionar Robert Morrison (s. d.) in Verbindung mit den Leitern der englischen »Ostindischen Kampagnie« und nahm die Gelegenheit wahr, als Dolmetscher und Arzt von Februar 1832 an eine Untersuchungsreise auf einem Schiff der »Kompagnie« mitzumachen. Nach Beendigung der Expedition suchte G. Gelegenheit, die angeknüpften Verbindungen weiter zu pflegen, und bestellte bei der Britischen Bibelanstalt 10 000 Exemplare des Neuen Testaments zur Verteilung in Cochinchina, Tongking, auf Hainan, in den Seeprovinzen Chinas, in der Mandschurei, auf Korea und den Inseln östlich von China. Er benutzte ein ihm angebotenes bewaffnetes Schmugglerschiff und nahm mehr Bücher als bisher mit. Jährlich reiste G. ins Inland, oft mehrere 100 englische Meilen tief hinein. Er wurde 1838 Dolmetscher und chinesischer Sekretär der englischen Regierung. Der »Opiumkrieg« (1839–42) zwischen England und China endete mit dem Friedensvertrag von Nanking: die Chinesen mußten fünf Hafenplätze für den europäischen Handel öffnen und die Insel Hongkong an England abtreten. G. wurde 1843 als Sekretär für die chinesischen Angelegenheiten nach Hong-

kong versetzt und widmete sich nun wieder mit ganzer Kraft der Mission. Er vertrat den Gedanken, jeder chinesische Christ müsse ein Missionar für seine Landsleute sein, und schloß 1844 seine etwa 20 Mitarbeiter zu einem »Verein für die Verbreitung des Evangeliums in China durch Chinesen« zusammen. Durch einen Aufruf lenkte G. den Blick der deutschen Missionsgemeinde auf China, so daß die Basler und die Rheinische Missionsgesellschaft dorthin Missionare entsandte. Auf einer ausgedehnten Werbereise durch Europa rief er zahlreiche Vereine ins Leben, die für seinen »Chinesischen Verein« Gaben sammeln und Missionare aussenden und unterhalten sollten. Für die Zeit seiner Abwesenheit betraute G. den Basler Missionar Theodor Hamberg (s. d.) mit der Leitung des »Chinesischen Vereins«. Durch Mitteilungen seines Sprachlehrers und Bekenntnisse chinesischer Prediger deckte Hamberg so umfangreiche Betrügereien auf, daß der Verein fast zusammenbrach. Als G. im Januar 1851 nach China zurückkehrte, suchte er den Verein in seinem alten Glanz wieder aufzubauen, was ihm allerdings nicht gelang.

Werke: Geogr. der ganzen Welt in chines. Sprache; Gesch. des Chines. Reiches, 1845 voll. u. 1847 in Stuttgart v. Prof. Neumann in Berlin hrsg.; Journal of three voyages along the coast of China in 1831, 32 and 33, London 1834 (dt. Basel 1835); China opened, 2 Bde., London 1838.

Lit.: G.s Eintritt in die Missionslaufbahn, in: EMM NF 3, 1859, 450 ff. – Die Anfänge der Basler Mission in China, ebd. 19, 1875, 97 ff. 145 ff. 188 ff.; – F. Hartmann, Übersicht über die Gesch. der ev. Mission in China, in: AMZ 27, 1900, 54 ff.; – Lechler, Zur Würdigung G.s, ebd. 30, 1903, 301 ff.; – Pommersches Missionsbuch, Anklam 1886, 41 ff.; – Wilhelm Schlatter, Gesch. der Basler Mission 1815–1915, II, 1916, 271 ff.; – Johannes Rahn, K. G., in: Pommersche Lb. II, 1936, 61 ff.; – Hermann Schlyter, K. G. als Miss. in China, Lund u. Kopenhagen 1946 (Bibliogr.: 305 ff.). – Ders., Kinamissionären K. G.s Sverigebesök, in: Svensk Missionstidskrift 34, Uppsala 1946; – Ders., K. G. u. das dt. Missionsleben, in: EMZ 8, 1951, 141 ff.; – Ders., Zum 100j. Gedächtnis K. G.s, in: EMM NF 95, 1951, 179 ff.; – Ders., Kinapionjären KG och Danmark, in: Nordisk Missionstidskrift 62, Kopenhagen 1951; – Ders., Theodor Hamberg, den förste svenske Kinamissionären, Malmö 1952; – Ders., K. G. og Norge, in: Norsk Tidskrift for Misjon, Oslo 1956; – ADB X, 236; – NDB VII, 292; – RGG II, 1905 f.

GUIBERT *von Nogent*, Benediktiner und Schriftsteller, * 1053 in Clermont aus adeligem Geschlecht, † um 1124 in Nogent-sous-Coucy bei Laon. – G. trat 1064 in das Kloster St-Germer-de-Fly bei Beauvais ein. Er widmete sich eifrig dem Studium der lateinischen Klassiker und auf Rat des Anselm von Canterbury (s. d.), der damals Prior von Bec war, der Schriftkommentare Gregors I. (s. d.) und wurde 1104 Abt des Marienklosters Nogent-sous-Coucy. – G. ist bekannt durch seine Geschichte des 1. Kreuzzugs »Gesta Dei per Francos« und seine Selbstbiographie mit wertvollen zeit- und kulturgeschichtlichen Nachrichten.

Werke: De vita sua. Kommentierte Ausg. der Selbstbiogr. v. Georges Bourgin, in: Collection des Textes pour servir à l'étude et à l'enseignement de l'histoire, Paris 1907; auch: The Autobiography of G., abbot of Nogent, translated by Charles Cooke Swinton Bland, London 1926. – Gesta Dei per Francos, in: Recueil des histoires des croisades. Historiens occidentaux IV, Paris 1879, 112–263. – De pignoribus sanctorum (Schr. über Reliquienverehrung). - Opera, hrsg. v. Luc d'Achéry, Paris 1651; MPL 156.

Lit.: A. Lefranc, Le traité des reliques de G., in: Études d'histoire du moyen âge dédiées à Gabriel Monod, Paris 1896, 285 ff.; – Bernard Monod, Le moine G. et son temps, Paris 1905; – Georg Misch, Die Autobiogr. des G. v. N., in: DVfLG 3, 1925, 566 ff.; – Ders., Gesch. der Autobiogr. III/2, 1959, 108–162; – Josef Rupert Geiselmann, Die Stellung des G. v. N. in der Eucharistielehre der Frühscholastik, in: ThQ 110, 1929, 66 ff. 279 ff.; – Suse Hallenstein, Nachbildung u. Umformung der Bekenntnisse Augustins in der Lebensgesch. G.s v. N. (Diss. Hamburg, 1935), 1934; – B. Smalley, William of Middleton and

G. of N., in: RThAM 16, 1949, 281 ff.; – Laetitia Boehm, Stud. z. Gesch.schreibung des ersten Kreuzzugs. G. v. N. (Diss. München), 1954; – F. Amory, The confessional Superstructure of G. of N.'s Vita, in: Classica et mediaevalia 25, Kopenhagen 1964, 234 ff.; – Jacques Chaurand, La conception de l'histoire de G. de N., in: Cahiers de civilisation médiévale 8, Poitiers 1965, 381 ff.; – Self and Society in medieval France. The memoirs of Abbot G. of N. Ed. by John F. Benton, New York 1970 (Rez. v. Richard Kay, in: ChH 40, 1971, 212; v. Jürgen Voss, in: Dt. Arch. f. Erforsch. des MA 27, 1971, 227 f.; v. F. J. Warne, in: French studies 26, Oxford 1972, 178 f.); – Klaus Guth, G. v. N. u. die hochma. Kritik an der Reliquienverehrung, 1970 (Rez. v. John F. Benton, in: Speculum 46, Cambridge/Massachusetts 1971, 743 f.; v. Hubert Silvestre, in: Cahiers de civilisation médiévale 14, Poitiers 1971, 91 f.); – Ders., Zum Verhältnis v. Exegese u. Philos. im Zeitalter der Frühscholastik (Anm. zu G. v. N., Vita I, 17), in: RThAM 38, 1971, 121 ff.; – Manitius III, 416 ff.; – KLL II, 1114 (De vita sua); – HistLittFrance X, 433–500; – Catholicisme V, 367; – EC VI, 1278 f.; – DSp VI, 1135 ff.; – LThK IV, 1266; – NCE VI, 836; – RGG II, 1906.

GUIDO *von Arezzo*, Musiktheoretiker, * um 992, † 1050. – G. erhielt seine musikalische Ausbildung in der Benediktinerabtei Pomposa bei Ferrara. Er beschritt einen neuen Weg des Choralsingens durch seine von ihm entwickelte Methode zur Bildung des musikalischen Gehörs. Die Mitbrüder hatten dafür kein Verständnis und arbeiteten darum gegen ihn. So verließ G. um 1025 das Kloster. Bischof Theobald von Arezzo (1023–36) stellte ihn als Lehrer an der Kathedralschule in Arezzo an. G. erteilte u. a. den Musikunterricht der Chorknaben. Bischof Theobald wurde ein großer Bewunderer und Förderer der musikpädagogischen Neuerungen G.s. Papst Johannes XIX. (1024–33; s. d.) zeigte für das von G. geschriebene »Antiphonarium« großes Interesse. Im »Prologus in Antiphonarium« beschreibt G. das Prinzip einer neuen Notenschrift und ihre Anwendung in der Praxis. Für seine Notenschrift verwandte er 4 Notenlinien (c-Linie gelb, f-Linie rot); zwischen den beiden Linien fügte er noch eine schwarze Linie für a und oben und unten eine weitere schwarze Linie hinzu; damit entstand zum erstenmal ein Terzabstand innerhalb der von ihm erfundenen vier Linien. G.s zweite Erfindung ist das, was wir heute »Salmisation« nennen: er verwandte einen Hymnus mit lateinischem Text und bezeichnete die Töne von c – a mit den Anfangssilben ut-re-mi-fa-sol-la; das ist die Grundlage des Tonika-Do-Systems.

Werke: Micrologus de Musica; Regulae rhythmicae; Praefatio in Antiphonarium; Epistola ad Michaelem. – Die genannten Schrr. sind 1025–33 entstanden. Andere ihm zugeschriebene Werke sind wahrscheinlich nicht v. ihm bzw. bestimmt nicht v. ihm. – *Ausgg.:* Micrologus, hrsg. v. Joseph Smits van Waesberghe, Rom 1955; Expositiones in micrologum Guidonis Aretini, hrsg. v. dems., Amsterdam 1957. – G. A. in: Scriptores ecclesiastici de musica sacra potissimum. Hrsg. v. Martin Gerbert, I u. II, Sankt Blasien 1784 (Nachdr. Hildesheim 1963).

Lit.: Luigi Angeloni, Sopra la vita, le opere ed il sapere di G. d'A., restauratore della scienza e dell'arte musica; dissertazione, Paris 1811; – Raphael Georg Kiesewetter, G. v. A. Sein Leben u. Wirken, Leipzig 1840; – Giovanni Battista Ristori, Biografia di G. Monaco d'A., Florenz 1867 (Neapel 1868²; Arezzo 1880³); – Leopoldo Romanelli, Di Guittone d'A. e delle sue opere; dissertazione, Campobasso 1875; – Michele Falchi, Studi su G. Monaco, Florenz 1882; – Antonio Brandi, G. A. monaco di S. Benedetto: della sua vita, del suo tempo e dei suoi scritti; studio storico-critico, Florenz 1882; – Johannes Wolf, Hdb. der Notationskunde I, 1913, 132 f.; – P. Chrysostomus Großmann, G. v. A. Seine Stellung in der Musikgesch., in: BM 9, 1927, 401 ff.; – Commemorazione del IX. centenario di G. d'A., in: Bolletino Ceciliano, Sondernr., Vicenza 1928; – Hubert Wolking, G.s »Micrologus de disciplina artis musicae« u. seine Qu. Eine Stud. z. Musikgesch. des Früh-MA (Diss. Münster, 1931), 1930; – P. Wackernagel, Textkritisches zu G. v. A., in: Krit. Bttr. z. Gesch. des MA. Festschr. f. Robert Holtzmann z. 60. Geb. Hrsg. v. Walter Möllenberg u. Martin Lintzel, 1933; – D. David, La »Mora ultima vocis« de G. v. A., in: Revue du chant grégorien 40, Grenoble 1936; – Jacques Handschin, Der Toncharakter. Eine Einf. in die Tonpsychologie, Zürich 1948; –

Fausto Torrefranca, G. d'A. Kongreßber. der Ges. f. Musikforsch. Lüneburg 1950. Hrsg. v. Hans Albrecht, Helmut Osthoff, Walter Wiora, 1950; – Joseph Smits van Waesberghe, The Musical Notation of G. of A., in: Musica Disciplina 5, Amsterdam 1951, 15 ff.; – Ders., G. of A. and Musical Improvisation, ebd. 55 ff.; – Ders., De musico-paedagogico et theoretico Guidone Aretino eiusque vita et moribus, Florenz 1953; – Ders., G. v. A. als Musikzieher u. Musiktheoretiker, in: Ber. über den Internat. Musikwiss. Kongreß. Bamberg 1953. Ges. f. Musikforsch. Hrsg. v. Wilfried Brennecke, Willi Kahl u. Rudolf Steglich, 1954, 44 ff.; – Ders., Les origines de la notation alphabétique au moyen âge, in: Annuario musical 12, Barcelona 1957, 3 ff.; – Ders., Musikerziehung. Lehre u. Theorie der Musik im MA (= Musikgesch. in Bildern), hrsg. v. Heinrich Besseler u. Werner Bachmann, III, 3. Lfg.), Leipzig 1969; – Hans Oesch, G. v. A. Biographisches u. Theoretisches unter Berücksichtigung der sogenannten odonischen Traktate (Diss. Basel, 1953), Bern 1954; – Hans Joachim Moser, Dokumente der Musikgesch., Wien 1954, 35 ff.; – Walter Wiora, Zum Problem des Ursprungs der ma. Solmisation, in: Mf 9, 1956, 263 ff.; – Richard Lincoln Crocker, »Musica rhythmica« and »Musica metrica« in Antique and Medieval Theory, in: Journal of Music Theory (Yale University. School of Music) 2, New Haven 1958 (mit Übers. des 15. Kap. des »Micrologus«); – Carl-Allan Moberg, Die Musik in der G. v. A.s Solmisationshymne, in: AfMw 16, 1959, 187 ff.; – Claude Margueron, Recherches sur Guittone d'A. Sa vie, son époque, sa culture, Paris 1966 (Thèse Paris 1958 u. d. T.: Recherches sur la vie et l'oeuvre de Guittone d'A.); – Andreas Holschneider, Die Organa v. Winchester. Stud. z. ältesten Repertoire polyphoner Musik (Hab.-Schr., Hamburg 1967), Hildesheim 1968; – Herfrid Kier, Raphael Georg Kiesewetter, Wegbereiter des musikal. Historismus, 1968; – Michel Huglo, L'auteur du »Dialogue sur la musique« attribué à Odon, in: Revue de musicologie 55, Paris 1969, 119 ff.; – Gesch. der kath. Kirchenmusik, hrsg. v. Karl Gustav Fellerer. I: Von den Anfängen bis z. Tridentinum, 1972; – MGG V, 1071 ff.; – Riemann I, 695 f.; ErgBd. I, 468; – Gerhard Nestler, G. v. A., in: Die Großen der Weltgesch., hrsg. v. Kurt Fassmann, III, Zürich 1973, 234 ff.; – Moser I, 458 f.; – Grove III, 842 f.; – Goodman 181; – RGG II, 1907; – LThK IV, 1267.

GUIDONIS (latinisiert für Gui), Bernhard, Inquisitor und Historiker, * um 1261 in Royères bei La Roche l'Abeille (Limousin), † 30. 12. 1331 in Lauroux, beigesetzt in der Dominikanerkirche in Limoges. – G. trat 1279 in Limoges in den Dominikanerorden ein. Er studierte in verschiedenen Ordensschulen in der Provence und wirkte 1291–1305 teils als Lektor, teils als Prior, so in Limoges, Albi, Castres und Carcassonne. G. wurde zum Definitor auf den Provinzialkapiteln von 1307, 1311 und 1313 und auf dem Generalkapitel von 1308 gewählt, 1314 zum Vikar der Provinz Toulouse und 1316 zum Generalprokurator seines Ordens ernannt und am 16. 1. 1307 zum Inquisitor der Provinz Toulouse bestellt. Die Ausrottung des südfranzösischen Katharertums ist hauptsächlich sein Werk. Mehrfach betraute ihn die Kurie mit diplomatischen Aufträgen. Am 26. 8. 1323 wurde G. zum Bischof von Tuy in Spanien ernannt, aber bereits am 20. 7. 1324 auf das Bistum Lodève in Südfrankreich versetzt.

Werke: Practica inquisitionis hereticae pravitatis (Hand- u. Formelbuch f. die Beamten der Inquisition, das zugleich wichtige Aufschlüsse über die Lehren u. Eigenheiten der versch. Ketzerparteien bietet), ed. Guillaume Mollat, 1926/27; Liber sententiarum inquisitionis Tolosanae (veröff. v. Philipp van Limborch, Amsterdam 1692; steht den unter G.' Leitung veranstalteten Sermones = der öff. Verhh., in denen das Inquisitionstribunal seine Entscheidungen begründete); Flores cronicorum seu catalogus pontificum Romanorum (Gesch. der Päpste); Catalogus brevis pontificum Romanorum et imperatorum (Hdb. der Papst- u. Kaisergesch.); Chron. der Prov. Toulouse u. a.; Speculum sanctorale (Smlg. v. Hll.legenden; mehrere Arbeiten z. Gesch. des Dominikanerordens; Smlg. der Akten der Generalkapitel des Dominikanerordens sowie der Provinzialkapitel der Prov. Toulouse u. Provence; Synodale (Chron. nebst Urkk.buch des Bist. Lodève); Abhh. über die Messe u. die Empfängnis der Jungfrau Maria).

Lit.: Léopold Victor Delisle, Notice sur les manuscrits de B. G. Extrait des notices et extraits des manuscrits, Paris 1879; – Charles Molinier, L'inquisition dans le midi de la France au XIIIe et au XIVe siècle. Étude sur les sources et son histoire, ebd. 1880, 5 ff. 197 ff.; – Ders., Rapport sur une mission exécutée en Italie, in: Archives des missions scientifiques et littéraires, 3. série, 14, 1888, 189 ff. 238 ff.; – Hugo Sachsse, Ein Ketzergericht, 1891; – Ders., B. G. Inquisitor u. die Apostelbrüder, 1891; – François Arbellot, Étude biographique et bibliographique sur B. G., Limoges 1896; – Célestin Douais, B. G., évêque de Lodève et le curé de Nébian, in: Annales du Midi 10, Toulouse 1898, 197 ff.; – Antoine Dondaine, La Manuel de l'Inquisiteur 1230–1330, in: AFP 17, 1947, 85 ff.; – HistLitt France XXXV, 139 ff.; – Quétif-Echard I, 576 ff.; – HN II, 574 ff.; – CathEnc II, 497 f.; – RE VII, 230 ff.; – RGG II, 1067.

GULBRANSSON, Olaf Andreas, Architekt, Kirchenbauer, * 23. 1. 1916 in München als Sohn des aus Norwegen stammenden Zeichners und Malers Olaf G. (1873–1958), † 18. 7. 1961 Autobahn zwischen Ausfahrten Pfaffenhofen und Holledau (Unfall). – G. studierte an der Technischen Hochschule in München und war nach dem 2. Weltkrieg mehrere Jahre tätig als Regierungsbaumeister in der Obersten Baubehörde des Münchener Innenministeriums und in der Werbeabteilung der Firma Agfa. 1953 wurde er freier Architekt. Seine Arbeiten sind Marksteine in der Geschichte des Kirchenbaus.

Werke: Lutherkirche Pforzheim, 1953; Christuskirche Schliersee, 1954; Auferstehungskirche Rottach-Egern, 1955; Johanneskirche Taufkirchen (Oberbayern) u. Auferstehungskirche Schwebheim (Mittelfranken), 1956; Kirche Manching u. Auferstehungskirche Schweinfurt, 1959; Auferstehungskirche Neufahrn bei Freising u. Dreifaltigkeitskirche Burgkirchen, 1961. – Nach dem Tode fertiggestellt 1961: Thomaskirche Augsburg-Kriegshaber, Martinskirche Hamburg-Rahlstedt, Markuskirche Kelheim-Affecking, Erlöserkirche Würzburg-Zellerau, Kirche Grainau bei Garmisch; 1962: Gemeindezentrum Bad Vilbel, Kirche Steinen bei Lörrach, Kreuzkirche Kulmbach, Kirche Hammelburg, Kirche Steinen-Bauersiedlung, Turm der Lutherkirche (v. Otto Bartning) Würzburg, Umbau (innen) der St. Matthäuskirche Ingolstadt; 1963: Kirchen Kassel-Erlenfeld, Ulm-Wiblingen, Nürnberg-Schweinau; 1964: Kirchen Göttingen-Weende, Oberviechtach; weitere Kirchen der nächsten Jahre: Hofheim (Unterfranken), Hamburg-Oststeinbeck, Hohenlockstedt, Aschau/Obb. (Anbau). – Gedanken z. Kirchenbau, in: Kunst u. Kirche 25, 1962, 113.

Lit.: Curt Seckel, Die Johanneskirche in Taufkirchen/Vils, in: Kunst u. Kirche 20, 1957, 5 ff.; – Hans Vollmer, Allg. Lex. der bildenden Künstler des XX. Jh.s V, Leipzig 1961, 550; – Gerhard Hildmann, Trauerrede f. O. A. G., in: Kunst u. Kirche 24, 1961, 174 f.; – Gustav Preuß, Die Martinskirche in Hamburg-Rahlstedt, ebd. 25, 1962, 108 ff.; – Ev.-luth. Gemeindezentrum in Ulm-Wiblingen, ebd. 27, 1964, 36 f.; – NDB VII, 301 f.

GUMMERUS, Jaakko, ev. Theologe, * 1870 in Sääminki (Finnland), † 1933 in Tampere (Provinz Häme/Finnland). – G. wurde 1900 Professor für Kirchengeschichte in Helsinki. Er war von Albert Hauck (s. d.) und Friedrich Loofs beeinflußt. Seit 1920 wirkte er als Bischof von Porvoo (Borgå). Der Bischofssitz wurde 1923 nach Tampere verlegt. – G. ist bekannt als Förderer der ökumenischen Bewegung und Begründer der Abendmahlsgemeinschaft der finnischen mit der anglikanischen Kirche.

Werke: Btrr. z. Gesch. des Buß- u. Beichtwesens in der schwed. Kirche des MA, Uppsala 1900; Die Homöusianische Partei bis z. Tode des Konstantius. Ein Btr. z. Gesch. des Arian. Streites in den J. 356–361, Helsingfors – Leipzig 1900; Michael Agricola, der Reformator Finnlands. Sein Leben u. sein Werk, Helsinki 1903 (1908², finn.; dt. 1941); Johannes Goßner, ebd. 1931; Mikael Agricolan rukouskirja, 3 Bde., ebd. 1941–55.

Lit.: Biskp J. G., in: SvTK 9, 1933, 368 ff.; – Franz Rendtorff, Bisch. D. theol. J. G. †, in: Die ev. Diaspora 16, 1934, 88 ff.; – NTU I, 1190; – RGG II, 1908.

GUMPPENBERG, Wilhelm, Jesuit, * 17. 7. 1609 in München als Sohn eines bayerischen Kämmerers, Pflegers und Hauptmanns, † 8. 5. 1675 in Innsbruck. – G. trat 1625 in Landsberg/Lech in den Jesuitenorden ein und studierte in Ingolstadt und Rom. Er lehrte in Rom 10 Jahre als Professor der Theologie und Philosophie und wirkte dort 4 Jahre als Beichtvater an St. Peter und schließlich über 30 Jahre als Volksmissionar in Bayern, Tirol und der Schweiz. – G. war ein begeisterter Marienverehrer und ist bekannt durch das im 17. Jahrhundert verbreitetste und mehrfach übersetzte Geschichts- und Bildwerk »Atlas Marianus« mit vielen Angaben über 1200 Marienwallfahrtsorte.

Werke: Atlas Marianus sive de imaginibus Deiparae per orbem christianum miraculosis, 2 Bde., Ingolstadt 1655; 3 Bde., München 1657; dt. München 1673; Sedecim peregrinationes per 365 ecclesias Romae, München 1665; Jesus vir dolorum Matris dolorosae filius, ebd. 1672.

Lit.: Hubert Fr. v. Gumppenberg, W. G., in: 36.–38. Jber. des Hist. Ver. v. Oberbayern, 1876; – Torsten Gebhard, Die Marian. Gnadenbilder in Bayern, in: Kultur u. Volk. Btrr. z. Volkskunde aus Östr., Bayern u. der Schweiz. Festschr. f. Gustav Gugitz z. 80. Geb. Hrsg. v. Leopold Schmidt, Wien 1954; – Sommervogel III, 1952 ff.; – Duhr III, 567 f.; – Koch, JL 741; – NDB VII, 311; – Kosch, KD 1218; – LThK IV, 1273 f.

GUNDERT, Hermann, Missionar und indischer Sprachforscher, * 4. 2. 1814 in Stuttgart als Sohn eines Kaufmanns, † 25. 4. 1893 in Calw bei Stuttgart. – G.s Vater zählte 1812 zu den Gründern der Württembergischen Bibelanstalt und wurde 1817 neben- und 1820 hauptberuflich Bibelsekretär. G. besuchte 1827–31 die Klosterschule in Maulbronn. Während seiner Studienzeit in Tübingen geriet er ganz in den Bann der Hegelschen Philosophie, erlebte aber eine plötzliche Bekehrung und schloß sich im Stift dem Kreis der pietistischen Studenten an. Nach seinem Examen und seiner Promotion zum Dr. phil. fuhr G. 1836 mit dem Freimissionar Anton Norris Groves als Lehrer seiner Söhne nach Madras in Indien. Auf Einladung seines Freundes Hermann Friedrich Mögling (s. d.) trat er Ende 1838 in die Missionsarbeit in Mangalur ein und wurde auf sein Gesuch in den Basler Missionsverband aufgenommen. G. gründete 1839 die Station Talatscheri, da ihn die Konferenz in Mangalur mit dem Beginn der Missionsarbeit in Malabar beauftragt hatte. Auf Beschluß des Komitees siedelte er 1849 nach Tschirakal über und sollte von dort aus auch Samuel Hebichs (s. d.) Gemeinde Kannanur bedienen, damit dieser sich mehr und mehr der Reisepredigt widmen könne. G. erkrankte an einer chronischen Lungen- und Halsentzündung, die drei Jahre anhielt und ihn fast stimmlos machte. Nun hatte er Zeit zu literarischen Arbeiten und leistete Hervorragendes als Übersetzer und Sprachforscher. G. übernahm 1853 das Amt eines Generalsekretärs für die indische Mission und wurde 1855 nach dem Tod des Missionars Gottfried Hartmann Weigle (s. d.) nach Mangalur berufen. Im Einverständnis mit der Missionsleitung trat er im April 1857 in den englischen Regierungsdienst als Schulinspektor der Provinz Malabar und Kanara und siedelte nach Kalikut über. Im Februar 1859 erhielt G. die krankheitshalber erbetene Entlassung aus dem Regierungsdienst und fuhr im April 1859 zur Erholung nach Europa, um nach Jahresfrist zu seiner Frau und in die Missionsarbeit nach Kalikut zurückzukehren. Er wurde im April 1860 in Calw Mitarbeiter des Dr. Christian Gottlob Barth (s. d.) und im November 1862 sein Nachfolger in der Leitung des Calwer Verlagsvereins. 1886 trat G. in den Ruhestand. Sein Nachfolger wurde Johannes Hesse (s. d.).

Werke: A grammar of the Malajalam-language (bahnbrechendes Werk f. die Erforsch. der Sprache), Mangalore 1868²; A Malajalam and English Dictionary (noch bedeutender), ebd. 1872; Malajalam-Übers. des NT, 1868, der poet. Bücher des AT, 1881², u. der prophet. Bücher, 1886; Die ev. Mission, ihre Länder, Völker u. Arbeiten, 1881 (1903⁴); Samuel Hebich, 1872; Hermann Mögling. Ein Missionsleben in der Mitte des Jh.s, 1882; Christianens Denkmal (Lb. seiner Mutter), 1894; Schr.gedanken,

1900. – Gab heraus: Calwer Missionsbl., 1863–83; Mbll. f. öff. Missionsstunden, 1863–88; Missionsbl. f. Kinder, 1863–92; EMM, 1865–74; Jugendbll., 1862–82; Hdb. der Bibelerkl.

Lit.: P. Wurm, Dr. H. G., in: AMZ 1893, 245 ff.; – Johannes Hesse, Aus H. G.s Leben, 1894 (1907²); – Ders., Aus dem Briefnachlaß v. H. G., 1907; – Andreas Römer, Miss. Dr. H. G., 1914; – Wilhelm Schlatter, Gesch. der Basler Mission II, 1916, 40 f.; – Heta Baaten, Die pietist. Tradition der Familien Gundert u. Hesse. Tl.dr. aus der Diss. Münster, 1934: Der Romantiker Hermann Hesse. Eine geistesgeschichtl. Unters. seines Werkes auf dem Hintergrund der pietist. Tradition seiner Familie, Bochum-Langendreer 1934; – Karl Frohnmeyer, H. G. Miss. u. Gelehrter, 1955; – Siegfried Greiner, Der schwäb. Inder. Zum 75. Todestag, in: Schwäb. Heimat 19, 1968, 204 f.; – ADB 49, 632; – NDB VII, 315 f.; – RE XXIII, 602 ff.

GUNDLACH, Gustav, Jesuit, Sozialwissenschaftler, * 3. 4. 1892 in Geisenheim (Rheingau) als Sohn eines Weinhändlers, † 23. 6. 1963 in Mönchengladbach. – G. besuchte das Kaiser-Friedrich-Gymnasium in Frankfurt am Main und studierte 1910–12 Philosophie an der Universität Freiburg (Breisgau). Nach 5 Semestern trat er in den Jesuitenorden ein und widmete sich 1914–24 mit Unterbrechung eines dreijährigen Lazarettdienstes im 1. Weltkrieg dem Studium scholastischer Philosophie und der Theologie in Valkenburg (Niederlande). G. war seit 1929 Professor für Sozialphilosophie und -ethik an der Philosophisch-Theologischen Hochschule St. Georgen in Frankfurt am Main und 1934–62 an der Päpstlichen Universität Gregoriana in Rom. Nach seiner Emeritierung übernahm er die Leitung der Katholischen Sozialwissenschaftlichen Zentralstelle in Mönchengladbach. – G. bemühte sich um die Durchdringung und Verbreitung katholischer Sozialehren. Er übernahm das Erbe des Sozialphilosophen und Nationalökonomen Heinrich Pesch (s. d.), des Begründers des christlichen Solidarismus. G. war kirchlicher Sachverständiger für Sozialphilosophie und Nationalökonomie, Ratgeber der Päpste bei Abfassung entsprechender Rundschreiben und Kommentator ihrer Sozialenzykliken.

Werke: Zur Soziologie der kath. Ideenwelt u. des Jesuitenordens (Diss. Berlin), 1927; Die sozialen Rundschreiben Leos XIII. u. Pius XI. Text u. dt. Übers. samt systemat. Inhaltsübersichten u. einheitl. Schwärz, hrsg., 1931; Papst Pius XI. z. heutigen Wirtschafts- u. Ges.not. Kurze Erl. des Rundschreibens Quadragesimo anno, 1932 (Neuaufl. 1949); Sguardi cattolici; su questioni marxiste (enthält: Il socialismo e il communismo. La questione sociale e il cattolicesimo. – Il diritto di proprietà. – Piani della socializzazione nella vita economica), Rom 1945; Das Unternehmer-Bild der kath. Soziallehre, 1951; Die Ordnung der menschl. Ges., 2 Bde., 1964 (Bibliogr.: 621 bis 630).

Lit.: Joseph Höffner, G. G. Biogr. Skizze, in: Freiheit u. Verantwortung in der modernen Ges. Festschr. f. G. G. = Jb. des Instituts f. Christl. Sozialwiss. der Westfäl. Wilhelms-Univ., Münster, hrsg. v. J. Höffner, III, 1962, 7–13; – Anton Rauscher, Bibilogr. G. G., ebd. 15–31; – Ders., Die Ordnung der menschl. Ges. In Memoriam H. G., in: Ordo Socialis 11, 1963, 272–290; – Oswald v. Nell-Breuning, G. G., in: Mitt. aus den dt. Prov. der Ges. Jesu 20, 1964, Nr. 126, 322–332; – NDB VII, 316.

GUNKEL, Hermann, Theologe, * 23. 5. 1862 als Pfarrerssohn in Springe bei Hannover, † 11. 3. 1932 in Halle (Saale). – G. besuchte das Gymnasium »Johanneum« in Lüneburg und studierte in Göttingen und Gießen, setzte nach dem 1. theologischen Examen in Leipzig und Göttingen das Studium fort und habilitierte sich 1888 in Göttingen. Er wurde 1889 in Halle Privatdozent, 1894 ao. Professor in Berlin und 1907 als Nachfolger von Bernhard Stade (s. d.) o. Professor für Altes Testament in Gießen und lehrte 1920–27 als Nachfolger von Karl Cornill (s. d.) in Halle. – G. ist bekannt als Hauptvertreter der Religionsgeschichtli-

chen Schule und Begründer der Form- und Gattungsforschung am Alten Testament. Er war Hauptmitarbeiter an der 1. und mit Leopold Zscharnack (s. d.) Herausgeber der 2. Auflage der »Religion in Geschichte und Gegenwart«, 5 Bände, 1909–14 bzw. 1927–31.

Werke: Die Wirkungen des Hl. Geistes nach der populären Anschauung der apostol. Zeit u. nach der Lehre des Apostels Paulus, 1888 (1909³); Schöpfung u. Chaos in Urzeit u. Endzeit. Eine rel.-geschichtl. Unters. über Gen 1 u. Apk Joh 21 (mit Btrr. v. Heinrich Zimmern), 1895 (unv. 1921²); Der Prophet Esra, 1900; Gen (in: HK I, 1), 1901 (1963⁶); Die Sagen der Gen, 1901 (1902²); Israel u. Babylonien, 1903; Zum rel.geschichtl. Verständnis des NT, 1903 (1930³); Ausgew. Pss, übers. u. erkl., 1903 (1917⁴); Die israel. Lit. (in: Die Kultur der Ggw., hrsg. v. Paul Hinneberg, I, 7), 1906 (1925²); Elias, Jahwe u. Baal, 1906; Erkl. des 1. Petr.briefes (in: Schrr. des NT), 1907 (1917³); Die Urgesch. u. die Patriarchen (in: Schrr. des AT in Ausw. I, 1), 1911 (1921²); Reden u. Aufsätze, 1913; Was bleibt vom AT?, 1916; Est, 1916; Das Märchen im AT, 1917; Die Propheten, 1917; Ein Vorläufer Jesu, 1921; Gesch.n v. Elisa (= Meisterwerke hebr. Erz.kunst 1), 1922; Die Pss, übers. u. erkl. (in: HK II, 2), 1925/26; Einl. in die Pss I 1927; II (zu Ende geführt v. Joachim Begrich), 1933. – Bibliogr. (bis 1922), in: Eucharisterion. Festg. f. H. G., in: FRLANT NF 19, 1923, 214 ff.

Lit.: Hans Schmidt, In memoriam H. G., in: ThBl 11, 1932, 97 ff.; – Kurt Galling, Lebenswerk H. G.s, in: ZMR 47, 1932, 257 ff.; – P. Humbert, H. G., un maître des études hébraïques 1862 bis 1932, in: RThPh NS 20, 1932, 5 ff.; – Walter Baumgartner, H. G., in: ChW 46, 1932, 385 ff.; – Ders., Zum AT u. seiner Umwelt. Ausgew. Aufss., Leiden 1959, 371 ff.; – Ders., Zum 100. Geb. v. H. G., in: Congress Volume Bonn, 1962 (Suppl. to VT 9), 1–18; – Emil Gottlieb Kraeling, The Old Testament since the Reformation, New York 1955, 139 ff.; – Konrad v. Rabenau, H. G., in: Tendenzen der Theol. im 20. Jh., hrsg. v. Hans Jürgen Schultz, 1966, 80 ff.; – Ders., H. G. auf rauhen Pfaden nach Halle, in: EvTh 30, 1970, 433 ff.; – Werner Klatt, Die »Eigentümlichkeit« der israel. Rel. in der Sicht v. H. G., ebd. 28, 1968, 153 ff.; – Ders., H. G. Zu seiner Theol. der Rel.gesch. u. z. Entstehung der formgeschichtl. Methode (Diss. Hamburg, 1966), Göttingen 1969 (Rez. v. J. J. Stamm, in: Kirchenbl. f. die ref. Schweiz 125, Basel 1969, 331; v. P. J. Cools, in: TTh 10, 1970, 465 f.; v. J. L. McKenzie, in: Catholic biblical quarterly 32, Washington 1970, 459 f.; v. Lars Kruse-Blinkenberg, in: DTT 33, 1970, 230 f.; v. Rudolf Smend, in: ThZ 26, 1970, 367 ff.; v. Gillis Gerleman, in: SvTK 46, 1970, 58 f.; v. Siegfried Wagner, in: ThLZ 96, 1971, 19 ff.; v. Oswald Loretz, in: ThRv 67, 1971, 18 f.); – Kraus 309 ff.; – NDB VII, 322 f.; – RGG II, 1908 f.; – DB Suppl. III, 1374 ff.; – LThK IV, 1274 f.; – NCE VI, 861 f.; – ODCC² 607.

GUNNING, Johannes Hermanus, ref. Theologe, * 20. 5. 1829 in Vlaardingen bei Rotterdam als Sohn des reformierten Predigers, † 21. 2. 1905 in Arnhem. – G.s Vater wirkte 1832–35 in Horn (Westfriesland) und dann in Leeuwarden (Flandern). G. studierte in Utrecht und wurde Hilfsprediger in Antwerpen und in Heusden bei 's Hertogenbosch. 1854–57 war er Pfarrer in Blauwkapel bei Utrecht, dann in Hilversum bei Amsterdam und seit 1861 in Den Haag. G. folgte 1882 dem Ruf nach Utrecht als »Kerkelijk«-Professor für Dogmatik, Geschichte der Niederländisch-reformierten Kirche und Missionskunde. Er wurde 1889 Professor an der »Rijks-universiteit« in Leiden und las bis 1899 über Dogmatik, Religionsphilosophie und Symbolik. Seinen Ruhestand verlebte er in Arnhem. – G. war ein treuer, aber selbständiger Schüler von Daniel Chantepie de la Saussaye (s. d.) und ist bekannt als Hauptvertreter der ethischen Richtung in Holland. Er legte alles Gewicht auf den ethischen Charakter der objektiven Offenbarung Gottes in Jesus Christus. Glaube, Predigt und Theologie waren bei ihm christozentrisch. Sein Kampf gegen den Modernismus fällt in die ersten Jahre der Haager Zeit. Seit etwa 1870 führte G. mit wachsender Schärfe den Kampf gegen den Orthodoxismus. In seinem Kampf um die Wahrheit verabscheute er jedes Machtmittel.

Werke: Het Kruis des Verlossers, 1861 (1904/05⁵; dt.: Christus f. u. in uns, 1876); Onze Toestand, 1861; Waarschuwing tegen de kwade troun der moderne leer, 1866; Blikken in de Openbaring, 4 Bde., 1866–69; Geloof en Kritiek, 3 Bde., 1870/71; Het ethische beginsel der Theologie (mit Chantepie de la Saussaye), 1874; Hoofdvereischten der Dogmatiek, 1876; Het leven van Jezus, 1878–80; Die objektive Wahrheit des Gemeindebekenntnisses, 1879; Het Kruis de Waarheid voor Wetenschap en Kerk, 1882; Glaube u. Sittlichkeit, 1882; Zelfstandigheid der gemeenten, 1884; Wat ist het Geloof?, 1887 (1892²); Het geloof der gemeente als theologisch maatstaf des Oordeels in de wijsbegeerte van den godsdienst, 1890; De eenheid der Kerk, 1896; De eenheid des levens, 1900. – 2 Bde. v. Aphorismen u. Fragmenten: Blijft op de hoogte, 1907, u. Literarisch-ethische fragmenten, 1908, beide hrsg. v. F. J. van der Tak. – Bibliogr., in: J. H. Gunning jr., Leven en werken van Prof. Dr. J. H. G., 6 Tle., 1923–25.

Lit.: Jan Herman Semmelink, Prof. Dr. J. H. G., zijn ontwikkelingsgang en zijne beginselen (Diss. Utrecht), Zeist 1926; – Kornelis Heiko Miskotte, J. H. G., Rotterdam 1929; – RE XXIII, 607 ff.; – RGG II, 1909.

GUNTHER (Günther), Einsiedler, Heiliger, † 9. 10. 1045 in Hartmannitz (Böhmerwald), beigesetzt im Benediktinerkloster Břevnov in Prag. – G. war ein thüringischer Gaugraf, vielleicht aus dem Haus Schwarzburg, Vetter des Kaisers Heinrich II. Weihnachten 1005 verschenkte er viele Güter an die Klöster Hersfeld und Gellingen. Unter dem Einfluß Godehards (s. d.) wurde G. Mönch. Nach einer Romfahrt trat er 1006 als Novize in das Benediktinerkloster Niederaltaich an der Donau (bei Deggendorf) ein und legte dort 1007 die Gelübde ab. Seit 1008 lebte G. als Einsiedler in strengster Zurückgezogenheit auf dem Ranzinger Berg bei Lalling. 1011 drang er tief in den Bayerischen Wald ein, sammelte Mönche, Weltpriester und Laien in freier Vereinigung unter der Benediktinerregel um sich und begann mit Hilfe seiner Gefährten, den Urwald zu roden und ein Kulturzentrum zu schaffen. Bischof Berengar von Passau weihte am 29. 8. 1019 das von G. gestiftete Kloster Rinchnach am Regen, das 1029 von Konrad III. ausgestattet und 1040 von Heinrich III. an die Abtei Niederaltaich gegeben wurde. Rinchnach wurde ein bedeutendes Kolonisationszentrum für den Bayerischen Wald. Die letzten Lebenstage verbrachte G. im Böhmerwald. Herzog Bretislav ließ seinen Leichnam nach Břevnov überführen, in das älteste Benediktinerkloster Böhmens, das 1420 von den Hussiten völlig zerstört wurde. – Fest: 9. Oktober.

Lit.: Max Büdinger, Östr. Gesch. bis z. Ausgang des 13. Jh.s I, 1858, 349 ff.; – Beda Franziskus Dudik, Mährens allg. Gesch., Brünn 1860–88, II, 160 ff.; – Siegfried Hirsch, Jbb. des Dt. Reichs unter Heinrich II., II, 1864, 33 ff.; III, 1875, 60; – StMBO 13, 1892, 103 ff.; – Hermann Grauert, Rom u. – G. der Eremit?, in: HJ 19, 1898, 249 ff.; – G. Oswald, Das Kloster Rinchnach, 1903; – W. Wostry, G., in: Sudetendt. Lb. III, 1934, 9 ff.; – Johannes Walterscheid, Dt. Hll. Eine Gesch. des Reiches im Leben dt. Hll., 1934, 205 ff.; – Joseph Schwarzmeier, G. v. Thüringen, der Hl. Klausner u. Nationalpatron des Böhmerwaldes, 1940; – Gotthard Lang, G. der Eremit in Gesch., Sage u. Kult, in: StMBO 59, 1941/42, 1–83; – Ders., Der sel. G., der Eremit. Der Hl. des Böhmerwaldes, 1948; – Ludwig Rosenberger, Bavaria sancta. Bayer. Hll.legende, 1948, 136 ff.; – Resa Maria Raab, St. G., der Rodungsmönch v. Niederaltaich. Nach Qu. erz., 1953; – Emmanuel Maria Heufelder, 1000 J. St. G. Festschr., 1955; – Rudolf Mattausch, Missionsarbeit u. Reichspolitik des hl. G. in ein Btr. z. ostmitteleurop. KG, in: Königsteiner Bll. 8, 1962, 38 ff.; – Herbert Grundmann, Dt. Eremiten, Einsiedler und Klausner im Hoch-MA, in: AKultG 45, 1963, 60 ff.; – Der große Namenskal., hrsg. v. Jakob Torsy, 1975, 254 f.; – Vita Guntheri, in: MG SS XI, 276–279; IV, 543; – Zimmermann III, 165 ff.; – AS Oct. IV, 1054 ff.; – AS OSB VIII, 419 ff.; – VSB X, 290 ff.; – BS VII, 528 ff.; – Wimmer³ 240; – Torsy 209; – ADB X, 143 ff.; – NDB VII, 324 f.; – LThK IV, 1275 f.; – NCE VI, 864 f.

GUSTAV II. ADOLF, König von Schweden, * 19. (9. nach dem Julianischen Kalender) 12. 1594 in Stockholm als Sohn des Herzogs Karl von Södermannland

und der Prinzessin Christina von Holstein-Gottorp, † 16. (= alten Stils) 11. 1632 bei Lützen, beigesetzt in der Riddarsholmkirche in Stockholm. – König Johann III. von Schweden (1569–92), dessen irenisch-katholisierende Politik die Reformatorischgesinnten zu heftiger Abwehr veranlaßte, bestätigte zwar die neue evangelische Kirchenordnung von 1571, führte aber eine katholisierende Meßordnung, das »rote Buch« (»Röda boken«), ein, die 1575 auf einer Kirchenversammlung zu Stockholm angenommene und 1577 vom Reichstag zu Stockholm genehmigte Liturgie. Als Johann III. 1592 starb und ihm sein in der katholischen Lehre streng erzogener Sohn Sigismund, der seit 1587 König von Polen war, nachfolgen sollte, verlangten die Reichsstände angesichts der nun drohenden Gegenreformation genügende Sicherheit gegen das polnische und katholische Interesse des Königs. Während Sigismund noch in Polen weilte, berief G. A.s Vater, der jüngste Sohn des Königs Gustav I. Wasa (1496–1560), des Begründers der Reformation in Schweden, 1593 eine Kirchenversammlung zu Uppsala ein, um die Rückführung Schwedens zum Katholizismus zu hindern. Diese wichtigste Kirchenversammlung in der Geschichte der schwedisch-lutherischen Kirche schaffte das »rote Buch« ab, bestätigte die Kirchenordnung von 1571 und erklärte, an Gottes reinem Wort, den drei altkirchlichen Symbolen und der »Confessio Augustana invariata« festhalten zu wollen. Die gegenreformatorischen Versuche Sigismunds scheiterten völlig. Die Reichsstände beschlossen im Oktober 1595 in Söderköping, daß die evangelisch-lutherische Religion die alleinherrschende und alleingeduldete Landesreligion sein sollte, und erklärten Herzog Karl Södermannland zum Reichsverweser. Karl besiegte 1598 in der Schlacht bei Stangebro seinen Neffen Sigismund. 1599 erklärte der Reichstag zu Stockholm den König für abgesetzt und zwang ihn 1604 zu Nörköping auf einstimmigen Beschluß der Stände, dem schwedischen Thron zu entsagen, den nun G. A.s Vater als Karl IX. einnahm. Er verwandte große Sorgfalt auf die Erziehung seines Sohnes, der sich für die Staatsgeschäfte und besonders für das Kriegswesen lebhaft interessierte. Darum nahm Karl IX. G. A. noch im Kindesalter schon mit nach Livland in den Krieg und zog ihn mit 10 Jahren zu den Sitzungen des Staatsrats hinzu; der Sechzehnjährige vertrat bereits den Vater im Krieg und im Rat und war eifrig bemüht, sein militärisches und staatsmännisches Wissen und Können zu mehren. Als Karl IX. am 30. 10. 1611 starb, übernahm G. A., von den Ständen für mündig erklärt, die Regierung Schwedens und die Führung der von seinem Vater begonnenen Kriege gegen Dänemark, Rußland und Polen. Er ernannte Axel Oxenstierna (1583–1654) zu seinem Kanzler, der als ausgezeichneter Staatsmann ihm mit seinem besonnenen und verständigen Rat und aufopfernder Treue diente. G. A. ordnete die Staatsverwaltung, die Finanzen und das Heerwesen und beendete 1613 den Krieg mit Dänemark durch den Friedensvertrag von Knäres: gegen eine hohe Geldsumme erhielt er das von den Dänen eroberte Gebiet zurück, mußte ihnen aber als Pfandbesitz Elfsborg lassen, den einzigen Zugang Schwedens zur Nordsee. G. A.

kämpfte 1614 siegreich gegen Rußland, das ihm im Frieden von Stolbowa 1617 Karelien und Ingermanland abtrat. Mit ganzer Kraft wandte er sich nun gegen seinen Hauptgegner im Gebiet des Baltischen Meeres, Sigismund von Polen, der an seinem Anspruch auf den schwedischen Thron festhielt und mit Waffengewalt seinen Vetter zu vertreiben bestrebt war. G. A. eroberte 1621 Riga und bald darauf Mitau und besetzte 1626 das polnische Lehnsherzogtum Preußen. Bedrohlich wurde auch für ihn der Verlauf des dänisch-niedersächsischen Krieges (1625–29), der zweiten Periode der ersten Hälfte des Dreißigjährigen Krieges. 1626 wurde Graf Ernst von Mansfeld an der Elbbrücke bei Dessau von Albrecht von Wallenstein, Herzog von Friedland, und Christian IV. von Dänemark bei Lutter am Barenberge von Johann Grafen von Tilly, Feldherrn der katholischen Liga, vernichtend geschlagen. Wallenstein und Tilly jagten die Dänen durch Brandenburg und Mecklenburg vor sich her und drangen bis nach Jütland hinauf. Wallenstein eroberte die ganze Ostseeküste und wollte dem Kaiser auch die Herrschaft über die Ostsee erringen. Ferdinand II. ernannte ihn zum »General der ganzen kaiserlichen Schiffsarmada wie auch des ozeanischen und baltischen Meeres General«. Nur das kleine Stralsund widerstand der Belagerung durch Wallenstein, weil von der See her schwedische und dänische Schiffe Lebensmittel, Waffen und Verstärkungen heranschafften. Mit dem König von Dänemark wurde 1629 zu Lübeck ein milder Friede geschlossen: Christian IV. mußte nur versprechen, sich fernerhin nicht mehr in die deutschen Verhältnisse einmischen zu wollen. Am 6. 3. 1629 erließ der Kaiser auf dem Höhepunkt seiner Macht das Restitutionsedikt, das anordnete, daß alle seit dem Passauer Vertrag von 1552 eingezogenen geistlichen Güter an die katholische Kirche zurückgegeben werden müssen. Unter diese Bestimmung fielen die Erzbistümer Magdeburg und Bremen, 12 Bistümer und 500 Abteien. Die Durchführung des Restitutionsedikts bedeutete den finanziellen Zusammenbruch derer, die sich im Besitz der geistlichen Güter befanden. Gleichzeitig wäre in diesen Gebietsteilen der Protestantismus ausgerottet worden. Da brachte das Jahr 1630 die Wende. Auf dem Kurfürstentag zu Regensburg zwangen die Fürsten Ferdinand II., Wallenstein, der ihnen allen zu mächtig geworden war, abzusetzen; er zog sich auf seine Güter in Böhmen zurück. Das Hauptereignis aber, das die Kriegslage völlig veränderte, war die Landung G. A.s auf deutschem Boden. Mit wachsender Besorgnis hatte der König die ungeheure Machtausdehnung Habsburgs und den Verlauf des dänisch-niedersächsischen Krieges verfolgt. Da der Kaiser und die Liga 1629/30 von der holländischen Grenze bis Danzig die Nord- und Ostseeküste beherrschten, erkannte G. A. klar die seinem Land drohende Gefahr, die religiöse und politische Unabhängigkeit zu verlieren. Er wollte und mußte seinen bedrängten Glaubensbrüdern in Deutschland in ihrer höchsten Not Hilfe bringen und zugleich seinem Reich die Herrschaft über die so heiß umstrittene Ostsee erkämpfen und sichern. Nach ernsten Erwägungen und Beratungen mit seinem Kanzler Oxenstierna und nach Billigung seiner Pläne durch die Stände seines Reiches

betrieb G. A. mit Eifer die Vorbereitungen zum Eintritt in den Krieg gegen Ferdinand II. Mit Sigismund von Polen schloß er am 16. 9. 1629 einen sechsjährigen Waffenstillstand, den die Franzosen vermittelt und die polnischen Großen gegen ihren König durchgesetzt hatten. Nun war für ihn der Zeitpunkt gekommen, seinen Kriegsplan auszuführen. Ende Mai 1630 nahm G. A. Abschied von seiner Gattin, der Prinzessin Marie Eleonore von Brandenburg, und seiner dreieinhalbjährigen Tochter Christine (s. d.), die 1632 als Nachfolgerin ihres Vaters Königin von Schweden wurde. Auf der Höhe von Usedom an der Peenemündung landete er am 26. 6. (alten Stils) 1630 mit 13 000 Mann, verstärkte aber innerhalb weniger Wochen sein Heer durch Zuzug aus Preußen auf 20 000. G. A. brachte die Inseln Usedom und Wollin und damit die Odermündungen in seine Gewalt und segelte über das Haff nach Stettin. Bogislaw XIV., der letzte Herzog von Pommern, mußte ihm nach versuchtem Widerstand die Tore Stettins öffnen und am 25. 8. mit ihm einen Bündnisvertrag schließen, der die Schweden praktisch zu Herren des Landes machte. Im Herbst trafen weitere Verstärkungen aus Preußen ein, und G. A. wandte sich nach Mecklenburg, kam aber wegen des schlechten Wetters und der grundlosen Wege zur Winterzeit nur langsam vorwärts. Mit starker Heeresmacht rückte ihm Tilly entgegen, wich aber dem Kampf aus. Der kaiserliche Feldherr zog vor Neubrandenburg und nahm die Stadt ein. Dann warf er sich auf Magdeburg. Als G. A. im Juni 1630 die Seefahrt nach Deutschland antrat, hatte er gedacht, die deutschen evangelischen Fürsten würden sein Kommen begrüßen und ohne weiteres sich ihm anschließen zum gemeinsamen Krieg gegen Ferdinand II. Es war aber nicht eingetroffen, was G. A. erwartet hatte: die Fürsten verhielten sich gegen ihn mißtrauisch und sehr zurückhaltend. Sein Schwager, Kurfürst Georg Wilhelm von Brandenburg, und der ängstlich zu Österreich hinneigende Johann Georg I. von Sachsen (s. d.) waren nicht bereit, seine Bundesgenossen zu werden, da G. A. von ihnen unbedingte Unterwerfung unter seine Kriegsleitung verlangte und sie dem Schwedenkönig nicht zutrauten, daß er als Feldherr dem bisher nie besiegten Tilly überlegen sei. Auf der Versammlung evangelischer Stände aus Nord- und Süddeutschland im Februar 1631 zu Leipzig hatte man beschlossen zu rüsten, um eine Politik der mittleren Linie zwischen dem Kaiser und G. A. durchsetzen zu können. Magdeburg, das sich der Durchführung des Restitutionsedikts widersetzte und von Tilly belagert wurde, hatte sich für G. A. erklärt, der der für ihn so wichtigen Elbfestung einen seiner tüchtigsten Offiziere, den Obersten Falkenberg, als Kommandanten gesandt und weitere Hilfe zugesichert hatte. Johann Georg I. von Sachsen verweigerte dem Schwedenkönig den Elbübergang bei Wittenberg. Den Vormarsch nach Magdeburg wollte G. A. nicht wagen, bevor er eine Verständigung mit Brandenburg erzielt hatte. Vergeblich versuchte er, durch einen Angriff auf Frankfurt an der Oder Tilly von Magdeburg wegzulocken. So nahm G. A. im Sturm Frankfurt und eroberte auch Landsberg an der Warthe. Langsam rückte er durch Brandenburg vor und zwang den Kurfürsten durch Waffengewalt, ihm seine Festungen Spandau und Küstrin zu öffnen und am 20. 4. mit ihm ein Bündnis zu schließen. Es war aber für Magdeburgs Entsatz zu spät. Nach heftigem Beschuß der Elbfestung durch Tilly nahm der Reitergeneral Gottfried Heinrich Graf zu Pappenheim am 20. 5. im Sturm die Stadt, in der sich nun Mordgier und Raublust austobten. Während der Plünderung brach eine Feuersbrunst aus, die den Greueln des Kampfes zwar ein Ende machte, aber die Schrecknisse noch vermehrte. Magdeburg wurde zu einem Trümmerhaufen; nur der Dom, ein Kloster und einige Fischerhütten blieben übrig. Die Kunde von der Einnahme und Zerstörung Magdeburgs erreichte den König in Potsdam. Er zog sich nach Spandau und auf den Abschnitt zwischen Havel und Oder zurück. Am 23. 7. 1631 schloß G. A. zu Bärwalde mit Frankreich einen Subsidienvertrag. Monatelange Verhandlungen mit dem Kurfürsten von Sachsen verliefen ergebnislos. Als aber Tilly Ende August in kursächsisches Gebiet einbrach und die Städte Halle, Eisleben, Merseburg und Weißenfels einnahm, beschloß Johann Georg I., seine Truppen mit denen G. A.s zu vereinigen, und lud den König zum Einmarsch in sein Land ein. Am 15. 9. kamen beide zu gemeinsamer Beratung in Düben zusammen. Der Kurfürst bestand darauf, daß Tilly angegriffen werde; nur ungern willigte der König ein. Am 17. 9. kam es zur Schlacht auf dem Breiten Felde bei Leipzig. Schon nach den ersten Angriffen der Kaiserlichen stoben die Sachsen in wilder Flucht auseinander; seinen fliehenden Truppen weit voran ritt Johann Georg I. nach Halle. G. A. aber erfocht einen glänzenden Sieg über Tilly, der nach 36 Siegen die erste Niederlage erlitt, und sprengte sein Heer auseinander. Dieser Sieg machte den Schwedenkönig zum Herrn von Nord- und Mitteldeutschland und vernichtete den Waffenruhm Tillys. Die Übermacht der katholischen Partei war gebrochen. Es war ein Sieg von welthistorischer Bedeutung: »Glaubensfreiheit für die Welt rettete bei Breitenfeld Gustav Adolf, Christ und Held.« Nun begann des Königs Siegeszug durch Mittel- und Süddeutschland. Ende September nahm er Erfurt ein und erschien schon Anfang Oktober vor Würzburg, das ihm nach kurzer Belagerung die Tore öffnete. Mainabwärts drang er bis zum Rhein vor, den er bei Oppenheim überschritt. Mainz fiel Mitte Dezember in seine Hände, und hier hielt er Winterquartier. Gastlich nahm er die Vertriebenen bei sich auf, darunter auch Friedrich V. von der Pfalz, den »Winterkönig« von Böhmen. Die schwedische Werbetrommel erscholl durch ganz Deutschland, und in Scharen strömten dem König die Truppen zu. Schon waren es 80 000, und in einigen Monaten hatte er über 100 000 Mann unter seinen Fahnen. Im März 1632 brach G. A. von Mainz auf und zog am 31. 3. unter dem Jubel der Bevölkerung in Nürnberg ein. Er rückte dann auf Donauwörth los und erzwang sich am 15. 4. durch einen zweiten Sieg über Tilly den Übergang über den Lech und den Einmarsch nach Bayern. Tilly wurde schwer verwundet und starb am 30. 4. 1632 in Ingolstadt. Kurfürst Maximilian I. von Bayern floh in die Oberpfalz. Am 12. 5. hielt G. A. einen glänzenden Einzug in München. Der König stand auf dem Höhepunkt seiner Macht, und es war nur eine

Frage der Zeit, wann er dem Kaiser in Wien den Frieden diktieren werde. In seiner Not rief Ferdinand II. Wallenstein wieder herbei, der sich erst nach mancherlei Ausflüchten bereit erklärte, ein neues Heer aufzustellen. Er übernahm den Oberbefehl aber nur unter der Bedingung, daß ihm niemand, selbst der Kaiser nicht, hineinreden dürfe. Überall in Stadt und Land wurde nun die Werbetrommel gerührt, und das Kriegsvolk strömte ihm zu: 40 000 Mann. Mit Leichtigkeit jagte Wallenstein die sächsischen Truppen, die im November 1631 in Böhmen eingefallen waren und Prag erobert hatten, vor sich her und drängte sie an den Fuß des Erzgebirges zurück. Auch trat er in geheime Verhandlungen ein mit dem Befehlshaber der sächsischen Armee, um Sachsen, das immer ein unzuverlässiger Bundesgenosse der Schweden war, von G. A. zu lösen und mit dem Kaiser zu versöhnen. Der König unternahm alles, um den Sonderfrieden Sachsens mit Ferdinand II. zu hintertreiben. Wallenstein vereinigte bei Eger sein Heer mit den Streitkräften des Kurfürsten von Bayern, rückte in Franken ein und bezog gegenüber Nürnberg stark verschanzte Stellungen. Ihm gegenüber lagerte G. A. Die beiden Heere standen sich wochenlang gegenüber, ohne daß einer der Gegner den Angriff wagte. Am 4. 9. gab der Schwedenkönig schließlich den Befehl zum Sturmangriff, der aber von Wallenstein blutig abgeschlagen wurde. Als sich G. A. dann nach Süden wandte, um in die österreichischen Erblande vorzustoßen, fiel Wallenstein in Kursachsen ein und verheerte es furchtbar. Da eilte er seinem Verbündeten zu Hilfe. Anfang November erreichte G. A. Erfurt, wo er seine Gemahlin zum letztenmal begrüßte, auch Naumburg, griff aber Wallenstein nicht an, der darum in der Meinung, vorläufig vor dem Schwedenkönig sicher zu sein, nun begann, seine Truppen auseinanderzuziehen und in die Winterquartiere zu verteilen. So glaubte G. A., die gegenwärtige Lage sei für eine Schlacht mit Wallenstein günstig, und wartete trotz der Mahnung des Kriegsrats nicht auf das Eintreffen weiterer Verstärkungen. Am 16. 11. 1632 standen sich die beiden größten Feldherren ihrer Zeit bei Lützen zum Entscheidungskampf gegenüber. G. A. führte den rechten Flügel, der siegreich vordrang. Mit nur wenigen seines Gefolges verlor er im Nebel die Verbindung mit den Seinen und geriet wegen seiner Kurzsichtigkeit in dichtestes Kampfgewühl. Eine Kugel zerschmetterte ihm den linken Arm. Bald darauf traf ihn eine zweite Kugel in den Rücken. In dem wütenden Handgemenge sank G. A., der »Löwe aus Mitternacht«, von Wunden bedeckt, unter die Hufe der Rosse. Über die Toten und die Todwunden raste die Schlacht weiter. Auf beiden Seiten wurde erbittert gekämpft, mit einer Wut, sagte Wallenstein, wie er sie noch nie erlebt habe. Auch Pappenheim starb den Heldentod. Am Abend wurde die Schlacht unentschieden abgebrochen. An 3000 Mann waren auf jeder Seite gefallen. Wallenstein räumte das Schlachtfeld und zog sich mit seinem Heer nach Böhmen zurück. Er hatte sein schweres Geschütz auf dem Windmühlenberg den Schweden überlassen und es nicht gewagt, am anderen Morgen den Kampf noch einmal aufzunehmen. Nach der Schlacht bei Lützen übernahm der schwedische Kanzler Axel Oxenstierna die Leitung des Krieges und übertrug Bernhard von Weimar (s. d.) und dem schwedischen General Gustav Horn den Oberbefehl über das Heer.

Werke: Konung Gustaf II Adolfs skrifter, hrsg. v. C. G. Styffe, Stockholm 1861; Tal och skrifter af konung Gustaf II Adolf, hrsg. v. Carl Hallendorff, ebd. 1915; Schr.stücke v. G. A., zumeist an ev. Fürsten in Dtld., hrsg. v. Gustav Droysen, ebd. 1877; Oxenstiernas skrifter och brefväxling, 1888 ff. (enthalten G. A.s Briefe an O.).

Lit.: August Friedrich Gfrörer, G. A., Kg. v. S., u. seine Zeit, 1837 (1863⁴, bes. v. Onno Klopp); – Karl Gustav Helbig, G. A. u. die Kf.en v. Sachsen u. Brandenburg 1630–1632, 1854; – Abraham Cronholm, Sveriges historia under Gustaf II Adolfs regering, 6 Tle., Stockholm 1857–72 (Aus dem Schwed. v. H. Helms, Bd. I, 1875); – Johannes Janssen, G. A. in Dtld., 1865; – Franz Frhr. v. Soden, G. A. u. sein Heer in Süddtld. v. 1631–35, 3 Bde., 1865–69; – Gustav Droysen, G. A., 2 Bde., 1869/70; – Karl Wittich, Magdeburg, G. A. u. Tilly, I, 1874; II/1, 1877; – Ders., Dietrich v. Falkenberg, Oberst u. Hofmarschall G. A.s, 1892; – John Leavitt Stevens, History of G. A., New York u. London 1884; – Onno Klopp, Der 30j. Krieg, 3 Bde., 1891–96; – Eduard Lamparter, G. A., Kg. v. S., 1892; – Charles Robert Leslie Fletcher, G. A. and the struggle of protestantism for existence, New York u. London 1892; – Heinrich v. Treitschke, G. A. u. Dtld.s Freiheit. Gedächtnisrede z. 9. 12. 1894, 1894; – Walter Struck, Das Bündnis Wilhelms v. Weimar mit G. A., 1895; – D. Schäfer, Die Zus.kunft G. A.s mit Christian IV. v. Dänemark zu Ufsbäck 1629, in: PrJ 105, 1901, 39 ff.; – Harald Gabriel Hjärne, G. A., protestantismens förkämpe, Stockholm 1901; – Gottlob Egelhaaf, G. A. in Dtld. 1630–32, 1901; – Johannes Kretzschmar, G. A.s Pläne u. Ziele in Dtld. u. die Hzg. zu Braunschweig u. Lüneburg, 1904; – Eduard Willig, G. II A., Kg. v. S., im dt. Drama (Diss. Rostock), 1907; – Moritz Ritter, Dt. Gesch. III: Gesch. des 30j. Krieges, 1908, bes. 449 ff.; – H. Wäschke, zum Thdb. des Fürsten Christian II. v. Anhalt-Bernburg, in: ZKGPrSa 5, 1908, 53 ff. (76 ff.: eine Rede G. A.s nach der Schlacht v. Breitenfeld); – Friedrich Bothe, G. A.s u. seines Kanzlers wirtschaftspolit. Absichten auf Dtld., 1910; – Nils Gabriel Ahnlund, G. A. inför tyska kriget. Akademisk afhandling, Stockholm 1918 (engl. v. Michael Roberts, Princeton 1940); – Ders., G. A. den store, Stockholm 1932 (Neuausg. 1963; dt. v. Julius Paulsen u. Peter Woldemar v. Pezold, 1938); – Ders., Axel Oxenstierna intill G. A.s död, ebd. 1940; – Kurt Chinnow, G. A., Stralsund u. Pommern (Diss. Marburg), 1925; – W. Pickel, G. A. u. Wallenstein in der Schlacht an der Alten Veste bei Nürnberg, 1926; – Heinrich Ritter v. Srbik, Zur Schlacht v. Lützen u. zu G. A.s Tod, in: MIÖG 41, 1926, 231 ff.; – Werner Milch, G. A. u. der 30j. Krieg, 1926; – Ders., Das G.-A.-Bild in der dt. Lit. im Zshg. mit der schwed. (Diss. Breslau), 1928; – Georg Johann Veit Wittrock, G. II A., Stockholm 1927 (aus dem Schwed. v. Toni Schmid, 1930); – Johannes Paul, G. A. I: Schwedens Aufstieg z. Großmachtstellung, 1927; II: Schwedens Eintritt in den 30j. Krieg, 1930; III: Von Breitenfeld bis Lützen, 1932; – Ders., G. A. in der dt. Gesch.schreibung, in: HV 25, 1930, 415 ff.; – Ders., G. A. Christ u. Held, 1964²; – George Fletcher MacMunn, G. A., the Northern Hurricane, London 1930; – Karl Bauer, Das Bild G. A.s im Wandel der Zeiten, 1932; – Otto Westpfahl, G. A. u. die Grdl.n der schwed. Macht, 1932; – Sixten Georg Mauritz Strömbom, Iconographia Gustavi Adolphi, Stockholm 1932; – Minnesskrift över Gustaf II Adolf till 300-Arsdagen av hans död vid Lützen utarbetad inom Generalstabens Krigshistoriska Avdelning, Stockholm 1932; – Berthold Kitzig, G. A., Jacobus Fabricius u. Michael Altenburg, die drei Urheber des Liedes »Verzage nicht, du Häuflein klein«, 1935; – Sveriges krig 1611–32, udg. ved. Sv. generalstaben, 8 Bde., Stockholm 1936–39; – Helmut Skravar, Wallenstein u. G. A. nach dem Kf.tag zu Regensburg 1630 (Diss. Hamburg), 1937; – Wilhelm Sebastian Schmerl, G. A. Ein Lb., 1939; – Cicely Veronica Wedgwood, The Thirty Years War, New Haven 1939; – Dagbok förd i det svenska fältkansliet 26 maj – 6 november 1632, hrsg. v. E. Zeeh – N. Belfrage, Stockholm 1940; – Ernst Kohlmeyer, G. A. u. Dtld., 1940; – Wilhelm Koppe, Pro libertate Germaniae oder contra?, in: Jomsburg 5, 1941, H. 3/4; – Gerhard Ritter, G. A.: Die Weltwirkung der Ref., 1941, 158 ff.; – Ernst Marquardt, Kg. G. A. v. S. Ein Bild seines Lebens u. die Gesch. seines Ruhms, 1942; – Albin T. Anderson, Sweden in the Baltic, 1612–30. A Study in the Politics of Expansion under King G. A. and Chancellor Axel Oxenstierna, based primarily on Swedish sources (Diss. Univ. of California), Berkeley 1947; – Karl Hennig, G. A. Der Gotteszeuge in der Politik, 1952; – Michael Roberts, Gustavus Adolphus. A History of Sweden I (bis 1626), London 1953; II (bis 1632), ebd. 1958; – Ders., The political objectives of G. A. in Germany 1630–1632, in: Transactions of the Royal Historical Society, Serie 5, 7, 1957, 19 ff.; – Josef Seidler, Unterss. über die Schlacht bei Lützen 1632, 1954; – Jörg Erb, Die Wolke der Zeugen II, 1954, 333 ff.; – Walther Hubatsch, G. A. – ein christl. Staatsmann?, in: Unruhe des Nordens. Stud. z. dt.-skand. Gesch., 1956, 32 ff.; – Friedrich Hauß, Väter der Christenheit I, 1956, 194 ff.; – Dieter Albrecht, Richelieu, G. A. u. das Reich, 1959; – Ernst Ekman, Three decades of research on G. A., in: The journal of modern history 38, Chicago/Illinois 1966, 243 ff.; – Christa Deinert, Die schwed. Epoche in Franken v. 1631–35 (Diss. Würzburg),

1966; – Basel Henry Liddel Hart, Große Heerführer (Great captains unveiled, dt.), übers. v. Rosemarie Winterberg, 1968; – Ulrich Bracher, G. A. v. S. Eine hist. Biogr., 1971 (Rez. v. Johannes Paul, in: Das hist.-polit. Buch 20, 1972, 170; v. H. Langer, in: Militärgesch. 13, 1974, 234 ff.); – Sigmund Goetze, Die Politik des schwed. Reichskanzlers Axel Oxenstierna gg.über Kaiser u. Reich (Diss. Bonn), 1971; – Kurt Beck, G. A. im Rhein-Main-Gebiet, in: Arch. f. Frankfurts Gesch. u. Kunst 53, 1973, 81 ff.; – Biogr. Wb. z. dt. Gesch. I², 1973, 971 ff.; – Gebhardt-Grandmann II, 144 ff.; – ADB X, 189 ff.; – RE VII, 239 ff.; – EKL I, 1732 f.; – RGG II, 1909 ff.; – EC VI, 1314 ff.; – LThK IV, 1282 f.; – NCE VI, 866 f.; – ODCC² 608.

GUTBERLET, Konstantin, Philosoph und kath. Theologe, * 10. 1. 1837 in Geismar (Thüringen) als Sohn eines Müllers und Mühlenbesitzers, † 27. 4. 1928 in Fulda. – G. besuchte das Gymnasium in Fulda und studierte 1856–62 an der Gregorianischen Universität in Rom. 1861 empfing er die Priesterweihe, promovierte zum Dr. theol. und war seit 1862 Dozent am Priesterseminar in Fulda, das infolge der Kulturkampfgesetze 1875 aufgehoben wurde. Als Regens des »Fuldaneum« in Würzburg widmete sich G. literarischen Arbeiten. Er wurde 1886 nach Wiedereröffnung des Priesterseminars in Fulda Professor der Dogmatik und 1900 Domkapitular in Fulda. – G. ist bekannt als Vertreter eines durch Francisco Suarez (s. d.) vermittelten Neuthomismus und als Mitbegründer und 1888–1924 Herausgeber des »Philosophischen Jahrbuchs« der Görresgesellschaft.

Werke: Das Unendliche, metaphys. u. mathemat. betrachtet, 1878; Die Theodizee, 1878 (1909⁴); Lehrb. der Philos., 6 Bde., 1878–85 (1904–13⁴); Metaphysik, 1880 (1906⁴); Das Gesetz v. der Erhaltung der Kraft, 1881; Logik u. Erkenntnistheorie, 1882 (1909⁴); Ethik u. Naturrecht, 1883 (1901³); Naturphilos., 1885 (1912⁴); Lehrb. der Apologetik, 3 Bde., 1888–94 (I, 1903³; II, 1922⁴; III, 1910⁸); Der mechanist. Monismus, 1893; Die Willensfreiheit u. ihre Gegner, 1893 (1907²); Ethik u. Rel., 1893 (1907²); Der Mensch, sein Ursprung u. seine Entwicklung, 1896 (1911³); Der Kampf um die Seele, 1899 (1903²); Vernunft u. Wunder, 1905; Psychophysik. Hist.-krit. Stud. über experimentelle Psychologie, 1905; Gott der Einige u. Dreifaltige, 1907; Der Kosmos. Sein Ursprung u. seine Entwicklung, 1908; Gott u. die Schöpfung, 1910; Der Gottmensch Jesus Christus, 1913; Experimentelle Psychologie mit bes. Berücks. der Päd., 1915.

Lit.: Karl Alexander Leimbach, K. G. Eine Lebensskizze, 1911; – K. G. Eine Selbstbiogr., hrsg. v. dems., 1930; – Autobiogr., in: Die Philos. der Ggw. in Selbstdarst. IV, hrsg. v. Raymund Schmidt, 1923, 47 ff.; – A. Gemelli, C. G. e la rinascita filosofica tedesca (Einl. z. it. Übers. v. G.s »Der Mensch« [L'uomo, trad. di C. Bonglioanni]), Turin 1927, V–XV; – Paul Simon, K. G., in: Hochland 25/II, 1927–28, 437 ff.; – Bernhard Jansen, K. G., in: StZ 115, 1928, 385 ff.; – E. Hartmann, K. G., in: PhJ 41, 1928, 261 ff.; – Stephan Hilpisch, Gesch. des Fuldaer Priesterseminars, 1962, 28 ff.; – NDB VII, 336; – RGG II, 1915; – Kosch, KD 1222 f.; – EC VI, 1316; – LThK IV, 1825 f.

GUTHE, Hermann, Alttestamentler und Palästinaforscher, * 10. 5. 1849 als Pfarrerssohn in Westerlinde (Braunschweig), † 11. 8. 1936 in Leipzig. – G. besuchte das Gymnasium in Wolfenbüttel und studierte 1867–70 Theologie in Göttingen und Erlangen. 1870 bis 1873 war er Hauslehrer in Livland, danach Repetent in Göttingen. 1877 habilitierte sich G. in Leipzig und war dort von 1884 bis zu seiner Emeritierung 1921 Professor für Altes Testament. – G. hat sich um die Palästinawissenschaft verdient gemacht. Er war 1877 Mitbegründer des »Deutschen Vereins zur Erforschung Palästinas«, Sekretär und Bibliothekar in dessen geschäftsführendem Ausschuß und 1911–25 dessen Vorsitzender. Der Verein betraute ihn 1881, 1894 und 1912 mit Studien- und Forschungsaufgaben in Palästina.

Werke: Siloahinschr., 1882; Ausgrabungen bei Jerusalem, 1883; Palästina in Wort u. Bild (zus. mit Georg Ebers), 2 Bde., 1883/1884 (1886/87²); Gesch. des Volkes Israel, 1899 (1914³); bearb. Esr u. Neh in der »Regenbogenbibel« v. Paul Haupt, 1901; Jes,

1907; Am, metr. bearb. mit Eduard Sievers, 1907; Palästina (in den »Monogr. z. Erdkunde«), 1908 (1927²); Handkarte v. Palästina (mit Hans Fischer), 1890 (1926⁶); Wandkarte v. Palästina z. bibl. Gesch., 1896 (1929⁴); Bibelatlas, 1911 (1926²); Die griech.-röm. Städte des Ostjordanlandes (Das Land der Bibel II, 5), 1918; Gerasa (ebd. III/1.2), 1918. – Gab heraus: Kurzes Bibelwb., 1903; ZDPV, 1877–96; MNDPV, 1897–1906. . .

Lit.: ZDPV 42, 1919, 83 ff.; – Peter Thomsen, ebd. 117 ff.; – Festschr. mit Bttr. v. Albrecht Alt, Gustaf Dalman, Martin Noth, Ernst Sellin, Peter Thomsen, ebd. 52, 1929, 97–174; – Albrecht Alt, ebd. 59, 1936, 177 ff.; – Hans Fischer, Gesch. der Kartogr. v. Palästina. Dem Andenken H. G.s, ebd. 62, 1939, 169 ff.; 63, 1940, 1–111; – P. G. Müller, H. G., in: Neues Sächs. Kirchenbl. 26, 1919, 257 ff.; – G. Winter, H. G., ebd. 36, 1929, 275 ff.; – NDB VII, 343 f.; – RGG II, 1918.

GUTMANN, Bruno, Missionar, * 4. 7. 1876 in Dresden, † 18. 12. 1966 in Ehingen am Hesselberg (Mittelfranken). – »Meine beiderseitigen Großeltern sind Bauern gewesen«, schreibt G. »Mein Vater stammt aus dem Meißener Flachland. Die Mutter kam vom Kamm des Erzgebirges. Meine Jugendzeit wurde von mancherlei familiärem Unglück überschattet. Mein Vater war als jüngstes Kind auf dem Bauernhof von seinem Vater besonders lange zu Hause behalten worden. Mit seinem Erbteil erbaute er sich 1876 ein Haus auf der Düne von Dresden, in der Hoffnung, es mit einigem Gewinn wieder verkaufen zu können. Diese Gegend war damals einsam, und es fand sich kein Käufer. Dann wurde meine Mutter schwer krank, und ihre Eltern zogen mit in das Haus, um meiner Mutter zu helfen. Am 6. 5. 1883 starb meine Mutter. Mein Vater ging nach Dresden, um dort sein Brot zu verdienen, und lebte bei seiner Schwester. Ich blieb bei den Großeltern, während meine Schwester für einige Jahre mit dem Vater bei der Tante wohnte. Die Not zu Hause war so groß, daß ich schon mit 11 Jahren zum Lebensunterhalt der Familie beitragen mußte und nach dem Schulunterricht in die Fabrik ging. Dort arbeitete ich in der Gießerei bei den Kernmachern. Etwa ein Jahr habe ich in dieser Fabrik gearbeitet. Als mein Vater wieder geheiratet hatte, nahm er seine beiden Kinder wieder zu sich. So brauchte ich nicht mehr in die Fabrik zu gehen.« In der Schule war Bruno immer Klassenerster. Durch Vermittlung des Rektors erhielt er eine Beschäftigung in Pieschen als Kopist in der Gemeindeverwaltung. Zweieinhalb Jahre arbeitete er dort nach dem Schulunterricht. Nach seiner Schulentlassung trat Buno als Volontär in den Gemeindedienst und blieb dort bis zu seinem Eintritt in das Leipziger Missionsseminar im Jahr 1895. Zum Missionsdienst wurde er angeregt durch seine Mitgliedschaft im Christlichen Verein Junger Männer (CVJM). Nach Dienstschluß bei der Gemeindeverwaltung nahm er teil am Abendunterricht in Dresden in Latein, Stenographie und anderen Fächern. Im Missionsseminar gelangte er in einem sechsjährigen konzentrierten Studiengang zum theologischen Examen. Vor seiner Ordination war G. ein Jahr lang Pfarrvikar in Vohenstrauß. 1902 wurde er zum Dienst in Ostafrika berufen. Nach einer Einführungszeit am Ostkilimandscharo kam er zum Westkilimandscharo, wo er nach einer zweijährigen Tätigkeit in Machame mit dem Aufbau einer neuen Missionsstation im Bezirk Untermachame betraut wurde, die den Namen Masama erhielt. Mit dem vollen Einsatz seiner Kräfte widmete er sich diesem Werk. Die Anstrengungen im Hochgebirge mit seinen tiefen Schluchten und Steilhängen

machten sich an seinem Herzen bemerkbar und zwangen ihn, ein Jahr früher als üblich um Heimaturlaub zu bitten. Ostern 1908 kam er nach Deutschland zurück und gab sein erstes größeres literarisches Werk zum Druck: »Dichten und Denken der Dschagganeger« mit dem Untertitel »Beiträge zur afrikanischen Volkskunde«. Im Herbst 1909 kehrte G. mit seiner Lebensgefährtin in die Arbeit nach Masama zurück, wurde aber schon bald darauf nach Alt-Moshi zur Übernahme dieser Station und Gemeinde gerufen. Nun begann die eigentliche Schaffensperiode des Missionars G. So erschien 1914 »Das Volksbuch der Wadschagga«, eine Sammlung von Sagen, Märchen, Fabeln und Schwänken, die er den Wadschagga ablauschte und literarisch festhielt. Im August 1920 wurde G. mit den anderen deutschen Missionaren auf Grund des § 418 des Vertrages von Versailles zwangsweise aus Afrika abtransportiert. Er nahm zunächst vorläufig seinen Aufenthalt in Berlin, fand endlich in Ehingen ein Daheim. Es entstanden umfangreiche und inhaltlich bedeutsame Manuskripte: »Das Dschaggaland und seine Christen« sowie das missionstheoretisch-programmatische Werk »Gemeindeaufbau aus dem Evangelium«. Die Theologische Fakultät der Universität Erlangen verlieh ihm 1924 die Ehrendoktorwürde. 1925 durfte und konnte G. seinen missionarischen Dienst in Ostafrika wieder aufnehmen. 1926 erschien »Das Recht der Dschagga«. Professor Dr. Felix Krüger aus Leipzig, der Herausgeber des Buches, schreibt in seinem Nachwort: »Der wissenschaftlichen Welt ist G. seit langem wohlbekannt. Zahlreiche Studien aus seiner Feder, Monographien vornehmlich ethnologischen, sozial- und kulturwissenschaftlichen Inhaltes, auch rechtsvergleichende Arbeiten erweisen ihn als einen der gründlichsten Kenner Ostafrikas, darüber hinaus als tiefblickenden Erforscher des menschlichen Gemeinschaftslebens überhaupt, seiner natürlichen Formbildungen und der Gesetze ihres Wachsens oder Entartens. Das vorliegende Hauptwerk, in der Handschrift seit Jahren abgeschlossen, wünschten Näherstehende, darunter namhafte Rechtsgelehrte, längst gedruckt zu sehen.« Die Juristische Fakultät der Universität Würzburg würdigte »Das Recht der Dschagga« mit der Verleihung der Ehrendoktorwürde. 1932–1935 und 1938 erschienen die drei umfangreichen Bände der »Stammeslehren der Dschagga«, die bereits 1930 handschriftlich abgeschlossen worden waren. In einer Rezension heißt es: »Noch niemals hat sich das Seelentum eines Negerstammes mit seinen volkhaften und religiösen Bindungen so tief erschlossen wie in diesem Werk. Eine solche dokumentare Sammlung kann nicht ein zweites Mal zustande kommen, weil das Stück Leben, um das es hier geht, dahinschwindet. Die Wissenschaft weiß bisher wenig von den Anfängen der Erziehung und des Unterrichts, von den frühen Formen des geschichtlichen Bewußtseins. Auf Grund jahrzehntelanger Studien und Erfahrungen im einstmals deutschen Schutzgebiet hat D. B. G. hier erwiesen, daß die alten Männer der Dschagga sich im Zusammenhang über Menschenbildung und Gemeinschaftsformen besinnen, daß sie diese Gedanken erstaunlich klar aussprechen können und sie mit Bewußtsein dem heranwachsenden

Geschlecht einprägen.« – Pfarrer Ernst Jaeschke wurde 1938 G.s Nachfolger.

Werke: Neun Dschaggamärchen, erz. v. G. u. Hermann Fokken, hrsg. v. A. v. Lewinski, 1905; Dichten u. Denken der Dschagganeger – Btrr. z. ostafr. Volkskunde, 1909; Volksbuch der Wadschagga – Sagen, Märchen, Fabeln u. Schwänke, den Dschagganegern nacherz., 1914; Amulete u. Talismane bei den Dschagganegern am Kilimandscharo, hrsg. v. Felix Krueger, 1923; Anton Tarimo, der Evangelist v. Moschi, 1924; Das Dschaggaland u. seine Christen, 1925; Gemeindeaufbau aus dem Ev. – Grundsätzliches f. Mission u. Heimatkirche, 1925; Briefe aus Afrika, hrsg. u. mit einer Einl. vers. v. B. G., 1925; Das Recht der Dschagga. Mit einem Nachw. des Hrsg., Felix Krueger: Zur Entwicklungspsychologie des Rechts, 1926; Häuptling Rindi v. Moschi – Ein afr. Helden- u. Herrscherleben, 1928; Freies Menschentum aus ewigen Bindungen, 1928; Schildwacht am Kilimandscharo. I: Der Baugrund, 1929; Christusleib u. Nächstenschaft, 1931; Kipo Kilja – Ein Buch v. Kibo, 1931; Kitabu kya siri . . . (Text der Titelseite in Deutsch: Das Buch der Gemeinde des Herrn der Freude u. Erlösung u. des Ev. Glaubens – in der Sprache des Zentralkilimandscharo), 1931 (Inhalt: Gottesdienstordnung – 256 Lieder [z. größten Teil nach dt. Vorlagen in Text u. Melodie] – Luthers kleiner Katechismus mit Erkl. u. ausgew. Bibelstellen – Das Augsburg. Bekenntnis); Die Stammeslehren der Dschagga, hrsg. v. Felix Krueger. I, 1932; II, 1935; III, 1938; Zurück auf die Gottesstraße, 1934; Zwischen uns ist Gott, 1935; Unter dem Trutzbaum – Eine Einkehr in Moschi am Kilimandscharo, 1938; NT in der Dschaggasprache, übers. v. B. G., 1939; Sage es der Gemeinde!, 1950; Filipo Njau – Aus meinem Leben, v. B. G. übers. aus der Dschaggasprache, hrsg. v. Martin Küchler, 1960; D. Dr. Bruno Gutmann, Afrikaner – Europäer in nächstenschaftlicher Entsprechung. Ges. Aufss., hrsg. v. Ernst Jaeschke, 1966 (Bibliogr., zus.gest. v. Ingelore Hoffmann u. Walther Ruf, 215–232).

Lit.: Franz Gleiß, Ein Stück afr. Völkerkunde, in: EMM NF 68, 1924, 49–52; – J. Bender, Gemeindeaufbau aus dem Ev., ebd. 69, 1925, 303–311; – Carl Meinhof, Von afr. Art, ebd. 70, 1926, 165–168 (zu dem Buch »Das Recht der Dschagga«); – Martin Schlunk, Die Stellung der Mission z. Volkstum, in: NAMZ 6, 1929, 97–108 (Auswertung des Buches »Gemeindeaufbau aus dem Ev.«); – W. Oehler, Ewige Bindungen, in: EMM NF 74, 1930, 161–165; – W. Nitsch, Volksverband u. Jüngerschaft Jesu, in: NAMZ 8, 1931, 97–106 (Korreferat, geh. auf der Herrnhuter Missionswoche 1930 auf Grund v. Leitsätzen G.s zu seinem Referat »Das unsichtbare Reich«); – Siegfried Knak, Zwischen Nil u. Tafelbai – Eine Stud. über Ev., Volkstum u. Zivilisation am Bsp. des Missionsproblems unter den Bantu, 1931 (in einem bes. Kap. eine eingehende Besprechung des Buches »Gemeindeaufbau aus dem Ev.«); – Anonym, Ostafr. Bantu-Volkstum u. das Ev., in: EMM NF 76, 1932, 70–82. 106–113; – Johannes Raum, Einiges über urtüml. Bindungen bei den Bantu Ostafrikas, in: NAMZ 9, 1932, 185–195. 234–243; – Julius Richter, Die Stammeslehren der Dschagga, ebd. 10, 1933, 124–128 (z. I. Bd. des gleichnamigen Buches); – Karl Hartenstein, Die Mission u. die kulturelle Frage: Anpassung oder Umbruch?, in: EMM NF 79, 1935, 350 ff. (zu G.: 362 f.); – Em. Kellerhals, Zurück auf die Gottesstraße – Gedanken zu B. G.s Botschaft, ebd. 117–124; – Paul Fleisch, 100 J. luth. Mission, 1936 (erwähnt darin G. u. seine Arbeit des öfteren [s. Reg.], vor allem in dem Kap. »Der Aufbau der Dschagga-Mission« auf S. 302–307 [Gemeindegliederung u. Gemeindeleben] u. in dem Abschnitt »Wiederaufbau in Ostafrika« auf S. 417–421 [Die Frage des Volksorganischen / Gliederung der Gemeinden u. inneres Leben]); – A. W. Schreiber, Ein Wort z. Kritik D. Dr. jur. G.s an der Kirchenordnung der Ev. Ewe-Kirche in Togo (West-Afrika), in: NAMZ 14, 1937, 30–38; – Walter Braun, Gemeinde u. Volk in Ostafrika, ebd. 325 ff. (zu G.s Position: 368–370); – O. Raum, Dr. B. G.'s Work on Kilimanjaro, in: IRM 26, 1937, 500–507; – Walter Holsten, B. G.s Exegese, in: ThStKr 108 1937/38, 282 ff. (abgedr. in dem Sammelbd. w. Aufss. des Verf.: Das Ev. u. die Völker – Btrr. z. Gesch. u. Theorie der Mission, 1939, 89–124); – Siegfried Knak, Erfahrungen u. Grundgedanken der dt. ev. Mission, 1938 (behandelt in diesem Heft z. Vorbereitung der Weltmissionskonferenz v. Tambaram in einem eigenen Kap. G.s Anschauungen); – G. Holtz, Wider u. f. B. G., in: Die Dorfkirche 32, 1939, 97–106; – Hellmut Weist, Die Theol. des Miss. B. G. in krit. Beurteilung (Diss. Halle), 1941; – Werner Pollmann, Die missionar. Grundsätze B. G.s (Diss. Leipzig, 1942), o. O. 1941; – Heinrich Frick, Mission u. fremdes Volkstum – Vom Ringen der dt. ev. Mission um die Erhaltung v. Volkstum, in: EMZ 3, 1942, 39–53. 68–82 (zu G.: 50); – Johannes Christiaan Hoekendijk, Kerk en Volk in de Duitse Zendingswetenschap, Amsterdam 1948, 135–158 (dt. Übers. 1967); – Martin Küchler, D. Dr. B. G. – Ll. u. Würdigung der Lebensarbeit D. Dr. B. G.s, 1951; – Peter Beyerhaus, Die Selbständigkeit der jungen Kirchen als missionar. Problem, 1956 (in dem Kap. »Der dt. Volkskirchengedanke« die Grundgedanken G.s unter dem Stichwort »Volksorganischer Gemeindeaufbau«, 88–96; – Wolfgang Tilgner, Volksnomostheol. u. Schöpfungsglaube, 1966 (in einem eigenen Abschnitt »Die Volksnomoslehre in der Missionstheol., vornehml. dargest. an den Schrr. B. G.s«), 212–217; – Ernst Jaeschke, Ein Leben f. Afrikaner, in: Afrikaner – Europäer in nächstenschaftlicher Entsprechung. Ges. Aufss. v. D. Dr. B. G.,

hrsg. v. dems., 1966, 11–31; – E. Dammann, In memoriam B. G., in: Afrika u. Übersee. Sprachen – Kulturen 50, 1967, 161 f.; – J. C. Winter, A German approach to social anthropology; an analysis of the fundamental concepts in the ethnographical writings of B. G. (Diss. Oxford), 1969/70; – RGG II, 1918 f.

GUTMANN, Jakob, Rabbiner und Religionsphilosoph, * 22. 4. 1845 in Beuthen (Oberschlesien), † 29. 9. 1919 in Breslau. – G. studierte an der Universität Breslau und besuchte zugleich das Jüdisch-theologische Seminar. Er war 1874–92 Landesrabbiner in Hildesheim und seit 1892 Rabbiner der Synagogengemeinde in Breslau, seit 1910 zugleich Vorsitzender des Rabbinerverbandes in Deutschland. – G. war Mitbegründer und seit 1916 Vorsitzender der »Gesellschaft zur Förderung der Wissenschaft des Judentums«.

Werke: Die Rel.philos. des Abraham ibn Daud aus Toledo, 1879; Die Rel.philos. des Saadja, 1882; Die Philos. des Salomo ibn Gabirol, 1889; Das Verhältnis des Thomas v. Aquino z. Judentum u. z. jüd. Lit., 1891; Die Scholastik des 13. Jh.s in ihren Beziehungen z. Judentum u. z. jüd. Lit., 1902; Die rel.-philos. Lehren des Isaak Abravanel, 1916; Fest- u. Sabbatpredigten, hrsg. v. Julius Guttmann, 1926.

Lit.: Festschr. z. 70. Geb. J. G.s, 1915; – Markus (Mordechai) Brann, 1917, in: MGWJ 64, 1920, 1 ff.; – Isaak Heinemann, J. G., ebd. 250 ff.; – JüdLex II, 1305 f.; – EncJud VII, 992 f.; – EJud VII, 743 f.; – UJE V, 136; – Lex. des Judentums, 1971, 264.

GUTMANN, Julius, jüdischer Religionsphilosoph, * 15. 4. 1880 in Hildesheim als Sohn des Rabbiners Jakob Guttmann (s. d.), † 20. 5. 1950 in Jerusalem. – G. habilitierte sich 1910 als Privatdozent für Philosophie an der Universität Breslau und wirkte 1919–33 als Professor an der Hochschule für Wissenschaft des Judentums in Berlin. 1934 wurde er Professor an der Hebräischen Universität in Jerusalem.

Werke: Der Gottesbegriff Kants in seiner positiven Entwicklung, 1906; Kant u. das Judentum, 1908; Kants Begriff der objektiven Erkenntnis, 1911; Das Verhältnis v. Rel. u. Philos. bei Jehuda Halevi, 1911; Spinozas Verhältnis z. Aristotelismus, 1912; Rel. u. Wiss. im ma. u. modernen Denken, 1922; Die Philos. des Judentums, 1933.

Lit.: Leo Strauß, Philos. u. Gesetz, 1935; – JüdLex II, 1306; – EJud VII, 745; – UJE V, 136 f.; – EncJud VII, 993 f.; – Lex. des Judentums, 1971, 264; – RGG II, 1919.

GUYON *du Chesnoy,* Jeanne Marie, geb. Bouvier de la Mothe (Motte), Mystikerin, * 13. 4. 1648 in Montargis (Loiret), † 9. 6. 1717 in Blois (Loiret-Cher). – Jeanne Marie wuchs in Klöstern auf und neigte schon als Kind zu asketischer Frömmigkeit, die durch die Lektüre der Schriften des Franz von Sales (s. d.) und der Jeanne-Françoise Frémyot de Chantal (s. d.) vertieft und gefördert wurde. Ihre Mutter erlaubte ihr nicht den Eintritt in ein Kloster, sondern verlobte sie mit 16 Jahren ohne ihr Wissen dem 38jährigen kränklichen Jacques Guyon, seigneur du Chesnoy, den Jeanne Marie erst zwei oder drei Tage vor der Hochzeit sah. Im Haus ihres Gatten herrschte ein durchaus weltliches Treiben. Sie aber lebte ganz der asketischen Mystik und dem Gebet, brach allen Verkehr mit der Welt ab und entsagte aller weltlichen Freude, fastete viel und geißelte sich bis aufs Blut, verlobte sich ihrem Erlöser Jesus Christus als Braut und versah das Vertragsformular mit Unterschrift und Siegel. 1676 starb ihr Gatte, dem sie fünf Kinder geboren hatte, von denen aber am Leben blieben. Frau G. zog 1680 nach Paris. Durch den damals beginnenden Briefwechsel mit ihrem künftigen Beichtvater, dem Barnabitensuperior François La Combe in Thonon bei Genf, veranlaßt, siedelte sie nach Unterhandlungen mit dem Genfer

Bischof 1681 nach dem bei Genf gelegenen Gex über, wo sie die Leitung einer Vereinigung von Konvertitinnen (»Nouvelles Catholiques«) übernehmen sollte. Sie blieb aber dort nur kurze Zeit und begann dann in Thonon auf Grund fortlaufender Visionen und Verzückungen ihre so überaus reiche schriftstellerische Tätigkeit. Als La Combe zum geistlichen Rat des Bischofs von Vercelli berufen wurde, zog Frau G. mit ihm nach Turin, bald darauf nach Grenoble, Marseille, Vercelli und 1686 nach Paris. 1688 trat Fénelon (s. d.) mit ihr in brieflichen und persönlichen Verkehr und wurde ihr Seelenfreund und später der Verteidiger ihrer mystischen Anschauungen. Wegen ihrer quietistischen Mystik (s. Molinos, Michael de) wurde Frau G. viel verfolgt, in den Quietismusstreit zwischen Jacques Bénigne Bossuet (s. d.) und Fénelon hineingezogen und mehrfach inhaftiert. Die mit der Prüfung ihrer Schriften beauftragte Kommission in Issy verurteilte am 10. 3. 1695 30 ihrer Sätze. Am 15. 4. 1695 leistete Frau G. den verlangten Widerruf. Die letzten 15 Jahre verbrachte sie bei ihrem Sohn in Diziers bei Blois. – Frau G. ist bekannt als Hauptvertreterin einer quietistischen Mystik in Frankreich. Ihre Erbauungsschriften fanden auch im Protestantismus weite Verbreitung und wirkten u. a. auf Gottfried Arnold (s. d.), die »Berleburger Bibel« (s. Haug, Johann Heinrich) und Gerhard Tersteegen (s. d.).

Werke: La vie de Mme G. Écrite par elle-même, qui contient toutes les expériences de la vie intérieure, 3 Bde., Köln 1720; Paris 1790; hrsg. v. Jean Bruno, Paris 1961; übers. v. H. v. Monteglaut, 3 Bde., Berlin 1826. – Opuscules spirituels, 2 Bde., Köln 1704. 1712. 1720; Paris 1790. – Discours chrétiens et spirituels sur divers sujets qui regardent la vie intérieure, 2 Bde., Köln 1716; Paris 1790. – Poésies et cantiques spirituels sur divers sujets qui regardent la vie intérieure ou l'esprit du vrai christianisme, 4 Bde., Köln 1716; Paris 1790. – L'âme amante de son Dieu, représentée dans les emblèmes de Hermannus Hugo et dans ceux d'Othon Vaenius sur l'amour divin, Köln 1716; Paris 1790. – La sainte Bible, ou le Vieux et le Nouveau Testament, avec des explications et réflexions qui regardent la vie intérieure, 20 Bde., Köln 1713–15; Paris 1790. – Les justifications de Mme G. écrites par elle-même, 3 Bde., Köln 1720; Paris 1790. – Lettres chrétiennes et spirituelles sur divers sujets qui regardent la vie intérieure ou l'esprit du vrai christianisme, 4 Bde., Köln 1717; 5 Bde., London 1767–68. – Ausgg.: Oeuvres, hrsg. v. Pierre Poiret, 39 Bde., Köln 1713–32; v. Jean-Philippe Dutoit, 40 Bde., Paris 1767–91.

Lit.: Thomas Cogswell Upham, Life, religious opinions and experience of Mme de la Mothe-G., London 1854 (Neuausg. 1905); – Louis Guerrier, Mme G., sa viel, sa doctrine et son influence, Orléans 1881; – Fénelon et Mme G., documents nouveaux et inédits, hrsg. v. Pierre-Maurice Masson, Paris 1907; – Henri Delacroix, Études d'histoire et de psychologie du mysticisme, Paris 1908; – Hedwig v. Redern, Die Gesch. einer Seele. Leben, Leiden u. Lehren v. J. M. B. de la Mothe G., 1908; – Ernest Seillière, Mme G. et Fénelon, Paris 1918; – Josef Bernhart, Fénelon u. Mme G., in: Rel. Erzieher der kath. Kirche, hrsg. v. Sebastian Merkle – J. Bernhart, 1921, 155 ff.; – Max Wieser, Der sentimentale Mensch. Gesehen aus der Welt holl. u. dt. Mystiker im 18. Jh., 1924; – Ders., Peter Poiret. Der Vater der romant. Mystik in Dtld., 1932; – Martin Eckhardt, Der Einfluß der Mme G. auf die norddt. Laienwelt im 18. Jh. (Diss. Köln), Barmen 1928; – Karl Muth, Fénelon u. Frau v. G., in: Hochland 36/II, 1939, 21 ff. 120 ff.; – Emmanuel Aegerter, Mme G., une aventuière mystique, Paris 1941; – Ronald Arbuthnott Knox, Enthusiasm, 1950, 319–352 (Dt. v. Paula Havelaar u. Auguste Schorn: Christl. Schwärmertum. Ein Btr. z. Ref.gesch., 1957, 289–319); – Peter Manns, in: Fénelon. Persönlichkeit u. Werk. Festschr. z. 300. Wiederkehr seines Geb. Hrsg. v. Johannes Kraus u. Josef Calvet, 1953, 331–404; – Michael de la Bedoyère, The Archbishop and the Lady. The Story of Fénelon and Mme G., New York 1956; – Jean Calvet, La littérature religieuse de François de Sales à Fénelon, Paris 1956; – A.-H. Saulnier, L'esprit d'enfance dans la vie et la poésie de G. (Diss. Paris), 1958; – F. Hermans, G. et Bossuet, in: Revue Générale Belge 96, Brüssel 1960, 63 ff.; – Agnès de la Gorce, Mme G. à Blois, d'après des documents inédits, in: Études. Revue catholique d'interêt général 310, Paris 1961, 182 ff.; – M. Raymond, Le dialogue de G. et de Fénelon, in: La Nouvelle Revue Française. Revue mensuelle de littérature et de critique 29, Paris 1967, 1052 ff.; – François Ribadeau Dumas, Fénelon et les saintes folies de Mme G., Genf 1968; – George Balsama, Mme G., Heterodox . . ., in: ChH 42, 1973, 350 ff.; – Wilpert I², 645; – KLL VII, 556 f. (La vie de Mme G.); – Catholicisme V, 444 ff.; – DSp VI, 1306 ff.; – LThK IV, 1292; – NCE VI, 869 ff.; – ODCC² 609 f.; – DThC VI, 1997 ff.; – RGG II, 1919 f.

H

HAAG, Émile, Schriftsteller, * 8. 11. 1810 in Montbéliard, † 1865 in Paris. – H. studierte in Straßburg die Rechte und lebte von 1836 an mit seinem Bruder Eugène Haag (s. d.) in Paris. In dem Sammelwerk »La France protestante« hat er die protestantischen Dichter und Künstler Frankreichs behandelt.

Werke: Satires et poésies diverses, Paris 1844. – Mitarbeit an »La France protestante« seines Bruders Eugène Haag (s. d.).

HAAG, Eugène, Kirchenhistoriker, * 11. 2. 1808 in Montbéliard, † 1868 in Paris. – H. studierte in Straßburg protestantische Theologie und ließ sich 1836 in Paris als Schriftsteller nieder. Bekannt wurde er durch sein biographisches Sammelwerk »La France protestante«, das der französische Historiker Jules Michelet (1798–1874) ein »monument immense, qui a ressuscité un monde« nannte. 1852 beteiligte sich H. an der Gründung der »Société d'histoire du protestantisme français«, deren Sekretär und Vizepräsident er später wurde.

Werke: Vie de Calvin à l'usage des écoles protestants, Valence 1840; Vie de Luther à l'usage des écoles protestants, ebd. 1840; La France protestante, ou, Vies des protestants français qui se sont fait un nom dans l'histoire depuis les premiers temps de la réformation jusqu'à la reconnaissance du principe de la liberté des cultes par l'Assemblée nationale; ouvrage précédé d'une notice historique sur le protestantisme en France, suivi de pièces justificatives, rédigé sur des documents en grande partie inédits, 10 Bde., Paris – Genf 1846–59 (2. édition, publiée sous les auspices de la Société de l'histoire du protestantisme français sur la direction de m. Henri Bordier, 6 Bde., Paris 1877–89 [Abadier – Gasparin; mehr nicht ersch.]); Histoire des dogmes chrétiens, 2 Bde., 1862² (1. Aufl. ersch. in der Zschr. »Le Disciple de Jésus Christ«); Théologie biblique, ouvrage posthume. Publié par Ath. Coquerel fils et O. Douen, Paris 1870. – Überss.: (ins Dt.) Heinrich Zschokke, Vues classiques de la Suisse, Paris 1836–37; (ins Engl.) John James Blunt, Aperçu de la Réformation en Angleterre, ebd. 1840.

Lit.: NBG XXIII, 1 f.

HAARBECK, Theodor, Theologe der Gemeinschaftsbewegung, * 11. 11. 1846 in Neukirchen bei Moers als Sohn des Bürgermeisters Gustav H. (1806–93), † 3. 12. 1923 in Barmen. – »Meine Eltern waren beide gläubig«, schreibt H. in seinen Lebenserinnerungen, »und bemühten sich, ihre Kinder in der Zucht und Vermahnung zum Herrn zu erziehen.« Er besuchte 1859–64 das Gymnasium in Duisburg und studierte 1864/65 in Basel, 1865/66 in Tübingen und 1867/68 in Bonn. H. wurde 1868 Lehrer an dem freien, 1859 von Theodorich von Lerber (s. d.) gegründeten Gymnasium in Bern. 1871 heiratete er Hanna Rappard, eine Schwester des Inspektors Carl Heinrich Rappard (s. d.) von St. Chrischona bei Basel. H. erlebte in Bern in den

Jahren 1875–80 die große Erweckung. Bis ins hohe Alter hinein gedachte er dankbar der Segnungen, die jene Tage ihm vermittelt haben: »Es war für uns selbstverständlich, daß wir dieser Bewegung Herz und Haus öffneten. Sie brachte uns den inneren Gewinn, daß wir tiefere Erkenntnis und tiefere Erfahrung von dem vollkommenen Heil in Christus erlangten. Und damit hing zusammen die Gemeinschaft mit den Personen und Kreisen, die dieser Bewegung sich anschlossen und ihre Träger wurden. Von da an war es für uns selbstverständlich, daß wir uns zu den Gemeinschaften hielten, die durch diese Bewegung belebt wurden oder ihr ihre Entstehung verdankten. Und das wurde bald entscheidend für meine spätere Lebensaufgabe.« 1883 folgte H. dem Ruf nach St. Chrischona als Inspektor der 1840 von Christian Friederich Spittler (s. d.) gegründeten »Pilgermissionsanstalt«. 1889 unternahm er eine größere Inspektionsreise nach Slavonien, wo seit Jahrzehnten einige Chrischonabrüder unter den deutschen Kolonisten arbeiteten. H. wirkte 1890–1919 als Inspektor und späterer Direktor der 1886 von Theodor Christlieb (s. d.) gegründeten »Evangelistenschule Johanneum«, die ihm ihr Aufblühen nach ihrer Verlegung 1893 von Bonn nach Barmen verdankt. Er wurde 1902 in den Vorstand der »Gnadauer Konferenz« gewählt und war 1911–19 Vorsitzender des »Gnadauer Verbandes«, des Deutschen Verbandes für evangelische Gemeinschaftspflege und Evangelisation«. Die Universität Bonn verlieh ihm Weihnachten 1919 ehrenhalber die theologische Doktorwürde. Wenn H.s Bedeutung auch in erster Linie in der Brüdererziehung im »Johanneum« lag, das unter seiner Leitung die deutsche Gemeinschaftsbewegung mit mehr als 200 Brüdern beschenkte, so ist doch untrennbar damit verbunden sein richtunggebender Dienst im »Gnadauer Verband« und sein durch Umsicht und Nüchternheit ausgezeichnetes Urteil in allen Fragen der Gemeinschaftsbewegung. Den Wünschen zur Wiedervereinigung mit den »Pfingstgemeinschaften« (s. Paul, Jonathan), von denen der »Gnadauer Verband« sich 1910 (s. Schrenk, Elias) getrennt hatte, setzte H. ein entschiedenes Nein entgegen, weil es ihm völlig klar war, daß in diesen Gemeinschaften nach wie vor ein fremder Geist wirksam war.

Werke: Griech. Formenlehre z. NT, 1895 (1927⁵); Kurzgefaßte Glaubenslehre f. nachdenkende Christen, 1902 (1956¹⁰ u. d. T.: Was sagt die Bibel?); Die Pfingstbewegung in geschichtl., bibl. u. psycholog. Beleuchtung, 1910; Kirche u. Gemeinschaft, 1911; Der Dienst am Ev. in Predigt u. Seelsorge. Kurze Anleitung f. Nichttheologen, 1913; Das christl. Leben nach der Schr., kurzgefaßte bibl. Ethik, 1921 (1922³).
Lit.: J. Calaminus, D. Th. H. z. Gedächtnis, in: RKZ 73, 1923, 302; – AELKZ 57, 1924, 63; – Jakob Haarbeck, D. Th. H., Direktor der Evangelistenschule Johanneum in Wuppertal-Barmen. Lb., 1935; – KJ 51, 597; – NDB VII, 370; – RGG III, 2.

HAAS, Christian Friedrich, Missionar, * 2. 2. 1801 in Eßlingen, † 9. 2. 1882 in Waldenbuch (Württemberg). – H. erhielt seine Ausbildung im Missionshaus in Basel und wirkte seit 1825 als Missionar in dem nahe der persischen Grenze hoch und gesund gelegenen armenischen Städtchen Schuscha, wo Felician Graf von Zaremba (s. d.) und August Heinrich Dittrich am 29. 1. 1825 eine armenische Schule eingeweiht hatten. Dittrich und H. widmeten sich während eines längeren Aufenthalts in Moskau gründlich den erforderlichen Sprachstudien. Während Dittrich eine Anzahl lernbe-

gieriger armenischer Priester vor allem im griechischen Neuen Testament unterrichtete und durch Übersetzungen eine neuarmenische christliche Literatur schuf, übernahm H. den Unterricht der Schule, die er zu einer gewissen Blüte brachte. Sie wurde zeitweilig von über 100 armenischen Kindern besucht. Die Basler Missionsgesellschaft sandte 1833 H. und Christian Gottlieb Hörnle (s. d.) nach Täbris im nördlichen Persien, weil Karl Gottlieb Pfander (s. d.) das Komitee in Basel für seinen Plan gewonnen hatte, in Täbris eine Missionsstation zu gründen. 1837 wurde H. Ritter des persischen Löwen- und Sonnenordens. Ein Ukas des Zaren Nikolaus I. verbot 1835 die gesamte russische Mission, und die Weiterführung der Arbeit in Persien erwies sich als unmöglich. So hob das Komitee in Basel 1838 die persische Mission auf. H. wirkte seit 1839 als Pfarrer in Württemberg, zuletzt in Waldenbuch.

Lit.: Wilhelm Schlatter, Gesch. der Basler Mission I, 1916, 102. 104 f. 108. 110. 296.

HAAS, Hans, Religionshistoriker, Japanologe, * 2. 12. 1868 in Donndorf bei Bayreuth als Sohn eines Bauführers, † 10. 9. 1934 in Leipzig. – H. studierte 1889 bis 1893 in Erlangen evangelische Theologie und klassische Philologie und war 1894–97 Stadtvikar in Aschaffenburg. Durch seine Beziehungen zum liberalen »Allgemeinen Evangelisch-Protestantischen Missionsverein«, der späteren »Ostasienmission«, kam er zur sprachlichen Ausbildung nach Berlin und London. Die Deutsche Evangelische Gemeinde in Tokio und ihre Zweiggemeinde Jokohama beriefen ihn 1898 zum Pfarrer. Noch im gleichen Jahr wurde er in Tokio Direktor der Theologischen Hochschule (Shinkyo Shinakko) und hielt da ab auch regelmäßig Vorlesungen an der Kaiserlichen Universität in Tokio über religionsgeschichtliche Themen. Auf Grund seiner wissenschaftlichen und kirchlichen Verdienste verlieh ihm 1903 die Theologische Fakultät der Universität Straßburg die Ehrendoktorwürde. Sein Aufenthalt in Japan vermittelte ihm eine intensive Bekanntschaft mit den Religionen Ostasiens, besonders dem japanischen Buddhismus, und machte ihn zu einem tüchtigen Fachmann auf diesem Gebiet. Die bedeutendste Arbeit dieser Zeit ist die »Geschichte des Christentums in Japan«, »eine auf umfangreichsten Quellenstudien beruhende, sehr ausführliche, sorgfältige und durch peinliche historische Objektivität ausgezeichnete Arbeit« (Johannes Warneck; s. d.). 1909 kehrte H. nach Deutschland zurück und lebte als Privatgelehrter bis 1912 in Heidelberg, bis 1914 in Coburg. Er wurde 1913 in Jena ao. und 1915 in Leipzig o. Professor für Allgemeine und Vergleichende Religionsgeschichte als Nachfolger von Nathan Söderblom (s. d.), der zum Erzbischof von Schweden gewählt worden war. – H. hat keine theologische Religionswissenschaft vertreten, sondern eine historische Religionsforschung. Als liberaler Theologe sah er in allen Religionen ein Wirken Gottes am Werk, das bei ihm weder zur Abwertung anderer Religionen noch zur Überbewertung des Christentums führte. »Mit denen ich mich verbunden weiß«, schreibt H., »es sind Buddhisten in Japan und Konfuzianer in China und Hindu in Indien und Muslime in aller Welt und Söhne des Volkes Israel allerorten und aus allen Zeiten, längst, längst zur Freude ihres Herrn eingegangene fromme und getreue Knechte und annoch zur Stunde mit mir lebende, auch solche natürlich in meinem nächsten Umkreis, aber: in allerlei Volk, wer Gott fürchtet und wer die Brüder liebt, das ist die Kirche, der ich mich verbunden fühle, die Una Sancta, die ich glaube, die ich weiß, ob ich sie gleich nicht sehe in ihrer Ganzheit, die mir aber nahetritt, die mich stärkt und dauernd an sich fesselt, vor allem durch die nachgelassenen Worte ihrer großen Heiligen, eines Buddha, eines Laotsze, eines K'ungtsze und wie sie alle heißen, die geistlichen Völkerhirten und -herzoge, in denen ein Jesus seinesgleichen hat und die, wie er den Seinen – ich danke Gott, daß ich zu ihnen zähle – ihren Jüngern Jahrtausende hindurch Mut geschenkt zum Leben, Anfeuerung zum Guten und auch Kraft zum bittern Sterben, zu einem ruhigen Sterben, getrosten Aus-dem-Leben-Gehen.«

Werke: Gesch. des Christentums in Japan. I: Erste Einf. des Christentums in Japan durch Franz Xavier, 1902; II: Fortschritte des Christentums unter dem Superiorat des P. Cosmo de Torres, 1904; Die Sekten des japan. Buddhismus. Eine rel.wiss. Stud., 1905; Japans Zukunftsrel., 1907²; »Amida Buddha unsere Zuflucht«. Urkk. z. Verständnis des japan. Sukhāvati-Buddhismus, 1910; Konfuzius in Worten aus seinem eigenen Mund, 1920; Lao-tszě u. Konfuzius. Einl. in ihr Sprachgut, 1920; Das Sprachgut K'ung-tszěs u. Lao-tszěs in gedankl. Zus.ordnung, 1920; Weisheitsworte des Lao-tszě, 1920; Bibliogr. z. Frage nach den Wechselbeziehungen zw. Buddhismus u. Christentum, 1922; zahlr. Aufss. u. Artikel in der »Zschr. f. Missionskunde u. Rel.wiss.«, den »Mitt. der Dt. Ges. f. Natur- u. Völkerkunde Ostasiens«, der »Ostasiat. Zschr.« u. dem »Arch. f. Rel.wiss.«. – Gab heraus: Textbuch z. Rel.gesch. (mit Edvard Lehmann), 1922²; Bilderatlas z. Rel.gesch., 1924–34.

Lit.: Nachrufe: ZMR 49, 1934, 289; Mitt. der Dt. Ges. f. Natur- u. Völkerkunde Ostasiens, Nr. 36 v. 31. 12. 1934, S. 2; – Kurt Rudolph, Die Rel.gesch. an der Leipziger Univ. u. die Entwicklung der Rel.wiss., Berlin 1962, 123 ff.; – Ders. Die Bedeutung v. H. H. f. die Rel.wiss. (Gedenkvorlesung im Rel.geschichtl. Instituts der Karl-Marx-Univ. anläßl. seines 100. Geb.), in: ZRGG 21, 1969, 238 ff.; – Reichshdb. der Dt. Ges. I, 1930, 624 f.; – NDB VII, 375.

HAAS, Ildephons (Taufname: Johann Georg), Benediktiner, Kirchenmusiker, * 23. 4. 1735 in Offenburg, † 30. 5. 1791 im Kloster Ettenheimmünster (Baden). – H. trat 1751 in das Kloster Ettenheimmünster ein und empfing 1759 die Priesterweihe. Er war 1761 und 1773 Chorregent und zuletzt Prior des Klosters. Mit 12 Jahren begann H. das Violinspiel, das er im Kloster fortsetzte. Durch das Studium der Werke von Johann Jakob Fux (s. d.), Johann Mattheson (s. d.) und Friedrich Wilhelm Marpurg (1718–1795) bildete er sich autodidaktisch zum Komponisten. – H. galt im weiten Umkreis seiner Heimat als der beste Violinspieler und Kirchenkomponist.

Werke: XXXII Hymni Vespertini de omnibus cum Domini tum Sanctorum praecipuis festis f. 2 Singst., 2 V. u. doppelten Gb., op. 1, Augsburg 1764; XV Offertoria pro omni die ac festo per annum, op. 2, ebd. 1766; P. Pirmin Hahns, Benediktiners zu Gengenbach, Geistl. Arien, mit Melodien in melismatischer Schreibart vers. Erste Smlg. (40 Sätze), op. 3, ebd. 1769.

Lit.: François-Joseph Fétis, Biographie universelle des musiciens et Bibliographie générale de la musique III, Paris 1878², 170 f. (Nachdr. Brüssel 1963); – Ludwig Heizmann, Das Benediktinerkloster Ettenheimmünster, 1932; – B. Klär, I. H., Musiker des Klosters Ettenheimmünster, in: FreibDiözArch 82/83, 1962/1963; – Gerber I, 456 ff.; – MGG V, 1174 f.; Eitner IV, 439; – Riemann I, 707; ErgBd. I, 474.

HAAS, Joseph, Komponist, * 19. 3. 1879 in Maihingen bei Nördlingen als Sohn eines Volksschullehrers, † 30. 3. 1960 in München. – H. wurde zunächst Volksschullehrer, aber 1904 in München Schüler Max Regers (s. d.), dem er 1907 nach Leipzig folgte. H. kehr-

te 1908 nach München zurück und wurde 1911 Kompositionslehrer am Konservatorium in Stuttgart und 1916 Professor. 1921 kam er an die Akademie der Tonkunst in München und wurde 1924 o. Professor und 1925 Leiter der Abteilung für katholische Kirchenmusik. Nach 1945 führte H. als Präsident der Musikhochschule deren Wiederaufbau durch. 1950 trat er in den Ruhestand. Ihm wurden zahlreiche Ehrungen und Auszeichnungen zuteil, u. a. 1930 Mitglied der Berliner Akademie der Künste; 1953 Dr. h. c. vom Pontificium Institutum Musicae Sacrae, Rom; 1959 Dr. phil. h. c. von München. Seit 1949 besteht eine Joseph-Haas-Gesellschaft. – H. ist einer der bedeutendsten deutschen Komponisten der Gegenwart. Durch volkstümliche geistliche Werke wurde er vor allem in den katholischen Gebieten Süddeutschlands bekannt.

Werke: Orgelwerke: 10 Choralvorspiele, op. 3, 1905; 3 Präludien u. Fugen, op. 11, 1906. – Klavierwerke. – Kammermusik. – Orchesterwerke. – Weltl. u. geistl. Lieder. – Geistl. u. weltl. Chöre: 10 Marienlieder f. 2st. Frauenchor, op. 57, 1922; Dt. Singmesse f. gem. Chor, op. 60, 1924; Dt. Vesper f. gem. Chor, op. 72, 1929; 2 geistl. Motetten f. Männerchor, op. 79, 1930; Speyerer Domfestmesse f. Volksgesang u. Orgel (Orchester), op. 80, 1930; Kantaten (1–3st.), op. 81, 1930–41; Hymnen an das Licht f. 6st. gem. Chor, 1930; Dt. Gloria f. 8st. gem. Chor, op. 86, 1933; Christ-König-Messe f. Volksgesang u. Orgel (Orchester), op. 88, 1935; Münchner Liebfrauenmesse f. Volksgesang u. Orgel (Orchester), op. 96, 1944; Te Deum f. Soli, gem. Chor u. Orchester, 1945; Totenmesse (E. Wiechert) f. Chor u. Orchester, op. 101 (Ms.); Gottteslob f. gem. Chor, Männerchor u. Kinderchor, op. 104, 1954; Dt. Weihnachtsmesse (P. Dörfler) f. Volksgesang, Orgel u. Orchester, op. 105, 1955. – Oratorien: Die hl. Elisabeth, op. 84, 1931; Christnacht, op. 85, 1932; Lebensbuch Gottes, op. 87, 1934; Lied v. der Mutter, op. 91, 1939; Jahr im Lied, op. 103, 1952; Die Seligen, op. 106; Schiller-Hymne (»Die Worte des Glaubens«) f. Bar.solo, gem. Chor u. Orch., op. 107, 1957; Dt. Kindermesse f. 1st. Kinderchor u. Org., op. 108, 1958. – Dramat. Werke: Die Bergkönigin. Weihnachtsmärchen, op. 70, 1927; Tobias Wunderlich, Oper, op. 90, 1937 (1937 in Kassel uraufgef.); Hochzeit des Jobs, kom. Oper, op. 93, 1943 (1944 in Dresden uraufgef.). – Aufss.: Schule u. Kirchenmusik, in: Schulmusik Zeitdokumente, 1929; Gedanken über die kirchenmusikal. Produktion der Ggw., in: Gregoriusbote 55, 1931; Die kirchenmusikal. Komposition, in: Hdb. der kath. Kirchenmusik, hrsg. v. Heinrich Lemacher u. Karl Gustav Fellerer, 1949, 215 ff.; Die Gregorianik in meinem Kunstschaffen, in: MuSa 70, 1950; Über die künstler. Berufung, in: Mitt. der J.-Haas-Ges.; Über die Anfänge meiner künstler. Entwicklung, ebd. – Ges. Reden u. Aufss. (mit Werkverz.), 1964.

Lit.: Wilhelm Dauffenbach, J. H. z. 50. Geb., in: Hochland 26/I, 1929, 669 ff.; – Johannes Hatzfeld, J. H., in: StZ 119, 1930, 284 ff.; – Karl Laux, J. H., 1931; – Ders., J. H. Bild u. Bekenntnis, 1940; – Ders., Musik u. Musiker der Ggw. I, 1949, 251 ff.; – Ders., J. H. Leben u. Werk (RUB 8385/86), 1958; – Ders., J. H., Schüler, Freund u. Schwärmer Max Regers, in: Mitt. des Max-Reger-Institutes, 1959, H. 9, S. 3 ff.; – Ders., J. H. †, in: Musik in der Schule 11, 1960, 370 f.; – Ders., In memoriam. Robert Schumann u. J. H. »Bündnis verwandter Geister«, in: Sammelbde. der Robert-Schumann-Ges. I, Leipzig 1961; – J. H. Festg. Bttr. v. seinen Schülern, Mitarbeitern u. Freunden nebst einem Verz. seiner Werke, 1939; – Karl Heinrich Wörner, Musik der Ggw. Gesch. der neuen Musik, 1949, 155; – Ders., Neue Musik in der Entscheidung, 1954; – Karl Gustav Fellerer, J. H., in: Begegnung. Zschr. f. Kultur u. Geisteleben 4, 1949, 73 ff.; – Ders., J. H. gest., in: Mitt. des Max-Reger-Institutes, 1960, H. 11, S. 2 f.; – Gesch. der kath. Kirchenmusik. II: Vom Tridentinum bis z. Ggw., hrsg. v. dems., 1976; – J. H., Vollst. Verz. der Werke, mit Vorw. v. K. G. Fellerer = Jahresgabe der J.-Haas-Ges., 1950 (1954²); – Mitt. der J.-Haas-Ges., Jachenau über Lenggries (Oberbayern) 1950 ff. (mit biogr. Bttr. v. K. G. Fellerer, Robert Heger, Alfons Ott, Wilhelm Zentner u. a.); – Hans Heinz Stuckenschmidt, Neue Musik, 1951; – J. H. z. Vollendung seines 80. Lebensj. Bttr. v. Heinrich Lemacher, Ferdinand Haberl, J. Hermkes, Kaspar Roeseling u. Paul Mies, in: MuSa 79, 1959, 70–84; – Franz Josef Wehinger, Traurig sein hebt keine Not! J. H. Leben u. Werk (= Das kleine Geschenk 2), Karlsruhe 1959 (Selbstverlag); – Joachim Herrmann, In memoriam. J. H. †, in: Musica 14, 1960, 310 ff.; – Heinrich Wismeyer, J. H. z. Gedächtnis, in: Musik u. Altar. Zschr. f. Musik in Kirche u. Schule, Jugend u. Haus 13, 1960, 27 f.; – Heinrich Lemacher, Beati Mortui. Abschied v. J. H., in: MuSa 80, 1960, 149 f.; – Herbert Collum, Blüh auf, gefrorner Christ! J. H., in: Credo musicale. Komponistenporträts aus der Arbeit des Dresdener Kreuzchores.

Festg. z. 80. Geb. v. Rudolf Mauersberger. Hrsg. v. Ulrich v. Brück, 1969, 87–98; – Alfons Ott, Die dt. Messen v. J. H., in: Mitt. der J.-Haas-Ges., 1969, Nr. 45; – MGG V, 1177 ff.; XVI, 563; – Riemann I, 707; ErgBd. I, 475; – Moser I, 463 f.; – Grove IV, 2 f.; – Goodman 183; – NDB VII, 376; – Kosch, KD 1235.

HAASE, Adolf Theodor, Superintendent in Lemberg, * 31. 7. 1802 in Pirna (Sachsen), † 10. 4. 1870 in Lemberg. – H. studierte an der Universität Leipzig Theologie und besuchte dann das Predigerseminar in Dresden. Er wurde 1830 Diakon in Radeberg (Sachsen) und Pfarrer in Schönborn (Sachsen), 1833 Pfarrer in Lemberg, 1834 Verweser der evangelischen Superintendentur Augsburgischen und Helvetischen Bekenntnisses in Galizien-Bukowina und 1835 Superintendent. H. war mit G. Traz 1849 Vorsitzender der Superintendenten- und Vertrauensmännerkonferenz in Wien zur Neuregelung der Verhältnisse der evangelischen Kirche in Österreich nach 1848. Er wurde 1861 als 1. Vertreter der evangelischen Kirche Mitglied des Herrenhauses und 1864 Präsident der 1. Generalsynode A. B. in Wien. – H., ein bedeutender Prediger, machte sich verdient um die Einführung des neuen Gesangbuchs für Galizien von 1859, um die Gründung des Prediger-Witwen-Fonds (1859), um die Gründung einer Muster-Hauptschule in Lemberg und mehrerer Volksschulen in Galizien und um die Gründung des Gustav-Adolf-Zweigvereins in Galizien, dessen Mitglied im Zentralvorstand er seit 1868 war.

Lit.: Halte was du hast. Ein ev. Mbl. zu Lehr' u. Erbauung aus Östr. 2, 1870, 151 ff.; – Rudolf Kesselring, Die ev. Kirchengemeinde Lemberg v. ihren Anfängen bis z. Ggw. (1778–1928), 1929; – Georg Loesche, Gesch. des Prot. im vormal. u. im neuen Östr., Wien 1930³, 593. 670. 693; – H. W. Schäfer, Ein hohepriesterliches Geschlecht, in: Glaube u. Heimat. Ev. Kal. f. Östr. 5, Wien 1951, 89; – Wurzbach VI, 109; – ÖBL II, 120.

HAASE, Theodor Karl, Pfarrer, * 14. 7. 1834 als Pfarrerssohn in Lemberg, † 27. 3. 1909 in Teschen (Österreichisch-Schlesien). – H. studierte seit 1852 Theologie und Philologie in Wien, Göttingen, Berlin und Rostock und promovierte 1856 in Rostock zum Dr. phil. Er wurde 1857 Religionslehrer in Wien und wirkte 1859–76 in Bielitz als Pfarrer, danach in Teschen. H. war 1865–82 Senior des schlesischen Seniorats Augsburgischen Bekenntnisses (A. B.), danach mährisch-schlesischer Superintendent, 1877–1907 Mitglied des ständigen Synodalausschusses A. B. und 1889, 1891 und 1895 Präsident der Generalsynode in Wien. So nahm er an der Leitung seiner Kirche regen und maßgeblichen Anteil. Auch im politischen Bereich vertrat H. die Interessen der österreichischen evangelischen Kirche als Mitglied des schlesischen Landtags von 1870–1902, als Reichsratsabgeordneter der Deutschfortschrittlichen Partei 1873–1905 und als Mitglied des Herrenhauses von 1905–09. H. entfaltete eine reiche Tätigkeit auf pädagogischem und karitativem Gebiet. In Bielitz gründete er 1860 die evangelische Realschule, 1862 die Kinderbewahranstalt, die später in ein Waisenhaus umgestaltet wurde, 1867 die deutsche evangelische Lehrerbildungsanstalt, 1871 das Gymnasium und 1874 die Gewerbeschule und erbaute dort 1905 das Diakonissenmutterhaus. In Teschen gründete er 1892 das evangelische Krankenhaus und baute es zum Schlesischen Landesspital aus. H. war im Vorstand der von ihm oder auf seine Initiative begründe-

ten Anstalten, außerdem im österreichischen Hauptverein der Gustav-Adolf-Stiftung. Erwähnt sei er noch als Begründer, Herausgeber und Mitarbeiter mehrerer Zeitschriften.

Werke: Licht u. Liebe. Predigten u. Reden, mit einer Darst. seines Lebens u. Wirkens, hrsg. v. seinem Sohn Wolfgang Haase, 1929.
Lit.: Nekrolog, in: JGPiÖ 30, 1909, 188 ff.; u. in: Ev. Kirchenztg. f. Östr., 1909, Nr. 8/9; – Richard Ernst Wagner, Der Bielitzer Zion in den Predigten seiner Pastoren 1782–1921, 1921, 102 ff.; – Ders., Zum Gedenken an den 100. Geb. v. Th. K. H., 1934; – Georg Loesche, Gesch. des Prot. im vormal. u. im neuen Östr., Wien 1930³, 670; – H. Jaquemar, Innere Mission in Östr., 1951, 118; – ÖBL II, 121; – NDB VII, 382 f.; – RGG III, 2 f.

HABERKORN, Peter, luth. Theologe, * 9. 5. 1604 in Butzbach (Wetterau) als Sohn eines Schreinermeisters, † im April 1676 in Gießen. – Der Butzbacher Pfarrer Johann Dieterich nahm sich des frühverwaisten H. väterlich an und sandte ihn 1620 zu weiterer Schulausbildung zu seinem Bruder, dem Rektor des Gymnasiums in Ulm. H. bezog 1625 die Universität Marburg zum Studium der Theologie und promovierte 1627 zum Magister. Dann besuchte er noch die Universitäten Leipzig und Straßburg und hielt sich schließlich ein halbes Jahr in Köln, der damaligen Hochburg der römischen Polemik, auf, um die Streittheologie der Katholiken zu studieren. H. wurde 1632 in Marburg o. Professor der Physik und nach seiner Promotion zum Dr. theol. 1633 Hofprediger in Darmstadt, seit 1636 mit dem Hof in Gießen, 1643 Superintendent der Diözese Gießen und 1650 an der Universität Gießen Professor der Theologie und des Hebräischen. 1656, nach dem Tod seines Schwiegervaters und Gesinnungsgenossen Justus Feurborn (s. d.), rückte er in die erste theologische Professur auf. – H. war das anerkannte Haupt der Gießener Theologischen Fakultät und ist bekannt als eifriger Verfechter der lutherischen Orthodoxie und bedeutsamer Streittheologe. Leidenschaftlich bekämpfte er in seinem »Anti-Syncretismus« im Namen der Fakultät Georg Calixt (s. d.), den bedeutendsten lutherischen Ireniker des 17. Jahrhunderts, der eine Verständigung und Einigung aller christlichen Konfessionen auf Grund des »Apostolischen Glaubensbekenntnisses« und des »Consensus quinquesaecularis«, der Übereinstimmung der christlichen Lehre in den ersten fünf Jahrhunderten, erstrebte. Seine Polemik galt ebenso dem Calvinismus und dem Synkretismus wie dem Katholizismus und dessen Proselytenmacherei. Abraham Calov (s. d.) rühmt G. als eines der wenigen übriggebliebenen Gestirne am Himmel der Orthodoxie.

Werke: Fidelis contra Syncretismum instituta admonitio, 1665; Enodatio errorum Syncretisticorum, 1665; Vindiciae Syncretismo Casselano oppositae de S. Coena, 1669.
Lit.: Heinrich Heppe, KG beider Hessen II, 1876, 110 ff. 157. 168 ff. 213 ff.; – Die Univ. Gießen 1607–1907 (Festschr.) I, 1907, 273 f. 373. 429; II, 1907, 38. 256; – Wilhelm Diehl, Hassia Sacra I, 1921, 223; II, 1925, 87 ff.; – E. Kredel, Grabschrr. v. Gießener Univ.angehörigen, in: Nachrr. der Gießener Hochschulges. 6, 1928, H. 3, 26 ff.; – W. Flemming, Dt. Kultur im Zeitalter des Barock, in: Hdb. der Kulturgesch. I. Abt., Bd. 5, 1937; – W. Philipp, Das Bild der Menschheit im 17. Jh. des Barock, in: StudGen 14, 1961, 721 ff.; – Heinrich Steitz, Gesch. der Ev. Kirche in Hessen u. Nassau II, 1962, 151 ff.; – W. J. Becker, Gießener Theol., in: Hess. Heimat 14, 1963; – Strieder V, 205 ff.; – ADB X, 268; – NDB VII, 390 f.; – RE VII, 280 f.; – RGG III, 6.

HABERL, Franz Xaver, Kirchenmusiker und Musikforscher, * 12. 4. 1840 als Sohn eines Lehrers in Oberellenbach (Niederbayern), † 5. 9. 1910 in Regensburg. – H. besuchte das bischöfliche Knabenseminar in Passau und empfing dort nach seinem Theologiestudium in München am 12. 8. 1862 die Priesterweihe. Er wurde Musikpräfekt am Seminar in Passau und widmete sich 1867–70 als Organist an der Kirche Santa Maria dell'anima in Rom in den dortigen Archiven und Bibliotheken musikwissenschaftlichen Studien. H. wirkte 1871–82 als Domkapellmeister und Inspektor der Dompräbende in Regensburg und gründete dort 1874 die erste katholische Kirchenmusikschule, die unter seiner Leitung rasch aufblühte, und 1879 einen Palestrina-Verein. Nach einem längeren Studienaufenthalt in Rom, der vor allem der Vorbereitung der Gesamtausgabe der Werke Palestrinas (s. d.) galt, übernahm er 1885 wieder Leitung und Unterricht der Kirchenmusikschule in Regensburg. H. wurde 1879 zum Ehrenkanonikus der Kathedrale von Palestrina ernannt und 1899 zum Präsidenten des »Allgemeinen Deutschen Cäcilienvereins« gewählt. Die Universität Würzburg verlieh ihm 1889 ehrenhalber die theologische Doktorwürde. 1908 erhielt er den Rang eines päpstlichen Hausprälaten. H. gab seit 1876 »zum Besten der kirchlichen Musikschule« den »Cäcilien-Kalender« heraus, den er 1886 zum »Kirchenmusikalischen Jahrbuch« erweiterte, dessen Redaktion er 1907 an Karl Weinmann (s. d.) abgab. Seit 1889 redigierte H. die kirchenmusikalische Zeitschrift »Musica sacra« und seit 1899 auch die »Fliegenden Blätter für katholische Kirchenmusik« (später: »Cäcilienvereinsorgan«). Mit päpstlichem Privileg erschienen in Regensburg unter seiner Redaktion neue Ausgaben der liturgischen Gesangbücher im Anschluß an die »Editio Medicae« von 1614. Das Privileg wurde 1900 nicht mehr erneuert, da inzwischen die Forschungen der Benediktiner von Solesme die Fassungen der »Editio Medicae« als nicht authentisch erwiesen hatten. In seinem Hauptwerk »Die Nach-Tridentinische Choral-Reform in Rom« (2 Bde., 1901/02) stellte Raphael Molitor (s. d.) fest, daß die »Editio Medicae« nicht mehr mit päpstlicher Genehmigung erschienen war und auch nicht von Palestrina herrührt. Der Papst beauftragte 1904 eine Kommission mit der Wiederherstellung der ursprünglichen Lesarten der Choralgesänge, der »Editio Vaticana«, der die »Editio Medicae« weichen mußte. So fanden auch H.s hochgeschätzte Lehrbücher ihr Ende. – H., Mitglied vieler gelehrter Gesellschaften im In- und Ausland, ist ein bedeutender Forscher auf dem Gebiet der polyphonen Kirchenmusik des 15. bis 17. Jahrhunderts. Er besorgte von Band 10 an die 1862 begonnene Gesamtausgabe der Werke von Palestrina bis zu ihrem Abschluß 1894 mit Band 33 (4. Nachtragsband erschien 1907), seit 1894 auch einen Teil der Gesamtausgabe der Werke von Orlando di Lasso (21 Bände, 1894–1927; s. d.).

Werke: Repertorium Musicae Sacrae ex auctoribus saeculi XVI. et XVII. (Neuausg. älterer Musikwerke: Messen, Motetten, Falsibordoni), 2 Bde., 1886; Officium hebdomadae sanctae (dt.), 1887; Psalterium vespertinum, 1888; Orgelbegleitung z. Ordinarium Missae, Graduale u. Vesperale (mit Joseph Hanisch), Kleines Gradual u. Meßbuch, 1892; Theoret.-prakt. Anweisung z. harmon. Kirchengesang, 1864; Magister choralis, 1864 (1900¹²; auch übers. ins It., Frz., Engl., Span., Poln. u. Ung.); Wilhelm du Fay, 1885; Die röm. »schola cantorum« u. die päpstl. Kapellsänger bis z. Mitte des 16. Jh,s, 1887; Bibliogr. u. themat. Musikkat. des päpstl. Kapellarch. im Vatikan zu Rom, 1888. – Gab (außer den genannten Werken u. Zschr.) heraus: A. Bertalotti, 50 Solfeggi, 1880 (1888²); Musica Divina, Annus secundus, 4

Bde., 1886; Smlg. v. Orgelsätzen aus Werken v. Frescobaldi, 1889.
Lit.: Utto Kornmüller, Lex. der kirchl. Tonkunst II, 1895²; – Cl. Bachstefel, Erinnerungen an Dr. F. X. H., in: MuSa NF 22, 1910, Nr. 12; – Karl Weinmann, Dr. F. X. H., ebd. Nr. 10; – Ders., Dr. F. X. H., in: ZIMG 11, 1910, H. 12; – Ders., Gesch. der Kirchenmusik, 1913²; – Otto Ursprung, Die kath. Kirchenmusik, 1931; – Andreas Weißenbäck, Lex. der kath. Kirchenmusik, Klosterneuburg bei Wien 1937; – Max Tremmel, Dr. F. X. H. Zu seinem 100. Geb., in: Kirchenmusik-Zschr. des allg. Cäcilienver. 3, 1940, 70; – A. Schirdewahn, Dr. F. X. H. als Musikerzieher, ebd. 148 ff.; – Gesch. der kath. Kirchenmusik, hrsg. v. Karl Gustav Fellerer. II: Vom Tridentinum bis z. Ggw., 1976; – MGG V, 1194 f.; – Riemann I, 709 f.; ErgBd. I, 476; – Moser I, 465; – Grove IV, 7 f.; – Honegger I, 456; – Goodman I, 465; – Kosch, KD 1241 f.; – NDB VII, 391; – RGG III, 6 f.; – LThK IV, 1297.

HABERL, Gotthard Johannes (Hans genannt), Theologe, * 6. 4. 1868 in Wien als Sohn des Inhabers einer Seidenbandweberei, † daselbst 11. 3. 1928. – H. besuchte das Mariahilfergymnasium seiner Vaterstadt und legte im Sommer 1886 die Reifeprüfung ab. Er studierte die zwei ersten Semester Theologie in Wien und gewann als Mitglied des jungen Vereins evangelischer Theologen, der »Wartburg«, einen Kreis von Freunden. In den nächsten zwei Semestern hörte H. Theologie und Philosophie in Leipzig und setzte im Herbst 1888 das Studium in Halle/Saale fort als Schüler Martin Kählers (s. d.), der durch persönlichen Umgang und die Vorlesungen manchem Studenten ein Führer zu Jesus wurde. Als H. 1889 ins Elternhaus zurückkehrte, schrieb seine Mutter: »Hans kam aus Halle zurück als ein anderer, zu seinem Segen und zu meiner innigen Freude.« Im Februar 1890 bestand H. das »examen pro candidatura« und reiste dann wieder nach Halle, wo er im »Tholuckschen Konvikt« wohnte und sich dem Studium widmete. Im Herbst 1890 nahm H. eine Stelle an, die ihn halbtags beschäftigte: er wurde Gesellschafter bei einem taubstummen Herrn, mit dem er im Sommer 1891 eine große Reise durch Schweden und Norwegen bis zum Nordkap machte und der ihn im Frühjahr 1892 nach Wien zum »examen pro ministerio« begleitete. Von September 1892 an versah H. für ein Jahr seinen ersten Seelsorgerdienst in der Judenmission der Schottischen Freikirche in Breslau. Die Wiener reformierte Gemeinde stellte ihn im August 1893 als Vikar an und betraute ihn mit dem ganzen Dienst in Favoriten, einem Wiener Außenbezirk. Er hielt regelmäßig Sonntagsschule und die Sonntagsschulvorbereitung für einen größeren Helferkreis. Durch mehr als drei Jahrzehnte leitete er die Sonntagsschule, oft in zwei Bezirken an einem Tag. Als das Unterrichtsministerium 1902 die ersten festen evangelischen Religionslehrerstellen an den Wiener Gymnasien und Realschulen schuf, entschloß sich H., den Lehrerberuf zu wählen. Darin sah er eine Möglichkeit, der gebildeten Jugend das Evangelium zu verkünden. »Die Schule ist mein Jungbrunnen, sie nötigt mich immer wieder, mich mit der umfassenden Weite des Wortes Gottes abzugeben, und bewahrt mich vor Einseitigkeit.« Die Theologische Fakultät der Universität Münster verlieh ihm 1924 ehrenhalber die Doktorwürde. Beinahe so alt wie seine Arbeit an der Sonntagsschule war die am »Christlichen Verein Junger Männer«, dessen Vorsitzender er war. Jahre hindurch gehörte H. zum Vorstand der »Evangelischen Gesellschaft«. Besonders lag ihm am Herzen die Äußere Mission; er war Vorsitzender des »Österreichischen Hauptvereins für Heidenmission«. Im Frühjahr 1924 wurde H. Leiter der Wiener Station der »Schwedischen Gesellschaft für Israel« und arbeitete dort mit besonderer Freude und Hoffnung. Viel Zeit widmete er der »Christlichen Studentenvereinigung« (CSV). Durch die CSV und seine Mitarbeit an der »Furche«, durch das Amt im CVJM und seine Leitartikel, die regelmäßig monatlich im »Anzeiger des Wiener CVJM« erschienen, durch seine Vorträge auf Konferenzen und Evangelisationen wurde H. weit über die Grenzen seiner Heimat bekannt.

Werke: Methodik des Unterrichts in der ev. Rel., 1914; Des Christentums Ende. 40 Aufss., 1923; Einen Fuß breit u. einen Schritt weit Licht. Ein Andachtsbüchlein auf die Tage der Drangsal, 1923; Die ewigen Grundfesten. Von den Art. des Glaubens, 1925; Die alten Gesch. u. Rätsel. Ein Hausbuch, 1929; Vom Gesetz u. Zeugnis. Herzerfreuendes aus den 10 Worten gelesen, 1929; Die hohe Kunst. 12 Stud. über das Gebet des Herrn, 1929; Worte u. Antworten, 1929.

Lit.: Johanna Haberl, Einiges aus D. G. J. H.s Leben, 1929; ÖBL II, 123 f.

HABERMANN (lat.: Avenarius), Johann, luth. Theologe und Erbauungsschriftsteller, * 10. 8. 1516 in Eger (Böhmen) als Sohn eines Krämers, † 5. 12. 1590 in Zeitz. – H. trat zwischen 1540 und 1542 zum lutherischen Bekenntnis über und studierte Theologie. Er wirkte als Pfarrer an verschiedenen Orten Kursachsens, in Elsterberg, Plauen, Schönfeld, Lichtenstein, Lößnitz und Freiberg und seit 1564 in Falkenau bei Eger. H. wurde 1571 in Jena und 1574 in Wittenberg Professor der Theologie und 1576 Superintendent des Stifts Naumburg und Zeitz. Als solcher nahm er an den Verhandlungen über die Einführung des Konkordienbuches teil. Ihm fiel die Aufgabe zu, als kurfürstlicher Kommissar 1581 das Konkordienbuch den Wittenberger Professoren zur Unterschrift vorzulegen. H. galt seinen Zeitgenossen als großer Gelehrter auf dem Gebiet der hebräischen Sprache und der alttestamentlichen Exegese. Seine praktisch-theologischen Arbeiten wurden bald vergessen. Berühmt ist sein Gebetbüchlein von 1567. Der erste Teil enthält Gebete für die einzelnen Wochentage, der zweite für die verschiedenen Lebenslagen und Stände. H. benutzte wie auch andere zeitgenössische Erbauungsschriftsteller formell wie inhaltlich auch katholische Vorlagen, besonders jesuitische Gebetsliteratur. Sein Gebetbüchlein fand weiteste Verbreitung und wurde auch in andere Sprachen übersetzt. Es ist von der späteren Gebetsliteratur reichlich verwertet und bis in unsere Zeit (1935) immer wieder neu aufgelegt worden.

Werke: Christliche Gebeth für allerley Not vnd Stende der gantzen Christenheit außgeteilet auf alle Tage in der Woche zu sprechen, 1567; Liber radicum sive Lexicon hebraeum, 1568 (1588²); Grammatica hebraea, 1570 (1581³); Trostbüchlein f. kranke, betrübte u. angefochtene Christen, 1570 u. ö.; Vita Christi (in Sprüchen, mit Gebeten), 1580 u. ö.

Lit.: Karl Johann Cosack, Zur Gesch. der ev. asket. Lit. in Dtld., hrsg. v. Bernhard Weiß, 1871, 259 ff.; – Hermann Beck, Die Erbauungslit. der ev. Kirche Dtld.s I, 1883, 270 ff.; – Ders., Die rel. Volkslit. der ev. Kirche Dtld.s, 1891, 49 ff.; – Constantin Große, Die alten Tröster. Ein Wegweiser in die Erbauungslit. der ev.-luth. Kirche des 18. Jh.s, 1900, 106 ff.; – Paul Althaus d. Ä., Zur Charakteristik der ev. Gebetsl. im Ref.-Jh., 1914, 96 ff. = Forsch. z. ev. Gebetslit., 1927, 119 ff.; – L. Bönhoff, J. H., in: Btrr. z. Sächs. KG 29, 1915, 213 ff.; – Karl Heussi, Gesch. der Theol. Fak. zu Jena, 1954, 104; – ADB I, 699; – NDB I, 467; – Kosch, LL I, 782; – RE VII, 281 f.; – RGG III, 7; – EC II, 518; – LThK IV, 1142.

HABERT, Johann Evangelist, kath. Kirchenmusiker und Komponist, * 18. 10. 1833 in Oberplan (Südböhmen) als Sohn eines Bäckermeisters, † 1. 9. 1896 in Gmunden (Oberösterreich). – H. besuchte die Volksschule in Oberplan, die sein Großvater leitete, seit 1848 die Normalschule in Linz, die mit einer Lehrerbildungsanstalt verbunden war. Er wurde 1852 Lehrer in Naarn an der Donau und 1857 in Waizenkirchen und wirkte von 1860 bis zu seinem Tod als Stadtpfarrorganist in Gmunden am Traunsee, seit 1878 zugleich als Regens chori. – H. war ein hochgeschätzter Komponist von Kirchenmusik.

Werke: Messen; Motetten; Litaneien; Te Deum op. 37 mit kleinem Orchester; Lieder u. Gesänge; Klavierwerke; Orgelwerke; Kammermusik; Orchesterwerke; Unterrichtswerke: Orgelbuch f. die östr. Kirchenprov., op. 33, 1881; Chorgesangschule, op. 22, 1882; Btrr. z. Lehre v. der musikal. Komposition, 4 Bde., 1889 ff.; Prakt. Orgelschule, op. 16, 2 Bde., 1892; Kleine prakt. Orgelschule, op. 101, 1895; Theoret.-prakt. Klavierschule, op. 70. – GA in 8 Serien, hrsg. v. ihm selbst, später v. Alois Hartl, 1894 ff. – Gab heraus: v. Johann Joseph Fux, Messen, in: DTÖ I/1, Wien 1894; v. dems., Motetten, ebd. II/1, ebd. 1895; v. Johann Stadlmayr, Hymnen, ebd. III/1, ebd. 1896. – Redigierte die v. ihm gegr. »Zschr. f. kath. Kirchenmusik«.

Lit.: J. E. Habert, Der Cäcilienverein, 1877; – J. G. E. Stehle, Neue Habertiana, 1878; – Isidor Mayrhofer, Über die Bedingungen einer gesunden Reform der Kirchenmusik, 1894; – Alois Hartl, J. E. H., Wien 1900; – Karl Weinmann, Gesch. der Kirchenmusik mit bes. Berücks. der kirchenmusikal. Restauration im 19. Jh., 1913²; – Oberöstr. Ein Heimatbuch, 1925, 590 ff.; – Otto Ursprung, Die kath. Kirchenmusik, 1931; – Rudolf Quoika, Kirchenmusik als liturg. Prinzip, Saaz 1935; – Othmar Wessely, J. E. H., in: Heimatland 1, Krems/Donau 1956, 78 f.; – Gesch. der kath. Kirchenmusik, hrsg. v. Karl Gustav Fellerer. II: Vom Tridentinum bis z. Ggw., 1976; – MGG V, 1197 ff.; – Riemann I, 710 f.; – Moser I, 465; – BJ I, 162 ff.; – NDB VII, 399; – ÖBL II, 127; – LThK IV, 1297; – Kosch, KD 1243 f.

HACCIUS, Georg, Missionsdirektor, * 22. 7. 1847 in Lüneburg als Sohn eines Lehrers, † 4. 6. 1926 in Hermannsburg (Lüneburger Heide). – H.s Vater wurde Pastor an der Kettenstrafanstalt in Lüneburg, dann an der dortigen St. Nikolaikirche. Seit 1862 wirkte er in Bordenau an der Leine. – H. besuchte das »Johanneum« in Lüneburg und seit 1862 das Gymnasium in Hannover. 1868 begann er in Erlangen das Studium der Theologie und setzte es 1870 in Göttingen fort. Während des Deutsch-Französischen Krieges 1870/71 diente H. eine Zeitlang als Krankenpfleger vor Metz. Nach seiner ersten theologischen Prüfung im Herbst 1871 kam er als Hauslehrer nach Wichtringhausen (Rheingau) zu dem hannoverschen Reichstagsabgeordneten Freiherrn Langwerth von Simmern. 1873 wurde H. für ein Jahr in das Predigerseminar in Hannover berufen. Eine Studienreise nach Österreich und der Schweiz schloß sich an seine zweite theologische Prüfung an. Nach seiner Ordination im Herbst 1874 wurde er Hilfsprediger in dem zwischen Hildesheim und Goslar gelegenen Sehlde, dann in Bleckede an der Elbe, im Herbst 1875 Pfarrer in Meinerdingen bei Walsrode und im Frühjahr 1879 in Dorfmark in der Lüneburger Heide. An den allgemeinen kirchlichen Fragen nahm H. als bekenntnistreuer Lutheraner regen Anteil. Sein Hauptinteresse aber galt der Mission. Er predigte oft auf Missionsfesten und begann, an einer Geschichte der Hermannsburger Mission zu arbeiten. Im Herbst 1887 gab H., da die Kirchenbehörde die von ihm und der Gemeinde gewünschte Beurlaubung abgelehnt hatte, sein Pfarramt in Dorfmark auf, um mit Egmont Harms (s. d.), dem Direktor der Hermannsburger Missionsgesellschaft, die schon lange geplante Visitation des südafrikanischen Missionsfeldes durchzuführen. Sie besuchten die Zulumission in Natal und dem Zululand und die Betschuanenmission in Transvaal. H. deckte die vorhandenen Mißstände auf und wußte auch den Weg zur Abhilfe zu zeigen. Nach seiner Rückkehr übertrug ihm das Landeskonsistorium im Sommer 1889 das Pfarramt in Debstedt. Die Ergebnisse der Visitation faßte er in einer Denkschrift zusammen und sprach im Sommer 1889 auf 28 Missionsfesten oder -konferenzen. Als Pastor Johann Gottfried Oepke (s. d.), der Kondirektor der Hermannsburger Mission, Anfang 1890 starb, wählte der Missionsausschuß H. zu seinem Nachfolger. Am 2. 10. 1890 zog er in das alte Missionshaus in Hermannsburg ein und leitete gemeinschaftlich mit Egmont Harms die Mission. Als dieser 1896 nach Südafrika übersiedelte, übernahm H. die Leitung in der Heimat und die der Arbeit in Indien und Persien. Er gewann mehr und mehr das Vertrauen der Hermannsburger Freikirche, so daß es zu ungestörter Arbeitsgemeinschaft kam. H. förderte tatkräftig das Schulwesen der Missionsanstalt. Die Universität Göttingen verlieh ihm 1904 ehrenhalber die theologische Doktorwürde. 1912/13 unternahm er eine zweite afrikanische Visitationsreise. Der Weltkrieg 1914–18 brachte der Mission große Not. Die Arbeit an den Telugu in Südindien fand 1915 ihr Ende durch die Zwangsverschickung der Hermannsburger Missionare und wurde 1926 an die lutherische Ohiosynode abgetreten. Auch die Arbeit in Persien mußte aufgegeben werden. Als Egmont Harms am 4. 12. 1916 in Natal starb, wurde H. alleiniger Missionsdirektor. 1919 gründete er in Hermannsburg die »Niedersächsische lutherische Volkshochschule«. Der Erfolg war ermutigend. So entstanden in den nächsten Jahren in Schleswig-Holstein weitere Volkshochschulen. 1924 wurde das 75jährige Jubiläum der Hermannsburger Mission gefeiert. H' Nachfolger wurde 1926 Christoph Schomerus (s. d.).

Werke: Denkschr. über die 1887–1889 abgehaltene General-Visitation der Hermannsburger Mission in Südafrika, 1890 (1899³); Von der segensreichen Wechselwirkung zw. der missionierenden Kirche u. der jungen Missionskirche. Eine Missionsfestpredigt, 1891; Afr. u. Ind. Reisebriefe der Hermannsburger Missionsdirektoren, 1893; Urbanus Rhegius' Seelenarzenei mit einer kurzen Lebensbeschreibung desselben, 1894; Rückblick auf das letzte Jahrzehnt in Afrika u. ein Ebenezer z. 50j. Jubelfeier der Hermannsburger Mission, 1899; Pastor Johann Gottfried Oepke. Etliche Sonntags- u. Missionspredigten nebst einer kurzen Lebensbeschreibung, 1899; Hannoversche Missionsgesch. I: Von der Pflanzung der christl. Kirche in Friesland u. Sachsen bis z. Entstehung der Hermannsburger Mission, 1905 (1909²); II: Die Gesch. der Hermannsburger Mission v. 1849 bis zu Louis Harms' Tode, 1907 (1910²); III: Die Gesch. der Hermannsburger Mission v. 1865 bis z. Ggw. 1. Hälfte, 2. Hälfte, 1920; Erlebnisse u. Eindrücke meiner zweiten Reise durch das Hermannsburger Missionsgebiet in Südafrika 1912/13, 1913; Missionsdirektor Egmont Harms, 1917; Missions-Sup. Johann Wörrlein, 1917; Gedanken über niedersächs. luth. Volkshochschulen f. unsere ländl. Bevölkerung, 1918; Eine niedersächs. luth. Volkshochschule f. unser Landvolk in der Heide, 1919; Theodor Harms, sein Leben u. sein Wirken, 1919 (1922²); Der Kleine Katechismus D. Martin Luthers in der ev. Heidenmission, 1924²; Unsere st. luth. Gemeinden in Südafrika, 1925; Heinrich Wilhelm Schulenburg, unser Hochfeldmissionar, 1925; Vom sel. Geben. Ein Büchlein des Dankes an die Hermannsburger Missionsfreunde, 1926; Aus meinem Leben, 1929. – Gab heraus: Hermannsburger Missionsbl. 38, 1891 ff.; Hermannsburger Missionsbl. f. unsere liebe Jugend 1, 1902 ff.

HACKENSCHMIDT, Karl, Pfarrer und Volksschriftsteller, * 14. 3. 1839 in Straßburg (Elsaß) als Sohn des Korbmachermeisters Christian H. (1809–1900), † daselbst 10. 11. 1915. – H. studierte in Straßburg und Erlangen, promovierte 1869 zum Lic. theol. und wurde 1870 Pfarrer in Jaegerthal bei Niederbronn (Elsaß). Seit 1882 wirkte er in seiner Vaterstadt, zuerst als Gefängnisseelsorger, seit 1885 als Pfarrer an Jung Sankt Peter. Die Universität Straßburg verlieh ihm 1896 ehrenhalber die theologische Doktorwürde. – H.

war einer der besten Vertreter des deutschgesinnten Elsässertums, ein Vorkämpfer für deutsche Wissenschaft und Kultur im Elsaß.

Werke: Vaterlandslieder eines Elsässers, 1871; Die Anfänge des kath. Kirchenbegriffs. Dogmenhist. Vers., 1874; Über wahres u. falsches Luthertum, 1877; Der röm. Bisch. im 4. Jh., 1880; Luise Scheppler, die fromme u. getreue Magd, 1881⁵; Die Kirche im Glauben des ev. Christen, 1881; Licht- u. Schattenbilder aus dem AT, 1893 (Neuausg. 2 Bde., 1907; I², 1908; II², 1918); Der christl. Glaube, 1901; Fritz Oberlin, der Vater des Steintals, 1901; Vater Hackenschmidt. Ein christl. Handwerkerbild, 1901; Die Christuspredigt f. unsere Zeit, 1909; Vor 40 J. Kriegserlebnisse, 1910; Wegweiser zu der Segensqu. Gottes f. Konfirmanden, 1910 (1929: 14.–16. Tsd.); Der Prophet Jeremia, 1912 (1922²); Der Prophet Daniel, 1914; Der Krieg u. die Lüge. Vortr., 1915; Kalendergesch.en, 1925. – Gab seit 1879 den christl. Volkskal. »Der gute Bote« heraus.

Lit.: Lex. der dt. Dichter u. Prosaisten v. Beginn des 19. Jh.s bis z. Ggw., bearb. v. Franz Brümmer, III, 1913⁶, 32; – W. Knapp, K. H., in: Straßburger Post v. 10. 11. 1915; – Otto Michaelis, K. H. Ein dt. Sänger u. Prophet des Elsasses, 1916; – Emil v. Borries, Dt. Dichtung im Elsaß v. 1815–1870, 1916; – KJ 43, 596; – RGG III, 7.

HACKEWITZ, Lili von, religiöse Schriftstellerin, * 13. 2. 1857 in Eldena bei Greifswald, † 12. 5. 1924 in Ballenstedt am Harz. – Nach seinem Studium an der Landwirtschaftlichen Akademie in Greifswald übernahm Lilis Vater, ein früherer Offizier bei den 12. Husaren in Weißenfels, ein Rittergut in Neupommern. Hier verlebte sie mit ihren Geschwistern die sonnige Kindheit und Jugend. 1878 siedelte die Familie nach Berlin über, später nach Köpenick, dann Charlottenburg und 1887 nach Klein-Zschachwitz bei Dresden, wo der Vater 1892 starb. L. v. H. wohnte seit 1900 mit ihrer Mutter in Ballenstedt (Anhalt) und zog 1901, nach dem Tod der Mutter, zu ihrer verheirateten Schwester, der Gattin des Generals von Schierstedt. Seit 1877 kränkelnd, wurde L. v. H. später, obwohl mancherlei Kuren vorübergehend ein wenig Besserung brachten, allmählich völlig gelähmt. Sie führte ein stilles Leben im Krankenzimmer als geduldige Kreuzträgerin, die es erfahren hat und anderen Leidgebeugten bezeugt: »Wer am willigsten trägt, trägt am leichtesten; wer sich auflehnt, schleppt sich zu Tode.« Durch ihre Schriften wurde L. v. H. die Seelsorgerin einer großen Gemeinde von Kranken und Leidtragenden: »Gott will dich in der Einsamkeit der Trübsal, in den stillen Stunden deiner schlaflosen Nächte rufen, um dir etwas zu sagen, was so groß und so köstlich ist, daß es all dein Leid verklärt und all dein Heimweh stillt und deines Herzens Saiten stimmt zu einem jubelnden Lobgesang.«

Werke: Erlebtes, nicht Erdachtes v. Krankenbett, 1898 (1929¹⁸; auch ins Engl. u. in Blindenschr. übertr.); Alltägliches u. Ewiges aus der Krankenstube, 1900 (1925¹¹); Tränensaat u. Freudenernte im Krankenleben, 1903 (1920⁸); Blumen, am Wege gepflückt, 1904 (1925¹⁰); Unverlierbares aus gesunden u. kranken Tagen, 1906 (1920⁸); Grüne Auen u. frische Täler, 1909 (1924·⁵); »Wirket, solange es Tag ist« – ein Wort an Kranke u. Gesunde, 1911 (1926⁵); »Als die hinwegeilen –.« Allerlei Skizzen, Kranken u. Gesunden gezeigt, 1914 (1920³); Aus ernster Zeit – f. ernste Zeiten, 1921 (1927³); Perlen aus der Tiefe (Sprüche), 1925 (Basel 1945: 51.–53. Tsd.); Briefe, hrsg. v. E. v. Schierstedt, 1926.

Lit.: E. v. Schierstedt, L. v. H., ihr Leben u. ihre letzte Gabe, 1925 (1927²); – Lex. der dt. Dichter u. Prosaisten v. Beginn des 19. Jh.s bis z. Ggw., bearb. v. Franz Brümmer, III, 1913⁶, 107 f.

HACKMANN, Heinrich, luth. Theologe, Religionshistoriker, Sinologe, * 31. 8. 1864 in Gaste bei Osnabrück als Sohn eines Lehrers, † 13. 7. 1935 in Hildesheim. – H. studierte Theologie in Leipzig und Göttingen, promovierte 1893 zum Lic. theol. in Göttingen und wurde dort Privatdozent. Er wirkte 1894–1901 als Pfarrer der deutschen Gemeinde in Schanghai. H. reiste 1901 in das Innere Südchinas und durchquerte 1902/03 Südwestchina bis nach Birma. 1904–10 war er Pfarrer in London und bereiste dann wieder Ost- und Südasien, um den Buddhismus zu studieren. H. wurde 1913 an der Universität Amsterdam o. Professor für Allgemeine Religionsgeschichte und siedelte nach seiner Emeritierung um 1930 nach Hildesheim über. – Bekannt wurde H. durch sein wissenschaftliches Hauptwerk »Laien-Buddhismus in China«.

Werke: Die Zukunftserwartung des Jesaja (Diss. Göttingen), 1893; Vom Omi bis Bhamo. Wanderungen an den Grenzen v. China, Tibet u. Birma, 1905 (1907²); Der Ursprung des Buddhismus u. die Gesch. seiner Ausbreitung, 1905 (1917²); Der südl. Buddhismus u. der Lamaismus, 1905; Der Buddhismus in China, Korea u. Japan, 1906; Am Strand der Zeit. Ausgew. Predigten, 1909; Dass. 2. Smlg., 1910; Welt des Ostens, 1912; Rel.en u. hll. Schrr. (Antrittsvorlesung), 1914; Der Charakter der chines. Philos., 1917; Laien-Buddhismus in China. Das Lung shu Ching t'u wên des Wang Jih hsin, aus dem Chines. übers., erl. u. beurteilt, 1924; Chines. Philos., 1927; Der Zshg. zw. Schr. u. Kultur in China, 1928; Die 300 Mönchsgebote des chines. Taoismus, Amsterdam 1931. – Erklärendes Wb. z. chines. Buddhismus. Chines.-sanskrit-dt. Von Heinrich Hackmann. Nach seinem hs. Nachlaß überarb. v. Johannes Nobel. Hrsg. v. der Rel.kundl. Smlg. der Univ. Marburg/Lahn, Leiden 1951 ff.

Lit.: Rudolf Franz Merkel, H. H. z. 70. Geb., in: NThT 23, 1934, 299 ff.; – Ders., H. H. z. 70. Geb., in: Sinica. Zschr. f. Chinakunde 9, 1934, 175; – Ders., H. H. in memoriam, ebd. 10, 1935, 189; – Eduard Erkes, H. H. †, in: Artibus Asiae 5, Hellerau 1935, 272; – Jan Julius Lodewijk Duyvendak, H. H., in: Jaarboek der Koninklijk Akademie van Wetenschappen te Amsterdam, 1935/36, 239 f.; – NDB VII, 413 f.

HADORN, Wilhelm, Theologe, * 28. 1. 1869 in Bern, † daselbst 1929. – H. studierte 1888–91 in Basel, Bern und Greifswald und wirkte als Pfarrer in Saanen (Berner Oberland), dann in Köniz bei Bern und seit 1903 am Münster in Bern. Er war seit 1900 zugleich Privatdozent in Bern und wurde dort 1912 ao. und 1922 o. Professor für Neues Testament und Schweizer Kirchengeschichte. Nicht nur durch seine theologischen Werke, sondern vor allem durch seine Predigten ist H. bekannt geworden.

Werke: Gesch. des Pietismus in den schweizer. ref. Kirchen, 1901; Himmelan. Tägl. Andachten u. Gebete f. junge Christen, 1901; Unterricht im Christentum f. junge Christen, 1905 (1918⁹); Die Apg. u. ihr geschichtl. Wert, 1906; KG der ref. Schweiz, 1907; Calvins Bedeutung f. die Gesch. u. das Leben der prot. Kirche, 1909; Er heißt Wunderbar. Predigten, 1912 (1925²); Komm heim! 7 Predigten über das Gleichnis v. verlorenen Sohn, 1914²; Er ist unser Friede. Ein Jg. Predigten, 1915; Männer u. Helden. Die schweizer. Ref. u. ihre Segnungen, 1917; Das letzte Buch der Bibel, 1918 (1919²); Die Abfassung der Thess.briefe, 1919; Durch den Glauben. Predigten nach dem Gang des Kirchenj. vornehml. über Hebr. 11, 1922; Die dt. Bibel in der Schweiz, 1927; Die Offb. des Joh. (ThHK 18), 1928; Die Ref. in der dt. Schweiz, 1928.

Lit.: RGG² II, 1560; – HBLS IV, 41.

HADRIAN, Publius Aelius, römischer Kaiser, * 24. 1. 76 in Italica (Spanien), † 10. 7. 138 in Baiae, bestattet in der Moles Hadriana, der späteren Engelsburg in Rom. – Nach dem frühen Tod seines Vaters kam H. um 85 unter die Vormundschaft des späteren Kaisers Trajan (s. d.) und schon früh in den Staatsdienst. Im Jahr 100 heiratete er die Großnichte Trajans, Vibia Sabina. H. zeichnete sich aus in den beiden Dakerkriegen. Nach dem Tod Trajans erlangte er im August 117 – wahrscheinlich auf Grund einer durch die Kaiserin und ihre Partei fingierten Adoption – die Kaiserwürde. H. verzichtete auf die Expansionspolitik seiner Vorgänger, sicherte das Imperium durch den Bau von Grenzwällen und bemühte sich um innere Reformen. – 132–135/36 kam es zu dem großen Aufstand der palästinensischen Juden gegen die römi-

sche Herrschaft unter H. Der messianische Führer in diesem Aufstand war Bar Kochba (s. d.). Der eigentliche Name des jüdischen Freiheitshelden ist Simon. Über den Aufstand unter H. haben wir nur kurze Mitteilungen bei Cassius Dio und bei Eusebius von Cäsarea (s. d.) sowie einige sonst verstreute Nachrichten. Über den Anlaß gehen die Angaben auseinander, so daß darüber nichts ganz Sicheres mehr festzustellen ist. Cassius Dio sagt, daß die Gründung der römischen Stadt Aelia Capitolina an der Stelle der Ruinen von Jerusalem und die Errichtung eines Jupiter-Heiligtums am Ort des früheren Tempels die Juden in eine so ungeheure Empörung versetzt habe, daß sie zu den Waffen griffen. Eine andere Nachricht dagegen besagt, daß die Juden wegen des vom Kaiser erlassenen Verbots der Beschneidung rebellisch geworden wären. Es bleibt aber ungewiß, ob das Beschneidungsverbot in die Vorgeschichte des jüdischen Aufstands gehört. H. beauftragte mit der Führung des Krieges einen seiner tüchtigsten Feldherren, Julius Severus, den damaligen Statthalter von Britannien, dem die Niederwerfung des Aufstandes gelang. – Für die Regelung der Christenprozesse wichtig ist das Reskript des Kaisers an C. Minicius Fundanus, Statthalter von Asia, auf die Anfrage seines Vorgängers an H., wie er sich zu verhalten habe bei etwaigem tumultuarischem Volksgeschrei nach einer Christenhetze. Der Kaiser untersagte das Nachgeben gegenüber formlosem Volksbegehren, erklärte aber das Vorgehen gegen Christen für notwendig, wenn ein einzelner bereit sei, seine Anklage vor einem Gerichtshof zu führen. Bei falschen Anzeigen forderte er strenge Bestrafung der Denunzianten.

Lit.: Ferdinand Gregorovius, Gesch. des röm. Kaisers H. u. seiner Zeit, 1851 (1884³); – Ders., Glanz u. Untergang Roms. Gem. der röm.-hellenist. Welt z. Z. des Kaisers H., 1932; – Adolf Hausrath, Nt. Zeitgesch. III: Die Zeit der Märtyrer u. das nachapostol. Zeitalter, 1874, 552 ff.; – Heinrich Veil, Justins, des Philosophen u. Märtyrers, Rechtfertigung des Christentums (Apologie I u. II), verdt., GProgr. Straßburg 1893; eingel., verdt. u. erl., 1894, 137 ff.; – Otto Theodor Schulz, Der sachlich-hist. Autor in Spartianus' Vita des Kaisers P. Ae. H. (Hab.-Schr., Leipzig 1904), Tl.dr. u. d. T.: Das Leben des Kaisers H. Qu.analysen u. hist. Unterss., Leipzig 1904; – Anton Linsenmayer, Die Bekämpfung des Christentums durch den röm. Staat bis z. Tode des Kaisers H., 1905; – Ernst Kornemann, Kaiser H. u. der letzte große Historiker v. Rom. Eine qu.krit. Vorarbeit, 1905; – Ders., Weltgesch. des Mittelmeerraumes. II: Von Augustus bis z. Sieg der Araber, 1949, 125 ff.; – Wilhelm Weber, Unterss. z. Gesch. des Kaisers H., 1907 (Nachdr. Hildesheim – New York 1973); – Ders., Rom, Herrschertum u. Reich im 2. Jh., 1937, 125–227; – Anton v. Premerstein, Das Attentat der Konsulare auf H. im J. 118 n. Chr. (Klio, 8. Beih.), 1908 (Nachdr. Aalen/Württ. 1963); – Alfonso Manaresi, L'Impero Romano e il Cristianesimo. Studio storico, Turin 1914; – Bernard William Henderson, The Life and Principate of the Emperor H., London 1923; – Moses Auerbach, Zur polit. Gesch. der Juden unter Kaiser H., in: Festschr. z. 50j. Bestehen des Rabbinerseminars zu Berlin, 1924, 1–40; – Léon Pol Homo, Les Empereurs romains et le christianisme, Paris 1931; – Albert Ehrhard, Die Kirche der Märtyrer. Ihre Aufgaben u. ihre Leistungen, 1932, 31 ff.; – Paolo Brezzi, Cristianesimo ed Impero romano, sino alla morte di Costantino, Rom 1944²; – Bernard d'Orgeval, L'empereur H. Oeuvre législative et administrative, Paris 1950; – Ugo Badalucchi, Il Mausoleo d'Adriano e Castel Sant'Angelo in Roma, Rom 1954; – Jacques Moreau, La persécution du christianisme dans l'Empire romain, Paris 1956, 46 ff.; – Jean Beaujeu, La religion romaine à l'apogée de l'empire. I: La politique religieuse des Antonins (96–192), Paris 1956, 112–278; – Stewart Perowne, H., New York 1960 (übertr. v. Hannelore Wilken: H. Sein Leben u. seine Zeit, 1966); – Margherita Guarducci, La religione di Adriano, in: Les empereurs d'Espagne. Madrid-Italica, 31 mars – 6 avril 1964. Colloques internationaux du Centre national de la recherche scientifique. Sciences humaines, Paris 1965, 209 ff.; – Pauly-Wissowa I, 493 ff.; – Kl. Pauly II, 907 ff.; – RAC II, 1173 f.; – DACL VI, 1967 ff.; – Schürer I, 670 ff.; – RE VII, 315 ff.; – EC VI, 336 f.; – LThK IV, 1309 f.; – Catholicisme V, 480; – NCE VI, 886 f.

HADRIAN I., Papst, * in Rom aus vornehmem Geschlecht, † daselbst 25. 12. 795. – H. wurde unter Paul I. (s. d.) Regionalnotar und unter Stephan III. (s. d.) Diakon. Klerus und Volk wählten ihn am 1. 2. 772 zum Papst. Als der Langobardenkönig Desiderius in römisches Gebiet einfiel, rief H. I. Karl den Großen (s. d.) zu Hilfe, der im September 773 in Italien erschien. Desiderius zog sich in das stark befestigte Pavia zurück. Während der Belagerung der Stadt, die erst im Juni 774 fiel, brach König Karl plötzlich nach Rom auf. Er erneuerte zwar das von Pippin (s. d.) 754 in Quierzy Papst Stephan II. (s. d.) gegebene Schenkungsversprechen, bestand aber auf dem Nachweis des päpstlichen Besitzrechtes im einzelnen Fall. – Die Lösung vom byzantinischen Reich kam dadurch zum Ausdruck, daß H. I. von 781 an die Urkunden der päpstlichen Kanzlei nicht mehr nach den Regierungsjahren des Kaisers, sondern nach seinen Pontifikatsjahren datieren ließ. – Auf der 7. ökumenischen Synode in Nicäa 787 wurde im Einvernehmen mit dem Papst die Bilderverehrung wiederhergestellt, die die Reichssynode zu Konstantinopel 754 verdammt hatte. Die Akten der Synode, die H. I. 790 an König Karl übersandte, riefen dessen Widerspruch hervor und führten zu der Abfassung der »Libri Carolini«, in denen die Bestimmungen der bilderfreundlichen Synode verworfen wurden. Die Synode von Frankfurt 794 bestätigte die Auffassung der »Libri Carolini« und verdammte die Beschlüsse von Nicäa, ebenso den von Rom und der fränkischen Kirche in gleicher Weise bekämpften Adoptianismus. – H. I. hat sich um Rom verdient gemacht durch Erneuerung der Stadtmauern, Wiederherstellung der seit Jahrhunderten verschütteten Wasserleitungen, Restauration und Ausschmückung von Kirchen und Kapellen.

Lit.: Sigurd Abel, Papst H. I. u. die weltl. Herrschaft des röm. Stuhls, in: Forsch. z. dt. Gesch. I, 1862, 453 ff. – Rudolph Baxmann, Die Politik der Päpste v. Gregor I. bis auf Gregor VII., I, 1868, 273 ff. – Ferdinand Hirsch, Papst H. I. u. das Ftm Benevent, in: Forsch. z. dt. Gesch. XIII, 1873, 33 ff. – Otto Kühl, Der Verkehr Karls d. Gr. mit Papst H. I. in betreff der it. Angelegenheiten (Diss. Königsberg), 1879; – Karl Hampe, H.s I. Verteidigung der 2. nicaen. Synode gg. die Angriffe Karls d. Gr., in: NA 21, 1896, 83 ff.; – Thomas Hodgkin, Italy and her invaders VII, Oxford 1899, 342 ff.; VIII, ebd. 1899, 1 ff.; – Ludo Moritz Hartmann, Gesch. It. im MA II/2, 1903, 257 ff.; – Johannes Haller, Die Qu. z. Gesch. der Entstehung des Kirchenstaates, 1907, 39 ff. 171 ff.; – Louis Duchesne, Les premiers temps de l'État pontifical, Paris 1911³, 133 ff.; – Hans v. Schubert, Gesch. der christl. Kirche im Früh-MA, 1921, 346 ff. 378 ff.; – Erich Caspar, H. I. u. Karl d. Gr., in: Ders., Das Papsttum unter fränk. Herrschaft, in: ZKG 54, 1935, 150 ff. = Buchveröff. 1956, 35 ff.; – Percy Ernst Schramm, Das Versprechen Pippins u. Karls d. Gr. f. die Röm. Kirche, in: ZSavRGkan 58, 1938, 180 ff.; – Giacinto Romano – Arrigo Solmi, Le dominazioni barbariche in Italia 395–888, Mailand 1940, 442 ff.; – Ottorino Bertolini, Roma di fronte a Bisanzio e ai Longobardi, Bologna 1941, 663 ff. 737 ff.; – Paolo Brezzi, Roma e l'Impero Medioevale, Bologna 1947, 3 ff.; – Émile Amann, Le Pape et Charlemagne, in: L'époque carolingienne, Paris 1947, 49 ff.; – Nigel J. Abercrombie, Alcuin and the text of Gregorianum: Notes on Cambrai Ms. No. 164, in: ALW 3, 1953, 99 ff.; – Walter Mohr, Stud. z. Charakteristik des karoling. Kg.tums im 8. Jh., Saarlouis 1955; – Ders., in: ALMA 26, 1956, 249 ff. – Jan T. Hallenbeck, The election of Pope H. I., in: ChH 37, 1968, 261 ff.; – LibPont I, 486 ff.; – Jaffé I, 289 ff.; – MPL 96, 1167 ff. (Vita); 98; – MG Epp III, 476 ff.; V, 1 ff.; – Hefele-Leclercq III/2, 601 ff.; – Mann II, 394 ff.; – Haller I, 448 ff.; II, 1 ff.; – Seppelt II, 159 ff.; – DACL VI, 1964 ff.; – RE VII, 301 ff.; – DHGE I, 614 ff.; – DThC I, 448 ff.; – EC I, 338 ff.; – Catholicisme V, 471 ff.; – LThK IV, 1306 f.; – NCE I, 144 ff.; – ODCC² 611 f.; – EKL II, 2 f.; – RGG III, 8; – DBI I, 312 ff.

HADRIAN II., Papst, * 792 in Rom als Sohn eines späteren Bischofs, aus vornehmem Geschlecht, † daselbst 14. 12. 872. – Als er in den geistlichen Stand eintrat,

war H. II. verheiratet. Gregor IV. (s. d.) erhob ihn zum Kardinal von S. Marco. Schon zweimal, nach dem Tode Leos IV. (s. d.; 855) und nach dem Ableben Benedikts III. (s. d.; 858), hatte er sich geweigert, den Stuhl Petri zu besteigen. Nun aber wurde er nach dem Ableben Nikolaus' I. (s. d.; † 13. 11. 867) durch die einmütige Wahl des Klerus und Volkes im Alter von 75 Jahren zur Annahme der Papstwürde genötigt und am 14. 11. 867 zum neuen Papst geweiht. Schon zu Beginn seines Pontifikats überfiel Herzog Lambert von Spoleto Rom und brandschatzte die Stadt. Bald darauf wurden seine Tochter und ihre Mutter entführt und ermordet. – In dem Ehestreit Lothars II. forderte H. II. den König auf, seine rechtmäßige, von ihm aber verstoßene Gattin Theutberga wieder aufzunehmen; aber gleichzeitig löste er auf Bitten des Kaisers Ludwig II. die von seinem Vorgänger gebannte Walrada, die Geliebte des Königs, unter der Bedingung vom Bann, daß sie jeden Umgang mit Lothar aufgebe. Der König reiste 869 nach Rom, um vom Papst die Zustimmung zur Scheidung von seiner Gattin zu erlangen. H. II. gewährte ihm nur die Berufung eines neuen Konzils zur nochmaligen Untersuchung der Scheidungsangelegenheit und reichte ihm am 1. 7. 869 in Monte Cassino die Kommunion, nachdem er beschworen hatte, mit der gebannten Walrada keinen Verkehr gehabt zu haben. Der heimkehrende König starb am 8. 8. 869 in Piacenza. – Die Synode zu Douzy bei Sedan setzte im August 871 Bischof Hinkmar von Laon ab. H. II. wollte den Verurteilten zur erneuten Untersuchung der Klagen vor eine römische Synode vorladen; aber Karl II. der Kahle und Erzbischof Hinkmar von Reims (s. d.) wiesen die päpstliche Einmischung schroff zurück. – Der von Nikolaus I. gegen den unkanonisch zum Patriarchen von Konstantinopel erhobenen Photius (s. d.) geführte Kampf nahm unter H. II. einen günstigen Ausgang: Photius wurde zuerst auf einer römischen Synode 869, sodann von der 8. ökumenischen Synode von Konstantinopel 869/70 verdammt. Der byzantinische Kaiser Basilius I. Macedo (867–886) aber löste Bulgarien in kirchlicher Beziehung definitiv von Rom: er ließ durch die Gesandten der Bulgaren den päpstlichen Legaten erklären, daß Bulgarien nicht zum römischen, sondern zum konstantinopolitanischen Patriarchat gehöre. Vergeblich waren die Proteste des Papstes. – Das von den leiblichen Brüdern Konstantin und Methodius (s. d.) missionierte Mähren und Pannonien konnte H. II. dadurch in Verbindung mit Rom erhalten, daß er den Gebrauch der slawischen Sprache im Gottesdienst gestattete und Methodius zum Erzbischof von Sirmium ernannte.

Lit.: Rudolph Baxmann, Die Politik der Päpste v. Gregor I. bis auf Gregor VII., II, 1869, 28 ff.; – Joseph Langen, Gesch. der röm. Kirche v. Nikolaus I. bis Gregor VII., 1892, 113 ff.; – Ludo Moritz Hartmann, Gesch. It. im MA III/1, 1908, 270 ff.; – Louis Duchesne, Les premiers temps de l'État pontifical, Paris 1911³, 244 ff.; – Francis Dvornik, Les Slaves, Byzance et Rome au IXᵉ siècle, ebd. 1926, 173 ff. 248 ff.; – Ders., The Photian Schism, history and legend, Cambridge 1948 (frz. Paris 1950); – Ders., The Patriarch Photius in the Light of Recent Research, in: Berr. z. XI. Internat. Byzantinisten-Kongreß, München 1958, III/2, 1958, 1 ff.; – Nelly Ertl, in: AUF 15, 1937, 83 ff. (Anastasius Bibliothecarius unter H. II.); – Giacinto Romano – Arrigo Solmi, La dominazione barbariche in Italia 395–888, Mailand 1940, 622 ff.; – Martin Jugie, Le schisme byzantine. Aperçu historique et doctrinal, Paris 1941, 103 u. ö.; – Émile Amann, L'époque carolingienne, in: Histoire de l'Église VI, ebd. 1947, 395 ff. 455 ff. 483 ff.; – Jean Devisse, Hincmar et la loi, Dakar 1962; – Pierre Duthilleul, L'évangélisation des Slaves. Cyrille et Méthode, Tournai 1963; – Archivum historiae pontificiae I, Rom 1963, 524; – Cyrillo-Methodiana. Zur Früh-gesch. des Christentums bei den Slaven 863–1963. Hrsg. v. Man-fred Hellmann, Reinhold Olesch u. a., 1964; – Hans Grotz, Erbe wider Willen. H. II. u. seine Zeit, Wien – Köln – Graz 1970 (Rez. v. Heinz Löwe, in: Das hist.-polit. Buch 19, 1971, 230; v. Hanns Leo Mikoletzky, in: Mitt. des Östr. Staatsarch. 24, Wien 1971 (1972), 551 f.; v. Francis Dvornik, in: CHR 59, 1973, 528 ff.; v. Klaus Ganzer, in: ThRv 69, 1973, 374 f.; v. Ambrosius Eßer, in: RQ 69, 1974, 129 ff.; v. Berthe Widmer, in: Schweizer. Zschr. f. Gesch. 24, Zürich 1974, 343); – Lib-Pont II, 173 f.; III, 125 f.; – Jaffé I, 368 ff.; II, 703 f. 745; – MPL 122, 1259–1320; – MG Epp VI, 691 ff.; VII, 449; – Hefele-Leclercq IV, 465 ff. 481 ff.; – Haller II, 117 ff. 529 ff.; – Sep-pelt II, 289 ff. 433 f.; – DThC I, 452 ff.; – DHGE I, 619 ff.; – EC I, 341 ff.; – Catholicisme V, 473 f.; – LThK IV, 1306 f.; – NCE I, 145; – RE VII, 305 ff.; – RGG III, 8; – DBI I, 323 ff.

HADRIAN III., Papst, Heiliger, * in Rom, † Mitte Sep-tember 885 bei Modena, beigesetzt in der Abtei No-nantola. – H. III. wurde im Mai 884 zum Nachfolger des Papstes Marinus (s. d.) gewählt. Er starb auf der Reise zum Reichstag nach Worms, zu dem ihn Karl III. der Dicke eingeladen hatte, um die Neubesetzung von Bi-stümern und die Nachfolge des unmündigen, illegiti-men Kaisersohnes Bernhard zu decken. – H. III. wird als Heiliger verehrt. Sein Kult wurde 1892 bestätigt. Sein Fest ist der 8. Juli.

Lit.: Rudolph Baxmann, Die Politik der Päpste v. Gregor I. bis auf Gregor VII., II, 1869, 60 ff.; – G. Quattrini, Del Pontificato e culto di . S. A. III, Modena 1889; – Joseph Langen, Gesch. der röm. Kirche v. Nikolaus I. bis Gregor VII., 1892, 298 ff.; – E. Sickel, in: NA 18, 1894, 107 ff.; – AnBoll 13, 1894, 60 f.; – Ludo Moritz Hartmann, Gesch. It. im MA III/2, 1911, 99 f.; – Louis Duchesne, Les premiers temps de l'État pontifical, Paris 1911³, 267 f. 270. 282; – Martin Jugie, Le schisme byzantin, ebd. 1941, 132 f.; – Émile Amann, L'époque carolingienne, in: Histoire de l'Église VI, ebd. 1947, 411 f. 420 f. 498; – Paolo Brezzi, Roma e l'Impero Medioevale, Bologna 1947, 84 f.; – LibPont II, 225; III, 127; – Jaffé I, 426 f.; II, 705; – Mann III, 360 f.; – Haller II, 179. 189. 543 ff.; – Seppelt II, 332 f. 434; – AS Iulii II, 643 ff.; – BS I, 271 ff.; – VSB VII, 186; – MartRom 277 f.; – DThC I, 457; – DHGE I, 624; – EC I, 344 f.; – Catholicisme V, 474; – LThK IV, 1307; – NCE I, 145 f.; – RE VII, 307 f.; – RGG III, 8; – DBI I, 329 f.

HADRIAN IV., Papst, * zwischen 1100 und 1120 in Langley (Hertford), † 1. 9. 1159 in Anagni, beigesetzt in St. Peter in Rom. – H. IV. ist der einzige Papst eng-lischer Nationalität und hieß Nikolaus Breakspear. Er war der Sohn eines Priesters. Vom Vater verstoßen, wanderte N. B. nach Frankreich aus und fand nach schweren Entbehrungen in Paris und Arles, wo er stu-dierte, als Mönch eine Zufluchtsstätte bei den regulier-ten Chorherren v. St. Rufus bei Avignon. Er wurde Prior und 1137 Abt. Eugen III. (s. d.) ernannte ihn 1149 zum Kardinalbischof von Ostia und betraute ihn 1152 mit der schwierigen Mission, das Verhältnis der Kir-chen von Norwegen und Schweden zum Erzbistum Lund zu regeln. Er erhob Drontheim zum Erzbistum für Norwegen, während Schweden dem Erzbischof von Lund als apostolischem Legaten und Primas von Schweden unterstellt bleiben sollte. Er kehrte im No-vember 1154 nach Rom zurück und wurde am 4. 12. 1154 zum Papst gewählt und am folgenden Tag ge-weiht. H. IV. erstrebte Festigung und Ausbau der geistlich-weltlichen Macht des Papsttums. Das mußte zum Konflikt mit Friedrich I. Barbarossa führen. Beim Antritt seines Pontifikats hatte H. IV. in Rom einen gefährlichen Gegner: Arnold von Brescia (s. d.), den ersten kühnen Kämpfer des Mittelalters gegen die Verweltlichung der Kirche und die Herrschaft der Hier-archie, der durch seine hinreißende, agitatorische Be-redsamkeit der Führer der demokratischen Bewegung in Rom wurde. Es nützte Eugen III. nichts, daß er ihn am 7. 7. 1148 auf der Synode von Cremona bannte

und Ende 1149 Rom eroberte. Er mußte nach einem halben Jahr die Stadt wiederum verlassen, kehrte aber am 9. 12. 1152 nach Rom zurück und erhielt durch den am 23.3. 1153 in Konstanz ratifizierten Vertrag von Friedrich I. Barbarossa die Zusicherung, er werde ihm die aufständischen Römer unterwerfen. Ein Vier-teljahr später starb Eugen III. H. IV. erinnerte den deutschen König, der mit einem Heer in der Lombar-dei stand, an sein Versprechen und verlangte in der Karwoche 1155 vom Senat die Ausweisung Arnolds als Bedingung für die Aufhebung des von ihm über Rom verhängten Interdikts. Arnold wurde ausgewie-sen und fiel in Bricola im Tal der Orcia dem Kardi-nal Oddo in die Hände, konnte aber von den Visconti von Campagnatico befreit werden, die ihn auf eine feste Burg in Sicherheit brachten. Die Auslieferung Arnolds an die Kurie war die Bedingung, die H. IV. Friedrich I. Barbarossa für die Übertragung der römi-schen Kaiserkrone stellte. Der König erzwang die Her-ausgabe Arnolds und lieferte ihn an den Papst aus, der ihn dem Stadtpräfekten übergab. Arnold wurde gehängt, sein Leichnam verbrannt und die Asche in den Tiber gestreut. Durch eine Erneuerung des Kon-stanzer Vertrags verpflichtete sich der König zur Un-terwerfung der Römer unter die päpstliche Herrschaft und zum Kampf gegen die Normannen. Am 18. 6. 1155 wurde er von H. IV. in St. Peter zum Kaiser ge-krönt. Als Friedrich I. Barbarossa von Rom aufbrach, verließ der Papst die Stadt und folgte als Flüchtling mit seinen Kardinälen dem Heer. Der Kaiser konnte sein Versprechen der Unterwerfung des Königs Wil-helm I. von Sizilien nicht einlösen, weil die deutschen Fürsten auf seine Rückkehr nach Deutschland dräng-ten. H. IV. schloß im Juni 1156 in Benevent mit König Wilhelm I. von Sizilien einen Vertrag, der dem König neben Rechten über die Kirchen seines Reiches die päpstliche Anerkennung seines Königtums und die Be-lehnung mit dem Königreich Sizilien wie mit dem Herzogtum Apulien gewährte. Nach diesem Friedens-schluß konnte H. IV. Ende 1156 nach Rom zurückkeh-ren. Der Kaiser sah in dem einseitigen Friedensschluß des Papstes mit dem König von Sizilien eine Verlet-zung des mit H. IV. vor der Kaiserkrönung geschlos-senen Übereinkommens und in der Belehnung des Kö-nigs durch den Papst einen Eingriff in seine Souve-ränitätsrechte. Die dadurch eingetretene Verstimmung des Kaisers ging in offene Feindschaft über auf dem Reichstag von Besançon im Oktober 1157. Die Kardi-näle Roland Bandinelli (der spätere Alexander III. [s. d.]) und Bernhard überreichten Friedrich I. Barbarossa einen Brief ihres Herrn, in dem nach der Übertragung ins Deutsche durch den Kanzler Reinald von Dassel das Kaisertum als ein päpstliches Lehen (beneficium) bezeichnet wurde. In der Versammlung brach ein Sturm der Entrüstung los. Die Legaten wurden zur schnellsten Rückkehr nach Rom genötigt. H. IV., der sich Anfang 1158 durch das Erscheinen eines griechi-schen Heeres in Italien und durch einen Aufstand der Römer in gefährlicher Lage befand, lenkte nun ein und erklärte in einem Schreiben an den Kaiser, das Wort »beneficium« habe er nur im Sinne von »Wohltat« ge-braucht. Auf der 2. Italienfahrt 1158 forderte Fried-rich I. Barbarossa von den italienischen Bischöfen, ihm den Lehnseid zu leisten, hielt im November auf den Feldern von Roncaglia (bei Piacenza) Reichstag und erneuerte die Reichsrechte in Oberitalien. H. IV. verband sich mit den lombardischen Städten und erwog den Bann gegen den Kaiser. Doch dazu kam es nicht: am 1. 9. 1159 ereilte ihn der Tod.

Lit.: Joseph Langen, Gesch. der röm. Kirche v. Gregor VII. bis Innozenz III., 1893, 417 ff.; – Alfred Henry Tarleton, Nicholas Breakspear, Englishman and Pope, London 1896; – Oliver J. Thatcher, Studies concerning A. IV., Chicago 1903, 153 ff.; – John Duncan Mackie, Pope A. IV. The Lothian essay, Oxford 1907; – Horace Kinder Mann, Nicholas Breakspear. H. IV., the only English Pope, London 1914; – Heinrich Schrörs, Unterss. zu dem Streite Kaiser Friedrichs I. mit Papst H. IV. (1157–58), 1916; – Anna Eggers, Die Urk. Papst H.s IV. f. Kg. Heinrich II. v. Engl. über die Besetzung Irlands, 1922; – Martha Edith Almedingen, The English pope (A. IV.), London 1925; – Robert Holtzmann, Zum Strator- u. Marschalldienst. Zugleich eine Erwiderung, in: HZ 145, 1932, 301 ff.; – Max-Josef Midunsky, Diplomat. Unterss. z. Urkk.wesen des Papstes H. IV. (Diss. Breslau), 1935; – Fritz Geisthardt, Der Kämmerer Boso (Diss. Berlin), 1936; – P. J. Knopke, Frederick Barbarossa's conflict with the papacy, Washington 1939; – Peter Rassow, Honor Imperii. Die neue Politik Friedrich Barbarossas, 1940 (Rez. v. Herbert Grundmann, in: HZ 164, 1941, 577 ff.); – W. Ohnsorge, in: QFIAB 32, 1942, 13 ff.; – Arne Odd Johnsen, Studier vedrørende kardinal Nicholas Brekespears legasjon til Norden, Oslo 1945; – Paolo Brezzi, Roma e l'Impero Medioevale, Bologna 1947, 341 ff. 346. 350; – Walter Ullmann, Cardinal Roland and Besançon, in: Miscellanea Historiae Pontificiae 18, 1954, 107 ff.; – Ders., The Pontificate of H. IV., in: The Cambridge Historical Journal 11, 1955, 233 ff.; – Paolo Lamma, Comneni e Staufer I, Rom 1955; – Pietro de Angelis, Roma e Spoleto contro Federico I Barbarossa per la libertà del comune, ebd. 1955; – H. Höing, Der angebliche Briefwechsel H.s IV. u. Friedrichs I., in: Arch. f. Diplomatik 3, 1957, 162 ff.; – Michele Maccarone, in: Studi Romani 6, Rom 1958, 16 ff. (Kaiserkrönung 1155); – Ders., Papato e Impero. Dalla elezione di Federico I alla morte di A. IV, Rom 1959; – Richard William Southern, Medieval Humanism and Other Studies, Oxford 1970, 234 ff.; – Biogr. Wb. z. dt. Gesch. I², 1973, 999 f.; – LibPont II, 388 ff.; – Jaffé II, 102 ff. 720 f. 760 f.; – Gebhardt-Grundmann I, 300 ff.; – Watterich II, 323 ff.; – Haller III, 120 ff. 500 ff.; – Seppelt III, 213 ff.; – DThC I, 457 f.; – DHGE I, 625 ff.; – EC I, 345 ff.; – LThK IV, 1307 f.; – Catholicisme V, 474 ff.; – NCE I, 146; – ODCC² 612; – RE VII, 308 ff.; – EKL II, 3 f.; – RGG III, 8 f.; – DBI I, 330 ff.

HADRIAN V., Papst, * in Genua, † 18. 8. 1276 in Viterbo. – H. V., ein Neffe Innozenz' IV. (s. d.), hieß vorher Ottobono Fieschi und war seit 1251 Kardinaldiakon von S. Adriano und 1265–68 Legat in England, wo er zwischen Heinrich III. und seinen Baronen Frieden stiftete. Er wurde am 12. 7. 1276 Papst und hob die strenge Konklaveordnung Gregors X. (s. d.) auf. Vor dem Empfang der Priester- und Bischofsweihe starb H. V.

Lit.: Rose Graham, Letters of card. Ottoboni, in: EHR 15, 1900, 87 ff.; – Natalie Schöpp, Papst H. V. (card. Ottobuono Fieschi), 1916 (Rez. v. H. Otto, in: HJ 38, 1917, 783 ff.); – LibPont II, 457; – Mann XVI, 23 ff.; – Haller V, 42 f. 328; – Seppelt III, 536 ff.; – DThC I, 458 f.; – DHGE I, 627; – Catholicisme V, 476 f.; – EC I, 347 f.; – LThK IV, 1308 f.; – NCE I, 146 f.; – RE VII, 310 f.; – RGG III, 9; – DBI I, 335 ff.

HADRIAN VI., Papst, * 2. 3. 1459 in Utrecht als Sohn eines Zimmermanns, † 14. 9. 1523 in Rom. – H. VI. war der letzte nichtitalienische Papst und hieß ursprünglich Adriaan Florisz. Er war in Zwolle oder Deventer bei den »Brüdern vom gemeinsamen Leben«, ging dann nach Löwen zum Studium der Philosophie, der Theologie und des Kirchenrechts, machte sich eingehend mit den Scholastikern, vor allem mit Thomas von Aquin (s. d.) und Petrus Lombardus (s. d.), bekannt und wirkte dort seit 1493 als Professor der Theologie. Seit 1507 war F. Erzieher des späteren Kaisers Karl V. (s. d.). 1516 wurde er Bischof von Tortosa und führte nun gemeinsam mit dem Kardinal Francisco Ximénes († 8. 11. 1517; s. d.), nach dessen Tod allein die Regierungsgeschäfte in Spanien. 1517

erhob ihn Leo X. (s. d.) zum Kardinal. F. wurde Inquisitor von Aragón und Navarra und 1518 auch von Kastilien und Léon und 1520, als Karl in die Niederlande und von dort zur Kaiserkrönung zog, dessen Statthalter in Spanien. Am 9. 1. 1522 wurde er zum Papst gewählt. Seine Hauptaufgabe sah H. VI. in einer durchgreifenden Kirchenreform, die der lutherischen Reformation in Deutschland entgegenarbeiten sollte. Er forderte durch seinen Nuntius Francesco Chieregati auf dem Nürnberger Reichstag von 1522–23 die strenge Durchführung des Wormser Edikts von 1521; aber der Reichstag erklärte die Ausführung des Edikts für unmöglich und vertagte die Entscheidung der religiösen Frage bis zum nächsten Konzil. Ebensowenig gelang dem Papst die Einigung des Abendlandes im Kampf gegen die Türken, die im Dezember 1522 die Johanniter auf der Insel Rhodos zur Kapitulation zwangen. H. VI. wollte zwischen Karl V. und Franz I. von Frankreich vermitteln. Als das mißglückte, sah er sich im Sommer 1523 zum Schutzbündnis mit Karl V., Heinrich VIII. (s. d.) und den meisten italienischen Mächten genötigt.

Lit.: Correspondance de Charles-Quint et d'A. VI, hrsg. v. Louis Prosper Gachard, Brüssel 1859; – Edmond Henri Joseph Reusens, Syntagma doctrinae theologicae Adriani VI., Louvain 1862; – Ders., Anecdota Adriani VI., ebd. 1862; – Constantin v. Höfler, Papst A. VI., Wien 1880; – Albert Lepître, A. VI (thèse Dijon), Paris 1880; – Vincenzo Marchesi, Papa A. VI. Studio critico, Padua 1882; – D. Huurdeman, De Nederlandsche Paus A. VI., Amsterdam 1908; – Guido Giuseppe Andrea conte Pasolini dall'Onda, A. VI; saggio storico, Rom 1913; – Karl Guggenberger, Die dt. Päpste. Ihr Leben u. ihre geschichtl. Bedeutung, 1916; – Emmanuel Rodocanachi, Histoire de Rome. Les Pontificats d'A. VI et de Clément VII, Paris 1933, 7 ff. 273 ff.; – Reginald Trevor Davies, The golden century of Spain, 1501–1621, London 1937 (übers. v. Johannes F. Klein: Spaniens goldene Zeit, 1939); – Else Hocks, Der letzte dt. Papst. A. VI., 1939; – Karl Brandi, Kaiser Karl V. Werden u. Schicksal einer Persönlichkeit u. eines Weltreiches. I, 1924; II, 1941; – Harald Wolfgang Bachmann, Kuriale Reformbestrebungen unter A. VI. (Diss. Erlangen), 1948; – Angelo Mercati, Diarii di concistori del pontificato di A. VI, in: StT 157, 1951, 83 ff.; – Georg Popp, Die Großen der Kirche, 1956, 48 ff.; – José Sánchez Real, El Papa A. VI en Tarragona, Tarragona 1956; – Léon Ernest Halkin, La Réforme en Belgique sous Charles-Quint, Brüssel 1957; – R. Post – Léon-E. Halkin – M.-L. Stockman u. a., Célébration du cinquième centenaire de la naissance du pape A. VI, in: EThL 35, 1959, 513–629 (Bibliographia summaria: 551–554); – Albert de Meyer, Adriaan Florisz van Utrecht in zijn contacten met de Augustijnen, in: Archief voor de geschiedenis van de Katholieke Kerk in Nederland 2, Warmond 1960, 1 ff.; – Johann Posner, Der dt. Papst A. VI., 1962; – Peter Berglar-Schröer, Papst H. VI. u. das 2. Vatikan. Konzil, in: Orientierung. Kath. Bll. f. weltanschaul. Information 27, Zürich 1963, 45 ff. 58 ff.; – Ders., Die kirchl. u. polit. Bedeutung des Pontifikats H.s VI., in: AKultG 54, 1972, 97 ff.; – Robert E. McNally, Pope A. VI and Church reform, in: Archivum historiae Pontificiae. Pontificia Universitas Gregoriana, Facultas historiae ecclesiasticae 7, Rom 1969, 253 ff.; – Karl-Heinz Ducke, Das Verständnis v. Amt u. Theol. im Briefwechsel zw. Erasmus v. Rotterdam, Leipzig 1973; – Schottenloher IV, Nr. 40615–40647a; V, Nr. 51033. 52012; – Jedin I², 165 ff.; – DThC I, 459 ff.; – DHGE I, 628 ff.; – EC I, 348 f.; – Catholicisme V, 477 f.; – LThK IV, 1309; – NCE I, 147 f.; – ODCC² 612; – RE VII, 311 ff.; – RGG III, 9 f.; – DBI I, 337 ff.

HÄBERLIN, Johannes, Missionar, * 19. 9. 1808 in Tuttlingen als Sohn eines Schuhmachers, † 12. 11. 1849 auf dem Hugly bei Kalkutta. – H. erhielt von April 1827 bis Ende 1830 seine Ausbildung im Missionshaus in Basel. Nach dem Übereinkommen mit der Englisch-kirchlichen Missionsgesellschaft überließ das Basler Missionshaus H. dieser Gesellschaft. 1831 kam er nach London und widmete sich in der Missionsanstalt von Islington besonders dem Studium des Sanskrit und Hindostan. Mit drei Basler Missionaren reiste H. 1832 nach Kalkutta in Ostindien. Kishnagore wurde sein erstes Arbeitsfeld. Dann wirkte er bis 1836 in den Dörfern südlich von Kalkutta und gründete in Kalkutta ein Seminar zur Ausbildung von Lehrern und Katecheten. Seiner Gesundheit wegen kehrte H. im Sommer 1837 nach Europa zurück und hielt sich in England und Württemberg auf. Die Universität Tübingen verlieh ihm ehrenhalber die philosophische Doktorwürde. Die Britische und ausländische Bibelgesellschaft berief ihn zu ihrem Agenten in Kalkutta. H. trat Ende 1839 dieses Amt an. Er mietete ein geräumiges Haus, richtete Druckerei und Buchbinderei ein und gab das hindostanische Neue Testament heraus. Nach fünf Jahren legte H. nach einem Choleraanfall das Bibelagentenamt nieder, blieb aber in Indien, statt zur Stärkung seiner gebrochenen Gesundheit nach Europa zurückzukehren. Er schrieb Briefe auf Briefe an das Komitee in Basel, um es für einen Missionsanfang in Ostbengalen zu gewinnen. Da die Basler Missionsgesellschaft wohl Arbeitskräfte hatte, es aber an Geldmitteln fehlte, gründete H. auf Veranlassung von Basel einen Verein von englischen Freunden, die sich für den Unterhalt der Basler Mission verpflichteten. 1846 zogen bereits drei Basler Missionare nach Ostbengalen; 1848 folgten fünf weitere Brüder. Auch an Johannes Evangelista Goßner (s. d.) wandte sich H. Er bahnte 1845 den ersten vier Missionaren der Goßnerschen Missionsgesellschaft den Weg zu den Kols in dem abgelegenen Bergland im Westen von Kalkutta und verhalf ihnen zur Gründung der Station Rantschi in Tschota Nagpur. Als Todkranker verließ H. am 9. 11. 1849 mit seiner Gattin die Missionsstation Dacea, um nach Europa zu reisen.

Werke: Sanscrit anthology being a collection of the best small poems in the Sanscrit Language, Calcutta 1847.

Lit.: The christian intelligencer, 1850, 93; – Der ev. Heidenbote, Basel 1850, April; – Wilhelm Schlatter, Gesch. der Basler Mislion 1815–1915, 1916, I, 88. 217; II, 2 f. 11 ff. 24; III, 327; – ADB X, 276 ff.; – NDB VII, 420.

HAECKEL, Ernst, Zoologe und Naturphilosoph, * 16. 2. 1834 in Potsdam als Sohn eines Oberregierungsrats, † 9. 8. 1919 in Jena (ev. bis 1910). – Als Ernst noch nicht sein erstes Lebensjahr vollendet hatte, wurde sein Vater von Potsdam nach Merseburg versetzt. Hier verlebte er die Zeit bis zu seinem Abiturientenexamen (1852), obwohl sein Vater 1850 in den Ruhestand getreten und nach Berlin übergesiedelt war. H. begann im Sommersemester 1852 mit dem Studium der Botanik. Auf Wunsch seines Vaters aber studierte er Medizin: vom Herbst 1852 bis Ostern 1854 in Würzburg, dann in Berlin und Ostern 1855 bis Herbst 1856 wiederum in Würzburg. Nach dem in Berlin im März 1857 bestandenen Doktorexamen beendete H. seine medizinische Ausbildung mit dem Besuch der Wiener Kliniken und dem im Winter 1857/58 in Berlin bestandenen Staatsexamen. Während seines medizinischen Studiums wandte sich sein Interesse von der Botanik zur Zoologie. H. habilitierte sich 1861 an der Medizinischen Fakultät in Jena für vergleichende Anatomie und wurde 1862 ao. Professor. 1865 trat er als o. Professor für Zoologie in die Philosophische Fakultät über und gründete gleichzeitig ein Zoologisches Institut. Trotz ehrenvoller Berufungen nach Würzburg, Wien, Straßburg und Bonn blieb H. bis zu seinem Tod in Jena. 1909 wurde er emeritiert. – Durch seine »Generelle Morphologie der Organismen« ist H. bekannt als lei-

denschaftlicher Verfechter der an Charles Robert Darwin (s. d.) orientierten Deszendenztheorie bzw. Evolutionstheorie. Durch populäre Vorträge und Werke hat er wesentlich zur Verbreitung der Entwicklungslehre beigetragen. H. suchte in seinem »Monismus«, einem pantheistisch-metaphysischen Materialismus, eine natürliche Religion aufzubauen: »Der Monismus als Band zwischen Religion und Wissenschaft«. Die monistische Weltanschauung wurde in zahlreichen Vorträgen und in kleineren und größeren Streitschriften weiter ausgebaut, vor allem aber in zwei Werken, die eine ganz ungeheure, nach vielen Hunderttausenden von Exemplaren zählende Verbreitung erfahren haben, von denen das eine »Die Welträtsel. Gemeinverständliche Studien über monistische Philosophie« 1899, das andere »Die Lebenswunder. Gemeinverständliche Studien über biologische Philosophie« 1904 zum erstenmal erschien.

Werke: Generelle Morphologie der Organismen, 2 Bde., 1866; Natürl. Schöpfungsgesch., 1868; Anthropogenie. Entwicklungsgesch. des Menschen, 1874; Der Monismus als Band zw. Rel. u. Wiss. Glaubensbekenntnis eines Naturforschers, 1892; Systemat. Phylogenie. Entwurf eines natürl. Systems der Organismen auf Grund ihrer Stammesgesch., 3 Bde., 1894–96; Die Welträtsel. Gemeinverständl. Stud. über monist. Philos., 1899 (Mit einer Einl. vers. v. Olof Klohr [Nachdr. der 11., verb. Aufl. der Hauptausg.], Berlin 1961); Die Lebenswunder, 1904; Kristallseelen. Stud. über das anorgan. Leben, 1917. – E. H.s Gemeinverständl. Werke, 6 Bde., 1924. – Der Kampf um den Entwicklungsgedanken (Werke, Ausz.), Ausgew. kleinere Schrr. u. Reden. Hrsg. v. Georg Uschmann, Leipzig 1967³ (RUB 324: Philos.).

Lit.: August Heinrich Braasch, E. H.s Monismus, 1894; – Wilhelm Bölsche, E. H. Ein Lb., 1900; – Ders., Ein letztes Wort zu E. H., 1922; – Erich Adickes, Kant contra H.: Erkenntnistheorie gg. naturwiss. Dogmatismus, 1901 (Neudr. Würzburg 1974); – Eberhard Dennert, Die Wahrheit über E. H. u. seine »Welträtsel«, 1901 (1920: 21.–23. Tsd.); – Ders., H.s Weltanschauung, naturwiss. krit. beleuchtet, 1906 (1011²); – Joseph Engert, Der naturalist. Monismus H.s auf seine wiss. Haltbarkeit geprüft, 1907; – Der Monismus, dargest. in Btrr. seiner Vertreter. Hrsg. v. Arthur Drews, 2 Bde., 1908; – Walther May, E. H. Vers. einer Chron. seines Lebens u. Wirkens, 1909; – Was wir E. H. verdanken, hrsg. v. Heinrich Schmidt, 2 Bde., 1914; – Ders., E. H. Leben u. Werke, 1926; – Ders., Wie E. H. Monist wurde. E. H.s Entwicklung v. Christentum z. Monismus, 1930; – Ders., E. H. Denkmal eines großen Lebens, 1934; – Bibliogr. u. Gedenkreden über H., in: Die Naturwiss.en. Wschr. f. die Fortschritte der Naturwiss., der Medizin u. der Technik 7, 1919, Nr. 50; – E. H. Sein Leben, seine Wirkung, seine Bedeutung f. den Geisteskampf der Ggw., hrsg. v. Karl Hauser, 1920; – Franz Meffert, E. H., der Darwinist u. Freidenker. Ein Btr. z. Charakteristik des modernen Freidenkertums, 1921; – Arthur Titius, Natur u. Gott. Ein Vers. z. Verständigung m. Naturwiss. u. Theol., 1926 (1929–31²); – Gerhard Heberer, E. H. u. seine wiss. Bedeutung, 1934; – Der gerechtfertigte H. Einblicke in seine Schrr. aus Anlaß des Erscheinens seines Hauptwerkes »Generelle Morphologie der Organismen« vor 100 J. Eingel., zus.gest. u. mit einem Ausklang vers. v. dems., 1968 (Rez. v. P. Hertwig, in: Theoretical and applied genetics. Theoret. u. angewandte Genetik 40, 1970, 95; v. Karl H. Roth-Lutra, in: Anatom. Anz. Zentralbl. f. die gesamte wiss. Anatomie 126, 1970, 329 f.; v. H. Querner, in: Naturwiss. Rdsch. 23, 1970, 76; v. G. Uschmann, in: Biolog. Zentralbl. 89, 1970, 524 f.; v. David Klein, in: Journal de génétique humaine 18, Genf 1970, 110; v. Haltenorth, in: Säugetierkundl. Mitt. 18, 1970, 287; v. Ilse Jahn, in: Biol. Rdsch. 10, 1972, 357 f.); – Heinz Brücher, E. H.s Bluts- u. Geistes-Erbe. Kulturbiolog. Monogr., 1936; – H. u. (Hermann) Allmers. Die Gesch. einer Freundschaft in Briefen der Freunde. Hrsg. v. Rudolf Koop, 1941; – Ernst u. Agnes Haeckel. Ein Briefwechsel, 1950; – Georg Uschmann, E. H. Leben u. Wirken. Jena 1951; – E. H. Forscher, Künstler, Mensch. Briefe. Ausgew. u. erl. v. dems., Leipzig – Jena – Berlin 1954 (1961³); – Ders., Gesch. der Zoologie u. der zoolog. Anstalten in Jena 1779–1919, 1959; – Johannes Walther, Im Banne E. H.s. Jena um die Jh.wende. Aus dem Nachlaß hrsg. u. eingef. v. Gerhard Heberer, 1953; – Arthur Neuberg, Entwicklung u. Schöpfung, 1956²; – Günter Ostmann, Wiss. u. Rel. über die Entwicklung des Menschen, 1956; – Hermann Volk, Schöpfungsglaube u. Entwicklung, 1958²; – A. Schwarz, E. H.s polit. Gestalt, 1960; – Günter Altner, Schöpfungsglaube u. Entwicklungsgedanke in der prot. Theol. zw. E. H. u. Teilhard de Chardin (Diss. Göttingen), 1964; – Ders., Charles Darwin u. E. H. Ein Vergleich nach theolog. Aspekten, Zürich 1966 (Rez. v. G. Kurth, in: Homo. Zschr. f. die vergleichende Forsch. am Menschen 21, 1970, 192); – Johannes Hemleben, E. H. in Selbstzeugnissen u. Bilddokumenten, 1964 (1967²); – Ders., Rudolf

Steiner u. E. H., 1965; – Ders., Leben u. Werk v. E. H., Neu-aufl. 1975 (Rez. v. Dagmar v. Wistinghausen, in: Die Christen-gemeinschaft 47, 1975, 133 f.); – David H. De Grood, H.'s theo-ry of the unity of nature; a monograph in the history of philo-sophy (Diss. Univ. of Buffalo), Boston 1965; – Karl Ballmer, E. H. u. Rudolf Steiner. E. H.s Zustimmung z. Ethik Rudolf Steiners. Hrsg. v. Hans Gessner, Besazio (Schweiz) 1965; – Pe-ter Klemm, E. H., der Ketzer v. Jena. Ein Leben in Berr., Brie-fen u. Bildern, Leipzig – Jena – Berlin 1966 (1968²); – Hans-jochen Autrum, E. H., in: Der Natur die Zunge lösen. Leben u. Leistung großer Forscher. Hrsg. v. Walther Gerlach, 1969, 321 ff.; – Niles R. Holt, E. H.'s monistic religion, in: Journal of the history of ideas 32, Lancaster/Pennsylvania 1971, 265 ff.; – Daniel Gasman, The scientific origins of National Socialism: Social Darwinism in E. H. and the German Monist League, London – New York 1971 (Rez. v. P. G. Werskey, in: Nature. A weekly journal of science 231, London 1971, 400); – Biogr. Wb. z. dt. Gesch. I², 1973, 1001 f.; – Kosch, LL I, 786; – WeltLit II, 666; – KLL VII, 1053 ff. (Die Welträtsel); – Über-weg IV, 321 f. 706 f.; – DBJ II, 397 f.; – NDB VII, 423 ff.; – EC VI, 1327 f.; – LThK IV, 1503; – NCE VI, 888; – ODCC² 612 f.; – RGG III, 10 f.

HAECKER, Theodor, philosophischer Schriftsteller und Kulturkritiker, * 4. 6. 1879 in Eberbach bei Künzelsau (Württemberg) als Sohn eines Ratsschrei-bers, † 9. 4. 1945 in Usterbach bei Augsburg. – 1894 bis 1898 war H. in einer Eßlinger Wollfirma tätig. Er wurde Mitarbeiter an den »Meggendorfer Blät-tern«, dessen Verleger Ferdinand Schreiber ein Schul-kamerad von ihm war. Da er das Gymnasium vor-zeitig verlassen hatte, holte H. 1905 in München das Abitur nach und besuchte Vorlesungen an der Uni-versität. Er wurde im Verlag Ferdinand Schreiber des-sen Stellvertreter und engster Mitarbeiter und 1941, nach dem Tod Schreibers, Hauptschriftleiter. H. über-setzte und deutete Werke von Sören Kierkegaard (s. d.) und Jon Henry Newman (s. d.), unter dessen Ein-fluß er 1921 zum Katholizismus konvertierte. Als Kul-turkritiker arbeitete H. wegweisend mit an den Zeit-schriften »Der Brenner« und »Hochland«. Als Gegner des Nationalsozialismus erhielt er 1936 Rede- und 1938 Publikationsverbot. – H. gehört zu den bedeu-tendsten katholischen Schriftstellern zwischen den bei-den Weltkriegen.

Werke: Satire u. Polemik, 1922; Christentum u. Kultur, 1927; Wahrheit u. Leben, 1930; Dialog über Christentum u. Kultur, 1930 (1946²); Vergil, Vater des Abendlandes, 1931 (1952⁷); 1958 Liz.ausg. Fischer-Bücherei 213); Der Begriff der Wahrheit bei Sören Kierkegaard, 1932; Was ist der Mensch?, 1933 (1934²); Schöpfer u. Schöpfung, 1934 (1949²); Der Christ u. die Gesch., 1935 (1949²); Schönheit. Ein Vers., 1936 (1953³); Der Geist des Menschen u. die Wahrheit, 1937; Tag- u. Nachtbücher: 1939 bis 1945, 1947 (1959³; Liz.ausg. 1975); Die Versuchngen Christi, 1945, 1947 (1959³; Liz.ausg. 1975); Die Versuchungen Christi, Nichts, 1949; Opuscula. Ein Sammelbd., 1949; Metaphysik des Fühlens. Eine nachgelassene Schr., 1950 (1955²); Essays, 1958; Ges. Werke, 5 Bde., 1958–67; Satire u. Polemik. Der Geist des Menschen u. die Wahrheit, 1961; Was ist der Mensch? Schöpfer u. Schöpfung, 1965; Vergil. Schönheit. Metaphysik des Fühlens (Tl.smlg. Mit einem Essay »Th. H.« v. Clemens Bauer, Reg. z. Werkausg. v. Karl Schaezler u. Bibliogr.), 1967. – Bibliogr.: in: Flugbl. z. 20. Todestag v. Th. H., 1965.

Lit.: M. Laros, Th. H. in: LitHandw. 64, 1927, 166 ff.; – A. Gantner, Th. H., ein Apologet der kath. Reaktion, in: Die neue Bücherschau 6, 1928, 185 ff.; – R. Wiedmann, Th. H. u. das geist. Leben der Zeit, in: Die Schildgenossen 9, 1929, 505 ff.; – Theoderich Kampmann, Th. H., in: Hochland 31/II, 1934, 481 ff.; – Ders., Th. H., in: Ders., Gelebter Glaube. 12 Porträts, 1957, 37 ff. 169; – K. Buchheim, Bild Gottes. Zum Verständnis der Philos. Th. H.s, in: Eckart. Bll. f. ev. Geistesarbeit 11, 1935, 151 ff.; – J. Sellmair, Th. H., in: Päd. Welt 1, 1947, 321 ff.; – F. Hansen-Löve, »Der Buckel Kierkegaards«. Anm. zu Th. H.s letzter Schr., in: Wort u. Wahrheit. Mschr. f. Rel. u. Kultur 2, 1947, 492 ff.; – Adolf v. Grolman, Europ. Dichterprofile, Reihe 2, 1948, 81–95: Th. H. – »Vergil, Vater des Abendlandes«; – Wer-ner Becker, Der Überschritt v. Kierkegaard zu Newman in der Lebensentscheidung H.s, in: Newman-Stud., hrsg. v. Heinrich Fries u. Werner Becker, v. 7, 1948, 251 ff.; – Eugen Blessing, Was ist der Mensch? Zur Anthropologie Th. H.s, in: Der Bren-ner, Innsbruck 1948; – Ders., Th. H. als Philosoph, in: ThQ 137, 1957, 58 ff.; – Ders., Th. H. Gestalt u. Werk, 1959 (mit Verz. der Schrr. v. u. über Th. H.: 257–262); – Ders., Th. H. u. seine

»Ges. Werke«, in: Wort u. Wahrheit 14, 1959, 234 ff.; – Paul Wolff, Christl. Philos. in Dtld. 1920–1945, 1949; – Bernhard Hanssler, Sprachgesinnung u. Sprachbesinnung bei Th. H., in: Der Dt.unterricht, 1950, H. 4, S. 33 ff.; – Ders., Christl. Spek-trum, Aufrisse, Gestalten, Lebensmächte, 1963, 172 ff.; – Joseph Kuhn, Th. H. als Kulturkritiker (Diss. Mainz, 1953), 1955; – Jochen Schmauch, Th. H. Der »Spirituale Mensch«, in: Die Seele. Mschr. im Dienste christl. Lebensgestaltung 27, 1951, 42 f.; – Günther Böhme, Der Schr.steller Th. H. u. die Philos. der Gnade (Diss. München), 1953; – Walter Benjamin, Privilegiertes Den-ken. Zu Th. H.s »Vergil«, in: Ders., Schrift. II, 1955, 315 ff.; – Johannes Messner, Newman, H., in: Hochland 48, 1955–56, 87 ff.; – Sigismund v. Radecki, Weisheit f. Anfänger, 1956; – Otto Forst de Battaglia, Ethos u. Sprachkunst. Zu Leben u. Werk Th. H.s, in: Dt. Univ.ztg. 12, 1957, Nr. 7, S. 16 ff.; – Joachim Gün-ther, Th. H. nach 15 J., in: Neue dt. Hh. Btrr. z. europ. Ggw. mit den krit. Bll., 1959, H. 59, 213 ff.; – Roland Nitsche, Th. H., in: Hochland 51, 1959, 589 ff.; – Casiano Floristán, Die Rel.-soziologie nach Le Bras im Dienste der Seelsorge (Diss. Tübin-gen), 1959; – Werner Adrian, Zur Durchleuchtung der Sprache. Die dt. Sprache im Werk dt. Denker u. Kritiker. 3. Th. H., in: Börsenbl. f. den Dt. Buchhandel (Beil.) 13, 1960, Nr. 4, S. 31 ff.; – Gisbert Kranz, Th. H., in: Die Kirche in der Welt. Wegwei-sung f. die kath. Arbeit am Menschen der Ggw. 11, 1960, 253 ff.; – Ders., Europas christl. Lit. v. 1500 bis heute, 1968², 415 ff. 589 u. ö.; – Hermann Kunisch, Über Th. H., in: Der Mönch im Wappen. Aus Gesch. u. Ggw. des kath. München, 1960, 409 ff.; – Hdb. der dt. Ggw.lit., hrsg. v. dems., 1965; – Ders., Th. H., in: Ders., Kleine Schrr., 1968; – Walter Schnarwiler, Th. H.s christl. Menschenbild, 1962; – Herbert Ahl, Literar. Porträts, 1962, 245 ff. (Ein homo spiritualis: Th. H.); – Hans Jürgen Ba-den, Der verschwiegene Gott. Lit. u. Glaube, 1963; – Konrad Ackermann, Der Widerstand der Mschr. »Hochland« gg. den Na-tionalsozialismus, 1965; – Ludwig v. Ficker, Denkzettel u. Dank-sagungen. Aufss., Berlin. Hrsg. v. Franz Seyr, 1967; – Volker Eid, Zur Th.-H.-Werkausg., in: StZ 181 (93), 1968, 351 ff.; – Ders., Die Kunst in christl. Daseinsverantwortung nach Th. H. (Diss. München, 1966), 1968 (Rez. v. H. Kuhn, in: Bibliogra-phie de la philosophie 17, Paris 1970, 42 f.; v. Eugen Biser, in: MThZ 21, 1970, 392 f.); – Richard Seewald, Wo würde Th. heute stehen?, in: Hochland 63, 1971, 89 ff.; – KLL I, 2509 (Christen-tum u. Kultur); VI, 2343 f. (Tag- u. Nachtbücher); – Kosch, LL I, 786 f.; – Kosch, KD 1252 f.; – LThK IV, 1303; – NDB VII, 425 ff.

HÄHN, Johann Friedrich, Theologe und Pädagoge, * 15. 8. 1710 in Bayreuth als Sohn eines Bäckermei-sters, † 4. 6. 1789 in Aurich (Ostfriesland). – H. be-suchte das Gymnasium in Bayreuth und studierte seit 1733 Theologie an der Universität Jena. Pädagogische Erfahrungen sammelte er als Hofmeister der Söhne des Grafen Hohenthal in Dresden. H. wurde 1736 Lehrer und Erzieher in Klosterberge bei Magdeburg. Dort trat er 1738 in den Konvent des Klosters ein und erhielt eine Anstellung als Scholastikus und damit die Aufsicht über die Seminaristen und die vom Abt Jo-hann Adam Steinmetz (s. d.) gegründete Armenschule. Friedrich II. berief ihn 1749 zum Feldprediger nach Berlin. H. wurde 1753 Pastor adjunctus an der Drei-faltigkeitskirche und Inspektor an der von Johann Julius Hecker (s. d.) 1747 gegründeten Berliner Real-schule, 1759 Oberdompfarrer in Stendal und Gene-ralsuperintendent der Altmark und Prignitz und 1762 Abt von Klosterberge und damit zugleich General-superintendent und Konsistorialrat des Herzogtums Magdeburg. Von 1771 an bis zu seinem Tod wirkte er als Generalsuperintendent von Ostfriesland und Di-rektor des Gymnasiums in Aurich. – H. ist als Päd-agoge bekannt durch die von ihm erfundene »Literal-methode«, bei der der Lehrstoff und die Anfangs-buchstaben der dazugehörigen Wörter in Tabellenform an die Tafel bzw. ins Heft geschrieben und auswendig gelernt wurde. Der schlesische katholische Schulorga-nisator Johann Ignaz Felbiger (s. d.), der 1756 H. be-suchte, übernahm diese Memoriermethode, die nach seinem Wirkungsort auch »Sagansche Methode« ge-nannt wurde. Als Theologe neigte H. dem Pietismus zu.

Werke: Jenaisches Rechenbuch, 1737; Agenda scholastica oder Vorschläge, welche z. Einrichtung guter Schulanstalten abzielen, 10 Stücke, 1750–52; Smlg. kleinerer Schrr. f. Eltern u. Kinder, 1754; Die Möglichkeit u. Nutzbarkeit eines curriculi scholastici, 1754; Geometrie in Tallen, 1754; Lat. Syntax in Tabellen, 1754; Die Glaubenslehren u. Lebenspflichten des Christen in Tabellen, 1754; Berliner ABC-, Buchstaben- u. Lehrbüchlein, 1757; Unters., was Gründlichkeit vornehml. in Schulsachen heißt, 3 Stücke, 1757–59; Trigonometrie in Tabellen, 1760; Berliner Schulpäd. u. Schuldisziplin, 1775; Ausführl. Abh. der Literalmethode, 1777.

Lit.: Johann Christoph Gottlob Schumann, Die Gesch. des Volksschulwesens in der Altmark, 1871; – Heinrich Fechner, Die Methoden des ersten Leseunterrichtes. Eine qu.mäßige Darst. ihrer Entwicklung, 1882²; – Hugo Holstein, Gesch. der ehem. Schule zu Kloster Berge, 1886; – Alfred Heubaum, Gesch. des dt. Bildungswesens I, 1905; – ADB X, 373 f.; – NDB VII, 432.

HAEMSTEDE, Adriaen Cornelisz van, ref. Theologe, * um 1525 in der niederländischen Provinz Zeeland, † 1562 in Emden (Ostfriesland). – H. studierte in Löwen die Rechte. Er trat um 1552 zum Protestantismus über und wirkte seit 1556 als Prediger in Emden und Antwerpen. Wegen seiner freien Ansichten über Kirchenregiment und öffentliche Predigt überwarf sich H. mit dem presbyterialen Kirchenkollegium in Antwerpen. Als Flüchtling war er seit 1559 in Aachen und verfaßte für die dortige evangelische Gemeinde ein Glaubensbekenntnis. Seit September 1559 reorganisierte H. die Fremdengemeinde in London, wurde aber wegen seines Eintretens für einige Mennoniten im November 1560 vom Londoner Erzbischof Grindal exkommuniziert und 1562 endgültig aus England verbannt. Seitdem arbeitete er wieder in Emden. – H. ist bekannt durch sein oft gedrucktes Märtyrerbuch, eine zuverlässige, geschichtliche Quelle erbaulichen Inhalts.

Werke: De Gheschiedenisse ende den doodt der vromer Martelaren, die om het ghetuijgenisse des Evangeliums haer bloedt ghestort hebben, van den tijden Christi af, totten jare M.D. LIX toe, bij een vergadert op het kortste. Anno 1559 den 18 Martii (2. Druck 1566).

Lit.: Joh. ab Utrecht Dresselhuis, A. van H. in zijn bedrijf, denkwijze en karakter voorgesteld, in: Archief voor kerkelijke geschiedenis 6, 1835, 41–150; – Christiaan Sepp, De geschiedenis der Martelaren door A. C. van H., in: Ders., Geschiedkundige Nasporingen II, Leiden 1873, 9–136; – Ferdinand van der Haeghen, Bibliographie des Martyrologes Protestants Néerlandais II, 1890, 269–378; – Wilhelm G. Goeters, A. van H.s Wirksamkeit in Antwerpen u. Aachen. Krit. chronolog. unters. u. nach ihrer Stellung innerhalb der Ref.gesch. gekennzeichnet (nebst einem Abdr. des Aachener Bekenntnisses v. 1559), in: Theol. Arbeiten aus dem Rhein. wiss. Prediger-Verein NF 8, 1906, 50 ff.; 9, 1907, 25 ff.; – Ders., Dokumente van A. van H., waaronder eene gereformeerde geloofsbelijdenis van 1559, in: NAKG NS 5, 1908, 1 ff.; – H. T. Oberman, De betrouwbaarheid der martelaarsboeken van Crespin en van H., ebd. NS 4, 1907, 74 ff.; – Aart Arnout van Schelven, Karakter en stand van H., ebd. NS 8, 1911, 352 ff.; – P. Bockemühl, A. C. van H. in der Stadt Jülich, in: Mhh. f. rhein. KG 8, 1914, 238 ff.; – Laurentius Knappert, Het ontstaan en de vestiging van het Protestantisme in de Nederlanden, Utrecht 1924, 280 ff.; – Fredrik Pijper, Martelaarsboeken, 's Gravenhage 1924, 34 ff.; – ADB X, 310 f.; – Schottenloher I, Nr. 7797–7802; V, Nr. 46649–46649a; – RGG III, 11; – BWGN III, 439 ff.; – NNBW I, 1013 ff.

HÄNDEL, Georg Friedrich (englische Schreibweise: George Frideric Handel), neben Johann Sebastian Bach (s. d.) der größte deutsche Barockmusiker, bedeutender Opernkomponist, Meister des Oratoriums, * 23. 2. 1685 in Halle (Saale) als Sohn des Arztes Georg H., † 14. 4. 1759 in London, beigesetzt in der Westminsterabtei inmitten der Großen Englands. – H.s Vater (* 24. 9. 1622 in Halle, † daselbst 17. 2. 1697) war der Sohn des Kupferschmieds Valentin H. aus Breslau, der 1609 das Bürgerrecht der Stadt Halle erlangt hatte. Er wurde 1652 Amtschirurg für den Halle benachbarten Bezirk Giebichenstein und stieg auf zum sächsisch-

weißenfelsischen und später kurbrandenburgischen »Leibchirurgus und Geheimen Kammerdiener von Haus«. H.s Mutter, Dorothea Taust (* 8. 2. 1651 in Dieskau bei Halle, † 27. 12. 1730 in Halle) aus dem lutherischen Pfarrhaus in Giebichenstein, eine Enkelin des Superintendenten Johannes Olearius (1546–1623) in Halle, mit der sein Vater als Witwer sich im April 1683 verheiratet hatte, »liebte Gott als ihr höchstes Gut und achtete sein Wort für den größten Schatz«. Schon als achtjähriger Knabe zeigte Georg Friedrich große musikalische Begabung. Liebe und Drang zur Musik wurden gegen Wunsch und Willen des Vaters immer stärker. Der Fürsprache des Herzogs von Sachsen-Weißenfels, dem in einem Hofgottesdienst in Weißenfels das Orgelpostludium des jungen H. als eine besondere Leistung aufgefallen war, verdankte Georg Friedrich die väterliche Zustimmung zu seiner musikalischen Weiterbildung. So wurde 1694 der Organist Friedrich Wilhelm Zachow (Zachau; s. d.) an der Liebfrauenkirche in Halle (1663–1712), ein trefflicher Kantaten- und Orgelkomponist und Musikpädagoge, sein Lehrer in Komposition, Orgel-, Cembalo-, Violin- und Oboenspiel. Als Gymnasiast leitete H. das »Collegium musicum« in der Schule und den Stadtsingechor. Er bezog im Februar 1702 die Universität Halle, um nach dem Willen seines verstorbenen Vaters die Rechte zu studieren, und wurde im März 1702, obwohl Lutheraner, probeweise auf ein Jahr als Organisten an der reformierten Dom- und Schloßkirche ernannt. Nach einem Jahr gab H. mit Zustimmung seiner Mutter das juristische Studium auf, um sich ganz der Musik zu widmen, und siedelte nach Hamburg über, der damaligen ersten Musikstadt Deutschlands. Bald nach seiner Ankunft lernte er Johann Mattheson (1681–1764) kennen, der Tenor am Hamburger Opernhaus am Gänsemarkt war und sein Freund und Berater wurde, und unternahm mit ihm im August 1703 eine Künstlerfahrt nach Lübeck, dem eigentlichen Mittelpunkt des damaligen norddeutschen Barocks, zu Dietrich Buxtehude (1637–1707; s. d.), dem hochangesehenen Organisten und Komponisten an der dortigen Marienkirche. Die ihm angetragene Amtsnachfolge Buxtehudes schlug H. aus, weil er nicht gewillt war, dessen Tochter zu heiraten. Im Hamburger Opernorchester unter der Leitung von Reinhard Keiser (1674–1739) wurde H. zweiter Violinist, später Cembalist. Im Winter 1703/04 lernte er den Hamburger Dichter Christian Henrich Postel (1658–1705) kennen, der ihm einen gereimten Text zur Leidensgeschichte Jesu nach dem 19. Kapitel des Johannesevangeliums zur Komposition eines Oratoriums zur Verfügung stellte. In der Karwoche 1704 gelangte »Das Leiden und Sterben Jesu Christi«, H.s sog. Johannespassion, zur Aufführung. Großes Aufsehen erregte seine erste deutsche Oper »Almira«, die am 8. 1. 1705 im Hamburger Opernhaus am Gänsemarkt aufgeführt und im Januar und Februar etwa zwanzigmal wiederholt wurde. Den Text dieser Oper hatte cand. theol. Fr. Chr. Feustking nach einer italienischen Vorlage von Pancieri verfaßt. Am 25. 2. 1705 fand die erfolgreiche Erstaufführung des »Nero« statt, der zweiten Oper von H., deren Text wiederum von Feustking ist. Wenige Wochen später gab er seine Stellung im Opernorchester auf und widmete sich nun dem Privatunterricht. Zur Vervollkommnung seiner musikalischen Ausbildung reiste H. im Winter 1706/07 über Halle nach Italien, wo er in Florenz, Rom, Venedig und Neapel sich mit dem dortigen Musikstil vertraut machte. Seine Lehrmeister waren Alessandro Scarlatti (1660–1725), der berühmte Opernkomponist, Bernardo Pasquini (1637–1710), der größte Orgel- und Klavierkomponist Italiens, und Arcangelo Corelli (1653–1713), der größte »klassische« Geiger seiner Zeit. In Rom schrieb H. u. a. die lateinische Vertonung des 110. Psalms »Dixit dominus« und die Bearbeitungen des 127. Psalms »Nisi dominus« und des 113. Psalms »Laudate pueri dominum«, ferner zwei Oratorien und weltliche Kantaten. Am 1. Ostertag (8. 4.) 1708 wurde in Rom im Palast des Fürsten Ruspoldi H.s Oratorium »La Resurrezione« (Text von C. S. Capeze) unter Corellis Leitung mit größtem Erfolg aufgeführt und noch in demselben Jahr in Rom das weltliche Oratorium H.s »Il Trionfo del Tempo e del Desinganno« (»Der Triumph von Zeit und Wahrheit«), dessen Text der dichtende Kardinal Benedikt Panfili geliefert hatte. Anfang April 1737 wurde das Werk in der umgearbeiteten und erweiterten Fassung unter dem Titel »Il Trionfo del Tempo e della Verità« in London aufgeführt. »The Triumph of Time and Truth«, die endgültige letzte Fassung von »Il Trionfo del Tempo«, für die ihm der Pfarrer Thomas Morell den englischen Text verschafft hatte, gelangte am 11. 3. 1757 in London in Covent Garden zur Aufführung. Während seines Aufenthalts in Rom trat H. zu Agostino Steffani (1654–1728), der seit 1688 Hofkapellmeister in Hannover war und als bedeutender päpstlicher Diplomat 1709 Apostolischer Vikar von Norddeutschland mit dem Sitz in Hannover wurde, in nähere Beziehung und gewann ihn zum Freund. Mit ihm reiste er Ende 1709 nach Venedig. Dort wurde am 26. 12. 1709 H.s letzte in Italien entstandene Oper »Agrippina« (Text von V. Grimani) mit außerordentlichem Erfolg aufgeführt. In Venedig traf er mit einigen »Hofleuten, Künstlern und Kunstfreunden« aus Hannover und England zusammen, darunter Baron von Kielmannsegge, der ihn nach Hannover an den kurfürstlichen Hof einlud. Im Frühjahr 1710 verließ H. mit Steffani Italien und wurde am 10. 6. 1710 als dessen Nachfolger zum Kapellmeister in Hannover gewählt. Dann erbat er sich einen längeren Urlaub, der ihm auch gewährt wurde. H. besuchte seine Mutter und Schwester in Halle und reiste über Düsseldorf nach London, wo er im Spätherbst 1710 eintraf. Begeisterte Aufnahme fand seine in 14 Tagen vollendete Oper »Rinaldo« (Text von Giacomo Rossi, englische Übersetzung von Aaron Hill), die am 24. 2. 1711 in London im »Queen's Theatre« am Haymarket aufgeführt und 14mal wiederholt wurde. Das Werk kam 1711 in Dublin, 1715 in Hamburg und 1718 in Neapel zur Wiedergabe. Im Sommer 1711 kehrte H. nach einem Besuch in Düsseldorf nach Hannover zurück, unternahm aber im Herbst 1712 mit Urlaub auf unbestimmte Zeit seine zweite Londoner Reise. Im »Queen's Theatre« wurde am 22. 11. 1712 H.s Oper »Il Pastor fido« (Text von Giacomo Rossi nach Guarini) und am 10. 1. 1713 ebenda seine Oper »Teseo« (Text von Nicola Haym) aufgeführt, am 6. 2. 1713 im St.-James-

Palast eine Geburtstagsode für die Königin Anna von England und am 7. 7. 1713 in St. Paul's Cathedral in London zur Feier des Utrechter Friedens vom 31. 3. 1713, der den Spanischen Erbfolgekrieg beendete, H.s »Te Deum und Jubilate«. Königin Anna von England gewährte ihm ein Jahresgehalt von 200 Pfund, und der Herzog von Burlington lud ihn in seinen Palast in Piccadilly bei London zu dauerndem Aufenthalt ein. Königin Anna starb am 1. 8. 1714. Der Kurfürst von Hannover bestieg als Georg I. den englischen Thron. Am 25. 5. 1715 wurde H.s Oper »Amadigi« im Haymarket-Theatre, das zu Ehren des neuen Königs nunmehr wieder »King's Theatre« hieß, mit großem Erfolg uraufgeführt. Die Reise Georgs I. nach Hannover im Sommer 1716 machte H. im großen Gefolge des Königs mit. Im zweiten Halbjahr 1716 schuf er eine oratorische Passion nach dem Text des Hamburger Barthold Heinrich Brockes (1680–1747; s. d.). Sein Oratorium »Der für die Sünden der Welt gemarterte und sterbende Jesus«, H.s letzte deutsche Kirchenmusik, wurde 1717 in Hamburg aufgeführt. Wahrscheinlich kam H. gleichzeitig mit Georg I. im Januar 1717 nach London zurück. James Brydges, Earl of Carnarvon, später Duke of Chandos, machte H. das Angebot, auf seinem Schloß Cannons bei Edgware zu wohnen, und verpflichtete ihn zu seinem Kapellmeister, Organisten und Komponisten von Kirchenmusik. In der Ruhe von Cannons entstanden als Vorläufer seiner Oratorien seine 11 Chandos-Anthems (Psalmentexte für Chor und Soli mit Instrumentalbegleitung), die die Tradition des Henry Purcell (1658–1695; s. d.) fortsetzten. Im Februar 1719 wurde in London für italienische Opernaufführungen die »Royal Academy of Music« gegründet und H. mit der künstlerischen Leitung und der Verpflichtung der Sänger beauftragt. Kaufmännischer Direktor des neuen Opernunternehmens war Johann Jakob Heidegger (1666–1749) aus Zürich. H. reiste nach Deutschland, verweilte in Düsseldorf, Hannover und Dresden und verpflichtete bedeutende italienische Künstler nach London für die neue Opernsaison, die am 2. 4. 1720 im King's Theatre unter seiner Leitung mit einer Oper des Giovanni Porta aus Venedig eröffnet wurde. Ein glänzender, sensationeller Erfolg war die Aufführung von H.s »Radamisto« (Text von Nicola Haym) am 27. 4. 1720. Im Theatersaal von Cannons wurde am 29. 8. 1720 H.s erstes englisches Oratorium »Haman and Mardecai, a masque« (Text von Alexander Pope nach Jean Baptiste Racine) aufgeführt und die zweite Bearbeitung dieses Werkes (Text erweitert von Samuel Humphreys) als »Esther« an H.s Geburtstag (23. 2.) 1732 in London im Haus des Bernard Gates und am 2. 5. 1732 im King's Theatre. Es fehlte nicht an Rivalen. Giovanni Battista Bononcini (1670–1747) und Attilio Ariosti (1666 bis etwa 1740) wurden seine erbittertsten Gegner. Es entspann sich ein Kampf, der mit allen Mitteln der Intrige geführt wurde. Am 12. 1. 1723 wurde H.s »Ottone« (Text von Haym), eine wahre Glanzoper, aufgeführt, am 20. 2. 1724 »Giulio Cesare« (Text von Haym), eine der größten Opernleistungen H.s, am 31. 10. 1724 H.s »Tamerlano« (Text von Haym), eine Oper ersten Ranges, und am 13. 2. 1725 mit ungewöhnlichem Erfolg »Rodelinda« (Text von Haym), eins der vollkommensten Werke H.s. Am 11. 6. 1727 starb Georg I., der als eine seiner letzten Amtshandlungen H. das englische Bürgerrecht verliehen hatte. Für die Krönungsfeier Georgs II. am 6. 10. 1727 schrieb H. vier Coronation Anthems und wurde bei dieser Gelegenheit mit dem Hofkomponistentitel ausgezeichnet. Nach fast 500 Aufführungen, davon fast 250 mit Werken von H., löste sich im Juni 1728 die »Royal Academy of Music« wegen wirtschaftlicher Mißerfolge auf. H.s Tatkraft aber war nicht gebrochen. Mit Heidegger als geschäftlichem Leiter gründete er im Spätherbst 1728 die »New Royal Academy of Music« und reiste im Januar 1729 nach Italien, um neue Gesangskräfte zu verpflichten. Am 2. 12. 1729 eröffnete H. im King's Theatre das neue Unternehmen mit seiner Oper »Lotario« (Text von Antonio Salvi), der am 24. 2. 1730 »Partenope« (Text von Silvio Stampiglia) folgte. Am 2. 2. 1731 wurde »Poro« (Text nach Metastasio) aufgeführt, am 27. 1. 1733 die chorreiche Oper »Orlando« (Text von Braccioli) und am 17. 3. 1733 das Oratorium »Deborah« (Text von Humphreys). H.s Leben und Wirken wurde immer mehr ein Kampf nach innen und außen. Viel zu schaffen machte ihm die Sängerschar, die sich ihm nur widerwillig fügte. Der berühmte Kastrat Francesco Bernardi, genannt Senesino, aus Siena, einer der gefeiertsten Sänger seiner Zeit, den H. während seines Besuchs in Dresden 1720 für die »Royal Academy of Music« gewonnen und 1730 wiederum verpflichtet hatte, wurde immer widerspenstiger, so daß es zum völligen Bruch zwischen ihm und H. kam. In seinem Ringen um die Anerkennung seines Opernschaffens wurde H. ohne sein Zutun das Opfer politischen Ränkespiels. Die Leute um den Prince of Wales, den Thronfolger, wandten sich in ihrer Abneigung und ihrem Haß gegen die hannoversche Dynastie nicht nur gegen Georg II., sondern auch gegen den Hofkomponisten H., der immer noch die Gunst des Königs besaß. Sie knüpften mit dem von H. entlassenen Senesino an und gründeten und übernahmen das Theater in Lincoln's-Inn Fields als Konkurrenzunternehmen zur »New Royal Academy of Music«, das »The Opera of the Nobility« genannt wurde. Die besten italienischen Gesangskräfte verließen H. mit Ausnahme der Ann Maria Strada del Pò und traten in den Dienst der Adelsoper, deren Komponist der international berühmte italienische Tondichter und Gesangslehrer Nicolo Antonio Porpora (1686–1766) wurde. Nachdem H. auf Einladung des Vizekanzlers der Universität Oxford dort sein neues Oratorium »Athalia« (textlich in enger Anlehnung an Jean Baptiste Racines Tragödie von Humphreys gestaltet) am 10. 7. 1733 aufgeführt und neue Sänger und Sängerinnen verpflichtet hatte, eröffnete er am 30. 10. 1733, dem Geburtstag Georgs II., in Gegenwart der königlichen Familie das neue, nunmehr dritte Opernunternehmen. Am 26. 1. 1734 fand die Erstaufführung seiner Oper »Arianna« (Text von Francis Colman) statt, die bis zum 12. 3. dreizehnmal gegeben wurde. Am Ende der Spielzeit 1733/34, Ende Juni 1734, trennte sich Heidegger von H. und verpachtete der »Oper des Adels« das King's Theatre am Haymarket. H. zog in das Theater seiner Gegner, dessen Besitzer John Rich war. Dieser erwarb in Covent Garden ein neues Theater, in

das H. im November 1734 übersiedelte. Am 8. 1. 1735 wurde seine Oper »Ariodante« (Text von Salvi) aufgeführt, am 16. 4. 1735 »Alcina« (Text von Marchi), sein letztes Meisterstück auf dem Gebiet der Oper, und am 19. 2. 1736 »Alexander's Feast or the Power of Music« (nach John Drydens großer Cäcilienode von 1697 bearbeitet von Newburgh Hamilton), eine Huldigungskantate an die Musik, H.s erstes unbestrittenes Meisterwerk. Durch finanzielle Sorgen und Überarbeitung erschöpft, erlitt H. am 13. 4. 1737 einen Nervenzusammenbruch und einen Schlaganfall, der seinen rechten Arm lähmte. Durch eine Kur in dem Bad Tunbridge Wells erholte er sich, blieb aber noch monatelang gesundheitlich sehr geschwächt. Im Juni 1737 machte sein drittes Opernunternehmen Bankrott, gleichzeitig auch die »Oper des Adels«. Im September 1737 reiste H. zu einer Badekur nach Aachen, genas völlig und kehrte Anfang November nach England zurück. Anläßlich der Beisetzung der am 20. 11. 1737 verstorbenen Königin Karoline wurde am 17. 12. in der Westminsterabtei von 100 Orchestermitgliedern und 80 Sängern H.s »Funeral Anthem for Queen Caroline«: »The ways of Zion do mourn« aufgeführt, eine seiner herrlichsten Trauer-Barockhymnen«. Heidegger hatte am 29. 10. 1737 auf eigene Rechnung im King's Theatre eine neue Opernspielzeit eröffnet. In seiner finanziellen Bedrängnis nahm H. Heideggers Angebot an, ihm für 1000 Pfund zwei Opern und ein Pasticcio zu liefern. So gelangten zur Aufführung am 7. 1. 1738 »Faramondo« (Text von Apostolo Zeno) am 25. 2. das Pasticcio »Alessandro Severo« und am 15. 4. H.s Oper »Serse« (Text von Minato), die als erste Nummer eine Cavatina enthält, die mit den Worten beginnt: »Ombra mai fù.« Das ist die als »H.s berühmtes Largo« bekannte Melodie. Am 2. 5. 1738 wurde in Vauxhall Gardens, einem der Hauptvergnügungsparks Londons, eine Marmorstatue von H., wie er sitzend eine Leier spielt, enthüllt. Heidegger mußte am 6. 6. 1738 sein Theater schließen, da er nicht genug Subskribenten für die Fortführung seiner Opernaufführungen fand. Während der Sommermonate 1738 komponierte H. in 67 Tagen »Saul« und vom 7. bis 28. 10. 1738 nach Bibeltexten »Israel in Ägypten«. Der Text von »Saul« stammt von Charles Jennens, dem reichen und musikliebenden Großgrundbesitzer auf Gopsall in der Grafschaft Leicestershire, auf dessen Landsitz H. damals oft zu Gast war. Im King's Theatre am Haymarket wurde am 16. 1. 1739 »Saul« aufgeführt; es folgten in der Spielzeit 1739 noch fünf Wiederholungen. Am 4. 4. 1739 fand dort die Uraufführung des monumentalen Chororatoriums »Israel in Ägypten« statt. Vom 22. 8. bis 14. 9. 1741 schuf H. sein berühmtestes Werk, den »Messias«. Er verwandte dafür einen Bibeltext, den der Kaplan Pooley, der Sekretär des Charles Jennens, für ihn ausgewählt hatte. Kurz darauf, am 29. 10. 1741, war ein weiteres Oratorium, »Samson«, fast vollendet. Anfang November 1741 folgte H. der Einladung des Herzogs von Devonshire nach Dublin in Irland. Am 13. 4. 1742 fand dort in der Music Hall die Uraufführung des »Messias« statt und am 3. 6. ihre Wiederholung. Ende August 1742 kehrte H. nach London zurück, wo im Covent Garden Theatre am 18. 2. 1743 »Samson« (Text von

Newburgh Hamilton nach John Milton) und am 23. 3. 1743 zum erstenmal der »Messias« aufgeführt und am 25. und 29. 3. wiederholt wurde. Die erste Aufführung des »Messias« in Deutschland fand unter Thomas Augustine Arne (1710–78) aus London 1772 in Hamburg statt, die 1775 Philipp Emanuel Bach (s. d.) als Musikdirektor an den fünf Hauptkirchen in Hamburg mit einheimischen Kräften und in der Übersetzung von Friedrich Gottlieb Klopstock (s. d.) und Christoph Daniel Ebeling (1741–1817) wiederholte. Der »Messias« wurde 1777 in Mannheim unter Abbé Georg Joseph Vogler aufgeführt, 1780 in Schwerin, 1781 in Weimar in der Verdeutschung von Johann Gottfried Herder (s. d.) und 1786 unter Johann Adam Hiller (s. d.) im Berliner Dom mit italienischem Text. 1786 und 1787 folgten Aufführungen des »Messias« in der Leipziger Pauluskirche. Als Hiller 1787 Städtischer Musikdirektor in Breslau wurde, führte er auch dort 1788 den »Messias« auf. Nach dem entscheidenden Sieg des Herzogs von Cumberland über die schottischen Aufständischen bei Culloden am 16. 4. 1746 schuf H. zur Feier der Heimkehr des Siegers und seiner Truppen vom 9. 7. bis 11. 8. 1746 nach dem Text des Dr. theol. Thomas Morell das Oratorium »Judas Maccabaeus«, das am 1. 4. 1747 mit ungeheurem Erfolg aufgeführt wurde und die entscheidende Wende in H.s langer, sturmbewegter Laufbahn brachte. Durch dieses Werk verschaffte er sich nicht nur eine gesicherte Existenz und die allgemeine Anerkennung und den ersten Platz in der englischen Musikwelt, sondern erwarb sich auch dadurch für immer ein Heimatrecht in der geistigen Geschichte seiner Wahlheimat und in den Herzen seiner Mitbürger. H. hat dieses Oratorium im Lauf seiner ersten Spielzeit sechsmal und insgesamt 38mal während seiner zwölf letzten Lebensjahre aufgeführt. Ursprünglich fehlten in »Judas Maccabaeus« im dritten Akt der bekannte Begrüßungschor beim Einzug des siegreichen Heeres »See, the conqu'ring hero comes« = »Seht, es kommt mit Preis gekrönt«, der aus dem 1747 komponierten »Joshua« 1751 nachträglich hier eingegliedert und später für das Adventslied »Tochter Zion, freue dich« verwandt wurde, und das große Duett mit Chor »Sion, now her head shall rise« = »Zion hebt ihr Haupt empor«, das erst um 1756 hinzukomponiert wurde. Von H.s insgesamt 22 Oratorien seien ferner genannt: »Semele« (Text 1707 von W. Congreve verfaßt und ursprünglich für eine Oper bestimmt; vom 3. 6. bis 4. 7. 1743 komponiert; aufgeführt am 10. 2. 1744) und »Hercules« (Text von Thomas Broughton nach Sophokles und Ovid; vom 19. 7. bis 17. 8. 1744 komponiert; aufgeführt am 5. 1. 1745), beide aus der griechischen Mythologie; »Joseph and His Brethren« = »Joseph und seine Brüder« (Text von James Miller; 12. 9. 1743 vollendet; aufgeführt am 2. 3. 1744); »Belshazzar« = »Belsazar« (Text von Charles Jennens; im Oktober 1744 vollendet; aufgeführt am 27. 3. 1745); »Joshua« = »Josua« (Text von Thomas Morell; in 20 Tagen, am 19. 8. 1747, vollendet; aufgeführt am 23. 3. 1748); »Alexander Balus«, eine Fortsetzung von »Judas Maccabaeus«, die von der Liebe des Alexander Balus zu einer Tochter des Ptolemäus Philometor, des Königs von Ägypten, handelt

(Text von Thomas Morell; komponiert vom 1. 6. bis 4. 7. 1747; aufgeführt am 9. 3. 1748); »Susanna« (Text von einem unbekannten Verfasser; komponiert vom 11. 7. bis 24. 8. 1748; aufgeführt am 10. 2. 1749); »Solomon« = »Salomo« (Text von Thomas Morell; komponiert vom 5. 5. bis 13. 6. 1748; aufgeführt am 17. 3. 1749); »Theodora«, neben dem »Messias« H.s einziges christliches Oratorium, das das Martyrium der Theodora und des von ihr bekehrten römischen Offiziers Didymus, der sie liebt, behandelt (Morell hatte seinen Text Pierre Corneilles »Théodore, vierge et martyre« von 1645 zugrunde gelegt; komponiert vom 28. 6. bis 31. 7. 1749; aufgeführt am 16. 3. 1750); »Jephtha« (Text von Morell; am 12. 1. 1751 begonnen und nach mancherlei Unterbrechung durch Krankheit und Kur am 30. 8. 1751 vollendet; aufgeführt am 26. 2. 1752). Während H. an diesem seinem letzten Oratorium arbeitete, erlebte er, wie seine Sehkraft allmählich abnahm und er durch sein Augenleiden in seinem Schaffen gehemmt wurde. Bei der vorletzten Szene des zweiten Aktes mußte H. die Arbeit unterbrechen und vermerkt das in der Orgelpartitur: »Biss hier her kommen, den 13. Febr. 1751, verhindert worden wegen des Gesichts meines linken Auges.« Da er bei den Londoner Aufführungen des »Messias« im April und Mai die Noten nicht mehr lesen konnte und auf der Orgel aus dem Gedächtnis spielen mußte, reiste H. zu einer Kur nach Bad Cheltenham. Nach seiner Rückkehr nahm er die Arbeit am »Jephtha« wieder auf. Das Augenleiden verschlimmerte sich; Ende 1751 war ein Auge verloren. Erfolglos verliefen 1752 drei Operationen, bei denen jedesmal ohne Narkose die Augäpfel mit einer Nadel durchstochen wurden. Die Londoner »Evening Post« berichtete am 30. 1. 1753, daß H. nun völlig blind geworden sei. Dennoch begann der Meister im März 1753 eine neue Oratorienspielzeit, überließ aber ihre eigentliche Leitung John Christopher Smith junior, dem Sohn seines Hallenser Studienfreundes und langjährigen Sekretärs. In den Konzerten spielte er aus dem Gedächtnis oder frei improvisierend Cembalo und Orgel. Seit seiner Erblindung hat H. kaum noch komponiert, aber mit Hilfe Smiths ältere Werke revidiert und ergänzt. Die bedeutendste Arbeit dieser Art war die bereits erwähnte endgültige englische Fassung seines weltlichen Oratoriums »Il Trionfo del Tempo« von 1708 und 1737, die am 11. 3. 1757 als »The Triumph of Time and Truth« aufgeführt wurde. H. durchlebte 1756 mehrere Wochen schwerer Melancholie. 1758 wiederholten sich Zeiten tiefer Depressionen. Trotz seiner verfallenden Kräfte eröffnete H. am 2. 3. 1759 die neue Spielzeit und dirigierte mehrere Oratorien mit zum Teil neuen Stücken, die er kurz vorher Smith diktiert hatte. Am 6. 4., zwei Tage vor Palmsonntag, leitete H. den »Messias« in Covent Garden, erlitt aber nach Schluß der Aufführung einen Schwächeanfall und wurde bewußtlos nach Haus gebracht. H. fühlte, daß sein Ende herannahte: »Ich möchte am Karfreitag sterben, in der Hoffnung, mit meinem guten Gott, meinem gnädigen Herrn und Heiland, am Tage seiner Auferstehung vereint zu werden.« Am Karsamstagmorgen entschlief er. – Der Musikforscher und H.-Biograph Friedrich Chrysander (1826–1901; s. d.)

gründete 1856 mit dem Heidelberger Literaturhistoriker Georg Gottfried Gervinus (1805–71) zur Herausgabe der sämtlichen Werke des Meisters die »Deutsche Händel-Gesellschaft«, die sich aber bereits 1860 auflöste. Nun nahm Chrysander sozusagen ganz allein die geplante Riesenarbeit auf sich, die er 1894 mit dem 100. Band der kritischen Gesamtausgabe abschloß. In Göttingen begann mit einer Aufführung von »Rodelinda« am 26. 6. 1920 durch den Kunsthistoriker Oskar Hagen eine Renaissance der H.-Oper. Von den rund 40 Opern H.s sind 20 und das Tanzspiel »Terpsichore« seit 1921 neu bearbeitet und aufgeführt worden. 1925 erfolgte in Leipzig die Gründung der »Neuen Händel-Gesellschaft«, die bis 1935 bestanden hat. Ihre Aufgabe sollte es sein, die Werke H.s in erhöhtem Maß nach dem Vorbild der traditionellen H.feste der Allgemeinheit zugänglich zu machen. Sie wurde bekannt durch die jährlichen H.feste und das H.jahrbuch, das 1928–33 erschien. Seit 1952 finden in Halle H.-Festspiele statt. Am 2. 3. 1955 wurde dort die »Georg-Friedrich-Händel-Gesellschaft« gegründet, in deren Auftrag Max Schneider und Rudolf Steglich die Hallische H.ausgabe, die allmählich an die Stelle von Chrysanders Gesamtausgabe treten soll, und seit 1955 das neue H.jahrbuch herausgibt.

Werke: Chrysander-GA (1858–1902), Nachdr. in 84 Bden. nebst 6 Suppl.-Bden., London 1965–68. – Hallische H.-Ausg. (Krit. GA), hrsg. v. der G.-F.-H.-Ges., Kassel u. Leipzig 1955 ff., bisher erschd.: Serie 1. Oratorien u. große Kantaten. 1 (Konrad Ameln), Das Alexanderfest oder Die Macht der Musik, 1957; 2 (Karl Gustav Fellerer), Passion nach dem Evangelisten Johannes, 1964; 6 (Walther Siegmund-Schultze), Ode f. den Geb. der Kgn. Anna, 1962; 7 (Felix Schroeder), Passion nach Barthold Heinrich Brockes, 1973; 13 (Percy Marshall Young), Saul, 1964; 16 (James Simkin u. Martin V. Hall), L'allegro, il pensieroso ed il moderato, 1969; 17 (John Tobin), Der Messias, 1965; 28 (B. Rose), Susanna, 1967; 31 (W. Siegmund-Schultze), Die Wahl des Herakles, 1962; Serie 2. Opern. 28 (Siegfried Flesch), Orlando, 1969; 39 (Rudolf Steglich), Serse, 1958; Serie 3. Kirchenmusik. 1 (Eberhard Wenzel), Dixit Dominus, 1960; Serie 4. Instrumentalmusik. 1 (R. Steglich), Die 8 großen Suiten, 1955; 2 (Karl Matthaei), Orgelkonzerte (op. 4 Nr. 1–6), 1956; 3 (Hans-Peter Schmitz), 11 Sonaten f. Fl. u. bezifferten B., 1955; 4 (J. Ph. Hinnenthal), 6 Sonaten f. V. u. bezifferten B., 1955; 5 (P. Northway), Klavierwerke II (2. Smlg. v. 1733), 1970; 6 (T. Best), Klavierwerke III (Einzelne Suiten u. Stücke), 1970; 10/1 u. 10/2 (S. Flesch), 9 Sonaten f. 2 V. u. B. c. bzw. 7 Sonaten f. 2 V. u. B. c. op. 5, 1970 bzw. 1967; 11 (Frederick Hudson), 6 Concerti grossi op. 3, Neudr. 1963; 12 (Ders.), 8 Concerti, 1971; 13 (Hans Ferdinand Redlich), Water Music for the Royal Fireworks, 1962; 14 (Ders.), 12 Concerti grossi op. 6, Neudr. 1964. – Verz. der Werke, in: MGG V, 1256 ff.; J. M. Coopersmith, A Thematic Index of the Printed Works of G. F. H. (Diss. Harvard Univ., USA), 1932. – Ausgg. der Werke, in: MGG V, 1278 ff.; Riemann, ErgBd. I, 478.

Lit.: Johann Mattheson, Grdl.n einer Ehrenpforte (bedeutende Smlg. v. Musikerbiogrr.), Hamburg 1740 (Faks.-Ausg. Kassel 1969; Nachdr. Hildesheim 1969); – John Mainwaring, Memoirs of the Life of the Late G. F. H., London 1760 (Nachdr. Hilversum 1964); dt. v. Johann Mattheson: G. F. H.s Lebensbeschreibung, Hamburg 1761; neu hrsg. v. Bernhard Paumgartner, Zürich 1947, u. v. Hedwig u. Erich Hermann Müller v. Asow (H.s Briefen u. Schrr.), Lindau 1949, Wien 1950; – Johann Adam Hiller, G. F. H., in: Ders., Lebensbeschreibungen berühmter Musikgelehrten I, Leipzig 1784; – Ders., Nachr. v. der Aufführung des H.schen »Messias«, Berlin 1786; – Johann Friedrich Reichardt, G. F. H.s Jugend, ebd. 1785; – Charles Burney, An Account of the Musical Performances in Westminster Abbey and the Pantheon, London 1785 (Nachdr. Amsterdam 1964); dt. v. Johann Joachim Eschenburg u. d. T.: Nachr. v. G. F. H.s Lebensumständen, Berlin u. Stettin 1785 (Faks. Leipzig 1965); – Karl Eduard Förstemann, G. F. H.s Stammbaum, 1844; – Victor Schoelcher, The life of H. Aus dem Frz. übers. v. James Lowe, Boston u. New York 1857; – Friedrich Chrysander, G. F. H., I, 1858; II, 1860; III/1 (bis 1740), 1867 (Nachdr. Hildesheim u. Wiesbaden 1966, 3 Bde., u. separates Reg. v. Siegfried Flesch, Leipzig u. Hildesheim 1967); – Ders., H.s bibl. Oratorien, 1897 (²1922); – Georg Gottfried Gervinus, H. u. Shakespeare. Zur Ästhetik der Tonkunst, 1868 (Ausz. in: Felix Maria Gatz, Musik-Ästhetik in ihren Hauptrichtungen. Ein Qu.buch der dt. Musik-Ästhetik v. Kant u. der Frühromantik bis z. Ggw. mit Einf. u. Erl., 1929); – Florence Ashton (Mrs. Julian) Marshall, H., Lon-

don 1883 (1912³); – William Smith Rockstro, The Life of G. F. H., ebd. 1883; – Hermann Kretzschmar, G. F. H., 1884; – Ders., Führer durch den Konzertsaal II/2, 1890 (1939⁵, bearb. v. Hans Schnoor); – Eliza Clarke, H., London – Paris – New York – Melbourne 1885; – James Cuthbert Hadden, H., a Biography, London 1888; – Fritz Volbach, G. F. H., 1898 (1914³); – Ders., Die Praxis der H.-Aufführung (Diss. Bonn), 1899; – Gabriel Vernier, L'oratorio biblique de H. (Diss. Paris), Cahors (Lot) 1901; – Charles Francis Abdy Williams, H., London – New York 1901 (Neuausg. New York 1935; London 1944); – Theodor Vetter, Johann Jakob Heidegger, ein Mitarbeiter G. F. H.s, Zürich 1902; – William Hayman Cummings, H., London 1904; – Eduard Bernoulli, Die Oratorientexte H.s Zürich 1905; – Richard Alexander Streatfield, H., London – New York 1909 (Nachdr. New York 1964, mit neuer Einl. v. J. Merrill Knapp); – Romain Rolland, H., Paris 1910 (1953⁴); engl. New York 1916 u. 1933; schwed. Stockholm 1919; dt. v. Lisbeth Langnese-Hug, Zürich 1922 (Neuausg. ebd. 1960); russ. 's Gravenhage 1930; russ. Moskau 1934²; – Arnold Schweing, Gesch. des Oratoriums, 1911 (Nachdr. Hildesheim u. Wiesbaden 1966); – Ders., Die Welt H.s. Eine Hallische H.festrede, in: H.-Jb. V, 1932, 5 ff.; – Michel Brenet (d. i. Marie Bobillier), H., biographie critique, Paris 1912; – Henry Davey, H., New York 1913; – Oskar Hagen, Die Bearb. der H.schen Rodelinde u. ihre Uraufführung am 26. 6. 1920 in Göttingen, in: ZfMw 2, 1919/20, 725 ff.; – Rudolf Steglich, H.s Oper Rodelinde u. ihre neue Göttinger Bühnenfassung, ebd. 3, 1920/21, 518 ff.; – Ders., Die neue H.-Opern-Bewegung, in: H.-Jb. I, 1928, 71 ff.; – Ders., Was weißt du v. H.?, 1931 (erw. u. d. T.: G. F. H. Leben u. Werk, 1939; Neuaufl. 1944); – Newman Flower, G. F. H. His Personality and His Times, London – Boston – New York, 1923 (revidierte Neuausg. London 1959 u. 1964); dt. v. Alice Klengel, 1925 (1934²); – Max Seiffert, G. Ph. Telemanns »Musique de table« als Qu. f. H., 1924 (1960²); – Hugo Leichtentritt, G. F. H., 1924; – Ders., Göttingen u. die H.-Festspiele, in: Die Musik 12, 1930, 598 ff.; – Felix Kahle, H.s Cembalo-Suiten (Diss. Berlin), 1928; – Edward Cuthbert Bairstow, H.'s Oratorio »The Messiah«, London 1928; – H.-Jb., hrsg. v. Rudolf Steglich, 6 Bde., 1928–33; dass., hrsg. v. der G.-F.-H.-Ges., fortlaufend seit 1955; – Hermann Abert, G. F. H., in: Ders., Ges. Schrr. u. Vortrr., hrsg. v. Friedrich Blume, 1929, 232 ff.; – Felix Janoske, H.s Reise nach Lübeck, 1929; – Hans Joachim Moser, Der junge H. u. seine Vorläufer in Halle, 1929; – Ders., G. F. H., 1942 (1952²); – Ders., Musikgesch. in 100 Lb. (RUB 7762–73), 1952, 307 ff.; – Ders., G. F. H. in kirchenmusikal. Schau, in: Der Kirchenmusiker 10, 1959, 33 ff.; – Hans Engel, Die Konzerte G. F. H.s, in: Hermann Kretzschmar, Führer durch den Konzertsaal II/2, 1932, 103 ff. 134 ff.; – Kurt Taut, Verz. des Schr.tums über G. F. H., in: H.-Jb. VI, 1933; – Joseph Müller-Blattau, G. F. H., 1933; – Ders., Der Wille z. Vollendung, 1959; – Elisabeth Bredenförder, Die Texte der H.-Oratorien. Eine rel.-geschichtl. u. literar-soziolog. Stud. (Diss. Köln), Leipzig 1934 (Nachdr. New York – London 1966); – Edward Jos. Dent, H., London 1934 (Neudr. 1947; New York 1948); – Wilhelm Hitzig, G. F. H. Sein Leben in Bildern, 1935; – Richard Bräutigam, Rolf Hünicken, Walter Serauky, G. F. H. Abstammung u. Jugendwelt, in: Festschr. z. 250. Wiederkehr der Geburt H.s, hrsg. v. Stadtarch. Halle, 1935; – Hermann Roth, G. F. H., in: Die Großen Deutschen, hrsg. v. Willy Andreas u. Wilhelm v. Scholz, II, 1935, 79 ff.; – Erich Hermann Müller v. Asow, The Letters and Writings of G. F. H., London 1935 (Nachdr. Freeport [New York] 1970); dt. Lindau 1949; – Stefan Zweig, G. F. H.s Auferstehung. Eine hist. Miniatur, 1937; – Bernhard Weißenborn, Das H.haus in Halle. Die Geburtsstätte G. F. H.s, 1938; – Jack Allan Westrupp, H., London 1938; – Walter Serauky, Musikgesch. der Stadt Halle II/1, 1939; – Ders., H. als Meister des Oratoriums, in: Musica 10, 1956, 602 ff.; – Ders., G. F. H. Sein Leben, sein Werk. III: G. F. H. als Meister des Oratoriums. Von H.s innerer Neuorientierung bis z. Abschluß des »Samson« (1738–43), 1956; IV: G. F. H. als Meister des Oratoriums. Von H.s »Semele« bis z. Abschluß des »Judas Makkabäus« (1743–46), 1958; V: G. F. H. als Meister des Oratoriums. Von H.s »Alexander Balus« bis z. Lebensende (1747–59), 1958; – Erwin Völsing, G. F. H.s engl. Kirchenmusik (Diss. Gießen), Hildburghausen 1940; – Joachim Eisenschmidt, Die szen. Darst. der Opern G. F. H.s auf der Londoner Bühne seiner Zeit. I: Die Stellung H.s im Londoner Theaterleben u. sein Theater (Diss. Halle), 1940; II: Der Darst.stil der H.oper, 1941; – Friedrich Ehrlinger, G. F. H.s Orgelkonzerte (Diss. Erlangen), Würzburg-Aumühle 1941; – Opal Wheeler, H. at the Court of Kings, New York 1943; London 1945; – Percy Marshall Young, H., London 1946, New York 1947 (revidiert 1965); – Ders., The Oratorios of H., London 1949, New York 1950; – Ders., Messiah, London 1951; – Herbert Weinstock, H., New York 1946 (ebd. 1959²); übertr. v. Gert Mahold u. hrsg. v. Alfons Ott, 1950; – Robert Seiler, H.s Ariengestaltung im »Messias«. Ein stilkrit. Btr. z. Kompositionslehre (Diss. Erlangen), 1947; – Rollo Myers, H.'s »Messiah«, a Touchstone of Taste, New York 1948; – William Charles Smith, Concerning H. His Life and Works, London 1948; – Julian Livingston Herbage, Messiah, 1948; – Antoine-Elisée Cherbuliez, G. F. H. Leben u. Werk, Olten 1949; – Hans Niedecken-Gebhardt, Ein Rückblick. 30 J. H.-Renaissance, in: Die Göttinger H.-Festspiele. Festschr., 1953, 20 ff.; – Karl Gustav Fellerer, G. F. H. Leben u. Werk, 1953; – Wege zu H. Eine Smlg. v. Aufss. Hrsg. v. H.-Festkomitee der Stadt Halle, Halle/Saale 1953; – Walther Siegmund-Schultze, H. als Musikdramatiker, in:

WZ Halle 3, 1953/54, 987 ff.; – Ders., G. F. H. Leben u. Werk, Leipzig 1954 (ebd. 1962³, stark veränd. u. erw.); – Ders., Über die ersten Messias-Aufführungen in Dtld., in: H.-Jb. 6, 1960, 51 ff.; – Ders., G. F. H. Thema mit 20 Variationen, Halle/Saale 1965; – Ders., Die musikal. Gedankenwelt des »Messias«, in: H.-Jb. 13–14, 1967–68, 25 ff.; – Ders., Der Musikdramatiker H., in: Musa – Mens – Musici. Gedenkschr. Walther Vetter, hrsg. v. Ernst Hermann Meyer, Leipzig 1970; – Ders., Die Arienwelt des »Messias«, in: Festschr. Jens Peter Larsen. Studier udgiv af Musikvidenskabelig Institut ved Københavns Universitet, København 1972, 189 ff.; – H. A Symposium, hrsg. v. Gerald Abraham, Oxford 1954; – Richard Petzoldt u. Eduard Craß, G. F. H. Sein Leben in Bildern, Leipzig 1955 (ebd. 1965³); – Otto Erich Deutsch, H. A Documentary Biography, London 1955; – Konrad Sasse, Verz. des Schr.tums über G. F. H. f. die J. 1933–54, in: H.-Jb. VII, 1955, 105 ff.; – Ders., H.-Bibliogr., Leipzig 1963 (1967², mit Nachtr. f. die J. 1962–65; 2. Nachtr. 1969); – Hugo Puetter, G. F. H., in: Die Großen Deutschen, hrsg. v. Hermann Heimpel, Theodor Heuß, Benno Reifenberg, II, 1956, 92 ff.; – Hans Gerhard Waltershausen (d. i. Hans Toepel-Fredersdorff), Largo. Das Leben G. F. H.s; 1957; – Hellmut Christian Wolff, Die Barockoper in Hamburg (1678–1738), 2 Bde., 1957; – Ders., Die H.-Oper auf der modernen Bühne. Ein Btr. z. Gesch. u. Praxis der Opern-Bearb. u. -Inszenierung in der Zeit v. 1920–1956, 1957; – Jens Peter Larsen, H.'s Messiah. Origins, composition, sources, Kopenhagen 1957; – Ders., H. Traditions and H. Interpretation, in: Dansk aarbog for musikforskning I, Kopenhagen 1961; – Paul Nettl, G. F. H., 1958; – Ernst Flessa, Ombra mai fu . . . Die H.-Chron. des Johann Christopher Smith, 1958; – Harald Heilmann, G. F. H.s Johannes-Passion, in: Der Kirchenmusiker 9, 1958, 75 ff.; – Georg-Friedrich Wieber, Die Chorfuge in H.s Werken (Diss. Frankfurt/Main), 1958; – Gösta Carleberg, Bach och H., musikaliska och biografiska skisser, Stockholm 1958; – Henning Ferdinand, Die musikal. Darst. der Affekte in den Opernarien G. F. H.s (Diss. Bonn), 1958; – Walter Haacke, G. F. H. Eine Schilderung seines Lebens, 1958; – Ders., H.s Kirchenmusik, in: MuK 29, 1959, 113 ff.; – Horst Scharschuch, G. F. H. Sein Leben in Bildern, 1959; – Festschr. z. H.-Ehrung der DDR 1959, Leipzig 1959; – Qu.werke z. H.forsch. Kat., hrsg. anläßl. der wiss. Konferenz z. H.-Ehrung der DDR, 11.–19. 4. 1959 in Halle, zus.gest. v. der Musikbibl. der Stadt Leipzig in Verbindung mit Friedrich Zschoch, ebd. 1959; – G. F. H. Zum 200. Todestag am 14. 4., bearb. v. der Berliner Stadtbibl., 1959; – Richard Friedenthal, G. F. H. in Selbstzeugnissen u. Bilddokumenten (dokumentar. u. bibliogr. Anh. bearb. v. Paul Raabe), 1959 (1975⁸); – Johann Friedrich Reichardt, G. F. H.s Jugend, in: H.-Jb. 5, 1959, 183 ff.; – Åke Lellky, H., Stockholm 1959; – Mircea Nicolescu, H., Bukarest 1959; – Winton Dean, H.'s Dramatic Oratorios and Masques, London 1959; – Ders., H. and the opera seria, ebd. 1970 (Rez. v. Hans Hollander, in: Neue Zschr. f. Musik 132, 1971, 165 f.; v. Peter J. Pirie, in: The music review 32, Cambridge 1971, 183 f.; v. Robert Freeman, in: The quarterly journal of the Music library Association 28, Genf – New York 1971–72, 216 f.; v. Hellmut Christian Wolff, in: Mf 25, 1972, 539 ff.); – Johanna Rudolph, H.renaissance. Eine Stud. I, 1960; II: H.s Rolle als Aufklärer (Diss. Berlin, 1966), Weimar 1961; – Hanns-Bertold Dietz, Die Chorfuge bei G. F. H. Ein Btr. z. Kompositionstechnik des Barock (Diss. Innsbruck, 1956), Tutzing 1961 (Überarb.); – Paul Gerhard Pauly, G. F. H.s Klavierfugen. Ein Btr. z. Gesch. der Fuge in der 1. Hälfte des 18. Jh.s (Diss. Saarbrücken), 1961; – James Simkin Hall, G. F. H., London 1961 (revidiert 1963); – Josef Norborg, G. F. H., liv og musikk, Oslo 1961; – Ch. E. Farby, The Org. Concertos of G. F. H. (Diss. Florida State Univ.), 1962; – Ann Tizia Leitich, Premiere in London. G. F. H. u. seine Zeit, 1962; – Werner Rackwitz u. Helmut Steffens, H. Persönlichkeit, Umwelt, Vermächtnis, Leipzig 1962 (engl. v. Lena Jaeck: G. F. H. A biography in pictures, ebd. 1966); – Ders., Die hall. H.-Renaissance v. 1859–1952. Ein Btr. z. Musikgesch. der Stadt Halle (Diss. Halle), 1963; – Roger Warren Ardrey, The Influence of the Extended Latin Sacred Oratorios of Giacomo Carissimi on the Biblical Oratorios of G. F. H. (Diss. Catholic Univ. of America), Washington 1964; – John Tobin, H. at Work, London 1964; – Ders., H.'s Messiah. A critical account of the manuskript sources and printed editions, New York 1969 (Rez. v. J. Merrill Knapp, in: Notes. The quarterly journal of the Music Library Association 26, Genf – New York 1969–70, 749 f.); – Friedrich Blume, Gesch. der ev. Kirchenmusik, 1965²; – Theophil Antonicek, Zur Pflege H.scher Musik in der 2. Hälfte des 18. Jh.s, Graz – Wien – Köln 1966; – Paul Henry Lang, G. F. H. A Reappraisal of His Life and Work, New York 1966; London 1967 (Rez. v. Anna Amalie Abert, in: Mf 25, 1972, 555 ff.); – Miklós Szentkuthy, H., Budapest 1967; – Clarence James Martin, Performance Practices in H.'s »Messiah« (Diss. Univ. of Cincinnati/Ohio), 1968; – Stanley Sadie, H., London 1968; – Arnold Craig Bell, Chronological catalog of H.'s works, Greenock (Renfrewshire) 1969 (1972²; Rez. v. François Lesure, in: Bulletin des bibliothèques de France 16, Paris 1973, *615); – 50 J. Göttinger H.-Festspiele. Festschr., hrsg. v. Walter Meyerhoff, 1970 (Rez. v. Hellmuth Christian Wolff, in: Mf 25, 1972, 504 ff.); – Klaus Rönnau, Zu den Neuausgg. v. H.s »Messias«, in: Mf 24, 1971, 443 ff.; – Heinz Meier, Typus u. Funktion der Chorsätze in H.s Oratorien (Diss. Frankfurt/Main), Wiesbaden 1971; – Friedrich Laubscher, Ich weiß, daß mein Erlöser lebt. H.s Glaubensbekenntnis, 1974; – Bernhard Baselt, Die Bühnenwerke G. F.

H.s (Diss. Halle, 1975), 1974; – Hans Heinrich Eggebrecht, G. F. H., in: Die Großen der Weltgesch., hrsg. v. Kurt Fassmann, VI, Zürich 1975, 399 ff.; – MGG V, 1229 ff.; – Eitner IV, 445 ff.; – Riemann I, 712 ff.; ErgBd. I, 477 ff.; – Moser I, 466 ff.; – Grove IV, 37 ff.; – Goodman 189; – ADB XII, 777 ff.; – NDB VII, 438 ff.; – EKL II, 15 f.; – RGG III, 12 f.; – LThK IV, 1347 f.; – EC VI, 1354 f.; – NCE VI, 911 f.; – ODCC² 617 f.

HÄNDEL, Gottfried, Erbauungsschriftsteller und Kirchenliederdichter, * 17. 11. 1644 (nach anderer Angabe 1635) in Bayreuth, † 14. 9. 1698 in Ansbach. – H. wirkte als Pfarrer zunächst in Thüsbronn und Hetzelsdorf, dann in Kloster Frauen-Aurach. 1670 wurde er Prediger, Professor der Philosophie und Inspektor in Heilsbrunn und 1674 in Ansbach Hof- und Stiftsprediger und Konsistorialrat, später auch Generalsuperintendent. 1695 legte H. seine hohen Kirchenämter nieder und übernahm die Stelle eines Stadtpredigers. – Von seinen unpoetischen Liedern ist das beste sein Lied auf die Himmelfahrt Christi, das Johann Saubert der Jüngere (s. d.) in sein »Nürnbergisches Gesangbuch« von 1677 und Johann Anastasius Freylinghausen (s. d.) in sein »Neues geistreiches Gesangbuch«, Halle 1714, aufgenommen haben: »Du fährst gen Himmel, Jesu Christ, die Stätt mir zu bereiten, auf daß ich bleibe, wo du bist, zu ewiglichen Zeiten.« Genannt seien ferner: »Ich hab ein Bett gefunden, das ist mir lieb und wert; in meines Jesu Wunden ich ruhe unversehrt« und »Jesus nimmt die Sünder an und ißt noch dazu mit ihnen.«

Werke: Gute Nacht, Eitelkeit, grüß dich Gott, Herrlichkeit, Nürnberg 1667; Die beunruhigte u. beruhigte Christenseele oder Einer christl. Seelen Unruh in der Welt u. einige Ruhe in Gott, Ansbach 1679; Mut in Unmut, ebd. 1679; Der Himmel auf Erden, o. O. u. J.

Lit.: Johann Caspar Wetzel, Hymnopoeographia oder Hist. Lebensbeschreibung der berühmtesten Liederdichter I, Herrnstadt 1719, 367; VI, 1751, 165; – Koch III, 447 f.; – Goedeke III, 191; – ADB X, 500.

HÄNEL, Johannes, Theologe, * 4. 4. 1887 in Berlin, † daselbst 15. 2. 1956. – Nach Abschluß seines Studiums in Tübingen, Greifswald und Berlin und Ablegung der theologischen Prüfungen promovierte H. 1911 in Greifswald zum Lic. theol., wurde dort Inspektor des Theologischen Studienhauses und habilitierte sich ebenda 1913 für Altes Testament. Während der ganzen Dauer des ersten Weltkriegs war er Felddivisionspfarrer. 1923 wurde H. zum apl. Professor ernannt und wirkte als solcher seit 1925 in Münster (Westfalen). Aus fruchtbarer akademischer und literarischer Tätigkeit heraus entschloß er sich 1937, in den pfarramtlichen Dienst überzutreten, und wurde Pfarrer in Berlin. – Der theologischen Wissenschaft hat H. neben kleineren Arbeiten durch eine Reihe bleibend wertvoller Werke gedient.

Werke: Die außermasoreth. Übereinstimmungen zw. der Septuaginta u. der Peschittha in der Genesis (Diss. Greifswald), Leipzig 1911 (vollst. als: BZAW 20); Der Schr.begriff Jesu. Stud. z. Kanongesch. u. rel. Beurteilung des AT, 1919; Das Erkennen Gottes bei den Schr.propheten, 1923; J. Wilhelm Rothstein, Komm. z. 1. Buch der Chron. Nach des Verf. Tod bearb., abgeschlossen u. eingeleitet, 1927; Die Rel. der Heiligkeit, 1931.

Lit.: Johannes Herrmann, Prof. J. H., 1887–1956, in: DtPfrBl 56, 1956, 138 f.

HÄRING, Theodor, Theologe, * 22. 4. 1848 in Stuttgart, † 11. 3. 1928 in Tübingen. – H. besuchte seit 1862 das »Niedere Seminar« in Urach und studierte seit 1866 in Tübingen und Berlin. Nach mehrjähriger Verwendung im unständigen Kirchendienst wurde er 1873 Repetent am »Tübinger Stift« in Tübingen, 1876

Diakonus in Calw und 1881 in Stuttgart, 1886 Professor der Systematischen Theologie in Zürich und 1889 in Göttingen der Nachfolger Albrecht Ritschls (s. d.). 1895–1920 lehrte H. in Tübingen und verwaltete 1904/05 das Rektorat der Universität. Als Professor der Theologie war er zugleich Frühprediger an der Stiftskirche in Tübingen. – H. gehörte zu dem rechten Flügel der Gruppe von Theologen, die in den prinzipiellen Fragen von Albrecht Ritschl entscheidende Anregungen empfangen haben. In ihm vereinigte sich Ritschlsche Theologie, die für sein wissenschaftliches Denken bestimmend wurde, mit dem schwäbischen Pietismus, den er vom Vaterhaus ererbt und als kostbare Mitgabe zeitlebens bewahrt hat. Als Lehrer, Prediger und Seelsorger hat H. auf viele nachhaltigen Einfluß ausgeübt und durch seine wissenschaftliche Arbeit und seinen persönlichen Verkehr mit den Studenten ein ganzes schwäbisches Pfarrergeschlecht in seinem Geist geformt. Als langjähriger Vizepräsident der Landessynode wirkte er mit besonnenem Rat mit an der Gestaltung der württembergischen Landeskirche.

Werke: Über das Bleibende im Glauben an Christus, 1880; Die Theol. u. der Vorwurf der doppelten Wahrheit, 1886; Zu Ritschls Versöhnungslehre, 1888; Zur Versöhnungslehre, 1893; Unsere persönl. Stellung z. geistl. Beruf, 1893 (1899³); Die Lebensfrage der systemat. Theol., die Lebensfrage der christl. Rel., 1895; Gerechtigkeit Gottes bei Paulus, 1896; Zeitgemäße Predigt, 1902; Das christl. Leben auf Grund des christl. Glaubens (Ethik), 1902 (1914³; engl. 1909); Das Verständnis der Bibel in der Entwicklung der Menschheit, 1905; Der christl. Glaube. Dogmatik, 1906 (1922³; engl. 1913); Unser Glaube an Christus im tägl. Leben, 1908; Persönlich-Praktisches aus der christl. Glaubenslehre, 1911; Vortrr. u. Predigten, 1914–22; Erkl. des Hebräerbriefs, 1925; des Römerbriefs, 1926; der Johannesbriefe, 1927; der Pastoralbriefe u. des Philipperbriefs, 1928.

Lit.: Gustav Ecke, Zum 70. Geb. D. Th. H.s, 1918; – Schwäb. Heimatgabe f. Th. H. z. 70. Geb., hrsg. v. Hans Völter, 1918; – Stud. z. systemat. Theol. Th. v. H. z. 70. Geb. v. Fachgenossen dargebr., hrsg. v. Friedrich Traub, 1918 (17 ff.: Wilhelm Herrmann, H.s Apologetik); – R. Paulus, Ein Blick auf Th. H.s theol. Lebensarbeit, in: ChW 35, 1921, 459 ff.; – Ders., Th. L. Häring (H.s ältester Sohn, Prof. der Philos.), Th. H., in: Luginsländer Bll., Mai 1928; – E. Teufel, Th. H. Gedächtnis, in: MPTh 24, 1928, 241 ff.; – Zillessen, Th. H., † 11. 3. 1928 (In dankbarem Gedenken z. 80. Geb., 22. 4. 1928), in: Preuß. Kirchenztg. 24, 1928, 120; – Lehre u. Wehre. Theol. u. kirchl.-zeitgeschichtl. Mbl. 74, 1928, 157; – Hermann Haering, Prolegomena zu einer Schilderung des Lebens u. der Theol. Th. H.s, in: Bll. f. württemberg. KG 54, 1954, 156 ff.; – Ders., Th. H. Christ u. systemat. Theologe. Ein Lebens- u. Zeitbild, 1963; – Hans Voelter, Th. H., in: DtPfrBl 64, 1964, 142 ff.; – KJ 55, 685 f.; – DBJ X, 108 ff.

HÄRLIN, Georg Friedrich Christoph, pietistischer Pfarrer, * 11. 11. 1742 in Stuttgart als Sohn eines Kanzleiadvokaten, † 23. 2. 1818 in Weilheim (Württemberg). – H. besuchte die Klosterschulen in Blaubeuren und Bebenhausen und studierte seit 1761 in Tübingen. Er wurde 1775 Pfarrer in Trichtingen bei Rottweil, dann in Zavelstein bei Calw, 1791 in Neubulach bei Calw, 1810 in Erpfingen bei Reutlingen und 1812 in Weilheim. – Nur wenige Jahre, nachdem Johann Jakob Eytel sein reichgesegnetes Arbeitsfeld auf dem Schwarzwald verlassen hatte, trat H. dessen Erbe an. Er wirkte in gleichem Geist als ein Schüler Johann Albrecht Bengels (s. d.) fast zwei Jahrzehnte in Neubulach und streute eine reiche Saat christlicher Erkenntnis und Liebe aus.

Lit.: Wilhelm Claus, Württemberg. Väter II³, 1933, 232 ff.

HÄRTER, Franz Heinrich, der Vater des Straßburger Diakonissenhauses, * 1. 8. 1797 in Straßburg (Elsaß) als Sohn eines Bäckers und Konditors, † daselbst 5. 8. 1874. – H. verlor mit sieben Jahren seine Mutter. Sei-

ne Kindheit und Jugend waren arm an Liebe und Freude. Nach glänzendem Abiturientenexamen entsagte er aus Gehorsam gegen seinen strengen Vater dem naturwissenschaftlichen Studium in Paris und studierte 1816–19 ohne Neigung und Berufung in Straßburg Theologie. »Vor dem Stande eines evangelischen Predigers hatte ich den größten Widerwillen«, bekennt H. in seinen Abschiedsworten an seine Gemeinde, die er 1835 während einer schweren Krankheit und in der Gewißheit seines nahe bevorstehenden Heimgangs niederschrieben hat. Am Tag seines theologischen Examens starb sein Vater. »Ich war 21 Jahre alt, als ich Kandidat wurde mit den ehrenvollsten Zeugnissen von allen Meistern der gelehrten Kunst und mit einem Herzen voll Gram; denn immer quälte mich der Gedanke, daß ich einst sollte etwas lehren, wovon ich selbst keine gründliche Überzeugung hatte.« Um der Verantwortung des Predigtamtes zu entfliehen, beschloß H., sich für das akademische Lehramt vorzubereiten. Darum unternahm er im Herbst 1822 eine Studienreise durch ganz Deutschland. »Zu Halle, wo ich einige Zeit studierte, enthüllte mir einer der bedeutendsten Männer ganz unverhohlen, daß die Absicht des wissenschaftlichen Strebens dahin gehe, das positive Christentum nach und nach zu beseitigen und an seine Stelle die natürliche Religion unterzuschieben. Dieser Mann war Julius August Ludwig Wegscheider (s. d.). In einem Kolloquium, das 12 alte Studenten zählte, wurde die Frage aufgeworfen: ›Sollte es nicht möglich sein, eine bessere Religion als die christliche zu erdenken?‹ Meine Kommilitonen, 11 an der Zahl, erklärten insgesamt, es sei nicht nur möglich, sondern nötig; denn das Christentum habe sich überlebt, und seine Dogmen seien wurmstichig geworden. Man müsse auf diese drei Worte ›Gott, Tugend und Unsterblichkeit‹ eine Allerweltsreligion gründen. So schwach ich damals noch war, widerstand ich mit dem, was ich aus der Heiligen Schrift gelernt hatte, und bewies siegreich die Notwendigkeit des Glaubens an eine Offenbarung, die allein uns Gewißheit geben könne. Alle Gegner verstummten, selbst der Professor, und ich ging aus dem Kolloquium fort mit der Überzeugung, daß dem, der die Bibel als Gottes Wort glaube, darin das Schwert des Geistes, eine unüberwindliche Waffe, zu Gebote stehe.« H. besuchte dann noch die Universitäten Jena, Göttingen und Berlin. Nach seiner Rückkehr in die Heimat wurde er im Mai 1823 zum Pfarrer von Ittenheim bei Straßburg berufen. »Der Ruf erschreckte mich; denn ich hatte mich im Predigen noch gar nicht hinreichend geübt und fühlte zu deutlich meine Untüchtigkeit. – Die lieben Ittenheimer hatten einen gar schlechten Pfarrer an mir; ich fühlte es wohl; ich merkte deutlich, daß meine Wirksamkeit, so sehr sie im Äußern erfreulich schien, dennoch im Innern erfolglos blieb; ich weinte zuweilen des Nachts, wenn ich darüber nachdachte, bittere Tränen. Ach, ich ahnte nicht, daß mit mir selbst eine gründliche Veränderung vorgehen müßte; denn ich war noch im Tode gebunden.« Während einer Frieselepidemie starb nach viereinhalbjähriger Ehe H.s Gattin, die Tochter eines Stadtkämmerers in Straßburg, in der Nacht vom Gründonnerstag zum Karfreitag 1828 nach fünftägigem Leiden als Folge eines Besuches bei der erkrankten

Nachbarin. H. litt sehr. »Meine Hoffnung war, bald zu sterben, und mit frevelndem Vergnügen sah ich, wie ein Zehrfieber meine Kräfte allmählich untergrub.« Ohne sein Zutun erging an ihn der Ruf an die »Neue Kirche« in Straßburg, die einstige Predigtstätte des Mystikers Johann Tauler (s. d.). Es war die alte Dominikanerkirche, die nach der Übergabe Straßburgs an Ludwig XIV. 1681 den Protestanten an Stelle des ihnen von den Katholiken entrissenen Münsters für den lutherischen Gottesdienst angewiesen wurde. H. lehnte zunächst den Ruf ab, folgte ihm aber schließlich auf Drängen seiner Freunde und der Behörde und wurde am 31. 5. 1829 in sein neues Amt eingeführt. Unter den 25 Straßburger Pfarrern herrschte teils ein ausgesprochener Rationalismus, teils ein milder Supranaturalismus, zwei Richtungen, deren Hauptvertreter Isaak Haffner (s. d.) und Jean-Laurent Blessig (s. d.) waren. H. zählte zu den Supranaturalisten, drang aber nach langem, schwerem Ringen zum lebendigen Glauben durch: »Als ich nach Straßburg gezogen war, wurde ich mit Schrecken inne, daß ich körperlich genas, und fiel darüber geistig in große Finsternis; was da in mir vorging, vermag ich nicht zu beschreiben; der Herr, der mich unendlich gnadenreich führte, zog mir nach und nach die Hülle von meinem Innern hinweg: ich sah mit Entsetzen in den Abgrund meiner natürlichen Verdorbenheit und merkte, daß ich gefrevelt hatte, mir den Tod zu wünschen; denn ich war ja ein unbegnadigter Sünder, und wäre ich so dahingefahren, was wäre aus mir geworden?! Die Menschen hielten mich für tugendhaft, für fromm sogar, und ich wurde täglich mit tieferem Abscheu gegen mich selber erfüllt, und mein ganzes verflossenes Wirken und Streben stand mir als ein niederschmetternder Vorwurf vor dem Gewissen. Jetzt verstand ich erst, daß die Worte des Apostels auch mich angingen: ›Ich war zuvor ein Lästerer und ein Verfolger und ein Schmäher.‹ Zwar hatte ich von Christus eine hohe Meinung und sprach oft von ihm mit ehrenden Worten; aber ich hatte ihn durch die Tat gelästert, indem ich mein eigener Heiland sein wollte und sein Verdienst herabwürdigte, um die eigene Gerechtigkeit aufzurichten. Ich meinte nie, ein Verfolger zu sein, und pries hoch meine Toleranz, und dennoch habe ich mit aller Gewalt dem Fortschritt des Reiches Gottes entgegengearbeitet, indem ich den Kern der evangelischen Lehre, die Versöhnung durch das Blut Jesu Christi, als vernunftwidrig von mir stieß und auch andere davon abzubringen suchte. Obgleich ich den Sohn Gottes für ein höheres Wesen hielt und das Licht der Welt nannte, so war ich doch ein Schmäher seines Namens, weil ich zur Schmach des Kreuzes Christi die eigene Ehre suchte. Wie oft hatte ich vorher mit einer Art von mitleidiger Geringschätzung auf die Christen herabgesehen, die sich demütig vor dem Sünderheiland beugten im Bekenntnis ihrer Schuld! Ach, nun war es mit mir ganz anders geworden. Kein Mensch hatte mich darüber belehrt; aber die Macht des Geistes Gottes überzeugte mich von der Sünde, von der Gerechtigkeit und von dem Gericht und strafte mich scharf. Es kämpften in mir mächtige Kräfte, und meine Seele war oft mit großer Angst erfüllt; dabei hatte ich niemanden, dem ich meine Not klagen konnte. Das trieb mich endlich nach zehn schmerzlich durchrungenen Monaten, geradezu an Jesus Christus selber mich zu wenden und mich ihm unbedingt hinzugeben. Da genas meine Seele, und es währte nicht lange, so konnte ich, von der Gnade meines Heilandes beschämt und gehoben zugleich, als ein Neugeborener ausrufen: ›Mir ist Barmherzigkeit widerfahren.‹ Das Selbst-wirken-Wollen hörte gänzlich auf; je mehr ich auf mich selber verzichten lernte, desto wunderbarer sah ich mich gesegnet. Als ich zuletzt so weit kam, daß ich mit voller Zuversicht sagen konnte: ›Mein Jesus, ich bin auf ewig dein!‹, da ging mir ein stilles inneres Leben auf voll Glanz und Herrlichkeit.« Am Trinitatissonntag 1831 legte H. vor der Gemeinde Zeugnis ab von der Umwandlung, die Gott in ihm gewirkt hatte. Das erregte Aufsehen. Die neue Predigtweise brachte ihm viel Widerspruch und Feindschaft, Spott und Hohn ein, fand aber ein dankbares Echo bei denen, die die rationalistische Predigt unbefriedigt gelassen hatte. Nun brach für Straßburg eine Zeit der Erweckung an. H. wirkte als der geistesmächtige Führer der orthodox-pietistischen Bewegung im Elsaß, als ein Bußprediger von erschütterndem Ernst und als der Wegbereiter der Inneren Mission in seiner Heimat. Mit einem Professor und einem Notar gründete er im April 1834 die »Evangelische Gesellschaft von Straßburg«, deren Aufgabe es sein sollte, das christliche Leben zu fördern und die reine Lehre des Evangeliums auszubreiten. Seit 1833 bestand in Paris die »Société évangélique«, die unter der römisch-katholischen Bevölkerung missionierte, aber auch in den toten Kreisen der evangelischen Kirche Leben zu wecken sich bemühte. Sie sandte den aus Ostpreußen stammenden Prediger Major, einen ehemaligen englischen Missionar, nach Straßburg, der dort eifrig zu arbeiten begann. Auf seine Anregung schloß sich die »Evangelische Gesellschaft von Straßburg« der Pariser »Société évangélique« an, als deren Zweig sie eine viel umfangreichere Wirksamkeit entfalten zu können hoffte. Major aber wirkte als Separatist: er sammelte aus den Stadt- und Landgemeinden eine eigene Gemeinde um sich und suchte auch H. für seine freikirchlichen Gedanken zu gewinnen. H. trat öffentlich gegen ihn auf und drang auf seine Entlassung. Im März 1839 löste die »Evangelische Gesellschaft von Straßburg« die Verbindung mit der »Société évangélique« und wurde wieder selbständig. Es wurde jetzt stark betont, daß man innerhalb der Kirche arbeiten wolle. Unter H.s Leitung wurde die »Evangelische Gesellschaft von Straßburg« ein Verein für Innere Mission, noch ehe dieser Name erdacht und ausgesprochen worden war. Darüber vergaß man aber nicht die Äußere Mission. Ein Vortrag im Jahr 1834 über die Arbeit der »Société des Missions évangéliques de Paris« hatte in Straßburg die Liebe und Verantwortung für die Mission geweckt und die Gründung eines Missionshilfsvereins für Paris und Basel veranlaßt. Um dieselbe Zeit war auch eine »Gesellschaft der Freunde Israels« entstanden, deren Arbeit H. ebenfalls tatkräftig förderte. Seine besondere Liebe und viel Zeit und Kraft wandte er jedoch der Diakonie zu. Für die diakonische Arbeit in der Gemeinde suchte H. die Jugend zu gewinnen, die er nach der Konfirmation ein bis zwei Jahre wöchentlich einmal um sich sammelte. Aus diesen Zusammenkünften entstand 1836 ein Jünglings- und ein Jungfrauenverein. Mitglieder des Jünglingsvereins schlossen sich zur »Gesellschaft der Armenfreunde« zusammen, deren Aufgabe die praktische Übung christlicher Wohltätigkeit an Armen und Kranken sein sollte. Zur Pflege und Betreuung der Kranken und Armen bildeten Mitglieder des Jungfrauenvereins den »Armen-Dienerinnen-Verein«, der für die Arbeit der Inneren Mission im Elsaß große Bedeutung gewann. Kurze Zeit nach Bestehen dieses Vereins wandten sich einige seiner ältesten Mitglieder an H. mit der Bitte, unter seiner Leitung in einer evangelischen Krankenanstalt sich ganz der Krankenpflege widmen zu dürfen. Da dachte H. an ein Erlebnis aus dem Jahr 1820. Der Magistrat von Straßburg hatte beschlossen, die Pflege der 6–800 Kranken in dem städtischen Hospital so neu zu ordnen, daß die Katholiken von den »Barmherzigen Schwestern« und die Evangelischen von Pflegern und Pflegerinnen ihres Glaubens versorgt würden, falls sich zwei evangelische Jungfrauen oder Witwen fänden, die die Oberleitung der protestantischen Abteilung des Hospitals zu übernehmen bereit und imstande wären. Da sich aber trotz aller Bemühungen der Pfarrer keine für dieses Amt meldete, übergab die Behörde die gesamte Verwaltung der Krankenpflege den katholischen Schwestern. H. freute sich, daß junge Mädchen aus seiner Gemeinde, die keine besondere Pflicht zu Hause zurückhielt, zum diakonischen Dienst als Lebensberuf bereit waren, sah aber zu diesem Zeitpunkt keine Möglichkeit, ihrem Wunsch zu entsprechen. Da erfuhr H. von der 1836 erfolgten Gründung des Diakonissenhauses in Kaiserswerth am Rhein durch Theodor Fliedner (s. d.) und wurde nun dessen gewiß, daß er dazu berufen sei, in seiner Vaterstadt eine ähnliche Diakonissenanstalt zu stiften. Unermeßlich groß waren die Schwierigkeiten, die überwunden werden mußten, um diesen Gedanken zu verwirklichen. Ende der dreißiger Jahre reiste H. nach Kaiserswerth, um die dortige Arbeit kennenzulernen und sich von Fliedner raten zu lassen, konnte aber nach seiner Rückkehr infolge eines gefährlichen Halsleidens, das 1840 auftrat, mit der Durchführung seines Planes nicht beginnen, sondern mußte warten, bis er nach längerem Aufenthalt in der Schweiz und monatelanger Vertretung in allen beschwerlichen Amtsgeschäften die volle Kraft der Gesundheit wiedererlangt hatte. Anfang 1842 wurde der erste Entwurf zur Gründung eines Diakonissenhauses vollendet und im Februar ein Haus gemietet, das dann drei Schwestern bezogen. Im Frühjahr reiste H. nach Mülhausen, Basel und Paris, um die nötigen Mittel zu beschaffen. Am 31. 10. 1842 fand die feierliche Einweihung des Diakonissenhauses statt. Die jungen Schwestern mußten die erste Privatpflege am Sterbebett der an einer heftigen Lungenentzündung erkrankten zweiten Gattin H.s übernehmen, die als eine treue Freundin seiner ersten ihm 1831 die Hand zum Ehebund gereicht hatte. Eine Anzahl anderer Anstalten schlossen sich an das Diakonissenhaus an oder wuchsen aus ihm heraus: die Mägdeanstalt, das »Refuge« für gefallene Mädchen, das »Disciplinaire« für weibliche Sträflinge unter 14 Jahren, die »Krippe« für Kinder, deren Müt-

ter den Tag über in Fabriken arbeiten, und 1871 die höhere Töchterschule »Bon Pasteur«. Von 1852 an zog H. seinen Sohn Gustav zum Gehilfen am Werk heran und übertrug ihm nach und nach das Amt eines Hausgeistlichen, während er sich selbst nur den Unterricht und die Seelsorge der Schwestern vorbehielt. Seine älteste Tochter wirkte als Schwester im Diakonissenhaus bis zu ihrem Tod im Jahr 1869. Dem Diakonissenhaus gehörte bis zuletzt seine ganze Liebe und der größte Teil der Zeit, die ihm das Pfarramt übrigließ. Als H. 1874 heimgerufen wurde, zählte die Diakonissenanstalt über 120 Schwestern, die auf mehr als 25 Stationen arbeiteten, hauptsächlich in Straßburg, Mülhausen und im übrigen Oberelsaß und in Neuenburg (Neuchâtel) in der Schweiz. Unter der Anfeindung seiner Amtsgenossen und dem Kirchenregiment, das seine besten Absichten verdächtigte und ihn als Neuerer und Ruhestörer maßregelte, hat H. schwer gelitten. Als 1853 ein französischer Prediger an die Neue Kirche berufen wurde, der den vulgärsten Rationalismus auf die Kanzel brachte, trat ihm H. mannhaft entgegen. H.s Freunde hielten treu zu ihm, obwohl es seinen Gegnern 1859 gelang, fast alle Stellen im Kirchenrat mit ihren Leuten zu besetzen. In seinem Kampf gegen den Rationalismus mußte H. aber später erleben, daß sogar ein Teil seiner Freunde sich Timothée Colani (s. d.) zuwandte, der als Pfarrer an der französischen Kirche zu St. Nikolai ein undogmatisches Christentum verkündigte und als Professor der Homiletik an der Theologischen Fakultät und Professor der Philosophie am Protestantischen Seminar bald der einflußreichste theologische Dozent in Straßburg wurde. Auch die kirchliche Rechte griff H. heftig an, insbesondere der Pfarrer Friedrich Theodor Horning (s. d.) an Jung St. Peter in Straßburg, der als Vertreter des strengsten lutherischen Konfessionalismus in Wort und Schrift H. hauptsächlich bekämpfte wegen des an der »reinen Lehre« Verrat übenden »Unionspietismus«, der ihm schlimmer und gefährlicher als der Rationalismus erschien. Es half nichts, daß H. in den dreißiger Jahren die »Confessio Augustana« von 1530 mit einer zustimmenden Vorrede »über den Wert und das Wesen unserer Bekenntnisschriften« und mit erläuternden Anmerkungen herausgegeben hatte. Seine Verdienste um die Wiederbelebung der elsässischen Kirche wurden bei aller Polemik gegen ihn weder beachtet noch gewürdigt. Am 12. 6. 1866 traf H. ein Nervenschlag. Er erholte sich wieder und arbeitete weiter, nun unterstützt durch seinen Schwiegersohn, Pfarrer Max Reinhard. Da H. bei Ausbruch des Deutsch-Französischen Krieges im Juli 1870 seine Vaterstadt nicht verlassen wollte, erlebte er mit seinen Kindern und seiner Gemeinde die Schreckensmonate der Belagerung Straßburgs. In der Nacht vom 24. zum 25. 8. geriet die Neue Kirche in Brand und wurde mit den Schätzen der Stadt- und Universitätsbibliothek in ihrem hohen Chor ein Raub der Flammen. Das Pfarrhaus konnte nur mühsam gegen das Feuer verteidigt werden. Die folgenden Nächte brachte H. mit den Seinen und vielen anderen in den Kellern des Gymnasiums zu. Dann fand er im Diakonissenhaus Zuflucht. Dort dichtete H. das Lied, das 1899 in das Gesangbuch von Elsaß-Lothringen aufgenommen wurde: »Heimat meiner Liebe, Ziel der heilgen Triebe, Ort der selgen Ruh.« Die Versammlung der Stadtverordneten bat den General Uhrich, den Gouverneur von Straßburg, schriftlich und mündlich, die Stadt doch zu übergeben, da sie trotz heldenmütigen Widerstandes nicht gehalten werden könne. Uhrich lehnte ab. Eine Woche später, am 27. 9., ging H. allein zum Gouverneur und erreichte, daß wenige Stunden nach seinem Besuch die weiße Flagge am Turm des Münsters erschien. Am 27. 10. 1871 schrieb er in sein Losungsbüchlein: »Gestern abend von 6 bis 9 Uhr ein fürchterlicher Sturm mit Blitz ohne Donner. Er vollendete die Zerstörung der Ruinen der Neuen Kirche, indem er den noch stehenden Giebel zur Hälfte in die Kirche warf, das übrige des Gewölbes zusammenschlug, die hintere Reihe der Säulen umstürzte und nichts übrigließ als die äußeren Mauern. Ich nahm Abschied von dem letzten Rest meiner Kirche. Droben in der Heimat hab ich einen unvergänglichen Bau. Amen.« Von 1872 an nahmen H.s Kräfte sichtlich ab. Am 8. 3. 1873 traf ihn ein neuer Schlag, der nun auch den Geist trübte.

Lit.: Christian Hackenschmidt, Bilder aus dem Leben v. F. H. H. Ein Btr. z. Gesch. des geistl. Lebens im Elsaß im 19. Jh., 1888; – Im Dienst des Herrn. Das Straßburger Diakonissenhaus während seines 50j. Bestehens, 1893; – Gustav Härter, Zur 100j. Geb.feier v. F. H., 1897; – Max Reichard, F. H. Ein Lb. aus dem Elsaß, 1897; – RE VII, 321 ff.

HÄTZER, Ludwig, Spiritualist und Antitrinitarier, * etwa 1500 in Bischofszell (Thurgau), † (enthauptet) 4. 2. 1529 in Konstanz. – H. besuchte die Stiftsschule in seiner Vaterstadt. Im Wintersemester 1517/18 war er in Basel immatrikuliert. Nach Beendigung seiner Studien empfing H. in Konstanz die Priesterweihe und kam als Kaplan nach Wädenswil am Zürichsee, wo er mit der Reformation bekannt wurde. Weil er in ihrem Geist wirkte, mußte H. im Sommer 1523 Wädenswil verlassen und lebte nun als stellenloser Kleriker in Zürich. Am 24. 9. 1523 erschien dort seine Schrift, in der er unter Androhung göttlichen Strafgerichts zur Entfernung der Bilder in den Kirchen aufforderte. Als Protokollant nahm H. teil an der zweiten Disputation in Zürich vom 26.–28. 10. 1523, die mit der Einführung der von Huldrych Zwingli (s. d.) und Leo Judä (s. d.) vorgeschlagenen Reform endete: Beseitigung der Bilder, aber auf geordnetem Weg, durch die Obrigkeit. H.s Schrift gegen die Bilder, von der im November oder Dezember 1523 eine Neuauflage erschien, und seine Vorrede zu den von ihm bearbeiteten und im Dezember 1523 veröffentlichten Akten der zweiten Zürcher Disputation sind hervorragende Quellen für die Beurteilung seines theologischen Denkens. Darin vertrat er einen extremen Biblizismus. Ende 1523 stand H. noch ganz bei Zwingli. Dann wurde er durch sein entschiedenes Eintreten für Reformen zur radikalen Gruppe gedrängt. Da ein Augsburger Buchdrucker ihn mit der Übersetzung und Drucklegung von Schriften Johann Bugenhagens (s. d.) beauftragte, begab sich H. Ende Juni 1524 nach Augsburg, kehrte aber, weil er dort keine Dauerbeschäftigung fand, im Oktober 1524 nach Zürich zurück. H. lehnte die Kindertaufe ebenso ab wie seine Gesinnungsgenossen, die alle die Wiedertaufe annahmen, während er diesen Schritt nicht mitvollzog. Darum wurde H. nicht wie die anderen, die mit ihm ausgewiesen wurden, als der Rat mit aller Strenge gegen die Täufer vorging,

täuferischer Propagandist, sondern machte sich allein auf die Reise. Er ging zunächst nach Konstanz, dann nach Augsburg, wo er bei dem Drucker Silvan Otmar Anstellung als Korrektor fand und eine Konventikelkirche begründete. H. wurde als »homo seditiosus, impurus et evangelii hostis« vom Rat aus Augsburg ausgewiesen. Er selbst schrieb es der persönlichen Feindschaft des Urbanus Rhegius (s. d.) zu. Sein Weg führte ihn zunächst nach Konstanz, dann nach Basel; er traf dort im Oktober 1525 ein. H. übersetzte die soeben erschienene Abendmahlsschrift des Johannes Oekolampad (s. d.) »De genuina verborum domini ›hoc est corpus meum‹ iuxta vetustissimos authores expositio liber«. Um eine Versöhnung zwischen H. und Zwingli herbeizuführen, schickte Oekolampad H. Anfang November 1525 nach Zürich. H. wohnte als Zuhörer der dritten Disputation mit den Täufern vom 6.–8. 11. bei. Seine Unterredung an dem auf die Disputation folgenden Tag über die Tauffrage mit Zwingli brachte die klare Einigung beider: H. nahm von seiner früheren Verwerfung der Kindertaufe Abstand und erkannte die Taufe als Testamentszeichen an. H. übersetzte noch weitere Schriften Oekolampads, wandte sich dann aber der Übersetzung der Propheten zu. Von Basel aus zog H. Ende 1526 nach Straßburg, wo er Aufnahme bei Wolfgang Capito (s. d.) fand. Dort schloß H. Freundschaft mit Hans Denck (s. d.). Ende Januar 1527 verließ H. Straßburg und begab sich nach Worms, wo er mit Denck zusammentraf. Sie gewannen den dortigen Prediger Jakob Kautz (s. d.) für das Täufertum. Die drei waren in der Stille für die Ausbreitung der täuferischen Gedanken tätig. Denck und H. nahmen in Worms ihre Arbeit an der Übersetzung der Propheten wieder auf, die sie bereits in Straßburg zusammengeführt hatte. Am 3. 4. 1527 war die Übersetzung der Propheten vollendet. Sie erschien ohne Nennung eines Verfassers, nur mit H.s Motto versehen. Die Arbeitsgemeinschaft der beiden Freunde läßt sich nicht voneinander abgrenzen. Aber H. hat durch Vorrede und Motto das Buch als sein Werk bezeichnet. In Denck hatte er einen sachkundigen und schätzbaren Mitarbeiter gefunden. Das Werk erschien bei Peter Schöffer in Worms und ist die erste evangelische Übersetzung der Propheten. Innerhalb von vier Jahren kamen zwölf selbständige Ausgaben heraus. Bereits 1529 verwendet der erste Verleger in seiner Bibelausgabe die Zürcher Übersetzung von 1529. Martin Luthers (s. d.) Übersetzung der Propheten von 1532 verdrängte die Übersetzung H.s in Deutschland schließlich gänzlich. Im Juli 1527 brachen die beiden Freunde Denck und H. von Worms auf. H. begab sich zunächst nach Straßburg, dann über Basel in die Schweiz. In Ulm traf er mit Denck zusammen. Beide kamen im August 1527 in Augsburg an. Da er vor zwei Jahren aus Augsburg ausgewiesen worden war, mußte sich H. verborgen halten. Darum besuchte er die Gemeindeversammlung nicht und nahm auch nicht teil an den Beratungen der Täufersynode von 1527. Als bald nach Abschluß der Synode die Verfolgung über die Augsburger Täufergemeinde hereinbrach, entgingen Denck und H. durch Abreise nach Donauwörth. Nach kurzem Aufenthalt reisten beide weiter nach Nürnberg. Dort trennten sie sich endgültig. Denck wandte sich nach Süden und starb im November 1527 an der Pest in Basel. H. zog nach Regensburg und von dort nach Augsburg, kehrte dann in seine Heimat Bischofszell zurück und ließ sich kurz darauf in Konstanz nieder. Der Rat von Augsburg, der H. des Ehebruchs beschuldigte, bat den Rat von Konstanz um H.s Festnahme. 2½ Monate dauerte der Prozeß, über dessen Verlauf nur sehr wenig Akten vorliegen. Den Klägern ging es um den Mann, den sie als Irrlehrer erledigen wollten. Die sittliche Verfehlung bot die formale Begründung. Das Urteil wurde am 3. 2. 1528 gesprochen und lautete auf Tod durch das Schwert. Über H.s letzte Stunden liegen ausführliche Berichte vor. Johannes Zwick (s. d.) bezeugt: »Herrlicher und manlicher tod ist in Constantz nie gesehen worden.« – H. gehört zu den wenigen Gestalten der frühen Täuferbewegung, die auch literarisch hervorgetreten sind. Er zählt zu den ersten Antitrinitarier deutscher Zunge in der Reformationszeit. Seine späte Theologie ist ein extremer Spiritualismus. Als Schüler und Freund Dencks reihte er sich ein unter die süddeutschen Spiritualisten, deren Erbe dann später durch Sebastian Franck (s. d.) weitergegeben wurde.

Werke: Ein Urteil Gottes unseres Ehegemahls, wie man sich mit allen Götzen u. Bildnissen halten soll, aus der HS gezogen, 1523; Verdt. der Bugenhagenschen Ausl. der Epp. Pauli, 1524; Von den ev. Zechen u. v. der Christen Rede aus HS, 1525; Übers. des Propheten Maleachi, 1526; Alle Propheten nach hebr. Sprache verdt., 1527 (gemeinsam mit Hans Denck); Baruch der Prophet, die Histori Susannah, die Histori Bel zu Babel, alles neulich aus der Bibel verdt. O Gott, erlös die Gefangenen, 1528; Theologia teutsch. Newlich mit großem fleiß corrigiert u. gebessert. Etliche hauptreden, eynem ieden schüler Christi wol zu studieren, 1528; Reime bzw. Lieder unter dem Kreuzgang (verlorengegangene Liedersmlg.); Das Büchlein v. Christo (H.s dogmat. Hauptwerk, ungedr., 1552 durch Ambrosius Blaurer verbrannt).

Lit.: Johann Bartholomäus Riederer, L. H.s teutsche Übers. des Propheten Maleachi, 1526, in: Ders., Nachrr. z. Kirchen-, Gelehrten- u. Bücher-Gesch. II, Nürnberg 1765, 381 ff.; IV, ebd. 1768, 484; – Theodor Keim, L. H. Ein Btr. z. Charakteristik der Sektenbewegungen in der Ref.zeit, in: JDTh 1, 1856, 215 ff.; – Gerhard Uhlhorn, Urbanus Rhegius, Leben u. ausgew. Schrr., 1862, 62 ff. 82 ff.; – Camill Gerbert, Gesch. der Straßburger Sektenbewegung, 1889; – Btrr. z. Ref.gesch. der Reichsstadt Worms. 2 Flugschrr. aus dem J. 1523 u. 1524, hrsg. u. eingel. v. Hans Haupt, 1897; – Philipp Ruppert, L. H. u. die Wiedertäufer in Konstanz, in: Konstanzer geschichtl. Btr. 5, 1899, 36 ff.; – Friedrich Roth, Augsburgs Ref.gesch. I², 1901, 155 ff. 218 ff.; – Christian Hege, Die Täufer in der Kurpfalz, 1908; – Kristofer Janson, L. H. og hans Kampfaeller. Billeder fra Reformationstiden, Kopenhagen 1908; – Huldrych Zwinglis Sämtl. Werke II, 1908, 664 ff. (L. H., Acta oder Gesch., wie es auf dem Gespräch den 26., 27. u. 28. Tag Weinmonats in der Stadt Zürich ergangen ist. Zweite Disputation. 8. Dez. 1523); – Briefwechsel der Brüder Ambrosius u. Thomas Blaurer, hrsg. v. Traugott Schieß, 2 Bde., 1908/10; – Emil Egli, Schweizer. Ref.gesch. I, Zürich 1910; – Karl Schottenloher, Philipp Ulhart, 1921, 27 ff.; – Johann Adam, KG der Stadt Straßburg bis z. Frz. Rev., 1922; – Walther Koehler, Die Zürcher Täufer, in: Gedenkschr. z. 400j. Jub. der Mennoniten oder Taufgesinnten, 1925, 48 ff.; – Ernst Staehelin, Briefe u. Akten z. Leben Oekolampads I, 1927; II, 1934; – Frederick Lewis Weis, The Life, Teachings and Works of L. H. (Diss. Straßburg), Dorchester/Massachusetts 1930; – Georg Baring, Die »Wormser Propheten«. Eine vorluth. ev. Prophetenübers. aus dem J. 1527, in: ARG 31, 1934, 23 ff.; – Ders., L. H.s Bearb. der »Theologia Deutsch«, Worms 1528. Ihr Druck u. ihre Hs. v. 1528, ihre Nachwirkung u. ihr Verhältnis zu Luthers Ausg. v. 1518, in: ZKG 70, 1959, 218 ff.; – Ernst Crous, Zu den Bibelüberss. v. H. u. Denck. Eine bibliogr. Nachlese (zu Georg Baring), in: Btrr. z. Gesch. der Mennoniten. Festg. f. Christian Neff, Weierhof (Pfalz) 1938, 72 ff.; – Albrecht Hege, Hans Denck (Diss. Tübingen), 1942; – Alfred Blum, L. H. in Konstanz, in: Das Bodenseebuch 29, 1942, 56 ff.; – Manfred Krebs, Qu. z. Gesch. der Täufer. IV: Baden u. Pfalz, 1951; – Leonhard v. Muralt u. Walter Schmid, Qu. z. Gesch. der Täufer in der Schweiz. I: Zürich, Zürich 1952; – Johann Friedrich Gerhard Goeters, Zu L. H.s theol. Entwicklung, in: ThZ 8, 1952, 317 ff.; – Ders., L. H. Spiritualist u. Antitrinitarier. Eine Randfigur der frühen Täuferbewegung (Diss. Zürich), Gütersloh 1957 (Rez. v. W. P. Fuchs, in: ThLZ 83, 1958, 850 f.; v. F. Blanke, in: ThZ 14, 1958, 228 ff. u. in: Mennonit. Gesch.bll. 15, 1958, 53 ff.; v. G. Franz, in: ARG 50, 1959, 119 f.; v. I. Höß, in: HZ

191, 1960, 132 ff.); – Ders., L. H.s Lieder. Ein hymnolog. Vers., in: Mennonit. Gesch.bll. 16, 1959, 3 ff.; – Fritz Blanke, Brüder in Christo, Zürich 1955; – Ch. Garside, L. H.'s Pamphlet against Images. A critical Study, in: The Mennonite Quarterly Review 34, Goshen/Indiana 1960, 20 ff.; – Biogr. Wb. z. dt. Gesch. I², 1973, 1004; – Goedeke II, 244; – HBLS IV, 48; – ADB XI, 29 ff.; – NDB VII, 455; – MennLex II, 225 f. – RE VII, 325 ff.; – RGG III, 21; – LThK V, 28.

HÄUSLE, Johann Michael, Theologe, * 28. 7. 1809 in Satteins (Vorarlberg), † 16. 1. 1867 in Wien. – H. studierte in Feldkirch, Innsbruck und Brixen und empfing 1832 die Priesterweihe. Er wurde Ende 1832 vom Kaiser in das höhere Bildungsinstitut »Frintaneum« in Wien aufgenommen. Seit 1836 war H. Professor der Kirchengeschichte und des Kirchenrechts am Priesterseminar in Brixen und wurde 1838 Hofkaplan und Studiendirektor am »Frintaneum« in Wien (bis 1849) und 1860 Oberhofkaplan. 1848 promovierte er zum Dr. theol. – H. trat für eine katholische Erneuerung und soziale Reform ein und setzte sich im Revolutionsjahr 1848 in Wort und Schrift für die kirchliche Freiheit und die Überwindung des Josefinismus ein, ebenso für den stiftungsgemäß katholischen Charakter der Wiener Universität. Zugleich bemühte er sich um die Hebung der theologischen Studien, redigierte 1850–60 die »Zeitschrift für die gesamte katholische Theologie«, übernahm in Österreich die Leitung der Arbeiten für das Kirchenlexikon von Heinrich Joseph Wetzer (s. d.) und Benedikt Welte (s. d.) und lieferte dafür eine ganze Reihe von kirchenhistorischen Artikeln. Auch an der Gründung und Leitung des Katholikenvereins, des Severinusvereins, war H. hervorragend beteiligt und bekämpfte den Deutschkatholizismus. Er verkehrte im Kreis Anton Günthers (s. d.).

Werke: Ein freimütiges Wort f. die Reform der theol. Stud. in Östr., Wien 1849; Der kath. Charakter der Wiener Univ., ebd. 1863; Darf die Wiener Hochschule paritätisch werden?, ebd. 1865.

Lit.: Anton Wappler, Gesch. der theol. Fak. der Univ. zu Wien. Festschr. z. Jubelfeier ihres 500j. Bestehens, Wien 1884, 337 ff. 452; – HJ 48, 1928, 472, Anm. 3; – Eduard Hosp, Kirche im Sturmj. Erinnerungen an J. M. H. (Btrr. z. neueren Gesch. des christl. Östr.), Wien 1953; – ADB 50, 83 f.; – ÖBL II, 139; – Kosch, KD 1264; – LThK V, 37.

HAFENREFFER, Matthias, Theologe, * 24. 6. 1561 als Sohn eines Schultheißen und Baders in Kloster Lorch (Württemberg), † 22. 10. 1619 in Tübingen. – H. besuchte die Klosterschulen in Lorch, St. Georgen und Hirschau und studierte seit 1579 in Tübingen Philosophie und Theologie. Er wurde 1581 Magister, 1583 Repetent, 1586 Diakonus in Herrenberg, 1588 Pfarrer in Ehningen, 1590 Hofprediger und Konsistorialrat in Stuttgart, 1592 Dr. theol. und Professor für Altes Testament, Dogmatik, Patristik und Mathematik in Tübingen, auch Superattendent des Theologischen Stifts, 1617 Kanzler der Universität und Propst an der Stiftskirche. – H., Schwiegersohn des schwäbischen Reformators Johannes Brenz (s. d.), ist bekannt als Vertreter der nachkonkordistischen lutherischen Orthodoxie. Mit gründlicher und vielseitiger Gelehrsamkeit verband sich bei ihm ein frommer und friedliebender Sinn. Durch seine Wirksamkeit auf Katheder und Kanzel stiftete er reichen Segen. Das bezeugen dankbare Schüler, wie Johann Valentin Andreae (s. d.) und Johann Kepler (s. d.), der H.s mathematische und naturwissenschaftliche Kenntnisse rühmend anerkennt. H. stand mit dem Astronomen Kepler, der ihm als seinem »praeceptor colendissimus« seine Schriften mitteilte, in Briefwechsel. Da Kepler die Unterschrift unter die »Konkordienformel« wegen der darin ausgesprochenen Verwerfung der reformierten Abendmahlslehre verweigerte, zog er sich das Mißtrauen bei seinen »geistigen Vätern« in Stuttgart und Tübingen zu und verscherzte sich so die von ihm innigst begehrte Professur in Tübingen. H. hielt ihm gegenüber an der Notwendigkeit der bedingungslosen Anerkennung der »Konkordienformel« fest. Von H.s theologischen Schriften haben die größte Bedeutung für die Folgezeit seine »Loci theologici« erlangt, die er auf Wunsch des Herzogs Friedrich von Württemberg zum Gebrauch des Prinzen Johann Friedrich geschrieben hat. Es ist – später wesentlich umgearbeitet und erweitert – ein dogmatisches Lehrbuch, das sich durch seine lutherische Rechtgläubigkeit wie durch Klarheit und Schärfe der Begriffe und des Ausdrucks, Einfachheit des Stils und der in Fragen und Antworten gefaßten Darstellung auszeichnet. H.s »Loci theologici« wurden 1612 durch königliches Dekret auf der Universität Uppsala und in anderen schwedischen Lehranstalten als offizielles dogmatisches Lehrbuch eingeführt. Sie verdrängten das »Compendium theologiae« des Jakob Heerbrand (s. d.), das in der württembergischen Kirche eine fast symbolische Autorität besaß, und blieben bis Ende des 17. Jahrhunderts das maßgebende dogmatische Lehrbuch. Die württembergische Prinzessin Anna Johanna übersetzte 1672 die Schrift ins Deutsche. H.s zweites Hauptwerk »Templum Ezechielis« ist eine Erklärung von Ezechiel 40–48 mit ausführlicher Beschreibung des Tempelbaus, bietet aber zugleich »meditationes de praecipuis christianae religionis capitibus« und gelehrte Untersuchungen über die alttestamentlichen Maße, Münzen und Gewichte. Es ist ein »compendium totius doctrinae evangelicae« und »isagoge« zur Erklärung der Heiligen Schrift.

Werke: Loci theologici seu compendium theologiae plane admodum, ut quivis latinae linguae gnarus intelligere possit, conscriptum, 1600 (in neuer Bearb. u. d. T.: Loci theologici certa methodo ac ratione in libros tres tributi, 1603 u. ö.); Templum Ezechielis seu in IX postrema prophetae capita commentarius, 1613; Examen u. Gg.ber. gg. die Calvin. Theologen zu Heidelberg, 1608 ff.
Lit.: Ludwig Melchior Fischlin, Memoria Theologorum Wirtembergensium resuscitata II, Ulm 1709, 8 ff. (Bibliogr.: 19 ff.); – Wilhelm Gaß, Gesch. der prot. Dogmatik I, 1854, 77 ff.; – Paul Stark, in: ZThTh NS 32, 1868, 3 ff. (z. Briefwechsel mit Kepler); – Karl Heinrich Weizsäcker, Lehrer u. Unterricht an der theol. Fak. in Tübingen, 1877, 41 ff.; – Otto Ritschl, DG des Prot. I, 1907; – Hans Emil Weber, Der Einfluß der prot. Schulphilos. auf die orthodox-luth. Dogmatik, 1908; – Martin Leube, Gesch. des Tübinger Stifts I, 1921, 28; – Heinrich Hermelink, Gesch. der ev. Kirche in Württemberg, 1949, 123 f.; – ADB X, 316 f.; – NDB VII, 460; – RE VII, 330 ff.; – EKL II, 4; – RGG III, 22.

HAFFNER, Isaak, luth. Theologe, * 2. 12. 1751 in Straßburg als Sohn eines Rats- und Gerichtsboten, † daselbst 27. 5. 1831. – H. studierte Theologie in Straßburg, Göttingen, Leipzig und Paris und wurde in Straßburg Vikar, dann Pastor an der französischen Kirche St. Nicolai. 1782 promovierte er zum Dr. phil. und 1784 zum Dr. theol. und wurde 1788 Privatdozent und 1803 Professor an der Protestantischen Akademie, 1814 geistlicher Inspektor von St. Thomas und 1816 Mitglied des Direktoriums der evangelischen Kirche Augsburger Konfession. H. war 1793 während der Schreckensherrschaft der Französischen

Revolution 10 Monate eingekerkert. Nach der Wiedererrichtung der Theologischen Fakultät der Universität Straßburg wurde er 1819 ihr erster Dekan. – H. ist bekannt als der prägnanteste Vertreter des elsässischen Rationalismus. Er war ein geschätzter Prediger. Mit Jean-Laurent Blessig (s. d.) gab H. 1798 ein neues Gesangbuch heraus, das im Elsaß größte Verbreitung fand.

Werke: De l'Éducation littéraire, ou Essai sur l'organisation d'un établissement des hautes sciences, Straßburg 1792; Festpredigten, 2 Bde., ebd. 1801–02; Des secours que l'étude des langues de l'histoire, de la philosophie et de la littérature offrent, à l'ouverture de l'Académie Protestante de Strasbourg, Paris 1804; Predigten u. Homilien, 2 Bde., Straßburg 1823–26.
Lit.: Johann-Friedrich Bruch, Kindheit- u. Jugenderinnerungen, Straßburg 1889; – Théodore Gerold, Gesch. der Kirche St. Nikolaus in Straßburg. Ein Btr. z. KG Straßburgs, qu.mäßig bearb., ebd. 1904, 81 ff.; – Ders., La Faculté de Théologie et le Séminaire Protestant de Strasbourg 1803–72, Paris – Strasbourg 1923, 19 ff.; – A. Salomon, Wofür ich Gott danke (Einl., Übers. u. Komm. des Textes v. H.), in: RHPhR 3, 1923, 534 ff.; – L. P. Horst – H. Strohl, Commémoration de la mort de I. H. 1751–1831, Strasbourg 1932; – Henri Strohl, Le Protestantisme en Alsace, ebd. 1950, 371 ff.; – Marie-Jos. Bopp, Die ev. Geistl. u. Theologen in Elsaß u. Lothringen v. der Ref. bis z. Ggw. I, 1959, 210; – René Voeltzel, Les protestants d'Alsace et la Révolution française, in: Saisons d'Alsace 9, Strasbourg 1964, 59 ff.; – Sitzmann I, 686 f.; – ADB X, 319; – NDB VII, 462; – Lichtenberger VI, 60 f.; – RGG III, 22.

HAFFNER, Paul Leopold, Bischof von Mainz, * 21. 1. 1829 in Horb/Neckar als Sohn eines Arztes, † 2. 11. 1899 in Mainz. – H. studierte seit 1847 in Tübingen und empfing 1852 die Priesterweihe. Nach Promotion zum Dr. phil wurde er 1854 Repetent am Wilhelmsstift in Tübingen und Privatdozent für Philosophie. H. war seit 1855 Professor der Philosophie, seit 1864 zugleich für Apologetik am bischöflichen Seminar in Mainz. Er wurde 1866 Domkapitular und 1886 (nach neunjähriger Sedisvakanz durch den Kulturkampf) Bischof von Mainz. – H. ist bekannt als Interpret und Verfechter der »philosophia perennis«, Mitbegründer der Görresgesellschaft und 1. Vorsitzender ihrer philosophischen Sektion, auch als Leiter des 1864 gegründeten »Katholischen Broschürenvereins« und Herausgeber der »Frankfurter zeitgemäßen Broschüren« von 1879–86.

Werke: Der Materialismus in der Kulturgesch., 1865; Sozialer Katechismus. Grundzüge der gesellschaftl. Ordnung in Familie, Gemeinde, Staat u. Kirche (Pseud.: Arthur v. Hohenberg), 1879 (Neuaufl. überarb. v. Franz Kirchesch, 1925); Grundlinien der Philos., 2 Bde., 1881–84; Smlg. zeitgemäßer Broschüren, 1887.
Lit.: Dr. P. L. H., Bisch. v. Mainz. Eine Festschr. z. Feier der Consekration, 1886; – Dr. P. L. H., Bisch. v. M. Sein Leben u. Wirken, 1889; – P. Schneiderhan, in: Katholik 95, 1915, 7 ff.; – Thomas Ball, P. L. H. als Philosoph (Diss. Mainz, 1949), 1950; – August Hagen, Gestalten aus dem schwäb. Kath. II, 1950, 189 ff.; – Ludwig Lenhart, Dr. P. L. H., in: Jb. f. das Bist. Mainz 8, 1959/60, 11–117; – NDB VII, 463; – EC VI, 1329; – LThK IV, 1312; – Kosch, KD 1266 f.

HAGEL, Maurus, Benediktiner, Theologe, * 25. 2. 1780 in Freising-Neustift, † 2. 2. 1842 in Dillingen. – H. trat in die Abtei Benediktbeuern ein und legte 1802 als der letzte die Gelübde ab, da das Kloster 1803 aufgehoben wurde. Er war seit 1808 Professor der Studienanstalt in Amberg und dort seit 1816 Professor der Dogmatik, 1823–24 Professor der Dogmatik am Lyzeum in Aschaffenburg, 1824–42 Universitätsprofessor für Dogmatik in Dillingen. – H. ist bekannt als Bekämpfer des theologischen Rationalismus.

Werke: Der Kath. u. die Philos., 1822; Theorie des Supranaturalismus mit bes. Rücksicht auf das Christentum, 1826; Apologie des Moses, 1828; Demonstratio religionis christianae catholicae, 2 Bde., 1831–32; Rationalismus im Gegensatz z. Christentum, 1835; Hdb. der kath. Glaubenslehre f. denkende Christen, 1838; Dr. Strauß' Leben Jesu aus dem Standpunkt des Kath. betrachtet, 1839.

Lit.: Laurentius Stempfle, Erinnerungen an M. H., 1843; – August Lindner, Die Schr.steller u. die um Wiss. u. Kunst verdienten Mitglieder des Benediktiner-Ordens im heutigen Kgr. Bayern v. J. 1750 bis z. Ggw. I, 1880; – Thomas Specht, Gesch. des Kgl. Lyzeums Dillingen. Festschr. z. Feier seines 100j. Bestehens, 1904, 165 ff.; – Pirmin Lindner, Profeßbuch der Benediktinerabtei Benediktbeuern, 1910, 123; – ADB X, 327; – Kosch, KD 1269; – LThK IV, 1314.

HAGEN, Matthäus, Waldenserprediger und -märtyrer, * in Selchow (Neumark), † (verbrannt) 27. 4. 1458 in Berlin. – H., Schneider von Beruf, wurde um 1450 von dem deutschen Hussiten Friedrich Reiser (s. d.), der den Anschluß der deutschen Waldenser an die Taboriten, die radikale Richtung der Hussiten (s. Hus, Johann), durchgesetzt hatte, in Saaz (Nordböhmen) zum Priester geweiht und als »Glaubensbote« in seine Heimat gesandt. Er wirkte als Wanderprediger in der Neumark und Uckermark, hörte Beichte, las im Laiengewand in deutscher Sprache die Messe und teilte das Abendmahl unter beiderlei Gestalt aus. Kurfürst Friedrich II. ließ 1458 H. und drei seiner Schüler verhaften und nach Berlin bringen. Bischof Stefan Bodeker übertrug dem Franziskaner Johann Cannemann, Professor der Theologie in Erfurt, die Leitung des Inquisitionsverfahrens. Die drei Mitangeklagten leisteten den geforderten Widerruf, während sich H. rückhaltlos als Anhänger der waldensisch-taboritischen Lehren bekannte und den Widerruf ganz entschieden ablehnte. Er wurde vor der Marienkirche in Berlin als Ketzer verurteilt und der weltlichen Gerichtsbarkeit zur Bestrafung übergeben.

Lit.: Wilhelm Wattenbach, Über die Inquisition gg. die Waldenser in Pommern u. der Mark Brandenburg, in: AAB, 1886, 71 ff.; – Ders., Über Ketzergerichte in Pommern u. der Mark Brandenburg, in: SAB phil.-hist. Kl. 1886, 1887, 47 ff.; – Hermann Haupt, Husit. Propaganda in Dtld., in: Hist. Taschenbuch, 6. F., VII, 1888, 292 ff.; – Julius Heidemann, Die Ref. in der Mark Brandenburg, 1889, 59 ff.; – Gottfried Brunner, Ketzer u. Inquisition in der Mark Brandenburg im ausgehenden MA (Diss. Berlin), 1904, 18 ff.; – Gustav Abb u. Gottfried Wentz, Das Bist. Brandenburg, in: Germania Sacra I, 1929, 404; – Horst Köpstein, Über den dt. Hussiten Friedrich Reiser, in: Zschr. f. Gesch.wiss. 7, 1959, 1068 ff.; – ADB 49, 701 f.; – NDB VII, 481.

HAGEN, Peter (meist: Petrus Hagius), Kirchenliederdichter, * im Juni 1569 auf dem Landgut seiner Eltern Henneberg bei Heiligenbeil (Ostpreußen), † (an der Pest) 31. 8. 1620 in Königsberg (Preußen). – H. studierte in Königsberg, Helmstedt und Wittenberg und wurde 1598 Rektor an der Schule in Lyck (Ostpreußen) und 1602 an der Domschule in Königsberg. 1607 promovierte er zum Magister. Zu seinen Schülern zählte Simon Dach (s. d.). H. war mit dem Königsberger Hofkapellmeister Johannes Eccard (s. d.) befreundet, dem er geistliche Lieder zu seinen Kompositionen lieferte. Drei seiner Lieder mit Eccards Tonsätzen erschienen 1598 in Königsberg in dessen Werk »Festlieder durch das ganze Jahr mit 5, 6 bis 8 Stimmen« und dann auch im Königsberger Gesangbuch von 1650. Von ihnen sind bekannt das Lied auf das Fest der Verkündigung Mariä »Freu dich, du werte Christenheit! Dies ist der Tag des Herrn« und das Himmelfahrtslied »Freut euch, ihr Christen alle, der Siegsfürst Jesus Christ gen Himmel fährt«. In der 2. Auflage jenes Tonwerkes, von Johann Stobäus (s. d.), Eccards Schüler und Nachfolger, 1642/44 herausgegeben,

erschienen noch 7 andere Lieder von H. Genannt seien die Osterlieder »Gott sei gedankt in Ewigkeit« und »Ich weiß, daß mein Erlöser lebt, obwohl viel Feind mich plagen«.

Werke: 2 Erbauungsschrr. in poet. Form: Praxis pietatis maxime quaestuosae, Königsberg 1611; Prosopopoeia veri et sinceri christiani.

Lit.: Julius Mützell, Geistl. Lieder der ev. Kirche aus dem 16. Jh. III, 1855, 1035 ff.; – Lehnerdt, P. H., in: Altpreuß. Biogr., hrsg. v. Christian Krollmann, I, 1941, 246; – Kosch, LL I, 796; – Koch II, 275 f.; – Wackernagel V, 330 ff.; – Goedeke III, 122; – ADB X, 343.

HAGENBACH, Karl Rudolf, Theologe, * 4. 3. 1801 in Basel als Sohn eines Arztes und Naturforschers, † daselbst 7. 6. 1874. – Die Schule seiner Vaterstadt bot H. wenig Anregung. Förderung verdankte er am meisten den Schriften Johann Gottfried Herders (s. d.) und dem Verkehr mit einem Freund, der ihm die innere Verwandtschaft des Christentums mit den ihm vorschwebenden Humanitätsideen zeigte. »Da wurde es mir klar: es gibt einen hohen idealen Rationalismus, die echte Menschenreligion und Christusreligion derer, die Christum nicht nur im Munde führen, sondern im Leben zu wiederholen den Mut haben. Meine Richtung war für immer gemacht. Sie hat sich später modifiziert, ich habe das große Recht der Historie und der historischen Entwicklung mehr beachten, überhaupt die Theologie als Wissenschaft mit wissenschaftlichem Auge ansehen gelernt; aber im ganzen kann ich von jenem Freunde sagen, daß ich von ihm den Anstoß zu einer ewigen Bewegung erhalten habe.« »Aus freier Wahl des Herzens«, schreibt H., entschied er sich zum Studium der Theologie und sah es als seine heiligste Lebensaufgabe an, »die ewigen Wahrheiten des Heils, wie sie uns im Christentum gegeben und in der Heiligen Schrift niedergelegt sind, mit den Anforderungen der Humanität und einer freien, edlen, von menschlichen Vorurteilen unabhängigen Geistesbildung in Einklang zu bringen«. Mit wenig Befriedigung verbrachte H. das erste Studienjahr in Basel. 1820–23 studierte er in Bonn und Berlin. Durch seine Vorlesungen und im persönlichen Verkehr brachte ihn Friedrich Lücke (s. d.) in Bonn dem biblischen und kirchlichen Glauben wieder näher. Entscheidenden Einfluß auf ihn gewannen in Berlin Friedrich Schleiermacher (s. d.) und August Neander (s. d.). Nach Basel zurückgekehrt, ermunterte ihn der 1822 nach dorthin berufene Wilhelm Martin Leberecht De Wette (s. d.) zur Habilitation. H. wurde 1823 in Basel Privatdozent, 1824 ao. und 1829 o. Professor für Kirchen- und Dogmengeschichte. Er war von Anfang an Präsident des 1842 von ihm und De Wette gegründeten protestantisch-kirchlichen Hilfsvereins der Schweiz, Mitglied der obersten Erziehungsbehörde und seit 1848 Vertreter im Großen Rat. H. wurde als einflußreiches Mitglied des Kirchenrats und Schriftleiter des »Kirchenblatts für die reformierte Schweiz« (1845 bis 1868) zum allgemein anerkannten Führer der schweizerischen Vermittlungstheologie und verhütete in Verbindung mit dem Antistes Diethelm Georg Finsler (s. d.) in Zürich und anderen Freunden und Gesinnungsgenossen in den kirchlichen Kämpfen 1848 bis 1872 den Bruch der Kircheneinheit. Ausgehend von Herder, Schleiermacher und Neander, hat H. doch, wie er 1845 in der Vorrede zu der zweiten Auflage seiner

»Enzyklopädie und Methodologie der theologischen Wissenschaften« gesteht, »durch die Schule der Erfahrung mehr positiven Boden gewonnen« und sich zu der Überzeugung durchgearbeitet, daß »die Objekte des Glaubens von den subjektiven Funktionen des Glaubens und Ahnens unabhängige, real gegebene Tatsachen, nicht bloß Spiegelungen des frommen Selbstbewußtseins« sind. Als in Basel 1871 und 1872 lebhafte Verhandlungen über Beibehaltung oder Abschaffung der »Basler Konfession« und des »Apostolikums« geführt wurden, erklärte H.: »Die gegenwärtigen Streitigkeiten über das apostolische Symbolum sollen mich nicht irremachen. Nur Unverstand kann an solchen altehrwürdigen Zeugnissen des Glaubens Anstoß nehmen; es ist Mangel an Einsicht in den historischen Charakter des Christentums, Mangel an Pietät, wenn man in das rohe Geschrei einstimmt: Keine Dogmen, kein Bekenntniszwang mehr! Es ist aber auch borniertes Eigensinn und Verkennung der Bedürfnisse der Zeit, wenn man den alleinseligmachenden Glauben – von dem freilich gar viele nichts wissen wollen – verwechselt mit dem sehr unvollkommenen, zum Teil über das eigentliche Glaubensgebiet hinausgreifenden Bekenntnis. – Urtatsache ist die Erwählung Gottes, und alles Historische ist nur die mit der Zeit hervortretende Entwicklung des einen großen Heilsgedankens. Was aber in der Zeit hervortritt und zeitlich sich entwickelt, nimmt auch die Formen der Zeit an, und darum unterscheide ich auch in den einzelnen Offenbarungsmomenten die zeitliche Form und den ewigen Inhalt. Der Streit darüber, wie wir zum Heil gekommen, ist von sekundärer und wissenschaftlicher Natur – das gilt auch von allen Wundern –. Die Hauptsache ist, zu wissen, wo das Heil für immer zu finden sei, und wer dieses gefunden hat, der kann über die historischen Fragen sehr unbefangen urteilen.« – Auch als Dichter ist H. hervorgetreten. Wir verdanken ihm das Vertrauenslied »Stillehalten deinem Walten, stillehalten deiner Zucht, deiner Liebe stillehalten, die von je mein Heil gesucht: ja, das will ich, wie's auch geh, wie's auch tu dem Herzen weh.«

Werke: Krit. Gesch. der Entstehung u. der Schicksale der ersten Baslerkonfession, 1827 (1857²); Encyklopädie u. Methodologie der theol. Wiss.en, 1833 (1889¹², hrsg. v. Max Reischle); Luther u. seine Zeit (Gedichte), 1838; Lehrb. der DG, 1840 (1888⁶, hrsg. v. Karl Benrath); Gedichte, 2 Bde., 1846 (1863²); Wilhelm Martin Leberecht De Wette, 1850; Leitfaden z. christl. Rel.unterricht, 1850 (1874⁵); Erinnerungen an Dr. Friedrich Lücke, in: Prot. Mbll. f. innere Zeitgesch. 4, 1855, 145 ff.; Lieder in Liebe u. Leid an eine Vollendete, 1855; Über die sog. Vermittlungstheol., 1858; Predigten I–VIII, 1858; IX, 1875; Oekolampad u. Myconius, 1859; Die theol. Schule Basels, 1860; Grundzüge der Homiletik u. Liturgik, 1863; Über Ziel u. Richtpunkte der heutigen Theol., 1867; KG v. der ältesten Zeit bis z. 19. Jh., 7 Bde., 1869–72 (aus öff. Vorlesungen seit 1833 hervorgegangen u. zuerst in einzelnen Abt.en ersch.; auch ins Holl. u. Engl. übers.; I–III, neu hrsg. v. Friedrich Nippold, 1885–87); Über Glauben u. Unglauben, 1872; Mein Glaubensbekenntnis u. Meine Stellung zu den theol. Parteien, 1874. – Gab heraus: Kirchenbl. f. die ref. Schweiz, 1845–68.

Lit.: Erinnerung an K. R. H. (die bei seiner Beerdigung geh. Grabreden sowie eine kurze v. ihm geschr. Lebensskizze), Basel 1874; – Diethelm Georg Finsler, Zur Erinnerung an K. R. H., Zürich 1874; – Ders., Gesch. der theol.-kirchl. Entwicklung in der dt.-ref. Schweiz, ebd., 1881, 21 ff. 38 f.; – Rudolf Staehelin, H., in: Basler Neuj.bl., 1875; – Christoph Friedrich Eppler, K. R. H., eine Friedensgestalt aus dem streitenden Kirche der Ggw., 1875; – Jeremias Gotthelf u. K. R. H., ihr Briefwechsel aus den J. 1841–53, hrsg. v. Ferdinand Vetter, 1910; – Werner Kaegi, Jakob Burckhardt. Eine Biogr. I: Frühe Jugend u. basler. Erbe, 1947, 433 ff.; – Ernst Staehelin, Johann Ludwig Frey, Johannes Grynaeus u. das Frey-Grynaeische Institut in Basel, Basel 1947, 152 ff.; – Ders., K. R. H., in: Prof. der Univ. Basel aus 5 Jhh. Bildnisse u. Würdigungen. Hrsg. v. Andreas Staehelin, Basel

1960, 132 f.; – Eva M. Düblin-Honegger, K. R. H. Autobiogr., in: Schweizer. Arch f. Volkskunde 67, Basel 1971, 307 ff.; – Kosch, LL I, 796 f.; – ADB X, 344 f.; – NDB VII, 486 f.; – HBLS IV, 51; – RE VII, 335 ff.; – RGG III, 22 f.

HAGER, Balthasar, Jesuit, Theologe, * 1572 in Überlingen, † 9. 3. 1627 in Würzburg. – H. trat 1593 in den Jesuitenorden ein und lehrte in Würzburg Philosophie und Theologie. Er war Rektor der Kollegien Mainz (seit 1611), Heiligenstadt und Würzburg (seit 1624). – H. wurde bekannt als Kontroverstheologe.

Werke: Widerlegung des kurzen, aber nicht schr.mäßigen Ber. Abrahami Sculteti v. der vermeinten Götzen-Bildern, 1622; Rettung der Ehre Gottes in Verehrung der Bilder wider Theophili Mosani vindicias, 1622; Kleiner Wegweiser z. wahren Glauben, 1625; Collatio Confessionis Augustanae et oecumenici Concilii Tridentini cum verbo Dei ad illustrem Franconiae nobilitatem, 1627.

Lit.: Anton Ruland, Series et vitae professorum SS. Theologiae qui Wirceburgi . . . docuerunt, Würzburg 1835, 56 ff.; – Sommervogel IV, 19 f. – ADB X, 352; – Kosch, KD 1275; – HN III, 739; – DThC VI, 2030 f.; – LThK IV, 1315.

HAHN, August, Theologe, * 27. 3. 1792 in Großosterhausen bei Querfurth als Sohn des dortigen Kantors und Schullehrers, † 13. 5. 1863 in Breslau. – H. verlor mit 8 ½ Jahren seinen Vater. Seit 1807 besuchte er das Gymnasium in Eisleben. Dankbar gedachte H. später seiner »frommen und treuen Mutter« und bezeichnete den christlichen Glauben, den er bis zu seiner Studentenzeit gehegt habe, als seinen »mütterlichen« Glauben. H. bezog 1810 die Universität Leipzig und widmete sich theologischen und orientalischen Studien. Nach einem Jahr der Not und Sorge um das tägliche Brot besserte sich seine wirtschaftliche Lage durch Stipendien, die ihm infolge glänzender Leistungen zuteil wurden. Das Ergebnis seiner Leipziger Studien war »der Verlust des mütterlichen Glaubens und des Friedens, den er in bitterer Not gewährt hatte«. Nach seinem theologischen Examen (1814) verdiente sich H. durch Privatunterricht und als Erzieher seinen Lebensunterhalt, bis er 1817 in das neugegründete Wittenberger Predigerseminar aufgenommen wurde. Dort wirkten Karl Ludwig Nitzsch (s. d.), Carl Immanuel Nitzsch (s. d.), Johann Friedrich Schleusner (s. d.) und Heinrich Leonhard Heuner (s. d.). H.s Aufenthalt im Predigerseminar war für seine fernere Richtung entscheidend. Er selbst bekent, daß er in Wittenberg gefunden, was er gesucht habe. H. wurde 1819 ao. Professor in Königsberg, 1820 auch Pfarrer an der Altstädtischen Kirche und Superintendent und 1821 o. Professor. Dort erlebte er, wie er später sagte, »den schönsten Morgen eines amtlichen Lebens im Dienst der Wissenschaft wie der Kirche«. 1827 folgte H. dem Ruf nach Leipzig als Professor und Prediger an der St. Paulikirche. In seiner aufsehenerregenden Antrittsvorlesung »De rationalismo, qui dicitur, vera indole et qua cum naturalismo contineatur ratione« nahm er den Kampf gegen den Rationalismus auf. H. erklärte, Rationalismus und Christentum seien Gegensätze und die Rationalisten dürften sich nicht mehr christliche Lehrer nennen, »wenn sie bekennen, daß nur die Vernunftreligion die wahre und die ihrige sei«, und riet ihnen, aus der Kirche auszutreten. Sein Auftreten gegen den Rationalismus rief in der sächsischen rationalistischen Pfarrerschaft einen Sturm der Entrüstung und viele Gegenschriften hervor, u. a. von Karl August Hase (s. d.), Wilhelm Traugott Krug (s. d.), Johann Friedrich Röhr (s. d.). 1828 erschien H.s biblizi-

stisch-supranaturalistisches, aber nicht kirchlich-ortho-
doxes »Lehrbuch des christlichen Glaubens«. Mit der
Zeit näherte er seinen biblizistischen Supranaturalismus der lutherischen Orthodoxie an. Die 2. Auflage
seines dogmatischen Lehrbuches (1856–59) zeigt seinen Fortschritt zum bekenntnistreuen Luthertum. H.
wurde 1833 in Breslau Professor für Dogmatik und
historische Theologie, auch Moral, Praktische Theologie und neutestamentliche Exegese und zugleich Konsistorialrat und wirkte seit 1843 als Generalsuperintendent von Schlesien. Er mußte nun seine Vorlesungen an der Universität einschränken und verzichtete seit Ostern 1860 ganz auf sie. H. hat allmählich
in Schlesien die durch David Schulz (s. d.) begründete
Herrschaft des vulgären Rationalismus gebrochen. Er
gründete unter Verzicht auf die Ordinationsgebühren
den schlesischen Vikariatsfonds und den »Kirchlichen
Anzeiger« und gab 1857 ein Gesangbuch heraus, förderte die Innere Mission und den »Gustav-Adolf-Verein« und war durch rege Wirksamkeit um Neubelebung des kirchlichen Lebens in Schlesien eifrig bemüht.

Werke: Bardesanus gnosticus, Syrorum primus hymnologus,
1819; De gnosi Marcionis, 1820/21; Antithes Marcionis, 1823;
De canone Marcionis, 1824/26; Lehrb. des christl. Glaubens, 2
Bde., 1828 (1856–59²); Bibl. der Symbole u. Glaubensregeln der
apostol.-kath. Kirche, 1842 (1877 fortges. v. seinem Sohn Lud-
wig H., 1897³); Predigten u. Reden unter den Bewegungen in
Kirche u. Staat seit dem J. 1830, 1852; Das Bekenntnis der ev.
Kirche in seinem Verhältnis zu dem der röm. u. griech., 1853.
Lit.: Karl Kolde, Nekrolog, in: Allg. Kirchenztg. 42, 1863, Nr.
75–77; u. in: Kirchl. Amtsbl. f. Schlesien, 1863, XII; – O.
Schütze, Die Innere Mission in Schlesien, 1883; – Karl v. Hase,
Ges. Werke VIII/1, 1892; III/2, 1, 1892, 53; – Martin Schian,
Das kirchl. Leben der ev. Kirche der Prov. Schlesien, 1903, 40. 49
u. ö.; – Karl Franklin Arnold, Festschr. . . . der Univ. Breslau
II, 1911, 183. 185; – Otto Dibelius, Das Kgl. Predigerseminar
zu Wittenberg 1817–1917, 1918, 75 u. ö.; – Christian Krollmann, A. H., in: Altpreuß. Biogr., hrsg. v. dems., I, 1941,
246; – ADB X, 356 ff.; – NDB VII, 502 f.; – RE VII, 340 ff.; –
RGG III, 28.

HAHN, Christoph Ulrich, Pfarrer, Vorkämpfer für
das Wohlfahrtswesen, Begründer des württembergischen Roten Kreuzes, * 30. 10. 1805 in Stuttgart als
Sohn eines Kanzleibeamten beim Evangelischen Kirchenrat, † daselbst 5. 1. 1881. – H. besuchte das Gymnasium in Stuttgart, studierte in Tübingen und promovierte 1828 zum Dr. phil. 1828 unterrichtete er an
einer Privatschule in Lausanne und verdankte dem
Umgang mit calvinistischen Kreisen dort und in Genf
mancherlei Anregung. 1829 wurde H. in Eßlingen
Vikar und gründete dort mit einem Kreis gleichgesinnter junger Männer einen Traktatverein, aus dem
die »Evangelische Gesellschaft« entstand, die 1835
nach Stuttgart übersiedelte. 1833 kam er als Diakonus
nach Bönnigheim und eröffnete dort 1834 eine Kna-
benerziehungsanstalt, die in ihrer Blütezeit 8 Lehrer
und 60–70 Schüler zählte. Neben seinem Beruf als
Pfarrer und dem pädagogischen Wirken widmete sich
H. den Forschungen zur Kirchengeschichte. Nach Erscheinen des 2. Bandes seiner dreibändigen »Ketzer-
geschichte« verlieh ihm die Theologische Fakultät der
Universität Leipzig 1849 die Ehrendoktorwürde. Seit
dem Revolutionsjahr 1848/49 beschäftigte sich H. mit
sozialen Zeitproblemen, gründete viele Wohltätig-
keitsanstalten und berichtete darüber in mehreren
Schriften. Der Inneren Mission galt nun sein ganzes
weiteres Leben und Wirken. Er wurde 1859 Pfarrer

in dem Stuttgarter Vorort Heslach. An den Sitzungen
der Zentralleitung des Württembergischen Wohltätigkeitsvereins nahm H. regelmäßig teil und konnte
nun seine Erfahrungen und Anschauungen auf dem
Gebiet der Wohlfahrtspflege verwerten. Auf den
Diözesansynoden der Stadt Stuttgart verschaffte er
sich schon in den beiden ersten Jahren einen geachteten Namen durch Referate über soziale Fragen und
galt bald dafür als anerkannter Fachmann. Ein neues
Arbeitsfeld erschloß sich ihm durch Henry Dunant
(s. d.), den Begründer der Genfer Konvention und
des Roten Kreuzes. Vom schweizerischen Bundes-
rat erreichte Dunant die Einberufung einer internationalen Konferenz im Oktober 1863 nach Genf. H.
wurde von der Zentralleitung des Württembergischen
Wohltätigkeitsvereins als Delegierter nach Genf entsandt und vom Kriegsministerium mit der Berichter-
stattung über die Konferenz beauftragt. Nun lernte
er Dunant persönlich kennen: »Unvergeßlich werden
mir die Unterredungen bleiben, die ich in und außer
der Konferenz mit diesem edlen Manne über seine
Erlebnisse in Italien und über die Ausführung seiner
menschenfreundlichen Wünsche gepflogen habe.« Am
12. 11. 1863 berichtete H. der Zentralleitung über die
Ergebnisse der Konferenz: »I. Es sei dort einstimmig
anerkannt worden, daß a) angesichts der gegenwärtigen verheerenden Kriegführung der offizielle Sani-
tätsdienst . . . ungenügend sei, b) dem nur durch zu-
sätzlichen Privatdienst abgeholfen werden könne, c)
zu diesem Zwecke das ganze Sanitätspersonal den
Status der Unverletzlichkeit erhalten und durch ein
besonderes Abzeichen geschützt werden solle; das
gesamte beteiligte Personal und die Lazarette neutral
zu stellen seien. II. Die neue Fassung (gegenüber dem
Vorentwurf) der 10 Artikel sei einstimmig gebilligt
worden. III. Man habe den dringenden Wunsch ausgesprochen, in allen Ländern Vereine zu gründen, die
schon im Frieden durch Ausbildung von Privatkran-
kenpflegern und durch Vorbereitung der materiellen
Mittel Vorsorge treffen zur Pflege für Verwundete«
(nach dem amtlichen Protokoll der Zentralleitung).
Die Zentralleitung beauftragte H. mit der Gründung
des »Württembergischen Sanitätsvereins«. Am 21. 1.
1864 erstattete er der Zentralleitung »Anzeige von
der erfolgten Gründung eines Sanitätsvereins«. Für
August 1864 war ein diplomatischer Kongreß in Genf
vorgesehen, der die Genfer Beschlüsse von 1863 völ-
kerrechtlich festlegen sollte. Am 25. 6. 1864 starb
König Wilhelm I. von Württemberg. Sein Sohn Karl
bestieg den Thron. Er beauftragte am 21. 7. H. mit
der Vertretung Württembergs in Genf. Die Verhandlungen in Genf, wo 16 Staaten durch offizielle Dele-
gierte vertreten waren, dauerten vom 8. bis 22. 8. Auf
dieser 2. Genfer Konferenz kam die »Genfer Konvention« zustande, die die Neutralität der Verwundeten
und des Pflegepersonals garantierte und das Rote
Kreuz als internationales Schutzzeichen für das gesamte Sanitätswesen anerkannte. Der Vertrag wurde
am 22. 8. 1864 im Namen des Königreichs Württemberg von H. unterzeichnet. – H. war eine der bedeutendsten Persönlichkeiten des 19. Jahrhunderts, die in
Württemberg auf dem Gebiet des Wohlfahrtswesens
und des Roten Kreuzes gewirkt haben.

Werke: Theol.: Philipp Matthäus Hahns hinterlassene Schrr., 1828; Der symbol. Bücher der ev.-prot. Kirche Bedeutung u. Schicksale, 1833; Gesch. der Ketzer im MA, bes. im 11., 12. u. 13. Jh., nach den Qu. bearb. I: Gesch. der neumanichäischen Ketzer, 1845; II: Gesch. der Waldenser u. verwandter Sekten, 1847; III: Gesch. der Pesagier, Joachims v. Floris, Amalrichs v. Bena u. anderer verwandten Sekten, 1850; Die ev. Brüdergemeinde in Herrnhut, ihre Gründung, Ausbreitung, Lehre u. Einrichtung, 1854; Die große Erweckung in den Vereinigten Staaten v. Amerika, Basel 1859. – Soziale Fragen: Die Bezirkswohltätigkeitsvereine, ihre Ggw. u. Zukunft. Ein Btr. z. Lösung der Armenfrage, 1848; Heilmittel f. die zunehmende Entsittlichung u. Verarmung des Volks. Ein Btr. z. Sache der inneren Mission, 1851; Die Auswanderung. Aufruf an christl. Menschenfreunde, 1853. – Rotes Kreuz: Aufruf z. Bildung v. internat. Ges.en zur Verpflegung (Pflege) der im Kriege verwundeten Soldaten, 1863; Rechenschaftsberr. des Württemberg. Sanitätsver. Nr. 1 (1864 bis 1866) bis Nr. 5 (1878–81); Mitt. des Württemberg. Sanitätsver. während des dt.-frz. Krieges 1870–71, 87 Hh. in 1 Bd., 1872.

Lit.: Nekrologe: Gedr. Leichenpredigt, geh. v. Prälat D. v. Gerok, 1884; Ludwig Hofacker, in: Schwäb. Kronik v. 19. 2. 1881, H. 42, 313 f.; Richard Lauxmann, in: Bll. f. das Armenwesen 34, 1881, H. 11–17; – Alfred Quellmalz, Ch. U. H., in: Lb. aus Schwaben u. Franken, hrsg. v. Max Miller u. Robert Uhland, VIII, 1862, 178 ff.; – W. Gruber, Baden-Württemberg – Wiege des Roten Kreuzes in Dtld., in: Mitt.bl. des dt. Roten Kreuzes, Landschaftsverbände Baden-Württemberg 15, 1963, H. 10, S. 3–18; – NDB VII, 495 f.

HAHN, Hugo, Bahnbrecher der Hereromission, * 18. 10. 1818 auf dem Gut Aahof bei Riga als Sohn des Landwirts und Gutspächters Carl Peter H. (1774–1863), † 24. 11. 1895 in Kapstadt, beigesetzt in Paarl bei Kapstadt. – H. besuchte das Gymnasium in Riga und bestand 1834 in St. Petersburg die Aufnahmeprüfung in das kaiserlich-russische Ingenieurkorps. Während der Wartezeit vor dem Eintritt in den Dienst des russischen Heeres erlebte er seine Bekehrung und beschloß, Missionar zu werden. Trotz zurückhaltender Antwort der Rheinischen Missionsgesellschaft verließ H. im November 1837 die Heimat, um sich in Barmen vorzustellen. Nach einer dreivierteljährigen Probezeit als Lehrergehilfe an der reformierten Pfarrschule in Elberfeld wurde H. am 1. 10. 1838 in das Missionsseminar aufgenommen und 1841 nach Südwestafrika ausgesandt mit der Weisung, die rheinische Mission vom Kapland über den Oranje bis in das Hereroland auszudehnen. Am 13. 10. 1841 betrat er afrikanischen Boden. Nach kurzer Vorbereitungszeit bei Johann Heinrich Schmelen (s. d.) in Kommaggas im Kleinnamaland begab sich H. 1842 mit Franz Heinrich Kleinschmidt (s. d.) nach Windhuk zu Jonker Afrikaner, dem Häuptling eines Stammes der Orlamhottentotten, in das Grenzgebiet zwischen den Nama, einem Stamm der Hottentotten, und den Herero, einer Gruppe der Bantuneger, deren Streitigkeiten für die Mission so verhängnisvoll werden sollten, besonders nach dem 1861 erfolgten Tod Jonkers. Von dort zog H. nach Okahandja und bereiste dann das noch völlig unbekannte Hereroland, während Kleinschmidt Rehoboth aufsuchte. H. baute in Otjikango an den Ufern des Swakop die Station Neu-Barmen und ließ sich dort am 31. 10. 1844 nieder. Er war stets von Löwen, Leoparden und Räubern bedroht und wurde Zeuge furchtbarer Greuel in dem Rassenkampf zwischen den Herero und den Nama. In jahrelanger Geduldsarbeit mußte H. den Herero ihre Sprache vom Mund ablauschen: »Fürchtete ich nicht die Hand Gottes, ich liefe weg und überließe es anderen Brüdern, die mehr Gabe und Energie besitzen, diese Sprache zu lernen.« Nach mühevoller Predigtvorbereitung verkündigte er am 24. 1. 1847 zum erstenmal das Evangelium in der Hererosprache. Obwohl er sich lange Jahre ohne sichtbare Frucht mühte, war H. doch zu frohen Hoffnungen berechtigt, da das Missionswerk trotz mancherlei Schwierigkeiten durch Jonker wuchs, so daß man 1849 eine zweite Station in Otjimbingue anlegen mußte, wohin Johann Rath (s. d.) zog, und 1850 als dritte Station aufs neue Okahandja mit Friedrich Kolbe (s. d.) besetzen konnte. H. sah aber auch, wie sehr der ununterbrochene Raub- und Verteidigungskrieg der Nama und Herero die gedeihliche Entwicklung der Missionsarbeit hemmte. Er mußte ihre völlige Vernichtung miterleben, als Jonker Afrikaner die Stationen plünderte und zerstörte und die Herero zu Tausenden sich unterwarf. 1853 wurde H. nach Barmen zurückgerufen, damit man auf Grund eingehender Besprechungen mit ihm zur Frage entscheide, ob man die scheinbar aussichtslose Arbeit unter den Herero aufgeben solle. Den Winter über widmete er sich fleißig literarischen Arbeiten über die Ovahererosprache, die ihm 1873 den Doktortitel ehrenhalber von der Universität Berlin einbrachten. Im Mai 1854 reiste H. mit seiner Familie nach Rußland, wo er bis Anfang 1855 verweilte und viele Freunde für seine Arbeit und die Rheinische Mission gewann. H. besuchte auch England, die Heimat seiner Frau, und wirkte im Sommer 1885 in Deutschland unermüdlich für die Mission. 1856 kehrte er nach Südwestafrika zurück und ging mutig daran, die Station Otjikango neu aufzubauen. Da die Herzen der Herero nach wie vor hart wie Stein blieben, er aber bei den Ovambo ein günstiges Arbeitsfeld zu finden hoffte, machte H. 1857 mit Johann Rath und etwa 30 Leuten eine Erkundungsreise in den Norden. In Ondonga wurden sie von dem Häuptling freundlich aufgenommen, dann aber verräterisch von etwa 800 Bewaffneten überfallen. Diese ließen jedoch von der Verfolgung ab, als die Kunde sie erreichte, der Häuptling sei plötzlich gestorben. 1858 konnte H. zwar sein Hausmädchen, den Erstling der Herero, taufen; aber das täuschte ihn nicht darüber hinweg, daß die Stunde für dieses Volk noch nicht gekommen sei. 1859 wurde er abberufen, um daheim als Reiseprediger verwandt zu werden. H. dachte nicht daran, die Hereromission aufzugeben, folgte aber dem Ruf nach Barmen, um der Missionsleitung seine neuen Pläne für die Arbeit unter den Herero vorzutragen und die Genehmigung durchzusetzen. Er erklärte, es sei unmöglich, ein Nomadenvolk wie die Herero allein durch die Predigt des Evangeliums zur Umwandlung zu bringen, sondern es müßten von der Mission kolonisatorische Mittelpunkte geschaffen werden, die zugleich Brennpunkte des christlichen Lebens wären. Darum forderte H. Missionshandwerker, -landwirte und -kaufleute, durch deren Beispiel und Hilfe die Herero zu seßhaften Ackerleuten und Handwerkern erzogen werden sollten. Erst nach vielen Verhandlungen gewann er die zögernde Missionsleitung für seine Pläne, die bei dem Ravensberger Missionsverein lebhafte Unterstützung fanden. Den Antrag, 1863 als Nachfolger von Johann Christian Wallmann (s. d.) das Inspektorat der Berliner Missionsgesellschaft zu übernehmen, lehnte H. ab. 1864 kam er mit einem Schmied und einem Wagenbauer, denen 1866 weitere Missionskolonisten folgten, ins Hereroland zurück und ließ sich in Otjimbingue nieder, wo bald ein reges Leben herrschte und es sich zeigte, wie günstig sich die Durchführung der kolonisatorischen Pläne auf die Missionsarbeit auswirkte. Da das Evangelium nun bei den Herero Eingang fand, konnte H. bald einige taufen und eröffnete 1866 eine Ausbildungsstätte für eingeborene Gehilfen, das »Augustineum«, das unter dem Protektorat seiner Gönnerin, der Fürstin Elisabeth von Lippe-Detmold, stand. 1866 machte er in das Ovamboland eine zweite Forschungsreise, die günstig verlief und bis zum Kunene ausgedehnt werden konnte. Sie ebnete der ihm bekannten Finnischen Missionsgesellschaft, die ein Arbeitsfeld suchte, den Weg; sie begann 1870 im Ovamboland die Arbeit. An dem Zustandekommen des Friedensvertrags vom 23. 9. 1870 in Okahandja, der den siebenjährigen Freiheitskampf der Herero gegen die Nama beendete, war H. hervorragend beteiligt. Er erlebte nun die Gründung neuer Stationen und ein fröhliches Aufblühen der Hereromission. 1873 kehrte H. nach Deutschland zurück, als in Barmen der Beschluß gefaßt wurde, die Missionskolonie in Otjimbingue aufzulösen und eine neue, selbständige Unternehmung, eine »Missions-Handelsgesellschaft«, ins Leben zu rufen, deren Ziel »nicht Vermischung, sondern Scheidung von Handel und Mission« sein sollte. H. dagegen erstrebte die engste Verbindung des Handels mit der Mission und hielt darum diesen Beschluß für ganz verfehlt. Er trat aus dem Dienst der Rheinischen Missionsgesellschaft aus und ließ in dem Gebiet, in dem er seit 1844 mühevolle Pionierarbeit geleistet hatte, nicht weniger als 13 Stationen zurück. Zu diesem Schritt hatte ihn sein lutherischer Konfessionalismus gedrängt. Getreu der Überlieferung seiner baltischen Heimat war H. ein überzeugter Lutheraner, der schon 1859 erklärte, mit den reformierten Missionaren nicht zum Abendmahl zu gehen. In der konfessionellen Krise der Rheinischen Missionsgesellschaft zu Beginn der sechziger Jahre, als ihr Bestand durch den Bekenntnisgegensatz unter den Missionaren und in der Heimatgemeinde gefährdet war, vertrat er, in diesem Ringen von den Ravensberger Gemeinden unterstützt, mit allem Nachdruck gegenüber der unierten Gesellschaft und ihrem Inspektor Friedrich Fabri (s. d.) sein Luthertum und setzte sich erfolgreich dafür ein, daß der Mission im Hereroland ihr lutherisches Gepräge und Bekenntnis erhalten blieb. Sein starres Festhalten an dem lutherischen Bekenntnis gegen Union und Konföderation der Bekenntnisse verlangte schließlich von ihm das Opfer des Verzichts auf weitere Arbeit unter den Herero. Schon Jahre zuvor hatte Fabri es verhindert, daß zwei Söhne H.s, Hugo (* 17. 7. 1846 in Reheboth in Südwestafrika, † 29. 10. 1933 in Paarl bei Kapstadt) und Traugott (s. Hahn, Traugott der Ältere), in den Dienst der Rheinischen Missionsgesellschaft eintraten, weil er befürchtete, daß der durch ihren Vater vertretene streng lutherische Charakter der Hereromission durch sie nur noch mehr verstärkt würde oder daß es auf einem anderen Arbeitsfeld durch sie zu konfessionellen Schwierigkeiten und Auseinandersetzungen unter den Missionaren kommen könnte. Alle lockenden Angebote, die man ihm in Europa machte, lehnte H. ab; es zog ihn nach Afrika zurück. Darum übernahm

er 1874 in Kapstadt das Pfarramt der deutschen St. Martinsgemeinde, das er 10 Jahre verwaltete. Sein Sohn Hugo wurde sein Adjunkt. Am 18. 6. 1880 traf ihn der schwerste Schlag seines Lebens: H. verlor seine ihm ebenbürtige Gattin, Emma Sarah, Tochter des englischen Schriftstellers William Hone (1780–1842), die er in Kapstadt einst kennengelernt und 1843 geheiratet hatte. 1882 reiste H. im Auftrag der englischen Regierung als Friedensvermittler noch einmal in sein geliebtes Hereroland, wo man ihn mit unbeschreiblichem Jubel empfing. 1884 kehrte er zum letztenmal nach Deutschland zurück und knüpfte die Verbindung mit der Rheinischen Missionsgesellschaft in Barmen wieder an, die ihn unter die Zahl der emeritierten Missionare aufnahm. H. besuchte in Cuxhaven seinen ältesten Sohn Josaphat (* 7. 8. 1844 in Windhuk), der am 20. 12. 1925 als Rektor in Hamburg starb, und weilte von Herbst 1885 bis Frühjahr 1886 bei seinem Sohn Traugott, der 1874–86 als Pfarrer in Rauge/Livland wirkte. Während seines dortigen Besuchs unternahm er eine längere Reise für die Mission bis tief nach Rußland hinein. Von schwerer Krankheit genesen, hatte H. nur noch den Wunsch, seine einzige Tochter Margarita († 1906 in New York) zu sehen, an der sein ganzes Herz hing. Sie war mit dem Hereromissionar Heinrich Beiderbecke verheiratet, aber mit ihrem Mann nach Nordamerika übergesiedelt, da er das Klima des Hererolandes nicht vertrug. So verließ H. die Heimat der Väter und trat die Seereise nach Amerika an, die ihm rechte Erholung und Stärkung brachte, so daß er dort in drei Monaten zwölfmal predigte. Doch die Sehnsucht nach dem Land seiner jahrzehntelangen Wirksamkeit drängte ihn zu dem Entschluß, nach Südafrika zurückzukehren, um dort seinen Lebensabend zu verbringen und zu sterben. So reiste H. zum fünftenmal nach Südafrika, diesmal zu seinem Sohn Hugo, der 1881–1921 als Pastor der St.-Petri-Kirche in Paarl bei Kapstadt wirkte. Er übernahm dessen Filialgemeinde in Worcester und bediente sie noch längere Zeit. H. erlebte 1890 den Beginn der Arbeit der Rheinischen Missionsgesellschaft im Ovamboland. Mit den beiden ersten Ovambo- und den Hereromissionaren verkehrte er rege. Auf die Nachricht von der bevorstehenden Ankunft neuer Verstärkung für die Hereromission reiste H. im November 1895 nach Kapstadt, wo er erkrankte und nach kurzem Leiden starb. Seine letzte Ruhestätte fand H. in Paarl, wohin später auch der Sarg seiner Gattin übergeführt wurde. In den »Erinnerungen aus meinem Leben« schreibt Traugott Hahn im Gedenken an seine Eltern: »Dort ruhen sie in Afrikas Erde, im schwarzen Erdteil, dem ihre ganze heiße Lebensarbeit geweiht gewesen ist. Sie waren Bahnbrecher der Mission im Hereroland. Noch jetzt gedenkt das ganze Hererovolk ihrer in treuer Liebe und Dankbarkeit.« Das Grabkreuz in Paarl zeigt ihres Lebens Ziel und Losung: »Dein Reich komme.«

Werke: Grammatik u. Lex. der Hererosprache, 1875; Übers. des NT u. großer Teile des AT u. des Katechismus in die Hererosprache u. Umdichtung u. Neudichtung vieler Kirchenlieder.
Lit.: Ludwig v. Rohden, Gesch. der Rhein Missionsges., 1871², 84 ff. 260 ff. 270 ff.; – Rigasche Biogrr., hrsg. v. J. G. Frohbeen, 3 Bde., Riga 1881–84, II, 184; – August Schreiber, Dr. H. H., in: Berr. der Rhein. Missionsges. 53, 1896, 36 ff.; – Paul Richter, Gottesmänner im Heidenland, 1922, 27 ff.; – Eduard Kriele, Die Rhein. Mission in der Heimat, 1928, 117 ff. 206 ff. 218 ff.; – Heinrich Drießler, Die Rhein. Mission in Südwest-

afrika, 1932, 21 ff. 49 ff. 62 ff.; – Erik Thomson, H. H., Bahnbrecher der Hereromission u. Ahnherr eines Pfr.geschlechts, 1956; – O. Milk, Das Augustineum, in: Ein Leben f. Südwestafrika. Festschr. Dr. h. c. Heinrich Vedder. Hrsg. v. Wahrhold Drascher u. Hans Joachim Rust, Windhoek 1961 (1965² unv.) 23 ff.; – Theo Sundermeier, Mission, Bekenntnis u. Kirche: missionstheol. Probleme des 19. Jh.s bei Carl H. H. (Diss. Heidelberg, 1961), Wuppertal 1962; – Dt.balt. Biogr. Lex. 1710–1960, hrsg. v. Wilhelm Lenz, 1970, 287 f.; – ADB 49, 706 ff.; – NDB VII, 509; – RGG III, 28 f.

HAHN, Hugo, Landesbischof von Sachsen, * 22. 9. 1886 in Reval als Sohn des Pfarrers Traugott Hahn († 1939; s. d.), † 5. 11. 1957 in Dresden, beigesetzt in Stuttgart-Hedelfingen. – Nach häuslichem Unterricht besuchte H. 1900–04 die St. Annen-Schule in St. Petersburg und studierte Theologie in Dorpat, Leipzig und Berlin. 1910–16 wirkte er als Pastor in Kreuz (Estland), danach bis 1919 in Nissi (Estland). Seine Gattin, Erika von Baggehuffwudt, war eine einstige Konfirmandin seines Vaters. Sie stammte aus einem alten baltischen Adelsgeschlecht und ging ihrem Gatten am 5. 2. 1942 im Tod voran. H. folgte im Mai 1919 mit den Seinen dem Vater nach Deutschland und wurde Pfarrer in Worbis (Provinz Sachsen) und 1927 an der Thomaskirche in Leipzig. Seit 1930 war er Pfarrer an der Frauenkirche in Dresden und Superintendent für den Landbezirk. In der Zeit des Kirchenkampfes leitete H. die Bekennende Kirche in Sachsen und wurde darum 1938 von der Geheimen Staatspolizei aus Sachsen ausgewiesen. Er wurde Stadtvikar in Stuttgart-Hedelfingen und 1946 Pfarrer in Stuttgart-Zuffenhausen, 1945 Mitglied des Rates der Evangelischen Kirche in Deutschland, 1947 Landesbischof von Sachsen und 1949 stellvertretender Leitender Bischof der Vereinigten Evangelisch-Lutherischen Kirche Deutschlands. Eine schwere Erkrankung zwang ihn, im Oktober 1953 in den Ruhestand zu treten. Das Schlußwort auf dem Leipziger Kirchentag 1954 war seine letzte Verkündigung des Evangeliums.

Werke: Kämpfer wider Willen. Erinnerungen aus dem Kirchenkampf 1933–1945. Bearb. u. hrsg. v. Georg Prater, 1969 (Rez. v. Erwin Mülhaupt, in: LuJ, 1970, 54 ff.; v. Herbert Pönicke, in: Das hist.-polit. Buch 18, 1970, 86 ; v. Harald Schieckel, in: Bll. f. dt. Landesgesch. 107, 1971, 530 f.).

Lit.: Gottfried Noth, H. H., in: Der Sonntag. Gemeindebl. der Ev.-Luth. Landeskirche Sachsen 12, 1957, 205 ff.; – Gottfried Fuß, . . . das Herrn Werke verkündigen. Zum Heimgang des Altbisch. D. H. H., in: Die Zeichen der Zeit. Ev. Mschr. f. Mitarbeiter der Kirche 12, 1958, 21 f.; – Alt-Landesbisch. D. H. H. gest., in: DtPfrBl. 57, 1957, 556; – Herbert Girgensohn, Nekrolog, in: Balt. Briefe. Mschr. 11, Hamburg 1958, Nr. 1, S. 12; – Herbert Pönicke, Carl H. H., in: Mitteldt. Köpfe. Lb. aus einem Jt., 1959, 91 f.; – Lex. dt.balt. Theologen, bearb. v. Wilhelm Neander, Hannover-Döhren 1967; – Hugo Hahn, Meine Ausweisung aus Sachsen, in: Ev. Freiheit u. kirchl. Ordnung. Freundesgabe anläßl. des 65. Geb. v. Theodor Dipper, 1968, 151 ff.; – Georg Prater, Bisch. H. u. sein Widerstand gg. das »Dritte Reich«, in: Hamburger mittel- u. ostdt. Forsch. 7, 1970, 39 ff.; – Dt.balt. Biogr. Lex. 1710–1960, hrsg. v. Wilhelm Lenz, 1970, 288.

HAHN, Johann Michael, theosophischer Biblizist, Stifter der Hahnschen Gemeinschaft, * 2. 2. 1758 als Bauernsohn in Altdorf bei Böblingen (Württemberg), † 20. 1. 1819 in Sindlingen bei Herrenberg. – H. erlernte das Metzgerhandwerk, arbeitete aber später wieder auf dem Bauernhof seines Vaters. Er lebte sehr zurückgezogen und widmete sich in seinen freien Stunden eifrig dem Gebet und dem Lesen der Bibel. H. wurde durch einen Karfreitagsgottesdienst erweckt und erlebte 1777 in völlig wachem Zustand während der Feldarbeit eine dreistündige Vision. Er besuchte von nun an die pietistischen Versammlungen seines Heimatortes zum Verdruß seines Vaters, der seinen Sohn wegen seiner ihm schwärmerisch erscheinenden Frömmigkeit hart behandelte. H. floh deswegen aus dem Elternhaus und wurde auf einem fremden Hof Bauernknecht, versöhnte sich aber wieder mit seinem Vater und kehrte heim. Etwa 1780 erlebte H. eine zweite Vision, eine »Zentralschau«, die sieben Wochen anhielt: »Ich sah in die innerste Geburt und allen Dingen ins Herz, und mir war, als wäre auf einmal die Erde zum Himmel geworden und als ob ich die Allenthalbenheit Gottes schaute.« Nun trat H. in Erbauungsstunden daheim und auswärts als Sprecher auf und fand großen Zulauf, zog sich aber dadurch mannigfache Anfeindungen zu, viele Vernehmungen durch weltliche und kirchliche Behörden und auch Verhaftungen. Wegen der zunehmenden Verfolgungen gab er 1781 das öffentliche Reden in Versammlungen auf und beschränkte sein Wirken auf kleinere Kreise und seelsorgerlichen Briefwechsel. Seit 1794 lebte H. in Sindlingen auf einem Gut der Herzogin Franziska. Er durfte dort ungestört seine Versammlungen abhalten und entfaltete noch eine reiche schriftstellerische Tätigkeit. Durch seine Erbauungsstunden und Schriften, die an die Theosophie des Görlitzer Jakob Böhme (s. d.) erinnern, aber nicht von diesem abhängig sind, übte H. einen starken Einfluß aus. Er lehrte einen zweifachen Sündenfall und die Wiederbringung aller, auch des Teufels, und legte besonderen Wert auf die Heiligung. Die Richtung Hahns gewann in Württemberg viele Anhänger und wurde hier die größte innerkirchliche Gemeinschaft, fand aber auch in Baden und anderwärts Boden. Die Hahnschen Gemeinschaften oder »Michelianer« zählen etwa 15 000 Mitglieder und sind in 26 Bezirke mit 3–400 Gemeinschaften eingeteilt. Von H.s etwa 500 Liedern seien als bekannt genannt: »Jesu, Bräutigam der Deinen, Sonne der Gerechtigkeit, wandelnd unter den Gemeinen, die zu deinem Dienst bereit: tu dich kund, wir sind versammelt«; »Die Seelen sind übel daran, in welchen sich Jesus nicht kann nach seinem Begehren vollkommen verklären«; »Dein Hauptgesuch auf Erden sei einzig Jesus Christ, wenn du willst selig werden, ihn schauen, wie er ist«; »Herr, laß mich deine Heiligung durch deinen Geist erlangen«; »Besinne dich und stehe stille, denk über deinen Zustand nach« und »Seele, willst du dich bekehren, so bekehre dich auch recht.«

Werke: J. M. H.s Schrr., hrsg. v. einer Ges. wahrheitsliebender Freunde, 15 Bde., 1819 ff. – Ausgew. Betrachtungen aus J. M. H.s Schrr., 1925.

Lit.: W. F. Stroh, Die Lehre des württemberg. Theosophen J. M. H., systemat. entwickelt u. in Auszügen aus seinen Schrr. dargest., 1859 (1936⁴); – Die Hahnsche Gemeinschaft. Ihre Entstehung u. seitherige Entwicklung. Mit einer Karte v. Lb. Hrsg. v. der Hahnschen Gemeinschaft in Stuttgart, I, 1877 (1949²; über H.: 31 ff.); II, 1951; – Friedrich Baun, J. M. H., der Gründer der Hahnschen Gemeinschaft in Württemberg, 1919 (1921⁴); – Gottlob Lang, M. H. Einf. in seine Gedankenwelt mit einer Ausw. aus seinen Werken, 1923; – Ders., M. H. Ein Gottesmann im schwäb. Bauerngewand. Lb. u. Ausw., 1962; – Joseph Hahn, Bekanntes u. Unbekanntes aus dem Leben des württemberg. Theosophen J. M. H., 1927²; – Die Schr.auffassung J. M. H.s v. der Wiederbringung aller Dinge, v. der ersten Auferstehung u. v. 1000j. Reich, 1930; – Wilhelm Claus, Württemberg. Väter II³, 1933, 338 ff.; – Friedrich Seebass, J. M. H., in: Neubau. Bll. f. neues Leben aus Wort u. Geist 5, 1950, 293 ff.; – J. M. H. Kurze Darst. seines Lebens u. seiner Lehre, 1952²; – Eberhard Buder, Die Eschatologie M. H.s u. ihr Einfluß auf die Gegenwart, in: Für Arbeit u. Besinnung. Kirchl. u. theol. Halb-Mschr. 8, 1954, 338 ff.; – Ernst Benz, Die Sympathie aller Dinge am Ende der Zeiten, in: Eranos-Jb. 24, 1955, 176 ff.; – Friedrich Hauß, Väter der Christenheit II, 1957, 127 ff.; – Gotthold Müller, J. M. H., in: DtPfrBl 58, 1958, 50 ff.; – Adolf Köberle, Das Glaubensvermächtnis der Schwäb. Väter, 1959, 1959, 22 ff.; – Julius Roeßle, Von Bengel bis Blumhardt. Gestalten u. Bilder aus der Gesch. des schwäb. Pietismus, 1959, 245 ff. u. ö.; – Joachim Trautwein, Die Theosophie J. M. H.s (Diss. Heidelberg, 1967), Stuttgart 1969 u. d. T.: Die Theosophie M. H.s u. ihre Qu. (Rez. v. Friedrich Wilhelm Kantzenbach, in: ZRGG 22, 1970, 176 f.; v. John S. Wozniak, in: ChH 39, 1970, 411 f.; v. Antoine Faivre, in: Études germaniques 25, Paris 1970, 216 f.; v. D. Rieber, in: RHPhR 51, 1971, 204 ff.; v. Winfried Zeller, in: ThLZ 98, 1973, 56 f.); – ADB X, 364 ff.; – NDB VII, 512 f.; – Kosch, LL I, 798; – RE VII, 343 ff.; – EKL II, 6 ff.; – RGG III, 29; – LThK IV, 1323.

HAHN, Philipp Matthäus, Pfarrer, * 26. 11. 1739 als Pfarrerssohn in Scharnhausen bei Eßlingen, † 2. 5. 1790 in Echterdingen bei Stuttgart. – H. bereitete sich zu Hause auf das Universitätsstudium vor, da er mit 14 Jahren die Aufnahmeprüfung für die Klosterschule nicht bestanden hatte. H. studierte seit 1756 unter den größten Entbehrungen in Tübingen Theologie: »Wie sehr hätte ich Gott gepriesen für das ›Stift‹, wenn ich Armer und Hungriger mich an diese Tafel hätte setzen dürfen.« H. wurde in Lorch bei Schwäbisch Gmünd 1760 Hauslehrer und 1761 Vikar. Dann kam er nach Breitenholz bei Tübingen, vertrat ein halbes Jahr den erkrankten Dekan Friedrich Christoph Ötinger (s. d.) in Herrenberg bei Böblingen und erwarb sich als Pfarrverweser in Tieringen bei Balingen die Liebe und Anhänglichkeit der Gemeinde. H. wurde 1764 Pfarrer in Onstmettingen bei Balingen, 1770 in Kornwestheim bei Ludwigsburg und 1781 in Echterdingen. In den beiden letztgenannten Gemeinden rief er durch Erbauungsstunden Privatversammlungen ins Leben, um eine Kerngemeinde heranzubilden, und war bemüht, »Lehrjünger« zu sammeln und sie allmählich zu immer tieferem Erfassen der Schriftwahrheit zu erziehen. H. war eins der bedeutendsten Originale des württembergischen Pietismus, ein Schüler Ötingers und Johann Albrecht Bengels (s. d.). Er war zu seiner Zeit als Mathematiker und Mechaniker berühmt, als Erfinder der Zylinderuhren und einer Rechenmaschine und Verfertiger mehrerer astronomischer Maschinen, besonders einer Weltuhr für Sonne, Mond und Sterne. H. sann auch nach über eine »Maschine, die einen Wagen allein durch Wasser und Feuer ohne weitere Hilfe über Berge und Täler in beliebiger Geschwindigkeit bewegen könnte«; aber die Geldmittel zur Ausführung dieses Versuches fehlten ihm. Er lehnte den Ruf des Herzogs Karl, seines Gönners, auf eine Professur der Mathematik in Tübingen ab.

Werke: Erbauungsreden über den Brief Pauli an die Kolosser, 1759; Betrachtungen u. Predigten, 1774; Übers. des NT, 1777; Fingerzeig z. Verstand des Kgr. Gottes u. Christi, 1778; Eines ungenannten Schr.forschers vermischte theol. Schrr. (Erbauungsstunden über die Epheser samt einigen Aufss. über Dreieinigkeit u. Versöhnung; Lehre Jesu u. seiner Gesandten v. Kgr. nach den Weissagungen des AT u. den ersten Reden Jesu incl. Schreibpredigt), 3 Bde., Winterthur 1779; Erbauungsstunden über die Offb., 1804. – H.s hinterlass. Schrr., hrsg. v. Christoph Ulrich Hahn, 1828; – Schrr., 13 Bde., 1819–55 (mit Autobiogr.). – Auszüge aus H.s Schrr. bei Johannes Herzog, Weisheit im Staube. Lesebuch der Schwabenväter, 1927; – Die gute Botschaft V. Hahn. Eine Ausw. = Zeugnisse der Schwabenväter, hrsg. v. Julius Roeßle, VIII, 1963; – Ges. Predigten, 1964¹⁰.

Lit.: Ernst Philipp Paulus, Ph. M. H., 1858; – Albrecht Ritschl, Gesch. des Pietismus III, 1886, 151 ff. 159 f.; – Christoph Kolb, Die Aufklärung in der württemberg. Kirche, 1908, 42 ff.; – Max Engelmann, Leben u. Wirken des württemberg. Pfr.- u. Feintechnikers Ph. M. H., 1923; – Julius Roeßle, Ph. M. H., ein Leben im Glauben der Kgr. Gottes in Jesus Christus, 1929; – Ders., Leben u. Theol. des Ph. M. H. Ein Btr. z. Gesch. des schwäb. Pietismus (Diss. Bonn), Stuttgart 1929; – Ders., Ph. M. H. Gottesgelehrter u. Erfinder, 1958 (1964²); – Wilhelm Claus, Württemberg. Väter II, 1933³, 138 (1939⁴); – Gustav Sauter, Ph. M. H., »der Uhrmacher- u. Mechanikerprf.«, 1934 (1939⁴); – Ilse Franke, Die Übers. des NT v. Ph. M. H. (1777) im Vergleich zu

den v. ihm benutzten Überss. v. Luther, Bengel, Heumann u. Reitz (Diss. Greifswald), 1936; – Heinrich Hermelink, Gesch. der ev. Kirche in Württemberg v. der Ref. bis z. Ggw., 1949, 254 ff.; – Friedrich Hauß, Väter der Christenheit II, 1957, 117 ff.; – Rudolf F. Paulus, Pansophie u. Technik bei Ph. M. H., in: Technik-Gesch. 37, 1970, 243 ff.; – Martin Brecht, Ph. M. H. in Onstmettingen, in: Bll. f. württemberg. KG 60–61, 1960–61, 214 ff.; – Karl Reichle, »Alte Wahrheiten in einem neuen Kleide«. Zum Verhältnis v. Schr.wahrheit u. Rationalismus bei Ph. M. H., ebd. 66, 1967, 154 ff.; – ADB X, 372; – NDB VII, 496 ff.; – RE VII, 345 ff.; – RGG III, 29 f.

HAHN, Traugott, Theologe und Märtyrer, * 1. 2. 1875 in Rauge (Livland) als Sohn des Pfarrers Traugott Hahn (s. d.) und Enkel des Hereromissionars Hugo Hahn (s. d.), † 14. 1. 1919 in Dorpat. – Mit seinem Bruder Willy erlebte Traugott in der damals für das Baltenland so schweren Zeit der gewaltsamen Russifizierung auf dem Gymnasium in Reval so offenkundige Ungerechtigkeiten und Zurücksetzungen durch den russischen Direktor, daß sich der Vater veranlaßt sah, seine Söhne nach St. Petersburg in die deutsche St. Petrischule zu geben. 1893 begannen beide an der Universität Dorpat das Studium der Theologie, das Traugott, als sein an Typhus erkrankter Bruder am 8. 11. 1894 starb, für ein Semester unterbrechen mußte, um sich in der Schweiz zu erholen, da dieser harte Schlag seine Gesundheit aufs schwerste erschüttert hatte. Nach beendetem Studium ging H. zur Fortsetzung seiner wissenschaftlichen Ausbildung nach Göttingen, wohin ihn vor allem Nathanael Bonwetsch (s. d.), der Freund seines Vaters, zog. 1900 mußte er seine Studien abbrechen, um Hilfsprediger seines an einem Augenleiden erkrankten Vaters zu werden. H. wurde 1902 zum Universitätsprediger in Dorpat berufen und reichte der Theologischen Fakultät seine in Göttingen entstandenen Tychoniusstudien ein, um zu promovieren, da nach altem Recht der Pastor der Universitätsgemeinde zugleich Glied der Theologischen Fakultät sein mußte. Dabei stieß er auf starken Widerstand von seiten des Tschechen und Deutschenhassers Johann Kvačala (s. d.), des Professors der Kirchengeschichte, wurde aber doch im Herbst 1902 Magister und als Privatdozent zugelassen, weil Alfred Seeberg (s. d.), sein früherer Hochschullehrer und einer der bedeutendsten Professoren, die Dorpat damals hatte, seinen ganzen Einfluß in die Waagschale warf, um dem jungen Theologen, von dem er viel erwartete, die Wege zu ebnen. H. verheiratete sich am 29. 8. 1903 mit Anny von zur Mühlen, der Tochter des Direktors der estländischen Adelsbank in Reval. Er erlebte die erste Märtyrerzeit der baltischen Kirche, die Revolution von 1905, die sich in Estland und Lettland nicht nur gegen die Deutschen und die besitzenden Klassen, sondern ganz bewußt gegen die Kirche und Gottes Wort richtete. Er atmete erleichtert auf, als es der russischen Regierung gelang, den Aufstand niederzuwerfen, und war dankbar für die religiöse und nationale Freiheit, die die Revolution gebracht hatte. Anfang 1908 wurde H. von der Theologischen Fakultät zum Professor der Praktischen Theologie vorgeschlagen gegen die Stimme Kvačalas, der nun unter den Professoren gegen ihn arbeitete, weil die Fakultät nur das Vorschlagsrecht hatte, die Wahl selbst aber von der Gesamtheit der Professoren aller Fakultäten erfolgen und dann noch von dem Ministerium in St. Petersburg bestätigt werden mußte. Bei der Wahl hatte H. drei Stimmen zu wenig, wurde aber dennoch im Frühjahr 1909 von dem Minister für Volksaufklärung zum Professor ernannt. Im Frühjahr 1915 mußte er sich, aus Livland ausgewiesen, in das Innere Rußlands begeben, durfte aber zurückkehren, weil die estnischen und lettischen Studenten durch eine Abordnung an den Kriegsgouverneur in Riga die Aufhebung des Ausweisungsbefehls erreicht hatten. Auf der Rückreise konnte H. im Gefängnis zu St. Petersburg seinen Vater und Schwager vor ihrem Abtransport nach Sibirien noch sehen und sprechen. H. setzte seine Lehrtätigkeit fort, während die anderen Professoren ihr Abschiedsgesuch einreichten, weil auf Befehl des Ministers 1916 nur die Vorlesungen der Praktischen Theologie in den ortsüblichen Sprachen des baltischen Landes, in Lettisch, Deutsch und Estnisch, gehalten werden durften, für die anderen Vorlesungen aber die russische Sprache verlangt wurde. Mit der Revolution von 1917 brach eine Zeit der völligen Willkür- und Gewaltherrschaft an. Am 24. 2. 1918 befreiten deutsche Truppen Dorpat. Den letzten schönen Sommer verlebte H. mit seiner Familie in dem ländlichen Villendorf Strandhof bei Reval. Am 15. 9. 1918 wurde in Dorpat die Universität wieder als deutsche Hochschule eröffnet. Als die deutschen Truppen Ende 1918 aus dem Baltenland abzogen, die rote Gefahr immer näher kam und viele flohen, blieb H. bei seiner Gemeinde. Am 8. 12. 1918 schrieb er an seinen Bruder Hugo Hahn († 1957; s. d.), der damals Pfarrer in der Landgemeinde Nissi im Norden Estlands war: »Ich maße mir natürlich keinerlei Urteil an über Deine Lage. Sagen möchte ich nur, daß ich dringend wünsche, Gott möge es Dir ermöglichen, auf Deinem Posten auszuhalten. Ich habe eine Furcht für mich und andere, daß wir ja nicht unter Johannes 10, 13 fallen. Ich glaube, wir werden es vor dem Herrn der Kirche sehr ernst zu verantworten haben, wenn und wie wir unsere Posten hier, die doch seine Posten sind, die er uns anvertraut hat, räumen. Wenn wir nicht bereit sind, um des Zeugnisses des Evangeliums willen unser Leben zu opfern, so beweisen wir, daß es für uns nicht den nötigen vollen Wert gehabt hat.« In seiner Predigt am 3. Advent 1918 über Römer 14, 7. 8 sagte H.: »Er, der nun einmal der Herr der Märtyrer ist, braucht das Sterben der Seinen je und je als die kostbarste, fruchtbarste Aussaat seines Reiches. – Möge doch in uns der urchristliche Märtyrersinn wieder aufleben, der nie zum Martyrium sich drängt, wohl aber, wenn es kommt, ihm tapfer entgegengeht. Nur ganz wenige von uns dürften so weit sein, aber erstreben und erbitten sollten wir uns jetzt diesen heldenhaften Christensinn.« Am Vorabend des Abmarsches der deutschen Truppen besuchte ihn noch einmal Reinold von Thadden-Trieglaff († 1976; s. d.). Als er in später Abendstunde von dem jungen Offizier Abschied nahm, sagte H. zu ihm: »Es kann wohl sein, daß Gott auch in unseren Tagen wieder einmal das schwerste und größte Opfer verlangt, die köstlichste Saat im Reich Gottes, die Hingabe des Lebens.« In der Nacht zum 4. Advent richteten die Bolschewiken in Dorpat ihre Herrschaft auf. Als die Gottesdienste in der Kirche verboten wurden, predigte H. im Pfarrhaus und hielt Andachten in den Häusern der Gemeindeglieder. So konnte er den Trauernden Kraft und Trost spenden und vielen die Wegrichtung durch das finstere Tal weisen. »Wenn ich jetzt sterben müßte«, sagte H. nach einem arbeitsreichen Tag, »so hat sich mein Bleiben doch gelohnt.« Am 3. 1. 1919 verhafteten ihn die Bolschewiken. Das Kellergewölbe einer Bank wurde sein Gefängnis. Von Tag zu Tag kamen neue Gefangene hinzu; so waren es schließlich 80 Mann in der von Schmutz starrenden, stinkenden Zelle. Hier wurde H. ein stiller Dulder, der nicht viel sprach, aber um so nachhaltiger wirkte durch seinen Wandel ohne Wort. Ein Mitgefangener, der das Beten ganz verlernt hatte, fing wieder zu beten an, weil er sah, daß und wie H. betete. Seine Taschenbibel und sein griechisches Neues Testament hatte H. behalten dürfen. Stundenlang vertiefte er sich in Gottes Wort. Als die Gefangenen einmal länger als sonst auf das Essen ihrer Angehörigen warten mußten, äußerte H.: »Tausendmal lieber möchte ich hungern als ohne Bibel sein.« Ein russischer Priester, der die Freiheit wiedererlangte, sagte von H.: »Er hat ganz in Gottes Wort gelebt.« In einer Nacht wurden viele aus dem Gefängnis herausgerufen, zum Embachfluß geführt, dort erschossen und unter das Eis gesteckt, daß der Strom sie forttrüge. Die Gefangenen erfuhren es. Nun wußte H., daß seine Tage gezählt waren. Darum nahm sein Gebetsringen an Tiefe zu. Am 14. 1. 1919 befreiten estländische Truppen Dorpat. 300 Männer und Frauen konnten lebend das Gefängnis verlassen. In dem »Mordkeller« aber, in dem ein Mann nicht aufrecht stehen konnte, fand man die Leichen von den 23, die die Bolschewiken noch vor ihrer Flucht erschossen hatten, darunter auch H.

Werke: Tychoniusstud., 1900; Evangelisation u. Gemeinschaftspflege I, 1909 (trug ihm die theol. Doktorwürde aus Rostock ein); Glaubet an das Licht! Ein Jg. Predigten, 1920 (1925²); Dienet dem Herrn mit Freuden! 17 Predigten, 1921 (1933³); Komm, o mein Heiland Jesus Christ, mein's Herzens Tür dir offen ist! Kinderpredigten, 1922 (Neuausg. 1946; 1950³); Kämpfe den guten Kampf des Glaubens. Worte an Konfirmanden, 1928 (1931²); Wage es mit Christus! 14 Predigten, 1955; Gott dennoch die Liebe! Predigten aus schwerer Zeit, 1955 (die beiden letztgenannten Smlg.en hrsg. v. Anny Hahn mit einem Geleitw. v. Reinold v. Thadden-Trieglaff).

Lit.: Johannes Frey, Die Theol. Fak. der Kais. Univ. Dorpat-Jurjew 1802–1903, Reval 1905, 175 f.; – Oskar Schabert, Balt. Märtyrerbuch, 1926, 76 ff.; – Ders., Der Märtyrer D. T. H., 1932 (1937: 10.–11. Tsd.); – Anny Hahn (Gattin), D. T. H. Lb. aus der Leidenszeit der balt. Kirche, hrsg. v. Wilhelm Ilgenstein, 1928 (1941: 32.–35. Tsd.); – Dies. Es gibt einen lebendigen Gott. Lebenszeugnis, 1968; – Traugott Hahn (Vater), Gott allein die Ehre! Kindheit u. Jugend des † D. T. H., 1930; – Roderich v. Engelhardt, Die dt. Univ. Dorpat in ihrer geistesgeschichtl. Bedeutung, 1933; – Erich v. Schrenck, Balt. KG der Neuzeit, Riga 1933; Magdalene Hahn (Schwester), Das Geheimnis des Leidens. Ein Lb. der Pastorin Sophie Rosalie Hahn (T. H.s Mutter), zus.gefaßt nach den »Lebenserinnerungen« v. Traugott Hahn (sen.), 1939 (1957⁵); – Viktor Wittrock, In Sturm u. Stille. Ein balt. Pfr.leben in bewegter Zeit, 1940; – Friedrich Wilhelm Bautz, Es kostet viel, ein Christ zu sein, 1949, 57 ff.; – Anna Katterfeld u. Wilhelm Ilgenstein, Du bist meines Gottes Gab. Verlobungsgesch.n bekannter Männer, 1951, 206 ff. (Prof. D. T. H. Euer Herz soll sich freuen, u. eure Freude soll niemand v. euch nehmen); – Erik Thomson, Die Hahn. Aus der Gesch. eines balt. Pfr.geschlechts, in: Sonntagsbl. f. die ev.-luth. Kirche in Bayern, Nr. 40/42, 7./21. 10. 1951; – Ders., T. H. Ein Märtyrer der balt. Kirche, 1954 (1962²); – Johannes Schleuning, Die Stummen reden. 400 J. ev.-luth. Kirche in Rußland, 1952; – August Westrén-Doll, Prof. D. T. H., in: Balt. Köpfe. 24 Lb. aus 8 Jhh. dt. Wirkens in den balt. Landen, hrsg. v. Heinrich Bosse u. Arved Frhr. v. Taube, 1953, 135 ff.; – Reinold v. Thadden-Trieglaff, Erinnerungen an Prof. D. T. H., in: Balt. Rdsch. Bovenden über Göttingen, 4. Jg., Nr. 12, 15. 12. 1953; – Ders., Ein balt. Märtyrer. Erinnerungen an Prof. D. T. H., in: Zeitwende 25, 1954, 111 ff.; – Ders., Erinnerungen an Prof. D. T. H., in: Ostdt. Mh. 25, 1958–59, 712 ff.; – Jörg Erb, Die Wolke der Zeugen IV, 1954; 482 f.; – Friedrich Laubscher, T. H. Der Märtyrer im Baltenland, 1954; – Balt. KG, hrsg. v. Reinhard Wittram, 1956; – D. T. H. z. Gedächtnis, in: DtPfrBl 59, 1959, 10 f.; – Friedrich Hauß, Väter der Christenheit III, 1959, 305 ff.; –

Eduard Steinwand, T. H., in: Ders., Glaube u. Kirche in Rußland, 1962, 149 ff.; – Lex. dt. balt. Theologen, bearb. v. Wilhelm Neander, Hannover-Döhren 1967; – Dt.balt. Biogr. Lex. 1710–1960, hrsg. v. Wilhelm Lenz, 1970, 289; – RGG III, 30; – EKL II, 8.

HAHN, Traugott, Pastor und Volksmissionar, * 15. 8. 1848 in Komachas (Südwestafrika) als Sohn des Missionars Hugo Hahn (s. d.), † 19. 4. 1939 in Burgdorf bei Hannover. – Nicht lange nach der Geburt Traugotts kehrten seine Eltern nach Otjikango (Neu-Barmen) zurück. Auf dieser Missionsstation im Hereroland verlebte er seine Kindheit mit seinen Brüdern Josaphat (* 7. 8. 1884) und Hugo (* 17. 7. 1846), bis ihr Vater 1853 nach Barmen zurückgerufen wurde. Im April 1854 reiste Hugo H. mit seiner Familie nach Riga zu seinem Vater und seinen anderen Verwandten. Dort blieben Frau und Kinder, während er auf seinen Reisen bis Februar 1855 in Dorpat, Reval, St. Petersburg und Moskau und auf der livländischen Synode in Wolmar und auf der kurländischen in Mitau viele Freunde für seine Arbeit im Hereroland und die Rheinische Mission gewann. Im August 1855 kehrte Hugo H. mit seiner Frau und seiner Tochter Margarita in das Hereroland zurück. Die Söhne besuchten das Evangelische Gymnasium in Gütersloh. Die Eltern wohnten von Juli 1860 bis Oktober 1863 in Gütersloh, weil dort mit finanzieller Hilfe der Britischen und Ausländischen Bibelgesellschaft die für die Mission notwendigen Bücher in der Hererosprache gedruckt wurden. Zum Sommersemester 1867 bezog Traugott H. die Universität Berlin und setzte dann das Studium in Dorpat fort, wo er Ende 1869 das theologische Fakultätsexamen bestand. Er verlobte sich mit der 19jährigen Rosalie (genannt Lalla) Paling, deren Vater das große Dorpater Stadtgut Sotaga verwaltete, aber im Frühjahr 1870 die Verwaltung des nicht weit entfernten Gutes Saddoküll übernahm. Ende 1871 wurde H. Pastor der Gemeinde Wolde auf der Insel Ösel. Die Trauung fand am 1. 1. 1872 statt. Mit Rücksicht auf den Gesundheitszustand seiner Frau folgte er im Herbst 1874 dem Ruf der Gemeinde Rauge in Livland. Der Gesundheitszustand seiner Frau nötigte ihn, sich im Frühjahr 1886 um ein Pfarramt an der St. Olaikirche in Reval zu bewerben. Die Bewerbung hatte Erfolg. Nach langen, schweren Leidenstagen starb H.s Gattin am 5. 1. 1905. 1915 wurde er nach Sibirien verbannt. Mit seiner Gemeinde in Reval stand H. in beständigem Briefwechsel. Im Februar 1917 brach in Rußland die Revolution aus, die den »politischen« Verbannten die Freiheit wiedergab. Am 9. 12. 1917 durfte H. nach Reval zurückkehren. Am 11. 12. besetzten die Bolschewiken die St. Olaikirche. Die Einnahme der Stadt durch die deutschen Truppen am 25. 2. 1918 machte der bolschewistischen Schreckensherrschaft ein Ende. Zu seinem 70. Geburtstag verlieh die Theologische Fakultät der Universität Göttingen H. die Ehrendoktorwürde. Der Zusammenbruch Deutschlands besiegelte auch das Schicksal des baltischen Landes. Der Generalsuperintendent empfahl H., zunächst Reval zu verlassen, bis die Lage sich klären werde; es handle sich um eine Gefährdung seiner Person und nicht der Gemeinde, die ja nicht unversorgt zurückbliebe. Das Konsistorium und der Kirchenvorstand billigten einmütig seinen Entschluß, Reval zu verlassen. Mit dem letzten Militärtransport

verließ H. in der Nacht vom 30. 11. zum 1. 12. in Begleitung seiner Tochter und seines Schwiegersohnes Reval in der Hoffnung, vielleicht nach wenigen Monaten zu seiner Gemeinde zurückkehren zu können, aber auch in dem Bewußtsein, daß es ein allerletzter Abschied von Reval sein könnte. Während einer zweistündigen Fahrtunterbrechung am Abend im Bahnhof Dorpat besuchte H. Traugott und nahm von ihm und seiner Familie Abschied. Es war das letzte Zusammensein mit seinem Sohn: am 14. 1. 1919 wurde er von den Bolschewiken erschossen. Im Stephansstift in Hannover fand H. mit den Seinen Aufnahme. Da er weder Gehalt noch Pension erhielt, beschloß er, als freier Evangelist sein tägliches Brot zu verdienen. H. schrieb an ihm bekannte Pfarrer und bot ihnen seinen Dienst an. Bereits im Februar 1919 führte er in Celle seine erste Evangelisationswoche durch. In verhältnismäßig kurzer Zeit erstreckte sich sein Arbeitsfeld über ganz Westdeutschland. Seine rast- und ruhelose Evangelisationsarbeit mit etwa 200 Vorträgen und über 100 Predigten und Bibelstunden im Jahr und sein jährlicher Briefwechsel mit etwa 1200 Schreiben ließen ihm wenig Zeit und Kraft für Fortsetzung seiner »Lebenserinnerungen« von 1886 bis Ende 1918. 1924 siedelte H. nach Frankfurt am Main über zu seiner Tochter Emmy und Woldemar Sielmann, der dort als Pfarrer wirkte. Als sein Schwiegersohn 1936 in den Ruhestand trat, zog H. nach Burgdorf zu seiner Tochter Nelly, die dort Lehrerin an der Mittelschule war.

Werke: Erinnerungen aus meinem Leben. I: Aus meiner Jugendzeit, 1919 (1921²); II: Haus u. Amt, 1923 (in 1 Bd. 1940) Jesus v. Nazareth, seine Person u. sein Werk. 12 Evangelisations-Reden, 1911; Die Letztzeit u. die Vollendung der Gemeinde unseres Herrn Jesus Christus. 7 Vortrr., 1919 (1924⁵); Aus dem inwendigen Leben u. seiner Vollendung. Eine Aufforderung z. Entscheidung. 12 Vortrr., 1919; Jesu Gebetsschule mit seinen Jüngern. 8 Evangelisations-Reden, 1920 (1924³); Gottesliebe u. Weltelend. (Wie reimt sich Gottes Liebe, Allmacht u. Gerechtigkeit mit dem Weltelend?) 7 Vortrr., 1921 (1922²); Die Seligpreisungen. Kurze Bibelstunden über Mt 5, 1–12, 1924; Von der Macht des Glaubens u. Bekennens. Gedanken u. Kräfte aus der Ref.zeit f. ev. Christen. 8 Evangelisationsreden, 1926; Das Christenleben im Lichte der hl. 10 Gebote. 10 Evangelisationsreden, 1926; Die letzten Dinge, 1929; Gott allein die Ehre. Kindheit u. Jugend des † D. Traugott Hahn, Dorpat, 1930; Jesus Christus gestern u. heute und derselbe auch in Ewigkeit! Tägl. Andachten, 1931 (1940³).

Lit.: Eduard Frhr. v. Dellinghausen, Im Dienste der Heimat. Erinnerungen, 1930; – Nekrolog, in: Balt. Beobachter 10, 1939, 95 f.; – Magdalene Hahn, Das Geheimnis des Leidens. Ein Lb. der Pastorin Sophie Rosalie Hahn, zus.gefaßt nach »Lebenserinnerungen« v. Traugott Hahn, 1939, (1957⁵); – Anna Katterfeld u. Wilhelm Ilgenstein, Auf der Brücke z. Ewigkeit. I: Lebensausklang gottgesegneter Männer, 1954, 100 ff. (Pastor D. T. H., ein Sämann des Ev.); II: Lebensausklang gottgesegneter Frauen, 1954, 70 ff. (Rosalie Hahn, die Frau v. Pastor D. T. H. u. Mutter des Märtyrers Prof. D. T. H.); – Balt. KG, hrsg. v. Reinhard Wittram, 1956; – Theodor Brandt, Wer ist hierzu tüchtig? Erfahrungen aus dem Dienst v. T. H., dem Vater, 1957; – Erik Thomson, T. H., Pastor u. Volksmissionar, 1959; – Dt.balt. Biogr. Lex. 1710–1960, hrsg. v. Wilhelm Lenz, 1970, 288 f.; – Lex. dt. balt. Theologen, bearb. v. Wilhelm Neander, Hannover-Döhren 1967, 57; – RGG III, 30.

HAHN-HAHN, Ida Gräfin von, Schriftstellerin, Konvertitin, * 22. 6. 1805 in Tressow (Mecklenburg-Schwerin) als Tochter des Grafen Karl Friedrich von Hahn-Neuhaus (1782–1857), † 12. 1. 1880 in Mainz. – Ihr Vater zog mit einer Schauspielertruppe umher und verschwendete in seiner Leidenschaft für das Theater sein ganzes Vermögen. Nach der Ehescheidung der Eltern siedelte die Familie nach Greifswald über. Dort heiratete Ida von Hahn am 3. 7. 1826 ihren reichen

Vetter Friedrich Wilhelm Adolf von Hahn-Basedow, von dem sie aber bereits drei Jahre später geschieden wurde. Von nun an führte Ida v. H.-H. ein bewegtes Reiseleben und wurde eine äußerst fruchtbare Romanschriftstellerin. Sie bereiste 1835 die Schweiz, dann Österreich, Italien, Spanien und Frankreich, 1842 Schweden, 1843/44 den Orient. Es folgten jedesmal Reisebücher, die zu ihrem Ruhm und Beliebtheit viel beitrugen. Als die erste anerkannte Berufsschriftstellerin trat Ida v. H.-H. für die geistige Emanzipation der Frau ein; im Mittelpunkt ihrer Romane und Gedichte steht die Stellung der Frau in Ehe und Gesellschaft. Unter dem Einfluß des Propstes an St. Hedwig in Berlin, des Freiherrn Wilhelm Emanuel von Kettler (s. d.), der am 15. 3. 1850 zum Bischof von Mainz ernannt worden war, trat Ida v. H.-H. am 26. 3. 1850 in Berlin zum katholischen Glauben über und rechtfertigte ihren Schritt in der Schrift »Von Babylon nach Jerusalem« (1851; zuletzt 1904). Von nun an stellte sie ihr literarisches Schaffen ganz in den Dienst der katholischen Kirche und verwandte ihr Einkommen zu karitativen Zwecken. Ida v. H.-H. stiftete 1854 ein Kloster der »Frauen vom Guten Hirten« in Mainz, wo sie seit 1853 lebte, ohne jedoch in den Orden einzutreten.

Werke: GA aus der ev. Zeit (Gedichte, Romane u. Reisebeschreibungen), 21 Bde., 1851; GA aus der kath. Zeit, hrsg. v. Otto v. Schaching, 45 Bde., 1903–05. – Romane mit ausgeprochen kath. Tendenz: Maria Regina, 2 Bde., 1860 (1898⁶); Doralice, 2 Bde., 1861 (1868²); Peregrin, 2 Bde., 1864 (1879²). – Andere Werke aus der 2. Periode: der Liederzyklus »Unserer lieben Frau«, 1851 (1856³); Bilder aus der Gesch. der Kirche, 4 Bde., 1858–66 (1³, 1874). – Lichtstrahlen aus den Werken der Gfn. H.-H., ausgew. v. Heinrich Keiter, 1881. – Perlen aus I. Gfn. H.-H.s Werken, ges. v. J. G., 1905. – Bibliogr. bei Gero v. Wilpert u. Adolf Gühring, Erstausg. dt. Dichtung, 1600–1960, 1967.

Lit.: Julian Schmidt, Gesch. der dt. Nat.-Lit. im 19. Jh. II, 1853, 349 ff.; – Marie Helene (Elisabeth Maistre), Gfn. I. H.-H. Ein Lb., 1869; – Heinrich Keiter, I. Gfn. H.-H. Ein Lebens- u. Lit.-bild, 1875; – Paul Haffner, Gfn. H.-H. Eine psycholog. Stud., 1880; – Alinde Jacoby, I. Gfn. H. Novellist. Lb., 1894; – Otto v. Schaching, I. Gfn. H.-H. Biogr.-bibliogr. Skizze, 1903; – Max Schneidewin, I. Gfn. H.-H., in: Hochland 2, 1905, 303 ff.; – Alois Stockmann, I. Gfn. H.-H., in: StML 69, 1905, 300–314. 424 bis 439. 542–556; – Maria Peitzmeyer, I. Gfn. H.-H. (Diss. Münster), 1919; – Kathrin van Munster, Die junge Gfn. H.-H. (Diss. Nijmegen), Prag 1929; – Alfons Nowack, Briefwechsel des Kard. Diepenbrock mit Gfn. H.-H. vor u. nach ihrer Konversion, 1931; – Lucie Guntli, Goethezeit u. Kath. im Werke I. H.-H.s Btr. z. Geistesgesch. des 19. Jh.s, 1931; – Erna-Ines Schmid-Jürgens, I. Gfn. H.-H. (Diss. München), Berlin 1933 (Nachdr. Nendeln/ Liechtenstein 1967); – Adolf Töpker, Beziehungen I. H.-H.s z. Menschentum d. dt. Romantik (Diss. Münster, 1938), Bochum 1937; – Heide Sallenbach, Die Krise im Lebensgefühl der Frau (Diss. Zürich), 1942; – P. Weiglin, Ein Gelehrter, ein Narr u. eine Dame v. Welt, in: Dt. Rdsch. 76, 1950, 955 ff.; – Alexander Baldus, I. Gfn. H.-H., in: Begegnung Zschr. f. Kultur u. Geistesleben 10, 1955, 324; – Margaret Kober Merzbach, I. Gf. H.-H., in: Mhh. f. dt. Unterricht, dt. Sprache u. Lit. 47, Madison/Wisconsin 1955, 27 ff.; – Elisabeth Schmitz, I. Gfn. H.-H., in: Die christl. Frau 44, 1955, 85 ff.; – Siegfried Zimmermann, I. Gfn. H.-H., in: Mitteldt. Köpfe. Lb. aus einem Jt., 1959, 91; – Bernd Goldmann, I. Gfn. v. H.-H., in: Schleswig-Holstein. Biogr. Lex., hrsg. v. Olaf Klose u. Eva Rudolph, II, 1971, 160 ff.; – Gerd Lüpke, I. Gfn. H.-H. Das Lb. einer mecklenburg. Biedermeier-Autorin, 1975; – Rosenthal I³, 495 ff.; – Kosch, KD 1283 f.; – Kosch, LL I, 799 f.; – KLL III, 1077 f. (Gfn. Faustine); – Wilpert I², 652; – ADB 49, 711 ff.; – NDB VII, 498 ff.; – LThK IV, 1322 f.

HAID, Herenäus, kath. Theologe, * 15. 2. 1784 in Geisenfeld (Diözese Regensburg), † 7. 1. 1873 in München. – H. besuchte 1795–1801 das Gymnasium in Neuburg an der Donau, dann das Lyzeum in München, studierte seit 1804 in Landshut Theologie als Schüler Michael Sailers (s. d.) und promovierte 1808 zum Dr. theol. 1807 empfing er die Priesterweihe und war mehrere Jahre an verschiedenen Orten Hilfs-

geistlicher. Auf Sailers Empfehlung wurde H. 1813 Professor der Exegese am Seminar in St. Gallen, 1818 wiederum auf Betreiben Sailers Domprediger in München, 1824 Pfarrer in Pondorf (Donau), 1825 Benefiziat in Jeetzendorf und 1827 Dombenefiziat in München. – H. wirkte als Prediger, Katechet und Schriftsteller und ist auch bekannt als ein Erneuerer liturgischen Denkens in der Zeit zwischen Aufklärung und Restauration und als Herausgeber und Übersetzer von Werken des Petrus Canisius (s. d.).

Werke: Einl. in das Ritual nach dem Geiste der kath. Kirche, 1812; Christl. Reden in der Schweiz, 4 Bde., 1815–18; Canisius-Biogr., 1826; Der geweihten oder canon. Stunden Alter, Geist u. Wesen. Eine kirchenhist., theol. Abh. über das Röm. Brevier, 1835; Die gesamte kath. Lehre in ihrem Zshg. Vorgetragen in Katechesen an der Metropolitankirche Unser L. Frau in München, 7 Bde., 1837–42 (1844–47²). – Gab v. Petrus Canisius heraus: Summa doctrinae christianae mit Anm., 4 Bde., 1833–34, sowie des Textes, 1842 u. ö.; in dt. Übers., 1824 (1846⁴ mit Biogr. des Canisius). – Übers. v. Canisius: Manuale Catholicorum (»Kath. Lehr- u. Gebetbuch«), 1842, u. Sonn- u. Festtagshomilien, 5 Bde., 1844–51.

Lit.: Franz Karl Felder u. Franz Joseph Waitzenegger, Gelehrten- u. Schr.steller-Lex. der dt. kath. Geistlichkeit I, 1817, 291 ff.; III, 1822, 499; – Nekrolog, in: Münchener Pastoralbl., 1873, 117 ff.; – Johann Nepomuk v. Ringseis, Erinnerungen, ges., erg. u. hrsg. v. Emilie Ringseis, I, 1886, 112 ff. 195. 345 ff.; – Hubert Schiel, Johann Michael Sailer. Leben u. Briefe, 2 Bde., 1948–52; – Rudolf Padberg, H. H., ein Erneuerer liturg. Denkens in der ersten Hälfte des 19. Jh.s, in: ThGl 49, 1959, 161 ff.; – ADB X, 379 f.; – LThK IV, 1234; – Kosch, KD 1285 f.

HAID, Kassian (Taufname: Josef), Abt von Mehrerau, * 26. 11. 1879 in Oetz (Tirol) als Sohn eines Postmeisters und Gastwirts, † 22. 9. 1949 im Kloster Mehrerau (Bregenz). – H. trat 1897 in das Zisterzienserkloster Mehrerau (Bregenz) ein und legte 1900 die Reifeprüfung am Stadtgymnasium in Feldkirch (Vorarlberg) ab. Er widmete sich den theologischen Studien in Mehrerau und empfing 1903 in Feldkirch die Priesterweihe. 1903–07 studierte H. an der Universität Innsbruck Geschichte und Geographie und erhielt nach Promotion und Lehramtsprüfung ein Stipendium zum Studienaufenthalt in Rom. 1909–19 war er Direktor der vom Stift geführten Schulen, um deren Ausbau er sich verdient gemacht hat. 1917 wurde H. zum Abt von Wettingen-Mehrerau und 1920 zum Generalabt des Ordens gewählt. Er blieb aber Abt von Mehrerau und resignierte als Generalabt, als die Kurie 1927 Residenz in Rom verlangte. Von 1938 an weilte H. aus politischen Gründen in der Schweiz, wo ihm als Abt-Präses 5 Frauenabteien unterstanden. Seit 1945 wirkte er wieder in Mehrerau für die Wiedererrichtung der Schulen und Festigung des klösterlichen Lebens der 1941 vom Staat aufgehobenen Abtei.

Werke: Die Besetzung des Bist. Brixen in der Zeit v. 1250 bis 1376, 1912; Heinrich, der Kanzler Kaiser Heinrichs VII., in: Festg. f. P. Gregor Müller, 1926, 51 ff.; Die Gründung des Klosters Wettingen, in: Zur 7. Jh.-Feier der Cistercienser Abtei Wettingen, 1927; Otto v. Freising, 1933 (Sonderdr. aus Cist 44 u. 45); Aus dem Aktenmappe des Msgr. Francesco Boccapaduglio, Nuntius in der Schweiz 1647–52, in: ZSKG 33, 1944, 121 ff.; Die Reihenfolge der Äbtissinnen v. Rathausen 1245–1945, in: Der Gesch.freund. Mitt. des Hist. Ver. der 5 Orte Luzern, Uri, Schwyz, Unterwalden u. Zug 99, Stans 1946, 193 ff.; Luzerner Merkwürdigkeiten aus der Chron. v. Rathausen, in: Innerschweizer. Jb. f. Heimatkunde 9/12, 1947/48, 27 ff. – Viele Artikel u. Rezensionen in Cist 1906–47.

Lit.: 100 J. Zisterzienser in Mehrerau, 1854–1954. Hrsg. v. den Mönchen der Abtei Wettingen-Mehrerau, 1954; – Bruno Grießer, Dr. Kl. H., Abt v. W.-M., in: Festschr. f. Dr. Hans Gamper z. Vollendung seines 65. Lebensj. Hrsg. v. Franz Grass, III, Innsbruck 1962, 195 ff.; – Kosch, KD 1286; – NDB VII, 517.

HAIDER, Ursula, Mystikerin, * 1413 in Leutkirch (Allgäu), † 20. 1. 1498 in Villingen (Schwarzwald). – Die verwaiste U. H. erhielt ihre erste Erziehung durch die Großmutter und einen Bruder der Mutter, der Priester war. Mit 9 Jahren wurde sie zur Vorbereitung auf den Sakramentenempfang in die Klause zu Reute bei Ravensburg gegeben. Mit 18 Jahren trat U. H. in Vorarlberg in das Klarissenkloster zu Valdunen ein und wurde 1467 Äbtissin. 1480 rief der Franziskanerprovinzial Heinrich Karrer U. H. und sieben ihrer Mitschwestern nach Villingen. Der Rat der Stadt wollte aus dem offenen Kloster am Bicken-Tor »ein geschlossenes St. Klara-Kloster« machen und hatte sich darum an den Provinzial gewandt. Die weltliche Obrigkeit wollte den Weggang der verehrten Äbtissin nicht dulden; aber U. H. folgte gehorsam dem Ruf des Provinzials und siedelte mit sieben Schwestern nach Villingen in das Bicken-Kloster über, das durch ihre Reform und Leitung zu einem vorbildlichen Konvent wurde. 1489 verzichtete sie wegen dauernder Kränklichkeit auf das Amt der Äbtissin. Als Mystikerin wurde U. H. von Heinrich Seuse (s. d.) beeinflußt. Ihren Schwestern prägte sie eine innige Verehrung des Herzens Jesu ein und regte sie zur eindringlichen Betrachtung der Passion Christi an. Die verlorengegangenen Aufzeichnungen der U. H. über ihr Leben, Wirken und mystische Begnadung sind inhaltlich erhalten in der handschriftlich im Birkenkloster zu Villingen (heute: Lehrfrauenkonvent St. Ursula) aufbewahrten Chronik der Juliana Ernstin von 1637.

Lit.: Chron. des Bickenklosters zu Villingen 1238–1614, hrsg. v. Karl Jordan Glatz (Bibl. des Stuttgarter Literar. Ver., Bd. 151), 1881, 98 ff.; – Karl Richstätter, Die Herz-Jesu-Verehrung des dt. MA, 1924², 190 f.; – Wilhelm Oehl, Dt. Mystikerbriefe des MA 1100–1550, 1931, 650 ff.; – Hildegard Rech, Äbtissin U. H. Ein Btr. z. Heimatgesch. v. Villingen, 1937; – Hermann Tüchle, KG Schwabens. Die Kirche Gottes im Lebensraum des schwäb.-alemann. Stammes II, 1954, 162 f. 232. 403; – G. Loes, Villingen, Klarissen, in: Alemania franciscana antiqua. Ehem. franziskan. Männer- u. Frauenklöster im Bereich der Oberdt. oder Straßburger Franziskaner-Prov. Kurze ill. Beschreibungen. III, bearb. v. Eugen Bürgisser u. a., Ulm/Donau 1957, 45–76 u. ö.; – VerfLex II, 147 f.; – DSp VII, 28 f.; – LThK X, 575 f.

HAIMHAUSEN, Karl Graf von, Jesuit, Missionar,
* 28. 5. 1692 in München als Sohn eines bayrischen Geheimrats und Hofratspräsidenten, † 7. 4. 1767 in Santiago (Chile). – H. trat 1709 in den Jesuitenorden ein, studierte in Rom und ging 1724 als Missionar nach Chile. Er lehrte in Santiago Theologie und übernahm die wirtschaftliche Verwaltung der Mission, die er durch Anlage und Ausbau von Plantagen finanziell selbständig machte. 1740 als Vertreter seiner Ordensprovinz nach Europa gesandt, kehrte H. 1748 mit einer Gruppe von ungefähr 40 Laienbrüdern, darunter vielen Deutschen, nach Chile zurück, mit deren Hilfe er europäisches Handwerk und Gewerbe einführte. 1750–56 und 1761–63 war H. Rektor des Zentralkollegs von Santiago.

Lit.: Francisco Enrich, Historia de la Compañia de Jesús en Chile II, Barcelona 1891; – Anton Huonder, Dt. Jesuitenmissionäre des 17. u. 18. Jh.s, 1899; – Sommervogel IV; – Koch, JL 755 f.; – NDB VII, 521.

HAIN, August Hermann, Stifter der »Christlichen Gemeinschaft Hirt und Herde«, * 27. 9. 1848 in Werda bei Falkenstein (Vogtland) als Kind einer Weberfamilie, † 29. 7. 1927 in Meerane (Sachsen), eingeäschert in Zwickau. – Um 1870 siedelte H. mit seinen Eltern und Geschwistern nach dem Städtchen Meerane über. Dort ging die Weberei in jener Zeit vom handwerklichen Hausbetrieb zum Fabrikbetrieb mit mechanischen Webstühlen über. H. machte den Krieg von

1870/71 mit und heiratete 1873. Ein Freund, der Fabrikweber Frohwald Gärtner, führte ihn in einen von dem Berginvaliden Anton Gläser geleiteten spiritistischen Kreis in dem benachbarten Reinsdorf ein. Gläser legte das Hauptgewicht auf Gebetsheilungen und Prophezeiungen und hatte großen Zulauf. Er studierte mit einem Kreis von 15 bis 20 Personen die Bibel und gab auch hier öfter Schriftauslegungen in Trance. In diesem Kreis erlebte H. am 23. 9. 1894 seine Berufung. Gläser sagte im Trancezustand: »Der Herr ist heute unter uns.« Da stand H. auf und erklärte: »Ich bin es!« Während ein Teil der Anwesenden dies anerkannte, lehnte die Mehrzahl samt Gläser H.s Anspruch ab. So kam es zum Bruch zwischen beiden Gruppen. H. sammelte nun als der »Hirt« seine »Herde«. Er wußte sich als Gottheit und erhob einen verbindlichen Anspruch auf Gehorsam. Mit seinen Anhängern, die für lange Zeit ganz aus der Arbeiterschaft kamen, hielt er zuerst in Privatwohnungen, später in einem Gasthaus Bibelstunden. Bis 1913 wuchs die Zahl seiner Anhänger auf 600, die sich auf Meerane und Umgebung verteilten. 1913 kam es zu einem Zusammenstoß mit der Kirche. H. wurde vom Landgericht in Zwickau wegen Religionsvergehens zu 14 Tagen Gefängnis verurteilt und erschien nunmehr seinen Anhängern als Märtyrer. »Aus Gründen der Staatssicherheit« verbot das Generalkommando in Leipzig 1916 jede Tätigkeit der »Herde« im Königreich Sachsen. Trotzdem nahm die »Herde« weiter zu – auf etwa 1000 Mitglieder im Jahr 1918. Nach Kriegsende wurde das Verbot aufgehoben. Von 1919 bis 1927 erlebte die Sekte ihre Blütezeit. Die Gesamtzahl der Gläubigen in Sachsen wird auf 3000 geschätzt. Weitere 1000 Anhänger waren in Thüringen und in den angrenzenden Gebieten Nordbayerns und der Tschechoslowakei. 1921 traten H. und Gärtner aus der Kirche aus. 1933 wurde die »Herde« verboten und nahm 1945 ihre öffentliche Tätigkeit wieder auf. 1948 versammelten sich 3000 bis 4000 Glieder zum Gedenken an den 100. Geburtstag des »Hirten«. 1951 erhielt die Gemeinschaft die staatliche Anerkennung in der Deutschen Demokratischen Republik (DDR).

Lit.: Joachim Jentzsch, Die christl. Gemeinschaft »Hirt u. Herde«. Ein Btr. z. Sektenkunde (Diss. Leipzig), 1956; – Hutten¹¹ 448 ff.; – RGG III, 365.

HALDANE, James Alexander, schottischer Erwekkungsprediger, * 14. 7. 1773 in Dundee nach dem Tod seines Vaters, † 8. 2. 1851 in Edinburgh.

Werke: v. J. A. H.: Journal of a tour through the Northern Counties of Scotland and the Orkney Isles, in autumn 1797. Undertaken with a view to promote the knowledge of the Gospel of Jesus Christ, 1798³; A collection of hymns for the use of the tabernacles in Scotland, 1800; The Prayer of Moses; or, God the Refuge of his People, 1819; The Ministry of John the Baptist, 1850.

HALDANE, Robert, schottischer Erweckungsprediger, * 28. 2. 1764 in London als Sohn eines Kapitäns und ältester Bruder des James Alexander Haldane, † 12. 12. 1842 auf seinem Landsitz Auchingray bei Edinburgh. – Robert H. erbte bei dem Tod seines Vaters den Großgrundbesitz von Airthrey, nicht weit von Stirling. Die Brüder verloren 1774 auch die Mutter. Sie wählten keine gelehrte Laufbahn. Robert ging zur Kriegs- und James Alexander zur Handelsmarine als »Indienfahrer«. Sie blieben aber nicht in diesem Beruf. Robert

zog sich auf seine Besitzung in Airthrey zurück. James Alexander wurde 1793 mit der indischen Flotte durch widrige Winde monatelang im Hafen von Spithead zurückgehalten. Er geriet an die Bibel und kam zu dem Entschluß, das Seeleben aufzugeben, um sich ganz in den Dienst des Wortes Gottes zu stellen. Robert entschloß sich, als Missionar nach Indien zu gehen; aber er konnte diesen Plan nicht durchführen. Erst nach vielen Schwierigkeiten erreichte er, daß ihm der Gouverneur der Kolonie Sierra Leone in Westafrika eine Anzahl von Heidenkindern zusandte, die er dann auf eigene Kosten in einer eigens zu diesem Zweck errichteten Anstalt erziehen ließ. James Alexander, der in Edinburgh Gleichgesinnte traf, begann, »um Seelen für Jesus Christus zu gewinnen«, öffentlich zu dem Volk zu reden, zuerst in der Kohlenstadt Gilmerton bei Edinburgh, dann in Edinburgh selbst und an anderen Orten. Mit einem Gleichgesinnten begab sich auf eine Predigtreise nach Glasgow und Umgegend. Als Reiseprediger zog er nun unermüdlich umher. Er suchte wiederholt den Norden von Schottland auf. Auch bis zu den Orkneys, den Hebriden, den Shettlandinseln drang er vor, um das Wort von dem Gekreuzigten zu verkündigen. Er besuchte den Süden und Südwesten Schottlands und kam auch nach England und Irland. Die Versammlungen wurden meist unter freiem Himmel gehalten und beliefen sich oft auf viele Tausende. Seine Begleiter halfen ihm in der Arbeit und verteilten in großen Mengen Traktate. Robert unterstützte mit seinem großen Vermögen die Evangelisationsarbeit seines Bruders. In der Nähe von Edinburgh, dem »Hauptquartier«, kaufte er einen neuen Landsitz in Auchingray und errichtete Schulen zur Ausbildung junger Leute für den Predigtdienst. Auf Roberts Kosten wurden »Tabernakel« erbaut, ungeheure Räume, um in ihnen größere Massen versammeln zu können. Der jüngere Bruder predigte an jedem Wochentag zwei-, auch wohl dreimal. Seine Gehilfen verfaßten immer neue Traktate. James Alexander begründete 1797 die »Society for the Propagation of the Gospel at Home«. Robert begab sich 1816 nach dem Festland, zunächst nach der Schweiz, nach Genf, 1817 über Lyon nach Montauban. Im Sommer 1819 kehrte er nach Schottland zurück.

Werke v. R. H.: The evidence and authority of Devine Revelation, 1816; The authenticity and inspiration of the Holy Scriptures considered in opposition to the erroneous opinions that are circulated on the subject, 1827; The Books of the Old and New Testaments proved to be Canonical, and their verbal inspiration maintained and established; with an account of the introduction and character of the Apocrypha, 1830³ (1877⁷).
Lit.: Alexander Haldane, Memoirs of the lives of R. H. of Airthrey, and of his brother J. A. H., London 1852 (1855⁵); – Memoir of R. H., and J. A. H.; with sketches of their friends, and of the progress of religion in Scotland and on the continent of Europe, in the former half of the nineteenth century, New York 1858; – DNB VIII, 897 ff.; – RE VII, 354 ff.; – RGG III, 33.

HALIFAX, Charles Lindley Wood Viscount, anglikanischer Laie in führenden Stellungen kirchlicher Organisationen, * 7. 6. 1839 in London, † 19. 1. 1934 in Hickleton bei Doncaster. – H. ist bekannt als Förderer der Einigungsbestrebungen der anglikanischen mit der katholischen Kirche. Er wurde 1866 Präsident der 1844 gegründeten English Church Union, der Organisation der Anglokatholiken innerhalb der anglikanischen Kirche. Seine Bemühungen und Verhandlungen, Leo XIII. (s. d.) zur Anerkennung der anglikanischen Weihen

zu bewegen, scheiterten 1896. Ein weiterer Versuch der Annäherung und Wiedervereinigung waren die Mechelner Gespräche. Auf Anregung von Halifax und unter Vorsitz des Kardinals Désiré Mercier (s. d.) fanden zur Klärung des Verhältnisses von Canterbury und Rom von Dezember 1921 bis 1925 vier Begegnungen in Mecheln (Stadt der belgischen Provinz Antwerpen) statt mit jeweils drei, später fünf Teilnehmern auf beiden Seiten. Mercier hatte dazu die stillschweigende Zustimmung Benedikts XV. (s. d.) erhalten, und der Erzbischof von Canterbury erkannte den halboffiziellen Charakter der Gespräche an, ohne sie zu autorisieren. Die Mechelner Gespräche erzielten in vielen theologischen Fragen Übereinstimmung, konnten aber nicht zum Ziel führen, weil die Kurie als Voraussetzung jeglicher Verständigung die bedingungslose Anerkennung des päpstlichen Primats forderte.

Werke: Leo XIII and Anglican Orders, 1912; A call to reunion, arising out of Discussions with Cardinal Mercier, 1922; Further considerations on behalf of reunion, 1923; Reunion and the Roman Primacy. An Appeal to Members of the English Church Union, 1925; Notes on the conversations at Malines 1921–25; points of agreement, 1928; The Conversations at Malines, 1930; The Good Estate of the Catholic Church, 1930.
Lit.: Fernand Portal, Notes sur Lord H., Paris 1896; – Ders., Le rôle de l'amitié dans l'union des Églises, in: Revue catholique des idées et des faits, Lüttich 1925; – F. Datin, Lord H. et la réunion des Églises, in: Études 173, 1922, 533 ff.; – J. Schrygens, Les conversations à Malines. A propos de la mort de Lord H., in: La revue générale 67, 1934, 409 ff.; – John Gilbert Lockhart, C. L. viscount H., 2 Bde., London 1935–36; – Jacques de Bivort de la Saudée, Anglicans et catholiques, 2 Bde. (I: Le problème de l'union anglo-romaine [1833–1933]; II: Documents sur le problème de l'union anglo-romaine [1921–27]), Paris 1949; – Albert Gratieux, L'amitié au service de l'union: Lord H. et l'abbé Portal, ebd. 1951; – DNB (1931–40), 919 ff.; – EC VI, 1339 f.; – LThK IV, 1330 f.; – NCE VI, 903 f.; – Catholicisme V, 496 f.; – ODCC² 614 f.; – WKL 523.

HALLBECK, Hans Peter, Missionar, * 18. 3. 1784 in Malmö (Schweden), † 25. 11. 1840 in Gnadental (Südafrika). – H. stand seit 1817 im Missionsdienst der Brüdergemeine, etwa 100 km östlich von Kapstadt. Er wurde 1836 zum Bischof geweiht und leitete bis zu seinem Tod die Brüdermission in Südafrika, wo im westlichen Teil vom Kapland sich mehr und mehr eine wohlgeordnete Kirchenprovinz der Brüdergemeine entwickelte, während der östliche Teil mehr den Charakter einer Missionsprovinz behielt. H. gründete 1838 in Gnadental eine Gehilfenschule, aus der ein kleines Lehrerseminar wurde, in das bald auch junge Männer der versprengten Negerstämme der Fingu, die die Sklaven der Kaffern gewesen waren, aufgenommen wurden, um damit der Kaffernmission zu dienen.

Lit.: Periodical accounts relating to the missions of the Church of the United Brethren, London 1792–1899; – Papers relative to the condition and treatment of the native inhabitants of Southern Africa . . ., 1, ebd. 1835; – J. Vahl, H. P. H., in: Nord Missionstidskrift, 1895; – Hermann Georg Schneider, Ur missionären H.s lif . . ., 1897; – Ders., H. P. H. im Kaplande, in: AMZ 1901, Beibl. 5; – Ders., Die Sippe der Hallbecks u. Einer aus ihr (Hh. z. Missionskunde, H. 5), Herrnhut 1907; – Ders., Aus dem Leben Miss. H.s (In fernen Heidenlanden. Missionserzz. f. die Jugend, Nr. 5), Herrnhut o. J. (1925³ u. d. T.: H. P. H. Aus dem Leben eines Miss.); – John Taylor Hamilton, A history of the missions of the Moravian Church, during the eighteenth and nineteenth centuries, Bethlehem/Pennsylvania 1901; – Carl Anshelm, Biskop H. P. H., den förste Svenske missionären i Afrika, 2 Bde., Lund 1927; – Karl Müller u. Adolf Schulze, 200 J. Brüdermission, 2 Bde., Herrnhut 1931–32; – N. Reichel, H. P. H., Gnadendal 1961; – B. Krüger, The pear-tree blossom. A history of the Moravian mission stations in South Africa 1737–1869, Genadendal 1966; – Herman Schlyter, Tunnbindaresonen från Malmö som blev Afrikas förste evangeliske biskop, in: Lunds stifts julbok, 1966; – L. R. Schmidt, Die Sendingswerk van die Broederkerk in Suid-Afrika, Genadendal o. J.; – Svenskt Biografiskt Lexicon under redaktion av Erik Grill XVIII, Stockholm 1969–71, 1–3.

HALLER, Albrecht von, Anatom, Physiologe, Botaniker, Arzt, Dichter und Apologet des christlichen Glaubens, * 16. 10. 1708 auf dem Hasligut bei Bern als Sohn eines Juristen, † 12. 12. 1777 in Bern. – Mit 12 ½ Jahren verlor H. seinen Vater, der seit 1713 Landschreiber der Grafschaft Baden im Aargau war. Schon früh zeichnete er sich aus durch ungewöhnliche geistige Begabung und ein staunenswertes Gedächtnis. Nach dem Besuch der Lateinschule in Bern kam H. zu einem verwandten Arzt nach Biel in die Lehre. Ende 1723 bezog er die Universität Tübingen, um Medizin zu studieren, und setzte im Frühjahr 1725 das Studium in Leiden fort. Dort fand H. in Bernhard Albinus und Hermann Boerhaave zwei Lehrer, die für sein ganzes künftiges Leben richtunggebend wurden. Im Sommer 1726 machte er mit zwei Berner Freunden, die ebenfalls in Leiden studierten, eine sechswöchige Reise durch Norddeutschland. Bereits 1727 erfolgte seine Promotion zum Dr. med. Eine Studienreise nach London und Paris schloß sich an. Dann zog H. im Frühjahr 1726 zu weiterer Ausbildung nach Basel. Er studierte eifrig Mathematik und widmete sich vor allem der Botanik und Anatomie. Zu botanischen Zwecken unternahm H. im Sommer 1728 mit seinem Freund Gesner eine Alpenreise, deren schönste Frucht das Lehrgedicht »Die Alpen« war. Im Frühjahr 1729 kehrte er nach Bern zurück und ließ sich dort als Arzt nieder. Im Frühjahr 1736 wurde H. an die neugegründete Universität Göttingen berufen als Professor der Anatomie, Chirurgie und Botanik und erwarb sich dort seinen Weltruf. 1739 wurde die »Göttinger Gelehrten Zeitung« gegründet, die H. 25 Jahre leitete und für die er 12 000 Rezensionen lieferte. 1749 wurde H. in den Reichsadelsstand erhoben. 1751 gründete er die »Göttingische Gesellschaft der Wissenschaften«, die sich unter seinem lebenslänglichen Vorsitz zu einer der angesehensten Akademien entwickelte. Berufungen nach Oxford, Utrecht und Berlin lehnte H. ab. 1753 gab er seine akademische Tätigkeit auf und kehrte nach Bern zurück. Dort widmete sich H. umfassenden wissenschaftlichen Arbeiten und seiner umfangreichen Korrespondenz und verwaltete zugleich das Amt eines Rathausammanns. 1758–64 war er Direktor der bernischen Salinen in Aigle und lebte im nahe gelegenen Roche in ländlicher Abgeschiedenheit. – H. gilt als Begründer der modernen experimentellen Physiologie und Biologie. Er war Mitglied von 23 Akademien und neben Gottfried Wilhelm Leibniz (s. d.) der bedeutendste Universalgelehrte deutscher Zunge im 18. Jahrhundert. Als Dichter hat H. die deutsche Dichtung bis zur Klassik stark beeinflußt. Als frommer Christ verteidigte er besonders gegen Voltaire (s. d.), den Führer der französischen Aufklärung, die wesentlichen biblischen Offenbarungswahrheiten. Sein Tagebuch gewährt uns einen Einblick in seine Kämpfe und Anfechtungen, die ihm aus seiner Synthese zwischen Glauben und Wissen erwuchsen. Sein Glaube war wesentlich Gottes- und Vorsehungsglaube; das Dogma von der Erlösung und die Person Christi traten hinter dem 1. Glaubensartikel zurück.

Werke: Die Alpen, entstanden Herbst 1728 bis März 1729 nach einer naturwiss. Exkursion durch die Schweizer Berge; ersch. Bern 1732; Vers. Schweizer. Gedichten (darin »Die Alpen«), entstanden 1725–32; ersch. Bern 1732 (erw. 1776[11]; 1828[12]); philos.-rel. Lehrgedichte: Vernunft, Aberglauben u. Unglauben, 1732;

Vom Ursprung des Übels, 1734; Über die Ewigkeit, 1736; Staatsromane: Usong, 1771; Alfred, Kg. der Angelsachsen, 1773; Fabius u. Cato, 1774; apologet. Schrr.: Briefe über die wichtigsten Wahrheiten der Offb., 1772 (1780[4]); Briefe über einige Entwürfe noch lebender Freigeister wider die Offb., 3 Bde., 1775–77 (1778[2]); Antivoltaire ou discours sur la religion, 1775. – *Ausgg.:* Smlg. Kleiner H.ischer Schrr., Bern 1756 (3 Bde., 1772[2]); – A. v. H., Tgb. seiner Beobachtungen über Schr.steller u. über sich selbst, hrsg. v. Johann Georg Heinzmann, 2 Bde., 1787; – A. v. H., Tagebücher seiner Reisen nach Dtld., Holland und Engl. 1723–27, hrsg. v. Ludwig Hirzel, 1883 (in vollst. Fassung neu hrsg. v. Erich Hintzsche, St. Gallen 1948; neue verb. u. verm. Aufl. mit Anm., Bern – Stuttgart – Wien 1971); – A. v. H., Tgb. der Stud.reise nach London, Paris, Straßburg u. Basel 1727–28, hrsg. v. Erich Hintzsche, Bern 1942 (1968[2]; Rez. v. Pierre Huard, in: Archives internationales d'histoire des sciences 22, Paris 1969, 347 ff.; u. in: Histoire des sciences médicales, Paris 1969, 153 f.; v. G. A. Lindeboom, in: Janus. Revue internationale de l'histoire des sciences, de la médecine et de la pharmacie et de la technique 57, Leiden 1970, 54 f.; v. Anna-Lena Pehrsson, in: Lychnos. Annual of the Swedish History of Science Society 1971/72, Uppsala 1973, 574 f.); – Gedichte mit Briefen u. biogr.-literargeschichtl. Einl., hrsg. v. Ludwig Hirzel, Frauenfeld 1882; – Gedichte. Krit. durchges. Ausg. nebst einem Anh.: »H. als Dichter« v. Harry Maync, 1923; – Die Alpen. Bearb. v. Harold T. Betteridge, Berlin 1959 (Neudr. der Erstausg., mit Bibliogr.); – Vers. Schweizer. Gedichten. Hrsg. v. Adolf Frey = Kürschners Dt. Nat.-Lit. 41, II, o. J.; – *Briefe:* Briefwechsel zw. A. v. H. u. Eberhard Friedrich v. Gemmingen, hrsg. v. Hermann Fischer, 1899; – Briefe an Johannes Gesner, hrsg. v. Henry Ernst Sigerist, 1923; – A. v. H. u. Giambattista Morgagni. Briefwechsel 1745–1768. Hrsg. u. erl. v. Erich Hintzsche, 1964; – A. v. H. u. Ignazio Somis (Conte di Chiavrie). – Briefwechsel 1754–1777. Hrsg. u. erl. v. dems., 1965; – A. v. H. u. Marc Antonio (Leopoldo) Caldani. Briefwechsel 1756–1776. Hrsg. u. erl. v. dems., 1966; – 20 Briefe A. v. H.s an Johannes Gesner. Hrsg. u. erl. v. Urs Boschung, 1972; – Die Alpen u. andere Gedichte. Ausw. u. Nachw. v. Adalbert Elschenbroich (RUB 8963/8964), 1967 (Nachdr.); – H.s Lit.kritik. Hrsg. v. Karl Siegfried Guthke, 1970 (Rez. v. Christoph Siegrist; in: Germanistik 11, 1970, 745 f.). – *Bibliogr.:* Susanna Lundsgaard-Hansen-v. Fischer, Verz. der gedr. Schrr. A. v. H.s, Bern 1959.

Lit.: Johann Georg Zimmermann, Das Leben des Herrn v. H., Zürich 1755; – Carl Baggesen, A. v. H. als Christ u. Apologet, Bern 1865; – Güder, A. v. H. als Christ, Basel 1878; Adolf Frey, A. v. H. u. seine Bedeutung f. die Lit., 1879; – Erich Schmidt, A. v. H., in: Ders., Charakteristiken I, 1886 (1902[2]); – Georg Bondi, Das Verhältnis v. H.s philos. Gedichten z. Philos. seiner Zeit (Diss. Leipzig), 1891; – Max Widmann, A. v. H.s Staatsromane u. H.s Bedeutung als polit. Schr.steller. Eine literargeschichtl. Stud., Biel 1894; – Heinrich Ernst Jenny, H. als Philosoph, Basel 1902; – Otto v. Greyerz, H. als Dichter, Bern 1902; – William E. Mosher, A. v. H.s Usong. Eine Qu.-unters. (Diss. Halle), 1905; – Friedrich Kammerer, Stud. z. Gesch. des Landschaftsgefühls in der dt. Dichtung des frühen 18. Jh.s (Hagedorn, H.) (Diss. Berlin), 1909; – Ferdinand Vetter, Der junge H. 1728–38, 1909; – Karl Zagajewski, H.s Dichtersprache, 1909; – Max Haller, H. als rel. Persönlichkeit, 1909; – Fritz Meier, Btrr. z. Biogr. A. v. H.s (Diss. München, 1914), 1915; – Gabriel Clunche, La renommée d'A. d'H. en France. Influence du poème des Alpes sur la littérature descriptive du XVIIIᵉ siècle (Thèse Caen, 1918–19), Alençon 1918; – Paul Wernle, Der schweizer. Prot. im 18. Jh., II. III, 1924/25; – Anna Ischer, A. v. H. u. das klass. Altertum, Bern 1928; – Anneliese Frey, A. v. H.s Staatsromane (Diss. Freiburg/Breisgau), Leipzig 1928; – Hans Stahlmann, A. v. H.s Welt- u. Lebensanschauung. Nach seinen Gedichten (Diss. Erlangen), 1928; – Stephen d'Irsay, A. v. H. Eine Stud. z. Geistesgesch. der Aufklärung, 1930; – Rudolf Thiel, Männer gg. Tod u. Teufel, 1931; – Margarete Caroline Hochdoerfer, The Conflict between H.'s religious and scientific views of A. v. H. (Diss. Univ. of Chicago, 1929), Lincon/Nebraska 1932; – Henry Ernst Sigerist, Große Ärzte. Eine Gesch. der Heilkunst in Lb., 1933 (1954[3], 170 ff.; 1958[4]); – Ders., A. v. H., in: Große Schweizer Forscher, hrsg. v. Eduard Fueter, Zürich 1942[2], 136 ff.; – Emil Ermatinger, Dichtung u. Geistesleben der dt. Schweiz, 1933; – Ders., A. v. H., in: Ders., Dt. Dichter 1700–1900, I, 1948, 62 ff.; – Erika Landsberg, Das Naturmotiv in den philos. Lehrgedichten H. bis Herder (Diss. Köln), 1935; – E. S. Cranston, Der Konflikt zw. Vernunft u. Glauben in A. v. H.s Leben, Wuchen, 1935; – Maurice Colleville, La renaissance du lyrisme dans la poésie allemande au XVIIIᵉ siècle, période préclassique, Paris 1936; – Götz v. Selle, Die Georg-August-Univ. zu Göttingen 1737–1937, 1937; – Irmela Voss, Das patholog.-anatom. Werk A. v. H.s in Göttingen, 1937; – M. Peters, A. v. H. als Apologet, in: AELKZ 71, 1938, 521 ff. 543 ff. 564 ff. 610 ff. 633 ff. 653 ff.; – Johannes Strohl, A. v. H. Gedenkschr., Zürich 1938; – Eduard Fueter, Gesch. der exakten Wiss.en in der schweizer. Aufklärung (1680–1780), Aarau 1941; – Susanne Liptak, A. v. H. Persönlichkeit u. Dichtung (Diss. Prag), 1941; – August Bruggisser, Natur u. Weltgefühl in der schweizer. Lyrik, v. H. bis Conrad Ferdinand Meyer (Diss. Freiburg/Schweiz), 1945; – Heinrich Buess, Schweizer Ärzte als Forscher, Entdecker u. Erfinder, Basel 1946; – Rüdiger Robert Beer, Der große H., 1947; – Gertrude Pax, Der Wortkreis Schöpfung-Natur-Seele bei A. v. H. u. die Parallelen bei Johann Georg Hamann. Ein Btr. z. Sprachgesch. des 18. Jh.s (Diss. Wien), 1947; – Israel S. Stamm, Some Aspects of the Religious Problem in H.'s »Die Alpen«, in: The Germanic Review 25, New York 1950, 5 ff.; – John Farquhar Fulton, The great medical bibliographers, A study in humanism, Philadelphia 1951, 38–45: A. v. H.; – Gustav Muthmann, Der rel. Wortschatz in der Dichtersprache des 18. Jh.s (Diss. Göttingen), 1952; – Alexander v. Muralt, A. v. H., in: Verhh. der Schweizer. Naturforschenden Ges., 1953, 44 ff.; – Karl Eduard Rothschuh, Gesch. der Physiologie, 1953; – Eduard Stäuble, A. v. H. »Über den Ursprung des Übels«, Zürich 1953; – Ders., A. v. H. – der Dichter zw. den Zeiten. Vers. einer stilkrit. u. geistesgeschichtl. Interpretation seines »Unvollkommenen Gedichts über die Ewigkeit«, in: Der Deutschunterricht 8, 1956, H. 5, S. 5 ff.; – Adolf Haller, A. v. H.s Leben, Basel 1954; – Karl Fehr, Die Welt der Erfahrung u. des Glaubens in der Dichtung A. v. H.s Eine Deutung des »Unvollkommenen Gedichts über die Ewigkeit«, Frauenfeld/ Schweiz 1956; – Ettore Janni, A. v. H., Mailand 1956; – Otto Weber, A. v. H. Rektoratsrede, in: Göttinger Univ.reden 21, 1958, 5 ff.; – H.-H. Heine, In memoriam A. v. H., in: Jb. des Ver. z. Schutze der Alpenpflanzen u. Tiere 23, 1958, 183 ff.; – J. Hett, A. H. z. Gedächtnis, in: Kosmos 54, 1958, 414 ff.; – Giacomo Casanova, A. v. H. (Übers. v. Heidi u. Reinhold de Quervain), Basel 1960; – Giorgio Tonelli, Poetica delle Alpi in A. H., in: Filosofia 12, Turin 1961, 239 ff.; – Ders., Poesia e pensiero (1. Aufl.: filosofia) in A. v. H.s, Turin (1961) 1965²; – Kurt Guggisberg, A. v. H. als Persönlichkeit, in: Berner Zschr. f. Gesch. u. Heimatkunde 9, Bern 1961, 1 ff.; – Karl Siegfried Guthke, A. v. H. u. die Lit., 1962; – Ders., Zur Rel.philos. des jungen A. v. H., in: Colloquia Germanica. Internat. Zschr. f. german. Sprach- u. Lit.wiss., Bern 1967, 142 ff.; – Ders., Der junge A. v. H. u. die Bibel, in: Jb. des Freien Dt. Hochstifts, 1968, 1 ff.; – Ders., Neues zu H.s Lit.kritik, in: Lessing Yearbook 5, München 1973, 198 ff.; – Eduard Frey, A. v. H. als Lichenologe, in: Mitt. der Naturforschenden Ges. in Bern NF 21, 1964, 1–65; – Werner Kohlschmidt, H.s Gedichte u. die Tradition, in: Ders., Dichter, Tradition u. Zeitgeist. Ges. Aufss. z. Lit.gesch., 1965, 206 ff.; – Erich Hintzsche, A. v. H.s Bedeutung f. die Gesch. der Medizin, in: Aktuelle Probleme aus der Gesch. der Medizin. Verhh. des XIX. Internat. Kongresses f. Gesch. der Medizin. Basel, 7.–11. 9. 1964. Hrsg. v. Robert Blaser u. Heinrich Buess, Basel 1966, 409 ff.; – Christoph Siegrist, A. v. H., 1967 (Rez. v. A. Mennhennet, in: German life and letters 22, Oxford 1968 bis 1969, 414 f.); – Peter Wobmann, A. v. H., der Begründer der modernen Hämodynamik (Diss. Basel), 1967; – Ursula Wimmer-Aeschlimann, Eine Gesch. der Physiologie v. A. v. H. (Diss. Bern), 1968; – Carlo Zanetti, Eine Gesch. der Anatomie v. A. v. H. (Diss. Bern), 1968; – Eine Gesch. der Anatomie v. A. v. H. (Diss. Bern), 1968; – Eine Gesch. der Anatomie u. Physiologie v. A. v. H. (2 enzyklopäd. Art. Hrsg. u. Übers. des frz. Textes: Carlo Zanetti u. Ursula Wimmer-Aeschlimann), Bern – Stuttgart 1968 (Rez. v. H. Buess, in: Schweizer. med. Wschr. 100, Basel 1970, 607 f.; v. Lester S. King, in: Bulletin of the history of medicine 44 Baltimore/Maryland 1970, 185 f.; v. Anna-Lena Pehrsson, in: Lychnos. Annual of the Swedish History of Science Society 1969/70, Uppsala 1971, 504); – Mario Sancipriano, Il pensiero politico di H. e Rosmini. Pubblicato con il contributo del Consiglio nazionale delle ricerche, Mailand 1968 (Rez. v. Heribert Raab, in: HJ 92, 1972, 232 f.); – Lucio Realini, Carteggio fra Ignazio Somis e A. H. (Diss. Bern), 1968; – Annibale Pagnamenta, Carteggio fra Ignazio Somis e A. H. (Diss. Bern), 1969; – Josef Helbling, A. v. H. als Dichter (Diss. Freiburg), Bern 1970 (Rez. v. Karl Siegfried Guthke, in: Germanistik 12, 1971, 769; v. Alison Scott, in: Lessing Yearbook 4, München 1972, 228 f.); – Richard Toellner, A. v. H. Über die Einheit im Denken des letzten Universalgelehrten (Hab.-Schr., Münster 1968), Wiesbaden 1971 (Rez. v. Heinrich Schipperges, in: Erasmus. Speculum scientiarum 25, London 1973, 335 f.; v. Anna-Lena Pehrsson, in Lychnos. Annual of the Swedish History of Science Society 1973–74, Uppsala 1975, 441); – Biogr. Wb. z. dt. Gesch. I², 1973, 1009 f.; – Goedeke IV/1, 22 ff.; – Kosch, LL I, 805 f.; – WeltLit II, 672 f.; – Eppelsheimer, WL 337; – KLL I, 472 f. (Die Alpen); – Wilpert I², 655 f.; II, 29 (Die Alpen). 1111 f. (Vers. Schweizer. Ged.); – HBLS III, 752 ff.; – ADB X, 420 ff.; – NDB VII, 541 ff.; – RE VII, 365 f.; – RGG III, 39 f.

HALLER, Berchtold, der Reformator Berns, * 1492 als Sohn eines Bauern in Aldingen bei Rottweil (Neckar), † 25. 2. 1536 in Bern. – H. besuchte die damals berühmte Lateinschule des Michael Rubellus in Rottweil und gewann an Melchior Volmar, der später in Bourges Johannes Calvins (s. d.) und Theodor Bezas (s. d.) Lehrer des Griechischen wurde, einen vertrauten Kameraden. Auf der Schule in Pforzheim schloß er mit Philipp Melanchthon (s. d.) Freundschaft. H. bezog 1510 die Universität Köln und promovierte 1512 zum »Magister artium«. 1513 kam er als Schulgehilfe nach Bern auf Empfehlung seines früheren Lehrers Rubel-

lus, der seit 1510 Rektor der dortigen Lateinschule war, die mehr als 100 Schüler zählte. Die Bäckerzunft wählte ihn zu ihrem Kaplan. H. wurde 1517 geistlicher Notar und bald darauf einer der beiden Diakone des Thomas Wittenbach (s. d.), der ihn in reformatorischem Sinn beeinflußte. Ihm folgte er 1519 als Leutpriester und 1520 als Chorherr. Auf seinen Wunsch vermittelte ihm einer seiner Rottweiler Mitschüler, Oswald Myconius (s. d.), Lehrer an der Stiftsschule in Luzern, die Bekanntschaft mit Huldrych Zwingli (s. d.), den er 1521 in Zürich besuchte. Zwingli wurde ihm Freund, Lehrer und Berater; beide verkehrten seitdem brieflich rege miteinander. H. begann sein reformatorisches Wirken in Bern als Prediger. Er hielt sich aber zunächst an die Perikopenordnung und ging erst nach zwei Jahren dazu über, in seinen Predigten – wie Zwingli – ein biblisches Buch fortlaufend auszulegen. In gleichem Geist wie er lehrte auch Dr. Sebastian Meyer (s. d.), Prediger und Lesemeister der Franziskaner. Um H. sammelte sich ein kleiner, aber geistig bedeutsamer Kreis von Männern evangelischen Sinnes. Doch es fehlte nicht an Widerspruch. Die altgläubige Partei, die unter den adeligen Geschlechtern stark vertreten war und in der Regierung die Mehrheit hatte, war entschlossen, alle Regungen evangelischen Glaubens zu unterdrücken und gegen Prediger und Anhänger der neuen Lehre rücksichtslos vorzugehen. Da wurde H. verzagt; aber Zwingli mahnte ihn brieflich an die heilige Pflicht, im Dienst des Evangeliums standhaft auszuharren. H. erwiderte ihm: »Wahrhaftig, wenn du mich nicht so kräftig angespornt und meinen völlig gesunkenen Mut wieder erweckt hättest, so wäre ich nächstens vom Predigtamt abgetreten und mit Dr. Thomas Wittenbach nach Basel gegangen, um mich den schönen Wissenschaften und dem Studium des Griechischen und Hebräischen zu widmen; denn du glaubst nicht, welche Drohungen gewisse bernische Machthaber ausgestoßen haben. Nun hat aber deine freundliche Zuschrift mir Trost gebracht, so daß ich nicht mehr zage, sondern alle meine Kraft zusammengerafft und deiner wahrhaft christlichen Aufmunterung gemäß die feste Überzeugung gewonnen habe, es gebühre sich in diesen jämmerlichen Zeiten viel mehr, daß ich das Evangelium predige, als daß ich in irgendeinem Winkel meine Studien treibe, und das so lange, bis ich unter dem Beistand des Herrn, der seinem Wort viel Kraft verleihen kann, Christum, ihn, der durch Mönchsgeschwätz so weit von uns weggekommen, ja beinahe in die Verbannung geschickt worden, nach meinem besten Vermögen wiederum werde eingesetzt haben.« Der durch Schriften Martin Luthers (s. d.) für die Reformation gewonnene Franziskanermönch Franz Lambert von Avignon (s. d.), der eine im Auftrag des Ordens unternommene Auslandsreise zur Flucht in die Schweiz benutzte, weilte im Juli 1522 in Bern und hielt öffentlich lateinische Vorträge, zog dann, von H. an Zwingli empfohlen, nach Zürich. Als der Bischof von Lausanne im August in Bern, das zu seinem Sprengel gehörte, bei seinem Schwager auf Besuch war, verlangte er vom Rat, daß H. an Lausanne ausgeliefert werde, um dort über einige Artikel seiner Predigten verhört zu werden. Nach langer und stürmischer Beratung beschloß der Rat, auf die Forderung des Bischofs nicht einzugehen, sondern ihn an den Propst und das Kapitel in Bern zu verweisen. H., Thomas Wittenbach aus Biel und der Berner Humanist Heinrich Wölflin (Lupulus), der ehemalige Lehrer Zwinglis und spätere Chorherr, bildeten die Kommission, die im Auftrag des Berner Rats den Pfarrer Georg Brunner von Kleinhöchstetten im Kanton Bern, den das Kapitel von Münsingen wegen Lästerung gegen Kirche und Klerus verklagt hatte, noch in demselben Monat öffentlich zu verhören hatte. Brunner verteidigte mit der Bibel in der Hand siegreich die von ihm vertretene schriftgemäße Lehre über Messe und Papsttum, und H. veröffentlichte einen Bericht über diese denkwürdige Verhandlung. Als auf der Tagsatzung zu Baden am 29. 12. 1522 die Mehrzahl der Eidgenossen den Antrag stellte, die lutherischen Predigten in der gesamten Eidgenossenschaft abzuschaffen, gaben die Berner durch ihren Gesandten die Erklärung ab, »sie wollten ihre Prediger an der Verkündigung des Evangeliums und der Heiligen Schrift nicht hindern, vielmehr sie dabei schützen und schirmen«. Obwohl der Berner Rat keinen Vertreter zur ersten Zürcher Disputation vom 29. 1. 1523 entsandte, hielt er doch Sebastian Meyer nicht davon zurück, daran teilzunehmen. Als der Bischof von Lausanne Bern visitieren wollte, schickte der Rat einen Boten an ihn und untersagte ihm, weder in der Stadt noch in der Landschaft die geplante Visitation durchzuführen. Im April 1523 wurden an der Kreuzgasse vor dem Berner Rathaus zwei Spiele von Nikolaus Manuel (s. d.) aufgeführt: zur Herrenfastnacht »Der Totenfresser« und zur Bauernfastnacht »Von Papsts und Christi Gegensatz«. Diese Fastnachtsspiele, die mit volkstümlicher Kraft, geistvollem Spott und reformatorischer Wucht den Kampf gegen die Mißbräuche der alten Kirche führen, haben zur Förderung der Reformation außerordentlich viel beigetragen. Der Chronist Valerius Anshelm (s. d.), einer der ersten Vorkämpfer der Reformation in Bern, berichtet: »Durch diese Spiele ward ein groß Volk bewegt, christliche Freiheit und päpstliche Knechtschaft zu bedenken und zu unterscheiden. Es ist auch in dem evangelischen Handel kaum ein Büchlein so viel gedruckt und so weit gebracht worden wie das dieser Spiele.« Am 15. 6. 1523 erließ der Rat der Zweihundert das erste der Reformation günstige Edikt: »Alle Prediger sollen nichts anderes als allein das heilige Evangelium und die Lehre Gottes frei, öffentlich und unverborgen, desgleichen, was sie sich getrauen durch die wahre Heilige Schrift zu bewähren, verkünden und sich aller anderen Disputationen, die den heiligen Evangelien ungemäß sind, sie seien von dem Luther oder anderen Doctoren ausgegangen, gänzlich enthalten, da wir wollen, daß jeder Prediger dem gemeinen Volk die bloße, lautere Wahrheit der Heiligen Schrift vortrage. Niemand soll fortan den andern einen Ketzer, Buben oder Schelm schelten.« Die Gegner der Reformation aber bemühten sich, den Lauf des Evangeliums zu hemmen. »Liebe Eidgenossen«, sagte der Berner Gesandte im Juli 1523 auf der Tagsatzung in Bern, »wehret beizeiten, daß die lutherische Sache und die, so damit umgehen, nicht die Oberhand gewinnen; denn ihre Prediger haben es in Zürich so weit ge-

bracht, daß die Regenten daselbst, wofern sie es gern wenden wollen, es nicht vermöchten.« Darum suchten sie eifrig nach einer für sie günstigen Gelegenheit, um die Prediger mühelos vertreiben zu können. Eine solche bot sich ihnen am Michaelistag (29. 9.), dem Hauptfest des Klosters der Dominikanerinnen in Bern, »Insel« genannt. H., Wittenbach und Meyer äußerten sich dort gesprächsweise darüber, wie das Klosterleben von der Heiligen Schrift her zu beurteilen sei. H. stellte im Gespräch mit einer Nonne in Gegenwart ihrer Großmutter den ehrbaren Ehestand als ebenso berechtigt dar und verwarf das Vertrauen auf den höheren Wert des klösterlichen Lebens. Das durch Zusätze entstellte Gespräch wurde verbreitet. Man behauptete, H. habe gesagt, die Nonnen seien in des Teufels Stand und darum des Teufels, und verklagte ihn beim Kleinen Rat. Die Kläger drangen auf Anwendung eines alten Gesetzes, nach dem der, der eine Nonne aus der »Insel« entführe, den Kopf verwirkt habe. Sie wollten aber aus Gnaden den Predigern das Leben schenken; doch sollten sie sofort unverhört das Land verlassen und schwören, es nie mehr zu betreten. Der Kleine Rat war willens, im Sinn der Kläger das Urteil zu sprechen. Doch die Sache kam glücklicherweise vor den Großen Rat, der die Angeklagten vorlud. Sie verteidigten sich und verlangten, daß auch die Großmutter jener Nonne verhört werde. Der Rat verzichtete auf weitere Untersuchung der Klagesache und entließ am 23. 10. 1523 die Prediger mit dem Bedeuten, sie sollten »ihrer Kanzeln warten und des Klosters müßig gehen«. Die Gattin des Stadtarztes Valerius Anshelm (s. d.) hatte sich im Gespräch dahin geäußert, die Jungfrau Maria könne nicht selig machen, sondern sei der Gnade Jesu Christi ebenso bedürftig wie sie und jede andere Frau. Ihr Gatte wurde deswegen am 6. 1. 1524 mit einer Geldbuße belegt, um die Hälfte seiner Besoldung verkürzt und dadurch veranlaßt, Bern zu verlassen. So verlor H. an ihm nicht nur einen Freund und Landsmann, sondern auch einen Gehilfen im Berner Reformationswerk. Am 28. 4. 1524 erließ der Rat ein neues Mandat: Priester, die sich verehelichen, verlieren ihre Pfründe; wer die Mutter Gottes oder die Heiligen schmäht und verachtet, hat Strafe zu erwarten. Ein weiteres Mandat hob im Mai das Konkubinat der Priester auf und gebot ihnen unter Androhung des Verlustes ihrer Pfründe, binnen 14 Tagen ihre Konkubinen zu entlassen. Dieses Gebot mußte mehrfach wiederholt werden. Mehrere Chorherren, die ihre Konkubinen behielten, und andere, die sich verehelicht hatten, wie Chorherr Wölflin, wurden ihres Amtes entsetzt. Die Dominikaner, die dem Evangelium ebensosehr wie den Franziskanern feind waren, hatten von Mainz Hans Heim kommen lassen, der durch seine Streitpredigten großen Zulauf gewann. Am 23. 10. 1524 wurde er in seiner Predigt von zwei angesehenen Bürgern unterbrochen, die ihn einen Lügner nannten, weil er gesagt hatte, es sei schriftgemäße Lehre, daß die von Christus geleistete Genugtuung für unsere Sündenschuld nicht ausreiche, sondern erst durch unsere ergänzende genugtuende Leistung vollkommen werde. Die beiden Bürger wurden verhaftet und mit den Predigern vor den Großen Rat beschieden. Die Angeklagten drangen auf eingehende Untersuchung und erklärten sich bereit, die Lehre des Dominikanerpredigers als falsch zu beweisen. Der Rat, dem »zänkerischen Disputieren« abhold, ging aber nicht näher auf die Sache ein, sondern beschloß, daß auch der Franziskanerprediger Sebastian Meyer zugleich mit seinem Gegner Heim binnen drei Tagen Stadt und Land zu verlassen habe, und verbot das Predigen in den Klöstern überhaupt; nur H. allein sei dazu berechtigt. Des trefflichen Mitarbeiters am Reformationswerk in Bern beraubt, stand er nun ganz allein und hatte einen doppelt schweren Stand, als sein mächtiger Beschützer, der Schultheiß von Wattenwyl, starb. Der Versuch seiner Gegner, ihn nachts zu überfallen, um ihn dem Bischof von Lausanne auszuliefern, scheiterte an der Wachsamkeit seiner Freunde. Zu den altgläubigen Gegnern kamen neue hinzu: die Wiedertäufer, die manche Freunde des Evangeliums beunruhigten. H. wurde bei Zwingli der Hinneigung zu den täuferischen Ansichten verdächtigt. »Sei fest überzeugt«, schrieb er ihm, »solange es Gott gefällt, daß ich der Berner Kirche vorstehe, so werde ich nichts blindlings antasten, sondern mich an Gelehrtere halten, die in der Schrift besser bewandert sind als ich. Mit einem Wort: ich bin so gesinnt, daß ich mich lieber töten ließe, als daß ich mich wiedertaufen lassen oder der Wiedertaufe zustimmen würde.« Auf H.s Anregung kam eine Gesandtschaft aus Zürich nach Bern und belehrte am 21. 12. 1525 den Großen Rat darüber, warum man in Zürich »die Messe, die der Einsetzung Christi nicht entspreche, abgetan und dagegen dem heitern Worte Gottes gemäß das heilige Abendmahl eingeführt habe«. Um Weihnachten 1525 hörte H. auf, Messe zu lesen, und widmete sich nun um so eifriger dem Predigtamt. Die Verfechter des Papsttums nutzten die der Reformation ungünstige Zeitströmung zu ihren Gunsten aus. So kam es, daß Bern im März 1526 auf der Tagsatzung in Luzern dem Beschluß zustimmte, zu Baden im Aargau eine Disputation zu halten, »damit Zwingli und seinesgleichen in der Eidgenossenschaft mit ihren verführerischen Lehren zum Schweigen gebracht und das gemeine Volk einigermaßen von den Irrtümern abgewandt und zur Ruhe gebracht werde«. Da man in Bern über die Verbindlichkeit dieses Beschlusses geteilter Ansicht war, lud der Rat zur Klärung und Entscheidung die Abgeordneten der Berner Landschaft auf Pfingstmontag, den 21. 5., nach Bern ein. Ungeladen erschien auch eine Gesandtschaft der sieben päpstlichgesinnten Kantone. Unter ihrem Einfluß wurde trotz manchen Widerspruchs beschlossen, bei dem alten Glauben zu beharren. Dieser Beschluß wurde durch feierlichen Eidschwur bekräftigt und jener Gesandtschaft eine Urkunde darüber ausgestellt. Auf Beschluß des Kleinen Rats mußten H. und Peter Kunz (s. d.), Pfarrer in Erlenbach, sofort nach Baden zu der an diesem Tag begonnenen Disputation reisen, um sich wegen ihrer Lehre zu rechtfertigen. H. disputierte mit Dr. Johann Eck (s. d.) über die zweite der sieben von ihm aufgestellten Thesen, daß Christus in der Messe für die Lebendigen und die Toten geopfert werde. Da er auf Grund klarer neutestamentlicher Stellen an seinen Lehranschauungen über die Messe festhielt, wandte Eck eine List an, um seinen Gegner zu fangen: er nö-

tigte ihn zu einer Erklärung über die erste These, über die er vor H.s Ankunft mit Johannes Oekolampad (s. d.) disputiert hatte: »Der wahre Leib Christi und sein Blut ist gegenwärtig im Sakrament des Altars.« H. lehnte es ab, mit ihm über das Abendmahl zu disputieren, da er niemals dagegen gepredigt habe, und erklärte, er sei nach Baden gesandt, um sich für das zu verantworten, was er gelehrt habe, aber nicht für das, was er glaube. H. wurde vom weiteren Disputieren ausgeschlossen, so daß er von Baden abreiste, ehe die Disputation zu Ende war. Der Kleine Rat forderte H. auf, wieder Messe zu lesen, da die katholischen Gelehrten unter Ecks Führung in Baden den Sieg über die evangelischen Prediger errungen hätten, und drohte im Weigerungsfall mit Entlassung. Seine dringende Bitte, vor dem Großen Rat seine Erklärung abgeben zu dürfen, wurde gewährt. So legte H. den Ratsherren die Gründe dar, warum er die Messe nicht mehr lesen könne. Als es in der Sitzung zu stürmischen Auftritten kam, sagte H., er wolle lieber Bern verlassen, als daß man seinetwegen in Streit gerate, und erklärte sich bereit, sich wegen seiner Predigten und Äußerungen in Baden zu rechtfertigen, auch auf seine Pfründe zu verzichten, falls man sie ihm nicht lassen wolle. Da sich H. weigerte, die Messe wieder zu lesen, nahm man ihm die Chorherrnpfründe, deren Einkünfte er aber noch zwei Jahre erhalten sollte, und wählte ihn zum Prediger mit eigenem Gehalt, unabhängig von der kirchlichen Stiftung. Mißstimmigkeiten zwischen Bern und den inneren Kantonen der Schweiz nach der Badener Disputation förderten die Reformation in Bern. Im April 1527 erhielt H. auf seinen Wunsch an dem früheren Kartäusermönch Franz Kolb (s. d.) einen trefflichen Mitarbeiter. Sie verkündigten das Wort Gottes »gar gewaltig« an Sonn- und Festtagen zweimal und auch an drei Wochentagen. Bei der gesetzlichen Erneuerung der Räte am 23. 4. gewann die reformatorische Partei die Mehrheit im Großen Rat, der nun den Kleinen Rat wählte und aus ihm die bedeutendsten Gegner der Reformation entfernte. Obwohl das neue Mandat des Rats vom 25. 5. 1527 jede eigenmächtige Änderung des Bestehenden verbot, schafften einige Gemeinden die Messe ab und baten um die Genehmigung der Priesterehe. Die kirchliche Parteiung und Verwirrung drängten auf eine Entscheidung, die man durch eine Disputation in Bern herbeizuführen hoffte. Am 17. 11. 1527 beschloß der Große Rat einstimmig, ein allgemeines Religionsgespräch auf den Anfang des folgenden Jahres nach Bern auszuschreiben. Die Bischöfe von Basel, Konstanz, Lausanne und Wallis, zu deren Bistümern Bern und sein Gebiet gehörten, wurden eingeladen, persönlich zu erscheinen, und alle Eid- und Bundesgenossen beider Glaubensparteien ersucht, ihre Gelehrten zu senden, »ob mit Gottes Hilfe die gesamte Eidgenossenschaft auch in Einigkeit des Christenglaubens möge gefördert und erhalten werden«, da dies durch die Badener Disputation nicht erreicht worden sei. In dem Ausschreiben wurde mitgeteilt, daß nur die Heilige Schrift in Glaubenssachen entscheide und man darum bei der Disputation nur das Wort Gottes gebrauchen dürfe, und zwar nicht nach Auslegung der Kirchenlehrer, sondern so, daß Schriftwort mit Schriftwort verglichen und erklärt und eine dunkle Schriftstelle durch eine »heitere« erläutert werde. »Und was dann«, heißt es zum Schluß, »mit göttlicher biblischer Schrift auf dieser Disputation bewährt und angenommen wird, das soll (für Bern und sein Gebiet) Kraft und ewigen Bestand haben, dies für uns und unsere ewige Nachkommenschaft stet und fest, unverbrüchlich und getreulich zu halten.« Zugleich wurden die von H. und Kolb verfaßten, von Zwingli durchgesehenen und in Druck gegebenen 10 Schlußreden (Thesen) deutsch, lateinisch und für Berns waadtländische Bezirke französisch verbreitet. Zwei Tage nach jenem Beschluß schrieb H. an Zwingli: »Alle Frommen hoffen aufs zuverlässigste, du werdest nicht ausbleiben. Du weißt, was an Bern diesmal gelegen ist und wie große Schande, Schmach und Spott, wofern wir der Sache nicht gewachsen wären, das Evangelium und uns treffen würde. Ich weiß gar wohl aus vielfacher Erfahrung, wie sehr dir die Ehre Gottes und seines Wortes, das Heil Berns, ja der ganzen Schweiz, so recht am Herzen liegt und daß du zum Lobe des Herrn, zur Förderung der Sache Christi, den Gottesfeinden aber zur Beschämung deine Gegenwart uns gewiß nicht versagen wirst.« Zwingli erbat und erhielt die Erlaubnis zur Teilnahme an der Berner Disputation. Als H. das erfuhr, schrieb er ihm: »Jetzt sehe ich, wie der Herr unerwartet durch dich und Oekolampad seine Ehre bei uns verherrlichen will, da ihr beide so bestimmt zusagt. Ihr seid die Hilfstruppen, die der Herr mir, der ich solchem Kampf weit nicht gewachsen wäre, gnädig zugeschickt. O möchten die Widersacher alle ihre Gründe auf einmal ausschütten! Da wären Männer, die zu seinem großen Ruhm sie einzeln entkräfteten. Etliche unserer Machthaber sind voll geheimen Ingrimms. An Anschlägen ihrerseits wird's nicht fehlen, unserem Vorhaben Hindernisse in den Weg zu legen oder, können sie das nicht, Verwirrung zu stiften. Aber wir wollen aus allen Kräften standhalten, daß der Satan durch sie nicht losbreche. Doch ist dir wohlbewußt, wie gering meine Kraft ist zu so schwierigen Dingen. Wofern ihr nicht allesamt die Hände reicht, so sind wir verloren.« Die Bischöfe lehnten die Einladung zur Berner Disputation ab. Mit Berufung auf die Badener Disputation suchten die päpstlichgesinnten Kantone Bern von seinem Vorhaben abzubringen. Thomas Murner (s. d.), Eck und Johannes Cochläus (s. d.) schrieben heftig dagegen. Von Karl V. (s. d.) traf eine Abmahnung ein mit Vertröstung auf ein allgemeines Konzil. In Zürich versammelten sich die Abgeordneten von St. Gallen, Konstanz, Lindau, Memmingen, Augsburg und Nürnberg und traten am 2. 1. 1528, mehr als 100 an der Zahl, von 300 Bewaffneten geleitet, die Reise nach Bern an, wo sie Oekolampad von Basel, Martin Bucer (s. d.) und Wolfgang Capito (s. d.) von Straßburg und viele andere trafen. Die katholische Partei war ziemlich schwach vertreten. Am 6. 1. fand die Begrüßung und Eröffnung statt. Die eigentliche Disputation begann am 7. in der Franziskanerkirche vor dem Großen Rat und dauerte bis zum 26.; sie endete mit dem Sieg der Evangelischen. Die 10 Schlußreden wurden von allen Chorherren, den meisten Dominikanern und 52 Pfarrern unterzeichnet; die

übrigen warteten auf die Verfügungen der Regierung. Der Große Rat beschloß am 27. die Abschaffung der Messe und der Bilder in der Hauptstadt und erließ am 7. 2. das von H. entworfene allgemeine Reformationsedikt für den ganzen Kanton. Vom 23. 2. an wurden die einzelnen Gemeinden durch Abgesandte um ihren Beitritt zur Reformation befragt. Für die Durchführung der Reformation war es von Nutzen, daß bei der gesetzlichen Erneuerung der Räte am 13. 4. 1528 vier Mitglieder des Kleinen Rats und 20 des Großen Rats, die zu den heftigen Gegnern der Reformation gehörten, ihre Stellen verloren. Ostern 1528 wurde in Bern zum erstenmal das heilige Abendmahl gefeiert. Anfang 1530 hielt sich H. einige Wochen in Solothurn auf, um die Bürgerschaft für die Reformation zu gewinnen, was ihm aber bei dem entschlossenen Widerstand der altgläubigen Mehrheit nicht gelang. Durch den unglücklichen Ausgang der Schlacht bei Kappel am 11. 10. 1531, in der Zwingli als Feldprediger den Tod fand, war das Reformationswerk in Bern erneut bedroht. Hinzukam eine allgemeine Spannung zwischen Obrigkeit und Predigern. Zur Klärung der Verhältnisse, zur Einigung untereinander und zum Ausbau des Kirchenwesens berief der Rat auf den 9. 1. 1532 die erste Synode und lud dazu die 200 Pfarrer und Prädikanten der Berner Kirche. H. war in Sorge um den Bestand und das Gedeihen seines Reformationswerkes und sah mit schwerem Herzen der Synode entgegen, zumal Zürich den ihm befreundeten Heinrich Bullinger (s. d.), den der Berner Rat und er um sein Kommen dringend gebeten hatten, die Erlaubnis zur Teilnahme an der Synode nicht gab. Da traf, »wie von Gott gesandt«, Wolfgang Capito, der auf einer Rundreise die evangelischen Städte besuchte, am 29. 12. 1531 bei H. ein und blieb auf allseitiges Bitten, um ihn tatkräftig zu unterstützen. Die Synode trat am 9. 1. 1532 zusammen und wurde am 10. von Capito mit Darlegung der zu behandelnden Punkte eröffnet; er selbst führte hauptsächlich das Wort bei den Beratungen und hielt am 13. die Schlußrede. Am anderen Tag setzte er die Reise nach Zürich und Konstanz fort. Es war ihm gelungen, die Berner Obrigkeit mit den Predigern auszusöhnen. Die von Capito verfaßte und von der Synode beschlossene Kirchenordnung, »Berner Synodus« genannt, bietet in 44 Kapiteln die Grundlinien einer reformatorischen Glaubenslehre und Pastoraltheologie und wurde eins der »Symbolischen Bücher« der Berner Kirche. Die zunehmende Täuferbewegung bedeutete für das Berner Reformationswerk keine ernste Gefahr. Im Januar 1536 verabschiedete H. als todkranker Prediger das Berner Heer, das auf dringenden und anhaltenden Hilferuf des von dem Herzog von Savoyen hartbedrängten Genf in den Krieg zog. Schon nach wenigen Tagen war der größte Teil des Waadtlandes erobert, und am 2. 2. hielt das Heer seinen Einzug in das befreite Genf. Auf seinem Kranken- und Sterbebett vernahm H. die Kunde des Sieges, durch den die Waadt mit Bern vereinigt, dem Evangelium geöffnet und die Verbindung mit Genf errungen wurde.

Lit.: Samuel Scheurer, Lebens-Beschreibung B. H.s, des Reformators v. Bern, in: Bernerisches Mausoleum 3, 1741, 231 ff.; – Melchior Kirchhofer, B. H. oder die Ref. v. Bern, Zürich 1828; – Gotthold Jakob Kuhn, Die Reformatoren Berns, Bern 1828, 131 ff.; – M. v. Stürler, Urkk. der Bern. Kirchenreform I (1520 bis

15. 3. 1528), ebd. 1862; II (16. 3. 1528 bis 19. 10. 1536), 1882; – Carl Pestalozzi, B. H., 1861; – Johann Strickler, Aktensmlg. z. schweizer. Ref.gesch., Zürich 1877; – Julius Weidling, Ursachen u. Verlauf der Berner Kirchenreform (bis 1528), in: Arch. des Hist. Ver. des Kt. Bern 9, 1880, 1 ff.; – Bern. Biogrr. I, Bern 1884, 264 ff.; – Karl Emil Blösch, Der eigenartige Charakter der Ref. in Bern, 1885; – Emil Egli, B. H. u. Theodor Beza, in: Zwingliana 1, 1897–1904, 16 f.; – Das Berner Taufbüchlein v. 1528, hrsg. v. Adolf Fluri, Bern 1904; – Heinrich Türler, Die Frau des Reformators H., in: Bll. f. bern. Gesch., Kunst- u. Altertumskunde 3, 1907, 195 ff.; – Wilhelm Hadorn, KG der ref. Schweiz, 1907, 61 ff.; – Rudolf Steck, B. H.s Ref.vers. in Solothurn (1530) nach seinen eigenen u. Niklaus Manuels Briefen dargest., Bern 1907; – Gustav Tobler, Das Verhältnis v. Staat u. Kirche in Bern in den J. 1521–1527, in: Festg. f. Gerold Meyer v. Knonau, Zürich 1913, 343 ff.; – Rudolf Steck u. Gustav Tobler, Aktensmlg. z. Gesch. der Berner Ref. 1521–1532, Bern 1918 bis 1923; – L. Caflisch, Zur Ikonogr. B. H.s, in Zwingliana 4, 1928, 455 ff. 505 f.; – Otto Erich Strasser, Capitos Beziehungen zu Bern, 1928; – Adolf Fluri, Das erste gedr. Berner Ref.-Mandat v. Viti et Modesti (= 15. Juni) 1523, in: Schweizer. Gutenbergmus. 14, 1928, 3 ff.; – Univ. Bern. Feier z. 400j. Gedächtnis der Berner Ref., den 4. 2. 1928 (Reden: Wilhelm Hadorn, Eigenart u. Bedeutung der bern. Kirchenref.; Heinrich Hoffmann, Die Berner Disputation v. 1528; Richard Feller, Die bern. Ref. u. der Staat), Bern 1928; – Theodor de Quervain, Gesch. der bern. Kirchenref., in: Gedenkschr. z. Vierjh.feier der Bern. Kirchenref. I, ebd. 1928, 1–300; – Walther Koehler, Zwingli u. Bern, 1928; – Richard Feller, Der Staat Bern in der Ref., 1929; – Ders., Gesch. Berns II, 1953; – Zwingliana 7, 1939–43, 504 ff.; – Kurt Guggisberg, Bern. KG, 1958; – Wolf II/2, 160 ff.; – Schottenloher I, Nr. 2751. 7855–7865; II, Nr. 23808. 23816b. 23818. 23820. 23824. 23827. 23836. 23838. 23840; V, Nr. 46663–46665; – ADB X, 427 ff.; – NDB VII, 552; – HBLS IV, 62; – RE VII, 366 ff.; – RGG III, 40; – LThK IV, 1334; – ODCC² 615.

HALLER, Johannes der Jüngere, Leiter der Berner Kirche, * 18. 1. 1523 als Pfarrerssohn in Amsoldingen (Kanton Bern), † 1. 9. 1575 in Bern. – H.s Vater, Johannes der Ältere (* 1487 in Wil [Kanton St. Gallen]), trat 1523 als Priester in Amsoldingen wegen seiner evangelischen Gesinnung von seinem Amt zurück und wirkte seitdem dort und später in Zürich als evangelischer Prediger; er fiel am 11. 10. 1531 an der Seite Huldrych Zwinglis (s. d.) in der Schlacht bei Kappel. – H. studierte in Zürich, Tübingen, Marburg und den Niederlanden und besuchte Martin Luther (s. d.) und Philipp Melanchthon (s. d.) in Wittenberg. Er wurde 1542 Pfarrer in Hirzel, 1543 in Illnau und 1545 in Augsburg. Die Zürcher Regierung berief in 1547 zum 1. Archidiakon am Großmünster neben dem Antistes Heinrich Bullinger (s. d.); aber schon im November 1547 wurde er nach Bern berufen zur Mitarbeit bei der Neuordnung der durch theologische Streitigkeiten gefährdeten Berner Kirche. Es gelang ihm, die kirchlichen Verhältnisse zu beruhigen und zwischen Bern und Johannes Calvin (s. d.) zu vermitteln, besonders in den Kirchenstreitigkeiten in der Waadt. Der Rat von Bern übertrug H. 1552 als 1. Dekan das höchste Amt der Berner Landeskirche. 1556 führte er in der von Bern erworbenen Talschaft Saanen die Reformation ein. – In allen Aufgaben erwies sich H. als der besonnene Leiter der Berner Kirche. Bekannt ist er auch durch sein »Hausbuch«, eine Übersetzung von Bullingers Predigten; es fand in Holland und England weite Verbreitung.

Werke: Tgb. 1548–61. Nach der in der Stadtbibl. Zürich befindl. Hs., aus dem Lat. ins Dt. übers., mit Anm. vers. u. hrsg. v. Eduard Bähler, in: Arch. des hist. Ver. des Kt. Bern 23, 1917, 238–355; Hausbuch. Übers. v. 50 Predigten Heinrich Bullingers, Bern 1558; Sententiae ex Decretis canonicis collectae, 1572; J. H. u. Abraham Müslin, Chron., hrsg. v. Samuel Gränicher, Zofingen 1829.

Lit.: A. Haller, J. H. d. J., in: Smlg. bern. Biogrr. II, 1896, 22 ff.; – Eduard Bähler, Erlebnisse u. Wirksamkeit des Predigers J. H. in Augsburg z. Z. des Schmalkald. Krieges, in: Schweizer. Gesch. 2, 1922, 1 ff.; – Ders., J. H. d. Ä. Ein Lb. aus der Ref.zeit, in: Zürcher Taschenbuch auf das J. 1923, NF 43, 1922, 162–195; – Ders., Dekan J. H. u. die Berner Kirche v. 1548–75,

in: Neues Berner Taschenbuch 28, 1923, 1–52; 29, 1924, 1–65; 30, 1925, 1–58; 31, 1926, 1–61; – A. Corrodi-Sulzer, Zur Biogr. des Berner Pfr. J. H., in: Zwingliana 4, 1928, 145 ff.; – Walter Hollweg, Heinrich Bullingers Hausbuch. Eine Unters. über die Anfänge der ref. Predigtlit., 1956; – Kurt Guggisberg, Bern. KG, 1958; – Schottenloher I, Nr. 7869–7874; – HBLS IV, 58 f.; – NDB VII, 549; – RGG III, 40 f.

HALLER, Johannes, Historiker, * 16. 10. 1865 als Pfarrerssohn in Keinis (Estland), † 24. 12. 1947 in Tübingen. – Nach häuslichem Unterricht besuchte H. seit 1876 die Domschule in Reval, studierte 1883–88 Geschichte in Dorpat und war dann Hauslehrer in Livland und Estland. 1890 setzte er das Studium in Berlin und Heidelberg fort und promovierte 1891 in Heidelberg zum Dr. phil. 1892–97 und 1901–02 arbeitete H. am Preußischen Historischen Institut in Rom. 1897 habilitierte er sich an der Universität Basel. 1902 wurde H. in Marburg ao. und 1904 o. Professor der Geschichte und Direktor des Archäologischen Instituts, lehrte 1904–13 in Gießen, danach bis zu seiner Emeritierung 1932 in Tübingen. Er lebte im Ruhestand in Stuttgart, während des 2. Weltkrieges zeitweise im Elsaß und seit 1945 in Tübingen. – H.s Arbeits- und Forschungsgebiet war vor allem die mittelalterliche Kaiser- und Papstgeschichte.

Werke: Papsttum u. Kirchenreform. Vier Kap. z. Gesch. des ausgehenden MA I, 1903; Die Qu. z. Gesch. der Entstehung des Kirchenstaates, 1907; Der Sturz Heinrichs des Löwen. Eine qu.-krit. u. rechtsgeschichtl. Unters., 1911; Die Marbacher Ann. Eine qu.krit. Unters. z. Gesch.schreibung der Stauferzeit, 1912; Kaiser Heinrich VI. u. die röm. Kirche, 1915 (unv. Nachdr. Darmstadt 1962); Die Ära Bülow. Eine hist.-polit. Stud., 1922; Die Epochen der dt. Gesch., 1923 (1951: 135.–137. Tsd. der GA; ungekürzte Ausg. 1956); Aus dem Leben des Fürsten Philipp zu Eulenburg-Hertefeld, 1924; Die Anfänge der Univ. Tübingen 1477–1537. Zur Feier des 450j. Bestehens der Univ. Tl. 1: Darst., 1927; Tl. 2: Nachweise u. Erll., 1929 (Neudr. 1 u. 2: Aalen 1970); 1000 J. dt.-frz. Beziehungen, 1930; Von den Karolingern zu den Staufern. Die altdt. Kaiserzeit (900–1250), 1934 (1970⁵, hrsg. v. Heinrich Dannenbauer); Reden u. Aufss. z. Gesch. u. Politik, 1934 (1941² durchges. u. verm.); Das Papsttum. Idee u. Wirklichkeit. I: Die Grdl.n, 1934; II/1: Der Aufbau, 1939; II/2: Die Vollendung, 1940; III/1: Krönung u. Einsturz, 1945 (verb. u. erg. Ausg., hrsg. v. H. Dannenbauer, 5 Bde., 1950–53 [nach der 1962 ersch. verb. u. erg. Ausg.: 1965]); Von den Staufern zu den Habsburgern. Auflösung des Reichs u. Emporkommen der Landesstaaten (1250–1519), 1935 (1970³, hrsg. v. H. Dannenbauer); Nikolaus I. u. Pseudoisidor, 1936; Der Eintritt der Germanen in die Gesch., 1939 (1970⁴, hrsg. v. H. Dannenbauer); Abhh. z. Gesch. des MA, 1944; Dante. Dichter u. Mensch, 1954; Lebenserinnerungen. Gesehenes. Gehörtes. Gedachtes, 1960. – Gab heraus: Concilium Basiliense. Stud. u. Qu. z. Gesch. des Concils v. Basel. I: Stud. u. Dokumente der J. 1431–1437, Basel 1896; II: Die Protokolle des Concils 1431–1433, ebd. 1897; III: Die Protokolle des Concils 1434 u. 1435, ebd. 1900; IV: Die Protokolle des Concils v. 1436, ebd. 1903. – Bearb.: UB der Stadt Basel VII, Basel 1899.

Lit.: Fritz Ernst, J. H. Gedenkrede (mit Verz. der Schrr. J. H.s) 1949; – Heinrich Günter, J. H. gest., in: HJ 62–69, 1949, 931 f.; – Heinrich Dannenbauer, J. H. u. das Papsttum, in: Die Pforte. Die Mschr. f. Kultur 5, 1953, 393 ff.; – Dt.balt. Biogr. Lex. 1710–1960, hrsg. v. Wilhelm Lenz, 1970, 292 f.; – Biogr. Wb. z. dt. Gesch. I², 1973, 1011 f.; – Verz. der Nachrufe, in: Hans Georg Gundel, Die Gesch.wiss. an der Univ. Gießen im 20. Jh., in: Ludwigs-Univ., Festschr. z. 350-J.feier, Gießen, 1957; – Ders., J. H. u. die MAliche Gesch. in Gießen, in: Nachrr. der Gießener Hochschulschrr. 33, 1964, 179 ff.; – Rezensionen des Hauptwerkes »Das Papsttum«: H. Koch, in: ThLZ 60, 1935, 272–278; 62, 1937, 382–385; esp. ThRv 34, 1935, 305 f.; F. X. Seppelt, in: ThRv 34, 1935, 385–391; 39, 1940, 208 f.; J. J. Rieck, in: Hochland 37, 1939/40, 29 ff.; H. Tüchle, in: ThGl 42, 1952, 141 f.; H. Dannenbauer, J. H., Das Papsttum V, 1953, 409 ff.; K. Jordan, in: DLZ 71, 1950, 78 ff.; – KLL II, 2242 f. (Die Epochen der dt. Gesch.); V, 1354 f. (Das Papsttum); – Kosch, LL I, 806; – EC VI, 1341 f.; – LThK IV, 1334 f.; – NCE VI, 906; – NDB VII, 352 f.

HALLER, Michael, Kirchenkomponist, * 13. 1. 1840 in Neusath bei Nabburg (Oberpfalz) als Sohn eines Gärtners, Försters und Schloßgutsverwalters, † 4. 1. 1915 in Regensburg. – H. besuchte die Schule im nahen Perschen und kam 1852 in die Schule des am Ausgang des Bayrischen Waldes zwischen Deggendorf und Straubing am linken Donauufer gelegenen Benediktinerklosters Metten. Da er Priester werden wollte, verbrachte H. seine dortige Studienzeit im Bischöflichen Knabenseminar. Seine besondere Begabung und Vorliebe für die Musik wurden erkannt und gefördert. Der Direktor des Bischöflichen Knabenseminars und spätere Abt des Klosters, Utto Lang, war H.s erster Musiklehrer. Unterricht in der allgemeinen Musik- und Harmonielehre erhielt er bei Utto Kornmüller, dem bedeutendsten Musiker des Klosters Metten. Nach seiner Reifeprüfung trat H. im Herbst 1860 in das Klerikalseminar in Regensburg ein. In der Musik bildete er sich weiter durch Selbststudium, praktisches Musizieren und Anhören guter Musik. Am 26. 6. 1864 wurde H. zum Priester geweiht und kurz darauf als Präfekt der Domsingknaben in die Dompräbende Regensburg berufen. Er trieb unter Joseph Schrems, dem Inspektor der Dompräbende und Kapellmeister des Domchors, gründliche Studien auf dem Gebiet der Kirchenmusik. Mit seiner Berufung 1867 zum Stiftskapellmeister und Inspektor des Studienseminars an der Alten Kapelle in Regensburg begann für H. die Zeit seiner fruchtbarsten Tätigkeit als Erzieher, Gesangspädagoge, Dirigent und Komponist. Bis 1910 war er zugleich an der dortigen 1874 von Franz Xaver Haberl (s. d.) gegründeten Kirchenmusikschule Lehrer für Kontrapunkt und Vokalkomposition. Da die Kirchenmusikschule finanzielle Schwierigkeiten hatte, hat H. 36 Jahre den Unterricht an ihr unentgeltlich erteilt und auch Honorare von seinen Kompositionen zum Unterhalt der Schule beigesteuert. 1899 wurde er Stiftskanonikus am Kollegiatstift der Alten Kapelle in Regensburg. – H. war ein Hauptmeister der Cäcilianer, »ein gediegener Kirchenkomponist«, »ein in allen Sätteln gerechter Komponist« und mitbeteiligt »an der Schaffung eines geläuterten, an den alten Meistern gewissenhaft geschulten Kirchenmusikstils«. Als für ihn charakteristisch werden bezeichnet die »sparsamen Melismen und der harmonische Zusammenklang«.

Werke: 4 5st. Messen; 6st. Missa solemnis; 8st. Messe op. 92; 8 4st. Messen; 5st. Lamentationen; mehrere Bde., 4–8st. Motetten, Psalmen, Litaneien, Offertorien, Mariengrüße; ein Te Deum u. weltl. Chöre, Lieder, Melodramen, Streichquartette usw. – Theoret. Werke: Kompositionslehre f. polyphonen Kirchengesang, 1891; Übungsmaterial z. Kompositionslehre, 1896; Vademecum (Anleitung f. Lehrer u. Schüler z. Erlernung des schönen, treffsicheren Singens), 1876 (dem 1881 ein Übungsbuch als Erg. folgte), 1910¹². – Gab heraus: Exempla polyphoniae ecclesiasticae, 1904. – Verz. der Werke, in: KmJb 44, 1960, 111–130.
Lit.: Karl Weinmann, Gesch. der Kirchenmusik, 1913, 202; – Hans Müller, M. H., in: Cäcilienver.organ. 50, 1915, 1 ff.; – Peter Griesbacher, Kirchenmusikal. Stilistik u. Formenlehre. IV: Reaktion u. Reform, 1916, 327; – Peter Wagner, Einf. in die kath. Kirchenmusik, 1919, 53. 120; – Karl Stork, Gesch. der Musik, 1926⁸, 213; – Guido Adler, Hdb. der Musikgesch., 1929, 838; – Otto Ursprung, Die kath. Kirchenmusik, 1931, 238. 279; – Knud Jeppesen, Kontrapunkt. Lehrb. der klass. Vokalpolyphonie (Übers. v. Julie Schultz), 1935, 23; – Andreas Weißenbäck, Sacra musica. Lex. der kath. Kirchenmusik, Klosterneuburg bei Wien 1937; – Alfons Kriesmann, Kleine Kirchenmusikgesch., 1940, 105; – Heinrich Kammerer, M. H., kath. Kirchenkomponist in Regensburg (Diss. München), 1956; – Ders., M. H., in: KmJb 44, 1960, 92 ff.; – Gesch. der kath. Kirchenmusik, hrsg. v. Karl Gustav Fellerer. II: Vom Tridentinum bis z. Ggw., 1976; – MGG V, 1372 f.; – Riemann I. 723; ErgBd. I, 484; – Moser I, 473; – Honegger I, 463; – NDB VII, 555; – Kosch, KD 1303; – EC VI, 1342; – LThK IV, 1335.

HALLER von HALLERSTEIN, Augustin, Jesuit, Missionar, Astronom, * 18. 8. 1703 in Laibach (Krain) als Sproß eines ursprünglich fränkischen Adelsge-

schlechts, † 29. 10. 1774 in Peking (infolge Herzschlags bei der Nachricht von der Aufhebung des Jesuitenordens). – Nach Beendigung seiner philosophischen Studien in Laibach begab sich H. 1721 nach Wien und trat dort im Kollegium bei St. Anna in den Jesuitenorden ein. Er widmete sich in verschiedenen Ordenshäusern theologischen und mathematischen Studien und empfing 1734 die Priesterweihe. H. wurde in Tamesvár Leiter des Kollegiums, aber schon im nächsten Jahr auf seinen Wunsch für die Mission in Indien und China bestimmt. Er segelte 1736 nach Moçambique und 1737 nach Goa, erreichte nach vielen Gefahren 1738 Kanton und kam von dort nach Macao. Wegen seiner hervorragenden mathematischen Kenntnisse wurde H. nach Peking berufen. Er erhielt die Würde eines Mandarins und war seit 1739 Mitglied und seit 1746 Vorsitzender des astronomischen Rates in Peking. Sein Einfluß bei Hof kam der verfolgten Kirche zugute. H. war 1751–58 Visitator, 1757–62 und 1766–74 Provinzial der fernöstlichen Jesuitenmission. Er stand in wissenschaftlichem Gedankenaustausch mit der gelehrten Welt Europas und hat mannigfache astronomische Schriften, geographische und topographische Arbeiten hinterlassen.

Werke: Carte de Macao et ses environs, 1739; Observationes astronomicae ab anno 1717 ad annum 1752 a PP. Societatis Jesu Pekini Sinarum factae . . ., 2 Tle., Wien 1768.
Lit.: Johann Nepomuk Stoeger, Scriptores Provinciae Austriacae Societatis Jesu, 1856, 119; – Anton Huonder, Dt. Jesuitenmissionäre des 17. u. 18. Jh.s, 1899, 66 f. 87. 91. 187 f.; – J. Stein, Missionaris en astronom, in: Studien 109, 1928, 433 ff.; 110, 1928, 115 ff. 404 ff.; – Louis van Hée, Les Jésuites Mandarins, in: RHM 8, 1931, 28 ff.; – Louis Pfister, Notes biographiques et bibliographiques sur les Jésuites de l'ancienne mission de Chine II, Schanghai 1934, 753 ff.; – Sommervogel IV, 49 ff.; – BiblMiss VII, 286; – Wurzbach VII, 244 ff.; – NDB VII, 557; – Kosch, KD 1303; – Koch, JL 756 f.; – EC VI, 1342 f.; – LThK IV, 1335; – NCE VI, 907.

HAMANN, Johann Georg, philosophischer Schriftsteller, * 27. 8. 1730 in Königsberg (Preußen) als Sohn eines Wundarztes, † 21. 6. 1788 in Münster (Westfalen). – H. studierte seit 1746 an der Universität seiner Vaterstadt Philosophie, Theologie, Mathematik und die Rechte, ohne sich für einen bestimmten Beruf vorzubereiten. Er wurde 1752 Hauslehrer auf einem Gut in Livland, dann im Haus des Generals von Witten auf Gut Grünhof in Kurland. 1756 folgte H. der Aufforderung seines Studienfreundes Johann Christoph Berens nach Riga und trat in dessen Handelsgeschäft ein, um sich der Volkswirtschaft zuzuwenden. Eine wichtige Geschäftsreise führte ihn über Lübeck, Hamburg und Amsterdam im Frühjahr 1757 nach London, die aber völlig mißriet, da ihm für diesen Auftrag die Kenntnisse und Fähigkeiten fehlten. In größter äußerer und innerer Not erlebte H. im März 1758 durch ernsthafte Bibellektüre die Wende seines Lebens: er rang sich durch zu einem offenbarungsgläubigen Christentum pietistischer Färbung. H. kehrte im Sommer 1758 nach Riga und Anfang 1759 nach Königsberg zurück, wo er sich nun dem Studium der Bibel, den Schriften Martin Luthers (s. d.) und der Weltliteratur und schriftstellerischen Arbeiten widmete. 1764 reiste H. nach Frankfurt am Main, weil ihm Friedrich Karl Moser (s. d.), Ministerpräsident in Hessen-Darmstadt, die Stelle eines Erziehers am Herzoglichen Hof angeboten hatte, erreichte aber nichts, da sich sein Gönner auf einer Auslandsreise befand. Bald nach seiner Rückkehr brach er nach Kurland auf in der Hoffnung, bei einem befreundeten Rechtsanwalt Arbeit zu bekommen. Doch auch diese Reise verlief ergebnislos. Während seiner Abwesenheit starb sein Vater im September 1766. Im Januar 1767 kehrte H. nach Königsberg zurück und erhielt durch Immanuel Kants (s. d.) Vermittlung bei der Königsberger Zollverwaltung die Stelle eines Übersetzers. Er fühlte sich verpflichtet, für seinen geisteskranken Bruder bis an dessen Lebensende im Sommer 1778 zu sorgen und seines Vaters Magd und treue Pflegerin, Anna Regina Schumacher, ein Bauernmädchen, das nicht einmal des Lesens und Schreibens kundig war, zu bitten, bei ihm zu bleiben. H. schloß mit ihr – ohne Trauung – eine »Gewissensehe«, aus der vier Kinder hervorgingen. Er lebte beständig in Not und Sorge und blieb auch noch nach 1777 als städtischer Packhofverwalter in wirtschaftlicher Bedrängnis. H. stand in regem Briefwechsel mit vielen bedeutenden Männern seiner Zeit, mit Johann Gottfried Herder (s. d.), Johann Kaspar Lavater (s. d.), Friedrich Heinrich Jacobi (s. d.), Matthias Claudius (s. d.) u. a. Ein junger Verehrer, Franz Buchholz, Eigentümer eines Landsitzes bei Münster (Westfalen), bat ihn im Sommer 1784 brieflich, ihn als Adoptivsohn an- und in sein Haus aufzunehmen. H. legte dem Fremden rückhaltlos seine notvolle Lage dar, worauf ihm jener ein »fürstliches Geschenk« sandte und eine bedeutende Geldsumme zur Erziehung der Kinder bestimmte. Durch seine Schriften gewann H. auch die Freundschaft der katholischen Fürstin Amalie von Gallitzin (s. d.) in Münster. In ihm erwachte der Wunsch, noch einmal in die Ferne aufzubrechen, um seine Freunde zu sehen. Nachdem seine jahrelangen Bemühungen um Urlaub ihm die Versetzung in den Ruhestand eingebracht hatten, reiste er mit seinem Sohn Michael am 21. 6. 1787 nach Westfalen und traf Mitte Juli in Münster krank ein. H. suchte in Pempelfort auf dem Landsitz seines »Jonathan«, des Philosophen Jacobi, von Mitte August bis Oktober vergeblich Erholung. Als Schwerkranker verlebte H. den Winter in Welbergen auf dem Stammschloß seines Freundes Buchholz, ließ sich aber im Frühjahr nach Münster zurückbringen. Unmittelbar vor dem Aufbruch zur Reise nach Königsberg starb er und wurde im Garten der Fürstin von Gallitzin begraben, später auf dem Überwasser-Friedhof in Münster beigesetzt. – H. führte in seinen Schriften, die wegen des orakelhaften Stils schwer verständlich sind und ihm den Namen »Magus des Nordens« eingebracht haben, den Kampf gegen die vernunft- und kulturselige Aufklärung. In jener glaubensarmen Zeit war er ein Zeuge und Verkünder der Offenbarung Gottes im Wort der Heiligen Schrift. Mit Kant persönlich befreundet, war er doch in den Prinzipien sein entschiedener Gegner. H. stand unter seinen Zeitgenossen als ein »Prediger in der Wüste«, für den aber heute das Verständnis erwacht ist.

Werke: Bibl. Betrachtungen eines Christen, 1758; Gedanken über meinen Ll., 1758/59; Sokrat. Denkwürdigkeiten (gg. die Aufklärung), 1759; Wolken, 1761; Aesthetica in nuce, 1761; Kreuzzüge des Philologen, 1762; Des Ritters v. Rosencreuz letzte Willensmeynung, 1772; Metakritik über den Purismus der reinen Vernunft (gg. Kant), 1784; Golgatha u. Scheblimini (= Setze dich zu meiner Rechten, Ps 110, 1), Erniedrigung u. Erhöhung, Christentum u. Luthertum (gg. den jüd. Popularphilosophen Moses Mendelssohn), 1784. – *Ausgg.:* Schrr. (u. Briefe), hrsg. v. Friedrich Roth u. Gustav Adolf Wiener, mit Nachtrr., 9 Bde., 1821–43;

– Carl Hermann Gildemeister, H.s Leben u. Schrr., 6 Bde., 1857 bis 1873; – Carl Franklin Arnold, H. Ausw. aus Briefen u. Schrr., 1888; – Schrr. Ausgew. u. hrsg. v. Karl Widmaier, 1921; – Wahrheit, die im Verborgenen liegt. Aus Schrr. u. Briefen des Magus im Norden. Ausw. u. Einf. v. Johannes Herzog, 1927; – Hauptschrr., hrsg. v. Otto Mann, 1937; – Heiml. Weisheit. Kleine Auslese aus Schrr. u. Briefen, 1937; – Bibl. Betrachtungen eines Christen. Eingel. u. hrsg. v. Isabella Rüttenauer, 1939; – Sämtl. Werke. Hist.-krit. Ausg. v. Josef Nadler. I: Tgb. eines Christen, 1949; II: Schrr. über Philos., Philologie, Kritik. 1758 bis 1763, 1950; III: Schrr. über Sprache, Mysterien, Vernunft. 1772 bis 1788, 1951; IV: Kleine Schrr. 1750–88, 1952; V: Tgb. eines Lesers. 1753–88, 1953; VI: Der Schlüssel. 1750–88, 1957; – Wir sehen jetzt durch einen Spiegel, Zürich 1949; – Das Wort v. Kreuz. Ausw. aus Briefen u. Werken mit einer biogr. Einl. v. Isabella Rüttenauer, 1949; – Der Magus im Norden. Aus den Schrr. u. Briefen v. J. G. H. Ausw. u. Nachw. v. Walther Ziesemer, 1950 (Insel-Bücherei 415); – Briefwechsel. Hrsg. v. Walther Ziesemer u. Arthur Henkel, I (1751–59), 1955; II (1760–69), 1956; III (1770–77), 1957; IV (1778–82), 1959; V (1783–85), 1965 (Rez. v. Sven-Aage Jørgensen, in: Orbis litterarum. Revue internationale d'études littéraires 24, Kopenhagen 1969, 230 f.); VI (1785–86), 1975 (berechnet auf 7 Bde. u. 1 Erl.Bd.); – H.s Hauptschrr., erkl., hrsg. v. Fritz Blanke u. Lothar Schreiner. I: Die H.-Forsch. Einf. v. F. Blanke; Gesch. der Deutungen v. Karlfried Gründer; Bibliogr. v. L. Schreiner, 1956; VII: Golgatha u. Scheblimini, erkl. v. L. Schreiner, 1956 (Rez. v. Hans Urner, in: Dt. Lit.-Ztg. f. Kritik der internat. Wiss. 79, 1958, 193 ff.); V: Mysterienschrr. Erkl. v. Evert Jansen Schoonhoven u. Martin Seils, 1962; IV: Über den Ursprung der Sprache. Erkl. v. Elfriede Büchsel, 1963 (Rez. v. Sven-Aage Jørgensen, in: Orbis litterarum 24, 1969, 231 ff.) (auf 8 Bde. berechnet); – Ronald Gregor Smith, J. G. H. A Study in Christian Existence, with Selections from His Writings, London – New York 1960; – J. G. H. Entkleidung u. Verklärung (Werke, Ausz.). Eine Ausw. aus Schrr. u. Briefen des Magus im Norden. Hrsg. v. Martin Seils, 1963; – J. G. H. Socratic Memorabilia. A translation and commentary by James Carneal O'Flaherty, Baltimore/Maryland 1967 (Rez. v. Sven-Aage Jørgensen, in: Modern language notes 84, Baltimore/Maryland 1969, 822 ff.; v. Ph. Merlan, in: Germanistik 10, 1969, 108 f.; v. Jerry Glenn, in: Lessing Yearbook 1, München 1969, 276 f.; v. Roy J. Enquist, in: Lutheran quarterly 23, Gettysburgh/Pennsylvania 1971, 87 f.; v. Harold v. Hofe, in: Erasmus. Speculum scientiarum 23, London 1971, 29 ff.; v. John P. Anton, in: Bibliographie de la philosophie 18, Paris 1971, 239); – J. G. H. Sokrat. Denkwürdigkeiten – Aesthetica in nuce. Mit einem Komm. hrsg. v. Sven-Aage Jørgensen (RUB 926. 926a), 1968 (Rez. v. Kurt Neff, in: Germanistik 10, 1969, 107 f.).

Lit.: Julius Disselhoff, Wegweiser zu J. G. H., 1871; – Jacob Minor, J. G. H. in seiner Bedeutung f. die Sturm- u. Drangperiode, 1881; – Carl Franklin Arnold, Die Fürstin Amalie v. Gallitzin, in: Neue Christoterpe, 1891, 138 ff.; – Horst Stephan, H.s Christentum u. Theol., in: ZThK 12, 1902, 345 ff.; – Heinrich Weber, H. u. Kant, 1904; – Rudolf Unger, H.s Sprachtheorie im Zs.hg. seines Denkens. Grundlegung zu einer Würdigung der geistesgeschichtl. Stellung des Magus im Norden, 1905; – Ders., H. u. die Aufklärung. Stud. z. Vorgesch. des romant. Geistes im 18. Jh., 2 Bde., 1911 (1963³; Nachdr. 1968); – Ders., H. u. die Empfindsamkeit, in: Ders., Aufss. z. Lit.- u. Geistesgesch., 1929, 17–39; – Ders., H. u. die Romantik, ebd. 196–211; – Ders., J. G. H., in: Die Großen Deutschen. Hrsg. v. Willy Andreas u. Wilhelm v. Scholz, II, 1935, 277 ff.; – Jean Blum, La vie et l'oeuvre de J. G. H., le »mage du Nord«, Paris 1912; – Wilhelm Rodemann, H. u. Kierkegaard (Diss. Erlangen), Gütersloh 1922; – Wilhelm Lütgert, Die Rel. des dt. Idealismus u. ihr Ende II, 1923, 1 ff.; – Gotthilf Hillner, J. G. H. u. das Christentum, 3 Hh., Riga 1924/25; – Fritz Lieb, Glaube u. Offb. bei J. G. H. Erw. Hab.rede in Basel, München 1926; – Herbert Schirmer, Die Grdl.n des Erkennens bei J. G. H. (Diss. Erlangen), 1926; – Ders., J. G. H. Einf. in seine Gedankenwelt, in: ELKZ 5, 1951, 181 ff.; – Ders., Glaube u. Offb. bei J. G. H., in: Sophia u. Historie. Aufss. z. östl. u. westl. Geistes- u. Theol.gesch. (Festschr. v. dems.). Hrsg. v. Martin Rohkrämer, Zürich 1962, 278 ff.; – Ders., J. G. H. Zur neuen GA seiner Werke, ebd. 303 ff.; – A. Kowalewski, H. als rel. Lebensphilosoph, in: Bilder aus dem rel. u. kirchl. Leben Ostpreußens. Festschr. z. Dt. ev. Kirchentag in Königsberg Pr. v. 17.–21. 6. 1927. Hrsg. v. Carl Flothow, 1927, 57 ff.; – Fritz Blanke, H. als Theologe, 1928; – Ders., J. G. H. u. die Fürstin Gallitzin, in: ThLZ 77, 1952, 601 ff.; – Ders., J. G. H. als Theologe, in: Ders., H.-Stud., Zürich 1956, 11 ff.; – Ders., H. u. Luther, ebd. 43 ff.; – Ders., H. u. Lessing, ebd. 69 ff.; – Ders., Gottessprache u. Menschensprache bei H., ebd. 83 ff.; – Ders., Der junge H., ebd. 99 ff.; – Ders., J. G. H. u. die Fürstin Gallitzin, ebd. 113 ff.; – Ewald Burger, J. G. H. Schöpfung u. Erlösung im Irrationalismus, 1929; – Fritz Thoms, Die Hauptprobleme der Rel.philos. bei J. G. H. (Diss. Erlangen), 1929; – Ders., H.s Bekehrung (Diss. Gießen), Gütersloh 1933; – Julius Smend, J. G. H., in: Westfäl. Lb. I, 1930, 342 ff.; – Josef Nadler, Die H.-Ausg. Vermächtnis, Bemühungen u. Vollzug, 1930; – Ders., J. G. H. Der Zeuge des Corpus mysticum, Salzburg 1949; – Ders., J. G. H. Genesis, Gnosis, Agnosia, Wien 1949; – Ders., J. G. H., in: Wiss. u. Weltbild. Mschr. f. alle Gebiete der Forsch. 3, Wien 1950, 1 ff.; – Joseph Maria Müller-Blattau, H.

u. Herder in ihren Beziehungen z. Musik, 1931; – Edith Saemann, J. G. H. u. die frz. Lit. (Diss. Königsberg, 1933), 1931; – Walter Hilpert, J. G. H. als Kritiker der dt. Lit. (Diss. Königsberg), 1933; – Ders., Der Magus des Nordens. J. G. H. u. sein Freundeskreis, in: Merian 8, 1955, H. 12, S. 39 ff.; – Erwin Metzke, J. G. H.s Stellung in der Philos. des 18. Jh.s, 1934 (Nachdr. Darmstadt 1967); – Ders., J. G. H., der »Magus des Nordens«, in: Die neue Furche 6, 1952, 753 ff.; – Ders., J. G. H., der »Magus des Nordens«. Eine Skizze, in: Ders., Coincidentia oppositorum. Ges. Stud. z. Philos.gesch. Hrsg. v. Karlfried Gründer, 1961, 264 ff. 343; – Ders., H. u. das Geheimnis des Wortes, ebd. 271 ff. 343; – Paul Ernst, H. u. Bengel. Ein Aufriß ihrer Werk- u. Lebensbeziehungen als Abriß wesentl. H.-Züge (Diss. Königsberg), Gumbinnen 1935; – Herbert Heinekamp, Das Weltbild J. G. H.s (Diss. Bonn), Düsseldorf 1936; – Marie-Theres Küsters, Inhaltsanalyse v. J. G. H.s »Aesthetica in Nuce, eine Rhapsodie in kabbalist. Prose« (Diss. Münster), Bottrop/Westfalen 1936; – Alice Hirschfeld geb. Hoff, Die Natur als Hieroglyphe. Ein Btr. z. Natursymbolik v. H. bis Novalis (Diss. Frankfurt/Main), Breslau 1936; – Hans Franck, Der Magus im Norden, 1937; – Ders., Reise in die Ewigkeit. H.-Roman, 1957; – Nora Imendörffer, J. G. H. u. seine Bücherei (Diss. Königsberg), Königsberg – Berlin 1938; – Johannes Herzog, Claudius u. H. Ihr Kampf gg. den Rationalismus u. ihr Vermächtnis an unsere Ggw., 1940; – Kurt Leese, Krisis u. Wende des christl. Geistes. Stud. z. anthropolog. u. theol. Problem der Lebensphilos., 1941²; – Wolfgang Metzger, J. G. H. Ein Verkündiger des dt. Zeitalters, 1944; – Evert Jansen Schoonhoven, Natuur en Genade bij J. G. H., den Magus van het Norden (Diss. Leiden), Nijkerk 1945; – Ders., Die Bedeutung J. G. H.s f. die Missionstheol., Amsterdam 1969 (Rez. v. Hermann Witschi, in: EMM 114, 1970, 91 f.); – Helmut Schreiner, Die Menschwerdung Gottes in der Theol. J. G. H.s, 1946 (1950²); – Ders., Die Stillen im Lande. Eine christl. Untergrundbewegung, 1954; – Tage Schick, J. G. H., Kopenhagen 1948; – Emil Ermatinger, J. G. H., in: Ders., Dt. Dichter 1700–1900, I, 1948, 184 ff.; – Robert Frick, J. G. H. als Ausleger der HS, 1949; – Ders., Philos. des Luthertums. Vernunft u. Offb. bei J. G. H., dargest. nach Josef Nadlers H.biogr., in: MPTh 41, 1952, 14 ff.; – Johann Brändle, Das Problem der Innerlichkeit. H., Herder, Goethe (1. Kap.: Diss. Zürich), Bern 1950; – Walther Lowrie, J. G. H., an Existentialist, Princeton (New Jersey) 1950; – Georg Koch, H.-Magus u. das dt. Schicksal. Vom Sinn der Einfalt, 1951; – Hans Urner, Zur neuen H.forsch., in: ThLZ 76, 1951, 275 ff.; – Rainer Gruenter, Josef Nadler, J. G. H., in: DLZ 72, 1951, 396 ff.; – Walther Ziesemer, J. G. H. Der Magus im Norden, in: Insel-Almanach, 1952, 107 ff.; – Leopold Zscharnack, H.s »Tgb. eines Christen«, London 1758, in: ThLZ 77, 1952, 651 ff.; – Isabella Rüttenauer, J. G. H., in: Wort u. Wahrheit. Mschr. f. Rel. u. Kultur 7, 1952, 468 f.; – James Carneal O'Flaherty, Unity and Language. A Study in the Philosophy of J. G. H., Chapel Hill (North Carolina) 1952 (Revision seiner Diss. Univ. of Chicago »The linguistic foundations of H.'s concept of unity«, 1950); – P. Stabenbordt, Abaissement et Révélation de Dieu d'après H., in: RHPhR 32, 1952, 97 ff.; – Heinrich Bethel, Die Bedeutung Luthers f. das Verständnis der Gesch. bei H. Ein Btr. z. Problematik der Entstehung des Historismus (Diss. Göttingen, 1953), 1952; – Walter Leibrecht, Der dreieinige Schöpfer u. der Mensch in J. G. H.s Philologia Crucis (Diss. Heidelberg), 1953; – Ders., Philologia Crucis. J. G. H.s Gedanken über die Sprache Gottes, in: KuD 1, 1955, 226 ff.; – Ders., Gott u. Mensch bei J. G. H. (veränd. Diss. Heidelberg, 1953), Gütersloh 1958; – Elfriede Büchsel, Unterss. z. Struktur v. H.s Schrr. auf dem Hintergrunde der Bibel (Diss. Göttingen), 1953; – Dies., H.s Schr. »Die Magi aus Morgenlande«, in: ThZ 14, 1958, 190 ff.; – Dies., Aufklärung u. christl. Freiheit: J. G. H. contra I. Kant, in: NZSTh 4, 1962, 133 ff.; – Dies., Uninteressiert an theol. Richtigkeiten an sich. H.-Lit. 1945–1963, in: DtPfrBl 64, 1964, 54 ff.; – Dies., Jenseits v. Orthodoxie u. Aufklärung. Aus J. G. H.s Kontroverse mit den Berliner Aufklärern, ebd. 66, 1966, 95 ff.; – Valerio Verra, H. e l'incontro di ragione, poesia e filosofia, Turin 1954; – Eberhard Mannack, Mystik u. Luthertum bei J. G. H. (Diss. Berlin F.U.), 1954; – Heinrich Steege, J. G. H., ein Prediger in der Wüste, 1954; – Martin Seils, J. G. H.s Schr. »Schürze v. Feigenbll.«. Entstehungsgesch., Komm. u. Deutung, in: WZ Rostock 4, 1954–55, 9 ff.; – Ders., Theol. Aspekte z. ggw. H.-Deutung (Diss. Rostock, 1954), Berlin 1957; Göttingen 1957 (Liz.ausg.); – Ders., Wirklichkeit u. Wort bei J. G. H., 1961; – Walter Buhl, J. G. H. u. die Rel.en (Diss. Mainz), 1955; – Götz v. Selle, Ostdt. Biogrr., 1955, Nr. 167; – Ulrich Mann, »Golgatha u. Scheblimini«. J. G. H. als Theologe, in: Für Arbeit u. Besinnung. Kirchl. u. theol. Halb-Mschr. 9, 1955, 342 ff.; – Karlfried Gründer, H. in Münster, in: Westfalen. Hh. f. Gesch., Kunst u. Volkskunde 33, 1955, 74 ff.; – Ders., Figur u. Gesch. J. G. H.s »Bibl. Betrachtungen« als Ansatz einer Gesch.philos. (Diss. Münster, 1954), 1958 (veränd. Diss.); – Wilhelm Koepp, J. G. H.s Absage an den Existentialismus, in: WZ Rostock 5, 1955–56, 109 ff.; – Ders., Das intellektuelle Universum bei J. G. H., ebd. 6, 1956–57, 295 ff.; – Ders., Der junge J. G. H., in: ThLZ 84, 1959, 810 ff.; – Ders., Der Magier unter Masken. Vers. eines neuen H.bildes, 1965; – Heinrich Armin Drott, Jakob Böhme u. J. G. H. Eine vergleichende Unters. (Diss. Freiburg/Breisgau, 1957), 1956; – Ulrich Wever, Die Bedeutung der Bibel f. J. G. H. in seiner Londoner Zeit 1758. Dargest. anhand seines »Londoner Tgb.« (Diss. Marburg, 1955), 1957; – Alfred

Schelzig, Zeugnis u. Deutung J. G. H.s, in: Eckart. Bll. f. ev. Geistesarbeit 26, 1957, 87 ff.; – Curt Hohoff, J. G. H. – Magus im Norden, in: Hochland 49, 1957, 330 ff.; – Hannsjörg Alfred Salmony, J. G. H.s metakrit. Philos. I, Zürich 1958; – Erich Ruprecht, J. G. H. u. sein Bild in der Forsch., in: Der Deutschunterricht 10, 1958, H. 2, S. 5 ff.; – Will-Erich Peuckert, H. u. die Pansophie. Lit.-Ber., in: ZdPh 77, 1958, 200 ff.; – Friedrich Wilhelm Kantzenbach, Bemühungen um den Magus. Neuere Lit. zu J. G. H., in: ZRGG 10, 1958, 165 f.; – Walter Müller-Seidel, H.s Briefe, in: German.-roman. Mschr. 9, 1959, 315 ff.; – Rosemarie Weber, »Magus im Norden«. Ein Prediger in der Wüste. J. G. H. u. der Gallitzinkreis in Münster, in: Schule im Alltag 10, 1959, 285 ff.; – Helmut Echternach, Die Leibhaftigkeit des Geistes. Die Bedeutung J. G. H.s f. die Ggw., in: Zeitwende 30, 1959, 92 ff.; – Renate Knoll, H. – theol. erkl., in: Die Smlg. Zschr. f. Kultur u. Erziehung 14, 1959, 110 ff.; – Dies., J. G. H. u. Friedrich Heinrich Jacobi (Diss. Heidelberg, 1961), 1963; – Hans Urs v. Balthasar, J. G. H.s Theol. Ästhetik, in: PhJ 68, 1960, 36 ff.; – A. Henkel, In telonio sedens. J. G. H. in den J. 1778 bis 1782, in: Insel-Almanach, 1960, 136 ff.; – Lorenz Volken, H., der Magus im Norden, in: FZPhTh 8, 1961, 322 ff.; – Ingemarie Manegold, J. G. H.s Schr. »Konxompax«. Fragment einer apokryph. Sibylle über apokalypt. Mysterien. Text, Entstehung u. Bedeutung (Diss. Heidelberg, 1962), 1963; – Helmut Gießer, »Communicatio« u. ihre Strukturen bei J. G. H. Eine theol.systemat. Unters. (Diss. Heidelberg), 1964; – W. Strotz, H.s Verhältnis z. HS, in: Anz. f. die kath. Geistlichkeit Dtld.s 74, 1965, 480 ff.; – Victor Suchy, J. G. H. Kirchenvater, »Myst. Zeuge« oder Häresiarch? 150 J. H.-Deutung u. -Forsch., in: Jb. des Wiener Goethe-Ver. 69, Wien 1965, 47–102; 71, 1967, 35–69; – William Mortimer Alexander, J. G. H. Philosophy and faith, Den Haag 1966 (Rez. v. James Carneal O'Flaherty, in Lessing Yearbook 1, München 1969, 274 ff.); – Steffen Steffensen, Kierkegaard u. H., in: Orbis litterarum. Revue internationale d'études littéraires 22, Kopenhagen 1967, 399 ff.; – Bernhard Gajek, Sprache beim jungen H. (Diss. München, 1959), Bern 1967; – Gisbert Kranz, Europas christl. Lit. v. 1500 bis heute, 1968², 173 ff. 589 f. u. ö.; – Hermann Schlüter, Das Pygmalion-Symbol bei Rousseau, H., Schiller. Drei Stud. z. Geistesgesch. der Goethezeit (Diss. Zürich), 1968; – Harry Sievers, J. G. H.s Bekehrung. Ein Vers., sie zu verstehen (Diss. Göttingen), Zürich – Stuttgart 1969 (Rez. v. Kurt Neff, in: Germanistik 11, 1970, 104); – Georg Baudler, »Im Worte sehen«. Das Sprachdenken J. G. H.s (Diss. München), Bonn 1970 (Rez. v. W. M. Alexander, in: Lessing Yearbook 3, München 1971, 266 ff.; v. Bernhard Gajek, in: Germanistik 12, 1971, 310 f.; v. Wulf Schmidt, in: Philos. Lit.anz. 25, 1972, 88 ff.); – Hans-Martin Lumpp, Philologia crucis. Zu J. H. H.s Auffassung v. der Dichtkunst. Mit einem Komm. z. »Aesthetica in nuce« (Diss. Tübingen), 1970 (Rez. v. Reiner Wild, in: Germanistik 12, 1971, 311; v. R. Ayrault, in: Études germaniques 26, Paris 1971, 495 f.; v. James Carneal O'Flaherty, in: Erasmus. Speculum scientiarum 24, London 1972, 676 ff.; v. Paul Hernadi, in: Lessing Yearbook 4, München 1972, 231 f.; v. H. B. Nisbet, in: Modern language review 68, Cambridge 1973, 227 f.); – Urs Strässle, Gesch., geschichtl. Verstehen u. Gesch.schreibung im Verständnis J. G. H.s. Eine entwicklungsgeschichtl. Unters. der Werke zw. 1756 u. 1772 (Diss. Zürich), Bern 1970 (Rez. v. Max Rouché, in: Études germaniques 26, Paris 1971, 386 f.; v. Bernhard Gajek, in: Germanistik 13, 1972, 120; v. Wilm Pelters, in: Lessing Yearbook 4, München 1972, 232 f.); – Heinz Herde, J. G. H. Zur Theol. der Sprache (Diss. Berlin F.U., 1970), Bonn 1971 (Rez. v. Reiner Wild, in: Germanistik 13, 1972, 769 f.; v. James Carneal O'Flaherty, in: The Germanic review 47, New York 1972, 307 f.; u. in: Lessing Yearbook 4, München 1972, 229 f.); – Volker Hoffmann, J. G. H.s Philologie. H.s Philologie zw. enzyklopäd. Mikrologie u. Hermeneutik (Diss. München, 1971), Stuttgart – Berlin – Köln – Mainz 1972 (Rez. v. Reiner Wild, in Germanistik 13, 1972, 503; v. Gustav Konrad, in: Welt u. Wort. Literar. Mschr. 28, 1973, 223); – Biogr. Wb. z. dt. Gesch. I², 1973, 1013 ff.; – Gerhard Nebel, H., 1973 (Rez. v. Siegfried Bein, in: Welt u. Wort. Literar. Mschr. 28, 1973, 390 ff.); – Reiner Wild, Metacriticus bonae spei. J. G. H.s Fliegender Brief. Einf., Text u. Komm. (Diss. Heidelberg, 1973), Bern – Frankfurt/Main 1975; – Johann Gottfried Herder, Briefe an J. G. H. Im Anh. Herders Briefwechsel mit Nicolai, hrsg. v. Otto Hoffmann. – Nachdr. der Ausg. Berlin 1887 u. 1889, Hildesheim – New York 1975; – Goedeke IV/1, 682 ff.; – Kosch, LL I, 809 f.; – WeltLit II, 674 f.; – Eppelsheimer, WL 350 f.; – Wilpert I², 657; II, 601 (Kreuzzüge des Philologen). 971 (Sokrat. Denkwürdigkeiten); – KLL IV, 758 ff. (Kreuzzüge des Philologen); VI, 1649 f. (Sokrat. Denkwürdigkeiten); – Überweg III, 607 f. 614. 751; – ADB X, 456 ff.; – NDB VII, 573 f.; – RE VII, 370 ff.; XXIII, 614 f.; – EKL II, 9 ff.; – RGG III, 42 f.; – LThK IV, 1337; – EC VI, 1344 f.; – NCE VI, 909; – ODCC² 616.

HAMBERG, Theodor, Missionar, * 25. 3. 1819 in Stockholm, † 13. 5. 1854 in Hongkong. – Da H.s Vater bereits 1830 starb und die Mutter nicht die Mittel besaß, ihren Sohn studieren zu lassen, besuchte er die Handelsschule und fand in einem der größten Exporthäuser Stockholms eine günstige Anstellung. Eines

Tages lernte H. einen Studenten der Theologie kennen. »Dieser hatte angefangen, mit einigen seiner Freunde gemeinsam die Bibel zu lesen und zu erklären. Diesem Kreis schloß auch ich mich an. Es gefiel nun Gott, auch mein Auge zu öffnen. Nach einer Zeit großer Unruhe über meine Sünde kam ich zum völligen Frieden mit Gott durch meinen Erlöser Jesus Christus.« Der Gedanke, Verkündiger des Evangeliums zu werden, wurde schon früh in ihm geweckt durch die Schrift »Die evangelische Missionsgesellschaft zu Basel im Jahre 1842«. H. meldete sich zum Missionsdienst in Basel: »Ich stelle es Gott anheim, ob ich angenommen werde oder nicht.« Nach fast einjähriger Wartezeit wurde er im Spätherbst 1844 in das Basler Missionshaus aufgenommen. H. gewann dort an dem Württemberger Rudolf Lechler (s. d.) einen lieben Bruder und rechten Freund: »Unsere Herzen waren bald aufs innigste verbunden.« Karl Gützlaff (s. d.) hatte sich 1839 vergeblich an das Komitee der Basler Mission mit der Bitte gewandt, ihm »einige erfahrene Missionare für die Leitung seines ›Chinavereins‹ zur Verfügung zu stellen«. Auf seine erneute Bitte beschloß das Komitee am 13. 5. 1846, mit H. und Lechler die Missionsarbeit in China zu beginnen. Im November 1846 wurden beide aus Barmen eingetroffenen Missionaren Heinrich Köster und Ferdinand Genähr (s. d.) im Missionshaus in Basel verabschiedet. Sie reisten über Marseille nach Alexandrien, fuhren dann mit dem Karren bis nach Suez und von dort mit dem Dampfer nach Bombay. Nach kurzem Aufenthalt setzten sie am 3. 1. 1847 die Fahrt auf einem Segelschiff fort und kamen am 19. 3. wohlbehalten in Hongkong an. Gützlaff besorgte ihnen eine eigene Wohnung im chinesischen Stadtteil mit einem chinesischen Koch. Schon am ersten Sonntag nach ihrer Ankunft mußten sie mit eingeborenen Predigern ausziehen: »So jetzt geht mit den Leuten fort und hört, wie sie das Evangelium verkündigen.« Mit großem Eifer widmeten sich die Missionare dem Sprachstudium. Nach Gützlaffs Plan sollten die Barmer und die Basler Mission die ganze südchinesische Küstenprovinz Kwangtung mit der Hauptstadt Kanton betreuen, und zwar Barmen den westlichen und Basel den östlichen Teil. Darum lernten Köster und Genähr die Punthisprache, die im westlichen Teil gesprochen wurde, Lechler aber Hoklo und H. Hakka, die beiden Dialekte des östlichen Teils. Die Barmer und die Basler Mission sollten auch die 50 chinesischen Prediger des »Chinavereins« übernehmen, »um die ganze Provinz Kanton mit ihren 19 Millionen Einwohnern in kurzer Zeit mit der Lehre vom Kreuz bekannt zu machen«. Am 1. 10. 1847 starb Köster als erstes Opfer des Klimas. Auf seiner ersten gefahrvollen und strapazenreichen Erkundungsreise in das Innere des Landes, die H. kurz darauf mit sechs chinesischen Predigern und einem Diener unternahm, wurde er von Räubern überfallen und ausgeplündert. H.s Wunsch war es, außerhalb von Hongkong einen Ort zu finden, von dem aus er seine Arbeit unter den Hakka tun konnte. Darum sandte H. chinesische Prediger aus, die ihm eine Wohnung suchen sollten. Aus Furcht vor dem Mandarin wagte niemand, den Missionar für längere Zeit aufzunehmen. Nach langem Bemühen hatten sie doch

Erfolg: in dem an der Meeresbucht gelegenen Markt Tungfo erklärte sich ein reicher Mann bereit, gegen Vorauszahlung der Miete für ein Jahr H. eine Wohnung zu überlassen, die er dann Anfang Juni 1848 bezog. Am 8. 7. 1848 schrieb H. nach Basel: »Viele Kranke kommen zu mir, um geheilt zu werden, und ich bin nicht ganz ohne Hoffnung, daß auch Seelenkranke zu mir kommen werden, um von der Last ihrer Sünden frei zu werden. Es ist mir wirklich leid, daß ich in China bis jetzt noch fast gar nichts habe ausrichten dürfen für Christus und schon so viel Geld der christlichen Freunde verbraucht habe.« Sein Haus wurde sehr bald das »milde Heilungshaus« genannt. Immer mehr Kranke strömten aus der ganzen Gegend herbei. Ein heftiges Fieber nötigte H., nach Hongkong zurückzukehren. Während seiner Abwesenheit wurde sein Haus ausgeraubt. Nach seiner Rückkehr gründete er eine Knabenschule, die bald 50 Schüler zählte, und begann im April 1849 einen theologischen Kursus mit zwei Chinesen, die er zu Predigern heranbilden wollte. Nach vielen Enttäuschungen kehrte H. auf Drängen von verschiedenen Seiten im Juni 1849 nach Hongkong zurück. Als Gützlaff im September 1849 zu einer ausgedehnten Werbereise durch Europa China verließ, betraute er H. für die Zeit seiner Abwesenheit mit der Leitung des 1844 von ihm gegründeten »Vereins für Verbreitung des Evangeliums in China durch Chinesen«. In einem Brief vom 15. 9. 1849 legte H. seine Gedanken und Absichten dar: »1. Ich hoffe, daß durch täglichen Unterricht, Gebet, Ermahnung und Beratung während der Zeit meiner Verwaltung der Verein nicht nur erhalten, sondern auch gefördert werde. 2. Ich hoffe, daß Dr. Gützlaff nach einem Jahr zurückkommen und nicht nur mit den nötigen Geldmitteln, sondern auch mit Gehilfen versehen sein wird, die das Werk fortsetzen können. Es ist mein Verlangen, in der Zwischenzeit den Verein zu einem solchen Stand zu bringen, daß die Mitarbeiter von Europa mit Freudigkeit an ihre Arbeit gehen können und nicht zu sehr in ihren Erwartungen enttäuscht werden. 3. Wenn alles andere fehlschlagen sollte, bleibt mir doch ein Trost. Ein Grund, weshalb ich diesen Schritt tun durfte, ohne zu befürchten, unrecht zu handeln, ist nämlich der: Ich bin der Sprache noch nicht mächtig, und meine Hauptaufgabe ist, sprechen und predigen zu können. Jetzt habe ich Gelegenheit, fast alle Dialekte Chinas zu hören und zu sprechen. Täglich hören 50 bis 100 Chinesen das Wort Gottes aus meinem Munde, und es ist anzunehmen, daß viele von ihnen diese Lehre anderen 50 bis 100 wiederholen.« Durch Mitteilungen seines Sprachlehrers und die umfassenden Bekenntnisse von 41 Mitgliedern deckte H. so umfangreiche Betrügereien auf, daß der Verein fast zusammenbrach. Als Gützlaff am 18. 1. 1851 zurückkehrte, suchte er den Verein in seinem alten Glanz wiederaufzubauen, was ihm allerdings nicht gelang. Den eigentlichen Zerfall seines Vereins erlebte Gützlaff nicht mehr, da er bereits am 9. 8. 1851 starb. Von seiner Arbeit in Hongkong berichtete H. am 19. 7. 1851: »Am 9. 2. 1851 durfte ich eine kleine Kapelle in der Nähe meiner Wohnung zum Predigen eröffnen. Vier Jahre waren seit meiner Ankunft in China verflossen, und wenn auch meine Sprache noch mangelhaft ist, schien die Zeit doch gekommen zu sein, daß ich selbständig predigen sollte. Die Kapelle wurde bisher sehr zahlreich besucht. Selten sind weniger als 30, selten mehr als 60 Leute im Gottesdienst, darunter zwei Drittel Männer. Auch abends in der Hausandacht oder Bibelstunde haben wir immer 30 bis 40 Leute zusammen. Am 13. 4. durfte ich 6 Frauen und 6 Kinder taufen. Drei Monate nach der Eröffnung der Kapelle durfte ich wiederum 24 Personen durch die Taufe in die Kirche Christi aufnehmen, 6 Männer, 8 Frauen und 10 Kinder. – Meine eigenen Studien sind mir noch immer sehr wichtig. Ich habe eine vollständige Bearbeitung meines Wörterbuches in der Hakkasprache angefangen, das nach seiner Fertigstellung etwa 20 000 Beispiele oder Sätze enthalten soll. Daneben studiere ich die alte und neue Literatur Chinas und freue mich darüber, mit meinen Leuten die Geschichte der Märtyrer und Verfolger der christlichen Kirche lesen zu dürfen.« Am 9. 9. 1851 traf H.s Braut ein. »Ich würde wenig Freudigkeit zu einem Schritt der Verehelichung haben«, hatte er an das Komitee in Basel geschrieben, als er um die Heiratserlaubnis bat, »wenn ich keine Person wüßte, die dazu passen würde; denn es gibt in der Welt Millionen Frauen, aber wenig wahre Missionarsfrauen. Ich kenne aber eine solche und glaube, daß sie passen würde. Ich habe sie in einer kleinen schwedischen Stadt am Krankenlager einer Frau gesehen, die durch sie zum Herrn gebracht worden war, und zwar nicht nur zum Suchen, sondern zum Frieden des Herrn; denn sie starb nachher in fröhlichem und seligem Glauben an ihren Heiland.« Bis zum Mai 1852 stand H. mit seiner Frau zusammen in treuer und hingebender Arbeit in der Gemeinde Hongkong, während im Umkreis von Hongkong nur seine Gehilfen arbeiteten. Dann begann er aufs neue die lang unterbrochene Arbeit im Innern des Landes. In seinem Miethaus in Tungfo richtete H. eine Kapelle und eine Schule ein. Da inzwischen Lechler seine Arbeit im Hoklogebiet hatte aufgeben müssen und am 15. 5. 1852 der Basler Missionar Philipp Winnes als Verstärkung in Hongkong angekommen war, wurde in Hongkong mit Einwilligung des Komitees in Basel in gemeinsamer Beratung beschlossen, daß H. mit seiner Frau nach Pukak und Lechler mit Winnes nach Tungfo ziehen sollten. Am 26. 6. 1853 feierte H. in Pukak mit 38 chinesischen Gemeindegliedern zum erstenmal das heilige Abendmahl. Da sein Herzleiden sich immer mehr verschlimmerte, mußte H. im Dezember 1853 zur ärztlichen Betreuung nach Hongkong übersiedeln. Vom Krankenlager aus bereitete er fünf Chinesen auf die Taufe vor. Mitten in der Krankheits- und Notzeit erfreute der Herr am 7. 1. 1854 die Familie H. durch die Geburt eines zweiten Sohnes. Das erste Kind hatte er den Eltern am 29. 6. 1852 geschenkt. Im Mai 1854 mußte sich H. fieberkrank hinlegen. Das Fieber wich; aber nun trat Diarrhoe ein, die nach sechs Tagen in Dysenterie überging. Die Krankheit kam zum Stillstand, und man hoffte auf Genesung; aber das Fieber kehrte zurück, dem der geschwächte Kranke erlag. An eine Freundin schrieb Frau H.: »Es hat dem Herrn gefallen, nach seinem allweisen Rat meinen teuren Mann, unvergeßlichen Gatten heimzurufen nach einer kurzen Krankheit und nach siebenjähriger Arbeit in

China. Du verstehst sicher ganz gut, daß mein Verlust und meine Trauer unbeschreibbar sind. Nur er, der schlug, vermag die tiefen Wunden zu heilen, daß sie nicht ganz verbluten. Wäre es nicht um meiner zwei kleinen vaterlosen Kinder willen, so könnte für mich wohl nichts besser sein als der Tod. Manche Stunden sind mir so schwer, daß mir der Tod nur die größte Wohltat wäre.« Am 10. 7. 1854 trat sie mit ihren Kindern und einem chinesischen Knaben die Fahrt nach Europa an, auf der am 24. 11. ihr zweijähriges Söhnchen starb. Am 5. 1. 1855 traf Frau H. in Hamburg ein, wo sie in der Familie eines Freundes der Basler Mission bis zum April blieb. Drei Monate weilte dann Frau H. noch in Basel. Kurz nach ihrer Ankunft in der schwedischen Heimat starb ihr zweites Söhnchen an der Cholera, an der auch sie erkrankte. Wenige Tage später durfte Frau H., erlöst von allem Kummer, in ihre »Heimat« gehen, wie sie sagte und was sie so sehnlichst gewünscht hatte.

Werke: The Chinese rebel chief Hung-Siu-Tsuen and the origin of the insurrection in China, London 1855.
Lit.: Der ev. Heidenbote, Basel 1854, 88 ff.; 1855, 82 ff.; – Gustav Hannich, Treue bis ans Ende. Erlebnisse des schwed. Miss. Th. H. in China (Von fernen Ufern, 5/6), Basel 1941; – Svenska Män och Kvinnor. Biografiskt Uppslagsbok III, Stockholm 1946, 267; – Hermann Schlyter, Th. H. Zum 100j. Gedächtnis des 1. Basler China-Miss., in: EMM 98, 1954, 79 ff.; – Svenskt Biografiskt Lexikon under redaktion av Erik Grill XVIII, Stockholm 1969–1971, 77 f.; – ADB X, 468 ff.

HAMBERGER, Julius, Theologe, * 3. 8. 1801 in Gotha als Sohn eines Bibliothekars, † 5. 8. 1885 in München (ev.). – Als H. acht Jahre alt war, kam sein Vater als Hofbibliothekar nach München. Er studierte in Erlangen Theologie und wirkte 1828–81 als Religionslehrer an der Kadettenanstalt in München, später auch als Professor der deutschen Sprache und Literatur. – H. wurde stark angeregt durch den katholischen Philosophen und Theosophen Franz Baader (s. d.) und mit ihm gemeinsam von Jakob Böhme (s. d.). Er suchte in mehreren Werken den Zwiespalt zwischen Glauben und Wissen, Vernunft und Offenbarung zu lösen und wurde dadurch bekannt, daß er die Aufmerksamkeit seiner Zeit auf Böhme und Friedrich Christoph Oetingen (s. d.) lenkte durch die Herausgabe und Erklärung ihrer Schriften.

Werke: Gott u. seine Offb.en in Natur u. Gesch., 1836 (1882²); Lehrb. der christl. Rel., 1839 (1877³ u. d. T.: Die bibl. Wahrheit in ihrer Harmonie mit Natur u. Gesch.); Die Lehre des dt. Philosophen Jakob Böhme, 1844; Christentum u. moderne Kultur. Abhh. u. Aufss., 3 Bde., 1865–75; Physica sacra. Monogr. über die himml. Leiblichkeit, 1869; Erinnerungen aus meinem Leben, 1883. – Gab heraus: Taulers Predigten, 1826 (1864²); Oetingers Selbstbiogr., 1845; Oetingers Bibl. Wb., 1849; Übers. v. Oetingers »Theologia ex idea vitae« mit erl. Anm., 1852; Baaders Vorlesungen über J. Böhme, 1855; Stimmen aus dem Heiligtum der christl. Mystik u. Theosophie, 2 Bde., 1857.
Lit.: AELKZ 1885, Nr. 49; – ADB 49, 789 ff.; – RE VII, 375 ff.

HAMELMANN, Hermann, luth. Theologe und Historiker, * 1526 in Osnabrück als Sohn eines Notars und Vikars, † 26. 6. 1595 in Oldenburg. – H. besuchte die Schule des Johannisstifts in Osnabrück, dann die Domschule in Münster, darauf die Gymnasien in Emmerich und Dortmund, schließlich, von Dortmund durch die Pest vertrieben, noch kurze Zeit die Stadtschule in Osnabrück. Gegen den Willen seines Vaters wurde er Theologe statt Jurist. Nach kurzem Universitätsstudium in Köln und Mainz empfing H. 1550 in Münster die Priesterweihe und wirkte 1550–52 dort als Vikar an der Servatiikirche und heftiger Gegner der Reformation. Als Priester in Kamen bei Dortmund drang er zur reformatorischen Wahrheit durch und legte am Trinitatissonntag 1553 von seiner neugewonnenen Erkenntnis öffentlich Zeugnis ab. H. wurde darum abgesetzt und vertrieben. Nach Osnabrück zurückgekehrt, entschloß er sich zu einer theologischen Bildungsreise. Den Winter 1553/54 verbrachte H. in Ostfriesland und reiste im Frühjahr 1554 nach Wittenberg und von dort auch nach Leipzig, Eisleben und Magdeburg. Als strenger Lutheraner kehrte er nach Westfalen zurück und wurde am 2. 8. 1554 Prediger an der Stiftskirche in Bielefeld. Als H. am Fronleichnamstag 1555 »über den wahren Gebrauch des Sakraments und die Einsetzung« predigte und das »Herumtragen des Brotes« heftig bekämpfte, kam es zum Konflikt mit den Stiftsherren und der klevisch-ravensbergischen Regierung. Am 14. 8. 1555 mußte er am klevischen Hof in Düsseldorf vor seinen Bielefelder Gegnern eine Disputation mit dem Hofprediger Bomgard und dem Kanzler Vlatten bestehen und wurde nach seiner Rückkehr sofort abgesetzt, fand aber als Pastor an der Marienkirche in Lemgo einen neuen Wirkungskreis. Eine zeitweilige Verbannung benutzte H., um am 1. 6. 1558 in Rostock unter dem Vorsitz des David Chyträus (s. d.) zum Lic. theol. zu promovieren. Er wurde bald nach Lemgo zurückberufen, ging aber von dort 1566/ 1567 an die lutherische Gemeinde in Antwerpen. Herzog Julius von Braunschweig berief ihn 1568 zur Durchführung der Reformation in seinem Land zum Generalsuperintendenten in Gandersheim. Von 1573 an bis zu seinem Tod wirkte H. als Hauptpastor in Oldenburg und Superintendent der Grafschaften Oldenburg und Delmenhorst und der Herrschaft Jever, die 1575 an Oldenburg fiel. Mit seinem Landesherrn, dem Grafen Johann XVI., brachte er in Oldenburg das Luthertum gegen Calvinismus und Täufertum zum Sieg. H. wurde der kirchliche Organisator Oldenburgs durch seine Kirchenordnung, die er auf Grund der mecklenburgischen von 1552 und der braunschweigischen von 1569 gemeinsam mit Nikolaus Selnecker (s. d.) erarbeitete. Sie wurde am 13. 7. 1573 in Oldenburg und Delmenhorst und 1575 auch in Jever trotz nicht geringen Widerspruchs eingeführt. H. organisierte die oldenburgische Landeskirche nach Lehre und Kultus in streng lutherischem Sinn und sorgte für Kirchenvisitationen. Sein besonderes Verdienst ist die Begründung des Volksschulwesens. H. war ein überaus fruchtbarer Schriftsteller. Die Zahl seiner Schriften beläuft sich auf mindestens 110, davon etwa 84 theologische, in der Hauptsache Polemiken gegen Katholiken, Reformierte und Wiedertäufer. Von seinen historischen Arbeiten ist die erst 1599 gedruckte »Oldenburger Chronik« die wichtigste. Sein wertvollster Beitrag zur westfälischen Gelehrtengeschichte ist ein 1564/65 erschienenes biographisches und bibliographisches Verzeichnis der namhaften Männer von Westfalen und ihrer Schriften: »Illustrium Westphaliae virorum libri 1–6«. H.s wichtigstes und wertvollstes Werk bleibt trotz mancher Mängel seine Reformationsgeschichte Westfalens und Niedersachsens von 1586/87: »Historia ecclesiastica renati evangelii per inferiorem Saxoniam et Westphaliam«. Auch auf ge-

nealogischem Gebiet hat sich H. versucht: er veröffentlichte zwei Verzeichnisse der noch existierenden (1582) und der ausgestorbenen Familien Westfalens und Niedersachsens (1592).

Werke: Hermanni Hamelmanni Opera genealogico-historica de Westphalia et Saxonia inferiori, hrsg. v. Ernestus Casimirus Wasserbach, Lemgo 1711; H. H.s Geschichtl. Werke. Krit. Neuausg. I: Schrr. z. niedersächs.-westfäl. Gelehrtengesch., bearb. v. Heinrich Detmer, Karl Hosius, Klemens Löffler, 1902–08; II: Ref.gesch. Westfalens (mit einer Unters. über H.s Leben u. Werke), hrsg. v. Klemens Löffler, 1913; III: Oldenburg. Chron., hrsg. v. Gustav Rüthning, 1940. – Franz Flaskamp, Zur Bibliogr. H. H.s, in: Lipp. Mitt. aus Gesch. u. Landeskunde 21, 1960, 65 ff.

Lit.: Johann Georg Leuckfeld, Historia Hamelmanni oder Hist. Nachr. v. dem Leben, Bedienungen u. Schrr. H. H.s, Quedlinburg u. Aschersleben 1720; – August Ernst Rauschenbusch, H. H.s Leben. Ein Btr. z. westphäl. Ref.gesch., Schwelm 1830; – H. Clemen, Die Einf. der Ref. zu Lemgo u. in den übrigen lipp. Landen ... H. H. nebst Nachr. über H.s Leben u. Wirken, 1846; – Max Goebel, Gesch. des christl. Lebens in der rhein.-westphäl. ev. Kirche I, 1849, 449 ff.; – Christoph Pezel, Notwendige u. wahrhafte Verantwortung auf H. H.s Lizentiaten, ehrenrührige Schmäh- u. Lästerschr., Bremen 1852; – Heinrich Kampschulte, Gesch. der Einf. des Prot. im Bereiche der jetzigen Provinz Westfalen, 1866, 203 ff.; – August Döring, Johann Lambach u. das Gymn. zu Dortmund v. 1543–82, 1875, 64 ff. 103 ff.; – A. Falkmann, H. H. in Lemgo, in: Zschr. des Hist. Ver. f. Niedersachsen 48, 1883, 88 ff.; – Ludwig Schauenburg, 100 J. oldenburg. KG I, 1894; – Emil Knodt, H. H. Eine Skizze seines Lebens u. seiner Schrr., in: Jb. des Ver. f. die Ev. KG der Gfsch. Mark 1, 1899, V ff. 1 ff.; – H. H.s Rel.gespräch zu Düsseldorf am 14. 8. 1555. Aus dem Lat. übers. v. Wilhelm Rotscheidt, in: Mhh. f. rhein. KG 3, 1909, 193 ff.; – Gustav Rüthning, Oldenburg. Gesch., 1911 (1937²); – Johannes Wilhelm Pont, De luthersche kerken in Nederland I, Amsterdam 1929; – Klemens Löffler, H. H., in: Westfäl. Lb., hrsg. v. Otto Leunenschloß, IV, 1933, 90 ff.; – Erich Kittel, H. als Lipp. Profanhistoriker, in: Lipp. Mitt. aus Gesch. u. Landeskunde 27, 1958, 5 ff.; – Egbert Thiemann, Die Theol. H, H.s (Diss. Münster, 1958), Bethel bei Bielefeld 1959; – Schottenloher I, Nr. 7887–7902; V, Nr. 46667a bis 46669; VII, Nr. 54952–54955a; – ADB X, 474 ff.; – NDB VII, 585; – RE VII, 385; – RGG III, 49 f.; – LThK IV, 1338.

HAMER, Ferdinand, Missionsbischof und Märtyrer, * 21. 8. 1840 in Nijmegen, † 25. 7. 1900 bei T'uo-T'scheng (Südwest-Mongolei). – H. besuchte 1853–60 das von Jesuiten geleitete bischöfliche Knabenseminar von Kuilenburg, setzte im Priesterseminar in Rysenburg das Studium fort und empfing am 16. 8. 1864 in Utrecht die Priesterweihe. Von seinen fünf Brüdern war einer Franziskaner und einer Jesuit. H. schloß sich der 1861 gegründeten Missionsgesellschaft von Scheutveld, der »Kongregation des Unbefleckten Herzens Mariä«, an und war einer der fünf Pioniere, die im August 1865 die Fahrt über Rom und von Marseille aus in die Mongolei antraten und am 6. 12. in Si-wan-tze, der Hauptstation der mongolischen Mission, nahe der chinesischen Grenze, eintrafen. Dort blieben sie zunächst, um sich mit Land und Leuten, mit ihren Sitten und Gebräuchen und vor allem mit der Sprache etwas vertrauter zu machen. H.s Arbeitsfeld wurde der Bezirk Ghe-schwi im Nordosten, 18 Tagereisen von Si-wan-tze, mit 21 Dörfern, darunter die Gemeinde Ku-li-teu. 1868–71 wirkte er als vorläufiger Provikar der Mission in Si-wan-tze. Am 13. 7. 1878 wurde H. zum Apostolischen Vikar von Kansu und Ili ernannt und am 28. 10. zum Bischof geweiht. Im Januar 1879 traf er mit seinen Begleitern in Lautscheu, der Hauptstadt der Provinz Kansu, ein. Zur bischöflichen Residenz und Zentralstation der Mission bestimmte H. Leang-tscheu. Am 22. 5. 1882 schrieb er an seine Angehörigen: »Das Missionarsleben gefällt mir noch geradeso gut wie am ersten Tag. Ich glaube, es würde mir, wenn ich es auch nur für kurze Zeit aufgeben müßte, ein größeres Opfer kosten als damals, da ich Europa und alles, was mir teuer war, verließ. Ich liebe die Chinesen als meine Kinder, und dann habe ich jetzt brave, tugendhafte Mitarbeiter, die alle eifrig arbeiten und wie wahre Brüder herzlich und einträchtig zusammenleben.« Am 29. 7. 1889 wurde H. in die Südwest-Mongolei berufen, in sein neues Vikariat. Mit Rücksicht auf seine geschwächte Gesundheit entschloß er sich, zu seiner Erholung und Kräftigung in seine holländische Heimat und nach Rom zu reisen. Völlig erholt, kehrte H. nach der Mongolei zurück und hielt im Frühjahr 1891 seinen feierlichen Einzug in San-tao-ho, der Hauptstadt seines neuen Arbeitsfeldes, des aus sieben mongolischen Fürstentümern bestehenden Landes der Ortos. Einen großen Teil des Jahres verlebte er auf den ermüdenden Visitationsreisen. Die Stationen lagen vielfach 8 bis 10 Tagesritte weit voneinander entfernt. Tagesritte von 12 bis 16 Stunden waren nichts Ungewöhnliches. Oft genug kam es vor, daß die Nacht ihn auf freier Steppe überraschte und er sein Zelt selbst aufschlagen mußte. Während seines zehnjährigen Apostolats verdoppelte sich die Zahl der Christen. Die Zahl der Stationen stieg von 7 auf 30 und die der Schulen von 18 auf 52. 1900 wurde die bischöfliche Residenz von San-tao-ho nach Öl-sche-te-king-ti verlegt. Inzwischen war im Süden der Boxeraufstand ausgebrochen und hatte sich rasch durch die chinesischen Nordprovinzen verbreitet. Die christen- und fremdfeindliche Bewegung griff auf die Mongolei über, und schon Anfang Juli 1900 erkannte man, daß auch die Ortomission nicht mehr zu retten sei. Ein ihm befreundeter Mongolenfürst schrieb H.: »Flieht, wenn ich euch raten soll, nach San-tao-ho. Dort werdet ihr wahrscheinlich in Sicherheit sein, während hier der gewisse Tod euer wartet.« H. gebot den versammelten Missionaren, noch in derselben Nacht nach dorthin aufzubrechen. Er selbst blieb. Die Boxer eroberten die bischöfliche Residenz und nahmen H. in der Kirche gefangen. Ein dreitägiges furchtbares Martyrium ging dem Tod voran. 1902 wurde dem Märtyrer in Nijmegen ein Denkmal errichtet.

Lit.: Anton Hounder, Bannerträger des Kreuzes I, 1913, 76 ff.; – BiblMiss XII, 630 ff.; – LThK IV, 1338.

HAMERLE, Andreas, Redemptorist, Homilet und Volksschriftsteller, * 25. 2. 1837 in Nauders (Tirol), † 29. 3. 1930 in Filippsdorf (Filipov, Böhmen). – H. studierte in Innsbruck, Hall und Bozen und trat 1860 in die Kongregation der Redemptoristen ein, empfing 1863 die Priesterweihe und wirkte dann als Novizenmeister, Oberer und 1880–94 als Provinzial und als solcher als Restaurator der österreichischen Provinz. Er gründete viele Kollegien in Böhmen und Polen und förderte die Ordensstudien und wissenschaftliche Tätigkeit. H. setzte sich in Wien eifrig für die christlich-soziale Bewegung ein und arbeitete unermüdlich als Volksmissionar. Er veröffentlichte ausgezeichnete Predigtzyklen und Exerzitienkurse und griff als Volksschriftsteller energisch ein in den Kampf gegen die »Los von Rom«-Bewegung. – H. war neben Klemens Maria Hofbauer (s. d.) wohl der bedeutendste österreichische Redemptorist.

Werke: Ecce panis angelorum. Vortrr. f. Priesterexerzitien, 1896; Rel. u. Brot. 6 Vortrr., 1897; Christus u. Pilatus; ein altes Gemälde in neuem Rahmen. 7 Vortrr. über die rel. Gleich-

gültigkeit, 1899; Die kath. Kirche am Ende des 19. Jh.s. Abhh., 1899; Zu wem sollen wir gehen? oder Wo ist Christus? Zeitgemäße Vortrr., 1900; Ein Zyklus rel. Vortrr. f. das Kirchenj. I, 1906; II, 1907; III, 1910; Gesch. der Päpste. Volkstüml. erz., 3 Bde., 1907–09; Das große Gebot der Liebe u. der Priester. Vortrr. f. Priesterexerzitien, 1913; Herodes u. sein Nachtrab. 6 Fastenpredigten u. eine Karfreitagspredigt, 1928; Kanzelvortrr. f. das Kirchenj. Zyklus 2. Hrsg. v. Anton Schön. I, Graz 1928; II, ebd. 1931; etwa 40 Kleinschrr.

Lit.: Alois Pichler, P. A. H. Ein Charakterbild, Warnsdorf 1934; – Maurice de Meulemeester, Bibliographie générale des écrivains Rédemptoristes II, Den Haag 1935, 176 ff.; – Eduard Hosp, Erbe des hl. Klemens Maria Hofbauer, 1953, 576 ff.; – Kosch, KD 1310 f.; – ÖBL II, 163 f.

HAMILTON, John, kath. Erzbischof von St. Andrews (Schottland), * 1511 als natürlicher Sohn von James Hamilton, 1. Earl of Arran, † (gehängt) 6. 4. 1571 auf dem Marktplatz in Stirling. – H. erhielt seine Erziehung bei den Benediktinern in Kilwinning, ohne jedoch Mönch zu werden. Er wurde mit 14 Jahren Kommendatarabt von Paisley, studierte 1540–43 in Paris und empfing dort die Priesterweihe. H. kehrte nach Schottland zurück und wurde 1543 Großsiegelbewahrer, 1545 Bischof von Dunkeld und 1546 als Nachfolger des ermordeten David Beaton Erzbischof von St. Andrews, zugleich Schatzkanzler von Schottland. Er war ein eifriger Bekämpfer des in Schottland vordringenden Protestantismus, dessen Abwehr auch der Katechismus von 1552 dienen sollte. Auf seine Veranlassung wurde James Stewart, der politische Führer der schottischen Protestanten, am 21. 1. 1570 ermordet. Als Anhänger der Maria Stuart wurde H., angetan mit den Pontifikalgewändern, durch den Strang hingerichtet.

Lit.: Joseph Robertson, Concilia Scotiae I, Edinburgh 1866, 147 ff.; – H.'s Catechism, ed. Aleander Ferrier Mitchell, Edinburgh 1882; ed. Thomas Graves Law, Oxford 1884; – Alphons Bellesheim, Gesch. der kath. Kirche in Schottland I, 1883, 345 ff.; – Andrew Lang, A History of Scotland II, Edinburgh – London 1902, 235 ff.; – John Herkless u. Robert Kerr, The Archbishops of St. Andrews V (The life of J. H.), ebd. 1907; – Maurice Lee, James Stewart, Earl of Moray. A political study of the Reformation in Scotland, New York 1953; – DNB VIII, 1074 ff.; – EBrit (1968) XI, 33; – RGG III, 50; – LThK IV, 1339; – ODCC² 616.

HAMILTON, Patrick, der erste schottische Märtyrer der Reformation, * um 1498 oder 1504 in Stanehouse bei Hamilton, † 29. 2. 1528 in St. Andrews. – H. entstammt einem hochadeligen, mit der königlichen Familie verwandten Geschlecht. Er wurde schon früh für den geistlichen Stand bestimmt und bereits mit 13 Jahren zum Titularabt des Prämonstratenserklosters Ferne in Rossshire ernannt, dessen Einkünfte ihm das Studium an der Sorbonne in Paris 1517–22 ermöglichten. H. erwarb sich als begeisterter Schüler des Erasmus von Rotterdam (s. d.) eine gründliche altklassische Bildung, wurde aber zugleich auch mit den reformatorischen Gedanken und Schriften Martin Luthers (s. d.) bekannt. Seit 1523 trieb er an der schottischen Universität St. Andrews eifrig biblische Studien und bekannte sich beim Erscheinen der Übersetzung des Neuen Testaments von William Tindale (s. d.) offen zu Luther, entzog sich aber der drohenden Verfolgung durch eine Reise nach Deutschland. Im Frühjahr 1527 lernte H. in Wittenberg Luther und Philipp Melanchthon (s. d.) kennen und trat auf der 1527 von dem Landgrafen Philipp von Hessen (s. d.) gegründeten Universität in Marburg (Lahn) in persönliche Beziehung zu Franz Lambert (s. d.) von Avignon. Auf dessen Anregung verfaßte er seine »Loci communes«, deren Herzstück die lutherische Rechtfertigungslehre ist. Dieses Werk wurde das volkstümliche Handbuch der schottischen Reformation. Trotz aller Warnungen seiner Freunde kehrte H. noch 1527 in die Heimat zurück. Er wirkte unerschrocken reformatorisch und heiratete Anfang 1528 ein adeliges Fräulein. Erzbischof James Beaton, Primas der Kirche von Schottland, lud ihn im Januar 1528 nach St. Andrews vor das geistliche Gericht. H. disputierte mit dem Dominikaner Alexander Campbell (s. d.), der sich vergeblich bemühte, ihn zum Widerruf zu bringen. Im Auftrag des Erzbischofs suchte der Kanonikus Alexander Alesius (s. d.) H. mehrfach im Gefängnis auf, um ihn zu bekehren. Der hartnäckige Ketzer aber gewann Alesius für den evangelischen Glauben. Obwohl sich ihm eine günstige Gelegenheit zur Flucht bot, ließ er sie ungenutzt vorübergehen. Bei seinem Verhör am 29. 2. 1528 verteidigte H. erfolglos die ihm zur Last gelegten 13 angeblich häretischen Sätze aus seinen »Loci communes«; er wurde zum Tod verurteilt und noch an demselben Tag unter qualvollen Martern verbrannt. Sein Tod diente dazu, in weiten Kreisen des schottischen Volkes die reformatorische Bewegung zu fördern.

Werke: Loci communes, aufgenommen in »History of the Reformation in Scotland« v. John Knox, hrsg. v. David Laing, 1846 bis 1848, u. »Acts and Monuments« v. John Fox, hrsg. v. Josiah Pratt, 1870.

Lit.: Peter Lorimer, P. H., the first preacher and martyr of the Scottish reformation, Edinburgh 1857; – T. P. Johnston, P. H., a tragedy of the reformation in Scotland, ebd. 1882; – John Cunningham, The Church History of Scotland, 2 Bde., ebd. 1882²; – David Hay Fleming, The Reformation in Scotland. Causes, Characteristics, Consequences, London 1910; – David Miller, P. H. Scottish Martyr 1528, Edinburgh 1929; – Alexander Cameron, P. H. First Scottish Martyr of the Reformation, ebd. 1929; – DNB (Neudr. 1937/38) VIII, 1085 ff.; – RE VII, 386 f.; – RGG III, 50; – LThK IV, 1339; – NCE VI, 910; – ODCC² 616 f.

HAMMERSCHMIDT, Andreas, Kirchenmusiker, * 1611 oder 1612 in Brüx (Böhmen) als Sohn eines Sattlers, † 29. 10. 1675 (8. 11. nach dem gregorianischen Kalender) in Zittau (Oberlausitz). – Wegen der Gegenreformation in Böhmen und Mähren verließ die Familie H. vor August 1626 die Heimat und zog nach Freiberg (Sachsen), wo der Vater laut Bürgermatrikel von Freiberg am 1. 6. 1629 »von Brüx als ein Exulant ... das Bürgerrecht erlanget«. Über H.s Schul- und Musikausbildung ist nichts bekannt. 1633/34 war er Organist auf Schloß Wesenstein bei Dresden im Dienst des Grafen Rudolf von Bünau. H. wurde 1635 Organist an St. Petri in Freiberg und 1639 an St. Johannis in Zittau. Er ist der bedeutendste Kirchenmusiker zwischen Heinrich Schütz (s. d.) und Johann Sebastian Bach (s. d.). Er hat viele Lieder von Johann Rist (s. d.) vertont. Von H.s Melodien ist bis heute in kirchlichem Gebrauch geblieben die zu dem Weihnachtslied »Freuet euch, ihr Christen alle, freue sich, wer immer kann« (1646; EKG 25) von Christian Keinmann (s. d.).

Werke: Erster Fleiß allerhand neuer Paduanen, Galliarden, Balletten, Mascharaden, Francoisen Arien, Courenten u. Sarabanden, 5 St. auf Violen, Generalbaß, 1636 (1639², 1648³, 1650⁴; hrsg. v. Helmut Mönkemeyer, 1939); Ander Tl. neuer Paduanen usw., 5 u. 3 St. auf Violen, Generalbaß, 1639 (1650², 1658³); Musicalische Andachten, 5 Tle., I (Geistl. Konzerte), 1639; II (Geistl. Madrigalien), 1641 (1650²; 1652³); III (Geistl. Symphonien), 1642 (1652²); IV (Geistl. Motetten u. Konzerte), 1646 (1654²; 1669³); V (Chormusik), 1653; Weltl. Lieder oder Liebesgesänge I, 1642 (1651²); II, 1643 (1650²); III (Geist- u. weltliche Oden u. Madrigalien), 1649; Dialogi oder Gespräche zw. Gott u.

einer gläubigen Seelen I, 1645 (1669⁴; bearb. v. A. W. Schmidt, in: DTÖ VIII/1, Wien 1901]; II (Das Hohelied Salomonis in Opitz' Übertr.), 1645 (1652²; 1656³; 1658⁴); Motettae unius et duarum vocum, 1649; Lob- u. Danklied, Ps 84 (9st.), 1652; Musical. (2. Tl.: Geistl.) Gespräche über die Evangelia I, 1655; II, 1656; Fest-, Buß- u. Danklieder (5 Sing- u. 5 Instr.stimmen mit Generalbaß, 1658/59; Kirchen- u. Tafelmusik (Geistl. Konzerte), 1662; Missae (nur Kyrie u. Gloria, als Missae breves, 5–12st.), 1663; Fest- u. Zeit-Andachten (6st.), 1671. – *Neuere Ausgg.:* Erster Fleiß. Instrumentalwerke zu 3 u. 5 St., hrsg. v. Helmut Mönkemeyer, = Das Erbe Dt. Musik 49, Abt. Kammermusik VII, Kassel 1957; Weltl. Oden oder Liebesgesänge (1642–49), hrsg. v. Hans Joachim Moser, = Das Erbe Dt. Musik 43, Abt. u. Sologesang V, Mainz 1962; Ausgew. Kirchenmusik, hrsg. v. Diethard Hellmann, = Geistl. Chormusik IV, Das Chorwerk alter Meister VI, Stuttgart 1964; weitere (Einzel-)Ausgg., hrsg. v. dems. u. D. Hildebrandt, ebd. 1964 ff.

Lit.: A. Tobias, A. H., in: Mitt. des Ver. f. die Gesch. der Deutschen in Böhmen 9, Prag 1870, H. 7/8; – Ders. u. P. Stobe, A. H., ebd. 39, 1900, H. 1; – Reinhard Vollhardt, Gesch. der Cantoren u. Organisten v. den Städten im Kgr. Sachsen, 1899; – O. Friedrich, Gymn. (Johanneum) zu Zittau, in: Veröff. z. Gesch. des gelehrten Schulwesens im Albertin. Sachsen I, 1900, 209 ff.; – Theodor Gärtner, Qu.buch z. Gesch. des Gymn. zu Zittau. I: Bis z. Tode des Rektors Christian Weise (1708), 1905; – Hugo Leichtentritt, Gesch. der Motette, 1908 (Nachdr. Hildesheim 1967), 350 ff.; – Wilhelm Krabbe, Johann Rist u. das dt. Lied. Ein Btr. z. Gesch. der Vokalmusik des 17. Jh.s (Diss. Berlin), 1910; – Georg Schünemann, Btrr. z. Biogr. H.s, in: SIMG 12, 1910/11, 207 ff.; – Stefan Temesvári, H.s »Dialogi«. Ein Btr. z. Gesch. der Dialogform in Dtld. (Diss. Wien), 1911; – Arnold Schering, Gesch. des Oratoriums, 1911; – Hermann Kretzschmar, Gesch. des neueren dt. Liedes I, 1911, 81 ff.; – Erich Steinhard, Zum 300. Geb. des dt.-böhm. Musikers A. H., Prag 1914; – E. Richter, Die Dialoge A. H.s, in: Die Singgemeinde 1, 1924/25; – Friedrich Blume, Das monod. Prinzip in der prot. Kirchenmusik, 1925; – Ders., Gesch. der ev. Kirchenmusik, 1965², 152 ff. 158 ff. 179 f. u. ö.; – Theodor Veidl, A. H., in: Sudetendt. Lb., 1926 v. Erich Gierach, I, Reichenberg 1926, 181 ff.; – Hans Joachim Moser, Die mehrst. Vertonung des Ev. I, 1931, 64 ff.; – Ders., Die ev. Kirchenmusik in Dtld., 1954; – Martin Lange, Die Anfänge der Kantate (Diss. Leipzig), Dresden 1938; – Hans-Olaf Hudemann, Die prot. Dialogkomposition im 17. Jh. (Diss. Kiel, 1941), Freiburg/Breisgau 1941; – Harold Mueller, The »Musical. Gespräche über die Evangelia« of A. H. (Diss. Univ. of Rochester/ New York), 2 Bde., 1956; – Klaus Günzel, A. H. Zur 350. Wiederkehr seines Geb., in: Musica 15, 1961, 617; – Harald Kümmerling, Über einige unbekannte Stimmbücher der »Paduanen, Galliarden etc.« v. A. H., in: Mf 14, 1961, 186 ff.; – v.Winterfeld II, 249 ff.; – Kümmerle I, 329 ff.; – Hdb. z. EKG II/1, 160 f.; – MGG V, 1426 ff.; – Eitner V, 7 ff.; – Riemann I, 727 f.; ErgBd. I, 487; – Moser I, 475; – Grove IV, 35 f. – Honegger I, 465; – Goodman 188; – ADB X, 488; – NDB VII, 594; – RGG III, 50.

HAMMERSTEIN, Ludwig Freiherr von, Jesuit, apologetischer Schriftsteller, * 1. 9. 1832 auf Schloß Gesmold bei Melle (Hannover), † 15. 8. 1905 in Trier. – H. studierte die Rechte in Heidelberg, München und Göttingen. Nach glänzend bestandenem Staatsexamen nahm er im Juni 1855 an der großen Bonifatiusfeier (s. Bonifatius, Wynfrith) in Fulda teil und entschloß sich, von der lutherischen zur katholischen Kirche überzutreten. H. war 1854–59 Gerichtsauditor in Lüneburg, Hameln und Hannover. Nach seinem Assessorexamen 1859 wurde er in Münster (Westfalen) Jesuit und studierte in Maria Laach Theologie. Die Priesterweihe empfing H. am 13. 9. 1868 in Maria Laach und übernahm dort 1870 die Professur des kanonischen Rechts, die er auch nach der Ausweisung des Ordens aus Deutschland im Kollegium Ditton Hall (England) beibehielt, bis 1874 Krankheit ihn zur Niederlegung zwang. Seitdem die »Stimmen aus Maria Laach« mit dem 1. 7. 1871 als Zeitschrift regelmäßig zu erscheinen begonnen hatten, war H. für sie tätig und wurde im Herbst 1875 in Tervueren (Belgien) der Redaktion beigegeben; nur der vollständige Zusammenbruch seiner Kräfte gebot 1877 Stillstand. In Dänemark, Deutschland und Holland suchte er in seinem Siechtum Linderung. Seit März 1883 war H. bei den Barmherzigen Brüdern in Trier.

Werke: Erinnerungen eines alten Lutheraners (Selbstbiogr.),

1882 (1904⁵); Kirche u. Staat v. Standpunkte des Rechtes aus, 1883 (auch lat.: De ecclesia et statu, 1886); Edgar oder v. Atheismus z. vollen Wahrheit, 1886 (1928¹¹); Betrachtungen f. alle Tage des Kirchenj., 2 Bde., 1888 (1900³); Winfried oder das soziale Wirken der Kirche, 1889 (1895⁴); Begründung des Glaubens, 3 Bde., 1891–94 (I⁶, 1902; II⁴, 1906; III⁴, 1901); Sonn- u. Festtagslesungen, 1895 (1899⁵); Das Glück, kath. zu sein, 1897 (1909²); Charakterbilder aus dem Leben der Kirche, 3 Bde., 1897–1902 (I³, 1903); Die Gegner Edgars u. ihre Leistungen, 1900³; Das Christentum u. seine Gegner, 1900³; Kontrovers-Katechismus. Kurze Begründung des kath. Glaubens u. Widerlegung der gewöhnlichsten Einwände, 1906 (11.–13. Tsd.). – Ausgew. Werke, 6 Bde., 1898/1900.

Lit.: Mitt. aus der dt. Prov. der Ges. Jesu 3, Roermond 1905, 603 ff.; – StML 69, 1905, 233 f.; – Koch, JL 759; – Kosch, KD 1319 f.; – HN V, 1895; – LThK IV, 1340.

HANEBERG, Daniel Bonifacius von (seit 1866, bayerischer Personaladel), Benediktiner, Bischof von Speyer, * 17. 6. 1816 in Tanne bei Lenzfried (Schwaben) als Sohn eines Bauern, † 31. 5. 1876 in Speyer. – H. besuchte 1827–34 das Gymnasium in Kempten und studierte 1835–39 in München Theologie. Schon als Gymnasiast hatte er die hebräische Sprache erlernt und widmete sich nun eifrig dem Studium des Syrischen, Persischen und Arabischen. H. empfing 1839 die Priesterweihe und wurde im gleichen Jahr Dr. theol. und Privatdozent, 1840 ao. und 1844 o. Professor der Exegese des Alten Testaments in München, 1845 Universitätsprediger und 1848 Mitglied der Bayerischen Akademie der Wissenschaften. 1851 trat er in das Benediktinerstift St. Bonifaz ein und wurde 1854 zum Abt gewählt. Da er eine Mission gründen wollte, unternahm H. 1861 eine Reise nach Algier und Tunis. Furchtbare Stürme brachten ihn mehr als einmal in die größte Lebensgefahr. Die Missionsstätte zu Porto Farina (nahe bei dem alten Karthago) mußte nach einigen Jahren wieder aufgegeben werden. 1853 war er Gastgeber der 1. katholischen Gelehrtenversammlung in München. H. wurde 1868 Konsultor für das Vatikanische Konzil und als Mitglied der Kommission für die orientalischen Kirchen und 1872 Bischof von Speyer. – H. war eine der anziehendsten Gestalten der katholischen Kirchengeschichte im 19. Jahrhundert.

Werke: Die rel. Altertümer der Bibel, 1844 (1869²); Vers. einer Gesch. der bibl. Offb., 1849 (1876⁴); Ev. nach Joh., hrsg. v. Peter Schegg, 2 Bde., 1878–80 (mit kurzer Biogr. H.s, auch separat ersch.). – Gab heraus: Canones S. Hippolyti (arab. u. lat.), 1870. – Nachlaß in der Abtei St. Bonifaz, München.

Lit.: C. v. Prantl, in: SAM 1877, 45–48; – August Lindner, Die Schr.steller . . . des Benediktinerordens . . . II, 1880, 261 ff.; – Rupert Jud, Erinnerungen an D. B. v. H., in: BM 4, 1922, 241 ff.; – Philipp Funk, D. B. H., in: Hochland 23/I, 1925/26, 154 ff.; – A. Huth (d. i. Maria Müller), D. B. v. H., 1927; – Willibald Mathäser, Bayer. Benediktin. Missionsverss. in Nordafrika um die Mitte des 19. Jh.s, in: StMBO 51, 1933, 276 ff.; – Hugo Lang, 100 J. St. Bonifaz, 1950, 29 ff. 61 f.; – Jakob Bisson, Sieben Speyerer Bisch. u. ihre Zeit. 1870–1950. Btrr. z. heimatl. KG, 1957, 43–77; – ADB X, 502 ff.; – NDB VII, 613; – CathEnc VII, 127 f.; – Catholicisme V, 506 f.; – EC VI, 1355 f.; – LThK IV, 1351; – NCE VI, 913.

HANER, Georg, Bischof der evangelischen Sachsen in Siebenbürgen, * 28. 4. 1672 in Schäßburg als Sohn eines Schneiders und Enkel eines Goldschmieds, † 15. 12. 1740 in Birthälm. – H. studierte seit 1691 in Wittenberg und promovierte zum Magister. Ihm wurde eine Feldpredigerstelle bei einem kursächsischen Regiment angeboten mit der Anwartschaft auf eine Superintendentenstelle nach dreijährigem Dienst; doch folgte er dem Ruf seiner Vaterstadt, die ihm schon im Spätherbst 1694 »communi consensu omnium« das Rektorat des Gymnasiums übertrug, das er im Januar 1695 übernahm. H. wurde Ende 1697 Prediger in

Schäßburg und 1701 Pfarrer in Trappold, 1706 in Keisd und 1708 in Groß-Schenk, 1713 Stadtpfarrer von Mediasch und 1722 Generaldekan. Nach dem Tod des ihm eng befreundeten und verwandten Lukas Graffius berief er 1736 die Wahlsynode nach Birthälm, die ihn am 12. 12. 1736 mit allen gegen vier Stimmen zum Bischof wählte. – H. war ein Verfechter der reinen Lehre und neben Graffius in seinem Jahrhundert zweifellos eine führende Gestalt der sächsischen Pfarrerschaft. Beide überboten sich in der leidenschaftlichen Bekämpfung des Pietismus, statt den gesunden Kern der Bewegung für ihre eigenen kirchlichen Ziele fruchtbar zu machen. H.s »Historia ecclesiarum Transilvanicarum« ist trotz vieler Unrichtigkeiten doch sehr wertvoll als erster Versuch einer umfassenden Reformationsgeschichte Siebenbürgens und als Quellenwerk geschätzt, da es aus gleichzeitigen Urkunden und öffentlichen Aktenstücken und Synodalartikeln schöpft.

Werke: Historia ecclesiarum Transylvanicarum (siebenbürg. KG), Frankfurt u. Leipzig 1694; Notabene majus pastoris Saxo-Transilvani et Augustanae confessioni invariatae ore et corde addicti in tres partes divisum (überaus reichhaltige, meist hs. Smlg. v. Urkk., Synodalverhh., Kapitularstatuten, Visitationsart. u. anderen Arbb. kirchenrechtl. u. kirchengeschichtl. Art), 3 Bde.

Lit.: Johann Seivert, Nachrr. v. Siebenbürg. Gelehrten u. ihren Schrr., Preßburg 1785, 130 ff.; – Georg Jeremias Haner, De scriptoribus rerum Hungaricarum et Transilvanicarum, scriptorisque eorundem ordine chronologico digestis adversaria II, Cibinii 1798; – Josef Trausch – Friedrich Schuller, Schr.steller-Lex. der biogr.-literär. Denkbll. der Siebenbürger Deutschen II, Kronstadt 1870, 54 ff.; IV, Hermannstadt 1902, 175; – Friedrich Teutsch, Gesch. der ev. Kirche in Siebenbürgen, 2 Bde., ebd. 1921/22; – Hermann Jekeli, Unsere Bischöfe (1553–1867). Charakterbilder aus sächs. Vergangenheit, ebd. 1933, 168 ff.; – ADB X, 507; – Wurzbach VII, 298 f.; – RGG III, 65.

HANER, Georg Jeremias, Bischof der ev. Sachsen in Siebenbürgen, * 17. 4. 1707 als Pfarrerssohn in Keisd (Siebenbürgen), † 9. 3. 1777 in Birthälm. – H. verlebte seine früheste Jugend in Groß-Schenk und besuchte seit 1720 das Gymnasium in Mediasch, wo sein Vater 1713–36 als Stadtpfarrer wirkte. Er bezog 1726 wahrscheinlich die Universität Wittenberg und schloß 1729 seine Hochschulstudien in Jena ab. H. wurde 1730 Lehrer und 1732 Rektor des Gymnasiums in Mediasch. Im Februar 1735 in das Archidiakonat an der Pfarrkirche in Mediasch berufen, ordinierte ihn sein Großvater, Bischof Lukas Graffius, zu diesem Amt. Ein halbes Jahr später berief ihn die Gemeinde Klein-Schelken zu ihrem Pfarrer. Im Sommer 1740 wurde er Stadtpfarrer in Mediasch und 1759 Pfarrer und Bischof in Birthälm. Durch 18 sehr umfangreiche rechtsgeschichtliche Arbeiten und persönliches Auftreten verteidigte H. die evangelische Kirche von Siebenbürgen gegen die Übergriffe der österreichischen Staatsgewalt und des von ihr geförderten Jesuitismus im Zeitalter der Kaiserin Maria Theresia (s. d.). In der Belebung und inneren Kräftigung der Kirche und ihrer Schule sah er ein Mittel gegen die sie gefährdende Gegenreformation. Darum rief H. 1761 die Kirchenvisitationen, die seit fast einem Jahrhundert unterblieben waren, wieder ins Leben und arbeitete die Visitationsartikel von 1577 dem Bedürfnis der Zeit entsprechend um. Die evangelische Kirche von Siebenbürgen bedurfte der Kraft geeigneten Widerstandes gegen das gegenreformatorische Vorgehen der römisch-katholischen Kirche. Darum mußte eine aus Pfarrern und weltlichen Mitgliedern zusammengesetzte oberste Kirchenbehörde geschaffen werden. H. entwarf 1752 als

Schriftführer der Synode einen »unmaßgeblichen Vorschlag, wie ein evangelisches Konsistorium eingerichtet werden könne«. Am 3. 4. 1753 trat das Konsistorium zusammen, das sich 1754 eine Verfassung gab, die 1766 revidiert wurde. In seiner Besorgnis um die Reinerhaltung der Lehre in der evangelischen Landeskirche setzte sich H. in seinen »christlichen Gedanken von den Herrnhutern« und im »chronologischen Verzeichnis der für und wider die Zinzendorfianer herausgekommenen Schriften« mit der Herrnhuter Brüdergemeine (s. Zinzendorf, Nikolaus Ludwig Graf von) auseinander, die hier und da in den Gemeinden Freunde und Anhänger gewann. Als gelehrter Schriftsteller hat H. in mehr als 20 Bänden eine große Zahl von wertvollsten Urkunden und Akten zusammengetragen und seltene alte Handschriften und Drucke gerettet. Besonders erwähnenswert ist die zweibändige Sammlung der siebenbürgischen Landesgeschichte.

Werke: De scriptoribus rerum Hungaricarum et Transilvanicarum, scriptorisque eorundem ordine chronologico digestis adversaria I, Viennae 1774; II, Cibinii 1798; Das kgl. Siebenbürgen (Gesch. dieses Landes v. Stephan I. [† 1038] bis 1540), Erlangen 1763.

Lit.: Johann Seivert, Nachrr. v. Siebenbürg. Gelehrten u. ihren Schrr., Preßburg 1785, 135 ff.; – Josef Trausch – Friedrich Schuller, Schr.steller-Lex. oder biogr.-literär. Denkbll. der Siebenbürger Deutschen II, Kronstadt 1870, 60 ff.; IV, Hermannstadt 1902, 174; – Friedrich Teutsch, Gesch. der ev. Kirche in Siebenbürgen, 2 Bde., ebd. 1921/22; – Hermann Jekeli, Die Herrnhut. Bewegung in Siebenbürgen, in: Arch. des Ver. f. Siebenbürg. Landeskunde NF 46, 1931, 5 ff.; – Ders., Unsere Bisch. (1553–1867). Charakterbilder aus sächs. Vergangenheit, Hermannstadt 1933, 189 ff.; – Wurzbach VII, 299 ff.; – ADB X, 508 ff.; – NDB VII, 613 f.; – RGG III, 65 f.

HANER, Johann, Theologe der Reformationszeit, * um 1480 in Nürnberg, † 1549 in Bamberg. – H. studierte in Ingolstadt, wurde Magister der Theologie und war seit Februar 1525 Domprediger in Würzburg. Er wandte sich 1526 der Reformation zu und trat in Briefwechsel mit Johannes Oekolampad (s. d.) und Huldrych Zwingli (s. d.). H. kehrte im Herbst 1526 nach Nürnberg zurück und lebte dort ohne Amt, aber im Besitz einer Pfründe. Die kirchlichen Zustände in Nürnberg und mangelndes Verständnis der lutherischen Rechtfertigungslehre brachten ihn der katholischen Kirche wieder näher; er knüpfte 1532 in Regensburg Beziehungen mit Hieronymus Alexander (s. d.) an und verfaßte eine gegen die evangelische Rechtfertigungslehre gerichtete Schrift, die er mit einer Widmung dem Herzog Georg von Sachsen (s. d.) zum privaten Gebrauch zusandte, aber gegen seinen Willen Johannes Cochläus (s. d.) in Leipzig 1534 herausgab. Das machte in Nürnberg unliebsames Aufsehen, mehr aber noch, als sein Briefwechsel mit Georg Witzel (s. d.) durch dessen Veröffentlichung 1534 bekannt wurde. H. mußte Ende 1534 Nürnberg verlassen und ging nach Bamberg, wurde Domvikar und Inhaber anderer Pfründen und war 1541–44 auch Domprediger.

Werke: Prophetia vetus ac nova, hoc est, vera Scripturae interpretatio. De syncera cognitione Christi, Leipzig 1534; Theses . . . de Poenitentia, ebd. 1534.

Lit.: Ignaz Döllinger, Die Ref. I, 1851, 130 ff.; – Briefe u. Aufss. v. H. u. Witzel, in: Btrr. z. polit., kirchl. u. Cultur-Gesch. der 6 letzten Jhh., hrsg. v. dems., 3, 1882, 105 ff.; – Walter Friedensburg, Zur Korr. J. H.s, in: BBKG 5, 1899, 164 ff.; 13, 1907, 171 ff.; – Gregor Richter, Die Schrr. Georg Witzels, 1913, 116. 184 ff.; – Mitt. des Ver. f. Gesch. der Stadt Nürnberg 44, 1944, 294 ff.; – Johannes Kist, Die Matrikel der Geistlichkeit des Bist. Bamberg 1400–1556, 1959, Nr. 2374; – Schottenloher I, Nr. 7914–7919; V, Nr. 46672; – Will IV, 419; VI, 23; – Räß I, 185 ff.; – Kosch, KD 1328 f.; – ADB X, 511 f.; – LThK IV, 1351 f.; – RE VII, 400 ff.; – RGG III, 66.

HANKEY, Arabella Catherine, englische Liederdichterin, * 1834 in Clapham als Tochter eines Bankiers, † 1911 in London. – Als Arabella Catherine H. noch ein Schulmädchen war, begann sie mit ihrer Schwester, in einer Sonntagsschule zu unterrichten. Sie verwandte viel Mühe und Fleiß darauf und stand mit einigen Mädchen ihr ganzes Leben in Verbindung. Sie beteiligte sich rege an der Missionsarbeit und verbrachte ihre letzten Jahre mit Krankenbesuchen und anderen guten Werken. Bekannt ist ihr Lied »I love to tell the story of unseen things above«, 1866 gedichtet und zuerst in den »Gospel Songs« des Philipp Bliss (s. d.), Cincinnati 1874, erschienen, deutsch von Ernst Gebhardt (s. d.) in seiner Liedersammlung »Frohe Botschaft«, Basel 1875: »Kommt her, ich will erzählen, was Gott an mir getan.«

Werke: The Old, Old Story, 1866; Heart to Heart, 1870 (1878⁴); The Old, Old Story and Other Verses, 1879.

Lit.: Wesleyan Methodist Monthly Magazine, Sept. 1926; – Walter Schulz, Reichssänger. Schlüssel z. dt. Reichsliederbuch, 1930, 180 f.; – A Dictionary of Hymnology, ed. by John Julian, (1892; 1907²) I³, New York 1957, 483.

HANNE, Johannes Robert, Pfarrer, * 28. 6. 1842 in Braunschweig als Sohn des späteren Professors der Theologie Johann Wilhelm Hanne (s. d.), † 24. 10. 1923 in Hamburg-Eppendorf. – Unter dem bestimmenden Einfluß seines Vaters, der 1851 in der hannoverschen Gemeinde Betheln bei Elze Pfarrer wurde, wuchs H. auf. Er besuchte das Progymnasium in Braunschweig und das Gymnasium »Andreanum« in Hildesheim und begann mit 19 Jahren in Göttingen auf Wunsch seines Vaters das Studium der Theologie, das er in Greifswald fortsetzte und 1863 in Heidelberg abschloß. H. promovierte 1865 in Greifswald zum Lic. theol. und 1869 in Jena zum Dr. phil. und bestand 1865 in Stettin die erste und 1870 die zweite theologische Prüfung. 1865–68 war er in Greifswald Lehrer an einer Töchterschule und zweiter Kustos an der Universitätsbibliothek, dann nach kurzem Aufenthalt in Berlin und auf dem Lehrerseminar in Weißenfels ein Jahr Lehrer an der großen Stadtschule (Gymnasium und Realschule) in Wismar. Bis zum Herbst 1874 unterrichtete H. an einer Reihe von höheren Töchterschulen in Hamburg. Am 3. 1. 1871 wurde er unter 40 Bewerbern vom Patron, dem Magistrat der Stadt Kolberg, zum Pfarrer an St. Nikolai in Kolbergermünde bei Kolberg gewählt. Auf Grund seines inzwischen gedruckten Hamburger Vortrags über den idealen und geschichtlichen Christus wurde gegen die Wahl Einspruch erhoben und H. zur mündlichen Erklärung über den Inhalt seines Vortrags vor das pommersche Konsistorium in Stettin geladen. In dem Verhör vor den fünf geistlichen Mitgliedern des Konsistoriums, die sämtlich der bekenntnisgläubigen kirchlichen Richtung angehörten, sollte H. sich darüber aussprechen, ob er Jesus in seinem Wesen oder nur dem Grad nach von den Menschen verschieden denke. H. erwiderte, Jesus gehöre keiner besonderen Art an, aber das Ideal sei in ihm voll verwirklicht; die scholastische Lehre des Anselm von Canterbury (s. d.) lehne er ab, aber sein Glaube an die Versöhnung ruhe auf biblischem Grund; Jesus sei zwar leiblich gestorben, lebe aber geistig fort; das Johannesevangelium halte er nicht für apostolisch, aber für einen Zeugen des Geistes Christi;

Vernunft, Gewissen und Wissenschaft seien ihm die höchsten Instanzen der Wahrheit, ihre Quelle aber der Geist Gottes; das Trinitätsdogma lehne er ab, da von den drei Personen der Gottheit nichts in der Bibel stände. Das Konsistorium bestätigte die Wahl H.s nicht. Mit der Bitte um Bestätigung der Wahl wandte sich die Gemeinde an den Evangelischen Oberkirchenrat in Berlin, an den auch H. ein entsprechendes Gesuch richtete. Der Oberkirchenrat lehnte am 21. 4. 1871 ab, die Wahl H.s zu bestätigen, da er zentrale Glaubenswahrheiten bestreite, eine Selbsterlösung statt der Erlösung durch Christus annehme, in starkem Gegensatz zum Mittelpunkt evangelischen Glaubens stehe und tatsächlich vom Biblischen abweiche. Theologische Freunde H.s wandten sich in einer besonderen Eingabe an den preußischen König, den »summus episcopus« der Landeskirche, der die Entscheidung seines Oberkirchenrats bestätigte. 1872 bewarb sich H. um eine Predigerstelle an der St. Annenkirche in Dresden. Der Patron, der Magistrat der Stadt, wählte ihn nach einer Gastpredigt zum Subdiakonus an dieser Kirche. Die Kreisdirektion in Dresden, der die Wahl angezeigt werden mußte, versagte auf ein Gutachten des Landeskonsistoriums H. wegen seiner theologischen Ansichten die Bestätigung, und ebenso entschied auf Berufung das Ministerium und der Kultusminister. Der gothaische Hofprediger und Generalsuperintendent Karl Schwarz (s. d.), ein Führer des »Protestantenvereins«, bot H. ein Pfarramt im Herzogtum Gotha an. Er wurde im Herbst 1874 in Gotha ordiniert und in Waltershausen als Diakonus in sein Amt eingeführt. Seit Herbst 1876 wirkte H. in Elgersburg. Im Frühjahr 1879 wurde er zum Pfarrer in Eppendorf bei Hamburg gewählt. Trotz des Widerspruchs einer Anzahl bekenntnisgläubiger Pfarrer bestätigte der Senat die Wahl. Karl Wilhelm Theodor Ninck (s. d.), Pfarrer der streng konfessionellen St. Anschar-Kapellengemeinde in Hamburg, schrieb in seinem Volksblatt »Der Nachbar«: »Kläglich ist es für die lutherische Kirche in Hamburg, daß sie sich eines solchen Pastors nicht schämt. – Damit ist unserer Kirche eine tiefe Wunde geschlagen und die Gleichberechtigung des Unglaubens mit dem Glauben in der Kirche öffentlich ausgesprochen.« Im Herbst 1882 äußerte sich H. in einem Vortrag über die Art und Geschichte des Dogmas von der Dreieinigkeit, es sei durch heidnisch-jüdische Philosophie gestaltet und vollendet und darum kein echt christliches Glaubensstück; Jesus und das ganze Neue Testament wissen nichts vom Dreieinigen, sondern nur von dem einen Gott; ebenso sei auch die Lehre von der Gottheit Christi unevangelisch und auf heidnisch-jüdische Einflüsse zurückzuführen. Ein Bericht im »Hamburger Fremdenblatt« über diesen Vortrag gab die Veranlassung zu einer Eingabe an den Kirchenrat, der H. eine ernste Verwarnung erteilte, da er »bis an die Grenze des in der hamburgischen Kirche überall noch Zulässigen« gegangen sei und sich einer verletzenden und ärgernisserregenden Form bedient habe. Durch zahlreiche Schriften und seine Vorträge entfaltete H. eine rege Wirksamkeit als liberaler Theologe. Im Hamburger Zweig des »Deutschen Protestantenvereins«, im Liberal-kirchlichen Verein in Schleswig-Holstein und im Bildungsverein für Arbeiter fes-

selte er die Hörer durch seine tiefe und doch volkstümlich verständliche Rede. An den jährlichen Tagungen des »Niederländischen Protestantenbundes« nahm H. seit 1884 regelmäßig teil und gewann manche Freunde unter den holländischen Theologen. Im Herbst 1909 trat er in den Ruhestand. »Viel Liebe habe ich im Amt erfahren, manchem bin ich ein Trost und eine Hilfe gewesen, und die Gemeinde hat mich stets geehrt und war mir zugetan.« Der in langjähriger Wertschätzung ihm verbundene Bürgermeister D. Schröder in Eppendorf gab ihm das Zeugnis: »H. hat sich zwar stets mit Überzeugungstreue zur liberalen Theologie bekannt, ist aber niemals unduldsam gegen die positive Richtung und niemals agitatorisch aufgetreten, auch hat er sich in seiner Gemeinde als Seelsorger und fürsorglicher Freund der Armen treu bewährt.«

Werke: Der ideale u. der geschichtl. Christus, 1871 (1872²); Prot. Glaube (Predigtsmlg.), 1873; Bll. christl. Lebensanschauung, 1895; Freies Christentum, 1921. – Übers. die Gedichte de Genestets (»des originellsten unter den nld. Dichtern des 19. Jh.s«), 1886 (1890²), u. die Rel.philos. seines verst. Freundes, des Leidener Prof. Lodewijk Willem Ernst Rauwenhoff (»eine Apologie des einfältigen rel. Herzensglaubens gegenüber den Bedenken der heutigen Naturphilos.«), 1889.
Lit.: Rudolf Kayser, J. R. H., Pfr. zu Eppendorf. Ein hamburg. Lb., in: Hamburg. Gesch.- u. Heimatbll. 2, 1927, 129 ff.

HANNE, Johann Wilhelm, Theologe, * 29. 12. 1813 in Harber bei Lüneburg als Sohn eines Bauern, † 21. 11. 1889 in Hamburg-Eppendorf. – H.s Vater sah es nicht gern, daß sein einziger Sohn den Beruf der Vorfahren verließ und Theologie studierte. »Nach langen und bangen Kämpfen mit dem zürnenden Geist des väterlichen Hauses« durfte H. eine höhere Schule besuchen: zuerst das Gymnasium »Andreanum« in Hildesheim, dann das »Carolinum« in Braunschweig. Im Herbst 1833 begann er in Göttingen das Studium der Theologie, das er in Halle, wo Friedrich August Gotttreu Tholuck (s. d.) und Karl Ullmann (s. d.) Einfluß auf ihn ausübten, und Berlin, wo er besonders Philipp Konrad Marheineke (s. d.) hörte, fortsetzte und in Göttingen abschloß. Es folgte eine fast vierzehnjährige Kandidatenzeit als Privatgelehrter in Wolfenbüttel und Braunschweig. 1840 promovierte H. in Jena zum Dr. phil. Neun Jahre hindurch hielt er in Braunschweig vor vielen Hörern aus allen Ständen Vorträge über Geschichte, Natur- und Religionsphilosophie, Katholizismus und Protestantismus. H. wirkte seit 1851 als Pfarrer in der hannoverschen Gemeinde Betheln bei Elze und seit 1854 in dem südwestlich von dort gelegenen Salzhemmendorf. Die Theologische Fakultät der Universität Göttingen verlieh ihm 1860 die Ehrendoktorwürde. Im Herbst 1861 folgte H. dem Ruf nach Greifswald als Pfarrer an St. Jakobi und o. Professor für Praktische Theologie. Im Sommer 1886 trat er in den Ruhestand und siedelte nach Hamburg-Eppendorf über. – H. ist bekannt als Vertreter eines »spekulativen Rationalismus« im Gegensatz sowohl zum vulgären Rationalismus wie zu David Friedrich Strauß (s. d.), zum Pietismus wie zur konfessionellen Orthodoxie. Als eifriges Mitglied des »Deutschen Protestantenvereins« wurde er oft angegriffen.

Werke: Der moderne Nihilismus u. die Straußsche Glaubenslehre im Verhältnis z. Idee der christl. Rel., 1842; Vorhöfe z. Glauben oder Das Wunder des Christentums im Einklang mit Vernunft u. Natur, 3 Tle., 1850/51; Bekenntnisse oder Drei Bücher v. Glauben, 1858 (1865²; Autobiographisches: 79 ff.: Ein Stück Ll. in den Vorhöfen); Die Idee der absoluten Persönlichkeit oder Gott u. sein Verhältnis z. Welt, insbes. z. menschl. Persönlichkeit, 2

Bde., 1861/62 (1865²); Der Geist des Christentums, 1867; Die Kirche im neuen Reiche, 1871.

Lit.: RE VII, 403 ff.

HANNEKEN, Philipp Ludwig, luth. Theologe, * 5. 6. 1637 in Marburg/Lahn als Sohn des Professors der Theologie Meno H. (1595–1671), † 16. 1. 1706 in Wittenberg. – H. studierte in Gießen, Leipzig, Wittenberg und Rostock und wurde 1663 in Gießen Professor der Redekunst und des Hebräischen. Er erhielt dort 1667 eine theologische Professur und 1677 zugleich noch das Gießener Superintendentenamt. – H. ist bekannt durch den Gießener Pietistenstreit von 1689 ff. als Vorkämpfer der lutherischen Orthodoxie gegen den Professor der Theologie Johann Heinrich May (s. d.) in Gießen, den Bahnbrecher des Pietismus in Gießen und Hessen-Darmstadt, der zugleich Superintendent der Diözesen Marburg und Alsfeld war. Hinter May stand der Darmstädter Hof, besonders die Landgräfin Charlotte Dorothea. So unterlag H. in diesem Streit, obwohl der Rat und die Gemeinde für ihn eintraten. Er bat den Landgrafen um seine Entlassung und ging 1693 als Professor der Theologie und Superintendent nach Wittenberg. Dort setzte H. seinen Kampf gegen den Pietismus fort.

Werke: Verz. bei Heinrich Pipping, Memoriae Theologorum, Leipzig 1707, 1658 ff.; Strieder V, 254 ff.
Lit.: Valentin Ernst Löscher, Vollst. Timotheus Verinus II, Wittenberg 1722, 118 ff.; – Johann Georg Walch, Hist. u. theol. Einl. in die Rel.streitigkeiten der ev.-luth. Kirche I u. II, Jena 1730 ff.; – Heinrich Heppe, KG beider Hessen II, 1876, 417 ff.; – Walther Koehler, Die Anfänge des Pietismus in Gießen 1689 bis 1695, 1907; – Die Univ. Gießen 1607–1907 (Festschr.) I, 1907, 430; II, 1907, 47 ff. 133 ff. 253 ff.; – Wilhelm Diehl, Hassia sacra I, 1921, 223; II, 1925, 90 f.; – Heinrich Steitz, Gesch. der Ev. Kirche in Hessen u. Nassau II, 1962, 196 ff.; – NDB VII, 620 f.; – RGG III, 66.

HANNINGTON, James, Missionar und Märtyrer, * 3. 9. 1847 in Hurstpierpoint bei Brighton als Sohn eines Kaufmanns, † 29. 10. 1885 in Kawirondo (Uganda). – Nach seiner Schulzeit wurde H. gegen seine Neigung kaufmännischer Lehrling, entschied sich aber 1868 für den Kirchendienst, studierte nun Theologie und wurde 1874 ordiniert. Als er auf der Fahrt zum Besuch eines Freundes in einer Herberge übernachtete, griff er in großer Seelennot zu dem Buch »Gnade und Wahrheit« von Mackay und las das Kapitel »Hast du Vergebung deiner Sünden?« Da überkam ihn eine ungeahnte Freude, die sein Herz zu sprengen drohte: »Ich lag im Bett, während ich das Buch las. Ich sprang hinaus und lief im Zimmer auf und ab, immerzu Gott lobend und preisend, daß Jesus für mich gestorben ist. Von dem Tag an lebte ich unter dem Schatten seiner Flügel in der gläubigen Zuversicht, daß er mein ist und ich sein.« Die Kunde von der Ermordung zweier junger englischer Missionare in Afrika weckte in H. den Entschluß, persönlich in die Lücke zu treten. Er stellte sich dem Vorstand der kirchlichen Missionsgesellschaft in London zur Verfügung. Er war bereit, seine Frau und drei Kinder und seine Gemeinde zu verlassen, um als Missionar hinauszugehen. »Es gibt Leute genug, die meine hiesige Stelle mit Freuden übernehmen; aber die sind spärlich gesät, die es über sich bringen, ihr Heim und ihre Aussichten in der Heimat aufzugeben und in die dunklen Bezirke der Erde hinauszuwandern.« Er verpflichtete sich der Gesellschaft vorläufig auf drei Jahre und zur finanziellen Beteiligung an den Ausrüstungskosten und seinem Unterhalt. Zur Unterstützung des Missionsingenieurs Alexander Mackay (s. d.) wurde H. im Mai 1882 mit einer aus sieben Männern bestehenden Expedition nach dem Königreich Uganda in Ostafrika ausgesandt. Er kehrte 1883 krank in die Heimat und zu seinen Lieben zurück, hatte sich aber nach einem Jahr so weit erholt, daß das Komitee beschloß, ihn wieder auszusenden. Da man der Überzeugung war, es wäre gut, das ganze afrikanische Missionswerk unter die Leitung eines Bischofs zu stellen, bestimmte man H. zu diesem Amt. Die Reise ging diesmal über Jerusalem. Am 24. 1. 1885 landete H. mit seinen Gefährten in Freetown an der Ostküste Afrikas. Von hier aus wollte er bis Uganda vordringen. König Mtesa war im Oktober 1884 gestorben. Die Zuneigung Mtesas für das Christentum wandelte sich bei seinem Nachfolger Muanga in eine Christenverfolgung, der auch H. zum Opfer fiel.

Werke: Peril and Adventure in Central Africa, London 1886/87.
Lit.: Edwin Collas Dawson, J. H., first Bishop of Eastern Equatorial Africa, London 1887 (dt. 1890); – Eduard Riggenbach, J. H. Ein Märtyrer f. Afrika, 1933; – DNB VIII, 1191 f.

HANSEN, Heinrich, luth. Theologe, * 13. 10. 1861 in Klockries bei Lindholm (Nordfriesland) als Sohn eines Lehrers, † 17. 4. 1940 in Breklum (Kreis Husum). – H. studierte in Kiel und Erlangen Theologie und Hebräisch, Syrisch, Arabisch, insbesondere Altes Testament bei August Klostermann (s. d.), und wirkte seit 1887 als Pastor in Schleswig-Holstein: in Reinfeld, Lindholm, auf der Insel Pellworm, in Kropp und in Olderup bei Husum. Seinen Ruhestand verlebte er seit 1930 in Husum, seit 1937 in Breklum. – H. dichtete lateinische Hymnen. Er setzte sich für den Gebrauch der plattdeutschen Sprache in Gottesdienst und Predigt ein, arbeitete an einer plattdeutschen Bibelübersetzung und gab ein plattdeutsches Gesangbuch heraus. Durch das Studium der alten lutherischen Theologen, besonders des Martin Chemnitz (s. d.), und des katholischen Theologen Johann Adam Möhler (s. d.) gelangte H. zu einer ev.-kath. Auffassung von der Kirche und gab zum Reformationsjubiläum 1917 95 Thesen lateinisch und deutsch heraus, die eine scharfe Kritik an dem damaligen Protestantismus wegen des »Abfalls von der Katholizität« übten und den Anstoß zur Gründung der »Hochkirchlichen Vereinigung« im Oktober 1918 gaben. – H. ist bekannt als Mitbegründer und erster Vorsitzender der »Hochkirchlichen Vereinigung« (seit 1947: »Evangelisch-ökumenische Vereinigung des Augsburgischen Bekenntnisses«). Er zählt zu den bedeutendsten Pionieren sowohl der kirchlichen Erneuerungsbewegung im deutschen Protestantismus wie der kirchlichen Einigungsbewegung.

Werke: Die Oden Salomos in dt. Nachdichtungen, 1911; Lauda Sion Salvatorem. Cantica Latina, 1913; Psalmbook. Dat heet Christelige Leeder för sassische Lüd, 1916 (verm. 1919²); Stimuli et clavi i. e. theses adversus huius temporis errores et abusus. Spieße u. Nägel . . . (1917), in: Hochkirche 1, 1919; 8, 1926; 11, 1929; u. in: Eine Hl. Kirche, 1957/58; Die Lehre v. der sichtbaren Kirche in luth. Bedeutung, in: Una Sancta 2, 1926, 386 ff.; – Verfall u. Wiederaufbau der Kirche, in: Eine Hl. Kirche 10, 1928, 240 ff. 259 ff.; Universale Kirche. Ein Wort z. Nachdenken an alle Christen, in: Hochkirche 16, 1934, 67 ff.; Johanneisches Zeitalter, ebd. 21, 1939, 272 ff.; Die Ref. in ihrer Bedeutung f. die gesamte Kirche, ebd. 22, 1940/41, 293 ff.
Lit.: Friedrich Heiler, Ev. Katholizität, 1926; – K. Minkner, in: Augustana-Bote, 1940, Nr. 9/10; – Paul Schorlemmer, H. H.,

der Vater der Hochkirchl. Vereinigung, in: Eine Hl. Kirche 22, 1940/41, 281 ff.; – NDB VII, 632 f.; – RGG III, 72.

HANSER, Laurentius (Taufname: Bernhard), Benediktiner, Historiker, * 23. 7. 1875 in Walchsee (Tirol) als Sohn eines Bauern, † 28. 12. 1929 in Nymphenburg bei Scheyern (Oberbayern). – H., früh verwaist, kam bereits im ersten Lebensjahr in die Gemeinde Oberaudorf (Bayern) und verlebte auf dem Ilgerhof zu Hocheck die Kinderjahre. Die Erziehung fiel größtenteils der Großmutter väterlicherseits zu. In der Volksschule gehörte er zu den besten Schülern. Die Karmeliter von Reisach befürworteten die Aufnahme H.s im Oktober 1886 in das erzbischöfliche Knabenseminar in Scheyern (Oberbayern). Bis zum Abitur besuchte er das Gymnasium in Metten. H. trat 1895 in die Benediktinerabtei Scheyern ein und kam zum Studium der Philosophie und Theologie in das internationale Benediktinerkolleg S. Anselmo in Rom. Am 25. 7. 1899 empfing er in der Kirche des Germanikums in Rom die Priesterweihe. Nach seiner Rückkehr nach Scheyern wurde H. Zeremoniar, Abtsekretär und Studienlehrer in der Lateinschule und 1904 dazu noch Subprior. 1906–07 war er Prior des Scheyerner Studienhauses in München, 1907–12 Pfarrvikar von Scheyern, dann wieder Prior des Studienhauses in München, wo er an der Universität 14 Semester Jura studierte und 1919 zum Doctor utriusque iuris promovierte. 1920 kam H. nach Scheyern zurück und fand zunächst Verwendung in der Pfarrseelsorge, dann bis 1924 als Religionslehrer an der dortigen Lehranstalt. Krankheitshalber versah er nun das Amt eines Kapitelsekretärs, Archivars und Kustos der Kirche mit großem Eifer bis zu seinem Tod. – Bekannt wurde H. als Sekretär der bayrischen Benediktiner-Akademie. Auf dem Generalkapitel zu Plankstetten Ende März 1921 regte er den Gedanken an, eine bayrische Benediktiner-Akademie zu gründen. In das Protokoll vom 20. 3. 1921 wurde folgender Passus aufgenommen: »Um die wissenschaftliche Tätigkeit in der Ordensgeschichte, Liturgie und anderen wissenschaftlichen Zweigen, die im Interessenkreis des Benediktinerordens liegen, zu fördern, wurde beschlossen, eine Academia Benedictina zu errichten. Sie ist als Beratungsstelle gedacht, die den Zweck hat, die wissenschaftlich tätigen Mitglieder der einzelnen Häuser in engere Fühlung zu bringen, das Interesse für derartige Studien zu wecken, die reichen Schätze der benediktinischen Vergangenheit zu heben und die Forschung durch Rat und Tat zu erleichtern und zu fördern.« H. wurde zum 1. Sekretär ernannt. – H.s besonderes Forschungsgebiet war benediktinische Ordensgeschichte bzw. die Geschichte des Klosters Scheyern.

Werke: Marian. Hdb. f. Bruderschaften u. Kongregationen, 1913; Kloster Scheyern. Rechtsgeschichtl. Forsch. (Diss. München, 1919), 1921 (in: Deutingers Btrr. z. Gesch., Topogr. u. Statistik des Erzbist. München u. Freising, 13. Bd. [NF 7. Bd.]); Alles f. Dich, heiligstes Herz Jesu. Gebet- u. Trostbüchlein f. betrübte, armselige Zeiten, 1920; Kranz u. Krone. Brautgeschenk f. angehende Eheleute, 1921; Vater unser! Gebetbuch f. kath. Christen, 1922; Marienlob. Gebetbüchlein f. den tägl. Gebrauch insbes. z. Verehrung Unserer Lieben Frau, 1923; Scheyern einst u. jetzt. 1. Bändchen: Geschichtl. Überblick, 1927 (Bändchen 2–7 als Ms. im Arch. der Abtei Scheyern). – Verz. der Schrr., in: StMBO 47, 1930, 3–6.
Lit.: Stephan Kainz, Erinnerungen an Dr. P. L. H., in: StMBO 47, 1929 (z. neuesten Chron. des Ordens), 74 ff.; – Ders., Nachträge zu den Erinnerungen an Dr. P. L. H., ebd. 48, 1930, 3 ff.; – ÖBL II, 183; – NDB VII, 635 f.; – Kosch, KD 1336 f.

HANSIZ, Marcus, Jesuit, Kirchenhistoriker, * 23. 4. 1683 in Völkermarkt (Kärnten), † 5. 9. 1766 in Wien. – H. trat mit 15 Jahren in den Jesuitenorden ein, empfing 1708 die Priesterweihe und lehrte 1713–19 als Professor der Philosophie in Graz. Er wurde dann wegen seiner historischen Forschungen von der Pflicht, ein Lehramt zu versehen, entbunden. H. plante eine »Germania sacra«, die nicht nur Materialsammlung, sondern zugleich auch Geschichtsdarstellung nach den einzelnen Diözesen sein sollte. Um Materialien für seine Arbeiten zu sammeln, bereiste er verschiedene Kollegien seines Ordens: Wien, Neustadt, Krems, Klagenfurt, und erhielt die Erlaubnis, Rom zu besuchen, wo ihm die Sammlungen seines Ordens und die Schätze anderer Bibliotheken zur Verfügung gestellt wurden. – H.s Hauptwerk ist die unvollendet gebliebene »Germania sacra«. Der I. Band behandelt das ehemalige Bistum Lorch und die Diözese Passau und der II. Band das Erzbistum Salzburg; der III. Band bietet eine Einleitung zur Bistumsgeschichte von Regensburg. H. hinterließ außerdem Materialsammlungen für die Geschichte der österreichischen Diözesen Wien, Wiener Neustadt, Seckau, Lavant und Gurk. Anna Coreth (s. Lit.) nennt ihn »den bedeutendsten österreichischen Historiker der Gesellschaft Jesu«.

Werke: Metropolis Laureacensis cum episcopatu Pataviensi chronologice proposita, Augsburg 1727; Archiepiscopatus Salisburgensis chronologice propositus, ebd. 1729; De episcopatu Ratisbonensi prodromus, seu informatio summaria de sede antiqua Ratisbonensi, innovans omnia, necnon Salisburgensem et Frisingensem plenius illustrans, Wien 1755.
Lit.: Georg Pfeilschifter, Die St. Blasianische Germania Sacra. Ein Btr. z. Historiogr. des 18. Jh.s, 1921, 23 ff.; – Josef Wodka, Die St. Pöltner Bestände des ehem. Wiener Neustädter Bist.-arch., in: Festschr. z. 200j. Bestand des Haus-, Hof- u. Staatsarch. I, Wien 1949, 194; – Anna Coreth, Östr. Gesch.schreibung in der Barockzeit (1620–1740), Wien 1950, 116 ff.; – Leo Santifaller, »Austria Sacra«. Gesch. u. Plan des Unternehmens, ebd. 1951, 44 ff.; – Sommervogel IV, 74 ff.; – Koch, JL 765 f.; – Kosch, KD 1338; – Wurzbach VII, 332 ff.; – ADB X, 541 f.; – NDB VII, 636; – LThK V, 3; – NCE VI, 917.

HANSTEIN, August, luth. Theologe, * 7. 9. 1761 in Magdeburg als Sohn eines Kriminalrats und Justizkommissars, † 25. 2. 1821 in Berlin. – H. besuchte das Domgymnasium in Magdeburg, studierte seit 1779 in Halle/Saale außer Theologie und Philosophie auch Mathematik und Physik und wurde 1782 Lehrer am Domgymnasium seiner Vaterstadt. Er gab die Anregung zur Gründung eines Lehrerseminars, in dem er Pädagogik lehrte. 1787 wurde H. Pfarrer in Tangermünde und widmete sich auch der homiletischen Ausbildung von Predigtamtskandidaten. Wilhelm Abraham Teller (s. d.), Propst an St. Petri in Berlin, wurde auf ihn aufmerksam und mit ihm persönlich bekannt. Auf seinen Vorschlag wählte das Domkapitel in Brandenburg H. 1803 zum Oberdomprediger. König Friedrich Wilhelm III. berief ihn im November 1804 zum Adjunkten und einstigen Nachfolger Tellers in allen seinen Ämtern. Teller starb unerwartet am 9. 12. 1804. So wurde H. Propst von St. Petri, Superintendent der Diözese Berlin und Mitglied des Oberkonsistoriums. Als dieses 1808/09 aufgelöst wurde, kam H. als Oberkonsistorialrat in die »Sektion für Kultur und Unterricht« des Innenministeriums. In Berlin konnte er so recht eine seinen Fähigkeiten entsprechende Wirksamkeit entfalten. – Als Theologe gehörte H. ganz zur Aufklärung. Er war einer der beliebtesten Prediger Berlins, der als Herausgeber der »Homiletisch-kritischen Blätter« bedeutende Verdienste um die Ausbildung der damaligen Predigergeneration hat. Als patriotischer Prediger wurde H. in den Jahren 1808 bis 1814 weithin bekannt. An der Einführung der Union wie an der Schaffung des neuen Gesangbuchs von Berlin war er hervorragend beteiligt.

Werke: Christl. Rel.- u. Sittenlehre, 1805; Erinnerungen an Jesus Christus. Predigten, 5 Bde., 1808–20; Die ernste Zeit. Predigten in den J. 1813–14, 1815. – Gab heraus: Homilet.-krit. Bll. f. Kandidaten des Predigtamtes u. angehende Prediger, 9 Bde., Stendal 1791–99; Neue homilet.-krit. Bll., 25 Bde., 1799–1812; Krit. Jb. der Homiletik u. Asketik, 4 Bde., 1813–14. *Lit.:* Friedrich Philipp Wilmsen (H.s Schwager), Denkmal der Liebe, geweiht . . . G. A. L. H., 1821 (228 ff.: Schrr.verz.); – Heinrich Doering, Die dt. Kanzelredner, 1830, 81 ff. 91 f.; – Friedrich Schleiermacher, Nachruf, in: Ders., Sämtl. Werke I/5, 1846, 463 ff.; – Erich Foerster, Die Entstehung der preuß. Landeskirche I, 1904; – Walter Wendland, G. A. L. H. als patriotischer Prediger in Berlin, in: JBrKG 13, 1915, 88 ff.; – Ders., 700 J. KG Berlins, 1930; – A. Parisius, G. A. L. H. Zur Würdigung der Persönlichkeit, in: JBrKG 18, 1920, 35 ff.; – ADB X, 543 ff.; – NDB VII, 639 f.; – RGG III, 73.

HANXLEDEN, Johann Ernst, Jesuit, Missionar und Orientalist, *1681 in Osterkappeln bei Osnabrück, † 21. 3. 1732 in Palayur (Kerala, Indien). – Mit 18 Jahren meldete sich H. für die ostindischen Missionen und trat am 3. 10. 1699 mit zwei Patres in Augsburg zu Land die Reise nach dem Osten an. Sie zogen durch Italien, die Türkei, Kleinasien, Syrien, Armenien und Persien nach Bender-Abbas am persischen Meerbusen und setzten von dort die Reise zu Schiff nach Surat (Indien) fort. Während der Seefahrt erkrankten die beiden Patres; sie starben und wurden ins Meer gesenkt. H., der am 30. 11. 1699 auf Zypern in den Jesuitenorden eingetreten war, erreichte nach 15monatiger Reise in Begleitung eines Laienbruders im Dezember 1700 die Stadt Goa. Er zog bald nach dem Süden zum Studium der Theologie und empfing 1705 die Priesterweihe. H. wirkte 30 Jahre als Missionar in Malabar. Hervorragend sprachbegabt, beherrschte er Ostsyrisch, besonders Malayālam und Sanskrit. H. verfaßte mehrere Grammatiken (Malayālam und Sanskrit) und Wörterbücher (Malayālam – Portugiesisch, Sanskrit – Portugiesisch) und zahlreiche religiöse Dichtungen und Lieder. Die sprachwissenschaftlichen Werke blieben unveröffentlicht. Der Karmelit Paulinus a S. Bartholomaeo, Archivar der »Propaganda Fide« in Rom, verwertete sie zur Abfassung zweier Sanskritgrammatiken.

Werke: Pancha Parvam (»Fünf Gedichte«), Verapoly (Indien) 1873 (Ernakulam 1906²); Puthanpāna (»Neues Hymnenbuch«. Rel. Lit. z. Preise des Erlösers), Alleppey (Indien) 1955. – Mss.: Dictionarium Malabaricum – Lusitanum (Rom, Vatikan. Bibl.); Malayālam-Wb. (Coimbra, Univ.bibl.); Leben Christi (Bonn, Kath. Missionen). *Lit.:* Carl Platzweg, Lb. dt. Jesuiten in auswärtigen Missionen, 1882; – Joseph Dahlmann, Die Sprachkunde u. die Missionen. Ein Btr. z. Charakteristik der älteren kath. Missionstätigkeit, 1891, 18 ff.; – Anton Huonder, Dt. Jesuitenmissionäre des 17. u. 18. Jh.s, 1899, 48. 89. 175; – Sommervogel IV, 80–82; IX, 456; – Duhr III, 363. 366 ff.; – Koch, JL 766; – BiblMiss V, 222 f.; VIII, 713; – EC VI, 1359; – LThK V, 4; – NCE VI, 918; – NDB VII, 644.

HAPPICH, Friedrich, Pfarrer, * 14. 8. 1883 als Pfarrerssohn in Speckswinkel bei Marburg (Lahn), † 4. 4. 1951 in Treysa (Bez. Kassel). – H. studierte in Leipzig, Tübingen und Marburg und war 1910/11 Hauslehrer auf Rügen. Nach seiner zweiten theologischen Prüfung half er 1912 zwei Monate in der Krankenpflege in Bethel bei Bielefeld. Seit Herbst 1912 stand H. im pfarramtlichen Dienst in Frankenau bei Frankenberg (Oberhessen). Im Frühjahr 1913 kam er als zweiter Pfarrer

des Hessischen Brüderhauses und der Anstalten Hephata nach Treysa und wurde, als der Gründer und Direktor der Anstalten, Pfarrer D. Schuchard, am 27. 6. 1923 starb, sein Nachfolger. H. übernahm im Kirchenkampf 1935 zu seinem Direktorposten noch den Vorsitz des Kirchenausschusses und damit praktisch die Leitung und Verwaltung der Landeskirche von Kurhessen-Waldeck. Nach der Neuordnung der kirchlichen Verhältnisse wurde H. in den Rat der Landeskirche und zum Präses der Landessynode berufen. Am 1. 4. 1951 trat er in den Ruhestand.

Lit.: Friedrich Linz, Kirchenrat D. H. Was er Treysa u. Kurhessen bedeutete, in: DtPfrBl 51, 1951, 294; – Seiler, D. H. in Treysa, gest., ebd. 245; – Kirchenrat D. F. gest., in: Ev. Welt 5, 1951, 230; – Erich Freudenstein, Ein Leben im Dienst der Kirche u. der Inneren Mission. Zum Gedenken an D. F. H., in: Kirche in der Zeit 6, 1951, 96 f.; – E. Trost, Kirchenrat D. F. H. gest., in: Ev. Jugendhilfe, 1952, 29 ff.

HARDELAND, August, Missionar, * 1814 in Hannover als der ältere Bruder des Julius Hardeland (s. d.), † daselbst 27. 5. 1890. – H. wurde 1841 von der Rheinischen Missionsgesellschaft nach Borneo ausgesandt und gründete dort 1843 eine Station in Bintang am Murong. Er kam auf den Gedanken, »Pandelinge«, Schuldsklaven, deren Los oft recht hart war, loszukaufen, um dadurch dem Christentum bei den Dajak leichter Eingang zu verschaffen. H. gewann die Missionsgemeinde für diesen Plan, so daß im Lauf der Jahre 1100 »Pandelinge« losgekauft und um die Missionsstationen herum angesiedelt und auch da eingesetzt wurden, wo eine neue Station gegründet werden sollte. 1845 verließ er Borneo und ging nach dem Kap. Dort vollendete H. 1846 seine Übersetzung des Neuen Testaments in die Sprache der Dajak und schuf in ihrer Sprache auch Schulbücher und ein Wörterbuch. Er nahm regen Anteil an der Arbeit der rheinischen Missionare in der Kapkolonie und bereiste die Stationen. 1849 kehrte H. nach Deutschland zurück, warb eifrig für die Mission auf Borneo und sammelte erfolgreich für den Loskauf der »Pandelinge«. 1850 zog er im Dienst der Niederländischen Bibelgesellschaft, aber noch in Verbindung mit der Rheinischen Missionsgesellschaft wieder nach Borneo und vollendete 1850–56 die Übersetzung der ganzen Bibel in die Sprache der Dajak. H. kehrte 1857 nach Deutschland zurück. Louis Harms (s. d.) gewann ihn für die Hermannsburger Mission und sandte ihn 1860 als Missionssuperintendent nach Südafrika aus, weil das sich dort so rasch ausdehnende Missionswerk eines Organisators und einer starken Leitung bedurfte. H. führte ein strenges Regiment über Schwarz und Weiß und verhängte über die Betschuanenmissionare, die ihm den Gehorsam versagten, die altkirchliche Strafe des Bannes, indem er von allen Kanzeln verlesen ließ, daß niemand mit ihnen im Verkehr bleiben oder sie unterstützen dürfe. So gerieten sie in Not und mußten ihr Leben fristen durch Handel mit Pulver und Blei, das auf Befehl der Buren durch ihre Hand ging. Unter H.s Leitung wurden in Natal drei und in Zululand acht weitere Stationen besetzt. 1864 mußte er in die Heimat zurückkehren und wirkte noch eine Zeitlang am Rettungshaus in Neinstedt am Harz, dann in Flensburg und in Marienberg (Braunschweig).

Lit.: Wilhelm Oehler, Gesch. der Dt. Ev. Mission. I: Frühzeit u. Blüte der dt. ev. Mission 1706–1885, 1949, 225. 272. 275. 333 f.

HARDELAND, Julius, Missionsdirektor, * 7. 1. 1828 in Hannover als Sohn eines Kommissionärs, † daselbst 11. 10. 1903. – »Bis zu meinem 10. Jahr besuchte ich die Volksschule. Um diese Zeit jedoch erwachte, angeregt wohl vornehmlich durch das Vorbild meines ältesten Bruders, der nicht lange darauf als Kaplan an die Schloßkirche in Hannover berufen wurde, in mir ein lebhafter Trieb, Theologie zu studieren.« Ostern 1838 bezog H. das Gymnasium seiner Vaterstadt. Mit 16 Jahren las er mit großem Interesse die Missionsnachrichten, sammelte Gaben für die Mission bei Verwandten und Freunden und leistete dem Missionsverein nach bestem Vermögen persönlich kleine Dienste. Von Herbst 1847 an studierte H. in Göttingen Theologie. Von seinen Lehrern zogen ihn besonders Friedrich Lücke (s. d.) und Friedrich August Eduard Ehrenfeuchter an. Im Herbst 1850 wurde H. Hauslehrer bei dem Legationsrat a. D. Freiherrn August von Arnswaldt in Hannover, im Herbst 1853 Subrektor der Gelehrtenschule in Ratzeburg, Ende 1854 Pfarrer in Lassahn (Herzogtum Lauenburg), einer Landgemeinde von etwa 1200 Seelen, und 1860 Inspektor der Leipziger Missionsgesellschaft als Nachfolger von Karl Graul (s. d.), dessen Richtung er fortsetzte. 1867/68 bereiste H. das Missionsfeld in Indien. Er mußte 1875/76 nach Indien, weil unter den Missionaren Lehrstreitigkeiten ausgebrochen waren und eine schriftliche Verständigung nicht möglich war. Unter dem Einfluß des Professors Karl Ferdinand Wilhelm Walther (s. d.) von der Missourisynode glaubte eine Anzahl der Missionare in den Kampf für die unverfälschte Lehre Martin Luthers (s. d.) eintreten zu müssen. H. konnte es nicht verhindern, daß vier Missionare, die von Amerika das Geld zur Übersiedlung dorthin erhielten, aus dem Dienst der Leipziger Mission austraten. Als in den siebziger Jahren die Theologen für die Mission völlig ausblieben, entschloß sich H., das Prinzip der Universitätsbildung, das die Leipziger Mission bisher vertrat, aufzugeben und ein eigentliches Missionsseminar ins Leben zu rufen, in dem wie in den anderen Missionsseminaren die Gesamtausbildung geboten werden sollte. 1868 gab er die Indianermission in Michigan (USA) auf, die die Leipziger Mission für kurze Zeit als ein anderes Arbeitsfeld neben Indien übernommen hatte. 1891–94 wirkte H. als Superintendent in Doberan (Mecklenburg-Schwerin).

Lit.: Friedrich Hashagen, Missionsdirektor D. J. H. †, in: AELKZ 38, 1904, 199 ff. 226 ff. 253 f. 277 ff. 304 ff. 326 ff.; – Perthes, Handlex. f. ev. Theologen, 1890/91, II, 19; – Nestle, in: Theol. Jber., hrsg. v. Gustav Krüger u. Walther Koehler, 23, 1904, 1196.

HARDENBERG, Albert (eigentlich: Albert Rizaeus), Theologe der Reformationszeit, * 1510 in Hardenberg (in der niederländischen Provinz Oberyssel), † 18. 5. 1574 in Emden. – Mit 7 Jahren kam H. in die Schule der »Brüder vom gemeinsamen Leben« in Groningen und wurde 1527 Mönch des Bernhardinerklosters in Aduard, drei Stunden nordwestlich von Groningen. Auf Befehl des Herzogs Karl von Geldern, der in einer näheren, uns aber nicht weiter bekannten Beziehung zu H.s Anverwandten stand, bezog H. 1530 die Universität Löwen. »Ich fing an, nach besten Kräften die schönen und insbesondere die heiligen Wissenschaften zu studieren. Ich hatte da mit einem Freund die Schriften des Erasmus (s. d.) sowie die von anderen Deutschen gelesen, woraus ich ein klares Verständnis des Evangeliums geschöpft hatte. So kam es, daß ich nicht zum besten über die scholastische Theologie dachte. Doch lernte ich wenigstens so viel, daß ich frei in den Schulen disputieren konnte und schon in dunkeln Argwohn bei jenen unlauteren Theologen kam, die mich ebenso durch Schmeicheleien locken als durch verschiedene Drohungen schrecken wollten. Nur deshalb war ich dort in die Notwendigkeit versetzt, ›baccalaureus formatus‹ zu werden. Als ich diesen akademischen Grad erlangt hatte, fing ich an – zweifellos auf Antrieb des göttlichen Geistes –, Christus frei zu verkünden. Zwar drohten mir die Sophisten Schreckliches; aber sie wagten doch nichts zu tun, solange der Herzog von Geldern lebte, der das, was sie berichteten, von mir nicht glaubte und sich der Verteidigung meiner Person eifrigst annahm. Dasselbe tat auch mein Abt, der Primas unseres Vaterlandes, zu dessen Nachfolger ich schon bestimmt war. Als aber der Fürst gestorben war, sah ich, daß alles in Löwen voll Haß gegen mich war. Daher reiste ich um die Herbstmesse nach Frankfurt, nachdem ich ungefähr acht Jahre in Löwen gewesen war.« Da ein heftiges Fieber ihn an der Weiterreise nach Italien hinderte, kehrte H. nach Mainz zurück und promovierte Ende 1539 zum »Dr. bullatus«. An Johannes Laski (s. d.), mit dem er schon in Frankfurt zusammengetroffen war, schloß sich H. in Mainz immer enger an. Nach Erlangung der Doktorwürde kehrte er nach Löwen zurück. Zu dem Stamm seiner alten Freunde, von denen Francisco de Enzinas (s. d.) genannt sei, verschaffte sich H. durch seine hervorragende Rednergabe eine große Zahl von Zuhörern. Man verklagte ihn bei dem erzkatholischen Hof zu Brabant, der sofort den Befehl erließ, H. gefangenzunehmen und nach Brüssel abzuführen. Tausende von Bürgern und Studenten forderten und setzten es durch, daß über den verhafteten H. in Löwen Gericht gehalten würde. Ihrem drohenden Auftreten hatte er es zu verdanken, daß der Prozeß wider alles Erwarten günstig verlief und das Urteil auf Verbrennung seiner Schriften und Zahlung der Prozeßkosten lautete. H. wurde ausgewiesen. Um diese Zeit verließ auch Laski Löwen und zog nach Emden. H. nahm seine Zuflucht zu dem liberalen Abt Johannes Reekamp in Aduard: »Er fing an, mir zu gestatten, daß ich die Psalmen zu Hause erklärte und Christus lauter und rein verkündigte. Das tat ich unerschrocken zwei Jahre lang.« Zahlreiche Briefe Laskis an H. bezeugen, welch innigen Anteil er an dem Geschick seines Freundes nahm und wie ernstlich er sich darum mühte, H. zum endgültigen Bruch mit der römischen Kirche zu bewegen. Auf Veranlassung des evangelischgesinnten Bischofs von Münster, Franz von Waldeck, reiste H. 1541 nach Bonn zum Erzbischof von Köln, Hermann von Wied (s. d.), der zu dem Entschluß durchgedrungen war, in seinem Erzstift statt einer Reform die Reformation durchzuführen. H. verließ 1542 das Kloster und zog über Emden nach Wittenberg, wo er im Juni 1543 inskribiert wurde. Es kam zu einem Freundschaftsbund zwischen Philipp Melanchthon (s. d.) und H. Auch zu Paul Eber (s. d.) trat er in enge Verbindung. Auf Melanchthons Empfehlung berief ihn Hermann von Wied zur Durchführung der Reformation und ihrer Verteidigung auf dem Reichstag zu Speyer, der am 20. 2. 1544 eröffnet wurde. H. folgte dem Ruf und lebte bis zum Schluß des Reichstags, 11. 6. 1544, am Hof des Erzbischofs von Köln, reiste dann in dessen Auftrag nach Straßburg zu Martin Bucer (s. d.) und von dort nach Basel, Zürich und Konstanz, um sich mit den dortigen Theologen zu beraten. In Zürich lernte er Konrad Pellikan (s. d.) und Heinrich Bullinger (s. d.) und in Konstanz die Brüder Ambrosius und Thomas Blaurer (s. d.) kennen. Nach seiner Rückkehr verwaltete H. eine Zeitlang das Predigtamt in Kempen am Niederrhein. Der Reformationsversuch des Erzbischofs von Köln scheiterte. Hermann von Wied wurde von Paul III. (s. d.) am 2. 1. 1546 suspendiert, am 16. 4. exkommuniziert und am 3. 7. abgesetzt. Er resignierte am 26. 1. 1547 als Administrator von Paderborn und am 25. 2. als Erzbischof von Köln, weil kaiserliche Kommissare im Januar 1547 die weltlichen Stände zwangen, den bisherigen, nun aber vom Papst zum Erzbischof von Köln ernannten Koadjutor Adolf von Schaumburg (s. d.) als ihren neuen Herrn anzuerkennen. So fand auch H.s Wirksamkeit im Erzstift ihr Ende. Als Feldprediger im Dienst des Grafen Christoph von Oldenburg zeichnete sich H. aus in der Schlacht bei Drakenburg am 23. 5. 1547, in der Herzog Erich von Braunschweig-Lüneburg (Calenberg) besiegt und Bremen befreit wurde, und nahm, obwohl verwundet, an dem Einzug des siegreichen Heeres in Bremen teil. Auf Wunsch und Vorschlag des Domkapitels ernannte ihn Graf Christoph als Senior des Domkapitels zum Domprediger ohne eigene Gemeinde. Außer zwei Predigten sollte er wöchentlich eine lateinische theologische Vorlesung halten. Bürgermeister Daniel von Büren, der während seiner siebenjährigen Studienzeit in Wittenberg zu den Vertrauten Martin Luthers (s. d.) und Melanchthons gehört hatte, wurde sein Freund. Wegen des Unterschieds in der Lehre vom Abendmahl wurde schon nach wenigen Monaten der kirchliche Friede in Bremen gefährdet und die Eintracht unter den Predigern gestört. Der Rat gab sich aber mit dem von H. im Januar 1548 vorgelegten Bekenntnis, das Melanchthon gebilligt hatte, zufrieden, so daß H. in den nächsten Jahren wegen seiner Lehre vom Abendmahl keine weiteren Schwierigkeiten hatte, zumal er es vermied, seine abweichenden Ansichten zu äußern. In seiner Schrift »Farrago sententiarum in vera et catholica doctrina de coena Domini consentientium«, einer Sammlung apostolischer und streng orthodoxer Zeugnisse, verfocht Johannes Timan (s. d.), Pastor an St. Martini, 1555 die lutherische Ubiquitätslehre und wünschte, daß alle Bremer Prediger sein Buch unterschreiben möchten, um dadurch ihre Einigkeit in der Lehre zu bezeugen. Als H. die Forderung, die »Farrago« zu unterschreiben, zurückwies, begann Timan, gegen ihn zu predigen. So entbrannte der Bremer Abendmahlsstreit, der sich über Jahre hinzog. Der niedersächsische Kreistag in Braunschweig beschloß am 8. 2. 1561, »daß Dr. A. H. wenigstens innerhalb der nächsten 14 Tage von dem Domkapitel zu Bremen – jedoch ›citra infamiam et condemnationem‹ – seines Dienstes und Predigtamts zu entlassen und zur Ver-

hütung fernerer Zwietracht, Unruhe und Empörung aus der Stadt, deren Gebiet und dem ganzen niedersächsischen Kreis fortzuschaffen sei; er selbst aber in der Folge sich alles öffentlichen und heimlichen Predigens gänzlich zu enthalten habe«. Von bedeutenden Theologen hatten u. a. Tilemann Heßhus (s. d.), Martin Chemnitz (s. d.), Joachim Mörlin (s. d.) und Paul von Eitzen an der Verurteilung H.s mitgewirkt. H. legte am 15. 2. gegen den Kreistagsabschied Protest ein und verließ am 18. 2. Bremen. Graf Christoph von Oldenburg, sein Freund und Beschützer, bot ihm als Heim und Stätte wissenschaftlicher Arbeit das nahe Kloster Rastede an. Hier widmete sich H. literarischen Arbeiten; er schrieb u. a. eine Biographie des Wessel Gansfort (s. d.). H. wurde 1565 Prediger in Sengwarden bei Wilhelmshaven und wirkte seit 1567 als Pastor in Emden.

Werke: Bibliogr.: Heinrich Wilhelm Rotermund, Lex. aller Gelehrten, die seit der Ref. in Bremen gelebt haben, I, 1818, 157 ff.; – Ders., Das Gelehrte Hannover, 1823, II, 244 ff.

Lit.: Tilemann Heshusius, Daß Jesu Christi warer Leib und Blut im heiligen Abendmahl gegenwärtig sei, wider den Rottengeist zu Bremen, Doctor A. H., Magdeburg 1560; – Dietmar Kenkel, Kurze, klare u. wahrhaftige Historie u. Erz. v. dem Anfang u. Erweiterung des Zwiespalts zu Bremen, durch A. H. erweckt, Frankfurt am Main 1566; – Christian August Salig, Vollst. Historie der Augsburg. Konfession III, Halle 1735, 716 ff.; – Dän. Bibl. oder Smlg. v. alten u. neuen gelehrten Sachen aus Dän. V, Kopenhagen u. Leipzig 1744, 160 ff.; – Daniel Gerdes, Historia motuum ecclesiasticorum in civitate Bremensi sub medium seculi XVI ab A. 1547–1561, tempore Alberti Hardenbergii suscitatorum, Groningen u. Bremen 1756; – Etwas v. den H.ischen Unruhen, z. Ref.-Gesch. der Stadt Bremen v. 1547–1556, in: Brem.- u. Verdische Bibl. 3, Hamburg 1757, 683 ff.; – Hermann Hamelmann, Erz. der durch A. H. veranlaßten Rel.streitigkeiten in Bremen v. Anfange derselben bis aufs J. 1570, ebd. 5, 1760, 141 ff.; – Gerhard Meier, De Alberto Hardenbergio, sacri Bremensium dissidii face annque tuba, ebd. 411 ff.; – Elard Wagner, Dr. A. R. H.s im Dom zu Bremen geführtes Lehramt u. dessen nächste Folgen, Bremen 1779; – Gottlieb Jakob Planck, Gesch. der Entstehung, der Veränderungen u. der Bildung unseres prot. Lehrbegriffes v. Anfang der Ref. bis z. Einf. der Konkordienformel V/2, Leipzig 1799, 138 ff.; – W. Schweckendieck, Dr. A. H. Ein Btr. z. Gesch. der Ref., Emden 1859; – ZWTh 11, 1868, H. 1 (H.s pastorale Tätigkeit in Kempen); – Heinrich Schmid, Der Kampf der luth. Kirche um Luthers Lehre im Ref.zeitalter, (1868) 1873², 186 ff.; – Bernhard Spiegel, H.s Lehre v. Abendmahl, in: ZWTh 12, 1869, 85 ff.; – Ders., D. A. Rizäus H. Ein Theologenleben aus der Ref.zeit, in: Brem. Jb. 4, 1869; – J. Friedrich Iken, Die erste Epoche der brem. Ref., ebd. 8, 1876, 40 ff.; – Carl Heinrich Rottländer, der Bürgermeister Daniel v. Büren u. die H.ischen Händel in Bremen (1555–1562). Ein Btr. z. Brem. Gesch. (Diss. Göttingen), 1892; – Wilhelm v. Bippen, Gesch. der Stadt Bremen I, 1896, 147 ff.; – Otto Veeck, Gesch. der ref. Kirche Bremens, 1909; – Werner Storkebaum, Gf. Christoph v. Oldenburg (1504–1566). Ein Lb. im Rahmen der Ref.gesch. (Diss. Göttingen), 1952; – Jürgen Moltmann, Christoph Pezel u. der Calvinismus in Bremen, 1958, 16 ff.; – Hanns Engelhardt, Der Irrlehreprozeß gg. A. H. 1547–1561 (Diss. Frankfurt/Main), 1961; – Ders., Das Irrlehreverfahren des niedersächs. Reichskreises gg. A. H. 1560/61, in: JGNKG 61, 1963, 32 ff.; – Ders., Der Irrlehrerstreit u. der Bremer Rat (1547–1561), in: Hospitium ecclesiae. Forsch. z. brem. KG 4, 1964, 29 ff.; – Wilhelm H. Neuser, H. u. Melanchthon. Der H.ische Streit (1554–1560), in: JGNKG 65, 1967, 142 ff.; – Wolf II/2, 69 f.; – Schottenloher I, Nr. 7938–7954; V, Nr. 46674; – ADB X, 558 ff.; – NDB VII, 663; – RE VII, 408 ff.; – RGG III, 74; – LThK V, 5; – ODCC² 618.

HARDENBERG, Friedrich von, der bedeutendste Dichter der Frühromantik, bekannt unter dem Pseudonym NOVALIS, * 2. 5. 1772 auf dem Familiengut Oberwiederstedt (Grafschaft Mansfeld) als Sohn eines Gutsherrn, † 25. 3. 1801 in Weißenfels (Saale). – H.s Eltern hielten an der Brüdergemeine in Neudietendorf. So wuchs Friedrich im Geist herrnhutischer Frömmigkeit heran. Der Vater trat 1787 als Direktor der Salinen Artern, Kösen und Dürrenberg in kursächsische Dienste und siedelte nach Weißenfels über. Mit 16 Jahren reiste Friedrich auf Einladung seines

Oheims, des Landkomturs Friedrich Wilhelm von Hardenberg, nach Locklum bei Braunschweig und blieb dort ein Jahr. Die reiche Bibliothek seines Oheims erschloß ihm ungeahnte Schätze. Nach einjährigem Besuch des Gymnasiums in Eisleben bezog H. im Herbst 1790 die Universität Jena, an der Friedrich Schiller und Karl Leonhard Reinhold (s. d.) lehrten, deren Einfluß für seine spätere Entwicklung von großer Bedeutung werden sollte. Er hätte sich gern ganz der Dichtkunst gewidmet; aber der Vater wollte den Sohn bei der Verwaltung der kursächsischen Salinen an seiner Seite tätig sehen. Darum studierte H. vom Herbst 1791 an in Leipzig, wo er mit Friedrich Schlegel (s. d.) einen Freundschaftsbund schloß, die Rechte, Mathematik und Chemie und nach einem Jahr in Wittenberg die kursächsischen Gesetze. Im Sommer 1794 bestand H. das juristische Examen und kam zur Einführung in die Verwaltungsgeschäfte zu dem Kreisamtmann Just nach Tennstedt bei Langensalza. Von Dezember 1797 an studierte er in Freiberg (Sachsen) Bergwissenschaften. H. verlobte sich 1798 mit Julie von Charpentier, der Tochter eines Berghauptmanns, und wurde Pfingsten 1799 Assessor bei den kursächsischen Salinen in Weißenfels. Um diese Zeit schloß er mit Ludwig Tieck (s. d.) einen Freundschaftsbund. H. sollte 1800 Amtshauptmann im Thüringer Bergkreis werden und wollte sich im August 1800 verheiraten, wozu es aber wegen des Ausbruchs der Schwindsucht nicht mehr kam. – Auf einer mit dem Kreisamtmann Just am 17. 11. 1794 unternommenen Dienstreise lernte H. die noch nicht dreizehnjährige Sophie von Kühn kennen, die Stieftochter des Freiherrn von Rogggenthin auf Grüningen. Sie war das Ideal seiner Träume, die Muse, die seine Dichtungen verklären sollte. Das Glück der nach vielen Kämpfen im März 1795 errungenen Verlobung war nur von kurzer Dauer. An einem langwierigen Leberleiden starb Sophie am 19. 3. 1797, zwei Tage nach ihrem 15. Geburtstag, und hinterließ den Dichter in größter Verzweiflung. Er entschloß sich, ohne Anwendung gewaltsamer Mittel, durch Verhungern, noch binnen Jahresfrist Sophie nachzufolgen. Dieses Herzeleid hat den Dichter zu früher Vollendung gereift. Davon geben seine 6 »Hymnen an die Nacht« beredtes Zeugnis. Sie spiegeln den Kampf zwischen Lebensfreude und Todessehnsucht poetisch wider, der in der jungen Seele des Dichters tobte. H. aber errang den Sieg über jene krankhafte Stimmung und drang allmählich durch zu einer tiefen, christlichen Frömmigkeit. Davon zeugen seine »Geistlichen Lieder«, die zu den schönsten Blüten der romantischen Schule zählen. Bekannt sind u. a.: »Wenn ich ihn nur habe, wenn er mein nur ist…«; »Wenn alle untreu werden, so bleib ich dir doch treu«; »Unter tausend frohen Stunden, die im Leben ich gefunden, blieb nur eine mir getreu«; »Was wär ich ohne dich gewesen, was würd ich ohne dich, Herr, sein?«; »Ich sag es jedem, daß er lebt und auferstanden ist.« In seinem geschichts-philosophischen Aufsatz »Die Christenheit oder Europa« (geschrieben 1799) beklagt H. die Spaltung der europäischen Christenheit durch die Reformation und Aufklärung und erhofft vom Universalismus der mittelalterlichen Kirche und Frömmigkeit ihre Wiedergeburt und Einigung. Das letzte und bedeutendste Werk

von H. ist der unvollendete Roman »Heinrich von Ofterdingen«.

Werke: Geistl. Lieder, entstanden 1799/1800, ersch. Tübingen 1801; Hymnen an die Nacht (Gedichtzyklus), ersch. Berlin 1800, in: Athenäum III; Die Christenheit oder Europa, entstanden 1799, ersch. Berlin 1826; Heinrich v. Ofterdingen (fragmentar. Roman), ersch. Berlin 1802; Die Lehrlinge zu Sais (Romanfragment), begonnen 1798, ersch. Berlin 1802; Fragmente (naturwiss.-philos.-aphorist. Schrr.), Berlin 1802. – *Ausgg.:* Schrr., hrsg. v. Friedrich Schlegel u. Ludwig Tieck, 2 Bde., 1802; u. Eduard v. Bülow, 3 Bde., 1837–46[5]; – Schrr. Krit. Neuausg. auf Grund des Nachlasses, hrsg. v. Ernst Heilbronn, 2 Bde., 1801; – Werke, hrsg. v. Wilhelm Bölsche, 3 Bde., 1903; – krit. Ausg. v. Jakob Minor, 4 Bde., 1907 (1923[8]); – Werke in 4 Tln., hrsg. v. Hermann Friedemann, 1908 (1920[2]); – Werke, krit. Ausg. v. Paul Kluckhohn u. Richard Samuel, 4 Bde., 1929; I[2], 1960; II[2], 1965; III[2], 1968 (Rez. v. Elisabeth Stopp, in: Modern language review 66, Cambridge 1971, 220 ff.); IV[2], 1975; – Werke u. Briefe. Hrsg. v. Rudolf Bach, 1942; – Briefe u. Werke, hrsg. v. Ewald Wasmuth. I (Briefe u. Tagebücher), 1943; II (Die Dichtungen), 1943; III (Die Fragmente), 1943; – Werke, Briefe, Dokumente. Hrsg. v. Ewald Wasmuth (Neuaufl.). I, 1953 (Nachdr. 1968); II. III, 1957; IV, 1954; – Ges. Werke. Mit einem Lebensber. hrsg. v. Carl Seelig, 5 Bde., Herrliberg – Zürich 1945–46; – Werke u. Briefe. Hrsg. u. mit einem Nachw. vers. v. Alfred Kelletat, 1953 (Neuaufl. 1968); – Werke in 1 Bd. Ausw. u. Nachw. v. Uwe Lassen (d. i. Ulla Leippe), 1959 (1966[3]); – Ausgew. Werke. Hrsg. v. Claus Träger, Leipzig 1962 (RUB 9033/ 9036); – Ges. Werke. Eingel. u. hrsg. v. Hildburg u. Werner Kohlschmidt, 1967; – Werke. Hrsg. u. komm. v. Gerhard Schulz, 1969 (Rez. v. Wolfgang Frühwald in: Germanistik 11, 1970, 344 f.; v. Ludwig Pesch, in: Wort u. Wahrheit. Mschr. f. Rel. u. Kultur 25, 1970, 182 ff.; v. Gustav Konrad, in: Welt u. Wort. Literar. Mschr. 25, 1970, 242; v. W. Kosack, in: Die dt. Univ.-ztg. 25, 1970, H. 8, S. 15; v. Richard Littlejohns, in: German life and letters 25, Oxford 1972, 196 f.); – Werke u. Briefe. Hrsg. v. Rudolf Ibel, 1949; – Geleit auf allen Wegen. Aus dem Gesamtwerk ausgew. v. Wolfgang Kraus, 1952; – Heinrich v. Ofterdingen. Hrsg. v. Paul Kluckhohn, 1953; – N.-Brevier (Werke, Ausz.). Hrsg. v. Monica v. Miltitz, 1956; – N. Ausw. u. Einl. v. Walther Rehm (Fischer-Bücherei 121), 1956; – Erwartung – Erfüllung. Ausgew. u. mit einem Nachw. vers. v. Eberhard Hermann Pältz, 1957; – Hymnen an die Nacht. Heinrich v. Ofterdingen. Hrsg. v. Paul Kluckhohn, 1953; – N.-Brevier (Werke, Ausz.). Aus den Gedichten, Fragmenten u. Briefen. Ausgew. u. mit einem Vorw. vers. v. Otto Heuschele, 1961; – Heinrich v. Ofterdingen. Mit einem Nachw. v. Arthur Henkel, 1963; – Curt Grützmacher, N. Monolog – Die Lehrlinge zu Sais – Die Christenheit oder Europa – Hymnen an die Nacht – Geistl. Lieder – Heinrich v. Ofterdingen – N.' Lebensumstände v. Ludwig Tieck. Mit einem Essay »Zum Verständnis der Werke« u. einer Bibliogr., 1963 (1976[9]: 46.–49. Tsd.); – Gedichte, Romane. Eingel. u. erl. v. Emil Staiger, Zürich 1968; – Die Christenheit oder Europa: ein Fragment. Mit einer Ausw. aus den Fragmenten. Hrsg. u. eingel. v. Otto Heuschele (RUB 7629), 1973 (Nachdr.); – Heinrich v. Ofterdingen: ein Roman. Textrev. u. Nachw. v. Wolfgang Frühwald (RUB 8939/8940), 1974 (Nachdr.); – Hymnen an die Nacht. Heinrich v. Ofterdingen (Goldmann-Klassiker 273), 1974[5]; – Die Lehrlinge zu Sais. Gedichte u. Fragmente. Mit einem Nachw. hrsg. v. Martin Kiessig (RUB 3236), 1975 (Nachdr.).

Lit.: August Coelestin Just, in: Friedrich Schlichtegrolls Nekrolog der Teutschen f. das 19. Jh. IV, 1805, 187 ff.; – Wilhelm Dilthey, N., ein Essay, in: PrJ 15, 1865, 596–650 = Ders., Das Erlebnis u. die Dichtung, (1905) 1957[13], 170–220; – F. v. H. Eine Nachlese aus den Qu. des Familienarch., 1873 (1883[2]); – Gustav Baur, N. als rel. Dichter, 1877; – A. Schubart, N.' Leben, Dichten u. Denken, 1887; – Just Bing, N. (F. v. H.). Eine biogr. Charakteristik, 1893; – Carl Busse, N.' Lyrik (Diss. Rostock, 1897), Oppeln 1898; – Ernst Heilborn, N., der Romantiker, 1901; – Édouard Spenlé, N. Essay sur l'idéalisme romantique en Allemagne, Paris 1904; – Egon Friedell, N. als Philosoph, 1904; – Heinrich Simon, Die theoret. Grdl.n des mag. Idealismus v. N. (Diss. Freiburg/Breisgau), Heidelberg 1905; – Waldemar Olshausen, F. v. H. (N.) Beziehungen z. Naturwiss. seiner Zeit (Diss. Leipzig), 1905; – Johannes Schlaf, N. u. Sophie v. Kühn. Eine psychophysiolog. Stud., 1906; – Eduard Havenstein, F. v. H.s ästhet. Anschauungen. Verbunden mit einer Chronologie seiner Fragmente (Diss. Berlin), 1908 (Nachdr. New York – London 1967); – Johann R. Thierstein, N. u. der Pietismus (Diss. Bern), 1910; – Georg Gloege, N.' »Heinrich v. Ofterdingen« als Ausdruck seiner Persönlichkeit, 1911; – Jakob Minor, Stud. zu N., 1911; – Henry Lichtenberger, N., Paris 1912; – Paul Riesenfeld, »Heinrich v. Ofterdingen« in der dt. Lit. Einl. u. Kap. 1. Die älteren poet. Zeugnisse (Diss. München, 1911), Berlin 1912 (vollst.); – Käte Woltereck, Goethes Einfluß auf N.' »Heinrich v. Ofterdingen« (Diss. München), Weida/Thüringen 1914; – Oskar Walzel, Die Formkunst v. H.s »Heinrich v. Ofterdingen«, in: German.-Roman. Mschr. 7, 1915–19, 403 ff. 465 ff.; – Karoline Heydebrand, »Die Lehrlinge zu Sais« v. N. (Diss. Greifswald), 1919; – Ludwig Kleeberg, Stud. zu N. (N. u. Eckartshausen), in: Euph 23, 1921, 603 ff.; – Gustav Windmann, Stud. zu den »Vermischten Gedichten« des N., mit bes. Berücks. der ersten Verss. (Diss. Göttingen), 1921; – Esther Frank, F. v. H.s (N.) philos. Anschauungen (Diss. Köln), 1921; – Herwarth Dietrich, N.' Gesch.philos. (Diss. Leipzig), 1921; – Paul Josef Cremers, Der mag. Idealismus als dichter. Formproblem in den Werken F. v. H.s (Diss. Bonn), 1921; – Henry Powell Spring, The Religion of N., Wooster/Ohio 1921; – Ders., N. Pioneer of the Spirit, Winter Park/Florida 1946; – Karl Atzenbeck, Der Tod in der Weltanschauung der Romantik, dargest. an F. v. H.s (N.) Dichtungen u. Fragmenten (Diss. München), 1922; – Walter Feilchenfeld, Der Einfluß Jakob Böhmes auf N. (Diss. Berlin), 1922 (Nachdr. Nendeln/Liechtenstein 1967); – Rudolf Unger, Herder, N. u. Kleist. Stud. über die Entwicklung des Todesproblems in Denken u. Dichtern v. Sturm u. Drang z. Romantik, 1922 (Nachdr. Darmstadt 1968 u. 1973); – Hilmar Rocke, Der Frömmigkeitstypus des N. (Diss. Halle), 1924; – Hermann Hesse u. Karl Isenberg, N. Dokumente seines Lebens u. Sterbens, 1925; – Karl Justus Obenauer, Hölderlin, N. Ges. Stud., 1925; – Richard Samuel, Die poet. Staats- u. Gesch.auffassung F. v. H.s (N.). Stud. z. romant. Gesch.philos. (Diss. Berlin, 1924), Frankfurt/Main 1925 (Nachdr. Hildesheim 1975); – Ders., Der berufl. Werdegang H.s, in: Romantik-Forsch. v. Betty Heimann, Josef Körner, Hermann Gumbel (u. a.), 1929, 85 ff.; – Ders., Der hs. Nachlaß des Dichters. Zur Gesch. des Nachlasses v. N., 1930 (Nachdr. Hildesheim 1973); – Ders., Die Form v. F. H.s Abh. »Die Christenheit oder Europa«, in: Stoffe – Formen – Strukturen. Festschr. f. Hans Heinrich Borcherdt, 1962, 284 ff.; – Ders., N.' »Heinrich v. Ofterdingen«, in: Der dt. Roman. Hrsg. v. Benno v. Wiese, I, 1963, 252 ff.; – August Ullner, Entstehungsgesch. v. N.' »Hymnen an die Nacht«. Eine monogr. Unters. (Diss. Frankfurt/Main), 1926; – Werner Flörcke, N. u. die Musik mit bes. Berücks. des Musikal. in N.' »Hymnen an die Nacht« (Diss. Marburg), 1928; – Helene Oberbeck, Die rel. Weltanschauung des N. (Diss. Berlin), 1928; – Werner Herzog, Mystik u. Lyrik bei N. (Diss. Jena), Stuttgart 1928 (Tl.dr.); – Fanny Imle, N. Seine philos. Weltanschauung, 1928; – Hermann Pixberg, N. als Naturphilosoph, 1928; – Alfred Wolf, Zur Entwicklungsgesch. der Lyrik v. N. Ein stilkrit. Vers. I: Die Jugendgedichte, Uppsala 1928; – Martin Waehler, F. v. H. (N.), in: Mitteldt. Lb. III, 1928, 286 ff.; – Benno v. Wiese, N. u. die romant. Konvertiten, in: DVfLG 16. Buchreihe, 1929, 205 ff.; – Martin Greiner, Das frühromant. Naturgefühl in der Lyrik v. Tieck u. N. (Diss. Leipzig), 1930; – Heinrich Eyselein, N.' (F. v. H.s) Gedanken z. Bildung des Menschen (Diss. Erlangen), 1930; – Heinz Ritter, N.' »Hymnen an die Nacht«. Ihre Deutung nach Inhalt u. Aufbau auf textkrit. Grdl.; ihre Entstehung; mit Faks. der »Hymnen« H.s (Diss. Bonn), Heidelberg 1930 (1974² wesentl. erw.); – Ders., Die Datierung der »Hymnen an die Nacht«, in: Euph 52, 1958, 114 ff.; – Ders., Die »Geistl. Lieder« des N. Ihre Datierung u. Entstehung, in: Jb. der dt. Schiller-Ges. 4, 1960, 308 ff.; – Ders., Die Entstehung des »Heinrich v. Ofterdingen«, in Euph 55, 1961, 163 ff.; – Ders., Der unbekannte N. F. v. H. im Spiegel seiner Dichtung, 1967 (Rez. v. Lida Kirchberger, in: Mhh. f. dt. Unterricht, dt. Sprache u. Lit. 61, Madison/Wisconsin 1969, 397 f.); – Jutta Hecker, Das Symbol der blauen Blume im Zshg. mit der Blumensymbolik der Romantik (Diss. München), Jena 1931; – Albert Höft, N. als Künstler des Fragments. Ein Btr. z. Gesch. des dt. Aphorismus (Diss. Göttingen), Berlin 1935; – Kurt Borraß, Hoffnung u. Erinnerung als Struktur v. H.s Welthaltung u. deren Verhältnis z. Form (Diss. Münster), Bochum-Langendreer 1936; – Edgar Hederer, F. v. H.s »Christenheit oder Europa« (Diss. München), Zeulenroda 1936; – Ders., N., Wien 1949; – Werner Steindecker, Stud. z. Motiv des einsamen Menschen bei N. u. Tieck (Diss. Breslau), 1937; – Ernst Guenther, F. v. H. (N.) u. sein Verhältnis z. erzählenden Dichtung (Diss. Hamburg), 1938; – Amalie Weihe, Der junge Eichendorff u. N.' Naturpantheismus (Diss. Marburg), Berlin 1939 (Nachdr. Nendeln/Liechtenstein 1967); – Anni Carlsson, Die Fragmente des N., Basel 1939; – Walter Brückner, Die Knospe v. Grüningen. Die trag. Liebe des F. v. H. (N.) u. der Sophie v. Kühn. Roman aus empfindsamer Zeit, 1939; – Martin Beheim-Schwarzbach, N., F. v. H., 1939 (1953³); – Heinrich Fautek, Die Sprachtheorie F. v. H.s (N.) (Diss. Göttingen), Berlin 1939; – Robert Janecke, Friedrich u. Sophie. Roman einer Liebe, 1940; – Irmtrud v. Minnigerode, Die Christusanschauung des N. (Diss. Tübingen), Würzburg-Aumühle 1941; – Maria Schneider, Dichter, Tod u. Liebe. Roman, 1941; – Paul Kluckhohn, Das Ideengut der dt. Romantik, 1941 (1953³); – Wilhelm Korff, Das Märchen als Urform der Poesie. Stud. z. Klingsohr-Märchen des N. (Diss. Erlangen), 1941; – Erich Sobtzyk, N. u. Fichte (Diss. Breslau), 1942; – Max Kommerell, N.' »Hymnen an die Nacht«, in: Gedicht u. Gedanke. Auslegungen dt. Gedichte, hrsg. v. Heinz Otto Burger, 1942, 202 ff.; u. in: Wege z. Gedicht. Einf. in Sinn u. Form u. Interpretation dt. Lyrik. Hrsg. v. Rupert Hirschenauer u. Albrecht Weber, 1959, 191 ff.; – Emilia A. Durini, N., Modena 1943; – Ewald Wasmuth, Sophie oder Über die Sprache, 1943; – Ders., Irdische u. himml. Liebe. Ein N.-Gedächtnis, in: Wort u. Wahrheit. Mschr. f. Rel. u. Kultur 6, 1951, 197 ff.; – Ders., Nach innen geht der geheimnisvolle Weg. Ein Vers. z. Poetik v. N., in: Die neue Rdsch. 69, 1958, 718 ff.; – Maria Hamich, Die Wandlungen der myst. Vereinigungsvorstellung bei F. v. H. (Diss. Straßburg), 1944; – Henry Kamla, N.' »Hymnen an die Nacht«. Zur Deutung u. Datierung, Kopenhagen 1945; – Reinhold Schneider, Der Dichter vor der Gesch. Hölderlin, N., 1946²; – Ders., N. u. der Tod, in: Ders., Dämonie u. Verklärung, Vaduz 1947, 99 ff.; u. in: Ders., Über Dichter u. Dichtung, 1953, 92 ff.; – Maurice Besset, N. et la pensée mystique, Paris 1947; – Ursula Flickenschild, N.' Begegnung mit Fichte u. Hemsterhuis (Diss. Kiel), 1947; – Antonius Johannes Maria Bus, Der Mythus der Musik in N.' »Heinrich v. Ofterdingen« (Diss. Amsterdam), Alkmaar 1947; – Klaus Ziegler, Die Religiosität des N. im Spiegel der »Hymnen an die Nacht«, in: ZdPh 70, 1947–49, 396 ff.; 71, 1953, 256 ff.; – Luitgard Albrecht geb. Natorp, Der mag. Idealismus in N.' Märchentheorie u. Märchendichtung (Diss. Marburg), 1948; – Kurt Goldammer, N. u. die Welt des Ostens. Vom Werden u. v. den geschichtl. Bildekräften romant. Weltanschauung u. Religiosität, 1948; – Monica v. Miltitz, N. Romant. Denken z. Deutung unserer Zeit, 1948; – Dies., N. in anthroposophischer Betrachtung, 1954 (1973² u. d. T.: N.; romant. Denken z. Deutung unserer Zeit; Rez. v. Richard Samuel, in: Erziehungskunst. Zschr. f. Päd. Rudolf Steiners 38, 1974, 370 ff.); – Hans Peter Jaeger, Hölderlin-N. Grenzen der Sprache, Zürich 1949; – Waldemar Augustiny, Tod u. Wiedergeburt des Dichters. Ein Vers. über N., 1949; – Wilhelm Kirchner, Die persönl. Stileinheit der Weltanschauung des N. (Diss. Würzburg), 1949; – Hans Heinrich Borcherdt, Der Roman der Goethezeit, 1949, 363 ff.; – Emil Ermatinger, F. v. H., in: Ders., Dt. Dichter 1700–1900, II, 1949, 139 ff.; – Armand Nivelle, Die Auffassung der Poesie in den Fragmenten v. N., Brüssel 1949; – Ders., der symbol. Gehalt des »Heinrich v. Ofterdingen«, ebd. 1950; – Walther Rehm, Orpheus. Der Dichter u. die Toten. Selbstdeutung u. Totenkult bei N., Hölderlin, Rilke, 1950, 15 ff.; – Hugo Kuhn, Poet. Synthesis oder Ein krit. Vers. über romant. Philos. u. Poesie aus N.' Fragmenten, in: Zschr. f. philos. Forsch. 5, 1950/51, 161 ff. 358 ff.; – Gerhard Bonarius, Zum mag. Realismus bei Keats u. N. (Diss. Marburg), Gießen 1950; – Wilfried Brunsbach, Erlebnis u. Gestaltung der Natur bei F. v. H./N. Eine Stud. z. Phänomenologie der Frühromantik (Diss. Bonn), 1951; – Kurt Ihlenfeld, Unvergänglicher N., in: Ders., Poeten u. Propheten, 1951, 340 ff.; – Jacques Roos, Aspects littéraires du mysticisme philosophique et l'influence de Boehme et de Swedenborg au début du romanticisme: William Blake, N., Ballanche, Strasbourg 1951; – Friedrich Hiebel, N. der Dichter der blauen Blume (340 ff.: Bibliogr. der Werke v. u. über N.), 1951 (1972², überarb. u. stark verm., u. d. T.: N., dt. Dichter, europ. Denker, christl. Seher. – Rez. v. Hans Erhard Lauer, in: Die Kommenden. Eine unabhängige Zschr. f. geist. u. soziale Erneuerung 26, 1972, 14 f.; v. Rudolf Meyer, in: Die Christengemeinschaft. Mschr. z. rel. Erneuerung 44, 1972, 157 f.; v. Manfred Leist, in: Erziehungskunst. Zschr. f. Päd. Rudolf Steiners 36, 1972, 494 f.; v. Richard Samuel, in: Germanistik 14, 1973, 171 f.); – Walter Müller-Seidel, Probleme neuerer N.-Forsch., in: German.-roman. Mschr. NF 3, 1953, 274 ff.; – Jury Striedter, Die Fragmente des N. als »Praefigurationen« seiner Dichtung (Diss. Heidelberg), 1953; – Paul Emanuel Müller, N.' Märchenwelt (Diss. Zürich), 1953; – Heinz Bollinger, N. »Die Lehrlinge zu Sais«. Vers. einer Erl. (Diss. Zürich), Winterthur 1954; – Elisabeth Hellmer, Friedrich Schlegel u. N. nach ihren Briefen (Diss. München, 1955), 1954; – Ernst Betz, Die Dichtungen des N. Ihr Kompositionsprinzip – der Ausdruck seiner Gesch.anschauung (Diss. Erlangen), 1954; – Eugen Biser, Abstieg u. Auferstehung. Die geist. Welt in N.' »Hymnen an die Nacht«, 1954; – Theodor Haering, N. als Philosoph, 1954; – Rudolf Meyer, N. Das Christus-Erlebnis u. die neue Geistessoffb., 1954 (1972². – Rez. v. F. M. Reuschle, in: Die Christengemeinschaft 44, 1972, 228 ff.); – Peter Küpper, Unters. z. Zeitmotiv u. Zeitproblem im Werke des N. (Diss. Köln), 1954; – Ders., Die Zeit als Erlebnis des N., 1959 (veränd. Diss.); – Irmgard Trosiener, Der Wechselbezug v. Einzelnem u. Ganzem in den Fragmenten des N. (Diss. Freiburg/Breisgau), 1955; – Beate Luther, Bedeutungsbereiche bei N. Dargest. am Traum v. der blauen Blume (Diss. München), 1955; – Werner Kohlschmidt, Der Wortschatz der Innerlichkeit bei N., in: Ders., Form u. Innerlichkeit. Bttr. z. Gesch. u. Wirkung der dt. Klassik u. Romantik, 1955, 120 ff.; – Wilhelm v. Scholz, N., in: Die Großen Deutschen, hrsg. v. Hermann Heimpel, Theodor Heuß u. Benno Reifenberg, II, 1956, 335 ff.; – Rudolf Wolfgang Schmidt, Die Endzeitvorstellungen bei N. Stud. z. Problem der Eschatologie in der dt. Romantik (Diss. Wien), 1956; – Otto Borst, F. v. H.s Wirkungen in der zweiten u. dritten Phase der dt. Romantik (Diss. Tübingen), 1956; – Friedrich Schlegel u. N. Biogr. einer Romantikerfreundschaft in ihren Briefen, hrsg.

v. Max Preitz, 1957; – Wilfried Malsch, Zur Deutung der dichter. Wirklichkeit in den Werken des N. (Diss. Freiburg/Breisgau), 1957; – Ders., Europa, poet. Rede des N. Deutung der frz. Rev. u. Reflexion auf die Poesie in der Gesch., 1965; – Otto Heuschele, N., in: Ders., Weg u. Ziel. Essays, Reden u. Aufss., 1958, 196 ff. 361; – Gerhard Schulz, Die Berufstätigkeit F. v. H.s (N.) u. ihre Bedeutung f. seine Dichtung u. seine Gedankenwelt (Diss. Leipzig), 1958; – Ders., N. In Selbstzeugnissen u. Bilddokumenten, 1969 (1975⁴. Rez. v. Manfred Frank, in: Germanistik 11, 1970, 345; v. Ludwig Pesch, in: Wort u. Wahrheit. Mschr. f. Rel. u. Kultur 25, 1970, 182 ff.; v. Elisabeth Stopp, in: German life and letters 25, Oxford 1972, 183 f.); – N. Btrr. zu Werk u. Persönlichkeit F. v. H.s. Hrsg. v. dems., 1970 (Rez. v. Friedrich Schnack, in: Das Antiquariat 22, 1972, 135 f.; v. R. Ayrault, in: Études germaniques 27, Paris 1972, 291 f.; v. Winfried Kudszus, in: Mschr. f. dt. Unterricht, dt. Sprache u. Lit. 65, Madison/Wisconsin 1973, 98 ff.; v. Elisabeth Stopp, in: Modern language review 68, Cambridge 1973, 460; v. Jacques Weisshaupt, in: Les études classiques 41, Namur 1973, 376); – Günther Wahnes, F. v. H., in: Mitteldt. Köpfe. Lbb. aus einem Jt., 1959, 93 f.; – Bruce Haywood, A Study of Imagery in the Works of N. (Diss. Harvard Univ./USA, 1956) Cambridge/Massachusetts 1959 (u. d. T.: N., the Veil of Imagery; a study of the poetic works of F. v. H.); – Henri Clemens Birven, N. Magus der Romantik, 1959; – Ders., N., in: Mensch u. Schicksal. Halb-Mschr. f. das Gesamtgebiet der Geisteswiss. 13, 1959, Nr. 1, S. 1 ff.; Nr. 2, S. 14 ff.; Nr. 3, S. 1 ff.; Nr. 4, S. 15 ff.; Nr. 5, S. 7 ff.; – Edmund Godde, Stifters »Nachsommer« u. der »Heinrich v. Ofterdingen« (Diss. Bonn, 1959), 1960; – Hans Wolfgang Kuhn, Der Apokalyptiker u. die Politik. Stud. z. Staatsphilos. des N. (Diss. Freiburg/Breisgau, 1959), 1961; – Joachim Stieghahn, Mag. Denken in den Fragmenten F.s v. H. (N.) (Diss. Berlin F.U.), 1962; – Dietrich Löffler, »Heinrich v. Ofterdingen« als romant. Roman (Diss. Leipzig), 1963; – Werner Vordtriede, N. u. die frz. Symbolisten. Zur Entstehungsgesch. des dichter. Symbols, 1963; – N.: Europa oder die Christenheit (Die Christenheit oder Europa) – Utopie oder Wirklichkeit. Vers. einer Antwort v. Ursula v. Mangoldt, 1964; – Hans Düvel, Metaphor. Sprechen v. Kunst bei N. Ein Btr. z. Verstehen seines Philosophierens (Diss. Göttingen), 1965; – R. Leroy, Die N.schen Bilder der »Nacht«, in: Revue des langues vivantes 31, Brüssel 1965, 390 ff.; – Hans-Joachim Mähl, Die Idee des goldenen Zeitalters im Werk des N. Stud. z. Wesensbestimmung der frühromant. Utopie u. zu ihren ideengeschichtl. Voraussetzungen (Diss. Hamburg, 1961), Heidelberg 1965 (Rez. v. Thomas Metscher, in: Das Argument. Zschr. f. Philos. u. Sozialwiss.en 13, 1971, 551 ff.); – Ders., Romantik. 1. N.: Das Allg. Brouillon Materialien z. Enzyklopädistik 1789/99. Eine hist.-krit. Ed. 2 Goethes Urteil über N. Ein Btr. z. Gesch. der Kritik an der dt. Romantik (Hab.-Schr., Hamburg), 1967; – Oskar Serge Ehrensperger, Die epische Struktur in N.' »Heinrich v. Ofterdingen«. Eine Interpretation des Romans (Diss. Zürich), Winterthur 1965; – Carl Paschek, Der Einfluß Jacob Böhmes auf das Werk F. v. H.s (N) (Diss. Bonn), 1966; – Helmut Schanze, Romantik u. Aufklärung. Unterss. zu Friedrich Schlegel u. N. (Diss. Frankfurt/Main, 1965), Nürnberg 1966; – Ders., Index zu N.' »Heinrich v. Ofterdingen«, 1968 (Rez. v. Wolfgang Klein, in: Germanistik 10, 1969, 383 f.; v. Elisabeth Stopp, in: Modern language review 68, Cambridge 1973, 458 ff.; v. Mark Alford, in: German life and letters 26 Oxford 1973, 356); – Ders., Zur Interpretation v. N.' »Heinrich v. Ofterdingen«. Theorie u. Praxis eines vollst. Wortindex, in: Wirkendes Wort. Dt. Sprache in Forsch. u. Lehre 20, 1970, 19 ff.; – Manfred Dick, Die Entwicklung des Gedankens der Poesie in den Fragmenten des N. (Diss. Mainz, 1965), Bonn 1967; – Hermann-Friedrich Hugenroth, Die dialekt. Grundbegriffe in der Ästhetik des N. u. ihre Stellung im System (Diss. München), 1967; – Leonard Forster, A note on N. and the Herrnhuter, in: German life and letters 22, Oxford 1968, 11 ff.; – Eckhard Heftrich, N. Vom Logos der Poesie, 1969 (Rez. v. Manfred Frank, in: Germanistik 12, 1971, 122 f.); – Silvio Vietta, Sprache u. Sprachreflexion in der modernen Lyrik, 1970; – Johannes Mahr, Übergang z. Endlichen. Der Weg des Dichters in N.' »Heinrich v. Ofterdingen« (Diss. Würzburg), München 1970 (Rez. v. Gustav Konrad, in: Welt u. Wort. Literar. Mschr. 25, 1970, 241 f.; v. R. Ayrault, in: Études germaniques 25, Paris 1970, 429; v. Manfred Frank, in: Germanistik 13, 1970, 556 f.; v. Judith Purver, in: Modern language review 66, Cambridge 1971, 460 f.; v. Andreas Huyssen, in: Mhh. f. dt. Unterricht, dt. Sprache u. Lit. 63, Madison/Wisconsin 1971, 86 f.; v. Ingrid Lotze, in: The Germanic review 47, New York 1972, 154 ff.; v. N. Horton Smith, in: Erasmus. Speculum scientiarum 24, London 1972, 217 ff.; v. R. J. Taylor, in: German life and letters 25, Oxford 1972, 283); – Richard Faber, N., die Phantasie an die Macht, 1970; – Ulrich Gaier, Krumme Regel. N.' »Konstruktionslehre des schaffenden Geistes« u. ihre Tradition, 1970 (Rez. v. Gerhard Schulz, in: Germanistik 11, 1970, 764 f.; v. Elisabeth Stopp, in: Modern language review 68, Cambridge 1973, 458 ff.); – Ursula Heukenkamp geb. Krause, Das Progr. einer Selbstbefreiung durch Poesie u. Imagination in N.' »Hymnen an die Nacht« (Diss. Berlin), 1970; – Dies., Die Wiederentdeckung des »Wegs nach innen«. Über die Ursachen der N.-Renaissance in der ggw. bürgerl. Ges., in: Weimarer Btrr. Zschr. f. Lit.wiss. 19, 1973, 105 ff.; – Willi Hartmann, Der Gedanke der Menschwerdung. Eine rel.philos. Stud. über die Fragmente u. Stud.aufzeichnungen F. v. H.s (N.) (Diss Frei-

burg/Breisgau), 1971; – Bernhard Rank, Romant. Poesie als rel. Kunst. Stud. zu ihrer Theorie bei Friedrich Schlegel u. N. (Diss. Tübingen), 1971; – Hannelore Link, Abstraktion u. Poesie im Werk des N. (Diss. München), Stuttgart – Berlin – Köln – Mainz 1971 (Rez. v. Gustav Konrad, in: Welt u. Wort 26, 1971, 428; v. G. G. W., in: Journal of European studies 1, London 1971, 275 f.; v. Manfred Frank, in: Germanistik 13, 1972, 144 f.); – John Neubauer, Bifocal vision N.' philosophy of nature and disease, Chapel Hill (North Carolina) 1971 (Rez. v. James M. McGlathery, in: Journal of English and Germanic philology 71, Urbana/Illinois 1972, 429 ff.; v. Elisabeth Stopp, in: Modern language review 68, Cambridge 1973, 458 ff.; v. Peter Kapitza, in: Germanistik 14, 1973, 664; v. Marianne Winder, in: German life and letters 27, Oxford 1974, 154 f.; v. Walter Schatzberg, in: Lessing Yearbook 6, München 1974, 232 ff.); – Winfried Kudszus, Gesch.verlust u. Sprachproblematik in den »Hymnen an die Nacht«, in: Euph 65, 1971, 298 ff.; – Helmut Koch, Der philos. Stil des N. (Diss. Münster, 1971), 1972; – Albert Steffen, Die Botschaft N. Hrsg. v. Friedrich Behrmann, Dornach (Schweiz) 1972; – N. in Zeugnissen seiner Zeitgenossen: Friedrich Schlegel, Karl v. Hardenberg, Ludwig Tieck, August Coelestin Just. Nachw. v. Heinz Ritter, 1973; – Wolfgang Sommer, Schleiermacher u. N. Die Christologie des jungen Schleiermacher u. ihre Beziehung z. Christusbild des N., Bern – Frankfurt/Main 1973; – Uta Benz-Lindenau, Unterss. z. Sprachstil in N.' dichter. Werk (Diss. Hamburg), 1973; – Margot Seidel, Die »Geistl. Lieder« des N. u. ihre Stellung z. Kirchenlied (Diss. Bonn), 1973; – Rolf-Peter Janz, Autonomie u. soziale Funktion der Kunst. Stud. z. Ästhetik v. Schiller u. N. (Diss. Berlin F.U., 1972), Stuttgart 1973; – Ernst-Georg Gäde, Eros u. Identität: z. Grundstruktur der Dichtungen F. v. H.s (N.) (Diss. Marburg, 1973), 1974; – Roland Heine, Transzendentalpoesie: Stud. zu Friedrich Schlegel, N. u. Ernst Theodor Amadeus Hoffmann, 1974; – Heribert Hartmann, Zur Aktualität der Raum-Zeit-Auffassung des N. (Diss. Bonn), 1974; – Sara Ann Malsch, The image of Martin Luther in the writings of N. and Friedrich Schlegel: the speculative vision of history and religion (Diss. Univ. of Washington), Bern – Frankfurt/Main 1974; – Klaus Ruder, Zur Symboltheorie des N. (Diss. Marburg, 1972), 1974 (Rez. v. Ansgar Hillach, in: Germanistik 15, 1974, 657 f.); – Johannes Hegener, Die Poetisierung der Wiss.en bei N.: dargest. am Prozeß der Entwicklung v. Welt u. Menschheit. Stud. z. Problem enzyklopäd. Welterfahrens (Diss. Bonn, 1972), 1975; – Karl Grob, Ursprung u. Utopie: Aporien des Textes; Verss. zu Herder u. N. (Diss. Zürich, 1975), Bonn 1976; – Hirsch IV, 432 ff.; – Barth, PrTh 303–342; – Kosch, LL I, 830 ff.; – WeltLit II, 1259 f.; – Eppelsheimer, WL 395 f. – KLL I, 2506 f. (Die Christenheit oder Europa); III, 200 ff. (Fragmente). 562 ff. (Geistl. Lieder). 1583 ff. (Heinrich v. Ofterdingen). 2293 ff. (Hymnen an die Nacht); IV, 1170 ff. (Die Lehrlinge zu Sais); – Wilpert I², 1194 f.; II, 312 f. (Fragmente). 355 f. (Geistl. Lieder). 441 f. (Heinrich v. Ofterdingen). 485 (Hymnen an die Nacht). 631 (Die Lehrlinge zu Sais); – ADB X, 562 f.; – NDB VII, 652 f.; – EKL II, 1637 f.; – RGG IV, 1536 ff.; – LThK VII, 1061 f.; – EC VIII, 1969 f.; – ODCC² 984.

HARDER, Augustin, Komponist, * 17. 7. 1775 in Schönerstedt bei Leisnig (Sachsen) als Sohn eines Lehrers, † 22. 10. 1813 in Leipzig. – Seinen ersten Musikunterricht erhielt H. bei seinem Vater. Nach dem Besuch des Gymnasiums in Dresden bezog er die Universität Leipzig. Durch Musikunterricht verschaffte sich H. zum Teil die Mittel zu einem Theologiestudium, das er aber schließlich aufgab um sich ganz der Musik zu widmen. H. lebte als Musiklehrer in Leipzig und war ein beliebter Komponist von volksmäßigen Liedern, besonders für Gitarre. Wir verdanken ihm die Weise zu dem Lied von Paul Gerhardt (s. d.) »Geh aus, mein Herz, und suche Freud«.

Werke: Verz. der Werke u. Ausgg., in: MGG V, 1502 f.; Eitner V, 21.

Lit.: Gustav Schilling, Universal-Lex. der Tonkunst, 1836; – François Fétis, Biographie universelle des musiciens et bibliographie générale de la musique, 8 Bde. (Paris 1860–65²); – Hermann Mendel, Musical. Konversationslex., fortges. v. August Reißmann, IV, 1880, 520 f.; – Max Friedlaender, Das dt. Lied im 18. Jh., 1902; – Josef Zuth, Hdb. der Laute u. Gitarre, Wien 1926; – Fritz Buek, Die Gitarre u. ihre Meister, 1927; – Lucy Gelber, Die Liederkomponisten A. H., Friedrich Heinrich Himmel, Friedrich Franz Hurka, Carl Gottlieb Hering. Ein Btr. z. Gesch. des musikal. Liedes z. Anfang des 19. Jh.s (Diss. Berlin), 1936; – Gerber II, 500 ff.; – Riemann I, 734.

HARDING, Stephan, dritter Abt von Cîteaux (südlich von Dijon), Heiliger, * 1059 in Merriott (England), † 28. 3. 1134 in Cîteaux. – H. wurde Benediktiner in

Sherborne und erhielt seine Ausbildung in Lismore (Irland), Paris und Rom. Er trat dann in die Benediktinerabtei Molesme (Diözese Langres) ein. Da er mit der Durchführung der strengen Klosterregel in seinem Kloster nicht durchdrang, siedelte der Abt Robert von Molesme (s. d.) mit 21 Mönchen, darunter auch H., 1098 nach Cîteaux über und gründete hier das Stammkloster des Zisterzienserordens. H. war 1109–1133 Abt von Cîteaux, ein Vorkämpfer der Zisterzienserreform, die die Rückkehr zur wörtlichen Beobachtung der Regel anstrebte, ein hervorragender Organisator. Die von ihm ausgearbeitete »Charta caritatis« gab der Zisterzienserreform die einheitliche Rechtsgrundlage; sein »Exordium Cisterciensis coenobii« ist die älteste Quelle der Zisterzienser-Ordensgeschichte. Er verlangte von den Mönchen ernste Handarbeit, äußerste Einfachheit in Kirchenschmuck und -gerät und bescheidene Verpflegung. Diese Strenge schreckte viele vom Eintritt in das Kloster ab. Das wurde anders, als Bernhard von Clairvaux (s. d.) 1112 mit etwa 30 Verwandten und Freunden, von denen vier seine Brüder waren, in das strenge Reformkloster Cîteaux eintraten. – H. ist auch bekannt durch Verbesserung des Vulgatatextes (s. Hieronymus) in dem für den Ordensgebrauch bestimmten Bibelexemplar. – H. wurde 1623 heiliggesprochen. Fest: zuerst 17. April, seit 1683 am 16. Juli.

Lit.: John Dobree Dalgairns, Life of S. St. H., abbot of Cîteaux and the founder of the Cistercian Order, London 1844 (with notes by Herbert Thurston, hrsg. v. John Henry Newman, 1898²; dt. 1865); – S. Étienne H. et les premiers recenseurs de la Vulgate Latine Thédulfe et Alcuin, Amiens 1887; – Gregor Müller, Cîteaux v. J. 1109 bis 1119, in: Cist 28, 1916, 1 ff.; – Ders., Aus den letzten Lebensj. des hl. Stephan (1120–1134), ebd. 46, 1934, 1 ff.; – Tiburtius Hümpfner, Die Bibel des hl. St. H., ebd. 29, 1917, 73 ff.; – Othon Ducourneau, Les Origines Cisterciennes, Ligugé 1933, 128 ff.; – Kassian Haid, Die Bedeutung des hl. St., in: Cist 46, 1934, 57 ff.; – Ailbe John Luddy, Centenary Life of St. St. H., Dublin 1934; – La Bibliographie de S. É. H., in: CollOCR 1, 1934, 57 ff.; – Augustinus Lang, Die Bibel St. H.s, in: Cist 51, 1939, 247 ff. 275 ff. 294 ff.; 52, 1940, 6 ff. 17 ff. 33 ff.; – Seraphinus Lenssen, Hagiologium cisterciense I, Tilbourg 1948, 9 ff.; – G. de Bouard, La charte de charité cistercienne et son évolution, in: RHE 49, 1954, 391 ff.; – Ludwig Julius Lekai, Gesch. u. Wirken der weißen Mönche (The white Monks, dt.). Der Orden der Cistercienser. Dt. Ausg. hrsg. v. Ambrosius Schneider, 1958, 357; – J. de la Croix Bouton, Histoire de l'Ordre de Cîteaux, Westmalle (Belgien) 1959, 73 ff.; – Charles Oursel, La Bible de S. É. H. et le scriptorium de Cîteaux, in: Cîteaux. Commentarii Cistercienses 10, Westmalle 1959, 34 ff.; – Ders., Miniatures cisterciennes (1109–1134), Mâcon 1960; – Ders., S. É. H., abbé de Cîteaux, Dijon 1962; – Jean Marilier, Chartes and Documents . . . de Cîteaux, Rom 1961, 223; – Jean B. van Damme, Formation de la constitution cistercienne. Esquisse historique, in: Studia Monastica 4, Montserrat 1962, 111 ff.; – Zimmermann³ 64, 67 f.; – AS Apr. II, 493 ff.; – BS XI, 1398 ff.; – Wimmer³ 476; – Torsy 508; – Braun 678; – DNB VIII, 1217 ff.; – DHGE XV, 1226 ff.; – DSp IV, 1489 ff.; – LThK IX, 1044; – NCE XIII, 699; – ODCC² 1309; – Kosch, KD 1309 f.

HARDOUIN, Jean, Jesuit, Philologe und Theologe, * 22. (23.?) 12. 1646 in Quimper (Bretagne) als Sohn eines Verlagsbuchhändlers, † 3. 9. 1729 in Paris. – H. trat 1660 als Novize in den Jesuitenorden ein. Er lehrte am Ordenskolleg Louis-le-Grand in Paris als Professor Klassiker und Rhetorik und 1683–1718 positive Theologie und war dort zugleich Bibliothekar. – H. war einer der größten Gelehrten seiner Zeit. Sein Hauptwerk, eine umfangreiche Konziliensammlung, ist zuverlässiger als die des Giovanni Domenico Mansi (s. d.), kam aber wegen Beanstandung einiger Sätze durch die Sorbonne erst nach 10 Jahren (1725) in den Buchhandel. Von seinen Klassikerausgaben ist die der »Historia naturalis« des Plinius besonders geschätzt.

Der Wert seiner Arbeiten als klassischer Philologe, Numismatiker, Archäologe, Historiker und Theologe wurde beeinträchtigt durch maßlose, unsachliche Kritik und unmögliche Hypothesen und dogmatische Eigenwilligkeiten. Er vertrat u. a. die Christologie des Adoptianismus und behauptete u. a., die meisten klassischen und viele frühchristliche Schriften seien unecht, d. h. Mönchsfälschungen des 13. Jahrhunderts; die meisten der alten Münzen seien Nachahmungen aus jüngster Zeit; Christus und die Apostel hätten nur lateinisch gepredigt. So zog sich H. viel berechtigten Widerspruch zu. Die Oberen des Ordens verurteilten seine unhaltbaren Hypothesen und dogmatischen Ansichten. Er widerrief und unterschrieb die von den Oberen veröffentlichte Verurteilung. Mehrere seiner Schriften wurden in das Verzeichnis der verbotenen Bücher aufgenommen.

Werke: Plinii Secundi historiae naturalis libri XXXVII, 5 Bde., Paris 1685 (3 Bde., 1723 ff.²); Conciliorum collectio regia maxima. Acta conciliorum et epistolae decretales, ac constitutiones Summorum pontificum ab anno 34 ad 1714, 12 Bde., ebd. 1714 bis 1715; Commentarius in Novum Testamentum, Amsterdam 1741 (1742 indiziert). – Opera selecta, Amsterdam 1709; Opera varia, ebd. 1733 (kamen beide 1739 auf den Index).
Lit.: Franz Heinrich Reusch, Der Index der verbotenen Bücher II, 1885, 804 ff.; – Henri Quentin, Jean-Dominique Mansi et les grandes collections conciliaires, Paris 1900, 38 ff.; – E. Galletier, Un breton du XVII° siècle à l'avant-garde de la critique, in: Annales de Brétagne 36, 1925, 462 ff.; 38, 1928, 171 ff.; – Catalogue général des livres imprimés de la bibliothèque nationale. Auteurs 68, Paris 1929, 664 ff.; – J. van Ooteghem, Un commentateur extravagant d'Horace: le Père H., in: Les études classiques 13, 1945, 222 ff.; – Dictionnaire des lettres françaises: Le dix-septième siècle, hrsg. v. Georges Grente, Paris 1954, 489; – Owen Chadwick, From Bossuet to Newman. The Idea of Doctrinal Development, Cambridge 1957, bes. 49–51. 211–13; – Sommervogel IV, 84 ff.; IX, 456 f.; – Koch, JL 766 f.; – CathEnc VII, 135 f.; – DThC VI, 2042 ff.; – EC VI, 1362 f.; – Catholicisme V, 510 f.; – HN IV, 794. 1198 ff.; – LThK V, 5; – NCE VI, 925; – ODCC² 618 f.; – RE VII, 416 f.; – RGG III, 75.

HARDT, Hermann von der, Orientalist, * 15. 11. 1660 in Melle (Fürstentum Osnabrück) als Sohn eines Münzmeisters, † 28. 2. 1746 in Helmstedt. (luth.) – H. besuchte 1671–79 das Gymnasium in Herford, Osnabrück, Bielefeld und Coburg und studierte bei dem Privatgelehrten Esdras Edzard (s. d.). 1683 erwarb er in Jena die Magisterwürde und begann mit Privatvorlesungen. H. ging 1686 nach Leipzig und hielt nach Erlangung der Rechte eines Magisters Vorlesungen über orientalische und altklassische Sprachen. Er wurde Mitglied des »Collegium philobiblicum«, dem auch August Hermann Francke (s. d.) angehörte. Mit ihm und anderen Mitgliedern schloß er einen engen Freundschaftsbund. Um zu einem tieferen Verständnis der Heiligen Schrift zu kommen, begab sich H. 1687 zu Philipp Jakob Spener (s. d.) nach Dresden und blieb dort ein Jahr. Mit Francke reiste dann H. zu dem Lüneburger Superintendenten Kaspar Hermann Sandhagen (s. d.), unter dessen Anleitung er sich zu einem rechten Exegeten zu bilden suchte. Diese Männer vermittelten ihm die Verbindung zu dem frommen Herzog Rudolf August von Braunschweig, der ihn 1688 als Bibliothekar und Sekretär in seine Dienste nahm und darauf bei den übrigen Regenten des braunschweigisch-lüneburgischen Gesamthauses es durchsetzte, daß H. im Herbst 1690 zum o. Professor der orientalischen Sprachen in Helmstedt ernannt wurde. 1699 ernannte ihn der Herzog noch zum Propst des Klosters Marienberg und 1702 zum Unterbibliothekar. H. verließ sehr bald die pietistische

Richtung und ging als Theologe allmählich immer entschiedener zum Rationalismus über. Wegen seiner rationalistischen Bibelerklärung untersagte ihm 1712 das Universitätskuratorium die exegetischen Vorlesungen und wiederholte das Verbot 1713. 1727 wurde er aller akademischen Arbeiten enthoben, mit Ausnahme der Bibliotheksgeschäfte, und gleich darauf vollends in den Ruhestand versetzt. – H. war ein äußerst fleißiger Schriftsteller. Von den etwa 560 Schriften seien erwähnt die »Autographa Lutheri« mit wichtigen Schriften aus der Reformationszeit und die umfangreiche und wertvolle Urkundensammlung zum Konstanzer Konzil. Weniger bekannt ist H. als Alttestamentler mit seinem Beitrag zur historisch-kritischen Erforschung des Alten Testaments.

Werke: Magnum oecumenicum Constantiense concilium de universali ecclesiae reformatione, unione et fide, 6 Bde., Frankfurt – Leipzig 1697–1700; VII (Reg.), 1742; Autographa Lutheri aliorumque celebrium virorum ab anno 1517 usque ad annum 1546, reformationem aetatem et historiam egregie illustrantia, 3 Bde., Braunschweig 1690. 1691. Helmstedt 1693.

Lit.: Heinrich Wilhelm Rotermund, Das gelehrte Hannover II, 1823; – Friedrich August Gotttreu Tholuck, Das akadem. Leben des 17. Jh.s II, 1854, 49 ff.; – Ferdinand Lamey, H. v. d. H. in seinen Briefen u. seinen Beziehungen zum Braunschweiger Hofe, zu Spener, Francke u. dem Pietismus = Beil. I zu den Hss. der Ghzgl. Bad. Hof- u. Landesbibl. Karlsruhe, 1891; – Hans Möller, H. v. d. H. als Alttestamentler (Hab.-Schr., Leipzig), 1962 (Verz. der Druckschrr.: ca. 560; der hs. erhaltenen Schrr.: ca. 47; der nicht mehr erhaltenen Schrr.: ca. 49); – ADB X, 595 f.; – NDB VII, 668 f.; – RE VII, 417 ff.; – RGG III, 75; – LThK V, 5 f.; – NCE VI, 925.

HARING, Johann, Kirchenrechtler, * 5. 8. 1867 in Wettmannstetten (Steiermark) als Sohn eines Bauern, † daselbst 25. 12. 1945. – Da er Priester werden wollte, trat H. 1880 in das Knabenseminar Graz ein und studierte 1888–92 Theologie an der Universität Graz. 1891 empfing er die Priesterweihe und war dann vorübergehend Kaplan in Leibnitz und Schladming. Als Studienpräfekt und Adjunkt im Priesterseminar Graz (seit 1892) setzte H. dort seine theologischen Studien fort und promovierte 1896 zum Dr. theol. Dann war er zwei Jahre wissenschaftliche Hilfskraft bei dem Kirchenrechtslehrer Rudolf von Scherer (s. d.) und arbeitete sich so auf kirchenrechtlichem Gebiet ein. H. studierte an der Universität Graz die Rechte, promovierte 1902 zum Dr. jur. und wurde 1899 Extraordinarius an der Theologischen Fakultät in Graz, 1900 ao. und 1906 o. Professor des Kirchenrechts. Er war 1935 Rektor der Universität und trat 1937 in den Ruhestand. – H. war auf dem Gebiet des kanonischen Rechts eine auch in Rom anerkannte Autorität und auf Grund seiner hervorragenden Fachkenntnisse ein geschätzter Ratgeber der österreichischen Bischöfe. An den Verhandlungen zum österreichischen Konkordat vom 5. 6. 1933 war er maßgeblich beteiligt.

Werke: Die Kasuistik in der Moraltheol., in: ThPQ 49, 1896; Der Rechts- u. Gesetzesbegriff in der kath. Ethik u. in der modernen Jurisprudenz, 1899; Die Schadensersatzpflicht der Erben f. Delikte des Erblassers nach kanon. Recht (Theol. Stud. der Leoges. 6), 1903; Grundzüge des kath. KR I, 1906; II, 1908; III, 1910 (I–III, 1924⁴; ErgH. 1917/18); Kirche u. Staat, 1907; Einf. in das Stud. der Theol., 1911; Das Lehramt der kath. Theol., 1926; Der kirchl. Eheprozeß, 1929 (1932²); Der kirchl. Strafprozeß, 1931; Abhh. in: ThPQ; AkathKR; StL; LThK.

Lit.: Oskar Graber, Univ.prof. Prälat Dr. J. H., Graz 1948; – Nikolaus Grass, Die KR.lehrer der Innsbrucker Univ. v. 1672 bis z. Ggw., in: Veröff. des Mus. Ferdinandeum 31, Innsbruck 1951, 206; – Ders., Östr. Kanonistenschulen aus 3 Jhh., in: ZSavRGkan 72, 1955, 358 f.; – NDB VII, 673; – ÖBL II, 188 f.; – Kosch, KD 1350; – LThK V, 12.

HARLESS, Adolf von (seit 1854), luth. Theologe, * 21. 11. 1806 in Nürnberg als Sohn eines Kaufmanns und Handelsgerichtsassessors, † 5. 9. 1879 in München. – Nach glänzend bestandenem Abitur trat an den erst 16jährigen H. die Frage heran, welchem Studium er sich zuwenden solle. »Der Kaufmannsstand, den ich aus eigener Anschauung am genauesten kannte, übte auf mich keine Anziehung. Die Musik, zu der es mich am meisten zog, war mir zur Pflege als Schmuck des Lebens zwar sattsam empfohlen, als Lebensberuf aber nach der Ansicht und dem Willen der Eltern ernstlich widerraten worden. Was sonst phantastisch oder philisterhaft in den Gemütern junger Menschen auftaucht: der Gedanke an den Glanz oder die Gemächlichkeit dieser oder jener äußeren Lebensstellung lag mir gänzlich fern. Befragte ich aber die besondere Begabung, wie sie mir hätte aus einer vorwiegenden oder ausschließlichen Neigung, verbunden mit dem Urteil der Lehrer oder der Eltern, klarwerden können, so gab mir auch auf diese Frage nichts entscheidende Antwort. Ich fand mich nach den verschiedensten Seiten hin angeregt, und unter den Leistungen in der Schule wurde, soweit ich urteilen konnte, keine vor den anderen belobt oder ausgezeichnet. Zum Studium der Theologie spürte ich nicht die geringste Neigung.« Mit dem Entschluß, Philologie zu studieren, bezog H. 1823 die Universität Erlangen. Nach seiner Absage an die Philologie versuchte er es mit der Rechtswissenschaft, wandte sich dann, freilich nicht ohne Zögern, der Theologie zu. Von den theologischen Lehrern wirkten nur der neutestamentliche Exeget Johann Georg Benedikt Winer (s. d.) und der Kirchengeschichtler Johann Georg Veit Engelhardt (s. d.) befruchtend auf ihn ein. Christian Krafft (s. d.) wurde für ihn nicht von solcher Bedeutung wie für andere: »Eine religiös-sittliche Einwirkung ging auch für mich von dem Mann aus; aber eine wissenschaftlich-theologische Befriedigung fand ich nicht.« Seit Ostern 1826 widmete sich H. in Halle mit großem Eifer philosophischen und theologischen Studien. Friedrich August Gotttreu Tholuck (s. d.) gewann starken Einfluß auf ihn. »In meinem Innern war eine Umwandlung vorgegangen, welche ich nicht nach ihren Anfängen, wohl aber nach dem entscheidenden Wendepunkt bezeichnen kann. Es war das an einem Abend auf dem Heimgang aus einer theologischen Gesellschaft. Nicht das Gespräch dieses Abends hatte einen entscheidenden Eindruck gemacht, wohl aber der Umstand, daß ich zu bekennen den Anlaß hatte, welche Worte der Schrift mich unlängst wie ein Blitz getroffen hatten. Das eine war das Wort Christi: ›Wie könnt ihr glauben, die ihr Ehre voneinander nehmt, und die Ehre, die von Gott allein ist, sucht ihr nicht?‹ (Joh 5, 44). Das andere aber war Christi Ausspruch: ›Meine Lehre ist nicht mein, sondern des, der mich gesandt hat. So jemand will des Willen tun, der wird innewerden, ob diese Lehre von Gott sei oder ob ich von mir selbst rede‹ (Joh 7, 16. 17). Wie oft mochte ich zuvor schon diese Worte gelesen haben! Aber ihre Kraft hatte ich noch nicht erfahren. Jetzt waren sie über mich wie eine zerschmetternde Gewalt gekommen. Sie deckten mir wie mit einemmal den Abgrund meines Herzens und die Verkehrtheit meiner Wege auf. Nach Menschenlob und Menschenehre hatte ich mehr gegeizt als nach der Ehre, die von Gott allein ist. Wie sollte es da zu wahrhaftigem Glauben an das Kreuz Christi kommen, das den Griechen eine Torheit, den Juden aber ein Ärgernis ist? Auf den Wegen der Spekulation hatte ich gesucht, die Wahrheit zu erkennen, statt einfach den Willen dessen zu tun, der den eingeborenen Sohn als den Weg, die Wahrheit und das Leben gesandt hat. Was war nötiger, als den Anfang mit der Tat zu machen, und zwar mit der Tat des Gebets: ›Herr, ich glaube; hilf du meinem Unglauben! Heile du mich, so werde ich heil; bekehre du mich, so werde ich bekehrt.‹ Verschlossen in mich und wenig mitteilsam, wie ich war, hatte ich schon länger so in meinem Herzen gerungen. An jenem Abend aber kam es zum Geständnis und Bekenntnis. Und daß es so kam, das fühlte ich auf dem Heimweg wie ein vor Gott und Menschen abgelegtes Gelübde, nunmehr andere und neue Wege zu wandeln. Daß ich hier noch gar manchen Kampf zu bestehen haben würde, das konnte ich mir nicht verbergen. Aber die Anziehungskraft der früheren geistigen Irrwege war und blieb gebrochen. Das Forschen in der Schrift war mehr vom Gebet um das Leben, das von Gott kommt, denn von dem Durst nach Wissen getragen. ›Wer wissen will, um zu wissen, der ist ein Tor‹ (qui scire vult ut sciat stultus est) – dieses Wort Johannes Wessels (s. d.) war mir zum Wahlspruch geworden. Nun erst, nachdem ich an der Hand der Schrift erfahren und erkannt hatte, was seligmachende Wahrheit sei, wandte ich mich zu den Bekenntnisschriften meiner Kirche. Ich kann die Überraschung und Rührung nicht beschreiben, mit welcher ich fand, daß deren Inhalt dem konform sei, wessen ich aus der Schrift und aus der Erfahrung des Glaubens gewiß geworden war.« Um sich für theologische Vorlesungen in Erlangen habilitieren zu können, mußte H. nach einer alten Bestimmung erst Dr. phil. geworden sein und philosophische Kollegien gelesen haben. So promovierte er am 13. 6. 1828 mit einer Arbeit über die Schöpfung aus dem Nichts (De creatione ex nihilo) zum Dr. phil. Seine philosophische Habilitationsschrift handelte über die Lehre von dem Bösen und dessen Ursprung (1829; De malo eiusque origine). Da er ohne die vorschriftsmäßigen beiden Kandidatenprüfungen nicht zur theologischen Habilitation zugelassen werden konnte, legte H. diese 1829 ab und habilitierte sich 1830 mit der Schrift »De revelatione et fide«. Am 27. 11. 1831 verheiratete sich H. mit Lidy Rothe, der Tochter eines Mathematikprofessors in Erlangen, die aber am 5. 11. 1832 nach der Geburt eines totgeborenen Knäbleins starb. »Der schwere Schlag, der meine irdischen Lebenshoffnungen zu zerstören schien, trieb mich an, mich mit doppeltem Eifer nicht bloß des Studiums, sondern auch des Gebets in die Schätze des neutestamentlichen Wortes zu versenken. Der Erklärung desselben galt jetzt die Mehrzahl meiner theologischen Vorlesungen. Und die Zahl der mir ergebenen und eifrigen Zuhörer wuchs zusehends.« 1833 wurde ihm eine ao. Professur mit dem Nominalfach der neutestamentlichen Exegese übertragen. Die Frucht seiner exegetischen Forschung wurde der 1834 erschienene Kommentar zu dem Brief an die Epheser. Nachdem er einen Ruf nach Dorpat

abgelehnt hatte, wurde H. 1836 zum o. Professor ernannt mit dem Auftrag, auch über christliche Moral, theologische Enzyklopädie und Methodologie zu lesen. Damit brach für ihn eine neue und die glänzendste Periode seines Lebens an. 1836–42 war er auch Universitätsprediger. 1836 vermählte sich H. mit Betty Korbach, der Tochter eines reformierten Pfarrers in Erlangen. Die neun Kinder dieser Ehe und seine Gattin († 1896) haben ihn überlebt. 1838 erfolgte die Gründung der »Zeitschrift für Protestantismus und Kirche«, zu deren Schriftleiter man H. bestellte. »Was uns dazu veranlaßte«, schreibt Gottfried Thomasius (s. d.), »war ein zweifacher Gegensatz, der gerade damals recht nahe an uns herantrat und den Bestand des Bekenntnisses und der darauf gebauten Kirche zu gefährden drohte oder doch gefährden wollte: der aggressive Katholizismus und der konfessionslose Protestantismus.« Die Zeitschrift lag von Anfang an in Fehde mit den »Historisch-politischen Blättern«, dem literarischen Organ des Kreises um Joseph von Görres. Veranlaßt durch eine lobpreisende Empfehlung des Jesuitenordens aus der Feder von Görres' in den »Historisch-politischen Blättern«, veröffentlichte H. am 4. 11. 1838 in der »Zeitschrift für Protestantismus und Kirche« den Aufsatz »Die Jesuitenfrucht«, den er erweitert als Flugschrift »Der Jesuitenspiegel« herausgab. Darin wies H. die unsittliche Kasuistik der Jesuitenmoral durch zahlreiche Quellenbelege nach. »Der ganze Inhalt«, schreibt er, »bestand in der Beantwortung der Frage, ob man denn einen Orden, welcher seinen Gliedern erlaubt habe, diese und jene verderblichen Grundsätze öffentlich zu lehren, auch nur im Interesse für Staat und Kirche empfehlenswertes Institut anzupreisen vermöge. Nichts konnte in dieser Schrift den Lobrednern des Ordens empfindlicher fallen als die aus jenen jesuitischen Quellen zitierten und genau wiedergegebenen Belege. Gleichwohl wurde diese Schrift konfisziert und mir selbst ein strafgerichtliches Verfahren in Aussicht gestellt, welch letzteres man aber nach reiferer Überlegung – wie es scheint – wohlweislich unterließ.« Im November 1837 wurde Karl August von Abel (s. d.) zum Minister des Innern ernannt, dem gleichzeitig das Unterrichts- und Kirchenwesen unterstand. Bekannt ist er durch den »Kniebeugungsstreit«. Am 14. 8. 1838 erging folgende Kriegsministerial-Order: »Seine Majestät der König haben allergnädigst zu beschließen geruht, daß bei militärischen Gottesdiensten während der Wandlung und beim Segen wieder niedergekniet werden soll. Das gleiche hat zu geschehen bei der Fronleichnams-Prozession und auf der Wache, wenn das Hochwürdigste vorbeigetragen und an die Mannschaften der Segen gegeben wird. Das Kommando lautet: Aufs Knie!« Bis 1803 gehörte die Kniebeugung ins bayrische Reglement; aber seit 1806 war Bayern unter erheblichem Länderzuwachs ein paritätischer Staat geworden. In dem nun folgenden Kniebeugungsstreit leistete H. kräftigen Widerstand gegen die ultramontane Politik des Ministeriums von Abel. 1840 wurde er von der Universität Erlangen gegen seinen Willen zum Abgeordneten in den Landtag gewählt und siedelte mit seiner Familie nach München über. Als der kühnste Vorkämpfer der protestantischen Partei vertrat H. mannhaft die Interessen seiner Kirche im Landtag und auch in dem literarischen Streit mit Ignaz Döllinger (s. d.), der die Kniebeugungsorder von 1838 verteidigte. Der von 36 Abgeordneten unterschriebene Antrag auf Abschaffung der Kniebeugungsorder, dessen Verfasser und Referent H. war, ging mit Mehrheit in der 2. Kammer durch, wurde aber von der Reichsratskammer abgelehnt. Abel suchte mit Gewaltmaßregeln das erwachende protestantische Bewußtsein niederzudrücken. Dr. Adolf Wiener, Repetent an der Theologischen Fakultät, wurde im Herbst 1842 seiner Repetentenstelle enthoben und auf eine schlecht dotierte Landpfarrei versetzt, Pfarrer Wilhelm Redenbacher von Sulzkirchen im März 1844 vom Amt suspendiert und im Dezember zu einjähriger Festungshaft verurteilt, Pfarrer Dr. Volkert von Ingolstadt im Frühjahr 1845 vom Amt suspendiert und H. durch allerhöchste Entschließung vom 25. 3. 1845 seiner Professur in Erlangen enthoben und als zweiter geistlicher Konsistorialrat nach Bayreuth versetzt. Am 11. 7. 1845 nahm er einen Ruf nach Leipzig an als Professor für Dogmatik, Exegese und Ethik. Rat und Magistrat der Stadt wählten ihn 1847 auch zum Pfarrer an St. Nikolai. Am 27. 2. 1850 wurde H. zum Vizepräsidenten des evangelischen Landeskonsistoriums, zum vortragenden Rat (Geheimen Kirchenrat) im Ministerium des Kultus und des Unterrichts und zum Oberhofprediger an der Sophienkirche in Dresden ernannt. Durch seine Predigten und Bibelstunden, Konfirmandenunterricht und Seelsorge sammelte er sich eine Pastoralgemeinde und entfaltete eine kirchliche Wirksamkeit mit bischöflicher Vollmacht. Seine Visitationsreisen führten ihn in fast alle Teile der Landeskirche. »In zwei Jahren habe ich Land und Leute in Sachsen besser kennengelernt als in 20 Jahren meiner späteren Stellung in Bayern.« König Maximilian II. von Bayern berief H. am 9. 9. 1852 zum Präsidenten des Oberkonsistoriums in München. Seine Rückkehr nach Bayern hat eine lange Vorgeschichte. Am 22. 12. 1849 hatte ihm der König geschrieben: »Ich gebe die Hoffnung nicht auf, Sie dereinst wieder zu uns zurückführen zu können, und gerne werde Ich die sich für die Verwirklichung solcher Hoffnung bietende Gelegenheit ergreifen, nicht zweifelnd, daß dann Ihre treue Anhänglichkeit an das Vaterland Sie nicht zurückbleiben heißt.« Am 9. 9. 1852 schrieb er ihm: »Ich habe durch Signat vom heutigen Ihre Berufung als Präsident meines Oberkonsistoriums angeordnet. Es freut mich, Sie für Bayern gewonnen zu haben, einen Mann, den ich als Kronprinz mit vielem Leidwesen von Uns habe scheiden sehen. Ich hoffe, daß es mir gelingen wird, mit und durch Sie das wahre Wohl des rechtgläubigen Protestantismus zu schützen gegen radikale Bestrebungen.« Die Ernennung zum Präsidenten erfolgte zum 1. 10. 1852. Am 1. 1. 1879 wurde er in den Ruhestand versetzt. – H. war als Begründer einer konfessionell lutherischen Theologie einer der Hauptvertreter der »Erlanger Schule«, der bedeutendsten und theologisch fruchtbarsten Richtung innerhalb der konfessionellen Theologie des 19. Jahrhunderts. Als einer der wirksamsten Förderer lutherisch-kirchlichen Lebens hat er trotz mancherlei Widerstandes das Neuluthertum in der bayrischen Kirche zum Sieg geführt. Unter schweren Kämp-

fen gelang ihm die Einführung eines neuen Gesangbuches, einer neuen Gottesdienstordnung und einer neuen Agende, die die Generalsynode 1853 einstimmig angenommen hat. Es ist ihm zu verdanken, daß Wilhelm Löhe (s. d.), der längere Zeit mit dem Entschluß rang, aus der bayrischen Landeskirche auszutreten, diesen folgenschweren Schritt nicht getan hat. Als einer der einflußreichsten Kirchenmänner seiner Zeit wirkte H. weit über Bayern hinaus: er war der allgemein anerkannte Führer der lutherischen Bewegung in Deutschland. Auch als Dichter wurde H. bekannt. Von seinen Liedern seien genannt: »Es ist eine Nacht gekommen, in Dunkel ist verglommen der Sonne lichter Schein. Herr, Gut und Leib und Seele ich deiner Hut befehle; denn was ich hab, ist alles dein« und »In Ängsten ruf ich, Herre, dich, die Fluten gehen über mich, mit meiner Not bin ich allein; hilf, Herr, erhöre du mein Schrein!«

Werke: Komm. über den Brief Pauli an die Ephesier, 1834 (1858²); Die krit. Bearb. des Lebens Jesu v. David Friedrich Strauß nach ihrem wiss. Wert beleuchtet, 1836; Theol. Enz. u. Methodologie v. Standpunkte der prot. Kirche aus, 1837; Der Jesuitenspiegel, 1839; Christi Reich u. Christi Kraft. 20 Predigten, 1840; Christl. Ethik, 1842 (1893⁸); Offene Antwort an den anonymen Verf. (Ignaz Döllinger) der 2 Sendschreiben, die Frage v. der Kniebeugung der Protestanten betr., 1843; Die ev.-luth. Kirche in Bayern u. die Insinuationen des Herrn Prof. Döllinger, 1843; Die Sonntagsweihe. Predigten I, 1848; II. III, 1849; IV, 1850; V, 1851; VI, 1852; VII, 1856 (4 Bde., 1859/60²); Kirche u. Amt nach luth. Lehre, 1853; Das Buch v. den ägypt. Mysterien. Zur Gesch. der Selbstauflösung des heidn. Hellenismus, 1858; Jakob Böhme u. die Alchymisten, 1860; Die Ehescheidungsfrage. Eine erneute Unters. der nt. Schr.stellen, 1861; Etliche Gewissensfragen hinsichtl. der Lehre v. Kirche, Kirchenamt u. Kirchenregiment, 1862; Das Verhältnis des Christentums zu Kultur- u. Lebensfragen der Ggw., 1863 (1866²); Aus dem Leben in Lied u. Spruch, 1965; Aus Luthers Lehrweisheit, 1867; Gesch.bilder aus der luth. Kirche Livlands, 1869 (1869²); Die kirchl.-rel. Bedeutung der reinen Lehre v. den Gnadenmitteln. Mit bes. Beziehung auf das hl. Abendmahl (mit Theodosius Harnack), 1869; Staat und Kirche oder: Irrtum u. Wahrheit in den Vorstellungen v. »christl.« Staat u. v. »freier« Kirche, 1870; Bruchstücke aus dem Leben eines süddt. Theologen (1. Kinderj.; 2. Studj.), 1872; Dass., NF (1. Lern- u. Lehrj.; 2. Leben in J. in Sachsen: 5 J. 1840 bis 1845 in Leipzig, 2 J. 1850–52 in Dresden), 1875.

Lit.: Karl Buchrucker, Rede am Grabe des Präs. des Oberkons. A. v. H., 1879; – Ernst Luthardt, in: AELKZ 12, 1879, 877 ff. (Worte am Grabe); – Adolf Stählin, A. v. H., in: ZWL 1, 1880, 88 ff. 145 ff.; – Ders., Löhe, Thomasius, H. Drei Lebens- u. Gesch.bilder, 1887, 59–137; – Carl Mirbt, Aus Briefen A. v. H. an Rudolf Wagner (Physiologe) 1853–1863, in: BBKG 3, 1896, 24 ff.; – Wilhelm v. Langsdorf, A. v. H. Ein kirchl. Charakterbild, 1898; – Philipp Bachmann, A. v. H. Eine Stud. z. Gesch. der neueren Theol., in: NKZ 17, 1906, 860 ff. 944 ff.; – Ders., in: Ll. aus Franken II, 1922, 183 ff.; – E. Kolde, Aus H.' Briefwechsel 1850–75, in: BBKG 23, 1916, 49 ff.; – E. Dorn, Aus Briefen H.' an Johann Friedrich Wilhelm Höfling 1833–52, ebd. 241 ff.; – Franz Blanckmeister, Pastorenbilder aus dem alten Dresden, 1917, 174 ff.; – C. Niedner, Wie kam es z. Berufung v. H. nach Leipzig u. damit z. Wendepunkt in der Kirchenpolitik Sachsens?, in: AELKZ 62, 1929, 942 ff. 968 ff.; – Theodor Heckel, A. v. H. Theol. u. Kirchenpolitik eines luth. Bisch. in Bayern, 1933; – Ders., A. v. H. Repräsentant der Luth. Einigungsbewegung, in: Die Kirche in der Welt. Stud. z. Ökumen. Tagung der LWB in Minneapolis. Hrsg. v. dems. u. Georg Lanzenstiel, 1957, 38 ff.; – Robert Charles Schultz, Gesetz u. Ev., 1958, 98 ff.; – Friedrich Wilhelm Kantzenbach, Die Erlanger Theol. Fak. Grundlinien ihrer Entwicklung im Rahmen der Gesch. der Theol. Fak. 1743–1877, 1960, 115 ff.; – Matthias Simon, Die innere Erneuerung der Theol. Fak. Erlangen 1833, in: ZBKG 30, 1961, 51 ff.; – Georg Merz, Kirche, Staat u. Schule im Lebenswerk des luth. Bisch. A. H., in: Ders., Um Glauben u. Leben nach Luthers Lehre. Ausgew. Aufss. Gesammelt u. hrsg. v. Friedrich Wilhelm Kantzenbach, 1961, 9. 183 ff.; – Lutz Mohaupt, Dogmatik u. Ethik bei A. v. H. Ein Btr. zu der Problemverknüpfung v. Erfahrungstheol. u. Zwei-Reiche-Lehre im Neuluthertum (Diss. Hamburg), 1971; – Hirsch V, 198 ff. 414 ff.; – NDB VII, 680 f.; – Kosch, LL I, 834; – RE VII, 421 ff.; XXIII, 615; – EKL II, 26 f.; – RGG III, 75 f.; – ADB X, 763 ff.; – LThK V, 13; – NCE VI, 928; – ODCC² 619.

HARMS, Claus, einer der Väter der erneuerten lutherischen Rechtgläubigkeit, * 25. 5. 1778 in Fahrstedt bei Marne (Süderdithmarschen) als Sohn eines Mühlenbesitzers, † 1. 2. 1855 in Kiel. – H. wurde nach seiner Konfirmation Müllerlehrling und verwaltete, als sein Vater 1796 starb, mit seinem Bruder eine Zeitlang die Mühle. Nach ihrem Verkauf trat er als Knecht bei einem Bruder in Dienst, entschloß sich aber zum Studium der Theologie, als er erfuhr, daß sein väterliches Erbe dazu ausreichte. H. wurde im Herbst 1797 in die Lateinschule zu Meldorf aufgenommen und brachte es durch zähen Fleiß dahin, daß er schon im Herbst 1799 die Universität Kiel beziehen konnte. Obwohl er aus einem streng lutherischen Elternhaus stammte, blieb H. von dem Geist des Rationalismus nicht unberührt. Er las Friedrich Schleiermachers (s. d.) »Reden über die Religion an die Gebildeten unter ihren Verächtern« und »empfing von diesem Buch den Stoß zu einer ewigen Bewegung«, wie er in seiner Selbstbiographie bekennt. Er »erkannte mit einemmal allen Rationalismus und alle Ästhetik und alles Selbstwissen und alles Selbsttun in dem Werke des Heils als nichtig und als ein Nichts« und sah »die Notwendigkeit ein, daß unser Heil von anderer Herkunft sein müßte«. H. nannte darum diese Stunde die Geburtsstunde seines höheren Lebens, die Todesstunde des alten Menschen. Er suchte nach Lebensnahrung und glaubte sie in Schleiermachers Predigten zu finden, mußte aber enttäuscht feststellen: »Der mir gezeugt hatte, der hatte kein Brot für mich.« Durch eifriges Bibelstudium drang H. zum lebendigen Glauben durch und wurde 1802 Hauslehrer in Probsteierhagen bei Kiel und 1806 Diakonus in Lunden (Norderdithmarschen). Er förderte durch seine Predigten den Gottesdienstbesuch, gab Predigtsammlungen heraus und schrieb zwei Katechismen. Als Nachkomme der freien Dithmarscher verlangte H. die Selbstverwaltung der Gemeinden und nahm den Kampf auf gegen die Beamten, die die Bewohner der mit dem Königreich Dänemark in Personalunion verbundenen Herzogtümer Schleswig und Holstein ausbeuteten. Am Sonntag Septuagesimae 1814 rief er in seiner berühmten Predigt »Der Krieg nach dem Kriege oder die Bekämpfung einheimischer Landfeinde« zum Kampf auf gegen allerlei Unrecht, das gewissenlose Beamte dem Volk zufügten. Die Predigt fand weiteste Verbreitung und erregte viel Aufsehen. H. wurde zur Verantwortung herangezogen, belegte aber seine Ausführungen mit Tatsachen und erreichte, daß die Regierung manchen Übelstand abstellte. 1816 wurde er Archidiakonus an der Nikolaikirche in Kiel und nahm nun den Kampf auf gegen den Rationalismus und die Union, veranlaßt durch die Altonaer Bibel, die der Pastor Nikolaus Funk 1815 für den Volks- und Schulgebrauch herausgegeben und mit rationalistischen Erklärungen versehen hatte, und die Unionsbestrebungen zwischen Lutheranern und Reformierten. H. veröffentlichte zum Reformationsjubiläum 1817 mit den 95 Thesen Martin Luthers (s. d.) 95 andere Sätze, in denen er sich gegen die Vernunftreligion und den Unglauben seiner Zeit wandte, die Rückkehr zu den Bekenntnisschriften verlangte, die Altonaer Bibel richtete, das schlaffe Kirchenregiment rügte und gegen die Union eiferte. Einige seiner Thesen seien wiedergegeben: 1. »Wenn unser Meister und Herr Jesus Christus spricht: ›Tut Buße‹, so will er, daß die Menschen sich nach seiner Lehre formen sollen; er formt aber

die Lehre nicht nach den Menschen, wie man jetzt tut, dem veränderten Zeitgeist gemäß.« – 3. »Mit der Idee einer fortschreitenden Reformation, so wie man diese Idee gefasset hat und vermeintlich an sie gemahnt wird, reformiert man das Luthertum ins Heidentum hinein und das Christentum aus der Welt hinaus.« – 9. »Den Papst zu unserer Zeit, unsern Antichrist, können wir nennen in Hinsicht des Glaubens die Vernunft, in Hinsicht des Handelns das Gewissen.« – 14. »Diese Operation, infolge deren man Gott vom Richterstuhl herab und jeden sein eigenes Gewissen hinauf hat setzen lassen, ist geschehen, während keine Wacht in unserer Kirche war.« – 24. »›Zwei Ort, o Mensch, hast du vor dir‹, hieß es im alten Gesangbuch. In neueren Zeiten hat man den Teufel totgeschlagen und die Hölle zugedämmt.« – 27. »Nach dem alten Glauben hat Gott den Menschen erschaffen; nach dem neuen Glauben erschafft der Mensch Gott, und wenn er ihn fertig hat, spricht er: ›Hoja‹ (Jes 44, 12–20).« – 75. »Als eine arme Magd möchte man die lutherische Kirche jetzt durch eine Kopulation (gemeint ist die Union) reich machen. Vollzieht den Akt ja nicht über Luthers Gebein! Es wird lebendig davon, und dann – weh euch!« – 92. »Die evangelisch-katholische Kirche ist eine herrliche Kirche. Sie hält und bildet sich vorzugsweise am Sakrament.« – 93. »Die evangelisch-reformierte Kirche ist eine herrliche Kirche. Sie hält und bildet sich vorzugsweise am Wort Gottes.« – 94. »Herrlicher als beide ist die evangelisch-lutherische Kirche. Sie hält und bildet sich am Sakrament wie am Wort Gottes.« – 95. »In diese hinein bilden sich, selbst ohne der Menschen absichtliches Zutun, die beiden andern. Aber ›der Gottlosen Weg vergehet‹, sagt David.« – Die Thesen entfachten einen erbitterten Streit. In etwa 200 Schriften entschied man sich für oder gegen sie. Durch seine Thesen wurde H. Mitbegründer des Neuluthertums. H. wirkte besonders durch seine volkstümlichen Predigten und das Theologenkränzchen, zu dem Kieler Theologiestudierende regelmäßig am Montagabend in seinem Haus zusammenkamen. Die Frucht dieser Besprechungen ist seine dreibändige »Pastoraltheologie«. Einen Ruf nach St. Petersburg 1819 und einen an die Dreifaltigkeitskirche in Berlin 1834 als Nachfolger Schleiermachers lehnte H. ab. Er wurde 1835 Hauptpastor an St. Nikolai und Propst der Propstei Kiel und 1841 anläßlich seines 25jährigen Amtsjubiläums an der Nikolaikirche zum Oberkonsistorialrat ernannt. Seit 1843 verlor H. langsam das Augenlicht, bis er 1849 völlig erblindete. Das nötigte ihn, 1849 seine Ämter niederzulegen.

Werke: Predigtsmlg.en: Winterpostille, 1908; Sommerpostille, 1811; Christolog. Predigten, 1820; Neue Winterpostille, 1824; Neue Sommerpostille, 1827; Die drei Artikel des Glaubens, 1830 bis 1834; Von der Heiligung, 1833; Von der Schöpfung, 1834; Die hl. Passion, 1837; Das Vater-Unser, 1838; Die Rel.handlungen, 1839; Die Bergpredigt, 1841; Über die Bibel, 1842; Die Offb. Joh., 1844; Die Augsburg. Confession, 1847; Trostpredigten, 1852; Des Christen Glauben u. Leben, 1869; – Das Christentum in einem kleinen Katechismus, aufs neue vorgestellt u. gepriesen, 1809 (1814³); Die Rel. der Christen, in einem Katechismus aufs neue gelehrt, 1810; Das und die 95 Thesen oder Streitsätze Dr. Martin Luthers, teuren Andenkens. Zum bes. Abdruck besorgt u. mit anderen 95 Sätzen, als mit einer Übers. aus anno 1517 in 1817 begleitet, 1817; Daß es mit der Vernunftrel. nichts ist, 1819; Einige Winke u. Warnungen, betreffend Angelegenheit der Kirche, 1820; Pastoraltheol. in Reden an Theol. Studierende, 3 Bde., 1830–34 (I. Der Prediger; II. Der Priester; III. Der Pastor. – 1878³; Neudr. 1896); Lebensbeschreibung, verf. v. ihm selber, 1851 (Neudr. 1929). – Ausgew. Predigten. Mit einer einleitenden Monogr. v. Wilhelm v. Langsdorff (Die Predigt der Kirche, hrsg.

v. Gustav Leonhardi, IV), 1889. – Ausgew. Schrr. u. Predigten, hrsg. v. Peter Meinhold, 2 Bde., 1955 (I. C. H.' Thesen z. Ref.-jub. 1817, bearb. v. G. E. Hoffmann; Schrr. z. Thesenstreit, bearb. v. L. Hein, P. Meinhold u. F. Wassner; Einige Winke u. Warnungen betr. Angelegenheiten der Kirche, bearb. v. P. Meinhold. – II. Abschnitte der Pastoraltheol., bearb. v. L. Hein, P. Meinhold u. F. Wassner; Die Predigten, bearb. v. Joh. Schmidt; Bibliogr., bearb. v. G. E. Hoffmann, 401–413).

Lit.: Michael Baumgarten, Ein Denkmal f. C. H., 1855; – Julius Kaftan, C. H. Ein Vortr., 1875; – Rudolf Bendixen, K. H., in: Ders., Bilder aus der letzten rel. Erweckung in Dtld., 1897, 126 ff.; – Gerhard Schlichting, C. H. als Volkserzieher. Ein Btr. z. Gesch. des Bildungswesens in Schleswig-Holstein (Diss. Erlangen), Hadersleben 1909; – H. Behrend, Der junge C. H., in: ChW 23, 1909, 244 ff.; – Heinrich Zillen, C. H.' Leben in Briefen (Schrr. des Ver. f. Schleswig-Holstein. KG I, 4), 1909; – C. Rolfs u. Gerhard Ficker, Harmsiana I u. II (ebd. II, 7), 1918/19; – Ernst Michelsen, E. Feddersen, J. Lorentzen, Zur Feier des 150. Geb. v. C. H. (ebd. II, 8, H. 4), 1928; – Johannes Lorentzen, Diesseits u. jenseits der Grenzen. Nicolai Frederic Severin Grundtvig u. C. H. Ggw.fragen im Lichte der Vergangenheit, 1933; – Ders., C. H. Lb., 1937; – Matthias Schulz, Der Begriff der Seelsorge bei C. H. u. Löhe (Diss. Erlangen), Gütersloh 1934; – Walther Zilz, K. H. oder der Luther an der Schwelle des 19. Jh.s, 1936; – Heinz Lehmann, C. H. als Prediger, in: PBl 89, 1949, 250 ff.; – Harry Schmidt, Btr. z. Biogr. v. C. H., in: Aus Schleswig-Holsteins Gesch. u. Ggw. Eine Aufs.smlg. als Festschr. f. Volquart Pauls, 1950, 150 ff.; – Jörg Erb, Die Wolke der Zeugen I, 1951, 415 ff.; – Holsten Fagerberg, Bekenntnis, Kirche u. Amt in der dt. konfessionellen Theol. des 19. Jh.s, Uppsala 1952, 5 f. 9 f.; – Friedrich Laubscher, C. H. Ein Vater des Glaubens, 1955; – Martin Schmidt, C. H. u. seine Bedeutung in der Gesch. des Luthertums, in: ELKZ 9, 1955, 37 ff.; – Peter Meinhold, C. H., in: Informationsbl. f. die Gemeinden in den nddt. luth. Landeskirchen 4, 1955, 44 ff.; – Joachim Heubach, Die Auffassung v. der Ordination bei C. H., in: MPTh 44, 1955, 111 ff.; – Johann Schmidt, C. H. u. die Äußere Mission, in: Für Arbeit u. Besinnung. Kirchl. u. theol. Halb-Mschr. 8, 1955, Norddt. Beil., 45 ff.; – Ders., K. H. u. die Basler Mission, in: Ich glaube an eine hl. Kirche. Festschr. f. D. Hans Asmussen z. 65. Geb. Hrsg. v. Walter Bauer u. a., 1963, 168 ff.; – Ders., C. H. u. die Mission, in: So sende ich euch. Festschr. f. Dr. Dr. Martin Pörksen z. 70. Geb. Hrsg. v. Otto Waack in Zus.arbeit mit Justus Freytag u. Gerhard Hoffmann, 1973, 191 ff.; – Friedrich Hauß, Väter der Christenheit II, 1957, 167 ff.; – W. Baltin, C. H., in: Die Christenlehre 11, 1958, 260 ff.; – Friedrich Wilhelm Kantzenbach, C. H. u. seine Bedeutung f. das Neuluthertum des 19. Jh.s, in: ZBKG 28, 1959, 190 ff.; – Peter Meinhold, C. H., in: Informationsbl. f. die Gemeinden in den nddt. luth. Landeskirchen 4, 1955, 44 ff.; – Joachim Heubach, Die Auffassung v. der Ordination bei C. H., in: MPTh 44, 1955, 111 ff.; – Johann Schmidt, C. H. u. die Äußere Mission, in: Für Arbeit u. Besinnung. Kirchl. u. theol. Halb-Mschr. 8, 1955, Norddt. Beil., 45 ff.; – Ders., K. H. u. die Basler Mission, in: Ich glaube an eine hl. Kirche. Festschr. f. D. Hans Asmussen z. 65. Geb. Hrsg. v. Walter Bauer u. a., 1963, 168 ff.; – Ders., Gewinn u. Grenzen konfessioneller Selbstbesinnung in der Theol. v. C. H., in: ELKZ 15, 1961, 329 ff.; – Dietrich Rössler, Zw. Rationalismus u. Erweckung. Zur Predigtlehre bei C. H., in: ZKG 73, 1962, 62 ff.; – Friedrich Wintzer, C. H. Predigt u. Theol. (Diss. Göttingen, 1963), Flensburg 1965; – Lorenz Heim, Die Thesen v. C. H. in der neueren theol. Kritik, in: Schrr. des Ver. f. Schleswig-Holstein. KG R. II, 26–27, 1969–71, 70 ff.; – Wolfgang Wiedemann, Katechet. Grundfragen in Katechismusproblem zw. Aufklärung u. Restauration (1790–1830), bes. bei August Hermann Niemeyer, Friedrich Heinrich Christian Schwarz u. C. H. (Diss. Bonn, 1971), 1972; – ADB X, 607 f.; – NDB VII, 686 f.; – Kosch, LL I, 835; – RE VII, 433 ff.; – EKL II, 27 f.; – RGG III, 76; – LThK V, 16; – ODCC² 619 f.

HARMS, Egmont, Missionsdirektor, * 15. 4. 1859 in Müden an der Oertze (Lüneburger Heide) als Sohn des Pfarrers Theodor Harms (s. d.), † 4. 12. 1916 in Wartburg/Natal (Südafrika). – H. verlebte seine Kindheit in Hermannsburg (Lüneburger Heide), wo sein Vater seit 1866 als Nachfolger seines Bruders Ludwig Harms (s. d.) Missionsdirektor war. E. H. besuchte die Volksschule in Hermannsburg, kam nach seiner Konfirmation auf das Gymnasium in Verden (Aller) und widmete sich dann dem Studium der Theologie in Erlangen und Rostock. Er bestand in Ansbach (Bayern) das erste theologische Examen und wurde Lehrer an der Missionsschule in Hermannsburg. Da sein Vater wegen seiner Opposition gegen die Zivilehe 1877 von der Evangelisch-lutherischen Landeskirche Hannover seines Amtes entsetzt worden war, schloß sich E. H. der lutherischen Freikirche an, und zwar der Immanuel-Synode in Preußen, bei der er auch die zweite theologische Prüfung bestand und die Ordination empfing. Bald wurde er Missionsinspektor in Hermannsburg und nach seines Vaters Tod 1885 Missionsdirektor. Auf seinen Wunsch wähl-

te der Missionsausschuß den Pastor Gottfried Oepke (s. d.) in Wechold bei Verden zum Kondirektor, da H. sobald wie möglich nach Afrika reisen wollte, um die dortige Mission kennenzulernen, und die schon lange geplante Visitation ausgeführt werden sollte. Diese war um so mehr nötig, als die Hermannsburger Mission sich nicht nur in der Heimat, sondern auch in Afrika in einer kritischen Lage befand und sehr angefochten wurde. Da auf dieser Visitationsreise ihn ein im Amt erfahrener Pfarrer begleiten sollte, berief der Ausschuß in Übereinstimmung mit H.s Wunsch Georg Haccius (s. d.) zu dieser Aufgabe. Während beide von Herbst 1887 bis in den Frühling 1889 die große afrikanische Reise ausführten, leitete Oepke die Mission in der Heimat und in Indien. Nach ihrer Rückkehr wirkten H. und Oepke in brüderlicher Gemeinschaft zusammen, bis Gott schon im Februar 1890 Oepke heimrief. Der Missionsausschuß wählte Haccius zu seinem Nachfolger. Auf der Visitationsreise nach Indien vom Herbst 1891 bis zum Frühling des folgenden Jahres ordnete H. neu die dortige Mission. 1896 siedelte er mit seiner Frau und seinen fünf Kindern ganz nach Empangweni in Südafrika über, weil er die persönliche Leitung und Vertretung der beiden dortigen rasch anwachsenden Missionskirchen an Ort und Stelle und das gemeinsame Leben und Arbeiten des Direktors mit den Missionaren für nötig und wichtig hielt. Im Burenkrieg wurde H. am 21. 12. 1899 von britischen Dragonern aus seinem Haus geholt und ohne Angabe der Ursache fast 7 Wochen lang ohne Schuld und Urteil in einer ungerechten und harten Gefangenschaft in Estcourt gehalten. Am 7. 2. 1900 entließ man ihn auf Ehrenwort nach Durban, wo er seine Familie zu sich nehmen konnte, aber unter Polizeiaufsicht stand. Am 5. 3. gab man ihm auf Fürsprache der Prinzessin Mary von Hannover und durch Vermittlung des deutschen Reichskanzlers und des deutschen Gesandten in London seine Freiheit wieder, zumal seine Schuldlosigkeit erwiesen war. Da er wegen des Krieges nach Empangweni nicht zurückkehren konnte, kam H. mit den Seinen nach Deutschland. Seine Entbehrungen im Gefängnis und Gemütsaufregungen haben seine Gesundheit dauernd geschädigt. Eine längere Kur in einem Sanatorium in Bayern brachte ihm zwar Erleichterung, aber seine alte volle Kraft hat er nicht wieder erlangt. Mit dankbarer Freude begrüßte H. den Friedensschluß des Burenkriegs und konnte mit den Seinen nach Afrika zurückkehren. Noch zweimal, 1908 und 1910, kam er zu wichtiger Beratung nach Hermannsburg. 1909 unternahm H. mit seiner Frau von Natal aus für ein Vierteljahr eine zweite Visitationsreise nach Indien, um sein Werk zu vollenden und eine Verbindung zwischen beiden Missionsgebieten herzustellen. Ihm lag es daran, die gesamte auswärtige Mission der Hermannsburger Mission einheitlich zu gestalten. Der Weltkrieg brachte neue Leiden und Entbehrungen. H. wurde mit seinen beiden erwachsenen Söhnen in das Gefangenenlager nach Pietermaritzburg gebracht; ebenso erging es 12 weiteren Missionaren. H. gab man bald wieder frei, während die anderen längere Zeit in Gefangenschaft blieben; er durfte aber nicht nach Kapstadt zurückkehren, wo er während der letzten Jahre wegen seiner schwer angegriffenen Gesundheit lebte. H. wohnte bei Freunden in Natal und pachtete auf dem Kronsberg im Gebiet der deutschen Gemeinde eine kleine Farm. Von dort aus verwaltete und leitete er die gesamte afrikanische Mission und verlebte dort noch ein glückliches Jahr im Kreis seiner Familie.

Lit.: Georg Haccius, Missionsdirektor E. H. (Kleine Hermannsburger Missionsschrr. 57), 1917.

HARMS, Ludwig (Louis), Erweckungsprediger und Begründer der Hermannsburger Mission, * 5. 5. 1808 als Pfarrerssohn in Walsrode (Lüneburger Heide), † 14. 11. 1865 in Hermannsburg an der Oertze. – Als der zweitälteste unter zehn Geschwistern wuchs Ludwig in Hermannsburg heran, wohin sein Vater, der Sohn eines Hamburger Kaufmanns und Enkel eines Bauern in Moorburg bei Harburg, 1817 versetzt worden war. H. besuchte 1825–27 das Gymnasium in Celle und studierte dann in Göttingen Theologie nach dem Willen seines Vaters, aber ganz gegen seine Neigung. »Er beschloß«, schreibt Theodor Harms (s. d.), sein Bruder, »das ganze Gebiet des Wissens zu durchmessen, soweit es möglich wäre. Wunderbar war der Geistesflug, den er nahm. Das Latein sprach er wie seine Muttersprache. Im Griechischen und Hebräischen war er so zu Hause, daß er – wie er mir selbst gesagt – das griechische niederschreiben konnte, was ihm hebräisch gesagt wurde. Er lernte Italienisch, um Dante (s. d.) in seiner Sprache lesen zu können; Spanisch, um den Cervantes recht zu verstehen; Neugriechisch, um es mit dem Altgriechischen vergleichen zu können; Sanskrit, um die uralten Schriften der Inder zu verstehen, die ihn sehr anzogen; Englisch und Französisch verstand er ohnehin. Er studierte Botanik, durchstreifte dazu die ganze Umgegend, und der Botanische Garten war sein Lieblingsaufenthalt; er wandte seinen Lerneifer den Sternen des Himmels zu, so daß er unter den Sternen zu Hause war wie auf der Erde. Mit besonderer Liebe ergab er sich dem Studium des Altdeutschen, und das Nibelungenlied begeisterte seine Seele. Theologie, Philosophie, Philologie, Naturwissenschaft, nichts blieb diesem wunderbaren Geist fremd; aber sein Herz blieb leer.« Bei dem damals auf den theologischen Lehrstühlen herrschenden rationalistischen Geist geriet H. in völligen Unglauben und erklärte darum seinem Vater, er könne nun und nimmermehr Pastor werden, setzte aber in Gehorsam gegen ihn das Studium der Theologie fort. In seinem inneren Zwiespalt und Ringen erlebte H. gegen Ende seiner Göttinger Zeit, wie von dem Wort Jesu aus dem hohepriesterlichen Gebet »Das ist aber das ewige Leben, daß sie dich, der du allein wahrer Gott bist, und den du gesandt hast, Jesus Christus, erkennen« (Joh 17, 3) ein Lichtstrahl in die Nacht und Not seiner Seele fiel, und Gott ihn offenbarte und er zum lebendigen Glauben an den Sohn Gottes durchdrang: »Ich bin kein Säufer oder Hurer gewesen; die Gemeinheit dieser Sünden ekelte mich an; ich verkehrte mit keinem gemeinen Menschen. O, es ist schrecklich, wie der arme Mensch sich täuschen kann! Weil ich nicht gemordet, nicht gehurt, nicht gestohlen hatte, weil ich allezeit die Lüge als einen Schandfleck gemieden, weil ich ein ehrbares und rechtschaffenes Leben geführt

hatte, darum meinte ich Tor, ich wäre kein Sünder. Aber als der Geist Gottes mich einen Mörder schalt um meines Zornes willen, mich einen Hurer und Ehebrecher schalt um unreiner Gedanken willen im Herzen, mich einen Dieb schalt um meines Neides willen, da wurde das arme Herz zerschlagen und zerknirscht, da schwand der Ruhm auf eigene Tugend und Gerechtigkeit gänzlich dahin. – Ich gehöre von Natur und durch Kunst zu den harten Männern. Ich habe es für Weiberwerk gehalten, zu weinen; der Grundsatz, den mir mein Vater eingeprägt hatte, war in mein innerstes Leben übergegangen: mir eher den Kopf abreißen zu lassen, als daß ich eine Träne vergösse. Aber als ich aus den Zehn Geboten durch Erleuchtung des Heiligen Geistes meine Sünden erkannt hatte und ich nun auch zu den verlorenen und verdammten Menschen gehörte und fühlte meine Sünden und mein ganzes Herz bewegte sich, daß ich gegen Gott gesündigt hatte, da habe ich geweint wie ein Kind. – Als ich zum lebendigen Glauben kam, da habe ich die ganze Nacht davor nicht schlafen können. Die Bekehrung eines Menschen geht nicht mit Lachen und Lust zu, sie ist das Weh einer neuen Geburt. Da fühlen wir es hier, tief in unserem Herzen, daß die Welt keinen Trost geben kann; daß kein Mensch uns helfen kann; wir verdammen uns selbst, wollen uns nicht beschönigen und rechtfertigen, sondern geben Gott die Ehre, daß er richte, und das geängstete Herz ruft mit inniger Sehnsucht: ›O daß meine Sünden vergeben werden könnten!‹ Ich habe mich als ein stolzer Mensch gebeugt unter Gottes Wort; ich habe meine Vernunft gefangengenommen, und so habe ich den Herrn Christus gefunden. So muß ihn jeder suchen. – Als ich anfing, den Herrn Jesus ein wenig zu lieben, da fing ich auch an, die Sünde von Herzen zu hassen. Deshalb nahm ich mir vor, allen Sünden den Abschied zu geben. Da habe ich nun gerungen und gekämpft Tag für Tag einen wahrhaft verzweifelten Kampf. Ich wollte nicht sündigen, und ich sündigte doch. Bald war ich hochmütig, bald heftig, bald lieblos, bald böser Lüste voll; dann kam Zweifel, Unglaube, Murren, Ungeduld. So sollte es nicht sein, und ich wollte es auch nicht und konnte es doch nicht lassen. Nichts hat mich so gedemütigt als dieser verzweifelte und doch vergebliche Kampf. Hätte mir da der Herr nicht beigestanden, ich wäre zugrunde gegangen. Aber er half mir, daß ich erkannte, daß alle meine Gerechtigkeit ein unflätiges Kleid sei. Das erfüllte mich mit dem tiefsten Schmerz, und das war Buße.« Nach seinem Examen um die Osterzeit 1830 wurde H. Hauslehrer bei dem Kammerherrn von Linstow in Lauenburg (Elbe). Durch seine gelegentlichen Predigten rief er eine Erweckungsbewegung hervor und sammelte zur Pflege brüderlicher Gemeinschaft einen Kreis von erweckten Christen um sich. H. besuchte die Kranken, besonders eifrig während einer Choleraepidemie, und auf Fürsprache des Kammerherrn auch die Gefangenen im alten Schloßturm. Angeregt durch den Inspektor Johann Heinrich Richter (s. d.) von der Rheinischen Missionsgesellschaft in Barmen, gründete er am 6. 1. 1834 den Lauenburger Missionsverein, der Jahre hindurch um das Recht seiner Existenz kämpfen mußte, bis er von Christian VIII. von Dänemark unter Voraussetzung der Beaufsichtigung durch die Kirchenbehörde bestätigt wurde. Bei einer Schlittenpartie, bei der die Kammerherrin im Stuhlschlitten fuhr, geriet H. auf das Eis der bei Lauenburg in die Elbe mündenden Stecknitz und brach ein. Beide wurden zwar nach geraumer Zeit entdeckt und gerettet; aber H. zog sich eine starke Erkältung zu und einen Rheumatismus, von dem er nie wieder frei wurde. Die Hauslehrerzeit in Lauenburg ging im Herbst 1839 zu Ende, weil nun die Söhne des Kammerherrn von Linstow das Elternhaus verließen und in das Gymnasium in Lüneburg eintraten. Inzwischen hatte H. zwei weitere theologische Prüfungen abgelegt; aber es bestand noch keine Aussicht auf Berufung in ein Pfarramt. Bis Ostern 1840 weilte H. in Hermannsburg; er half seinem Vater beim Unterricht in der Privatschule und predigte gelegentlich. Dann übernahm H. eine neue Hauslehrerstelle bei dem Landbaumeister Pampel in Lüneburg. Auch in dieser Stadt war eine tiefgründige Bewegung die Frucht seiner erwecklichen Predigt. Er kehrte im Herbst 1843 nach Hermannsburg zurück, um seinem alten und kränklichen Vater zu helfen. Dieser beantragte beim Konsistorium, daß sein Sohn in die amtliche Stellung eines Hilfspredigers der Gemeinde Hermannsburg eingewiesen würde. Das Konsistorium und das Ministerium der geistlichen und Unterrichtsangelegenheiten gingen darauf ein. So wurde H. im Oktober 1844 zum »Pastor collaborator«, zum Hilfsprediger, ernannt und am 19. 11. in Hannover zum Predigtamt ordiniert; am 2. Advent trat er in Hermannsburg sein Amt an. Am 31. 10. 1848 starb sein Vater. Die Gemeinde wollte den Hilfsprediger H. als Pfarrer behalten und sandte ein entsprechendes Bittgesuch mit Unterschriften an das Konsistorium in Hannover, das im Oktober 1949 H. zum Pfarrer der Gemeinde Hermannsburg berief. Durch Predigt und Seelsorge weckte er in dem toten Land geistliches Leben und drang ernstlich auf Heiligung des durch Zucht- und Sittenlosigkeit verdorbenen Gemeinde- und Familienlebens. Auch wirkte H. durch die Versammlungen in seinem Haus, über die wir von ihm einen anschaulichen Bericht haben: »Bald nach dem Antritt meines Amtes fanden sich häufig Personen der Gemeinde bei mir ein, die sich weitere Auskunft über die vorgetragenen Wahrheiten des Christentums erbaten. Natürlich kamen diese vorzugsweise des Sonntags sowohl in der Zeit zwischen den beiden Gottesdiensten als nach dem Nachmittagsgottesdienst. Niemand war von mir eingeladen, keiner herzugezogen worden; jeder kam und ging, zu welcher Zeit es ihm beliebte, von dem eigenen Bedürfnis getrieben. Daß aber jeder, der kam, freundlich aufgenommen und jedem die gewünschten Aufschlüsse nach Kräften gern gegeben wurden, versteht sich von selbst. Besonders erfreulich ist es, daß es nicht allein die älteren Leute, sondern in ebenso reichem Maß auch die jüngeren Leute sich zu Gott gezogen fühlen und die Früchte des Geistes darin zeigen, daß sie das Herumtreiben auf den Straßen und in Wirtshäusern unterlassen, sich eines stillen, sittlichen und frommen Lebens befleißigen und die Sonntage in der Kirche und bei der Bibel und häuslicher Unterhaltung zubringen. Fast dasselbe läßt sich von den Schulkindern sagen, die mich ebenfalls fleißig besuchen und denen ich dann biblische Bilder zeige und darüber erzähle. Es ist also für die mich Besuchenden weder Zeit noch Stunde bestimmt; der Sonntag aber ist der Tag, an welchem sie am meisten zu mir kommen, so daß allerdings vom Ende der Nachmittagskirche bis gegen Abend meine Stube nie leer wird; die einen kommen, die anderen gehen. Die Unterhaltung geschieht in der gewöhnlichen plattdeutschen Mundart und verbreitet sich, je nach den Fragen, die getan werden, über alle Gebiete des Christentums. Bald wird gesprochen über einzelne unverstandene Bibelstellen, bald über die täglichen Ereignisse im Licht des göttlichen Wortes, bald über Kirchengeschichte, über Mission usw.« Bei diesen Unterhaltungen kam ihm sehr zustatten seine große Gabe volkstümlicher Erzählung und die meisterhafte Art, mit der er die plattdeutsche Sprache handhabe. Eine Anzahl seiner Erzählungen und Bibelauslegungen in plattdeutscher Sprache hat sein Bruder Theodor unter dem Titel »Honnig. Vertelln und Utleggen in sin Modersprak von Louis Harms« herausgegeben, während eine weitere Auswahl von Erzählungen meist von Missionsfesten und aus dem Missionsblatt in dem Buch »Goldene Äpfel in silbernen Schalen« gesammelt ist. Am nachhaltigsten jedoch wirkte H. als vollmächtiger Prediger durch seine volksnahen, anschaulichen Predigten; seine »Evangelienpostille« gehört zu den verbreitetsten Predigtsammlungen. Wie er zu drängen und zu werben, zu bitten und zu mahnen verstand, zeigt seine Evangelienpredigt zum ersten Adventssonntag. Darin heißt es: »Aber ihr andern, um die ich auch schon geworben habe alle diese Jahre, und ihr habt mir den bitteren Kummer gemacht, daß ihr noch immer ferngeblieben seid, habt euch noch nicht bekehrt zu Jesus, habt ihn noch nicht angenommen als euren Bräutigam, sagt: Soll ich dieses Jahr auch wieder vergebens um euch werben? Wollt ihr noch einmal wieder von euch stoßen die treue Hand eures Jesus? Wollt ihr nicht haben Vergebung der Sünden, Leben und Seligkeit? Was wollt ihr denn? Sterben in euren Sünden ohne Jesus? – Wer weiß, ob ihr nicht in diesem Kirchenjahr zum letzten Mal meine Stimme hört. Und wenn ich dann mit euch vor Gott stehe, soll ich euch dann verklagen vor Gott dem Herrn, da ich euch doch so gern, so unbeschreiblich gern selig haben wollte und wollte so gern mit euch im Himmel sein bei Jesus? Und ich bezeuge es euch vor Gott und seinem heiligen Wort: Ihr könnt nicht selig werden, ihr seid ewig verloren ohne Jesus.« H. war ein eifriger Beter, der seine Gemeindeglieder auf betendem Herzen trug. In einer Predigt sagte er: »Wenn ich euch alle auf dem Armen zu dem Herrn Jesus hintragen könnte und in den Himmel hinein, dann weiß ich, es bliebe keiner von euch draußen, aber ach ich für euch alle noch lange bete, wenn ihr schon alle im Bett liegt, das weiß der Herr, der mich hört.« Durch sein Wirken wurde Hermannsburg bald der Brennpunkt nicht nur des Glaubens-, sondern auch des Missionslebens für ganz Niedersachsen, ja weit über das Hannoverland hinaus. Im Rückblick auf die erste Zeit seiner Wirksamkeit in Hermannsburg erzählt H.: »Dinge, die damals in der Gemeinde völlig unbekannt waren, weil man niemals etwas davon gehört hatte, waren die

Wörter: Mission, Heiden, Heidenbekehrung. Als die Leute erfuhren, daß es noch so viele Hunderttausende Heiden gäbe auf der Erde und daß seit Jahrhunderten eigentlich nichts für die Bekehrung dieser armen Heiden von den Christen geschehen sei; als dann weiter das ganze namenlose Elend der Heiden, die ohne Gott in dieser Welt leben, sich vor ihren schaudernden Augen auftat; als von den Greueln der Sklaverei, der Vielweiberei, des Eltern- und Kindermordes, des Menschenfleischessens, des Götzendienstes, der beständigen unmenschlichen Kriege erzählt wurde, und wie die Heiden deshalb auch äußerlich in unmenschlichem Zustand lebten, nackend und bloß wie das Vieh umherliefen und, was die Hauptsache ist, keinen Gott und keinen Heiland hätten, folglich auch nicht selig werden könnten: da konnte es nicht ausbleiben, daß die christlichen Herzen von Mitleid und Erbarmen ergriffen wurden. Es reihte sich daran bald die Frage, wie denn diesen armen Leuten geholfen werden könnte. Die Antwort war natürlich: Allein durch die Predigt des Evangeliums.« Missionsliebe und Missionseifer erwachten in Hermannsburg. Die ersten Opfergaben erhielt H. Pfingsten 1845. Sie mehrten sich von Jahr zu Jahr und wurden verwandt zur Unterstützung der Norddeutschen Missionsgesellschaft, die sich 1836 aus Gliedern der lutherischen und reformierten Kirche gebildet hatte. Auch junge Männer meldeten sich, die bereit waren, als Missionare zu den Heiden hinauszuziehen. Vergeblich bemühte sich H. um ihre Aufnahme und Ausbildung in einer der schon bestehenden Missionsanstalten. Da kam ihm der Gedanke, in dem weltabgeschiedenen Hermannsburg eine eigene Missionsanstalt zu gründen. Eines Tages erhielt H. einen Brief von seinem Bruder Theodor, der damals Hauslehrer in Wotersen (Lauenburg) war. Er teilte ihm mit, daß die unierte Norddeutsche Missionsgesellschaft, die ihren Sitz in Hamburg hatte, infolge konfessioneller Auseinandersetzungen sich aufgelöst habe und in Bremen als reformierte Mission weiterbestehen werde, so daß für die bisherigen lutherischen Mitglieder dieser Missionsgesellschaft die Frage akut sei, wie sie ihre Missionsarbeit fortsetzen sollten. Im Auftrag vieler Lauenburger Missionsfreunde richtete Theodor an seinen elf Jahre älteren Bruder die Aufforderung, in Hermannsburg eine lutherische Missionsanstalt ins Leben zu rufen. Nach dem Tod seines Vaters ging H. sofort ans Werk. Er kaufte für 4 000 Taler ein noch nicht ausgebautes Bauernhaus mit etwa 10 Morgen Land dabei. Kurz vor der Eröffnung des Missionshauses sagte H. in einer Predigt auf dem Missionsfest in Celle: »Ich werde in Gottes Namen eine Missionsanstalt in Hermannsburg errichten und habe keinen Pfennig dazu. Mit wieviel Zöglingen soll ich anfangen? Mit drei oder vier? Nein, mit zwölf; denn Sein ist alles, Silber und Gold.« Bereits nach einem Jahr war die letzte Rate der Kaufsumme gezahlt. Am 28. 10. 1849 wurde das Missionshaus eingeweiht, an demselben Tag, an dem H. als Pastor in Hermannsburg eingeführt wurde. Zum Missionsinspektor berief er Theodor Harms, der mit 12 Schülern den Unterricht begann und gemeinsam mit ihnen im Haus und Garten arbeitete. H. vertrat eine streng lutherische konfessionelle Richtung: »Laßt uns treu bei dem Bekenntnis unserer lutherischen Kirche blei-

ben. Mir könnte einer 100 Taler bieten, ja, alle Schätze der Welt, ich ließe mein Bekenntnis nicht, ich will ein Lutheraner bleiben bis an mein Ende; denn wir haben Gottes Wort und Sakrament lauter und rein. Wir Lutheraner haben das reinste und unverfälschte Bekenntnis. Darum will ich nicht, daß ihr Bekenntnisgemeinschaft mit den Katholiken und Reformierten haben sollt, ihr sollt euch nicht in eine Union mit den anderen einlassen, sondern wir wollen unverbrüchlich treu halten an unserem Bekenntnis.« Er hat seiner »Bauernmission« das streng lutherische Gepräge gegeben: »Wir wollen den Heiden die lutherische Kirche bringen; denn man kann nichts bringen, als was man hat. Da wir der lutherischen Kirche Glieder sind, so wollen und können wir den Heiden natürlich keine andere Kirche bringen als die lutherische, deren Glieder wir sind. Und das auch deshalb, weil wir in der lutherischen Kirche das Wort Gottes in reiner, unverfälschter Lehre haben und in unserer Kirche Taufe und Abendmahl rein und unverfälscht nach Jesu Einsetzung verwaltet werden.« Bereits im ersten Bericht über seine Hermannsburger Missionsanstalt sagte H.: »Wir arbeiten mit Fleiß daran, daß die Missionszöglinge Gottes Wort und die Lehre der Kirche gründlich erlernen. Und so sollen sie denn dreierlei, das sie hier erlernt und erlebt haben, hinaustragen in die Heidenwelt: die Herrlichkeit unseres Gottesdienstes, die reine Lehre und das reine Sakrament unserer Kirche und die Macht unseres Gesanges, und diese unermeßlichen Schätze sollen sie unseren heidnischen Brüdern unverkümmert mitteilen.« Von Anfang an erstrebte H. die Eingliederung seiner Missionsanstalt in die Landeskirche, »da ja die Heidenbekehrung ein echt kirchliches Werk ist und erst durch die Bestätigung der Kirchenbehörde die rechte Weihe empfangen kann«. An das Konsistorium in Hannover schrieb er 1850: »Der innigste Wunsch meines Herzens ist nur, mit der Kirche, der ich von ganzer Seele angehöre, auch in bezug auf das Missionshaus in organische Verbindung zu treten.« Aber all seine Bemühungen scheiterten daran, daß das Konsistorium in dem Hermannsburger Missionswerk nur eine »Privatunternehmung« sah, auch als es schließlich sich bereit erklärte, das Aufsichtsrecht über das Vermögen der Anstalt zu übernehmen. Als 1853 nach vierjähriger Ausbildung acht Missionskandidaten – von den zwölf waren zwei gestorben, und zwei hatten die Anstalt verlassen – in Kürze ausgesandt werden sollten, bat H. das Konsistorium in Hannover um ihre Prüfung und Ordination. Es lehnte ab. Das Konsistorium in Stade aber vollzog die erbetene Prüfung und Ordination. H. wollte seine ersten Missionare nach Ostafrika zu den Galla, einem wilden Volksstamm in Äthiopien, senden und Kolonisation und Mission miteinander verbinden nach dem Vorbild der frühmittelalterlichen angelsächsischen Mission in Deutschland: »Die ersten sollen zusammen an einem und demselben Ort bleiben und sich ansiedeln, um durch gemeinsame Anstrengung stark genug zu sein, an den Heiden zu arbeiten und ihren Lebensunterhalt zu verdienen. Bildet sich dann um sie eine Heidengemeinde, so sollen etwa zwei bis drei bei ihr zurückbleiben und die übrigen nicht hundert oder zehn, sondern eine, zwei oder drei Meilen weiterziehen und da ebenso wieder anfangen. Die von hier Nachrückenden haben dann gleich, wenn sie hinkommen, Beschäftigung und können um ihren Unterhalt arbeiten, bis sie die Sprache gelernt haben, und besetzen dann ihrerseits geeignete, nahe gelegene Stellen, so daß binnen kurzer Zeit ein ganzes Land mit einem Netz von Missionsstationen umzogen wird und Völker bekehrt und mit christlicher Bildung und Sitte gewappnet werden.« Aus den vielen Kolonisten, die sich meldeten, wählte er acht aus. Als H. überlegte, wie er die Überfahrt seiner Missionare und Kolonisten nach Ostafrika möglichst preiswert gestalte, rieten ihm einige Hamburger Seeleute, ein eigenes Schiff bauen zu lassen, da die Baukosten sich schon durch einige Aussendungen bezahlt machen würden und das Schiff seine Unterhaltskosten durch Frachtfahrten verdienen könne. H. gab den Auftrag zum Bau, ohne zu bedenken, wie die erforderlichen Mittel aufgebracht werden sollten. »Ich will den Herrn so lange um 14 000 bis 16 000 Taler bitten«, sagte er, »bis er sie hergibt, und in ihm habe ich mich noch nie getäuscht.« Am 27. 9. 1853 fuhr H. mit 400 Gemeindegliedern nach Harburg zur Weihe des Schiffes, das nach Apg 8, 37 den Namen »Kandaze« erhielt. Bis zu diesem Tag waren für den Bau des Schiffes an Gaben 12 500 Taler eingegangen und bis zu Anfang 1854 schon über 16 000 Taler bezahlt; der Rest folgte bald danach. Am 28. 10. 1853 trat die »Kandaze« ihre erste Fahrt an nach Ostafrika und landete im Frühjahr 1854 in Sansibar. Die Missionare und Kolonisten konnten aber nicht zu den Galla vordringen, da der arabische Sultan es nicht gestattete, und mußten darum nach Südafrika zurückfahren. Mit Hilfe des Berliner Missionars Wilhelm Posselt (s. d.) fanden sie in der englischen Kolonie Natal unter den Zulukaffern ein Arbeitsfeld und legten im September 1854 südlich von Tugela die Station Hermannsburg an. Der Präsident der Burenrepublik Transvaal rief die Hermannsburger Missionare in das Westbetschuanaland herbei, da die Buren dort keine englischen Missionare mehr zuließen, die christlichen Häuptlinge aber Missionare wünschten. So kam 1857 einer der Hermannsburger Missionare zu den Bakwena, ein anderer zu den im Norden wohnenden Bamangwato, ein dritter zu den Bahurutse weiter im Süden. Nach der Aussendung des ersten Kursus begann H. sofort mit der Ausbildung des zweiten. Der König verlieh der Missionsanstalt in Hermannsburg am 2. 5. 1856 die Rechte einer juristischen Person, und das Konsistorium in Hannover erklärte sich bereit, die Missionskandidaten, die im Herbst 1857 ausgesandt werden sollten, zu prüfen und zu ordinieren. Nach einem erneuten vergeblichen Versuch, zu den Galla vorzudringen, bahnte der norwegische Missionar Hans Paludan Smith Schreuder (s. d.) den Hermannsburger Missionaren den Weg in das freie Zululand. Durch den Bau eines Wagenhauses erwarben sie sich die Gunst des schwarzen Königs, so daß eine um die andere Station gebaut werden konnte. H. nahm 1857 24 junge Männer zur Ausbildung auf und baute, weil die Aufnahmegesuche sich mehrten, ein zweites Missionshaus, das im Herbst 1862 bezogen werden konnte. Da das in Südafrika sich so rasch ausdehnende Missionswerk eines Organisators und einer starken Leitung bedurfte, sandte H. 1860 August Hardeland

(s. d.) als Missionssuperintendent dorthin, der Ordnung zu schaffen wußte, aber so schroff war, daß er sogar die altkirchliche Strafe des Bannes über Missionare verhängte, die sich ihm nicht fügen wollten. 1862 erfolgte in Hermannsburg die dritte Aussendung von Missionaren nach Südafrika. H. durfte es miterleben, wie Gott mit seinem Segen sich bekannte zu der Missionsarbeit in Natal und Zululand, in Transvaal und unter den Betschuanen: »O mit was für Liebe, mit was für Schmerzen, Seufzen und Gebeten und wieder mit was für Freuden hängt mein Herz an der afrikanischen Mission!« Der Gedanke einer sich selbst erhaltenden Kolonialmission hatte sich allerdings nicht verwirklichen lassen. 1864 sandte H. den früheren Leipziger Missionar Mylius nach Indien, der dort die bald hoffnungsvolle Arbeit unter den Telegu begründete. Als H. 1865 starb, bestanden 24 Stationen mit 31 Missionaren. Neun Fahrten hat die »Kandaze« zu Ludwig H.' Lebzeiten unternommen und sechs noch nach seinem Tod. 1875 wurde sie »wegen Altersschwäche« für 5 000 Taler verkauft. Das sauber geschnitzte Modell der »Kandaze« befindet sich über der Kanzel in der Peter-Pauls-Kirche in Hermannsburg.

Werke: Evv.predigten, 1860 (1923[19]); Epistelpredigten, 1865 (1923[19]); Die hl. Passion, 1864 (1894[5]); Nachlaßpredigten über die Evv., 2 Bde., 1868 (1872[2]); Nachlaßpredigten über die Episteln, 1870 (1877[2]); Der Psalter erkl., 1868; Weissagung u. Erfüllung, 1872; Festbüchlein. Betstunden u. Predigten auf die drei Hauptfeste, 1871; Geistl. Blumenstrauß. Predigten über das Leben Johannes des Evangelisten, das güldene ABC u. das apostol. Glaubensbekenntnis, 1874[2]; Brosamen aus Gottes Wort, 2 Bde., 1878/79; Honnig. Vertelln u. Utleggn in sin Modersprak v. L. H., 1864–71 (1919[4]); Goldene Äpfel in silbernen Schalen. Erzz. 1869[4] (1949[23]). – Gab heraus: Hermannsburger Missionsbl., 1854 bis 1865.

Lit.: Theodor Harms, Lebensbeschreibung des Pastors Louis H., 1865 (1911[8]); – Hermann Knaut, L. H. Lb. des Begründers der Hermannsburger Mission, 1899; – C. J. Mehrtens, L. H.', des Begründers der Hermannsburger Mission, Leben u. Wirken, 1902; – Georg Haccius, Hannoversche Missionsgesch. II, 1907 (1910[2]); – Wilhelm Wendebourg, L. H. als Missionsmann. Missionsgedanken u. Missionstaten des Begründers der Hermannsburger Mission, 1910; – Friedrich Meyer, L. H. u. die Kirche, 1920; – Walther Zilz, L. H. oder Der Glaube bricht durch Stahl u. Stein, Miechowitz um 1931; – Heinrich Steege, L. H. ein luth. Glaubenszeuge, 1934; – Ders., L. H. zw. Luthertum u. Pietismus, in: ELKZ 12, 1958, 136 ff.; – Ders., Die Gnade Gottes u. die Verantwortung des Menschen in der Verkündigung v. L. H., in: EvTh 18, 1958, 227 ff.; – Ders., L. H. als Prediger des Ev., 1958; – Hans Salzmann, L. H. Ein Lb., 1936; – Winfried Wickert, Es ging ein Sämann aus, zu säen seinen Samen. L. H. z. Gedächtnis seines 70. Todestags, 1936; – Ders., Und die Vögel des Himmels wohnen unter seinen Zweigen. 100 J. Bauernmission in Südafrika, 1949; – Wilhelm Schmidt, L. H. als Beter. Zum Lernen f. unser Gebetsleben, 1937; – Hans Dannenbaum, Sie werden leuchten wie die Sterne. Männer der Erweckungsbewegung in Niedersachsen. Spitta, Petri, H., 1938; – Joh. Brammer, L. H., der Vater der Hermannsburger Mission, 1949; – Rudolf Schmidt, L. H. bricht mit der Nordd. Mission, in: JGNKG 48, 1950, 120 ff.; – Ders., Die Anträge v. L. H. auf die Einordnung der Mission in die verfaßte Kirche, ebd. 56, 1958, 47 ff.; – Hermann Dörries, L. H., ein dt. Heide- u. Heidenpastor, ebd. 50, 1952, 114 ff.; – Elise Averdieck, Das Hermannsburger Missionsfest im J. 1853. Ein Erlebnisber., übw. v. Hannah Gleiß, 1953; – Jörg Erb, Die Wolke der Zeugen II, 1954, 412 ff.; – Gerhard Heintze, Das Geheimnis wirksamer Verkündigung. Eine Besinnung über L. H., in: Zeitwende 26, 1955, 529 ff.; – Srocka, L. H., in: Kirchenbl. f. ev.-luth. Gemeinden 108, 1958, 79 ff.; – Gerhard Günther, Die Missionsgedanken v. L. H., in: JGNKG 56, 1958, 67 ff.; – O. Rosinski, L. H., Gründer der Hermannsburger Mission, in: DtPfrBl 58, 1958, 198 ff.; – Arno Pagel, L. H. Gottes Rufer in der Heide, 1958 (1965[2]); – Friedrich Hauß, Väter der Christenheit III, 1959, 9 ff.; – Rabeler, L. H. Der Gottesmann u. Volksmann aus der Lüneburger Heide, in: Heimatkal. f. die Lüneburger Heide, 1959, 63 ff.; – Herwart Bartels, Die theol. Grdl.n der Missionsarbeit bei L. H. (Diss. Göttingen), 1960; – Hugald Grafe, Die volkstüml. Predigt des L. H. Ein Btr. z. Predigt- u. Frömmigkeitsgesch. im 19. Jh. (Diss. Leipzig, 1959), Göttingen 1965 (1974[2]; Rez. v. Karl Kupisch, in: ThLZ 96, 1967, 695 ff.); – Zur Erinnerung an L. H. anläßl. der 100. Wiederkehr seines Todestages, in: Luth. Bll. 17, 1965, 125 ff.; – Klaus Harms, KG im Gespräch. XV. L. H., der gesegnete Prediger, in: PBl 105, 1965, 558 ff.; – Harm Alpers, Auf den Spuren

v. L. H. im Pfarrarch. zu Hermannsburg, in: JGNKG 64, 1966, 154 ff.; – ADB X, 612 ff.; – NDB VII, 687 f.; – Kosch, LL I, 835; – RE VII, 439 ff.; – EKL II, 28 f.; – RGG III, 76 f.

HARMS, Theodor, Direktor der Hermannsburger Missionsgesellschaft, * 19. 3. 1819 als Pfarrerssohn in Hermannsburg (Lüneburger Heide), † daselbst 16. 2. 1885. – H. besuchte seit 1835 das »Johanneum« in Lüneburg und studierte 1839–42 in Göttingen Theologie. Er wurde Hauslehrer in Wotersen (Lauenburg) und schloß sich wie früher sein Bruder Louis (s. Harms, Ludwig), der in der Stadt Lauenburg Hauslehrer gewesen war, einem Kreis erweckter Christen an: »Lieblich war die Gemeinschaft der Gläubigen in Lauenburg, wie ich selten etwas Ähnliches erlebt habe. Alle waren ein Herz und eine Seele in Christus, die doch so viel Schmach zu tragen hatten. Jene Zeit ist mir unvergeßlich, und auch meinem Bruder war sein liebes Lauenburg unvergeßlich.« 1849 berief Louis Harms seinen Bruder Theodor zum Inspektor der Missionsanstalt in Hermannsburg. Gemeinsam mit den Zöglingen baute er das Bauernhaus, das sein Bruder gekauft hatte, aus und legte einen großen Garten an: »Wir mußten arbeiten als Tagelöhner und studieren als Schüler, und ich muß meinen lieben Zöglingen nachsagen – nicht zu ihrem, sondern zu des Herrn Ruhm –, daß sie beides getan haben mit großer Treue und ohne Murren.« Über seinen Dienst berichtet H.: »Ich hatte die Aufgabe, die Zöglinge in der Schrift, dem Bekenntnis der Kirche und den Gegenständen zu unterrichten, die dem Verständnis der Schrift dienen, und dabei ihr Studieren mit leiblicher Arbeit wechseln zu lassen, damit sie gesund blieben und sich selbst helfen könnten im Heidenland. Die einzige fremde Sprache, in der ich unterrichten mußte, war die englische.« H. liebte die Musik als selber aus; er führte auch das Posaunenblasen in die Missionsanstalt und das Gemeindeleben ein und gab damit der Hannoverschen Landeskirche die erste Anregung zur Gründung von Posaunenchören. Die zwei ersten Gruppen, die die Hermannsburger Mission 1853 und 1857 aussandte, bildete H. aus und bereitete sie für den Missionsberuf vor. 1858 wurde er Pfarrer in dem benachbarten Müden. Als Louis Harms am 14. 11. 1865 starb, übernahm Theodor H. sofort die Missionsleitung in Hermannsburg, da sein Bruder als Gründer der Mission sich das Recht vorbehalten hatte, seinen Nachfolger zu bestimmen. Die Gemeinde in Hermannsburg erbat sich ihn dann auch als Nachfolger seines Bruders im Pfarramt, und die Kirchenbehörde erfüllte diese Bitte. Als Hannover durch den Krieg von 1866 seine Selbständigkeit verlor und preußische Provinz wurde, glaubte H., seiner lutherischen Landeskirche drohe infolge der Verbindung mit Preußen die Unionsgefahr, und behandelte darum in der Predigt und im Missionsblatt die brennenden kirchlichen Fragen: »Wie soll sich die Kirche zum Staate stellen? Ich weiß keine andere Antwort als die, die ich schon wiederholt gegeben habe: Freie Kirche und freier Staat! Ohne Freiheit gedeiht weder Kirche noch Staat. Beide müssen in voller Freiheit nebeneinander sein und einander dienen. Ein Herrschen der Kirche über den Staat verkrüppelt den letzteren in sich selbst; ein Herrschen des Staates über die Kirche verkrüppelt die letzte in sich selbst. Kirche und Staat müssen selbständig nebeneinander rein und klar geschieden sein, um einander zu beider Heil und zur Ehre Gottes dienen zu können. In Amerika ist es so, und weder Staat noch Kirche befindet sich schlecht dabei. Auch wir wollen fordern immerfort und beten und arbeiten, daß es geschehe: Die Kirche frei vom Staat! Die Kirche darf niemals die Magd des Staates werden, aber ebensowenig Herrscherin im Staat, wenn nicht beide zuschanden werden wollen.« Als die Ziviltrauung eingeführt wurde und darum 1877 die kirchliche Trauungsliturgie geändert werden mußte, fühlte sich H. in seinem Gewissen gebunden, das neue Trauungsgesetz seiner Heimatkirche nicht annehmen zu dürfen, und wurde darum am 4. 2. 1878 seines Amtes entsetzt. Der größere Teil seiner Gemeinde drängte ihn zur Gründung einer lutherischen Freikirche, und die Missionare folgten ihm mit geringen Ausnahmen. H. richtete mit seiner Gemeinde zunächst eine große Scheune als Notkirche ein und erbaute dann die Kreuzkirche, eine geräumige schöne Hallenkirche mit stattlichem Turm. Die Opferwilligkeit der Gemeinde, die außer der Kirche zwei Schulgebäude und nach H.s Tod ein Pfarrhaus errichtete, war außerordentlich. Auch die Mission wurde in diese kirchlichen Kämpfe hineingezogen, obwohl sie nicht eine Angelegenheit der Landeskirche gewesen, sondern, wie H. es im Missionsblatt aussprach, »reine Privatsache« war. Die Kirchenbehörde entzog der Hermannsburger Mission die Epiphaniaskollekte. Dadurch erlitt diese einen bedeutenden Ausfall; aber die Missionsgaben nahmen nicht ab, sondern zu: »Was wir brauchen, gibt der Herr uns immer; er brockt es uns ein. Darum sollen wir Missionsleute von der Hand in den Mund leben. Wir wollen frisch und fröhlich weiter arbeiten und nur darauf sehen, was der Herr von uns getan haben will; dazu gibt er dann auch die Kraft und die Mittel. Die heilige Mission ist durch und durch eine Glaubenssache. Hört sie auf, das zu sein, so ist sie kein Gotteswerk mehr.« Über die Stellung der Mission zu dem heimatlichen Kirchenkampf schrieb H. 1883: »Treulich haben uns die Brüder in der Freikirche geholfen, treulich die Brüder in den Landeskirchen. Die lutherische Mission und darum auch namentlich unsere Hermannsburger Mission ist neutrales Gebiet zu gemeinsamer Arbeit aller rechtschaffenen Lutheraner zum Aufbau der freien lutherischen Kirche in der Heidenwelt. Hier soll und muß Friede sein in dem gemeinsamen Streben, den armen Heiden den vollen Schatz der lutherischen Lehre in ihrem ganzen Umfange hinzubringen.« H. förderte tatkräftig die von seinem Bruder in seiner letzten Lebenszeit begonnene Arbeit in Indien, Australien, Neuseeland und Amerika. Seine Hauptkraft aber erforderte die afrikanische Mission in Natal, Zululand, Transvaal und Betschuanaland. Er sandte 58 Brüder nach Afrika, 18 nach Indien, 24 nach Australien, 6 nach Neuseeland, 67 nach Amerika, einen nach Grusien und einen nach Persien. So war die Hermannsburger Mission in kräftigem Aufblühen begriffen und hatte eine überraschend weite Ausdehnung gewonnen.

Lit.: Georg Haccius, Th. H., sein Leben u. sein Wirken. Ein Gedenkbüchlein zu seinem 100. Geb. am 19. 3. 1919. Dem Christenvolk dargeboten, 1919; – EKL II, 29.

HARNACK, Adolf von (seit 1914), Theologe, * 7. 5. 1851 in Dorpat (Livland) als Sohn des Professors der

Theologie Theodosius Harnack (s. d.), † 10. 6. 1930 in Heidelberg, eingeäschert in Berlin und beigesetzt auf dem dortigen Alten Matthäikirchhof. – H.s Mutter, Marie, Tochter des Professors für Staatswissenschaften und russisches Recht Gustav Ewers († 1830) und seiner Ehefrau Dorothea geborene Freiin von Maydell, wurde am 22. 5. 1828 in Dorpat geboren und starb nach neunjähriger Ehe am 23. 11. 1857 in Erlangen, am Tag der Geburt ihres fünften Kindes. Sein Vater verheiratete sich 1864 mit der Baltin Helene Baronesse von Maydell († 1923), einer Base seiner ersten Frau, die sich der verwaisten Kinder mit der größten Liebe und Treue annahm. In dankbarem Gedenken an seinen 1889 heimgegangenen Vater schreibt H.: »Was ein Vater seinen Söhnen in den entscheidenden Jahren sein kann, das ist er uns gewesen; ich habe alles, was Erfahrung, Bildung und Urteil ausmacht, auf allen Gebieten des persönlichen Lebens und des Wissens, zuerst durch ihn und unter seiner nie ermüdenden Leitung kennengelernt. Er hat viel in seinem Leben gearbeitet und noch bis zuletzt seine Korrekturbogen korrigiert; aber auf wieviel genußreiche Arbeit hat er verzichtet, um sich mit uns abzuquälen!« H. besuchte in Erlangen und seit 1866 in Dorpat das Gymnasium. Schon viele Monate vor seinem Abitur schrieb er an seinen Erlanger Freund Wilhelm Stintzing: »Wie Du wissen wirst, werde ich Theologie studieren. Ich weiß nicht, ob Du auch zu denen gehörst, die auf alles, was Religion und Theologie heißt, mit Verachtung oder doch mit Gleichgültigkeit hinuntersehen. Allein, man mag das Christentum auch ansehen, wie man es wolle; ja auch zugegeben, es sei ein Irrtum; ist es da nicht von dem größten Interesse, der Geschichte dieses Irrtums nachzugehen und sich zu überzeugen, welche weltbewegende Ereignisse, Umwälzungen dieser Irrtum hervorgerufen hat, in welche ungewohnten Bahnen er den Geist der Jahrhunderte gelenkt hat, wie er unsere ganze heutige Kultur und Bildung durchzogen hat und untrennbar von ihr ist. Allein nun weiter. Je länger ich lebe (und wie kurze Zeit haben wir doch erst hinter uns), desto mehr erfahre ich es täglich, wie alle Probleme und Konflikte immer schließlich auf das Gebiet des Religiösen rekurrieren und dort zum Austrag kommen und wie deshalb ein christlicher Standpunkt niemals ein überwundener sein kann. Und darum bin ich ein begeisterter Theologe; denn ich hoffe in dieser Wissenschaft den Weg zur Lösung der Hauptprobleme unseres Lebens zu finden; nicht freilich die ganze Lösung, aber doch wenigstens den rechten Weg; denn ich bin mir wohl bewußt, daß man diesen Weg tagtäglich von neuem anfangen muß. Nicht eine Fülle fertig gemachter Glaubenssätze begehre ich, sondern jeden einzelnen Satz in dem Gewebe will ich mir selbständig produzieren und zu eigen machen.« Im Frühjahr 1869 begann H. in Dorpat mit dem Studium der Theologie. Außer seinem Vater waren Alexander von Oettingen (s. d.) und Moritz Baron von Engelhardt (s. d.) seine Lehrer. Im Herbst 1872 siedelte er nach Leipzig über und fand dort einen Kreis gleichaltriger Freunde, durch die ihm viel Anregung und Förderung zuteil wurde: Julius Kaftan (s. d.), Emil Schürer (s. d.), Wolf Graf von Baudissin (s. d.) und Oskar Leopold von Gebhardt (s. d.). H. promovierte mit der Disser-

tation »Zur Quellenkritik der Geschichte des Gnostizismus« zum Dr. phil. und reichte im Januar 1874 der Theologischen Fakultät seine Habilitationsschrift »De Apellis Gnosi monarchia« ein. H., Baudissin, Kaftan, Schürer und Herdegen, die fünf jungen Leipziger Privatdozenten, reisten zusammen nach Italien. H. eröffnete 1874 eine »Kirchenhistorische Gesellschaft« und begann im Winter 1874/75 seine Lehrtätigkeit mit der Vorlesung über sein Spezialgebiet, Gnostizismus. Im Gedenken an die ersten Jahre seiner akademischen Laufbahn schreibt H.: »Das kam in Leipzig so, daß es wohl noch niemals einen jungen Mann, vielleicht Melanchthon ausgenommen, so glücklich ging wie mir. Die Situation, die ich vorfand, war, daß zwar ausgezeichnete Leute da waren – denn diesen Ruf hatten sie –, zugleich aber, daß sie schlechte Musikanten für die Studenten waren – das kann ich ruhig sagen –, so daß ich mit 23 Jahren auf einmal eine Ernte einheimsen konnte, wie sie sonst nur auf der Höhe des Lebens beschert ist. Und dann kamen alle diese ausgezeichneten jungen Leute. Auf einmal war es mir also beschert, so daß ich die deutliche Empfindung hatte: Du hast wirklich die besten Studenten, die da sind.« Zu dem engsten Kreis, der sich zu regelmäßigen Sitzungen um ihn versammelte, zählten seine Freunde und späteren Kollegen Caspar René Gregory (s. d.), Martin Rade (s. d.), Wilhelm Bornemann (s. d.), Friedrich Loofs (s. d.) und William Wrede (s. d.). H. wurde 1876 zum ao. Professor ernannt und Ende 1878 zum o. Professor nach Gießen berufen. Als er im Frühjahr 1879 sein neues Amt antrat, zählte die Theologische Fakultät nur 17 Studenten. Am 2. 8. 1879 verlobte sich H. mit Amalie († 1950), Tochter des Professors der Medizin Carl Thiersch. Die Hochzeit fand am 27. 12. 1879 in Leipzig statt. An dem Aufbau der Theologischen Fakultät in Gießen wirkte H. eifrig mit. Die Zahl der Studierenden wuchs langsam, aber stetig, so daß im Sommersemester 1884 fast 100 in Gießen Theologie studierten. Am 19. 12. 1885 sandte H. an Albrecht Ritschl (s. d.) das erste Exemplar des 1. Bandes seines »Lehrbuchs der Dogmengeschichte« und schrieb dazu: »Es ist mir ein Bedürfnis, indem ich den Band in Ihre Hände lege, Ihnen nochmals meinen herzlichen Dank für alles zu sagen, was ich von Ihnen empfangen habe. Mit dem Studium Ihrer Entstehung der Altkatholischen Kirche hat vor 17 Jahren meine theologische Arbeit begonnen, und es ist seitdem schwerlich ein Vierteljahr vergangen, in dem ich nicht weiter von Ihnen gelernt hätte. Das gegenwärtige Buch ist eine Art von Abschluß langjähriger Studien: es wäre ohne die Grundlage, die Sie gelegt haben, wohl nie geschrieben worden, so unvollkommen es ist. Nehmen Sie es freundlich auf und bleiben Sie dem Verfasser auch dort wohlgesinnt, wo Sie seine Beobachtungen oder Urteile nicht teilen.« Auf Grund eingehender Untersuchungen zu der bisher von den Dogmenhistorikern vernachlässigten Frage »Wie ist das kirchliche Dogma entstanden?« war H. zu dem Ergebnis gekommen, daß die Entstehungsgeschichte des Dogmas erst im Lauf des 3. Jahrhunderts ihren Abschluß gefunden habe. In seinem »Lehrbuch der Dogmengeschichte« vertrat er die These, daß das Dogma eine Frucht der Hellenisierung des Christentums sei: »Es ist in seiner Konzeption und in seinem Ausbau ein

Werk des griechischen Geistes auf dem Boden des Evangeliums.« Das Buch bezeichnet den Abschluß der religiös-theologischen Entwicklung des Verfassers: »Ich kann Ihnen sagen«, schreibt er an Loofs am 30. 12. 1885, »daß ich meinem Gott und Herrn danke, daß ich von Berufs wegen Gelegenheit in diesem Buch gehabt habe, zu sagen, ungeschminkt zu sagen, wie ich über entscheidende Fragen denke, ohne daß man mir vorwerfen kann, daß ich die Aussprache gesucht habe. Etwas von der Freude, die Luther gehabt hat, als er nach dem Zeugnis zu Worms fröhlich ausgerufen: ›Ich bin hindurch, ich bin hindurch!‹, bewegte mich, als mein Buch fertig vor mir lag. Vielleicht können Sie es nachempfinden, vielleicht lächeln Sie über den anmaßenden Mann. Aber die Freude, daß es mir vergönnt gewesen ist, zu sagen, wie ich denke, und nicht anders zu scheinen, als ich bin, ist für mich eine so hohe, daß in ihrer Kraft alle die Peinlichkeiten schwinden werden, auf die ich gefaßt bin.« H.s »Dogmengeschichte« ist das Werk eines Theologen, der sich endgültig innerlich von der lutherischen Orthodoxie losgerungen hat. Nach längerem Schweigen schrieb ihm sein Vater am 29. 1. 1886: »Unsere Differenz ist keine theologische, sondern eine tiefgehende, direkt christliche, so daß ich, wenn ich über sie hinwegsähe, Christum verleugnete, und das kann kein Mensch, auch wenn er mir so nahe stände wie Du, mein Sohn, von mir verlangen oder erwarten. Wer — um nur die alles entscheidende Hauptsache zu nennen — so wie Du zur Auferstehungstatsache steht ... der ist in meinen Augen kein christlicher Theologe mehr. Ich begreife total nicht, wie man bei solcher Geschichtsmacherei noch auf die Geschichte sich berufen kann, oder ich begreife es nur, wenn man das Christentum dabei degradiert. Also entweder — oder ... Mit der Auferstehungstatsache steht oder fällt mir das Christentum; mit ihr steht mir auch die Trinität fest.« Die Theologische Fakultät in Leipzig schlug im Wintersemester 1885/86 mit einer beträchtlichen Mehrheit H. als einzigen vor; aber der Minister lehnte auf Grund eines Gutachtens des Oberkonsistoriums den Vorschlag der Fakultät ab. »Das ist eine erste Frucht meiner Dogmengeschichte«, schrieb H. an Ritschl. Im Sommer 1886 wurde er an die Universität Marburg berufen, deren Theologische Fakultät ihm bereits 1879 ehrenhalber die Doktorwürde verliehen hatte. 1887 erschien der 2. Band seines »Lehrbuchs der Dogmengeschichte«, der die Entwicklung des kirchlichen Dogmas vom Anfang des 4. Jahrhunderts an bis zum Auftreten des Augustinus (s. d.) behandelte. Als der Kirchengeschichtler Karl Semisch (s. d.) in Berlin im Wintersemester 1887/88 durch Krankheit an der Ausübung seines Lehramts verhindert war, forderte das Ministerium die Fakultät auf, Vorschläge für die Neubesetzung seiner Stelle zu machen. Diese schlug am 10. 12. 1887 einstimmig H. vor. Professor Bernhard Weiß (s. d.), vortragender Rat im Ministerium der geistlichen Angelegenheiten, der sich von den Beratungen ferngehalten hatte, schrieb: »Auch ich verkenne nicht, daß manches in den Resultaten H.s und in der Art, sie geltend zu machen, noch eine gewisse vorschnelle und herausfordernde Keckheit zeigt und daß beides vielleicht nicht immer ganz unbeeinflußt von seiner Richtung (H. ist Ritschlianer) ist. Allein

er ist ohne Frage gegenwärtig der fleißigste, originellste Kirchenhistoriker von ungewöhnlicher Produktivität und wissenschaftlicher Forschungsgabe sowie der anregendste Dozent unter ihnen. Aus beiden Gründen glaube ich, daß er bei einer Berufung an die erste Theologische Fakultät Deutschlands (der Zahl der Studierenden nach) nicht wohl umgangen werden kann.« Da in den altpreußischen Provinzen durch eine Kabinettsordre von 1855 der Evangelische Oberkirchenrat (EOK) das Recht hatte, sich vor der Berufung eines Theologen über dessen Lehre und Bekenntnis zu äußern, erging am 30. 12. 1887 vom Ministerium an den EOK die Anfrage, ob dort gegen die Berufung H.s Bedenken beständen. Der EOK antwortete am 29. 2. 1888: »Es läßt sich zwar nicht verkennen, daß die theologische Gesamtanschauung des D. H. eine dem positiven Christentum und dem kirchlichen Bekenntnis zugeneigte ist. Andererseits aber enthält seine Dogmengeschichte Ausführungen, welche inbetreffs seiner Stellung zum neutestamentlichen Kanon, zu mehreren grundlegenden Heilstatsachen aus dem Leben Jesu Christi und zu der Einsetzung des Sakramentes der heiligen Taufe durch den Herrn Bedenken hervorgerufen haben, welche in unserer Mitte nicht haben überwunden werden können.« Friedrich Althoff, Hochschulreferent im preußischen Kultusministerium, wünschte in seinem Schreiben vom 24. 3. 1888 an den EOK dringend, »zur sorgfältigen Prüfung der angedeuteten Zweifel in den Stand gesetzt zu werden. Den EOK ersuche ich daher ganz ergebenst, mir mit möglichster Genauigkeit diejenigen Stellen in seiner Dogmengeschichte zu bezeichnen, worauf sich die Bedenken gründen, welche in der Mitte des EOK bis dahin nicht haben überwunden werden können.« Am 2. 5. ging darauf ein ausführliches Gutachten des EOK im Ministerium ein. Althoff und Weiß begannen nun, durch Gutachten und Zeugnisse ausreichendes Material zu beschaffen, damit der Kultusminister Gustav von Goßler die Differenz mit dem EOK in einem Immediatbericht an höchster Stelle zur Entscheidung brächte. Eine Verzögerung trat ein durch die Todeskrankheit und das Ableben des Kaisers Friedrich am 15. 6. 1888. H. wurde zu einer persönlichen Zusammenkunft mit dem Minister von Goßler geladen, die am 10. 6. in Naumburg stattfand. Am 17. 6. schrieb der Minister an Otto von Bismarck: »Ew. Durchlaucht wollen geneigtest gestatten, daß ich eine Angelegenheit zur Sprache bringe, welche allerdings zunächst nur mein Ressort berührt, aber in ihren Folgen von erheblicher politischer Bedeutung ist. Gegen die von mir beabsichtigte Berufung des Kirchenhistorikers H. von Marburg nach Berlin hat der Evangelische Oberkirchenrat Bedenken bezüglich Lehre und Bekenntnis erhoben. Formal ist der Einspruch zulässig, materiell aber unbegründet. Die Bedenken des Oberkirchenrats beruhen teils auf einer mißverständlichen Auffassung einzelner Stellen der H.schen Dogmengeschichte, teils sind sie der Art, daß, wenn sie für durchschlagend erachtet werden sollten, die Freiheit der wissenschaftlichen Forschung untergraben, die Stellung der theologischen Fakultäten verkümmert werden würde. Bei der Bedeutung, welche dem Konflikt zwischen dem Unterrichtsministerium und dem Oberkirchenrat innewohnt, und der nur durch Allerhöchste Entscheidung zu lösen ist, habe ich nichts unterlassen, um mir Klarheit über die vorliegenden Fragen zu verschaffen, angesehene, positive, ja selbst orthodoxe Professoren innerhalb und außerhalb der Landeskirche der alten Provinzen vertraulich und mittelbar gehört, die Tätigkeit H.s auf dem Lehrstuhl wie im kirchlichen Leben während seines Wirkens in Marburg, vordem in Gießen, auf das sorgfältigste geprüft, mit H. persönlich verhandelt, und ich bin schließlich in den Besitz des Materials gelangt, welches m. E. die absolute Sicherheit gewährt, daß die Bedenken des Oberkirchenrats der Begründung entbehren und daß die Berufung des unbestritten bedeutendsten Kirchenhistorikers unter den Jüngeren nach Berlin der Theologie, der Heranbildung der akademischen Jugend, der Belebung des kirchlichen Sinnes, mithin der weiteren Entwicklung der evangelischen Kirche selbst zum Segen gereichen wird. Wie die Entscheidung des hochseligen Königs in dem Streit zwischen dem Unterrichtsminister und dem von dem Oberhofprediger beherrschten Oberkirchenrat ausgefallen wäre, ist mir nicht zweifelhaft gewesen. An dem Tage, an welchem ich den Immediatbericht vollendete, starb S. M. König Friedrich. Die Spannung, mit welcher alle akademischen Kreise, alle Fakultäten im Norden wie im Süden Deutschlands den Ausgang der H.schen Angelegenheit betrachten, ist infolge des Thronwechsels ungemein gesteigert. Man betrachtet den Konflikt als einen Zweikampf zwischen dem Unterrichtsminister und der Hofpredigerpartei und findet mit Recht eine Verschärfung in der Tatsache, daß H. erst vor zwei Jahren zufolge Allerhöchster Ernennung zum o. Professor von Gießen nach Marburg berufen worden ist. – Ew. Durchlaucht bitte ich geneigtest, darüber befinden zu wollen, ob ich diese Angelegenheit zum Gegenstand weiterer Erörterungen mit Hochderselben oder im Staatsministerium machen oder ob ich den Immediatbericht ohne weiteres S. M. vorlegen soll.« Das Schreiben wurde erst am 27. 6. abgesandt. Noch an dem Tag, an dem der Reichskanzler es erhielt, antwortete er und bat, »mit der Erstattung eines Immediatberichts hochgeneigtest warten zu wollen, bis die Sache im Staatsministerium beraten ist«. Diese Beratung fand am 30. 6. statt. Minister von Goßler machte darüber folgende Notiz: »Das Staatsministerium hat sich unter dem Vorsitze seines Präsidenten einmütig für meine Auffassung ausgesprochen und es als politisch unzuträglich und nachteilig bezeichnet, wenn dem Gutachten des Evangelischen Oberkirchenrats praktische Folge gegeben werden sollte.« Am 4. 7. 1888 wurde der Immediatbericht an den Kaiser, ein Schriftstück von 35 Folioseiten, abgesandt. Während die Entscheidung auf sich warten ließ, wählte die Marburger Universität H. zum Rektor, ein Zeichen dafür, wie sehr sie den umstrittenen Mann schätzte. Wilhelm II. befahl am 12. 7., sämtliche Akten erst noch einmal dem EOK zur Rückäußerung vorzulegen. Trotz dringender Mahnung durch von Goßler traf erst am 6. 9. die Antwort des EOK ein, der an seinen Bedenken festhielt. Am 16. 9. schrieb der Minister zum Schluß seines zweiten Immediatberichts an den Kaiser: »Ich halte mich für verpflichtet, die Versetzung des Professors D. H. in die Theologische Fakultät der Universität Berlin als eine licht- und heilbringende Tat auf das angelegentlichste zu befürworten.« Schon am Tag darauf, im Manöverquartier in Müncheberg, unterzeichnete Wilhelm II. H.s Versetzungsurkunde. Die Theologische Fakultät in Gießen verlieh am 31. 10. 1888 Bismarck die Ehrendoktorwürde. Bereits 1889 brachte H. mit dem 3. Band des »Lehrbuchs der Dogmengeschichte« sein großes Werk zum Abschluß. Daneben gab er für seine Hörer 1889 einen »Grundriß der Dogmengeschichte« heraus, der im Aufbau dem großen Werk folgt. Anfang 1890 wurde H. Mitglied der Preußischen Akademie der Wissenschaften. Diese beschloß 1891 die Herausgabe der älteren griechischen Kirchenväter und nahm H.s Vorschlag an, ihr im Lauf von zwei oder drei Jahren eine Übersicht vorzulegen. Bereits im Juli 1893 erschien die geplante Zusammenstellung: »Geschichte der altchristlichen Literatur bis Eusebius. 1. Teil: Die Überlieferung und der Bestand.« Es folgten 1897 und 1904 zwei weitere Bände, die die »Chronologie der altchristlichen Literatur« und die Echtheitsfragen behandelten. Die Akademie setzte eine Kommission zur Herausgabe der griechischen Kirchenväter ein und übertrug H. die Leitung des Unternehmens. Die Ausgabe war auf etwa 50 Bände berechnet, die in einem Zeitraum von etwa 20 Jahren erscheinen sollten. Umfangreiche Untersuchungen sollten gesondert in den von H. und Oskar Leopold von Gebhardt (s. d.) herausgegebenen »Texten und Untersuchungen zur Geschichte der altchristlichen Literatur« erscheinen. Durch die Arbeit der Kirchenväterkommission erwuchs H. die Freundschaft mit Theodor Mommsen (s. d.). Die Akademie bat ihn am 16. 4. 1896, »den Auftrag zur Abfassung einer Geschichte der Akademie als Festschrift zum 200jährigen Jubiläum der Akademie entgegenzunehmen«. Der Druck begann Anfang 1898 und war mehrere Wochen vor dem Jubiläum im Frühjahr 1900 vollendet. »Das H.sche Werk über die Akademie habe ich in vier oder fünf Tagen, gleich nach meiner Rückkehr verschlungen«, schreibt der Nationalökonom Georg Friedrich Knapp. »Es ist ganz unbeschreiblich gelungen, einfach meisterhaft durch Reichtum, Überblick, Einteilung und Schlichtheit. Es schlägt alle sogenannte Kulturgeschichte tot. Der Stoff ist so lebendig gemacht, daß der Leser dabei philosophieren muß und der Verfasser nicht nötig hat, Allgemeinheiten zu entwickeln. Ich habe hier förmlich Leser dafür geworben und fand bei allen dieselben Eindrücke. Jetzt steht mein Exemplar auf dem Seminar, und die Schüler sind angewiesen, ehe sie eine pragmatische Arbeit versuchen, zunächst einmal das Muster zu studieren. Der preußische Staat kann sich Glück wünschen, daß für ihn wieder einmal ein Historiker erstanden ist, der nicht nur will, sondern kann.« – Am 28. 5. 1890 gründeten Adolf Stoecker (s. d.), Adolf Wagner (s. d.), Ludwig Weber (s. d.) H. u. a. den »Evangelisch-Sozialen Kongreß«, dessen Vorsitzender Landesökonomierat M. A. Nobbe wurde. Ihm folgte 1902 H. Er leitete den Kongreß in Darmstadt 1903, Breslau 1904, Hannover 1905, Jena 1906, Straßburg 1907, Dessau 1908, Heilbronn 1909, Chemnitz 1910 und Danzig 1911. – 1892 brach der Streit um das »Apostolikum« aus. Der württembergische Pfarrer Christoph Schrempf (s. d.) wurde am 3. 7. 1892 wegen seines Widerspruchs gegen das

»Apostolikum« fristlos und ohne Pension entlassen. Nun fragte eine Abordnung Studierender H., ob er ihnen rate, den EOK zu bitten, das »Apostolikum« aus der Verpflichtungsformel der Pfarrer und aus dem gottesdienstlichen Gebrauch zu entfernen. H. beantwortete die Frage im Kolleg und veröffentlichte die Antwort in der »Christlichen Welt« vom 18. 8. 1892, die einen Sturm hervorrief. »Nach allem, was ich bereits veröffentlicht hatte«, schreibt H., »konnte ich nicht ahnen, daß eine wohlerwogene und maßvolle Kritik des Apostolikums, über die niemand sich wundern durfte, der meine Schriften kannte, als Feuerzeichen in der Kirche aufgepflanzt werden würde. Wenn ich eine zielbewußte Aktion hätte unternehmen wollen, so wäre ich nicht so unvorsichtig und so geschmacklos gewesen, bei der Lehre von der Geburt aus der Jungfrau einzusetzten, über die auf dem Markte zu streiten anstößig und häßlich ist.« Es folgte eine Schrift »Das Apostolische Glaubensbekenntnis«, die 27 Auflagen erlebte. Darin stellte er eingehend dessen Entstehung dar. In Streitschriften aller Art wurde H. angegriffen; Synoden und Konferenzen sprachen sich gegen ihn aus. Treu hielt zu ihm der Freundeskreis der »Christlichen Welt« unter Führung Rades: am 5. 10. trafen sich die Freunde in Eisenach und verfaßten gemeinsam eine Erklärung, die ein volles Bekenntnis zu Jesus Christus enthielt, aber auch das Recht der Wissenschaft in der Kirche geltend machte. Sie war von zahlreichen namhaften Professoren unterzeichnet. Veranlaßt durch die in der »Kreuzzeitung« veröffentlichte Erklärung der »Evangelisch-Lutherischen Konferenz«, die H. aufs schärfste angriff, forderte der Kaiser einen Immediatbericht. Daraufhin lud Kultusminister Robert Bosse H. zu einer persönlichen Unterredung zu sich. Darüber berichtete H. am 7. 10. seinem Schwiegervater: »Von Anfang bis zu Ende war das Gespräch ohne Schminke und ohne Schmuck, offen und von seiner Seite herzlich.« Über diese Unterredung schrieb H. 1894 an Rade: »Der Minister hat mich in freundlichen Worten ersucht, doch in Anbetracht der schwierigen Lage vorsichtig zu sein.« Bosse erstattete am 12. 11. den Immediatbericht. Friedrich von Lucanus berichtete am 12. 11. Bosse, daß er dem Kaiser Vortrag gehalten habe: »S. M. wollen diese Angelegenheit durch die seitens Ew. Excellenz dem D. H. mündlich erteilte Mahnung sowie in Aussicht genommene Berufung eines positiven Ordinarius für systematische Theologie an die hiesige Universität als erledigt ansehen.« Nachdem der von der Fakultät einstimmig vorgeschlagene Martin Kähler (s. d.) von Halle abgelehnt hatte, wurde Adolf Schlatter (s. d.) von Greifswald nach Berlin berufen. – Im Wintersemester 1899/1900 hielt H. eine einstündige öffentliche Vorlesung für Hörer aller Fakultäten über »Das Wesen des Christentums«. Die Nachschrift eines Studenten ermöglichte die Drucklegung der 16 Vorlesungen. Das Buch nannte Loofs »eine neue Auflage der Dogmengeschichte, umgearbeitet für die praktische Wirksamkeit«. Es rief einen neuen, leidenschaftlichen Streit hervor. Karl Holl (s. d.) schrieb am 1. 7. 1900 an H.: »Es tut mir gut, daß ich wieder einmal so unmittelbar vor jene Gestalt hingeführt wurde, wie es in Ihren Vorlesungen geschieht. Ich habe in den letzten Jahren immer eine Scheu emp-

funden, mich mit dem Urchristentum und mit Jesus auseinanderzusetzen: die Empfindung, daß wir ihm doch nicht tief genug ins Herz sehen können, um die letzten Fragen zu entscheiden – auch der Gedanke, daß das, was ich als Legende beiseite schieben muß, der mächtigste Hebel zur Verbreitung des Christentums gewesen ist, quälten mich immerfort; die harten Züge in seinem Bild sind mir schließlich die liebsten geworden; da spürte ich am meisten die Kraft, die nicht aus der Zeit und nicht von der Welt ist. Ihr Bild ist etwas anders; aber gerade darum ist mir Ihre Darstellung heilsam. Wenn ich Ihnen danke, so danke ich Ihnen für mehr als für ein geschenktes Buch, und ich wünsche, daß die Vorlesungen viele Hörer finden, die durch sie einfältige Freude und den einfachen Sinn für die Herrlichkeit des Christentums wiedergewinnen.« Ernst Rolffs (s. d.) schrieb am Schluß einer in der »Christlichen Welt« veröffentlichten größeren Aufsatzreihe, in der er die gegnerischen Stimmen zusammenstellte: »Als mir der Christus des kirchlichen Dogmas ein quälendes Rätsel geworden war, als ich keine Predigt hören konnte, ohne daß neue Zweifel in mir aufstiegen, als ich mich den Umklammerungen der materialistischen Weltanschauung mehr nicht entziehen vermochte – da war es H.s Art, von Christus zu reden, die Kraft und Wärme, mit der er die Majestät des Heiligen und der Liebe in seiner schlichten Menschlichkeit darzustellen verstand, was mich bei dieser Persönlichkeit festhielt, der ein Großer im Reiche des Geistes in anbetender Verehrung sein Bestes zu Füßen legte. Jenen Zug zu Christus hin habe ich beim Lesen seiner Vorlesungen wieder in voller Stärke gespürt. Könnte er durch sie nicht unzähligen Gottsuchern unserer Zeit werden, was er manchem zweifelgequälten Studenten durch sein lebendiges Wort geworden ist: ein Führer zu Christus?« – Am 31. 5. 1902 erhielt H. den Orden Pour le mérite für Wissenschaften und Künste. 1915 wurde er Vizekanzler und 1920 Kanzler des Ordens und verwaltete dieses Amt bis zu seinem Tod. – Im Oktober 1905 übernahm H. zunächst kommissarisch das Amt des Generaldirektors der Königlichen Bibliothek; die endgültige Ernennung erfolgte am 28. 5. 1906. Seinem Vorschlag entsprechend wurde seine Lehrverpflichtung vom Ministerium eingeschränkt und auf seinen Wunsch zur Ergänzung seiner Lehrtätigkeit sein Schüler und Freund Karl Holl aus Tübingen berufen. Im Mittelpunkt aller Arbeiten und Sorgen H.s und des ersten Direktors Paul Schwenke stand der Neubau der Bibliothek, der am 22. 3. 1914 eingeweiht wurde. An diesem Tag wurde H. der erbliche Adel verliehen. Am 31. 3. 1921 legte er das Amt des Generaldirektors der Königlichen und Preußischen Staatsbibliothek nieder. Daß H. trotz aller anderen Arbeiten Theologe war und blieb, zeigten auch die kirchlichen Kämpfe der Jahre 1909 bis 1912. Die preußische Generalsynode nahm im November 1909 einstimmig einen Gesetzentwurf über die Einsetzung eines »Spruchkollegiums« von 13 Personen an. Vier Mitglieder des Evangelischen Oberkirchenrats, drei Mitglieder der Generalsynode, drei Mitglieder der an dem Einzelfall beteiligten Provinzialsynode, der jeweils zuständige Generalsuperintendent und zwei vom König zu ernennende Professoren der Theologie sollten gegebenenfalls entscheiden, ob ein Pfarrer in seiner amtlichen und außeramtlichen Lehrtätigkeit mit dem Bekenntnis der Kirche so in Widerspruch getreten sei, »daß seine fernere Wirksamkeit innerhalb der Landeskirche mit der für die Lehrverkündigung allein maßgebenden Bedeutung des in der Heiligen Schrift verfaßten und in den Bekenntnissen bezeugten Wortes Gottes unvereinbar ist«. Schärfsten Widerspruch gegen das neue Gesetz erhob der »freie Protestantismus«, wie er sich im »Deutschen Protestantenverein« und um die Zeitschrift »Christliche Freiheit«, die Gottfried Traub (s. d.) herausgab, gesammelt hatte. Auch der Kreis um die »Christliche Welt« hatte starke Bedenken. »Ich kann nicht davon los«, schrieb Gustav Krüger (s. d.) an H., »daß es eben doch die Grundsätze sind, nach denen man in Rom auch Luther verurteilt hat und verurteilen mußte.« Viele, u. a. Rade, Heinrich Weinel (s. d.) und Paul Wernle (s. d.), unterzeichneten eine öffentliche Erklärung gegen diesen Gesetzentwurf unter der Führung des Kirchenrechtslehrers Rudolf Sohm (s. d.). H. verteidigte trotz zahlreicher Bedenken das Gesetz: »Der Tag wird in der Kirchengeschichte unvergessen bleiben, wie sich auch die Anwendung des Gesetzes gestalten mag; denn er bezeichnet einen eminenten Fortschritt. Dieser besteht darin, daß künftig die Frage der Irrlehre nicht mehr im Disziplinarverfahren, d. h. als Vergehen, beurteilt wird.« H. schloß seine Ausführungen mit dem Wunsch: »Mögen sich die Verhältnisse innerhalb der preußischen Landeskirche so gestalten, daß der Oberkirchenrat niemals in die Lage kommt, das Spruchkollegium einzuberufen.« Am 16. 3. 1910 wurde das »Kirchengesetz, betreffend das Verfahren bei Beanstandung der Lehre von Geistlichen« von dem Kaiser als dem »summus episcopus« erlassen. Bereits am 30. 3. 1911 wurde das erste Verfahren eröffnet, und zwar gegen den Kölner Pfarrer Karl Jatho (s. d.), den Otto Baumgarten (s. d.) und Gottfried Traub verteidigten. Das Spruchkollegium verhandelte am 24. und 25. 6. 1911 gegen ihn und erkannte mit 11 gegen 2 Stimmen, die von Wilhelm Kahl (s. d.) und Loofs, auf Amtsenthebung. In der Kollegstunde am 27. 7. 1911 äußerte sich H. über das Urteil des Spruchkollegiums gegen Jatho: er hielt auch weiterhin an dem Gesetz fest, das allerdings der Verbesserung sehr bedürfe, und stellte dann fest, daß die Lehre Jathos zwar die Grenze überschritten habe, die die Landeskirche ziehen müsse, man ihn aber um seiner Wirksamkeit in der Gemeinde willen nicht hätte verurteilen dürfen, sondern zu dem Ergebnis hätte kommen müssen: »Deine Theologie ist unerträglich – aber dein Same ist aufgegangen, also müssen wir dich ertragen – wir werden dich ertragen.« An den von den Freunden Jathos eingeleiteten Protestaktionen beteiligte sich H. nicht. Am 5. 7. 1912 wurde der Dortmunder Pfarrer Lic. theol. Gottfried Traub wegen seiner leidenschaftlichen Agitation gegen das Spruchkollegium und für Jatho im Disziplinarverfahren zur Dienstentlassung verurteilt: »Wer systematisch und in der Art wie der Angeklagte der verfaßten Landeskirche die Existenzberechtigung überhaupt abspricht, sie in ihren Behörden und Einrichtungen bekämpft und verächtlich macht, entzieht sich selbst die Möglichkeit einer ferneren Wirksamkeit als Geistlicher und Diener der Kirche, und es kann der Landeskirche nicht zugemutet werden, einen solchen Mann im geistlichen Stande zu belassen.« In seiner Schrift »Die Dienstentlassung des Pfarrers Lic. G. Traub« gab H. die Maßlosigkeit Traubs zu, fuhr aber fort: »Der Versuch, wahrheitswidrige Entstellungen und absichtliche Verschweigungen nachzuweisen, und zwar im Sinne sittlicher Verfehlungen, ist dem Oberkirchenrat nach meinem Urteil nicht gelungen. Ja, ich muß noch mehr sagen: Dieser Versuch, aus den publizistischen Äußerungen Traubs Trug und Lüge herauszudestillieren – denn darauf läuft es hinaus –, berührt auf das peinlichste. Wer Traub ist, das wissen wir alle und die ganze evangelische Landeskirche ... gewiß ein Agitator, aber kein skrupelloser, gewiß ein erbitterter Gegner der gegenwärtigen Entwicklung der Landeskirche, aber nicht ihr Feind, gewiß ein Mann einseitigster Subjektivität und zu umsichtiger Prüfung, welche die Enden der Dinge stets in der Hand behält, wenig geschickt, aber eben deshalb subjektiv wahrhaftig und ein Ehrenmann mit einem wohlüberlegten und ausgeprägten kirchlichen Ideal, über dessen Ausführbarkeit man zweifeln, aber dessen Reinheit und Höhe man nicht in Abrede stellen kann.« Nach Verneinung der Frage, ob es sich in diesem Disziplinarverfahren doch um einen verschleierten Lehrprozeß handle, fährt H. fort: »Es muß dahin kommen, daß offen gesagt werden darf, diese und diese bestimmten Lehren und Behauptungen in den Bekenntnissen sind unrichtig, und daß niemand gezwungen wird, Dinge im Gottesdienst zu bekennen, die er außerhalb desselben nicht zu bekennen braucht. – Zu den Geistlichen, die den liturgischen Zwang des Apostolikums als schweren Gewissensdruck empfinden, gehört auch Traub, und ich glaube nicht zu irren, daß ihn dieser Druck vor allem in die Agitation getrieben und großen Anteil an den Maßlosigkeiten gehabt hat, die wir beklagen. – Unsägliche Gewissensnot, viel Kummer und Tränen, irregewordene Gemüter, innerlich aufgeriebene Seelen und zerstörte Existenzen sind die Folgen dieses unseligen Zwanges – in der evangelischen Kirche, die sich rühmt, die Christenheit vom Banne des Gewissens befreit zu haben.« – Wilhelm II. richtete 1909 durch Rudolf von Valentini, den Chef des Kaiserlichen Zivilkabinetts, an Ministerialdirektor Friedrich Schmidt-Ott die Frage, was er anläßlich des Universitätsjubiläums 1911 im Interesse der Wissenschaft tun könne. Auf Schmidt-Otts Vorschlag wurde H. aufgefordert, eine Denkschrift über die Gründung von Forschungsinstituten zu verfassen. Sie wurde am 21. 11. 1909 überreicht und bezeichnet die Grundsteinlegung der »Kaiser-Wilhelm-Gesellschaft zur Förderung der Wissenschaften«. Als die Berliner Universität am 10., 11. und 12. 10. 1911 ihr 100jähriges Bestehen feierte, verkündete Wilhelm II. bei der Einweihung der neuen Aula die Gründung dieser neuen Gesellschaft, deren Senat H. zum ersten Präsidenten wählte. Dieses Amt verwaltete er bis zu seinem Tod. Am 18. 9. 1929 schreibt H. an Rade: »Die Kaiser-Wilhelm-Gesellschaft hat mir große Opfer auferlegt und tut es noch; aber ich habe nicht willkürlich gewählt, sondern ein Schicksal auf mich genommen und bin dann nach dem Grundsatz verfahren ›Ordentlich oder gar nicht.‹ Ganz ohne Frucht für unsere evangelische Kirche und Theologie ist es nicht, wenn die

Fachgenossen es auch nicht direkt spüren. Für mich selbst bin ich nach wie vor ein theologus, und meine abgesparten Stunden gehören wie von Jugend auf unserer theologischen Wissenschaft.« Am 30. 10. 1920 wurde die »Notgemeinschaft der deutschen Wissenschaft« gegründet und eine Reihe von Fachausschüssen gebildet. Den Vorsitz des Hauptausschusses übernahm H. und führte ihn bis 1929. – Nach dem Zusammenbruch von 1918 trat H. keiner politischen Partei bei und blieb auch bis zu seinem Tod parteilos, obwohl die Parteien immer wieder um ihn warben: »Meine Stellung als Präsident der Kaiser-Wilhelm-Gesellschaft und im Dienst der Not der deutschen Wissenschaft machen mir Zurückhaltung in politicis zur obersten Pflicht; denn der Senat ist aus Mitgliedern aller Parteien (von den Deutschnationalen bis Hilferding) zusammengesetzt, und ich bin im Reichstag und Landtag fort und fort auf das Vertrauen und das Wohlwollen aller Parteien in bezug auf die finanziellen Bedürfnisse der Gesellschaft angewiesen. Ich habe es bisher bei ihnen und ebenso bei den wechselnden Reichs- und Staatsministern, namentlich bei den Finanzministern, in reichem Maß gefunden; aber zugleich auch die Erfahrung gemacht, daß ich mir – so drückend mir das oft ist – jede direkte politische Beteiligung versagen muß.« 1919 war H. Sachverständiger der Regierung für die Beratung der Verfassungsbestimmungen über Kirche und Schule. Im August 1919 verlebte H. zum erstenmal eine Ferienzeit auf Schloß Elmau (zwischen Garmisch und Mittenwald) bei Johannes Müller (s. d.). Seit 1921 kam er jedes Jahr dorthin für mehrere Wochen. – Mit »Fünfzehn Fragen an die Verächter der wissenschaftlichen Theologie unter den Theologen« eröffnete H. 1923 in der »Christlichen Welt« das Streitgespräch mit Karl Barth (s. d.), der 1906 sein Schüler gewesen war. Der Gegensatz der theologischen Anschauungen war schon 1919 an Barths Kommentar zum Römerbrief offenbar geworden. Noch schärfer und deutlicher wurde er von H. 1920 empfunden auf einer Studentenkonferenz zu Aarau in der Schweiz, wo beide sich wiedersahen und Vorträge hielten. Die Auseinandersetzung zwischen H. und Barth in der »Christlichen Welt« konnte keine Verständigung herbeiführen; aber die Begegnungen der beiden in den Jahren 1925 und 1926, als H. in Münster und Bonn Gastvorlesungen hielt, verliefen wohltuend. – 1921 erschien H.s Monographie über Marcion (s. d.), einen einflußreichen Irrlehrer des 2. Jahrhunderts, der das Alte Testament, das scheußliche Offenbarungsbuch des Judengottes, verwarf, als Heilige Schrift nur die Paulusbriefe (ohne die Pastoralbriefe) und eine Überarbeitung des Lukasevangeliums anerkannte und nach seinem Ausschluß aus der Gemeinde Rom eine große marcionitische Gegenkirche schuf. In diesem Werk stellte H. die These auf: »Das Alte Testament im 2. Jahrhundert zu verwerfen war ein Fehler, den die große Kirche mit Recht abgelehnt hat; es im 16. Jahrhundert beizubehalten war ein Schicksal, dem sich die Reformation noch nicht zu entziehen vermochte; es aber seit dem 19. Jahrhundert als kanonische Urkunde im Protestantismus noch zu konservieren ist die Folge einer religiösen und kirchlichen Lähmung.« H.s Einstellung zum Alten Testament rief den Widerspruch der Theo-

logen hervor, und zwar nicht nur der orthodoxen. H. wurde nach Erreichung der Altersgrenze 1921 emeritiert, verwaltete aber bis zum Amtsantritt seines Nachfolgers Hans Lietzmann (s. d.) 1924 die volle Professur. Auch dann setzte er seine Lehrtätigkeit fort und schloß erst im Sommer 1929 sein kirchenhistorisches Seminar, das er 54 Jahre ohne Unterbrechung – in den letzten Semestern in seinem eigenen Haus – gehalten hatte. Im Namen des Seminarkreises dankte ihm beim Abschied Dietrich Bonhoeffer (s. d.): »Daß Sie unser Lehrer in vielen Stunden waren, ging vorüber; daß wir uns Ihre Schüler nennen dürfen, bleibt.« Zu H.s Ehren wurde in Berlin-Dahlem von der Kaiser-Wilhelm-Gesellschaft ein H.-Haus errichtet und an H.s 78. Geburtstag 1929 eingeweiht. Es ist eine Arbeitsstätte für ausländische Gelehrte, die zu wissenschaftlicher Arbeit nach Berlin kommen. Den erbitterten Kampf gegen das preußische Kultusministerium um den Fortbestand der Kaiser-Wilhelm-Gesellschaft in der von ihm geschaffenen Struktur brachte H. in seinem letzten Lebensjahr zum siegreichen Abschluß. Zur Einweihung eines neuen Instituts der Gesellschaft reiste er im Frühjahr 1930 nach Heidelberg, wo sein rastloses, vielfältiges Schaffen und sein an Ehren und Auszeichnungen reiches Leben durch den Tod das Ende fand. – H. war o. Mitglied der Akademie der Wissenschaften in Amsterdam, Gothenburg, Neapel, Oslo, Rom, Stockolm und Uppsala; korrespondierendes Mitglied der Akademien in London und Paris (bis 1914); Ehrenmitglied der Akademie der Wissenschaften in Wien und Dublin; nach Friedrich Schleiermacher der bedeutendste evangelische Theologe des 19. und beginnenden 20. Jahrhunderts; Verwaltungsfachmann und Kulturpolitiker von hervorragender Organisationsgabe und universaler Bildung; der anerkannte Meister der Kirchengeschichtsschreibung seiner Zeit; der glänzendste Vertreter der liberalen Theologie in der Wilhelminischen Ära. H.s akademische und literarische Tätigkeit galt neben der Kirchen- und Dogmengeschichte dem Neuen Testament.

Werke: Das Mönchtum, seine Ideale u. seine Gesch. (eine der Vorlesungen, die die Ghzg. v. Hessen als Schirmherr der Univ. Gießen v. Zeit zu Zeit in Darmstadt veranstaltete), 1881 (1921⁸⁻¹⁰); Martin Luther in seiner Bedeutung f. die Gesch. der Wiss. u. Bildung (Rede bei dem Festakt der Univ. Gießen z. 400. Geb. Luthers), 1883 (1911⁴); Lehrb. der DG I, 1886; II, 1887; III, 1889 (1931/32⁵; Nachdr. 1964); Grdr. der DG, 1889 (1931⁷); Das Apostol. Glaubensbekenntnis, 1892 (1896²⁷); Gesch. der altchristl. Lit. bis Eusebius. I: Die Überl. u. der Bestand, 1893 (1958²; mit einem Vorw. v. Kurt Aland); II: Die Chronologie der altchristl. Lit., 1. Hbd., 1897; 2. Hbd., 1904 (1958²); Das Wesen des Christentums, 1900 (1950¹⁵ mit Geleitw. v. Rudolf Bultmann; 78.–82. Tsd.); Die Gesch. der Kgl. Preuß. Akademie der Wiss.en zu Berlin, 3 Bde., 1900; Die Mission u. Ausbreitung des Christentums in den ersten drei Jhh., 1902 (1906²: 2 Bde.; I: Die Mission in Wort u. Tat. II: Die Verbreitung; 1923⁴); Reden u. Aufss. I, 1904; II, 1906; Reden u. Aufss. NF. I. II: Aus Wiss. u. Leben, 1911; III: Aus der Friedens- u. Kriegsarbeit, 1916; IV: Erforschtes u. Erlebtes, 1923; V: Aus der Werkstatt des Vollendeten, hrsg. v. Axel v. H., 1930; Btrr. z. Einl. in das NT. I: Lukas der Arzt, der Verf. des 3. Ev. u. der Apg, 1906; II: Sprüche u. Reden Jesu. Die 2. Qu. des Mt u. Lk, 1907; III: Die Apg, 1908; IV: Neue Unterss. z. Apg u. z. Abfassungszeit der synopt. Evv., 1911; V: Über den privaten Gebrauch der hl. Schrr. in der alten Kirche, 1912; VI: Die Entstehung des NT u. die wichtigsten Folgen der neuen Schöpfung, 1914; VII: Zur Revision der Prinzipien der nt. Textkritik. Die Bedeutung der Vulgata f. den Text der kath. Kirche. Briefe u. der Anteil des Hieronymus an dem Übers.werk, 1916; Entstehung u. Entwicklung der Kirchenverfassung u. des KR in den zwei ersten Jhh., 1910; Die Dienstentlassung des Pfr. Lic. G. Traub, 1912; Martin Luther u. die Grundlegung der Ref., 1917 (1928: 106. bis 110. Tsd.); Marcion: Das Ev. v. fremden Gott. Eine Monogr. z. Gesch. der Grundlegung der kath. Kirche, 1921 (1924²; Nachdr.

1960); Albrecht Ritschl. Rede, 1922; Augustinus, Reflexionen u. Maximen. Aus seinen Werken ges. u. übers., 1922; Die Briefsmlg. des Apostels Paulus u. die anderen vorkonstantin. christl. Briefsmlg.en, 1926; Die Entstehung der christl. Theol. u. des kirchl. Dogmas (die in Bonn geh. Vorlesungen), 1927 (Nachdr. 1967); Stud. z. Gesch. des NT u. der alten Kirche. I: Zur nt. Textkritik, 1931; Vom inwendigen Leben. Betrachtungen über Bibelworte u. freie Texte, 1931; Ausgew. Reden u. Aufss., neu hrsg. v. Agnes v. Zahn-Harnack u. Axel v. Harnack, 1951. – Gab heraus: Patrum apostolicorum opera (mit Oskar v. Gebhardt u. Theodor Zahn), 1876 ff.; ThLZ (mit Emil Schürer), 1881–1910; TU, 1882 ff. (seit 1892 mit Oskar v. Gebhardt; seit 1907 mit Karl Schmidt). – Bibliogr. v. Friedrich Smend (unter Benutzung der 1912 ersch. H.-Bibliogr. v. Max Christlieb): A. v. H. Verz. seiner Schrr. (1590 Nummern), 1927; Nachtr. (mit Verz. der A. v. H. gewidmeten Schrr.), hrsg. v. Axel v. Harnack, 1931.

Lit.: Jatho u. H. Ihr Briefwechsel. Mit einem Geleitwort v. Martin Rade, 1911; – 15 J. Kgl. u. Staatsbibl. Dem scheidenden Generaldir. Exz. A. v. H. z. 31. 3. 1921 überreicht v. den wiss. Beamten der Preuß. Staatsbibl., 1921; – Festg. v. Fachgenossen u. Freunden, A. v. H. z. 70. Geb. dargebr., 1921; – H.-Ehrung. Btrr. z. KG, ihrem Lehrer A. v. H. zu seinem 70. Geb. dargebr. v. einer Reihe seiner Schüler, 1921; – Ernst Troeltsch, A. v. H. u. Ferdinand Christian Baur, in: Festg. f. A. v. H., 1921, 282 ff.; – Ansprachen bei der Einweihung des H.-Hauses der Kaiser-Wilhelm-Ges. z. Förderung der Wiss.en, 1929; – A. v. H. u. der Ev.-Soziale Kongreß, hrsg. v. Johannes Herz, 1930; – A. v. H. Erinnerungsworte v. Erhard Schmidt; Gedächtnisrede v. Erich Seeberg, 1930; – Roderich v. Engelhardt, A. H. z. Gedächtnis, in: Balt. Bll. 13, 1930, 590 ff.; – Johannes Müller, A. v. H. auf Schloß Elmau. In: Die grünen Bll. Zschr. f. persönl. u. allg. Lebensfragen 32, 1930, 137 ff.; – Briefe A. v. H.s an Johannes Müller, ebd. 164 ff.; – Emil Jacobs, A. v. H., in: ZBlfBibl 47, 1930, 365 ff.; – Karl Ludwig Schmidt, Zum Tode A. v. H.s, in: ThBl 9, 1930, 163 ff. (Zus.stellung u. krit. Würdigung der in der Tagespresse ersch. Nekrologe); – Jean de Ghellinck, La carrière scientifique de H., in: RHE 26, 1930, 962 ff.; – Ders., En Marge de l'oeuvre de H., in: Gregorianum 11, 1930, 497 ff.; – G. D. Henderson, A. v. H., in: ExpT 41, 1930, 487 ff.; – Martin Grabmann, A. v. H., in: Jb. der Bayer. Akademie der Wiss.en 17, 1930/31, 41 ff.; – Bernhard Geyer, in: Hochland 28, 1930/31, 84 f.; – Maurice Goguel, A. v. H., in: RHR 102, 1931, 123 ff.; – G. W. Richards, The place of A. v. H. among church historians, in: JR 11, 1931, 333 ff.; – L. Murillo, A. v. H. y el problema religioso en muestros dias, in: EE 10, 1931, 97 ff. 273 ff.; – Hamilkar Alivisatos, A. v. H. (dt. v. R. Schlier), in: Die Eiche. Vjschr. f. Freundschaftsarbeit der Kirchen 19, 1931, 290 ff.; – Hans Lietzmann, Gedächtnisrede auf A. v. H., 1931 = Ders., Kleine Schrr., hrsg. v. Kurt Aland, III, 1962, 302 ff.; – Axel v. Harnack, Die Bibl. A. v. H.s, in: ZBlfBibl 49, 1932, 341 ff.; – Kornelis Sietsma, A. v. H. voornamelijk als dogmahistoricus, Delft 1933; – Martinus Cornelis Slotemaker de Bruine, A. v. H.s kritische Dogmengeschiedenis, 's Gravenhage 1933; – Walter Wendland, Die Berufung A. H.s nach Berlin im J. 1888 (auf Grund der Akten des EOK), in: JbrKG 29, 1934, 103 ff.; – Werner Richter, A. v. H.s Stellung im kulturellen Leben seiner Zeit, in: ZKG 55, 1936, 295 ff.; – Agnes v. Zahn-Harnack, A. v. H., 1936 (1951²; dazu W. Eltester, in: ThLZ 76, 1951, 736 ff.); – Martin Schian, A. v. H. u. die Kirche, in: ThBl 18, 1939, 257 ff.; – Wilhelm Schneemelcher, Christentum als Kulturmacht. Zum 100. Geb. A. v. H.s, in: EvTh 10, 1950/51, 527 ff.; – Ders., Das Problem der DG. Zum 100. Geb. A. v. H.s, in: ZThK 48, 1951, 63 ff.; – Theodor Heuß, A. v. H., in: Ders., Dt. Gestalten. Stud. z. 19. Jh., 1951³, 492 ff.; – Wolfgang Trillhaas, A. v. H. u. der heutige Prot., in: Die Smlg. Zschr. f. Kultur u. Erziehung 6, 1951, 369 ff.; – Walther Völker, A. v. H. als Kirchenhistoriker, in: ThZ 7, 1951, 209 ff.; – Dietrich Bonhoeffer, Gedächtnisrede auf A. v. H. am 15. 6. 1930, in: A. v. H. Ausgew. Reden u. Aufss., neu hrsg. v. Agnes v. Zahn-Harnack u. Axel v. Harnack, 1951, 210 f.; – Theophil Wurm, A. v. H., in: DtPfrBl 52, 1951, 287 f.; – A. v. H. in memoriam. Reden z. 100. Geb., geh. bei der Gedenkfeier der Theol. Fak. der Humboldt-Univ. Berlin, 1951; – Kurt Aland, A. H. als wiss. Organisator, ebd. 7 ff.; – Walter Elliger, A. H. als Kirchengeschichtler, ebd. 19 ff.; – Otto Dibelius, A. H. als akadem. Lehrer, ebd. 31 ff.; – Ders., In memoriam f. A. v. H., in: Ev. Welt 5, 1951, 274 f.; – Friedrich Hauck, Briefe A. H.s an Theodor Zahn, in: ThLZ 77, 1952, 497 ff.; – Johannes Rathje, Die Welt des freien Prot. Ein Btr. z. dt.-ev. Geistesgesch. Dargest. an Leben u. Werk v. Martin Rade, 1952; – Floyd V. Filson, A. v. H. and his »What is christianity?«, in: Interpretation. A journal of Bible and theology 6, Richmond/Virginia 1952, 51 ff.; – Günter Stein, A. v. H. Die hist.-theol. Grundmotive des Lebenswerkes, ihre Weiterbildung im Sinne allg. Geisteswiss. u. ihr polit.-hist. Vollzug (Diss. Berlin F.U.), 1954; – Georg Schreiber, D. Wiss.-politik v. Bismarck bis z. Atomwiss.ler Otto Hahn, 1954, 33 ff.; – Gottfried Voigt, Gespräch mit H. Zur krit. Auseinandersetzung mit dem »Wesen des Christentums«, 1954; – Götz v. Selle, A. v. H., in: Ostdt. Biogr., 1955, Nr. 156; – Walther v. Loewenich, A. v. H., in: ELKZ 9, 1955, 268 ff.; – W. Dulière, Pour le 25e anniversaire de la mort de H., in: Le Flambeau. Le journal du Camerounais 1, Douala-Deido 1, 1955, 628 ff.; 2, 1956, 288 ff. 445 ff.; – Walter Klaas, Aktualität u. Problematik der Theol. A. v. H.s (Diss. Bonn), 1956; – Karl Barth, Theol. Fragen u.

Antworten, Zollikon 1957, 7 ff.: Ein Briefwechsel mit A. v. H.; – Walter Goetz, Leben u. Werk A. v. H.s, in: Ders., Historiker in meiner Zeit. Ges. Aufss., hrsg. v. Herbert Grundmann, 1957, 394 ff.; – Karl Hans Windschild, A. v. H. Ein Rufer in unserer Zeit (Freies Christentum. Schrr.reihe des Dt. Bundes f. Freies Christentum. H. 22. 23), 1957; – Hans Herzfeld, A. v. H., in: Die Großen Deutschen, hrsg. v. Hermann Heimpel, Theodor Heuß, Benno Reifenberg, IV, 1957, 255 ff.; – Peter Meinhold, Gesch.kritik u. Kirchenerneuerung, in: Saeculum. Jb. f. Universalgesch. 9, 1958, 1 ff.; – Karl Kupisch, A. v. H., in: ThViat 6, 1958, 53 ff.; – Erich Fascher, A. v. H. – Größe u. Grenze, in: WZ Berlin 9, 1959/60, 409 ff.; – Ders., A. v. H. Größe u. Grenze, 1962; – Ernst Barnikol, Theolog. u. Kirchl. aus dem Briefwechsel Loofs-H., in: ThLZ 85, 1960, 217 ff.; – Erik Thomson, Ostdt. Charakterköpfe. A. v. H., in: Ostdt. Mhh. 26, 1960, 151 ff.; – Wilhelm Maurer, Die Auseinandersetzung zw. H. u. Sohm u. die Begründung eines ev. KR, in: KuD 6, 1960, 194 ff.; – Otto Eißfeldt, A. v. H.: Christentum u. AT. Eine Bem. zu H.s »Marcion«, in: Ders., Kleine Schrr. Hrsg. v. Rudolf Sellheim u. Fritz Maaß, I, 1962, 72 ff.; – Klauspeter Blaser, Gesch. – KG – DG in A. v. H.s Denken. Ein Btr. z. Problematik der hist.-theol. Disziplinen (Diss. Mainz), 1964; – Carsten Colpe, Bem.en zu A. v. H.s Einschätzung der Disziplin »Allg. Rel.-gesch.«, in: NZSTh 5, 1964, 51 ff.; – Erhard Pachaly, A. v. H. als Politiker u. Wiss.organisator des dt. Imperialismus in der Zeit v. 1914 bis 1920 (Diss. Berlin), 1964; – Ders., Die gesch.-theoret. Anschauungen A. v. H.s, in: Ost u. West in der Gesch. des Denkens u. der kulturellen Beziehungen. Festschr. f. Eduard Winter z. 70. Geb. Hrsg. v. Wolfgang Steinitz u. a., 1966, 724 ff.; – Walter H. Capps, H. and ecumenical discussion, in: Journal of ecumenical studies, catholic – protestant – orthodox 3, Pittsburgh/Pennsylvania 1966, 486 ff.; – Trutz Rendtorff, A. v. H.; in: Tendenzen der Theol. im 20. Jh. Hrsg. v. Hans Jürgen Schultz, 1966, 44 ff.; – Dietrich Braun, Der Ort der Theol. Entwurf f. einen Zugang z. Verständnis des Briefwechsels zw. A. v. H. u. Karl Barth aus dem J. 1923, in: Parrhesia. Karl Barth z. 80. Geb., Zürich 1966, 11 ff.; – Karl Holl u. A. v. H.: Briefwechsel. Hrsg. v. Heinrich Karpp, 1966; – Garland Wayne Glick, A. H. as historian and theologian (Diss. Univ. of Chicago, 1958), New York 1967 u. d. T.: The reality of Christianity. A study of A. v. H. as historian and theologian (Rez. v. B. A. Gerrish, in: ChH 38, 1969, 274 f.); – Raimund Hoenen, Die bleibende Bedeutung des Dogmas f. bewußten christl. Glauben. Dargest. anhand der Problematik u. Diskussion v. H.s DG (Diss. Jena) 1967; – Wilhelm Pauck, H. and Troeltsch. Two historical theologians, New York 1968 (Rez. v. Erdmann Schott, in: ThLZ 94, 1969, 779 f.; v. Jan van Harvey, in: ChH 38, 1969, 275 f.); – Dt.balt. Biogr. Lex. 1710–1960, hrsg. v. Wilhelm Lenz, 1970, 296 f.; – Friedrich Wilhelm Kantzenbach, A. H. u. Theodor Zahn, Gesch. u. Bedeutung einer Gelehrten-Freundschaft, in: ZKG 83, 1972, 226 ff.; – Karl Hammer, A. v. H. u. der Erste Weltkrieg, in: ZEE 16, 1972, 85 ff.; – Carl-Jürgen Kaltenborn, A. v. H. als Lehrer Dietrich Bonhoeffers (Diss. Berlin, 1969), 1973 (Rez. v. Walther Fürst, in: Wiss. u. Praxis in Kirche u. Ges. 63, 1974, 267 f.; v. Johannes Dantine, in: LR 24, 1974, 427); – Alfred Loisy, L'évangile et l'église, Frankfurt/Main 1973 (unv. Nachdr. der Ausg. v. 1908); – Biogr. Wb. z. dt. Gesch. I², 1973, 1027 f.; – Peter Henke, Erwählung u. Entwicklung. Zur Auseinandersetzung zw. A. v. H. u. Karl Barth, in: NZSTh 18, 1976, 194 ff.; – KLL VII, 1076 f. (Das Wesen des Christentums); – NDB VII, 688 ff.; – EKL II, 29 f.; – RGG III, 77 ff.; – Catholicisme V, 516 ff.; – EC VI, 1365 f.; – LThK V, 16 f.; – NCE VI, 929 f.; – ODCC² 620.

HARNACK, Theodosius, luth. Theologe, * 3. 1. 1817

in St. Petersburg als Sohn eines ostpreußischen Schneidermeisters, † 23. 9. 1889 in Dorpat. – H. wuchs in dem pietistischen Geist des Elternhauses auf und besuchte die schon damals blühende St. Petri-Schule seiner Vaterstadt. Er studierte 1834–37 in Dorpat und wurde dann Hauslehrer auf einem Landgut bei Dorpat. H. setzte 1840–42 seine Studien in Berlin, Bonn und Erlangen fort und begann seine akademische Laufbahn 1843 als Privatdozent für Kirchengeschichte und Homiletik in Dorpat, wo er 1847 Universitätsprediger und ao. und 1848 o. Professor der Praktischen, später der Systematischen Theologie wurde. 1853 folgte H. dem Ruf nach Erlangen und entfaltete dort eine fruchtbare akademische und literarische Wirksamkeit. 1866 kehrte er nach Dorpat zurück, mußte aber krankheitshalber bereits 1875 in den Ruhestand treten. – Im Lauf der Jahre hat sich H. vom Pietismus seines Elternhauses zu einem strengen Lutheraner entwickelt. Auf Grund eingehender Lutherstudien schrieb er in scharfer Auseinandersetzung mit Albrecht Ritschl (s. d.) sein Hauptwerk »Luthers Theologie«. Während seiner Wirksamkeit in Dorpat gelang es ihm, die livländische Kirche von herrnhutischen Einflüssen (s. Zinzendorf, Nikolaus Ludwig Graf von) frei zu machen und sie zu einem reinen Luthertum zurückzuführen. Durch seine rege Beteiligung an den Verhandlungen und Beratungen der theologischen und kirchlichen Kreise hat er einen tiefgreifenden Einfluß auf die Entwicklung des theologisch-kirchlichen Lebens in den Ostseeprovinzen ausgeübt.

Werke: Die Grundbekenntnisse der ev.-luth. Kirche, 1845; Der christl. Gemeindegottesdienst im apostol. u. altkath. Zeitalter, 1854; Der Kleine Katechismus M. Luthers in seiner Urgestalt krit. unters. u. hrsg., 1856; Die luth. Kirche Livlands u. die hernhut. Brüdergemeine, 1860; Die Kirche, ihr Amt, ihr Regiment, 1862 [Neudr. 1934 u. 1947]; Luthers Theol. mit bes. Beziehung auf seine Versöhnungs- u. Erlösungslehre I, 1862; II, 1886 (eine der bedeutendsten der Theol. Luthers); neu hrsg. v. Friedrich Wilhelm Schmidt u. Oskar Grether, 1927 (Rez. v. Emanuel Hirsch, in: ThLZ 52, 1927, 41 ff.); Nachdr. der Ausg. v. 1862 u. 1886: Amsterdam 1969; Die freie luth. Volkskirche, 1870; Liturg. Formulare z. Vervollst. u. Revision der Agende f. die ev. Kirche in Rußland, 1872–74; Prakt. Theol., 2 Bde., 1877/1878; Katechetik u. Erkl. des Kleinen Katechismus Luthers, 2 Bde., 1882; Über den Kanon u. die Inspiration, 1885.

Lit.: Johannes Frey, Die Theol. Fak. der Kais. Univ. Dorpat-Jurjew 1802–1903, Reval 1905, 216 ff.; – Nathanael Bonwetsch, Zur Erinnerung an Th. H., in: AELKZ 50, 1917, 88 ff.; – Roderich v. Engelhardt, Die dt. Univ. Dorpat in ihrer geistesgeschichtl. Bedeutung, 1933; – Martin Doerne, Ein Weg z. wirklichen Gemeinde. Th. H. z. Frage der Gemeindesmlg., in: PBl 77, 1934/1935, 513 ff.; – Ders., Neubau der Konfirmation. Grundzüge einer Erneuerung kirchl. Jugendkatechumenats, 1936, 65 ff.; – Otto Wolff, Die Haupttypen der neueren Lutherdeutung, 1938, 63–120; – Georg Merz, Th. H.s Bedeutung f. die luth. Kirche, in: MPTh 35, 1939, 338 ff.; u. in: Ders., Um Glauben u. Leben nach Luthers Lehre. Ausgew. Aufss. Eingel. u. hrsg. v. Friedrich Wilhelm Kantzenbach, 1961, 9. 200 ff.; – Georg Wehrung, Kirche nach ev. Verständnis, 1945, 92 ff.; – Hans Kreßel, Die Liturgik der Erlanger Theol. Ihre Gesch. u. ihre Grundsätze, 1948²; – Agnes v. Zahn-Harnack, Adolf v. Harnack, 1951², 5 ff.; – Heinrich Bornkamm, Luther im Spiegel der dt. Geistesgesch., 1955, 46 f.; Textproben 195 ff.; – Herbert Wehrhahn, KR u. Kirchengewalt. Stud. z. Theorie des KR der Protestanten auf luth. Lehrgrdl., 1956, bes. 49–71; – Friedrich Wilhelm Kantzenbach, Die Erlanger Theol. Fak. Grundlinien ihrer Entwicklung im Rahmen der Gesch. der Theol. Fak. 1743–1877, 1960, 217 ff.; – Reinhard Wittram, Das Verständnis der Kirche u. ihres Handelns bei Th. H. (Diss. Göttingen, 1960), 1963 (überarb. u. d. T.: Die Kirche bei Th. H. Ekklesiologie u. prakt. Theol.); – Christoph Link, Die Grdl.n der Kirchenverfassung im luth. Konfessionalismus des 19. Jh.s, insbes. bei Th. H. (Diss. München), 1966; – Kurt Hünerbein, Impulse aus der Theol. Th. H.s f. die heutige Kirche luth. Ref. (Diss. Leipzig), 1970; – Dt.balt. Biogr. Lex. 1710–1960, hrsg. v. Wilhelm Lenz, 1970, 298; – ADB 50, 8 ff.; – NDB VII, 690 f.; – RE VII, 445 ff.; – EKL II, 30 f.; – RGG III, 79 f.

HARNISCH, Otto Siegfried, Komponist, * um 1568 bis 1570 in Reckershausen bei Göttingen, beerdigt 18. 8. 1623 in Göttingen (ev.). – Nach dem Besuch der Lateinschule studierte H. an der Universität Helmstedt und war etwa zwischen Weihnachten 1586 und Ostern 1588 Kantor am Domstift St. Blasius in Braunschweig, vom 13. 6. 1593 bis Anfang März 1594 Kantor an der Partikularschule in Helmstedt und vom 10. 3. 1594 bis Dezember 1600 Kantor an der Großen Schule in Wolfenbüttel. Von dort aus wurde er als Kapellmeister an den Hof des Herzogs Philipp Sigismund zu Braunschweig und Lüneburg berufen, dessen Hofkapelle in Iburg bei Osnabrück ihren Sitz hatte. Von 1603 bis zu seinem Tod war H. 3. Lehrer am Pädagogium in Göttingen und zugleich Kantor an der dortigen St. Johanniskirche. Er starb wahrscheinlich an der Pest.

Werke: Motetten, Madrigale, Kanzonetten, Passionshistorie, Auferstehungshistorie, Cantiones gregorianae (Schulgesänge). – Artis musicae delineatio, 1608. – Ausg.: MGG V, 1721.

Lit.: Rudolf Gerber, Das Passionsrezitativ bei Schütz u. seine stilgeschichtl. Grdl.n, 1929; – Franz Bösken, Musikgesch. der Stadt Osnabrück. Die geistl. u. weltl. Musik bis z. Beginne des 19. Jh.s, 1937; – Hans-Otto Hiekel, O. S. H. Leben u. Kompositionen. Ein Btr. z. Gesch. des dt. Chorliedes in Niedersachsen um 1600 (Diss. Hamburg), 1959; – Friedrich Blume, Gesch. der ev. Kirchenmusik, 1965²; – Klaus Wolfgang Niemöller, Unterss. zu Musikpflege u. Musikunterricht an den dt. Lat.schulen v. ausgehenden MA bis um 1600 (Hab.-Schr., Köln), 1969 (Kölner Bttr. z. Musikforsch. 54); – MGG V, 1718 ff.; – Eitner V, 24 f.; – Riemann I, 734 f.; ErgBd. I, 491; – Grove IV, 89; – ADB X, 614; – NDB VII, 692 f.

HARNISCH, Wilhelm, Schulmann und pädagogischer Schriftsteller, * 28. 8. 1787 in Wilsnack bei Wittenberge als Sohn eines Schneidermeisters, † 15. 8. 1864 in Berlin. – H. studierte in Halle/Saale und Frankfurt/Oder und legte 1809 in Berlin das theologische Examen ab. Nach kurzer Hauslehrerzeit in Mecklenburg wandte er sich der Pädagogik zu. H. wurde 1809 Lehrer an der Plamannschen Erziehungsanstalt in Berlin, wo er die Grundsätze Johann Heinrich Pestalozzis (s. d.) studieren und erproben lernte. 1812 promovierte H. zum Dr. phil. und wurde 1. Lehrer an dem neuen Schullehrerseminar in Breslau. Er hörte und hielt gleichzeitig akademische Vorlesungen und widmete sich eifrig der Hebung des schlesischen Volksschulwesens. 1822 wurde H. zum Direktor des Lehrerseminars in Weißenfels (Sachsen) ernannt, das unter ihm als Schulstätte Pestalozzischer Pädagogik weltberühmt wurde. Er übernahm 1842 das Pfarramt in Elbeu (heute: Wolmirstedt-Elbeu), wurde 1856 Superintendent und trat 1861 in den Ruhestand. – H. ist bekannt als Förderer der Volksschulpädagogik und der Lehrerbildung. In seinen späteren Schriften vertrat er den Gedanken der christlichen Volksschule und verlor dadurch seinen Einfluß auf einen großen Teil der preußischen Volksschullehrer. Die Theologische Fakultät der Universität Königsberg verlieh ihm 1837 für seine Schriften über den Religionsunterricht die Ehrendoktorwürde.

Werke: Dt. Volksschulen. Mit bes. Rücksicht auf die Pestalozzischen Grundsätze, 1812; Die Weltkunde, 1820; Hdb. f. das dt. Volksschulwesen, 1820 (1893⁴, hrsg. v. Friedrich Bartels); Die dt. Bürgerschule, 1830; Die Schullehrerbildung, 1836; Der jetzige Standpunkt des gesamten preuß. Volksschulwesens, 1844; Die künftige Stellung der Schule, vorzüglich der Volksschule, zu Kirche, Staat u. Haus, 1848; Mein Lebensmorgen. Zur Gesch. der J. 1787–1822, hrsg. v. Heinrich Eduard Schmieder, 1865. – Gab heraus: Schulrat an der Oder, 6 Jgg., 1814–20 (die erste sich speziell mit Fragen der Volksschule beschäftigende Fachzschr.).

Lit.: Robert Rißmann, W. H. in seiner Bedeutung f. die Entwicklung der dt. Volksschulpäd., 1889; – Hermann Metzmacher, Weiter- bzw. Umbildungen der Pestalozzischen Grundsätze durch H. qu.mäßig dargel. (Diss. Leipzig), Greifswald 1901; – Otto Johannes Singer, H.s Weltkunde, ihre wiss. u. päd. Voraussetzungen (Diss. Halle), 1914; – Lieselotte Scheu, Das Problem der polit. Erziehung in der Volksschule z. Z. der Reformen des Frhr. v. Stein in Preußen. Dargest. an W. H.s päd. Schrr. aus der Zeit v. 1812 bis 1822 (Diss. Hamburg), 1955; – ADB X, 614 ff.; – NDB VII, 693; – RGG III, 80.

HARRIS, Howel, Erweckungsprediger in Wales (Halbinsel an der Südwestküste Englands), * 23. 1. 1714 in Trevecca (Breconshire), † daselbst 21. 7. 1773. – H. studierte in Oxford, brach aber das Studium ab und begann im Frühjahr 1736, ohne ordiniert zu sein, in Wales eine weitreichende Wirksamkeit als Erweckungsprediger. Er predigte in der Regel zweimal an jedem Tag, überall bei Jahrmärkten, Kirchweihfesten und Wettrennen. Keine Verfolgung, blutige Mißhandlung und Steinigung brachten ihn zum Schweigen. Er war mit den Brüdern John und Charles Wesley (s. d.) und George Whitefield (s. d.) eng befreundet. In Trevecca gründete H. mit der »Königin des Methodismus« Selina Gräfin von Huntingdon (s. d.) eine calvinisch-methodistische Predigerschule. Die offizielle Trennung von der anglikanischen Kirche wurde 1811 vollzogen. – H. ist bekannt als Begründer der »Welsh Calvinistic Methodist Church«.

Lit.: A Brief Account of the Life of H. H. extracted from papers written by himself. To which is added a concise Collection of his Letters from the Year 1738 to 1772. Edited by Benjamin La Trobe, Trevecka 1791; – Edward Morgan, The Life and times of H. H., Holywell 1852; – Thomas Rees, History of Protestant Nonconformity in Wales, from its rise in 1633 to the present time, London 1883²; – Hugh Joshua Hughes, Life of H. H., the Welsh Reformer, ebd. 1892; – Howell Elvet Lewis, H. H. and the Welsh Revivalists, ebd. 1911; – Griffith Thomas Roberts, H. H. (Wesley Historical Society Lecture 17), ebd. 1951; – H. H.'s Visits to London. Transcribed and edited (from his diaries) by Tom Beynon, Aberystwyth 1960; – H. H.'s visits to Pembrokeshire. Transcribed by Tom Beynon from the diaries of H. H., ebd. 1966; – Richard Bennett, The Early Life of H. H. Translated by Gomer Morgan Roberts, London 1962; – Robert Richard Williams, Flames from the Altar. H. H. and his contemporaries, Caernarvon 1962; – Geoffrey Fillingham Nuttal, H. H. The last enthusiast, Cardiff 1965; – DNB IX, 6 f.; – RGG III, 80; – NCE VI, 931; – ODCC² 620.

HARSDÖRFER (Harsdörffer), Georg Philipp, Vertreter der Barockliteratur, auch Kirchenliederdichter, * 1. 11. 1607 in Nürnberg als Sohn eines Patriziers, † daselbst 22. 9. 1658. – H. stammt aus einer altadeligen böhmischen, aber schon im 13. Jahrhundert nach Nürnberg übergesiedelten Familie. Er studierte seit 1623 in Altdorf bei Nürnberg und seit 1626 in Straßburg die Rechte. Nach einer fünfjährigen europäischen Bildungsreise kehrte H. nach Nürnberg zurück, wo er 1637 Gerichtsassessor und 1655 Ratsmitglied wurde. H. hat sich um die Pflege der deutschen Sprache und Dichtkunst verdient gemacht. Er wurde 1642 in die »Fruchtbringende Gesellschaft« und 1643 von Philipp von Zesen (s. d.) in die »Teutschgesinnte Genossenschaft« aufgenommen. In Verbindung mit Johann Klaj (s. d.) stiftete H. 1644 in seiner Vaterstadt den noch heute bestehenden Sprach- und Literaturverein »Pegnesischer Hirten- und Blumenorden«, dessen Vorsitz er übernahm. Seine geistlichen Lieder erschienen außer in seinen eigenen Werken in Erbauungsschriften und Gesangbüchern des ihm befreundeten Nürnberger Pfarrers Johann Michael Dilherr (s.d.) und im Nürnberger Gesangbuch von 1677. Bekannt sind u. a.: »Die Nacht ist nun vergangen, der helle Tag bricht an« und »O Sündenmensch, bedenk den Tod, der letzten Stunde Angst und Not.«

Werke: Frawen-Zimmer Gespräch-Spiel. So bey Ehrliebenden Gesellschaften zu nützlicher Ergetzlichkeit beliebet werden mögen (Smlg. v. Dichtungen u. Unterhaltungsspielen; v. 3. Bd. unter dem verkürzten Titel: Gesprechspiele, 8 Bde., 1641–49) Pegnesisches Schäfergedicht (mit Johann Klaj), 1644; Forts. der Pegnitz-Schäferey (mit J. Klaj), 1645; Poetischer Trichter. Die teutsche Dicht- u. Reimkunst ohne Behuf der lat. Sprache in 6 Stunden einzugießen, 3 Bde., 1648–53; Der Große Schauplatz Lust- u. Lehrreicher Gesch., 1649 (1653³), das 2. Hundert, 1651; Hertzbewegliche Sonntagsandachten, 2 Bde., 1649–52; Der Große Schauplatz Jämmerlicher Mordgesch., 2 Bde., 1650–52; Nathan u. Jotham, d. i. Geist- u. Weltliche Lehrgedichte, 2 Bde., 1650–52; Gesch.spiegel oder 100 denkwürdige Begebenheiten, 1654; 100 Andachtsgemälde, in welchen die wahre Gottseligkeit abgemalet worden, 1656; Der teutsche Secretarius I, 1656; II, 1659. – *Neuausg. u. Neu- u. Nachdrucke:* Frauenzimmer-Gesprächspiele, Neuausg. v. Irmgard Böttcher. Dt. Neudrucke. Reihe Barock 13 bis 20. Nachdr. Tübingen 1968/69. – Pegnes. Schäfergedicht. Hrsg. u. mit einem Nachw. v. Dietmar Pfister, 1969. – Pegnes. Schäfergedicht. Forts. der Pegnitz Schäferey. Hrsg. v. Klaus Garber. Dt. Neudrucke. Reihe Barock 8. Nachdr. Tübingen 1966. – Poetischer Trichter. Hrsg. v. Reginald Marquier, 1939; Nachdr. Darmstadt 1969; Hildesheim – New York 1971; Darmstadt 1975. – Der Große Schauplatz Jämmerlicher Mordgesch. Ausw. u. d. T.: Jämmerliche Mordgesch.n. Ausgew. novellist. Prosa. Hrsg. u. mit

einem Nachw. vers. v. Hubert Gersch, 1964; Der große Schau-Platz jämmerlicher Mordgesch. Beigebunden ist »Neue Zugabe, bestehend in 100 Sinnbildern«. Nachdr. der Ausg. Hamburg 1956, Hildesheim – New York 1975. – Der teutsche Secretarius, 2 Bde., Nachdr. Hildesheim – New York 1971. – Auserlesene Gedichte, hrsg. v. Wilhelm Müller (Bibl. dt. Dichter des 17. Jh.s, Bd. IX), 1826. – G. Ph. H., Johann Klaj, Sigmund v. Birken. Die Pegnitz-Schäfer. Gedichte. Hrsg. v. Gerhard Rühm, 1964. – Christl. Welt- u. Zeitbetrachtungen. 12 Monatslieder, München 1961. – *Bibliogr.*: Heinz Zirnbauer, Bibliogr. der Werke G. Ph. H.s, in: Mitt. aus der Stadtbibl. Nürnberg 7, 1958, H. 3, S. 1 ff.; u. in: Philobiblon. Eine Vjschr. f. Buch- u. Graphik-Sammler 5, 1961, 12–49.

Lit.: Johann Michael Dilherr, Leichenrede auf G. Ph. H. (14 ff.: Lebenslauf), Nürnberg 1658; – Andreas Georg Widmann, Vitae Curriculum G. Ph. H., Altorf 1707; – Amarantes (d. i. Johann Herdegen), Hist. Nachr. des löbl. Hirten- u. Blumenordens an der Pegnitz, Nürnberg 1744; – Karl Heinrich Jördens, Lex. dt. Dichter u. Prosaisten II, 1811, 332 ff.; – Julius Tittmann, Die Nürnberger Dichterschule. H., Klaj, Birken. Btr. z. dt. Lit.- u. Kulturgesch. des 17. Jh.s, 1847 (Neudr. Wiesbaden 1965); – Theodor Bischoff, G. Ph. H. Ein Zeitbild aus dem 17. Jh., in: Festschr. z. 250j. Jubelfeier des Pegnes. Blumenordens, hrsg. v. dems. u. August Schmidt, 1894, 3–421; – Albert Krapp, Die ästhet. Tendenzen G. Ph. H.s, 1903; – E. Schmitz, Zur musikgeschichtl. Bedeutung der H.schen »Frauenzimmergesprächspiele«, in: Festschr. z. 90. Geb. Rochus Frhr. v. Liliencrons, 1910, 254 ff.; – Adelheid v. Piotrowski, Stilist. Unterss. über H.s »Frauenzimmer-Gesprächspiele« (Diss. Greifswald), 1920; – Karl-August Kroth, Die myst. u. myth. Wurzeln der ästhet. Tendenzen G. Ph. H.s. Ein Btr. z. Psychologie des Barock (Diss. München), 1921; – Georg Adolf Narciß, Stud. zu den »Frauenzimmergesprächspielen« G. Ph. H.s. Ein Btr. z. dt. Lit.gesch. des 17. Jh.s (Diss. Greifswald), Leipzig 1928; – Karl Vietor, Probleme der dt. Barocklit., 1928, 44 f.; – Wolfgang Kayser, Die Klangmalerei bei H. Ein Btr. z. Gesch. der Lit., Poetik u. Sprachtheorie (2. Aufl.: Sprachgesch.) der Barockzeit (Diss. Berlin), Leipzig 1932 [hrsg. v. Alois Brandl u. Julius Petersen, Göttingen 1962² [unv.]; Palaestra 179]; – Erich Kühne, Emblematik u. Allegorie in G. Ph. H.s »Frauenzimmergesprächspiele« (Diss. Wien), 1933; – Maria Kahle, G. Ph. H.s Kurzgesch.smlg.en. Ein Btr. z. Unterhaltungslit. des Barockzeitalters (Diss. Breslau, 1942), 1941; – Gilbert J. Jordan, Theater Plans in H.'s »Frauenzimmer-Gesprächspiele«, in: The Journal of Englisch and Germanic Philology 42, Urbana/Illinois 1943, 475 ff.; – Artur Kreiner, G. Ph. H.s – Nürnberger Gestalten aus 9 Jhh., 1950, 130 ff.; – Rolf Hasselbrink, Gestalt u. Entwicklung des Gesprächspiels in der dt. Lit. des 17. Jh.s (Diss. Kiel, 1957), 1956; – Heinrich Geissler, G. Ph. H. Ein fränk. Schulmann des 17. Jh.s, in: Schule u. Leben 8, 1956–57, 174 ff.; – John Edward Oyler, The Compound Noun in H.'s »Frauenzimmer Gesprächspiele«« (Diss. Northwestern Univ. Evanston/Illinois), 1957; – E. Kappe, Novellist. Struktur bei H. u. Grimmelshausen unter bes. Berücks. des Großen Schauplatzes Lust- u. Lehrreicher Gesch. u. des Wunderbarlichen Vogelnests (Diss. Bonn), 1959; – K. G. Knight, G. Ph. H.s »Frauenzimmergesprächspiele«, in: German Life and Letters 13, Oxford 1959/60, 116 ff.; – Blake Lee Spahr, Archives of the Pegnes. Blumenorden; a survey and reference guide, Berkeley/Kalifornien 1960; – Wilhelm Riese, G. Ph. H. u. die humanist. Tradition, in: Worte u. Werte. Festschr. f. Bruno Markwardt z. 60. Geb. Hrsg. v. Gustav Erdmann u. Alfons Eichstaedt, 1961, 334 ff.; – Bruno Markwardt, Gesch. der dt. Poetik I, 1964³, 71 ff.; – Siegfried Ferschmann, Die Poetik G. Ph. H.s. Ein Btr. z. Dichtungstheorie des Barock (Diss. Wien), 1964; – Günter Kieslich, Auf dem Wege z. Zschr. G. Ph. H.s »Frauenzimmer Gesprschspiele«, in: Publizistik 10, 1965, 515 ff.; – Die Fruchtbringende Ges. Qu. u. Dokumente. Hrsg. v. Martin Bircher. G. Ph. H.: Fortpflanzung der hochlöbl. Fruchtbringenden Ges., München 1971 (Nachdr. der Ausg. Nürnberg 1651); – Biogr. Wb. z. dt. Gesch. I², 1973, 1030; – Hans P. Braendlin, Individuation u. Vierzahl in »Pegnes. Schäfergedicht« v. H. u. Klaj, in: Europ. Tradition u. dt. Lit.barock. Internat. Bttr. z. Problem v. Überl. u. Umgestaltung. Hrsg. v. Gerhart Hoffmeister, 1973, 329 ff.; – Rosmarie Zeller, Spiel u. Konversation im Barock. Unterss. zu H.s »Gesprächspielen«, Berlin – New York 1974 (Rez. v. Gerhard Dünnhaupt, in: Mschr. f. den dt. Unterricht, dt. Sprache u. Lit. 67, Madison/Wisconsin 1975, 193 ff.); – Goedeke III, 107 ff.; – Kosch, LL I, 837 f.; – WeltLit II, 686; – KLL III, 262 ff. (Frawen-Zimmer Gespräch-Spiel); v. 2235 f. (Poetischer Trichter); – Wilpert I², 668 f.; II, 318 (Frauenzimmergesprächspiele). 807 f. (Pegnes. Schäfergedicht); – Koch III, 471 ff.; – MGG V, 1735 ff.; – Riemann, ErgBd. I, 492 f.; – Will II, 34 f.; V, 29; – ADB X, 644 ff.; – NDB VII, 704 f.

HARTENSTEIN, Karl, Theologe, * 25. 1. 1894 in Bad Cannstatt als Sohn eines Kaufmanns, † 1. 10. 1952 in Stuttgart. – H. bezog Winter 1913/14 die Universität Tübingen. Von August 1914 bis Dezember 1918 machte er den Weltkrieg an der Westfront mit. Im Frühjahr 1919 setzte H. in Tübingen sein Studium fort. Er wurde 1921 in Stammheim und kurz darauf in Cannstatt Vikar, 1922 Repetent am Tübinger Stift, 1923 Pfarrer in Urach und 1926 Missionsdirektor in Basel und auch Mitglied des Deutschen Evangelischen Missionsrats. H. unternahm Inspektionsreisen nach Indien und China von September 1928 bis Juni 1929, nach Afrika von September 1931 bis Februar 1932 und nach Indien von September bis Dezember 1932 und auch im Anschluß an die Weltmissionskonferenz in Tambaram bei Madras, der er im Dezember 1938 als Mitglied des Internationalen Missionsrats beiwohnte. H. promovierte 1933 in Tübingen zum Dr. theol. und nahm die ihm von der Universität Basel angetragene Dozentur für Religionswissenschaft und Missionskunde an. Im September 1939 entschloß er sich, im Interesse der ungehinderten Weiterarbeit der Schweizer Brüder auf den Missionsfeldern von seinem Posten zurückzutreten und das Werk für die Dauer des Krieges in rein schweizerische Hände zu legen. H. wurde Bevollmächtigter der Basler Mission für Deutschland und zog nach Korntal bei Stuttgart. Seit 1941 wirkte er als Prälat von Stuttgart und Stiftsprediger und war zugleich Mitglied der württembergischen Kirchenleitung. H. nahm teil an den Missionskonferenzen 1947 in Whitby bei Toronto (Kanada) und 1952 in Willingen bei Kassel und an der Weltkirchenkonferenz 1948 in Amsterdam. 1949 wurde er Mitglied des Rats der Evangelischen Kirche in Deutschland, stellvertretender Vorsitzender des Verwaltungsrats der Evangelischen Hilfswerks und Vorsitzender des Verwaltungsrats der Diakonenanstalt Karlshöhe bei Ludwigsburg. 1950 rief H. das »Ökumenische Komitee« ins Leben und übernahm in ihm den Vorsitz. Die Universität Heidelberg verlieh ihm im August 1952 die theologische Ehrendoktorwürde. Seine Arbeit an der Bibel wandte sich besonders den prophetischen Schriften des Alten und Neuen Testaments zu. Seine Schriftauslegung wurde bestimmt durch das Wissen: »Man kann die Offenbarung und die Propheten des Alten Testaments nicht einfach mit seinem klugen Verstand oder mit seinem frommen Spekulieren erkennen. Dabei entstehen lauter Lieblingsgedanken, die die frommen Leute ja in allen Jahrhunderten sich zurechtgemacht haben und die wieder verflattert sind. Sondern dann und dort, wo die Gemeinde ins Leiden geführt, im Leiden bewahrt und unter Leiden bewährt ist, tut ihr der Herr Stück um Stück am prophetischen Wort auf, so viel, daß sie Licht bekommt, um durchzufinden durch die Anfechtungen und Nöte der Zeit. Nicht weniger, aber auch nicht mehr.«

Werke: Die Mission als theol. Problem (Diss. Tübingen), 1933; Vom Gehorsam des Glaubens. 5 bibl. Vortrr. über die Abrahamsgesch., 1933; Völkerentartung unter dem Kreuz?, 1935; Warum Mission? (Vortr.), 1935; Der Prophet Daniel. Meditationen, 1936 (1940⁴); Die Rassenfrage in der Mission, 1936; Der Sohn Gottes. Ein Bibelstud. über das Ev. des Joh., 1938 (1948²); Die Weltmissionskonferenz Tambaram 1938, 1939; Der wiederkommende Herr. Eine Ausl. der Offb., 1940 (1954³ völlig neu bearb.); Im Hause des Herrn. Eine missionar. Ausl. des 27. Ps., 1941; Die Weltmissionskonferenz in Whitby-Toronto. Juli 1947. Die Weltchristenheit im Ringen mit den Problemen der Zeit, 1947 (1948²); Der Kreuzweg des Herrn. Meditationen über die Passion des Herrn Jesus Christus, 1948; Kirche auf dem Wege z. Einheit. Ein Ber. über die Weltkirchenkonferenz in Amsterdam, Sommer 1948, 1948; Die Aufgaben v. Württemberg u. Basel. Ein Btr. z. KG Süddtld.s u. der Schweiz, in: Festg. f. Landesbisch. D. Theophil Wurm z. 80. Geb., 1948, 155–172; Das Werden des christl. Abendlandes, 1949; Da es nun Morgen war. Eine Ausl. v. Joh 21, 1950 (1953⁴); Wann wird das geschehen? Der Vers. einer Ausl. v. Mt 24 u. 25, 1951 (1952³); Entrückung

oder Bewahrung? Eine bibl. Antwort, 1952 (1952² verb.); Israel im Heilsplan Gottes. Eine bibl. Besinnung, 1952; Vom Wachen u. Warten. Ein Jg. Predigten, 1953 (1956²); Die hohe Hand des Herrn. Eine Bibelausl. v. 2. Mose 12–16, 1953²; Der neue Weg. Eine Ausl. des Kolosserbriefs, 1953; Sind wir wirklich Christen? Eine Ausl. des Jakobusbriefes, 1954; Andachten, 1954; Vom Geheimnis des Betens. Betrachtungen zu ausgew. Pss. (Nachschr. der Bibelstunden in Stuttgart 1943/44), 1957.

Lit.: K. H. Ein Rückblick auf sein Leben u. Werk, 1952; – Otto Dibelius, Prälat D. Dr. K. H. gest., in: Amtsbl. der EKD 6, 1952, 229; – Alphons Koechlin, Zum Gedenken an Prälat D. Dr. K. H., in: EMM 96, 1952, 169 ff.; – Martin Haug, Landesbisch. D. Dr. Haug am Grabe v. Prälat D. Dr. K. H., in: Für Arbeit u. Besinnung. Kirchl. u. theol. Halb-Mschr. 6, 1952, 306 ff.; – Hanns Lilje, K. H. gest. Theologe u. Missionar, in: Sonntagsbl. 5, 1952, Nr. 41, S. 19; – Christoph v. Imhoff, K. H. Künder der Propheten, in: Die neue Furche 6, 1952, 764 ff.; – Wolfgang Metzger, Prälat D. Dr. K. H. gest., in: DtPfrBl 52, 1952, 613; – K. H. Ein Leben f. Kirche u. Mission, hrsg. v. dems., 1953 (Bibliogr.: 363 ff.; 1954²); – Walter Freytag, K. H. z. Gedenken, in: EMZ 10, 1953, 1 ff.; – Hermann Hartenstein u. Markus Hartenstein, Im Dienst des unüberwindl. Herrn. Das Leben K. H.s, 1953; – Friso Melzer, Was K. H. der Missionswiss. gegeben hat, in: EMM 97, 1953, 113 ff.; – Christian G. Baeta, In memoriam K. H., in: Für Arbeit u. Besinnung 7, 1953, 211 f.; – Friedrich Maier, Das missionstheol. Erbe K. H.s, ebd. 8, 1954, 258 ff. 278 ff.; – Ders., Das missionar. Amt – im Verständnis K. H.s, in: EMZ 11, 1954, 169 ff.; – Hedwig Thomä, K. H., 1962; – Dies., K. H. Ein Leben in weltweitem Dienst, in: Ökumen. Profile. Brückenbauer der einen Kirche. Hrsg. v. Günter Gloede, II, 1963, 85 ff.; – NDB VII, 710 f.; – RGG III, 80 f.; – WKL 525 f.

HARTIG, Michael, Kunstgeschichtler, * 28. 9. 1878 in Mauern bei Moosburg (Oberbayern), † 12. 4. 1960 in München. – H. besuchte das Gymnasium in Scheyern und bestand 1898 in Freising das Abitur, studierte in Freising, München und Würzburg und empfing 1903 in Freising die Priesterweihe. Er wurde 1925 in München Domkapitular und hielt Vorlesungen seit 1920 an der Franziskanerhochschule in München-St. Anna, 1925–42 an der Hochschule in Salzburg und 1948–60 an der Universität München, die ihm 1950 die Würde eines Honorarprofessors für Kunstgeschichte und eines Ehrendoktors der Theologie verlieh.

Werke: Bayerns Klöster u. ihre Kunstschätze v. der Einf. des Christentums bis z. Säkularisation zu Beginn des 19. Jh.s. I: Die Klöster des Benediktinerordens, 1913; Die Kunstpflege des Benediktinerstiftes Scheyern in der Zeit der roman. Kunst (Diss. Würzburg), München 1915; Augsburgs Kunst, 1922; Das Benediktiner-Reichsstift Sankt Ulrich u. Afra in Augsburg (1012 bis 1802), 1923; Freising, eine ehem. altbayer. Bisch.stadt, 1928; Bestehende ma. Kirchen Münchens (mit Ausnahme der Frauenkirche), 1928; Die oberbayer. Stifte, die großen Heimstätten d. Kirchenkunst, 2 Tle., 1935; Die mittelalt. Stifte. Mächtige Förderer dt. Kunst, 1939; Der Dom zu Unserer Lieben Frau in München, 1941; Wallfahrtskirche Vilgertshofen u. die übrigen Kirchen der Pfarrei Stadl, 1941; Die Benediktinerabtei Hangensee. 746–1803. Kurzer Überblick über ihre Gesch. u. ihre Verdienste um Wiss. u. Kunst, 1946; Stätten der Gnade, 1947; Patrona Bavariae. Die Schutzfrau Bayerns, 1948; Franziskanerkirche Ingolstadt, 1949; Wallfahrts- (u. Kloster)kirche Grafrath, 1949; Die Stiftskirche Scheyern, 1951²; Stadtpfarrkirche St. Nikolaus in Mühldorf am Inn, 1951; Kloster Speinshart, Landkreis Eschenbach/Oberpfalz, Diözese Regensburg. Prämonstratenserkloster- u. Pfarrkirche, 1951; Pfarr- u. Wallfahrtskirche Forstenried, 1951; Altomünster. Pfarrkirche, ehem. Klosterkirche, 1953; St. Peter, München. Älteste Pfarrkirche Münchens, 1954; St. Leonhards-Wallfahrtskirche Inchenhofen, 1955²; Die Stiftskirche in Weyarn, 1955; Die ehem. Benediktinerinnenabteikirche Holzen bei Nordendorf, Landkreis Donauwörth, 1956²; Die Kirchen der Pfarrei Tittmoning/Oberbayern, 1956; Pfarrkirche Dietramszell. Ehem. Augustinerchorherrenstiftskirche, Landkreis Wolfratshausen, 1958; Die Pfarrkirche Heiligenblut am Großglockner, 1959²; Ehem. Zisterzienserabteikirche Aldersbach, 1959.

Lit.: Edgar Krausen, M. H., in: Schönere Heimat. Erbe u. Ggw. 47, 1958, 498 f.; – Simon Irschl, Prälat Dr. M. H. gest., in: Klerusbl. Organ der Diözesanpriestervereine Bayerns 40, 1960, 171 f.; – Prälat Dr. M. H. gest., in: Das Münster 13, 1960, 264; – Romuald Bauerreiß, Unser Prälat H. gest., in: Der Zwiebelturm. Mschr. f. das bayer. Volk u. seine Freunde 15, 1960, 143; – Franz Dambeck, Nachruf auf M. H., in: MThT 12, 1961, 76 f.; – LThK V, 18; – Kosch, KD 1360.

HARTMANN, Anastasius (Taufname: Joseph Alois), schweizerischer Kapuziner und Missionsbischof, * 24. 2. 1803 in Altwis (Kanton Luzern) als Sohn eines Bauern, † (an der Cholera) 24. 4. 1866 in Coorjee bei Patna (Ostindien), beigesetzt 26. 4. 1866 in der Kathedrale in Patna, 5. 5. 1867 in der St. Josefskirche des Frauenklosters in Bankipur und 6. 4. 1920 in der Kathedrale in Allahabad. – H. besuchte das Gymnasium in Solothurn, trat aber 1821 als Novize zu Baden im Aargau in den Kapuzinerorden ein und empfing am 24. 9. 1825 zu Freiburg im Uechtland die Priesterweihe. Er kehrte für ein Jahr nach Baden zurück, um die Studien zu vollenden, und wirkte dann als Pfarrverweser an verschiedenen Orten. Die Oberen ernannten ihn 1827 zum Beichtvater der Zisterzienserinnen in Rathausen und bestimmten ihn nach zwei Jahren für das Kloster Eschenbach. H. wurde 1830 Novizenmeister und Lektor der Philosophie und Theologie in Freiburg und nahm als Vertreter seines Klosters 1836 an dem Provinzialkapitel in Luzern teil. Da er sich krank gearbeitet hatte, versetzten ihn die Oberen auf Rat der Ärzte 1839 nach Solothurn. In der Gewißheit seiner Berufung zum Missionar bat H. in seinem Schreiben vom 19. 8. 1840 an die Leitung der schweizerischen Kapuzinerprovinz, sie möchte ihm nicht nur die Erlaubnis zum missionarischen Dienst geben, sondern ihn als ihren Vertreter zu den Heiden senden. Nach längerer Beratung wurde seine Bitte erfüllt. Nach zweijähriger Wirksamkeit als Professor und Vizeregens am Internationalen Missionskolleg St. Fidelis in Rom wurde H. für die Mission in Agra bestimmt. Am 22. 11. 1843 trat er mit zwei Missionaren die Reise nach Ostindien an, die über Neapel, Malta, Alexandria und Kairo, durch das Rote Meer und über Bombay nach Agra führte, wo die drei Missionare im März 1844 eintrafen. Dort weilte H. bis August 1844 und benutzte die Zeit zur Ausbildung in der hindustanischen Sprache. Dann sandte ihn der Kapuzinerbischof von Agra als Pfarrer nach Gwalior. Dort widmete sich H. mit großem Fleiß dem Sprachstudium, verfaßte eine umfangreiche hindustanische Grammatik und gründete auch eine Volksschule und ein Heim für gefallene Mädchen und gefährdete Witwen. Ende Februar 1846 besuchte ihn der Apostolische Vikar von Agra und überreichte ihm zwei päpstliche Breven mit seiner Ernennung zum Titularbischof von Derbe und zum Apostolischen Vikar des neugegründeten Vikariats Patna, dessen Gebiet bisher zum Vikariat Agra gehörte. »Diese unerwarteten Ernennungen erfüllten mich mit Schrecken und Seufzen; aber ermutigt durch das Wort des Apostolischen Vikars und mein ganzes Vertrauen auf Gott setzend, nahm ich unter Tränen die schwere Bürde auf meine Schultern.« Am 15. 3. 1846 wurde H. in der Kathedrale in Agra zum Bischof geweiht und zog nach einigen Tagen den Ganges aufwärts nach Patna, der wichtigsten Stadt im westlichen Bengalen. Hier hatte eine blühende Mission bestanden, die aber wegen des Priestermangels in Verfall geraten war. Nur vier Missionare standen dem Bischof zur Seite für 4000 Katholiken, die unter 37 Millionen Heiden zerstreut lebten. Auf seinen Bittruf erhielt H. aus Lyon und der Schweiz, besonders aus dem Kanton Luzern, reiche Gaben. Er errichtete Kirchen und Schulen, Waisenhäuser und höhere Bildungsinstitute und sammelte aus indischen Archiven die Akten über die Kapuzinermissionen in Tibet, Nepal und Hindustan. Am 13. 12. 1849 traf aus Rom die Nachricht

ein, er bleibe Apostolischer Vikar von Patna, sei aber zugleich Apostolischer Administrator von Bombay. H. bestimmte einen Stellvertreter für sein Bistum und reiste am 26. 12. nach Bombay, wo er am 19. 3. 1850 eintraf. Hier hatte H. wegen des seit 200 Jahren bestehenden indo-goanesischen Schismas einen sehr harten Stand. Als die Portugiesen um 1500 bis nach Ostindien und China vordrangen, folgten ihnen die portugiesischen Missionare nach. Der Papst verlieh den Königen von Portugal ein Hoheitsrecht als Schutzherren über alle neugegründeten Kirchen in den von Portugal eroberten Provinzen Asiens, Afrikas und Amerikas. Goa an der Westküste Vorderindiens wurde 1557 zum Erzbischofssitz aller dieser Riesengebiete erhoben. Als aber die Holländer und Engländer die Herren des Indischen Ozeans wurden und von Portugals Kolonialmacht nur ein unbedeutender Landstrich bei Goa übrigblieb, wollte Portugal nicht auf seine kirchlichen Rechte in Indien verzichten. Weil Rom nun Apostolische Vikare nach Indien sandte, die nicht mehr Goa unterstellt sein sollten, kam es zum indo-goanesischen Schisma, das erst nach endlosen Verhandlungen 1886 mit der Neuordnung der Hierarchie Vorderindiens beigelegt wurde. Die Spannungen und Auseinandersetzungen hatten um 1850 ihren Höhepunkt erreicht. »Kein Mensch in Europa kann sich meine kritische Lage vorstellen. Es wird von mir eine Geduld und eine Klugheit erfordert, die ich nicht habe, sondern die Gott mir geben muß, wenn das Werk gedeihen soll. Ich bedurfte während meines ganzen Lebens nie mehr der Gnade Gottes denn jetzt.« H. gründete zu seiner Verteidigung das Blatt »The Catholic Standard« und einige Monate später eine zweite Zeitung, »The Bombay Catholic Examiner«. Schwerste Bedrängnisse und Verfolgungen hatte er durch die Schismatiker zu erdulden, durfte aber auch erleben, wie die innere Kraft des Schismas in Ostindien gebrochen wurde und eine Gemeinde nach der anderen sich ihm unterwarf. H. wurde 1854 Apostolischer Vikar in Bombay und führte im Auftrag des Papstes mit dem Erzbischof von Kalkutta Verhandlungen mit der indischen Regierung, die ihnen die dringenden Forderungen gewährte, u. a. eine für die katholischen Eingeborenen günstige Ehegesetzgebung. Im Sommer 1856 trat H. seine Europareise an. In Rom empfing ihn Pius IX. (s. d.); er sandte ihn nach London zu Verhandlungen mit der englischen Regierung und der ostindischen Kolonialgesellschaft. Nach vierwöchigem Aufenthalt in der Heimat reiste H. über Genf, Lyon und Paris nach London, kehrte aber auf Grund beunruhigender Nachrichten aus Bombay so schnell wie möglich nach Rom zurück. Nach langen Verhandlungen und reiflichem Überlegen nahm die »S. Congregatio de Propaganda Fide« (s. Gregor XV.) im Juni 1858 seinen Rücktritt an und übergab Bombay und Puna den Jesuiten. H. wirkte in Rom als Generalprokurator der Kapuzinermissionen. Er arbeitete einen Plan zur besseren Organisation der Kirche in Ostindien aus und schrieb ein ausführliches Memorandum anläßlich der Verhandlungen über ein Konkordat mit Portugal. H. wurde am 24. 1. 1860 wieder zum Apostolischen Vikar von Patna ernannt und traf am 4. 6. 1860 in Patna ein. – Der Seligsprechungsprozeß wurde 1906 eingeleitet.

Werke: Hindustani-Katechismus (mit hindustan. Grammatik u. engl.-lat.-hindustan. Wb.), Bombay 1852 (1861²); Übers. des NT ins Urdù, Patna 1864; Das Kreuz des Weltmenschen u. des wahren Christen. Ein Gebet- u. Erbauungsbüchlein f. Kranke u. Leidende, hrsg. v. M. Kamber, Einsiedeln 1857 (1868²); Psychologia arti pastorali applicati, hrsg. v. Adelhelm Jann, Innsbruck 1914; Leitfaden der Philos. u. der Pastoraltheol., hrsg. v. dems., Assisi 1932; schrieb über Kosmogonie, Galilei u. die Inquisition, Abhh. über christl. Zeitrechnung, die kirchl. Zustände in Indien (Augsburg 1858) u. ein Calendarium über die Kapuzinermissionare.

Lit.: Adrian Imhof u. Adelhelm Jann, A. H. Ein Lebens- u. Zeitbild aus dem XIX. Jh., Luzern 1903; – Adelhelm Jann, Die Autobiogr. des A. H., Ingenbohl 1917; – Ders., A. H., Immensee 1920; – Ders., Die Aktenslmg. des Bisch. A. H., Luzern 1925; – Monumenta Anastasiana, hrsg. v. dems., ebd. 1939–48; – Erich Eberle, Der Diener Gottes A. H., ein großer Missionsbisch. aus dem Kapuzinerorden, 1927 (1930²); – Konstantin Kempf, Die Heiligkeit der Kirche im 19. Jh., Einsiedeln 1928⁸, 64 ff.; – Serge Barrault, Mgr. A. H. ou l'Agneau gardant la tunique sans couture, Paris 1933; – Yv. de Romain, Un grand Apôtre suisse, in: Éfranc 46, 1934, 674 ff.; – Johannes Walterscheid, Dt. Hll. Eine Gesch. des Reiches im Leben dt. Hll., 1934, 445 ff.; – Fulgentius of Camugnano, Bishop A. H., Allahabad/Indien 1946; – Arnulf Goetz, Hll., Martyrer u. Helden, 1957, 344 ff.; – James H. Gense, The Church at the Gateway of India, 1720–1960, Bombay 1960; – Linus Fäh, Die Bibelübers.-Arbeit v. Bisch. A. H., in: NMZ 20, 1964, 1 ff.; – Isidorus a Villapadierna, Bibliographia recentior (1948–1966) servi Dei A. H., in: CollFr 36, 1966, 436 ff.; – BiblMiss VIII, 134 ff. u. ö.; – LexCap 724 ff.; – Kosch, KD 1364; – Torsy 36 f.; – EC VI, 1368 f.; – LThK V, 20; – NCE VI, 936 f.

HARTMANN, Felix von, Erzbischof von Köln, * 15. 12. 1851 in Münster (Westfalen) als Sohn eines Oberregierungsrats, † 11. 11. 1919 in Köln. – H. trat 1864 in die bischöfliche Erziehungsanstalt Gaesdonck bei Goch ein und studierte seit 1870 in Münster Theologie. Er empfing am 19. 12. 1874 die Priesterweihe und siedelte zum Studium des Kirchenrechts nach Rom über, kehrte 1879 als Dr. jur. can. in seine Heimatdiözese zurück und war als Kaplan tätig. H. wurde 1889 Geheimsekretär und Kaplan des Bischofs Hermann Dingelstad von Münster, 1894 Geistlicher Assessor und Geistlicher Rat, 1903 Domkapitular, 1905 Generalvikar, 1910 Domdechant und 1911 Bischof von Münster. Am 29. 10. 1912 wurde er zum Erzbischof von Köln gewählt und am 9. 4. 1913 inthronisiert. Pius X. (s. d.) ernannte ihn 1914 zum Kardinalpriester. – H. bemühte sich im 1. Weltkrieg erfolgreich um Militärseelsorge, Betreuung der Kriegsgefangenen und Begnadigung vieler von deutschen Kriegsgerichten verurteilter Ausländer. Nach 1918 vertrat er energisch die Rechte der Kirche, besonders in der Schulfrage, und gründete 1919 im Zuge der Erneuerungsbewegung des deutschen Katholizismus den Jugendbund »Neudeutschland«.

Lit.: Dr. F. v. H., EB v. K. Ein Lb., Köln 1913; – Josef Dieninghoff, F. Kard.priester v. H., 1914²; – L. Berg, Ein Kirchenfürst im Felde, 1916²; – Emil Ritter, Die kath.-soziale Bewegung Dtld.s im 19. Jh. u. der Volksver., 1954, 514; – Hdb. des Erzbist. Köln, 25. Ausg., 1958, 51; – Reinhard Patemann, Der Kampf um die preuß. Wahlreform im 1. Weltkrieg, 1964; – Ders., Der Dt. Episkopat u. das preuß. Wahlrechtsproblem 1917/18, in: Vjhh. f. Zeitgesch. 4, 1966; – Kosch, KD 1365; – EC VI, 1370 f.; – LThK V, 21; – NDB VII, 741 f.

HARTMANN, Israel, Schulmeister am herzoglichen Waisenhaus in Ludwigsburg, altwürttembergischer Pietist, * 1725 in Plieningen bei Stuttgart als Sohn des Metzgers und Ochsenwirts Michael H., † 4. 4. 1806 in Ludwigsburg. – H.s Kindheit verlief ruhig. Nur im Winter wurde Schule gehalten; im Sommer zog die männliche Dorfjugend hinaus auf die Weiden und hütete das Vieh. Das Leben H.s nahm 1738 eine innere Wendung unter dem Eindruck der Predigten des pietistischen Vikars Johann Wilhelm Moser und in

Mosers Konfirmandenunterricht. Mosers Persönlichkeit weckte in H. die Neigung zum Pfarrerberuf; doch die theologische Laufbahn kam wegen der Kosten nicht in Betracht. So dachte er an den Lehrerberuf. Es gelang schließlich, dem lange widerstrebenden Vater die Erlaubnis hierzu abzuringen. Mit 14 Jahren kam H. zum Plieninger Schulmeister, der ihn sofort als Lehrgehilfe verwandte und zum »Provisor« ausbildete. Mit 16 Jahren wurde er Provisor in Uhlbach, mit 17 in Plieningen. Als Pietist wurde er von einem Teil der Gemeinde abgelehnt. Da die Feindschaft gegen den pietistischen Provisor nicht nachließ, mußte H. schließlich mit 19 Jahren als Provisor nach Echterdingen bei Eßlingen versetzt werden. Dort blieb er 3½ Jahre und empfing entscheidende Förderung durch den Umgang mit dem Pfarrer Friedrich Christoph Oetinger (s. d.) in dem nahen Walddorf, mit dem Bengelschüler (s. Bengel, Johann Albrecht) Pfarrer Johann Christian Storr (s. d.) und dem Obereßlinger Pfarrer Immanuel Brastberger (s. d.). In Echterdingen begann H. mit dem Halten von privaten Erbauungsstunden. 1748 ging er als Provisor nach Oberriexingen an der Enz. Nach seiner ersten planmäßigen Anstellung als Schulmeister in Roßwang bei Vaihingen 1751 heiratete H. die Tochter des Präzeptors Burk in Neuffen. Durch seine Frau trat er jetzt auch in verwandtschaftliche Beziehungen zu dem engsten Kreis um Bengel: H.s Schwager, Philipp David Burk, von 1758–67 Dekan in Markgröningen, war Schüler und ein Schwiegersohn Bengels. Durch persönlichen Umgang mit Bengel empfing H. bestimmende Eindrücke für sein ganzes Leben und kam durch die Verwandtschaft mit den Theologenfamilien Burk und Bengel in den großen und einflußreichen Kreis der Bengelschüler. Er wurde 1755 Lehrer an dem herzoglichen Waisenhaus in Ludwigsburg, an der ihn zwei Provisoren unterstützten. H.s Schüler und Schülerinnen, durchschnittlich etwa 100–150, waren vielfach Kinder von Zigeunern und Landstreichern oder andere verwahrloste und schwererziehbare Jugendliche. Auch Kinder von religiösen Separatisten wurden den Eltern entzogen und im Waisenhaus untergebracht. Wie das Waisenhaus in Halle (Saale) von August Hermann Francke (s. d.), so wurden auch im Herzogtum Württemberg die beiden Waisenhäuser in Stuttgart und Ludwigsburg Mittelpunkte der pietistischen Pädagogik. H. führte 1759 freie Konferenzen pietistischgesinnter Lehrer ein, in denen pädagogische Erfahrungen im Geist der gemeinsamen Glaubensrichtung erörtert wurden. Verständnisvolle Förderung erfuhr er durch seinen Vorgesetzten, den Waisenhauspfarrer Beckh, einen persönlichen Schüler Bengels. Zu H.s Amtsaufgaben gehörte auch die Mitwirkung an den Gottesdiensten in der Waisenhauskirche. Daneben leitete er bald die von Beckh eingeführten sonntäglichen Erbauungsstunden im Waisenhaus. – H. gehört zu den Führern und Vätern des altwürttembergischen Pietismus und nimmt in der württembergischen Schul- und Kirchengeschichte einen geachteten Platz ein. Er hat insgesamt 66 Jahre im Schuldienst gestanden, davon 51 Jahre am Waisenhaus.

Lit.: Karl Friedrich Werner, I. H., in: Smlg.en f. Liebhaber christl. Wahrheit u. Gottseligkeit, Basel 1842–43; – Johann Heinrich Volkening, I. H., der Waisenschullehrer in Ludwigsburg. Vers einer Lebensskizze meist nach Tagebüchern u. Briefen,

1851; – Albert Bertsch, I. H. Ein Schulmeisterleben aus dem 18. Jh., 1910; – E. Schmidt, Gesch. des Volksschulwesens in Altwürttemberg, 1927, 179 ff.; – Wilhelm Claus, Württemberg. Väter II³, 1933, 42 ff.; – Heinrich Hermelink, Gesch. der ev. Kirche in Württemberg, 1949, 259 f.; – Walter Grube, I. H. Lb. eines altwürttemberg. Pietisten, in: Zschr. f. württemberg. Landesgesch. 12, 1953, 250 ff. – Ms. der Selbstbiogr., niedergeschr. um 1784, in: Nachlaß I. H.s im Staatsarch. Ludwigsburg, J 4, Büschel 15.

HARTMANN, Pater (eigentlich: Paul von An der Lan zu Hochbrunn), Franziskaner, Komponist, * 21. 12. 1863 in Salurn bei Bozen als Sohn eines Eisenbahnbeamten aus Tiroler Adelsgeschlecht, † 6. 12. 1914 in München. – In der Musikhochschule in Bozen erhielt H. die ersten Unterweisungen in der Musik. Mit 16 Jahren trat er im Kloster Salzburg in den Jesuitenorden ein. Neben seinen humanistischen und philosophisch-theologischen Studien war H. Theorie- und Orgelschüler von P. Peter Singer (s. d.). 1866 empfing er in Brixen die Priesterweihe. H. war zuerst in Lienz (Pustertal) und später in Reutte (Tirol) Organist und Chordirektor, studierte dann in Innsbruck bei Josef Pembaur Komposition und Instrumentallehre und wurde 1893 Organist an der Salvatorkirche und Direktor der Philharmonika in Jerusalem, von 1894 an auch Organist an der Grabeskirche. 1895 kam er nach Rom und wirkte dort als Organist an der Kirche Aracoeli auf dem Kapitol und von 1901 an als Direktor des Konservatoriums auf der Piazza Santa Chiara. Im gleichen Jahr unternahm H. eine Konzertreise nach St. Petersburg zur Uraufführung seines Oratoriums »St. Franziskus«, die unter seiner persönlichen Leitung stattfand. Seit 1906 lebte er im Franziskanerkloster St. Anna in München (mit Unterbrechung durch einen Aufenthalt 1906/07 in New York).

Werke: Oratorien: St. Petrus, 3 Tle. f. Soli, Chor, großes Orchester u. Orgel, lat. Text (freie dt. Übers. v. A. Müller), Mailand 1900; St. Franziskus, 3 Tle. f. Soli, Ch., gr. Orch. u. Org., lat. Text (freie dt. Übers. v. A. Müller), ebd. 1901; Das letzte Abendmahl, 2 Tle. f. Soli, Ch., gr. Orch. u. Org., lat. Text, ebd. 1904; Der Tod des Herrn, 2 Tle. f. Soli, Ch., gr. Orch. u. Org., ebd. 1906; Die sieben letzten Worte Christi am Kreuze, 2 Tle. f. Soli, Ch., gr. Orch. u. Org., New York 1908; Te Deum, 3 Tle. f. Soli, Ch., gr. Orch. u. Org., lat. Text, Mailand 1913. – *Kirchenmusik-Werke:* Liturg. Choral-Leitmotiv-Messe D f. gem. Ch. u. Org. oder Harmonium, Augsburg – Wien 1909; Messe f. 2 Singst. u. Org. ebd. 1903; Requiem f. Männerchor, Mailand 1913; Miserere f. 6st. gem. Ch., ebd. 1904; Ave Maria f. gem. Ch., Streichquintett, 2 Hörner u. Org., ebd. 1905; Rosenkranzlieder f. 4st. gem. Ch. u. Org., Augsburg 1903. – *Lieder.* – *Instrumentalwerke:* Sonate f. Org., Rom o. J. – *Schrr.:* P. Peter Singer. Ein Gedenkbl. z. 100. Geb. des Künstlers, Innsbruck 1910; Essay über ein neues System der Harmonie, Rom 1896.

Lit.: Hans v. Bilguer, P. H. Aus seinem Leben u. kurze Einf. in sein Oratorium »St. Franziskus«, Wien 1902; – C. Böhm, P. H. u. sein Oratorium »Das letzte Abendmahl«, 1905; – Eugen Schmitz, P. H. als Oratorienkomponist, in: Hochland 7, 1909/ 10, 593 ff.; – Arnold Schering, Gesch. des Oratoriums, 1911 (Nachdr. Hildesheim – Wiesbaden 1965); – MGG V, 1759 ff.; – Riemann I, 736 f.; – Moser I, 483; – NDB VII, 728; – ÖBL II, 20; – Kosch, KD 38; – LThK I, 507.

HARTMANN, Thomas, Kirchenliederdichter, * 18. 12. 1548 in Lützen bei Merseburg, † 23. 11. 1609 in Eisleben. – H. wirkte seit 1604 als Pfarrer in Eisleben. – Das bekannte Osterlied »Wir danken dir, Herr Jesu Christ, daß du vom Tod erstanden bist« (EKG 84) ist keine selbständige Dichtung H.s, sondern eine Zusammenfügung von Stücken aus älteren Liedern. Die 1. Hälfte der 1. Strophe stammt von Nikolaus Selnecker (s. d.), der mit diesen Zeilen 1587 ein Osterlied beginnt; die 2. Hälfte ist dem Osterlied des Nikolaus Herman (s. d.) entnommen: »Erschienen ist der herrlich Tag« (EKG 80), Wittenberg 1560. Die 3. Strophe ist gleichlautend mit der Schlußstrophe des Osterliedes von Kaspar Stolshagen (s. d.): »Heut triumphieret Gottes Sohn, der von dem Tod erstanden schon« (EKG 83), Eisleben 1591.

Werke: Der kleine Christenschild. Der einigen, hl., christl., apostol. Kreuzkirchen Hand-, Haus-, Reise-, Gesang- u. Gebetbüchlein. Reimweise, 1604.

Lit.: Wilhelm Nelle, Schlüssel z. Ev. Gesangbuch f. Rheinland u. Westfalen, 1924³, 71; – Koch II, 227; – Hdb. z. EKG II/1, 95; – Wackernagel V, 461; – Goedeke III, 149; – ADB X, 703.

HARTSOUGH, Lewis, amerikanischer methodistischer Liederdichter, * 1828 in Ithaca (New York), † 1919 in Mount Vernon (Jowa). – H. wirkte seit 1851 als Prediger, mußte sich aber, nachdem er in Utica und anderswo Pfarreien verwaltet hatte, krankheitshalber in das Rockaygebirge zurückziehen, wo er die Utahmission organisierte, deren erster Superintendent er wurde. – Text und Weise der beiden bekannten Lieder stammen von H.: »In the Rifted Rock I'm resting«, erschienen in den »Sacred Songs and Solos« des Ira David Sankey (s. d.), deutsch von Dora Rappard (s. d.) in den »Glaubensliedern«, Basel 1875: »In der Felsenkluft geborgen, sicher vor des Sturms Gebraus, still und froh und ohne Sorgen ruh ich nun auf ewig aus«; »I hear thy welcome voice«, 1873 von Sankey in seine Sammlung aufgenommen, deutsch von Ernst Gebhardt (s. d.) in seiner Sammlung »Frohe Botschaft«, Basel 1875: »Auf deinen Ruf, o Herr, tret ich vor dich allda und suche Heil in deinem Blut, das floß auf Golgatha«.

Lit.: Walter Schulz, Reichssänger. Schlüssel z. dt. Reichsliederbuch, 1930, 181.

HARTTMANN, Karl Friedrich, Pfarrer und Kirchenliederdichter, * 4. 1. 1743 in Adelberg bei Göppingen (Württemberg) als Sohn eines Forstverwalters, † 31. 8. 1815 in Tübingen. – H. besuchte 1757–61 die Klosterschulen in Blaubeuren und Bebenhausen und studierte in Tübingen. Er wurde 1765 Vikar in Öschelbronn bei Böblingen, 1768 Repetent am Theologischen Stift in Tübingen und 1774 Prediger und Professor an der Karlsschule auf der Solitude, aber wegen seiner Hinneigung zum Pietismus 1777 auf die Pfarrei Illingen bei Vaihingen versetzt. 1781 kam H. nach Kornwestheim bei Ludwigsburg als Nachfolger von Philipp Matthäus Hahn (s. d.). Er wirkte als Dekan seit 1793 in Blaubeuren, seit 1795 in Neuffen bei Nürtingen und seit 1803 in Lauffen am Neckar. Seinen Ruhestand verlebte er seit 1812 in Eßlingen, seit Mai 1815 in Tübingen. – H. ist einer der letzten Vertreter der Bengel-Ötingerschen Schule (s. Bengel, Johann Albrecht; s. Ötinger, Friedrich Christoph). Er hatte die Gabe, die tiefsten Gedanken der Heiligen Schrift klar und faßlich dem Volk nahezubringen, und übte durch seine praktische Wirksamkeit auf einen großen Teil der Gläubigen und Gemeinschaften seiner Zeit einen bedeutenden Einfluß aus. Seine Predigten fanden weite Verbreitung. Von seinen 19 Gelegenheitsgedichten hat Albert Knapp (s. d.) 9 zu gesangbuchfähigen Liedern gemacht und sie in seinen »Evangelischen Liederschatz für Kirche und Haus«, 1837 (1849/50²), aufgenommen. Bekannt ist: »Endlich bricht der heiße Tiegel, und der Glaub empfängt sein Siegel als im

Feur bewährtes Gold« (EKG 305). H. dichtete dieses »Hohelied vom Leiden« auf den Heimgang des Amtsvogts Laux in Oberzenn, der nach vierjähriger Krankheit am 1. 5. 1782 selig entschlief. Von H. stammt auch: »Aus der Enge in die Weite, aus der Tiefe in die Höh führt der Heiland seine Leute; ach daß man's an allen seh!« Es ist die 2. Hälfte der 15. Strophe seines Liedes »Sterben so, daß das Gewissen keinen Fluch mehr in sich trägt«. Die Veränderung der letzten Zeile in »Daß man seine Wunder seh« geht vielleicht auf Friedrich August Gotttreu Tholuck (s. d.) zurück.

Werke: Schr.mäßige Erl. des ev. Lehrbegriffs z. Wiederholung des empfangenen Konfirmandenunterrichts, 1793 (1848³); Predigten über die Sonn-, Fest- u. Feiertagsevv., 1800 (1777⁴); Beichtreden, 1862 (1889⁴); Licht u. Recht. Evv.predigten, 1878; Leichenpredigten, 1889³.

Lit.: Gottlieb Friedrich Harttmann u. Karl Christian Eberhard Ehmann, C. F. H., ein Charakterbild aus der Gesch. des christl. Lebens in Süddtld., 1861 (1872²); – Wilhelm Claus, Württemberg. Väter II³, 1933, 167 ff.; – Koch VI, 409 ff.; – Hdb. z. EKG II/1, 271; – ADB X, 703.

HARTUNG, Bruno, Präsident des »Evangelischen Vereins der Gustav-Adolf-Stiftung«, * 26. 9. 1846 als Pfarrerssohn in Bernstadt (Oberlausitz), † 30. 8. 1919 in Leipzig. – H. besuchte die Fürstenschule zu Grimma und studierte in Leipzig. Er promovierte zum Dr. phil. und war 1869–71 Mitglied des Predigerkollegiums St. Pauli in Leipzig. H. wurde 1871 Pastor in Borna bei Leipzig, 1876 Archidiakonus und 1887 Pfarrer an St. Petri in Leipzig und 1902 zugleich Superintendent der Ephorie Leipzig-Land. 1883 promovierte er zum Lic. theol. Die Universität Leipzig verlieh ihm 1888 ehrenhalber die theologische Doktorwürde. H. wurde 1896 Schriftführer des Zentralvorstandes des Gustav-Adolf-Vereins. Mit dem Vorsitzenden Oskar Pank (s. d.) reiste er nach Bukarest und später nach Prag, um die Schwierigkeiten auszugleichen, die dem evangelischen Diakonissenhaus in der rumänischen Hauptstadt und die schon damals durch den tschechisch-deutschen Gegensatz der böhmischen Organisation des Gustav-Adolf-Vereins erwachsen waren. Der Zentralvorstand wählte ihn 1909 einstimmig zu seinem Vorsitzenden und damit zum Präsidenten des Gesamtvereins, des »Evangelischen Vereins der Gustav-Adolf-Stiftung«. H. leitete die großen Tagungen in Bielefeld, Stralsund, Frankfurt am Main, Posen und Kiel. Mit Franz Rendtorff (s. d.), der 1916 sein Nachfolger wurde, unternahm er im Herbst 1915 eine weite Reise durch Polen, um die Lage der evangelischen Gemeinden des Landes zu erforschen und ihnen Hilfe zu bringen. Der allmähliche Zusammenbruch seiner Kraft nötigte ihn, sein Amt 1916 niederzulegen. »Viele Hunderte evangelischer Gemeinden in der Zerstreuung«, heißt es in dem Nachruf des Zentralvorstandes, »besonders auch in der deutschen Auslandsdiaspora, sind von ihm mit väterlicher, geduldiger Liebe betreut worden. Unserm Verein war er in großen Tagen ein anerkannter Führer, dem wir die Treue halten werden, unverdrossen fortfahrend in der Liebe an unseren Glaubensgenossen.«

Werke: Konfessionalität u. Nationalität in ihrem gegenseitigen Verhältnisse, 1899; Konfession u. Schule, 1910.

Lit.: Franz Rendtorff, D. B. H., in: Die ev. Diaspora. Mhh des Gustav-Adolf-Ver. 1, 1919/20, 163 ff.

HASE, Karl August von (seit 1880), Theologe, * 25. 8. 1800 als Pfarrerssohn in Niedersteinbach bei Penig (am Abhang des sächsischen Erzgebirges), † 3. 1. 1890 in Jena. – Am 28. 3. 1803 starb H.s Vater im 52. Lebensjahr. Die 32jährige Witwe, eine Pfarrerstochter von Windischleuba, zog mit ihren sechs Kindern nach Penig an der Mulde. Ein Freund seines Vaters, ein angesehener Advokat, nahm Karl August zu sich. Nach sechsjährigem Witwenstand verheiratete sich seine Mutter mit einem Arzt in Penig, der selbst aus erster Ehe fünf Kinder hatte. Als preußischer Spitalarzt starb er kurz vor der Leipziger Schlacht und ließ seine Gattin in dürftigen Verhältnissen zurück. Mit zehn Jahren kam Karl August zu einem Onkel, einem Hofadvokaten in Altenburg, der aber bereits 1812 starb. Die Mutter ließ ihren Sohn in Altenburg, wo er von Ostern 1813 an das Gymnasium besuchte und recht bescheiden lebte. Als Primus des Gymnasiums bestand H. im Herbst 1818 das Abiturientenexamen und bezog dann als Student der Rechte die Universität Leipzig. Er studierte Philosophie und Geschichte, widmete sich staatsrechtlichen Forschungen, auch theologischen, insbesondere exegetischen und dogmatischen Studien. Im zweiten Semester wurde H. in den Vorstand der »Burschenschaft« gewählt, der in Leipzig 300 bis 400 Studenten angehörten. Nach dem Verbot der »Burschenschaft« machte er sich auf die Wanderschaft und besuchte die süddeutschen und rheinischen Universitäten, auch Berlin, um für den Herbst einen allgemeinen Burschentag nach Dresden heimlich zusammenzurufen. 1820 hielt H. seine Ansprachen gegen die herrschende Unfreiheit und Zerspaltung für ein freies und einiges Vaterland, seine zwölf »Reden an die Jünglinge der freien Hochschulen Deutschlands«, die später in seine gesammelten Werke aufgenommen wurden (XII, 1891, 1 ff.). Am heimlichen Burschentag in Dresden nahm er mit zwei alten Freunden teil. Nach der Rückkehr wurde H. der Sprecher seiner »Burschenschaft« und wirkte als solcher, bis die Polizei eingriff. Die Weihnachtszeit 1820 und die Jahreswende 1820/21 verbrachte H. in einsamer Haft: »Es ist das erste Opfer, das ich der guten Sache bringe, und ich denke, es soll nicht das letzte sein; darum bring ichs mit heiterm Mut. Aus meiner schönen Bahn bin ich wahrscheinlich herausgerissen; doch mein Vaterland ist groß, nur um die Mutter ist's mir leid, tröste sie Gott!« Fast zwei Monate dauerte die Haft. Am 3. 4. 1821 mußte H. wegen Teilnahme an unerlaubten Verbindungen die Universität Leipzig verlassen. Zum Sommersemester 1821 zog H. nach Erlangen, wo er sich eifrig dem theologischen Studium widmete und sofort in die »Burschenschaft« eintrat, die zwar verboten war, aber geduldet wurde. In seinem letzten Semester begann eine langwierige Untersuchung gegen ihn »wegen Teilnahme am Dresdener Burschentag und wegen starken Verdachts, an der Spitze der seit 1820 aufgehobenen Burschenschaft gestanden zu haben«. Während seiner Vorbereitung auf das theologische Examen wurde am 21. 8. das Urteil gesprochen; binnen 8 Tagen mußte H. die Universität Erlangen verlassen. Am 9. 10. 1822 bestand er vor dem Oberkonsistorium in Dresden die theologische Prüfung und lebte nun als Kandidat in Penig. Im Frühjahr 1823 zog H. nach Tübingen, wo er am 4. 7. Magister wurde und sich in der Philosophischen und Theologischen Fakultät als Privatdozent habilitierte. H. begann mit Vorlesungen über den Hebräerbrief und das Leben Jesu, dann über Dogmatik und Apostelgeschichte und plante die Herausgabe eines Lehrbuchs der Dogmatik und seiner Vorträge über das Leben Jesu. Als erste größere schriftstellerische Arbeit erschien der Roman »Des alten Pfarrers Testament«, der ihn in literarische Kreise einführte und ihm viel persönliches Wohlwollen erwarb. Eine Anzeige aus Sachsen weckte den Verdacht der württembergischen Regierung gegen H. als alten Burschenschaftler und einstiges Mitglied des Jugendbundes. Die ihm gebotene Gelegenheit zur Flucht in die nahe Schweiz oder nach Straßburg nutzte er nicht. So wurde H. am 29. 9. 1824 verhaftet und nach dem Hohenasperg, der kleinen württembergischen Festung, gebracht. An die Schwestern schrieb er: »Eine Revolution habe ich nie gewollt, so wenig wie die meisten meiner Gefährten, aber dazu beitragen, daß nach drei Jahrhunderten des Verfalls die politische Größe Deutschlands sich erneue durch Ausbildung eines großen Nationalgeistes.« Die Untersuchung über den Hochverrat endete am 24. 5. 1825 mit dem Urteil des Eßlinger Gerichtshofes, das auf Amtsentsetzung und zweijährige Festungsstrafe lautete. H. nahm den Urteil an und richtete ein Gnadengesuch an den König von Württemberg, der aber verreist war, so daß sich die Antwort verzögerte. Während seiner Haft auf dem Hohenasperg schrieb er »Die Proselyten« (Briefwechsel zweier Brüder aus gemischter Ehe) und sein »Lehrbuch der evangelischen Dogmatik«. Am 8. 8. 1825 wurde H. freigelassen. Eine rege schriftstellerische Tätigkeit entfaltete er in Dresden und seit Oktober 1826 in Leipzig. Am 3. 5. 1828 habilitierte sich H. in der Philosophischen Fakultät und hielt Vorlesungen über den ersten Teil der Dogmatik unter dem Titel »Christliche Philosophie« und über das »Leben Jesu«. Am Schluß des Sommersemesters 1829 erhielt er einen Ruf als ao. Professor nach Jena, den er unter der Bedingung annahm, daß ihm vor Antritt seines Amtes ein einjähriger bezahlter Urlaub gewährt würde für die schon vorbereitete Italienreise mit seinem Freund Dr. Hermann Härtel, dem Leiter der Verlagsbuchhandlung Breitkopf und Härtel. Das Ministerium in Weimar ging darauf ein. So siedelte H. am 15. 7. 1830 nach Jena über und vermählte sich am 12. 9. 1831 mit Pauline Härtel, der Schwester seines Freundes. 1833 wurde er o. Honorarprofessor und 1836 o. Professor. H. blieb bis an sein Lebensende in Jena und wurde, wenn auch nie liberaler Parteimann, doch das Haupt der liberalen Jenaer Theologischen Fakultät. Man kann ihn keiner bestimmten Partei zurechnen und in keine bestimmte Schule einordnen. Er war und blieb ein reger Mitarbeiter der »Protestantischen Kirchenzeitung«, ließ aber schon 1857 seinen Namen aus der Reihe der Mitherausgeber streichen, um »nicht für alles verantwortlich zu sein, was mitunter recht trivial oder ungeschickt darin steht«. Gegen den nach Leipzig berufenen August Hahn (s. d.), der in seiner aufsehenerregenden Antrittsdisputation vom 4. 4. 1827 Christentum und Rationalismus für Gegensätze, Lehrer der Vernunftreligion für nicht mehr christlich erklärte, verteidigte H. in einer anonymen Schrift das Recht des Rationalismus, den er »mit dem Schwung der Phantasie und der Wärme des Herzens zu verbinden« suchte, bekämpfte aber in seinen »Theologischen Streitschriften« scharf den vulgären Rationalismus und wurde durch seine Auseinandersetzung mit dessen Hauptvertreter, dem Weimarer Generalsuperintendenten Johann Friedrich Röhr (s. d.; »Anti-Röhr«, 1837), »der wissenschaftliche Totengräber des Rationalismus vulgaris«. In seinem in seiner Art unübertreffbaren Meisterwerk »Hutterus redivivus« (s. Hutter, Leonhard) gab H. eine objektive Darstellung der altprotestantischen Dogmatik. Als protestantische Antwort auf die »Symbolik der Darstellung der dogmatischen Gegensätze der Katholiken und Protestanten nach ihren öffentlichen Bekenntnisschriften« des Johann Adam Möhler (s. d.) schrieb H. »als ein Buch zum Frieden, zu dem kirchlichen Frieden, dessen unser Vaterland so sehr bedarf«, ein »Handbuch der protestantischen Polemik gegen die römisch-katholische Kirche«. Das Werk behandelt in drei Büchern die Kirche (Klerus und Papsttum), das Heil (Glauben und Werke, Sakramente) und Beisachen (Kultus, Kunst, Wissenschaft und Literatur, Politik und Nationalität). H. ist der Bahnbrecher auf dem Gebiet der Bearbeitung des Lebens Jesu geworden. Sein Buch »Das Leben Jesu« ist die erste rein wissenschaftliche und gelehrte Darstellung dieser theologischen Disziplin. Seinen Ruhm begründete H. durch seine kirchenhistorischen Arbeiten; er ist der glanzvollste Kirchengeschichtsschreiber des 19. Jahrhunderts. Im Sommer 1831 las H. zum erstenmal über Kirchengeschichte. »Da im erfreulichen Gedeihn«, so erzählt er später selbst, »ergriff mich der Gedanke sofort, auch eine Kirchengeschichte zu schreiben. Sie stand vor mir vor meinem Geistesauge, wie sie werden sollte, und mit einer Begeisterung wie vielleicht ein Dichter für seine Schöpfung warf ich mich in die mühsam strenge Arbeit ... und nach drei Jahren lag das Werk fertig vor mir wie eine Statue aus einem Guß.« H. ist ein Meister der kirchengeschichtlichen Monographie. Um »an einem Beispiel zu zeigen, wie die mittelalterliche Heiligenlegende auf dem Gebiet unbefangener Geschichtsforschung und in der protestantischen Kirche zu betrachten sei«, schrieb er »Franz von Assisi, ein Heiligenbild«. »Ich habe meinem Heiligen alles abgetan, was sich nicht geschichtlich erweisen läßt, ich habe ihn in aller Nacktheit und Naivität dargestellt wie er sich selbst seinen Zeitgenossen; und doch welche welthistorische Persönlichkeit, welche wunderbare Kreatur Gottes ist übriggeblieben!« Angeregt durch eine neue Ausgabe der Briefe der Caterina von Siena (s. Katharina von Siena), schuf H. in seinem neuen Heiligenbild ein Seitenstück zu Franz von Assisi. »Nachdem alle die glänzenden Schleier hinweggezogen sind, mit denen die Phantasie ihres Zeitalters, sogar auch ihre eigene, dieses holdselige Antlitz verhüllt hatte, welche wunderbare Kreatur Gottes ist doch übrigeblieben oder vielmehr nun erst in ihrer vollen menschlichen Schönheit anschaulich geworden!« An der Schwelle des Greisenalters schrieb H. in sein Tagebuch: »Für eine wissenschaftliche Betrachtung des Lebens Jesu habe ich die Bahn gebrochen und bin der weiteren Entwicklung selbständig gefolgt. Für die Kirchengeschichte habe ich einen reicheren Inhalt, eine edle Form und freie Anschauung angegeben und darin am ersten Nachfolger gehabt. In der Glaubenslehre habe ich eine Schule nicht gegründet und keiner der herrschenden Parteien angehört. Daher war ich nie von einer Partei getragen, aber mit einzelnen aus allen drei theologischen Hauptparteien im freundlichen Verkehr, und nicht wenige sind aus meiner Schule hervorgegangen oder doch durch mich angeregt worden, welche christliche Begeisterung, freies Denken und moderne Bildung vereinten. Als Schriftsteller habe ich wohl großen Einfluß geübt, als mündlicher Lehrer war ich fast nur auf Jena beschränkt und habe da auch gedrückte Zeiten durchlebt. Große Ereignisse, denen ich vielleicht gewachsen gewesen wäre, sind nicht an mich gekommen zur Entwicklung verborgener Kräfte.« Sein bekanntester Schüler war Gustav Krüger (s. d.). Nach Abschluß seines 60. Dozentenjahres nahm H. vom Lehramt Abschied. Die Stadt Jena verlieh ihm das Ehrenbürgerrecht. Die drei Ernestinischen Höfe sandten das Großkreuz ihres Hausordens, mit dem der erbliche Adel verbunden war, nachdem ihm 1880 zum 50jährigen Jubiläum seiner Jenaer Lehrtätigkeit der persönliche Adel verliehen worden war. Der Großherzog ernannte ihn zum Wirklichen Geheimen Rat mit dem Ehrenprädikat »Exzellenz«. Am 20. 3. 1885 starb H.s Gattin: »Wir haben zusammengelebt 53 Jahre in reichgesegneter Ehe, und näher besehen die schönen zwei Vorjahre. Wem der gütige Gott und eine freundliche Natur ein solches Kleinod 55 Jahre lang in geistigen und leiblichen Armen gelassen, soll sich zufriedengeben, und ich will es.«

Werke: Des alten Pfr. Testament (Auseinandersetzung mit Schellings Gedankenwelt in Form einer romanhaften Gesch.), 1823 (= Ges. Werke VI, 1 ff.); Lehrb. der ev. Dogmatik, 1826 (seit 1860⁵ u. d. T.: Ev.-prot. Dogmatik; 1870⁶); Die Leipziger Disputation, eine theol. Denkschr., 1827 (= Ges. Werke VIII, 1 ff.); Die Proselyten (Briefwechsel zweier Brüder aus gemischter Ehe, der eine kath., der andere prot. erzogen, die »sich gegenseitig zu bekehren suchen, u. beiden gelingt es so gut, daß der Katholik prot., der Protestant kath. wird«; anonym hrsg.), 1827 (= Ges. Werke VI, 115 ff.); Gnosis oder prot.-ev. Glaubenslehre i. die Gebildeten in der Gemeinde wiss. dargest., 3 Bde., 1827–29 (2 Bde., 1869/70², völlig umgearb.; 1892³ = Ges. Werke VII); Das Leben Jesu. Lehrb. zunächst f. akadem. Vorlesungen, 1829 (1865⁵; in erw. Form: Gesch. Jesu, 1875; 1891² = Ges. Werke IV); Hutterus redivivus od. Dogmatik der ev.-luth. Kirche an. dogmat. Repertorium f. Studierende, 1829 (1887¹³); Kirchengeschichtl. Lehrb. zunächst f. akadem. Vorlesungen, 1834 (1886¹¹; 1900¹² ohne Anm., hrsg. v. Gustav Krüger); Theol. Streitschrr., 1834 bis 1837 (1892² = Ges. Werke VIII); Die beiden EB. Ein Fragment aus der neuesten KG (aus Anlaß des Kölner Kirchenstreits), 1839 (= Ges. Werke X, 111 ff.); Die Neuen Propheten (aus der frz., it. u. dt. Nat.: Jungfrau v. Orléans, Savonarola, Münsterer Wiedertäufer), 1851 (1860²; 1892³ = Ges. Werke V); Die Tübinger Schule. Ein Sendschreiben an Herrn Dr. Ferdinand Christian v. Baur, 1855 (= Ges. Werke VIII); Franz v. Assisi, ein Hll.bild, 1856 (1892² = Ges. Werke V); Hdb. der prot. Polemik gg. die röm.-kath. Kirche, 1862 (1894⁶; 1900⁷ ohne Anm.); Caterina v. Siena, 1864 (1892² = Ges. Werke V); Ideale u. Irrtümer (Gesch. seiner Jugend bis z. Berufung nach Jena), 1872 (1917⁷); Des Kulturkampfes Ende, 1878 (1879³ = Ges. Werke X, 329 ff.); KG auf Grund akadem. Vorlesungen I, 1885 (1901³); II. III, hrsg. v. Gustav Krüger, 1890–92 (1895–97²); Erinnerungen an It. in Briefen an die künftige Geliebte, 1890 (1896³); Ann. meines Lebens (die spätere Zeit), hrsg. v. Karl Alfred v. Hase, 1891; Dein Alter ist wie deine Jugend. Briefe an eine Freundin, hrsg. v. Oskar v. Hase, 1920; Briefe an Benedikt Winer, hrsg. v. Franz Blanckmeister, in: BSKG 36, 1927, 56 ff. – Gab heraus: Libri symbolici ecclesiae evangelicae sive concordia, 1827 (1846³); v. Heinrich Gottlieb Tzschirner, Christl. Glaubenslehre, 1829; Liederb. des dt. Volkes (anonym), 1843; v. Ludwig Friedrich Otto Baumgarten-Crusius, Kompendium der DG II, 1846; v. Charlotte v. Wolzogen, Literar. Nachlaß, 2 Bde., 1848/1849 (1867²). – Ges. Werke (in die aber die Lehrbücher u. v. a. nicht aufgenommen sind), 12 Bde. (Verz. sämtl. Werke am Schluß v. 12. Bd., u. der v. H.s Schrr. ersch. Überss. am Schluß v. 10. Bd.), 1890–93 (s. P. Baumgärtner, K. v. H.s Ges. Werke, in: ChW 8, 1894, Nr. 33 u. 38; 9, 1895, Nr. 8. 29. u. 48).

Lit.: Karl Schwarz, Zur Gesch. der neuesten Theol., 1869⁴, 470 ff.; – Friedrich Nippold, K. v. H. Gedächtnisrede, 1890; – Ders., Zur Erinnerung an K. v. H., in: Mhh. der Comeniusges. 10, 1901, 99 ff.; – Richard Adelbert Lipsius, Zur Erinnerung an den

Heimgang des Prof. der Theol. D. C. A. v. H., 1890; – Otto Pfleiderer, Die Entwicklung der prot. Theol. seit Kant, 1891, 250 ff. 350 ff.; – Reinhold Frank, Gesch. u. Kritik der neueren Theol., 1894, 141 ff.; – Karl Alfred v. Hase, Unsere Hauschron. Gesch. der Familie H. in 4 Jhh., 1898, 184 ff.; – Richard Bürkner, K. v. H., 1900; – Gerhard Fuchs, K. v. H., Ein Bekenner des Christentums u. der Freiheit, 1900; – Ders., K. v. H. u. die röm. Kirche, in: Die Wartburg. Dt.-ev. Wschr. 2, 1903, Nr. 42 u. 43; – Franz Blanckmeister, K. v. H. Ein Lebens- u. Charakterbild, in: Pfarrhaus 16, 1900, 26 ff.; – Ders., in: BSKG 15, 1902, 265 ff.; – Aus K. H.s KG, in: HPBl 128, 1901, 829 ff.; – G. Hundinger, K. A. v. H. als KG.schreiber, in RKZ 24, 1901, Nr. 21–23; – G. Lamb, K. v. H.s Eigenart als KG.schreiber, in: DEBl NF 4, 1904, 777 ff.; – Julius Websky, H.s Stellung in der Gesch. der Glaubenslehre, in: PrM 20, 1916, 209 ff.; – W. Bruchmüller, Aus K. v. H.s Leipziger Studentenzeit 1818–21, in: Dt. Revue. Eine Mschr., hrsg. v. Richard Fleischer, 45, 1920, H. 2, 120 ff.; H. 4, 36 ff.; – Ders., K. H.s Rhein- u. Lenzfahrt, 1820, in: Qu. u. Darst. z. Gesch. der Burschenschaft u. der dt. Einheitsbewegung, hrsg. v. Hermann Haupt, VIII, 1925, 154 ff.; – Ders., K. v. H.s Leipziger Hab. 1828, in: Neues Arch. f. sächs. Gesch. u. Altertumskunde 48, 1927, 249 ff.; – Ders., Rhein- u. Lenzfahrt K. v. H.s vor 100 J., in: Rhein. Beobachter 10, 1931, 12 ff.; – Otto Zurhellen, K. H., in: Qu. u. Darst. z. Gesch. der Burschenschaft u. der dt. Einheitsbewegung VI, 1922, 39 ff.; – J. K. Brechenmacher, K. v. H. als Gefangener auf dem Asperg, in: Schwabenspiegel 18, 1924, 169; – Lajos Szimonidesz, K. H.s Leben Jesu (1829) – 100 J., in: ChW 43, 1929, 1214; – C. A. Wilkens, Prof. C. A. v. H., in: AELKZ 66, 1933, 347; – Walter Nigg, Die KG.schreibung. Grundzüge ihrer hist. Entwicklung, 1934; – Gustav Krüger, K. H.s KG 100 J. alt, in: ChW 48, 1934, 397; – O. Apfelstedt, K. H. u. der Rationalismus, in: Neues sächs. Kirchenbl. 42, 1935, 137; – K. H. u. Württemberg, in:: Bttr. z. Tübinger Studentengesch., 2 F., H. 1-2, 1938, 60; – Otto Michaelis, Im Mutterlande der Ref., 1938, 185 ff.; – Paul Dahinten, Eine Rhein- u. Lenzfahrt eines Studenten der Theol. aus der Zeit der Demagogenverfolgung. Zum 150. Geb. K. A. H.s, in: DtPfrBl 50, 1950, 523 ff.; – Albert Schweitzer, Gesch. der Leben-Jesu-Forsch., 1951⁶; – Heinrich Hermelink, Das Christentum in der Menschheitsgesch. v. der frz. Rev. bis z. Ggw. I, 1951, 112; II, 1953, 345. 429 ff.; – Hanna Jursch, K. v. H.s Rom-Erlebnis, in: WZ Jena 2, 1952/53, 91 ff.; – Karl Heussi, Gesch. der Theol. Fak. zu Jena, 1954, 243 ff. 273 ff. u. ö.; – Günther Fuß, Die Auffassung des Lebens Jesu bei dem Jenaer Kirchenhistoriker K. v. H. (Diss. Jena), 1955; – Georg v. Hase, Vorfahren-Liste f. K. A. v. H. u. Pauline Amalie v. H. geb. Härtel, 1956; – Kosch, LL I, 848; – ADB 50, 36 ff.; – NDB VIII, 19 f.; – KJ 41, 719; – RE VII, 453 ff.; – EKL II, 31 f.; – RGG III, 85; – LThK V, 22 f.; – NCE VI, 940 f.; – ODCC² 621 f.

HASENKAMP, Johann Gerhard

HASENKAMP, Johann Gerhard, ref. Theologe und Gymnasialdirektor, * 12. 7. 1736 in Wechte bei Lengerich (Grafschaft Tecklenburg) als Sohn eines Bauern, † 10. 6. 1777 in Duisburg. – H. wurde schon im 10. Lebensjahr von einer in seiner Heimat verbreiteten Erweckungsbewegung ergriffen. Nach dem Besuch der Lateinschule in Tecklenburg studierte er 1753–55 an der reformierten Akademie in Lingen Philosophie und Theologie. Als Kandidat geriet H. wiederholt in Konflikt mit seinen kirchlichen Behörden. Es wurde schließlich wegen seiner theologischen Stellung das Anklageverfahren gegen ihn eingeleitet. Erst 1763 erhielt H., nachdem er einen von der Frankfurter Theologischen Fakultät aufgestellten Revers unterzeichnet hatte, das Recht zu predigen wieder zurück. Von 1766 bis 1777 war H. Rektor des Gymnasiums in Duisburg, das er aus tiefem Verfall zu neuer Blüte führte. Durch seine Predigten, die er im Auftrag des Stadtmagistrats 1767 bis 1771 regelmäßig zu halten hatte, übte H. eine weitreichende Wirkung aus. Bestimmenden Einfluß auf ihn gewann Samuel Collenbusch (s. d.). – H. ist bekannt als das Haupt einer pietistischen Sondergruppe innerhalb der frühen Erweckungsbewegung, mit deren führenden Männern er zum Wiedererwachen evangelischen Glaubenslebens wesentlich mitbeigetragen hat.

Werke: Gedanken über die Gottesgelehrtheit, 1759; Bestreitung des stellvertretenden Strafleidens Christi, o. J.; Bestreitung der Unmöglichkeit einer vollendeten Heiligung auf Erden, 1760; Predigten nach dem Geschmack der drei ersten Jhh. der Christenheit, nebst einer Rede bei Terstegens Begräbnis, 1772. – Bibliogr.: Meusel V, 206.

Lit.: Christoph Hermann Gottfried Hasenkamp (Sohn), Mitt. aus dem Leben J. G. H.s, in: Die Wahrheit z. Gottseligkeit 2, H. 5/6, Bremen 1832/34, 75 ff.; – Karl Christian Eberhard Ehmann, Friedrich Christoph Oetingers Leben u. Briefe, 1859, 783 ff.; – Briefwechsel zw. Lavater u. H., hrsg. v. dems., Basel 1870; – Alexander v. der Goltz, Thomas Wizenmann, 2 Bde., 1859; – Carl Heinrich Gildemeister, Leben u. Wirken des Dr. Gottfried Menken II, 1861, 274 u. ö.; – Gustav Frank, Gesch. der prot. Theol. III, 1875, 216; – Albrecht Ritschl, Gesch. des Pietismus I, 1880, 504 ff. 570 ff.; III, 1886, 147 ff.; – Friedrich Augé, Dr. med. Samuel Collenbusch u. sein Freundeskreis I, 1905; – ADB X, 737 ff.; – NDB VIII, 33 f.; – RE VII, 461 ff.; – RGG III, 85 f.

HASSE, Friedrich Rudolf, Theologe, * 29. 6. 1808 in Dresden als Sohn eines Professors am Kadettenhaus, † 14. 10. 1862 in Bonn. – H. bezog mit 17 Jahren die Universität Leipzig. August Hahn (s. d.) gewann ihn für einen biblischen Supranaturalismus, der eine göttliche Offenbarung annahm, die in der Heiligen Schrift enthalten und vernunftmäßig zu erkennen ist. H. setzte sein Studium in Berlin fort, habilitierte sich dort 1834 und ging 1836 als ao. Professor für Kirchengeschichte nach Greifswald. 1841 folgte er dem Ruf nach Bonn und wurde 1849 o. Professor. – H. besaß eine hervorragende Lehrgabe und nahm regen Anteil an der Arbeit des Gustav-Adolf-Vereins und der Rheinischen Missionsgesellschaft. Er ist durch seine Monographie über Anselm von Canterbury (s. d.) bekannt.

Werke: Anselm v. Canterbury I (Leben), 1843; II (Lehre), 1852. – Aus dem Nachlaß: Gesch. des Alten Bundes, hrsg. v. Wilhelm Engelmann, 1863; KG, 3 Bde., hrsg. v. August Köhler, 1864 (1872² in 1 Bd., hrsg. v. W. Engelmann).

Lit.: Wilhelm Krafft, Dr. F. R. H., 1865; – RE VII, 472 ff.; – ADB X, 754.

HASSLER (Hasler), Hans Leo, Komponist, getauft 26. 10. 1564 in Nürnberg als Sohn des Organisten der Spitalkirche Isaak H. (* um 1530 in Joachimsthal/Böhmen, † 14. 7. 1591 in Nürnberg), † 8. 6. 1612 in Frankfurt am Main. – H. erhielt seine musikalische Ausbildung in Nürnberg und 1584/85 in Venedig durch Andrea Gabrieli (s. d.) und dessen Neffen und Schüler Giovanni Gabrieli (s. d.), mit dem er sich befreundete. Auf Gabrielis Empfehlung wurde H. Anfang 1586 in Augsburg Organist am Dom und Kammerorganist des Grafen Octavian II. Fugger. Kaiser Rudolf II. erhob ihn und seine Brüder Kaspar (1562 bis 1618; 1586 Organist an St. Egidien, seit 1587 an St. Lorenz, seit 1616 an St. Sebald) und Jakob (1569 bis 1622; bei den Fuggern, dann in Hechingen und am Prager Hof) in den Adelsstand. Der Rat von Augsburg übertrug ihm 1600 die Leitung der Stadtpfeiferei und des städtischen Musikwesens. H. wirkte 1601–04 in Nürnberg als Organist an der Frauenkirche und städtischer Kapellmeister, zog dann nach Ulm, da er bereits kränkelte. H. wurde 1608 in Dresden »Musikus und Kammerorganist« des Kurfürsten Christian II. von Sachsen und begleitete 1612 dessen Nachfolger, Johann Georg I., zur Wahl des Kaisers Matthias nach Frankfurt am Main, wo er an der Schwindsucht starb. – H. war der bedeutendste deutsche Komponist seiner Zeit. Als weltlicher Komponist ist er bekannt durch das Chorliedwerk »Lustgarten« und seine Madrigale und Tänze. Als kirchlicher Komponist ist er sowohl für die Katholiken als auch für die Protestanten von gleich großer Bedeutung. Er komponierte für die katholische Kirche Messen und Motetten und bereicherte den evangelischen Kirchengesang durch Choralsätze von unvergänglichem Wert. Wir verdanken H. die Melodie zu dem Lied von Christoph Knoll (s. d.) »Herzlich tut mich verlangen nach einem selgen End«. Die Melodie findet sich als Diskant in einem fünfstimmigen Tonsatz von H. zu dem weltlichen Text »Mein G'müt ist mir verwirret, das macht ein Jungfrau zart« (1601) und mit obigem Text in einem Görlitzer Schulgesangbuch von 1613. Die Melodie wurde später von Johann Crüger (s. d.) für Paul Gerhardts (s. d.) Passionslied »O Haupt voll Blut und Wunden« übernommen.

Werke u. Ausgg.: Canzonette a 4 voci, 1590 (hrsg. v. Rudolf Schwartz, in: DTB V/2; rev. v. C. Russell Crosby, Wiesbaden 1962); Cantiones sacrae de festis praecipuis totius anni 4–8 et plurium vocum, 1591 (erw. 1597²; 1607³; 48 lat. Motetten. Hrsg. v. Hermann Gehrmann, in: DDT II. In Neuaufl hrsg. u. krit. rev. v. C. Russell Crosby, Wiesbaden u. Graz 1961); Madrigali 5–8 vocum, 1596 (Hrsg. v. Rudolf Schwartz, in: DTB XI/1; rev. v. C. Russell Crosby, Wiesbaden 1962); Neue teutsche Gesang nach Art der welschen Madrigalien u. Canzonetten 4–8 vocum, 1596 (1604²; 1609³. Hrsg. v. Rudolf Schwartz, in: DTB V/2; rev. v. C. Russell Crosby, Wiesbaden 1962); Missae 4–8 vocum, 1599 (Hrsg. v. Jos. Auer, in: DDT VII. In Neuaufl. hrsg. u. krit. rev. v. C. Russell Crosby, Wiesbaden u. Graz 1961); Lustgarten neuer teutscher Gesäng, Balletti, Galliarden u. Intraden mit 4–8 Stimmen, 1601 (1605²; 1610³. Neuausg. v. Fr. Zelle, in: Eitners Publikationen XV); Sacri concentus 4–12 vocum, 1601 (erw. 1612². Hrsg. v. Jos. Auer, in: DDT XXIV. XXV. In Neuaufl. hrsg. u. krit. rev. v. C. Russell Crosby, Wiesbaden u. Graz 1961); Pss. u. christl. Gesäng mit 4 St. auf die Melodie fugweis komp., 1607 (hrsg. v. Philipp Kirnberger, 1777; 8 Sätze daraus auch hrsg. v. R. v. Saalfeld, 1925; Neuausg. 1962. Mit diesem Werk erreicht die prot. Kirchenmusik die Choralsatzes im polyphonen Stil ihren höchsten Stand.); Kirchengesänge, Pss. u. geistl. Lieder auf die gemeinen Melodeien mit 4 St. simpliciter gesetzet, 1608 (1637². Neuausg. v. Gustav Wilhelm Teschner, 1865; Otto Kade, 1878; R. v. Saalfeld, 1925; Kassel 1961⁶); Litanei teutsch Herrn Dr. Martini Lutheri, 1619 (7st. f. Doppelchor). – Cantate Domino f. 5st. gem. Chor, hrsg. v. G. Bramley, in: Cantiones sacrae XXVII, London 1957; Angelus ad pastores ait, hrsg. v. Br. Grusnick, Kassel 1958; dass., hrsg. v. G. M. Mason, London 1962; Missa octo v., hrsg. v. Br. Grusnick, Kassel 1960; Ausw. aus »Lustgarten Neuer Teutscher Gesäng« f. 4–6st. gem. Chor, hrsg. v. D. Knothe, Leipzig 1963; Messe »Dixit Maria«, hrsg. v. P. Gano, in: Penn State Music Series XI, Univ. Park/Pennsylvania 1966; Verbum caro factum est, hrsg. v. Cl. G. Richter, New York 1968.

Lit.: Karl v. Winterfeld, Johannes Gabrieli u. sein Zeitalter I, 1834, 40; – Daniel Hänichen, Leichenpredigt auf H., hrsg. v. Philipp Spitta, in: Mbh. f. Musikgesch. 3, 1871, 24 ff.; – Rudolf Schwartz, H. L. H. unter dem Einfl. der it. Madrigalisten, in: VfM 9, 1893, 1 ff.; – Ders., Zur H.forsch., in: Jb. der Musikbibl. Peters XIII, 1906, 93 ff.; – Max Seiffert, Gesch. der Klaviermusik, 1899, 95 ff.; – Adolf Sandberger, Bem.en z. Biogr. H. L. H.s u. seiner Brüder sowie z. Musikgesch. der Städte Nürnberg u. Augsburg, in: DTB V/1, 1904, XI–CXII; – Hugo Leichtentritt, Gesch. der Motette, 1908 (Nachdr. Hildesheim 1967), 293 ff.; – Peter Wagner, Gesch. der Messe I, 1913 (Nachdr. Hildesheim u. Wiesbaden 1963), 342 ff.; – Josef Neyses, Stud. z. Gesch. der dt. Motette des 16. Jh.s (Diss. Bonn), 1927 (Teildr.: I. Die Form der H.schen Motette); – Hans Joachim Moser, Gesch. der dt. Musik I, 1930⁵, 493 ff.; – Ders., Kleine Dt. Musikgesch., 1955⁴, 110 ff.; – Ders., Das Opus sacrum des 400j. H. L. H., in: MuK 34, 1964, 269 ff.; – Anna Amalie Abert, Die stilist. Grdl.n der »Cantiones sacrae« v. Heinrich Schütz (Diss. Berlin), 1935, 119 ff.; – Hermann Bäuerle, H. L. H.s Messen, in: MuSa 66, 1936, 55 ff.; – Ernst Fred. Schmidt, H. L. H. u. seine Brüder, in: Zschr. des hist. Ver. f. Schwaben 54, 1941, 60 ff.; – Lini Hübsch-Pfleger, Das Nürnberger Lied im dt. Stilwandel um 1600 (Diss. Heidelberg), 1944; – Robert Seiler, H. L. H., in: Nürnberger Gestalten aus 9 Jhh., 1950, 120 ff.; – Herbert Viecenz, Die Kunst des Kontrapunktierens im Dur-Moll-System. Ein Lehrbeisp., durchgeführt an der Melodie H. L. H.s »Mein G'müt ist mir verwirret«, Halle/Saale 1951; – Richard Schaal, Zur Musikpflege im Kollegiatstift St. Moritz zu Augsburg, in: Mf 7, 1954, 1 ff.; – Adolf Layer, Die ersten Augsburger J. H. L. H.s, ebd. 8, 1955, 452 ff.; – Hans Mayer, H. L. H. in Ulm, in: Ulm u. Oberschwaben 35, 1958, 210 ff.; – Mary Eloise Jarvis, The Latin Motets of H. L. H. (Diss. Univ. of Rochester/New York), 3 Bde., 1960; – Heinz Zirnbauer, Lucas Friedrich Behaim, der Nürnberger Musikherr des Frühbarock, in: Mitt. des Ver. f. die Gesch. der Stadt Nürnberg 50, 1960, 330 ff.; – Richard Hinton Thomas, Poetry and Song in the German Baroque, London 1963; – Johannes G. Mehl, H. L. H. v. Nürnberg, in: Gottesdienst u. Kirchenmusik 15, 1964, 179 ff.; – Otto Riemer, Simpliciter u. fugweis. Gedanken z. 400. Geb. v. H. L. H., ebd. 184 ff.; – Bernhard Terschluse, Das Verhältnis der Musik z. Text in den textgleichen Motetten des 16. Jh.s. Mit bes. Berücks. der »Cantiones sacrae« v. H. L. H. (Diss. Hamburg), 1964; – H. L.

H. Zum Gedenken seines 400. Geb. Ausst. v. Dokumenten seines Lebens u. Schaffens. Ausst.kat. der Stadtbibl. Nürnberg 41, Augsburg u. Nürnberg 1964; – Fr.-J. Zimmerhof, in: MuSa 84, 1964, 275 ff.; – Friedrich Blume, Gesch. der ev. Kirchenmusik, 1965²; – Christa Neumann, Unterss. z. Aufführungspraxis v. Chorwerken H. L. H.s (Diss. Halle), 1968; – v.Winterfeld I, 372 ff.; – Kümmerle I, 540 ff.; – Hdb. z. EKG II/1, 135 f.; – MGG V, 1801 ff.; – Eitner V, 42 ff.; – Riemann I, 741 ff.; ErgBd. I, 496 f.; – Moser I, 484 f.; – Grove IV, 133 f.; – Goodman 194; – ADB XI, 10 ff.; – NDB VIII, 53 f.; – RGG III, 86; – LThK V, 26; – NCE VI, 946.

HASSLOCHER, Johann Adam, Kirchenliederdichter, * 24. 9. 1645 in Speyer als Sohn eines Ratsherrn und Spitalverwalters, † 9. 7. 1726 in Weilburg (Nassau). – H. studierte seit 1664 in Straßburg und wurde nach der Rückkehr von einer Studienreise durch Holland und Preußen 1670 Diakonus und bald darauf Pfarrer in Weißenburg (Elsaß). Von 1675 an wirkte er als Pfarrer in Speyer und verlor bei der furchtbaren Zerstörung seiner Vaterstadt im Mai 1689 auch sein Hab und Gut. Im Juli 1689 wurde H. von dem Grafen von Nassau-Saarbrücken, dessen Gattin er auf einer Kollektenreise für seine verarmte Gemeinde näher kennengelernt hatte, zum Konsistorialrat und Hofprediger nach Weilburg (Lahn) berufen. – Von den 25 Liedern H.s ist aus dem Marburger Gesangbuch von 1723 das Lied zum Schluß des Gottesdienstes bekannt: »Höchster Gott, wir danken dir, daß du uns dein Wort gegeben«, besonders die letzte Strophe: »Gib uns, eh wir gehn nach Haus, deinen väterlichen Segen.« Durch Aufnahme in das »Geistreiche Gesangbuch« des Johann Anastasius Freylinghausen (s. d.), Halle 1704, hat H.s Lehrgedicht als »die Parole des Spenertums« (s. Spener, Philipp Jakob) weite Verbreitung gefunden: »Du sagst: Ich bin ein Christ. Wohlan, wenn Werk und Leben dir dessen, was du sagst, Beweis und Zeugnis geben, so steht es wohl um dich.« In diesem Lied hat H. ein Kapitel aus Johann Arndts (s. d.) »Wahrem Christentum«, seinem Lieblingsbuch, in Verse gesetzt.

Werke: Zeugnisse der Liebe z. Gottseligkeit, J. A. H.s Lieder, gesammelt u. hrsg. v. Philipp Casimir Schlosser, Wetzlar 1727. Lit.: F. W. Culmann, Brosamen aus der Gesch. geistl. Lieder u. Liederdichter, 1858, 157 ff.; – Pfälzer Memorabile, 1877, 36. Gabe, 1. Nachtragsheft, 77 ff.; – Albert Friedrich Wilhelm Fischer, Kirchenliederlex, I, 1878, 146. 307; – Emil Lind, J. A. H. Hist.-biogr. Stud. über die »geistl. Sänger aus dem Spenerkreis«, in: Bll. f. pfälz. KG u. rel. Volkskunde 31, 1964, 50 ff.; – Koch IV, 279 ff.; – Goedeke III, 300; – Kosch, LL II, 851; – ADB XI, 22.

HASTINGS, Thomas, Dichter und Komponist geistlicher Lieder, * 15. 10. 1784 in Washington, Litchfield County (Connecticut) als Sohn eines Farmers und Arztes, † 15. 5. 1872 in New York City. – H. widmete sich seit 1806 ganz der Musik und kam 1817 nach Troy, dann nach Albany und 1823 nach Utica. Er folgte 1832 dem Ruf nach New York als Kirchenchordirigent an der Presbyterian Church in der Bleeker Street. Die Universität der City von New York verlieh ihm 1850 den Titel eines »doctor of music«. H. soll mehr als 1000 Melodien erfunden und 600 Lieder gedichtet haben. Bekannt ist sein Lied »Why that look of sadness«, zuerst in »Spiritual Songs« (1831) erschienen, deutsch von Ernst Gebhardt (s. d.) in seiner Liedersammlung »Frohe Botschaft«, Basel 1875: »Warum blickst du trübe, armes Herze mein? Kann denn Jesu Liebe dich nicht mehr erfreun?« Wir verdanken H. die Melodie zu dem Lied von Julius Karl Arndt (s. d.): »Wohin, o müder Wandrer du?« und

zu dem Lied von Augustus Montague Toplady (s. d.): »Fels des Heils, geöffnet mir, birg mich, ewger Hort, in dir!«

Werke: Musica sacra; or Springfield and Utica Collections United, 1816; Musical Reader, 1817; Dissertation on Musical Taste, 1822. 1853; The Union Minstrel for the Use of Sabbath Schools, 1830; Spiritual Songs for Social Worship (mit Lowell Mason), 1831; The Christian Psalmist, or Watts Psalms and Hymns (mit William Patton), 2 Bde., 1836; The musical Miscellany (mit Solomon Warriner), 2 Bde., 1836; The Manhattan Collection, 1837; The Sacred Lyre, 1840; Devotional Hymns and Religious Poems, 1850; History of Forty Choirs, 1854; Selah, 1856; Sacred Praise, 1856.
Lit.: Josiah Miller, Our hymns: their authors and origin, London 1866; – The New York Musical Gazette, 1873, April; – Louis FitzGerald Benson, The English Hymn; its development and use in worship, London 1915; – Walter Schulz, Reichssänger. Schlüssel z. dt. Reichsliederbuch, 1930, 181; – John Tascer Howard, Our American Music; three hundred years of it, New York 1931; – A Dictionary of Hymnology, ed. by John Julian, (1892; 1907²) I³, ebd. 1957, 494 f.; – DAB VIII, 387 f.

HATTEM, Pontiaen van, niederländischer Separatist, getauft 1. 3. 1645 in Bergen-op-Zoom, beerdigt daselbst 13. 9. 1706. – H. studierte in Leiden Theologie und wurde am 22. 3. 1667 zum Predigtamt in der reformierten Kirche zugelassen. Er waltete seit 1672 mit Eifer und Treue seines Amtes als Pfarrer in St. Philipsland (Seeland). Seine Gemeinde schätzte ihn darum auch hoch und liebte ihn. Auf Grund einer in Abschrift umlaufenden Erklärung von Glaubensbekenntnis und Katechismus wurde H. wegen Irrlehre angezeigt. Nun begann ein kirchlicher Prozeß, der drei Jahre dauerte und am 29. 5. 1683 mit der Absetzung H.s endete wegen »vielfacher schrecklicher Ketzereien und Irrtümer, die mit Gottes Wort, den Bekenntnissen des reformierten Glaubens und wahrer Frömmigkeit im Widerspruch ständen«. Da ihm auch der weitere Aufenthalt in St. Philipsland verboten worden war, ließ sich H. in Bergen-op-Zoom nieder, wo er zwar in der Stille, aber mit großem Erfolg wirkte. H. dehnte seine Konventikeltätigkeit über ganz Seeland aus, unternahm auch größere Predigtreisen nach Amsterdam und Den Haag und gewann durch seine umfangreiche Korrespondenz noch weitere Kreise. H. wurde von der Kirche heftig angegriffen, aber vom Rat geschützt. Die Anhänger H.s, die Hattemisten, wurden noch lange hart verfolgt. Wir wissen z. B. von der Absetzung des seeländischen Pfarrers Goswin van Buitendijk 1711, ferner von einem Gotteslästerungsprozeß gegen einen gewissen Steven Kloet 1714, der zu drei Jahren Zuchthaus verurteilt wurde, und erfahren noch um 1732 von einem Vorgehen gegen Hattemisten in Cadzand, deren Heterodoxie im Mai 1733 ein allgemeines Edikt der holländischen Generalstaaten veranlaßte. Der Entdeckungsreisende Jakob Roggeveen gab 1718 bis 1727 H.s nachgelassene Schriften heraus. – H. ist bekannt als Urheber und Führer einer niederländischen quietistischen Sondergruppe. Er lehrte einen perfektionistischen Quietismus im scharfen Gegensatz gegen die orthodoxe Gesetzlichkeit.

Werke: Den val van's Werelts Af-God, ofte het Geloove der Heyligen zegepralende over de Leere van eygen geregtigheid. Klaar vertoont in de nagelatene Schriften van P. van H. Vervattende Zijne Verklaaring over eenige voornaame Texten uyt de H. Schrift, en andere byzondere stoffen; verstrekkende alles tot volkomen verstroosing, en dus tot Zaligheid van's Menschen Ziel. Hrsg. v. Jakob Roggeveen. I, 's Gravenhage 1718; II u. III, Amsterdam 1719; IV, o O. 1727.
Lit.: J. Borsius, Mededeeling aangaande Jacob Roggeveen, in: NAKG 1, 1841, 287–362; – J. van Leeuwen, Antinomianen, of de Secten der Verschoristen of Hebreën, Hattemisten en anverwante Buitendijkers, ebd. 8, 1848, 57–169; – W. C. van Manen,

P. van H. Eene bladzijde uit de geschiedenis der Gereformeerde Kerken dezer landen, in: De Gids 49, 1885, III, 357–429; IV, 85–115; – Ders., De procedure tegen P. van H., 2. Juli 1680 bis 8. Juli 1683, in: Archief voor Nederlandsche Kerkgeschiedenis 1, 1885, 273–348; – Aem. W. Wybrands, Marinus Adriaansz. Booms, eene bladzijde uit de geschiedenis der Spinozisterij in Nederland, ebd. 51–128; – J. de Hullu, Hérésies Hattemistes dans l'église wallone de Cadzand vers 1720 à 1733, in: Bulletin de l'histoire des églises wallonnes II, 4, 1908, 201 ff.; – BWGN III, 572 ff.; – RE VII, 475 ff.; – LThK V, 27 (Art. Hattemisten).

HATTLER, Franz Seraph, Jesuit, volkstümlicher Erbauungsschriftsteller, * 11. 9. 1829 in Anras (Osttirol), † 13. 10. 1907 in Innsbruck. – H. trat 1852 in den Jesuitenorden ein und empfing 1860 die Priesterweihe. – H. ist bekannt als Förderer der Herz-Jesu-Andacht. Er war seit 1865 ständiger Mitarbeiter und 1882–87 Schriftleiter des »Sendboten des göttlichen Herzens Jesu«.

Werke: Die Liebesdienste des göttl. Herzens Jesu, 1867 (1903⁵); Der Garten des Herzens Jesu, 1870 (1922⁹); Gesch. der Andacht z. heiligsten Herzen Jesu, 1875; Kath. Kindergarten, 1877 (1911⁷); Blumen aus dem kath. Kindergarten, 1879 (1922¹⁸); Stilleben im Herzen Jesu, 1879 (1921¹⁰); Herz-Jesu-Monat, 1881 (1930⁶, neubearb. v. Vinzenz Geppert); Wanderbuch f. die Reise in die Ewigkeit, 2 Bde., 1883–84; Das Haus des Herzens Jesu, 1884 (1912⁶); Herz-Jesu-Büchlein f. Kinder, 1887 (1927¹²); Der Maimonat, 1888 (1907³); Missionsbilder aus Tirol, 1889; Das blutige Vergißnichtmein, 1890 (1914¹¹, bes. v. Artur Streißer); Christl. Hausbrot, 2 Bde., 1892 (1903³); Großes Herz-Jesu-Buch, 1897 (1901³); Ein Sträußchen Rosmarin, 1901 (1907²); Lb. des ehrw. Claudius de la Colombière, 1903.

Lit.: Nachr. der östr.-ung. Prov. S.J. 5, 1908, 139 ff.; – Joseph Hättenschwiller, F. S. H. Ein Herz-Jesu-Apostel unserer Zeit. Gedenkbl. z. Jh.feier seiner Geburt (mit Schrr.verz.), Innsbruck 1929; – Koch, JL 773 f.; – Kosch, KD 1388 f.; – ÖBL II, 208 f.; – LThK V, 27.

HATZFELD, Johannes, Kirchenmusiker, * 14. 4. 1882 in Benolpe bei Olpe (Sauerland), † 5. 7. 1953 in Paderborn. – H. studierte in München Theologie und Musikwissenschaft und war 1908–10 Theorieschüler von Josef Krug-Waldsee (1858–1915) in Magdeburg. Er empfing 1906 die Priesterweihe und war in der Seelsorge tätig. H. war 1914–24 Religionslehrer in Paderborn, wohin er nach einer Tätigkeit in Mönchen-Gladbach zurückkehrte. – H. wurde bekannt durch sein Wirken für eine Erneuerung der katholischen Kirchenmusik. Er war Mitbegründer der »Internationalen Gesellschaft für Neue Katholische Kirchenmusik« (gegründet 1930 in Frankfurt/Main), Förderer des geistlichen und weltlichen Volksliedes und Herausgeber der Editionsreihen »Musica orans« und »Musik im Haus«.

Werke: Volksliederbücher, Volksliederbearbeitungen, kirchl. Chorwerke (Messe über dt. Kirchenlieder, 1933).

Lit.: Heinrich Lemacher, J. H. gest., in: ZfM 114, 1953, 599 f.; – Kaspar Roeseling, J. H. gest., in: Zschr. f. Kirchenmusik 73, 1953, 206 f.; – Johannes Overath, Msgr. Dr. J. H. gest., in: Musik u. Altar. Zschr. f. Musik in Kirche, Jugend u. Schule 6, 1953–54, 41 ff.; – Priester u. Musiker. Gedanken aus Vortrr. u. Aufss. v. J. H., ausgew. u. hrsg. v. dems., 1954 (mit Werkverz.); – Hildegard Gocke, J. H., in: Westfäl. Heimatkal. 9, 1955, 162 ff.; – W. M. Berten, Musik im Leben, in: Musikal. Brauchtum. Festschr. f. Heinrich Lemacher, 1956; – Gesch. der kath. Kirchenmusik, hrsg. v. Karl Gustav Fellerer. II: Vom Tridentinum bis z. Ggw., 1976; – Kosch, KD 1389; – Riemann I, 744; – LThK V, 29.

HAUBER, Johann Michael, Priester und Schriftsteller, * 2. 8. 1778 in Irsee bei Kaufbeuren als Sohn eines Klosterschreiners, † 10. 5. 1843 in München. – H. studierte in Freising, empfing 1801 die Priesterweihe und war in der Seelsorge tätig, seit 1805 in München u. a. als Prediger, Schulinspektor und Katechet. Er wurde 1818 Hofprediger und 1841 Propst des Stiftes St. Ca-

jetan. – H. ist bekannt als Erbauungs- und auch Jugendschriftsteller und Sammler historischer Musikhandschriften. Er unterstützte Caspar Etts (s. d.) Bestrebungen zur Wiederbelebung der klassischen Polyphonie in der Kirchenmusik. Erwähnt sei auch, daß H. an der Einführung der Barmherzigen Schwestern in Bayern beteiligt war.

Werke: Vollst. Lex. f. Prediger u. Katecheten, 5 Bde., 1802–04 (1843–45⁵); Der musikal. Jugendfreund, 12 Hh., 1814/15; Jugendbibl., 8 Bdchn., 1818 ff.; Vollst. Gebetbuch f. fromme kath. Christen, 1825 (1867²⁹); Andachts- u. Erbauungsbuch, 1831 (1874¹⁵). – Gab mit Georg Friedrich Wiedemann heraus: Mbl. f. christl. Rel. u. Lit., 1813–17.

Lit.: Joseph Koegel, Gesch. der St. Kajetans-Hofkirche in München, 1899, 252 ff.; – Otto Ursprung, Restauration u. Palestrina-Renaissance in der kath. Kirchenmusik der letzten 2 Jhh. Vergangenheitsfragen u. Ggw.aufgaben, 1924, 25 f.; – Ders., Münchens musikal. Vergangenheit v. der Frühzeit bis zu Richard Wagner, 1927, 241 ff.; – Emil Klemens Scherer, Schwester Ignatia Jorth u. die Einf. der Barmherzigen Schwestern in Bayern, 1932, 236; – Kosch, LL II, 852; – Kosch, KD 1391; – ADB XI, 37 f.; – NDB VIII, 70; – LThK V, 29.

HAUCK, Albert, Theologe, * 9. 12. 1845 in Wassertrüdingen (Mittelfranken) als Sohn eines Advokaten, † 7. 4. 1918 in Leipzig. – H. erhielt auf dem Gymnasium in Ansbach, wohin seine Mutter als Witwe 1854 übergesiedelt war, eine umfassende humanistische Bildung und eine gediegene sprachliche Schulung und bezog im Frühjahr 1864 die Universität Erlangen. Ihm ging es um eine gründliche Durchbildung in allen theologischen Disziplinen und deren Grenzgebieten. Johann Christian Konrad von Hofmann (s. d.) und Gottfried Thomasius (s. d.) wirkten am stärksten auf ihn ein. Im Frühjahr 1866 setzte er für zwei Semester sein Studium in Berlin fort, wo ihn am nachhaltigsten Leopold von Ranke (s. d.) beeinflußte. Nach seinem Examen 1868 widmete sich H. der praktisch-theologischen Ausbildung und wissenschaftlichen Vertiefung im Predigerseminar in München und als Stadtvikar in München und als Vikar in Feldkirchen bei Müchen. 1874 wurde er Pfarrer in der kleinen abgelegenen Gemeinde Frankenheim bei Schillingsfürst (Mittelfranken). Sein 1877 erschienenes Buch über »Tertullians Leben und Schriften« erschloß ihm die akademische Laufbahn: 1878 wurde ihm die ao. Professur für Kirchengeschichte und christliche Archäologie in Erlangen übertragen. 1882 erhielt er dort eine o. Professur. 1889 wurde H., nachdem der I. Band seiner »Kirchengeschichte Deutschlands« 1887 erschienen war, zum Professor der Kirchengeschichte nach Leipzig berufen. Dort wirkte er bis an sein Lebensende. – H.s »Kirchengeschichte Deutschlands« ist seine größte wissenschaftliche Leistung und zugleich eines der theologischen Standardwerke. Sie schließt mit den Verhandlungen zwischen den Hussiten und dem Basler Konzil 1437. Das durch Quellenforschung und -kritik und Darstellungskunst ausgezeichnete Meisterwerk H.s wurde wiederholt aufgelegt. Die zweite große wissenschaftliche Leistung ist die 3. Auflage der von Johann Jakob Herzog (s. d.) begründeten »Realencyklopädie für protestantische Theologie und Kirche«, Band 1–22, 1896–1909; Ergänzungsbände 23 und 24, 1913. Er war bereits an der Herausgabe der 2., von Herzog und Gustav Leopold Plitt (s. d.) besorgten Auflage beteiligt, und zwar als Mitherausgeber der Bände VIII (1881) bis XI (1883) und als alleiniger Herausgeber der Bände XII (1883) bis XVIII (1888).

Werke: Tertullians Leben u. Schrr., 1877; Die Entstehung des Christustypus in der abendländ. Kunst, 1880; Vittoria Colonna, 1882; Die Bisch.wahlen unter den Merowingern, 1883; KG Dtld.s I (bis Bonifatius), 1887 (1952⁷); II (Karolingerzeit), 1890 (1952⁶); III Die Zeit der sächs. u. fränk. Kaiser, 1896 (1952⁶); IV (Hohenstaufenzeit), 1904 (1953⁶); V/1 (während des beginnenden Sinkens der päpstl. Macht), 1910 (1953⁵); V/2 (aus dem Nachlaß hrsg. v. Heinrich Böhmer: Im Kampf um die Behauptung seiner kirchl. Stellung), 1920 (1953⁵); Die Entstehung der bischöfl. Fürstenmacht, 1891; Der Kommunismus im christl. Gewande, 1891; Der Kampf um die Gewissensfreiheit, 1898; Friedrich Barbarossa als Kirchenpolitiker, 1898; Der Gedanke der päpstl. Weltherrschaft bis auf Bonifaz VIII., 1904; Die Innere Mission in ihrer nat. Bedeutung f. Dtld., 1905; Die Entstehung der geistl. Territorien, 1909; Hat Jesus gelebt?, 1910; Dtld. u. die päpstl. Weltherrschaft, 1910; Die Trennung v. Kirche u. Staat, 1912 (1919⁶); Stud. zu Johann Huß, 1916; Ev. Mission u. dt. Christentum, 1916; Dtld. u. Engl. in ihren kirchl. Beziehungen (die 8 während des Krieges in Uppsala geh. Vorlesungen), 1917; Die Ref. in ihrer Wirkung auf das Leben (6 Volkshochschul-Vortrr.), 1918; Apologetik in der alten Kirche. Vortrr. 1918; Jesus. Ges. Vortrr., 1921. – Bibliogr.: in: ZKG 54, 1935, 565 ff.

Lit.: Zum Gedächtnis A. H.s (3 Aufss. v. Ludwig Ihmels, Nathanael Bonwetsch u. Walter Caspari), in: AELKZ 51, 1918, 492 ff. 514 ff. 668 ff.; – Hermann v. Grauert, A. H., in: Jb. der Akademie der Wiss. zu München, 1919, 90 ff.; – Heinrich Böhmer, A. H., ein Charakterbild, in: BSKG 33, 1920, 1 ff.; – Richard Grützmacher, Kritiker u. Neuschöpfer der Rel. im 20. Jh. Keyserling, L. Ziegler, Blüher, Chamberlain, Steiner, Scholz, Scheler, H., 1921; – Otto Kirn, in: Gesch.büchlein, hrsg. v. Ludwig Lang, 1, 1925, 65 ff.; – H. Kayser, H.s Bewertung v. Idee u. Persönlichkeit beim Wandel der Zeiten, in: ThStKr 103, 1931, 429 ff.; – Friedrich Hauck, A. H. Leben u. Werk, 1947; – Ders., A. H., in: Ll. aus Franken VI, 1960, 219 ff.; – Georg Merz, A. H. Erinnerungen, in: ELKZ 4, 1950, 196 ff.; – Heinrich Bornkamm, Die Gesch.schreiber der Kirche. A. H., in: Zeitwende 22, 1970, 270 ff.; – Brigitte Scholz, Der Gesch.schreiber A. H. Persönlichkeit u. Werk (Diss. Jena), 1951; – Hans-Dietrich Loock, Christus u. die Gesch. Betrachtungen z. Werke A. H.s (Diss. Berlin F.U., 1956), Hamburg-Bergstedt 1964 (Überarb. u. d. T.: Offb. u. Gesch. Unterss. am Werke A. H.s); – Peter Meinhold, Gesch. der kirchl. Historiogr., 2 Bde., 1967; – Hans Kressel, A. H. u. seine Beziehungen zu Erlangen, in: Erlanger Bausteine z. fränk. Heimatforsch. 16, 1969, 25 ff.; – Ders., A. H. Eine Erinnerung an den großen Kirchenhistoriker zu seinem 125. Geb., in: Frankenland 22, 1970, 270 ff.; – Gerhard Graf, A. H. über Jan Hus. Zur Selbstkritik der Ref.historiogr., in: ZKG 83, 1972, 34 ff.; – Biogr. Wb. z. dt. Gesch. I², 1973, 1038; – KJ 45, 615; – DBJ XI, 253 ff.; – Neue Jbb. f. das klass. Altertum 5, 1, 275 ff.; – NDB VIII, 75 f.; – Kosch, LL I, 852; – RGG III, 87; – Catholicisme V, 528; – EC VI, 1374 f.; – LThK V, 30; – NCE VI, 947 f.; – ODCC² 622.

HAUER, Wilhelm, Indologe, Religionswissenschaftler, Begründer der »Deutschen Glaubensbewegung«, * 4. 4. 1881 in Ditzingen bei Leonberg (Württemberg) als Sohn eines Gipsermeisters, † 18. 2. 1962 in Tübingen. (bis 1933 ev.). – H. wuchs in einem pietistischen Elternhaus auf und wurde nach Besuch der Volksschule und Privatunterricht im väterlichen Geschäft zum Gipser ausgebildet. 1900 trat er in das Missionsseminar in Basel ein und war 1907–11 Missionar in Indien. Durch das Studium der indischen Religionen wurde H. an dem Absolutheitsanspruch des Christentums irre und setzte 1911 seine Studien in Oxford fort, promovierte 1917 zum Dr. phil. und habilitierte sich 1921 in Tübingen für Sanskrit und Religionsgeschichte. 1925 wurde er Professor in Marburg und lehrte seit 1927 in Tübingen. Bis 1934 war H. Leiter des von ihm 1920 gegründeten Bundes der Köngener, einer aus der evangelischen und der freien deutschen Jugendbewegung erwachsenen Gemeinschaft für religiöse Duldung, Verständigung, Vertiefung und Erneuerung. Seit 1927 leitete er einige Jahre auch den von Rudolf Otto (s. d.) 1921 gegründeten »Religiösen Menschheitsbund« mit dem Ziel, »innerhalb der Religionsgemeinschaften das Gefühl der sittlichen Verantwortlichkeit zu schärfen« und »einen religiösen Konvent aus Vertretern der verschiedenen Religionsgemeinschaften als

Arbeitsgemeinschaft zur Verwirklichung gemeinmenschlicher sittlicher Ziele vorzubereiten«. H. und Ernst Graf von Reventlow (1869–1943) gründeten auf einer Tagung in Eisenach vom 29./30. 8. 1933 die »Arbeitsgemeinschaft der Deutschen Glaubensbewegung« (seit 1934: Deutsche Glaubensbewegung). Es gelang ihnen, etwa ein Dutzend Gemeinschaften von den Völkisch-Religiösen bis zu den Freireligiösen in ihr zu vereinigen. Schon auf der nächsten Tagung in Scharzfeld im Mai 1934 setzte sich der radikale politische Flügel gegen H. durch. Im Winter 1935/36 traten H. und Graf Reventlow von der Führung der »Deutschen Glaubensbewegung« zurück. Ohne organisatorische Bindung wirkte H. weiter für die Vertiefung der deutschgläubigen Idee, vor allem durch die Zeitschrift »Deutscher Glaube«. Nach dem Kriegsende wurde er aus seinem Amt als Hochschullehrer entlassen und interniert. 1947 gründete H. eine »Arbeitsgemeinschaft für freie Religionsforschung und Philosophie« und 1955 die »Freie Akademie« in Form von freien Zusammenkünften.

Werke: Die Anfänge der Yogapraxis im alten Indien. Eine Unters. über die Wurzeln der indischen Mystik, 1922; Werden u. Wesen der Anthroposophie. Eine Wertung u. eine Kritik. 4 Vortrr., 1922 (1923²); Die ind. Rel., in: Licht des Ostens. Die Weltanschauungen des mittleren u. fernen Asiens: Indien – China – Japan u. ihr Einfluß auf das rel. u. sittl. Leben; auf Kunst u. Wiss. dieser Länder. Hrsg. v. Maximilian Kern, 1922; Die Rel.en, ihr Werden, ihr Sinn, ihre Wahrheit. I: Das rel. Erlebnis auf den unteren Stufen, 1923; Ein monotheist. Traktat Altindiens, 1931; Der Yoga als Heilsweg. Nach den ind. Qu. dargest., 1932 (2. umgearb. u. um den 2. Bd. erw. Aufl. u. d. T.: Der Yoga. Ein ind. Weg z. Selbst. Krit.-positive Darst. nach den ind. Qu. mit einer Übers. der maßgebl. Texte, 1958); Dt. Gottschau. Grundzüge eines dt. Glaubens, 1934 (1935⁵); Glaubensgesch. der Indogermanen. Tl. 1: Das rel. Artbild der Indogermanen u. die Grundtypen der indo-arischen Rel., 1937; Urkk. u. Gestalten der german.-dt. Glaubensgesch., 3 Bde., 1940 ff.; – (W. H. u. Annie Hauer:) Der dt. Born. Hausbuch f. Besinnung u. Feier. Gedichte, Sinnsprüche, Gedanken, 1952; Toleranz u. Intoleranz in den nichtchristl. Rel.en. Btr. zu einer weltgeschichtl. Betrachtung der Rel.en, 1961; Verfall oder Neugeburt der Rel.? Ein Symposion über Menschsein, Glauben u. Unglauben, 1961; Der abendländ. Mensch. Selbstverständnis u. Selbstverwirklichung, 1964. – Skizzen aus meinem Leben. In: Dt. Glaube, 1935, 5 ff. 49 ff. 101 ff. 194 ff. 241 ff. 439 ff. – Gab heraus: Unser Weg. Stimmen aus dem Bund der Köngener, 1920–27; Die kommende Gemeinde. Eine unabhängige rel. Zschr., 1928 bis 1933; Dt. Glaube. Mschr. der dt. Glaubensbewegung, 1934 ff. (ab 1936: Dt. Glaube. Zschr. f. arteigene Lebensgestaltung, Weltschau u. Frömmigkeit); Wirklichkeit u. Wahrheit. Bll. f. die Freunde der Freien Akademie, 1958 ff.

Lit.: Arthur Titius, J. W. H. über den dt. Glauben, in: ChW 47, 1933, 347 ff.; – Friedrich Heiler, Die »dt. Glaubensbewegung«, in: Eine hl. Kirche 16, 1934, 12 ff.; – Kurt Leese, Das Problem der »Arteigenen« in der Rel. Btr. z. Auseinandersetzung mit der Dt. Glaubensbewegung, 1935; – Hans-Joachim Iwand, Wir wandeln im Glauben, nicht im Schauen, in: EvTh 5/6, 1935, 153 ff.; – Hans Treplin [in volkstüml. Wort aus Schleswig-Holstein z. Kampf um den christl. Glauben. Weder H. noch dt.Kirche, 1935]; – J. Witte, W. H.s dt. Gottschau im Lichte der Christusbotschaft, in: Kirche im Angriff (früher: ChuW) 11, 1935, 88 ff. 126 ff.; – Friso Melzer, W. H.s »Dt. Gottschau«, in: EMM RF 79, 1935, 102 ff.; – Kurt Hutten, Christus oder Dt.glaube? Ein Kampf um die dt. Seele, 1935; – Ders., W. H.s »Dt. Gottschau«, in: Die Nation vor Gott. Die Botschaft der Kirche im Dritten Reich. Hrsg. v. Walter Künneth – Helmut Schreiner, 1937⁵, 444 ff.; – Ders., Dt. Glaubensbewegung, geld. 506 ff.; – Hans Pfeil, Die Grundlehren des Dt. Glaubens. Eine Bewertung u. Ablehnung, 1936; – Chr. M. Schröder, W. H.: Dt. Gottschau, in: Eine hl. Kirche 18, 1936, 222 ff.; – H. Maurer, W. H. u. die Basler Mission, in: EMM NF 80, 1936, 205 ff.; – J. Boehmer, J. W. H. u. seine indogerman. wie christl. Rel., in: RKZ 86, 1936, 391; – Robert Schwellenbach, Von der Dt. Glaubensbewegung z. Christentum, in: Die Pforte. Mschr. f. Kultur 4, 1952, 163 ff.; – Hans Buchheim, Glaubenskrise im Dritten Reich, 1953; – Fritz Castagne, J. W. H. u. seine Generation im Ringen um Freiheit u. Verständigung im Glauben, in: Wirklichkeit u. Wahrheit. Bll. f. die Freunde der Freien Akademie F. 2–3, 1958; – Otto Manz, Zum Gedenken an W. H., ebd 1962, Nr. 3, S. 17 ff.; – Kurt v. Wistinghausen, Hutten u. H., in: Die Christengemeinschaft. Mschr. z. rel. Erneuerung 34, 1962, 190 ff.; – NDB VIII, 83 f.; – EKL II, 33 f.

HAUG, Johann Heinrich, separatistischer Mystiker, * 17. 4. 1680 in Straßburg als Sohn eines Buchdruckers, † 12. 3. 1753 in Berleburg (Wittgenstein). – H. studierte Theologie und promovierte zum Magister. Er kam früh unter den Einfluß eines schwärmerischen Pietismus. H. wurde 1703 Diakonus in Straßburg, aber wegen »pietistischer und donatistischer Irrtümer« suspendiert und 1705 wegen Abhaltung verbotener Konventikel aus Straßburg ausgewiesen. Nun ging er nach Berleburg, wo alle mystischen und pietistischen Separatisten damals bei dem Grafen Casimir zu Sayn-Wittgenstein-Berleburg Aufnahme fanden. Später zog sich H. als individualistischer mystischer Spiritualist fast völlig von der Außenwelt zurück. Graf Casimir nahm ihn zeitlebens zu sich ins Schloß, wo er fast wie ein Einsiedler lebte. – H. ist bekannt als Vorsteher der philadelphischen Gemeinde Berleburg und Herausgeber der »Berleburger Bibel«. – Die »Berleburger Bibel« ist ein Gemeinschaftswerk der in Berleburg versammelten führenden Köpfe der philadelphischen Bewegung. Nicht in der Übersetzung liegt ihre Bedeutung, sondern in der Erklärung. Aus dem ganzen mystisch-theosophischen Vorrat, der den Verfassern zu Gebot stand, sind die Anmerkungen gesammelt; dabei ist der Madame Guyon (s. d.) ein hoher Rang eingeräumt. Die Berleburger Bibel erneuert die alte Auffassung von einem dreifachen Schriftsinn, dem buchstäblichen, moralischen und geheimen. Obwohl sich viel Tiefsinniges und Erbauliches darin findet, enthält sie willkürlich phantastische Allegorie, die alten und neueren theosophischen Lehren und bittere Polemik gegen Kirche und Kirchenglauben.

Werke: Gab heraus: Die Heilige Schrift Altes u. Neues Testaments, Nach dem Grund-Text aufs neue übersehen und übersetzet: Nebst Einiger Erklärung des buchstäblichen Sinnes Wie auch der fürnehmsten Fürbildern u. Weissagungen von Christo und seinem Reich und zugleich Einigen Lehren die auf den Zustand der Kirchen in unsern letzten Zeiten gerichtet sind; welchem allem noch untermängt Eine Erklärung des inneren Zustand des geistlichen Lebens, oder die Wege und Wirkungen Gottes in den Seelen zu deren Reinigung, Erleuchtung und Vereinigung mit Ihm zu erkennen gibt, 8 Bde., Berleburg 1726 bis 1742.

Lit.: Max Goebel, Gesch. des christl. Lebens in der rhein.-westfäl. Kirche II/2.3, 1852, 736 ff.; III, 1860, 71 ff. bes. 103 ff.; – Albrecht Ritschl, Gesch. des Pietismus II, 1884, 352 f.; – Johann Adam, Ev. KG der Stadt Straßburg, 1922, 476 ff.; – Martin Hofmann, Theol. u. Exegese der Berleburger Bibel, 1937; – Nils Thune, The Behmenists and the Philadelphians, Uppsala 1948, 148 ff. u. ö.; – Ernst Benz, Adam. Der Mythos v. Urmenschen, 1955, 135 ff. 304 f.; – W. Hartnack, Berleburg als Druckort. Druck der Berleburger Bibel, in: Wittgenstein, Bd. 20, 1956, 73 ff.; – Die Berleburger Chron.en, ebd. Beih. 2, 1964; – Hirsch II, 299 f.; – ADB XI, 51 f.; – NDB VIII, 90 f.; – RE III, 182 f.; VIII, 355 f.; IX, 203 ff. – RGG III, 87 f.

HAUGE, Hans Nielsen, Führer der Erweckungsbewegung in Norwegen und Bahnbrecher der dortigen kirchlichen Laienarbeit, * 3. 4. 1771 als Sohn eines Bauern auf Rolfsöen in Thunöe Sogen (Südostnorwegen), † 29. 3. 1824 auf dem Hof Bredvet im Kirchspiel Aker. – H. wuchs in einem gottesfürchtigen Elternhaus auf und beschäftigte sich schon als Knabe mit religiösen Fragen. Er las eifrig in der Heiligen Schrift, der Katechismuserklärung des dänischen Hofpredigers Erik Pontoppidan (s. d.) und dem Gesangbuch des dänischen Bischofs und Liederdichters Thomas Hansen Kingo (s. d.); seine Lektüre waren ferner verschiedene Erbauungsschriften, u. a. Martin Luthers (s. d.) Postille und Johann Arndts (s. d.) »Vier Bücher vom wahren Christentum«. »Von Jugend auf war

ich nach außen hin von stillem Wesen, hatte keine Lust am Streit, wenig Freude an Lustbarkeiten zusammen mit meinen Kameraden, war tiefsinnig, wenn ich in Gesellschaften war und dort lärmende Lustigkeit sah oder hörte; insbesondere war ich bekümmert, wenn es zu Schlägereien kam. Vor Fluchen und Mißbrauch des Namens Gottes hatte mein Vater mich gewarnt, so daß mir von Kind an ein Abscheu dagegen eingeprägt war. Ich tanzte niemals, hatte wenig Sinn für Spiel oder Musik, wollte nie ins Wirtshaus gehen; wenn aber jemand Geschichten erzählte und über religiöse oder geistliche Dinge sprach, daran fand mein Herz Gefallen.« H. war nicht nur in der Landwirtschaft wohlbeschlagen, sondern auch in der Tischlerei- und Schmiedearbeit geschickt. Mehrere Male erlebte er wunderbare Errettungen aus höchster Lebensgefahr und gewann dadurch die Überzeugung, daß Gott etwas Besonderes mit ihm vorhatte. Mit 23 Jahren nahm H. eine Stelle an als Polizeibediensteter bei seinem Bruder Ole Nielsen, der in der Gemeinde Thune Amtsvorsteher geworden war. Da ihm diese Arbeit auf die Dauer nur wenig zusagte, beschloß er nach kurzer Zeit, die Heimat zu verlassen, und trat im Frühjahr 1795 in den Dienst einer Witwe, die in Fredrikstad ein Handelsgeschäft betrieb. Versuchungen und Glaubensanfechtungen bedrängten ihn so sehr, daß er schon im Juli 1795 nach Hause zurückkehrte. »Wie ich aus Deinem letzten Brief ersehen habe«, hatte ihm der Vater geschrieben, »hast Du viel Anfechtung und Seelennot erlitten durch die Menschen, mit denen Du in Fredrikstad leben mußt. Solche Dinge sind Mahnungen Gottes, daß wir ihn festhalten und allem Irdischen entsagen sollen. Dann werden wir geläutert aus solcher Prüfung hervorgehen. Wenn aber die Versuchung allzu groß würde, so daß Du sie nicht überwinden kannst, sondern Gefahr läufst, der Sünde zu unterliegen, dann ist es besser, vor dem Bösen zu fliehen als darin zu verharren. Wenn dem so ist, so raten Dir Deine lieben Eltern, die um Dich in großer Angst und Sorge sind, daß Du lieber zu uns und Deinen Geschwistern zurückkehren sollst als in Fredrikstad zu verbleiben.« H. arbeitete wie früher auf dem Hof seines Vaters und führte ein rechtschaffenes und christliches Leben; aber er war noch nicht zur stillen Freude und vollen Gewißheit gelangt, daß er ein Kind Gottes sei: »Ich ging in die Kirche und hörte Gottes Wort, las zu Hause in der Bibel und hielt mich zu Gott mit Mund und Lippen; aber das Herz war noch weit von ihm entfernt.« Am 5. 4. 1796 erlebte H. auf dem Acker während des Pflügens beim Singen eines geistlichen Liedes den Durchbruch der Kräfte des ewigen Lebens in sich: »Als ich den 2. Vers gesungen hatte, war es gleichsam, als ob mein Herz zu Gott emporgehoben würde. Es war meiner kaum bewußt und kann nicht erklären, was in meiner Seele vorging; denn ich war außer mir. Sobald ich meine Gedanken wieder gesammelt hatte, bereute ich, daß ich nicht immer Gott zugehört hatte. Nun schien mir, daß nichts in der Welt einen Wert hiergegen habe. Mein Herz wurde ganz verändert. Ich spürte, daß ich so unsagbar froh über Gott wie Menschen war, und ich hatte einen so brennenden Drang, Jesus besser kennenzulernen.« H. erlebte an diesem Tag auch seine Berufung und begann seine Wirksamkeit zunächst daheim: er erzählte noch am gleichen Tag seiner Schwester Anne, mit der er besonders eng verbunden war, von seinem Erlebnis und gewann nach und nach im Sommer 1796 seine Geschwister und seine Mutter für ein Leben in der Nachfolge Jesu; sein Vater war schon von früher her ein gläubiger Mann. Eltern und Geschwister brachten ihm großes Verständnis für seine Bestrebungen und seinen besonderen Beruf entgegen. Bei jeder Gelegenheit sprach H. mit den Leuten des Dorfes von dem, was ihm so sehr am Herzen lag. Manche hörten aufmerksam und ergriffen zu; die meisten aber begegneten ihm mit Hohn und Spott. Es war etwas Neues und Unerhörtes, daß ein Bauernsohn den Leuten Gottes Wort verkündigen wollte. In seiner Freizeit schrieb H. sein erstes Buch »Betrachtungen über die Torheit der Welt« und reiste mit dem Manuskript nach Christiania, wo er nach längerem Bemühen einen Buchdrucker fand, der sich bereit erklärte, für 25 Reichstaler den Druck auszuführen, wenn H. ihm 13 Reichstaler im voraus dafür zahlen werde. Da er dazu in der Lage war, erschien nach einigen Wochen das erste seiner insgesamt 33 Bücher, die weite Verbreitung fanden und die norwegische Erweckungsbewegung förderten. Nach seiner Rückkehr von Christiania schrieb H. ein neues Buch über die Weisheit Gottes, während er zugleich Erbauungsstunden hielt, zuerst in seinem Elternhaus, wo sich Verwandte und Freunde um ihn scharten, dann aber auch auf den Bauernhöfen seines Heimatdorfes und der näheren Umgegend. Mit dem druckreifen Manuskript zog H. wieder nach Christiania und blieb dort eine Zeitlang, um beim Einbinden seiner Bücher zu helfen. Im Dezember 1796 traf er wieder daheim ein. Als die Weihnachtszeit vorüber war, dehnte H. seinen Wirkungskreis über die Nachbargemeinden aus. Er zog bis nach Fredrikstad und von dort weiter nach Moß, Christiania und Drammen. Im Sommer kehrte H. in die Heimat zurück und half mit bei der Feldarbeit auf dem väterlichen Hof. Dann zog er wieder hinaus nach Holmestrand, durch die Grafschaften nach Tönsberg und von Drammen nach Kongsberg. Als er am Abend des dritten Weihnachtstages auf dem Bauernhof eines Verwandten in Glemmen bei Fredrikstad eine Versammlung hielt, erschien der Pfarrer des Kirchspiels mit einem Leutnant und drei Soldaten, denen der Pfarrer gebot, H. festzunehmen, da nach dem sogenannten Konventikelplakat, der königlichen Verordnung vom 13. 1. 1741, derartige Zusammenkünfte verboten seien. H. wurde in das Festungsgefängnis nach Fredrikstad gebracht. Seine erste Gefangenschaft dauerte nicht lange. Nach kurzer Zeit wurde er aufs neue festgesetzt, diesmal in Christiania. Sieben Jahre, von 1797 bis 1804, zog H. durch ganz Norwegen und rief durch seine erbaulichen Ansprachen und seelsorgerlichen Gespräche im Land eine tiefgehende Erweckungsbewegung hervor, die lebendig erhalten und verbreitet wurde durch seine Schriften und Briefe, aber auch durch Anhänger, die als Wanderprediger seinem Beispiel folgten. H. wollte keine Sekte gründen, sondern ermahnte bis zuletzt seine Anhänger, der Kirche, die ihn anfeindete und verfolgte, treu zu bleiben. Als er nach seiner sechsten Gefangenschaft auf der Wanderung in die Heimat, die er vor zwei Jahren verlassen hatte, im April 1800 in Christiania erfuhr, daß sein Bruder Michel um des Wortes Gottes willen im Zuchthaus sei und seine Schwester Anne im Sterben liege, reiste H. sofort weiter und erreichte das Elternhaus drei Tage vor dem Heimgang seiner innigstgeliebten Schwester. »Das hellste Licht hier ist erloschen«, schrieb H. an einen Freund in Christiania, dem er von Annes Sterben berichtete. Im Mai 1800 begab sich H. auf seine erste Reise nach Kopenhagen, wo von seinen bisher erschienenen Büchern neue Auflagen gedruckt wurden und er mit der Ausarbeitung des Erbauungsbuches »Die christliche Lehre« begann. Im Spätherbst kehrte H. nach Norwegen zurück und ließ sich im Mai 1801 in Bergen nieder. Er erwarb den Bürgerbrief als Kaufmann und trieb Handel mit Getreide und Fischen. Als H. einige Freunde gefunden hatte, die die Verantwortung für sein Geschäft übernahmen, zog er nordwärts nach Tröndelag und dehnte seine Reisen noch weiter aus, von Tromsö bis Jütland. Im Juli 1804 reiste H. zum zweitenmal nach Dänemark. Als er nach seiner Rückkehr bei seinen Freunden in Eiker weilte, erschien der Vogt, um ihn zu holen, da der Amtmann mit ihm reden wolle. Als sie ein Stück gefahren waren, merkte H., daß es nicht zum Amtmann ging. Der Vogt brachte ihn in das Gefängnis von Hocksund, wo er ihm am Abend des 25. 10. 1804 Handschellen und Fußfesseln anlegte. Damit fanden H.s Wirken und Wandern als Buß- und Erweckungsprediger im norwegischen Volk ihr Ende. In den sieben Jahren seines eigentlichen Wirkens ist H. fast ununterbrochen unterwegs gewesen und hat in dieser Zeit ungefähr 15 000 Kilometer zurückgelegt. Es war seine 10. Gefangenschaft. Nun begann ein Gerichtsverfahren, für das es in der norwegischen Rechtsgeschichte wohl kaum ein Gegenstück gibt. Am Tag nach dem ersten Verhör, das am 1. 11. 1804 gehalten wurde, schrieb H. an seine Freunde: »Ich werde gelockt und bedroht, Gottes Wort zu verlassen. Aber ich antwortete: Wenn ich tausend Leiber hätte, dann seien sie willig ausgestreckt, um die Fesseln entgegenzunehmen. Ja, ich wurde mit langdauerndem Gefängnis und dem Scharfrichter bedroht; aber ich antwortete, daß das Gefängnis nicht ewig sein wird und der Tod durch den Scharfrichter dereinst über alle kommt und danach das Gericht.« Durch königlichen Erlaß vom 16. 11. 1804 wurden der Polizeipräsident von Christiania und der Amtsrichter von Aker mit einer gründlichen Untersuchung beauftragt, damit man »die allervollkommenste Gewißheit erhalte sowohl über die vermeldeten von H. N. H. verübten Gesetzeswidrigkeiten und vermessenen Handlungen als auch über die sonstigen Verbrechen, die er noch begangen haben mag, und damit dieser insbesondere für das einfältige Volk höchst gefährliche Mann sowie ebenso seine Anhänger ihre verdiente Strafe erhalten können«. Auf Befehl des Regierungspräsidenten in Christiania brachte der Vogt am 22. 11. H. gefesselt dorthin ins Gefängnis. »Als ich nach Christiania kam, wurden die Eisenfesseln, die der Vogt mir angelegt hatte, abgenommen, und ich wurde in die Verbrecherzelle gesperrt und hinter vielen Schlössern verwahrt.« In der folgenden Zeit wurde H. 28mal zum Verhör vorgeführt. Insgesamt 544 protokollierte Fragen wurden ihm vorgelegt. In Gemeinschaft mit dem Abschaum der Bevölkerung verbrachte H. die erste Zeit in der Säuferzelle im Rathaus zu Christiania. Später kam er in eine Zelle für sich allein. H. durfte weder schreiben noch lesen; sogar die Bibel hatte man ihm abgenommen. Er strickte Handschuhe und verdiente sich auf diese Weise etwas für Essen und Kleidung. Es war eine Zeit harter und bitterer Bedrängnis. Mancherlei Krankheiten zerrütteten seine Gesundheit. Hinzukamen Seelennot und Glaubensanfechtung, die er aber durch Gebet und in der Kraft Gottes überwand. Im Lauf der Zeit trat die eine oder andere Hafterleichterung ein. Anfang 1807 wurde das Lese- und Schreibverbot aufgehoben. Auch durfte sein Bruder Michel mit ihm unter Aufsicht der Wache sprechen. Die Untersuchung wurde am 8. 1. 1808 abgeschlossen. Ein ganzes Jahr verging, ehe die Regierung in Kopenhagen etwas von sich hören ließ. Die beiden Untersuchungsrichter wurden auch mit der Gerichtsverhandlung und dem Urteilsspruch betraut. H. erhielt einen Verteidiger, der Gegenbehauptungen aufstellte, die Zeugenverhöre im ganzen Land erforderten. So wurden von 1810 bis Anfang 1813 über 600 Zeugen verhört und vereidigt. Vom 16. 8. 1807 an befand sich Norwegen im Krieg mit England und vom 29. 2. 1808 an im Krieg mit Schweden. Das Brot wurde knapp, und es fehlte an Salz. Da schrieb H. an die Regierungskommission und erbot sich, längs der Küste Salzsiedereien einzurichten. Daraufhin wurde er für einige Monate aus der Haft entlassen. Die weitere Gefangenschaft schwächte H.s Kraft und Gesundheit so sehr, daß man seinen körperlichen Zusammenbruch befürchten mußte. Da gewährte man ihm Haftunterbrechung: er durfte im Herbst 1811 auf den Hof Backe bei Christiania ziehen, den sein Bruder Michel 1810 gekauft hatte. Die Gerichtsverhandlungen begannen Anfang 1813 in Kopenhagen, und erst am 4. 12. war die Sache spruchreif. Der Staatsanwalt beantragte lebenslange Sklaverei (Festungsarbeit); denn es sei, wenn man nicht die strengste Strafe gegen ihn anwende, »zu befürchten, daß die H.sche Sekte, die jetzt aus Furcht vor der gesetzlichen Strafe, die ihren Anstifter erwartet, ruhig in ihren Schlupfwinkeln sitze, wieder hervorbrechen werde«. H. wurde für schuldig erfunden: 1. nicht allein selbst die Verordnung von 1741 übertreten, sondern auch andere dazu ermuntert und gedrängt zu haben; 2. in seinen gedruckten Schriften beleidigende und ungehörige Aussprüche gegen den derzeitigen Lehrstand und einige zivile Autoritäten getan zu haben; 3. in seinen Schriften Sätze geäußert zu haben, die leicht die weniger Aufgeklärten zum Grübeln und Zweifeln über die Wahrheiten unserer Religion verführen können. Das Urteil lautete auf zwei Jahre Zuchthaus und Bezahlung der Gerichtskosten. H. legte Berufung ein, mußte aber bis zum 23. 12. 1814 auf das neue Urteil warten, das etwas milder ausfiel: H. mußte an die Armenkasse zu Christiania eine Buße von ungefähr 10 000 Kronen zahlen und alle Gerichtskosten tragen. An seine Freunde schrieb er: »Als meine Widersacher über mich herfielen und ich in ihrer Macht war, da flehte ich in meiner Angst, der Herr möge meine Sache zum guten Ende führen. Ich versprach, ihn zu preisen, wenn ich gerettet würde. Das werde ich tun, und er selbst verleihe mir seine Gnade dazu.« H. reiste nicht mehr umher,

hielt aber durch Rundbriefe die Verbindung mit seinen Freunden und den Gemeinschaften aufrecht. Viele, viele kamen auch von weit her, um mit ihm zu reden. Als Gäste begrüßte er auf seinem Hof nicht nur einfache Leute, sondern auch führende Männer der Kirche und der theologischen Wissenschaft. So besuchten ihn 1815 z. B. zwei Bischöfe, 15 Pfarrer und zwei Theologieprofessoren. Auch durch literarische Arbeit wirkte H. weiterhin: 14 neue Schriften erschienen von ihm in den neun Jahren, die ihm noch beschieden waren. Nachdem er durch den Urteilsspruch vom 23. 12. 1814 nach 10 Jahren wieder ein freier Mann geworden war, beschloß H., die 29jährige Andrea Andersdatter Nyhus zu heiraten. Sie war seit vier Jahren Haushälterin auf dem Hof Backe und hatte sich als junges Mädchen H.s Freundeskreis angeschlossen. Die Trauung fand am 27. 1. 1815 statt. Das Eheglück war nur von kurzer Dauer: am 19. 12. 1815, sieben Tage nach der Geburt eines Sohnes, starb die Mutter. Eine Frau, die zu H.s Freundeskreis gehörte, schickte ihm Ingeborg Maria Olsdatter, damit sie an dem Kleinen Mutterstelle vertrete und einem Haushalt von 27 Personen vorstehe. Sie wurde am 22. 1. 1817 H.s zweite Gattin und schenkte ihm einen Sohn und zwei Töchter, von denen die älteste Tochter und der Sohn vor dem Vater verstarben. Im Frühjahr 1817 kaufte H. den großen Hof Bredvet in Aker, auf dem er 30 Kühe und acht Pferde halten konnte. Bredvet wurde ein Musterbetrieb und der Mittelpunkt der Bewegung, die er geschaffen hatte. 1821 schrieb H. sein »Testament« an seine Freunde, in dem er sie bittet, in der Kirche zu verbleiben; ein Zeichen dafür, daß er niemals an eine Sektenbildung auch nur im entferntesten gedacht hat: »Es ist mein letzter Wille, daß Ihr Euch in Zukunft wie bisher ganz allein an die Religion unseres Staates haltet.« Die durch ihn entfachte Bewegung sollte zu einem erneuernden Sauerteig in der norwegischen Kirche werden. Sie drängte weithin den in der Landeskirche herrschenden Rationalismus zurück und hinterließ bleibende Spuren des Segens. In seiner Wortverkündigung als wandernder Laienevangelist und in seinen Schriften, an deren stilistischen Mängeln man als Verfasser den »ungeübten und wenig schriftgelehrten« Bauern mit seiner dürftigen Schulbildung erkennt, in seinen seelsorgerlichen Gesprächen und zahlreichen Briefen drang H. auf Bekehrung und Wiedergeburt des einzelnen sowie lebendiges Gemeinschaftsleben und betonte nachdrücklich die Notwendigkeit der guten Werke als Glaubens- und Geistesfrüchte und des ernsten Strebens nach einem Leben in der Heiligung. Die Frucht der Wirksamkeit H.s war die 1842 erfolgte Aufhebung des Konventikelplakats von 1741, das alle privaten Erbauungsversammlungen und Laienpredigten verbot, und die kirchliche Anerkennung der Laienarbeit durch die »Lutherstiftung« von 1868, die Bibelboten mit christlichen Büchern aussandte und ihnen die Wortverkündigung in kleinerem Kreis erlaubte. Aus ihr ging 1891 die »Norwegische Lutherische Gesellschaft für Innere Mission« hervor, deren Sendboten sich nur der Wortverkündigung widmen.

Werke: Betrachtung über die Torheit der Welt, verf. in 5 Kap. u. in Kürze zus.geschr. v. einem ungeübten u. wenig schriftgelehrten Knecht H. N. H., Kristiania (= Oslo) 1796. – H. N. H.'s Udvalgte Skrifter, Bergen 1910³ (Ausw. der wichtigsten

Schrr.). – H. N. H.s skrifter. Samlet utgave ved Hans Nielsen Hauge Ording, Oslo 1947 ff. – Ins Dt. übers.: H. N. H.s, norweg. Landmannes, Reisen, Schicksale u. denkwürdigste Ereignisse nebst einer Erz. v. den verschiedensten Rel.parteien, die ihm auf seinen Wanderungen z. Kenntnis gekommen, z. einem Hauptinhalte seiner eigenen Rel.begriffe oder seinem Glaubensbekenntnisse. Von ihm selbst beschrieben, Kristiania 1819 (Das norweg. Original erschien 1816; mit wiss. Erl. hrsg. v. H. G. Heggtveit u. Oluf Kolsrud, 1914³.). – Bibliogr., in: Norsk Forfatterlexikon II, Kristiania 1888, 574 ff.

Lit.: Michel Grendahl, Om H. N. H.s Liv, Virksomhed og dennes Følger (Über H. N. H.s Leben, Wirken u. dessen Folgen), Trondhjem 1849; – Anton Christian Bang, H. N. H. og hans Samtid (H. N. H. u. seine Zeit), Kristiania 1874 (1924⁴; Ausz. v. Andreas Michelsen, in: Mschr. f. Diakonie u. Innere Mission, hrsg. v. Theodor Schäfer, 3, 1880, 193 ff. 241 ff.); – Olaf Röst, H. N. H. Et Livsbillede fra Norges nyere Kirkehistorie (H. N. H. Ein Lb. aus Norwegens neuerer KG), ebd. 1881; – Jakob Breda Bull, H. N. H., ebd. 1908 (Neuausg. Oslo 1958); aus dem Norweg. übers. v. Pauline Klaiber-Gottschau: H. N. H. Der Erwekker Norwegens, 1926 (1929²; 1955³; bearb. Übers.: H. N. H. Die Gesch. des sonderbaren Mannes, der die Erwecker Norwegens wurde, 1963); – Viggo Ullmann, H. N. H.: Nordmaend i det 19. aarh. (Norweger im 19. Jh.), I, ebd. 1904, 1 ff.; – Mons Olson Wee, Haugeanism, St. Paul 1919; – Oluf Kolsrud, H. N. H.s fangenskap (Dokumente fra aarene 1804–1814 (Dokumente zu H.s Gefangenschaft), in: Norvegia Sacra III, Kristiania 1923, 90 ff.; – Alfred Hauge (H.s Enkel), H. N. H. Guds vandringsman, Oslo 1924 (1950²), aus dem Norweg. übers. v. Günther Ruprecht: H. N. H. Ein Wandersmann Gottes, Bauer u. Erweckungsprediger, 1953; – Christiansen, H. N. H., Unterschefflenz (Baden) 1925; – Viktor Soedergren u. Erling Groenland, Henric Schartau u. H. N. H. Charakterköpfe des luth. Nordens, 1925; – Victor Hermann Günther, H. N. H. Norwegens Erwecker, 1928; – Jörg Erb, Die Wolke der Zeugen II, 1954, 399 ff.; – Joseph M. Shaw, Pulpit under the sky; a life of H. N. H., Minneapolis 1955; – Dagfinn Breistein, H. N. H., »kjøbmand i Bergen«, Kristen tro og økonomisk aktivitet, Bergen 1955; – Einar Molland, Church Life in Norway, 1800–1950, transl. Harris Kaasa, Minneapolis 1957; – Friedrich Hauß, Väter der Christenheit III, 1959, 36 ff.; – Ingeborg Bjerknes, H. N. H. og hans slekt, Oslo 1963; – Georg Simon, Ein Bauer macht Ernst mit dem Glauben. Ber. über H. N. H.s Leben u. Wirken, 1965²; – Magnus Nodtvedt, Rebirth of Norway's peasantry; folk leader H. N. H., Washington 1965; – Kristofer Sverre Norborg, H. N. H. Biografi, Oslo 1966; – Andreas Aarflot, Tro og lydighet. H. N. H.s kristendoms forståelse, 1969 (Rez. v. Trygve R. Skarsten, in: ChH 40, 1971, 337 f.); – Kristen Valkner, H. N. H.s kristendoms forståelse. Opposisjonsinnlegg ved Andreas Aarflots doktor disputas 24. 1. 1970, in: NTT 72, 1971, 1 ff.; – NBL V, 502 ff.; – NTU I, 1222 ff.; – RE VII, 478 f.; – EKL II, 34; – RGG III, 88; – WKL 526 f.; – LThK V, 30; – NCE VI, 948.

HAUPT, Erich, Theologe, * 8. 7. 1841 in Stralsund als Sohn eines Privatlehrers der englischen Sprache, † 19. 2. 1910 in Halle (Saale). – H. besuchte das Marienstiftsgymnasium in Stettin, wohin seine Eltern 1847 übergesiedelt waren, und studierte seit Herbst 1858 in Berlin Theologie und Philologie. Er wurde in Mecklenburg Hauslehrer und bestand im November 1863 in Stettin das erste theologische Examen. Ostern 1864 trat H. in Kolberg in den Gymnasialdienst und legte im Januar 1865 in Greifswald die Prüfung für das höhere Schulamt ab. Seit Ostern 1866 wirkte er am Bugenhagenschen Gymnasium in Treptow an der Rega als Religionslehrer und Lehrer des Deutschen und des Hebräischen, aber auch als Leiter eines mit der Schule verbundenen Alumnats, in dem 19 Schüler, darunter viele Söhne des pommerschen Adels, Aufnahme fanden. Nun verheiratete sich H. mit Martha Kawerau, Tochter eines Berliner Gymnasiallehrers und Schwester seines Freundes Gustav Kawerau (s. d.). Um sich den Übergang zum Pfarramt zu sichern, meldete er sich im August 1871 in Stettin zum zweiten theologischen Examen. Festpredigten und Vorträge sowie literarische theologische Arbeit lenkten die Aufmerksamkeit auf ihn. H. wurde 1878 als Laienmitglied in die pommersche Provinzialsynode gewählt und als Nachfolger von Theodor Zahn (s. d.) auf den neutestamentlichen Lehrstuhl der Universität Kiel berufen. Die Theologische Fakultät zu Greifswald ver-

lieh ihm aus diesem Anlaß die Ehrendoktorwürde. Er erwarb sich bald den Ruf eines tüchtigen Dozenten, so daß die Zahl seiner Hörer von Semester zu Semester wuchs, und sammelte als Prediger, der nie im Pfarramt gestanden und nie die Ordination empfangen hatte, in der Kapelle auf dem Gut Sophienhof bei Preetz eine große Gemeinde um seine Kanzel. 1883 folgte H. dem Ruf nach Greifswald und übte bald neben Hermann Cremer (s. d.) eine starke Anziehungskraft auf junge Theologen aus. Seit 1884 war er zugleich Konsistorialrat im Stettiner Konsistorium. Wegen seines persönlichen Gegensatzes zu Cremer nahm H. 1888 gern den Ruf nach Halle an und entfaltete hier in den 22 Jahren, die ihm noch beschieden waren, eine reiche vielgestaltige Wirksamkeit. 1902 verwaltete er das Rektorat der Universität Halle. Als theologischer Berater und väterlicher Seelsorger hat H. auf viele Studenten entscheidend eingewirkt. Seine hervorragende Lehrgabe zog sehr viele Studenten an, von denen nicht wenige dankbar bezeugen, daß er ihnen den Weg gezeigt habe sowohl zu einer wissenschaftlichen als auch frommen und andächtigen Arbeit an der Schrift. H.s wissenschaftliche Arbeiten galten dem Neuen Testament: »Wir möchten Jesus gerne sehen. In dies Wort läßt sich der letzte Zweck aller theologischen Arbeit am Neuen Testament zusammenfassen. – Das Ewige und Unvergängliche zu suchen ist der letzte Zweck aller Arbeit an der Heiligen Schrift.« Kirchenpolitisch war H. einer der Führer der als »Mittelpartei« bezeichneten »Evangelischen Vereinigung«, die er auf den Provinzialsynoden und der Generalsynode vertrat. Reichlich Gelegenheit zu kirchenpolitischer Tätigkeit fand er als Mitglied der Kreissynode wie der Provinzialsynode zu Merseburg und vor allem der Generalsynode und als stellvertretendes Mitglied des Generalsynodalvorstandes. Seit 1902 war H. als Nachfolger von Julius Köstlin (s. d.) Mitglied des Konsistoriums zu Magdeburg und als Vertreter des Kirchenregiments Vorsitzender der theologischen Prüfungskommission in Halle. Als Nachfolger von Willibald Beyschlag (s. d.) war er von 1900–1908 Vorsitzender des Hauptvereins der Gustav-Adolf-Stiftung in Halle und von 1901–1908 Herausgeber der »Deutschevangelischen Blätter«, des Organs der »Evangelischen Vereinigung«. Von 1900–1909 gehörte H. dem Zentralvorstand des Gustav-Adolf-Vereins an und wirkte 10 Jahre auch mit im Vorstand des Evangelischen Bundes. Seine besondere Liebe wandte er dem Werk der Inneren und Äußeren Mission zu.

Werke: Der 1. Brief des Joh., ein Btr. z. bibl. Theol., 1869; Die at. Zitate in den 4 Evv., 1871; Joh. der Täufer, eine bibl. Betrachtung, 1874; Der Sonntag u. die Bibel, 1877; Die päd. Weisheit Jesu in der allmähl. Enthüllung seiner Person, 1880; Die Kirche u. die theol. Lehrfreiheit, 1881; Die Bedeutung der HS f. den ev. Christen, 1891 (bereits 1890 in der ChW); Die eschatolog. Aussagen in den synopt. Evv., 1895 (bereits 1894 in der Festschr. z. 200j. Jub. der Univ. Halle); Über die urspr. Form u. Bedeutung der Abendmahlsworte (Auseinandersetzung mit Adolf Harnack, Adolf Jülicher, Friedrich Spitta), 1894 (akadem. Progr.); Zum Verständnis des Apostolats im NT, 1896; Die Gefangenschaftsbriefe des Paulus (in H. A. W. Meyers Komm.), 1897 (1902²); Die Aufgabe der rel. Erziehung des Volkes im Kath. u. Prot., 1899; Gustav-Adolf-Verein u. Ev. Bund, in: Der Prot. am Ende des 19. Jh.s, hrsg. v. Karl Werckshagen, I, 1900, 543 ff. – Predigtsmlg: Pilgerschaft u. Vaterhaus, 1880 (1890², verm.); Mein Reich ist nicht von dieser Welt, 1903. – Gab heraus: 1901–08 mit Wilhelm Kahl u. Albert Hackenberg die DEBl, seit 1892 mit Emil Kautzsch u. a. u. begründete noch 1910 mit Martin Schian die Mschr. DE.
Lit.: Chron. der Univ. Halle f. 1909/10, 18 ff.; – Nachrufe v. Emil Kautzsch, in: ThStKr 82, 1910, 493 ff.; Martin Schian,

in: Dt.-ev. Mbll. f. den ges. dt. Prot. 1, 1910, 129; Franz Rendtorff, in: Schleswig-Holstein. Kirchen- u. Schulbl. 66, 1910, Nr. 13; Wächter, in: Preuß. Kirchenztg. 6, 1910, 177 ff.; Bernhard Rogge, ebd. 257 f.; in: AELKZ 43, 1910, 215; – Gustav Kawerau, Zur Erinnerung an D. E. H., in: Dt.-ev. Mbll. f. den ges. dt. Prot. 1, 1910, 130 ff. 197 ff. 257 ff.; – Kürschner, LK 1910, 616; – Eduard Frhr. v. der Goltz, E. H., in: Pommersche Lb., hrsg. v. Martin Wehrmann, Adolf Hofmeister, Wilhelm Braun, II, 1936, 288 ff.; – KJ 37, 523; – BJ XV, 110 ff.; – RE XXIII, 616 ff.

HAUPT, Wilhelm, Theologe, * 6. 7. 1846 in Stralsund als Sohn eines Lehrers der englischen Sprache und Dolmetschers, † 27. 1. 1932 in Breslau. – H.s Eltern siedelten in seinem ersten Lebensjahr nach Stettin über, wo er seine Kindheit verlebte und Schüler des Marienstiftsgymnasiums wurde. Im Herbst 1863 bezog H. die Universität Berlin. Nach Beendigung des Studiums war er zwei Jahre als Hauslehrer in Carow (Mecklenburg), dann als Hilfsprediger in Zettemin (Vorpommern) und in Roßla (Harz) und während des Deutsch-Französischen Krieges in Orléans im Lazarettdienst tätig. H. wurde 1871 Lehrer am Gymnasium in Gütersloh, 1873 Schloßprediger in Puttbus auf Rügen und zugleich Religionslehrer am dortigen Königlichen Pädagogium, 1881 Pfarrer an der St. Marienkirche in Stargard (Pommern), 1882 Superintendent der Diözese Stargard und Kreisschulinspektor des Kreises Saatzig und 1900 Konsistorialrat, Hof- und Schloßprediger in Stettin. Bis zum 1. 1. 1924 wirkte er mit dem Amtssitz in Breslau als Generalsuperintendent des 1903 neugebildeten Sprengels Liegnitz der Kirchenprovinz Schlesien. Die Theologische Fakultät der Universität Breslau verlieh ihm ehrenhalber die Doktorwürde.

Lit.: Kirchl. Amtsbl. der Kirchenprov. Schlesien v. 4. 2. 1932; – Helmuth Haupt, W. H., in: Pommersche Lb. I, 1934, 336 ff.

HAUPTMANN, Moritz, Komponist und Musiktheoretiker, * 13. 10. 1792 in Dresden als Sohn eines Oberlandbaumeisters, † 3. 1. 1868 in Leipzig. – Obwohl zum Architekten bestimmt, erhielt H. schon früh gründlichen Musikunterricht. Der Vater billigte schließlich die Wahl der Musik als Lebensberuf seines Sohnes. H. studierte 1811 in Gotha unter Leitung Louis Spohrs Violinspiel und Komposition und trat 1812 als Geiger in die Dresdener Hofkapelle. Eine Urlaubsreise führte ihn 1813 nach Wien. Er übernahm 1815 die Stelle eines Privatmusiklehrers im Haus des russischen Fürsten Repnin, dem er nach Moskau, Poltawa, Odessa und St. Petersburg folgte, kehrte aber 1820 nach Dresden zurück. Seit 1822 war H. Geiger in der Hofkapelle zu Kassel unter Spohr und gleichzeitig Lehrer für Musiktheorie und Komposition. Er wurde auf Empfehlung Felix Mendelssohn-Bartholdy (s. d.) 1842 Kantor an der Thomasschule und Musikdirektor an den beiden Hauptkirchen in Leipzig und 1843 nebenamtlicher Lehrer für Musiktheorie und Komposition an dem neugegründeten Konservatorium. – H. gehört zu den bedeutendsten Meistern der rein vokalen Motettenmusik der Neuzeit. Am bekanntesten wurde er durch seine theoretischen Arbeiten. H. war 1850 Mitbegründer der Bach-Gesellschaft, deren Vorsitz er bis zu seinem Lebensende führte; er redigierte die Bände 1, 2 und 8 der großen Bach-Ausgabe. Die Philosophische Fakultät der Universität Göttingen verlieh ihm 1857 die Ehrendoktorwürde. H. wurde Mitglied der Berliner und

Stockholmer Akademie und war Lehrer zahlreicher namhafter Musiker.

Werke: Verz. der Vokal- u. Instrumentalwerke, in: MGG V, 1830. – *Theoret. Schrr.:* Erll. zu Johann Sebastian Bachs Kunst der Fuge, 1841 (1881³); Die Natur der Harmonik u. Metrik, 1853 (1873²; engl. hrsg. v. W. E. Heathcote, London 1888); Die Lehre v. der Harmonik, hrsg. v. Oskar Paul, 1868 (1873²); Opuscula (Smlg. v. Aufss. z. Theorie der Musik), hrsg. v. Ernst Hauptmann, 1874. – *Briefe:* Briefe v. M. H. an Franz Hauser, hrsg. v. Alfred Schöne, 2 Bde., 1871; Briefe v. M. H. an Louis Spohr u. a., hrsg. v. Ferdinand Hiller, 1876 (Auszüge aus beiden Smlg.en u. d. T.: Urteile bedeutender Dichter, Philosophen u. Musiker über Mozart. Ges. u. hrsg. v. Karl Prieger, 1886²; engl. Ausw. aus beiden Smlg.en u. d. T.: The Letters of a Leipzig Cantor. Translated and arranged by Arthur Duke Coleridge, London u. New York 1892).

Lit.: Oskar Paul, M. H. Denkschr. z. Feier seines 70j. Geb., 1862; – Ferdinand Hiller, M. H., in: Ders., Aus dem Tonleben unserer Zeit NF, 1871, 81 ff.; – Hermann Kretzschmar, Ber. bei Beendigung der GA v. J. S. Bachs Werken, in: Bach-GA 46, 1899; – Stephan Krehl, M. H. Ein Dank- u. Gedenkwort, 1918; – Georg Feder, Bachs Werke in ihren Bearbb. 1750–1950. 1. Die Vokalwerke (Diss. Kiel), 1955; – Karl Anton, Neue Erkenntnisse z. Gesch. der Bachbewegung, in: Bach-Jb. 42, 1955, 7 ff.; – Friedrich Leinert, M. H., in: Lb. aus Kurhessen u. Waldeck. Hrsg. v. Ingeborg Schnack, V, 1955, 121 ff.; – Martin Ruhnke, M. H. u. die Wiederbelebung der Musik J. S. Bachs, in: Festschr. f. Friedrich Blume z. 70. Geb. Hrsg. v. Anna Amalie Abert u. Wilhelm Pfannkuch, 1963, 305 ff.; – Marion Rothärmel, Der musikal. Zeitbegriff seit M. H. (Diss. Köln), Regensburg 1963; – Peter Rummenhöller, M. H. als Theoretiker. Eine Stud. z. erkenntniskrit. Theoriebegriff in der Musik (Diss. Saarbrücken), 1963; – Ders., Der dialekt. Theoriebegriff. Zur Verwirklichung Hegelschen Denkens in der Musiktheorie, in: Btrr. z. Musiktheorie des 19. Jh.s. Hrsg. v. Martin Vogel, 1966, 1 ff.; – Wilhelm Seidel, M. H.s organ. Lehre – Tradition, Inhalt u. Geltung ihrer Prämisse, in: International review of the aesthetics and sociology of music II/2, Zagreb 1971, 243 ff.; – MGG V, 1828 ff.; – Riemann I, 746; ErgBd. I, 498; – Moser I, 486; – Grove IV, 138 f.; – Goodman 195; – ADB XI, 81 ff.; – NDB VIII, 108 f.

HAUSER, Markus, Evangelist, * 5. 5. 1849 in Trasadingen (Kanton Schaffhausen) als Sohn eines Küfers, † 12. 12. 1900 in Zürich. – Die Trunksucht seines Vaters führte zur Ehescheidung der Eltern. Markus kam in seinem 10. Lebensjahr in die Rettungsherberge »Friedeck« in Buch (Kanton Schaffhausen), die armen und verlassenen Kindern eine Heimat bot. Hier fand er nach viel innerer Not mit Hilfe des Hausvaters den Herrn und in ihm Frieden und Freude. H. kam nach Basel in eine Gärtnerei und wurde später Bote einer Buchhandlung. Auf seinen Herzenswunsch, Missionar in Afrika zu werden, mußte er verzichten, weil er schwächlich war und seine Augen nur ¹/₃₆ gewöhnlicher Sehschärfe hatten. In Basel lernte H. die von Christian Friedrich Spittler (s. d.) 1840 gegründete Pilgermissionsanstalt auf St. Chrischona kennen. Da erwachte in ihm neue Hoffnung. Er meldete sich und wurde angenommen, aber nach einiger Zeit entlassen, da das Komitee nicht glauben konnte, daß er in den direkten Dienst des Evangeliums berufen sei. In der nächsten Sitzung des Komitees bemühte sich Inspektor Karl Heinrich Rappard (s. d.) mit Erfolg um H.s Wiederaufnahme in die Pilgermissionsanstalt. Nach vierjähriger Ausbildung begann sein Evangelistendienst 1872 im Kanton Thurgau. Er zog von Ort zu Ort, merkte aber bald, daß das Arbeitsfeld viel zu groß war, um es recht bearbeiten zu können. Darum ließ sich H. in Mattwil bei Sulgen nieder und konnte schon innerhalb eines Jahres die dortige Kapelle bauen, die erste Kapelle der Pilgermission. Maria Glinz, eine Pfarrerstochter aus St. Gallen, wurde seine Lebensgefährtin. 1878 erfolgte seine Versetzung durch das Komitee nach Reinach (Kanton Aargau) und 1887 nach Frauenfeld. Der Anfang war schwer. Nach und nach nahm die Zahl der Versammlungsbesucher zu, und der Bau eines eigenen Hauses wurde erwogen. Aus dem Kreis der Leser seines Monatsblattes »Hoffnungsstrahlen«, von Freunden nah und fern und treuen Gliedern in Frauenfeld gingen Gaben dafür ein. Am 19. 4. 1891 wurde der geräumige Versammlungssaal eingeweiht. Im Einverständnis mit dem Komitee der Pilgermission legte H. im April 1894 die Arbeit in andere Hände und zog mit seiner Familie nach Zürich. Von dort aus wirkte er als Evangelist in der Schweiz und in Deutschland. Um in Zürich regelmäßig Evangelisationsvorträge und Bibelstunden halten zu können, wenn er daheim war, oder sich von einem gleichgesinnten Bruder während seiner Abwesenheit vertreten zu lassen, war der Bau einer Kapelle nötig und wünschenswert. Ein reicher Mann erklärte sich bereit, das Geld hierfür zur Verfügung zu stellen. Zur Beratung und Mitarbeit an der Durchführung des Bauvorhabens wurde Samuel Zeller (s. d.) gewonnen, der Hausvater in Männedorf am Zürichsee. Ein Bauplatz wurde bald gefunden, und am 29. 10. 1899 konnte die Bethelkapelle eingeweiht werden. Es war ein stattlicher Bau mit einem großen Saal für 1600 Personen und einem kleineren für Bibelstunden und Wohnungen für einen Prediger, Diakonissen und einen Hauswart. Die Bethelkapelle bezeichnet den Abschluß der Wirksamkeit H.s. Nach längerer Leidenszeit, die im März 1900 begann, und dreimaligem Lungenbluten endete ein reiches, von Gott gesegnetes und zum Segen bestimmtes Leben.

Werke: Heimatklänge, 1877; Gottes Friedenswege diesseits u. jenseits des Grabes, 1911³ (1952⁸); Kraft aus der Höhe. Zeugnisse f. den Empfang des Hl. Geistes, 1921² (1965¹⁰); Komme bald, Herr Jesu, 1921 (23.–32. Tsd.), 1948¹¹; Hoffnungsblicke. Tägl. Andachten, 1901 (1966¹³); Am Gnadenthron. Gedanken über das Gebet selbst köstl. Gebetserhörungen, 1898² (1954¹¹); Des Christen Bereitschaft auf das Kommen des Herrn, 1942.
Lit.: Albert Jung-Hauser, M. H. Ein Hoffnungsleben, 1952 (1958²).

HAUSKNECHT, Johann Peter, Stifter der chiliastischen Sekte der Hausknechtianer, * 1799 in Petersbach (Unterelsaß) als Sohn eines Schneiders, † daselbst 16. 12. 1870. – H. besuchte das Gymnasium in Buchsweiler. Als Student der Theologie kam er in Straßburg mit pietistischen Kreisen in Berührung und während eines zweijährigen Aufenthalts in Paris als Hauslehrer unter den Einfluß chiliastischer Bewegungen. Als Pfarrverweser in Dürstel, unweit seiner Heimat, gab sich H. nun ganz eschatologischen Spekulationen hin und lehnte die Führung der Kirchenbücher ab, so daß man ihn für religiös überspannt hielt und für seine Unterbringung in einer badischen Heilanstalt sorgte. Es gelang ihm aber, aus ihr zu entkommen. Auf der Flucht nach Petersbach hatte H., wie er später behauptete, während der Rast unter einem Felsen eine Vision und erhielt den Auftrag, die Nähe des Reiches Gottes zu verkündigen. Da nach seiner Meinung ein Pfarrer kein Gehalt annehmen dürfe, ließ sich H. von der Kandidatenliste streichen. Er hielt in den Häusern hin und her Versammlungen, besuchte noch eine Zeitlang die Kirche und predigte manchmal in Vertretung des kränkelnden Pfarrers. Dann sonderte sich H. von der Landeskirche ab und verlangte auch von seinen Anhängern, sie zu meiden. Wegen Abhaltung unerlaubter Versammlungen mußte er in Zabern und in Straßburg eine mehrmonatige Gefäng-

nisstrafe verbüßen, die ihm Märtyrerruhm und nach seiner Entlassung vermehrten Anhang einbrachte. H. predigte nun jeden Abend in Petersbach und in der ganzen Umgegend und prophezeite, das Ende der Welt werde 1836 eintreffen. Er verkaufte seine Äcker und gab den Erlös dafür der Basler Mission. H. stiftete eine Sektengemeinschaft und vertrat sonderbare Ansichten. Er verwarf die Ehe als »geschlossene Hurerei« und verbot Alkoholgenuß, Kleiderluxus und Waffengebrauch. H. führte einen schlichten, ehrbaren Wandel und wurde darum auch von manchen geachtet, die nicht seine Anhänger waren. Er taufte nicht und teilte auch das Abendmahl nicht aus, sondern veranstaltete Liebesmahle. Als 1836 das angekündigte Jüngste Gericht nicht eintraf, gab H. 1860 als den endgültigen Zeitpunkt für die Wiederkunft Christi und das Weltende an. Angesichts der nahe bevorstehenden Ereignisse verkauften manche seiner Anhänger ihr Hab und Gut oder gingen nicht mehr geregelter Arbeit nach, so daß einige von ihnen in wirtschaftlicher Not nach Amerika auswanderten. Wegen der wiederholt irrigen Berechnung des Weltendes verlor H. viele Anhänger. Er selbst beharrte bei seinem Glauben an den nahen Jüngsten Tag; aber ernüchternd wirkte auf ihn die Nachricht, daß Napoleon III., der ihm als Antichrist galt, am 4. 9. 1870 abgesetzt worden sei. Einige seiner Anhänger kehrten in die Kirche zurück, andere schlossen sich sonstigen Sekten an. Um 1890 gab es noch etwa 50 Hausknechtianer in der Gegend von Lützelstein.

Lit.: A. Frölich, Sectentum u. Separatismus im jetzigen kirchl. Leben der ev. Bevölkerung Elsaß-Lothringens, Straßburg 1889, 36 ff.; – RGG III, 97 f.

HAUSMANN, Julie, geistliche Liederdichterin, * 7. 3. 1826 in Riga als Tochter eines Gymnasialoberlehrers, † 15. 8. 1901 in dem estnischen Seebad Wösso. – J. H. verlebte ihre Kindheit in Mitau (Lettland). Als die fünfte in der Reihe von sechs Schwestern, von denen die vierte sechs Jahre älter und die sechste sechs Jahre jünger als sie war, stand sie ziemlich allein im Elternhaus, liebte aber die Stille und Einsamkeit, die für ihre innere Entwicklung und ihr Gebetsleben so wertvoll waren. In der Zeit der Vorbreitung auf die Konfirmation durch Pastor Theodor Neander lernte sie den Heiland kennen und lieben, so daß sie ihr Herz und junges Leben Jesus zu eigen gab. J. H. war nach ihrer Konfirmation als Lehrerin und Erzieherin in verschiedenen Häusern ihrer baltischen Heimat tätig, mußte aber wegen ihrer schwächlichen Natur und fortwährenden Kränklichkeit oft ihre Stellungen wechseln. In stillen Stunden schrieb sie nieder, was sie innerlich erlebte oder in schlafloser, schmerzensreicher Nachtstunde zum Lied geworden war. In ihrer Scheu, anderen einen Blick in ihr Innenleben zu gewähren, hielt sie ihren Schatz ängstlich geheim und teilte ihre Gedichte nur wenigen mit, unter denen auch eine Freundin war, durch die dann Pfarrer Gustav Knak (s. d.) in Berlin mit den Gedichten bekannt wurde. Er bat J. H. brieflich, ihm ihren ganzen Vorrat an Liedern zu übersenden, da er sie zum Besten des Findelhauses in Hongkong herausgeben wolle. Sie ging auf die Bitte Knaks ein und setzte ihre dichterischen Arbeiten fort. J. H. suchte Heilung von ihrem Kopfleiden in verschiedenen Kurorten Deutschlands und im Süden. Sie lernte die Sächsische Schweiz kennen, den Rhein, die Tiroler und Schweizer Alpen und die Pyrenäen. Vier Jahre brachte sie in Biarritz (Südfrankreich) zu, wo ihre jüngste Schwester Organistin an der englischen Kirche war. 1870 fand sie eine Heimat in St. Petersburg bei ihrer ältesten Schwester, die dort Vorsteherin der St. Annenschule war. Sie führte den Haushalt und gab einige Musikstunden in und außer dem Hause. – Ihre Gedichte erschienen anonym als »Lieder einer Stillen im Lande«. Ganz gegen ihren Wunsch wurde ihr Name doch bekannt. Durch die Melodie von Friedrich Silcher (s. d.) fand rasche Verbreitung »So nimm denn meine Hände und führe mich bis an mein selig Ende und ewiglich«. Genannt sei auch ihr Passionslied »Wenn ich die Dornenkrone auf deinem Haupte seh, so zieht durch meine Seele ein tiefes, tiefes Weh«.

Werke: Maiblumen. Lieder einer Stillen im Lande, dargest. v. Gustav Knak, 4 Bändchen, 1861–79 (I⁶, 1879). – GA: Blumen aus Gottes Garten, 1902.

Lit.: Otto Wetzstein, Die rel. Lyrik der Deutschen im 19. Jh. Ein Btr. z. Lit.gesch. der Neuzeit, 1891 290; – ChW 13, 1899, 317 ff. (Briefl. Mitt. der Dichterin an A. Stock); – Elisabeth Diston, J. H., in: Bote aus dem Mitauer Diakonissenhaus, 1901, Nr. 7 u. 8; – Hermann Barth, J. H., in: Unsere Kirchenliederdichter. Lebens- u. Charakterbilder. Mit einer Einl. v. Wilhelm Nelle, 1905, 619 ff.; – Lex. der dt. Dichter u. Prosaisten v. Beginn des 19. Jh.s bis z. Ggw., bearb. v. Franz Brümmer, III⁶, 1913, 107 f.; – Hermann Petrich, Unser geistl. Volkslied, 1920, 193 ff. 243 f.; – Wilhelm Nelle, Schlüssel z. Ev. Gesangbuch f. Rheinland u. Westfalen, 1924³, 348 ff.; – Friedrich Wilhelm Bautz, ... u. lobten Gott um Mitternacht. Liederdichter in Not u. Anfechtung, 1966, 164 ff.; – BJ VI, 227; – Kümmerle III, 445; – Kosch, LL II, 864.

HAUSMANN, Nikolaus, Freund Martin Luthers (s. d.), Reformator von Zwickau und Dessau, * 1478/79 in Freiberg (Sachsen) als Sohn eines Münzmeisters und Ratsherrn, † daselbst 3. 11. 1538. – H. bezog 1498 die Universität Leipzig, promovierte 1503 zum Magister und empfing später in Altenburg die Priesterweihe. Er gehörte zu den ersten, die Luthers Auftreten mit Jubel begrüßten, und trat früh in ein inniges Freundschaftsverhältnis zu ihm. Seit 1519 wirkte H. als Prediger in Schneeberg in evangelischem Geist. Er predigte schlicht und treu, ließ aber noch alles beim alten. »Als ich in Schneeberg Christus verkündigte«, schrieb H. später, »stand es nicht in meiner Macht, niederzureißen oder aufzubauen, obgleich ich unerschrocken viele Mißbräuche bekämpfte.« Der Chronist von Schneeberg rühmt ihn als »einen frommen, heiligen Mann, desgleichen weder hier noch anderswo anzutreffen gewesen«, und Luther gibt ihm das ehrende Zeugnis: »Was wir lehren, das lebt er.« 1521 wurde H. zum Prediger an der St. Marienkirche in Zwickau und zum ersten Pfarrer der Stadt berufen. Bevor er dem Ruf folgte, fragte er Luther um Rat. »Wenn du das Pfarramt annimmst«, schrieb ihm der Freund am 22. 3. 1521, »so wirst du dich zu einem Feind des Papstes und der Bischöfe machen, indem du ihren Satzungen widerstreitest. Widerstrebst du nicht, so wirst du Christi Feind sein. Der Glaube an Christus verträgt sich nicht mit ihren Stricken und Trügereien.« Im Mai 1521 trat H. sein neues Amt an. Thomas Münzer (s. d.), seit Mai 1520 Prediger in Zwickau, war kurz vorher wegen seiner schwärmerisch-mystischen Ideen und seiner Verbindung mit den aufrührerischen Tuchknappen von dem kurfürstlichen Amtshauptmann abgesetzt worden und hatte sich nach Prag begeben, um unter den Hussiten die »neue

Kirche« geisterfüllter Gläubiger aufzurichten. Die böse Saat, die Münzer ausgestreut hatte, wucherte aber in der Gemeinde weiter. Die Führung seiner Anhänger in Zwickau übernahm der Tuchmacher Nikolaus Storch (s. d.), der aber Ende 1521 sich nach Wittenberg wandte. Die durch die Schwarmgeister verursachten Unruhen und Ausschreitungen nahmen zu. Am 16. 3. 1522 stürmten erregte Massen das Zisterzienserkloster. Der Rat und die Prediger Zwickaus riefen Luther zur Hilfe herbei. Obwohl er noch unter der Reichsacht stand und durch das Land des Herzogs Georg von Sachsen (s. d.) reisen mußte, erschien Luther Ende April 1522 in Zwickau und wirkte durch seine Predigten klärend und beruhigend. Mit ganzer Treue widmete sich H. vor allem dem Predigtamt und ging bei kirchlichen Neuerungen bedachtsam vor. An Stephan Roth in Wittenberg, der 1517–20 Rektor der Stadtschule in Zwickau war, schrieb er am 10. 12. 1523: »Du kennst meinen Sinn und weißt, daß ich mich in der Einrichtung kirchlicher Gebräuche nicht überstürze.« In allen Fragen des Gottesdienstes, der Gemeindeleitung und der Kirchenzucht holte H. Luthers Rat und Gutachten ein und reiste deswegen oft selbst nach Wittenberg. Hieronymus Weller (s. d.), der acht Jahre Luthers Hausgenosse war, sagt: »D. Luther empfing keinen Lehrer oder Pfarrherrn der Kirche, der zu ihm kam, mit größerer Ehrerbietung als den Herrn N. H. wegen seiner ausgezeichneten Würde und Heiligkeit des Lebens.« Die im Dezember 1523 erschienene »Formula Missae et Communionis« widmete Luther seinem Freund H. Am Sonntag Palmarum 1524 wurde in Zwickau zum erstenmal deutsche Messe gehalten und das Abendmahl den nicht mehr als 20 Kommunikanten in beiderlei Gestalt gereicht. Der Rat verbot am 11. 2. 1525 den Mönchen das Predigen und schloß ihr Kloster. Sie verließen es am 2. 5. gutwillig und zogen nach Glauchau. Der Haß der päpstlichen Partei gegen H. wuchs derart, daß man ihm nach dem Leben trachtete. Wir besitzen von ihm zwei Reformationsgutachten. Das erste, wahrscheinlich von 1523, betrifft die Bildung eines gemeinen Kastens und einer priesterlichen Gemeinschaft. Das zweite, vom 3. 5. 1525 datierte, ebenfalls an Johann den Beständigen (s. d.) gerichtete Gutachten legt die dringende Notwendigkeit einer baldigen allgemeinen Kirchenvisitation dar. Während die Reformation in Zwickau in den ersten Jahren in einmütigem Zusammenwirken H.s und des Magistrats einen stetigen Fortgang nahm, wurde ihre Durchführung später nicht nur durch den Bischof von Naumburg (Saale) und die altgläubige Partei erschwert, sondern auch durch viel Widerspruch und Mißtrauen der städtischen Obrigkeit gehemmt. Luther legte H. seit dem Sommer 1529 den Entschluß nahe, auf eine Veränderung seines Wirkungskreises bedacht zu sein und das undankbare Zwickau zu verlassen. Im Februar 1531 setzte die Obrigkeit völlig eigenmächtig den Prediger an der St. Katharinenkirche, Laurentius Soranus, ab, von dem man sagte, er führe einen anstößigen Wandel. Anstatt ein ordnungsmäßiges Verfahren einzuleiten und dabei H. als ersten Pfarrer der Stadt hinzuzuziehen, hatte der Magistrat Soranus ohne Verhör seines Amtes entsetzt und Stanislaus Hoffmann an seine Stelle berufen. Über dieses Vorgehen der Obrigkeit war Luther sehr entrüstet und schrieb am 4. 3. 1531 an Stephan Roth, der seit 1528 Stadtschreiber oder Syndikus in Zwickau war: »Wie sehr du dich auch entschuldigen magst, so läßt sich doch dies in keiner Weise entschuldigen, daß ihr aus eigener Macht, ja Willkür gehandelt habt, ohne Zuziehung und wider Willen eures trefflichen Pfarrers, auf dessen Kenntnis und Zustimmung hierbei das meiste ankam. Meint ihr aber, ihr lieben Junker, daß ihr so wollt dominieren in Kirchen und die Renten, die ihr nicht gestiftet noch euer sind, also an euch reißen und rauben, danach geben, wem ihr wollt, als wäret ihr Herren über die Kirchen? So wahr der Herr lebt, will ich dich und jene Zwickauer Bestien in einer besonderen Schrift an den Pranger stellen. Aber das haben wir verdient mit so viel Schweiß und Kampf für Gottes Wort, das ist euer Dank gegen uns, ihr lieben Freunde.« Er gab H. unter dem 17. 4. ausführliche Anweisung, wie er sich in dieser Sache verhalten sollte. Auf Luthers wiederholte Aufforderung schied H. von Zwickau im Juni 1531, bevor sein Zerwürfnis mit dem dortigen Rat vom Kurfürsten geschlichtet war. Das geschah im folgenden Monat in Torgau, wohin außer dem Bürgermeister von Zwickau auch Luther, Philipp Melanchthon (s. d.) und Justus Jonas (s. d.) geladen waren. Luther setzte es nach längeren Verhandlungen durch, daß H. den Zwickauer »Klötzen« nicht wieder aufgedrängt, sondern von Johann dem Beständigen (s. d.) seines dortigen Amtes unter dem Vorbehalt in Gnaden enthoben wurde, daß er keine auswärtige Anstellung suche, sondern in dem Landesgebiet des Fürsten einen anderweitigen Platz annehme. Eine Zeitlang weilte H. als Gast bei Luther. Als er im Herbst 1531 Wittenberg verlassen hatte, bat ihn Luther in seinem Schreiben vom 22. 11. dringend, zu ihm zurückzukehren: »Du hast hier ein neues leeres Stübchen, das für dich hergerichtet ist und auf deine Ankunft wartet. Sei nur versichert, du wirst mir nicht zur Last fallen, sondern meine Freude und Trost sein. Könntest du nur lebenslänglich bei mir bleiben!« H. verlebte ein trübes Jahr ohne Amt und Wirksamkeit bei Verwandten in Freiberg. Georg III. (s. d.) von Anhalt und seine beiden Brüder Johann und Joachim, die gemeinsam das Land regieren, beschlossen 1532 die Anstellung eines evangelischen Hofpredigers in Dessau. Georg Helt (s. d.), der Berater Georgs III., schlug H. vor, der am 29. 6. in Dessau vor Johann und Joachim und im September nochmals in Wörlitz vor den drei Fürsten eine Probepredigt hielt. Dann ernannten sie ihn zu ihrem Hofprediger. Luther schrieb am 14. 9. 1592 an Georg III. von H.: »Es ist ein treues Herz und ein sittiger Mann, der Gottes Wort fein still und züchtig lehrt und lieb hat.« Melanchthon nannte ihn in seinem Schreiben von demselben Tag an den Fürsten Johann einen Mann, »der ohne Selbstsucht und Streitlust solcherlei Lehre vorträgt, wodurch Christi Wohltaten erklärt und in guten Gemütern wahre Frömmigkeit genährt wird«. H. sah es als seine Aufgabe an, die Gemeinde in der reinen Lehre zu unterweisen, schob aber die Abstellung der kirchlichen Mißbräuche zunächst noch auf, weil die Fürsten von Anhalt die dafür erforderliche Zustimmung ihres Kirchenfürsten einholen wollten. Darum luden sie im Februar 1534 den Kurfürsten und Erzbischof Albrecht von Mainz (s. d.), der auch Erzbischof von Magdeburg war, zu sich, um mit ihm die nicht länger aufzuschiebenden Reformen zu besprechen. Da er aber auswich und auf die Bittschrift der Gemeinde, ihr das Abendmahl unter beiderlei Gestalt nicht mehr zu verweigern, eine ablehnende Antwort erteilte, führte man in Dessau am Gründonnerstag (2. 4.) 1534 die Abendmahlsfeier nach lutherischem Ritus ein und begann mit der Beseitigung einiger Mißbräuche. Joachim I. (s. d.) von Brandenburg, der Schwiegervater des Fürsten Johann, machte den Fürsten von Anhalt ernste Vorhaltungen wegen der eingeführten Neuerungen und forderte sie auf, H. zu entlassen. In einem ausführlichen Schreiben vom 27. 4. verteidigte Georg III. die getroffenen Reformen und rühmte die treue und gesegnete Wirksamkeit seines Hofpredigers. Herzog Heinrich von Sachsen (s. d.), dem Freiberg seit 1505 gehörte, hatte 1536 auf dem Fürstentag zu Zeitz seinen Untertanen die Einführung der Reformation zugesagt. H. wurde 1538 zum Pfarrer und Superintendenten seiner Vaterstadt Freiberg berufen und folgte mit Freuden dem Ruf. Bei seiner Antrittsrede traf ihn auf der Kanzel ein Schlaganfall. Nur mit Mühe konnte er von der Kanzel herabgetragen und in das Haus seines Bruders, des Münzmeisters Johann Hausmann, gebracht werden, wo er noch am Abend desselben Tages entschlief. Über die Nachricht vom Tod seines Freundes war Luther tief betrübt.

Lit.: Franz Delitzsch, N. H. Eine biogr. Skizze aus der Ref.zeit, in: Zschr. f. Prot. u. Kirche NF 10, 1845, 357 ff.; – Ludwig Preller, N. H., der Reformator v. Zwickau u. Anhalt. Zwei Gutachten v. ihm über die Ref. v. Zwickau samt anderen Btrr. z. Gesch. der Ref. daselbst, in: ZHTh 22, 1852, 325 ff.; – Oswald Gottlob Schmidt, N. H., der Freund Luthers, 1860; – Das Leben der Altväter der luth. Kirche, hrsg. v. Moritz Meurer, 1863, 271–320 (N. H.s Leben); – Felician Geß, Die Anfänge der Ref. in Schneeberg, in: Neues Arch. f. Sächs. Gesch. u. Altertumskunde 18, 1897, 31 ff.; – F. Bobbe, N. H. u. die Ref. in Dessau, 1905; – E. Fabian, Der Streit Luthers mit dem Zwickauer Rate im J. 1531, in: Mitt. des Altertumsver. f. Zwickau u. Umgegend 8, 1905, 71 ff.; – A. R. Fröhlich, Die Ref. der Ref. in Zwickau, ebd. 12, 1919, 1 ff.; – Schottenloher I, Nr. 8021–8030; V, Nr. 46693–46700; VII, Nr. 54971; – ADB XI, 98 f.; – NDB VIII, 126; – RE VII, 487; – RGG III,98.

HAUSRATH, Adolf, Theologe, * 13. 1. 1837 in Karlsruhe als Sohn des Stadtpfarrers und Hofdiakonus August H. († 1847), † 2. 8. 1909 in Heidelberg. – H. besuchte das Gymnasium seiner Vaterstadt und bezog 1856 die Universität Jena, wo ihm Karl August Hase (s. d.), sein echtester Geistesverwandter, sein Freund fürs Leben wurde. Nach drei Semestern setzte er das Studium in Göttingen und ein Semester später in Berlin fort und beendete es im Theologischen Seminar in Heidelberg. Nach seinem theologischen Examen arbeitete H. in Berlin seine Dissertation »Konrad von Marburg« aus und promovierte zum Lic. theol. Bevor er sich aber habilitieren konnte, mußte H. zwei Jahre im Kirchendienst als Stadtvikar in Heidelberg zubringen. Seine Habilitation erfolgte dort 1862. 1864 wurde er als Assessor in den Evangelischen Oberkirchenrat nach Karlsruhe berufen. 1867 kam H. nach Heidelberg als ao. Professor für neutestamentliche Exegese und Kirchengeschichte und lehrte dort 1871 bis 1907 als o. Professor. Richard Rothe (s. d.) war ihm 1859/60 ein geliebter Lehrer, dem Privatdozenten ein väterlicher Freund und 1864–67 ein tapferer Kampfgenosse. Die Evangelisch-Theologische Fakultät in Wien verlieh ihm 1869 die Ehrendoktorwürde. Die

Philosophische Fakultät in Heidelberg promovierte ihn 1903 zum Dr. phil. h. c. Der Großherzog von Baden ernannte ihn 1906 zum Geheimrat und die Stadt Heidelberg zu ihrem Ehrenbürger. – H. ist als Kirchenhistoriker vor allem durch seine Lutherbiographie bekannt geworden. Durch seine literarische Arbeit wirkte er weit über den Kreis der Theologen hinaus, weil es ihm in seinen historischen Werken nicht darum ging, durch Einzeluntersuchungen die theologie- und dogmengeschichtliche Forschung zu fördern, sondern weil ihm besonders daran lag, das Bild einzelner charakteristischer Persönlichkeiten lebensvoll herauszuarbeiten und ganze Zeitalter oder Gebiete zu meisterhaften Gesamtübersichten zu gestalten. H. war eine stille Gelehrten- und Dichternatur. Unter dem Pseudonym George Taylor, später unter seinem eigenen Namen, veröffentlichte er auch Romane und Erzählungen, denen meist kirchengeschichtliche Stoffe zugrunde liegen. In seinen Erzählungen ist der Historiker und Kulturschilderer viel stärker als der Dichter. H. ist aus der »Tübinger Schule« des Ferdinand Christian Baur (s. d.) hervorgegangen und war ein Gegner des Pietismus, des Hochkirchentums und der Restaurationstheologie. Er gehörte kirchlich und politisch der liberalen Richtung an und war Mitbegründer und eine Zeitlang Schriftführer des »Deutschen Protestantenvereins«.

Werke: Der Ketzermeister Konrad v. Marburg, 1861; Gesch. der at. Lit., 1864; Der Apostel Paulus, 1865 (1872²); Nt. Zeitgesch., 3 Bde., 1868–74 (4 Bde., 1878³); Der Vier-Kap.-Brief des Paulus an die Korinther, 1870; Rel. Reden u. Betrachtungen, 1873 (1882²); David Friedrich Strauß u. die Theol. seiner Zeit, 2 Bde., 1876–78; Kleine Schrr. rel.geschichtl. Inhalts, 1883; Weltverbesserer im MA (Abaelard; Arnold v. Brescia; Die Arnoldisten), 3 Bde., 1891–95; Martin Luthers Romfahrt, 1894; Aleander u. Luther auf dem Reichstage zu Worms. Ein Btr. z. Ref.gesch., 1897; Alte Bekannte (Julius Jolly; Heinrich v. Treitschke; Gelehrte u. Künstler der bad. Heimat), 3 Bde., 1899–1902; Richard Rothe u. seine Freunde, 2 Bde., 1902–06; Luthers Leben, 2 Bde., 1904–05 (1913–14³; 1924⁴); Jesus u. die nt. Schr.steller, 2 Bde., 1908–09. – Romane u. Erzz.: Antinous. Hist. Roman aus der röm. Kaiserzeit, 1880 (1908⁷); Jetta. Hist. Roman aus der Zeit der Völkerwanderung, 1882 (1884³); Klytia. Hist. Roman aus dem 16. Jh., 1883 (1909⁷); Elfriede. Erz., 1885²; Pater Maternus. Roman aus dem 16. Jh., 1898; Unter dem Katalpenbaum. Erzz., 1899; Potamiäna. Erz., 1901; Die Albigenserin. Erz., 1902.

Lit.: Adalbert Merx, A. H., in: PrM 11, 1907, 111 ff.; – Julius Websky, A. H. u. Adalbert Merx, ebd. 1909, 322 ff.; – Heinrich Julius Holtzmann, A. H., ebd. 369 ff.; – A. Wolfhard, A. H. der Dichter-Theologe, in: Bremer Btrr. z. Ausbau der Kirche 3, 1909, 31 ff.; – Rudolf Wielandt, A. H., in: PrBl 42, 1909, Nr. 34; – Karl Hesselbacher, Silhouetten neuerer bad. Dichter, 1910, 40 ff.; – Theodor Kappstein, A. H., der Mann, der Theolog, der Dichter, 1912 (vgl. dazu ChW 27, 1913, 330 f.); – Karl Bauer, A. H. Leben u. Zeit I (1837–1867), 1933; II (als Ms. im Arch. des Oberkirchenrats in Karlsruhe [unvollendet]); – Heinrich Neu, Pfr.buch der ev. Kirche Badens II, 1939, 239; – Kosch, LL II, 865; – KJ 37, 524; – BJ XIV, 294 ff.; – NDB VIII, 126 f.; – RE XXIII, 623 ff.; – RGG III, 99.

HAUSSLEITER, Johannes, Theologe, * 23. 6. 1851 als Sohn eines Lehrers in Löpsingen bei Nördlingen im bayrischen Schwaben, † 2. 11. 1928 in Greifswald. – H. studierte 1869–74 in Erlangen, Tübingen und Leipzig und wurde 1875 in Nördlingen und 1886 in Erlangen Gymnasiallehrer. Er folgte 1892 dem Ruf nach Dorpat als o. Professor der Kirchengeschichte und lehrte 1893–1921 als o. Professor für Neues Testament in Greifswald. – H. war als Schüler von Wilhelm Löhe (s. d.) und August Vilmar (s. d.) Vertreter der streng lutherischen Richtung.

Werke: De versionibus pastoris Hermae latinis, 1884; Leben u. Werke des Bisch. Primasius v. Hadrumetum. Eine Unters., 1887; Der Glaube Jesu Christi u. der christl. Glaube. Ein Btr. z. Erkl. des Römerbriefes, 1891; Die lat. Apk. der alten afr. Kirche, 1891;

Zur Vorgesch. des apostol. Glaubensbekenntnisses. Ein Btr. z. Symbolforsch., 1893; Aus der Schule Melanchthons. Theol. Disputationen u. Promotionen zu Wittenberg in den J. 1546 bis 1560. Festschr. der kgl. Univ. Greifswald zu Melanchthons 400j. Geb., 1897; Der Aufbau der altchristl. Lit. Eine krit. Unters. nebst Stud. zu Cyprian, Victorinus u. Augustin, 1898; Melanchthon-Kompendium. Eine unbekannte Smlg. eth., polit. u. philos. Schr.sätze in Luthers Werken, 1902; Die Univ. Wittenberg vor dem Eintritt Luthers, 1903; Zwei apostol. Zeugen f. das Joh.-Ev. Ein Btr. z. Lösung der johanneischen Frage, 1904; Die Autorität der Bibel. 6 Vortrr., 1905; Die vier Evangelisten. Vortrr., 1906; Paulus. Vortrr., 1909; Grundlinien der Theol. Hofmanns, 1910; Jesus. 6 Vortrr., 1911; Trinitar. Glaube u. Christusbekenntnis in der alten Kirche. Neue Unterss. z. Gesch. des apostol. Glaubensbekenntnisses, 1920; Johanneische Stud. Btrr. z. Würdigung d. 4. Ev., 1926. – Gab heraus: Victorini episcopi Petavionensis opera (CSEL 49), 1916; Lutherana (Weimarer Lutherausg. 47), 1926.

Lit.: AELKZ 61, 1928, 1116; – Hermann Wolfgang Bayer, Am Sarge J. H.s, in: Bll. f. die KG Pommerns 1, 1928/29, 65 ff.; – Robert Stupperich, Vom bibl. Wort z. theol. Erkenntnis, 1954, 6 ff.; – NDB VIII, 129 f.; – RGG III, 99 f.

HAVERGAL, Frances Ridley, Liederdichterin, * 14. 12. 1836 als Pfarrerstochter in Astley (Grafschaft Worcester), † 3. 6. 1879 in Caswall Bay (Swansea). – H. gab sich 1851 Jesus zu eigen. 1852 begleitete sie ihren Vater und seine zweite Gattin nach Deutschland. Sie wohnte in der Familie eines deutschen Pfarrers in Oberkassel und besuchte die Luisenschule in Düsseldorf. Ende 1853 kehrte sie nach England zurück und weilte 1865/66 wiederum in Deutschland. Der Vater starb 1870, ihre zweite Mutter 1878. Sie zog von Leamington nach Südwales, in die Nähe von Mumbles. – H. dichtete schon mit sieben Jahren. Von ihren Liedern sind bekannt: »I am trusting Thee, Lord Jesus«, 1874 gedichtet in Ormont in der westlichen Schweiz, deutsch von Dora Rappard (s. d.) in den Basler Evangelisationsliedern, 1873³: »Ich vertraue dir, Herr Jesu, ich vertraue dir allein«; »Light after darkness«, zuerst veröffentlicht in ihrem »Life Mosaic«, 1879, deutsch von Johanna Meyer (s. d.) in den »Berner Blaukreuzliedern«, 1883: »Licht nach dem Dunkel, Friede nach Streit«; »Take my life and let it be«, gedichtet am 4. 2. 1874, deutsch von Dora Rappard in den Basler Evangelisationsliedern, 1873³: »Nimm mein Leben! Jesu, dir übergeb ich's für und für.«

Werke: The Ministry of Song, 1870 (1874⁵); Under the Surface, 1874; Loyal Responses, 1878; Kept for the Master's Use, 1879; Life Chords, 1880; Life Echoes, 1883; Poetical Works (GA), 2 Bde., 1884; Coming to the King, 1886. – Letters of F. R. H., ed. by Maria Vernon Graham Havergal, London 1885.

Lit.: Memorials of F. R. H., by her Sister, Maria Vernon Graham Havergal, London 1880; – Charles Bullock, »Whitin the Palace Gates«: a tribute to the memory of F. R. H., ebd. 1879; – Ders., The Sisters: reminiscences and records of active work and patient suffering. F. R. H. Maria Vernon Graham Havergal, ebd. 1890; – Ders., »Near the Throne«. F. R. H., the sweet singer and royal writer, ebd. 1902 (Neuausg.); – Jennie Chappell, Women who have Worked and Won. The life-story of F. R. H., ebd. 1904; – F. R. H., a Saint of God. A new memoir by Thomas Herbert Darlow. With a selection of extracts from her prose and verse, ebd. 1927; – Esther Ethelind, F. R. H., Glasgow 1929; London 1948; – Walter Schulz, Reichssänger. Schlüssel z. dt. Reichsliederbuch, 1930, 119 ff.; – Alfred Stucki, Frauen in Seiner Nachfolge. Drei christl. Frauengestalten (F. R. H., Helene Hübener, Hedwig v. Redern), Basel 1957; – A Dictionary of Hymnology, ed. by John Julian, (1892; 1907²) I³, New York 1957, 496 ff.; – DNB IX, 180; – ODCC² 622.

HAWKS, Annie Sherwood, Liederdichterin, * 28. 5. 1835 in Horsick (New York), † 1918 in Bennington (Vermont). – H. war seit 1859 verheiratet und wohnte viele Jahre als Glied der Baptistenkirche in Brooklyn, an der der Liederdichter und Komponist Dr. Robert Lowry (s. d.) Prediger war. Er ermutigte H., Lieder zu dichten, von denen er einige vertonte. Nachdem ihr Gatte 1888 gestorben war, zog sie mit ihrer Tochter nach Bennington. Bekannt ist ihr Lied »I need Thee ev'ry hour«, das H. im April 1872 gedichtet hat. Über die Entstehung dieses Liedes schreibt die Dichterin: »Ich kann mich noch gut des Morgens vor vielen Jahren erinnern, als mich inmitten der täglichen Aufgaben in meinem Haus das Gefühl der Nähe meines Meisters ergriff und ich mich wunderte, wie ich je in Freud und Leid ohne Ihn leben konnte. Da blitzten die Worte in meinem Geist auf: ›Ich brauch Dich jede Stunde.‹ Ich setzte mich an das offene Fenster, ergriff die Feder, und die Worte wurden bald so schnell dem Papier anvertraut, wie sie jetzt gesungen werden.« Das Lied erschien 1873 in Lowrys »Royal Diadem«, deutsch von Ernst Gebhardt (s. d.) in seiner Liedersammlung »Frohe Botschaft«, Basel 1875: »Ich brauch dich allezeit, du gnadenreicher Herr.«

Lit.: Walter Schulz, Reichssänger. Schlüssel z. dt. Reichsliederbuch, 1930, 183; – A Dictionary of Hymnology, ed. by John Julian, (1892; 1907²) I³, New York 1957, 499.

HAYDN, Joseph, Komponist, * (wahrscheinlich) 31. 3. (getauft 1. 4.) 1732 in Rohrau an der Leitha (Niederösterreich) als Sohn eines Wagnermeisters, † 31. 5. 1809 in Wien, beigesetzt 1820 in Eisenstadt. – Im Herbst 1737 oder Frühjahr 1738 kam Joseph zu einem entfernten Verwandten, dem Schulrektor Johann Matthias Franck, der ihn in Gesang und Instrumentalspiel unterwies. Er sang regelmäßig an Sonn- und Feiertagen bei den von Franck geleiteten Kirchenmusikaufführungen in der Stadtpfarrkirche mit. Ein entscheidender Wendepunkt in seinem Leben trat 1740 ein durch den Besuch des Wiener Domkapellmeisters Georg Reutter (s. d.), der auf der Suche nach neuen Kapellknaben war. H. wurde von ihm als Chorsänger am Stephansdom in Wien angenommen. Um 1745 folgte ihm dorthin sein Bruder Michael (s. Haydn, Michael). Im Herbst 1749 mußte H. wegen Stimmbruchs das Kapellhaus verlassen. Er verdiente seinen Lebensunterhalt durch Unterrichtgeben, Mitwirkung bei Kirchenmusiken als Geiger, Organist und Sänger und Mitspielen bei sogenannten Nachtmusiken und wohnte im Großen Michaelerhaus. Dort wurde H. mit einem italienischen Komponisten und Gesanglehrer bekannt und erlernte bei ihm das ihm noch fehlende satztechnische Handwerk. Freiherr von Fürnberg lud ihn auf sein Schloß Weinzierl bei Wieselburg (Niederösterreich) ein und vermittelte um 1758 seine Anstellung als Musikdirektor bei dem Grafen von Morzin, der ein Schloß in Lukawitz bei Pilsen besaß, den Winter aber meist in Wien verbrachte. Nachdem der Graf aus Geldmangel seine Kapelle entlassen hatte, wurde H. 1761 Vizekapellmeister des ungarischen Fürstenhauses Esterházy in Eisenstadt. 1769 wurde die Kapelle nach dem Schloß Esterháza nahe dem Neusiedler See verlegt. H. verkaufte 1778 sein Haus in Eisenstadt und wohnte von da an bis 1790 ganz in Eszterháza. Nach Auflösung der Kapelle zog er, mit einer Pension von 1 400 Gulden beurlaubt, nach Wien. Noch in demselben Jahr folgte H. der Einladung des in England als Geiger und Konzertveranstalter wirkenden Johann Peter Salomon nach London. Der anderthalbjährige Aufenthalt in England wurde zum großen Erfolg, der sich 1794/95 in London wiederholte. 1795 berief ihn Fürst Nikolaus II. Eszterházy von Galán-

tha wieder zum Kapellmeister seiner in Wien neu aufgebauten Kapelle. – H. ist bekannt u. a. durch seine Oratorien »Die Schöpfung« und die »Jahreszeiten«.

Werke: 107 Sinfonien; 68 Streichquartette; mehr als 20 Streichtrios; 126 Barytontrios; 39 Klaviertrios; mehr als 60 Klaviersonaten u. andere Klavierstücke; 3 Klavierkonzerte; 5 Orgelkonzerte; 20 Stücke f. die Flötenuhr; 13 it. Opern; mehrere orator. Werke, darunter die »Schöpfung« (1798) u. die »Jahreszeiten« (1801); 14 Messen sowie viele andere kirchenmusikal. Kompositionen; ferner 46 weltl. Kanons; über 400 Bearbb. ir., schott. u. walis. Volkslieder. – GA, hrsg. v. Eusebius Mandyczewski u. a., 10 Bde., 1907–32 (unvollst.); hrsg. v. der Haydn-Society, 4 Bde., Boston 1950–52; hrsg. v. J.-H.-Institut Köln unter der Leitung v. Georg Feder u. Jens Peter Larsen, München 1958 ff. (auf über 100 Bde. in mehreren Reihen berechnet). – GA der Symphonien, hrsg. v. Howard Chandler Robbins Landon, 12 Bde., 1961–68; – GA der Klaviertrios, hrsg. v. dems., Wien 1970 ff. – *Verz. der Werke u. Ausgg.,* in: Riemann, ErgBd. I, 501 f.

Lit.: Biograph. Nachrr. v. J. H. Nach mündl. Erzz. desselben entworfen u. hrsg. v. Albert Christoph Dies, Wien 1810; mit Anm. u. einem Nachw. neu hrsg. v. Horst Seeger, 1959 (1962²); – Georg August Griesinger, Biograph. Notizen über J. H., Leipzig 1811; mit einem Nachw. u. Anm. neu hrsg. v. Franz Grasberger, Wien 1954; – Carl Ferdinand Pohl, Mozart u. H. in London, 1867; – Ders., J. H. I, 1875 (Neudr. Niederwalluf bei Wiesbaden 1971); II, 1882 (Neudr. ebd. 1971); III, unter Benutzung v. C. F. Pohls hinterlass. Materialien weitergef. v. Hugo Botstiber, 1927 (Neudr. Wiesbaden 1970); – Hermann Hase, J. H. u. Breitkopf & Härtel. Ein Rückblick bei der Veranstaltung der ersten vollst. GA seiner Werke, 1909; – Alfred Schnerich, J. H. u. seine Sendung, Wien 1921 (1926²); – Friedrich Blume, J. H.s künstler. Persönlichkeit in seinen Streichquartetten, 1931 (wiederabgedr. in: Ders., Syntagma musicologicum. Ges. Reden u. Schrr. Hrsg. v. Martin Ruhnke, 1963); – Antoine-Elisée Cherbuliez, J. H., Zürich 1932; – J. H. 1732–1932. Bibliogr. v. Ludwig Koch, Budapest 1932 (dt. u. ung.); – Karl Kobald, J. H. Bild seines Lebens u. seiner Zeit, 1932; – Roland Tenschert, J. H., 1932; – Ders., J. H. Sein Leben in Bildern, 1938 (Neuausg. 1959); – Karl Geiringer, J. H., 1932; – Ders., H. A Creative Life in Music, London 1947 (2. erw. Aufl. [mit Irene Geiringer], Garden City/New York 1963 u. London 1964; Nachdr. [mit Revisionen] Berkeley/California 1968; ung. Budapest 1969 [mit Nachw. u. Bibliogr. v. Dénes Bartha]; dt. Neuausg. u. d. T.: J. H. Der schöpfer. Werdegang eines Meisters der Klassik, 1959; jap. Tokio 1961); – Ders., J. H. als Kirchenmusiker. Die kleineren geistl. Werke des Meisters im Eisenstädter Schloß, in: KmJb 44, 1960, 54 ff.); – Ernst Fritz Schmid, J. H. Ein Buch v. Vorfahren u. Heimat des Meisters, 1934; – Bernhard Rywosch, Bttr. z. Entwicklung in J. H.s Symphonik 1759–1780 (Diss. Zürich), 1934; – Adolf Hinderberger, Die Motivik in H.s Streichquartetten (Diss. Bern), 1935; – Jos. Fröhlich, J. H., neu hrsg. u. eingel. v. Adolf Sandberger, 1936; – Alfred Baresel, J. H. Leben u. Werk, 1938 (1943²); – Johannes Ebert, J. H. Der Mann u. das Werk, 1939 (1943: 7.–26. Tsd.); – Jens Peter Larsen, Die H.-Überl. (Diss. Kopenhagen), Kopenhagen 1939; – Drei H.-Kataloge in Faks., mit Einl. u. erg. Themenverz., hrsg. v. dems., ebd. 1941; – Helmut Wirth, J. H. als Dramatiker. Sein Bühnenschaffen als Btr. z. Gesch. der dt. Oper (Diss. Kiel), 1940; – Carl Maria Brand, Die Messen v. J. H. (Diss. Berlin, 1939), Würzburg-Aumühle 1941 (Neudr. Walluf bei Wiesbaden 1973); – Hans Joachim Therstappen, J. H.s sinfon. Vermächtnis (Hab.-Schr., Kiel), 1941; – Willi Reich, J. H. Leben, Briefe, Schaffen, Luzern 1946; – J. H. Chron. seines Lebens in Selbstzeugnissen. Zus.gest. u. hrsg. v. dems., Zürich 1962; – Franz Farga, J. H. Ein Lb., Wien 1947; – Heinrich Eduard Jacob, J. H. His art, times and glory. Transl. by Richard and Clara Winston, London – New York 1950 (dt.: J. H. Seine Kunst, seine Zeit, sein Ruhm, 1952; ndrl. Utrecht 1957; neue dt. Ausg. 1969); – Rosemary Hughes, H., London 1950 (rev. London u. New York 1956 u. 1962, auch New York 1963; Neuausg. London 1973 [Rez. v. Stanley Sadie, in: The musical times 116, London 1975, 539 f.]); – Robert Sondheimer, H., a historical and psychological study based on his quartets, London 1951; – Thrasybulos Georgios Georgiades, Zur Musiksprache der Wiener Klassiker, in: Mozart-Jb., Salzburg 1951, 50 ff.; – Leopold Nowak, J. H. Leben, Bedeutung u. Werk, 1951 (1966³); – Ders., J. H. als Meister der Musica Sacra, in: ÖMZ 14, 1959, 224 ff.; – Hermann Erdlen, J. H., 1952; – J. H. Dokumente seines Lebens u. Schaffens, hrsg. v. Hans Rutz, 1953; – Howard Chandler Robbins Landon, The Symphonies of J. H., London 1955 (dazu separates Suppl., London u. New York 1961); – The Collected Correspondence and London Notebooks of J. H., hrsg. v. dems., London u. Fairlawn (New Jersey) 1959; – Ders., Das kleine H.buch, Salzburg 1967 (Neuaufl. 1972); – J. H. Themat.-bibliogr. Werkverz., zus.gest. v. Anthony van Hoboken. I: Instrumentalwerke, 1957; II: Vokalwerke, 1971 (Rez. v. Otto Riemer, in: Musica 26, 1972, 284 f.; v. Hubert Unverricht, in: Musik u. Bildung 63, 1972, 151; v. James Webster, in: Notes. The quarterly journal of the Music Library Association 29, Genf – New York 1972–73, 234 ff.; v. C.-G. Stellan Mörner, in: Svensk tidskrift för musikforskning 55, Stockholm 1973, 78 f.); – Hans Jancik, J. H. als Kirchenmusiker, in: Singende geistl. Kirche 6, 1958–59, 98 f.; – Ders., Begegnungen zw. Joseph u. Michael

Haydn, in: ÖMZ 14, 1959, 206 ff.; – Walter Haacke, J. H. Eine Schilderung seines Lebens u. Wirkens, 1959; – Richard Petzold u. Eduard Grass, J. H. Sein Leben in Bildern, Leipzig 1959; – Hermann Bittel, J. H. als Kirchenmusiker, in: Musik u. Altar 12, 1959–60, 3 ff.; – Pierre Barbaud, J. H. in Selbstzeugnissen u. Bilddokumenten dargest. (Aus dem Frz. übertr. v. Clarita Waege u. Hortensia Weiher-Waege. Dokumentar. u. bibliograph. Anh. v. Paul Raabe), 1960 (1975⁵); – Dénes Bartha u. László Somfai, H. als Opernkapellmeister. Die H.-Dokumente der Ester-házy-Opernsmlg., 2 Bde., Budapest 1960); – Horst Seeger, J. H., Leipzig 1961 (1970²); – Henry Raynor, F. J. H. His life and work, London 1961; – The Haydn Yearbook / Das Haydn-Jb., Redaktion Howard Chandler Robbins Landon u. a., Bryn Mawr/ Pennsylvania u. Wien 1962 ff.; – Reba Mirski, H., Chicago 1963; – Marc Vignal, F. J. H., l'homme et son oeuvre, Paris 1964; – Jörg Germann, Die Entwicklung der Exposition in J. H.s Streich-quartetten (Diss. Bern), 1964; – Irmgard Becker-Glauch, Wieder-aufgefundene Kirchenmusikwerke J. H.s, in: Mf 17, 1964, 413 f.; – Dies., Neue Forsch. zu H.s Kirchenmusik, in: H.-Stud., hrsg. v. Georg Feder, II/3, 1970; – Reinhard G. Pauly, Music in the Classic Period, New York 1965; – Ges. Briefe u. Aufzeichnungen. Unter Benützung der Qu.smlg. v. Howard Chandler Robbins Landon, hrsg. u. erl. v. Dénes Bartha, 1965; – H.-Stud. Veröff. des J.-H.-Instituts Köln, hrsg. v. Georg Feder, 1965 ff. (auf mehrere Bde. berechnet); – J. H. Sein Leben in zeitgenöss. Bil-dern. Ges., erl. u. mit einer Ikonogr. der authent. H.-Bildnisse hrsg. v. László Somfai, 1966; – Ders., J. H. His life in con-temporary pictures. Collected and supplied with a commentary and an iconography of authentic H. pictures, New York 1969 (Rez. v. P. H. L., in: The musical quarterly 56, New York 1970, 295 ff.; v. Vernon Gotwals, in: Notes. The quarterly journal of the Music Library Association 27, Genf – New York 1970–71, 282 f.; – Franz Erbner, J. H.s musikal. Sendung. Die Bedeu-tung der östr. Volksmusik f. die musikal. Klassik, in: ÖMZ 22, 1967, 540 ff.; – A. Riedel-Martiny, Das Verhältnis v. Text u. Musik in H.s Oratorien, in: H.-Stud., hrsg. v. Georg Feder, I, 1967; – Themat. Verz. der sämtl. Compositionen v. J. H., zus.-gest. v. Aloys Fuchs, Faks. des Ms. (1839), hrsg. v. Richard Schaal, 1968; – Percy Marshall Young, H., London 1969 – New York 1970; – Brian Redfern, H.: a biography, with a survey of books, editions and recordings, London 1970; – Der junge H.: Wandel v. Musikauffassung u. Musikaufführung in der östr. Musik zw. Barock u. Klassik. Hrsg. v. Vera Schwarz, Graz 1972 (Rez. v. Boris Schwarz, in: Notes. The quarterly journal of the Music Library Association 30, Genf – New York 1973–74, 66 f.); – Albrecht Riethmüller, Die Vorstellung des Chaos in der Musik. Zu J. H.s Oratorium »Die Schöpfung«, in: Convivium cosmolo-gicum. Interdisziplinäre Stud. Helmut Hönl z. 70. Geb. Hrsg. v. Anastasius Giannarás, 1973, 185 ff.; – Lydia Hailparn, H.: The Seven Last words. A new look at an old masterpiece, in: Music review 34, Cambridge 1973, 1 ff.; – Wolfram Steinbeck, Das Menuett in der Instrumentalmusik J. H.s (Diss. Freiburg/Breis-gau, 1973), München 1973; – Reginald Barrett-Ayres, J. H. and the string quartet, London 1974 (Rez. v. Rosemary Hughes, in: Music and letters 56, London 1975, 803 ff.; v. James Webster, in: The musical times 116, London 1975, 539); – Bettina Wacker-nagel, J. H.s frühe Klaviersonaten: ihre Beziehungen z. Klavier-musik um die Mitte des 18. Jh.s (Diss. Würzburg), Tutzing 1975; – MGG V, 1857 ff.; – Eitner V, 59 ff.; – Riemann I, 750 ff.; ErgBd. I, 499 ff.; – Moser I, 489 ff.; – Grove IV, 145 ff.; – Goodman 196 f.; – ADB XI, 123 ff.; – NDB VIII, 142 ff.; – RGG III, 100 f.; – Kosch, KD 1420 ff.; – Kosch, LL II, 867; – EC VI, 1378 f.; – LThK V, 40 f.; – NCE VI, 955 ff.

HAYDN, (Johann) Michael, Komponist, * 14. 9. 1737 in Rohrau (Niederösterreich) als Bruder von Joseph H., † 10. 8. 1806 in Salzburg. – H. war 1745–55 Sän-gerknabe bzw. Solosopranist am Stephansdom in Wien, wo er auch Violine, Klavier und Orgel lernte. H. wurde 1757 bischöflicher Kapellmeister in Groß-wardein (Ungarn). Seit dem 14. 8. 1763 war er »Hof-musicus und Concertmeister« in der fürsterzbischöf-lichen Hofkapelle in Salzburg und wurde 1777 Orga-nist an der Dreifaltigkeitskirche und 1781 Hof- und Domorganist. – H., seit 1804 auswärtiges Mitglied der Königlich schwedischen Musikakademie, hat sich besonders auf dem Gebiet der Kirchenmusik hervor-getan. – Die Melodie »Hier liegt vor deiner Majestät« von 1777 ist von H. nur durchgesehen, nicht erfun-den. Sie wurde 1822 in die Form gebracht, in der sie jetzt zu dem Lied von Samuel Preiswerk (s. d.) »Die Sach ist dein, Herr Jesu Christ« verwendet wird.

Werke: 32 lat. u. 8 dt. Messen; 2 Requiem (das 2. unvoll.); 6 Te Deum; 117 Gradualien; 45 Offertorien; 27 Responsorien f. die Karwoche; 10 Litaneien; 4 Vespern sowie zahlr. andere kirchl. Kompositionen; ferner Kanons, Chorlieder, Lieder, Kan-taten, Oratorien, eine Oper (Andromeda e Perseo, 1787) u. an-dere Bühnenwerke; 46 Symphonien, 5 Konzerte, Märsche, Me-nuette u. a.; an Kammermusik: Serenaden, Divertimenti, 7 Quintette, 9 Streichquartette, 2 Quartette f. Bläser u. Streicher, 4 Duos f. Violine u. Viola; Variationen u. ein Divertimento f. Klavier; 50 kleine Orgelpräludien. – Kirchenwerke: Eine Anti-phon, 1 Offertorium, 9 Gradualien, 1 Motette. Bearb. v. Anton Maria Klafsky (unv. Abdr. der 1925 in Wien ersch. Ausg.), Graz 1960 (DTÖ Bd. 62); Missa Sti. Francisci. Missa in Dominica Palmarum. Missa tempore Quadragesimae (Messen). Bearb. v. dems. (unv. Abdr. der 1913 in Wien ersch. Ausg.), ebd. 1960 (DTÖ Bd. 45). – Ausgg.: MGG V, 1942 ff.; Neuere Ausgg.: Riemann, ErgBd. I, 504.

Lit.: Anonym (G. Otter u. Fr. J. Schinn), Biogr. Skizze v. J. M. H., Salzburg 1808; – Constant Ritter v. Wurzbach-Tannenberg, Joseph Haydn u. sein Bruder Michael, Wien 1861; – Johann Evangelist Engl, Zum Gedenken J. M. H.s, Salzburg 1906; – Otto Schmid, J. M. H., Wien 1906; – F. Martin, Kleine Bttr. z. Musikgesch. Salzburgs, in: Mitt. der Ges. f. Salzburger Landes-kunde 53, Salzburg 1913; – Anton Maria Klafsky, M. H. als Kirchenkomponist, in: StMw 3, 1915, 1 ff.; – Hermann Petrich, Unser geistl. Volkslied, 1920, 156 f. (H.s Melodie z. Lied »Die Sach ist dein«); – Hans Jancik, M. H. Ein vergessener Meister, Zürich – Leipzig – Wien 1952; – Ders., Begegnungen zw. J. u. M. H., in: ÖMZ 14, 1959, 206 ff.; – Bernhard Paumgartner, J. M. H., ebd. 11, 1956, 450 ff.; – Reinhard G. Pauly, M. H.'s Latin Proprium Missae Compositions (Diss. Yale Univ./Connec-ticut), 1956; – Ders., The Motets of M. H. and of Mozart, in: Journal of the American Musicological Society 9, Spring/Tennes-see 1956, 67 ff.; – Ders., The Reforms of Church Music under Joseph II, in: Musical Quarterly 43, New York 1957, 372 ff.; – Norbert Moret, Un maître spirituel de Mozart: M. H. et sa »Missa Sanctae Crucis«, in: Schweizer musikpäd. Bll. 46, Zürich 1958, 6 ff.; – Ernst Tittel, Östr. Kirchenmusik. Werden, Wach-sen, Wirken, Wien 1961; – Reimund Hess, Serenade, Cassation, Notturno u. Divertimento bei M. H. (Diss. Mainz), 2 Bde., 1963; – Helmut Zehetmair, J. M. H.s Kammermusikwerke à quattro u. à cinque (Diss. Innsbruck, 1965), Salzburg 1964; – Karl Pfannhauser, J. M. H. u. seine »Missa Sanctae Crucis«, in: Chigiana (Accademia Musicale Chigiana) 24, NS 4, Florenz 1967; – Charles Henry Sherman, The Masses of J. M. H. A Critical Survey of Sources (Diss. Univ. of Michigan), 1967; – Ders., J. M. H. Some Notes on a Little-Known Master of Sacred Music, in: American Choral Review 10, New York 1967; – Gerhard Croll, Kanons v. M. H., in: Musicae scientiae collectanea, Fest-schr. Karl Gustav Fellerer z. 70. Geb. Hrsg. v. Heinrich Hü-schen, 1973, 64 ff.; – Gesch. der kath. Kirchenmusik, hrsg. v. Karl Gustav Fellerer. II: Vom Tridentinum bis z. Ggw., 1976; – Wurzbach VIII, 141 ff.; – ADB XI, 117 ff.; – NDB VIII, 149 f.; – MGG V, 1933 ff.; – Riemann I, 754 f.; ErgBd. I, 504; – Mo-ser I, 493; – Grove IV, 205 ff.; – Goodman 197; – RGG III, 101; – Kosch, KD 1422; – LThK V, 41 f.; – NCE VI, 597.

HAYN, Henriette Luise von, Liederdichterin der Brü-dergemeine, * 22. 5. 1724 in Idstein (Nassau) als Tochter eines herzoglichen Oberjägermeisters, † 27. 8. 1782 in Herrnhut (Oberlausitz). – H. L. hatte schon als Kind in ihrer Liebe zum Heiland herzinnigen Um-gang mit ihm. Oft stand sie des Nachts auf und ver-brachte manche Stunde kniend im Gebet, wenn am Tag unter ständiger Aufsicht im war und oft keine Ge-legenheit fand, sich ein wenig in einen Winkel zurück-zuziehen, um an Jesus zu denken und zu ihm zu be-ten. Als junges Mädchen las sie die Berliner Reden des Nikolaus Ludwig Grafen von Zinzendorf (s. d.) und erfuhr gleichzeitig, daß die Herrnhuter in der nicht weit entfernten Wetterau als neue Siedlung Herrnhaag bauten. H. L. wollte dorthin und Mitglied der Brüdergemeine werden, was ihr aber der Vater aus dem Sinn zu reden suchte. Eines Tages las sie das Wort Jesu »Wer Vater oder Mutter mehr liebt als mich, der ist mein nicht wert« (Mt 10, 37). Nun stand ihr Ent-schluß fest. Ohne Wissen ihrer Eltern verließ H. L. das Haus und machte sich auf den Weg nach Herrn-haag. Vom nächsten Dorf aus sandte sie ihren Eltern einen Abschiedsbrief. Der Vater aber gab einem Bo-ten den Auftrag, seiner Tochter eiligst nachzureisen. Er holte sie in Frankfurt ein und brachte sie den El-tern zurück. Bald darauf durfte H. L. nach Herrnhaag, weil gute Freunde den Eltern dazu geraten hatten, in der Meinung, ihre Tochter würde so am besten von ihrem Irrtum geheilt. Sie wurde 1744 in das dortige ledige Schwesternhaus aufgenommen. Nach einem halben Jahr forderten die Eltern ihre Tochter auf, nach Hause zurückzukehren. Sie konnte aber bleiben, weil der Herr auf wunderbare Weise alle Schwierigkeiten beseitigte. H. L. trat 1746 in die Brüdergemeine ein und kam in das Mädchenhaus zur Erziehung der Kinder. Mit dieser Anstalt siedelte sie nach Aufhebung der Siedlung Herrnhaag 1750 nach Großhennersdorf (Oberlausitz) und 1751 nach Herrnhut (Oberlausitz) über, wo sie der Mädchenanstalt vorstand und 1766 Pflegerin der ledigen Schwestern wurde. – In dem Brüdergesangbuch von 1778 finden sich von ihr 28 Lieder, darunter das bekannteste: »Weil ich Jesu Schäflein bin, freu ich mich nur immerhin über meinen guten Hirten.« Sie dichtete es im August 1772 für den Geburtstag einer Freundin. Das Lied hat 7 Strophen und steht in einer Auswahl von 3 Strophen im Brüdergesangbuch unter den Abendmahlsliedern. Genannt sei auch: »Du bist's wert, Lamm, für deine Todesmüh, daß dich jeder Blutstropf ehre.«

Lit.: H.s, selbstverf. Lebenslauf H. L. v. H.s, gedr. in: Nachrr. aus der Brüdergemeine, 1846, 599 ff.; – Albert Friedrich Wilhelm Fischer, Kirchenlieder-Lex., 1878/79, 342; – Joseph Theodor Müller, Hymnolog. Hdb. z. Gesangbuch der Brüdergemeine, 1916, 42 ff. 150. 229; – Hermann Petrich, Unser geistl. Volkslied, 1920, 69 f. 229 f.; – Wilhelm Nelle, Schlüssel z. Ev. Gesangbuch f. Rheinland u. Westfalen, 1924³, 355 f.; – Kümmerle I, 177 ff.; – Koch VI, 443 ff. – ADB XI, 158.

HAZE, Maria Theresia (Taufname: Johanna), Stifterin der »Töchter vom hl. Kreuz«, * 27. 2. 1782 in Lüttich als Tochter eines Sekretärs in fürstbischöflichem Dienst († 1795), † daselbst 7. 1. 1876. – Im August 1789 erhob sich Lüttich gegen den Fürstbischof von Hoensbroech, der fliehen mußte. Nachdem deutsche Truppen die Stadt zurückeroberten, hielt der Fürstbischof im Februar 1791 wieder seinen Einzug in Lüttich. Im November 1792 eroberten die Franzosen die Stadt und vertrieben den Fürstbischof Franz Anton von Méan, der im April 1793 durch die siegreichen österreichischen Truppen wieder zurückgeführt wurde. Nach der endgültigen Eroberung Lüttichs durch die Franzosen im Juli 1794 wurde der Fürstbischof für immer vertrieben. 1815 kam Belgien unter holländische Regierung, erhob sich aber 1830, angeregt durch die französische Julirevolution, gegen Holland und erkämpfte sich mit Hilfe Frankreichs seine Unabhängigkeit. – J. H. war die zweitjüngste unter sieben Kindern. Sie liebte die Zurückgezogenheit und Arbeit und wies verschiedene Angebote zur Ehe standhaft zurück, da sie nur dem himmlischen Bräutigam angehören wollte. Ihre zwei Jahre ältere Schwester Ferdinanda war gleichen Sinnes. Als die Mutter 1820 starb, standen beide allein in der Welt; die anderen Geschwister waren verstorben oder verheiratet. Sie widmeten sich dem Dienst der Nächstenliebe, um auch mitzuhelfen, das durch die Revolution und die vielen Kriege verursachte Elend zu lindern. Sie gaben durch Unterricht im Nähen und Sticken armen Mädchen die Möglichkeit des Verdienens und pflegten hilflose Kranke. Als nun 1824 eine Freundin, die eine kleine Schule leitete, in einen Orden eintrat, übernahmen Johanna und Ferdinanda H. die Leitung dieser Schule, setzten aber ihren Dienst an den Armen und Kranken

fort. Der Dechant Cloes plante seit langem eine Mädchenfreischule für die Arbeiterklasse seiner Pfarrei und eröffnete sie 1829 in einem bescheidenen, den Karmelitinnen gehörenden Haus gegenüber ihrer Kirche. Die Schwestern H. übernahmen die Schule und verlegten ihre Wohnung dorthin. Schon seit einiger Zeit beschäftigte sich J. H. mit dem Gedanken, einen eigenen Orden zu stiften. Dieser Plan nahm nun bestimmte Formen an. 1832 wurde die Freischule der Schwestern H. in ein neues Gebäude verlegt. Man konnte jetzt vier Klassen einrichten. Zwei Jungfrauen gleichen Sinnes schlossen sich Johanna und Ferdinanda H. an. Sie führten ein gemeinsames Leben wie in einem Kloster. Ihr Beichtvater und Seelenführer war der Kaplan Johann Wilhelm Habets, Rektor und Beichtvater des Karmelitinnenklosters in Lüttich. Auf Drängen Johannas gab ihnen Habets einige Anleitungen zum gemeinsamen Leben und Unterweisungen über den Ordensstand und legte schließlich die Angelegenheit dem Bischof vor, der das Unternehmen als »eine Vereinigung von Jungfrauen in der Welt, die nach gemeinsamer Regel lebten«, bestätigte. Bei einem Sturm im August 1832 stürzte ein Teil des alten Gebäudes ein. Während des Neubaus wohnten die zukünftigen Ordensfrauen im oberen Stock des Schulhauses. Im August 1833 konnten sie in das neue Klösterlein übersiedeln. Als der Bischof im Sommer 1833 der Schule einen Besuch abstattete, trug ihm Habets den sehnlichen Wunsch der vier Lehrerinnen vor, eine religiöse Genossenschaft zu bilden. Der Bischof beauftragte Habets mit der Abfassung der Regel und bestätigte sie noch vor Ende 1833. Johanna nannte die Genossenschaft »Töchter vom hl. Kreuz« und entwarf das Ordensgewand nach dem im Traum geschauten Vorbild. Am 8. 9. 1833 fand die Feier der Stiftung der Genossenschaft und die Einkleidung der ersten Ordensfrauen statt. Die beiden Schwestern H. durften sich durch die ewigen Gelübde unwiderruflich binden. Johanna erhielt den Ordensnamen Maria Theresia vom heiligsten Herzen Jesu, Ferdinanda nannte sich Aloysia vom hl. Willen Gottes. Virginie Soroge als Schwester Konstanze und Johanna Lhoest als Schwester Klara legten die Gelübde auf ein Jahr ab. Die beiden übrigen wurden als Novizinnen aufgenommen. Die »Töchter vom hl. Kreuz« sind eine der ersten Genossenschaften, die nach der fast vollständigen Vernichtung des Ordenswesens während der Revolutionszeit wieder auf belgischem Boden erstanden. Die erste Fassung der Regel, die bis 1842 nur handschriftlich vorlag, hat bis auf den heutigen Tag – außer in unwesentlichen Dingen und im Ausdruck – keine Änderung erfahren. Darin heißt es: »Der Zweck der Ordensgenossenschaft der Töchter vom hl. Kreuz ist: unserem Heiland, dem Gottmenschen Jesus Christus, der für unser Heil gelitten hat, Ruhm und Ehre in seinen schwachen und leidenden Gliedern zu erweisen und mit Gottes Gnade nicht nur am Heil und der Vollkommenheit ihrer eigenen Seelen zu arbeiten, sondern mit derselben Gnade sich des Seelenheiles und der Vervollkommnung des Nächsten mit Eifer anzunehmen. – Die äußeren Mittel sind: Unterricht der Mädchen, besonders der armen, Pflege der Kranken, der Armen, der weiblichen Gefangenen, der Büßerinnen und andere Werke der Nächstenliebe.« Am 15. 4.

1840 erteilte die belgische Regierung der Genossenschaft die Genehmigung. Am 9. 5. 1845 verlieh ihr Gregor XVI. (s. d.) besondere Ablässe, und am 1. 10. 1845 erhielt sie durch das damals aber nicht bekanntgegebene Belobigungsdekret die päpstliche Bestätigung. Am 9. 5. 1851 wurden die Satzungen der »Töchter vom hl. Kreuz« päpstlich bestätigt. Am 30. 3. 1920 erfolgte die letzte Bestätigung der Regel, nachdem man sie mit dem 1917 veröffentlichten »Codex Iuris Canonici«, dem Gesetzbuch der römisch-katholischen Kirche, in Einklang gebracht hatte. Von der jungen Genossenschaft starben am 23. 2. 1834 Schwester Klara, am 3. 1. 1835 Schwester Aloysia und am 11. 11. 1835 Schwester Konstanze. Der Kreis der Arbeiten erweiterte sich. Die Genossenschaft wuchs und erstarkte. Maria Theresia wurde bei jeder Wahl einstimmig zur Generaloberin gewählt. Die Wahlen fanden alle drei Jahre im Beisein des Bischofs oder seines Stellvertreters statt. Als 1874 eine Vereinigung der Wahlpflichtigen infolge des Kulturkampfes in Preußen nicht möglich war, bestätigte der Bischof kraft apostolischer Vollmacht Maria Theresia H. auf weitere drei Jahre in ihrem Amt. Am 22. 3. 1902 begann der Informationsprozeß über ihre Tugenden, den Ruf ihrer Heiligkeit und die Wunderkraft. Die Ritenkongregation erklärte in feierlicher Sitzung am 12. 12. 1911, daß der Seligsprechungsprozeß eröffnet werden sollte. Am Tag darauf bestätigte der Papst diesen Beschluß. Seit dem 13. 12. 1911 führt Maria Theresia H. den Titel »Venerabilis« = »Ehrwürdig«.

Lit.: Théophile de Ville (= Schwester Adolphina), Histoire de la Mère Marie-Thérèse, fondatrice de la Congrégation des Filles de la Croix de Liège, Lüttich 1887 (dt. Übers. v. Hubertina Elisabeth Perpeet [= Schwester Maria Klara], 1891); – Akten des Informationsprozesses, Rom 1911; – J. de M., La Vénérable Mère Marie-Thérèse H., fondatrice de la Congrégation des Filles de la Croix de Liège, sa vie et son oeuvre, Brüssel 1921 (engl. London 1928); – Alfons Väth, Unter dem Kreuzesbanner. Die Ehrw. Mutter M. Th. H. u. ihre Stiftung »Die Genossenschaft der Töchter v. hl. Kreuz«, 1922 (1929²); – Hans Carl Wendlandt, Die weibl. Orden u. Kongregationen der kath. Kirche u. ihre Wirksamkeit in Preußen v. 1818 bis 1918, 1924, 122 ff.; – Louis Humblet, La Vén. M. Th. H., Lüttich 1924; – Het Klooster, Venlo 1927, 245 ff.; – Vita della ven. M. T. H., Rom 1933; – Gilla Vincenzo Gremigni, La ven. M. T. H., ebd. 1944; – Maria Eugenia Pietromarchi, La ven. M. T. H., fondatrice delle »Figlie della Croce«, ebd. 1946; – G. Jones, Une belle figure du clergé liégeois: J. G. Habets, 1953; – Heimbucher II, 524 f.; – BS VIII, 1144 f.; – EC V, 1267; VI, 1381; – LThK V, 43; – NCE VI, 960.

HEBEL, Johann Peter, Dichter und Theologe, * 10. 5. 1760 in Basel als Sohn eines Leinewebers, † 22. 9. 1826 in Schwetzingen bei Heidelberg. – Im Alter von 41 Jahren starb H.s Vater am 25. 7. 1761 in der Heimat seiner Gattin, in Hausen im badischen Wiesental, nahe bei Basel. H. besuchte zunächst die Volksschule in Hausen, seit 1770 die Lateinschule in dem nahen Schopfheim, in den Sommermonaten 1766 bis 1768 in Basel die Gemeindeschule von St. Peter und im Sommer 1772 das Gymnasium auf dem Münsterplatz. So verlebte Johann Peter seine Kindheit teils in Hausen, teils in Basel. Im Herbst 1773 erreichte ihn in Schopfheim die Nachricht aus Basel, die Mutter sei erkrankt und möchte in die Heimat gebracht werden. Der Vogt von Hausen und Johann Peter fuhren mit einem Ochsengespann nach Basel, um die Mutter heimzuholen. Sie kam aber nicht mehr heim. Unterwegs, auf der Landstraße zwischen Brombach und Steinen, angesichts der Bergruine Rötteln, starb H.s Mutter am 15. 10. 1773, kaum 43 Jahre alt. Als Sechzigjähriger schreibt H. im Gedenken an seine Eltern und seine Kindheit: »Ich habe schon in dem zweiten Jahre meines Lebens meinen Vater, in dem 13. meine Mutter verloren. Aber der Segen ihrer Frömmigkeit hat mich nie verlassen. Sie hat mich beten gelehrt; sie hat mich gelehrt an Gott glauben, auf Gott vertrauen, an seine Allgegenwart denken. Die Liebe vieler Menschen, die an ihrem Grabe weinten und in der Ferne sie ehrten, ist mein bestes Erbteil geworden, und ich bin wohl dabei gefahren.« Den Winter verbrachte Johann Peter im Haus des Diakonus Obermüller in Schopfheim. Das Haus und die Grundstücke seiner Mutter wurden verkauft. Männer, die die ungewöhnliche Begabung des Knaben erkannten, rieten dem Vormund, Johann Peter studieren zu lassen. Im April 1774 wurde er in das »Gymnasium illustre« in Karlsruhe aufgenommen und fand Unterkunft bei dem Hofdiakonus August Gottlieb Preuschen, dem früheren Diakonus in Schopfheim und Pfarrer von Hausen. H. bezog im Frühjahr 1778 die Universität Erlangen und bestand im Herbst 1780 das theologische Staatsexamen. Als Hauslehrer unterrichtete er nun in Hertingen bei Müllheim die Kinder des Pfarrers Philipp Jakob Schlotterbeck und eines wohlhabenden Bauern. H. wurde auf Gesuch des kranken Pfarrers schon im August 1782 ordiniert und half ihm nun auch in der Predigt und Seelsorge. Im März 1783 wurde er zum Präzeptoratsvikar am Pädagogium in Lörrach ernannt. H. liebte das Unterrichten und verstand die Jugend. Aushilfsweise hatte er auch zu predigen. Mit dem Prorektor Tobias Günttert, dessen Haus- und Tischgenosse H. war, verband ihn herzliche Freundschaft. Als Günttert 1790 in dem nahen Weil Pfarrer wurde, kam H. fast täglich herüber; die »obere Stube« im Pfarrhaus war sein Gastzimmer. Im November 1791 wurde er als Subdiakonus an das Karlsruher Gymnasium berufen und Ende 1792 ihm der Titel des Hofdiakonus verliehen. Im März 1798 erfolgte die Ernennung zum ao. Professor der dogmatischen Theologie und der hebräischen Sprache und 1806 zum Kirchenrat. 1799 bis 1802 entstanden seine »Alemannischen Gedichte«, die 1803 erschienen und von Johann Wolfgang Goethe und Jean Paul günstig rezensiert wurden. 1804 kam die 2., 1806 die 3. und 1808 die 4. Auflage heraus. Durch seine Gedichte wurde H. als Dialektdichter bekannt, der die Berechtigung des Dialekts in der Dichtung bewies und das Interesse an dem Alemannischen in weiten Kreisen weckte. In seinen Gedichten lebt und webt die Erinnerung an die alte Heimat, darin atmet ein tiefes, sinniges Verständnis der Volksseele, eine warme Anhänglichkeit und Treue zum Markgräfler Land. Die erste Ausgabe seiner Gedichte umfaßte nur eine kleine Anzahl; aber es waren köstliche Perlen mundartlicher Dichtung darunter, die H.s Begabung sowohl für das Idyllische als auch für das Volkstümlich-Dialektische unwiderleglich bekundeten. Um Land und Leute, um Berge und Burgen, um Tal und Bächlein, um Sitten und Bräuche, um Leben und Lieben schlingen sich die warmtönigen Arabesken seiner Dichtung, und mit einfacher, tiefer Empfindung mischt sich schalkhafter und neckischer Humor, ernste und herzliche Lebensmahnung. H. wurde auch in seiner Karlsruher Zeit ein Erzähler für das deutsche Volk.

Zu den Privilegien des Karlsruher Gymnasiums gehörte auch die Herausgabe des Landkalenders für die badische Markgrafschaft. Als Mitarbeiter an dem Kalender schrieb H. seit 1803 allgemeinverständliche naturwissenschaftliche Aufsätze und volkstümliche Geschichten. Auf naturwissenschaftlichem Gebiet hatte er sich schon früher einen so guten Namen erworben, daß die Mineralogische Gesellschaft in Jena ihn 1799 zum Ehrenmitglied und die Vaterländische Gesellschaft der Ärzte und Naturforscher in Schwaben ihn 1802 zum korrespondierenden Mitglied ernannt hatten. Auf dem andern Gebiet entwickelte sich H. zum Meister der volkstümlichen Kurzgeschichte. 1807 übernahm er selbst die Herausgabe des Kalenders, der im nächsten Jahr vergrößert, illustriert und unter dem Titel »Der Rheinländische Hausfreund« herauskam. Anfang 1808 wurde H. zum provisorischen und Ende 1808 zum bleibenden Direktor des Karlsruher Gymnasiums ernannt. Eine Sammlung seiner Kalendergeschichten gab H. 1811 unter dem Titel »Schatzkästlein des Rheinischen Hausfreunds« heraus, ein bis heute lebendiges Hausbuch. Die 2. Auflage von 1816 war ein unveränderter Abdruck. Erst 1827 erschien die unveränderte 3. Auflage. Als er 1814 in die Evangelische Ministerialsektion, der als oberster Kirchen- und Schulbehörde die Anstellung der Pfarrer und die Kirchenvisitation oblagen, berufen wurde, gab H. die Direktion des Gymnasiums ab, erteilte aber noch weiteren Unterricht. H. schrieb für den Kalender Jahr für Jahr etwa 30 Geschichten und Abhandlungen. An seiner Erzählung »Der fromme Rat«, die der im Herbst 1814 erschienene Kalender für 1815 enthielt, nahmen Katholiken Anstoß. Die badische Regierung ging auf die Beschwerden des Generalvikars des Bistums Konstanz und des päpstlichen Legaten in Luzern ein und beschlagnahmte den Kalender, obwohl er von der Zensur gebilligt worden war. Der Kalender durfte erst wieder verkauft werden, nachdem man die Erzählung durch ein anderes Stück ersetzt hatte. Darüber verärgert, zog sich H. von der Herausgabe des Kalenders ganz zurück. H. wurde 1819 Prälat der evangelischen Landeskirche und damit zugleich Mitglied der ersten Kammer des badischen Landtags sowie der kirchlichen Generalsynode. Wegen seiner Verdienste um die kirchliche Union verlieh ihm die Universität Heidelberg die theologische Ehrendoktorwürde. H.s letztes Werk sind die »Biblischen Geschichten«, die durch ihre Volkstümlichkeit sich viele Freunde gewannen. Der Kirchenrat Johann Ludwig Ewald (s. d.) in Karlsruhe war 1814 beauftragt worden, durch Überarbeitung der »Biblischen Geschichten« des katholischen Volksschriftstellers Christoph von Schmid (s. d.) ein Einheitslehrbuch zu schaffen. Gegen seine Bearbeitung hatte H. im Kollegium tiefgreifendes Bedenken vorgetragen, so daß Ewald um eine nochmalige Umarbeitung gebeten worden war. Nach seiner Ablehnung hatte man 1818 H. mit der Aufgabe betraut, für die badischen Volksschulen die »Biblischen Geschichten« zu schreiben. Das Buch erschien 1824. »Aufrichtig gesprochen, ich habe das Büchlein mit Liebe für mein Vaterland geschrieben, ich habe fast bei jeder Zeile im Geist oberländische Kinder belauscht. Denn immer, wenn ich schrieb, habe ich mir meinen alten Schulmeister Andreas Gre-

ther in Hausen und mich und meine Mitschüler unter dem Schatten seines Stabes gedacht.« H.s »Biblische Geschichten« erlebten 1825 eine katholische Bearbeitung und 1834 eine hier und da streichende Revision durch die Generalsynode, auch eine italienische Übersetzung für die evangelischen Schulen des Puschlav und des Bergell und zwei romanische für die romanisch sprechenden Graubündner Täler. Die badische Generalsynode von 1855 schaffte H.s »Biblische Geschichten« als »nicht vollkommen bibeltreu« für den Schulgebrauch ab. – Obwohl er sich leidend fühlte, reiste H. am 10. 9. 1826 zu den Prüfungen in die Gymnasien in Mannheim und Heidelberg. Trotz Zunahme des Leidens brach er am 16. 9. von Mannheim auf, um auf der Fahrt nach Heidelberg noch in Schwetzingen einzukehren. Dort starb H. und fand auf dem Friedhof in Schwetzingen seine letzte Ruhestätte.

Werke: Alemann. Gedichte. Für Freunde ländl. Natur u. Sitten, 1803; mit Einl. v. Hermann Albrecht, 1900; mit Grdl. der Heimatmundart des Dichters hrsg. v. Otto Heilig, 1902; im alemann. Originaltext, mit Bildern nach Zeichnungen v. Ludwig Richter, 1923⁵; ins Hochdt. übertr. v. Robert Reinick, mit Bildern u. Zeichnungen v. Ludwig Richter, hrsg. v. Hildegard Lange, 1929 (Neuausg. 1968); Ausw. mit Einl. v. Wilhelm Altwegg, Basel 1935; ausgew. u. hrsg. v. Eberhard Meckel, 1939; Neudr. nach der Ausg. v. 1820. Mit Nachw. v. Wilhelm Altwegg, Basel 1943; ill. v. Ludwig Richter. Mit Lb. des Dichters v. Hermann Albrecht, ebd. 1947; hrsg. v. Karl Friedrich Müller (Silberdistel-Reihe 35/36), 1958 (1973³); mit hochdt. Übertr. v. Richard Gäng (Original-Gedichte nach der Ausg. letzter Hand v. 1820). Eingel. u. hrsg. v. Wilhelm Zentner (RUB 8294/95), 1960 (Nachdr. 1969). – Schatzkästlein des Rheinischen Hausfreunds, 1811; hrsg. v. Karl Voll mit 30 Originalholzschnitten, 1912; Die schönsten Gesch.n aus H.s Rhein. Hausfreund, mit Lebensbeschreibung des Dichters von Karl Hesselbacher, 1926; mit Einl. v. Franz Schnabel, 1946; ausgew. v. Walther Osterrieth, 1946; mit Innenbildern nach Holzschnitten v. älteren Meistern, 1947; Aus dem Schatzkästlein u. den Kal.gesch. Eingel. v. Josef Oswald. Bilder v. Erhard Ulrich, 1947; Erzz. aus dem Rhein. Hausfreund. Mit Lb. v. Hermann Albrecht u. 60 Holzschnitten v. Johann August Hagmann, Basel 1947 (Zürich 1951²); Aus dem Schatzkästlein. Mit Nachw. v. Wilhelm Fronemann (RUB 6705), 1950; ausgew. v. Otto Hohenstatt, ill. v. Walter Schellenberger, 1950; mit Holzschnitten v. Carl Stauber u. Carl Hermann Schmolze, 1950; v. Werner Weber, Zürich 1950; Gesch.n u. Anekdoten, bevorwortet, hrsg. u. benachwortet v. Hans Franck, ill. v. Joachim Kölbel (Die Perlenkette 8), 1954 (1956²); Ausgew. Erzz. Federzeichnungen v. Fritz Loehr (Blaue Bändchen 47), 1957 (100.–104. Tsd.); Schatzkästlein, ausgew. u. bearb. v. Anneliese Kocialek, ill. v. Renate Jessel, 1958; ausgew. u. eingel. v. Wilhelm Grenzmann (Schöninghs Textausg. 183), 1958; Die schönsten Erzz. aus dem Schatzkästlein (Insel-Bücherei 177), 1958 (136.–145. Tsd.); ausgew. u. eingel. v. Walter Flemmer, 1960; Kal.gesch.n. Ausw. u. Nachw. v. Ernst Bloch (Smlg. Insel 7), 1965 (insel-taschenbuch 17, 1973); Erzz. u. Aufss. des Rheinländ. Hausfreunds. GA. Hrsg., eingel. u. erl. v. Wilhelm Zentner, I u. II, 1968; III, 1972; Aus dem Schatzkästlein. Ausgew. u. mit Nachw. hrsg. v. dems. (RUB 6705), Nachdr. 1970 u. 1975; Schatzkästlein (nach dem Text der 2. Aufl. v. 1818), 1972; Der kluge Richter u. a. Gesch.n. Zus.gest. u. mit Nachw. vers. v. Hubert Witt, Leipzig 1973; Erzz. aus dem Schatzkästlein. Hrsg. v. Karl Friedrich Müller, 1975; Alemann. Gedichte u. Schatzkästlein, ausgew. u. mit Nachw. vers. v. Paul Alverdes. Mit Holzschnitten v. Ludwig Richter, Carl Stauber u. Carl Hermann Schmolze, 1949; Schatzkästlein u. Alemann. Gedichte. Zeichnungen v. Ernst Cincera, Dietikon 1957. – Bibl. Erzz. f. die Jugend, 2 Bändchen, 1824; aufs neue hrsg. u. f. Schule u. Haus bearb. v. Georg Längin, 1873; . . . aus dem AT, mit Vorw. v. Anna Schieber, 1926; Bibl. Gesch.n. Mit Vorrede v. Otto Frommel, 1946; mit Einf. v. Albert Baur, Basel 1946; Die gute Botschaft. Aus den Bibl. Erzz., 1947; Bibl. Gesch.n aus Erzählungen v. Peter Kleinschmidt, 1950; Bibl. Gesch.n, überarb. u. mit Einl. u. Nachw. v. Hans Krey, ill. v. Joachim Kölbel, 1952; eingel. u. hrsg. v. Wilhelm Zentner, 1959; Den Kindern erz. u. mit alten Holzschnitten ill., hrsg. u. mit Nachw. vers. v. Ernst Johann (Ullstein-Bücher 252), 1959; Bibl. Gesch.n. Mit Nachw. v. Eberhard Meckel, 1966. – Briefe, hrsg. v. Otto Behaghel, 1883; an Gustave Fecht (1791–1826), eingel. u. hrsg. v. Wilhelm Zentner, 1921; Briefe v. J. P. H. Eine Nachlese, ges., erl. u. hrsg. v. Karl Obser, 1926; GA, hrsg. u. erl. v. Wilhelm Zentner, 1939 (2 Bde., 1957²). – Werke. Sämtl. Werke, 8 Bde., 1832–34 (1837–38²); Werke, hrsg. v. Otto Behaghel, 2 Bde., 1883 (Nachdr. 1974); sämtl. poet. Werke nebst Ausw. seiner Predigten, Aufss. u. Briefe, hrsg. v. Ernst Keller, 6 Bde., 1905; Werke, in Ausw. hrsg. u. erl. v. dems., 4 Bde., 1913; Poet. Werke, hrsg. v. Emil Strauß (Die Tempel-Klassiker), 1911 (1968 u. 1972); Werke, hrsg. mit Einl., alemann. Wb. u. Anm. nebst

Lb. vers. v. Adolf Sütterlin, 2 Bde., 1911; hrsg. v. Wilhelm Zentner, 3 Bde., 1923/24, hrsg. v. Wilhelm Altwegg, 3 Bde., Zürich 1943 (2 Bde., 1958²; Atlantis-Ausg.); Werke u. Briefe, hrsg. v. Eberhard Meckel, 1943; Ges. Werke, hrsg. u. eingel. v. dems., 2 Bde., 1958; Werke, hrsg. v. Otto Kleiber, mit Zeichnungen v. Felix Hoffmann (Birkhäuser-Klassiker 77–79), 3 Bde., 1858/59; Poet. Werke (nach der Ausg. letzter Hand u. der GA v. 1834), 1961; Ges. Werke. Hrsg. v. Rolf Max Kully, 1966; Werke. Hrsg. v. Eberhard Meckel. Eingel. v. Robert Minder, 2 Bde., 1968; Werke. Ausgew. u. eingel. v. Dieter Pilling, 1969. – Ausw. u. a.: J. P. H. Gedichte, Gesch.n, Briefe, hrsg. v. Philipp Witkop, 1926 (1943²); Das kleine H.-Lesebuch, hrsg. u. eingel. v. Kurt Schellmann, ill. v. Andreas Meier, 1949; Erzz. u. Briefe, bearb. v. Helmuth Rabanus, 1950; Das gute Wort des christl. Hausfreundes aus dem Markgräflerland J. P. H. Text-Ausw. v. Friedrich Seebaß (= Die blauen Bücher), 1951; H.kranz. Alemann. Dichtergabe, hrsg. v. Hubert Baum, 1951; Aus J. P. H.s Lebensweisheit. Lesefrüchte aus des Dichters Werken, Predigten u. Briefen, ges. v. Otto Ernst Sutter, 1960; Ill. H.-Brevier (Werke, Ausz.). Mit über 100 Zeichnungen v. Fritz Fischer, hrsg. v. Curt Winterhalter, 1960 (Neuausg. 1976); Ne freudig Stündli, isch's nit e Fündli? Ein J.-P.-H.-Brevier. Das Lb. J. P. H.s schrieb Ludwig Wien. Er traf auch die Ausw. der Gedichte u. Prosatexte. Die graf. Gestaltung besorgte Bruno Kröll, 1976.

Lit.: J. P. H. Festg. zu seinem 100. Geb., hrsg. v. Friedrich Becker, 1860; – Klaus Groth, Über Mundarten u. mundartl. Dichtung, 1873, bes. 15 ff.; – Georg Längin, J. P. H. Ein Lb., 1875; – Friedrich Giehne, Stud. über J. P. H., 1894; – Anton Ohorn, Dt. Dichterbuch. Lb. aus der dt. Lit.gesch., 1897, 281 ff.; – Otto Frommel, H. als Prediger, in: ZprTh 22, 1900, 193 ff.; – Ders., Ein halbvergessenes Buch. J. P. H.s Bibl. Gesch.n, in: ChW 22, 1908, 794 ff.; – Christoph Braun, H. u. Thoma, 1910; – Adolf Sütterlin, J. P. H. als alemann. Dichter, 1922; – Zeit- u. H.erinnerungen der Straßburger H.freundin Sophie Haufe, bearb. u. hrsg. v. dems., 1928; – Max Werner, Stud. zu J. P. H.s »Alemann. Gedichten« (Diss. München), 1924; – Anna Sophia Witsch, J. P. H., der Dichter aus dem Volk u. f. das Volk (Diss. Bonn), 1924 (Ausz., in: Jb. der Philos. Fak. der Univ. Bonn II/1, 1924, 37 ff.); – Anton Senft, J. P. H. als Alemanne (Diss. Prag), 1924/25 (Ausz., in: Jb. der Philos. Fak. der Dt. Univ. Prag II, 1924/25, 61 ff.); – Fritz Liebrich, J. P. H. u. Basel, 1926; – Hermann Bähr, J. P. H. u. sein Grab in Schwetzingen, 1926; – Karl Friedrich Rieber, Alte Weisen zu den alemann. Gedichten J. P. H.s, 1926; – Hermann Burte, H.s Leben u. Dichten, in: Der Markgräfler 3, Lörrach 1926, Nr. 17; – Ders., J. P. H., in: Die Garbe 3, Basel 1926, 745 ff.; – J. P. H. Erinnerungsgabe z. 100. Todestage, hrsg. v. Wilhelm Altwegg, 1926; – Ders., J. P. H., Frauenfeld 1935; – Ders., Lb. J. P. H.s, in: J. P. H., Werke, 1958², 7 ff.; – Hanns Bürgisser, J. P. H. als Erzähler, Horgen-Zürich 1929; – Philipp Witkop, J. P. H., in: Volk u. Erde. Alemann. Dichterbildnisse, 1929, 13 ff.; – Richard Hühnerkopf, Ma. Erzählgut bei J. P. H., in: Arbeiten z. Volkskunde u. z. dt. Dichtung. Festg. f. Friedrich Panzer, hrsg. v. Eugen Fehrle, 1930; – Karl Emil Hoffmann, J. P. H.s Geburtshaus, 1934; – Hermann Eris Busse, J. P. H., in: Die großen Deutschen, hrsg. v. Willy Andreas u. Wilhelm v. Scholz, II, 1935, 388 ff.; – Ders., J. P. H., 1944; – Adolf v. Grolmann, J. P. H., in: Ders., Wesen u. Wort am Oberrhein, 1935, 139 ff.; – Ders., Werk u. Wirklichkeit. 3 Kap. v. dichter. Schaffen, J. P. H., Emil Gött, Hans Thoma, 1937, 16–44; – Theodor Bohner, J. P. H., des dt. Volkes Hausfreund, 1936; – Joachim Müller, J. P. H., in: Zschr. f. Dt.kunde 51, 1937, 457 ff.; – Johann Georg Behringer z. Reinhold Zumtobel, Hausen im Wiesental, 1937; – Emil Strauß, J. P. H., in: Corona. Zweimschr., hrsg. v. Martin Bodmer u. Herbert Steiner, 9, 1939, 285 ff.; – Ders., J. P. H. Leben u. Briefe, 1939 (1942¹⁵); – Hans-Gerhart Oefftering, Naturgefühl u. Naturgestaltung bei den alemann. Dichtern v. Beat Ludwig Muralt bis Jeremias Gotthelf (mit Erstdr. des Hymnus »Ekstase« v. J. P. H.; Diss. Freiburg/Breisgau, 1939), Berlin 1940; – Friedrich Stählin, H. u. Kleist als Meister der Anekdote, 1940; – Andreas Heusler, J. P. H., in: Ders., Kleine Schrr., hrsg. v. Helga Reuschel, 1943, 597 ff.; – Susi Löffler, J. P. H. Wesen u. Wurzeln seiner dichter. Welt (Diss. Zürich), Frauenfeld – Leipzig 1944; – Albrecht Goes, J. P. H., in: Ders., Die guten Gefährten, 1946 (28.–32. Tsd.), 44 ff.; – Ders., Dichter u. Gedicht, 1966; – Erik Wolf, Vom Wesen des Rechts in der Dichtung. Hölderlin, Stifter, H., Droste, 1946, 181 ff.; – Johannes Pfeiffer, Umgang mit Dichtung, 1947⁵; – Wilhelm Zentner, J. P. H., 1948 (1965²); – J. P. H. Festg. aus Anlaß des 125. Todestages des Dichters, bearb. v. dems., 1951; J. P. H. u. seine Zeit. Zur 200. Wiederkehr seines Geb. am 10. 5. 1960. Festschr., zus.gest. u. hrsg. v. dems., 1960; – Joachim Maaß, Die Geheimwiss. der Lit., 1949; – Reinhold Zumtobel, Mit H. in der Heimat, 1949; – Walter Rehm, Goethe u. J. P. H., 1949; – Hubert Göbels, J. P. H. in der Schule, 1949; – Paul Regner, J. P. H.s »Bibl. Gesch.« u. der heutige Katechet: Oberrhein. Pastoralbl. 51, 1950, 160 ff.; – Jörg Erb, Die Wolke der Zeugen I, 1951, 388 ff.; – Theodor Heuß, J. P. H. Rede, 1952; – Ders., Carl Jakob Burckhardt, Wilhelm Hausenstein, Benno Reifenberg, Robert Minder, Werner Bergengruen, Martin Heidegger, Über J. P. H., 1964; – Walter Benjamin, J. P. H. Zu seinem 100. Todestag, in: Ders., Schrr., hrsg. v. Theodor Wiesengrund-Adorno u. Gretel Adorno u. Friedrich Podszus, II, 1955, 279 ff.; – Gerhard Heß, J. P. H., in: Die großen Deut-

schen, hrsg. v. Hermann Heimpel, Theodor Heuß u. Benno Reifenberg, II, 1956, 378 ff.; – Martin Heidegger, H., der Hausfreund, 1957 (1965³); – Eberhard Meckel, Umriß zu einem neuen H.bildnis. Ein Vers., 1957; – Ders., J. P. H. Ein Lb., in: J. P. H., Ges. Werke I, 1958, 11 ff.; – Margarete Lutz, J. P. H. als Schulmann u. Volkserzieher (Diss. Tübingen), 1959; – Dies., Der Erzieher J. P. H., 1964; – Peter Katz, Ein Gutachten H.s, in: ThZ 15, 1959, 267 ff.; – Julius Roeßle, J. P. H. Ein Gedenkbüchlein z. 200. Geb. des alemann. Dichters, 1959; – Kurt Bräutigam, Die Antithese als Stilmittel in J. P. H.s Erzz., in: Die nendes Wort. Eine Festg. f. Ernst Bender, 1959, 123 ff.; – Friedrich Laubscher, J. P. H. Der rhein. Hausfreund, 1959; – Carl Jakob Burckhardt, H. – seine Gestalt u. seine Dichtung, in: Universitas. Zschr. f. Wiss., Kunst u. Lit. 15, 1960, 1067 ff.; – Kurt Ihlenfeld, Zeitgesicht. Erlebnisse eines Lesers, 1961; – Ernst Bloch, H., Gotthelf u. die Tao, in: Ders., Verfremdungen I, 1962, 186 ff.; – Hebeldank. Bekenntnis z. alemann. Geist in 7 Reden beim »Schatzkästlein«. Hrsg. v. Hanns Uhl, 1964; – Harry Pross, J. P. H. – eine bibliogr. Ber., in: Stud. z. neueren dt. Lit., hrsg. v. Hans Werner Seiffert, 1964; – Fritz Knöller, J. P. H. in neuer Sicht, in: Welt u. Wort. Literar. Mschr. 21, 1966, 6 f.; – Robert Minder, H. u. die frz. Heimatlit., in: Ders., Dichter in der Ges. Erfahrungen mit d. frz. Lit., 1966, 108 ff.; – Gisbert Kranz, Europas christl. Lit. v. 1500 bis heute, 1968², 245 ff. 590; – Georg Hirtsiefer, Ordnung u. Recht in der Dichtung J. P. H.s (Diss. Köln, 1965), Bonn 1968; – Fritz Buri, Wunder u. Weisheit in J. P. H.s Bibl. Gesch.n, in: Theologia practica. Zschr. f. prakt. Theol. u. Rel.päd. 3, 1968, 364 ff.; – Ulrich Däster, J. P. H. Stud. zu seinen Kal.gesch.n (Diss. Zürich), Aarau 1968; – Ders., J. P. H. in Selbstzeugnissen u. Bilddokumenten, 1973; – Rolf Max Kully, J. P. H., 1969; – Lothar Wittmann, J. P. H.s Spiegel der Welt. Interpretationen zu 53 Kal.gesch.n., 1969; – Friedrich August Pietzsch, J. P. H. Seine Erlanger Studentenzeit u. ihre Auswirkungen auf sein späteres Leben, in: Das Markgräflerland. Bttr. z. seiner Gesch. u. Kultur 31, 1969, 11 ff.; – Wilhelm August Schulze, H.s Aufnahme in den bad. Pfarrdienst, in: ThZ 28, 1972, 427 ff. – Werner Sommer, Der menschl. Gott J. P. H.s. Die Theol. J. P. H.s (Diss. Basel), Bern 1972; – Traugott Mayer, Bibl. Gesch.n im Rel.unterricht. J. P. H. z. Gedächtnis. Von der Ref. bis z. Ggw. in Baden, 1972; – Jan Knopf, Gesch. u. Gesch. Krit. Tradition der Volkstümlichkeit in den Kal.gesch.n H.s u. Brechts (Diss. Göttingen, 1972), Stuttgart 1973; – Kosch, LL II, 871 f.; – Welt-Lit II, 701; – Eppelsheimer, WL 408; – Wilpert I², 681; II, 22 (Alemann. Gedichte). 916 (Schatzkästlein); – KLL VI, 887 ff. (Schatzkästlein); – ADB XI, 188 ff.; – NDB VIII, 165 ff.; – RGG III, 102 ff.

HEBER, Reginald, anglikanischer Bischof von Kalkutta, * 21. 4. 1783 in Malpas (Grafschaft Chester) als Sohn eines anglikanischen Pfarrers, † 3. 4. 1826 in Tritschinapalli (Trichinopoly) in Südindien. – H. besuchte die Grammar School in Neasdon bei London und studierte seit 1800 in Oxford. 1805 bereiste er mit einem Freund das nördliche und östliche Europa. H. wirkte seit 1807 als Pfarrer in Hodnet (Shropshire). Am 1. 6. 1823 empfing er in Lambeth, dem Sitz des Erzbischofs von Canterbury, die Bischofsweihe als Nachfolger des am 8. 7. 1822 verstorbenen ersten anglikanischen Bischofs der ostindischen Kirche Fanshaw Middelton (s. d.). Als Bischof mit dem Sitz in Kalkutta wirkte H. trotz kurzer Amtstätigkeit vielseitig anregend und fruchtbringend. Er wurde zum Vizepräsidenten der »Royal Asiatic Society of Great Britain and Ireland« ernannt und brachte das 1820 gegründete »Bishop's College« zur Blüte. H. unternahm von Juni 1824 bis Oktober 1825 und wiederum von Januar 1826 an Visitationsreisen durch das ihm unterstehende Missionsgebiet, das sich über Ostindien bis China und Neu-Südwales erstreckte. – Auch als Dichter und Hymnologe ist H. bedeutsam. Von seinen 57 Liedern ist das Missionslied bekannt, das er während seiner Vikarszeit in Hodnet gedichtet hat: »From Greenland's icy mountains«. Philipp Schaff (s. d.) übersetzte es ins Deutsche: »Von Grönlands Eisgestaden, von Indiens Perlenstrand, von Perus goldnen Pfaden, vom dunklen Mohrenland, von manchem grünen Ufer und palmenreicher Flur ertönt das Flehn der Rufer: Zeigt uns der Wahrheit Spur.« Bekannt ist auch die Übersetzung von Christian Gottlob Barth (s. d.): »Von Grönlands eisgen Zinken, Chinas Korallenstrand, wo Ophirs Quellen blinken, fortströmend goldnen Sand, von manchem alten Ufer, von manchem Palmenland erschallt das Flehn der Rufer: Löst unsrer Blindheit Band!«

Werke: Hymns, written and adapted to the weekly Church Service of the Year. Hrsg. v. Amelia Heber (Witwe), 1827 (1849[12]); Sermons preached in India. Hrsg. v. ders., 1829; Sermons preached in England. Hrsg. v. ders., 1829; The Poetical Works, 1841; The Poetical Works. Poems and Lyrics, by Felicia Hemans. Poems, by Anne Radcliffe, 4 Tle., 1852; H.'s Indian Journal. A selection, with an introduction, by P. R. Krishnaswami, 1923.

Lit.: Anonym, Some Account of the Life of R. H., London 1829; – Amelia Heber, The Life of R. H. With selections from his correspondence, unpublished poems and private papers; together with a journal of his tour in Norway, Sweden, Russia, Hungary and Germany, and a history of the Cossacks, 2 Bde., ebd. 1830; – Friedrich Krohn, R. H.s Leben u. Nachrr. über Indien, 2 Bde., 1831; – Arthur John Hallam Montefiore, R. H., Bishop of Calcutta, Scholar and Evangelist, London 1894; – George Smith, Bishop H. Poet and chief missionary of the East, ebd. 1895; – Eugene Stock, The History of the Church Missionary Society I, ebd. 1899, 189 f.; – Henry Morris, R. H., the sweet singer and missionary Bishop, ebd. u. Madras 1901; – Kenneth Scott Latourette, A History of the Expansion of Christianity. VI: The great century in Northern Africa and Asia, 1800–1914, New York u. London 1943, 110; – Richard Hugh Cholmondeley, The H. Letters, 1783–1832, London 1950; – Bishop H. in Northern India. Selections from H.'s journal. Edited by Michael Andrew Laird, ebd. 1971 (Rez. v. T. V. Philip, in: IRM 61, 1972, 303 f.; v. Virgil A. Olson, in: ChH 41, 1972, 268 f.; v. N. Gerald Barrier, in: Journal of Asian studies 31, Ithaca/New York 1972, 968 f.; v. J. Pouchepadass, in: Revue française d'histoire d'outre-mer 60, Paris 1973, 720 ff.; v. R. E. Frykenberg, in: American historical review 80, New York 1975, 170 f.); – DNB IX, 355 f.; – EBrit (1962) XI, 360; – RE VII, 488 f.; – RGG III, 104; – ODCC² 624.

HEBICH, Samuel, Missionar, * 9. 4. 1803 als Pfarrerssohn in Nellingen bei Ulm, † 21. 5. 1868 in Stuttgart, beigesetzt in Korntal bei Calw. – Als der vierte von sieben Söhnen wuchs H. im Geist eines rationalistischen Elternhauses auf. In seiner kaufmännischen Lehrzeit in Lübeck wurde er zum lebendigen Glauben erweckt. Von da an hat H., wohin er als Geschäftsreisender kam, auch in Schweden, Finnland und Rußland, von seinem Herrn Jesus Zeugnis abgelegt. Mit 28 Jahren schrieb H. an den Missionsinspektor Christian Gottlieb Blumhardt (s. d.) in Basel, und Pastor Johannes Geibel (s. d.) in Lübeck befürwortete seine Meldung zum Missionsdienst. H. erhielt bald aus Basel ein »liebliches Ja«. Er traf am Abend des 24. 12. 1831 im Basler Missionshaus ein und wurde, von Blumhardt herzlich willkommen geheißen, als der zweitälteste unter den 33 Seminaristen in die Bruderschaft aufgenommen. Die Jahre im Missionshaus waren für ihn nicht leicht. Das Studium lag ihm nicht. Da ihm beim Lernen der rechte Eifer und die nötige Ausdauer fehlten und er darum in der seminaristischen Ausbildung keine befriedigenden Fortschritte machte, wollte ihn das Komitee entlassen, behielt ihn aber, da man seine brennende Liebe zu Jesus kannte und wußte, wie er jede Gelegenheit nutzte, um von Jesus zu zeugen. Am 16. 3. 1834 wurde H. mit den Brüdern Lehner und Greiner in Lörrach (Baden) ordiniert und am Palmsonntag darauf mit den beiden in der Martinskirche in Basel für den Missionsdienst in Indien abgeordnet. H. reiste nach London, wo er in den Maikonferenzen der verschiedenen Missionsgesellschaften reiche Anregungen für Geist und Herz fand. Am 15. 7. 1834 trat er mit den beiden Brüdern von Portsmouth aus die Reise nach Indien an, wo sie am 14. 10. in Kalikut an der Malabarküste landeten und von

Richter Nelson überaus freundlich aufgenommen wurden. Dieser schrieb an einen jungen Freund in Mangalur, er möchte für die drei Basler Missionare sorgen, da sie für Mangalur bestimmt seien. Von Kotschi bis Bombay war die Küste von Missionaren noch unbesetzt, während im Innern Bangalur, Bellary und Belgan die nächsten Missionsstationen waren, keine unter 100 Stunden entfernt. Die etwa 18 Engländer in Mangalur, die ein Kaplan nur zweimal im Jahr besuchte, baten die Missionare um einen sonntäglichen Gottesdienst. So predigten die Brüder abwechselnd jeden Sonntag englisch trotz ihrer mangelhaften Sprachkenntnisse. H. wählte zum Sprachstudium das Kanaresische und die Konkanisprache, während einer von ihnen die bis dahin noch schriftlose Sprache der Tulu, des größten Teils der dortigen Landbevölkerung, erlernte. H. hielt es ein Jahr nach seiner Ankunft nicht mehr länger bei den Brüdern in Mangalur aus, machte eine Reise durch Kanara, um das ganze weite Gebiet zu erkunden, und wollte von jetzt an keine Stunde mehr auf das Sprachstudium »verschwenden«, so daß er weder Englisch noch die indischen Sprachen je ordentlich gelernt hat: »Ich kann meine Zeit nicht zubringen, über Sprachen zu grübeln, während Seelen zur Hölle eilen. Ich muß sie vor allem warnen, dem zukünftigen Zorn zu entfliehen.« Bei seinen Hausbesuchen in Mangalur warb H. eifrig, aber mit wenig Erfolg für den Schulbesuch. Gleichzeitig eröffnete er 1836 mit zwei Knaben, Kindern englischer Soldaten, ein Predigerseminar, weil der sächsische Fürst von Schönburg-Waldenburg 1833 der Basler Missionsgesellschaft 10 000 Taler angeboten hatte »zur Errichtung eines Predigerseminars, wenn noch in diesem Jahr ein Bruder zur Erbauung einer solchen Anstalt ausgesandt werden könne«. Mit drei jungen Missionaren traf Ende 1836 Hermann Friedrich Mögling (s. d.) in Mangalur ein; er und Hermann Gundert (s. d.), der Ende 1838 in die dortige Arbeit eintrat und sich dem Basler Missionsverband anschloß, wurden neben H. die eigentlichen Begründer der Basler Mission in Indien. H. wurde 1840 nach Kannanur am Arabischen Meer versetzt. Die 20–30 000 Einwohner dieser Garnisonstadt mit zwei Regimentern Militär und dem Hauptquartier der Malabar- und Kanaradivision bildeten ein buntes Gemisch allerlei Volks. Hier fand er ein fruchtbares Feld gesegneter Wirksamkeit unter Europäern und Eingeborenen, Offizieren, Soldaten und Beamten und schuf hier etwas in seiner Art Seltsames: eine aus Eingeborenen und Engländern zusammengesetzte Gemeinde. Brennende Heilandsliebe und heiliger Missionseifer trieben ihn auf die Straße, in die Basare und auf die Götzenfeste, um überall die Menschen auf Christus als ihre einzige Rettung hinzuweisen, wobei ihn nichts einschüchtern oder davon abbringen konnte. Viele englische Beamte, Offiziere und Soldaten sind durch seine Bußpredigten und seine den einzelnen nachgehende Seelsorgertreue gründlich bekehrt worden und wurden durch ihn zu einem Segen für Indien. 1847 erlebte H. unter den Eingeborenen und Europäern eine große Erweckung. Viele bekannten ihre Sünden und drangen durch zum Frieden mit Gott und einem Leben der Hingabe an Christus. Nach 25jährigem ununterbrochenem Missionsdienst in Indien reiste H. am 18. 9. 1859 von Madras zur Erholung nach Europa und traf am 27. 12. im Missionshaus in Basel ein. Er hielt evangelistische Vorträge in Stadt und Land, vor allem in der Schweiz, in Württemberg und Baden. Da sein Gesundheitszustand die Rückkehr nach Indien nicht zuließ, wurde H. 1862 pensioniert. Liebe Freunde stellten ihm in der Nähe von Stuttgart ein kleines, schönes Haus zur Verfügung. Von seinem Fenster aus hatte er einen prächtigen Ausblick über die ganze Stadt. H. aber kannte kein Ausruhen im Dienst seines Herrn und setzte darum seine Reisepredigttätigkeit fort, solange ihm Gott dazu die Kraft schenkte. Unermüdlich warb er auch für die Mission und gewann ihr viele Freunde und treue Beter. Die Mission blieb bis zum letzten Atemzug seine große Liebe; er hat sein geliebtes Arbeitsfeld in Indien nicht vergessen können. Am Morgen des Himmelfahrtstages 1868 öffnete H. sterbend noch einmal die Augen und rief mit leuchtendem Blick: »O denkt an Malabar!«

Werke: 15 Vortrr., geh. in der St. Leonhardskirche zu Stuttgart, 1861³; 20 Vortrr. über die Offb. nach St. Joh., 1864; 16 Predigten aus dem 1. Thess.brief. Nebst 15 Privatvortrr. aus dem Ev. Joh., 1868; Ährenlese aus Vortrr. in der Weihnachts- u. Passionszeit, 1869; 39 Predigten aus dem Röm.brief u. der Passionsgesch., 1870; Das Geheimnis v. Wesen u. Willen des dreieinigen Gottes u. unserer ewigen Erwählung, prakt. dargel. in 60 Predigten, 1876.

Lit.: Ernst Friedrich Langhans, Pietismus u. Christentum im Spiegel der äußeren Mission, 1864, 3 ff.; – Züge aus dem Leben u. Wirken des Miss. S. H., Elberfeld 1864; – S. H.s Anfänge. – Einiges aus den letzten Tagen des Zeugen Jesu Christi S. H., in: EMM NF 12, 1868, 303 f. 433 ff.; – H. in Canara, ebd. 13, 1869; – Miss. H. in Kannanur, ebd. 14, 1870; – H.s letzte Zeit, ebd. 481 ff.; – Hermann Gundert, S. H. Ein Btr. z. Gesch. der ind. Mission, 1872; – S. H. Ein Btr. z. Gesch. der ind. Mission von 2 Mitarbeitern des Verewigten, Basel 1872; – E. Barde, S. H. missionnaire bâlois aux Indes, ebd. 1882; – George N. Thomssen, S. H. of India, the master fisher of men, Cuttack/Indien 1905 (Mangalore 1915²); – Traugott Schölly, S. H. Der erste Sendbote der Basler Mission in Indien, Basel 1911; – A. Kramer, S. H. Der erste Basler Miss. in Indien. Ein Lb. (Bremer Missionsschrr. 40), 1915; – Johann Jakob Jaus, S. H. Ein Zeuge Jesu Christi aus der Heidenwelt, 1922; – Alfred Mathieson, H. of India. A passionate soul-winner, Kilmarnock 1936; – Friedrich Hauß, Die uns das Wort Gottes gesagt haben. Lb. u. Glaubenszeugnisse aus dem schwäb. Pietismus, 1937 (1938² unv.), 171 ff.; – Ders., Väter der Christenheit III, 1959, 224 ff.; – Eduard Riggenbach, S. H. Ein Knecht u. Freund Gottes, 1942; – Walter Oelschner, S. H., 1947; – Wilhelm Jörn, S. H., der große Seelengewinner. Züge aus seinem Leben u. Wirken, 1949⁸ (Neuausg. 1958); – Johannes Grauer, S. H. Ein Missionar ohne Furcht, 1954; – ADB XI, 198 ff.; – NDB VIII, 171 f.; – RE VII, 491 f.

HEBLER, Matthias, Bischof der evangelischen Sachsen in Siebenbürgen, * in der ehemals deutschen Bergstadt Karpfen des Gebiets Neusohl in der Slowakei, † 18. 9. 1571 in Hermannstadt. – H. studierte seit 1546 in Wittenberg und promovierte dort zum Magister. Johann Bugenhagen (s. d.) ordinierte ihn 1553 ausdrücklich für Hermannstadt. Er wurde 1551 Lehrer und 1553 Rektor der aufblühenden Hermannstädter Schule und 1554 auf Drängen des Rats und auf besonderen Wunsch des ersten Bischofs der evangelischen Sachsen in Siebenbürgen, Paul Wiener (s. d.), Diakonus. Während der furchtbaren Pest, der auch Wiener am 16. 8. 1554 zum Opfer fiel, harrte H. bei der Gemeinde aus. Anfang 1555 wurde er vom Rat und der Hundertmannschaft von Hermannstadt einstimmig zum Stadtpfarrer und am 29. 6. 1556 von der geistlichen Synode einstimmig zum Superintendenten (= Bischof) gewählt und später von der Königin Isabella († 15. 11. 1559) in dieser Würde bestätigt. Johannes Honterus (s. d.) hat das Werk der Reformation in Siebenbürgen begonnen; aber erst H. hat es vollendet und sich erfolgreich darum bemüht, daß die Sachsen trotz scharfer calvinischer Vorstöße an dem Augsburger Bekenntnis festhielten. Am 13. 6. 1557 bekannten sich auf einer Synode zu Klausenburg alle anwesenden Vertreter der siebenbürgischen Kirchen in einem gemeinsamen »Consensus« zu der lutherischen Abendmahlslehre. H. unterschrieb das Bekenntnis als »pastor ecclesiae Cibiniensis ac superintendens ecclesiarum Dei nationis Saxonicae«. Auch Franz Davidis (s. d.) unterschrieb es als Superintendent der ungarischen Kirchen, schwenkte dann aber offen zum reformierten Bekenntnis über und bewog Königin Isabella, die Disputationen über das Abendmahl wiederaufzunehmen und in Mediasch ein Religionsgespräch zu veranstalten, das 1560 auch zustande kam. Die Synode in Hermannstadt vom 18. 8. 1559, die sich mit der Vorbereitung für das Religionsgespräch beschäftigte, war in großer Sorge um den Ausgang; denn es ging um das Festhalten am unverfälschten Luthertum, um den Sieg Hermannstadts oder Klausenburgs. Auf der Synode zu Mediasch im Januar 1560 führte H. mit dem gleichgesinnten neuen Bischof der magyarischen lutherischen Kirche, Dionysius Alesius, die streng lutherische Auffassung zum Sieg. Der Streit ging weiter. Davidis gab die Hoffnung auf die Vereinigung der sächsischen und magyarischen Kirchen nicht auf. Auf Wunsch des Fürsten Johann Sigismund Zápolya wurde auf der Synode zu Mediasch im Februar 1561 ein letzter Einigungsversuch gemacht, der damit endete, daß die Lutherischgesinnten ihre Anschauungen in 14 Punkten zusammenfaßten und unterschrieben. H. setzte neben seine Unterschrift: »Sic in Domino sentio et credo toto corde.« Zugleich ergänzte er die 14 Punkte durch seine berühmte »Brevis confessio de coena Domini«. Sein Bekenntnis wurde von den Theologischen Fakultäten in Wittenberg, Leipzig, Rostock und Frankfurt an der Oder gebilligt und rühmend anerkannt. Durch sein starres Festhalten am Luthertum bewahrte H. das Volk vor dem Aufgehen in den magyarischen Kirchen. Davidis, der in dem fürstlichen Leibarzt Giorgio Blandrata (s. d.) eine neue Stütze gefunden hatte, forderte H. und die sächsischen Pfarrer zu einem neuen Waffengang heraus, der auf einer gemeinsamen Synode zu Enyed im April 1564 ausgefochten wurde. Zu einer Einigung kam es nicht. Die Scheidung der beiden Gruppen war endgültig vollzogen. Die reformierte und die evangelisch-sächsische Kirche gingen von nun an getrennte Wege. Davidis, der sich inzwischen der antitrinitarischen Bewegung angeschlossen hatte und 1568 Bischof der von ihm begründeten unitarischen Kirche in Siebenbürgen wurde, veranlaßte Johann Sigismund Zápolya, auch die sächsischen Volksgenossen im März 1568 zu einem Religionsgespräch nach Weißenburg einzuberufen. H. wirkte dabei als Schiedsrichter zwischen den streitenden Parteien des Davidis und des Superintendenten Peter Melius (s. d.) in Debreczin. Die zehntägige Disputation verlief ergebnislos. Der Tod des Johann Sigismund Zápolya († 14. 3. 1571) brach auch den Einfluß des Davidis, der die sächsische Kirche seitdem nicht mehr beunruhigte. H. hat dem Luthertum in Siebenbürgen die Alleinherrschaft gegen den Calvinismus gesichert. Jeder Pfarrer mußte bei der Aufnahme in das Kapitel schwören, daß er »die Lehre des Evangeliums, deren Summe in der Augsburgischen Konfession enthalten ist, bis zum letzten Atemzug bewahren und mit Hilfe des Heiligen Geistes gegen alle Irrlehren verteidigen und auch darin leben und sterben« wolle.

Werke: Brevis confessio de coena Domini ecclesiarum Saxonicarum et coniunctarum in Transylvania, Kronstadt 1561 (Leipzig 1584², hrsg. v. Nikolaus Selnecker; hrsg. v. Georg Daniel Teutsch, in: UB der ev. Landeskirche A. B. in Siebenbürgen II, Hermannstadt 1883, 36–68).
Lit.: Georg Daniel Teutsch, Die Bisch. der ev. Landeskirche A. B. in Siebenbürgen, in: Statist. Jb. der ev. Landeskirche A. B. in Siebenbürgen I, Hermannstadt 1863, 5 f.; – Joseph Franz Trausch, Schr.steller-Lex. oder biogr.-literär. Denk-bll. der Siebenbürger Deutschen II, Kronstadt 1870, 76 ff.; – Friedrich Schuller, Dass. IV, Hermannstadt 1902, 176; – Friedrich Teutsch, Gesch. der ev. Kirche in Siebenbürgen I, ebd. 1921; – Adolf Schullerus, Die Augustana in Siebenbürgen, in: Arch. des Ver. f. Siebenbürg. Landesgesch. NF 41, ebd. 1923, 226 ff.; – Hermann Jekeli, Unsere Bisch. (1553–1867). Charakterbilder aus sächs. Vergangenheit, ebd. 1933, 11 ff.; – O. Wittstock, M. H., in: Siebenbürg.-sächs. Hauskal., 1958, 68 ff.; – Erich Roth, Die Ref. in Siebenbürgen (Hab.-Schr. Göttingen, 1944) = Siebenbürger Arch. 4, 1964; – RGG III, 105; – ADB XI, 201; – NDB VIII, 172.

HECKEL, Johannes, luth. Staats- und Kirchenrechtslehrer, * 24. 11. 1889 als Pfarrerssohn in Kammerstein bei Schwabach (Mittelfranken), † 15. 12. 1963 in Tübingen. – H. studierte Rechtswissenschaft in München und promovierte 1922 zum Dr. jur. Er wurde in Berlin 1923 Privatdozent für Kirchenrecht und 1926 apl. Professor. Von 1928 an war H. o. Professor in Bonn für öffentliches Recht, insbesondere Kirchenrecht und lehrte 1934–57 in München. 1931 verlieh ihm die Theologische Fakultät der Universität Berlin die Ehrendoktorwürde. 1940 wurde er Mitglied der Bayerischen Akademie der Wissenschaften. – H. ist bedeutend besonders durch seine Forschungen zur Geschichte des evangelischen Kirchenrechts und der Rechtsbeziehungen zwischen Staat und Kirche. Er war seit 1951 auch Präsident des Verfassungs- und Verwaltungsgerichts der Vereinigten Evangelisch-Lutherischen Kirche Deutschlands.

Werke: Die ev. Dom- u. Kollegiatstifter Preußens insbes. Brandenburg, Merseburg, Naumburg, Zeitz. Eine rechtsgeschichtl. Unters. (KRA 100/101), 1924 (Nachdr. Amsterdam 1964); Entstehung des brandenburg.-preuß. Summepiskopats, in: ZSavRGkan 13, 1924, 266–283; Beilegung des Kulturkampfes in Preußen, ebd. 19, 1930, 215–353; Budgetrecht, in: Hdb. des Dt. Staatsrechts, hrsg. v. Gerhard Anschütz u. Richard Thoma, II, 1932; Diktatur, Notverordnungsrecht, Verfassungsnotstand, in: AÖR NF 22, 1932, 257–338; Der Einbruch des jüd. Geistes in das dt. Staats- u. KR durch Friedrich Julius Stahl, in: HZ 155, 1937, 506–541; Recht u. Gesetz, Kirche u. Obrigkeit in Luthers Lehre vor dem Thesenanschlag v. 1517, in: ZSavRGkan 26, 1937, 285 bis 375; Cura religionis, ius in sacra, ius circa sacra (KRA 117/118 [Festschr. f. Ulrich Stutz]), 1938, 224–298 (unv. Nachdr. Darmstadt 1962); Wehrverfassung u. Wehrrecht des Großdt. Reichs, 1939; Initia iuris ecclesiastici Protestantium (SAM 5, 1949), 1950; Melanchthon u. das dt. Staatskirchenrecht, in: Um Recht u. Gerechtigkeit. Festg. f. Erich Kaufmann zum 70. Geb., 1950; Kirchengut u. Staatsgewalt, in: Rechtsprobleme in Staat u. Kirche. Festschr. f. Rudolf Smend z. 70. Geb., 1952, 103–143; Lex charitatis. Eine jurist. Unters. über das Recht in der Theol. Martin Luthers (AAM 36, 1953), 1953 (1973², überarb. u. erw., hrsg. v. Martin Heckel); Im Irrgarten der Zwei-Reiche-Lehre. 2 Abhh. z. Reichs- u. Kirchenbegriff Martin Luthers (ThEx NF 55), 1957; Marsilius v. Padua u. Martin Luther. Ein Vergleich ihrer Rechts- u. Soziallehre, in: ZSavRGkan 44, 1958, 268–336; Kirche u. KR nach der Zwei-Reiche-Lehre, ebd. 48, 1962, 222–284; Das blinde, undeutliche Wort »Kirche«. Ges. Aufss., hrsg. v. Siegfried Grundmann, 1964 (Verz. der Schrr. v. J. H.: 725–734). – Verz. der Schrr. v. J. H., in: Für Kirche u. Recht. Festschr. f. J. H. z. 70. Geb., hrsg. v. Siegfried Grundmann, 1959, 351–360. – Mit-Hrsg.: ZSavRGkan, 1938–62; Forsch. u. Berr. z. kirchl. Rechtsgesch. u. z. KR, 1957 ff.
Lit.: Rudolf Smend, J. H. 70 J. alt, in: ZevKR 7, 1959/60, 187; – Willibald Plöchl, in: ÖAKR 15, 1964, 138 f.; – Siegfried

Grundmann, J. H. †, in: ZSavRGkan 50, 1964, XV–XXX; – Hermann Krause, J. H., in: Jb. der Bayer. Ak. der Wiss., 1964, 173 ff.; – NDB VIII, 180.

HECKEL, Theodor, Theologe, * 15. 4. 1894 in Kammerstein bei Schwabach (Mittelfranken) als Pfarrerssohn und Bruder des Johannes Heckel (s. d.), † 24. 6. 1967 in München. – H. wurde 1922 Pfarrer in München-Solln und 1925 Religionslehrer in Erlangen. Er promovierte dort 1928 zum Lic. theol. und wurde im gleichen Jahr Oberkonsistorialrat im Kirchenbundesamt in Berlin und war 1934–45 Leiter des Außenamtes der Deutschen Evangelischen Kirche in Berlin mit der Amtsbezeichnung Bischof, danach in Erlangen Leiter des Evangelischen Hilfswerks für Internierte und Kriegsgefangene. Seit 1950 wirkte er als Dekan in München. Die Theologische Fakultät Jena verlieh ihm 1930 die Ehrendoktorwürde und die Universität München 1964 den Dr. jur. h. c.

Werke: Exegese u. Metaphysik bei Richard Rothe, 1928; Zur Methodik des ev. Rel.unterrichts, 1928 (1930²; 1933³ unv.); Adolf v. Harleß. Theol. u. Kirchenpolitik eines luth. Bisch. in Bayern, 1933; Wahrheit im Joh.ev. u. bei Luther. Betrachtungen u. Texte, Helsinki 1944; Kirche jenseits der Grenzen. Aus der dt. ev. Auslandsdiaspora, 1949; Diasporaarbeit als theol. u. kirchl. Problem der Ggw. (Vortr.), 1951; Probleme des modernen Sozialstaates in christl. Sicht (Vortr.), 1955; Das Richteramt. Vortrr., geh. auf der Tagung ev. Juristen 1957, 1958; Ehe-u. Familienrecht. Vortrr., geh. auf der Tagung ev. Juristen 1958, 1959; Das Strafrecht. Btrr. v. der Tagung ev. Juristen 1959, 1959; Kirche – Wahrheit – Recht, 1961.
Lit.: O. Wagner, In memoriam Th. H., in: Kyrios. Vjschr. f. Kirchen- u. Geistesgesch. NF 7, 1967, 63 f.

HECKER, Heinrich Kornelius, Kirchenliederdichter, * 1. 8. 1699 in Hamburg als Sohn eines Hauptmanns, † 22. 7. 1743 in Meuselwitz bei Altenburg. – H. bezog 1719 die Universität Leipzig und wurde 1721 Magister und dann Vesperprediger an der Paulinerkirche. Kurze Zeit war er Privatsekretär des Reichsgrafen Friedrich Heinrich von Seckendorf auf dessen Rittersitz Meuselwitz, zugleich auch Erzieher des jungen Prinzen Ludwig Heinrich von Hildburghausen. H. wurde 1725 Hilfsprediger, kurz darauf Diakonus und 1728 Pfarrer in Meuselwitz und Adjunkt der Generalsuperintendentur in Altenburg. – Von seinen insgesamt 89 Liedern enthält seine »Handpostille« von 1730 77, und zwar außer dem Eröffnungslied und dem Danklied zum Schluß als Anhang zu jeder der 75 Predigten ein Lied, das ihren Hauptinhalt zusammenfaßte. Von den Liedern dieser Predigtsammlung sind bekannt das wenig verbreitete Lied zum 1. Advent »Gottlob, ein neues Kirchenjahr macht uns die große Treue des ewgen Gottes offenbar«, das Weihnachtslied »Immanuel, der Herr, ist hier und nimmt mein Fleisch an sich« und als sein bestes Lied »Wort des höchsten Mundes, Engel meines Bundes, Wort, du bist nicht stumm«. Das »Hannoversche Gesangbuch von 1740« nahm von H.s Liedern 23 auf. Mehrere seiner Lieder wurden im Sinn des Rationalismus überarbeitet von Johann Samuel Diterich (s. d.) für die von ihm herausgegebenen »Lieder für den öffentlichen Gottesdienst«, Berlin 1765, und von Georg Joachim Zollikofer (s. d.) für sein modernes »Neues Gesangbuch oder Sammlung der besten geistlichen Lieder und Gesänge zum Gebrauch bei dem öffentlichen Gottesdienste«, Leipzig 1766, und fanden so weitere Verbreitung.

Werke: Seckendorfsche Handpostille, in welcher die ev. Glaubenslehren aus allen Sonn- u. Festtagsevv., dem Kleinen Katechismus Luthers u. einigen Hauptsprüchen erl. u. in einem erbaul. Liede wiederholt werden, Leipzig 1730.

Lit.: August Jakob Rambach, Anthologie christl. Gesänge aus allen Jhh. der Kirche, 6 Bde., 1817–33, IV, 350 ff.; – Koch V, 516 ff.; – ADB XI, 208.

HECKER, Isaak Thomas, Gründer des Ordens der Paulisten (Gesellschaft der Missionspriester vom hl. Apostel Paulus), * 18. 12. 1819 in New York als Sohn deutscher methodistischer Eltern, † daselbst 22. 12. 1888. – H. wurde 1844 katholisch und trat 1845 in Belgien bei den Redemptoristen zu St. Trond ein. Er studierte in Holland und England Theologie, empfing 1849 in England die Priesterweihe und kehrte 1851 als Missionsprediger nach Amerika zurück. H. suchte für seine Mission eine Sonderstellung im Orden und reiste darum 1857 zum General nach Rom. Er wurde vom Orden ausgeschlossen, aber von Pius IX. (s. d.) autorisiert und ermuntert zur Gründung einer »Missionsgesellschaft vom hl. Apostel Paulus«, zunächst im Staat New York, später für ganz Nordamerika. Mit vier anderen Redemptoristen gründete H. zur Gewinnung amerikanischer Protestanten für den Katholizismus 1858 in New York die Gesellschaft »Paulist Fathers« und war von 1859 bis 1871 ihr Generaloberer. Seit 1865 gab er als erste katholische Monatsschrift in Amerika »Catholic World Magazin« heraus; er begründete 1866 den Presseverein »The Catholic Publication Society« und rief 1870 die Kinderzeitschrift »The Young Catholic« ins Leben. – H. ist nicht nur als eifriger und erfolgreicher Missionspriester in Amerika unter den eingewanderten Protestanten bekannt, sondern auch als einer der Urheber des Reformkatholizismus. Den Ausgangspunkt dieser großen Bewegung bildete der »Amerikanismus«, der auf H. zurückgeht. Der Amerikanismus befaßte sich mit den Beziehungen zwischen dem Katholizismus und seiner kulturellen Umwelt und war bestrebt, das katholische Leben nach den Zeitbedürfnissen zu modifizieren und die katholische Lehre mit der säkularen Umwelt in Einklang zu bringen. Leo XIII. (s. d.) verurteilte 1899 den Amerikanismus. – Die 1940 päpstlich approbierte Weltpriesterkongregation der Paulisten zählte 1974 rund 300 Mitglieder in 37 Niederlassungen.

Werke: Questions of the soul, 1856; Aspirations of nature, 1857; An exposition of the church in View of Recent Difficulties and Present Needs of the Age, 1875; Catholicisme in the United States, 1879; The Church and the Age, 1887 (1896¹⁰).

Lit.: Walter Elliott, The Life of Father H., New York 1891 (1898⁴); – William Barry, Father H., Founder of the Paulistes, ebd. 1893; – Dionysius J. O'Connell, L'Américanisme d'après le Père H., Paris 1897; – Emmanuel Coppinger, La polémique française sur la vie du Père H. (v. Walter Elliott), ebd. 1898; – Charles Maignen, Étude sur l'américanisme. Le Père H., est-il un saint?, ebd. u. Rom 1898; – Otto Pfülf, P. I. Th. H., in: StML 55, 1898, 388 ff. 469 ff.; – Schröder, Der Amerikanismus in: Katholik 3. F. 25, 1902, 494 ff.; – Albert Houtin, L'Américanisme, Paris 1904; – Johannes Kübel, Gesch. des kath. Modernismus, 1909; – Maurice de Meulemeester, Bibliographie générale des écrivains rédemptoristes II, Louvain 1935, 185 f.; III, 1939, 316; – Vincent F. Holden, The Early Years I. Th. H.'s (1819–1844), Washington 1939; – Ders., The Yankee Paul: I. Th. H., Milwaukee 1958 (Bibliogr.: 415–422); – Katherine Burton, Celestial Homespun. The life of I. Th. H., London 1943; – Félix Klein, La route du petit morvandian. IV: Une hérésie fantôme, l'américanisme, Paris 1949 (engl. Kansas 1952); – Joseph McSorley, Father H. and his friends. Studies and Reminiscences, St. Louis u. London 1952 (1953²); – Ludwig Hertling, Gesch. der kath. Kirche in den Vereinigten Staaten, 1954, 134 f. 237 ff. u. ö.; – Thomas Timoty McAvoy, The Great Crisis in American Catholic History 1895–1900, Chicago 1957 (Notre Dame 1963² u. d. T.: The Americanist Heresy in Roman Catholicism); – Heimbucher II³, 619 ff.; – Catholicisme V, 555 f.; – EC VI, 1383 f.; – DSp VII, 126 ff.; – LThK V, 51 f.; – NCE VI, 982 f.; – ODCC² 626 f.; – RE XI, 501; – RGG III, 110.

HECKER, Johann Julius, ev. Pfarrer und Pädagoge, * 2. 11. 1707 in Werden/Ruhr (heute: Essen-Werden) als Sohn des Rektors der dortigen Stadtschule, † 24. 6. 1768 in Berlin. – Während des Besuchs der Lateinschule in Essen wurde H. stark pietistisch beeinflußt und während des Theologiestudiums in Jena und Halle/Saale durch Philipp Jakob Spener (s. d.) und August Hermann Francke (s. d.) für sein ganzes Leben bleibend geprägt. 1729 wurde er Lehrer in dem Franckeschen Pädagogium in Halle. Friedrich Wilhelm I. berief ihn 1735 zum Prediger, Lehrer und Schulinspektor an dem Militärwaisenhaus nach Potsdam und 1739 zum Prediger an der Dreifaltigkeitskirche nach Berlin. Seit 1750 war er zugleich Oberkonsistorialrat. – H.s besondere Verdienste liegen auf dem Gebiet des Schulwesens. Er gründete 1747 für die mittleren Stände, die nicht zur Universität übergehen wollten, die »Ökonomisch-mathematische Realschule«, die Friedrich der Große zur »Königlichen Realschule« erhob. H.s Realschule ist Vorläuferin der Gewerbeschulen und Realanstalten. 1748 gründete er ein Seminar für Lehrer, aus dem 1753 das »Kurmärkische Landschullehrerseminar« hervorging, das erste preußische Lehrerseminar. Im Auftrag Friedrichs II. arbeitete H. auf Grund der schon 1754 vom König genehmigten Minden-Ravensberger Schulordnung das »General-Landschul-Reglement« vom 12. 8. 1763 aus, das erste für den ganzen preußischen Staat geltende Volksschulgesetz. Es fällt ihm das Verdienst zu, daß es dem bis dahin ungeordneten und uneinheitlichen preußischen Volksschulwesen eine feste Grundlage und Form gab. Der darin geforderte Lehrstoff war freilich bescheiden; er ging über Lesen, Schreiben, Kirchengesang, etwas Rechnen und recht viel Bibel- und Katechismuslehre nicht hinaus.

Werke: Lineamenta in usum paedagogii regii, Halle/Saale 1732; Betrachtung des menschl. Körpers nach der Anatomie u. Physiologie, ebd. 1734; Einl. in die Botanik, ebd. 1734; Nachr. v. der ggw. Einrichtung der dt. Schulen bei der Dreifaltigkeitskirche, Berlin 1744; Nachr. v. einer ökonom.-mathemat. Realschule, welche bei den Schulanstalten der Dreifaltigkeitskirche Anfang Mai 1747 eröffnet werden soll, ebd. 1747; Smlg. der Nachrr. v. den Schulanstalten bei der Dreifaltigkeitskirche, 1749; Ob das Buchstabieren z. Lesenlernen nötig sei, ebd. 1750; Flora Berolinensis, ebd. 1757; Gutachten über die Notwendigkeit, durch Reform der lat. Schulen dem Zudringen Unfähiger zu den Univ.stud. zu steuern, ebd. 1759.

Lit.: Ch. Hennicke, Die Verdienste des ersten Stifters der Realschule um die Jugend, 1768; – Karl Ferdinand Ranke, J. J. H., der Gründer der Kgl. Realschule, 1847; – Ders., Überblick über die Gesch. der Realschule, 1861; – Siegfried Lommatzsch, Gesch. der Dreifaltigkeitskirche zu Berlin, 1889, 30 ff.; – Otto Simon, Abriß der Gesch. der Kgl. Realschule zu Berlin, 1897; – A. Wiedermann, H.s päd. Verdienst, 1900; – Eduard Clausnitzer, Zur Gesch. der preuß. Volksschule unter Friedrich d. Gr., 1901; – Alfred Heubaum, Gesch. des dt. Bildungswesens I, 1905; – Heinrich Kiehl, J. J. H., 1908; – Ferdinand Vollmer, Die preuß. Volksschulpolitik unter Friedrich d. Gr., 1918; – August Gans, Das ökonomon. Motiv in der preuß. Päd. des 18. Jhs, 1930; – Otto Schmeding, Die Entwicklung des realist. höheren Schulwesens in Preußen, 1956; – Hugo Gotthard Bloth, J. J. H. u. seine Universalschule u. seine Stellung zu Pietismus u. Absolutismus, in: Jb. des Ver. f. Westfäl. KG 61, 1968, 63–129; – ADB XI, 208 ff.; – NDB VIII, 182 f.

HEDDERICH, Philipp (Taufname: Franz Anton), Minorit, Kanonist, * 7. 11. 1744 in Bodenheim bei Mainz, † 20. 8. 1808 in Düsseldorf. – H. besuchte die Jesuitenschule in Mainz, trat 1759 in Köln bei den Minoriten ein und studierte nach abgelegter Profeß zwei Jahre Philosophie im Ordenshaus und vier Jahre Theologie und Rechtswissenschaft an der dortigen Universität, an der er dann öffentlich Philosophie, privatim Theologie und Kirchenrecht lehrte. Vor allem Johann Nikolaus v. Hontheim (s. d.) gewann entscheidenden Einfluß auf H., als er seit 1771 sich in Trier drei Jahre juristischen Studien widmete und in seinem Konvent Vorlesungen über Kirchenrecht hielt. H. wurde 1774 als Kanonist an die neugegründete Akademie nach Bonn berufen. Er promovierte 1778 zum Dr. theol. und wurde noch im gleichen Jahr Geistlicher Rat und 1782 erzbischöflicher Bücherzensor. In zahlreichen Abhandlungen entwickelte H. ein dem Gallikanismus verwandtes deutsches Kirchenrecht. Der Papst verlangte H.s Abberufung wegen seiner kurienfeindlichen Richtung als Bedingung für die Erhebung der Bonner Akademie zur Universität. H. blieb in seinem Amt. 1786 erfolgte die Universitätsgründung ohne päpstliche Zustimmung, allein mit kaiserlicher Bestätigung. H. wurde Dr. jur utr. und Dekan der Theologischen Fakultät. 1788/89 war er zweiter Rektor der Universität und seit 1789 Guardian der Bonner Minoriten. Als die Franzosen 1794 in Bonn einrückten, löste sich die Universität bald auf. H. wirkte als Pfarrvikar in Honnef und wurde 1803 Professor des Kirchenrechts (später der Theologie) an der Rechtsakademie in Düsseldorf. – Der im Erzbistum Köln unter den letzten Kurfürsten einflußreiche Kanonist H. ist bekannt als eifrigster Verfechter des Febronianismus (der Lehre des Trierer Kanonisten und Weihbischofs Johann Nikolaus von Hontheim; Pseudonym: Justinus Febronius) im Münchener Nuntiaturstreit. Er hat mit Gleichgesinnten Bonn zu einer Hochburg der Aufklärung und kurienfeindlicher Tendenzen gemacht. Einige seiner Schriften kamen auf den »Index librorum prohibitorum«, u. a. sein Hauptwerk »Elementa iuris canonici«.

Werke: Dissertatio ad concordata Germaniae, Trier 1773; Elementa iuris canonici ad statum ecclesiarum Germaniae praecipue Coloniensis accommodata, Bonn 1778 ff. (1791 ff.²) indiziert 1797). – Verz. der Schrr., in: Max Braubach, Die erste Bonner Hochschule. Maxische Ak. u. kf. Univ. 1774/77–1798, 1966, 265–273. – Schulte III/1, 267 ff. (Bibliogr.).

Lit.: Franz Xaver Münch, Philippus H. iam quater Romae damnatus, in: AHVNrh 91, 1911, 136 ff.; – Eduard Hegel, Febronianismus u. Aufklärung im Erzbist. Köln, ebd. 142/143, 1943, 179 ff.; – Max Braubach, Rhein. Aufklärung, ebd. 149/150, 1950–51, 137 ff.; 151/152, 1952, 336 f. u. ö.; – Heribert Raab, Die Concordata Nationis Germanicae in der kanonist. Diskussion des 17.–19. Jh.s. Ein Btr. z. Gesch. der episkopalist. Theorie in Dtld., 1956, 147 ff. 192 ff. u. ö.; – Peter Frowein, Ph. H. Ein rhein. Kanonist aus dem Minoritenorden im Zeitalter der Aufklärung (Diss. Bonn, 1971), Köln – Wien 1973 (Rez. v. Norbert Trippen, in: AHVNrh 176, 1974, 267 ff.; v. Alberto de La Hera, in: Jus canonicum 14, Pamplona 1974, 417 ff.; v. Antonio Garcia y Garcia, in: Revista de derecho español y Americano 30, Madrid 1974, 594; v. Georg May, in: Erasmus. Speculum scientiarum 27, London 1975, 592 ff.; v. Peter Fuchs, in: HZ 221, 1975, 692 ff.); – ADB XI, 219 f.; – NDB VIII, 186 f.; – HN V, 787 f.; – LThK V, 52; – RGG III, 111.

HEDINGER, Johann Reinhard, Theologe, * 7. 9. 1664 in Stuttgart als Sohn eines Kanzleiadvokaten, † daselbst 28. 12. 1704. H. besuchte die Klosterschule in Hirsau und in Bebenhausen, studierte in Tübingen und erwarb sich 1684 die Magisterwürde. Nachdem er an einigen Orten Vikariatsdienste geleistet hatte, begleitete H. 1687 den württembergischen Prinzen Johann Friedrich als Reiseprediger und Sekretär nach Frankreich und 1688 den Prinzen Karl Rudolf nach England und bereiste auch Norddeutschland, Holland, Dänemark und Schweden. Ende 1691 kehrte er in die Heimat zurück und zog im Frühjahr 1692 als Feldprediger mit dem Administrator Herzog Friedrich Karl gegen die Franzosen. H. wurde 1694 Professor des Natur- und Völkerrechts in Gießen, versah auch das Universitätspredigtamt und promovierte 1696 zum Dr. theol. In Gießen erlebte er eine innere Umwandlung in pietistischem Sinn: er drang zu einem lebendigen Glaubensleben durch. Herzog Eberhard Ludwig von Württemberg berief ihn 1698 nach Stuttgart zu seinem Hofprediger und Beichtvater und zugleich zum Konsistorialrat und Propst des früheren Klosters Herbrechtingen. H. bewährte sich am Hof des leichtsinnigen Herzogs als unerschrockener Zeuge Jesu Christi. In der Kirchenbehörde war er neben Johann Andreas Hochstetter (s. d.) der Hauptvertreter des Pietismus. Auch durch seine literarische Tätigkeit wirkte H. nachhaltig. Sein Hauptwerk ist die in den Kreisen des württembergischen Pietismus geschätzte Ausgabe der Heiligen Schrift in der Übersetzung Martin Luthers (s. d.) »mit praktischen Summarien, sehr vielen Parallelen, weitläufigen Vorreden, neuen Landkarten, kurzer Zeitrechnung und Harmonie der Evangelisten, Erklärungen vieler unbekannten deutschen Wörter und saubern Kupfern«, vor allem aber seine Übersetzung des Neuen Testaments »mit ausführlichen Summarien, richtigen Konkordanzen, nötigen Auslegungen der schwersten Stellen aus Luthers Randglossen und anderer bewährten Lehrer Anmerkungen, auch mit Nutzanwendung reichlich versehen«. Sein »Biblisches Schatzkästlein« mit 715 Sprüchen und kurzen Erläuterungen war nicht nur für die Schule, sondern auch für das Haus bestimmt. Erwähnt sei H. auch als Liederdichter. 48 Lieder von ihm sind im Druck erschienen, und zwar 36 in seinem »Passionsspiegel« und 12 in dem von ihm bearbeiteten Gesangbuch »Andächtiger Herzensklang in dem Heiligtum Gottes«. Von seinen Liedern fand die weiteste Verbreitung »Welch eine Sorg und Furcht soll nicht bei Christen wachen«.

Werke: Übers. des NT, 1701; Kurze Anleitung, wie es mit einer nützl. u. erbaul. Predigtart anzugreifen, 1701; Bibl. Schatzkästlein oder Vollst. Spruchbuch, 1701; Passionsspiegel oder 12 andächtige Betrachtungen über so viel merkwürdige Umstände des blutigen Leidens u. Sterbens Jesu Christi, unsers Herrn, deren jede mit drei Liedern begleitet, 1702 (1716²); Ausg. der HS, 1704. – Gab heraus: Andächtiger Herzensklang in dem Heiligtum Gottes oder Württemberg. Gesangbuch, darinnen nicht allein die gewöhnl. alten Kirchengesänge, sondern auch viele geistreiche neue, u. zwar einige zuvor niemals gedr. Lieder enthalten. Allen Gott liebenden Seelen zu andächtigem Gebrauch sowohl in als außer der Kirche, 1700 (1705²) 1713³ bis auf 870 Lieder verm.).

Lit.: Johann Friedrich Hochstetter, Wahrer Christen hohes Glück in ihrem Leben u. Sterben (H.s Leichenpredigt), Stuttgart 1705; – Ders., H.s Lebenslauf, in: Andächtiger Herzensklang, ebd. 1713³, 2 ff.; – Ludwig Melchior Fischlin, Memoria theologrum Wirtembergensium resuscitata II, Ulm 1709, 397 ff.; – Johann Caspar Wetzel, Hymnopoeographia oder Hist. Lebensbeschreibung der berühmtesten Liederdichter I, Herrnstadt 1719, 380 ff.; – Ders., Analecta hymnica, das ist: Merkwürdige Nachlesen II. Lieder-Historie II, Gotha 1756, 259 ff.; – Johann Heinrich Reitz, Historie der Wiedergeborenen IV⁶, 1741, 195 ff.; – Albert Knapp, J. R. H., in: Christoterpe 4, 1836, 269 ff.; – Ders., Altwürttemberg. Charaktere, 1870, 4 ff.; – Albrecht Ritschl, Gesch. des Pietismus II, 1884, 9 ff.; – Christoph Kolb, Die Anfänge des Pietismus u. Separatismus in Württemberg, 1902, 9 ff.; – Ders., 2 Mitt. über H., in: Bll. f. württemberg. KG NF 12, 1908, 130 ff.; – Ders., Die Bibel in der Ev. Kirche Altwürttembergs, 1917, 17 ff. 67 ff.; – Eugen Schmid, Gesch. des Rel.unterrichts in Württemberg, 1925, 11 ff.; – Ders., Gesch. des Volksschulwesens in Altwürttemberg, 1927, 141 ff.; – Wilhelm Claus, Württemberg. Väter I³, 1926, 80 ff.; – Friedrich Fritz, H. u. der württemberg. Hof, in: Bll. f. die Württemberg. KG NF 40, 1936, 244 ff.; – Heinrich Hermelink, Gesch. der ev. Kirche in Württemberg v. der Ref. bis z. Ggw., 1949, 166 ff.; – Friedrich Hauß, Väter der Christenheit II, 1957, 89 ff.; – Kosch, LL II, 875; – Koch V, 36 ff.; – ADB XI, 222 f.; – NDB VIII, 188; – RE VII, 514 f.; – RGG III, 111.

HEDIO, Kaspar, Reformator, * 1494 in Ettlingen (Baden) als Sohn wohlhabender Eltern, † (an der Pest) 17. 10. 1552 in Straßburg. – H. besuchte die Lateinschule in Pforzheim und bezog 1513 die Universität Freiburg (Breisgau), wo er Magister wurde und sich dem Studium der Theologie zuwandte. Seit 1518 studierte H. in Basel und trat Wolfgang Capito (s. d.) nahe, unter dessen Vorsitz er 1519 zum Lic. theol. promovierte. H. reiste schon 1518 nach Mariä Einsiedeln, um Huldrych Zwingli (s. d.) zu hören, und war auch ein begeisterter Verehrer Martin Luthers (s. d.). Mit beiden stand er in Briefwechsel. Ende 1520 wurde er auf Empfehlung Capitos, der nach Straßburg übersiedelte, sein Nachfolger als Hofprediger und geistlicher Rat des Kurfürsten Albrecht (s. d.) in Mainz. Wegen seiner evangelischen Gesinnung zog sich H. dort die Feindschaft der Geistlichkeit zu und folgte darum gern der Aufforderung des Straßburger Domkapitels, sich um die Prädikantur am Münster zu bewerben. Nachdem er noch in Mainz die theologische Doktorwürde erworben hatte, trat H. im November 1523 sein neues Amt an und verkündigte Gottes Wort rein und klar, obwohl er sich verpflichtet hatte, »nicht lutherisch zu predigen«. Am 30. 5. 1524 heiratete H. die Tochter eines angesehenen Gärtners. Damit besiegelte er die Lossagung von der römischen Kirche auch äußerlich. H. wurde bald neben Capito und Martin Bucer (s. d.) der dritte reformatorische Führer in Straßburg. Er hielt sich wie der Münsterpfarrer Matthäus Zell (s. d.) von den theologischen Lehrstreitigkeiten möglichst fern, widmete dagegen seine Kraft und Organisationsgabe dem Schulwesen. H. gründete 1544 das »Collegium Wilhelmitanum«, gab diesem theologischen Alumnat die erste Hausordnung und sorgte für den Unterhalt der Lehrer und Schüler aus den Einkünften alter Stiftungen und der aufgehobenen Klöster. Als Professor der Theologie hielt er an der 1538 gegründeten »Hohen Schule« Vorlesungen über Neues Testament, Kirchenväter und Geschichte. H. führte eine geregelte Armenpflege und strengere Kirchenzucht durch und half in Nachbargebieten mit bei der Neuordnung des Kirchen- und Schulwesens und bei der Anstellung von Predigern und Lehrern. Im Oktober 1529 nahm er in Marburg (Lahn) teil an dem Religionsgespräch zwischen Luther und Zwingli, auch an den Unionsverhandlungen 1540 in Worms und 1541 in Regensburg. Da der Kölner Erzbischof Hermann von Wied (s. d.) in seinem Erzstift die Reformation durchführen wollte, lud er im Februar 1542 Bucer zu seiner Beratung und zu Besprechungen mit Johann Gropper (s. d.) nach Köln ein. Bucer wirkte von Dezember 1542 bis September 1543 als Prediger am Münster in Bonn und arbeitete mit Philipp Melanchthon (s. d.) ein ausführliches »Bedenken christlicher Reformation« aus. Zu ihrer Unterstützung und zur Durchführung der geplanten Reformation zog Hermann von Wied noch andere evangelische Theologen hinzu, u. a. H., Albert Hardenberg (s. d.) und Johann Pistorius († 1583; s. d.). Infolge politischer Ereignisse scheiterte der Reformationsversuch des Kölner Erzbischofs. Als Bucer und der Prediger und Professor Paul Fagius (s. d.) als die entschiedensten Gegner des von dem Augsburger Reichstag im Mai 1548 angenommenen »Interims« (s. Agricola, Johann) am

1. 3. 1549 von dem Straßburger Rat »beurlaubt« wurden und beide im April 1549 dem Ruf nach England folgten, wurde H. als Bucers Nachfolger Präses des Kirchenkonvents in Straßburg. Da er sich weigerte, das Chorhemd zu tragen, mußte H. auf seine Stelle als Domprediger verzichten und wurde »Mittagsprediger« an der 1549 den Evangelischen eingeräumten Kirche des Dominikanerklosters. 1551 beteiligte er sich an der Zusammenkunft der Württemberger und Straßburger Theologen in Dornstetten zur Revision der »Augsburger Konfession«. Trotz allem fand H. noch Zeit zu gelehrten Studien und schriftstellerischen Arbeiten, die ihm den Ehrennamen »der erste protestantische Kirchenhistoriker« einbrachten.

Werke: Chronika der alten christl. Kirche aus Eusebio, Rufino, Sozomeno . . ., 1530; Abriß (Synopsis) der Gesch. v. 1504–1508, 2 Bde., 1538; Eine auserles. Chronika v. Anfang der Welt aus dem Lat. des Abts v. Ursperg, 1539; übers. einige Traktate v. Augustin, Ambrosius und Chrysostomus u. die Gesch.werke des Eusebius, Hegesippus u. Sabellicus, auch die Gesch. der röm. Kaiser v. Cuspinian, das Leben der Päpste v. Platina u. a.; übertrug frühere Weltchron.en ins Dt., versah sie mit Anm. u. führte sie bis auf seine Zeit fort.

Lit.: Andreas Jung, ·Gesch. der Ref. der Kirche in Straßburg, 1830; – Timotheus Wilhelm Röhrich, Gesch. der Ref. im Elsaß u. bes. in Straßburg I, 1830, 163 ff.; – Johann Wilhelm Baum, Capito u. Butzer, Straßburgs Reformatoren. Nach ihrem hs. Briefschätze, ihren gedr. Schrr. u. andern gleichzeitl. Qu. dargest., 1860; – Charles Spindler, Hédion. Essai biographique et littéraire. Thèse, Straßburg 1864; – Konrad Varrentrapp, Hermann v. Wied u. sein Ref.vers. in Köln, 1878; – Ders., Sebastian Brants Beschreibung v. Dtld. u. ihre Veröff. durch C. H., in: ZGORh NF 11, 1896, 288 ff.; – Emil Himmelheber, C. H. Ein Lb. aus der Ref.gesch., in: Stud. der ev.-prot. Geistl. des Ghzgt. Baden 7, 1881, 1–64; – Alfred Erichson, Straßburger Btrr. z. Gesch. des Marburger Rel.gesprächs. I: H:s Itinerarium, in: ZKG 4, 1881, 414 ff.; – Ders., Das theol. Stud.stift Collegium Wilhelmitanum zu Straßburg 1544–1894, 1894; – Friedrich Roth, Friedrich II. v. der Pfalz u. die Ref., 1904; – Johannes Adam, Vers. einer Bibliogr. H.s, in: ZGORh NF 31, 1916, 424 ff.; – Ders., Ev. KG der Stadt Straßburg bis z. Frz. Revolution, Straßburg 1922; – Paul Kalkoff, H. u. Geldenhauer (Noviomagus) als Chronisten, in: ZGORh NF 33, 1918, 348 ff.; – Wilhelm Gunzert, Kleine Btrr. z. Gesch. der Gfsch. Hanau-Lichtenberg. Briefe Bucers u. H.s an Gf. Philipp IV. v. Hanau-Lichtenberg, in: Elsaß-Lothring. Jb. 19, 1941, 129 ff.; – Walther Köhler, Zwingli u. Luther. Ihr Streit über das Abendmahl nach seinen polit. u. rel. Beziehungen. II: Vom Beginn der Marburger Verhh. 1529 bis z. Abschluß der Wittenberger Konkordie v. 1536. Hrsg. v. Ernst Kohlmeyer u. Heinrich Bornkamm, 1953; – Qu. z. Gesch. der Täufer VII u. VIII, hrsg. v. Manfred Krebs u. Hans Georg Rott, 1960; – Martin Bucers Dt. Schrr. I. II. VII, hrsg. v. Robert Stupperich, 1960–64; – Biogr. Wb. z. dt. Gesch. I², 1973, 1050 f.; – Wolf II/2, 70 f.; – Schottenloher I, Nr. 8052 bis 8059; V, Nr. 46709 f.; VII, Nr. 53105; – ADB XI, 223 f.; – NDB VIII, 188 f.; – RE VII, 515 ff.; – RGG III, 111 f.; – LThK V, 52 f.

HEDWIG, Herzogin von Schlesien, Heilige, * 1174 auf Schloß Andechs (östlich über dem Ammersee in Oberbayern) als Tochter Bertholds IV., Grafen von Andechs und Herzogs von Meranien (Dalmatien), † 15. 10. 1243 in Trebnitz (nördlich von Breslau). – H.s Mutter war Agnes, Tochter des Markgrafen Dedo V. von Meißen. Von ihren Brüdern wurde Otto Herzog von Meranien, Heinrich Markgraf von Istrien, Ekbert Bischof von Bamberg und Berthold Patriarch von Aquileja. Von ihren Schwestern heiratete Gertrud den König Andreas von Ungarn und wurde Mutter der Elisabeth von Thüringen (s. d.); Agnes schloß die später von Innozenz III. (s. d.) annullierte Ehe mit Philipp August von Frankreich; Mechtild nahm den Schleier und wurde Äbtissin in Kitzingen am Main. – H. wurde bei den Benediktinerinnen in Kitzingen erzogen und mit 12 Jahren vermählt mit Heinrich I., dem Bärtigen, von Schlesien (* 1168, † 1238), der erst 1201 seinem Vater in der Regierung folgte. Das Herzogspaar gründete 1201 das Kloster Trebnitz, das 1203 mit Zisterzienserinnen aus Bamberg besetzt wurde. 1222 folgte die Gründung der Zisterzienserabtei Heinrichau bei Münsterberg. H. hat sich durch Gründung zahlreicher deutscher Ordensniederlassungen um die Germanisierung und Kultivierung Schlesiens verdient gemacht. Sie schenkte ihrem Gatten sechs Kinder, bewog ihn aber 1209, das feierliche Gelöbnis der Enthaltsamkeit abzulegen. Im grauen Ordensgewand, jedoch ohne Gelübde, siedelte sich H. nun neben dem geliebten Trebnitzer Kloster an zu einem Leben in immer strengerer Askese und in Werken der Barmherzigkeit. Sie wurde am 26. 3. 1267 von Clemens IV. (s. d.) heiliggesprochen und gilt als Schutzpatronin Schlesiens. Ihr Fest ist der 17. Oktober.

Lit.: Kanonisationsbulle, Legenda maior u. minor u. Genealogie, in: Scriptores rerum Silesiacarum, hrsg. v. Gustav Adolf Harald Stenzel, II, 1839, 1 ff.; – Franz Xaver Goerlich, Das Leben der hl. H., 1843 (1854²); – Augustin Knoblich, Lebensgesch. der hl. H., 1860; – G. Bazin, St. H., sa vie et ses oeuvres, Paris 1896; – Else Promnitz, die Hl., Gfn. v. Andechs-Dießen, Hzgn. in S. u. Polen. Ein Zeit- u. Lb., 1926; – Dies., Die Hl. Eine dt. Frau, 1934; – Helene Riesch, Die hl. H., Hzgn. in S. Ein Lb. aus dem MA, 1927; – Das Leben der hl. H. Die Legenda maior de beata Hedwigi ins Dt. übers., mit einer Einl. u. Anm. vers. v. Konrad u. Franz Metzger, 1927; – Christian Schreiber, Wallfahrten durchs hl. Land, 1928, 68 ff.; – Agnes Siebelt, Auf den Spuren der hl. H. Heimatkundl. Skizzen u. Legenden, 1930; – Johannes Walterscheid, Dt. Hll. Eine Gesch. des Reiches im Leben dt. Hll., 1934, 229 ff.; – Anton Stonner, Hll. der dt. Frühzeit II, 1935, 226 ff.; – Ders., Die hl. H., Schlesiens Landespatronin, 1948; – Alfons Nowack, Schles. Wallfahrtsorte älterer u. neuerer Zeit im Erzbist. Breslau 1937, 123 ff.; – Josef Klapper, Die Hll.legende im dt. Osten, in: Volk u. Volkstum 2, 1937, 214 ff.; – Klara M. u. Maria Faßbinder, Die hl. Spiegel. Müttergestalten durch die Jhh., 1941, 147 ff.; – Hermann Hoffmann, Die hl. H., 1947 (1948⁸); – Ders., Helden u. Hll. des dt. Ostens, 1952, 23 ff.; – Ludwig Rosenberger, Bavaria sancta. Hll.legende, 1948, 205 ff.; – Elisabeth Kawa, Die hl. H., Hzgn. v. S., 1949; – Wilhelm Hünermann, H., Mutter u. Hl. Ein Volksbuch, 1951 (1957⁶); – Jörg Erb, Die Wolke der Zeugen I, 1951, 196 ff.; – Ders., Glaube u. Geduld der Hll., 1965, 347; – Maria (Luise) Thurmair-Murmelter, Die hl. H., 1954; – Otto v. Taube, Brüder aus der oberen Schar. Gestalten aus der Welt der Bibel u. der Gesch. der Kirche, 1955, 226 ff.; – Lex. hist. Ereignisse u. Personen, 1956, 270; – Renate Ludwig, Hzgn. H., Schutzpatronin v. Schlesien, in: Menschen vor Gott, hrsg. v. Alfred Ringwald, II, 1958, 220 f.; – Joseph Gottschalk, Die neuere H.s-Lit., in: Schlesien. Eine Vjschr. f. Kunst, Wiss. u. Volkstum 3, 1958, 177 ff.; – Ders., Die hl. H., ihre Bedeutung als Hzgn. u. als Hl. Aktuelle Ergebnisse neuer Forsch., in: Schles. Priesterjb. 3–4, 1962–63, 1964, 138 ff.; – Ders., St. H., Hzgn. v. S., 1964 (Rez. v. Klaus Wittstadt, in: ThRv 66, 1970, 214); – Ders., St. H., im röm. Martyrologium (1584) u. Breviarium (1680). Ein Btr. z. Hagiogr. des 16. u. 17. Jh.s, in: Reformata reformanda. Festg. f. Hubert Jedin. Hrsg. v. Erwin Iserloh u. Konrad Repgen, II, 1965, 177 ff.; – Ders., H. v. S., Hzgn. u. Hl., eine große Frau der Kirche – einst u. heute, in: Schles. Priesterjb. 5–6, 1964–65, 1966, 104 ff.; – Ders., Die älteste Bilder-Hs. mit den Qu. z. Leben der hl. H., i. A. des Hzg. Ludwig I. v. Liegnitz u. Brieg i. J. 1353 vollendet, in: Aachener Kunstbll. 34, 1967, 61–161; – Ders., St. H. u. der Zisterzienserorden, in: ASKG 25, 1967, 38 ff (Rez. v. Bruno Schneider, in: AnCist 25, 1969, 304); – Ders., Hzgn. H. v. S., in: Große Deutsche aus Schlesien. Hrsg. v. Herbert Hupka, 1969, 11 ff. – Die große Legende der hl. Frau S. H. (Grosse Legenda der hailigsten frawen Sandt Hedwigis). Faks. nach der Orig.-Ausg. v. Konrad Baumgarten, Breslau 1504. Text u. Bilddeutung v. Joseph Gottschalk, Wiesbaden 1963; – Ortrud Reber, Die Gestaltung des Kultes weibl. Hll. im Spät-MA. Die Verehrung der Hll. Elisabeth, Klara, H. u. Birgitta (Diss. Würzburg), 1964; – Ewald Walter, Der Todes- u. Begräbnistag der hl. H., in: ASKG 22, 1964, 141 ff.; – Ders., Stud. z. Leben der hl. H., Hzgn. v. S., 1972 (Rez. v. Joseph Gottschalk, in: Schlesien 18, 1973, 251; v. Walter Kuhn, in: Jb. f. die Gesch. Mittel- u. Ostdtld.s 23, 1974, 385 f.); – Ders., Zur Baugesch. der Grabkapelle der hl. H. in Trebnitz, in: ASKG 32, 1974, 21 ff.; – Ders., War der Tag der Öffnung des Grabes der hl. H. u. der Erhebung ihrer Gebeine aus demselben der 17. August?, in: Festschr. f. Bernhard Stasiewski. Btrr. z. ostdt. u. osteurop. KG. Hrsg. v. Gabriel Adriányi u. Joseph Gottschalk, 1975, 13 ff.; – Das Leben der hl. H. (Vita Sanctae Hedwigis, dt.), übers. v. Konrad u. Franz Metzger u. eingel. v. Walter Nigg, 1967; – Bernhard Panzram, Hzgn. H. v. S., die Hl. der Deutschen, Polen u. Tschechen, in: Wichmann-Jb. f. KG im Bist. Berlin 21–23, 1967–69 (ersch. 1971), 7 ff.; – Norbert Hettner, Das Familiengrab v. St. H.s Ahnen in Dießen, in: ASKG 29, 1971, 205 ff.; – Walter Nigg, Die Hll. kommen wieder. Leitbilder christl. Existenz (Elisabeth v. Thüringen, H. v. S.,

Nikolaus v. Flüe), 1975⁴; – Walter Reiprich, H. v. Andechs, 1974 (Rez. v. Gerhard Webersinn, in: Schlesien 19, 1974, 188); – Otto Habsburg, Die Hl. H. v. S. u. unsere Zeit, 1975; – AS Oct. VIII, 198 ff.; – BHL 3766 ff.; – MartRom 456; – VSB X, 532 ff.; – BS IV, 933 f.; – Künstle 289 ff.; – Braun 314 ff.; – Wimmer³ 257; – Torsy 216; – Zimmermann III, 192 ff.; – VerfLex II, 233 ff.; – Kosch, LL II, 875; – ADB XI, 229 f.; – NDB VIII, 190 f.; – RE VII, 517 ff.; – RGG III, 113; – EC V, 107; – Catholicisme V, 559; – LThK V, 53; – NCE VI, 984 f.

HEERBRAND, Jakob, luth. Theologe, * 12. 8. 1521 in Giengen an der Brenz (Württemberg) als Sohn eines Teppichwebers, † 22. 5. 1600 in Tübingen. – H. kam 1536 auf die Schule nach Ulm, studierte seit 1538 Philosophie und Theologie in Wittenberg als Schüler Philipp Melanchthons (s. d.) und Martin Luthers (s. d.) und wurde 1543 Magister und Diakonus in Tübingen. Da er das »Augsburger Interim« (s. Agricola, Johann) nicht annahm, verlor H. im November 1548 sein Amt. Im April 1550 promovierte er zum Dr. theol. Herzog Christoph von Württemberg (s. d.) ernannte ihn Ende 1550 zum Pfarrer in Herrenberg. Im Juni 1551 unterzeichnete H. mit den hervorragendsten Theologen des Landes die »Confessio Virtembergica«, an deren Beratungen er teilgenommen hatte. Er wurde mit der Superintendentur über die Ämter des südöstlichen Schwarzwaldes betraut und im März 1552 mit Johannes Brenz (s. d.) und anderen württembergischen Theologen auf das Konzil zu Trient geschickt. H. war 1552/1553 an den Verhandlungen über den Osiandrischen Streit (s. Osinander, Andreas) beteiligt. 1556 wurde er zur Durchführung der Reformation in der markgräflich-badisch-pfälzischen Kirche nach Pforzheim berufen. Seit 1557 wirkte H. in Tübingen 42 Jahre als Professor der Theologie. Er wurde 1561 Dekan und 1590 Propst der Stiftskirche und war 1590–99 Kanzler der Universität. – H. war zu seiner Zeit der führende Vertreter des Luthertums in Südwestdeutschland. Als Dogmatiker ist er bekannt durch sein »Compendium theologiae«, eines der verbreitetsten Kompendien der lutherischen Kirche aus der 2. Hälfte des 16. Jahrhunderts. Als Polemiker verteidigte H. mit Brenz, Jakob Beurlin (s. d.) u. a. die »Confessio Virtembergica« gegen die Angriffe des Dominikaners Pedro de Soto (s. d.) in dem »Großen Buch von Tübingen« (1561).

Werke: Compendium theologiae methodi quaestionibus tractatum, Tübingen 1573. 1578. 1591. 1600 ff.; zahlr. Streitschrr. u. Disputationen.

Lit.: Ludovicus Melchior Fischlin, Memoria Theologorum Wirtembergensium resuscitata I, Ulm 1709, 70 ff.; – Heinrich Heppe, Die Dogmatik des dt. Prot. im 16. Jh. I, 1857, 123 ff.; – Wilhelm Beste, Die bedeutendsten Kanzelredner der älteren luth. Kirche v. Luther bis Spener in Biographr. u. einer Ausw. ihrer Predigten II, 1870, 59 ff.; – Carl Weizsäcker, Lehrer u. Unterricht an der ev.-theol. Fak. der Univ. Tübingen v. der Ref. bis z. Ggw. beschr., 1877, 19 ff.; – Christoph Kolb, Die Kompendien der Dogmatik in Altwürttemberg, in: Bll. f. Württemberg. KG 7, 1892, 59 ff.; 9, 1894, 50. 65 ff.; 51, 1951, 4 ff.; – Martin Leube, Gesch. des Tübinger Stifts I, 1921, 22 f.; – Julius Rauscher, Württemberg. Ref.gesch., 1934; – Heinrich Hermelink, Gesch. der ev. Kirche in Württemberg v. der Ref. bis z. Ggw., 1949, 110; – Ernst Bizer, Confessio Virtembergica, 1952, 19. 55 f. 90; – Ernst Walter Zeeden, Kleine Kreuzestr. u. Baden-Durlach u. Kurpfalz, 1956; – Schottenloher I, Nr. 8062–8071; V, Nr. 46711 f.; VII, Nr. 54977 f.; – ADB XI, 242 ff.; – NDB VIII, 194 f.; – RE VII, 519 ff.; – RGG III, 113; – LThK V, 54.

HEEREN, Heinrich Erhard Reinhold, Kirchenlieder-dichter, * 16. 2. 1728 als Pfarrerssohn in Wremen bei Bremen, † 8. 3. 1811 in Bremen. – H. studierte 1746 bis 1750 in Jena und Göttingen und wurde 1754 Subrektor am »Athenaeum« in Bremen, 1760 Pfarrer in Arbergen und 1775 Domprediger in Bremen. Er war der eifrigste Mitarbeiter bei der Redaktion des »Neuen Gesangbuchs der evangelisch-lutherischen Domgemeinde zu Bremen« von 1778. Es hat die reiche Anzahl von 950 Liedern, weil auch Lieder für »die häusliche und besondere Erbauung« aufgenommen wurden. Von H. finden sich darin 32 neu und frei gedichtete und 27 »ganz oder großenteils umgearbeitete« Lieder. Seine Originallieder entstanden während der Redaktionsarbeit an dem Gesangbuch, um Lücken auszufüllen. Verbreitung fand von seinen Liedern »Noch sing ich hier aus dunkler Ferne«, das er vielleicht unter dem Eindruck des Verlustes seiner 1770 heimgegangenen Gattin gedichtet hat.

Lit.: Koch VI, 235.

HEERMANN, Johann, Kirchenliederdichter und Erbauungsschriftsteller, * 11. 10. 1585 in Raudten (Schlesien) als Sohn eines Kürschnermeisters, † 17. 2. 1647 in Lissa (Polen). – H. erkrankte in seiner Kindheit einmal so schwer, daß seine Mutter ihn dem Dienst des Herrn weihte, falls er genesen würde. Darum kam er 1597 in die Lateinschule in Wohlau und 1602 in Fraustadt, wo Valerius Herberger (s. d.) ihn als Lehrer seines Sohnes in sein Haus aufnahm. H. bezog Ostern 1603 das Elisabethgymnasium in Breslau und im Herbst 1604 das berühmte Gymnasium in Brieg, wo er am 8. 10. 1608 mit dem Dichterlorbeer gekrönt wurde. H. zog Ostern 1609 mit zwei Söhnen des Freiherrn Wenzel von Rothkirch, deren Hauslehrer er schon seit 1605 war, über Leipzig und Jena zur Universität Straßburg, mußte aber wegen eines Augenleidens im Herbst 1610 das Studium aufgeben. Auf Empfehlung des Freiherrn von Rothkirch wurde H. 1611 Pfarrer in Köben bei Glogau. Mit seiner Gemeinde hatte er in den Drangsalen des Dreißigjährigen Krieges und in den Verfolgungen der Gegenreformation viele Nöte und Gefahren auszustehen. Er war von Jugend auf kränklich und verlebte keinen gesunden Tag mehr, als um 1623 sein Leiden zunahm und die Krankheit sich auf Nase und Luftröhre warf, wodurch ihm das Predigen sehr erschwert wurde. H. mußte 1634 krankheitshalber die Predigttätigkeit einstellen und 1638 sein Amt niederlegen. Er zog nach Lissa und erduldete hier die schwerste Leidenszeit seines Lebens. – H. ist der bedeutendste Liederdichter in der Zeit zwischen Martin Luther (s. d.) und Paul Gerhardt (s. d.). Als erster hat er die Gesetze der neuen Kunstdichtung auf das Kirchenlied angewandt, obgleich er, lange bevor Martin Opitz (s. d.) die neue Verskunst lehrte, Kirchenlieder gedichtet hat, die sich durch Reinheit der Sprache und guten Versbau auszeichnen. Er steht auf der Scheide zweier Perioden der Kirchenlieddichtung. Man stellt bei ihm den Übergang vom Bekenntnis- zum Andachtslied fest. Die Anregung zu vielen seiner Lieder schöpfte H. aus den Meditationen des Anselm von Canterbury (s. d.; † 1109), Bernhard von Clairvaux (s. d.; † 1153) und Hugo von St. Viktor (s. d.; † 1141), wie er sie in den »Meditationes sanctorum patrum« (Görlitz 1584) von Martin Moller (s. d.) vorfand, und dem »Paradiesgärtlein« (Magdeburg 1612) von Johann Arndt (s. d.), aber auch aus den Gebetbüchern des Jesuiten Peter Michael Brillmacher (1542–1595). Aus der Zeit der Gegenreformation in Schlesien stammen H.s »Tränenlieder«, die man »die

Diamanten in seiner Dichterkrone« genannt hat. Es sind die vier Lieder von der Not der Kirche: »Herr, unser Gott, laß nicht zuschanden werden die, so in ihren Nöten und Beschwerden bei Tag und Nacht auf deine Güte hoffen und zu dir rufen« (EKG 209); »Treuer Wächter Israel, des sich freuet meine Seel, der du weißt um alles Leid deiner armen Christenheit« (EKG 210), dichterische Übertragung des Gebets wider die Türkengefahr von Johann Brenz (s. d.); »Rett, o Herr Jesu, rett dein Ehr, das Seufzen deiner Kirche hör« und »O Jesu Christe, wahres Licht, erleuchte, die dich kennen nicht« (EKG 50), dichterische Übertragung eines Gebets »für die Ungläubigen und Verführten« des Jesuiten Peter Michael Brillmacher. Bekannt sind seine Bußlieder: die »treue Vermahnung, daß man die Buße nicht aufschieben soll«: »So wahr ich lebe, spricht dein Gott, mir ist nicht lieb des Sünders Tod« (EKG 169), das »Trostgesänglein, darinnen ein betrübtes Herz alle seine Sünden mit wahrem Glauben auf Christus leget«; »Wo soll ich fliehen hin, weil ich beschweret bin mit viel und großen Sünden?« und das Lied »von Christi Tränen«: »Du weinest vor Jerusalem, Herr Jesu, lichte Zähren«; die Passionslieder »Herzliebster Jesu, was hast du verbrochen, daß man ein solch scharf Urteil hat gesprochen?« (EKG 60) mit der Überschrift »Ursache des bittern Leidens Jesu Christi und Trost aus seiner Lieb und Gnade« und der »Trost aus den Wunden Jesu in allerlei Anfechtung«: »Jesu, deine tiefen Wunden, deine Qual und bittrer Tod geben mir zu allen Stunden Trost in Leibs- und Seelennot«; das erste große betrachtende Osterlied unserer Kirche »Frühmorgens, da die Sonn aufgeht, mein Heiland Christus aufersteht« (EKG 85); das Berufslied »O Gott, du frommer Gott, du Brunnquell guter Gaben (EKG 383), gedichtet in dem von Opitz eingeführten Alexandriner; das Lied »von der Liebe, die ein christlich Herz zu Jesu trägt und noch tragen will« »O Jesu, Jesu, Gottes Sohn, mein Bruder und mein Gnadenthron«; das Abendmahlslied »Herr Jesu Christe, mein getreuer Hirte, komm, mit Gnaden mich bewirte!« (EKG 156); das Witwerlied »Ach Gott, ich muß in Traurigkeit mein Leben nun beschließen«, 1717 gedichtet auf den frühen Tod seiner ersten Frau; der Valetgesang »Gott Lob, die Stund ist kommen, da ich werd aufgenommen ins schöne Paradeis« (EK 175), 1632 gedichtet auf den Tod eines kleinen Sohnes eines Buchhändlers in Breslau; das Tischgebet »O Gott, speis uns, deine Kinder, tröste die betrübten Sünder« (1656); das Gebet für den Hausstand »Laß dich, Herr Jesu Christ, durch mein Gebet bewegen, komm in mein Haus und Herz und bringe mir den Segen!« (EKG 171); das Zwiegespräch zwischen Gott und Zion im Anschluß an Jes 49, 14 bis 16: »Zion klagt mit Angst und Schmerzen, Zion, Gottes werte Stadt«; das Trostlied »Was willst du dich betrüben, o meine liebe Seel?«; der »Gesang eines wehmütigen Herzens um Vermehrung des Glaubens«: »Treuer Gott, ich muß dir klagen meines Herzens Jammerstand« und das Abendlied »O Jesu, treuer Heiland mein, ich will mich legen in mein Schlafkämmerlein«.

Werke: Gebetbuch, darinnen 100 Gebete, 1609; Andächtige Kirch-Seufzer oder ev. Schließ-Glöcklein, in welche er den Saft u. Kern aller gewöhnl. Sonntags- u. Fest-Evv. reimweise gegossen, 1616; Crux Christi, 1618; Heptalogus Christi, 1619 (11 bzw. 7

Passionspredigten; Neudr. 1856); Epigrammatum libelli IX, 1624 (Smlg. seiner lat. Gedichte); Labores sacri (Predigten), 3 Bde., 1624. 1631. 1638; Schola mortis (Leichenpredigten), 1628; Exercitium pietatis. Übung in der Gottseligkeit 1630 (f. jedes Ev. je 3 lat. Sprüche u. 3 dt. als Übers.); Devoti Musica Cordis. Haus- u. Herz-Musica, 1630; Sonntags- u. Fest-Evv. durchs ganze J., 1636; 12 geistl. Lieder, 1639; Praeceptorum Moralium et Sententiarum Libri III. Zucht-Büchlein f. die zarte Schul-Jugend, 1644 (Neudr. J. H.s Praecepta moralia u. Exercitium pietatis, hrsg. v. Wilhelm August Bernhard, 1886); Concionum variarum fasciculus (Predigten), 1656; Poet. Erquickstunden (72 Gedichte), 1656; Geistl. Poet. Erquickstunden fernere Forts. (29 Gesänge u. 380 kurze Reimgebete u. Trostsprüche), 1656; Nuptialia (145 Traureden); 1657. – *Ausw.*: Philipp Wackernagel, J. H.s geistl. Lieder (mit ausführl. Biogr. u. Bibliogr.), 1856; – Julius Mützell, Geistl. Lieder dr ev. Kirche aus dem 17. u. der 1. Hälfte des 18. Jh.s, v. Dichtern aus Schlesien u. den anliegenden Landschaften verfaßt, I, 1858, 12–178; – J. H., Frohe Botschaft aus seinen ev. Gesängen ausgew. u. eingel. v. Rudolf Alexander Schröder, 1936; – Fischer-Tümpel I, Nr. 311–384 = S. 254–338.

Lit.: Karl Friedrich Ledderhose, Das Leben J. H.s v. Köben, des Liedersängers der ev. Kirche, 1857 (1876²); – Albrecht Ritschl, Gesch. des Pietismus II, 1884, 66 ff.; – H. Schubert, Leben u. Schrr. J. H.s v. K., in: Zschr. des Ver. f. Gesch. u. Altertum Schlesiens 19, 1885, 185 ff.; – Wilhelm August Bernhard, Btrr. z. Biogr. des Liederdichters J. H., ebd. 21, 1887, 193 ff.; – Adolf Henschel, J. H., 1905; – Carl Hitzeroth, J. H. Ein Btr. z. Gesch. der geistl. Lyrik im 17. Jh., 1907 (Nachdr. New York – London 1968); – Paul Althaus, Zur Charakteristik der ev. Gebetslit. im Ref.jh., 1914, 3. 101. 104 f.; – Georg Blümel, J. H., in: Schles. Lb. III, 1928, 36 ff.; – Alfred Wiesenhütter, J. H., 1935; – Rudolf Alexander Schröder, Dichtung u. Dichter der Kirche, 1936, 53 ff. (= Ders., Ges. Werke III, 1952, 531–560); – Herbert Schöffler, Dt. Osten im dt. Geist, v. Martin Opitz zu Christian Wolff, 1940 (1956²); – Otto Brodde, J. H., ein Bote des Trostes, 1948; – Gerhard Hultsch, J. H. Der Sänger des Leides u. des Trostes, 1950; – Friedrich Wilhelm Bautz, Von Gott will ich nicht lassen. Einiges aus dem Leben u. den Liedern der Kreuzträger unter den geistl. Dichtern, 1952, 54 ff.; . . . . und lobten Gott um Mitternacht. Liederdichter in Not u. Anfechtung, 1966, 168 ff.; – Heinz Erich Eisenhuth, Gelobt sei deine Treue. Lieder der Kirche u. ihrer Dichter, Jena – Berlin 1954; – Günter Wagner, Der Sänger v. Köben. J. H. Werden, Werk, Wirken, 1954; – Hans-Peter Adolf, Das Kirchenlied J. H.s u. seine Stellung im Vorpietismus (Diss. Tübingen), 1957; – Die Lieder unserer Kirche, bearb. u. hrsg. v. Arno Büchner u. Siegfried Fornaçon, 1958, 87 ff. 108 ff. 144. 244 f. 259. 261 f. 268. 322 f. 451. 570 ff.; – Rudolf Irmler, J. H. Der schles. Hiob, 1959; – Carl-Alfred Zell, Unterss. z. Problem der geistl. Barocklyrik mit bes. Berücksichtigung der Dichtung J. H.s (Diss. Hamburg, 1966), Heidelberg 1971 (Rez. v. Wilfried Barner, in: Germanistik 13, 1972, 501; v. R. T. Llewellyn, in: Modern language review 69, Cambridge 1974, 455; v. John S. Andrews, in: German life and letters 29, Oxford 1976, 258 f.); – Koch 16 ff.; – Hdb. z. EKG II/1, Nr. 96 = S. 137–144; – Goedeke III, 166 ff.; – Kosch, LL II, 877; – Wilpert I², 684; – MGG VI, 18 ff.; – ADB XI, 247 ff.; – NDB VIII, 198 f.; – RE VII, 524 f.; – EKL II, 42 f.; – RGG III, 113 f.

HEFELE, Karl Joseph von (seit 1853), Kirchenhistoriker, Bischof von Rottenburg, * 15. 3. 1809 in Unterkochen bei Aalen (Württemberg) als Sohn eines Hüttenverwalters, † 5. 6. 1893 in Rottenburg. – H. erhielt seine wissenschaftliche Vorbildung auf dem Gymnasium in Ellwangen und in dem niedern Konvikt in Ehingen und studierte seit 1827 in Tübingen, wo von seinen Lehrern Johann Sebastian Drey (s. d.), Johann Baptist Hirscher (s. d.) und Johann Adam Möhler (s. d.) am meisten letzterer sein theologisches Denken bestimmte. 1832/33 besuchte er das Priesterseminar in Rottenburg und empfing dort am 10. 8. 1833 die Priesterweihe. Nach kurzem Vikariatsdienst in Mergentheim wurde H. 1834 Repetent am Wilhelmstift in Tübingen, 1835 Professoratsverweser am Gymnasium in Rottweil, 1836 Privatdozent, 1837 ao. und 1840 o. Professor der Kirchengeschichte in Tübingen. Als Mitglied der Württembergischen Abgeordnetenkammer vertrat in 1842–45 entschieden die Rechte seiner Kirche. Im Winter 1868/69 hielt sich H. als Konsultor für die Vorbereitung des Vatikanischen Konzils in Rom auf. Am 17. 6. 1869 wurde er zum Bischof von Rottenburg gewählt und am 21. 12. geweiht. H. war auf dem Vatikanischen Konzil einer der

Führer der Minderheit. Er unterzeichnete die von den deutschen und österreichischen Bischöfen der Opposition verfaßte Adresse gegen die Erklärung der Unfehlbarkeit vom 12. 1. 1870 und erregte auf dem Konzil Aufsehen mit seiner soeben in Neapel erschienenen Schrift »Causa Honorii papae«, in der er auf die Verurteilung des Papstes Honorius I. (s. d.) durch die 6. ökumenische Synode zu Konstantinopel 681 hinwies. H. schloß sich am 8. 5. dem Protest der Minoritätsbischöfe gegen die Behandlung der Infallibilitätsvorlage an, hielt am 17. 5. in der Infallibilitätsdebatte eine eindrucksvolle Rede und beteiligte sich am 4. 6. und am 9. 7. an dem Protest der Minorität. Er stimmte am 13. 7. in der Generalkongregation mit 87 Kollegen gegen die Unfehlbarkeit mit »non placet« und wiederholte am 17. 7. in einer schriftlichen Kollektiveingabe an den Papst sein »non placet«. Nachdem der Papst der Minderheit die Abreise gestattet hatte, verließ H. vor der Schlußabstimmung das Konzil, das am 18. 7. 1870 mit 553 gegen 2 Stimmen das Dogma von der Unfehlbarkeit der päpstlichen Lehrentscheidungen »ex cathedra« annahm. H. war lange nicht gewillt, das Dogma anzuerkennen, verkündigte aber, gedrängt vom Nuntius in München und von der ultramontanen Richtung des Landes, schließlich am 10. 4. 1871 die Beschlüse des Vatikanischen Konzils und erklärte selbst, daß ihm die Unterwerfung nach schwerem Kampf die innere Ruhe wiedergebracht habe. Mit der Anerkennung des Unfehlbarkeitsdogmas wahrte er den kirchlichen Frieden in seiner Diözese und erreichte durch seine Friedfertigkeit und Milde, daß in Württemberg der Kampf zwischen Kirche und Staat vermieden wurde. – H. war ein bedeutender Kirchenhistoriker und wurde bekannt durch seine »Konziliengeschichte«, die sein Haupt- und Lebenswerk ist.

Werke: Gesch. der Einf. des Christentums im südwestl. Dtld., bes. in Württemberg, 1837; Das Sendschreiben des Apostels Barnabas, aufs neue unters., übers. u. erkl., 1840; Der Kard. Ximenes u. die kirchl. Zustände Span. am Ende des 15. u. am Anfang des 16. Jh.s. Insbes. ein Btr. z. Gesch. u. Würdigung der Inquisition, 1844 (1851²; frz. 1856; engl. 1860; span. 1869); Conciliengesch. I, 1855; II, 1856; III, 1858; IV, 1860, V, 1863; VI, 1867; VII, 1874 (I², 1873; II² 1875; III², 1876; IV² 1879; V². VI², hrsg. v. Alois Knöpfler, 1886. 1890); VIII. IX, hrsg. v. Josef Hergenröther, 1887. 1890 (erw. frz. Übers. mit Henri Leclercq I–VIII, Paris 1907–21; selbständig fortgeführt mit IX u. P. Richard, Concile de Trente, 2 Tle., 1930–31; X v. A. Michel, Les décrets dogmatiques du Concile de Trente, Tl. 1, 1938; XI v. Carlo De Clercq, Conciles des Orientaux catholiques, 2 Tle., 1950–1952; Btrr. z. KG, Archäologie u. Liturgik, 2 Bde., 1864; Causa Honorii papae, Neapel 1870 (in dt. Übers.: Honorius u. das 6. ökumen. Konzil, Tübingen 1870). – Gab heraus: Patrum apstolicorum opera, 1839 (1855⁴; neue Ausg. v. Franz Xaver Funk, 2 Bde., 1878–81; 1901²); Chrysostomus-Postille. 74 Predigten ausw. u. übers., 1845 (1857³); S. Bonaventurae Breviloquium, 1845 (1861³ zus. mit der nächsten Ausg.:); S. Bonaventurae Itinerarium mentis ad Deum, 1848. – Eifriger Mitarbeiter an der Tübinger ThQ, deren Mithrsg. er 30 J. war; schrieb über 150 größere u. kleinere Art. u. Abhh. f. Wetzer-Welte.

Lit.: Karl Heinrich Weizsäcker, in: IDTh 9, 1864, 371 ff. (beste Würdigung der Conziliengesch. v. prot. Seite); – Balthasar Wörner, Johann Adam Möhler, hrsg. v. Pius Bonifaz Gams, 1866, 132 ff.; – Andreas Reichenbach, Johann Joseph Ignaz v. Döllinger u. K. J. v. H. Zwei Kirchenhistoriker u. das Unfehlbarkeitsdogma, 1871; – Franz Xaver Funk, K. J. v. H., in: ThQ 55, 1874, 1 ff.; – Ders., K. J. v. H. Nekrolog, ebd. 76, 1894, 1 ff. (v. kath. Seite das Beste); – Albert Werfel, C. J. H., Bisch. v. R., in: Dtld.s Episkopat in Lb. IV/2, 1875; – Johann Friedrich v. Schulte, Der Altkath., 1887, 215 ff.; – Hugo Roth, K. J. v. H., Bisch. v. R., 1889; – Theodor Granderath, Gesch. des Vatikan. Konzils I, 1903, 402 ff. u. ö.; II, 1903, 49 ff. u. ö.; III, hrsg. v. Konrad Kirch, 1906, 31 ff. 163 ff. 174 ff. 559 ff. u. ö.; – Philippe Godet, C. J. H., in: Revue du clergé français 50, 1907, II, 449 ff.; – Menn, Aktenstücke H. u. die Infallibilität des Papstes, in: Revue internationale de théologie 16, Bern 1908, 485 ff. 671 ff.; – Alois Knöpfler, Zur Rechtfertigung des Bisch. H., in: HJ 30, 1909, 584 ff.; – Johann Jakob Hansen, K. J. v. H., in: Lb. hervorragender Katholiken des 19. Jh.s VIII, 1914; –

Philipp Funk, Ein literar. Porträt v. Kuhn, H. u. Aberle in zeitgenöss. Briefen, in: ThQ 108, 1927, 209 ff.; – Johannes Heckel, Die Beilegung des Kulturkampfes in Preußen, in: ZSavRGkan 19, 1930, 215–353; – Stephan Lösch, Briefe des jungen H. (1834 bis 1846), in: ThQ 119, 1938, 3 ff.; – August Hagen, H. u. das Vatikan. Konzil, ebd. 123, 1942, 223 ff.; – Ders., Die Unterwerfung des Bisch. H. unter das Vatikanum, ebd. 124, 1943, 1 ff.; – Ders., Gestalten aus dem schwäb. Kath. II, 1950, 7 ff.; – Ders., Gesch. der Diöz. Rottenburg II, 1958, 131; III, 1960, 610; – Ders., C. J. H., in: Lb. aus Schwaben u. Franken VII, 1960, 284 ff.; – Hubert Schiel, K. J. v. H. u. Franz Xaver Kraus, in: ThQ 137, 1957, 168 ff.; – Ders., Franz Xaver Kraus u. die kath. Tübinger Schule, 1958, 41 ff.; – Roger Aubert, Vaticanum I (Aus dem Frz. übers. v. Karlhermann Bergner), 1965, 380; – Peter Stockmeier, Die Causa Honorii u. K. J. v. H., in: ThQ 148, 1968, 405 ff.; – Rudolf Reinhardt, Der Nachlaß des Kirchenhistorikers u. Bisch. K. J. v. H., in: ZKG 82 (F. 4, 20), 1971, 361 ff.; – Ders., Unbekannte Qu. zu H.s Leben u. Werk, in: ThQ 152, 1972, 54 ff.; – Hermann Tüchle, K. J. v. H., ebd. 1 ff.; – Biogr. Wb. z. dt. Gesch. I², 1973, 1051 f.; – Kosch, KD 1436 f.; – Kosch, LL II, 878; – ADB 50, 109 ff.; – NDB VIII, 199 f.; – CathEnc VII, 191 f.; – HN V, 1653–55; – DThC VI, 2111 ff.; – EC VI, 1385 f.; – LThK V, 55 f.; – NCE VI, 985 f.; – ODCC² 627; – RE VII, 525 ff.; – RGG III, 114 f.

HEGEL, Georg Wilhelm Friedrich, Philosoph, * 27. 8. 1770 in Stuttgart als Sohn eines Rentkammersekretärs, † 14. 11. 1831 in Berlin (ev.). – H. besuchte das Gymnasium in Stuttgart und studierte 1788–93 in Tübingen als Stipendiat des Stifts Theologie, Mathematik, Physik, Naturwissenschaften und Kantsche Philosophie. Im Herbst 1793 legte er die Magisterprüfung und das theologische Konsistorialexamen ab. H. wurde 1793 in Bern und 1799 in Frankfurt/Main Hauslehrer. Als sein Vater 1799 starb, erbte er ein bescheidenes Vermögen und entschied sich für eine akademische Laufbahn. H. habilitierte sich 1801 in Jena und wurde dort 1805 ao. Professor für Philosophie. Kurz vor der Schlacht von Jena und Auerstädt vollendete er seine erste größere Schrift, die »Phänomenologie des Geistes«. Vor den napoleonischen Truppen flüchtete H. mit seinen Manuskripten nach Bamberg und übernahm die Redaktion der »Bamberger Zeitung«. 1808–16 war er in Nürnberg als Rektor des Ägidiengymnasiums. Hier entstand seine »Wissenschaft der Logik«. 1816 wurde H. als Universitätsprofessor nach Heidelberg berufen. 1817 erschien die Erstausgabe der »Enzyklopädie« als Grundriß seines philosophischen Systems. 1818 wurde er in Berlin der Nachfolger von Johann Gottlieb Fichte. – H. ist bekannt als der größte philosophische Systematiker des 19. Jahrhunderts. Er führte die Philosophie des deutschen Idealismus auf ihren Höhepunkt und zu ihrer Vollendung. Sein System wirkte weiter im Hegelianismus, Marxismus, Neuhegelianismus und in zahlreichen modernen philosophischen Systemen.

Werke: Sämtl. Werke, Jub.ausg. in 20 Bdn., auf Grund des v. Ludwig Boumann u. a. besorgten Originaldrucks neu hrsg. v. Hermann Glockner, 26 Bde., Stuttgart 1927–40; 1949–59³ (Bd. 1: Aufss. aus dem krit. Journal der Philos. u. a. Schrr. aus der Jenenser Zeit; Bd. 2: Phänomenologie des Geistes; Bd. 3: Philos. Propädeutik, Gymnasialreden u. Gutachten über den Philos.-Unterricht; Bd. 4 u. 5: Wiss. der Logik; Bd. 6: Enz. der philos. Wiss.en im Grundrisse [1817] u. a. Schrr. aus der Heidelberger Zeit; Bd. 7: Grundlinien der Philos. des Rechts oder Naturrecht u. Staatswiss. im Grundrisse; Bd. 8–10: System der Philos. [Große Enz.]; Bd. 11: Vorlesungen über die Gesch.; Bd. 12–14: Vorlesungen über die Ästhetik; Bd. 15 u. 16: Vorlesungen über die Philos. der Rel.; Bd. 17–19: Vorlesungen über die Gesch. der Philos.; Bd. 20: Vermischte Schrr. aus der Berliner Zeit; Bd. 21 u. 22: H. Glockner, H.; Bd. 23–26: H. Glockner, H.-Lex.). – Sämtliche Werke (Philos. Bibl.), hrsg. v. Georg Lasson, Leipzig 1911 ff. (Bd. 1: Erste Dr.schrr.; Bd. 2: Phänomenologie des Geistes; Bd. 3 u. 4: Wiss. der Logik; Bd. 5: Enz. der philos. Wiss.en im Grundrisse; Bd. 6: Grundlinien der Philos. des Rechts; Bd. 7: Schrr. z. Politik u. Rechtsphilos.; Bd. 8 u. 9: Philos. der Weltgesch.; Bd. 10a: Vorlesungen über die Ästhetik [1. Tl.bd.]; Bd. 12–14: Vorlesungen über die Philos. der Rel.; Bd. 15a: Vorlesungen über die Gesch. der Philos. [1. Tl.bd.]; Bd. 18a: Jenenser Logik, Metaphysik u. Naturphilos.

[1. Tl.bd.]; Bd. 19 u. 20: Jenenser Realphilos.; Bd. 21: Nürnberger Schrr. 1808–1816). (Die Ausg. wurde nicht vollendet.) – Sämtl. Werke, urspr. auf 32 Bde. geplante, auf der Lasson-Ausg. fußende, neu geordnete krit. Edition, hrsg. v. Johannes Hoffmeister, Hamburg 1952 ff. (Philos. Bibl.), ebenfalls nicht vollendet (Bd. 5: Phänomenologie des Geistes; Bd. 11: Berliner Schrr. 1818–1831; Bd. 12: Grundlinien der Philos. des Rechts; Bd. 18a: Vorlesungen über die Philos. der Rechts. [Tl.bd.]). – Werke, 20 Bde. u. 1 Reg.Bd., Frankfurt am Main 1969–73 (Suhrkamp Werkausg.). (Bd. 1: Frühe Schrr.; Bd. 2: Jenaer Schrr.; Bd. 3: Phänomenologie des Geistes; Bd. 4: Nürnberger u. Heidelberger Schrr.; Bd. 5 u. 6: Wiss. der Logik; Bd. 7: Grundlinien der Philos. des Rechts oder Naturrecht u. Staatswiss. im Grundrisse; Bd. 8–10: Enz. der philos. Wiss.en im Grundrisse; Bd. 11: Berliner Schrr.; Bd. 12: Vorlesungen über die Philos. der Gesch.; Bd. 13–15: Vorlesungen über die Ästhetik; Bd. 16 u. 17: Vorlesungen über die Philos. der Rel.; Bd. 18–20: Vorlesungen über die Gesch. der Philos.; Bd. 21: Reg.). – Theol. Jugendschrr. nach den Hss. der Kgl. Bibl. in Berlin, hrsg. v. Hermann Nohl, 1907.

Lit.: Karl Friedrich Bachmann, Über H.s System u. die Notwendigkeit einer nochmaligen Umgestaltung der Philos., Leipzig 1833 (Nachdr. Aalen 1968); – Karl Rosenkranz, Krit. Erll. des H.schen Systems, Königsberg 1840, 217–368 (Nachdr. Hildesheim 1963); – Ders., G. W. F. H.s Leben, Berlin 1844 (Nachdr. Darmstadt, 1963 u. 1977); – Ders., H. als dt. Nationalphilosoph, Leipzig 1870 (Nachdr. Darmstadt 1965); – Hermann Ulrici, Über Prinzip u. Methode der H.schen Philos. Ein Btr. z. Kritik derselben, Halle/Saale 1841 (Nachdr. Hildesheim 1977); – Franz Anton Staudenmaier, Darst. u. Kritik des H.schen Systems. Aus dem Standpunkte der christl. Philos., Mainz 1844, 673–836 (Nachdruck Frankfurt/Main 1966); – Gustav Thaulow, H.s Ansichten über Erziehung u. Unterricht, 3 Bde., Kiel 1853–54 (Nachdr. Glashütten/Taunus 1974); – Rudolf Haym, H. u. seine Zeit, Berlin 1857 (Nachdr. Hildesheim 1962); – Aloys Schmid, Entwicklungsgesch. der H.schen Logik. Ein Hilfsbuch zu einem geschichtl. Stud. derselben, Regensburg 1858 (Nachdr. Hildesheim – New York 1976); – Paul Janet, Études sur la dialectique dans Platon et dans H., Paris 1861 (Nachdr. Aalen 1976); – Eduard v. Hartmann, Über die dialekt. Methode. Hist.-krit. Unters., Berlin 1868 (Nachdr. Darmstadt 1963); – William Wallace, Prolegomena to the Study of H.'s Philosophy and Especially of His Logic, Oxford 1874 (1894²); – Richard Quäbicker, Eine Stud. z. Gesch. der H.schen Philos., Leipzig 1879 (Nachdr. Hildesheim 1977); – Edward Caird, H., Edinburgh 1883 (Nachdr. Hamden/Connecticut 1968); – Carl Ludwig Michelet, Hist.-krit. Darst. der dialekt. Methode H.s, Leipzig 1888 (Nachdr. Hildesheim 1977); – John McTaggart Ellis McTaggert, Studies in the Hegelian dialectic, Cambridge 1896 (Nachdr. New York 1964 – nach der 2. rev. Aufl. Cambridge 1922²); – Georges Noël, La logique de H., Paris 1897 (Nachdr. ebd. 1967); – Kuno Fischer, H.s Leben, Werke u. Lehre, Heidelberg 1901 (Nachdr. Darmstadt 1976); – Emil Ott, Die Rel.philos. H.s, 1904; – Wilhelm Dilthey, Die Jugendgesch. H.s, 1905 (u. in: Ges. Schrr. IV, 1925²); – Benedetto Croce, Lebendiges u. Totes in H.s Philos. mit einer H.-Bibliogr. Dt. v. Verf. verm. Übers. v. K. Büchler, 1909; – Ders., Saggio sullo H., Bari 1913 (1948⁴); – Georg Lasson, Btrr. z. H.forsch., 1909; – Ders., Einf. in H.s Rel.philos., 1930; – Johann Plenge, Marx u. H., Tübingen 1911 (Nachdr. Aalen 1974); – Paul Roques, H. Sa vie et ses oeuvres, Paris 1912; – Friedrich Bülow, Die Entwicklung der H.schen Philos., 1920; – Franz Rosenzweig, H. u. der Staat. 1. Lebensstationen (1770–1806); 2. Weltepochen (1806–1831), 1920 (Neudr. Aalen 1962); – Hermann Heller, H. u. der nation. Machtstaatsgedanke in Dtld. Ein Btr. z. polit. Geistesgesch., 1921 (Neudr. Aalen 1963); – Alfred Brunswig, H., 1922; – Kurt Leese, Die Gesch.-philos. H.s, 1922; – Richard Kroner Von Kant bis H., II, 1924 (Nachdr. 1961), 255–361. 415–502; – Walter Terence Stace, The Philosophy of H.; a systematic exposition, London 1924 (Nachdr. New York 1955), 123–194; – Emanuel Hirsch, Die idealist. Philos. u. das Christentum. Ges. Aufsätze, 1926; – Betty Heimann, System u. Methode in H.s Philos., 1927; – Helmut Groos, Der dt. Idealismus u. das Christentum, 1927; – Jean Wahl, Le malheur de la conscience dans la philosophie de H., Paris 1928 (1951²); – Nicolai Hartmann, Die Philos. des dt. Idealismus, 2 Tle., 1. Fichte, Schelling u. die Romantik, 2. H., 1929 (1960²), 363–481; – Theodor Lorenz Haering, H. Sein Wollen u. sein Werk. Eine chronolog. Entwicklungsgesch. der Gedanken u. der Sprache H.s, 2 Bde., 1929–1938 (Neudr. Aalen 1963); – Willy Moog, H. u. die H.sche Schule, 1930; – Helmut Kuhn, Die Kulturfunktion der Kunst. I: Die Vollendung der klass. dt.Ästhetik durch H., 1931 (Nachdr. in: Ders., Schrr. z. Ästhetik, 1966, 15–144); – Käte Nadler, Der dialekt. Widerspruch in H.s Philos. u. das Paradoxon des Christentums, 1931 (gekürzte Diss.); – Justus Schwarz, Die anthropolog. Metaphysik des jungen H., 1931; – Ders., H.s philos. Entwicklung, 1938; – Herbert Wacker, Das Verhältnis des jungen H. zu Kant, 1932; – Herbert Marcuse, H.s Ontologie u. die Grundlegung einer Theorie der Geschichtlichkeit, 1932 (Nachdr. 1968); – Ders., Reason and revolution; H. and the rise of social theory, 1960² (ins Dt. übertr. v. Alfred Schmidt, Vernunft u. Rev. H. u. die Entstehung der Gesch.theorie, 1962); – Gotthard Günther, Grundzüge einer neuen Theorie des Denkens in H.s Logik, 1933; – Theodor Steinbüchel, Das Grundproblem der H.schen Philos. 1. Die Entdeckung des Geistes, 1933; – Otto Kühler, Sinn, Beedutung u.

Ausl. der HS in H.s Philos., 1934; – Karl Kindt, H., 1934; – Gerhard Krüger, Die Aufgabe der H.forsch., in: ThR NF 7, 1935, 86–130. 294–318; – Albert Hartmann, Der Spätidealismus u. die H.sche Dialektik, Berlin 1937 (Nachdr. Darmstadt 1968); – Werner Schultz, Die Grundprinzipien der Rel.philos. H.s u. der Theol. Schleiermachers. Ein Vergleich, 1937; – Ders., Die Transformierung der theogia crucis bei H. u. Schleiermacher, in: NZSTh 6, 1964, 290–318; – Walter Axmann, Zur Frage nach dem Ursprung des dialekt. Denkens bei H. (Diss. Berlin, 1939), Würzburg 1939; – Gustav Emil Müller, H. über Offb., Kirche u. Philos., 1939; – Ders., H. Denkgesch. eines Lebendigen, Bern – München 1959; – Ders., Fünf Ursprünge v. H.s Rel.-philos., in: Studia philosophica 22, Basel 1962, 60–82; – Ders., H. u. die Krise des Christentums, ebd. 32, 1972, 162–185; – Karl Domke, Das Problem der metaphys. Gottesbeweise in der Phil. H.s (Diss. Leipzig, 1940), Leipzig 1940; – Jesse Glenn Gray, H.'s Hellenic Ideal, New York 1941 (Nachdr. u. d. T.: H. and Greek Thought, ebd. 1968); – Calixt Hötschl, Das Absolute in H.'s Dialektik, sein Wesen u. seine Aufgabe. Im Hinblick auf Wesen u. systemat. Stellung Gottes als des actus purus in der Aristotel. Akt-Potenz-Metaphysik dargest., 1941; – Karl Löwith, Von H. zu Nietzsche. Der revolutionäre Bruch im Denken des 19. Jh.s. Marx u. Kierkegaard, 1941 (1964⁵); – Ders., H.s Aufhebung der christl. Rel., in: Einsichten. Festschr. Gerhard Krüger, 1962, 156–203; u. in: H.-Stud., Beih. 1, 1962, 193–236; – Anton Meusel, H. u. das Problem der philos. Polemik, 1942; – Henri Niel, De la méditation dans la philosophie de H., Paris 1945; – Ivan Aleksandrovič Il'jin, Die Philos. H.s als kontemplative Gotteslehre, Bern 1946; – Jean Hyppolite, Genèse et structure de la »Phénoménologie de l'esprit«, Paris 1946; – Ders., Introduction à la philosophie de l'histoire de H., ebd. 1948; – Ders., Logique et existence. Essai sur la logique de H., ebd. 1953 (1961²); – Gerhard Dulckeit, Die Idee Gottes im Geiste der Philos. H.s, 1947; – Max Bense, H. u. Kierkegaard. Eine prinzipielle Unters., 1948; – Helmut Aloisius Ogiermann, H.s Gottesbeweis, Rome 1948; – Geoffrey Reginald Gilchrist Mure, A Study of H.'s Logic, Oxford 1950 (1959²); – Joseph Möller, Der Geist u. das Absolute. Zur Grundlegung einer Rel.philos. in Begegnung mit H.s Denkwelt (Hab.-Schr., Mainz 1949), Paderborn 1951; – Heinz Otto Burger, Die Gedankenwelt der großen Schwaben, 1951, 225–241; – Emerich Coreth, Das dialekt. Sein in H.s Logik, Wien 1952; – Bernhard Welte, H.s Begriff der Rel., sein Sinn u. seine Grenze, in: Scholastik 27, 1952, 210–255; – Ders., H.s theol. Entwurf als Ausdruck einer geschichtl. Situation u. als Impuls einer neuen Gesch. der Theol., in: Kirche u. Theol. im 19. Jh. Referate u. Berr. des Arbeitskreises Kath. Theol. Hrsg. v. Georg Schwaiger, 1975, 137–146; – Erik Schmidt, H.s Gottesidee (Diss. Jena, 1943), ungearb. u. d. T.: H.s Lehre v. Gott. Eine krit. Darst., Gütersloh 1952; – Ders., H.s System der Theol., Berlin – New York 1974; – E. Weil, H. et l'état (Diss. Paris, 1950), Paris 1953; – Theodor Litt, H. Vers. einer krit. Erneuerung, 1953 (1961²); – Karl-Ludwig Furck, Der Bildungsbegriff des jungen H., 1953; – Paul Asveld, La pensée religieuse du jeune H.; liberté et aliénation, Louvain 1953; – Mario Benvenuto, H., filosofo della religione, Neapel 1953; – Johannes Flügge, Die sittl. Grdl.n des Denkens bei H. (Diss. Hamburg, 1953), Hamburg 1953 u. d. T.: . . . H.s existentielle Erkenntnisgesinnung (1968²); – Rugard Otto Gropp, Die marxist. dialekt. Methode u. ihr Gg.satz z. idealist. Dialektik H.s, in: DZPh 2, 1954, 69–112. 344–383; – Hans Joachim Schoeps, Die außerchristl. Rel.en bei H., in: ZRGG 7, 1955, 1–34; – Ders., Die außerchristl. Rel.en bei H., in: Ders., Stud. z. unbekannten Rel.- u. Geistesgesch., 1963, 255–284; – Bernhard Lakebrink, H.s dialekt. Ontologie u. die thomist. Analektik, Köln 1955 (Nachdr. Ratingen 1968); – Ders., Stud. z. Metaphysik H.s, 1969; – P. Hossfeld, Christl. Glaubenslehre u. H.sches System, in: TThZ 65, 1956, 362–368; – Carmelo Lacorte, Rassegna di filosofia V, Rom 1956, 5–25; – Otto Pöggeler, H.s Kritik der Romantik (Diss. Bonn, 1955), Bonn 1956; – Ders., Philos. u. Politik bei H., 1972; – Ders., H.s Idee einer Phänomenologie des Geistes, 1973; – Hermann Wein, Realdialektik. Von H.schen Dialektik z. dialekt. Anthropologie, 1957; – Hermann Schmitz, H. als Denker der Individualität, 1957; – Georg Huntemann, Die dialekt. Theol. u. der spekulative Idealismus H.s. Ein Btr. z. Gesch. des Kampfes um das finitum capax infiniti in der neueren Theol. (Diss. Bern), 1957; – Theodor Wiesengrund-Adorno, Aspekte der H.schen Philos., 1957; u. in: Ders., Drei Stud. zu H., 1963; – Wolfgang Albrecht, H.s Gotesbeweis, in: ZphF 11, 1957, 387–395; – Ders., H.s Gottesbeweis. Eine Stud. z. »Wiss. der Logik«, 1958; – Walter Kern, Aristoteles in H.s Philos.gesch. Eine Antinomie, in: Scholastik 32, 1957, 321–345; – Ders., Das Verhältnis v. Erkenntnis u. Liebe als philos. Grundproblem bei H. u. Thomas v. Aquin, ebd. 34, 1959, 394 bis 427; – Ders., Atheismus – Christentum – emanzipierte Ges., in: ZKTh 91, 1969, 289–321; – Ders., Eine Wirklinie H.s in dt. Theol.: Christusereignis u. Gesamtmenschheit, ebd. 93, 1971, 1–28; – Ders., H. theol. gesehen u. anders, in: StZ 97, 1972, 125–133; – Henri Birault, L'onto-théo-logie hégélienne et la dialectique, in: TF 20, 1958, 646–723; – John Niemeyer Findlay, H.: a re-examination, London 1958 (1964²), 149–266; – Jan van der Meulen, H. Die gebrochene Mitte (Hab.-Schr., Heidelberg), Hamburg 1958; – Alexandre Kojève, H. (Introduction à la lecture de H., Paris 1947 [dt.]). Eine Vergegenwärtigung seines Denkens. Komm. z. Phänomenologie des Geistes. Hrsg. v. Iring Fischer (Die dt. Übers. wurde bes. v. Iring Fischer u. Gerhard Lehmbruch), 1958; – Franz Grégoire, Études hégéliennes, les points capitaux du système, Löwen – Paris 1958, 51–139; – Erich Heintel, H. u. die Analogia entis, 1958; – Karl G. Ballestrem, Die sowjet. Erkenntnismetaphysik u. ihr Verhältnis zu H. (Diss. Freiburg/Schweiz, 1958), Dordrecht/Holland 1958 (Sovietica Abhh. des Osteuropa-Instituts, Univ. Freiburg/Schweiz); – Joachim Ritter, H. u. die Frz. Rev., 1958 (ern. 1965 mit Bibliogr. z. polit. Theorie H.s v. Karlfried Gründler); – Ders., Metaphysik u. Politik. Stud. zu Aristoteles u. H., 1977; – Jaap Kruithof, Het uitgangspunt van H.'s ontologie, Brügge 1959; – Georg Siegmund, H.s rel. Urentscheidung, in: Hochland 51, 1959, 508 bis 520; – Vito Fazio Allmayer, Ricerche hegeliane, Florenz 1959; – Kurt Wolf, Die Rel.philos. des jungen H. (Diss. München), 1960; – Martin Heidegger, H. u. die Griechen, in: Die Ggw. der Griechen im neueren Denken, Festschr. f. Hans-Georg Gadamer, 1960, 43 ff.; – R. C. Whittmore, H. as Pantheist, in: Ders., Studies in H., New Orleans 1960, 134–164; – Hayo Gerdes, Das Christusbild Sören Kierkegaards. Verglichen mit der Christologie H.s u. Schleiermachers, 1960 (1974² u. d. T.: Der geschichtl. bibl. Jesus oder der Christus der Philosophen. Erwägungen z. Christologie Kierkegaards, H.s u. Schleiermachers); – Wilhelm Seeberger, H. oder Die Entwicklung des Geistes z. Freiheit, 1961; – H.-Jb., hrsg. v. Wilhelm Raimund Beyer, 1961 ff.; – H.-Stud., hrsg. v. Friedhelm Nicolin u. Otto Pöggeler, 1961 ff.; – Günter Rohrmoser, Subjektivität u. Verdinglichung. Theol. u. Ges. im Denken des jungen H. (Hab.-Schr., Köln), Gütersloh 1961 – Ders., Die theol. Bedeutung v. H.s Auseinandersetzung mit der Philos. Kants u. dem Prinzip der Subjektivität, in: NZSTh 4, 1962, 89–111; – Henri Lauener, die Sprache in der Philos. H.s. Mit bes. Berücks. der Ästhetik, Bern 1962; – Roger Garaudy, Dieu est mort. Étude sur H., Paris 1962 (dt.: Gott ist tot. Das System u. die Methode H.s, übers. v. Theodor Lücke, wiss. bearb. v. Manfred Buhr, 1965); – Ders., La pensée de H., Paris 1966; – Ute Guzzoni (geb. Bennholdt-Thomsen), Das »log.« Werden zu sich (Diss. Freiburg/Breisgau, 1961), Freiburg – München 1963 (Überarb. u. d. T.: Werden zu sich. Eine Unters. zu H.s »Wiss. der Logik«); – Sok-Zin Lim, Der Begriff der Arbeit in H.s »Phänomenologie des Geistes« (Diss. Frankfurt/Main 1961), Bonn 1963; – Albert Chapelle, H. et la religion. I: La problématique, Paris 1964; II: La dialectique. A Dieu et la création (Thèse »Institut catholique« Paris), ebd. 1967; – Claude Bruaire, Logique et religion chrétienne dans la philosophie de H. (Thèse, Paris), 1964; – Anneliese Redlich, Die H.sche Logik als Selbsterfassung der Persönlichkeit (Diss. Tübingen, 1947), Bremen 1964; – Hans Schmidt, Verheißung u. Schrecken der Freiheit. Von der Krise des antik-abendländ. Weltverständnisses, dargest. im Blick auf H.s Erfahrung der Gesch., 1964; – Gottfried Stiehler, Die Dialektik in H.s »Phänomenologie des Geistes«, Berlin 1964; – Carl G. Schweitzer, Geist bei H. u. Hl. Geist, in: NZSTh 6, 1964, 318–328; – Wilhelm Reimund Beyer, H.-Bilder. Kritik der H.-Deutungen, 1964 (1967²); – Michael Theunissen, Die Dialektik der Offb. Zur Auseinandersetzung Schellings u. Kierkegaards mit der Rel.philos. H.s, in: PhJ 72, 1964/65, 134–160; – Ders., H. Lehre v. absoluten Geist als theol.-polit. Traktat, 1970; – Eugène Fleischmann, La philosophie politique de H., sous forme d'un commentaire des Fondements de la philosophie du droit, Paris 1964; – Ders., La science universelle ou la logique de H., ebd. 1968; – Henri Rondet, Hégélianisme et christianisme; introduction théologique à l'étude du système hégélien, ebd. 1965; – Franz Wiedmann, G. W. F. H. in Selbstzeugnissen u. Bilddokumenten, 1965 (1976⁸); – Hermann Noack, Zur Problematik der philos. u. theol. H.-Interpretation u. -kritik, in: NZSTh 7, 1965, 161–173; – Hermann Glockner, Btrr. z. Verständnis u. z. Kritik H.s sowie z. Umgestaltung seiner Geisteswelt, 1965; – Heinrich Beck, Der Aktcharakter des Seins. Eine spekulative Weiterführung der Seinslehre Thomas v. Aquins aus einer Anregung durch die dialekt. Prinzip H.s (Hab.-Schr., Salzburg), München 1965 (Überarb.); – Raymond Vancourt, La pensée religieuse de H., Paris 1965; – Hans Friedrich Fulda, Das Problem einer Einl. in H.s Wissenschaft der Logik (Diss. Heidelberg, 1964), Frankfurt/Main 1965 (1975²); – Ders., Das Recht der Philos. in H.s Philos. des Rechts, 1968; – Materialien zu H.s »Phänomenologie des Geistes«, hrsg. v. dems. u. Dieter Henrichs, 1973; – Jörg Splett, Die Trinitätslehre G. W. F. H.s, 1965; – Ders., H. über das Wunder, in: ThPh 41, 1966, 520–535; – Reinhart Klemens Maurer, Gesch.philos. als »Phänomenologie des Geistes«. Zu H.s Phänomenologie u. ihrer Wirkungsgesch. (Diss. Münster, 1964), Stuttgart – Berlin – Köln – Mainz 1965 (u. d. T.: H. u. das Ende der Gesch-Interpretationen »Phänomenologie des Geistes«); – Ders., H.s polit. Prot., in: Der Staat. Zschr. f. Staatslehre, öff. Recht u. Verfassungsgesch. 10, 1971, 455–479; u. in: H.-Stud., Beih. 11, 1974, 383–415; – Manfred Riedel, Theorie u. Praxis im Denken H.s. Interpretationen zu den Grundstellungen der neuzeitl. Subjektivität, 1965; – Ders., Stud. zu H.s Rechtsphilos., 1969; – Ders., Bürgerliche Ges. u. Staat. Grundproblem und Struktur der H.schen Rechtsphilos., 1970; – Ders., System u. Gesch. Stud. z. hist. Standort v. H.s Philos., 1973; – Wolf-Dieter Marsch, Ggw. Christi in der Ges. Eine Stud. zu H.s Dialektik, 1965; – Ders., Logik des Kreuzes. Über Sinn u. Grenzen einer theol. Berufung auf H., in: EvTh 28, 1968, 57–82; – Ders., Philosophia crucis. H. u. der ggw. theol. Diskussion, in: Merkur. Dt. Zschr. f. europ. Denken 24, 1970, 1117–1129; – Heinz Kimmerle, Zur theol. H.interpretation, in: H.-Stud. 3, 1965, 356–369; – Ders., Zu H.s Rel.philos. Dimensionen u. Möglichkeiten ihrer Ausl., Kritik u. Aneignung, in: PhR 15, 1968, 111–135; – Ders., Zur Entwicklung des H.schen Denkens in Jena, in: H.-Stud., Beih. 4, 1969, 33–47; – Thomas N. Munson, H. as philosopher of religion, in: JR 46, 1966, 9–23; – Stephen D. Crites, The Gospel according to H., ebd. 246–264; – Ingetraud Görland, Die Kantkritik des jungen H. (Diss. Kiel, 1964), Frankfurt/Main 1966; – Hans-Joachim Krüger, Theol. u. Aufklärung. Unterss. z. Problem ihrer Vermittlung in Texten des jungen H. (Diss. Frankfurt/Main, 1964), Stuttgart 1966; – Josef Simon, Das Problem der Sprache bei H. (Diss. Köln, 1958), Stuttgart – Berlin – Köln – Mainz 1966 (Überarb.); – Gerhart Schmidt, Die Rel. in H.s Staat, in: PhJ 74, 1966–67, 294–309; – Karl Heinz Haag, Philos. Idealismus. Unterss. z. H.schen Dialektik mit Beisp. aus der Wiss. der Logik, 1967; – James Daniel Collins, The Emergency of Philosophy of Religion, New Haven – London 1967, 212–422; – Emil L. Fackenheim, The Religious Dimension in H.'s Thought, Bloomington 1967; – Johannes Baptist Lotz, H. u. Thomas v. Aquin. Eine Begegnung, in: Gregorianum 48, 1967, 449–480; – M.-Martin Cottier, La philosophie de la religion chez H., in: RThom 67, 1967, 589–609; – Ernst Topitsch, Die Sozialphilos. H.s als Heilslehre u. Herrschaftsideologie, 1967; – Traugott Koch, Differenz u. Versöhnung. Eine Interpretation der Theol. G. W. F. H.s nach seiner »Wiss. der Logik« (Diss. Mainz, 1964), Gütersloh 1967; – Pierre Henrici, H. u. die Theol. Ein krit. Ber., in: Gregorianum 48, 1967, 706–746; – Ders., H. et la théologie. A propos de quelques publications récentes, in: Archives de philosophie 31, Paris 1968, 36–71; – Jacques d'Hondt, H. en son temps, Paris 1968 (dt.: H. in seiner Zeit. Berlin 1818–1831, übertr. v. Joachim Wilke, wiss. bearb. v. Werner Bahnet u. Manfred Buhr, 1973); – Manfred Züfle, Prosa der Welt. Die Sprache H.s (Diss. Zürich, 1968), Einsiedeln 1968; – Willi Oelmüller, Gesch. u. System in H.s »Rel.philos.«, in: PhJ 76, 1968 bis 1969, 67–87; – Georges M. Martin Cottier, L'athéisme du jeune Marx, ses origines hégéliennes, Paris 1969², 19–104; – Frederick Gustav Weiss, H.'s Critique Aristotle's Philosophy of Mind, Den Haag 1969; – Andreás Horn, Kunst u. Freiheit. Eine krit. Interpretation der H.schen Ästhetik, Den Haag 1969; – Karin Schrader-Klebert, Das Problem des Anfangs in H.s Philos., 1969; – Klaus Harlander, Absolute Subjektivität u. katagoriale Anschauung. Unters. z. Systemstruktur bei H. (Diss. Freiburg/Breisgau 1967), Meisenheim am Glan 1969; – Ernesto de Guereñu, Das Gottesbild des jungen H. Eine Stud. zu »Der Geist des Christentums u. sein Schicksal« (Diss. Freiburg/Breisgau), München 1969; – Kenneth L. Schmitz, H.'s philosophy of religion: Typology and strategy, in: Review of metaphysics 23, New Haven/Connecticut 1969, 717–736; – Hans-Walter Schütte, Tod Gottes u. Fülle der Zeit. H.s Deutung des Christentums, in: ZThK 66, 1969, 62–76; – Martin Brecht u. a., H.s Begegnung mit der Theol. im Tübinger Stift. Eine neue Qu. f. die Stud.zeit H.s, in: H.-Stud. 5, 1969, 47–81; – Willem van Dooren, Die Bedeutung der Rel. in der »Phänomenologie des Geistes«, in: H.-Stud., Beih. 4, 1969, 93–101; – Predrag M. Grujić, H. u. die Sowjetphilos. der Ggw. Zur materialist. Dialektik, Bern – München 1969; – Werner Becker, H.s Begriff der Dialektik u. das Prinzip des Idealismus. Zur systemat. Kritik der log. u. phänomenolog. Dialektik, 1969; – Ders. H.s Phänomenologie des Geistes. Eine Interpretation. 1971; – Hans Küng, Menschwerdung Gottes. Eine Einf. in H.s theol. Denken als Prolegomena zu einer künftigen Christologie, 1970; – Robert L. Perkins, H. and the secularization of religion, in: International journal for philosophy of religion 1, Den Haag 1970, 130–146; – Karl Kerényi, H.s Wiederentdeckung der Götter Griechenlands u. der Humanismus der Zukunft, in: Btrr. z. alten Gesch. u. deren Nachleben. Festschr. f. Franz Altheim, hrsg. v. Ruth Stiehl u. Hans Erich Stier, II, 1970, 356–368; – Bernhard Pesendorfer, Das Problem des Sündenfalles bei H., in: Wiener Jb. f. Philos. 3, 1970, 149–161; – Wilhelm Dantine, H.s Bedeutung f. die ggw. Krise des Theismus, ebd. 203–222; – H. u. die Folgen. Hrsg. v. Gerd-Klaus Kaltenbrunner, 1970; – H. in den Berr. seiner Zeitgenossen, hrsg. v. Günther Nicolin, 1970; – H.'s political philosophy. Hrsg. v. Walter Arnold Kaufmann, Chicago/Illinois 1970; – Aktualität u. Folgen der Philosophie H.s. Hrsg. v. Oskar Negt, 1970; – Peter Heintel, H. Der letzte universelle Philosoph, 1970; – Ders., Die Rel. als Gestalt des absoluten Geistes, in: Wiener Jb. f. Philos. 3, 1970, 162–202; – Iring Fetscher, H.s Lehre v. Menschen. Komm. zu den §§ 387–482 der Enz. der Philos. Wiss., 1970; – Ders., H. Größe u. Grenzen, 1971; – H. in der Sicht der neueren Forsch., hrsg. v. demselben 1973; – André Léonard, La foi chez H., Paris – Tournai – Rom 1970; – Ders., La théologie hégélienne de la foi, in: Revue théologique de Louvain 3, 1972, 40–54; – Ders., La foi chez H. et notre traité »De fide«, ebd. 160–176; – Darrel E. Christensen, The religion of vision. A proposed substitution for H.'s »unauthentic« religion of utility, in: International journal for philosophy of religion 1, Den Haag 1970, 147–160; – H. and the Philosophy of Religion, hrsg. v. dems., Den Haag 1970; – Ders., H.'s altar to the known god, in: H.-Stud., Beih. 11, 1974, 219–229; – Cornelo Fabro, H. e Christo, in: Aquinas. Ephemerides thomisticae 13, Rom 1970, 355–366; – Ders., La libertà in H. e S. Tommaso, in: Sacra doctrina. Studio generale domenicano di Bologna 65, Mailand 1972, 165–186; – Manfred Wetzel, Reflexion u. Bestimmtheit in H.s »Wiss. der Logik« (Diss. Hamburg), 1971; – Falk Wagner, Der Gedanke der Persönlichkeit Gottes bei Fichte u. H. (Diss. München, 1969), 1971; – Peter Cornehl, Die Ggw. des Absoluten u. die Zukunft des Eschatons (Diss. Mainz, 1966), Göttingen 1971 u. d. T.: Die Zukunft der Versöhnung. Eschatologie u. Emanzipation in der Aufklärung, bei H. u. der H.schen Schule;

– Dieter Henrich, H. im Kontext, 1971; – Wolfgang Trillhaas, Felix culpa. Zur Deutung der Gesch. v. [bibl.] Sündenfall bei H., in: Probleme bibl. Theol. Gerhard v. Rad z. 70. Geb. Hrsg. v. Hans Walter Wolff, 1971, 589–602; – Andries Sarlemijn, H.sche Didaktik, Berlin – New York 1971; – Alois Dempf, Die aktuelle Bedeutung einer korrekten H.interpretation, 1971; – Hans-Georg Gadamer, H.s Dialektik. 5 hermeneut. Stud., 1971; – Gustav Siewerth, Ges. Werke. III: Gott in der Gesch. Zur Gottesfrage bei H. u. Heidegger. Hrsg. v. Alma v. Stockhausen, 1971; – Hartmann Buchner, H. im Übergang v. Rel. zu Philos., in: JPh 78, 1971, 82–97; – Niels Thulstrup, Kierkegaards Verhältnis zu H. u. z. spekulativen Idealismus: 1835–1846. Hist.-analyt. Unters., 1972; – Jörg F. Sandberger, David Friedrich Strauß als theol. Hegelianer, mit unveröff. Briefen (Diss. Tübingen, 1971), Göttingen 1972; – Siegfried Wollgast, Zu H.s Auffassungen v. Mystik z. Pantheismus, in: WZ Jena, Ges.-sprachwiss. R. 21, 1972, 97–106; – Kevin Wall, H. The theological roots of his dialectic, in: Thomist. A speculative quarterly review of theology and philosophy 37, Washington D. C., 1973, 734–742; – Benôit Garceau, H. et la christologie, in: Église et théologie 4, Ottawa/Kanada 1973, 349–358; – Raymond Plant, H., Bloomington 1973; – Daniel J. Cook, Language in the philosophy of H., Den Haag 1973; – Lourencino Bruno Puntel, Darst., Methode u. Struktur. Unterss. z. Einheit der systemat. Philos. G. W. F. H.s (Hab.Schr., München 1971), Bonn 1973; – Christofer Frey, Reflexion u. Zeit. Ein Btr. z. Selbstverständnis der Theol. in der Auseinandersetzung vor allem mit H. (Hab.-Schr., Heidelberg 1972), Gütersloh 1973; – Stanley Rosen, G. W. F. H. An introduction to the science of wisdom, New Haven/Connecticut – London 1974; – Herbert Schnädelbach, Gesch.philos. nach H. Die Probleme des Historismus, 1974; – Hubert Kiesewetter, Die organ. Machtstaatsideologie H.s; Vorläufer oder Wegbereiter des Nationalsozialismus? (Diss. Heidelberg, 1973), Hamburg 1974 u. d. T.: Vom H. zu Hitler: eine Analyse der H.schen Machtstaatsideologie u. die polit. Wirkungsgesch. des Rechtshegelianismus; – Wolfhart Pannenberg u. a., Die Bedeutung des Christentums in der Philos. H.s in: H.-Stud., Beih. 11, 1974, 175 bis 202. 215–218; – Gaston Fessard, Dialogue théologique avec H., ebd. 231–248; – Adrian Peperzak, H.s Philos. der Rel. u. die Erfahrung des christl. Glaubens, ebd. 203–213; – Burleigh Taylor Wilkins, H.'s Philosophy of History, Ithaca/New York – London 1974; – Merold Westphal, H.'s theory of religious knowledge, in: Beyond epistemology. News studies in the philosophy of H. Ed. by Frederick G. Weiss, Den Haag 1974, 30–57; – Hermann Deuser, Sören Kierkegaard, die paradoxe Dialektik des polit. Christen: Voraussetzungen bei H.; der Reden v. 1847/48 im Verhältnis v. Politik u. Ästhetik (Diss. Tübingen, 1973), München – Mainz 1974; – Bernhard Dinkel, Der junge H. u. die Aufhebung des subjektiven Idealismus (Diss. München, 1971), Bonn 1974; – Günther Maluschke, Kritik u. absolute Methode in H.s Dialektik (Diss. Bonn, 1970/71), Bonn 1974; – Walther Christoph Zimmerli, Die Frage nach der Philos. Interpretationen zu H.s Differenzschr. (Diss. Zürich, 1971), Bonn 1974; – Johannes Heinrichs, Die Logik der »Phänomenologie des Geistes« (Diss. Bonn), 1974; – Christian Link, H.s Wort Gott selbst ist tot, Zürich 1974; – Arsenij Vladimirovič Gulyga, G. W. F. H. (Aus dem Russ. v. Waldemar Seidel), Leipzig 1974 (RUB 570); – Werner Koepsel, Die Rezeption der H.schen Ästhetik im 20. Jh. (Diss. Berlin F.U., 1973), Bonn 1975; – Reinhard Leuze, Die außerchristl. Rel.en bei H., 1975; – Victor Guarda, Kierkegaardstud. mit bes. Berücks. des Verhältnisses Kierkegaards zu H., 1975; – Kirche u. Theol. im 19. Jh., Referate u. Berr. des Arbeitskreises Kath. Theol., hrsg. v. Georg Schwaiger, 1975; – Ludger Oeing-Hanhoff, H.s Rel.kritik. Über die Geschichtl. Bedingungen ihres Wandels, in: Denken im Schatten des Nihilismus. Festschr. v. Wilhelm Weischedel. Hrsg. v. Alexander Schwan, 1975, 196–211; – Klaus Düsing, Das Problem der Subjektivität in H.s Logik: systemat. u. entwicklungsgeschichtl. Unters. z. Prinzip des Idealismus u. der Dialektik (Hab.-Schr., Bochum 1974/75, u. d. T.: Das Problem der Subjektivität in H.s Konzeptionen der Logik), Bonn 1976; – Lucio Colletti, H. u. der Marxismus. Dt. Erstausg., 1976; – Georg Ahrweiler, H.s Ges.lehre, Darmstadt – Neuwied 1976 (Diss. Marburg 1975 u. d. T.: Soziolog. Analysen im System H.s); – Thomas Baumeister, H.s frühe Kritik an Kants Ethik (Diss. Heidelberg, 1973), 1976; – Werner Hartkopf, Der Durchbruch z. Dialektik in H.s Denken, 1976; – Annegrit Brunkhorst-Hasenclever, Die Transformierung der Rel. Deutung des Todes bei G. W. F. H. Ein Btr. z. Formbestimmung v. Paradox u. Synthese (Diss. Kiel, 1973/74), Bern – Frankfurt/Main 1976; – Hermann Drüe, Psychologie aus dem Begriff. H.s Persönlichkeitstheorie, Berlin – New York 1976; – Christoph Helferich, Kunst u. Subjektivität in H.s Ästhetik, 1976; – Alfred v. Martin, Macht als Problem. H. u. seine polit. Wirkung, 1976; – Heinz Röttges, Der Begriff der Methode in der Philos. H.s, 1976; – Richard Norman, H.'s »Phenomenology«: a philosophical introduction, Brighton 1976; – Friedrich Heer, H., in: Die Goßen der Weltgesch. Hrsg. v. Kurt Fassmann, VII, Zürich 1976, 248–281; – Horst Renz, Gesch.gedanke u. Christusfrage. Zur Christusanschauung Kants u. deren Fortbildung durch H. auf die allg. Funktion neuzeitlicher Theologie (Diss. München, 1975), Göttingen 1977; – Joachim Ringleben, H.s Theorie der Sünde. Die subjektivitäts-log. Konstruktion eines theol. Begriffs (Diss. Kiel, 1974), Berlin – New York 1977; – Emilio Brito, H. u. die heutigen Christologien, in: IKZ »Communio« 6, 1977, 46–58; – KLL II, 2078 f. (Enc. der philos. Wiss.en im Grundriß, Heidelberg 1817); – KLL III, 1240 ff. (Grundlinien der Philos.

des Rechts, Berlin 1821); – KLL V, 1873 ff. (Die Phänomenologie des Geistes, Bamberg – Würzburg 1807); – KLL VII, 821 ff. (Vorlesungen über die Ästhetik, Berlin 1835–38); – KLL VII, 823 ff. (Vorlesungen über die Gesch. der Philos., 3 Bde., Berlin 1833 bis 1836); – KLL VII, 827 ff. (Vorlesungen über die Philos. der Gesch., Berlin 1837); – KLL VII, 831 ff. (Vorlesungen über die Philos. der Rel., 2 Bde., 1832); – KLL VII, 1187 ff. (Wiss. der Logik, 3 Bde., Nürnberg 1812–16). – Eppelsheimer, WL 458; – ADB XI, 254 ff.; – NDB VIII, 207 ff.; – Biogr. Wb. z. dt. Gesch. I², 1973, 1053–1058; – Überweg IV, 678 ff.; – EncF II, 995–1017; Barth, PrTh², 341–378; – ADB XI, 254 ff.; – NDB VIII, 207 ff.; – RGG III. 115 ff.; – EKL II, 43 ff.; – LThK V, 56 ff.; – NCE VI, 986 ff.; – ODCC² 627 f.

HEGELUND, Peder Jensen, dänischer ev. Bischof, * 9. 6. 1542 in Ribe (Ripen), † daselbst 18. 2. 1614. –

H. studierte seit 1561 in Kopenhagen und trat in Beziehung zu Niels Hemmingsen (s. d.). 1564–66 besuchte er die Universität Leipzig und weilte dann drei Jahre als Präzeptor von Hemmingsens Sohn in Wittenberg. Dort promovierte H. 1568 zum Magister und kehrte in seine Vaterstadt zurück. Er wurde 1569 Rektor der Domschule, 1580 Lektor des Domkapitels, 1588 Pastor am Dom und 1595 Bischof. – Der humanistisch gebildete H. war als Anhänger Philipp Melanchthons (s. d.) Vertreter des Philippismus in Dänemark. Seine Schulbücher und seine poetischen Schriften erlangten wesentliche Bedeutung für die Entwicklung des dänischen Schulwesens im 16. Jahrhundert.

Werke: Grammat. u. päd. Schrr., lat. u. dän. Gelegenheitsdichtungen, Schauspiele f. Schüleraufführungen, u. a.: Susanna og Calumnia, 1578/79 (hrsg. v. Sixt Birket Smith, 1888–90); ABC aff Bibelske Ordsprock, 1588. – Für die Zeitgesch. wichtig sind namentlich seine hist. Kal.aufzeichnungen (seit 1565), v. denen nur ein geringer Tl. gedr. ist.

Lit.: J. Kinch, Ribe Bys Historie II, 1884, 201–214. Reg. 910; – Sixt Birket Smith, Studier paa den aeldre danske Literatur Omraade II, 1896, 1–25; – Bjørn Kornerup, H. P. Resen I, 1928, 27–36. Reg. 502; – H. Lund, P. J. H., in: Ribe Bispesaede 948 bis 1948. Festskrift i Tusinddaaret, Kopenhagen 1948, 95–121; – DBL IX, 528 f.; – RGG III, 119 f.

HEGENWALT, Erhard, Kirchenliederdichter von unbekannter Herkunft. –

H. hat vermutlich in Wittenberg studiert. Er promovierte dort 1526 zum Dr. med. und soll von 1528 bis 1541 als Stadtarzt in Frankfurt am Main gelebt haben. – H. befand sich 1523 im Dienst des Abts Johann Jakob Russinger von Pfeffers und widmete ihm von Zürich aus am 3. 3. 1523 einen im Druck erschienenen Bericht von der Disputation Huldrych Zwinglis (s. d.) vom 29. 1. 1523, die den Sieg der Reformation im Kanton Zürich entschied. Am Freitag nach Epiphanias (8. 1.) 1524 erschien von H. in Wittenberg als Einzeldruck das einzige von ihm bekannte Lied »Erbarm dich mein, o Herre Gott, nach deiner großen Barmherzigkeit«, eine deutsche Bearbeitung des 51. Psalms »Miserere mei deus«. Martin Luther (s. d.) nahm es noch 1524 in das Chorgesangbüchlein aus dem Erfurter Enchiridion von 1524 auf, später auch in das Klugsche Gesangbuch von 1529 und in das Babstsche Gesangbuch von 1545.

Lit.: Philipp Wackernagel, Bibliogr. z. Gesch. d. dt. Kirchenliedes im 16. Jh., 1855, 51, Nr. 134; – Huldrych Zwinglis Sämtl. Werke, hrsg. v. Emil Egli u. Georg Finsler, I, 1905, 472 ff. (E. H., Handlung der Versammlung in der Stadt Zürich auf den 29. 1. 1523 mit einem Vorwort v. 3. 3. 1523); – Otto Clemen, E. H., in: ZKG 29, 1908, 223 f.; – Schottenloher I, Nr. 8082 bis 8884; – Koch I, 287 f.; – Goedeke II, 176; – ADB XI, 275.

HEGESIPPUS, antihäretischer Kirchenschriftsteller aus der 2. Hälfte des 2. Jahrhunderts. –

H. war von Geburt Palästinenser oder doch Orientalist. Die Verbreitung der Gnosis veranlaßte ihn, sich bei mehreren Kirchen über die »rechte Lehre« zu erkundigen. Er reiste zur See nach Rom und kehrte unterwegs in Ko-

rinth ein. Zur Widerlegung der Gnosis hat H. später die Ergebnisse seiner Fahrt zusammengestellt: Die auf die Apostel zurückgehende und ununterbrochen fortschreitende Sukzession der Bischöfe verbürgt die Kontinuität der Glaubensüberlieferung und die Apostolizität der Kirchenlehre. – Das Werk des H. »Hypomnemata« bestand aus 5 Büchern. Auf Grund alter Bücherverzeichnisse weiß man, daß es noch im 16. und 17. Jahrhundert in mehreren Bibliotheken aufbewahrt wurde.

Werke: Hypomnemata (Denkwürdigkeiten). Die durch Eusebius v. Caesarea u. a. aufbewahrten Fragmente sind zus.gest. bei MPG V, 1303–1328; bei Martin Joseph Routh, Reliquiae sacrae I, Oxford 1846², 207–219; bei Adolf Hilgenfeld, H., in: ZWTh 19, 1876, 177–229; bei Theodor Zahn, Forsch. z. Gesch. des nt. Kanons u. der altchristl. Lit. VI, 1900, 228–273; bei Erwin Preuschen, Antilegomena. Die Reste der außerkanon. Evv. u. urchristl. Überl.en, hrsg. u. übers., 1905², 107–113 (dt. 210–216); bei Hugh Jackson Lawlor, Eusebiana. Essays on the Ecclesiastical History of Eusebius, Bishop of Caesarea, Oxford 1912, 1–107; bei Eduard Schwartz, Eusebius: KG. Kleine Ausg. 1952² (Nachdr. der 2. durchges. Aufl], 131–156.

Lit.: Adolf Hilgenfeld, H. u. die Apg., in: ZWTh 21, 1878, 193–233; – H. Dannreuther, Du témoignage d'H. sur l'Église chrétienne aux deux premiers siècles, Nancy 1878; – Fr. Overbeck, Über die Anfänge der KG.schreibung, Progr. Basel 1892, 6–13. 17–22; – Erich Caspar, Die älteste röm. Bisch.liste. Krit. Stud. z. Formproblem des eusebian. Kanons sowie z. Gesch. der ältesten Bisch.listen u. ihrer Entstehung aus apostol. Sukzessionsreihen, 1926, 233 ff. 443 ff.; – Theodor Klauser, Anfänge der röm. Bisch.liste, in: BZThS 8, 1931, 193 ff.; – Walter Bauer, Rechtgläubigkeit u. Ketzerei im ältesten Christentum, 1934; – Hans Joachim Schoeps, Jacobus der Gerechte u. Oblias, in: Bibl 24, 1943, 398–403; – Harald Sahlin, Noch einmal Jacobus »Oblias«, ebd. 28, 1947, 152 f.; – Hans Frhr. v. Campenhausen, Lehrerreihen u. Bisch.reihen im 2. Jh., in: In memoriam Ernst Lohmeyer. Hrsg. v. Werner Schmauch, 1951, 240 ff.; – Ders., Kirchl. Amt u. geistl. Vollmacht in den ersten 3 Jhh., 1953, 178 ff. (1963²); – Ethelbert Stauffer, Zum Kalifat des Jacobus, in: ZRGG 4, 1952, 193 ff.; – Arnold Ehrhardt, The Apostolic Succession in the First Two Centuries of the Church, London 1953; – Johannes Quasten, Initiation aux Pères de l'Église I, Paris 1955, 326 ff.; – W. Telfer, Was H. a Jew?, in: HThR 53, 1960, 143 ff.; – N. Hyldahl, H.s Hypomnemata, in: StTh 14, 1960, 70 bis 113; – Geoffrey William Hugo Lampe, A Patristic Greek Lexicon I, Oxford 1961; – Herbert Kemler, Der Herrenbruder Jakobus bei H. u. in der frühchristl. Lit. (Diss. Göttingen 1966; urspr. eingereicht u. d. T.: H., ein judenchristl. Apologet), 1966 (Tl.dr.); – Harnack, Lit I, 483–485; II/1, 311–313; – Bardenhewer I, 385 ff.; – RAC II, 411; – Altaner⁷ 109 f.; – Quasten I, 284 ff.; – RGG III, 120; – RE VII, 531 ff.; – Caspar II, 8 ff.; – Seppelt I, 18 ff.; – LThK V, 60 ff.; – NCE VI, 994; – ODCC² 628.

HEGIUS, Alexander, humanistischer Schulmann, * um 1433 in Heek bei Ahaus (Westfalen) als Sohn eines wohlhabenden Schulzen, † 27. 12. 1498 in Deventer. –

H. wurde 1469 Rektor der städtischen »Großen Schule« in Wesel und 1474 der Stiftsschule von St. Martin in Emmerich. Vom Herbst 1483 bis zu seinem Tod wirkte er als Rektor der zum Stift des hl. Lebuinus gehörigen Schule in Deventer und reformierte sie in humanistischem Sinn. Früher als an anderen deutschen Schulen wurde durch H. in Deventer das Griechisch in den Lehrplan aufgenommen. Er stand unter dem Einfluß der »devotio moderna«, einer der deutschen Mystik verwandten religiösen Erneuerungsbewegung des 14./15. Jahrhunderts, die eine persönliche Frömmigkeit in der Nachfolge Christi erstrebte und deren Träger die »Brüder vom gemeinsamen Leben« waren. So wurde H. noch im Alter Priester. Durch seine Schüler gewann er großen Einfluß auf den jüngeren Humanismus.

Werke: Aus dem Nachlaß des A. H. hrsg. v. seinem Schüler Johannes Fabri: Carmina et gravia et elegantia cum ceteris eius opusculis, Tl. 1–2, Deventer 1503; Prima (et Secunda) pars grammatices regulis et exemplis earundem compendiose noviter collecta, Tl. 1, ebd. 1495; Tl. 2, o. J. (Komm. zu den beiden ersten Teilen des Doctrinale puerorum v. Alexander de Villa Dei).

Lit.: Dietrich Reichling, Bttr. z. Charakteristik des A. H., in:

Mschr. f. rhein.-westfäl. Gesch.forschung u. Altertumskunde 3, 1877, 286 ff.; – Ders., Zur Biogr. des A. H., in: Zschr. f. vaterländ. Gesch. u. Altertumskunde . . . Westfalen 69, 1911, I, 451 ff.; – Ludwig Geiger, Renaissance u. Humanismus in It. u. Dtld., 1882, 391–393; – Adolf Kleine, Gesch. des Weseler Gymn. v. der ältesten Zeit bis z. Ggw., in: Festschr. z. Feier der Einweihung des neuen Gymn. am 18. 10. 1882, Wesel 1882, 1–179; – Josef Wiese, Der Pädagoge A. H. u. seine Schüler (Diss. Erlangen), 1892; – Johannes Lindeboom, Het Bijbelsch Humanisme in Nederland, Leiden 1913, 70 ff.; – Percy Stafford Allen, The Age of Erasmus, Oxford 1914 (Nachdr. New York 1963), bes. 21. 25 ff. 34 f. 41 f. 63; – Maarten van Rhijn, Wessel Gansfort (Diss. Groningen), 's Gravenhage 1917; – Pierre Joseph Marique, History of Christian Education, New York 1924–32, II; – Beckschäfer, A. H., in: Festschr. des Staatl. Gymn. zu Emmerich, 1932, 2. Abt., S. 67–71; – Aloys Bömer, A. H., in: Westfäl. Lb. III, 1934, 345 ff.; – Regnerus Richardus Post, Scholen en onderwijs in Nederland gedurende de Middeleeuwen, Utrecht 1954; – LPäd II, 682–686; – ADB XI, 283 ff.; – NDB VIII, 232 f.; – RGG III, 120; – LThK V, 61; – NCE VI, 994.

HEGLER, Alfred, ev. Theologe, * 6. 11. 1863 in Stuttgart als Sohn eines späteren Landgerichtsrats, † 4. 12. 1902 in Tübingen. – H. besuchte das Gymnasium in Stuttgart und seit 1877 das Seminar in Maulbronn und in Blaubeuren. Seit 1882 studierte er in Tübingen, wo Christoph von Sigwarth (s. d.) und Karl Weizsäcker (s. d.) am stärksten auf ihn einwirkten. H. wurde 1886 Vikar in Winterbach bei Schorndorf und 1887 Stadtvikar an der Hofkirche in Stuttgart. Er studierte 1888 noch ein Semester in Berlin und wurde in Tübingen 1889 Repetent, 1892 Privatdozent, 1898 ao. und 1900 als Nachfolger Weizsäckers o. Professor der Kirchengeschichte. Sein Lebenswerk sollte eine »Geschichte des Spiritualismus im Zeitalter der Reformation« werden. Da aber der vielversprechende, glänzend begabte Theologe in der Blüte seiner Jahre einem schleichenden Nierenleiden erlag, blieb dieses Werk unvollendet. Seine Vorarbeiten sind noch heute von Bedeutung.

Werke: Die Psychologie in Kants Ethik, 1891; Geist u. Schr. bei Sebastian Franck. Eine Stud. z. Gesch. des Spiritualismus in der Ref.zeit (Hab.-Schr., Tübingen), Freiburg/Breisgau 1892; Franz v. Assisi, in: ZThK 6, 1896, 395 ff.; Johannes Brenz u. die Ref. im Hzgt. Wirtemberg, 1899; Kath. u. moderne Kultur, in: ChW 19, 1899, 364 ff.; Zur Erinnerung an Karl Weizsäcker, 1900; Sebastian Francks lat. Paraphrase der dt. Theol. u. seine holl. erhaltenen Traktate, 1901; KG oder christl. Rel.gesch.?, in: ZThK 13, 1903, 1 ff.; – 12 Predigten, 1902; Btrr. z. Gesch. der Mystik im Ref.zeit, hrsg. v. Walther Koehler, 1906 (mit Biogr.).
Lit.: Nestle, Nachruf, in: ThJber 22, 1902, 1437; – J. Gmelin, Nachruf, in: PrBl 1903, Nr. 1; – Walther Koehler, A. H., 1906; – BJ VII, 44* (Totenliste 1902); – NDB VIII, 233 f.; – RE XXIII, 632 ff.; – RGG III, 120 f.; – LThK V, 61 f.

HEHL, Matthäus Gottfried, Liederdichter der Brüdergemeine, * 30. 4. 1705 in Ebersbach im württembergischen Filstal als Sohn eines Kaufmanns und Schultheißen, † 4. 12. 1787 in Lititz (Pennsylvanien). – H. studierte in Tübingen und wurde 1723 Magister. Er wirkte als Vikar in einer Gemeinde bei Tübingen, als Nikolaus Ludwig Graf von Zinzendorf (s. d.) 1733 nach Tübingen kam. Weil er Gewissensbedenken hatte, Unbekehrten das Abendmahl zu reichen, trat H. von seinem Vikariat zurück. August Gottlieb Spangenberg (s. d.), der damals gerade auf einer Reise nach Georgien durch Tübingen kam, gewann ihn zu seinem Nachfolger als Erzieher des jungen Grafen Georg Christian von Zinzendorf. Im November 1734 traf H. in Herrnhut (Oberlausitz) ein und übernahm 1736, als der Graf die Universität Jena bezog, die Besorgung des Waisenhauses in Herrnhut. Er wurde im April zum Presbyter ordiniert und war dann im Dienst der Brüdergemeine in der Wetterau, in Schlesien und in Barby (Bez. Magdeburg) tätig. 1751 wurde H. nach Pennsylvanien gesandt und vor seiner Reise nach Amerika in London zum Bischof geweiht. Dort wirkte er in Bethlehem und von Ende 1756 bis 1784 in Lititz als Vorsteher dieser und der umliegenden Gemeinen. – Von seinen Liedern seien genannt: »O gesegnetes Regieren unsers Königs in der Still, der sein Häuflein sammeln, führen, gründen und vollenden will« und »Ein Kind der Gnade werden, in Christi Wahrheit stehn, in Einfalt seiner Herden, ist gar zu wunderschön«.

Lit.: Gottlieb Friedrich Otto, Lex. der oberlausitz. Schr.steller II, 1802. 65 f.; – Nachrr. aus der Brüdergemeine, 1849, H. 4; – Smlg.en f. Liebhaber christl. Wahrheit u. Gottseligkeit 69, Basel 1852, 19 f. 49 f. 86 f. 113 f.; – Koch V, 348 f.

HEHN, Johannes, kath. Theologe, * 4. 1. 1873 in Burghausen (Unterfranken), † 9. 5. 1932 in Würzburg. – H. promovierte 1899 in Würzburg zum Dr. theol., studierte dann in Berlin semitische Philologie, besonders Assyriologie bei Friedrich Delitzsch (s. d.). 1903 wurde er Privatdozent für alttestamentliche Exegese und biblisch-orientalische Sprachen in Würzburg, in demselben Jahr noch ao. Professor und 1907 o. Professor. – H.s Hauptinteresse galt dem Problem »Altes Testament und Alter Orient«. Bei aller Anerkennung der kulturellen Verbundenheit Israels mit dem Alten Orient betonte er stark in seinen Arbeiten die Eigenständigkeit der Religion des Alten Testaments und die Unableitbarkeit ihrer grundlegenden Gedanken aus dem Geistesleben der Alten Orients.

Werke: Die Einsetzung des hl. Abendmahls als Beweis f. die Gottheit Christi (v. der Theol. Fak. zu Würzburg gekrönte Preisschr.; Diss. theol. Würzburg), 1900; Sünde u. Erlösung nach bibl. u. babylon. Anschauung, 1903; Hymnen u. Gebete an Marduk nebst einer Einl. über die rel.gesch. Bedeutung Marduks (Diss. phil. Berlin), Leipzig 1903; Siebenzahl u. Sabbat bei den Babyloniern u. im AT. Eine rel.gesch. Stud., 1907; Der israel. Sabbat, 1909 (1912³); Die bibl. u. die babylon. Gottesidee. Die israel. Gottesauffassung im Lichte der altorient. Rel.-gesch., 1913 (1925 indiziert); Wege z. Monotheismus. Rektoratsrede, 1913 (1925 indiziert); Zum Terminus »Bild Gottes«, 1915; Der Untergang des Alten Orients (Rektoratsrede), 1928.
Lit.: Kosch, KD 1440; – LThK V, 62; – NCE VI, 994 f.; – RGG² II, 1686.

HEIDANUS (eigentlich: van der Heyden), Abraham, ref. Theologe, * 10. 8. 1597 in Frankenthal (Pfalz) als Sohn und Enkel eines Pfarrers, † 15. 10. 1678 in Leiden. – H. wuchs in Amsterdam auf, wohin sein Vater 1608 berufen worden war. Er studierte in Leiden und wurde nach einer zweijährigen Studienreise, die ihn durch Deutschland, die Schweiz, Frankreich und England führte, 1623 Pfarrer an der niederländischen reformierten Gemeinde in Naarden und 1627 in Leiden. Auf seiner Studienreise hatte H. die analytische Predigtmethode kennengelernt, die er nun in Holland einführte. 1648 wurde H. Professor der Theologie in Leiden. Als Freund und Geistesverwandter des Johannes Coccejus (s. d.) übernahm er dessen Bundestheologie, gleichzeitig aber auch Elemente der Philosophie von René Descartes (s. d.) zur Begründung der theologia naturalis. Dadurch geriet H. in literarische Fehde mit seinem Kollegen Johannes Hoornbeek (s. d.). Im Verlauf des Streites um die kartesianische Philosophie erfolgte im Mai 1676 H.s Amtsentsetzung. Doch blieb er im Pfarramt unbehelligt.

Werke: De causa Dei, 1645; Corpus theologiae christianae, 2 Bde., 1676 (1686²).
Lit.: Wilhelm Gaß, Gesch. der prot. Dogmatik II, 1857, 300 ff.; – Jan Anthony Cramer, A. H. en zijn Cartesianisme (Diss. Utrecht), 1889; – Laurentius Knappert, Geschiedenis der Hervormde Kerk onder de republiek en het koninkrijk der Nederlanden.

Tl. 1: Geschiedenis der Nederlandsche Hervormde Kerk gedurende de 16e en 17e eeuw, Amsterdam 1911; – Albert Eekhof, De
theologische faculteit te Leiden in de 17e eeuw, Utrecht 1921; –
Gottlob Schrenk, Gottesreich u. Bund im älteren Prot. vornehmlich bei Johannes Coccejus, 1923; – H. B. Visser, De geschiedenis van den sabbatsstrijd onder de Gereformeerden in de 17e
eeuw, Utrecht 1939; – Klaas Schilder, Heidelbergsche Catechismus, 4 Bde., 1947–52; – Johannes Reitsma – Johannes Lindeboom, Geschiedenis van de Hervorming en de Hervormde Kerk
der Nederlanden, Den Haag 1949⁵; – Ritschl III, 445 ff.; –
BWGN IV, 2 ff.; – MennLex II, 274; – ADB XI, 292 f.; – RE
VII, 535 ff.; – RGG III, 121.

HEIDANUS (eigentlich: van der Heyden), Caspar, ref.
Theologe, * 1530 in Mecheln als Sohn vornehmer Eltern, † 7. 5. 1586 in Bacharach am Rhein. – Kaum 16
Jahre alt, wandte sich H. dem evangelischen Glauben
zu und wurde darum von seiner Familie verstoßen. Er
arbeitete als Schuster in Antwerpen, widmete sich
aber in der Freizeit eifrig dem Studium der Bibel und
trat auch seit 1550 zuweilen öffentlich für die Reformation ein. Um sich zum Prediger ausbilden zu lassen, ging H. 1554 nach Emden zu Johannes Laski (s.
d.), dem Reformator und Organisator der reformierten Kirche Frieslands. 1558–62 war er Prediger an der
niederländischen Gemeinde in Frankfurt/Main und
nach kurzem Aufenthalt in Antwerpen 1564–66 in
Frankenthal (Pfalz). H. kehrte nach Antwerpen zurück, mußte aber die Stadt bald verlassen. 1567 trat
er zum zweitenmal den Predigerdienst in Frankenthal
an als Nachfolger des Petrus Dathenus (s. d.). H.
nahm 1571 an dem großen Gespräch mit den Täufern
in Frankenthal teil und übersetzte das Protokoll ins
Holländische. Er wirkte als Prediger 1574–78 in Middelburg und 1579–85 wiederum in Antwerpen. Nach
der Eroberung der Stadt durch die Spanier wurde H.
von dort vertrieben. Als Kircheninspektor im Amt
Bacharach ist er kurz darauf gestorben. – H. war ein
schroffer Verfechter der calvinischen Lehre gegen Katholiken, Lutheraner und Mennoniten (s. Menno Simons). Sein Verdienst ist es, daß er mit Philipp Mar-
nix (s. d.) die Reformierten in den Niederlanden und
in Westdeutschland nach calvinischer Tradition zu
Synoden zusammenschloß.

Lit.: Maximiliaan Frederik van Lennep, C. van der Heyden, Amsterdam 1884; – MennLex II, 274; – ADB XI, 293 f.; – NDB
VIII, 239; – RGG III, 121.

HEIDEGGER, Johann Heinrich, ref. Theologe, * 1. 7.
1633 als Pfarrerssohn in Bäretswil (Zürcher Oberland), † 18. 1. 1698 in Zürich. – H. studierte in Zürich
bei Johann Heinrich Hottinger (s. d.), in Marburg bei
Ludwig Crocius (s. d.) und lehrte Hebräisch in Heidelberg. 1659 wurde ihm der Lehrstuhl für »Loci
communes« und Kirchengeschichte in Burgsteinfurt (Westfalen) übertragen. Von dort aus besuchte er das nahe
Holland und lernte die bedeutendsten niederländischen Gelehrten und Theologen kennen, besonders Johannes Coccejus (s. d.). Nach Auflösung der Akademie Steinfurt 1665 kehrte H. nach Zürich zurück, lehrte dort zuerst »Ethica christiana«, seit 1667 als Nachfolger von J. H. Hottinger Exegese und Dogmatik. –
Als Freund und Gesinnungsgenosse des Coccejus verband H. Dordrechter Orthodoxie mit maßvoller Bundestheologie, bahnte aber auch den Übergang zur Aufklärung an. 1675 wurde er zur Abwehr der Neuerungen der Theologenschule von Saumur (s. Amyraut,
Moyse) mit der Abfassung der Helvetischen Consen-
susformel betraut. H. war um Vermittlung und Einigung innerhalb des Protestantismus bemüht, be-

kämpfte aber in seinen kontroverstheologischen Schriften leidenschaftlich die katholische Kirche und das
Tridentinum. Er ist auch bekannt als Verfechter der
Verbalinspiration der Massora gegen Louis Cappellus
(s. d.).

Werke: Ethicae christiane disputationes, 1660–67; Anatome Concilii Tridentini historico-theologica, 2 Bde., 1672–75; De fide
decretorum Tridentini Concilii Quaestiones theologicae, 1662;
Historia papatus, 1684; Mysterium Babylonis Magnae, 1687; Tu-
mulus Tridentini Concilii, 2 Bde., 1690; Medulla Medullae theologiae christianae, 1697 (1713²); Historia vitae Joannis Henrici
ab ipsomet conscripta, mit Ergg. v. J. Caspar Hofmeister, 1698;
Corpus theologiae christianae, 2 Bde., 1700.

Lit.: Alexander Schweizer, Die prot. Centraldogmen in ihrer
Entwicklung innerhalb der ref. Kirche II, Zürich 1856, 482 ff.; –
Ders., Die theol. eth. Zustände der 2. Hälfte des 17. Jh.s in der
zürcher. Kirche, ebd. 1857; – Wilhelm Gaß, Gesch. der prot.
Dogmatik II, 1857, 353 ff.; – Emil Bloesch, Gesch. der schweizer. ref. Kirche I, 1898, 485 ff.; – Gottlob Schrenk, Gottesreich
u. Bund im älteren Prot., vornehmlich bei Johannes Coccejus.
Zugleich ein Btr. z. Gesch. des Pietismus u. der heilsgeschichtl.
Theol., 1923; – Henri Vuilleumier, Histoire de l'Église réformée
du Pays de Vaud sous le régime bernois II. III, Lausanne 1929/
1930; – Doede Nauta, Samuel Maresius, Amsterdam 1935; –
Hubert Jedin, Das Konzil v. Trient. Ein Überblick über die Er-
forsch. seiner Gesch., Rom 1948, 65. 140. 151; – Max Geiger,
Die Basler Kirche u. Theol. im Zeitalter der Hochorthodoxie,
Zollikon-Zürich 1952; – Karl Hutter, Der Gottesbund in der
Heilslehre des Zürcher Theologen J. H. H., Gossau 1955; –
Schottenloher IV, Nr. 43227–43232; – Ritschl III, 456 ff.; – ADB
XI, 295 f.; – NDB VIII, 244 f.; – HBLS IV, 115; – RE VII, 537
ff.; XXIII, 635; – RGG III, 121; – LThK V, 62 f.

HEIDEGGER, Martin, Philosoph, * 26. 9. 1889 in
Meßkirch (Südbaden), † 26. 5. 1976 in Freiburg/
Breisgau. – H. studierte katholische Theologie, beschäftigte sich vorübergehend mit Mathematik und
Physik, ging dann über zur Geschichte und Philosophie. Er wurde 1915 Privatdozent in Freiburg/Breis-
gau und lehrte seit 1923 als Professor der Philosophie
in Marburg und von 1928 bis zu seiner Emeritierung
1951 in Freiburg. – H., Schüler von Edmund Husserl,
dem Begründer der Phänomenologie, wurde durch
sein Hauptwerk »Sein und Zeit« zum führenden Vertreter der deutschen Existentialphilosophie.

Werke: Die Lehre v. Urteil im Psychologismus. Ein krit.-positi-
ver Btr. z. Logik (Diss. Freiburg/Breisgau), Leipzig 1914; Die
Kategorien- u. Bedeutungslehre des Duns Scotus (Hab.-Schr.,
Freiburg/Breisgau 1915), Tübingen 1916; Der Zeitbegriff in der
Gesch.wiss., in: Zschr. f. Philos. u. philos. Kritik 161, 1916,
173–188; Sein u. Zeit, 1927 (1977¹⁴); Kant u. das Problem der
Metaphysik, 1929 (1973⁴); Vom Wesen des Grundes, 1929 (1973⁶);
Was ist Metaphysik?, 1929 (1973¹¹); Vom Wesen der Wahrheit,
1943 (1976⁶); Erll. zu Hölderlins Dichtung, 1944 (1971⁴); Platons
Lehre v. der Wahrheit. Mit einem Brief über den »Humanismus«, 1947 (1975: 23.–25. Tsd.); Holzwege, 1950 (1972⁵); Einf.
in die Metaphysik, 1953 (1976⁴); Der Feldweg, 1953 (1969⁴); Was
heißt Denken?, 1954 (1971³); Vortrr. u. Aufss., 1954 (1967²);
Aus der Erfahrung des Denkens, 1954 (1976); Zur Seinsfrage,
1956; Identität u. Differenz, 1957 (1976⁵); Der Satz v. Grund,
1957 (1965³); Unterwegs z. Sprache, 1959 (1975⁵); Gelassenheit,
1959 (1974⁴); Der Ursprung des Kunstwerkes. Mit einer Einf. v.
Hans-Georg Gadamer, 1960 (Reclam RUB 8446/47, 1977); Nietzsche, 2 Bde., 1961 (1976³); Die Frage nach dem Ding. Zu Kants
Lehre v. den transzendentalen Grundsätzen, 1962 (1975²); Kants
These über das Sein, 1962; Die Technik u. die Kehre, 1962
(1976³); Der europ. Nihilismus, 1967 (Sonderdr. aus: H., Nietzsche, Bd. 2); Wegmarken. Ges. Aufss., 1967; Zur Sache des Denkens, 1969; Phänomenologie u. Theol. 1970. – GA II. Abt. 1,
Veröff. Schrr. 1914–1970. Sein u. Zeit. Hrsg. v. Friedrich-Wilhelm v. Herrmann, 1977; IX. Abt. 1, Veröff. Schrr. 1914–1970.
Wegmarken. Hrsg. v. dems., 1976; XXI. Abt. 2, Vorlesungen
1923–1944. Logik: die Frage nach der Wahrheit. Marburger
Vorlesung WS 25/26. Hrsg. v. Walter Biemel, 1976; XXIV, Abt.
2, Vorlesungen 1923–1944. Die Grundprobleme der Phänomenologie. Marburger Vorlesung SS 1927. Hrsg. F.-W. v. Herrmann,
1975. – Hans-Martin Saß, H.-Bibliogr., 1968 (Rez. v. U. Claesges, Bibliographie de la philosophie 17, Paris 1970, 455).

Lit.: Rudolf Bultmann, Die Geschichtlichkeit des Daseins u. der
Glaube, in: ZThK NF 11, 1930, 339 ff.; – Karl Löwith, Phänomenologie. Ontologie u. prot. Theol., ebd. 365 ff.; – Ders., Les
implications politiques de la philosophie de l'existence, in: Les
temps modernes 2, Paris 1946, 343 ff.; – Ders., H. Denker in
dürftiger Zeit, 1953 (1965³); – Julius Kraft, Von Husserl zu H.
Kritik der phänomenolog. Philos., 1932 (1977³); – Johannes
Pfeiffer, Existenzphilos. Eine Einf. in H. u. Jaspers, 1933
(1949²); – Ders., Existenz u. Offb. Die Existenzphilos. v. H. u.

Jaspers als Weg z. Selbstprüfung des Glaubens, 1966⁵ (frühere Aufll. u. d. T.: Existenzphilos.); – W. Ernst, Theol. Begriffe in der modernen Existentialphilos., in: ZSTh 10, 1933, 589 ff.; – Adolf Sternberger, Der verstandene Tod. Unters. zu M. H.s Existenzialontologie, 1934; – Alois Fischer, Die Existenzphilos. H.s Darlegung u. Würdigung ihrer Grundgedanken, 1935; – Alfred Delp, Trag. Existenz. Zur Philos. M. H.s, 1935; – Klemens August Hoberg, Das Dasein des Menschen. Die Grundfrage der H.schen Philos. (Diss. München) Zeulenroda 1937; – Karl Lehmann, Der Tod bei H. u. Jaspers. Btr. z. Frage: Existenzialphilos. u. prot. Theol. (Diss. Heidelberg), 1938; – Ders., Metaphysik, Transzendentalphilos. u. Phänomenologie in den ersten Schrr. M. H.s (1912–1916), in: PhJ 71, 1963/64, 331 ff.; – Ders., Christl. Gesch.erfahrung u. ontolog. Frage beim jungen H., ebd. 74, 1966–67, 126 ff.; – Alphonse de Waelhens, La Philosophie de M. H., Louvain 1946; – Ders., Chemins et impasses de l'ontologie heideggerienne. A propos des »Holzwege«, ebd. – Paris 1953; – Thaddäus Weiß, Angst vor dem Tode u. Freiheit z. Tode in M. H.s »Sein u. Zeit«, Innsbruck 1947; – Franz Josef Brecht, H. u. Jaspers. Die beiden Grundformen der Existenzphilos., 1948; – René Marcic, M. H. u. die Existenzialphilos., Bad Ischl 1949; – Arthur Hübscher, M. H., in: Ders., Philosophen der Ggw., 1949, 73 ff. 154; – Heinz Horst Schrey, Die Bedeutung der Philos. M. H.s u. die Theol., in: M. H.s Einfluß auf die Wiss. Festschr. zu seinem 60. Geb., Bern 1949, 9 ff.; – Robert Scherer, M. H. u. der wahre Thomismus, in: Wort u. Wahrheit. Mschr. f. Rel. u. Kultur 4, 1949, 680 ff.; – Gerhard Krüger, M. H. u. der Humanismus. Zur Auseinandersetzung mit den Schrr. »Platons Lehre v. der Wahrheit« u. »Brief über den Humanismus«, in: Studia philosophica 9, 1949, 93 ff.; auch in: ThR 18, 1950, 148 ff.; – M. H.s Einfluß auf die Wiss.en. Aus Anlaß seines 60. Geb. verf. v. Carlos Astrada, Kurt Bauch, Ludwig Binswanger u. a., Bern 1949; – Max Müller, Existenzphilos. im geist. Leben der Ggw., 1949 (1958²); – Ders., »Einf. in die Metaphysik«, in: Universitas. Zschr. f. Wiss., Kunst u. Lit. 9, 1954, 301 ff. 409 ff.; – Otto Friedrich Bollnow, H.s neue Kehre, in: ZRGG 2, 1949/50, 113 ff.; – Knud Ejler Løgstrup, Kierkegaards u. H.s Existenzanalyse u. ihr Verhältnis z. Verkündigung, 1950; – Egon Vietta, Die Seinsfrage bei M. H., 1950; – Anteile. M. H. z. 60. Geb., 1950; – Walter Biemel, Le concept du monde chez H., Löwen – Paris 1950; – M. H. in Selbstzeugnissen u. Bilddokumenten dargest. v. dems., 1973 (1976³: 21. bis 24. Tsd.); – Johannes Baptist Lotz, H. u. das Sein: in: Universitas. Zschr. f. Wiss., Kunst u. Lit. 6, 1951, 727 ff. 839 ff.; – Ders., M. H. u. das Problem der Metaphysik, in: Scholastik 28, 1953, 1 ff.; – Ders., Mensch-Zeit-Sein. Nachvollziehen einer Thematik v. H. bei Thomas v. Aquin, in: Gregorianum 55, 1974, 239 ff.; – H. Kuhn, H.s »Holzwege«, in: APh 4, 1952, 253 ff.; – Joseph Möller, Existenzialphilos. u. kath. Theol., 1952; – Ders., Zum Thema »Der spätere H. u. die Theol.« in: ThQ 147, 1967, 386 ff.; – Jakob Hommes, Zwiespältiges Dasein. Die existenziale Ontologie v. Hegel bis H., 1953; – Jan van der Meulen, H. u. Hegel, oder Widerstreit u. Widerspruch, 1953; – M. Corvez, La place de Dieu dans l'ontologie de M. H., in: RThom 53, 1953, 287 ff.; – C. Fabro, Ontologia existenzialistica e metafisica tradizionale, in: RFN 55, 1953, 581 ff.; – Wolfgang Kroug, Das Sein z. Tode bei H. u. die Probleme des Könnens u. der Liebe, in: ZphF 7, 1953, 392 ff.; – Johannes F. S. Hanselmann, Ist Gott tot? Ein Vers. über das Problem der Stellung H.s z. Theol., in: ELKZ 7, 1953, 113 ff.; – Ders., Fundamentalontologie oder Kryptotheol.? Ein Btr. z. theol. Verständnis M. H.s, ebd. 183 ff.; – Else Buddeberg, H. u. die Dichtung. Hölderlin, Rilke 1953; – Dies., Denken u. Dichten des Seins. H., Rilke, 1956; – Walter Schulz, Über den philos.geschichtl. Ort M. H.s, in: PhR 1, 1953/54, 65 ff. 211 ff.; – Michael Wyschogrod, Kierkegaard and H. The Ontology of Existence, London 1954; – Beda Allemann, Hölderlin u. H. (Diss. Zürich, 1954), Zürich – Freiburg/Breisgau 1954 (1956² erw.); – Johannes Michael Hollenbach, Sein u. Gewissen. Über den Ursprung der Gewissensregung. Eine Begegnung zw. M. H. u. der Moderne Philos., 1954; – Ders., H. oder Thomas v. Aquin?, in: StZ 157, 1955–56, 70 ff.; – Emerich Coreth, Auf der Spur der entflohenen Götter? M. H. u. die Gottesfrage, in: Wort u. Wahrheit. Mschr. f. Rel. u. Kultur 9, 1954, 107 ff.; – John Macquarrie, A Existentialist Theology. A Comparison of H. and Bultmann, London 1955; – Erich Przywara, Theol. Motive im philos. Werk M. H.s, in: Ders., In u. gg. Stellungnahmen z. Zeit, 1955, 55 ff. 142; – W. de Boer, H.s Mißverständnis der Metaphysik, in: ZphF 9, 1955, 500 ff.; – Jean Wahl, Vers la fin de l'ontologie. Étude sur l'introduction dans la métaphysique par H., Paris 1956; – Winfried Gruber, Vom Wesen der Kunstwerkes nach M. H. Eine Unters. über die Möglichkeit u. Notwendigkeit der Kunst, Graz 1956; – Karel Hendrik Roessingh, M. H. als godsdienstwijsgeer (mit Zus.fassung in dt. Sprache), Assen 1956; – Ulrich Luck, H. Ausarbeitung der Frage nach dem Sein u. die existential-analyt. Begrifflichkeit in der ev. Theol., in: ZThK 8, 1956, 279 ff.; – Paulus M. Engelhardt, Eine Begegnung zw. M. H. u. thomist. Philos.?, in: FZPhTh 3, 1956, 187 ff.; – Hermann Lübbe, Bibliogr. der H.-Lit. 1917–1955, 1957; – Marjorie Grene, M. H., London 1957; – Peter Fürstenau, H. Das Gefüge seines Denkens, 1958; – Heinrich Ott, Denken u. Sein. Der Weg M. H.s u. der Weg der Theol., Zürich 1959; – Thomas Langan, The Meaning of H. A Critical Study of an Existentialist Phenomenology, London 1959; – Paul Hühnerfeld, In Sachen H. Vers. über ein dt. Genie, 1959; – Timotheus Barth, Identität u. Differenz. Eine Begegnung mit M. H., in: WiWei 22, 1959, 81 ff.; – Gotthold

Müller, M. H.s Philos. als Frage an die Theol., in: ThZ 15, 1959, 357 ff.; – Ders., Vom nichtenden Nichts z. Lichtung des Seins, in: DtPfrBl 59, 1959, 414 f.; – Festschr. M. H. z. 70. Geb. Hrsg. v. Günther Neske, 1959; – Erinnerungen an M. H. Hrsg. v. dems., 1977; – Gustav Siewerth, Das Schicksal der Metaphysik v. Thomas zu H., Einsiedeln 1959; – Ders., M. H. u. die Frage nach Gott, in: Ders., Grundfragen der Philos. im Horizont der Seinsdifferenz. Ges. Aufss. z. Philos., 1963, 245 ff. 301; – Ders., Ges. Werke, hrsg. v. Wolfgang Behler u. Alma v. Stockhausen. III: Gott in der Gesch. Zur Gottesfrage bei Hegel u. H., hrsg. v. Alma v. Stockhausen, 1971; – Katharina Kanthack, Das Denken M. H.s. Die große Wende der Philos., 1959; – Dies., Das Wesen der Dialektik im Lichte M. H.s, in: StudGen 21, 1968, 538 ff.; – Wolfgang Müller-Lauter, Möglichkeit u. Wirklichkeit bei M. H., Berlin 1960 (zugl. Diss. Berlin F.U. 1959 u. d. T.: Der Vorrang der Möglichkeit vor der Wirklichkeit im Denken M. H.s); – Wolfgang Hübener, Unterss. z. Denkart M. H.s (Diss. Berlin F.U.), 1960; Eduard Buess, Die Philos. M. H.s u. ihre theol. Deutung, in: Kirchenbl. f. die ref. Schweiz 116, Basel 1960, 340 ff.; – Helmut Franz, Das Denken H.s u. die Theol., in: ZThK, Beih. 2, 1961, 81 ff.; – Gerhard Ebeling, Verantwortung des Glaubens in Begegnung mit dem Denken M. H.s, ebd. 119 ff.; – Fridolin Wiplinger, Wahrheit u. Gesch.lichkeit. Eine Unters. über die Frage nach dem Wesen der Wahrheit im Denken M. H.s, 1961; Hildegard Feick, Index zu H.s »Sein u. Zeit«, 1961 (1968² neubearb.); – Giuseppe Masi, La Libertà in H. Ricerche sulla sua filosofia, Bologna 1961; – Vincent Vycinas, Earth and Gods. An introduction to the philosophy of M. H., Den Haag 1961; – Soren Nordentoft, H.s opgor med den filosofiske tradition kritisk beylst, Kopenhagen 1961 (Rez. v. Peter Kemp, in: Revue philosophique de la France et de l'étranger 161, Paris 1971, 472 f.); – Werner Marx, H. u. die Tradition. Eine problemgeschichtl. Einf. in die Grundbestimmungen des Seins, 1961 (Rez. v. Jean Granier, in: Revue philosophique de la France et de l'étranger 159, Paris 1969, 109 ff.); – Albert Chapelle, L'ontologie phénoménologique de H. Un commentaire de »Sein u. Zeit«, Paris 1962; – Joseph J. Kockelmans, M. H. Een inleiding in zijn denken, Den Haag, 1962; – Guido Schneeberger, Nachlese z. H. Dokumente zu seinem Leben u. Denken, Bern 1962; – Erasmus Schöfer, Die Sprache H.s (Diss. Bonn, 1960), Pfullingen 1962; – Emil Fuchs, Vom Sinn des menschl. Daseins – eine Auseinandersetzung mit M. H., in: DZPh 10, 1962, 982 ff.; – Otto Pöggeler, Metaphysik u. Seinstopik bei H., in: PhJ 69, 1962, 118 ff.; – Ders., Der Denkweg M. H.s, 1963; – H. Perspektiven z. Deutung seines Werks hrsg. v. dems., 1969 (Rez. v. Fridolin Wiplinger, in: Wort u. Wahrheit. Mschr. f. Rel. u. Kultur 25, 1970, 160 ff.; v. Irmgard Bock, in: Philos. Lit.anz. 23, 1970, 325 ff.; v. Viktor Böhm, in: Die Zeit im Buch 24, Wien – Salzburg 1970, 165 f.; v. Tibor Hanak, in: ZphF 25, 1971, 467 ff.); – Ders., Philos. u. Politik bei H., 1972 (Rez. v. Karl Neuber, in: Wiss. u. Weltbild 26, 1973, 238 f.; v. Winfried Franzen, in: PhJ 80, 1973, 212 ff.; v. Hans Peter Hebel, in: Philos. Lit.anz. 26, 1973, 194 ff.; v. A. Espada, in: Estudio Augustiniano 9, Valladolid 1974, 199 f.); – Ders., H. u. die Politik, 1972 (Rez. v. Ruedi Imbacj, in: RThPh NS 23, 1973, 413 f.); – Gerhard Noller, Sein u. Existenz. Die Überwindung des Subjekt-Objektschemas in der Philos. H.s u. in der Theol. der Entmythologisierung, München 1962 (Diss. Tübingen, Überarb.); – H. u. die Theol. Beginn u. Fortgang der Diskussion. Hrsg. v. dems., 1967 (Rez. v. N. H., in: Bibliographie de la Philosophie 16, Paris 1969, 184; v. Celestino Pires, in: Revista portuguesa de filosofia 27, Braga 1971, 223 f.; v. L. Cillerulo, in: Estudio Augustiniano 7, Valladolid 1972, 419); – The Later H. and Theology. Hrsg. v. James MacConkey Robinson – John Boswell Cobb, 1963 (Aus dem Amer. ins Dt. übertr. v. Eberhard Fincke, 1964); – Giancarlo Finazzo, L'Uomo e il mondo nella filosofia di M. H., Rom 1963; – Bertrand Rioux, L'être et la verité chez H. et saint Thomas d'Aquin, Montréal – Paris 1963; – Joseph Sadzik, Esthétique de M. H. (Thèse), Paris 1963; – Uwe Gerber, H.s Denkweg u. die Fragen der Theol., in: DtPfrBl 63, 1963, 454 f.; – James Michael Demske, Sein, Mensch u. Tod. Das Todesproblem bei M. H. (Diss. Freiburg/Breisgau, 1962), Freiburg/Breisgau – München 1963; – Ders., Being, man and death. A key to H., Lexington/Kentucky 1970 (Rez. v. George Williams, in: Philosophy and phenomenological research 32, Buffalo/New York 1971, 287 f.; v. Christian Fierens, in: RPhL 71, 1973, 624 f.); – George Joseph Seidel, M. H. and the Pre-Socratics: an introduction to his thought (Diss. Univ. of Toronto/Canada 1963), Lincoln/Nebraska 1964; – Jozef van de Wiele, Zijnswaarheid en onverborgenheid. Vergelijkende studie over de ontologische waarheid in het thomisme en bij H., Leuven 1964; – Magda King, H.'s Philosophy. A Guide to his Basic Thought, Oxford 1964; – Samuel Ijsseling, H. Denken et danken geven en zijn, Antwerpen 1964 (Rez. v. Pierre Somville, in: Revue philosophique de la France et de l'étranger 161, Paris 1971, 475 f.); – W. R. Beyer, H.s Katholizität, in: DZPh 12, 1964, 191 ff. 310 ff.; – Hans Meyer, M. H. u. Thomas v. Aquin, 1964; – Gustavo de Fraga, De Husserl a H. Elementos para una problemática da fenomenologia (Biblos. 40), 1964; – Arrigo Colombo, M. H. Il ritorno dell'essere, Bologna 1964; – Hans Georg Gadamer, M. H. u. die Marburger Theol., in: Zeit u. Gesch. Dankesgabe an Rudolf Bultmann z. 80. Geb. In Zus.arb. mit Hartwig Thyen hrsg. v. Erich Dinkler, 1964, 479 ff.; – Die Frage M. H.s, Bttr. zu einem Kolloquium mit H. aus Anlaß seines 80. Geb. Hrsg. v. Hans-Georg Gadamer, 1969 (Rez. v. Paul Janssen, in: Bibliographie de la philosophie 18, Paris 1971, 14 f.); – Friedrich-Wilhelm v. Herrmann, Die Selbstinterpretation M. H.s (Diss. Freiburg/Breisgau, 1961), Meisenheim am Glan 1964; – Ders., Subjekt u. Dasein. Interpretationen zu »Sein u. Zeit«, 1974; – Laszlo Versényi, H. Being and Truth, New Haven & London 1965; – Willy Bretschneider, Sein u. Wahrheit. Über die Zus.gehörigkeit v. Sein u. Wahrheit im Denken M. H.s (Diss. München), Meisenheim am Glan 1965 (Rez. v. K. H., in: Bibliographie de la Philosophie 16, Paris 1969, 241); – Orlando Pugliese, Vermittlung u. Kehre. Grundzüge des Gesch.denkens bei M. H., 1965; – Giorgio Penzo, L'Unità del pensiero in M. H. Una ontologia estetica, Padua 1965; – Reuben Guilead, Etre et liberté. Une étude sur le dernier H., Louvain – Paris 1965; – Ders., Ser y libertad. Un estudio sobre ultimo H., Madrid 1969 (Rez. v. A. Lobato, in: Angelicum 48, 1971, 265); – Domingo Carvallo, Die ontolog. Stimme, 1965; – Alexander Schwan, Polit. Philos. im Denken H.s, 1965 (Rez. v. Georg Mende, in: DZPh 18, 1970, 100 ff.; v. K. Held, in: Bibliographie de la Philosophie 17, Paris 1970, 177 f.); – Ruprecht Pflaumer, Sein u. Mensch im Denken H.s, in: PhR 13, 1966, 161 ff.; – Irmgard Bock, H.s Sprachdenken, 1966; – Klaus Schwarzwäller, Theol. oder Phänomenologie. Erwägungen z. Methodik theol. Verstehens, 1966; – O. D. Duintjer, De Vraag naar het transcendentale, vooral in verband met H. en Kant (mit dt. Zus.fassung), Leiden 1966 (Rez. v. Karlo Oedingen, in: Kant-Stud. Philos. Zschr. 63, 1972, 384 ff.); – Stélios Castanos de Médicis, Réponse à H. sur l'humanisme, Paris 1966; – Gonsalvus Scheltens, Sein u. Denken. Ein Wort über H., in: FS 48, 1966, 166 ff.; – Ders., H. u. die thomist. Metaphysik, in: WieWei 30, 1967, 158 ff.; – Charles M. Sherover, The Kantian source of H.'s conception of Time (Diss. New York University), 1966; – Ders., H. Kant and time, Bloomington/Indiana 1971 (Rez. v. George Paul Guthrie, in: Bibliographie de la philosophie 19, Paris 1972, 431 f.; v. Gerd Buchdahl, in: Isis. An international review devoted to the history of science and its Cultural influence 63, Cambridge/ Massachusetts 1972, 369 f.; v. Theodore Kisiel, in: Philosophy and phenomenological research 33, Buffalo/New York 1973, 601 ff.; v. Hansgeorg Hoppe, in: Kant-Stud. Philos. Zschr. 64, 1973, 131 ff.; v. Walter Cerf, in: Mind. A quarterly review of psychology and philosophy 83, Edinburgh 1974, 133 ff.); – William J. Richardson, H. Through phenomenology to thought, Den Haag 1967²; – Ernst Tugendhat, Der Wahrheitsbegriff bei Husserl u. H. (Hab.-Schr., Tübingen), 1967 (1970 unv.); – Georg Misch, Lebensphilos. u. Phänomenologie. Eine Auseinandersetzung der Diltheyschen Richtung mit H. u. Husserl. 1967³ (mit einem Nachw. z. 3. Aufl. Unv. Nachdr. der 2. Aufl., Leipzig u. Berlin 1931); – Ingeborg Koza, Das Problem des Grundes in H.s Auseinandersetzung mit Kant, 1967 (Rez. v. K. H., in: Bibliographie de la Philosophie 16, Paris 1969, 244); – Kurt Jürgen Huch, Philos.geschichtl. Voraussetzungen der H.schen Ontologie (Diss. Frankfurt), 1967 (Rez. v. Georg Mende, in: DZPh 18, 1970, 100 ff.; v. K. Held, in: Bibliographie de la Philosophie 17, Paris 1970, 134 f.); – Felice Battaglia, H. e la filosofia dei valori, Bologna 1967 (Rez. v. Ferruccio Déchet, in: Giornale di metafisica 24, Turin 1969, 91 ff.); – Ambrogio Giacomo Manno, Essistenza ed essere in H., Neapel 1967 (Rez. v. Victor R. Martin, in: RPhL 71, 1973, 625 f.); – William Burns Macomber, The anatomy of disillusion, M. H.'s notion of truth, Evanston/Illinois 1967 (Rez. v. J. L., in: Bibliographie de la Philosophie 16, Paris 1969, 127); – Eduard Landholt, Gelassenheit di M. H., Mailand 1967 (Rez. v. L. T., in: Bibliographie de la Philosophie 16, Paris 1969, 94); – Klaus Rosenthal, M. H.s Auffassung v. Gott, in: KuD 13, 1967, 212 ff.; – Franz-Maria Sladeczek, Ist das Dasein Gottes beweisbar? Wie steht die Existentialpilos. M. H.s zu dieser Frage?, 1967 (Rez. v. Winfried Franzen, in: ThRv 65, 1969, 472 ff.; v. Erich Heintel, in: Wiener Jb. f. Philos. 3, 1970, 322 ff.; v. Günter Scholz, in: Vjschr. f. wiss. Päd. 46, 1970, 80 f.); – John Mac Qarrie, M. H., London 1968; – Jean Michel Palmier, Les écrits politiques de H., Paris 1968 (Rez. v. G. Varet, in: Bibliographie de la Philosophie 17, Paris 1970, 177; v. Rémi Brague, in: RPhL 71, 1973, 623 f.); – Odette Laffoucrière, Le destin de la pensée et »la mort de Dieu« selon H., Den Haag 1968 (Rez. v. Ernst-R. Korn, in: RThom 70, 1970, 166 f.; v. G. Kahl-Furthmann, in: ZphF 25, 1971, 621 ff.); – Octavio N. Derisi, El último H. Aproximaciones y diferencías entre la fenomenologia existencial de M. H. y la ontología de Santo Tomás, Buenos Aires 1968 (Rez. v. A. D., in: Bibliographie de la Philosophie 16, Paris 1969, 94); – H. and the quest for truth. Ed. by Manfred S. Frings, Chicago 1968 (Rez. v. Parvis Emad, in: Philos. Lit.anz. 25, 1970, 404 f.); – Richard Schmitt, M. H. on being human: an introduction to »Sein u. Zeit«, New York 1969 (Rez. v. Parvis Emad, in: Phil. Lit.anz. 23, 1970, 212 ff.; v. Elisabeth Feist Hirsch, in: Journal of the history of philosophy 9 Berkeley/Kalifornien 1971, 400 ff.); – René Dantlo, A la rencontre de M. H., Toulouse 1969 (Rez. v. A. D., in: Économie et humanisme 195, Paris 1970, 93 f.); – Die Frage M. H.s. Btrr. zu einem Kolloquium mit H. aus Anlaß seines 80. Geb. Hrsg. v. Hans-Georg Gadamer, 1969 (Rez. v. Paul Janssen, in: Bibliogr. de la philosophie 18, Paris 1971, 14 f.); – Dirk Pereboom, H.-Bibliogr. 1917–1966, in: FZPhTh 16, 1969, 100 ff.; – Walter Strolz, Der denker. Weg M. H.s, in: StZ 94, 1969, 160 ff.; – Ders., H. als meditativer Denker, St. Gallen 1974; – Durchblicke. M. H. z. 80. Geb. Hrsg. v. Vittorio Klostermann, 1970 (Rez. v. J. M. Häußling, in: Wiss. Lit.anz. 9, 1970, 114; v. Hans Brockard, in: PhJ 78, 1971, 221 ff.); – Michael Gelven, A commentary on H.'s being and time, New York 1970 (Rez. v. Raymond Geuss, in: Journal of philosophy

68, Lancaster/Pennsylvanien 1971, 349 ff.; v. Elisabeth Feist Hirsch, in: Journal of the history of philosophy 9, Berkeley/ Kalifornien 1971, 400 ff.; v. Parvis Emad, in: Philos. Lit.anz. 26, 1973, 169 ff.); – Gianna de Cechi, L'interpretazione heideggeriana dei presocratici, Padua 1970 (Rez. v. Luce Fontaine- de Visscher, in: RPhL 69, 1971, 587 ff.; v. Luigi Turco, in: Bibliographie de la philosophie 19, Paris 1972, 293 f.); – Henri Declève, H. et Kant, Den Haag 1970 (Rez. v. Stefano Poggi, in: Rivista di filosofia 63, Mailand 1972, 154 ff.; v. Theodore Kisiel, in: Philosophy and phenomenological research 33, Buffalo/ New York 1973, 601 ff.; v. Hansgeorg Hoppe, in: Kant-Stud. Philos. Zschr. 65, 1974, 482 ff.); – Giorgio Penzo, Pensare heideggeriano e problematica teologica. Sviluppi della teologia radicale in Germania, Brescia 1970 (Rez. v. Aldo Bodrato, in: Rivista di storia e letteratura religiosa 7, Florenz 1971, 577 ff.); – Umberto Regina, H., dal nichilismo alla dignità dell'uomo, Mailand 1970 (Rez. v. Émile Namer, in: Revue philosophique de la France et de l'étranger 161, Paris 1971, 473 f.); – C. G. Gethmann, H.s These v. Sein des Daseins als Sorge u. die Frage nach der Subjektivität des Subjekts, in: ZKTh 92, 1970, 425 ff.; – Herbert Hrachovec, Welt u. Sein beim frühen H., in: Salzburger Jb. f. Philos. 14, München 1970, 127 ff.; – H. and the path of thinking. Ed. by J. Sallis, Pittsburg/Kalifornien 1970 (Rez. v. Gerd Haeffner, in: Theol. u. Glaube. Vjschr. 47, Freiburg/ Breisgau – Basel – Wien 1972, 151 f.); – Celestino Pires, Deus e a teologia em M. H., in: Revista portuguesa de filosofia 26, Braga 1970, 237 ff.; – Alberto Rosales, Transzendenz u. Differenz. Ein Btr. z. Problem der ontolog. Differenz beim frühen H., Den Haag 1970 (Rez. v. Siegfried Dangelmayr, in: Erasmus. Speculum scientiarum 23, London 1971, 778 ff.; v. Christian Fierens, in: RPhL 70, 1972, 469 f.; v. Gerd Haeffner, in: Theol. u. Glaube. Vjschr. 47, Freiburg/Breisgau – Basel – Wien 1972, 151 f.); – Bernd Magnus, H.'s metahistory of philosophy: Amor fati, being and truth, Den Haag 1970 (Rez. v. Stephen A. Erickson, in: Journal of the history of philosophy 12, Berkeley/Kalifornien 1974, 278 ff.; v. Michel Moreau, in: RPhL 74, 1976, 307 f.); – M. H. im Gespräch. Hrsg. v. Richard Wisser, 1970 (Rez. v. Heinz Janson, in: Philos. Lit.anz. 23, 1970, 132 ff.; v. Wilhelm Teichner, in: Die dt. Univ.ztg. 25, 1970, 13; v. Ch. Hübener, in: StZ 95, 1970, 141 f.; v. F. Manthey, in: Universitas. Zschr. f. Wiss., Kunst u. Lit. 25, 1970, 311 f.; v. Manfred Schulz, in: Zschr. f. Politik 17, 1970, 327; v. Volker Kaeppel, in: Die Ordnung in Kirche, Staat, Ges. u. Kultur 24, 1970, 236; v. Hans-Helmut Kuhnke, in: Das hist.-polit. Buch 18, 1970, 132); – Ders., M. H. el habla, Madrid 1971 (Rez. v. Arturo Narro, in: Yermo. Cuadernos de historia y de espiritualidad monasticos 9, Madrid 1971, 19 f.*); – Sibylle Duda, Selbstwerdung u. Sprache bei M. H. als Grdl. f. eine päd. Anthropologie (Diss. Wien, 1966), Wien 1971; – Hans Jäger, H. u. die Sprache, 1971 (Rez. v. Ivan Soll, in: Mhh. f. dt. Unterricht, dt. Sprache u. Lit. 65, Madison/Wisconsin 1973, 438 f.); – Jean-Paul Resweber, La pensée de M. H., Toulouse 1971 (Rez. v. A. Bliron, in: Économie et humanisme 206, Paris 1972, 96; v. Chantal Favre, in: Bibliographie de la philosophie 19, Paris 1972, 337); – Gianni Vattimo, Introduzione a H., Bari 1971 (Rez. v. Franco Volpi, in: Philos. Lit.anz. 26, 1973, 351 f.); – Fernand Couturier, Monde et être chez H., Montréal 1971 (Rez. v. Michel Paradis, in: Bibliographie de la philosophie 18, Paris 1971, 548 f.); – Jakob Fellermeier, H. – der Begründer einer neuen Metaphysik?, in: MThZ 22, 1971, 234 ff.; John R. Williams, H. and the theologians, in: The Heythrop journal. A quarterly review of philosophy and theology 12, London – Oxford 1971, 258 ff.; – Helmut Danner, Das Göttl. u. der Gott bei H. (Diss. München, 1970), Meisenheim am Glan 1971 (Rez. v. D. Scheltens, in: Tijdschrift voor filosofie 34, Leuven 1972, 167; v. Erich Heintel, in: Wiener Jb. f. Philos. 6, 1973, 242 ff.; v. Karl Beck, in: ZphF 28, 1974, 315 ff.); – John N. Deely, The tradition via H., Den Haag 1971 (Rez. v. Claude Roëls, in: Études philosophiques NF 26, Paris 1972, 259 f.); – Raul Echaurie, H. y la metafisica tomista, Buenos Aires 1971 (Rez. v. S. A. Jafella de Dolgopol, in: Bibliographie de la philosophie 20, Paris 1973, 201); – Jakob Fellermeier, Wahrheit u. Existenz bei H. u. Thomas v. Aquin, in: Salzburger Jb. f. Philos. 15–16, München 1971–72, 39 f.; – Josef Brechtken, Geschichtl. Transzendenz bei H.: die Hoffnungsstruktur des Daseins u. die gott-lose Gottesfrage, 1972 (Rez. v. Herbert Hrachovec, in: Wort u. Wahrheit. Mschr. f. Rel. u. Kultur 28, 1973, 70 f.); – Joseph E. Doherty, Sein, Mensch u. Symbol. H. u. die Auseinandersetzung mit dem neukantian. Symbolbegriff (Diss. München, 1970), Bonn 1972 (Rez. v. Simon Decloux, in: Erasmus. Speculum scientiarum 25, London 1973, 131 ff.); – Alexius J. Bucher, M. H. Metaphysikkritik als Begriffsproblematik (Diss. Mainz, 1970), Bonn 1972 (Rez. v. J. M. Häußling, in: Wiss. Lit.anz. 11, 1972, 158; v. Simon Decloux, in: Erasmus. Speculum scientiarum 25, London 1973, 197 f.; v. Gerd Haeffner, in: PhJ 80, 1973, 433 ff.); – Carlo Antoni, L'esistenzialismo di M. H., Neapel 1972 (Rez. v. R. F., in: Rivista di studi crociani 9, Neapel 1972, 209 ff.); – On H. and language. Ed. by Joseph J. Kockelmans, 1972 (Rez. v. Sandra L. Bartky, in: Philosophy and phenomenological research 34, Buffalo/New York 1974, 442 ff.; v. Parvis Emad, in Philos. Lit.anz. 28, 1975, 344 ff.); – Robert H. Cousineau, Humanism and ethics. An introduction to H.'s Letter on Humanism with a critical bibliography, Louvain 1972 (Rez. v. M. Corvez, in: RThom 73, 1975, 306 f.); – René Scherer u. a., H. ou l'expérience de la pensée, Paris 1973 (Rez. v. M. Corvez, in: RThom 73, 1975, 505 ff.); – Erich Rothacker, Gedanken über M. H., 1973; –

Manfred Stassen, H.s Philos. der Sprache in »Sein u. Zeit« u. ihre philos.-theol. Wurzeln, 1973 (Rez. v. Rainer Thurnher, in: Wiener Jb. f. Philos. 7, 1974, 319 ff.; v. Wolfram Steinbeck, in: Philos. Lit.anz. 28, 1975, 60 ff.); – Biogr. Wb. z. dt. Gesch. I², 1973, 1116 f.; – Hans Köchler, Das Gottesproblem im Denken H.s, in: ZKTh 95, 1973, 61 ff.; – Ders., Der innere Bezug v. Anthropologie u. Ontologie (das Problem der Anthropologie im Denken M. H.s), 1974; – Carl Friedrich Gethmann, Verstehen u. Ausl.: das Methodenproblem in der Philos. M. H.s (Diss. Bochum, 1971), Bonn 1974; – Afaf Beydoun, Das vergessene Geheimnis des Daseins nach H. (Diss. München), 1974; – John C. Muraldo, Der hermeneut. Zirkel. Unterss. zu Schleiermacher, Dilthey u. H. (Diss. München, 1970), Freiburg/Breisgau – München 1974; – Arnold Baruzzi, Unterss. z. Philos. als Zeitkritik im Hinblick auf M. H. (Diss. München), 1974; – Annemarie Gethmann-Siefert, Das Verhältnis v. Theol. im Denken M. H.s (Diss. Bochum), Freiburg/Breisgau – München 1974 (Rez. v. Alexander Gerken, in: ThRv 72, 1976, 223 ff.); – James L. Perotti, H. on the divine. The thinker, the poet, and god, Athens/Georgia 1974 (Rez. v. Michael E. Zimmermann, in: Philosophy and phenomenological research 36, Buffalo/New York 1975, 285 f.); – Gerd Haeffner, H.s Begriff der Metaphysik (Diss. München, 1971), München 1974; – Ders., Denken im Ende der Metaphysik. Ein Rückblick auf das Werk M. H.s, in: StZ 101, 1976, 517 ff.; – Materialien z. H.-Bibliogr.: 1917–1972, unter Mitarbeit v. R. M. Gabitova (u. a.) hrsg. v. Hans Martin Sass, 1975; – Winfried Franzen, Von der Existenzialontologie z. Seinsgesch. Eine Unters. über die Entwicklung der Philos. M. H.s (Diss. Gießen, 1972), Meisenheim am Glan 1975; – Ders., M. H., 1976; – Petra Jaeger, H.s Ansatz z. Verwindung der Metaphysik in der Epoche v. »Sein u. Zeit« (Diss. Aachen), Frankfurt/Main – Bern 1976; – Martin Bartels, Selbstbewußtsein als interessegeleiteter Vollzug. Der psychoanalyt. u. der existenzialontolog. Btr. z. Selbstbewußtseinproblem (Diss. Heidelberg, 1971), Berlin – New York 1976 (u. d. T.: Selbstbewußtsein u. Unbewußtes. Stud. zu Freud u. H.); – Carlos Bernardo Gutiérrez, Die Kritik des Wertbegriffs in der Philos. H.s (Diss. Heidelberg), 1976; – Jean Beaufret, Wege zu H. Aus dem Frz. übers. v. Christina Maihofer, 1976; – Gerold Prauss, Erkennen u. Handeln in H.s »Sein u. Zeit«, 1977; – Gerhard Schmitt, The concept of being in Hegel and H., Bonn 1977; – KLL II, 1899 ff. (Einf. in die Metaphysik); III, 2090 ff. (Holzwege); VI, 1096 ff. (Sein u. Zeit); VII, 24 ff. (Über den Humanismus); VII, 975 f. (Was ist Metaphysik?); – Barth, PrTh² 441; – RGG III, 121 ff.; – LThK V, 63 ff.; – ODCC² 628 f.

HEIDTMANN, Günter, ev. Theologe und Publizist, * 17. 6. 1912 in Düsseldorf, † 1. 6. 1970 in Stuttgart. – H. studierte in Tübingen, Berlin, Marburg und Bonn und gehörte zu den »jungen Brüdern« der Bekennenden Kirche, die im Kirchenkampf an besonders umstrittener Stelle eingesetzt wurden. Er war Hilfsprediger in Berlin-Nikolassee und wirkte 1939–50 als Pfarrer in Potsdam. H. begann seine publizistische Laufbahn mit der Schriftleitung der »Potsdamer Kirche«. Die Konflikte mit dem dortigen Regime nötigten ihn, nach Berlin (West) zu gehen. 1954 wurde er von dem Präses Heinrich Held (s. d.) zum Hauptschriftleiter des rheinischen Sonntagsblattes »Der Weg« und 1955 zum Landespressepfarrer der rheinischen Kirche in Düsseldorf berufen. Seine besondere Liebe galt dem Informationsorgan »Kirche in der Zeit«, das sich unter seiner Schriftleitung zu einer immer bedeutsameren kirchlichen Zeitschrift entwickelte. Seine besondere Aufgabe war es, den Kontakt mit der »weltlichen« Presse und den Journalisten überhaupt zu pflegen, für die er der Interpret der Kirche war und oft auch ihr Ratgeber für die Erörterung und Publikation kirchlicher und theologischer Ereignisse und Fragen. Ende 1967 ging H. nach Stuttgart als Chefredakteur der »Evangelischen Kommentare – Monatsschrift zum Zeitgeschehen in Kirche und Gesellschaft«.

Lit.: Joachim Beckmann, G. H., in: Ev. Komm. Mschr. z. Zeitgeschehen in Kirche u. Ges. 3, 1970, 317 f.

HEILBRUNNER, Jakob, luth. Theologe, * 15. 8. 1548 als Pfarrerssohn in Eberdingen bei Vaihingen/Enz (Württemberg), † 6. 11. 1618 in Bebenhausen bei Tübingen. – H. besuchte das Pädagogium in Stuttgart, die Klosterschulen in Alpirsbach und Maulbronn und

studierte Theologie in Tübingen. Mit mehreren württembergischen Predigtamtskandidaten folgte er nach Vollendung seiner Studien 1573 einem Ruf nach Österreich und wirkte als Prediger in Wien, Rigersburg (Mähren) und Sitzendorf (Niederösterreich). 1575 wurde H. Hofprediger des Herzogs Johann von Pfalz-Zweibrücken, den er für die Einführung der Konkordienformel zu gewinnen suchte. Im Streit um das Bekenntnis im Herzogtum Pfalz-Zweibrücken unterlag der lutherische Hofprediger dem reformierten Generalsuperintendenten Pantaleon Candidus (s. d.), so daß H. 1580 sein Amt verlor. Er wurde Pfarrer in Bensheim/Bergstraße und 1581 Generalsuperintendent der Oberpfalz in Amberg, aber schon 1585 von dort ebenfalls vertrieben, da Pfalzgraf Johann Casimir zum reformierten Bekenntnis überwechselte. Von 1588 bis 1615 war H. Hofprediger des Pfalzgrafen Philipp Ludwig in Neuburg/Donau. 1616 wurde er Abt von Anhausen und war 1616–18 Abt und Generalsuperintendent in Bebenhausen. – H. war Verfechter der Konkordienformel, Vertreter der lutherischen Ubiquitätslehre, Kontroversschriftsteller und 1601 Teilnehmer am Religionsgespräch in Regensburg.

Werke: zahlr. Streitschrr. gg. Reformierte u. Jesuiten.

Lit.: Wilhelm Herbst, Das Regensburger Rel.gespräch v. 1601 geschichtl. dargest. u. dogmengeschichtl. beleuchtet, 1928, 110 ff.; – Friedrich Schunck, Der luth. Hofprediger D. J. H. u. der ref. Gen.sup. Pantaleon Candidus u. ihr Streit um das Bekenntnis im Hzgt. Zweibrücken, in: Bll. f. Pfälz. KG 5, 1929, 1 ff.; – Schottenloher I, Nr. 8106–8109; – ADB XI, 313 ff.; – NDB VIII, 258 f.; – RE XXIII, 635 ff.; – RGG III, 145.

HEILER, Friedrich, Theologe und Religionswissenschaftler, * 30. 1. 1892 in München als Sohn eines katholischen Hauptlehrers, † daselbst 28. 4. 1967. – H. studierte zwei Semester katholische Theologie, dann Philosophie, Psychologie, Religionsgeschichte und orientalische Sprachen, vor allem Indologie. Er wurde 1918 Privatdozent für Religionswissenschaft an der Philosophischen Fakultät der Universität München. Auf einer Vortragsreise durch Schweden 1919 kam es zu einer engen Verbindung mit dem Erzbischof Nathan Söderblom (s. d.) und in Vadstena (Schweden) zur Teilnahme am lutherischen Abendmahl, ohne jedoch offiziell aus der katholischen Kirche auszutreten. Auf Betreiben von Rudolf Otto (s. d.) wurde H. 1920 auf ein für ihn geschaffenes Extraordinariat für Religionsgeschichte und Religionsphilosophie in der Theologischen Fakultät der Universität Marburg/Lahn berufen und lehrte dort seit 1922 als o. Professor. Wegen Widerstandes der Fakultät gegen den Arierparagraphen wurde H. 1934 in die Philosophische Fakultät in Greifswald und 1935 in die Marburg strafversetzt, dessen erster Dekan er 1945 war. 1947 wurde H. wieder in die Theologische Fakultät zurückversetzt. Nach seiner Pensionierung las er in München in der Philosophischen Fakultät Religionsgeschichte. – H. war Hauptvertreter der vergleichenden Religionswissenschaft in Deutschland und Wegbereiter der ökumenischen und Una-Sancta-Bewegung, Vertreter einer »evangelischen Katholizität« in der Hochkirchlichen Bewegung (jetzt: Evangelisch-Ökumenische Vereinigung) und Förderer des interkonfessionellen und interreligiösen Gesprächs.

Werke: Das Gebet. Eine rel.geschichtl. u. rel.psycholog. Unters. (Diss. München), 1918 (1923⁵), unv. Nachdr. der 5. Aufl. mit Lit.ergg., 1969; Luthers rel.geschichtl. Bedeutung, 1918 (jetzt enthalten in: Das Wesen des Kath.); Die buddhistische Versenkung, 1918 (1922² verm. u. verb.); Die Bedeutung der Mystik f. die Weltrel.en. Vortr., 1919; Das Geheimnis des Gebets, 1919 (1920²); Das Wesen des Kath. 6 Vortrr., 1920; Kath. u. ev. Gottesdienst, 1921 (1925² völlig neu bearb.); Der Kath., seine Idee u. seine Erscheinung. Völlige Neubearb. der schwed. Vortr. über: Das Wesen des Kath., 1923 (unv. Nachdr. mit Lit.ergg., 1970); Sadhu Sundar Singh, ein Apostel des Ostens u. Westens, 1924 (1926⁴); Apostel oder Betrüger? Dokumente z. Sadhuestreit. Hrsg. u. beleuchtet. Mit einem Geleitwort v. EB Nathan Söderblom, 1925; Die Mystik in den Upanishaden, 1925; Christl. Glaube u. ind. Geistesleben, 1926; Ges. Aufss. u. Vortrr. I: Ev. Katholizität, 1926; II: Im Ringen um die Kirche, 1931; Die Wahrheit Sundar Singhs, 1927; Die Mission des Christentums in Indien, 1931; Die kath. Kirche des Ostens u. Westens. I: Urkirche u. Ostkirche, 1937 (Die Ostkirchen [in Zus.arbeit mit Hans Hartog aus dem Nachlaß hrsg. v. Anne Marie Heiler. Völlige] Neubearb. v. »Urkirche u. Ostkirche«. II: Die röm.-kath. Kirche. Tl. 1: Altkirchl. Autonomie u. päpstl. Zentralismus, 1941; Der Vater des kath. Modernismus, Alfred Loisy (1857–1940), 1947; Dt. Messe oder Feier des Herrenmahls, 1948² (verb. u. verm.); Mysterium caritatis. Predigten f. das Kirchenj., 1949; Unsterblichkeitsglaube u. Jenseitshoffnung in der Gesch. der Rel.en, 1950; Das neue Mariendogma im Lichte der Gesch. u. im Urteil der Ökumene, 1951; How can christian and non-christian religions cooperate?, 1954; Das Sakrament der kirchl. Einheit. Ökumen. Aufss. über das Abendmahl, 1954; Die Rel.en der Menschheit in Vergangenheit u. Ggw. Unter Mitarb. v. Kurt Goldammer (u. a.), 1959 (1962²); Erscheinungsformen u. Wesen der Rel., 1961; Neue Wege z. einen Kirche, 1963; Ecclesia caritatis. Ökumen. Predigten f. das Kirchenj., 1964; Vom Werden der Ökumene, 1967. – Gab heraus: Zschr. der Hochkirchl. Bewegung, seit 1930 u. d. T.: Die Hochkirche, 1918–33; Eine hl. Kirche, 1934–42 u. seit 1953; Ökumene. Einheit, 1949–52.

Lit.: P. Katz, Ev. Katholizität. F. H.s Stellung in dt. Prot. u. der kirchlichen Einigungsbewegung, in: Die Eiche. Vjschr. f. soziale u. internat. Arbeitsgemeinschaft 15, 1927, 268 ff.; – Karl Hartenstein, F. H. u. die Mission, in: EMM NF 75, 1931, 166 ff.; – Alois Wurm, F. H. u. Joseph Wittig, in: Seele. Mschr. im Dienste christl. Lebensgestaltung 13, 1931, 248 ff.; – Friedrich M. Rintelen, Zu F. H.s »Urkirche u. Ostkirche«, in: Catholica 6, 1937, 108 ff.; – In Deo omnis unum. Eine Smlg. v. Aufss. F. H. z. 50. Geb. dargebr. Hrsg. v. Christel Matthias Schröder, 1942 (Sonderausg.: Eine hl. Kirche 23, 1942); – Georg K. Frank, Die Briefe Friedrich v. Hügels an H. I., in: Ökumen. Einheit. Archiv f. ökumen. u. soziales Christentum 3, 1952–53, 29 ff.; – Paula Schäfer, F. H. u. der Anglikanismus, ebd. 86 ff.; – Johannes Heintze, Zu F. H.s 70. Geb., in: DtPfrBl 22, 1962, 33 f.; – Ders., Ein Herold der christl. Einheit. Ein J. nach dem Tode F. H.s, ebd. 68, 1968, 280; – Walter Kronfeld, F. H. Erscheinungsformen u. Wesen der Rel., in: Erasmus. Speculum scientiarum 16, London 1964, 67 ff.; – Wolfgang Philipp, F. H., in: Tendenzen der Theol. im 20. Jh. Hrsg. v. Hans Jürgen Schultz, 1966, 387 ff.; – Ders., F. H., in: US 22, 1967, H. 4, S. XII bis XIV; – Annemarie Schimmel, F. H. Zu seinem 75. Geb., in: Numen 13, 1966, 161 ff.; – Dies., F. H., in: History of religions. An international journal for comparative historical studies 7, Chicago/Illinois 1968, 269 ff.; – Kurt Goldammer, Der Btr. F. H.s z. Methodologie der Rel.wiss., in: ThLZ 92, 1967, 87 ff.; – Ders., Die Frühentwicklung der allg. Rel.wiss. u. die Anfänge einer Theol. der Rel.en. F. H.s Btr. z. Methodik der Rel.gesch. u. der Rel.wiss. u. z. »Rel.theol.«, in: Saeculum 18, 1967, 181 ff.; – Ders., Ein Leben f. die Erforsch. der Rel. F. H. u. sein Btr. z. Aufgabenstellung u. Methodik der Rel.wiss., in: Inter confessiones. Btrr. z. Förderung des interkonfessionellen u. interrelig. Gesprächs. F. H. z. Gedächtnis aus Anlaß seines 80. Geb. Hrsg. v. Anne Marie Heiler, 1972, 1 ff.; – Ders., F. H., in: Marburger Gelehrte. Hrsg. v. Ingeborg Schnack, 1977, 153 ff.; – Gustav Mensching, In memoriam F. H., in: ARPs 9, 1967, 352 ff.; – C. J. Bleeker, In memoriam F. H., in: Numen 14, 1967, 161 f.; – Franz Manthey, In memoriam, in: Rivista di storia e letteratura religiosa 3, Florenz 1967, 361 ff.; – Gunter Lanczkowski, F. H., in: ZDMG 119, 1969, 15 f.; – Die größere Ökumene. Gespräch um F. H. In Zus.arbeit mit Anne Marie Heiler, hrsg. v. Emmanuel Jungclaussen, 1970 (Bibliogr. F. H.: 99–101); – Inter Confessiones. Btrr. z. Förderung des interkonfessionellen u. interreligiösen Gesprächs. F. H. z. Gedächtnis aus Anlaß seines 80. Geb. Hrsg. v. Anne Marie Heiler, 1972 (Rez. v. Friedrich Wiechert, in: Das hist.-polit. Buch 21, 1973, 133 f.); – Anne Marie Heiler, Bibliogr. F. H., ebd. 154–196; – NDB VIII, 259 f.; – RGG III, 145; – WKL 534; – ODCC² 629.

HEIM, Karl, ev. Theologe, * 20. 1. 1874 in Frauenzimmern im Zabergäu (Württemberg) als Sohn und Enkel eines Pfarrers, † 30. 8. 1958 in Tübingen. – H. wuchs auf im pietistischen Geist seines Elternhauses. Nach dem Besuch der Lateinschule in Kirchheim unter Teck und dem bestandenen »Landexamen« kam H. in die niederen Seminare Schöntal und Urach sowie in das Tübinger Stift. Nach seinem ersten Dienstexamen blieb H. noch ein halbes Jahr in Tübingen, um eine von der Theologischen Fakultät gestellte Preisaufgabe

über das Thema »Glaube und Geschichte« auszuarbeiten, für die er auch den ersten Preis erhielt. H. war dann ein halbes Jahr Vikar in Giengen an der Brenz, danach bis 1899 Lehrer und Vikar am Christlichen Volksschullehrerseminar Tempelhof bei Crailsheim. Nach der zweiten theologischen Prüfung wurde er 1900 Reisesekretär der Deutschen Christlichen Studentenvereinigung (DCSV) in Berlin, 1905 Inspektor des Schlesischen Konvikts in Halle/Saale, 1907 dort Privatdozent für Systematische Theologie, 1914 o. Professor in Münster/Westfalen und 1920 in Tübingen. – Als Theologe ist H. bekannt durch sein sechsbändiges Lebenswerk »Der evangelische Glaube und das Denken der Gegenwart; Grundzüge einer christlichen Lebensanschauung«, an dem er mehr als zwei Jahrzehnte lang gearbeitet hat. H. hat sich intensiv um das Verhältnis des christlichen Glaubens und der Naturwissenschaft bemüht und eine produktive Auseinandersetzung mit dem neuesten naturwissenschaftlichen Denken vollzogen. Auch ein geschätzter Prediger war H., dessen Gottesdienste stark besucht wurden. Er bezeugt in seinen Predigten die entscheidende Bedeutung der Begegnung mit Jesus Christus. So hat H. durch seine erwecklichen Predigten auf mehrere Pfarrergenerationen bleibenden Einfluß ausgeübt.

Werke: Das Weltbild der Zukunft. Eine Auseinandersetzung zw. Philos., Naturwiss. u. Theol., 1904; Bilden ungelöste Fragen ein Hindernis f. den Glauben?, 1905 (1930⁹); Die Lehre v. der gratia gratis data nach Alexander Halesius (Hab.-Schr., Halle 1907), Leipzig 1907 u. d. T.: Das Wesen der Gnade u. ihr Verhältnis zu den natürl. Funktionen des Menschen bei A. H.; Das Gewißheitsproblem in der ST bis zu Schleiermacher, 1911; Leitfaden der Dogmatik. Zum Gebrauch bei akad. Vorlesungen, 2 Tle. 1912 (veränd. 1935²); Glaubensgewißheit. Eine Unters. über die Lebensfrage der Rel., 1916 (1949⁴); Die Weltanschauung der Bibel, 1920 (1931⁶⁻⁸); Stille im Sturm. 16 Predigten, 1923 (1951⁶); Das Wesen des ev. Christentums, 1925 (1929⁵); Glaube u. Leben. Ges. Aufss. u. Vortrr., 1926 (erw. 1928³. Mit einer Einf. über Sinn u. Ziel meiner theol. Arbeit); Die lebendige Qu. Predigten, 1927; Die neue Welt Gottes, 1928¹⁻³ (unv. 1929⁴); Das Wort v. Kreuz. Predigten, 1931; Der ev. Glaube u. das Denken der Ggw. Grundzüge einer christl. Lebensanschauung. I: Glaube u. Denken. Philosoph. Grundlegung einer christl. Lebensanschauung, 1931 (neu durchges. 1957⁵); II: Jesus der Herr. Die Führervollmacht (später: Herrschervollmacht) Jesu u. die Gottesoffb. in Christus, 1935 (neu durchges. 1955⁴); III: Jesus der Weltvollender. Der Glaube an die Versöhnung u. Weltverwandlung, 1937 (neubearb. 1952³); IV: Der christl. Gottesglaube u. die Naturwiss. Grundlegung des Gesprächs zw. Christentum u. Naturwiss., 1949 (neu durchges. 1953²); V: Die Wandlung im naturwiss. Weltbild. Die moderne Naturwiss. vor der Gottesfrage, 1951; VI: Weltschöpfung u. Weltende. Die Weltentstehung in naturwiss. Sicht – Weltschöpfung u. Weltzukunft im Licht des bibl. Osterglaubens, 1952 (durchges. 1958²); Leben aus dem Glauben. Btrr. z. Frage nach dem Sinn des Lebens, 1932 (verm. 1934²); Der Glaube an ein ewiges Leben, 1934 (1938: 6.–9. Tsd.); Die Auferstehung der Toten. Der Sinn der Auferstehungsbotschaft u. der Sieg über die dämon. Macht des Todes, 1936; Die Kraft Gottes. Predigten, 1936; Die kommende Verheißung u. die Gemeinde Christi, 1939; Die Königsherrschaft Gottes, nach Texten aus dem Mk.ev., 1940 (1948²); Gottes Wort ist nicht gebunden. Predigten, 1940; Die Bergpredigt Jesu. Für die heutige Zeit ausgelegt, 1946 (1959⁹ u. d. T.: . . . in ihrer prakt. Lebensbedeutung); Der unerschütterliche Grund. Christusverkündigung f. moderne Menschen. Predigten, 1947 (1949: 6.–10. Tsd.); Was nach dem Tode unser wartet. Bibl. Vortr., 1948 (erw. 1960⁷); In den Händen des Meisters. 12 Predigten, 1949; Die Gemeinde der Auferstandenen. Tübinger Vorlesungen über das 1. Kor.brief. Hrsg. v. Friso Melzer, 1949; Lebendige Kraft. 12 Predigten. Hrsg. v. Hans Beck, 1950; Die christl. Ethik. Tübinger Vorlesungen. Nachgeschr. u. ausgearb. v. Walter Kreuzburg, 1955; Ich gedenke der vorigen Zeiten. Erinnerungen an 8 J.zehnten, 1957 (1960³; R. Brockhaus Taschenbücher, Wuppertal 1964); Die Gottesstunde. Lesepredigten. Ausw. u. Nachw. v. Hans-Rudolf Müller-Schwefe, 1965.

Lit.: Hans Iwand, Über die method. Verwendung v. Antinomien in der Rel.philos. Dargest. an K. H.s »Glaubensgewißheit« (Diss. Königsberg), 1924; – Walter Ruttenbeck, Die apologet.-theol. Methode K. H.s, 1925; – Martin Thust, Das perspektiv. Weltbild K. H.s, in: ZW 1, 1925, 634 ff.; – Ders., Christl. Rev. der Wiss. K. H. 75 J. alt, ebd. 20, 1948–49, 521 ff.; – Adolf Köberle, Zum Verständnis der Theol. K. H.s, ebd. 2, 1926, 204 ff.; – Ders., Vom Lebenswerk eines großen Theologen. Zum

80. Geb. v. Prof. D. K, H., in: Kirche in der Zeit 9, 1954, 37; – Ders., Leben u. Werk v. Prof. D. K. H., in: DtPfrBl 58, 1958, 409 f.; – Ders., K. H. †, in: Ev. Welt 12, 1958, 534 f.; – Ders., Zum Gedächtnis v. K. H., in: Attempto. Nachrr. f. Freunde der Tübinger Univ., 1958, 47 f.; – Ders., Theol. der Kontakte. Gedenkrede f. Prof. D. Dr. K. H., in: ThLZ 84, 1959, 147 ff.; – Ders., Glaubensvermächtnis der schwäb. Väter, 1959, 63 ff.; – Ders., Das Christuszeugnis in der Theol. K. H.s, in: Bibel u. Gemeinde 6, 1962, 70 ff.; – Ders., Gottesglaube u. moderne Naturwiss. in der Theol. K. H.s, in: NZSTh 6, 1964, 115 ff.; – Ders., K. H. Denker u. Verkündiger aus ev. Glauben, 1973 (Rez. v. Hans-Rudolf Müller-Schwefe, in: LR 24, 1974, 428); – Ders., Die Ggw.bedeutung der Theol. K. H.s, in: NZSTh 16, 1974, 121 ff.; – Heinz Erich Eisenhuth, Krit. Darst. der Entwicklung des Problems der Glaubensgewißheit bei K. H. (Diss. Berlin), Göttingen 1927; – Ders., Im Gedenken an K. H., in: ThLZ 83, 1958, 657 ff.; – Ders., Kirche in der Welt. Ein Vermächtnis v. K. H., in: Zeichen der Zeit. Ev. Mschr. 18, 1964, 85 ff.; – Robert Frick, K. H. als Prediger, in: PBl 70, 1928, 522 ff.; – Jacob Leonard Snethlage, Relativität u. Glaubensgewißheit bei K. H., in: ZThK NF 9, 1928, 350 ff.; – L. Schlaich, Zur Theol. K. H.s, in: ZZ 7, 1929, 461 ff.; – Theophil Steinmann, Zur Auseinandersetzung mit K. H.s philos. Grundlegung, in: ZThK NF 13, 1932, 27 ff.; – W. Ernst, Problem Glaube u. Denken bei K. H., in: Die Wartburg. Dt.-ev. Mschr. 31, 1932, 209 ff.; – Hermann Diem, Glaube u. Denken bei K. H., in: ChW 46, 1932, 481 ff. 540 ff.; – Franz Spemann, K. H. u. die Theol. seiner Zeit, 1932; – Werner Schöllgen, »Gott oder die Verzweiflung«. Zu K. H.s philos. Glaubensbegründung, in: Catholica 12, 1933, 43 ff.; – W. Thimme, Fragezeichen u. Einwände zu K. H.s »Glaube u. Denken«, in: ThStKr 105, 1933, 1 ff.; – Friedo Melzer, Theol. K. H.s in ihrer Bedeutung f. unsere Verkündigung, in: Ev. Bausteine. Zweimschr. f. Prediger 40, 1933, 31 ff.; – Ders., Schr.tum K. H.s, in: Festg. f. K. H., 1934, 405 ff.; – Ders., K. H. über die Rel.en, in: EMM NF 81, 1937, 18 ff.; – Ders., K. H.s Lebenswerk, in: Neubau. Bll. f. neues Leben aus Wort u. Geist 3, 1948, 17 ff.; – Ders., K. H.s Dimension des Nichtgegenständl. u. die Wahrheit der Mystik, in: MPTh 43, 1954, 11 ff.; – Ders., K. H., in: DtPfrBl 68, 1968, 578; – Wort u. Geist. Stud. z. christl. Erkenntnis v. Gott, Welt u. Mensch. Festg. f. K. H. z. 60. Geb., dargebr. v. Theodor Brandt u. a. Hrsg. v. Adolf Köberle u. Otto Schmitz, 1934; – Friedrich Traub, Die neue Fassung v. K. H.s »Glaube u. Denken«, in: ZSTh 12, 1934, 219 ff.; – Otto Dilschneider, Theologia universalis. Zum 60. Geb. K. H.s, in: Die Furche 20, 1934, 66 ff.; – Theophil Spörri, Soziolog. Positionen in der Theol. K. H.s, in: Festg. f. K. H., 1934, 283 ff.; – Wilhelm Heyderich, Die Bedeutung einer christl. Gewißheitslehre f. die ST in Auseinandersetzung mit den v. F. H. R. Frank u. K. H. vertretenen theol. Grundpositionen (Diss. Göttingen), Gotha 1935; – Karl Adam, K. H. u. das Werk des Kath., in: Ders., Ges. Aufss., 1936, 338 ff.; – Paul Althaus, Das Kreuz u. das Böse. Bem. zu K. H.s Lehre v. Werk Christi, in: ZSTh 15, 1938, 165 ff. – Ders., Um die Wahrheit des Ev. Aufss. u. Vortrr., 1962, 6. 181 ff.; – Ders., K. H. zu seinem 70. Geb., in: FF 20, 1944, 23; – K. Kesseler, Dynam. Weltbild u. bibl. Ev. Zur Theol. v. K. H., in: DtPfrBl 43, 1939, 875; – Fritz Wenzel, Das Christusbild bei K. H., in: ZW 17, 1940–41, 54 ff.; – Ders., Wandlung der Herzen. 7 Aufss. (enthält: Das Christusbild bei K. H.), 1949; – Martin Schlunk, Ein Gruß zu K. H.s 70. Geb., in: EMZ 5, 1944, 205 ff.; – F. Högner, K. H. Bahnbrecher der theol. Wiss. unserer Tage, in: Glaube u. Heimat. Ev. Sonntagsbl. f. Thüringen 2, Jena 1947, Nr. 47, S. 4; – Friedrich Schneider, Die erkenntnistheoret. Begründung der Rel. u. Theol. bei Dunkmann, Schlatter, Stange u. H. (Diss. Bonn), 1947; – Theodor Brandt, Die Eigenart der Predigt K. H.s, in: Pbl 93, 1953, 689 ff.; – Theol. als Glaubenswagnis. Festschr. f. K. H. z. 80. Geb., 1954; – Walter Künneth, K. H.s systemat. Lebenswerk. Zum 80. Geb., in: ELKZ 8, 1954, 20 ff.; – Ders., K. H.: »Vater der neuen Apologetik«, in: Ev. Welt 8, 1954, 82 f.; – Hans-Rudolf Müller-Schwefe, Lehrer einer Generation, in: ZW 25, 1954, 70 ff.; – Ders., K. H., in: Tendenzen der Theol. im 20. Jh. Hrsg. v. Hans Jürgen Schultz, 1966, 132 ff.; – Ernst Müller, Glaubensgewißheit. Ein Btr. z. Theol. K. H.s, in: Tübinger Bll. 45, 1958, 63 ff.; – Karl Kupisch, Abschied v. K. H., in: Ansätze. Eine Semesterzschr. der Ev. Studentengemeinde in Dtld., 1959, Nr. 15, S. 26 f.; – Friedrich Hauß, Väter der Christenheit III, 1959, 203 ff.; – Ders., K. H. Der Denker des Glaubens, 1960; – Alfred Ringwald, K. H., 1960; – Du, Herr, bist Kraft u. Leben (Werke, Ausz.). K. H., sein Leben u. Werk. Dargest. u. ausgew. v. Gert Schörle, 1961; – Heinrich Schulte, Vom Weltbilde K. H.s. Zu seinem Gesamtwerk »Der ev. Glaube u. das Denken der Ggw.«, 1963; – Friedrich Hochgrebe, Der letzte Antrieb in K. H.s Denken, in: DtPfrBl 64, 1964, 28 ff.; – Edgar P. Dickie, Theologians of our time. XVI. K. H., in: ExpT 75, 1964, 305 ff.; – Gerhard Hennemann, Glaubensgewißheit nach K. H., in: DtPfrBl 66, 1966, 38 ff.; – Hans Schwarz, Das Verständnis des Wunders bei H. u. Bultmann (Diss. Erlangen-Nürnberg, 1963), Stuttgart 1966; – Hermann Timm, Glaube u. Naturwiss. in der Theol. K. H.s, 1968; – K. H. Rund um sein Lehrerpult. Von einem, der einst Schüler war u. später Lehrer wurde. Ill. v. Hans Küchler, Olten 1970; – Manfred Büttner, Das »physikotheol.« System K. H.s u. seine Einordnung in die Gesch. der Beziehungen zw. Theol. u. Naturwiss., in: KuD 19, 1973, 267 ff.; – Wolfgang Kubik, Universalität als missionstheol. Problem. Der Btr. v. Justin dem Märtyrer, Nicolaus Cusanus u. K. H. z. Gespräch um Christus u. die Mission (Diss. Heidelberg), 1973; – Horst W. Beck, Götzendämmerung in den Wiss.en: K. H., Prophet u. Pionier, 1974; – Martin Wild, Die Bedeutung des Zeitbegriffes f. die Eschatologie in der Theol. v. K. H. (Diss. Leipzig), 1976; – NDB VIII, 268 f.; – EKL II, 94; – RGG III, 198 f.; – LThK V, 139 f.

HEIMBUCHER, Max, kath. Theologe, * 10. 6. 1859 in Miesbach (Oberbayern), † daselbst 24. 8. 1946. – H. studierte in München und habilitierte sich dort 1887. Er war 1891–1924 Profesor für Apologetik und Dogmatik in Bamberg.

Werke: Die Orden u. Kongregationen der kath. Kirche, 2 Bde., 1896–97; 3 Bde., 1907–08²; 2 Bde., 1932–34³. – Schrr. gg. die Sekten.

Lit.: Kosch, KD 1456; – NCE VI, 997; – EC VI, 1394 f.; – DE II, 332.

HEIMERAD, Heiliger, Priester und Einsiedler, * in Meßkirch (Ost-Baden, nördlich vom Bodensee) von unfreien Eltern, † 28. 6. 1019. – H. unternahm Pilgerfahrten durch Deutschland, Italien und Palästina. Vergeblich versuchte er, in Hersfeld und Paderborn Mönch zu werden. H. lebte in einer Einsiedelei auf dem Hasunger Berg bei Kassel. Er war bekannt mit der hl. Kaiserin Kunigunde (s. d.), Bischof Meinwerk (s. d.) von Paderborn und Erzbischof Aribo von Mainz (s. d.), der nach H.s Tod über seinem Grab Kirche und Kanonikerstift errichtete. – H. wurde vom Volk als »heiliger Narr« verehrt. Sein Fest ist der 28. Juni.

Lit.: Wilhelm Dersch, Hess. Klosterbuch. Qu.kunde der im Reg.-Bez. Kassel, im Kreis Gfsch. Schaumburg, in der Prov. Oberhessen. u. dem Kreis Biedenkopf gegr. Stifter, Klöster u. Niederlassungen v. geistl. Genossenschaften, 1940², 69 ff.; – MG SS X, 598 ff. (2 Viten); – Zimmermann II, 377 f.; – Westfalia sacra. Qu. u. Forsch. z. KG Westfalens 2, Münster 1950, 206; – AS Jun. VII, 350 ff.; – VSB VI, 476 f.; – BS IV, 974 f.; – Torsy 217; – Wimmer³ 258; – LThK V, 172; – NCE VI, 997.

HEINEMANN, Gustav, 1945–1967 Mitglied des Rates der Evangelischen Kirche in Deutschalnd (EKD), 1969 bis 1974 Präsident der Bundesrepublik Deutschland (BRD), * 23. 7. 1899 in Schwelm (Westfalen), † 7. 7. 1976 in Essen. – H. besuchte 1909–1917 das Realgymnasium in Essen und wurde dann Soldat. Er studierte 1919–1923 Rechtswissenschaft, Volkswirtschaft und Geschichte in Münster, Marburg, München, Göttingen und Berlin und promovierte 1921 in Marburg zum Dr. rer. pol. 1922 legte H. das erste und 1926 das zweite juristische Staatsexamen ab. 1926 wurde er Rechtsanwalt in Essen und promovierte 1929 in Münster zum Dr. jur. 1928–1936 war H. als Rechtsanwalt zugleich Justitiar und Prokurist der Rheinischen Stahlwerke in Essen und 1936–1949 deren Vorstandsmitglied. 1935–1939 lehrte er zugleich Wirtschafts- und Bergrecht an der Universität Köln. 1930 erfolgte sein Beitritt zum Christlich-Sozialen Volksdienst. Ab 1933 war H. Mitglied der Bekennenden Kirche und beteiligte sich an ihren Synoden, insbesondere an der Barmer Synode im Mai 1934 mit der »Theologischen Erklärung« (s. Barth, Karl) sowie an der Herstellung und Verbreitung der »Grünen Blätter«, der verbotenen Informationsblätter der Bekennenden Kirche im Rheinland. 1936–1950 war er Vorsitzender des Christlichen Vereins Junger Männer (CVJM) in Essen. Die Aufforderung zum Eintritt in den Vorstand des Rheinisch-Westfälischen Kohlensyndikats 1936 wurde zurückgezogen, weil H. sich weigerte, auf weitere Tätigkeit in der Bekennenden Kirche zu verzichten. 1945 bis 1962 war er Mitglied der Leitung der Evangelischen Kirche im Rheinland und 1946–1949 Oberbürgermeister in Essen. H. gehörte zu den Gründungsmitgliedern der Christlichen Demokratischen Union (CDU) und war 1947–1950 Abgeordneter des Landtags von Nordrhein-Westfalen und 1947–1948 Justizminister in Nordrhein-Westfalen. 1948 nahm er teil an der Weltkirchenversammlung in Amsterdam und war 1948–1961 Mitglied der Kommission für Internationale Angelegenheiten des Weltkirchenrats. Die gesetzgebende Kirchenversammlung in Treysa (Bez. Kassel) 1948 wählte ihn zu ihrem Präsidenten und gründete die EKD. 1949–1955 war H. Präses der Synode der EKD und beteiligte sich 1949 an der Konstituierung des Deutschen Evangelischen Kirchentags. 1949 wurde er Innenminister der ersten Bundesregierung unter Konrad Adenauer. 1950 erfolgte sein Rücktritt als Innenminister aus politischen Gründen und 1952 sein Austritt aus der CDU. Auf Einladung des Patriarchen der Russisch-Orthodoxen Kirche reiste H. 1954 in die Sowjetunion und nahm in demselben Jahr teil an der zweiten Weltkirchenversammlung in Evanston (Illinois). 1957 erfolgte die Auflösung der Gesamtdeutschen Volkspartei und H.s Eintritt in die Sozialdemokratische Partei Deutschlands. 1957 wurde er Mitglied des Deutschen Bundestages. 1961 nahm er teil an der Weltkirchenversammlung in Neu-Delhi. 1966 bis März 1969 war H. Bundesminister der Justiz in der Regierung Kiesinger/Brandt. Die Theologische Fakultät der Universität Bonn verlieh ihm 1967 die Ehrendoktorwürde. 1969 bis 30. 6. 1974 war er Bundespräsident.

Lit.: Günter Heidtmann, G. H., Rechtsanwalt und Notar, in: Zum Dienst berufen. Lb. leitender Männer der EKD. Hrsg. v. Jürgen Bachmann, 1963, 57 ff.; – Hermann Schreiber u. Frank Sommer, G. H., 1969; – Ulrich Asendorf, Luther in Worms. Aus der Sicht eines dt. Staatsoberhauptes (G. H.), in: LR 19, 1971, 124 ff.; – Werner Braselmann, G. H. Ein Lb., 1972; – Joachim Braun, Der unbequeme Präsident, 1972; – Werner Koch, H. im Dritten Reich. Ein Christ lebt f. morgen, 1972 (1974³; Rez. v. Armin Boyens, in: Das hist.-polit. Buch 21, 1973, 277 f.); – Anstoß u. Ermutigung. G. W. H. Bundespräsident 1969–1974, hrsg. v. Heinrich Böll, 1974.

HEINEMANN, Isaak, jüdischer Wissenschaftler, * 5. 6. 1876 in Frankfurt am Main, † 29. 7. 1957 in Jerusalem. – H. war 1919–38 Dozent am Jüdisch-theologischen Seminar in Breslau und 1930–33 zugleich Honorarprofessor an der dortigen Universität. Er emigrierte 1938 und war von 1939 an Professor an der Hebräischen Universität in Jerusalem.

Werke: Studia Solonea (Diss. Berlin), 1897; Zeitfragen im Lichte jüd. Lebensanschauung. Vortrr., 1921; Poseidonios' metaphys. Schrr. I, 1921; II, 1928; Vom »jüd. Geist«, 1924; Die Lehre v. der Zweckbestimmung des Menschen im griech.-röm. Altertum u. im jüd. MA, 1926; Die geschichtl. Wurzeln des neuzeitl. Humanitätsgedankens, 1930; Philons griech. u. jüd. Bildung. Kulturvergleichende Unters. zu Philons Darstell. der jüd. Gesetze, 1932 (Nachdr. Hildesheim 1962); Die griech. Weltanschauungslehre bei Juden u. Römern, 1932; Altjüd. Allegoristik, 1935; Darke ha-Aggada, 1949 (1954⁴). – Gab heraus: Philo, Werke, Tl. 4 = Schrr. der jüd.-hellenist. Lit. in dt. Übers., 1923 (Nachdr. Berlin 1962); MGWJ, 1920–38. – Bibliogr.: H. Emmrich, in: MGWJ 80, 1936, 294 ff.

Lit.: Nekrolog, in: JJS 8, 1957, 1; – E. Urbach, in: Hokhmat Ysrael be-Ma'arav Eiropa, hrsg. v. S. Federbusch, 1, 1958, 219 ff.; – A. Jospe, I. H. in: Das Breslauer Seminar. Jüd.-Theol. Seminar in Breslau. 1854–1938. Gedächtnisschr. v. Guido Kirsch, 1963, 395 ff.; – Hermann Schwab, Chachme Ashkenaz: a concise record of the life and work of Orthodox Jewish scholars of Germany from the 18th to the 20th century, London 1964, 48; – Lex. des Judentums (Bertelsmann Lex. Verlag), 1971, 283; – EJud VII, 1133; – UJE V, 302; – EncJud VIII, 601; – RGG III, 201.

HEINEN, Anton, kath. Pfarrer, Volksbildner, * 12. 11. 1869 in Buchholz bei Bedburg/Erft als Sohn eines Volksschullehrers, † 3. 1. 1934 in Rickelrath bei Erke-

lenz. – H. besuchte die Lateinschule in Bergheim und das Gymnasium der Rheinischen Ritterakademie in Bedburg, studierte Theologie in Bonn und kam 1892 in das Priesterseminar. Er empfing 1893 die Priesterweihe und wurde Kaplan in Mülheim/Ruhr. Aus gesundheitlichen Gründen ließ sich H. 1898 als Rektor an die »Höhere Töchterschule« am Kloster der Rekollektinnen (Franziskanerinnen) in Eupen versetzen. Seit 1899 war H. Mitglied der Zentrale des Volksvereins für das katholische Deutschland in München Gladbach (1951 umbenannt in Mönchengladbach) und entfaltete eine ausgedehnte Tätigkeit als Redner, Organisator und Schriftsteller. Seit 1914 war er Leiter der Abteilung »Volksbildung« und 1923–1932 des Franz-Hitzel-Hauses in Paderborn. Nach dem Zusammenbruch des Volksvereins wurde er Pfingsten 1932 Pfarrer in Rickelrath. – H. war zwischen 1918 und 1933 der führende katholische Vertreter der »intensiv-organischen« Volksbildung aus der Einheit von Religion und Volkstum.

Werke: Mein Gebetbüchlein z. tägl. Gebrauche. Mit Kreuzweg-Andacht. Neu bearb., 1904; Moderne Ideen im Lichte des Vaterunsers. 8 Vortrr., 1908 (1909²); Die Großstadt u. ihr Einfluß auf Welt- u. Lebensauffassung, 1913; Gott u. Mensch, 1913; Lebensspiegel. Ein Familienbuch f. Eheleute u. solche, die es werden, 1913 (1920: 11.–20. Tsd.); Der Wert des Glaubens, 1914 (1925: 21.–25. Tsd.); Die Familie. Ihr Wesen, ihre Gefährdung u. ihre Pflege, 1914 (1923³); Aus dem Glauben leben. Eine Anleitung z. Selbsterziehung, 1915 (1926: 61.–70. Tsd. u. d. T.: Lebensführung); Mütterlichkeit. Als Beruf u. Lebensinhalt der Frau. Ein Wort f. Erzieher u. Erzieherinnen, 1915 (1923: 12. bis 16. Tsd.); Glaubensspiegel. Eine Anleitung z. Vertiefung des rel. Lebens f. kath. Christen, 1916 (1918³); Jugendpflege als organ. Glied der Volkspflege. Eine Smlg. v. Aufss. z. eth. Vertiefung der Jugendpflegearbeit, 1917 (1920³); Briefe an einen Landlehrer, 1917 (1922²); Von Mutterleid u. Mutterfreud. Zur besinnlichen Lesung f. jede, die ein gute Mutter werden will, 1918 (1921: 13.–30. Tsd.; Neudr. 1926); Der Mammonismus u. seine Überwindung. Eine soz.-eth. Stud., 1919 (1920³); Der Lebenskreis der Familie, 1919 (1927: 16.–18. Tsd.); Unpolit. Randbem. z. Schulfrage, 1920; Sozialismus, Solidarismus, 1920 (1921³); Die Bergpredigt Jesu Christi. Was sie dem Manne des 20. Jh.s zu sagen hat. Ein Büchlein z. besinnl. Lesung, 1920 (1926: 21.–30. Tsd.); Von alltägl. Dingen. Ein Büchlein der Bildung f. den werktät. Mann, 1922 (1927²); Bürgerl. Gemeinschaft u. Volkstum, 1922; Mit der Kirche leben, 1923; Goethes Faust. Vers. einer Darst., was die Lebensdichtung Goethes unserer Bildungsarb.gemeinschaft geworden ist, 1924 (1932: 7. u. 8. Tsd.); Jungbauer, erwache!, 1924; Sinn u. Zwecke in der Erziehung u. Bildung. Ein nachdenkl. Wort an unsere berufl. Erzieher u. Bildner, 1924; Kath. Bildungswerke, 1929; An ewigen Qu., 1930 (1931²); Familienpäd., 1934.

Lit.: Hermann Herz, A. H., in: LitHandw 63, 1926, 733 ff.; – Ders., Bedeutung des Buches f. die Volkskultur bei A. H., in: Bücherwelt. Zschr. des Borromäusver. 23, 1926, 389 ff.; – M. Jaeger, A. H. als Volkserzieher, in: Volksbildungsarch. 7, 1926, 161 ff.; – Karl Debus, Der Volkserzieher A. H., in: Hochland 25, 1927–28, II, 665 ff.; – Theodor Bäuerle, Das volkstüml. Wirken A. H.s, 1929; – Ferdinand Göbel, A. H. Sein Leben u. sein Werk, 1935; – Emil Ritter, Die kath.-soz. Bewegung Dtld.s im 19. Jh. u. der Volksver., 1954; – Melanie Fettweis, Ein Btr. zu seiner Würdigung, 1954; – Georg Schreiber, Westdt. Charaktere, in: Westfäl. Forsch. 9, 1956, 65 f.; – Klemens Dahm, Das päd. Werk des Volksbildners A. H., 1957 (146 ff.: Werkeverz.); – Helmut Joseph Patt, A. H. als Sozialpädagoge. Vers. einer geschichtl. u. systemat. Darlegung seiner Volksbildungsarbeit (Diss. Münster), 1958; – Karl Bozek, A. H. u. die dt. Volkshochschulbewegung (Diss. Berlin F.U.), Stuttgart 1963; – Franz Pöggeler, Das Phänomen A. H., in: Erwachsenenbildung 9, 1963, 129 ff.; – NDB VIII, 301; – LThK V, 174.

HEINER, Franz, kath. Kirchenrechtler, Publizist, * 28. 8. 1849 in Atteln bei Paderborn als Sohn eines evangelischen Landwirts, † 13. 7. 1919 in Buldern bei Münster (Westfalen). – H. besuchte das Gymnasium in Paderborn und studierte Theologie an der dortigen philosophisch-theologischen Lehranstalt und im Priesterseminar. Da inzwischen in Preußen der Kulturkampf entbrannt und der Bischof Konrad Martin aus seiner Diözese vertrieben war, empfing H. 1876 in

Eichstätt die Priesterweihe und war bis 1878 Kaplan in Gungolding und in Großenried. Dann studierte er als Kaplan der »Anima«, der deutschen Kirche in Rom, Kirchenrecht am Apollinare und promovierte 1881 zum Dr. iur. can. Nach seiner Rückkehr aus Rom war H. ein Jahr Stadtkaplan in Ornbau (Bistum Eichstätt), seit 1883 Pfarrer in Dessau und seit 1887 Professor des Kirchenrechts in Paderborn. 1889 erfolgte seine Berufung als o. Professor des Kirchenrechts an der Theologischen Fakultät der Universität Freiburg/Breisgau, die ihm zugleich die Würde eines Ehrendoktors der Theologie verlieh. H. war Gründer und erster Rektor (1896–1908) des »Collegium Sapientiae«, eines Konvikts für studierende Priester, und 1896 der Albertusburse für Universitätsstudenten und wirkte mit bei der Errichtung eines Caritasstiftes in Freiburg. Er wurde 1896 päpstlicher Hausprälat und 1904 apostolischer Protonotar und leitete 1896–1912 das »Archiv für das katholische Kirchenrecht«. Als erster Deutscher wurde er 1908 Auditor an der von Pius X. (s. d.) wiederhergestellten »Rota Romana« in Rom, dem obersten Gerichtshof der Kurie. – H. war ein schroffer Gegner der modernistischen und liberalen Bewegung und Mitarbeiter an dem neuen »Codex iuris canonici«.

Werke: Die kirchl. Zensuren, 1884; Grdr. des kath. KR, 1889 (1910⁶); Gesetze, die kath. Kirche v. Baden betr., mit Einl., Anm. u. Reg. hrsg., 1890; Die kirchl. Erlasse. Verordnungen u. Bekanntmachungen der Erzdiöz. Freiburg. Gesammelt, geordnet u. hrsg., 1892 (1898²); Kath. KR, 2 Bde., 1893/94 (1912⁶); Kath. Klerus u. soz. Frage, 1894; Theol. Fak.en u. tridentin. Seminarien, 1900; Nochmals Theol. Fak.en u. tridentin. Seminarien mit bes. Berücks. der Straßburger Fak.frage, 1901; Der Jesuitismus in seinem Wesen, seiner Gefährlichkeit u. Bekämpfung. Mit bes. Rücksicht auf Dtld., 1902 (1903⁵); Prot. Jesuitenhetze in Dtld., 1903 (10 Aufll.); Christentum u. Kirche im Kampfe mit der Sozialdemokratie. Ein offenes Wort, 1903; Des Gf. Paul v. Hoensbroech neuer Beweis des jesuit. Grundsatzes: Der Zweck heiligt die Mittel, 1904; Der Syllabus in ultramontaner u. antiultramontaner Beleuchtung dargest., 1905; – Die Jesuiten u. ihre Gegner, 1907; Der neue Syllabus Pius' X. oder Dekret des hl. Offiziums »Lamentabili« v. 3. 7. 1907. Dargest. u. komm., 1907 (1908²); Das neue Verlöbnis- u. Eheschließungsrecht in der kath. Kirche. Für die Praxis dargest., 1908; Die Maßregeln Pius' X. gg. den Modernismus, nach der Enzyklika »Pascendi« v. 8. 9. 1907 in Verbindung mit dem »Motu proprio« v. 1. 10. 1910, verteidigt u. erl., 1910; Der kirchl. Zivilprozeß. Nach geltendem Rechte dargest. 1910; Der kirchl. Strafprozeß. Prakt. dargest., 1912.

Lit.: Anonym, Prälat H. (Herold der kath. Lit. 1), 1910–11; – Nikolaus Hilling, Prälat Dr. F. H., Auditor der röm. Rota. Kurzes Lb. eines dt. Kanonisten, in: AkathKR 100, 1920, 104 bis 116; separat 1921; – Wilhelm Liese, Necrologium Paderbornense. Totenbuch Paderborner Priester (1822–1930), 1934, 251 f.; – DBJ II, Totenliste 1919, 720; – Kanonist. Chron., in: ZSavRGkan NF 40, 1919, 375; – Kosch, KD 1461 f.; – LThK V, 174; – RGG² III, 1772; – NDB VIII, 301 f.

HEINRICH IV., seit 1056 König in Deutschland, Italien und Burgund, seit 1084 Römischer Kaiser, * 11. 11. 1050 in Goslar (?) als Sohn des Kaisers Heinrich III., † 7. 8. 1106 in Lüttich, beigesetzt im Dom zu Speyer. – Nach dem Willen des Vaters wurde H. im November 1053 in Trebur (Dorf bei Mainz, im Mittelalter Kaiserpfalz Tribur) zum König gewählt, am 17. 7. 1054 gekrönt und 1055 mit Bertha von Turin verlobt. Nach dem frühen Tod H.s III. († 5. 10. 1056) führte seine Witwe, Agnes von Poitou, für den noch nicht sechsjährigen Sohn die Regierung, erwies sich aber als dieser Aufgabe nicht gewachsen. Darum sann eine Verschwörung der Fürsten auf ihre Entfernung. An ihre Spitze trat Anno II., Erzbischof von Köln (s. d.). Er brachte im April 1062 durch einen Überfall in Kaiserswerth H. in seine Gewalt, entriß der Kaiserin-Witwe das Reichsregiment und wurde der alleinige

Reichsverweser. Schon 1063 mußte Anno II. die Erziehung H.s und die Reichsverwaltung mit Adalbert I., Erzbischof von Hamburg-Bremen (s. d.), teilen, der auf den jungen König starken Einfluß gewann und Anno II. immer mehr zurückdrängte, zumal nach der am 29. 3. 1065 in Worms erfolgten Mündigkeitserklärung H.s. Die Fürsten, an ihrer Spitze Anno II. und Siegfried von Mainz, zwangen im Januar 1066 auf dem Reichstag in Tribur H., Adalbert I. vom Hof zu weisen. Trotz aller Bemühungen gewann Anno II. nach der Verbannung seines Nebenbuhlers vom Hof seinen alten Einfluß auf H. nicht zurück. Im gleichen Jahr vermählte sich der König mit Bertha von Turin und führte die Regierung selbständig. Zur Sicherung seiner territorialen Machtgrundlage legte er im Gebiet des Harzes Burgen an. Es kam 1073 zum Aufstand des sächsischen Adels. Der König, in der Harzburg eingeschlossen, entkam zwar, mußte aber am 2. 2. 1074 in dem Vergleich von Gerstungen (bei Eisenach) die Schleifung der Burgen zusagen und den Aufständigen Straffreiheit zusichern. Aus der Kirchenschändung der Harzburg leitete H. das Recht ab, den Heerbann gegen die Sachsen aufzubieten. Mit Hilfe der süddeutschen Fürsten erfocht H. am 13. 6. 1075 bei Homburg an der Unstrut den entscheidenden Sieg und damit die bedingungslose Unterwerfung der Sachsen. – Bekannt ist H. durch den Investiturstreit mit Gregor VII. (s. d.). Auf der Fastensynode von 1075 in Rom eröffnete der Papst den Kampf mit dem deutschen Königtum. Auf dieser Synode erließ Gregor VII. das Verbot der Laieninvestitur. (Unter »Investitur« versteht das mittelalterliche kirchliche Recht der Übertragung des Bischofsamts mit seinen geistlichen und weltlichen Rechten durch den König durch Übergabe von Bischofsstab und später auch durch Bischofsring, ebenso die Amtsübergabe bei Äbten königlicher Klöster.) Als der Erzbischof Wido von Mailand 1071 abdankte und 1073 starb, brach ein heftiger Streit aus um die Wiederbesetzung des erzbischöflichen Stuhles. H. ernannte zum Nachfolger Widos den Grafen Gottfried von Castiglione; die »Pataria«, eine revolutionäre demokratische Bewegung in Mailand in der Mitte des 11. Jahrhunderts (s. Arialdus), setzte sich für den Kleriker Atto ein. Nach der Niederwerfung des sächsischen Aufstandes mischte sich H. erneut in die Mailänder Angelegenheit ein; er besetzte den Erzstuhl von Mailand und die Bistümer Spoleto und Fermo. Im Dezember 1075 drohte Gregor VII. durch ein Schreiben und eine geheime mündliche Botschaft mit Bann und Absetzung. H. berief auf den 24. 1. 1076 nach Worms eine Versammlung ein, die von 26 Bischöfen besucht wurde. Sie sagten Gregor VII. den Gehorsam ab, weil er unrechtmäßig die Papstwürde erhalten habe; das unter Nikolaus II. (s. d.) auf der römischen Fastensynode von 1059 erlassene Papstwahldekret, das dem deutschen König das Recht der Mitwirkung bei der Papstwahl einräumte, sei verletzt worden. H. setzte Gregor VII. ab. Auf der römischen Fastensynode vom 14./15. 2. 1076 erwiderte der Papst mit Exkommunikation und Absetzung des deutschen Königs und der deutschen und oberitalienischen Bischöfe der vorjährigen Versammlung in Worms und löste die Untertanen vom Treueid. Es war die erste Absetzung eines deutschen

Königs durch den Papst. Auf einer Fürstenversammlung in Tribur im Oktober 1076, an der auch päpstliche Legaten teilnahmen, mußte H. versprechen, dem Papst gehorsam zu sein und Genugtuung zu leisten; falls der König bis zum Jahrestag seines Bannes nicht von ihm gelöst werde, ginge er der Krone verlustig. Gregor VII. wurde auf den 2. 2. 1077 zu einem Fürstentag nach Augsburg eingeladen. Als der Papst schon auf der Reise nach Deutschland war, eilte ihm H. entgegen. Mitten im kalten Winter – der zugefrorene Rhein war damals noch bis Anfang April gangbar – kletterte H. mit seiner treuen Gemahlin Bertha und einigen Mannen über die vereisten Alpen, oft auf allen Vieren kriechend, eilends; denn der Jahrestag des Bannes nahte heran. Die Begegnung fand auf der Felsburg Canossa am nördlichen Abhang des Apennin statt. Drei Tage tat H. Kirchenbuße, ohne königlichen Schmuck, barfuß, im grobwollenen Büßergewand (25. bis 27. 1.). So begehrte er Wiederaufnahme in die Kirche. Am 28. 1. 1077 (wesentlich durch die Vermittlung der Burghinhaberin, der Markgräfin Mathilde von Tuszien) sprach ihn Gregor VII. vom Bann los. Das Absetzungsurteil nahm er nicht zurück. Die neuere Forschung betont den in dieser tiefen Selbstdemütigung liegenden politischen Sieg des Königs; doch hatte dessen Erniedrigung schwere Folgen für das mittelalterliche Ansehen des Kaisertums. Trotz der Lösung H.s vom Bann wurde am 15. 3. 1077 von den Fürsten in Forchheim bei Nürnberg Rudolf von Schwaben zum Gegenkönig gewählt. Gregor VII. verhielt sich zunächst abwartend. Als aber H. erstarkte, erklärte sich der Papst für Rudolf, erneuerte Bann und Absetzung über H. und löste seine Untertanen vom Treueid. Rudolf fand in einem Gefecht in Hohenmölsen (unweit der Weißen Elster) den Tod. H.s Macht wuchs. Am 25. 6. 1080 setzte er Gregor VII. ab. Die Synode zu Brixen wählte am 25. 6. 1080 Wibert von Ravenna zum Gegenpapst. H. drang auch in Italien zum Entscheidungskampf mit Gregor VII. 1081 und 1082 zog der König vergeblich gegen Rom; aber 1083 gelang die Erstürmung der Stadt. Im März 1084 zog H. in Rom ein. Am 24. 3. wurde Wibert als Clemens III. (s. d.) inthronisiert und H. am 31. 3. von ihm zum Kaiser gekrönt. Gregor VII. wartete auf die Hilfe der Normannen. Da zog Robert Guiskard, der Normannenherzog, heran. Der Kaiser, dessen Heer stark zusammengeschmolzen war, mußte sich von Rom zurückziehen. Doch die als Befreier des Papstes erschienen waren, hausten als Feinde in der Stadt. Normannen und Sarazenen aus Sizilien raubten, plünderten und mordeten. Robert ließ die Stadt anzünden und zog unbekümmert um ihr Schicksal wieder zum Süden. In seinem Gefolge befand sich auch der Papst. In Salerno nahm man ihn zurück. In der Verbannung dort ist Gregor VII. am 25. Mai 1085 gestorben. – Die letzten 15 Lebensjahre des Kaisers waren überschattet von der Auseinandersetzung mit seinen Söhnen, die sich mit der Fürstenopposition verbanden. Seit 1090 in Italien, erlebte H. 1093 den Abfall seines Sohnes Konrad, der 1087 in Aachen zum König gekrönt worden war. 1098 hielt H. eine Reichsversammlung in Mainz, die Konrad absetzte und den jüngeren Sohn Heinrich zum Nachfolger bestimmte, der 1099 in Aachen gekrönt wurde. Konrad starb 1101 in Florenz.

H. V. konspirierte seit 1104 aus Angst um seine Königswürde mit einer Fürstenrebellion im nördlichen Bayern. Der Kaiser wich 1105 nach Köln aus; Heinrich V. zog in Mainz ein. Unter trügerischen Bedingungen setzte der Sohn den Vater in der Burg Böckelheim an der Nahe gefangen. Dann zwang er ihn auf einem Reichstag zu Ingelheim am 31. 12. 1105 zur Abdankung. H. aber entkam nach Aachen, wandte sich an die Öffentlichkeit und gewann in Niederlothringen eine große Anhängerschaft. Vor dem Entscheidungskampf starb H.

Lit.: Wilhelm Martens, Die Besetzung des päpstl. Stuhls unter den Kaisern H. III. u. H. IV., 1887 (Nachdruck 1966) – Ernst Bernheim, Qu. z. Gesch. des Investiturstreites. 1.: Zur Gesch. Gregors VII. u. H.s IV., 1907 (1930³); – Karl Hampe, Dt. Kaisergesch. in der Zeit der Salier u. Staufer, 1908 (1949¹⁰, bearb. v. Friedrich Baethgen, 34 ff.); – Ders., Herrschergestalten des dt. MA, 1927 (1955⁶, durchges. u. um einen Lit.anh. erw. v. Hellmut Kämpf, 102 ff.); – Hermann Sielaff, Stud. über Gregors VII. Gesinnung u. Verhalten gg. Kaiser H. IV. in den J. 1073 bis 1080 (Diss. Greifswald), 1910; – Bernhard Kumsteller, Der Bruch zw. »Regnum« u. »Sacerdotium« in der Auffassung H.s IV. u. seines Hofes 23. 4. 1073 bis 24. 1. 1076 (Diss. Greifswald), 1912; – Willy Reuter, Die Gesinnung u. die Maßnahmen Gregors VII. gg. H. IV. in den J. 1080–1085 (Diss. Greifswald), 1913; – Gottfried Werdermann, H. IV. seine Anhänger u. seine Gegner im Lichte der augustin. u. eschatolog. Gesch.auffassung des MA (Diss. Greifswald), 1913; – Bernhard Schmeidler, Kaiser H. IV. u. seine Helfer im Investiturstreit. Stilkrit. u. sachkrit. Unterss., 1927 (Nachdr. Aalen 1970); – Albrecht Brackmann, H. IV. als Politiker beim Ausbruch des Investiturstreites, in: SAB 1927, 32; 1928, 393–411; u. in: Canossa als Wende (s. Lit.), 1963, 61 ff.; – Erika Schirmer, Die Persönlichkeit Kaiser H.s IV. im Urteil der dt. Gesch.schreibung [Vom Humanismus bis z. Mitte des 18. Jh.s] (Diss. Jena), 1931; – Friedrich Christoph Dahlmann – Georg Waitz, Qu.kunde der dt. Gesch., hrsg. v. Hermann Haering, 1931/32⁹, 6205–6303; – Die Briefe H.s IV., hrsg. v. Carl Erdmann (MG Dt. MA I), 1937; – Rudolph Wahl, Der Gang nach Canossa. Eine Historie, 1951²; – MG VI: Die Urkk. H.s IV., bearb. v. Dietrich v. Gladiss, 2 Tle., 1952–53; – Die Briefe H.s IV. Mit der Qu. zu Canossa, übers. u. erl. v. Karl Langosch (GDV 3. GA, 98), 1954; – Hans Frieder Haefele, Fortuna Heinrici IV. imperatoris. Unterss. z. Lebensbeschreibung des 3. Saliers, Graz – Köln 1954; – Lambertus, Ann. Neu übers. v. Adolf Schmidt. Erl. v. Wolfgang Dietrich Fritz (Ausgew. Qu. z. dt. Gesch. des MA 13), 1957 (Darmstadt 1973); – Wolfram v. den Steinen, Canossa. H. IV. u. die Kirche, 1957 (1969²); – Hans-Georg Krause, Das Papstwahldekret v. 1059 u. seine Rolle im Investiturstreit (= Studi Gregoriani per la storia di Gregorio VII e della riforma Gregoriana. 7), Rom 1960; – Hanss Leo Mikoletzky Der »fromme« Kaiser H. IV., in: MIÖG 68, 1960, 250 ff.; – Karl Bosl, Gregor u. H. IV., in: Die Europäer u. ihre Gesch. Epochen u. Gestalten im Urteil der Nationen (Vortr.reihe), hrsg. v. Leonhard Reinisch, 1961; – K. F. Morrison, Canossa, a Revision, in: Traditio 18, New York 1962, 121 ff.; – Canossa als Wende. Ausgew. Aufss. z. neueren Forsch. Hrsg. v. Hellmut Kämpf, 1963 (1976³); – Anton Mayer-Pfannholz, H. IV. u. Gregor VII. im Lichte der Geistesgesch., in: Canossa als Wende (s. o.), 1963, 27 ff. – Qu. z. Gesch. Kaiser H.s IV. Die Briefe H.s IV. Das Lied v. Sachsenkrieg. Neu übers. v. Franz-Josef Schmale. Das Leben Kaiser H.s IV. Neu übers. v. Irene Schmale-Ott [Paralleldr.] (Ausgew. Qu. z. dt. Gesch. des MA 12), 1963 (1974³); – Peter Classen, H.s Briefe im Codex Udalrici, in: DA 20, 1964, 115 ff.; – Gerold Meyer v. Knonau, Jbb. des Dt. Reiches unter H. IV. u. H. V. I. 1056 bis 1069 (Neudr. der 1. Aufl. v. 1890–1894), 1964; II. 1070–1077 (Neudr. der 1. Aufl. v. 1890–1894), 1964; III. 1077 (Schluß) bis 1084 (Neudr. der 1. Aufl. v. 1900), 1965; IV. 1085–1096 (Neudr. der 1. Aufl. v. 1903), 1965; V. 1097–1106 (Neudr. der 1. Aufl. 1904), 1965; VI. 1106–1116 (Neudr. der 1. Aufl. v. 1907), 1965; VII. 1116 (Schluß) bis 1125 (Neudr. der 1. Aufl. v. 1909), 1965; – Johannes Brengel, Der Stil u. Imitatio in der Vita Heinrici IV. imperatoris (Hab.-Schr. Berlin, Humboldt-Univ., 1962) 1965 (Überarb. u. d. T.: Die Vita Heinrici IV. u. Sallust. Stud. zu Stil u. Imitation in der mittellat. Prosa); – Josef Fleckenstein, H. IV. u. der dt. Episkopat in den Anfängen des Investiturstreites, in: Adel u. Kirche. Gerd Tellenbach z. 65. Geb. Hrsg. v. dems. u. Karl Schmid, 1968, 221 ff.; – Bernold, Die Chron. Bernolds v. St. Blasien (Chronicon, dt.). Nach der Ausg. der MG übers. v. Eduard Winkelmann. 2. Aufl. Neu bearb. v. Wilhelm Wattenbach, New York – London 1970; – Christian Schneider, Prophet. Sacerdotium u. heilsgeschichtl. Regnum im Dialog 1073–1077. Zur Gesch. Gregors VII. u. H.s IV. (Diss. Münster, 1969), München 1972; – Gottfried Koch, Auf dem Wege z. Sacrum Imperium. Stud. z. ideolog. Herrschaftsbegründung der dt. Zentralgewalt im 11. u. 12. Jh., 1972; – Biogr. Wb. z. dt. Gesch. I², 1973, 1069 ff.; – Harald Zimmermann, Der Canossagang v. 1077. Wirkungen u. Wirklichkeit, 1975; – Gebhardt-Grundmann I, 242 ff. – ADB XI, 399 ff.; – NDB VIII, 315 ff.; – RGG III, 202; – LThK V, 180 f.

HEINRICH VIII., König von England, * 28. 6. 1491 in Greenwich als 2. Sohn König Heinrichs VII., † 28. 1. 1547 in Westminster. – H. bestieg am 21. 4. 1509 den englischen Thron und vollzog im Juni die schon 1504 durch Vertrag geschlossene Heirat mit Katharina von Aragonien, Tochter Ferdinands II. und Isabellas I. von Kastilien. Er war ein gläubiger Katholik. Seine noch 1521 erschienene Verteidigung der 7 Sakramente gegen Martin Luthers (s. d.) »Von der babylonischen Gefangenschaft der Kirche« trug ihm von Leo X. (s. d.) den Titel »Defensor fidei« ein, von Clemens VII. (s. d.) die goldene Rose und von Luther eine rücksichtslose grobe Entgegnung. Um die Hofdame Anna Boleyn heiraten zu können, wünschte H. vom Papst die Nichtigkeitserklärung seiner Ehe mit Katharina von Aragonien, die ihm den ersehnten Sohn nicht schenkte. Die Ehe mit Katharina war in der Tat unkanonisch, da Katharina die Witwe von H.s älterem Bruder Arthur war; aber Julius II. (s. d.) hatte im Dezember 1503 zu der Vermählung H.s mit Katharina den päpstlichen Dispens erteilt. Als H.s Kanzler, Kardinal Thomas Wolsey (s. d.), zugleich päpstlicher Legat, die Nichtigkeitserklärung der Ehe mit Katharina vom Papst nicht erreichte, wurde Wolsey 1529 gestürzt und ersetzt durch Thomas Morus (s. d.), Lordkanzler und Vorsitzender des Oberhauses. Der König verlangte 1531 vom Klerus, ihn als Oberhaupt der englischen Kirche anzuerkennen. H. ernannte Thomas Cranmer (s. d.) zum Nachfolger des am 22. 8. 1532 verstorbenen Erzbischofs William Warham von Canterbury und sorgte für seine Weihe am 30. 3. 1533. Ende Januar 1533 schloß der König die Ehe mit Anna Boleyn. Cranmer erklärte die Ehe H.s mit Katharina von Aragonien für null und nichtig und die Ehe mit Anna Boleyn für richtig vollzogen. Es folgte bald darauf die päpstliche Bannandrohungsbulle und ein Jahr später der Bann. H. antwortete mit der Aufrichtung der englischen Staatskirche: er setzte am 3. 11. 1534 im Parlament das Suprematsgesetz durch, das den König als »supreme head in earth of the Church of England« anerkannte. Gleichzeitig wurde die Aufhebung der Klöster verfügt und mit dem eingezogenen Kirchengut der Grund zur englischen Seemacht gelegt. Da John Fisher (s. d.), Bischof von Rochester und Kardinal, den Suprematseid verweigerte, wurde er 1535 hingerichtet. Die papstfreie Staatskirche sollte nach dem Willen H.s in Lehre und Kultus katholisch bleiben. Nur eine kurze Zeit war der König einer Reform nicht abgeneigt. Die »10 Artikel« von 1536 der anglikanischen Staatskirche, erkannten die Heilige Schrift als Glaubensnorm an und beschränkten die Sakramente auf Taufe, Buße und Abendmahl. 1535 vollendete Miles Coverdale (s. d.) seine Übersetzung der ganzen Bibel; sein Neues Testament war eine sorgfältige Revision der Übersetzung des William Tyndale (s. d.). 1537 erschien die aus den Übersetzungen Tyndales und Coverdales zusammengestellte »Matthew-Bible« und 1539 mit einer Vorrede von Cranmer die »Great Bible«, eine gründliche Überarbeitung »der Matthew-Bible«. Das Parlament beschloß 1539 das »blutige Statut« (Six Bloody articles), das unter Androhung schwerster Strafen die Transsubstantiationslehre, die »communio sub una«, das Verbot der Priesterehe, die Gültigkeit des Keuschheitsgelübdes, die

Schriftgemäßheit der Privatmesse und die Ohrenbeichte bestätigte. Alle evangelischen Regungen wurden blutig unterdrückt.

Lit.: Letters and Papers, Foreign and Domestic, of the reign of H. VIII. Hrsg. v. John Sherren Brewer, James Gairdner u. a., 22 Bde., London 1862–1932; – Ders., The Reign of H. VIII from his Accession to the Death of Wolsey, hrsg. v. James Gairdner, 2 Bde., ebd. 1884; – Francis Aidan Gasquet, H. VIII and the English Monasteries, 2 Bde., ebd. 1888/89 (1920⁷); – Röm. Dokumente z. Gesch. der Ehescheidung H.s VIII., hrsg. v. Stephan Ehses, 1893; – Montagu Burrows, King H. VIII and the Reformation, London 1898; – Albert Frederick Pollard, H. VIII, ebd. 1902 (Neuausg. 1970); – Charles Bémont, Le premier divorce de H. VIII et le schisme d'Angleterre, Paris 1917; – Francis Hackett, H. VIII, ebd. – New York 1929; – Gustave Constant, La réforme en Angleterre I, Paris 1930; – Frederick Chamberlin, The Private Character of H. VIII, London 1932; – Kenneth Pickthorn, Early Tudor Government: H. VIII, Cambridge 1934; – Leo Mac Cabe, H. VIII, his Wives and the Pope, 1935; – Paul Rival, Les Six femmes du Roi H. VIII, Paris 1936; – Pierre Crabitès, Clement VII and H. VIII, London 1936; – Maria Josepha Krück v. Poturzyn, Die Frauen H.s VIII., 1937; – Helen DeGuerry Simpson, H. VIII, London 1938; – Geoffrey Baskerville, English Monks and the Suppression of the Monasteries, ebd. 1940; – Frederick Maurice Powicke, The Reformation in England, Oxford 1941; – Garrett Mattingly, Catherine of Aragon, Boston 1941; London 1942 (1950); dt. v. Peter de Mendelssohn, Stuttgart 1962; – William Gordon Zeeveld, Foundations of Tudor Policy, Cambridge/Massachusetts 1948; – Theodore Maynard, H. VIII, Milwaukee/Wisconsin 1949; – Philip Hughes, The Reformation in England, 3 Bde., London 1950–54; – John Duncan Mackie, The Earlier Tudors, 1485–1588, Oxford 1952; – Arthur Salusbury Mac Nalty, H. VIII: a difficult patient, London 1952; – Philip Lindsay, The Secret of H. VIII, ebd. 1953; – Lacey Baldwin Smith, Tudor Prelates and Politics, 1536–1558, Princeton/ New Jersey 1953; – Ders., H. VIII. The mask of royalty, London – Boston 1971 (Rez. v. Helen Miller, in: American historical history 77, New York 1972, 1443 f.; v. M. E. James, in: The History. The journal of the Historical association 58, London 1973, 444; v. Miles F. Shore, in: The journal of interdisciplinary history 4, Cambridge/Massachusetts 1973, 306 ff.); – Geoffrey Rudolph Elton, The Tudor Revolution in Government. Administrative Changes in the Reign of H. VIII, Cambridge 1953; – Ders., England under the Tudors, London 1955 (Nachdr. 1962); – Ders., H. VIII, ebd. 1962; – Hans Wilhelm Thieme, Die Ehescheidung H.s VIII. u. die europ. Univ., 1957; – C. S. Meyer, H. VIII burns Luther's Books, 12 May 1521, in: JEH 9, 1958, 173 ff.; – Bibliography of British History: Tudor Period, 1485–1603, hrsg. v. Conyers Read, Oxford 1959²; – David (i.e. Michael Clive) Knowles, The Religious Orders in England. III: The Tudor Age, Cambridge 1959; – Erwin Doernberg, H. VIII und Luther. An account of their personal relations, London 1961; – Nello Vian, La Presentazione e gli esemplari vaticani della »Assertio septem sacramentorum« di Enrico VIII, Vatikanstadt 1962; – John Joseph Bagley, H. VIII and his Times, London 1962; – Beatrice Saunders, H. VIII, ebd. 1963; – John Edward Bowle, H. VIII. A biography, ebd. 1964; – Nancy Agnes Brysson Morrison, The private life of H. VIII, ebd. – New York 1964; – Neelak Serawlook Tjernagel, H. VIII and the Lutherans. A Study in Anglo-Lutheran Relations from 1521 to 1547, St. Louis/Missouri 1965 (Rez. v. Gordon Rupp, in: ARG 61, 1970, 319); – H. VIII and the English Reformation. Ed. with an introduction by Arthur Joseph Slavin, Lexington/Kentucky 1968; – John Joseph Scarisbrick, H. VIII, London – Berkeley/ Kaliforuien 1968 (Rez. v. Marcus Merriman, in: Scottish historical review 48, Edinburgh 1969, 181 ff.; v. Vittorio Gabrieli, in: Rivista storica italiana 81, Neapel 1969, 190 ff.; v. Hans R. Guggisberg, in: HZ 211, 1970, 213 ff.; v. Stanford E. Lehmberg, in: ARG 61, 1970, 316 ff.; v. Allen B. Birchler, in: ChH 41, 1972, 266; v. Karl Schnith, in: HJ 92, 1972, 226 f.); – H. VIII. v. Engl. in Augenzeugenberr. Hrsg. v. Eberhard Jacobs, 1969 (Rez. v. W. Jaitner, in: Wiss. Lit.anz. 9, 1970, 16); – Charles Greig Cruickshank, Army Royal. An account of H. VIII's invasion of France 1513, Oxford 1969 (Rez. v. N. G. Parker, in: Tijdschrift voor geschiedenis 83, Groningen 1970, 592 ff.; v. Lamar Jensen, in: American historical review 75, New York 1970, 383; v. Guy Chaussinand-Nogaret, in: Annales. Economies, sociétés, civilisations 26, Paris 1971, 1021 f.); – Neville Williams, H. VIII and his court, London 1971 (Rez. v. M. E. James, in: The History. The journal of the Historical Association 58, London 1973, 444); – Richard Glen Eaves, H. VIII's Scottish diplomacy 1513–1524. England's relations with the regency government of James V, New York 1971 (Rez. v. Wallace T. MacCaffrey, in: Renaissance quarterly 25, New York 1972, 485 f.; v. I. Wilson, in: American historical review 77, New York 1972, 1118 f.; v. Vincent Ilardi, in: Bibliothèque d'humanisme et renaissance. Travaux et documents 34, Genf 1972, 575 f.; v. Jennifer M. Brown, in: The History. The journal of the Historical Association 58, London 1973, 443; v. Marcus Merriman, in: Scottish Historical review 52, Edinburgh 1973, 203 f.; – Hermann Wolff, Das Charakterbild H.s VIII. in der engl. Lit. bis Shakespeare (Diss. Freiburg/Breisgau), 1972; – Robert Lacey, The life and times of H. VIII, London 1972; – Alfred Starkmann, H. VIII., in: Die Großen der Weltgesch., hrsg. v. Kurt

Fassmann, IV, Zürich 1974, 874 ff.; – David Fletcher, H. VIII, London 1976; – LThK V, 185 f.; – NCE VI, 1025 ff.; – ODCC² 634 f.

HEINRICH von Ahaus, Begründer der Gemeinschaft der Brüder vom gemeinsamen Leben in Deutschland, * um 1370 in Schöppingen bei Ahaus (Münsterland) als Sohn eines Edelherrn, † 14. 2. 1439 in Münster (Westfalen). – Als Domvikar in Münster weilte H. v. A. 1400/01 im Florentiushaus der Brüder vom gemeinsamen Leben in Deventer und übertrug diese nichtmönchische »devotio moderna« auf Deutschland. Er stiftete die drei bedeutendsten deutschen Fraterhäuser in Münster (1401), Köln (1417) und Wesel (1435) und schuf zu gegenseitiger Förderung schon 1431 eine Union des Münsterer und Kölner Hauses. Neben den Brüderhäusern förderte H. v. A. auch die Schwesternhäuser in Borken, Coesfeld, Wesel, Dinslaken, Lippstadt und Schüttorf. Auf dem Konzil von Konstanz verteidigte er das neue Gemeinschaftsleben erfolgreich gegen Matthäus Grabow (s. d.).

Lit.: H. A. Erhard, Gedächtnisbuch des Fraterhauses zu Münster, in: Zschr. f. vaterländ. Gesch. u. Altertumskunde 6, 1843, 89 bis 126; – C. Tücking, Gesch. der Herrschaft u. der Stadt Ahaus, ebd. 28, 1869, 1–78 bes. 43 Anm 150 lat. Vita der »Frenswegener Chron.« (1494); – L. Schulze, H. v. A., in: ZWL 3, 1882, 38 ff. 93 ff.; – Klemens Löffler, H. v. A., in: HJ 30, 1909, 762 ff.; – Ders., Neues über H. v. A., in: Zschr. f. vaterländ. Gesch. u. Altertumskunde 74, 1916, 229 ff.; – Ernst Barnikol, Stud. z. Gesch. der Brüder v. gemeinsamen Leben. Eine erste Periode der dt. Brüderbewegung: Die Zeit H.s v. A., 1917, 190 bis 192: ndrdt. Vita des »Frenswegener H.«, Ende 15. Jh. (hrsg. v. Wybe Jappe Alberts u. A. L. Hulshoff, Het Frensweger handschrift betreffende de geschiedenis van de moderne devotie, Groningen 1958); – Heinrich Drath, Sankt Martini, Wesel. Festschr. z. 500-J.feier des Weseler Fraterhauses, 1936, 18–22: lat. Vita des »Gedächtnisbuches des Weseler Fraterhauses« (um 1481); – Bernhard Windeck, Die Anfänge der Brüder v. gemeinsamen Leben in Dtld. (Diss. Bonn), 1951; – ADB I, 163 (unter Ahuys); – NDB VIII, 405; – RE I, 264 ff.; XXIII, 26 f. 261; – RGG III, 203; – LThK V, 174.

HEINRICH von Clairvaux, Zisterzienserabt, später Kardinal-Bischof von Albano, * auf Schloß Marcy (Burgund), † 1. 1. 1189 in Arras, beigesetzt in Clairvaux. – H. wurde 1155 Mönch in Clairvaux, 1160 Abt von Hautecombe in Savoyen, 1176 von Clairvaux und 1179 Kardinal-Bischof von Albano. Er war ein geschickter Diplomat bei päpstlichen Aufträgen: verhandelte 1162 mit dem Erzbischof Heinrich von Reims und söhnte König Heinrich II. von England mit der Kirche von Canterbury aus. Als päpstlicher Legat zeichnete sich H. in der Bekämpfung der Albigenser aus und gewann 1188 als Kreuzzugsprediger die Könige Heinrich II. von England und Philipp II. von Frankreich, auch Kaiser Friedrich I. Barbarossa zur Kreuzfahrt. – H. wird als Seliger verehrt. Sein Fest im Orden ist der 14. Juli.

Werke: 32 Briefe, in: MPL 204, 215–252; De peregrinante civitate Dei (Fragm.; allg. Betrachtung kirchl. Gebräuche, Lehren u. Zustände), ebd. 251–402.
Lit.: C. Henriquez, Menelogium Cisterciense, Antwerpen 1630, 229; – Fasciculum Sanctorum ord. cist. I, ebd. 1631, 356–369; – Georg Künne, H. v. C. (Diss. Tübingen), 1909; – S. Steffen, H., Kard.Bisch. v. Albano. Ein Kirchenfürst des 12. Jh.s, in: Cist 21, 1909, 225–236. 267–280. 300–306. 334–343; – Eberhard Pfeiffer, Die Cistercienser u. der dritte Kreuzzug (1184–92). Die Mission des cist. Kard. H. v. Albano in Dtld. u. Fkr., in: Cist 48, 1936, 150–154. 179–183; – S. Lenssen, Hagiologium cisterciense I, Tilburg 1948, 259 f.; – Marie-Dominique Chenu, La théologie au douzième siècle, Paris 1957, 89. 211; – Yves Marie Joseph Congar, Henri de Marcy, abbé de Clairvaux, cardinal-évêque d'Albano et légat pontifical, in: AnMon 5, 1958, 1–90; – Henri d'Arbois de Jubainville, Études sur l'état intérieur des abbayes cisterciennes et principalement de Clairvaux au XIIᵉ et au XIIIᵉ siècles, Paris 1858, 172–174; – Friedrich Wilhelm Wentzlaff-Eggebert, Kreuzzugsdichtung des MA. Stud. zu ihrer geschichtl. u. dichter. Wirklichkeit, 1960, 142–144; – François Vandenbroucke, La morale monastique du XIᵉ au XVIᵉ siècle,

Louvain – Lille 1967, 167; – BS IV, 1230 f.; – RE VII, 601 f.; – DThC XII, 1722; Tables générales 2045; – Catholicisme V, 618 f.; – DSp VII, 225 ff.; – LThK V, 177 f.; – NCE VI, 1035.

HEINRICH von Dissen, Kartäuser, theologischer Schriftsteller, * 18. 10. 1415 in Osnabrück, † 26. 11. 1484 in Köln. – H. studierte in Köln und wurde 1435 Baccalaureus in decretis. Nach seiner Priesterweihe trat er 1437 als Mönch in die Kölner Kartause St. Barbara ein und war dort zuletzt Propräfekt (Vicarius). – H. hat Texte der Kirchenväter und andere Werke abgeschrieben, aber auch eigene Predigten, exegetische und asketische Werke niedergeschrieben, auch Kompilationen verfaßt.

Werke: Erkl. des Vaterunsers in dt. Sprache; Genealogie Christi (auf Bitten eines Nonnenkonvents); freie Überss. aus dem Lat.: bibl. u. patrist. Texte (f. Kölner Klosterfrauen); Erkll. u. Homilien zu den Sonn- u. Festtagen. – Gedr. ist ganz wenig.
Lit.: Joseph Hartzheim, Bibliotheca Coloniensis, Köln 1747, 116; – Florenz Landmann, Das Predigtwesen in Westfalen in der letzten Zeit des MA. Ein Btr. z. Kirchen- u. Kulturgesch., 1900, 49 ff.; – Hermann Degering, in: Mitt. aus der Kgl. Bibl. Berlin, 1914, 66 ff.; – Klemens Löffler, Köln. Bibl.gesch. im Umriß, 1923, 7. 67–70; – Christel Schneider, Die Kölner Kartause v. ihrer Gründung bis z. Ausgang des MA, 1930, 92; – E. Zimmermann, H. D.s Ausz. aus den Proverbien, in: At. Texte z. Bibelverdt. des MA = Bibel u. dt. Kultur 7, 1937, 195 ff.; – Y. Gourdel, Le culte de la très sainte Vierge dans l'ordre des chartreux, in: Maria. Études sur la Sainte Vierge, sous la direction d'Hubert Du Manoir II, Paris 1952, 625–678; – Wolfgang Stammler, Ma. Prosa in dt. Sprache, in: Dt. Philologie im Aufriß II, 1960², 889. 908 f.; – VerfLex I, 440 ff.; – NDB III, 743 f.; – DSp VII, 185 ff.; – LThK V, 183.

HEINRICH von Friemar, Augustinereremit, philosophisch-theologischer und asketischer Schriftsteller, * um 1245 in Friemar bei Gotha, † 18. 10. 1340 in Erfurt. – H. trat schon in jungen Jahren in den Augustinerorden ein und begann vor 1264 seine theologischen Studien in Bologna. 1290–99 leitete er als Provinzial die gesamte deutsche Augustinerprovinz und förderte tatkräftig die Interessen seines Ordens, so daß dieser in Deutschland sich mächtig entfaltete und eine Teilung in vier Provinzen notwendig wurde. Vom Ende 1299 ab studierte H. in Paris Theologie, um sich auf seine spätere Lehrtätigkeit vorzubereiten. 1305 bestieg er den Lehrstuhl an der Universität, den die Augustiner innehatten. Von 1315 ab war H. wieder in seiner deutschen Heimat. Das Generalkapitel von Arimini Pfingsten 1318 bestimmte ihn zum Leiter des »Studium generale« in Deutschland und zum Examinator der um das Lektorat sich bewerbenden Studenten. In Erfurt, seinem bleibenden Wohnsitz, entfaltete er eine reiche Wirksamkeit als Schriftsteller, Lehrer des Klerus, Prediger und Wandermissionar. Noch im hohen Alter war H. für seinen Orden tätig: er nahm 1320 in Himmelspforten, 1323 in Münnerstadt am Kapitel seiner Provinz als Vertreter des Generals und 1329 am Generalkapitel seines Ordens in Paris teil. H. wird »Doctor seraphicus« oder »mellifluus« genannt und im Orden als »Beatus« verehrt.

Werke: Additiones in libros Sententiarum una cum commentario Aegidii, gedr. in Textus sententiarum (Petri Lombardi) ... cum expositionibus Aegidii de Roma, Köln 1513 u. Basel 1497. 1507; Tractatus de origine et progressu Ordinis Fratrum Eremitarum S. Augustini et de vero et proprio titulo eiusdem. hrsg. v. Rudolf Arbesmann, in: Augustiniana 6, 1956, 37–145; Tractatus de quatuor instinctibus seu De spiritibus eorumque discretione, Venedig 1513; Hagenau 1513; Paris 1514; Antwerpen 1652; Tractatus de decem praeceptis, Köln 1475; (unter dem Namen des Nikolaus v. Lyra) Paris 1493; Köln 1498. 1501. 1505; Expositio passionis Domini ou Passio Domini litteraliter et moraliter explanata, Paris 1514; Hagenau 1513. 1517; Opus sermonum de Sanctis, Hagenau 1513; Paris 1514; Commentaria in libros Ethicorum Aristotelis (Exzerpte bei Stroick [s. Lit.], 246 bis 264; Quodlibet I, unvollst. hrsg. v. Stroick (s. Lit.), 191–246;

Tractatus de adventu Verbi in mentem; De perfectione spirituali interioris hominis; Expositio decretalis »Cum Marthae« de celebratione missae; Tractatus de adventu Domini; Tractatus de occultatione vitiorum sub specie virtutum; Tractatus de septem gradibus amoris; Tractatus de vitiis ou Summa vitiorum; Sermones de tempore et de sanctis; Sermones super epistolas et evangelia dominicalia per circulum anni. – Henrici de Frimaria tractatus ascetico-mystici quos ed. curavit Adolar Zumkeller. Tl. 1. Complectens tractatum de adventu verbi in mentem. Tractatum de adventu Domini. Tractatum de incarnatione verbi, 1975.

Lit.: Jordan de Saxonia, Liber Vitasfratrum (1357), ed. Cornelius Dilmannus, Rom 1587. Krit. Ausg. v. Rudolf Arbesmann u. Winfried Hümpfner, New York 1943, bes. 474 f. (Liste der noch vorhandenen Werke); – Carl Beyer, H. v. F., in: Mitt. des Ver. f. Gesch. u. Altertumskunde v. Erfurt 5, 1871, 125 ff.; – Anton Linsenmayer, Gesch. der Predigt in Dtld. bis z. Ausgange des 14. Jh.s, 1886, 450 ff.; – H. K. Schäfer, Eine Aachener Urk. z. Gesch. H.s v. F., in: RQ 20, 1906, 88 ff.; – W. Füßlein, H. v. F., in: Zschr. des Vereins f. thüring. Gesch. u. Altertumskunde NF 17, 1907, 391 ff.; – Franz Ehrle, Der Kampf um die Lehre des hl. Thomas in den ersten 50 J. nach seinem Tode, in: ZKTh 37, 1913, 270 ff.; – Winfried Hümpfner, H. v. F., in: Zschr. des Ver. f. thüring. Gesch. u. Altertumskunde NF 22, 1914, 49 ff.; – Clemens Stroick, H .v. F. Leben, Werke, philos.-theol. Stellung in der Scholastik (Diss. Bonn, 1944), Freiburg/Breisgau 1954 (erw.); – Rudolf Arbesmann, H. of F.'s »Treatise on the Origin and Development of the Order of the Heremit Friars and Its True and Real Title«, in: Augustiniana 6, 1956, 37–145; – Franz Pelster, Kleine Btrr. z. Literaturgesch. der Scholastik. Cod. 739 der Stadtbibl. Toulouse mit teilweise unbekannten Quästionen des Thomas v. Sutton, Johannes v. Paris, Aegidius Romanus u. H. v. F., in: Scholastik 32, 1957, 247 ff.; – Adolar Zumkeller, Die Bedeutung der Augustiner f. das kirchl. u. rel. Leben in Franken u. Thüringen während des 14. Jh.s, in: Würzburger Diözesan-Gesch.bll. 18–19, 1956–57, 36 ff.; – Ders., Die Lehrer des geistl. Lebens unter den dt. Augustinern v. 13. Jh. bis z. Konzil v. Trient, in: S. Augustinus vitae spiritualis magister II, Rom 1959, 242 :f.; – Ders., Die Augustinerschule des MA. Vertreter u. philos.-theol. Lehre, in: AnAug 27, 1964, 167–262, bes. 200. 207 f.; – Ders., Mss. v. Werken der Autoren des Augustinerordens, 1966, 125 ff. 579 ff.; – VerfLex II, 265 f.; V, 344; – ADB XI, 633 ff.; – NDB VIII, 408; – LThK V, 188; – DSp VII, 191 ff.; – NCE VI, 1035.

HEINRICH *von Gent*, Philosoph und scholastischer Theologe augustinischer Richtung, * um 1217 in Gent, † 29. 6. 1293 in Tournai. – Seine erste Ausbildung erhielt H. an der Kapitelschule in Tournai. 1267 war er Kanonikus in Tournai, 1276 Archidiakonus in Brügge und 1278 in Tournai. 1277–1292 war H. Magister der Theologie an der Pariser Universität und nahm an der 1277 von dem Pariser Bischof Étienne Tempier (s. d.) einberufenen Versammlung der Theologieprofessoren teil, in der die Verurteilung des radikalen Aristotelismus, des »Averroismus«, und einiger thomistischer Lehren erfolgte. Seit 1282 beteiligte er sich am Kampf gegen die Beicht- und Predigtprivilegien der Bettelorden. – H. war einer der hervorragendsten Professoren in Paris, »Doctor solemnis« genannt. In allen entscheidenden metaphysischen, erkenntnistheoretischen und psychologischen Lehren stand er auf dem Boden des Augustinismus (s. Augustinus, Aurelius) und bekämpfte eifrig die Neuerungen des Thomas von Aquin (s. d.).

Werke: 15 Quodlibeta (Ausg.: Disputationes quodlibeticae, 2 Bde., Paris 1518; Aurea Quodlibeta, 2 Bde., Venedig 1608 u. 1613; Nachdr. der Ausg. v. 1518, 2 Bde., Louvain 1961) Summa theologica (Ausgg.: Summa quaestionum ordinarium, 2 Bde., Paris 1520; Antwerpen 1639; 3 Bde., Ferrara 1646; Nachdr. der Ausg. v. 1520, St-Bonaventure (New York 1953).

Lit.: Franz Ehrle, Btrr. zu den Biogrr. berühmter Scholastiker. H. v. G., in: ALKGMA 1, 1885, 365 ff.; – Maurice De Wulf, Études sur H. de Gand, Paris – Louvain 1894; – Pierre Féret, La faculté de théologie de Paris et ses docteurs les plus célèbres II, Paris 1895, 227 ff.; – Georg Hagemann, De Henrici Gandavensis quem vocant ontologismo, Münster 1898 (s. dortiges Vorlesungsverz. f. SS. 1898); – Johannes Lichterfeld, Die Ethik H.s v. G. in ihren Grundzügen (Diss. Erlangen), 1907; – Raphael Braun, Die Erkenntnislehre H.s v. G. (Diss. Freiburg/Schweiz), 1916; – Palémon Glorieux, La Littérature quodlibétique de 1200 à 1320. I, Kain (Belgien) 1925, 177 ff.; II, Paris 1935, 132 f.; – Ders., Répertoire des maîtres en théologie de Paris au XIIIᵉ siècle I, ebd. 1933, 387–391; – Werner Schöllgen, Das Problem der Willensfreiheit bei H. v. G. u. Herveus Natalis. Ein Btr. z

Gesch. des Kampfes zw. Augustinismus u. Aristotelismus in der Hochscholastik (Diss. Freiburg/Breisgau), Düsseldorf 1927 (Nachdr. Hildesheim 1975); – Wilhelm Wittebruck, Die Gewissenstheorie bei H. v. G. u. Richard v. Mediavilla (Diss. Bonn), Elberfeld 1929 (Tl.dr.); – Eduard Dwyer, Die Wiss.lehre H.s v. G. (Diss. Würzburg), 1933; – Jean Paulus, H. de G. et l'argument ontologique, in: AHDL 10, 1935/36, 265 ff.; – Ders., H. de G. Essai sur les tendances de sa métaphysique, Paris 1938; – Ders., Les Disputes d'H. de G. et de Gilles de Rome sur la distinction de l'essence et de l'existence, in: AHDL 15–17, 1940–42, 323 ff.; – R. Bourgeois, La théorie de la connaissance intellectuelle chez H. de G., in: Revue de philosophie 36, Paris 1936, 238 ff.; – Anton Schulter, Bedeutung H.s v. G. die Entfaltung der Lehre v. der unbefleckten Empfängnis, in: ThQ 118, 1937, 312 ff. 437 ff.; – Heinrich Rüßmann, Zur Ideenlehre der Hochscholastik unter bes. Berücks. des H. v. G., Gottfried v. Fontaines u. Jakob v. Viterbo (Diss. Bonn), Freiburg/Breisgau 1938; – Johannes Beumer, Theol. u. myst. Erkenntnis. Eine Stud. in Anschluß an H. v. G., Dionysius den Kartäuser u. Josephus a Spiritu Sancto, in: ZAM 16, 1941, 62 ff.; – Ders., Erleuchteter Glaube. Die Theorie H.s v. G. u. ihr Fortleben in der Spätscholastik, in: FS 37, 1955, 129 ff.; – Ders., Die Stellung H.s v. G. z. theol. Stud. der Frau, in: Scholastik 32, 1957, 81 ff.; – Paul Bayerschmidt, Die Seins- u. Formmetaphysik des H. v. G. in ihrer Anwendung auf die Christologie. Eine philosophie- u. dogmengeschichtl. Stud. (Diss. Münster), 1941 (BGPhMA 36, 3/4); – Ders., Die Stellungnahme des H. v. G. z. Frage nach der Wesensgleichheit der Seele Christi mit den übrigen Menschenseelen u. der Kampf gg. den averroist. Monopsychismus, in: Theol. in Gesch. u. Ggw. Michael Schmaus z. 60. Geb. Hrsg. v. Johannes Auer u. Hermann Volk, 1957, 571 ff.; – Armand Maurer, Henry of Ghent and the Unity of Man, in: MS 10, 1948, 1 ff.; – Theophiel Nys, De werking van het menselijk verstand volgens Hendrik van G., Louvain 1949; – Efrem Bettoni, Il processo astrattivo nella concezione di Enrico di Gand, Mailand 1954; – F. Leite de Faria, L'opinion d'H. de G. sur la conception de la sainte Vierge, in: Marianum. Acta congressus mariologici-mariani Romae anno 1954 celebrati 16, Rom 1954, 290 ff.; – Beryl Smalley, Gerard of Bologna and H. of G., in: RThAM 22, 1955, 125 ff.; – Paul De Vooght, La méthode théologique d'après H. de G. et Gérard de Bologne, ebd. 23, 1956, 61 ff.; – J. Gómez Caffarena, Cronología de la Suma de Enrique de Gante por relación a sus Quodlibetos, in: Gregorianum 38, 1957, 116 ff.; – Ders., Ser participado y ser subsistente en la metafísica de Enrique de Gante, in: AnGreg 93, Rom 1958; – Ders., Metafísica de la inquietud humana in Enrique de Gante, in: Actes du premier congrès international de la philosophie médiévale, Louvain 1960, 629 ff.; – J. M. R. Belloso, La visión de Dios según Enrique de Gante, Barcelona 1960; – Michael Schmaus, Der Lehrer u. der Hörer der Theol. nach der »Summa quaestionum« des H. v. G., in: Universitas. Dienst an Wahrheit u. Leben. Festschr. f Bisch. Dr. Albert Stohr. Hrsg. v. Ludwig Lenhart, I, 1960, 3 ff.; – Ders., Die Schr. u. die Kirche nach H. v. G., in: Kirche u. Überlieferung. Joseph Rupert Geiselmann z. 70. Geb. Hrsg. v. Johannes Betz u. Heinrich Fries, 1960, 211 ff.; – Faustino Antonio Prezioso, La Critica di Duns Scoto all'Ontologismo di Enrico di G., Padua 1961; – G. Cannizzo, La dottrina del »verbum mentis« in Enrico di G., in: Rivista di filosofia neo-scolastica 54, Mailand 1962, 243 ff.; – Charles B. Schmitt, H. of G., (Johannes) Duns Scotus and Gianfrancesco Pico (della Mirandola) on illumination, in: MS 25, 1963, 231 ff.; – Ludwig Hödl, Neue Begriffe u. neue Wege der Seinserkenntnis im Schul- u. Einflußbereich des H. v. G., in: Die Metaphysik im MA. Vortrr. des 2. Internat. Kongresses f. MA. Philos., Köln 1961, Berlin 1963, 607 ff.; – Walter Hoeres, Wesen u. Dasein bei H. v. G. u. Duns Scotus, in: FS 47, 1965, 121 ff.; – M. G. H. Gelissen, Natuur en genade volgens Hendrik van G., 2 Bde., Tilburg 1965; – Anton C. Pegis, Toward a New Way to God: H. of G., in: MS 30, 1968, 226 ff.; 31, 1969, 93 ff.; 33, 1971, 158 ff.; – R. Macken, De radicale tijdelijkheid van het schepsel volgens H. v. G., in: Tijdschrift voor filosofie 31, Leuven 1969, 519 ff.; – Ders., La temporalité radicale de la créature selon H. de G., in: RThAM 38, 1971, 211 ff.; – Ders., La »Lectura ordinaria super Sacram Scripturam« attribuée à H. de G. Ed. crit., Louvain 1972 (Rez. v. P. Verbraken, in: RBén, 84, 1974, 417 f.); – Karl Binder, H. v. G. über die Empfängnis der Gottesmutter, in: Festschr. Franz Loidl. Hrsg. v. Viktor Flieder, I, Wien 1970, 13 ff.; – Jerome V. Brown, Sensation in H. of G. A late mediaeval Aristotelian-Augustinian synthesis, in: AGPh 53, 1971, 238 ff.; – Ders., Abstraction and the object of the human intellect according to H. of G.: in: Vivarium. An international journal for the philosophy and the intellectual life of the middle ages and renaissance 11, Leiden 1973, 80 ff.; – Wilhelm Totok, Hdb. der Gesch. der Philos. II: MA, 1973, 497; – Reinhard Schinzer, Gott u. die Sprache bei H. v. G., in: NZSTh 15, 1973, 148 ff.; – Ders., Objektivation der Existenz. Vers. über die trinitar. Personen bei H. v. G., ebd. 18, 1976, 225 ff.; – John Marrone, The absolute and the ordained powers of the pope. An unedited text of H. of G., in: MS 36, 1974, 7 ff.; – Gianfranco Fioravanti, Forma ed esse in Enrico di Gand. Preoccupazioni teologiche ed elaborazione filosofica, in: Annali della Scuola normale superiore di Pisa. Classe di lettere e filosofia. Ser. III, 5, Pisa 1975, 985 ff.; – Überweg II, 497 ff. 764 f.; – EncF I, 1912 ff.; – DThC VI, 2191 ff.; – Catholicisme V, 612 f.; – EC V, 372 ff.; – DSp VII, 197 ff.; – LThK V, 188 f.; – NCE VI, 1035 ff.; – ODCC² 636; – RE VII, 602; – RGG III, 203; – ADB XI, 636.

HEINRICH *von Gorkum*, Theologe, * um 1378 in Gorrichem (Diözese Utrecht), † 19. 2. 1431 in Köln. – H. studierte seit 1395 in Paris die Artes, erwarb dort 1398 den Lizentiatentitel und war seitdem bis 1419 – mit einer Unterbrechung 1402–09 – als magister artium actu regens tätig. Vielleicht war er 1402–09 in Paris Student der Theologie; denn im Dezember 1419 wurde H. an der Kölner Hochschule immatrikuliert und im Januar 1420 als Bakkalaureus der Pariser theologischen Fakultät zum Studium zugelassen. Im Februar 1420 promovierte er zum Dr. theol. Bis zu seinem Tod lehrte H. in Köln als Professor der Artes an der von ihm gegründeten Bursa Montana und als Professor der Theologie. Zeitweilig war er auch Rektor und Vizekanzler der Universität sowie Pfarrer der Kölner Klein-Sankt Martinkirche. – H. befestigte die thomistische Richtung (s. Thomas von Aquin) an der Kölner Universität, die später im Gegensatz zur »schola Albertistarum« (s. Albertus Magnus) stand.

Werke: Quaestiones in omnes partes s. Thomae, Eßlingen 1473; Quaestiones metaphysicae de ente et essentia, Köln 1502; Conclusiones in libros Sententiarum, Straßburg 1489; Basel 1492; Köln 1482. 1499. 1502. 1513; Venedig 1506; Tractatus consultatorii circa divinas et humanas actiones et quorundam Bohemorum errores emergentes iuxta doctrinam Thomae Aquinatis, Köln 1503; Tractatus de Praedestinatione et Reprobatione divina, 1474; die meisten Traktate gedr. in Sammelbd. Tractatus consultatorii, Köln 1503.

Lit.: Joseph Hartzheim, Bibliotheca Coloniensis, Köln 1747, 119 ff.; – Patricius Schlager, Btrr. z. Gesch. der köln. Franziskaner-Ordensprov. im MA, 1904, 242; – Gilles Gerard Meersseman, Gesch. des Albertismus II, Rom 1935, 13–22; – W. Kullmann, Unsere Toten, in: Rhenania Franciscana, Sondernr. 1941, II, 61; – Willibrord Lampen, Notizen zu H. v. G., in: FS 34, 1952, 290 ff.; – Antonius Gerardus Weiler, H. v. G. Seine Stellung in der Philos. u. der Theol. des Spät-MA Dt. v. Frans Stoks), Hilversum – Einsiedeln – Zürich – Köln 1962 (vollst. Verz. der Werke); – Grabmann, MGL II, 440 ff.; – HN II, 801 bis 803; – LThK V, 189; – NCE VI, 1037; – ADB XI, 636 f.; – NDB VIII, 409 f.

HEINRICH *von Herford*, Dominikaner, Chronist, * Ende des 13. Jahrhunderts in Herford, † 9. 10. 1370 in Minden. – H. trat frühzeitig in das Dominikanerkloster Minden ein. 1340 weilte er längere Zeit in Mailand und nahm, wohl als Definitor der sächsischen Ordensprovinz, an dem damals tagenden Generalkonzil seines Ordens teil. – H. wurde durch seine umfassende schriftstellerische Tätigkeit bekannt. Nur zwei seiner Werke sind erhalten: eine bis 1355 reichende Weltchronik und die »Catena aurea«. Der Wert seiner Weltchronik liegt hauptsächlich in der Wiedergabe verlorener Quellen und in der Darstellung der jüngsten Zeit (1320–55), von der er als Zeitgenosse berichtet. Die »Catena aurea«, in der er selbst einen Katalog seiner Schriften gibt, ist eine Zusammenstellung philosophischer, naturwissenschaftlicher und theologischer Fragen und Antworten. Beide Schriften sind eine Kompilation aus den damals bekannten Werken.

Werke: Liber de rebus memorabilioribus sive Chronicon Henrici de Hervordia, hrsg. v. August Potthast, Göttingen 1859; Catena aurea encium vel problematum series, überl. in 2 Hss. des 15. Jh.s in der Vatikan. Bibl. in Rom (Cod. lat. 3025 u. 4310).

Lit.: Forsch. z. dt. Gesch. 18, 1878, 169 f. 499 f.; – Ottokar Lorenz, Dtld.s Gesch.qu. im MA I³, 1887, 75 ff.; – Franz Diekamp, Über die schr.steller. Tätigkeit des Dominikaners H. v. H., in: Zschr. f.vaterländ. Gesch. u. Altertumskunde 57, Münster/Westfalen 1899, 90 ff.; – Heribert Christian Scheeben, Unterss. über einige ma. Chron. des Predigerordens, in: Arch. der dt. Dominikaner 1, 1937, 208 ff.; – Biogr. Wb. z. dt. Gesch. I², 1973, 1101; – VerfLex V, 345 ff.; – Quétif-Échard I, 665; – ADB XIII, 493; – NDB VIII, 411; – Potthast 579; – Chevalier I, 2084; – EC V, 374.

HEINRICH Eger (Egher) *von Kalkar*, Kartäuser, Mystiker, Choraltheoretiker, * 1328 in Kalkar (Niederrhein) aus reichem Patriziergeschlecht, † 20. 12. 1408 in Köln. – Nach dem Besuch der Lateinschule in Kalkar studierte H. die artes zunächst in Köln, dann in Paris. Er wurde dort 1356 magister artium, 1358 und 1359 Magister regens (= dozierender Magister) und 1359 Prokurator der Englischen Nation. H. kehrte 1363 aus Paris zurück und lebte als Kanonikus an der Kollegiatskirche St. Georg in Köln und an der Stiftskirche St. Suitbert in Kaiserswerth bei Düsseldorf, trat aber 1365 in Köln in den Kartäuserorden ein. Er war 1367–72 Prior in Monnikhuizen bei Arnheim, dann Rektor in Roermond, einer Neugründung, 1378–1384 Prior zu St. Barbara in Köln, danach bis 1396 Prior in Marienberge bei Straßburg. Auf fünf Generalkapiteln war H. Definitor und etwa 1375–95 Visitator der Ordensprovinz Alemannia inferior, visitierte zuweilen auch französische, böhmische und mährische Klöster. 1396 zog er sich zurück und lebte als einfacher Mönch in der Kölner Kartause. – H. war Spätscholastiker und Mystiker, zugleich inniger Marienverehrer. Geert Groote (s. d.), der als Kanonikus in Utrecht und Aachen ein genußfreudiges Leben führte, wurde 1374 durch H. zu ernster Einkehr geführt und in seiner Entwicklung zum Buß- und Erweckungsprediger von ihm nachhaltig beeinflußt. H. war ein fruchtbarer Schriftsteller. Er verfaßte rhetorische, musiktheoretische, metrische, juristische, historische und vor allem asketisch-mystische Schriften. Die mystischen Werke hatten Einfluß auf die »devotio moderna«, eine der deutschen Mystik verwandte religiöse Erneuerungsbewegung des 14./15. Jahrhunderts, die eine persönliche Frömmigkeit in der Nachfolge Christi erstrebte und deren Träger die »Brüder vom gemeinsamen Leben« wurden.

Werke: Loquagium de rhetorica; Cantuagium de musica (hrsg. v. Hüschen, s. Lit.); Contemplativa metrica; Commentariolum in Decretum Gratiani et Decretales Gregorio IX; De continentis et distinctione scientiarum; Ortus et decursus ordinis Cartusiensis (hrsg. v. Vermeer, s. Lit.); Sermones capitulares; De modo faciendi collationes more Cartusiano; Collatio pro eligendo priore; Scala spiritualis exercitii; Excerptum de via purgativa; Libellus exhortatorius ad Petrum monachum Carthusie Confluentie (hrsg. v. Vooys, s. Lit.); Tractatus de cotidiano holocausto spiritualis exercitii (auch Exercitatorium monachale; Exercitium Cartusianum oder Speculum peccatorum genannt). Hrsg. v. Nolte, s. Lit.; v. Hirsch, s. Lit.; Epistolae variae et spirituales; Psalterium Beatae Mariae (hrsg. in »Hortulus devotionis«, 1541; u. in: AH 36, 1901, 5 f.); Informatio meditationis de passione Domini (hrsg. v. Lindeman, s. Lit.).

Lit.: Johann Trithemius, De scriptoribus ecclesiasticis, Basel 1494; – Petrus Dorlandus, Chronicon Cartusiense (gesch. um 1500), Köln 1608; – Theodor Petrejus, Bibliotheca Cartusiana sive illustrium Sacra Ordinis Cartusiensis scriptorum catalogus, Köln 1609, 131 ff.; – Johann Albert Fabricius, Bibliotheca latina mediae et infimae aetatis III, Hamburg 1735; – Joseph Hartzheim, Bibliotheca Coloniensis, Köln 1747, 117 ff.; – Gaston Bonet-Maury, Quaeritur e quibus neerlandicis fontibus hauserit scriptor libri cui titulus est de Imitatione Christi (Thèse Paris), 1878; – Ludwig Schulze, Zur Thomas a Kempisfrage, in: ZKG 9, 1888, 119 ff.; – J. A. Wolff, Gesch. der Stadt Kalkar, 1893, 58 f.; – C. Hirsch, Prolegomena zu einer neuen Ausg. der Imitatio Christi III, 1894; – Pierre Féret, La faculté de théologie de Paris et ses docteurs les plus célèbres, Moyen âge IV, Paris 1896; – Pierre Édouard Puyol, L'auteur du livre De imitatione Christi I, ebd. 1899; – C. G. N. de Vooys, De Handschriften van H. v. K.s werken, in: NAKG NS 2, 1903, 306–308; – Johann Baptist Klein, Der Choralgesang der Kartäuser in Theorie u Praxis (Berlin), 1910, 26. u. ö.; – H. B. C. W. Vermeer, Het tractaat »Ortus et decursus ordinis Cartusiensis« van Hendrik Egher van Kalkar. Met een biographisce inleiding (Diss. Leiden), Wageningen 1929, 87–141; – Christel Schneider, Die Kölner Kartause v. ihrer Gründung bis z. Ausgang des MA (Diss. Bonn, 1930), 1932, 38 ff. u. ö.; – H. Lindeman, Een tractaat over de overweging van's heeren lijden van Hendrik van Calcar toegeschreven, in: Ons geestelijk Erf 7, Antwerpen 1933, 62–88; – Leonce Reypens, Een meesterstukje van H. E.?, ebd. 14, 1940, 249 ff.; –

J. van Ginneken, Het monachale humanisme; 2. De oudere en jongere modellen, in: Onze Taaltuin, Amsterdam 1940–41; – R. R. Post, Hendrik Eger van Kalkar en Geert Groote, in: StC 21, 1946, 88 ff.; – Das Cantuagium des H. Eger v. K. Eingel. u. hrsg. v. Heinrich Hüschen, in: Btrr. z. rhein. Musikgesch. II, 1952, 3–84; – Ders., H. v. K., in: Rhein. Musiker I, hrsg. v. Karl Gustav Fellerer, 1960, 88 ff.; – H. J. J. Scholtens, H. v. E. mit Kalkar en zijn Kring, in: Dr. Leonce Reypens Album. Studiën en Tekstuitgaven van Ons geestelijk Erf 16, Antwerpen 1964, 383–408; – Heinrich Rüthing, Der Kartäuser H. Egher v. K. (Diss. Erlangen-Nürnberg), Göttingen 1967; – VerfLex II, 749 ff.; – DLL III, 938 ff.; – MGG III, 1165 ff.; – Riemann I, 448 f.; ErgBd. I, 310; – ADB XV, 24 f. (unter Kalkar); – NDB IV, 327 f.; – RGG III, 203; – DThC IV, 2104 ff.; – Catholicisme V, 621 f.; – EC V, 388; – DSp VII, 188 ff.; – LThK V, 192 f.; – NCE VI, 1039.

HEINRICH *von Kettenbach* (Taunus), Verfasser lutherischer Flugschriften, † wohl 1524/25. – Es ist nichts bekannt über H.s Herkunft, Bildungsgang und Lebensende. Er war Franziskaner und ist nachweisbar als Magister novitiorum und juvenum sowie als Legens 1507–08 im Kloster Kaysersberg (Oberelsaß) und 1508–10 in Mainz sowie als Praedicator 1510–16 in Heilbronn, 1516–19 in Mainz, 1519–20 in Freiburg/Breisgau und 1520–22 in Ulm. – H. ist einer der zündendsten Volksschriftsteller in den ersten Jahren der deutschen Reformation. Er veröffentlichte eine Reihe von deutschen Flugschriften.

Werke: Neudr. in: Flugschrr. aus den ersten J. der Ref. Hrsg. v. Otto Clemen, II, 1908, 226–236; Arnold Erich Berger, Die Sturmtruppen der Ref. Ausgew. Flugschrr. der J. 1520–25, 1931, 59 f. 217–241. 344–346.

Lit.: Georg Veesenmeyer, Nachdr. v. H. K., einem der ersten Ulmischen Reformatoren, u. seinen Schrr., in: Ders., Btrr. z. Gesch. der Lit. u. Ref., Ulm 1792, 79–117; – Karl Schottenloher, Flugschrr. aus den ersten J. der Ref., in: Zschr. f. Bücherfreunde 11¹¹, 1907–08, 464 ff.; – Ders., Der Münchner Buchdrucker Hans Schobser, 1925, 109 ff.; – Paul Kalkoff, Die Prädikanten Rot-Locher, Eberlin u. Kettenbach, in: ARG 25, 1928, 128 ff.; – Mitt. des Ver. f. Gesch. der Stadt Nürnberg 27, 1928, 262 f.; – Wilhelm Gußmann, Qu. u. Forsch. z. Gesch. des Augsburger Glaubensbekenntnisses II, 1930, 304, Anm. 71; – Analecta Franciscana 8, Florenz 1946, 815; – Matthias Simon, Ev. KG. Bayerns, 1952², 157. 168; – Hermann Aupperle, Bildtaf. über Drucke aus dem 1. Hälfte des 16. Jh.s Vorläufiges Verz. z. 2. Lfg., 1958, 12 f., Nr. 61; – ADB XV, 676 ff. (Kettenbach); – NDB VIII, 412 f.; – Schottenloher I, Nr. 9738–9742; V, Nr. 47184–47187; – Wolf II/2, 89; – RE X, 265 f.; – RGG III, 256.

HEINRICH *von Köln*, Dominikaner, * um 1200 in Mülhausen bei Marsberg (Sauerland), † 23. 10. 1229 in Köln. – Während seines theologischen Studiums in Paris 1218/19 lernte H. Jordan von Sachsen (s. d.) kennen und trat mit ihm dort 1220 in den Dominikanerorden ein. Nach kurzem Aufenthalt in Reims kam er 1221 nach Köln, vollendete als erster Prior den dort im Bau befindlichen Konvent und brachte ihn zu hoher Blüte. 1225 nahm er am Generalkapitel in Bologna teil, besuchte noch das Provinzialkonzil und starb kurz nach seiner Rückkehr nach Köln. – H. ist bekannt als ausgezeichneter Prediger augustinischer Richtung.

Lit.: Joseph Kleinermanns, Der sel. H., Stifter des Dominikanerklosters in Köln, 1900; – Johannes Meyer, Liber de Viris illustribus Ordinis Praedicatorum, hrsg. v. Paulus Maria v. Loë, 1918, 18. 27; – Gabriel Löhr, Btrr. z. Gesch. des Kölner Dominikanerklosters im MA, I, 1920, 1 f. II, 1922, 70 ff.; – Ders., Über die Heimat einiger dt. Prediger u. Mystiker aus dem Dominikanerorden, in: ZDADL 82, 1948–50, 177; – Berthold Altaner, Die Dominikanermissionen des 13. Jh.s, 1924, 31 f.; – Heribert Christian Scheeben, Der hl. Dominikus, 1927, 271. 341. 349. 363; – Ders., Jordan der Sachse, 1937, 18–26; – Ders., Btrr. z. Gesch. Jordans v. Sachsen, 1938, 47 ff. 69 f. 157 ff.; – Ders., Die Konstitutionen des Predigerordens unter Jordan v. Sachsen, 1939, 47 ff. 69 f. 157 ff.; – AFP I, 1931, 173 ff.; 12, 1942, 98 ff.; – MOP II, 85 f.; – VerfLex II, 291; V, 347; – NDB VIII, 413; – DSp VII, 185; – LThK V, 194.

HEINRICH *von Langenstein* (auch: Heinrich von Hessen der Ältere; eigentlich: Heinrich Heinbuche), Theologe, Kirchenpolitiker, Reorganisator der Universität Wien, * 1325 in der Nähe von Marburg/Lahn, † 11. 2. 1397 in Wien, beigesetzt im dortigen Stephansdom. – H. studierte in Paris und wurde 1363 *magister artium*, 1375 *magister theologiae* und Vizekanzler der Universität. In dem großen abendländischen Schisma (1378–1447) stand er auf seiten Urbans VI. (s. d.) und schlug in mehreren Schriften zur Überwindung der Spaltung die Einberufung eines allgemeinen Konzils vor. 1382 verließ H. Paris und begab sich zu seinem Freund Jakob von Eltville (s. d.), Abt des Zisterzienserklosters Eberbach im Rheingau. 1384 wurde er von Albrecht III. zum Professor der Theologie an die seit 1365 bestehende Universität Wien berufen. An ihrem Ausbau und ihrer Organisation hatte H. hervorragenden Anteil. 1393/94 war er Rektor der Universität. – H. war einer der bedeutendsten Spätscholastiker, anfangs Vertreter des Episkopalismus und des Konziliarismus, später des Papalismus, der größte deutsche Gelehrte der 2. Hälfte des 14. Jahrhunderts, ein fruchtbarer Schriftsteller. Er verfaßte naturwissenschaftliche, asketische, theologische, politische und volkswirtschaftliche Werke in lateinischer Sprache, aber auch deutsche Schriften.

Werke: Contra astrologos coniunctionistas de eventibus futurorum, 1371; Quaestio de cometa, 1386; De magnete; De habitudine causarum et influxu naturae communis respectu inferiorum; De reductione effectuum specialium in virtutes communes; 2 Komm. zu den Sentenzen: Lectura Parisiensis; Lectura Eberbacensis; Komm. z. Genesis; Briefe u. Schrr. z. Schisma: Epistola pacis, 1379; Epistola consilii pacis de unione ac reformatione Ecclesiae, 1381 (hrsg. v. Hermann v. der Hardt, Magnum oecumenicum Constantiense concilium II, Frankfurt – Leipzig 1697, 2–61, u. in: Opera omnia de Jean Gerson II, Antwerpen 1706, 809–840); Epistola de cathedra Petri, 1395 oder 1396; Epistola de futuris periculis ecclesiae, 1383; Liber adversus Telesphori eremitae vaticinia de ultimis temporibus, 1392 (hrsg. v. Bernhard Pez, Thesaurus anecdotorum novissimus II, Augsburg 1721, 507–564); Ecclesiae planctus de schismate Urbani et Clementis, 1393; theol. Traktate u. pastoral-theol. u. asketisch-mystische Schrr.: De verbo incarnato; Contra disceptationes et contrarias praedicationes fratrum mendicantium super conceptione beatissimae Mariae, 1390; De discretione spirituum, 1382 bis 1384; Speculum animae, 1382–84; De contemptu mundi, 1382 bis 1384, hrsg. v. G. Sommerfeld, in: ZKTh 29, 1905, 406–412); De missa; De confessione; Secreta sacerdotum; De malo sacerdoto; De improbatione epicyclorum et concentricorum; Epistola de contractibus ad consules Viennenses.

Lit.: Otto v. Hartwig, Henricus de L. dictus de Hassia. Zwei Unterss. über das Leben u. die Schrr. H.s v. L., 1857; – F. Wilhelm Emil Roth, Zur Bibliogr. des Henricus Hembuche de Hassia dictus de L., in: Beih. ZBlfBibl 1, 1888/89, 97 ff.; – August Kneer, Die Entstehung der konziliaren Theorie. Zur Gesch. des Schismas u. der kirchenpolit. Schr.steller Konrad v. Gelnhausen u. H. v. L., 1893; – F. Falk, Der mitelrhein. Freundeskreis des H. v. L., in: HJ 15, 1894, 517 ff.; – Karl Hirsch, Die Ausbildung der konziliaren Theorie im 14. Jh., Wien 1903, 55 ff.; – Bernhard Walde, Christl. Hebraisten Dtld.s am Ausgange des MA, 1916, 8 ff.; – Hubert Przechlewski, H. v. L.'s »Questio de cometa« u. der astrolog. Irrwahn seiner Zeit (Diss. Breslau), 1924; – Konrad Josef Heilig, Krit. Stud. z. Schr.tum der beiden H.e v. Hessen, in: RQ 40, 1932, 105 ff.; – Manuel Rocha, Les origines de »Quadragesimo anno«. Travail et salaire à travers la scolastique, Paris 1933; – Hubert Pruckner, Stud. zu den astrolog. Schrr. des H. v. L., 1933; – Konradin Zähringer, Das Kard.kollegium auf dem Konstanzer Konzil bis z. Absetzung Papst Johannes XIII. (Diss. Münster), 1935; – V. Martin, Comment s'est formée la doctrine de la supériorité du concile sur le pape, in: RSR 17, 1937, 121 ff. 261 ff. 405 ff.; – Alois Fasching, Die Stellung H.s v. L. z. unbefleckten Empfängnis (Diss. Wien), 1943; – Friedrich Stegmüller, Repertorium Commentariorum in Sententias Petri Lombardi I, 1947, 329–331; – Ders., Repertorium Biblicum Medii Aevi, Madrid 1940 ff., III, 31 ff.; – Albert Lang, Die Katharinenpredigt H.s v. L. Eine programmat. Rede des Gründers der Wiener Univ. über den Aufbau der Glaubensbegründung u. der Organisation der Wiss., in: DTh 26, 1948, 123 ff. 233 ff. Nr. 26, 1949, 41 ff.; – Carl Johann Jellouschek, Laudes OCarm nach H. v. L., in: ECarm 7, 1956, 229 ff.; – Ders., Die Lehre v. Marias Empfängnis bei den ältesten Theologen der Wiener Univ., in: Virgo Immaculata. Acta congressus mariologici-mariani Romae anno 1954 celebrati XIV, Rom 1957, 1 ff.; – Aquilin Emmen, H. v. L. u. die Diskussion über die Empfängnis Mariens. Seine Stellungnahme – Änderung seiner Ansicht – Einfluß, in: Theol. in Gesch. u. Ggw. Michael Schmaus z. 60. Geb. Dargebr. v. seinen Freunden u. Schülern.

Hrsg. v. Johannes Auer u. Hermann Volk, 1957, 625 ff.; – Justin Lang, Die Christologie bei H. v. L. Eine dogmengeschichtl. Unters., Basel – Wien 1966; – D. Trapp, J. Langs »Christologie bei H. v. L.«: Eine dogmengeschichtl. Unters.?, in: Augustinianum 7, Rom 1967, 525 ff.; – Rainer Rudolf, H.s v. L. »Erchantnuzz der sünde« u. ihre Qu., in: Fachlit. des MA. Festschr. f. Gerhard Eis. Hrsg. v. Gundolf Keil u. a., 1968, 53 ff.; – Paolo Pirzio, Le prospettive filosofiche del trattato di Enrico di L. »De habitudine causarum«, in: Rivista critica di storia della filosofia 24, Florenz 1969, 363 ff.; – Thomas Hohmann, Discretio spirituum. Texte u. Unterss. z. »Unterscheidung der Geister« bei H. v. L. (Diss. Würzburg), 1975; – Nicholas Hans Steneck, Science and creation in the Middle Ages: H. of L., London 1976; – Überweg II, 610 f. 785; – DThC VIII, 2574 ff.; – EC VI, 1395; – Catholicisme V, 617 f.; – DSp VII, 215 ff.; – LThK V, 190 f.; – NCE VI, 1037 f.; – RE VII, 604 ff.; – RGG III, 203 f.; – ADB XVII, 672 f. (Langenstein); – NDB VIII, 410; – VerfLex II, 292 ff.; V, 347.

HEINRICH *von Laufenberg*, Theologe, Dichter und Musiker, * um 1390 in Rapperswil am Zürichsee oder Freiburg/Breisgau, † 31. 3. 1460 in Straßburg. – H. war seit 1429 Priester in Freiburg, um 1433 Dekan des Kollegiatsstifts Zofingen (Kt. Aargau), 1441 Münsterkaplan in Freiburg, seit 1445 Mönch des Johanniterhauses »Zum grünen Wörth« bei Straßburg. – H. ist der bedeutendste deutsche geistliche Liederdichter des 15. Jahrhunderts. Seine frühesten Lieder sind Übersetzungen und Nachbildungen lateinischer Kirchengesänge, häufig in der Form von lateinisch-deutschen Mischgedichten. Zu seinen besten Liedern zählen seine geistlichen Umdichtungen weltlicher Gesänge und vor allem bekannter Volkslieder, z. B.: »Ich wollt, daß ich daheime wär, den Trost der Welt ich gern entbehr.« Auch eine große Anzahl Originallieder, meist zum Lob der Jungfrau Maria, dichtete er, z. B.: »Ich weiß ein lieblich Engelspiel, da ist all Leid vergangen.« Die umfangreichen theologischen Übersetzungswerke sind 1870 in Straßburg verbrannt, ohne anderweitig überliefert zu sein.

Werke: etwa 100 geistl. Lieder. Ausg.: Wackernagel II, Nr. 701–798 = S. 528–612; Regimen sanitatis (ein astrolog.-medizin. Hausbuch mit etwa 6000 Versen), vollendet 1429; gedr. Augsburg 1491: Versehung des leibs mit 83 Holzschnitten; Spiegel menschl. Heils (Darst. v. Sündenfall u. Erlösung; erweiternde Übers. des »Speculum humanae salvationis« in etwa 15 600 Versen mit dem zugehörigen Zyklus v. 192 Bildern), vollendet 1437; Buch der Figuren (viell. eine Übers. des »Opus figurarum« des Konrad v. Alzey [† 1370]; schildert 136 Präfigurationen der Maria in 15 370 Versen), vollendet 1441; Sermones duplices de tempore et sanctis cum passione Domini, 1425 (1749 noch in der Straßburger Johanniterbibl.).

Lit.: Christian Moritz Engelhardt, Der Ritter v. Stauffenberg. Ein altdt. Gedicht, Straßburg 1823, bes. 19. 55 f. 61 f. 64 f.; – Karl Brunner, Das alte Zofingen u. sein Chorherrnstift, 1877, 67; – Ed. Richard Müller, H. L., eine literarhist. Unters. (Diss. Straßburg), 1888; – Karl Baas, H. L. v. Freiburg u. sein »Gesundheitsregiment« (mit Textproben), in: ZGORh NF 21, 1906, 363 ff.; – Alexander Jentsch, »Regimen Sanitatis« v. H. v. L., ein mhd. Gedicht, unters. u. erl. (Diss. Straßburg), 1908; – P. Runge, Der Marienleich H. L.s »Wilkom lobes werde«, in: Festschr. f. Rochus v. Liliencron, 1910, 228–240; – Martin Vogeleis, Bausteine u. Qu. zu einer Gesch. der Musik u. des Theaters im Elsaß 500–1800, Straßburg 1911, 106–114 u. Reg. 832; – Ulrich Hellmann, Die naturwiss. Lehrgedichte des Hans Folz (Diss. Berlin), 1920 (Tl.dr. in: Jb. der Diss. der Philos. Fak. Berlin, 1919/20, 153–161); – Luise Berthold, Btrr. z. hd. geistl. Kontrafaktur vor 1500 (Diss. Marburg), 1923, 7 f. (zu Wackernagel II, Nr. 796. 797. 720); – Charles van den Borren, Le ms. musical M. 222 C. 22 de la bibliothèque de Strasbourg, XVIᵉ siècle, brulé en 1870 et reconstitué, Antwerpen 1924; – Theodor Kochs, Das dt. geistl. Tagelied (Diss. Münster), 1928, 82 ff. 87 ff.; – Hans Wegener, Beschreibendes Verz. der Miniaturen u. des Initialschmuckes in den dt. Hss. – Beschreibende Verzz. der Miniaturenhss. der Preuß. Staatsbibl. zu Berlin V, 1928, 72 ff.; – Wilhelm Öftering, Gesch. der Lit. in Baden. Ein Abriß. I: Vom Kloster bis z. Klassik, 1930, 29–32; – Arthur Hübner, Die dt. Geißlerlieder. Stud. z. geistl. Volksliede des MA, 1931, 223 (zu Wackernagel II Nr. 705); – Lidwina Boll, H. L., ein Lieddichter des 15. Jh.s (Diss. Köln), 1934; – Joseph Müller-Blattau, H. L., ein oberrhein. Dichtermusiker des späten MA, in: Elsaß-Lothring. Jb. 17, 1938, 143–163; – Bera Gillitzer, Die Tegernseer Hymnen des Cgm 858. Bttr. z. Kunde der Bair. u. z. Hymnendichtung des 15. Jh.s (Diss. München), 1942; – Richard Kienast, Dt. Philol. im Aufriß II, 1953, 897–899 (1960²); – MGG VIII, 324 f.; – Riemann II, 33; ErgBd. I, 21; – Goedeke I, 238; – VerfLex III, 27 ff.; V, 599; – Kosch, LL II, 901; – Wilpert I², 688; – Koch I, 213 ff.; – ADB XIX, 810 ff.; – RGG III, 204; – LThK V, 194.

HEINRICH *von Lausanne* (fälschlich so genannt), Wanderprediger, † nach 1145. – H. war ein gebildeter Mönch von unbekannter Herkunft, lebte als strenger Asket und wirkte als redegewaltiger Bußprediger. Er kam nach Le Mans und erhielt von Bischof Hildebert von Lavardin ausdrücklich die Vollmacht zu predigen. Der Klerus von Le Mans untersagte ihm das Predigen unter Bedrohung mit dem Bann. H. aber blieb und verließ die Diözese erst auf Befehl des nach längerer Abwesenheit zurückkehrenden Bischofs. Über Poitiers und Bordeaux ging H. nach der Provence und wurde im Süden der einflußreichste unter den Gegnern des verweltlichten Klerus. Nach der Verurteilung und Verbrennung des in Südfrankreich wirkenden Wanderpredigers Petrus von Bruis (s. d.) um 1126 übernahm H. dessen Anhänger und sammelte eine Sekte um sich. Viele Jahre hat er ungehindert gewirkt. Erst 1135 nahm ihn der Erzbischof von Arles in Haft. Er wurde vor das Konzil von Pisa gestellt, schwor ab und ging ins Kloster, entfloh aber und setzte seine Wanderpredigt in Südfrankreich fort, zuletzt in der Gegend von Albi und Toulouse. – H. hat als Bußprediger und Polemiker den Boden der mittelalterlichen Kirche nicht verlassen und darf und kann nicht zu den »Reformatoren vor der Reformation« gerechnet werden.

Lit.: Johannes v. Walter, Die ersten Wanderprediger Frankreichs. Stud. z. Gesch. des Mönchtums II, 1906; – Arno Borst, Die Katharer, 1953, 85 ff.; – Raoul Manselli, Il monaco Enrico e la sua eresia, in: Bulletino dell'Istituto storico italiano per il Medio Evo e Archivio Muratoriano 65, Rom 1953, 1 ff.; – Ders., Studi sulle eresie del secolo XII, Rom 1953, 1 ff. 45 ff. – Ernst Werner, Pauperes Christi. Stud. zu sozial-rel. Bewegungen im Zeitalter des Reformpapsttums, 1956, 165–172. 186–189; – W. L. Wakefield – A. P. Evans, Heresies of the High Middle Ages, in: Records of Civilization, Sources and Studies 81, 1969, 107 ff. 675 f.; – DThC VI, 2178 ff.; – Catholicisme V, 622 ff.; – DSp VII, 220 f.; – LThK V, 194 f.; – NCE VI, 1040; – ODCC² 636; – RE VII, 606 f.; – RGG III, 204.

HEINRICH *von Lettland* (Henricus de Lettis), Chronist, † nach 1259. – Über Hs. Herkunft ist nichts bekannt. Vermutlich stammt er aus der Magdeburger Gegend. H. trat schon im Knabenalter in den Dienst des Bischofs Albert I. von Riga (s. Albert von Buxhövden). Seine Ausbildung erhielt er im Augustinstift Segeberg. H. traf 1205 in Riga ein und wirkte als Missionar in Livland. Er wurde 1208 zum Priester geweiht und mit der Pfarre »an der Ymera« (Papendorf, lettisch: Rubene, 12 km nördlich Wenden) belehnt. – H. ist bekannt als Verfasser des »Chronicon Livoniae«, das die Christianisierung der Liven, Letten und Esten 1180–1227 schildert, eine für die mittelalterliche Geschichte des ostbaltischen Gebiets einzigartig wertvolle Quelle.

Werke: Chronicon Livonicum vetus seu Chronicon Livoniae (1186–1227). – Ausgg.: MG SS XXIII, 231–332. – Henricus Lettus. Chronicon Livoniae. Livländ. Chron. (lat. u. dt.). Bearb. v. Leonid Arbusow u. Albert Bauer, 1955² (Nachdr. Darmstadt 1959, neu übers. v. A. Bauer). *Lit.:* Hermann Hildebrand, Die Chron. H.s v. L. Ein Btr. zu Livlands Historiogr. u. Gesch., Berlin 1865; – Ders., Die Chron. H.s v. L. (Diss. Dorpat), 1867; – Robert Holtzmann, Stud. zu H. v. L., in: NA 43, 1920, 152 ff.; – Herbert Spliet, Ein Überblick über die Chron. H.s v. Livland, des ersten Chronisten Altlivlands 1184–1227 (Diss. Erlangen), 1923; – Leonid Arbusow, Die hs. Überl. des »Chronicon Livoniae« H.s v. L., in: Acta Universitatis Latviensis XV. XVI, Riga 1926/27; – Ders., Zeitgenöss. Parallelberr. z. Chronicon Livoniae H.s v. L., in: Verhh. der gelehrten estnischen Ges. 30, 1938, 40 ff.; – Ders., Das entlehnte Sprachgut in H.s »Chronicon Livoniae«. Ein Btr. z. Sprache ma. Chronistik, in: DA 8, 1950–51, 100 ff. 150 ff.; –

Ders., Liturgie u. Gesch.schreibung im MA, in ihren Beziehungen erl. an den Schrr. Ottos v. Freising † 1158, Heinrichs Livlandchron., 1227, u. den anderen Missionsgesch.n den brem. Erzsprengels: Rimberts, Adams v. Bremen, Helmolds, 1951; – Willi Bilkins, Die Spuren v. Vulgata, Brevier u. Missale in der Sprache v. H.s Chronicon Livoniae (übers. v. Leonid Arbusow), Riga 1928; – Heinrich Laakmann, Zur Gesch. H.s v. L. u. seiner Zeit, in: Btrr. z. Kunde Esth-, Liv- u. Kurlands 18, Reval 1933, 57 ff.; – Paul Johansen, Die Chron. als Biogr. H.s v L. Lebensgang u. Weltanschauung, in: Jbb. f. Gesch. Osteuropas NF 1, 1953, 1 ff.; – Erich Donnert, H. v. L. u. die Anfänge der Dt.herrschaft in Livland, in: Jb. f. Gesch. der UdSSR u. der volksdemokrat. Länder Europas 3, Berlin 1959, 331 ff.; – Vilis Bilkins, Problemet om H. de L. nationalitet, in: Historisk tidskrift 82 (25), Stockholm 1962, 35 ff.; – James A. Brundage, The thirteenth-century Livonian crusade. Henricus de Lettis and the first legatine mission of bishop William of Modena, in: Jbb. f. Gesch. Osteuropas NF 20, 1972, 1 ff.; – ADB XI, 637 ff.; – NDB VIII, 413; – VerfLex II, 297; – LThK V, 195; – NCE VI, 1040 f.; – RGG III, 204 f.

HEINRICH *von Melk,* mittelhochdeutscher Dichter des 12. Jahrhunderts, Sittenprediger und erster deutscher Satiriker. – H. war wohl Laienbruder im Kloster Melk in Niederösterreich. Über das Leben und die Persönlichkeit H.s ist nichts bekannt. In einer Handschrift des 14. Jahrhunderts nennt sich der Dichter nur »Heinrich«, erwähnt aber einen Abt Erchanfrid. Man vermutet, daß damit der Abt gleichen Namens gemeint ist, der 1122–1163 dem Kloster Melk vorstand. Die schon erwähnte Handschrift enthält die wahrscheinlich zwischen 1150 und 1160 entstandene geistliche Dichtung »Erinnerung an den Tod« und die um 1150 entstandene Dichtung »Priesterleben«. Im 1. Teil seiner »Erinnerung an den Tod« schildert H. die Verfehlungen der Geistlichen, geißelt die ungerechten Richter, zeigt die Hoffart des Ritterlebens und führt die Laster aller Stände auf. Der 2. Teil ist ein großes »Memento mori« und mahnt zu rechtzeitiger Buße. Mit schonungsloser Schärfe und eifernder Leidenschaftlichkeit des Bußpredigers greift H. in seiner anderen Dichtung die Priester an und geißelt ihre Völlerei und Unzucht. Beide Werke sind wertvollste kulturgeschichtliche Dokumente.

Werke: Erinnerung an den Tod (Von des tôdes hugede). Ausgg.: Quedlinburg 1837, in: Dt. Gedichte des 12. Jh.s Hrsg. v. Hans Ferdinand Maßmann. II, 343–357. – Wien 1856, in: Kleine Btrr. z. älteren dt. Sprache u. Lit., Tl. 3, hrsg. v. Joseph Diemer, 191–310. – Heidelberg 1946 (1960²): Der sogenannte H. v. M. Nach Richard Heinzels Ausg. v. 1867 neu hrsg. v. Richard Kienast (Rez. v. Gerhard Eis, in: ZdPh 71, 1951–52, 214 ff.). – Priesterleben. Ausgg.: Leipzig 1836. Hrsg. v. Moritz Haupt: in: Altdt. Bll. Hrsg. v. dems. u. Heinrich Hoffmann, I, 217–238. – Berlin 1867. Hrsg. v. Richard Heinzel. – Heidelberg 1946 (1960²). Hrsg. v. Richard Kienast.
Lit.: Wilhelm Wilmanns, H. v. M., 1885; – Ottomar Lorenz, H. v. M., der Juvenal der Ritterzeit, 1886; – K. Kochendörffer, »Erinnerung« u. »Priesterleben«, in: ZDADL 35, 1891, 187 ff. 281 ff.; – E. Schröder, Zur Überl. der Gedichte H.s v. M., ebd. 45, 1901, 217 ff.; – T. Baunack, Btrr. z. Erkl. H.s v. M., ebd. 54, 1910, 99 ff.; 57, 1913, 49 ff.; 58, 1914, 239 ff.; – Gustav Ehrismann, Gesch. der dt. Lit. bis z. Ausgang des MA II/1, 1922, 186 ff.; – Maria Mackensen, Soziale Forderungen u. Anschauungen der früh-mhd. Dichter, in: Neue Heidelberger Jbb. 21, 1925, 133 ff.; – Karl Wesle, Früh-mhd. Reimstud., 1925, 21 f. 101 u. ö.; – Robert Stroppel, Liturgie u. geistl. Dichtung zw. 1050 u. 1300, 1927, 198 ff.; – Ulrich Pretzel, Frühgesch. des dt. Reichs, Leipzig 1941 (ersch. tlw. als Diss. Göttingen 1929 u. Habil.schr., Berlin 1937); – Ders., Dt. Verskunst, in: Dt. Philol. im Aufriß, hrsg. v. Wolfgang Stammler, III, 1962², 2414 f.; – Günther Hampel, Reim-Wb. u. Btrr. z. Reimtechnik der Gedichte H.s v. M. (Diss. Wien), 1949; – Werner Schröder, Der Geist v. Cluny u. die Anfänge der früh-mhd. Schr.tums, in: Btrr. z. Gesch. der Sprache u. Lit. 72, 1950, 321–386, bes. 333–342; – Erich Henschel, Zu H. v. M., in: ThViat 4, 1952, 267 ff.; – Erika Kimmich, Das Verhältnis des sogenannten H. v. M. z. mittellat. Dichtung (Diss. Tübingen), 1952; – Ernst Schweigert, Stud. zu H. v. M. (Diss. München), 1952; – Helmut de Boor u. Richard Newald, Gesch. der dt. Lit. v. den Anfängen bis Ggw. I, 1953, 182 ff.; – Hans Joachim Gernentz, H. v. M. Ein Btr. z. Analyse der gesellschaftl. Kräfte u. der literar. Strömungen in der 2. Hälfte des 12. Jh.s, in: Weimarer Bttr. Zschr. f. dt. Lit.gesch. 6, 1960, 707 ff.; – Cor Soeteman, Dt. geistl. Dichtungen des 11. u. 12. Jh.s, 1963; – Peter-Erich Neuser, Zum sogen. »H. v. M.«: Überl., Forsch.gesch. u. Verf.frage der Dichtung Vom Priesterleben u. Von des todes hugede (Diss. Köln, 1974), Köln – Wien 1973 (Rez. v. Ulrich Montag, in: DA 31, 1975, 333); – VerfLex II, 299 ff.; V, 348; – Wilpert I², 689; – KLL II, 2289 f. (Erinnerung an den Tod); V, 2510 f. (Priesterleben); – ADB XI, 632 f.; – NDB VIII, 415; – DSp VII, 227 f.; – LThK V, 197 f.

HEINRICH *von Nördlingen,* Weltpriester, Mystiker, * etwa 1310 in Nördlingen (?), † vor 1387 vielleicht in Pillenreuth bei Nürnberg. – H. wirkte als Weltpriester und Mystiker im Kreis frommer Frauen der Stadt Nördlingen und umliegender Klöster. Mit Margareta Ebner (s. d.), der Mystikerin von Maria-Medingen (Mödingen), wurde er 1332 bekannt. Die geistliche Freundschaft mit ihr bestand bis zu ihrem Tod im Jahr 1351. Besuche in Medingen sind im Oktober und November 1334, zwei auch im Frühjahr 1335 bezeugt. Ende 1335 reiste H. nach Avignon und bat seine Freundin, ihm Briefe zu schreiben, die seine in Nördlingen wohnende Mutter nachsenden werde. Vermutlich wollte er sich päpstliche Rechtstitel für die von ihm erstrebte Pfarre Fessenheim bei Nördlingen verschaffen. 1337 kehrte H. zurück und verhandelte am 8. 7. 1338 mit Abt Ulrich II. von Kaisheim über die Besetzung dieser zum Kloster gehörenden Pfarre. Nach dem Erlaß Ludwigs von Bayern vom 6. 8. 1338 gegen das Interdikt Benedikt XII. (s. d.) verließ H. als Anhänger des Papstes auf Rat Christina Ebners (s. d.), der Priorin des Dominikanerinnenklosters Engeltal bei Nürnberg, das Land und zog über Augsburg nach Konstanz, traf aber Heinrich Seuse (s. d.) dort nicht an. Da die Stadt auch kaiserlich gesinnt war, reiste er weiter und kam über Kloster Königsfelden im Aargau nach Basel. Johannes Tauler (s. d.) verschaffte ihm die Erlaubnis zur Ausübung des geistlichen Amtes. Um H. sammelte sich der Kreis der Baseler Gottesfreunde. Im Herbst 1339 siedelte H.s Mutter nach Basel über. Als er 1344 Margarete Ebner in Medingen besuchte, bat sie ihn, ihre Offenbarungen aufzuzeichnen. Von Basel sandte H. 1345 die hochdeutsche Übersetzung des »Fließenden Lichts der Gottheit« der Mechthild v. Magdeburg (s. d.) nach Medingen. 1348 floh er mit seiner Mutter vor der Pest aus Basel nach Sulz im Elsaß, das er bereits 1349 verließ. Nun begann H. das unstete Leben eines Wanderpredigers, bis er 1350 nach Nördlingen zurückkehrte. Ende 1351 weilte H. drei Wochen bei Christian Ebner in Engeltal. Aus ihren Aufzeichnungen erfahren wir, wie bedeutsam und eingreifend H. auf sie gewirkt hat. Seinen Lebensabend verbrachte er im Augustinerchorfrauenkloster Pillenreuth bei Nürnberg. – H.s Briefe an Margareta Ebner sind die älteste uns erhaltene Briefsammlung in deutscher Sprache. Sie gewährt uns einen Einblick in die Ausdehnung und den Verkehr der mystisch-gottesfreundlichen Kreise untereinander.

Werke: Briefe an Margaretha Ebner, hrsg. v. Philipp Strauch, Margaretha Ebner u. H. v. N. Ein Btr. z. Gesch. der dt. Mystik, 1882 (167–403: die Briefe). Faks.-Neudr. Amsterdam 1966. – Übertr. ins Hochdt.: Die Offenbarungen der Schwester Mechthild v. Magdeburg oder das fließende Licht der Gottheit, hrsg. v. Gall Morel, 1869.
Lit.: Wilhelm Preger, Gesch. der dt. Mystik im MA II, 1881, 277 ff.; – Wilhelm Oehl, Dt. Mystikerbriefe des MA 1100–1550. 1931, 297 ff.; – Walter Muschg, Die Mystik in der Schweiz. 1200–1500, Frauenfeld 1935, 290 ff.; – Heinrich Gürsching, Neue urkundl. Nachrr. über den Mystiker H. v. N.?, in: Festg. aus Anlaß des 75. Geb. v. D. Dr. Karl Schornbaum, 1950, 42 ff.; – Angelus Walz, Gottesfreunde um Margarete Ebner, in: HJ 72, 1953, 253 ff.; – Romuald Bauerreiß, KG Bayerns IV, 1953, 79 f.; – Kosch, LL II, 903; – Wilpert I², 689; – Verf Lex II, 320 ff.; V, 349; – ADB 24, 7 (Nördlingen); – NDB VIII, 420 f.; – RE VII, 607 f.; – RGG III, 205; – EC V, 392; – DSp VII, 229 f.; – LThK V, 198.

HEINRICH *von Zutphen*, einer der ersten Märtyrer der Reformation, * 1488 oder 1489 in Zutphen (Herzogtum Geldern), † 10. 12. 1524 bei Heide (Dithmarschen). – H. trat früh in eins der drei niederländischen Augustinerklöster ein, die sich der sächsischen Kongregation angeschlosen hatten. Vom Sommer 1508 an studierte er in Wittenberg, wurde aber mit Martin Luther (s. d.), der etwa ein halbes Jahr später dort eintraf, nicht näher bekannt, obwohl beide im Augustinerkloster wohnten. H. promovierte im Herbst 1509 in der Philosophischen Fakultät zum Baccalaureus und am 17. 3. 1511 zum Magister artium. Im Sommer 1514 verließ er Wittenberg und wurde in Köln Subprior und 1515 in Dordrecht Prior. Im Sommer oder Herbst 1520 setzte H. in Wittenberg seine Studien fort und trat zu Luther und Philipp Melanchthon (s. d.) in ein freundschaftliches Verhältnis. Bei seiner Promotion zum Baccalaureus biblicus am 11. 1. 1521 verteidigte er bedeutsame Thesen über die Rechtfertigung aus dem Glauben, der sich in der Liebe auswirken muß, und am 11. 10. 1521 bei seiner Promotion zum Sententiarius Thesen über Priestertum und Meßopfer. Auf dem Kapitel der Augustiner in Grimma um Pfingsten 1522 disputierte H. über dieselben Thesen, die er am 11. 1. 1521 verteidigt hatte. Auf die Kunde von den Verfolgungen der Evangelischen in den Niederlanden ging H. im Sommer 1522 nach Antwerpen und wurde als Nachfolger des im Dezember 1521 verhafteten Jakob Propst (s. d.) Prior des dortigen Augustinerklosters. Er predigte unerschrocken das Evangelium, bis die Regentin der Niederlande, Margarete, ihn auf Anstiften der Dominikaner am 29. 9. 1522 verhaften ließ. H. sollte in der Nacht nach Brüssel vor das Inquisitionsgericht gebracht werden, wurde aber durch einen Volksaufstand befreit und kam auf seiner Flucht nach Wittenberg Anfang November nach Bremen. Auf dringendes Bitten blieb er dort und brach der Reformation die Bahn. Der Rat schützte ihn gegen die Anfeindungen der bischöflichen Partei und berief 1524 auf seinen Wunsch als seine Mitarbeiter Jakob Propst zum Pastor an Unserer lieben Frauen und den ebenfalls in Wittenberg weilenden Johannes Timan (s. d.) aus Amsterdam zum Pastor an St. Martini. Nikolaus Boie der Jüngere (s. d.), Pfarrer in Meldorf im westlichen Holstein, bat H. dringend, er möchte zu ihm kommen, um den Dithmarschern das Evangelium zu verkündigen. H. folgte am 28. 11. 1524 dem Ruf und sollte am nächsten Sonntag in Meldorf predigen. Der Prior des dortigen Dominikanerklosters versuchte vergeblich, das zu verhindern. Darum verband er sich mit dem erzbischöflichen Offizial und den Franziskanern von Lunden. Eine fanatisierte und betrunkene Horde drang in der Nacht vom 9. auf den 10. 12. 1524 in H.s Wohnung ein. Man riß ihn aus dem Bett und trieb ihn auf die Straße, band ihm die Hände auf den Rücken und schleppte ihn, an den Schwanz eines Pferdes gebunden, nach Heide. H. bat unterwegs, ihn auf ein Pferd zu setzen, da er mit seinen blutigen Füßen auf dem gefrorenen Boden nicht mehr laufen könne. Nur rohes Lachen und Hohn wurde ihm zur Antwort. In Heide brachte man ihn zunächst in den Keller eines Klerikers, fesselte ihn mit eisernen Ketten und bewachte ihn bis zum Anbruch des Tages. Dann schleppte man ihn auf einen kleinen, östlich

von Heide gelegenen Hügel, wo inzwischen ein Scheiterhaufen zusammengetragen war. Nach furchtbaren Mißhandlungen band man H. an eine Leiter und übergab ihn dem Feuer. Das nasse Holz brannte aber so schlecht, daß man H. schließlich mit einem Fausthammer so lange auf die Brust schlug, bis er kein Lebenszeichen mehr von sich gab. Am anderen Tag, am dritten Adventssonntag, schlugen einige dem Leichnam Kopf, Hände und Füße ab und verbrannten sie; den Rumpf aber scharrten sie in den Boden. Jakob Propst berichtete Luther über H.s Wirken und Märtyrertod und bat ihn um einen Trostbrief für die Gemeinde in Bremen. Auf Grund dieses Berichts und anderweitiger Erkundigungen veröffentlichte Luther im Februar oder März 1525 die Geschichte »vom Bruder Heinrich in Ditmar verbrannt« und stellte der schlichten ergreifenden Erzählung ein Sendschreiben an die Bremer mit einer kurzen erbaulichen Auslegung des 9. (nicht 10.) Psalms voran. Melanchthon dichtete dem Freund zu Ehren ein lateinisches Trostlied. An der Stätte vor Heide, wo H. starb und sein Grab fand, wurde 1825 ein Friedhof angelegt, auf dem ein schlichtes Denkmal, das ihm die dortige Gemeinde am 25. 6. 1830 gesetzt hat, an den Glaubenshelden erinnert.

Lit.: Martin Luther, Von Bruder Henrico ynn Diedmar verbrand, sampt dem zehenden Psalmen ausgelegt, Wittenberg 1525, in: WA XVIII, 215 ff.; – David Ebersbach, Das Glaubensbekänntniß des seel. Märtyrers Bruders Heinrichs v. Sudphen, Hamburg 1713; – Claudius Henricus van Herwerden, Het aandenken van H. v. Z., Arnhem 1864²; – C. J. Trip, H. v. Z. Nach C. H. van Herwerden, in: ZHTh 39, 1869, 483 ff.; – Karl u. Wilhelm Krafft, Briefe u. Dokumente aus der Zeit der Ref., 1875, 45 ff.; – E. Dünzelmann, H. v. Z., in: Brem. Jb. II/1, 1885, 191 ff. 285 ff.; – J. Friedrich Iken, H. v. Z., 1886; – Otto Clemen, Thesen H.s v. Z., in: ThStKr 74, 1901, 131 f.; – Klaus Groth, H. v. Z., in: Luther. Mitt. der Luther-Ges. 5, 1923, 50 ff.; – Otto Erhard, H. v. Z. Ein Lb., 1924; – H. v. Z. Eine Festschr. zu seinem Gedenktage, hrsg. am 10. 12. 1924 in der Erinnerung an den 10. 12. 1524, Heide 1924; – Z.büchlein. Die Lebensgesch. des Reformators u. Märtyrers H. v. Z. Zur 400. Wiederkehr seines Todestages, ebd. 1924; – C. Rolfs, Die Zustände in Dithmarschen z. Z. H. v. Z.s, in: Jb. des Ver. f. Dithmarscher Landeskunde 5, 1925, 7 ff.; – Curt Allmers, H. v. Z. Bremens Reformator, in: Heimat u. Volkstum. Niedersächs. Jb. Festschr. 1954, Bremen 1954, 26 ff.; – Friedrich Hauß, Väter der Christenheit I, 1956, 203; – Schottenloher I, Nr. 8118–8131; V, Nr. 46723a bis 46726; VII, Nr. 54984 f.; – Goedeke II, 242; – NNBW V, 1179 ff.; – ADB XI, 642 f.; – NDB VIII, 431; – RE XXI, 737 ff.; – RGG III, 205; – LThK V, 203 f.

HEINRICH ERNST Graf von Stolberg-Wernigerode, Kirchenliederdichter, * 7. 12. 1716 in Wernigerode als Sohn des Grafen Christian Ernst (s. d.), † 24. 10. 1778 in Halberstadt. – H. E. wuchs im Geist des Pietismus auf und studierte in Halle und Göttingen. Sein Vater erwarb ihm 1739 eine Präbende am Domstift in Halberstadt, und König Friedrich II. bestätigte ihn 1753 als Propst des Stifts St. Bonifatius und St. Mauritius. Christian VI. von Dänemark verlieh ihm 1739 den Danebrogorden. H. E. wurde der Gehilfe seines Vaters, der ihm 1742 die Leitung der gräflichen Kammer mit dem Forst- und Bergwesen übertrug. Am 20. 7. 1741 starb seine Gattin Marie Elisabeth, Tochter des Reichsgrafen Erdmann von Promnitz in Sorau und Schwester der Fürstin von Anhalt-Köthen. Er vermählte sich 1742 zum zweitenmal mit Christiane Anna Agnes Prinzessin von Anhalt-Köthen. H. E. war bereits 55 Jahre alt, als er nach dem am 25. 10. 1771 erfolgten Tod seines Vaters, der die Reichsgrafschaft Stolberg-Wernigerode 61 Jahre regiert hatte, die Regierung antrat. Er führte sie ganz im Geist seines frommen Vaters, förderte das christliche Leben und war um die Vermehrung der für die Hymnologie so äußerst wertvollen Bibliothek seines Vaters bemüht. Von seinen Liedern sei genannt: »Fort, fort, mein Herz, du mußt stets aufwärts steigen.«

Werke: Der sel. u. sichere Glaubensweg eines ev. Christen in gebundene Rede gebracht, Wernigerode 1747; Geistl. Gedichte, hrsg. v. Siegmund Jakob Baumgarten, 4 Bde., Halle 1748–52. – Gab heraus: Neue Smlg. geistl. Lieder, Wernigerode 1752 (818 Lieder, davon 370 v. ihm selbst; 1767 erschien auch ein Melodienschatz zu diesen Liedern).
Lit.: Koch IV, 490 ff.; – ADB 36, 393.

HEINRICH, Johann Baptist, kath. Theologe, * 15. 4. 1818 in Mainz als Sohn des Bürgermeisters, † daselbst 9. 2. 1891. – H. studierte seit 1834 in Gießen die Rechte, promovierte 1837 zum Dr. jur. utr. und begann die juristische Laufbahn am Obergericht in Mainz. 1840 habilitierte er sich als Privatdozent an der Juristischen Fakultät in Gießen, entschied sich aber für den Eintritt in den geistlichen Stand. H. studierte 1842–44 Theologie in Tübingen, Freiburg/Breisgau und im Priesterseminar zu Mainz und empfing 1845 die Priesterweihe. Kurz darauf wurde er Domkaplan, 1850 Dompräbendat und 1851 nach Wiedereröffnung der philosophisch-theologischen Fakultät im Mainzer Priesterseminar Professor der Dogmatik. H. gab seine Lehrtätigkeit nicht auf, als er 1855 Domkapitular, 1867 Domdekan und 1869 Generalvikar wurde. Die Theologische Fakultät der Universität Würzburg verlieh ihm 1882 die Ehrendoktorwürde. 1886 wurde er päpstlicher Hausprälat. – H. ist bekannt als neuscholastischer Theologe. 1850–90 redigierte er mit Christoph Moufang (s. d.) den Mainzer »Katholik«. H. war Mitbegründer und Förderer der Görresgesellschaft (1874/75) und hat das damalige geistig-religiöse Leben des katholischen Deutschlands entscheidend mitgeformt.

Werke: Die kirchl. Reform (gg. J. B. Hirscher), 1849; Beweise f. die Wahrheit des Christentums u. der Kirche, 1863 (1885²); Christus (gg. D. F. Strauß u. G. Rénan), 1864; Joseph v. Görres, 1867; Dogmat. Theol. I–VI, 1873–91 (1881–1900²); VII–X, fortges. v. Konstantin Gutberlet, 1896–1901; Lehrb. der kath. Dogmatik, hrsg. u. P. Huppert, 1898–1900; Bttr. in: Katholik.
Lit.: H. Brück, J. B. H., in: Katholik 71, 1891, I, 289 ff. 403 ff. (wiederholt im Vorw. zu Bd. VII der »Dogmat. Theol.«, 1896, S. III–XXXV); – Georg Frhr. v. Hertling, Zur Erinnerung an J. B. H., in Jber. der Görres-Ges. f. 1891, 5–15; – Ludwig Frhr. v. Pastor, Der Mainzer Domdekan J. B. H. Ein Leb. nach orig. Qu. u. persönl. Erinnerungen, 1925; – Ders., Tagebücher, Briefe, Erinnerungen. Hrsg. v. Wilhelm Wühr, 1950; – Ludwig Lenhart, Das Mainzer Priesterseminar als Brücke v. der alten z. neuen Mainzer Univ., 1947, 20 ff.; – Ders., Der v. Domdekan H. f. Ketteler verfaßte Dekretenentwurf: De ecclesia catholica, in: AmrhKG 5, 1953, 325 ff.; – ADB 50, 151 f.; – NDB VIII, 432 f.; – Kosch, KD 1466; – DThC VI, 2124 f.; – EC VI, 1396 f.; – LThK V, 204; – NCE VI, 998.

HEINRICI, Georg, Theologe, * 14. 3. 1844 in Karkeln (Ostpreußen) als Sohn eines Konsistorialrats und Superintendenten, † 29. 9. 1915 in Leipzig. – H. studierte 1862–67 in Halle und Berlin und wurde 1868 Domhilfsprediger und Inspektor des Domkandidatenstifts in Berlin. Er habilitierte sich 1871 in Berlin und wurde 1873 ao. und 1874 o. Professor für Neues Testament in Marburg (Lahn) und 1887 zugleich Mitglied des Konsistoriums in Kassel. Seit 1892 lehrte H. in Leipzig.

Werke: Die Valentinian. Gnosis u. die HS. Eine Stud., 1871; Die Sünde nach Wesen u. Ursprung, 1876; Die Christusgemeinde Korinths u. die rel. Genossenschaften der Griechen, in: ZWTh 19, 1876, 465–526; Das Christentum nach griech.-röm. Ansichten, 1879; Das erste Sendschreiben des Apostels Paulus an die Korinthier, 1880; Wesen u. Aufgabe der theol. Fak.en, 1885; Das zweite Sendschreiben des Apostels Paulus an die Korinthier, 1887; Der jetzige Stand der Forsch. über die paulin. Briefe, 1887; D. August Twesten nach Tagebüchern u. Briefen, 1889; Schr.forsch. u. Schr.autorität, 1890; Die urchristl. Überl. u. das NT, 1892; Theol. Enz., 1893; Bttr. z. Gesch. u. Erkl. des NT,

5 Bde., 1894–1908; Dürfen wir noch Christen bleiben? Krit. Betrachtung z. Theol. der Ggw., 1901; Das Urchristentum, 1902; Theol. u. Rel.wiss., 1902; Ist die Lebenslehre Jesu zeitgemäß?, 1904; Der literar. Charakter der nt. Schrr., 1908; Hellenismus u. Christentum, 1910; Die Eigenart des Christentums, 1911; Paulin. Probleme, erörtert, 1914; Die Hermesmystik u. das NT, hrsg. u. eingel. v. Ernst v. Dobschütz, 1918 (XIX–XXII: Bibliogr.; VII–XVII: über H.).
Lit.: Nt. Studien. G. H. zu seinem 70. Geb. dargebr. v. Fachgenossen, Freunden u. Schülern, 1914; – Albert Hauck, Worte z. Gedächtnis an G. H., in: BGL 67, 1915, 121 ff.; – Gerhard Kittel, G. H., in: Dt.-Ev. Mbll. f. den gesamten dt. Prot. 16, 1915, 547 ff.; – Francke, G. H., in: Neues Sächs. Kirchenbl. 23, 1916, 33 ff.; – Werner Georg Kümmel, Das NT. Gesch. der Erforsch. seiner Probleme, 1958, 267 f. 410 f.; – NDB VIII, 434 f.; – RGG III, 205 f.; – LThK V, 205.

HEINZELMANN, Gerhard, Theologe, * 10. 6. 1884 als Pfarrerssohn in Coswig (Anhalt), † 21. 12. 1951 in Halle (Saale). – H. verlebte seine Kindheit in Coswig und Zerbst, besuchte das Gymnasium in Bernburg und studierte in Tübingen, Berlin und Halle. 1910 wurde er in Göttingen Privatdozent für Systematische Theologie und ging 1914 als ao. Professor nach Basel, wo er 1918 eine o. Professur erhielt. H. nahm 1929 als Nachfolger von Wilhelm Lütgert (s. d.) den Ruf nach Halle an. Er wurde 1936 Mitglied der Zentralleitung, 1941 stellvertretender Präsident und 1944 als Nachfolger des Professors des Staatsrechts Dr. Hans Gerber Präsident des Gustav-Adolf-Werks der Evangelischen Kirche in Deutschland. Mit Umsicht und Tatkraft leitete er den Wiederaufbau der Diasporaarbeit, die nach dem Krieg vor so völlig neue und entscheidende Aufgaben gestellt war, und wirkte mit bei der Neuordnung des Kirchenwesens als Mitglied in der Kirchenleitung der altpreußischen Union und in der Synode der Evangelischen Kirche in Deutschland. – H.s Interesse galt der Erforschung der religiösen und christlichen Wahrheitsfrage in Auseinandersetzung mit den geistigen Strömungen der Neuzeit. Mit besonderer Hingabe hat er sich in die moderne Philosophie, Psychologie und Religionswissenschaft eingearbeitet. H. war als wissenschaftlicher Theologe zugleich ein Zeuge Jesu Christi. Das bezeugen seine Predigtsammlungen und sein Wirken als Universitätsprediger in den akademischen Gottesdiensten in Halle.

Werke: Der Begriff der Seele u. die Idee der Unsterblichkeit bei Wilhelm Wundt. Darst. u. Beurteilung, 1910; Das Wesen der Rel. im Lichte des Kreuzes Christi, in: NKZ 22, 1911, 797 ff.; Christentum u. Kultur, in: 47. Jber. des Ev. Ver. zu Hannover, 1912, 48 ff.; Animismus u. Rel. Eine Stud. z. Rel.psychologie der primitiven Völker, 1913; Die erkenntnistheoret. Begründung der Rel. Ein Btr. z. rel.philos. Arbeit der ggw. Theol., 1915; Im Kampf um lebendigen Glauben. 12 Predigten aus der Kriegszeit, 1916; Vom Bürgertum im Himmel. 15 Predigten, 1919; Die Stellung der Rel. im modernen Geistesleben, 1919; – Schicksal u. Vorsehung, 1923; Das Ja Gottes. 14 Predigten aus den J. 1920 bis 1924, 1924; Der Christ u. die Ehe, 1925; Vom Wege z. Ewigkeit. 3 Predigten, 1925; Glaube u. Mystik, 1927; Die Erfahrungsgrdl. der Theol., 1928; Der Tod in myst. u. christl. Anschauung, 1929; Der Brief an die Philipper übers. u. erkl., in: NTD VIII, 1933 (1955⁷); Uroffb.?, in: ThStKr 106, NF 1, 1935, 415 ff.; Der Glaube an den Schöpfergott. Sein Grund, sein Sinngehalt u. sein Geheimnis, 1937. – Gab mit Wilhelm Martin Oesch heraus: Einigungssätze der Ev.-Luth. Kirche Rußlands u. der Ev.-Luth. Freikirche, 1948; mit Otto Eißfeldt: ThStKr. – Bibliogr. zus.gest. v. Horst Nitschke, in ThLZ 77, 1952, 111 ff.
Lit.: Bruno Geißler, D. G. H. gest., in: DtPfrBl 52, 1952, 57 f.; – Ders., Prof. H. im Gustav-Adolf-Verein, ebd. 75 f.; – Präsident des Gustav-Adolf-Ver. D. G. H., gest., ebd. 28; – Martin Schellbach, G. H. in memoriam, in: ThLZ 77, 1952, 107 ff.

HEINZELMANN, Johannes, luth. Theologe, * 15. 4. 1873 in Halberstadt (Sachsen) als Sohn eines Schulmanns und Historikers, † 14. 1. 1946 in Linz/Donau. – H. besuchte das Gymnasium in Erfurt und studierte 1892–96 Theologie und Philosophie in Tübingen,

Halle und Berlin. Er wurde nach zweijähriger Hauslehrertätigkeit 1899 Vikar in Görz (Österreich) und 1900 in Villach (Kärnten) und wirkte dort seit 1902 als Pfarrer. H. wurde 1928 Superintendent der Wiener lutherischen Diözese, die damals zwei Drittel der österreichischen Kirche, Niederösterreich, Kärnten, Steiermark und Wien, umfaßte. 1934 wurde er zum Vertrauensmann der Superintendenten gewählt und war als solcher der geistliche Leiter der Gesamtkirche neben dem juristischen Präsidenten des Oberkirchenrats. 1936 verlieh ihm die Theologische Fakultät der Universität Halle/Saale die Ehrendoktorwürde. H. verteidigte die Kirche ebenso gegen die Bedrohung der Gleichberechtigung und Unabhängigkeit von außen wie gegen die Gefahr der Überfremdung durch den Nationalsozialismus von innen. Seine Hirtenbriefe sind die wichtigsten Dokumente der evangelischen Kirche jener bewegten Jahre. 1938 legte er das Amt der geistlichen Leitung der Gesamtkirche nieder, blieb aber Superintendent. – H. hat als Prediger, kirchlicher Führer und Seelsorger die evangelische Kirche in Österreich nachhaltig geprägt.

Werke: Rückblick auf mein Leben, in: Die ev. Diaspora, 1941, H. 1 u. 2; – Gedichte u. Aufss., in: ChW; Aufss. u. Predigten, in: Der Säemann (Graz).

Lit.: Amtsbl. f. die ev. Kirche A. u. H. B. in Östr., 1946, 21 f.; – Die Ev. Kirche in Östr. Hrsg. v. Gerhard May, 1962; – NDB VIII, 451; – ÖBL II, 252.

HEIRICUS *von Auxerre,* Benediktiner, Theologe und Schriftsteller, * um 841, † 876. – H. war Mönch der Abtei Saint-Germain in Auxerre und studierte in Ferrières bei Servatus Lupus (s. d.) und unter Haimo von Auxerre (s. d.) Theologie. Er wirkte an der Klosterschule als theologischer Lehrer und Schriftsteller. – H. war ein vortrefflicher Kenner der Klassiker. Das bekunden seine Exzerptensammlungen aus lateinischen Autoren und seine philologischen Kommentare. Sein Hauptwerk ist die »Vita S. Germani« in Gedichten, die er mit Glossen versah. Als Schriftsteller zählt H. zu den bedeutenden Vertretern der karolingischen Geisteswelt.

Werke: Vita sancti Germani, hrsg. v. Ludwig Traube, in: MG PL III, 421–428; in: MPL 124, 1131–1208 (= BHL 3458); Miraculi S. Germani, in: MG AA XII, 172 f. u. MG SS XIII, 401 bis 404; MPL 124, 1207–1270 (= BHL 3462); Homiliaire sur les évangiles de l'année liturgique, ver. 865 u. 870; Collectanea, hrsg. v. Riccardo Quadri (Spicilegium friburgense 11), Fribourg/Schweiz 1966. – Mitverf. der Gesta Episcoporum Autissiodorensium, in: MG SS XII, 393–400. – Noten zu antiken Autoren: Petronius, Horaz, Augustinus.

Lit.: Remy Ceillier, Histoire générale des auteurs sacrés et ecclésiastiques XII, Paris 1862, 640 f.; – Barthélemy Hauréau, Histoire de la philosophie scolastique I, ebd. 1872, 188–191; – Dorothy May Schullian, The Excerpts of American Academy in Rome 12, 1935, 155 ff.; – Joseph de Ghellinck, Littérature latine au moyen âge I, Paris 1939, 117 f.; – Arthur Mentz, Drei Homilien aus der Karolingerzeit in tiron. Noten, 1942; – Giuseppe Billanovich, Dall'antica Ravenna alle biblioteche umanistiche, in: Annuario dell'Università Cattolica del Sacro Cuore, Anni Accademici 1955–57, Mailand 1958, 71 ff.; – Balduin de Gaiffier, Le calendrier d'H. d'A. du manuscrit de Melk 412, in: AnBoll 77, 1959, 392 ff.; – Joachim Wollasch, Zu den persönl. Notizen des H. v. S. Germain d'Auxerre, in: DA 15, 1959, 211 ff.; – Henri Barré, Les Homéliaires carolingiens de l'école d'Auxerre. Authenticité, inventaire, tableaux comparatifs, initia, in: StT 225, 1962; – Überweg II, 177 f. 694 f.; – Manitius I, 499–504; II, 807 f.; III, 182; – AS Junii IV, 829 ff.; – BS IV, 1320 f. (unter Erico); – Catholicisme V, 651 f.; – DSp VII, 282 ff.; – LThK V, 205 f.; – NCE VI, 998; – ODCC² 630.

HEITEFUSS, Clara, Gründerin und Leiterin des Pfarrfrauen-Schwesternbundes, * 20. 8. 1867 in Korbach (Waldeck) als Tochter des Kaufmanns Adolf Curtze, † 19. 2. 1947 in Marburg (Lahn). – C. H. besuchte in Korbach die Töchterschule und in Marburg eine Fachschule für Schneiderei. Als sie auf dem Gut Rüdigheim bei Amöneburg bei Verwandten zu Besuch weilte, lernte sie auf einer Wanderung nach Amöneburg den Marburger Kandidaten der Theologie Max Heitefuß kennen, dessen Vater Taubstummenlehrer und stellvertretender Direktor der Taubstummenanstalt in Berlin gewesen war und nun in Arnstadt (Thüringen) im Ruhestand lebte. Nach seinem 1. theologischen Examen verlobte sie sich mit ihm. Max H. wurde Vikar in Niederhone. Da verschiedene Bewerbungen um eine Pfarrstelle in Hessen vergeblich waren, wurde ihm nahegelegt, sich um eine Gemeinde in der Provinz Posen zu bewerben, da dort großer Pfarrermangel herrschte. Er wurde 1888 Pfarrer in Goß-Drensen an der pommerschen Grenze und kehrte 1891 als Pfarrer der Gemeinde Sachsenburg nach Waldeck zurück. 1896 bis 1909 wirkte Max H. in Külte bei Arolsen, danach in Haiger (Dillkreis). Seinen Ruhestand verlebte er in Marburg und starb am 24. 1. 1930. – C. H. hat ihre reichen Gaben restlos in den Dienst ihres Herrn und ihrer Nächsten gestellt. Ihr hingebender Dienst hat vor allem den evangelischen Pfarrfrauen gehört, ein Dienst, der ihr zum großen Lebensauftrag wurde und dessen Wirkung bis tief hinein in die Gemeinden ging. Ihr Lebensauftrag ist die Gründung und Leitung des Pfarrfrauen-Schwesternbundes. Schon einige Jahre vor dem ersten Weltkrieg hatte sich ein Kreis von Pfarrern zum Pfarrer-Gebetsbund zusammengeschlossen. Eine jährliche Konferenz war das Bindeglied der einzelnen über ganz Deutschland zerstreuten Gruppen. Im Mai 1916 sollte die Jahreskonferenz in Gunzenhausen (Bayern) stattfinden. Ludwig Thimme (s. d.) machte den Vorschlag, auch die Frauen der Brüder zur Konferenz einzuladen, und bat C. H., diesen Dienst zu übernehmen. 15 Frauen kamen voll freudiger Erwartung und innerer Bereitschaft. Sie nahmen an den Morgenandachten teil, die Alfred Christlieb (s. d.) hielt, wurden aber zu den Vorträgen und Verhandlungen nicht zugelassen. Unter den Pfarrfrauen fanden sich kleine Grüpplein zur Vertiefung in Gottes Wort zusammen. C. H. wurde gebeten, die Gruppen zusammenzufassen und die Leitung zu übernehmen. Aus diesem ersten Beisammensein dieser Pfarrfrauen in Gunzenhausen ist dann der Pfarrfrauen-Schwesternbund erwachsen. Thimme gab den Frauen den dringenden Rat, sich auch zu einem Bund zusammenzuschließen, zu einem Bund von Schwestern, die füreinander die Hände falten, die einander raten und helfen wollten und vor allem auch seelsorgerlichen Dienst aneinander üben. Einige der Pfarrfrauen traten an C. H. mit der Bitte heran, die Leitung des geplanten Bundes zu übernehmen. Sie empfand es als Auftrag, dem sie sich nicht entziehen durfte. Die Pfarrfrauen waren über ganz Deutschland zerstreut. Ein einigendes Band waren die Rundbriefe, die in jedem einzelnen Landesteil eingerichtet wurden. Die Betreuung der Rundbriefe übernahm eine dazu bestellte Pfarrschwester, die »Briefmutter«, die die Verantwortung für ihren Schwesternkreis trug. Die annähernd 40 Rundbriefe gelangten schließlich in die Hand der Bundesmutter C. H., die sie auswertete für die »Vertraulichen Mitteilungen des Pfarrfrauen-Schwesternbundes«, deren erste Nummer im Mai 1918 erschien. Die »Vertraulichen Mitteilungen« wurden gedruckt und an alle Pfarrschwestern versandt. Innerhalb des Kreises hatte die »Briefmutter« nach Möglichkeit Tagungen und Zusammenkünfte der Pfarrschwestern zu veranstalten, zu denen auch Pfarrfrauen, die nicht zum Bund gehörten, eingeladen wurden. Zwei regelmäßige Tagungen fanden im Jahr statt. Die Haupttagung des Schwesternbundes wurde mit der Reichstagung des Pfarrer-Gebetsbundes zusammengelegt. Außerdem war die sommerliche Freizeit in Elbingerode (Harz) im Diakonissenmutterhaus »Neuvandsburg« eine regelmäßige Veranstaltung des Pfarrfrauen-Schwesternbundes. Dazu kamen die Konferenzen in ¹en verschiedenen Ländern. C. H. war als Bundesmutter sehr viel unterwegs; ihr Reisedienst verlangte viel Zeit und Kraft. An ihrem 70. Geburtstag am 20. 8. 1937 wurde ihr als Gabe des Schwesternbundes ein Buch von gewaltigem Umfang überreicht. Es war eine kunstgewerblich hergestellte Sammelmappe mit vielen losen Blättern; darauf hatte jede der fast 1000 Schwestern des Bundes sich mit irgendeinem Beitrag, einem Sinnspruch, einem Liedervers, einem Gedicht und auch einer kleinen Malerei eingetragen. C. H. schrieb: »So groß also läßt der Meister das kleine Senfkörnlein werden lassen, das in jenen Maitagen 1916 in den Acker des evangelischen Pfarrhauses gesenkt wurde. Seine Hände hatten es gepflanzt, und unter seinen pflegenden und bewahrenden Händen war es gewachsen. Meine innere Schau weitete sich. Ich sah im Geist, wie die Segenslinien sich verlängerten hinein in Familien und Gemeinden, in das Volk, und das nicht nur durch unsere Mitglieder. Es standen ja auf unseren Tagungen so viele andere Pfarrfrauen und -bräute unter dem lebendig wirkenden Wort des ewigen Gottes.« Nach dem Zusammenbruch von 1945 legte C. H. die Leitung des Bundes in die Hände ihrer Tochter Maria, Gattin des Pfarrers Klaus Wöll in Kassel.

Werke: Eva, Maria u. Du. Stammbaumbll. der Frau, 1906 (1922²⁻⁴ u. d. T.: Eva, Maria u. Du. Ein Leben f. Frauen u. Töchter); Ich suchte Ihn, den meine Seele liebet. Erz. eines Lebens, 1908 (1918⁴); HErr, lehre uns beten!, 1909; Rosen u. Lilien aus Gottes Garten, 1909; Seiner Mutter Sohn. Streiflichter auf das Werden u. Wirken des Timotheus, 1910; Mutter u. Kind, 1913² (1921⁴); Den Weg entlang. Bilder aus meinem Leben, 1913 (1927⁷); Berta Strattmann. Erz., 1914 (1922⁸); In des Königs Heerbann, 1915; In der andern Welt. Lichter u. Schatten aus großer Zeit, 1915; Das Wesen des Reiches Gottes nach den Gleichnissen Jesu. Eine Bibelbetrachtung f. schlichte Leute, 1916; So tröstet euch nun unter einander. Worte an Kriegs-Trauernde, 1916 (1918⁵); Lebendige Opfer. Erz., 1916 (1918⁴); Wir Pfarrfrauen. 12 Leitsätze über Beruf u. Aufgabe der ev. Pfarrfrau, 1917 (1928⁶); Die Bekehrung u. ihre Hindernisse. Ein Wegweiser f. Zeiten der Erweckung, 1918; Meine Bibel. Ein Lobpreis der HS, 1918 (1926⁸); Die Weinands. Erz., 1919 (1922⁸); Das Salz der Erde. Erz. nach dem Leben, 1920; Von Menschen, die unterwegs waren. Eine Erz., 1921⁴; Steine auf dem Wege des Gottfindens. Eine Handreichung f. solche, die Frieden suchen, 1921²⁻⁵ (1926⁸); Der goldene Ring. Eine Erz., 1925 (1929⁴); Das Haus im Schatten. Bilder aus meinem Leben, 1927; Durchs goldene Tor. Skizzen, 1927; Gottes Gesetz im Lichte des Ev., 1930; An des Meisters Hand. Lebenserinnerungen, 1939 (1940²); Die Mannkopfs. Eine Familiengesch. aus dem vorigen Jh., 1940; Der Herr Rat u. seine Töchter, 1949.

Lit.: Anna Katterfeld, Mutter H. Ein Frauenleben der Liebe u. des Dienstes, 1955.

HEITMANN, Fritz, ev. Organist, * 9. 5. 1891 in Ochsenwerder bei Hamburg, † 7. 9. 1953 in Berlin. – H. erhielt den ersten Klavierunterricht bei seinem Vater und seine weitere Ausbildung in Hamburg. Mit 18 Jahren trat er in das Leipziger Konservatorium ein und studierte bis 1911 bei Joseph Pembaur (1875 bis 1950) Klavier, bei Karl Straube (s. d.) Orgel und Max

Reger (s. d.) Komposition. H. wurde 1912 Domorganist in Schleswig und 1918 Organist an der Kaiser-Wilhelm-Gedächtniskirche in Berlin. 1919 übernahm er außerdem die Organistenstelle an der Berliner Singakademie. H. wurde 1923 an die Staatliche Akademie für Kirchen- und Schulmusik in Berlin berufen und 1925 zum Professor ernannt. Seit 1923 leitete er die von ihm gegründete Berliner Motettenvereinigung und rief 1928 den Verein zur Pflege der Kirchenmusik an der Kaiser-Wilhelm-Gedächtniskirche ins Leben. 1932 wurde H. Organist am Berliner Dom und richtete zusammen mit dem Hof- und Domprediger Bruno Doehring (s. d.) die Dom-Vespern ein. Bei der Wiedereröffnung der Berliner Hochschule für Musik im Herbst 1945 wurde er in den Senat dieses Instituts berufen, dem er seit 1932 als Lehrer angehörte. – H. war nach Straube der bedeutendste Organist seiner Generation, als Interpret der »klassischen Orgelkunst« beispielhaft und als Bach-Spieler ausgezeichnet. Durch eine große Zahl von Schülern hat er einen nachhaltigen Einfluß auf das Orgelspiel unserer Zeit ausgeübt.

Werke: Gab mit Hans Joachim Moser heraus: Frühmeister der dt. Orgelkunst (= Veröff. der Staatl. Ak. f. Kirchen- u. Schulmusik Berlin), 1930.

Lit.: Walter Haacke, F. H. z. 60. Geb., in: ZfM 112, 1951, 247 f.; – Hans Joachim Moser, Zum Heimgang F. H.s, in: ZfM 114, 1953, 601 f.; – Friedrich Högner, Persönl. Erinnerungen an den dt. Orgelmeister Prof. F. H., in: Gottesdienst u. Kirchenmusik 4, 1953, 207 f.; – Werner Bollert, In memoriam F. H., in: Musica. Mschr. f. alle Gebiete des Musiklebens 7, 1953, 457 f.; – Organist F. H., Berlin, in: DtPfrBl 53, 1953, 475; – Richard Voge, F. H. gest., in: MuK 23, 1953, 197 ff.; – Ders., F. H. Das Leben eines dt. Organisten. In Verb. mit Elisabeth Heitmann dargest., 1964; – MGG XVI, 636 f.; – Riemann I, 763; ErgBd. I, 512.

HEITMÜLLER, Friedrich, Prediger und Evangelist, Vorsitzender des Vorstandes der Stiftung Elim und Leiter der Freien evangelischen Gemeinde in Hamburg, * 9. 11. 1888 in Völksen am Deister (südwestlich von Hannover) als Sohn des Besitzers mehrerer Steinbrüche und eines Straßenbaugeschäfts, † 1. 4. 1965 in Hamburg, beigesetzt auf dem Ohlsdorfer Friedhof. – Des Vaters Wunsch und Wille war es, daß sein Sohn Kaufmann und sein Nachfolger im Geschäft werden sollte; aber auf Rat seines ältesten Bruders entschloß er sich 1906 zur Beamtenlaufbahn bei der Oberpostdirektion in Hamburg. Schon in den ersten Tagen seines dortigen Aufenthalts ging H. in den »Christlichen Verein junger Männer« (CVJM), wo er heimisch und erweckt wurde, so daß er seiner besorgten Mutter schreiben konnte: »Ich habe in Hamburg einen treuen Freund gefunden, und dieser Freund ist Jesus.« Während der Glaubenskonferenz der Christlichen Gemeinschaft »Philadelphia« erlebte H. seine Bekehrung und Wiedergeburt. Ihm wurde klar, daß ihn Gott in seinen Dienst und zur Mitarbeit am Evangelium rief. Er bat seinen Vater um die Erlaubnis, seinen Beruf aufzugeben und in den Dienst des Herrn treten zu dürfen. Die Antwort lautete kurz und bündig: »Nein, du hast dir gegen meinen ursprünglichen Willen und Wunsch deinen Beruf gewählt, nun mußt du auch in ihm bleiben.« Seine Schwester schrieb ihm: »Du darfst dessen gewiß sein und bleiben, daß der Herr dich in seinen Dienst gerufen hat; aber noch ist die Stunde Gottes nicht da. Der Herr, der dich rief, der wird dich auch zu seiner Zeit aus deinem Beruf in seinen Dienst führen. Du darfst nichts mit Gewalt erzwingen wollen; du mußt lernen, auf Gottes Eingreifen und Führen zu warten.« Die Entscheidung, ob er dem Ruf in den Dienst des Herrn folgen konnte, fiel Weihnachten 1909, als der Vater ihn in Hamburg besuchte und an der Weihnachtsfeier teilnahm, in der H. ein Zeugnis von der in Jesus Christus erschienenen Gnade Gottes ablegte. Anfang 1910 kehrte er ins Elternhaus zurück, half im Frühjahr und Sommer in der Allianz-Zeltmission mit und trat zu einer gründlichen Aus- und Zurüstung für den Dienst am Evangelium im September 1910 in das Predigerseminar St. Chrischona bei Basel ein. In seinem Buch »Aus vierzig Jahren Dienst am Evangelium« schreibt H.: »St. Chrischona ist für mich eine rechte ›Hochschule‹ auf der lieblichen Bergeshöhe an der deutsch-schweizerischen Grenze gewesen. Was ich auf keiner deutschen Universität besser gelernt hätte, das habe ich dort gelernt, nämlich die Ehrfurcht vor dem Worte Gottes in der Heiligen Schrift Alten und Neuen Testaments, die Notwendigkeit eines betenden Forschens in der ganzen Bibel und eines vertrauten Umganges mit Gott im Namen des Herrn Jesus.« Der Ruf nach Hamburg erreichte ihn zum erstenmal im Herbst 1910 auf St. Chrischona und erneut und dringender am Schluß der Weihnachtsferien zur Mitarbeit am »Holstenwall« in Hamburg, dem er folgte. Das Werk befand sich in einer großen Krise, verursacht und ausgelöst durch die Irr- und Sonderlehren ihres Predigers Johannes Rubanowitsch (s. d.). Sowohl in der Mitarbeiterkonferenz als auch in der Gemeinschaft und im Diakonissenhaus Elim wurde Rubanowitschs Stellung weithin unhaltbar. H. war überzeugt von der Notwendigkeit einer »Reformation« am Holstenwall. Anfang August 1912 vollzog er seinen Austritt aus dem Werk am »Holstenwall« und gründete die »Friedens-Gemeinde«. Die Jahre seines Dienstes in dieser Gemeinde waren durch eine drohende ernste Krankheit überschattet: seine Lunge erwies sich als schwach und anfällig. Im Februar 1914 ging er zur Kur nach Oberschreiberhau im Riesengebirge und im Winter 1914/15 nach Arosa in den Graubündener Bergen der Schweiz. Ende Oktober 1918 kamen mehrere verantwortliche Brüder vom »Holstenwall« zu H. und fragten ihn, ob er bereit sei, mit seiner Gemeinde zum »Holstenwall« zurückzukehren. Prediger Rubanowitsch trat zurück. So fand am 9. 11. 1918, dem Tag der Revolution, die Rück- und Heimkehr statt. Es folgten Jahre angriffsfreudiger Evangelisation nicht nur in Hamburg, sondern auch in der näheren und weiteren Umgebung – so besonders im Gebiet der Unterelbe. Im Sommer 1933 trat H. mit seinem Werk aus dem innerkirchlichen »Gnadauer Verband« aus. Zwangsläufig mußte dem Austritt aus der Volkskirche der Anschluß an einen der bestehenden freikirchlichen Verbände folgen. Das geschah im Frühjahr 1934 als »Freie evangelische Gemeinde« in Verbindung mit dem »Bund Freier evangelischer Gemeinden in Deutschland«, der der »Vereinigung der Evangelischen Freikirchen Deutschlands« angeschlossen ist. Walter Michaelis (s. d.), der damalige Vorsitzende des »Gnadauer Verbandes«, schreibt in seinem Buch »Erkenntnisse und Erfahrungen aus 50jährigem Dienst am Evangelium« (1949²): »Der Austritt seines Werkes hatte wohl seine eigentliche Ursache in dessen freikirchlicher Grundhaltung, so

daß sein späterer Anschluß an eine Freikirche nur ein folgerichtiger Schritt war.« Seit 1952 war H. Präsident des »Internationalen Bundes Freier evangelischer Gemeinden« in 14 Ländern. Mit der »Evangelischen Allianz« wurde er schon 1912 bekannt. Vom ersten Besuch der »Blankenburger Konferenz« (Thüringer Wald) wuchs die Verbindung beständig, bis hinein in die volle Mitverantwortung und ständige Mitarbeit der »Blankenburger Konferenzen«. Als nach dem Ende des 2. Weltkrieges der deutsche Gesamtvorstand der Allianz sich neu bildete, gehörte natürlich auch H. dazu.

Werke: Zurück zu Gott! 18 Evangelisationsvortrr., 1924; Festschr. anläßlich der Eröffnung des Kranken- u. Diakonissenhauses »Elim«, 1927; Prüfet euch selbst, ob ihr im Glauben steht! Ein Mahnwort an alle, die mit Ernst Christen sein wollen, 1928; Die Glückseligkeit der Jünger Jesu. Betrachtungen über die Seligpreisungen, 1929; Nicht der Anfang, nur das Ende krönt des Christen Glaubenslauf! Eine Betrachtung des Lebens Sauls f. Kinder Gottes, 1929; Ihr sollt heilig sein! Ein Wegweiser in die bibl. Heiligung, 1929; Ein Mann nach dem Herzen Gottes. Eine Betrachtung des Lebens Davids, 1929; Das Ev. der Bergpredigt. 25 Betrachtungen über Mt 5–7, 1929; Die Christl. Gemeinschaft Hamburg. Aufss. z. Gesch. u. Ggw. der Gemeinschaftsbewegung in Hamburg, 1930; Die kommenden Dinge. 9 Betrachtungen auf Grund des prophet. Wortes, 1930; Sind wir noch Christen?, 1930; Was dünkt dich um Christus?, 1930; Der Ruf Gottes, 1930; Das Kreuz Christi – unsere Rettung oder unser Gericht?, 1930; Die Krisis der Gemeinschaftsbewegung. Ein Btr. zu ihrer Überwindung, 1931; Um die Spitze des Entschlusses. Eine »harte Rede« an Kirche u. Gemeinschaft, 1932; Tod u. Auferstehung im Lichte der Offb. Gottes, 1933; Die Wahrheit über das Christentum. Ein Wort an Nichtchristen u. Christen, 1935; Die Gemeinde Christi, 1935; Rel. Irrtümer der Ggw. Dargestellt u. widerlegt in allg.verständl. Vortrr., 4 Tle., 1935; Unser Glaube. Eine Verkündigung des bibl. Ev. f. christl. u. nichtchristl. Ggw.menschen (auch in 13 Einzelhh.), 1938; Wassertaufe oder Geistestaufe, 1938; Wie haben wir das evangelist. Wort heute zu sagen?, 1938; Freie ev. Gemeinde in Hamburg. Ihr Werk u. Weg, 1940; Die Botschaft Jesu über die Bedingungen unserer Erneuerung u. des Friedens, 1946; Ein Wort über die Rettung f. uns?, 1946; Das Reich der Dämonen oder Die Hintergründe der Gesch., 1946; Die Verantwortung der Christen f. Volk u. Staat, 1946; Vergib uns unsere Schuld!, 1946; Zurück zu Gott! Ein offenes Wort über die Ursachen u. den Sinn unserer Katastrophe u. die Schuldfrage, 1946; Wo sind unsere Toten? Ein tröstendes u. mahnendes Wort, 1946; Was wird uns die Zukunft bringen?, 1947; Die Weltregierung Gottes, ihre Grundsätze u. Ziele, 1947; Engel u. Dämonen. Eine Bibelstud., 1948; Die Wiederkunft Christi u. die damit in Verbindung stehenden Ereignisse, 1948; Ein ev. Wort z. Lage, 1948; Ich glaube an den Hl. Geist, 1949 (1951: 3.–5. Tsd.); Aus 40 J. Dienst am Ev., 1950; Das Geheimnis des christl. Glaubens, 1950; Das Geheimnis Gottes u. der Gottseligkeit, 1951; Der Heilsplan Gottes. Ein Gang durch die bibl. Offb.gesch., 1951; Das Geheimnis des Willens Gottes, 1952; Das Geheimnis Christi u. seiner Gemeinde, 1953; Die Stellung des Christen z. Welt, 1956 (1962: 5.–8. Tsd.). – Zur Klärung der Fronten. Ev. Allianz, Weltkirchenrat, Evangelisation, 1961. – *Lit.:* Wilhelm Gilbert, F. H. z. Gedächtnis, in: Der Gärtner. Zschr. Freier ev. Gemeinden 72, 1965, 416–418; – Paul Schmidt, F. H., in: Ev. Allianzbl. 68, Mai 1965, 89 f.; – Georg Schmidt u. Wilhelm Gilbert, F. H., in: Sie führten zu Christus, hrsg. v. Arno Pagel, 1976 (1978²), 127–134.

HEITMÜLLER, Wilhelm, Theologe, * 3. 8. 1869 als Bauernsohn in Döteberg (Hannover), † 29. 1. 1926 in Tübingen. – Nach seinem theologischen Studium und Besuch des Predigerseminars in Loccum habilitierte sich H. 1902 in Göttingen und kam 1908 als o. Professor für Neues Testament nach Marburg (Lahn). Er folgte 1920 dem Ruf nach Bonn und lehrte seit 1924 in Tübingen. – H. war mit Johannes Weiß (s. d.) und Paul Wernle (s. d.) einer der führenden Theologen der Religionsgeschichtlichen Schule.

Werke: »Im Namen Jesu.« Eine sprach- u. rel.geschichtl. Unters. spez. z. altchristl. Taufe, 1903; Taufe u. Abendmahl bei Paulus, 1903 (1904²); Vom Glauben, 1903 (1904²); Das Joh.ev., in: Die Schrr. des NT, neu übers. u. f. die Ggw. erkl., hrsg. v. Johannes Weiß, 1907 (1918³); Taufe u. Abendmahl im Urchristentum, 1911; Jesus, 1913. – Gab mit Wilhelm Bousset 1901–17 die ThR heraus, auch Die Schrr. des NT, neu übers. u. f. die Ggw. erkl., 1917/18³.

Lit.: Rudolf Bultmann, W. H., in: ChW 40, 1926, 209 ff.; – H. Schuster, W. H., in: Die Schwarzburg 8, 1926, 212 ff.; – KJ 53,

1926, 698; – Gerhard Wolfgang Ittel, Urchristentum u. Fremd-
rel.en im Urteil der Rel.geschichtl. Schule (Diss. Erlangen), 1956,
41; – Werner Georg Kümmel, Das NT. Gesch. der Erforsch. seiner Probleme, 1958, 322 ff.; – Barth, PrTh² 598; – NDB VIII,
459; – RGG III, 206.

HELD, Heinrich, Jurist, Kirchenliederdichter, * 21. 7.
1620 in Guhrau (Schlesien), † 16. 8. 1659 in Stettin. –
H. besuchte die Schule in Guhrau und in Glogau. Seine
Eltern zogen 1628 nach Fraustadt. 1637 kam er auf
das Gymnasium in Thorn. H. studierte zwei Jahre die
Rechte in Königsberg und wurde dann Hauslehrer in
Ostpreußen. 1642 studierte er in Frankfurt an der
Oder und nach längerem Aufenthalt in Königsberg
noch in Rostock und Greifswald. Nach weiten Reisen,
die ihn nach Holland, England und Frankreich führten,
ließ sich H. in Fraustadt als Rechtsanwalt nieder, siedelte aber wegen der polnischen Unruhen nach Stettin
über. Er wurde 1657 in Altdamm bei Stettin Stadtsekretär und 1658 Kämmerer und Ratsherr, mußte
aber 1659 krankheitshalber die belagerte Stadt verlassen. – Wir verdanken H. das Adventslied »Gott sei
Dank durch alle Welt, der sein Wort beständig hält«
(EKG 11), das Passionslied »Jesu, meiner Seelen Licht,
Freude meiner Freuden, meines Lebens Zuversicht,
nimm doch für dein Leiden diesen schlechten Dank
hier an« und das Pfingstlied »Komm, o komm, du
Geist des Lebens, wahrer Gott von Ewigkeit« (EKG
106). Die Quelle dieser Lieder ist die »Neu erfundene
geistliche Waserquelle durch Johann Niedling«, Frankfurt an der Oder 1658.

Werke: Dt. Gedichte Vortrab, Frankfurt an der Oder 1643
(1649²).
Lit.: Ernst Friedländer, Ältere Univ.-Matrikeln I Frankfurt/Oder
I, 1887, 509. 530. 603. 646. 749; – Elias Krause, Zur Lebens-
gesch. H. H.s, in: MGkK 4, 1899, 42 f.; – Goedeke III, 164 f.; –
Koch III, 55 f.; – Fischer-Tümpel I, Nr. 409–416 = S. 360–366; –
Hdb. z. EKG II/1, Nr. 101 = S. 149 f.; – ADB XI, 680.

HELD, Heinrich, ev. Theologe, * 25. 9. 1897 in St. Johann bei Saarbrücken als Sohn eines Fachschuldirek-
tors, † 19. 9. 1957 in Düsseldorf. – H. machte 1915
das Abitur und nahm als Freiwilliger am 1. Weltkrieg
teil. Er studierte seit 1919 in Bonn und in Tübingen
und besuchte nach dem Lehrvikariat bei dem Kölner
Superintendenten Georg Martin Klingenburg das Predigerseminar in Wittenberg. 1924 wurde H. Hilfsprediger in Wesseling bei Brühl und 1939 Pfarrer in Es-
sen-Rüttenscheid. Im Juli 1933 gründete er mit Joachim Beckmann, seinem Nachfolger im Präsesamt, die
»Rheinische Pfarrbruderschaft«, die rheinische Gruppe
des Pfarrernotbundes Martin Niemöllers. Im Kampf
gegen den Reichsbischof Ludwig Müller (s. d.) wurde
im Winter 1933/34 die »Freie Evangelische Synode
im Rheinland« gegründet. H. gehörte der Kirchenleitung der Bekennenden Kirche im Rheinland ebenso
wie der Preußischen und der Deutschen Bekenntnis-
synode. Er widmete sich dem Vortragsdienst und der
publizistischen Arbeit der Bekennenden Kirche, soweit
und solange das möglich war. Das führte zu mehreren Verhaftungen und einem Reichsredeverbot. Nach
dem 2. Weltkrieg wurde H. Superintendent in Essen
und 1946 Oberkirchenrat und setzte seine ganze Kraft
ein für die Neuordnung der Evangelischen Kirche im
Rheinland und in Deutschland. 1948 wurde er zum
Präses der Evangelischen Kirche im Rheinland berufen. H. war Mitglied im Rat der Evangelischen Kirche
in Deutschland und beteiligte sich maßgeblich an der

inneren und äußeren Festigung der »Evangelischen
Kirche der Union« (früher: Evangelische Kirche der
altpreußischen Union). Er wirkte mit bei der Gründung des Deutschen Evangelischen Kirchentages und
bei den Einigungsbemühungen in der Ökumene. H.
knüpfte Beziehungen zu der orthodoxen Kirche Rußlands und nahm 1957 an der Tagung des Luther-
schen Weltbundes in Minneapolis (Minnesota, USA)
teil.

Werke: Ev. Aktivität, in: Die Stunde der Kirche. Dem ev. Bisch.
v. Berlin z. 15. 5. 1950. Dargereicht von den Gen.sup. der ev.
Kirche in Berlin-Brandenburg, 1950, 227–240. – Gab heraus:
Grüne Briefe der Bekennenden Kirche im Rheinland, 1933–45;
Gebete, 1939; Christenfiebel, 1949.
Lit.: Joachim Beckmann, Predigt bei der Trauerfeier f. Präses D.
H. H., in: Kirche in der Zeit. Ev. Kirchenztg. 12, 1957, 237 f.; –
Präses H. H. Erinnerung u. Vermächtnis, 1958 (mit Bibliogr. u.
Lit. über H.); – Albert Rosenkranz, Das ev. Rheinland. Ein
rhein. Gemeinde- u. Pfr.buch II: Die Pfr., 1958, 199; – Günter
Heidtmann, Vor 10 J. starb Präses D. H. H., in: Kirche in der
Zeit. Ev. Kirchenztg. 22, 1967, 431 f.; – NDB VIII, 464 f.

HELDER, Bartholomäus, Kirchenliederdichter und
Komponist, * um 1585 in Gotha als Sohn eines Superintendenten, † (an der Pest) 29. 10. 1635 in Remstädt
bei Gotha. – H. wurde 1607 Lehrer in Friemar bei
Gotha und wirkte seit 1616 als Pfarrer in Remstädt.
Die meisten seiner Lieder hat er mit eigenen Melodien
und einfachen Tonsätzen versehen. Nicht wenige finden sich bereits im Gothaer »Cantional« von 1646.
Von seinen Melodien ist heute noch in kirchlichem
Gebrauch »Ich freu mich in dem Herren«. Bekannt sind
sein Adventslied »Wir danken dir, Herr Jesu Christ,
daß du vom Himmel kommen bist« und das Weihnachtslied »Das Jesulein soll doch mein Trost, mein
Heiland sein und bleiben«. Erwähnt sei auch seine
Melodie aus dem Gothaer »Cantional« von 1646 »Gott
sei gedankt durch Jesum Christ, der Himmel mir erworben ist«.

Werke: Cymbalum Genethliacum, das ist 15 schöne, liebliche u.
anmutige neue Jahrs- vndd Weihnacht-Gesänge, Erfurt 1614
(urspr. nicht f. den kirchl. Gebrauch, sondern f. die festlich-
fröhliche häusl. Feier der Weihnachtszeit bestimmt); Cymbalum
Davidicum, ebd. 1620 (25 Lieder, meist Pss.gesänge). – Über 50
Liedsätze (nach Zahn VI: 56), in: Cantionale Sacrum, Gotha
1646–48. – *Ausgg.:* 3 Liedsätze bei v.Winterfeld II. Notenbeil.
Nr. 36–38; Ludwig Schöberlein u. Friedrich Riegel, Schatz des
liturg. Chor- u. Gemeindegesangs II, 1870: 10 Liedsätze; III,
1872: 8 Liedsätze; 2 Sätze in: Hans Michel Schletterer, Musica
sacra. Anthologie der ev. Kirchengesanges. I: Vierst. Gesänge,
hrsg. v. Ralf v. Saalfeld, 1928³; 2 Sätze bei Gottfried Grote,
Geistl. Chorlied. 2- bis 6-st. Sätze f. gem. Chor, 1950. – 17 Lieder (Texte), in: Fischer-Tümpel II, Nr. 19–34 = S. 22–30.
Lit.: Wilhelm Tümpel, Gesch. des Kirchengesanges in Gotha II,
1895, 24; – Rudolf Wustmann, Musikgesch. Leipzigs I, 1909; –
v.Winterfeld II, 87 ff.; – Koch III, 114 f. 248; – Kümmerle I,
560 f.; – Hdb. z. EKG II/1, Nr. 119 = S. 164 f.; – Goedeke III,
164 f.; – MGG VI, 94 f.; – Eitner V, 96; – Riemann I, 763; –
ADB XI, 684 f.

HELDING, Michael, kath. Theologe, * 1506 in Lan-
genenslingen bei Riedlingen (Württemberg) als Sohn
eines Müllers, † 30. 9. 1561 in Wien. – H. studierte
seit Ende 1525 in Tübingen und promovierte Ende
1528 zum Magister. Er wurde Schullehrer in Mainz,
1531 Rektor der Mainzer Domschule und nach seiner
Priesterweihe 1533 Dompfarrer. Kardinal Albrecht von
Mainz (s. d.) ernannte ihn am 18. 10. 1537 zu seinem
Weihbischof und weihte ihn am 4. 8. 1538 zum Titularbischof von Sidon (daher Sidonius genannt). H.
erwarb sich den Ruf eines hervorragenden Predigers
und 1543 die theologische Doktorwürde. Bei dem Religionsgespräch in Worms 1540/41 war er zugegen,

ohne jedoch besonders hervorzutreten. H. nahm 1545 an der Eröffnung des Konzils von Trient teil, kehrte aber im Januar 1546 nach Mainz zurück. Albrechts Nachfolger, Sebastian von Heusenstamm, sandte ihn im Frühjahr 1546 auf den Regensburger Reichstag. Karl V. (s. d.) berief ihn im Sommer 1547 nach Ulm zu Vorberatungen über das »Interim«. Dem Kaiser gegenüber vertrat H. die Meinung, man müsse den Protestanten Priesterehe und Laienkelch zugestehen, aber zur Wiederherstellung der kirchlichen Einheit sei vor allem die Wiederaufrichtung der bischöflichen Jurisdiktion erforderlich. Auf dem Reichstag zu Augsburg 1547/48 wollte Karl V. im Einverständnis mit den Reichsständen die kirchlichen Verhältnisse Deutschlands einstweilen ohne Papst und ohne Konzil regeln. Er beauftragte die beiden katholischen Theologen Julius Pflug (s. d.), Bischof von Naumburg (Saale), und H. und den lutherischen Theologen Johann Agricola (s. d.), Hofprediger des Kurfürsten Joachim II. (s. d.) von Brandenburg, mit der Abfassung eines »Interims«. Der von ihnen erarbeitete Entwurf stellte in der Lehre einfach die katholischen Anschauungen wieder her und machte in den »Zeremonien« nur geringe Zugeständnisse bezüglich des Laienkelchs und der Fortdauer der Ehe verheirateter Priester, und auch diese nur bis zum Konzil. Es gelang dem Kaiser, einen Teil der evangelischen Stände zur Annahme des ihnen am 15. 5. 1548 vorgelegten Entwurfs einer kirchlichen Neuregelung zu bewegen; er wurde im Reichstagsabschied vom 30. 5. 1548 zum Reichsgesetz erhoben. Als Visitator im nassauischen Land bemühte sich H. nach seiner Rückkehr nach Mainz um Einführung des »Interims« und nahm hervorragenden Anteil an der vom Erzbischof einberufenen Diözesansynode im November 1548 und der Provinzialsynode im Mai 1549. Er gab 1549 einen großen und einen kleinen Katechismus heraus, die beide zahlreiche Auflagen erlebten und viele Gegenschriften hervorriefen, besonders von Matthias Flacius (s. d.) und Johann Wigand (s. d.). Der Kaiser wollte H. das Bistum Merseburg übertragen, das August (s. d.), Kurfürst von Sachsen, als Administrator innehatte, dem Georg III. der Gottselige (s. d.), Fürst von Anhalt-Dessau, als geistlicher Koadjutor zur Seite stand. Karl V. setzte H.s Wahl zum Bischof von Merseburg am 28. 5. 1549 durch; die päpstliche Bestätigung erfolgte erst am 16. 4. 1550. H. machte sich um das Stift verdient durch mancherlei Bauten, gute Verwaltung der Stiftsgüter und Wohltätigkeit, hatte aber in seiner bischöflichen Tätigkeit keinen rechten Erfolg und konnte nicht einmal das »Interim« einführen. H. war 1555 auf dem Reichstag in Augsburg und 1556/57 auf dem Reichstag in Regensburg. Auf dem Religionsgespräch in Worms im Herbst 1557 war er neben Pflug und Petrus Canisius (s. d.) Hauptvertreter der katholischen Partei. Es gelang ihm, unter den evangelischen Theologen einen erbitterten Lehrstreit zu entfachen, so daß das Religionsgespräch abgebrochen wurde. Ferdinand I. ernannte ihn 1558 zum Präsidenten des Reichskammergerichts in Speyer und berief ihn 1561 nach Wien zum Präsidenten des Reichshofrats. – H. war ein besonnener Gegner der Reformation und maßvoller Apologet seiner Kirche. Unter den katholischen Predigern des 16. Jahrhunderts nimmt er einen hervorragenden Platz ein. Seine Predigten fanden weite Verbreitung, besonders die von der heiligsten Messe, die eine erregte Kontroversliteratur veranlaßte.

Werke: Von der heiligsten Messe (15 Predigten während des Augsburger Reichstags v. 1548), 1548 (hrsg. v. Vinzenz Hasak, 1884); Institutio ad pietatem Christianam secundum doctrinam catholicam, 1549; Brevis institutio ad pietatem Christianam, 1549 (dt. 1555; zuletzt bei Franz Christoph Ignaz Moufang, Kath. Katechismen des 16. Jh.s in dt. Sprache, 1881, 365–414); Katechismuspredigten (v. 1542 ff.), 1551; Jonas Propheta (Merseburger Predigten), 1558; Postilla (Predigten aus der Mainzer Zeit), 1565; Die 1. Epistel Johannis (Predigten während des Augsburger Reichstags v. 1548), 1566; Predigten über Proverbia Salomonis (v. 1539 ff.), 1571.

Lit.: Nathanael Balsmann, Oratio in obitum Michaelis episcopi Merseburgensis, Wien 1561; – M. Winter, Ein berühmter Langenenslinger, M. H., der letzte Bisch. v. Merseburg, in: Mitt. des Ver. f. Gesch. u. Altertumskunde in Hohenzollern 15, 1881/1882, 1 ff.; – Nikolaus Paulus, M. H., ein Prediger u. Bisch. des 16. Jh.s, in: Katholik 74, 1894, II, 410 ff. 482 ff.; – Hubert Jedin, Gesch. des Konzils v. Trient I, 1949 (1951²); II, 1957; – Anton Philipp Brück, Drei Briefe H.s v. Tridentinum, in: AMrhKG 2, 1950, 219 ff.; – Ders., Das Erzstift Mainz u. das Tridentinum, in: Das Weltkonzil v. Trient. Sein Werden u. Wirken. Hrsg. v. Georg Schreiber, II, 1951, 194 ff.; – F. Eisele, Die Bisch. aus Hohenzollern, in: Hohenzoller. Jhh. 12, 1952, 9 ff.; – Ludwig Lenhart, Die Mainzer Synoden v. 1548 u. 1549 im Lichte der im Schloß-Arch. Vollrads/Rheingau aufgefundenen Protokolle, in: AMrhKG 10, 1958, 67 ff.; – Erich Feifel, Die Grundzüge einer Theol. des Gottesdienstes bei M. H. (Diss. Tübingen, 1957), Freiburg – Basel – Wien ver. ersch. 1960 u. d. T.: Grundzüge einer Theol. des Gottesdienstes. Motive u. Konzeption der Glaubensverkündigung M. H.s als Ausdruck einer kath. »Ref.«; – Ders., Der Mainzer Weihbisch. M. H. Zw. Ref. u. kath. Reform, 1962; – Schottenloher I, Nr. 8144–8153; V, Nr. 46728 f.; – Kosch, KD 1484 f.; – HN II, 1416 ff.; – DSp VII, 138 ff.; – LThK V, 207; – RE VII, 610 ff.; XXIII, 640; – RGG III, 207; – ADB 34, 164 ff. (unter Sidonius); – NDB VIII, 466 f.

HELDRING, Otto Gerhard, Bahnbrecher der Gefährdetenfürsorge, * 17. 5. 1804 als Pfarrerssohn in dem Grenzstädtchen Zevenaar, das damals zu Deutschland gehörte, aber 1816 wieder an die Niederlande abgetreten wurde, † 11. 7. 1876 in Marienbad (Böhmen), beigesetzt in Zetten auf der Betuwe, der Flußinsel zwischen Waal und Rhein. – H.s Vater war von Geburt Niederländer und seine Mutter deutschen Ursprungs. Sein Urgroßvater väterlicherseits war um die Mitte des 17. Jahrhunderts um seines Glaubens willen aus seinem Geburtsland Hessen in die Niederlande geflüchtet. Seine Mutter war die Tochter des Pfarrers Johann Wilhelm Janssen in Pfalzdorf bei Kleve. »Ihr Pietismus hatte nichts Schwärmerisches; er war rein wie Gold und klar wie Kristall.« Nach vierjährigem Besuch der Lateinschule seiner Vaterstadt bezog H. im Herbst 1820 die Universität Utrecht und bestand im Oktober 1826 das theologische Examen. Er war bei etwa 100 unbesetzten Pfarrstellen der einzige Predigtamtskandidat. H. stand hilflos und unreif dem Amt gegenüber, als er mit 22 Jahren zum Pfarrer der nur 150 Seelen zählenden Gemeinde Hemmen in der Betuwe berufen wurde: »Eins kann ich doch tun: Liebe üben, Liebe verkündigen.« Wie H. »die Perle, die Gewißheit der Rechtfertigung durch den Glauben allein«, fand und dadurch ein rechter Prediger wurde, erzählt er selbst: »Kaum drei Monate nach meinem Amtsantritt wurden Zetten und Randwyk vakant; ich wurde Pfarrverweser über beide Gemeinden, und hierdurch breitete sich meine Arbeit über die ganze Gegend zwischen Rhein und Waal aus. Dreifache Katechisationen und Krankenbesuche gaben sehr viel zu tun. Manchmal war es dann, als ob auf den einsamen Wanderungen nach den anderen Dörfern mir alles zurief: ›Was bist du doch so eifrig und treu!‹ Dann folgte aber auf der Stelle eine zweite Stimme, die mich mahnte: ›Wieviel Ehrgeiz, Ruhmsucht und Eitelkeit sind die Triebfedern deines Herzens! So wanderte ich die Tage vor Weihnachten umher, ringend nach Licht und Trost, Ruhe und Kraft, nach der Sicherheit, die ich suchte und doch nicht fand. Auf einem ganz anderen Weg, als ich immer erwartet hatte, wurde ich zu Christus geführt. Ich las eine Weihnachtspredigt, weil ich zum erstenmal die Geburt des Heilandes verkündigen mußte. Da trafen mich zwei Fragen, die im Thema dieser Predigt ausgedrückt waren: Warum wurde Christus als ein Kind, warum als ein armes Kind geboren? Es waren zwei Fragen, die so oft schon bei mir aufgetaucht, stets unbeantwortet geblieben waren; aber da ich sie nun las und zugleich die Antwort darauf, so einzig wahr und schön, da konnte ich das Buch weglegen und Gott danken, daß ich die Perle gefunden hatte. Meine Worte waren: ›Ausgelitten, ausgestritten, überwunden!‹ Mit der höchsten Freude und Frieden in Christus konnte ich in den arbeitsreichen Weihnachtstagen das freudige Evangelium verkündigen: ›Dir ist heute der Heiland geboren‹, eine Wahrheit, um so herrlicher noch, weil sie an diesem Weihnachtsfest auch die meine geworden war. Nun wußte ich, daß nicht mein Eifer oder Tugend, nicht mein Glaube, Hoffnung oder Liebe meine Heimkehr in das ewige Vaterland mir sicherten, sondern allein die Gerechtigkeit, die in Christus Jesus ist. Ihn hatte ich nun kennengelernt, so wie er wirklich war und wie ich ihn zuvor nicht gekannt hatte.« Nachdem H. zum lebendigen Glauben gekommen war, ging er mit viel Geschick und heiligem Ernst an die Arbeit für das geistliche und leibliche Wohl der Menschen. H. nahm den Kampf auf gegen die Trunksucht und die Hungersnot von 1845/46. Verarmte Familien siedelte er an im Anna-Paulowna-Polder und wandelte das verkommene Heidedorf Hoenderloo um in eine blühende Ansiedlung. Durch einen größeren Freundeskreis erhielt H. die Mittel, beide Siedlungen mit Kirche und Schule, Lehrer und Pfarrer zu versorgen, und eröffnete 1851 in Hoenderloo ein Durchgangsheim (Doorgangshuis) für verwahrloste Kinder. Als er 1847 das Gefängnis in Gouda besuchte, das einzige Frauengefängnis in Holland, gewann H. tiefe Einblicke in die Not der verwahrlosten und bestraften Mädchen. Die Rettung und Bewahrung der weiblichen Jugend sah er von nun an als seine Lebensaufgabe an. H. kaufte 1848 in Steenbeek bei Hemmen eine zahlungsunfähig gewordene Bierbrauerei und richtete sie als Mädchenasyl ein mit dem in der Hausordnung streng durchgeführten Grundsatz der Freiwilligkeit im Kommen und Gehen. Monatelang durchzog H. die Städte und rief durch seine Predigt über Hesekiel 34 (besonders Vers 4) auf zur Rettung der Gefährdeten und Prostituierten. Er eröffnete 1858 das Rettungshaus »Talitha kumi« für verwahrloste Mädchen, 1863 die Anstalt »Bethel« für minderjährige Mädchen und 1864 ein christliches Erziehungs- und Unterrichtsseminar (Normaalschool) für Töchter des Mittelstandes und baute 1870 eine eigene Kirche, nachdem er 1867 sein Pfarramt niedergelegt hatte, um sich ganz der Arbeit der bewahrenden und erziehenden Fürsorge widmen zu können. Durch sein Asyl, in dem bis zu seinem Tod 975 Mädchen Aufnahme gefunden haben, und seine Erziehungsgrundsätze wirkte H. bahnbrechend, so daß die Gründung mehrerer Anstalten in Deutschland auf

seine Anregung zurückgeht. Auch an der Äußeren Mission in den Niederlanden hatte H. hervorragenden Anteil. »Es war eine Zeit, wo die Mission unter den Heiden ungeteilt meine Aufmerksamkeit auf sich zog, so daß in mir das sehnliche Verlangen erwachte, mein Amt als Prediger niederzulegen und Missionar zu werden.« Davon hielt ihn ein Freund zurück. Es blieb stets sein Lieblingsgedanke, mit der Kolonisation zugleich Evangelisation zu verbinden. Das bevorstehende Fest der Niederländischen Missionsgesellschaft zur Erinnerung an ihr 50jähriges Bestehen gab H. 1847 die Veranlassung zu der Schrift »Der christliche Handwerker, dem Missionar als Mitarbeiter zugesellt«. Seine Gedanken stimmten weithin mit denen des bekannten Johannes Evangelista Goßner (s. d.) in Berlin überein. »›Die Biene auf dem Missionsfeld‹ von Goßner hatte bei mir ein großes Verlangen erweckt, diesen Missionsfreund kennenzulernen, und die Hoffnung lebendig gemacht, daß wir seine reiferen Erfahrungen auf diesem Gebiet uns zunutze machen könnten.« H. rief die Gesellschaft »De Christen Werkmann« ins Leben, die durch einen Aufruf zur Meldung von Missionshandwerkern aufforderte und für die Aufbringung der Kosten für ihre Ausrüstung und Überfahrt sorgen sollte. Johanen Hinrich Wicherns (s. d.) »Denkschrift« über die Innere Mission weckte in H. den Wunsch, Wichern zu besuchen. So reiste er im April 1850 nach Hamburg und auf Wicherns Rat nach Berlin zu Goßner. Auf seine Frage, ob er ihm nicht einen christlichen Handwerker für Java senden könnte, antwortete ihm Goßner: »Nichts lieber als das. Ich habe jetzt wohl niemanden; aber der Herr bringt mir wohl einen.« Beim Abschied drückte ihm Goßner die Hand und sagte: »Nun, Held, dring durch zum Siege; laß dich nicht hemmen und wolle nicht hemmen!« Nach einigen Monaten kamen drei junge Männer, denen bald weitere folgten. »Sie blieben erst eine Zeitlang bei mir«, berichtet H., um die holländische Sprache zu lernen, und wohnten gemeinschaftlich in einem kleinen abgesonderten Häuschen nahe bei Steenbeek, seitdem das Missionarshäuschen genannt, während die Diakonissen, die mir Goßner zusandte, die mit dieser Zeit auf Steenbeek tätig waren und unterdessen die Ausrüstung in Ordnung brachten.« Die Missionshandwerker wurden nach Java gesandt und veranlaßten dort, daß 1851 in Batavia »Het Java Comité« als »Gesellschaft für innere und äußere Mission« gegründet wurde. Ein Hilfskomitee in Amsterdam übernahm 1855 die Leitung. Als Goßner im Juni 1853 wieder vier junge Männer und zwei Diakonissen sandte, begab sich H.s ältester Sohn Otto, der drei Jahre später als Kandidat der Theologie starb, auf eine Kollektenreise, von der er etwa 3000 Gulden mitbrachte. Diese vier Missionshandwerker ließen sich auf den Sangi-Inseln nieder, während andere auf Niederländisch-Neuguinea die Stätte ihrer Wirksamkeit fanden. H.s Bemühungen, die »Niederländische Missionsgesellschaft« in Rotterdam für die Fortsetzung des von ihm erfolgreich durchgeführten Missionsversuchs durch Handwerker zu gewinnen, waren vergeblich. 1859 wurde »De Utrechtsche Zendingsvereeniging« gegründet, die H.s Missionshandwerker in Neuguinea unterstützte. – Als ein Mann der Erweckungsbewegung im 19. Jahrhundert war H. ein Geistesverwandter von Guillaume Groen van Prinsterer (s. d.), Isaak Da Costa (s. d.) und Abraham Capadose (s. d.). Auch als Volksschriftsteller wurde er bekannt.

Werke: De natuur en de mensch, 1833; Winteravondlectuur van Pachter Gerhard, 1835; De jenever erger dan de cholera, 1838; De zoon der natuur en de man naar de wereld, 1839; De nood en hulp der armen, 1845; Binnen- en buitenlandsche kolonisatie in betrekking tot de armoede, 1846; Christendom en armoede, 1849–50; De Nederlandsche Hervormde Kerk in Indie, 1855. – Gab heraus: erbaul. u. volkstüml. Zschrr.: De Volksbode, 1839 bis 1849; Geldersche Volksalmanak, 1835–51; De Vereeniging, 1848–73.

Lit.: Rudolf Müller, Erinnerungen an O. G. H., in: Mschr. f. Diakonie u. Innere Mission 4, 1880, 433 ff.; – Otto Gerhard Heldring, Leven en arbeid, uitgeg. door zijn Zoon Jan Lodewyk H., Leiden 1881 (dt. v. Rudolf Müller, O. G. H., sein Leben u. seine Arbeit, 1882); – Ev. Volkslex., hrsg. v. Theodor Schäfer, 1889, 321 ff.; – W. van Oosterwijk-Bruyn, Die Erweckung in den Niederlanden in Verbindung mit den Versammlungen der Christl. Freunde zu Amsterdam, in: Mschr. f. Diakonie u. Innere Mission 11, 1891, 105 ff.; – Marie Elisabeth Kluit, Het Réveil in Nederland 1817–1854, Amsterdam 1936; – Hartwig Weber, O. G. H.s Gedanken z. Diakonie im Zshg. seiner Zeit (Diss. Heidelberg), 1972; – RE VII, 613 ff.; – RGG III, 207.

HELENA, Heilige, Mutter Konstantins des Großen, * um 257 in Drepanum (327 in Helenopolis umbenannt) in Bithynien (Nordwest-Kleinasien), † wohl 336 in Rom oder Nikomedia (heute: Izmit). – H. war Gastwirtin, ehe sie die Konkubine des Caesars Konstantius Chlorus wurde, die er 289 aus politischen Gründen entließ, um die Stieftochter des Kaisers Maximian Herkulius zu heiraten. Ihr Sohn Konstantin, den sie wenige Jahre zuvor geboren hatte, gelangte 306 zur Herrschaft. H. kam an seinen Hof und wurde zur Augusta erhoben und nach 312 durch ihn für das Christentum gewonnen. Sie zeichnete sich aus durch Frömmigkeit und karitatives Wirken. Gemeinsam mit ihr baute Konstantin in Rom die Kirche zum Heiligen Kreuz und in Konstantinopel die Apostelkirche. 324 wallfahrtete H. als eine der ersten Frauen ins Heilige Land und stiftete die Basiliken auf dem Ölberg und in Bethlehem. Erst in später Zeit wurde sie mit der Kreuzauffindung in Beziehung gebracht. – H. wird als Heilige verehrt. Ihr Tag ist in der Westkirche der 18. August, in der Ostkirche der 21. Mai.

Lit.: Remi Couzard, St. H. d'après l'histoire et la tradition, Paris 1911; – J. Straubinger, Die Kreuzauffindungslegende. Unterss. über ihre altchristl. Fassungen mit bes. Berücks. der syr. Texte, 1912; – D. Giorgio di Sassonia, in: RQ suppl. 19, 1913, 255 ff.; – Louis Hugues Vincent, Bethléem – Le Sanctuaire de la Nativité, Paris 1914; – Jules Maurice, St. H., ebd. 1930; – Joseph Vogt, Constantin d. Gr., in seinem Jh., 1949; – T. Bertelè, Costantino il Grande e S. Elena su alcune monete bizantine, in: Numismatica 1948, 4–6, Rom 1950, 91 ff.; – Franziska Maria Stratmann, Die Hll. u. der Staat II, 1949; – Bernhard Kötting, Peregrinatio religiosa. Wallfahrten in der Antike u. das Pilgerwesen in der alten Kirche, 1950; – Wilhelm Hünermann, Der endlose Chor. Ein Buch v. den Hll. f. das christl. Haus, 1960[8], 479 ff.; – Pauly-Wissowa VII, 2820 ff.; – Kl. Pauly II, 988 f.; – RAC III, 367 ff. 372 ff.; – DACL VI, 2126 ff.; – AS Aug. III, 580 ff.; – BHL 563 ff.; – VSB VIII, 322 ff.; – BS IV, 988 ff.; – Wimmer[3] 260; – Torsy 225 f.; – Künstle 295 f.; – Braun 322 ff.; – Réau 505 ff.; III, 297 ff.; – RE VII, 616; – RGG III, 207 f.; – EC V, 205 ff.; – Catholicisme V, 574; – LThK V, 208 f.; – NCE VI, 1000; – ODCC[2] 630.

HELGESEN, Poul (Paulus Helie), Karmelit, * etwa 1480 in Varlberg (in der damaligen dänischen Provinz Halland, die seit 1660 zu Schweden gehört), † (verschollen) nach 1534. – H.s Vater war ein Däne, die Mutter eine Schwedin. 1517 begegnet uns H. als Mönch in dem Karmeliterkloster in Helsingör (nördlich von Kopenhagen). Der Humanismus hatte unter den dänischen Karmelitern Eingang gefunden. Theologisch stark beeinflußt wurde H. durch Erasmus von Rotterdam (s. d.). Noch ehe Martin Luther (s. d.) seine Thesen angeschlagen hatte, hielt H. eine Rede gegen den Ablaßhandel. Das erste Auftreten Luthers begrüßte er mit Freuden; aber Luther ging viel weiter, als er folgen konnte. H. wurde 1519 Regens des Karmeliterkollegiums in Kopenhagen und zugleich Lektor der Theologie an der 1479 gegründeten Universität. Er entwickelte sich zu einem entschiedenen Gegner der Reformation, die er in Predigten und Streitschriften heftig bekämpfte. So verteidigte H. den alten Glauben, obwohl er von der Notwendigkeit einer Kirchenreform überzeugt war und das auch öfter in seinen Predigten zur Sprache brachte. 1522 wurde er Provinzial, verschwand aber 1534 aus der Geschichte. Über sein weiteres Schicksal ist nichts bekannt. – H. gilt als der einzig bedeutende Bekämpfer der Reformation in Skandinavien.

Werke: Povel Eliesens danske Skrifter, hrsg. v. Carl Emil Secher, I, 1855; Dän. Übers. der Chron.: Lektor Povel Helgesens hist. Optegnelsesbog, sdv. kaldet Skibykrøniken, hrsg. v. A. Heise, 1890/91; Skrifter af P. H., 7 Bde., hrsg. v. Marius Kristensen, Peder Severinsen u. Niels Knud Andersen, Kopenhagen 1932–48.

Lit.: Christen Olivarius, De vita et scriptis Pauli Eliae, 1741; – C. T. Engelstoft, P. E., en biographisk-historisk Skildring fra den danske Reformationstid, in: Nyt historisk Tidsskrift 2, 1848, 1–174. 415–554; – H. Roerdam, Histor. Samlinger og Studier I, Kopenhagen 1891, 320 ff.; – Ludwig Schmitt, Der Karmeliter Paulus Heliae, Vorkämpfer der kath. Kirche gg. die sogen. Ref. in Dänemark, 1893; – Ders., Die Verteidigung der Kirche in Dänemark gg. die Rel.neuerung im 16. Jh., 1899; – Ellen Jørgensen, Historieforskning i Danmark, 1931, 75–81; – Johannes Oskar Andersen, Der Reformkath. u. die dän. Ref., Gütersloh 1934; – Ders., P. H. I. Ungdom og Uddanelse c. 1485–1519. Universitetsaarene 1519–1522, Kopenhagen 1936; – Ders., Skibykronikens Kildefoorhold og Affattelsestid, in: Historisk tidsskrift 2. R., 1, Kopenhagen 1944–46, 1–149. 334–447; – Nordisk Teologisk Leksikon I, 1952, 1255 ff.; – Schottenloher V, Nr. 46740b bis 46741; – DBL IX, 630 ff.; – RE V, 296 f.; – RGG III, 208.

HELLE, Friedrich Wilhelm, kath. Schriftleiter und Dichter, * 28. 10. 1834 in Böckenförde bei Lippstadt, † 4. 8. 1901 in München. – 14 Tage vor H.s Geburt war das Anwesen seines Vaters in Rüthen (Westfalen) durch Brand zerstört worden, und so hatten sich die Eltern zu den Eltern der Mutter nach Böckenförde begeben. 1836 siedelte der Vater mit seiner Familie wieder in die Heimatstadt über, wo er als Schmiedemeister und Landwirt lebte. Mit 10 Jahren kam H. in das Haus seines Oheims mütterlicherseits, des Pfarrers Liese in Hallenberg, und kehrte nach dessen Tod 1849 nach Rüthen zurück. Da seine schwache Gesundheit eine Unterbrechung der Studien notwendig machte, erlernte er das Buchbinderhandwerk. Mit 18 Jahren nahm H. seine Studien zunächst privatim wieder auf, besuchte dann das Gymnasium in Warendorf und später in Brilon und ein Semester die Akademie in Münster. Nun übernahm er eine Hauslehrerstelle auf einem westfälischen Gut, setzte ein Jahr später seine Studien in Münster und Wien fort und war dort bis 1867 als Hauslehrer tätig. H. hörte besonders Vorlesungen über klassische Philologie, über deutsche, spanische und orientalische Literatur und beschäftigte sich speziell mit den afrikanischen Negermythologien. Seine ersten Dichtungen erschienen. Gönner ermöglichten ihm einen Aufenthalt in Rom, wo er vom Januar 1869 bis September 1870 blieb. Nach seiner Rückkehr in die Heimat zwang ihn die Sorge um die Existenz seiner Familienangehörigen nach dem Tod des Vaters, dem Broterwerb nachzugehen. So trat H. zur Journalistik über und redigierte seit 1871 die »Dortmunder Zeitung«, seit 1872 die »Koblenzer Volkszeitung«, seit Oktober 1872 die »Saarzeitung« in Saarlouis, vom Mai 1873 bis 1876 die »Schlesische

Volkszeitung« in Breslau, 1877 bis 1880 die »Frankenstein-Münsterberger Zeitung« in Frankenberg. Um einer Klage wegen »Vergehens gegen die Religion« (Beleidigung des Protestantismus und Altkatholizismus) zu entgehen, wanderte er mit seiner Familie nach Jauernig in Österreichisch-Schlesien aus. Hier arbeitete H. an der Fortsetzung seines Hauptwerkes »Jesus Messias«, wozu ihm der Fürstbischof von Breslau 1881 auf vier Jahre eine jährliche Subvention von 1500 Gulden gewährt hatte. 1883–84 lebte H. in Ossegg (Böhmen), wo er die reiche Bibliothek des Zisterzienstifts für sein Werk benutzte, 1884 bis 1887 wegen des Schulunterrichts seiner Kinder in Teplitz, redigierte dann bis Januar 1891 in Salzburg die »Salzburger Chronik« und darauf bis zum September 1892 in Bilin bei Teplitz die »Deutsche Volksschrift«. Um seinem erkrankten Sohn bessere ärztliche Hilfe angedeihen zu lassen, verlegte H. seinen Wohnsitz nach Dresden. Nach dem Tod seines Sohnes siedelte er nach München über, wo ihn kaum jemand kannte. Kaum jemand in Deutschland wußte überhaupt, wo der alte Kulturkämpfer und Messiassänger wohnte. – H. ist bekannt als Dichter der letzten deutschen Messiade in Hexametern. Er war vorwiegend Epiker.

Werke: Maria Antoinette. Eine ep.-lyr. Dichtung, Wien 1866; Minneleben. Eine romant. Dichtung, 1867; Christkindleins Wanderung. Christl. Weihnachtsmärchen, 1882 (Neue Ausg. 1904); Kalanyas Völkersang. Mittelafr. Schöpfungsmythus. Ep. Dichtung, 1894; Jesus Messias. Eine christolog. Epöe, 3 Bde., 1896; Die Schöpfung. Ep. Dichtung. Prolog zu »Jesus Messias«, 1899 (1902²); Marienpreis. Lieder u. Balladen z. Verherrlichung der allerseligsten Jungfrau. Hrsg. v. Ansgar Pöllmann, 1906³; Aus dem Nachlaß: Der Antichrist. Hrsg. v. dems., in: Gottesminne 1, 1903, 322 ff. 377 ff.; 2, 1904, 93 ff. 159 ff. 267 ff. 325 ff. 376 ff. 434 ff. 604 ff. 660 ff.
Lit.: Joseph Kehrein, Biogr.-literar. Lex. der kath. Schr.steller I, 1868, 145; – Wilhelm Kreiten, F. W. H.s Jesus Messias, in: StML 51, 1896, 414 ff.; – L. Tepe (= L. van Heemstede), F. W. H., in: Dichterstimmen der Ggw. 10, 1896, 10 ff.; – Ders., Biogrr. kath. Dichter der Ggw. 1. F. W. H., 1897; – Richard Maria Werner, Vollendete u. ringende Dichter und Denker der Neuzeit, 1900, 281 ff.: Moderne Messiasdichtungen; – August Wünsche, Die Schönheit der Evv. in H.s Jesus Messias, in: Die Wahrheit 7, 1901, 569 ff. – Ders., Kalanyas Völkersang v. F. W. H. Eine Skizze, ebd. 8, 1902, 555 ff.; – A. Lignis (= P. Expeditus Schmidt), F. W. H. Biogr.-literar. Skizze, in: Die Wahrheit 7, 1901, 560 ff.; – P. Revocatus, Erinnerungen an Dr. F. W. H., in: Dichterstimmen der Ggw. 16, 1902, 39 ff.; – Ansgar Pöllmann, Der H.dank, in: Rückständigkeiten, 1906, 123 ff.; – B. Stein, Christus in der neueren Dichtung, in: Die Bücherwelt 4, 1906/07, 140 ff. 233 ff.; – Sebastian Wieser, Klopstock u. H. als Messiassänger, in: Gottesminne 5, 1907, 186 ff.; – Franz Rothenfelder, F. W. H.s kath. Messias-Dichtung: »Jesus Messias« (Diss. München), 1908; – Leo Weiser, F. W. H. u. seine ep. Dichtungen. Ein Btr. z. Lit.gesch. des 19. Jh.s (Diss. Münster), 1916; – Ders., F. W. H., in: Westfäl. Lb. III, 1934, 448 ff.; – Hans Helle, Stammtaf. des Geschlechts Helle aus Rüthen in Westfalen. Mit kurzem geschichtl. Abschnitt, Qu.ang. u. Personen- u. Ortsregister, 1931; – Kosch, KD 1489; – Kosch, LL II, 917; – BJ VI, 252 f. 44*; – LThK V, 213.

HELLER, Johann, Franziskaner, * in Korbach (Waldeck), † 5. 2. 1537 in Brühl. – H. war Mitglied des 1491 gegründeten Observantenklosters in Brühl und wirkte als Domprediger in Köln. Er wurde von seinen Obern nach Düsseldorf geschickt, um durch Kontroverspredigten den Einfluß seines früheren Ordensgenossen Friedrich Myconius (s. d.) zu brechen. Am 19. 2. 1527 fand zwischen beiden in Düsseldorf in Anwesenheit des sächsischen Kurprinzen und einiger Räte des Herzogs von Jülich-Kleve eine öffentliche Disputation statt. Über H.s fernere Wirksamkeit bis zum Jahr 1532 wissen wir nichts. Als Guardian des Siegener Konvents konnte er die Einführung der Reformation in Siegen nicht aufhalten. Auf Befehl des Grafen Wilhelm von Nassau mußten die Ordensleute am 3. 8. 1534 das Kloster verlassen.

Werke: Antwort broder J. H.s v. Corbach observant vff eyn vnwarhafftich smeychbuechlen das yn der letsten Francfurder messe wydder en ys vsszgangen, Köln 1527 (H.s Gg.schr. auf die kursächs. Darst. des Rel.gesprächs in Düsseldorf: »Handlung u. Disputation«); Antwort broder J. H.s v. Corbach barfuessers ordens, auf etzliche falsche artickel die vur waer gelernt werden tzu groissem schaden der eynfeltigen Christen, ebd. 1533; Malleolus Christianus, vera piaque excludens ac confirmans orthodoxa, ebd. 1534; Contra Anabaptistas unici baptismatis assertio, ebd. 1534.
Lit.: E. F. Keller, Gesch. Nassaus v. der Ref. bis z. Anfang des 30j. Krieges, 1864; – Karl u. Wilhelm Krafft, Briefe u. Documente aus der Zeit der Ref. im 16. Jh. nebst Mitt. über köln. Gelehrte u. Stud. im 13. u. 16. Jh., 1875; – H. v. Achenbach, Gesch. der Stadt Siegen I (darin V: Die Kirchen-Ref. in Siegen), 1894; – Ders., Aus des Siegerlandes Vergangenheit I, 1897; – F. A. Höynck, Gesch. des Diakonats Siegen, Bist. Paderborn, 1904; – Otto R. Redlich, Jülich-Berg. Kirchenpolitik am Ausgange des MA u. in der Ref.zeit. I: Urkk. u. Akten 1400–1553, 1907; – Patricius Schlager, Gesch. der köln. Franziskaner-Ordensprov. während der Ref.zeitalters. Mit meist ungedr. Qu. bearb., 1909, 78 f. 123 f. 231 ff.; – Paul Scherffig, Friedrich Myconius v. Lichtenfels, 1909; – Karl Schumacher, Zur Gesch. der Ref. u. Gg.ref. in Düsseldorf unter der Herrschaft der jülich-klev. Hzg., 1912; – Cajetan Schmitz, Der Observant J. H. v. Korbach. Mit bes. Berücks. des Düsseldorfer Rel.gesprächs v. 1527. Anh.: Neudr. der »Handlung u. Disputation« u. H.s »Antwort«, 1913; – Viktor Schultze, Der Bettelmönch J. H. aus Corbach, in: Gesch.bll. f. Waldeck u. Pyrmont 22, 1925, 63 ff.; – W. Kullmann, Lb. aus der Köln. Franziskanerprov., in: Rhenania Franciscana 8, 1937, 11 ff.; – Unsere Toten I, ebd., Sondernr., 1941, 24 f.; – NDB VIII, 479; – LThK V, 222 f.

HELLMUND, Egidius Günther, luth. Pfarrer, Pietist, * 6. 8. 1678 in Neunheiligen im Kreis Langensalza (?) als Sohn eines Schankwirts und Schmieds, † 6. 2. 1749 in Wiesbaden. – H. besuchte die Lateinschulen in Ebeleben und in Langensalza, das Gymnasium in Nordhausen und studierte in Jena und Halle/Saale. Die pietistischen Kreise um August Hermann Francke (s. d.) wurden entscheidend für sein ganzes Leben. 1700–07 war er Feldprediger auf den Kriegszügen in Italien, Thüringen, Bayern und am Oberrhein. H. wirkte dann als Pfarrer in Berka/Werra und seit 1708 in Daden bei Altenkirchen im Westerwald. 1711 wurde er nach Wetzlar berufen, entfaltete dort eine rege pietistische Tätigkeit und richtete in seinem Pfarrhaus Betstunden ein. Das führte zu heftigen Auseinandersetzungen und 1713 zu einer fast zweijährigen Amtsenthebung. Nach der Wiederaufnahme der Amtstätigkeit führte er um Rehabilitierung weitergehenden Kampf, der, Fürsten, Fakultäten, das Reichskammergericht und den Reichstag beschäftigte und schließlich sein Ende fand durch den Schutzbrief Kaiser Karls VII. Fürst Georg August von Nassau-Idstein, ein Freund Franckes, berief H. 1721 nach Wiesbaden als Inspektor und Oberpfarrer der Stadtkirche, bald auch Hofprediger. Er begründete ein Waisenhaus und ein kleines Lehrerseminar, einen Buchladen, eine Manufaktur und vor den Toren der Stadt eine Walk- und Schleifmühle.

Werke: Das Leben des Mannes Gottes Martin Luther, 1730; Luther purificatus, 1730; Decalogus Christianus oder Summa der Christl. Lehre, o. J. – Vollst. Verz. der Werke bei Conrady (s. Lit.).
Lit.: Johann Jacob Moser, Btr. zu einem Lex. der jetzt lebenden luth. u. ref. Theologen in u. um Dtld., Züllichau 1740–41; – Heydenreich, Gesch. des Wiesbadener Waisenhauses, 1799; – Friedrich Wilhelm Albrecht Frhr. v. Ulmenstein, topogr. Beschreibung der kaiserl. freien Reichsstadt Wetzlar, 3 Tle., 1802–10; – A. Wilhelmi, Nachr. über die allg. Waisenpflege im Hzgt. Nassau, 1837, 1 ff.; 1838, 1 ff.; – Max Goebel, Gesch. des christl. Lebens in der rhein.-westfäl. ev. Kirche II, 1852, 656 ff.; – Carl Georg Firnhaber, Die Nassauische Simultanvolksschule I, 1881, 94 f.; – Albrecht Ritschl, Gesch. des Pietismus, 1884; – Karl Menzel, Gesch. v. Nassau, 1889; – L. Conrady, E. G. H., Wiesbadener ev. Prediger. Ein Lb. nach den Qu., in: Annalen des Ver. f. nassauische Altertumskunde u. Gesch.forsch. 41, 1912, 182–324; – Arbeiten z. Gesch. des Pietismus. Hrsg. v. Kurt Aland u. Martin Schmidt, 1967; – Martin Schmidt, Wiedergeburt u. neuer Mensch, Ges. Stud. z. Gesch. des Pietismus, 1969; – NDB VIII, 486 f.; – RGG III, 212 f.

HELM, Heinrich, Franziskaner, Kontroversprediger und -schriftsteller, * in Halberstadt, † 6. 2. 1560 (Jahr unsicher). – H. schloß sich in Brühl den Franziskanerobservanten an und bekämpfte von dort aus als Kölner Domprediger und als Kontroverstheologe die Reformation, besonders Martin Luther (s. d.), Philipp Melanchthon (s. d.) und Martin Bucer (s. d.). Er war 1545–51 als Provinzial der Sächsischen Franziskanerprovinz bemüht, die Klöster vor dem Untergang zu retten, und unterstützte seit 1547 Herzog Heinrich II. von Braunschweig bei der Wiedereinführung des Katholizismus.

Werke: Tomi quinque Homiliarum in Evangelia et omnes Epistolas canonicas, Köln 1550 u. ö.; De verbo Dei libri tres, Paris 1553 u. ö.; Captivitas Babylonica Martini Lutheri dissoluta, ebd. 1553 u. ö.; Enchiridion de vera et perfecta impii iustificatione, Köln 1554; In Evangelia Quadrigesimalia, Paris 1556; Passio Jesu Christi secundum quattuor Evangelistas in monotesseram comportata, Köln 1557 u. ö.

Lit.: Patricius Schlager, Gesch. der köln. Franziskaner-Ordensprov. während des Ref.zeitalters. Nach meist ungedr. Qu. bearb., 1909, 54. 58 f. 86. 263 ff. – Leonhard Lemmens, Notulae. Briefe u. Urkk. des H.s, in: Btrr. z. Gesch. der Sächs. Franziskanerprov. 4–5, 1911/12, 43–100, bes. 86. 90. 95. 97; – Unsere Toten, in: Rhenania Franciscana 2, 1941, 26 f.; – HN II, 1433; – LThK V, 223 f.; – NDB VIII, 491.

HELMBOLD, Ludwig, Kirchenliederdichter, * 13. 1. 1532 in Mühlhausen (Thüringen) als Sohn eines Wollenwebermeisters, † daselbst 8. 4. 1598. – H. studierte in Leipzig und Erfurt und wurde 1550 in seiner Vaterstadt Schulvorsteher. Er kehrte 1552 zum weiteren Studium nach Erfurt zurück und wurde 1554 Magister und 1562 Konrektor am dortigen Pädagogium, das aber wie auch die Universität 1563 wegen einer furchtbaren Pest geschlossen wurde, so daß er seine Vaterstadt aufsuchte. H. wurde 1565 in Erfurt Dekan der Philosophischen Fakultät und 1566 auf dem Reichstag zu Augsburg von Maximilian II. mit dem Dichterlorbeer gekrönt. Durch sein offenes Bekenntnis zum evangelischen Glauben zog er sich die Feindschaft der katholischen Partei zu; es gelang ihr, ihn 1570 aus Erfurt zu verdrängen. H. kehrte nach Mühlhausen zurück und widmete sich nun in bitterer Armut dem theologischen Studium. Er wurde 1571 Lehrer, kurz darauf Diakonus und 1586 Superintendent in Mühlhausen. – H. dichtete für die studierende Jugend, meist in der lateinischen Sprache: Monostichen oder Hexameter über den Inhalt eines jeden einzelnen biblischen Kapitels, Distichen zu den sonntäglichen Evangelien und Episteln, Oden über die Schöpfungswoche und einzelne Schöpfungswerke, Oden über Luthers Katechismus; er brachte die ganze Augsburger Konfession in Verse. Johannes Eccard (s. d.) und Joachim a Burgk (s. d.) schufen zu vielen lateinischen und deutschen Dichtungen die Weisen. – Während der Pest in Erfurt 1563 dichtete H. »Von Gott will ich nicht lassen, denn er läßt nicht von mir« (EKG 283). Das Lied erschien als Einzeldruck ohne Namen des Dichters. Aber Johann Christoph Olearius (s. d.), der es 1719 neu herausgab, bürgt uns für H.s Urheberschaft. Bekannt ist auch das »Danklied, nach essens, vnd sunst fur allerley Wohltaten Gottes«: »Nun laßt uns Gott dem Herren Dank sagen und ihn ehren für alle seine Gaben, die wir empfangen haben« (EKG 227). Erwähnt sei auch sein Weihnachtslied »Nun ist es Zeit, zu singen hell: Geboren ist Immanuel«.

Werke: Geistl. Lieder, 1575 (1589²; 60); 20 dt. Liedlein, 1575; Crepundia sacra oder christl. Liedlein, 1578 (1626⁵; 9 lat. u. 12 dt. Gesänge); Vom hl. Ehestande, 1583 (1595²; 40); 30 geistl.

Lieder auf die Feste durchs J., 1585 (1628⁴); Odae sacrae, 1587 (1626²; 40); Offb. der Jesuiter (theol. Streitschr.), Mühlhausen 1593; Schöne geistl. Lieder über alle Evangelia, hrsg. v. Benjamin Starke, 2 Tle., 1615 (202 u. 45). – Wackernagel I, Nr. 552 bis 568 = S. 313–320 (lat. Texte); IV, Nr. 903–1008 = S. 630 bis 691 (dt. Texte).

Lit.: Wilhelm Thilo, L. H. nach Leben u. Dichten. Zur Vergegenwärtigung seines ev.-geistl. Werdens u. Wirkens, so wie z. Erg. der Lit.-, Kirchen-, Schul- u. Sittengesch. im Jh. der Ref. Nach den Qu., 1851 (1856²); – Hermann Bernhard Arthur Prüfer, Unterss. über den außerkirchl. Kunstgesang in den ev. Schulen des 16. Jh.s (Diss. Leipzig), 1890; – Kl. Löffler, Magister H. wider die Jesuiten, in: Mühlhäuser Gesch.bll. 5, 1904, 59 ff.; – Festschr. z. 350j. Jub. des Kgl. Gymnasiums zu Erfurt I, 1911, 8; – Herbert Birtner, Joachim a Burck als Motettenkomponist (Diss. Leipzig), 1924; – Ders., Btr. z. Gesch. der prot. Musik im 16. Jh., dargest. v. Joachim a Burck, in: ZfMw 10, 1927/28, 457 ff.; – K. Schulz, L. H.s Hochzeits-Carmina als Qu. f. die Familienforsch., in: Mühlhäuser Gesch.bll. 28, 1929, 244 ff.; – Johannes Biereye, Einiges aus Erfurt über L. H., ebd. 31, 1932, 251 ff.; – Fred Fischer, L. H. zum seinem 400. Geb., ebd. 147 ff.; – Arnold Erich Berger, Das ev. Gemeindelied u. seine geistesgeschichtl. Bedeutung, in: Dt. Lit. in Entwicklungsreihen. R. Ref., IV: Lied-, Spruch- u. Fabeldichtung im Zeitalter der Ref., 1938; – Günther Kraft, Die thüring. Musikkultur um 1600. 2. Tl.: Johann Steuerlein (Diss. Jena), 1940; – Otto Michaelis, L. H. Zu seinem 350. Todestag, in: Glaube u. Heimat. Ev. Sonntagsbl. f. Thüringen 3, Jena 1948, Nr. 17/18, S. 4; – Hans Joachim Moser, Die ev. Kirchenmusik in Dtld., 1954; – Siegfried Fornaçon, L. H. »Von Gott will ich nicht lassen«, in: MuK 25, 1955, 66 ff.; – Wilhelm Martin Luther, Joachim Burck, in: MGG II, 471 ff.; – Adam Adrio, Johannes Eccard, ebd., III, 1068 ff.; – Koch II, 234 ff. 355 f.; – Hdb. z. EKG II/1, Nr. 66 = S. 100 f.; – MGG VI, 122 f.; – Riemann I, 766; ErgBd. I, 521; – Goedeke II, 195 f.; – Kosch, LL II, 921; – Schottenloher I, Nr. 8168–8171; – EKL II, 106 f.; – RGG III, 213; – ADB XI, 701 f.; – NDB VIII, 492 f.

HELMER, Gilbert, Prämonstratenser Abt von Tepl, * 2. 1. 1864 in Schrickowitz (Westböhmen) als Sohn eines Müllers, † 1. 3. 1944 im Stift Tepl. – H. trat 1884 in das Prämonstratenserkloster in Tepl (Erzdiözese Prag) ein, studierte in Innsbruck Theologie und Germanistik und wurde 1894 Professor am Staatsgymnasium in Pilsen und 1900 Abt des Stiftes Tepl. Er trat 1901 als Mitglied der Partei des verfassungstreuen Großgrundbesitzes in den böhmischen Landtag ein, wurde 1905 zum Mitglied des Herrenhauses des österreichischen Reichsrats ernannt und kam 1928 in die Landesvertretung der sudetendeutschen Christlichsozialen in Prag. H. veranlaßte den Neubau der Stiftsbibliothek mit Prunksaal und Museum (1903–05) und die Restaurierung mehrerer Patronatskirchen. Er förderte die Landwirtschaft und kulturelle, humanitäre und karitative Einrichtungen. Für den Prämonstratenserorden erwarb H. 1921 das säkularisierte Kloster Speinshart (Oberpfalz) zurück. Er wurde 1927 Vertreter des Generalabts (Generalvikar) für die Klöster in der Tschechoslowakei und Definitor des Ordens. – H. war durch privates Weiterstudium ein Kenner der altgermanischen Dialekte. Er hat sich in die Probleme der im Stift Tepl aufbewahrten mittelhochdeutschen Übersetzung des Neuen Testaments, des als »Codex Teplensis« (Ende des 14. Jahrhunderts) bekannt, vertieft.

Werke: Sprache, Stil u. Metrik des jungen Schiller in der Anthologie (Diss.), 1893; Zur Syntax Hugos v. Montfort. Das Verbum, Pilsen 1897.

Lit.: Festschr. z. 25j. Abtfeier Dr. G. H., Marienbad 1925; – Vinzenz Oskar Ludwig, Abt G. H. Ein Lb. aus unseren Tagen, 1954; – Kosch, KD 1499; – ÖBL II, 268 f.; – NDB VIII, 493 f.

HELMOLD, Pfarrer in Bosau am Ostufer des Plöner Sees (Holstein), Verfasser der »Cronica Slavorum«, * um 1120; † nach 1177. – H. stammt wohl aus dem nordwestlichen Vorland des Harzes und kam in jungen Jahren nach Holstein, wo er 1134–38 im Gebiet von Segeberg lebte. H. besuchte die Schule des Blasiusstifts in Braunschweig, trat um 1143 in das Augustinerchorherrenstift in Neumünster (Holstein) ein und wurde hier Diakon. Nach 1156 wirkte er als Pfarrer in Bosau. – H. ist bekannt durch seine umfangreiche und zuverlässige »Slawenchronik«. Er schildert in ihr die Christianisierung der östlich der unteren Elbe wohnenden Westslawen von Karl dem Großen (s. d.) bis um 1170 und die Eindeutschung Ostholsteins bis zur Zeit Heinrichs des Löwen. Das Werk, das von Arnold von Lübeck (s. d.) 1171–1209 fortgesetzt wurde, ist eine hervorragende Quelle für die Kenntnis der Anfänge der ostdeutschen Siedlung.

Werke: Cronica Slavorum, 2 Bücher, geschr. 1167–72, hrsg. v. Bernhard Schmeidler, in: MG SS rer. Germ., 1937³; dt. v. dems., in: GDV 56, 1910; neue Ausg. mit Übers. v. Heinz Stoob, in: Ausgew. Qu. z. dt. Gesch. des MA, mit Einf. v. Anton Ritthaler u. Nachw. des Übers., 1964.

Lit.: Bernhard Schmeidler, H. u. seine Cronica Slavorum, in: Zschr. des Ver. f. Lübeck. Gesch. u. Altertumskunde 14, 1912, 185 ff.; – Ders., Über die Glaubwürdigkeit H.s u. die Interpretation u. Beurteilung ma. Gesch.schreiber, in: NA 50, 1933, 320 ff.; – Dmitrij Nikolaus Jegorov, Die Kolonisation Mecklenburgs im 13. Jh., Moskau 1915 (russ.); dt. 2 Bde., Breslau 1930 (I: Material u. Methode. Übers. v. Harald Cosack. II: Der Prozeß der Kolonisation. Übers. v. Georg Ostrogorsky); – H. F. Schmid, Die slav. Altertumskunde u. die Erforsch. der Germanisation des dt. Nordostens, in: Zschr. f. slav. Philologie 1, 1924, 396–415; 2, 1925, 134–180 (ausführl. Inhaltsangabe u. Besprechung des Buches v. Jegorov); – F. J. Tschan, H.: Chronicler of the North Saxon Missions, in: CHR 16, 1931, 379 ff.; – Hans Witte, Jegorovs Kolonisation Mecklenburgs im 13. Jh. Ein krit. Nachw., 1932; – Francis Dvornik, The Slavs: their early history and civilization, Boston 1956, 297 ff. 305. 309; – Biogr. Wb. z. dt. Gesch. I², 1973, 1104 f.; – Manitius III, 493 ff.; – VerfLex II, 389 f.; – ADB XI, 702 f.; – NDB VIII, 502; – LThK V, 224; – NCE VI, 1013; – RE VII, 640 f. – RGG III, 213.

HELT, Georg, luth. Humanist, * etwa 1485 in Forchheim bei Bamberg, † 6. 3. 1545 in Dessau. – H. studierte seit 1501 in Leipzig Artes und Theologie und promovierte dort 1502 zum Bakkalaureus, 1505 zum Magister und 1515 zum Sententiarius theologiae. Er war seit 1518 Mentor des 1516 in den geistlichen Stand getretenen Fürsten Georg von Anhalt (s. Georg III. von Anhalt-Dessau) und empfing mit ihm 1520 die niederen Weihen. Bis zu seinem Tod gehörte H. als väterlicher Freund und Berater zu Georgs nächster Umgebung in Dessau. Im Anschluß an die Leipziger Disputation von 1519 wurde dort eine interne Theologendisputation durchgeführt, auf der er Johann Eck (s. d.) respondierte. Nach langer innerer Prüfung bekannte sich H. zum evangelischen Glauben und stand seit spätestens 1531 mit den Wittenberger Reformatoren in Verbindung. 1532–35, 1541/42 und 1543/44 hielt sich H. in Wittenberg auf, wo er 1532 immatrikuliert wurde. 1537 unterzeichnete H. auf dem Bundestag zu Schmalkalden – obwohl kein Geistlicher – als Vertreter der Geistlichkeit von Anhalt-Dessau den »Tractatus de potestate papae« von Philipp Melanchthon (s. d.) und die »Schmalkaldischen Artikel« von Martin Luther (s. d.).

Lit.: ZHTh 42, 1872, 537; – Carl Krause, Helius Eobanus Hessus I, 1879, 118; – Georg Buchwald, Zur Wittenberger Stadt- u. Univ.-Gesch. in der Ref.zeit, 1893, 53 f.; – Ders., G. H.s Wittenberger Predigttgb., in: ARG 17, 1920, 183 ff. 241 ff.; – Ders., Die Matrikel des Hochstifts Merseburg, 1926, 140; – G. H.s Briefwechsel, hrsg. v. Otto Clemen, 1907; – Ders., Gebete der Fürstin Margarete v. Anhalt-Dessau, in: Mitt. des Ver. f. Anhalt. Gesch. u. Altertumskunde 13, II, 1919, 1 ff.; – Ernst Kroker, Aufss. z. Stadtgesch. u. Ref.gesch., 1929, 2 f.; – Franz Lau, Georg III. v. Anhalt. Erster Ev. Bisch. v. Merseburg, in: WZ Leipzig 3, 1953/54, bes. 140 ff.; – R. Klauser, Unbekannte fränk. Humanisten. G. H. aus Forchheim u. Esrom Rüdinger aus Bamberg, in: Fränk. Bll. 7, 1955, 47 f. 66 ff.; – Hans Volz u. Heinrich Ulbrich, Urkk. u. Aktenstücke z. Gesch. v. Martin Luthers Schmalkald. Artikeln. Hrsg. u. erl., 1957, 109. 123. 125; – Schottenloher I, Nr. 8173–8176; III, Nr. 46746; – ADB XI, 713; – NDB VIII, 507 f.; – RGG III, 217.

HELVIDIUS, Laie in Rom im 4. Jahrhundert. – H. schrieb etwa 380 eine verlorene Abhandlung gegen die Lehre von Marias Jungfräulichkeit post partum: Maria habe nach der Geburt des Herrn in ehelicher Gemeinschaft mit Joseph gelebt und Söhne und Töchter geboren. Hieronymus (s. d.) widerlegte ihn 383 in der Schrift »Adversus Helvidium de Mariae virginitate perpetua« (MPL 23, 183–206).

Lit.: F. A. v. Lehner, Die Marienverehrung in den ersten Jhh., 1886², 104 ff.; – Wilhelm Haller, Jovinianus. Die Fragmente seiner Schrr., die Qu. zu seiner Gesch., sein Leben u. seine Lehre zus.gest., erl. u. im Zshg. dargest., 1897; – Georg Grützmacher, Hieronymus I, 1901, 269 ff.; – Johannes Niessen, Die Mariologie des hl. Hieronymus. Ihre Qu. u. ihre Kritik (Diss. Münster), 1913, 166 ff.; – L. J. Tixeront, Histoire des dogmes dans l'antiquité chrétienne II, Paris 1930¹¹, 243 f.; – J. F. de Groot, Conspectus Historiae dogmatum I, Rom 1931, 432; – Marcel Viller u. Karl Rahner, Aszese u. Mystik in der Väterzeit. Ein Abriß, 1939, 181; – G. Jouassard, La Personnalité d'H., in: Mélanges J. Saunier, in: Bibliothèque de la Faculté Catholique des Lettres de Lyon 3, 1944, 139 ff.; – Kath. Marienkunde. Hrsg. v. Paul Sträter, I, 1952², 158. 167 f.; – Maria. Études sur la Sainte Vierge. Sous la direction d'Hubert Du Manoir I, Paris 1952, 106 f.; – Bardenhewer III, 631; – DThC VI, 2141 ff.; – LThK V, 225 f.; – ODCC² 631; – RE VII, 654 f.; – RGG III, 217.

HELWIG (Helwich, Helvicus), Christoph, einer der ersten Pädagogen und Didaktiker des 17. Jahrhunderts, * 26. 12. 1581 als Pfarrerssohn in Sprendlingen bei Frankfurt am Main, † 10. 9. 1617 in Gießen. – H. bezog bereits 1593 die Universität Marburg, erwarb im 18. Lebensjahr die Magisterwürde und war um 1600 Stipendiatenmajor. Er wurde 1605 Professor des Hebräischen und Griechischen an dem »Gymnasium illustre« in Gießen und 1610, nachdem das Gymnasium 1607 in eine Universität umgewandelt worden war, Professor der Theologie und des Hebräischen. Da er das Hebräische wie seine Muttersprache redete, wurde H. 1612 anläßlich der Judenverfolgung in Frankfurt am Main auf Wunsch des Rats dorthin beurlaubt, um mit den Juden aus ihren Büchern hebräisch zu disputieren. Im Auftrag des Landgrafen Ludwig V. reiste H. 1613 zusammen mit seinem Gießener Kollegen Joachim Jungius (s. d.) nach Frankfurt am Main, um die Methode des Wolfgang Ratichius (s. d.) zu studieren und über dessen Reformvorschläge ein Gutachten abzugeben. H. beteiligte sich 1614/15 mit Ratichius und Jungius an der Reform des Schulwesens in Augsburg. Er überwarf sich mit dem ehrgeizigen Ratichius, führte aber trotzdem dessen neue Methode am Pädagogium in Gießen ein. – H. verfaßte Grammatiken der lateinischen, griechischen und hebräischen Sprache, schrieb über Dichtkunst und Geschichte und gab polemische Schriften gegen die Juden heraus.

Werke: Theatrum historicum et chronologicum s. Chronologiae Systema novum, 1609/10 (letzte Ausg. 1666/67); Kurzer Ber. v. der Didactica oder Lehrkunst Wolfg. Ratichii durch Christ. Helvicum u. Joach. Jungium, 1614; Libri didactici, grammaticae universalis, latinae, graecae, hebraicae et chaldaicae, una cum generalis didacticae, una cum generalis didacticae delineatione, 1619.

Lit.: Festschr. der Univ. Gießen I, 1907, 431b; II, 1907, 293 ff. (mit Bibliogr.); – Frankfurter Bll. f. Familiengesch., 1909, 65; – Euph 16, 1909, 18 f. 21; 17, 1910, 3. 27. 251 f.; – Bttr. z. hess. Schul- u. Univ.gesch., hrsg. v. Wilhelm Diehl u. August Messer, II, 1910, 144 f.; – MG Paedagogica XXVII. XXVIII. XXXIII; – Strieder V, 420 ff.; – RE VII, 654; – ADB XI, 715 ff.

HÉLYOT, Hippolyte (Taufname: Pierre), Franziskaner (seit 1683), theologischer Schriftsteller und Ordenshistoriker, * 1660 in Paris, † ebd. 5. 1. 1716. – Bekannt ist H. durch seine »Histoire des ordres monastiques ...«, eine umfassende Darstellung aller katholischen Ordensgemeinschaften.

Werke: Le chrétien mourant, Paris 1705; Histoire des ordres monastiques, religieux et militaires et les congrégations séculières, 5 Bde., Paris 1714–16 (fortges. v. seinem Ordensbruder Maximilien Bullot, VI–VIII, 1717–19; Neuaufl. u. d. T.: Dictionnaire des ordres religieux, v. Jacques-Paul Migne, 4 Bde., Paris 1847–59.
Lit.: Heribert Holzapfel, Hdb. der Gesch. des Franziskanerordens, 1909, 678 f.; – Heimbucher I, 50; II, 15; – HN IV, 903 f.; – DThC VI, 2144 ff.; – Catholicisme V, 594 f.; – DSp VII, 174 f.; – LThK V, 226; – NCE VI, 1014; – DSp VII, 174 f.; – RE VII, 655 f.; – RGG III, 217.

HEMMA (Emma) von Gurk, Heilige, * um 980 in Kärnten als Gräfin von Friesach-Zeltschlach, † 29. 6. 1045 in Gurk, beigesetzt 1174 in der Gurker Domkrypta. – H. war mit dem Grafen Wilhelm von der Sann verehelicht, wurde aber noch vor 1016 Witwe. Nach der Ermordung ihres Sohnes durch Bergknappen (1036) verwandte sie ihren Besitz in Kärnten, Steiermark und Krain für verschiedene Stiftungen, besonders für das Benediktinerinnenkloster Gurk (1043), nördlich von Klagenfurt, und das Benediktinerstift Admont im Ennstal (Nordsteiermark). H. wurde schon früh verehrt und 1287 seliggesprochen. Der Heiligsprechungsprozeß wurde 1466 begonnen und am 4. 1. 1938 durch Kultbestätigung abgeschlossen. Ihr Fest ist der 27. Juni.

Lit.: Jakob Wichner, Gesch. des Benediktinerstiftes Admont I, Graz 1874, 22 ff.; – August v. Jaksch, Gurker Gesch.qu. I, Klagenfurt 1896, 1 f.; – Alois Cigoi, Soz. Wirken der kath. Kirche in der Diöz. Gurk, Gurk 1896, 41; – Joseph Löw, S. H.büchlein, Klagenfurt 1931; – F. Steiner, H. (Diss. Innsbruck), 1935; – August Lamprecht, Hll. in Steiermark, Graz 1936, 12; – Positio super Casu excepto, Rom 1937; – Dolores Viesèr, H. v. G. Roman, 1938; – AAS 32, 1940, 309 ff.; – Ludwig Rosenberger, Bavaria sancta. Bayer. Hll.legende, 1948, 135; – Waldemar Posch, H. v. G., Gurk 1956; – Adalbert Krause, Die hl. H., Klagenfurt 1960; – Silvia v. Brockdorff, H. v. G., in: Die Hll. Hrsg. v. Peter Manns, 1975, 297 f.; – AS Jun. VII, 472 ff.; – VSB VI, 512 f.; – BS IV, 1197 ff.; – Wimmer³ 261; – Torsy 227; – Künstle 296; – Braun 768 f.; – Zimmermann II, 373; IV, 65; – Kosch, LL II, 923; – EC V, 310 f.; – Catholicisme V, 595; – LThK V, 227.

HEMMEL, Sigmund, Komponist, * wohl vor 1520, † Ende 1564 wahrscheinlich in Tübingen. – Spätestens seit 1544 war H. als Tenorist in der Stuttgarter Hofkapelle des Herzogs Ulrich von Württemberg (s. d.), dessen Nachfolger, Herzog Ulrich (s. d.), ihn 1551 zum Hofkapellmeister ernannte. – H. ist die bedeutende nachreformatorische Musikerpersönlichkeit am Stuttgarter Hof. Er schuf die erste vollständige Komposition der Psalmen in deutscher Sprache.

Werke: Der gantz Psalter Davids, wie derselbig in Teutsche Gesang verfasset, mit vier Stimmen kunstlich vnd lieblich von newem gesetzt, Tübingen 1569.
Lit.: Gustav Bossert, Die Hofkantorei unter Hzg. Christoph v. Württemberg, in: MfM 31, 1899, 1 ff. 17 ff.; – O. zur Nedden, Zur Frühgesch. der prot. Kirchenmusik in Württemberg, in: ZfMw 13, 1930/31, 309 ff.; – G. Uebele, Anfänge der prot. Kirchenmusik in Württemberg u. S. H.s Psalter, in: Württemberg. Bll. f. Kirchenmusik 1934, 142 ff.; – Hans Marquardt, Die Stuttgarter Chorbücher, unter bes. Behandlung der Messen. Stud. z. erhaltenen Tl. des Notenbestandes der württemberg. Hofkapelle des 16. Jh.s (Diss. Tübingen, 1937), 1936, 10 f. 33. 36 f. 72 f.; – Friedrich Blume, Gesch. der. Kirchenmusik, 1965² 31. 85. 370 f.; – v.Winterfeld I, 114. 210. 344 ff.; – MGG VI, 139 ff.; – Eitner V, 105; – Riemann I, 767; ErgBd. I, 514; – ADB XI, 720; – NDB VIII, 510.

HEMMERLI(N) (latinisiert: Malleolus), **Felix**, Reformtheologe, Frühhumanist, * 1388 oder 1389 in Zürich aus Zürcher Zunftmeistergeschlecht, † 1458 oder 1459 wahrscheinlich in Luzern. – Um das kanonische Recht zu studieren, wurde H. 1407 in Erfurt und 1408 in Bologna immatrikuliert und blieb dort bis 1412. 1413 promovierte er in Erfurt zum Baccalaureus in iure canonico und 1424 in Bologna zum Doctor iuris canonici. Sein Doktordiplom ist das älteste erhaltene

Bologneser Diplom. Seit 1412 besaß H. in Zürich am Großmünster eine Chorherrenpfründe und wurde 1428 Kantor. Er war 1421–52 Stiftspropst an St. Ursus in Solothurn und seit 1429 Kanonikus in Zofingen. H. besuchte das Konstanzer und 1432–35 das Baseler Konzil und war Mitglied des Ausschusses für kirchliche Reform. Auch als Propst und Chorherr bemühte sich H. in seinem Amtsbereich um innerkirchliche Reformbestrebungen. Damit zog er sich erbitterte Gegner zu, so daß schon 1439 ein Mordanschlag auf ihn verübt wurde. Solange Adel und Österreich in Zürich herrschten, blieb sein Einfluß im Stift und in der Bürgerschaft. Als Zürich 1450 wieder zu den Eidgenossen übertrat und Österreich aufgeben mußte, geriet H. wegen seiner österreichischen und aristokratischen Einstellung in politische Streitigkeiten. Bei einem Fastnachtbesuch der Eidgenossen im Februar 1454 verhaftete man ihn und brachte ihn in ein Gefängnis in einem bischöflichen Schloß nahe bei Konstanz. Nach einem Prozeß vor dem Generalvikar des Bischofs wurde er seiner Zürcher Ämter enthoben und schließlich dem Franziskanerkloster in Luzern zu lebenslänglicher Gefangenschaft übergeben. – H. vertrat die innerkirchlichen Reformbestrebungen, ist also kein Reformator im Sinn des 16. Jahrhunderts; er steht auf dem Boden des katholischen Dogmas. Von seinen Schriften sind mindestens 39 nachweisbar. Genannt sei »Liber de nobilitate«, eine Streitschrift zur Verherrlichung des Adels, ein Dialog zwischen einem Nobilis (Adliger) und einem Rusticus (Bauer).

Werke: Liber de nobilitate, Straßburg 1490; Contra validos mendicantes, Basel 1497 (gg. die vermögenden Bettler, eine Streitschr. nicht gg. die Bettelmönche, sondern gg. die Begarden, auch Lollarden gen.); Opuscula et tractatus, hrsg. v. Sebastian Brant, Basel 1497.
Lit.: Carl Waldner, F. M. Sein Leben u. seine Schrr., Freiburg/Breisgau 1828; – Balthasar Reber, F. H., Zürich 1846; – Friedrich Fiala, Dr. F. H. als Propst des Ursenstifts zu Solothurn, Solothurn 1857; – Albert Schneider, Der Zürcher Canonicus u. Cantor Magister F. H. an der Univ. Bologna, Zürich 1888; – Hermann Walser, Meister H. u. seine Zeit (Diss. Zürich), 1940; – Paul Bänziger, Btrr. z. Gesch. der Spätscholastik u. des Frühhumanismus in der Schweiz (Diss. Zürich), 1945, 37–55; – Leo Cunibert Mohlberg, Kat. der Hss. der Zentralbibl. Zürich I, Zürich 1951, XII f.; – Richard Feller u. Edgar Bonjour, Geschschreibung der Schweiz v. Spät-MA z. Neuzeit I, 1962, 68; – Ernst Furrer, Polyhistorie im alten Zürich, in: Vjschr. der Naturforschenden Ges. Zürich 110, 1965, H. 3, 372; – John Aidan Francis Thomson, The Later Lollards, London – Oxford 1965; – VerfLex II, 395 ff.; V, 370; – Kosch, LL II, 923; – KLL II, 217 f. (Contra validos mendicantes); IV, 1325 (Liber de nobilitate); – ADB XI, 721 ff.; – NDB VIII, 511 f.; – HBLS IV, 181; – RE VII, 656 ff.; – RGG III, 218; RGG III, 218; – LThK V, 227 f.; – ODCC² 631 f.

HEMMINGSEN, Niels, dänischer luth. Theologe, * 4. 6. oder 22. 5. 1513 in Errindler auf der Insel Laaland als Sohn eines Bauern, † 23. 5. 1600 in Roskilde. – H. studierte 1537–42 in Wittenberg bei Philipp Melanchthon (s. d.) und wurde 1543 in Kopenhagen Professor für Griechisch, 1545 für Dialektik und 1553 für Theologie und 1572 zum Vizekanzler der Universität ernannt. Im Auftrag Christians III. verfaßte er 1557 eine für alle Universitätsprofessoren bindende Bekenntnisschrift über die lutherische Abendmahlslehre und 1569 die 25 Religionsartikel, die alle Ausländer bei ihrer Niederlassung in Dänemark unterschreiben mußten. In den Abendmahlsstreitigkeiten der siebziger Jahre wurde H. auf Grund seiner Schrift »Syntagma« des Kryptocalvinismus beschuldigt. Er mußte am 6. 4. 1576 seine kryptocalvinistischen Auffassungen über das Abendmahl widerrufen, wurde schließlich am 29. 7. 1579 seines Amts entsetzt und erhielt ein Kanonikat in Roskilde. – H. gilt als der bedeutendste evangelische Theologe Dänemarks im 16. Jahrhundert und wegen seiner Verdienste um das Schulwesen als »praeceptor Daniae«.

Werke: De methodiis, 1555; Enchiridion theologicum, 1577; lat. Evv.postille, 1562; Pastor (ine Pastoraltheol.), 1562; De lege naturae, 1562; Syntagma institutionum Christianarum, 1574. – Opuscula theologica, Genf 1586.

Lit.: J. H. Paulli, N. H.s Pastoraltheol., Kopenhagen 1851; – L. N. Helveg, Dan danske Kirkes Historie efter Reformationen I, Kopenhagen 1857, 157 ff.; – Holger Frederik Rørdam, II, 1868 bis 1869, 425 ff.; – Kjell Barnekow, N. H.s teologiska åskådning; en dogmhistorisk studie (Diss. Lund), Kopenhagen 1940; – Johannes Oskar Andersen, Om N. H.s teologi, in: KÅ 41, 1942, 108–131; – Erik Munch Madson, Om Forholdet mellem N. H.s Enchiridion theologicum og Melanchtons Loci communes, in: DTT 5, 1942, 137–151. 215–232; – Ders., N. H.s Ethik, Kopenhagen 1946; – Hal Koch – Bjørn Stigård Kornerup, Den danske kirkes historie IV, Kopenhagen 1959, 138 ff.; – RE VII, 659 ff.; – RGG III, 218; – DBL X, 52 ff.; – LThK V, 228; – NCE VI, 1016; – Nordisk Teologisk Leksikon I, 1952, 1294 ff.

HEMPEL, Johannes, ev. Theologe, * 30. 7. 1891 als Pfarrerssohn in Bärenstein bei Dresden, † 9. 12. 1964 in Göttingen. – H. wuchs in Dippoldiswalde auf und besuchte das Kreuzgymnasium in Dresden. Er studierte 1910–14 an der Theologischen und Philosophischen Fakultät in Leipzig. Von seinen Lehrern seien vor allem Rudolf Kittel (s. d.) und Nathan Söderblom (s. d.) genannt. H. promovierte 1914 zum Dr. phil. Es folgten Jahre des Kriegsdienstes und der Gefangenschaft in Frankreich. So konnte er erst im Sommer 1919 wieder zur wissenschaftlichen Arbeit zurückkehren. Anfang 1920 übernahm H. eine Assistentenstelle in Halle/Saale, promovierte im März 1920 zum Lic. theol. und habilitierte sich im Oktober des gleichen Jahres für die alttestamentliche Wissenschaft in Halle. 1924 wurde er zum ao. Professor ernannt, 1928 als Nachfolger von Alfred Bertholet (s. d.) zum o. Professor nach Göttingen und 1937 wieder als Bertholets Nachfolger nach Berlin berufen. Von dem hohen Ansehen, dessen er sich schon damals bei den Vertretern der alttestamentlichen Wissenschaft in aller Welt erfreute, zeugt die Tatsache, daß H. 1927 von der »Society for Old Testament Study« und 1933 von der »Society for Biblical Literature« zum Ehrenmitglied ernannt wurde. Mit Friedrich Stummer (s. d.) und Paul Volz (s. d.) veranstaltete H. im September 1935 in Göttingen den ersten internationalen Alttestamentlerkongreß auf deutschem Boden. 1935 wurde er Mitglied der Akademie der Wissenschaften in Göttingen. Nach dem Tod von Hugo Greßmann (s. d.) vertraute man ihm die Herausgeberschaft der »Zeitschrift für die alttestamentliche Wissenschaft« an, die bis zum Beginn des zweiten Weltkrieges das international führende Organ im Bereich der alttestamentlichen Wissenschaft war. Mit Kriegsbeginn meldete sich H. als Militärgeistlicher zur Truppe. Nach Jahren des Militärdienstes in Frankreich, Rußland und Norwegen erlebte er den Zusammenbruch von 1945 in einem Lazarett an der Nordseeküste. Etwas später trat H. im Salzgittergebiet in den aktiven Pfarrdienst der Braunschweigischen Landeskirche. In den Nachtstunden lebte er neben der großen Gemeindearbeit dem Alten Testament. 1955 wurde H. Honorarprofessor in Göttingen. Die Verleihung der Rechte eines Emeritus an der Göttinger Theologischen Fakultät erlaubte ihm 1958, sich ganz aus der Gemeindearbeit zu lösen,

nach Göttingen überzusiedeln und sich hier auf seine wissenschaftliche Arbeit zu konzentrieren.

Werke: Die Schichten des Dtn. Ein Btr. z. israel. Lit- u. Rechtsgesch. (Diss. phil. Leipzig), 1914; Unterss. z. Überl. v. Apollonius v. Tyana (Diss. theol. Halle, 1920), Stockholm 1921; Gebet u. Frömmigkeit im AT, 1922; Hebr. Wb. z. Jes, 1924 (1965³); Der at. Gott. Sein Gericht u. sein Heil, 1926; Gott u. Mensch im AT. Stud. z. Gesch. der Frömmigkeit, 1926 (1936²); AT u. Gesch., 1930; Die althebr. Lit. u. ihr hellenist.-jüd. Nachleben, 1934; Die Mehrdeutigkeit der Gesch. als Problem der prophet. Theol., 1936; Das Ethos des AT, 1938 (1964²); Worte der Propheten. in neuer Übertr. u. mit Erll., 1949; Glaube, Mythos u. Gesch. im AT, 1954; Das Bild in Bibel u. Gottesdienst, 1957; Heilung als Symbol u. Wirklichkeit im bibl. Schr.tum, 1958 (1965², durchges. u. um Nachtrr. u. Reg. erw.); Unterwegs. Göttinger Akad. Predigten, 1961; Apoxysmata. Vorarbb. zu einer Rel.gesch. u. Theol. des AT. Festg. z. 30. 7. 1961, 1961; Die Texte v. Qumran in der heut. Forsch. Weitere Mitt. über Text u. Ausl. der am Nordwestende des Toten Meeres gefundenen hebr. Hss., 1962; Gesch.n u. Gesch. als Problem im AT bis z. pers. Zeit, 1964. – Gab heraus: ZAW, 1927–44 (allein), 1945–59 (gemeinsam mit Otto Eißfeldt). – Bibliogr., in: ThLZ 76, 1951, 501–506; 87, 1962, 395–398.

Lit.: Georg Fohrer, J. H. †, in: ZAW 77, 1965, I–III; – Walther Zimmerli, J. H., in: Jb. der Akad. der Wiss.en in Göttingen, 1965, 62 ff.; u. in: ZAW 78, 1966, I–XI.

HENDERSON, Alexander, schottischer Theologe, * 1583 (?) in Criech (Fiveshire), † 19. 8. 1646 in Edinburgh. – G. studierte seit 1599 in St. Salvator's College in St. Andrew und lehrte dort seit 1610 an der Universität Rhetorik und Philosophie. Als Anhänger der bischöflichen Staatskirche wurde er 1612 der presbyterianischen Gemeinde Leuchars als Pfarrer aufgezwungen. Der Einführung des »Bekehrungspastors« setzte das Dorf die Gewalt entgegen. Im Verlauf jahrelanger erbitterter Reibungen brach H. mit den bischöflichen Anschauungen über Kultus, Verfassung und Regiment der Kirche zugunsten der presbyterianischen und wurde ein überzeugter Presbyterianer. Nach einem Jahrzehnt der Stille und theologischen Vertiefung vertrat er die kirchlichen Forderungen seines Volks mit Nachdruck, Schärfe und wachsendem Erfolg gegen die auch nach Schottland vordringenden kirchlichen Bestrebungen Jakobs I. und Karls I. 1639 wurde H. Pfarrer in Edinburgh und seit 1640 bis zu seinem Tod Rektor der Universität. – H. war Führer der schottischen Presbyterianer im Kampf gegen die Anglikaner und einflußreiches Mitglied der »Westminster Synode« von 1643. Er gilt als der »zweite Gründer der reformierten Kirche Schottlands«.

Lit.: John Aiton, The Life and Times of A. H., Edinburgh 1836; – Thomas MacCrie and Thomas Thomson, Lives of A. H. and James Guthrie, ebd. 1846, 1–140; – G. Webster Thomson, A. H. A Biography, ebd. 1883; – James Pringle Thomson, A. H., the Covenanter, ebd. u. London 1912; – Robert Low Orr, A. H. Churchman and Statesman, London 1919; – James Bell Salmond – George Herbert Bushnell, H.'s Benefaction, St. Andrews 1942; – DNB (Neudr. 1949/50) IX, 390 ff.; – RE VII, 662 ff.; – RGG III, 219; – ODCC² 632.

HENDERSON, Ebenezer, schottischer Missionar und theologischer Lehrer, * 17. 11. 1784 in Linn bei Dumferline (Schottland) in ärmlichen Verhältnissen, † 17. 5. 1858 in Mortlake bei London. – H. wurde 1803 bis 1805 im Predigerseminar des Robert Haldane (s. d.) in Edinburgh ausgebildet und dazu ausersehen, den Missionar John Paterson (s. d.) nach Ostindien zu begleiten. Da die »East India Company« sich daran hinderte, reisten beide nach Dänemark, um auf einem dänischen Schiff über Trankebar in das indische Hinterland einzudringen. Es bot sich ihnen aber keine Möglichkeit, das Ziel ihrer Wünsche zu erreichen. H. blieb in Dänemark und erlernte die dänische Sprache. Zur Hauptaufgabe seines Lebens wurde ihm die Verbreitung der Bibel in den nordischen Reichen Europas. Im Lauf der Jahre erlernte er bei seiner großen Sprachbegabung die übrigen nordischen Sprachen: Schwedisch, Norwegisch, Finnisch, Isländisch, Polnisch und Russisch. H. unternahm in Verbindung mit »The British and Foreign Bible Society« 1807–08 Reisen nach Schweden und Lappland, 1814–15 nach Island und Dänemark, 1816 nach Pommern und 1818 mit Paterson durch Rußland bis nach Tiflis. Fürst Alexander Gallitzin gewann ihn für seine russische Bibelgesellschaft, für die H. die Bibel in verschiedene russische Mundarten übersetzte. 1825 wurde er theologischer Lehrer an der »Gosport Missionary Academy« in Hoxton und war 1830–50 Professor der orientalischen Sprachen am kongregationalistischen Highbury-College. H. lebte im übrigen seinen wissenschaftlichen Studien und entfaltete bis 1850 eine erfolgreiche Gelehrtentätigkeit. 1852–53 verwaltete er vorübergehend ein Pfarramt in Mortlake bei London. – H.s Gaben lagen auf sprachwissenschaftlichem Gebiet. Für seine Evangelisationsarbeit und seine Verdienste um das nordische Sprachidiom verlieh ihm 1840 die Theologische Fakultät der Universität Kopenhagen die Ehrendoktorwürde, nachdem die Universität Kiel ihm schon 1816 den philosophischen Ehrendoktor erteilt hatte. Die Traktatgesellschaft in London ernannte ihn auf Lebenszeit zu ihrem Ehrensekretär, die Britische Bibelgesellschaft zu ihrem Ehrendirektor, »mit Rücksicht auf die erfolgreiche Durchführung der Ziele, die die Gesellschaft mit Bezug auf die nordischen Reiche verfolgte«.

Werke: Iceland, or the Journal of a Residence in that Isle, 1815; Biblical Researches and Travels in Russia, 1826; The Great Mystery of Godliness, 1830; Divine Inspiration, 1836 (1852²); Überss. u. Komm.e zu at. Propheten, 1840–57; The Vaudois, 1845.

Lit.: Tulia Susannah Hendersohn (H.s Tochter), Memoir of E. H., London 1859; – Congregational Year Book, 1859, 200 f.; – William Canton, A History of the British and Foreign Bible Society I, London 1904, 164 ff. 200 ff. 390 ff.; – DNB XXV, 397 f.; – RE VII, 668 f.; – RGG III, 219.

HENGSTENBERG, Ernst Wilhelm, Theologe, * 20. 10. 1802 in Fröndenberg (Grafschaft Mark) als Sohn des reformierten Pfarrers Johann Heinrich Karl Hengstenberg (s. d.), † 28. 5. 1869 in Berlin, beigesetzt in Radensleben bei Herzberg (Mark). – Seine Kindheit und Jugend verlebte H. seit 1808 in Wetter (Ruhr). Ein Gymnasium hat er nie besucht. Der als Pädagoge bedeutende Vater unterrichtete ihn selbst. H. bezog im Herbst 1819 die Universität Bonn und widmete sich zunächst philosophischen und besonders orientalischen Studien, wandte sich aber dann ausschließlich der Theologie zu. 1823 promovierte er zum Dr. phil. Während eines Aufenthalts in Basel 1823/24 bei Johann Jakob Stähelin (s. d.) als Lehrer für Arabisch drang H. in Krankheit und Leid zum lebendigen Glauben durch. 1824 habilitierte er sich in Berlin als Privatdozent in der Philosophischen Fakultät, promovierte 1825 zum Lic. theol. und wurde 1826 ao. und 1828 o. Professor für Altes Testament. – H. stand in enger Beziehung zu August Tholuck (s. d.), August Neander (s. d.) und vielen bürgerlichen und adeligen Vertretern der preußischen Erweckungsbewegung. Er gründete 1827 gegen den Rationalismus die »Evangelische Kirchenzeitung«, die dann auch in allen kirchenpolitischen Fragen eine wichtige Rolle spielte. Als ihr Schriftleiter hat H. mehr als von seinem Katheder aus

und mehr als durch seine wissenschaftlich-theologischen Schriften für die Entwicklung der kirchlichen Lehre und des kirchlichen Lebens, zumal in der preußischen Landeskirche, gewirkt und seine tiefgreifende Bedeutung erlangt. Sein wissenschaftliches Arbeitsfeld war das Alte Testament, das er in allen seinen Teilen als Gottes Wort ansah und als solches auch mit allem Eifer verteidigte.

Werke: Christologie des AT, 3 Bde., 1829–35 (1854–57²); Btrr. z. Einl. ins AT, 3 Bde., 1831–39; Komm. über die Pss, 4 Bde., 1842–47 (1849–52²); Gesch. des Reiches Gottes unter dem Alten Bunde, 2 Bde., 1869–71.

Lit.: Adolf Müller, H. u. die Ev. Kirchenztg., 1857²; – Joseph Edmund Jörg, Gesch. des Prot. I, 1858, 22 ff.; – Ferdinand Christian Baur, KG des 19. Jh.s, 1862, 228 ff.; – Karl Friedrich August Kahnis, Zeugnis v. den Grundwahrheiten des Prot. gg. Dr. H., 1862; – Ders., Ev. Kirchenztg., 1869, 417 ff.; – Ders., Der innere Gang des dt. Prot., 1872, 208 ff.; – Karl Schwarz, Zur Gesch. der neuesten Theol., 1864³, 58 ff.; – Schmieder, H., in: Ev. Kirchenztg. 1869, 737 ff.; – Johann Bachmann u. Theodor Schmalenbach, E. W. H. nach seinem Leben u. Wirken, 3 Bde., 1876–92; – Max Lenz, Gesch. der Univ. Berlin II/1, 1910, 327 ff.; II/2, 1918, 117 f. 280 u. ö.; – Gottlieb Nathanael Bonwetsch, Heinrich Leo in seinen Briefen an H., in: NGG 1917, 349 ff. 499 ff.; – Aus 40 J. dt. KG. Briefe an E. W. H., hrsg. v. dems., in: BFChTh 22, 1917; 24, 1919; – Ders., Aus Tholucks Anfängen, 1922, 113 ff. (Briefe v. H. an Th.); – Wilhelm Zoellner, E. W. H., in: Westfäl. Lb. III, 1934, 62 ff.; – W. Möller, Ein Wort z. Gedächtnis an E. W. H., in: Nach dem Gesetz u. Zeugnis. Organ des Bibelbundes 38, 1938, 142 ff.; – K. Range, E. W. H. im Gesamtzshg. der Theol. u. seine Bedeutung f. die Kirche zumal in der Ggw., ebd. 158 ff.; – Franz Schnabel, Dt. Gesch. im 19. Jh. IV: Die rel. Kräfte, 1951², 145 f. 382 f. u. ö.; – Heinrich Hermelink, Das Christentum in der Menschheitsgesch. v. der Frz. Rev. bis z. Ggw. I, 1951, 407 u. ö.; II, 1953, 327 u. ö.; – Holsten Fagerberg, Bekenntnis, Kirche u. Amt in der dt. konfessionellen Theol. des 19. Jh.s, Uppsala 1952, 35 ff.; – Hans-Joachim Kraus, Gesch. der hist.-krit. Erforsch. des AT v. der Ref. bis z. Ggw., 1956, 203 ff.; – Anneliese Kriege, Gesch. der Ev. Kirchenztg., Unter der Redaktion E. W. H.s (v. 1. 7. 1827 bis z. 1. 6. 1869). Ein Btr. z. KG des 19. Jh.s (Diss. Bonn), 1958; – Daniel Clair Davis, The Hermeneutics of E. W. H., edifying value as exegetical standard (Diss. Göttingen), 1960; – Hans Wulfmeyer, E. W. H. sein Nachlaß in der Staatsbibl. der Stiftung Preuß. Kulturbesitz, in: Wider die Ächtung der Gesch. Festschr. f. Hans-Joachim Schoeps. Hrsg. v. Kurt Töpner, 1969, 207 ff.; – Wolfgang Kramer, E. W. H. Die Ev. Kirchenztg. u. der theol. Rationalismus (Diss. Erlangen-Nürnberg), 1972; – Biogr. Wb. z. dt. Gesch. I², 1973, 1108; – Hirsch V, 118 ff. u. ö.; – Barth, PrTh² 13. 460. 495. 508. 553; – ADB XI, 737 f.; – NDB VIII, 522 f.; – RE VII, 670 ff.; – EKL II, 108 f.; – RGG III, 219 f.; – LThK V, 230 f.; – ODCC² 632.

HENGSTENBERG, Johann Heinrich Karl, Kirchenliederdichter, * 3. 9. 1770 als Pfarrerssohn in Ergste bei Schwerte (Westfalen), † 28. 8. 1834 in Wetter (Ruhr). – H. stammte aus einer alten Dortmunder Patrizierfamilie. Einer seiner Vorfahren war ein Kanonikus, der sich der reformatorischen Bewegung anschloß und der Stammvater eines zahlreichen Pastorengeschlechts wurde. H. studierte in Marburg und wurde Hauslehrer in Romrod, Darmstadt und Offenbach, 1795 Gymnasialdirektor in Hamm und dann Prediger an dem adeligen Stift Fröndenberg (Grafschaft Mark). Seit 1808 wirkte er in Wetter (Ruhr) und zeichnete sich besonders durch pädagogische Leistungen aus, so daß ihm die Reorganisation der Elementarschulen in einem großen Teil der Grafschaft anvertraut wurde. – Schmerzliche Prüfungen bei längeren Krankheitsleiden seiner Frau und ihr Heimgang 1824 und der Tod mancher anderer seiner nächsten Angehörigen veranlaßten H., zu seiner Stärkung und Tröstung geistliche Lieder zu dichten. Bekannt ist »Daheim ist's gut. Da soll der Pilger rasten, der sich mit Not und Sorge müde rang«. Genannt seien auch »Gott ist mein Licht, verzage nicht, mein Herz«, »Such, o Seele, Gott, den Herrn« und »Christus ist erstanden! Jauchzet, Christen alle«.

Werke: Psalterion oder Erhebung u. Trost in hl. Gesängen (82), Essen 1825.
Lit.: Koch VII, 351 f.

HENHÖFER, Aloysius, Führer der badischen Erwekkungsbewegung, * 11. 7. 1789 in Völkersbach bei Ettlingen (Baden) als Sohn eines katholischen Bauern, † 5. 12. 1862 in Spöck bei Bruchsal. – H.s Mutter, eine strenge, fromme Katholikin, nahm das jüngste ihrer drei Kinder, Aloysius, ihren Liebling, schon frühe mit zur Messe und auf Wallfahrten, übte starken Einfluß auf ihn aus und bestimmte ihn schon als kleines Kind zum geistlichen Stand. H. besuchte seit Ostern 1802 die Schule der Piaristen in Rastatt und dann das dortige Lyzeum und bezog im Herbst 1811 die Universität in Freiburg/Breisgau und 1814 das Seminar in Meersburg am Bodensee. 1815 empfing er die Priesterweihe und wurde Hauslehrer und Kaplan bei dem Freiherrn Julius von Gemmingen in Steinegg bei Pforzheim. Eine seiner Schülerinnen wurde 1838 die Gattin des Professors der Theologie Friedrich August Gotttreu Tholuck (s. d.). Der Freiherr übertrug 1818 H. die Pfarrei Mühlhausen. »Die ganze Religion jener Gegend war nichts als Messehören, Rosenkranz beten, Kapellen- und Wallfahrtengehen und ein ehrbar bürgerlich Leben führen, das freilich noch durch manche Beicht', durch manches gute Werk ausgebessert werden mußte. Wer dies fleißig hielt, der war ein frommer Christ und guter Katholik.« H. drang unter dem Einfluß des neuen Hauslehrers, der ein Schüler Johann Michael Sailers (s. d.) war, durch eifriges Bibelstudium und mit Hilfe der Schrift »Christus für uns und in uns« von Martin Boos (s. d.) zur evangelischen Gesinnung durch. »Mein Gebet und Seufzen wurde erhört. Viel, viel hatte Gottes Gnade um diese Zeit im stillen an meinem Herzen getan. Hier zum erstenmal wurde mir Gottes Wort lebendig, wurde mir ein zweischneidiges Schwert, das Mark und Bein durchdrang. Ein neuer Eifer, ganz anders zu werden, belebte mein Inneres. Von dieser Zeit an wurde mir die Heilige Schrift meine tägliche Lektüre; ich lernte viel auswendig und las und verglich immer gelehrter und frommer Männer Auslegung und Erklärung.« In seinem Tagebuch heißt es: »Von Sonntag zu Sonntag wurde ich mehr zum Leben geführt. Mit vielem Eifer und Segen predigte ich nun Gottes Wort, und von allen Seiten kamen katholische und evangelische Zuhörer. Ein ganz neues Leben erwachte in Mühlhausen und in der Umgegend. Von jetzt an wurden meine Predigten ganz anders. Statt Moral- wurden es Bußpredigten. Diese blieben nicht ungesegnet an meiner Gemeinde; denn viele Leute wachten auf und fragten mit Ernst, was sie tun sollten, um selig zu werden.« Seine Gegner verklagten ihn bei der Kirchenbehörde. Das bischöfliche Vikariat lud H. im März 1822 zur Verantwortung nach Bruchsal. Die Untersuchung zog sich bedeutend in die Länge. Im Gewahrsam dort schrieb er sein erstes und bestes Buch »Christliches Glaubensbekenntis des Pfarrers Henhöfer von Mühlhausen«. Er wurde seines Amtes entsetzt und am 10. 8. 1822 exkommuniziert. Am 6. 4. 1823 trat H. in der Schloßkapelle zu Steinegg mit dem Freiherrn Julius von Gemmingen, dessen ganzer Familie bis auf einen Sohn und mit 40 Familien aus der Gemeinde, insgesamt 167 Personen, zur evangelischen Kirche über. Die rationalistischgesinnte Kirchenbehörde hatte Bedenken, H. unter ihre Predigtamtskandidaten aufzunehmen. Großherzog Ludwig (1818–1830) aber ernannte ihn am 1. 7. 1823 zum Pfarrer in Graben bei Karlsruhe. Auch hier rief er als geistesmächtiger, volkstümlicher Prediger eine große Bewegung hervor. Seine Gegner, besonders die benachbarten Pfarrer, deren Gemeindeglieder zahlreich die Gottesdienste in Graben besuchten, verklagten ihn bei der Kirchenbehörde. Da erschien an einem Sonntag der Großherzog in der Kirche in Graben und wohnte H.s Predigt, die »ins Herz ging«, so beeindruckt, daß er von da an seine schützende Hand über ihn hielt. Durch Kabinettsorder vom 15. 3. 1827 wurde H. die besser dotierte benachbarte Pfarrei Spöck mit der Filiale Stafforth bei Karlsruhe übertragen. Hier wirkte er 35 Jahre in großem Segen. Dreimal hielt H. am Sonntag in der überfüllten Dorfkirche Gottesdienst. Die Rechtfertigung durch den Glauben war das Thema seiner Predigten, die oft zwei Stunden dauerten. Er kannte nur ein Ziel: »O daß es mir gegeben würde, Jesus recht zu verherrlichen!« Als die Arbeit für ihn allein zuviel wurde, nahm sich H. einen Vikar. So haben im Lauf der Jahre 25 Vikare, darunter Karl Friedrich Ledderhose (s. d.) und Emil Frommel (s. d.), von ihm viel Anregung und Wegweisung für ihr späteres Amt empfangen. Als Vorkämpfer der positiven Richtung in seiner Landeskirche führte H. einen erbitterten Kampf gegen den Unglauben seiner Zeit, der in Wort und Schrift von den allermeisten badischen Pfarrern verbreitet wurde. Eine besondere Freude war es ihm, daß zwei benachbarte Pfarrer, die zu seinen entschiedensten Gegnern zählten, Georg Adam Dietz und Christoph Käß, seine Brüder und Bundesgenossen wurden in dem Streit um die Einführung des neuen Landeskatechismus von 1830, der ihnen im Widerspruch mit der Lehre der evangelischen Kirche zu stehen schien. Den drei Kämpfern schlossen sich noch vier jüngere Pfarrer an. Als ein katholischer Pfarrer sich in den Streit mischte, gab H. eine seiner besten Schriften heraus: »Die biblische Lehre vom Heilswege und von der Kirche«. Den Kampf um die Einführung des Landeskatechismus gab er schließlich auf, da dieser nicht als Bekenntnisschrift eingeführt werden sollte. Die Generalsynode von 1855 ersetzte ihn durch einen bekenntnistreueren. – H. ist bekannt als Begründer der badischen Gemeinschaftsbewegung und hat diese als Führer einer neuen Erweckung in Baden in kirchliche Bahnen geleitet, so daß die sich bildenden Gemeinschaften innerhalb der Landeskirche blieben. 1841 fand in Bretten das erste Missionsfest in Baden statt, und H. wurde 1844 zum Vorstand des Badischen Vereins für Äußere Mission gewählt. 1856 wurde ihm von der Universität Heidelberg die theologische Doktorwürde verliehen als »dem mutigen Bekenner und Prediger des lauteren Evangeliums und ehrwürdigen Begründer des zu unserer Zeit wiederaufblühenden christlichen Lebens in der Kirche unseres Vaterlandes«.

Werke: Christl. Glaubensbekenntnis des Pfr. H. v. Mühlhausen, 1822; Der neue Landeskatechismus der ev. Kirche des Ghzgt. Baden, geprüft nach der HS u. den Symbol. Büchern, 1831; Die bibl. Lehre v. Heilswege u. v. der Kirche, 1832; Die wahre kath. Kirche u. ihr Oberhaupt. Ein Zeugnis f. Priester u. Volk, 1845; Baden u. seine Rev. Ursache u. Heilung, 1850; Das Abendmahl des Herrn oder Die Messe, Christentum u. Papsttum, Diamant oder Glas, 1852 (gg. die Schr. »Diamant oder Glas?« v. Alban Stolz); Konfirmanden-Unterricht f. die ev. Jugend. Licht u.

Schatten, 1858; Der Kampf des Unglaubens mit Aberglauben u. Glauben, ein Zeichen unserer Zeit, 1861; Das Abendmahl des Herrn u. sein Endzweck nebst den Unterscheidungslehren der verschiedenen Kirchen, 1868.

Lit.: Karl Friedrich Ledderhose, Von dem Heilswege. Predigten v. H. nebst dessen Ll., 1863 (1885²); – Emil Frommel, Aus dem Leben des Dr. A. H., 1865 (Neuausg.: A. H., ein süddt. Pfarroriginal, 1953); – Rudolf Bendixen, A. H., in: Bilder aus der letzten rel. Erweckung in Dtld., 1897, 191 ff.; – Hugo Lang, A. H., in: FreibDiözArch, 1910, 1–88; – Friedrich Hauß, Erweckungspredigt u. Erweckungsprediger des 19. Jh.s in Baden u. Württemberg, 1924; – Ders., Die uns das Wort Gottes gesagt haben. Lb. u. Glaubenszeugnisse aus dem schwäb. Pietismus, 1937 (unver. 1938²), 87 ff.; – Ders., A. H., der Prediger des lauteren Ev., 1939; – Ders., Väter der Christenheit II, 1957, 195 ff.; – Wilhelm Heinsius, A. H. Ein Btr. z. Gesch. des kirchl. Lebens u. der Predigt in Baden (Diss. Heidelberg, 1920), Karlsruhe 1925 (erw. u. d. T.: A. H. u. seine Zeit. Nach den Urkk. dargest.); – Ders., A. H., ein Zeuge des Evangeliums, 1940; – Jörg Erb, Die Wolke der Zeugen I, 1951, 441 ff.; – Hans Wagner, A. H. Der mutige Bekenner u. Prediger des reinen Ev., 1952; – Georg Urban, Bad. Väter. Tl. I: A. H., 1962; – Otmar Strom, A. H. – vollmächtiger Zeuge des Ev. Zu seinem 100. Todestag, in: Ev.-kath. Forum. Zschr. f. kirchl. u. konfessionelle Fragen 2, 1962, 172 ff.; – Erich Beyreuther, Die Erweckungsbewegung, 1963; – ADB XI, 747 ff.; – NDB VIII, 523 f.; – RE VII, 674 ff.; – RGG III, 220 f.

HENKE, Ernst Ludwig Theodor, Theologe, * 22. 2. 1804 in Helmstedt als Sohn des Heinrich Philipp Konrad Henke (s. d.), † 1. 12. 1872 in Marburg (Lahn). – H. besuchte seit 1817 das Gymnasium in Helmstedt und seit 1820 das »Kollegium Karolinum« in Braunschweig. Er bezog Ostern 1822 die Universität Göttingen und siedelte im Herbst 1824 nach Jena über. H. schloß sich an den Philosophen Jakob Friedrich Fries an, dessen älteste Tochter er 1834 heiratete, und setzte unter Ludwig Friedrich Baumgarten-Crusius (s. d.) seine theologischen Studien fort. H. promovierte 1826 zum Dr. phil. und habilitierte sich 1827 in Jena als Privatdozent für Kirchengeschichte und Neues Testament. 1828 wurde er Professor am »Kollegium Karolinum« in Braunschweig und verbrachte Anfang 1833 einen dreimonatigen Urlaub in Berlin, um Friedrich Schleiermacher (s. d.) und August Neander (s. d.) zu hören. Im Herbst 1833 kehrte H. als ao. Professor nach Jena zurück und wurde im Sommer 1836 Konsistorialrat und Direktor des Predigerseminars in Wolfenbüttel. Im Herbst 1839 folgte er dem Ruf nach Marburg als o. Professor für Praktische Theologie und Kirchen- und Dogmengeschichte und war zugleich seit 1843 Ephorus des »Seminarium Philippinum«, einer Stipendiatenanstalt, und seit 1846 zweiter, seit 1848 erster Bibliothekar an der Universitätsbibliothek. – H. trat mit allem Nachdruck für das Recht der Union ein und bekämpfte den konfessionellen Partikularismus und die pietistische Engherzigkeit. In seinem kirchengeschichtlichen Hauptwerk über Georg Calixt (s. d.) und seine Zeit erwies er sich als den ersten Kenner des 17. Jahrhunderts.

Werke: Abälard, Sic et non, 1851 (die v. H. u. seinem Schüler Lindenkohl bes. 1. vollst. Ausg.); Georg Calixtus u. seine Zeit I, 1853; II, 1860; Papst Pius VII., 1860; Konrad v. Marburg. Beichtvater der hl. Elisabeth u. Inquisitor, 1861; – Jakob Friedrich Fries, 1867; Zur neueren KG. Akadem. Reden u. Vorträgen, 1867; Johann Hus u. die Synode v. Konstanz, 1869. – Aus dem Nachlaß: Vorlesungen über neuere KG seit der Ref., hrsg. v. Wilhelm Geß, I, 1874; II, 1878; III, hrsg. v. Alexander Vial, 1880; Ergebnisse u. Gleichnisse (Bruchstücke aus H.s Tagebüchern), hrsg. v. Johann Georg Dreydorff, 1874; Vorlesungen über Liturgik u. Homiletik, hrsg. v. Wilhelm Zschimmer, 1876.

Lit.: Cunze, Schüler-Album des Helmstedt-Schöningenschen Gymn. 1817–1867, 5 ff.; – Joh. Günther, Lebensskizzen der Prof. der Univ. Jena, 1858, 37 ff.; – Wilhelm Mangold, E. L. Th. H., ein Gedenkbl., 1879; Johannes Beste, Braunschweig. Magazin, 1904, 101 ff.; – Ders. E. L. Th. H. als Mitdirektor des Predigerseminars zu Wolfenbüttel 1836–39, in: ZGNKG 29/30, 1925, 178 ff.; – Hermann Dalton, Lebenserinnerungen I, 1906, 311 ff.; – Otto Hartwig, Aus dem Leben eines dt. Bibliothekars, 1906, 81

f.; – Eduard Zeller, Erinnerungen eines Neunzigj., 1908, 164 ff.; – Franz Gundlach, Catalogus Professorum Academiae Marburgensis 1527–1910, 1927, 43; – Wilhelm Dersch, E. H., in: Lbb. aus Kurhessen u. Waldeck II, 1940, 199 ff.; – ADB 50, 185 ff.; – RE VII, 677 ff.

HENKE, Heinrich Philipp Konrad, Theologe, * 3. 7. 1752 als Pfarrerssohn in Hehlen (Braunschweig), † 2. 5. 1809 in Helmstedt. – H.s Vater starb 1756 als Prediger an der Garnisonkirche an St. Ägidien in Braunschweig. Er besuchte die Martinischule in Braunschweig und bezog 1772 die Universität Helmstedt. Als Schüler des Johann Benedikt Carpzov (s. d.), der 1780 sein Schwiegervater wurde, widmete sich H. mehr philologischen als theologischen Studien, promovierte 1776 zum Magister und hielt seit 1777 als Professor der Philosophie philologische, literaturgeschichtliche und allgemein philosophische Vorlesungen, wandte sich aber, nachdem er 1778 ao. und 1780 o. Professor der Theologie geworden war, sein besonderes Interesse der Kirchen- und Dogmengeschichte zu. H. wurde zugleich 1786 Abt des in ein Predigerseminar umgewandelten Klosters Michaelstein bei Blankenburg (Harz), 1800 Generalsuperintendent der Diözese Schöningen, 1803 Abt von Königslutter und 1804 Vizepräsident des Konsistoriums und Ephorus des »Kollegium Karolinum« in Braunschweig. – H. hat als Theologe rationalistischer Prägung einflußreich gewirkt. Er war bemüht, die Kirchengeschichte von aller Verfälschung, auch von aller Überladung und entbehrlichen Ausschmückung des ursprünglichen Christentums zu befreien. Die Dogmatik wollte er reinigen von der »Christolatrie«, der »Bibliolatrie« und der »Onomatolatrie«, dem Bestreben, veraltete Lehrformen und Begriffe festzuhalten. Unter dem Einfluß des seit 1770 in Wolfenbüttel lebenden Gotthold Ephraim Lessing und des bis 1767 in Helmstedt wirkenden Wilhelm Abraham Teller (s. d.) war H. zu einem Vertreter der kritischen Richtung geworden, die aber bei ihm die Verehrung für Christus nicht ausschloß. In der menschlichen Geschichte Jesu offenbarte sich ihm die Göttlichkeit Jesu. H.s bedeutendste Schüler waren Wilhelm Gesenius (s. d.) und Julius August Ludwig Wegscheider (s. d.).

Werke: Allg. Gesch. der christl. Kirche, 6 Bde., 1788–1804 (fortges. v. Johann Severin Vater: VII. VIII, 1817–20; hrsg. v. dems.: I. II⁵, 1818–20; V², 1820; Lineamenta institutionum fidei Christianae historico-criticarum, 1793 (1795²; dt. 1802: Grdr. einer hist.-krit. Unterweisung der christl. Glaubenslehre); Opuscula academica, 1802; Grdr. der KG, beendet v. J. S. Vater, 1810. – Gab heraus: lat. Lit.ztg. (Ephemerides litterariae Helmstadienses, 1776–77; Commentarii de rebus novis litterariis, 1778 bis 1781; Annales litterarii, 1782–87); Magazin f. die Rel.philos.; Exegese u. KG, 12 Bde., 1793–1804; Arch. f. die neueste KG, 6 Bde., 1794–99; Rel.annalen, 1800–02; Bttr. z. neuesten Gesch. der Rel., des Kirchenwesens u. der öff. Erziehung, 1806.

Lit.: Georg Karl Bollmann u. Heinrich Wilhelm Justus Wolff, H. Ph. K. H. Denkwürdigkeiten aus seinem Leben u. dankbare Erinnerungen an seine Verdienste, Helmstedt 1816; – Heinrich Doering, Die dt. Kanzelredner des 18. u. 19. Jh.s. Nach ihrem Leben u. Wirken dargest., Neustadt a. d. Orla 1830, 93 ff.; – Ferdinand Christian Baur, Die Epochen der kirchl. Gesch.schreibung, 1852, 192 ff.; – Wilhelm Gaß, Gesch. der prot. Dogmatik IV, 1867, 263 ff.; – Karl Völker, Die KG.schreibung der Aufklärung, 1921; – Karl Aner, Die Theol. der Lessingzeit, 1929, 140 u. ö.; – Horst Stephan, Gesch. der ev. Theol. seit dem dt. Idealismus, 1938, 58 f.; – Hirsch V, 11 f.; – ADB XI, 754 ff.; – NDB VIII, 526; – RE VII, 680 ff.; XVI, 458; – RGG III, 221.

HENLE, Richard, Missionar, * 21. 7. 1865 in Stetten bei Haigerloch (Hohenzollern) als Sohn eines Schuhmachers und Bergmanns, † (ermordet) 1. 11. 1897 in Tschan-tja-tschuang (Südschantung). – Am 8. 10.

1880 kam H. als Schüler in das 1875 von Arnold Janssen (s. d.) gegründete Missionshaus der »Gesellschaft des Göttlichen Wortes« (Societas Verbi Divini; abgekürzt: SVD) in Steyl (Holland). Er wurde am 15. 6. 1888 zum Priester geweiht, kurz darauf zum Missionar bestimmt und am 15. 9. 1889 mit drei jungen Priestern und zwei Laienbrüdern nach China ausgesandt. In Puoly, der Muttergemeinde der Mission in Südschantung, widmete sich H. dem Sprachstudium und arbeitete dann als Missionar in Ts'au-tschou-fu mit der Hauptstation Tschan-tja-tschuang. An den Generalsuperior seiner Genossenschaft schrieb er: »Ich bin froh, zufrieden, glücklich in meinem Beruf, und wenn Kreuz kommt, so weiß ich: Gott hilft weiter.« Sein Missionsgebiet war ein berüchtigtes Räuberland. Als seine Eltern sich seinetwegen Sorge machten, schrieb ihnen H.: »Grämet Euch doch ja nicht um mich. Ich bin so froh im ›Reich der Mitte‹ (China), daß ich wiederholt im Schlaf weinte, weil man mich, wie ich träumte, aus Europa nicht hierher lassen wollte. Und als ich erwachte, diese Freude!« Als in den Jahren 1894 und 1895 die Räuber derart überhandnahmen, daß sie offen am Tag in großen Banden einzelne Gehöfte und Dörfer überfielen, war sein Leben fortwährend in Gefahr. Missionsbischof Augustin Henninghaus (s. d.), H.s erster Lehrer und Vorgesetzter auf dem Missionsfeld, schreibt von ihm: »Es war ein Leben der härtesten Arbeit, das der junge Missionar in Ts'au-tschou-fu führte: ein rastloses Wanderleben, bald hier, bald dort, kaum daß man zwei Tage lang den nie ruhenden Missionar an einem Ort finden konnte. Von Gemeinde zu Gemeinde, von Dorf zu Dorf, wo immer das Wohl der ihm anvertrauten Seelen ihn rief, da war er zur Stelle. Seine Tür stand allen offen, er wollte wie St. Paulus allen alles werden, um alle für Christus zu gewinnen. Aus den wenigen Christengemeinden, die er vorfand, wuchs unter seiner und seiner Mitbrüder Tätigkeit ein herrlicher Kranz von nahezu hundert neuchristlichen Gemeinden hervor. Der liebe Gott allein weiß, wieviel Sorge und Mühe jede dieser Gemeinden gekostet hat.« Da in der »Gesellschaft des Göttlichen Wortes« die Patres früher zunächst für neun Jahre, dann erst die ewigen Gelübde ablegten, reiste H. kurz nach Pfingsten 1897 nach Tä-tja zur Vorbereitung auf die ewige Gelübde, die er dort am 14. 7. mit Franz Xaver Nies (s. d.) und mehreren anderen Patres ablegte. H. kehrte dann nach Tschan-tja-schuang zurück und arbeitete dort mit neuer Kraft, bis ihn und Nies der Tod so plötzlich ereilte. Beide wurden nicht von Räubern ermordet, wie man zunächst annahm, sondern von Boxern, einem Geheimbund, der aus Fremdenhaß und Abneigung gegen das Christentum die europäischen Missionare und die Christen verfolgte. Johann Baptist von Anzer (s. d.), Missionsbischof in China, weilte in Steyl, als am 4. 11. die telegraphische Nachricht von der Ermordung dieser beiden Missionare dort eintraf. Da Anzer auf Drängen des deutschen Gesandten in Peking, Max von Braun, seine Mission in Südschantung, die unter französischem Protektorat stand, am 24. 11. 1890 unter den diplomatischen Schutz des Deutschen Reiches gestellt hatte, eilte er schutzflehend nach Berlin zum Kaiser. Wilhelm II. schickte sofort zwei Kriegsschiffe nach Kiautschou und ließ dieses am

14. 11. besetzen. Dadurch wurde Tsingtau in der Folgezeit Missionszentrum. – H. und Nies sind die beiden ersten Blutzeugen der Steyler Mission.

Lit.: Hermann auf der Heide, Die Missionsgenossenschaft v. Steyl, 1901², 270 ff.; – Friedrich Schwager, Die kath. Mission in Südschangtung, 1902; – Georg M. Stenz, P. R. H. aus der Ges. des Göttl. Wortes, Miss. in China, 1904 (1925²); – Joseph Schmidlin, Die kath. Missionen in den dt. Schutzgebieten, 1913; – Hermann Fischer, P. Arnold Janssen, Gründer des Steyler Missionswerkes, 1919; – Hermann Wegener, Opferleben u. Opfertod. Lb. v. 6 Martyrer-Miss. in China u. Korea, 1925; – Julius Irmer, Kiautschou. Diplomat. Vorbereitung der Erwerbung 1894 bis 1898, 1932; – Franz Flaskamp, Funde u. Forsch. z. westfäl. Gesch. Aufss. I, 1955, 110 ff. (Der Chinamiss. Franz Xaver Nies); – LThK V, 231.

HENNECKE, Edgar, ev. Pfarrer, * 13. 4. 1865 in Osterode am Harz, † 25. 3. 1951 in Göttingen. – H. wirkte von 1895 bis 1935 als Pfarrer in Betheln (Hannover). Bekannt wurde er als Herausgeber der Neutestamentlichen Apokryphen in deutscher Übersetzung.

Werke: Die Apologie des Aristides, 1893; Altchristl. Malerei u. altkirchl. Lit. Eine Unters. über den histl. Cyklus der Gemälde in den röm. Katakomben, 1896; Zur Gestaltung der Ordination mit bes. Rücksicht auf die Entwicklung innerhalb der luth. Kirche Hannovers, 1906. – Gab heraus: Hdb. zu den nt. Apokryphen, 1904; Aufss. z. Patrozinienforsch. in Niedersachsen, 1908 ff.; Nt. Apokryphen in dt. Überss. u. mit Einl.en, 1904; 1923/1924² (3. völlig neubearb. Aufl., hrsg. v. Wilhelm Schneemelcher. I: Evv., 1959; II: Apostolisches, Apokalypsen u. Verwandtes, 1964).

Lit.: RGG² II, 1800.

HENNEMANN, Franziskus, Pallotiner, Missionsbischof, * 27. 10. 1882 in Holthausen (Westfalen) als Sohn eines Handelsmanns, † 17. 1. 1951 in Pinelands bei Kapstadt. – H. wollte Missionar werden und trat darum 1899 in die Gesellschaft vom Katholischen Apostolat (Pallotiner) in Limburg/Lahn ein, die 1890 die Missionierung der deutschen Kolonie Kamerun übernommen hatte. 1907 empfing er die Priesterweihe. H. schuf in Minlaba ein neues Missionszentrum und wurde 1913 zum Titularbischof von Coptus ernannt und dem ersten Bischof von Kamerun, Heinrich Vieter (s. d.), als Koadjutor mit dem Recht der Nachfolge beigegeben. Bei Ausbruch des ersten Weltkriegs hielt sich H. in Deutschland auf. Am 7. 11. 1914 starb Vieter. Da die ehemaligen deutschen Kolonien auch nach Kriegsende für deutsche Missionare verschlossen blieben, konnte H. die Nachfolge nicht antreten und übernahm darum 1922 die Apostolische Präfektur Oudtshoorn in Südafrika. 1933 wurde er zum Bischof der südafrikanischen Mutterkirche nach Kapstadt berufen. H. förderte die Verselbständigung der afrikanischen Kirche. Sein Lebenswerk ist die Errichtung der ordentlichen Hierarchie für Südafrika.

Werke: Sieben J. Missionsarbeit in Kamerun, in: Zeitfragen aus der Weltmission, 1. R., H. 4, 1918; Zwei Grundfragen afrikan. Missionsarbeit, in: ZM 9, 1919, 145 ff.; Die rel. Vorstellungen der heidn. Bewohner Süd-Kameruns, in: Ehrengabe dt. Wiss., hrsg. v. Franz Fessler, 1920; Werden u. Wirken eines Afrikamiss., 1922.

Lit.: W. Nathem, Zum Tode v. Bisch. F. H., in: Pallotiner-Kal., 1952, 64 ff.; – Wilhelm Schulte, Westfäl. Köpfe,. 300 Lb. bedeutender Westfalen, 1963, 112 f.; – NDB VIII, 542.

HENNIG, Martin, Theologe, * 28. 11. 1864 als Pfarrerssohn in Loslau (Oberschlesien), † 27. 8. 1920 in Bad Tölz, beigesetzt auf dem Rauhäusler Begräbnisplatz des Ohlsdorfer Friedhofs in Hamburg. – H. besuchte seit 1874 die Schule des Waisenhauses in Bunzlau, die aber nicht bis zum Abitur führte, so daß er 1879 in das Pädagogium und Waisenhaus in Züllichau (Mark Brandenburg) übersiedelte. Nach zehnjähriger Anstaltserziehung begann H. 1884 in Breslau mit dem Studium der Theologie, das er ein Jahr später, nach dem Tod seines Vaters, in Greifswald als Schüler von Erich Haupt (s. d.) und Hermann Cremer (s. d.) und im Herbst 1886 wieder in Breslau fortsetzte. Im Sommer 1887 zog H. nach Lissa zu seiner Mutter, um sich zum Examen zu rüsten, das er im Sommer 1888 bestand. 1889–92 arbeitete H. als Oberhelfer in dem von Johann Hinrich Wichern (s. d.) gegründeten Rauhen Haus in Hamburg, dann als Hilfsprediger an der Salvatorkirche in Breslau. 1894 wurde er Agent des ostdeutschen Jünglingsbundes in Berlin. Er bereiste die Provinzen Schlesien, Brandenburg, Pommern, Posen, Ost- und Westpreußen und gewann in den 10 Monaten seines Reise- und Werbedienstes 28 neue Vereine für den Ostbund, der ihm die Gründung einer eigenen Verlagsbuchhandlung verdankt. 1895 trat H. als »Vereinsgeistlicher des Provinzialausschusses für Innere Mission in der Mark Brandenburg« sein neues Amt an. Seit 1901 wirkte er als Direktor des Rauhen Hauses in Hamburg. 1908 rief H. die Wichernvereinigung ins Leben, deren Aufgabe es sein sollte, durch Volksmission und Evangelisation und Verteilung von Schriften christliches Volksleben zu wecken und zu fördern. Aus der Konferenz der Rettungsverbände und Erziehungsvereine entstand 1913 unter seiner Führung das »Evangelische Erziehungsamt für Innere Mission«.

Werke: Was jedermann v. der Inneren Mission wissen muß (mit Paul Wurster), 1902 (1914[6]); D. Johann Hinrich Wichern u. das Rauhe Haus, 1907 (neu bearb. 1913); Das Rauhe Haus u. die Rauhhäusler. Festschr. z. 75. Wiederkehr des Gründungstages des Rauhen Hauses in Hamburg-Horn, 1908; Die Innere Mission der ev. Kirche, 1909 (1914[3]); Qu.buch z. Gesch. der Inneren Mission, 1912; Das Amt des Gemeindehelfers. Urkk. u. Btrr. zu seiner Gesch., 1914; Bilder aus der Arbeit der Rauhhäusler Brüder, 1914. – Gab heraus: Der Familienabend. Eine Smlg. v. Progr. nebst vollst. Stoffdarbietung. Für Gemeinde-, Volks- u. Vereinsfeste, 1895; Für Feste u. Freunde der Inneren Mission. Bilder u. Bildnisse aus der christl. Liebestätigkeit, 1897–1901; Nachr. aus dem Rauhen Hause, 1901–05; Kindlein, liebet euch untereinander. Ein Sonntagsbl. f. Kinder, 1904/05; Barmherzige Samariter (Biogrr.), 12 Hh., 1904/05; Lehr u. Wehr fürs dt. Volk. Eine Smlg. v. volkstüml.-wiss. Abhh., 1904–13; Taten Jesu in unseren Tagen, 1905 (1907[4]); Wie der Meister uns in den Weinberg rief. Zeugnisse v. Taten Jesu an seinen Jüngern, 1906; Welch eine Wendung! Bilder v. Gottes Walten in der Gesch. der Völker, 1908 (1913[2]); D. J. H. Wicherns Lebenswerk in seiner Bedeutung f. das dt. Volk (Sammelwerk), 1908; Aus Gottes Werkstatt. Skizzen u. Bilder aus Natur u. Geisteswelt, 1909; Alle Lande sind seiner Ehre voll. Wanderskizzen v. Gottes Werk in weiter Welt, 1911; Unserer Kirche Herrlichkeit. Tatbeweise des Lebens in unserer ev. Kirche, 1913 (1921[2]; in verkürzter Form 1919); Der Rauhhäusler Bote, 1914–18; Wie erziehe ich mein Kind? Eine Handreichung f. Eltern u. Erzieher, 1916 (1922[2]); Bewahren u. Retten. Aus der Arbeit des Ev. Erziehungsamtes f. Innere Mission, 1916/17.

Lit.: In piam memoriam Dr. M. H., in: Bausteine. Mschr. f. Innere Mission 52, 1920, 109; – W. Pfeiffer, Zum Gedächtnis v. M. H., in: Die Innere Mission im ev. Dtld. 15, 1920, 145; – Erica Hennig, M. H. Ein dt. Erzieher, 1927 (mit Bibliogr.). – DBJ II, 748 (Totenliste 1920).

HENNINGHAUS, Augustin (Taufname: August), Missionsbischof in China, * 11. 9. 1862 in Menden (Westfalen) als Sohn eines Schmiede- und Schlossermeisters, † 20. 7. 1939 in Yenchowfu (Shantung). – Der Abschlußprüfung an der Realschule in Menden folgten noch zwei Jahre privater Weiterbildung. Am 11. 10. 1879 trat H. in das Missionshaus der »Gesellschaft des Göttlichen Wortes« (Societas Verbi Divini; abgekürzt: SVD) in Steyl (Holland) ein und mußte noch anderthalb Jahre seine Gymnasialbildung ergänzen und vollenden, bevor das Studium der Philosophie und Theologie begann. Arnold Janssen (s. d.), der Begründer des Steyler Missionswerks, bestimmte 1884

die beiden Theologen Weber und H. für das Lehrfach. Darum sollten sie zur Weiterbildung in den Naturwissenschaften die Universität Innsbruck beziehen und als Hauptfach Geologie belegen. Nach einem Semester setzten sie die Studien in Bonn fort. Der damals im Missionshaus in Steyl weilende Begründer der Mission in Südschantung (China), Johannes Baptist Anzer (s. d.), bat Janssen eindringlich, ihm für seine Mission einen von den beiden in Bonn Studierenden zu überlassen. Die Wahl fiel auf H., der am 30. 5. 1885 in Roermond die Priesterweihe empfing. Seiner Schwester Elisabeth schrieb er: »In China erwartet mich ein außerordentlich segensreicher Wirkungskreis, und wenn der liebe Gott mich dazu bestimmt hat, dann ist es eine große und unverdiente Gnade. Es ist ein Glück, das er nur wenigen schenkt.« Im Mai 1886 traten Anzer und H. die Reise über Rom nach China an und trafen Anfang Juli in der chinesischen Hafenstadt Chefoo ein. Sie reisten von dort weiter nach Puoli, der damaligen Hauptstation der Steyler Mission. Ein halbes Jahr nach seiner Ankunft in China hielt H. seine erste öffentliche Predigt in chinesischer Sprache. Im Sommer 1887 kam er als Kaplan in die 14 Stunden von Puoli entfernte Christengemeinde Liangshan. Bald darauf wurde ihm ein eigenes Missionsgebiet in Westsüdschantung anvertraut: Küye und Kiasiang. Anzer machte H. Ostern 1890 zum Rektor von Puoli und Leiter der dortigen Katechistenschule. Er teilte die Mission in drei Kommissariate ein und bestimmte H. zum Kommissar der Präfektur Yenchowfu. Anfang 1892 wurde die Missionszentrale von Puoli nach Tsining verlegt. Auch H. mußte mit seiner Katechistenschule dorthin übersiedeln. Sein Aufenthalt in Tsining dauerte nur ein halbes Jahr. Er wurde wieder mit der Leitung der Missionsstation und Gemeinde Puoli und der Neubearbeitung des »Manuale für die Missionen« betraut. Im Spätherbst 1893 sandte ihn Anzer in das Räubergebiet Tsachowfu, in den Südwesten der Mission. Aus seiner dortigen Aufbauarbeit wurde H. im Spätsommer 1896 für einige Zeit nach Tsining als Exerzitienmeister berufen, kehrte dann nach Tsaochowfu in sein Dekanat zurück. H. erhielt 1899 ein neues Wirkungsfeld im Gebiet von Kiaochow und als Militärpfarrer in der Hafen- und deutschen Garnisonstadt Tsingtao und erlebte 1900 den Boxeraufstand mit, dem zahlreiche Gemeinden, viele Missionare und Tausende von Christen zum Opfer fielen. Im Sommer 1903 kehrte er nach Yenchowfu zurück und übernahm die Leitung des Priesterseminars für eingeborene Priester. Nach dem Tod des Bischofs Anzer, den am 24. 11. 1903 in Rom ein Hirnschlag hinweggerafft hatte, wählte die »Propaganda« in Rom (s. Gregor XV.) aus den drei vorgeschlagenen Kandidaten H. zum Nachfolger Anzers, und Pius X. (s. d.) ernannte ihn am 13. 8. 1904 zum Apostolischen Vikar von Südshantung und Titularbischof von Hypäpa. Am 30. 10. 1904 fand in China die Bischofsweihe statt. Die Monate seiner ersten Europareise 1907/08 vergingen in angestrengtester Werbearbeit. 1924 tagte die erste große chinesische Nationalsynode in Shanghai, die größere Einheitlichkeit in der Kirche Chinas und weitgehende Anpassung an chinesische Verhältnisse erstrebte. 1926 weihte Pius XI. (s. d.) selbst die ersten 6 chinesischen Bischöfe. 1930 entschloß sich H. zu einer zweiten Europareise, die wieder hin durch Sibirien und zurück über Amerika führte. Am 18. 1. 1932 waren 50 Jahre seit Eröffnung der Mission in Südshantung verflossen. Aus diesem Anlaß verlieh Pius XI. H. die Würde eines Päpstlichen Thronassistenten, und die Deutsche Akademie in München ernannte ihn zu ihrem Senator. 1933 reichte H. der »Propaganda« in Rom sein Gesuch ein, vom Amt zurücktreten zu dürfen, das aber abgelehnt wurde. Nach seinem 50jährigen Priesterjubiläum gewährte man ihm im Juni 1935 die Versetzung in den Ruhestand. H. mußte aber das Apostolische Vikariat noch verwalten, bis sein Nachfolger Theodor Schu im Januar 1937 sein Ernennungsschreiben aus Rom erhielt und er ihm am 4. 4. 1937 die Bischofsweihe spendete.

Werke: Dt.-Chines. Hdwb. ,Yenchowfu 1906; P. Joseph Freinademetz. Sein Leben u. Wirken. Zugl. Btrr. z. Gesch. der Mission Südshantung, ebd. 1926² (F. war einer der zwei ersten Miss. des Steyler Missionshauses u. Mitbegründer der Mission Südshantung); Katechismuserkl., 5 Bde. (in den meisten Vikariaten Chinas verbreitet; bisher 10 Aufl.); Neujahrsgrüße an die Freunde u. Wohltäter der Mission in Südshantung.
Lit.: Hermann auf der Heide, Die Missionsgenossenschaft v. Steyl, 1900; – Anton Freitag, Die Missionen der Ges. des Göttl. Wortes, 1912; Hermann Fischer, P. Arnold Janssen, Gründer des Steyler Missionswerkes, 1919; – Ders., A. H. 53 J. Miss. u. Missionsbisch. Ein Lb., 1940 (1946²); – Joseph Schmidlin, Das ggw. Heidenapostolat im Fernen Osten, 1929; – Johannes Thauren, Die Missionen in Shantung mit allg. Einf. über China u. die chines. Mission, 1931; – Johannes Beckmann, Die kath. Missionsmethode in China in neuester Zeit (1842–1912). Geschichtl. Unters. über Arbeitsweisen, ihre Hindernisse u. Erfolge, 1931; – Bisch. Dr. A. H. 50 J. Priester, in: Akadem. Missionsbll. 24, 1936, 45 ff.; – A. H., in: Priester u. Mission. Jb. Atlas u. kath. Weltmission 23, 1939, 62 ff.; – NDB VIII, 548.

HENRICI, Christian Friedrich (Pseudonym: Picander), Dichter, * 14. 1. 1700 in Stolpen bei Dresden als Sohn eines Posamentierers (Bortenwirkers), † 10. 5. 1764 in Leipzig. – H. brachte es schon früh in der deutschen Dichtkunst zu großer Fertigkeit. Er studierte seit 1719 in Wittenberg und Leipzig die Rechte und erwarb sich durch Dichten die Mittel für den Lebensunterhalt. H. fand 1727 eine Anstellung in Leipzig beim Oberpostamt als Aktuar, wurde später Postsekretär und endlich Oberpostkommissar und erhielt 1740 dazu noch die Kreislandsteuer- und die Stadttranksteuereinnahme nebst der Weininspektion. Seine Schauspiele sind kulturgeschichtlich von Bedeutung. Von seinen 68 geistlichen Liedern seien genannt: »Bedenke, Mensch, die Ewigkeit« (zum Evangelium des 1. Sonntags nach Trinitatis: Lk 16, 19–31) und »Wer weiß, wie nahe mir mein Ende, ob heute nicht mein jüngster Tag« (zum 2. Adventssonntag: Lk 21, 25–36). H. ist auch der Verfasser vieler Texte zu den Kompositionen seines Freundes Johann Sebastian Bach (s. d.), vor allem zu dessen »Matthäuspassion«.

Werke: Smlg. erbaul. Gedanken über u. auf die gewöhnl. Sonn- u. Fest-Tage, in gebundener Schreib-Art entworffen, Leipzig 1725; Teutsche Schau-Spiele, bestehend in dem Akadem. Schlendrian, dem Ertzt-Säuffer u. der Weiber-Probe. Zur Erbauung u. Ergötzung des Gemüths entworffen, 3 Bde., Berlin, Frankfurt u. Hamburg 1726; Ernst-Schertzhaffte u. Satyr. Gedichte I, Leipzig 1727 (1784¹); II, ebd. 1729 (1749³); III, ebd. 1732 (1750³); IV, ebd. 1737 (1751²); V, ebd. 1751; Smlg. vermischter Gedichte, Frankfurt u. Leipzig 1768.
Lit.: Johann Caspar Wetzel, Hymnopoeographia oder Hist. Lebensbeschreibung der berühmtesten Liederdichter IV, Herrnstadt 1728, 225 ff.; – Karl Heinrich Jördens, Lex. dt. Dichter u. Prosaisten, 6 Bde., 1806–11, II, 349 ff.; – Paul Flossmann, Picander (Diss. Leipzig), 1899; – Koch V, 500 f.; – Goedeke III, 352; – Kosch, LL II, 928; – ADB XI, 784 f.; – NDB VIII, 549 f.

HENRICUS de Cervo, Dominikaner. – H. stammte aus dem gleichnamigen Kölner Patriziergeschlecht und wurde 1363 vom Generalkapitel von Magdeburg zum Lektor des Generalstudiums bestellt. Er war dort 1366 Prior. Seine vor 1663 gehaltene Sentenzenvorlesung ist in verschiedenen Handschriften erhalten.

Lit.: Gabriel Maria Löhr, Die Kölner Dominikanerschule vom 14. bis z. 16. Jh., 1948, 55; – Martin Grabmann, Der Sentenzenkomm. des Magisters H. de C. u. die Kölner Dominikanertheol. des 14. Jh.s, in: Grabmann, MGL III, 1956, 352 ff. 450. 458; – LThK V, 234.

HENRIQUES, Henrico, Jesuit, Missionar, * 1520 in Vila Viçosa (Portugal), † 6. 2. 1600 in Punnaikāyal (Südindien). – H. trat 1545 in den Jesuitenorden ein und wirkte seit 1547 53 Jahre erfolgreich als Missionar an der Fischerküste in Südindien.

Werke: Grammatik u. Wb. des Tamil; Katechismus u. mehrere apologet. Schrr. in der Landessprache. – Briefe (1546–66), hrsg. v. Josef Wicki. Documenta Indica I–VI, in: MHSI 70, 1948; 72, 1950; 74, 1954; 78, 1956; 83, 1958; 86, 1960
Lit.: Joseph Dahlmann, Die Sprachkunde u. die Mission, 1891, 10 f.; – Georg Schurhammer, Ceylon z. Z. des Kg. Bhuvaneka, 1927, 376; – António Lourenço Farinha, Vultos missionários da India quinhentista, Cucujães 1955, 71–132; – Josef Wicki, P. H. H. Ein vorbildlicher Miss. Indiens, in: Leo Tigga u. a., Hinduism, Rom 1963, 113 ff.; – Sommervogel IV, 276 ff.; IX, 472; – BiblMiss IV, 144 f.; – Koch, JL 787; – EC VI, 1408; – LThK V, 234; – NCE VI, 1020.

HENSEL, Luise, religiöse Dichterin, * 30. 3. 1798 als Pfarrerstochter in Linum bei Fehrbellin (Mark Brandenburg), † 18. 12. 1876 in Paderborn. – L. H. verlor ihren Vater bereits am 8. 9. 1809; ihre Mutter zog 1810 mit ihren zwei Söhnen und zwei Töchtern nach Berlin. L. H. erhielt einen trefflichen Unterricht und kam als früh in ihrem Wert erkannte Dichterin in dichterisch und literarisch lebendige Kreise. Sie wurde von dem Rausch der Romantik so recht erfaßt, als Clemens Brentano in ihr Leben eintrat. L. H. ging 1816 auf seine Werbung nicht ein, schloß aber mit ihm einen innigen Seelenbund, dem er 1817 seine bewußte Rückkehr zum Glauben seiner katholischen Kirche verdankte, wie er selbst bekannt hat. 1817 wies sie ihren zweiten Bewerber ab, den Musiker Ludwig Berger, und entsagte 1818 der Liebe zu Ludwig von Gerlach, dem späteren Präsidenten des Oberlandesgerichts in Magdeburg, um allein dem himmlischen Bräutigam zu gehören. Unter dem Einfluß Brentanos gab sie ihrer Neigung zur katholischen Kirche nach und trat am 7. 12. 1818 ohne Wissen ihrer Mutter zu ihr über. Seit Herbst 1817 war L. H. Erzieherin im Haus des preußischen Gesandten Baron von Werther. Im Frühjahr 1819 wurde sie Gesellschafterin der Fürstin Salm-Reifferscheid in Münster (Westfalen), mit der sie im Sommer 1819 nach Düsseldorf übersiedelte. 1820 legte L. H. das Gelübde ewiger Jungfräulichkeit ab. 1821 wurde sie Hauslehrerin und Gesellschafterin der Witwe des Grafen Friedrich Leopold von Stolberg (s. d.) auf Brauna (Niederlausitz), deren gewöhnlicher Aufenthalt in Westfalen war, wo L. H. in lebhafte Beziehungen trat zu der von ihr schwärmerisch verehrten stigmatisierten Augustinernonne Katharina Emmerich (s. d.) in Dülmen. 1823 zog sie nach Wiedenbrück, um die Erziehung des Sohnes ihrer verstorbenen Schwester zu leiten. L. H. wurde später Krankenpflegerin in Koblenz, dann Erzieherin und Lehrerin in den Pensionaten Marienberg bei Boppard und St. Leonhard bei Aachen. 1833 kehrte sie nach Berlin zu ihrer Mutter zurück, die 1835 starb. Drei Jahre führte sie den Haushalt ihrer Schwägerin und wurde für die folgenden sieben Jahre Pflegerin von zwei Waisen einer Kölner Patrizierfamilie. In ihrem unruhigen Wanderleben hielt sich L. H. am längsten, 1853–1872, in Wiedenbrück auf. 1874 wurde sie in das Kloster der Töchter der christlichen Liebe in Paderborn aufgenommen. – L. H. war die Schwester des Malers Wilhelm Hensel (1794–1861), der mit der Schwester von Felix Mendelssohn-Bartholdy (s. d.), Fanny (1805–47), verheiratet war. Ihre Schwester Wilhelmine wurde 1850 zur Vorsteherin des Waisenhauses »Elisabethstift« in Pankow bei Berlin berufen. Sie ist als Dichterin geistlicher Lieder bekannt. Auch L. H. dichtete innig-fromme, seelenvolle und gemütstiefe Lieder und Gedichte. Aus der Zeit vor ihrem Übertritt zum Katholizismus stammen die beiden bekannten Lieder »Müde bin ich, geh zur Ruh« vom 3. 1. 1817 und »Immer wieder muß ich lesen in dem alten, heilgen Buch« aus dem Jahr 1815. Clemens Brentano schickte am 3. 12. 1817 an seinen Bruder Christian eine Abschrift von etwa 20 Liedern der Freundin und schrieb dazu: »Diese Lieder haben zuerst die Rinde über meinem Herzen gebrochen, durch sie bin ich in Tränen erflossen, und so sind sie mir in ihrer Wahrheit und Einfalt das Heiligste geworden, was mir im Leben aus menschlichen Quellen zugeströmt. Indem ich sie dir mitteile, teile ich dir das Liebste, was ich habe, teile ich dir, was mir noch immer das innerlich Erweckendste und Beweglichste ist, das mich stündlich mahnt und tröstet, mit. Es hat mich nie ein menschlich Wort so gerührt, und wo ich gehe und stehe, liegt mir der Vers in meinen Ohren: ›Immer wieder muß ich lesen in dem alten, heilgen Buch, wie der Herr so mild gewesen, ohne List und ohne Trug.‹ Dich hat der barmherzige Heiland mit wundervolleren Stimmen gerufen; er hat für jedes Herz einen anderen Schlüssel; ich übergebe dir hier den, mit dem er zu mir gekommen.«

Werke: Gedichte v. L. u. Wilhelmine H., hrsg. v. Hermann Kletke, 1858; Lieder, hrsg. v. Christoph Schlüter, 1869 (1921⁵); Briefe, hrsg. v. dems., 1878; Aus l. H.s Jugendzeit. Neue Briefe u. Gedichte, bearb. v. Hermann Cardauns, 1918; Lieder (vollst. Ausg. auf Grund des hs. Nachlasses), bearb. v. dems., 1923.

Lit.: Heinrich Förster, Kard. u. Fürstbisch. Melchior v. Diepenbrock. Ein Lb., 1859, 57 ff.; – Joseph Hubert Reinkens, L. H. u. ihre Lieder, 1877; – Ders., Melchior v. Diepenbrock, 1881, 99 ff.; – Ferdinand Bartscher, Der innere Lebensgang der Dichterin L. H. nach den Orig.aufzeichnungen in ihren Tagebüchern, 1882; – Franz Binder, L. H. Ein Lb. nach gedr. u. ungedr. Qu., 1885 (1904²); – Joh. Jakob Hansen, L. H., in: Lb. hervorragender Katholiken des 19. Jh.s, III, 1905; – Hermann Barth, L. H., in: Unsere Kirchenliederdichter. Lebens- u. Charakterbilder. Mit einer Einl. v. Wilhelm Nelle, 1905, 609 ff.; – Hermann Cardauns, L. H.s Nachlaß, 1918 (Der hs. Nachlaß der Dichterin im Arch. der Görres-Ges. ist verbrannt); – Hermann Petrich, Unser geistl. Volkslied, 1920, 123 ff.; – Wilhelm Nelle, Schlüssel z. Ev. Gesangbuch f. Rheinland u. Westfalen, 1924³, 327 ff. 337 f.; – G. Brune, L. H., eine geist. Tochter der Anna Katharina Emmerick, in: Emmerick-Jub.gabe, 1924, 75 ff.; – Hans Rupprich, Brentano, L. H., Ludwig v. Gerlach, Wien 1927; – Paschalis Neyer, Die Weihnachtskrippe im Leben u. Dichten L. H.s, 1927; – A. Glitz-Holzhauser (d. i. Alois Vogedes), L. H. u. Annette v. Droste-Hülshoff in ihren Beziehungen in Leben u. Dichtung, in: Der Wächter. Mschr. z. Förderung wahren Glaubens 9, 1927, 314 ff.; – W. Beils, L. H.s rel. Lyrik, in: Die Bücherwelt. Zschr. des Borromäusver. 25, 1928, 9 ff.; – Heinrich Schiffers, L. H.s Entlassung aus dem Schuldienst, 1929; – Frank Spiecker, L. H. als Dichterin. Eine psycholog. Stud. ihres Werdens auf Grund des hs. Nachlasses, 1936; – F. Walter, Wie L. H. z. kath. Kirche kam, in: Die Friedensstadt, Winfriedbund, 9, 1936, 129 ff. 169 ff.; – Ders., L. H. im Dienste der Kirche, ebd. 10, 1937, 13 ff.; – Helene Weber, L. H. Ein dienendes Frauenleben, in: Jb. der Caritasswiss. 12, 1938, 146 ff.; – Luise Held, Auf den Pfaden L. H.s Gesch. einer Konversion aus unseren Tagen, 1938; – M. Ehlert, L. H., in: »Ein mutig Herz, ein redlich Wollen.« Kath. dt. Frauen aus den letzten 100 J., hrsg. v. Gerta Krabbel, 1939, 35 ff.; – Annette di Rocca (d. i. Anna Weissauer), L. H. Eine Künderin des Glaubensglückes, 1940 (1957²); – Jacob Joseph Spies, L. H. in Düsseldorf 1818–21, in: Das Tor. Düsseldorfer Heimatbll. 17, 1951, 77 f.; –

Josef Adam, Clemens Brentanos Emmerick-Erlebnis. Bindung u. Abenteuer (Diss. Freiburg/Breisgau), 1956, 355; – Hubert Schiel, Clemens Brentano u. L. H. Mit bisher ungedr. Briefen, 1956; – K. Loup, Die Dichterin L. H., in: Das Tor. Düsseldorfer Heimatbll. 22, 1956, 14 ff.; – Franz Flaskamp, Funde u. Forsch. z. westfäl. Gesch. Ges. Aufss., 2. Tl., 1956, 7 ff. (L. H.s »Nachtgebet«); – Ders., L. H.s Testament, in: Westfalen. Hh. f. Gesch., Kunst u. Volkskunde 48, 1970, 230 ff.; – Ders., Die Pfr.familie H. Ein Btr. z. Luise-Hensel-Forsch., in: JGNKG 69, 1971, 208 ff.; – Ders., Wilhelm Hensel. Ein Btr. z. L.-H.-Forsch., in: Westfäl. Zschr. Zschr. f. vaterländ. Gesch. u. Altertumskunde 122, 1972 (ersch. 1973), 292 ff.; – H. Binck, L. H. Eine ostdt. Dichterin, in: Der Hedwigs-Kal. 7, 1960, 124 f.; – Alfred Wegmann, Ein Lied kehrt heim, in: Westfäl. Heimatkal. 14, 1960, 120 ff.; – Josefine Nettelsheim, Der Philosoph u. die Dichterinnen Schlüter, L. H., Annette v. Droste-Hülshoff, in: Hochland 55, 1962/1963, 458 ff.; – Jürg Mathes, Ein Tgb. Clemens Brentanos f. L. H., in: Jb. des Freien Dt. Hochstifts, 1971, 198–310; – Rosenthal I²; – Goedeke XIV, 332 ff.; – Kosch, LL II, 929; – Wilpert I², 698; – Kosch, KD 1514; – ADB XII, 1 ff.; – NDB VIII, 560 f.; – RGG III, 226; – LThK V, 235.

HENZEN, Johann Daniel, Kirchenliederdichter, * 17. 12. 1721 in Achelriede bei Osnabrück, † im November 1753 in Fischbeck (Weser). – H. war zuerst in Halle (Saale) als Judenmissionar tätig. Seit 1749 wirkte er als Pfarrer an dem adeligen Stift Fischbeck. Mehrere seiner Lieder erschienen im Anhang der 2. Ausgabe der von Friedrich August Weihe (s. d.) herausgegebenen »Sammlung neuer Lieder von altevangelischem Inhalt zum Bau des Reiches Gottes«, Minden 1769, auch in dem »Christlichen Gesangbuch für die evangelischen Gemeinden des Fürstentums Minden und der Grafschaft Ravensberg«, Bielefeld 1854. Bekannt ist sein Kreuz- und Trostlied »Ein Blick nach jenen Zionshöhen versüßt mir alle Leiden dieser Zeit«, auch sein Lied vom geistlichen Kampf und Sieg »Zeuch, Israel, zu deiner Ruh; dein Erbteil ist dort oben«.

Werke: Smlg. einiger erbaul. Lieder z. Haus- u. Privatgebrauch (anonym), Meißen 1749.

Lit.: Koch V, 666 f.

HEPPE, Heinrich, ref. Theologe, * 30. 3. 1820 in Kassel als Sohn eines Hautboisten bei der kurhessischen Leibwache und Mitglieds der Kapelle des Hoftheaters, † 25. 7. 1879 in Marburg (Lahn). – H. besuchte das Gymnasium in Kassel und bezog 1839 die Universität Marburg, wo ihn besonders Ernst Ludwig Theodor Henke (s. d.), Friedrich Wilhelm Rettberg (s. d.) und Hermann Hupfeld (s. d.) anregten, Hupfeld vor allem für das Studium der orientalischen Sprachen. Nach seinem Examen im Sommer 1843 fand er als Hauslehrer in Kassel Zeit für wissenschaftliche Arbeit und promovierte 1844 zum Dr. phil. und 1845 zum Lic. theol. H. wurde 1845 Pfarrverweser an St. Martin in Kassel. 1849 habilitierte er sich als Privatdozent in Marburg und wurde 1850 zum ao. Professor befördert. Die Theologische Fakultät verlieh ihm 1852 zum 300jährigen Gedenktag des Passauer Vertrags in Anerkennung seiner schriftstellerischen Arbeit ehrenhalber die Doktorwürde. – H. war anfangs mit August Vilmar (s. d.) befreundet und arbeitete mit ihm zusammen, wurde aber bald ein entschiedener Bekämpfer des aggressiven Luthertums Vilmars. Gegen dessen Behauptung, das Luthertum sei das allein rechte und reine evangelische Bekenntnis und die hessische Kirche halte sich mit Unrecht für reformiert, verteidigte H. das gute Recht des reformierten Bekenntnisses und den »melanchthonischen« (s. Melanchthon, Philipp) Charakter der hessischen Kirche. H. bezeichnete die hessische Kirche als eine deutsch-reformierte, deren Charakteristikum vor allem der Gegensatz zum Luthertum der Konkordienformel sei. In mehreren Schriften suchte H. seine These zu begründen, die Entstehung der deutsch-reformierten Kirche sei veranlaßt durch die nach dem Naumburger Fürstentag von 1561 beginnende Absonderung des exklusiven Gnesioluthertums aus der altevangelischen, wesentlich von Philipp Melanchthons Autorität getragenen Gemeinschaft der evangelischen Stände Deutschlands. Sein energisches Auftreten gegen Vilmar, den Vorkämpfer eines streng konfessionellen Luthertums, hatte zur Folge, daß Vilmar als vortragender Rat im Ministerium Hassenpflug H.s Ernennung zum o. Professor, die die Theologische Fakultät und der akademische Senat in Marburg wiederholt beantragten und zu der auch der Kurfürst persönlich geneigt war, bis 1864 vereitelte. Durch allerlei nachteilige Gerüchte, die man dem österreichischen Gesandten in Kassel zuleitete, hat man 1861 noch im letzten Augenblick H.s bereits vollzogene Berufung zum o. Professor der Dogmatik helvetischer Konfession an die Theologische Fakultät in Wien hintertrieben. – H.s Hauptgebiet war die Dogmatik; er widmete sich jedoch mit Vorliebe der Kirchengeschichte, insbesondere dem Studium der hessischen Kirchengeschichte. H. ist auch bekannt als Mitbegründer (s. Roques, Franz von) und Förderer des Treysaer Diakonissenhauses, das am 18. 10. 1864 eingeweiht wurde. Am 18. 12. 1879 beschloß man seine Verlegung nach Kassel.

Werke: Hist. Unterss. über den Kasseler Katechismus v. J. 1539, 1847; Die Gesch. der hess. Gen.synoden v. 1568–1582, 2 Bde., 1847; Die Einf. der Verbesserungspunkte in Hessen v. 1604–1610 u. die Entstehung der Hess. KO v. 1657, 1849; Restauration des Kath. in Fulda, auf dem Eichsfelde u. in Würzburg, 1850; Gebetbüchlein z. Übung tägl. Andacht im christl. Hause, 1852 (1876⁴); Gesch. des dt. Prot. in den J. 1555–1581, 4 Bde., 1853–59 (1865/66²); Gesch. der Konkordienformel, 2 Bde., 1854–59; Die Dogmatik des dt. Prot. im 16. Jh., 3 Bde., 1857; Gesch. des dt. Volksschulwesens, 5 Bde., 1858–60; Philipp Melanchthon, der Lehrer Dtld.s, 1860 (1867²); Die Bekenntnisschrr. der ref. Kirchen Dtld.s, 1860; Die Dogmatik der ev.-ref. Kirche, 1861 (neu hrsg. v. Ernst Bizer, 1935, 1958² mit Einl. Einl.: S. XVII–XCVI); Theodor Beza, Leben u. ausgew. Schrr., 1861; Entstehung, Kämpfe u. Untergang ev. Gemeinden in Dtld., 1862; Gesch. der ev. Kirche v. Cleve-Mark u. der Prov. Westfalen, 2 Bde., 1867/70; Gesch. der quietist. Mystik in der kath. Kirche, 1875; KG beider Hessen, 2 Bde., 1876/78; Gesch. des Pietismus u. der Mystik in der ref. Kirche, namentlich der Niederlande, 1879; Christl. Sittenlehre, hrsg. v. Albert Kuhnert, 1882. – Schrr.verz., in: Ann. der Univ. Marburg, 1879.

Lit.: W. D. Wolff u. Ernst Constantin Ranke, Zur Erinnerung an H. H. – Reden an seinem Grabe, 1879; – Marburger Rektoratsprogr. 1879, 24 ff. (mit Bibliogr.); – Franz Gundlach, Catalogus Professorum Academiae Marburgensis 1527–1910, 1927, 48; – Wilhelm Maurer, Das Bild der Ref.gesch. bei Vilmar u. H. H., in: Jb. der Hess. Kirchengeschichtl. Ver. 2, 1950 bis 1951, 51 ff.; – Heinrich Hermelink, Das Christentum in der Menschheitsgesch. v. der Frz. Rev. bis z. Ggw. II, 1953, 430; – Ernst Bizer, H. H., in: Lb. aus Kurhessen u. Waldeck VI, 1958, 112 ff.; – ADB XVI, 785 ff.; – NDB VIII, 570; – RE VII, 687 ff.; – EKL II, 111 f.; – RGG III, 226 f.

HERAKLEON, Gnostiker, Mitte des 2. Jahrhunderts. – H. war Schüler Valentins (s. d.) und gilt neben Ptolemäus (s. d.) als der bedeutendste Vertreter der valentiniaschen Gnostik im Westen.

Werke: Komm. z. Joh.Ev. (aus dem Clemens v. Alexandrien u. Origenes 50 Bruchstücke aufbewahrt haben). – Vielleicht ist H. der Verf. des Traktats »Über die drei Naturen«.
Lit.: Aland England Brooke, The Fragments of H. (Texts and Studies), Cambridge 1891; – Eugène de Faye, Gnostique et Gnosticisme; étude critique des documents du gnosticisme chrétien aux II⁰ et III⁰ siècles, Paris 1913 (1925², 75 ff.); – Werner Foerster, Von Valentin zu H. Unterss. über die Qu. u. die Entwicklung der valentinian. Gnosis, 1928; – Walther Völker, Qu. z. Gesch. der christl. Gnosis, in: Smlg. ausgew. kirchen- u. dogmengeschichtl. Qu.schrr. NF 5, 1932, 63 ff.; – Y. Janssens, Louvain 1946; – Ders., H. Commentaire sur l'Évangile selon s. Jean, in: Muséon 72, 1959, 101 ff. 277 ff.; – François M. Sagnard, La

Gnose Valentinienne et le témoignage de S. Irénée (Thèse, Paris), 1947, 26 ff.; – J. Mouson, La Théologie de H., Louvain 1949; – Ders., Jean-Baptiste dans les fragments d'H., in: EThLov 30, 1954, 301 ff.; – J. Collantes, in: EE 27, 1953, 65 ff. 339 ff.; – H.-Ch. Puech – G. Quispel, Les écrits gnostiques du codex Jung, in: VigChr 8, 1954; 1–51; – Dies., Le quatrième écrit gnostique du Codex Jung, ebd. 9, 1955, 65–102; – A. Orbe, in: AnGreg 65, 1955; 83, 1956; 99 f., 1958; – Ders., in: EE 30, 1956, 5 ff.; – Altaner⁷ 101. 104; – LThK V, 238; – ODCC² 637; – RGG III, 227.

HERBART, Johann Friedrich, ev. Pädagoge, Philosoph und Psychologe, * 4. 5. 1776 in Oldenburg (Oldenburg) als Sohn eines Justiz- und Regierungsrats, † 14. 8. 1841 in Göttingen. – Nach dem Besuch des Oldenburger Gymnasiums studierte H. 1894–97 in Jena vor allem Philosophie. Während seiner anschließenden dreijährigen Hauslehrertätigkeit in Bern lernte er Johann Heinrich Pestalozzi kennen. Zwei Jahre hielt sich H. bei einem Jenaer Studienfreund in Bremen auf und bereitete sich auf ein akademisches Lehramt vor. Er ließ sich in Göttingen immatrikulieren, promovierte nach dem ersten Semester und habilitierte sich. 1805 lehnte H. Berufungen auf die Ordinariate der Philosophie nach Heidelberg und Landshut ab und wurde ao. Professor in Göttingen und 1809 o. Professor in Königsberg, folgte aber 1833 dem Ruf auf den Göttinger philosophischen Lehrstuhl. – H. gehört zu den großen philosophischen Pädagogen am Anfang des 19. Jahrhunderts. Er brachte die Erziehungslehre in enge Verbindung mit seinen philosophischen Grundgedanken, indem er das Ziel der Erziehung aus der Ethik, das dazu erforderliche Verfahren aber aus der Psychologie ableitete.

Werke: Pestalozzis Idee eines ABC der Anschauung, 1802; Allg. Päd. aus dem Zweck der Erziehung abgeleitet, 1806, hrsg. v. Hermann Nohl, 1951 (1963⁵); Lehrb. z. Einl. in die Philos., 1813; Psychologie als Wiss., 2 Bde., 1824/25; Allg. Metaphysik nebst den Anfängen der philos. Naturlehre, 2 Bde., 1828/29; v. Hermann Holstein, 1976⁵; Umriß päd. Vorlesungen, 1835; hrsg. v. Josef Esterhues, 1957. – Kleinere philos. Vorlesung u. Abhh., hrsg. v. Gustav Hartenstein, 3 Bde., 1842/43; Sämtl. Werke, hrsg. v. dems., 12 Bde., 1850–52 (1883², Bd. Bd. 1893); hrsg. v. Karl Kehrbach u. Otto Flügel, 19 Bde., 1887–1912 (Neudr. Aalen 1964); Päd. Schrr., hrsg. v. Otto Willmann u. Theodor Fritzsch, 3 Bde., 1913–19; hrsg. v. Walter Asmus, 3 Bde., 1964–65; Kleine Schrr. z. Päd., hrsg. v. Theo Dietrich, 1962; Hauslehrerberr. u. päd. Korr. 1797–1807, eingel. u. mit Anm. vers. v. Wolfgang Klafki, 1966; Vorlesungen über Päd. Bes. u. eingeleitet v. Wilhelm Schriever, 1964; Kleine päd. Schrr., bes. v. Artur Brückmann, 1968. – Aus H.s Jugendschrr. (Über die ästhet. Darst. der Welt als das Hauptgeschäft der Erziehung; Über die dunkle Seite der Päd.). Eingel. v. Heinz Döpp-Vorwald, 1955 (1965³).

Lit.: Gustav Hartenstein, Die Probleme u. Grdl.n der »Allg. Metaphysik«, 1836; – Theodor Wiget, Pestalozzi u. H., 1891; – Otto Flügel, Der Rationalismus in H.s Päd. Vortr., 1896; – Ders., H.s Leben u. Lehre, 1912²; – Ernst Wagner, Darst. der Lehre H.s, 1907¹¹; – F. Franke, H. Grundzüge seiner Lehre, 1909; – Hans Zimmer, Führer durch die H.-Lt., 1910; – Rudolf Lehmann, H. 1911; – Guido Bagier, H. u. die Musik, mit bes. Berücks. der Beziehungen z. Ästhetik u. Psychologie (Diss. Leipzig), Langensalza 1911; – A. M. William, J. F. H. A study in Pedagogics, London 1911; – Frank Pierreton Graves, H. and education as a science, in: Ders., Great Educators of Three Centuries; their work and its influence on modern education, New York 1912; – Heinrich Walther, J. F. H.s Leben u. Entwicklung bis 1800 (Diss. Erlangen), Stuttgart 1912 (u. d. T.: J. F. H.s Leben u. päd. Entwicklung bis 1800 (Diss. Erlangen), Stuttgart 1912 (u. d. T.: J. F. H.s Charakter u. Päd. in der Entwicklung); – Martin Müller, H.s Stellung z. Kategorienlehre Kants (Diss. Leipzig), 1915; – Otto Hollenberg, H.s Stellung zu den Philanthropinisten (Diss. Breslau), 1917; – Walter Gießler, J. F. H.s Lehre v. Recht, Staat u. Politik (Diss. Jena), 1919; – Theodor Fritzsch, J. F. H.s Leben u. Lehre, mit bes. Berücks. seiner Erziehungs- u. Bildungslehre, 1921; – Wilhelm Rein, Marx oder H., 1924; – Peter Albrecht Becker, Zur Würdigung der Metaphysik H.s (Diss. Bonn), 1921; – Gerhard Clostermann, Die Grdl.n der formalen Erziehungstheorie, 1925; – Emil Figge, Das Organisationsproblem in der H.schen Päd. (Diss. Münster), 1928; – G. Weiß, H. u. seine Schule, 1928; – Reinhard Kynast, Problemgesch. der Päd., 1932; – Henry Charles Fuchs, Die Päd. H.s u. Deweys in vergleichender Betrachtung (Diss. München), 1935; – Hermann Josef Geißen, Die Überwindung des eth. Formalismus Kants durch die ästhet. Begründung der Ethik bei H.

(Diss. Köln), Bleicherode/Harz 1939; – Karl Siegel, Volksgesch.-
wiss. Stud. über H. u. die H.ianer (Diss. Göttingen), 1939; –
Hermine Maier, Die Gesch. des Ver. f. wiss. Päd. (Diss. München), Leipzig 1940; – John Seiler Brubacher, History of the Problems of Education, New York 1947; – Wilhelm Schriever, Die
päd. Menschenkunde H.s (Diss. Göttingen), 1950; – Albert Reb-
le, Gesch. der Päd., 1951, 209 ff.; – Fritz Blättner, Gesch. der
Päd., 1951 (1955³); – Pietro Braido, La concezione H.iana della
pedagogica, Turin 1951; – Adolf Schlatter, Zum Nachdenken f.
christl. H.ianer, in: Der ev. Erzieher 4, 1952, 251 ff.; – Kurt
Gerhard Fischer, Zur Frage einer päd. H.-Renaissance heute
(Diss. Frankfurt), 1952; – Klaus-Dietrich Wagner, Wesen des
Realismus in J. F. H.s Philos. u. Päd. (Diss. Jena), 1952; –
Walter Asmus, H.s Psychologie u. Päd. des Charakters, in: Lebendige Schule 9, 1954, 585 ff.; u. in: Psycholog. Vjschr.
f. alle Gebiete der Psychologie 3, 1957, 390 ff.; – Ders., Der
menschl. H., 1967; – Ders., Glaube u. Wissen im Denken J. F.
H., in: Der ev. Erzieher 20, 1968, 329 ff.; – Ders., J. F. H. Eine
päd. Biogr. I: Der Denker. 1776–1809, 1968 (Rez. v. Gerhard
Schreiter, in: Jb. f. Erziehungs- u. Schulgesch. 10, 1970, 237 ff.;
v. Wilhelm Sjöstrand, in: Paedagogica historica. Internat. Zschr.
f. die Gesch. der Päd. 11, Genf 1971, 541 ff.); II: Der Lehrer,
1970 (Rez. v. Klink, in: Lebendige Schule. Mschr. f. Schulpäd.
26, 1971, 481; v. Rudi Maskus, ebd. 329 f.; v. Wilhelm Sjöstrand, in: Paedagogica historica 11, 1971, 541 ff.; v. Carl Haase, in: Niedersächs. Jb. f. Landesgesch. 43, 1971, 307; v. Emanuel Dejung, in: Schweizer. Zschr. f. Gesch. 21, Zürich 1971, 663
ff.; v. Erich E. Geißler, in: Neue Smlg. Göttingen Bll. f. Kultur
u. Erziehung 12, 1972, 372 f.; v. H. v. Bracken, in: Psycholog.
Btrr. Vjschr. f. alle Gebiete der Psychologie 15, 1973, 638 ff.; v.
Gerhart Schreiter, in: Jb. f. Erziehungs- u. Schulgesch. 13, 1973,
301 f.; v. Rudolf Lassahn, in: ZP 20, 1974, 109 ff.; – Ders., H.
im Urteil seiner Univ.kollegen, in: Göttinger Jb. 19, 1971, 151
ff.; – Ders., Die Autonomie der Päd. H.s, in: ZP 21, 1975, 419
ff.; – Matti A. Sainio, Die Rel. H.s, Jakaja/Finnland 1955; –
Josef Rattner, J. F. H.s »Allg. Päd.«, in: Ders., Große Pädagogen, 1956, 129 ff.; – Karl Schrader, Die Päd. H.s, in: pädagogik.
Btrr. z. Erziehungswiss. 11, 1956, 565 ff.; – Herbert Hornstein,
Bildsamkeit u. Freiheit. Ein Grundproblem des Erziehungsden-
kens bei Kant u. H., 1959; – Artur Brückmann, Päd. u. philos.
Denken bei J. F. H., Zürich 1961; – Lothar Jülicher, Die Psychologie J. F. H.s u. ihre Bedeutung f. die Psychiatrie des 19. Jh.s
(Diss. Bonn), 1961; – Christian Caselmann, Der unsystemat. H.,
1962; – Anneliese Buß, H.s Btr. z. Entwicklung der Heilpäd.
(Diss. Marburg, 1960), Weinheim/Bergstraße 1962; – Bernhard
Schwenk, Das H.verständnis der H.ianer (Diss. Göttingen),
Weinheim/Bergstraße 1963; – Josef Nikolaus Schmitz, H.-Biblio-
gr. 1842–1963, 1964; – Ders., Die Leibesübungen im Erziehungs-
denken J. F. H.s (Diss. Saarbrücken, 1963), Schorndorf bei Stuttgart 1965; – Herman Holstein, Bildungsweg u. Bildungsgesche-
hen. Der Bildungsprozeß bei Kant, H. u. Fröbel, 1965; – Heinrich Seiler, H.s Grundlegung d. wiss. Päd. (Diss. Aachen),
1966; – Norbert Vorsmann, Die Bedeutung des Platonismus f.
den Aufbau der Erziehungstheorie bei Schleiermacher u. H.
(Diss. Münster), 1967; – Fritz Seidenfaden, Die Päd. des jungen
H., 1967; – Kurt Ecker, H. u. seine Anhänger z. Berufserziehung (Diss. Saarbrücken), 1968; – Harold Baker Dunkel, H. and
education, Westminster (Maryland) 1969; – Dietrich Benner, Die
Frage nach dem Wesen der Erziehung bei H., in: PädR 23, 1969,
358 ff.; – Friedhelm Jacobs, Die rel.päd. Wende im Herbartia-
nismus (Diss. Münster, 1968), Heidelberg 1969 (Rez. v. Bruno
M. Bellerate, in: Salesianum 32, Turin 1970, 354 f.); – Ders.,
Freiheit u. Bildung bei J. F. H., in: PädR 27, 1973, 823 ff.; –
Josef Leonhard Blass, H.s päd. Denkform oder Allg. Päd. u.
Topik, 1969 (Rez. v. Bruno M. Bellerate, in: Salesianum 32, Tu-
rin 1970, 354; v. Willi Wolf, in: Bibliographie de J. F. H.
phie 18, Paris 1971, 79); – Ders., Päd. Theoriebildung bei J. F.
H. (Hab.-Schr., Köln 1970), Meisenheim/Glan 1972; – Ders., H.
– Zur Typologie seines päd. Denkens, in: PädR 28, 1974, 509
ff.; – Erich Eduard Geissler, H.s Lehre v. erziehenden Unterricht
(Hab.-Schr., Frankfurt), Heidelberg 1970 (Rez. v. Walter Asmus,
in: ZP 17, 1971, 126 ff.); – Bruno M. Bellerate, La pedagogia di
J. F. H. Studio storico-introduttivo, Rom – Zürich 1970 (Rez. v.
Kurt Gerhard Fischer, in: ZP 17, 1971, 561 ff.); – Ders., Zur
päd. H.forsch. im Ausland, in: PädR 28, 1974, 547 ff.; – H. In-
terpretation u. Kritik. Hrsg. v. Berthold Gerner, 1971; – Ders.,
Neue Materialien z. Wirkungsgesch. H.s, in: PädR 28, 1974, 579
ff.; – Biogr. Wb. z. dt. Gesch. I², 1973, 1111 ff.; – Gerhard
Müssener, H.s Theorie der Bildungsmittel. Eine Betrachtung
unter dem Aspekt dialekt. Verschränkung der sie begründenden
Strukturmomente (Diss. Wuppertal), 1974; – Wilhelm Maucke,
Die Musik im Leben u. Schaffen J. F. H.s. Eine musikbiogr.
Skizze mit einem Abdr. v. H.s 1808 ersch. Klaviersonate Op. 1,
in: Göttinger Jb. 23, 1975, 145 ff.; – Josef Kühne, Der Begriff
der Bildsamkeit u. die Begründung der Ethik bei J. F. H. (Diss.
Zürich), 1976; – KLL I, 611 ff. (Allg. Metaphysik nebst den An-
fängen der philos. Naturlehre); I, 452 f. (Allg. Päd. aus dem
Zweck der Erziehung abgeleitet); – Überweg IV, 156 ff.; – Päd
Lex II, 1929, 767 ff.; – LexPäd II, f. 1953, 668 ff.; – ADB XII,
17 ff.; – NDB VIII, 572 ff.; – EKL II, 112 f.; – RGG III, 229
ff.; – LThK V, 240; – NCE VI, 1051.

HERBERGER, Valerius, Erbauungsschriftsteller und
Kirchenliederdichter, * 21. 4. 1562 in Fraustadt (Großpolen) als Sohn eines Kürschners, † daselbst 18. 5.

1627. – Fraustadt bestand schon in der zweiten Hälfte
des 13. Jahrhunderts als eine Stadt deutschen Rechts
und deutscher Bevölkerung. Um den Besitz des Fraustädter Ländchens stritten sich im 13. Jahrhundert die
schlesischen und polnischen Herzöge, so daß es bald
unter schlesischer, bald polnischer Oberhoheit stand.
Von 1343 bis 1793 gehörte es zu Polen, nahm aber,
vor allem seine Hauptstadt, eine gewisse Sonderstellung ein; denn Fraustadt behielt das deutsche Recht,
obwohl 1422 das polnische Recht im Fraustädter Länd-
chen zur Einführung gelangte. Nachdem 1552 der römisch-katholische Pfarrer in Fraustadt gestorben war,
wurde die Gemeinde zusammenberufen, um über die
Wiederbesetzung der Pfarrstelle zu beraten. Die Anwesenden waren einstimmig der Ansicht, man müsse
einen solchen Mann berufen, der das reine Evangelium nach der Lehre des Augsburgischen Bekenntnisses predige. So kam es, daß die Gemeinde Fraustadt
1552 zur Reformation übertrat. H.s Vater gehörte der
Meistersängerzunft an und war ein frommer Mann,
der vor der Einführung der Reformation in Fraustadt
oft mit anderen gleichgesinnten Freunden heimlich
am Sonntag über Land gezogen war, um eine evangelische Predigt zu hören. Sein Wunsch war es, daß
Valerius einst Prediger würde. H. lernte schon früh
Not und Armut kennen, weil sein Vater 1571 starb.
Die kinderlose Schwester seiner Mutter, die Frau eines
Fleischermeisters, nahm ihn zu sich und sorgte dafür,
daß er die Fraustädter Lateinschule bis zum Schluß besuchte. Nun wollte der Stiefvater, ein Schuhmacher-
meister, daß der 17jährige Valerius bei ihm dieses
Handwerk erlerne. H. widersprach nicht. So wurde
der Tag seiner Aufnahme in die Werkstatt festgesetzt. Da führte sein Pate, ein Pastor aus Fraustadt,
eine glückliche Wendung herbei und brachte ihn selbst
nach Freistadt (Schlesien) auf die Lateinschule. Freien
Unterhalt fand Valerius im Haus eines Stadtschreibers, dessen beiden Söhnen er Unterricht erteilte.
Nach drei Jahren begann H. 1582 in Frankfurt an der
Oder mit dem Studium der Theologie, das er in Leipzig fortsetzte. Der Fraustädter Magistrat berief ihn
1584 in die unterste Lehrerstelle an der Lateinschule
und übertrug ihm 1590 das Diakonat. H. wurde 1599
Pfarrer in Fraustadt. Es war eine ernste Zeit; denn
damals begann die katholische Kirche in Fraustadt,
das Gebiet allmählich zurückzuerobern, das sie seit
etwa 1555 in weiten Teilen des Landes verloren hatte.
Seit dem Tod des letzten katholischen Pfarrers 1552
war die Stelle 25 Jahre hindurch unbesetzt geblieben.
1577 wurde ein neuer katholischer Pfarrer ernannt,
der jedoch mit einer mäßigen finanziellen Abfindung
zufrieden war und andere Ämter übernahm. Unter
dem Einfluß der neuen Zeitströmung aber forderte er
seit 1600 die Pfarrkirche und alle anderen kirchlichen
Besitzungen zurück. Der Rat führte mit großer Zähig-
keit und Geschicklichkeit den Prozeß mit dem katholischen Pfarrer. Im Herbst 1604 fand dieser Prozeß
einen vorläufigen Abschluß. Die Stadt mußte die
Pfarrkirche und die meisten kirchlichen Grundstücke
und die Kapitalien dem katholischen Pfarrer herausgeben, aber erlangte die ausdrückliche Zusicherung,
daß sie ein neues Gotteshaus bauen und fernerhin ungehindert evangelischen Gottesdienst halten dürfe.
Noch zwölf Wochen, bis Weihnachten 1604, durfte

die alte Pfarrkirche für den evangelischen Gottesdienst benutzt werden. Der Rat und die Gemeinde beschlossen, zwei Häuser am polnischen Tor zu erwerben und zu einem Gotteshaus umzubauen. Um die Kaufsumme aufzubringen, veranstalteten sie eine Sammlung. Am Vormittag des 24. 12. 1604 wurde die Pfarrkirche den bischöflichen Kommissaren übergeben. In der folgenden Nacht um 3 Uhr fand dann die berühmte Christnachtfeier statt, bei der H. der neuen Kirche ihren Namen gab: »Es soll das Gotteshaus im Namen Jesu Christi ›Kripplein Christi‹ heißen. Hat das Jesulein nicht Raum in der Herberge, so hat es doch Raum im Kripplein.« Die katholische Partei war bald mit dem abgeschlossenen Vertrag unzufrieden und stellte weitergehende Ansprüche. Den Katholiken mußte die Schule überlassen und neben dem »Kripplein Christi« eine neue für die evangelische Bevölkerung gebaut werden. Auch mußte die Gemeinde einen neuen Kirchhof anlegen, da die Katholiken es nicht länger gestatteten, daß die Leichen der Evangelischen auf dem alten Kirchhof beerdigt wurden. Der katholische Pfarrer forderte 1607 von der Stadt, daß sie ihm für die Zeit, da kein katholischer Priester in Fraustadt tätig gewesen war, jährlich 6 000 Taler als Entschädigung für die verlorenen Pfarreinkünfte zahlen sollte. Die Stadt gab sich alle Mühe, diese unbillige Forderung abzuweisen; aber es gelang ihr nicht. Sie sah sich schließlich genötigt, mit dem katholischen Pfarrer einen Vergleich einzugehen, nach dem sie für die Benutzung der Äcker nachträglich eine Entschädigung von jährlich 500 Talern und für die Stolgebühren jener Zeit 9 000 Taler zahlen mußte. – Während seiner Wirksamkeit in Fraustadt trat die Pest dreimal auf: 1599, 1601 und am verheerendsten 1613. Binnen kaum fünf Monaten wurden 2 135 Menschen von ihr hinweggerafft. Wer konnte, floh aus der Stadt. H. aber blieb bei seiner Gemeinde. Viele Tote begrub er mit dem Totengräber allein. Betend und singend ging er voran. Ihm folgte der Totengräber mit seinem Karren, auf dem die Leichen lagen. Schon von fern hörten die Leute sein Glöckchen, das sie warnte und aufforderte, in den Häusern zu bleiben. In jener furchtbaren Pestzeit dichtete H. das Lied »Valet will ich dir geben, du arge, falsche Welt« (EKG 318). Er gab ihm die Überschrift »Valet des Valerius Herberger, der Welt gegeben anno 1613 im Herbst, da er alle Stunden den Tod vor Augen gesehen, aber dennoch gnädiglich, ja wunderlich wie die drei Männer im babylonischen Feuerofen erhalten worden«. Die Anfangsbuchstaben der einzelnen Strophen (bei der 1. Strophe die ersten vier Buchstaben) ergeben den Taufnamen des Dichters. Die Tonweise stammt von Melchior Teschner (s. d.), der damals Kantor in Fraustadt war. – H.s Schriften zeichnen sich aus durch kraftvolle Anschaulichkeit und Gefühlsinnigkeit und fanden darum weite Verbreitung.

Werke: Magnalia Dei de Jesu scripturae nucleo et medulla, 12 Tle., 1601–18 u. ö. (erbaul. Komm. in Meditationen über die 5 Bücher Mose, Jos, Ri u. Ruth mit der Tendenz, Jesus als der HS Stern u. Kern auch schon im AT nachzuweisen; Neuausg. 1. Tl., 1854); Himml. Jerusalem, 1609 (Ausl. v. Off 21 u. 22; Neuausg. v. Friedrich Ahlfeld, 1858); Passionszeiger, 1611 (Homilien über die Passion Jesu; Neuausg. v. Karl Friedrich Ledderhose, 1854); Trauerbinden (= Leichenpredigten), 7 Bde., 1611 bis 1621 (Neuausg. in Auswahl v. dems.: 32 Leichenpredigten, gen. Trauerbinden, 1854); Ev. Herzpostille, 1613 u. ö. (Predigten über die Evv. des Kirchenj.; Neuausg. v. C. R. Bachmann, 1853); Epistol. Herzpostille, 1693 (Predigten über die Episteln

des Kirchenj.); Geistreiche Stoppelpostille (Predigten über solche Texte aus den 4 Evv. u. der Apg, die in den anderen Postillen nicht behandelt u. hier zus.-»gestoppelt« sind); Erkl. des Jesus Sirach in 95 Predigten; Florilegium ex paradiso Psalmorum, 1625 ff. (Ausl. der Pss, geordnet nach Ps 23; Neuausg. v. K. F. Ledderhose, 1854). – H. Orphal, V. H. Ausgew. Predigten mit einer einleitenden Monogr. (Die Predigt der Kirche XVII), 1892.

Lit.: Samuel Friedrich Lauterbach, Vita, fama et fata Valerii Herbergeri. Das merkwürdige Leben V. H.s, 2 Tle., Leipzig 1708. 1711; – Karl Friedrich Ledderhose, Leben V. H.s, Predigers am Kripplein Christi zu Fraustadt, Bielefeld 1851; – Johann Friedrich Specht, Der neue Zion oder die Gesch. der ev.-luth. Gemeinde am Kripplein Christi zu Fraustadt, Fraustadt 1855; – Friedrich August Gotttreu Tholuck, Lebenszeugen der luth. Kirche aus allen Ständen vor u. während des 30j. Krieges, Berlin 1859; – Friedrich Wilhelm Krummacher, V. H., der – Ferdinand Piper, Zeugen der Wahrheit IV, 1875, 239 ff.; – G. Pfeiffer, Das Leben des V. H., 1877; – Wilhelm Beste, Die bedeutendsten Kanzelredner des 17. Jh.s III, 1886, 76 ff.; – Adolf Henschel, V. H., 1889; – Engelmann, Bilder aus der KG Fraustadt, 1905; – Hermann Hering, Die Lehre v. der Predigt, 1905, 120 f.; – Wilhelm Nelle, Unsere Kirchenliederdichter III³, 1906, 33 ff.; – Hugo Moritz, Ref. u. Gg.ref. in Fraustadt, 2 Tle., 1909 (Beil. zu dem Jber. des Kgl. Friedrich-Wilhelm-Gym. zu Posen); – Wolfgang Bickerich, V. H., in: Heimatkal. f. den Kreis Fraustadt, 1927, 36; – Adolf Mathias, Ein Btr. z. Lebensgesch. V. H.s Nach der Qu. wiedergegeben, in: Grenzmärk. Heimatbll. 3, 1927, 113 ff.; – V. H. u. seine Zeit. Zur 300. Wiederkehr seines Todestages, in: Qu. u. Forsch. z. Heimatkunde des Fraustädter Ländchens, H. 1, Fraustadt 1927; – F. Lüdtke, V. H.s schöpfer. Stunde, in: Das Brandenburger Land. Mhh. f. Volkstum u. Heimat 2, 1935, 359 ff.; – V. H. Vorbild des Dorfpredigers, in: Die Dorfkirche 30, 1937, 118 ff.; – Walter Nordmann, Das hl. Heimweh, V. H.s Kampf u. Sieg, 1939; – Friedrich Wilhelm Bautz, Von Gott will ich nicht lassen. Kreuzträger unter den Liederdichtern II², 1952, 36 ff.; – Ders., ... u. loben Gott um Mitternacht. Liederdichter in Not u. Anfechtung, 1966, 200 ff.; – Jörg Erb, Die Wolke der Zeugen II, 1954, 321 ff.; – Alfred Niebergall, Die Gesch. der christl. Predigt = Leiturgia II, 1955, 181–352, bes. 292 f.; – Friedrich Hauß, Väter der Christenheit II, 1957, 15 ff.; – Ilse Buchholz, V. H. Prediger am Kripplein Christi zu Fraustadt in Polen, 1965; – Koch II, 301 ff.; – Hdb. z. EKG II/1, Nr. 89 = S. 125 ff.; Sonderbd. 496 ff.; – Fischer-Tümpel I, Nr. 125 = S. 97–99; – Koch, LL II, 932 f.; – Goedeke II, 198; – Wilpert I², 698 f.; – RE VII, 695 ff.; – RGG III, 232; – ADB XII, 28 f.; – NDB VIII, 576 f.

HERBERGER, Zacharias, Kirchenliederdichter, * 28. 10. 1591 in Fraustadt (Großpolen) als Sohn des Valerius Herberger (s. d.), † daselbst 15. 3. 1631. – H. hatte Johann Heermann (s. d.) zum Hauslehrer und kam 1608 zu seiner weiteren Ausbildung nach Thorn. Er studierte 1610 in Leipzig und erwarb 1613 die Magisterwürde. H. wurde 1614 Diakonus in Fraustadt und 1627 als seines Vaters Nachfolger Oberpfarrer. – Zacharias H., nicht sein Vater, ist der Dichter des Liedes »Ein Wandersmann bin ich allhier auf Erden«, das 1614 im Druck erschien als Anhang zu einer Leichenpredigt seines Vaters für die 1613 verstorbene Frau eines Breslauer Arztes und auch in den 4. Teil der »Geistlichen Trauerbinden Valerii Herbergeri«, Leipzig 1618, aufgenommen wurde.

Lit.: Koch II, 311 ff.; – Fischer-Tümpel I, Nr. 126 = S. 99 f.

HERBERSTORFF, Adam Graf von (seit 1623 Reichsgraf), bayrischer Statthalter von Oberösterreich, * 15. 4. 1585 in Kalsdorf (Steiermark), † 11. 9. 1629 auf Schloß Ort am Traunsee (Oberösterreich). (luth., dann kath.). – H. studierte in Lauingen/Donau und in Straßburg und trat dann in die Dienste des protestantischen Pfalzgrafen Philipp Ludwig in Neuburg/Donau. 1610–11 war er Pfleger in Beratzhausen, 1612 bis 1614 Landrichter in Sulzbach und 1614 Pfleger in Reichertshofen. Nachdem Pfalzgraf Wolfgang Wilhelm 1614 die Regierung angetreten hatte, wurde H., der wie jener zum Katholizismus übertrat, dessen Geheimrat und Statthalter im Herzogtum Neuburg und förderte trotz des Widerstrebens der Landstände eifrig und nachdrücklich die Rekatholisierung von Stadt und Herzogtum Neuburg. 1619 wechselte er über in die bayrischen Dienste als Rittmeister und wirkte 1620 als Oberst eines Kürassierregiments mit bei der Unterwerfung Oberösterreichs durch Herzog Maximilian von Bayern. Er wurde am 20. 8. 1620 vom Herzog in Linz den Oberösterreichischen Ständen als Statthalter des eroberten und vom Kaiser Ferdinand II. an Bayern verpfändeten Landes vorgestellt. Er residierte im Linzer Schloß als Chef der bayrischen Verwaltung in Oberösterreich. Auf Wunsch Kaiser Ferdinands erfolgte unter H.s Statthalterschaft die gewaltsame Rekatholisierung des Landes. 1625 brachen Unruhen in Frankenburg aus wegen Einsetzung eines katholischen Geistlichen. H. ging mit äußerster Strenge vor. In Anwendung des Kriegsrechts ließ er die Vertreter der am Aufruhr beteiligten Orte und Pfarren um ihr Leben würfeln und die Hälfte von ihnen ohne Verfahren hängen (»Frankenburger Würfelspiel«). 1626 erhoben sich die Bauern in einem allgemeinen Aufstand gegen den verhaßten Statthalter, der vor Peuerbach eine schwere Niederlage erlitt. Die Bauern belagerten H. in Linz. Mit Hilfe kaiserlicher und bayrischer Truppen konnte der Bauernaufstand niedergeworfen werden. Nachdem Oberösterreich 1628 aus der bayrischen Pfandherrschaft gelöst worden war, ernannte ihn der Kaiser zum Landeshauptmann von Oberösterreich. – H. ist durch sein Wirken in Oberösterreich eine der bekanntesten Gestalten der Gegenreformation.

Lit.: Felix Stieve, Der oberöstr. Bauernaufstand des J. 1626, 2 Bde., Linz 1904–05²; – Julius Strnadt, Der Bauernkrieg in Oberöstr., 1913⁴; – F. Wiesenberger, Der große Bauernkrieg, in: Mschr. Bergland 7, Innsbruck 1925, Nr. 8; – Walter Götz, Briefe u. Akten z. Gesch. des 30j. Krieges. Tl. 2, Bd. 3, 1626/27, 1942; – G. Grüll, Das Frankenburger Würfelspiel, in: Oberöstr. Landwirtschaft, Kultur, Wirtschaft, Fremdenverkehr 9, Linz/Donau 1959; – Hans Sturmberger, Adam Gf. H. Herrschaft u. Freiheit im konfessionellen Zeitalter, 1976; – ADB XII, 29 f.; – NDB VIII, 580 f.

HERBERT, George, anglikanischer Pfarrer, Dichter, * 3. 4. 1593 in Montgomery Castle (Wales) als jüngerer Bruder des Philosophen und Dichters Edward H., Lord of Cherbury, † 1. 3. 1633 in Bemerton (Wiltshire). – H. studierte in Cambridge und war dort seit 1616 Dozent und seit 1618 Lektor der Rhetorik. Glänzende Gaben und beste Beziehungen ließen den jungen H. auf eine ruhmvolle öffentliche Laufbahn hoffen. Da alle seine Bemühungen vergeblich waren und seine Gönner starben, entschloß sich H. zum Eintritt in den geistlichen Stand. Sommer 1616 wurde er zum Diakon geweiht. H. lebte zurückgezogen bei Freunden und Verwandten in Chelsa und heiratete 1629 eine Dame aus einer der vornehmsten Familien von Weltshire. 1630 empfing er die Priesterweihe und übernahm 1630 die Landpfarrei Bemerton, ein Nest zwischen Wilton und Salisbury mit 300 Seelen. Hier schrieb H. sein Prosawerk »Ein Priester des Tempels oder Der Landpfarrer«. Das Buch ist nicht in allen Teilen autobiographisch zu verstehen. »Doch nur ein Mann, der bereits ein gewisses Maß von Heiligkeit erreicht hatte, konnte seine Ideale mit solch leuchtender und aufrichtiger Frömmigkeit aufzeichnen« (Margaret Bottrall). H. hatte sein Leben lang an Krankheiten zu leiden. Schwindsucht warf den Neununddreißigjährigen aufs Sterbebett. Gelassen, ja heiter sah er dem Tod entgegen. Der Sterbende sang Lob- und Danklieder und betete bis ans Ende. – H. war ein bedeutender religiöser Lyriker von inniger Frömmigkeit, der volkstümlichste religiöse Dichter Englands im 17.

Jahrhundert und gilt als »einer der besten lyrischen Dichter der englischen Sprache« (Joseph Holmes Summers).

Werke: The Temple. Sacred Poems and privat Ejaculations, Cambridge 1963 (Faks.ausg. Menston 1968); – A priest to the temple; or the Country Parson, 1652. – *Ausgg.:* Works, hrsg. v. Samuel Taylor Coleridge, 2 Bde., 1835 f.; – Complete Works, hrsg. v. Alexander Balloch Grosart, 3 Bde., 1868–74; – Works, hrsg. v. William Pickering u. Henry Charles Beeching, 1898; – The English Works, hrsg. v. George Herbert Palmer, 3 Bde., 1905–07 (mit Einf. in I, 167–167). – Complete Works, Hrsg. v. Francis Ernst Hutchinson, Oxford 1941 (1964⁵); – The Latin Poetry, hg. engl. v. Mark McCloskey u. Paul R. Murphy, 1964. – *Ausw.:* The Poems, hrsg. v. Arthur Waugh, 1907 (mit Einf. V–VIII); – The Country Parson, and selected poems, London 1956; – Selected Poems of G. H. With a few represantive poems by his contemporaries. Arranged, with an introduction, notes and glossary, by Douglas Brown, ebd. 1960; – The Poems of G. H. With an introduction by Douglas Brown, ebd. 1960; – The Poems of G. H. With an introduction by Helen Gardner, ebd. 1961 (1965³); – A Priest to the Temple, or The Country Parson, in: Five Pastorals. Abridged and edited with introduction by Thomas Wood, ebd. 1961, 75–140; – G. H. Selected by David Herbert, ebd. 1963; – A Choice of G. H.'s verse, selected with an introduction by Ronald Stuart Thomas, ebd. 1967. – *Bibliogr.:* George Herbert Palmer, A. H. Bibliography, Cambridge/Massachusetts 1911.
Lit.: Izaak Walton, The Life of G. H., London 1670 (Neuausg. 1927); – J. Daniell, The Life of G. H., 1893 (1902²); – A. G. Hyde, G. H. and his times, London 1906; – Cameron Mann, A Concordance to the English Poems of G. H., Boston – New York 1927; – James Blair Leishman, The Metaphysical Poets, Oxford 1934, 99–144; – Helen Constance White, The Metaphysical Poets. A study in religious experience, New York 1936; – George Lacey May, G. H., London 1938; – Itrat Husain, The Mystical Element in the Metaphysical Poets of the seventeenth century, Edinburgh 1948; – Rosemarie Freeman, English Emblem Books, London 1948; – Molly Maureen Mahood, Poetry and Humanism, ebd. 1950; – Rosemond Tuve, A Reading of G. H., ebd. 1952; – Joseph Holmes Summers, G. H. His Religion and Art, ebd. 1954 (1968²); – Malcolm Mackenzie Ross, Poetry and Dogma. The transfiguration of eucharistic symbols in seventeenth century English poetry, ebd. 1954; – Louis Lohr Martz, The Poetry of Meditation. A Study in English religious Literature of the seventeenth Century, ebd. 1954; – Margaret Bottrall, G. H., ebd. 1954; – Arno Esch, Engl. rel. Lyrik des 17. Jh.s. Stud. zu Donne, H., Crashaw, Vaughan (Hab.-Schr., Bonn), 1955 (69–96: Gedichtaufbau v. G. H.); – Robert Ellrodt, L'inspiration personnelle et l'esprit du temps chez les poètes métaphysiques anglais (Thèse, Paris 1959), 2 Bde.; – 1960; – Thomas Stearns Eliot, G. H., London 1962; – Gisbert Kranz, G. H. Ein Dichter des Anglikanertums, in: Hochland 55, 1962/63, 235–246; – Ders., Europas christl. Lit. v. 1500 bis heute, 1968², 530 f. 591 u. ö.; – Hasso Jaeger, La mystique protestante et anglicane, in: André Ravier, La mystique et les mystiques, Paris 1964, bes. 366–369; – Ders., La crise d'un poète anglican du 17e siècle: G. H., in: RHPhR 49, 1969; – Louis Bouyer, La spiritualité orthodoxe et la spiritualité protestante et anglicane. Histoire de la spiritualité chrétienne III, Paris 1965, 171 ff.; – Rosemond A. Tuve, A recording of G. H., Chicago 1965; – Mary Ellen Rickey, Utmost art: complexity in the verse of G. H., Lexington/Kentucky 1966; – Walter Franz Schirmer, Gesch. der engl. u. amer. Lit. Neubearb. v. Arno Esch, 1967⁴; – Arnold Sidney Stein, G. H.'s lyrics, Baltimore/Maryland 1968; – Wilpert I², 699; – DSp VII, 270 ff.; – ODCC² 638; – RGG III, 233.

HERBERT, Petrus, Theologe und einer der bedeutendsten Dichter der Böhmischen Brüder, * um 1530 in Fulnek (Mähren), † 1. 10. 1571 in Eibenschitz (Mähren). – H. studierte seit 1552 in Königsberg und seit 1557 in Wittenberg und empfing in Jungbunzlau die Priesterweihe. Er wurde 1561 als Abgesandter der Brüderunität nach Genf zu Johannes Calvin (s. d.) gesandt, der sich über die Abendmahlslehre der mährischen Brüder tadelnd geäußert hatte. H. traf mit seinem Begleiter Johannes Rokyta in Göppingen (Württemberg) mit Pietro Paolo Vergerio (s. d.) zusammen, dann mit dem Herzog Christoph (s. d.) von Württemberg, der sich bereit erklärte, einige junge Leute aus der Unität in Deutschland auf seine Kosten studieren zu lassen, der vor der Reise in die Schweiz abriet. Er reiste allein weiter und kam in Zürich mit Heinrich Bullinger (s. d.) und Pietro Martyr Vermigli (s. d.) zusammen und in Bern mit Wolfgang Musculus (s. d.). Von dort zog H. nach Genf. Überall fand er freundliche Aufnahme, auch Verständigung und Anerkennung der Abendmahlslehre der Brüder. 1561 übersetzte er die Konfession der Brüder ins Deutsche. H. wirkte als Vorsteher der Gemeinde in Landskron. Die Synode in Prerau wählte ihn 1567 als Konsenior in den Engeren Rat. Nach Jan Jeleckys (s. d.) Tod († 28. 12. 1568) wurde er Prediger in Fulnek. Michael Thamm (s. d.), Jelecky und H. arbeiteten eine neue Ausgabe des deutschen Brüdergesangbuchs aus, die 1566 in Eibenschitz im Druck erschien. Der erste Teil dieses reichhaltigsten deutschen Brüdergesangbuchs enthielt die von den Brüdern gedichteten 348 Lieder und der zweite 108 Lieder der deutschen evangelischen Kirche, darunter fast sämtliche Lieder Martin Luthers (s. d.). Das deutsche Brüdergesangbuch von 1566 hat aus dem von Michael Weiße (s. d.) herausgegebenen Gesangbuch von 1531 von den 157 Liedern Weißes 142 aufgenommen und 26 von den 32 neuen Liedern der von Johann Horn (s. d.) besorgten Ausgabe von 1544. Es enthält außerdem 180 neue Lieder, von denen sich 90 als mehr oder weniger getreue Übersetzungen tschechischer Lieder des Gesangbuchs von 1561 nachweisen lassen. Die meisten der neuen Lieder sind von den drei Herausgebern verfaßt bzw. übersetzt: 28 von Thamm, 23 von Jelecky und 93 von H. Von den 93 Liedern H.s sind 42 aus dem Tschechischen übertragen. Die Brüder beschlossen, dieses Gesangbuch dem Kaiser zu widmen und durch eine Abordnung in Wien überreichen zu lassen. Zu dieser Abordnung gehörte H. Am 27. 11. 1566 überreichten sie in einer Privataudienz Maximilian II. das Gesangbuch. Von H.s Liedern sind bekannt: »Die Nacht ist kommen, drin wir ruhen sollen« (EKG 356); das Passionslied »Jesu Kreuz, Leiden und Pein, deines Heilands und Herren, betracht, christliche Gemein, ihm zu Lob und Ehren« (EKG 58); das Abendmahlslied »Wohlauf, die ihr hungrig seid und durstig nach eurer Seligkeit, kommt und eilt zum großen Abendmahl« (EKG 155); die Schilderung der Kirche nach Eph 2, 20–22 »Preis, Lob und Dank sei Gott dem Herren, der seiner Menschen Jammer wehrt« (EKG 206). Genannt sei auch: »Der Glaub ist ein lebendge Kraft, die an Gottes Verheißung haft't.«

Lit.: Philipp Wackernagel, Bibliogr. z. Gesch. des dt. Kirchenliedes im 16. Jh., 1855, 624 ff.; – Anton Gindely, Gesch. der böhm. Brüder, Prag 1857/58, I, 410 ff. 459; II, 25. 34. 40. 465; – Rudolf Wolkan, Das dt. Kirchenlied der böhm. Brüder im 16. Jh., ebd. 1891, 105 ff.; – Joseph Theodor Müller, Hymnolog. Hdb. z. Gesangbuch der Brüdergemeine, 1916, 15 ff. 97 f. 134. 196; – Ders., Gesch. der Böhm. Brüder II, 1931, 28. 374. 379 ff. 394. 409; III, 1931, 102 ff. 399; – Walther Baudert, Der Btr. der Brüdergemeine z. dt. Dichtung, 1953, 9 ff.; – Ingeborg Röbbelen, »Theol.« u. »Frömmigkeit« im dt. ev.-luth. Gesangbuch des 17. u. frühen 18. Jh.s (Diss. Göttingen, 1954), Berlin 1957, 205, Anm. 17 u. ö.; – R. Riccan, Die böhm. Brüder, 1959, 339 f. 343 (tsch.); – Wackernagel IV, Nr. 543–620 = S. 384–449; – Koch II, 414 f.; – Hdb. z. EKG II/1, Nr. 49 = S. 83; – ADB XIII, 263 f. (unter Hubert); – NDB VIII, 582; – RE X, 430; – RGG III, 233 f.

HERBST, Ferdinand, ev. Theologe, * 20. 2. 1890 als Pfarrerssohn in Ansbach, † 22. 8. 1950 in Bad Nauheim. – H. besuchte das Gymnasium in Wuppertal-Barmen und studierte in Bethel bei Bielefeld, Erlangen, Halle/Saale und München. Er kam als Inspektor an das Domkandidatenstift in Berlin. Im ersten Weltkrieg kämpfte H. zunächst an der Front und wurde dann nach einer Verwundung Militärpfarrer der Garnison Berlin. Seit 1917 verwaltete er das Pfarramt der deutschen evangelischen Gemeinde in Den Haag und

entfaltete eine rege Wirksamkeit, der die Gemeinden Haarlem, Twente und Antwerpen ihre Gründung bzw. die Erneuerung ihrer Arbeit verdankten. Seit 1930 leitete H. die Konferenz der evangelischen Auslandspfarrer für Holland, Belgien und Frankreich. 1936 trat er in die Gustav-Adolf-Arbeit in Leipzig ein und wurde 1939 der Nachfolger des Generalsekretärs Dr. Bruno Geißler. Im zweiten Weltkrieg mußte H. erleben, wie das alte Verwaltungsgebäude des Werks in Leipzig mit vielen wertvollen Akten in Flammen aufging. Als Heimatloser kam er nach Assenheim (Oberhessen) und leitete dort im Auftrag des Präsidenten eine Zentralkanzlei des Gustav-Adolf-Werkes. Im September 1949 führte H. in Fulda die erste Nachkriegstagung des Gesamtwerkes durch.

Lit.: Seiler, Gen.Sekr. F. H. †, in: DtPfrBl 50, 1950, 568 ff.

HERBST, Hans, der geistige Führer der reformatorischen Bewegung in Schwabach, * um 1470, † 1540. – H. scheint ein geborener Schwabacher nicht gewesen zu sein, da ihn keine Universitätsmatrikel unter den Studenten dieser Stadt nennt. Er wurde 1507 Stadtrichter und wandte sich als gereifter Mann der Reformation zu. Der markgräfliche Amtmann Wolf Christoph von Wiesentau, der Ende 1523 sein Amt antrat, und H. waren die einflußreichsten Förderer der lutherischen Sache in Schwabach. Die erste Amtshandlung des neuen Amtmanns war die Befriedigung des bestehenden sozialen Hauptwunsches der Schwabacher: am 5. 2. 1524 wurde im Chor der Stadtkirche der Almosenkasten aufgestellt, ein mächtiger eiserner Opferstock mit kunstvollem dreifachem Verschluß, den die Stadt selbst in Verwaltung nahm. Er gilt als das erste Denkmal der beginnenden Reformation in Schwabach. Vier Tage nach der Aufrichtung des »gemeinen Kastens« war die Fastnacht. Ein gedrucktes anonymes Fastnachtsgedicht in derben Knüttelreimen wurde in vielen Exemplaren in der Stadt verbreitet. Die Titelseite des Drucks ist mit einem Holzschnittbild geziert, das den Amtmann von Wiesentau mit dem alten und jungen Bürgermeister an der Fastnachtstafel sitzend darstellt. Zur offenen Saaltür ist der Schalksnarr hereingetreten. Er entbietet »dem Edlen und Vesten, Ersamen und weisen Wolff Christoff von Wiesenthau, Amptmann, den Bürgermeistern und dem Rathe zu Schwabach« seinen Gruß, spricht seine Freude über die erfolgte Aufrichtung des Almosenkastens aus und bringt das Anliegen vor, die hochmögenden Herren möchten doch der Schwabacher Gemeinde einen lutherischen Prediger verschaffen. Dann redet der Schalksnarr vom rechten geistlichen Hirtenamt und polemisiert gegen die falschen Hirten. Er widerlegt die Einwände der Gegner des Almosenkastens gegen dessen Errichtung, ermahnt die weltliche Obrigkeit, in der Durchführung der nun begonnenen guten Sache fest zu bleiben, und fordert die Wohlhabenden auf, christliche Barmherzigkeit zu üben und fleißig in den Gotteskasten zu opfern. Dieses Fastnachtsgedicht ist das Erzeugnis eines Mannes, der mit der Art und Sprache der Hans Sachs (s. d.) in seinen Fastnachtsschwänken, aber auch mit der Bibel und den Gedanken der Reformation wohl vertraut ist und dem die Predigt des reinen Gotteswortes und darum die Anstellung eines lutherischen Predigers in Schwabach ein Herzensanliegen ist. Etwa drei Wochen später erschien eine zweite Flugschrift, deren Verfasser H. ist. Hans Linck, ein überzeugungstreuer Priester, der als Nachfolger seines Oheims Petrus Linck 1505 zur Pfarrherrnwürde in Schwabach gelangt war, hatte seinen Schwager, den Stadtrichter H., beim Markgrafen verklagt, weil er begonnen hatte, in seinem Haus Andachten zu halten, bei denen aus der Bibel vorgelesen wurde. H. rechtfertigt sich nun seinem Pfarrer und Schwager gegenüber in einem offenen Brief: »Eyn Brüderliche vnd Christenliche Heyliger geschrifft gegründte ermanung von einem vnterthon vnd schefflin Seynem Pastor oder pfarrherrn zugeschickt, yn dem er in seins pastoramptes erynnert vnd seine schefflin mit dem wort Gots zu weyden vnd keyn taglöner an sein stadt zu stellen, Dy von schefflin (so der wolff kumpt) flyehen.« Keines begangenen Unrechts bewußt, verteidigt sich H. und beruft sich dabei auf Christus und zahlreiche Bibelstellen. Dann geht er mit Lincks und seiner Kapläne Amtsführung scharf ins Gericht: Linck habe Taglöhner über seine Herde bestellt, die »die Wolle der Schafe nähmen«, und auch selber wie ein Taglöhner und nicht wie ein rechter Hirte an seinen Pfarrkindern gehandelt. »Dieweil sie nun des Glaubens in Christum und seiner Gerechtigkeit geschwiegen und Christum ausgeschlossen haben, darum hab ich mich solcher Tand-Predigten und unnützen Geschwätz, auf den Geiz gerichtet, entschlagen und die heiligen göttlichen Schriften und das hochwürdig lieblich Gotteswort in meinem Haus gelesen und Andren aus Pflicht brüderlicher Lieb mitgeteilt, aber zu keinem Aufruhr, wie Ihr mich denn verklagt, gereizt.« Dieser offene Brief an Linck ist von H. auch als eine Werbeschrift für die evangelische Sache in der Gemeinde gedacht und verfaßt; denn er redet darin wiederholt »seine lieben Brüder«, die Schwabacher Bürger, an. Ungefähr gleichzeitig mit diesem Brief H.s erschien eine dritte Schrift, eine Dichtung nicht in Reimen, sondern in der dramatisch lebendigeren Form eines Gesprächs, wie sie in vielen anderen Flugschriften der Reformationszeit gewählt ist: »Eyn gesprech von dem gemaynen Schwabacher Kasten, als durch Bruder Heinrich, Knecht Ruprecht, Kemerin, Spuler vnd jrem Meister des Handtwercks der Wüllen Tuchmacher.« Das Titelbild zeigt eine Wollenweberwerkstatt, in der Meister und Geselle am Webstuhl sitzen, der Spuler den Haspel dreht und die Kämmerin im Hintergrund die Wolle reinigt. Im Vordergrund steht der »Bruder Heinrich« in der Kutte, ein ehemaliger Mönch, der die Anwesenden für den evangelischen Glauben zu gewinnen sucht. Der Handwerksmeister ist im Herzen bereits ein Anhänger der Reformation und tritt im Dialog bald für die evangelische Sache ein. Die beiden anderen Männer sind zuerst noch bedenklich, lassen sich dann aber ohne viel Mühe eines Besseren belehren, während die Kämmerin noch starr an ihrem katholischen Glauben festhält, bis zuletzt auch sie sich überwunden gibt. So endet das Gespräch mit dem gemeinsamen Bekenntnis zur lutherischen Sache. Diese Schrift zählt zu den besten Erzeugnissen der reformatorischen Flugschriftenliteratur. Während das Fastnachtgedicht und der offene Brief des Stadtrichters H. an seinen Schwager und Pfarrer Linck kaum über Schwabach hinaus bekanntgeworden sind, fand der Dialog weithin durch Deutschland Verbrei-

tung und wurde in mehreren Auflagen gedruckt. Lange Zeit hielt man Hans Sachs für den Verfasser dieses Dialogs. Die neuere Hans-Sachs-Forschung hat es ihm einmütig abgesprochen. Typographische Vergleichung der drei Schriften miteinander und viele inhaltliche Berührungspunkte stützen die Annahme, daß die drei Schriften denselben Verfasser haben. Linck rief den Nürnberger Magistrat an, gegen die »Schmähschriften« einzuschreiten und deren Verbreiter zu verfolgen. Er denunzierte H. bei dem Landesherrn und setzte seine Bestrafung durch. H. wurde nach Ansbach geladen und wegen seines offenen Briefes und Übertretung der Fastengebote mit Gefängnis bestraft. Bei seiner Entlassung aus der Haft am Pfingstdienstag, dem 17. 5. 1524, mußte er Urfehde schwören. Seine Flugschriften und seine Gefängnishaft um des Wortes Gottes willen haben zur Förderung der Reformation wesentlich beigetragen.

Werke: Dem Edlen . . . Wolff Christoffel v. Wissenthaw genannt . . ., 9. 2. 1524, abgedr. in: Johann Heinrich v. Falckenstein, Chronicon Svabacense, Frankfurt/Main u. Leipzig 1740, 79–84; 1756², 271–276; Eyn Brüderliche . . . ermanung, v. eynem vnterthon vnd schefflin Seynem Pastor . . . zu geschickt 4. 3. 1524, abgedr. in: Johann Bartholomäus Riederer, Nachrr. z. Kirchen-, Gelehrten- u. Bücher-Gesch. III, Altdorf 1766, 321–328; Eyn gespręch v. dem gemaynen Schwabacher Kasten, Frühjahr 1524, abgedr. in: Oskar Schade, Satiren u. Pasquille aus der Ref.zeit III, 1863², 196–206. 293 f.; Dorffmayster vnd Gemeind zu Wendelstein fürhalten dem Amptleuten zu Schwabach . . . gethan, 29. 10. 1524, abgedr. in: Riederer (s. o.) II, 1765, 334–338, u. in: Bll. f. Bayer. KG 2, 1888–89, 75–78; Getrewe, Christenliche . . . warnung etlicher obrigkeit, die das Euangelion zu predigenn zulassen vnd befelhen 1525, nach 4. 2. 1525, Inhaltsangabe in: ZBKG 22, 1953, 184 f. – Zum Ganzen: Georg Wolfgang Panzer, Ann. der älteren dt. Lit. 2, 1805, Nr. 2348. 2579. 2907; Emil Weller, Repertorium typographicum. Die dt. Lit. im ersten Viertel des 16. Jh.s, 1864, Nr. 2886. 2887. 3791; Paul Hohenemser, Flugschrr.smlg. Gustav Freytag, 1925, Nr. 3280. 3967. 4338; Goedeke II, 269.

Lit.: Karl Schornbaum, Die Stellung des Mgf. Kasimir v. Brandenburg z. reformator. Bewegung in den J. 1524–1527 auf Grund archival. Forsch. (Diss. Erlangen), Nürnberg 1900, 160, Anm. 82; – Hermann Barge, Andreas Bodenstein v. Karlstadt II, 1905, 195; – Hermann Clauß, Die Einf. der Ref. in Schwabach 1521–30, 1917, 41. 47. 49. 53 ff. 65 f.; – Matthias Simon, Ev. KG Bayerns, 1952², 169 f. 205; – Ders., Ein unbeachtete Flugschr. z. Ref.-gesch. der Mgfsch. Brandenburg-Ansbach, in: ZBKG 22, 1953, 183 ff.; – NDB VIII, 589 f.; – RGG III, 234.

HERDER, Johann Gottfried, ev. Theologe, Philosoph, Kunst- und Literaturtheoretiker, Dichter, * 25. 8. 1744 in Mohrungen (Ostpreußen) als Sohn eines Kantors und Lehrers, † 16. 12. 1803 in Weimar. – H. wuchs heran im Geist eines pietistischen Elternhauses. Nach dem Besuch der Lateinschule trat er mit 16 Jahren als Kopist und Korrektor in den Dienst des Diakonen und theologischen Schriftstellers Trescho, dessen Bibliothek ihm die Gelegenheit bot, die poetischen und philosophischen Werke seiner Zeit zu studieren und die griechischen und römischen Autoren kennenzulernen. Seit 1758 war Mohrungen von russischen Soldaten besetzt. Ein russischer Regimentschirurg nahm H. 1762 nach Königsberg mit, um ihn Medizin studieren zu lassen. Doch bei der ersten Leichenöffnung wurde er ohnmächtig. »Ohne Erlaubnis der Eltern« ließ sich H. nun an der theologischen Fakultät einschreiben. Er hörte auch Vorlesungen bei Immanuel Kant (s. d.), dessen Philosophie ihn nachhaltig beeinflußte. H. gewann an Johann Georg Hamann (s. d.) einen Freund, der ihn förderte. 1764–69 war er Kollaborant an der Domschule in Riga und wurde 1767 zum Prediger ordiniert. 1769 verließ H. zu Schiff Riga, wohin er zurückkehren wollte, um die Stelle eines Direktors der livländischen Ritterakademie anzutreten. Die Reise führte an den Küsten Jütlands, Hollands und Englands vorbei nach Nantes. Sein anschließender Aufenthalt in Paris führte ihn mit Denis Diderot und anderen Enzyklopädisten zusammen. Über Brüssel, Antwerpen und Amsterdam kam H. nach Hamburg, wo er Gotthold Ephraim Lessing (s. d.) besuchte. Im Sommer 1770 wollte H. als Begleiter des Prinzen von Holstein-Eutin nach Italien reisen, gab aber schon in Straßburg seine Stellung auf wegen eines langwierigen Augenleidens. So blieb er 1770–71 in Straßburg, und hier entwickelte sich die Freundschaft mit Johann Wolfgang Goethe. 1771–76 wirkte H., von dem Grafen Wilhelm von Schaumburg-Lippe berufen, als Hofprediger, Superintendent und Konsistorialrat in Bückeburg und danach in Weimar als Oberpfarrer, Hofprediger, Oberkonsistorialrat und Generalsuperintendent. 1798 wurde er Vizepräsident und 1801 Präsident des Oberkonsistoriums. – H. ist bekannt als Begründer der neueren Geschichtsphilosophie durch seine Auffassung der Geschichte als eines organischen Prozesses, Anreger der geistesgeschichtlichen Literaturwissenschaft und als Begründer der Volksliedforschung. In seinen »Ideen zur Philosophie der Geschichte der Menschheit« wollte er den Gang Gottes durch die Jahrtausende nachweisen; denn als erster sah er die Menschheitsgeschichte nicht als ein zufälliges Nebeneinander von Ereignissen, sondern als eine große Entwicklungslinie von den primitivsten Anfängen bis zum fernen Ziel der Humanität. Das Christentum war ihm die Religion der Humanität. H.s Theologie ist eine Vorstufe zur Romantik und Schleiermacher (s. d.).

Werke: Abh. über den Ursprung der Sprache. – Entstanden 1769 bis 1770. – *Erstausg.:* Berlin 1772. – *Ausgg.:* Berlin 1891 (in: Sämtl. Werke. Hrsg. v. Bernhard Suphan, 33 Bde., 1877–1913. Bd. 5). – Berlin 1959. – Hrsg. v. Claus Träger 1960. 1964² erw. (in: Sprachphilos. Schrr. Aus dem Gesamtwerk ausgew., mit einer Einl., neu u. Regg. vers. v. Erich Heintel; Philos. Bibl. 248). † Adrastea. Smlg. v. Aufss., Betrachtungen u. Gedichten. 1801–04. *Ausgg.:* Berlin 1880–86 (in: Sämtl. Werke. Hrsg. v. B. Suphan. Bd. 23/24; die Gedichte in 27, 1881, u. 28, 1884). † Älteste Urk. des Menschengeschlechts. Theol. Abhh. – *Ausgg.:* Riga 1774, Tl. 1–3; Riga 1776, Tl. 4. – Berlin 1883/84 (in: Sämtl. Werke. Hrsg. v. B. Suphan, Bd. 6/7). † Auch eine Philos. der Gesch. z. Bildung der Menschheit. – *Ausgg.:* o. O. 1774 (anonym). – Berlin 1891 (in: Sämtl. Werke. Hrsg. v. B. Suphan. 5. 32, 1899 [Vorstufe]). – München 1953 (in: Werke. Hrsg. v. Karl-Gustav Gerold, 2 Bde. Bd. 2). – Frankfurt/Main 1967. Hrsg. v. Hans-Georg Gadamer. † Ausz. aus einem Briefwechsel über Ossian u. die Lieder alter Völker. – *Ausgg.:* Hamburg 1773 (in: Von dt. Art u. Kunst. Einige fliegende Bll.). – Berlin 1891 (in: Sämtl. Werke. Hrsg. v. B. Suphan. Bd. 5). † Briefe z. Beförderung der Humanität (124 fiktive Briefe in 10 Smlg.en). – *Ausgg.:* Riga 1793–97. – Berlin 1881 u. 1893 (in: Werke. Hrsg. v. B. Suphan. Bd. 17 u. 18). – München 1953 (in: Werke. Hrsg. v. K.-G. Gerold, 2 Bde., Bd. 2 [Ausw.]). † Der Cid. Gesch. des Don Ruy, Gf. v. Bivar. Nach span. Romanzen (Romanzenzyklus). – *Ausgg.:* Leipzig 1803/04 (in: Adrastea, Bd. 5, 9. Stück, 1–13. Romanze; 10. Stück, 14.–20. Romanze). – Tübingen 1806. – Berlin 1884. Hrsg. v. Carl Redlich. – Berlin 1884 (in: Sämtl. Werke. Hrsg. v. B. Suphan. Bd. 28). – München 1953 (in: Werke. Hrsg. v. K.-G. Gerold, 2 Bde., Bd. 1). † Gott. Einige Gespräche (rel.-philos. Werk). – *Ausgg.:* Gotha 1787. – Gotha 1800² (Gott. Einige Gespräche über Spinoza's System; nebst Shaftesburi's Naturhymnus). – Berlin 1885 (in: Sämtl. Werke. Hrsg. v. B. Suphan, Bd. 16; Nachdr. Hildesheim 1967). † Ideen z. Philos. der Gesch. der Menschheit. – Entstanden 1782–90. – *Erstausg.:* Riga u. Leipzig 1784–91. – *Ausgg.:* Berlin 1887. 1909 (in: Sämtl. Werke. Hrsg. v. B. Suphan. Bd. 13 u. 14; Nachdr. Hildesheim 1967). – Berlin-Weimer 1965. Hrsg. Heinz Stolpe. 2 Bde. – Darmstadt 1966 (Vorw. v. Gerhart Schmidt. Nachw.: J. Dohm). – Chicago & London 1968: Reflections of the philosophy of the history of mankind (Translation by T. O. Churchill). † Journal meiner Reise im J. 1769. – *Ausgg.:* Erlangen 1846 (in: J. G. H. Lb. Hrsg. v. seinem Sohn Emil Gottfried v. H., 3 Bde. Bd. 2). – Berlin 1878 (in: Sämtl. Werke. Hrsg. v. B. Suphan. Bd. 4; Nachdr. Hildesheim 1967). – Oxford 1947. Hrsg. v. Alexander Gillies. – München 1953 (in: Werke. Hrsg. v. K.-G. Gerold, 2 Bde. Bd. 1). – Weinheim/Bergstraße 1961² (Einl. v. E. Blochmann). – Heidelberg 1963² (in: Sturm u. Drang. Krit. Schrr.). † Krit. Wälder. Oder Betrachtungen, die Wiss. u. Kunst des Schönen betreffend, nach Maß-

gabe neuerer Schrr. (Literarästhet. Schr.). – *Ausgg.:* Riga 1769, 3 Bde. (1.–3. Wäldchen). – Erlangen 1846 (in: E. G. v. H., H.s Lb. I, 3/2; 4. Wäldchen). – Berlin 1871. Hrsg. u. Anm. v. Heinrich Düntzer. – Berlin 1878 (in: Sämtl. Werke. Hrsg. v. B. Suphan. Bd. 3 u. 4. Nachdr. Hildesheim 1967). † Über die Seelenwanderung. Drei Gespräche. – *Ausgg.:* Weimar 1782 (in: Der Teutsche Merkur, Nr. 1). – Gotha 1785 (in: Zerstreute Bll. 1. Smlg.). – Berlin 1888 (in: Sämtl. Werke. Hrsg. v. B. Suphan. Bd. 15. Nachdr. Hildesheim 1967). † Über die Würkung der Dichtkunst auf die Sitten der Völker in alten u. neuen Zeiten. – *Ausgg.:* München 1781 (Abh. der Baier. Akad. über Gegenstände der schönen Wiss.). – Tübingen 1807 (in: Sämtl. Werke. Zur schönen Lit. u. Kunst. Hrsg. v. Johannes v. Müller. Bd. 9). – Berlin 1892 (in: Sämtl. Werke. Hrsg. v. B. Suphan. Bd. 8. Nachdr. Hildesheim 1967). † Volkslieder (Smlg. v. Liedern u. Gedichten aus verschiedenen Sprachen). – *Ausgg.:* Altenburg 1775 (u. d. T.: Alte Volkslieder. Nach dem ersten Bogen zurückgezogen). – Leipzig 1778/79 (u. d. T.: Volkslieder). – Tübingen 1807 (Stimmen der Völker in Liedern. Hrsg. v. Johannes v. Müller). – Berlin 1885 (in: Sämtl. Werke. Hrsg. v. B. Suphan. Bd. 25. Nachdr. Hildesheim 1968). – München 1953 (in: Werke. Hrsg. v. K.-G. Gerold, 2 Bde. Bd. 1). † Vom Erkennen u. Empfinden der menschl. Seele. Bem. u. Träume. – *Ausgg.:* Riga 1778. – Berlin 1892 (in Sämtl. Werke. Hrsg. v. B. Suphan. Band 8. Nachdr. Hildesheim 1967). – Bielefeld 1926. Hrsg. v. Wilhelm Lehmann, 2 Bde. † Vom Geist der ebräischen Poesie. Eine Anleitung f. die Liebhaber derselben u. der ältesten Gesch. des menschl. Geistes. – *Ausgg.:* Dessau 1782/83 (2 Tle.). – Leipzig 1787 (2 Tle.). – Stuttgart – Tübingen 1805 (in: Sämtl. Werke. Zur Rel. u. Theol., Bd. 1 u. 3). – Berlin 1879 (in: Sämtl. Werke. Hrsg. v. B. Suphan. Bd. 11/12; Nachdr. Hildesheim 1967). – Gotha 1890, 2 Tle. (in: Bibl. der theol. Klassiker, 30/31). † Von dt. Art u. Kunst. Einige fliegende Bll. – *Ausgg.:* Hamburg 1773. – Berlin 1891 (in: Sämtl. Werke. Hrsg. v. B. Suphan. Bd. 5. Nachdr. Hildesheim 1967). – Stuttgart 1892 (in: Dt. Lit.denkmale des 18. u. 19. Jh.s in Neudr., Bd. 40/41. Hrsg. v. Hans Lambel). – Leipzig 1935 (in: Dt. Lit. Smlg. literar. Kunst u. Kulturdenkmäler in Entwicklungsreihen. R.: Irrationalismus, Bd. 6. Hrsg. v. Heinz Kindermann). – Leipzig 1942 (RUB 7497/7498; ern. Stuttgart 1968. Hrsg. v. Hans Dieter Irmscher). – München 1953 (in: Werke. Hrsg. v. K.-G. Gerold, 2 Bde. Bd. 1). † Über die neuere dt. Lit. – Entstanden 1764–66. – *Erstausg.:* Riga 1767. † Christl. Schrr., 5 Bde., 1794–98. † Verstand u. Erfahrung. – Vernunft u. Sprache, 2 Bde., 1799. † Kalligone. Vom Angenehmen u. Schönen, 3 Tle., Leipzig 1800. – *Ausg.:* Weimar 1955. Hrsg. v. Heinz Begenau. † *Ausg. der Werke:* Sämtl. Werke, hrsg. v. Maria Karolina v. Herder (H.s Witwe), 45 Bde., 1805–20. – Sämtl. Werke. Hist.-krit. Ausg. v. Bernhard Suphan, 33 Bde., 1877–1913. Nachdr. Hildesheim 1967–68. – Werke. Ausw. in 15 Tlen. (in 6 Bden). Hrsg. mit Einl. u. Anm. (u. mit einem Lb.) vers. v. Ernst Naumann (Goldene Klassiker-Bibl.), 1912. – Ges. Werke, hrsg. v. Franz Schultz, 5 Bde., 1939 bis 1943. – Werke in 2 Bd.en, hrsg. v. Karl-Gustav Gerold, München 1953. – Werke in 5 Bden., hrsg. u. eingel. v. Wilhelm Dobbek, Weimar 1957 (1963²; 1964³; Neuaufl. Berlin 1970). † *Briefe:* GA. 1763–1863. J. G. H. Unter Leitung v. Karl-Heinz Hahn, hrsg. v. den Nationalen Forsch.- u. Gedenkstätten d. Klass. Dt. Lit. in Weimar. I: April 1763 bis April 1771. Bearb. v. Wilhelm Dobbek u. Günter Arnold, Weimar 1977. – H.s Briefwechsel mit seiner Braut (April 1771 bis April 1773), Hildesheim – New York 1976 (Nachdr. der Ausg. Frankfurt a. M. 1856–57). – Briefe an Johann Georg Hamann / J. G. H. Im Anh.: H.s Briefwechsel mit Nicolai, hrsg. v. Otto Hoffmann, Hildesheim – New York 1975 (Nachdr. der Ausg. Berlin 1887 u. 1889).

Lit.: Maria Carolina v. Herder (H.s Witwe), Erinnerungen aus dem Leben J. G.s v. H. Hrsg. von Johann Georg Müller, Stuttgart 1830; – J. G. H. Lb., hrsg. v. seinem Sohn Emil Gottfried v. Herder, 3 Bde., Erlangen 1846; – Friedrich August Gotthold, Über die Nachahmung der it. u. span. Versmaße in einer Muttersprache, Königsberg 1847; – Reinhart Dozy, Le Cid d'après de nouveaux documents, in: Recherches sur l'histoire et littérature de l'Espagne pendant le moyen âge II, Leiden 1860², 1–253; – Reinhold Köhler, H.s »Cid« u. seine frz. Qu., Leipzig 1867; – H. in Riga. Urkk., hrsg. v. Jegòr v. Sivers, Riga 1868 (Nachdr. Hannover-Döhren 1974); – August Werner, H. als Theologe. Ein Btr. z. Gesch. der prot. Theol., 1871; – C. Michaelis, Der jüngste u. vollständigste Romancero des Cid, Leipzig 1871; – A. S. Voegelin, H.s »Cid«, die frz. u. die span. Qu., Heilbronn 1879; – Rudolf Haym, H. Nach seinem Leben u. seinen Werken dargest., 2 Bde., 1880–85 (Neuausg. Hrsg. mit einer Einl. v. Wolfgang Harich, 2 Bde., 1954; 1958²); – Johann Georg Müller, Aus dem H.schen Hause. Aufzeichnungen 1780–82, Berlin 1881; – Eugen Kühnemann, H.s Leben, 1895 (1927³); – Johannes Grundmann, Die geogr. u. völkerkundl. Qu. in H.s »Ideen z. Philos. der Gesch. der Menschheit«, 1900; – Adelbert Wiegand, H. in Straßburg, Bückeburg u. Weimar, 1903; – Horst Stephan, H. in Bückeburg u. seine Bedeutung f. die KG, 1905; – Ders., Gesch. der ev. Theol., 1938, 21 ff. 44 ff.; – Carl Siegel, H. als Philosoph, 1907; – Wilhelm Vollrath, Die Frage nach der Herkunft des Prinzips der Anschauung in der Theol. H.s (Diss. Gießen), 1909; – Curt Pusch, Comenius u. seine Beziehungen z. Neuhumanismus mit bes. Berücks. H.s u. dessen Humanitätsidee (Diss. Leipzig), Dresden 1911; – Paul Hagenbring, H. u. die romant. u. nat. Strömungen in der dt. Lit. des 18. Jh.s bis 1771 (Diss. Rostock), Halle 1911 (Nachdr. Walluf bei Wiesbaden 1973); – Rudolf Unger, Hamann u. die Aufklärung. Stud. z

Vorgesch. des romant. Geistes im 18. Jh., 2 Bde., 1911 (1925²); – Ders., H., Novalis u. Kleist. Stud. über die Entwicklung des Todesproblems im Denken u. Dichten v. Sturm u. Drang z. Romantik, 1922 (Nachdr. Darmstadt 1973); – Johannes Ninck, Die seel. Begründung der Rel. bei H. entwicklungsgeschichtl. dargest. (Diss. Jena), Leipzig 1912; – Wilhelm Sturm, H.s Sprachphilos. in ihrem Entwicklungsgang u. ihrer hist. Stellung (Diss. Breslau), 1917; – Elisabeth Hoffart, H.s »Gott« (Diss. Erlangen), Halle/Saale 1918 (Nachdr. Walluf bei Wiesbaden u. Nendeln/ Liechtenstein 1975); – Amand Treutler, H.s dramat. Dichtungen (Diss. Breslau, 1914), Halle/Saale 1920; – Henri Tronchon, La fortune intellectuelle de H. en France; la préparation (Thèse), Paris 1920 (Nachdr. Genf 1971); – Ders., La fortune intellectuelle de H. en France; Bibliographie critique (Thèse), Paris 1920 (Nachdr. Genf 1971); – M. Schütze, The Fundamental Ideas in H.'s Thought, in: Modern philology 18, Chicago 1920/21, 65–78. 121–302; 19, 1921/22, 113–130. 361–382; 21, 1923–24, 29 bis 48. 113–132; – Erich Kirsch, H. u. der Stil des Volksliedes in seinen Übertrr. engl.-schott. Volkspoesie (Diss. Köln), 1921; – Elisabeth Roggatz, H.s Gesch.philos. im Vergleich mit den Hauptgedanken Spenglers (Diss. Greifswald), 1921; – J.-J.-A. Bertrand, H. et de »Cid«, in: Bulletin Hispanique 23, Bordeaux 1921, 180 ff.; – Gottfried Weber, H. u. das Drama. Eine literarhist. Unters. (Diss. München, 1920), Weimar 1922; – Wilhelm Steinborn, Natur u. Mensch bei H. Ein Btr. z. Gesch. der Anthropogeogr. (Diss. Halle), 1922; – Annemarie v. Harlem, H.s Lehre v. Volksgeist. Ausgangspunkte, begriffl. Inhalt u. Anwendung auf Gesch., Sprache u. Lit. (Diss. Rostock), 1922; – Karl Friedrich Kerber, Der Ideenwandel in H.s Schrr. über Poesie u. Sprache v. 1766–1778 (Diss. Frankfurt/Main), 1923; – Karl Widmaier, Die ästhet. Ansichten H.s in seinem vierten »krit. Wäldchen« u. ihre Herkunft (Diss. Tübingen), 1924; – Martin Doerne, Rel. u. rel. Motive in H.s Gesch.anschauung (Diss. Leipzig), 1924; – Ders., Die Rel. in H.s Gesch.philos., 1927; – Hans Kollrack, Das hist. Bewußtsein in den Beziehungen z. Mystik beim jungen H. (Diss. Berlin), 1925; – Emilie Lutz, H.s Anschauungen v. Wesen des Dichters u. der Dichtkunst in der ersten Hälfte seines Schaffens [bis 1784] (Diss. Erlangen), 1925; – Alfred Bernatzki, H.s Lehre v. der ästhet. Erziehung (Diss. Breslau), 1925; – Bruno Markwardt, J. G. v. H.s »Krit. Wälder«. Ein Btr. z. Kunst- u. Weltanschauung des jungen H., 1925; – Walther Goeken, H. als Dt. Ein literar-hist. Btr. z. Entwicklung der dt. Nationalidee, 1926; – Wilhelm Koeppen, H.s Reisetgb. v. J. 1769 (Diss. Greifswald), 1926; – Kurt Schulz, Die Vorbereitung der Gesch.philos. H.s im 18. Jh. (Diss. Greifswald), 1926; – Margret Ohlischlaeger, Die span. Romanze in Dtld. (Diss. Freiburg/Breisgau), 1926; – Otto Schmiedel, H., 1927; – Rudolf Stadelmann, Der hist. Sinn bei H. (Diss. Tübingen, 1925), 1928; – Max Wedel, H.s Eintritt in die dt. Lit.kritik (Diss. Berlin, 1927), 1928 u. d. T.: H. als Kritiker (Nachdr. Nendeln/ Liechtenstein 1967); – Johannes Horn, H.s Stellung zu Friedrich d. Gr. (Diss. Jena), Borna – Leipzig 1928; – Adolf Vogel, H.s »Journal meiner Reise v. 1769«. Ideengehalt u. Bedeutung f. die geist. Entwicklung der Verf. (Diss. Hamburg), 1928; – Julius Richter, Der Einfluß H.s auf die Rel. des jungen Goethe, in: Neue Jbb. f. Philologie u. Päd. 4, 1928; – Erich Aron, Die dt. Erweckung des Griechentums durch Winckelmann u. H. (Diss. Heidelberg), 1929; – Konrad Bittner, H.s Gesch.philos. u. die Slawen, Reichenberg 1929; – Wolfgang Nufer, H.s Ideen z. Verbindung v. Poesie, Musik u. Tanz (Diss. München, 1928), Berlin 1929; – Werner Kohlschmidt, H.-Stud. Unterss. zu H.s krit. Stil u. seinen lit.krit. Grundeinsichten (Diss. Göttingen), Dessau 1929; – Heinrich Springmeyer, H.s Lehre v. Naturschönen. Im Hinblick auf seinen Kampf gg. die Ästhetik Kants (Diss. Köln), Jena 1929; – Werner de Boor, H.s Erkenntnislehre in ihrer Bedeutung f. seinen rel. Realismus (Diss. Marburg, 1931), Gütersloh 1929; – Martin Redeker, Wort Gottes u. Sprache. Im Anschluß an die Sprachphilos. des jungen H., in: ZThK 37, 1929, 348 ff.; – Ders., Humanität, Volkstum, Christentum in der Erziehung. Ihr Wesen u. gg.seitiges Verhältnis an der Gedankenwelt des jungen H. f. der Ggw. dargest., 1934; – Peter v. Gebhardt u. Hans Schauer, J. G. H., seine Vorfahren u. seine Nachkommen, in: Btrr. z. dt. Familiengesch. 11, 1930; – Herta Isaacsen, Der junge H. u. Shakespeare (Diss. Hamburg), Berlin 1930; – Friedrich Knorr, Das Problem der menschl. Philos. bei J. G. H. (Diss. Marburg), Coburg 1930; – Hermann August Korff, Geist der Goethezeit. Erste Teil. Sturm u. Drang, 1923; – Ders., Geist der Goethezeit. Erste. seiner individuellen Entwicklung der klass.-romant. Lit.gesch. II: Klassik, 1930, 25–32; – William Kurrelmeyer, Zur Textgesch. v. H.s »Krit. Wäldern«, in: Modern Language Notes 45, Baltimore/Maryland 1930, 388 ff.; – Theodor Litt, Kant u. H. als Deuter der geist. Welt, 1930 (1949²); – Ders., Die Befreiung des geschichtl. Bewußtseins durch J. G. H., 1943; – Eduard Gronau, H.s rel. Jugendentwicklung, dargest. unter bes. Berücks. seiner Anschauungen v. der Sünde (Diss. Kiel), Gütersloh 1931 (aus: ZSTh 8, 1930, 308 ff.); – Robert Reinhold Ergang, H. and the Foundations of German Nationalism, New York 1931; – F. Pischel, J. G. H. als Schöpfer des Weimar. Kirchengesangbuchs, in: ZevKM 9, 1931, 239 ff.; – Friedrich Alexander Bran, H. u. die dt. Kulturanschauung (Diss. Heidelberg), Berlin 1932; – Heinrich Rudolph, Wesen u. Bedeutung der Selbsttätigkeit in H.s Bildungslehre (Diss. Tübingen), Langensalza 1932; – Rolf Schierenberg, Der polit. H. Ein staatswiss. Vers., Graz 1932; – K. Cramer, Engel oder –? Zur Frage nach der Auffassung des AT, in: ThBl 11, 1932, 140 ff.; – Friedrich Berger, Menschenbild u. Menschenbildung. Die philos.-päd. Anthropologie J. G. H.s, 1933; – Alexander Gillies, H. u.

Ossian (Diss. Göttingen), Dessau 1933; – Ders., H., Oxford 1945 (dt. Übertr. v. Wilhelm Löw, H., der Mensch u. sein Werk, 1949); – Ders., »Auch eine Philos. der Gesch. z. Bildung der Menschheit«, in: The Era of Goethe; essays presented to James Boyd, Oxford 1959, 61–80; – Ernst Joachim Schaede, H.s Schr. »Gott« u. ihre Aufnahme bei Goethe (Diss. Marburg), Berlin 1934 (Nachdr. Liechtenstein 1967); – Irmelin Grabowsky, H.s Metakritik u. Kants Kritik der reinen Vernunft (Diss. Berlin), Dortmund 1934 (Tl.dr.); – Josef Maria Werner, H.s Völkerpsychologie unter bes. Berücks. ihres rel.philos. Blickpunktes (Diss. Gießen), Düsseldorf 1934; – Grete Eichler, Der nat. Gedanke bei H. (Diss. Köln), Emsdetten 1934; – Robert Thomas Clark, The Noble Savage and the Idea of Tolerance in H.'s »Briefe z. Beförderung der Humanität«, in: The Journal of English and Germanic Philology 33, Urbana/Illinois 1934, 46 ff.; –Ders., H. His Life and Thought, Berkeley/Kalifornien – London 1955. 1969 (Rez. v. Marilyn Torbruegge, in: Mhh. f. dt. Unterricht, dt. Sprache u. Lit. 62, Madison/Wisconsin 1970, 392 f.; – H. Th. Betteridge, The Ossianic Poems in H.'s »Volkslieder«, in: The Modern Language Review 30, Cambridge 1935, 334 ff.; – Johannes Kirschfeldt, H.s Konsistorialexamen in Riga im J. 1767, Riga 1935; – Walter Kriewald, H.s Gedanken über die Verbindung v. Rel. u. Volkstum (Diss. Breslau), Bleicherode am Harz 1935; – Kurt Hoffmann, J. G. H. u. die ev. Kirchenmusik, in: MuK 7, 1935, 121 ff.; – Benno v. Wiese, Dichtung u. Geistesgesch. des 18. Jh.s: Eine Problem- u. Lit.schau. II. Tl.: H. u. der Sturm u. Drang, in: DVfLG 13, 1935, 311 ff.; – Ders., H. Grundzüge seines Weltbildes, 1939; – Ders., H., 1941; – Ders., Der Philosoph auf dem Schiffe J. G. H., in: Ders., Werke IV, 1953/54, 209–221; in: Ders., Der Mensch in der Dichtung. Stud. z. dt. u. europ. Lit., 1958, 52 ff.; in: Ders., Zwischen Utopie u. Wirklichkeit, 1963, 32–60); – Friedrich Meinecke, Die Entstehung des Historismus, 2 Bde., 1936; – K. Huber, J. G. H.s Begründung der Musikästhetik, in: AfMf 1, 1936, 103 ff.; – Gerhard Küntzel, J. G. H. u. Riga u. Bückeburg. Die Ästhetik u. Sprachphilos. der Frühzeit nach ihren existentiellen Motiven (Diss. Frankfurt/Main), 1936 (Nachdr. Hildesheim 1973); – Hanfried Germer, Das Problem der Absolutheit des Christentums bei H. u. Schleiermacher (Diss. Marburg), 1937; – Reta Schmitz, Das Problem »Volkstum u. Dichtung« bei H. (Diss. Göttingen), Berlin 1937; – Gustav Konrad, H.s Sprachproblem im Zshg. der Geistesgesch. Eine Stud. z. Entwicklung des sprachl. Denkens der Goethezeit (Diss. Marburg), Berlin 1937 (Nachdr. Nendeln/ Liechtenstein 1967); – Erich Franz, Dt. Klassik u. Ref. Die Weiterbildung prot. Motive in der Philos. u. Weltanschauungsdichtung des dt. Idealismus (Preisschr. Halle/Saale), 1937, 280 ff.; – Rudolf Hodan, Die Beurteilung der frz. Lit. in H.s »Adrastea« (Diss. Wien), 1937; – Elisabeth Büscher, Ossian in der Sprache des 18. Jh.s, Köslin 1937; – Wolfdietrich Rasch, H. Sein Leben u. Werk im Umriß, 1938; – Margarita Werners, Der Glückseligkeitsbegriff des jungen H. (Diss. Münster), Bochum-Langendreer 1938; – Hildegard Kuhfus, Gott u. Welt in H.s »Ideen z. Philos. der Gesch. der Menschheit« (Diss. Münster), Emsdetten 1938; – Johannes Gaertner, J. G. H.s Anschauung über eine christl. Kunst (Diss. Heidelberg), 1938; – Otto Michaelis, Im Mutterlande der Ref., Weimar 1938, 120 ff.; – Irmgard Taylor (geb. Wirth), Kultur, Aufklärung, Bildung, Humanität u. verwandte Begriffe bei H., 1938; – Hanna Weber, H.s Sprachphilos. Eine Interpretation in Hinblick auf die moderne Sprachphilos. (Diss. Bonn), Berlin 1939 (Nachdr. Nendeln/Liechtenstein 1967); – Werner Oelsner, Der Begriff klassisch bei H. (Diss. Münster), Würzburg-Aumühle 1939; – Jutta Keferstein, H.s Gedanken über rel. Bildung (Diss. Berlin), 1939; – Alfred Voigt, Umrisse einer Staatslehre bei J. G. H. (Diss. Königsberg), Stuttgart 1939; – Gustav-Adolf-Brandt, H. u. Görres. 1798–1807. Ein Btr. z. Frage H. u. die Romantik (Diss. Berlin), Würzburg-Aumühle 1939; – Herbert Flemming, J. G. H. u. die Deutung des Lebens. Grdl. der Bildungswirklichkeit (Diss. Heidelberg), Berlin 1939; – Franz Koch, J. G. H. u. die Mystik, in: Ders., Geist u. Leben. Vortrr. u. Aufss., 1939, 38 ff.; – Heidkämper, Die Bedeutung H.s f. die Schaumburg-Lipp. Kirche, in: ZGNKG 44, 1939, 169 ff.; – Everard Jean François Smits, H.'s Humaniteitsphilosophie (Diss. Groningen), Assen 1939; – Edmunde Haccius, Die päd. Bewegung in H.s Reisejournal (Diss. Göttingen), 1939; – Frank Mc Eachran, The life and philosophy of J. G. H., Oxford 1939; – Max Rouché, La philosophie de l'histoire de H., Paris 1940 (1945²); – Waldemar Anders, H. u. die dt. Volkskunde der Ggw. (Diss. Freiburg/Breisgau), 1940; – Eberl, J. G. H., in: Altpreuß. Biogr. Hrsg. v. Christian Krollmann. I, 1941, 268; – Ulrich Buhtz, Die Beziehung: Volk-Staat in der philos. Schau H.s (Diss. Frankfurt/Main), 1941; – Harald Henry, H. u. Lessing. Umrisse ihrer Beziehung (Diss. Berlin), 1941; – Karl-Gustav Gerold, H. u. Diderot. Ihr Einblick in die Kunst (Diss. Frankfurt/Main), 1941 (Nachdr. Hildesheim 1974); – Rolf Neuhoff, H.s »Abh. über den Ursprung der Sprache« in ihrem Zshg. mit seinem Gesamtwerk (Diss. Prag), 1941; – Friedel Noçon, H.s Entwurf einer Ästhetik. Das vierte »krit. Wäldchen« (Diss. Bonn), 1941; – Hans-Georg Gadamer, Volk u. Gesch. im Denken H.s, 1942; – F. McEachran, H. u. die Zus.fassung des Gesamtwerkes v. Erich Ruprecht, 1942; – J. G. H. Sein Leben in Selbstzeugnissen, Briefen u. Berr. Hrsg. v. Hans Reisiger, 1942 (Nachdr. Hildesheim – New York 1970); – Willy Vontobel, Von Brockes bis H. Stud. über die Lehrdichter des 18. Jh.s, Bern 1942; – Gisela Ulrich, H.s Btr. z. Dt.kunde. Unter bes. Berücks. seiner lit.wiss. Theorie (Diss. Berlin), 1942; – Elfriede Saffenreuther, Der Prosastil J. G. H.s in seinen Wandlungen bis z.

Weimarer Zeit (Diss. Köln), 1942; – Charlotte Horstmann, H.s Gesch.philos. Die Grundlegung des geschichtl. Bewußtseins durch H. in ihrer zeitl. Bedingtheit u. bleibenden Geltung (Diss. Bonn), 1943; – A. Apsler, H. and the Jews, in: Mhh. f. dt. Unterricht, dt. Sprache u. Lit. 35, Madison/Wisconsin 1943, 1 ff.; – Fritz Ernst, H. u. die Humanität, Zürich 1944; – Hugo Sommerhalder, H. in Bückeburg als Deuter der Gesch. (Diss. Zürich), 1945; – Lieselotte Grund, H. u. Schiller (Diss. München), 1945; – Hermann Zeller, Grundlegung u. Verwirklichung der Humanität. Btrr. z. Moral aus dem Gedankengut J. G. H.s (Diss. Tübingen), 1947; – Anneliese Kleinau, H.s Volksbegriff (Diss. Marburg), 1947; – Bernhard Schweitzer, J. G. H.s Plastik u. die Entstehung der neueren Kunstwiss., 1948; – Wilhelm Rätzel, H. u. die Frühgesch. (Diss. Mainz), 1948; – Georg Kennert, H. u. Meister Eckhart. Eine Stud. zu H.s Schr. »Gott« (Diss. Berlin), 1948; – Emil Ermatinger, J. G. H., in: Ders., Dt. Dichter 1700–1900, I, 1948, 194 ff.; – Hermann Zeller, Der Gott H.s, in: Der Mensch vor Gott. Btrr. z. Verständnis der menschl. Gottbegegnung. Festschr. f. Theodor Steinbüchel zu seinem 60. Geb. Hrsg. v. Philipp Weindel u. Rudolf Hofmann, 1948, 154 ff.; – Ludwig Bäte, J. G. H. Der Weg, das Werk, die Zeit, 1948; – Hannsjörg Alfred Salmony, Die Philos. des jungen H. (Diss. Basel), Zürich 1949; – Ilse Reichart, Die Bedeutung lebendiger Sprachbildung f. die H.sche Bildungsidee (Diss. Frankfurt/Main), 1949; – Eduard Spranger, J. G. H., in: Vom Geist der Dichtung. Gedächtnisschr. f. Robert Petsch. Hrsg. v. Fritz Martini, 1949; – Wilhelm Dobbek, J. G. H.s Humanitätsidee als Ausdruck seines Weltbildes u. seiner Persönlichkeit, 1949; – Ders., J. G. H., Weimar 1950; – Ders., J. G. H.s Haltung im polit. Leben seiner Zeit, in: Zschr. f. Ostforsch. Länder u. Völker im östl. Mitteleuropa 8, 1959, 321 ff.; – Ders., J. G. H.s Jugendzeit in Mohrungen u. Königsberg 1744–1764, 1961; – Ders., J. G. H.s Weltbild. Vers. einer Deutung, 1969; – Johannes Brändle, Das Problem der Innerlichkeit. Hamann, H., Goethe (1. Kap.: Diss. Zürich), Bern 1950; – Hans-Gerd Schulze-Kadelbach, H.s Gesch.denken u. Humanitätsidee im Zshg. mit seinem Griechenbild (Diss. Würzburg), 1950; – Irmgard Höfken, H. u. Jean Paul. Stud. z. Wirkung H.s (Diss. Köln), 1950; – Artur Grigori, H. als Völkercharakterolog (Diss. Tübingen), 1950; – Elisabeth Eschweiler, Stud. über H.s »Adrastea«. Allegorie u. Symbol als Grdl. ihrer Deutung (Diss. Münster), 1950; – Wolfgang Heybey, Über H.s Volkslieder. Ein Btr. z. Problem des christl. Humanismus, in: PädR 5, 1950/51, 49 ff.; – Otto Stammeier, H.s Zschr. »Adrastea« (Diss. München), 1951; – Erich Paulus, J. G. H. u. Oswald Spengler. Stud. z. Décadence-Problem in der neueren Lit. (Diss. Erlangen), 1951; – Kurt Stavenhagen, H.s Gesch.philos. u. seine Gesch.prophetie, in: Zschr. f. Ostforsch. Länder u. Völker im östl. Mitteleuropa 1, 1952, 16 ff.; – Wolfgang Scheibe, J. G. H., 1952; – Dietrich Walter Jöns, Die hist. Zeit im Weltbild H.s (Diss. Kiel), 1952; – Ders., Begriff u. Problem der hist. Zeit bei J. G. H. Göteborg 1956 (Goeteborgs Universitets Årsskrift 62); – Friedrich Döppe, J. G. H. Sein Leben in Bildern, Leipzig 1953; – Hans Paul Bahrdt, Die Freiheit des Menschen in der Gesch. bei J. G. H. (Diss. Göttingen), 1953; – Heinrich Lenzen, Verjüngung als päd. Problem nach H.s Lebenswerk (Diss. Mainz), 1953; – Paul Reimann, H.s »Briefe z. Beförderung der Humanität«, in: Neue dt. Lit. Zschr. des dt. Schr.stellerverbandes 1, 1953, Nr. 12, S. 10–23; – Im Geiste H.s. Ges. Aufss. z. 150. Todestage J. G. H.s. Hrsg. v. Erich Keyser, 1953 (268–305: H.-Bibliogr. 1916–1953); – Ders., Bekenntnis zu H., ebd. 1 ff.; – Ders., H.s Wendung z. Gesch., in: H.-Stud. Hrsg. v. Walter Wiora unter Mitw. v. Hans Dietrich Irmscher, 1960; – Friedrich Ostermann, Die Idee des Schöpferischen in H.s Kalligone (Diss. Bonn), 1954; – Jürgen Gidion, H.s Persönlichkeitsbegriff (Diss. Göttingen), 1954; – Gerhart Schmidt, Der Begriff des Menschen in der Gesch.- u. Sprachphilos. H.s, in: ZPhF 8, 1954, 499 ff.; – Alfred Kosean, J. G. H. als Vorbereiter einer Nationalerziehung, in: WZ Rostock. Ges.- u. Sprachwiss. R. 4, 1954–55, 79 ff.; – Rüdiger Frommholz, J. G. H. über Probleme der öff. Meinung (Diss. München), 1954; – Ders., Wirkungen der Sprache u. Dichtung. Stud. am Werk H.s 1971; – Ottomar Schreiber, H., in: Ders., Erbe u. Aufgabe des dt. Ostens. Reden u. Aufss., 1955, 134 ff.; – Heinz Peyer, H.s Theorie der Lyrik (Diss. Zürich), Winterthur 1955; – Karl Hillebrand, J. G. H., in: Ders., Unbekannte Essays. Übers. u. hrsg. v. Hermann Uhde-Bernays, Bern 1955, 82–183; – René Wellek, A History of Modern Criticism I, New Haven 1955, 176 ff.; – Armand Nivelle, Les théories esthétiques en Allemagne de Baumgarten à Kant, Paris 1955 (dt.: Kunst- u. Dichtungstheorien zw. Aufklärung u. Klassik, 1960); – Heinrich Lehwalder, H.s Lehre u. Empfinden. Vers. einer Interpretation v. H.s Schr. »Vom Erkennen u. Empfinden. Vers. einer Interpretation v. H.s Schr. »Vom Erkennen u. Empfinden der menschl. Seele« u. zugleich ein Btr. z. modernen Problematik des Empfindungsgriffs (Diss. Kiel), 1955; – Heinz Stolpe, Die MA-Auffassung des jungen H. Ein Btr. z. Geschichte der Aufklärung (Diss. Berlin, Humboldt-Univ., 1953), Weimar 1955 (u. d. T.: Die Auffassung des jungen H. v. MA); – Ders., Humanität, Frz. Rev. u. Fortschritte der Gesch. Zur Urfassung der »Humanitätsbriefe«, in: Weimarer Btrr. Zschr. f. dt. Lit.gesch. 10, 1964, 199 ff. 545 ff.; – Maria-Gerda Mundorf, H.s Ansichten über die päd. Funktion der Muttersprache u. sein Wirken f. eine Verbesserung des Dt.unterrichts (Diss. Berlin, Humboldt-Univ., 1955), Berlin 1956 (ver. Diss. u. d. Titel: Die Muttersprache im päd. Werk H.s); – H. im geistl. Amt. Unterss., Qu., Dokumente. Hrsg. v. Eva Schmidt, 1956; – Siegfried Heinz Begenau, Grundzüge der Ästhetik H.s, 1956; – Hans-Joachim Kraus, Gesch. der hist.-krit. Erforsch. des AT v. der Ref. bis z. Ggw., 1956, 103 ff.; – Christa Fuhr (geb. Vogel), H.s Gedichte der Mohrunger u. Königsberger Zeit. Beginn der Suche nach dem Göttlichen (Diss. Berlin F.U.), 1956; – Herbert Schöffler, J. G. H. aus Mohrungen, in: Ders., Dt. Geist im 18. Jh. Essays z. Rel.gesch. Hrsg. v. Götz v. Selle, 1956, 61 ff. 308 f.; – Erich Füling, Gesch. der Offb. Stud. z. Frage Historismus u. Glaube v. H. bis Troeltsch, 1956; – Hugo Moser, Volk, Volksgeist, Volkskultur. Die Auffassungen J. G. H.s in heutiger Sicht, in: Zschr. f. Volkskunde 53, 1956–57, 127 ff.; – Hans Dietrich Irmscher, Bildung, Sprache u. Dichtung im Denken H.s (Diss. Göttingen), 1956; – Ders., Probleme der H.forsch. Tl. 1: Qu.lage, in: DVfLG 37, 1963, 266 ff.; – H. Wohltmann, J. G. H. Was bedeutet er uns heute?, in: Stader Jb., 1957, NF H. 47, S. 9 ff.; – Erik Thomson, J. G. H. in Riga, in: Ostdt. Mhh. Kulturzschr. f. den Osten 23, 1957, 659 ff.; – R. Sternberg, H. in Riga, in: Ostdt. Wiss. Jb. des Ostdt. Kulturrates 5, 1958, 234 ff.; – Otto Mann, Wandlungen des H.bildes, in: Der Dt.unterricht. Btrr. zu seiner Praxis u. wiss. Grundlegung 10, 1958, 27 ff.; – Fritz Joachim Raddatz, H.s Konzeption der Lit., dargelegt an seinen Frühschrr. (Diss. Berlin, Humboldt-Univ.), 1958; – George A. Wells, H. and After. A Study in the Development of Sociology, Den Haag 1959; – H.'s Two Philosophies of History, in: Journal of the History of Ideas 21, Lancaster/Pennsylvanien 1960, 527 ff.; – Erhard Krieger, J. G. H. – Entdecker des Volkstums, in: Ders., Ostdt. Charakterköpfe I, 1959, 102 ff.; II, 1965, 65 ff. 71 ff. 213 ff.; – Ursula Schmitz, Dichtung u. Musik in H.s theoret. Schrr. (Diss. Köln), 1960; – Rolf Sanner, Der Prosastil in den Jugendschrr. H.s als Ausdruck seiner Geistesart (Diss. Köln), Düsseldorf 1960; – Herbert Dinkel, H. u. Wieland (Diss. München), 1960; – Ernst Baur, J. G. H. Leben u. Werk, 1960; – H.-Stud. Hrsg. v. Walter Wiora unter Mitw. v. Hans Dietrich Irmscher, 1960; – William C. Lehmann, H.'s Contribution toward an Empirical Sociology and Cultural Anthropology, in: Sociologus. Zschr. f. empir. Soziologie, sozialpsycholog. u. ethnolog. Forsch. NF 10, 1960, 17 ff.; – Theodorus Cornelis van Stockum, H.s »Journal meiner Reise im J. 1769«, Amsterdam 1960; – Gerhard Kaiser, Pietismus u. Patriotismus im literar. Dtld. Ein Btr. z. Problem der Säkularisation, 1961; – Fritz Wagner, H.s Homerbild. Seine Wurzeln u. Wirkungen (Diss. Köln), 1962; – Klaus Scholder, H. u. die Anfänge der hist. Theol., in: EvTh 22, 1962, 425 ff.; – Walter Flemmer, Christentum u. Promethie in H.s Lyrik (Diss. München), 1962; – Ders., J. G. H., in: Die Großen der Weltgesch., hrsg. v. Kurt Fassmann, VI, Zürich 1975, 852 ff.; – Hannelore Pallus (geb. Ihde), Die Auffassungen H.s über das Verhältnis v. Sprache u. Denken. Ihre Bedeutung f. die Erkenntnistheorie u. die Nationalkultur in Dtld. im 18. Jh. (Diss. Greifswald), 1963; – Viktor Maksimovič Schirmunski, J. G. H. Hauptlinien seines Schaffens. Aus dem Russ. übers. v. Heinz Stolpe, 1963; – Claus Träger, Die Gesch. u. Lit.gesch. (Hab.-Schr., Greifswald) (Diss. J. G. H. u. die Krise des hist. Denkens (Hab.-Schr., Greifswald), 1964; – Emil Adler, H.s Humanitätsidee – Ein Btr. z. Humanitätsphilos. der dt. Klassik, in: DZPh 12, 1964, 455 ff.; – Ders., H.s Aufklärung (Aus dem Poln. [Warschau 1965] ins Dt. übertr. v. Irena Fischer, 1968 (Rez. v. Dieter Lohmeier, in: Germanistik 11, 1970, 124 f.); – Frederick M. Barnard, Zwischen Aufklärung u. polit. Romantik. Eine Stud. über H.s soziolog.-polit. Denken. Aus dem Engl. übers. v. Horst Gronemeyer, 1964; – Ders., H.'s Social and Political Thought, Oxford 1965; – Brigitte Schnebli-Schwegler, J. G. H.s Abh. über den Ursprung der Sprache u. die Gegenheit (Diss. Zürich), Winterthur 1965; – Erna Merker, Ossian. Dichtung, in: Reallex. der dt. Lit.gesch. II², hrsg. v. Werner Kohlschmidt u. Wolfgang Mohr, 1965, 869–874; – Wolfgang Stellmacher, Unterss. z. Shakespearerezeption des jungen H. Ein Btr. z. theoret. Aspekten des frühklass. Realismus (Diss. Berlin, Humboldt-Univ.), 1965; – Joe K. Fugate, The Psychological basis of H.'s aesthetics, Den Haag – Paris 1966; – Dieter Lohmeier, H. u. der Emkendorfer Kreis. Mit dem größtenteils ungedr. Briefwechsel, in: Nordelbingen. Btrr. z. Kunst-u. Kulturgesch. 35, 1966, 103 ff.; – Ders., H. u. Klopstock. H.s Auseinandersetzung mit der Persönlichkeit u. dem Werk Klopstocks (Diss. Kiel), Bad Homburg v. d. H. – Berlin – Zürich 1968 (Rez. v. Alfred Kelletat, in: Germanistik 10, 1969, 611; v. Victor Lange, in: Lessing yearbook 4, München 1972, 237 f.); – Eva Kellner, Spontaneität u. Bewußtheit in H.s nat. Konzeption (Diss. Berlin, Humboldt-Univ.), 1967; – Boshidara Deliiwanowa, Die Ansichten H.s über die Volkspoesie (Diss. Leipzig), 1967; – Christian Grawe, H.s Philos. der Gesch. der Menschheit im Licht der modernen Kulturanthropologie (Diss. Berlin F.U., 1966), Bonn 1967; – Hanns Lilje, Theol. im Weimarer Kreis, in: Goethe u. seine großen Zeitgenossen. Hrsg. v. Albert Schaefer, 1968, 115 ff.; – Siegfried J. Schmidt, Sprache u. Denken als sprachphilos. Problem v. Locke bis Wittgenstein, Den Haag 1968; – Friedrich Ostermann, Die Idee des Schöpferischen in H.s »Kalligone«, 1968; – Robert Stephen Mayo, H. and the Beginnings of Comparative Literature, Chapel Hill/Nord-Kalifornien 1969; – Anton Kathan, H.s Lit.kritik. Unterss. zu Methodik u. Struktur am Beispiel der frühen Werke (Diss. München, 1968), Göppingen 1969; – Friedrich Wilhelm Kantzenbach, J. G. H. in Selbstzeugnissen u. Bilddokumenten, 1970 (Rez. v. Joe K. Fugate, in: Lessing yearbook 4, München 1972, 235 f.); – Hugh Barr Nisbet, H. and scientific thought, Cambridge 1970; – Ders., H. and the philosophy and history of science, ebd. 1970 (Rez. v. Jean-Jacques Daetwyler, in: Erasmus. Speculum scientiarum 23, London 1971, 775 ff.; v.

Hans Dietrich Irmscher, in: Germanistik 12, 1971, 786 f.; v. Eva Schaper, in: Bibliographie de la philosophie 18, Paris 1971, 405; v. Arthur P. Molella, in: Isis. An international review devoted to the history of science and its cultural influence 62, Cambridge/Massachusetts 1971, 551 f.; v. Albert R. Schmitt, in: The Germanic Review 48, New York 1973, 157 ff.); – Hartmut Sunnus, Die Wurzeln des modernen Menschenbildes bei J. G. H. (Diss. München), 1971 (Tl.dr. der Arbeit: Die Säkularisierung der anthropolog. Ansätze J. G. H.s durch A. Gehlen). – János Rathmann, Bttrr. z. Gesch.philos. J. G. H.s (Diss. Berlin, Humboldt-Univ.), 1971; – Rüdiger Frommholz, Wirkungen der Sprache u. Dichtung. Stud. am Werke H.s, 1971; – René Nünlist, Homer, Aristoteles u. Pindar in der Sicht H.s (Diss. Zürich), Bonn 1971; – Hans Unterreitmeier, Die Sprache als Zugang z. Gesch. Unterss. z. H.s gesch.philos. Methode in den »Ideen z. Philos. der Gesch. der Menschheit« (Diss. München, 1970), Bonn 1971; – Nicolaus Carl Heutger, H. in Niedersachsen, 1971; – Thomas Willi, H.s Btr. z. Verstehen des AT, 1971 (Rez. v. Otto Bächli, in: Kirchenbl. f. die ref. Schweiz 128, Basel 1972, 220; v. Joachim Barth, in: Germanistik 13, 1972, 344; v. Martin Buss, in: JBL 92, 1973, 296 ff.; v. R. Goetschel, in: RÉJ 132, 1973, 633 ff.; v. Eva Oßwald, in: OLZ 70, 1975, 263 ff.; v. Carl-A. Keller, in: RThPh 25, 1975, 55); – Ders., H.s Auffassung v. Kritik u. Kanon in den Bückeburger Schrr., in: ThZ 29, 1973, 345 ff.; – Ursula Zilkha, J. G. H. Christl. Humanismus, 1972; – Dies., Grundsätze ggw. Päd. im Lichte des Humanitätsgedankens J. G. H.s, in: PädR 27, 1973, 213 ff.; – Fritz Wagner, Das lat. MA im Urteil J. G. H.s, in: Lit. u. Sprache im europ. MA. Festschr. f. Karl Langosch. Hrsg. v. Alf Önnerfors, Johannes Rathofer, Fritz Wagner, 1973, 458 ff.; – Christa Kamenetsky, H. u. der Mythos des Nordens, in: Revue de littérature comparée 47, Paris 1973, 23 ff.; – Ali Radjai-Bockarai, Die Bedeutung der Poesie des Orients bei J. G. H. (Diss. Tübingen, 1972), Teheran 1973; – Bückeburger Gespräche über J. G. H.: 1971, hrsg. v. Johann Gottfried Maltusch, 1973; – Beate Monika Dreike, H.s Naturauffassung in ihrer Beeinflussung durch Leibniz' Philos. (Diss. Bonn, 1971), Wiesbaden 1973; – Holm Sundhausen, Der Einfluß der H.schen Ideen auf die Nationsbildung bei den Völkern der Habsburger Monarchie (Diss. München), 1973; – Biogr. Wb. z. dt. Gesch. I², 1973, 1116 ff.; – A. M. Schönhagen-Becker, H.s Preisschr. über den Ursprung der Sprache, in: Philosophia naturalis. Arch. f. Naturphilos. u. die philos. Grenzgebiete der exakten Wiss.en u. Wiss.gebiete 16, 1976, 152 ff.; – Karl Grob, Ursprung u. Utopie: Aporien des Textes; Verss. zu H. u. Novalis (Diss. Zürich, 1975), Bonn 1976; – Goedeke IV/1 (1916³), 695–740; 1154–1159; – Eppelsheimer, WL 351 f.; – KLL I, 30 f. (Abh. über den Ursprung der Sprache); I, 131 ff. (Adrastea. Smlg. v. Aufss., Betrachtungen u. Gedichten); I, 218 ff. (Älteste Urk. des Menschengeschlechts. Theol. Abh.); I, 1083 ff. (Auch eine Philos. der Gesch. z. Bildung der Menschheit); I, 1148 ff. (Ausz. aus einem Briefwechsel über Ossian u. die Lieder alter Völker); I, 1872 ff. (Briefe z. Beförderung der Humanität); I, 2605 ff. (Der Cid); III, 1066 ff. (Gott); III, 2363 ff. (Ideen z. Philos. der Gesch. der Menschheit); IV, 74 ff. (Journal meiner Reise im J. 1769); IV, 787 ff. (Krit. Wälder); VII, 36 f. (Über die Seelenwanderung); VII, 48 ff. (Über die Würkung der Dichtkunst auf die Sitten der Völker in alten u. neuen Zeiten); VII, 755 f. (Volkslieder); VII, 781 f. (Vom Erkennen u. Empfinden der menschl. Seele); VII, 784 ff. (Vom Geist der ebräischen Poesie); VII, 799 f. (Von dt. Art u. Kunst); – Wilpert I², 700 f.; II, 7 (Abh. über den Ursprung der Sprache); 134 f. (Briefe z. Beförderung der Humanität); 488 f. (Ideen z. Philos. der Gesch. der Menschheit); 529 (Journal meiner Reise im J. 1769); 603 (Krit. Wälder); 1071 (Über die neuere dt. Lit.); 1123 f. (Volkslieder); 1127 (Von dt. Art u. Kunst); – Barth, PrTh² S. Reg.; – Hirsch IV, 207 ff.; – ADB XII, 55 ff.; – NDB VIII, 595 ff.; – RE VII, 697 ff.; XXIII, 641; – EKL II, 116 f.; – RGG III, 235 ff.; – WKL 541 f.; – LThK V, 243 f.; – NCE VI, 1054 f.; – ODCC² 638 f.; – MGG VI, 203 ff.; – Riemann I, 774; ErgBd. I, 518 f.

HERDTRICH, Christian Wolfgang, Jesuitenmissionar in China, * 25. 6. 1625 in Graz, † 17. 7. 1684 in Chiangchow. – H. wurde 1641 Mitglied der österreichischen Jesuitenprovinz und reiste 1656 zum Fernen Osten. Er mußte in Makassar auf Celebes die Reise wegen Krankheit für längere Zeit unterbrechen. 1660 traf H. in Macao ein und weilte bis 1662 zum Studium der chinesischen Sprache in Chiench'ang in der Provinz Kiangsi. In Chiangchow in der Provinz Shansi wurde er Mitarbeiter des P. Michael Trigault SJ. Verfolgt und ausgewiesen, kehrte H. zunächst für kurze Zeit nach Shansi zurück und war dann am Kaiserhof in Peking. Ende 1675 erhielt er die amtliche Erlaubnis zur Rückkehr nach Chiangchow und entfaltete eine rege und ausgedehnte Missionstätigkeit. – H. hinterließ eine Reihe von »Litterae Annuae« der da-

maligen Jesuitenmission in China, die großen Quellenwert besitzen.

Lit.: L. Pfister, Notices Biographiques, Shanghai 1932, 363 ff.; – Arnold Horrex Rowbotham, Missionary and Mandarian: The Jesuits at the Court of China, Berkeley 1942; – Fortunato Margiotti, Il cattolicismo nello Shansi dalle origini al 1738, Rom 1958, 141 ff.; – BiblMiss V; – NDB VIII, 606; – NCE VI, 1055.

HERGENRÖTHER, Joseph, Kardinal, Kirchenhistoriker, * 15. 9. 1824 in Würzburg als Sohn eines Professors der Medizin, † 3. 10. 1890 in der Abtei Mehrerau bei Bregenz. – Nach dem Besuch des Gymnasiums in Würzburg studierte H. dort 1842–44 Philosophie und Theologie, trat im Herbst 1844 zur weiteren Ausbildung in das »Collegium Germanicum« in Rom ein und empfing 1848 die Priesterweihe. 1849 wurde er Kaplan in Zellingen. Auf Wunsch seines Bischofs bezog H. im Mai 1850 die Universität München, promovierte im Juli 1850 zum Dr. theol. und habilitierte sich im Mai 1851 an der Münchener Theologischen Fakultät als Privatdozent. Er wurde im November 1852 ao. Professor der Kirchengeschichte und des Kirchenrechts in Würzburg und Mai 1855 o. Professor. 1868 wurde er mit Franz Hettinger (s. d.) als Konsultor zur Vorbereitung des Konzils nach Rom berufen. 1877 ernannte ihn Pius IX. (s. d.) zum päpstlichen Hausprälaten. Leo XIII. (s. d.) ernannte ihn 1879 zum Kardinal. Noch im gleichen Jahr wurde H. in Rom Präfekt des Vatikanischen Archivs, das der Papst 1881 der historischen Wissenschaft öffnete. Auf der Rückreise von seinem letzten Besuch in Deutschland im Sommer 1890 starb H. in dem von ihm gern besuchten Zisterzienserstift Mehrerau und wurde in der dortigen Stiftskirche begraben. – H. ist bekannt durch sein »Handbuch der allgemeinen Kirchengeschichte«, das sich durch außerordentliche Quellen- und Literaturbeherrschung auszeichnet. Obwohl Schüler Ignaz Döllingers (s. d.), war er auf dem Vatikanischen Konzil ein Vorkämpfer und Verteidiger der päpstlichen Unfehlbarkeit.

Werke: Die Lehre v. der göttl. Dreieinigkeit nach dem hl. Gregor v. Nazianz, dem Theologen, mit Berücks. der älteren u. neueren Darst. dieses Dogmas (Diss. München), Regensburg 1850; De catholicae ecclesiae primordiis recentiorum protestantium systemata expenduntur dissertatione historico-dogmatica (Hab.-Schr.), 1851; Photii Constantinopolitani Liber de Spiritus sancti mystagogia quem notis variis illustratum ac theologicae crisi subiectum nunc primum edidit, 1857 (Nachdr. MPG 102); Der Kirchenstaat seit den frz. Rev. Hist.-statist. Stud. in Skizzen, 1860; Die theol. Polemik des Photius in seiner Schr. v. hl. Geist, in: ThQ 40, 1858, 559–629; Neue Stud. über die Trennung der morgenländ. u. der abendländ. Kirche, 1864; Photius, Patriarch v. Constantinopel. Sein Leben, seine Schrr. u. das griech. Schisma, 3 Bde., 1867–69; Monumenta Graeca ad Photium ejusque historiam pertinentia, 1869; Die Marienverehrung in den 10 ersten Jhh. der Kirche, 1870; Anti-Janus, eine hist.-theol. Kritik der Schrift »Der Papst u. das Konzil« v. Janus (d. i. Ignaz Döllinger), 1870; Das unfehlbare Lehramt des Papstes. 3 Vortrr., 1871; Kath. Kirche u. christl. Staat in ihrer geschichtl. Entwicklung u. in Beziehung auf die Fragen der Ggw. Hist.-theol. Essays u. zugleich ein Anti-Janus vindicatus, 1872 (1876² mit Lit.belegen u. Nachtrr.); Piemonts Verhh. mit dem päpstl. Stuhle, 1876; Athanasius d. Gr., 1876; Hdb. der allg. KG, 3 Bde., 1876–80 (4 Bde., hrsg. v. Johann Peter Kirsch, 1924–26⁴); Kard. Maury. Ein Lb. 1878; Regesta Leonis X. Pontificis Maximi (ca 1515), 8 Hh., 1884–91; Conciliengesch. VIII u. IX (begonnen v. Carl Joseph v. Hefele), 1887/90.

Lit.: H.s Abschied v. Würzburg. Gefeiert v. Clerus u. Bürgerschaft Ostern 1879, 1879; – Ludwig Steiner, Kard. H., 1883; – Ders., Kard. H., in: Der Episkopat der Ggw. in Lb. dargest., 1892; – J. Hollweck, Ein bayer. Card. †, in: HPBl 106, 1890, 721 ff.; – Zobl, Trauerrede beim Leichenbegängnisse H.s, Feldkirch 1890; – Johann Baptist Heinrich, Card. H., in: Katholik 70, 1890, II, 481–499; – J. B. Stamminger, Zum Gedächtnisse Card. H.s (Rede), 1892; – Joseph Nirschl, Gedächtnisrede, 1897; – Sebastian Merkle, J. H., in: Ll. aus Franken I, 1919, 188 ff.; – Ders., Die Vertretung der KG an der Univ. Würzburg bis z. J. 1879, in: Aus der Vergangenheit der Univ. Würzburg, Festschr.

z. 350j. Bestehen der Univ. Hrsg. v. Max Buchner, 1932, 186 ff.; – Heinrich Schrörs, J. H., in: Die Rel.wiss. der Ggw. in Selbstdarst.en. Hrsg. v. Erich Stange, III, 1927, 199 ff.; – B. Lang, Zum 50. Todestag des Kard. J. H., in: ThPQ 93, 1940, 302 ff.; – Alfred Wendehorst, Das Bist. Würzburg 1803 bis 1957, 1965, 46 f. 60; – Die Univ. Würzburg u. das I. Vatikan. Konzil. Ein Btr. z. Kirchen- u. Geistesgesch. des 19. Jh.s. Dargest. u hrsg. v. Theobald Freudenberger, I/1: Würzburger Prof. u. Dozenten als Mitarbeiter u. Gutachter vor Beginn des Konzils, 1969; – ADB 50, 228 ff.; – NDB VIII, 609 f.; – Kosch, KD 1528 f.; – HN V, 1620 f.; – CathEnc VII, 262 ff.; – DThC VI, 2257 ff.; – Catholicisme V, 648 f.; – EC VI, 1415 f.; – LThK V, 245 f.; – NCE VI, 1070; – ODCC² 639 f.; – RGG III, 239 f.

HERIBERT *von Eichstätt,* Bischof, Hymnendichter, † 24. 7. 1042 in Freising. – Der aus rheinisch-fränkischem Hochadelsgeschlecht stammende H. wurde 1022 Bischof von Eichstätt. Er hat sich verdient gemacht im Bauwesen und besonders in der Einführung der von Gorze-Trier ausgehenden Kloster- und Kirchenreform. – H. ist als Dichter bekannt; seine Hymnen fanden weite Verbreitung.

Lit.: Julius Sax, Die Bisch. u. Reichsfürsten v. Eichstätt 745–1806, I, 1884, 36; – Franz Heidingsfelder, Die Regg. der Bisch. v. Eichstätt (bis z. Ende der Regierung des Bisch. Marquard v. Hagel 1324), 1938, Nr. 162–178; – Romuald Bauerreiß, KG Bayerns II, 1950, 49. 69; – Eduard Werner, Anonymus Haserensis v. Eichstätt. Stud. z. Biogr. im Hoch-MA (Diss. München), 1966; – AH 50, Nr. 223–228; – Manitius II, 555 ff.; – Hauck III, 378; – NDB VIII, 614.

HERING, Hermann, Theologe, * 26. 2. 1838 als Pfarrerssohn in Dallmin (Westprignitz), † 7. 4. 1920 in Halle (Saale). – H. studierte 1858–62 in Halle und wurde 1863 Diakonus in Weißensee (Thüringen), 1869 Archidiakonus in Weißenfels, 1874 Oberpfarrer und 1875 Superintendent in Lützen. Die Theologische Fakultät von Kiel verlieh ihm 1878 ehrenhalber die Doktorwürde. 1878–1908 wirkte er in Halle als o. Professor der Praktischen Theologie und Universitätsprediger.

Werke: Die Mystik Luthers im Zshg. seiner Theol., 1879; Die Liebestätigkeit des MA nach den Kreuzzügen, 1883; Hilfsbuch z. Einf. ins liturg. Stud., 1888; Doctor Pomeranus, Johannes Bugenhagen, 1888; Die Volkstümlichkeit der Predigt, 1892; Die Lehre v. der Predigt, 1894 ff.; Heinrich Hoffmann (mit Martin Kähler), 1900; Der akadem. Gottesdienst u. der Kampf um die Schulkirche in Halle, 1909; Stubenrauch u. Schleiermacher, 1918. *Lit.:* AELKZ 53, 1920, 334; – KJ 47, 1920, 581 f.; – DBJ II, 749 (Totenliste 1920).

HERMAN, Nikolaus, Kirchenliederdichter und Melodienschöpfer, * um 1480 in Altdorf bei Nürnberg, † 3. 5. 1561 in Joachimsthal im böhmischen Erzgebirge. – H. war 1518–1560 in der Silberbergwerkstadt Joachimsthal Kantor und zugleich Lehrer an der dortigen Lateinschule. Schon früh schloß er sich der reformatorischen Bewegung an, für die ihn Martin Luthers (s. d.) Schriften gewonnen hatten. Er war das leuchtende Vorbild eines rechten Schulmeisters und innig befreundet mit Johannes Mathesius (s. d.), der 1532 Rektor der Lateinschule wurde und seit 1542 als Pfarrer in Joachimsthal wirkte. »Er war des Mathesius guter alter Freund«, erzählt Christoph Schleupner (s. d.; 1566–1635). »Wenn Herr Mathesius eine gute Predigt getan hatte, so ist der fromme Kantor geschwind dagewesen und hat den Text mit den vornehmsten Lehren in die Form eines Gesanges gebracht, weil sich auf eine gute Predigt ein schöner Gesang gehört.« Die meisten seiner Lieder dichtete H. in den Tagen seines Alters, nachdem er, von Gicht geplagt, in den Ruhestand getreten war. »Weil ich Schwachheit halber meines Leibes Eure Kantorei nicht länger hab versorgen können«, schreibt H. 1560 an den Rat der Stadt, »so wollt ich dennoch gern meine

noch übrigen wenigen Tage, die ich noch zu leben haben möchte, an dieser löblichen Kirche und Gemeinde Dienst wenden und ihr die geringe Gabe, die mir Gott verliehen hat, mitteilen.« H. dichtete für die Kinder und Hausväter und widmete seine Lieder, die sich durch Schlichtheit und Natürlichkeit auszeichnen, ausdrücklich den Kindern: »Ihr allerliebsten Kinderlein, dies Gesangbüchlein soll euer sein, es ist fein alber und fein schlecht, so ist es für euch Kinder recht.« H. dachte nicht an eine Verwendung seiner Lieder im Gottesdienst: »Darum ich auch diese und andere meiner Gesänge nur für Kinder- und Hauslieder ausgebe und gehalten haben will. Achtet sie jemand würdig, daß er sie in der Kirche brauchen will, der mag's tun auf sein Abenteuer. Ich hab sie vornehmlich dahin nicht gerichtet, will solches Gelehrteren und Geistreicheren befehlen und denen, die in der Heiligen Schrift geübter sind als ich.« Von seinen 101 Liedern zu den Sonntagsevangelien sind bekannt: das Weihnachtslied »Lobt Gott, ihr Christen allzugleich, in seinem höchsten Thron« (EKG 21), das Osterlied »Erschienen ist der herrlich Tag, dran sich niemand gnug freuen mag« (EKG 80), der »Morgensegen«: »Die helle Sonn leucht't jetzt herfür, fröhlich vom Schlaf aufstehen wir« (EKG 339) und der »Abendsegen«: »Hinunter ist der Sonne Schein, die finstre Nacht bricht stark herein« (EKG 355). Aus seiner Liedersammlung zu den alttestamentlichen Geschichten sind bekannt »das einzige klassische Erntelied unserer Kirche« mit der Überschrift »Die vierte Bitte ums tägliche Brot«: »Bescher uns, Herr, das täglich Brot« (EKG 376); das Lied »von ungefärbter christlicher Liebe des Nächsten«: »Ein wahrer Glaube Gotts Zorn stillt« (EKG 246); »ein geistlich Lied für christliche Wandersleut«: »In Gottes Namen fahren wir« (EKG 388) und als die Krone seiner Lieder »Wenn mein Stündlein vorhanden ist und soll hinfahrn mein Straße, so g'leit du mich, Herr Jesu Christ, mit Hilf mich nicht verlasse« (EKG 313) mit der Überschrift »Ein geistlich Lied, darin man bittet um ein seliges Stündlein, aus dem Spruch Augustini: Turbabor, sed non perturbabor, quia vulneris Christi recordabor.« Erwähnt seien ferner sein Lied zum Michaelistag »Heut singt die liebe Christenheit Gott Lob und Preis in Ewigkeit« (EKG 116) und zum Johannistag »Wir wollen singn ein' Lobgesang Christo dem Herrn zu Preis und Dank« (EKG 114), eine knappe und schlichte Zusammenfassung dessen, was in Markus und Lukas über das Auftreten Johannes des Täufers berichtet wird. Die Weise zu dem genannten Weihnachts- und Osterlied stammt ebenfalls von H. Für die Joachimsthaler Agende, die das Latein als gottesdienstliche Sprache beibehielt, dichtete er auch lateinische liturgische Gesänge zu den Evangelienperikopen.

Werke: Eyn Mandat Jhesu Christi an alle seyne getrewen Christen (Streitschr. gg. Rom), Straßburg 1524 (1613²⁷), hrsg. v. Georg Loesche, in: Flugschrr. aus den ersten J. der Ref. II/2, 1907; in: Arnold Erich Berger, Die Sturmtruppen der Ref., 1931, 61 f. 271 ff.; Eyn gestreng vrteyl Gottes vber die vngehorsamen kinder vnnd yhre eltern, 1526; Die Sonntags Euangelia vnd von den fürnemsten Festen vber das gantze Jr., In Gesenge gefasset f. Christl. Haußueter vnd jre Kinder (mit Vorrede v. Paul Eber), Wittenberg 1560 (1561²); Neudr.: Die Sonntags-Evangelia, hrsg. v. Rudolf Wolkan, 1895; Die Haustafel, darin eim jeden angezeigt wird, wie er sich in seinem stand verhalten soll, ebd. 1562; Die Historien v. der Sintflut, Joseph, Mose, Elia, Elisa u. der Susanne samt etlichen Historien aus den Evangelisten, auch etliche Psalmen u. geistl. Lieder, zu lesen u. zu singen, in Reimen verfasset f. christl. Hausväter u. ihre Kinder (mit Vorreden v.

H. u. Johannes Mathesius), ebd. 1562. *Liedtexte:* N. H.s u. Johann Mathesius' geistl. Lieder, in einer Ausw. nach dem Orig.-text hrsg. u. mit einer Einl. vers. v. Karl Friedrich Ledderhose, 1855. – Philipp Wackernagel, Das dt. Kirchenlied v. Martin Luther bis N. H. u. Ambrosius Blaurer, 1841, 395–415. – Wackernagel III, Nr. 1351–1453 = S. 1161–1243; – *Melodien:* Zahn V, 401.

Lit.: Philipp Wackernagel, Bibliogr. z. Gesch. des dt. Kirchenliedes im 16. Jh., 1855, 303–306. 322–324; – Doedes, Ein Mandat Jesu Christi v. N. H., in: ThStKr 51, 1878, 303 ff.; – Theobald Wolf, Ein geistl. Liederbüchlein v. N. H., in: Korr.bl. des Ver. f. siebenbürg. Landeskunde 13, 1890, 62 f.; – Rudolf Wolkan, Böhmens Anteil an der dt. Lit. des 16. Jh.s, II, 1890, 87 ff.; – Ders., Gesch. der dt. Lit. in Böhmen u. in den Sudetenländern, 1894, 21 f.; – Ders., N. H., in: Sudetendt. Lb., hrsg. v. Erich Gierach, I, 1926, 100 ff.; – Georg Loesche, Zur Agende v. Joachimsthal, in Siona. Mschr. f. Liturgie, Hymnologie u. Kirchenmusik 17, 1892, 163 ff. 183 ff.; – Kurt Hennig, Die geistl. Kontrafaktur im Jh. der Ref. Ein Btr. z. Gesch. des dt. Volks- u. Kirchenliedes im 16. Jh. (Diss. Königsberg), Halle/Saale 1909; – Heribert Sturm, N. H., ein erzgebirg. Dichter u. Tonmeister des 16. Jh.s, in: Erzgebirgsztg. 51, Teplitz-Schönau 1930, 21 ff.; u. in: Dt. Heimat. Sudetendt. Mhh. 12, 1936, 132 ff.; – Ders., N. H., in: Jb. der Egerländer, Geislingen/Steige (Württemberg) 1960, 41 ff.; – Ders., Die St. Joachimsthaler Lateinschulbibl. aus dem 16. Jh., 1964; – Heinrich Bauß, Das Osterlied »Erschienen ist der herrlich Tag« u. seine gregorian. Vorlage, in: MuK 7, 1935, 73 ff.; – Heinrich Steege, N. H., der Kantor v. J. Zu seinem 375. Todestag, in: Neue Saat. Schulungsbll. f. ev. Gemeindegottesdienst 11, 1936, 133 ff.; – Die Kirchenliederdichter Johannes Mathesius u. N. H., in: Vom silbernen Erzgebirge. Kreis Annaberg. Gesch., Landschaft, Volkstum II, Schwarzenberg 1939, 293; – Otto Michaelis, Zwei Freunde: Johannes Mathesius u. N. H., in: Ev. Kirche. Wochenztg. 3, 1948, Nr. 9, S. 2; – Walter Blankenburg, Der Ursprung v. N. H.s Weise »Lobt Gott, ihr Christen alle gleich«, in: MuK 18, 1948, 139 ff.; – Jörg Erb, Die Wolke der Zeugen II, 1954, 238 ff.; – Friedrich Hauß, Väter der Christenheit I, 1956, 234; – Friedrich Laubscher, N. H., der Lehrer u. Kantor v. J., 1956; – Siegfried Fornaçon, N. H.s Geburtsj., in: JLH 4, 1958–59, 109 ff.; – Otto Brodde, N. H. Zur 400. Wiederkehr seines Todestages, in: Der Kirchenchor 21, 1961, 33 ff.; – Johannes Hermann, N. H. Zu seinem 400. Todestag, in: Württemberg. Bll. f. Kirchenmusik 28, 1961, 28 ff.; – Peter Walter, Zum 400. Todestag N. H.s, in: Kirchenbl. f. die ref. Schweiz 117, Basel 1961, 155 f.; – Paul Gabriel, Urbild des ev. Kantors. Zum 400. Todestag N. H.s, in: Zeichen der Zeit. Ev. Mschr. 15, 1961, 185 f.; – Schottenloher I, Nr. 8276–8285; V, Nr. 46779 f.; VII, Nr. 55017; – Koch I, 390 ff.; – Hdb. z. EKG II/1, Nr. 34 = S. 58 f.; II/2, 85 f.; – Goedeke II, 167 ff.; – Kosch, LL II, 943 f.; – Wilpert I², 702; – MGG VI, 219–221; – ADB XII, 186 ff.; – NDB VIII, 628; – RE VII, 705 ff.; XXIII, 641; – EKL II, 117 f.; – RGG III, 240.

HERMANN, Rudolf, ev. Theologe, * 3. 10. 1887 als Pfarrerssohn in Barmen, † 2. 6. 1962 in Berlin-Mahlsdorf. – H. besuchte das Gymnasium in Bremen und studierte 1906–08 in Marburg dt. Philologie, Geschichte und Religion, 1908–12 in Halle und Greifswald Theologie. 1911 bestand er das erste theologische Examen und promovierte 1914 in Göttingen zum Lic. theol. Im September 1914 geriet H. schwerverwundet in französische Kriegsgefangenschaft und wurde im Herbst 1915 ausgetauscht. 1916 habilitierte er sich in Göttingen und erhielt 1919 in Breslau einen Lehrauftrag für »Neuere Religionsphilosophie seit Kant und für Theologie der Reformatoren, für den Zweck der Systematik«. Zugleich war H. Inspektor des Theologischen Konvikts. 1923 wurde er als ao. Professor und 1927 als Ordinarius nach Greifswald und 1953 an die Humboldt-Universität in Berlin berufen. – H. war ein anerkannter Lutherforscher der letzten Jahrzehnte. Weithin Beachtung hat sein erstes umfangreiches Lutherbuch gefunden, das 1930 zum erstenmal und 1960 in 2. Auflage unter dem Titel »Luthers These Gerecht und Sünder zugleich« herausgekommen ist. In einem Aufsatz von 1947 schreibt H. in der Einleitung: »In diesem Beitrag, in dem wir uns auf das Zentrum der Reformationsbotschaft Luthers besinnen wollen, soll unsere Aufmerksamkeit ganz auf Luther gerichtet sein. Fragen wir einmal nicht zuerst nach unserer Kirche und nach ihren Bedürfnissen und Sorgen! Schauen

wir auf das, was er selbst gefragt und geantwortet hat, und sehen wir zu, was er uns und unserem Volke in der so schweren Zeit, die wir durchmachen, zu sagen hat.« Hingewiesen sei auch auf H.s »Gesammelte Studien zur Theologie Luthers und der Reformation« von 1960.

Werke: Christentum u. Gesch. bei Wilhelm Herrmann. Mit bes. Berücks. der erkenntnistheoret. Seite des Problems, 1914; Der Begriff der rel.-sittl. Anlage in der Apologetik Kählers, 1917; Fragen u. Erwägungen zu Stanges Rel.philos., 1921; Zur Frage des rel.psycholog. Experiments. Erörtert aus Anlaß der Rel.psychologie Girgensohns, 1922; Die Bergpredigt u. die Religiös-Sozialen. Vortrr., 1922; Das Verhältnis v. Rechtfertigung u. Gebet nach Luthers Ausl. v. Röm 3 in der Röm.briefvorlesung, 1926; Willensfreiheit u. gute Werke im Sinne der Ref. 3 theol. Vorlesungen, 1928; Luthers These »Gerecht u. Sünder zugleich«, 1930 (Nachdr. Darmstadt 1960 u. Gütersloher Verlagshaus 1960); Zu Luthers Lehre v. unfreien Willen, 1931; Luthers theol. Grundanliegen, 1933; Die Bedeutung der Kirche bei Schleiermacher, 1934; Theol. Anliegen z. Kirchenfrage, 1937; Deutung u. Umdeutung der Schr. Ein Btr. z. Frage der Ausl., 1937; Die Bedeutung der Bibel in Goethes Briefen an Zelter, 1948; Fragen um den Begriff der natürl. Theol., 1950; Glaube, Lehre, Dogma, 1951; Zu Luthers Lehre v. Sünde u. Rechtfertigung, 1952; Die Gestalt Simsons bei Luther. Eine Stud. z. Bibelausl., 1952; Die Probleme der Exkommunikation bei Luther u. Thomas Erastus, 1955; Gotteswort u. Menschenwort in der Bibel. Eine Unters. zu theol. Grundfragen der Hermeneutik, 1956; Zum Streit um die Überwindung des Gesetzes. Erörterungen zu Luthers Antinomerthesen, 1958; Von der Klarheit der HS. Unterss. u. Erörterungen über Luthers Lehre v. der Schr. in »De servo arbitrio«, 1958; Ges. Stud. z. Theol. Luthers u. der Ref., 1960. – Bibliogr.: R. Bork, in: ThLZ 82, 1957, 795–798; Nachtr., ebd. 83, 1958, 150; Nachtr. v. Rudolf Mau, ebd. 87, 1962, 867 f.

Lit.: Erdmann Schott, Zum 60. Geb. v. R. H. Überschau über das Werk R. H.s, in: ThLZ 72, 1947, 181 ff.; – Ders., D. R. H. †, ebd. 87, 1962, 791 ff.; – Ders., Zur Theol. R. H.s: in: Nachtr. der Luther-Ak., 1963, 34 ff.; – Ders., Grundlinien der Theol. R. H.s, in: NZSTh 6, 1964, 13 ff.; – Solange es »heute« heißt. Festg. f. R. H. z. 70. Geb. Überreicht v. Paul Althaus u. a., 1957; – Friedrich Buschbeck, R. H.s Bedeutung f. Jochen Klepper (nach den Tagebüchern 1932 bis 1942), ebd. 52 ff.; – Albert Brandenburg, Die Lutherstud. R. H.s, in: Catholica 14, 1960, 315 f.; – Martin Heinze, Die Zeitlichkeit in ihrer rel.philos. u. theol. Denken R. H.s, Dargest. u. erörtert an seiner These »Ich bin meine Zeit« (Diss. Halle/Saale), 1960; – Walter Elliger, 150 J. Theol. Fak. Berlin. Eine Darst. ihrer Gesch. v. 1810–1960 als Btr. zu ihrem Jub., 1960, 143 f.; – Martin Fischer, Zum Heimgang v. R. H. Ein Wort persönl. Erinnerung, in: MPTh 51, 1962, 378 ff.; u. in: Zeichen der Zeit. Ev. Mschr. 16, 1962, 334 ff.; – Gedenkh. f. Prof. D. R. H. Hrsg. durch Alfred Jepsen, Sondershausen 1962 (= Nachtr. der Luther-Ak. [Sondershausen]); – Hanns Rückert, in: WA 55, I, 1, 1963, 11* f.; – Reinhard Kösters, Luthers These »Gerecht u. Sünder zugleich«. Zu dem gleichnamigen Buch v. R. H., in: Catholica 19, 1965, 136 ff. 210 ff.; – Joachim Rogge, In memoriam R. H., in: Luther. Zschr. der Luther-Ges. 37, 1966, 65 ff.; – Hansjürgen Schulz, Die Bedeutung der Kirche bei R. H. (Diss. Jena), 1967; – Götz Planer-Friedrich, Gesch. u. Zeitlichkeit in der Theol. R. H.s (Diss. Jena), 1967; – NDB VIII, 664 f.

HERMANN, Wilhelm, Liederdichter, * 5. 7. 1826 in Barmen-Gemarke als Sohn eines Kaufmanns, † 15. 5. 1856 in Elberfeld. – In seiner Jugend stand H. unter dem fördernden Einfluß Friedrich Wilhelm Krummachers (s. d.). Er studierte in Halle Theologie und war August Tholucks (s. d.) Famulus. H. wurde an der Kinderrettungs- und Präparandenanstalt Düsseltal bei Elberfeld Gehilfe des Direktors Georgi, mit dessen Tochter Amalie er sich verlobte und später verheiratete. Als Hilfsprediger in Friemersheim bei Rheinhausen und danach in Neviges bei Elberfeld zeigte er großes Geschick in der Gründung und Förderung von Jünglingsvereinen. H. wirkte 4 Jahre als Pfarrer in Mettmann und verzehrte sich bei seiner schwachen Gesundheit in rastlosem Dienst für den Herrn. – Bekannt ist sein Lied »Wir reichen uns zum Bunde die treue Bruderhand«. H. dichtete es als Student. Das Lied findet sich in der Kleinen Missionsharfe, Gütersloh 1852.

Lit.: Walter Schulz, Reichssänger. Schlüssel z. dt. Reichsliederbuch, 1930, 63.

HERMANN *von Fritzlar* (Fritschelar), Mystiker, † nach 1349. – Über H.s Leben wissen wir so wenig wie über seinen Stand. Fritzlar war wohl seine Heimat. Bekannt ist er durch sein »Heiligenleben«. Es sind rund 90 Predigten zum Weihnachtsfestkreis und zu den Heiligenfesten des Jahres. Das Werk entstand 1343–49. Hauptquelle der mystischen Texte ist eine nach 1323 von Heinrich v. Erfurt (s. Lit.) angelegte Predigtsammlung. Das Legendar weist auf eine Erfurter Quelle. H.s Leistung bestand wohl nur in der Kompilation dieser verschiedenartigen Teile. Aus dem »Heiligenleben« kennen wir auch den Titel eines zweiten, früheren Werkes H.s: »Die Blume der Schauung«. Es ist ein anonym überlieferter Traktat über die mystische vita contemplativa. Dieses Buch wurde in Sorga bei Bad Hersfeld geschrieben.

Werke: Ausg.: Das Hll.leben, hrsg. v. Franz Pfeiffer, in: Dt. Mystiker des 14. Jh.s I, Leipzig 1845 (Neudr. 1962, 1–258); Die Blume der Schauung, hrsg. v. Wilhelm Preger, in: Gesch. der dt. Mystik im MA II, 1881, 426–434.

Lit.: Franz Pfeiffer, in: Das Hll.leben, XIII–XXII (s. Werke). – Joseph Haupt, Btrr. z. Lit. der dt. Mystiker. I: Neue Hss. z. H. v. F., in: SAW 76, 1874, 51 ff.; 94, 1879, 235–334 (zu Hartung v. Erfurt); – Wilhelm Preger, Gesch. der dt. Mystik im MA II, 1881, 89–107; – Friedrich Wilhelm, Dt. Legenden u. Legendare. Texte u. Unterss. zu ihrer Gesch. im MA, 1907, 146 ff.; – Adolf Spamer, Über die Zersetzung u. Vererbung in den dt. Mystikertexten (Diss. Gießen), 1910, 119–241; – Gertrud Lichenheim, Stud. z. Hll.leben H.s v. F. (Diss. Halle), 1916; – Kosch, LL II, 942. 900 (zu Heinrich v. Erfurt); – VerfLex II, 415 f. (zu H. v. F.). 259 f. (zu Heinrich v. Erfurt); – ADB VIII, 118 (unter Fritzlar) f.; – NDB VIII, 645 f.; – LThK V, 249.

HERMANN *von Niederaltaich*, Benediktiner, Geschichtsschreiber, * 1201/02 in Altbayern, † 31. 7. 1275. – H. wurde in der Klosterschule von Niederaltaich erzogen und trat als Mönch in das Kloster ein. Er sammelte und studierte als Kustos der Kirche fleißig die Urkunden seines Klosters und wurde vom Abt in wichtigen Angelegenheiten zum Kaiser nach Verona und zweimal nach Rom gesandt. Von 1242 bis 1273 wirkte H. als Abt von Niederaltaich. Er bemühte sich mit Erfolg um die wirtschaftlichen, baulichen und innerklösterlichen Verhältnisse, um das geistige Leben und die Klosterzucht in seiner Abtei und den benachbarten Klöstern. – H. ist als Geschichtsschreiber bekannt, vor allem durch seine von 1137 bis 1273 reichenden »Annales«, die die allgemeine Geschichte behandeln und zu den wichtigsten Quellenwerken des 13. Jahrhunderts gehören.

Werke: De rebus suis gestis, in: MG SS XVII, 378 ff.; De institutione monasterio Altaha, ebd. 369 ff.; Annales (1137–1273), ebd. 381 ff.; De spoliatione monasteriorum per Arnolfum ducem Bavariae, ed. Johann Friedrich Böhmer, in: Fontes rerum Germanicarum III, 1853, 563 ff.; Urbarium et Codex hirsutus, ed. Sigmund Herzberg-Fränkel, s. Lit., 62–130 (Auszüge).

Lit.: Joseph Chmel, Hermannus Altahensis, in: Arch. f. östr. Gesch.qu. 1, 1848, 1–72; – Benedikt Braunmüller, H., Abt v. N., in: Verhh. des Hist. Ver. f. Niederbayern 19, 1876, 247–328; – Ders., Abt H. v. N., in: Progr. der Studienanstalt Metten, 1876; – Paul Fridolin Kehr, H. v. Altaich u. seine Fortsetzer (Diss. Göttingen), 1883; – Ottokar Lorenz, Dtld.s Gesch.qu. im MA seit der Mitte des 13. Jh.s, I³, 1886, 176 ff.; – Emil Michael, Gesch. des dt. Volkes III, 1903, 350 ff.; – Sigmund Herzberg-Fränkel, Die wirtschafts-geschichtl. Qu. des Stifts Niederaltaich, Innsbruck 1909; – Josef Hemmerle, Die Benediktinerklöster in Bayern, 1951, 87 f.; – Romuald Bauerreiß, KG Bayerns IV, 1953; – Josef Klose, Das Urkk.wesen Abt H.s v. N., seine Kanzlei u. Schreibschule (Diss. München), Kallmünz/Oberpfalz 1967; – ADB XII, 164; – NDB VIII, 648; – LThK V. 251.

HERMANN *von Reichenau* (Hermannus Contractus, der Lahme), Chronist, Gelehrter, Dichter und Komponist, * 18. 7. 1013 in Saulgau als Sohn des Grafen Wolfrad II. von Altshausen (Württemberg), † 24. 9. 1054 im Kloster Reichenau (Bodensee). – H. war von frühester Kindheit an völlig gelähmt (daher Contractus genannt), blieb zeitlebens an den Tragstuhl gefesselt und konnte nur mit Mühe sprechen. Seit 1020 war er Klosterschüler und legte mit 30 Jahren unter Abt Bern (s. d.) die Gelübde ab. H. wurde ein geschätzter Lehrer, ein bedeutender Dichter und Komponist und war einer der größten Gelehrten seiner Zeit. Von seinen Werken ist am besten bekannt sein in lateinischer Sprache geschriebenes »Chronicon«, eine von Christi Geburt bis Mitte 1054 reichende Weltgeschichte in der Form von Annalen, die erste der deutschen Kaiserzeit. H.s »Chronicon« wurde von seinem Schüler Berthold von Reichenau (s. d.) bis 1080 fortgesetzt. H. schrieb ferner ein »Martyrologium«. Er verfügte über hervorragende Kenntnisse auf dem Gebiet der Mathematik, Astronomie und Mechanik. Auch als Musiktheoretiker wurde H. bekannt durch seinen Traktat »De musica«, ein Lehrbuch zur Unterweisung der Reichenauer Mönche im Choralgesang. Er verfaßte und vertonte Heiligenoffizien u. mehrere Sequenzen. Seine dichterische Begabung zeigt sein Lehrgedicht »De octo vitiis principalibus« (Von den acht Hauptsünden), das sich an einen Nonnenkonvent wendet.

Werke: Chronicon. Ausgg.: Johannes Sichard, in: Chronica eruditissimorum auctorum, Basel 1529; Georg Heinrich Pertz, in: MG SS V, 67–133; Aemilianus Ussermann, in: MPL 143, 55 bis 263; Werner Trillmich u. Rudolf Buchner, in: Qu. des 9. u. 11. Jh.s z. Gesch. der hamburg. Kirche u. des Reiches, 1961, 617–707 (mit Einl., Bibliogr. u. Übers.); Übers. v. Karl Nobbe: in: GDV 42, 1892; v. Wilhelm Wattenbach, ebd. 1941²; lat.-dt. hrsg. v. Rudolf Buchner, in: Ausgew. Qu. z. dt. Gesch. des MA u. der Neuzeit (Frhr.-vom-Stein-Gedächtnisausg.) XI, 1968. – Martyrologium, hrsg. v. Ernst Dümmler, in: Forsch. z. dt. Gesch. 25, 1885, 195–220. – Mathematik-astronom. Abhh.: De mensura astrolabii, in: Bernhard Pez, Thesaurus anecdotorum, 6 Bde., Augsburg 1721–1729, III/2, 94 ff.; in: MPL 143, 381–389; De utilitate astrolabii, in: Pez III/2, 107 ff.; in: MPL 143, 389–412; De mense lunari, hrsg. v. G. Meier, Die sieben freien Künste im MA, in: Jber über die Lehr- u. Erziehungsanstalt Einsiedeln II, 1886/87, Einsiedeln 1887, 34–36; Qualiter multiplications fiant in abaco, hrsg. v. Peter Treutlein, in: Bolletino di bibliografia e di storia delle scienze matematiche e fisiche 10, Turin 1877, 643–647; De conflictu rithmimachiae, hrsg. v. E. Wappler, in: Zschr. f. Math. u. Physik 37, Hist. Abt., 1892, 12–14. – Lehrgedicht: Carmen de octo vitiis principalibus, hrsg. v. Ernst Dümmler, in: ZDADL 13, 1867, 385–431. – Musik: De monochordo. – Opuscula musica, veröff. nach einer Wiener Hs. des 12. Jh.s, in: Gerbert II, 124–153; auch in: MPL 143, 413–442; hrsg. v. Wilhelm Brambach, Hermanni Contracti Musica, 1884; nach einer Hs. in der Bibl. der Eastman School, Rochester, hrsg. v. Leonard Ellinwood (mit engl. Übers.), Rochester 1936 (1952). – Liturg. Dichtungen, hrsg. v. Guido Maria Dreves, in: AH 50, 1907, 308–319. – Unvollst. GA, in: MPL 143, 9–458.

Lit.: Karl Bartsch, Die lat. Sequenzen des MA in musikal. u. rhythm. Beziehung, 1868; – Rudolf Baxmann, Gesch.schreibung u. Sittenlehre H.s v. R., in: ThStKr 42, 1869, 103 ff.; – Joseph Kehrein, Lat. Sequenzen des MA aus Hss. u. Drucken, 1873; – Heinrich Hansjakob, H., der Lahme u. der R. Sein Leben u. seine Wiss., 1875; – Wilhelm Brambach, Die Musiklit. des MA bis z. Blüte der Reichenauer Sängerschule (500–1050), 1883, 22 ff.; – Ders., Theorie u. Praxis der Reichenauer Sängerschule, 1888, 35 ff.; – Ders., Die verloren geglaubte »Historia de S. Afra Martyre« u. das »Salve Regina« des H. C., 1892; – Utto Kornmüller, Die alten Musiktheoretiker. XVII. H. der Lahme, in: KmJb 2, 1887; 12 f.; – J. Wolf, Ein anonymer Musiktraktat des 11. bis 12. Jh.s, in: VfMw 9, 1893, 186 ff.; – Julius Reinhard Dieterich, Die Gesch.qu. des Klosters R. bis z. Mitte des 11. Jh.s, 1897; – Ders., Die Gesch.schreibung der Abtei R., 1926; – P. v. Winterfeld, Die Dichterschule St. Gallus u. der R., in: Neues Jb. f. das klass. Altertum III, 1900, 341 ff.; – Harry Breßlau, Btrr. z. Kritik dt. Gesch.qu. des 11. Jh.s NF I, H. v. R. u. das Chronicon Suevicum Universale, in: NA 27, 1902, 127 ff.; – Henri Quentin, Les martyrologes historiques du moyen âge, Paris 1908, 680 u. ö.; – Moritz Benedikt Cantor, Vorlesungen über Gesch. der Math. I, 1894, 759–889; – Hugo Riemann, Gesch. der Musiktheorie v. 9. bis 19. Jh., 1920², 69 ff.; – Die Kultur der Abtei R., hrsg. v. Konrad Beyerle, 2 Bde., 1925; – Raphael Molitor, Die Musik der R., ebd. II, 1925, 802 ff.; – Clemens Blume, R. u. die marian. Antiphonen, ebd. 821 ff.; – Heinrich Besseler, Musik des MA u. der Renaissance, 1931, 86 ff. 109 ff.; – Otto Ursprung, Die kath. Kirchenmusik, 1931, 62. 85; – Gerhard Pietzsch, Die Musik im Erziehungs- u. Bildungsideal des ausgehenden Altertums u. frühen MA, 1932, 133 ff.; – Cyril

Charles Martindale, From Bye-Ways and Hedges..H. the Cripple . . ., London 1935; – R. Handschin, H. C.-Legenden – nur Legenden?, in: ZDADL 72, 1935, 1 ff.; – Wilhelm Heinitz, Eine homogenitätsstud. an Hans Sachsens Überlangton u. H.s Salve Regina, in: AfMf 2, 1937, 257 ff.; – Morton Wilfred Bloomfield, The Seven Deadly Sins in Medieval English Literature (Diss. univ. of Wisconsin), 1938; – Joseph de Ghellinck, Littérature latine au moyen âge II, Paris 1939, 55 ff.; – Gsutave Reese, Music in the Middle Ages, New York 1941, 127 ff. 137. 154 ff. 338 u. ö.; – Agnes Herkommer, H. der Lahme. H. C., 1947 (1953²); – Josef Anton Amann, Der sel. H. Der lahme Benediktinermönch v. R., Höchst/Vorarlberg 1948; – Jäkel, Dulder, Dichter, Hl. H. C., in: Klerusbl. 82, Salzburg 1949, 10 f.; – Imagina Stolberg, Gottes lahmer Freund. H. der Lahme v. R., im Zeichen Gottes unter den Menschen, 1951; – Frederic James Edward Raby, A History of Christian-Latin Poetry from the Beginnings to the Close of the Middle Ages, Oxford 1953², 225 ff.; – Gebhard Spahr, H. C., in: BM 30, 1954, 510 ff.; – A. Dold, Der sel. H. der Lahme, in: Oberrhein. Pastoralbl. 56, 1955, 200 ff.; – Jacques Handschin, Zur Biogr. H.s des Lahmen, in: Gedenkschr. J. H. Aufss. u. Bibliogr., Bern 1957, 170 ff.; – Anna-Dorothee v. den Brincken, Stud. z. lat. Weltchronistik bis in das Zeitalter Ottos v. Freising (Diss. Münster, 1956), Düsseldorf 1957; – J. M. Canal, H. C. eiusque mariana carmina, in: SE 10, 1958, 170 ff.; – Rudolf Buchner, Gesch.bild u. Reichsbegriff H.s v. R., in: AKultG 42, 1960, 37 ff.; – Ders., Der Verf. der Schwäb. Weltchron., in: DA 16, 1960, 389 ff.; – Hans Oesch, Berno u. H. v. R. als Musiktheoretiker. Mit einem Überblick über ihr Leben u. ihr übe. ihrer Werke. Beigabe: Das Gesch.werk H.s des Lahmen in seiner Überl. Von Arno Duch, Bern 1961; – Ferdinand Haberl, H. der Lahme, in: MuSa 82, 1962, 152 ff.; – Robert Bultot, Le Carmen de contemptu mundi d'H. de R., in: RAM 38, 1962, 155 ff.; – Josef Szövérffy, Die Ann. der lat. Hymnendichtung I, 1964, 376 ff.; – Franz Brunhölzl, Zur Antiphon »Alma redemptoris mater«, in: StMBO 78, 1968, 321 ff.; – Karl Gustav Fellerer, Gesch. der kath. Kirchenmusik. I: Von den Anfängen bis z. Tridentinum, 1972; – Biogr. Wb. z. dt. Gesch., I², 1973, 1125; – Berthold v. Reichenau, Vita seu Elogium (auf seinen Lehrer H. v. R.), hrsg. v. Georg Heinrich Pertz, in: MG SS V, 264 ff.; – Wattenbach-Holtzmann I/2, 232 ff.; – Manitius II, 756 ff.; – Kosch, LL II, 942; – VerfLex V, 374 ff.; – KLL I, 2555 f. (Chronicon); II, 902 f. (De voto vitiis principalibus); – MGG VI, 228 ff.; – Riemann I, 706; ErgBd. I, 520; – Grove IV, 249 f.; – Zimmermann II, 482 ff.; – VSB IX, 522 f.; – BS V, 21 f.; – Catholicisme V, 663 f.; – EC V, 504; – DSp VII, 293 f.; – LThK V, 250; – NCE VI, 1073; – ODCC² 640; – ADB XII, 164 f.; – NDB VIII, 649 f.; – HBLS IV, 195.

HERMANN, der »Mönch von Salzburg«, Liederdichter um die Wende des 14. Jahrhunderts. – Erhalten sind von H. über 40 geistliche und fast 60 weltliche Gedichte. Etwa 50 Handschriften enthalten H.s Lieder. Er war Benediktiner. Der Dichter heißt nur »der Mönch«. Josef Ampferer (s. Lit.) glaubt, daß er identisch sei mit dem 1424 urkundlich genannten Prior Hermannus des Benediktiner-Petersstiftes in Salzburg. H. gehörte jedenfalls zum Hofkreis des Erzbischofs Pilgrim von Puchhaim (1365–1396). Erhalten ist eine große Zahl von Melodien. Heinrich Rietsch (s. Lit.) veröffentlichte 55 Melodien zu den weltlichen Liedern. Wieweit H. als Komponist anzusehen ist, läßt sich nicht feststellen.

Werke: Die geistl. Lieder des Mönchs v. Salzburg. Hrsg. v. Franz Viktor Spechtler, Berlin – New York 1972 (Rez. v. George Fenwick Jones, in: Modern language notes 89 Baltimore/Maryland 1974, 472 ff.; v. Wolfgang Suppan, in: Jb. f. Volksliedforsch. 20, 1975, 158 f.; v. Burghart Wachinger, in: Anz. f. dt. Altertum u. dt. Lit. 86, 1975, 158 ff.).

Lit.: F. Pfeiffer, Die Kirchenlieder des Mönchs v. S., in: Altdt. Bll. 2, 1840, 325 f.; – August Heinrich Hoffmann v. Fallersleben, Gesch. des dt. Kirchenliedes bis auf Luthers Zeit, 1861, 239 ff.; – Josef Ampferer, Über den Mönch v. S., GProgr. Salzburg 1864; – Wilhelm Baeumker, Das kath. dt. Kirchenlied in seinen Singweisen v. den frühesten Zeiten bis gg. Ende des 17. Jh.s I (Auf Grund hs. u. gedr. Qu. bearb.), 1886 (Nachdr. Hildesheim 1962); II (Auf Grund älterer Hss. u. gedr. Qu. bearb. Begonnen v. Karl Severin Meister, 1883 (Nachdr. Hildesheim 1962); – Ed. Richard Müller, Heinrich Loufenberg. Eine literarhist. Unters. (Diss. Straßburg) 1888, 69–78; – Friedrich Arnold Mayer u. Heinrich Rietsch, Die Mondsee-Wiener Liederhs. u. der Mönch v. S. Eine Unters. z. Lit- u. Musikgesch., nebst den zugehörigen Texten aus der Hs. u. mit Anm., 1896 (enthält die welt. Lieder); – Heinrich Rietsch, Weltl. Musik beim Mönche v. S., in: John Willibald Nagl u. Jakob Zeidler, Dt.-östr. Lit.-Gesch. I, Wien 1899, 294 ff.; – Ders., Der Mönch v. S., in Musica Divina. Mschr. f. Kirchenmusik 2, Wien 1914, 306 ff.; – Otto Ursprung, 4 Stud. z. Gesch. des dt. Liedes, in: AfMw 4, 1922, 413 ff.; – Ders., Die Mondseer Liederhs. u. H., der Mönch

v. S., ebd. 5, 1923, 11 ff.; – Hans Joachim Moser, Gesch. der dt. Musik I, 1926⁴, 180 ff.; – Theodor Kochs, Das dt. geistl. Tagelied, in: FF 22, 1928, 81 f.; – Herbert Löwenstein, Das dt. »Mittit ad virginem« des Mönches v. S., in: Btrr. z. Gesch. der dt. Sprache u. Lit. 56, 1932, 449 ff. (mit Melodie) – Romuald Bauerreiß, Wer ist der Mönch v. S.?, in: StMBO 52, 1934, 204 ff.; – Eva Fredrich, Der Ruf, eine Gattung des geistl. Volksliedes (Diss. Berlin), 1936; – Josef Schabaßer, Der Mönch v. S. in seinen geistl. Liedern (Diss. Wien), 1936; – Maria Carmelita (Clothilde) Pfleger, Unterss. am dt. geistl. Lied des 13. bis 16. Jh.s (Diss. Berlin), 1937, 13 ff.; – Hermann Maschek, Lyrik des späten MA, 1939, 21 ff.; – Josef Kothe, Die dt. Osterlieder des MA (Diss. Breslau), 1939, 56–64; – Berta Gillitzer, Die Tegernseer Hymnen des Cgm. 858. Btrr. z. Kunde der Bair. u. z. Hymnendichtung des 15. Jh.s (Diss. München, 1942), 1940, 67 ff.; – Herta Noack, Der »Mönch v. S.« (Diss. Breslau), 1941; – C. Selmer, Das 4. Kap. der Benediktinerregel in der mhd. Lit., in: StMBO 61, 1947–48, 40 ff.; – Walter Wiora, Zur Frühgesch. der Musik in den Alpenländern, Basel 1949; – Walter Salmen, Das Lochhamer Liederbuch. Eine musikgeschichtl. Stud., Leipzig 1951, 40 f.; – Bernhard Rzyttka, Die geistl. Lieder der Klosterneuenburger Hs. 1228 (Diss. Wien), 1952; – Norbert Richard Wolf, Über den »Mönch v. S.« in einem Anh.: Reimreg. der Lieder des »Mönchs v. S.« in der Mondsee-Wiener Hs., in: Innsbrucker Btrr. z. Kulturwiss. 15, Innsbruck 1969, 41 ff.; – Ders., Zur hs. Überl. des »Mönchs v. S.«, in: Amsterdamer Btrr. z. älteren Germanistik 7, Amsterdam 1974, 141 ff.; – VerfLex II, 418 ff.; V, 372 f.; – MGG VI, 223 ff.; – Wackernagel II, Nr. 547–590 = S. 409–453 (die geistl. Lieder); – ADB XII, 165; XIV, 472; – LThK V, 252.

HERMANN *von Schildesche* (de Schildicz, Scildis u. ä., H. de Westfalia), Augustinereremit, theologischer Schriftsteller, * 8. 9. ca. 1290 in Schildesche bei Bielefeld, † 8. 7. 1357 in Würzburg. – Im ersten Jahrzehnt des 14. Jh.s trat H. in das Augustinerkloster in Herford ein, siedelte aber schon bald nach seiner Ordensprofeß in das Augustinerkloster von Osnabrück über, wo er seine Ausbildung in Grammatik und Logik erhielt. Das war die Voraussetzung für den Besuch der Generalstudien, der philosophisch-theologischen Studienhäuser des Ordens. Wo H. studierte, ist nicht bekannt. Nach seinem Schlußexamen wurde er zum Lektor oder Lesemeister der Theologie promoviert. In einer Urkunde vom 18. 5. 1320 wird H. bereits als »lector principalis« des Generalstudiums der Augustiner in Magdeburg bezeichnet. Pfingsten 1320 weilte er im Augustinerkloster Himmelpforten bei Wernigerode auf einem Provinzialkapitel der sächsisch-thüringischen Ordensprovinz und wurde zu einem der vier Beiräte des Provinzialoberen gewählt. Pfingsten 1324 nahm H. am Generalkapitel des Augustinerordens in Montpellier teil und wurde beauftragt, dem Provinzialkapitel der französischen Ordensprovinz, das gleichzeitig in dieser Stadt tagte, als Vikar des Ordensgenerals zu präsidieren. 1324 und 1326 ist er als Lesemeister am Generalstudium seines Ordens in Erfurt urkundlich bezeugt. In einem Streitfall zwischen dem Deutschen Orden und dem Rat der Stadt Mühlhausen in Thüringen bestellte der Erzbischof von Mainz den Augustinermagister Heinrich von Friemar (s. d.) und H. zum Schiedsrichter und bestätigte in der Urkunde vom 8. 8. 1325 den Schiedsspruch der beiden. Einige Zeit war H. am Generalstudium seines Ordens in Köln und in den Jahren 1328 und 1329 in seinem Heimatkonvent in Herford als Lektor tätig. Seit 1330 hielt er an der Pariser Universität Vorlesungen über die Sentenzen des Petrus Lombardus (s. d.) und wurde 1334 zum Dr. theol. promoviert. 1337 bis 1339 war H. Provinzial der sächsisch-thüringischen Augustinerprovinz und fast ununterbrochen auf Reisen, um die ihm unterstellten Klöster zu visitieren. Im Auftrag der deutschen Bischöfe reiste er 1338 mit dem Bischof von Chur und dem Grafen Gerlach von

Nassau nach Avignon, um mit Benedikt XII. (s. d.) über die vom deutschen Episkopat lebhaft befürwortete Aussöhnung zwischen der Kurie und Ludwig dem Bayern zu verhandeln. Die Gesandtschaft verlief erfolglos. Von 1340 bis zu seinem Tod wirkte H. in Würzburg als theologischer Lehrer und als Generalvikar und Großpönitenziar des Bistums. – Als theologischer Schriftsteller zählt H. zu den bedeutendsten Vertretern der Augustinereremiten. Da er schon seit seinen Studienjahren lebhaftes Interesse für kirchenrechtliche Fragen besaß, hörte er auch Vorlesungen über Kirchenrecht und beschäftigte sich mit kanonistischer Literatur. So arbeitete H. ein alphabetisch geordnetes Wörterbuch beider Rechte aus, das allen späteren Rechtsvokabularien des Mittelalters als Quelle und Vorbild diente. Sein »Introductorium iuris« machte ihn zu einem der bekanntesten Kanonisten seiner Zeit und erlangte schnell weite Verbreitung. Noch heute existieren davon etwa 50 mittelalterliche Handschriften. Sein »Tractatus de conceptione Virginis gloriosae Virginis Mariae« ist der erste Traktat, der in Deutschland zur Verteidigung der »Immaculata« geschrieben wurde. Sein spirituelles Werk »Claustrum animae« zeigt, wie sehr der Augustinertheologe H. vom mystischen Strom seiner Zeit erfaßt war. Seinen größten literarischen Erfolg errang er mit seinem »Speculum manuale sacerdotum«. Diese kleine Pastoralschrift fand weiteste Verbreitung. Noch heute existieren in den europäischen Bibliotheken mehr als 150 Handschriften des Werkes; am Ende des 15. Jahrhunderts erschien es sogar zehnmal im Druck.

Werke: Gedruckte Werke: Speculum manuale sacerdotum (Drucke bei Ludwig Hain, Repertorium bibliographicum in quo libri omnes ab arte typographica inventa usque ad annum MD, 2 Bde., Stuttgart u. Tübingen 1826–38, Nr. 14516–14523); Tractatus de conceptione gloriosae virginis Mariae, Würzburg 1970 (Cassiciacum Suppl. Bd. IV); Tractatus contra haereticos negantes immunitatem et iurisdictionem sanctae Ecclesiae, ebd. 1970 (Cassiciacum Suppl. Bd. IV); Sermo mysticus u. Adolar Zumkeller, Schr.tum u. Lehre des H. v. Sch., 1959, 114–115); Divisio metica ac generalis desriptio totius philosophiae ac omnium artium (s. ebd. 130–132). – *Ungedruckte Werke:* Claustrum animae (Mss.: Mainz Stadtbibl. Cod. 114 u. Rom Bibl. Angelica Cod. 765); Introductorium iuris (Mss. bei Adolar Zumkeller, Mss. v. Werken der Autoren des Augustiner Eremitenordens, 1966, Nr. 385); Tractatus contra Leonistas seu pauperes de Lugduno et eorum sequaces dicentes missae comparationem esse speciem simoniae (Mss. ebd. Nr. 397); Compendium de quatuor sensibus Sacrae Scripturae (Mss. ebd. Nr. 392); Tractatus de vitiis capitalibus duplex (Mss. ebd. Nr. 398).

Lit.: Emil Seckel, Btrr. z. Gesch. beider Rechte im MA. I: Zur Gesch. der populären Lit. des röm.-canon. Rechts, 1898, 129 ff. 503 ff. (über das Introductorium iuris); – Unbekannte kirchenpolit. Streitschrr. aus der Zeit Ludwigs des Bayern (1327–1354). Analysen u. Texte. Bearb. v. Richard Scholz. I, Rom 1911, 50–60. 234–236; II, ebd. 1914, 130–153; – G. Tumminello, L'immacolata concezione di Maria e la scuola Agostiniana del secolo XIV, Rom 1942, 29 ff.; – Jordan u. Sachsen, Liber vitasfratrum (1357), hrsg. v. Rudolf Arbesmann u. Winfried Hümpfner, New York 1943, 240 f. 476; – Charles Balić, Testimonia de assumptione Beatae Mariae ex omnibus saeculis I, Rom 1948, 320; – Adolar Zumkeller, Die Bedeutung der Augustiner f. das kirchl. u. rel. Leben in Franken u. Thüringen während des 14. Jhs., in: Würzburger Diözesan-Gesch.bll. 18–19, 1956–57, 33–52, bes. 42–47; – Ders., H. v. Sch., 1957; – Ders., Magister H. v. Sch., erster Gen.vikar im Bist. Würzburg, in: Diözesan-Gesch.bll. 20, 1958, 127 ff.; – Ders., Schr.tum u. Lehre des H. v. Sch., 1959; – Ders., Die Lehrer des geistl. Lebens unter den dt. Augustinern, in: Sanctus Augustinus vitae spiritualis Magister II, Rom 1959, 145 bis 268; – Ders., Der Traktat H. v. Sch. »De conceptione gloriosae Virginis Mariae, in: Würzburger Diözesan-Gesch.bll. 22, 1960, 20 ff.; – Ders., Wiedergefundene exeget. Werke H.s v. Sch., in: Augustiniana v, Rom 1961, 236–272; 452–503; – Ders., Die Augustinerschule des MA: Vertreter u. philos.-theol. Lehre, in: AnAug 27, 1964, 210 f.; – Ders., Mss. v. Werken der Autoren des Augustiner-Eremitenordens in mitteleurop. Bibl., 1966, 179–195. 591 f. (Verz. der erhaltenen Werke u. ihrer Hss.); – Ders., Der Augustinermagister H. v. Sch., in: Fränk. Lb. VII, 1977, 12 ff.; – Erich Stahleder, Die Hss. der Augustiner-Eremiten u. Weltgeistl. in der ehem. Reichsstadt Winds-

heim (Diss. Würzburg, 1961), 1963; – O. Mazal, Hss. ma. Augustiner-Eremiten in der östr. Nationalbibl., in: Augustinianum 4, Rom 1964, 291 ff.; – Germania Sacra NF 4: Die Bist. der Kirchenprov. Mainz. Das Bist. Würzburg, Tl. 2, bearb. v. Alfred Wendehorst, 1969, bes. 60–97; – NDB VIII, 651; – RE VII, 711 f.; – LThK V, 253; – NCE VI, 1073; – DSp VII, 302 ff.

HERMANN JOSEPH *von Steinfeld* (Eifel), Heiliger, Prämonstratenser, Mystiker, * in Köln in der 2. Hälfte des 12. Jahrhunderts, † 7. 4. 1241 (oder 1252?) im Zisterzienserinnenkloster Hoven bei Zülpich, beigesetzt in der Klosterkirche zu Steinfeld bei Schleiden. – H. wurde mit 12 Jahren Mönch der Prämonstratenserabtei in Steinfeld und studierte in Mariengarten bei Hallum (Friesland). Nach Rückkehr und Priesterweihe war er längere Zeit Sakristan und auch außerhalb des Klosters seelsorgerlich tätig, vor allem in Frauenklöstern der Eifel. Bekannt ist H. als Mystiker und inniger Verehrer des Herzens Jesu und der Gottesmutter. Sein mystisches Erleben erreicht seinen Höhepunkt in der mystischen Vermählung mit Maria (daher der Beiname Joseph). In seinem Hymnus »Summi regis cor«, dem ersten Herz-Jesu-Lied, ist H. ein Minnesänger lauterer Gottesliebe. H. wurde als Heiliger verehrt, sein Kult aber erst am 11. 8. 1958 von Rom bestätigt. Sein Fest ist der 7. April.

Werke: Ignace van Spilbeeck, Beati H. J. opuscula, Namur 1899; – Josef Brosch, Hymnen u. Gebete des sel. H. J. im lat. Orig.-text nebst einer dt. Übers. (Veröff. des Bischöfl. Diözesan-Arch. Aachen IX), 1950.

Lit.: Vita, hrsg. v. Joannes Chrysostomus van der Sterre, Lilium inter spinas. Vita B. Josephi Presbyteri et Canonici Steinveldensis Ordinis Praemonstratensis, Antwerpen 1627 (dort auch die erhalten gebliebenen Werke); – Friedrich Pösl, Die reine leidende u. barmherzige Liebe, dargest. in dem Leben des sel. H. J., 1862; – Franz Kaulen, Legende v. dem sel. H. J., 1862 (1927³); – F. Timmermans, Vie du B. H.-J., Lille 1900; – Clemens Blume, Des göttl. Herzens erster Sänger, der sel. H. J., in: StML 76, 1909, 121 ff.; – Karl Richstätter, Die Herz-Jesu-Verehrung des dt. MA, 2 Bde., 1924² (I, 69. 71; II, 213); – François Petit, Un mystique rhénan du XIII° siècle, le B. H.-J., Juaye-Mondaye (Calvados) 1930; – Ders., La spiritualité des Prémontrés aux XII° et XIII° siècles, Paris 1947, 102–115; – Josef Brosch, Der Hl.-sprechungsprozeß per viam cultus, Rom 1938; – Ders., H. J. Der Hl. v. der Muttergottes, 1949 (1951² verb. u. verm.); – Martin Fitzthum, Die Christologie der Praemonstratenser, Plan bei Marienbad (Westböhmen) 1939, 92 f.; – Georg Schreiber, Ma. Passionsmystik u. Frömmigkeit, in: ThQ 122, 1941, 33–40; – Ders., Kultwanderungen u. Frömmigkeitswellen im MA, in: AKultG 31, 1942, 1 ff.; – Paulinus Rick, Das Kloster Steinfeld in seiner geschichtl. Bedeutung, 1949; – Norbert Backmund, Monasticon Praemonstratense I, 1949, 193 f.; – Johannes Ramackers, Btrr. z. Gesch. der Abtei Steinfeld, in: Zschr. des Aachener Gesch.ver. 64/65, 1952, 176 ff.; – Karl Koch u. Eduard Hegel, Die Vita des Praemonstratensers H. J. v. Steinfeld. Ein Btr. z. Hagiogr. u. z. Frömmigkeitsgesch. des Hoch-MA (Colonia sacra 3), 1958 (Rez. v. Jean-Baptiste Valvekens, Inquisitiones in Vitam B. H. J., in: AnPraem 34, 1958, 106–110. 341–350); – AAS 51, 1959, 830 f.; – Josef H. Pesch, Zur Hl.sprechung des Steinfelder Abtes H. J., in: Eifel. Monatsschr. des Eifelver. 55, 1960, 61 f.; – Hermann Ries, Der Hl. v. Steinfeld. Verehrung des hl. H. J. durch die Kirche bestätigt, in: Paulinus. Trierer Bistl. 86, 1960, Nr. 14, S. 10 f.; – Wilhelm Hünermann, Der endlose Chor. Ein Buch v. den Hll. f. das christl. Haus, 1960ß, 190 ff.; – B. Buff, H. J., der Hl. der Eifel, in: Eifel-Kal., 1961, 56 ff.; – A. K. Huber, H. J., in: Die Hll. Hrsg. v. Peter Manns, 1975, 362 f.; – AS April I, 682 ff.; – Wimmer³ 263; – Torsy 232; – BS V, 25 ff.; – Catholicisme V, 660 f.; – DSp VII, 308 ff.; – EC V, 505 f.; – LThK V, 253 f.; – Kosch, LL II, 943; – NDB VIII, 651 f.

HERMANN *von Wied,* Erzbischof von Köln, * 14. 1. 1477 als Sohn des Grafen Friedrich I. von Wied, † 15. 8. 1552 in Wied, beigesetzt in der Kirche in Niederbieber bei Neuwied. – Schon mit 6 Jahren erhielt H. eine Pfründe im Kölner Domkapitel, in dem er für den geistlichen Stand erzogen wurde, nachdem Vater und Mutter in seinem 9. Lebensjahr gestorben waren. Am 8. 12. 1493 ließ sich H. in der juristischen Fakultät in Köln immatrikulieren. Obwohl erst Subdiakon, wurde er am 14. 3. 1515 zum Erzbischof von Köln gewählt, am 26. 6. 1515 von Leo X. (s. d.) als Hermann V. bestätigt und vom Reich als Kurfürst anerkannt. Seit 1532 verwaltete H. als Administrator auch das Bistum Paderborn. 1520 krönte er Karl V. (s. d.) in Aachen. Der lutherischen Reformation gegenüber verhielt sich H. zunächst ablehnend: er stimmte 1521 auf dem Reichstag zu Worms der Achterklärung gegen Martin Luther (s. d.) zu und verbot 1523, Luthers Schriften zu lesen und zu verbreiten. Durch die Streitigkeiten mit der Kurie wegen Besetzung von Pfründen gewann er H. tiefere Einblicke in die Schäden des Kirchenwesens, so daß er eine maßvolle kirchliche Reform seines Landes im Sinn des Erasmus von Rotterdam (s. d.) beschloß und im März 1536 ein Provinzialkonzil berief, das einige von Johann Gropper (s. d.) verfaßte Reformbeschlüsse annahm. Auf Grund des neuen Landrechts von 1538 bemühte sich H. um Neuordnung der Rechtsprechung und Verwaltung seines Landes. Er förderte die Unionsverhandlungen mit den Evangelischen und wurde 1540 auf dem Religionsgespräch zu Hagenau mit Wolfgang Capito (s. d.) und Kaspar Hedio (s. d.), besonders aber mit Martin Bucer (s. d.) näher bekannt. Da er zu dem Entschluß durchgedrungen war, in seinem Erzstift statt einer Reform die Reformation durchzuführen, lud H. im Februar 1542 Bucer zu seiner Beratung und zu Besprechungen mit Gropper nach Köln ein. Die Stände des Erzstifts billigten im März 1542 H.s Entschluß einer Reformation. Im Dezember 1542 berief H. Bucer und beauftragte ihn mit der evangelischen Predigt am Münster in Bonn. Beide stießen auf hartnäckigen Widerstand. Gropper sagte sich von Bucer gänzlich los und bekämpfte den Reformationsversuch des Erzbischofs aufs heftigste. Der Stadtrat und die Mehrheit des Domkapitels verlangten stürmisch die Entfernung des verdammten lutherischen Prädikanten. H. gab nicht nach, sondern stellte nur vorübergehend Bucers Predigten ein. Zu Bundesgenossen gewann er die weltlichen Stände, die im März 1543 auf dem Landtag gegen Universität, Stadtrat und Domkapitel entschieden für die Reformation eintraten, so daß Ostern 1543 das Abendmahl nach evangelischem Ritus gefeiert wurde. H. berief Philipp Melanchthon (s. d.), der mit Bucer ein ausführliches »Bedenken christlicher Reformation« ausarbeitete, das nach gründlicher Prüfung durch den Erzbischof noch 1543 gedruckt wurde. Zur Unterstützung Bucers und Melanchthons und zur Durchführung der geplanten Reformation zog H. noch andere evangelische Theologen hinzu, u. a. Hedio, Albert Hardenberg (s. d.) und Johannes Pistorius († 1583; s. d.). Die weltlichen Stände erklärten sich im Juli 1543 auf dem Landtag mit dem Reformationsentwurf einverstanden, während Gropper sich energisch, aber erfolglos darum mühte, die Stände für ein gemeinsames Vorgehen gegen Bucer und den Erzbischof zu gewinnen. Auch Franz von Waldeck, Bischof von Münster, Minden und Osnabrück, und Herzog Wilhelm von Kleve zeigten sich zum Anschluß an das Kölner Reformationswerk geneigt, so daß man auf den Sieg der Reformation im ganzen Nordwesten hoffen durfte. Doch dazu kam es nicht, weil Karl V. Wilhelm von Kleve, der mit dem Kaiser um den Besitz von Gelden in Fehde geraten war, besiegte und ihn im Vertrag von Venlo zum Verzicht auf Geldern und auch auf seine kirchlichen Reformen zwang. Im

September 1544 appellierte die Mehrheit des Domkapitels mit dem Gesamtklerus öffentlich an den Papst und den Kaiser. H. wurde am 18. 7. 1545 vom Papst binnen 60 Tagen nach Rom und vom Kaiser binnen 30 Tagen nach Brüssel zur Verantwortung geladen. Er ließ sich vor dem Kaiser durch einen Abgeordneten rechtfertigen, leistete aber im Vertrauen auf den Schmalkaldischen Bund, an den er sich jedoch vergebens um Hilfe wandte, der päpstlichen Ladung keine Folge. H. wurde darum von Paul III. (s. d.) am 2. 1. 1546 suspendiert, am 16. 4. exkommuniziert und am 3. 7. abgesetzt. Er resignierte am 26. 1. 1547 als Administrator von Paderborn und am 25. 2. als Erzbischof von Köln, weil kaiserliche Kommissare im Januar 1547 die weltlichen Stände zwangen, den bisherigen, nun aber vom Papst zum Erzbischof von Köln ernannten Koadjutor Adolf von Schaumburg (s. d.) als ihren neuen Herrn anzuerkennen. H. zog sich in die Grafschaft Wied zurück und blieb bis an sein Ende dem evangelischen Glauben treu: er starb nach Empfang des Abendmahls nach lutherischem Ritus.

Lit.: M. Deckers, H. v. W., EB u. Kf. v. K. Nach gedr. u. ungedr. Qu., als ein Btr. z. KG des 16. Jh.s bearb., Köln 1840; – Karl Krafft, Briefe Melanchthons u. Bucers aus der Zeit H.s v. W., in: Theol. Arbeiten aus dem rhein. wiss. Prediger-Ver. 2, 1874, 12 ff.; – Ders., Zur rhein. Ref.gesch. unter dem EB H. v. W., ebd. 8, 1889, 152 ff.; 10, 1891, 100 ff.; – Leonhard Ennen, Gesch. der Stadt Köln IV, 1875; – G. Drouven, Die Ref. in der Cöln. Kirchenprov. z. Z. des EB u. Kf. H. V. Gf. zu W., 1876; – Konrad Varrentrapp, H. v. W. u. sein Ref.vers. in Köln. Ein Btr. z. dt. Ref.gesch., 1878; – Ders., Zur Charakteristik H.s v. W., Bucers u. Groppers, in: ZKG 20, 1900, 37 ff.; – Actenstücke z. Gesch. des Kölner EB H. v. W. aus den J. 1544–1545, gesammelt v. H. J. Floß, eingel. v. L. Pastor, in: AHVNrh 37, 1882, 120 ff.; – Christian Meyer, Stadt u. Stift Köln im Zeitalter der Ref., 1892; – Joseph Hansen, Der Anteil des Jesuitenordens an der Bekämpfung des Ref.vers. H.s v. W., in: Korr.bl. der Westdt. f. Gesch. u. Kultur 16, 1897, 25 ff.; – Wilhelm Rotscheidt, Der Tod des EB H. v. W. im J. 1552. Ber. eines Augenzeugen, in: Zschr. des Berg. Gesch.ver. 36, 1903, 63 ff.; – Ders., Ein Brief des Bisch. Jacob Sadolet an EB H. v. W. v. 29. 11. 1541, in: Mhh. f. rhein. KG 23, 1929, 129 ff.; – Ders., Martin Butzers Rechtfertigung seiner Wirksamkeit in Bonn 1543, ebd. 37, 1943, 10 ff.; – Wilhelm van Gulik, Johann Gropper. Ein Btr. z. KG Dtld.s, bes. der Rheinlande im 16. Jh., 1906; – Wilhelm Kisky, Die Domkapitel der geistl. Kf. in ihrer persönl. Zus.setzung im 14. u. 15 Jh. (Diss. Bonn), Weimar 1906; – Wilhelm Pelster, Stand u. Herkunft der rhein. Gesch. der Kölner Kirchenprov. im MA (Diss. Bonn), Weimar 1909, 19; – Reinhold Schwarz, Personal- u. Amtsdaten der Bisch. der Kölner Kirchenprov. v. 1500–1800 (Diss. Königsberg), Köln 1914, 5 f.; – Heinrich Forsthoff, Rhein. KG. I: Die Ref. am Niederrhein, 1929, 182 ff.; – P. Holt, Btr. z. KG Kurkölns im 16. Jh., in: Jb. des Köln. Gesch.ver. 18, 1936, 111 ff.; – Walter Friedensburg, Neue Briefe z. Gesch. des Ref.vers. H.s v. W., in: AHVNrh 130, 1937, 94 ff.; – R. Löhr, Einige Bem. zu H.s v. W. letzten Lebensj., in: Mhh. f. rhein. KG 33, 1939, 273 ff.; – Josef Nießen, Der Ref.vers. des Kölner Kf. H. v. W. (1536–1547), in: Rhein. Vjbll. Mitt. des Instituts f. geschichtl. Landeskunde der Rheinlande an der Univ. Bonn 15–16, 1950–51, 298 ff.; – Ders., Gesch. der Stadt Bonn I, 1956, 204 ff.; – Walter Lipgens, Kard. Johann Gropper (1503–1559) u. die Anfänge der kath. Reform in Dtld., 1951; – Ders., Neue Btrr. z. Ref.vers. H.s v. W. aus dem J. 1545, in: AHVNrh 149–150, 1951, 46 ff.; – Ders., Johann Gropper, in: Rhein. Lb. II, 1966, 75 ff.; – Heinrich Müller-Diersfordt, H. v. W. Seine Entscheidung innerhalb der Ref., in: Mhh. f. ev. KG des Rheinlandes NF 1, 1952, 161 ff.; – August Franzen, Die Kölner Archidiakonate in vor- u. nachtridentin. Zeit, 1953; – Ders., Die Kelchbewegung am Niederrhein im 16. Jh., 1955; – Ders., Zur Vorgesch. des Ref.vers. des Kölner EB H. v. W.: Sein Streit mit der Kurie um das Pfründenbesetzungsrecht in den J. 1527–1537, in: HJ 88, 1968, 300 ff.; – Ders., H. v. W., in: Rhein. Lb. III, 1968, 57 ff.; – Ders., H. v. W. u. EB V. K., in: Der Reichstag zu Worms v. 1521. Reichspolitik u. Luthersache. In Verbindung mit Anton Philipp Brück u. a. hrsg. v. Fritz Reuter, 1971, 297 ff.; – Ders., Bisch. u. Ref. H. v. W. in K. vor der Entscheidung zw. Reform u. Ref., 1971 (Rez. v. Remigius Bäumer, in: ThGl 62, 1972, 153 ff.; v. Marie-Luise Baum, in: Romerike Berge 22, 1972, 90 f.; v. Hermann Tüchle, in: RHE 68, 1973, 555 ff.; v. Bernd Moeller, in: ThLZ 99, 1974, 207 ff.; v. F. Ernest Stoeffler, in: Journal of ecumenical studies 12, Pittsburgh/Pennsylvania 1975, 92); – Lutz Hatzfeld, Dr. Gropper, der Wetterauer Gf. u. die Ref. in Kurköln 1537–47, in: AKultG 36, 1954, 208 ff.; – Hubert Jedin, Fragen um H. v. W., in: HJ 74, 1955, 687 ff.; – Ders., Das Autograph J. Groppers z. Kölner Provinzialkonzil 1536, in: Spiegel der Gesch. Festg. f.

Max Braubach. Hrsg. v. Konrad Repgen u. Stephan Skalweit, 1964, 281 ff.; – Theodor Schlüter, Die Publizistik um den Ref.-vers. des Kölner EB H. v. W. aus den J. 1542–1547. Ein Btr. z. rhein. Ref.gesch. u. -Bibliogr. (Diss. Bonn), 1957; – Robert Stupperich, Unbekannte Briefe u. Merkbll. Johann Groppers, in: Westfäl. Zschr. f. vaterländ. Gesch. u. Altertumskunde . Westfalens 109, 1959, 97 ff.; – Acta Reformationis Catholicae Ecclesiam Germaniae concernentia saeculi XVI. Die Reformverhh. des dt. Episkopats v. 1520 bis 1570. Hrsg. v. Georg Pfeilschifter, II: Von 1532 bis 1542, 1960, 118 ff. 180 ff.; – Erwin Mülhaupt, Die Kölner Ref., in: Mhh. f. ev. KG des Rheinlandes 11, 1962, 73 ff.; – Mechthild Köhn, Martin Bucers Entwurf einer Ref. des Erzstiftes Köln. Unterss. zu der Entstehungsgesch. u. der Theol. des Einfältigen Bedenckens v. 1543. Ein Btr. z. Bucer-Forsch. u. z. Gesch. der Kölner Ref. (Diss. Münster, 1963), Witten 1966; – Biogr. Wb. z. dt. Gesch. I², 1973, 1122 f.; – Schottenloher III, Nr. 30837–30880; VII, Nr. 61327; – Jedin II, 169 ff.; – ADB XII, 135 ff.; – NDB VIII, 636 f.; – RE VII, 712 ff.; – RGG III, 240 f.; – LThK X, 1097 f.; – ODCC² 640.

HERMAS, einer der »Apostolischen Väter«. – H. ist bekannt als Verfasser einer Schrift, die etwa 140 von ihm, einem Laien in Rom, Bruder des »Bischof« Pius (s. Pius I.) geschrieben wurde und seit Ende des 2. Jahrhunderts als »Der Hirt des Hermas« bezeichnet wird. Was H. selbst über sich und seine Familie berichtet, ist nicht autobiographisch zu verstehen. Die Schrift ist ihrer Form nach eine Apokalypse, inhaltlich aber eine Bußpredigt. – »Der Hirt des Hermas« fand weite Verbreitung und ist von großer Bedeutung für die Geschichte der sakramentalen Buße.

Werke: Hirt des Hermas (Pastor Hermae). Ausgg.: Pastor (lat. mit Anm.), Hamburg 1719. – Hrsg. v. Adolf Hilgenfeld (griech.), Leipzig 1887. – Facsimiles of the Athos Fragments of the Shepherd of H. Photogr. u. Umschreibung v. Kirsopp Lake, Oxford 1907. – Der Hirt des Hermas. Hrsg. v. Molly Whittaker (GCS 48), Berlin 1956 (1967²). – Le pasteur. Hrsg. v. R. Joly mit Einl., Anm. u. frz. Übers. (SC 53), Paris 1958. – Dt. Übers.: BKV² 35, 1918.

Lit.: L. Stahl, Patrist. Unterss. »Der Hirt« des H., 1901; – A. d'Alès, La discipline pénitentielle d'après le Pasteur d'H., in: RSR 2, 1911, 105 ff. 240 ff.; – Kerr Duncan MacMillan, The Interpretation of »The Shepherd« of H., New York 1912; – Hermann Schulz, Spuren heidn. Vorlagen im Hirten des H. (Diss. Rostock), Borna – Leipzig 1913; – W. J. Wilson, The Career of the Prophet H., in: HThR 20, 1927, 21 ff.; – Roelof van Deemter, Der Hirt des H. Apokalypse oder Allegorie? (Diss. Vrije Univ. te Amsterdam), Delft 1929; – Josef Hoh, Die Buße im Pastor Hermae, in: ThQ 111, 1930, 253 ff.; – Ders., Die kirchl. Buße im 2. Jh. Unters. der patrist. Bußzeugnisse v. Clemens Romanus bis Clemens Alexandrinus, 1932, 10 ff.; – Ernst Fuchs, Glaube u. Tat in den Mandata des Hirten des H. (Diss. Marburg), 1931; – Åke V. Strøm, Der Hirt des H. Allegorie oder Wirklichkeit, Uppsala – Leipzig 1936; – Bernhard Poschmann, Paenitentia secunda. Die kirchl. Buße im ältesten Christentum bis Cyprian u. Origenes. Eine dogmengeschichtl. Unters., 1940, 134–205; – Franklin W. Young, The Shepherd of H. A Study of his Concepts of Repentance and of the Church (Diss. Duke Univ.), 1946; – Erik Peterson, Zur Interpretation der Visionen im Pastor Hermae, in: OrChrA 13, 1947, 625 ff.; – Ders., Frühkirche, Judentum u. Gnosis. Stud. u. Unterss., 1959, 254 ff. u. ö.; – R. Joly Judaisme, christianisme et hellénisme dans le Pasteur d'H., in: NC 5, 1953, 394 ff.; – Ders., La doctrine pénitentielle du Pasteur d'H. et l'exégèse récente, in: RHR 147, 1955, 32 ff.; – Ders., H. et le Pasteur, in: VigChr 21, 1967, 201 ff.; – Karl Rahner, Die Bußlehre im Hirten des H., in: ZKTh 77, 1955, 385 ff.; – Josef Grotz, Die Entwicklung des Bußstufenwesens in der vornicän. Kirche, 1955, 11–70; – Martin Dibelius, Der Offb.-träger im »Hirten« des H., in: Ders., Botschaft u. Gesch. Ges. Aufss. II, 1956, 80 ff.; – Peter Knorz, Die Theol. des Hirten des H. (Diss. Heidelberg), 1958; – Jean Daniélou, Théologie du Judéo-Christianisme, Paris 1958, 46 ff. 169 ff.; – J. de Savignac, Quelques problèmes de l'ouvrage dit »Le Pasteur« d'H., in: Études théologiques et religieuses 35, 1960, 159 ff.; – Helmut Opitz, Ursprünge frühkath. Pneumatologie. Ein Btr. z. Entstehung der Lehre v. Hl. Geist in der röm. Gemeinde unter Zugrundelegung des »1. Clemensbriefes« u. des »Hirten des H.«, 1960 (erw. Diss.); – Stanislas Giet, L'apocalypse d'H. et la pénitence, in: TU 78, 1961, 214 ff.; – Ders., H. et les pasteurs. Les trois auteurs du Pasteur d'H., Paris 1963; – Ders., Pénitence ou repentance dans le Pasteur d'H., in: RDC 17, 1967, 15 ff.; – Lage Pernvede, The Concept of the Church in the Shepherd of H. (Diss. Lund), 1966; – KLL V, 2250 f. (Poimēn [Der Hirte]-Bardenhewer I, 465 ff.; – Altaner⁷ 55–58; – Quasten I, 92 ff.; – DACL VI, 2271 ff.; – DThC VII, 2268 ff.; – DSp VII, 316 ff.; – LThK V, 255 f.; – NCE VI, 1074; – ODCC² 640 f.

HERMELINK, Heinrich, ev. Kirchenhistoriker, * 30. 12. 1877 in Mulki bei Mangalore (Indien) als Sohn des

Missionars Jan H. (1848–1909), † 11. 2. 1958 in München-Obermenzing. – Jan H. war der Sohn eines Bauern in Aulendorf auf der Schwäbischen Alb und der eigentliche Hoferbe. Er wurde von der Erwekkungsbewegung erfaßt und ließ sich in Basel als Missionar ausbilden und nach Indien aussenden. H. H. kam als Missionarskind achtjährig allein nach Basel und zwei Jahre später auf die Lateinschule nach Göppingen. Er studierte in Tübingen, bestand 1901 das erste theologische Staatsexamen und promovierte 1902 zum Dr. phil. 1901–04 war H. wissenschaftlicher Hilfsarbeiter an der Universitätsbibliothek Tübingen, 1904–06 am Staatsarchiv in Stuttgart. Er promovierte und habilitierte sich 1906 an der Theologischen Fakultät in Leipzig bei Albert Hauck (s. d.). Seit 1906 war H. Dozent und gleichzeitig seit 1909 Pfarrer in einer Vorstadtgemeinde von Leipzig. 1913 wurde er als ao. Professor für Kirchengeschichte nach Kiel berufen. Im ersten Weltkrieg Ende 1914 als Hauptmann schwer verwundet, fand er als Gouvernementspfarrer in Warschau Verwendung. H. wurde 1915 o. Professor für Kirchengeschichte in Bonn und 1918 in Marburg, aber im »Dritten Reich« 1935 zwangsemeritiert, da er sich im Kirchenkampf für die Freiheit der Kirche vom totalen Staat eingesetzt hatte. 1935–38 war H. Pfarrer in Eschenbach bei Göppingen und siedelte dann nach München über. Nach 1945 wirkte er als Honorarprofessor für Kirchengeschichte in München und Tübingen. – Bekannt ist H. durch sein Standardwerk »Das Christentum in der Menschheitsgeschichte«. Ein 4. geplanter Band über die Zeit von 1914 an kam nicht mehr zur Ausführung.

Werke: Die theol. Fak. in Tübingen vor der Ref. 1477–1534 (Diss. u. Hab.-Schr., Tübingen), 1906; Kath. u. Prot. in der Ggw., vornehml. in Dtld., 1923 (1926³); Reg. zu den Matrikeln der Univ. Tübingen 1477–1600. Mit Georg Cramer, 1931; Die hl. Elisabeth im Licht der Frömmigkeit ihrer Zeit, 1932; Die Eigenart der Ref. in Württemberg (Vortr.), 1934; Johannes Brenz als luth. u. schwäb. Theologe, 1949; Gesch. der ev. Kirche in Württemberg, v. der Ref. bis z. Ggw., 1949; Kath. u. Prot. im Gespräch v. den Konfessionen um die Una Sancta, 1949; Die kath. Kirche unter den Pius-Päpsten des 20. Jh.s, 1949; Kirche im Kampf. Dokumente des Widerstands u. des Aufbaues in der EKD v. 1933–1945, 1950; Das Christentum in der Menschheitsgesch. v. der frz. Rev. bis z. Ggw. I: Rev. u. Restauration 1789–1835, 1951; II: Liberalismus u. Konservativismus 1835–1870, 1953; III: Nationalismus u. Sozialismus 1870–1914, 1955. – Gab heraus: Ref. der Kirchen Hessens v. 1526. Die sogen. Homberger KO. Nach der Übers. Karl August Credners (1852), 1926.

Lit.: Hermann Mulert, H. H. z. 70. Geb., in: ThLZ 72, 1947, 299 f.; – Wilhelm Maurer, Das Erbe des 19. Jh.s. Zum Gedächtnis an H. H., ebd. 84, 1959, 491 ff.; – Bernd Jaspert, H. H., in: Marburger Gelehrte, hrsg. v. Ingeborg Schnack, 1977, 194 ff.; – NDB VIII, 667 f.

HERMES, Georg, kath. Philosoph und Theologe, * 22. 4. 1775 als Sohn eines Bauern in Dreierwalde bei Rheine (Westfalen), † 26. 5. 1831 in Bonn. – Von Ostern 1788 bis Herbst 1892 besuchte H. das von Franziskanern geleitete Gymnasium in Rheine, studierte dann an der Universität Münster Philosophie und Theologie und empfing Anfang 1799 die Priesterweihe. Seit Herbst 1798 war er Lehrer am Gymnasium Paulinum in Münster und unterrichtete in deutscher und lateinischer Sprache, empirischer Psychologie, Mathematik und Religion. H. wurde 1807 Professor für Dogmatik in Münster. Der 1. Teil seiner »Einleitung in die christkatholische Theologie« (Philosophische Einleitung) trug ihm 1819 den Dr. theol. der Universität Breslau und 1821 den Dr. phil. der Universität Bonn ein. Durch seine rationell-philosophi-

sche Lehrmethode entfremdete er sich bald die führenden kirchlichen Kreise Münsters, besonders den Bistumsverweser Clemens August v. Droste-Vischering
(s. d.). 1820 folgte H. dem Ruf nach Bonn. Seine Vorlesungen, deren Besuch den Theologiestudierenden
aus den Diözesen Paderborn und Münster kirchlicher-
seits untersagt wurde, übten große Anziehungskraft
aus. Der Kölner Erzbischof August Graf Spiegel (s.
d.) ernannte ihn 1825 zum Mitglied des Kölner Domkapitels. H. gewann zahlreiche Schüler. Sein Lehrsystem fand an allen katholisch-theologischen Fakultäten und Hochschulen Preußens Verbreitung. Hauptvertreter des »Hermesianismus« waren Johann Heinrich Achterfeld (s. d.) und Johann Wilhelm Joseph
Braun (s. d.). Die theologischen Gegner des Hermesianismus erreichten durch das Breve Gregors XVI.
(s. d.) »Dum acerbissimas« vom 26. 9. 1835 die Verurteilung der Lehre und Schriften von H. – H. ist bekannt als Begründer einer philosophisch-dogmati-
schen Schule in der katholischen Kirche. In Auseinandersetzung mit dem Kritizismus des Immanuel
Kant (s. d.) versuchte er eine neue rationale Begründung des kirchlichen Dogmas.

Werke: Unters. über die innere Wahrheit des Christentums,
1805; Gutachten in Streitsachen des Münster. Domkapitels mit
dem Gen.vikar des Kapitels, 1815; Antwort des Prof. H. auf die
»Geschichtl. Darst. der Lage der münster. Kirche«, 1815; Einl.
in die christkath. Theol. 1. Tl.: Philos. Einl., 1819 (1831²); 2.
Tl.: Positive Einl., 1829 (1834²); Christkath. Dogmatik, 3 Bde.,
hrsg. v. Johann Heinrich Achterfeld, 1834–35.

Lit.: Wilhelm Esser, Denkschr. auf G. H., 1832; – Dr. Myletor
(Pseud. f. Franz Werner), Der Hermesianismus, vorzugsweise v.
seiner dogmat. Seite dargest., 1845; – Otto Pfülf, Kard. Johan-
nes v. Geissel I, 1895, 199 ff.; – Anton Pieper, Die alte Univ.
Münster 1773–1818. Ein geschichtl. Überblick, 1902; – Clemens
Kopp, Die Philos. des H., bes. in ihren Beziehungen zu Kant u.
Fichte (Diss. Münster), Köln 1912; – Adolf Dyroff, Carl Joseph
Windischmann (1775–1839) u. sein Kreis, 1916; – Friedrich v.
Bezold, Gesch. der Rhein. Friedrich-Wilhelms-Univ. v. der
Gründung bis z. J. 1870, I, 1920; – Heinrich Schrörs, Ein ver-
gessener Führer aus der rhein. Geistesgesch. des 19. Jh.s, Johann
Wilhelm Joseph Braun, 1925; – Ders., Die Kölner Wirren, 1927,
336 ff.; – Karl Eschweiler, die zwei Wege der neueren Theol.
G. H. – Matthias Joseph Scheeben. Eine krit. Unters. des Pro-
blems der theol. Erkenntnis, 1927, 81 ff.; – Walter Menn, Der
Oberpräsident v. Vincke u. die Aufhebung der Univ. Münster,
in: Westfäl. Stud. Bttr. z. Gesch. der Wiss., Kunst u. Lit. in
Westfalen. Alois Bömer z. 60. Geb. gewidmet, 1928, 160 ff.; –
Hubert Bastgen, Forsch. u. Qu. z. Kirchenpolitik Gregors XVI.,
2 Bde., 1929; – J. Will, 18 Thesen des EB Droste-Vischering gg.
die Hermesianer, in: ThGl 21, 1929, 316 ff.; – Kornel Schönig,
Anton Joseph Binterim (1779–1855) als Kirchenpolitiker u. Gelehrter, 1933; – Karl Thimm, Die Autonomie der prakt. Vernunft in der Philos. u. Theol. des Hermesianismus (Diss. Frei-
burg/Breisgau), München 1939; – Sebastian Merkle, Der hermesian. Streit im Lichte neuer Qu., in: HJ 60, 1940, 179 ff.; – Robert Schlund, Der method. Zweifel. Eine Unters. z. Wiss.lehre
kath. Theol. im 19. Jh. (Diss. Freiburg/Breisgau), 1947; – Ders.,
Zur Qu.frage der Vatikan. Lehre v. der Kirche als Glaubwürdig-
keitsgrund, in: ZKTh 72, 1950, 443 ff.; – Franz Schnabel, Dt.
Gesch. im 19. Jh. IV², 1951, 62 ff.; – Joseph Pritz, Franz Wer-
ner. Ein Leben f. Wahrheit u. Freiheit. Ein Btr. z. Geistes- u.
Theol.gesch. Östr. im 19. Jh., 1957; – Leonhard Gilen, Joseph
Kleutgen u. der hermesian. Zweifel, in: Scholastik 33, 1958, 1
ff.; – C. v. Heyl, Grenzfälle röm.-kath. Lehre im 19. Jh. u. der
Theologen H. u. Scheeben, in: US 13, 1958, 136 ff.; – Roger
Aubert, Le problème de l'acte de foi, Louvain 1958³, 103 ff.; –
Eduard Hegel, G. H., in: Westfäl. Lb. VII, 1959, 83 ff.; – Ders.,
Gesch. der kath.-theol. Fak. Münster 1773–1964, 1966; – Ders.,
G. H., in: Bonner Gelehrte. Bttr. z. Gesch. der Wiss. in Bonn.
II: Kath. Theol., 1968, 13 ff.; – Walter Lipgens, Bttr. z. Lehr-
tätigkeit v. G. H. Seine Briefe an den späteren Kölner EB Ferdi-
nand August Gf. Spiegel, 1812–24, in: HJ 81, 1962, 174 ff.; –
Rudolf Malter, Reflexion u. Glaube bei G. H. Hist.-systemat.
Stud. zu einem zentralen Problem der modernen Rel.philos.
(Diss. Saarbrücken), 1966; – Franz Hermes, G. H., ein Gelehrter
aus Dreierwalde, in: Dreierwalde i. w. wie u. wurde, Ibben-
büren 1971, 254 ff.; – Hubert Jedin, Eine Denkschr. Joseph Ignaz
Ritters über G. H., in: AHVNrh 174, 1972, 148 ff.; – Christoph
Weber, Aufklärung u. Orthodoxie am Mittelrhein 1820–1850,
1973; – Biogr. Wb. z. dt. Gesch. I², 1973, 1126 f.; – Denzinger³³
2738–40; – ADB XII, 192 ff.; – NDB VIII, 671 f.; – ERE VI,
624; – DThC VI, 2288 ff.; – CathEnc VII, 276 ff.; – EC VI, 1417
ff.; – LThK V, 258 ff.; – NCE VI, 1075 f.; – ODCC² 641; – RE
VII, 750 ff.; – EKL II, 126; – RGG III, 262 ff.

HERMES, Johann August, Theologe und Erbauungsschriftsteller, * 24. 8. 1736 als Pfarrerssohn in Magdeburg, † 6. 1. 1822 in Quedlinburg. – H. besuchte die
Schule in Kloster Bergen bei Magdeburg und studierte
in Halle (Saale). Er fühlte sich von dem damals herrschenden Pietismus abgestoßen und wandte sich immer entschiedener der aufkommenden freieren theologischen Richtung, der Neologie, zu. H. wurde 1759
Pfarrvikar in Retkendorf (Mecklenburg) und wirkte
dann als Pfarrer in Gorschendorf und seit 1765 als
Propst in Wahren. In seinen »Wöchentlichen Beiträgen zur Beförderung der Gottseligkeit« griff er die
kirchliche Lehre von dem stellvertretenden Leiden
Christi an und verneinte die Frage, ob Christus für
die zeitlichen Strafen unserer Sünden genuggetan habe. Das Konsistorium leitete darum 1773 eine Untersuchung gegen ihn ein. Vor ihrem Abschluß ging H.
als Pfarrer nach Jerichow (Altmark). Die Äbtissin
Amalie von Quedlinburg berief ihn 1777 als Adjunkt
nach Dittfurt im Stift Quedlinburg. Drei Jahre später
kam er durch ihre Gunst nach Quedlinburg als Konsistorialrat und Oberprediger an St. Nikolai und wurde 1800 Oberhofprediger und Pastor der Stiftsgemein-
de. – H. ist ein bekannter Prediger und Schriftsteller
der Aufklärung. Das »Gesangbuch für den öffentlichen Gottesdienst im Stifte Quedlinburg« von 1787
ist sein alleiniges Werk. Von seinen vier eigenen Liedern seien genannt die »heilsame Betrachtung des Todes Jesu«: »Ach sie ihn dulden, bluten, sterben!« und
sein Unsterblichkeitslied, das in der letzten Überarbeitung mit den Worten »Ich lebe nicht für diese
Erde« beginnt.

Werke: Wöchentl. Btrr. z. Beförderung der Gottseligkeit, 2 Bde.,
1771/72; Hdb. der Rel., 2 Bde., 1779 (1791⁴); Communionbuch,
1783 (1797⁵); Lehrb. der Rel. Jesu, 2 Bde., 1798 (1822³). – Gab
mit Gottlob Nathanael Fischer u. Christian Gotthilf Salzmann
heraus: Btrr. z. Verbesserung des öff. Gottesdienstes der Christen, 2 Bde., 1785/88.

Lit.: Johann Heinrich Fritsch, J. A. H. nach seinem Leben, Charakter u. Wirken, 1827; – Heinrich Döring, Die dt. Kanzelredner des 18. u. 19. Jh.s, 1830, 124 f.; – August Jakob Rambach,
Anthologie christl. Gesänge aus allen Jhh. der Kirche V, 1832,
282 ff. (hier die beiden angeführten Lieder); – Koch VI, 247 f.;
– Kosch, LL II, 944; – ADB XII, 198 f.; – NDB VIII, 668 f.; –
RGG III, 264.

HERMES, Johann Timotheus (Pseudonym: Heinrich
Meister und T. S. Jemehr), Romanschriftsteller, Theologe, auch Dichter geistlicher Lieder, * 31. 5. 1738 als
Pfarrerssohn in Petznick bei Stargard (Pommern), †
24. 7. 1821 in Breslau. – H. studierte 1758–61 in Königsberg Theologie. Er wurde 1764 Lehrer an der Ritterakademie in Brandenburg, 1766 Feldprediger beim
Krokowschen Dragonerregiment in Lüben (Schlesien)
und 1769 fürstlich anhaltischer Hofprediger, deutscher
Pastor und Schulinspektor in Pleß (Oberschlesien).
Seit 1772 wirkte H. in Breslau als Pfarrer und Gymnasialprofessor, später als Propst, seit 1808 als Superintendent des Fürstentums Breslau, Oberkonsistorialrat, Professor der Theologie und Pastor primarius an
der St. Elisabethkirche. Als Theologe ist er ohne Bedeutung. In seinen literarischen Werken ahmte H.
Henry Fielding (1707–54) und Samuel Richardson
(1689–1761) nach. Er wollte nach dem Vorbild der
englischen Moralischen Wochenschriften auf »unpe-
dantische« Art »unterrichten«, besonders als Sitten-

lehrer nach den Grundsätzen des rationalistisch verstandenen Christentums. Trotz der Breite und moralisierenden Tendenzen seiner Romane war H. ein zu seiner Zeit äußerst beliebter und vielgelesener Schriftsteller. Sein Hauptwerk ist der durch wirklichkeitsnahe Schilderung von Land und Leuten kulturgeschichtlich wichtige Roman »Sophiens Reise von Memel nach Sachsen«. Im I. Band der 2. Auflage dieses auch ins Französische, Dänische und Holländische übersetzten Romans von 1775 findet sich das einzige heute noch genannte und gekannte, »in der Einfalt, Kürze und Innigkeit des lyrischen Tones ausgezeichnete« Lied von H. mit der Überschrift »Vorschmack des Himmels«: »Ich hab von ferne, Herr, deinen Thron erblickt«. »Niemals wieder ist es ihm beschieden worden, einem tiefen, sehnsuchtsvollen Inhalt eine so einfach schöne, kristallklare Form zu geben.« Das Lied wurde 1812 in das Gesangbuch von Bremen aufgenommen.

Werke: Gesch. der Miß Fanny Wilkes, 2 Bde., 1766 (1781²); Sophiens Reise v. Memel nach Sachsen, 5 Bde., 1769–73 (6 Bde., 1774–76²; Neuaufl. [Ausw.], hrsg. v. Fritz Brüggemann, in: Dt. Lit. in Entwicklungsreihen. R. Aufklärung, 3, 1941); Lieder u. Arien aus Sophiens Reise (vertont v. Johann Adam Hiller), 1779; Für Töchter edler Herkunft, 3 Bde., 1787; Manch Hermäon im eigentl. Sinn des Wortes, 2 Bde., 1788; Für Eltern u. Ehelustige, 5 Bde., 1789; Zween literar. Märtyrer u. deren Frauen, 2 Bde., 1789; Anne Winterfeld (Gesch. in Briefen), 1801; Verheimlichung u. Eil oder Lottchens u. ihrer Nachbarn Gesch., 2 Bde., 1802 (1821²); Briefe u. Erzz. 2 Bde., 1808; Mutter, Amme u. Kind in der Gesch. Herrn Leopold Kerkers, 2 Bde. 1809 (1811²); Andachtsschrr., 2 Bde., 1781/82; (112) Lieder f. die besten bekannten Kirchenmelodien nebst 12 Kommunion-Andachten, 1800 (1808²); zahlr. Predigtsmlg.en.

Lit.: Sigismund Justus Ehrhardt, Presbyterologie des ev. Schlesiens I, Liegnitz 1780, 393 ff.; – Karl Heinrich Jördens, Lex. dt. Dichter u. Prosaisten II, Leipzig 1807, 395 ff.; VI, ebd. 1811, 332 ff.; – Heinrich Döring, Die dt. Kanzelredner des 18. u. 19. Jh.s; Nach ihrem Leben u. Wirken dargest., 1830; – Robert Prutz, Menschen u. Bücher. Biogr. Btrr. z. dt. Lit.- u. Sittengesch. des 18. Jh.s, 1862, H. 5, 1–164; – Johannes Carl Leo Cholevius, Die Verkehrssprache in Sophiens Reise v. Memel nach Sachsen, GProgr. Königsberg 1873; – Rudolf Hermes, J. T. H., in: ChW 12, 1898, 342 ff.; – Georg Hoffmann, J. T. H. Ein Lb. aus der ev. Kirche Schlesiens im Zeitalter der Aufklärung, 1911; – Johannes Buchholz, J. T. H.' Beziehungen z. engl. Lit. (Diss. Marburg), 1911; – Konstantin Muskalla, J. T. H. Ein Btr. z. Kultur- u. Lit.gesch. des 18. Jh.s (Diss. Breslau, 1910), Breslau 1912 u. d. T.: Die Romane des J. T. H.; – Hermann Petrich, Unser geistl. Volkslied. Volkslied, 1920, 65 ff.; – Hans Heinrich Borcherdt, Gesch. des Romans u. der Novelle in Dtld. I, 1926, 283 f.; – Annemarie van Rinsum (geb. Schmitz), Der Roman »Sophiens Reise v. Memel nach Sachsen« v. J. T. H. als geistesgeschichtl. u. kulturhist. Ausdruck seiner Zeit (Diss. Marburg), 1949; – Hans Rudolf Picard, Die Stellung des Autors im Briefroman des 18. Jh.s (Diss. Heidelberg), 1959; – Ernst Theodor Voss, Erzählprobleme des Briefromans. Dargest. an 4 Beisp. des 18. Jh.s (Diss. Bonn, 1958), 1960; – G. Schulz, J. T. H. u. die Liebe, in: Jb. der Schles. Friedrich-Wilhelm-Univ. zu Breslau 6, 1961, 369 ff.; – Eva Dorothea Becker, Der dt. Roman um 1780 (Diss. Heidelberg), 1963; – Dieter Kimpel, Der Roman der Aufklärung, 1967 (1977² völlig neu bearb.); – Kosch VI, 378 f.; – Goedeke IV/1, 584 f.; VII, 424 f.; – Kosch, LL II, 945; – Wilpert I², 703; – KLL VI, 1737 ff. (Sophiens Reise v. Memel nach Sachsen); – ADB XII, 197 f.; – NDB VIII, 669 f.; – RGG III, 264 f.

HERMESDORFF, Michael, kath. Choralforscher, * 4. 3. 1833 in Trier als Sohn und Enkel eines Schneiders, † daselbst 18. 1. 1885. – H. besuchte in Trier das Jesuitengymnasium und wurde von seinem älteren Bruder Matthias, Musiklehrer und Organist bei St. Gangolf, im Klavier- und Orgelspiel ausgebildet. 1843 spielte er bereits in öffentlichen Gottesdiensten die Orgel und übernahm 1852 in Ettelbrück (Luxemburg) eine Organisten- und Musiklehrerstelle sowie die Direktion des Männerchors und Musikvereins. 1855 trat H. in das Priesterseminar Trier ein und empfing 1859 die Priesterweihe. Er wirkte dann 3 Jahre als Kaplan in Cues und Bernkastel und studierte mit großem

Eifer und kopierte in der Bibliothek des Hospitals in Cues die Choralhandschriften. 1862 wurde H. Domorganist und Gesanglehrer der Dommusikschule und des Priesterseminars in Trier. Er bemühte sich um die Wiederherstellung des gregorianischen Chorals und gründete 1869 den Diözesan-Cäcilienverein, dem er bis zu seinem Tod als Präses vorstand. 1872 rief H. einen Verein zur Erforschung alter Choralhandschriften ins Leben und führte 1872–78 die Schriftleitung der 1862 gegründeten Zeitschrift »Cäcilia«, die er zum führenden Organ für Choralforschung gestaltete. Seit 1875 war H. o. Mitglied der »Gesellschaft für Musikforschung«. In Anerkennung seiner Verdienste wurde er 1884 zum Domvikar ernannt. – Peter Wagner (s. d.) war seit 1876 H.s Sängerschüler, den er zum Choralforscher erzog.

Werke: s. NDB VIII, 674.

Lit.: Dominikus Johner, M. H. u. der Trierische Choral, Trier 1942 (ungedr.); – P. Schuh, Der Trierer Choralstreit, in: Musicae sacrae ministerium. Festschr. f. Karl Gustav Fellerer, 1962; – Hans Lonnendonker, M. H., in: Rhein. Musiker, hrsg. v. Karl Gustav Fellerer, 2 Tle., 1962, 35 ff. (vollst. Werkeverz.); – MGG VI, 239 f.; – Riemann I, 776 f.; ErgBd. I, 520; – NDB VIII, 673 f.

HERNTRICH, Volkmar, ev. Theologe, * 8. 12. 1908 in Flensburg, † (tödlich verunglückt) 14. 9. 1958 (auf der Fahrt nach Warschau) vor dem Dorf Lietzow bei Nauen. – H. wurde 1932 Pfarrer und Universitätsdozent in Kiel. Die Lehrbefugnis wurde ihm 1934 aus politischen Gründen entzogen. 1934–39 war er Dozent an der Theologischen Schule in Bethel bei Bielefeld und 1940–42 Leiter des Evangelischen Jugendwerkes in Berlin-Dahlem (Burckhardthaus). H. wurde 1942 Hauptpastor an St. Katharinen in Hamburg und im Nebenamt Leiter der Alsterdorfer Anstalten, 1947 Oberkirchenrat und Professor für Altes Testament. Seit 1956 war er Landesbischof der Evangelisch-Lutherischen Kirche im Hamburgischen Staat. Einen schweren Verlust für die ökumenische Arbeit in Deutschland bedeutete der tragische Tod H.s, eines der 6 deutschen Zentralausschußmitglieder.

Werke: Ez.probleme (Beih. z. ZAW 61), 1933; Die Pss als Kraftqu. Luthers. Btr. z. Frage nach dem luth. Bekenntnis heute, 1934; Völk. Religiosität u. AT. Zur Auseinandersetzung der nat.-soz. Weltanschauung mit dem Christentum, 1933 (1934³); Das Glaubenszeugnis des AT u. das Bekenntnis zu Jesus Christus, 1935; Die Kirche Jesu Christi u. das Wort Gottes. Zur Frage nach der »sichtbaren« u. »unsichtbaren« Kirche, 1935. Neuheidentum u. Christenglaube, 1935 (1935²); Theol. Ausl. des AT. Zum Gespräch mit Wilhelm Vischer, 1936 (1938²); Christus der Herr. Vom Christusbekenntnis der Kirche in unserer Zeit, 1937; Jer, der Prophet u. sein Volk. Eine Einf. in die Botschaft des Jer, 1938; Wie liest der Christ das AT? Der bibl. Schöpfungsber. der Gemeinde ausgel., 1939; Das Geheimnis der Gottesherrschaft. Eine Einf. in das Mk.ev., 1940; Das Loblied der Gemeinde. Psalmpredigten, 1940; Am, der Prophet Gottes, 1941; Der Prophet Jer 1–12, übers. u. erkl. (ATD 17), 1950 (1957³); Der Wohlfahrtsstaat – Krise der Diakonie?, in: Diakonie zw. Kirche u. Welt. Stud. z. diakon. Arbeit u. Verantwortung in unserer Zeit. Hrsg. v. Christine Bourbeck u. Heinz-Dietrich Wendland, 1958, 85 ff.; Verkündigung in der Großstadt, in: Smlg. u. Sendung. Vom Auftrag der Kirche in der Welt. Eine Festg. f. D. Heinrich Rendtorff zu seinem 70. Geb. Hrsg. v. Joachim Heubach u. Heinrich-Hermann Ulrich, 1958, 183 ff.; Das Meer ist nicht mehr. Predigten über Texte der Offb. Aus dem Nachlaß zus.gest. u. hrsg. von Hans-Volker Herntrich, 1963. – Gab heraus: Ihr sollt meine Zeugen sein. Andachtsbuch der Bekennenden Kirche, 1935 (1936: 16.–18. Tsd.); Wege in die Bibel, 1939 ff.; ATD (mit Artur Weiser), 1951 ff.; – Bibliogr. (zus.gest. v. Rudolf Schwartz), in: ThLZ 83, 1958, 887 ff.

Lit.: Hanns Lilje, Zum Heimgang v. V. H., in: Zeichen der Zeit. Ev. Mschr. 12, 1958, 423 ff.; – Paul Althaus, Landesbisch. D. V. H. gest., in: Luther. Mitt. der Luther-Ges. 29, 1958, 97; – Gerhard Günther, Ein Kämpfer f. die Diakonie. Zum Tode v. Landesbisch. D. H. V., in: Christl. Welt 11, 1958, 6; – Wilhelm Schmidt, Der »diakon.« Bisch., in: Die Innere Mission 48, 1958, 290 ff.; – Hans-Joachim Kraus, In memoriam V. H., in: ThLZ 83, 1958, 887 f.; – Heinz-Georg Binder, V. H., in: Sozialpäd.

Zschr. f. Mitarbeiter 4, 1962, 15 ff.; – V. H. Ein diakon. Bisch. Hrsg. v. Hans-Volker Herntrich, 1968 (Rez. v. Walther v. Loewenich, in: LuJ 40, 1969, 45 f.

HEROLD, Max, ev. Theologe und Liturgiker, * 27. 8. 1840 in Rehweiler (Mittelfranken), † 30. 7. 1921 in Neuendettelsau, beigesetzt in Neustadt/Aisch. – H. besuchte das humanistische Gymnasium in Altdorf bei Nürnberg und studierte Theologie. Er wurde 1865 Pfarrer in Gleißenberg und wirkte 1875 bis 1903 in Schwabach bei Nürnberg als Pfarrer und Direktor der Präparandenschule, dazu seit 1897 als Dekan des Schwabacher Pfarrkapitels. 1903 bis 1920 war er Dekan in Neustadt/Aisch. Die Theologische Fakultät der Universität Erlangen verlieh ihm die Würde eines Ehrendoktors. Die Stadt Schwabach ernannte ihn zum Ehrenbürger, das Fürstliche Institut für musikwissenschaftliche Forschung in Bückeburg zum Mitglied und der Württembergische Kirchengesangverein zum Ehrenmitglied. – H. ist bekannt durch seine Arbeiten auf dem Gebiet der liturgischen Praxis und Forschung. Er war Verfechter des rhythmischen Gemeindechoralgesangs und der altkirchlichen Liturgik. 1876 gründete H. mit Ludwig Friedrich Schöberlein (s. d.) und Eduard Krüger die erste und bahnbrechende liturgische Zeitschrift »Siona. Monatsschrift für Liturgie und Kirchenmusik«, die er bis 1912 mit Schöberlein und 1913–20 allein herausgab. H. erreichte, daß staatliche und kirchliche Behörden die Abhaltung von liturgischen Nebengottesdiensten genehmigten und den Gebrauch der H.schen Formulare verfügten.

Werke: Passah. Andachten f. die hl. Charwoche u. das Auferstehungsfest, 1874; Vesperale oder die Nachmittage unserer Feste u. ihre gottesdienstl. Bereicherung I, 1875 (1885²); II, 1881 (1893²); Vesperale. Nachmittags- u. Abendgottesdienste mit u. ohne Chor I (1907³); Alt-Nürnberg in seinen Gottesdiensten, 1890; Kultus-Bilder aus 4 Jhh., 1896; zahlr. Aufss. in »Siona«.
Lit.: Rochus v. Liliencron, Ein neues Vesperale, in: Ev. Zschr. f. Prot. u. Kirche NF 70, 1875, 206 ff.; – Ders., Die Vesper-Gottesdienste in der ev. Kirche, in: VfMw 2, 1894, 117 ff.; – Carl Böhm, D. M. H., in: KmBll 19/20, 1921; – Johann Daniel v. der Heydt, Gesch. der ev. Kirchenmusik der ev. Kirche in Dtld., 1926, 205 ff.; – Hans Joachim Moser, Die ev. Kirchenmusik in volkstüml. Überblick, 1926, 136 ff.; – Friedrich Blume, Gesch. der ev. Kirchenmusik, 1931, 153–162; 1965², 259. 273; – Hans Kreßel, Die Liturgie in Bayern rechts des Rheins. Gesch. u. Kritik ihrer Entwicklung im 19. Jh., 1935 (1953²); – Oskar Stollberg, Schwabacher Charakterköpfe in der Musikgesch. des 19. Jhs. in Schwabach. Gesch.- u. Kulturbilder, 1951, 62 ff.; – MGG VI, 247 ff.; – Riemann I, 778; ErgBd. I, 521.

HERP, Heinrich, Mystiker, * Anfang des 15. Jahrhunderts in Brabant, † 22. 2. 1478 in Mecheln. – H. trat 1445 bei den Fraterherren ein und wurde bald Rektor in Delft und später in Gouda. Er verließ aber den milderen Orden, um in den strengeren der Franziskaner einzutreten, in den er 1450 in Ara Coeli zu Rom aufgenommen wurde. Wir treffen ihn 1470–73 als Provinzialvikar der reformierten Ordensprovinz Köln. Gestorben ist er als Guardian des Konvents in Mecheln. – H. gehört der mystischen Schule des Jan van Ruysbroek (s. d.), Geert Groote (s. d.), Florentius Radewijns (s. d.), Gerhard Zerbolt (s. d.) und Thomas von Kempen (s. d.) an. Der Kartäuser Bruno Loher veröffentlichte unter dem Titel »Theologia mystca« H.s Hauptwerk, das von dem Generalkapitel zu Toledo 1633 zum offiziellen Lehrbuch des Franziskanerordens erhoben wurde. H. ist wie die ganze Schule Ruysbroeks ein Vertreter der spätmittelalterlichen Herz-Jesu-Verehrung.

Werke: Speculum aureum de praeceptis divinae legis, Mainz 1474 u. ö.; Sermones de tempore, de sanctis, de tribus partibus paenitentiae, Nürnberg 1481 u. ö.; Spieghel der volkomenhait, hrsg. v. Lucidius Verschueren, 2 Bde., Antwerpen 1931; Theologia mystica (3 Werke [Directorium contemplativorum; Soliloquium divini amoris; Eden seu Paradisus contemplativorum] = 1 Buch) als H.s Hauptwerk v. dem Kartäuser Bruno Loher veröff.; Faks.-Druck der Ausg. v. Köln 1538, Farnborough/Hampshire 1966.
Lit.: Servatius Dirks, Histoire littéraire et bibliographique des frères mineurs, Antwerpen 1885, 7 ff.; – Patricius Schlager, Bttr. z. Gesch. der köln. Franziskaner-Ordensprov. im MA, 1904, 155 f. 214 f.; – Ders., Zum Leben des Franziskaners H. H., in: Katholik 85, II, 1905, 46–48; – Ders., Blütenlese aus den Werken rhein. Franziskaner, 1907; – Karl Richstätter, Die Herz-Jesu-Verehrung des dt. MA, 1924²; – Pierre Groult, Les mystiques des Pays-Bas et la littérature Espagnole du XVI⁰ siècle, Louvain 1927, 262; – Wilhelm Oehl, Dt. Mystikerbriefe des MA, 1931, 602 ff.; – Lucidius Verschueren, Leven en Werken van H. H., in: Collectanea Neerlandica Franciscane 2, 's-Hertogenbosch 1931, 345 ff.; – Ders., Invloed van H. H. op onze evangelische Peerle en Tempel onser seelen, in: Ons geestelijk erf 6, Antwerpen 1932, 194 ff.; – H. Gleumes, H. H., sein Leben u. seine Werke, in: ZAM 12, 1937, 222 ff.; – Desiderius Kalverkamp, Die Vollkommenheitslehre des Franziskaners H. H. (Diss. Freiburg/Breisgau, 1939), Werl 1940; – Marcel M. J. Smits van Waesberghe, Het verschijnsel van de opheffing des geestes bij Jan van Ruusbroec en H. H., Nijmegen 1945; – Stephanus Axters, La spiritualité des Pays-Bas, Louvain – Paris 1948, 76–79. 160–162; – Ders., Geschiedenis van de vroomheid in de Nederlanden III, Antwerpen 1953, 161. 224. 289. 292. 296. 387 u. ö.; IV, 1960, ö.; – C. Janssen, L'oraison aspirative chez H. et chez prédécesseurs, in: Carmelus. Commentarii ab Instituto Carmelitano editi 3, Rom 1956, 19 ff.; – Theologisch Woordenboek II, Roermond 1957, 2219 ff.; – Francis Hermans, Ruysbroeck l'admirable en son école, Paris 1958, 231 ff.; – Jean Leclercq – François Vandenbroucke – Louis Bouyer, La spiritualité du moyen âge, Paris 1961, 561 f. u. ö.; – Louis Cognet, Introduction aux mystiques rhéno-flamands, Paris – Tournai – Rom 1968, 282 ff.; – R. Lievens, H. H.s Eden in het Middelnederlands, in: Tijdschrift voor Nederlandse taal- en letterkunde 89, Leiden 1973, 1 ff.; – L. Moereels, H. en Jordaens voor de hoogste schouing op aarde, in: Ons geestelijk erf 48, Antwerpen 1974, 225 ff.; – J. Alaerts, Een middelnederlands handschrift met werken van H. H. en Ruusbroec, ebd. 49, 1975, 18 ff.; – VerfLex II, 427 ff.; V, 386; – DThC VI, 2047 ff.; – Catholicisme V, 614 ff.; – DSp VII, 346 ff.; – LThK V, 191 f.; – BnatBelg IX, 278 ff.; – ADB XII, 203.

HERRAD *von Landsberg*, Chorfrau und Schriftstellerin, * 1225/30, † 25. 7. 1195 in Hohenburg (Odilienberg) im Elsaß. – H. war 1167–95 Äbtissin des Chorfrauenstiftes in Hohenburg und ist bekannt als Verfasserin und Illustratorin des »Hortus deliciarum« (»Garten der Wonnen«), eines der hervorragendsten Miniaturenwerke des Mittelalters. Das Werk ist ein enzyklopädisches Belehrungs- und Erbauungsbuch für Nonnen in lateinischer Sprache. Es enthält Auszüge aus der Bibel, aus Kirchenvätern und späteren Kirchenschriftstellern, auch aus einigen profanen Autoren sowie zahlreiche eingestreute Gedichte der Verfasserin und anderer Dichter. H. versah das zuletzt 324 Pergamentblätter umfassende Werk mit 344 für die Kulturgeschichte wertvollen Miniaturen, die ganzseitig oder zu mehreren auf einem Blatt angebracht waren. Bei der Beschießung Straßburgs im August 1870 verbrannte die Originalhandschrift samt einer Kopie. Nur Textauszüge und ein Teil der Bilder sind erhalten.

Werke: Hortus deliciarum. – Ausgg.: A. Straub u. G. Keller, Straßburg 1879–1899 (Wiedergabe der meisten Miniaturen). – Joseph Walter, Strasbourg – Paris 1952. – Hymnen. – Ausg.: Guido Maria Dreves u. Clemens Blume, in: Analecta hymnica medii aevi 50, 1907, 493–498.
Lit.: Christian Moritz Engelhardt, H. v. L. . . . . u. ihr Werk »Hortus deliciarum«, Stuttgart – Tübingen 1818 (117–200: lat. Gedichte u. dt. Glossen); – Lina Eckenstein, Women under Monasticism. Chapters on Saint-Lore and Convent Life between A. D. 500 and A. D. 1500, Cambridge 1896; – Charles Guillaume Adolphe Schmidt, in: L. de L., Straßburg 1897²; – Guido Maria Dreves, H. v. L., in: ZKTh 23, 1899, 632 ff.; – Heinrich Reumont, Die dt. Glossen im »Hortus deliciarum« der H. v. L. (Diss. Straßburg, 1899), Metz 1900; – G. Keller, in: Mitt. der Ges. f. Erhaltung der geschichtl. Denkmäler im Elsaß 22, Straßburg 1907–08, 1–54; – Albert Marignan, Étude sur le manuscrit de l'»Hortus deliciarum«, Straßburg 1910; – Joseph Walter, in:

Anz. f. elsäss. Altertumskunde 3, Straßburg 1921, 1292 ff.; – St. Ankenbrand, in: Zschr. der Ges. f. Beförderung der Gesch.-kunde v. Freiburg 37, 1923, 109 ff.; – Johannes Zellinger, Der geköderte Leviathan im »Hortus deliciarum«, in: HJ 45, 1925, 161 ff.; – Otto Gillen, Ikonograph. Stud. z. »Hortus deliciarum« der H. v. L. mit bes. Berücks. des Jüngsten Gerichts (Diss. Kiel), Berlin 1931; – Albert Brackmann, Germania Pontificia III, 1935, 32 ff.; – R. Will, Le climat religieux de l'»Hortus deliciarum« d'H. de L., in: RHPhR 17, 1937, 522 ff.; – Rudolf Wackernagel, Gesch. des Elsaß, 1940, 78 ff.; – Fridtjof Zschokke, Die roman. Glasgemälde des Straßburger Münsters, Basel 1942, 55 ff.; – Joseph de Ghellinck, L'essor de la littérature latine au XIIᵉ siècle I, Paris 1946, 123 f.; – J. Hourlier, in: RHE 49, 1954, 193 ff.; – G. Webb, H. and Her Garden of Delights, in: Life of the Spirit 16, 1961–62, 475 ff.; – Hauck IV, 417. 574; – Manitius III, 1010 ff.; – VerfLex II, 429 f.; – KLL III, 2160 f. (Hortus deliciarum); – ADB XII, 205 f.; – NDB VIII, 679 f.; – Catholicisme V, 686 f.; – DSp VII, 366 ff.; – LThK V, 269 f.; – NCE VI, 1082.

HER(R)INGSDORF, Johannes, Jesuit, Kirchenlieddichter, * 4. 5. 1606 in Neuenkirchen (Diözese Osnabrück, wohl bei Melle), † 20. 2. 1665 in Paderborn. – H. studierte in Herford und Hildesheim und wurde nach seinem Übertritt zum katholischen Bekenntnis 1629 in Trier Novize der Gesellschaft Jesu. Nach dem Studium der Philosophie in Neuß wirkte er 1632/33 als Lehrer in Hersfeld. Von entscheidender Bedeutung für den dichterisch begabten H. war die Begegnung mit dem gesinnungsverwandten Friedrich von Spee (s. d.) in Trier 1633/34. Nach dem Studium der Theologie in Köln 1634–37 und der Absolvierung des Tertiatsjahres in Emmerich 1638/39 wirkte er 1641–52 an den Ordenskollegien in Siegen, Neuß und Münstereifel als Lehrer, Missionar, Katechet, Bibliothekar und Leiter des Gesangchors. Danach übte er eine rege missionarische Tätigkeit im Bistum Osnabrück aus, war 1657–59 in Paderborn, betreute 1663/64 in Köln Gefängnisse und Krankenhäuser und war seit Ende 1664 wieder in Paderborn. – Bekannt ist H. durch sein »Psalteriolum cantionum catholicarum«, das der wichtigste Beitrag der deutschen Jesuiten auf dem Gebiet der lateinischen Hymnendichtung in der Barockzeit ist, und dessen deutsches Gegenstück »Geistlich Psälterlein«, das am meisten verbreitete Gesangbuch der Jesuiten. Er ist Verfasser, aber auch Melodienschöpfer einer größeren Anzahl heute noch bekannter katholischer Kirchenlieder.

Werke: Psalteriolum cantionum catholicarum, Köln 1633 (verschollen). 1710⁷. 1791¹⁶; weitere, nicht gezählte Aufll.: Trier 1810; Köln 1811. 1813. 1818 u. 1828; zuletzt ersch. Ausz. (mit Melodien), 1868; Geistl. Psälterlein, Köln 1637; die größere Ausg. mit Grobschr. u. Melodien u. d. T.: Geistl. Psalter, in welchem auserlesene alt u. neu Kirchengesäng neben den lieblichen Psalmen Davids verfasset seind, ebd. 1638 (mit 241 Liedern u. 100 beigedr. Melodien); Psalteriolum harmonicum, ebd. 1642. 1652². 1662³ (Ausw. v. 37 lat. u. 80 dt. Gesängen aus dem Psalteriolum cantionum u. dem Geistl. Psalter mit partiturmäßig gedr. 4st. Orgelsatz). – *Lit.:* Nathanael Sotvellus, Bibliotheca scriptorum Societatis Jesu, Rom 1676, 461; – Theo Hamacher, Das Psalteriolum cantionum, das Geistl. Psälterlein u. ihr Hrsg., in: Westfäl. Zschr. 110, 1960, 285 ff.; – NDB VIII, 620 f.

HERRMANN, Christine, Gründerin des »Leidensschwesternbundes«, * 2. 4. 1838 in Kiel als Tochter des ao. Professors der Rechte Emil Herrmann (s. d.), † 8. 2. 1888 in Heidelberg. – Christine H. verlebte eine frohe Kindheit und Jugend in großem Geschwisterkreis. Ihr Vater wurde 1847 nach Göttingen berufen. Sie war schon als Kind für Gottes Wort empfänglich und las täglich in der Bibel. Wegen eines unheilbaren Leidens, das bald nach der Schulentlassung auftrat, konnte ihr Wunsch, Diakonisse zu werden, nicht verwirklicht werden. Man tat alles für Christine und schickte sie auch ins Bad. Nach einer gewissen Erho-

lung brach unerwartet eine ernste Augenkrankheit aus. Das linke Auge erblindete ganz. Eine Operation an dem linken Auge rettete das rechte vor gänzlicher Erblindung. 1861 erkrankte Christine H. an Schleimfieber. Seit dieser Zeit hat sie keinen Augenblick körperlichen Wohlbefindens mehr gekannt. Ein quälendes Magenleiden blieb zurück, und als Folge davon stellte sich die Drüsenkrankheit ein, die ihr so viel zu schaffen machte. Gott schenkte ihr in Göttingen eine treue Freundin der frühverwaisten Pfarrerstochter Auguste Walther, die für sie Briefe schrieb und die Verbindung mit der Außenwelt aufrechterhielt. Als Emil Herrmann 1868 dem Ruf an die Universität Heidelberg folgte, zog auch Auguste dorthin. Da Christine der größten Schonung und Ruhe bedurfte, kaufte der Vater für sie ein kleines Häuschen am Neckar, in das sie mit ihrer Freundin übersiedelte. Dort blieb sie auch wohnen, als ihr Vater 1872 zum Präsidenten des Evangelischen Oberkirchenrats in Berlin berufen wurde. Immer tiefer wurde Christine in körperliche Leiden geführt; aber sie lernte auch in Leidensnacht und -not ihren Konfirmationsspruch verstehen und bekennen: »Wenn ich nur dich habe, so frage ich nichts nach Himmel und Erde. Wenn mir gleich Leib und Seele verschmachtet, so bist du doch, Gott, allezeit meines Herzens Trost und mein Teil« (Ps 73, 25. 26). Ihre Krankenstube wurde zu einer Brunnenstube des Segens für ungezählte andere Leidende. Von hieraus gingen tröstende, aufrichtende und wegweisende Briefe in alle Welt. Sie gründete den »Leidensschwesternbund«, der über ganz Deutschland Verbreitung fand und durch Rundbriefe eine regelmäßige Verbindung der Kranken miteinander unterhielt. Zuweilen schenkte der Herr wieder Zeiten, da es besser ging. Oft schien ihr Ende gekommen zu sein; doch immer wieder legte der Herr ihr neue Leidenszeit und Segenszeit zu. Sie schrieb ihren Leidensschwestern: »Jedes Leiden, das wir hienieden in der rechten Weise getragen haben, erhöht unsere Himmelsfreude und fügt ihr einen Herrlichkeitsstrahl hinzu.« Auf ihrem Grab steht ein weißes Marmorkreuz mit der Inschrift: »Die mit Tränen säen, werden mit Freuden ernten« (Ps 126, 5).

Werke: Christinens Lieder, 1877⁵; Marie, 1880; Aus dem Leben der Leidensschwestern, 1880; Briefe an die Leidensschwestern, 1881 u. 1882. – *Lit.:* Lex. der dt. Dichter u. Prosaisten v. Beginn des 19. Jh.s bis z. Ggw., bearb. v. Franz Brümmer, III⁶, 1913, 172.

HERRMANN, Emil, ev. Kirchenrechtslehrer, * 9. 4. 1812 in Dresden als Sohn eines Juristen, † 16. 4. 1885 in Gotha. – H.s Vater war sächsischer Oberauditor im Generalstab, seit 1822 Kriegsgerichtsrat beim Generalkriegsgerichtskollegium. Er studierte in Leipzig Rechtswissenschaft, promovierte zum Dr. jur. und wurde dort 1834 Privatdozent, 1836 ao. und 1842 o. Professor in Kiel, 1847 in Göttingen, 1868 in Heidelberg und 1872 Präsident des Evangelischen Oberkirchenrats in Berlin. Seine Kirchenreform wurde von der strengen Orthodoxie als zu liberal empfunden und darum aufs heftigste bekämpft. Die Folge war, daß H. im März 1878 um seine Entlassung bitten mußte. Er zog sich nach Heidelberg, dann nach Gotha zurück. – H. schuf 1873 die Kirchenverfassung der Evangelischen Kirche der altpreußischen Union in Verbindung synodaler und konsistorialer Elemente. Die Kirchen-

gemeinde- und Synodalordnung für die älteren preußischen Provinzen vom 10. 9. 1873 gilt als sein Werk.
Das Staatsgesetz vom 3. 6. 1876, betr. die evangelische Kirchenverfassung in den älteren Provinzen, bedeutet die Krönung seines Lebenswerkes.

Werke: Die Stellung der Rel.gemeinschaften im Staate, 1849; Die
notwendigen Grdl.n einer zu konsistoriale u. synodale Ordnung
vereinigenden Kirchenverfassung, 1862; Das staatl. Veto bei
Bisch.wahlen nach dem Rechte der Oberrhein. Kirchenprov., 1869.
Lit.: Albert v. Bamberg, D. Dr. E. H. Sein Eintritt in die Leitung des Berliner Oberkirchenrats u. sein Austritt, in: DEBl
1906, 587 ff. 663 ff. 729 ff.; – Artur v. Kirchenheim, E. H. u.
die preuß. Kirchenverfassung. Nach Briefen und anderen meist
ungedr. Qu., 1912; – Erich Foerster, Adalbert Falk, 1927; Heinrich Hermelink, Das Christentum in der Menschheitsgesch. v.
der frz. Rev. bis z. Ggw. II: Liberalismus u. Konservativismus
1835–1870, 1953, 420. 474; III: Nationalismus u. Sozialismus
1870–1914, 1955, 144 ff. 161. 163. 554 f.; – Klaus Obermayer,
Staats-KR im Wandel, in: Die Öff. Verwaltung. Zschr. f. Verwaltungsrecht u. Verwaltungspolitik 20, 1967, 12; – Ders.,
Staatskirchenrechtl. Grundvorstellungen in den Konkordatstheo-
rien des 19. Jh.s, ebd. 511 ff.; – ADB 50, 248 ff.; – NDB VIII,
687 f.; – RGG III, 275.

HERRMANN, Johann Gottfried, Kirchenlieddichter,
* 12. 10. 1707 als Pfarrerssohn in Altjeßnitz bei Bitterfeld, † 30. 7. 1791 in Dresden. – H. besuchte 1722
bis 1727 die Fürstenschule in Grimma und studierte
dann in Leipzig. Er promovierte zum Magister und
wurde 1731 Diakonus in Ranis bei Neustadt an der
Orla und 1734 in Pegau bei Leipzig. H. wirkte 1738
bis 1746 als Superintendent in Plauen (Vogtland)
und danach in Dresden als Oberhofprediger und
Oberkonsistorialrat. Wir verdanken ihm das Lied
»von der ewigen Liebe Gottes«: »Geht hin, ihr gläubigen Gedanken, ins weite Feld der Ewigkeit« (EKG
276). H. hat es als Schlußlied in das von ihm 1742
besorgte Vogtländische Gesangbuch aufgenommen.
Rudolf Ewald Stier (s. d.) kennzeichnet das Lied: »Be-
wunderung und Anbetung des ewigen Ratschlusses,
mit dem uns der Vater in Christo erwählt hat vor
Grundlegung der Welt; ebenso biblisch tief als poetisch schön.«

Werke: Das privilegierte neue u. vollst. Vogtländ. Gesangbuch,
Plauen 1742 (843 Lieder), 1750² (um 100 verm.).
Lit.: Franz Blanckmeister, Pastorenbilder aus dem alten Dresden, 1917, 114 ff.; – Koch V, 503 ff.; – Hdb. z. EKG II/1, Nr.
194 = S. 241.

HERRMANN, Johannes, Begründer der Druckerei und
des Verlags Johannes Herrmann in Zwickau, * 10. 7.
1850 in Hohenstein (Erzgebirge) als Sohn eines Sattlers, † 24. 3. 1904 in Zwickau (Sachsen). – H. trat im
April 1864 bei einem Buchdrucker in Hohenstein in
die Lehre. Nach fünfjähriger Lehrzeit empfahl ihn
sein Lehrherr der Firma Metzger & Wittig in Leipzig: »Nehmt den jungen Mann bei Euch auf; denn er
heißt nicht nur Johannes, sondern ist auch wirklich
eine Johannesseele.« In Leipzig empfing H. viel geistliche Anregung im Jünglingsverein, dem er als eifriges Mitglied angehörte. Von der Lehrzeit her war H.
mit einem in der Hermannsburger Missionsdruckerei
beschäftigten Berufsgenossen befreundet und reiste
darum auch einmal nach Hermannsburg zum Missionsfest. In ihm reifte der Entschluß, Missionar zu
werden. Um sich darauf vorzubereiten, nahm er vorläufig eine Stelle in der Missionsdruckerei an. Seine
Mutter war dagegen, daß H. in den Missionsdienst
eintrat, da seine Gesundheit den Strapazen eines Missionars nicht gewachsen sei. Er fügte sich; aber es
kostete ihn einen schweren Kampf. H. kehrte nach

Leipzig zurück. Unter dem Einfluß seines Freundes
E. A. W. Krauß, der später als D. theol. und Professor der Theologie am Konkordia-Seminar in St. Louis
(Missouri) lehrte, trat H. aus der Landeskirche aus
und schloß sich den Altlutheranern an. Er siedelte
nach Zwickau über, um als Glied der St. Johannes-
gemeinde in Planitz mit seiner Kunst zugleich der altlutherischen Kirche zu dienen. »Gedrungen von großer Gewissensnot in bezug auf meine kirchliche Stellung, entschloß ich mich im Jahre 1874 zur Etablie-
rung einer kleinen Druckerei in hiesiger Stadt«, berichtete H. beim 25jährigen Jubiläum seiner Druckerei. »Hätte ich nicht deutliche Fingerzeige hierzu von
Gott gehabt, so hätte ich wohl schon damals an der
Ausführung verzagen mögen, da ich, sowohl was
meine Kenntnisse und Fähigkeiten als auch meine
Geldmittel betraf, ganz und gar nicht der Mann dazu
war. Doch der treue Gott stärkte mich und hatte mir
namentlich in meinem damaligen Seelsorger, dem seligen Pastor Ruhland, einen treuen, aufmunternden
Freund und Berater geschenkt. – Bei Gründung der
Druckerei hatte ich nur an Herstellung von kleineren
Akzidenzen gedacht, wozu die gar bescheidene Einrichtung mit der Handpresse und den wenigen Schriften ja allenfalls ausreichte. Es dauerte jedoch nur wenige Monate, so bot sich mir Gelegenheit, ein kleines
Schriftchen von 16 Seiten zu drucken und zu verle-
gen. Druckpapier hatte ich nicht auf Lager, bei Papier-
handlungen hatte ich auch keinen Kredit; so ging ich
von Glauchau aus zu Fuß in die nächstgelegene Papierfabrik nach Remse, kaufte mir das nötige Papier
und wanderte mit dem Paket auf der Schulter vergnügt zurück. Dem kleinen Schriftchen folgte alsbald
der 276 Seiten starke ›Getroste Pilger‹. Die Ausführung dieses Auftrags seitens des seligen Buchhändlers
Naumann hatte u. a. das Gute, daß ich nunmehr Kredit bei einer Papierhandlung erhielt, mit der ich noch
heute arbeite. Unter welchen Mühsalen aber der
Druck dieses Buches auf der Handpresse erfolgte, wobei ich aufwalzte, der Gehilfe druckte, daran zu denken will ich nicht unterlassen. Da nur die Handpresse
vorhanden war, so mußten mittels derselben am Tage
die eingehenden Druckaufträge erledigt und die Nacht
zum Druck des Buches verwandt werden. Oft bis in
die späte Mitternacht hinein plagten wir uns, während ich an dem Tage an dem Werkchen setzte.«
Durch Anschaffung einer Schnellpresse und neuer
Schriften und seinen 1892 erfolgten Anschluß an den
Buchhandel vergrößerte sich die Druckerei. »Unter
welchen Sorgen und Ängsten alle die Bücher und
Schriften hergestellt, die damit verbundenen Neuan-
schaffungen bewerkstelligt wurden, davon will ich
hier schweigen; diese Nöte in ihrer Wirklichkeit sind
nur mir und meinem Gott bekannt. Gottes Wort allein mit seinen Verheißungen ist der Anker gewesen,
der mich in den Fluten der Angst und Sorge gehalten, daß ich nicht unterging.« H. stellte seine Kunst
in den Dienst der altlutherischen Kirche: ohne Rücksicht auf das Risiko druckte und verlegte er Schriften zur Verteidigung der Wahrheit, zeichnete als ver-
antwortlicher Schriftleiter des Blattes »Die Evangelisch-Lutherische Freikirche« und wurde zweimal wegen Artikel dieses Blattes angeklagt, das zweitemal
zu drei Monaten Gefängnis verurteilt. Die Strafe

wurde durch die beantragte Revisionsverhandlung auf zwei Monate herabgesetzt und im Gnadenweg in Geldstrafe umgewandelt. H. war ein hervorragendes Mitglied der freikirchlichen Synode und gehörte ihrem Verwaltungsrat von Anfang bis zu seinem Lebensende an. H.s Druckerei und Verlag wurde weithin bekannt durch die dort erschienenen Schriften der »Evangelisch-Lutherischen Freikirche in Sachsen und anderen Staaten«.

Lit.: Otto Willkomm, J. H. Ein Lb., 1924 (zuerst ersch. in »Hausfreund«-Kal. 1905).

HERRMANN, Johannes, ev. Theologe, * 7. 12. 1880 in Nossen (Sachsen), † 6. 2. 1960 in Münster (Westfalen). – H. besuchte das Gymnasium in Freiberg (Sachsen) und studierte 1901–05 in Leipzig Theologie. Schon als Student hat er sich mit der von der Leipziger Theologischen Fakultät preisgekrönten Schrift »Die Idee der Sühne im Alten Testament« als mit der Problematik des Alten Testaments wohl vertraut ausgewiesen. 1905 wurde H. Studieninspektor des evangelischen Theologenheims in Wien. Nach Ablegung der beiden theologischen Prüfungen 1905 und 1907 promovierte er zum Lic. theol. H. wurde 1907 Privatdozent für Altes Testament in Wien, 1909 in Königsberg, 1910 in Breslau, 1913 o. Professor in Rostock und 1922 in Münster. Er betreute als geschäftsführender Direktor die theologischen Seminare, war zugleich seit 1927 Ephorus des theologischen Studienhauses »Hamannstift« und 1931/32 Rektor der Universität. 1949 wurde er emeritiert. – H. ist bekannt durch seine Studien zum Alten Testament. Erwähnt sei auch seine entscheidende Mitarbeit an der von den deutschen Bibelanstalten seit 1921 vorbereiteten Revision der Lutherbibel.

Werke: Die Idee der Sühne im AT. Eine Unters. über Gebrauch u. Bedeutung des Wortes kipper, 1905; Zur Analyse des Buches Ez (Diss. Leipzig), 1907; Ez.stud., 1908; Die soziale Predigt der Propheten, 1911; Leben, Wunder u. Wirken des Propheten Elisa, 1911; Unpunktierte Texte aus dem AT, 1913; Btrr. z. Entstehungsgesch. der Septuaginta (mit Friedrich Baumgärtel), 1923; Ez, übers. u. erklärt, 1924; Hebr. Wb. zu den Pss, 1924 (1937²); Das 10. Gebot, in: Ernst Sellin-Festschr., 1927, 69–82; Der at. Urgrund des Vaterunsers, in: Festschr. z. 60. Geb. v. Otto Procksch, 1934, 71–98; Das Gebet im AT, in: ThW II, 1935, 782–799; Sühne u. Sühneformen im AT, in: ThW III, 1938, 302–311; Das Arbeitsethos in der bibl. Urgesch., in: Glaube u. Ethos. Festschr. z. 60. Geb. v. Georg Wehrung, 1940, 9–24; Die Univ. Münster in Gesch. u. Ggw., 1947 (1950²).
Lit.: Johannes Hänel, Prof. D. J. H. Zum 60. Geb., in: DtPfrBl 44, 1940, 462; – Friedrich Baumgärtel, J. H. z. 70. Geb., in: ThLZ 76, 1951, 185 ff.; – Gründer, Prof. D. J. H. gest., in: DtPfrBl 60, 1960, 138 f.

HERRMANN, Wilhelm, Theologe, * 6. 12. 1846 in Melkow (Altmark) als Sohn und Enkel eines Pfarrers, † 2. 1. 1922 in Marburg (Lahn). – Schon während seiner Gymnasialzeit in Stendal wurde in H. die Neigung zu ernsthaftem Studium geweckt. Von Herbst 1866 an studierte er in Halle Theologie und wurde August Tholucks (s. d.) Amanuensis, widmete sich aber auch eifrig philosophischen Studien. Der Privatdozent Max Besser verwies ihn auf das Hauptwerk Albrecht Ritschls (s. d.), seine »Lehre von der Rechtfertigung und Versöhnung«. Anfang 1875 promovierte H. zum Lic. theol. und habilitierte sich mit einer Studie über »Gregorii Nysseni sententiae de salute adipiscenda«. Am 22. 1. 1875 schrieb er seinen ersten Brief an Ritschl und fügte seine Dissertation bei: »Seitdem ich mit Besser in näherem Verkehr stehe, hat er nicht abgelassen, mich auf Ihre Schriften

hinzuweisen als ein Mittel, mich aus dem Bann der Bildung, die ich mir teils in Übereinstimmung, teils im Gegensatz zu Halleschen Anregungen erworben habe, zu befreien. – Mich in ihre Schriften einzuleben ist seitdem die eine wissenschaftliche Aufgabe, die ich mir gestellt habe.« H. wurde 1879 als o. Professor der Systematischen Theologie nach Marburg berufen, der Stätte seiner Lebensarbeit, der er trotz mehrfacher Berufungen nach auswärts treu blieb. H. hat die Ritschlsche Theologie am selbständigsten weitergebildet. Männer verschiedenster Richtungen, auch die Dialektiker Karl Barth (s. d.) und Rudolf Bultmann, verdanken ihm entscheidende Anregungen.

Werke: Die Metaphysik in der Theol., 1876; Die Rel. im Verhältnis z. Welterkennen u. z. Sittlichkeit. Eine Grundlegung der ST, 1879; Die Bedeutung der Inspirationslehre f. die ev. Kirche, 1882; Warum bedarf unser Glaube geschichtl. Tatsachen?, 1884 (1891²); Der Begriff der Offb., 1885; Der Verkehr des Christen mit Gott, im Anschluß an Luther dargest., 1886 (1921⁷); Die Gewißheit des Glaubens u. die Freiheit der Theol., 1887 (1889²); Der ev. Glaube u. die Theol. Albrecht Ritschls, 1890 (1896²); Worum handelt es sich in dem Streit um das Apostolikum?, 1893 (1898³); Röm.-kath. u. ev. Sittlichkeit, 1900 (1903³); Ethik, 1901 (1921⁶); Die sittl. Weisungen Jesu, 1904 (1922³); Christl.-prot. Dogmatik, in: Die Kultur der Ggw., hrsg. v. Paul Hinneberg, Abt. IV/1, Bd. 2, 1906 (1909²); Offb. u. Wunder, 1908; Die mit der Theol. verknüpfte Not der ev. Kirche u. ihre Überwindung, 1913; Die christl. Rel. unserer Zeit. I. Die Wirklichkeit Gottes, 1914; Ges. Aufss., hrsg. v. Friedrich Wilhelm Schmidt, 1923 (492 ff.: Bibliogr.); Dogmatik. Vorlesungsdiktate, hrsg. v. Martin Rade, 1925.
Lit.: Rudolf Hermann, Christentum u. Gesch. bei W. H. Mit bes. Berücks. der erkenntnistheoret. Seite des Problems (Diss. Göttingen), Leipzig 1914; – Jan Cornelis Roose, De Theologia van W. H. (Diss. Leiden), 1914; – Arvid Runestam, W. H.s teologi, Uppsala 1921; – Karl Bornhausen, Bedeutung v. W. H.s Theol. f. die Ggw., in: ZThK NF 3, 1922, 161 ff.; – Friedrich Wilhelm Schmidt, W. H. Ein Bekenntnis zu seiner Theol., 1922; – Ders., H.s Dogmatik, in: ChW 39, 1925, 466; – Karl Barth, Die dogmat. Prinzipienlehre bei W. H., in: ZZ 3, 1925, 246 ff.; – Werner de Boor, Der letzte Grund unseres Glaubens an Gott in der Theol. W. H.s, in: ZThK 6, 1925, 437 ff.; – Werner Schütz, Die Prinzipien der Theol. W. H.s unters. auf ihre geschichtl. Entwicklung u. ihre geschichtl. Wurzeln (Diss. Bonn), 1926; – Franz Gundlach, Catalogus professorum academiae Marburgensis. Die akadem. Lehrer der Philipps-Univ. in Marburg v. 1527–1910, 1927 (Ausg. 1926), Nr. 77; – Heinrich Hermelink u. Siegfried A. Kähler, Die Philipps-Univ. zu Marburg. 1527 bis 1927. 5 Kap. aus ihrer Gesch. (1527–1866), 1927, 569 ff.; – Hermann Herrigel, Die Theol. W. H.s, in: ZZ 5, 1927, 351 ff.; u. in: Zwingliana 4, 1927, 331 ff.; – Martin Redeker, W. H. im Kampfe gg. die positivst. Lebensanschauung (Diss. Göttingen), Gotha 1928; – August Dell, W. H.s theol. Arbeit, in: ThR NF 1, 1929, 81 ff.; – Fritz Schröter, Glaube u. Gesch. bei Friedrich Gogarten u. W. H. (Diss. Münster), 1933; – Walter Wiesenberg, Das Verhältnis v. Formal- u. Materialethik, erörtert an dem Streit zw. W. H. u. Ernst Tröltsch (Diss. Leipzig), 1934; – Hermann Mulert, W. H., in: Lb. aus Kurhessen u. Waldeck III, 1942, 196 ff.; – James Mac Conkey Robinson, Das Problem des Hl. Geistes bei W. H. (Diss. Basel), Marburg/Lahn 1952; – Friedrich Gogarten, Theol. u. Gesch., in: ZThK 50, 1953, 339 ff.; – Ernst Fuchs, Hermeneutik, 1954 (1963³), bes. 27 ff.; – Hans Graß, Ostergeschehen u. Osterbericht, 1956, 269 ff.; – Henri Bouillard, Karl Barth. I: Genèse et évolution de la théologie dialectique, Paris 1957; – Robert Charles Schultz, Gesetz u. Ev. in der luth. Theol. des 19. Jh.s (Diss. Erlangen), 1958; – Wilhelm Fresenius, Wirkungen der Theol. u. der Persönlichkeit W. H.s, in: Kirche in der Zeit 17, 1962, 25 ff.; – Theodor Mahlmann, Das Axiom des Erlebnisses bei W. H. (Diss. Münster, 1961), in: NZSTh 4, 1962, 11 ff.; – Ders., Philos. der Rel. bei W. H., ebd. 6, 1964, 70 ff.; – Ders., W. H., in: Tendenzen der Theol. im 20. Jh., hrsg. v. Jürgen Schultz, 1966, 38 ff.; – Friedrich Wolfgang Sticht, Die Bedeutung W. H.s f. die Theol. Rudolf Bultmanns (Diss. Berlin, Kirchl. Hochschule), 1965; – Daniel L. Deegen, The theology of W. H. A reassessment, in: JR 45, 1965, 87 ff.; u. in: SJTh 19, 1966, 188 ff.; – Peter Fischer-Appelt, Metaphysik im Horizont der Theol. W. H.s. Mit einer H.-Bibliogr. (Diss. Bonn, 1964), München 1965 (Überarb.; Bibliogr.: 125–242); – Ders., Albrecht Ritschl u. W. H. Eine Ausw. aus dem Briefwechsel (1875–1889), in: ZKG 79, 1968, 208 ff.; – Hermann Timm, Theorie u. Praxis in der Theol. Albrecht Ritschls u. W. H.s: Ein Btr. z. Entwicklungsgesch. des Kulturprotestantismus (Diss. Heidelberg, 1966), Gütersloh 1967 (Rez. v. G. Siegwalt, in: RHPhR 53, 1973, 105 f.); – Charles E. Carlston, Biblicism or historism. Some remarks on the conflict between Kähler and H. on the historical Jesus, in: Biblical research. Papers of the Chicago Society of Biblical Research 13, Amsterdam – Chicago 1968, 26 ff.; – Dietz Lange, Wahrhaftigkeit als sittl. Forderung u. als theol. Prinzip bei W.

H., in: ZThK 66, 1969, 77 ff.; – Viggo Mortensen, Troens grund – Troens indhold. En skelnen i W. H.s kristologi, in: DTT 35, 1972, 275 ff.; – Ole Jensen, Theol. zw. Illusion u. Restriktion. Analyse u. Kritik der existenz-kritizist. Theol. bei dem jungen W. H. u. bei Rudolf Bultmann; mit einer dän. Zus.fassung. (Übers. v. Rosemarie Løgstrup. Die beiden Gedichte v. Thorkild Bjørnvig wurden v. Heinrich Fauteck übertr.). (Diss. Aarhus, 1974), München 1975; – Rainer Lachmann, Der Rel.unterricht u. die »Ethik« W. H.s, in: ZThK 72, 1975, 47 ff.; – Volker Brecht, Die Christologie W. H.s (Diss. Tübingen), 1975; – Wolfgang Greive, Der Grund des Glaubens. Die Christologie W. H.s (Diss. München, 1972), Göttingen 1976; – Friedrich Wilhelm Kantzenbach, Das Sozialismusproblem bei W. H., in: NZSTh 18, 1976, 22 ff.; – Michael Beintker, Die Gottesfrage in der Theol. W. H.s, in: DBJ IV, 96 ff.; – KJ 49, 583; – Barth, PrTh² 608 u. ö.; – Chalkedon III, 193 f. 703; – NDB VIII, 691 f.; – EKL II, 129 ff.; – RGG III, 275 ff.; – LThK V, 275 f.

HERRMANN (Hermann), Zacharias, Dichter geistlicher Lieder, * 3. 10. 1643 in Namslau (Schlesien) als Sohn eines Administrators der königlichen Burglehnsgüter, † 10. 12. 1716 in Lissa (Polen). – H. besuchte seit 1656 das Magdalenengymnasium in Breslau, studierte seit 1664 in Jena Theologie und promovierte 1667 zum Magister. 1669 kam er als Diakonus nach Lissa und wurde dort 1681 Pastor und geistlicher Inspektor und 1692 zugleich »Generalsenior der vereinigten Kirchen der unveränderten Augsburgischen Konfession in Großpolen«. Als Liederdichter war H. sehr fruchtbar. Das beste und verbreitetste seiner etwa 300 Lieder ist »Was betrübst du dich, mein Herze, warum grämst du dich in mir?« Bekannt ist auch sein Frühlingslied »Gott, du lässest Treu und Güte täglich über uns aufgehn, zierst die Erde neu mit Blüte, schmückest Tal und Berge schön«. Genannt seien auch die Sterbelieder »Liebster Jesu, laß mich nicht, schau auf mich, wenn ich muß kämpfen« und »Wie kurz ist doch der Menschen Leben, wie eilend wird man weggerafft«.

Werke: Hist. Blumen-Gebüsch . . . in auserlesenen u. merkwürdigen Gesch., 1680; Frommer Christen seufzende Seele u. singender Mund in Gebeten u. Liedern, hrsg. v. Daniel Herrmann (Diakonus in Lissa, seinem Sohn), Breslau u. Leipzig 1722 (Reimgebete über die Evv. u. Episteln u. 40 ausgew. Lieder; Schlichtingsheim 1739²).

Lit.: Johann Jaspar Wetzel, Hymnopoeographia der Hist. Lebensbeschreibung der berühmtesten Liederdichter IV, Herrnstadt 1728, 228 ff.; – Gottlob Kluge, Hymnopoeographia Silesiaca, 2. Dec., Breslau 1752, 121 ff.; – Koch IV, 34 ff.; – Goedeke III, 293; – Kosch, LL II, 950; – ADB XII, 220.

HERRNSCHMIDT, Johann Daniel, Theologe und Kirchenliederdichter, * 11. 4. 1675 in Bopfingen (Württemberg) als Enkel und Sohn der dortigen Pfarrer Jakob Adam H. (1649–73) und Georg Adam H. (1673 bis 1714), † 5. 2. 1723 in Halle (Saale). – H. besuchte seit 1690 in Nördlingen und seit 1693 in Heilbronn das Gymnasium. 1696 bezog er die Universität Altdorf bei Nürnberg und promovierte 1698 zum Magister. Im Herbst 1698 setzte H. sein Studium in Halle fort als einer der ersten Schüler der Pietisten August Hermann Francke (s. d.), Joachim Justus Breithaupt (s. d.) und Paul Anton (s. d.) und wurde 1701 Adjunkt der Theologischen Fakultät und Franckes Gehilfe am Pädagogium. Im Frühjahr 1702 rief ihn der Vater als Vikar ins Elternhaus zurück. H. wurde im Juli 1702 Diakonus in Bopfingen und gründete nun einen eigenen Hausstand. In den Jahren 1703 und 1704 mußte er infolge des Spanischen Erbfolgekrieges schwere Drangsale durchmachen. Fürst Georg August von Nassau-Idstein, Graf zu Saarbrücken, berief H. 1712 zum Superintendenten, Hofprediger und Konsistorialrat nach Idstein. Diese ehrenvolle Berufung lehnte er zuerst ab, nahm sie aber dann auf Zureden

seiner früheren Lehrer in Halle an und erwarb sich in Halle vor Antritt seines Amtes in Idstein die theologische Doktorwürde. Auf Franckes Bitte berief Friedrich Wilhelm I. H. 1715 zum Professor der Theologie in Halle. Dort war er seit 1716 zugleich Subdirektor des Waisenhauses und des Pädagogiums. Ende Januar 1723 erkrankten H. und seine Frau an einem heftigen Katarrhfieber. Nach zwei Wochen starb er, und seine Lebensgefährtin folgte ihm 18 Stunden später im Tod nach. – H. gehört zu den bedeutenderen Dichtern des hallischen Pietismus. Seine Lieder zeichnen sich aus durch Tiefe und Innigkeit. Johann Anastasius Freylinghausen (s. d.) nahm v. H. 10 Lieder auf in sein »Geistreiches Gesangbuch«, Halle 1704, und weitere 7 in sein »Neues geistreiches Gesangbuch«, Halle 1714. Bekannt sind sein Vertrauenslied »Gott will's machen, daß die Sachen gehen, wie es heilsam ist« und seine Nachdichtung des 146. Psalms »Lobe, den Herren, o meine Seele, ich will ihn loben bis zum Tod« (EKG 198). Die Melodie dieses Lobliedes ist unbekannten Ursprungs. Sie findet sich zuerst im Anhang der »Seelenharfe«, Onolzbach (Ansbach) 1665, und dann in einer einfacheren Gestalt mit diesem Text in Freylinghausens Gesangbuch von 1714. Von H.s Liedern seien ferner genannt: »Du hochgelobter Gott, Herr Himmels und der Erden, es müsse Seel und Mund voll deines Ruhmes werden«, die Nachdichtung des 96. Psalms »Singt dem Herrn nah und fern, rühmt ihn mit frohem Schall!« und die Lieder »vom Geheimnis des Kreuzes«: »Er führt hinein, er muß auch Helfer sein« und »Er wird es tun, der fromme, treue Gott, er kann ja nicht ohn alle Maß versuchen«.

Lit.: Johann Caspar Wetzel, Hymnopoeographia oder hist. Lebensbeschreibung der berühmtesten Liederdichter IV, Herrnstadt 1728, 230 ff.; – Goedeke III, 205 f.; – Koch IV, 349 ff. 569; – Zahn III, 260; VI, 224; – Hdb. z. EKG II/1, Nr. 179 = S. 222; – ADB XII, 221 f.; – RGG III, 277.

HERROSEE, Karl Friedrich Wilhelm, Liederdichter, * 31. 7. 1764 in Berlin, † 8. 1. 1821 in Züllichau (Neumark). – H., der einer Hugenottenfamilie entstammt, studierte 1775–77 in Frankfurt an der Oder. Er war kurze Zeit in Dresden Vikar, wurde dann in Berlin Hilfsprediger an der Dreifaltigkeitskirche und am Dom und 1788 in Züllichau an der Oder reformierter Hof- und Schloßprediger, später Superintendent. H. hat sich besonders um das Schulwesen verdient gemacht. Er unterrichtete im Sinn einer frommen Aufklärung am Pädagogium, am Lehrerseminar und an der von ihm gegründeten Töchterschule in Züllichau. Bekannt ist H. durch sein Lied »Danket dem Herrn! Wir danken dem Herrn«. Die frische Weise zu diesem Lied schuf Karl Friedrich Schulz (1784–1850), der um 1810 Gesanglehrer am Seminar in Züllichau war.

Lit.: Hermann Petrich, Unser geistl. Volkslied, 1924², 118 f. 220.

HERTZBERG, Hans Wilhelm, ev. Theologe, * 16. 1. 1895 in Lauenburg (Pommern), † 1. 6. 1965 in Kiel. – H. legte 1913 in Lauenburg die Reifeprüfung ab und studierte in Marburg und Berlin. Er promovierte 1919 in Berlin zum Lic. theol. und wurde dort 1921 Privatdozent für Altes Testament. H. war seit 1923 Propst und Verwalter des Deutschen Evangelischen Palästina-Instituts in Jerusalem, 1931–47 ao. Professor in Marburg und 1932–36 Pfarrer in Caldern bei Marburg/Lahn. 1932 verlieh ihm die Theologische

Fakultät der Universität Berlin die Ehrendoktorwürde. 1936 wurde H. Studiendirektor des Predigerseminars in Hofgeismar, 1946 Prälat der Kurhessischen Landeskirche, 1947 o. Professor für Altes Testament und Palästinakunde in Kiel, Landeskirchenrat im Nebenamt, Vorsitzender der Evangelischen Akademie von Schleswig-Holstein und Vorsitzender des Vereins für das Syrische Waisenhaus.

Werke: Prophet u. Gott. Eine Stud. z. Religiosität des vorexil. Prophetentums, 1923; 75 J. dt. ev. Gemeinde Jerusalem, 1927; Der Prediger (Qohelet), übers. u. erkl., 1932 (neu hrsg. 1963); Der Dt. u. das AT. Btr. zu den Fragen um Dt.tum u. Bibel, 1934; Warum noch AT?, 1934; Palästina einst u. jetzt. Wegweiser f. Palästinareisen, 1936; Der Prophet Jes übers. u. ausgel., 1939 (1955² völlig neubearb.; Liz.ausg. 1955²); Das Buch Hi. Übers. u. ausgel., 1949 (Liz.ausg. 1950); Werdende Kirche im AT, 1950; Die Botschaft v. Anfang. Eine Ausl. der ersten Kap. der Bibel, 1950; Die Bücher Jos, Ri, Ruth, übers. u. erkl. (ATD 9), 1953 (1965³); Die Samuelbücher. Übers. u. erkl. (ATD 10), 1956 (1965³); Blicke in das Land der Bibel, 1959 (1964⁴); Btrr. z. Traditionsgesch. u. Theol. des AT, 1962. – Gab heraus: Ev. Gemeindebl. f. Palästina, 1925–30; Norddt. Beil. zu »Arbeit u. Besinnung«, 1948–55; Detwig v. Oertzen. Ein Christuszeuge im Orient, 1961.

Lit.: Prof. D. H. W. H. 65 J. alt, in: DtPfrBl 60, 1960, 93; – Friedrich Maaß, H. W. H. †, in: ZDPV 82, 1966, 109 f. – Gottes Wort u. Gottes Land. H.-W. H. z. 70. Geb. Hrsg. v. Henning Gf. Reventlow, 1965 (Verz. der Schrr. v. H.-W. H.: 221–228).

HERVEUS NATALIS, Dominikaner, * 1250/60 in der Bretagne, † 7. 8. 1323 in Narbonne. – H. N. wurde 1307 Magister der Theologie in Paris, 1309 Provinzial der französischen Provinz und 1318 Ordensgeneral. – H. N. war Führer der französischen Thomistenschulen (s. Thomas von Aquin) zu Beginn des 14. Jahrhunderts und ein bekannter philosophisch-theologischer Schriftsteller.

Werke: Sentenzenkomm., Venedig 1505; Paris 1647; 11 Quodlibeta, Venedig 1486. 1513; Quaestiones disputatae, ebd. 1513; Defensio doctrinae fratris Thomae (Ausw.: Engelbert Krebs, Theol. u. Wiss. nach der Lehre des Hochscholastik, in: BGPhMA 11, 1912, Hh. 3–4; De potestate ecclesiastica et papali, Paris 1500. 1647; De jurisdictione, hrsg. v. Ludwig Hödl, 1959.

Lit.: Daniel Antonin Mortier, Histoire des maîtres généraux de l'ordre des frères prêcheurs II, Paris 1905, 412. 525 ff.; – Werner Schöllgen, Das Problem der Willensfreiheit bei Heinrich v. Gent u. H. N. Ein Btr. z. Gesch. des Kampfes zw. Augustinismus u. Aristotelismus in der Hochscholastik (Diss. Freiburg/Breisgau), Düsseldorf 1927 (Nachdr. Hildesheim 1975); – Joseph Koch, Durandus de S. Porciano. Forsch. z. Streit um Thomas v. Aquin zu Beginn des 14. Jh.s. Tl. 1: Literargeschichtl. Grundlegungen, 1927, 211 ff.; – Durandus de S. Porciano, Qaestio de natura cognitionis et disputatio cum anonymo quodam nec non determinatio Hervei N., hrsg. v. dems., 1929 (1935²); – Josef Santeler, Der kausale Gottesbeweis bei H. N. nach dem ungedr. Traktat De cognitione primi principii, Innsbruck 1930; – A. de Guimarães, Hervé Noël (1323): Étude biographique, in: AFP 8, 1938, 5–81; – Cyril O. Vollert, The Doctrine of H. N. on Primitive Justice and Original Sin, in: AnGreg 42, 1947; – Ludwig Hödl, Die Quodlibeta minora des H. N., in: MThZ 6, 1955, 215 ff.; – Ders., Die Grundfragen der Sakramentenlehre nach H. N. (Diss. München, 1955), München 1956; – Doris Hochgürtel, Glauben u. Wissen bei H. N. (Diss. Bonn), 1956; – Elliott Bernard Allen, H. N. An early »Thomist« on the Notion of Being, in: MS 22, 1960, 1–14; – Johannes Beumer, Schr.lose Theol.? Zu den Prinzipien im Sentenzenkomm. des H. N., in: Scholastik 40, 1965, 398 ff.; – Takeshiro Takada, Die gg. Durandus gerichtete Streitschr. des H. N. »De articulis pertinentibus ad primum librum Sententiarum Durandi« (Art. 1–5), in: Sapientiae procerum amore. Mélanges médiévistes offerts à Dom Jean-Pierre Müller OSB, ed. par Theodor Wolfram Köhler, in: Studia Anselmiana 63, Rom 1974, 439 ff.; – HistLitFrance XXXIV, 308 ff.; – Quétif-Échard I, 533 ff.; – Überweg II, 530. 536 f. 771; – EncF II, 39; – LThK V, 284; – NCE VI, 939 (Harvey Nedellec); – RE VII, 771 ff.; – RGG IV, 1310 f. (Natalis Herveus).

HERWEGEN, Ildefons (Taufname: Peter), Benediktiner, Ordenshistoriker und Liturgiker, * 27. 11. 1874 in Junkersdorf bei Köln als Sohn eines Lehrers, † 2. 9. 1946 in Maria Laach (Eifel). – H. besuchte das Gymnasium in Köln und in Seckau (Obersteiermark) und trat 1895 in Maria Laach in das Noviziat des Benediktinerordens ein. 1896 legte er seine Profeß ab

und studierte in Maria Laach Philosophie, in Beuron und Rom Theologie und in Bonn Geschichte und Kirchenrecht. H. wurde 1901 Priester und 1913 Abt von Maria Laach. Seit 1907 widmete er sich besonders rechtshistorischen Studien auf den Gebieten der Liturgie und des Mönchtums. H. ist bekannt als einer der Gründer und bedeutendsten Förderer der liturgischen Erneuerung in der katholischen Kirche Deutschlands. 1931 gründete er die »Benediktinerakademie (seit 1948: Abt-Herwegen-Institut) für liturgische und monastische Forschung«.

Werke: Das Pactum des hl. Fructuosus v. Braga, 1907; Gesch. der benediktin. Profeßformel, 1912; Das Kunstprinzip in der Liturgie, 1912 (1929⁴·⁵); German. Rechtssymbolik in der röm. Liturgie, 1913; Persönlichkeit u. Liturgie, 1915; Der hl. Benedikt. Ein Charakterbild gezeichnet, 1917 (1951⁴, neubearb. u. hrsg. v. Emmanuel v. Severus; Liz.ausg. Leipzig 1960); Alte Qu. neuer Kraft. Ges. Aufss., 1920 (1922²); Lumen Christi. Ges. Aufss., 1924; Kirche u. Mysterium, 1926; Kirche u. Seele. Die Seelenhaltung des Mysterienkultes u. ihr Wandel im MA, 1926 (1928³·⁴); Christl. Kunst u. Mysterium, 1929; Vom christl. Sein u. Leben. Ges. Vortrr., 1931 (1940²); Antike, Germanentum u. Kirche. Drei Vorlesungen, Salzburg 1932; Väterspruch u. Mönchsregel, 1937; Sinn u. Geist der Benediktinerregel, 1944. – Gab heraus: Btrr. z. Gesch. des alten Mönchtums u. des Benediktinerordens, 1912 ff.; Ecclesia orans. Zur Einf. in den Geist der Liturgie, 1918 ff.; Die betende Kirche. Ein liturg. Volksbuch, 1. Bearb. 1924; 2. Bearb., 1927; Benediktin. Klosterleben in Dtld. in Vergangenheit u. Ggw., 1929. – Bibliogr., in: Liturgie u. Mönchtum 1, 1948, 39–44.

Lit.: J. Pinsk, Zum 25. Abtsjub. des Abtes v. Maria Laach, in: Liturg. Leben 5, 1938, 81; – M. Offenberg, Zum 25j. Abtsjub. des Abtes v. M. L. J. H., in: Die christl. Frau 36, 1938, 262 ff.; – Hl. Überl. Ausschnitte aus der Gesch. des Mönchtums u. des hl. Kultes. I. H. z. silbernen Abtsjub. dargebr. v. Freunden, Verehrern, Schülern u. in deren Auftr. ges. v. Odo Casel, 1938; – Wilhelm Kahles, Abt I. H., in: LuM 1, 1948, 7 ff.; – Summa Doctrinae. Eine Zus.schau der Doktrin v. Abt I. H. in Zitaten aus seinen Schrr., ebd. 18–32; – Stephanus Hilpisch, Abt I. als Persönlichkeit, ebd. 33 ff.; – Klaus Mörsdorf, I. H., Abt v. M. L., in: ThRv 45, 1949, 45; – Emmanuel v. Severus, I. H. gest., in: HJ 62–69, 1949, 937 f.; – Ders., Un maître de vie monastique en Allemagne: dom J. H., abbé de Maria Laach, in: Revue Mabillon. Archives de la France monastique 50, Ligugé (Vienne) 1961, 249 ff.; – Ders., Feier des 100. Geb. v. Abt I. H. v. M. L., in: BM 51, 1975, 66 ff.; – Was haltet Ihr v. der Kirche? Die Frage des Abtes I. H. an seine u. unsere Zeit. Btrr. u. Würdigungen aus Anlaß seines 100. Gb. vor 100 J. Gesammelt v. dems., 1976; – Theodorich Kampmann, I. H., in: Ders., Gelebter Glaube. 12 Porträts, 1957, 97 ff. 169; – I. H. Weltarbeit u. klösterl. Ideal. Die Gedanken Abt I. H.s zu Gebet u. Arbeit, in: LuM 28, 1961, 44–60; – Wilhelm Spael, Das kath. Dtld. im 20. Jh. Seine Pionier- u. Krisenzeiten, 1890–1945, 1964; – Hans Rink, I. H.: in: Zeitgesch. in Lb. Aus dem dt. Kath. des 20. Jh.s. Hrsg. v. Rudolf Morsey, II, 1975, 217 f.; – Kosch, KD 1550 f.; – NDB VIII, 723; – Catholicisme V, 697; – DSp VII, 378 f.; – LThK V, 284; – NCE VI, 1087; – EC VI, 1426; – RGG III, 281.

HERWIG, Marie Sophie, Liederdichterin, * 22. 10. 1810 in Eßlingen (Württemberg) als Tochter eines Pfarrers und Dekans, † daselbst 6. 1. 1836. – Sophie H. verlor mit zwei Jahren ihre Mutter. Ihr Lebensglück sah sie schmerzlich gestört durch eine Verkrümmung des Rückgrats, die sich in ihrem 12. Lebensjahr bemerkbar machte. Alle Heilversuche blieben erfolglos, so daß sie mit 14 Jahren ganz krumm und ausgewachsen war. Sophie H. ging durch schwere Leidenszeiten hindurch, da sich ihre körperlichen Beschwerden mit den Jahren mehrten; aber sie trug in der Kraft des Glaubens ihre Last, unter der sich das innere Leben bei ihr immer mehr entfaltete. Ihr Vater taufte am Trinitatisfest 1820 in der Eßlinger Hauptkirche einen aufrichtig bekehrten Rabbiner, Johann Peter Goldberg († 1848) aus Neuwied, mit Frau und vier Kindern; dieser wurde einer der eifrigsten Judenmissionare. Diese Taufe gehört zu den unauslöschlichen Kindheitserinnerungen der Sophie H. und erklärt ihre Liebe zum Volk Israel. Auch der häufige Verkehr mit einer gläubigen Proselytenfamilie weckte in ihrem Herzen diese Liebe und ihren Eifer für die Judenmission. Albert Knapp (s. d.) nahm einige ihrer Lieder in seinen »Evangelischen Liederschatz für Kirche und Haus« auf, Stuttgart 1837, darunter das bekannte »Missionslied für Israel«: »Wasserströme will ich gießen, spricht der Herr, aufs dürre Kand.« In dem Gesangbuch für die Mennonitengemeinden von J. Mannhardt, Danzig 1854, findet sich ihr Lied der »Jesusliebe«, das auch in das Deutsche Gemeinschaftsliederbuch »Reichslieder« aufgenommen worden ist: »Gib, daß stets ich treu dir bleibe, dein'n blutgen Tod ins Herz mir schreibe mit Flammenzügen tief hinein.«

Lit.: Koch VII, 325 f.; – Walter Schulz, Reichssänger. Schlüssel z. dt. Reichsliederbuch, 1930, 64 f.

HERZ, Johannes, Theologe, * 13. 6. 1877 als Pfarrerssohn in Oberleutersdorf (Sachsen), † 6. 11. 1960 in Leipzig. – H. studierte in Tübingen, Marburg und Leipzig und wirkte nach kurzer Hauslehrerzeit als Pastor 1903 in Waltersdorf bei Zittau (Oberlausitz), seit 1904 in Chemnitz und seit 1915 in Leipzig. Zum Studium der englischen sozial-kirchlichen Arbeit bereiste er 1910 mit anderen Theologen mehrere Wochen England, Schottland und Wales. Seit 1923 war H. Generalsekretär des Evangelisch-Sozialen Kongresses und seit 1929 zugleich Leiter des Evangelisch-Sozialen Instituts. 1925 gehörte er zur deutschen Abordnung auf der Weltkirchenkonferenz in Stockholm. Eine dreimonatige Palästinareise machte ihm 1927, wie er sagte, die Welt des Alten und Neuen Testaments lebendig. Nach der Wiedereröffnung der Universität Leipzig nach dem zweiten Weltkrieg wurde H. mit einem Lehrauftrag für Sozialethik und Religionssoziologie betraut. Als Mitglied des Weltfriedensrats war er wiederholt in Schweden und anderen Ländern.

Werke: Hat Jesus gelebt? Eine Antwort auf Drews' »Christusmythe«, 1913; Die Aufgaben unserer Kirchgemeinden an der konfirmierten männl. Jugend, 1914; Arbeiterschaft u. Kirche nach dem Krieg, 1916; Die Aufgaben der Frau nach dem Krieg, 1917; Volkskirche u. Freikirche. Vortr. auf der Sächs. kirchl. Konferenz, 1921; Der Prot. u. die soziale Frage, in: Der Prot. der Ggw., hrsg. v. Gotthilf Schenkel, 1926, 338–382; Der soziale Pfr., 1928; Großgrundbesitz in Palästina im Zeitalter Jesu, in: PJ 24, 1928, 98 ff.; Worte Jesu. Eine Mitgabe fürs Leben, 1929; Adolf v. Harnack u. der ev.-soz. Kongreß, 1930; Ein moderner ev. Kirchenbau, 1932; Nationales u. soziales Christentum. Ein Ausz. aus Friedrich Naumanns Gedankenwelt, 1935; Dt. soziales Profetentum. Vortr., 1935; Was hat uns das dt. soziale Protentum Wicherns, Stöckers u. Naumanns f. die kirchl. Ggw. zu sagen?, in: Pastoralbl. f. Kurhessen/Waldeck, Aug. 1938; Bleibende Wahrheiten im Wechsel der Zeiten. 25 J. ev. Verkündigung im Großstadt, 1940; Die sozial-eth. Gedankenwelt in Jesu Verkündigung, in: Festh. der ThLZ zum 75. Geb. v. Horst Stephan, Dez. 1948; Die Frage des Friedens u. der Einheit unseres Vaterlandes vom theol. Standpunkt aus gesehen, in: »Friede sei mit Euch!« Eine hist. Tagung sächs. Pfr., 1950, 5 ff.; Der Kampf für den Frieden in der antiken Welt, in: Wiss.ler kämpfen f. den Frieden, hrsg. vom Staatssekretariat f. Hochschulwesen, 1951, 51–72; Formgeschichtl. Unterss. z. Apg (Btr. z. Festschr. z. 75. Geb. v. Karl Heussi), 1952; Formgeschichtl. Unterss. z. Problem des Hiobbuches (Btr. z. Festschr. z. 70. Geb. v. Albrecht Alt), in: WZ Leipzig 3, 1953/54, Ges.- u. sprachwiss. Reihe, 157 ff.; Die Gleichnisse der Evv. Mt, Mk u. Lk in ihrer geschichtl. Überl. u. ihrem rel.-sittl. Inhalt, in: Bekenntnis z. Kirche. Festg. f. Ernst Sommerlath, 1960, 54–93; Mein Weg z. Friedensbewegung, in: Dt. Protestanten entschlossen z. Kampf f. den Frieden, hrsg. v. Christl. Arbeitskreis im Dt. Friedensrat. – Gab heraus: Die Verhh. des ev.-soz. Kongresses Iserlohn 1923, Reutlingen 1924, Halle 1925, Saarbrücken, 1926; Hamburg 1927, Dresden 1928, Frankfurt 1929, Duisburg 1931, Karlsruhe 1932; »Ev.-Sozial«. Vjschr. f. die sozial-kirchl. Arbeit, 1923–41; Die soz. Korr. des ev.-soz. Kongresses, 1928–32; Versöhnungsgemeinde u. Versöhnungskirche in Leipzig-Gohlis. Festschr., 1932; Ev. Ringen um soziale Gemeinschaft. 50 J. ev.-soz. Kongreß 1890–1940, 1940. – Bibliogr., zus.gest. v. F. Ostarhild, in: ThLZ 77, 1952, 380 ff.

Lit.: Hans Bardtke, In memoriam J. H., in: ThLZ 86, 1961, 235 ff.; – K. Wiesner, J. H. †, in: Glaube u. Gewissen. Eine prot. Mschr. 7, Halle/Saale 1961, 106 f.; – NDB VIII, 730 f.

HERZL, Theodor, jüdischer Schriftsteller, Begründer des politischen Zionismus, * 2. 5. 1860 in Budapest als Sohn eines Kaufmanns, † (durch Selbstmord) 3. 7. 1904 in Edlach (Niederösterreich), beigesetzt in Wien-Döbling, 1950 nach Jerusalem übergeführt. – H. besuchte in Budapest die jüdische Volksschule, dann die Realschule und schließlich das humanistische Gymnasium und studierte seit 1878 in Wien auf Wunsch seiner Eltern die Rechte, hörte aber zugleich Philosophie und österreichische Geschichte und promovierte zum Dr. phil. Seine Studienzeit war besonders reich an literarischen Versuchen. Er trat der Burschenschaft »Albia« bei, ließ sich aber 1883 aus der Mitgliederliste streichen, weil die Verbindung sich der antisemitischen Bewegung des »Vereins Deutscher Studenten« angeschlossen habe. Im Sommer 1883 bestand H. das juristische Staatsexamen. Nach kurzer Tätigkeit beim Landgericht in Wien ließ er sich nach Salzburg versetzen, wandte sich aber nun der schriftstellerischen Laufbahn zu und wurde vor allem als Dramatiker und Feuilletonist bekannt. Im Frühjahr 1887 trat H. als Feuilletonredakteur in die »Wiener Allgemeine Zeitung« ein. Ende 1891 wurde er in Paris Korrespondent der »Neuen Freien Presse« in Wien und war von 1896 bis zu seinem Tod ihr Feuilletonredakteur. Durch den Antisemitismus der neunziger Jahre und das Miterleben des Dreyfusprozesses in Paris (1895) erwachte in H., der von Haus aus dem Judentum entfremdet und der Assimilation an seine Umwelt verfallen war, das Gefühl der Verbundenheit mit dem jüdischen Volk, dem er 1896 in seiner Schrift »Der Judenstaat« Versuch einer modernen Lösung der Judenfrage« Ausdruck verlieh: »Ich halte die Judenfrage weder für eine soziale noch für eine religiöse, wenn sie auch noch so und anders färbt. Sie ist eine nationale Frage, und um sie zu lösen, müssen wir sie vor allem zu einer politischen Weltfrage machen, die im Rate der Kulturvölker zu lösen sein wird. Wir sind ein *Volk, ein* Volk! Die Judenfrage wird nur gelöst durch Auswanderung, durch Sammlung des Volkes aus seiner Zerstreuung, durch seine Konzentration im eigenen Land, unter eigener Herrschaft und eigener Verantwortung, kurz, durch die Gründung des Judenstaates.« Durch diese Broschüre wurde H. zum Schöpfer der zionistischen Bewegung, die sich durch ihre politische Zielsetzung von den älteren Formen des jüdischen Nationalismus grundsätzlich unterscheidet. H. wirkte seitdem als unermüdlicher Propagator seiner Idee und als diplomatischer Unterhändler und Organisator des Zionismus. Die Mehrheit des westeuropäischen Judentums lehnte H.s Idee entrüstet ab, während sie bei dem Ostjudentum und der Jugend der westlichen Länder begeisterten Anklang fand. Nach seiner Übersiedlung nach Wien gründete H. am 3. 6. 1897 das zionistische Zentralorgan »Die Welt« und berief gemeinsam mit dem Schriftleiter und Arzt Max Nordau (* 29. 7. 1849 in Budapest, † 22. 1. 1923 in Paris) den ersten Zionistenkongreß, der vom 29. bis 31. 8. 1897 in Basel tagte und folgenden Grundsatz, das »Basler Programm«, annahm: »Der Zionismus erstrebt für das jüdische Volk die Schaffung einer öffentlich-rechtlich gesicherten Heimstätte in Palästina.« Der Basler Kongreß schuf die »Zionistische Organisation«, wählte H. zu ihrem ersten Präsidenten und bestimmte Wien zum Sitz der Zentrale. H. bemühte sich vergeblich, die jüdische Hochfinanz für seine Idee zu gewinnen. Ebenso erfolglos waren seine eifrigen und nimmer rastenden politisch-diplomatischen Bemühungen, von der türkischen Regierung einen Charter (Freibrief) zu erlangen: die vom Sultan zu erteilende und von den Großmächten zu garantierende Urkunde, wonach den Zionisten unter türkischer Souveränität die Selbstverwaltung Palästinas übertragen werden sollte. Er bemühte sich auch, einflußreichste Persönlichkeiten für den Zionismus zu interessieren. Wilhelm II. empfing ihn 1898 in Konstantinopel und Jerusalem, und Pius X. (s. d.) gewährte ihm 1904 eine Audienz; aber er kam durch sie keinen Schritt weiter auf dem Weg nach Palästina. Da er besondere Erwartungen auf England setzte, berief H. 1901 den 4. Zionistenkongreß nach London. Er knüpfte Beziehungen zur englischen Regierung an und versuchte, eine Konzession für eine autonomische jüdische Siedlung in einem der unter englischer Oberhoheit stehenden Nachbargebiete Palästinas zu erlangen. Auch diese Bemühungen blieben erfolglos. Die englische Regierung machte ihm den Vorschlag, eine autonomische jüdische Siedlung in Uganda (Britisch-Ostafrika) ins Leben zu rufen. H. war nicht abgeneigt, auf dieses Angebot einzugehen, ohne damit den Gedanken an Palästina als die endgültige Heimstätte des jüdischen Volkes aufzugeben. Das rief in den Reihen der Bewegung schärfsten Widerspruch und stärksten Widerstand gegen H.s Politik hervor. Nur mit Mühe konnte er 1903 auf dem 6. Kongreß es durchsetzen, daß eine Expedition nach Uganda gesandt werden sollte, um das Land auf seine Eignung für eine jüdische Kolonisation zu erforschen. Die Mittel für diese Forschungsreise bewilligte aber der Kongreß nicht. Der zionistischen Bewegung drohte die Spaltung. Da gelang es H., im April 1904 auf einer Sitzung des Aktionskomitees einen vorläufigen Friedenszustand herzustellen; er beteuerte, an Palästina als dem Endziel unerschütterlich festzuhalten. H.s früher Tod war für die zionistische Bewegung ein unerwarteter, schwerer Verlust; unter den Männern seiner nächsten Mitarbeiterschaft war keiner, der auch nur im entferntesten den verwaisten Führerposten ausfüllen konnte. Trotz heftigen Widerstandes und innerer Krisen war es H. innerhalb weniger Jahre gelungen, die zionistische Idee in weite Kreise hineinzutragen und für sie eine festgefügte Organisation zu schaffen. In »Altneuland« hat er 1902 das Bild des jüdischen Zukunftsstaates in Palästina gezeichnet. Der Roman schließt mit dem Wort: »Wenn ihr wollt, ist es kein Märchen.«

Werke: Neues v. der Venus. Plaudereien u. Gesch.n, 1887; Buch der Narrheit (Feuilletons), 1888; Lustspiele: Der Flüchtling, 1889; Muttersöhnchen, 1889; Causa Hirschkorn, 1890; Seine Hoheit, 1890; Was wird man sagen?, 1890; Die Dame in Schwarz, 1890 (mit Hugo Wittmann); Wilddiebe, 1891 (mit dems.); Prinzen aus Genieland, 1891; Die Glosse, 1895; Das Palais Bourbon (Bilder aus dem frz. Parlament), 1895; Schauspiele: Das neue Ghetto, 1897; Gretel, 1899; Unser Käthchen, 1899; Solon in Lydien, 1900; Der Judenstaat. Vers. einer modernen Lösung der Judenfrage, 1896 (1936¹¹); Philos. Erzz., 1900; Altneuland (Roman), 1902; Feuilletons, 2 Bde., 1904 (3 Bde., 1911); Zionist. Schrr., hrsg. v. Leon Kellner, 2 Bde., 1905 (1934³); Tagebücher 1895–1904, 3 Bde., 1922 (1934³); Briefe, hrsg. u. eingel. v. Manfred Georg, 1935.

Lit.: Georg Hecht, Der neue Jude, 1911; – Adolf Friedemann,

Das Leben Th. H.s, 1914 (1919²); – Martin Buber, Die jüd. Bewegung. Ges. Aufss. u. Ansprachen, 1900–1915, I, 1916 (1920²); – Ders., Die drängende Stunde (Über Leo Pinsker u. Th. H.), in: Ders., Der Jude u. sein Judentum. Ges. Aufss. u. Reden, 1963, 420 ff.; – Ders., Th. H., ebd. 775 ff.; – Ders., H. u. die Historie, ebd. 783 ff.; – Ders., Er u. wir. Zu Th. H.s 50. Geb. (1910), ebd. 795 ff.; – Ders., Sache u. Person. Eine Erinnerung, ebd. 800 ff.; – Ders., H. vor der Palästinakarte, ebd. 805 ff.; – Baruch Hagani, Le Sionisme politique et son fondateur Th. H., Paris 1918; – Leon Kellner, Th. H.s Lehrj. (1860–1895), Wien 1920; – Adolf Böhm, Die zionist. Bewegung. Eine kurze Darst. ihrer Entwicklung. 1. Tl.: Die Bewegung bis z. Tode Th. H.s, 1920 (Tel Aviv 1935²); – Felix Salten, Th. H., in: Ders., Geister der Zeit. Erlebnisse, Wien 1924, 76 ff.; – Nahum Sokolow, Gesch. des Zionismus, ebd. 1925; – Jacob de Haas, Th. H. A biographical study, 2 Bde., New York 1927; – Schmarja Gorelik, H. in seinen Tagebüchern, 1929; – Th. H. Ein Gedenkbuch z. 25. Todestage. v. der Exekutive der Zionist. Organisation, 1929; – Zeitgenossen über H., hrsg. v. Tulo Nussenblatt, Brünn 1929; – Ders., Ein Volk unterwegs z. Frieden. Mit erstmal. Veröff. v. Arch.-Dokumenten aus dem Leben u. Wirken v. Th. H., Wien 1933; – Manfred Georg, Th. H. Sein Leben u. Vermächtnis, 1932; – Zygmunt Föbus Finkelstein, Schicksalsstunden eines Führers. 7 Bildnisse um Th. H., Amsterdam 1934; – Lev Baratz, Réalités et rêveries de ghetto. Souvenirs sur H. et le 3me Congrès Sioniste, Genf 1934; – Paul J. Diamant, Th. H.s väterl. u. mütterl. Vorfahren, Jerusalem 1934; – Alexander Bein, Th. H. Biogr., Wien 1934 (engl. Philadelphia 1941, London 1957). – Ders., Erinnerungen u. Dokumente über H.s Begegnung mit Wilhelm II., in: Zschr. f. die Gesch. der Juden 2, 1965, 35 ff.; – Ders., Th. H., in: Die Großen der Weltgesch., hrsg. v. Kurt Fassmann, IX, Zürich 1970, 446 ff.; – Josef Fränkel, Th. H. Des Schöpfers erstes Wollen, Wien 1934; – Dr. Siegmund Werner, ein Mitarbeiter H.s. Briefe v. S. W. an Th. H. Ausgew. u. hrsg. v. dems., Prag 1938; – Ders. u. Joseph Leftwich, Th. H., the Man and the Legend, London 1943; – Ders., Lucien Wolf and Th. H., ebd. 1960; – Ders. Dubnow, H. and Ahad Ha-am. Political and cultural Zionism, ebd. 1963; – Josef Kastein (d. i. Julius Katzenstein), Th. H. Das Erlebnis des jüd. Menschen, Wien 1935; – Saul Raphael Landau, Sturm u. Drang im Zionismus. Rückblicke eines Zionisten vor, mit u. um Th. H., ebd. 1937; – Emil Bernhard Cohn, David Wolffsohn, H.s Nachfolger, Amsterdam 1939; – André Chouraqui, Th. H. Inventeur de l'État d'Israël, Paris 1940; – Ders., Th. H. ebd. u. Tel Aviv 1960; – Ders., A man alone; the life of Th. H., Jerusalem 1970; – Stefan Zweig, Die Welt v. gestern. Erinnerungen eines Europäers, Stockholm 1944⁹⁻¹³; Frankfurt/Main 1947; Wien 1948; – Norbert Weldler, Der Sieg des zionist. Gedankens, Zürich 1945²; – Israel Cohen, The Zionist Movement, London 1945; – Ders., A short History of Zionism, ebd. 1951; – Ders., Th. H. His life and times, ebd. 1953; – Ders., Th. H. Founder of political Zionism, New York – London 1959; – A. Fischer, Ein Lb. Th. H., in: Der Weg. Zschr. f. Fragen des Judentums 5, 1950, Nr. 26, S. 6; – Simon Samuel Schochet, Dr. Th. H. als Journalist, Schr.steller, Staatsmann (Diss. München), 1950; – Oskar Kwasnik Rabinowicz, Fifty Years of Zionism. A historical analysis of Dr. Weizmann's »Trial and Error«, London 1952²; – Ders., H. Architect of the Balfour Declaration, New York 1958; – Chaim Weizmann, Memoiren. Das Werden des Staates Israel (Engl. Orig.titel: Trial and Error. Übers. v. Thea Maria Lenz) Zürich 1953; – Richard Lichtheim, Gesch. des dt. Zionismus, Jerusalem 1954; – Gedenken an Th. H., in: Ev. Welt 8, 1954, 489; – J. Weinberg, Dr. Th. H.s Beziehung z. jüd. Rel., in: Münchener jüd. Nachrr. 4, 1954, Nr. 20, S. 3; – Schalom Ben-Chorim, Mythos u. Wirklichkeit. Zum 51. Todestag Th. H.s am 20. Tamus 5715, ebd. 5, 1955, Nr. 19, S. 1 f.; – Léon Vogel, La vie pathétique de Th. H., Paris 1955; – Kurt Schubert, Israel. Staat der Hoffnung, 1957 (1960²); – Burghard Freudenfeld, Israel. Experiment einer nationalen Wiedergeburt, 1959; – Erwin Rosenberger, H. as I remember him, New York 1959; – Oscar Isaiah Janowski, Foundations of Israel, Princeton 1959; – Th. H.s Ausstrahlung. Zum 100. Geb., in: Bulletin f. die Mitglieder der Ges. der Freunde des Leo Baeck-Institutes, Tel Aviv 1960, 155 f.; – H. Hechler, The Grand Duke of Baden and the German Emperor 1896–1904. Dokumente, hrsg. v. H. u. B. Ellern, ebd. 1961; – Ben Halpern, The Idea of the Jewish State, Cambridge/Massachusetts 1961; – Olga Schnitzler, Spiegelbild der Freundschaft, Salzburg 1962; – Joseph Adler, The H. paradox. Political, social and economic theories of a realist, New York 1962; – Winfried Döbertin, Der Zionismus Th. H.s. Ein ideengeschichtl. Btr. zu den hist. Voraussetzungen des Staates Israel (Diss. Hamburg), 1964; – Im Anfang der zionist. Bewegung. Eine Dokumentation auf der Grdl. des Briefwechsels zw. Th. H. u. Max Bodenheimer v. 1896 bis 1905. Bearb. v. Henriette Hannah Bodenheimer, 1965; – A. Stern, The Genetic Tragedy of Th. H., 1965; – Martha Hofmann, Th. H. Werden u. Weg, Frankfurt/Main 1966; – Moritz Güdemann (Rabbiner, 1835–1918) and Th. H., in: Yearbook. Publications of the Leo Baeck Institute 11, London 1966, 67 ff.; – Arthur Freud, Gestalten um H. in Wien, in: Zschr. f. die Gesch. der Juden 3, 1966, 219 ff.; 9, Tel Aviv 1972, 235 ff.; – Wilhelm Adler, Th. u. der Zionismus, in: Europ. Begegnung 8, 1968, 278 ff.; – Henry J. Cohn, Th. H.'s conversion to zionism, in: Jewish social studies. A quarterly journal devoted to contemporary and historical aspects of Jewish life 32, New York 1970, 101 ff.; – Paul Henriet, La pensée politique de Th. H., in: Res publica. Revue de l'Institut belge de science politique 13, Brüssel 1971, 101 ff.; – Norman Kotker, H. the king, New York 1972 (Rez. v. Harry Zohn, in: Modern Austrian Literature 6, Binghamton/New York 1973, 252 ff.); – Harry Zohn, Th. H., der Mann und das Werk, in: Zschr. f. die Gesch. der Juden 10, Tel Aviv 1973, 73 ff.; – Biogr. Wb. z. dt. Gesch. I², 1973, 1131 ff.; – Desmond Stewart, H.'s journeys in Palestine and Egypt, in: Journal of Palestine studies. A quarterly on Palestinian affairs and the Arab-Israeli conflict 3, Beirut 1973–74, 18 ff.; – Ders., Th. H., New York 1974 (Rez. v. Graham Benton, in: Journal of Palestine studies. A quarterly on Palestinian affairs and the Arab-Israeli conflict 4, Beirut 1974–75, 134 ff.); – Amos Elon, Morgen in Jerusalem. Th. H., sein Leben u. Werk (Aus dem Engl. übers. v. Traudl Lessing), Wien – München – Zürich 1975; – Julius H. Schoeps, Th. H. Wegbereiter des polit. Zionismus, 1975; – Rudolf Kallner, H. u. Rathenau. Wege jüd. Existenz an der Wende des 20. Jh.s, 1976; – Kosch, LL II, 955 f.; – KLL IV, 106 ff. (Judenstaat); – JüdLex II, 1571–1576; – EJud VII, 1222 bis 1228; – UJE V, 337–343; – EncJud VIII, 407–421; – Lex. des Judentums (Bertelsmann Lex. Verlag), 1971, 286 f.; – NDB VIII, 735 ff.; – RGG III, 287; – LThK X, 1379 f. (Zionismus).

HERZOG, Eduard, der erste christkatholische Bischof der Schweiz, * 1. 8. 1841 in Schongau (Kanton Luzern) als Sohn eines Bauern, † 26. 3. 1924 in Bern. – H. besuchte seit 1855 das Gymnasium in Luzern und trat nach seinem Abitur 1863 in die dortige theologische Lehranstalt ein. Er studierte im Sommer 1865 und Winter 1865/66 in Tübingen und im Sommer 1866 in Freiburg (Breisgau) und beschloß das Studium im Seminar in Solothurn. Am 16. 3. 1867 empfing H. die Priesterweihe und wurde Religionslehrer am Lehrerseminar in Rathausen. Da an der theologischen Lehranstalt in Luzern in kurzer Zeit die Stelle eines Professors der Exegese und Kirchengeschichte besetzt werden mußte und die Regierung H. dazu vorgesehen hatte, sandte sie ihn im Herbst 1867 nach Bonn zur Vollendung seiner Studien und zur Vorbereitung auf dieses neue Amt. Im Herbst 1868 erfolgte seine Ernennung zum Professor. Pius IX. (s. d.) berief am Peter- und Paulstag 1868 auf den 8. 12. 1869 ein allgemeines Konzil ein, dessen Zweck geheimgehalten wurde. H. befürchtete mit vielen anderen, daß es sich um die dogmatische Proklamierung der päpstlichen Unfehlbarkeit handeln könnte. »Im April 1870 vereinigten sich unser vier, Stadtpfarrer M. Schürach, die Gymnasialprofessoren Suppiger und Helfenstein und ich, zur Herausgabe eines Kirchenblattes, mit dem wir bekunden wollten, daß auch wir in der Schweiz gegen den Versuch, den päpstlichen Absolutismus oder, was dasselbe ist, den Jesuitismus mit dogmatischer, für alle Gewissen verbindlicher Autorität als die wahre und ewig gültige Form des Katholizismus hinzustellen, Protest erheben. Wir gaben unserem Blatt den Titel ›Katholische Stimme aus den Waldstätten‹ und fanden sofort zahlreiche Leser in allen Teilen der deutschen Schweiz.« Das Vatikanische Konzil hatte den von den Jesuiten gewünschten Erfolg. Am 18. 7. 1870 verkündete der Papst die neuen Glaubenssätze. Noch an demselben Tag erklärte Frankreich Deutschland den Krieg. H. wurde zum Feldprediger ernannt und mußte mit der Truppe in das Gebiet der Aare und dann in den Berner Jura ziehen. Der Felddienst dauerte bis in den Oktober hinein. Nach seiner Rückkehr nach Luzern setzte er seine Arbeit an der »Katholischen Stimme aus den Waldstätten« fort. Als das Blatt Ende 1870 einging, schrieb er Artikel für den »Rheinischen Merkur« und das »Luzerner Tageblatt«. Nach einer Vorladung vor den bischöflichen Kommissar erwartete er seine Suspension; doch zu einem Bruch kam es noch nicht. »Aber ich befand mich in unseliger Situation. Ich

konnte mich wirklich nicht mehr mit gutem Gewissen zum Klerus der offiziellen Kirche rechnen. Diese war eine andere geworden. Das empfanden auch andere Leute.« Die Entscheidung brachte der Altkatholikenkongreß in Köln vom 19. bis 22. 9. 1872, den H. besuchte. Er stellte sich dem altkatholischen Komitee in Köln zur Verfügung und wurde am 27. 9. 1872 zum Pfarrer der altkatholischen Gemeinde von Krefeld gewählt. Am 9. 3. 1873 berief ihn die Gemeinde Olten (Kt. Solothurn) zu ihrem Pfarrer. Seit Anfang 1876 wirkte H. in Bern als Pfarrer und Professor der altkatholischen Fakultät. Auf der zweiten christkatholischen Synode in Olten am 7. und 8. 6. 1876 wurde er zum ersten christkatholischen Bischof der Schweiz gewählt und am 18. 9. in Rheinfelden geweiht durch den altkatholischen Bischof Joseph Hubert Reinkens (s. d.) in Bonn. Am 6. 12. 1876 sprach der Papst in einer Bulle über H. die Exkommunikation und das Anathema aus. 1884 gab H. das Pfarramt auf. 1884/1885 war er Rektor der Universität Bern.

Werke: Gemeinschaft mit der anglo-amer. Kirche. Beobachtungen u. Mitt., 1881; Über Rel.freiheit in der helvet. Republik, bes. Berücks. der kirchl. Verhältnisse in den dt. Kt. Stud. z. Rektoratsrede, 1884; Synodalpredigten u. Hirtenbriefe, 1886; Über den röm. Ablaß, 1890; Btrr. z. Vorgesch. der christ-kath. Kirche der Schweiz, 1896; Predige das Wort. Predigten über die ev. Lesungen der Sonn- u. Festtage des Kirchenj., 1897; Hirtenbriefe, NF, 1901; Stiftspropst Josef Burkhard Leu u. das Dogma v. 1854. Ein Btr. z. Vorgesch. des vatikan. Konzils, 1904; Gott ist die Liebe. Andachtsbuch, 1914 (1917²). – Vollst. Verz. der Aufss., in: Revue internationale de théologie, 1893–1910; u. in: IKZ 1911–24.

Lit.: Friedrich Heiler, 50 J. Altkath. Zum Tode v. Bisch. E. H., in: Ders., Ev. Katholizität. Ges. Aufss. u. Vortrr. I, 1926, 9 ff.; – Walter Eduard Herzog, Bisch. Dr. E. H. Lb., Laufen 1935; – Gaugler, Zeuge des Glaubens. E. H., in: Altkath. Volksbl. 7, 1955, 35 f. 47. 49 f.; – ADB XII, 264; – NDB VIII, 739 f.; – HBLS IV, 205; – RGG III, 287.

HERZOG (Hertzog), Johann Friedrich, Jurist und Kirchenliederdichter, * 6. 6. 1647 als Pfarrerssohn in Dresden, † daselbst 21. 3. 1699. – Nach vierjährigem Besuch der Fürstenschule in Meißen studierte H. 1666 bis 1670 in Wittenberg die Rechte und wurde 1671 in Pretzsch (Sachsen) Hofmeister der Söhne des Generalleutnants von Arnim, die er nach einem halben Jahr nach Wittenberg begleitete und in ihren Studien leitete. H. wurde 1674 in seiner Vaterstadt Rechtsanwalt und promovierte 1678 in Jena zum Dr. jur. – H. ist bekannt durch das Lied »Nun sich der Tag geendet hat und keine Sonn mehr scheint«, das er 1670 als Student in Fortsetzung der ersten Strophe eines weltlichen Abendliedes von Adam Krieger (s. d.) dichtete (EKG 364, 2–7 und 9).

Lit.: Johann Caspar Wetzel, Hymnopoeographia oder Hist. Lebensbeschreibung der berühmtesten Liederdichter I, Herrnstadt 1719, 418; – Gabriel Wimmer, Ausführl. Liederkrl., 3. Tl., Altenburg 1749, 506 ff.; – Koch III, 361 ff.; – Goedeke III, 192; – ADB XII, 251.

HERZOG, Johann Georg, ev. Kirchenmusiker, * 5. 8. 1822 in Hummendorf bei Kronach (Oberfranken) als Sohn eines Leinenwebers, † 3. 2. 1909 in München. – H. besuchte seit 1839 das Lehrerseminar in Altdorf bei Nürnberg und kam 1841 als Schulverweser nach Bruck bei Hof. Er wurde 1843 Organist und 1848 auch Kantor an der evangelischen Stadtpfarr- und Hofkirche St. Matthäus in München und 1850 Lehrer für Orgelspiel an dem 1846 eröffneten Konservatorium. Die Universität Erlangen berief ihn 1854 als Universitäts-Gesang- und Musiklehrer zum Direktor des neuerrichteten Instituts für Kirchenmusik. H. wirkte außerdem als Organist an der Universitätskirche und Leiter des Akademischen (Kirchen-)Gesangvereins und gab 1859–1879 den Gesangunterricht am Gymnasium. 1866 verlieh ihm die Philosophische Fakultät der Universität Erlangen den Dr. mus. h. c. 1872 wurde er ao. Professor und lebte von 1888 an im Ruhestand wieder in München. – H. war ein ausgezeichneter Orgelvirtuose und einer der bedeutendsten evangelischen Kirchenmusiker der 2. Hälfte des 19. Jahrhunderts.

Werke: Orgel- u. geistl. Vokalwerke; Smlg.en u. Lehrwerke, u. a.: Orgelschule op 41, das am meisten verbreitete Lehrb. des Orgelspiels; liturg. Werke; Bearbeitungen, u. a.: Choralschatz. 283 Melodien der ev. Kirche; 62 geistl. Lieder u. Volksweisen aus älterer u. neuerer Zeit. – Verz. der gedr. Werke, in: KmBll 3, 1922 (unvollst.).

Lit.: Christian Geyer, J. G. H., in: MGkK 7, 1902, 267 ff.; – Ders., Heiteres u. Ernstes aus meinem Leben, 1929, 53 ff.; – H. Werner, J. G. H., in: Bll. f. Haus- u. Kirchenmusik 7, 1903; – J. Perger, Aus Joseph Rheinbergers Leben u. Schaffen, in: Die Musik 5, 1905/06, bes. 213 f.; – Friedrich Spitta, Liturg. Rückblick auf die Erlebnisse eines halben Jh.s, in: MGkK 14, 1909, 1 ff. 76 ff. bes. 77; – Ders., J. G. H. †, ebd. 73 f.; – Max Herold, J. G. H. †, in: Siona. Mschr. f. Liturgie u. Kirchenmusik 34, 1909, 221 ff.; – Theodor Kolde, Die Univ. Erlangen unter dem Hause Wittelsbach 1810–1910, 1910, 439 f. 526; – Friedrich Mergner. Ein Lb. Mit einem Vorw. v. August Sperl, 1910, 183. 187. 238. 242; – Friedrich Nägelsbach, Die Pfarrei Erlangen-Neustadt v. 1751–1855, 1915, 52 f.; – Marie Herzog, Zur Erinnerung an Dr. J. G. H., 1915; – Theodor Kroyer, Joseph Rheinberger, 1916, 22. 25. 33. 83. 161; – E. Schmidt, Zum 100. Geb. v. Dr. J. G. H., in: KmBll. 3, 1922, 162 ff.; – A. Zahn, Nachtrr. z. Dr. J. G. H.-Gedenkfeier, in: ZevKM 4, 1926, 41 ff.; – Paul Althaus, Aus dem Leben v. D. Althaus-Leipzig, 1928, 15; – August Scheide, Zur Gesch. des Choralvorspiels, 1930, 184 ff. 314. 316; – Otto Ursprung, Die kath. Kirchenmusik, 1931, 282; – Gotthold Frotscher, Gesch. des Orgelspiels u. der Orgelkomposition, 2 Bde., 1934–35; – Joachim Petzold, Die gedr. 4st. Choralbücher f. die Orgel der dt. ev. Kirche (1785–1933) (Diss. Halle), 1935; – Hans Kreßel, Die Liturgie der Ev.-Luth. Kirche in Bayern rechts des Rheins. Gesch. u. Kritik ihrer Entwicklung im 19. Jh., 1935 (1953²); – Ders., Die Liturgik der Erlanger Theol., 1948², 66 f. 139; – Gymnasium Fridericianum. Festschr. z. Feier des 200j. Bestehens des Humanist. Gymnasium Erlangen (1745–1945), 1950, 153. 165; – Hans Joachim Moser, Die ev. Kirchenmusik in Dtld., 1954; – Adolf Pongratz, Musikgesch. der Stadt Erlangen im 18. u. 19. Jh. (Diss. Erlangen), 1958; – Franz Krautwurst, J. G. H., in: Gottesdienst u. Kirchenmusik 3, 1959, 79 ff.; – Ders., J. G. H., Orgelvirtuose, ev. Kirchenmusiker, Univ.lehrer u. Prof. in Erlangen, in: Ll. aus Franken VI, 1960, 251 ff.; – Ders., Briefe v. Christian Heinrich Rinck, Felix Mendelssohn-Bartholdy u. Robert Schumann aus dem Nachlaß J. G. H.s in der Erlanger Univ.bibl., in: Jb. f. fränk. Landesforsch. 21, 1961; – Friedrich Blume, Gesch. der ev. Kirchenmusik, 1965², 253. 257. 266 f.; – MGG VI, 299 ff.; – Riemann I, 783; ErgBd. I, 524; – Grove IV, 261.

HESEKIEL, Johannes, Generalsuperintendent von Posen, * 31. 5. 1835 als Pfarrerssohn in Altenburg (Thüringen), † 21. 7. 1918 in Wernigerode. – Nach dem Besuch des Altenburger Gymnasiums studierte H. in Jena und Erlangen, setzte nach einem längeren Kuraufenthalt in Alexanderbad das Studium in Leipzig fort und vollendete es in Erlangen. Nach seinem ersten theologischen Examen wurde er 1860 in Ronsdorf bei Barmen Reiseprediger des Rheinisch-Westfälischen Jünglingsbundes und 1862 zugleich Prediger und Seelsorger im Gefängnis in Elberfeld. Nach seinem zweiten theologischen Examen in Altenburg im Herbst 1861 erklärte ihm der Generalsuperintendent, daß bei der Überfülle an Kandidaten vorläufig nicht die geringste Aussicht auf eine Anstellung bestände. Da das Altenburger Konsistorium ihm auf eine spätere Anfrage keinerlei Hoffnung auf Berufung in ein Pfarramt machen konnte, H. sich aber schon 1 ½ Jahre vor seinem ersten theologischen Examen mit der Tochter eines verstorbenen Kirchenrats verlobt hatte, erwarb er nun durch ein Kolloquium vor dem Konsistorium in Koblenz die Anstellungsfähigkeit in der Kirche der altpreußischen Union. Seit 1863 diente H.

in Berlin unter der persönlichen Leitung Johann Hinrich Wicherns (s. d.) dem Zentralausschuß für Innere Mission als Reiseprediger. 1868 kam er als Pfarrer nach Sudenburg bei Magdeburg und begründete das Halberstädter Diakonissenhaus und die sächsische Gefängnisgesellschaft. Als Generalsuperintendent in Posen entfaltete H. 1866–1910 eine segensreiche Wirksamkeit. Seinen Ruhestand verlebte er in Wernigerode.

Werke: Erinnerungen aus meinem Leben, hrsg. v. seiner Tochter Elisabeth Hesekiel, 1920.

Lit.: AEKLZ 50, 1918, 702; – KJ 46, 1919, 567; – Staemmler, Einiges aus der Arbeit H.s auf dem Gebiete der Inneren Mission u. ihren Grenzgebieten, in: Kirchenbl. Ev. Mschr. in Polen 7, 1928, 45 ff.; – Blan, J. H. als Seelsorger v. Gottes Gnaden, in: Ev. Kirche in Polen. Mschr. 13, 1934, 290. 364; – Falke, Ev. Charakterköpfe. Gen.sup. D. H., in: Das ev. Dtld. Kirchl. Rdsch. 12, 1935, 185; – Ders. Gen.sup. H., in: Gustav-Adolf-Kal. 80, 1936, 49; – Büchner, Mit Gen.sup. H. auf Reisen, in: Ev. Volkskal. 76, Posen 1936, 61 ff.; – A. Rhode, Gedenkbl. z. 100. Geb. des Gen.sup. Dr. J. H., in: Landwirtschaftl. Kal. f. Polen 17, Posen 1936, 38 ff.; – R. Kammel, J. H., in: An der Front. Ev. Kämpfer des Deutschtums im Ausland. Hrsg. v. Bruno Geissler u. Otto Michaelis, 1938, 51 ff.; – D. J. H., in: Posener Stimmen 7, 1959/60, Nr. 8, S. 1 ff.; – DBJ II, 690 (Totenliste 1918).

HESS (Hesse), Johann, Reformator Breslaus, * 23. 9. 1490 in Nürnberg als Sohn eines Kaufmanns, † 5. 1. 1547 in Breslau. – H. kam mit 13 Jahren auf die damals berühmte Lateinschule in Zwickau und studierte vom Winterhalbjahr 1505/06 bis zum Sommer 1510 in Leipzig, dann in Wittenberg. Hier wurde er mit Martin Luthers (s. d.) Freunden, Johann Lang (s. d.) und Georg Spalatin (s. d.), bekannt und befreundet. H. trieb hauptsächlich humanistische Studien und promovierte 1511 zum Magister. 1513 wurde er Sekretär und »Notar der Kanzlei« des Breslauer Bischofs Johannes V. Turzo (s. d.), der ein Förderer des schlesischen Humanismus war. Er verlieh ihm 1515 eine Kanonikusstelle in Neiße und empfahl ihn dem Herzog Karl I. von Münsterberg-Öls, der als Landeshauptmann von Glogau, Statthalter von Böhmen und Vormund des Königs Ludwig von Ungarn-Böhmen wenig daheim war, zum Erzieher des ältesten Prinzen Joachim (1503–62), der 1545 evangelischer Bischof von Brandenburg wurde. Als im Sommer 1516 die Pest ausbrach, verließ H. mit dem Prinzen Neiße und bereiste die fürstlichen Schlösser von Böhmen und Schlesien. Auf Wunsch des Bischofs, der ihm zu seinem Kanonikat in Neiße noch eins am Domstift in Brieg und eins an der Kreuzkirche in Breslau hinzu verliehen hatte, reiste H. Ende 1517 zu seiner weiteren Ausbildung nach Italien. In Bologna, später in Ferrara und Rom studierte er die Rechte und Theologie, promovierte zum Dr. theol. und empfing am 27. 3. 1519 in Rom die Diakonatsweihe. Im November 1519 traf H. von Italien in Nürnberg wieder ein und schrieb von dort an Lang voll Freude über Luthers Leipziger Disputation (s. Eck, Johann). Nach kurzem Aufenthalt reiste er nach Wittenberg. Mit Luther, den er schon in einem Brief vom 8. 12. 1513 an Lang »Pater meus« nannte, und besonders mit Philipp Melanchthon (s. d.) befreundet, kehrte H. bald nach Neujahr 1520 nach Schlesien zurück und wurde Anfang Juli 1520 in Breslau zum Priester geweiht und von dem Bischof Jakob von Salza (s. d.), dem Nachfolger des am 2. 8. 1520 verstorbenen Johannes V. Turzo, zum Domprediger berufen. Mit den Wittenbergern blieb er in brieflichem Verkehr. Wir besitzen etwa 30 Briefe

Melanchthons und etwa 20 Briefe Luthers an H. Obwohl er seine reformationsfreundliche Gesinnung wenig zu erkennen gab, kam es doch zu einem scharfen Konflikt zwischen H. und seinen Kollegen am Dom, schließlich auch zwischen ihm und seinem Bischof, der das Schifflein der schlesischen Kirche vorsichtig durch die Stürme jener Zeit hindurchzuführen sich bemühte. Als Hofprediger des Herzogs von Münsterberg fand H. 1521 in Öls eine sichere Stätte für sein Wirken. Im Mai 1522 legte er während eines Besuches in Nürnberg in der dortigen Sebalduskirche ein klares Zeugnis seines evangelischen Glaubens ab. Am 20. 5. 1523 berief der Magistrat von Breslau im Einverständnis mit dem Bischof H. zum Prediger des reinen Evangeliums an der Pfarrkirche St. Maria Magdalena und setzte ihn am 21. 10. 1523 in sein Amt ein trotz des heftigen Einspruchs des Domkapitels und der drohenden Schreiben des Papstes Hadrian VI. (s. d.), dem das Recht der Besetzung der Pfarrstelle zustand, und des Königs Sigismund von Polen, bei denen sich das Domkapitel beschwert hatte. H. veröffentlichte 22 Streitsätze für eine Disputation und sandte sie Luther und auch Huldrych Zwingli (s. d.) zur Begutachtung. Bis tief nach Frankreich hinein fanden sie Verbreitung. Luther schrieb am 21. 3. 1524 an H.: »Ich stimme deinen Sätzen zu und wünsche ihnen Glück.« Am 20. 4. 1524 verteidigte H. bei einer Disputation in der Dorotheenkirche in Anwesenheit des Rats und einer großen Volksmenge vier Tage seine Streitsätze gegen die Dominikanermönche so überzeugend, daß sogar der Dominikanerprior und manche Priester zur Reformationskirche übertraten. Bei der Reform des Gottesdienstes ging H. mit großer Vorsicht und Mäßigung vor. Er gab 1524 das erste evangelische Gesangbuch für Breslau heraus und führte am Sonntag Quasimodogeniti (23. 4.) 1525 den evangelischen Gottesdienst ein. H. entfaltete, unterstützt durch seinen aus Breslau gebürtigen Amtsbruder und Freund Dr. theol. Ambrosius Moiban (s. d.), seit August 1525 Pfarrer an der Elisabethkirche, und in enger Zusammenarbeit mit dem Rat, eine rege Wirksamkeit. Beide Pfarrer haben in ununterbrochenem Briefverkehr mit Wittenberg sich von dort in kirchlichen Fragen und Angelegenheiten Rat und Weisung eingeholt, die Breslauer Kirche gegen die Umtriebe des Kaspar Schwenckfeld (s. d.) und seiner Anhänger und der Wiedertäufer geschützt und ihr einen mild-evangelischen Geist im Sinn Melanchthons aufgedrückt. H. gestattete den Priestern die Ehe und vermählte sich am 8. 9. 1525 mit Anna, Tochter des Ratsherrn Stephan Jopner, die bereits 1531 starb, worauf er sich 1533 mit Hedwig, Tochter des städtischen Wagemeisters Wahles, verheiratete, die ihm schon 1539 durch den Tod entrissen wurde. H. drang darauf, daß der Rat die Armenfürsorge übernahm und 1526 das große Allerheiligenhospital zur Pflege der Kranken erbaute. Auch um die Reform und Förderung der Schulen waren er und Moiban eifrig bemüht, wobei sie der Rektor Valentin Trotzendorf (s. d.) aus Goldberg tatkräftig unterstützte. H. gründete die Gelehrtenschule an St. Maria Magdalena und St. Elisabeth, an denen er Vorlesungen über alttestamentliche Bücher hielt.

Lit.: Carl Adolph Julius Kolde, Dr. J. H., der schles. Reformator, 1846; – Julius Köstlin u. Carl Eduard Schück, J. H., der Breslauer Reformator, in: Zschr. des Ver. f. Gesch. u. Altertum Schlesiens 6, 1864/65, 97 ff.; 181 ff.; 10, 1870/71, 216 ff.; 12, 1874, 410 ff.; – Julius Köstlin, Die Thesen der Disputation des J. H. v. 20. 4. 1524, in dt. Texte mitgeteilt, ebd. 10, 1870/71, 369 ff.; – Ders., Martin Luther, hrsg. v. Gustav Kawerau, 1902/03⁵, I, 303 ff. 611 f.; II, 78. 158. 700; – Anton Rezek, Eine Unterredung mit Dr. J. H. im J. 1540, in: Zschr. des Ver. f. Gesch. u. Altertum Schlesiens 18, 1884, 287 ff.; – David Erdmann, Luther u. seine Beziehungen zu Schlesien, insbes. zu Breslau, 1887, 34 f.; – Felix Küntzel, Dr. J. H., der Reformator Breslaus, 1890; – Ders., Btrr. z. H.biogr. I: H. in Neiße (1513–1516); II: H.' Berufung ins Pfarramt v. St. Maria Magdalena. III: H.' it. Reise 1518 u. 1519, in: Corr.bl. des Ver. f. Gesch. der ev. Kirche Schlesiens 5, 1896/97, 1 ff. 123 ff.; 6, 1898/99, 213 ff.; – Adolf Henschel, Dr. J. H., der Breslauer Reformator, 1901; – Gustav Bauch, Johann Thurzo u. J. H., in: Zschr. des Ver. f. Gesch. u. Altertum Schlesiens 36, 1901/02, 193 ff.; – Ders., Analekten z. Biogr. des J. H. II (Briefwechsel), in: Corr.bl. des Ver. f. Gesch. der ev. Kirche Schlesiens 9, 1904, 34 ff.; – Ders., Gesch. des Breslauer Schulwesens in der Zeit der Ref., 1911; – Arnold Oskar Meyer, Stud. z. Vorgesch. der Ref. Aus schles. Qu., 1903, 72 ff.; – Erwin Fuhrmann, Zur Familiengesch. des Breslauer Reformators D. J. H., in: Schles. Gesch.bll., 1911, 9 ff.; – Paul Konrad, Die Einf. der Ref. in Breslau u. Schlesien (Darst. u. Qu. z. schles. Gesch.), 1917, 10 ff. 16 ff. 34 ff.; – Ders., Wie Breslau eine ev. Stadt u. Schlesien ein ev. Land wurde, ebd. 7 ff.; – Viktor Loewe, Breslaus Gesch., 1927, 253 f.; – Werner Bellardi, J. H., in: Schles. Lb. IV, 1931, 29 ff.; – Ulrich Bunzel, D. J. H., der Reformator Breslaus, 1940; – Paul Lehmann, Aus der Bibl. des Reformators J. Hessius, in: Aus der Welt des Buches. Festg. z. 70. Geb. v. Georg Leyh, in: ZBlfBibl, Beih. 75, 1950, 101 ff.; – Werner Laug, J. H. u. die Disputation in Breslau v. 1524, in: Jb. f. Schles. Kirche u. KG NF 37, 1958, 23 ff.; – (Aus dem Briefwechsel des J. H. mit Wittenberger Freunden), in: Die Ref. in Breslau. Ausgew. Texte, vorgelegt u. eingel. v. Georg Kretschmar. Qu.hh. z. ostdt. u. osteurop. KG 3/4, 1960, 26–38; – Kurt Engelbert, Die Anfänge der luth. Bewegung in Breslau u. Schlesien, in: ASKG 18, 1960, 121 ff.; 19, 1961, 165 ff.; 20, 1962, 291 ff.; 21, 1963, 133 ff.; 22, 1964, 177 ff.; – Otto Scheib, Die Breslauer Disputation v. 1524 als Bsp. eines frühreformator. Rel.gespräches eines Doktors der Theol., in: Festschr. f. Bernhard Stasiewski. Btrr. z. ostdt. u. osteurop. KG. Hrsg. v. Gabriel Adriányi u. Joseph Gottschalk, 1975, 98 ff.; – Schottenloher I, Nr. 8319–8332; V, Nr. 46790–46792; VII, Nr. 55021–55026c; – ADB XII, 283 f.; – NDB IX, 7 f.; – RE VII, 787 ff.; – RGG III, 288; – LThK V, 304.

HESS, Johann Jakob, Theologe, * 21. 10. 1741 in Zürich als Sohn eines Uhrmachers, † daselbst 29. 5. 1828. – H. studierte in Zürich und wurde im Frühjahr 1760 zum Predigtamt ordiniert. Nach siebenjähriger Vikariats- und Hauslehrerzeit bei seinem Oheim Kaspar Heß in Neftenbach widmete er sich längere Zeit ohne Amt theologischen Studien und schriftstellerischen Arbeiten. H. wurde 1777 Diakonus am Frauenmünster in Zürich und 1795 Pfarrer am Großmünster und damit Antistes der Zürcher Kirche. Er war ein einflußreicher Vertreter des biblischen Offenbarungsglaubens im Zeitalter des Rationalismus. Zu seinem großen Freundeskreis gehörten Johann Kaspar Lavater (s. d.) und Johann Heinrich Jung-Stilling (s. d.), aber auch Katholiken, u. a. Johann Michael Sailer (s. d.), der spätere Bischof von Regensburg, und Johann Leonhard Hug (s. d.), Professor an der Universität Freiburg (Breisgau). Durch sein »Leben Jesu« wurde H. der erfolgreiche Bahnbrecher der ganzen relig. Literatur hierüber. Von seiner geistlichen Dichtung fand das Osterlied »Der Allmacht Donnerstimme ruft« Verbreitung.

Werke: Der Tod Moses, 1767; Gesch. der drei letzten Lebensj. Jesu, 6 Tle., 1768–73 (1822⁸); Bibl. Erzz. f. die Jugend. AT u. NT, 1772 u. 1774; Erste Jugendgesch. Jesu, 1773; Von dem Reiche Gottes. Ein Vers. über den Plan der göttl. Offb.en u. Anstalten, 2 Bde., 1774 (kürzere Überarb. u. d. T.: Kern der Lehre v. Reich Gottes, 1819 [1826²]); Gesch. u. Schrr. der Apostel Jesu, 2 Bde., 1775; Gesch. der Israeliten vor den Zeiten Jesu, 12 Bde., 1776–88; Btrr. z. Beförderung der bibl. Gesch.stud., 1791–92; Der Christ bei Gefahren des Vaterlandes (Predigten), 2 Bde., 1799–1800; Das Vorsehungsvolle der immer weitern Bibelverbreitung, 1817.

Lit.: Georg Geßner, Blicke auf das Leben u. Wesen des verewigten J. J. H., Antistes der Zürcher Kirche, 1829; – Paul Wernle, Der schweizer. Prot. im XVIII. Jh. III, 1925, 317 ff.; – Albert Schweitzer, Gesch. der Leben-Jesu-Forsch., 1951⁶ (= 1913²), 27 bis 30; – Heinrich Escher, J. J. H. Skizze seines Lebens u. seiner Ansichten, 1837; – Zürcher Pfr.buch 1519–1952. Hrsg. v. Emanuel Dejung u. Willy Wuhrmann, 1953, 334 f.; – Die Verkündigung des Reiches Gottes in der Kirche Jesu Christi. Zeugnisse aus allen Jhh. u. allen Konfessionen, hrsg. v. Ernst Staehelin, VI, Basel 1963, 160 ff.; – Hirsch IV, 192 ff.; – ADB XII, 284 ff.; – NDB IX, 2 f.; – HBLS IV, 208 f.; – RE VII, 793 ff.; – RGG III, 288 f.

HESSE, Adolf Friedrich, kath. Organist und Komponist, * 30. 8. 1809 in Breslau als Sohn eines Orgelbauers, † daselbst 5. 8. 1863. – H. wurde 1827 2. Organist der Elisabethkirche und 1831 1. der Bernhardinkirche in Breslau. Längere Zeit dirigierte er auch die Symphoniekonzerte des Breslauer Opernorchesters. Kunstreisen führten ihn als Organisten, Pianisten und Dirigenten durch Deutschland sowie nach Österreich, Italien, Paris und London. Mit Louis Spohr war H. bis zu dessen Tod freundschaftlich verbunden.

Werke: Von seinen 82 Werken sind die bedeutendsten die 40 Orgelkompositionen (Präludien, Fugen, Phantasien u. Etüden). Orchester- u. Klavierwerke, Kammermusik, Oratorium »Tobias«, Kantaten u. Motetten. – GA der Orgelwerke, hrsg. v. R. Stegall, London o. J.; Ausgew. Orgel-Compositions, hrsg. v. W. Gottschalg, Leipzig o. J.; Leichte Präludien, hrsg. v. A. Hänlein, ebd. o. J.

Lit.: J. A. Gebauer, A. F. H. als Orgelspieler u. Orgelkomponist, in: Caecilia 17, 1909, 383; – Louis Spohr. A. F. H. Briefwechsel aus den J. 1829–59, hrsg. v. Johannes Kahn, 1928; – Louis Spohr, Selbstbiogr. II, 1861, neu hrsg. v. Eugen Schmitz, 1955; – W. Kwasnik, Moritz Brosig u. A. H. als Orgelmusiker, in: Instrumentenbau-Zschr. 15, 1961, 391 ff.; – Hans Jürgen Seyfried, A. F. H. als Orgelvirtuose u. Orgelkomponist (Diss. Saarbrücken, 1964), Regensburg 1965; – MGG XVI, 678 f.; – Riemann I, 785; ErgBd. I, 525; – ADB XII, 303 f.

HESSE, Johannes, Missionar, Leiter des Calwer Verlagsvereins, * 2. 6. 1847 in Weißenstein (Estland) als Sohn des Arztes Hermann Hesse, † 8. 3. 1916 in Korntal bei Stuttgart. – H. besuchte seit 1858 die 1319 gegründete Ritter- und Domschule in Reval. Als Primaner bat er in seinem Schreiben vom 12. 3. 1865 an das Missionshaus in Basel um Aufnahme und Ausbildung zum Missionar. Bereits im Sommer 1865 war H. dort. Vier Jahre blieb er im Missionshaus, drei als Seminarist und das letzte als Gehilfe im Sekretariat des Inspektors Joseph Friedrich Josenhans (s. d.). Auf dem Missionsfest 1868 wurde H. zum Missionsdienst eingesegnet und am 11. 8. 1868 in Heilbronn zum Missionsprediger ordiniert. Trotz starker Bedenken im Hinblick auf seine zarte Gesundheit und die Gefahren des Tropenklimas entschloß sich das Komitee schließlich doch dazu, ihn für Indien zu bestimmen, wie er es sich gewünscht hatte. Nach kurzem Aufenthalt in der Heimat trat H. 1869 die Reise an die Malabarküste an und wurde im Gebiet der Blauen Berge Gehilfe des Missionars Friedrich Metz (s. d.). Nach kurzer Zeit eifrigen Sprachstudiums berief man ihn an das Predigerseminar in Mangalur. Im dritten Jahr seines dortigen Aufenthalts mußte H. als Kranker zu den Blauen Bergen zurückkehren und im Frühjahr 1873 sein geliebtes Arbeitsfeld in Indien verlassen, da seine Gesundheit dem Tropenklima nicht gewachsen war. Während er im Elternhaus in Weißenstein zur Erholung weilte, erreichte ihn im Herbst 1873 die Aufforderung des Missionsinspektors Josenhans, in das Schwarzwaldstädtchen Calw an der Nagold überzusiedeln als Gehilfe des Dr. Hermann Gundert (s. d.), des Leiters des Calwer Verlagsvereins. H. folgte dem Ruf und traf am 4. 12. 1873 in Calw ein. Er hat seine volle Kraft nie wieder erlangt und litt an Heimweh nach Indien und seiner baltischen Heimat. Am 22. 11. 1874 vermählte sich H. mit der Missionarswitwe Marie Isenberg geborene Gundert und besuchte 1876 mit seiner Frau und seinem Töchterchen Adele die Eltern in Weißenstein. Im Frühjahr 1881 wurde er als Herausgeber des »Evangelischen Missionsmagazins« nach Basel berufen und hatte neben seiner literarischen Arbeit am dortigen Missionshaus Unterricht in deutscher Sprache und Literatur zu erteilen. Anfang 1886 wandte sich Gundert an das Missionskomitee in Basel mit der Bitte, ihm seinen Schwiegersohn als Gehilfen und Nachfolger zu überlassen. Anfang Juli 1886 siedelte die Familie H. nach Calw über. Mehr und mehr übernahm H. die ganze Arbeit seines Schwiegervaters und wurde, als Gundert am 25. 4. 1893 starb, sein Nachfolger. Die Familie H. erlebte Anfang 1896 nach jahrelanger Krankheit der Mutter und Gattin ihre wunderbare Heilung durch die Macht des Gebets und der Handauflegung des Evangelisten Elias Schrenk (s. d.). Nach monatelangem Leiden ging Marie Hesse am 24. 4. 1902 heim. Zunehmendes Kopf- und Nervenleiden und drohende Erblindung nötigten H., seine Arbeit 1905 niederzulegen. Die letzten elf Jahre seines Lebens brachte er, zuletzt völlig erblindet, in Korntal zu. In seinem Nachruf »Zum Gedächtnis« bezeugt Hermann Hesse (1877–1962), der bekannte Erzähler und Lyriker, daß Leben und Tod des Vaters auf seinen eigenen Werdegang große Bedeutung gehabt haben. – H. ist Vetter der baltischen Schriftstellerin Monika Hunnius (1858–1934).

Werke: Aus Hermann Gunderts Leben, 1894 (1907²); Aus dem Briefnachlaß v. Hermann Gundert, 1907; Guter Rat f. Leidende aus dem altisraelit. Psalter, 1909; Korntal einst u. jetzt, 1910; Aus Henry Martyns Leben, Briefen u. Tagebüchern, 1913; Sind wir noch Christen?, 1914; Lao-tse, ein vorchristl. Wahrheitszeuge, 1914.

Lit.: Bernhard Haller, Album der Ritter- u. Domschule 1859 bis 1892, Reval 1893; – Hugo Ball, Hermann Hesse. Sein Leben u. sein Werk, 1927 (1947²); – Hermann u. Adele Hesse, Zum Gedächtnis unseres Vaters, 1930; – Monika Hunnius, Johannes, 1948; – Dies., Mein Onkel Hermann. Erinnerungen an Alt-Estland, 1953 (82.–85. Tsd.); – Adele Gundert, Marie Hesse. Ein Lb. in Briefen u. Tagebüchern, 1953; – Robert Arthur v. Lemm, Die väterl. Seite der Ahnen Hermann Hesses, in: Genealogie u. Heraldik, Schellenberg bei Berchtesgaden, 1951, H. 5/6, Mai/ Juni; – Erik Thomson, Monika Hunnius. Schmerzenswege sind Segenswege, 1956; – Ders., J. B. Ein Miss. aus dem Baltenland, 1957.

HESSELBACHER, Karl, Pfarrer und Volksschriftsteller, * 29. 5. 1871 als Pfarrerssohn in Mückenloch bei Heidelberg, † 11. 1. 1943 in Baden-Baden. – H. studierte 1890–94 in Halle (Saale) und Heidelberg und war Vikar in Heidelsheim bei Bruchsal, Schwetzingen bei Mannheim und Karlsruhe. 1898 wurde er Pfarrer in Neckarzimmern bei Mosbach, 1905 in Karlsruhe und 1919 in Baden-Baden. – H. war Leiter des badischen Landeskirchengesangvereins und entfaltete eine umfangreiche praktisch-theologische und christlich-volkstümliche Schriftstellertätigkeit. Er zählt zu den besten christlichen Volkserzählern.

Werke: Aus der Dorfkirche. Predigten, 3 Bde., 1905–13; Die Seelsorge auf dem Dorfe, 1909; Glockenschläge aus meiner Dorfkirche. Rel. Betrachtungen aus dem Bauernleben, 1910; Silhouetten neuerer bad. Dichter, 1910; Mit güldner Waffe. Eine Dorfgesch., 1911; Vom Vaterland der Treue. Schlichte Lb., 1912 (seit 1922: Stärker als der Tod); Mutter u. Kind, 1914; Im Flammenglanz der großen Zeit. Erlebnisse v. Kriegsteilnehmern, 4 Bde., 1915–17; Daheim geblieben, 1917; Die Kirchnerin, 1917; Treu auf dem Posten, 1918; Das Marienkind, 1919; An den Brünnlein der Gottesstadt, 1919; Wege z. Freude, 1919; Die Frau – das Herz des Hauses, 1922; Am unsichtbaren Goldfaden, 1922; Ein Taufbüchlein, 1923 (1951: 21.–25. Tds.); Glückskinder. Gedanken u. Gestalten aus meiner Arbeit, 1925; Was erwarten die heranwachsenden Kinder von ihrer Mutter?, 1925; Wir Eltern, 1926; Herr, auf dein Geheiß. Ein Jg. Predigten, 1927; Der Stadtschreiber v. Straßburg, 1927; Der Blick aus der Höhe. Worte f. den Gang durch den Alltag, 1928; Lebensfahrten. Ein Büchlein f. Werdende, 1929; Immer nach Hause, 1929; Aus der Heimat kommt der Schein, 1929; Mutterfreude, Mutterpflicht, 1929; Ein Goldjunge, 1929; In deinem Lichte sehen wir das Licht. Reden bei Taufen, Trauungen u. Beerdigungen, 1930; An Gottes Hand in Gottes Land. Wegweiser z. Freude, 1931; Der silberne Anhänger, 1931; Euch ist ein Kindlein heut geboren! Die Weihnachtsgesch. nacherz., 1931; Weihnachtsfreude, 1931; Der Becher der Hugenottin. Weihnachtsgesch., 1932 (1954⁸); Gesch.n v. Großvater Ledderhose, 1932; Der Lieblingsspruch, 1932; Die Bibel des Salzburgers. Weihnachtserz., 1933 (1954⁴); Die Birke, 1933; Ein Weihnachtsabend bei Ludwig Richter, 1933; Vom Hausbrot des Lebens, 1933; Martin Luther, der Held Gottes, 1933; Luthers Käthe, 1934; Der 5. Evangelist. Leben v. Johann Sebastian Bach, 1934 (1950⁶); Mit dem weißen Segel, 1934; Das Kreuz in Rosen. Weihnachtsgesch. aus dem 30j. Krieg, 1935 (1951²); Haltet stand!, 1935; Herr, ich warte auf dein Heil. Predigten, 1935; Halt fest, gib her! Wegweiser f. junge Christen, 1935; Im Feuer bewährt. 2 Gesch.n aus der Ref. zeit, 1936; In der Sonntagsstille. Betrachtungen, 1936; Wandergenossen, 1936; Friedensmenschen, 1936; Paul Gerhardt, der Sänger fröhlichen Glaubens, 1936; Der Kurrendesänger v. St. Nikolai. Weihnachtserz., 1936; Er kommt, Er kommt! Geht Ihm entgegen! Ein Advents-u. Weihnachtsbüchlein, 1937; Freut euch, ihr lieben Christen!, 1937; Wir Eltern u. unsere Kinder, 1938; Empor die Herzen! Betrachtungen, 1938; Allerlei Kostgänger unseres Herrgotts, 1938; Um die Meisterschaft. Vom Kämpfen u. Ringen um das höchste Ziel, 1938 (1944²); Ich glaube. Erzz. zum Apostol. Glaubensbekenntnis, 1938; Heimweh nach Gott, 1938; Ein dt. Handwerkerhaus vor 100 J. Kindheits-u. Werdej. meines Vaters, 1940; Gott, laß dein Heil uns schauen! Leben u. Schaffen des Wandsbeker Boten Matthias Claudius, 1940; Otto Funcke, ein fröhlicher Wanderer, 1940; Licht aus der Heimat, 1944; An der Lebensqu. Betrachtungen, 1951; Das Weihnachtslied des Waisenkindes. Eine Erz. Wie das Lied »O du fröhliche . . .« z. erstenmal gesungen worden ist, 1951⁶; Der neue Lebenstag der Maria Lachenmann. Eine Weihnachtsgesch. aus Kaiserswerth, 1955⁵.

Lit.: Kreuz u. Lorbeer. K. H. z. 60. Geb. Würdigung u. Ausw. seines Schr.tums, hrsg. v. Hans Hermann Gaede, 1931; – H. Schmiedel, K. H., in: Ekkhart. Jb. f. das Badener Land 13, 1932, 73 ff.; – Sens, Otto Frommel u. K. H., in: DtPfr.Bl 45, 1941, 180; – Otto Frommel, D. K. H. †, ebd. 47, 1943, 20.

HESSHUS (Heßhusen), Tilemann, luth. Theologe, * 3. 11. 1527 in Nieder-Wesel (Herzogtum Kleve) als Sohn wohlhabender Eltern, † 25. 9. 1588 in Helmstedt. – In Wittenberg wurde H. Philipp Melanchthons (s. d.) Schüler, Freund und Tischgenosse. Während des Augsburger »Interims« (s. Agricola, Johann) setzte er das Studium in Oxford und Paris fort. H. wurde 1550 in Wittenberg Magister und 1553 auf Melanchthons Empfehlung Superintendent und Pastor primarius in Goslar. 1555 promovierte er zum Dr. theol. Da H. auf die Reformation der Kollegiatstifte und Frauenklöster drang und sich den kirchlichen Übergriffen der Bürgermeister widersetzte, nötigte man ihn durch Sperrung seiner Einkünfte, 1556 sein Amt niederzulegen. Er begab sich zunächst nach Magdeburg, folgte einige Wochen später dem Ruf nach Rostock als Professor und Pastor an St. Jakob. In dem dort herrschenden Streit über Trauungen am Sonntag wegen der damit verbundenen Hochzeitsfeiern, Beteiligung evangelischer Christen an katholischen Begräbnissen und Zulassung katholischer Paten exkommunizierte H. die beiden Bürgermeister, den einen, weil er von ihm »Pharisäer« gescholten worden war, den anderen, weil dieser in seiner eigenen Familie am Sonntag Hochzeit gefeiert hatte. H. wurde vom Rat abgesetzt, ausgewiesen und am 9. 10. 1557 gewaltsam vertrieben. Melanchthon, zu dem er sich geflüchtet hatte, verschaffte ihm eine ehrenvolle Anstellung: Kurfürst Otto Heinrich ernannte ihn noch im November dieses Jahres zum ersten Professor der Theologie in Heidelberg, zum Pfarrer an der dortigen Heiligen Geistkirche und zum Generalsuperintendenten der Pfalz. Dort gewann H. unter den Professoren und Pfarrern wenig Freunde. Otto Heinrich starb am 12. 2. 1559. Nun kam es zu heftigen Lehrstreitigkeiten, besonders in der Abendmahlslehre. Da die Bemühungen des Kurfürsten Friedrich III. (s. d.), die Gegner versöhnlich zu stimmen, vergeblich waren, setzte er am 16. 9. 1559 H. ab. Auf Rat des Braunschweiger Superintendenten Joachim Mörlin (s. d.) berief ihn das Domkapitel in Bremen zur Schlichtung des durch den Domprediger Albert Hardenberg (s. d.) hervorgerufenen Streits über das Abendmahl. Das Domkapitel verbot Hardenberg das Erscheinen auf der von dem Rat auf Veranlassung des H. festgesetzten öffentlichen Disputation. Anfang 1560 trat H. sein viertes Amt an als Pfarrer an der Johanneskirche in Magdeburg. Von dort aus setzte er den Kampf gegen Hardenberg fort und wohnte im Februar 1561 dem Kreistag in Braunschweig bei, auf dem Hardenberg abgesetzt und des Landes verwiesen wurde. H. wollte dem aus Jena vertriebenen Johann Wigand (s. d.) eine Anstellung an der Ulrichskirche verschaffen und suchte darum den Prediger Sebastian Werner zu vertreiben. Da aber die Bürgermeister dagegen waren, beschuldigte sie H., sie wären als Gegner der reinen Lehre gegen ihn, und sprach ihnen das Recht ab, sich in die Angelegenheiten einzumischen. Es kam zu einem Straßentumult. Da der Rat einige Anhänger des H. einsperren ließ, wurde er von H. in den Bann getan. Da H. dem Lüneburger Kreismandat, das den Predigern das gegenseitige Verdammen untersagte, den Gehorsam verweigerte, verbot ihm der Rat das Predigen. So sprach an seiner Stelle der Kaplan Bartholomäus Strele von der Kanzel aus sowohl über den Rat als auch über die Pfarrer der Kirche den großen Bann aus. Nun wurden H. und Strele der Stadt verwiesen. Da H. blieb, wurde er in der Nacht vom 21. 10. 1562 mit Waffengewalt vertrieben. H. fand in Wesel Zuflucht. Da er gegen Rom und die Beschlüsse des Konzils von Trient schrieb, drang der Herzog von Jülich auf seine Entfernung aus der Stadt. So mußte er zum fünftenmal in das »Exil«. Vergeblich bemühte sich H. um die Aufenthaltsgenehmigung in Straßburg. Darauf zog er von Straßburg nach Frankfurt, wo man ihm auch mit Ausweisung drohte. Pfalzgraf Wolfgang von Zweibrücken († 11. 6. 1569) berief ihn im Mai 1565 durch den Landvogt Wolf von Köteritz zum Hofprediger in Neuburg. Im Herbst 1569 ernannte ihn Herzog Johann Wilhelm zum Professor in Jena mit dem Auftrag, das Land dem Luthertum zurückzugewinnen. Johann Wilhelm starb am 3. 3. 1573 und hinterließ unmündige Söhne. Kurfürst August übernahm als Vormund die Verwaltung des Landes und vertrieb H. und Wigand sowie etwa 100 Pfarrer und Theologen. Martin Chemnitz (s. d.) bot H. und Wigand in Braunschweig Zuflucht. H. wurde 1573 Bischof von Samland mit dem Sitz in Königsberg, wohin ihm Wigand als Professor der Theologie folgte. Wegen eines Satzes in seiner »Assertio testamenti Christi« von 1574 kam es zu einem heftigen christologischen Streit, in dem sein früherer Kampf- und Leidensgenosse Wigand, der inzwischen Bischof von Pomesanien geworden war, der Führer der gegnerischen Bewegung wurde. Wigand versammelte am 16. 1. 1577 eine kleine Anzahl von Theologen und Pfarrern, die jenen Satz des H. verdammten. Daraufhin setzte der Herzog H. am 27. 4. 1577 ab und ernannte Wigand zum Administrator von Samland. H.

zog nach Lübeck. Er hatte es Chemnitz zu verdanken, daß Herzog Julius ihn zum zweiten Professor primarius an der neugegründeten Helmstedter Universität berief. – H. ist der streitbarste unter den Verfechtern des strengen Luthertums im nachreformatorischen Zeitalter. Er bekämpfte die Philippisten und Calvinisten als »Teufelsbuben« und »Lügengeister« und hatte ein maßloses Amtsbewußtsein. Sein Bemühen war es, das Erbe Martin Luthers (s. d.) unverfälscht zu wahren und das strengste Luthertum durchzusetzen. Als Kennzeichen der »wahren, sichtbaren Kirche« gilt ihm neben Wort und Sakrament Gehorsam gegen das geistliche Amt und seine Banngewalt.

Werke: Vom Amt u. Gewalt der Pfarrherren, 1561 (neu hrsg. v. Friedrich August Schütz, 1854); De praesentia corporis Christi in coena Domini, 1562 (gg. Melanchthon); Von dem Unterschied zw. der wahren kath. Lehre der Kirche u. den Irrtümern der Papisten, 1564; Examen theologicum, 1571; De vera ecclesia et eius autoritate, 1572; Antidotum contra Flacii dogma, 1572 (gg. dessen Erbsündenlehre); Bekenntnis v. der persönl. Vereinigung beider Naturen (in Christus), 1586; De justificatione (6 Bücher), 1587; Komm. zu den Pss u. den Paulin. Briefen; mehrere Predigtsmlg.en.

Lit.: Johann Georg Leuckfeld, Historia Heshusiana oder Hist. Nachr. v. dem Leben, Bedienungen u. Schrr. Tilemanni Heshusii, Quedlinburg – Aschersleben 1716; – Karl v. Helmolt, T. H., zuletzt Dr. u. 1. Prof. der Theol. zu Helmstedt, u. seine sieben Exilia. Ein Stück Leben aus den kirchl. Bewegungen der 2. Hälfte des 16. Jh.s, aus Briefen jener Zeit zsgest. nach hs. Qu., 1859; – Cornelius August Wilkens, T. H. Ein Streittheologe der Lutherkirche, 1860; – Koch, T. H., in: DtPfrBl 42, 1938, 627; – Gerhard Frotscher, T. H. Ein Leben im Dienste der Lehre Luthers. 1527–1588. Vers. einer kirchenpolit.-familiengeschichtl. Würdigung, Plauen (Vogtland) 1938; – Hans Emil Weber, Ref., Orthodoxie u. Rationalismus I/2, 1940; – Christian Krollmann, T. H., in: Altpreuß. Biogr., hrsg. v. dems., I, 1941, 272; – Peter Friedrich Barton, T. H. u. die luth. Lehre v. Bann (Diss. Wien), 1957; – Ders., Zur Lehre v. kirchl. Amte in der luth. Frühorthodoxie. Das Amtsverständnis T. H.s, in: KuD 7, 1961, 115 ff.; – Ders., T. H. u. der östr. Prot. – ein Modellfall, in: JGPrÖ 82, 1966, 3 ff.; – Ders., Um Luthers Erbe. Stud. u. Texte z. Spätref. T. H., 1972 (Rez. v. Bernd Moeller, in: HZ 217, 1973, 436 f.; v. Martin Greschat, in LuJ 41, 1974, 134 f.); – Kurt August Schierenberg, T. H. Kurzes Lb. eines luth. Streittheologen, in: Mhh. f. ev. KG des Rheinlandes 14, 1965, 190 ff.; – Ritschl IV, 91 ff. 114 ff. u. ö.; – Schottenloher I, Nr. 8338 bis 8356; V, Nr. 46793–46796; VII, Nr. 55027–55030; – ADB XII, 314 ff.; – NDB IX, 24 f.; – RE VIII, 8 ff.; – EKL II, 137; – RGG III, 298; – LThK V, 307.

HESSUS, Eobanus Helius (Hessus: nach seinem Geburtsland; eigentlich: Eoban Koch; Helius: nach seinem Geburtstag, einem Sonntag), ev. Humanist und neulateinischer Dichter, * 6. 1. 1488 in Halgehausen bei Frankenberg/Eder als Sohn eines Bauern, † 4. 10. 1540 in Marburg/Lahn. – H. besuchte die Lateinschulen in Gemünden und Frankenberg und studierte seit 1504 an der Universität Erfurt. Dort wurde er 1507 Rektor der Stiftsschule von St. Severi und promovierte im Sommer 1509 zum Magister artium. Im Herbst 1509 verließ H. Erfurt und wurde in Riesenburg (Westpreußen) Sekretär des Bischofs Hiob von Dobeneck, auf dessen Wunsch er im Frühjahr 1513 die Universität Frankfurt/Oder bezog, um die Rechte zu studieren, ging aber bereits im Herbst 1513 nach Leipzig und kehrte 1514 nach Erfurt zurück. H. gehörte dem Erfurter Humanistenkreis an und begründete seinen großen Dichterruhm. 1517 wurde er Professor für lateinische Sprache an der Universität und besuchte im Herbst 1518 Erasmus von Rotterdam (s. d.). In den kirchlichen Auseinandersetzungen trat H. auf die Seite Martin Luthers (s. d.). Materielle Nöte bewogen ihn 1523, Medizin zu studieren. 1526 wurde er Professor der Poetik an dem neuerrichteten Ägidiengymnasium in Nürnberg. H. schloß mit Albrecht Dürer (s. d.) Freundschaft und pflegte enge Beziehungen

zu den Nürnberger Humanisten. Seit 1533 lehrte er als Professor an der Universität Erfurt, folgte aber 1536 dem Ruf der Universität Marburg als Professor für Geschichte. – Seit 1506 trat H. mit lateinischen Gelegenheitsgedichten an die Öffentlichkeit. Er ist bekannt als bedeutender Vertreter des Erfurter Humanistenkreises und als größter neulateinischer Dichter seiner Zeit.

Werke: De recessu Studentum ex Erphordia tempore pestilenciae, carmen heroicum extemporaliter concinnatum, 1506; De laudibus et praeconiis incliti atque totius Germaniae celebratissimi Gymnasii litteratorii apud Ephordiam, 1507; De amantium infoelicitate contra Venerem de Cupidinis impotentia et versu et soluta oratione opusculum Ephordiense, 1508; Bucolicorum Idyllia, 1509 (erw. 1528); Encomium nuptiale D. Sigismundo Regi Polonie scriptum, 1512; Sylvae duae nuper editae Prussia et Amor, 1514; Heroidarum christianarum epistolae opus novitium nuper aeditum, 1514 (erw. 1532); De vera nobilitate libellus, 1515; – Victoria Christi ab infernis, 1517; Profectione ad Desiderium Erasmum Roterodamun hodoeporcion, 1519; Praefatiuncula in enchiridion christiani militis, dicta, 1519; In Eduardum Leum quorundam e sodalitate Ephordiensi Erascimi nominis studiosorum epigrammata, 1520; Oratio de studiorum instauratione in inclyta schola Erphurdiensi omnium ordinum concessu frequentissimo auditorio, 1520; In funere Barbarae M. Lutheri laudem defensionemque elegiae IV ad J. J. Northusanum cum eodem a Caesare redeuntem, elegia I ad U. Huttenum equitem . . ., 1521; Ecclesiae afflictae epistola ad Lutherum, 1523; De non contemnendis studiis humanioribus futura Theologo maxime necessariis aliquot clarorum virorum . . . epistolae, 1523; Dialogi tres. Melaenus. Miscologus. Fugitivi. Studiorum et veritatis causa nuper aediti, 1524; De conservanda valetudine: Medicinae laus . . ., 1524 (1530 u. d. T.: Bonae valetudinis conservandae praecepta ad magnificium Georgium Sturtiaden); Elegia ad Joh. Fridericum ducem Saxoniae et duo epicedia in mortem Friderici principis . . . idyllion de contemtu literarum ad P. Melanchthonem, 1526; In hypocrisin vestitus Monastici . . . Psalmi IV ex Davidicis carmine redditi, 1527; Venus triumphans et epithalamium in nuptiis J. Camerarii, 1527 (neu hrsg. v. C. P. Froebel, 1822); De tumultibus horum temporum querela. Priscorum temporum cum nostris collatio . . ., 1528; Epicedion in mortem A. Dureri, 1528; In P. Vergilii Maronis Bucolica et Georgica Annotationes, 1529; Descriptio Calumniae ad P. ad P. Melanchthonem. Ad P. Nidanum, in morte Barbarae uxoris consolatio . . ., 1530; Psalmus CXIII. Ex ipsius M. Lutheri scholiis: praeterea sedecim alii latino carmine redditi . . ., 1530; Theocriti idyllia XXXVI . . . cum latina metrica versione, 1531; Urbs Norimberga illustrata carmine heroico, 1532 (neu hrsg. v. Joseph Neff, 1896); Carmen in funere Hieronymi Ebneri, 1532; Salomonis ecclesiastes, carmine latino redditus, 1533; De Victoria Wirtembergensi ad illustrem . . . heroa Philippum Hessorum . . ., 1534; Coluti Lycopolitae Thebani, vetusti admodum poetae, de raptu Helenes . . . nunc primum . . . latino carmine redditum . . ., 1534; In Virgilii Maronis Bucolica. Annotationes, 1535; Sylvarum libri VI, 1535 (12 Bücher, 1539); Ludus de podagra, in quo eius affectionis natura, commoda juxta et incommoda recensentur, ex vulgari germanico in latinum carmen coacta, 1537; In funere Erasmi Roterodami epicedion, 1537; Psalterium Davidis carmine redditum. Cum annotationibus Viti Theodori . . ., 1537; Urbis Norimbergae gratulatoria acclamatio Carolo V et ad eundum de bello contra Turcas suscipiendo adhortatio, 1538; Elegia recens scripta de calumnia, 1538; Operum . . . farragines duae, nuper ab eodem qua fieri potuit diligentia contractae, et in hanc, quam vides formam coactae, quibus etiam non parum multa accesserunt nunc primum et nata et aedita . . ., 1539 (1564²); Poetarum omnium seculorum longe principis Homeri Ilias . . ., 1540; Epistolarum familiarum libri XII (hrsg. v. J. Draconites), 1543; Argentorati apud Crotonem Mylium, 1545; Operum flores, ac sententiae, insigniores, commodo studiosorum selecti (hrsg. v. C. Aulaeus), 1551; De tuenda bona valetudine libellus, commentariis illustratus a Joanne Placotomo . . ., 1551; Explicatio in Joh. Murmelii. Tabulas de ratione faciendorum versuum, 1552; Libellus alter, epistolas complectens Eobani et aliorum quorundam doctissimorum virorum (hrsg. v. J. Camerarius), 1557; Tertius libellus epistolarum . . . et aliorum quorundam virorum (hrsg. v. J. Camerarius), 1561.

Lit.: Johann Draconites, Eine Trostpredigt v. der Auferstehung, über der Leiche des E. H., Straßburg 1541; – Jakob Micyllus, Epicedia in mortem Eobani Hessi poetae et Simonis Grynaei, Wittenberg 1542; – Joachim Camerarius, Narratio de Helio Eobano Hesso, Nürnberg 1553. Leipzig 1696. 1843; – Johann Georg Estor, H. E. H. elegia de aerumna scholastica in libro poematum eius . . ., in: Ders., Auserlesene kleine Schrr. III, Gießen 1739; – Christoph Friedrich Ayrmann, De Helii Eobani Hessi I. ortu et nomine, 1739; II. nomine et coniugio, 1740 (Diss. Gießen, 1739–40); – Georg Andreas Will, Epistola H. E. Hessi (Lazaro Spengler), Altdorf 1759, 160; – Georg Theodor Strobel, Recension der Briefe E. Hessens mit einigen merkwürd. Ausz., in: Ders., Neue Bttr. z. Lit. bes. des 16. Jh.s III, Nürnberg 1792, 71 ff.; – Caspar Friedrich Lossius, E. H. E. u. seine Zeitgenossen. Ein Btr. z. Erfurt. Gelehrten- u. Ref.gesch., Gotha 1797; –

Christian Gottlieb Kuinöl (Kühnöl), Oratio de H. E. Hessi in bonas literas meritis, Gießen 1801; – Karl Eduard Förstemann, Neun Briefe v. H. E., J. Camerarius, C. Hedio . . . u. P. Eber an Justus Jonas, in: Neue Mitt. aus dem Gebiet hist.-antiquar. Forsch. 3, Halle u. Nordhausen 1837, 107 ff.; – Friedrich Wilhelm Kampschulte, Die Univ. Erfurt in ihrem Verhältnisse zu dem Humanismus u. der Ref., 2 Bde., 1858–60; – Martin Hertz, H. E. H. Ein Lehrer- u. Dichterleben aus der Ref.zeit, 1860; – Johann Christian Hermann Weißenborn, Hierana. I u. II: Btrr. z. Gesch. des Erfurt. Gelehrtenschulwesens, Erfurt 1862; – Carl Krause, Die Schul- u. Univ.j. des Dichters E. H., 1. Tl., 1873; 2. Tl., 1877, in: Beigabe z. Progr. des Francisceums zu Zerbst, 1873. 1877; – Ders., H. E. H. Sein Leben u. seine Werke. Ein Btr. z. Cultur- u. Gelehrtengesch. des 16. Jh.s, 2 Bde., 1879 (Rez. v. Ludwig Geiger, in: GgA, 1879, II, 1355–1372); Nachdr. Nieuwkoop 1963; – Ders., E. H. am Hofe des pomesan. Bisch. Hiob v. Dobeneck in Riesenburg (1509–1513). Ein Capitel aus der Biogr. des genannten Humanisten, in: Altpreuß. Mschr. 16, Königsberg 1879, 141 ff.; – Ders., Eine neu aufgefundene Schr. des H. E. H.: De vera nobilitate libellus, in: ZBlfBibl 11, 1894, 163 ff.; – Gotthold Schwertzell, H. E. H. Ein Lb. aus der Ref.zeit, 1874; – F. Zwenger, H. E. H., in: Hessenland 2, 1888, 11 ff.; 3, 1889, 353; – Carl Georg Brandis, Ein Brief des H. E. H., in: Jbb. der Kgl. Ak. gemeinnütziger Wiss.en zu Erfurt NF 33, 1907, 271 ff.; – Otto Clemen, Briefe aus der Ref.zeit, in: ZKG 31, 1910, 84–88; – Ders., Biographisches z. H. E. H. u. Biblio-Biographisches z. Verf. der »Katzipori« (Michael Lindener), in: Arch. f. Schreib- u. Buchwesen 3, 1929, 7 f.; – Paul Kalkoff, Humanismus u. Ref. in Erfurt 1500 bis 1530, 1926; – Heinrich Hermelink u. Siegfried A. Kähler, Die Philipps-Univ. zu Marburg 1527–1927, 1927, 109. 145 ff.; – Georg Ellinger, Gesch. der neulat. Lit. Dtld.s im 16. Jh. II: Die neulat. Lyrik Dtld.s in der ersten Hälfte des 16. Jh.s, 1929, 3 ff.; – Hugo Steiger, E. H. u. Albrecht Dürer, in: Bayr. Bll. f. das Gymnasial-Schulwesen 66, 1930, 72 ff.; – Diesch, E. O. H., in: Altpreuß. Biogr., hrsg. v. Christian Krollmann, I, 1941, 273; – Wolfgang Stammler, Von der Mystik z. Barock 1400–1600, 1950² (durchges. u. erw.), 138 ff.; – Horst Rudolf Abe, Der Erfurter Humanismus u. seine Zeit (Diss. Jena), 1953; – Heinrich Dörrie, Der heroische Brief. Bestandaufnahme. Gesch., Kritik einer humanist.-barocken Lit.-gattung, 1968; – Heinz Otto Burger, Renaissance, Humanismus, Ref. Dt. Lit. im europ. Kontext, 1969; – Helmut de Boor u. Richard Newald, Gesch. der dt. Lit. v. den Anfängen bis z. Ggw. IV/1: Das ausgehende MA, Humanismus u. Renaissance, 1370 bis 1520. Von Hans Rupprich, 1970, 619 ff. u. ö.; – Biogr. Wb. z. dt. Gesch. I², 1973, 1145 f.; – Goedeke II, 91 f.; – Kosch, LL II, 965; – Wilpert I², 711; – DLL IV, 349 ff.; – Schottenloher I, Nr. 5464–5487; V, Nr. 46060–46063; VII, Nr. 54274–54276; – Strieder III; – EuG II, 7, 206 ff.; – ADB XII, 316 ff. (Hessus); – NDB IV, 543 ff. (Eobanus); – RGG III, 298; – DHGK XV, 516 f. (Eoban); – LThK III, 913 f. (Eoban).

HESYCHIUS *von Jerusalem*, Prediger und Exeget, † wahrscheinlich erst nach 450. – H. war zunächst Mönch, seit 412 Presbyter der Jerusalemer Kirche. In der griechischen Kirche wird er als Heiliger verehrt. Sein Fest ist der 28. März. – H. ist bekannt als bedeutender Exeget alexandrinisch-allegorisierender Richtung. Für die kirchliche Erbsündenlehre ist H. ein wichtiger Zeuge.

Werke: Komm. zu Lev, lat. überl., in: MPG 93, 787–1180; Komm. zu Hi bzw. 24 Homilien über Hi 1–20, armen. überl., hrsg. v. Ch. Tscherakian, Venedig 1913; Glossen zu Jes, hrsg. v. Michael Faulhaber, 1900; Glossen zu den Kleinen Propheten, noch unediert; Glossen zu den Pss, in: MPG 27, 649–1344 (mit unechten Beimischungen), als Pss-Erkl. des Athanasius 1746 durch Kard. M. N. Antonelli veröff.; Reste eines großen Pss.-komm., in: MPG 93, 1179–1340 u. 55, 711–784; Glossen zu 13 Hymnen des AT u. NT, hrsg. v. Vatroslav Jagič, Supplementum Psalterii Bononiensis, Wien 1917, 301–320; Predigten, in: MPG 93, 1453–1480; z. größeren Teil noch ungedr.; Historia ecclesiastica.

Lit.: Michael Faulhaber, Eine wertvolle Oxforder Hs, in: ThQ 83, 1901, 218 ff.; – Alberto Vaccari, Esichio de Gerusalemme e il suo »Commentarius in Leviticum«, in: Bessarione 22, Rom 1918, 8–46; u. in: Scritti erudizione e di filologia I Rom 1952, 165–206; – Ders., Notulae patristicae, in: Gregorianum 42, 1961, 731–733; – Klaudius Jüssen, Die dogmat. Anschauungen des H. v. J. Tl. 1: Theol. Erkenntnislehre u. Christologie (Diss. Münster, 1930), 1931; Tl. 2: Die Lehre v. der Sünde und Sündenvergebung, 1934; – Ders., H. v. J., ein wichtiger Zeuge f. die kirchl. Erbsündenlehre aus der alten griech. Kirche, in: ThGL 25, 1933, 305 ff.; – Ders., Die Mariologie des H. v. J., in: Theol. in Gesch. u. Ggw. Michael Schmaus z. 60. Geb. Hrsg. v. Johannes Auer u. Hermann Volk, 1957, 651 ff.; – Sévérien Salaville, Christus in Orientalium pietate, Rom 1939, 53 ff.; – Leo Santifaller, Das Augsburger Unzialfragment des Lev.komm. v. H. aus der 1. Hälfte des 8. Jh., in: ZBlfBibl 60, 1943, 241 ff.; – Albert Siegmund, Die Überl. der griech. christl. Lit. in der lat. Kirche bis z. 12. Jh., 1949, 87 f.; – A. Wenger, H. de J. Notes sur les discours inédits sur le texte grec du commentaire »In Leviticum«, in: RevÉAug 2, 1956, 457 ff.; – Johannes Quasten,

Initiation aux Pères de l'église III, Utrecht 1963, 683 ff.; – Julius Gross, Gesch. des Erbsündendogmas. Ein Btr. z. Gesch. des Problems v. Urspr. des Übels. II: Entwicklungsgesch. des Erbsündendogmas in der nachaugustin. Altertum u. in der Vorscholastik (5. bis 11. Jh.), 1963, 190 ff.; – Michel van Esbroeck, L'homélie grégorienne d'H. de I. sur la résurrection des morts, in: Muséon 87, 1974, 1 ff.; – Bardenhewer IV, 257 ff.; – Altaner⁷ 333 f.; – CathEnc VII, 303 f.; – DSp VII, 399 ff.; – EC V, 581 f.; – LThK V, 308 f.; – NCE VI, 1090; – ODCC² 644 f.; – Quasten III, 488 ff.; – Pauly-Wissowa VIII, 1328 f.; – Kl. Pauly II, 1121; – RGG III, 299.

HETTINGER, Franz, kath. Theologe, * 13. 1. 1819 in Aschaffenburg als Sohn eines Seilers, † 26. 1. 1890 in Würzburg. – H. besuchte in Aschaffenburg das Gymnasium und die philosophisch-theologische Lehranstalt und setzte 1839 das Studium in Würzburg fort. Im Herbst 1841 trat er in das Collegium Germanicum in Rom ein, empfing dort 1843 die Priesterweihe und promovierte 1845 zum Dr. theol. H. wurde 1845 Kaplan in Alzenau, 1847 Assistent und 1852 Subregens am Priesterseminar in Würzburg, 1856 ao., 1857 o. Professor der Patrologie und Einleitungswissenschaft in Würzburg, 1867 Professor der Apologetik und Homiletik und 1884 Professor der Dogmatik. – H. ist bekannt als Apologet und Dogmatiker durch seine »Apologie des Christentums« und sein »Lehrbuch der Fundamentaltheologie«.

Werke: Aus Welt u. Kirche, 1851 (1925⁷); Organismus der Wiss. u. die Stellung der Theol., 1862; Apologie des Christentums, 1863–67 (1914 ff.¹⁰, 5 Bde., hrsg. v. Eugen Müller); Die Kunst im Christentum, 1867; Die kirchl. Vollgewalt des Apostol. Stuhles. Zugaben zu den 3 früheren Aufl. der »Apologie des Christentums«, 1873; David Friedrich Strauß, 1875; Lehrb. der Fundamentaltheol. oder Apologetik, 2 Bde., 1878 (1911³, hrsg. v. Simon Weber); Die Göttl. Komödie v. Dante Alighieri nach ihrem wesentl. Inhalt u. Charakter dargest., 1880 (1889²); Thomas v. Aquin u. die europäische Zivilisation, 1880; Die Krisis des Christentums. Prot. u. kath. Kirche, 1881; Aphorismen über Predigt u. Prediger, 1888; Timotheus. Briefe an einen jungen Theologen, 1890 (1909³, hrsg. v. Albert Erhard).

Lit.: J. Renninger, Prälat H., ein Lb., in: Katholik 70, 1890, I, 385 ff.; – Max Treppner, Prälat F. S. v. H., 1891; – Franz Kaufmann, F. H. Erinnerung eines dankbaren Schülers, 1891; – Johann Jakob Hansen, in: Lb. hervorragender Katholiken des 19. Jh.s VII, 1912; – Theodor Henner u. Georg Wunderle, F. H., in Ll. aus Franken II, 1922, 202 ff.; – ADB 50, 283 f.; – NDB IX, 30 f.; – Kosch, KD 1567 f.; – LThK V, 314; – DThC VI, 2324 f.; – HN V, 1433–35; – NCE VI, 1091.

HETZENAUER, Michael (Taufname: Andreas), Kapuziner, Bibelgelehrter, * 30. 11. 1860 in Zell bei Kufstein (Tirol) als Sohn eines Schusterbauern, † 4. 8. 1928 in Rom. – H. besuchte das erzbischöfliche Gymnasium Borromaeum in Salzburg, trat 1878 in die Tiroler Kapuzinerordensprovinz ein und wurde 1883 zum Priester geweiht. Seit 1885 war er Lektor der Bibelwissenschaft an der Lehranstalt seines Ordens in Innsbruck und seit 1904 Professor für biblische Exegese am Lateranseminar in Rom. H. war Konsultor der päpstlichen Bibelkommission (1914), Mitglied der Päpstlichen Accademia di Religione cattolica (1916), Dr. theol. h. c. (Salzburg 1923). – H. erlangte durch seine textkritische Ausgabe der Vulgata internationalen Ruf. Im Modernistenstreit war er ein unerbittlicher Kämpfer gegen liberale Tendenzen in Bibelfragen.

Werke: Bernardini a Piconio triplex Expositio Pauli epistolae ad Romanos, 1891; Wesen u. Prinzipien der Bibelkritik auf kath. Grdl., 1900; S. Fidelis a Sigmaringa Exercitia seraphicae devotionis, 1893 (1898²); Das Kapuzinerkloster zu Innsbruck, 1893; Die Emeritage Maximilians des Dt.meisters bei den Kapuzinern zu Innsbruck, 1894 (1895³); Das Skapulier des hl. Joseph, 1894 (1895³); Novum Testamentum graece et latine, 2 Bde., 1896–98 (1904²); De imitatione Christi, 1901; Epitome Exegeticae catholicae, 1903 (1904²); Novum Testamentum graece, 2 Bde., 1904; Biblia Sacra Vulgatae editionis, 1906 (1929³); Explicatio philologica Genesis, 1907; Theologia biblica Veteris Testamenti, 1908; Commentarius in Genesim, 1910; Introductio in librum

Genesis, 1910; Biblia sacra, 5 Bde., 1920–22; De recognitione principiorum criticae textus Novi Testamenti (secundum Harnack), 1921; De annis magisterii publici Jesu Christi, 1921; La dimora della Madonna ad Efeso, 1922; De genealogia Jesu Christi secundum Mt et Lk, 1923; La vera Via dolorosa di Gerusalemme, 1924; De formatione terrae hominisque et modo diluvii, 1925. – Vollst. Werkeverz., in: Cassian Neuner, Literar. Tätigkeit in der Nordtiroler Kapuzinerprov. Bio-bibliogr. Notizen, Innsbruck 1929, 106 ff.

Lit.: Agapit Hohenegger, Gesch. der Tirol. Kapuziner-Ordensprov. (1593–1893). Fortges. u. vollendet v. Guardian Peter Baptist Zierler, II, Innsbruck 1915, 617. 652; – Kürschner Lit.kal. 15, 1926, 142; – Giovanni Battista Frey, In memoriam di P. M. H., 1928; – AnCap 44, 1928, 240 ff.; – Prov.bote der Nordtiroler Kapuziner 11, 1928, 85 ff.; – St. Fidelis 15, 1928, 196 f.; – Sursum corda 12, 1929, 16; – Italia Francescana 4, 1929, 152 ff.; – F. Felix, A Great Scriptural Exegete, F. M. H., in: Bonaventura. A Review of the Irish Capuchins 2, 1938, 190 ff.; – LexCap 1117 f.; – EC VI, 1428 f.; – LThK V, 314; – NCE VI, 1091; – DBS IV/1, 1941–49; – Kosch, KD 1569; – ÖBL III, 307; – NDB IX, 35.

HEUBNER, Heinrich Leonhard, Theologe, * 2. 6. 1780 als Pfarrerssohn in Lauterbach bei Marienberg (Erzgebirge), † 12. 2. 1853 in Wittenberg. – H. erhielt seine Vorbildung seit 1793 in Schulpforta bei Naumburg (Saale) und bezog 1799 die Universität Wittenberg, wo Johannes Matthias Schröckh und Karl Ludwig Nitzsch (s. d.) am stärksten auf ihn wirkten. Er wurde 1805 Privatdozent und 1811 ao. Professor in Wittenberg und war seit 1808 zugleich dritter Diakonus an der Stadtkirche. Seit 1817 wirkte H. als Mitdirektor an dem infolge der Verlegung der Wittenberger Universität nach Halle neugegründeten Predigerseminar in Wittenberg und wurde 1832 dessen Ephorus und zugleich Superintendent und 1842 Konsistorialrat. Er war ein Mann wahrer Herzensfrömmigkeit und rücksichtsloser Selbstverleugnung, eine geheiligte Persönlichkeit. Das Vertrauen der Bürgerschaft hatte sich H. 1813/14 durch sein unerschrockenes Verhalten während der Belagerung der Stadt und der Typhusepidemie erworben. Auf die Kandidaten im Predigerseminar übte er starken Einfluß aus. H. pflegte die Verbindung mit der Brüdergemeine, die ihm ein befreundeter Prediger in der Oberlausitz vermittelt hatte, und stand auch mit dem Bischof Johann Michael Sailer (s. d.) in Regensburg in engem Briefverkehr. Mannigfache Anregung und Förderung verdankte er dem Studium der Schriften Martin Luthers (s. d.) und des Grafen Nikolaus Ludwig von Zinzendorf (s. d.). Mit Männern der Erweckungsbewegung, wie Hans Ernst Freiherr von Kottwitz (s. d.), Johannes Jänicke (s. d.) und August Tholuck (s. d.), war H. innerlich verbunden, er selbst »eine eherne Säule in der Zeit des herrschenden Unglaubens, festgewurzelt wie eine Zeder des Libanon, ein Lichtpunkt in den Finsternissen dieser verweltlichten Zeit«. Während seiner Abwesenheit drangen 1845 auch in Wittenberg die »Protestantischen Freunde« ein, die im Volksmund »Lichtfreunde« genannt wurden, eine von dem Pfarrer Leberecht Uhlich (s. d.) begründete Bewegung, die ein »einfaches evangelisches Christentum« forderte. H. erließ von Teplitz aus ein »in heiligem Gotteseifer flammendes« Schreiben gegen die »Lichtfreunde« und trat nach seiner Rückkehr auf der Kanzel gegen sie auf, so daß die Bürgerschaft die »Lichtfreunde« bei einem nochmaligen Werbeversuch aus der Stadt vertrieb. Da Ludwig Nicolovius (s. d.), Direktor der geistlichen Abteilung im Kultusministerium, ihn sehr schätzte, hatte H. auf die kirchliche Personalpolitik Preußens Einfluß. Trotz seiner Weigerung, der Union beizutre-

ten und die Agende anzunehmen, blieb H. als bekenntnistreuer Lutheraner unbehelligt.

Werke: Katechismuspredigten, 1855 (1865²); Prakt. Erkl. des NT, hrsg. v. August Hahn, 4 Bde., 1855–59; Predigten über freie Texte, 1857; Christl. Topik oder Darst. der christl. Glaubenslehre f. den homilet. Gebrauch, 1863. – Gab heraus: Franz Volkmar Reinhard, Vers. über den Plan, welchen der Stifter der christl. Rel. zum Besten der Menschheit entwarf (1781), 1830⁵; Gottfried Büchner, Bibl. Real- u. Verbalkonkordanz (1740), 1840⁶.

Lit.: Heinrich Schmieder, Nekrolog, in: EKZ 1853, 289 ff. (auch einzeln ersch.); – Zum Gedächtnis Dr. L. H.s, hrsg. v. den Mitgliedern des Kgl. Predigerseminars, 1853; – Friedrich Nippold, Richard Rothe. Ein christl. Lb., 2 Bde., 1873–74; – Georg Rietschel, H. L. H., ein brennend u. scheinend Licht auf dem Leuchter Wittenberg. Gedächtnispredigt beim 100j. Geb. (mit biogr. Notizen), 1880; – Wachs, Erinnerungen an Vater H., 1880; – Hermann Theodor Wangemann, Die kirchl. Kabinettspolitik Friedrich Wilhelms III., 1884, 171 ff. 182 ff.; – A. Koch, D. H. L. H. in Wittenberg. Züge u. Zeugnisse aus u. zu seinem Leben u. Wirken, 1885; – Adolf Hausrath, Richard Rothe u. seine Freunde I, 1902, 157 ff.; – Otto Dibelius, Das Kgl. Predigerseminar zu Wittenberg, 1917, 60 ff.; – Kurt Hüberlein, Ein preuß. Lutheraner. H. L. H., in: Luth. Nachrr. Hrsg. v. der Luther. Arbeitsgemeinschaft in den Unionskirchen Dtld.s 5, 1956, Nr. 25, S. 8 ff.; – Barth, PrTh² 545; – ADB 50, 285 ff.; – NDB IX, 38; – RE VIII, 19 ff.; – RGG III, 305.

HEUKELBACH, Werner, Evangelist, * 8. 5. 1898 in Wiedenest (Oberbergischer Kreis) als Sohn eines kleinen Fuhrgeschäftsbesitzers, † 5. 2. 1968 in Gummersbach. – Mit 14 und 15 Jahren streifte H. viel im Wald herum. Zuweilen suchte er mit anderen Knaben weidende Schafherden auf. Oft fischte er als Junge in den Gebirgsbächen des oberbergischen Landes. Mit 15 Jahren begann er zu rauchen und wurde ein leidenschaftlicher Raucher. Mit 16 Jahren trat H. in den Dienst bei der Deutschen Reichsbahn ein. Schon früh entwickelte er sich zu einem Spötter, der sich mit Vorliebe über Gott und die Ewigkeit lustig machte. Als achtzehnjähriger Soldat zog H. in den Krieg, zunächst nach Frankreich, später nach Rußland und schließlich nach Galizien. Infolge von Überanstrengung und Malariafieber erkrankte er an einer Herzmuskelschwäche und lag mehrere Monate im Lazarett. Da begann Gott, an seiner Seele zu arbeiten; aber H. verschloß sich jedem göttlichen Wirken und war darum todunglücklich. Von dort kam er in ein Lazarett in Berlin, und wieder begann bei seinen Ausgängen am Sonntag das alte Leben. Gastwirtschaften und Vergnügungsstätten wurden besucht, und alles, was das Großstadtleben einem Soldaten zu bieten hat, wurde genossen; aber in seinem Inneren spürte er immer mehr eine Unruhe, ein quälendes Unbefriedigtsein. In dieser Zeit warf er den letzten Rest seines Kinderglaubens über Bord und wurde ein Gottesleugner. Nach zweieinhalbjähriger Militärzeit kehrte H. mit 21 Jahren in die Heimat zurück und nahm seinen Dienst bei der Reichsbahn wieder auf. Das Hauptvergnügen war für ihn der Tanzboden und das Kartenspielen in der Gastwirtschaft. Aus seiner weltlichen Umgebung lernte er eine katholische Frau kennen, die aus einer Gastwirtschaft stammte. Obwohl er an keinen Gott glaubte, ließ er sich doch katholisch trauen und versprach dem Pfarrer katholische Kindererziehung, was er nachher auch gehalten hat. Gott aber suchte ihn und gab ihn nicht auf. Sein Oberinspektor, der Chef eines Bahnhofs in Westdeutschland, hatte als Berufssoldat in seiner aktiven Militärzeit den Heiland gefunden. Als Vorgesetzter von H. kannte er dessen Leben in Welt und Sünde. Darum sagte er eines Tages zu ihm: »Wodurch glauben Sie denn errettet zu werden?« H. antwortete: »Dadurch daß ich die Gebote halte, Gutes tue, nicht sündige, mich abmühe, ein anständiger Kerl zu sein.« Darauf erwiderte der Oberinspektor: »Dann sind Sie verloren. Es kann niemand die Gebote halten. Wer eine Sünde tut, ist er vor Gott schuldig, als ob er alle Gebote übertreten hätte. Auf dem Wege werden Sie die Herrlichkeit Gottes nie erlangen. Ich will Ihnen aber einen anderen Weg zeigen: ›Das Blut Jesu Christi, des Sohnes Gottes, macht rein von jeder Sünde.‹ Klammern Sie sich an das Werk der Erlösung, an das Kreuz von Golgatha, an das Blut des Heilandes, das auch für Sie geflossen ist. Kommen Sie mit Ihrem Leben, wie Sie es gelebt haben, zu dem Herrn Jesus, Sie selbst können es nicht wieder in Ordnung bringen. Er kann Ihnen alles vergeben, und Er wird, wenn Sie sich schonungslos selbst verurteilen, Ihrer Sünde und Ihrer Übertretungen nicht mehr gedenken. Nun gehen Sie. Wenn Sie aufrichtig Gott suchen, wird Er sich von Ihnen finden lassen.« Diese Worte ließen ihn nicht wieder los; sie führten ihn in innere Nöte und Kämpfe. H. war an der Fahrkartenausgabe tätig. Am Nachbarschalter war ein Freund von ihm. Als in dem Ort eine Evangelisation stattfand, sagte der Freund zu H.: »Würdest du mich einmal zu einer Evangelisationsversammlung begleiten? Gehe doch einmal mit. Ich persönlich gehöre auch nicht zu diesen Leuten, aber meine Eltern und meine Schwester. Die Versammlung ist abends, da ist es schon dunkel, und wir gehen so spät hin, daß schon alle da sind; wir bleiben ganz hinten, so daß niemand auf uns aufmerksam wird.« Auf dem Weg nach Hause sagte H. zu seinem Freund: »Da gehe ich noch einmal hin.« Obwohl es in Strömen regnete, ging H. am anderen Abend zur Versammlung. Es war der letzte Abend der Evangelisationswoche. Die zwei Versammlungen hatten nicht genügt, um ihm zum völligen Durchbruch zu verhelfen. Bald darauf fuhr er zu seiner Mutter und seinen Geschwistern. Am nächsten Tag begann eine Evangelisationswoche. Er ging in die Versammlung. Ihm wurde klar, es gehe jetzt um eine ganze und endgültige Entscheidung. Beim Verlassen des Saales sprach ihn eine Frau an und führte ihn zum Evangelisten. Durch die Aussprache mit ihm fand er Sündenvergebung, Heilsgewißheit und Gottesfrieden. Zu Hause erzählte H. seiner Frau von seiner Heilserfahrung. Sie sagte: »Gibt es so etwas auch für mich?« Nachdem er ihr den Weg des Heils erklärt hatte, begann ein Gebetskampf. Drei bis vier Tage benutzte H. jede Gelegenheit, für seine Frau zu beten. Nach vier Tagen sagte sie zu ihm: »Jetzt kann ich glauben, daß Jesus mein Retter und Erlöser ist.« Im Lauf der Jahre wählten alle Kinder, drei Töchter und ein Sohn, eins nach dem anderen, ein Leben in der Nachfolge Jesu. Überall, wo sich eine Gelegenheit bot, ob auf dem Bahnsteig, wo er als Fahrdienstleiter tätig war, oder unter seinen Berufskollegen und Freunden bezeugte H., was der Herr an seiner Seele getan hatte. Auch dem Gastwirt erzählte er, daß er ein neuer Mensch in Christus geworden sei. In der Freizeit versorgte er die umliegenden Dörfer mit christlichen Traktaten. Er eilte von Haus zu Haus und überbrachte die Botschaft seines Herrn. Wo er das Wort von Jesus sagte, fielen Entscheidungen. Zwei Wahrheiten waren ihm sehr wichtig: 1. Ge-

schickt für den Dienst sein – das schenkt der Herr. 2. Willig dem Ruf zur Arbeit folgen – das ist unsere Aufgabe. »Weil mir natürliche Gaben und Schulkenntnisse fehlten, war ich – ob ich wollte oder nicht – darauf angewiesen, viel zu beten. Immer wieder habe ich vor Gott gelegen und in meinen Gebeten ausgesprochen: Herr, gib mir mehr! Sieh, Dein Bote ist arm und ungeschickt, hilf mir doch, lege Deine Worte in meinen Mund! Und dann erquickte mich die göttliche Zusicherung: Der Herr hat noch mehr, das er dir geben kann, denn dies.« Der Herr hielt sein Wort und gab H. immer mehr Aufgaben. Aus der Kleinarbeit von Mann zu Mann wurden Haus- und dann Saalevangelisationen. Diese Arbeit konnte nicht mehr neben seinem Eisenbahnerberuf durchgeführt werden. Wegen seiner Herzmuskelschwäche wurde H. schon mit 35 Jahren pensioniert. Immer mehr Rufe kamen, und bald verkündigte der freudige Zeuge in den größten Sälen und Kirchen das Evangelium mit Vollmacht. In H. erwachte der Gedanke, die Botschaft in einem eigenen Zelt zu verkündigen. Eines Tages fragte ihn ein Bruder, ob er einen besonderen Wunsch habe. Er gab zur Antwort: »Den habe ich schon. Ich brauche ein Missionszelt.« Darauf überreichte ihm der Bruder einen Scheck über 2 500 Mark. Es wurde mit einer Zeltfirma verhandelt. Nun kamen die Freunde. Der eine lieferte kostenlos alles Holz. Ein anderer bot sich an, das Holz zu bearbeiten und Masten, Bänke und Rednerpult herzustellen. Andere lieferten die Eisenpfähle, Heringe und Haken. Nun zog H. mit dem Zelt von Stadt zu Stadt. Im Dritten Reich erhielt er eines Tages Redeverbot. Da ging er in die Stille und suchte Gewißheit, auf welch andere Weise er dem Herrn dienen könnte. Der Gedanke, eine Schriftenmission aufzubauen, reifte immer stärker. Mit seiner Frau und den Kindern hatte H. sie schon in kleinerer Form betrieben. Er hatte selbstgeschriebene Traktate drucken lassen und sie verschickt. Er warb um Freunde, die das Verteilen der Schriften übernahmen. Das war eine mühselige Kleinarbeit. Erst heute, wo diese ganze Arbeit sehr erleichtert wird durch Maschinen und durch eingearbeitetes Personal, erkennt man, wie schwer der Beginn war. Aus kleinsten Anfängen entstand das große weltweite Werk der Schriftenmission, durch die H. in mehr als 50 Länder vorstieß, wo Menschen der deutschen Sprache mächtig sind. Mehrere Millionen Traktate, Schriften, Broschüren und Bilderbücher werden heute monatlich gedruckt und kostenlos verbreitet. Tausende von Bibeln und Neuen Testamenten gingen und gehen – ebenfalls kostenlos – hinaus in alle Welt. Um die breite Masse der deutschsprachigen Menschen mit dem Evangelium zu erreichen, begann H. mit einer ausgedehnten Pressemission. Millionen von Zeitungsbeilagen mit einer klaren biblischen Botschaft wurden veröffentlicht. Diese Pressemission wurde von Jahr zu Jahr ausgebaut, so daß in mehr als 25 Millionen Zeitungsexemplaren der Hinweis zu lesen war: »Gerade du brauchst Jesus!« Hinzu kam die Rundfunkmission. Man trat an H. heran und bat ihn, auch durch den Rundfunk das Evangelium zu verkündigen. Nach 24 Stunden Bedenkzeit wurde es ihm klar, sich auch für diesen Dienst einzusetzen. 50 Sendungen und mehr werden heute monatlich vom »Missionswerk Werner Heukelbach« ausgestrahlt. Die Überseesendungen laufen unter der Überschrift »Die Stimme der Heimat«. Manche Brüder helfen bei dieser wichtigen Arbeit der Radiomission. Zu erwähnen ist auch die Telefonmission, die H. in 54 Städten aufgebaut hat. Tag und Nacht können hier bedrängte und suchende Menschen anrufen. Viel Segen durfte schon durch diese Arbeit erfahren werden. In mehr als 600 Flugstunden ist den Menschen mit einem Flugzeug-Banner das Wort »Gerade du brauchst Jesus« zugerufen worden. Die Arbeit, die H. im Glauben an seinen Herrn getan hat, wird von der jüngeren Generation in seinem Sinn und in voller Verantwortung weitergeführt.

Werke: Vom Gottesleugner zum Evangelisten, 1945.

Lit.: Josef Kausemann, Werner Heukelbach, in: Sie wiesen auf Jesus, hrsg. v. Arno Pagel, 1975, 144–151.

HEUNE (Gigas), Johann, Kirchenliederdichter, * 22. 2. 1514 in Nordhausen, † 12. 7. 1581 in Schweidnitz. – H. studierte in Wittenberg und wurde 1541 Rektor des Gymnasiums in Joachimsthal (Böhmen), 1542 in der meißnischen Bergstadt Marienberg und 1543 an der fürstlichen Landesschule in Pforta bei Naumburg (Saale), 1546 Pfarrer in Freystadt (Niederschlesien) und 1573 in Schweidnitz. – Von seinen Liedern sind bekannt: »Ich armer Mensch doch gar nichts bin, Gotts Sohn ist mein Gewinn« (1564), eine Bearbeitung des Gedichts von Philipp Melanchthon »Nil sum, nulla miser novi solatia« (1555); »Ach lieben Christen, seid getrost, wie tut ihr so verzagen?« (1562) und »Ach wie elend ist unsre Zeit allhier auf dieser Erden!« (1566).

Werke: De certitudine religionis christianae, 1550; Smlg. kurzer Katechismuspredigten, 1577.

Lit.: Koch I, 1866, 369 f.; – ADB IX, 167 (unter Gigas).

HEUNISCH, Kaspar, Kirchenliederdichter, * 16. 7. 1620 in Schweinfurt als Sohn eines Glasers, † daselbst 18. 10. 1690. – H. besuchte das Gymnasium seiner Vaterstadt und studierte seit 1639 in Jena Theologie. Er wurde Magister, dann Hauslehrer in Halle (Saale), 1645 Pfarrer in Priesenhausen bei Schweinfurt, 1646 im nahen Oberndorf, 1647 Diakonus in Schweinfurt und rückte dort auf zum Superintendenten, Professor und Inspektor des Gymnasiums. – H. ist bekannt als Dichter des Liedes »O Ewigkeit, du Freudenwort, das mich erquicket fort und fort, o Anfang sonder Ende!« (EKG 325). Es ist das wertvollste unter den Gegenstücken zu dem Lied des Johann Rist (s. d.) »O Ewigkeit, du Donnerwort, o Schwert, das durch die Seele bohrt, o Anfang sonder Ende!« (EKG 324). H.s Lied erschien in »Der himmlischen Freude zeitlicher Vorschmack . . . oder neuverfertigtes Gesangbuch«, Schleusingen 1692.

Lit.: W. Bode, Qu.nachweis über die Lieder des Hannoverschen (1740) u. des Lüneburgischen (1767) Gesangbuches, 1881, 89; – Goedeke III, 189; – Fischer-Tümpel V, Nr. 261 = S. 228 f.; – Hdb. z. EKG II/1, Nr. 154 = S. 197 f.

HEUSSER-SCHWEIZER, Meta (Margaretha), religiöse Dichterin, * 6. 4. 1797 in Hirzel bei Horgen (Kanton Zürich) als Tochter des Pfarrers Diethelm Schweizer († 1824), † daselbst 2. 1. 1876. – Metas Vater stammte aus Zürich und gehörte jenem Kreis an, der sich um den Pfarrer Johann Kaspar Lavater (s. d.) gebildet

hatte. Nach zwölfjähriger Wirksamkeit in Diepoldsau (Rheintal) war er 1796 in das damals ganz abgeschiedene Bauerndörfchen Hirzel gekommen. Ihre Mutter, Anna Geßner († 1836), hatte ihre Kindheit und Jugendzeit im Pfarrhaus in Dübendorf bei Zürich verlebt. Ihr Bruder, Georg Geßner (s. d.), war Pfarrer in Zürich und wurde 1828 Antistes der Zürcher Kirche. In völliger Zurückgezogenheit von der Welt wuchs Meta mit vier Schwestern heran. Von ihrem Vater wurden sie im Lesen, Schreiben und Rechnen unterrichtet. Eine andere, etwa höhere Schulbildung hat Meta nie erhalten. Mit Begeisterung lernte sie am Spinnrad mit ihren Schwestern Friedrich Schillers Balladen; auch für die Gedichte von Ernst Moritz Arndt (s. d.), Max von Schenkendorf und Theodor Körner zeigte sie große Vorliebe. Willkommene Abwechslung und geistige Anregung brachten die zahlreichen Besuche von Verwandten und Freunden aus Zürich. Gegenbesuche der Eltern und Kinder waren für sie stets ein Erlebnis. Eine besondere Freude und Ehre war es für Metas Vater, als im Oktober 1803 Johann Michael Sailer (s. d.), der spätere Bischof von Regensburg, in Begleitung des Pfarrers Meyer von Meggen am Vierwaldstättersee im Pfarrhaus zu Hirzel einkehrte. Anna Schlatter-Bernet (s. d.), die Gattin des Kaufmanns Hektor Schlatter in St. Gallen, reiste mit ihrer Tochter Kleophea nach Zürich zu Lavaters Witwe und besuchte bei dieser Gelegenheit auch die Familie Schweizer. Damals begegneten sich Meta und Kleophea zum erstenmal und schlossen Freundschaft miteinander. Mit 16 Jahren durfte Meta ihre erste Reise aus ihrer Bergeinsamkeit nach St. Gallen zu der Familie Schlatter machen. Durch den Umgang mit einem »Bergpropheten«, dem Naturarzt und Mystiker Hans Jakob Schäfer in Appenzell, der damals in ihrem Elternhaus viel verkehrte, erlebte Kleophea eines Tages eine innere Umwandlung und drang zum lebendigen Glauben an Jesus Christus durch. Sie berichtete davon Meta und ruhte nicht, bis auch ihre Freundin die gleiche Erfahrung machen durfte. Das war um das Jahr 1817. Meta weilte 1818 wiederum als Gast in der Familie Schlatter. Die Freundinnen wuchsen immer inniger zusammen und verkehrten brieflich rege miteinander. Kleophea folgte 1818 der Einladung einer Tante nach Dresden und wurde später Erzieherin in Peterswaldau (Schlesien) und 1825 Gattin des Theologen Zahn in Giebichenstein bei Halle (Saale). Während eines Besuches in der Heimat kam Kleophea 1856 für kurze Zeit auch zu Meta nach Hirzel. Es war das letzte Beisammensein der Freundinnen; denn schon im Herbst 1860 starb Kleophea. Ohne Metas Wissen veröffentlichte Adolf Zahn (s. d.), Domprediger in Halle (Saale), 1862 den Briefwechsel der beiden Freundinnen. Diese Briefe gewähren uns einen Einblick in das Glaubens- und Seelenleben der Dichterin. Seit 1821 war Meta mit dem Arzt Johann Jakob Heußer verheiratet. Er entstammte einem alten Bauerngeschlecht aus Hombrechtikon im Zürcher Oberland und hatte 1805–10 in Zürich studiert und ließ sich in Hirzel nieder. Chirurgie und Geisteskrankheiten waren sein Spezialgebiet. Bei seiner Werbung um Meta hatte er 1820 seinem alten und kränklichen Schwiegervater versprochen, die Familie bei sich aufzunehmen, wenn das Pfarrhaus verlassen werden müsse.

Als Pfarrer Schweizer 1824 im Alter von 74 Jahren heimging, löste Dr. Heußer sein Versprechen ein: die Pfarrerswitwe siedelte mit zwei ihrer Schwestern und zwei Töchtern in das Doktorhaus über. Der Herr schenkte dem Ehepaar Heußer drei Söhne und vier Töchter, nahm aber den Eltern einen Sohn wieder in zartem Kindesalter. Einer Freundin schrieb Meta: »Siehe, es ist einer der schrecklichsten Schmerzen auf der schmerzensreichen Erde, ein Kindlein sterben zu sehen; er wacht noch immer wieder mit neuer Stärke in mir auf, obwohl ich mich dazwischen auch freue, solch Herz von meinem Herzen bei meinem Heiland zu haben«. Von den Kindern wurde Johanna Spyri (s.d.) als Jugendschriftstellerin bekannt. Nach 38jähriger Ehe wurde Meta H. Witwe; ihr Gatte starb im Herbst 1859 im Alter von 76 Jahren. »Hindurch, hinüber, hinauf gehet der Pilger Lauf. Hin durch des Lebens Gluten, hin über Todesfluten, freudig hinauf, dem Einen nach, der uns die Bahn in den Himmel brach«. Für Meta H. folgten nun noch 17 Jahre des Witwenstandes. Genau am gleichen Tag und zur selben Stunde, da vor 40 Jahren ihre Mutter starb, ging sie heim. »Wir werden bei dem Herrn sein allezeit. Du Heimatlaut in fremden Pilgertalen! Tiefdunkel ist die ernste Ewigkeit; doch wie durch Nachtgewölk des Mondes Strahlen glänzt der Verheißung Licht durch Todesleid: Wir werden bei dem Herrn sein allezeit«. Meta H.s Gedichte entstanden in größter Verborgenheit, in stillen, einsamen Stunden, besonders des Nachts. Zahlreich sind ihre gehaltvollen Trostlieder. Ihre Lob- und Danklieder sind wahre Perlen christlichen Liedguts. Sie war ängstlich darauf bedacht, daß keines ihrer Gedichte in unberufene, fremde Hände gelange oder gar veröffentlicht werde. Der Stuttgarter Dichterpfarrer Albert Knapp (s.d.) trat 1833 durch Vermittlung von Gerold Meyer von Knonau zu Meta H. in Beziehung. Es gelang ihm, ihr einige Lieder zur Veröffentlichung in seinem christlichen Taschenbuch »Christoterpe« abzuringen. Sie willigte aber nur unter der Bedingung ein, daß ihr Name nicht genannt werde. So erschienen mehr als 30 ihrer Dichtungen anonym als »Lieder einer Verborgenen« oder »Lieder einer Christin« in einigen der Jahrgänge 1834-52 der »Christoterpe«. Knapp traf 1858 mit Meta H. persönlich zusammen und erreichte eine erste Sammlung ihrer Gedichte unter dem Titel »Lieder einer Verborgenen« ohne Angabe ihres Namens herausgeben zu dürfen. Auf vielfaches Drängen trat die Dichterin schließlich aus ihrer Verborgenheit hervor und bekannte sich mit ihrem vollen Namen zu den Liedern von 1858, als 1863 von ihnen eine zweite Auflage herauskam. Das Jahr 1867 brachte eine zweite, der ersten durchaus ebenbürtige Sammlung ihrer Gedichte. Ein Jahr vor ihrem Tod erschien eine Auswahl ihrer Gedichte in New York in englischer Übersetzung. Von ihren Liedern ist bekannt »Lamm, das gelitten, und Löwe, der siegreich gerungen, blutendes Opfer und Held, der die Hölle bezwungen!« aus dem Lied »Hör ich euch wieder, ihr Töne des Frühlings, erklingen«, das Meta H. im März 1833 dichtete bei einem Gang von den noch mit Schnee bedeckten heimatlichen Höhen an den benachbarten Zugersee, an dem schon der Frühling sich regte; es erschien 1836 in der »Christoterpe« . Für ein Missionsfest in der Schweiz dichtete sie 1834 »Es liegt die Macht in meinen Händen, der Himmel und die Erd ist mein. Ich will, bis sich die Zeiten enden, an jedem Tage bei euch sein«. Die Mutterliebe trieb Meta H. oft noch spät nachts an die Betten ihrer Kinder. Dort entstand 1827 das 1836 in die »Christoterpe« aufgenommene Lied »Dunkel ist's. Des Lebens laute Töne sind verstummt in tiefer Mitternacht«. Daraus seien als Gebet für ihre Kinder die beiden Strophen angeführt: »Dein sind sie. Du hast sie mir gegeben, wieder leg ich sie an deine Brust; da versiegle sie zum ewgen Leben, mache deiner Liebe sie bewußt. — Schreib ins Buch des Lebens ihre Namen, jene neuen, die die Welt nicht kennt; halt in heilgem Bunde sie zusammen, binde du, wenn je die Welt sie trennt.« Am 20.3.1859 dichtete sie: »Ich weiß, daß mein Erlöser lebet und daß er ewig Treue hält.« — In seinem Werk »Die deutschen Dichter der Neuzeit und Gegenwart« (9 Bde., 1884-1905) bemerkt Karl Leimbach: »Unfraglich haben wir eine der bedeutendsten evangelischen Dichterinnen der Neuzeit in Meta H. anzuerkennen.« Otto Kraus erklärt in seinen »Geistlichen Liedern im 19. Jahrhundert«: »Meta H. ist unzweifelhaft die bedeutendste der geistlichen Dichterinnen, die in unseren Tagen der evangelischen Kirche angehören.«

Werke: Lieder einer Verborgenen (77 Nr. in 4 Abschn.: 1. Naturanschauungen, 2. Inneres Leben. 3. Mutterworte. 4. Gelegenheitsgedichte), hrsg. v. Albert Knapp, 1858 (1898[4]); Gedichte (2. Smlg.: 151 Nr. in 6 Abschn.: 1. Naturanschauungen. 2. In die Bll. einer Blumenmalerin. 3. Mutterworte. 4. Rätselbuch f. die Kinder und Enkel. 5. Aus dem Leben. 6. Gelegenheitsgedichte), 1867 (1868[2]). — Alpine lycris, a selection from the poems of M. H.-S., 1875 (mit Lb. M. H.s v. Rochter Regula H.). — Briefe: Adolf Zahn, Frauenbriefe v. Anna Schlatter, Wilhelmine v. der Heydt, Kleophea Zahn u. der Verborgenen, 1862. — Anna Schlatter, Leben u. Nachlaß. II: Briefe an ihre Freunde, 1865.

Lit.: Konrad Menzel, Nachruf f. M. H., in: Daheim 1876, Nr. 32; — L. Pestalozzi, M. H.-Sch. Lb. einer christl. Dichterin, in: Zürcher Taschenbuch f. 1896; — Paul Sutermeister, M. H., in: Neue Zürcher Ztg. 1897, Nr. 96 f.; — Ders., Aus dem Leben einer Verborgenen, in: ChW 11, 1897. 332 f. 345 ff.; — Ders., M. H.-Sch. Lb. einer christl. Dichterin, Basel 1898; — Anna Ulrich, Johanna Spyri. Erinnerungen aus ihrer Kindheit, Zürich u. Gotha o. J.; — Ein Sommerabend im M.-H.-Heim. Erinnerungsbl. an unsere Gäste, Zürich 1928; — Alfred Stucki, M. H. Die christliche Dichterin, Basel 1949. — M. H.-Sch., mit 5 weiteren Aufss. über H., zus.gest. v. H. Brunner u. Verena Bodmer-Gessner. Die Zürcherinnen, 1966[3]; — Koch VII, 377 ff.; — Kosch, LL II, 969; — ADB XII, 339 f.; — NDB IX, 57 f.; — HBLS IV, 214.

Ba

HEUSSI, Karl, ev. Kirchenhistoriker, * 16.6.1877 in Leipzig als Sohn eines Kaufmanns, † 25.1.1961 in Jena. — H. besuchte das Nikolaigymnasium seiner Vaterstadt und studierte Theologie, Geschichte und Philosophie in Leipzig, Berlin und Marburg. 1901 legte er das 1. theologische Examen ab, 1903 das 2. und promovierte im gleichen Jahr zum Dr. phil. 1904-24 war H. Oberlehrer, dann Professor am König-Albert-Gymnasium in Leipzig und promovierte 1911 in Heidelberg bei Hans von Schubert (s.d.) zum Lic. theol. Die Theologische Fakultät der Universität Gießen verlieh ihm 1919 die Ehrendoktorwürde. 1924 bis zu seiner Emeritierung lehrte er als o. Professor für Kirchengeschichte in Jena. — H. ist bekannt durch sein »Kompendium der Kirchengeschichte«, ein vorzügliches Lehr- und Examensbuch. Seine Hauptarbeitsgebiete waren die Patristik, das Mönchtum, die geistige Welt des 18. Jahrhunderts und die Probleme der Geschichtsphilosophie.

Werke: Die Stromateis des Clemens Alexandrinus u. ihr Verhältnis z. Protreptikos u. Paidagogos, in: ZWTh 46, 1902, 465 bis 512; die KG.-schreibung Johann Lorenz v. Mosheims (Diss. Leipzig), Gotha 1903; Atlas z. KG (mit Hermann Mulert, 1905 (1937[3]); Zur Lebensgesch. J. L. v. Mosheims, in: ZGNKG 10, 1905, 96-123; J. L. Mosheim, 1906; Kompendium der KG, 1907 bis 1909 (1981[16], unveränd. Nachdr. d. durch 1 Literaturnachtr. erg. 13. Aufl.), Abriß der KG, 1913 (1960[6]); Einl. in die Bibel, 1916; Hilfsb. f. d. ev. Religionsunterricht an höh. Lehranstalten I, 1916, II, 1925; Zur Gesch. der Beurteilung der Mystik, in: Festg. f. Wilheelm Herrmann zu seinem 70. Geb., 1917, 154-172; Unterss. zu Nilus den Asketen, 1917, in: Texte u. Untersuchungen z. Gesch. d. altchristl. Lit., 3. Reihe, 12 Bd., 2. Heft; Das Nilusproblem. Randglossen zu F. Degenhardts neueren Beiträgen z. Nilusforschung, 1921; Altertum, MA und Neuzeit in der KG, 1921 (unv. Nachdr. Darmstadt 1970; Vom Sinn d. Gesch., Jenaer akadem. Reden 11, 1930; Die Krisis des Historismus, 1932; Die Germanisierung des Christentums als hist. Problem, in: ZThK NF 15, 1934, 119-144; Luthers dt. Sendung, 1934: War Petrus in Rom?, 1936; Der Urspr. des Mönchtums, 1936; K. H. u. H. Mulert, Atlas z. Ki.gesch., 1937[3]; Neues z. Petrusfrage, 1939; Meister Eckhart. Meister Eckharts Stellung innerh. d. theol. Entwickl. d. Spätma.s. Von K. Weiss, 1953; Gesch. der Theol. Fak. zu Jena, 1954; Die röm. Petrustradition in krit. Sicht, 1955. – Bibliogr.: ThLZ 72, 1947, 106; 77, 1952, 369 ff.; 86, 1961, 545 f.

Lit.: Hanna Jursch, Zum 70. Geb. v. K. H., in: ThLZ 72, 1947, 104 ff.; – Dies., In memoriam K. H., ebd. 86, 1961, 541 ff.; – Dies., in: In disciplina Domini. In der Schule des Herrn = Thüringer kirchl. Stud. I, 1963; – Tabula gratulatoria f. Prof. D. Dr. K. H., in: WZ Jena 6, 1956/57, 439 f.; – NDB IX, 58 f.; – RGG III, 307.

Ba

HEWITT, Eliza Edmunds, amerikanische Liederdichterin, * 1851 in Philadelphia (Pennsylvanien) als Tochter eines Kapitäns, + daselbst 1920. – H. wurde Lehrerin, mußte aber wegen eines Rückgratleidens diese Stelle bald aufgeben. Sie widmete sich, während im Lauf der Zeit eine Besserung in ihrem Befinden eintrat, dem Studium der englischen Literatur. Um der Presbyterianerkirche ihrer Vaterstadt zu dienen, schrieb sie Gedichte, die dankbare Aufnahme fanden, und lieferte Beiträge zu verschiedenen Sonntagsschulblättern. Von ihren etwa 1500 Liedern ist bekannt »Fear not, I am with Thee«, deutsch in den Berner Blaukreuzliedern, 1891[4]: »Fürchte dich nicht länger, sieh, ich bin mit dir! Das ist meine Leuchte auf dem Wege hier«.

Lit.: Walter Schulz, Reichssänger. Schlüssel z. dt. Reichsliederbuch, 1930, 184 f.

Ba

HEY, Wilhelm, ev. Fabeldichter, der »Klassiker der deutschen Kinderstube«, * 26.5.1789 als Pfarrerssohn in Leina bei Gotha, + 19.5.1854 in Ichtershausen bei Arnstadt. – H. besuchte seit 1802 das Gymnasium in Gotha und studierte seit 1808 in Jena und Göttingen. Er wurde 1811 Hauslehrer in Appeltern bei Nijmegen (Holland), 1814 Lehrer in einem Schulinternat in Gotha, 1818 Pfarrer in Töttelstedt und 1827 Hofprediger in Gotha. Hier entfaltete H. als treuer Christuszeuge in glaubensarmer Zeit eine gesegnete Wirksamkeit, wurde aber um seines Zeugnisses willen 1832 als Superintendent nach Ichtershausen versetzt. Auch hier wirkte er für lebendiges Christentum, gründete einen theologischen Verein und überwand weithin den Ra-

tionalismus seiner Pfarrer. Die Theologische Fakultät der Universität Heidelberg verlieh ihm 1847 ehrenhalber die Doktorwürde. – H. ist bekannt durch seine Fabeln, Erzählungen und Kinderlieder, von denen genannt seien: »Weißt du, wieviel Sternlein stehen an dem blauen Himmelszelt?«, »Aus dem Himmel ferne, wo die Englein sind, schaut doch Gott so gerne her auf jedes Kind«, »Alle Jahre wieder kommt das Christuskind auf die Erde nieder, wo wir Menschen sind«, »Wen Jesus liebt, der kann allein recht fröhlich sein und nie betrübt«, »Wenn ich in Bethlem wär, du Christuskind, lief ich zur Krippe her, o wie geschwind!« und »Vöglein im hohen Baum, klein ist's, ihr seht es kaum«. Allgemein bekannt ist das Morgengebet »Wie fröhlich bin ich aufgewacht!«

Werke: Gedichte, Berlin 1816; Fünfzig Fabeln f. Kinder. In Bildern gezeichnet v. O. Speckter, Nebst einem ernsthaften Anhange, Hamburg 1833 u. ö.; Auswahl v. Predigten I, 1829, II, 1832; Noch fünfzig Fabeln f. Kinder, Hamburg 1837 u. ö.; Erzählungen aus d. Leben Jesu f. d. Jugend, Hamburg 1838 = Beigabe zu: Volksbilderbibel in 50 Darst. a. d. NT v. F. v. O'Livier; Das Kind u. d. Wiege bis z. Schule. Gez. u. rad. v. H. J. Schneider, 1850; Das Leben e. Kriegspferdes. Ein Gedicht, gez. u. rad. v. M. Prätorius. – Bilder u. Reime, Reime u. Bilder f. Kinder (Zeichnungen v. L. Richter), Dresden 1859 u. ö. – Kinderlust. Gez. u. rad. v. H. J. Schneider, Gotha 1870. 1877[5]. – H. v. Fallersleben u. W. H., Der bunte Garten. Kindergedichte, mit Bildern v. L. Richter u. O. Speckter, Ausgew. u. eingel. v. A. Janssen, München 1918 = Unsere Kinderdichter 6, N.A.1922. 1931. – Fr. Güll u. W. H., Allerlei Gedichte u. Verse. Ausgew. v. D. Siegl, Bilder v. M. Greugg, Wien 1919 = Dtschöster. Jugendhefte 33-35. – Freue dich o Christenheit. Erzählungen v. W. H. u. a., 1912, N.A. 1924. – Fabeln u. Lieder, Essen 1925 = Deutsche Gute Reihe 1, Nr. 55. – M. M. Behrens, Schlag auf! Schau an! Freue dich daran! Bunte Scherenschnitte m. Fabeln v. W. H., 1926. – Dies., Wenn doch jemand käme u. mich mitnähme! 60 bunte Scherenschnitte m. Versen v. W. H., 1915. – Weist du wieviel Sternlein stehen? Kinderverse. Mit bunten Scherenschnitten v. M. M. Behrens, 1927. – Achtzig Fabeln f. Kinder, 1927[5]. – Noch fünfzig Fabeln f. Kinder. Insel Bücherei, 1929. – Mütterchen, warum? Mit Bildern v. M. M. Behrens, Verse v. W. H., Zwickau 1930. – Kommet zu Jesus, Erzählungen u. Gedichte f. d. liebe Jugend. Von W. H., F. Güll, F. v. Stenglin u. a., 1914. – mein Fabelbuch. Ausgew. u. hrsg. v. A. Neibecker, mit Bildern v. C. O. Petersen, 1936. – Die schönsten Fabeln för Kinner. Up Plattdütsch vun Frdr. Lindemann, m. Bildern v. O. Speckter, Verden 1948. – O. Speckter u. W. H., Fünfzig ergötzl. Fabeln f. kleine u. große Leute, 1957.

Lit.: Friedrich Jacobs, Personalien. 1840, 566 f; – Evang. Kirchenztg., 1854, Nr. 53 f; ADB XII, 344; – J. Bonnet, Der Fabeldichter W. H., ein Freund unserer Kinder 1885; – Th. Hausen, W. H. nach s. eigenen Briefen u. Mitteilungen s. Freunde dargest., 1886; – Gtlo. Schubart, Zum 100j. Geburtstage d. Fabeldichters W. H., 1889; – Leipziger Illustrierte Zeitung, 1889, 290; – A. Bütow, W. H., Ein Bild s. Lebens u. Dichtens, 1889; – C. Kehr, Der Anschauungsunterricht f. Haus und Schule auf Grundlage d. Hey-Speckterschen Fabeln, o. J.; – N. Knauf, Der Fabeldichter W. H. u. s. Bedeutung f. d. Schule, 1889; – Ztschr.-Art. zu H.s 100. Geburtstag 1889 verzeichnet: Anz. f. dtsch. Altert. 16,431; – Grenzboten 48 (1889), 618-23; – Todt, W. H., der Kinderfreund: Schulbll. f. Brandenburg Bd. 62 (1889), 499-504; – A. Kirst, Präparationen z. Behandlung v. 20 Fabeln v. H. auf d. Unterstufe, 1929[12]; – O. Karstädt, Dem Dichter nach, schaffende Poesiestunden I, 1930[7], S. 176-199; – L. Göhring, Die Anfänge d. dt. Jugendlit. im 18. Jh., mit e. Anhang: Drei Kinderdichter, H., Hoffmann v. Fallersleben, Güll, 1904, Nachdr. 1967; – P. Stein, Der Sänger von »Wandersmann und Lerche«, Superintendent D. W. H. Nebst e. Ausw. s. Gedichte, Berlin 1904; – C. Reineck, Der Fabeldichter W. H., ein unvergeßl. Kinderfreund: Monatsbll. f. dtsch. Lit. Bd. 7 (1904), 485-491; – K. O. Beetz, Pädagog. Warte. Bd. 10 (1904), 1261-1266; – M. Ginolas, Evang. Volksschule Bd. 17 (1904), 311 f., 318; – K. Richert, Tägl. Rundschau, 1904, Beil. Nr. 117; – Alb. v. Bamberg, Ausgew. Schulreden, Berlin 1906; – C. Kehr u. A. Kleinschmidt, Der Anschauungsunterricht f. Haus u. Schule auf Grundlage d. Speckterschen Fabeln, Gotha 1911[9]; – A. Lomberg, Präparationen zu deutschen Gedichten. 4. Bürger, Hey... Leipzig 1913[7]; – H. L. Koester, Gesch. d. dt. Jugendlit. I, 1906, S. 82-86, 1927[4], 1968; – W. Scherf, Nachdr. 1968; – F. Hennecke, Sind die H.schen Fabeln i. d. Unterstufe zu behandeln?: Päd. Warte 1919. 305 f.; – Ders., 412; – A. Kirst, Präparationen zur Behandlung von 20 Fabeln von H. auf d. Unterstufe, Langensalza 1920[11]; – I. Dyhrenfurth, Gesch. d. dt. Jugendbuches, 1967[3], S. 111-113; – Goedeke XIII. S. 159; – NDB IX, 62 f.; – DLL VII, 1115; – Goedeke XIII. 159 ff.; – CKL 1, 848.

Ba

HEYDE, Wilhelm, Missionar, * 16.2.1825 in Girlachsdorf bei Reichenbach im Eulengebirge als Sohn eines Gärtners, + 27.8.1907 in Herrnhut bei Zittau (Oberlausitz). – Mit 12 Jahren kam H. zu einem Klempnermeister in Herrnhut in die Lehre, die 6 Jahre dauerte und sehr hart war. Nach vollendeter Lehrzeit blieb er in Herrnhut, das ihm zur zweiten Heimat geworden war, und erlernte als Gehilfe des »Brüderhausvorstehers« allerlei kaufmännische Arbeiten. Hier fand H. den Frieden des Herzens. Darüber schreibt er unter dem 15.7.1853: »In Herrnhut wurde ich durch die Barmherzigkeit meines Erlösers aus dem Tode ins Leben erweckt; hier lernte ich mein sündiges Herz kennen, aber auch den gekreuzigten Heiland, der mich mit Gott versöhnt hat und dessen starke Hand mich nun sicher und gewiß führt«. Auf Anregung des Chinamissionars Karl Gützlaff (s.d.) faßte die Missionsbehörde der Herrnhuter Brüdergemeinde (s. Zinzendorf, Nikolaus Ludwig Graf von) den Plan einer Mongolenmission in Innerasien und berief zu diesem Dienst den 27jährigen ahnungslosen H. und noch einen anderen Bruder namens Pagell. In der Brüdergemeine Königsfeld (Schwarzwald) erhielten beide Unterricht in der mongolichen Sprache und in der Medizin. Daran schloß sich ein praktischer achtwöchiger Kursus in der Charite in Berlin. Am 10.7.1853 wurden die beiden Missionare in Herrnhut ordiniert und von der Gemeinde verabschiedet. Über Berlin und Hamburg ging es nach London. Am 3.8. fuhren sie von Portsmouth ab und erreichten am 23.11. Kalkutta. Dann setzten sie die Reise fort mit dem Boot auf dem Ganges nach Benares, mit dem Ochsenwagen über Meerut nach Kalka und zu Fuß durch den Himalaya. Am 1.4.1854 erreichte man Simla, das Juwel des Nordwesthimalaya, die Sommerresidenz des Vizekönigs von Indien, und drei Tage später als das vorläufige Ziel ihrer Reise die Missionsstation Kotghur. Dort sollten sie sich im Englischen vervollkommnen und ihre weiteren Sprachstudien aufnehmen, bevor sie über die tibetische Grenze ihrem eigentlichen Ziel, der Mongolei, zustrebten. Am 26.3.1855 brach H. mit seinem Gefährten Pagell auf, um in die wilde, damals noch ganz unerschlossene Gebirgswelt des Himalaya einzudringen. Sie kamen in die Hochebene Innerasiens, mußten aber am 1.8. den Rückzug antreten, da bewaffnete Grenzwächter sie an der Überschreitung der Grenze hinderten, und trafen am 16.10. wieder in Kotghur ein. Da sie inzwischen die tibetische Sprache gelernt hatten und ihnen Land und Leute lieb geworden waren, machten sie der heimatlichen Behörde den Vorschlag, in Westtibet eine Missionsstation zu gründen, um von dort aus später, wenn die tibetische Grenze sich öffnen würde, in die Mongolei vorzudringen. Von Herrnhut traf die Anweisung zur Gründung einer Station in Lahoul ein und kurz darauf die Erlaubnis der englischen Regierung zur Niederlassung in dieser Provinz. Man erwarb ein Grundstück bei dem Dorf Kyelang an der Handelsstraße von Leh in die Ebe Ebene Nordindiens und begann mit dem Bau eines Dorf Kyelang an der Handelsstraße von Leh in die Ebene Nordindiens und begann mit dem Bau eines Missionshauses. Im März 1857 kam aus der Heimat als Dritter im Bunde und als Leiter der tibetischen Mission der Theologe Heinrich Jäschke (s.d.), ein bedeutender Sprachforscher, der bisher Lehrer am Pädagogium in Niesky (Schlesien) war. Da H. die heimatliche Behörde bat, ihm eine Lebensgefährtin zu senden, erhielt die Lehrerin Maria Hartmann am Schwesternhaus-Pensionat in Gnadenfrei (Schlesien) Ende Februar 1859 einen »Ruf nach Tibet als Braut des Bruders Wilhelm Heyde«. Sie war als Missionstochter am 19.4. 1837 in Paramaribo in der holländischen Kolonie Suriname geboren und dort am Rand des südamerikanischen Urwalds aufgewachsen. Schon in ihrem 7. Lebensjahr kam Maria nach Kleinwelka bei Bautzen in die Erziehungsanstalt für Missionarskinder. Bald nach ihrer Abreise erlag der Vater dem Tropenfieber. Die Mutter konnte sich nicht entschließen, nach dem Tod des Gatten das geliebte Arbeitsfeld im Surinamer Buschland zu verlassen. Sie unterhielt mit der Tochter einen regen, segensreichen Briefwechsel. Beide haben sich nicht wiedergesehen. Zwei Brüder der Maria Hartmann standen bereits im Missionsdienst: der eine in Südafrika bei den Kaffern, der andere in Australien und später bei den Indianern Nordamerikas. Maria Hartmann befragte das Los, wie es damals noch oft in der Brüdergemeinde geschah. Da dieses eine unzweideutig bejahende Antwort gab, entschloß sich die 21jährige, dem unbekannten Mann in das unbekannte Land nachzureisen. In manchen Lagen und Stunden ihres späteren Lebens und Wirkens war ihr der Gedanke an die Bestätigung durch das Los eine wertvolle Hilfe. Noch als alte Frau bezeugte sie: »Ich war dankbar und bin es immer noch, daß Gott mich auf jene Weise so unmißverständlich geführt hat«. Schon Mitte Mai reiste Maria Hartmann mit den Bräuten der Brüder Jäschke und Pagell von London ab und traf Mitte November auf der Missionsstation Kyelang ein. H. wirkte mit seiner Frau Jahrzehnte hindurch unter den Tibetern als Evangelist und Seelsorger, als Arzt und Erzieher, als Menschenfreund und Kulturträger. In den zwei ersten Jahrzehnten seiner Wirksamkeit reiste er viel und weit umher, um in Dörfern und Städten, auf Marktplätzen, an Wallfahrtsorten und in Nomadenlagern das Evangelium zu verkündigen. Auch im höheren Alter unternahm H. noch immer gern seine jährlichen Evangelisationsreisen. 1882/83 war er 10 Monate unterwegs, um die Gründung der Missionsstation in Leh vorzubereiten. Europaurlaub hat sich H. nie genommen; er war nur zweimal mit seiner Gattin gemeinsam zur Erholung in Simla und in Nordindien. Mit Nachdruck betonte H. die Notwendigkeit, die christlichen Wahrheiten nicht nur in das klassische Tibetisch zu übersetzen, wie es Jäschke tat, sondern auch in die Umgangssprache des Volkes. Er übersetzte deutsche und englische Kirchenlieder und die Glaubenslehre des Johann Tobias Beck (s.d.) und verfaßte verschiedene Lehrbücher für die Christenschule und zahlreiche Traktate für die Heiden. Ein bedeutsames Verdienst erwarb sich H. durch die Anlegung einer Musterfarm mit Viehwirtschaft, die besonders denen zugute kam, die durch ihren Glaubenswandel Kaste, Hab und Gut verloren hatten. Das Gegenstück zu H.s Farm war die Strickschule seiner Frau. Über 10 Jahre dauerte es, bis der erste Tibeter sich zur Taufe meldete. H. sagte einmal: »Im

Himmel werde ich sicherlich eine ganze Reihe von ungetauften Tibetern antreffen, denen ich den Weg zum Leben zeigen durfte«. Am Ende seiner Wirksamkeit zählte die Christenschar etwa 50 Personen. Im Herbst 1898 legte H. die Leitung der tibetischen Mission nieder, die ihm 1868, als Jäschke nach Europa zurückkehrte, übertragen worden war, und zog mit seiner Gattin nach Darjeeling, der prächtigen Villenstadt nördlich von Kalkutta. Im Auftrag der britischen Bibelgesellschaft und in Verbindung mit einer skandinavischen Missionsgesellschaft, die im südlichen Himalaya unter den Tibetern arbeitete, widmete sich H. in dem benachbarten Dorf Ghum in vierjähriger Arbeit der Durchsicht und Umarbeitung der tibetischen Übersetzung des Neuen Testaments und nahm auf Ersuchen der indischen Regierung auch die Revision des englisch-tibetischen Wörterbuchs vor. Im Frühjahr 1903 verließen H. und seine Gattin Indien. In Herrnhut revidierte und vollendete er die Übersetzung der 5 Bücher Mose des Missionars Friedrich Adolf Redslob (+ 7.6.1891) und überwachte während eines mehrmonatigen Aufenthalts in Berlin ihren Druck. Seine Gattin starb am 6.4.1917 bei ihrem Sohn in Schönebeck (Elbe).

Lit.: Gerhard Heyde, 50 Jahre unter Tibetern. Lebensbild des Wilhelm und der Maria Heyde, 1921, 1960[2].

Ba

HEYDEN, Sebald, Schulmann, Musiktheoretiker und Kirchenliederdichter, * 8.12.1499 in Bruck bei Erlangen als Sohn eines Bierbrauers, + 9.7.1561 in Nürnberg. – H. wuchs in Nürnberg auf, wohin seine Eltern kurz nach seiner Geburt übergesiedelt waren. 1505 bis 1510 besuchte er die Schule von St. Lorenz, dann die von St. Sebald. H. bezog 1513 die Universität Ingolstadt und erwarb dort die Magisterwürde. Anfang 1519 ging er in die Steiermark und war einige Wochen im Schuldienst in Knittelfeld und Bruck an der Mur und vom 2.2. bis 23.4. Kantor in Leoben. Über Regensburg kehrte H. nach Nürnberg zurück und wurde dort noch in demselben Jahr Kantor an der Spitalschule zum Heiligen Geist und 1521 Rektor dieser Anstalt. Mit Hans Sachs (s.d.), Albrecht Dürer (s.d.), Lazarus Spengler (s.d.), Wolfgang Volprecht (s.d.), Wenzeslaus Link (s.d.), Andreas Osiander (s.d.) und anderen bekannte er sich unerschrocken zur Lehre Martin Luthers (s.d.). Während des Reichstags zu Nürnberg 1523 wagte es H., in der Kirche zum Heiligen Geist statt der Antiphone auf die Jungfrau Maria »Salve regina, mater misericordiae« des Bischofs Ademar von Puy (+ 1098) seine auf Christus bezogene Umdichtung »Salve Jesu Christe, rex misericordiae« singen zu lassen. Das brachte ihm heftige literarisch-theologische Fehden ein, führte aber dazu, daß im folgenden Jahr die Marienantiphone in Nürnberg abgeschafft wurde. Als Hans Denck (s.d.), seit Herbst 1523 Rektor an der Sebaldusschule in Nürnberg, durch Ratsbeschluß vom 21.1.1525 entlassen und ausgewiesen wurde, übertrug man das Amt des Rektors H., der es bis zu seinem Tod treu verwaltete. Als tüchtiger Pädagoge brachte H. die Sebaldusschule zu hoher Blüte; 1554 wurde sie von 400 Schülern besucht. Aus Liebe zum Humanismus

führte er um 1542 das Griechische als Wahlunterricht ein und zeigte auch für die Leibesübungen lebhaftes Interesse. Im Lauf seiner Amtszeit gab H. eine große Anzahl musikalischer, pädagogischer, theologischer und anderer wissenschaftlicher Werke heraus. Als Musiktheoretiker war er schon zu seinen Lebzeiten bekannt und geschätzt. Neben den vielen Liedschöpfungen der Reformationszeit steht als weithin unbekannter Dichter H. Er hat im ganzen acht Lieder gedichtet. Das für die Abendmahlsfeier bestimmte Lied »Als Jesus Christus, unser Herr« findet sich zuerst in einem Einzeldruck aus dem Jahr 1544, erschien dann im folgenden Jahr in dem Agendbüchlein des ihm befreundeten Veit Diedrich (s.d.) und im Nürnberger Gesangbuch »Geistliche geseng von Psalmen«. Zum letztenmal begegnet es uns in einem Nürnberger Gesangbuch von 1778. 1545 erschien unter dem Titel »Wie ein Christ in sterbßleufften sich trösten soll« »Veit Diedrichs Predigt über den 91. Psalm vom 4.4.1544« und als Anhang H.s Trutzlied »Wer in dem Schutz des Höchsten ist« nach diesem Psalm. Schon im nächsten Jahr findet es sich in der Sammlung »Geistliche geseng vnd Psalmen« und zum letztenmal in dem Gesangbuch »Geistliche liebliche Lieder« des Johann Porst (s.d.), Ausgabe von 1797. Noch heute bekannt und verbreitet ist H.s wichtiges dichterisches Werk, das klassische Passionslied »O Mensch, bewein dein Sünde groß«, eine Nacherzählung der Leidensgeschichte Jesu in 23 Strophen (1. und letzte Strophe in EKG 54). Obwohl der erste Druck des Liedes die Jahreszahl 1525 trägt, wird es doch erst gegen 1540 entstanden sein; es kam öfter vor, daß Buchdrucker die alte Bucheinfassung eines früheren Druckes verwandten. Die dem französischen Volksgesang entstammende Weise des Matthäus Greiter (s.d.) zu Ps 119, 1-6 »Es sind doch selig alle, die im rechten Glauben wandeln hie«, die zuerst im Straßburger »Deutsch Kirchenamt« 1525 erschien, wurde mit H.s Lied »O Mensch, bewein dein Sünde groß« verbunden. Johann Sebastian Bach (s.d.) schließt den ersten Teil seiner »Matthäuspassion« mit einer grandiosen Auslegung der ersten Strophe dieses Liedes ab.

Ba

Werke: Adversus hypocritas calumniatores, super falso sibi inustam haereseos nota, de inuersa cantilena, quae Salue regina incipit ... defensio, 1524; Das der eynig Christus vnnser mitler und fursprech sey bey dem vatter, nicht sein mutter, noch die heyligen,... Schirmrede durch S. H. in latin geschriben u. yetzt newlich verdeutscht, 1526; Nomenclatura rerum domesticarum, 1530, spät. Aufl. 1593; Wie man sich in allerlay Nöten des Türcken, Pestilentz. Theürung &c. trösten, den Glauben stercken, und christliche Gedult erlangen soll, auss siben Sprüchen heyliger Schrifft kürzlich angezeygt..., 1531; Musicae στοιχείωσις, 1532; Musicae, id est, artis canendi libri duo, 1537; 2. Ausg. u. d. T. »De arte canendi, ac vero signorum in cantibus usu, libri duo... recogniti, mutati & aucti«, 1540; Catechistica summula fidei Christianae, 1538, 1542[2]; auch als »Kurtzer Unterricht v. christl. Lehr, verdeutscht durch Stephan Agricola«, 1551; Pverilivm colloquiorum formulae, latine, bohemica, et teutonica lingua consrciptae. primis tyronibus accomodatissimae, Ioannes Vopotouinus. Huc romanae puer germaniae huc atq; bohemae ..., 1541; Die einsetzung vnnd brauch des heyligen Abentmals Jesu Christi vnsers Herren, inn gesangs weyß gestelt, 1544, um 1549, 1553; Der Christliche Glaub, in Gesangsweyß gestelt durch S. H. Im Thon des Vatter vnser D. Lutheri, 1545; Der lxxx. Psalm zu singen vnd zu betten f. die Christliche Kirchen, wider alle Widerchristen vnd verfolger des göttlichen worts, inn gesangs weyß gestelt, um 1546 (enth. v. H. »Gott du hirt Israels merck auff«, »Herr Gott dein namen rueff wir an«, x̶lvi Ps. »Gott vnser sterck vnd zuuersicht«); Der xli. Psalm darin der heilige

Geist sein Kirchen sonderlich troestet vnd sterckt wider den Türcken vnd alle andere Feind. Im thon. Nun freud euch alle lieben Christen gemein, nach 1548; Paedonomia scholastica, pietatis studii literarii, ac morum honestatis praecepta continens, ebd. 1555 (um 1547 (?) verdeutscht); Der passion oder das leyden Jhesu Christi in gesangs weyß gestellet, In der Melodey des cxix. Ps., vor 1544, spätere Drucke u. Aufl. o. J., 1548, 1560, 1563; Liber Canticorum, quae vulgo Responsoria uocantur secundum anni ordinem, Dominiciis & Festis diebus hactenus seruatum (m. Distichen Ad lectorem, gez. S. H.), o. J., spätere Aufl. 1558; Resp. quae annuatim in Veteri Ecclesia de tempore, Festis & Sanctis cantari solent, 1550, 1554, 1555, 1556, 1562, 1572, 1580, 1584 u. 1618; Ein Lobgesang von der Aufferstehung Christi, Vnd wazu vns dieselbe nütze sey, um 1554; Der xci. Psalm gesangsweyß, wie ein Christ in Sterbens leufften sich trösten soll, o. J.; Praeludium latinae grammaticae pro illis puerulis ordinatum, Bamberg 1597; Ausg.: Philipp Wackernagel, Bibliogr. z. Gesch. des dt. Kirchenliedes im 16. Jh., Frankfurt 1855, 212, 229, 260 f., 361; Wackernagel III, 553-560.

Lit.: Wolfgang Endtner, Die Gesch. der Gelehrten in Francken, 1726; – Ders., Nachr. z. Kirchen-, Gelehrten- u. Bücher-Gesch. III, 1764-86, 313-317; – Gustav Georg Zeltner, Kurze Erläuterung der Nürnbergischen Schul- u. Ref.gesch. aus dem Leben u. Schrr. des berühmten S. H., 1732; – F. J. Lipowsky, Bair. Musiklexikon, 1811; – J. S. Ersch u. J. G. Gruber, Allgemeine Enz. der Wiss. u. Künste VII, 1830, 364; – Heinrich Bellermann, Die Mensuralnoten u. Taktzeichen des 15. u. 16. Jh., 1858 (Neudr. 1930); – H. Riemann, Stud. z. Gesch. der Notenschrift, XI, 1878; – Ders., Gesch. der Musiktheorie im 9.-19. Jh., 1915²; – F. Roth, Die Einf. der Ref. in Nürnberg 1517-1528, 1885; – Zahn V, 103 f., VI 19, 25, 27 f.; – August W. Ambros, Gesch. der Musik II, 1891; – G. Schilling, Z. Frage des Taktschlagens u. der Textbehandlung in der Mensuralmusik, in: SIMG X, 1908/09, 87-95; – Ders., Gesch. des Dirigierens, 1913; – Ders., Gesch. der dt. Schulmusik I, 1931; – L. Krauß, Mitt. über d. Zus. der Lehrerbibl. des Alten Gymnasiums (Schulprogr.), 1910/11; – A. Schering, Die Notenbsp. in Glareans Dodekachordon, in: SIMG XIII, 1911/12, 571, 574; – Ders., Stud. z. Gesch. der Frührenaissance, 1914; – Ders., Takt u. Sinngliederung in der Musik des 16. Jh., in: AfMw II, 1919/20, 465-498; – P. Cohen, Die Nürnberger Musikdrukker im 16. Jh. (Diss. Erlangen), 1927; – H. J. Moser, Gesch. der dt. Musik I, 1930⁵; – Ders., Die ev. Kirchenmusik in Dtld., 1954; – Ders., 1955⁴; – Siegfried Braungart, Die Verbreitung des ref. Liedes in Nürnberg in der Zeit von 1525-1570 (Diss. Erlangen), 1939; – A. Kosel, S. H. (1499-1561), Ein Btr. z. Gesch. der Nürnberger Schulmusik in d. Ref.zeit, Würzburg, Triltsch 1930 (= Literarhist.-mw. Abh. VII); dazu die Besprechung von R. Wagner, in: Mitt. d. Vereins f. Gesch. d. Stadt Nürnberg 36, 1941; – R. Wagner, Wilh. Breitengrasser u. die Nürnberger Kirchen- u. Schulmusik seiner Zeit, in: Mf II, 1949; – W. Apel, The Notation of Polyphonic Music 900-1600, 1949; – C. Sachs, Rhythm and Tempo, 1953; – G. Reese, Music in the Renaissance, 1954; – C. Dahlhaus, Die Termini Dur u. Moll, in: AfMw XII, 1955, 288 f.; – Clement A. Miller, S. H.s »De arte canendi«. Background and Contents, MD XXIV, 1970; – J. Wolf, Handbuch der Notationskunde I, 390, 399, 412; – Ders., Gesch. der Mensuralnotation I, 97; – L. Walther, Musikalisches Lexikon; – Fischer-Tümpel II, 446; – Jöcher II, 1582; – MGG VI, 362 ff.; – Will II, 89 ff.; – Eitner V, 136 f.; – AfMw XII, 228 f.; – Grove 1955, u. d. T. »The New Grove«, 1980, VIII, 28; – Koch I, 326, II, 417; – Goedeke, 177; – Riemann, 789; – Brockhaus Riemann, Musiklexikon, 1978, 547; – RISM I, 1980, 29 ff.; – ADB XII, 352 f.; – NDB IX, 70.

Ar

HEYDENREICH, August Ludwig Christian, evangelischer Theologe und Kirchenliederdichter, * 25.7.1773 in Wiesbaden als Sohn des Stadtpfarrers Johann Andreas H., † 26.9.1858 ebenda. – 1789 begann H. sein Theologiestudium an der Universität Erlangen, wo er 1792 die Magisterprüfung absolvierte. Bis 1793 war H. Assistent am theologischen Fachbereich der Universität. Er verwaltete nach seinem Studium zunächst verschiedene Pfarrstellen in Usingen, Wiesbaden und Dotzheim. 1817 trat H. bei den Verhandlungen der Unionssynode zu Idstein hervor. Die Universität Herborn wurde auf ihn aufmerksam, und berief ihn 1818 als zweiten Professor an ihr evangelisch-theologisches Seminar. 1825 wurde H. Direktor des Fachbereichs; er übte das Direktorat bis 1837 aus. Die Theologie H.s war gekennzeichnet von einer Ablehnung des Rationalismus und

dessen Bibelkritik. Obwohl H. sehr gute Kenntnisse der klassischen und zeitgenössischen theologischen Strömungen besaß, war sein Werk geprägt von einem romantischen Supernaturalismus. 1837 wurde H. evangelischer Landesbischof von Nassau. Die von ihm 1843 bearbeitete und herausgegebene Agende, die bis 1947 Gültigkeit behielt, spiegelt seine liturgisch konservative Grundhaltung wieder. Sie stieß auf große Resonanz in der nassauischen Pfarrerschaft. Zu dem nassauischen Kirchengesangbuch von 1840 steuerte H. zahlreiche Lieder bei. Auf die Wirksamkeit H.s geht die konservativ-vermittelnde Auffassung der großen Mehrheit der nassauischen Pfarrerschaft zurück. Viele seiner 57 Lieder, besonders das Adventslied »Hosianna, zu der Erden steigt der Friedensfürst herab« waren weithin bekannt und wurden gerne gesungen.

Werke: Über die Unzulässigkeit der mythischen Auffassung des Historischen im NT u. im Christentum, Denkschrift d. ev.-theol. Seminars zu Herborn, 1831, 1833, 1835. Die eigentümlichen Lehren des Christentums rein biblisch dargestellt, 4 Bde., 1833-1839; Liturgie beim öffentl. Gottesdienste der ev.-christl. Kirche in dem Herzogtum Nassau, 1843: Geistl. Lieder, in: ev. Gesangbuch für Nassau, 1841.

Lit.: E. Anthes, Handbuch zum Gebrauch des ev. Gesangbuches für Nassau, 1875, 1-8, 250-254; – H. Schlosser, Festschrift zur 100-J.-Feier der Union in Nassau, 1917, 81-85, 134 ff.; – E. Knodt, Festschrift zur 100-J.-Feier des Kgl. Theol. Seminars in Herborn, 1918, 36-39 (Werkeverz.); – R. Bonnet, Nassovica VI, 1940, 59 f.; – A. Adam, Die Nassau. Union von 1817, in: Jahrbuch der hess. Kirchengesch. Vereinigung I, 1949, 35-408; – Heinrich Steitz, Gesch. d. ev. Kirche in Hessen und Nassau, Marburg 1977, 337, 372, 485; – NDB IX, 72 f.; – RGG III, 310.

Ty

HEYNLIN, Johannes, H. de Lapide, Hélin, Hemlin, Hegelin, Lapierre, de la Pierre, Steinlin, Lapidanus, Gelehrter, Frühhumanist, * um 1430 in Stein bei Pforzheim, wahrscheinlich adliger Abstammung, † 12.3.1496 in Basel. – Von H. ist sorgfältig zu unterscheiden der gleichnamige und -zeitige Gelehrte Johannes de Lapide aus England, der 1418 in Paris studierte, weiterhin ein Johannes de Lapide, der 1430 als Magister artium das Rektorat der Universität Leipzig bekleidete. 1446 nahm H. das Studium in Erfurt auf. Zwei Jahre später setzte er es in Leipzig fort und wurde dort 1450 Baccalaureus artium. Hier verfaßte er auch sein Erstlingswerk »Quaestiones in libros III Aristotelis de anima«. Schwerpunkt seiner Studien wurde in steigendem Maße die Theologie. Nach einjährigem Studienaufenthalt in Löwen inscribierte H. schließlich im Jahre 1453/54 an der Pariser Universität. 1455 promovierte er zum Magister artium. 1457 wurde er Prokurator und 1458 Receptor der Alemannennation an de Sorbonne. Weitere vier Jahre später erwarb er auch den akademischen Rang eines Baccalaureus theologiae hinzu, und wurde Socius der Universität. Als Professor der Artistenfakultät las H. über Aristoteles »Organon« im Collegium Burgundiae und verfaßte auch mehrere Kommentare über den von ihm sehr geschätzten Philosphen der Antike. Im Sommer 1464 verließ H. Paris und wandte sich nach Basel, wo sich die "moderna via docendi" des Nominalismus damals bereits vollkommen eingebürgert hatte. H., selbst ein Vertreter der "antiqua via" des Realismus, strebte hier die Gleichberechtigung der beiden erkenntnistheoretischen Ansätze an. H. stand in Basel auch einer Burse vor und wurde 1465 Dekan der Artistenfakultät. Unter seinem Dekanat wurden die Statuten der Fakultät einer Revision unterzogen und neu bestimmt. Von Basel aus ging H. über Mainz zurück nach Paris, um seine Tätigkeit an der Sorbonne wieder aufzunehmen. Hier wurde er am 28.3.1467 Prior und am 24.3.1469 Rektor der Universität. Auch erwarb er sich die ihm noch fehlenden theologischen Grade: 1471 wurde er Licentiat und ein knappes Jahr später Doktor. H. machte sich in dieser Zeit am meisten dadurch verdient, daß er die erste Druckerei in Paris einrichten ließ und unterstützte. An dem Verbot des Nominalismus durch Ludwig XI. vom 1.3.1473 scheint H. beteiligt gewesen zu sein. 1474 verließ H. Paris endgültig und kehrte als Prediger nach Basel zurück. Am ersten Adventssonntag 1474 begann er in der Kirche zu St. Leonhard seine Tätigkeit als Leutpriester. Eine Dozentenstelle, die ihm angeboten wurde, lehnte H. ab. Er widmete nunmehr seine ganze Energie einer volkstümlichen und anschaulichen Predigttätigkeit in verschiedenen Kirchen der Stadt. Während dieser Zeit trat H. auch dreimal als Ablaßprediger in Bern in Erscheinung, wo er die in ihn gesetzten Erwartungen über alle Maßen erfüllte. Seit dem Frühjahr 1478 bekleidete H. das Doppelamt des Theologieprofessors und Stadtpfarrers in Tübingen, 6 Monate darauf bereits das Amt des Rektors der jungen Universität. H. stieß jedoch auf heftige Opposition von Seiten der Nominalisten, namentlich Gabriel Biel und Paul Scriptoris, so daß er mitten im Sommersemester 1479 Tübingen überstürzt verließ. H. ging nach Baden-Baden und wurde Rektor des dortigen Stifts. Auch war ihm hier die seelsorgerliche Supervision des Zisterzienserklosters anvertraut. Jedoch fand H. auch in Baden-Baden nicht den gewünschten Erfolg, so daß er 1484 dem Ruf als Münsterprediger nach Basel folgte. Der Nominalistenstreit war in der Stadt am Oberrhein gerade auf seinem Höhepunkt. H. stieß erneut auf erbitterte Widersacher, resignierte schließlich, und trat am Tag vor Mariae Himmelfahrt 1487 öffentlich der Basler Karthause bei, der er auch seinen gesamten Besitz schenkte. H. verbrachte seinen Lebensabend in der strengen Isolation des Klosters mit Gebet und einsamer literarischer Tätigkeit. Die Persönlichkeit H.s war gekennzeichnet von dem Ernst und der Konsequenz seines Lebenswandels und seiner gewaltigen Strebsamkeit, die in einer umfassenden Gelehrsamkeit mündete. Als sein wichtigstes Werk gilt sein Traktat zu Aristoteles, sein Leipziger Frühwerk. Viele seiner Schriften fanden weite Verbreitung und behielten noch lange nach seinem Tode große Bedeutung. H.s Rolle in der Auseinandersetzung um den Nominalismus ist nicht zu unterschätzen. Seine diesbezüglichen Schriften geben den Lehrstreit umfassend wieder.

Werke: Compendiosum de arte punctandi dialogus, 1470; Premonitio circa sermones de conceptione gloriose virginis Mariae, 1488; Resolutorium dubiorum circa celebrationem missarum occurentium, 1492; Kommentare zur Logik des Aristoteles, des Porphyrios und des Gilbert de la Porrée, De propositionibus exponibilibus et de arte solvendi importuna sophisticarum argumentationem fallacias, 1495; Mss., i. d. Univ.bibl. Basel: Div. Kommentare zu Aristoteles' »De anima«, 1452-1459; Quaestiones in totam Aristoteles philosophiam naturalem, 1452-1454; Disputationes, Epistola, Predigten, 5 Bde.; Reden, Vorlesungen.

Lit.: Wilhelm Fischer, H., genannt a Lapide, Akademischer Vortrag, Ba-

sel 1851; — Ders., Gesch. d. Univ. Basel, Basel 1860, 143 f., 157 ff.; — Johannes Bernoulli, Die Kirchengemeinden Basels vor der Reformation, in: Basler Jahrbuch 1895; — Denifle u. Chatelain, Auctarium Chartularii Universitatis Parisiensis, Liber receptorum nationis Alemanniae, Tl. II, Paris 1897, 903, 907, 913, 916 f., 921; — A. Claudin, The first Pais Press, an account of books printet for G. Fichet und H. in the Sorbonne 1470-1472, in: Illustrated Monographs issued by the Bibliographical Society, Nr. VI, London 1898, 35 ff.; — A. Franz, Die Messe im dt. MA, Frankfurt a. M. 1902, 558 f.; — H. Hermelink, Die theol. Fak. in Tübingen vor der Reformation, Tübingen 1906, 191 ff.; — M. Hossfeld, H. aus Stein, in: Basler Zeitschr. f. Gesch. u. Altertumskunde VI, Basel 1907, 309-356, 7 (1908), 79-219, 235-431; — J. Haller, Die Anfänge der Univ. Tübingen, Bd. I, Stuttgart 1927, 19-25, Bd. II, 1929, 5 ff.; — H. v. Greyerz, Ablaßpredigten des H. aus Stein in Bern, in: Archiv d. hist. Vereins d. Kantons Bern 32 (1933), 113-171; — O. Trost, Der Geburtsort des H., in: ZGORh 55 (1942); — F. Landmann, Zur Gesch. d. oberelsäss. Predigt im Jugendzeit Geilers v. Kaysersberg, in: Archives de l'Eglise d'Alsace 1 (1946), 2 (1947/48), 3 (1949/50); — J. Manfrin, Les lectures de G. Fichet et de H. d'après le registre de pret de la Bibl. de la Sorbonne, in: Bibl. d'Humanisme et Renaissance 17 (1955); — E. Bonjour, Die Universität Basel v. d. Anfängen bis zur Gegenwart, 1960, 66 ff.; — F. Sander, H. von Stein, in: Pforzheimer Gesch.bll. 1 (1961); — Catholizisme VI, 606; — DSp VII, 435 f.; — DThC VII, 2354-2358; — EC VI, 1431; — LThK V, 1055; — NDB IX, 98 ff.; — RE VIII, 36 ff.; — RGG III, 311 f.; — VerfLex II, 434 ff.; V, 409 f.; — Wetzer-Welte V, 2003-2005.

Ty

HIBBERT, Robert, Begründer des H. Trust (Stiftung), Kaufmann, * 1770 als dritter und posthumer Sohn des 1769 verstorbenen Händlers John H. auf Jamaika, + 23.9.1849 in London. — Zwischen 1784 und 1788 war H. Schüler von Gilbert Wakefield in Nottingham. Als dieser 1800 aufgrund seiner politischen Betätigung interniert wurde, übersandte ihm sein dankbarer Schüler H. eine Summe von 1000 Pfund. 1788 inscribierte H. am Emmanuel College zu Cambridge, wo er 1791 Bachelor of Arts wurde. In demselben Jahr noch ging H. als Kaufmann im Unternehmen seines Onkels Thomas H. nach Kingston/Jamaika, wo er bald Wohlstand und Ansehen erlangte. Seine Stellung zur Sklaverei war ambivalent: Obwohl er nicht davon zu überzeugen war, daß der Besitz von Sklaven unmoralisch sei, stellte er den unitarischen Pfarrer Thomas Cooper an, um die rund 400 Sklaven auf seinen Plantagen zu bekehren. Die Bemühungen des Missionars waren jedoch nur von geringem Erfolg. 1803 kehrte H. nach England zurück, wo er das ausgedehnte Landgut East Hide in Bedfordshire erwarb. Zwei Jahre vor seinem Tod, am 19. Juli 1847, gründete H. mit einem sicher angelegten Kapital von 50.000 Dollar und 8.000 Pfund den H. Trust, eine Stiftung für "die Verbreitung des Christentums in seiner einfachsten Form" und für die Unterstützung "des Rechts der Privatmeinung in religiöser Hinsicht". In seiner ersten Konzeption sollte die Stiftung den Namen "Anti-trinitarian Fund" erhalten. Aus den bereitgestellten Geldmitteln wurden Studenten unterstützt, die den antitrinitarischen Gedanken vertraten. Seit 1878 wurden jährlich H. Lectures veranstaltet, auf denen die Gedanken des Gründers weitergeführt werden sollten. 1902 wurde die erste Ausgabe des H. Journal herausgegeben, das im vierteljährlichen Turnus erscheint, und sich als Podium heterodoxer Gedanken bezüglich des Christentums und der Weltreligionen versteht. H.s Bedeutung liegt nicht allein in der von ihm gegründeten Stiftung. Er war kein Dogmatiker, auch kein Fanatiker bezüglich der Durchsetzung seines Glaubens. H. strebte vielmehr eine Pluralität in Glaubensdingen an und war sehr kritisch gegenüber jeglicher Art von Orthodoxie. Wenngleich er nicht als der geistige Vater der weiteren Arbeit des H. Trust angesehen werden darf, ist der für das 19. Jahrhundert ganz und gar nicht selbstverständliche Idealismus seiner Gründungstat zu würdigen.

Werke: Facts verified upon Oath, in contradiction of the Report of the Rev. T. Cooper, 1824; A political paper, »Why am I a Liberal?«, unter dem Namen John Smith, 1831; To the Chartist of England, 1840.

Lit.: J. Murch, Memoir of H., with a sketch of the history of the Trust, 1874; — DNB IX, 795 f.; — RGG III, 312.

Ty

HICKES, George, Bischof von Thetford, Non-Juror, * 20.6.1642 als zweiter Sohn von William Hickes of Ness in Kirby Wiske bei Thirsk/Yorkshire, + 15.12.1715 in London. — Bereits mit 5 Jahren besuchte H. die Schule in Thirsk, mit 10 Jahren die Oberschule in Northallerton, wo ihn Thomas Smelt unterrichtete. Im April 1659 schickten ihn seine Eltern nach Oxford an das St. John's College. Bereits nach kurzer Zeit wechselte H. an das Magdalen College, wo er am 24.2.1662 den akademischen Rang eines Baccalaureus artium errang. Am Lincoln College wurde er schließlich am 8.12.1665 Magister artium. Am 10.6.1666 wurde H. zum Diakon, am 23.12. desselben Jahres zum Priester geweiht. Nachdem er 7 Jahre als Tutor am Lincoln College verbracht hatte, begab sich H. 1673 auf eine Reise nach Frankreich und in die französische Schweiz. Die theologischen Strömungen Westeuropas blieben nicht ohne Eindruck bei ihm. 1675 wurde H. Rektor von St. Ebbe zu Oxford, wo er jedoch nur ein knappes Jahr verweilte. Am 15.9.1676 wurde H. Hofprediger des Herzogs von Lauderdale, von dem er im Mai des folgenden Jahres als Hochkommissar nach Schottland gesandt wurde. Ziel seiner Misson war, der anglikanischen Liturgie in Schottland zur Akzeptanz zu verhelfen. Nach der Exekution von James Mitchel im Januar 1678 wurde H. vom Herzog beauftragt, den Verlauf des Prozesses schriftlich niederzulegen, was er unter dem Pseudonym "Raivillac Redivivus" noch im selben Jahr tat. Im April 1678 wurde H. in Begleitung des Erzbischofs Alexander Burnet von Glasgow nach London gerufen, um den König und den englischen Bischöfen Bericht über die Lage der anglikanischen Kirche in Schottland abzustatten. Wieder nach England zurückgekehrt, machte seine Karriere nun rasche Fortschritte: Im Juni 1680 wurde H. Domherr zu Worcester, zwei Monate später Vikar zu All Hallows Barking, im Dezember 1681 Kaplan des Königs, und im August 1683 schließlich Dekan von Worcester. Am Sonntag nach der Landung des Prinzen von Oranien predigte H. öffentlich über die urchristliche Gemeinde, die sich verfolgten Führern weiter unterworfen hatte. Dies machte die neue Obrigkeit auf ihn aufmerksam. Als er Wilhelm III. bald darauf den Huldigungseid verweigerte, wurde er am 1.8.1689 von dem "Trueborn Englishman" Wilhelm des Amtes und aller Würden enthoben. Am 24.2.1694 wurde H. von Bischof White zum Bischof der Non-Jurors von Thetford illegal geweiht. Nach dem Attentatsversuch auf

den Oranier im Frühjahr 1696 fiel H. unter den Verdacht, den Attentäter zu verbergen. Sein Haus wurde durchsucht und verwüstet. Er zog wieder nach Oxford. Hier widmete H. sich bis zu seinem Tode der wissenschaftlichen und schriftstellerischen Tätigkeit. Er hinterließ keine Kinder. Das Schrifttum H.s umfaßte sowohl Darstellungen der hochkirchlichen Liturgie und Theologie, Auseinandersetzungen mit dem römischen Katholizismus und Apologien des Non-Jurorism, als auch sprachwissenschaftliche Studien. Hier ist besonders sein bekanntestes Werk »Linguarum veterum septentrionalium thesaurus grammatico-criticus et archaeologicus« hervorzuheben, das als ein eindrucksvolles Monument seiner Gelehrtheit und seines Fleißes gilt. H. war eine Schlüsselfigur in der Auseinandersetzung der anglikanischen Kirche mit den Initiatoren der "Glory Revolution". Seine Person ist somit in politischer Hinsicht von Interesse als führender Vertreter der anglikanischen Non-Jurors. H. vertrat jedoch keine radikale Linie. Sein Aufenthalt in Westeuropa verhalf ihm zu zahlreichen Einblicken in Theologie und Kultus der römisch-katholischen Kirche, und er bemühte sich sehr um eine unpolemische, konstruktive Auseinandersetzung zwischen beiden christlichen Kirchen. In wissenschaftlicher Hinsicht ist das Werk H.s ausgezeichnet durch die starke Rezeption seiner sprachwissenschaftlichen und ethischen Studien im 18. Jahrhundert.

Werke: A letter sent from beyond the Seas to one of the Chief Ministers of the Non-Juror Party, 1674; A Discourse to prove that the Strongest Temptations are Conquerable by Christians', London 1677, ²1683, ³1713; — The Spirit of Enthusiasm Exorcised, London 1680, ²1681, ³1683, ⁴1709; — The Spirit of Popery speaking out of the mouths of Phanatical Protestants, London 1680; Peculium Dei, A Discourse about the Jews, London ⁴1681; — The True Notion of Persecution, London 1681; The Moral Shechinah, A Discourse of God's Glory, London 1682; — A Discourse of the Sovereighn Power, London 1682; — Sermon on the 30th of Jan., London 1682; »Jovian«, an Answer to Julian the Apostate, London 1683; The Case of Infant Baptism in Five Questions, London 1683; A Sermon on Easter Tuesday, London 1684; A Sermon on the 29th of May, London 1684; The Harmony of Divinity and Law in a Discourse about not resisting of Sovereign Princess (anon.), London 1684; Spueculum Beatae Virginis, London 1686; Recentissima antiquissimae linguae septentrionalis Incunabulae, London 1688; Institutiones grammaticae Anglo-Saxoniae et Moeso-Gothicae, Oxford 1689; A Letter to the Author of a late paper entitled »A Vindication of the Divines of the Church of England« (anon.), 1689; A Word to the Wavering in Answer to Dr. G. Burnet's Enquiry into the Present State of Affairs (anon.), 1689; Reflections upon a Letter out of the Parliament, 1689; An Apology for the »New Separation«, London 1691; A Vindication of some among ourselves against the False Principles of Dr. Sherlock, London 1692; Some Discourses upon Dr. Burnet and Dr. Tillotson (anon.), London 1695; The Pretences of the Prince of Wales, London 1701, Several Letters which passed between Dr. Hickes and a Popish Priest, London 1705; A Latin Letter to Sir Hans Sloane, in: Philosophical Transactions 302 (1705); An Apologetical Vindication of the Church of England (anon.), London ²1706; A Second Collection of Controversial Letters relating to the Church of England and the Church of Rome..., London 1710; A Seansonable and Modest Apology in behalf of the Rev. Dr. G. Hickes and other Non-Jurors, London 1710; A Discourse wherein some Account is given of Dr. Grabe and his MSS., London 1712; Some Queries proposed to Civil, Canon and Common Lawyers (anon.), 1712; Sermons on Several Subjects, 2 Bde., London 1713; The Celebrated Story of the Thebaean Legion (anon.), London 1714; Two Treatises, ³1714; The Constitution of the Catholick Church and the Nature and Consequences of Schism, hrsg. v. Thomas Deacon, London 1716; A Sure Guide to the Holy Sacraments, London 1718; A volume of posthumous discourses, hrsg. v. Nathaniel Spinckes, London 1726; — Three short Treatises never before printed, 1732; Thirteen Sermons, hrsg. v. Nathaniel Spinckes, London 1741; A Declaration made by H. concerning the faith and religion, in which he liven and intended to die, London 1743; Letters to Dr. A. Charlett, in: European Magazine, 1797, 329 f.; — Letters to Charlett, Hearne and T. Smith, in: Letters from the Bodleian, vol. I. u. II., 1813; Letters of Eminent Literary Men, 1843,

267 f., Abstracts of Letters to Hearne, in: Doble's »Collections«, 1886, 1-190.
Lit.: G. Every, The High Church Party 1688-1718, 1956, 69 f., 131 f., 160 f., 185 ff.; – DNB IX, 801-805; – RGG III, 312.

Ty

HICKS, Elias, Quäker, Prediger, Theologe, * 1748 in Hempstead, Long Island, + 1830. – Als junger Mann hatte H. wenig Interesse an geistlichen Fragen, erlebte jedoch 1768 eine Bekehrung, und fühlte von da an eine Berufung zum Predigen. Als Wanderprediger machte H. ausgedehnte Reisen durch die USA und Kanada. Er widmete sich insbesondere der Abschaffung der Sklaverei. In seinen Predigten bekämpfte er öffentlich die Anschauung, daß Gott nicht unbedingter Erhalter der Welt sei. H. predigte das Ideal einer verinnerlichten Frömmigkeit durch transzendente Glaubenserfahrungen. Bald wurde er Führer der quietistischen Richtung im Quäkertum. H. betonte die Autorität des "Inneren Lichtes", d. h. dessen, was die nach innen gerichtete Seele erfährt. Die Bedeutung Christi in seiner Theologie ist gering. Er leugnete die wesenhafte Gottessohnschaft Christi und predigte ein direktes Gegenüber des menschlichen Denkens und Gottes Willens ohne das munus mediatoris et intercessoris des Auferstandenen. H. war hauptverantwortlich für die "große Spaltung" im Quäkertum. Nach der Amerikanischen Revolution hatten sich zwei unterschiedliche Glaubensrichtungen herausgebildet: Überzeugt evangelische, vom Missionsgeist erfüllte Quäker standen den traditionellen, nach innen gewandten Gruppen gegenüber. 1827 kam es zum offenen Bruch in der Jahreshauptversammlung von Philadelphia. Die Leiter der Versammlung waren bestrebt, die religiösen Inhalte des Quäkertums zu definieren. Dies lehnte H. energisch ab. Etwa zwei Drittel der Versammlung wurden "H.ites". Es waren zum großen Teil die eher einfachen Mitglieder ländlicher Herkunft. Die Anhänger H.s legten keine besondere Betonung auf äußerlich erkennbare Rechtgläubigkeit. Die Spaltung von Philadelphia, deren auslösender Faktor H. war, dauerte 128 Jahre, bis 1955 endlich eine Wiedervereinigung erzielt wurde. H. gilt als eine der führenden Gestalten im amerikanischen Quäkertum des 19. Jahrhunderts. Er löste die Auseinandersetzung und schließliche Trennung der verschiedenen Grundrichtungen dieser Glaubensgemeinschaft aus. Zu würdigen sind seine philanthropischen Bestrebungen, besonders um die Aufhebung der Sklaverei.

Werke: Observations on the Slavery of the Africans and their Descendants, 1811; Doctrinal Epistle, 1824; Vortr., z. T. hrsg. v. V. Hicks u. R. Seaman, Philadelphia 1825; Selbstbiograph.: Journal of the Life and Religious Labour of H., written by himself, New York 1832.
Lit.: H. W. Wilbur, The Life and Labours of H., Philadelphia 1910; – R. M. Jones, The Later Periods of Quakerism, 2 Bde., London 1921, 83-85, 441-460, 570 ff.; – E. Russell, The Separation after a Century, Philadelphia 1928; – Howard brinton, Friends for 300 Years, New York 1952, 66 f., 190 ff.; – B. Forbush, E. H., Quaker Liberal, New York 1956; – John Sykes, The Quakers, London 1958, 203 ff.; – Elfrida Vipont, The Story of Quakerism, London ⁴1960, 177, 179 ff., 200; – Robert W. Doherty, A Response to Orthodoxy: The H.ite Movement in the Society of Friends, in: Pennsylvania Magazine of History and Biography, vol. 90,2 (1966), 233-246; – Ders., The H.ite Separation, New Brunswick 1967; – Elisabeth Isichei, Victorian Quakers, London 1970, 3, 20, 28, 34; – T. Canby Jones, Die Entwicklung des Quäkertums in Amerika, in: D. Hans Heinrich Harms u. a., Die Kirchen der Welt, Bd. XIV, Die Quäker, Stuttgart 1974, 134 f.; – Harold Loukes, The Disco-

very of Quakerism, London ³1982; – A. Neave Brayshaw, The Quakers, Their Story and Message, York ⁷1982, 230 ff.; – LThK VIII, 913; – ODCC 646; – RGG III, 312.

Ty

HIERAKAS, ägypt. Gelehrter aus Leontopolis, * um 270, + um 360. Nach Epiphanius (s.d.), dessen Schriften die entscheidende Quelle für H. sind, verfügte der Ägypter über ausgeprägte Kenntnisse auf nahezu allen Gebieten der Wissenschaft. Er folgte einer asketischen Lebensweise und bestritt seinen Unterhalt durch Kalligraphie. H.s Biblizismus, die Gründung eines Mönchordens (Hierakiten), die spiritualistische Interpretation der Auferstehungslehre und das Postulat der Ehelosigkeit verweisen auf den Einfluß von Origines. Zu den verlorengegangenen Schriften H.s zählen unter anderem in griechischer und ägyptischer (koptischer) Sprache verfaßte Psalmen und Bibelkommentare.

Lit.: Christian Wilhelm Franz Walch, Entwurf einer vollst. Historie der Ketzereien, Spaltungen u. Rel.streitigkeiten bis auf die Zeiten der Ref., 11 Bde., Leipzig 1762-85, I 815 ff. – August Neander, Allgemeine Gesch. der christl. Rel. u. Kirche, 9 Bde., Gotha 1863-65⁴, II 488 ff.; – C. Schmidt, Die Urschr. der Pistis Sophia, in: ZNW 24, 1925, 221 ff.; – Karl Heussi, Der Ursprung des Mönchtums, Tübingen 1936, 58 ff.; – E. Peterson, Ein Frgm. des H., (?) in: Museon 60, 1947, 257 ff.; – Paul E. Kahle, Bala'izah. Coptic Texts from Deir el - Bala'izah in Upper Egypt, 2 Bde., London 1954, I 259; – Bernhard Lohse, Askese u. Mönchtum in der Antike u. in der alten Kirche, München 1969, 179; – Bardenhewer II, 251 ff.; – Harnack, Lit I, 467 f.; – DCB III, 24 f.; – RE VIII, 38 f.; – RGG III, 313; – DThC VI, 2359 ff.; – EC VI, 1584 f.; – LThK V, 321.

Ba

HIEROKLES, Sossianus, römischer Statthalter und Präfekt zu Beginn des 4. Jahrhunderts, * um 250 in Karien, + nach 308 in Alexandria. – H. war zunächst Statthalter in Bithynien, wo er sich als ein aktiver und fähiger Verwalter erwies. Nach Ausbruch der diokletianischen Christenverfolgung ließ er das von ihm verwaltete Gebiet von Christen säubern. Lactantius nannte H. "auctor et consiliarius" der Verfolgung; eine Urheberschaft ist jedoch unwahrscheinlich. Nach Eusebius zwang er die weiblichen Christen zur Prostitution. 306 wurde H. zum Präfekten von Ägypten ernannt, wo er sich auch schriftlich gegen die Christen wandte. Zu Beginn seiner Amtszeit in Ägypten schrieb H. unter dem Namen "Philaleteís" ein »Lógos pròs toùs Christianoús«, in dem er auf Widersprüche in der Bibel hinwies, Jesus Christus mit Apollonius von Tyana verglich, sowie die Apostel als Ignoranten und Fälscher bezeichnete. Das Werk ist verloren, jedoch zum Teil rekonstruierbar aus Notizen bei Lactantius und der Gegenschrift des Eusebius. Seine genaue Kenntnis der christlichen Lehre gab vielfach Anlaß zu Mutmaßungen, ob H. in seiner frühen Zeit selbst Christ gewesen war. H. war Anhänger des Neoplatonismus, er muß jedoch sorgfältig von dem Neoplatoniker H. von Alexandria unterschieden werden. Gegen H. richten sich die Schriften des Eusebius, sowie die »Divinae Institutiones« des Lactantius. Die Rolle des H. bei der Urheberschaft und Durchführung der diokletianischen Christenverfolgung wurde von beiden Chronisten übertrieben dargestellt, jedoch stellt sein schriftliches Werk eine umfangreiche

Sammlung der Vorwürfe und -urteile der heidnischen Umwelt gegenüber der jungen christlichen Gemeinde dar.

Werke: Frgm. bei Eusebius, Pròs toùs hypèr Apollínou toú Tyanéos Hierokléous, i. d. Philostratus-Ausg. v. C. L. Kayser, Bd. I, 1870, 369 ff.; Frgm. bei Lactantius, Divinae Institutiones, V, 2-3, in: CSEL 27.

Lit.: Paul Allard, La persécution de Dioclétien, Paris 1890; – P. Batiffol, La paix constantinîenne et le catholicisme, Paris 1914, 148 f., 150 f., 162; – P. de Labriolle, La réaction paienne, Paris 1934, 306-310; – Jean Moreau, Lactance, De la mort des persécuteurs, Paris 1954, 292 ff.; – Harnack, Lit I, 873 f., II/2, 70, 117 f., 418; – Catholicisme V, 722 f.; – DCB III, 26 f.; – DThC VIII, 2382-2385; – EC VI, 181 f.; – LThK V, 325; – Pauly-Wissowa VIII, 1477; – RGG III, 314; – Wetzer-Welte V, 2013.

Ty

HIEROKLES von Alexandria, Neuplatoniker, + um die Mitte des 5. Jahrhunderts, stammte aus Alexandria, war ein Schüler Plutarchs von Athen und lehrte in Alexandria. Vorübergehend hielt er sich auch in Byzanz auf, von wo er wegen seines Festhaltens am Heidentum wieder verbannt wurde. – Die wichtigsten Quellen für die Kenntnis der Philosophie des H. bilden sein Kommentar zum Goldenen Gedicht der Pythagoreer und das von Photius referierte Werk Peri Pronoias (Über Vorsehung). Der oberste Gott übt als Demiurg seine Vorsehung durch Engel aus, was aber mit dem freien Willen vereinbar bleibt. – H., der die Harmonie von Platon und Aristoteles lehrte, ist ein Hauptvertreter der alexandrinischen Richtung des Neuplatonismus. Es lassen sich jüdisch-christliche Einflüsse in seinen Theorien über Gott und die Schöpfung nachweisen, so daß H. eher in einer Linie mit Philon v. Alexandria (s.d.) zu sehen ist und nicht als ein Anhänger Plotins (s.d.). Seit längerer Zeit wird versucht, über eine Vermittlung durch Origines den Neuplatoniker (s.d.) eine Abhängigkeit H.s von dem religiösen Platonismus des Ammonius Sakkas (s.d.) nachzuweisen. H. hat den Christen Aeneas von Gaza (s.d.) mindestens indirekt beeinflußt.

Werke: Komm. z. Carmen aureum, hrsg. v. Friedrich Wilhelm August Mulach, 1853; Hieroclis in Aureum Pythagoreorum Carmen Commentarius, réc. Friedrich Wilh. Köhler, Stuttgart 1974.

Lit.: A. Elter, Zu H. dem Neuplatoniker, in: RheinMus 65, 1910, 175-199; – K. Praechter, Schulen u. Richtungen im Neuplatonismus, Genethl. f. Carl Robert, 1911, 141 ff.; – Ders., Christl.-neuplat. Beziehungen, in: ByZ 21, 1912, 1 ff.; – F. Heinemann, Ammonius Sakkas u. der Ursprung des Neuplatonismus, in: Hermes 61, 1921, 1-27; – Hermann Langerbeck, The Philosophy of Ammonius Saccas, in: JHS 77, 1957, 67-74; – Friedrich Wilh. Köhler, Textgesch. von H.'s Kommentar z. Carmen aureum der Pythagoreer (Diss. Mainz), 1965; – Willy Theiler, Ammonius, der Lehrer des Origines, in: Forschg. z. Neuplatonismus, Berlin 1966, 1-45; – Theo Kobusch, Stud. z. Philos. d. H. von Alexandrien: Unters. z. christl. Neuplatonismus (Diss. Gießen), 1972, München 1976; – Noel Aujoulat, Sur la vie et les oeuvres de Hierocles, problemes de chronologie, in: Pallas, Etudes sur l'antiquite 23, Toulouse 1976, 19-30; – Irmgard Hannemann-Haller, Plotins Schrift III.1 über das Schicksal. Quellen u. Entwicklg. seiner Schicksalslehre, (Diss. Bern), 1977; – Ilsetraut Hadot, Le Probleme du neoplatonisme alexandrin: Hierocl. us. Etudes augustiniennes, Paris 1978 (m. Bibliogr.); – NBG XXIV, 648 f.; – Pauly-Wissowa VIII, 1479; – Kl. Pauly II, 1133 (Nr. 6); – RE VIII, 39 f.; – RGG III, 314 f.

Ba

HIERON, Heiliger (auch Jeron), + 856 (?) in Noordwijk. – Vermutlich kam der Presbyter und Märtyrer H. von Irland oder Schottland nach Holland und Fries-

land, wo er missionierte. Bei einem Normannenüberfall wurde er enthauptet. Seine Reliquien wurden 955 in die Benediktiner-Abtei Egmond gebracht, 1892 nach Noordwijk. Sein Haupt, das verehrt wurde, ging während der Reformation verloren; die restlichen Reliquien befinden sich in Blandinienberg, wie die Monumenta Germania Historica weiß. Seit dem Spätmittelalter findet vermutlich das H.-Fest statt, das am 17. August gefeiert wird, in der Diözese Haarlem am 18. August. Der heilige H. wird angerufen, um verlorene Gegenstände wiederzufinden. Er wird mit Schwert in der Hand und gehaubtem Falken abgebildet. Jeron bedeutet auch Heiliger, Gottgeweihter.

Lit.: P. Opmeer, Historia Martyrum Batavicorum, Köln 1625-1684; – AS Aug. III, 1737, 475-479; – AnBoll VI, 186-89; – Stadler II, 693; – J. Konenburg, Neerlands Heiligen in de Middeleeuwe, 1854-1875; – Dieter Kerler, Die Patronate der Heiligen, 1905, 413; – BHL, 3862-3865; – J. Baudot, Dictionnaire d'hagiographie, 1925, 334; – MG SS XXX/2, 818; – Künstle II, 299; – Doyé I, 509; – Fontes Egmundenses, hrsg. v. O. Oppermann, 1933, 39-58; – VSB VIII, 300 f.; – P. J. Blok, Saint Jeron, in: Bijdragen Vad Geesch. VI, 1-23; – LThK V, 325; – R. R. Post, Kerkgeschiedenis van Nederland in de Middeleeuwen I, 1957, 54 u. 241; – Torsy, 262; – BS VII, 1018.

Ba

HIERONYMUS, Sophronius Eusebius, franz.: Jerome, ital.: Girolamo, Kirchenlehrer, Heiliger, * um 347 in Stridon im heutigen Jugoslavien als Sohn wohlhabender, christlicher Eltern, + am 30.9.419 in Bethlehem. – Sein Vater Eusebius ließ H. eine außerordentliche Ausbildung zukommen. Im Jahre 354 schickte er ihn zum Studium der Grammatik, Rhetorik und Philosophie nach Rom. Bei dem Gelehrten Donatius lernte H. einen korrekten lateinischen Sprachgebrauch und erwarb sich Kenntnisse in der griechischen Sprache. Während seiner Studienzeit in Rom ließ H. sich taufen. Er schloß Freundschaft mit dem späteren christlichen Gelehrten Rufinus, mit dem er sich ca. 367 auf den Weg nach Trier begab. 373 trat H. in Aquileia (westlich von Trier) einer geistlichen Gemeinschaft bei und machte erste Erfahrungen mit dem asketischen Leben. Bereits ein Jahr später brach er jedoch von Trier über Norditalien und Athen nach Antiochien auf. Dort angelangt wurde er Schüler des Apollinaris von Laodicea. Während dieser Zeit hatte H. nach Eustochium (Ep. 22) einen Traum, der seinen christlichen Eifer begründete. Er erkannte die Vordringlichkeit der christlichen Schriften gegenüber der heidnischen Literatur. 376 begann H. das Leben eines Eremiten in der chalcidischen Wüste in der Nähe von Antiochien. Während der nun folgenden 20.3 Jahren lernte er in dem isolierten Wüstenkloster Hebräisch, was ihm später den Namen "vir trilinguis" eintragen sollte. Nach Beendigung des Eremitendaseins begab sich H. zunächst wieder nach Antiochien, wo ihn der Bischof der Stadt, Paulinos, zum Priester weihte. Um 380 machte er sich von dort auf den Weg nach Konstantinopel. Dort war er Schüler des Gregor von Nazienz, und begann, griechische christliche Schriften ins lateinische zu übersetzen. Über das Konzil von Konstaninopel 381 gibt H. keine Auskunft. 382 reiste H. zusammen mit Bischof Paulinos nach Rom, kam in Kontakt mit Papst Damasius und wurde dessen Sekretär. In Rom begab sich H. an eine Überarbeitung der lateinischen Übersetzung der vier Evangelien und hielt Unterricht über die heilige Schrift. Auch übernahm er die geistliche Führung der angesehenen Witwen Marcella und Paula, sowie Paulus Tochter Eustochium. Nach dem Tod von Papst Damasius jedoch, mit dem er den wichtigsten Fürsprecher verlor, stieß H. in immer stärkerem Maße auf Kritik. Sein Einsatz für eine asketische Lebensgestaltung war Anlaß des Widerstandes verweltlichter christlicher Kreise, was schließlich dazu führte, daß H. sich gezwungen sah, Rom im August 385 wieder zu verlassen. Mit seinem Bruder und einigen Freunden zog er nach Palästina, wo er zuerst zu den heiligen Stätten des Landes pilgerte. Von dort aus zog er weiter nach Ägypten. In Alexandria nahm er Unterricht bei dem Bibelausleger Didymus dem Blinden. Im Frühsommer 386 reiste er weiter in die Wüste von Nitria. Von dort kehrte er nach Palästina zurück. In Bethlehem gründete er ein Männer- und mehrere Frauenklöster und widmete sich wieder seinen Studien. Als Grundlage seines weiteren Schaffens als Exeget vervollkommnete er zunächst seine Hebräischkenntnisse. 393 wurde H. in einen heftigen Streit um die theologischen Auffassungen des Origenes verwickelt, von denen er sich schließlich distanzierte. Bis zu seinem Tod arbeitete H. in Bethlehem als Übersetzer, Exeget und Theologe. Er verfaßte ausführliche Kommentare zu nahezu allen biblischen Schriften. Mit der Benutzung des hebräischen Urtextes bei der Auslegung des Alten Testaments brachte H. ein neues Element in die Bibelauslegung seiner Zeit. Jedoch ist seine exegetische Methode, wonach der Text Vers für Vers kommentiert wurde, typisch für das 3. und 4. Jahrhundert. Obwohl in seinen letzten Lebensjahren eine entschiedener Gegner der Theologie des Origenes, ist sein exegetisches Werk in nicht geringem Maße von dem großen Schriftsteller beeinflußt. Bis tief ins Mittelalter behielt es große Bedeutung. H. legte eine überaus starke literarische Aktivität an den Tag. Für seine Zeit waren seine Sprachkenntnisse im Hebräischen, Griechischen und Lateinischen einmalig. Neben seiner Arbeit als Bibelausleger war er ein vorzüglicher Übersetzer. Am bekanntesten wurde er durch seine Bibelübersetzung der »editio vulgata«. H. war einer der vier "doctores ecclesiae" der alten lateinischen Kirche. Sein wissenschaftlicher Überblick war für seine Zeit ungewöhnlich. Wesentliche Charakterzüge waren seine zügellose Energie und sein nahezu fanatischer Einsatz für die Kirche. Jedoch zeigte H. sich auch reizbar, leicht verletzlich und sarkastisch. Die Schriften des H. übten in späteren Zeiten, besonders im Mittelalter, einen tiefgreifenden Einfluß auf die römische Kirche aus. Das Martyriologicum Hieronymianum trägt fälschlich seinen Namen.

Werke: Epistolae, texte établi et traduit par J. Labourt, 8 Bde., Paris 1949-1963; Quaestiones Hebraicae, hrsg. v. Avrom Saltman, Leiden 1975; Commentarii in Matthaeum, lat. u. franz., übers. u. hrsg. v. Emile Bonnard, Paris 1977 f.; Jay Braverman, H.'s Commentary on Daniel, Washington 1978; Contra Rufinum, lat. u. franz., übers. u. hrsg. v. Pierre Lardet, Paris 1983; Epistolae, lat. u. dt., übers. u. hrsg. v. Erika Bauer, Heidelberg 1984; GA in: MPL 22-30; CChr, Series Latina, Bde. 72-75A, 78; CSEL, Bde. 54-56, 59; Dt. Übers. in: BKV² 15 (1914), II/16 (1936), II/18 (1937); zur Textüberl.: B. Lambert, Bibliotheca H.iana manuscripta, 4 Tle., Steenbrugis 1969-1972.

Lit.: G. Grützmacher, H., 3 Bde., Leipzig 1901-1908; – Der hl. H., Festschrift hrsg. v. d. Erzabtei Beuron, 1920; – A. Vaccari, H., Rom 1922; – F. Cavallera, H., 2 Bde., Louvain 1922; – Th. Steinbüchel, H. – Mitt-

ler zwischen Morgen- und Abendland, in: Große Gestalten des Abendlandes, 1951; – F. X. Murphy (Hrsg.), A Monument to St. H., New York 1952; – Paul Antin, Essai sur St. H., Paris 1951; – Ders., Autor du sogne de saint H., in: Revue des études latines, vol. 41 (1963), 350-377; – Ders., Textes de s. H. sur la joie du malheur d'autrui, in: Vigilae Christianae 18 (1964), 51-56; – Ders., Solitude et silence chez S. H., in: Revue d'ascetique et de mystique, vol. 40 (1964), 265-276; – Ders., Pour lire saint H., in: Bulletin de l'association Guillaume Budé, ser. 4,4 (1965), 516-527; – Ders., Ut ira dicam chez saint H., in: Latomus, vol. 25,2 (1966), 299-304; – Ders., Recueil sur Saint H., Brüssel 1968; – Ders., H., antique et chrétien, in: Revue des études augustiniennes, vol. 16, 1-2 (1970), 35-46; – Ders., La vieillesse chez St. H., in: Revue des études augustiniennes, vol. 17, 1-2 (1971), 43-54; – Ders., Mots »vulgaires« dans Saint H., in: Latomus, vol. 30, facs. 3 (1971), 708-779; – Ders., Saint H., directeur mystique, in: Revue d'ascetique et de mystique, vol. 189 (1972), 25-29; – G. Bardy, S. H. et la pensée greque, in: Irénikon 26 (1953), 337-362; – G. Kloeters, Buch und Schrift bei H., Münster 1957; – Ch. Faevez, S. H. peint par lui-méme, Brüssel 1958; – J. Bauer, Sermo peccati, H. und das Nazaräerevangelium, in: Biblische Zeitschrift 4 (1960), 122-128; – S. Gosso, De S. H.i commentario in Isaiae librum, in: Antonianum 35 (1960), 49-78, 169-214; – Jean Steinmann, H., Ausleger der Bibel, Köln 1961; – Neil R. Ker, Fragments of H.'s Commentary on St. Matthew, in: Medievalia et humanistica, vol. 14 (1962), 7-14; – Severino Visitainer, La dottrina del peccato in S. H., Diss. Rom 1962; – Silvia Jannaccone, S. H. e Seneca, in: Giornale italiano di filologia, vol. 16,4 (1963), 326-338; – Dies., La genesi del cliché antiorigenista e il platonismo origeniano nel contra Johannem H.anum di S. H., in: Giornale italiano di filologia, vol. 17 (1964), 14-28; – Dies., Sull 'uso degli scritti filosofici di cicerone da parte di S. H., in: ebd., vol. 17 (1964), 329-340; – Ilona Opelt, Ein Senecazitat bei H., in: Jahrbuch für Antike und Christentum 6 (1963), 175 f.; – Dies., Lucrez bei H., in: Hermes 100 (1972), 76-80; – Dies., H.s Streitschriften, Heidelberg 1973; – K. Romaniuk, Une controverse entre H. et Rufin d' Aquilée à propos de l'epître aux Éphisiens, in: Aegyptus 43 (1963), 84-106; – Hyginus Cecchetti, H. ab Aventino in Bethlehemicitum coenobium, in: Latinitas 12 (1964), 60-66; – Baudouin de Gaiffier, Un abrégé hispanique du martyrologe H.ien, in: Analecta Bollandiana 82 (1964), 5-36; – R. Godel, Reminiscences de poétes dans les Lettres de St. H., in: Museum Helveticum 21 (1964), 65-71; – M. J. Rondeau, D'une édition des Lettres de saint H., in: Revue des études latines, vol.42 (1964), 166-184; – D. S. Wiesen, St. H. as a Satirist, New York 1964; – Alan Candron, St. H. and Claudian, in: Vigiliae Christianae, vol. 19,2 (1965), 111-113; – Angelo Paredi, S. H. e S. Ambrogio, in: Mélanges 5 (1964), 183-196; – W. H. Semple, St. H. as a Biblical Translator, in: Bulletin of the John Rylands Library Manchester, vol. 48,1 (1965), 237-243; – Winfried Trillitzsch, H. und Seneca, in: Mittelalterliches Jahrbuch 2 (1965), 42-54; – Yves Bodin, Saint H. et l'Eglise, Paris 1966; – Ders., Saint H. et les laïcs, in:Revue des études augustiniennes, vol. 15, 1-2 (1969), 133-147; – Heinrich Kraft, Kirchenväter-Lexikon, München 1966, 265-271; – A. Meershoek, Le Latin biblique d'après Saint H., Nimwegen-Utrecht 1966; – Vincenzo Recchia, Verginità e martirio nei »colores« di St. H., in: Vetera christianorum, vol. 3 (1966), 45-68; – James Barr, St. H.'s Appreciation of Hebrew, in: Bulletin of the John Rylands Library Manchester, vol. 49,2 (1966-67), 281-302; – Ders., St. H. and the Sounds of Hebrew, in: Journal of Semitic Studies, vol. 12 (1967), 1-36; – J. J. Thierry, Some Notes on Epistula XXII of St. H., in: Vigilae Christianae, vol. 21,2 (1967), 120-127; – Francesco Vattioni, S.H. e l'Ecclesiastico, in: Vetrea christianorum, vol. 4 (1967), 131-149; – Fr. Gloire, Sources de S. H. et de S. Augustin, in: Sacris erudiri 18 (1967-68), 451-477; – Yves-Marie Duval, Saint H. devant le bapteme des hérétiques, in: Revue des études augustiniennes, vol. 14, 3-4 (1968), 145-180; – Ders., Sur les insinuations de H. contre Jean de Jerusalem, in: Revue d'histoire ecclésiastique, vol. 65,2 (1970), 353-374; – Ders., Saint Cyprien et le roi Ninive dans l'In Ionam de H., La conversion des lettrés à la fin du IV. siècle, in: Jacques Fontaine u. Charles Kannengießer (Hrsg.), Epektasis, Paris 1972, 551-570; – Ders., Origine et diffusion de la recension de »In prophetas minores« H.ien de clairvaux, in: Revue d'histoire des textes, vol. 11 (1983), 277-302; – Pierre Jay, Le vocabulaire exégétique de saint H. dans le commentaire sur Zacharie, in: Revue des études augustiniennes, vol. 14,1-2 (1968), 3-16; – Ders., Remarques sur le vocabulaire exégétique de Saint H., in: Studia Patristica, Berlin 1970, 187-189; – Ders., Sur la date de naissance de saint H., in: Revue des études latines, Ausg. 53 (1973-74), 262-280; – Ders., H. auditeur d'Apollinaire de Laodicée à Antioche, in: Revue des études augustiniennes, vol. 20. 1-2 (1974), 36-41; – Ders., Allegoriae nubilum chez saint H., ebd., vol. 22 (1976), 82-89; – Ders., Saint H. et le triple sens se l'ériture, ebd., vol.3-4 (1980), 214-227; – Renate Jungblut, H., Darstellung u. Verehrung eines Kirchenvaters, Diss. Tübingen 1968; – Basile Studer, A propos des traductions d'Origène par H. et Rufin, in: Vetera christianorum 5 (1968), 137-155; – Alan Cameron, Echoes of Vergil in St. H.s Life on St. Hilarion, in: Classical Philology, vol. 63,1 (1968), 55 f.; – Pierre Hamblenne, La longévité de H., Prosper avaint-il raison?, in: Latomus, vol. 28,4 (1969), 1081-119; – M. Testard, Saint

H., L'apôtre savant et pauvre di patriciat romain, Paris 1969; — Ders., Pour comprendre St. H., in: Vita Latina 89 (1983), 14-24; — Jean-Pierre Bouhot, L'lomélie »In Johannem evangelistam« de saint H., in: Revue des études augustiniennes, vol. 16,3-4 (1970), 227-231; — Thomas Comerford Lawler, H.'s First Letter to Damasius, in: Patrick Granfield u. Josef A. Jungmann (Hrsg.), Kyriakon, Festschrift f. Johannes Quasten, Münster 1970, 548-552; — Wilfried Hagemann, Wort als Begegnung mit Christus, Die christozentrische Schriftauslegung des Kirchenvaters H., Diss. Rom 1970; — R. E. Reynolds, The Pseudo-H.ian »De septem ordinibus ecclesiae«, in: Revue bénédictine, vol. 80,3-4 (8970), 238-252; — Jeremy DuQuesnay, The Populus of Augustine and H., Diss. Cambridge 1971; — Henri Crouzel, Saint H. et ses amis toulousians, in: Bulletin de littérature ecclésiastique, vol. 73,1-3 (1972), 125-146; — A. F. J. Klijn, H.'s Quotations from a Nazorean Interpretation of Isaiah, in: Recherches de sciece religieuse, vol. 60,2 (1972), 241-255; — Vincenzo Pavan, H., in: Vetera christianorum 9,1 (1972), 77-92; — Bernd Rainer Voss, Noch einmal H. und Platons »Protagoras«, in: Zeitschr. d. rhein. Mus. f. Philolog., Bd. 115 (1972), 290 f.; — Benito Colombas, San H. y la vida monastica, in: Yermo, vol. 11,1-2 (1973), 29-40; — Raymond Etaix, Un ancien floriIége, in: Sacris erudiri 21 (1973), 5-34; — Gennaro Lomiento, Note sulla traduzione H.iana della omelie su geremia di origine, in: Vetera christanorum 10,2 (1973), 243-262; — Claudio Vitelli, Nota a H., in: Rivista di filologia e di instruzione classica, vol. 101,3 (1973), 352-355; — A.-M. La Bonnardière, H. »informateur« d'Augustin au sujet d'Origène, in: Revue des études augustiniennes, vol. 20,1-2 (1974), 42-54; — Harald Hagendahl, H. and the Latin Classics, in: Vigilae christianae, vol. 28,3 (1974), 216-227; — Pierre Nautin, Études de chronologie H.ienne, in: Revue des études augustiniennes, vol. 20,3-4 (1974), 251-284; — John Wilkinson, L'Apport de saint H. à la topographie de la Terre Sainte, in: Revue biblique, vol. 81,2 (1974), 245-257; — J. T. Cummings, St. H. as Translator and as Exegete, in: Studia patristica 12 (1975), 279-282; — Jan Jerzy Górny, Die Frage nach Sklaverei im Lichte der Schriften des hl. H., in: Studia Warmińskie 11 (1974), 309-374; — Ders., Zagadnienie niewolnictwa w świetle pism św. H., in: Roczniki teologiczno — kanoniczne, vol. 21,4 (1974), 147-151; — John Norman Davidson Kelly, H., London 1975; — Eitan Burstein, La compétence de H.en hébreu, Explication de certaines erreurs, in: Revue des études augustiniennes, vol. 21,1-2 (1975), 3-12; — D. F. Heimann, The Polemical Application of Scripture in St. H., in: Studia patristica 12 (1975), 309-316; — Willy Rordorf, Kritik an H., Die Schrift »Contra Vigilantum« im Urteil Zwinglis und Bullingers, in: Ulrich Gäbler u. Erland Herkenrath (Hrsg.), Gesammelte Aufsätze zum 400. Todestag Heinrich Bullingers, Zürich 1975, 49-63; — G. J. M. Bartelink, Quelques observations sur la lettre 57 de saint H., in: Revue bénédictine, vol. 86,3-4 (1977), 296-306; — Ders., H. über die »minuta animalia«, in: Vigilae christianae, vol. 32,4 (1978), 289-300; — Ders., Les observations de H. sur des termes de la langue courante et parlée, in: Latomus 38 (1979), 193-222; — Ders., H., Liber de optimo genere interpretandi, Ein Kommentar, Leiden 1980; — Ders., H., in: Martin Greschat (Hrsg.), Gestalten der Kirchengeschichte, Bd. II, Alte Kirche, 145-165; — Albert A. Bell jr., H.'s Role in the Translation of the Vulgate New Testament, in: New Testament Studies, vol. 23,2 (1977), 230-233; — Herbert Kech, Hagiographie..., Studien... anhand H., Diss. Konstanz 1977; — L. J. van der Lof, L'Apotre dans les lettres de saint H., in: Novum Testamentum, vol. 19,2 (1977), 150-160; — L. Malusa, L'Interpretazione H.iana di »hrb« in tre passi biblici, in: Bibbia e Oriente, vol. 19,6 (1977), 259-262; — R. Grégoire, Le succèss d'une eurrer historique de saint H., in: Revue bénédictine, vol. 88,3-4, 296 f.; — Bruce M. Metzger, St. H.'s Explicit References to Variant Readings in Manuscripts of the New Testament, in: Text and Interpretation, Cambridge 1979, 179-190; — Claudio Micaeli, L'Influsso di tertulliano su H.: Le opere sul matrimonio e le seconde nozze, in: Augustinianum 19,3 (1979), 415-429; — Dolores Ozimic, Der pseudoaugustinische Sermo CLX, H. als sein vermutl. Verfasser, Diss. Graz 1979; — Kenneth B. Steinhauser, Bemerkungen zum pseudo-H.schen »Commemoratorium in Apocalypsin«, in: Freiburger Zeitschr. f. Philosoph. u. Theolog., Bd. 26 (1979), 220-242; — Colette Estin, Saint H. de la traduction inspirée à la traduction relativiste, in: Revue Biblique, vol. 88,2 (1981), 199-215; — Alden A. Mosshammer, Two Fragments of H.'s Chronicle, in: Zeitschr. d. rhein. Mus. f. Philolog., Bd. 124 (1981), 66-80; — Hervé Savon, Le »de vera circumcirione« du prétre eutrope et les premières éditions imprimées des »lettres« de H., in: Revue d'histoire des textes 10 (1981), 165-197; — N. Adkin, On Some Figurative Expressions in H.'s 22nd. Letter, in: Vigilae christianorum 37 (1983), 36-40; — Paul Mayvaert, »Uncial Letters«: H.'s Meaning of the Term, in: Journal of Theological Studies, vol. 34 (1983), 185-188; — Altaner 354 ff.; — Bardenhewer III, 605 f.; — BS VI, 1110-1132; — Catholicisme VI, 702 ff.; — DCB III, 29-50; — DSp VIII, 902-918; — DThC VIII, 894-983; — EDR III, 289-294; — EKL II, 1143 ff.; — LThK V, 326 ff.; — ODCC 731 f.; — Pauly-Wissowa VIII, 1565-1581; — RE VIII, 42-54; — RGG III, 315 f.; — Wimmer 365 ff.; — VerfLex III, 1221-1233.

Ty

HIERONYMUS Aemiliani (Girolamo Miani), Heiliger, Ordensstifter, * 1486 in Venedig, + 8.2.1537 in Somaska. — H. stammte aus einer altadeligen Familie. Sein Vater war Senator. Nach dem frühen Tod des Vaters wurde H. von seiner Mutter sehr fromm erzogen. Schon in früher Jugend wurde er Soldat und führte während dieser Zeit einen recht ausschweifenden Lebenswandel. Seine Kriegsgefangenschaft im Jahre 1511 wurde für ihn zum Wendepunkt seines Lebens. Nach seiner Freilassung kehrte er nach Venedig zurück und führte dort ein frommes Leben in tätiger Nächstenliebe. 1518 wurde er zum Priester geweiht. In den folgenden Jahren errichtete H. in mehreren Städten (Venedig, Brescia, Bergamo, Verona, Como und Mailand) Waisenhäuser, in die er verwahrloste Jugendliche von der Straße aufnahm. 1528 gründete er die Genossenschaft der »regulierten Kleriker« (Compagnia dei servi dei poveri), die sich später Somasker nannten (nach ihrem Gründungsort Somaska). — Die letzten Jahre vor seinem Tod verbrachte H. einsam und zurückgezogen in einer Höhle. Er wurde in der Kirche des Heiligen Bartholomäus beigesetzt. Seine Heiligsprechung nahm 1767 Papst Clemens XIII vor. Papst Pius XI. erklärte H. 1928 zum Patron der Waisen und der verlassenen Jugend. Sein Fest wird am 20. Juli gefeiert.

Werke. Compendium vitae, virtutum, et miraculorum necnon actorum in causa canonizationis b. Hieronymi M., Rom 1767.

Lit.: F. Caccia, Vita di s. G. M., Rom 1768; — G. Lazzari, Delle lodi di s. G. Emiliani, Venedig 1853; — C. de Rossi, Vita di S. G. Emiliani, Prato 1894; — E. Caterini, S. Gir. Em. discorsi (...), Foligno 1912; — Ders., Bibliogr. di S. Gir. Miani, Genua 1917; — A. Stoppiglia, Bibliografia di s, G. Emiliani con commenti e notizie sugli scrittori, Genua 1917; — G. Landini, Piccolo contributo di vari scritti critico-storico-letterari e un discorso per la storia della vita di s. G. M., Como 1928; — L'Ordine dei chierici regolari Somaschi nel IV centenario della sua fondazione, 1528-1928, Rom 1929; — P. Paschini, S. G. Emiliani e l'attività benefica del suo tempo, Genua 1929; — Ders., Tre recerche sulla storia della Chiesa nell' cinquecento, Rom 1945; — Bartolomeo Segalla, S. Gerolamo Emiliani educatore della gioventù, Rom 1928; — L. Zambarelli, Un eroe della patria e di Dio (s. G. Emiliani), Rom 1930; — A. M. Stoppiglia, La vita di s. G. M., Genua 1934; — E. Pacelli (Pius XII), S. G. Emiliani eroe di virtù, campione di carità, servo dei poveri, Rapallo 1938; — L. Zambarelli, Iconografia di S. G. Emiliani, Rapallo 1938; — Pio Bianchini, Origine e sviluppo della Compagnia dei servi dei Poveri, Camino 1941; — Marco Tentorio, Saggio storico sullo sviluppo dell'ordine Somasco dal 1569 al 1650, Camino 1941; — Sebastiano Raviolo, Il contributo dei Somaschi alla Controri forma e lo sviluppo dei loro ordinamenti scolustici dagli inizi alla prima meta del Sec. XVIII, Camino 1942; — Sebastiano Raviolo, San Girolamo Emiliani, Mailand 1946; - Giuseppe Landini, S. Girolamo Miani, Rom 1947; — C. Pellegrini, Luogo e data della lettera B. di s. G. M., Rom 1960; — Ders., Per la biografia di s. G. M., Rom 1960; — Ders., Alcuni nuovi documenti sull'opera di s. G. M. a Milano, Rom 1960; — Ders., Frammenti, in: Rivista dell'Ordine dei Padri Somaschi, XXXVI, 1961, 202-205; — Ders., Pergamena della famiglia Miani, in: Rivista dell'Ordine dei Padri Somaschi XXXVI, 1961, 87-89; — Ders., San G. M., profilo, Casale Monferrato 1962; — The Oxford Dictionary of Saints, hrsg. v. David Hugh Farmer, Oxford 1978, S. 210 f.; — Acta SS Febr. II (1658), 217-274; — BS VII, 1143-48; — Catholicisme 6, 1963-67, 707 f; — Doyé I, 510; — EC VI, 670 f.; — LTK V, 329; — RE XVIII, 487-88; — Heimbucher II, 110-12 §115; — EI XVII, 287 u. XXXII, 119; — NCE V' 304-05; — DSp VIII, 929-35; — Stadler II, 695ff.

Ba

HIERONYMUS Amadei v. Lucca, OSM, Theologe und Reformer, * 1483 als Amadei Girolamo in Siena, + 16.2.1543 in Lucca. — H. trat in Lucca dem Servitenorden bei. Er studierte in Bologna Theologie und nahm nach Abschluß des Studiums einen Lehrstuhl für Theologie in Siena an. 1518 wurde H. mit der Visitation der Servitenklöster in Deutschland beauftragt. Hier wurde er mit den Anfängen der Reformation konfrontiert, denen er äußerst ablehnend gegenüberstand. Nach Italien zurückgekehrt, wurde er 1521 auf dem Generalkapitel in Verona mit der Bekämpfung der Reformation beauftragt. In dieser Zeit verfaßte H. auch einige Streitschriften gegen Luther. 1523 ernannte Papst Hadrian VI. H. zum Ordensgeneral. In dieser Funktion widmete er sich vor allem der Reform. 1534 resignierte er.

Werke: Tractatus de cambiis et marcharum differentiis, Pavia 1517; Apologia per l'immortalità dell'anima, Mailand 1518; De iure divino (gg. Luther); De veritate fidei (gg. Luther).

Lit.: Giani-Garbi, Annalium sacri ordinis fratrum servorum B. Mariae Virginis centuriae quatuer, Lucca 1721, II, 35, 75, 109-13 u. ö.; — Marini, Soûlier et Vangelisti, Monumenta ordinis servorum sanctae Mariae, Brüssel 1897-1910, I, 213 f., 220; II, 70; XII, 78, 81; — Hurter, Nomenclator literarius theologiae catholicae, Innsbruck 1906, II, 1455; — F. Lauchert, Die it. literar. Gegner Luthers, Freiburg 1913, 677-681; — Merkel, Speculum virtutis et scientiae ordinis servorum beatae Mariae, V, 150; — V. Piermejus, Memorabilium Ord. Servorum B. M. V. Breviarium III, Rom 1931, 40 ff.; — DHGE II, 945 f. (s. Amadei Girolamo); — DThC I, 932 (s. Amadei Girolamo); — EC I, 957 f.; — LThK V, 330.

Ba

HIERONYMUS (Paiva-Chamorra) a Cruce, OP, Missionar, * etwa 1526 in Lissabon, + 25.1.1568 in Siam. — H. stammte aus adliger Familie (väterlicherseits Paiva, mütterlicherseits Chamorra). Er studierte in Coimlora und wurde Dr. des kanonischen und bürgerlichen Rechts. — Unter dem Namen Hieronymus vom Kreuz trat er als 30jähriger in Coimbra in den Dominikanerorden ein. 2 Jahre später wurde H. als erster Missionar nach Siam geschickt. Nach 2 bis 3jähriger Tätigkeit wurde er dort von den Einheimischen erschlagen.

Werke: Relationem de virtutibus coelestibus.

Lit.: J. Cardoso, Agiologio Lusitano dos Sanctos I, Lissabon 1652, 246 f. 254; — L. de Cacegas - L. de Sousa, Historia de S. Domingos I, Lissabon 1866³, 410-13; — ZMR 21, 1931, 319 f.; — LTK V, 329; — Stadler II, 704 f.

Ba

HIERONYMUS a Jesu de Castro, OFM, Missionar, * in Lissabon, + 6.10.1601 in Kyoto (Japan). — Über H.s frühen Lebensjahre liegen keine gesicherten Erkenntnisse vor. Er war Mitglied des Franziskanerordens. 1594 wurde er mit 10 weiteren Mitbrüdern zur Mission nach Japan geschickt. Durch rechtzeitige Warnung konnte er sich als einziger der Verfolgung durch die Einheimischen und der Hinrichtung am Kreuz entziehen, indem er sich im Landesinnern versteckt hielt. Im Oktober 1597 wurde er aufgegriffen und nach Manila abgeschoben. Von dort aus kehrte er 1598 heimlich nach Japan zurück. 1599 ließ er die 1. Kirche in Edo (Tokio) erbauen und weihte sie Ulf vom Heiligen Rosenkranz. H. gründete die erste heilige Rosenkranzbruderschaft in Japan.

Werke: Supplementum et castigato ad scriptores trium ordinum S. Francisci, Rom MDCCCVI, 346.

Lit.: AFrH 22, 1929, 61-157; — BiblMiss IV, 479 f.; — LTK V, 329 f.

Ba

HIERONYMUS a Matre Dei (Jeronimo Gracián), Karmelit, * 6.6.1545 in Walladolid, + 21.9.1614 in Brüssel. — H. war Mitglied des Karmelitenordens und setzte sich als solches unermüdlich für eine Reform innerhalb Karmeliten als erster Provinzial vor. Mit großem Eifer Kosmeliten als erster Provinzial vor. Mit großem Eifer setzte er sich während dieser Zeit für die Rechte des OCD ein. 1592 wurde er aus dem Orden ausgeschlossen mit der Begründung, er habe zu große Aktivitäten in die seelsorgerische Tätigkeit gesetzt und ein zu wenig weltabgewandtes beschauliches Leben geführt. Auf einer Reise von Neapel nach Rom wurde er von Piraten gefangengenommen und nach Tunesien verschleppt. Nach zweijähriger Gefangenschaft wurde er 1595 wieder auf freien Fuß gesetzt. Seine letzten Lebensjahre verbrachte H. bei der alten Observans in Brüssel. H. war über viele Jahre engster Vertrauter und Beichtvater der heiligen Theresia von Avila. Neben seinen vielfältigen Aktivitäten verfaßte er zahlreiche bekannte Werke über Mystik.

Werke: Ausg.: Obras del P. Jer. G., Burgos 1937; Estimulo de la Propagacion de la Féel, y vinculo de Hermandad entre los Padres Descalcos del Carmen y de S. Francisco, Lissabon 1586, Neapel 1593, Madrid 1603, 1604, Brüssel 1609; Lampara encendida, Florenz (ital.), 1581, Pamplona 1588, Köln (lat.), 1614; Cerco espiritual de la Conscientia tentada, Rom 1596; Tratado de la Redencion de Cautivos, Rom 1597, 1607, Brüssel 1609, Madrid 1603, 1604; Tratado del Jubileo de Ano Sancto, ins Ital. übers. v. Jakob Bossius, Rom 1599, span. 1600; De la Disciplina regular, ins Ital. übers. v. Joannis Antonius Borius, Venetien 1600; Camino del Cielo, ô mystica Teulugia de San Buenaventura, con declaraciones del M. F. Geronimo Gracian, 1601; Vida y muerte del Patriarcha S. Josef. Valencia 1602, (ital.) 1613, franz. = Grandeurs de S. Joseph, Paris 1619; Suffragio de las Animas de Purgatorio, ital. v. Franziskus Sardonati, Rom 1603; Dilucidario del verdadero espiritu Ec. enque se declara la doctrina de la Santa Madre Teresa de IHS, 1604, 1616; Regla de bien vivir, 1607, Brüssel 1608; Mystica Teulugia colegida de lo que escrivio S. Buenaventura del Verdadero Camino del cielo, con un itinerario de la perfeccion, que es declaracion de las tres vias purgativa, iluminativa, y unitiva, Brüssel 1609; Zelo de la Propagacion de la Fée, Brüssel 1609; Vida del alma, ubro que trata de la Imitacion de Christo, u. c. Apologia contra los que ponen la perfeccion en la aniqualation total, Brüssel 1609, (franz.), 1618; El Soldado, Brüssel 1611; Lamentaciones del miserable estado de los Atheistas destos tiempos, Brüssel 1611; Sermon de la fundacion de Carmen, Brüssel 1611; Conceptas de divino amore sobre los Cantares, Brüssel 1612, Valencia 1613; Discurso del mysterioso nombre de Maria, Brüssel 1612; Leviathan enganoso, Brüssel 1614; Arte de bien morir, 1616; Abecedario espiritual; Misas varias de devocion, Rosario y Coronas; Arbol produgioso de doce modos de derecar el Rosario, Florenz o. J.; Declaracion del Ave Maria; Declaration de lasVirtudes, y fundationes de S. Teresa de IHS; Declaration del Padre nuestro; De la Oracion Mental; El devoto Pevegrino; Musica es spiritual; Regla de la Virgen Maria; Sermon de las Quaventa tentationes, Rom o. J.; Sumario de Orationes y Meditationes; Tratado de Como se a de dezir la Missa y Officio Divino; Tratado de la Confession y Communion; Tratado de los siete Angeles Principes, sus Officios y nombres; Velo de una Religiosa.

Lit.: G. Goyan, Jérome Gratien de la Mère de Dieu et Dominique de J. M. aux origines de la propagande, in: Etudes Carm., 18, 1933, 23-50; — Silverio de S. Teresa, Hist. del Carmen Descalzo en Espana, VI, Burgos 1937, 102, 297-642; — Ambrosius a S. Teresia, Bio-Bibliographia Misionaria Ord. Carm. Disc., Rom 1940, 3 ff., 23 f., 63 f., 78, 88, 95, 111, 442, 1251, 1522; — L. Rosales, Jer. G., Madrid 1942; — Etudes Carmélitaines 25, Paris 1946, 189-275; — Ildefonso Moriones de la Visit., O.C.D., »El Cerro«, Obra in edita del P. Jerónimo Gracián, in: Ephemerides Carmeliticae, 16, 1965, 412-425; — Enrique Ilamas-Martinez, Jerónimo Gracián dantisco (de la madre de dios) en la universidad de alcalá (1560-1572), in: Ephemerides Carmeliticae 26, 1975, 176-212; — BiblCarm I, 645-50; — EC VI, 665 (s. Girolamo della Madre di Dio); — LTK V, 330.

Ba

HIERONYMUS v. Mondsee (Johannes de Werdea, Johannes Faber), OSB, * um 1420 in Donauwörth (daher »de Werdea«), + 9.10.1475 in Niederalteich. — H.

lehrte als Magister Johannes de Werdea von 1445-1451 an der Wiener Universität die freien Künste. Am 1. Januar 1452 trat er in das Benediktinerstift in Mondsee ein, wo er 1463 zum Prior gewählt wurde. H. wirkte maßgeblich an der Melker Reform mit und erlangte daneben Bedeutung als Prediger und Verfasser asketisch-mythischer Gedichte und Schriften.

Werke: Expositio grammaticae Alexandri de Villa Dei, 1447; Psalterium Jesu (Gedichte), in: AH 35, 64-78; Tractatus de profectu religiosorum, in: Bibliotheca Asietica II, 1723, 173-226; Eine größere Anzahl seiner lat. Dichtungen steht in d. Sammelhs. aus d. Kloster St. Uriel u. Afra i. Augsburg (clm. 4423), geschrieb. v. Simon Weinhart, Mondsee 1481/82.

Lit.: B. Pez, Mantissa chronici Lunaelacensis II, 1749, 366 f., 376 f., 384, 395, 414; — Vincenz Staufer, Mondseer Gelehrte, Progr. Melk 1864/65; — Weinkauff, in: Zs. d. Berg-Gesch.-Vereins II, 1876, 115; — Dreves, in: ZKTH 20, 1896, 179-186; — L. Glückert, Hieronymus v. Mondsee, in: SM 48, 1930, 98-201; — M. Viller, Lectures spirituelles de Jérome de Mondsee, in: RAM 13, 1932, 374-388; — LThK V, 330; — Verflex II, 440, V, 410, (unter: Hieronymus von Wörth); — Wackernagel II, 886.

Ba

HIERONYMUS v. Montefortino (Angelo Bucci), OFM, Theologe, * 14.11.1662 in Montefortino (heute: Artena), + 12.4.1738 in Rom. — H. war Professor der Philosophie und Theologie und Angehöriger des Franziskanerordens. Von 1707 bis 1710 war er als Provinzial für die römische Reformatenprovinz tätig. Sein Hauptinteresse galt jedoch den Werken J. Duns Scotus'. Aus dessen Texten schuf er nach dem Vorbild der Summa theol. des heiligen Thomas von Aquin ein ähnliches Werk, das zu seiner Zeit große Beachtung gefunden hat.

Werke: Ven. Joannis Duns Scoti summa theologica ex universis operibus eius concinnata, 5 Bde., Rom 1728-38, 6 Bde., Rom 1900-03².

Lit.: B. Spila, Memorie storiche della provincia riformata romana, I, Rom 1890, 547-77; — R. Proost, in: RBén 23, 1906, 101-108; — D. Scaramuzzi, Lo scotismo nell' Università e nei collegi di Roma. Rom 1939, 38-40; — A. Emmen, Pr. Franciscus de Hollandia, in: AFrH 37, 1944, 226 ff., 251; — L. da Modena, Serie degli uomini illustri della riformata provincia romana di S. Michele Arcangelo, in: Archivio di S. Francesco a Ripa, ms. 510, frag. 23; — EC VI, 666; — LTK V, 330 f.

Ba

HIERONYMUS de Moravia (H. Moravus, H. von Mähren), OP, Musiktheoretiker. H. lebte im 13. Jahrhundert. Genauere Lebensdaten sind nicht bekannt. Seit etwa 1250 gehörte er dem Predigerorden an. Um die Mitte des 13. Jahrhunderts hielt er sich als Mönch im Kloster der Rue St. Jaques in Paris auf. — H. gilt als Verfasser des »Tractatus de musica«, einer der ältesten Abhandlungen über mensurale Musik. Die Entstehungszeit dieses Textes liegt vermutlich zwischen 1272 und 1304. Mit seinen 28 Kapiteln zählt der Traktat zu den umfangreichsten Musikschriften des 12./13. Jahrhunderts. H. verfaßte jedoch nur die Kapitel 24, 25 und 28 selbständig, während alle übrigen zum Teil wörtlich aus alten Quellen abgeschrieben sind. Der Traktat erlangte besondere Bedeutung als wertvolles theoretisches Zeugnis für die Erforschung der Musik des Mittelalters.

Werke: Discantus positio vulgaris; Tractatus de Musica, hrsg. v. Coussemaker, Scriptores de musica medii aevi, neu hrsg. v. S. M. Cserba, Regensburg 1935, (Die HS wird in BN Paris (Ms. lat. 16663) aufbewahrt).

Lit.: Quétif-Echard, Scriptores Ordinis Praedicatorum, 2 Bde., Paris

1719-21, I, 159 ff.; — Gerber, Hist.-Biogr. Lexikon d. Tonkünstler, 1790; — J. N. Forkel, Allg. Lit. d. Musik, Leipzig 1792, 494; — G. J. Dlabacz, Allg. hist. Künstlerlex. f. Böhmen, II, Prag 1815, 333 ff.; — C. F. Becker, Systematisch-chronologische Darstellg. d. mus. Lit., Leipzig 1836, 207; — U. Kornmüller, Die alten Musiktheoretiker, in: KmJb IV, 1889, 14 ff.; — A. W. Ambros, Gesch. d. Musik, II, Leipzig 1891³, 349, 352, 356, 399; — E. Nikel, Gesch. d. kath. Kirchenmusik I, Breslau 1908, 228 ff. u. ö.; — Wolf, Gesch. d. Notationskd. I, Leipzig 1913, 221, 250; — H. Riemann, Gesch. d. Musiktheorie im 9. bis 19. Jh., Berlin 1920², 160 f., 168 f.; — G. Pietzsch, Die Klassifikation d. Musik v. Boethius bis Ugolino v. Orvieto, Halle 1929, 31 ff.; — O. Ursprung, Kath. Kirchenmusik, Potsdam 1931, 136; — A. Gastoué, Un Dominicain professeur de musique au XIIIᵉ siècle. Fr. Jérôme de Moravie, et son ouvre, in: Archiv. Ord. Praedicatorum II, 1932, 235 ff.; — S. Cserba, Über d. Vortrag d. gregor. Chorals i. MA, in: KmJb XXIX, 1934, 32 ff.; — Ders., Der Musiktraktat d. Hieronymus v. Mähren, Diss. Phil. Freiburg/Schweiz 1932, Regensburg 1935; — E. T. Ferand, Die Improvisation i. d. Musik, Zürich 1938, 93, 252 u. ö.; — G. Reese, Music in the Middle Ages, New York 1940, 145 f. u. ö.; — W. Apel, The Notation of Polyphonic Music 900-1600, Cambridge (Massachusetts) 1949⁴, 334, 341; — MGG VI, 376 ff.; — LTK V, 331.

Ba

HIERONYMUS v. Narni (Ottavio Mautini), OFMCap, Kanzelredner, * 16.2.1563 in Narni (Umbrien), + 13. 9.1632 in Rom. — 1578 trat H. in den Kapuzinerorden ein, wo er sich zunächst als Lektor der Theologie, dann auch als Definitor betätigte. Von 1608 bis 1612 war er Generalvikar, von 1613 bis 1631 Generaldefinitor. Unter Papst Paul V. und dessen Nachfolger Gregor XV. bestach H. als Palastprediger von hervorragender Eloquenz. Unter Papst Urban VIII. kehrte H. in sein Definitoramt zurück. H. machte sich besonders verdient um die Gründung der Sacra Congregatio de Propaganda Fide.

Werke: Sermo di convivio, Rom 1603; Conciones de Immaculata Conceptione B. Virginis, Rom 1632; Aliam de B. Virgine Annunciata, Rom 1632, 1639, Venezia 1634, 1637, 1639; Prediche fatte nel Palazzo Apostolico, Rom 1632, 1739³, Venedig 1639, 1713³, Paris (franz.) 1636.

Lit.: Marcellinus de Pisa, Vita P. Hieronymi Narniensis, Rom 1647; — Ders., Annales Ordinis Min. Capuccinorum, III, 1613-34, Lyon 1676, 904-41; — Bertani Massimo da Valenza, Annali dell'Ordine de F. F. Min. Cappucini, III, 3. (1628-34), Mailand 1714, 561-622; — Bernadus a Bononua, Bibliotheca Scriptorum Ord. Min. Cappucinorum, Venedig 1747, 118; — Rocco da Cesinale, Storia delle Missioni dei Cappucini, Paris, Rom 1867-73, I, 124, 405; II, 40-43, 331; III, 524; — Pellegrino da Forli, Annali dell'Ordine dei F. F. Minori Cappuccini (1633-1725), I, Mailand 1882-85, 63; — Analecta Ord. F. F. Min. Cappuccinorum. Cap. 6, Rom 1890, 68, Cap. 21, 1905, 281; — Antonio da Reschio, Memorie dei Min. Cappuchini della Prov. Serafica (Umbria), Foligno 1904, 237-42; — Francesco da Vicenza, Gli Scrittori Cappuccini della Prov. serafia, Foligno 1922, 79-91; — Clemens a Terzorio, Manuale historicum Missionum Ord. Min. Cappuccinorum - Isola del Liri 1926, II, 30-34, V, 30; — Italia (L') Francescana, I, Rom 1926, 119-130, III, Rom 1928, 295; — Seraphic Chronicle, New York 11, 1928, 409-12; — Mauro da Lenonessa, Il predicatore Apostolico, Isola del Liri 1929, 72-74, 79-88; — Guthbert (of Brighton), The Cappuchins. A contribution to the history of the Counter-Reformation, 2 Bde., London 1930, dt., München 1931, ital. Faenza 1930, S. Index; — Annuario Mission. Ital., 1936, 93-99; — Felice da Mareto, Tavole dei Capitoli Generali dell'Ordine dei F. F. Min. Cappuccini, Parma 1940, 118, 120, 124; — Modo breve e facilissimo di comporre le prediche, hrsg. v. Donato da S. Giovanni in Persiceto, Bologna 1959; — Michelangelo da Rossiglione, cenni biografici e Ritvatti di Padri illustri dell'Ordine Cappuccino militante dalla dignità ecclesiastiche, III, 38-42; — Ilg Augustinus Maria (von Friedberg), Geist d. hl. Franziskus Seraphicus dargest. i. Lebensbildern a. d. Gesch. d. Kapuziner-Ordens, 2. Aufl., I, Augsburg, 268-285; — Leggendario Francescano X, 387 ff.; — Catholicisme 6, 1963-67, 708 f.; — LexCap 747 f. (Lit.); — LTK V, 331.

Ba

HIERONYMUS (Finugi) v. Pistoia, OFMObs, Theologe, * 1498, + 30.10.1570 auf Kreta. — H. gehörte in den Jahren 1531 ff und von 1542-53 dem OFMObs an. Vor 1542 und seit 1553 war der Mitglied des OFM-

Cap. 1555 wurde er zum Generaldefinitor ernannt, 1558 war er Führer der Provinzen in der Toscana, 1560 Provinzial von Neapel und 1566 von Bologna. – 1562 nahm er als Theologe am Konzil von Trient teil. 1567 machte er sich in Rom als Organisator des 1. Generalstudiums verdient. 1568 wurde er Theologe Papst Pius' V. Die kurz darauf vom Papst angetragene Kardinalswürde schlug H. jedoch aus. Stattdessen verpflichtete er sich als Prediger in einer venezianischen Flotte, wo er sich besonders dem Pestkrankendienst widmete, bis er von dieser Krankheit selbst angesteckt wurde und auch kurz darauf starb. H. wurde in der Kapuziner-Kirche von Caserta beigesetzt.

Werke: Servantur in tabulario Sacrae Facultatis plura monumenta propositionum a fratribus minoribus contra fidem catholicam praedicatarum, 1547; Conciones IV. de Immaculata Conceptione V. M., Neapel 1564; Quatre sermons sur l'Immaculée Conception, Neapel 1564; Librum sermonum, Bonn 1567; Prediche, Bologna 1567, Venedig 1571; Scriptum D. Bonaventurae Card. ac. doct. seraphici ordinis minorum S. Francisci, in quatuor libros sententiarum, Rom 1569; De quantitatibus rerumque distinctionibus dialogus, in: Scoti Formalitates Dialogi. Rom 1570; Fratris Hieronymi a Pistorio de quantitatibus rerumque distinctionibus dialogus, qui triginta septem lectionibus terminatur. Hieronymus et Scotus interlocutores, Rom 1570; Concionum variarum partem primam, Venedig 1571.

Lit.: Boverius, Annales ord. fr. min. capuccinorum, I, Lyon, 1632, 706; – Palocci Benedetto da Scandriglia, Frutti serafici, ovvero delle vite dell' huomini piu illustri de' FF. Min. Capp., Rom 1656, 99-102; –Bernard de Bologne, Bibliotheca scriptorum ord. min. cappuciorum, Venedig 1747, 121; – Sbaraglia, Supplementum et castigatio ad scriptores ordinis minorum, Rom 1806; – Capponi, Bibliografia Pistoiese, Pistoria 1874; – Appollinaire de Valence, Bibliotheca fr. min. Capuccinorum prov. Neapolitanae, Neapel 1886, 103-105; – Analecta Ord. FF. Min. Capp., 14, 1898, 80, 48, 1932, 19-23; – Sisto da Pisa, Storia dei Capp. Tosc. I, Florenz 1906 pass., 639; – Frédégand d'Anvers, L'apostolat des Fréres-Mineurs Capucins, in: Liber memorialis ordinis Fratrum Min. Capuccinorum, Rom 1928, 14-18; – Ders., St. Pie V, les Zingares et le p: Jérome de Pistorie, in: Analecta Ordinis Min. capuccinorum 48, 1932, 19-23; – Cuthbert (of Brighton), The Capuchins, London 1930, I, 187, II, 402, Faenza 1930, 204-06, 462; – S. Pie V, les Zingaris et le P. Jérome ... Episode de L' expedition contre les Turcs (1570), dans Analacta FF. MM. Cap. XLVIII, 1932, 19-23; – Memoriale dei FF. Min. Capp. della Toscana nel IV° Centenario della loro Provincia, Florenz 1932, 82, 286, 677; – P. Paolino de Casacalenda, I Cappucicini nel concilio di Trento, dans C. F., III, 1933, 574-576; – Felice da Mareto, Tavole dei Capitoli Genrali dell' ordine dei FF. Min. Cappuccini, Parma 1940, 60-62, 73 f.; – Ilarino da Milano, I Frati Min. Cappuccini e il Concilio di Trento, in: L'Italia francescana, 19, 1944, 58 f.; – Cantini G., O.F. M., I Francescani d'Italia di fronte alle dottrine, luterane durante il 1500, Rom 1948, 130-33; – Salvatore da sasso Marconi, La Prov. Capp. di Bologna, Faenza 1959, 21 ff. (Lit.); – Andreina Brignoli, P. Girolamo da Pistoia, O.F.M. Cap. (+ 1570), in: Collectanea franciscana, Rom 1965, 35, 393-412; – Rocca de Cesinale, Storia delle Missioni dei Cappuccini, I, 43, 76-80; – Bullarium Ord. F.F. Min. Cappuccionorum, I, 34, 44, III, 16; – Flores Seraphici ex Annalibus P. Boverii collecti, I, 54-58; – Scriptores Ordinis Minorum, Rom MDCCCVI; – Ritratti Capp. Illustri, III, 5-8; – Catholicisme 6, 1963-67, 709; – DThC VIII, 985 f.; – EC VI, 667; – LexCap 749 f. (Lit.); – LTK V, 331; – Stadler II, 707.

Ba

HIERONYMUS *von Prag* , Kampf- u. Leidensgenosse des Johann Hus (s.d.), * nach 1365 in Prag, + (verbrannt) 30.5.1416 in Konstanz. – H. studierte in Prag, promovierte 1398 zum philosophischen Baccalaurus und Mähren und war weiterhin für Wiclifs Lehre werbend tätig. 1413 lehrte er in Krakau und machte von dort aus Wiclifs Lehre in Polen-Litauen bekannt. H. traf am 4.4.1415 in Konstanz ein, um Hus beizustehen, verließ aber auf dringenden Rat seiner Freunde die Stadt und machte sich nach einem von Überlingen aus vergeblich unternommenen Versuch, freies Geleit vom Kaiser und Gehör beim Konzil zu erhalten, auf die Heimreise. Am 15.4. wurde er in der Nähe der böhmischen Grenze, in Hirschau, erkannt und von dort gefesselt nach Konstanz zurückgebracht. Durch harte Haft mürbe gemacht, leistete H. am 10.9. den geforderten Widerruf und unterschrieb am 23.9. die Verwerfung des Wiclif und Hus, erlangte aber dadurch doch nicht die Freiheit. In dem ihm am Jahrestag seiner Konstanzer Haft, 23.5.1416, bewilligten öffentlichen Verhör nahm er seinen früheren Widerruf zurück und bekannte sich erneut zu den Lehren des Wiclif und Hus. H. wurde als rückfälliger Ketzer verurteilt und sofort verbrannt.

Lit.: J. A. Helfert, Hus u. Hieronymus, 1853; – Georg Friedrich Böhringer, Vorreformatoren des 14. u. 15. Jh.s, 1879, 607 ff.; – Ladislaus Klicman, Processus iudiciarius contra Jeronimum de Praga habitus Vinnae 1410-12, in: Hist. Arch. der tsch. Akad. 12, Prag 1898, 1-43; – Ottouv Slovnik nauchy 13, Prag 1898, 259-263; – J. Putria (Putny), Mistr. Jeronym Prazsky, Prag 1916; – R. R. Betts, Jerome of Prague, in: University of Birmingham, Historical Journal I, 1947, 51-91; – Ders., Jerony, Prazsky, London 1952; – Ders., Essays in Czech History, 1969, 195-235; – M. Nedvedo, Hus a. J. v. Kostnici, Prag 1953; – Friedrich Hauß, Väter der Christenheit I, 1956, 137 f.; – Gian Francesco Poggio-Braccilolini, Todesgesch. des Johann Hus u. des H. v. P. Geschildert in Sendbriefen (6. - 10. Tsd.), 1957; – P. Bernard, J. of P., Austria and the Hussites, in: ChH 27, 1958, 3-22; – Renate Riemeck, H. v. P., in: Stimme der Gemeinde z. kirchl. Leben, z. Politik, Wirtschaft u. Kultur 18, 1966, 591-596; – Frantisek Smahel, Jeroným Prazsky, 1966; – Ders., Pramen Jeronýmovy chvály svobodných ument; in: Strahovská Knuhovna 5-6, 1971, 169-179; – R. Neu Watkins, The death of J. of P. Divergent views, in: Speculum 42, 1967, 104-129; – Renate Bicherl, Die Magister der Artistenfakultät d. Hohen Schule zu Prag u. ihre Schrr. im Zeitraum v. 1348-1409, 1971, 218 f. (Bibliogr.); – Stanislaus Sousedîk, M. Hieronymi Pragensis ex Iohanne Scoto Eriugena excerpta, in: Listy filologické 98, 1974, 4-7; – Biograph. Lexikon z. Gesch. d. böhm. Länder I, München 1979, 623; – Hefele VII, 254 ff.; – Potthast I, 595; – Mansi XVII, 791 ff. 842 ff. 887 ff.; – RE VIII, 484 f.; XXIII, 664; – RGG III, 316; – DThC VIII, 986; – EC VI, 667 f.; – LThK V, 331 f.

Ba

HIEROTHEOS, Hieromonachos, Mönch, Antilateiner. Der byzantinische Mönch lebte Ende des 13. Jahrhunderts. – H. war zunächst gemäßigter, dann fanatischer Gegner der kirchlichen Unionspolitik Michaels VIII. (1258-1282). Seine rigorose Haltung führte besonders zwischen seinen Verleumdern, dem Bischof von Cartone und dem Patriarchen Jean Beccos, zu polemischen Auseinandersetzungen. Seine fanatische Haltung brachte H. ins Gefängnis (1277-1278), wo er schwer erkrankte. Spätere Lebensdaten sind ungesichert, und es wird vermutet, daß er mit dem Dichter des Kanon (unveröffentlicht im Codex Vaticanum 1789 ἐξομολογήσεως und Codex Hiecrosol. patr. 121 und 434) identisch ist. Im wesentlichen bestehen H.s polemische Schriften aus 4 Abhandlungen: Die erste ist eine graphische Erläuterung des trinitarischen Systems, die er in der 2. Abhandlung gegen seine Kritiker verteidigt, die die Darstellung und die gezogenen Schlußfolgerungen angriffen. In der 3. Abhandlung erteilt H. dem Kaiser eine kategorische Absage und wendet sich in der 4. in dialogischer Form gegen das Filioque der Lateiner. Seine Schriften blieben ungedruckt.

Werke: Quellen: A. C. Demetrakopulos, Ὀρθόδοξος Ἑλλάς, Leipzig, 1872, 53-55; Cod. Marc. gr. 153 fol. 215 f. u. Laurentiana Pl. VII 19, fol. 51-63.

Lit.: Krumbacher 93 f., 144, 682; – ByZ VIII, 48; – C. Emereau, Hymnographi byzantini: Échos d'Orient XXII, 432 f.; – Hans Georg Beck, Zur byzantinischen »Mönchschronik«, 1965; – F. H. Tinnefeld, Kategorien der Kaiserkritik in der byzantinischen Historiographie, 1971; –

NBG XXIV, 655 f.; – Beck, 549, 615, 679; – Jugie I, 426; – Catholicisme V, 728 f.; – LThK V, 332.

Ba

HIEROTHEUS (Johann Michael Stammel) Confluentinus, Kapuziner, * 7.9.1682 in Koblenz, + 21.3.1766 in Trier. – H. trat 1698 in der rheinischen Provinz dem Kapuzinerorden bei, wo er Lektor, des öfteren Generalkustos und Provinzial war. Von 1718 bis 1726 war er Beichtvater Damian Hugo v. Schönborns, Kardinal zu Speier, den er 1721 zu der Konklave begleitete. H. verfaßte eine Geschichte des Franziskaner- und Kapuziner-Ordens, die eine präzise Quelle der Ordensentwicklung ist. Sein scholastisches Werk »Tractatus bipartitus...« stellt eine Didaktik zur Ausbildung junger Priester. In dieser Apologetik widerlegt H. die protestantische Lehre. Seine Ausführungen zur Doktrin, Moral, Liturgie und zum Recht sind Lehrbuch und zugleich Huldigungen des Episkopats. Zentrale Fragen dieses Werks sind heute noch aktuell, und auf H.s klassisch gewordene Doktrin beziehen sich zahlreiche ältere, aber auch moderne Autoren.

Werke: Provincia rhenana Fratrum Minorum Capucinorum... usque ad annum 1735, Mainz 1735, Heidelberg 1750[2] ; Epitome historica, in qua... res franciscanae generatim, dein ... capucinorum usque 1747, Heidelberg 1750; Manipulus Confluentinarum memorabilium rerum, Luxemburg 1753; Tractatus bipartitus de sacro-sancto Missae sacrificio, Mainz 1759; Theatrum bipartitum in quo peccatorum infelix, felix econtra iustorum in hoc tempre finis, his ad solatium, istis ad terrorem historicomoraliter praesentatur, Mainz 1774.

Lit.: Bonaventura von Mehr, Das Predigtwesen i. d. köln. u. rhein. Kapuzinerprov. im 17. u. 18. Jh., 1945, 101 f., 107 u. ö.; – Jöcher VI (2. Erg. Bd.), 1999; – Kosch KD I, 1579; – LexCap 752 f.; – LThK V. 333; – RE IV, 688. XIX 33 ff. u. 128; – DSp VII 1, 463.

Ba

HIGDEN (Higdon, Hygden, Hikeden), Ranulf, Benediktiner-Mönch, englischer Chronist, + ca. 1364. – H. trat 1299 in das Kloster St. Werburg ein, wo er 64 Jahre bis zu seinem Tod gelebt hat und dort auch begraben wurde. Der in England viel gereiste H. verfaßte mehrere ungedruckt gebliebene Schriften und die lateinische Universalgeschichte »Polychronicon«, die die Geschichte von der Schöpfung bis auf das Jahr 1352 schildert. Es existieren drei frühe Übersetzungen: Die erste stammt von John of Trevisa aus dem Jahr 1387 (in modernisierter Form gedruckt von Caxton 1482); zwischen 1432 und 1450 schrieb ein unbekannter Autor eine Übersetzung und Fortführung der Polychronicon (sie wurde erstmals in der Rolls Series gedruckt); die dritte Übersetzung basiert auf Trevisas Version und wurde durch einen achten Band von Caxton ergänzt. Die ursprünglich siebenbändige Weltgeschichte hat nur einen geringen historischen Quellenwert, gibt aber Aufschluß über die historischen, geographischen und naturwissenschaftlichen Kenntnisse seiner Zeit. Es war die bis dahin ausführlichste Geschichtsschreibung, die im 14. und 15. Jahrhundert große Verbreitung (über 100 Handschriften) fand.

Werke: Polychronicon, ca. 1327. – Ausgg.: J. Trevisa (übers.), 1387 (gedr. v. Caxton, 1482, v. W. de Worde, 1495, v. P. Treveris, 1527); hrsg. von Caxton (in überarbeiteter u. erweiterter Form), 1480; GA: hrsg. v. Ch. Babington (I-II) u. J. R. Lumby (Bd. III-IX), Rolls Series, 1865-86

(eingel. v. dens., lat. Text, mit Ergänzungen und Überss.): Abbreviationes Chronicorum, möglicherweise identisch mit der Chronica bona et compendiosa de Regibus Angliae tantum..., 1300 (2 Nachdrucke: Corpus Christi College, Cambridge, Ms. 21 und Winchester College); The deluge, a Chester miracle-play; hrsg. v. W. Marriott, A Collection of Engl. Miracle-plays, Basel 1838; (Speculum Curatorum, 1340 (Ball. Boll. Oxon., Ms. 69 und Cambridge Univ. Lib., Mm. I 20); Ars Componendi Sermones (Bodleian Library, Ms. Bodley 316); Distinctiones Theologicae (Ms. Lambeth 23).

Lit.: Gairdner, Early Chroniclers of Engld., 274-279; – Warton, Hist. Engl. Poetry II, 224; – The Index of Middle Engl. Verse, hrsg. v. C. Brown u. R. H. Robbins, 1943, 3252. Supp. (1965), 46 u. ö.; – W. A. Pantin, The Engl. Church in the 14th Century, 1955; – John Taylor, The Universal Chronical of R. H., Oxford, 1966; – Th. D. Hardy, Descriptive Catalogue of Material relating to the Hist. of Great Britain... III, Nr. 1862-71; – D. Pearsall, Hist. of Engl. Poetry I, 1977, 107; – E. Standop u. E. Mertner, Engl. Lit.wiss., 1976[3], 71 u. ö.; – Margret Jenning, H.'s minor writings and the fourteenth-century church, in: Proceedings of the National Academy of Sciences of the USA, XVI, 1977, 149-158; – Dies., Monks and the Artes praedicandi in the Time of R. H., in: revue bénédictine (Maredsous), LXXXVI, 1977, 119-128; – Dies., Au Acknoledgment, in: ebd. LXXXVII, 1977, 389-390; – Eugene J. Crook, A new version of R. H.'s »speculum avatorum«, in: Manuscripta (Saint Louis) XXI, 1977, 41-49; – Antonia Gransden, Silent meanings in R. H.'s polychronicon and in Thomas Elmham's liber metricus de Henrico Quinto, in: Medium Aevum (Oxford) XLVI, 1977, 231-240; – A. S. G. Edwards, The influence and audience of the Polychronicon, in: Leeds Philosophical and Literary Soc. Proc. XVII, 1980, 113-119; – DNB XXV, 365; – CathEnc VII, 346; – LThK V, 333; – EBrit XI, 548.

Ba

HILARIA zu Augsburg, Heilige, Märtyrerin, + 304. – historisch unzuverlässige Quellen, eine in 8. Jahrhundert entstandene Passio und die Conversio, erzählen, daß H. Mutter der heiligen Afra (s.d.) zu Augsburg gewesen sei. Die Legende erzählt, H. sei von dem heiligen Bischof Narcissus (s.d.) zum christlichen Glauben bekehrt und getauft worden. Beim Gebet am Grab ihrer Tochter sei sie mit ihren Mägden, Digna (s.d.), Eunomia (s.d.) und Eutropia (s.d.), als sie dem Geheiß des Statthalters Gajus, die Grabstätte zu verlassen und dem christlichen Glauben abzuschwören, nicht folgten, von diesem verbrannt worden. Im Bistum Augsburg wird die heilige H. am 12. August gefeiert, obwohl ihr Todestag nach der Acta Sanctorum (II, 50) der Bollandisten am 8. August gewesen sein soll. Das Fest wird erstmals in dem Martyrologium des Florus von Lyon (s.d.) im 9. Jahrhundert erwähnt. Im Augsburger Münster St. Ulrich befand sich ein H.-Altar und 1326-29 wurde im Augsburger Dom eine H.-Kapelle und von Chr. Amberger 1554 ein H.-Bildnis geschaffen. Ein Teil der Reliquien der heiligen H. befindet sich ebenda. Die heilige H. mit ihren Mägden und weiteren in jenen Tagen wegen ihres christlichen Glaubens verbrannten Märtyrern werden in der Martyrologie Romanus am 12. August und auch in anderen alten Martyrologien z. B. von Notker, Usuardus und Ado genannt.

Lit.: A. Schröder, Einen Basler Hs.: Arch. f. die Gesch. des Hochstifts Augsburg 6 (Dillingen 1929), 776-787; – Ders..; Kalender bayr. u. schwäb. Kunst XXVIII, 1932, 4-7; – A. Bigelmair, Afra: Lebensbilder aus dem bayr. Schwaben I, 1952, 1-29; Stadler II, 713; III, 684; V, 11; – Paul Reinelt, Hl. Frauen und Jungfrauen, 1910; – Rudolf Buchwald, Calendarium Germaniae, 1920; – Wimmer, 1923, 233; – Holweck, 1924, 481; – J. Boudot, Dictionnaire d'hagiographie, 1925, 335; – Doye I, 1929, 513; – Braun, 1943, 333; – Torsy, 1959, 236; – LThK V, 22.

Ba

HILARION von Gaza, Heiliger, Einsiedler, * 291 in Tabatha bei Gaza, + 371 in Zypern. – Alle Kenntnis von H. beruht auf der Biographie des Hieronymus (s.d.), der vom Leben des H. vor allem durch den Heiligen Epiphanius von Salamis erfahren hatte. Hieronymus stellt die legendarische Verklärung der Wundertaten des H. und dessen harte Askese in den Vordergrund seiner Lebensbeschreibung und sieht in ihm den Begründer des Einsiedler-Mönchtums in Palästina. Von seinen heidnischen Eltern wurde H. zum Studium nach Alexandria geschickt, wo er sich zum Christentum bekehrte und radikal allen Vergnügungen der Großstadt entsagte. Als er von dem Heiligen Antonius (s.d.) hörte, suchte er ihn in der Wüste auf und war einige Monate sein Schüler. H. beschloß, ebenfalls Einsiedler in seiner Heimat zu werden. Mit einigen Gleichgesinnten zog er nach dem Vorbild der ägyptischen Mönche um 307 in die Wüste bei Majuma und führte dort ein Büßerleben in äußerster Askese. Mit den Wundern und Heilungen, die er vollbrachte, nahm auch die Zahl der Schüler, der Hilfesuchenden und der Besucher zu. Darum zog H. um 356, dem Todesjahr des Antonius, wieder in die ägyptische Wüste, und als er hier ebenfalls wegen seiner Wundertaten großen Zulauf erhielt, wich er zunächst in eine Oase in der westlichen Wüste aus, ging dann nach Sizilien und von dort mit seinem Schüler Hesychios (s.d.) nach Epidauros in Dalmatien (Ragusa). Schließlich fand er an einem unzugänglichen Platz in Zypern für seine letzten Lebensjahre Ruhe vor dem Zulauf des Volkes. Hesychios soll den Leichnam nach Gaza gebracht haben, wo man später noch das Grab des H. zeigte.

Lit.: Hieronymus, Vita S. Hilarionis, in: MPL XXIII, 29 ff.; – F. Nau, St. Jérome hagiographie, in: ROC, 1900, 654-59; – P. Van den Ven, St. Jérome et la vie du moine Malchus le captif, in: Le Muséon 20, 1901, 270-286, 307-326; – L. Risch, Essai historique sur St. H. et ses hameaux, Versailles 1902; – Georg Grützmacher, Hieronymus, II: Sein Leben u. seine Schrr. v. 385 bis 400, Berlin 1906 (Neudr. Aalen 1969), 87-91; – H. Delehaye, Saints de Chypre, in: AnBoll XXVI, 1907, 241 f.; – Stephan Schiwietz, Das morgenländ. Mönchtum, II: Das Mönchtum auf Sinai u. in Palästina im 4. Jh., 1913, 95-126; – G. Praga, La leggenda di S. Ilarione a Epidauro, in: Archivio Storico della Dalmazia XXV, 1938, 81-91; – E. Coleiro, St. Jerome's Lives of the Hermits, in: VigChr I, 1957, 161-178; – Bardenhewer III, 638 f.; – AS Oct. IX, 16-58; – BHL 3879 f.; – VSB X, 692-708; – MartRom 466 f.; – Reau III, 649 f.; – BHG 751-756; – BHO 380 ff.; – Fliche-Martin IV, 309 f. 345 f.; – NBG XXIV, 666 f.; – BS VII, 731-735; – Thursten-Attwater IV, 163 ff; – RE VIII, 54; – RGG III, 316; – Catholicisme V, 736; – LThK V, 334.

Ba

HILARIUS, Hymnensammler und -interpret (lateinischer Dichter des Mittelalters). – H. stellte wahrscheinlich im 12. Jahrhundert eine Sammlung von Hymnen und Sequenzen nebst Erklärungen zusammen, die als Liber hymnorum bekannt wurde und in mehreren Handschriften des 12. bis 15. Jahrhunderts überliefert ist. Diese Sammlung, im 15. und 16. Jahrhundert erweitert und umgearbeitet und mit dem Titel Expositio hymnorum oder ähnliches ediert, hat spätere Kommentare stark beeinflußt. H. soll mit dem engl. Dichter und Abaelard-Schüler identisch sein (C. Blume), der um 1125 in Peraklet war und rhythmische Gedichte weltlichen Inhalts, mystische und satirische Verse (unter anderem eine gewalttätige Attacke auf den Papst),

aber auch drei geistliche Spiele verfaßte: Suscitatio Lazari, Historia de Daniel und Ludus S. Nicolai.

Werke: Suscitatio Larzari; Historia de Daniel; Ludus S. Nicolai; Ausgg.: J. J. Champollion - Figeac, Hilarii versus et ludi, 1838; J. B. Fuller, Hilarii versus et ludi, N. Y. 1930, 188 ff.; Lingua servi lingua perfide (ein an Abelard adr. Gedicht), gedr. in: Wright, Biographia Britannica literaria II, 1842,92 und in: Migne PL, CLXXVIII, 1855.

Lit.: L. Hain, Repertorium bibliographicum, 4 Bde.; 1826-38 (anastat. Neudr. 1903), 6779-6794; – C. Blume, The Ecclesiologist, Cambridge, 1888, 29; – Ders., Unsere liturg. Lieder, 1932, 19 f.; – F. J. E. Chambers, The Medieval Stage II, Oxford, 1903, 57 ff.; – F. J. E. Raby, A History of Secular Latin Poetry in the MA II, 1957², 115-118; – G. Gröber (Hg.), Übersicht über die lateinische Literatur II, 1963², 355 f. u.ö.; – Josef Szövérffy, Weltl. Dichtung des lat. MA I, 1970, 41. 48 ff.; – Therese Latzke, Abaelard, H. und das Gedicht 22 der Ripollsmlg., in ebd. VIII, 1972, 70-89; – Dies., Zu dem Gedicht »da papa scholastico« des Abaelard-Schülers Hilarius, in: Mittellat. Jb., XIII, hrsg. v. K. Langosch, 1978, 86-99; – NBG XXIV, 665; – Chevalier I, 2147; – DNB XXVI, 1891, 380; – RE XVIII, 639; – Alphabet. Verz. der Versanfänge ma Dichtungen, hrsg. v. H. Walther, 1969².

Ba

HILARIUS, Papst siehe HILARUS, Papst

HILARIUS, Quintus Julius, Bischof in Nordafrika, Chronograph, Ende des 4. Jahrhunderts. – Sein Werk »De ratione paschae numeroque anorum mundi« wurde von H. überarbeitet, und es entstanden zwei auf das Jahr 397 datierte Schriften: Die Abhandlung »De ratione paschae et mensis«, die ein Konglomerat von Theoremen über die Ostertafel darstellt, wurde erst 1712 von Chr. M. Pfaff veröffentlicht. Unter dem Titel »De cursu temporum« überarbeitete H. den zweiten Teil seines Werkes, das 1579 von P. Pithoeus zuerst herausgegeben wurde. Dieser rohe, eigentümliche Versuch der weltgeschichtlichen Konstruktion (Gelzer) berechnet die Schöpfung der Welt auf den 25. März, die Geburt Christi legt er in das Jahr 2 vor Christus, dessen Tod in das Jahr 29 nach Christi Geburt und das Ende der Welt sollte nach H.s Berechnungen 470 nach Christi Geburt kommen. Eine grotesk apokalyptische Schilderung des Kampfes des Antichrists beendet die Schrift dieses ungebildeten Chiliasten.

Werke: De ratione paschae et mensis, 397; – Ausgg.: Chr. M. Pfaff, 1712; Patrologica Latina XIII, hrsg. v. Migne, 1845, 1105 ff.; De cursu temporum, 397; – Ausgg.: Unter dem Titel »De mundi duratine«, hrsg. v. P. Pitheons, 1579; MG AA XIII, 1898, 415 ff. (mit einem Kommentar aus d. J. 468, Expositio temporum Hilariana) Patrologia Latina XIII, hrsg. v. J. P. Migne 1845, 1097-1114; C. Frick, Chronica minora I, 1892, 153-174.

Lit.: H. Nolte, Kl. Btrr. zur Textkritik, in: ThQ 50, 1868, 443-45; – B. Krusch, Studien zur christl.-ma. Chronologie, 1880, 24; – H. Gelzer, Sextus Julius Africanus u. d. byz. Chronographie II/1, 1885, 121-129; – E. Schwartz, Christl. u. jüd. Ostertafeln, 1905, 59 f.; – B. Kötting, Endzeitprognosen zk. Lactantius u. Augustinus, in: HJ 77, 1958, 129 f.; – NBG XXIV, 665 f; – RE IV, 449 u. 453; – Pauly Wissowa X/1, 614; – Bardenhewer III, 560 f.; – LThK V, 334.

Ba

HILARIUS, Heiliger, Märtyrer, 2. Bischof von Aquileja (auch Hilarius, Helarus, Hilarianus, Clarius, Ylarus), + 16.3.285. – Die MartHier berichtet, daß H. zusammen mit Tatianus, seinem Schüler, unter der Herrschaft Kaiser Numerianus' den Martertod erlitten habe. Eine spätere Legende erzählt, der Diakon Tatianus und H.

seien zusammen mit ihren Gefährten Felix, Largus und Dionysius zu Tode gefoltert worden. Der Kaiser habe ein Edikt erlassen, daß alle Christen notfalls durch die Anwendung der Marter zu Götzenopfern gezwungen werden sollten. Vor dem Richterstuhl des Provinzbefehlshabers Beronius bekannte sich H. freimütig dazu, Bischof der Christen zu sein und weigerte sich, den Götzen Opfer darzubieten. Anstelle dessen, so berichtet die Legende, soll er freudig und Psalme singend die Folter ertragen haben. Sein Gebet soll Götzenbilder zum Sturz gebracht haben, und gemeinsam mit Tatianus, der sich ebenfalls standhaft zum christlichen Glauben bekannte, rief H. Gott an, er möge ein Zeichen seiner Macht geben, woraufhin der Tempel des Hercules in der Nacht durch ein heftiges Erdbeben einstürzte. Am 16. März 285 wurden beide enthauptet. Der heilige H. wird an seinem Todestag gefeiert.

Lit.: AS Mart II, 1668, 418 ff.; − Chronica patriarcharum gradensium, in: MG SS rer. Lang., 393; − Stadler II, 1861 (Nachdr. 1975), 722 ff.; − BHL I, 579; − P. Paschini, La chiesa aquileiense e il periodo delle origini, 1909, 48-52; − DHGE III, 1114 u. 1141; − J. Baudot, Dictionnaire d'hagiographie, 1925, 334; − F. Lanzoni, Le Diocesi d'Italia dalle origini al principio del secolo VII, 2 Bde., 1927², 883 ff.; − Doyé I, 514; − VSB III, 346 f.; − MartHier, 147; − MartRom, 99; − Catholicisme V, 729; − LThK V, 335; − BS VI, 728 ff.

Ba

HILARIUS von Arles, Bischof, * 401, + 449 in Arles. − H. wurde von seinem Onkel Honoratus (s.d.) zum Christentum bekehrt und trat nach dem Verkauf seines väterlichen Erbes in das von Honoratus geleitete, streng asketische Kloster von Lerinum ein. Als Bischof von Arles empfahl Honoratus H. wegen seines Lebenswandels und seiner geistigen Fähigkeiten zum Nachfolger. Mit erst 29 Jahren wurde H. in dieses Amt gewählt und war als ein Prediger, der sich eines einfachen Stils befleißigte, als Seelsorger und als Beförderer guter Werke unermüdlich für das Kirchenvolk tätig. Gleichzeitig förderte er den asketischen Geist im Klerus und suchte den Primat des arelatensischen Bischofssitzes in der südgallischen Provinz durchzusetzen. Diesem Bestreben widersetzte sich Papst Leo I., indem er einen von H. abgesetzten Bischof rehabilitierte und dem sich weiterhin widersetzenden H. 445 die Metropolitangewalt entzog. Später scheint es zu einem Ausgleich zwischen den beiden Männern gekommen zu sein. Im Sinne des Semipelagianismus, den er als Mönch in Lerinum kennengelernt hatte, bekämpfte H. die augustinische Prädestinationslehre, wie Prosper von Aquitanien (s.d.) in einem Brief an Augustin berichtet.

Werke: Sermo de vita S. Honorati; Briefe an Eucherius v. Lyon; 4 Verse auf die brennende Qu. v. St. Barthelemy (Fundort u. weitere Werke s. CPL 500-509); MPL 50, 1213-1246; Suppl., hrsg. v. A. Hamman, III; Marie Denise Valentin, H. Arelatis Sermo de Vita Honorati. Edition, traduction, commentaires, Paris 1977 (Bibliogr.).

Lit.: Louis Duchesne, Histoire ancienne de l'Eglise III, 1911, 590 ff.; − Benedikt Kolon, Die Vita Hilarii Arelatensis. Eine eidograph. Stud., Paderborn o. J. (1925); − D. Franses, Paus Leo de Gr.en S. H. v. A., Hertogenbosch 1948; − S. Cavallin, Vitae SS. Honorati et Hilarii, Lund 1952 (13 ff.: Echtheitsfragen); − P. Grosjean, Notes d'hagiographie celtique, in: AnBoll LXXV, 1957, 183-185; − Lennart Hakanson, Some critical notes on the Vitae Honorati and Hilarii, in: VigChr 31, 1977, 55-59; − Bardenhewer IV, 571 f.; − Schanz IV/2. 528 f. 565; − Altaner 455 f.; − BS VII, 713 ff.; − Kl. Pauly II, 1146; − NBG XXIV, 663 ff;

Ba

− Thursten-Attwater II, 236 ff.; − LThK V, 335 f.; − RE VIII, 56 f.; − RGG III, 317.

Ba

HILARIUS *von Mende*, Heiliger, Bischof von Javols, + um 540. − Bevor H. sein Amt übernahm - der Bischofssitz wurde später von Javols nach Mende im Westen Frankreichs verlegt - hatte er als Eremit unter der Leitung von Mönchen aus Lérins gelebt. In das dortige Kloster zog er sich anschließend zum Studium der Mönchsregel zurück. − H., dem auch der Bau eines Klosters zugeschrieben wird und der 535 an der Synode von Auvergne teilnahm, war ein Zeitgenosse des heiligen Leobin (s.d.), Bischof von Chartres, dessen Gast er für längere Zeit war und den er um 528 bei sich aufnahm. − Fest: 25. Oktober, 1. Dezember.

Lit. Johann Evangelist Stadler. Vollst. Hll. Lexikon II, Augsburg 1861 (Nachdr. 1975), 727 f.; − L. Duchesne, Fastes Episcopaux de l'ancienne Gaule, 3 Bde., Paris 1893 (1907-15²), II², 54 f.; − AS Oct. XI, 1864, 619 ff.; − VSB X, 850 f.; − Holweck 484; − Doyé I, 515; − Torsy 236; − BS VII, 753 f.; − BHL 582 f.; − MartRom 477; − Catholicisme V. 731; − LThK V, 339.

Ba

HILARIUS (Francois-Eugene Mongin) v. Paris, Theologe, * 23.11.1831 in Paris, + 18.7.1904 in Castel Sant 'Elia. − H. gehörte ab 1859 dem Orden Fratrum Mincrum Capuccinorum an, wo er Lektor war. Zur Zeit des Konzils 1870 begab er sich nach Rom und wurde Theologe des Bischofs und späteren Erzbischofs von Genf, Mermillod. Es kam zwischen dem Orden und Heiligem Offizium und dem eigenwilligen Denker H., der zahlreiche Schriften und Artikel verfaßte, zu harten Kontroversen. Zwei beachtete Werke »Regula fratrum Minorum...« (1870) und »Exposition de la règle de S. Francois d'Assise...« (1872) wurden am 12.6.1895 auf den Index der verbotenen Bücher gesetzt. Bevor Leo XIII. die Regeln des 3. Ordens, einer Art Vereinigung von weltlichen Leuten, die zur Erfüllung religiöser und sozialer Aufgaben sich dem Kapuziner-Orden angeschlossen hatten, reformierte (1882/83), bemühten sich die Ordensvorsteher um einen Entwurf von Ordensregeln, die diese caritative Tätigkeit bestimmen sollten. In diesem Zusammenhang übertrugen sie H. die Aufgabe, ein theologisches Handbuch zu erarbeiten und es entstanden die 3 Bände seines Hauptwerks: »Liber tertii ordinis«, »Manuale« und »Liber de chordigeris«. Nach dem Erlaß der Reformen durch Leo XIII. nahm H. diese in sein Werk auf und gab das Standardwerk des 3. franziskanischen Ordens in erweiterter Form 1888 unter dem Titel »Liber tertii ordinis S. Francisci Assisiensis« neu heraus. Erwähnenswert sind seine theologische Abhandlung über das Dogma der unbefleckten Empfängnis »Notre Dame de Lourdes...« und seine theologischen Artikel in den Zeitschriften »Science catholique« und »Nouvelles annales de philosophie catholoque«, in denen H. sich um eine Synthese astrologischer und theologischer Erkenntnisse bemüht. »Le sentiment d'un philosophie...« wurde am 21.2.1894 vom Heiligen Offizium verboten, woraufhin H. sich zurückzog und an seinem anonymen, unbetitelten Werk »Seraphicae legislationis textus originales« arbeitete, das 1897 erstmals erschien und Originale wichtiger päpstlicher Dokumente enthält, die die gesetzliche Grundlage des 3. franziskanischen Ordens bildeten. Zu erwähnen ist noch eine Gegenschrift zu H.s Hauptwerk von Dubillard, Professor der Theologie in Desancong, und späterer Kardinal von Chambery: »Praelectiones theologiae dogmaticae ad methodum scholasticam redactae« mit dem Beitrag: »Praehabitis et plurinum conferentibus in dogmatica speziali tractatibus theologicis R. P. Hilarii Parisiensis« (Paris, Besancon, 1884/85).

Werke: Libellus ad Sanctam Sedem pro solatione dubiorum circa seraphicam paupertatem, Lyon 1866 (Ms.); Cur Deus homo. Dissertatio de motivo incarnationes, Lyon 1867, (Neu hrsg. u. d. Titel: Cur Deus homo, ou motif de l'incarnation, 1886); Theologia universalis, 3 Bde., Lyon 1868-71; Dissertatio brevis de dogmate infallibilitatis romani pontificis, 1870; De concilio Vaticano, ebd., 1870; De particularismo, hoc est de gallicanismo et italianismo, ebd., 1870; De duplici italianismo, 1870; die letzten 3 Schrr. neu hrsg. in: De dogmaticis definitionibus et de unanimitate morali, Freiburg 1871; Regula fratrum minorum juxta romanorum pontificum decreta et documenta explanata, Lyon 1870; Exposition de la règle des frères mineurs avec l'histoire de la pauvreté, ebd. 1872; Liber tertii ordinis, Rom 1881; Manuale, ebd., 1882; Liber de chordigeris, ebd., 1883; die letzten 3 Bde. neu u. erweitert hrsg.: Liber tertii ordinis S. Francisci Assiensis, 2 Bde., Genf, Paris 1888; Notre-Dame de Lourdes et l'immaculée conception, Lyon 1880; Qu'est le ciel? in: Sciene catholique, Nov./Dez. 1887; Méditation d'un philosophe, ebd., Jan. 1888; L'animation immédiate reflutée, in: Nouvelles annales de philosophie catholique, Nancy 1889; Systeme du ciel, ebd.; Les sentiments d'un philosophe sur la scholastique en général et sur saint Thomas en particulier, in: ebd., Garches 1891; Seraphicae legislationis textus originales Quaracchi, 1897 (Rom 1901).

Lit.: Theotime de Saint-Just, Les Capucins de Lyon, St.-Etienne, 1942, 107 ff.; (Werke-Verz.); — Index librorum prohibitorum, hrsg. v. Fr. A. C. de Romanis, 1948, 216; — Eduardus d'Alencon, Bibliotheca Mariana Ord. Min. Capuccinorum, Rom 1910, 33; — AnCap I, 1884, 382 f.; (Werke-Verz.); XI, 205; — HNI, 1524-2056; — DThC VI, 2462 ff.; — LexCap, 744; — EC VI, 1613 f.; — Mausbach-Ermecke III/2, 1953⁹, 264; — LThK V, 336 f.; — Catholicisme V, 731; — DSp VII/1, 465.

Ba

HILARIUS von Poitiers, Bischof und Kirchenvater,
* um 315 in Poitiers, + 1.9.367. — H. entstammte einer vornehmen heidnischen Familie und eignete sich eine umfassende Bildung an, wozu der südgallische Raum gute Voraussetzungen bot. Über philosophische Studien fand er den Weg zur Heiligen Schrift und zum Glauben. Das Volk und der Klerus von Poitiers wählten ihn um 350 zum Bischof. Vom Streit um den Arianismus hielt sich H. zunächst fern. Erst als der Kaiser Konstantius die Verbreitung des nur eine Gottähnlichkeit des Sohnes lehrenden Arianismus (s. Arius) im Westen mit Hilfe der Bischöfe Saturninus von Arles (s. d.), Ursacius und Valens vorantrieb und auf dem Konzil von Arles (353) und auf der Synode von Mailand (355) den Athanasius (s.d.) und dessen Gegner verbannen ließ, so daß die arianische Lehre im Okzident zu siegen schien, stellte sich H. an die Spitze der athanasischen Opposition, welche am nizänischen Bekenntnis der Wesenseinheit des Vaters und des Sohnes festhielt. Als gütliche Einigungsversuche scheiterten, wurde H. von Konstantius 356 nach Kleinasien verbannt. Bei der großen Bewegungsfreiheit, die ihm dabei zugestanden wurde, konnte er sich im Umgang mit den griechischen Theologen die griechische Sprache und das genauere Verständnis der theologischen Differenzen erwerben und in seinem Werk über die Trinität eine auf umfas-

sender Schrift-Kenntnis beruhende Verteidigung der Gottheit und Konsubstantialität des Sohnes schreiben. Mit seiner historischen Schrift über die Synoden seit dem Nizäum hoffte er, eine Einigung auf den von Konstantius für 359 einberufenen Synoden in Rimini und Seleukia vorbereiten zu können. Als er vom Kaiser um die Erlaubnis zu einer öffentlichen Disputation mit seinem Gegner Saturnius (s.d.) bat, wurde H. auf Veranlassung der Arianer, die den wachsenden Einfluß H.s im Orient fürchteten, 360 nach Gallien zurückgeschickt, wo er sein Bischofsamt wieder ausüben konnte, nachdem er zuvor noch heftigste Angriffe in seinem Brief »Gegen Konstantius« gerichtet hatte. Durch eine Synode 361 in Paris vorbereitet, konnte H. den Widerstand gegen den Arianismus unter dem seit 362 regierenden Kaiser Julian weiter stärken und dessen Niederlage im Westen vorbereiten. H. gilt als der »Athanasius des Westens«, der auf Grund seiner Kenntnis der griechischen Sprache den Westen mit den verwickelten theologischen Streitfragen vertraut machte und sich zum theologisch bedeutendsten Gegner des Arianismus im Westen entwickelte. H. hat außerdem die ersten lateinischen christlichen Hymnen verfaßt. Insbesondere ein Lied auf Christus in 34 Strophen wird ihm in dem irischen sogenannten »Liber hymnorum« zugeschrieben.

Werke: Commentarius in evangelium Matthei, 353-355 (frz. Ausg. v. J. Goignon, 2 Bde., Paris 1978-79); De synodis seu de fide Orientalium liber I, 359; Contra Constantium Augustum libri II, 359; Contra Constantium Imperatorem liber I. 361; Ad praefectum Sallustium, sive contra Dioscorum, 361-362; Contra Arianos vel Auxentium Mediolanensem libri III, 364 (Ber. über H.s erfolglose Bemühungen, beim Kaiser Valentinian I. die Entfernung des Arianerbisch. Auxentius durchzusetzen); Tractatus super psalmos, um 365 (hrsg. u. a. v. A. Zingerle, CSEL 22, 1891); Opus historicum adversus Valentem et Ursacium (nur frgm. erhalten); De Patris et Filii unitate liber I; De Patris et Filii essentia liber I; Tractatus mysteriorum (1887 in Bruchstücken bekannt geworden, hrsg. u. a. v. F. Gamurrini, Rom 1887; v. A. L. Feder, CSEL 65, 1916; frz. v. J.-P. Brisson, Paris 1967); De trinitate libri XII (H.s Hauptwerk, hrsg. u. a. v. H. Hurter, Innsbruck 1887; dt. v. A. Antweiler, BKV² II/5-6, 2 Bde., München 1933-34; engl. v. Stephen McKenna, New York 1954; v. Adelbert Hamman, in: MPL Suppl. I, Paris 1959, 241 ff. frz. v. A. Blaise, Namur 1964, it. v. Giovanni Tezzo, Turin 1971; Libri I-VII v. P. Smulders, 1979), Apologetica ad reprehensores libri de synodis responsa. Teilausgg. u. GA: v. G. Gribellus, Mailand 1489; v. J. Faber, Paris 1510; v. D. Erasmus, Basel 1523 u. ö.; v. J. Gillot, Paris 1572 u. ö.; v. P. Coustant, ebd. 1697; v. S. Maffei, 2 Bde., Verona 1730; v. F. Oberthür, 4 Bde., Würzburg 1785-88; Opera, 4 Bde., Paris 1830; v. J. F. Gamurrini, Rom 1887; v. A. L. Feder, CSEL 65, 1916; v. E. W. Watsori, Grand Rapids/Michigan 1955; v. M. Meslin, Paris 1959; v. A. Blaise, Namur 1964. Z. H.s Hymnen s. a.: G. M. Dreves, Hymographi latini, Leipzig 1907; Ders., Die Kirche der Lateiner in ihren Liedern, Kempten 1908; Ders. u. C. Blume, Ein Jt. lat. Hymnendichtung. Eine Blütenlese aus den Analecta Hymnica, Leipzig 1909; A. L. Feder, CSEL 65, 1916; W. N. Myers (Hrsg.) Hymni, Philadelphia 1928; Ders., (Hrsg.), The Hymns of St. H. of P. in the Cod. Aretinus, ebd. 1933 (engl. übers.); W. Bulst, Hymni latini antiquissimi, Heidelberg 1956.

Lit.: Johann Evangelist Stadler, Vollst. Hll.-Lexikon, 5 Bde., Augsburg 1861 (Nachdr. 1975), II, 719 ff.; — Joseph Hubert Reinkens, H. v. P. Eine Monogr., Schaffhausen 1864; — V. Hansen, Vie de St. H., eveque de Poitiers et docteur de l'eglise, Luxemburg 1875; — Johannes Baptista Baltzer, Die Theol. des hl. H. v. P., 1879; — P. Barbier, Vie de St. H., Paris 1887; — Anton Beck, Die Trinitätslehre des hl. H. v. P., Mainz 1903; — Ders., Die Lehre des H. v. P. über die Leidensfähigkeit des Leibes Christi, in: ZKTh 30, 1906, 108 ff.; — Hermann Abert, Die Musikanschauung des MA u. ihre Grdl. n. 1905, 207 f.; — C. Vertani, Vita di S. H., Monza 1905; — H. Lindemann, Des hl. H. v. P. »liber mysteriorum«, Münster/Westfalen 1905; — A. Largent, St. H., Angers 1905; — G. Girard, St. H., Angers 1905; — Emil Nikel, Gesch. der kath. Kirchenmusik I. 1908, 95. 154 u. ö.; — A. Wilmert, Le De mysteriis de St. H. au Mont-Cassin, in: RBén 27, 1910, 12 ff.; — Ders., Le préfendu du Liber officiorum de St. H. et l'Avent liturgique, in: ebd., 500 ff.; — Alfred Leonhard Feder, Stud. zu H. v. P., 3 Bde., Wien 1910-12; — T. S. Holmes,

The Origin and Development of the Christian Church in Gaule during the First Six Centuries, London 1911; – H. Jeannotte, Les »capitula« du Commentarius in Matthaeum de S. H. de P.. in: BZ 5, 1912, 36 ff.; Ders., Le psautier de St. H. de P., Paris 1917; – A. Souter, Quotations from the Epistles of St. Paul in St. H. on the Psalms, in: JThS 18, 1916, 73 ff.; J. Baudot, Dict. d'Hagiographie, Paris 1925, 334; – W. E. Myers, The Hymns of S. H., Philadelphia/Pennsylvania 1928; – Theodore Gerold, Les peres de l'eglise et la musique, Paris 1931, 116 ff. – Otto Ursprung, Kath. Kirchenmusik, 1931, 12. 16. 33; – M. F. Butell, The Rhetoric of St. H. of P., Washington 1933; – M. V. Brown, The Syntax of the Prepositions in the Works of St. H., ebd. 1934; – R. J. Kinnavey, The Vocubulary of St. H. of P., ebd. 1935; – M. E. Mann, The clausulae of St. H. of P., ebd. 1936; – G. Bardy, L'Occident en face de la crise arienne, in: Irénikon 16, 1939, 385 ff.; – Ders., Un humaniste chrétien, S. H. de P., in: RHÉF 27, 1941, 5 ff.; – D. T. Gimborn, The Syntax of the Simple Cases in St. H. of P., Washington D. C. 1939; – P. Palumbo, Unità e distinzione in Dio secondo S. Ilario, Capoue 1940; – P. Glorieux, H. et Libère, in: MSR 1, 1944, 7 ff.. – P. Smulders, La doctrine trinitaire de s. H. de P., Rom 1944; – Ders., Remarks on the Manuscript Tradition of the De trinitate of St. H., in: StP 3, 1961, 129 ff.; – Ders., Two Passages of H.s »apologetica responsa« Rediscovered, in: Bijdragen 39, 1978, 234 ff.; – A. J. B. Higgins, Lead Us not into Temptation. Some Latin Variants, in: JThS 46, 1945, 179 ff.; – M. Pellegrino, La poesia di S. Ilario di P., in: VigChr 1, 1947, 201 ff.; – R. B. Sherlock, The Syntax of the Nominal Forms of the Verb, Exclusive of the Participle, in St. H., Washington D. C. 1947; – P. de Labriolle, Hist. de la littérature latine chrétienne, Paris 1947³, 344 ff.; – J. J. McMahon, De Christo mediatore doctrina s. H., Mundelein 1947; E. Griffe, La Gaule chrétienne I, Paris 1947, 156 ff.; – J. E. Emmenegger, The Functions of Faith and Reason in the Theology of St. H. of P., Washington 1947; A. Verrastro, Il fundamento ultimo della perfetta constanzialita del Figlio al Padre nel »De trinitate« de s. H. di P., Potenza 1948; G. Giamberardini, De incarnatione Verbi secundem H. di P., Piacenza 1948; – Ders., Hario di P., e la sua attività apostolica e letteraria, Kairo 1956; L. Lécuyer. Le sacerdoce royal des chrétiens selon St. H., in: ATh 10, 1949, 302 ff.; S. T. Collins, Corruptions in Christian Latin Poetry, in: JThS 50, 1949, 68 ff.; P. T. Wild, The Divinization of Man According to St. H., Mundelein/Illinois 1950; – A. E. Bailey, The Gospel in Hymns, New York 1950, 213 ff.; – Jörg Erb, Die Wolke der Zeugen I, 1951, 58 ff.; A. Segovia, La clausula »Sine differentia discretionis sentimus« del prefacio trinitario, y sus precedentes pratisticos,-in: Mél. J. de Ghellinck, I, Gembloux 1951, 375 ff.; – A. Orbe, Terra virgo et flammea, in: Gregorianum 33, 1952, 299 ff.; – J. H. Beumer, H. v. P., ein Vertreter der christl. Gnosis, in: ThQ 132, 1952, 170 ff.; J. Doignon, Adsumo et adsumptio comme expressionis du mysteré de l'incarnation chez H., in: ALMA 23, 1953, 123 ff.; – Ders.. La Sacramentaire d'Angoulême, Fortunat et les oraisons en l'honneur de St. H. de P. dans les sacramentaires conservés par les bibliothèques parisiennes (IXᵉ-XIIᵉ siècles), in: Mél. M. Andrieu, Straßbourg 1956, 127 ff.; – Ders., Lactance contre Salluste dans le prologue du De Trinitate de St. H.?, in: RÉL 38, 1960, 116 ff.; Ders., Une compilation de textes d'H. de P. présentée par le pape Célestin ler à un concile romain en 430, in: Oikumene, studi paleocristiani in onore del Concilio ecumenico Vaticano II, 1964, 417 ff.; Ders., Hypothèse sur le contenu du Contra Dioscorum d'H.. in: StP 7, 1966, 170 ff.; – Ders.. Le prologue du De Trinitate d'H. de P. et l'hist. ecclesiastique au XVIIᵉ et XVIIIᵉ siècles, in: RevÉAug 15, 1969, 185 ff.; – Ders., H. de P. avant l'exil. Bilan d'une recherche, in: ebd. 17, 1971, 315 ff.; – Ders. H. de P. avant l'exil: recherches sur la naissance, l'enseignement et l'epreuve d'une foi episcopale en Gaule au milieu du IVᵉ siècle, Paris 1971; – Ders., La scène évangélique du baptême de Jésus commentée par Lactance (Diuinae institutiones, 4, 15) et H. de P. (in Matthaeum 2, 5-6), in: Epektasis. Mél. patristiques offerts au Cardinal Jean Daniélou. Publ. par Jacques Fontaine et Charles Kannengießer, ebd. 1972; – Ders., L'elogium d'Athanase dans les fragments de l'opus historicum de H. de P. antérieurs à l'exil, in: Politique et Théologie chez Athanase d'Alexandrie. Actes du Colloque de Chantilly 23-25 septembre 1973, ed. par Charles Kannengießer, ebd. 1974, 337 ff.; Ders., L'argumentatio d'H. de P. dans l'exemplum de la tentation de Jesus (Mt 3, 1-5), in: VigChr 29, 1975, 296 ff.; Ders., Citations singulières et lecons rares du texte latin de l'Evangile de Matthieu dans l'In Mattheum H. de P., in: BLE 76, 1975, 187 ff.; Ders., Ordre du monde, connaissance, de Dieu et ignorance de Soi chez H. de P., in: RSPhTh 60, 1976, 565-ff.; Ders., Une addition éphémère au texte de l'Oraison deminicale chez plusieurs Pères latin. Recherches sur son origine son et hist. (seconde moitié du IVᵉ debut du Vᵉ debut siècle), in: BLE 78, 1977, 161 ff.; – Ders., »Christ« ou »Oint«: Un vocable biblique appliqué par H. de P. à l'evêque Rhodanius de Toulouse, in: RHE 72, 1977, 317 ff.; – Ders., Les variations des citations de l'épitre aux Romains dans l'ouvre d'H. de P., in: RBén 88, 1978, 189 ff.; Ders., Les plebes de la Narbonnaise et la communion d'H. de P. durant la crise ariennex du milieu du IVᵉ s. en Gaule, in: Rv. des Études Anciennes 80, 1978, 95 ff.; – Ders., Etre changé en »une nature aerienne« (H. de P., in psalmum 138, 24), in: JAC 21, 1978, 119 ff.; – Ders., Le

libellé singulier de II Corinthiens 3. 18 chez H. de P. Essai d'explication, in: NTS 26, 1979, 118 ff.; – Ders., Y a-t-il, pour H. de P., une »in intelligentia« de Dieu: étude critique et philologique, in: VigChr 33, 1979, 226 ff.; Ders., Les implication theologiques d'une variante du texte latin de 1 corinthiens 15,25 chez H. de P., in: Augustiniarum 19, 1979, 245 ff.; – Ders., H. ecclesiarum magister (Cassien, Contra Nestorium 7, 24), in: Bull. de la Soc. des Antiquaires de l'Quest 15, Poitiers 1979, 251 ff.; – Ders., »Ipsius enim genus sumus« (actes 17, 28⁶) chez H. de P. De St. Paul à virgile, in: JAC 23, 1980, 58 ff.; – Ders., Versets additionnels du Nouveau Testament percus ou recus par H. de P., in: Vetera Christianorum 17, Bari 1980, 29 ff.; – Ders., Le texte de Ps. LXIV, 9 et son application à la prière chez H. de P. A propos d'une étude récente, in: Rivista di Storia e Letteratura religiosa 16, Florenz 1980, 418 ff.; – Ders., H. de P. devant le verset 17, 28a des Actes des Apôtres. Les limites d'un panthéisme chrétien, in: Orpheus (NS) 1, 1980, 334 ff.; – Ders., Tradition classique et tradition chrétienne dans l'historiographie d'H. de P. au carrefour des IVᵉ-Vᵉ siècles, in: Caesarodunum 25, Tours 1980, 215 ff.; – Ders., Le dialogue de Jésus et de Paul (Actes 9: 4-6): sa »pointe« dans l'exégèse latine la plus ancienne (H., Ambroise, Augustin), in: RSPhTh 64, 1980, 477 ff.; – Ders., Corpora Vitiorum Materies: dans sur Job d'H. in spiré d'Origène et transmis par Augustin (Contra Iulianum 2, 8, 27), in: VigChr 35, 1981, 209 ff.; – P. Courcelle, Fragments non identifiés de Fleury-sur-Loire, in: RÉL 32, 1954, 92 ff.; – M. Stenzel, Das Zwölfprophetenbuch im Würzburger Palimpsestcod. (cod. membr. Nᵒ 64) u. seine Textgestalt in Väterzitaten, in: SE 7, 1955, 5 ff.; – A. Gariglio, Il commento al salmo 118 in S. Ambrogio e in S. Ilario, in: Atti dell'Accademia delle scienze di Torino 90, 1955-56, 356 ff.; – J. G. Gussen, H. de P., Tractatus mysteriorum I, 15-19, in: VigChr 10, 1956, 14 ff.; – L. Pietro, Fede e grazia in Ilario di P., Reggio Calabria 1956; – L. Malunowicz, De voce »sacramenti« apud S. H. P., Lublin 1956; – W. Bulst, Hymni latini antiquissimi, 1956; – G. Zannoni, Quid poetica popularis ratio, quid optimorum scriptorum imitatio aetate SS. Patrum ad latinam christianorum poesin contulerint, in: Latinitas 6, Citta del Vaticano, 1958, 93 ff.; – Paul Löffler, Die Trinitätslehre des Bisch. H. v. P. zw. Ost u. West (Diss. Bonn), 1958; – Ders., Die Trinitätslehre des Bisch. H. v. P. zw. Ost u. West, in: ZKG 71, 1960, 26 ff.; – J. F. McHugh, The Exaltation of Christ in the Arian Controversy: The Teaching of St. H., Shrewsbury 1959; – G. Galtier, St. H., trait d'union entre l'Occident et l'Orient: in: Gregorianum 40, 1959, 609 ff.; – Ders., La Forma Dei et la Forma servi selon St. H., in: RSR 48, 1960, 101 ff.; – Ders., S. H. de P. Le premier docteur de l'Eglise latine, Paris 1960; – E. Goffinet, Krit.-filologisch Element in de Psalmencommentaar van de H. H., in: Rv. belge de philologie et d'hist. 38, 1960, 30 ff.; – Ders., L'utilisation d'Origène dans le commentaire des Psaumes de St. H. de P., Louvain 1965; – Ders., Lucrèce et les conceptions cosmologiques de St. H. de P., in: Antidorum W. Peremans sexagenario ab alumnis oblatum, Louvain 1968, 61 ff.; – A. Martinez Sierra, Florilegio de Escritura arriana en las obras de S. H., Rom 1961; – Ders., La prueba escrituristica de los arrianos segun S. H. de P., Comillas 1965; – É. Boularand, La conversion de St. H., in: BLE 62, 1961, 81 ff.; – T. Klauser, Bischöfe auf dem Richterstuhl, in: JAC 5, 1962, 172 ff.; – K. Gamber, Der Liber mysteriorum des H., in: STP 5, 1962, 40 ff.; – G. W. Morrel, H. of P., a Theological Bridge between Christian East and Christian West, in: AThR 44, 1962, 313 ff.; – J. W. Halporn, Metrical Problems in the First Arrezo Hymn of H., in: Traditio 19, 1963, 460 ff.; – H.-I. Marrou, Nouvelle hist. de l'Eglise I, Paris 1963, 303 ff.; – A. Fierro, Sobre la gloria en S. H. Una sintesis doctoral Sobre la nicion b-blica de »Doxa«, Rom 1964; – M. Simonetti, Note sul Commento a Matteo du Ilario di P., in: Vetera Christianorum 1, Bari 1964, 35 ff.; – Ders., Note sulla struttura e la cronologia del De Trinitate di Ilario di P., in: Studi Urbinati di Storia, Filosofia e Letteratura 39, Urbino 1965, 274 ff.; – Ders., Ilario e Novaziano, in: Rivista di Cultura classica e medioevale 7, Rom 1965, 1034; – Ders., L'esegesi ilariana di Col. I, 15 a, in: Vetera Christianorum 2, Bari 1965, 165 ff.; – Ders., Su una recente edizione del Commento a Matteo di Ilario di P., in: Augustinianum 19, Rom 1979, 527 ff.; – A. Charlier, l'Église corps du Christ chez St. H. de P., in: EThLov 41, 1965, 451 ff.; – M. G. Bonanno Degani, A proposito di un passo di S. Ilario, Hilar. Tract. myster. I, 5, in: Rivista di Storia e Letteratura religiosa 1, Florenz 1965, 258 f.; – G. Blasich, La risurrezione dei corpi nell'opera esegetica di S. Ilario di P., in: DTh 69, 1966, 72 ff.; – F. X. Murphy, An Approach to the Moral Theology of St. H., in: StP 8, 1966, 436 ff.; – M.-J. Rondeau, Remarques sur l'anthropologie de St. H., in: StP 8, 1966, 493 ff.; – C. F. A. Borchardt, H. of P.s Role in the Arian Struggle, The Hague 1966; – R. Lorenz, Die Anfänge des abendländischen Mönchtums im 4. Jh., in: ZKG 77, 1966, 1 ff.; – M. Meslin, Les Ariens d'Occident, 335-430, Paris 1967; – R. L. Foley, The Ecclesiology of H. of P. (Diss. Cambridge), 1968; – Hilaire et son temps. Actes du colloque de P. 29 septembre 3 octobre 1968 à l'occasion du XVIᵉ centenaire de la mort de S. H., Paris 1968; – H. Crouzel, Le colloque sur St. H. de P. et son temps (Poitiers, 29 sept. - 3. oct. 1968), in: BLE 69, 1968, 290 ff.; – A. D. Jacobs, H. of P. and the Homolousians. A Study of the Eastern Roots of his Ecumenical Trinitarianism (Diss. Atlanta), 1968; – Charles Kannengießer, L'heritage d'H. de

P., in: RSR 56, 1968, 435 ff.; – Jean Danielou, H. de P., eveque et doctuer, in: NRTh 90, 1968, 531 ff.; – Wilhelm Wille, Stud. z. Mt.komm. des H. v. P. (Diss. Hamburg), 1969; – N. J. Gastaldi, H. de P., exegeta del Salterio. Un estudo de su exégesis en los comentarios sobre los Salmos, Paris 1969; – R. Thouvenot, H., évêque de P., in: Bull. de la Soc. des Antiquaires de l'Ouest et des Musées de Poitiers 10, Poitiers 1969, 451 ff.; – M.-J. Rondeau, L'arriève plan scriptuaire d'H. Hymne II. 13-14, in: RSR 57, 1969, 438 ff.; – Gregor Lutz, Das Pss.verständnis des H. v. P. (Diss. Trier), 1969; – – Jacques Fontaines, La nascita dell'umanesimo christano nella Gallia romana Sant'Ilario di P., in: Rivista di storia e letteratura religiosa 6, Florenz 1970, 18 ff.; – Ders., L'ascétisme chrétien dans la litterature gallo-romaine d'H. à Cassien, in: Atti del Colloquio sul fema La Gallia Romana, promosso dell' accademia nazionale dei Lincei in collaborazione con l'Ecole francaise de Rome (Roma, 10-11 maggio 1971), Rom 1973, 87 ff.; – Ders., L'apport de la tradition poétique romaine à la formation de l'hymnodie latine chrétienne, in: RÉL 52, 1974, 318 ff.; – G. T. Armstrong, The Genesis Theophanies of H., in: StP 10, 1970, 203 ff.; – L. J. van der Lof, Traditio im arianischen Streit, in: NedThT 24, 1970, 421 ff.; – Y. M. Duval, Vrais et faux problemes concernant le retour d'exil d'H. de P. et son action en Italie en 360-363, in: Atheaneum, Studii preiodicie di litteratura e storia dell'antichita 48, Pavia 1970, 251 ff.; – Ders., Une traduction latine du Symbole de Nicée et une condamnation d'Arius à Rimini. Nouveau frgm. historique d'H. ou pieces des Actes du concile?, in: RBén 82, 1972, 7 ff.; – A. Penamaria, Fides en H. de P., in: Miscelanea Comillas 55, Comillas (Santander) 1971, 5 ff.; – Ders., Libertad, mérito y gracia, en la Soteriologia de H. de P. Precursor de Pelagio o Augustin?. in: RevÉAug 20, 1974, 234 ff.; – I. V. Popov, St. H., évêque de P., in: Études Theologiques 7, 1971, 115 ff.; – P. Tilloy, S. Ilario. Un vescovo per il nostro tempo. (Trad. di O. Nemi), Rom 1971; – P. Gasnault, l'exlibris du VIIIᵉ s. d'un manuscrit de S. H., in: Scriptorum 25, Anvers-Brüssel 1971, 49 ff.; – A. Penamaria de Llano, Exégesis alegorica y significados de »Fides« en S. H. de P., in: Miscelanea Comillas 56, Comillas (Santander) 1972, 65 ff.; – Ders., La salvasion por la fe en H. de P., I-II, 1972-73; – Ders., H. de P.: una fe episcopal en el siglo IV, in: EE 51, 1976, 223 ff.; – C. Vansteenkiste, San Tommaso d'Aquino e S. Ilario di P., in: Studi tomistici I, Ed. Antonio Piolanti, Rom 1972, 65 ff.; – P. Fransen, H. de P. avant l'exil. in: Bijdragen 33, 1972, 93 ff.; K. Smolak, Unentdeckte Lukrezspuren, in: Wiener Studien 7, 1973, 216 ff.; – W. H. Reinhardt, Time and Hist. in the Thought of H. of P. (Diss. Nashville), 1973; – A. M. Harman, Speech About the Trinity: With Special Reference to Novatian, H. and Calvin, in: SJTh 26, 1973, 385 ff.; – G. M. Durand, Bull. de patrologie (bibliog. essay), in: RSPhTh 57, 1973, 457 ff.; – E. Boularand, Un ouvrage monumental sur fl. de P. avant l'exil, in: BLE 74, 1973, 193 ff.; – John M. McDermott, H. of P.: The Infinite Nature of God, in: VigÇhr 27, 1973, 172 ff.; – Ilona Opelt, H. v. P. als Polemiker, ebd. 203 ff.; – P. Nautin, Divorce et remariage dans la tradition de l'église latine, in: RSR 62, 1974, 7 ff.; – L. Cignelli, L'esegesi di Giovanni 14, 28 nella Gallia del secolo IV, in: Studii Biblici Franciscani Liber annuus 24, Jerusalem 1974, 329 ff.; – H. Klos, Neue Fragm. des H.-Papyruskodex, in: MIÖG 63, 1975, 47 ff.; – W. G. Rusch, Some Observations on H. of P.s Christological Language in De trinitate, in: StP 12, 1975, 261 ff.; – W. Kainz, Augustinus u. H.s Werke De Trinitate (Diss. Wien), 1975; – T. F. Torrance, Hermeneutics, or the Interpretation of Biblical and Theological Statements, According to H. of P., in: Abba salama 6, Addis Abeba 1975, 37 ff.; – Claudio Moreschini, Il linguaggio teologico di Ilaria di P., in: La scuola cattolica 103, Venegano Inferiore/Varese 1975, 339 ff.; – Christopher B. Kaiser, The Development of Johannine Motifs in H.s Doctrine of the Trinity, in: SJTh 29, 1976, 237 ff.; – W. Tietze, Lucifer v. Calaris u. die Kirchenpolitik des Constantius II. Z. Konflikt zw. Kaiser Constantius II. u. der nikäisch-orth. Opposition (Diss. Tübingen), 1976; – G. Madec, Jean Scot et les Pères latins. H., Ambroise, Jérôme et Gregoire le Grand, in: RevÉAug 22, 1976, 134 ff.; – L. Ladaria, El Espiritu santo en H. de P., Madrid 1977; – Ders., Juan 7, 38 en H. de P. Un anàlis de Tr. Ps. 64, 13-16, in: EE 52, 1977, 123 ff.; – B. de Gaiffier, St. H., patr. du voyaume de France, in: AnBoll 95, 1977, 24; – M. Ga, Mara, Annuncio evangelico e istanze sociali nel IV secolo, in: Augustinianum 17, Rom 1977, 7 ff.; – G. M. Newlands, H. of P., a Study in Theological Method, Bern 1978; – C. Curti, Una duplice interpretazione di Ps. LXIV, 9 negli esegeti greci e latini, in: Rendiconti delle Classe di Scienze morali, storiche e filologiche dell'Accademia dei Lincei 33, Rom 1978, 67 ff.; – J. Vezin, Hincmar de Reims et St.-Denis. A propos de deux manuscrits du De Trinitate de St. H., in: Rv. d'Hist. des Textes 9, Paris 1979, 289 ff.; – C. J. McDonough, Some Notes in Late Latin and Mediaeval Writers, in: Studi Medievali 20, Spoleto 1979, 925 ff.; – G. Pelland, Le thème biblique du Règme chez St. H. d. P., in: Gregorianum 60, 1979, 639 ff.; – F. Barone, Quintilianus et H., in: Vita Latina 78, Avignon 1980, 10 ff.; – M. Pellegrino, Martiri e martirio nel pensiero di S. Ilario di P., in: Studi storico-religiosi 4, Rom 1980, 45 ff.; – J. Venzon, Hincmar de Reims et St. Denis. A propos de deux manuscrits du »De trinitate« de St. H., in: Rv. d'hist. des textes 9 (f. 1979), 1980, 289 ff.; – Stählin 277; – KLL II, 1013 f. (De trinitate); – Altaner 361 ff.; – MGG VI,

378 ff.; – Bardenhewer III, 365 ff.; – Chevalier I², 2147 ff.; – Pauly-Wissowa VIII, 1601 ff.; – Schanz IV, 226 ff.; – BS VII, 719 ff.; – Doyé I, 513 f.; – Holweck 483; – Torsy 236 f.; – Thurston-Attwater I, 77 ff.; – DCB III, 54 ff.; – The New Schaff-Herzog Encyclopedia of Religious Knowledge V, Grand Rapids/Michigan 1953, 282; – CKL I, 850 f.; – DThC VI, 2388 ff.; – Catholicisme V, 731 ff.; – LThK V, 337 f.; – RE VIII, 57; – RGG III, 317.

Ba

HILARIUS von Rom, Diakon, + vor 382. – H. begleitete wahrscheinlich 355 Lucifer von Calaris, Legat des Papstes auf der Synode zu Mailand, wo beide sich gegen die Absetzung des Bischofs von Alexandrien, Athanasios (s.d.) wandten und aus diesem Grunde verbannt wurden. Es wird angenommen, daß er der besagte H. ist, den Hieronymus (Sophronius Eusebius) 382 in seiner Streitschrift (u. a. zur Frage der Gültigkeit der Häretikertaufe) »Altericatio Luciferani et Orthodoxie« als Verfasser der verlorenen Schrift »Libelli de haereticis rebaptizandis« erwähnt. Darin wird die Notwendigkeit einer erneuten Taufe für die zur Kirche zurückkehrenden Arianer vertreten. H. war um 382 schon tot, ohne daß seine Lehre größere Bedeutung erlangt hatte, denn Hieronymus sagt: »cum homine pariter interiit et secta«.

Lit.: G. Krüger, Lucifer, Bisch. v. Calaris, Leipzig 1886, 88 ff.; – RE VIII, 67; V, 643 u. 30; XI, 451; – Bardenhewer III, 477 u. 521; – EC VI, 1616; – LThK V, 338 f.

Ba

HILARIUS V. SEXTEN (Christian Gatterer od. Catterer), Kapuzinermönch, Moraltheologe, * 15.12.1839, + 20.10.1899 in Meran. – H. trat am 19.8.1858 dem Kapuzinerorden in der Nordtiroler Provinz bei, wo er 1862 zum Priester ordinierte. 1882 examinierte er bei der Synode der Diözese zu Trient. Er war Lektor, ab 1889 Provinzial in Tirol und hatte 25 Jahre den Lehrstuhl für Moraltheologie in Meran inne. 1892 trat er sein Amt als Provinzial ab, um 1889 seine Schrift »Compendium theologiae moralis...« zu vollenden, die er mit dem Werk »Tractatus pastoralis...« (1895) fortsetzte. Seine moraltheologische Dissertation über P. Hilarius (s.d.) ist in der Linzer Quartalschrift veröffentlicht. Er starb 1899 im Kloster von Meran.

Werke: Compendium theologiae moralis juxta probatissimos auctores, ad usum confratrum theologorum tertii anni, 2 Bde., Meran 1889, Stuttgart 1902²; Tractatus pastoralis de sacramentis, ad usum theologorum quarti anni et cleri in cura animarum, Mainz, 1895; Tractatus de censuris ecclesiasticis, cum appendice de irregularitate, Mainz, 1898; mehrere moral. theol. Aufss. in: Linzer Quartalschrift.

Lit.: Neuner Cassian, Literar. Tätigkeit in der Nordtirol. Kapuzinerprovinz I, 1929, 74 ff.; – Hohenegger, Gesch. Tirol. Prov. II, 709; – Walser a Göfis, P. Gaudentius, Das Gnadenbild der Tirol. Kapuziner; – Hurter, Nomenclator V, 1913, 2056; – DthC VI, 2464;. V, 2292. VI, 2254; – AnCap XVI, 60 ff.; – LexCap, 755; – LThK V, 339.

Ba

HILARUS, Papst, Heiliger, + 29.2. 468 in Rom. – H. stammte aus Sardinien und wurde als Nachfolger Leos I. (s.d.) am 19. November 461 konsekriert. Auf der zweiten Synode zu Ephesus 449 hatte sich H. als Archidiakon Leos gegen die Absetzung Flavius von Konstantinopel (s.d.) ausgesprochen. Während seiner Amtszeit als Oberhaupt der Katholischen Kirche setzte er die Politik seines Vorgängers fort und betonte die römische Suprematie. In Rechtsstreitigkeiten der gallischen und der spanischen Kirche griff H. verschiedene Male ein. Er trat gegen den sich neu erhebenden Arianismus und gegen den Pneumatomachen Philotheos auf. Die Kirchen und Klöster Roms stattete H. mit zahlreichen Schätzen und Kunstwerken aus; im lateranischen Baptisterium ließ er drei Kirchen erbauen.

Werke: MPL 58, 11 ff.

Lit.: Johann Evangelist Stadler, Voll. Hll.-Lexikon, 5 Bde., Augsburg 1861 (Nachdr. 1975), II, 731 ff.; — R. Ceillier, Hist. des auteur Sacrés X, Paris 1865², 335; — Andreas Thiel, Epistolae Romanorum Pontificum genuinae I, Braunsberg 1868, 126 ff.; — J. P. Martin, Actes du Brigandage d'Ephèse, Amiens 1874; — L. Duchesne, Storia della Chiesa antica III, Rom 1911, 229 ff.; — Ph. Lauer, Le Palais du Latran, 1911, 51 ff.; — J. Baudot, Dict. d'Hagiographie, Paris 1925, 335; — Hartmann Grisar, Roma alla fine del mondo antico I, Rom 1930, 380 ff.; — E. Valentini u. G. Zuccheti, Codice topografico della citta di Roma, 4 Bde., Rom 1940-53, 240 f.; — E. Griffe, La Gaule chrétienne à l'époque romaine II/1, Paris - Toulouse 1957; — Hans Kühner, Lexikon der Päpste, Frankfurt - Hamburg 1960², 27; — P. Paschini u. V. Monachino, I Papi nella Storia I, Rom 1961, 118 ff.; — J. P. Weiss, Les églises de Nice et de Cimiez au Vᵉ siècle, in: Ann. de la Faculté des Lettres et Sciences humaines de Nice 2, Nice 1967, 35 ff.; — G. Scalia, Gli »archiva« di papa Damaso e le biblioteche di papa Ilaro, in: Studi medievali 18, Spoleto 1977, 39 ff.; — LibPont I, 242 ff.; — Jaffee I, 75 ff.; II, 692. 736; — Hefele-Lerclercq II, 900 ff. u. ö.; — Altaner 461; — AS Sept. III, 553 ff.; — Caspar I, 483 f.; II, 10 ff. 746 u. ö.; — Haller I, 173 ff. 209. 215 ff.; — Seppelt I, 191 ff. 211 f.; — Thurston-Attwater I, 439; — VSB II, 596; — BS VII, 738 ff.; — Doye I, 515; — Holweck 484; — Fliche-Martin IV, 219 ff. 337 f.; — ACO II, II, 1, 74 ff.; — Tillemont XVI, 35 ff. 737 f.; — The New Schaff-Herzog Encyclopedia of Religious Knowledge V, Grand Rapids/Michigan 1953, 282; — EC VI, 1618; — Catholicisme V, 729; — CKL I, 851; — DThC VI, 2385 ff.; — LThK V, 339; — RE VIII, 67; — RGG III, 317.

Ba

HILBERT, Gerhard, ev. Theologe, * 9.11.1868 in Leipzig als Sohn eines Kaufmanns und Bankdirektors, + daselbst 16.5.1936. — H. besuchte das Thomasgymnasium seiner Vaterstadt und studierte seit 1888 Theologie in Leipzig und Erlangen. Er wurde 1893 Hauslehrer auf Schloß Bärenstein und war 1894/95 Mitglied im Predigerkollegium St. Pauli in Leipzig. H. wurde 1896 Hofprediger in Annaberg im sächsischen Erzgebirge und zugleich Pfarrer von Geyersdorf und Kleinrückerswalde, 1901 Diakonus an der Lutherkirche in Leipzig und 1910 1. Pfarrer an der Annenkirche in Dresden. Die Theologische Fakultät der Universität Leipzig verlieh ihm 1912 die Ehrendoktorwürde. H. wurde 1913 an der Universität Rostock o. Professor für Praktische Theologie und Konsistorialrat und wirkte seit 1925 als 1. Pfarrer an der Thomaskirche in Leipzig und Stadtsuperintendent. Durch das deutsch-christliche Kirchenregiment in Sachsen wurde H. 1934 als Stadtsuperintendent zwangspensioniert und legte 1935 sein Pfarramt nieder. — H. forderte nachdrücklich kirchliche Volksmission und die Sammlung von Kerngemeinden, die sich ihrer Verpflichtung zum missionarischen Dienst an der Volkskirche bewußt sind. *Wir brauchen erreichbare Ziele, und darum verzichten wir darauf, unsere volkskirchlichen Gemeinden in ihrer Gesamtheit zu lebendigen Gemeinden umbilden zu wollen.* Er forderte daher die Bildung eines Gemeindekerns *unter grundsätzlichem Verzicht auf die Gesamtheit der Glieder der Volkskirche.* Bei dem Gemeindekern dachte H. in erster

Linie an die Erbauungsgemeinschaft der Bibelstunde als Dienst- und Arbeitsgemeinschaft.

Werke: Christentum u. Wiss. 6 Vortrr., 1908 (1909²); Der moderne Persönlichkeitskult, 1910; Nietzsches Herrenmoral u. die Moral des Christentums, 1910; Taufe u. Abendmahl in ihrer Bedeutung f. das innere Leben, 1911; Moderne Willensziele, 1911 (1926³); Ersatz f. das Christentum, 1913 (1925³); Kriegsandachten, 1914 ff.; Krieg u. Kreuz, zwei Vortrr., 1915; Die Erneuerung Dtld.s u. die dt. Frauen, 1916; Kirchl. Volksmission, 1916 (1919²); Volksmission u. innere Mission, 1917; Das dt. Heim, 1918; Wie krieg ich einen gnädigen Gott? Ein Luther-Vortr., 1918; Was ist uns unsere Kirche? Drei Vortrr., 1919; Volkskirche u. Bekenntniskirche, 1919; Ecclesiola in ecclesia. Luthers Anschauungen v. Volkskirche u. Freiwilligkeitskirche in ihrer Bedeutung f. die Ggw., 1920 (1924²); Seelsorge an den Seelsorgern, 1921 (1925³); Wie kommen wir zu »lebendigen Gemeinden?«, 1922; Der Rechtfertigungsglaube u. sein rel. Wert, 1923; Wider die Herrschaft der Kultpredigt! Ein Wort z. Agendenreform, 1924; Der Pfr. als Volksmiss., 1925; Bezirk u. Gemeinde, 1926; Die Volkstümlichkeit der Predigt, 1927, Luthers liturg. Grundsätze u. ihre Bedeutung f. die Ggw., 1927; Eins ist not! Predigten, 1928; Die Bedeutung der kirchl. Zucht u. der kirchl. Sitte f. Aufbau u. Bestand der Gemeinde, 1930².

Lit.: Th. Kühn, Zum Gedächtnis G. H.s, in: Sächs. Kirchenbl. 86, 1936, 460 ff.; — E. Rietschel, Er war ein brennend u. scheinend Licht, in: Neues sächs. Kirchenbl. 43, 1936, 417 ff.; — G. Richter, G. H.s Bedeutung f. Volksmission u. Volkskirche, ebd. 421 ff.; — Ernst Sommerlath, OKR H., in: Ev.-luth. Leipziger Missionsbl. 91, 1936, 193; — Erich Bayreuther, Kirche in Bewegung. Gesch. der Evangelisation u. Volksmission, 1968; — CKL I, 851; — NDB IX, 117.

Ba

HILDA, Heilige, * 614, + 17.11.680. — H., Tochter Hererics, eines Neffen von König Edwin, wurde 627 als Dreizehnjährige vom heiligen Paulinus v. York (s.d.) getauft. Im Alter von 33 Jahren wollte H., wie ihre Schwester Hereswitha, in ein Kloster in Gallien eintreten, aber sie gab dieses Vorhaben unter dem Einfluß des heiligen Aidan v. Lindisfarne (s.d.) auf und entschied sich für ein kleines Kloster am Fluß Wire in Northumberland. 649 wurde H. Äbtissin von Hartlepool, und 657 gründete sie das Doppelkloster Streaneshalch — später Whitby — in Yorkshire. Bis zu ihrem Tod blieb H. Äbtissin von Whitby, wo zahlreiche bedeutende Geistliche erzogen wurden. — H. war eine entschiedene Anhängerin keltischen Brauchtums, aber als Folge der 664 auf der Synode von Whitby beschlossenen römischen Kirchenobservanz für alle Angelsachsen führte sie auch in ihrem Kloster die römische Liturgie und die Benediktregel ein. In dem Streit um die Diözese York unterstützte sie Theodor v. Canterbury (s.d.) gegen den heiligen Wilfrith (s.d.), Bischof von York. — Fest: 17. November.

Lit.: Johann Evangelist Stadler, Vollst. Hll. Lexikon II, Augsburg 1861 (Nachdr. 1975), 732; — Nova Legenda Anglie, ed. by Carl Horstmann, 2 vols., 1901, II, 29 ff.; — A. D. H. Leadman, St. H., in: Yorkshire Archaelogical Journal 17, 1903, 33 ff.; — I. G. Sieveking, St. H. and her Abbey at Whitby, in: Antiquary 40, 1904, 327 ff.; — Agnes B. C. Dunbar, A Dict. of Saintly Women I, London 1904, 381 ff.; — Michael Buchberger, Kirchliches Handlexikon, Freiburg 1907; — Paul Reinelt, Hl. Frauen u. Jungfrauen, Steyl 1910; — J. Baudot, Dict. d'hagiographie, Paris 1925; — St. Hilpisch, Die Doppelklöster, Münster 1928, 45 ff.; — G. Meißner, The Celtic Church in England, London 1929 (Reg.); — Clare Boothe Luce, Hll. f. Heute, Recklinghausen 1953, 115; — P. Grosjean, La date du Colloque de Whitby, in: AnBoll 78, 1960, 237 ff.; — Ders., Un fragment d'obituaire Anglo-Saxon, in: ebd. 79, 1961, 341 ff.; — Bede's Ecclesiastical Hist. of the English People, ed. by Bertram Colgrave and R. A. B. Mynors, Oxford 1969; — P. Hunter Blair, The World of Bede, London 1970, 145 ff.; — H. Mayr-Harting, The Coming of Christianity to Anglo-Saxon England, ebd. 1972, 150 ff.; — David H. Farmer, The Oxford Dict. of Saints, Oxford 1978, 192 f.; — Thurston-Attwater IV, 369 f.; — Doyé I, 516; — Holweck 484; — Torsy 237; — Zimmermann III, 318 ff.; IV, 214 (Reg.); — Wimmer (1956), 235; — BS VII,

754 ff.; – BHL 583; – EBrit XI (1959), 553; – EC VI, 1618 f.; – Catholicisme V, 736; – LThK V, 339 f.

Ba

Hildebert von Lavardin, Erzbischof und Schriftsteller, * 1056 in Lavardin bei Montoire s. Loir, + 18.12.1134 in Tours. – H. stammte aus einer nicht sehr wohlhabenden Familie und wurde früh für den geistlichen Stand bestimmt. Seine Ausbildung bekam er wohl in Tours, wo Berengar (s.d.) sein Lehrer gewesen sein soll. Nach 1085 war er Domscholasticus, seit 1091 Archidiakon in Le Mans. 1096 wurde er dort zum Nachfolger des verstorbenen Bischofs Hoellus gewählt, allerdings gegen den Willen des Oberlehensherren, König Wilhelms II. von England. Während der folgenden Kriege kam er 1099 sogar vorübergehend in Gefangenschaft nach England. Im Dezember 1100 reiste er nach Rom, wo ihn Paschalis II. als Bischof bestätigte. In Apulien und Sizilien sammelte H. reiche Mittel für den Bau der Kathedrale in Le Mans. Pfingsten 1101 kehrte er in sein Bistum zurück und betrieb mit großer Energie dessen Reorganisation im Sinne der Kirchenreform und den Bau der Kathedrale. Dabei wurde er immer wieder in die französisch-englischen Streitigkeiten hineingezogen. 1116 und 1123 reiste er noch einmal zu Laterankonzilien nach Rom. In Le Mans verlor der bis dahin recht beliebte Bischof dadurch an Zuneigung, daß er den Wanderprediger Heinrich v. Lausanne (s.d.), der den Lebenswandel des hohen Klerus kritisierte, aus der Diözese verbannen ließ. 1125 wurde H. gegen seinen Willen durch Ludwig VI. zum Nachfolger Giselberts, Erzbischof von Tours, erhoben. In diesem Amt verteidigte er energisch die Unabhängigkeit seiner Kirche. Im römischen Schisma von 1130 nahm er zunächst eine abwartende Haltung ein, erkannte dann aber unter dem Einfluß Bernhards von Clairvaux Innozenz II. an. – Neben H.s kirchenpolitischer Bedeutung ist sein schriftstellerisches Werk hervorzuheben, insbesondere seine Gedichte und Briefe. H. schrieb ein vollkommenes Latein und beherrschte die antiken Versmaße souverän, so daß seine Werke im weiteren Mittelalter als Vorbilder dienten und H. den Ehrennamen »egregius versificator« erhielt. In den Gedichten bearbeitete er vor allem biblische, liturgische und hagiographische, aber auch antike Stoffe. Auf seinen Lehrer Berengar verfaßte er ein Lobgedicht und ebenso auf die Stadt Rom. Das alte und das neue Rom werden einander gegenübergestellt und der Supremat des Papstes hervorgehoben. Bei aller Rechtgläubigkeit H.s läßt sich in einzelnen Werken eine antik-weltfreundliche Gesinnung feststellen, so daß er als ein hervorragender Repräsentant der »Renaissance des 12. Jahrhunderts« anzusehen ist.

Werke: MPL 171, 1-1458; vgl. dazu P. Glorieux, Pour revaloriser Migne, Lille 1952, 63 ff. (der die zahlr. H. fälschlich zugeschr. Werke aussondert). H.s Hymnen, in: AH 50, 408 ff.; – Ausg. v. Beaugendre, 1708; v. Bourassee, 1854; – Geneviève Grand-Carlet-Soulages, Les mélanges poétiques de H. de L. Ed. et comm., Diss. 1967; – Carmina minora (Teils.), rec. A. Brian Scott, Leipzig 1969. – Zu den Werken: A. Wilmart, in: RBen 47, 1935, 15-21; 48, 1936, 3 f. 147 f. 235 f.

Lit.: B. Haureau, Les melanges poetiques d'H. de L., 1882; – G. M. Dreves, Der Dreifaltigkeitshymnus H.s, in: StML 49, 1895, 411 ff.; – A. Dieudonne, H. de L. Sa vie, ses lettres, Paris 1898; – Franz Xaver Barth, H. v. L. u. das kirchl. Stellenbesetzungsrecht, Stuttgart 1906 (Nachdr. Amsterdam 1965); – H. Brinkmann, Gesch. der lat. Liebesdichtung,

Halle 1925; – G. Morin, in: RBén 39, 1927, 307 ff.; – F. J. E. Raby, A Hist. of Christian-Latin Poetry from the Beginnings to the Close of the Middle Ages, Oxford 1927 (1953[2], 265 ff.); – Ders., A Hist. of Secular Latin Poetry in the Middle Ages I, ebd., 1934 (1957[2], 317 ff.); – Percy Ernst Schramm, Kaiser , Rom u. Renovatio. Stud. z. Gesch. des röm. Erneuerungsgedankens v. Ende des karoling. Reiches bis z. Investiturstreit I, 1929 (1957[2], 296 ff.); – M. Hammond, Notes on some Poems of H. in a Harvard Ms., in: Speculum 7, 1932, 530 ff.; – A. Wilmart, Le »Tractatus theologicus« attribué à H., in: RBén 45, 1933, 163 f.; – Ders., Les sermons d'H., in: ebd. 47, 1935, 12 ff.; – Ders., Le florilège de St.-Gatien. Contribution à l'etude des poemes d'H. et de Marbode, in: ebd. 48, 1936, 3 ff. 147 ff.; – Ders., L'élégie d'H. pour Muriel, in: ebd. 49, 1937, 376 ff.; – Ders., Un nouveau poème de Marbode, H. et Rivallon, in: ebd. 51, 1939, 169 ff.; – B. Landry, Les idées morales du XIIe siècle, in: Rv. des Cours et conférences 40, 1939, 82 ff.; – E. de Saint-Denis, Des vers latins d'H. aux »Antiquités« du Joachim du Bellay, in: Les études classiques 8, 1939, 352 ff.; – J. de Ghellinck, Littérature latine au moyen age II, Paris 1939, 118 ff.; – Ders., L'essor de la littérature latine au XIIe siècle II, Brüssel - Paris 1946, 289 ff.; – W. Lampen, in: Antonianum 19, 1944, 144 ff.; – G. Chiri, Poesia cortese latina, Rom 1945, 100 ff.; – J.-P. Bonnes, in: RBén 56, 1945-46, 174 ff.; – P. Delehaye, in: RThAM 16, 1949, 227 ff.; – A. Boutemy, in: RMA 3, 1947, 141 ff.; – G. de Valous, La poesie amoureuse en langue latine au moyen âge, in: Classica et medievalia 14-16, 1952-55, 146 ff.; – N. Scivoletto, Spiritualità medioevale e tradizione scolastica nel secolo XII in Francia, Neaples 1954; – J. Szöverffy, H. of L. and a Westminster Sequence, in: RBén 67, 1957, 98 ff.; – Ders., Die Ann. der lat. Hymnendichtung II, Berlin 1965, 35 ff.; – G. Scalia, Appunti su un codice di Ildeberto di L., in: Studi Medievali (Ser. 3) 2, 1961, 387 ff.; – A. B. Scott, The biblical allegories of H. of Le Mans, in: SE 16, 1965, 404 ff.; – Ders., The Poems of H. of Le Mans: a New Examination of the Canon, in: MRS 6, 1968, 42 ff.; – Peter v. Moos, H. v. L. 1056-1133. Humanitas an der Schwelle des höf. Zeitalters (Diss. Basel), Stuttgart 1965; – Ders., Par tibi, Roma, nihil - Eine Antwort, in: Mittellat. Jb. 14, 1979, 119 ff.; – G. Grand-Carlet-Soulages, Les mél. poetique de H. de L. Ed. et commentaire, in: École nationale des chartes, Position des thèses, 1967, 47 ff.; – H. Moser, O pensamento tedogico de H. de L. (1056-1133), Sao Paulo 1970; – G. Orlandi, Doppia redazione nei »Carmina minora« di Ildeberto?, in: Studi Medievali (Ser. 3) 15, 1974, 1019 ff.; – O. Zwierlein, Partibi, Roma, nihil. On a Poem by H. de L., in: Mittellat. Jb. 11, 1976, 92 ff.; – W. Williams-Krapp, Eine bisher unbek. V.legende v. der hl. Maria Aegyptiaca: Ein neues Zeugnis dt. Rezeption des H. de L., in: ZdPh 98, 1979, 372 ff.; – G. Ponte, Il Secretum del Petrarca e un dialogo di H. de L., in: Melànges à la mémoire de Franco Simone I, Ed. H. Gaston Hall u. a., Geneva 1980, 35 ff.; – M. Donnini, Nota a H. »De nummo« 149-156, in: Giornale italiano di filologia, NS 11 f. 1980, 1981, 259 ff.; – HistLitFrance XI, 250 ff.; – Manitius III, 853 ff.; – Chevalier[2], 1061; – Hefele-Leclerq V, 648; – DThC VI, 2466 ff.; – CKL I, 851; – The New Schaff-Herzog, Encyclopedia of Religious Knowledge V, Grand Rapids/Michigan 1953, 284; – DSp VII, 502; – RE VIII, 67 ff. XXIII, 645; – RGG III, 317 f.; – Catholicisme V, 737; – LThK V, 340.

Ba

HILDEBOLD, Erzbischof von Köln, + 3.9.818. – H. wurde 791 nach dem Tode Angilrams v. Metz (s.d.) als Erzkaplan Vorsteher der Hofgeistlichkeit und war ein enger Berater Karls des Großen (s.d.), der ihm das Bistum Köln vor 787 übertragen hatte. 799 war H. Mitglied einer von Karl eingesetzten Kommssion, die sich in Rom mit dem Anschlag auf Papst Leo III. (s.d.) befaßte. 801 wurde H. urkundlich als Vorsteher des Stiftes St. Cassius in Rom erwähnt und um 802 wurde er Abt des Klosters Mondsee. 804 weihte er Lindger (s. d.), den Gründer des Klosters Werden an der Ruhr, zum Bischof von Münster. Die Synode zu Mainz tagte 813 unter seinem Vorsitz, und im September des gleichen Jahres salbte er Ludwig den Frommen (s.d.) zum König. Das Testament Karls des Großen hatte H. 811 als erster Zeuge unterzeichnet, 814 reichte er dem sterbenden Kaiser das Sakrament. Zusammen mit anderen Würdenträgern des Reiches holte er 816 Papst Stephan V. (s.d.) in Reims ein. – Während der Amtszeit H.s, der die Domschule gründete, die Dombibliothek stiftete und dem auch der Neubau des 870 fertiggestellten Doms zugeschrieben wird, wuchs die Bedeutung Kölns; im Testament Karls des Großen steht es an oberster Stelle der fränkischen Metropolitankirchen.

Lit.: Johann Evangelist Stadler, Vollst. Hll. Lexikon II, Augsburg 1861 (Nachdr. 1975), 732 f.; – B. Simson, Jbb. des fränkischen Reiches unter Ludwig dem Frommen, 2 Bde., Leipzig 1874-76; – Aegidius Gelenius, De admiranda sacra et civili magnitudine Coloniae Claudiae Aggripinensis Augustae Ubiorum urbis, Köln 1645, 270. 719; – F. W. Oediger, Die Regg. der EB v. Köln im MA I, 1. Lfg., Bonn 1954, 35 ff. (Nachdr. 1978); – Ders., Gesch. des Erzb. Köln I, 1954, 151 ff. (1972²); – NDB IX, 118; – ADB XII, 397 f.; – Hauck II⁸ (Reg.); – Doyé I, 516; – Torsy 237; – Catholicisme V, 737; – LThK V, 340 f.

Ba

HILDEBRAND, Dietrich von, Philosoph der Phänomenologie, Ethiker und Soziologe, * 12.10.1889 in Florenz als Sohn des Bildhauers Adolf v. H., + 26.1.1977 in New Rochelle (New York). – Nach seiner Studienzeit in München und Göppingen promovierte H. 1912 zum Doktor der Philosophie. 1918-1933 lehrte er als Professor in München, 1933-1938 in Wien und 1941-1960 an der Fordham-University in New York. – H. war Schüler Husserls und entwickelte eine an M. Scheler orientierte, christlich-katholisch geprägte materiale Wertethik. Im Sinne A. Reinachs und Pfänders wurde er zu einem Verfechter der Phänomenologie. H. lehnte den späten Husserl und die Transzendentalphilosophie ab. Seine Bedeutung liegt in dem Einfluß auf das katholische Denken der Gegenwart.

Werke: Die Idee d. sitt. Handlung, in: Jb. f. ph. und phän. Forsch. 3, 1916, 126-152, selbst. 1930; Sittlichk. und eth. Welterkenntnis 1922, ³1982; Reinheit u. Jungfräulichkeit, 1927, ³1950; Metaphysik d. Gemeinsch. 1930, ³1955; Der Sinn philos. Fragens und Erkennens, 1930; – Das kathol. Berufsethos, 1931; Zeitliches im Lichte des Ewigen, Ges. Abh. 1931; Liturgie und Persönlichk., 1933, Graz ³1955; Sittliche Grundhaltungen, 1933, ³1954; Sitt. Grundlagen d. Völkergemeinschaft, 1946; The Tower of Babel, New York 1952; Christian Ethics, ebd. 1953, Chicago ²1972; Die Menschheit am Scheideweg, 1954; True Morality and its conterfeits, New York 1955; Graven Images: Substitutes for True Morality, ebd. 1957; Wahre Sittlichk. und Situationsethik, 1957; Christ. Ethik. 1959; Die geist. Formen d. Affektivität, in: Philos. Jb. 1959, 180-190; What is Philos.? Milwaukee 1960; The Modes of Participation in value, in: Int. Philos. Quart. 1961, 58-84; The Art of Living, New York 1965; Man and Woman, ebd. 1966; Morality and Situation Ethics, Chicago 1966; Über das Herz, 1967; Die Enzyklika »Humanae Vitae« – ein Zeichen d. Widerspruchs, 1968; Das trojan. Pferd in der Stadt Gottes, 1969; Ges. Werke, 1971; Der verwüstete Weinberg, 1973; – Bibliogr. in: The Human Person and the World of Values, Hg. Balduin Schwarz, Westport (Conn.) 1972, 93-210.

Lit.: N. Bobbio, D.v.H., in: Rivista di Filosofia, Turin 1937, 341-351; – B. v. Schwarz, D. v. H. on value, in: Thought, New York 1949, 655-676; – C. Cencillo, Etica de los valores contra ética de la situacion, in: Pensamiento, Madrid 1955, 67-76; – A. Solana, D. v. H., Evolución espiritual desde la fen. al catolicismo, in: Espiritu, Barcelona 1955, 82-84; – Christa Hillebrand, Die Wertethik bei D. v. H. (Diss. Köln), 1959; – O. Reuter, D. v. h. im Zus.hang mit der Tugend d. Klugheit, 1960; – H. Spiegelberg, The Pehn. Movement I, 1960, 222-223; – Arno Plack, Die Stell. d. Liebe in d. material. Wertethik (Diss. München), 1962; – Balduin Schwarz (Hg.), Wahrheit, Wert u. Sein, Festg. f. D. v. H. zum 80. Geb., 1970; – Ders., Die Wertphilos. D. v. H., in: Münchner Phän., 1975, 125-138; – Alice Jourdain, D. v. H. und Marcel: a Parallel, in: The Human Person and the korld of Values, Westport (Conn.) 1972, 11-35; – Ludwig J. Pongratz, Philos. in Selbstdarstell. Bd. II, 1976; – Antoni Siemianowski, La liberté selon D. v. H., in: Roczniki filozoficzne, Lublin 1975, 221-226; – John Corby/Josef Seifert, D. v. H., in: Altheia 1977, 221-226; – H. Kuhn, Eine Philos. des Sich-Verlierens: D. v. H., in: Intern. Kath. Zs 1977, 556-565; – Hans Drexler, Begegnungen mit der Wertethik: Scheler, M. H. u. a., 1978; – Werner Ziegenfuß, Philos. Lex. Bd. I, 1949, 532; – Philos. Wörterbuch, begr. von Heinr. Schmidt, Bd. 13, 1969, 252; – Dizionario dei Filosofi, Florenz 1976, 567; – Enci-

clop. Filos., Bd. IV, Florenz 1982, Sp. 225-256; – Diction. des Philos. I, Paris 1984, 1213.

Gr

HILDEGARD, Selige, * um 758, + 30.4.783 in Diedenhofen. – H., aus dem schwäbischen Geschlecht der sogenannten Udalriche, wurde 771 die zweite Gemahlin Karls des Großen (s.d.). Einer ihrer vier Söhne - insgesamt hatte sie acht Kinder mit Karl dem Großen - war Ludwig der Fromme (s.d.), späterer Kaiser und Mitregent. H., die mit der heiligen Lioba (s.d.) befreundet war, förderte neben vielen Kirchen besonders das Kloster Reichenau. Der Abtei Kempten, als deren Stifterin sie in der Legende genannt wird, schenkte sie 774 die Leiber der Heiligen Cordianus und Epimachus. Beigesetzt wurde H. in der Kirche St. Arnulf in Metz. – Fest: 30. April.

Lit.: Johann Evangelist Stadler, Vollst. hll. Lexikon II, Augsburg 1861 (Nachdr. 1975), 738 f.; – S. Abel u. B. Simson, Jbb. des fränkischen Reiches unter Karl dem Großen I, Leipzig 1888², 449 ff.; – Agnes B. C. Dunbar, A Dict. of Saintly Women I, London 1904, 384 f.; – Dietrich Kerler, Die Patr. der Hll., Ulm 1905; – Michael Buchberger, Kirchliches Handlexikon, Freiburg 1907; – Rudolf Pfleiderer, Die Attribute der Hll., Ulm 1920; – J. Baudot, Dict. d'hagiographie, Paris 1925; – E. Nübling, in: Schwäbische Gesch.-Bll. 1-2, Ulm 1926-27, 1 ff.; – Ludwig Rosenberger, Bavaria sancta. Bayr. Hll. Legende, München 1948, 81; – A. Dilger-Fischer, in: Ulm u. Oberschwaben 34, Ulm 1955, 167 ff.; – J. Fleckenstein, in: Forsch. z. oberrhein. Landesgesch. 4, Freiburg/Breisgau 1957, 118 f.; – W. Grundmann, Die Kemptener H.-Sage in einer barocken Fassung, in: Das schöne Allgäu 34, 1971, 64 ff.; – Die 7 Schwaben 21, 1971, 64 ff.; – Ders., Personen u. Orte der H.-Sage, in: Das schöne Allgäu 36, 1973, 12 ff.; Die 7 Schwaben 23, 1973, 12 ff.; – H. Landes, Eine Kaiserin liebt Kempten, in: Allgäuer Heimat-Kal., 1972, 136 f. 139 f.; – K. Schreiner, H.-Schwabens in, in: Schwäbische Heimat 23, Stuttgart 1972, 111 ff.; – Ders., »Hildegardis regina«. Wirklichkeit u. Legende einer karolingischen Herrscherin, in: AKultG 57, 1975, 1 ff.; – AS Apr. III, 1866, 797 ff.; – Chevalier I², 2152 f.; – Holweck 485; – BHL 586; – Doyé I, 517; – Wimmer (1956), 235; – BS VII, 760; – Torsy 238; – Catholicisme V, 740; – LThK V, 341.

Ba

HILDEGARD *von Bingen*, Benediktinerin, prophetische Mystikerin, * 1098 in Bermersheim bei Alzey als 10. Kind des Edelfreien Grundherrn Hiltbertus de Vermersheim und seiner Gattin Mechthild, + 17.9.1179 auf dem Rupertsberg bei Bingen. – Auf Grund der Urkunden und Handschriften des 12. Jahrhunderts wurde der Irrtum, H.s Vater sei Dienstmann der Bischöfe von Speyer und Burgvogt auf Schloß Böckelheim in Nahegau und somit Hüter des dort in Haft gehaltenen Kaisers Heinrich IV. (s.d.) gewesen, eindeutig widerlegt. – Die Eltern übergaben H. mit acht Jahren der Gräfin Jutta von Sponheim (s.d.), die bei der Benediktinerabtei Disibodenberg an der Nahe als Reklusin lebte, zu frommer, klösterlicher Erziehung. Sie lernte lesen und schreiben sowie die Anfangsgründe der lateinischen Sprache. H. wurde 1136 nach Juttas Tod *Meisterin* der meist adeligen Jungfrauen, die sich nach und nach in der Klause zu einer kleinen Genossenschaft zusammengefunden hatten. Zwischen 1147 und 1150 gründete H. ein Kloster auf dem Rupertsberg, in das sie mit 18 Schwestern übersiedelte, und um 1165 ein Tochterkloster in Eiblingen bei Rüdesheim. – H. war von Jugend auf schwächlich und wurde während ihres ganzen Lebens von vielen Krankheiten geplagt. Von Kindheit an hatte sie Visionen, die in der Form den apokalyptischen Visionen des Ezechiel und Johannes ähnelten: "Die Kraft und das Geheimnis verborgenen und wunderbaren Schauens erfuhr ich wundersam in meinem Innern seit meinen Kinderjahren: doch tat ich es keinem Menschn kund und deckte alles mit Schweigen zu bis zu der Zeit, da Gott es durch seine Gnade offenbaren wollte. Die Gesichte, die ich schaue, nehme ich nicht in traumhaftem Zustand, nicht im Schlaf oder in Umnachtung des Geistes, nicht mit den Augen des Leibes oder den Ohren des äußeren Menschen auf, sondern wachend empfange ich sie, besonnen und mit klarem Geist, so wie Gott es will. Wie das geschieht, ist für den sterblichen Menschen schwer zu begreifen. — Im Jahre 1141 der Menschwerdung des Sohnes Gottes, Jesu Christi, als ich 42 Jahre und sieben Monate alt war, kam ein feuriges Licht mit Blitzleuchten vom offenen Himmel hernieder. Es durchströmte mein Hirn und durchglühte mir Herz und Brust gleich einer Flamme, die jedoch nicht brannte, sondern wärmte, wie die Sonne uns erwärmt, wenn sie uns mit ihren Strahlen übergießt. Da war mir plötzlich und mit einem Mal der Sinn der Heiligen Schrift erschlossen, wenngleich ich die einzelnen Worte nicht übersetzen konnte. Ich sah einen großen Glanz, und eine himmlische Stimme erscholl aus ihm und sprach: 'O du gebrechlicher Mensch, Asche von Asche, Staub vom Staube, sage und schreibe, was du siehst und hörst! Tue kund die Wunder, die du erfahren hast!' All dieses sah und hörte ich, und dennoch: ich weigerte mich zu schreiben, nicht aus Trotz, sondern aus Demut, wegen der Zweifelssucht und des Geredes der Menschen, bis mich Gottes Geißel auf das Krankenlager warf. Da endlich legte ich Hand ans Schreiben." Bei der Niederschrift halfen ihr der Mönch Volmar von Disibodenberg und ihre Sekretärin, die Nonne Richardis, Tochter des Markgrafen von Stade, Schwester des Markgrafen von Brandenburg, Schwägerin des Dänenkönigs Erik und Schwester des Erzbischofs von Bremen. So entstand im Lauf von 10 Jahren ihr Hauptwerk »Scivias« (= Wisse die Wege!). Es handelt vom Sündenfall und seinen Folgen, von der Erlösung durch den Sohn Gottes, der das Leben von Gott auf die Erde brachte, von der gnadenreichen Mutter Kirche, die von ihrem Bräutigam das neue Leben empfängt und allen, die in gläubiger Unterwerfung in ihren Schoß eingehen, das göttliche Leben schenkt und in den Sakramenten die göttliche Gnade spendet. Fünf Jahre dauerte die Niederschrift der 1158 begonnenen neuen mystischen Arbeit, des Liber Vitae meritorum, eines in prophetischen Bilderreden geschriebenen Lehrbuchs der christlichen Ethik. 1163 - 70 entstand als letzte ihrer mystischen Schriften *Liber divinorum operum*, eine Kosmologie und Anthropologie. Diese Werke H.s zählen zu den ältesten Schriften der deutschen Mystik. Von kultur - und literargeschichtlichem Wert sind ihre medizinischen und naturwissenschaftlichen Werke. Sie gilt als die erste schriftstellernde deutsche Ärztin und die Begründerin der wissenschaftlichen Naturgeschichte in Deutschland. Auch viele geistliche Dichtungen schuf H., die sie zum Teil selbst vertonte. Trotz ihrer Kränklichkeit besuchte H. fränkische, rheinische, lothringische und schwäbische Klöster und Städte und übte auf diesen Fahrten eine weitreichende Wirksamkeit nach außen hin." Was Bernhard von Clairvaux (s. d.) für den größeren Kreis der abendländischen Kirche in höherer Weise war, nämlich der prophetische Bußprediger, der Eiferer für den wieder aufzurichtenden verfallenen Bau der Kirche, das war H. für einen Teil der deutschen Kirche." Sie rief Klerus und Volk zur Buße auf, forderte strenge Sittenzucht und verkündigte schwere Gerichte, aber auch den schließlichen Sieg und die Läuterung der Kirche. H. genoß hohes Ansehen auch bei den geistlichen und weltlichen Großen. Könige und Fürsten, Bischöfe, Ordensleute und Laien erbaten von ihr Rat und Hilfe. Davon zeugt ihr ausgedehnter Briefwechsel. Obwohl ihr Name am 17.9. im römischen Martyrologium vorkommt, ist H. doch nie von der Kirche kanonisiert worden.

Werke: MPL 197; Analecta Sanctae Hildegardis Opera Spicilegio Solesmensi parata, ed. Typis Sacri Montis Casinensis, hrsg. von Jean-Baptiste Pitra, VIII, 1882 (Nachdr. Farnborough/Hampshire 1966). — *Einzelne Werke:* Causae et Curae; Scivias; Ordo virtutum; Physica; Liber divinorum operum; Liber votae meritorum; De operatione Dei; Expositiones evangeliorum; Lingua ignota; Litterae ignotae; Epistolae; — *Ausgg., Überss. u. Auswahl:* Hildegard Causae et Curae, hrsg. v. Paul Kaiser, 1903; — Paul Kaiser, Die Schr. der Äbtissin H. über Ursache u. Behandlg. der Krankh. in: Therapeut. Mhh. 16, 1902, 299-304. 420-423. 468-471. 578-583. 637-642; — Der Äbtissin H. v. B. Ursachen u. Behdlg. der Krankh. (Causae et Curae). Dt. Übers. v. Hugo Schulz, München 1933 (Neuausg. Ulm 1955). — Heilkunde. Das Buch (Causae et Curae) v. dem Grund u. Wesen u. der Heilung der Krankh. Nach den Qu. übers. u. erl. v. Heinrich Schipperges. 1957 (1974³); — Scivias, 1141-51 niedergeschr. Erstausg. v. Jakob Faber im Sammelw. »Liber trium virorum et trium virginum‹; — Wisse die Wege = Scivias, Nach dem Urtext ins Dt. übertr. u. bearb. v. Maura Böckeler, Berlin 1928; Salzburg, Dies., (1975⁶); — Oehl, Wilhelm, Dt. Mystikerbriefe des MA 1100-1550, 1931, 55-122; — Das feurige Werk der Erlösung (Scivias, Ausz., dt.), Salzburg 1958; — H. v. B., in: Dt. Mystiker V, Frauenmystik im MA. Ausgew. u. hrsg. v. Maria David-Windstoßer, 1919, 1-24: Einl.; 25-69: Ausz. aus Scivias-Maria-Louise Lascar, H. v. B. Der Weg der Welt (scivias, dt.). In Ausw. übers., Einf. v. Alois Dempf, 1929; — Carmina. Hymnographi latini. Lat. Hymndichter des MA. Folge 2, 1907 (Nachdr. New York - London 1961, 483-492); — Guido Maria Dreves, Ein Jt. lat. Hymndichtung. Eine Blütenlese aus dem AH mit lit.hist. Erll., 1909, 245-248; — Joseph Gmelich, Die Kompositionen der hl. H. Nach dem großen H. kodex in Wiesbaden phototypisch veröff., 1913; — Carmina Sanctae Hildegardis. Die Lieder der H. v. B. (lat. u. dt.), übers. u. eingeleitet v. Maria David-Windstoßer, 1928; — 12 ausgew. Lieder der hl. H. Mit dt. Singtext u. Orgel- oder Klavierbegleitung, hrsg. v. der Abtei St. H., 1929; — Prudentiana Barth, M. Immaculata Ritscher, Joseph Schmidt-Görg, H. v. B. Lieder (Gedichte, lat. u. dt.), Salzburg 1969 (Erg.-H.: Krit. Ber. Von Immaculata Ritscher); — Franciscus Haug, Epistolae sanctae Hildegardis secundum Stuttgartensem, in: RBen 43, 1931, 59-71; — Wilhelm Oehl, Dt. Mystikerbriefe des MA 1100-1550, 1931, 55-112; — H. v. B. Briefwechsel (Briefe, dt.). Nach den ältesten Hss. übers. u. nach den Quellen erl. v. Adelgundis Führkötter, Salzburg 1965; — Maura Böckeler u. Prudentiana Barth, Der hl. H. v. B. ,Reigen der Tugenden‹. Ordo virtutum (lat. u. dt.), 1927; — Physica, Erstausg. Straßburg 1533; — H. v. B. Naturkunde (Physica Ausz., dt.). Das Buch v. dem inneren Wesen der verschiedenen Naturen in der Schöpfung. Nach den Qu. übers. u. erl. v. Peter Riethe, Salzburg 1959; — Der Mensch in der Verantwortung. Das Buch der Lebensverdienste (Liber vitae meritorum). Nach den Qu. übers. u. erl. v. Heinrich Schipperges, Salzburg 1972; — H. v. B. Gott ist am Werk. De operatione Dei (Die Schöpfung der Welt in Gottes Ebenbild). Übers. u. erl. v. Heinrich Schipperges, Olten - Freiburg/Breisgau 1958; — H. v. B. Welt u. Mensch. Das Buch »De operatione Dei«. Aus dem Genter Kodex übers. u. erl. v. Heinrich Schipperges, Salzburg 1965; — Ubaldo Ceccarelli, Il ›liber divinorum operum‹ di S. Ildegarda di B. (lat. u. it.), Pisa 1960; — Geheimnis der Liebe (Werke, Ausz., dt.). Bilder v. des Menschen leibhaftiger Not u. Seligkeit. Nach den Qu. übersetzt u. bearb. v. Heinrich Schipperges, Olten - Freiburg/Breisgau 1957; — Vita. Vie de Ste H., thaumaturge et prophetesse du XII² siecle, ecrite par les moines Theodoric et Godefroid, contemporains de la sainte. Traduite en francais, übers. v. R. Chamonal, Paris 1907; — Das Leben der hl. H. v. B., hrsg., eingel. u. übersetzt v. Adelgundis Führkötter, 1968; — Schrr. der hl. H. v. B. Ausgew. u. übertr. v. Johannes Bühler, 1922; — Mystik dt. Frauen im MA. Übers. u. erl. v. Anne Marie Heiler, 1929; — Arrigo Levasti, S. H.: Visioni, Florenz 1925; — Henri Boelaars, Maria teksten uit alle geschriften van St. H., 1944; — Ders., Treftwoorden uit de geschriften van St. H., 1945-55; – Ders., Gebeden en meditations verzameld uit de visioenen en brieven van St. H., 1948; – Joseph Racky, H. v. B. Eine Ausw. ihrer Schrr., 1926; – Willibrord Lampen, H. v. B. Keuze uit de geschriften. Vertaald en ingeleid, in: Het Spectrum, Utrecht/Antwerpen 1956 (Monumenta christiana II, 3); – Verborgene Schr. wird leserlich. Aus der Welt der hl. H. Einf. u. Ausw. der Texte v. Clara Ruth Westermann, Leipzig 1965; – H. v. B. Anhauch Gottes. Gedanken f. jeden Tag. Ausgew. v. Marianne Ligendza, 1973 (1975²); – H. v. B., Mystische Texte d. Gotteserfahrung, hrsg. u. eingel. v. Heinrich Schipperges, 1978 (Textausw. mit Bibliogr.). – Bibliogr.: Werner Lauter, H.-Bibliogr. Wegweiser z. H.-Lit. (Alzeyer Gesch.bll., Sonderh. 4), 1970.

Lit.: Ludwig Clarus (Pseud. f. Wilhelm Volck), Leben u. Schrr. der hl. H., 2 Bde., 1854; – Johann Wilhelm Preger, Gesch. der dt. Mystik im MA I, 1874 I, 29 ff.; – Albert Richaud, Ste. H., sa vie et ses oeuvres. Etude theologique, Aix-en-Provence 1876; – J. Ph. Schmelzeis, Leben u. Wirken der hl. H., 1879; – August Hirsch, H., die Hl., in: Biogr. Lex. der hervorragendsten Ärzte aller Zeiten u. Völker, hrsg. v. dems., III, 1886, 204 f.; – F. Wilhelm Emil Roth, Btrr. z. Biogr. der H. v. B., sowie z. Beurteilung ihrer Visionen, in: ZWL 9, 1888, 453-471; – Ders., Btrr. z. Gesch. u. Lit. des MA, insbes. der Rheinlande, in: Roman. Forsch. 6, 1891, 475-508; – Ders., Stud. z. Lebensbeschreibung der hl. H., in: StMBO 39, 1918, 68-118; – P. M. Bots, Het leven van de Hl. Hildegardis, maagd, patronesse der nieuw opgerichte Parochie Hillegersberg-Rotterdam, Rotterdam 1892; – Paul Kaiser, Die naturwiss. Schrr. H.s, 1901; – Paul Franche, S. H., Paris 1903; – Ildefons Herwegen, Les collaborateuers de S. H., in RBen 21, 1904, 192-203; 302-315. 381-403; – Ders., Die hl. H. v. B. u. Guibert v. Gembloux, 1920, 199-212; – Ders., Die hl. H. im Lichte ihrer geschichtl. Sendung, in: Der kath. Gedanke. Eine Vjschr. 3, 1930, 15 ff.; – Ders., Vom christl. Sein u. Leben. Ges. Vortrag, 1931, 154-185 (1938² verm. 91-108); – Gustav Sommerfeld, Zu den Lebensbeschreibungen der H. v. B., in: NA 35, 1910, 572-581; – Johannes May, Die hl. H. v. B. aus dem Orden des hl. Benedikt (1098-1179); Ein Lb., 1911 (1929² neubearb.); – Henry Osborn Taylor, The mediaeval mind. A history of the development of thought and emotion in the middle Ages I, London 1911, Chapter XIX: Mystic visions of ascetic Women); – Erich Wasmann, Die hl. H. v. B. als Naturforscherin, in: Festschr. der Görres-Ges. f. Georg v. Hertling, 1913, 459-475; – Anton Steeger, Hll.Leben f. das dt. Haus, 1913, 493-497; – Francesca Maria Steele, The life and visions of St. H., London 1914; – Helene Riesch, Die hl. H. v. B., 1917 (1920³); – Paul v. Winterfeld, Dt. Dichter des lat. MA, 1917², 195 f. 438-440; – Charles Singer, The scientific views and visions of S. H., Oxford 1917; 1-55; – Ders., From magic to sciene. Essays on the scientific twilight, New York 1958², 199-239 (The visions of H. of B.); – Johannes Braun, Die hl. H., Äbtissin v. Rupertsberg, 1918 (1929³); – Besse, Les mystiques benedictins des origines au XIII° siecle, Paris 1922; – Ludwig Bronarski, Die Lieder der hl. H. Ein Btr. z. Gesch. der geist. Musik des MA, Zürich 1922 (Neudr. Walluf bei Wiesbaden 1973); – Hedwig v. Redern, Eine dt. Frau. Lb. H.s v. B., 1923²; – Carl Boeckl, Die Eucharistielehre der dt. Mystiker des MA, 1923, 1-13 (Neuausg. 1924); – Lynn Thorndike, A history of magic and experimental sciene during the first thirteen centuries of our era II, New York 1923 (Chapter XL: S. H. of B.); – Otto Gürnig, Die Gesänge der hl. H., in: ZfMw 5, 1923, 333-338; – Karl Weinmann, Die Lieder der hl. H. Ein Btr. z. Gesch. der geistl. Musik des MA, in: Musica divina 11, 1923, 59-64; – Maura Böckeler, Aufbau u. Grundgedanke des Ordo virtutum der hl. H., in: BM 5, 1923, 300-310; – Dies., Beziehungen des Ordo virtutum der hl. H. zu ihrem Hauptwerk Scivias. I: Ein Rundgang durch das Gebäude des Scivias, ebd. 7, 1925, 25-44; II: Die lebendigen Beziehungen zw. Ordo u. Scivias, ebd. 135-145; – Dies., Die hl. H. als Äbtissin im Rahmen des 12. Jh.s, ebd. 11, 1929, 435-450; – Richard Wirtz, Das Moselland, 1925² (veränd. u. verb.), 302-310; – Matthäus Vogel, Lebensbeschreibungen der Hll. Gottes auf alle Tage des J. II, 1926, 341-345; – Stephan Hilpisch, Aus früh-ma. Frauenklöstern, 1926, 23-38; – Johannes Thomas, Die Naturmystik der hl. H. v. B. I: Das Wesen der Mystik H.s u. ihre Anschauungen über das Verhältnis v. Gott-Welt-Natur (Diss. Leipzig), 1926; – Otto Karrer. Die große Glut, Textgesch. der Mystik im MA, 1926, 161 ff. (Prophet. Mystik des dt. MA); – Ders., Der göttl. Schöpfergeist in Gesichten u. Liedern der Hl. H., in: Schweizer Rdsch., Mai 1945; – Helmut Riefenstahl, Die hl. H. v. B., 1927; – Heinrich Korff, Biographia catholica. Verz. der Lebensbeschreibungen 1870-1926, 1927, 107; – Hermann Fischer, Die hl. H. v. B. Die erste dt. Naturforscherin u. Ärztin. Ihr Leben u. Werk in: Münchner Btrr. z. Gesch. u. Lit. der Naturwiss.en u. Medizin, 1927, 381-538; – Ursula Ried, Dt. Mystiker, 1927, 53 ff.; – Leo Sternberg, Land Nassau. Ein Heimatbuch, 1927, 162-165; – Ders., Die Mystikerin H. in der rhein. Geistesgesch., in Hochland 26/II, 1929, 26-33; – Ders., Die Sängerin Gottes, 1934. Maria Krusemeyer, Große Frauen der Vergangenheit, 1928, 75-93. Anh. VI, 154-159; – P. Pourrat, La spiritualite chretienne. II: Le moyen age, Paris 1928, 119-125; – R. Proost, S. H. et les voies du Seigneur, in: Revue liturgique et monastique 13, 1928, 361-389; – Henri Lindeman, S. H. en hare Nederlandsche vrienden, in: Ons geestelijk erf 2, 1928, 128-160; – Ders., S. H. en haar levensbeschrijvers, in

Historisch tijdschrift 10, 1931, 199-212; – Maria Kranzhoff, Die hl. H. v. B., 1929; – Alois Dempf, Sacrum Imperium. Gesch.- u. Staatsphilos. des MA u. der polit. Renaissance, 1929 (unv. 1954²), 261-268; – Franz Haug, Das Weltbild der hl. H., in: ThGl 21, 1929, 709-718; – St. H. v. B., die größte dt. Frau. Festschr. z. St. Hildegardis Jubelfeier. Hrsg. v. Johannes Kohl, 1929; – Ders., Die hl. H. v. B., 1933; – Kurt Aram, Magie u. Mystik in Vergangenheit u. Ggw., 1929, 232 ff.; – Joseph Bernhart, H. v. B., in: AKultG 20, 1930, 249-260; u. in: Ders., Gestalten u. Gewalten, Aufss., Vortrr., 1962, 61-74; – Margarete Hattemer, Gesichte u. Erkrankungen der H. v. B., in: Hippokrates. Zschr. f. Einheitsbestrebungen der Ggw.medizin 3, 1930, 125 ff.; – Richard Knies, H. v. B., in: Menschen u. Hll. Kath. Gestalten. Hrsg. v. Heinrich Mohr, 1930, 259-274; – Hans Liebeschütz, Das allegor. Weltbild der H. v. B., Leipzig 1930 (Unv. Nachdr. mit einem Nachw. z. Neudr. Darmstadt 1964); – Ders., H. v. B. u. die Kulturbewegung des 12. Jh.s, in: HZ 146, 1932, 497-500; – P. Alphandery, La glossolalie dans le prophetisme medieval latin; in: RHR 104, 1931, 420 ff.; – Joseph v. Görres, Hinter der Welt ist Magie. Gesch. n. v. Hll. u. Sehern, Zauberern u. Dämonen aus der »Christl. Mystik«, 1931, 21-26 (Die Weissagungen der H.); – Hans Sauerland, Heldenbuch der Kirche, 2000 J. lebendiges Christentum gesehen aus der Perspektive unserer Zeit. 1931, 236-239; – Hiltgart Leu Keller, Mrh. Buchmalereien in Hss. aus dem Kreise der H. v. B. (Diss. Frankfurt/Main), Stuttgart 1933; – Karl Bihlmeyer, Die Selbstbiogr. in der dt. Mystik des MA, in: ThQ 114, 1933, 513-515; – Lothar Schreyer, Die Mystik der Dt., 1933, 42-47; – Johannes Walterscheid, Dt. Hll. Eine Gesch. des Reiches im Leben dt. Hll., 1934, 220-224; – Klara Wirtz, Die hl. H. v. B., 1934; – Georg Schreiber, Wallfahrt u. Volkstum in Gesch. u. Leben, 1934, 213; – Hedwig Bürke, S. H., Fribourg/Schweiz 1934; – Ernst Benz, Christl. Mystik u. christl. Kunst, in: DVfLG 12, 1934, 35-39; – Theodor Seelgen, Ein Btr. z. Gesch. des Ordinarium Missae aus dem Scivias der hl. H., in: MuSa 64, 1934, 32-34; – Ders., Der Tritonus im »Ordo virtutum« der hl. H. ebd. 65, 1935, 111-114; – Angela Rozumek, Die sittl. Weltanschauung der H. v. B. Eine Darst. der Ethik des Liber vitae meritorum (Diss. Bonn, 1935), Eichstätt 1934; – Dies., Die hl. H. v. B., Meitingen 1936; – Dies., H. v. B., in: Die Hll. in ihrer Zeit II³, 1967, 26-29; – H. v. B. u. ihre Schwestern, hrsg. v. Karl Koch, 1935, 115-172 (Das Leben der hl. H. v. B.); – Theodor Bogler, Geistl. Mutterschaft. Die hl. dt. Äbtissinnen, 1935, 91 ff.; – Josef Schomer, Die Illustrationen zu den Visionen der hl. H. als künstler. Neuschöpfung (Diss. Bonn); 1937; – Heinrich Bleienstein, Geburtsort u. Abstammung der hl. H. v. B., in: ZAM 12, 1937, 231 f.; – Ludwig Ott, Unterss. z. theol. Brieflit. der Frühscholastik unter bes. Berücks. des Viktorinerkreises, 1937, 104-109; – Franziska (Magna) Ungrund, Die metaphys. Anthropologie der H. v. B. (Diss. Münster), ebd. 1938; – Oda Schneider, Die Macht der Frau, Salzburg - Leipzig 1938, 301-323; – Dies., H. kündet das Herz, in: Seckauer Hh. 24, 1961, 6-16. 95-110. 153-163; – Ulrike u. Heinrich Garbe, Frauenschicksal - Frauengröße, 1939, 71-89; – Rufus M. Johne, The flowering of mysticism. The friends of God in the fourteenth century, New York 1939, 43-47; – Ruth Köhler-Irrgang, Die Sendung der Frau in der dt. Gesch., 1940 (1942³), 50-56; – Ralph H. Major, Faiths that healed, New York - London 1940, 135-147; – Maria Spies, Über die Krankheitsaetiologie u. ihre Grdl.n in »Causae et Curae« der hl. H. v. B. (Diss. München), 1941; – Bernhard Schmeidler, Bem. z. Corpus der Briefe der hl. H. v. B., in: Corona Quernea. Festg. Karl Strecker z. 80 Geb., Leipzig 1941, 335-366 (unv. Nachdr. Stuttgart 1952); – Marianne Schrader, Heimat u. Sippe der dt. Seherin St. H., Salzburg 1941; – Dies., Die hl. H., in: Nassauische Lb. III, 1948, 1-34; – Dies., Trithemius u. die hl. H. »v. Bermersheim«, in: AMrhKG 4, 1952, 171-184; – Dies. u. Adelgundis Führkötter, Die Echtheit des Schr.tums der hl. H. v. B. Qu.krit. Unterss. (AKultG Beih. 6), 1956; – Marta Koss geb. Koeppen, Die Frauenheilkunde der H. v. B. (Diss. Berlin), 1942; – Wilhelm Hünermann, Das lebendige Licht. Lb. der hl. H. v. B., 1942 (1954⁶); – Jacques Christophe, S. H., Paris 1942; – Helga Vits, Das Weltbild der H. v. B. in seinen natürl., eth. u. rel. Grundzügen (Diss. Heidelberg), 1943; – Murel Joy Hughes, Women healers in medieval life and literature, New York 1943, 117-123 (Twelfth-century abbesses and medicine); – Albert Krautheimer, Hll. Dtld.s, 1945², 298-301; – Rosemarie Gassner, Von Gottes Licht getroffen. Leben der hl. H., 1946; – Das Leben St. H.s. Dem Volk erz., hrsg. v. der Abtei St. H., Eibingen 1946 (1949²); – Friedrich Wilhelm Wentzlaff-Eggebert, Dt. Mystik zw. MA u. Neuzeit. Einheit u. Wandlung ihrer Erscheinungsformen, 1947², 25-41; 288 ff. (Bibliogr.); – Walter Schönfeld, Frauen in der abendländ. Heilkunde v. klass. Altertum bis z. Ausgang des 19. Jh.s, 1947, 58-61; – Rudolf Creutz, H. v. B., die erste dt. Ärztin, in: Ders. u. J. Steudel. Einf. in die Gesch. der Medizin in Einzeldarst., 1948, 160-180; – Eduard Ihm, Gesundheitsregeln aus den »Causae et Curae« der Äbtissin H. v. B. (Diss. München), 1949; – Anton Karl Vogt, Bernhard v. Clairvaux. Ein Mensch lenkt das Abendland, 1949, 321-329; – Alfons Rosenberg, Zeichen am Himmel. Das Weltbild der Astrologie, Zürich 1949, 55 ff. (Das kosmischastrolog. Weltbild der H. v. B.); – Johannes Bühler, Die Mystikerin H. v. B., in: Festschr. f. Hans Ludwig Held, 1950, 86-89; – Hermann Tüchle, KG Schwabens. Die Kirche Gottes im Lebensraum des schwäb.-alamann. Stammes I, 1950, 263 ff.; — Ders., Ein H.- und ein Bernhardbrief aus der ehemaligen Klosterbibl. Ochsenhausener, in: StMBO 79, 1968, 17-22; — Heinrich Schipperges, Krankheitsursache, Krankheitswesen u. Heilung in der Klostermedizin, dargest. am Welt-Bild H.s v. B. (Diss. Bonn), 1951; — Ders., Das Bild des Menschen bei H. v. B. Btr. z. philos. Anthropologie des 12. Jh.s (Diss. Bonn), 1952; — Ders., Das Schöne in der Welt H.s v. B., in: Jb. f. Ästhetik u. allg. Kunstwiss. 4, 1958/59, 83-139; — Ders., Das Menschenbild H.s v. B. Die anthropolog. Bedeutung v. »Opus« in ihrem Weltbild, Leipzig 1962; — Ders., Lebendige Heilkunde. Von großen Ärzten u. Philosophen aus drei Jt., 1962, 144-155; — Ders., Die Welt der Engel bei H. v. B., Salzburg 1963; — Ders., Anthropolog. Aspekte im Weltbild H.s v. B., in: TThZ 74, 1965, 151-165; — Ders., Die Benedektiner in der Medizin des frühen MA, Leipzig 1965, 48-54; — Ders., Die Engel im Weltbild H.s v. B. in: Verbum et signum II, 1975, 99-117; — Jörg Erb, Die Wolke der Zeugen I, 1951, 181-185; — Alfred Pfäffl, Die pharmazeut. Botanik der hl. H. v. B. (Diss. München), 1951; — Peter Riethe, Der Weg H.s v. B. z. Medizin unter bes. Berücks. der Zahn- u. Mundleiden (Diss. Mainz), 1952; — Johannes Maria Höcht, H. v. B. Gesichte über das Ende der Zeiten, 1953; — Adelgundis Führkötter, Die Gotteswerke. Vom Sinn u. Aufbau der Liber divinorum operum der hl. H., in: BM 29, 1953, 195-204. 306-314; — Dies., H. v. B., in: Die Großen Dt. Hrsg. v. Hermann Heimpel, Theodor Heuss, Benno Reifenberg, V, 1956, 39-47; — (Godefridus (Monachus) u. Theodericus (Monachus)): Das Leben der hl. H. v. B. (Vita Sanctae Hildegardis, dt.). Hrsg., eingel. u. übersetzt v. ders., 1968; — Dies., H.v.B. Kosmische Schau, in: Große Gestalten christl. Spiritualität, hrsg. v. Josef Sudbrack u. James Walsh, 1969, 135-151. 467; — Dies., H. v. B., Salzburg 1972; — Rudolf Spieker, Die Hl. der Dt. Zur Neuhrsg. ihres Werkes »Wisse die Wege«, in: Quatember. Ev. J.briefe 19, 1954/55, 199-203; — B. Bischoff, Übersicht über d. nichtdiplomatischen Geheimschrr. d. MAs, in: MIÖG 62 (1954), 1-27; — Bertha Widmer, Heilsordnung u. Geschichtsbild in der Mystik H.s v. B. (Diss. Basel), Basel - Stuttgart 1955; — Matthäus Bernards, Speculum virginum. Geistigkeit u. Seelenleben der Fräu im Hoch-MA, 1955; — Joseph Schmidt-Görg, Die Sequenzen der hl. H., in: Stud. z. Musikgesch. des Rheinlandes (Festschr. z. 80. Geb. v. Ludwig Schiedermair), 1956, 109-117; — Ders., Zur Musikanschauung in den Schrr. der hl. H., in: Der Mensch u. die Künste. Festschr. f. Heinrich Lützeler z. 60. Geb., 1962, 230-237; — Christl. Geisteswelt. Die Welt der Mystik. Hrsg. v. Walther Tritsch, Zürich 1957, 126-141; — Reinhold Schneider, Pfeiler im Strom, 1958, 177-181; — C. Damen, De quodam amico spirituali beatae Hildegardis Virginis, in: SE 10, 1958, 162-169; — Carl Albrecht, Das myst. Erkennen, Gnoseologie u. philos. Relevanz der myst. Relation, 1958, 70-76; — Josef Koch, Der heutige Stand der H.-Forsch., in: HZ 186, 1958, 558-572; — Gisbert Kranz, Polit. Hll. u. kath. Reformatoren II, 1959, 89-113; — Karl Otto Schmidt, In Dir ist das Licht. Vom Ich-Bewußt. z. kosm. Bewußts., Die gr. Erleuchteten als Führer z. Vollendung. 49 Meisterbiogr., 1959, 159-164; — Heinrich Büttner. Die Beziehg. der hl. H. v. B. zu Kurie, EB u. Kaiser, in: Universitas. Festschr. f. Bischof Dr. Albert Stohr II, 1960, 60-68; — Kurt Heinrich Heizmann, H. v. B. Sturm u. Abendgold, in: Die Großen der Kirche. Hrsg. v. Georg Popp, 1960⁶, 300-307; — Franz Kirnbauer u. Hildegard Kirnbauer, H. B. über Wissen v. den Steinen, Erzen u. Metallen, Wien 1960; — Elisabeth Gössmann, Die Frau u. ihr Auftrag, 1961, 69-98 (H. v. B. Das Verhältnis des Menschen z. Kosmos); — Monika zu Eltz, H., 1963 (1966²); — Hans Hümmeler, Helden u. Hll., 1964 (erw. Neuausg.), 485-488; — Agape Menne, Das Kloster der hl. H. zu Eibingen, in: BM 40, 1964, 472-481; — Dies., Vom geistl. Leben im Kloster der hl. H. zu St. Rupertsberg-Eibingen, ebd. 41, 1965, 305-316. 395-409; — Ludwig Auer, Sie lebten f. Gott. Hll.legenden. 1965⁷, 319-321; — Olga d'Alessandro, Mistica e filosofia in Ildegarda di B., Padua 1966; — A. Gosztoni, Die Schau H.s v. B., in: Schweizer. Mhh. 46, 1966/67, 649-697; — Joachim Ehlers, H. v. B. Briefwechsel, übers. v. Adelgundis Führkötter, in: HZ 204, 1967, 636-638; — Raouc Manselli, Amicizia spirituale nella Germani de secolo XII: H. de B., Elisabetta et Ecberto di Schönau contro l'eresia catara: in: Studi e materiali di storia delle religioni 38, Rom 1967, 302-313; — Giovanna della Groce, H. v. B. u. das Mysterium der Kirche, in: BM 44, 1968, 195-212; — M. Immaculata Ritscher, Krit. Ber. zu H. v. B.: Lieder, Salzburg 1969; — Peter Dronken, The composition of H. of B.'s Symphonia, in: SE 19, 1969-1970, 381-393; — Christel Meier, Die Bedeutung der Farben im Werk H.s v. B., in: Früh-MA. Stud. Jb. des Instituts Früh-MA-forsch. der Universität Münster 6, Berlin 1972, 245-355; — Dies., Vergessen, Erinnern, Gedächtnis im Gott-Mensch-Bezug. Zu einem Grenzbereich der Allegorese bei H. v. B. u. anderen Autoren des MA, in: Verbum et signum. I, 1975, 143-190; — A. Derolez, The genesis of H. of B.s Liber divinorum operum. The codicological evidence, in: Litterae Textuales, Festschr. G. J. Lieftinck II, 1972, 23-33; — Ders., Deux notes concernant H. d. B., in: Scriptorium 27, 1973, 291-295; — Ludwig Bronarski, Die Lieder der hl. H. Ein Btr. z. Gesch. d. geistlichen Musik d. MAs., Walluf b. Wiesbaden 1973; — Y. Labande Mailfert, Pauvreté et paix dans l'iconographie romane (11ᵉ-17ᵉ siècle) in: M. Mollat (Hrsg.): Etudes sur l'histoire de la pauvreté (Moyen-Age-16ᵉ siècle) sous la direction de M. Mollat, Paris 1974 (Publ. de la Sorbonne. Ser. Etudes 8), 319-343; — P. Dronke, Tradition and Innovation

in Medieval Western Colour-Smagery, in: ErJb 41, 1974, 50-107; — Bruce W. Hozeski, H. of B.s »Ordo Virtutum«: The earliest discovered liturgical morality play, in: American Benectine Review 26, 1975, 251-259; — Bernhard Gertz, Tönend v. lebendigen Licht. H. v. B. u. das Problem der Prophetie in der Kirche, in: BM 49, 1973, 171-189; — Gottfried Hertzka, So heilt Gott: Die Medizin der hl. H. v. B. als neues Naturheilverfahren, Stein am Rhein 1974; — Barbara Maurmann, Die Himmelsrichtungen im Weltbild des MA: H. v. B., Honorius Augustodunensis u. a. Autoren (Diss. Münster, 1974), München 1976; — Kent Thomas Kraft, The eye sees more than the heart knows: The visionary cosmology of H. of B. (Diss. Wisconsin), 1977; — P. Castelli, Temi ermetici in Ildegarda di Bingen, in: Vailati, Schoenburg, Waldenburg (Hrsg.), La miniatura italiana in éta romanica e gotica. Atti del I Congresso di storia della miniatura italiana, Florenz 1978, 395-418; — Wolfgang Podehl (Bearb.), Ausstellung anläßl. d. 800. Wiederkehr d. Todestages H.s, Katalog, Wiesbaden 1979; — Werner Lauter (Bearb.), Das Nachleben der hl. H. v. B. Katalog d. Ausstellung, Rüdesheim 1979; — Ilse Langner, Vorläuferinnen der Emanzipation? Drei Nonnen - drei Dichterinnen, in: Neue Deutsche Hefte 163, 1979, 497-511; — F. Rudolf Engelhardt, H. v. B., Bingen 1979; — H. Sancta v. B., 1098-1179, Mainz 1979 (Bll. d. Carl-Zuckmayer-Gesellsch. 5,2); — Alfons Baumert, Die Hl. H. v. B., 1979; — Jutta Burggraf, Elemente eines modernen heilpädagogischen Konzepts i. d. Werken H.s v. B. und Juan Vives' als Repräsentanten des MAs und der Renaissance, (Diss. Köln), 1979; — Gerhard L. Müller, Schau d. Geheimnisses: Die Eucharistie in d. prophet. Theologie H.s v. B., in: Internationale Katholische Zeitschr. »Communio« 8, 1979, 530-542; — Ders., Charisma u. Amt: Die hl. H. v. B. in d. Auseinandersetzung mit d. Kirchl. Amt, in: Cath 34, 1980, 279-295; — Gerhard Baader, Naturwiss. u. Medizin im 12. Jh. u. H. v. B., in: AMrhKG 31, 1979, 33-54; — H. v. B. 1179-1979. Festschr. z. 800. Todestag d. Heiligen, hrsg. v. Anton Ph. Brück (Qu. u. Abhh. zur mittelrhein. KG 33), 1979; — F. Jürgensmeier, H. St. prophetissa teutonica, ebd., 273-293; — M. I. Ritscher, Zur Musik d. hl. H. v. B., ebd. 189-209; — M. Schmidt, H. v. B. als Lehrerin d. Glaubens. Speculum als Symbol d. Transzendenten, ebd. 95-127; — Christel Meier, Zum Verhältnis v. Text u. Illustration im überl. Werk H.s v. B., ebd. 159-169; — Dies., Zwei Modelle von Allegorie im 12. Jh.: Das allegor. Verfahren H.s v. B. u. Alans v. Lille, in: Formen u. Funktionen d. Allegorie, in: German. Symposien. Berichtsbd. 3, 1979, 70-89; — Dies., Text u. Bild im überl. Werk H.s v. B., 1981; — Bernhard W. Scholz, H. v. B. on the nature of woman, in: American Benedictine Review 31, 1980, 361-383; — Barbara Grant, H. and wisdom, in: Anima 6, 1980, 125-129; — Joan M. Ferrante, The education of woman in the middle ages in theory, fact, and fantasy, in: Patricia H. Labalme (Hrsg.), Beyond Their Sex: Learned women of the european past, New York 1980, 9-42; — Carl Clausberg, Kosmische Visionen. Mystische Weltanschauungen v. H. v. B. bis zur Ggw., 1980; — Maria Lodovica Arduini, Bibl. Kategorien u. mal. Gesellsch.: »potens« u. »pauper« bei Rupert v. Deutz u. H. v. B. (11. bzw. 12. Jh.), in: Soziale Ordnungen im Selbstverständnis d. MAs II, Hrsg. v. Albert Zimmermann u. Gudrun Vuillemin-Diem (Miscellanea Medievalia, 12/2), Berlin 1980, 467-497; — Dies., Alla ricerca di un Ireneo medievale. Traces of Adversus haereses in Rupert v. Deutz and H. v. B., in: Studi medievali ser. 3, 21, 1980, 269-99; — Hans Michael Thomas u. F. W. Wentzlaff-Eggebert, H. v. B. On recent editions of several of H.'s works, in: ZRGG 32, 1980, 166-172; — Künstle 309; — Braun 334; — Zimmermann III, 65 ff.; IV, 89; — AS Sept V, 679 ff.; — Wimmer³ - Torsy 237 f.; — Holweck 485; — Hauck IV, 417-420; — Manitius III, 228-237; — Kosch, LL II², 891; — DLL VII, 1172 f.; — VerfLex II, 443-452; V, 416 f.; — VerfLex (2. Aufl.) III, 1257 ff.; — KLL I, 2265 f. (Causae et Curae); VI, 1021 f. (Scivias); — Chevalier I, 2153 f.; — Potthast I, 598; II, 1373 f.; — MGG VI, 389-391; — ADB XII, 407 f.; — NDB IX, 131-133; — CathEnc VII, 351-353; — DThC VI, 2468 f.; — EC VI, 1621 f.; — DSp VII, 505-521; — LThK V, 341 f.; — RE VIII, 71 f.; — RGG III, 318.

Ba

HILDEGUNDIS von Meer, Selige, Prämonstratenserin, + 6.2.1183 in Meer (Kr. Grevenbroich). — H. wurde als Tochter von Hermann v. Lidtberg geboren. Nach dessen Tod trat ihre Mutter in das Prämonstratenserkloster Dunwald ein. H. folgte dem Beispiel der Mutter, als ihr Ehemann Graf Lothar v. Ahr und einer ihrer Söhne, Theodorich, starben. Mit Hilfe ihres zweiten Sohnes Hermann, der ins Kloster Kappenberg eingetreten war, und ihrer Tochter Hadwiga gründete sie 1165 das Frauenkloster Meer. H. war die erste Äbtissin von Meer. Nach ihrem Tod übernahm ihre Tochter Hadwiga die Leitung des Klosters.

Lit.: Ch. L. Hugo, Annales Ordinis Praemonstratensis II, Nancy 1736, 147; — Johann Evangelist Stadler, Vollst. Hll. Lexikon II, Augsburg 1861 (Nachdr. 1975), 738 f.; — Ioannes Chrysostomus van der Sterre, Hagiologium Norbertinum, 1887; — Agnes B. C. Dunbar, A Dict. of Saintly Women I, London 1904, 387 f.; — Dietrich Kerler, Die Patr. der Hll., Ulm 1905; — Michael Buchberger, Kirchliches Handlexikon, Freiburg 1907; — J. Baudot, Dict. d'hagiographie, Paris 1925; — N. Backmund, Monasticon Praemonstratense I, Straubing 1949, 182. 511.820; — AS Febr. I, 1735, 918 ff.; — Apr. II, 1675, 264 f.; — Thurston-Attwater I, 265 f.; — BS VII, 766 f.; — Holweck 485; — Torsy 238; — Wimmer (1956), 236; — Doyé I, 517; — LThK V, 343.

Ba

HILDEGUNDIS *von Schönau*, Zisterzienserin, + 20.4. 1188. — H. wurde als Tochter eines Bürgers aus Neuß am Rhein geboren. Als ihr Vater sie um 1183 mit auf eine Pilgerfahrt ins Heilige Land nahm, steckte er sie zu ihrem Schutz in Jungenkleider und gab ihr den Namen Joseph. Ihr Vater starb auf der Rückreise und nur unter großen Gefahren gelang es H., nach Europa zurückzukehren. Immer noch als Junge verkleidet wurde sie Diener eines Kölner Kanonikers, der mit ihr eine abenteuerliche Reise zum Papst unternahm. Nach ihrer Rückkehr trat sie in das Zisterzienserkloster Schönau bei Heidelberg ein, wo man erst nach ihrem Tode - sie starb während des Noviziats — ihr wahres Geschlecht erkannte.

Lit.: Aegidius Gelenius, De admiranda sacra et civili magnitudine Coloniae Claudiae Aggripinensis Augstuae Ubiorm urbis, Köln 1645, 671. 683; — J. Strange (Hrsg.), Caesarius v. Heisterbach, Dialogus miraculorum I, Köln 1851, 47; — Johann Evangelist Stadtler, Vollst. Hll. Lexikon II, Augsburg 1861 (Nachdr. 1975), 739; — NA 6, 1881, 516 f.; — Ferdinand Heitemeyer, Die Hll. Deutschlands, Paderborn 1899; — Agnes B. C. Dunbar, A Dict. of Saintly Women I, London 1904, 388 ff.; — Michael Buchberger, Kirchliches Handlexikon, Freiburg 1907; — Paul Schubring, Hilfsbuch z. Kunstgesch., Berlin 1913; — H. Thurston, Story of St. H., Maiden and Monk, in: The Month, Februar 1916, 145 ff.; — Rudolf Pfleiderer, Die Attribute der Hll., Ulm 1920; — J. Baudot, Dict. d'hagiographie, Paris 1925; — H. Derwein, Das Zisterzienserkloster Schönau, Heidelberg 1931, 29 ff.; — E. Pfeiffer, in: Cist 47, 1935, 198 ff.; — S. Lenssen, Hagiologium Cisterciense I, Tilburg 1948, 258; — Karl Koch u. Eduard Hegel, Die Vita des Prämonstratensers Hermann Joseph v. Steinfeld. Ein Btr. z. Hagiographie u. z. Frömmigkeitsgesch. des Hoch-MA, Köln 1958, 127 (Reg.); — AS Apr. II, 1675, 780 ff.; — BHL 586; — Thurston-Attwater II, 135; — Holweck 485; — Zimmermann II, 37. 39; — Doyé I, 517; — BS VII, 767 f.; — Torsy 238; — EC VI, 1622; — ADB XII, 408 f.; — Catholicisme V, 741 f.; — LThK V, 343.

Ba

HILDELIDE, Heilige, Benedektinerin, * um die Mitte des 7. Jahrhunderts, + um 717 in Barking (Essex). — Nachdem H. in einem französischen Kloster - Chelles oder Farmoutiers - den Schleier genommen hatte, ging sie auf Bitte des heiligen Erkonwald, der ihr die Erziehung seiner Schwester Ethelburga anvertraute, zurück nach England. Ethelburga wurde dann Äbtissin von Barking. Als deren Nachfolgerin übernahm H., der der heilige Aldhelm (s.d.) seine Schrift »De laudibus virginitatis« widmete, die Leitung des Klosters, dem sie bis zu ihrem Tode vorstand. Zahlreiche Nonnen von Barking kamen 150 Jahre später in den Flammen ums Leben, als die Dänen in das Land einfielen und große Teile der Ostküste verwüsteten. — Fest: 24. März.

Lit.: Johann Evangelist Stadler, Vollst. Hll. Lexikon II, Augsburg 1861 (Nachdr. 1975), 741; — R. Stanton, Menology of England and Wales, London 1892; — Agnes B. C. Dunbar, A Dict. of Saintly Women I, ebd. 1904, 391; — Paul Reinelt, Hl. Frauen u. Jungfrauen, Steyl 1910; - W.

F. Bolton, A Hist. of Anglo-Latin Literature, Princeton N. J. 1967, 87 ff.; — M. L. Colker, A. Gotha Godes Dealing with the Saints of Barking Abbey, in: StM 10, 1968, 321 ff.; — David H. Farmer, The Oxford Dict. of Saints, Oxford 1978, 194; — AS Mar. III, 1865, 483 ff.; — VSB III, 524 f.; — Thurston-Attwater III, 481; — BHL 587; — BS VII, 769; — Doyé I, 518; — Holweck 485 f.; — LThK V, 343.

Ba

HILDEMAR, Magister, + um 850. — H. war zunächst Mönch in Korbil; er folgte dann zusammen mit dem Abt Leutgar einem Ruf von Erzbischof Angilbert II. nach Mailand. Beide sollten das monastische Leben in den Klöstern der Diözese heben. Nachdem sie anfänglich in Brescia tätig gewesen waren, übernahmen sie die Leitung der Abtei Civate. Dort verfaßte H. einen Kommentar zur Benediktregel, der nur noch in drei Schülerbearbeitungen überliefert ist.

Werke: R. Mittermüller (Hrsg.), Vita et Regula SS. P. Benedicti una cum Expositione Regulae a H. tradita, III. Expositio Regulae ab H. tradita et nunc primum typis mandata, 1880.

Lit.: R. Mittermüller, Der Regel-Komm. des Paulus Diaconus (Warnefried), des H. u. des Abtes Basilius, in: StMBO 9, 1888, 394 ff.; — L. Traube, Textgesch. der Regula S. Benedicti, in: AAM 25/2, 1910², 37 ff.; — Mary Alfred Schroll, Benedictine Monasticism as Reflected in the Warnefrid - H. Commentaries on the Rule (Diss. New York 1940-41) New York 1941; — W. Hafner, Der Basilikuskomm. z. Regula S. Benedicti, Münster 1959; — Adalbert de Vogue, Une citation de la Règle du Maître dans le Commentaire d'H., in: RAM 46, 1970, 355 ff.; — Basilius Steidle, Der Rat der Brüder nach den ältesten Regula-Benedicti-Komm. des Abtes Smaragdus (+ um 826) u. des Mag. H. (+ um 850), in: BM 53, 1977, 181 ff.; — DSp VII, 521 f.; — Catholicisme V, 742 f.; — LThK V, 343.

Ba

HILDEN, Heinrich, Dominikaner, Thomist, * um 1625 in Köln, + 2.11.1685 in Straßburg. — H. war Professor am Kölner Dominikanerkloster und anschließend an den Benediktinerabteien in Kempten und Einsiedeln. Nachdem er auch bei den Dominikanern in Wien als Dozent tätig gewesen war, kehrte er 1667/68 an das Kölner Kloster zurück und war dort als Prior und als Regens tätig. In seinen letzten Lebensjahren stand er im Dienst des Grafen Wilhelm Egon von Fürstenberg, Bischof von Straßburg, der ihn zum Generalvikar und Visitator der Diözese ernannt hatte.

Werke: Maria, domus sapientiae, 1650; Komm. z. den Quaestiones 63-78 der II-II der Summa Theologica des hl. Thomas, 1654 (Hs. 40 im Kloster Walberberg); Tractatus de approbatione et auctoritate doctrinae D. Thomae, 1658; Strena aurea, 1661; S. Raymundus O.P., 1661; S. Patriarcha Dominicus O. P., 1661; Resolutiones Canonicae, 1663; Mysticus ignis Dominici i. e. cultus piissimus ss. Rosarii, 1664; Resolutiones Augustino-Thomisticae de physica praedeterminatione, 1667; Summa verritatis angelicae, 1672.

Lit.: J. Hartzheim, Bibliotheca Coloniensis, Köln 1747, 120; — G. Löhr, Das Kölner Dominikaner-Kloster im 17. Jh., in: Jb. des Kölnischen Geschichtsver. 28, 1953, 141 ff.; — Quétif-Échard II, 695 f.; — AOP III, 1894, 216; — Kosch, KD 1581; — LThK V, 343 f.

Ba

HILDIGRIM, Heiliger, + 827, begraben in Werden a. d. Ruhr. — H. war ein Bruder des heiligen Bischofs Liudger (s.d.) von Münster, dem Gründer des Benediktinerklosters Werden, mit dem er sich längere Zeit in Rom und Monte Cassino aufhielt. 802 wurde H. Bischof von

Chalons-sur-Marne. Nach dem Tode seines Bruders erbte er die Abtei Werden. Später war H. erster Bischof von Halberstadt und an der Missionierung der Ostsachsen beteiligt. – Fest: 19. Juni.

Lit.: Johann Evangelist Stadler, Vollst. Hll. Lexikon II, Augsburg 1861 (Nachdr. 1975), 739; – L. Duchesne, Fastes Episcopaux de l'ancienne Gaule, 3 Bde., Paris 1893 (1907-15²), III², 97; – A. Schroer, St. Liudger. Festschr. z. 1150. Todestag, Essen-Werden, 1959, 30 u. ö.; – J. Rüschen, H. u. das Kloster Werden, in: Das Münster am Hellweg 19, Essen 1966, 85 ff.; – AS Iun III, 1701, 889 ff.; – Hauck II⁸ (Reg.); – VSB VI, 311; – BS VII, 768 f.; – Doyé I, 518; – LThK V, 346.

Ba

HILDUIN, Abt von St. Denis, Erzkaplan Ludwigs des Frommen, + 22.11.840/844 (?). – H. entstammte einer vornehmen fränkischen Familie, wurde ein Schüler Alkuins (s.d.) und stand als gelehrter Mann in freundschaftlicher Verbindung zu Hrabanus Maurus (s.d.) Seit 814 war er Abt von St. Denis, wo Hinkmar von Reims (s.d.) sein Schüler wurde, der ihm 819 auch nach Aachen folgte, als H. dort Erzkaplan am Hofe Ludwigs des Frommen wurde. Dieser übergab ihm auch die Klöster St. Médard in Soissons, für das H. die Reliquien des heiligen Sebastian erwarb, St. Germain-des-Prés, St. Ouen und Saonnes. H. hatte Ludwig in seiner Reichseinheitspolitik unterstützt, war 830 aber auch an dem Aufstand der Söhne gegen Ludwig beteiligt. Als dieser zusammengebrochen war, wurde H. seiner Ämter enthoben und von seinem Lager bei Paderborn, wo er sich gerade aufgehalten hatte, in das Kloster Korvey verbannt. Nach bald erfolgter Aussöhnung erhielt H. noch 430 St. Denis zurück. Als er sich 840 erneut der Partei Lothars I. anschloß, verlor er die Abtei wieder. Literarisch setzte sich H. insbesondere als vermutlicher Verfasser der »Gesta Dagoberti« für die Aussöhnung der Parteien ein und verherrlichte seine Abtei. Diesem Bestreben diente auch die im Auftrag Ludwigs verfaßte Lebensbeschreibung des heiligen Dionysius von Paris (s.d.). H. veranlaßte und überwachte auch die Übersetzung des griechischen Manuskripts der Werke des Pseudo-Dionysios Areopagita (s.d.), welches 827 Ludwig dem Frommen durch den byzantinischen Kaiser übersandt worden war und auf diesem Wege in Europa Verbreitung fand. Auf H. geht im wesentlichen auch die Gleichsetzung des heiligen Dionysius mit dem Pseudo-Dionysios im weiteren Mittelalter zurück.

Werke: Gesta Dagoberti (z. T. auch Hinkmar v. Reims zugeschrieben) MGSS rer. Merov. 2, 395-425; Vita S. Dionysii, sive treopagitica, auctore Hilduino abate, MPL 106, 9-50; H. als Übers. des Pseudo-Dionysius: Etudes Dionysiennes II: Edition de sa traduction (G. Théry) = Études de philosophie médiévale 19, Paris 1937. – Briefe: MG Epp. 5, 325-335.

Lit.: A. Ebert, Allgemeine Gesch. der Lit. des MA II, Leipzig 1880, 147. 248. 348; – H. Foss, Über den Abt H., Berlin 1886; – F. Lot, in: MA 16, 1903, 249 ff.; 17, 1904, 388 ff.; – C. Weltsch-Weishut, Der Einfluß der »Vita S. Dionysii Areopagitae« des Abtes H. v. St. Denis auf die hagiographische Lit. (Diss. München), 1922; – M. Buchner, Das Vizepapsttum des Abtes v. St. Denis, Paderborn 1928; – Ders., Die Areopagita des Abtes H. v. St. Denis u. ihr kirchenpolitischer Hintergrund, ebd. 1939; – W. Levison, in ZSavRGkan 18, 1929, 578ff.; – G. Thery, Études Dionysiennes I, Paris 1932; – Dom M Cappuyns, Jean Scot Érigene, 1933; – S. McK. Crosby, The Abbey of St. v-Denis 475-1122, I, New haven (Connecticut), London 1942; – J. de Ghellinck, Le mouvement théologique du XIIᵉ siècle, 1948²; – L. Halphen, Charlemagne et l'Empire carolingien, Paris 1949²; – L. Levillain, in: Bibliothéque de l'Ecole des Chartes 108, Paris 1949-50, 5 ff.; – W. Ohnesor-

ge, in: Arch. f. Diplomatik, Schriftgesch., Siegel- u. Wappenkunde 1, Münster - Köln 1955. 117 ff.; – J. Fleckenstein, Die karolingische Hofkapelle, Stuttgart 1959; – Wattenbach-Levison III, 318 ff. u. ö.; – NDB IX, 136 f.; – RE VIII, 73 f.; – Wetzer-Welte V, 2089 ff.; – The New Schaff-Herzog, Encyclopedia of Religious Knowledge V, Grand Rapids/Michigan 1953, 285 f.; – DSp I, 1416; III, 245. 263. 319. 334; V, 825; – EC VI, 1623; – Catholicisme V, 744 f.; – LThK V, 346.

Ba

HILDULF, Heiliger, Gründer des Klosters Moyenmoumoutier in den Vogesen, 7./8. Jahrhundert. – H. stammte aus dem Bistum Cambrai und wurde in Regensburg zum Priester geweiht. Viten aus dem 10. und 11. Jahrhundert weisen ihn als Bischof von Trier aus; in den älteren Trierer Bischofslisten ist er jedoch nicht aufgeführt und auch aus zeitlichen Gründen erscheint ein Amt als Bischof von Trier ausgeschlossen. Möglicherweise war H. jedoch Chorbischof des Trierer Bistums. Später verließ er Trier und gründete das Kloster Moyenmoutier. – Fest: 11. Juli.

Lit.: C. Belhomme, Hist. Mediani in Monte Vosago Monasterii, Argentor., 1724; – Friedrich Wilhelm Rettberg, KG Dtld.s I, 1846, 301. 467. 523; – Johann Evangelist Stadler, Vollst. Hll.-Lexikon, 5 Bde., Augsburg 1861 (Nachdr. 1975), II, 743 f.; – C. Pfister, Ann. de L'Est III, 1889; – F. Heitemeyer, Die Hll. Dtld.s, Paderborn 1889; – J. Faron, Moyenmoutier a travers les ages, St. Die 1896; – L. Jérôme, L'abbaye de Moyenmoutier, Paris 1903; – Dietrich Kerler, Die Patr. der Hll., Ulm 1905; – Rudolf Buchwald, Calendarium Germaniae. Die Sonderfeste der dt. Diöz. nach der letzten liturgischen Reform, Breslau 1920; – Albert Schütte, Die dt. Hll., Münster 1923; – Camillus Wampach, Gesch. der Grundherrschaft Echternach im Früh-MA I/1, 1929/30, 53. 61; – H. Frank, Die Klosterbisch. des Frankenreichs. Bttr. z. Gesch. des alten Mönchtums und des Benediktinerordens 17, Münster/Westf. 1932, 111; – Ludwig Rosenberger, Bavaria Sancta. Bayr. Hll.legende, München 1948, 54; – Eugen Ewig, Trier im Marowingerreich, 1954, 131 f.; – L. Vernier, Les dernieres annees de l'abbaye benedictine de M., in: Bull. de la Soc. philomatique vosgienne 63, St. Die 1959, 52 ff.; – Hauck I (1954⁸), 283; – Torsy 239; – Zimmermann III, 432; – Holweck 498; – Doye I, 518; – Thurston-Attwater III, 72; – ADB XII, 412; – NDB IX, 137; – LThK VII, 666 (unter Mouyenmoutier).

Ba

HILGENFELD, Adolf, ev. Theologe, * 2.6.1823 als Pfarrerssohn in Stappenbeck bei Salzwesel (Altmark), + 12.1.1907 in Jena. – H. wurde in Jena 1847 Privatdozent, 1850 a. o., 1869 Honorar- und 1890 o. Professor der Theologie, Neues Testament, jüdische Apokalyptik und christliche Patristik waren sein Arbeits- und Forschungsgebiet; er las aber auch über Kirchen, Dogmengeschichte und Symbolik. H. war neben Otto Pfleiderer (s.d.) und Karl Holsten (s.d.) der letzte bedeutende Vertreter der »Tübinger Schule« des Ferdinand Christian Baur (s.d.). An die Stelle ihrer »Tendenzkritik« setzte er die »literargeschichtliche« Betrachtung. In selbständiger Fortbildung mäßigte H. in einer Reihe von Punkten die Aufstellungen der »Tübinger Schule«, so z. B. hinsichtlich der Paulusbriefe und der Evangelien. Er erkannte mehrere von Baur für unecht erklärte Paulusbriefe als echt an: den 1. Thessalonicher-, den Philipper- und den Philemonbrief. In der synoptischen Frage verwarf H. die »Zweiquellentheorie«: Er schob Markus zwischen Matthäus und Lukas ein. H. gründete 1858 die »Zeitschrift für wissenschaftliche Theologie«, die an die Stelle der Tübinger »Theologischen Jahrbücher« (1842-57) trat. Sie wurde von ihm bis zu seinem Tod geleitet und dann von seinem Sohn Heinrich fortgesetzt.

Werke: Die clementinischen Rekognitionen u. Homilien, 1848; Das Ev. u. die Briefe Johannis, 1849; Die Glossolalie in der alten Kirche, 1850; Krit. Unterss. über die Evv. Justins, der Clementin. Homilien u. Marcions, 1850; Mk. ev., 1850; Die Göttingische Polemik gg. meine Forsch., in sittlicher u. wiss. Hinsicht gewürdigt, 1851; Gal.brief, 1852; Apostol. Väter, 1853; Die Evv. nach ihrer Entstehung u. geschichtl. Bedeutung, 1854; Das Urchristentum, 1855; Die jüd. Apokalyptik in ihrer geschichtl. Entwicklung, 1857; Der Paschastreit der alten Kirche, 1860; Der Kanon u. die Kritik des NT in ihrer geschichtlichen Ausbildung, 1863; Die Propheten Esra u. Daniel u. ihre neusten Bearbb., 1863; Bardesanes, der letzte Gnostiker, 1864; Messias Judaeorum, 1869; Hist.-krit. Einl. in das NT, 1875; Die lehmnische Weissagung über die Mark Brandenburg, 1875; Libellus de aleatoribus inter Cypriani scripta conservatus, 1889; Die Ketzergesch. des Urchristentums, 1884; Judentum u. Judenchristentum, 1886;. – Gab heraus: Novum Testamentum extra canonem receptum, 4 Bde., 1866 (1876-84²); Hermae Pastor graece, 1887; Acta Apostolorum graece et latine, 1899; Ignatii et Polygarpi epistolae et martyria, 1902, ZWTh 1858-1907; Bibliogr., hrsg. v. seinem Sohn Heinrich, 1906; Nachtrr. dazu: ZWTH 50, 1907, 14 ff.

Lit.: Nachrufe, in: ZWTH 50, 1907, 154 ff. (Zu A. H.s Gedächtnis. 1. A. H. Braasch, Rede am Sarge H.s 2. N. Nippold, Rede im Namen der Theol. Fak. z. Jena. 3. Auswärtige Kundgebungen); – E. Behr, Persönl. Erinnerungen an A. H., in: PrBl 40, 1907, Nr. 24; – Karl Heussi, Gesch. der Theol. Fak. zu Jena, Weimar 1954, 276 f. 285 ff. 292 ff. u. ö.; – H. Pölcher, A. H. u. das Ende der Tübinger Schule (Diss. Erlangen), 1954; – Ders., Briefe v. P. de Lagarde an A. H., in: Lebender Geist. Festschr. f. H. J. Schoeps z. 50. Geb. Hrsg. v. Hellmut Diwald, Leiden - Köln 1959, 49 ff.; – R. H. Fuller, Bauer Versus H.: A Forgotten Chapter in the Debate on the Synoptic Problem, in: NTS 24, 1978, 355 ff.; – BJ XII, 38; – NDB IX, 140; – Catholicisme V, 745 f.; – The New Schaff-Herzog, Encyclopedia of Religious Knowledge V, Grand Rapids/Michigan 1953, 286; – CKL I, 853; – LThK V, 348 f.

Ba

HILGENREINER, Karl, katholischer Moraltheologe und Politiker, * 22.2.1867 in Friedberg/Hessen, + 9.5. 1948 in Wien. – Nach dem Theologiestudium am Germanicum und an der Gregoriana in Rom empfing H. 1891 die Priesterweihe. 1888 wurde er zum Dr. phil., 1892 zum Dr. theol. promoviert. 1898 folgte die Berufung als außerordentlicher Professor für Kirchenrecht und christliche Gesellschaftslehre an die Deutsche Universität in Prag, wo er 1905 ordentlicher Professor wurde. H. war mehrmals Dekan und Rektor der Universität. Vor dem Ersten Weltkrieg trat H. entschieden gegen die Los-von-Rom-Bewegung auf, die seit der Jahrhundertwende in Böhmen propagandistische Erfolge erzielte und hinter der zum Teil deutschnationale Kreise standen. Nachdem die christlich-soziale Bewegung vor dem Krieg keine sehr bedeutende politische Kraft in Böhmen gewesen war, gewann sie danach unter der Führung H.s größeres politisches Gewicht. Zusammen mit dem Juristen Robert v. Mayr-Harting entwarf er 1919 das Programm für die »Deutsche Christlichsoziale Volkspartei«. Mit ihrem sozial orientierten Programm errang diese Partei 1920 neun Sitze im Abgeordnetenhaus. H. war mehrere Jahre lang Parteivorsitzender, von 1920 bis 1939 auch Senator seiner Partei, 1927 Reichsparteiobmann. Neben seiner wissenschaftlichen Arbeit war H. vor allem als Publizist, Redner und Organisator im Bonifatiusverein tätig. Nachdem durch K. Henleins Gründung der Sudetendeutschen Partei die übrigen deutschen Parteien in der CSR schon stark geschwächt worden waren, zog nach dem Anschluß Österreichs unter anderem die Christlichsoziale Volkspartei ihre Minister am 24. März 1938 aus der Regierung zurück und schloß sich der SdP Henleins an, um ihre Mitglieder angesichts der drohenden Angliede-

rung an das Deutsche Reich nicht zu gefährden. H. kam 1944 in deutsche und 1946 in tschechiche Haft und gelangte dann infolge der Vertreibung der Sudetendeutschen nach Wien, wo er Mitarbeiter an der Katholischen Akademie wurde.

Werke: Die kirchliche Vorzensur u. das Partikularrecht, 1901; Zur Frage dt. Bist. in Böhmen, 1901 (1902² (anonym)); Die röm. Frage nach dem Weltkrieg, 1915; Lebenserinnerungen, in: Katholiken-Korr. 32, 1938; Arch. f. KG v. Böhmen - Mähren - Schlesien 2, Königstein/Taunus 1971, 189 ff. – Gab heraus: Bonifatius-Korr., Prag 1917 ff. (1920-38 als Katholiken-Korr. Ein Zeitenwächter f. gebildete Katholiken).

Lit.: Mitt. der Wiener Kath. Ak. 4, 1953, 4 ff. – F. H. Riedl, Bisch. Wenzel Fried u. Prälat K. H. u. das Nationalitätenproblem in Böhmen an der Jh.wende, in: Humanitas ethnica. Menschenwürde, Recht u. Gemeinschaft. Festschr. f. Theodor Weiter z. 60. Geb. im Auftrag eines Freundeskr. v. F. H. Riedl, Wien - Stuttgart 1967, 226 ff.; – R. Hemmerle, Prof. K. H., in: Prager Nachr. 18, München 1967, 5 ff.: – ÖBL II, 316; – NDB IX, 140 f.; – Kosch, KD 1582 f.; – LThK V, 349.

Ba

HILGER von Burgis, Karmeliter, + 1.11.1452 in Lüttich. – Bevor H. 1437 Prior zu Köln wurde, hatte er 1430 in Mainz und 1434 in Straßburg das gleiche Amt angetreten. Großen Einfluß auf die Leitung der Diözese gewann H. in seiner Tätigkeit als Generalvikar und Weihbischof des Erzbischofs von Köln, Theoderich. Später war H., der handschriftliche Kommentare zu den Paulusbriefen verfaßte, Weihbischof von Lüttich.

Lit.: C. Eubel, Hierarchia Catholica medii (et recentioris) aevi II (I-III hrsg. v. L. Schmitz-Kallenberg, Münster 1898-1910), 112; – H. H. Koch, Die Karmeliterklöster der Niederdt. Prov. 13.-16. Jh., Freiburg i. Br. 1889, 15 u. ö.; – U. Berlière, Les évêques auxil. de Liège, Paris 1919, 62; – Hdb. des Erzb. Kölns, 24. Ausg., Köln 1954, 49; – RepBibl III (1940 ff.), 3561; – BiblCarm I, 291. 600; II, 899. 928; – LThK V, 349.

Ba

HILGERS, Bernhard Josef, katholischer Kirchenhistoriker, * 20.8.1803 in Dreiborn bei Kall (Eifel), + 7.2. 1874 in Bonn. – H. entstammte einer Bauernfamilie und besuchte zunächst das Gymnasium in Düren. In Bonn studierte er katholische Theologie und geriet unter den Einfluß der hier herrschenden Hermesianischen Theologie, ohne ein kämpferischer Parteigänger dieser Richtung zu werden. Nach seiner Priesterweihe am 22. September 1827 in Köln war H. ein Jahr lang Hilfsgeistlicher in Münstereifel, dann fünf Jahre Seelsorger an der Irrenanstalt in Siegburg. In Zusammenhang mit dieser Tätigkeit entstand seine Dissertation (s. Lit.verz.). Nach der Promotion in Münster 1834 habilitierte sich 1835 in Bonn mit einer Arbeit über »Häresien und orthodoxe Hauptrichtungen« bis zum 2. Jahrhundert. In seiner Probevorlesung am 4. Februar 1835 behandelte er »Das unfehlbare Lehramt der Kirche«. 1840 wurde er außerordentlicher Professor. Während sich H. der Förderung durch den Erzbischof Spiegel erfreut hatte, war dessen Nachfolger Klemens August von Droste zu Vischering (s.d.) entschlossen, im Anschluß an das Breve Gregors XVI. »Dum acerbissimas« den Hermesianismus zu beseitigen. H., der 1835 bis 1843 zugleich Pfarrer an St. Remigius war und im Johanneshospital predigte, wich in seinen Vorlesungen auf rein kirchengeschichtliche Themen aus. Seine Ernennung zum ordentlichen Professor verzögerte sich wegen des

Widerstandes Erzbischofs Geissels bis 1846. Seit dem Kölner Mischehenstreit (1836) hatte sich H. außerdem deutlich als Befürworter des preußischen Staatskirchenrechtes herausgestellt und diese Auffassung auch publizistisch vertreten. Der Aufforderung, sich dem päpstlichen Breve von 1835 zu unterwerfen, war er aber nachgekommen. Trotz seiner zunehmenden Isolierung innerhalb der Fakultät erfreute er sich der Sympathien der Kollegen und wurde 1852/53 und 1861/62 zum Rektor gewählt. 1855 bis 1872 war er Direktor der Wissenschaftlichen Prüfungskommission der Universität. Nicht zuletzt wegen der kirchenpolitischen Streitigkeiten verschlechterte sich H.s Gesundheitszustand zusehends, und seit den fünfziger Jahren ergab sich daraus auch eine literarische Unfruchtbarkeit. Nachdem er sich mit der Mehrheit seiner Fakultätskollegen gegen das Unfehlbarkeitsdogma des Vatikanischen Konzils gewandt und sich nicht zur Unterwerfung bereitgefunden hatte, verbot der Erzbischof den Studenten 1870 den Besuch seiner Vorlesungen, am 1.4.1872 wurde er suspendiert und am 12.3.1872 zusammen mit seinen Kollegen Knoodt, Langen und Reusch exkommuniziert. Vom Staat wurden diese Altkatholiken aber sämtlich in ihren Ämtern gelassen.

Werke: Über das Verhältnis v. Leib u. Seele mit Beziehung auf sittl. Freiheit u. Zurechnung (Diss. Münster), 1834; Krit. Darst. der Häresien u. der orth. Haupteinrichtungen in ihrer genet. Bildung u. Entwicklung, 1837 (reicht nur bis z. Ende des 2. Jh.s); De Gregorii II. in seditione inter Italiae populos adversus Leonem Isaurum excitata negotio, 1841; Symbol. Theol. oder die Lehrgegensätze des Kath. u. Prot. dargest. u. gewürdigt, 1841; De Hermetis Trismegisti Poimandro, 1855; Homilien, 1874. — Btrr. in: Zschr. f. Philos. u. kath. Theol., 1832 ff.; Kath. Zschr. f. Wiss. u. Kunst, 1842. 1844-46. NF 1847-49; Theol. Lit.bl. 1866.

Lit.: J. J. Schumacher, Theol. Beurtheilung der symbolischen Theol. v. Prof. H., Köln 1842 (v. H. im gleichen Jahr erwidert: Beantwortung der v. J. J. Schumacher hrsg. Beurtheilung); — Ders., Sendschreiben an Prof. H., 1842; — C. Vosen, in: Münchener Arch. f. theol. Lit., Jg. 1843; — Dt. Merkur 5, 1874, 50 ff.; — A. Lauscher, Die katholisch-theologische Fakultät der Rheinischen Friedrich-Wilhelms-Universität zu Bonn (1818-1918), Düsseldorf 1920, 29 ff.; — Hubert Jedin, Die Vertretung der KG in der katholisch-theologischen Fakultät Bonn 1823-1929, in: VHVNrh 155/156, 1954; — Paul Wenzel, Der Freundeskreis um Anton Günther u. die Gründung Beurons. Ein Btr. zur Gesch. des dt. Kath. im 19. Jh., 1965; — August Franzen, Die katholisch-theologische Fakultät Bonn im Streit um das Erste Vatikanische Konzil, Köln u. Wien 1974; — Kosch KD, 1584; — ADB XII, 412; — NDB IX, 144 f.; — EKL II, 991.

Ba

HILGERS, Josef, Jesuit, theologischer und aszetischer Schriftsteller, * 9.9.1858 in Kückhoven, + 25.1.1918 im Bonifatiushaus bei Emmerich. — H. war zwischen 1885 und 1894 als Lehrer in der dänischen Stadt Ordrupshoj tätig. Anschließend lebte er in Rom, Luxemburg, Valkenburg und schließlich im Bonifatiushaus bei Emmerich. Seine schriftstellerische Tätigkeit galt besonders der Geschichte des Ablaßwesens und der päpstlichen Bücherzensur.

Werke: Die Kartäuser v. London, 1891; Thomas Becket u. Thomas More, 1892; Bernardino Occhino v. Siena, 1894; Kleines Ablaßbuch, 1896 (auch frz. u. it.); Ablaßgebetbuch, 1898; Das goldene Jahr, 1899 (1900[3]); Jub.büchlein, 1899 (1900[2], auch frz., holl. u. it.); Der Index der verbotenen Bücher, 1904; Die Bücherverbote in Papstbriefen, 1907; Maria, der Weg z. Christus, 1907; Das goldene Büchlein f. Priester u. Volk, 1910 (1911[2]); Das Büchlein v. U. L. Frau, 1912 (1913[2]); Die kath.

Lehre v. den Ablässen u. deren geschichtliche Entwicklung, 1913. — Bearb.: Franz Beringer, Die Ablässe, 1914[14].

Lit.: Koch JL, 806 f.; — Catholicisme V, 746; — LThK V, 349.

Ba

HILLEL, der Ältere (Ende des 1. Jahrhunderts vor Christus — Anfang des 1. Jahrhunderts nach) gilt als der führende Gelehrte des antiken Judentums. Von seinem Leben ist recht wenig bekannt, denn es hat sich schon früh eine historische Legende um seine Person gebildet, die ihn auch in Zusammenhang mit Geschehnissen brachte, an denen er ursprünglich nicht beteiligt war. Aus Babylonien stammend, wo er einen Teil seiner Ausbildung erhielt, kam er nach Jerusalem, schloß sich dem Kreis der beiden Gelehrten Schemaja und Abtallion an und beendete seine Ausbildung. Er wurde dann Mitglied des Synhedrions (daher der Titel ha-zaken = der Ältere) und hatte etwa von 10 vor - 10/20 nach das Amt eines Naši (Patriarch) inne; ob dies gleichbedeutend mit dem Vorsitz des Synhedrions war, ist in der Forschung stark umstritten. Wie er zu diesem Amt gekommen ist, ist ebenfalls unklar. Ein Teil der Tradition schreibt es dem Umstand der Klärung einer Streitfrage über die Darbringung des Passalamms an einem Sabbat zu (bPes 66a); daß er ein hohes Amt bekleidet haben muß, wird auch aus der Tatsache deutlich, daß sich auf ihn eine 450 Jahre während Patriarchdynastie gründet, zu der u. a. Gamaliel I (Lehrer des Paulus), Gamaliel II und Jehuda ha-Nassi gehörten. Hillels Lehrtätigkeit hat größten Einfluß auf die Ausbildung rabbinischer Tradition nach der Zerstörung des zweiten Tempels (70 nach Chr.) gehabt. Zusammen mit Schammai steht er am Anfang des Zeitalters der Tannaiten; sie gelten als das letzte Paar von Rabbinen, die die Traditionskette zwischen den Propheten und den Rabbinendynastien schlossen. Beide sollen sie zum erstenmal »Schulen« gebildet haben, wobei sich die Schule Hillels wohl erst nach der Tempelzerstörung als die vorherrschende durchsetzen konnte (vgl. bErub 13b: Die Schule Hillels hat deshalb den Vorrang, weil sie auch die Lehre der gegnerischen Schule vertritt, und zwar vor ihrer eigenen). Mit dem Namen Hillels werden in der Tradition insbesondere drei Themen verbunden, zum einen ist dies die Regelung des Schuldenerlasses, der sogenannte »Prosbul«, der die biblische Vorschrift vom regelmäßigen allgemeinen Schuldenlaß umgeht, damit auch in einer geänderten Wirtschaftsordnung ein Darlehenswesen realistisch möglich bleibt (geht sicher nicht auf Hillel zurück). Zum anderen sind es die sogenannten »7 hermeneutischen Regeln des Hillel«, die hermeneutische Normen für die Schriftauslegung beinhalten, so z. B. der Schluß vom Leichten aufs Schwere und seine Umkehrung, der Analogieschluß oder der Schluß aus zwei Schriftstellen zusammen (vgl. bPes 66a, AbRN 137, Sch. 100). Hillel war wohl nicht der erste, der diese Regeln formulierte, aber es scheint so, daß er einer der ersten war, der sie zur Festsetzung der Halacha benutzte bzw. sich auf sie berief; daß die Tradition diese Regeln ihm zuschreibt, ist Ausdruck seiner großen Bedeutung für das antike

Judentum. Zum dritten handelt es sich um seinen Umgang mit Proselyten, so wird er in mehreren Stellen des bTalmud, die legendarischen Charakter haben, als Gegensatz zu dem »streitbaren« Schammai als sanft und geduldig dargestellt (vgl. bSchab 31a: Auf die Frage eines Heiden, ob er ihm die ganze Lehre des Judentums sagen könne, während er auf einem Fuß stehe, antwortet Hillel: »Was dir zuwider ist, das tue auch deinem Nächsten nicht; das ist die ganze Tora insgesamt, der Rest ist Auslegung; gehe hin und lerne« = sog. Goldene Regel). In der christlichen Forschung wird auf Hillel insofern Bezug genommen, als seine mögliche Wirkung auf Jesus von Nazareth, als auch auf den Apostel Paulus Gegenstand mehrerer Debatten war (s. Lit.). Insgesamt ist Hillel einer der prägendsten Lehrer des Judentums gewesen, dessen Sanftheit und Geduld geradezu sprichwörtlich geworden sind: »Stets sei der Mensch sanftmütig wie Hillel und nicht aufbrausend wie Schammai« (bSchab 30a Bar). H.s bleibender Verdienst für das Judentum dürfte bleiben, daß er den akuten Messianismus der Qumrān-Essener ablehnte, ihre Forderungen hätten unter Herodes d. Großen zu einer Katastrophe geführt.

Lit.: Franz Delitzsch, Jesus und H., 1879[3]; – W. Bacher, Die Agada der Tannaiten Bd. I: Von H. bis Akiba, 1903[2], 1 ff.; – P. Rieger, H. und Jesus, 1904; – Hermann L. Strack, Einleitung in Talmud und Midrash, 1976[6] (bearbeitet v. G. Stemberger); 118 ff.; – P. Billerbeck, Komm. z. NT aus Talmud und Midras, Bd. IV: Exkurse zu den einzelnen Stellen des NT, 1956[2], Bd. VI: Index, 1961; – Louis Finkelstein, The Pharisees, Philadelphia 1940[2]; – Ders., Ha- Perushim re- Anshei keneset ha Gedolah, 1950, 1- 16; – G. Schrenck, Rabbinische Charakterköpfe im urchristlichen Zeitalter, in: Judaica 1, 1945, 117-156 = AThANT 26, 1954, 9-45; – J. Goldin, H. the Elder, in: JR 26, 1946, 236-277; – J. Klausner, Gesch. des 2. Tempels IV Jerusalem 1950, 125-152 (hebr.); – A. Guttmann, Foundations of Rabbinic Judaism, in: HUCA 23, 1, 1950/51, 453-473; – Ders., Hillelites and Shammaites a Clarification of Rabbinic, HUCA 28, 1957, 115-126; – Zulay, Were H. and Sh, Real Brothers? in: Melilah 5, 1955, 63-82 (hebr.), 6 (engl. Summary); – N. N. Glatzer, H. the Elder. The emergence of classical Judaism, Washington 1959[3] = dt. v. L. Kaufmann; H. Repräsentant des klass. Judentums, 1966; – Ders., H. the Elder in the Light of the Dead Sea Scrolls, in: The Scrolls and the NT. ed. K. Stendahl, New York 1957, 232-244. 298-301 (sucht Berührungen H.s mit der Gemeinde v. Qumran); – H. Kosmala, Ein krypt. Spruch H.s, in: Judaica 15, 1959, 92-96; – Ders., A cryptic saying of H. (the Elder), in: Annual of the Swedish Theological Institute 2, Leidem 1963, 114-115; – S. Zeitlin. H. and the hermeneutic rules in: JQR NS 54, 1963, 161-173; – Jakob Neusner, Babylonia, Bd. I, 1965, 36-38; – Ders., Judaism in the beginning of Christianity, Philadelphia 1984; – Ders., Das pharisäische und talmudische Judentum: Neue Wege zu seinem Verständnis, 1984; – I. Konovitz, Beit Shammai u-Veit H., 1965; – Ephraim Urbach, Hazal, Pirkei Emunot ve-De'ot, 1969; – Ders., The Sages. Their concepts and beliefs, 2 vol. Jerusalem, 1979[2], 575-593; – G. Stemberger, Das klassische Judentum, München 1979; – J. Jeremias, Paulus als Hillelit, in: Neotestamentica et Semitica, Studies in Honour of M. Black, ed. E. E. Ellis and E. Wilcox Edinburgh 1969, 88-94; – H. Hübner, Gal. 3, 10 und die Herkunft des Paulus, in: KuD 19, 1973, 215-231; – Kl. Haacker, War Paulus Hillelit?, in: Das Institutum judaicum f.; – LThK V, 349 f.; – Catholicisme V, 746; – EC VI, 1438; – RE VIII, 74-76; Schürer, Bd. I, 359-363.

Ba

HILLEL II., Naśi (Vorsitzender des Senhedrins), ca. 330-365. – H., Sohn des Sanhedrin-Vorsitzenden Judah Nesi-ah aus der Familie H.s des Älteren, erlangte Bedeutung in der Zeit, als sich die Juden gegen den vermeintlich schwachen, weil unmündigen Kaiser Gallus erhoben. Dessen Feldherr Ursicinus jedoch unterwarf

351-352 die Aufständischen, mehrere Städte, insbesondere Tiberias wurden zerstört; die innere Verantwortlichkeit der Städte wurde, um neuen Revolten vorzubeugen, eingeschränkt. Da hierbei sicher Maßnahmen gegen die jüdische Religion gemeint waren, bestand H.s Wirken vornehmlich darin, die Autorität des Naśi, soweit möglich, aufrecht zu erhalten. Zu seinen wenigen bekannten Maßnahmen zählt die Fixierung des neuen jüdischen Kalenders. Wann exakt er erlassen wurde, ist ungewiß, auch spricht man H. eine Alleinausführung ab, wahrscheinlich ließ er die Ergebnisse und die Entwicklung mehrerer Jahrhunderte in diesem neuen Kalender komprimieren.

Lit.: A. Schwarz, Der jüd. Kalendar, 1872, 37, 39, 45; – L. Lucas, Zur Geschichte der Juden im 4. Jahrhundert, Bd. III, 1910, 79-81, 85; – Eduard Mahler, Handbuch der jüd. Chronologie, 1916, 544-579; – Schürer, Bd. I, 754; – Graetz-Rabbinowitz (Neuauflage), Bd. II., 395, 398, 403-405, 423, 488, 490; – Schwab, in: Tarbiz, 1. no. 2, 1930, 85-110, 1. no. 3, 107-121; – H. Levy, in: Zion 6, 1941, 1-32; – LThK V, 350; – EncJud VIII, 486.

Ha

HILLER, *Friedrich Konrad,* ev. Jurist, Kirchenliederdichter, * 9.6.1651 in dem damals württembergischen Unteröwisheim bei Bruchsal als Sohn eines Pflegers, der die Einkünfte des Klosters Maulbronn zu verwalten hatte, + 23.1.1726 in Stuttgart. – H. studierte seit 1680 in Tübingen die Rechte und wurde als Lizentiat beider Rechte 1685 herzoglicher Kanzleiadvokat in Stuttgart. Er war ein frommer Jurist, der "neben Handhabung der weltlichen Rechte auch Christo in seinem Reich begehrte zu dienen und den Lauf des göttlichen Worts und Gottesdienstes zu befördern". Seine Tochter Juliane Rosine (1687-1757) rühmte im Alter dankbar von ihren Eltern: "Sie haben mir den Weg zur Seligkeit so rein und lauter gezeigt, wie ihn die Apostel Christi gehabt und wie er in der Augsburgischen Konfession enthalten ist, und haben mich überhaupt bis zu ihrem Tod zu allem Guten treulich angehalten; denn es ist ihre größte Sorge gewesen, daß ihre Kinder selig werden möchten." H. war in seinem Leben viel krank. In solchen Zeiten suchte und fand er in der geistlichen Dichtkunst die rechte Erquickung für seine Seele. In der Vorrede zu seiner Liedersammlung von 1711 sagte H.: "Da ich bei einigen Jahren her meinen ordentlichen Berufsgeschäften Unpäßlichkeit halber öfters nicht abwarten können, wollte ich die edle Zeit nicht vergeblich hinstreichen lassen, sondern vielmehr mich durch ein solches Geschäft in meinem Christentum erbauen." Von seinen Liedern zum 3. Artikel des 2. Hauptstücks von Martin Luthers (s.d.) "Kleinem Katechismus" sind bekannt: "Ich lobe dich von ganzer Seelen, daß du auf diesem Erdenkreis dir wollen eine Kirch erwählen zu deines Namens Lob und Preis" (EKG 214) und "O Jerusalem, du schöne, da man Gott beständig ehrt...". – H. war ein Onkel des Pfarrers und Kirchenliederdichters Philipp Friedrich Hiller (s.d.).

Werke: Denkmal der Erkenntnis, Liebe u. Lob Gottes in neuen geistl. Liedern, auch Arien u. Kantaten nach Anleitung des Catechismus Lutheri, 1711 (172 Lieder, 19 davon v. dem Hofkapellmeister u. Stiftsorganisten Johann Georg Störl vert.).

Lit.: Koch V, 59; – Hdb. z. EKG II/1, 214; – ADB XII, 419 f.; – DLL

VII, 1188 f.; – RE VIII, 76.

Ba

HILLER, *Johann Adam*, ev. Komponist, * 25.12.1728 in Wendisch-Ossig bei Görlitz als Sohn eines Schulmeisters und Gerichtsschreibers (+1734), + 16.6.1804 in Leipzig. –Nach dem frühen Tod des Vaters wuchs H. in ärmlichen Verhältnissen auf. Er besuchte 1740-45 das Gymnasium in Görlitz, mußte sich dann aber in Sprottau und später in Wurzen als Schreiber bei Anwälten den Lebensunterhalt verdienen. 1746 erhielt H. eine Freistelle an der Kreuzschule in Dresden und wurde Präfekt des Kreuzchors unter Gottfried August Homilius (s.d.), der ihn im Klavierspiel und im Generalbaß unterrichtete. Seit 1751 studierte H. in Leipzig die Rechte und widmete seine Freizeit ganz der Musik. Er verdiente durch Musikunterricht sein Brot und wirkte bald als Flötist, bald als Sänger im "Großen Konzert" unter Johann Friedrich Doles (s.d.) mit. Durch Vermittlung Christian Fürchtegott Gellerts (s.d.) wurde H. 1754 in Dresden Hofmeister bei dem Grafen Heinrich Adolf Brühl, dem Neffen des sächsischen Premierministers. Er begleitete 1758 den jungen Grafen auf die Leipziger Universität, bat aber 1760 um seine Entlassung, da sich sein gesundheitlicher Zustand mehr und mehr verschlechterte. Seit 1762 widmete sich H. ganz der Musik und erwarb sich ab 1763 Ruf und Namen durch seine "Liebhaberkonzerte" und seine Chorsängerschule, die er 1771 einrichtete. H. wurde 1781 mit der Leitung der von dem Bürgermeister Karl Wilhelm Müller begründeten "Konzertgesellschaft" betraut und legte als ihr Kapellmeister den Grund zu dem Ruhm der "Gewandhauskonzerte". 1782 begleitete er zwei Schülerinnen nach Mitau und fand beim Herzog von Kurland ausgezeichnete Aufnahme. 1785 gab H. seine Leipziger Ämter auf, um dem Ruf als Kapellmeister nach Mitau an den Hof des Herzogs von Kurland zu folgen. Da dem Herzogtum die Angliederung an Rußland drohte, kehrte er bereits ein Jahr später nach Leipzig zurück, fand aber dort seine früheren Ämter besetzt. H. führte 1786 mit 118 Sängern und 186 Instrumentalisten im Berliner Dom Johann Georg Händels (s.d.) "Messias" auf. 1787 wurde er städtischer Musikdirektor in Breslau. 1789 berief ihn die Stadt Leipzig zum Stellvertreter des alternden Thomaskantors Doles mit der Zusage der Nachfolge. H. nahm den Ruf an und wurde nach Doles' Tod 1797 Kantor und Musikdirektor. Er erhielt 1800 wegen Alters und Krankheit einen Adjunkten und trat 1801 in den Ruhestand. – Besondere Bedeutung erlangte H. durch seine Lied- und Singspielkompositionen. Bahnbrechend wirkte er auf dem Gebiet des Schulgesangs. Auch als Musikschriftsteller und -kritiker war H. bedeutend. Er brachte das Konzertleben in Leipzig zu hoher Blüte. Durch sein "Allgemeines Choralmelodienbuch für Kirchen und Schulen und zum Privatgebrauche", Leipzig 1793, brach H. der radikalen Choralreform in modernem Geist die Bahn. Es war in ganz Deutschland tonangebend und bis 1844 in allen Kirchen Leipzigs im Gebrauch.– Bekannt ist H.s Weise zu dem Adventslied des Daniel Schiebeler (s.d.) "Er

kommt, er kommt, der starke Held, voll göttlich hoher Macht" (in: Singet dem Herrn, Elberfeld 1892; und: Geistliches Liederbuch, hrsg. von K. Schmidt, Leipzig 1904 und 1927).

Werke: Singspiele: Der Teufel ist los, 1766; – Lottchen am Hofe, 1767; Die Liebe auf dem Lande, 1768; Die Jagd, 1770; Der Dorfbarbier, 1770; Der Ärndtekranz, 1771. – Lieder, Kantaten, Symphonien u. Kirchenmusik. Ausgg.: eine Arie aus »Anweisung z. mus.-zierl. Gesange« (1780), in: Ernest Thomas Ferand, Die Improvisation in Beisp. aus 9 Jhh. abendländ. Musik = Das Musikwerk XII, 1956 (1961²; engl. 1961); Allgem. Choral-Melodienbuch, Nachdr. d. Ausg. Leipzig, Hildesheim 1978. – Schrr.: Anweisung zum musikalisch-zierlichen Gesange. (Mit Nachw. u. Personenreg. hrsg. v. Bernd Baselt). Fotomech. Nachdr. d. Orig.Ausg. Leipzig 1780, Leipzig 1976; Über die Musik u. deren Wirkungen. Fotom. Neudr. d. Orig. Ausg. Leipzig 1781, 1974; Lebensbeschreibungen berühmter Musikgelehrter u. Tonkünstler neuerer Zeit. (Mit Nachw. u. Personenreg. hrsg. v. Bernd Baselt). Fotomech. Nachdr. d. Orig. Ausg. Leipzig 1784, 1975; Nachricht v. d. Aufführung d. Händelschen Messias. in der Domkirche zu Berlin, den 19. May 1786, 1786; Kurze u. erleichterte Anweisung zum Singen, für Schulen in Städten u. Dörfern, 1792; Anweisung zum Violinspielen, für Schulen und zum Selbstunterrichte. Nebst einem kurzgefaßten Lexicon der fremden Wörter u. Benennungen i. d. Musik, 1792; Verzeichnis d. Werke u. Schrr. in: Eitner V, 142 ff. und RISM AI/4, 313 ff.; BII; B VI/1, 413 ff.

Lit.: Johann Friedrich Reichardt, Über die dt.-kom. Oper, nebst einem Anh. eines freundschaftl. Briefes über die musik. Poesie. Mit einem Nachw. u. einem Reg. v. Walter Salmen, Hamburg 1774 (Faks.-Nachdr. 1974); – Selbstbiogr. H.s in seinen »Lebensbeschreibungen«, Leipzig 1784 (Abgedr. in: Alfred Einstein, Ll. d. Musiker I, 1915); – C. Naumann, J. A. H., eine bescheidene Würdigung seiner Verdienste als Mensch, Künstler u. Schulmann, 1804; – Leonhard Stierbein, J. A. H., Zürich 1848; – Hans Michael Schletterer, Das dt. Singspiel, 1863; – Karl Peiser, J. A. H. Ein Btr. z. Musikgesch. des 18. Jh.s, 1894, Nachdr. Leipzig 1979; – Ferdinand Krome, Die Anfänge des musikal. Journalismus in Dtld. (Diss. Leipzig), 1896; – Max Friedländer, Das dt. Lied im 18. Jh., 2 Bde., 1902; – Georgy Calmus, Die ersten dt. Singspiele v. Standfuß u. H., Leipzig 1908 (Neudr., Walluf bei Wiesbaden 1973); – Hermann Kretzschmar, Gesch. des Neuen dt. Liedes I, 1911; – Hugo Goldschmidt, Die Musikästhetik des 18. Jh.s u. ihre Beziehung zu seinem Kunstschaffen, Zürich 1915; – Hans Joachim Moser, Gesch. der dt. Musik II, 1922; – H. v. Hase, J. A. H. u. Breitkopfs, in: ZfMw 2, 1919/20, 1-22; – Ders., Die ev. Kirchenmusik in Dtld., 1954; – Walter Serauky, Die musikal. Nachahmungsästhetik im Zeitraum v. 1700-1850 (Diss. Halle), Münster 1929; – Ders., J. A. H. als Erwecker der fremden Wörter u. H., in: Festschr. z. 175 j. Bestehen der Gewandhauskonzerte, Leipzig 1956; – Eberhard Creutzburg, Die Gewandhauskonzerte zu Leipzig 1781-1931, 1931; – Friedrich Blume, Ev. Kirchenmusik, 1931 (1965² neubearb. u. d. T.: Gesch. der ev. Kirchenmusik); – H. Andres, Btr. z. Gesch. der Musikkritik (Diss. Heidelberg), 1938; – Arnold Schering, Musikgesch. Leipzigs III, Leipzig 1941 (darin 2. Buch: Das Zeitalter J. A. H.s 1750-1800); – Gerhard Sander, Das Dt.tum im Singspiel J. A. H.s (Diss. Berlin, 1941), Würzburg 1943; – Hans-Joachim Nösselt, Das Gewandhausorchester, Entstehung u. Entwicklung eines Orchesters, 1943; – Erich Schenk, Breitkopfs Musik u. Leipziger Liederb. u. ihre Beziehg. z. H. u. Goethe, in: Chron. des Wiener Goethe-Ver. 52/53, 1949 (Wiederabdr. in: Ausgew. Aufss., Reden u. Vortrr. = Wiener musikwiss. Btrr. VII, Graz 1967); – Walther Siegmund Schultze, Über die ersten Messias-Aufführungen in Dtld., in: Händel-Jb. 6, 1960; – Kyoko Kawada, Stud. zu den Singspielen v. J. A. H. (Diss. Marburg), 1969; – Vincent Duckless, J. A. H.s »Critical Prospectus for a Music Library«, in: Studies in 18th Cent. Music, hrsg. v. Howard Chandler Robbins Landon u. R. E. Chapmann. Festschr. Karl Geiringer, London 1970; – Riemann I, 795 f.; ErgBd. I, 529 f.; – Moser I, 509 f.; – MGG VI, 409-421; – Eitner V, 142 ff.; – Hdb. z. EKG II/1, 266 f.; – ADB XII, 420-423; – NDB IX, 154.

Ba

HILLER, *Philipp Friedrich*, der bedeutendste Liederdichter des württembergischen Pietismus, * 6.1.1699 als Pfarrerssohn in Mühlhausen an der Enz, + 24.4. 1769 in Steinheim bei Heidenheim. – Als H. zwei Jahre alt war, starb sein Vater. Seine Mutter verheiratete sich 1706 mit dem Bürgermeister in Vaihingen an der Enz, der dem Knaben ein rechtschaffener und treugesinnter Stiefvater wurde. Mit 14 Jahren kam H. auf die Klosterschule in Denkendorf und blieb dort drei Jahre. Entscheidenden Einfluß auf ihn gewann der Klosterpräzeptor Johann Albrecht Bengel (s.d.). Seit 1716 besuchte er die Klosterschule in Maulbronn und bezog 1719 das Theologische Stift in Tübingen. Nach Abschluß seiner Studien wurde H. 1724 Pfarrgehilfe in Brettach, kehrte aber nach drei Jahren zu seinen Eltern in Vaihingen zurück, wo er seinen Bruder unterrichtete und benachbarte Pfarrer vertrat. Eine Zeitlang war H. Vikar in Schweigern, ging dann als Hauslehrer nach Nürnberg, wo er 1729-31 weilte. In diese Zeit fällt seine erste dichterische Veröffentlichung "Johann Arndts 'Paradiesgärtlein geistreicher Gebete' in Liedern". Von den 301 Liedern dieses Werkes sind u.a. bekannt die "Danksagung für die ewige Gnadenwahl in Christo": "Herr, von unendlichem Erbarmen, du unergründlich Liebesmeer, ich danke dir mit andern dern". Von den 301 Liedern dieses Werkes sind u.a. bekannt die "Danksagung für die ewige Gnadenwahl in Christo": "Herr, von unendlichem Erbarmen, du unergründlich Liebesmeer, ich danke dir mit andern Armen"; das "Gebet um die Liebe Christi": "Mein alles, was ich liebe, mein alles, was ich übe, sei mein Herr Jesus Christ" und das Lied über den dritten Artikel "Ich glaube, daß die Heiligen im Geist Gemeinschaft haben". – Ende 1731 kam H. als Vikar nach Hessigheim am Neckar. Die dortige Pfarrerstochter wurde 1732 seine Gattin: "Ich bat Gott um eine Gehilfin, die ihn liebte und die mich liebte, und er hat mir's gewährt." H. wirkte als Pfarrer 1732-36 in Neckargröningen bei Ludwigsburg, dann in Mühlhausen an der Enz und seit 1748 in Steinheim bei Heidenheim. Hier nahm ihn Gott in seine Schule. Die Not und Armut war groß. Die Sorge um das tägliche Brot lastete schwer auf ihm. Mancherlei Krankheitsnot in der Familie kam noch hinzu. Die Hausfrau und Mutter von sieben Kindern erkrankte mehrfach sehr ernst. Ihn selbst traf 1751 der schwere Schlag, infolge eines Halsleidens innerhalb kurzer Zeit trotz aller ärztlichen Bemühungen die Stimme zu verlieren. H. mußte seine Predigttätigkeit aufgeben, behielt aber sein Amt bei und übte die Seelsorge aus, während er sich für den öffentlichen Dienst einen Vikar nahm. Nun hatte H. Zeit zu vertieftem Bibelstudium und dichterischen Arbeiten. Er vollendete die im Pfarramt in Mühlhausen begonnene dichterische Beschreibung des "Lebens Jesu", schrieb erbauliche Werke und dichtete auf Bitten seiner Freunde sein "Geistliches Liederkästlein", dessen erster Teil 1762 erschien. In der Vorrede sagte H.: "Es ist ohne mein Vermuten von mir begehrt worden, etwas auf die Art des Bogatzkyschen Schatzkästlein (s. Bogatzky, Karl Heinrich von) und etlich anderer zu verfertigen. Mir ist's eine Freude, an dem Worte Gottes irgend besonders zu dienen, da ich es im Öffentlichen nun nicht mehr tun kann. – Ich vermeinte, daß wir an solchen Liedern, die eigentlich vom Lob Gottes handeln, in Gesangbüchern und sonst keinen Überfluß haben. Daher machte ich über so viel Sprüche, als Tage im Jahre sind, eine kleine Ode, die vornehmlich auf die Anbetung Gottes, auf das Lob seiner Eigenschaften, auf den Ruhm seiner Worte und auf den Dank für seine Wohltaten gerichtet wären". In dem ersten Teil

dieses "Liederkästleins" findet sich zu Röm 6,17: "Wie gut ist's, von der Sünde frei, wie selig Christi Knecht!"; zu 1 Joh 4,16: "Singet Gott, denn Gott ist Liebe, Liebe, die da ewig währt" und zu Hi 1,21: "Es jammre, wer nicht glaubt, ich will mich stillen" (EKG 304). Der zweite Teil erschien 1767. In seiner Vorrede schrieb H.: "Ich danke es der Barmherzigkeit Gottes, daß er das 1762 ausgegangene Liederkästlein nicht hat ohne Segen sein lassen. Wie jener ältere Teil vornehmlich auf das Lob Gottes abgezwecket hat, so ist dieser nachfolgende seinem Hauptinhalt nach eigentlich auf das Erwarten der Zukunft unseres Heilandes Jesu Christes gerichtet." In dem zweiten Teil seines "Liederkästleins" bietet H. als dichterischen Beitrag zu 1 Thess 1, 9.10: "Wir warten dein, o Gottes Sohn, und leiden dein Erscheinen" (EKG 123); zu 1 Tim 1,13: " Mir ist Erbarmung widerfahren, Erbarmung, deren ich nicht wert" (EKG 277); zu Apk 22, 21: "Die Gnade sei mit allen, die Gnade unseres Herrn"; zu Jes 54, 10:" Weicht, ihr Berge fallt, ihr Hügel, Gottes Gnade weicht mir nicht"; zu 1 Joh 2,12: "Die Sünden sind vergeben! Das ist ein Wort zum Leben für den geängst'ten Geist"; zu Mt 21,5: "Sieh, dein König kommt zu dir! Seele, das sind frohe Worte"; zu Gal 6,9: "Seelen, laßt uns Gutes tun, Gutes, und nicht müde werden", zu 2 Thess 3,1.2: "Vater, sieh auf unsre Brüder auch von deinem Thron hernieder, wo sie in der Drangsaal sind" (EKG 475); zu Joh 19, 30: "Jesus Christus hat vollbracht, was uns Sünder selig macht"; zu Lk 23,42: " Der Schächer, fluchbeladen, kam sterbend noch zu Gnaden, daß er noch Buße tat"; Apg 7,59: "Der Hirt, am Kreuz gestorben, hat Fried und Heil erworben"; zu 1 Joh 2,28: "In Jesu will ich bleiben, das ist mein fester Sinn"; zu Joh 3, 16: "Viel besser nicht geboren als ewiglich verloren"; zu Phil 3, 14:"Ich will streben nach dem Leben, wo ich selig bin"; zu Ps 119, 94: "Solang ich hier noch walle, soll dies mein Seufzer sein"; zu Lk 2,29.30: "Wie Simeon verschieden, das liegt mir oft im Sinn" und zu 2 Petr 1,14: "Herr, meine Leibeshütte sinkt nach und nach zu Grab." Dieses "Geistliches Liederkästlein" H.s mit der Gesamtzahl von 732 Spruchliedern, dem kurze erbauliche Anmerkungen über den betreffenden Bibelvers beigegeben sind, enthält die reichen Gnadenerfahrungen des gereiften Mannes. Viele seiner insgesamt 1073 Lieder sind bloße Reimereien; aber auch eine ganze Anzahl Perlen von bleibendem Wert findet sich unter ihnen. Sein Meisterstück ist das am 28.8.1755 über Eph 1,21.22 gedichtete Lied "von dem großen Erlöser": "Jesus Christus herrscht als König, alles wird ihm untertänig" (EKG 96). Aus H.s Beicht- und Abendmahlsandachten ist auch bekannt "Ich will zu Jesu Tische gehen: wie gut ist's, hier ein Gast zu sein".

Werke: Johann Arndts »Paradiesgärtlein geistreicher Gebete« in Liedern, 4 Tle., Nürnberg 1729-31 (Rübingen 1785⁴); Geistl. Liederkästlein z. Lobe Gottes, bestehend aus 366 kleinen Oden über so viele bibl. Sprüche, Kindern Gottes z. Dienst aufgesetzet, Stuttgart 1762 (13. Aufl. d. Ausg. Stuttg. 1904, Metzingen 1976); Betrachtung des Todes, der Zukunft Christi u. der Ewigkeit auf alle Tage des J. oder geistl. Liederkästlein zweiter Teil. Denen, die die Erscheinung Christi lieb haben, z. Dienst aufgesetzt, ebd. 1767 (Neudr. Reutlingen 1902 u. Stuttgart 1904); Kurze u. erbaul. Andachten bei der Beichte u. hl. Abendmahl (mit 9 Beicht- und 13 Abendmahlsliedern, Tübingen u. Stuttgart, o. J., wahrscheinl. zw. 1762 und 1767); Morgen- und Abendandachten nach dem Gebet des Herrn, in gebundener Schreibart, Stuttgart 1785 (1804²); – Ausg. der Lieder H.s von Karl Christian Eberhard Ehmann, Reutlingen 1844 (mit Biogr.); Das Wort u. Christus in dem Wort. Ausgewählte Betrachtungen u. Lieder, Metzingen 1969 (Zeugnisse d. Schwabenväter 12); Werkeverz. in: Gottfried Mälzer, Die Werke der Württembergischen Pietisten des 17. u. 18. Jh.s, Berlin 1972, 159-168.

Lit.: Otto Fr. Hörner, Nachrr. v. den Liederdichtern des Augsb. Gesangbuchs, Schwabach 1775², 119 ff. (H.s Selbstbiogr. v. 8.5.1763 mit Anm. seines Sohnes); – Ders., Ph. F. H., in: Ferdinand Piper, Zeugen der Wahrheit IV, 1875, 466 ff.; – Karl Friedrich Ledderhose, Aus dem Leben Ph. F. H.s, 1853; – Albert Knapp, Altwürttemberg. Charaktere, 1870, 78 ff.; – Otto Schuster, Schwäb. Glaubenszeugen, Stuttgart 1946, 138-149; – G. Gerber, Wer wird's lernen? Z. Monatslied »Wir warten Dein o Gottes Sohn«, in: Weg u. Wahrheit 49/50, 1948; – Kurt Pfeifle, Hofacker u. H. Zwei Christuszeugen, 1949 (1955²); – Artur Leidhold, P. F. H., in: Bll. f. Württemberg. Kirchengesch. 59, 1950, 150-170; – Friedrich Wilhelm Bautz, Ein Christ kann ohne Kreuz nicht sein. Einiges aus dem Leben u. den Liedern der Kreuzträger unter den geistl. Dichtern III, 1952, 124-141; – Ders., ...und lobten Gott um Mitternacht. Liederdichter in Not u. Anfechtung, 1966, 212-224; – Reinhard Berggötz, Allen Frieden haben wir. Ph. F. H. bezeugt des Christen Glaubensgrund, 1956; – Friedrich Hauß, Väter der Christenheit II, 1957, 115-117; – Julius Roessle, P. F. H., der Liederdichter d. schwäb. Pietismus, in: J. R., von Bengel bis Blumhardt, Metzingen 1959, 108-117; – Ernst Müller, Ph. F. H. Ein Betr. z. Theol. des Pietismus, in: Schwäb. Heimat 13, 1962, 63 ff.; – H. Vonhoff, Der stumme Sänger von Steinheim, Ph. F. H. z. 200. Todestag. Funkms. Süddt. Rundfunk, Stuttgart, 24.4. 1969; – Programme u. Berr. der Kirchengemeinde Steinheim am Albuch v. der Gedächtnisfeier, April 1969; – J. Günther, Dichter d. Pietismus. Z. 200. Wiederkehr d. Todestages v. G. Tersteegen u. P. F. H., in: Die Christenlehre 22, 1969; – DLL VII, 1191 f.; – Koch V, 107 ff.; – Hdb. z. RKG II/1, 222 f.; Sonderbd. 156 f., 199 f., 432 f.; – Goedeke III, 316; – Kosch, LL II, 984; – ADB XII, 425; – NDB IX, 151 f.; – RE VIII, 76 f.; – RGG III, 327.

Ba

HILLIN von Fallemanien, Erzbischof von Trier, * um 1100, + 23.10.1169, begraben in Trier. – H. stammte aus dem im Raum Lüttich ansässigen Geschlecht der Herren von Fallemagne. Nach der Ausbildung in Frankreich kam er 1130 nach Trier, wo er 1142 die Leitung der Domschule übernahm. 1150 wurde er Domdechant und 1152 erfolgte die Wahl zum Erzbischof von Trier. Bei der Königswahl im gleichen Jahr stellte sich H. auf die Seite Friedrichs, und zusammen mit dem Erzbischof von Salzburg, Eberhard, zeigte er Papst Eugen III. (s.d.) die Wahl an. 1154/55 war H. Teilnehmer am Italienzug Barbarossas und auf dem Reichstag von Roncaglia sowie bei der Kaiserkrönung durch Hadrian IV. (s.d.) – der ihn zu seinem Legaten ernannte – anwesend. In der Auseinandersetzung Barbarossas mit der Kurie bezog H. zunächst für den Kaiser Stellung und erkannte den Gegenpapst Viktor IV. (s.d.) an, der ihn ebenfalls zu seinem Legaten machte; 1165 jedoch stellte er sich auf die Seite Alexanders III. (s.d.), den er nun als rechtmäßigen Papst anerkannte. – H., der die Ostseite des Trierer Doms erbaute, wehrte sich mit Hilfe Friedrichs gegen die vom Pfalzgrafen Konrad unterstützten Bestrebungen der Bürgerschaft von Trier nach Reichsunmittelbarkeit. Er wurde von Zeitgenossen als gebildet und versöhnlich eingeschätzt und hatte Verbindungen zu Bernhard von Clairvaux (s.d.), Hildegard von Bingen (s.d.) und Elisabeth von Schönau (s.d.).

Lit.: C. Brower, Ann. Trevirenses, Köln 1626, 56 ff.; – Arch. f. Kunde östr. Gesch.-Qu. 14, 1855, 60 ff. 86 ff. (darin der unechte Briefwechsel H.s mit Hadrian IV. u. Barbarossa über die Gründung einer dt. Nationalkirche, vgl. dazu: N. Höing, Acta Diplom. I, 1955, 257 ff.; II, 1956, 125 ff.); –ThQ 75, 1893, 524 f.; – Trierer Chron. 1, Trier 1905, 61 ff.; – M.-F. Rousseau, in: Rv. belge de phil. et d'hist. 1, Brüssel 1922, 463 ff.; – St. Hilpisch, in: AMrHKG 7, 1955, 9 ff.; – Ders., in: Enkainia,

Düsseldorf 1956, 249 ff.; – Hefele V², 554 ff.; – ADB XII, 429 ff.; – LThK V, 350.

Ba

HILLING, Nikolaus, Kanonist, * 27.11.1871 in Hilgen bei Lathen (Emsland), + 17.8.1960 in Freiburg (Breisgau). – H. stammte aus einer Bauernfamilie und besuchte das Gymnasium in Meppen. Nach dem Abitur begann er 1892 das Studium der katholischen Theologie in Freiburg im Breisgau und in Münster. 1895 wurde er in Osnabrück zum Priester geweiht und war dann einige Monate als Seelsorger in Berge tätig. 1896 kehrte er an die Universität Münster zurück und wandte sich jetzt kirchenhistorischen Studien zu. Bei Heinrich Finke schrieb er seine Dissertation über die westfälischen Diözesansynoden und wurde 1895 zum Dr. phil. promoviert. Fünf Semester studierte er dann Rechtswissenschaft und Rechtsgeschichte in Berlin bei Paul Hinschius und Otto v. Gierke, zwischenzeitlich auch bei Ulrich Stutz in Freiburg. Mit einer kirchengeschichtlichen Arbeit über die »Münsterschen Archidiakonate« erwarb er 1902 in Münster den theologischen Doktorgrad, zwei Monate später in Freiburg den juristischen mit einer Arbeit über die Halberstädter Archidiakonate. Während dieser Zeit (1900-1902) war H. außerdem als Seelsorger in Schwerin, Sutthausen und Meppen tätig. Nach kirchenrechtsgeschichtlichen Studien am Campo Santo in Rom, deren Ergebnisse er später im Archiv für katholisches Kirchenrecht veröffentlichte, wurde er 1904 Vikar in Osnabrück und dann Pastor in Georgmarienhütte. 1906 wurde er außerordentlicher, 1912 ordentlicher Professor für katholisches Kirchenrecht in Bonn. Hatte H. bis dahin vor allem auf dem Gebiet der kirchlichen Rechtsgeschichte gearbeitet, so beschäftigte er sich seit der von Papst Pius X. am 19. März 1904 angekündigten Kodifizierung des Kirchenrechts mehr mit rechtsdogmatischen Fragen. Er untersuchte und kommentierte die neuere kirchliche Gesetzgebung und wandte sich insbesondere Problemen des Verfassungs- und Verwaltungsrechtes, des Ehe- und Sachenrechtes zu. 1913 wurde H. die Herausgabe des Archivs für katholisches Kirchenrecht durch den Kirchenrechtsprofessor Franz Xaver Heiner übertragen, dessen Nachfolger er auf diesem Wege 1918 in Freiburg wurde. Bis zu seinem Tode gab er das Archiv heraus. Kein Band war ohne einen Beitrag H.s und manche Bände sind von ihm ganz allein geschrieben worden, einschließlich der Rezensionen, Nekrologie und des Literaturverzeichnisses.

Werke: Die westfäl. Diöz.synoden bis z. Mitte des 13. Jh.s, 1898; Btrr. z. Gesch. der Verfassung u. Verwaltung des Bist. Halberstadt im MA I, 1902; Die röm. Rota u. das Bist. Halberstadt am Ausgang des MA, 1908; Die Reformen des Papstes Pius X. auf dem Gebiet der kirchenrechtl. Gesetzgebung. 1909;15; seit 1920 zahlr. Schrr. z. Codex Juris Canonici; 100 Bde. AkathKR, 1920; Stud. u. Wiss. des KR in der Ggw., 1922; Die drei letzten Konkordate des hl. Stuhles, 1927; Die fehlerhaften Rechtshandlungen u. ihre Heilung, 1927. – Gab heraus: AkathKR, seit 1913; Qu.smlg. f. das geltende KR, 1-15, 1915-25.

Lit.: Klaus Mörsdorf, N. H. z. Gedächtnis, in: AkathKR 129, 1959/60; – B. Panzram, in: ZSavRGkan 47, 1961; – NDB IX, 159.

Ba

HILPISCH, Stephanus Ferdinand, Benediktiner, Kirchengeschichtler, * 6.9.1894 in Waldernbach bei Weilburg, + 3.7.1971 in Maria Laach. – Nach dem Abitur trat H. 1914 in das Benediktinerkloster Maria Laach ein, legte dort 1916 seine ersten Gelübde ab und wurde nach Abschluß seines Theologiestudiums 1921 zum Priester geweiht. Ab 1522 studierte er in Bonn Geschichte und Religionsgeschichte und promovierte 1927 über »die Doppelklöster. Entstehung und Organisation«. An der Philosophisch-Theologischen Hochschule in Maria Laach wurde H. im selben Jahr Dozent für Kirchengeschichte (und Hebräisch), bis er 1953 in Fulda das Amt eines Spirituals der Benediktinerinnenabtei St. Maria übernahm. 1970 kehrte H. in sein Heimatkloster Maria Laach zurück. H. entwickelte neben seiner seelsorgerlichen eine rege literarische Tätigkeit: Abhandlungen über die europäische Kirchengeschichte sowie rein historische Arbeiten, aber besonders verschiedene Schriften über den Benediktinerorden, die ihn in der gesamten benediktinischen Welt bekannt machten, sowie über das Mönchtum im allgemeinen. Seit 1959 war H. Mitherausgeber der »Beiträge zur Geschichte des alten Mönchtums und des Benediktinerordens«. Nach seinem Wechsel nach Fulda widmete er sich der Kloster-, Stadt- und Bistumsgeschichte von Fulda, die er in den »Fuldaer Geschichtsblättern« und anderen Zeitschriften veröffentlichte.

Werke: Aus der Frühzeit des Mönchtums, 1926; Aus früh-ma. Frauenklöstern, 1926; Aus früh-ma. Benediktinerklöstern, 1926; Die Doppelklöster. Entstehung u. Organisation (Diss. Bonn), 1928; Die Regel des hl. Benedikt, 1928; Gesch. des benediktin. Mönchtums in ihren Grundzügen dargest., 1929; Beda Venerabilis, Leben der Äbte von Wearmouth-Jarrow (Übers. Wien 1930); Aus dt. Frauenklöstern, Wien 1931; Geistl. Vaterschaft. Die hll. dt. Äbte, 1935; In Zellen u. Klausen. Hll. dt. Mönche u. Einsiedler, 1936; Unter der Kreuzeskrone. Die hll. dt. Kaiser u. Kaiserinnen, 1937; Hll. Jungfrauen, 1940; Das Benediktinertum im Wandel der Zeiten, 1950; Gesch. der Benediktinerinnen, 1951; Klosterleben, Mönchsleben, 1951¹, 1963³; Das Benediktinertum im Wandel der Zeiten, 1953; Bonifatius als Mönch u. Missionar, in: Bonifatius, Gedenkgabe zum 1200. Todestag, 1954; Der hl. Rabanus Maurus, Abt des Klosters Fulda u. EB v. Mainz, 1955; Die Bisch. v. Fulda. Von der Gründung des Bist. (1752) bis z. Ggw., 1957; Benedictus. Leben u. Werk (Bild, Aufbau u. Gestaltung v. Leonhard v. Matt, Text v. St. H.), 1960; Gesch. des Fuldaer Priesterseminars, 1962. – Gab mit Emmanuel v. Severus heraus: Bttr. z. Gesch. des alten Mönchtums u. des Benediktinerordens.

Lit.: R. Pessenlehner, P. Dr. St. H. am 6.9. 70 J. alt, in: Fuldaer Gesch. bll. 40, 1964, 97-101; – Emmanuel v. Severus, P. Dr. St. Ferdinand H., in: StMBO 82, 1971, 484-486; – Ansgar Stöcklein, P. Dr. S. H. OSB in: AMrhKG 24, 1972, 309 f.

Ba

HILTALINGEN, Johannes (Johannes von Basel), Augustiner-Eremit, Theologe, * um 1330 in Basel, + 10.10.1392 in Freiburg/Breisgau. – Vieles in H.s Leben ist bis heute umstritten, selbst zu Beginn des 20. Jahrhunderts wurde er gelegentlich mit anderen Autoren verwechselt, bzw. es wurden ihm nicht authentische Werke untergeschoben. H. tritt nachweislich 1357 als Lektor in Avignon und Straßburg auf, lehrt ab 1365/66 als Baccalaureus an der Universität Paris und erwirbt hier 1371 den Magistergrad der Theologie. Der Orden der Augustiner-Eremiten, dem er vermutlich schon längere Zeit angehörte, wählte ihn 1371 zum Provinzial der rheinisch-schwäbischen Provinz; ein Amt, das H. sechs Jahre lang ausübte. 1377 reiste er als Ordensprokurator nach Rom, für Gregor XI. (s.d.) nahm er im gleichen Jahr diplomatische Aufgaben in Florenz wahr. Während seines zweijährigen römischen Aufenthaltes entstanden drei Schriften, in denen sich H. um die Heiligsprechung Birgittas v. Schweden (s.d.) bemühte. – H., dessen Lehre gekennzeichnet war durch eine hervorragende Kenntnis der Patristik, der eine positive Grundhaltung gegenüber der damaligen Kirche einnahm, ergriff nach Ausbruch des "Abendländischen Schismas" (1378) die Partei des später als schismatisch gezählten Clemens VII., der sich nach Avignon zurückgezogen hatte und lediglich von Frankreich und Neapel anerkannt wurde. Dieser ernannte H. 1379 zum Ordensgeneral und zu seinem Legaten für Frankreich, England und den Oberrhein. Da er sich energisch für Clemens VII. engagierte, erließ der römische Papst Urban VI. (s.d.) gegen ihn einen Haftbefehl, der jedoch ohne Echo blieb. Bezeichnenderweise beschäftigte sich H. in dieser Spätphase seines Lebens, in der er drei Jahre vor seinem Tod zum Bischof von Lombez (Gascogne) erhoben wurde, mehr mit seinem politischen Auftrag als mit theologischen Problemen. Dementsprechend wird er bisher vornehmlich eher als historische Quelle gewürdigt, da er vor allem in seinem Sentenzenwerk mit besonderem Fleiß auf die Werke zahlreicher spätmittelalterlicher Autoren eingeht.

Werke: Commentaria in quatuor libros Sententiarum, 1365/66; Decem Responsiones, 1366-70; Unterschiedliche Orte, verm. Paris; Vesperiae, 1371; Sermo de sancto Johanne Evangelista: Propositiones duo pro canonisatione beatae Birgittae exaratae (auch gekürzt überliefert); Dictamen super sermones angelicos a beata Birgitta auditos (unvollendet); Justificationes constitutionum beatae Birgittae; alle 3 Werke zwischen 1377/79 und verm. Rom.

Lit.: Johannes Trithemius, De scriptoribus ecclesiasticis, 1546, 293; – M. Fr. Anton Höhn, Chronologia provinciae Rheno-Suevicae ordinis f. eremitarum s. p. Augustini, 1744, 65 ff.; – Johann Felix Ossinger, Bibliotheca Augustiniana, 1768, 440 f.; – Hermann Haupt, Johannes Malkan, in: ZKG 6, 1881, 334 ff., 582; – Ders., Das Schisma des ausgehenden 14. Jh.s in seiner Einwirkung auf die oberrheinischen Landschaften, in: ZGOrh 5, 1855, 291, 296, 318 u. ZGOrh 6, 212, 231; – Franz Ehrle, Der Sentenzenkommentar Peters v. Candia, 1925, 87 ff., 266, 272 ff.; – A. Lang, Die Wege der Glaubensbegründung bei den Scholastikern d. 14. Jh.s, 1930, 202-209; – Fr. Xaver Duijnstee, 'S Pausen Primaat in de latere Meddeleeuwen en de Aegidiaansche Scholl, Bd. III, 1939, 156-165; – E. Borchert, Der Einfluß des Nominalismus auf die Christologie d. Spätscholastik, 1940, 90-93 u. 138-140; – Adolar Zumkeller, Hugolin v. Orvieto, 1941, 99 f.; – Ders., S. Augustinus vitae spiritualis Magister, Bd. II, 1959, 274 ff.; – Ders., H., in: AnAug 27, 1964, 231-233; – Ders., Mss. v. Werken d. Autoren d. Augustiner-Eremitenordens in mitteleurop. Bibliotheken, 1966, 242 f., 599-601; – Giovanni Tumminello, L'immacolata concezione di Maria e la scuola Agostiniana del sec. XIV, 1942, 51-62; – Damasus Trapp, H.s Augustinian Quotations, in: Augustiniana 4, 1954; – Ders., u. ebd. 6, 1956, 242-250; – Ders., in: Archivio Augustiniano 48, 1954, 291-295; – J. M. Ozaeta, in: La Ciudad de Dios 171, 1958, 73-75; – Francis Roth, The Great Schism and the Augustinian Order, in: Augustiniana 8, 1958, 282-288; – Josef Koch, Kritische Studien zum Leben Meister Eckhardts, 2. Teil, in: AFP 30, 1960, 20 f., 43-47; – ADB L; – NDB IX, 162-163; LThK V, 1007; – RE VIII, 77-78.

Ha

HILTEN, Johann, Franziskanermönch, * ca. 1425 in Ilten bei Hannover, + ca. 1500 in Eisenach. – H. studierte seit 1445 in Erfurt und trat anschließend in das Franziskanerkloster in Magdeburg ein. 1463 wurde er in das Kloster von Riga geschickt. Ab 1472 war er Prediger und Lektor des Klosters in Dorpat, bis er 1477 nach Deutschland strafversetzt wurde. Wegen apokalyptischer Schwärmereien und heftiger Anklagen gegen

Mißstände in der Kirche und im Orden wurde H. im Weimarer Kloster »väterlich bewacht«. Im Krankenzimmer des Eisenacher Klosters starb er, versehen mit den katholischen Sakramenten, ohne jedoch seine apokalyptischen Weissagungen zu widerrufen. Neben einem Dan Kommentar (1485; von Melanchthon benutzt) kommentierte H. Texte der Apokalypse. Er ist vielfach, aber wohl zu Unrecht, als Vorläufer der Reformation bezeichnet worden. Für das Jahr 1516 prophezeite er einen »anderen Mann«, einen Gegner des Mönchtums, die päpstliche Macht beginne zu sinken, im Jahre 1600 würden die Türken über Deutschland herrschen, daraufhin werde die Christenheit erneuert und der Islam vernichtet werden, bis schließlich 1651 das Ende der Welt da sei.

Werke: Opera omnium, quae jam reperiri possunt (abschriftlich Rom, Vatikan. Bibl., Cod. Pal. lat. 1849).

Lit.: Andreas Angelus, Gewisser Bericht von J. H. und seine Weissagungen, Frankfurt 1597; – Melchior Adam, Vitae Germanorum Theologorum, 1620. 1653, 3-5; – Georgii Henr. Goezii, Observationes hist.-theol. de Jo. Hiltenio, Lübeck 1706, 1717[2]; – Ludwig Enders, Luthers Briefwechsel VII, 1897, 197 f.; – P. Wolff, J. H. in: Herzog's Realencyclopädie f. prot. Theol. und Kirche VIII, 1900[3], 78-80; – Th. Trenkle, Ein wiedergefundenes Original eines Lutherbriefes (an J. H., Montag nach Jubilate 1525), in: BBKG 25, 1919, 78; – Otto Scheel, Martin Luther I[3], 1921, 114-166. 289; – Otto Clemen, Schrr. u. Lebensausgang des Eisenacher Franziskaners J. H., in: ZKG 47, 1928, 402-412; – L. Lemmens, Der Franziskaner J. H., gest. um 1500, in: RQ 37, 1929, 315-347; – P. Johansen, J. v. H. in Livland, in: ARG 36, 1939, 24-50; – Hans Volz, Btr. zu Melanchthons u. Calvins Ausl.en des Propheten Dan, in: ZKG 67, 1955/56, 111-115; – Bekenntnisschr. der ev.-luth. Kirche, 1967[6], 377 f.; – Jöcher II, 1611; – WATR III, 620 ff.; – WAB V, 162. 184. 190-195; – ADB XII, 431 ff.; – NDB IX, 164 f.; – RE VIII, 78 ff.; – RGG III, 327; – Catholicisme V, 740 f.; – LThK V, 351.

Ba

HILTNER, Johannes, Jurist, Reformator der Stadt Regensburg, * 1485 in Lichtenfels (Oberfranken), + 1567 in Regensburg. – Seit 1506 studierte H. in Wittenberg in Frankreich, wurde 1510 Magister, promovierte zum Dr. jur., wurde Bischöflicher Rat in Bamberg und ab 1524 Rechtsrat der Reichsstadt Regensburg. Hier stellte er sich unermüdlich in den Dienst der evangelischen Sache. Im Auftrag des Rates der Stadt bemühte sich H. 1525 vergeblich, einen evangelischen Prediger aus Wittenberg zu holen, konnte der Stadt dann aber 1530 einen evangelischen Schulmeister besorgen. Seit 1524 war H. Vertreter der Stadt Regensburg auf den Reichstagen. Nach dem ergebnislosen Religionsgespräch und dem Regensburger Reichstag von 1541, als die Öffnung zur CA durch eine kaiserliche Erklärung den Ständen zugestanden wurde, wurde im Oktober 1542 in Regensburg die evangelische Abendmahlslehre eingeführt. Eine Begründung und mit ihr eine Konsistorialordnung lieferte H. in seiner Rechtfertigungsschrift »Wahrhaftiger Bericht...«. Nach dem Interim von 1548 mußten alle Geistlichen die Stadt verlassen. So wurde H. zu einer der Hauptfiguren für die reformatorische Bewegung. Das evangelische Kirchenwesen wurde bis 1553 vollends ausgebaut unter Nikolaus Gallus, der auf Betreiben H.s 1543 von Wittenberg kam. Die Konsistorialordnung von 1555 sowie eine Konsistorialordnung (ca. 1567) wurden von H. verfaßt.

Lit.: Th. Trenkle, Btrr. z. Würdigung des Dr. jur. J. H., in: BBK 28, 1922, 1-14. 33-52. 81-90; – Ludwig Theobald, Die Ref.gesch. der Reichsstadt Regensburg I, 1936; II, 1951; – Robert Dollinger, Das Ev. in Regensburg, 1959; – M. Simon, Freie Reichsstadt Regensburg, in: Sehling 13: Bayern III (Altbayern), 1966, passim; – NDB IX, 165.

Ba

HILTON, Walter, englischer Mystiker, * um 1330, + 24.3.1396. – H. studierte Theologie, eventuell auch kanonisches Recht. Er lebte zunächst als Einsiedler, wurde dann Augustinerchorherr im Priorat Thurrggarton (Nottinghamshire). H. ist bekannt durch sein Hauptwerk »The scale of perfection (Scala perfectionis)«, eine asketisch-mythische Anleitung zur Kontemplation in zwei Stufen: »reform in faith« und »reform in feeling«. Der Übergang zwischen beiden Stufen (»dark night«) nimmt bereits Gedanken des Johannes von Kreuz vorweg. Sein Werk war im 15. Jahrhundert ein Klassiker der Erbauungsliteratur in England.

Werke: The scale of perfection, 1494 u. ö., ed. J. B. Dalgairus, 1870, ed. E. Underhill, 1923, ed. G. Sitwel, 1953, ed. L. Sherley-Price, 1957, frz. Übers. 1923, dt. Übers. 1966; Minor Works, ed. D. Jones, 1929; Epistle to a devout man in temporal estate, 1494, dt. Übers. E. Strakosch, Eine Epistel, die v. gemischten Leben handelt. In: Augustiana 17, 1967, 299-326; The Song of Angels, 1521, frz. Übers. in VS 9, 1923, dt. Übers. E. Strakosch, vom Engelsgesang. In: Augustiana 17, 1967, 443-449.

Lit.: J. B. Dalgairns, An essay on the spiritual life of medieval England. In s. Ed. of the Scale ... 1870; – W. R. Inge, The Studies of English mystics, 1906; M. Noetinger, La contemplation d'après Hilton. VS 4, 1921; – The modern editions of Hilton's Scala perfectionis. Downside Review June 1923; – D. Knowles, The English mystics, 1927, 107. 195 f.; – Ders., English mystical tradition, 1961; – E. Underhill, Mixed pasture, 1933; – R. W. Chambers, The continuity of English prose. In N. Harpsfield, Life of More, 1932; – H. L. Gardner, Hilton and the authorship of the Cloud of unknowing. Review of English Studies 9, 1933; – Ders., The text of the Scale of perfection. Medium Aevum 5, 1936; – Ders., Hilton and the mystical tradition in England. Essays and Studies 22, 1936; – T. W. Coleman, Hilton's Scale pf perfection. London Quarterly 160, 1935; – Ders., English mystics of the fourteenth century, 1938, 106-130; – V. White, Hilton: an English spiritual guide, 1944; – G. Sitwell, Contemplation in the Scale of perfection. Downside Review 67-68, 1949-50; – Ders., W. H., Clergy Review June 1959; – J. Russel-Smith, Hilton and a tract in defence of the veneration of images. Dominican Studies 7, 1954; – Ders., W. H., Month Sept. 1959. ND in: Prereformation English spirituality, ed. J. Walsh (1965); – P. Hodgson, Hilton and the Cloud of unknowing. Modern Language Review 50, 1955; – Ders., Three Middle English mystics, 1967; – E. Zeeman, Continuity in Middle English devotional prose. Journal of English and Germanic Philology 55, 1956; – E. Colledge, Recent work on Hilton. Blackfriars June 1956; – S. S. Hussey, Langland, Hilton and the three lives. Review of English Studies niew series 7, 1956; – Ders., The text of the Scale of perfection. Neuphilolog. Mitt. 65, 1964; – C. Pepler, English religious heritage, 1958; – P. J. Croft, Lady Margaret Beaufort, 1958; – A. C. Hughes, Hilton's direction to contemplatives, 1962 (Bibliogr.); – M. Thornton, English spirituality, 1963; – A. B. Emden, A biographical register of the University of Cambridge to 1500, Cambridge 1963; – J. E. Milosh, The scale of perfection and the English mystical tradition, 1966; – T. M. C. Lawler, Some parallels between Hilton's Scale and St. John Fisher's Penintential psalms. Moreana 3, 1966; – A. Hudson, A chapter from W. H. in two Middle English complications. Neophilologus 52, Groningen 1968, 416-421; – A. J. Bliss, Two H. manuscripts in Columbia University Library Medium aerum 38 (Oxford 1969), 157-163; – W. Riehle, The problem of W. H.'s possible authorship of »The cloud of unknowing« and its related tracts. Neuphilolog. Mitt. 78, (1977), 31-46; – M. G. Sargent, A new manuscript of the chasting of god's children with an ascription of W. H., in: Medium aerum 46 (Oxford 1977), 49-65; – The Cambridge Bibliography of English Literature I, 1940, 194 f.; – The New Cambridge Bibliography of English Literature I, 1974, 521 f.; – Catholicisme V, 1126 f.; – DThC VI, 2480 ff.; – EC VI, 438 f.; – ODCC[2]; – LThK X, 948 (unter Walter Hilton); – RGG III, 327 f.

Ba

HILTY, Carl, ev. schweizerischer Jurist und religiös-ethischer Schriftsteller, * 28.2.1833 in Werdenberg (Kanton St. Gallen) als Sohn eines Arztes, + 12.10. 1909 in Clarens (Genfer See). –H.s Vater übte in Chur, der Hauptstadt Graubündens, seinen ärztlichen Beruf aus. Seine Mutter war die Tochter eines Majors und früheren Regimentsarztes. Während sie im Elternhaus in Werdenberg weilte, wurde H. geboren. Er besuchte fünf Jahre die Volksschule in Chur und gewann durch sie Einblick in die Familienverhältnisse der einfachen Leute: "Man sieht manches in der Volksschule, was man vielleicht erst später kennenlernen sollte, aber doch auch die genügsame, treue und arbeitsame Existenz vieler armer Haushaltungen, in die man sonst nicht hineinsehen würde, und ich kann meinerseits nur sagen, daß meine unentwegt demokratischen Überzeugungen wesentlich aus diesem Verkehr mit armen Mitschülern und dem Einblick in ihre Familienverhältnisse entstanden sind." Mit elf Jahren kam H. in die Bündnerische Evangelische Kantonschule, eine Musteranstalt, in der ein strenger Erziehungsgeist herrschte. Im April 1851 bezog er die Universität Göttingen zum Studium der Rechte, das durch philosophische und historische Vorlesungen ergänzt wurde. Nach drei Semestern siedelte H. nach Heidelberg über und promovierte im April 1854 zum Dr. juris utriusque. Zur weiteren Ausbildung ging er nach London und Paris. Auf Wunsch seines Vaters ließ sich H. Ende 1854 in Chur als Rechtsanwalt nieder und verheiratete sich am 28.9. 1857 mit Johanna Gärtner, der Tochter eines bekannten Staatsrechtslehrers in Bonn, mit der er 40 Jahre in überaus glücklicher Ehe verbunden war. Im Lauf der Jahre erwarb sich H. eine allseitige Bildung durch umfangreiche Lektüre der deutschen Literatur und der griechischen und römischen Klassiker, der großen Historiker und stoischen Moralphilosophen und der Hauptwerke der englischen, französischen und italienischen Dichtung und Philosophie in der Ursprache. Durch mehrere Italienreisen vertiefte und erweiterte sich sein Gesichtskreis:" Italien ist für jeden deutschen Geist eine unentbehrliche Anregung und, wenn rechtzeitig geschaut,eine lebenslange herrliche Erinnerung." H. begann 1856 sein militärische Laufbahn und wurde Infanterieoffizier und Auditor, d.h. Militärrichter beim Kantonalen Kriegsgericht. Er trat 1862 als Hauptmann und Brigadeauditor in den eidgenössischen Justizstab über und wurde 1876 Major und Divisionsgroßrichter, 1886 Oberst und Präsident des Militärkassationsgerichts, 1890 Stellvertreter des Oberauditors und 1892 oberster Richter der schweizerischen Armee. Seit 1874 wirkte H. als Professor für schweizerisches Staatsrecht an der Universität Bern und erwarb sich einen solchen Ruf, daß man 1882 seinen Lehrauftrag noch auf allgemeines Staats- und Völkerrecht sowie auf schweizerische Geschichte ausdehnte. Er wurde 1890 als demokratischer Abgeordneter seines heimatlichen Wahlkreises Werdenberg-Grabs und Toggenburg in den Nationalrat gewählt und Ende des Jahrhunderts als Vertreter der Schweiz an den internationalen Schiedsgerichthof in Den Haag berufen. –H. war ein tiefgläubiger, überzeugter Christ. Im Herbst 1863 erlebte er die entscheidende Begegnung mit Christus:" Nun habe ich den Ankergrund aller Freude und Hoffnung gefunden: das fröhliche Vertrauen zu Christus und seiner Lehre." H. ist bekannt als literarischer Evangelist, der weite Kreise der religiös Suchenden unter den Gebildeten erreichte. Von seinen religiös-ethischen Schriften hat vor allem sein Hauptwerk "Glück" weiteste Verbreitung gefunden.

Werke: (außer den hist., polit. u. juristischen Schrr.): Glück I, 1891; II, 1895; III, 1899; Lesen u. Reden, 1895; Der beste Weg, 1896; Einige Gedanken über die Gründung christl.- soz. Vereine, 1896; Über Neurasthenie, 1897; Über die Höflichkeit, 1898; De senectute, 1898; Für schlaflose Nächte, 1901 (1919²); Briefe, 1903; Neue Briefe, 1906; Kranke Seelen, 1907; Sub specie aeternitatis (Ewiges Leben), 1908; Das Geheimnis der Kraft, 1909; Das Ev. Christi, mit Erl. Anm.), 1910. – Gab heraus: Polit. Jb. der schweizer. Eidgenossenschaft, 23 Bde., 1886-1909. – Ausw.: C. H. Vom Sinn dieser Zeit im Licht der Ewigkeit. Ausw. aus seinen Schrr., hrsg. v. dems., 1927; – H.-Worte, ausgew. u. mit einer Lebensskizze vers. v. Alfred Stucki, 1934 (1942³). C. H.s Botschaft an die Ggw. Ausw. aus seinen Schrr., hrsg. v. Alo Münch, 2 Bde., 1938 (1948²); – Hans Rudolf Hilty, C. H. Freiheit. Gedanken über Mensch u. Staat, 1946; H.: Tl.smlg., 1966.

Lit.: Heinrich Auer, C. H. Bll. z. Gesch. seines Lebens u. Wirkens gesammelt u. z. Kranz gewunden, Bern 1910; – Karl Haas, C. H. Einf. in seine Schrr., 1912; – Jakob Steiger, C. H.s schweizer. Vermächtnis, Frauenfeld 1937; – W. Meier, C. H., in: Eduard Fueter, Große Schweizer Forscher, Zürich 1941, 284 f.; – Alfred Stucki, C. H. Leben u. Wirken eines grossen Schweizers, 1946; – Friedrich Seebaß, Christentum u. dt. Geist. 10 Aufss. z. neueren Lit.gesch. (enthält: H., Jurist, Historiker u. Christ), 1947; – Ders., C. H. Ein Freund Gottes, 1949 (1956² u. d. T.: C. H., Jurist, Historiker u. Christ); – Hans Rudolf Hilty, C. H., Bern 1949; – H. Hilty, C. H. u. das geistige Erbe der Goethezeit, 1953; – Hanspeter Mattmüller, C. H., Basel u. Stuttgart 1966 (mit Bibliogr. C. H. u. Lit. ver.: 294-312); – Ders., C. H., in: ThLZ 92 (1967), Sp. 850-852; – Andre Lasserre, Hanspeter Mattmüller, C. H., in: Speculum 19, 1967, 182-184; – Bruno Trutmann, C. H.s christl. Wegweisung (Diss. München), 1967; – Johannes Pfeiffer, Der Beweis des Geistes u. der Kraft: Über C. H., 1972; – Roland Zurbriggen, Wirtschaftspolit. Auffassungen bei C. H., Bern - Stuttgart 1975; – Kosch, LL II; – RE XXIII, 645 ff.; – RGG III, 328; – NDB IX, 166; – HBLS.

Ba

HIMERIUS, (Eumerius, Comerius), Erzbischof von Tarragona, lebte Ende des 4. Jahrhunderts. – H. richtete an Papst Damasus I. 15 Fragen bezüglich kirchlicher Diszplin und Liturgie, die Papst Siricius, Damasus' Nachfolger, am 11.2.385 in der ältesten päpstlichen Dekretale beantwortete. Der herrscherliche Befehlsstil dieser Dekretale dokumentiert das gestiegene Selbstbewußtsein der römischen Kirche. Die Schrift ist interessant für die Primatslehre und sie enthält Bestimmungen, wie das Verbot der Wiedertaufe zurückkehrender Arianer, Anordnungen über Alter der Ordinanden, über Keuschheit und Zölibat der Kleriker und Mönche sowie Bestimmungen für die Wahl des Klerus und der Bischöfe.

Lit.: Patrologia latina, hrsg. v. Migne, XIII, 1131-47. LVI, 554-62; – Jaffé I, 40 ff.; – A. Arino Alafont, Coleccion canonica Hispana, 1941, 99 f.; – G. D. Gordini, Forme di vita ascetica a Roma nel IV sec., in: Scrinium theologicum I, 1953, 7-58; – LThK V, 352.

Ba

HIMERIUS, (Hymerius), Heiliger, Bischof von Amelia (Umbrien), 4. oder 5. Jahrhundert. – Zunächst lebte H. als Anachoret, soll dann in ein Kloster eingetreten sein und wurde später zum Bischof gewählt. Laut Sicard und Cremonas Chronik sollen seine Gebeine in die Kathedrale zu Cremona gebracht worden sein (Mart-Rom), und der Kanonicus Johannes von Cremona berichtet über zahlreiche Wunder dort im 12. Jahrhundert. H. ist Patron von Cremona und wird am 17. Juni gefeiert.

Lit.: ASS Jun III, 1701, 371-377; – Annales Cremonenses et Sicardi ep. Cremonensis Chronica, in: MG SS XXXI, 158 f. u. ö.; – Vollst. Heiligen Lex. II, hrsg. v. Stadler, 1861 (Neudr. 1975), 746; – BHL 3956 ff.; – Holweck, 486; – Doyé I, 519; – F. Lanzioni, Le Diocesi d'Italia dalle origini al principio del secolo VII, 1927², 419; – F. Savio, Gli antichi vescovi d'Italia dalle origini al 1300 descritti per regioni II/2, 1932, 30; – MartRom, 242; – LThK V, 351.

Ba

HIMERIUS, (Hymerius, Imier, Immer), Heiliger, lebte vermutlich im 7. Jahrhundert in der Schweiz. – H. soll mit seinem Diener ein frommes Leben geführt haben, nach Palästina gepilgert sein und dann im Juragebirge, im Susingertal (Tal der Suze/Schüss) Missionar und Apostel gewesen sein. Nach ihm wurde das Tal St.-Immer-Tal genannt, und bei seinem Grab entstand, wie in einer Urkunde Karls III. 884 berichtet wird, eine Kapelle und eine Siedlung, die dem Kloster Moutier-Grandval übergeben wurden. Nur die im 12. Jahrhundert dort errichtete romanische Stiftskirche besteht noch. H. wird mit einem Greifen oder dessen Klauen in der Hand dargestellt, da er eine Insel von einem Untier befreit haben soll. Er wird am 12. November gefeiert.

Lit.: Vollst. Heiligen Lex. II, hrsg. v. Stadler, 1861 (Neudr. 1975), 746; – AnBoll VI, 1887, 189-192; – A. Lütolf, Glaubensboten der Schweiz, 1871, 301-304; – M. P. Mamie, St. Himier ermite et premier apôtre de la vallée de Suze, in: Actes de la Société jurassienne d'emulation XXII, 1879, 199-281; – E. A. Stückelberg, Bull. de la Soc. nationale des Antiquaires de France, 1905, 341-46; – M. Besson, Contribution à l'hist. du dioc. de Lausanne sous la domination franque, 1908, 70-125; – M. Reymond, St. H., in: ZSKG VIII, 1914, 15-24; – Regesta Pontificum Romanorum. Germania Pontificia II, hrsg. v. A. Backmann, 1912, 244-248; – C. A. Müller, Das Buch v. Berner Jura, 1953, 40. 171. 242 f.; – BHL, 3959; – Doyé I, 534; – LThK V, 351; – Catholicisme V, 748.

Ba

HIMIOBEN, Heinrich Joseph, katholischer Theologe, Domkapitular, * 19.1.1807 in Mainz, + 27.12.1860 ebd. – Nach seinem Studium in Mainz und Bonn erhielt H. 1830 die Priesterweihe und wurde 1834 Subregens im Mainzer Priesterhaus. 1843 wurde er zum Pfarrer von St. Christoph in Mainz ernannt und 1857 zum Domkapitular. Von 1842-60 redigierte H., der ein entschiedener Bekämpfer des Deutschkatholicismus war, die vielgelesenen »Katholischen Sonntagsblätter«, veröffentlichte mehrere Aufsätze im »Katholik«. H. gilt als *der* Publizist der Mainzer Theologenschule und war einer der ersten katholischen Publizisten. 1841 gab er das im 18. Jahrhundert oft erschienene Buch von G. Rippel »Altertum, Ursprung und Bedeutung aller Ceremonien, Gebräuche und Gewohnheiten der heiligen katholischen Kirche« neu heraus. Diese Darstellung und Apologie der katholischen Liturgie fand große Verbreitung.

Werke: Die Idee des kath. Priestertums, 1840; Die Schönheit der kath. Kirche in ihren äußeren Gebräuchen in und außer dem Gottesdienst, hrsg. v. H., 1841 (1903²⁶); H. Klees, Grundriß der kath. Moral, hrsg. v. H., 1843; Ehre sei Gott in der Höhe! (Gebetbuch), hrsg. v. H., 1848.

Lit.: L. Lenhart, Die erste Mainzer Theologenschule, in: Jb. f. das Bist. Mainz VII, 1955-57, 19. 41; – A. Ph. Brück, Der Mainzer Almanach,

1960, 83-107; – Katholik XLI, 1861, 127; – ADB XII, 434 f.; – Kosch KD I, 1598; – LThK V, 352.

Ba

HINCKELMANN, *Abraham,* ev. Kirchenliederdichter, * 2.5.1652 in Döbeln (Sachsen)als Sohn eines Apothekers und Ratsherrn, + 11.2.1695 in Hamburg. –H. besuchte das Gymnasium in Freiberg (Sachsen), studierte seit 1668 in Wittenberg unter Abraham Calov (s.d.) Theologie und vor allem orientalische Sprachen und promovierte schon 1669 zum Magister. Er wurde 1672 Rektor an der Schule in Gardelegen (Altmark) und 1675 in Lübeck. 1685 kam H. nach Hamburg als Diakonus an St. Nikolai, wurde aber 1687 von dem Landgrafen Ludwig nach Darmstadt zum Oberhofprediger, Kirchenrat und Generalsuperintendenten berufen und zugleich zum Honorarprofessor in Gießen ernannt. Vor Antritt dieses Amts erwarb er sich in Kiel die theologische Doktorwürde. Seit 1689 wirkte H. in Hamburg als Hauptpastor an St. Katharinen, mußte aber viele Anfeindungen erdulden, weil er mit seinen gleichgesinnten Amtsbrüdern Johann Heinrich Horb (s.d.) an St. Nikolai und Johannes Winckler (s.d.) an St. Michael im Sinn des Pietismus arbeitete Erbauungsstunden hielt, gegen die Aufführung von Opern eiferte und in dem berüchtigten Predigerstreit zwischen Horb und dem Hamburgischen Minsterium für Horb eintrat. Durch Aufnahme in das "Geistreiche Gesangbuch" des Johann Anastasius Freylinghausen (s.d.), Halle 1704, gelangten von seinen Liedern zu weiterer Verbreitung "Seligstes Wesen, unendliche Wonne, Abgrund der allervollkommendsten Lust" und der 23. Psalm "Der wahre Gott und Gottes Sohn, der in den Sünder Orden getreten und vorlängsten schon mein Bruder ist geworden...".

Werke: Christl. Betrachtung v. der Reinigung des Bluts Christi über 1. Joh 1,7 nebst einem Anh. v. der Gemeinschaft mit Gott, v. der Freude in Gott, v. Gott unsrem Lichte u. der Fürbitte Christi, 1686/87; arab. Textausg. des Korans, 1694 (»damit die Christen in der Türkei um den Türken wahres Heil lernen bekümmert werden«); A. H.s aufrichtige Fürstellung des wahren Ursprungs der in Hamburg entstandenen u. noch währenden ärgerl. u. gefährl. Unruhen, 1694; Auserlesene Predigten, bestehend in gründl. Erkl. unterschiedl. bibl. Texte sowohl AT als NT, denen beigefügt einige Trostgründe f. sterbende Christen, hrsg. v. Johannes Winckler, 1696/97.

Lit.: Heinrich Pipping, Memoria Theologorum nostrae aetatis clarissimorum. Dec. V, Leipzig 1705, 597 ff. – Johann Heinrich v. Seelen, Athenae Lubecenses IV, 1722, 467 ff.; – Johann Georg Walch, Hist. u. theol. Einl. in die Rel.streitigkeiten der ev.-luth. Kirchen V, Jena 1739, 612 ff.; – Johannes Moller, Cimbria litterata II, 1744, 329 ff.; – August Jakob Rambach, Anthologie christl. Gesänge aus allen Jhh. der Kirche, 1817-1833, IV, 47 ff.; – Lex. der Hamburg. Schr.steller bis z. Ggw., bearb. v. Hans Schröder, III, Hamburg 1857, 225 ff.; – Johann Geffcken, Johann Winckler u. die hamburg. Kirche in seiner Zeit, 1861; – Koch IV, 407 ff.; – Goedeke III, 191; – Kosch, LL II, 988; – ADB XII, 460.

Ba

HINDEMITH, Paul, Komponist, Bratschist, Musikpädagoge, * 16.11.1895 in Hanau, + 28.12.1963 in Frankfurt a. M. – H. studierte an dem Hochschulkonservatorium Frankfurt Kontrapunkt und Komposition bei Bernhard Sekles und A. Mendelssohn, Violine bei A. Rebner. H. war zunächst Ensemble-Musiker, 1915-23 erster Konzertmeister am Opernhaus Frankfurt, Bratschist im Rebner-Quartett, 1927-37 Lehrer der Meisterklasse für Komposition an der Musikhochschule Berlin. Als engagierter Förderer Neuer Musik beteiligte sich H. 1921-26 an den »Musikaufführungen zur Förderung Zeitgenössischer Tonkunst« in Donaueschingen und übernahm später mit J. Haas und H. Burkard deren Leitung. Je mehr H. durch den aufkommenden Faschismus in Deutschland behindert wurde, desto mehr wandte er sich dem Ausland zu. Ab 1935 reiste H. für längere Zeit nach Ankara, wo ihn die türkische Regierung mit der Neuorganisation des Musiklebens beauftragte. 1937 beendete er seine Lehrtätigkeit in Berlin, unternahm 1938/39 als Bratschist Konzerttourneen in die USA, um nach seiner kurzen Niederlassung in der Schweiz (1938) dorthin zu emigrieren (1946 amerikanische Staatsbürgerschaft). 1940 bekam er einen Lehrauftrag am Music-Center in Berkshire und war 1947-53 Professor an der Musikschule der Yale-Universität in New Haven. Von 1951-57 lehrte H. am Konservatorium in Zürich und kehrte 1953 in die Schweiz nach Blonay (Vaud) zurück. (Dort ist auch der Sitz der 1968 gegründeten H.-Stiftung.) H. begann in einer Phase des sozialen und kulturellen Umbruchs zu komponieren: Reger und Debussy waren tot, die Zeit des Impressionismus und der Hochromantik im Ausklang. H.s Werke setzten Orientierungspunkte für die weitere Musikentwicklung. Als Bratschist, Lehrender und Komponist war er sich seiner Aufgaben in einer veränderten Welt bewußt. In seinen frühen Bühnenstücken und der Suite 1922 war er revolutionär, in seiner theoretischen Schrift »Unterweisung im Tonsatz« vertritt er einen konservativen Standpunkt. H. schrieb schon früh (1915) Opern, doch gelang ihm der Durchbruch zur großen Oper erst mit »Cardillac«. Vom Ethos des Komponisten H. zeugen besonders die Opern »Mathis der Maler« und »Die Harmonie der Welt«. Der Rilke-Zyklus »Das Marienleben« setzt einen stilistischen Wendepunkt im Liedschaffen. H.s Werke sind durch eine strenge formale und konstruktive Anlage gekennzeichnet, ohne dogmatisch zu sein. In seinen ersten Werken wendet er sich ab vom spätromantischen Orchester. Seine Kompositionen sind durch typische Stilkriterien gekennzeichnet: Parodistische Elemente, polyphone Struktur, neuartige Harmonik. Seine Melodik ist durch Intervallketten und Quartenintervalle gekennzeichnet, seine Rhythmik und Vorliebe für kontrapunktische Formen (Fuge) gehen auf J. S. Bach zurück. Wie Schönberg, Stravinsky und Bartok löste sich H. von der Dur-Moll-Tonalität, doch anders als Schönberg lehnte er die »Atonalität« ab und stellte eine Werteskala der zwölf chromatischen Töne auf. H. hat eine ausgeprägte Beziehung zum alten Liedgut und zum Barock. In seinen Kompositionen bedient sich H. mehrerer Formsymbole (Lied, Marsch, Passacaglia), die neben die konstruktive Ordnung seiner Musik treten. Die Frage um Tonalität und Ordnung als Garant gegen Willkür und Unsicherheit erhält in späteren Jahren eine transzendentale, philosophisch-spekulative Dimension, und H.s Tonsprache wird harmonischer und wird offener gegenüber textlicher, musikstilistischer oder religiös gebundener Gattungen wie Motetten, Madrigalen und Messen (das lange Weihnachtsmahl). Auch wenn seine geistlichen Kompositionen nur einen geringen Teil seines Werkes ausmachen, hat seine Anschauung von der Musik als Bestandteil eines religiös gebundenen Lebens jüngere Komponisten nachhaltig beeinflußt. Seine späten Kompositionen sind von einer genau disponierten Symbolik durchdrungen, die H.s Musik Klangdichte, Konzentration und Vergeistigung verleihen (Ludus tonalis, Apparebit, Sinfonia Serena). In der Sinfonie »Die Harmonie der Welt« gelangt der Gehorsam der Musik gegenüber den Ordnungsgesetzen der Welt zu einem Höhepunkt. Die alten Formen des Barock und der Klassik (Fuge, Kanon usw.) werden variiert und symbolischen Gestalten zugeordnet.

Werke: Opern: Mörder, Hoffnung der Frauen op. 12, 1919; Das Nusch-Nuschi op. 20, 1920; Sancta Susanna op. 21, 1921; Cardillac op. 39, 1926; Cardillac (Neufassung), 1952; Neues vom Tage, 1928-29; Neues vom Tage (Neufassung), 1953; – Mathis der Maler, 1934-35; Die Harmonie der Welt, 1956-57; Das lange Weihnachtsmal, 1960; Bühnenspiele: Tuttifäntchen (Weihnachtsmärchen), 1922; Lehrstück (Text v. B. Brecht), 1929; Ballette: Der Dämon op. 28, 1922; Nobilissima Visione, 1938; Thema mit vier Variationen, 1940; Hérodiade, 1944; Chorwerke: Das Unaufhörliche, 1931; Als Flieder jüngst mir im Garten blüht, 1946; Apparebit repentina dies, 1947; Ite, angeli veloces; Chant de triomphe du roi David (Psalm 17), 1955; Custos quid de nocte, 1955; Cantique de l'espérance, 1953; Werke für Orchester: Konzert für Orchester op. 38, 1925; Konzertmusik für Streichorchester u. Blechbläser op. 50, 1930; Philharmonisches Orchester, 1932; Symphonie »Mathis der Maler«, 1934; Symphonische Metamorphosen über ein Thema v. C. M. v. Weber, 1943; Symphonia Serena, 1946; Symphonie »Die Harmonie der Welt«, 1951; Pittsburgh Symphony, 1960; Werke für Solo-Instrumente u. Orchester: Kammermusik Nr. 2 op. 36 Nr. 1, 1924; Konzertmusik f. Klavier, Blechbläser u. zwei Harfen op. 49, 1930; Kammermusik Nr. 4 op. 36 Nr. 3, 1925; Kammermusik Nr. 5 op. 36 Nr. 4, 1927; Konzert f. Orgel u. Orchester op. 46 Nr. 2, 1927; Der Schwanendreher, 1935; Konzert f. Horn u. Orchester, 1949; Concerto for Organ and Orchestra, 1962; Werke für Solo-Gesänge: Des Todes Tod, 1922; Die Serenaden op. 35, 1925; Das Marienleben op. 27 (nach Gedichten v. R. M. Rilke), 1922-23 (Neufassung 1936-48); Zahlreiche Kammermusikstücke u. a.: Kanonische Sonatine op. 31 Nr. 3, 1924; Trio op. 47, 1928; Quartett C-Dur op. 16, 1921; Septett für Blasinstrumente, 1948; Mehrere Klavierstücke u. a.: Ludus tonalis, 1942; Dreizehn Motetten, 1941-1960; Zahlreiche Lieder, Chorwerke und Kanons u.a.: Zwölf Madrigale (nach Texten v. J. Weinheber), 1958; Messe für gemischten Chor a cappella, 1963; Vision des Mannes (Text: G. Benn), 1930; Der Tod (Text: F. Hölderlin), 1932; Spruch eines Fahrenden (14. Jh., Daß Gott all die berate), 1928; Theoretische und Literarische Hauptwerke: Unterweisung im Tonsatz, 3 Bde., 1937, 1975², 1939 (erw. 1975²) u. 1970; Aufgaben für Harmonieschüler (1943 engl.) 1949 (dt.); Harmonieübungen für Fortgeschrittene (1948 engl.), 1949 (dt.); Übungsbuch f. elementare Musiktheorie, 1946; Johann Sebastian Bach — Ein verpflichtendes Erbe (Rede), 1950; Komponist in seiner Welt, Weiten u. Grenzen (The Charles Eliot Norton Lectures given at Harvard University, 1949-50, dt. Übers. v. P. H.), 1959; – Ges. Ausg.: Sämtl. Werke P. H.s, hrsg. v. K. v. Fischer u. L. Finscher (i. A. d. Hindemith-Stiftung) 4 Bde., Mainz, 1977-80.

Lit.: Heinrich Strobel, P. H. (3. erw. Aufl.), Mainz (1928) 1948; – Elisabeth Westphal, P. H., Eine Bibliogr. d. in- u. Auslandes seit 1922 über ihn u. sein Werk, 1957; – Walter Abendroth, P. H., in: Das Einhorn – Jb. d. Fr. Akademie d. Künste Hamburg, 1957; – A. Jakobik, Zur Einheit d. neuen Musik, 1957; – H. Bennwitz, Die Donaueschinger Kammermusiktage 1921-26, Diss. Freiburg, 1961; – H. L. Schilling, P. H.s »Cardillac«, Würzburg 1962; – Carl Orff, Gedenkrede f. P. H., in: Orden pour le mérite f. Wiss. u. Künste, Bd. 6, 1963/64, 134 ff.; – Gedenkausstellung P. H. »Emigration u. Rückkehr nach Europa« (Ffm 1965, Katalog Otfried Büthe, darin: Bibliogr. 1957-65); – P. H. als Dirigent u. Solist im Rundfunk, Dt. Rundfunkarchiv, Frankfurt 1965; – W. Puetz, Studien zum Streichquartettschaffen bei H., Bartok, Schönberg u. Webern, 1968; – P. H., Werkeverz., hrsg. v. B. Schott's Söhnen, letzte Ausg., 1969; – Andrea Lanza, Liberta à determinazione formale nel H., in: Revista italiana di musicologia V, 1970, 234-291; – Jan Kemp, H., Oxford Studies of Composers, London 1970; – Andreas Brinner, P. H. (ausf. Bibliogr. u. Werkeverz. d. gedr. u. ungedr. Oevres), Zürich 1971; – H.-Jb. 1, hrsg. v. d. H.-Stiftung, 1971, darin u. a.: Helmut Rösner, Zur H.-Bibliogr. u. Lit., 161-195; – Peter Cahn, H. Kadenzen, 80-134; – H.-Jb. 2, hrsg. v. ders., 1972, darin u. a.: P. Cahn, H.s Lehrjahre in Frankfurt, 23-47; – B. W. Hilse, H. u. Debussy, 48-90; – W. Kirsch, Der späte H., 9-22; – D. Rexroth, Tradition u. Reflexion b. frühen H.; – Franzpeter Goebels, Interpretationsaspekte zum »Ludus Tonalis«, 137-165; – H.-Jb. 3, hrsg. v. ders., 1973; – H.-Jb. 4, hrsg. v. ders., 1974/75;

– H.-Jb. 5, hrsg. v. ders., 1976; – H.-Jb. 6, hrsg. v. ders., 1977; – Johannes Paul Thilmann, Das Tonalitätsproblem in H.s »Unterweisung«, in: Btrr. zur Musikwiss., 1973, 179-183; – R. Haase, P. H.s harmonikale Quellen – sein Briefwechsel mit Hans Kayser, Wien 1973; – W. Salmen, »Alte Töne« u. Volksmusik in Kompos. P. H.s, in: Musik u. Bildung, 1974, 362-369; – Andreas Briner, H. u. Adornos Kritik des Musikanten, in: ebd., 353-358; – Ludwig Fischer, P. H. – Versuch einer Neuorientierung, ebd., 350-53; – C. Gottwald, H.s Messe, ebd., 370-373; – E. Zwink, P. H.s »Unterweisung im Tonsatz« als Konsequenz d. Entwicklung seiner Kompositionstechnik, 1974; – J. E. Paulding, P. H., Diss. Iowa, 1974; – Alfred Rubeli, P. H.s A Capella-Werke, Mainz 1975; – Geoffrey Skelton, P. H. – The man behind the music, Werkeverz. London 1975; – Günther Metz, Melodische Polyphonie in der Zwölftonordnung. Studien zum Kontrapunkt P. H.s, 1976; – Gerd Sonnenmüller, Der »Plöner Musiktag« von P. H., 1976; – Andreas Briner, P. H. und die Idee einer musikal. Gemeinschaft, in: Musik u. Bildung, Zschr. f. Theorie u. Praxis d. Musikerz., 1976, 601-603; – Giselher Schubert, Über die Gesamtausgabe der musikal. Werke P. H.s, in: Musikforschung, 1977, 276-289; – James C. Kidd, Aspects of Mensuration in H.'s Clarinet Sonata, in: Music Review XXXVIII, 1977, 211-222; – Josef Dorfman, Thematic organization in the string quartets of P. H., in: Assaph, Studies in arts (orbis musicae), Tel-Aviv, 1978, 43-58; – Erprobungen und Erfahrungen. Zu P. H.s Schaffen in den 20er Jahren, hrsg. v. D. Rexroth, Mainz 1978; – Ders., Einige Voraussetzungen der »Gebrauchsmusik« bei H., in: Musien, 1980, 546 ff.; – Karl Richter, Ein Komponist in seiner Welt: H.-Zyklus 1980 in NRW, in: Das Orchester, 1981, 252 ff.; – H. Hahne, H.-Zyklus in NRW, in: ebd., 32 ff.; – J. Gregor, Kulturgesch. d. Oper, 1950², 478 u. ö.; – Kürschners Dt. Musiker Kalender, hrsg. v. H. u. E. H. Müller von Asow, 1954², 497 ff. (m. Werke-Verz.); – Grove IV, 286-291; – K. H. Wörner, Neue Musik in d. Entscheidung, 271 f. u. ö.; – Ders., Gesch. d. Musik, 1980⁷, 255, 330 f., 421 f., 543 f.; – MGG VI, 440-451 (m. Werke-Verz.); – H. J. Moser, Die Tonsprache des Abendlandes, 1960; – RGG III, 340; – Hdb. d. Musikgesch. II, hrsg. v. G. Adler, 616 u. Ö.; – Blume, 277, 336; – Riemann Erg. Bd. I, 1972, 530 f.; – Brockhaus Riemann MusikLex I, hrsg. v. Dahlhaus, 1978, 549 ff.

Ba

HINDERER, August, Direktor des Evangelischen Preßverbandes für Deutschland", * 8.8.1877 in Weilheim an der Teck als Sohn eines Lehrers, + 27.10.1945 in Kirchheim unter Teck. – Seine Kindheit und Jugend verlebte H. in Böblingen, wohin sein Vater 1883 versetzt worden war. Er besuchte die dortige Lateinschule und trat 1891 in das Theologische Seminar in Maulbronn ein. 1893 siedelte H. nach dem Theologischen Seminar in Blaubeuren über und begann 1895 in Tübingen mit dem Studium der Theologie, das er in Greifswald und Halle (Saale) fortsetzte und 1900 in Tübingen mit der ersten theologischen Dienstprüfung abschloß. Nach seiner zweiten Prüfung wurde H. 1907 Leiter der literarischen Abteilung in der Evangelischen Gesellschaft in Stuttgart, und der König von Württemberg verlieh ihm den Titel eines Pfarrers. 1908 übernahm H. die Schriftleitung des "Evangelischen Gemeindeblattes für Württemberg" und gab ihm bald eine größere Ausdehnung: in seiner feinsinnigen, geistreichen Art zog er viele Stoffe hinein, um auch den Ansprüchen der gebildeten Schichten unter den Lesern gerecht zu werden. H. wurde 1916 hauptamtlich Direktor des 1911 gegründeten "Evangelischen Preßverbandes für Württemberg" und wirkte seit 1918 als Direktor des "Evangelischen Preßverbandes für Deutschland" in Berlin-Steglitz. Als im November 1918 Deutschland zusammenbrach und die Throne stürzten, waren alle Verbindungen der Landeskirche untereinander unterbrochen. Durch die "Kirchenfrage", jeweils erscheinende Blätter mit Mitteilungen aus dem kirchlichen Leben, schuf H. das erste Verbindungsmittel der evangelischen Landeskirchen und durch die "Schulfra-

ge" das ergänzende Gegenstück für das Gebiet des Erziehungswesens, der Schule und des Religionsunterrichts in der Schule. Er gab die Anregung zur Volksabstimmung für den Religionsunterricht. Sie wurde 1919 ohne staatliche Hilfe in der evangelischen Elternschaft Norddeutschlands vom "Evangelischen Preßverband für Deutschland" und seinen Zweigstellen in Preußen durchgeführt und hatte den Erfolg, daß der Religionsunterricht als ordentliches Lehrfach der Schule verfassungsmäßig gesichert wurde. H. gründete 1920 den "Deutschen Evangelischen Volksbildungsausschuß", dessen Aufgabe es sein sollte, alle Volksbildungsarbeit betreibenden evangelischen Reichsverbände zusammenzuschließen und zu fördern. H. baute die Organe des Evangelischen Preßverbandes aus. Er übernahm die "Evangelische Korrespondenz", die zum "Evangelischen Pressedienst" wurde, der unmittelbar mit den Zeitungen und Telegrafenbüros verkehrte und durch einen Tagesdienst der Berliner Großzeitungen und eine Materialkorrespondenz für die kirchliche Presse ergänzt wurde. 1924 schuf H. das "Evangelische Deutschland", das zunächst einmal im Monat, sehr bald aber wöchentlich erschien. In diesem Blatt bot er eine "Kirchliche Rundschau für das Gesamtgebiet des Deutschen Evangelischen Kirchenbundes". 1924 trug H. der Berufsarbeiterkonferenz in Rothenburg ob der Tauber den Plan einer Bilderbeilage zu den Sonntags- und Gemeindeblättern vor, der die Zustimmung der Konferenzteilnehmer fand. Die Gemeinden begrüßten das Erscheinen des "Bilderboten für das evangelische Haus", der eine Auflage von 1 Million erreichte. H. gründete die "Evangelische Reichsarbeitsgemeinschaft für Rundfunk" und setzte im November 1924 "die evangelische Morgenfeier" am Berliner Rundfunk durch. Er wurde Mitglied des dreigliedrigen "Kulturbeirats beim Deutschen Rundfunk" neben einem Vertreter der katholischen Kirche und des sozialistischen Bildungsausschusses. 1925 übernahm der "Evangelische Preßverband für Deutschland" vom "Zentralausschuß für Innere Mission" die "Zentralstelle für Jugendlektüre" und deren Organ, den "Eckart", der unter H.s. Leitung die evangelische Literaturzeitung wurde. H. nahm 1925 an der "Weltkirchenkonferenz" in Stockholm teil, deren Fortsetzungsausschuß auf Anregung H.s 1926 in Bern die "Internationale Christliche Pressekommission" ins Leben rief, deren Vorsitzender er wurde. Die Berliner Geschäftsstelle der "Internationalen christlichen Pressekommission" pflegte die Beziehungen zum kirchlichen Ausland durch Nachrichtenaustausch über die kirchlichen Verhältnisse in den einzelnen Ländern und Artikeldienst über die religiöse Lage, beides in deutscher, englischer und französischer Sprache. H. war Mitglied der "Deutschen Vereinigung des Weltbundes für Freundschaftsarbeit der Kirchen". Die Gesamtheit des periodischen evangelischen Schrifttums wurde erstmalig statistisch und archivmäßig in dem 1926 beim "Evangelischen Preßverband für Deutschland" errichteten "Zentralarchiv für evangelisches Schrifttum". Das von Gerhard Kauffmann dem Älteren (s.d.) und H. bearbeitete "Handbuch der eEvangelischen Presse" (1929) umfaßt 1928 Titel selbständiger evangelischer Zeitschriften, deren

Gesamtauflage 1928 auf der Internationalen Presse-ausstellung ("Pressa") in Köln mit 17 Millionen ange-geben wurde. Die Theologische Fakultät der Universi-tät Berlin verlieh H. 1925 ehrenhalber die Würde eines Lizentiaten und erteilte ihm einen Lehrauftrag für Pressearbeit. 1927 wurde er zum o. Honorarprofes-sor in der Theologischen Fakultät der Berliner Univer-sität ernannt. Im gleichen Jahr ehrte ihn die Theolo-gische Fakultät der Universität Tübingen beim 450jäh-rigen Jubiläum der Eberhard-Carolina durch Verlei-hung des Doktortitels. 1927 erwarb H. ein Sonntags-blatt, das besonders für Berlin und die Mark Branden-burg bestimmt war, den "Sonntagsfreund". Die Zeit des Kirchenkampfes war für die evangelische Pressear-beit eine Periode der Unfreiheit und Unterdrückung. H. wurde am 26.6.1934 verhaftet und in das SS-Ge-fängnis in der Prinz-Albrecht-Straße, dann in das Co-lumbiahaus gebracht. Den Bemühungen seiner Freunde gelang es, daß er am 29.6. freigelassen wurde. Durch eine Verordnung der Reichspressekammer vom 1.6. 1941 wurden die kirchlichen Zeitschriften mit weni-gen Ausnahmen gezwungen, ihr Erscheinen einzustel-len. Von einer Dienstreise nach Württemberg im März 1945 konnte H. infolge der kriegerischen Ereignisse nicht mehr nach Berlin zurückkehren.

Werke: »Was zur Tat wurde«. Bilder aus der Inneren Mission in Würt-temberg, 1910; Neue Bahnen ev. Öffentlichkeitsarbeit, 1917; Ökumen. Schr.tum, 1927; Vom Apostolat der Presse, 1928; Vom Lebensstand der ev. Presse, in: Hdb. der ev. Presse, 1929, IX-XVIII; Dt. Presse u. Rel., in: RGG IV², 1442-1448; Ev. kirchl. Presse, ebd. 1448-1457; Ev. kirchl. Pressearbeit, ebd. 1462-1467; Film u. Rundfunk als Objekt der Wiss., in: Ztg.wiss. 1934, 20-23; − Gab heraus: Mitt. des ev. Preßver-bands f. Württemberg, 1912-16; Kirchl. Rdsch., Das Ev. Dtld., 1924 ff.; Eckart. Bll. f. ev. Geisteskultur, 1924 ff.; Der Ztg.spiegel. Btrr. z. Kul-tur des Ztg.wesens, seit 1929.

Lit.: Walter Schwarz, A. H., Leben u. Werk, 1951; − NDB IX, 192; − RGG III, 340.

Ba

lichen Jurisdiktionsanspruch widersetzten sich jetzt der König und Hinkmar von Reims gemeinsam, indem sie den Bischof 871 auf der Synode von Douzy absetzen ließen. H. wurde gefangen gesetzt und später sogar ge-blendet. Das Interdikt, das H. vorsorglich für den Fall über seine Diözese verhängt hatte, daß man ihn nicht nach Rom ziehen lassen würde, wurde von Hinkmar von Reims aufgehoben. Nach längerem Zögern bestätig-te Hadrian II. H.s Verurteilung. Erst unter Johannes VIII. wurde er zum Teil wieder rehabilitiert und in einen Teil seiner Ämter wieder eingesetzt. − Der Fall ist von grundsätzlicher Bedeutung in der Geschichte des Kirchenrechts, weil H. in seinen Schriften an den König und an den Erzbischof für die Autonomie der Suffraganbischöfe und ihr Recht eintrat, nach Rom zu appellieren. Zur Begründung dieser Ansicht zog er in besonderem Maße die gefälschten Dekretalen Pseudo-Isidors heran. H. selbst blieb darin allerdings noch er-folglos.

Werke: MPL 124, 967-1072; Mansi XXVI.

Lit.: L. Cellot, Vita, in: Concilium Duziacense, Paris 1658, 1-60; − Remy Ceillier, Histoire generale des auteurs sacres et ecclesiastiques, 23 Bde., ebd. 1729-64; XIII, 635 ff.; − H. Schrörs, Hinkmar v. Reims, 1884, 315 ff.; − Ernst Dümmel, Gesch. des ostfränk. Reiches II², 1887, 323 ff.; − W. Meyer, Über H. v. L. Auslese aus Pseudo-Isidor, Angilram u. Schreiben des Papstes Nikolaus I., in: NGG phil.-hist. Kl., 1912, 219-227; − W. Delius, H. v. L. (Diss. Halle), 1924; − E. Amman, L'epoque carolingienne (Histoire de l'Eglise VI), 1947, 403 ff. 430; − H. Grotz, Erbe wider Willen. Hadrian II. (867-872) u. seine Zeit, Wien 1970; − Horst Fuhrmann, Zur Überl. des Pittaciolus Bisch. H.s v. L. (869), in: DA 27, 1971, 517-525; − Ders., Einfluß u. Verbreitung d. pseudoisi-dorischen Fälschungen. MGH Schrr. 14, 1972, 1973; − Ders., Fälscher unter sich: Zum Streit zwisch. Hinkmar v. Reims u. H. v. L., in: Charles the Bald: court and Kingdom. Papers based on a colloquium held in London in April 1979. Ed. Margret Gibson u. a., Oxford 1981, 237-254; − Peter R. McKeon, Toward a reestablishment of correspondence of Pope Hadrian II. The Letters exchanged between Rome and the King-dom of Charles the Bald regarding H. of L., in: RBén 81, 1971, 169-185; − Ders., H. of Laon and Carolingian politics, Urbana 1978; − NBG XXIV, 712; − HistLittFrance V, 522-525; − Haller II, 130-134; − RGG III, 354 f.; − DThC VI, 2486 f.; − Catholicisme V, 748 f.; − LThK V, 372 f.

Ba

HINKMAR von Laon, Bischof, wahrscheinlich zwischen 835 und 838 in der Nähe von Boulogne, + 880. − H. kam nach dem frühen Tod seiner Mutter in die Obhut seines Onkels, des Erzbischofs Hinkmar von Reims (s. d.), der seine Erziehung überwachte. 858 wurde er in feierlicher Zeremonie durch seinen Onkel zum Bischof von Laon geweiht, der auf einen treuen Anhänger in diesem Amt angewiesen war. Zu König Karl dem Kah-len stand H. in einem engen und vertrauten Verhältnis, diente zeitweise als königlicher »missus« und konnte sich Hoffnung auf ein Amt am Hofe machen. Indessen bereicherte sich H. von Amts wegen und geriet in Streit mit seinen Untergebenen und Lehensmännern. Der Vorwurf der Simonie wurde erhoben, und als er schließ-lich von königlichen Vasallen verklagt wurde, ihnen kirchliche Lehen entzogen zu haben, wurde er von Karl 868 vor ein Königsgericht gestellt. Da H. nicht erschien, ließ der König das Kirchengut von Laon beschlagnah-men. Im Interesse der kirchlichen Freiheit griff jetzt Hinkmar von Reims ein, der H. vor ein kirchliches Ge-richt gestellt sehen wollte. Dieser aber hatte schon vor-her nach Rom appelliert. Hadrian II. hob die Maßnah-men Karls auf und zitierte H. nach Rom. Diesem päpst-

HINKMAR, Erzbischof von Reims, Kanonist, * um 806, + 21.12.882 in Epernay. − H. stammte aus einer adligen Familie und wurde als Kind dem Kloster St. Denis übergeben. Hier wurde er Schüler des Abtes Hil-duin (s.d.), dem er 822 auch an den kaiserlichen Hof nach Aachen folgte. Während sich hier H. zu einem treuen Anhänger Ludwigs des Frommen entwickelte, stand Hilduin in Kontakt mit der Opposition und wur-de 831 nach Paderborn und Korvey verbannt, wohin H. seinen Lehrer begleitete. Wohl auf H.s Einfluß ist die Wiedereinsetzung Hilduins als Abt von St. Denis zurückzuführen. Auch H. kehrte nach St. Denis zurück. Im Unterschied zu Hilduin unterstützte er 840 nach dem Tode Ludwigs dessen jungen Sohn Karl als Nach-folger gegen die Ansprüche Kaiser Lothars, wobei ihm schon seine großen Kenntnisse des Kanonischen Rech-tes zustatten kamen. Als Vertrauter Karls wurde er 845 Nachfolger des abgesetzten Erzbischofs Ebo von Reims (s.d.), der zwischenzeitlich das Amt wiederge-wonnen hatte. H. war ein treuer Unterstützer und Be-rater Karls und der nachfolgenden westfränkischen

Könige gegen die Ansprüche der anderen fränkischen Herrscher, in der Festigung des theokratischen Königtums und in der Zurückdrängung des Einflusses der Laienaristokratie. Diese Ziele standen in Verbindung mit der Absicht, die Unabhängigkeit der Kirche, die Fortsetzung der kirchlichen Reformen und die Stärkung der Metropolitanrechte, insbesondere von Reims, durchzusetzen. Karl unterstützte er 859 bei dem Einfall Ludwigs des Deutschen. Als 869 Lothar II. starb, unterstützte er die Ansprüche Karls auf Lothringen, und 877 half er durch eigenhändige Salbung die Widerstände bei der Erhebung Ludwigs II. zum König überwinden. Zu diesem Anlaß verfaßte H. auch den Krönungsordo, wie er für die folgenden Jahrhunderte bestimmend blieb. In der Bestimmung der Stellung des Königs folgte er der gelasianischen Zwei-Gewalten-Lehre. Der König hat als Christus Domini ein von Gott gesetztes Amt für den weltlichen Bereich. Ohne die weltlichen Verpflichtungen der Bischöfe im Reich und ihre Treuepflicht gegenüber dem König zu bestreiten, betonte H. ebenso ihre Unabhängigkeit, darüberhinaus auch die höhere Autorität der geistlichen Gewalt, da der König durch die Bischöfe gesalbt werde. Infolgedessen könne die Reichssynode den König bei schweren Verfehlungen auch absetzen, ebenso wie ja auch gesalbte Bischöfe absetzbar sind. Gegenüber Suffraganbischöfen einerseits wie dem Papst andererseits suchte H. die Rechte des Metropoliten zu stärken. Ein Metropolit, der als Erzbischof das Pallium trägt, sollte mit erweiterten Rechten Suffragane erheben und Provinzialsynoden einberufen können. Außerdem sollte der Metropolit stark erweiterte Kompetenzen bei der Überwachung der Amtsführung und Rechtsprechung der Suffragane haben. Diese Auffassung führte zu Konflikten mit einigen Bischöfen und mit Rom. Als H. gegen die von seinem Vorgänger Ebo noch nach seiner Absetzung ordinierten Kleriker vorging und Bischof Rothad II. von Soissons exkommunizieren ließ, weil dieser die Wiedereinsetzung eines von Rothad abgesetzten Klerikers verweigerte, appellierte Rothad nach Rom, und Papst Nikolaus I. hob 865 auf einer römischen Synode die Absetzung Rothads auf. Auch hinsichtlich der abgesetzten Ebo-Kleriker setzte sich H. gegen die römische Rechtsauffassung nicht durch, und es kam auch zeitweise zu einer Entfremdung zu König Karl. Gegen Hinkmar, Bischof von Laon (s.d.), gingen Erzbischof und König dagegen gemeinsam vor und verweigerten ihm gewaltsam die Reise zur Appellation nach Rom, zu der Papst Hadrian II. aufgefordert hatte. Mit der Absetzung Hinkmars von Laon auf der Synode von Douzy 871 hatte sich zunächst wieder die alte Rechtsauffassung durchgesetzt, daß der Papst solche Fälle nicht von sich aus entscheiden könne. Aus dem Kreise derjenigen, die sich der Ausweitung der erzbischöflichen Metropolitangewalt durch H. widersetzten, stammen aller Wahrscheinlichkeit nach die pseudoisidorischen Dekretalen. Auf diese gefälschten Papstbriefe als Rechtsquellen berief sich Hinkmar von Laon im Kampfe gegen seinen Oheim, allerdings noch ohne Erfolg. H. ist der erste gewesen, der begründete Zweifel an der Echtheit einzelner Dekretalen äußerte. Auch an anderen Kämpfen seiner Zeit war H. unmittelbar beteiligt. Theologisch

ebenso wie kirchenpolitisch war er Führer im Kampfe gegen die Prädestinationslehre Gottschalks des Sachsen (s.d.), als ihm dieser 848 gefangen durch Hrabanus Maurus (s.d.) geschickt wurde und Gottschalk in Gallien mächtige Unterstützer fand. Dieser Streit zog sich bis zur Synode von Toucy 860 hin, ohne allerdings grundsätzlich entschieden worden zu sein. Unerschrocken kämpfte H. für die Anerkennung des kirchlichen Eherechts und bedrohte sogar König Lothar II. mit der Exkommunikation, als dieser sich von seiner Gattin Theutberga scheiden lassen wollte. In seiner Diözese setzte er sich energisch gegen die seit den Wirren der dreißiger Jahre zunehmenden Übergriffe und gegen den Sittenverfall zur Wehr. Trotz der Verwicklung in die politischen Kämpfe seiner Zeit war H. auch als ein hochgelehrter Mann angesehen. Neben seinen theologischen und kirchenrechtlichen Werken sind seine sogenannten »Annales Bertiniani« für die Kenntnis der Geschichte seiner Zeit von großer Bedeutung.

Werke: MPL 125.126; Mansi XIV bis XVI; MG SS III, 239-341; XIII, 412-539; MG Cap II, 517;530; MG PL III, 406-420; – MG Epp VIII/1 (Briefe bis 868); Hincmari Episcopi Remensis epistolae = T. 1, Die Briefe des EB H. v. R., hrsg. v. Ernst Perels, Berlin 1939 (unv. Nachdr. München 1975). ZKG 10, 1889, 92-145. 258-310.

Lit.: H. Schrörs, H., EB v. R., 1884; – Ernst Dümmler, Gesch. des ostfränk. Reiches I-III², 1887/88; – M. Buchner, Beziehungen z. Landeskirche u. Thronfolge, in: Festschr. f. Georg Gf. v. Hertling z. 70. Geb., 1913; – Ders., Gesta Dagoberti, in: H. J. 47, 1927: – Ernst Perels, Eine Denkschr. H.s v. R. im Prozeß Rothards v. Soissons, in: NA 44, 1922, 43 ff.; – H. Ehrenforth, H. v. R. u. Ludwig III., in: ZKG 44, 1925, 65 ff.; – G. Laehr, Ein karoling. Konzilsbrief u. der Fürstenspiegel H.s v. R., in: NA 50, 1933 (oder 1935?), 106 ff.; – G. Boussinesq U. G. Laurent, Histoire de Reims depuis les origines jusqu' à nos jours I, Reims 1933; – Franz Arnold, Das Diöz.recht nach den Schrr. H.s v. R. Eine Unters. über den Ursprung u. die Entstehungszeit des Diöz.rechts, 1935; – J. Haller, Nikolaus I. u. Pseudo-Isidor, 1936; – L. Halphen, Le »De ordine palatii« d. H., in: RevHist 183, 1938, 1-9; – E. Amman, L'epoque carolingienne (Histoire de l'Eglise VI), 1947; – K. Weinzierl, EB. H. v. R. als Verfechter des geltenden Rechts, in: Episcopus. Stud. über das Bisch.amt. Festschr. Michael Kard. v. Faulhaber, 1949, 136-163; B. Lesne, La hierarchie episcopale, 1950; – A. Sprengler, Die Gebete der Krönungsordines H.s v. R., in: ZKG 63, 1950/51, 245 ff.; – M. Andrieu, Le sacre episcopal d'apres h. d. R., in: RHE 48, 1953, 22-73; – J. M. Wallace-Hadrill, Archbishop H. and the authorship of Lex Salica, in: Tijdschrift voor Rechtsgeschiedenis 21, Groningen, 1963, 1-29; – Henry G. J. Beck, Canonical election to suffragan bishoprics according to H. of R., in: CHR 43, 1957, 137-159; – Ders., The Selection of Bishops Suffragan to H. of R., in: CHR 45, 1959, 273-308; – J. Devisse, H. et la Loi, 1962; – Ders., »Pauperes« et »Paupertas« dans le monde carolingien. Ce qu'en dit H. de R., in: Revue du nord 48, 1966, 273-287; – Ders., H., Archeveque de Reims, 845-882, 3 Bde., Genf 1975-76 (mit Bibliogr.); – Dazu: Rudolf Schieffer, Möglichkeiten u. Grenzen d. biogr. Darstellung frühmal. Persönlichkeiten, in: HZ 229, 1979, 85-95; – Heinrich Bacht, H. v. R. Ein Betr. z. Theol. des Allg. Konzils, in: Unio Christianorum. Festschr. f. EB Dr. Lorenz Kard. Jaeger z. 70. Geb., 1962; – C. Brühl, Hinkmariana. I. H. u. die Verfasserschaft des Traktats »De ordine palatii«. II. H. im Widerstreit v. kanon. Recht u. Politik in Ehefragen, in: DA 20, 1964, 48-77; – Karl-Ulrich Betz, H. v. R., Nikolaus I., Pseudo-Isidor. Fränkisches Landeskirchentum u. römischer Machtanspruch im 9. Jh., Bonn 1965; – Michel Andrien, Le sacré épiscopal d'apres H. de R., in: RHE 48, 1965, 3-58; – H. H. Anton, Fürstenspiegel und Herrscherethos in der Karolingerzeit, Bonn 1967; – Howard-Heines Brown, Archbishop H. of R. His idea of ministerium in theory and praxis, 1968; – Y. M.-J. Congar, Structures et régime de l'église d'après H. de R., in: Communio. Commentarii Internationales de Ecclesia et Theologia I, Granada 1968, 5-18; – H. Grotz, Erbe wider Willen. Hadrian II. (867-872) u. seine Zeit. Wien 1970; – Burkhard Taeger, Zahlensymbolik bei Hraban. bei H. u. im Heliand. Stud. z. Zahlensymbolik im Früh-MA (Diss. München), 1970; – Ders., Zum »Ferculum Salomonis« H.s v. R., in: DA 33, 1977, 1512; – Leo David Davis, H. of R. as a theologian of the Trinity, in: Traditio 27, 1971, 455-468; – George H. Tavard, Episcopacy and apostolic succession according to H. of R., in: ThST 34, 1973, 594-623; – Hartwig Grubel, Die Wertung des Papsttums in der späten Karolingerzeit, unter bes. Berücksichtigung der Ausl. der Primasworte Mt 16, 18, 19; dargest. an den Schrr. der EB Hrabanus Maurus u. H. v. R. (Diss. Rostock); 1975; – Josef Fleckenstein, Die Struktur des Hofes Karls d. Großen im Spiegel von H.s De ordine palatii, in: Zschr. d. Aachener Gesch.ver. 83, 1976, 5-22; – Thomas Gross, Das unbekannte Fragment eines Briefes H.s v. R. aus dem J. 859, in: DA 32, 1976, 187-192; – Janet L. Nelson, Kingship, law and liturgy in the political thought of H. of R., in: EHR 92, 1977, 241-279; – Gerhard Schmitz, Concilium perfectum, Überlegungen zum Konzilsverständnis H.s v. R., in: ZSavRgKan 96, 1979, 27-54; – Ders., H. v. R., die Synode v. Fismes 881 u. der Streit um das Bistum Beauvais, in: DA 35, 1979, 463-486; – Horst Fuhrmann, Fälscher unter sich: Zum Streit zwisch. H. v. R. und Hinkmar v. Laon, in: Charles the Bald: court and Kingdom. Papers based on a colloquium held in London in April 1979. Ed. Margret Gibson u. a., Oxford 1981, 237-254; – Raymund Kottje, Zu den Beziehungen zwisch. H. v. R. und Hrabanus Maurus, in: Ebd., 255-263; – Jean Gaudemet, Indissolubilité et consommation du mariage. L'apport d' H. de R., in: RDC 30, 1980, 28-40; – Hermann Josef Sieben, Konzilian in Leben u. Lehre des H. v. R., in: ThPh 55, 1980, 44-77; – Manitus I, 339; – RE VIII, 86 ff.; – EKL II, 165 f.; – RGG III, 335; – ADB XII, 438-456; – NDB IX, 184 f.; – NBG XXIV, 706; – Catholicisme V. 749-752; – LThK V, 373 f.

Ba

HINSCHIUS, Paul, ev. Kirchenrechtslehrer, *25.12. 1835 in Berlin als Sohn eines katholischen Rechtsanwalts und Notars, + daselbst 13.12.1898.

– H. besuchte das Gymnasium zum Grauen Kloster in Berlin und studierte seit 1852 in Heidelberg und Berlin. In seinen kirchenrechtlichen Studien wurde er von Ämilius Ludwig Richter (s.d.) entscheidend beeinflußt, H. promovierte Anfang 1855 zum Doktor beider Rechte und arbeitete dann als Auskultator, Referendar und Gerichtsassessor. Ende 1859 habilitierte er sich in Berlin für Kirchenrecht und Zivilprozeß und unternahm von Anfang 1860 bis Ende 1861 und wiederum im Herbst 1862 große wissenschaftliche Reisen. H. wurde 1863 ao. Professor für Kirchenrecht, Deutsches Recht und Zivilprozeß in Halle (Saale) und 1865 in Berlin, 1868 o. Professor der Rechte in Kiel und 1872 in Berlin. Er war Reichstagsabgeordneter und Mitglied des preußischen Herrenhauses, ein einflußreicher Berater der preußischen Regierung im Kulturkampf. 1897 verlieh ihm die Theologische Fakultät in Berlin ehrenhalber die Doktorwürde. Mit der ersten kritischen Ausgabe der falschen Dekretalen Pseudo-Isidors begründete H. seinen wissenschaftlichen Ruhm. An der Ausarbeitung der kirchenpolitischen Gesetze im Kulturkampf, z.B. der Maigesetze von 1873 und der Zivilstandsgesetze von 1874/75, hat H. hervorragenden Anteil. Er gab die preußischen Kirchengesetze mit Kommentar heraus. Sein "Kirchenrecht", sein Hauptwerk, zwar unvollendet, aber grundlegend und bleibend wertvoll, ist ein Standardwerk der kirchenrechtlichen Disziplin.

Werke: Decretales Pseudo-Isidorianae et Capitula Angilrami, 1863; Das KR der Kath. u. Prot. in Dtld. I, 1869; II, 1878, III, 1883; IV, 1888; V/1, 1893; V/2, 1895; VI/1, 1897 (vollendet ist v. System des kath. KR der 1. Hauptteil »Die Hierarchie u. die Leitung der Kirche durch dieselbe« bis auf 2. Kap., während der 3. Hauptteil, der v. den Rechten u. Pflichten der Kirchenglieder handeln sollte, u. das System der prot. KR fehlen); Die Orden u. Kongregationen der kath. Kirche in Preußen. Ihre Verbreitung, ihre Organisation u. ihre Zwecke, 1874 (in Rom auf den Index gesetzt); Staat u. Kirche, in: H. Marquardsen, Hdb. des öffentl. Rechts der Ggw. I, 1883, 187-320.

Lit.: Emil Friedberg, P. H., in DZKR 9, 1899, 1-3; Ernst Heymann, P. H., in: Dt. Juristenztg., 1910, 1171; – Erich Foerster, Adalbert Falk, sein Leben u . Wirken als Preuß. Kultusminister, 1927, 145-149. 156. 258 ff.; – Feine, RGG III, 593; – BJ III, 51 ff.; – ADB 50, 344-360; – NDB IX, 190 f.; – RE VIII, 90-97; – RGG III, 355; – EC VI, 1440.

Ba

HINTZE, Jakob, ev. Stadtmusiker, * 4.9.1622 in Bernau (Mark Brandenburg) als Sohn eines Stadtmusikers, + 5.5.1702 in Berlin.

– Durch die Kriegswirren von Bernau vertrieben, fand H.s Vater ein neues Unterkommen als Stadtmusiker in Spandau. Nach seinen Lehrjahren und einem unruhigen Wanderleben kehrte H. nach dem Westfälischen Frieden von 1648 nach Spandau zurück. Er wirkte dort neben seinem Vater, dann ein Jahr in Küstrin, 1650 in Berlin und seit 1651 in Stettin. 1659 wurde H. Stadtmusiker in Berlin. Als Johann Crüger (s.d.), der Herausgeber der "Praxis pietatis melica", 1662 starb, beauftragte der Buchdrucker Christoph Runge (s.d.) H. mit der Herausgabe weiterer Auflagen dieses Gesangbuches, der 12. von 1666 bis zur 28. von 1698. Von den Melodien H.s, die noch heute in kirchlichem Gebrauch sind, seien als bekannt genannt "Gib dich zufrieden und sei stille" und "Alle Menschen müssen sterben" (= "Siegesfürste, Ehrenkönig").

Werke: 65 geistreiche epistol. Lieder auf alle Sonn- und Festtage (die H. der 12. Aufl. der »Praxis pietatis melica« v. 1666 als Anh. beigab); 56 dieser Epistellieder stammen v. Martin Opitz, deren selbständige Ausg. 1695 erfolgte).

Lit.: Curt Sachs, Musikgesch. der Stadt Berlin, 1908; – v. Winterfeld II, 183 f.; – Kümmerle I, 604; – Zahn V, 428 f. Nr. 137; – Koch IV, 109 f.; – Hdb. z. EKG II/1, 195 f.; – MGG VI, 456-458; – Eitner V, 160; – RISM AI4, 334; – NDB IX, 193.

Ba

HINZ, Erdmann-Michael, Bildhauer, * 6.6.1933 in Kolberg (Ostsee), + 5.9.1950 in Halberstadt.

– Im Alter von elf Jahren erlebte H. bei der Einnahme Kolbergs das ganze Grauen des 2. Weltkriegs. Die Familie fand nach dem Krieg eine vorübergehende Bleibe in Berlin und in Hermsdorf. Im Herbst 1946 erhielt H.s Vater eine Stelle in Halberstadt und die Familie siedelte dorthin über. Der junge H. nahm dort regen Anteil am Gemeindeleben. Schon während dieser Zeit schuf er Plastiken zu biblischen Themen. Bald nach seiner Konfirmation erlaubte ihm der Vater, eine bildhauerische Laufbahn einzuschlagen, die hoffnungsvoll begann, aber jäh beendet werden sollte. Am 5.9.1950 wurde H. von einem Lastkraftwagen überfahren und erlag wenige Stunden später seinen schweren Verletzungen.

Wi

Werke: Seraph nach Jes 6, Holzschnitt: Anbetender Engel, Relief; Erzengel Michael, Holzschnitt; Maria mit dem Kinde; Maria mit dem Kinde, Medaillon; Die Weihnachtskrippe; Die drei Könige; Der alte König; Der Mohrenkönig; Kopf des Mohren; Hirtengruppe; Knieender Hirte; Die Freude des Hirten; Vor der Krippe; Lobsänger, Leuchterengel; Anbetender Magier; Die Versuchung Jesu; Jesus, aus der Versuchungsgruppe; Satan, aus der Versuchungsgruppe; Petrus nach der Verleugnung; Die Reue des Petrus; » Und ging hinaus ...« ; Der tote Christus, eine Pieta; Der auferstehende Christus; Aus dem Tode empor; Auferstanden von den Toten; Das Antlitz des Todesüberwinders; Maria Magdalena am Ostermorgen; Auf dem Wege zum Grab; Kain und Abel; Kopf des Kain; Der tote Abel; Charakterkopf; Das Monogramm; Der gefesselte Prometheus; Kopf des Prometheus; Aufsteigendes Pferd; Beseelte Kreatur; Der betende Bettler; Das Warten des Bettlers; Zugriff des Glaubens; Das Gesicht des Bettlers; Bereit zum Empfangen; Die leeren Hände.

Lit.: Bettler u. Lobsänger. Plastiken des frühvollendeten Erdmann-Michael Hinz. Mit Geleitwort und Einführung von seinem Vater Paulus Hinz. 45 Aufnahmen von Walter Mahlke, Berlin 1951 (1967[14]).

Ba

HIPLER, Franz, Ermländer Kirchenhistoriker, * 17.2. 1836 in Allenstein, + 17.12.1898 in Frauenberg. – Nach seinem Studium in Breslau, Leipzig, Münster, Braunsberg und München erhielt H. 1858 die Priesterweihe, promovierte 1861 bei Döllinger und wurde Kaplan in Königsberg, zwei Jahre später Präfekt, 1870 Regens und Professor in Braunsberg. H. war Theologe des Bischofs Krementz von Ermland auf dem Vaticanum und unterstützte ihn maßgeblich im Kulturkampf. H. gründete und leitete 30 Jahre das »Pastoralblatt der Diözese Ermland«. 1886 wurde er Domherr in Frauenburg. H. gilt als fruchtbarster, weitblickender Ermländer Kirchenhistoriker.

Werke: Jacobi Balde carmina, 1856; Gedichte des Bischofs Andreas und seines Freundes Copernicus übers. u. mit lat. Urtext, 1857; Dionnysius der Areopagite, 1861; Meister Johann Marienwerder, 1865; Zum Andenken an Bisch. Andreas Stanislaus v. Hosius, 1867; Copernicus u. Luther, 1868; De theolog. librorum, qui sub Dionnysius Areop. nomine feruntur, 4 Hh., 1871-85; Analecta Warmiensia, 1872; Literaturgesch. des Bisthums Ermland, 1872; Die Biographien des Copernicus, 1873; Spicileg. Copernicanum, 1873; Bischof Grodziecki, 1874; Die Porträts von Copernicus, 1875; Chorographie des Joachim Rheticus, 1876; Christl. Lehre u. Erziehung in Ermland im MA, 1877; Grabstätten der erml. Bischöfe, 1878; Card. Hosii epistolae 2 Bde., 1879-88; Der Braunsberger Kaufm. Oestreich, 1881; Vorläufer d. Copernicus, 1882; Illustrium virorum ad M. Cromerum epist. select. ex tabul. Warm., 1882; Die christl. Geschichtsauffss., 1884; Braunsberg im Schwedenkriege, 1884; Die deutschen Predigten u. Katechesen der Erml. Bischöfe Hosius u. Cromer, 1885; Das älteste Schatzverzeichn. der Erml. Kirchen, 1886; Johann Heinrich Schmülling (Biographie), 1886; Septililium B. Doroth. Montaviensis auctore Joan. Marienwerder 1886; Beiträge zur Gesch. des Humanismus, 1890; Monumenta Cromeriana, 1892.

Lit.: Zschr. f. die Gesch. u. Altertumskunde Ermlands XII, Braunsberg 1898, 383-427 (m. Werkeverz.); – BJ V, 29; – ThQ CVIII, 1927, 210-220; – Kosch KD I, 1605; – J. Schweter, Prälat Lämmer (befr. mit H.), 1926; – LThK V, 376.

Ba

HIPPEL, Theodor Gottlieb von, ev. Jurist, Schriftsteller und Philosoph, * 31.1.1741 in Gerdauen (Ostpreussen) als Sohn des Rektors der Lateinschule, + 23.4. 1796 in Königsberg. – H. studierte seit Herbst 1756 in Königsberg Theologie und Philosophie und reiste 1760 nach St. Petersburg. Er wurde Hauslehrer in Königsberg, entschloß sich aber 1762 zum Studium der Rechte. H. wurde 1765 Advokat beim Stadtgericht in Königsberg, dann Hofgerichtsadvokat, 1772 städtischer Gerichtsverwandter, endlich auch Kriminaldirektor und 1780 erster Bürgermeister von Königsberg und Polizeidirektor. 1786 erhielt er den Titel eines Geheimen Kriegsrat und Stadtpräsidenten. – H. gehört mit Immanuel Kant (s.d.) und Johann Georg Hamann (s.d.) in die Gruppe des deutschen Idealismus und nahm an der als Genieliteratur bezeichneten deutschen literarischen Revolution teil. Auf das religiöse Denken seiner Zeit hat H. einen nicht geringen Einfluß ausgeübt. Seine Schriften veröffentlichte er teils anonym, teils unter Pseudonym. Er schrieb Lyrik, Dramen, Romane und popularphilosophische Schriften im Geist der Spätaufklärung. Seine 32 geistlichen Lieder hat H. während seiner theologischen Studienzeit gedichtet, angeregt durch die Oden und Lieder des Christian Fürchtegott Gellert (s.d.). Bekannt ist »Noch leb ich; ob ich morgen leb, ob diesen Abend, weiß ich nicht«.

Werke: Der Mann nach der Uhr oder Der ordentl. Mann (Lustspiel), 1765 (Neudr. v. Erich Jenisch, 1928); Geistl. Lieder, 1772; Über die Ehe, 1774 (1793[4]; mit Einl. u. Anm. hrsg. v. Emil Brenning, 1872).

Hrsg., Anm. u. Nachwort v. W. M. Faust, 1972; Über die bürgerl. Verb. der Weiber, 1792. Nachdr. v. Ralph-Rainer Wuthenow, Frankfurt/Main 1977; Ll. nach aufsteigender Linie, 4 Bde., 1778-81 (Neuausg. v. Alexander v. Öttingen, 1878, 1893[3]); Kreuz- u. Querzüge eines Ritters v. A bis Z, 2 Bde., 1794/94 (Neudr. Leipzig 1860, umgearb. Fassung 1878); Selbstbiogr. (bis 1761), Gotha 1801 (Nachdr. Hildesheim 1977). – Sämtl. Werke, 14 Bde., 1827-38, unv. Nachdr. 1978 (13 u. 14: Briefe); Romane, 6 Bde., 1846-60. Nachdr. 1978. – »Stimmen der Väter«, in: ChW 19, 1905, 778 f. 793 ff.; 20, 1906, 274 f. 322 ff. (Ausz. aus »Ll. u. Kreuz- u. Querzüge«).

Lit.: Bogumil Goltz, Zur Gesch. u. Charakteristik des dt. Genius II, 1864, 100 ff.; – M. v. Hippel, Die Gesch. der Familie v. H., 1899; – J. Czerny, Sterne, H. u. Jean Paul, 1904. Nachdr. 1978; – Theodor Hönes, Th. G. v. H. Die Persönlichkeit u. die Werke in ihrem Zus. (Diss. Bonn) ebd. 1909. – H. Deiter, Th. G. v. H. im Urteile seiner Zeitgenossen, in: Euphorion 16, 1910; – Ferdinand Joseph Schneider, Th. G. v. H. in den J. 1741-81 u. die erste Epoche seiner literar. Tätigkeit, Prag 1911; – Ders., Stud. zu H.s »Ll.«, in: Euphorion 22, 1915, 471-482. 678-702; 23, 1921, 23-33. 180-190; – E. Sola, Un contemporaneo di Kant, Th. G. v. H., Bologna 1918; – Fritz Werner, Das Todesproblem in den Werken Th. G. v. H.s (Diss. Halle), ebd. 1938; – A. v. Stryk, Th. G. v. H., in: Muttersprache. Zschr. f. dt. Sprachleben mit Berr. aus der Arbeit des Dt. Sprachver. u. des Dt. Sprachpflegeamts 55, 1940; – Karl Diesch, Th. G. H., in: Altpreuß. Biogr. Hrsg. v. Christian Krollmann. I, 1941; – Hans Heinrich Borcherdt, Der Roman der Goethezeit, 1949, 50-63; – Götz v. Selle, Ostdt. Biogrr., 1955, Nr. 157; – Martin Greiner, Th. G. v. H. Akadem. Vortr., 1958; – – Ders., Die Entstehung der modernen Unterhaltungslit. Stud. z. Trivialroman des 18. Jh.s, Hrsg. u. bearb. v. Therese Poser, 1964; – Theodorus Cornelius van Stockum, Th. G. v. H. u. sein Roman »Ll. nach aufsteigender Linie«, in: Mededelingen de Koninklijke Nederlandse Akademie der wetenschapen. Afd. Letterkunde. Nieuwe reeks, Deel 21, 7, Amsterdam 1959, 251-266; – Peter Michelsen, Laurence Sterne u. der dt. Roman des 18. Jh.s (Hab.-Schr. Göttingen), ebd. 1962; – Eva Dorothea Becker, Der dt. Roman um 1780 (Diss. Hamburg), Stuttgart 1964; – J. L. Dortans, Die Verwaltung des westpreuß. Reg.-Bez. Marienwerder in den J. 1815-29 (Diss. Bonn), 1964; – Helga Worms Vormus, Th. G. v. H.: Ll. nach aufsteigender Linie nebst Beill. A, B, C. Eine Interpretation. In: Etudes germaniques 21, 1966, 1-16; – Dieter Kimpel, Der Roman der Aufklärung, 1967, 209-210; – Ursula Schröder (geb. Bergel), Th. G. v. H.s »Kreuz- u. Querzüge des Ritters A bis Z« (Diss. Hamburg, 1972; – J. Kohnen, Ottomar und der »Sterbegraf«. In: Germanisch-romanische Monatsschrift NF 29 (1979), 185-199; – Meusel V, 523 ff.; – KLL IV, 756-758 (Kreuz- u. Querzüge des Ritters A bis Z); IV, 1099 f. (Ll. nach aufsteigender Linie); – Kosch, LL II, 991; – Wilpert I[2], 720; – ADB XII, 463-466; – NDB IX, 202 f.; – RGG III, 361 f.; – Goedecke IV, 686.

Ba

HIPPEN, Johann Heinrich von, ev. Kirchenliederdichter, * in Wohlau (Schlesien) als Sohn eines Glasermeisters, der seit 1656 Gerichtsbeisitzer und Kirchen- und Almosenpfleger war, + nach 1676. – H. war in seiner Vaterstadt Limburgischer Rat und Hofmarschall. Weiteres von ihm, auch sein Geburts- und Todesdatum, ist nicht bekannt. Von seinen Liedern fanden Verbreitung das Passionslied "Gute Nacht, ihr eitlen Freuden, gute Nacht, du falsche Welt! Sehet doch, welch Angst und   Leiden jetzt aussteht der Lebensheld" und das Morgenlied zum Beginn der Berufsarbeit "So tret ich demnach an, wie stark ich immer kann, mein Arbeit, Tun und Wesen, dazu mich Gott erlesen".

Lit.: Koch IV, 39 f.

Ba

HIPPOLYTOS, Kirchenschriftsteller, * etwa 170 wahrscheinlich in Kleinasien oder Alexandria, + 235/236 auf Sardinien. – H. gelangte als Presbyter unter Victor I. (189-199) zu großem Einfluß im römischen Klerus. Als Origines 212 nach Rom reiste, hörte er eine Predigt H.s. Als Schüler des Irenäus von Lyon widmete sich H. dem Abwehrkampf gegen häretische Strömungen wie der Gnosis, dem Chiliasmus, dem Adoptianismus und dem Modalismus. Vor allem die trinitarischen Modalisten Noetus und dann Sabellius waren seine Hauptgegner. Mit Bischof Zephyrinus (199-217) entfremdete sich H. vor allem wegen dessen Ernennung des Callixtus zum Diakon. Für H. war Zephrinus fortan ein Sprachrohr des Häretikers Callixtus, der die Irrlehren des Adoptianismus mit der des Modalismus vereint habe. H. vertrat eine hypostatische Christologie und forderte zudem eine strenge Behandlung der gefallenen Gemeindeglieder. Als Callixtus dann zum Bischof gewählt wurde, konterte H. mit dem Schisma und ließ sich zum Gegenbischof wählen. Zu der Beschuldigung Callixtus I. (217-222) als Häretiker kam der Vorwurf der Laxheit wegen seiner großzügigen Kirchenpolitik. Unter dem Druck des H., der anfangs eine große Anhängerschaft aufweisen konnte, mußte der Bischof den Modalisten Sabellius exkommunizieren. Jedoch fiel u. a. wegen der Strenge seiner Kirchenzucht nach kurzer Zeit ein großer Teil der Anhänger H.s ab, so daß sich sein Einfluß auf den Umkreis einer Schule beschränkte. Dort entstanden wahrscheinlich auch sein großes antihäretisches Werk »Philosophumena« und 220-235 seine Kirchenordnung. Das Schisma dauerte auch unter Urbanus I. (222-230) und Pontianus (230-235) an. Schließlich wurde H. selbst der Häresie beschuldigt. Seine Auffassungen über die Personhaftigkeit des Sohnes schon in der Präexistenz bei gleichzeitiger Negierung einer Person des Heiligen Geistes trugen ihm den Vorwurf des Ditheismus ein. Schließlich machte Kaiser Maximinus Thrax (235-238) dem Streit in Rom ein Ende, indem er kurzerhand H. samt seinem Gegner Pontianus 235 nach Sardinien verbannte. Eine Aussöhnung auf Sardinien ist wahrscheinlich, beide Verbannten blieben bis zu ihrem Tod auf der Insel. Bischof Fabianus (236-250) überführte die Gebeine des H. und des Pontianus nach Rom. H. wurde am 13.8.236 im Coemeterum an der Via Tiburtana beigesetzt und wie Pontianus zum Märtyrer erklärt. Seitdem wird er als Heiliger verehrt, sein Fest ist der 13. August. – Vor allem zwei Funde sind für die H.-forschung von großer Bedeutung. 1551 wurde im Coemeterum eine Statue des H. entdeckt mit einem Verzeichnis seiner Schriften und von ihm errechneten Ostertabellen. 1842 wurden durch Minoides Mynas in einer Athoshandschrift die »Philosophumena« entdeckt, die ursprünglich dem Origines zugeschrieben worden waren. Das Werk des H. läßt sich in polemische, dogmatische, exegetisch-homiletische, kirchenrechtliche und chronologische Schriften einteilen. Das homiletische Interesse hat bei seinem Schaffen stets einen Vorrang gegenüber dem historisch-exegetischen Forschen gehabt. Sein Hauptwerk »Refutatio omnium haeresium« ist stark von Irenäus geprägt. H. versucht in den zehn Büchern alle Häresien aus der heidnischen Philosophie herzuleiten. Von seinen dogmatischen Werken ist nur »Über den Antichristen« vollständig erhalten. In antichiliastischer Stoßrichtung hält er darin das Römerreich noch nicht für das Reich des Antichristen; das im Danielbuch prophezeite vierte Reich stehe

noch aus. In der gleichen Tendenz stehen seine Berechnungen in seiner Weltchronik. Das 13. Jahr des Alexander Severus, 235, sei erst das 5738. Jahr seit Adam. Somit verblieben noch 262 Jahre bis zum Jüngsten Tag. H. war der erste Theologe der Alten Kirche, der ausführliche biblische Kommentare verfaßte. In praktischer Orientierung legte er die Heilige Schrift typologisch-allegorisch aus. Erhalten sind seine Kommentare zu Dan., Cant., den Segnungen Jakobs und Moses und zum Teil der Passionen. Die sogenannte »ägyptische« Kirchenordnung ist inzwischen von Schwartz als die des H. nachgewiesen. Sie hat ihren Ursprung wahrscheinlich in dem Ordnungsbedürfnis der abgespaltenen schismatischen Gemeinschaft des H. Überliefert sind einige vollständige Werke und viele Fragmente in lateinischer, syrischer, koptischer, äthiopischer, armenischer, georgischer, arabischer und slavischer Übersetzung. In der ursprünglichen griechischen Sprache ist wenig erhalten. Das Werk des H. ist kurz nach seinem Tod im westlichen Teil des Römischen Reiches bald in Vergessenheit geraten. Die Gründe dafür sind wohl in der schismatischen Wirksamkeit H.s, aber auch in der Tatsache, daß H. griechisch schrieb, zu suchen. So hat er im griechischsprachigen Ostteil des Reiches nachhaltigen Einfluß ausgeübt. Dauerhafte Wirkung hatten seine Weltchronik, sowie seine polemischen und kirchenrechtlichen Schriften. Etliche Schriften wurden später auf seinen Namen gefälscht, woran seine Bedeutung in jener Zeit abzulesen ist.

Werke: Adversus Graecos, seu contra platonem de causa universi; Contra Noetum; Commentarius in Genesis et in Hexaemeron; Commentarius in Exodum; Commentarius in Saulem et Pythonissam; Commentarius in Joannis Evangelium et Apocalypsin; De baptismo et eucharistia; De beatae mariae virginitate et maternitate; De Divinitate Filii et consubstantialitate verbi; De Divinitate Spiritus sancti, ejusque proprietatibus personalibus; Demonstratio adversus Judaeos; Demonstratio de Christo et Antichristo; Epistolae; In canticum canticorum; In Danielem; In Isaiam Prophetam; In Jeremiam et Ezechielem; In Proverbia; In Psalmos; In Reges; In Sanctam Theophaniam Philosophumena; Tractatus de Charismatibus; Ausg. P. G. X, XVI; Vollst. Bibliogr. in: J. Quasten, Imitation aux Pères de l'église II, 1956, 191-244.

Lit.: Johann Josep Ignaz v. Döllinger, H. u. Kallistus, 1853; – Hans Achelis, Die ältesten Qu. d. orient. KR. I: Die Canones H.s, 1891; – Ders., H. stud., 1897; – Gerhard Ficker, Stud. z. H.frage, 1893; – Karl Johannes Neumann, H. v. Rom in seiner Stellung zu Staat u. Welt. Neue Funde u. Forsch. z. Gesch. v. Staat u. Kirche in der röm. Kaiserzeit, 1902; – G. P. Strinopolus, H.s philos. Anschauungen (Diss. Leipzig), 1903; – A. d'Ales, La theologie de s. H., Paris 1906 (1929²); – K. Gf. Preysing, in: ZKTh 1914, 421 ff.; – Ders., in: ZNT 1924, 231 ff.; – Gustave Bardy, L'Edit d'Agrippinus, in: RSR 4, 1924, 1-25; – Karl Müller, in: ZNT 23, 1924, 231; – A. Donini, Ippolito di Roma, 1925; – Ernst Jungklaus, Die Gemeinde H.s. Dargest. nach seiner KO, 1928; – R. Lorentz, De Egyptische Kerkordening en H. v. Eome (Diss. Haarlem), 1929; – Adolf Hammel, Über das kirchenrechtl. Schrifttum H.s, in: ZNW 36, 1937, 238-250; – Ders., Kirche bei H. v. R., 1951; – G. Dix, The Treatise on the Apostolic Tradition of St. H. of Rome, 1937 (Text der KO H.s mit ausführl. Komm.); – Ders., The Theology of Confirmation in relation to Baptism, 1946; – Ders., The ministry in the Early Church c. A. D. 90-410, in: The Apostolic Ministry, Hrsg. E. Kirk, London 1946, 183-304; – Heinrich Elfers, Die KO H.s v. R. Neue Unters. bes. Berücks. des Buches v. R. Lorentz: De Egyptische Kerkordening en H. van Rome, 1938; – C. Wendel, Vers. einer Deutung der H.-Statue, in: ThStKr 108, 1938, 362-369; – R. H. Connolly, The Eucharistic Prayer of H., in: JThS 39, 1938, 350-369; – Ders., New attributes to H., in: JThS 46, 1945, 192-200; – G. Borini, La statua di Sant' Ippolito del Museo Lateranense, in: Bolletino della Commissione Archeologica communale in Roma 68, 1940, 109-129; – Ders., Sant'Ippolito dottore e martire dell III seculo, 1943; – Charles Martin, Le 'Contra Noëtum de saint H., in: RHE 37, 1941, 5-23; – A. J. Otterbein, The diaconate according to the Apostolic Tradition of H. and derived documents (Diss. Washington) 1945; – Bernhard Botte, H. de Rom, La Tradition Apostolique, in: SC 11, 1946; – Ders., L'epiclese de l'anaphore d'H., in: RThAM 14, 1947, 241-251; – Ders., L'authenticité de la Tradition apostolique de saint H., in: RThAM 16, 1949, 177-185; – Ders., Note sur le symbole baptismal de saint H., in: Mus. Less 5 (sect. hist.) Nr. 13, Gembloux 1951, 189-200; – Ders., Note sur l'auteur du De universo, attribué à saint H., in: RThAM 18, 1951, 5-18; – Ders., Le texte de la tradition apostologique, in: RThAM 22, 1955, 161-172; – Ders., L'origine des canons d'H., in: Revue des sciences religieuses, Straßburg 1956, 53-63; – Ders., A propos de la »Tradition« (de saint H.), in: RThAM 33, 1966, 177-186; – Ders., La Tradition apostolique de St. H. Essai de reconstitution, Münster 1973; – Cyril C. Richardson, The origin of the epiclesis, in: AThR 28, 1946, 148-153; – Ders., The so-called epiclesis in H., in: HThR 40, 1947, 101-108; – Ders., The date and setting of the Apostolic Tradition of H., in: AThR 30, 1948, 38-44; – Ders., A note on the epicleses in H. and the »testamentum Domini«, in: RThAM 15, 1948, 357-359; – Hippolytus Sanctus. Der äthi. Text der KO. Nach 8 Hss. hrsg. u. übers. v. Hugo Duensing. in: AAG Philos.-hist. Kl. 3, 32, 1946; – Emil J. Lengeling. Das Heilswerk des Logos-Christus beim hl. H. v. R., Rom 1947; – Ders.. H. v. R. u. die Wendung »extendit manus suas cum pateretur«. in: Les questions liturgiques parossiales 50, Louvain 1969, 141-144; – W. C. van Unnik. Les cheveux défaits des femmes baptisées, in: VC 1, 1947, 77-100; – George Ogg. The Computist of A.D. 243 and H., in: JThS 48, 1947, 206 f.; – Ders.. The Tabella appended to the pseudo-cyprianic De Pascha Computus in the Codex Remensis, in: VC 8, 1954. 134-144; – E. Peterson, Le traitement de la rage des Elkesaites d'apres H., in: RSR 34, 1947, 231-238; – Ders., Krit. Analyse der V. Vision des Hermas, in: HJ 77, 1958, 362-369; – P. Nautin, H. et Josippe (Etudes et Textes pour l'Historie du Dogme de la Trinité, 1), 1947; – Ders., Je crois à l'Esprit Saint dans la sainte Eglise pour la résurrection de la chair. in: Unam Sanctam 17, Paris 1947; – Ders.. Notes sur le catalogue des oeuvres d'H., in: RSR 34, 1947, 100-107; – Ders., Le controverse sur l'auteur de l'»Elenchos«, in: RHE 47, 1952, 5-43; – Ders., Contre les hérésies (ebd. 2), 1949; – Ders., La controverse sur l'auteur de l'»Elenchos«, in: RHE 47, 1952, 5-43; – Ders., Le dossier d'H. et de Meliton dans les florileges dogmatiqu et chez historiens modernes (Unterss. über Fragmente H.s), 1953; – Ders., L'Auteur du comput pascal de 222 et la Chronique anonyme de 235, in: RSR 42, 1954, 226-257; – Ders., Encore le problème d'H., in: MSR 11, 1954, 215-218; – Pierre Nautin, S. Giet, Controverse sur H., in: Revue des sciences religieuses 25, Straßburg 1951, 75-85; – Rudolf Reutterer, Der hl. H., Klagenfurt 1947; – Ders., Legendenstud. um den hl. H., in: ZKTh 95, 1973, 386-410; – Ders., Die Mailänder H.-Präfation und die H.-Legende, in: ALW 17-18, 1975-76, 52-58; – J. Danielou: in: RSR 35, 1948, 596-598; – Ders., Bible et liturgie, 1951, 395-401; – Ders., Le symbolisme du jour de Pâques, in: Dieu Vivant 18, 1951, 45-56; – Ders., Histoire des origines chrétiennes. 1. H. et Origène, in: RSR 42, 1954, 585-592; – Gustave Bardy, L'enigme d'H., in: MSR 5, 1948, 63-88; – Leopold Welsersheimb, Das Kirchenlied der griechisch. Väterkomm. zum HL, in: ZKTh 70, 1948, 400-404; – Hieronymus Engberding, Das angebliche Dokument römischer Liturgie aus dem Beginn des 3. Jh.s, in: Miscellanea Liturgica in hon. L. C. Mohlberg Vol. I. Biblioteca »Emphemerides Liturgicae« 22, Rom 1948, 47-71; – Damien Van den Eynde, Nouvelle trace de la »Traditio apostolica« d'H. dans la liturgie romaine, in: Ebd., 407-411; – Baudouin de Gaiffier, Les oraisons de l'office de saint H. dans le Libellus orationum de Vérone, in: RAM 25, 1949, 219-224; – Hans Joachim Schoeps, Theol. u. Gesch. des Judenchristentums, 1949; – M. Richard, Comput et chronographie chez saint H., in: MSR 7, 1950, 237-268; – Ders., Encore le problème d'H., in: MSR 10, 1953, 13-52. 145-180; – Ders., La controverse, in: PO 27, 1954, 271 f.; – Ders., Dernières remarques sur s. H. et le soi-disant Josipe, in: RSR 43, 1955, 379-394; – Ders., Saint H. a-t-il commenté l'histoire de Samson?, in: MSR 23, 1966, 13-21; – Ders., Une paraphrase grecque resumee du commentaire d'H. sur le Cantique des cantiques, ebd. 15, 1964, 137-154; – Ders., Les fragments du commentaire de s. H. sur les proverbes de Salomon, in: Museon 79, 1966, 61-94; – Ders., Pour une edition du commentaire de S. H. sur Dan, in: Kyriakon. Festschr. Johannes Quasten. Hrsg. v. Patrick Granfield u. Josef A. Jungmann, 2 Bde., 1970; I, 69-78; – Ders., Le chapitre sur l'Église du commentaire sur Dan de s. H., in: Revue d'histoire des textes. Institut de recherche et d'histoire des textes 3, Paris 1973, 15-18; – Ders., Les difficultés d'une édition des oeuvres de H., in: StP 12, 1975, 51-70; – Giulio Oggioni, La questione di Ippolito, in: ScCatt 78, 1950, 126-143; – Ders., Ancora sulla questione di Ippolito, in: ScCatt 80, 1952, 513-525; – Bernard Capelle, H. de Rome, in: RThAM 17, 1950, 145-174; – Ders., A propos d'H. de Rome, in: RThAM 19, 1952, 193-202; – J. Barbel, Die Patrologie im frz. Sprachgebiet in der Kriegs- und Nachkriegszeit, in: TThZ 59, 1950, 122-125; – C. A. Bouman, Variants in the introduction to the Eucharistic Prayer, in: VC 4, 1950, 94-115; – Albrecht Oepke, Das neue Gottesvolk, 1950, 255-258; – J. N. D. Kelly, Early Christian Creeds, 1950, 89-92. 113-119; – Joseph Crehan, Early Christian Baptism and the Creed. The Bellarmine Series 13, London 1950, 112-121. 159-175; – Edward C. Ratcliff, The Sanctus and the pattern of the early anaphora, in: JEH 1, 1950, 29-36. 125-134; – Stanislas Giet, Le texte du fragment contre Noet, in: Revue des Sciences Religieuses 24, 1950, 315-322; – G. W. Lampe, The seal of the Spirit, 1951, 128-148; – L. Mariès, Le Messie issu da Levi chez H. de Rome, in: RSR 39, 1951/52, 381-396; – Heinrich Elfers, Neue Unterss. über

die KO H.s v. R., in: Abhandlungen über Theol. u. Kirche. Festschr. f. K. Adam, 1952, 169-211; – J. B. Bauer, Die Früchtesegnung in H.s KO, in: ZKTh 74, 1952, 71-75; – M. Spanneut, H. ou Eustathe? Autour de la chaîne de Nicétas sur l'Evangile selon saint Luc, in: MSR 9, 1952, 215-220; – E. Hulshoff, Membra disiecta d'un manuscrit d'Anastase le Sinaite contenant des fragments d'H. de Rome, in: Scriptorium 6, 1952, 33-38; – Joseph Ziegler, Der Bibeltext im Dan-Komm. des H. v. R., 1952; – Odo Casel, Die KO H.s v. R., in: ALW 2, 1952, 115-130; – Joseph Lécuyer, Episcopat et presbytérat dans les écrits d'H. de Rome, in: RSR 41, 1953, 30-50; – Walter Till u. Johannes Leipoldt (Hrsg. u. Übers.), Der koptische Text der KO H.s, TU 58, 1954; – A. Amore, Note su S. Ippolito Martire, in: RivAC 30, 1954, 63-97; – Josef Barbel, Zu patrolog. Erscheinungen aus den J. 1949-1954. II: Die H.frage, in: ThR 51, 1955, 101-108; – Georg Kretschmar, Bibliogr. zu H. v. R., in: JLH 1, 1955, 90-95; – Walter Spoerri, A propos d'un texte d'H., in: RÉA 57, 1955, 267-290; – J. Blanc, Lexique comparé des versions de la tradition apostolique de H., in: RThAM 22, 1955, 173-192; – Rudolf Stählin, Die Schlüssel des Himmelreichs (z. Gesch. der Bußordnung in der alten Kirche), in: ELKZ 10, 1956, 69-76; – R. J. Zwi Werblowsky, On the baptismal site according to St. H., in: StP 2, 1957, 93-105; – C. M. Edsman, A typology of baptism in H.m in: StP 2, 1957, 35-40; – C. M. Edsman, Bem.en zum koptischen Text der sog. KO H.s, in: OstKSt 5, 1956, 67; – Jean Michel Hanssens, La liturgie d'H., Rom 1959; – Ders., H. de R. fut-il novatianiste? Essai d'une biographie, in: Archivum historiae pontificiae 3, Rom 1965, 7-29; – Ders., L'edition critique des Canons d'H., in: OrChrP 32, 1966, 536-544; – Aimé-Georges Martimort, La tradition apostolique d'H. et le rituel baptismal antique, in: BLE 60, 1959, 57-62; – Antonio Orbe, El enigma de H. y su liturgia, in: Gregorianum 41, 1960, 284-292; – R. Obermeier, Aeskulap und H., in: Neue Zschr. f. ärztliche Fortbildung 50, Stuttgart 1961, 14 f.; – V. Palachkorsky, La tradition hagiographique sur s. H., in: StP 3, 1961, 97-107; – A. F. Walls, The Latin version of H. apostolic tradition, in: StP 3, 1961, 155-162; – J. M. Hanssens, La liturgie d'Hippolyte, assentiments et dissentiments, in: Gregorianum 42, 1961, 290-302; – E. M. J. M. Cornélis, Quelques éléments pour une comparaison entre l'Evangile de Thomas et la notice d'H. sur les Naassè nes, in: Vig Chr 15, 1961, 83-104; – George Ogg, H. and the introduction of the Christian era, in: VigChr 16, 1962, 2-18; – G. Garitte, Fragments arméniens du traité d'H. sur David et Goliath, in: Muséon 76, 1963, 277-318; – Raimondo Riva, La »Introduzione ai salmi« falsamente attribuita a Ippolito e il Cod. Ambr. C 313 inf., in: Mélanges. Eugène Tisserant. Vol. 1, Rom 1964, 351-364; – J. A. Jungmann, Die Doxologien in der KO H.s, in: ZKTh 86, 1964, 321-326; – Eric Segelberg, The Benedictio dolei in the apostolic tradition of H., in: OrChr 48, 1964, 268-281; – Mirislav Marcovich, Note on H.' Refutatio, in: JThS 15, 1964, 69-74; – Ders., Textual criticism on H.' Refutatio, ebd. 19, 1968, 83-92; – Ders., H., Refutatio X, 35.9 (290. 9-15 Wendland), ebd. 24, 1973, 195 f.; – Ders., One hundred Hippolytean emendationes, in: Gesellschaft. Kultur. Lit. Beitrr. J. Wallach gewidmet. Hrsg. v. Karl Bosl. Monogr. z. Gesch. des MA XI, Stuttgart 1975, 95-128; – Dorothea Müller, Die russ.-kirchenslaw. Hs. v. H.s Schr. über den Antichrist im Kodex Slavicus 9 der Östr. Nat.bibl., in: Zschr. f. Slawistik 10, Berlin 1965, 64-106; – Jean Magne, La prétendue tradition apostolique d'H. de Rome s'appelait-elle Hai diataxeis ton nagion apostolon, les statuts des saints apôtres?, in: OstKSt 14, 1965, 35-67; – Norbert Brox, Kelsos und H. Zur frühchristl. Geschichtspolemik, in: VigChr 20, 1966, 150-158; – Ludwig Bertsch, Die Botschaft v. Christus u. unserer Erlösung bei H. v. R. Eine material-kerygmat. Unters., 1966; – Ernst Dassmann, Ecclesia vel anima. Die Kirche u. ihre Glieder in der Hhld.erklr. bei H., Origines u. Ambosius v. Mailand, in: RQ 61, 1966, 121-144; – R. Cantalamersa, La pasqua ritorno alle origini nell' omelia pasquale dello Pseudo-Ippolito., in: ScCatt 95, 1967, 339-368; – Gerard Garitte, Une nouvelle source du »De fiede« georgien attribuee à H., in: EHE 63, 1968, 835-843; – John Edward Stam, Episcopacy in the apostolic tradition of H. (Diss. Basel), 1969; – Emil J. Lengeling, H. v. Rom und die Wendung »extendit manus suas cum pateretur«., in: Les questions liturgiques et paroissiales 50, Louvain 1969, 141-144; – D. L. Holland, The baptismal interrogation concerning the Holy Spirit in H.'s Apostolic tradition., in: StP 10, 1970, 360-365; – M. A. Smith, The anaphora of Apostolic tradition re-considered, in: StP 10, 1970, 426-430; – Albert Fries, Spur einer Kenntnis v. H.s »Apostl. Überl.« im 13. Jh.?, in: FZThPh 18, 1971, 29-35; – Bernhard Herzhoff, Zwei gnost. Pss. Interpretation u. Unters. v. H., Refutatio V, 10, 2 u. VI, 37, 7 (Diss. Bonn), 1971; – Pierre Prigent, H., commentateur de l'Apocalypse, in: ThZ 28, 1972, 391-412; – Ders., Les fragments du De Apocalypsi d'H. ebd. 29, 1973, 313-333; – Ders., Citations d'H. trouvees dans le ms. Bodl. Syr. 140, ebd. 30, 1974, 82-86; – Cantalamessam Ramiero, Les homélies pascales de Méliton de Sardes et du Pseudo-Hyppolyte et les extraits de Thédote, in: Epektasis. Mélanges patristiques offerts au cardinal Jean Daniélou, Paris 1972, 263-271; – Josef Frickel, Eine neue krit. Testausg. der »Apophasis Megale« (H., Refutatio VI, 9-18)?, in: Wiener Studien. Zschr. f. klass. Philologie. NFG, Wien 1972, 162-184; – Mark Santer, H., Refutatio X, 33.9, in: JThS 24, 1973, 194 f.; – G. Q. Reijners, Cross symbolism in H., in: Mélanges Christine Mohrmann, Utrecht 1973, 13-24; – Klaus Koschorke, H.s Ketzerbekämpfung u. Polemik gg. die Gnostiker. Eine tendenzkrit. Unters. seiner »Refutatio omnium haeresium«, 1975; – D. L. Powell, The schism of H., in: StP 12, 1975, 449-456; – E. Segelberg, The ordination prayers in H., in: StP 13, 1975, 397-408; – Klemens Richter, Zum Ritus der Bischofsordination in der »Apost. Überlieferung« H.s v. Rom u. davon abhängigen Schrr. in: ALW 17-18, 1975-76, 7-51; – Gertrud Chappuzeau, Die Auslegung des Hhld.es durch H. v. Rom, in: Phil, JAC 19, 1976, 45-81; – Henryk Paprocki, H.s v. R. traditio apostolica. Einf. Übers. u. Komm. (in poln. Sprache), in: Studia theologica Varsaviensia 14, Warschau 1976, 145-169; – Christoph Burchard, Die Essener bei H. in: Journal of the study of the judaism in the persian, hellenistic and roman period 8, Leiden 1977, 1-41; – E. Prinzivalli, Due passi escatologici del »peri pantos« di ip, in: Vetera Christianorum 16, Bari 1979, 63-76; – Heinzgerd Brakmann, Alexandreia u. die Kanones des H., in: Phil, JAC 22, 1979, 139-149; – M. S. Troiano, Alcuni aspetti della dottrina dello spirito santo in ippolito, in: Augustinianum 20, Periodicum quadrimeste istituti patristici »augustinianum«, Rom 1980, 615-632; – Bardenhewer II, 550-610; – Altaner 77. 82-84. 94. 164-169; – Quasten Stählin 1331-1341; – LThK IV, 381 f. (Widerlegung aller Häresien); – DThC VI, 2487-2511; – LThK V, 378-380; – RE VIII, 126; – EKL II, 172 f.; – RGG III, 362.

Ba

HIRSCH, Emanuel, lutherischer Theologe, * 14.6. 1888 in Bentwisch in Brandenburg (Landkreis Perleburg, West-Priegnitz) als Sohn des Pfarrers Albert Hirsch, † 17.7.1972 in Göttingen. – H. studierte Theologie in Berlin, seine Lehrer waren Karl Holl, Adolf von Harnack und P. Kleinert. 1912-1914 war er Stiftsinspektor in Göttingen, wo er 1914 auch promovierte. 1915 habilitierte er sich an der Theologischen Fakultät in Bonn im Fach Kirchengeschichte und wirkte dort als Privatdozent. 1921 wurde H. nach Göttingen berufen. Er wurde der Nachfolger Nathanael Bonwetschs. 1921-1930 gab H. die ThLZ heraus. 1936 wurde er Ordinarius für systematische Theologie. Als Vertrauensmann des Nationalsozialismus war H. ständiger Dekan (1933-1945). 1934-1943 gab er die deutschchristliche DTh heraus. 1945 wurde der inzwischen Erblindete vorzeitig pensioniert. Die theologische Arbeit H.s läßt sich in vier Schwerpunkte gliedern: 1. Die Beschäftigung mit der modernen Philosophie, vor allem mit Fichte und Kierkegaard, sowie mit der Theologie Luthers in der Sicht Karl Holls. 2. Biblische Studien vor allem am Neuen Testament. 3. Die politisch-theologische Arbeit an Gegenwartsproblemen der christlichen Lehre. 4. Die Arbeit an Studien- und Glaubenshilfen. Außerdem ist seine von Wilhelm Raabe beeinflußte literarische Tätigkeit zu erwähnen, die allerdings keine große Publizität fand. H.s theologisches Schaffen ist nicht zu verstehen ohne seinen Bezug zur deutschen Geschichte. Eine Schlüsselrolle spielt für ihn das Erlebnis des Jahres 1918. Die Jahre der Weimarer Republik bezeichnet er später als »Zwischenreich«, er erlebt in ihnen das Handeln des verborgenen Gottes. Gegen die dialektische Theologie bezieht H. eine scharfe Gegenposition. Sein Vorwurf besteht u. a. darin, sie sehe das Weltverhältnis Gottes allein als richtende Verneinung und wende sich damit von der menschlichen Geschichte ab. H. vertritt ein lautes Ja zu dieser Geschichte, zum Wiederaufbau des zerstörten Deutschlands gerade auch in theologischer Verantwortung. In den Jahren des »Zwischenreichs« sei ein »großer Sündenfall der Theologie geschehen«, da die Freiheit, die der christliche Glaube gebe, entstellt worden sei »zu einer Gleich-

gültigkeit gegen die irdische Gemeinschaft mit ihren heiligen Bindungen...«. H. will in seiner Ehtik die menschliche Wahrheit ohne christlich-dogmatische Vermischung herausstellen. Ziel sei die menschliche Überschau und Beurteilung der Geschichte. Damit sei der Ausgangspunkt dafür erreicht, dem Verhältnis von menschlicher und christlicher Wahrheit nachzuspüren. H.s Erkenntnislehre ist idealistisch geprägt und steht unter dem Einfluß Fichtes und Kierkegaards. Der menschliche Geist sei wesensmäßig auf die letzte Wahrheit ausgerichtet. Wo sich ein Erkenntnisprozeß vollziehe, sei Wahrheit enthalten, wo und wie aber: darin bleibe ein Geheimnis. Nur der Glaube an die religiöse Grundlegung des menschlichen Bewußtseins von der Wahrheit ermögliche die Aufweisung der menschlichen und christlichen Wahrheit und deren Versöhnung miteinander. Die Geschichtlichkeit von Wahrheit hat bei H. Vorrang. So sieht er sowohl die menschliche als auch die christliche Wahrheitserkenntnis an das moderne Wahrheitsbewußtsein gebunden. Für H. gibt es keine Wahrheit aus Tradition oder Autorität. Wahrheit sei immer Gewissenswahrheit. Wie sein Lehrer Karl Holl sieht H. in Luther den Beginner des Zeitalters der Gewissensautonomie. Das Christentum sei eine Gewissensreligion. H. wendet sich entschieden gegen ein geschlossenes Weltbild. Im Fortlauf der politischen Ereignisse wandelt sich die Theologie H.s. Während er zur Zeit der Weimarer Republik gegenüber der Politik theologisch wie politisch die Position des Dezisionismus einnahm, indem er das Gewissen ihr gegenüber nicht gebunden, sondern auf das Ewige ausgerichtet definiert, vollzieht sich für H. 1933 ein Umbruch. »Für die, die sich nicht so vom Tode bezaubern ließen, brach eben aus dieser göttlichen Verborgenheit, mit der Gewalt einer Offenbarung, eine echte Erkenntnis hervor: daß menschliches Leben nur da menschlich sein kann, wo es die heilige Bindung ehrt und vollzieht, in der es Gott gestiftet hat...« H. entwirft nun eine Ethik, die er an die durch den Nationalsozialismus geschaffene neue Wirklichkeit bindet und die jetzt die Norm stellt. Für H. ist der von ihm heilig empfundene Moment gekommen, den Gott dieser Wirklichkeit als den Gott des Evangeliums zu erweisen. Der Augenblick für die Versöhnung von menschlicher und christlicher Wahrheit ist für H. gekommen.

Werke: Fichtes Rel.philos. im Rahmen der philos. Gesamtentwicklung Fichtes, 1914; Fichtes Religionsphilosophie in der Frühzeit der Wissenschaftslehre, Bd. 163, 1917, 17-36; Der Pazifismus; Randglossen zu Luthertexten (Zu Luthers frühen Disputationen), ThStKr, 1918, 108-137; Christentum u. Gesch. in Fichtes Philos., 1920; Luthers Gottesanschauung, 1918; Die Theologie des Andreas Osiander u. ihre geschichtl. Voraussetzungen, 1919; Dtld.s Schicksal. Staat, Volk u. Menschheit im Lichte der eth. Gesch.ansicht, 1920 (1925³); Christentum u. Gesch. in Fichtes Philos., 1920; Die Reich-Gottes-Begriffe des neueren europ. Denkens. Ein Vers. z. Gesch. der Staats- u. Ges.philos., 1921; Der Sinn des Gebets, 1921 (1928² neu gestaltet: ...Fragen u. Antworten); Die Romantik und das Christentum, insbesondere bei Novalis und dem jungen Hegel, ZSTh 1, 1923, 28-43; Die Einheit der Kirche, ZSTh 3, 1926, 378-400; Der Wille des Herrn. Predigten, 1925; Die idealist. Philos. u. das Christentum. Ges. Aufss., 1926; Bultmanns Jesus, Zeitwende. 2. Jg., 9. H., 1926, 309-313; Antwort an Rudolf Bultmann, ZSTH 4, 1927, 631-661; Zum Verständnis d. Kierkegaards Verlobungszeit, ZSTh 5, 1928, 55-75; Luthers dt. Bibel. Ein Btr. z. Frage ihrer Durchsicht, 1928; Jesus Christus, Theol. Vorlesungen, 1926 (1929²); Das Ev. Predigten, 1929; Staat u. Kirche im 19. u. 20. Jh., 1929; Fichtes, Schleiermachers u. Hegels Verhältnis z. Ref., 1930; Kierkegaards Erstlingsschrift, ZSTh 8, 1930, 90-144; Kierkegaard-Stud. I. 1. Zur inneren Gesch. 1835-

1841. 2. Der Dichter, 1930. Neudr. 1978; Petrus und Paulus. Ein Gespräch mit Hans Lietzmann, ZNW 29, 1930, 63-76; Zur paulinischen Christologie, ZSTh 7, 1930, 605-630; Rousseaus Geschichtsphilos., Rechtsidee u. Staatsgedanke. Festschr. f. J. Binder, 1930, 223-242; Zwei Fragen zu Galater 6, ZNW 29, 1930, 192-197; Schöpfung u. Sünde in der natürl.-geschichtl. Wirklichkeit des einzelnen Menschen. Vers. einer Grundlegung christl. Lebensweisung, 1931; Evangelische Kirche u. Völkerverständigung, AELKZ, 64. Jg., Nr. 30, 1931, Sp. 708-717; Offener Brief an Karl Barth, Dt. Volkstum, 1. Aprilheft 1932, 266-272; Das kirchl. Wollen der Dt.en Christen, 1933; Die ggw. geist. Lage im Spiegel philos. u. theol. Besinnung. Akadem. Vorlesungen z. Verständnis des dt. J. 1933, 1934; Dt. Volkstum u. ev. Glaube, 1934; Christl. Freiheit u. polit. Bindung. Ein Brief an Dr. Stapel u. a., 1935; Das AT u. die Predigt des Ev., 1936; Stud. z. 4. Ev., 1936; Das 4. Ev. i. s. ursprüngl. Gestalt verdeutscht u. erkl., 1936; Der Weg der Theol., 1937; Zweifel u. Glaube, 1937; Hilfsbuch z. Stud. der Dogmatik. Dogmatik der Reformatoren u. der altev. Lehrer, qu.mäßig belegt u. verdt., 1937 (Neudr. 1951; 1964⁴, Nachdr., 1974); Die Umformung des christl. Denkens in der Neuzeit. Ein Lesebuch, 1938; Leitfaden z. christl. Lehre, 1938; Das Wesen des Christentums, 1939; Die Auferstehungsgesch. u. der christl. Glaube, 1940; Paulus, 1940; Karl Barth. Das Ende einer theol. Existenz. Brief an einen ausländ. Freund (v. 24.1.1940), Privatdruck Göttingen 1940; Luther u. der dt. Geist (Aufs. über K. Holls Lutherbuch), Unterhaltungsbeilage Nr. 296 zur »Täglichen Rundschau« v. 24.12.1921, 980-981; Der Durchbruch der reformat. Erkenntnis bei Luther. Wege der Forschung, Bd. CXXIII, hg. v. B. Lohse, 1968, 102-106. − Frühgesch. des Ev., I: Das Werden des Mk.ev., 1941 (1951²); II: Die Vorlagen des Lk u. das Sondergut des Mt, 1941; Gesch. der neueren ev. Theol. im Zus.hang mit den allg. Bewegungen des europ. Denkens I, 1949-53 (1975⁵); II, 1951 (1975⁵); III, 1951 (1975⁵); IV, 1952 (1975⁵); V, 1953 (1975⁵); Martin Luther, Werke in Ausw. VII. Predigten, hrsg. v. E. H., Neudr. 1950; Lutherstud., 2 Bde., 1954; Zwiegespräche auf dem Wege zu Gott. Ein stilles Buch, 1960 (1974³); Brief- u. Tgb., 1961; Hauptfragen christl. Rel.philos., 1963; Das Wesen d. reformat. Christentums, 1963; Hauptfragen christl. Rel.philos., 1963; Predigerfibel, 1964; Ethos u. Ev., 1966; Weltbewußtsein u. Glaubensgeheimnis, 1967; Schleiermachers Christusglaube. 3. Stud., 1968; Wege zu Kierkegaard, 1968; Betrachtungen zu Wort u. Gesch. Jesu, 1969; Bibliogr. E. H., bearb. u. hrsg. v. Hans-Walter Schütte, 1972; Briefwechsel 1917-1918. E. H., Paul Tillich. Subjektivität u. System. Nachw. v. Hans-Walter Schütte, 1973. − Erzz. u. Romane. Herzgespinste. Dt. Märchen, Das kleine Buch 7, 1932. Rückkehr ins Leben, Erz., 1950 (1957²); Das Herz in der Truhe. Erz., 1951; Der Heckenrosengang. Rom, 1954; Der neugekerbte Wanderstab. Rom, 1955; Nothnagel. Rom, 1956; Die unerbittl. Gnaden. Erz., 1958; Frau Ilsebill. Hans Ungeschick, 1959; Die Brautfahrt u. andere wunderl. Gesch.n, 1960; Waldemar Attichs Wendej. Ein Brief- u. Tgb., 1961; Gesch.n v. der Markscheide, 1963; Die Waldmagd. Erz., 1964. − Sören Kierkegaard, Ges. Werke (dt. v. E. H.), Düsseldorf, Köln, Diederichs. Abt. 1: Entweder/Oder, T. 1, 1956 (1964: 5.-7. Tsd.). 2/3: Entweder/Oder, T. 2. Zwei erbaul. Reden. 16.5.1843, 1957 (1966: 5.-6. Tsd.). 4: Furcht u. Zittern, 1950, 1971⁴. 5/6: Die Wiederholung. Drei erbaul. Reden. 1843, 1955, 1967². 7/9: Erbaul. Reden, 1843/44, 1956. 10: Philos. Brocken. 1952, 1961². − De omnibus dubitandum est, 1967³. 11/12: Der Begriff der Angst - Vorworte, 1952, 1965³. 13/14: Vier erbaul. Reden. 1844. − Drei Reden bei gedachten Gelegenheiten. 1845, 1952, 1966². 15: Stadien auf des Lebens Weg (unter Mitarb. v. Rose H.), 1958. 17: Eine literar. Anzeige, 1954, 1966². 20: Christl. Reden, 1848 (unter Mitarb. v. Rose H.), 1959. 21/23: Kleine Schrr. 1848/49 (unter Mitarb. v. Rose H.), 1960. 24/25: Die Krankheit z. Tode. Der Hohepriester, der Zöllner, die Sünderin, 1954, 1966³. 26: Einübung im Christentum, 1951, 1971⁴. 27/29: Erbaul. Reden, 1850/51, 1953. 30: Erstlingsschrr. (unter Mitarb. v. Rose H.), 1960. 31: Über den Begriff der Ironie mit bes. Rücks. auf Sokrates (unter Mitarb. v. Rose H.), 1961. 33: Die Schrr. über sich selbst, 1951, 1964². 35: Briefe, 1955, Sören Kierkegaard / Ausw. aus dem Gesamtwerk des Dichters, Denkers u. rel. Redners. (Werke, Ausz., dt.). Unter Mitarb. v. Rose Hirsch, besorgt v. E. H., 1969 (Siebensterntaschenbuch 141/143); Werke, 1978 ff.

Lit.: Paul Tillich, Die Theologie des Kairos u. die ggw. geist. Lage. Ein offener Brief an E. H. aus dem J. 1934 (Nachdr. 1978); − Paul Althaus, Die Wahrheit des kirchl. Osterglaubens. Einspruch gg. E. H., 1940 (1941² verm.); − Max Geiger, Gesch.mächte oder Ev.? Zum Problem theol. Gesch.schreibung u. ihrer Methode. Eine Unters. zu E. H.s »Gesch. der ev. neueren Theol.«, Zollikon/Zürich 1953; − Wahrheit u. Glaube. Festschr. f. E. H. zu seinem 75. Geb. Hrsg. v. Hayo Gerdes, 1963; − Hans-Dieter Bastian, Neuprotestantismus neu? Kirche in der Zeit 18 (1963), 434-436; − Wilfried Eckey, Das Credo eines eigenwilligen Theologen, in: Kirche in der Zeit 19, 1964, 511-513; − Hayo Gerdes, E. H., in: Tendenzen der Theol. im 20. Jh. Eine Gesch. in Porträts. Hrsg. v. Hans Jürgen Schultz, 1966, 328-332; − Hans Martin Müller, Pectus facit theologum. Ein Blick in das Alterswerk E. H.s, in: MPTh 57, 1968, 302-310; − Martin Lehmann, Synopt. Qu.analyse u. die Frage nach dem hist. Jesus. Kriterien der Jesusforsch., unters. in Auseinandersetzung

mit E. H.s »Frühgesch. des Ev.« (Diss. Kirchl. Hochschule Berlin (West), 1968), BZNW 38, 1970; − Gunda Schneider-Flume, Die polit. Theol. E. H.s 1918-1933 (Diss. Tübingen, 1969), Bern - Frankfurt/Main 1971; − Dies., Krit. Theologie contra theol.-polit. Offenbarungsglauben. Eine vergleichende Strukturanalyse d. polit. Theologie P. Tillichs, E. H.s u. R. Shaulls. EvTh 33, 1973, 114-137; − W. Trillhaas, Repräsentant u. Außenseiter einer Generation. Nach dem Tod v. E. H., in: Ev. Komm. 5, 1972, 601; − Jens H. Schjørring, Theol. Gewissensethik u. polit. Wirklichkeit. Das Beisp. Eduard Geismars u. E. H.s, 1979; − James Reimer, Theological method and political ethics: the Paul Tillich - E. H. debate, in: Journal of the American Academy of Religion 47, 1979, 135 ff.; − Michael Weinrich, Der Wirklichkeit begegnen. Studien zu Buber, Griesbach, Gogarten, Bonhoeffer u. H., 1980.

Ba

HIRSCH, Samson Raphael, jüdischer Theologe, * 20.6. 1808 in Hamburg, + 31.12.1888 in Frankfurt a. M. − Nach Absolvierung seines Universitätsstudiums wurde H. 1830 Landesrabbiner in Oldenburg. In seiner ersten Schrift »Neunzehn Briefe über Judentum«, die er 1836 unter dem Pseudonym Ben Usiel herausgab, trat er einer zeitgemäßen Umgestaltung des Judentums schärfstens entgegen. Zwei Jahre später stellte er in »Choreb oder Versuche über Jissroels Pflichten in der Zerstreuung« eine umfangreiche Dogmatik und Ethik des biblisch-talmudischen Judentums auf. 1841 wurde H. Distriktsrabbiner in Emden, 1846 Rabbiner in Nikolsberg (Mähren) und 1851 Rabbiner der orthodoxen israelitischen Religionsgemeinschaft in Frankfurt a. M. Während seiner Frankfurter Zeit verfaßte H. noch zahlreiche Bücher und Schriften, u. a. eine Übersetzung und Erläuterung des Pentateuch. − H. gehörte zu den jüdischen Theologen des 19. Jahrhunderts, die moderne Bildung und traditionelles Judentum zu verbinden suchten. Der Einfluß, den er zu seiner Zeit auf jüdische Kreise hatte, ist kaum zu überschätzen.

Wi

Werke: 19 Briefe über Judentum (unter dem Pseud. Ben Usiel), 1836 (1911⁴); Choreb oder Verss. über Israels Pflichten in der Zerstreuung, 1838 (1925⁶); Der Pentateuch (Übers. u. Komm.), 5 Bde., 1867-78 (1903⁴. Engl. Ausg. 1962); Das Prinzip der Gewissensfreiheit, 1874; Der Austritt aus den Gemeinden, 1876; Pss. 1883, 1898² ; Die Beziehungen zw. Talmud u. Judentum, 1884; Israels Gebete, übers. u. erläutert, 1895, 1921³. Engl. übers. The Hirsch Siddur. New thoroughly corrected edition, Jerusalem 1978. − Ges. Schrr., 6 Bde., 1902-12. − Gab heraus: die Zschr. »Jeschurun«, 1854-70.

Lit.: A. Geiger, 19 Briefe über das Judentum, in: Wiss. Zschr. f. jüd. Theolog. 2, 1836; − − Festschr. z. Jub. Feier... der Unterrichtsanstalten der Israel. Rel.ges. zu Frankfurt am Main, 1903; − Raphael Breuer, Unter seinem Banner. Ein Betr. z. Würdigung Rabbiner S. R. H.s, 1908; − Ders., 100 J. 19 Briefe, in: Nachalath Z'wi. Eine Mschr. f. Judentum in Lehre u. Tat 6, 1935/36; − Ders., 100 J. Chaurew, ebd. 7, 1936/37; − Ders., S. R. H., in: Duardians of our Heritage, 1958; − F. Thieberger, in: Der Jude 4, 1919/20, 556; − S. Wininger, Jüdische Nationalbiographie III (1928), 120 ff.; − Isaak Rosenheim, Das Bildungsideal S. R. H.s u. die Ggw., 1934; − Y. Wolffsberg (Aviad), Der Rabbiner S. R. H. (hebr.), in: Sinai 4, 1938/39; − H. Schwab, The history of orthodox Jewry in Germany, engl. Übers. London 1950; − Isaak Heinemann, Die Beziehung H.s zu seinem Lehrer I. Bernays, in: Zion. Vjschr. z. Erforsch. der Gesch. Israels 16, 1951 (hebr.); − I. Grünfeld, Three Generations, the Influence of S. R. H. on Jewish Life and Thought, 1958; − St. S. Schwarzschild, S. R. H. − The Man and his Thought, in: Konservative Judaism, 13, Nr. 2, 1959; − S. R. H. ... als Wegweiser f. Judentum in Lehre u. Leben, Zürich 1960; − N. Rosenbloom, The Nineteen Letters of S. R. H., a Hegelian Exposition, in: Hist. Judaica 22, 1960; − Ders., Hegelian juridical dialectis as e metric for jewish law. A comparative analysis of S. R. H.'s Mishpatim and Hegel's Abstract Laws, in: REJ 2 (122), 1963, 75-122; − J. J. Weinberg, in: S. R. H., 1960; − Rabbiner H., seine Lehre u. seine Methode (hebr.), hrsg. v. J. Emanuel, 1962; − P. P. Grünewald, Esthetique et Pedagogie dans l'Oeuvre de S. R. H. (Diss. Strasbourg), 1962; − Ders., Les 13 Attributs Divins et leur aspect ethique selon S. R. H., in: Trait Union. Bulletin mensuel du Judaisme tradtitionaliste 11, 1963; – Ders., L'ecole juive dans l'optique de S. R. H., in: Journal Israelite Suisse 65, 1965; – Pinchas E. Rosenblüth, S. R. H. Sein Denken u. Wirken, in: Das Judentum in d. dt. Umwelt 1800-1850. Studien z. frühgesch. d. Emanzipation, hrsg. v. H. Liebschütz u. A. Paucker. Schrr.Reihe wiss. Abhh. d. Leo Baeck Instituts 35, Tübingen 1977; – Yizhäk Ahren: Sich selbst begreifendes Judentum: Zu Rosenblooms Studie über Rabbiner S. R. H., in: Allgem. jüd. Wochenzeizung 32 (1977), Nr. 25 v. 24.6.1977, S. 5; – P. P. Grünewald, Eine jüd. Offenbarungslehre S. R. H., 1977; – RGG III, 364; – EJud VIII, 91 ff.; – ADB 50, 363 f.; – NDB IX, 210 f.

Ba

HIRSCHER, Johann Baptist von (seit 1836), kath. Theologe, * 20.1.1788 in Alt-Ergarten bei Ravensburg als Sohn eines Bauern, + 4.8.1865 in Freiburg (Breisgau). – H. besuchte die Klosterschule der Prämonstratenserabtei Weißenau bei Ravensburg bis zur Aufhebung des Klosters im Jahr 1803, dann das Lyzeum in Konstanz bis zu dessen Aufhebung im Jahr 1807 und bezog nun die Universität Freiburg (Breisgau). 1809 trat er in das Priesterseminar in Meersburg am Bodensee ein und empfing 1810 die Priesterweihe. H. wirkte dann als Seelsorger in Röhlingen und wurde 1812 Repetent am neuen Priesterseminar in Ellwangen und 1817 Professor für Moral- und Pastoraltheologie an der Universität Tübingen. 1820 wurde ihm die theologische Doktorwürde ehrenhalber verliehen. Der Neujahrstag 1836 brachte das Ritterkreuz des württembergischen Kronordens und die Erhebung in den persönlichen Adel. 1837-63 lehrte H. in Freiburg. Er wurde 1839 in das Domkapitel gewählt, dem er bis in sein letztes Lebensjahr angehörte, seit 1850 als dessen Dekan. Während des sog. badischen Kirchenstreits war H. der treueste und einflußreichste Mitkämpfer auf seiten des Erzbischofs Hermann von Vicari (s.d.). Als Mitglied der Ersten badischen Kammer, das er seit 1845 auf mehreren Landtagen war, verfolgte H. besonders zwei Ziele: Förderung des Christentums durch den Staat und Freiheit und Selbständigkeit der Kirche. Mit allem Nachdruck stellte er sich den liberalen Strömungen, die in das Schulwesen eindrangen, entgegen und trat für die Beibehaltung der Konfessionsschule ein. H. ist Mitbegründer der Tübinger "Theologischen Quartalschrift" und Hauptvertreter der katholischen 'Tübinger Schule". "Das Aufblühen der Tübinger Schule war der Geistesfrühling des im katholischen Deutschland neu erwachten theologischen Lebens, eine herrliche Nachblüte der romantischen Literaturepoche Deutschlands auf dem Boden der kirchlichen Wissenschaft". (Karl Werner). Mit Johann Adam Möhler (s.d.) hat H. unstreitig am bedeutendsten auf die religiös-kirchliche Richtung seiner Zeit eingewirkt. Er war von Johann Michael Sailer (s.d.) beeinflußt und trat, obwohl im übrigen konservativ, für manche kirchliche Reformen ein. Seine Reformvorschläge aber wurden verurteilt: seine Schrift "Die kirchlichen Zustände der Gegenwart" (1849) kam auf den Index der verbotenen Bücher, jedoch mit der Bemerkung: "Laudabiliter se subjecit." Seine "Katechetik" machte H. zum Begründer dieser Disziplin als Wissenschaft. Seine Evangelienbetrachtungen nannte Paul von Keppler (s.d.) "einen großartigen und geistvollen Versuch einer Wiederbelebung der Homilie". Sein Hauptwerk "Die christliche Moral" ist eines der bedeutendsten Werke der deutschen Theologie seiner Zeit. H. ist auch bekannt durch seine Caritasarbeit in der Diözese Freiburg: er nahm sich der verwaisten und verwahrlosten Kinder an und stiftete mehrere Waisenhäuser, für die er kostbare Schätze seiner Kunstsammlungen verkaufte und auch in Schriften warb.

Werke: Über das Verhältnis des Ev. in der theol. Scholastik der neuesten Zeit im kath. Dtld., zugl. als Betr. z. Katechetik, 1823; Die kath. Lehre v. Ablaß, 1826 (1955⁶); Betrachtungen über sämt. Evv. der Fasten mit Einschluß der Leidensgesch. f. Seelsorger u. jeden christl. Leser, 1829 (1848⁸; Ausw., hrsg. v. Engelbert Krebs: Tage des Ernstes, 1912 (1923²); H.s Fastenpredigten, 1938); Erinnerungen an Dr. Nepomuk Bestlin, 1831; Katechetik oder der Beruf des Seelsorgers, die ihm anvertraute Jugend im Christentum zu unterrichten u. zu erziehen, nach seinem ganzen Umfang dargestl., 1831 (1840⁴); Die christl. Moral als Lehre v. der Verwirklichung des göttl. Reiches im Menschheit, 3 Bde., 1835/36 (1851⁵); Betrachtungen über die sonntägl. Evv. des Kirchenj., 2 Tle., 1837-43 (1862⁶); neu hrsg. v. August Wibbelt, 1912); Gesch. Jesu Christi, des Sohnes Gottes u. Weltheilandes, 1839 (1840²; neue Ausg. 1842 (1845²); Daß es eine positive göttl. Offb. geben müsse u. darum auch wirklich gebe, 1839 (akadem. Antrittsrede in Freiburg); Katechismus der christl.-kath. Rel., 1842 u. ö. bis 1860; Der kleinere Katechismus der christ.-kath. Rel., 1845 u. ö. bis 1860; Erörterungen über die großen rel. Fragen der Ggw. I, 1846; II, 1847; III, 1855 (neue Ausg. 1864/65); Die Notwendigkeit einer lebendigen Pflege des positiven Christentums in allen Klassen der Ges., 1848; Der sog. Zustände der Ggw. u. die Kirche, 1849; Die kirchl. Zustände der Ggw., 1849; Beitrr. z. Homiletik u. Katechetik, 1852; Das Leben der seligsten Jungfrau u. Gottesmutter Maria, 1854 (1899⁷); Zur Orientierung über den ggw. Kirchenstreit, 1854; Die Hauptstücke des christl. Glaubens, 1857; Betrachtungen über sämtl. Episteln des Kirchenj., 2 Bde.; 1860 (gek. Neuausg. v. August Wibbelt, 1916 (1937²); Selbsttäuschungen, 1865 (hrsg. v. Johannes Mumbauer, 1915 (1937²); v. Josef Spieler, Ein Mensch sieht sich selbst, Olten 1937; H.s nachgel. kleinere Schrr., hrsg. v. Hermann Rolfus, 1869; Textauswahl in: Erwin Keller, J. B. H., 1969 (Werkerverz.).

Lit.: Joseph Martin Mack, Zur Katechismusfrage. Eine Stimme der Diöz. Rottenburg über den H.schen Katechismus, in: FreibThSt 9, 1843; 10, 1843; – Ders., Nekrolog auf H., in: ThQ 48, 1866, 298-312; – Karl Adolf Gerhard v. Zezschwitz, System der christl.-kirchl. Katechetik I, 1863, 3. 73. 277. 533 ff.; II, 1864, 2. 271 ff.; – Pius Bonifaz Gams, Johann Adam Möhler, ein Lb. v. Prof. Balthasar Wörner, 1866 (darin ein biogr. Kap. über H. mit wertvollen persönl. Erinnerungen); – Friedrich Johann Wörter, Gedächtnisrede auf J. B. v. H., 1867; – F. Kössing, J. B. H., in: Bad. Biogr. I, 1875, 372 ff.; – Albert Stöckl, Lehrb. der Gesch. der Päd., 1876, 672 f.; – Ferdinand Propst, Gesch. der kath. Katechese, 1886, 172 f.; – Friedrich Wilhelm Bürgel, Gesch. des Rel. unterrichts in der kath. Volksschule, 1890, 175 ff. 189 ff. 210 ff.; – Ders., Hdb. der Gesch. u. Methode des kath. Rel.unterrichts, 1909, 109 ff.; – Franz Xaver Schöberl, Lehrb. der Katechetik, 1890, 13 f. 288 ff. 309 f. 338; – Friedrich Lauchert, J. B. H. in seiner Wirksamkeit als theol. Schr.steller dargest., in; Internat. Theol. Zschr. II-IV, 1894-96; – J. Probst, Einblick in d. ma. Gemäldesmlg. d. Domdekans v. H. in Freiburg, in Archiv f. christl. Kunst 10, 1892, 4-6, 17-18; 12, 1894, 13-16; – Engelbert Krebs, Kennt ihr ihn nicht mehr? Erinnerungen an J. B. v. H., in: Freiburger Sonntagskal., 1912, 31 f.; – Ders., Gesch. der Erzdiöz. Freiburg, ein Stück vergessener bad. KG. Zugl. ein Betr. z. H. biogr., in: Oberrhein. Pastoralbl. 14, 1912, 65 ff 98 ff. 129 ff.; – Ders., H. u. der Zölibat, ebd. 15, 1913, 166 ff.; – Ders., H. u. die Wiedergeburt des kath. Lebens in Dtld., in: FreibDiözArch 41 (NF 14), 1913, 170-180; – Ders., J. B. v. H. Lb., in: Rel. Erzieher der kath. Kirche aus den letzten vier Jh.en, hrsg. v. Sebastian Merkle u. Bernhard Beß, 1920, 238-268; – Cornelius Krieg, Lehrb. der Päd. Gesch. u. Theorie, bearb. v. Georg Grunwald, 1913⁴, 263 f.; – Josef Göttler, H., in: LexPäd. hrsg. v. Ernst Max Roloff, II, 1913, 793 f.; – Peter Anton Schleyer, Ein Kap. aus J. B. H.s Leben u. Leiden, in: Das Neue Jh. 6, 1914, 198-200; – Hubert Schiel, J. B. v. H. Ein christl. Pädagog. Ein Betr. z. Gesch. der Päd. des 19. Jh.s (Diss. München), 1923; – Ders., J. B. v. H. Eine Lichtgestalt aus dem dt. Kath. des 19. Jh.s, 1926 (Bibliogr.); – Ders., J. B. v. H. als caritative Persönlich. u. sein Caritasprogramm, in: Caritas 5, 1926, 1-6; – Gerhard Förster, Die Bedeutung J. B. v. H.s f. d. rel. Jugenderzieh. (Diss. Erlangen), 1923; – Johannes Mumbauer, J. B. H. u. die Trennung v. Kirche u. Staat, in: Festschr. Felix Porsch, Paderborn 1923, 66-78; – Heinrich Feurstein, Eine bisher unbek. Smlg. J. B. v. H.s aus dem Jahre 1821, in: Oberdt. Kunst d. Spätgotik u. Ref. Zeit, hrsg. v. Ernst Buchner u. Karl Feuchtmayr, Augsburg 1924, 267-275; – Luzian Pfleger, Bisch. Andreas Räß u. J. B. v. H., in: Hochland 23, 1925/26, 654 ff.; — Hubert Bastgen, Btrr. z. Wahl des EB Vicari, in: FreibDiözArch 30, 290 ff.; — Joseph Rupert Geiselmann, Lebendiger Glaube aus geheiligter Überl. Der Grundgedanke der Theol. Johann Adam Möhler u. der kath. Tübinger Schule, 1942; — August Hagen, Gestalten aus dem schwäb. Kath. I, 1948, 66-94; — Franz Xaver Arnold, Dienst am Glauben, 1948, 39-94 u. ö.; — Ders., Seelsorge aus der Mitte der Heilsgesch., 1956; — Franz Bläcker, J. B. v. H. u. seine Katechismen in zeit- u. geistesgeschichtl. Zus.hange. Ein Btr. z. Katechismusfrage der Ggw., 1953 (Lit.); — Nédard Barth, J. B. v. H u. das Elsaß, in: Archives de l'Eglise d'Alsace 21, 1953/54, 134; — Wolfgang Nastainscack, J. B. H.s Beitr. z. Heilpäd. (Diss. Freiburg/Breisgau, 1956), 1957; — Ders., Mit Gott zu Gott unterwegs. J. B. v. H. über »Processionen u. Wallgänge«, in: Oberrhein. Pastoralbl. 61, 1960, 168-170; — Ders., Überlegungen z. Theol. u. Gestalt d. Eucharistiefeier in einer Frühschrift J. B. v. H.s, in: ThQ 143, 1963, 39-45; — Ders., J. B. v. H.s kerygmatisch-katechetische Reformideen, in: Oberrhein. Pastoralbl. 66, 1965, 251-257; — Eusebius Scharl, Freiheit u. Gesetz. Die theol. Begründung der christl. Sittlichkeit in der Moraltheol. J. B. H.s (Diss. Freiburg/Breisgau). Aus dem Nachlaß hrsg. v. Leopold Brandl, Regensburg 1958; — Bernhard Adler, J. B. v. H.s Ansehen im Klerus zum Zeitpunkt seiner Berufung an die Univ. Freiburg i. Br. Nach den Akten der Freiburger Kapitelskonferenzen v. 1837, in: Freiburger Diözesan-Archiv 78, 1958, 191-200; — Adolf Exeler, Eine Frohbotschaft v. christl. Leben. Die Eigenart der Moraltheol. J. B. H.s (Diss. Münster) 1959; — Ders., J. B. v. H. u. die Weltmission, in: ZM 45, 1961, 95-104; — Ders., J. B. v. H.s Bedeutung f. Moralverkündigung und Moralpädagogik, in: Oberrhein. Pastoralbl. 66, 1965, 225-237; — Ders., J. B. v. H. u. die Kirchliche Erneuerung im 19. Jh., in: Freiburger Univ.bll. 5, 1966, 49-57; — Ders., J. B. v. H., in: ThQ 150, 1970; — Josef Georg Ziegler, Die Reichsgottesidee J. B. v. H.s unter dem Aspekt d. Exegese u. d. Moraltheol., in: ThGl 52, 1962, 30-41; — Ders., Ergänzungen zu J. B. v. H.s »Christlicher Moral«, in: ZKTh 84, 1962, 85-100; — Josef Rief, Reich Gottes u. Ges. nach Johann Sebastian Drey u. J. B. H. (Hab.-Schr. Tübingen), Paderborn 1965; — Ders., Die prakt. Brauchbarkeit der Moraltheol. J. B. H.s Vorstellungen v. einer neuen Moral, in: Virtus practica. Festg. z. 75. Geb. v. Alfons Hufnagel, 1974, 197-224; — Erwin Keller, Messe u. Meßreform bei J. B. v. H., in: Oberrhein. Pastoralbll. 66, 1965, 237-250; — Ders., J. B. v. H. als Wegbereiter d. Geistes, ebd. 257-264; — Ders., Kult u. Kultreform bei J. B. v. H., in: Freiburger Diözesan-Archiv 90, 1970, 333-456; — Ders., J. B. H. (Wegbereiter heutiger Theol. hrsg. v. Heinr. Fries u. Johann Finsterhölzl), Graz - Wien - Köln, 1969; — Johannes Stelzenberger, Das Menschenbild J. B. v. H.s, in: Theol. im Wandel. Festschr. z. 150 jähr. Bestehen der kath.-theol. Fak. an d. Univ. Tübingen, München 1967, 565-581; — Julius Dorneich, Die Reformschrr. v. J. B. v. H. 1848-1850, in: Kurtrier. Jb. 8, 1968, 276-290; — Walter Ferber, J. b. v. H. Zur Problemgesch. der kath. Bewegung, in: Begegnung. Zschr. f. Kultur u. Geisteslesben 23, 1968, 140-142; — Ders., H. u. Baumstark, Zur polit. Problematik des Reformkath., in: IKZ »Communio« 2, Mailand 1973, 251-257; — Gudrun Calov, Museen u. Sammler d. 19. Jh.s in Dtld., 1969, 96-99; — Georg Penzler, Wegbereiter heutiger Theol. (H. Döllinger), in: StZ 95, 1970, 59-63; — Rudolf Reinhardt, Ein H. v. Bibliogr. Die »Abhh. über die Arian. Streitigkeiten« (1815). Aus dem Nachlaß Stefan Lösch, in: ThPh 150, 1970, 457 f.; — Karl Frielingdorf, Auf dem Weg zu einem neuen Gottesverständnis. Die Gotteslehre des J. B. H. als Antwort auf das säkularisierte Denken der Aufklärungszeit, 1970; — Heinz Loduchowski, Bibl. Verkündigung nach J. B. v. H., 1970 (Bibliogr. J. B. v. H. u. Lit.verz.: 186-204); — Pietro Balestro, La concezione morale di J. B. H., in: Rivista di filosofia neo-scolastica 62, Mailand 1970, 291-320; — Ders., La »novita« nella concezione morale di J. B. H., ebd. 63, 1971, 28-49; — August Franzen, Die Zölibatsfrage im 19. Jh. Der »Bad. Zölibatssturm« (1828) u. das Problem der Priesterehe im Urteil Johann Adam Möhlers u. J. B. H.s in: HJ 91, 1971, 345-383; — Walter Fürst, Eine Zeitungsfehde J. B. H.s mit seinen Gegnern. Zur Ergänzung d. Hirscher-Bibliogr., in: ThQ 154, 1974, 376-382; — Ders., Wahrheit im Interesse d. Freiheit: e. Unters. z. Theol. J. B. H.s (1788-1865), (Diss. Tübingen), 1977 (Tübinger Theol. Studien 15, 1979, mit Bibliogr.); — Remigius Bäumer, Der Freiburger Theologe J. B. H. u. d. soziale Frage. Ein Beitr. z. Gesch. d. dt. Sozialkatholizismus, in: Geschichte, Wirtschaft, Gesellschaft. Festschr. Clemens Bauer, hrsg. v. Erich Hassinger u.a., Berlin 1974, 281-302; — Martin Brecht (Hrsg.), Theologen u. Theologie an der Universität Tübingen, 1977; — Nathan Mitchell, Problem of authority in Roman Catholicism, in: Review and Expositor 75, 1978, 195-210; — Donald J. Dietrich, J. B. v. H.: The Kingdom of God in the revolution of 1848, in: Eglise et Théologie (OHawa) 9, 1978, 291-319; — Karl J. Rivinius, H. u. d. Erneuerung d. Kirche, in: Jb. f. christl. Sozialwiss. 20, 1979, 59-96; — Ders., J. B. H.: ein Wegbereiter d. Kath. Missionsbewegung, in: NZM 36, 1980, 252-266; — Kosch, KD 1610 f.; — Kosch, LL I², 93 f.; — DLL VII, 1242 f.; — ADB XII, 470 ff.; — NDB IX, 222; RE VIII, 145 f.; XXIII, 653; — RGG III, 364 f.; — EC VI, 1442; — Wetzer-Welte VI, 28-34; — LThK V, 383 f.

Ba

HIRTH, Johannes Joseph, Mitglied des Ordens Patres Albi: Missionarii Africae, Missionar, * 26.3.1854 im Elsaß, Niederspechbach, + 6.1.1931 in Kabgayu, Ruand. — 1875 trat H. dem Orden Patres Albi bei, wurde 1889 Missionar, wurde ein Jahr später Bischof und apostolischer Vikar in Uganda, 1894 in Südnyzanza. 1900 gründete H. die Ruanda-Mission und wurde 12 Jahre danach Vikar von Kion. H. ging in der Missonsarbeit einen neuen Weg, indem er sich von der »Kindermission« und den »Eingeborenendörfern« abwandte und eingeborene junge, verheiratete Männer für die Missionsarbeit ausbildete (indirektes Apostolat). In Außenposten der Mission sollten Katechisten, ausgebildete einheimische Priester, wirken.

Lit.: Afrikabote XXI, Trier 1914/15, 145-180. XXXVII, 1931, 141-148; — B. Arens, Hdb. d. kath. Missionen, 1929, 412; — P. Stintzi, Mühlhausen 1932; — F. Rauscher, Die Mitarbeit der einheimischen Laien am Apostolat in den Missionen der Weißen Väter, 1953, 178-197. 242 ff.; — BiblMiss XVIII, 1102 ff. u. ö.; — LThK V, 389 f.; — Hierarchia Catholica Medii et Recentioris Aevi VIII, hrsg. v. Magarotto, Rom 1978, 538. 543.

Ba

HISKIA (Ezechias), hrb.: [je] hizqijjahû = Jahwe ist meine Stärke, König von Juda, Sohn des Achaz und der Abi, Regierungszeit 725-697 v. Christi. — Obwohl H. relativ häufig in drei Schriften des Alten Testaments erwähnt wird, läßt sich sein Leben bisher nur rekonstruieren, als historisch zuverlässige Quellen können sowohl die Stellen in 2 Kön 18, 2 Kön 20, Jes 36-39 und 2 Chr 29-32 nicht gewertet werden. So läßt sich selbst seine 29jährige Regierungszeit nicht exakt beweisen. Auch den bisher erschlossenen assyrischen Texten messen H. nicht allzu große Bedeutung bei. — H.s Wirken war bestimmt durch den Schock, den der Fall des Nordreiches in Juda ausgelöst hatte. Das erste Dezennium seiner Regierungszeit kennzeichnet eine strikte Neutralität, H. erkannte die Oberhoheit Assyriens an bis hin zu einer nicht sonderlich genau präzisierten Vasallität. Erst als sich der Philisterstaat Asdod gegen Sargon erhob, scheint sich H. mit dem Ziel einer völligen Unabhängigkeit dieser Bewegung angeschlossen, sie aber rechtzeitig wieder verlasssen zu haben, denn die assyrische Strafexpedition richtete sich allein gegen den Philisterstaat, der in eine assyrische Provinz umgewandelt wurde (711). Als nach Sargons Tod 705 sich Babylon vom assyrischen Reich löste, stellte H. seine Tributzahlungen ein, ja er scheint in Palästina der Initiator eines allgemeinen Aufstandes gewesen zu sein, dem sich zwei Philisterstaaten anschlossen. Im Bewußtsein einer möglichen Belagerung Jerusalems ließ er die Stadt stärker befestigen und den Siloahteich und -tunnel anlegen, der im Notfall die alles entscheidende Wasserversorgung sichern sollte. Verhandlungen mit Merodak-Baladan von Babylon blieben ohne Erfolg, ob mit Ägypten ein Bündnis zustandekam, ist unklar, es wird daraus erschlossen, daß Sargons Nachfolger Sanherib 701 zunächst ein ägyptisches Heer bei Elteko schlug und erst dann Juda angriff. Nach der Einnahme von 46 befestigten Städten belagerte der König Jerusalem. Er brach sie ab aus zwei Gründen, die unterschiedlich gewertet werden: Zum einen grassierte in seinem Heer die Pest und zudem bot ihm H. die erneute Unterwerfung und die Zahlung eines hohen Tributs an. Jesajas Darstellung, die Stadt sei nur durch ein wunderbares Eingreifen Jahwes selbst gerettet worden, dürfte eher legendenhaften Charakter haben. Dabei unterschätzt Jesaja die Belastung, die das eigentliche Juda zu tragen hatte: Sanherib verteilte dessen Gebiet an die Philisterstaaten. H. blieb lediglich Stadtkönig von Jerusalem, die seit David bestehende Personalunion zwischen dem Staat Juda und dem Stadtstaat Jerusalem war somit aufgelöst. — Dennoch blieb H. der unbestrittene geistige Führer der Juden. Dies äußerte sich zu Beginn seiner Regierungszeit schon darin, daß er sich entschieden gegen die von seinem Vater Ahas geduldeten assyrischen Riten wandte. Im weiteren Verlauf ließ er alle heidnischen Altäre und die Ascheren beseitigen, das Götzenbild der ehernen Schlange, der weite Kreise abgöttische Verehrung zollten, wurde zerschlagen. H. selbst formulierte geistliche Lieder, Is 38, 10-20 bietet einen seiner, allerdings stark verstümmelten Texte. Darüber hinaus hielt H. die Priesterschaft zu einem vorbildlichen Leben an. Der Tempel mußte von allen nichttraditionellen israelitischen Kultgegenständen gereinigt werden, der Tempeldienst und die Einkünfte der Priester wurden neu festgelegt. Spr 25,1 erwähnt, daß H. seine Leute zum Sammeln salomonischer Sprüche anhielt, diese sollten zur eingehenden Belehrung des Volkes dienen. Nach der Belagerung Jerusalems durch Sanherib mußte H. allerdings wieder den assyrischen Staatskult in seiner Stadt dulden, sein Nachfolger Manasse (s.d.), der vermutlich das Gebiet von Juda zurückerlangte, stellte während seiner langen Regierungszeit die Rückkehr zur ursprünglichen israelitischen Religion hintan.

Lit.: J. Meinhold, Die Jesajaerzählungen, 1898; — Albrecht Alt, Israel und Ägypten, in: BWAT 6, 1909, 41 ff.; — Ders., Nachwort über die territorialgesch. Bedeutung von Sanheribs Eingriff in Palästina, in: Alt, II, 226-241; — Ders. u. ebd., Neue assyr. Nachrichten über Palästina und Syrien, 242-249; — L. L. Honor, Sennacheribs Invasion of Palestine, New York 1926; — D. D. Luckenbill, Ancient Records of Assyria and Babylonia, Bd. II, Chicago 1927, 1 ff. (engl. Übers. assyr. Texte); — J. Lewy, Sanherib und H., in: OLZ 31, 1928, 150-163; — Wilhelm Rudolph, Sanherib in Palästina, in: PJ 25, 1929, 59-80; — Oswald Eißfeldt, Ezechiel als Zeuge für Sanheribs Eingriff in Palästina, in: PJ 27, 58-66; — H. M. Orlinsky, The Kings-Isaiah Recensions of the Hezekiah Story, in: JQR 30, 1939/40, 33-49; — Arthur Ungnad, Die Zahl der von Sanherib deportierten Judäer, in: ZAW 59, 1942/43, 199-202; — H. Haag, La campagne de Sannachérib contre Jérusalem en 701, in: RB 58, 1951, 348-359; — E. W. Todd, The Reforms of Hezekiah an Josiah, in: SJTh 9, 1956, 288-293; — L. LeMoyne, Le deux embassades de Sennachérib à Jérusalem, Paris 1957, 149-153; — H. H. Rowley, Hezekiah's Reform and Rebellion, in: BJRL 44, 1961/62, 395-431; — J. McHugh, The Date of Hezekiah's Birth, in: VT 14, 1964, 446-453; — Josef Scharbert, Die Propheten Israels bis 700 v. Chr., 1965; — F. L. Moriarty, The Chroniclers Account of Hezekiah's Reform, in: CBQ 27, 1965, 399-406; — C. van Leeuwen, Sanhérib devant Jérusalem, in: OTS 14, 1965, 245-272; — E. R. Thiele, Pekah to Hezekiah, in: VT 16, 1966, 83-107; — S. Horn, Did Sennacherib Campaign Once or Twice against Hezekiah?, in: Andr. Univ. Sem. Stud. 4, 1966, 1-28; — Georg Fohrer, Das Buch Jesaja, 3 Bde., 1964-1967; — Hans Wildberger, Jesaja-Kommentar, 3 Bde., 1972-1982; — ANET, 284 ff.; — AOT, 348 ff.; — Catholicisme IV, 1019-1021; — EC V, 925/926; — Kittel II, 372-390; — LThK III, 1326/1327; — Noth, 239-244; — RE VIII, 147-152; — RGG III, 366-368.

Ha

HITTMAIR, Rudolf, Bischof von Linz, * 24.7.1859 in Mattighofen, + 5.3.1915 in Linz. — H. studierte Jura in Wien und Theologie in Linz, promovierte in Wien und wurde 1888 Domprediger in Linz, 5 Jahre später

Professor der Pastoraltheologie und bald Regens. 1909 wurde H. zum Bischof geweiht. Er war ein hervorragender Prediger, und seine karitative Tätigkeit wurde Beispiel und Forderung der Seelsorge seiner Zeit. Bei der Verwundetenbetreuung im Lazarett infizierte er sich und starb an Flecktyphus. 1925 wurde ihm in der Dachsteinkapelle ein Denkmal gesetzt.

Werke: Die Lehre von der unbefleckten Empfängnis an der Universität Salzburg, 1896 (Linz, 1909²); Aus Alt-Linz, in: Kath. Bll. 1902, S. 61 ff., 71 ff., 100 ff.; Die Josefinische Klosterturm im Lande ob der Enns, 1907; Fastenpredigten u. Exerzitienvorträge, Linz 1925⁴.

Lit.: P. Lippert, R. H., in: Stimme der Zeit, 89, Freiburg i. Br., 1915, 186-89; — Kath. Kirchenztg. X u. XI, 1915; — Musica divina III, 1915, 101 ff.; — Reichspost v. 17.4.1914 u. 5.3.1915, Wien; — Wiener Abendpost v. 5.3.1915; — Ave Maria, 1915; — Linzer Volksbl., LXI f., 1915. LII, 1925; — Salzburger Chronik LIII, 1915; — Salzburger Volksbl. LII, 1915; — Bergland IV, 1924; — Granatapfel III, 1949; — F. Presendorfer, Bisch. R. H. v. Linz, 1915⁴; — W. Binder, R. H., Österr. Männergestalten, 1926, 32-36; — A. Donders, Meister d. Predigt aus dem 19. u. 20. Jh., 1928, 458-75; — L. Guppenberger, Bibliogr. des Klerus der Diözese Linz von ihrer Gründung bis auf die Ggw. (1785-1893), 1893, 83; — Kosch KD I, 1614; — ÖBL II, 338 (Lit.verz.); — LThK V, 394.

Ba

HITTORF, Melchior, katholischer Theologe, Verleger liturgischer Schriften, * um 1525 in Köln, † 1584 ebd. — Der Sohn einer angesehenen Kölner Bürgerfamilie wurde nach seinem Theologiestudium zunächst Kanoniker an der Stiftskirche St. Maria, 1583 Dechant von St. Kunibert. Im damaligen Kirchenkampf am Niederrhein ergriff H. für die Erhaltung des alten kirchlichen Systems Partei, indem er alte Kirchenschriftsteller neu herausgab. Der Brügger Canonicus Jakob Pamelius, später Probst von Utrecht und Bischof von St. Omer, veranlaßte H., die heute noch wertvolle Sammlung mittelalterlicher liturgischer Schriften »Vetustorum ecclesiae patrum libros varios de divinis catholicae ecclesiae officiis una cum ordine Romano antiquo de ecclesiasticis officiis« 1568 zu edieren. H. verlegte auch eine um 950 als Teil eines römisch-deutschen Ponteficale in Mainz verfaßte Schrift unter dem Titel »Ordo Romanus antiquus« oder »vulgatus«. Diese Ausgabe wurde von G. Ferrai ergänzt und 1591 in Rom neu herausgegeben. H. soll insbesondere mit der Hildeboldschen Dombibliothek und Handschriften von Cornelius Wouters und der Kölner Dominikaner gearbeitet haben. H. ist mit dem Verleger Gottfried H. verwandt.

Lit.: Hartzheim, Bibliotheca Colonensis; — Ders., Catalogus bibliothecae ecclesiae Metropolitanae Coloniensis; — M. Andrien, Les Ordines Romani du haut Moyen Age, 1931, 495 ff.; — Ders., M. H. et l'»Ordo Romanus antiquus«, in: Ephemerides Liturgicae, Rom 1934, XLVI, 3-22; — P. de Puniet, Das röm. Pontificale I, 1935, 39 ff.; — F. J. Peters, Btrr. z. Gesch. der köln. Meßliturgie, 1951, 17 u. ö.; — J. A. Jungmann, Missarum sollemnia, Eine genet. Erklärung d. röm. Messe II, 1952, 610 u. ö.; — J. Lechner, Liturgik d. röm. Ritus, 1953³, 28. 37; — Cabrol, Introduktion aux études liturgiques, Paris 1907, 43-45; — L. Eisenhofer, Hdb. d. kath. Liturgik I, 1941, 136; — M. Righetti, Manuale di storia liturgica I, 1950, 69 f. u. ö.; — Hurter III, 357 f.; — NDB IX, 271; — Jöcher II. Erg.Bd., 2026; — ADB XII, 507; — EC VI, 1447; — LThK V, 394 f.; — Catholicisme V. 816.

Ba

HITZE, Franz, katholischer Sozialpolitiker, * 16.3. 1851 in Haemicke Kreis Olpe (Sauerland), +20.7.1921 in Bad Nauheim. — Seit den Predigten des Mainzer Bischofs Ketteler (s.d.) im Jahre 1848 bewegte die Diskussion der »Sozialen Frage« den deutschen Katholizismus, und H. beschäftigte sich schon als Schüler mit Kettelers Werken und sozial engagierten Zeitschriften. Während seines Studiums der Theologie und Philosophie in Würzburg 1872-1877 befaßte er sich weiter mit sozialen Problemen. In der von seinem Freund Aloys Schäfer 1874 gegründeten Unitaskorporation in Würzburg hielt er dazu seine ersten Vorträge: »Die soziale Frage und der moderne Sozialismus in Deutschland mit besonderer Berücksichtigung des christlichen«. Damit begann H.s Entwicklung zu einem der bedeutendsten katholischen Sozialtheoretiker und -politiker. 1878 erhielt er in Paderborn die Priesterweihe und vertiefte dann seine Bildung durch einen zweijährigen Aufenthalt im Studienhaus des Campo Santo in Rom. 1880 erschienen seine Werke »Quintessenz der sozialen Frage« und »Kapital und Arbeit und die Reorganisation der Gesellschaft«. H. setzte sich darin mit dem Werk Marx' und der Kritik Karl von Vogelsangs (s.d.) am Wirtschaftsliberalismus auseinander. Im Anschluß an Vogelsang forderte er eine Überwindung des schrankenlosen Individualismus und Liberalismus durch eine Reorganisation der wirtschaftlichen Berufsstände in Anlehnung an das Mittelalter, aber in Anpassung an die Gegenwart durch demokratische Gleichberechtigung der Stände. Im Sinne eines genossenschaftlichen Sozialismus forderte er die Umwandlung von Fabriken in Produktivassoziationen. 1880 wurde H. Generalsekretär des katholischen Unternehmerverbandes »Arbeiterwohl« in Mönchengladbach, der einem Aufruf des Aachener Katholikentages von 1879 folgend gegründet worden war. In dieser Eigenschaft machte H. hauptsächlich praktische Vorschläge zur Verständigung von Arbeitgebern und Arbeitnehmern, forderte die Sozialversicherung und den gesetzlichen Arbeiterschutz, die Beteiligung der Arbeiter am wirtschaftlichen Produktivitätsfortschritt. H. folgte so teilweise einer allgemeinen Wandlung im deutschen Katholizismus von der Forderung einer grundlegenden Sozial- und Gesellschaftsreform zum Konzept partieller Sozialpolitik auf dem Boden der bestehenden Verhältnisse, wie dieses durch Georg Freiherr von Hertling propagiert wurde. H. trat nicht nur für eine systematische staatliche Arbeiterwohlfahrtspolitik ein, sondern befürwortete die Selbstorganisation der Arbeiter in Gewerkschaften, weil nur diese gewährleisten könnten, daß die Arbeiter sich ihren Anteil am Produktivitätszuwachs sichern könnten und die schwache Position des individuellen Arbeitnehmers gegenüber dem Arbeitgeber durch den kollektiven Arbeitsvertrag gestärkt werden könne. H. war 1882-1893 und 1898-1912 Mitglied des Preußischen Abgeordnetenhauses und 1884-1912 Mitglied des Reichstages. Schon in den achtziger Jahren wurde er zum maßgebenden sozialpolitischen Fachreferenten der Zentrumsfraktion und war 1890 unter den Mitbegründern des »Volksvereins für das katholische Deutschland«. Am 13. April 1893 berief ihn die theologische Fakultät in Münster zum außerordentlichen Professor für christliche Gesellschaftslehre, nachdem sie ihn zuvor ehrenhalber zum Dr. theol. promoviert hatte. Sein Lehrstuhl blieb in Deutschland für lange Zeit der einzige in seiner Art. In den gut besuchten Vorlesungen

thematisierte H. vor allem praktische Fragen der Arbeiter- und Sozialpolitik. Gegen seinen Münsteraner Kollegen Peter Hüls, der das Konzept rein katholischer Arbeiterorganisationen unter der Leitung der kirchlichen Hierarchie vertrat, befürwortete H. im sogenannten Gewerkschaftsstreit eindeutig interkonfessionelle Gewerkschaften. – H., der zusammen mit Hertling die für lange Zeit führende Gestalt im sozialen Katholizismus Deutschlands war, kehrte am Ende seines Lebens zu der Zielvorstellung einer berufsständischen Reorganisation der Gesellschaft zurück.

Werke: Die soz. Frage u. die Bestrebungen zu ihrer Lösung, 1877; Kapital u. Arbeit u. die Reorganisation der Ges., 1881; Die Arbeiterfrage u. die Bestrebungen zu ihrer Lösung, 1899 (1905⁴); Die Agrarfrage, 1908; Zur Würdigung der dt. Arbeiter-Sozialpolitik, 1913; Geburtenrückgang u. Sozialreform, 1917 (unv. Nachdr. 1922).

Lit.: August Pieper, F. H., 1921; – Hans Kraneburg, H.s sozialpolit. Forderungen u. ihre Verwirklichung in der Gesetzgebung, 1922; – Franz Müller, F. H. u. sein Werk, 1928; – H. Weber, F. H., in: Rheinischwestfäl. Wirtschaftsbiographien I, 1932, 318-338; – Emil Ritter, Die kath.soz. Bewegung Dtld.s im 19. Jh. u. der Volksver., 1954; – G. Schreiber, in: Westfäl. Forsch. 9, 1956, 55 ff.; – Karl Heinz Schürmann, Zur Vorgesch. der christl. Gewerkschaften (Diss. Köln), Freiburg/Breisgau 1958, 53-57; – Paul Becher, Vergleich u. Kritik der sozialpolit. Auffassungen bei Lujo Brentano, Adolph Wagner, Georg v. Hertling u. F. H., (Diss. München), 1965; – Eduard Hegel, Gesch. der katholischtheologischen Fakultät Münster 1773-1964, I u. II, 1966, 1971; – Karl Heino Grenner, Wirtschaftsliberalismus u. kath. Denken. Ihre Begegnung u. Auseinandersetzung im Dtld. des 19. Jh.s (Diss. München, Köln 1967); – Franz Josef Stegmann, Gesch. der soz. Ideen im Kath., in: Gesch. der soz. Ideen in Dtld., hrsg. v. Helga Grebing, 1969; – H. Mockenhaupt, F. H., in: Zeitgesch. in Lb. Aus dem dt. Kath. des 20. Jh.s. Hrsg. v. Rudolf Morsey, 1973, 53 ff.; – Hans-Jürgen Krüger, F. H. (1851-1921) u. der »dritte Weg«, in: Jb. f. Christl. Sozialwiss. 20, 1979, 9-37; – NDB IX, 272 ff.; – LThK V, 395; – Staatslexikon IV, 1959, 107 f.; – ESL 568 f..

Ba

HITZIG, Ferdinand, ev. Theologe, * 23.6.1807 als Pfarrerssohn in Hauingen bei Lörrach (Baden), + 22.1. 1875 in Heidelberg. –H. wuchs in dem rationalistischen Geist des Elternhauses heran und besuchte das Pädagogium in Lörrach und das Gymnasium in Karlsruhe als Schüler des Prälaten Johann Peter Hebel (s.d.). Er bezog im Herbst 1824 die Universität Heidelberg und studierte von 1825 bis Ostern 1827 in Halle (Saale), wo Wilhelm Gesenius (s.d.) ihn ganz für das Studium des Alten Testaments gewann. Im Herbst 1827 bestand H. das theologische Examen, verzichtete aber auf den kirchlichen Dienst und zog Ostern 1828 zu weiterer Vorbereitung auf den wissenschaftlichen Beruf nach Göttingen, wo er sich an Heinrich Georg August Ewald (s.d.) anschloß. H. wurde 1829 Privatdozent für Altes Testament in Heidelberg und 1833 o. Professor der 1832 gegründeten Universität in Zürich, wo er nicht nur über Altes Testament und Orientalia, sondern auch über neutestamentliche Fächer las. 1861 kehrte H. als Nachfolger von Friedrich Wilhelm Karl Umbreit (s.d.) nach Heidelberg zurück. Durch seine fleißig fortgesetzte schriftstellerische Tätigkeit gewann er größeren Einfluß auf weitere Kreise. H. ist einer der scharfsinnigsten Exegeten seiner Zeit; seine bleibenden Verdienste liegen hauptsächlich auf dem rein philologischen Gebiet der Textkritik und der Einzelexegese. Als H.s beste exegetische Arbeit gilt seine Übersetzung und Auslegung des Propheten Jesaja, die er Ewald als "dem Neubegründer einer Wissenschaft hebräischer Sprache und dadurch der Exegese des Alten Testaments" widmete. Mit seiner Erklärung der 12 kleinen Propheten eröffnete H. 1838 das "Kurzgefaßte exegetische Handbuch zum Alten Testament", dessen eifriger Mitarbeiter er wurde. Durch seine Kommentare hat H. zur Erforschung des Alten Testaments viel beigetragen, wenn auch seine Kühnheit in oft zu unhaltbaren Konjekturen und Kombinationen forttrieb. –H. war 1863 einer der Mitbegründer des "Deutschen Protestantenvereins".

Werke: Begriff der Kritik, am AT prakt. erörtert, 1831; Des Propheten Jon Orakel über Moab (Jes 15 f.), krit. vindiziert u, durch Übers. nebst Anm. erl., 1831; Komm. zu Jes, 1833; Pss, 2 Bde., 1835/36 u. 1863/65: Die 12 kleinen Propheten, 1838 (1863³, 1881⁴ v. Heinrich Steiner); Jer, 1841 (1866²); Ez, 1847; Pred, 1847 (1883² v. Wilhelm Nowack); Dan, 1850; dem Hhld. 1855; den Spr, 1858; Hi, 1874; Über die Erfindung des Alphabetes, 1840; Über Johannes Markus u. seine Schrr., oder welcher Johannes hat die Offb. ver.?, 1843; Urgesch. u. Mythologie der Philistäer, 1845, Die proph. Bücher des AT, 1854; Gesch. des Volkes Israel, 1869/70; Die Inschr. des Mesa, 1870; Zur Kritik Paulin. Briefe, 1870; Vorlesungen über bibl. Theol. u. messian. Weissagungen des AT, hrsg. v. Johann Jakob Kneucker (mit einer Lebens- u. Charakterskizze H.s v. Kneucker: 1 ff. u. Bruchstücken aus 30 Briefen H.s v. 1829-71: 43 ff.), 1880.

Lit.: Adolf Hausrath, Gedächtnisrede, in: Beil. z. Augsburg. Allg. Ztg., 1875, Nr. 30; – Ders., Kleine Schrr. religionsgeschichtlichen Inhalts, Leipzig 1883, 461-514; – Johann Jakob Kneucker, Nekrolog in: Prot. Kirchenztg., 1875, 181 ff.; – Ders., F. H., in: Bad. Biogr., hrsg. v. Friedrich v. Weech, I, 1875, 377 ff.; – Heinrich Steiner, F. H., 1882; – Adalbert Merx, Die morgenländ. Stud. u. Professuren an der Univ. Heidelberg, 1903, 10 ff.; – Alfred Bertholet, Aus dem Briefwechsel v. H. u. Ewald, in: Vom AT, Karl Marti z. 70. Geb. gewidmet, hrsg. v. Karl Budde, 1925, 28 ff.; – ADB XII, 507; – RE VIII. 157 ff.

Ba

HLINKA, Andrej (Andreas), katholischer Priester und slowakischer Staatsmann, * 27.9. 1864 in Cernova bei Rosenberg, + 16.8. 1938 ebd. Nach seinem Studium am Seminar in Cernova wurde H. 1889 ordiniert. 1897 gründete er die Volkszeitung "L'udove Noviny" und 1905, mittlerweile Pfarrer in Ruzo, die "Slowakische Volkspartei". Auf Grund seiner politischen Tätigkeit wurde er 1906 suspendiert und dreieinhalb Jahre durch ungarische Behörden gefangengehalten, eine Zeit, die er zur Übersetzung des Alten Testaments ins Slowakische nutzte. Erst 1910 konnte er sich wieder seelsorgerischen Aufgaben widmen. Während des Ersten Weltkrieges diente H. dem Roten Kreuz. H's Bedeutung, der immer wieder auch in Wohlfahrtsgruppen tätig war, liegt in seiner Arbeit als Staatsmann. Gemeinsam mit den Tschechen leistete er Bedeutendes für die Errichtung der CSSR, befand sich aber bald in Opposition zur nationalistischen Politik der Prager Regierung und zeitweilig auch zur Kirche. Sein Ziel war die Autonomie der Slowakei, für die er zusammen mit der von ihm gegründeten slowakischen Volkspartei zunächst innerhalb (Österreich-)Ungarns und nach 1918 innerhalb der neuen CSSR-Republik kämpfte.

Lit.: V. Cháb, A. H., Prag 1934; – K. Sidor, A. H., Preßburg 1934; – Ders.; J. Kapala, Meditazioni di H. a Mirov, Rom 1942; – F. Jetzlicka, Father H.s struggle for Slovak freedom, London 1938; – A. Fagula, A. H., Preßburg 1944; – Jörg K. Hoensch, Die Slowakei und Hitlers Ostpolitik. H.s Slowak. Volkspartei zw. Autonomie und Separation, 1938-39, 1965; – Ladislav Susko, Hlinkova garda az po salzburgké rokovania 1938-40 (Le garde de H. jusqu' aux dé bats de Salzburg), in: Zbarn. Múzea slov. nár. Povst. 1969, 165-260; – Yeshayahu Jelinek, The Parish Republic, H.s Slovak People 's Party 1939-45,

New York 1976; – EC VI, 1448 f., - LThK V, 395; – Dict. of cath. Biogr., London 1962, 565.

Gr

HLOND, Augustyn, Kardinal und Primas von Polen, * 5.7.1881 in Brzechowice (Oberschlesien), + 22.10. 1948 in Warschau. – H. war der Sohn des Streckenwärters Jan H. und besuchte das deutsche Gymnasium in Myslowitz, erhielt seine weitere Ausbildung als Novize des Salesianerordens (1898) in Norditalien und studierte dann an der Gregoriana in Rom bis zur Promotion. In die Heimat zurückgekehrt, war er für einige Zeit als Hauslehrer in der Nähe von Auschwitz tätig und übernahm dann von 1919-1922 als Provinzial die Leitung der deutsch-österreichischen Salesianer-Provinz. Als 1922 Oberschlesien gegen das Abstimmungsergebnis der Bevölkerung geteilt und der östliche Teil Polen zugeschlagen wurde, erreichten die Spannungen zwischen dem polnischen und deutschen Bevölkerungsteil ihren Höhepunkt. Auf Wunsch der polnischen Geistlichkeit wurde H. 1922 zum apostolischen Administrator von Ponisch-Oberschlesien bestellt und bereitete die Bildung des späteren Bistums Kattowitz vor, dessen Bischof er 1925 wurde. In diesem Amt wirkte er im Sinne eines deutsch-polnischen Ausgleichs. Am 2.10.1926 wurde H. zum Erzbischof von Gnesen ernannt und damit Primas von Polen, ein traditionell auch politisch bedeutsames Amt. Beim deutschen Überfall auf Polen 1939 reiste H. auf Drängen des Ministerpräsidenten, General Sklakowski, im September nach Rom, um hier für die Sache Polens zu wirken. Wegen der schnellen polnischen Niederlage konnte H. jedoch nicht mehr nach Polen zurückkehren, und die katholische Kirche des Landes war der Leitung durch ihren Primas beraubt. H. ging von Rom nach Frankreich, wo er 1944 von den Deutschen verhaftet wurde. Bei Kriegsende befand er sich in dem Kloster Wiedenbrück in Westfalen, von wo er am 20.7.1945 nach Polen zurückkehrte. Mit großer Energie betrieb H. die Reorganisation der polnischen Kirche, deren Geistliche zu etwa einem Drittel ermordet, verschollen oder deportiert worden waren. Die kirchlichen Ausbildungsstätten wurden erneuert, neue Priester wurden geweiht und die in der Emigration befindlichen zurückberufen, der Religionsunterricht an den Schulen wurde wieder eingeführt, traditionelle kirchliche Großveranstaltungen wurden durchgeführt. Für die Neuordnung der kirchlichen Administration hatte H. vom Heiligen Stuhl besondere Vollmachten erhalten und schuf in den neuen Gebieten Polens im Westen die fünf neuen geistlichen Jurisdiktionsbezirke Oppeln, Allenstein, Landsberg, Danzig und Breslau. Mit der Schaffung des letzteren entzog H. dem Bistum Ermland die Jurisdiktion über die jetzt polnisch verwalteten Gebiete. Er trat für die Endgültigkeit der Oder-Neiße-Grenze ein. H. glaubte zunächst nicht, daß mit der Kommunistischen Regierung, die am 16.9.1945 das Konkordat von 1925 gekündigt hatte und zu verschiedenen Repressionen gegenüber der Kirche schritt, ein dauerhafter Kompromiß ausgehandelt werden könne, da er wie die Mehrheit der katholischen Geistlichkeit ein Entgegenkommen der Regierung nur in ihrer relativen Schwäche und als taktisch motiviert ansah und außerdem der Meinung war, die Westmächte würden das Regime bald beseitigen. Inoffizielle Verhandlungen der Regierung mit dem Vatikan blieben ohne Ergebnis, und H. erließ Hirtenbriefe gegen die staatlichen Repressionen. Der offene Kirchenkampf kam jedoch erst unter H.s Nachfolger Stefan Wyszinski (s.d.) zum Ausbruch, den er selbst 1946 in Tschenstochau zum Bischof geweiht hatte.

Werke: Persecution of the Catholic Church in German-occupied London 1941; Na straży sumienia; wybór pism i pzemówień z przedm, Ramsey (N. J.), 1951.

Lit.: HerKorr 2 u. 3, 1947/48 u. 1948/49; – Polonius (Pseud.), Von H. zu Wyszinski, in: Wort u. Wahrheit 12, 1957, 349-357; – Bernhard Stasiewski, in: Osteuropa-Hdb. Polen, Graz 1959, 104. 356 ff.; – Stanislaw Wilk, Peregrinations de guerre du primat A. H., in: Roczniki Aeologiczno-kanoniczne (= Annales de theologie et de droit canon) 21, Lublin 1974, 67-83; – Acht Aufsätze über H. in Bd. 42 der Reihe: Nasza przes osc, Studia z dziejow koscioa i kultury katolickiej w. polsce (= Notre passé, Etudes sur l'histoire de l'église et de la culture catholique en pologne), Krakau 1974 (mit Bibliogr.); – Gerhard Zoebe, August Kardinal Hlond – Primas von Polen, in: Frankf. Hefte 31, 1976, Nr. 6, 75-78; – RGG III, 371; – LThK V, 395 f.

Ba

HOBBES, Thomas, englischer Staatsphilosoph, * 5.4. 1588 in Malmesbury/Wiltshire als Sohn eines Pfarrers, + 4.12.1679 in Hardwick Hall/Derbyshire. – Die Familie ermöglichte H. eine hervorragende Ausbildung, bereits mit 6 Jahren soll er Latein und Griechisch, entscheidend für die geistliche Karriere, die er dann aber nicht einschlug, erlernt haben. Nach dem Besuch einer Privatschule schrieb sich H. an der Universität Oxford ein, hier kam er in häufigen Kontakt mit puritanischen Kreisen, die eine wechselhafte Ausstrahlung auf sein späteres Leben bewirkten. Als er die niedrigste Lehrlizenz, den Baccalaureus artium, erlangt hatte, wechselte er 1607 in den Dienst des eben erst zum Herzog erhobenen Barons Cavendish of Hardwicke. Als Hauslehrer des Sohnes unternahm er mit diesem eine der üblichen großen europäischen Reisen, deren Schwerpunkt Frankreich bildete; ein Land, dem H. immer, ob der dort vorherrschenden Ideen und wohl auch wegen der einzig beherrschten Sprache, neben der Muttersprache, verbunden blieb. Nach England zurückgekehrt, konnte sich H. dank der großzügigen Haltung seines Dienstherren vor allem mit antiken Denkern ausgiebig beschäftigen. Thukydides hat er später als den entscheidensten Anstoß seines Lebens bezeichnet, er konnte sich aber auch, bedingt durch die politische Geltung der Hardwickes, zahlreiche Bekanntschaften der führenden englischen Politiker erschließen; Beziehungen, die er später gut zu nutzen wußte. Trotz all dieser Voraussetzungen verliefen die ersten vierzig Jahre seines Lebens ohne Höhepunkte, lediglich seine englische Thukydides-Übersetzung wurde beachtet. Daneben entwickelte H. eine ausgesprochene Vorliebe für die Methoden der Naturwissenschaften, vornehmlich der Mathematik. Dies fand seinen Ausdruck später darin, daß H. als erster Philosoph ein empirisch geschlossenes System mit einer sensualistischen Erkenntnisauffassung

und einer materialistischen Seinsvorstellung entwickelte. Er ging sogar so weit, alles philosophische Denken auf eine Art Rechnen mit Namen (Nominalismus) zu reduzieren, jede Leidenschaft, jeder Affekt sollte zurückgedrängt werden. Um diese Gedanken abzusichern, trat H. mit zahlreichen Gelehrten in Verbindung, auch wenn diese, wie Galilei, umstritten und verfolgt waren. Neben Galilei übten nach seinen eigenen Angaben Descartes, Bacon und vor allem der Franzose Mersenne großen Einfluß auf ihn aus. – Die Wende seines Lebens trat ein, als das Parlament Karl I. 1628 an seine alten Rechte erinnerte, dieser 1629 das Parlament auflöste und absolut zu regieren suchte. Als er 1640 aus Geldnot erneut das Parlament einberufen mußte, engagierte sich H. besonders für die Rechte des Königs, wohl beeinflußt durch den Blick auf Frankreich, wo sich der Absolutismus in dieser Zeit in seiner ausgeprägtesten Form durchsetzte. Noch im gleichen Jahr floh H. nach Paris, da er sich als fanatischer Königsparteigänger den Haß der Mitglieder des späteren "Langen Parlaments" zugezogen hatte. Er lebte 11 Jahre in Paris und wandte sich, da er dank zahlreicher Dotationen, im Gegensatz zu den meisten Philosophen seiner Zeit, sorgenfrei leben konnte, wissenschaftlichen Arbeiten zu. 1642 entstand sein Werk »De cive«, das ihn – zunächst nur in beschlagenen Kreisen – berühmt machte. In ihm spricht H. vornehmlich vom Bürger, noch nicht vom Staat als der zwangsgegebenen realen Überperson. Doch die sich überstürzenden Ereignisse in England bewirkten ein Umdenken. Zunächst sah H. sehr skeptisch den Aufstieg Cromwells, den religiös motivierten Bürgerkrieg. Daß die meisten der neuen Unterhausabgeordneten aus puritanischen Gemeinden stammten, die ihre kirchlichen Angelegenheiten durch Synodale selbst verwalteten, die sich heftig gegen die Macht der anglikanischen Bischöfe stemmten, hat gewiß H.'s Denken hinsichtlich der kirchlichen Autorität nachhaltig beeinflußt. Nachdem Karl I. 1649 hingerichtet wurde, dachte H. an eine Versöhnung mit Cromwell, unter Abwägung der Gegebenheiten hatte er wohl schon einige Zeit früher erkannt, daß in England die wirtschaftliche Übermacht der Anhänger des Parlaments siegen würde. Während dieser Zeit verfaßte er den »Leviathan«, als die kirchenfeindliche Tendenz dieser Schrift bekannt wurde, mußte H. aus Furcht vor einer Anklage seitens der französischen Geistlichkeit im Winter nach England zurückfliehen. – Den Titel »Leviathan« wählte er ganz bewußt analog zum biblischen Ungeheuer. In ihm wird der Staat zu einem Ersatzgott, der nötig und zugleich sterblich ist. Er allein entscheidet über Recht und Unrecht, gut und schlecht und legt so auch fest, was Religion ist. – H. zog sich in den Jahren 1652-1679 von der aktuellen Tagespolitik, gewarnt durch seine bisherigen Fährnisse, zurück. Dadurch blieb ihm die Freiheit zur philosophischen Fortsetzung seiner bisherigen Gedanken, die in seinen Spätwerken wie »De homine« oder »Behemoth« ihren Niederschlag fanden. Als der Landadel und die Kaufleute der City der cromwellschen Diktatur überdrüssig wurden, kam es auf ihren Druck hin zur Restaurierung der Monarchie unter Karl II., der H.s Lehren vielleicht zu übertrieben in einem monarchistischen Licht sah und deshalb entsprechend begünstigte. Bis zum Lebensende verfolgte H. jedoch die Abneigung des Klerus, dessen Einfluß es zu verdanken ist, daß H. zumindest zwei Jahrhunderte lang als der Vater des englischen Atheismus betrachtet wurde. – Indem H. den Menschen sehr negativ betrachtet, er selbst sagt, "daß dessen Wille nicht frei, sondern determiniert, daß von Natur aus der Mensch seinem Nächsten der Feind ('homo homini lupus') und er damit schon aus Eigennutz zum Verzicht auf seine unbegrenzte persönliche Freiheit gezwungen sei", so hat er bewirkt, daß die mittelalterliche Anschauung, der Einzelne wie der Staat seien in eine vorgegebene göttliche Heilsordnung eingefügt, zerstört wurde. Er gab dadurch den Anstoß zu einer Neuabwägung der konträren Pole Staat und Individuum. Dabei bleibt vor allem seine Einstellung zum Staat umstritten: Wohl aus seinem zeitlich begrenzten und durch Fanatismus aufgeputschten Spektrum heraus mißt er ihm eine mathematisch kontrollierbare Alleinmacht zu. Inwieweit er hierbei übersieht, daß Sittlichkeit und vom Staat genormtes Recht keinesfalls identisch sein müssen, ob sein absolutes Verneinen jeglichen Widerstandsrechts berechtigt ist, wird noch länger Streitpunkt sein.

Werke: Translation of Thucydides, 1629 u. ff.; De Cive = Elementa Philosophiae III, Paris 1642, engl.: Philosophical Rudiments Concerning Government and Society, London 1651; dt., Günter Gawlick, Hrsg., Vom Menschen. Vom Bürger., 1966²; Tractatus opticus, Paris 1644, in: Mersenne, Optique, Buch VII; A minute of first draught of the optiques, Paris 1646; Leviathan, or the matter, form and power of a commonwealth, ecclesiastical and civil, London 1651; dt., Iring Fetscher, Hrsg., Leviathan oder Stoff, Form und Gewalt eines bürgerlichen und kirchlichen Staates, 1976; De corpore = Elementa philosophiae I, London 1655; dt., Max Frischeisen-Köhler, Vom Körper, 1967²; De homine = Elementa philosophiae II, London 1658; dt., G. Gawlick, Hrsg., Vom Menschen. Vom Bürger, 1966²; Behemoth: The History of the Causes of the Civil Wars of England, and the Counsels and Artifices by Which They Were Carried on from the Year 1640 to the Year 1660, dt. Julius Lips, Behemoth oder das Lange Parlament, in: Die Stellung des T. H. zu den pol. Parteien der großen engl. Revolution, Nachdruck 1970; Neuausgabe der vorgen. Schrift zusammen mit: An answer to Bishop Bramhall, 1682; A Dialogue between a philosopher and a student of Common Law of England, 1681; Ferdinand Tönnies, Hrsg., The Elements of Law natural and politic, London 1889, Neudruck 1928, enthält H.s Schrift von 1640: A short tract on first principles; Ges.ausg.: The Moral and Political Works of T. H. of Malmesbury never before Collected Together; to which is prefixed, the Author's Life, London 1750; William Molesworth, ed., T. H. Malmesburiensis Opera Philosophica quae Latine scripsit Omnia, 5 Bde., London 1839-45, Neudruck Aalen 1961; Ders. u. ebd., The English Works of T. H. of Malmesbury, 11 Bde., 1839-45, Neudruck Aalen 1962. Überweg III, H. Bibliogr. bis 1924; Hugh Macdonald / Mary Hargreaves, T. H., A Bibliography, London 1952; W. Sacksteder, H. Studies 1879-1979, A Bibliography, Bowling Green 1982.

Lit.: J. Aubrey, Brief Lives Chiefly of Contemporaries, Set down by J. Aubrey between the Year 1669-1696, 2 Bde., Oxford 1898; – J. Taylor, T. H., London 1908; – Richard Hönigswald, H. und die Staatsphilosophie, 1924, Nachdruck 1971; – Ferdinand Tönnies, Der Mann und der Denker, 1925³, Neudruck 1971; – Julius Lips, Die Stellung des T. H. zu den politischen Parteien der großen englischen Revolution, 1927; – Z. Lubienski, Die Grundlagen des ethisch-politischen Systems von H., 1932; – Heinrich Schreihage, T. H.'s Sozialtheorie, 1933; – J. Laird, H., London 1934; – Jean Vialatoux, La Cité de H., théorie de l'état totalitaire, Paris 1935; – René Capitant, H. et l'état totalitaire, in: Archives de la Philosophie du Droit et de Soziologie juridique, Bd. 8, 1938; – Carl Schmitt, Der Leviathan in der Staatslehre des T. H.; Sinn und Fehlschlag eines politischen Symbols, 1938; – Helmut Schelsky, Die Totalität des Staates bei T. H., Teilabdruck in: Archiv für Rechts- und Staatsphilosophie, 1938; – Ders., T. H., Eine politische Lehre, 1981; – Giovanni Bianca, Diritto e Stato nel pensiero di T. H., Neapel 1946; – David G. James, The Life of Reason. Hobbes, Lockes, Bolingbrocke, in: The English Augustans, Bd. 1, London 1949; – B. H. Kazemir, De Staat bij Spinoza en H., 1951; – Raymond Polin, Politique et phi-

losophie chez T. H., Paris 1953; – Eric Voegelin, Die neue Wissen-Boston-Toronto 1960; – Samuel I. Mintz, The Hunting of Leviathan: Seventeenth-Century Reactions to the Materialism and Moral Philosophy of T. H., Cambridge 1962; – Crawford B. Macpherson, The Political Theorie of Possessive Individualism: H. to Locke, Oxford, 1962; dt., 1968; – Hans Wenzel, Naturrecht und materielle Gerechtigkeit, 1962⁴; – Keith C. Brown, H.s Grounds for Belief in a Deity, in: Philosophy 37, 1962, 336-344; – Ders., Hrsg., H. Studies, Oxford 1965; – Dieloquiums) 1969; – Frederic C. Hood, The Divine Politics of T. H., An Interpretation of Leviathan, Oxford 1964; – Cornelius Mayer-Tasch, T. H. und das Widerstandsrecht, 1965; – J. E. C. Hill, The Intellectual Origins of the English Revolution, Oxford 1965; – M. M. Goldsmith, H.s Science of Politics, New York – London 1966; – Michael Walzer, The Revolution of the Saints, London 1966; – Bernhard Willms, Von der Vermessung des Leviathan, Aspekte neuerer H.-Literatur, in: Der Staat 6, 1957, 75-100, 220-236; – Ders., Die Antwort des Leviathan, T. H.s politische Theorie, 1970; – Ders., Der Weg des Leviathan, Die H.-Forschung von 1968-78, 1979; – Ders., Tendenzen der gegenwärtigen H.-Forschung, in: ZphF 34, 1980, 442-453; – Richard Peters, H., Harmondsworth 1967; – Malte Diesselhorst, Ursprünge des modernen Systemdenkens bei H., 1968; – F. S. Mc Neilly, The anatomy of "Leviathan", London-New York-Toronto 1968; – Winfried Förster, T. H. und der Puritanismus, Grundlagen und Grundfragen seiner Staatslehre, 1969; – Friedrich O. Wolf, Die neue Wissenschaft des T. H. Zu den Grundlagen der politischen Philosophie der Neuzeit, 1969; – Martin Kriele, Die Herausforderung des Verfassungsstaates. H. und englische Juristen, 1970; – Wolfgang Röd, Geometrischer Geist und Naturrecht, Abh. der Bayrischen Akademie der Wissenschaften, phil.-hist. Kl., N. F., H. 70, 1970; – Ders., Geschichte der Philosophie, Bd. VII, 1978, 148-174; – Ders., T. H., in: Klassiker der Philosophie, Bd. I, hrsg. v. Otfried Höffe, 1981, 280-301; – Klaus Michael Kodalle, Sprache und Bewußtsein bei T. H., in: Zs. f. philos. Forschung 25, 1971, 345-371; – Ders., T. H. - Logik der Herrschaft und Vernunft des Friedens, 1972; – Ders. u. Udo Bermbach, Hrsg., Furcht und Freiheit, Leviathan-Diskussion 300 Jahre nach T. H., 1981; – Maurice Cranston u. Richard S. Peters, Hrsg., H. and Rousseau: A Collection of Critical Essays, New York 1972; – Helmut Rumpf, Carl Schmitt und T. H. Ideelle Beziehungen und aktuelle Bedeutung, 1972; – Patrick Riley, Will and legitimacy in the philosophy of H., in: Political Studies 21, 1973, 500-522; – Martin A. Bertman, Equality in H., with Reference to Aristoteles, in: The Review of Politics 38, 1973, 769-780; – Thomas A. Spragens, The politics of motion. The world of T. H., Kentucky 1973; – Hans Maier, T. H., in: Heinz von Rausch, Hrsg., Politische Denker I, 1974⁴, 125-138 (Schrift der Bay. Landeszentrale für pol. Bildungsarbeit); – Ralph Ross, Herbert W. Schneider, Theodore Waldmann, Hrsg., T. H. in his time, Minneapolis 1974; – Ulrich Weiß, System und Maschine. Zur Kohärenz der H.'schen Denkens, (Diss. München), 1974; – Ders., H.s Rationalismus: Aspekte der neueren deutschen H.-Rezeption,: PhJ 85, 1978, 167-196; – Ders., Das philosophische System von T. H., 1980; – Peter J. Opitz, T. H., in: Die Großen der Weltgeschichte V, 1974, 679-693; – Robert Grady, The Law of Nature in the Christian Commonwealth: H.s Argument for civil Authority, in: Interpretation, A Journal of political Philosophy 4, 1975, 217-238; – S. Gayard-Fabre, Le Droit et la loi dans la philosophie de T. H., Paris 1975; – Michael Oakeshott, H. on civil association, Oxford 1975; – Shirly Robin Letwin, H. and Christianity, in: Daedalus 105, 1976, 1-21; – Terence F. Ackerman, Two Concepts of moral Goodness in H.s Ethics, in: Journal of the Hist. of Philosophy 14, 1976, 415-426; – Patricia Springborg, Leviathan, the christian Commonwealth incorporated, in: Political Studies 24, 1976, 171-183; – Charles H. Hinnant, H. on Fancy and Judgement, in: Criticism, A Quarterly for Lit. and the Arts 18, 1976, 15-26; – Ders., T. H., A reference guide, 1980; – Wolfgang Hübener, Ist T. H. Ultranominalist gewesen?, in: Studia Leibnitiana 9, 1977, 77-100; – Charles D. Tarlton, The Creation and Maintenance of Government: A neglected Dimension of H.s Leviathan, in: Political Studies 26, 1978, 307-327; – Francois Tricaud, Quelques éléments sur la question de l'accés aux textes dans les études hobbiennes, in: Revue internationale de philosophie 129, 1979, 393-414; ebd. weitere Aufsätze zu H., 432-483, 512-526, 531-551; – Arno Baruzzi, T. H., in: Josef Speck, Hrsg., Grundprobleme der großen Philosophen, 1979, 74-101; – Maria Emanuela Scribano, La nazione di liberta nell' opera di T. H., in: Rivista di filosofia 71, 1980, 30-66; – Reinhard Brandt, Rechtsverzicht und Herrschaft in H.s Staatsverträgen, in: PhJ 87, 1980, 41-56; – Helmut Rolle, H.s Leviathan - Der Staat der Maschine, in: DZPh 28, 1980, 934-942; – Georg Geismann, Kant als Vollender von H. und Rousseau, in: Der Staat 21, 1982, 161-189; – Karl Bärthlein, Zur Geschichte der Philosophie, Bd. I,

1984², 295-302; – Hans Joachim Störig, Kleine Weltgeschichte der Philosophie. 1985¹³, 293-295; – Veröffentlichungen der H.- Gesellschaft. I-X. 1932-1939; – EC VI. 1450-1452; – EK II. 177-178; – DNB XXVII. 37-45; – LThK V. 396; – RE IV. 536 ff.; – RGG III. 371-373; – Ziegenfuß 537-540; – Philosophenlexikon 390-395; – The Encyclopaedia of Philosophy IV. 30-46.

Ha

HOBERG, Gottfried, katholischer Exeget, *19.11.1857 in Heringhausen (Westfalen), + 19.1.1924 in Freiburg i. Br. – H. erhielt seine Ausbildung in Münster, Dillingen und Bonn, wurde 1881 Priester und war 1886/87 Privatdozent in Bonn. Danach lehrte er bis 1890 in Paderborn für die Exegese des Alten Testaments. 1890 ging H. nach Freiburg i. Br. und war dort Professor für die Exegese des Neuen Testaments, erhielt jedoch 1893 daselbst wieder den Lehrstuhl für die Exegese des Alten Testaments. Ab 1903 war H. Konsultor der Päpstlichen Bibelkommission. Seine Forschungsschwerpunkte lagen bei der Geschichte der Vulgata und dem Pentateuchproblem, das er im Sinne des konservativen Traditionalismus zu lösen suchte. So wandte er sich besonders gegen Friedrich Delitzsch (s.d.), als dieser 1902 in aufsehenerregenden Vorträgen die These vertrat, daß die mosaische Religion von der babylonischen Kultur abhängig sei. Bezüglich des Pentateuch verwarf H. die historisch-kritische Hypothese einer zweifachen Urkunde und vertrat die Ansicht, daß zu der mosaischen Redaktion später nur Ergänzungen hinzugekommen seien, ähnlich wie dieses bei den Psalmen Davids geschehen sei. – Bis 1894 gab H. die »theologische Rundschau für das katholische Deutschland« heraus, 1895-1905 war er Schriftleiter der »Literarischen Rundschau«, ab 1895 Mitherausgeber der »Biblischen Studien«, ab 1910 Mitherausgeber der »Freiburger theologischen Studien«. Mit vorbereitet hat H. die 5. Ausgabe (1911-13) der »Einleitung in die Heilige Schrift« des Alten und Neuen Testaments von F. Kaulen.

Werke: Ibn Ginnîc de flexione arabice et latine 1885; De Sancti Hieronymi ratione interpretandi, 1886; Die Pss. der Vulgata übers. u. nach dem Literalsinn erkl., 1892 (1906²); Die Gen nach dem Literalsinn erkl., 1899 (1908²); Die Fortschritte der bibl. Wiss. in sprachl. u. geschichtl. Hinsicht, 1902 (1902²); Die älteste lat. Übers. des Buches Baruch, 1902; Babel u. Bibel. Ein populärer Vortr., 1904; Moses u. der Pentateuch, 1905; De Moyse Pentateuchi autore, 1907; Bibel oder Babel, 1907; Über die Pentateuchfrage, 1907; Liber Geneseos, 1908²; Jesus Christus, 1908 (1911²); Der Brief in N.T., in: Görres-Ges. z. Pflege d. Wiss. im kath. Dtld., 3. Vereinsschr., 1912, 30 ff.; Die Zeit von Esdras u. Nehemias, Festschr. Georg v. Hertling z. 70. Geb. am 31. Aug. 1913 dargebracht, Kempten 1913; Katechismus der bibl. Hermeneutik, 1914 (1922²·³); Der Krieg Dtld.s gegen Fkr. u. d. kath. Rel., Freiburg i. Br. 1915; Katechismus der messian. Weissagungen, 1915; Die Einheitsschule, 1917.

Lit.: P. Liessem, in: Trutznachtigall. Zschr. des Sauerländer Heimatbundes f. Heimatpflege 8, 1926, 185 ff.; – Arthur Allgeier, G. H., in: Westfälische Lebensbilder 2, 1931; – W. Liese, Necrologium Paderbornese, 1934, 273; – The New Schaff-Herzog Enz. of Rel. Knowledge V. 303; – EC VI, 1452 f.; – Kosch, KD, 1619 f.; – DBVS IV, 111; – Catholicisme V, 816 f.; – LThK V, 397.

Ba

HOBURG, Christian,(Pseud. Elias Praetorius, Bernhard Baumann, Christianus Montaltus, Andreas Seuberlich), evangelischer Theologe und Spiritualist, * 23.7.1607 in Lüneburg als Sohn eines Tuchmachers, + 29.10.1675

in Altona. – H. besuchte in Lüneburg die Michaelisschule und studierte dann in Königsberg Theologie. Später wurde er Schulsubrektor und Pfarrer in Uelzen. Aus dieser Stelle wurde er wegen liturgischer Neuerungen um 1640 vertrieben und ging für kurze Zeit als Hauslehrer nach Hamburg. Für vier Jahre war er danach als Korrektor bei der Sternschen Druckerei in Lüneburg tätig. In dieser Zeit verfaßte er auch schon eine Reihe von Schriften, zum Teil radikal kirchenkritischen Inhalts, die umgehend von der lutherischen Orthodoxie beantwortet wurden. Durch die Vermittlung Herzog Augusts von Wolfenbüttel bekam er im Januar 1645 noch einmal eine Pfarrstelle in Bornum bei Königslutter, geriet hier jedoch schon im Verlauf des ersten Jahres seiner Pfarrtätigkeit aus verschiedenen Anlässen in Streit mit seiner Gemeinde. Als sich wegen H.s kirchenkritischer Schriften zusätzliche Mißhelligkeiten mit dem Konsistorium in Wolfenbüttel ergaben, wurde er im Juni 1648 wieder entlassen. Er zog sich für ein Jahr zu seinem Freund, dem spiritualistischen Gesinnungsgenossen und Pfarrer Joachim Betke (s.d.) nach Limun bei Fehrbellin zurück. In den nächsten 20 Jahren war H. in Holland tätig: 1649-1654 als Schloßprediger in Cappel (Geldern) und danach als Prediger in Latum bei Arnheim. Als er sich auch hier nicht durchsetzen konnte, nahm er als Privatmann Kontakt mit Jean de Labadie (s.d.) und dem Kreis der Antoinette de Bourignon (s.d.) auf, ohne aber auch hier, zum Teil wegen persönlichen Fehlverhaltens, längere Zeit geduldet zu werden. Er floh zu seinem Sohn Philipp, der in Middelburg Seeland als Drucker arbeitete und verließ zusammen mit diesem während der Wirren des 2. Eroberungskrieges Ludwigs XIV. gegen Oranien Holland und war bis zu seinem Tode Prediger der mennonitischen Gemeinde in Altona. Schon Anfang der dreißiger Jahre war H. mit den Schriften Kaspar v. Schwenckfelds (s.d.) und später mit denen Johann Arndts (s.d.) in Berührung gekommen und im Sinne eines mystischen Spiritualismus beeinflußt worden. In seinen radikal kirchenkritischen Schriften »Spiegel der Mißbräuche« und »Ministerium Lutherani Purgatio« wandte sich H. gegen die lutherische Orthodoxie: gegen ein veräußerlichtes Amts- und Sakramentsverständnis, gegen die konfessionellen Streitigkeiten und ungeistlichen Partikularismen als unmittelbaren Ausdruck der in den Kirchen herrschenden unchristlichen Lieblosigkeit. Den Dreißigjährigen Krieg sah er als Strafe Gottes für das falsche und heuchlerische Leben der Christenheit an. Während der das neue »Babel« als zum Untergang bestimmt erkannte, predigte er zugleich im pazifistischen Sinne gegen den Krieg. Der Kirchenkritik steht positiv die »mystische Theologie« H.s gegenüber. Er verwirft den intellektualistischen »Schulweg« zum Glauben und vertritt dagegen den »Kraftweg«, der an die einfache Demut des Urchristentums anknüpfen soll. Von persönlichen Erfahrungen ausgehend lehrt H. verschiedene Stadien des Weges zur mystischen Erleuchtung. Am Anfang steht die sich über Jahre erstreckende und qualvolle Erforschung des eigenen Gewissens, die konsequente Selbstverleugnung und Buße unter dem Beistand des Geistes Gottes. Die Erfahrung der mystischen Selbstvernichtung verband sich dabei mit dem Gedanken der Kreuzesnachfolge als in einer Art moralischer Anweisung. Auf die Zeit der Umkehr und Buße folgt die Erleuchtung mit der Befreiung der Seele von den früher hochgeschätzten Gütern. Auf dieser Stufe ist die freiwillige Willenseinstellung des Menschen zwar in die richtige Richtung gelenkt, doch ist der stets erneute Kampf um die Erleuchtung und die Kreuzesnachfolge nicht aufgehoben. Auf der dritten Stufe der völligen Erleuchtung ist die Seele dagegen passiv und von der Liebe Gottes umgriffen, indem Christus in das Herz des Gläubigen einzieht. Freilich bleibt auch dieser Zustand immer wieder neu zu erringen. H. greift in seiner »mystischen Theologie« auf mystische Traditionen des Neuplatonismus, der alten Kirche und des Mittelalters in umfangreichen Zitaten zurück. Mit Jakob Böhme (s.d.) trägt seine Mystik einen voluntaristischen Zug. Für die Vorgeschichte des Pietismus kommt unter anderem darum eine besondere Bedeutung zu, weil die Gesamtanlage von Philipp Jakob Speners (s.d.) »Pia desideria« möglicherweise von H.s »Spiegel der Mißbräuche« entscheidend bestimmt worden ist.

Werke: Hertzwecker..., 1640; Praxis Davidica. Das ist Davids Christentum zum Hertzwecker gehörig, 1640; Praxis Arndiana, 1642; Medulla Tauleri oder Kern aus Joh. Tauleri Schriften, 1644; Spiegel Der Misbräuche beym Predig-Ampt im heutigen Christentumb..., 1644; Heutiger Langwieriger verwirreter Teutscher Krieg..., 1644; Teutsch Evangelisches Judenthumb, 1644; Teutsch Evangelisches ärgerliches Christentumb..., 1645; Christ-Fürstlicher Jugend-Spiegel, 1645; Sermon über die Frage: Wobey ein Christ sich prüfen könne, ob Christus in ihm geistlich gebohren, und durch den Glauben in ihm lebe? 1645; Heymischer Prüfung Vortrab wider des Heimius vinculum gratiae, 1646 (gg. den Hanauer Theologen Christoph Heim); Speculum fidei, das ist Spiegel des Glaubens..., 1648; Ministerii Lutherani Purgatio, Das ist Lutherischer Pfaffenputzer..., 1648; Apologia Praetoriana, 1653; Theologia Mystica, 1655; Lebendige Hertzens-Theologie, 1661; Emblemata Sacra, 1661; Postilla Euangeliorum Mystica, 1663; Soliloquia mystica, 1663; Regenspurgischer Heerholdt, 1664; Jesus Christus, der einige und ewige Adventskönig..., 1667; Der unbekandte Christus, 1669; Drey geistreiche Tractätlein, 1677; Jesus Christus, mit seiner ewigen und zeitlichen Geburt, 1677; Vaterlandes Präservatif, 1677; Das Liecht scheinend in der Finsternüß (Übers. H.s v. A. Bourignon, La lumière née en ténébres), 1679. – Werkausw.: Einer Allhier in diesem betrübten Thränen-Thal... Hertzschmerzlich wartenden Seelen... Hertz-flammenden Ubungen, von Christian Montalti (Pseud.), 1685; Dreyfaches Theologisches Kleeblatt, Nürnberg u. Leipzig, 1730. – Werk- u. Lit.verz.: Gerhard Dünnhaupt, Bibliogr. Hdb. der Barocklit. II, 1981, 865-82.

Lit.: Anon., Kurtze ... Warnung für dem Gotteslästerlichen ... Schandbuche ... Eliae Praetorii (Pseud.), Hamburg 1645; – J. Saubert, Wolgemeint Bedencken wie die Büchlein C. H.s ohne Anstoß zu lesen, Nürnberg 1646; – A. Held, Prüfung der Sachen... Eliae Praetorii, Hamburg 1656; – Anon., (Joh. Müller): Prüfung des Geistes Eliae Praetorii, Hamburg 1656; – J. C. Schneider, Christliche wolbegründete Censur ... über C. H.s ... Postillam Evangeliorum Mysticam, Helmstedt 1677; – Philipp Hoburg, Hoburgius Redivivas, o. O. 1692; – Ders., Lebens-Lauff des seel. C. H., von dessen Sohne, o. O. 1692; – J. H. Zedler (Hrsg.), Großes Vollständiges Universal-Lexikon aller Wiss. u. Künste XIII (1735), 476-479; – Gottfried Arnold, Unparteiische Ketzer- u. Kirchenhistorie II, 1700, 17. Kap. 1, 38. Kap. 6, 11; III, 13, 14-37; – F. W. Gadebusch, Livländische Bibliothek nach alphabetischer Ordnung II (1777), 368-371; – J. S. Ersch u. J. G. Gruber, Allgemeine Encyclopädie d. Wiss. u. Künste (1818-89), II, 9; – Johann Moller, Cimbria literata II, 1744, 337-347; – Albrecht Ritschl, Gesch. des Pietismus II, 1884, 61 ff.; – Erich Seeberg, Gottfried Arnold, Die Wiss. u. die Mystik seiner Zeit. Stud. z. Historiogr. u. z. Mystik, 1923, 343-347 (Nachdr. Darmstadt, 1964); – Rudolf Winkel, Myst. Gottsucher der nachreformator. Zeit, 1925, 31-34; – E. Kochs, Das Kriegsproblem in der spiritualist. Gesamtanschauung C. H.s, in: ZKG 46, 1927, 246-267 (Nachdr. Hildesheim, 1964); – A. Schleiff, Selbstkritik der luth. Kirchen im 17. Jh., in: Neue Dt. Forsch. 162, 1937; – M. v. Nerling, C. H.s Streit mit den geistl. Ministerien v. Hamburg, Lübeck u. Lüneburg (Diss. Kiel), 1949; – Martin Schmidt, Speners Desideria, in: ThViat 3, 1951, 100-108; – ders., C. H.s spiritualist. Kritik an der luth. Abendmahlslehre u. ihre orthodoxe Abwehr, in: Bekenntnis z. Kirche. Festg. f. Ernst Sommerlath z. 70.

Geb., 1960; – Ders., C. H.s Begriff der »myst. Theol.«, in: Glaube, Geist, Gesch. Festschr. f. Ernst Benz z. 60. Geb., hrsg. v. Gerhard Müller u. Winfried Zeller, 1967 Leiden, 313-326; – Ders., C. H. and seventeenth century mysticism, in: JEH 18, 1967, 51-58; – Ders., Wiedergeburt u. neuer Mensch, 1969, 51-90, 91-111; – Evamarie Gröschel-Willberg, C. H. u. Joachim Betke. Ein Btr. z. Vorgesch. des dt. Pietismus (Diss. Erlangen), 1955; – Martin Kruse, Der myst. Spiritualist C. H. als luth. Pfr. in Bornum bei Königslutter. Ein Btr. zu seiner Biogr., in: JGNKG 69, 1971, 103-125; – Ders., Speners Kritik am Kirchenregiment, 1971; – Hans-Jürgen Schrader, C. H., in: Schleswig-Holsteinisches Biographisches Lexikon V, 1979, 133-137; – DLL VII, 1270 f.; – MennEnc II, 769 f.; – BWGN IV, 49 ff.; – NDB IX, 282 f.; – RGG III, 373 f.

Ba

HOCEDES, Edgar, Jesuit, Theologe, * 1.7.1877 in Gent, + 5.9.1948 in Fayt-lez-Manage. – H. war von 1905-40 Dozent für Theologie mit Schwerpunkt auf mittelalterlicher Geschichte. Er unterrichtete zunächst in Kruseong (Indien), und zwar bis 1912. Die folgenden zwei Jahre arbeitete er in Löwen und danach, 1914-19, in Hastings. Ab 1920 dozierte er wieder in Löwen, wo er die nächsten 20 Jahre tätig war. Während dieser Zeit, von 1920-26, war er dazu Schriftleiter der »Nouvelle Revue Theologique«. In der Zeit von 1928-40 gab er häufig Gastvorlesungen in Rom.

Werke: Richard de Middleton, 1925; Aegidiij theoremata de esse et essentia, 1930; L'evangelie de la souffrance, 1946; Historie de la theologique au XIXᵉ siecle, 3 Bde., 1947-52; – Epanouissement de la theologie, 1931.

Lit.: J. Levie, NRTh 70, 1948, 786-93; – LTK V, 397.

Ba

HOCHMANN *von Hochenau*, Ernst Christoph, separatistischer Pietist, * vor dem 18.3.1670 in Lauenburg (Elbe) als Sohn eines Herzoglich Sachsen-Lauenburgischen Geheimsekretärs und Zollamtsverwalters, + Anfang Januar 1721 in seiner "Friedensburg" bei Schwarzenau (Grafschaft Sayn-Wittgenstein-Hohenstein).–H.s Vater wurde 1674 in Nürnberg Kriegsschreiber. H. besuchte das berühmte Melanchthongymnasium in Nürnberg und bezog 1687 die Universität Altdorf bei Nürnberg, um die Rechte zu studieren. Er setzte das Studium im Frühjahr 1691 in Gießen fort und kam Anfang 1693 nach Halle (Saale). Für ihn erlangten besondere Bedeutung August Hermann Francke (s.d.), Justus Breithaupt (s.d.), Christian Thomasius (s.d.), Johann Wilhelm Petersen (s.d.) und Johann Christian Lange (s.d.). In Halle erlebte H. eine radikale Wendung seines Lebens. Auf Grund seines Erwählungsbewußtseins nahm er gegen die bestehende Kirche und gegen die Obrigkeit eine radikale Haltung ein, die ihn zur Gemeinschaft der Erwählten abseits der offiziellen Kirche, dem "Babel" führte. H. wurde der Führer eines Kreises von Gleichgesinnten in Halle und erlebte den ersten Zusammenstoß mit den geistlichen und weltlichen Behörden. Aus Halle ausgewiesen, wandte er sich nach kurzem Aufenthalt in Leipzig nach Erfurt und setzte dort seine juristischen Studien fort. Vielleicht besuchte er auch noch die Universität Jena. H. machte die für seine Zukunft außerordentlich wichtige Bekanntschaft mit den Gedanken des Johann Georg Gichtel (s.d.) und den Schriften der englischen Philadelphier Jane Leade (s.d.) und John Prodage (s.d.). Auch wurde er bekannt mit Gottfried Arnold (s.d.) und dem seines Amtes entsetzten und aus dem Berner Staatsgebiet verwiesenen Pfarrer Samuel König (s.d.), den er mit Arnold im August 1699 in der Schweiz besuchte. H. weilte Ende 1699 längere Zeit in Frankfurt am Main und bemühte sich vergeblich um die Bekehrung der Juden. Von dort aus kam er an den kleinen frommen Grafenhof von Laubach (Oberhessen) und hielt weiterhin die Verbindung mit ihm aufrecht. Von Ende Januar bis Anfang März 1700 predigte H. in Berleburg und Umgebung, besuchte darauf andere Orte und zog sich dann in die Biesterfelder Einsamkeit zurück. In der Ruhe des Schlosses zu Biesterfeld (Grafschaft Lippe) wurde in ihm die Gewißheit gefestigt, daß er von Gott zum geistlichen Priestertum berufen sei. Von August 1700 bis Anfang 1703 war das Biesterfelder Schloß H.s Hauptquartier. Von dort zog er aus, wenn der Geist ihn dazu trieb. Im August 1703 kehrte H. in die Grafschaft Wittgenstein zurück und gründete um die Jahreswende 1703/04 in Schwarzenau eine kommunistische Hausgemeinschaft der Christusgeweihten. Von August 1704 bis Anfang 1706, von Ende 1709 bis Ende 1710 und von September 1717 bis in die erste Hälfte des Jahres 1718 zog er predigend durch niederrheinische und bergische Gemeinden und August/September 1706 durch die Pfalz. Gefangenschaften und Ausweisungen nahmen zu als Folge seiner eifrigen Tätigkeit. So befand sich H. von Anfang August bis zum 1.12. 1702 in Detmold in Haft, von 1707 vor dem 12.10. bis etwa Oktober 1708 in Nürnberg, vom 13.3.1711 bis 2.4.1711 in Halle und vom 14.4.1711 bis 23.7.1711 in Leipzig. Schwarzenau wurde ihm dauernder Zufluchtsort. In der »Friedensburg«, einer 1709 von ihm erbauten Hütte, verbrachte er als Einsiedler das letzte Jahrzehnt seines Lebens.

Werke: E. Chr. H.s v. H. Glaubens-Bekäntniß... Samt Einer an die Juden gehaltene Rede..., 1702 (textkrit. Ausg. bei H. Renkewitz, s. Lit.); Briefe an die Gräflich Lippische Herrschaft, 1703; Sendschreiben, Von den falschen Anti-Christlichen, in blaßer äußerlicher Kinder-Taufe, Abendmahl und Kirchen-gehen bestehenden so genannten Gottesdienste..., 1707; Aaronis Sinceri notwendige Adresse und Warnung, o. J.

Lit.: Unschuldige Nachrr. Jg. 1708 ff., 1711, 663 ff.; – Max Goebel, Gesch. des christl. Lebens in der rheinisch-westf. ev. Kirche II, 1852, 809-855; – Hans Leube, Die Gesch. der pietist. Bewegung in Leipzig (Diss. Leipzig), 1921 (vgl. BSKG 37, 1928, 49 ff.; – Friedrich Auge, 8 Briefe E. Chr. H.s v. H., in: Mhh. f. Rhein. KG 19, 1925, 133 ff.; – Ernst Annemüller, Der Schwärmer H. v. H. 1670-1719, in: Lippischer Dorfkalender N. F..16, 1931, 97-100; – Heinz Renkewitz, H. v. H. Qu.-stud. z. Gesch. des Pietismus (Diss. Breslau), 1935 (Neudr. Witten/Ruhr 1969; Verz. der Druckschr. u. des briefl. Nachlasses): – Fritz Tanner, Die Ehe im Pietismus (Diss. Zürich), 1952; – D. F. Durnbaught, European Origins of the Brethren, a source book, Elgin/Illinois, 1958; – Hans Schneider, H. v. H. and inspirationism: a newly discovered letter, in: Brethren Life and Thought 25, 1980, 199-222; – C. Faber du Faur, German Baroque Literature, I (1958), 370; – DLL VII, 1279; – ADB XII, 523-525; – NDB IX, 289 f.; – RE VIII, 162; – RGG III, 382.

Ba

HOCHSTETTER, Andreas Adam, lutherischer Theologe, * 13.7.1668 in Tübingen, + 26.4.1717 ebd. – H. studierte an der Klosterschule Maulbronn und erlangte schon 1683 im Alter von 20 Jahren die Magisterwürde am Tübinger Stift. 1688 begann er auf Staatskosten eine Reise durch Deutschland, die Niederlande und England, die ihm Kontakt und Austausch zu den Gelehrten Europas verschaffen sollte. Unterwegs erlernte er das Rabbinische und die englische Sprache, letztere so gut, daß er schließlich englische Texte ins Lateinische übersetzen konnte. Nach seiner Heimkehr nach Tübingen 1690 wurde er zunächst Diakon, anschließend 1697 Professor für Poesie und Eloquenz, 1798 Professor für Moral, 1705 außerordentlicher Professor für praktische Theologie und schließlich 1707 ordentlicher Professor für Theologie und Stadtpfarrer in Tübingen. Außerdem war er noch Abt von St. Georgen, bis er 1711 von Herzog Eberhard Ludwig zum Konsistorialrat und Oberhofprediger nach Stuttgart gerufen wurde. 1712 nahm er auch an den Verhandlungen mit den Separatisten teil. 1714 kehrte er wieder nach Tübingen zurück und wurde bald darauf Rektor der Akademie. – H. war ein universell gebildeter Gelehrter, der mit vielen seiner gelehrten Zeitgenossen wie Grävius, Perizonius, Newton und Cave, in regem geistigen Austausch stand. Sein philosophischer Ansatz fand unter anderem die Anerkennung Leibniz', als Theologe nahm er eine gemäßigte Haltung ein und hatte bis zur Gegenwirkung J. W. Jägers einen hohen Einfluß auf das Tübinger Geistesleben. Genau wie dieser war er ein Lehrer J. A. Bengels. H. war ein Förderer der katechetischen Ausbildung und der stud. collegia pietatis.

Werke: Collegium pafendorfianum; librum de guse poenarum; commentatories in Joh. Ludov Vivis introductionem ad sapientiam; disputationes destatu hominis naturalis; de Abrahamo matrimonium diffimulante; de ingressu summi Pontificis in sanctissimum Sanctrarium; de religione naturali; de guramentis; theses theologicas.

Lit.: Böck, Eisenbach, Klüpfel, Weizäcker, Weismann, Gesch. d. Tübinger Univ. in: Mem. hist. eccl. II, 973; – J. J. Moses, Erl. Württemberg, 164 ff.; – Römer, kirchl. Gesch. Württemberg, S. 350 ff.. – ADB XII, 526 ff.; – Jöcher II, 1633; – Allg. Encyclopädie, II9, 158; – RGG III, 387.

Ba

HOCHSTETTER, Friedrich, evangelischer Theologe, * 26.5.1870 in Mähringen bei Ulm, + 10.3.1935 in Berlin-Rosenthal. – H. stammte aus einer alten württembergischen Theologenfamilie und besuchte zunächst das Gymnasium und die Universität in Tübingen. 1892 bis 1900 stand er in württembergischen Kirchendienst, und 1900 bis 1917 war er Pfarrer in verschiedenen evangelischen Gemeinden in Österreich, vornehmlich in Niederösterreich. Seit 1917 in Berlin, blieb er als führender Mitarbeiter im »Zentralausschuß zur Förderung der evangelischen Kirche in Österreich« des Evangelischen Bundes und als Schriftleiter der Zeitschrift »Die Wartburg« einer der tätigsten Förderer der österreichischen evangelischen Kirche, die daneben noch vom Gustav-Adolf-Werk unterstützt wurde.

Werke: Die ev. Kirche in Niederösterr., 1912; 25 J. ev. Bewegung in Östr., 1924; Auf Vorposten. Fröhliche u. ernste Erinnerungen aus Arbeits- u. Kampfesj. im Dienst der ev. Kirche in Östr., 1927; Die Gesch. eines Konkordats. Das östr. Konkordat v. 1855, 1928; Zur Konkordatsfrage, 1928; Nehmen sie uns den Leib, Gut, Ehr, Kind u. Weib ... Gedichte z. Märtyrergesch. der ev. Kirche, 1925; Das Konkordat mit Rumänien, in: Die Wartburg. Dt.-ev. Mschr. 28, 1929, 358-360; Die Austreibung der ev. Salzburger im J. 1731, 1931. – Gab mit Wilhelm Fahrenhorst heraus: Die Wartburg 25-29, 1926-30 (u. a. mit Berichten über die ev. Kirche in Österreich).

Lit.: Evangelisches Pfarrerbuch für die Mark Brandenburg, bearb. v. Otto Fischer, Berlin 1941, II, 1, 343; – EKL IV, 520; – RGG III, 387.

Ba

1980, 390 f.; – CKL I, 868; – Jöcher II, 1634; – NDB IX, 292 f.; – RGG III, 387.

Ba

HOCHSTRATEN, Jakob siehe Hoogstraaten

HOCHSTETTER, Johann Andreas, lutherischer Theologe, * 15.3.1637 in Kirchheim unter Teck als Sohn des Spezialsuperintendenten und Stadtpfarrers Conrad H., + 8.11.1720 in Bebenhausen bei Tübingen. – 1659 wurde H. Diakonus in Tübingen, 1668 Pfarrer in Walheim bei Besigheim, 1672 Dekan in Böblingen, 1677 Stiftsephorus und Professor für griechische Sprache, 1680 Professor der Theologie in Tübingen. 1681 wurde er zum Prälat von Maulbronn ernannt, 1689 von Bebenhausen. Für etwa 15 Jahre war H. nun der führende Kirchenmann in Württemberg. Sein Hauptanliegen bestand darin, der württembergischen Kirche die Reformbestrebungen des Pietismus Speners Zugang zu verschaffen. Die allgemein herrschende Katechismuspredigt versuchte er unter dem Einfluß der pädagogischen Schriften Franckes (s.d.) durch die Einführung der katechistischen Methode im religiösen Unterricht abzulösen. Den eigenständigen württembergischen Katechismus schuf H. 1692 durch die Hinzuführung von Stücken aus Luthers Katechismus zum Brenzischen Katechismus. Weitere Anregungen H.s setzten sich erst allmählich durch. So die schon 1692 verlangte Einführung der Konfirmation erst 1721. 1694 kam ein Edikt dem Pietismus Speners entgegen, wie H. es 1692 auf dem Synodus mit der Duldung der Collegia pietatis gefordert hatte. Auf Anregung H.s veranlaßte Francke (s.d.) den Professor Callenberg in Halle, ein Institutum Judaicum zur Ausbildung von Judenmissionaren zu gründen (1728). Scheitern mußten jedoch H.s Vorstellungen hinsichtlich der Einführung von Hausvisitationen und des Aufbaus von Presbyterien. H. verteidigte jedoch nachdrücklich die 1703 in Tübingen eingeführte Repetentenstunde, den Vorläufer der später folgenden württembergischen pietistischen Erbauungszirkel. 1715 wurde H. von dem erklärten Gegner des spiritualistischen Pietismus, dem Tübinger Universitätskanzler J. W. Jäger, der zudem der Hilfe des Herzogs gewiß war, weitgehend ausgeschaltet. – Obwohl H. trotz vieler Bemühungen bis zu seinem Lebensende ohne weiteren Einfluß und insgesamt ohne jegliches bedeutendes literarisches Schaffen blieb, hatte er den Spenerischen Pietismus in Württemberg populär gemacht und somit eine Rückwendung zum Konfessionalismus endgültig unmöglich gemacht.

Lit.: F. C. Weissmann, Christl. Leich-Sermon über das selige Absterben deß ... J. A. H., Tübingen 1720; – Biografisch-genealogische Bll., Stuttgart 1879, 351 ff.; – Württemberg. KG, hrsg. v. Calwer Verlagsver., Calw 1893, 484 f.; – Chr. Kolb, Die Anfänge des Pietismus u. Separatismus in Württemberg, 1902, 5 ff.; – Ders., J. A. H., in: Stuttgarter Ev. Sonntagsbl. 54, 1920, 291, 299, 307, 314 f.; – Friedrich Fritz, Altwürttemberg, Pietisten. I: J. A. H., in: Luthertum 52, 1941, 124 f.; – Ders., ebd. 53, 1942, 71 ff.; – Ders., Altwürttemberg. Pietisten, 1950; – Heinrich Hermelink, Gesch. der ev. Kirche in Württemberg v. d. Ref. bis z. Ggw., 1949; – Heinrich Fausel, Von altluth. Orthodoxie zum Frühpietismus in Württemberg, in: Zschr. württembergischer KG, Sonderh. 24, 309 ff.; – Bll. württembergischer KG, Sonderh. 10/11, 1950, 5 ff.; – Glückwunschschreiben z. 90 Geb., in: Almanach der Ak. der Wiss., Wien, 101, 1951; – Martin Brecht, in: Geist u. Gesch. der Ref. Festg. Hanns Rückert z. 65. Geb., hrsg. v. Heinz Liebing u. Klaus Scholder, 1966; – Friedrich Seck u. a., Bibliogr. z. Gesch. der Univ. Tübingen, Tübingen

HOCKING, William Ernest, Amerikanischer Philosoph und Idealist, * 10.8.1873 in Cleveland (Ohio), + 12.6. 1966 in Madison (New Haven). – H., der in seinen frühen Jahren an der Iowa State University im mittleren Westen Maschinenbau studiert hatte, kam durch privates Lesen zur Philosophie und ging nach Harvard, wo er von William James und Josiah Royce beeinflußt wurde. Von 1914-1943 Professor an der Harvard-Universität, unternahm er den Versuch, durch die Verbindung von Pragmatismus (James) und Idealismus (Royce) zu einem objektiven Idealismus zu gelangen, um letztendlich eine Religionsphilosophie auf empirischer Grundlage zu entwickeln. Doch H. war nicht nur auf dem Gebiet der Philosophie tätig: In den zwanziger und dreißiger Jahren wurde er im Bereich der sozialen und politischen Probleme des Mittleren Ostens aktiv.

Werke: The Meaning of God in Human Experience, New Haven, 1912, [12]1950, [14]1963; Morale and its Enemies, ebd., 1918; Human Nature and its Remarking, New Haven 1923; Man and the State, ebd. 1928; The Present Status of the Philos. of Law and of Rights, ebd., 1926; The Self, its Body and Freedom, ebd. 1928; Types of Philos., New York 1929, [3]1959; Contemp. Idealism in America, ebd. 1932; Re-Thinking Missions, ebd. 1932; The Spirit of World Politics, with Special Studies of the Near East, 1932; Lasting Elements of Individualism, New Haven 1937; Tought on Death and Life, New York 1937; Living Religions and the World of Faith, New York 1940, 1976; What Man can Make of Man, 1942; Science and the Idea of God, Chapel Holl 1944, London 1945; Freedom of the Press: A Framework of Principle, 1947; Experiment in Education, What we can Learn from teaching Germany, Chicago 1954; The Meaning of Immorality in Human Experience, 1957, 1973; The Coming World Civilization, 1958; Strength of Men and Nations, a Message to the USA Vis-a-vis the UDSSR, 1959; Whitehead as I knew him, in: J. Philos. 1961 (58), 505-516; R. C. Gilman, The Bibliogr. of W. E. H., Waterville, Maine 1951.

Lit.: E. J. Thompson, An Analysis of the Tought of A. N. Whitehead and W. E. H. concerning Good and Evil, 1935; – W. G. Muelder/L. Soars, The Development of American Philos., Boston 1940; – H. W. Schneider, A History of American Philos., New York 1946; – T. Manferdini, Dall'idealismo assoluto al realismo ontologico: W. E. H., in: Studi sui pensiero americano, Bologna 1960, 293-371; – Richard Wisser (Hg.), Intersubjekt. Probl., in: Sinn und Zeit, ein philos. Symposion, 1960, 451-464; – Leroy S. Rouner, H. and India, in: Philos. East and West, Honolulu 1966, 59-66; – Ders., Philos., rel. and the coming world civilization, Essays in honour of W. E. H., Den Haag 1966; – Ders., Within Human Experience: The Philos. of W. E. H., Cambridge (Mass) 1969; – Daniel Robinson, W. E. H., in: Philos. and Phenomenol. Research, Buffalo 1966-1967, 4-6; – Arthur Luther, W. E. H. on man's Knowledge of God, in: Philos. Today, Celina 1767, 131-141; – Ders., Existence as Dialectical Tension. A Study of the first Philos. of W. E. H., Den Haag 1968; – Ders., H. and Scheler on Feeling, in: Philos. Today, Celina 1968, 93-99; – Warren Steinkraus, A Further Note on W. E. H., in: Philos. and Phenomenol. Research, Buffalo 1967/68, 442-443; – D. S. Robinson, Royce and H., American Idealists, Boston 1968; – Bernhard Mollenhauer, The Political Philos. of W. E. H.: Its Light on the Crisis of Values, social order, in: Philos. Journal 1971, 63-68; – Robert Byron Thigpen, Liberty and Community, the political Philos. of W. E. H., Den Haag 1972; – John Howie, Metaphysical Elements of Creativity in the Philos. of W. E. H., in: Ideal. Stud. 1973, 52-71; – Carroll R. Bowman, W. E. H. on our Knowledge of God on Other Minds, in: Rel. Stud. 1974, 45-66; – J. Howie/L. Rouner (Hg.), The Wisdom of W. E. H., Wash. D. C. 1978; – Enciclopedia Filosofica II, Venedig/Rom 1967, Sp. 1095; – Philos. Wörterbuch, Begr. von Heinr. Schmidt, Bd. 13, 1969, 215; – Dizionario dei Filosofi, Florenz 1976, 574; – Dict. de Philos. I, Paris 1964, 1237.

Gr

HODENBERG, Bodo von, ev. Kirchenliederdichter, * 3.4.1604, + 20.9.1650 in Osterode (Harz). –H. war Marshall bei dem Herzog Christian Ludwig von Braunschweig-Lüneburg in der Residenzstadt Hannover, als dieser noch die Fürstentümer Kalenberg und Göttingen von Hannover aus regierte. Er wurde um 1645 Landdrost in Osterode. – H. ist der Dichter des Liedes »Vor deinen Thron tret ich hiermit, o Gott, und dich demütig bitt«. Justus Genesius (s.d.) und Johann Peter Uz (s.d.) haben dieses Lied umgearbeitet.

Lit.: Rohr, Merkwürdigkeiten des Oberharzes, Frankfurt 1739, 381; – Heinrich Wilhelm Rothermund, Das gelehrte Hannover II, 1823, 373; – Koch III, 239; – Kosch, LL II, 1003; – ADB XII, 537.

Ba

HOË VON HOËNEGG, Matthias, lutherischer Theologe und sächsischer Oberhofprediger, * 24.2.1580 in Wien, + 4.3.1645 in Dresden. – H. war ein Sohn des lutherischen kaiserlichen Geheimen Rates und Doktors beider Rechte Leonhard H. Wegen schwächlicher Gesundheit bekam er erst siebenjährig den ersten Unterricht durch einen flacianischen Privatlehrer und besuchte die Stephans-Schule in Wien. Während dieser Zeit bemühten sich die Katholiken um H. Aus diesem Grund und wegen der drohenden Türkengefahr wurde er vom Vater 1594 zusammen mit seinem Bruder Christian auf das Gymnasium nach Steyr geschickt, das von Philippisten und Calvinisten geprägt wurde. Nach einem kurzen Aufenthalt an der Universität Wien wurde er am 16. Juni 1597 an der Universität Wittenberg immatrikuliert, wohin er auch von sächsischen Gesandten in Wien empfohlen worden war. Hier studierte er mit großem Eifer und begabt mit einem vorzüglichen Gedächtnis Philosophie, die Rechte und Theologie, bis er sich unter dem Einfluß seines Vaters und seiner akademischen Lehrer ganz für die Theologie entschied. Im Oktober 1601 wurde er Lizentiat und nach erfolgter Ordination am 24. Februar 1602 von Kurfürst Christian II. als dritter Hofprediger nach Dresden berufen, nachdem sich H. bei dem jungen Kurfürsten schon 1601 durch eine Gratulationsschrift zur Thronbesteigung bemerklich gemacht und in verschiedenen Kirchen Dresdens etliche Probepredigten gehalten hatte. Die vorgesehene Beförderung erfolgte durch die Übernahme der Superintendentur in Plauen zum 1. Januar 1604. Am 6. März wurde er in Wittenberg zum Dr. theol. promoviert. In Plauen machte sich H. bei der Gemeinde verdient und sehr beliebt. Er lehnte Rufe nach Rostock, Braunschweig und Oldenburg ab. Dafür glaubte er sich dem Angebot der Ältesten der deutschlutherischen Gemeinde in Prag nicht entziehen zu dürfen, ihr »Direktor« zu werden. Nachdem H. versprochen hatte, auf Anforderung nach Sachsen zurückzukehren, gab Christian II. die Erlaubnis. Im Mai 1607 trat er sein neues Amt an. H. beförderte in Prag den Bau mehrerer Kirchen und einer deutsch-evangelischen Schule. Allerdings gelang es ihm nicht, den Kreis seiner Gemeinde zu erweitern, so polemisch seine Auseinandersetzung mit den Calvinisten und vor allem mit den Jesuiten auch ausfiel. Nur vorübergehend fand er einen milderen Ton. So kam ihm die Rückberufung 1613

durch Kurfürst Johann Georg I. nach Dresden auf die erste Hofpredigerstelle als Nachfolger von Paul Jenisch nicht ungelegen. In der Bestallungsurkunde hatte sich H. den Titel eines »Ober-Hoff-Predigers« erwirkt, und er setzte den Führungsanspruch, der darin zum Ausdruck kam, in Dresden in einem vierjährigen öffentlich ausgetragenen Streit gegen den zweiten Hofprediger Daniel Hänichen durch, bis dieser schließlich nach Prag ging. H. wurde vom Lesen der Epistel, des Evangeliums, der Kollekte und von anderen liturgischen Teilen des Gottesdienstes befreit und behielt sich nur die Predigt vor. Er hat damit in Kursachsen den Anstoß gegeben zu einer Abwertung des Altardienstes und zu einer übermäßigen Ausweitung und Betonung des Kanzelauftrittes. Sogleich nach Amtsantritt wurde H. in einen Streit mit den Calvinisten verwickelt. Den Auftakt bildete ein Streitgespräch mit dem englischen Gesandten und Puritaner Stepan Lesur im Anschluß an eine Predigt H.s. Seine angebliche Niederlage in diesem Streit wurde dann unter Entstellungen von dem Heidelberger Calvinisten Paulus Tossanus (jun.) literarisch ausgeschlachtet. Als schließlich Kurfürst Johann Sigismund von Brandenburg 1613 zum Calvinismus übertrat, erreichte die in Sachsen schon traditionelle anticalvinistische Polemik eine bis dahin unerreichte Schärfe. In rascher Folge veröffentlichte H., der von dem Berliner Dompropst Simon Gedicke um Hilfe gebeten worden war, seine Kampfschriften gegen die Brandenburger Calvinisten, insbesondere gegen den nach Berlin berufenen Pfälzer Theologen Abraham Scultetus. Diese zum Teil äußerst grobe Polemik wurde verstärkt durch den politischen Gegensatz, in dem sich Sachsen und Brandenburg befanden. In diesen Jahren gewann H. einen derartigen Einfluß auf Kurfürst Johann Georg, daß er die kursächsische Politik im anticalvinistischen und pro-kaiserlichen Sinn zu beeinflussen verstand, so daß Sachsen zum Beispiel der Liga gegen Friedrich V. von der Pfalz beitrat. Wie sein Amtsvorgänger Polykarp Leyser (s.d.) trat er dafür ein, daß die Lutheraner eher mit den »Papisten« gemeinsame Sache machen sollten als mit den Calvinisten, die er in »99 Punkten« der Übereinstimmung mit Türken und Arianern bezichtigte. Die pro-kaiserliche Politik H.s, die den Protestantismus tatsächlich schwächte, blieb in Sachsen und darüberhinaus aber nicht unwidersprochen, so daß H. dadurch zu weiteren Streitschriften, die er in kürzester Zeit fertigstellen konnte, genötigt wurde. Auf katholischer Seite glaubte man gar, der Zeitpunkt für einen Übertritt Sachsens zum Katholizismus sei gekommen, so daß 1620 der Jesuit und Weihbischof von Köln, Petrus Cuthsenius, dazu aufforderte, wogegen H. freilich ebenfalls mit der gewohnten Schärfe anging. Wenn es die politischen Umstände geboten, konnte H. sich allerdings auch versöhnlicher zeigen, so schon 1614 bei einer vorübergehenden Annäherung der sächsischen und brandenburgischen Kurfürsten, und dann anläßlich des evangelischen Fürsten- und Ständetages auf dem Leipziger Theologen-Konvent 1631. Sachsen war nämlich durch das Restitutionsedikt von 1627 mit der gleichen Härte getroffen worden wie die anderen evangelischen Länder und 1631 erschien Gustav Adolf in Deutschland. Als Sachsen so zu einem engeren Zusammengehen mit den Evangelischen genötigt wurde, erreichte die antijesuitische Polemik H.s einen neuen Höhepunkt. Nach dem Tode Gustav Adolfs 1632 schwenkte die sächsische Politik aber sogleich wieder auf die alte kaiserfreundliche Linie ein unter maßgeblichem Einfluß von H., der in einem Gutachten gegen den Beitritt Sachsens zum Heilbronner Bund votiert und seinen anfänglichen Widerstand gegen den Prager Frieden recht schnell aufgegeben hatte. Diese und andere Wendungen H.s haben dem Verdacht immer neue Nahrung gegeben, daß er bestochen worden sei. Dieser Vorwurf konnte zwar nicht bewiesen werden, Tatsache sind aber die vielen Geschenke und Ehrungen, die H. vom Kaiser und anderen hohen Personen erhalten hat und die seinem Ehrgeiz schmeichelten. Erwiesen ist auch seine Habgier, die ihm den Besitz von vier Landgütern verschafft hat. H.s große Begabung und sein zäher Fleiß werden überschattet von einem ungezügelten Ehrgeiz auch in politischen Dingen, die ihn rasche Wendungen machen ließ, wenn dieses bei Hofe nützlich schien, während er andererseits zu heftigster Polemik schnell gereizt wurde. Eine Preisgabe orthodox-lutherischer Positionen in seinen Schriften um der Politik willen kann man ihm allerdings nicht vorwerfen. Erst in seinen letzten Jahren verstummte H. im konfessionell-politischen Streit, nachdem sein großer Einfluß auf Kurfürst Johann Georg nicht durchaus zum Wohl Sachsens und der Protestanten wirksam gewesen war. Von seinen theologischen Werken seien hier das »Evangelische Handbüchlein wider das Papsttum« mit vielen Auflagen und der zweibändige »Commentarius in Apocalypsin« genannt.

Werke: Eine schöne Geistliche, Geistreiche Comoedi, Von dem H. Joseph... (aus d. Lat. d. Aegidius Hunnius übers.), 1602; Evangelisches Handbüchlein wider das Papstthum, 1603 (zahlr. Aufl. bis 1846); Triumphus Calvinisticus, 1614; Prodromus, 1618; Treuherzige Warnung für die Jubelfests-Predigt..., 1618; Augenscheinliche Probe, wie die Calvinisten in 99 Punkten mit den Arianern und Türcken übereinstimmen, 1621; Nothwendige Vertheidigung des Heiligen Römischen Reichs Chur-Fürsten und Stände Augapfels, nemlich der ... Augsburgischen Confession ..., 1628; Manuale Jubilaeum Evangelicum, 1630. Schriftenverz.: Ernst Otto, Die Schrr. des ... H. v. H., Progr. des Vitzthumschen Gymn., Dresden 1898.

Lit.: Bruchstück einer Selbstbiogr. des Kursächs. Oberhofpredigers D. M. H. v. H. Mitget. von Scheuffler, in: JGPrö 13, 1892, 28-40, 105-135; – Hans Knapp, M. H. v. H. u. sein Eingreifen in die Politik u. Publizistik des 30j. Krieges (Hallesche Abhh. z. neueren Gesch., H. 40), 1902; – Ernst Otto, Der Streit der beiden Kursächs. Hofprediger M. H. v. H. und Mag. Danie Hänichen, in: Beitrr. z. Sächs. KG, 21, 1908, 89; – Franz Blanckmeister, Pastorenbilder aus dem alten Dresden, 1917, 44 ff.; – Hans Leube, Die Reformideen in der dt. luth. Kirche z. Z. der Orthodoxie, 1924; – Eberhard Schmidt, Der Gottesdienst in der ev. Schloßkirche zu Dresden (Diss. Halle), 1956; – Hans-Dieter Hertrampf, Der kursächs. Oberhofprediger M. H. v. H. Seine Theol., Polemik u. Kirchenpolitik (Diss. Leipzig), 1967; – Erich Beyreuther, Die Auflösung des reformator. Gottesdienstes im luth. Orthodoxie des 17. Jh.s, in: EvTheol 20, 1960, 380-397; – ADB XII, 541-549; – NDB IX, 300 f.; – DLL VII, 1292; – RE VIII, 172-176; – RGG III, 389 f.; – LThK V, 413.

Ba

HOEDEMAKER, Philippus Jakobus, niederländischer Pfarrer und Theologe, * 16.7.1839 in Utrecht als Sohn eines Buchhändlers, + 26.7.1910 in Santpoort, begraben in Heemstede. – Nach einem zwölfjährigen Amerikaaufenthalt begann H. 1863 das Studium der Theologie. Er studierte in Bonn, Heidelberg, Straßburg und Utrecht,

promovierte am 21.6.1867 und wurde Pfarrer der holländischen Kirche. Ab dem 16.2.1868 hatte er eine Pfarrstelle in Venendaal inne, wechselte 1873 nach Rotterdam und 1876 nach Amsterdam. Nach Errichtung der Freien Universität Amsterdam nahm H. im Juli 1880 seinen Abschied und hielt dort seit Oktober 1880 Vorlesungen in Ethik und Praktischer Theologie, später auch über das Alte Testament. Nach Aufbrechen seines Konfliktes mit dem Neocalvinisten und Doleantieanhänger A. Kuyper (s.d.), dessen Bestrebungen zur Aufspaltung der Kirche und zur christlichen Antithesepolitik H. vehement aber einsam bekämpfte, verließ er die Universität, wurde 1888 in Nijland und 1890 wieder in Amsterdam Pfarrer. Am 1.10.1909 schied H. aus dem Dienst aus. – H., aus den Kriesen der "Afscheiding" stammend, arbeitete auf eine Neuorientierung der Niederländischen Kirche hin. Er wollte die Katholizität der reformatorischen Kirche erhärten, die holländische Volkskirche wiederherstellen und mit dem Staat unter dem Wort Gottes zusammenbringen. Die Kirche sollte eintreten für die Losung: "der Staat mit der Bibel". Dazu hielt H. eine kirchenrechtliche Reorganisierung und das biblische Seinsverständnis als einzige Grundlage des Staates für notwendig. Zu seinen Lebzeiten zum Teil mißverstanden, haben diese Gedanken nach seinem Tod doch große Bedeutung gewonnen und sich Schüler und Nachfolger H.s in der Confessioneele Vereeniging gefunden. Obwohl sein theokratisches Konzept in der Politik keine Verwirklichung gefunden hat, so bedeutete doch die neue Kirchenordnung der Nederlandse Hervormde Kerk vom Mai 1951 eine Aufnahme seines Bestrebens.

Werke: Handboek voor het Onderwys in het Old Testament, 1874-85; De Reformatie en de Gereformeerde Kerk, 1878; Het antirevolutionair beginsel en het hooger onderwys, 1883; Aan de kerkeraaden, 1885; In een genotschap doch kerkerlyk gescheiden, 1886; Open brief aan Dr. A. Kuyper, 1886; Waarom ik geen deel nem aan het kerkelyk congres, 1887; De Congresbeweging, 1887; Aan jhr. de Savornin Lohman, 1887; De roeping der gereformeerden in de Hervormde Kerk, 1888; Geen verbrokeling, 1893; Heel de Kerk en heel het volk, 1897; Nationaal niet clericaal, 1897; Christus voor de rechtbank der moderne Wetenschap, 1898; Art. 36 onzer Nederduitse Geloofsbelydenis, 1901; De vrymaking der Hervormde Kerk een nationaal belang, 1903; Nationaal belang, 1903; Heel de Kerk en heel het volk, 1905; Adres aan de Staten Generaal in zake de Theol. Faculteit, 1904; Noch rechts noch links, 1905; Het eerstgeboorterecht voor een schotel moes?, 1905; Handboek van het NT, 1906; Wat staat de vrymaking van de Kerk in den weg?, 1906.

Lit.: G. Ph. Scheers, Ph. J. H., 1939; – RGG III, 393.

Ba

HÖFEL, Johann, ev. Kirchenliederdichter, * 24.6. 1600 in Uffenheim an der oberen Tauber als Sohn eines fürstlich brandenburgischen Vogts, + 8.12.1683 in Schweinfurt. – Seine Vorbildung erhielt H. in Nürnberg und Coburg, studierte in Gießen, Jena und Straßburg und promovierte 1628 in Jena zum Dr. jur. Er wurde 1633 Rats- und Stadtkonsulent in Schweinfurt und war zugleich Rat und Advokat der Grafschaften Henneberg und Castell sowie der Reichsstädte Rothenburg und Windsheim. Unter den Drangsalen des Dreissigjährigen Krieges hatte H. viel Schweres auszustehen. Um täglich an Ps 90, 12 erinnert zu werden, ließ er sich schon in seinem 18. Lebensjahr seinen Sarg anfertigen. H. hielt täglich seine Betstunde und las in seinem Alter meist Leichenpredigten, von denen er über 4 000 sammelte. Noch bis in das hohe Alter pflegte er die Dichtkunst, die ihn in seinen Jünglings- und Mannesjahren hauptsächlich mit Johann Rist (s.d.) als Dichterfreund verbunden hat. Bekannt sind seine Trostlieder "O süßes Wort, das Jesus spricht" (über Lk 7, 13) und "Was traur' ich doch? Gott lebet noch".

Werke: Musica christiana, 1634; Historisches Gesangbuch, 1682.

Lit.: Johann Barger, Echo u. Widerhall aus dem Jammertal aus Off 22, 21 (H.s Leichenpredigt), Schleusingen 1683; – Johann Caspar Wetzel, Hymnopoeographia oder Hist. Lebensbeschreibung der berühmtesten Liederdichter I, Herrnstadt 1719; – Ders., Analecta hymnica, das ist: Merkwürdige Nachlesen z. Lieder-Historie II, Gotha 1754, 285 ff.; – Koch III, 138; – F. Bergschlag, Aus einer kleinen Reichsstadt, in: Fränk. Monatsh. 1928; – Erwin Lauerbach, Dr. J. H. und sein historisches Gesangbuch, in: Frankenland 4, 1954, 115; – Ingrid Weber, Die Porträtsmedaille Dr. H.s, in: Schweinfurter Mainleite 1, 3 (1972), 84-87; – Gerd Wunder, Dr. J. H.s Windsheimer Ahnen, in: Bll. f. fränk. Familienkunde 10,5/6 (1974/76), 332-342; – Ders., J. H., in: Fränkische Lb. VII, 123-141; – Erdmann Neumeister, De Poetis Germanias, 1695, Hrsg. von Franz Heidnek, 1978, 379; – Jöcher II, 1639; – Goedeke III, 186; – DLL VII, 1302.

Ba

HØFFDING, Harald, dänischer Philosoph und bedeutendster Denker dieses Landes, * 11.1.1843 in Kopenhagen, + 2.7.1931. ebd. – H., der 1861 in Kopenhagen sein Theologiestudium aufnahm, wurde ebendort 1870 in Philosophie habilitiert, um von 1883-1915 in Kopenhagen als Professor tätig zu sein. Neben Einflüssen von dichterischer Seite (Goethe, Fichte, Raabe und Paul) und philosophischer (Kierkegaard, Kant und Schopenhauer) wurde seine philosophische Entwicklung durch einen Parisaufenthalt von 1868/69 geprägt, in dessen Verlauf er sich mit dem französischen und englischen Positivismus beschäftigte und Auguste Comte und Herbert Spencer studierte. Im Zentrum seines Interesses stand stets die Geschichte der neuen Philosophie, die Religionsphilosophie, sowie die Erkenntnistheorie, zu denen er bedeutende zusammenfassende Darstellungen, aber auch Einzelutnersuchungen verfaßte. H. ordnete sich selbst dem kritischen Positivismus zu.

Werke: Die Grundlagen der modernen Ethik, dt. 1880; Psykologi i ombrids paa Grundlag af Erfaring, 1881, dt. Leipzig 1887, ³1914, ⁶1922; Ethik. En Fremstilling af de etiske Principer og deres Amvendelse paa de vigtigste Livsforhold, Kopenhagen 1887, dt. ³1912; Einleitung in d. engl. Philos. unserer Zeit, Leipzig 1889; Kierkegaard, 1892, dt. 1896; Den nyere Filosofis historie, 2 Bde., Kopenhagen 1894-1895, dt. Lehrbuch der Gesch. d. neueren Philos., Leipzig 1895-1896; J. J. Rousseau und seine Philos., 1896, ⁴1923; Religionsfilosofi, Kopenhagen 1901; Moderne Philos., Vorles. gehalten an d. Univ. in Kopenhagen, 1902, Leipzig 1905; Danske filosofer, 1909; Den mennesekelige Tanke, dens Former og dens Opgaver, Kopenhagen 1910, dt. der menschl. Gedanke, 1911; Bergsons Philos. 1914; Den store humor, 1916, dt. Humor als Lebnsgefühl, 1918; Totalitet som kategori, 1917, dt. der Totalitätsbegriff, 1917; Spinozas Ethica 1918, dt. 1924; Bemaerkninger om den plantoniske Dialog »Parmenides«, 1920, dt. Bemerk. über den platon. Dialog »Parmenides«, 1921; Legende tanker i det nittende arhundrede, 1920, »Parmenides«, 1921; Legende tanker i det nittende arhundrede, 1920, dt. Leitende Gedanken zum 19. Jh., 1920; Selbstbiogr., in Philos. d. Gegenwart in Selbstdarstell., Bd. 4, 1923; Platons Bøger om Staten, Kopenhagen 1924, dt. Platons bücher vom Staat, 1924; Der Begriff d. Analogie, 1924; Erkendelseteori og Livsopfattelse, Kopenhagen 1925, dt. Erkenntnistheorie u. Lebensauffass., 1926; Rel. Denktypen, 1927; Erindringer, 1928, dt. Erinnerungen, 1928; Bemaerkninger om Erkendelseseteoriens nuvaerende Stilling, Kopenhagen 1930; – Bibliogr. in: K. Sandelin, Kronologisk Bibliogr. H. H. arbejder med tillaeg indeholdende bibliogr. over skrifter af H., Kopenhagen 1932.

Lit.: Georg Schott, H. H. als Rel.philos., (Diss.) Erlangen 1913; – Francisque Papillon, Le problème religieux dans la philos. de H., Genf 1920; – Valdemar Hansen, H., some relig. filos., 1923; – Ders., Le principe de personnalité chez trois penseurs danois: H., Kierkegaard, Poul Möller,

in: Atti XII Congr. Intern. Filos. XII, Florenz 1961, 205-210; – Robert Hürtgen, Das Gottesproblem bei H. H. und die thomist. Weltanschauung, (Diss.) Bonn 1928; – Hans Meis, Darstell. und Würdigung d. Ethik H. H.s, (Diss.) Bonn 1929; – Gerardus Horreüs de Haas, H. H. en zijne beteekenis voor godsdienstkijsbegeerte en zedeler, Huis der Heide 1930; – H. H. in Memoriam, Fire Taler holdt paa Kφpenhavns Universitet paa H. H. 89 Aars Dag 11 Marts 1932 af Frithiof Brandt, Kopenhagen 1932; – Victor Kuhr, H. H. zum Gedächtnis, Kantstudien, Bd. 37, 1932, 215 ff.; – S. Holm, H. H. 1943; – Mogens Blegvad, Sociology and Philos., in: Danish Yearbook of Philos., Kopenhagen 1976, 221-241, some reflections occasioned by the paper presented by H. H. at the first meeting of the Society for Philos. and Psychol.; – Jan Faye, The Influence of H. H.s Philos. on Niels Bohrs Interpretation of quantum mechanics, in: ebd. 1979, 37-72; – Johs. Witt-Hansen, Leibniz, H. and the ekliptika circle, in: ebd. 1980, 31-58; – Philos. Wörterbuch, begr. von Heinr. Schmidt, Bd. 13, 252; – Philos. Lex. von Rudolf Eisler, 1912, Neudruck 1972, 274-275; – Dizionario dei Filos., Florenz 1976, 575-576; – José Ferrater Mora, Dicctionary of Filosofia 2, Madrid 1981, 1542-1543; – Dictionnaire des Philos. I., Paris 1984, 1239.

Gr

HÖFLER, Constantin, Historiker und "Vater der deutschen Geschichtswissenschaft" in Böhmen, *27.3.1811 in Memmingen als Sohn eines Gerichtsbeamten, + 29.11.1897 in Prag. – Nach dem Gymnasienbesuch H.s in München und Landshut folgte ein juristisches Studium ab 1828, dann ein Geschichtsstudium, das 1831 in der Promotion »Über die Anfänge der griechischen Geschichte« seinen Abschluß fand. Die darauf folgenden Studien in Göttingen und Rom wurden durch ein Stipendium ermöglicht. 1836 wurde H. mit der Redaktion der »Münchner politischen Zeitung« betraut, 1838 wurde er Privatdozent, 1839 außerordentlicher und 1841 ordentlicher Professor der Geschichte in München. Aufgrund seiner Polemik gegen Lola Montez wurde H. 1847 zwangsweise pensioniert und als Kreisarchivar nach Bamberg versetzt. Nach verdienstvoller Tätigkeit um die Herausgabe fränkischer Geschichtsquellen wurde er 1851 von Leo Thun nach Prag berufen, wo er als Professor tätig sein sollte. H. sah dort seine Aufgabe in der Führung des Deutschtums in Böhmen, und in der Beschäftigung mit den realen Auswirkungen des Hussitentums. So gründete er 1862 den Verein für die Geschichte der Deutschen in Böhmen, wurde 1865 Mitglied des böhmischen Landtags und auf seinen Antrag erfolgte die Aufspaltung der Technischen Hochschule und der Karlsuniversität Prag 1879 in zwei nationale Hochschulen. H. war ohne Zweifel der bedeutendste deutsche Historiker des 19. Jahrhunderts in Prag.

Werke: Gesch. der engl. Civilliste, 1834; Die dt. Päpste, 1839, 2 Bde.; Kaiser Friedrich II., 1844; Lehrbuch der allg. Gesch., 3 Bde., 18456-56; Concordat u. Constitutionseid der Katholiken in Bayern, 1847; Urkundl. Nachr. über König Georg Podiebrads von Böhmens Versuch, die dt. Kaiserkrone an sich zu reißen, 1849; Quellensmlg. f. fränkischen Gesch., 1850; Fränk. Studien 1-5, in: Archiv f. Kde. österr. Gesch.quellen, 4, 5, 6, 1850-1853; Böhmische Studien, 1854; Dt. Zustände im 13. Jh. vom fränk. Standpunkt aus, 1855; Geschichtsschreiber d. hussit. Bewegung, in: Notes rerum Austriacarum, Abt. scriptores, Bd. 2, 6, 7, 1856 (1866); Ruprecht von der Pfalz, 1861; Concilia Pragensia 1353-1413, 1862; Maguster Johannes Huß und der Abzug der dt. Prof. u. Stud. aus Prag 1409, 1864; Über die luxemburg. Periode der dt. Könige u. Kaiser, 1865; Die Zeit der luxemburg. Kaiser, 1867; Documenta Magistri Joannis Hus vitam, doctrinam, causam etc., illustrantia, 1869; Abhandlungen aus d. Gebiet d. alten Gesch., in: SB d. Ak. d. Wiss., Wien phil. hist. 64, 65, 1870, 67, 1871, 71, 1872, 95, 1880; Anna von Luxemburg, 1382-1394, 1870-1880; Der Kongreß von Soissons, 1871-1876; Zur böhm. Gesch.schr., aktenmäßige Aufschlüsse u. Worte d. Abwehr, 1871; Die avignones. Päpste, 1871; Abhandl. zur Gesch. Österr., 2 Bde., 1871 ff.; Urkundl. Beitr. zur Gesch. d. Hussitenkriege, 2 Bde., 1872-1874;

Abhandl. auf d. Gebiet d. slaw. Gesch., 5 Bde., 1875-1882; Der Aufstand d. castilian. Städte gegen Kaiser Karl V., 1876; Der dt. Kaiser und der letzte Papst, Karl V. und Adrian VI., 1876; Zur Kritik d. Quellenkunde d. ersten Reg.jahre Karls V., 3 Teile 1876-1883; Die roman. Welt u. ihr Verh. zu den Reformideen d. MA, 1878; Papst Hadrian VI. 1522/1523, 1880; Mon. Hispanica, 2 Bde., 1881 f.; Dpn Antonio Acuna, gen. der Luther Spaniens, 1882; Das dipl. Journal d. Andrea del Burgo, 1885; Donna Juana, in: Denkschr. d. Akad. d. Wiss., Wien 35, 1885; Bonifatius der Apostel der Dt. u. der Slawenapostel Konstantinos und Methodius, in: Mitteilg. d. Ver. f. Gesch. d. Dt. in Böhmen 25, 1887; Don Rodrigo de Borja u. seine Söhne, in: Denkschr. d. Akad. d. Wiss., Wien 37, 1888; Dichtungen (nie aufgeführt): Karls d. Fünften erste Liebe, Dramat. Idylle nebst einem Vorspiel Margareta von Österreich, 1888; Leonore von Portugal, Drama, 1888; Karl V. Ende, Drama, 1889; Der Anfang vom Ende (der Karolinger), 1889; Das Ende (der Karolinger), Tragödie mit einem Vorspiel V. von Frankreichs Tod, 1890; Die Königsmutter, 1891.

Lit.: C. Wurzbach, Biogr. Lex. des Kaiserreichs Österreich, Bd. 9, 1863, 102-109; – Taras von Boradaikewycz, Dt. Geist u. Katholizismus im 19. Jh., dargest. am Entwicklungsgang H.s, Salzburg/Leipzig 1935; – Wilhelm Wostry, Der junge H., in: Zs für sudetendt. Gesch. 1937, 210-219; – R. Schreiber, C. H. und Caspar Zeuß in Bamberg, in: Jb. für fränk. Landesforschung 14, 1954, 263-278; – ADB XXXXX, 428-433; – LThK V², Sp. 425; – NDB IX, 313-314; – Hellmut Rössler/Günter Franz, Biogr. Wörterb. d. dt. Gesch., Bd. I, 1974, Sp. 1193; – Wolfgang Weber, Biogr. Lex. z. Gesch.wiss in Dtld., Österr., Schweiz, 1984, 247-248.

Gr

HÖFLING, Johann Wilhelm Friedrich, lutherischer Theologe, * 30.12.1802 in Neudrossenfeld bei Bayreuth, + 5.4.1853 in München. – H. war ein Sohn des Küsters und Schullehrers Joh. Paul H., der später Pfarrer in Betzenstein wurde. H. besuchte das Gymnasium in Bayreuth und studierte seit 1819 in Erlangen Philologie und Theologie. Dem Rationalismus nicht besonders zugetan, hörte er bei F. W. J. Schelling (s. d.) Vorlesungen und beschäftigte sich mit Schleiermacher (s. d.). Nach dem theologischen Examen wurde er 1823 Vikar in Würzburg, 1827 Pfarrer von St. Jobst bei Nürnberg. In dieser Stellung erwarb er sich durch seine Predigten auch in der weiteren Umgebung Anerkennung. 1832 verfaßte er die Schrift »Beleuchtung des Daumerischen Sendschreibens an Pfarrer Kindler«, in der er die heftigen Angriffe des Nürnberger Predigtamtskandidaten und Gymnasiallehrers G. F. Daumer auf das Christentum zurückwies. Dadurch war auch das Oberkonsistorium auf H. aufmerksam geworden. Der Oberkonsistorialrat C. E. N. Kaiser verfaßte ein sehr positives Gutachten zu H.s Schrift, so daß H. vom Ministerium am 30.5.1833 gegen die anderslautenden Vorschläge der theologischen Fakultät zum o. Professor auf der neu geschaffenen Stelle für Praktische Theologie in Erlangen ernannt wurde. Mit der Berufung H.s wurde die Erweckungsbewegung in Erlangen gestärkt, die dort vorher nur durch den ao. Professor Christian Krafft (s. d.) vertreten gewesen war, zu dessen Kreis H. schon als Student gehört hatte. H. wurde mit dem schon zwei Monate früher berufenen Adolf Harleß (s. d.) zum Begründer der »Erlanger Schule«. An der Universität wurde ihm auch das neu errichtete Ephorat über die bayerischen Studenten der Theologie übertragen, wodurch man deren Studien besser zu leiten und zu überwachen hoffte. Diese Einrichtung blieb aber nur bis 1848 bestehen. 1835 erwarb H. in Erlangen den theologischen Doktorgrad, nachdem er schon am 16.2.1831 in Tübingen zum Dr. phil. promoviert worden war. Er widmete sich in seiner nun einsetzenden wissenschaftlichen Arbeit dem Bereich der Sakramentslehre und Liturgik und andererseits Fragen des kirchlichen Amtsverständnisses. Zusammen mit Harleß arbeitete er an der Zeitschrift für Protestantismus und Kirche mit. Als Harleß am 1.10.1852 Präsident des Oberkonsistoriums in München wurde, berief er auch H. als Oberkonsistorialrat in dieses Gremium. Trotz seines schon im nächsten Jahr erfolgten Todes nahm H. in dieser Eigenschaft noch entscheidenden Einfluß auf die Ausgestaltung der Gottesdienstordnung und der Kirchenverfassung in Bayern. Als Liturgiker betrieb H. gründliche quellengeschichtliche Studien, jedoch immer auch in Hinblick auf eine praktische Erneuerung des lutherischen Gottesdienstes »auf alter Grundlage«. So betonte er wieder stärker die Bedeutung des Altarsakramentes neben dem Wort als Gnadenmittel und als »Gemeindeakt«. Aus seinem umfangreichsten Werk »Das Sakrament der Taufe« erwuchsen praktische Vorschläge zur Gestaltung des Katechumenates und der Konfirmation. In seinen liturgiegeschichtlichen Forschungen legte er die wissenschaftliche Grundlage für die Arbeit der späteren Erlanger Liturgiker. Zu Fragen der Kirchenverfassung äußerte H. in seinem Werk »Grundsätze evangelisch-lutherischer Kirchenverfassung«, in dem er sich mit den Auffassungen Wilhelm Lähes (s.d.), Theodor Kliefoths (s.d.) und Friedrich Julius Stahls (s.d.) auseinandersetzte. Indem H. vom Quellenstudium zu Luthers Schriften ausging, betonte er in Hinsicht auf das allgemeine Priestertum der Gläubigen und in Anlehnung an seinen juristischen Lehrer Georg Friedrich Puchta die Gemeinde als den Ort, aus dem jure divino das Kirchenamt der Wortverkündigung und Sakramentsverwaltung hervorgeht, von dem das Kirchenregiment zu unterscheiden ist. Um episkopalistischen Tendenzen gegenzusteuern, differenzierte er in ähnlicher Weise zwischen Heils- und Kirchenordnung, sakramentalen und sakrifiziellen Kulthandlungen, wobei allerdings Widersprüche in dem Vereinigungskonzept von Kirche als Gemeinde und als Anstalt bestehen blieben, da die Unterscheidung von sakramentalen und sakrifiziellem Amtsverständnis nicht immer konsequent durchgehalten wurde. Ähnlich wie im Bereich der Liturgiewissenschaft haben auch H.s Arbeiten zum Problem der Kirchenverfassung eine weitreichende Wirkung gehabt.

Werke: Mysticismus, der wahrhafte hist. u. der heutzutage fälschlich so genannte, in seinem Verhältnisse z. ev. Christentum dargest., 1832; De symbolorum natura, necessitate, auctoritate atque usu dissertatio, 1834; Über den Geist der prot. Kirche, Progr. Erlangen 1835; Von der Composition der christl. Gemeinde-Gottesdienste, oder v. den zus.gesetzten Akten der Communion. Eine liturg. Abh., 1837; Von den Festen oder hl. Zeiten der christl. Kirche, 1838; Die Lehre Justins des Märtyrers v. Opfer im christl. Cultus, 1839; Die Lehre des Irenäus v. Opfer im christl. Cultus. Progr. Erlangen 1840; Origines doctrinam de sacrificiis christianorum in examen vocavit, particula I-III, 1841; Des Clemens v. Alexandrien Lehre v. Opfer im Leben u. Cultus der Christen, Progr. Erlangen 1842; Die Lehre Tertullians v. Opfer im Leben u. Kultus der Christen, Progr. Erlangen 1844; Das Sakrament der Taufe nebst andern damit zus.hängenden Akten der Initiation. Dogmat., hist., liturg. dargest. I, 1846; II, 1848; Grundsätze ev.-luth. Kirchenverf. Eine dogmat.-kirchenrechtl. Abh., 1850 (1853³); Die Lehre der ältesten Kirche v. Opfer im Leben u. Cultus der Christen. Zeugenverhör, in einer Reihe v. akadem. Progrr. angestellt, 1851; Liturg. UB enthaltend die Akte der Communion, der Ordination u. Introduction, u. der Trauung, hrsg. v. Gottfried Thomasius u. Theodosius Harnack, 1854.

Lit.: Karl Friedrich Nägelsbach u. Gottfried Thomasius, Zum Gedächtnis J. W. F. H.s, 1853; — Matthias Simon, Ev. KG Bayerns II, 1942; — Ders., Die innere Erneuerung der Theol. Fak. Erlangen im J. 1833, in: ZBKG 30, I, 1961; — Johannes Kreßel, Die Liturgik der Erlanger Theol., 1948²; — Ders., Die Liturgie der Ev.-Luth. Kirche in Bayern rechts des Rheins. Gesch. u. Kritik ihrer Entwicklung im 19. Jh., 1953²; — Holsten Fagerberg, Bekenntnis, Kirche u. Amt in der dt. konfessionellen Theol. des 19. Jh.s, Uppsala 1952; — Friedrich Wilhelm Kantzenbach, Die Erlanger Theol. Grundlinien ihrer Entwicklung im Rahmen der Gesch. der Theol. Fak. 1743-1877, 1960; — B. Klaus, Die Anfänge der Prakt. Theol. in Erlangen, in: ZBKG 32, 1963; — Hermelink II, 409; III; DLL VII, 1310 f.; — ADB XII, 622; — NDB IX, 317; — RE VIII, 176 f.; — EKL II, 180 f.; — RGG III, 393 f.

Ba

HOEKENDIJK, Johannes Christiaan, niederländischer Theologe und Missionswissenschaftler, * 3.5.1912 in Garut/Java als Sohn des gleichnamigen Missionars, + 25.6.1975. — H. wuchs zunächst in Indonesien auf, besuchte dann von 1930-1936 zur Ausbildung das Missionsseminar Oegstgeest in Holland und studierte von 1936-1939 in Leiden und Utrecht Theologie. Ab 1940 arbeitete er als Studentenpfarrer und Sekretär der CSV in Holland und war 1944 in Flüchtlingslagern in Genf tätig. 1945 ging er nach Indonesien und wurde Missonskonsul in Djakarta. Nachdem er von 1947 an Sekretär des Niederländischen Missionsrates gewesen war, hielt er sich ab 1949 als Sekretär im Weltkirchenrat in Genf auf, bis er 1952 als Professor für Apostolat und Praktische Theologie der theologischen Fakultät der Nederlandse Hervormde Kerk nach Utrecht ging. Ab 1959 war er auch als ordentlicher Professor für Kirchengeschichte des zwanzigsten Jahrhunderts beschäftigt. 1965 wechselte H. nach New York und lehrte am Union Theological Seminary. — Für die Theologie H.s ist charakteristisch, daß sie nicht ausgeht von Gedanken über Kirchenausbreitung und Völkerbekehrung, sondern geprägt ist von einer Spiritualität, deren Kennzeichen die Wiederentdeckung der Welt als dem Ort des Kommens des Gottesreiches und der Kirche als einem Instrument in dieser weltlichen Geschichte von Heil ist. Bestimmend für H. war immer die Offenheit der Suche nach konkreten Gestaltungsmöglichkeiten der Gottesgemeinde und bezeichnend für seinen Ansatz die kontinuierliche Teilnahme an dem Studienprojekt »The missionary structure of the congregation« des Weltkirchenrates.

Ue

Werke: Zending in Indonesie. Verslag en rapporten van de zendingsconferentie te Batavia (10. - 20.8.1946), hrsg. v. J. Chr. H., Leiden 1947; Kerk en Volk in de Diutse Zendingsweten schap. Door J. C. H., Utrecht, Theolog. Diss. v. 1948, Amsterdam 1948; Oecumene in't vizier. Angebooden aan Dr. W[illem] A[dolph] Vizier 't Hooft, Secretaris-Generaal van de Werldraad van Kerken op ziju 60, verjaardag op 20 Sept. 1960, ouder red. van W. F. Gotterman en J. C. H., Amsterdam 1960; Welkom! Kom aan boord, in: De toekomst van Kerken en christendom, in: Wending 1971/72, no. spec., 705-784; A perspektive on Indonesia, in: Tet su nao yama mori, Charles R. Taber, Christopaganism or in dige nous Christianity? South Pasadena/Kalif., 1975, 57-75; Universality and freedom in mission, in: ebd., 217-223.

Lit.: Libertus Arend Hoedemaker, J. Chr. H., in: Tendenzen der Theol. im 20. Jh. Gesch. in Porträts. Hrsg. v. Hans Jürgen Schultz, 1966, 577-581; — Georg F. Vicedom, Kirche u. Volk in der dt. Missionswiss., in: ThLZ 93, 1968, 625-627; — Karl-Hermann Kandler, Kirche als Exodusgemeinde. Bem. z. Theol. J. Chr. H., in: KuD 17, 1971, 244-257; — Dieter Manecke, Mission als Zeugendienst. Die theol. Begründung der Mission bei Karl Barth im Kontext der missionstheolog. Entwürfe v. Walter Holsten, Walter Freytag u. J. Ch. H. (Diss. Bonn, 1970), Wuppertal 1972; — Kirche u. Volk in der dt. Mission wiss. Hrs. u. bearb. v. E. W. Pollmann, aus dem Holl. von F. Finkenrath, H. H. Mehrhoff, M. Quaas,

E. W. Pollmann, 1967; — Henry Cöster, Fred pa jorden, Om J. C. H.'s missionsteologie, in: Svensk Missions Tidskrift 61, 1973, 99-108; —Anton P. Stadler, In memoriam J. Chr. H., in: NZM 31, 1975, 307 f.; — Jan Morinus van der Linde, In Memoriam J. C. H., 1912-1975, in: Wereld en zending, 1975, 329-331; s. a., in: Tijdschrift voor theologie, 75, 313 f., s. a., in: Nederlands Theologisch Tijdschrift 76, 55-58; — Gianfranco Coffele, SDB, J. C. H., Da una teologia della missione ad una teologia missionaria, Documenta Missionaria 11, Rom 1976; — Libertus A. Hoedemaker, Eerst horen dan zien. J. C. H., (1912-1975). Fragmenten uit het niet gepubliceerde Amerikcanse werk, Samen gesteld en ingeleid door L. A. H., in: Wereld en Zending 5/6, 1976, 317-419, Rez., in: Occasional Bulletin of Missionary Research 1, 1977, 7-11; — Libertus A. Hoedemaker, Hoekendijks American years, in: Occasional Bulletin of Missionary Research 1, 1977, 7-10.

Ba

HOEKSTRA, Sytze, holländischer Theologe, * 20.8. 1822 in Wieringerwaard, + 12.6.1898 in Ellecom. — H. studierte am Seminar der »Allgemeene Doopsgezinde Societeit« in Amsterdam und war zwischen 1845 und 1872 als Prediger der Mennoniten in Akkrum und Rotterdam tätig. 1857 übernahm er eine Professur für systematische Theologie an der Universität Amsterdam. 1891 gab er im Alter von 70 Jahren seine Lehrtätigkeit auf. — H., ab 1865 Mitglied der Königlichen Akademie der Wissenschaften, war einer der bedeutendsten Vertreter der modernen theologischen Schule in Holland. Er begriff den Glauben als Resultat des menschlichen Bemühens um Erlösung und Selbstverwirklichung und sah ihn begründet in einer untrüglichen und nicht hinterfragbaren subjektiven Glaubensgewißheit. Religion und Glaube waren für H. dementsprechend einer empirisch-wissenschaftlichen Überprüfung nicht zugänglich.

Werke: Geloof en leven des Christens, 1852 u. ö.; De leer des Evangelies, voor beschaafde en nadenkende christenen ontwikkeld, 2 Bde., 1854-55 (1858²); De triumf der liefde in alle beproeving, bezongen in het Lieder lieberen, 1856; Het geloof des harten volgens het Evangelie, 1856 (1857²); De weg der wetenschap op godgeleerd en wijsgeerig gebied, 1857 (Rez. v. C. D. Busken Huet, in: De Gids 22 (NS 11), Amsterdam 1858, 622 ff.); Vrijheid in verband met zelfbewustzijn zedelijkheid en zonde, 1857 (Rez. v. A. Pierson, in: De Gids 22 (NS 11), Amsterdam 1858, 493 ff.); Christelijk-wijsgeerige aforismen, in: Godgeleerde Bijdragen 31, Leiden 1857, 55 ff.; Grondslag, wezen en openbaring van het godsdienstig geloof volgens de HS, 1861; De Zoon des menschen, de Heiland der wereld, 1861; De ontwikkeling der zedelijke idee in de geschiedenis, 1862 (In der Beil.: De zondeloosheid of volmaakte rechtvaardigheid van Jezus); Beginselen en leer der oude Doopsgezinden, vergeleken met die van de overige Protestanten, 1863 (Rez. v. A. M. Cramer, in: Godgeleerde Bijdragen 38, Leiden 1864, 287 ff.); Iets over het gevoel als bron of bouwstof van de godsdienstige kennis, in: Godgeleerde Bijdragen 38, Leiden 1864, 1 ff.; Bronnen en grondslag van het godsdienstig geloof, 1864; Historische beteeknis van Jezus' dood, als grondslag der dogmatische waardening van dit fiet, in: Godgeleerde Bijdragen 40, Leiden 1866, 273 ff.; De benaming »de Zoon des menschen« hist.-krit. onderzoekt, 1866; Des Christens godsvrucht naar de eigen leer van Jezus, 1866; De Hoop der Onsterfelijkheid, 1867; Beoordeeling van het utiliteitsbeginsel als beginsel van, of richtsnoer voor de zedelijkheid, in: Theologisch Tijdschrift 2, Amsterdam 1868; Godsdienst en zedelijkheid, in: ebd.; Gedachten over het wezen en de methode der godsdienstleer, in: ebd. 6, 1872; De Grondslag van het besef van onvoorwaardelijken plicht, 1873; De blijvende beteeknis van het Evangelie des kruises op modern standpunt, in: Theologisch Tijdschrift 7 u. 8, Amsterdam 1873 u. 1874; Het jaarcijfer 81 als getuige van de beteeknis des geloofs, 1881; Zedenleer, 3 Bde., 1894; Wijsgeerige godsdienstleer, 2 Bde., 1894-95; Geschiedenis der Zedenleer, 2 Bde., 1896; De Christelijke Geloofsleer, 2 Bde., 1898.

Lit.: J. H. Scholten, De vrije wil, Leiden 1859; — A. Pierson, Over Ethika, in: De Gids 59, Amsterdam 1895, 245 ff.; — I. Molenaar, Professor H., Haarlem 1897 (i. d. Ser. Mannen en Vrouwen van beteekenis in onze dagen, 8. Lfg.); — B. H. C. K. v. d. Wyck, Een Idealist, in: Onze Eeuw 1, Haarlem 1902, 247 ff.; — Karel Hendrik Roessingh, De Moderne Theologie in Nederland. Hare voorbereiding en eerste periode, Groningen 1914, 166 ff.; — Willem Frederik Goltermann, De godsdienstwijsbegeerte van S. H., Assen 1942 (mit Verz. d. Werke H.s); – Ders., H.s Opvatting Omtrent de Grond van het Geloof, in: Doopsgezind Jaarboekje 42, ebd. 1943, 60 ff.; – BWGN IV, 79 ff.; – NNBW I, 1122 ff.; – MennLex II, 323 ff.; – MennEnc II, 773 ff.; – RGG III, 394; – RE VIII, 195 ff.

Ba

HÖLDERLIN, Friedrich, Dichter, * 20.3.1770 in Lauffen/Neckar, + 7.6.1843 in Tübingen. H. war als erstes Kind der Pfarrerstochter Johanna Christiana Heyn (1748-1828) und Heinrich Friedrich Hölderlin (1736-1772), Klosterhofmeister und geistlicher Verwalter. Durch seine Mutter war H. mit der ganzen "schwäbischen Pfarraristokratie" verwandt (Schelling, Mörike, Uhland) und durchlebte so eine pietistisch gestimmte Erziehung. H. besuchte die schwäbischen Klosterschulen in Denkendorf (1784-1786) und Maulbronn (1786-1788) und begann anschließend das Studium der protestantischen Theologie in Tübingen. Im Tübinger Stift traf er auf Hegel und Schelling und erlebte mit ihnen begeistert den Ausbruch der französischen Revolution. Die Ideale der französischen Revolution übten starken Einfluß auf seine Entwicklung aus, ebenso das Studium von Leibniz, Plato, Klopstock, Schiller und den Spinozabriefen. Mit L. Magenau und L. Neuffer schloß H. im Stift einen Dichterbund. 1790 promovierte H. zum Magister der Philosophie. Der Mutter zuliebe blieb H. im Stift, trotz einer starken Abneigung gegen den Theologenberuf. Sein Drang nach intellektueller Emanzipation einerseits und die Notwendigkeit, seinen Lebensunterhalt zu verdienen andererseits, ließen ihn den Hofmeisterberuf ergreifen. Auf Vermittlung Schiller's wurde er Hofmeister bei Charlotte v. Kalb in Waltershausen bei Meiningen (1793). Im Januar 1795 löste er das Hofmeisterverhältnis, nachdem er mit seinem Zögling nicht mehr klar kam und ging nach Jena, um Fichte zu hören und Schiller nahe zu sein. 1795 verließ er beinahe fluchtartig Jena, niedergeschlagen durch Minderwertigkeitsgefühle den Größen der Stadt gegenüber und lebte bis Ende des Jahres in Nürtingen. 1796 trat H. eine neue Hofmeisterstelle bei dem Bankier Jakob Friedrich Gontard in Frankfurt an, dessen Frau Susette er verehrte und als »Diotima« verewigte. Durch diese Liebe wurde die Frankfurter Zeit die glücklichste und produktivste seines Lebens. Nach einer Auseinandersetzung mit dem Bankier mußte er 1798 das Haus verlassen. Er ging nach Hamburg zu seinem Freund Isaac v. Sinclair, wo er eineinhalb Jahre lebte. Nach kurzen Aufenthalten in Stuttgart bei Landauer und Nürtingen übernahm er noch zwei Hofmeisterstellen, im Januar 1801 in Hauptwil (Schweiz) und im Dezember 1801 in Bourdeaux, von wo er im Juni 1802 mit ersten Krankheitszeichen heimkehrte. Sein Zustand besserte sich leicht, es entstanden noch größere Gedichte. Sinclair bemühte sich, den Freund zu sich nach Homburg zu holen, und es gelang ihm, für H. eine Bibliothekarstelle zu finden. 1806 verschlimmerte sich H.s Zustand zusehends und er mußte zur Behandlung in eine Tübinger Klinik. Im Sommer 1807 kam er in die Pflege des Tischlermeisters Zimmer. Dort lebte er noch 36 Jahre in beständiger Umnachtung, aber frei von Paroxysmen. – H. war lange Zeit verkannt, erst zu Beginn unseres Jahrhunderts kam er zu Einfluß und Wirkung. H. selbst hat nur den »Hyperion«, einige Gedichte und die Sophoklesübertragung veröffentlichen können, so war seinen Zeitgenossen sein Werk nahezu unbekannt. Zahlreiche Einflüsse haben Hölderlins Werk geprägt; der schwäbische Pietismus, Rousseaus Naturschwärmerei, die Ideale der französischen Revolution, die Anfänge geschichtlichen, dialektischen Denkens der Freunde Hegel und Schelling, H.s Verehrung der griechischen Welt. In der Antike sieht Höderlin das Gegenbild zur Gegenwart, die Götter nahmen am Leben noch teil, es herrschte Einheit mit der Natur, Einheit mit "Allem". In der Antike sieht H. ein historisches Modell einer freien Zukunft, so ist sein höchstes Ziel der Revolution die Herstellung jener göttlichen Idealität der Gesellschaft, die in der Antike erschienen ist. So entwirft z. B. Hyperion auf dem Ruinenfeld des alten Athen seine neue Welt, am Schluß des ersten Bandes wird die Perspektive einer Gesellschaft entworfen, die sich nach Gesetzen der Schönheit, der Natur und des göttlichen Ideals organisiert. H.s Dichtung intendiert eine Einheit und Ganzheit von unversöhnlich erscheinenden Lebensbereichen. Die Gegensätze Natur – Geschichte – Kunst, Individuum – Gemeinschaft werden in poetischer Mythe verbunden. Im »Hyperion« wird dieses Ideal der Einheit beschworen. Diese Einheit ging durch Reflexion verloren, denn Denken heißt unterscheiden, trennen. Diese Einheit versucht H. auf höherer Stufe wiederzugewinnen; Einheit durch ästhetischen Sinn, durch Poesie. Der Pantheismus führte bei H. zur religiösen Feier der Naturgötter, jedoch fühlte er durch die Vergöttlichung der außermenschlichen Natur sein ewiges Selbst bedroht und findet dadurch wieder zu seinem christlichen Erbe. Zu einer Synthese seines pantheistischen Weltbildes mit seiner späten Christlichkeit kommt es durch seine Krankheit jedoch nicht mehr.

Werke: Hist.-krit. Ausgabe v. Norbert v. Hellingrath, Friedrich Seebass, Ludwig v. Pigenot, 6 Bde., 1913-23 (Bd. 1-4, 1943³); Sämtliche Werke u. Briefe, Krit.-hist. Ausgabe, hrsg. v. Franz Zinkernagel, 5 Bde., 1913-1926; Sämtliche Werke (Große Stuttgarter Ausg.), hrsg. v. Friedrich Beißner u. (ab Bd. 6) Adolf Beck, 1943 ff.; Sämtliche Werke (Kleine Stuttgarter Ausg.), hrsg. v. dens., 6 Bde., 1944-1962; Sämtliche Werke in einem Bd. hrsg. v. Friedrich Beißner, 1961; Sämtliche Werke hrsg. v. Günter Mieth, 4 Bde., 1970; Werke, Briefe, Dokumente, ausgewählt v. Pierre Bertaux, 9963; Werke u. Briefe, hrsg. v. Jochen Schmidt u. Friedrich Beißner, 2 Bde., 1969.

Lit.: Friedrich Seebass, H.-Bibliogr., 1922; – M. Kohler u. Alfred Kelletat, H.-Bibliogr. 1938-50 (1953); – M. Kohler, H.-Bibliogr., 1951-55, 1956-58, 1959-61, 1962-65, in: H. Jb. 9, 1955/56, 11, 1958/60, 12, 1961/62, 14, 1965/66; – Internationale H.-Bibliogr. (IHB), hrsg. v. H. Archiv der Württ. Landesbibl. Stuttgart 1804/1983 (1985); – Heinz-Martin Dannhauer, Wörterbuch zu H. auf der Textgrundlage der großen Stuttgarter Ausg. Tübingen 1983; – Iduna-Jb. Der H.-Gesellschaft. Hrsg. v. Friedrich Beißner u. Paul Kluckhohn, Tübingen Jg. 1, 1944; – Forschungsberr.: A. v. Grolmann für die Jahre 1920-25, in: Dt. Vjschr. für Lit. Wiss. u. Geistesgesch., 1926; – J. Hoffmeister für 1926-33 (ebd. 1934); – Heinz Otto Burger für 1933-40, 1940-55 (ebd. 1940, 1956); – Adolf Beck, Forsch.Ber. im H. Jb., 1944 (Iduna) bis 1952; – H.-Jb. 1948-54, hrsg. v. Friedrich Beißner u. Paul Kluckhohn, seit 1955: W. Binder u. Alfred Kelletat; – Emil Petzold, H.s Brot u. Wein, Sambor 1896/97, Darmstadt 1967²; – Wilhelm Dilthey, F. H. in: Das Erlebnis u. die Dichtung, Leipzig 1905; – Friedrich Gundolf, H.s Archipelagus, Heidelberg 1911; – Ernst Cassirer, H. u. der d. Idealismus, in Idee u. Gestalt, Berlin 1921, 109-152; – Karl Vietor, Die Lyrik H.s, Frankfurt a. M. 1921; – Ders., Gesch. der dt. Ode, 1923, 1961², 147-164; – Ludwig v. Pigenot, Das Wesen und die Schau. Ein Versuch, München 1923; – Wilhelm Böhm, H., 2 Bde., Halle, Saale 1928-30; – Lothar Kempter, H. und die Mythologie, Zürich, Leipzig 1929; – Johannes Hoffmeister, H. u. Hegel, Tübingen 1931; – Ders., Die H.-Lit. 1926-33: DVfLG 12, 1934, 613-645; – Ders., H. u. Die Philos., Leipzig 1942; –

Friedrich Beißner, H.s Übers. aus dem Griech. 1933, 1961[2]; – Ludwig Strauß, Das Problem der Gemeinschaft in H.s »Hyperion«, Leipzig 1933; – Paul Böckmann, H. und seine Götter, München 1935; – Norbert v. Hellingrath, H.-Vermächtnis, München 1936, 1944[2]; – Pierre Bertaux, H., Essai de biographie intérieure, Paris 1936; – Walther Rehm, H.: Schicksal u. Liebe, in: Griechentum u. Goethezeit, Leipzig 1936, 335-400, 1938[2]; – Gisela Wagner, H. u. die Vorsokratiker, Würzburg 1937; – Dietrich Seckel, H.s Sprachrhythmus, Leipzig 1937; – Erwin Hegel, H. u. der christl. Erlösungsgedanke, Diss. Heidelberg 1938; – Ronald Peacock, H., London 1938; – Romano Guardini, H.s Weltbild u. Frömmigkeit, Leipzig 1939, 1955[2]; – Kurt Hildebrandt, H. Philos. u. Dichtung, Stuttgart 1939, 1943[2]; – Wilhelm Michel, Das Leben F. H.s, Bremen 1940, 1963[4]; – Max Kommerell, H.s Empedokles-Dichtungen, in: Geist u. Buchstabe der Dichtung. Goethe, Kleist, H., Frankfurt a. M. 1940, 155-294, 1944[3], 318-357; – Walter Friedrich Otto, Der Dichter u. die alten Götter, Frankfurt 1942; – Friedrich-Wilhelm Wentzlaff-Eggebert, Opfer u. Schicksal in H.s »Hyperion« u. »Empedokles«, Straßburg 1943; – Eugen Gottlob Winkler, Der späte H., Dersau 1943; – Ernst Müller, H.-Studien zur Gesch. seines Geistes, Stuttgart u. Berlin 1944; – Lothar Kempter, H. in Hauptwil, St. Gallen 1946; – Reinhold Lindemann, H. heute, Berlin, Hannover 1948; – Helmut Wocke, H.s christliches Erbe, München 1949; – Ernest Tonnelat, F. H., Paris 1950; – Ders., L'oeuvre poétique et la pensée religieuse de H., Paris 1950 (Bibliothèque des langues modernes 4); – Marianne Schultes, H. Chritus, Welt. Christus ist das Ende. F. H. Ein Deutungsversuch, München 1950; – Walther Rehm, Orpheus. Der Dichter u. die Toten. Selbstdeutung und Totenkult bei Novalis, H., Rilke, Düsseldorf 1950; – Martin Heidegger, Erläuterungen zu H.s Dichtung, Frankfurt 1951, 1971[4], 1981[5]; – Eduard Lachmann, H.s Christushymnen, Wien 1950; – Robert Thomas Stoll, H.s Christushymnen, Basel 1952; – Helmut Läubin, H. u. das Christentum, Symposium 3, 1952, 237-402, 4, 1954, 217-334; – Beda Allemann, H. u. Heidegger, Zürich, Freiburg 1954, 1956[2]; – Ulrich Hötzer, Die Gestalt des Herakles in H.s Dichtung, Diss. Tübingen 1951, Stuttgart 1956; – Rolf Michaelis, Die Struktur v. H.s Oden, Diss. Tübingen, 1958; – Horst Rumpf, Die Deutung der Christusgestalt bei dem späten H., Diss. Frankfurt, 1958; – Hans Heinrich Schottmann, Metapher u. Vergleich in der Sprache F. H.s, Diss. Bonn, 1958; – Maurice Delorme, H. et la révolution francaise, Monaco 1959; – Lawrence John Ryan, H.s Lehre vom Wechsel der Töne, Stuttgart 1960, 344-364; – Ders., F. H., Stuttgart 1962; – Friedrich Beißner, H. heute. Der lange Weg des Dichters zu seinem Ruhm. Ein Vortrag, Stuttgart 1963; – Jean Laplanche, H. et la question du père, Paris 1961; – H.-Beiträge zu seinem Verständnis in unserem Jh. Hrsg. v. Alfred Kelletat, Tübingen 1961; – Friedrich Beißner, H. Reden u. Aufsätze, Weimar 1961, 1969[2]; – Joachim Rosteutscher, H., der Künder der großen Natur, Bern und München 1962; – Ulrich Gaier, Der gesetzliche Kalkül. H.s Dichtungslehre, Tübingen 1962; – Lawrence John Ryan, H.s »Hyperion«. Exzentrische Bahn u. Dichterberuf, Stuttgart 1965; – Paul Raabe, Die Briefe H.s, Stuttgart 1963 (Diss. Hamburg 1958); – Horst Nalewski, F. H. Naturbegriff u. politisches Denken, Diss. Leipzig, 1963; – Peter Nickel, Die Bedeutung von Herders Verjüngungsgedanken und Gesch. Philos. für die Werke H.s, Diss. Kiel, 1963; – Alessandro Pellegrini, H., sein Bild in der Forschung, Berlin 1965; – Eduard Lachmann, Der Versöhnende, H.s Christenhymnen, Salzburg 1966; – Michael Konrad, H.s Philos. im Grundriß, Bonn 1967; – Klaus-Rüdiger Wöhrmann, H.s Wille zur Tragödie, München 1967; – Werner Kirchner, H. Aufsätze zu seiner Homburger Zeit, Göttingen 1967; – Hans-Werner Bertallot, H. – Nietzsche. Untersuchungen zum hymnischen Stil in Prosa u. Vers, Berlin 1933, Neudruck 1967; – P. Szondi, H.-Studien, 1967; – Detlef Lüders, Die Welt im verringerten Maßstab. H.-Studien, Tübingen 1968; – J. Schmidt, H.s Elegie »Brot u. Wein«, 1968; – Dichter über H., hrsg. v. Jochen Schmidt, Frankfurt 1969; – Winfried Kudszus, Sprachverlust u. Sinneswandel zur späten u. spätesten Lyrik H.s, Stuttgart 1969 (Germanistische Abhandlungen 28); – Pierre Bertaux, H. und die französische Revolution, 1969; – Friedrich Beißner, H.s Götter. Ein Vortrag, 1969; – Wolfgang Binder, H. Aufsätze, Frankfurt 1970; – Hannelore Hegel, Isaak v. Sinclair. Zwischen Fichte, H. u. Hegel. Ein Beitrag zur Entstehungsgesch. der idealistischen Philos., Frankfurt 1971 (Philos. Abhh. Bd. 37); – Wilhelm Dültz, Griech. Saitenspiel. Weg u. Werk F. H.s, Augsburg 1972; – Roy C. Shelton, The young H., Bern u. Frankfurt 1973; – Arnold Oertle, Christus bei H. Ein Versuch, H.s Werk theol.-krit. zu lesen, Diss. Zürich 1974; – Endo C. Mason, H. and Goethe. Ed. by P. H. Gaskill. Forew.: Hans Reiss, Berlin u. Frankfurt 1975 (Brit. u. Irische Studien zur deutschen Sprache u. Lit. Nr. 3); – Gerhard Wolf, Der arme H., Stuttgart 1976; – Bernhard Böschenstein, Leuchttürme; von J. v. Celan. Wirkung u. Vergleich., Frankfurt 1977; – Walter Hof, Die Schwierigkeit sich über H. zu verständigen: fast eine Streitschrift, Tübingen 1977; – Günter Mieth, F. H., Dichter der bürgerlich-demokratischen Revolution, Berlin 1978; – Rainer Nägele, Lit. u. Utopie. Versuche zu H., Heidelberg 1978; – Panajotis Kondylis, Die Entstehung der Dialektik. Eine Analyse der geistigen Entwicklung von H., Schelling u. Hegel bis 1802, Stuttgart 1979, zugl. Diss. Heidelberg, 1978; – Werner Volke, H. in Tübingen, Marbach 1979, Marbacher Magazin 11 - Sonderdruck); – Willy

Stucky, F. H. u. Albert Camus, Zur Verwandtschaft zentraler Gedanken eines schwäbischen »Theologen« des ausgehenden 18. Jh. u. eines franco-algerischen Agnostikers des 20. Jh., Zürich 1980, Diss. 1981; – Marianne Beese, F. H., Leipzig 1981; – Pierre Bertaux, F. H., Frankfurt 1978; – Ders., H. ou le temps d'un poète, Paris 1983; – Ders., H.-Variationen, Frankfurt 1984; – Stephan Wackwitz, F. H., Stuttgart 1985; – Walter Jens, Hans Küng, Dichtung u. Rel. Pascal, Gryphius, Lessing, H., Novalis, Kierkegaard, Dostojewski, Kafka, München 1985; – EC VI, 1464; – LThK V, 443/444; – RGG III, 394-400; – NCE VII, 49/50; – NDB IX, 322-332.

Lo

HÖLSCHER, Gustav, ev. Theologe, * 17.6.1877 in Norden (Ostfriesland) als Sohn des Pfarrers Wilhelm Hölscher (s.d.), + 16.9.1955 in Heidelberg. – H. studierte 1896 - 1900 in Erlangen, Leipzig, Berlin und München und wurde 1905 Privatdozent und 1915 ao. Professor für Altes Testament in Halle und 1920 o. Professor in Gießen. Er folgte 1921 dem Ruf nach Marburg und 1929 nach Bonn und lehrte 1934 - 49 in Heidelberg. H. war Mitglied der norwegischen Akademie der Wissenschaften, der Heidelberger Akademie der Wissenschaften und der Königlichen Humanistischen Gesellschaft der Wissenschaften in Lund.

Werke: Palästina in der pers. u. hellenist. Zeit. Eine hist.-geogr. Unters., 1903; Die Qu. des Josephus f. die Zeit v. Exil bis z. jüd. Kriege, 1904; Kanon. oder apokryph. Ein Kap. aus der Gesch. des at. Kanons, 1905; Der Sadduzäismus. Eine krit. Unters. z. späteren jüd. Rel.gesch., 1906; Landes- und Volkskunde Palästinas (Smlg. Göschen 345), 1907; Die Gesch. der Juden in Palästina seit dem J. 70 n. Chr. Eine Skizze, 1909; Die Mischnatraktate Sanhedrin u. Makkoth, ins Dt. übersetzt u. unter bes. Berücks. der Verhältnisses z. NT mit Anm. vers., 1910; Die Profeten. Unterss. z. Rel.gesche. Israels (hier bes. Kap. 1: Ekstase u. Vision), 1914; Die Entstehung des Buches Dan, in: ThStKr 92, 1919, 113-138; Arab. Metrik, 1920 (ZDMG 74, 359-416); Gesch. der israel. u. jüd. Rel., 1922; Komposition u. Ursprung des Dtn, in: ZAT 40, 1922, 161 ff.; Das Buch der Kön, in: Eucharistion. Stud. z. Rel. u. Lit. des A u. NT, Hermann Gunkel z. 60. Geb., hrsg. v. Hans Schmidt, II, 1923, 158 ff.; Die Bücher Esr u. Neh, in: Die HS des AT., hrsg. v. Alfred Bertholet, II, 1923[4], 491-562; Ez. Der Dichter u. das Buch. Eine literarkrit. Unters., 1924 (BZAW 39); Die Ursprünge der jüd. Eschatologie, 1925; Urgemeinde u. Spätjudentum, Oslo 1928; Syr. Verskunst, 1932; Das Buch Hi, 1937 (1952[2]); Die Hohenpriesterliste bei Josephus u. die ev. Chronologie (= SAH Philos.-hist. Kl. Jg. 1939/40, Abh. 3), 1940; Die Anfänge der hebr. Gesch.schreibung, 1942 (= SAH 1941/42, Abh. 3); Drei Erdkarten. Ein Btr. z. Erkenntnis des hebr. Altertums (= SAH Philos.-hist. Kl. Jg. 1944/48, Abh. 3), 1949; Gesch.schreibung in Israel. Unterss. z. Jahwisten, Lund 1952 (Skrifter utgivna av Kungl. Humanistica Vetenskaps samfundet i Lund 50).

Lit.: – A. Falkenstein, in: SAH 1955/56, 24-26; – NDB IX, 334; – RGG III, 411.

Ba

HÖLSCHER, Wilhelm, ev. Theologe, * 22.4.1845 in Norden (Ostfriesland) als Sohn eines Notars und Advokaten, + 11.3.1911 in Leipzig). – H. besuchte seit 1860 das Gymnasium in Osnabrück und studierte 1863 - 66 in Tübingen, Berlin und Göttingen. 1866 - 71 war er Hauslehrer in Kurland bei dem Reichsgrafen Theodor von Meden. H. wurde 1872 Hilfsprediger und 1876 Pastor in Norden und 1880 Konventual und Studiendirektor im Kloster Loccum. Seit 1885 wirkte er als Pfarrer an St. Nikolai in Leipzig. Die Theologische Fakultät der Universität Leipzig verlieh ihm 1886 die Ehrendoktorwürde. Mit besonderer Vorliebe behandelte H. im Predigerkollegium zu Leipzig die Geschichte der Predigt und leitete bis 1910 das kachetische Seminar der Universität. Er wurde 1887 Mitglied und 1897 stellvertretender Vorsitzender des Kollegiums der Leipziger Mission und reiste, als die Lage der indischen Mission sehr ernst geworden war, im Auftrag des Kollegiums 1903 nach Indien, konnte es aber nicht verhindern, daß vier Missionare ausschieden. H. trat 1889 in den "Zentralvorstand des Gustav-Adolf-Vereins" ein; er wurde bald Vorsitzender des Leipziger Zweigvereins und dann des Hauptvereins. Seit 1885 war H. im Hauptvorstand der Leipziger Inneren Mission, deren Vorsitzender er 1896 wurde. Lebhaften Anteil nahm H. an den Bestrebungen der "Allgemeinen evangelisch-lutherischen Konferenz". In theologischen Kreisen wurde er bekannt durch die Herausgabe der von Christoph Ernst Luthardt (s.d.) begründeten "Allgemeinen evangelisch-lutherischen Kirchenzeitung" (bis 1911) und des "Theologischen Literaturblattes" (bis 1909).

Lit.: D. Wilhelm Hölscher, Rin Lb., Leipzig 1912.

Ba

durch Daniel Gerdes sowie Jac. Trigland sind wegen ihrer Ungenauigkeit unbrauchbar. Trigland besorgte eine niederländische Übersetzung, und es sind zwei deutsche Übersetzungen bekannt bekannt (Köpfel und Ulhart).

Werke: Epistola christiana, in; Luther Briefwechsel, hrsg. v. Ernst Ludwig Ernders, III, 412-425.

Lit.: Dt. Übers.: Wolfgang Köpfel, Von dem brot und weyn des Herrn, Christlicher bericht, 1525; – Niederl. Übers.: Trigland, Kerckelyke Geschiedenisse, Leiden 1630, 125-130; – A. J. van der Aa, Biographisch Woordenboek der Nederlanden VIII, Haarlem 1867, 864 f.; – O. Clemen, Huene Rode in Wittenberg, Basel, Zürich und die frühesten Ausgg. Wesselscher Schrr., in: ZKG 18, 1897, 346-372; – De Avondmaalsbrief von C. H. (1525) in facsimile üitgegeven en van inleiding voorzien door Albert Eekhof, Den Haag 1917; – Ders., Zwingli in Holland, in: Zwingliana 3, 1918-1919, 371; – Karl Schottenloher, Philipp Ulhart, 1921, 33 f., 126; – Walter Koehler, Zwingli u. Luther. Ihr Streit über das Abendmahl nach seinen polit. u. rel. Beziehungen I, 1924, 61-67; – K. Bauer, Die Abendmahlslehre Zwinglis bis zum Beginn der Auseinandersetzung mit Luther, in: ThBl 5, 1926, 217-226; – Marten von Rhyn, De invloed van Wessel Gansfort, in: NAKG NS 20, 1927, 1 ff.; – O. Farner, Huldrych Zwingli IV, 1960, 228 f.; – NNBW VI, 787 f.; – BWGN IV, 90-92; – RE VIII, 312 f., XXIII, 660; – RGG III, 411.

Ba

HOEN (auch Hoon, Honius oder Honnius), Cornelisz Hendricxz, Jurist, + April 1524 in Den Haag. – H. besuchte die von den *Brüdern vom gemeinsamen Leben* geleitete Hieronymusschule in Utrecht und wurde zu einem Rechtsanwalt am Hofe von Holland in Den Haag ('s Gravenhage). H. war mit Erasmus v. Rotterdam befreundet. Bei der Durchsicht der Bibliothek von Jacobus Hoeck, dem verstorbenen Pastor von Wassenaar (Dekan von Naaldwyk), fand H. mit anderen Schriften von Wessel Gansfort auch dessen Abhandlung über das Abendmahl »De sakramento eucharistiae«. Durch diese Lektüre kam er seinerseits zu der Überzeugung, daß in den Einsetzungsworten Jesu die Copula *Est* im Sinn von *significat* zu verstehen sei: Brot und Wein bedeuten Leib und Blut Christi. Über diese Entdeckung informierte er seine Freunde, darunter Hinne Rode, Rektor der Hieronymusschule in Utrecht, der einer Gruppe reformatorisch Gesinnter vorstand. H. legte seine neugewonnene Überzeugung in der »Epistola christiana admotum« dar, welche Rode gemeinsam mit den Schriften Gansforts höchstwahrscheinlich 1521 Luther in Wittenberg vorlegte. Dieser lehnte jedoch die rein symbolische Abendmahlsauffassung H.s ab. Über Oekolampad in Basel brachte Rode diese »Epistola Honii« schließlich 1523/24 zu Zwingli in Zürich, dem dadurch *der wahre Sinn* der Einsetzungsworte deutlich wurde. 1525 veröffentlichte Zwingli diesen Brief mit einigen eigenen Eingriffen, ohne jedoch den Autor zu erwähnen. Im Februar 1523 wurde H. nach einer Disputation mit einem Benediktinermönch aus dem Kloster Egmond als *lutherischer Ketzer* gefangen genommen. Im Kerker von Delft machte er Bekanntschaft mit dem Humanisten Cornelius Aurelius. Nach Intervention des Hofes in Den Haag wurde H. wieder freigelassen. Eine Untersuchung sollte die Anschuldigungen gegen ihn und Wilhelm Gnagheus prüfen. Den Haag wurde ihm als *Gefängnis* zugewiesen, wo er im April 1524 starb. – H. soll gemeinsam mit H. Rode und W. Gnagheus an einer Bibelübersetzung gearbeitet haben, die größtenteils auf Luthers Übersetzung zurückgegriffen haben soll. Die Ausgaben der »Epistola christiana admotum«

HOENSBROECH (sprich: Honsbroch), Paul Graf von, leidenschaftlicher Bekämpfer des ultramontanen Katholizismus, * 29.6.1852 auf Schloß Haag bei Geldern, + 29.8.1923 in Berlin-Lichterfelde. – In einem kinderreichen Elternhaus wuchs H. im Geist ultramontaner Frömmigkeit heran und kam mit 9 Jahren in die "Stella matutina" in Feldkirch (Vorarlberg). Als er im Sommer 1869 diese von Jesuiten geleitete Anstalt verließ, stand sein Entschluß fest, Jesuit zu werden. Wilhelm Emanuel Freiherr von Ketteler (s.d.), Bischof von Mainz, ein Vetter seiner Mutter, riet ihm davon ab: er solle zunächst das Abitur in Deutschland machen. So besuchte H. das Obergymnasium in Mainz und bestand im Sommer 1872 das Abiturientenexamen. Nun wurde er in das Jesuitenkollegium nach Stonyhurst (England) geschickt, um dort Philosophie zu studieren. H. entschied sich für das juristische Studium, das er 1872/73 in Bonn begann und in Göttingen und Würzburg fortsetzte, und legte im Herbst 1876 in Köln das Referendarexamen ab. Nach längeren Reisen durch Frankreich, Portugal, Spanien und Algier, Wallfahrten nach dem benachbarten Kevelaer, Lourdes (Südfrankreich) und Marpingen (Diözese Trier) und Pilgerfahrten nach Rom und mehreren Sterbefällen in der Familie entschloß sich H. nach langem Zögern endlich zum Eintritt in den Jesuitenorden. Das Noviziat in Exaeten bei Roermond (Maas) dauerte von 1878 - 80. "Monatelang hatte ich die Öl- und Petroleumlampen des ganzen Hauses zu besorgen, und später wurden auch die Aborten meiner Obhut unterstellt". An das Noviziat schloß sich nach der Studienordnung des Ordens das sog. Scholastikat. "Mein Leben als Scholastiker der Gesellschaft spielte sich ab in den Studienhäusern und Kollegien Wynandsrade (1880 - 81) und Blyenbeck (1881 - 83) in Holland sowie Ditton Hall in England (1883 - 87), denn England gehörte zur deutschen Provinz des Jesuitenordens". 1886 empfing H. vom Bischof von Liverpool in Ditton Hall die Priesterweihe. Die Obern bestimmten ihn zum Mitarbeiter an den "Stimmen aus Maria Laach" und schickten ihn zur

Förderung seiner Studien nach Brüssel zu den Bollandisten (s. Bollandus, Jean), die in einem großen Werk das Leben und Wirken der Heiligen darstellten. Sein Arbeitsgebiet war die Kirchengeschichte, besonders die Papstgeschischte. Er sollte die Notwendigkeit des Kirchenstaates für die Freiheit des Papstes beweisen. Gleichzeitig erhielt H. den Auftrag, sich in Berlin niederzulassen, um dort den Boden für eine Jesuitenniederlassung vorzubereiten. Er sollte sich an der Universität immatrikulieren lassen und einige Vorlesungen belegen, um den Schein zu erwecken, er halte sich nur zu Studienzwecken in Berlin auf. Im Auftrag seines Ordens studierte H. eifrig evangelische Theologie, um sie zu widerlegen. Das führte zu furchtbaren inneren Kämpfen. "Dabei hatte ich niemand, dem ich mein Elend hätte klagen können; denn Schweigen über meine inneren Kämpfe war notwendig, sonst wäre die Möglichkeit der Befreiung mir abgeschnitten worden. Es steht bei mir unzweifelhaft fest, daß, hätte ich gesprochen, die Tore eines Irrenhauses sich hinter mir auf Lebenszeit geschlossen hätten. Zahlreiche Mitglieder der Deutschen Ordensprovinz sind während meiner Zugehörigkeit zum Orden hinter den Mauern eines im nahen Belgien bei Löwen gelegenen Irrenhauses verschwunden. Die Anstalt gehörte einer Genossenschaft Barmherziger Brüder ; staatliche Kontrolle bei Einlieferung fand nicht statt, und so bot die Beiseiteschaffung unbequemer Individuen keine Schwierigkeiten. Dem steht nicht entgegen, daß viele Jesuiten den Orden verlassen, ohne behelligt zu werden. Mein Fall lag anders. Ich war Priester, und ich wollte nicht nur den Orden, sondern auch die Kirche verlassen. Auch nur stillschweigendes Geschehenlassen der zwiefachen Apostatie hätte dem Orden, zumal wegen des Namens, den ich trage, und wegen des Ansehens, das ich in weiten katholischen Kreisen schon besaß, ungeheuer geschadet". Im Herbst 1888 trat H. in Portico bei Liverpool das Tertiat an, die dritte Probezeit nach Abschluß der Studienjahre. Exerzitien sollten ihm Klarheit über sich selbst geben. Wenn es ihm nicht gelingen sollte, die Glaubenszweifel als Versuchungen zu erkennen und zu überwinden, wollte er Kirche und Orden verlassen. Nach Beendigung des Tertiats kehrte H. im Sommer 1890 nach Exaeten zurück in dem Bewußtsein, den Bruch mit dem Orden und der Kirche vollziehen zu müssen. "Aber mehr als zwei Jahre noch habe ich am Rande des Abgrundes gestanden, ehe ich die Entschlossenheit fand, den Sprung zu tun, nicht in den Abgrund, sondern über ihn hinweg auf die andere Seite, um, durch den tiefen Schlund getrennt, auf neuem Boden, in neuer Welt festen Fuß zu fassen". Der Auftrag seines Obern, in einer benachbarten Gemeinde dem Pfarrer in der Weihnachtszeit 1892 zu helfen, bot ihm Gelegenheit zur Flucht: "Ich fuhr nach Köln, eröffnete mich dem Rechtsanwalt H., übergab ihm Briefe an den Orden und an meine Mutter, worin ich die Unwiderruflichkeit meines Schrittes erklärte, da ich den Glauben an die Wahrheit der katholischen Lehre verloren hätte, telegraphierte dem Pfarrer, daß die versprochene Aushilfe nicht kommen könne, und unterzeichnete, um keinen Verdacht zu erregen, dieses Telegramm mit dem Namen des Jesuitenobern, der die Aus-

hilfe zugesagt hatte". H. ließ sich zunächst in Frankfurt am Main nieder. Nach längerem Kuraufenthalt auf Helgoland nahm er seinen dauernden Wohnsitz in Berlin. 1895 vollzog H. den Übertritt zur evangelischen Kirche, in der er bis zu seinem Tod blieb, obwohl er zu ihr kein inneres Verhältnis gewinnen konnte. in demselben Jahr verheiratete sich H. mit Gertrud Lettgau, deren Vater Geheimer Oberjustizrat und Senatspräsident am Königlichen Kammergericht in Berlin war. Seine Hoffnungen auf ein Landratsamt oder etwa Ähnliches gingen nicht in Erfüllung. Als seine Lebensaufgabe erkannte H. immer deutlicher die Bekämpfung des Jesuitenordens und des Ultramontanismus als kulturfeindliche Mächte. Den Ultramontanismus kennzeichnete er mit folgenden Worten: "Ultramontanismus ist: ein weltlich-politisches System, das unter dem Deckmantel von Religion und unter Verquickung mit Religion weltlich-politische, irdisch-materielle Herrschafts- und Machtbestrebungen verfolgt; ein System, das dem geistlichen Haupte der katholischen Religion, dem Papste, die Stellung eines weltlich-politischen Großkönigs über Völker und Fürsten zuspricht". 1897 wurde H. in den Zentralvorstand des "Evangelischen Bundes" gewählt, dem er eine Zeitlang angehörte. 1898 leitete H. acht Monate lang die "Tägliche Rundschau" und gab von Oktober 1902 bis März 1907 in Verbindung mit namhaften Männern der Wissenschaft und des Schrifttums die Zeitschrift "Deutschland, Monatsschrift für die gesamte Kultur" heraus.

Werke: Mein Austritt aus dem Jesuitenorden, 1893 (1910: 11. Tsd.); Der Ultramontanismus, sein Wesen u. seine Bekämpfung. Ein kirchenpolit. Hdb., 1897 (1898²); Das Papsttum in seiner soz.-kulturellen Wirksamkeit. I: Inquisition, Aberglaube, Teufelsspuk u. Hexenwahn, 1900 (1923: 70. Tsd.); II: Die ultramontane Moral, 1902 (1923: 40. Tsd.); Der Syllabus, seine Autorität u. Tragweite, 1904; Moderner Staat u. röm. Kirche. Ein kirchen-polit. Hdb. auf röm. Grdl., 1906; Rom u. das Zentrum. Zugl. eine Darst. der polit. Machtansprüche der drei letzten Päpste, Pius IX., Leo XIII. u. Pius X., u. der Anerkennung dieser Ansprüche durch das Zentrum, 1907; 14 J. Jesuit. Persönliches u. Grundsätzliches. I, 1909/10 (1911⁴); II, 1910 (Volksausg. in 1 Bd. 1923); Das Wesen des Christentums, 1920; Und dennoch ein Gott! Eine Welt- u. Lebensanschauung, 1922 (eine hochbegabte Tochter fiel, bevor sie ihre Studien mit der Promotion abschließen konnte, in geist. Umnachtung); Der Jesuitenorden. Eine Enz., I, 1926; II, 1927.

Lit.: Robert v. Nostitz-Rieneck, Gf. P. v. H.s Flucht aus Kirche u. Orden: was er verließ u. verlor, 1913 (1913⁴); — Joh. Rump, P. Reichs-Gf. v. H. als »Gefolgsmann der Hohenzollern«. Offener Brief. Antwort auf seine Schr. Wilhelms II. »Abdankung u. Flucht«. Eine Abrechnung, 1919; — Michael Schüli, Aus der Jesuitenkirche z. Neu-Prot. Gf. P. H.s Leben u. Wirken, Zürich 1928; — StZ 118, 1930, 135 ff.; — Chlodwig Fürst zu Hohenlohe-Schillingsfürst, Denkwürdigkeiten der Reichskanzlerzeit. Hrsg. v. Karl Alexander v. Müller, 1931, 38 f.; — BJ V, 181 ff (430 f.: Totenliste 1923); — Koch, JL 808; — Kosch, KD 1642 f.; — Kosch, LL 1015 f.; — NDB IX, 347; — RGG III, 411 f.; — LThK V, 413.

Ba

HÖRNLE, Christian Gottlieb, ev. Missionar, * 24.11. 1804 in Ludwigsburg als Sohn eines Strumpfwirkers, + 6.6.1882. — H. erhielt 1828 - 32 seine Ausbildung im Missionshaus in Basel und arbeitete als Gehilfe des Missionars Christian Friedrich Haas (s.d.) auf der im Oktober 1833 gegründeten Station Täbris im nördlichen Persien. Er hatte den besonderen Auftrag, in die Sprache der Kurden einzudringen und darin das Neue Testament zu übersetzen. Das Basler Missionskomitee

sah sich genötigt, 1838 die persische Mission aufzugeben. H. ging 1839 über in den Dienst der Englisch-
Kirchlichen Missionsgesellschaft und arbeitete bis
1881 in Agra in Britisch-Indien.

Werke: Reisebeschreibung u. Schilderung des Kurdenvolkes, in: EMM
1836 u. 1837.

Lit.: Biogr., London 1884; — Eugene Stock, The history of the church
missionaty society I-III, London 1899, I, 263, 350; II, 168, 264; III,
130, 190; — Wilhelm Schlatter, Gesch. der Basler Mission I, 1916, 108
ff.

Ba

HÖSS, Maria Kreszentia (Taufname : Anna), Selige,
Franziskanertertiarin, Mystikerin, * 20.10.1682 in
Kaufbeuren als Tochter eines Wollwebers, + daselbst
5.4.1744. — Schon mit drei Jahren empfing A. H. die
Firmung und mit sieben die Kommunion. Sie trat am
16.6.1703 in das Franziskanerinnenkloster am Mayer-
hof in Kaufbeuren ein: "Dazu bin ich ins Kloster gegangen, damit ich mit Christus arm, unbekannt und
verachtet lebe". Harte Behandlung, schwerste Verfolgungen durch Mitschwestern, schmerzendes Mißtrauen
von ihren Vorgesetzten, heftige dämonische Anfechtungen und dazu noch viele körperliche Leiden konnten K. H. in ihrem Innersten nicht erschüttern. Sie
blieb geduldig und standhaft und wurde mit Visionen
und Ekstasen begnadet. Die Eigenart ihrer Mystik liegt
in der franziskanischen Form der Liebe: "Ich liebe
Gott, nicht weil er zu mir gut ist, sondern weil er un-
endlicher Liebe wert ist. O daß ich Gott liebte, wie ihn
die Heiligen im Himmel lieben! Du Geliebter meiner
Seele, ach verwunde mein Herz mit einer großen Lie-
beswunde, daß ich dich unendlich mehr als mich und
über alles liebe! Verwunde es aber auch mit Schmerzen, daß ich aus Liebe gegen dich allezeit mehr und
mehr leiden, von allen Menschen verachtet, verfolgt
und verspottet werde. Mein Leben ist Liebe, mein Lieben ist Leiden: denn die Liebe ist keine wahre Liebe,
wenn sie nicht gekreuzigt ist. Verfolgen mich auch alle
Menschen und peinigen sie mich auf alle erdenkliche
Weise, so wird alles dies nicht anderes sein als ein Öl,
wodurch das Feuer meiner Liebe in noch größeren
Flammen brennen wird". Nach den Verfolgungen und
Prüfungen der ersten Ordensjahre schien ein Leiden
das andere abzulösen. Von etwa 1716 an bis zu ihrem
Tod gehörten körperliche Leiden und Schmerzen
gleichsam zu ihrem täglichen Brot. K. H. war wahrhaft
groß im Leiden: "Mein Gott, ich danke dir vieltau-
sendmal, vermehre die Schmerzen, aber vermehre auch
die Geduld, vermehre aber auch die Gnade: denn ohne
deine Gnade kann ich nichts. Bereit ist mein Herz, o
Gott, bereit ist mein Herz, alles zu leiden, was du
willst". Sie war dankbar für die Gnade, leiden zu dürfen. "Wenn die Engel uns beneiden könnten", sagte
K. H., "so würden sie uns um diese Gnade beneiden".
Als später viele körperliche Leiden über sie kamen,
meinte sie: "O wie klein, wie für nichts zu achten sind
meine Schmerzen, wenn sie verglichen werden mit den
grausamen Peinen der Märtyrer, die diese für ihren
Glauben so starkmütig und freudig ertragen haben;
wollte Gott, ich könnte auch nach ihrem Beispiel ein

gleiches tun!" Den schönsten Ausdruck hat die Lei-
dens- und Kreuzesliebe der K. H. in Ihrem Gedicht
"Von der süßen Hand Gottes" gefunden. Darin heißt
es: "Ich muß es bekennen: Gott hobelt mich sehr, er
schneidet und sticht mich; doch fällt's mir nicht
schwer. Willst wissen, warum denn? Ich halte dafür,
Gott schnitzelte gern einen Engel aus mir". Mit der
gleichen Liebe, wie sie im Kloster Magddienste leistete,
versah K. H. 16 Jahre lang das Amt der Pförtnerin. 24
Jahre war sie Novizenmeisterin und wurde allmählich
die eigentliche Seele der Klostergemeinde. Trotz ihres
Leidens wählte man sie 1741 zur Oberin. Ihre Amtszeit wurde zum reichen Segen für das Kloster, das sie
zu seiner höchsten Blüte führte. Ihren Mitschwestern
prägte K. H. ein: "Eine Ordensperson darf nicht nur
auf ihr eigenes Seelenheil bedacht sein, sie muß auch
für die Seelen ihrer Mitmenschen Sorge tragen". Ihr
Herz schlug warm für die Mission unter den Heiden:
"O wenn ich so glückselig wäre und könnte in dem
weit entfernt liegenden Indien oder in anderen Ländern der Ungläubigen den wahren katholischen Glauben verkünden und ausbreiten, ich wollte mit der göttlichen Gnade keine Mühe und keinen Fleiß sparen, ja
den Verlust meines eigenen Lebens hielte ich für grossen Gewinn". Doch auch in der Heimat selbst hatte K.
H. viel Gelegenheit zu einem segensreichen Wirken im
Dienst der Nächstenliebe und in der Seelsorge um den
Mitmenschen: "Zwei Dinge machen mir das Leben
wert und geben meinem Leben seinen Inhalt: die Erfüllung des Willens Gottes und das Heil des Nächsten".
Sie stand in Briefwechsel mit vielen hohen geistlichen
und weltlichen Würdenträgern. — K. H. wurde am
7.10.1900 von Leo XIII. (s.d.) selig gesprochen.

Lit.: Joseph v. Görres, Christl. Mystik III, 18, 463 ff.; — A. Hoenyck,
Gesch. des Frauenklosters in Kaufbeuren mit bes. Berücks. der Zeit der
ehrw. C., 1881; — Ignatius Jeiler, Die sel. K. H. v. Kaufbeuren. in ihrem
Leben u. ihren Tugenden gezeichnet, 1884 (Neubearb. v. Alois Eilers,
1950); — C. Wöhler, Lockvögleins Liebeslied am Grabe der gottsel. M.
K. H., 1888; — Franz Xaver Offner, Die sel. M. K. H., 1900 — Philibert
Seeböck, Die sel. Jungfrau M. K. H., 1900 (1929⁹); — Theodor Schmidt,
K. H. v. K., 1903; — Ansgar Pöllmann, Der luth. Pastor Theodor
Schmidt u. dies., K. H. v. K., 1903; — Alfred Schröder, Die sel. K. v.
K. Die Akten der Unters. v. J. 1744, 1904; — Ders., in: Hagiogr. Jb.
1903, hrsg. v. L. Helmling 1904, 1-111; — Karl Richstätter, Die Herz-
Jesu-Verehrung des dt. MA, II, 1924², 190; — Helma Riefenstahl, Die
sel. M. K. v. K., 1927; — Heinrich Korff, Biographica catholica, 1927,
111; — Erhard Schlund, Aus dem Gebetsleben einer Hl., in: ZAM 2,
1927, 295-319; — Christian Schreiber, Wallfahrten durchs dt. Land,
1928, 21; — Johannes Baptista Gatz, Mein Leben ist Lieben, mein Leben ist Leiden. Leben der sel. M. K. H. v. K., 1930 (1953²); — Briefwechsel eines Kf. mit C. v. K., hrsg. v. dems., 1952; — Salesius Elsner,
Die sel. K. v. K., die Leidensbraut Christi, 1932; — Gabriele Hueber, Die
sel. K. v. K., Fribourg/Schweiz 1932; — Johannes Walterscheid, Dt. Hll.
Eine Gesch. des Reiches im Leben dt. Hll., 1934, 376; — Albert Köhler
- Josef Sauren, Kommende dt. Hll. Hl.mäßige Dt. aus jüngerer Zeit,
1936, 85; — Albert Schütte, Hdb. der dt. Hll., 1941, 219; — Ludwig Rosenberger, Bavaria sancta. Bayer. Hll.legende, 1948, 278; — Rudolf
Kriß, Wallfahrtsorte Europas, 1950, 60; — Hermann Tüchle, Aus dem
schwäb. Himmelreich. Rel. Gestalten des Schwabenlandes, Rottenburg
o. J., 185; — Alphons Maria Rathgeber, Die sel. K. v. K., 1955; — M. Al-
fonsa Wanner, Crescentia H. v. K., in: Lbb. aus dem Bayer. Schwaben
IV (1955), 283-297; — Arthur Maximilian Miller, C. v. K. Das Leben
einer schwäb. Mystikerin, 1968 (1976²); — Wie C. betete. Unterss. über
das Gebetsleben der Sel. nach ihren Gebeten u. Betrachtungen (2 literar.
Veröff. z. 70j. Gedächtnis der Sel.sprechung) v. Erhard Schlund u. Johannes Gatz, 1970; — Eine Mitschw. beschreibt das Leben ihrer Oberin.
Eine wertv. Qu.schr. z. Leben der sel. C. H. v. J. 1748-49 nach der Hs.
v. Schw. Gabriele Mörz, hrsg. v. Johannes Gatz, 1971; — Maximilian J.
Heinrichsperger, Franziskaner in Kaufbeuren. Eine hsit. Stud. z. 70. Gedenktag der Sel.sprechung der Schw. C. M. H. Hrsg. v. der Vicepostula-
tur in causa B. M., 1970; — Ders., Nachrichten aus Briefen vor 250 Jah-

ren, 1719-1743 über Crescentia H. u. M. Anna Jos. Lindmayr, Landshut 1971; — Mein Kind, woher weißt du solche Dinge? Eine Ausw. verbürgter Worte aus dem Munde der sel. C. v. K., zus.gest. v. dems., 1972; — Die ältesten Qu. z. Leben der Schw. C. v. K., krit. bearb. v. dems., 1975; — Manfred Weitlauff, Die selige M. Crescentia H. von Kaufbeuren, 20. 10.1682 - 5.4.1744, in: Bavaria sancta II, 1971, 242-282; — Hildebrand Georg Dussler, Experimentelle Glossen z. Siebwunder der sel. C. H. v. K., in: ZBKG 41, 1972, 13-25; — Karl Pornbacher, »Es erschien ihr das göttliche Kind...« Die Jesuskindverehrung d. sel. Crescentia H. aus Kaufbeuren, in: Unser Bayern 24, 1975, 91-92; — Kosch, KD 1650 f.; — Wimmer³; — Torsy 331; — LThK V, 494 f.

Ba

HÖVER, Johannes (Johann Philipp Martin), Stifter der Genossenschaft der Armen Brüder vom heiligen Franciscus Seraphicus (Congregatio Fratrum Pauperum Francisci seraphici; abgekürzt: CFP), * 10.11.1816 in Oberste Höhe bei Neuhonrath im Siegkreis als Sohn eines Bauern, + 13.7.1864 in Aachen. — Vom Herbst 1833 bis zum Frühjahr 1835 war H. Hauslehrer bei einem Gutsbesitzer in Zissendorf bei Hennef. Er bestand im Mai 1835 die Aufnahmeprüfung für das Lehrerseminar; Ihm wurde die Vikarie-Schule in Uckendorf bei Niederkassel übertragen. Nach zweijährigem Besuch des Lehrerseminars in Brühl wurde H. im November 1837 Lehrer an der einklassigen Volksschule von Breidt bei Birk im Siegkreis und Ende 1843 Lehrer an der Freischule bei der Pfarre St. Peter in Aachen. 1846 starb seine Gattin und Mutter von zwei Kindern. Für seine innere Entwicklung und die Erfüllung seiner Lebensaufgabe war es von größter Bedeutung, daß er durch seine Nichte in Verbindung kam mit der Stifterin der Aachener »Genossenschaft der Armen Schwestern v. heiligen Franziskus«, Franziska Schervier (s.d.). Langsam reifte in ihm der Plan, eine Genossenschaft zu gründen, die sich der verwahrlosten Jugend widmen sollte. Am 22.2.1855 wurde H. Mitglied des Dritten Ordens vom hl. Franziskus für Weltleute. Unmittelbar vor dem Weihnachtsfest 1857 erfolgte durch insgesamt vier Brüder, die alle als Mitglied dem Dritten Orden vom hl. Franziskus angehörten, die Gründung der Genossenschaft. Als ihre eigentliche Gründungsstunde gilt eine schlichte Krippenfeier am Heiligen Abend in einem Raum des ehemaligen Dominikanerklosters an der Jakobstraße in Anwesenheit der Mutter Franziska Schervier, die am meisten dazu beigetragen hatte, daß die Gründung dieser klösterlichen Genossenschaft möglich wurde. Zunächst widmeten sich die ersten Brüder der nächtlichen Krankenpflege bei armen Leuten, während sie am Tag für die Schwestern arbeiteten, wofür diese ihnen den Unterhalt gewährten. Im Mai 1858 bezogen die Brüder ein neues Heim, das den Armen Schwestern vom hl. Franziskus gehörige Haus neben deren Klosterkirche. Nun siedelte H. endgültig zu den Brüdern über. Um sich ganz dem klösterlichen Leben widmen zu können, trennte er sich von seinen beiden Söhnen, die 12 und 15 Jahre alt waren, und ließ sich von der Behörde als Lehrer beurlauben. Anfang 1860 war die Zahl der Brüder bis auf 12 gewachsen. Der Aachener Regierungspräsident Friedrich Christian Hubert Kühlwetter (1809 - 82) förderte H.s Pläne. Anfang 1860 gelangte die junge Genossenschaft in den Besitz ihres ersten eigenen Mutterhauses. Die Tochter reicher Eltern in Köln schenkte aus ihrem Vermögen den Brüdern die Kaufsumme für ein Haus in der Alexanderstraße, in dem eine Wirtschaft und Bierbrauerei betrieben wurden. H. nahm im April 1860 seinen Lehrerberuf wieder auf als Lehrer einer im Brüderkloster untergebrachten Knabenklasse der Freischule von St. Peter. Die Schülerzahl wurde im August 1861 mit 140 angegeben. In ihrem eigenen Mutterhaus konnte sich endlich die Genossenschaft der ihr vom Stifter zugedachten Hauptaufgabe, der Fürsorge an der verwahrlosten männlichen Jugend, zuwenden. Der erste Knabe von vier Jahren wurde am 31.5.1860 aufgenommen. Die Zahl der Knaben stieg bis zum Herbst 1861 auf etwa 50 und wuchs dann weiter, so daß das Haus bald überfüllt war. Am 5.1.1861 erteilte der Kölner Erzbischof, Kardinal Johannes von Geissel (s.d.), den Satzungen der Genossenschaft auf 5 Jahre seine oberhirtliche Genehmigung. Somit war die Genossenschaft H.s vorläufig als "kirchliche Körperschaft" anerkannt und zu einer Diözesankongregation erhoben; die endgültige bischöfliche Anerkennung erfolgte am 1.7.1872. Der leitende § 1 der 45 Paragraphen umfassenden Satzungen lautet: »In Aachen vereinigten sich Philipp Höver und seine 12 Gefährten in eine religiöse Genossenschaft unter dem Namen Armen-Brüder vom hl. Franziskus Seraphikus zu klösterlichem Leben und zur Erziehung, Besserung und Bewahrung armer Knaben, Jünglinge und Männer". § 43: "Da Gefallene erheben und Verkehrte bekehren die größte Freude des Heilandes und seiner Heiligen und Engel ist, so wollen die Brüder gern sowohl die Erziehung jugendlicher Sträflinge in öffentlichen Besserungsanstalten als die Hut und Pflege der Verhafteten und Verurteilten in den Gefängnissen und Zuchthäusern des Staates übernehmen, wenn ihnen solche Anstalten von den Behörden anvertraut werden". Am 8.2.1863 übernahm die Genossenschaft als Filiale eine Anstalt für arme und verlassene Knaben in Köln. Im Frühjahr 1861 machten sich bei H. die ersten Anzeichen einer schweren Krankheit bemerkbar. Eine bedeutende Verschlimmerung des Zustandes trat im Frühjahr 1862 ein. Eine Badekur in Burscheid brachte keine Besserung. Im Herbst 1863 reiste H. nach Kaiserswerth, ohne dort die erwartete Linderung seines schweren Kopfleidens zu finden. Auf dieser Reise traf ihn ein Schlaganfall. Durch neue Schlaganfälle verschlimmerte sich der Zustand wesentlich. Die Ärzte stellten Gehirnerweichung fest. So trat H. im Oktober 1863 vom Amt des Obern zurück. — Im Kulturkampf wurden die Brüder ausgewiesen; sie wandten sich nach Holland. 1888 durften sie nach Preußen zurückkehren. Die Satzungen wurden am 19.7.1910 päpstlich bestätigt. Die Kongregation wurde 1938 in eine deutsche, holländisch-belgische, nordamerikanische und brasilianische Provinz eingeteilt. Das Generalat und Mutterhaus sowie das Provinzialat der deutschen Provinz befindet sich in Aachen.

Lit.: Franz Xaverius Kappes, Philipp H. u. die Armen Brüder v. hl. Franziskus zu Aachen, in: Aachener Echo der Ggw., Nr. 207 v. 29.7.1864; — Ignatius Jeiler, Die gottsel. Mutter Franziska Schervier, Stifterin der Genossenschaft der Armen Schwestern v. hl. Franziskus, dargest. in ihrem Leben u. Wirken, 1893 (1927⁴); — J. Wagels, Der sel. P. J. H. u. seine Stiftung: Die Genossenschaft der Armen Brüder v. hl. Franziskus, 1896; – P. J. H., in: HPBl 143, 1909, 412-419; – W. Brüning, J. H., in: Aachener Heimatgesch., hrsg. v. Albert Huyskens, 1924; – Hans Carl Wendlandt, J. H. u. sein Werk, die Genossenschaft der Armen Brüder v. hl. Franziskus Seraphikus, 1925; – Heinrich Schiffers, J. H., Stifter der Genossenschaft der Armen Brüder v. hl. Franziskus, 1930; – Hans Hümmerle, Helden u. Hll. Die Gesch. ihres wahren Lebens. Erw. Neuausg. (536.-560. Tsd.), 1964; – Kosch, KD 1653 f.; – LThK II, 530 (Art. Bleyerheide).

Ba

HOFACKER, Ludwig, der bedeutendste Prediger der württembergischen Erweckungsbewegung, * 15.4.1798 als Pfarrerssohn in Wildbad (Schwarzwald), + 18.11. 1828 in Rielingshausen bei Marbach am Neckar. – Nach anderthalbjährigem Besuch des Pädagogiums in Eßlingen kam H. im Herbst 1813 in das Niedere Seminar von Schöntal und im Herbst 1814 in das von Maulbronn. Im Herbst 1816 bezog er das Theologische Stift in Tübingen. Als Student war H. "Ein Knecht des Zeit- und Studentengeistes", wie er später von sich bekannte, wurde aber im Herbst 1818 durch das Erleben der Erweckung und Bekehrung ein entschiedener Christ und schloß sich pietistischen Kreisen an. "Im August 1820 ging ich einmal an einem warmen Tag mittags 12 Uhr über die Straße, als ich plötzlich das Bewußtsein verlor und niederstürzte. Ich wurde aufgehoben, und als ich wieder das Bewußtsein erlangt hatte, nach Hause gebracht. Die Ärzte erklärten die Krankheit für einen Sonnenstich; es war aber ein durch die Sonne erregtes und aufgerührtes Nervenfieber". Von da an war H. kränklich und konnte seinen Beruf nur mit vielen Unterbrechungen ausüben. Er wirkte im November 1820 als Vikar in Stetten im Remstal bei Stuttgart, danach bis Februar 1821 in Plieningen bei Stuttgart, von Anfang 1823 bis Frühjahr 1825 als Hilfsprediger an St. Leonhard in Stuttgart und vom 1.7.1826 als Pfarrer in Rielingshausen. In der Leidensschule und Läuterungsglut reifte H. zu einem geistesmächtigen Prediger heran. Im Mittelpunkt seiner Verkündigung stand das Wort vom Kreuz: "Das soll der Hauptinhalt jeder Predigt des göttlichen Wortes sein: Jesus, der Gekreuzigte. Ach wie wünsche ich, daß ich die Gnade hätte, das Kreuz Christus so darzustellen, daß es von aller Augen gesehen würde!". Als ein Zeuge des Gekreuzigten forderte er seine Hörer zum Ergreifen des Heils in Christus auf und drängte zur persönlichen Entscheidung: "Habt ihr die frohe Botschaft vernommen, daß Gottes Sohn gekommen ist, das Verlorene selig zu machen? Hört es: Zu seligen Menschen will euch Jesus machen; er will die tiefsten Gewissenswunden heilen als der rechte Arzt; er will das Gefallene aufrichten; er will das unselige Reich des Teufels zerstören. Ach nahe dich zu ihm, liebe Seele! Was nützen dir denn alle Dinge, darin du bisher dein Heil gesucht, aber nicht gefunden hast? Siehe, er ist der Seligmacher. Aber, sprichst du, ich kann nicht zu ihm kommen; ich bin von diesem und jenem gehalten; ich habe keinen Trieb, keinen Mut, keine Freudigkeit, keine Kraft dazu; ich habe so-

viel verbrochen und gesündigt, ich kann es ja nicht glauben, daß ich kommen darf. Nein o Mensch, nicht also! Nicht für die Tugendhaften, nicht für die Rechtschaffenen, die seiner nicht bedürfen, nicht für die Starken und Gesunden, die nicht nach ihm fragen; sondern für die Kranken, für die Schwachen, für die Sünder, für die verirrten Schafe ist er erschienen; er ist gekommen, zu suchen, was verloren ist". Von sich bekannte H.: "Das weiß ich gewiß, daß ich schon längst in der Hölle wäre, wenn ich keinen barmherzigen Hohenpriester hätte, und das habe ich auch erfahren, daß ich ohne ihn nichts kann als sündigen; aber das weiß ich auch gewiß, daß Jesus mein Jesus ist. Und wenn mir in der Hitze der Anfechtung auch dieser Trost zuweilen entfallen will, so klammere ich mich doch an ihn; denn er ist mein einziger Anker in dem Schiffbruch meines eigenen Verdienstes, den ich täglich erleide". Durch seine Predigten und seine seelsorglichen Rundbriefe an die Amtsbrüder hat H. eine ungewöhnlich starke Wirkung ausgeübt.

Werke: Zehn Predigten über evangelische Texte, Ztt., 1828-1831; Das große Jenseits nun erschaulich gewiß. Eine freudige Botschaft, 1832 (Neuausg. v. G. Buchner 1933); Predigten f. alle Sonn-, Fest- u. Feiertage, 1835 (1964[50], hrsg. v. Erich Beyreuther); Christliche Betrachtungen, 1840; Erbauungs- u. Gebetbuch f. alle Tage aus den hinterlass. Hss. u. aus den Predigten des sel. Verf. hrsg. v. G. Klett, 1869 (1929[9]). – Ausgew. Predigten, mit einl. einl. Monographie v. Franz Bemmann, 1892 (Die Predigt der Kirche, Klassikerbibl. der christl. Predigtlit., hrsg. v. Gustav Leonhardi, Bd. XVIII). – Ausw.: Das Heil in Christus, Betrachtungen, 1953.

Lit.: Albert Knapp, Leben v. L. H., mit Nachrr. über seine Familie u. einer Ausw. aus seinen Briefen u. Circularschreiben, 1852 (1923[7]); – Albert Robert Brömel, Homilet. Charakterbilder II, 1874, 138 ff.; – August Nebe, Charakterbilder der bedeutendsten Kanzelredner III, 1879, 124 ff.; – Theodor Jäger, L. H., ein Herold des Ev., 1887 (1910[2]); – Th. Wahl, Die Predigtweise L. H.s, in: Mancherlei Gaben u. Ein Geist, Homilet. Vjs. 30, 1891, H. 1; – Rudolf Bendixen, L. H. Bilder aus der letzten rel. Erweckung in Dtld., 1897, 147 ff.; – Martin von Nathusius, L. H., ein dt. Erweckungsprediger, in: Halte, was du hast. Zschr. f. Pastoraltheol., hrsg. v. Eugen Sachsse, 27, 1904, 23 ff.; – Wilhelm Claus, Württemberg, Väter III, 1905, 11 ff.; – Friedrich Hauß, Erweckungspredigt u. Erweckungsprediger des 19. Jh.s in Baden u. Württemberg, 1924; – Ders., Die uns das Wort Gottes gesagt haben. Lb. u. Glaubenszeugnisse aus dem schwäb. Pietismus 1937, (1938[2] unver.), 68 ff.; – Ders., Väter der Christenheit II, 1957, 208-212; – Karl Müller, Die rel. Erweckung in Württemberg am Anfang des 19. Jh.s, 1925, 8 ff. 42 ff.; – Ders., Aus der akadem. Arbeit. Vortrr. u. Aufsätze, 1930, 295 ff.; – Emil Mildenberger, Eine Posaune Gottes. H., ein Zeuge der freien Gnade vor 100 J., 1928; – Christoph Schulz, L. H. Ein unvergeßlicher Zeuge der Wahrheit u. Wecker neuen Lebens, 1928; – Jesus allein. Ein Tag in Gottes Vorhöfen. Erinnerungen an das H.jub., gefeiert in Rielingshausen, zus.gest. v. Pfr. Schulz, Rielingshausen, u. Pfr. Kappler, Ditzingen, 1929; – Friedrich Traub, Die Stiftsakten über L. H., in: Bll. f. Württemberg. KG 33, 1929, 165 ff.; – Helmut Bornhak, H.; der Zeuge im Leiden, 1939 (1949[2]); – Ders., u. Alfred Ringwald, L. H.s Ruf einst u. heute, 1969[3] (erw.); – Alfred Stucki, L. H., ein frühvollendeter Streiter Gottes, Basel 1943; – Julius Roeßle, L. H. Ein Lb., 1946; – Ders., Von Bengel bis Blumhardt. Gestalten u. Bilder aus der Gesch. des schwäb. Pietismus, 1959; – Heinrich Hermelink, Gesch. der ev. Kirche in Württemberg v. der Ref. b. z. Ggw., 1949, 362 ff.; – Kurt Pfeiffle, H. u. Hiller. Zwei schwäb. Christuszeugen, 1949 (1955[2]); – Jörg Erb, Die Wolke der Zeugen I, 1951, 394 ff.; – Arno Pagel, L. H. Gottes Kraft in einem Schwachen, 1952 (1976[3]); – Alfred Niebergall, Die Gesch. der christl. Predigt, in: Leiturgia. Hdb. des ev. Gottesdienstes II, 1954, 181 ff.; – Joachim Heubach, Pastoralethik, eine Aufgabe prakt. Theol.; in: Smlg. u. Sendung. Festg. f. Heinrich Rendtorff, 1958, 40 ff.; – Hans Jakob (Ako) Haarbeck, Erweckliche Predigt, dargest. an L. H. (Diss. Göttingen), 1961; – Ders., L. H. u. die Frage nach der erweckl. Predigt, 1961; – Hartmut Lehmann, Pietismus und weltliche Ordnung in Württemberg vom 17. bis zum 20. Jahrhundert, 1969, 188 f.; – Konrad Eissler, Sein Schrei wurde gehört. R. H.s »einfache Predigt«, in: Ev. Gemeindebl. f. Württemberg 71, 1976, 4; – DLL VII, 1354 f.; – RE VIII, 211 ff.; – EKL II, 180; – RGG III, 412; – ADB XII, 553-35; – NDB IX, 375 f.

Ba

HOFACKER, Wilhelm, ev. Erweckungsprediger, * 16. 2.1805 in Gärtringen bei Herrenberg als Bruder des Ludwig Hofacker (s.d.), + 10.8.1848 in Stuttgart. – H. besuchte seit 1812 das Gymnasium in Stuttgart. Er entschied sich schon früh für Christus und studierte seit 1823 in Tübingen. H. kam 1828 nach Rielingshausen bei Marbach am Necker: Er war acht Monate Vikar seines Bruders und blieb dort nach dessen Tod acht Monate als Pfarrverweser. Nach einer wissenschaftlichen Reise durch Norddeutschland wurde H. 1830 Repetent am Theologischen Stift in Tübingen, lehnte aber die Berufung auf einen theologischen Lehrstuhl in Marburg ab. Er wirkte 1833-35 als Diakonus in Waiblingen, danach an St. Leonhard in Stuttgart. H. war vielseitiger begabt und gründlicher wissenschaftlich gebildet als sein Bruder. Seine Predigten sind an Gedankenreichtum und Formgewandtheit denen seines Bruders weit überlegen, aber nicht entfernt so eindrucksvoll. H. verteidigte den Pietismus gegen den Diakonus Christian Märklin (s.d.) in Calw und den Christenglauben gegen die freisinnige Antrittsrede des Professors Theodor Vischer (s.d.). Auch arbeitete er mit an der württembergischen Liturgie von 1842, die die rationalistische von 1909 ersetzte.

Werke: Bekenntnis u. Verteidigung gg. Märklin, 1839; Predigt gg. Vischers akadem. Antrittsrede, 1844; Predigten f. alle Sonn- u. Festtage, hrsg. v. Julius Köstlin, 1853 (1880³, hrsg. v. Sixt Karl Kapff); Tröpflein aus der Lebensqu. (Nachschrr. v. Predigten z. Bibelstunden), 1863 u. 1864. – Gab heraus: mit Sixt Karl Kapff u. Wilhelm Hoffmann z. Besten der Gemeinde Wilhelmsdorf eine Predigtsmlg., 1834; mit seinem Schwager Christian Friedrich Schmid 3 Jgg. »Zeugnisse ev. Wahrheit«, 1839-41.

Lit.: Ll. W. H.s, v. ihm vorgetr. bei seiner Investitur 1836, abgedr. im Predigtbuch; – Ludwig Hofacker, W. H. Ein Predigerleben aus der 1. Hälfte dieses Jh.s, 1872; – Heinrich Hermelink, Gesch. der ev. Kirche in Württemberg v. d. Ref. bis z. Ggw., 1949, 373 ff.; – Hartmut Lehmann, Pietismus und Weltliche Ordnung in Württemberg vom 17. bis zum 20. Jahrh., 1969, 207-209, 219; – ADB XII, 556 f.; – RE VIII, 212. 214 f.; – RGG III, 412.

Ba

HOFBAUER, Clemens Maria (Taufname: Johann), der erste deutsche Redemptorist, Heiliger, * 26.12.1751 in Taßwitz bei Znaim (Mähren) als Sohn eines Fleischhauers und Bauern, + 15.3.1820 in Wien, beigesetzt in Maria Enzersdorf (Romantikerfriedhof), 1862 übertragen nach Maria Stiegen in Wien. – H. entstammt von väterlicher Seite dem slawischen, von der Mutter her dem deutschen Volkstum. Mit 7 Jahren verlor er seinen Vater und konnte darum das Gymnasium nicht besuchen, sondern wurde im Frühjahr 1767 in Znaim Bäckerlehrling. Im Herbst 1769 unternahm H. mit einem Freund, einem Bäckergesellen, seine erste Wallfahrt nach Rom und arbeitete nach seiner Rückkehr von Rom als Geselle in der Klosterbäckerei des nahen Prämonstratenserstifts Klosterbruck. Ein Vetter H.s, der nach philosophischem Studium an der Olmützer Universität 1772 als Novize in das Stift Klosterbruck eintrat, verschaffte ihm die Aufnahme in das Stiftsgymnasium unter der Bedingung, daß er im Kloster den Dienst als Kammerdiener und Tafeldecker übernehme. Nach Abschluß seines Gymnasialstudiums wanderte H. 1777 wieder nach Rom und wurde Ere-

mit in Tivoli bei Rom. Seit dieser Zeit führte er den Ordensnamen Clemens. Die Eremiten waren Tertiaren des Franz von Assisi (s.d.). Nach einigen Monaten kehrte H. in die Heimat zurück und baute sich auf einem Grundstück, das er mit seiner Schwester Barbara als Erbgut besaß, im Wald von Pölz bei Mühlfraun, einem beliebten mährischen Wallfahrtsort, eine Einsiedelei. Da die Eremiten damals vielfach auch als Lehrer und Katecheten wirkten, zog H. im Herbst 1779 nach Wien, um dort an einem einjährigen Katechetenkursus an der Normalschule von St. Anna teilzunehmen. Seinen Lebensunterhalt verdiente er sich als Bäckergeselle. Drei adelige Damen, Töchter eines höheren Beamten am kaiserlichen Hof, erfuhren im Gespräch mit H., daß es sein sehnlicher Wunsch sei, Priester zu werden, was ihm aber bisher trotz aller Bemühungen nicht möglich gewesen sei. Sie sagten ihm reichliche Unterstützung zur Erreichung seines Lebenszieles zu. Darum gab H. jetzt sowohl das Bäckerhandwerk als auch den Eremitenberuf auf und begann den zweijährigen Philosophiekursus, der für jeden akademischen Beruf vorgeschrieben war, und dann das Theologiestudium. Im Sommer 1784 wanderte H. mit seinem Freund Thaddäus Hübl nach Rom, und beide traten dort am 24.10. 1784 als Novizen in den Redemptoristenorden ein. Zu seinem Eremitennamen Clemens wählte H. noch den Namen Maria. Am 19.3.1785 legten die beiden die Gelübde ab und siedelten nach Frosinone über in das Studienkolleg der Kongregation. Am 29.3.1785 empfingen beide in Alatri bei Frosinone die Priesterweihe. Im Juni 1785 starb H.s Mutter. Im Oktober 1785 reisten H. und Hübl über Tirol nach Wien, widmeten sich dort noch ein Jahr theologischen Studien und traten dann die Reise nach Weißrußland an. Im Februar 1787 kamen die beiden in Warschau an. Da es dort an Seelsorgekräften fehlte, übernahm H. die Kirche St. Benno in der Neustadt am Weichslufer mit der Verpflichtung, für die Deutschen Gottesdienst zu halten und eine Armenschule zu gründen. Er begann mit einer Armenschule für etwa 200 Kinder, die aber bald von 350 Kindern besucht wurde, und gründete für begabte Kinder eine eigene Lateinschule. Er sammelte sie von der Straße auf, reinigte sie selbst vom Ungeziefer und kleidete sie neu ein. Außer Schule und Waisenhaus baute H. in Warschau noch ein drittes sozial-karitatives Werk auf: eine Art Industrieschule mit einem eigenen Heim für etwa 200 gefährdete und gefallene Mädchen, die von den St. Josefs-Schwestern betreut wurden. Weit über 10 000 Kinder und Jugendliche empfingen im Lauf der Jahre in St. Benno Bildung und Erziehung. So wurde H. ein Apostel der Jugend von Warschau. H. wurde 1788 zum Generalvikar des Redemptoristenordens nördlich der Alpen ernannt. Er hat sich zunächst Alfons Maria von Liguori (s.d.) am meisten verdient gemacht um die Congregatio Sanctissimi Redemptoris, die 1732 gestiftete Priesterkongregation vom Allerheiligsten Erlöser (CSSR). 1799 zählte die Kongregation in Warschau 25 Mitglieder. Gründungsversuche von Niederlassungen erfolgten in der Schweiz und Süddeutschland: 1797/98 in Wollerau bei Zürich, 1802 - 05 in Jestetten am Rhein (Baden), 1805 - 07 in Triberg im Schwarzwald (Baden) und in Babenhausen,

943   944

südlich von Ulm. Am 4.8.1807 starb Thaddäus Hübl, H.s bester Freund und treuester Mitarbeiter. Warschau kam 1807 an Napoleon I., der am 20.6.1808 die Aufhebung von St. Benno verfügte. Alle Ordensangehörigen wurden auf die Festung Küstrin gebracht, wo sie zunächst das klösterliche Leben fortsetzen konnten. Die einzelnen Mitglieder der Genossenschaft wurden in ihre Heimat entlassen. Ende September 1808 kam H. in Wien an. Die ersten Wiener Jahre waren für ihn Zeiten der Stille und des verborgenen Wirkens. Im Frühjahr 1813 ernannte ihn der Erzbischof von Wien, Sigismund Anton von Hohenwart (s.d.), zum Beichtvater der Ursulinen und zum Kirchendirektor von St. Ursula, das innerhalb kurzer Zeit zu einem Brennpunkt des Wiener kirchlichen Lebens wurde. H. wirkte als gottbegnadeter Beichtvater und Seelsorger und entfaltete in Wien von Anfang an eine rege Konvertitenseelsorge: "O könnte ich die Gnade haben, alle Irr- und Ungläubigen zu bekehren! Auf meinen Armen und Schultern würde ich sie in die heilige katholische Kirche hineintragen". H. übte starken Einfluß aus auf die Wiener Spätromantik und viele Konvertiten, den Dichter Friedrich Schlegel (s.d.), den Juristen Johann Friedrich Heinrich Schlosser (s.d.), den Pädagogen Friedrich August von Klinkowström, den späteren Hofrat in der Wiener Geheimen Staatskanzlei Adam Heinrich Müller (s.d.), den Arzt Johann Emanuel Veith und den Dichter Zacharias Werner (s.d.), die beide 1821 in den Redemptoristenorden eintraten. Als Prediger wurde H. der Reformator der katholischen Predigt in Österreich. Seine Forderung lautet: "Das Evangelium muß neu gepredigt werden", weder gelehrte Fundamentaltheologie noch rationalistische Dogmenerklärung, sondern einzig und allein das Evangelium. H. bekämpfte die Aufklärung und den Josephinismus (s. Joseph II.), die kirchenpolitischen Pläne des Ignaz Heinrich von Wessenberg (s.d.) und auch Johann Michael Sailer (s.d.). Mit seiner seelsorgerischen Wirksamkeit verband H. eine ausgebreitete soziale Fürsorge. Seine eifrige Bemühung um Ausbreitung seiner Kongregation führte 1818 zur Gründung einer Niederlassung in Valsainte im Schweizer Kanton Fribourg. Unermüdlich drang H. auf Anerkennung des Redemptoristenordens in Österreich und beantragte wiederholt die Genehmigung zur Errichtung eines Redemptoristenordens in Wien. Am 19.4.1820, fünf Wochen nach H.s Tod, unterzeichnete Franz I. das Zulassungsdekret für die Congregatio Sanctissimi Redemptoris in Österreich. H.s Nachfolger im Amt des Generalvikars diesseits der Alpen wurde Joseph Amand Passerat (s.d.). Am 29.1. 1888 erfolgte H.s Seligsprechung durch Leo XIII. (s. d.) und am 20.5.1909 seine Heiligsprechung durch Pius X. (s.d.), der ihn 1914 zum Stadtpatron von Wien erklärte. Seit 1913 ist er zweiter Schutzheiliger der Gesellenvereine.

Lit.: Friedrich Pösl, C. M. H., der erste dt. Redemptorist in seinem Leben u. Wirken, 1844; — Sebastian Brunner, C. M. H. u. seine Zeit, Wien 1858; — Johann Prusinowski, C. M. H., Grodisch 1864; — Michael Haringer, Leben des Dieners Gottes P. C. M. H., Wien 1877 (1880²; Nachtr. 1883); — Karl Mader, Die Kongreg. des heiligsten Erlösers in Östr., ein Chronikalber. über ihre Einf., Ausbreitung, Wirksamkeit u. ihre verst. Mitglieder, ebd. 1887; — Matthäus Bauchinger, Der sel. K. M. H. Ein Lb., 1890 (1909³); — Johann Jakob Hansen, Der sel. K. M. H., in: Lb. hervorragender Katholiken des 19. Jh.s, III, 1905; — Alois Meier, Der sel. K. M. H., 1908; — Martin Spahn, C. M. H., in: Hochland 6/II, 1909, 299-313; — Adolf Innerkofler, S. C. H. als Lit.reformer, in: Der Gral. Mschr. f. Kunstpflege im kath. Geiste 4, 1909/10, 297 ff.; — Ders., Der hl. K. M. H., ein östr. Reformator u. der vorzüglichste Verbreiter der Redemptoristenkongreg., 1911 (1913² verb. u. verm.); — Moritz Meschler, C. M. H., ein zeitgenöss. Hl., in: StML 78, 1910, 1 ff.; — Augustin Rösler, Die neue Ev.predigt des hl. K. M. H., in: Die Kultur. Vjschr. f. Wiss., Lit. u. Kunst 11, Wien 1910, 157 ff.; — Johannes Eckhardt, C. M. H. u. die Wiener Romantikerkreise am Beginn des 19. Jh.s, in: Hochland 8/I, 1910, 17-27. 182-192. 341-350; — Ders., K. M. H. (urspr. Diss. Wien), 1916; — Austria sancta. Stud. u. Mitt. aus der kirchengeschichtl. Seminar der Univ. Wien, Wien 1910 ff.; H. 11, 119 ff.; — Monumenta Hofbaueriana, 15 Bde., Thorn - Krakau - Rom 1915-51; — Oskar Katann, K. M. H. u. die kath. Lit., in: Das neue Reich. Wschr. f. Kultur, Politik u. Volkswirtschaft 2, Innsbruck 1919/1920, 394 f. 411 ff.; — Festschr. u. Festber. der Jh.feier des hl. K. M. H., Wien 1920; — Johannes Hofer, Der hl. C. M. H. Ein Lb., 1921 (1923².³); — Ders., Der hl. K. M. H. u. die Wiedervereinigung im Glauben (Winfriedschrr. 9), 1922; — Ders., Der hl. K. M. H. (Rel.qu.schrr. 59), 1929; — Alois Pichler, Der hl. K. M. H., 1926; — Heinrich Güttenberger, K. M. H., der Hl. der Romantik, Wien 1927; — Konstantin Kempf, Die Hl.keit der Kirche im 19. Jh., Einsiedeln 1928⁸, 123 ff.; — M. Baptista Schweitzer, Kirchl. Romantik. Die Einwirkung des hl. C. M. H. auf das Geistesleben in Wien, HJ 48, 1928, 389-460; — Sebastian Waldner, Der hl. K. M. H. im Zeichen der Eucharistie, 1929; — Robert Knotek, Sprv. Hl. K. M. H., 1929; — G. Jäger, Jestetten u. seine Umgebung, 1930, 418 ff.; — Karl Kaiser, Der hl. K. M. H. Der erste dt. Redemptorist, Apostel v. Wien, 1930; — Johannes Lohmüller, Der hl. K. M. H., 1932; — Alfons Meier, Der hl. K. M. H., Fribourg/Schweiz 1932; — Andreas Hammerle, Der hl. K. M. H. Ein Lb., Taßwitz (Mähren) 1934; — Johannes Walterscheid, Dt. Hll. Eine Gesch. des Reiches im Leben dt. Hll., 1934, 394 ff.; — M. de Meulemeester, Bibliographie generale des ecrivains redemptoristes II, Löwen 1935; — Jakob Fried, Hll., die durch Wien gingen, Wien 1935, 133 ff.; — Wilhelm Hünermann, P. H., der Fähnrich Gottes, 1936 (1937 u. d. T.: P. H., 1938³); — Ders., Der Bäckerjunge v. Znaim. K. M. H., 1939 (1956: 51.-55. Tsd.); — Karl Richard Ganzer, Der hl. H. Träger der Gg.ref. im 19. Jh., 1939; — Otto Knapp, Priester des Herrn. Persönlichkeits- u. Lb., 1939, 147 ff.; — Albert Schütte, Hdb. der dt. Hll., 1941, 211; — Franz Carolus (d. i. Franz Karl Euler), St. K. M. H. Der Apostel v. Wien, Höchst/Vorarlberg 1946; — Klaus Schedl, Ein Hl. steht auf. K. M. H., Wien 1951; — Rudolf Till, H. u. sein Kreis (Btrr. z. neueren Gesch. der christl. Östr., 1), ebd. 1951; — Ders., H. u. der Frömmigkeitsstil Wiens im 19. Jh. Ein Rückblick z. 150. Todestag des Wiener Stadtpatrons, in: Unsere Heimat. Mbl. des Ver. f. Landeskunde v. Niederöstr. u. Wien 41, 1970, 1-5; — Eduard Hosp, Der hl. K. M. H., ebd. 1951; — Ders., Spicilegium historicum Congregationis Sanctissimi Redemptoris 2, Rom 1954, 150-190. 432-450; 3, 1955, 412-446; 4, 1956, 87-112; — Karl Hochmuth, K. M. H., 1963; — Eduard Winter, Romantismus, Restauration und Frühliberalismus im österr. Vormärz, 1968; — Erwin Dunkel, K. H. Ein Zeitbild, 1970; — Otto Weiss, K. M. H., Repräsentant des konservativen Kath. u. Begründer der kath. Restauration in Östr. Zu seinem 150. Todestag, in: Zschr. f. bayer. Landesgesch. 34, 1971, 211-237; — Wimmer³; — Torsy 320 f.; — BS IV, 49-51 (unter Clemente Maria Hofbauer); — Wetzer-Welte VI, 139-145; — Kosch, KD 1654; — Kosch, LL II, 1019; — Wurzbach IX, 154; — Biogr. Lexikon z. Gesch. d. böhm. Länder I, 655 f.; — NÖB 16, 1695; — ADB XII, 565-567; — NDB IX, 376 f.; — RGG III, 412 f.; — LThK V, 413 f.

Ba

HOFFMANN, Albert, Ev. Missionar, * 11.12. 1865 in Zeppenfeld (Kreis Siegen) als Sohn eines Bergmanns, + 11.1.1942 in Rödgen bei Siegen, beigesetzt auf dem Unterbarmer Missionsfriedhof. — Als H. in der Volksschule von der Unter- in die Oberstufe versetzt wurde und im Sommer nur noch drei Stunden Unterricht hatte, arbeitete er täglich mit mehreren seiner Altersgenossen auf einer etwa 40 Minuten entfernten Erzgrube. In die Zeit des Konfirmandenunterrichts fiel das für sein ganzen ferneres Leben entscheidende Erlebnis: auch er wurde wie manche seiner Mitschüler in die Erweckungsbewegung hineingezogen, die in seinem Heimatdorf begonnen hatte und dann auf die Nachbardörfer übergriff, und drang zum lebendigen Glauben an seinen Heiland durch. Nach der Konfirmation erklärte sich ein entfernter Verwandter, ein höherer Bergwerksbeamter, bereit, H. auf seine Kosten die Bergschule besuchen zu lassen, Aufnahmebedingung war mehrjährige praktische Arbeit, die er darum auf einer nicht weit von seinem Dorf gelegenen Erzgrube begann und nach einem Jahr auf der Eisenstein- und Erzgrube fortsetzte, auf der sein Vater arbeitete, bis dieser nach einigen Jahren Invalide wurde. Nun ging H. mit mehreren seiner Kameraden auf eine eineinhalb Stunden entfernte Grube. Nach der Konfirmation war er Mitglied des eben erst gegründeten Jünglingvereins in dem Nachbardorf Wiederstein geworden. Bald bauten die Gemeinschaften ein zwischen beiden Dörfern gelegenes Vereinshaus. Einer der Begründer des Jünglingsvereins trat 1880 in das Barmer Missionshaus ein und brachte nun öfter Missionsseminaristen in das Siegerland mit, die in den verschiedenen Versammlungen Bibel- und Missionsstunden hielten. So wurde H. mit dem Werk der Mission bekannt. Mit großem Interesse las er die Berichte über die einzelnen Missionsgebiete, vor allem Biographien von Missionaren. Seine größte Freude war der Besuch der Missionsfeste. H. schrieb 1883 an den Missionsdirektor Friedrich Fabri (s.d.) in Barmen und bat um Aufnahme in die Missionsanstalt. In demselben Jahr besuchte er die Wuppertaler Festwoche und stellte sich Fabri vor, der ihn auf die nächste Aufnahme in zwei Jahren vertröstete. Anfang 1885 erhielt H. die Aufforderung, sich als Aspirant in Barmen einzufinden und sich dort bei einem Handwerker oder einem Bauern einen Arbeitsplatz zu suchen. Die Reise nach Barmen mußte er aber aufschieben, weil im April 1885 eine Feuersbrunst einen großen Teil des Dorfes, auch sein Elternhaus, vernichtet hatte und nun zwei Jahre hindurch fast Tag und Nacht gearbeitet werden mußte, um wieder ein eigenes Haus zu bekommen. Im Mai 1887 konnte H. nach Barmen reisen. Junge Leute, die sich zum Missionsdienst meldeten, mußten damals ein bis zwei Jahre in Wuppertal gewohnt und gearbeitet haben. Sie hatten die Pflicht, sämtliche Vorstandsmitglieder, die Inspektoren und Lehrer im Missionshaus zu besuchen und an den Bibelstunden teilzunehmen, die für Aspiranten für den Missionsdienst eingerichtet waren. H. kam zu einem Bauern, einem langjährigen Presbyter der Unterbarmer Gemeinde. Im Oktober 1887 wurde er mit noch zwölf anderen zu zweijähriger Ausbildung in die Vorschule des Missionshauses aufgenommen, durfte aber schon nach einem Jahr mit vier Brüdern in das Missionsseminar übersiedeln. Am 10.8.1892 wurde H. ordiniert und trat einige Wochen später mit seinem Jahrgangsgenossen Adolf Dassel von Genua aus die Reise nach Neuguinea an. Nach siebenwöchiger Fahrt erreichten sie die Insel Siar. Seine erste Arbeitsstätte fand H. kurz vor Weihnachten 1892 in Bogadjim, 20 Seemeilen von der Insel Siar entfernt, im Herzen der Astrolabebai, Dassel auf der Insel Dampier. Größte Mühe bereitete ihm die Erforschung der Sprachen des Volkes. Im Sommer 1893 gab ihm Louise Henriette Dielmann (* 16.12. 1870), eine Bauerntochter aus Schönbach bei Herborn

im Dillkreis, ihr Jawort zum gemeinsamen Lebensweg. Während seiner Ausbildung im Missionshaus hatte H. in den Ferien die Gemeinschaften im Ravensberger- und Waldeckerland, an der Dill und im Kreis Wetzlar besucht und so auch in Schönbach im Westerland eine Bibelstunde gehalten, durch die Louise Henriette Dielmann zum lebendigen Glauben gekommen war. Die Trauung fand am 29.12.1894 in Friedrich-Wilhelmshafen statt. In den ersten sechs Jahren seines Aufenthaltes in Neuguinea erlebte H. über 150 mehr oder weniger schwere Malariaanfälle. Vom Fieber geschwächt, mußte er im Sommer 1898 mit seiner schwerkranken Frau und seinen zwei Kindern die Heimreise antreten, kehrte aber im Frühjahr 1900 mit seiner Frau nach Neuguinea zurück; ihre drei Kinder blieben bei den Großeltern in Schönbach. Am 28.12.1903 konnte H. den Erstling aus dem Papuavolk taufen. Als gebrochener Mann mußte er im Oktober 1904 mit seiner Frau sein geliebtes Arbeitsfeld in Neuguinea verlassen und verbrachte den Winter in Schönbach. Im Frühjahr 1905 wurde H. nach Duisburg berufen, um das Missionsleben in den einzelnen Gemeinden der großen Synode am Niederrhein zu wecken und zu pflegen und von dort aus während der Sommermonate Missionsfeste zu besuchen. Im Oktober 1905 nahm er an den Verhandlungen des Deutschen Kolonialkongresses in Berlin teil und referierte über Sprachen und Sitten der Papuastämme an der Astrolabebai. H. besuchte 1906 die mit der Rheinischen Missionsgesellschaft verbundenen Kreise in Ost- und Westpreußen und reiste 1907 nach Litauen, 1909 wiederum nach Ostpreußen und 1910 nach Edinburgh zur Weltmissionskonferenz. Seit Herbst 1907 wohnte er in Duisburg—Meiderich. Nach längerem Zögern nahm H. im Herbst 1913 die Berufung zum Heimatinspektor der Rheinischen Missionsgesellschaft an und siedelte im Frühjahr 1914 nach Barmen über. Als Neuguinea während des Weltkriegs von Deutschland völlig abgeschnitten war, bildete sich in Australien ein Komitee, das in Verbindung mit der Jovasynode in Nordamerika sowohl das Gebiet der Rheinischen wie auch das der Neuendettelsauer Missionsgesellschaft betreute. Neuguinea fiel durch den Versailler Vertrag (1919/20) an Australien. In der Missionsgemeinde, besonders in der Hauptversammlung bei der Jahrhundertfeier 1928, wurde der Missionsleitung dringend nahegelegt, alles aufzubieten, um Neuguinea wiederzugewinnen, zumal dort während des Weltkrieges und in den Jahren darauf die Ernte der Blut- und Tränensaat reifte. So reiste H. im Auftrag der Rheinischen Missionsgesellschaft nach Australien, um dort im Mai 1929 an einer Konferenz teilzunehmen, in der Vertreter der Jovasynode, der Vereinigten lutherischen Kirche Australiens über die Wiederaufnahme der deutschen Missionsarbeit in Neuguinea verhandeln sollten. Nach langen Verhandlungen einigte man sich dahin, daß die Rheinische Missionsgesellschaft den nördlichen Teil ihres früheren Gebiets wieder in eigene Verwaltung bekommen sollte, während der südliche Teil, die ganze Raiküste mit Einschluß einiger Neuendettelsauer Stationen, an Amerika und Australien fallen sollte. Da auf dem Missionsfeld selbst noch eine Konferenz gehalten werden mußte, reiste H. nach Neuguinea. Die

Frage der Abgrenzung der Gebiete wurde in brüderlicher Weise geregelt. Dann kehrte er nach Australien zurück und traf im Oktober 1929 in Barmen wieder ein. Inzwischen war der Direktor der Rheinischen Missionsgesellschaft Rudolf Schmidt (s.d.) gestorben. Die Deputation übertrug H. gegen seinen Willen das Amt des stellvertretenden Direktors an Stelle des Pastors Schomburg, der dem Ruf in eine Düsseldorfer Gemeinde gefolgt war. Johannes Warneck (s.d.) übernahm 1932 die Leitung des Werkes. Am 1.4.1934 trat Gustav Weth (s.d.) als zweiter Heimatinspektor in den Dienst der Rheinischen Missionsgesellschaft und versah nach H.s Emeritierung seit dem 1.10.1937 allein das Heimatinspektorat. H.s Gattin starb am 23.2.1937. Seit dem Spätherbst 1939 verwaltete H. in Vertretung seines Sohnes Walter, der zur Wehrmacht eingezogen war, das Pfarramt Rödgen.

Lit.: Taufe des Gumbo, in: Berr. der Rhein. Missionsges., 1904, 226 ff.; – Albert Hoffmann, Lebenserinnerungen eines rhein. Miss., hrsg. v. Wilhelm Brandenburger, I: Auf dem Missionsfeld in Neuguinea, 1948; II: in der Heimat, 1949; – G. Menzel, Die Rheinische Mission. Aus 150 Jahren Missionsgesch., Wuppertal 1978.

Ba

HOFFMANN, Christoph, evangelischer Theologe, * 2. 12.1815 in Leonberg (Württemberg), + 8.12.1885 in Rephaim bei Jerusalem. – H. wuchs in der von seinem Vater Gottlieb Wilhelm H. (s.d.) begründeten freien Brüdergemeinde zu Korntal im Geist des Pietismus auf. Nach dem Studium der Theologie, Philosophie und Geschichte am Theologischen Stift in Tübingen wurde er nicht Pfarrer, sondern begann eine Lehrtätigkeit auf dem »Salon« bei Ludwigsburg. Dieses Erziehungsinstitut war von seinen Schwägern Philipp und Immanuel Paulus gegründet worden. Zusammen mit diesen kämpfte er gegen den Liberalismus. Nach einer vorhergehenden Polemik gegen die Leben-Jesu-Forschung David Friedrich Strauß (s.d.) erreichten die Auseinandersetzungen ihren Höhepunkt, als der Philosoph Friedrich Theodor Vischer (s.d.) in Tübingen seine Antrittsvorlesung im Herbst 1844 hielt. In drei Flugschriften und in der zusammen mit den Brüdern Paulus herausgegebenen christlich-konservativen Wochenzeitung »Süddeutsche Warte« polemisierte H. gegen Vischer, allerdings nicht mit dem gewünschten Erfolg; denn Vischer wurde nur für zwei Jahre beurlaubt. Auf die März-Revolution von 1848 reagierte H. nicht wie viele ältere Pietisten mit einem Rückzug von der Politik, sondern er trat gegen David Friedrich Strauß in Ludwigsburg als Kandidat für das Frankfurter Parlament auf. In einem heftigen Wahlkampf, in dem es auch zu handgreiflichen Auseinandersetzungen zwischen den Anhängern der beiden Kandidaten kam, schlug er Strauß, der bei der Landbevölkerung keine Unterstützung gefunden hatte. Als national eingestellter Abgeordneter forderte er in seiner ersten großen Rede am 28. August 1848 die konsequente Trennung von Staat und Kirche, die sich so für den letzten Entscheidungskampf zwischen Christen und Antichristen vorbereiten könne. In der zweiten Rede am 22. September trat er für eine Lockerung der staatlichen Schulaufsicht ein. Die Gemeinden sollten selbst entscheiden können, ob sie sich der kirchlichen oder staatlichen Schulaufsicht unterstellen wollten. Da er sich weder mit diesen Anträgen noch mit der Absicht, der Reichsregierung ein umfassendes Vetorecht gegen das ungeliebte Reichsparlament einzuräumen und ein Zensuswahlrecht einzuführen, im Parlament durchsetzen, zog er sich daraus zurück mit der Einsicht, daß er eine selbständige Sammlungsbewegung schaffen müsse, die den eschatologischen Endkampf vorbereiten könne. Zu diesem Zweck gründete er einen »Evangelischen Verein« und ein »Evangelisches Institut«. Er wandte sich dabei noch stärker von der eher staatskirchlichen Linie des Pietismus ab und belebte dessen separatistische, von endzeitlichen Erwartungen bestimmten Traditionen. Nicht unberührt von der nationalen Bewegung der Zeit, glaubte er, daß eine christliche Erneuerung der verdorbenen Zustände nur durch eine Schar von Gott auserwählter Menschen, und zwar Deutscher, eingeleitet werden könne, die dann in einer Massenbewegung das Volk Gottes um sich sammeln würden. In diesem Sinne beabsichtigte er nach den Hinweisen biblischer Prophezeihungen in Palästina dem »Babylon« der europäischen Verhältnisse zu entkommen und durch die Errichtung von religiös und sozial vorbildlichen Gemeinschaften beispielhaft zu wirken. 1854 gründete er die »Gesellschaft für die Sammlung des Volkes Gottes in Jerusalem« und wurde dabei von dem radikalen, bekehrten ehemaligen Revolutionär G. D. Hardegg unterstützt. Die zur Auswanderung entschlossenen Personen sammelten sich seit 1856 auf dem Kirschenhardthof bei Marbach. Die Feindschaft der anderen Pietisten trieb die Radikalisierung der »Jerusalemfreunde« H.s voran. 1858 unternahm er eine Erkundungsreise nach Palästina und 1860 wanderte eine »Vorhut« aus. Dabei waren ihm die durch seinen Bruder, den Oberhofprediger Wilhelm H. (s.d.), vermittelten Beziehungen zum preußischen Hof zugute gekommen. Nachdem ihn das württembergische Konsistorium wegen eigenmächtig vorgenommener Taufen und Konfirmationen 1861 endgültig aus der Kirche ausgeschlossen hatte, machte sich H. zum Bischof seiner Gemeinde, die sich nun »Deutscher Tempel« nannte, und trieb die sorgfältige Planung und Vorbereitung der Auswanderung voran. Von 1868 bis 1873 wurden landwirtschaftliche Siedlungen in Haifa, Jaffa, Sarona und Rephaim bei Jerusalem gegründet. Die Hoffnung auf eine endzeitliche Massenbewegung gingen hier allerdings nicht in Erfüllung, und H. sah in seinem Werk später eher christlich-soziale Mustersiedlungen. Er wandte sich stärker rationalistischen Anschauungen zu und schaffte die Sakramente ab, weshalb einige Mitglieder die Gemeinde wieder verließen. In seinem schriftstellerischen Alterswerk betonte H. auch wieder die von Hegel beeinflußte Vorstellung von dem rein geistigen und ortsunabhängigen Charakter des zu errichtenden Gottesreiches. Die Tempelgesellschaft hat in Palästina eine beachtliche kolonisatorische Tätigkeit entfaltet und ein hochstehendes Schulwesen entwickelt. 1917 vorübergehend und 1939 endgültig vertrieben, wurde der größte Teil der deutschen Templer 1941 und 1948 in Australien angesiedelt.

Werke: Ansichten für die evangelische Kirche Deutschlands in Folge der Beschlüsse der Reichsversammlung in Frankfurt, 1849; Das Christentum im ersten Jahrhundert, 1853; Grundriß der Weltgeschichte, 1853; Die Geschichte des Volkes Gottes als Antwort auf die soziale Frage, 1855; Fortschritt u. Rückschritt in den letzten 2. Jhh., oder Gesch. des Abfalls, 3 Tle., 1864-68; Gedichte u. Lieder, 1869; Über die Grundlage eines dauerhaften Friedens, 1870; Blicke in die früheste Geschichte des Gelobten Landes, 1870; Okzident u. Orient, 1875; Mein Weg nach Jerusalem, 2 Tle., Jerusalem 1881-84; Bibelforschungen, 1882-84.

Lit.: F. Lange, Geschichte des Tempels, 1899; – H. Brugger, Die deutschen Siedlungen in Palästina, 1908; – Johannes Seitz, Erinnerungen u. Erfahrungen, 1919 (1922³); – Christian Rohrer, Die Tempelgesellschaft, 1920; – R. F. Paulus, Das Reich Gottes in der Alterstheologie von C. H., in: Bll. für württemberg. KG 68-69, 1968, 1969; – Hartmut Lehmann, Pietismus u. weltl. Ordnung in Württemberg vom 17. bis zum 20. Jh., 1969, 217 ff., 240 ff.; – ADB 50, 393-398; – NDB IX, 392; – RE XIX, 482; – RGG III, 413; – LThK V, 514; – DLL VII, 1369 f.

Ba

HOFFMANN, Daniel, lutherischer Theologe, * ca. 1538 in Halle/Saale, + 30.11.1611 in Wolfenbüttel. – Über die Jugend von H., der der Sohn eines Steinmetzes war, ist wenig bekannt. Er studierte in Jena, u. a. bei Victoria Strigel (s.d.), seit 1574 unterrichtete er am Pädagogium in Gandersheim Ethik und Physik. Als Herzog Julius von Braunschweig-Wolfenbüttel 1576 die Universität Helmstedt zur Stärkung des Luthertums in seinem Territorium gründete, wurde H. dorthin als Professor der Ethik und Dialektik berufen, nachdem er schon vorher zusammen mit seinem Schwiegervater Simon Musäus (s.d.) und seinem Lehrer und späteren Kollegen Tilemann Heshusius am Kampf gegen die Erbsündenlehre des M. Flacius (s.d.) teilgenommen hatte. 1578 wurde er zum Dr. theol. promoviert und wurde dann Professor der Theologie in Helmstedt und außerdem Konsistorialrat, nachdem er die Bischofsweihe des Erbprinzen Heinrich Julius verteidigt hatte. Auch nach seiner Berufung zum Theologieprofessor betrieb er seine Wissenschaft durchaus mit philosophischen Mitteln. Erst im Verlauf verschiedener theologischer Streitigkeiten entwickelte H. sich zu einem leidenschaftlichen Gegner der im Rahmen theologischer Fragestellungen betriebenen Philosophie. Hatte er schon früher mit Jacob Andreä (s.d.), Th. Beza (s.d.) und Polykarp Leyser (s.d.) über die Frage der Ubiquität des Abendmahls gestritten, so widersetzte er sich dann gemeinsam mit Heshusius den ihrer Meinung nach ubiquistischen Vorstellungen in der Konkordienformel. Diese hatten sie zwar zunächst selbst unterschrieben, trugen durch die anschließende Auseinandersetzung darum aber dazu bei, daß die lutherische Kirche von Braunschweig die Konkordienformel nicht übernahm. Ein Vorspiel zu H.s späterer Philosophiefeindschaft war seine Auseinandersetzung mit dem reformierten Philosophieprofessor in Marburg, Rudolph Goclenius, über christologische Fragen und daran anschließend über das Verhältnis von Theologie und Philosophie. Während Goclenius eine Harmonisierung hinsichtlich der e i n e n Wahrheit anstrebte und die Theologie auch den Kriterien der Logik unterworfen sehen wollte, kam H. schließlich zu der Einsicht, daß die Theologie eine mit dem Glauben identische *Wissenschaft und Weisheit sui generis* sei. Zum eigentlichen *H.schen Streit* kam es im Gefol-

ge seiner Auseinandersetzung mit der Ubiquitätslehre des Aegidius Hunnius (s.d.) und als Herzog Heinrich Julius den humanistisch-philosophischen Geist an der Universität Helmstedt, der dort übrigens seit ihrer Gründung vertreten gewesen war, durch die Berufung Joh. Caselius' (s.d.) und anderer weiter stärkte. 1597 wurde zugunsten der Aristoteliker der öffentliche Vortrag der Ramischen Philosophie (s. Petrus Ramus) verboten. 1598 ließ H. seine Thesen »De Deo et Christi« von Caspar Pfaffrad zu dessen Promotion verteidigen. In diesem Werk wurde nicht nur die Begrenztheit der menschlichen Vernunft herausgestellt, sondern auch das Eindringen der Philosophie als einer *Weisheit des Fleisches* in die Theologie überhaupt als eine für die Geschichte der Kirche von den Scholastikern bis zu den Calvinisten verderbliche Tatsache hingestellt. Indem H. mit Tertullian die Philosophen als *Erzväter der Häretiker* bezeichnete, wollte er die Philosophie ganz aus der Theologie verbannt wissen. Von Gott könne man nichts erkennen ohne den besonderen Beistand der Gnade. Außerdem bekräftigte er die Lehre Luthers von der doppelten Wahrheit. Gegen diese Angriffe setzten sich an der philosophischen Fakultät Caselius und die anderen Philosophen Oven Günther, Dunkan Liddel und Cornelius Martini (s.d.) zur Wehr. Sie warfen H. außerdem einen Verstoß gegen die herkömmliche Promotionsprozedur vor, und so kam es im akademischen Senat zu mehreren Verhandlungen und Streitereien, in deren Verlauf sich H. zu den heftigsten Ausfällen gegen seine Gegner verleiten ließ. Eine vorübergehende Aussöhnung blieb ohne Dauer und H. verwarf immer radikaler die Möglichkeit von philosophischen und Vernunfterkenntnissen im Bereich der Glaubenswahrheiten. Die philosophische Fakultät klagte 1598 beim Herzog, H. antwortete mit heftigen persönlichen Angriffen auf seine Gegner bei gleichzeitigem Zugeständnis eines möglichen rechten Gebrauchs der Philosophie. Der Streit zog sich in langen Verhandlungen weiter hin, und H. wurde schließlich 1601 aus seinem Amt entlassen. 1603 allerdings wieder in Helmstedt, konnte er sich dort anscheinend auf die Dauer nicht halten, da er schließlich in Wolfenbüttel starb. – So sehr H. sich zu einer zum Teil übertriebenen und pauschalen Verwerfung der Philosophie hat hinreißen lassen, von so grundsätzlicher Bedeutung ist der sich an seine Person knüpfende Streit. Daran schließen sich einerseits Traditionen an, die eine gegenseitige harmonische Ergänzung von Theologie und Philosophie als zwei verschiedene Erkenntnisweisen vertreten, andererseits solche, die keine andere Begründung der Gotteslehre als die aus der Offenbarung zulassen.

Werke: Explicatio discriminis inter theologicum et philosophicum hominem, 1580; De ubiquitate Tractatus, 1584; Mitverf.: Acta und Schrifften zum Concordien-Buch gehörig und nötig. Darinnen zwischen den Fürstl. Braunschw. und Würtenberg. Tehologen gestritten wirdt, Ob die Ubiquität in Concordienbuch statuirt und begriffen, und ob solche Lehre... in Gottes Wort gesund habe, 1589; Praes. D. H., Theses de notitiis Dei et voluntatis ipsius humanis animis natura insitis et disciplina excultus, Resp. Caspar Pfaffrad, 1593; De usu et apllicatione nitionum logicarum ad res Theologicas (adversus Rud. Godenium), 1596; De Deo et Christi, 1598; Pro duplici varitate Lutheri..., 1600; Super questione num syllogismus rationis locum habeat in regno fiedei, 1600.

Lit.: C. Martini u. a., Malleus impietatis Hoffmannianae, 1604; – Gottfried Thomasius, De Controversia Hofmanniana, Erlangen 1844; – E. L. Th. Henke, G. Calixtus u. seine Zeit I, 1853, 70 ff.; – Ernst Schlee, Der

Streit des D. H. über das Verhältnis der Philosophie zur Theologie, Marburg 1862; – P. Petersen, Gesch. d. aristot. Philos. im prot. Dtld., 1921, 263 ff.; – Paul Zimmermann, Album academiae Helmstadiensis I, 1926; – Max Wundt, Die dt. Schulmetaphysik des 17. Jh.s, 1939; – Bengt Hägglund, Die HS u. ihre Deutung in der Theol. Johann Gebhards. Eine Unters. über das altluth. Schr.verständnis (Diss. Lund), ebd. 1951; – Carl Heinz Ratschow, Luth. Dogmatik zw. Ref. u. Aufklärung II, 1966; – H. Dreitzel, Prot. Aristotelismus und absoluter Staat, 1970, 74 ff.; – Inge Mager, Luth. Theol. u. aristotel. Philos. an der Univ. Helmstedt im 16. Jh. Zur Vorgesch. des H.schen Streites im J. 1598, in: JGNKG 73, 1975, 83-98; – Dies., Bibliogr. 2. Gesch. d. Univ. Helmstedt. (Mit bes. Berücks. d. theol. Fak.), in: ebd. 74, 1976, 237-242; – Dies., Reformatorische Theol. und Reformationsverständnis an der Univ. Helmstedt im 16. u. 17. Jh., in: ebd. 74, 1976, 11-33; – DLL VII, 1370; – RE VIII, 221-227; – Ritschl IV; – ADB XII, 628 f.; – NDB IX, 404; – RGG III, 413.

Midrasch Tannaim z. Dtn., 2 Bde., 1908/09; Das Buch Dtn. übers. u. erkl., 2 Hdbe., 1913/22; Mischrasch ha-gadol, zum Buche Ex, 2 Bde., 1914/21; Melammed Leho'il, 3 Bde., 1926-32. – Gab mit (Abraham Berliner) heraus: Mgz. f. die Wiss. des Judentums, 1876-93.

Lit.: Festschr. z. 70. Geb. D. H.s, 1904; A. Barth, in: Jüd. Rdsch. v. 9.12.1921; – Louis Ginzberg, in: Students, Scholars and Saints, 1928; – Salomon Wininger, Dotto, in: Große jüd. Nat.-Biogr. mit mehr als 8000 Lebensbeschreibungen namhafter jüd. Männer und Frauen aller Zeiten u. Länder, 1925 ff.; – Alexander Marx, Studies in Jewish History and Booklore, 1934, 369-376; – Ders., Essays in Jewish Biography, 1947, 185-222, 296-97; – Y. Wolfsberg, in: Sinai 14, 1944, 74 ff.; – Ders., in: L. Jung (Hrsg.), Guardians of our Heritage, 1958; – Ders., in: Deyokna'ot, 1962, 40 ff.; – Jüdisches Lexikon II, 1928, 1646-47; – The Universal Jewish Encyclopedia V, 1948, 407; – EncJud VIII, 808-810; –NDB IX, 404 f.

Ba

Ba

HOFFMANN, David, Rabbiner, * 23.11.1843 in Verbó (Ungarn), + 20.11.1921 in Berlin. – H. besuchte zunächst die Jeschiwah (Talmudhochschule) in Verbó, dann das von Israel Hildesheimer (s.d.) gegründete Rabbinerseminar in Eisenstadt. Anschließend studierte er in Wien, Berlin und Tübingen, wo er 1870 mit der Dissertation »Mar Samuel, Rektor der jüdischen Akademie zu Nehardea in Babylonien« promovierte. Seit 1871 war er Lehrer an der von dem Rabbiner Samson Raphael Hirsch (s.d.) gegründeten Realschule in Frankfurt am Main, bis Hildesheimer 1873 ein Rabbinerseminar in Berlin gründete, wo H. über den Talmud, die Ritualkodizes und später auch den Pentateuch lehrte. Nach Hildesheimers Tod 1899 wurde er Direktor des Seminars. Er war Mitglied und später Vorsitzender in dem religiösen Gerichtshof (bet din) der neo-orthodoxen *Israelitischen Synagogen-Gemeinde* in Berlin. 1918 erhielt er von der deutschen Regierung den Professorentitel. H. war in der gesetzestreuen Agusdas-Jisroel-Bewegung engagiert, trat aber auch für den Zionismus ein. Als streng Orthodoxer war er ein entschiedener Gegner des Reformjudentums und publizierte außerdem gegen jede Form des Antisemitismus. – Als Lehrer und Schriftsteller unternahm es H., den Offenbarungscharakter der Torah gegen die bibelkritische Methode Julius Wellhausens (s.d.) mit wissenschaftlichen Mitteln zu verteidigen, indem er die Quellentheorie verwarf. Auf der anderen Seite wandte er selbst die kritische Methode auf den Talmud an. Für die Mischna erschloß er eine *erste Mischna*. Unterschiede zwischen den verschiedenen Midraschen erklärte er entstehungsgeschichtlich und versuchte, verlorene Midrasche zu rekonstruieren. – H. verfügte über umfassende Kenntnisse in der semitischen und klassischen Philologie und war einer der besten Kenner des Talmud und der halachischen Midraschliteratur seiner Zeit. Seine Entscheidungen in Fragen der Halacha wurden von den deutschen Rabbinern als maßgebend angesehen. Ein großer Teil der orthodoxen deutschen Rabbiner nach 1900 ging aus seiner Schule hervor.

Werke: Mar Samuel, 1873; Die erste Mischnah u. die Controversen der Tannaim, 1882; Der Schulchan Aruch u. die Rabbinen. Das Verhältnis der Juden zu den Andersgläubigen, 1885 (1894²); Zur Einl. in die halach. Midraschim, 1888; Die Mischnah-Ordnung Nischin übersetzt und erklärt, mit Einleitung, 1893-97, 1899²; Die wichtigsten Instanzen gg. die Gf.-Wellhausensche Hypothese, 1904 (1916²); Die Mechilta de-Rabbi Simon b. Jochai, 1905; Das Buch Lev., übers. u. erkl., 2 Hdbe., 1905/06;

HOFFMANN, Ernst-Theodor-Amadeus, deutscher Dichter, * 24.1.1776 als Sohn eines Königsberger Rechtsanwalts, + 25.6.1822 in Berlin. – Als H. vier Jahre alt war, wurden seine Eltern geschieden, und er verbrachte seine weitere Kindheit bei seiner Mutter und seiner Großmutter. Mit sechs Jahren wurde er in die Schule der reformierten Gemeinde in Königsberg eingeschult. 1792 nahm H. ein Jurastudium an der Universität Königsberg auf, das er 1795 mit dem Examen eines Regierungs-Auskutors abschloß. Er begann sogleich mit einer Amtstätigkeit in Königsberg. Ein Jahr später wurde er nach Glogau versetzt. 1798 legte H. sein Referendarexamen ab, dem eine Versetzung nach Berlin folgte. Zwei Jahre später folgten das Assessorexamen und eine Versetzung nach Posen. 1802 heiratete er die Polin Maria Thekla Michalina Rorer Tryzynska. Auf Grund einer Karikaturenserie, die er auf einer Redoute zirkulieren ließ, kam es zum Skandal und H. wurde nach Plock strafversetzt. Eine schon unterzeichnete Promotion zum Gerichsrat wurde annulliert. Während dieser Zeit begannen seine literarischen Arbeiten mit dem »Schreiben eines Klostergeistlichen an seinen Freund in der Hauptstadt«. Durch die Intervention seines adligen Freundes Hippel wurde H. aber schließlich doch noch zum Regierungsrat ernannt und die Strafversetzung wurde aufgehoben. 1804 trat er seine neue Stelle in Warschau an. Hier lernte H. durch Julius Eduard Itzig Novalis, Tieck, Brentano und die Schlegels kennen. 1806 trat H. zum erstenmal als Dirigent auf. 1807 zog er nach der Besetzung Warschaus durch napoleonische Truppen und dem Ende der preußischen Verwaltung nach Berlin, während seine Frau und die beiden Töchter nach Posen gingen. Am 1.9.1809 nahm H. nach einer Zeit größer Entbehrungen eine Stelle als Kapellmeister am Theater von Bamberg an. Er gab diese allerdings schon nach zwei Monaten wieder auf und war fortan für das Theater nur noch als Komponist tätig. Die literarische Arbeit wurde nun die Mitte seines Lebens. In den Jahren bis 1816 – H. war inzwischen wieder nach Berlin übergesiedelt und hatte seinen Dienst in der preußischen Verwaltung wiederaufgenommen – schrieb er sein Hauptwerk: »Die Elixiere des Teufels«. Ungefähr zur gleichen Zeit komponierte er die Oper »Undine«, die im August 1816 mit großem Erfolg uraufgeführt wurde. Im selben Jahr erfolgte auch wiederum durch Hippels Vermittlung H.s Ernennung zum Gerichtsrat. Die Erzählung »Das Fräulein von Scuderi« war 1818 ein großer Publikumserfolg. Ein Jahr später erkrankte H. schwer, und er unternahm eine Erholungsreise nach Schlesien, die auch zu einer Linderung seiner Leiden führte. Im selben Jahr wurde er zum Mitglied der "Immidiat-Commission zur Ermittlung hochverräterischer Verbindungen und anderer Umtriebe" berufen. Doch schon 1821 erwirkte er seine Entlassung. Sein zweiter großer Roman »Lebensansichten des Katers Murr nebst fragmentischer Biographie des Kapellmeisters Johannes Kreisler in zufälligen Manuskriptblättern« erschien in zwei Teilen 1819 und 1821. Am Ende seines Lebens geriet H. noch in Konflikt mit dem preußischen Polizei- und Bespitzelungsapparat. Er karikierte den Polizeidirektor von Kamptz in »Meister Floh« aufs beste karikiert, so daß dieser den gesamten Apparat gegen H. in Bewegung setzte. Doch ehe ein Disziplinarverfahren richtig in Gang kam, starb H. am 25.6. 1822 im Alter von 46 Jahren. – H. war, obwohl heute eigentlich nur als großer Dichter bekannt, ein Künstler von vielseitigem Talent. Seine Werke, insbesondere »Die Elixiere des Teufels«, stellen in der Weltliteratur das Kettenglied zwischen der griechischen Tragödie und den Romanepen des Naturalismus dar. Durch sein gesamtes Werk zieht sich die Auseinandersetzung mit dem Wahnsinn und der rauschhaften Erfahrung, wahrscheinlich mitbedingt durch seinen Hang zum Alkoholismus. Gewirkt hat H. vor allem auf moderne Surrealisten.

Werke: Briefwechsel, ges. u. erl. v. Hans v. Müller u. Friedrich Schnapp, hrsg. v. Friedrich Schnapp, 1968); Ausgewählte Schrr., 15 Bde., 1827-1839; Ges. Schrr., 12 Bde., 1844-45 (Neuausg. 1871-1873); Werke, 15 Bde., hrsg. v. Gustav Hempel, 1879-1883 (Neuausg., 8 Bde., 1902); Sämtliche Werke in 15 Bde., hrsg. u. mit einer biographischen Einl. versehen v. Eduard Grisebach, 1900 (Neue um die musikalischen Schrr. verm. Ausg. 1905); Sämtliche Werke, hist.-krit. Ausg. mit Einl., Anm. u. Lesearten v. Carl Georg v. Maasen, 10 Bde. (mehr nicht erschienen), 1920-1928; Dichtungen u. Schrr. sowie Briefe u. Tgb. GA in 15 Bde., hrsg. u. mit Nachworten versehen v. Walther Harich, 1924; Poetische Werke, hrsg. v. Klaus Kanzog, 12 Bde., 1957-1962; Das Kreislerbuch. Texte, Compositionen u. Bilder v. E. T. A. H. zusammengestellt v. Hans v. Müller, 1903; Späte Werke, 1965; Handzeichnungen in Faks., hrsg. v. Hans Müller. Mit einer Textrevision der Erll. v. Friedrich Schnapp, 1973; Juristische Arbeiten, hrsg. u. erl. v. Friedrich Schnapp, 1973; Gerhard Salomon, E. T. A. H. Bibliogr., 1927²; Jürgen Voerster, 160 J. E. T. A. H.-Forsch. 1805-1965, 1967; Klaus Kanzog, Zehn J. E. T. A. H.-Forsch. E. T. A. H.-Lit. 1970-1980. Eine Bibliogr., in: Mitt. der E. T. A. H.-Ges. 27, 1981, 55-103.

Lit.: Georg Ellinger, E. T. A. H. Sein Leben u. seine Werke, 1894; – Walther Harich, E. T. A. H. Das Leben eines Künstlers, 2 Bde., 1920; – Gustav Egli, E. T. A. H. Ewigkeit u. Endlichkeit in seinem Werk, 1927; – Wolfgang Pfeiffer-Belli, Mythos u. Rel. bei E. T. A. H., in: Euphorion 34, 1933, 305-340; – Werner Bergengruen, E. T. A. H., 1939; – Ernst v. Schenk, E. T. A. H. Ein Kampf um das Bild des Menschen, 1939; – Liselotte Feigl, Die transzendentale Welt in der Dichtung v. E. T. A. H. (Diss. Wien), 1944; – Hans Hitmair, E. T. A. H. u. E. A. Poe. Ein Vgl. (Diss. Innsbruck), 1952; – Werner Berthold, Das Phänomen der Entfremdung bei E. T. A. H. (Diss. Leipzig), 1953; – Hans Ehninger, E. T. A. H. als Musiker u. Musik-Schriftsteller, 1954; – Charles E. Passage, Dostoeevski the Adapter. A Study in Dostoevski's Use of the Tales of H., 1954; – Ders., The Russian Hoffmanists, 1963; – Willibald Kubicek, Stud. z. Problem des Irrationalismus bei H. (Diss. Wien), 1956; – Eva Funk, E. T. A. H. u, das Theater (Diss. Wien), 1957; – Fridrich Giselher Tretter, Die Frage nach der Wirklichkeit bei E. T. A. H. (Diss. München), 1961; – Jacques Wirz, Die Gestalt des Künstlers bei E. T. A. H. (Diss. Basel), 1961; – Robert Mühler, Die Einheit der Künste u. das Orphische bei E. T. A. H., in: Stoffe, Formen, Strukturen. Stud. z. dt. Lit., hrsg. v. Albert Fuchs u. Herbert Motekat, 1962, 345-360; – Hans-Georg Werner, E. T. A. H. Darst. u. Deutung der dichterischen Werk, 1962; – Ders., Der romantische Schriftsteller u. sein Philisterpublikum. Z. Wirkungsfunktion v. Erzz. E. T. A. H.s, in: Weimarer Bttr. 24, 1978,

87-114; – Paul Wolfgang Wührl, Die poetische Wirklichkeit in E. T. A. H.s Kunstmärchen, 1963; – Helmut Müller, Unterss. z. Problem der Formelhaftigkeit bei E. T. A. H., 1964; – Natalie Reber, Stud. z. Motiv des Doppelgängers bei Dostojevskij u. E. T. A. H., 1964; – Kenneth Negus, E. T. A. H.s other World, 1965; – Thomas Cramer, Das Groteske bei E. T. A. H., 1966; – Lothar Koehn, Vieldeutige Welt. Stud. z. Struktur der Erzz. E. T. A. H.s u. z. Entwicklung seiner Werke (Diss. Tübingen), 1966; – Gabriele Wittkopp-Ménardeau, E. T. A. H. in Selbstzeugnissen u. Bilddokumenten, 1966; – Wulf Segebrecht, Autobiographie u. Dichtung. Eine Stud. z. Werk E. T. A. H.s, 1967; – Gerhard Allroggen, E. T. A. H.s Kompositionen. Ein chronologisch-thematisches Verz. seiner musikalischen Werke mit einer Einf., 1970; – Ders., E. T. A. H. in Warschau, in: Dt. Musik im Osten, hrsg. v. Günther Massenheil u. Bernhard Stasiewski, 1966, 44-52; – Robert S. Rosen, E. T. A. H.s »Kater Murr«. Aufbauformen u. Erzählsituationen, 1970; – Ute Späh, Gebrochene Identität. Stilistische Unterss. z. Parallelismus in E. T. A. H.s »Lebensansichten des Katers Murr« (Diss. Tübingen), 1970; – Horst Meixner, Romantischer Figuralismus. Krit. Stud. zu Romanen v. Arnim, Eichendorff u. H., 1971; – Dietrich Raff, Ich-Bewußtsein u. Wirklichkeitsauffassung bei E. T. A. H. Eine Unterss. der »Elixiere des Teufels« u. des »Kater Murr« (Diss. Tübingen), 1971; – Günther Wöllner, E. T. A. H. u. Franz Kafka. V. der »Fortgeführten Metapher« z. »Sinnlichen Paradox«, 1971; – Klaus Günzel, Zu E. T. A. H.s Entwicklung als Schriftsteller, in: Mitt. der E. T. A. H.-Ges. 18, 1972, 17-32; – Ders., E. T. A. H. Leben u. Werk in Selbstzeugnissen u. Zeitdokumenten, 1979; – Charles Hayes, Phantasie u. Wirklichkeit im Werke E. T. A. H.s, mit einer Interpretation der Erz. »Der Sandmann«, in: Ideologiekritische Stud. z. Lit., hrsg. v. Klaus Peter u. a., 1972, 169-214; – Mitisuke Maekawa, Dr. Raphael Koeber (1848-1923) ein unbekannter H.-Freund in Japan, in: Mitt. der E. T. A. H.-Ges. 18, 1972, 55-59; – Hans E. Valentin, E. T. A. H. – das Universalgenie, in: Bayerland 74, 1972, H. 12, 12-22; – Ulrich Helmke, H., der Morgenlandfahrer. Anm. zu E. T. A. H. u. Hermann Hesse, in: Mitt. der E. T. A.-Ges. 19, 1973, 61-66; – Ders., E. T. A. H., Lebensber. mit Bildern u. Dokumenten, 1975; – Hartmut Spiegelberg, Der Ritter Gluck v. NN (1809) als Wegweiser z. dichterischen Schaffen des Komponisten u. bildenden Künstlers in Sprache E. T. A. H. (Diss. Marburg), 1973; – Günther Heintz, Mechanik u. Phantasie. Zu E. T. A. H.s Märchen »Nußknacker u. Mausekönig«, in: Lit. in Wiss. u. Unterricht 7, 1974, 1-15; – Norman W. Ingham, E. T. A. H.s Reception in Russia, 1974; – Steven Paul Scher, Zwei unbekannte Briefe v. E. T. A. H., in: Mitt. der E. T. A. H.-Ges. 20, 1974, 65-70; – Ders., H. and Sterne. Unmediated Parallels in Narrative Method, in: Comparative Lit. 28, 1976, 309-325; – Ders., Temporality and Meditation. W. H. Wackenroder and E. T. A. H. as Literary Historicists of Music, in: Journal of English and German Philology 75, 1976, 492-502; – Ders. (Hrsg.), Zu E. T. A. H., 1981; – Friedrich Schnapp, E. T. A. H. in Aufzeichnungen seiner Freunde u. Bekannten, 1974; – Ders., Der Musiker E. T. A. H. Ein Dokumentebd., 1981; – Wolfgang Uber, E. T. A. H. u. Sigmund Freud, ein Vgl. (Diss. Berlin), 1974; – Hermann Dechant, E. T. A. H.s Oper »Aurora«, 1975; – Fritz Felzmann, Die Sängerin Elisabeth Röckel »Donna Anna« in H.s »Don Juan«, in: Mitt. der E. T. A. H.-Ges. 27, 1975, 37; – Lawrence O. Frye, The Language of Romantic High Feeling. A Case of Dialogue Technique in H.s »Kater Murr« and Novalis »Heinrich v. Ofterdingen«, in: DVfLG 49, 1975, 520-545; – Ursula Mahlendorf, E. T. A. H.s The Sandman, The Fictional Psycho-Biography of a Romantic Poet, in: American Imago 32, 1975, 217-239; – Lothar Pikulik, Das Wunderliche bei E. T. A. H. z. romantischen Ungenügen an der Normalität, in: Euphorion 69, 1975, 294-319; – R. Murray Schafer, E. T. A. H. and Music, 1975; – Maria M. Tatar, Messianism, Madness and Death in E. T. A. H.s »Der goldene Topf«, in: Studies in Romanticism 14, 1975, 365-390; – Dies., E. T. A. H.s »Der Sandmann«. Reflection and Romantic Irony, in: Modern Language Notes 95, 1980, 585-608; – Horst S. Daemmrich, Fragwürdige Utopie. E. T. A. H.s geschichtsphilos. Position, in: Journal of English and German Philology 75, 1976, 503-514; – Barbara Elling, Der Leser E. T. A. H.s, in: Journal of English and German Philology 75, 1976, 546-558; – Franz Fühmann, E. T. A. H., in: Sinn u. Form 28, 1976, 480-498; – Ders., E. T. A. H.s »Klein Zaches«, in: Weimarer Bttr. 24, 1978, 74; – Ders., Fräulein Veronika Paulmann aus der Pirnaer Vorstadt oder Etwas über das Schauerliche bei E. T. A. H., 1984; – Lee B. Jennings, H.s Huntings. Notes towards a parapsychological Approach to Lit., in: Journal of English and German Philology 75, 1976, 559-567; – Ders., Kater Murr u. Kätzchen Spiegel. H.s and Kellers Uses of Felinity, in: Colloquia Germanica 15, 1982, 66-72; – Werner Kraft, Des Vetters Eckfenster, E. T. A. H.s letzte Gesch., in: Neue dt. Hh. 23, 1976, 26-37; – James M. McGlathery, E. T. A. H. today. An Editorial preface, in: Journal of English and German Philology 75, 1976, 473-477; – Ders., »Bald dein Fall – ins Ehebett?«. A new Reading of E. T. A. H.s goldner Topf, in: Germanic Rv. 53, 1978, 106-114; – Ders., »Der Himmel hängt ihm voller Geigen«, E. T. A. H.s Rat Krespel, die Fermate u. der Baron v. B., in: German Quarterly 51, 1978, 135-149; – Robert Müller-Sternberg, Zuviel Wirklichkeit. E. T. A. H. in der DDR, in: Dt. Stud. 14, 1976, 285-292; – Charles E. Passage, E. T. A. H.s the Devils Elixirs. A Flowered Materpiece, in: Journal of English and German Philology 75, 1976, 531-545; – Helmut Prang (Hrsg.), E. T. A. H., 1976; – Ders., E. T. A. H.s Bamberger J., in: Frankenland 28, 1976, 3-5; – John Reddick, E. T. A. H.s der goldene Topf and its »durchgehaltene Ironie«, in: Modern Language Rv. 71, 1976, 577-594; – Elke Riemer, E. T. A. H. u. seine Illustratoren, 1976; – Werner Schultz, Einwirkungen des "Romantikers" E. T. A. H. auf den "Realisten" Wilhelm Raabe, in: Jb. der Raabe-Ges. 1976, 133-150; – Ronald Taylor, Music and Mystery, Thoughts on the Unity of the Work of E. T. A. H., in: Journal of English and German Philology 75, 1976, 477-491; – H. E. Valentin, E. T. A. H. u. Carl Maria v. Weber oder v. Mozart zu Wagner, in: Acta Mozertiana 23, 1976, H. 2, 25-30; – Gisela Vitt-Maucher, Die wunderlich wunderbare Welt E. T. A. H.s, in: Journal of English and German Philology 75, 1976, 477-491; – Dies., E. T. A. H.s »Meister Floh«. Überwindung des Inhalts durch die Sprache, in: Aurora 42, 1982, 188-215; – Dies., E. T. A. H.s »Klein Zaches genannt Zinnober«. Gebrochene Märchenwelt, in: Aurora 44, 1984, 196-212; – Lienhard Wawrzyn, Der Automatenmensch. E. T. A. H.s Erz. v. »Sandmann«. Mit Bildern aus Alltag & Wahnsinn. Auseinandergenommen u. zusammengesetzt v. L. W., 1976; – Hermann F. Weiss, »The Labyrinth of Crime«. A Reinterpretation of E. T. A. H.s »Das Fräulein v. Scuderi«, in: Germanic Rv. 51, 1976, 181-190; – Ilse Winter, Unterss. z. separationistischen Prinzip E. T. A. H.s, 1976; – ZdPh. Sonderh. zu E. T. A. H., Bd. 95, 1976; – Lowell A. Bungerter, Die Räuber. Friedrich Schiller and E. T. A. H., in: Germanic Rv. 52, 1977, 99-108; – Hans Günther, Der Kammergerichtsrat E. T. A. H. Dichter, Tonkünstler u. Maler, in: Jb. Preußischer Kulturbesitz 13, 1977, 71-82; – Ders., Dem bedeutenden Kammergerichtsrat E. T. A. H., in: Dt. Richterztg. 55, 1977, 17-19; – Günther Hartung, Anatomie des Sandmanns, in: Weimarer Btrr. 23, 1977, 45-65; – Michael T. Jones, H. and the Problem of Social Reality. A Study of Kater Murr, in: Monatshh. f. den dt. Unterricht 69, 1977, 45-57; – Joselyne Kolb, E. T. A. H.s Kreisleriana. À la recherche d'une forme perdue, in: Monatshh. f. den dt. Unterricht 69, 1977, 34-44; – George b. van der Lippe, The Figure of E. T. A. H. as Doppelgänger to Poe's Roderick Uslar, in: Modern Language Notes 92, 1977, 525-534; – Ders., La vie de l'artiste fantastique. The Metamorphosis of the H.-Poe Figure in France, in: Canadian Rv. of comparative Lit. 6, 1979, 46-63; – Siegbert S. Prawer, Ein poetischer Hund«. E. T. A. H.s Nachrr. v. der neusten Schicksalen des Hundes Bergenza and its Antecendents in European Lit., in: Aspekte der Goethezeit, FS f. Victor Lange, hrsg. v. Stanley A. Corngold u. a., 1977, 273-292; – Georg Ramseggar, E. T. A. H. Eine Gedächtnisausstellung in München, in: Börsenbl. f. den dt. Buchhandel 33, 1977, H. 8 Beil., A15-A19; – Peter Schnaus, E. T. A. H. als Beethoven-Rezensent der Allgemeinen Musikalischen Ztg., 1977; – Willy R. Berger, Drei phantastische Erzz. – Chamissos »Peter Schlemihl«, E. T. A. H.s »Die Abenteuer der Silvesternacht« u. Gogols »Die Nase«, in: Arcadia 13, 1978, 106-138; – Arwed Blomeyer, E. T. A. H. als Jurist, 1978; – Reinhold Grimm, From Callot to Butor. E. T. A. H. and the Tradition of the Capriccio, in: Modern Language Notes 93, 1978, 399-415; – Kenneth T. Ireland, Urban Perspectives. Fantasy and Reality in H. and Dickens, in: Comparative Lit. 30, 1978, 133-135; – Bernhard Schemmel, Die E. T. A. H.-Smlg. der Staatsbibl. Bamberg, in: Bibliotheksforum Bayern 6, 1978, 167-187; – Manfred Sera, Peregrinus. Z. Bedeutung des Raumes bei E. T. A. H., in: Aurora 38, 1978, 75-84; – Günther Stiller, Lithographien als Aluminiumplatten? Zu E. T. A. H. »Der Sandmann«, in: Philobiblon 22, 1978, 50 f.; – Martin Swales, Narrative Sleight-of-Hand. Some Notes on two German Romantic Tales, in: New German Studies 6, 1978, 1-14; – Wolfgang Wittkowski, E. T. A. H.s musikalische Musikdichtungen »Ritter Gluck«, »Don Juan«, »Rat Krespel«, in: Aurora 38, 1978, 54-74; – Elisabeth Cheauré, E. T. A. H. Inszenierungen seiner Werke auf russ. Bühnen, 1979; – Robert Currie, Wyndham Lewis, E. T. A. H. and »Tarr«, in: The Rv. of English Studies 30, 1979, 169-181; – Jean Delabroy, L'ombre de la théorie. A propos de »L'homme au sable« de H., in: Romantisme 24, 1979, 29-42; – Joachim Dyck, Heines Neujahrsglückwünsche f. seine Cousine Fanny in E. T. A. H.s »Elixiere des Teufels«, in: Hene-Jb. 18, 1979, 202-205; – Aubrey S. Garlington jun., E. T. A. H.s »Der Dichter u. der Komponist« and the Creation of the German Romantic Opera, in: The Musical Quarterly 65, 1979, 22-47; – Ingeborg Köhler, Baudelaire et H., 1979; – J. Kosim, E. T. A. H. in Warschau 1804-1807, in: Zschr. f. Slavistik 24, 1979, 615-636; – Allan I. McIntyre, Romantic Transcendence and the Robot in Kleist and E. T. A. H., in: Germanic Rv. 54, 1979, 29-34; – Alain Montandou, Ecriture et folie chez E. T. A. H., in: Romantisme 24, 1979, 7-28; – Albert B. Smith, Variations on a Mythical Theme, H., Gautier, Queneau and the Imagery of Mining, in: Neophilologus 63, 1979, 179-186; – J. Wolff, Romantic Variations of Pygmalion Motifs by H., Eichendorff and Edgar Allen Poe, in: German Life and Letters 33, 1979, 53-60; – Thomas Bourke, Stilbruch als Stilmitte.. Stud. z. Lit. der Spät- u. Nachromantik. Mit bes. Berücks. v. E. T. A. H., Lord Byron u. Heinrich Heine, 1980; – Ronald J. Elardo, E. T. A. H.s Nußknacker u. Mausekönig. The Mouse-Queen in the Tragedy of the Hero, in: Germanic Rv. 55, 1980, 1-8; – Winfried Freund, Verfallene Schlösser – ein gesellschaftskritisches Motiv bei Kleist, E. T. A. H., Uhland u. Chamisso, in: Diskussion Dt. 11, 1980, 361 ff.; – Gisela Gorski,

E. T. A. H. »Das Fräulein v. Scuderi«, 1980; – Yvonne Holbeche, The Relationship of the Artist of Power. E. T. A. H.s »Das Fräulein v. Scuderi«, in: Seminar 16, 1980, 1-11; – J. Neubauer, The Mines of Falun – Temporal Fortunes of a Romantic Math of Time, in: Studies in Romanticism 19, 1980, 475 ff.; – Wolfgang Schütz, E. T. A. H. – ein Richter im Spannungsfeld zw. Terrorismus u. Staatsmacht, in: Dt. Richterztg. 58, 1980, 127-135; – D. E. Wellbery, E. T. A. H. and Romantic Hermeneutics – an Interpretation of H.s Don Juan, in: Studies in Romanticism 19, 1980, 455 ff.; – Claudio Magris, Die andere Vernunft, E. T. A. H., 1981; – Bert Nagel, Kafka u. E. T. A. H., in: Modern Austrian Lit. 14, 1981, 1-11; – Marho Pavlyshyn, Interpretations of Words as Acts. The Dabte of E. T. A. H.s Meister Floh, in: Seminar 17, 1981, 196-204; – Dietmar Jürgen Ponert, E. T. A. H. – ein Preuße? Ausstellung u. Kat., 1981; – Silvio Vietta, Romantikparodie u. Realitätsbegriff im Erzählwerk E. T. A. H.s, in: ZdPh 100, 575-591; – Herbert H. Wagner, E. T. A. H. ein Preuße, in: Börsenbl. f. den dt. Buchhandel 37, 1981, 407 f.; – Gerd Hemmerich, Verteidigung des »Signor Formica«. Zu E. T. A. H.s Novelle, in: Jb. der Jean-Paul-Ges. 17, 1982, 113-128; – Fritz Horst, Instrumentelle Vernunft als Gegenstand v. Lit. Stud. zu Jean Pauls »Dr. Katzenberger«, E. T. A. H.s »Klein Zaches«, Goethes »Novelle« u. Thomas Manns »Zauberberg«, 1982; – Rosemarie Hunter-Laughed, »Bonaventura« u. E. T. A. H., unter bes. Berücks. des Plozker Tgb., in: Germ.-röm. Mschr. 32, 1982, 345-363; – Helmut Pfotenhauer, Exotische u. esoterische Poetik in E. T. A. H.s Erzz., in: Jb. der Jean-Paul-Ges. 17, 1982, 129; – Peter Henisch, H.s Erzz. Aufzeichnungen eines verwirrten Germanisten, 1983; – Armand de Loecker, Zw. Atlantis u. Frankfurt. Märchendichtung u. goldenes Zeitalter bei E. T. A. H., 1983; – L. C. Nygaard, Anselmus as Amanuensis. The Motif of Copying in H.s der goldene Topf, in: Seminar 19, 1983, 79-104; – Karl Riha, Nachr. v. »Museum des Wundervollen oder Mgz. des Außerordentlichen«. Eine verschollene Zschr. u. ihr möglicher lit. Kontext: Johann Peter Hebel, Heinrich v. Kleist, E. T. A. H., Jeremias Gotthelf u. Edgar Allan Poe, in: Germ.-roman. Mschr. 33, 1983, 410-423; – Herbert Schulze, E. T. A. H. als Musikschriftsteller u. Komponist, 1983; – Hans Toggenburger, Doe späten Almanacherzz. E. T. A. H.s, 1983; – Klaus-Dieter Dobat, Eine Justizaffäre um E. T. A. H. Der Dichter im Strudel der Demagogenverfolgung, in: Damals 16, 1984, 447-454; – Ders., Musik als romantische Illusion. Eine Unters. z. Bedeutung der Musikvorstellung in E. T. A. H.s f. sein literarisches Werk, 1984; – Rüdiger Safranski, E. T. A. H. Das Leben eines skeptischen Phantasten, 1984; - Jan Rohle, »Sinn u. Geschmack fürs Unendliche«. Aspekte romantischer Kunstrel., in: NZSTh 27, 1985, 1-24; – RGG III, 413 f.; – NDB IX, 407-414; – MGG VI, 528-538.

Wi

HOFFMANN, Friedrich Wilhelm, Pfarrer der hessischen Renitenz, * 6.5.1803 als Sohn des Pfarrers Wilhelm Hoffmann (1769-1822) in Harmuthsachsen, + 30.10. 1889 in Homberg. – Nach dem Besuch des Gymnasiums in Hersfeld studierte H. in Marburg Theologie. Ende der 20er Jahre wurde er Pfarrer in Sielen an der Diemel. Von 1832-1838 bewirkte er aufgrund einer eigenen inneren Umwandlung eine tiefe Bewegung in der Gemeinde. Er verurteilte seine bisherige Amtswirksamkeit, entsagte dem Nationalismus und führte die Kirchenzucht ein. 1851 ging er als Metropolitan und Pfarrer nach Homberg an der Efze und 1864 nach Felsberg. Nach der Annexion arbeitete er im aufkommenden Kirchenkampf gegen die Einordnung der hessischen Kirche in den preußischen Staatsapparat und wurde neben seinem Freund W. Bilmar zu einem Führer der Renitenten. 1867/68 stellte sich H. auf den Boden des reinen lutherischen Bekenntnisstandes der niederhessischen Kirche, wurde 1869 zuerst für dreieinhalb Jahre suspendiert und 1873, aufgrund seiner ablehnenden Reaktion auf die Einführung des Gesamtkonsistoriums am 28. Juli, seiner gesamten amtlichen Existenz enthoben. Gezwungen, seine Wohnung in Felsberg aufzugeben, zog er zurück nach Homberg, wo sich eine kleine renitente Gemeinde um ihn zusammenfand. An der Frage der Lossagung von den Verbesserungspunkten des Landgrafen Moritz, wie es einige landeskirchliche

Geistliche von der Renitenz forderten, kam es zu einem Zerwürfnis zwischen H. und Bilmar und 1878 zu einer Spaltung der renitenten Gruppen. H. gab zunächst nur einen Punkt auf und lehnte die Annahme des Namens "lutherisch" ab, sagte sich aber dann vom gesamten Verbesserungswerk des Landgrafen los. Nach der Trennung von Bilmar wurde H. zum Begründer und Superintendenten der sogenannten hombergischen Richtung der Renitenz und am 10.10.1878 konnte auf sein Bestreben hin eine Kirchengemeinschaft mit der hessendarmstädtischen Freikirche geschlossen werden. Ab dem 18.10.1882 wurden die Gottesdienste, die bisher in H.s Privathaus stattfinden mußten, in einer von ihm eingeweihten kleinen Kapelle in Homberg gehalten. – Bezeichnend für H.s Haltung nach dem Bruch mit Bilmar war, daß er betonte, daß vom Bekenntnis her der niederhessischen Kirche nichts anzuhaben sei, und der Grundsatz des Königtums Christie ihm die Begründung dafür lieferte, diesen Maßstab an die hessische Kirchengeschichte anzulegen und den Eingriff des Landgrafen Moritz auszutilgen. Für die Mehrzahl der renitenten Pfarrer war sein Schritt unverständlich und Anlaß öffentlicher Kritik.

Werke: Ber. über die Schritte der Geistl. des Consistorialbezirks Cassel z. Erhaltung der KO v. J. 1867; Zweiter Ber...., 1867; Das Ziel der kirchl. Renitenz in Hessen mit Bezugnahme auf die sogen. Verbesserungspunkte in Niederhessen, 1877; Sendschreiben etlicher Geistl. der renitenten Kirche Augsburg. Confession in Niederhessen an ihre Amtsbrüder in ders. Kirche, 1878.

Lit.: Philipp Dietz, Die Gesch. der Gemeinde Homberg an der Efze, in: Unter dem Kreuz, 1902, Nr. 17; – Eduard Rudolf Grebe, Gesch. der hess. Renitenz, 1905; – Karl Müller, Die selbständige ev.-luth. Kirche in den hess. Landen, ihre Entstehung und Entwicklung, in Verb. mit Amtsbrüdern u. Freunden dargest., 1906, 267-277; – Rudolf Schlunck, Die 43 renitenten Pfr. Lebensabschnitte der im J. 1873/74 um ihrer Treue willen des Amtes entsetzten hess. Pfr. Nebst einer geschichtl. Einl. u. einem Anh., 1923, 72 ff.; – Karl Wicke, Die hess. Renitenz, ihre Gesch. u. ihr Sinn, 1930.

Ba

HOFFMANN, Gottfried, ev. Schulmann und Kirchenliederdichter, * 5.12.1658 in Plagwitz bei Löwenberg (Schlesien) als Sohn eines Brauers, + 1.10.1712 in Zittau (Oberlausitz). – Als H. acht Jahre alt war, mußten seine Eltern, um Ihres Glaubens willen von den Jesuiten verfolgt, nach Lichtenau bei Lauban (Oberlausitz) flüchten. Er besuchte zunächst das Lyzeum in Lauban, dann das Gymnasium in Zittau, dessen Rektor Christian Weise (s.d.) war. H. wurde sein liebster Schüler und Gehilfe. Er bezog 1685 die Universität Leipzig, um Philosophie, Sprachen, Geschichte und Theologie zu studieren. Anfang 1688 promovierte H. zum Magister und wurde noch in demselben Jahr Konrektor und 1695 Rektor des Lyzeums in Lauban und 1708 Rektor des Gymnasiums in Zittau als Nachfolger Weises, der sich ihn vor seinem Ende noch vom Magistrat mit den Worten « Is meus alter ego » dazu erbeten hatte. H. wurde von seinen Zeitgenossen als praktischer Pädagoge sehr geschätzt. Beide Schulen verdanken ihm eine gewisse Blütezeit. Er verfaßte viele Schul- und Jugendschriften und erneuerte die Aufführungen lateinischer Schulkomödien. H. war um die Pflege und Förderung des geistlichen Lebens seiner Schüler eifrig bemüht. Er hielt ih-

nen sonntags Erbauungsstunden über biblische Texte und ermahnte sie eindringlich an den vier für sie bestimmten Abendmahlstagen des Jahres zu einem frommen Wandel vor Gott. Von seinen 60 Liedern, die er zum größten Teil für die ihm anvertraute Schuljugend gedichtet hat, ist bekannt « *Zeuch hin, mein Kind; denn Gott selbst fordert dich aus dieser argen Welt* ». H. dichtete dieses Lied 1693 auf den Tod seines Töchterchens Magdalene Elisabeth. Genannt seien ferner das Pfingstlied « *Geist vom Vater und vom Sohne, gleicher Majestät und Kraft in dem höchsten Himmelsthrone, gieße neuen Lebenssaft in mein Herz, Seel und Gemüte* » und das Schlußlied seiner Abhandlung von dem Spitterrichten und der Verleumdung als zwei gewöhnlichen Jugendsünden « *Hilf, Jesu, daß ich meinen Nächsten liebe, durch lieblos Richten ihn ja nicht betrübe* ».

Werke: Der gute Schulmann, 1695; Ausführl. Ber. v. der Methode bei den Lectionibus im Lauban. Lyceo, 1695; Einl. in die lat. Sprache, 1696; Guter Paedagogus (f. den häusl. Unterricht), 1696; Ordentl. u. gründl. Weg u. Composition der lat. Sprache, 1702; Lauban. Kirchengesänge, 1704; Lauban. Kirchen- u. Schulgebete, 1704; Auserlesene Kernsprüche HS, 1705; Aerarium biblicum oder 1000 Bibelsprüche aufs kürzeste erkl. 1706; Lebensgesch. aller Pastorum, die in Lauban gelehrt haben, 1707; Erbaul. Denkzettel f. die studierende Jugend; Lauban. Denkzettel, 1708; Das Zittauische »Dic cur hic et hoc age«, 1709 (Zus.fass.) seiner päd. Grundsätze; eins der besten päd. Werke jener Zeit); Zittauische Denkzettel, 1709-12.

Lit.: – Samuel Grosser, Lausitz. Merkwürdigkeiten IV, Leipzig 1714, 136 ff. 143 ff., – Johann Caspar Wetzel, Hymnoposeographia oder Hist. Lebensbeschreibung der berühmtesten Liederdichter I, Herrnstadt 1719, 444 f.; – Ders., Analecta hymnica, das ist: Merkwürdige Nachlesen z. Lieder-Historie II, Gotha 1756, 302; – Christian Altmann, G. H.s Lebensbeschreibung, Budissin (= Bautzen), 1721; – Gottlieb Friedrich Otto, Lex. der Oberlausitz. Schr.steller II, Görlitz 1802, 114 ff.; – Heinrich Julius Kämmel, Erinnerungen an G. H. Ein päd. Lb., Zittau 1860; – Koch V, 437 ff.; – Goedecke III, 1887, 293; – Kosch, LL II, 1025 f.; – ADB XII, 591 f.

Ba

HOFFMANN, Gottfried, ev. Theologe und Kirchenliederdichter, * 13.5.1669 in Stuttgart als Sohn eines Visitationsexpeditionsrats und Konsistorialsekretärs, + 9.12.1728 in Tübingen. – H. besuchte das Pädagogium in Stuttgart und studierte in Tübingen. 1688 trat er nach Abschluß seiner Studien eine größere gelehrte Reise durch Deutschland, Holland und England an, auf der er sich längere Zeit im Hause des Oberhofpredigers Philipp Jakob Spener (s.d.) in Dresden aufhielt. H. wurde 1692 Diakonus und 1704 Archidiakonus in Stuttgart, 1707 Professor der Logik und Metaphysik in Tübingen und zugleich Ephorus des Theologischen Stifts, 1716 Professor der Theologie und 1720 Propst an der St. Georgenkirche. – Von seinen Liedern sei genannt « *Jesus nimmt die Sünder an, drum so will ich nicht verzagen* ».

Lit.: Georg Konrad Pregizer, Gottgeheiligte Poesie, Jg. 1722, 177 ff.; 1724, 154 ff.; 1727, 59 ff.; 1728, 453 ff. 585 ff.; 1729, 66 ff.; 1730, 183 f.; – Koch V, 47 ff.

Ba

HOFFMANN, Gottlieb Wilhelm, Gründer der pietistischen landeskirchenfreien Gemeinde Korntal bei Calw und ihrer Tochtersiedlung Wilhelmsdorf bei Ravensburg, * 19.12.1771 als Pfarrerssohn in Ostelsheim bei

Calw, + 29.1.1846 in Korntal. – H. machte beim Stadtschreiber in Calw eine vierjährige Lehrzeit durch und kam dann als Gehilfe zum Amtsschreiber in Merklingen bei Leonberg. Dort erlebte er seine Bekehrung und wurde innerlich gefördert durch regen Umgang mit Gemeinschaftsgliedern, besonders mit den Pfarrern Gottlieb Machtolf (s.d.) in Möttlingen bei Calw und Johann Friedrich Flattich (s.d.) in Münchingen bei Leonberg. Als Gehilfe des Stadtschreibers in Leonberg erwarb sich H. das Vertrauen der Bürger in solchem Maß, daß er zum kaiserlichen Notar ernannt, zum Amtsbürgermeister gewählt und im Lauf der Jahre mit einer Reihe städtischer Ämter betraut wurde. 1815-26 war H. Abgeordneter in der Ständeversammlung und während der Kriegszeit Landeskommissar. Durch Immediateingabe vom 28.2.1817 schlug H. Wilhelm I., der ihn persönlich kannte und hochschätzte, die Gründung selbständiger, nicht unter staatlichem Kirchenregiment stehender Gemeinden vor, um dadurch der durch Einführung des Gesangbuchs von 1791 und der Agende von 1809 bedingten lebhaften Auswanderungsbewegung der württembergischen Pietisten nach Rußland entgegenzuwirken. H. wurde unter dem 1.4.1817 vom Oberkonsistorium aufgefordert, seine Pläne eingehender vorzutragen. Er legte unter dem 14.4. einen ausführlichen « Entwurf zur äußeren und inneren Einrichtung religiöser Gemeinden nach dem Muster der sogenannten Brüdergemeinde » vor, mußte aber lange auf die königliche Entschließung warten. Durch Erlaß vom 1.10. 1818 sicherte Wilhelm I. einer etwa sich bildenden « religiös-politischen Gemeinde » die Erteilung eines « Privilegs », einer Sondergenehmigung, zu. H. berief am 13. 10.1818 zur Vorbereitung der Gemeindegründung aus führenden Pietisten des Landes ein « Brüderkollegium », zu dem auch Johann Michael Hahn (s.d.) gehörte, und erwarb am 12.1.1819 das etwa 300 Hektar große Rittergut Korntal. Eine Woche später starb Hahn, den man zum Vorsteher der zu gründenden Gemeinde ausersehen hatte. Man begann mit den Bauarbeiten. Es wurden zunächst 68 Familien angesiedelt. Am 9.7.1819 legte man den Grundstein zum Großen Saal, dem gottesdienstlichen Raum der Gemeinde, der schon am 7.11.1819 eingeweiht werden konnte. Inzwischen war die Fundations-Urkunde vom 22. 8.1919 eingetroffen, die Genehmigung des Königs zur Gründung der Gemeinde. Ihr erster Pfarrer wurde Johann Jakob Friedrich. Die Gemeinde Korntal nahm als ihr Bekenntnis die Augsburgische Konfession ohne die Verdammungsurteile gegen Andersgläubige an. H. legte seine Ämter in Leonberg nieder und zog nach Korntal. Er leitete das Gemeindegasthaus und besorgte auch eine Zeitlang die Gemeindehandlung und die Post. Von der Gemeinde nahm H. keine Besoldung. Ihm war kurz nach seiner Übersiedlung nach Korntal eine Vermögensverwaltung übertragen worden, von der er mit seiner Familie bescheiden leben konnte. H. wurde 1820 Vorsteheramtsverweser und 1831 Gemeindevorsteher. Er war ein Mann von großer Regierungsgabe und organisatorischem Talent. Die Hoffnung auf die baldige Aufrichtung des Tausendjährigen Reiches und die erste Auferstehung beseelte ihn bis an sein Ende. Seine Stellung zu den verschiedenen Richtungen unter

den Gemeinschaften kommt in seinem Wort zum Ausdruck: « Ich bin als Pregizerianer erweckt worden (in der frohen Erfahrung der Gnade), ich möchte als Micheliander wandeln (mit rechtem Heiligungsernst) und als Herrnhuter sterben (im alleinigen Vertrauen auf das Opfer Christi) ». Korntal wurde weiteren Kreisen bekannt durch seine Schulen und Schüler- und Kinderheime. Noch im Gründungsjahr begann diese Arbeit klein und unscheinbar. Der Lehrer Johannes Kullen (s. d.), der in Metzingen ein kleines privates Schülerinternat leitete, folgte der Einladung der Brüder, mit seinen Zöglingen nach Korntal überzusiedeln. Im November 1819 kam er mit seinen beiden Schwestern und 13 Lateinschülern in Korntal an. Das war der Anfang der Korntaler höheren Schule für Jungen. 1821 war die Zahl der Schüler schon auf 40 gestiegen. H. gründete 1821 die Töchteranstalt, die Kullen, nachdem er 1836 ihre Leitung übernommen hatte, zu einer ausschließlich höheren Mädchenbildungsanstalt umgestaltete. Darum errichtete H. 1836 eine Mittelanstalt, eine Art Vorläuferin einerseits der heutigen Mittelschulen und andererseits der Haushaltungs- und Frauenarbeitsschulen bzw. der hauswirtschaftlichen Berufsschulen. 1823 kam es zur Gründung einer Kinderrettungsanstalt. Über ihre Vorgeschichte berichtet Sixt Karl Kapff (s.d.), der 1833-43 Pfarrer in Korntal war: Als an einem Sonntag im Jahr 1822 viele fremde Gäste bei Hoffmann zu Mittag speisten, trat ein Bettelknabe von etwa fünf bis sechs Jahren aus einem benachbarten Ort ein und bat um eine Gabe. Hoffmann äußerte sein Bedauern, daß Kinder schon in früher Jugend dem Bettel überlassen seien, wodurch sie nach und nach zu Müßiggängern und Dieben heranwachsen. Wenn er ein vermögender Mann wäre, würde er ein Haus für solche verwahrlosten Kinder erbauen, wo sie unterrichtet, genährt und zur Arbeit angeleitet würden; so aber sei es ihm nicht möglich ». Nachdem die Gesellschaft lange über diesen Gegenstand gesprochen und sich vom Essen erhoben hatte, trat einer der Gäste zu ihm, gab ihm ein 24-Kreuzer-Stück in die Hand und sagte: « Lassen Sie den Gedanken nicht mehr fahren, für verwahrloste Kinder ein Haus zu bauen! » In einem gedruckten Aufruf gab H. seine Absicht bekannt, in der Gemeinde Korntal eine Anstalt zu errichten, in welcher ganz arme, verlassene und verwaiste Kinder oder auch Kinder schlechter Eltern ganz unentgeltlich oder gegen sehr geringes Kost- und Kleidergeld zur Erziehung aufgenommen werden sollen, und warb um Spenden und tatkräftige Mitarbeit zur Verwirklichung seines Planes. Das Echo war ermutigend. Brüder aus den benachbarten Orten führten unentgeltlich Steine herbei, erzählt Kapff, vieler Edlen Edelsteine verwandelten sich in Mauersteine, ihr Gold in Holz, ihr Silber in Eisen. Handwerker brachten die Erzeugnisse ihres Kunstfleisses, Landleute die Früchte ihrer Felder, zarte Hände die Arbeiten ihrer Nadeln. Selten verließ ein Gast unser stilles Tal, ohne einen Beitrag für die werdende Anstalt gegeben zu haben. Am 9.11.1823 wurde der erste Bauabschnitt der Kinderrettungsanstalt eingeweiht. Man nahm zunächst nur 10 Kinder auf. 1825 wurde der zweite Bauabschnitt vollendet. Das Haus gab nun 57 Kindern eine Heimat; von 1828 an waren es etwa

70 Kinder. Darum mußte an eine Erweiterung des Hauses gedacht werden. H. war der Ansicht, daß sie, *am besten und zweckmäßigsten geschähe, wenn die kleinen Kinder, vom 6. Lebensjahr an abwärts, in einer besonderen Anstalt verpflegt würden.* So wurde 1829 aus einem alten Jägerhaus auf der von Korntal eine halbe Stunde entfernten Schlotwiese in Zuffenhausen durch entsprechende Umbauarbeiten eine Kleinkinderanstalt, die 1846 nach Korntal verlegt wurde. H. rief 1824 als Tochtersiedlung von Korntal die Gemeinde Wilhelmsdorf im Lengenweiler Moor ins Leben, deren Gründung Wilhelm I. nur unter der Bedingung erlaubte, daß die Siedler das sumpfige Moorgebiet urbar machten. H. hat in Wilhelmsdorf drei Kinderheime gegründet: 1830 eine Rettungsanstalt für Knaben, 1835 eine für Mädchen und 1857 ein Säuglingsheim. 1837 entstand in Wilhelmsdorf außerdem eine *Besserungsanstalt für entlassene weibliche Strafgefangene.* Dieser Arbeitszweig konnte aber nicht gehalten werden. H. rief ebenfalls im Jahr 1837 eine *Taubstummenanstalt* ins Leben. Wie August Hermann Francke (s.d.) gründete H. diese Anstalten, die vor allem von freiwilligen Gaben lebten, im Vertrauen auf Gottes Durchhilfe und die Opferwilligkeit der christlichen Kreise des Landes. Er durfte immer wieder wunderbare Durchhilfen erfahren: *Oft war die Kasse leer; aber zur rechten Stunde floß wieder etwas darein*, berichtet Kapff. *Oft war kein Vorrat mehr da, und es schien, man werde hungern müssen; aber der Herr gab Speise zur rechten Zeit.* Während die Gemeinde Korntal und ihre Anstalten einen für H. erfreulichen Entwicklungsverlauf nahmen, blieb Wilhelmsdorf sein Sorgenkind bis an sein Lebensende. Die Gemeinde Wilhelmsdorf stand 1846 vor dem wirtschaftlichen Zusammenbruch. H. diktierte noch auf dem Sterbebett einen herzlichen und dringenden Aufruf an alle Brüder im Lande, Wilhelmsdorf doch nicht im Stich zu lassen. Mehr als 40 000 Gulden kamen zusammen, bei dem damaligen Geldwert eine schier unglaublich hohe Summe. Korntals Tochtersiedlung war gerettet und nahm nach jener Krise einen guten Aufstieg. Wilhelmsdorf wurde 1850 von der Regierung als selbständige Gemeinde anerkannt.

Werke: Gesch. und Veranlassung zu der Bitte des Kgl. Notars und Bgm. G. W. H. zu Leonberg um Erlaubnis zur Gründung und Anlegung religiöser Gemeinden unabhängig vom Consistorium mit den darnach folgenden Resolutionen, dem Plan zur Einrichtung und des Glaubensbekenntnis dieser Gemeinde, 1818.

Lit.: Erinnerungen an G. W. H., in: Christusbote, 1870 u. 1871; – Christoph Hoffmann, Mein Weg nach Jerusalem I, 1881, 30 ff.; – Johann Hesse, Korntal einst und jetzt, 1910; – Ders., 3 Vorträge über Korntal, 1934; – Wilhelm Claus, Württembergische Väter II, 1933, 359 ff.; – O. Kübler, G. W. H., der Gründer Korntals und Wilhelmdorfs, 1946; – Fritz Grünzweig, Die ev. Brüdergemeine Korntal, 1957, 30 ff.; – Ders., G. W. H., in: Lebensbilder aus Schwaben und Franken XI, 1969; – Julius Roeßle, Von Bengel bis Blumhardt, Gestalten und Bilder aus d. Gesch. des schwäb. Pietismus, 1959; – Die Ev. Brüdergemeine Korntal gestern und heute, Zu ihrem 150j. Bestehen, 1969; – Heimatbuch der Stadt Korntal, 1969; – Hartmut Lehmann, Pietismus und weltl. Ordnung in Württemberg, 1969; – Joachim Trautwein, Die Theosophie M. Hahns, 1969; – ADB XII, 593 f.; – NDB IX, 393-394; – CKL I, 870-871; – LThK V, 415; – RGG III, 414-415.

Ba

HOFFMANN, Hans Friedrich, Frhr. v. Grünbüchel und Strechau, protestantischer Landmarschall in der Steiermark, * um 1530, † 1589, entstammte einem ursprünglich bayerischen Geschlecht, das seit 1400 in der Steiermark ansässig und durch den Bergbau zu Reichtum gelangt war. H.s Vater Hans war von König Ferdinand in den Freiherrnstand erhoben und zu mehreren diplomatischen Sendungen gebraucht worden. H. hatte in Padua studiert und betrieb dann wie seine Vorfahren den Bergbau. Er verstand es auch, seine landwirtschaftlichen Güter weiter zu vermehren. Der wirtschaftliche Reichtum bildete die Grundlage für den politischen Einfluß H.s, vor allem in der Steiermark. Er war als Freiherr Mitglied der steirischen Landschaft, von der er 1564 als Nachfolger seines Vaters zum Erbmarschall gewählt wurde. Seit 1965 war er Geheimer Rat bei Erzherzog Karl, 1574 auch steirischer Landesverweser mit der Aufsicht über das Gerichts- und das Finanzwesen. 1566 und 1576 verhandelte er für die steirische Landschaft auf dem Reichstag zu Regensburg, 1580 auf dem Kurfürstentag in Nürnberg in Angelegenheiten der Türkenhilfe. Im Auftrag der Landschaft machte er verschiedene Reisen nach Wien und Prag, und 1579 bis 1583 war er außerdem Vizedom des Erzbischofs von Bamberg in Kärnten. – Eine besondere Bedeutung hat H. als Führer der steirischen Protestanten gewonnen, so daß die Augsburger Konfession in der Steiermark *Hoffmannsche Religion* genannt wurde. Durch Kirchenbauten und Predigeranstellungen auf seinen Gütern sowie in der Förderung des Schulwesens war er aktiv für die Verbreitung des Protestantismus tätig. Als führender Verhandlungsbeauftragter der Landtage von 1572 bis 1578 erwirkte er vom Erzherzog weitgehende mündliche Zugeständnisse in Fragen der Freiheit der Religionsausübung der Augsburger Konfession, die sogenannte *Steierische Pazifikation*, in deren Gefolge sich der Protestantismus in Innerösterreich rasch ausbreitete. Die dadurch alarmierte Kurie schickte einen Nuntius nach Graz, der vom Erzherzog unter Androhung des Bannes einen Widerruf der Zugeständnisse verlangte. Am 13. und 14. Oktober 1579 trafen sich Karl, sein Bruder Ferdinand von Tirol und Wilhelm von Bayern in München, wo die Grundsätze für die Gegenreformation in Österreich beschlossen wurden. Auf dem Winterlandtag von 1580 untersagte Karl in einem Dekret vom 10. Dezember den Bürgerschaften die Ausübung der evangelischen Religion, und beschränkte diese auf die Herren und Ritter, mußte diesen Beschluß dann aber wegen des heftigen Widerstandes der Stände, als deren Abgesandter wieder H. an erster Stelle wirkte, zurücknehmen. In der Folgezeit beginnt H.s Einfluß als Vertreter der Protestanten zu sinken, teils wegen seiner Tätigkeit als Vizedom des Bamberger Bischofs, besonders aber wegen der Fortschritte der nun energisch betriebenen Gegenreformation.

Lit.: Wilhelm Huber, H. F. H., Frhr. v. Grünbüchel u. Strechau, der bedeutendste Vertreter des Prot. in Inner-Östr. im 16. Jh., in: JGPrÖ 48. 1927, 58 ff.; – Johann Loserth, Die Korr. des steiermärk. Landmarschalls. H. F. v. Grünbüchel u. Strechau mit den Geheimräten EHzg. Karls Hans Khobenzl u. Hans Ambros v. Thurn vom 24.12.1580 bis 4.2. 1581. Ein Btr. z. Gesch. d. Gg.ref. in den inneröstr. Städten u. Märkten, in: ARG 29, 1932, 145 ff.; – Hans Pirchegger, Gesch. d. Steiermark 1282-1740, II (1931) u. III (1934); – Grete Mecenseffy, Gesch. d. Protestantismus in Österreich, 1956, 63 ff.; – Dies., Die Bedeutung d. steirischen Protestantismus i. d. Gesch. d. europ. Reformation, in: Bericht über d. 10. österr. Historikertag. Veröff. d. Verbandes Österr.

Gesch.vereine, 1970, 660-71; – K. E. Ehrlicher, Die Könige d. Ennstales. Die Gesch. d. H. u. ihre Verbindungen im Adel d. Erbländer, phil. Diss. Innsbruck 1972; – Biogr. Wörterb. z. dt. Gesch. I, 1973², 1204 f.

Ba

HOFFMANN, Heinrich, evangelischer Pfarrer, * 24.3. 1821 in Magdeburg als Sohn eines Bankbeamten, + 20.5.1899 in Halle a. S. – H., vom Elternhaus her aufgewachsen im Kreis der "Stillen im Lande", einer Zusammenkunft zu gemeinsamer Erbauung und christlicher Werktätigkeit, und angeregt durch einen Bruder der Mutter, folgte der Bestimmung des Vaters und studierte in Berlin und Halle Theologie. Trotz Auftreten eines Brustleidens nach der ersten theologischen Prüfung im Jahr 1843, welches ihn sein ganzes weiteres Leben belastete, bestand er auch das zweite theologische Examen ausgezeichnet. Bis 1852 betrieb er weitere Studien im Haus seines seit 1846 verwitweten Vaters und wurde 1847 zum Präses des "Kandidatenvereins" gewählt. 1852 folgte er dem Ruf Büchsels zum Hilfsprediger nach Berlin und am 27.1.1853 wurde er von Bischof Neander im Berliner Dom ordiniert. Einen Tag nach seiner Hochzeit mit Laura Wentzel zog H. am 19.4.1854 als Pastor der St. Laurentiusgemeinde nach Halle a. S. Hier bestand seine Hauptaufgabe in der Einigung und Neuorientierung der durch das Lichtfreundtum zerrissenen Gemeinde und ab 1871 in der Bewältigung der, durch das jähe Wachstum der Stadt bedingten, seelsorgerlichen Überbelastung, bis er die Teilung der Gemeinde und die ausreichende Versorgung mit Geistlichen erwirken konnte. Anfänglich mit Widerstand empfangen, konnte H. im Laufe seiner 41-jährigen Amtszeit, nicht zuletzt durch seinen unermüdlichen Einsatz und die Fähigkeit zu eindrucksvoller Predigt, das Vertrauen der Gemeinde gewinnen. Dies zeigte sich unter anderem in dem, zum großen Teil durch Mittel aus der Gemeinde finanzierten, Bau der am 7.12.1893 eingeweihten St. Stephanuskirche. – H.s Theologie war ein an der lutherischen Orthodoxie orientierter und vom Pietismus und der theosophisch-eschatologischen Bewegung geprägter Biblizismus. Am öffentlichen Kirchenleben engagierte er sich, allerdings nur kurz, indem er, aus einem Widerwillen gegen das Staatsregiment der Kirche heraus, den entschlossenen Konfessionellen und dem engeren lutherischen Verein beitrat.

Werke: Sünde u. Erlösung. 12 Predigten, 1873 (1908⁴ 14 Predigten); Unterm Kreuz. Ein Jg. Predigten, 1884 (1907⁴); Kreuz u. Krone. Jg. Predigten, 1891 (1909³); Die Bergpredigt Jesu Christi, in 14 Predigten ausgel., 1893; Eins ist not! Jg. Predigten, 1895 (1903²); Die letzte Nacht u. der Todestag des Herrn Jesu. Passionsbetrachtungen, 1898; Aus dem Tgb. H. H.s, hrsg. v. M. Hart, 1900; Briefe, ges. u. hrsg. v. dems., 1902; Sonntagsfreunde. Ein Jg. Predigten, 56 Hh., 1896; 50 Beichtreden, 1902 (1906²); Nt. Bibelstunden, 5 Bde., 1903-1904; Die großen Taten Gottes. Festpredigten, 2 Bde., 1906.

Lit.: Martin Kähler - Hermann Hering, D. H. H. Sein Leben, sein Wirken u. seine Predigt, 1900; – ADB 50, 402-412; – RE VIII, 221 f.; – RGG III, 414.

Ba

HOFFMANN, Johannes, ev. Kirchenliederdichter, * 12.6.1644 in Teichel (Schwarzburg-Rudolfstadt) als Sohn des Bürgermeisters, + 1.6.1718 in Frankenhau-

sen. – H. besuchte zunächst die Schule seiner Vaterstadt und kam dann nach Magdeburg zu einem Verwandten seiner Mutter, einem Professor der Theologie und orientalischen Sprachen. Als dieser 1667 Direktor und Professor der Theologie am akademischen Collegium in Eperies (Oberungarn) wurde, nahm er H. mit sich. Um den dort beginnenden Verfolgungen der Protestanten auszuweichen, bezog H. 1670 die Universität Jena, wo er Magister wurde und sich eine Zeitlang als Privatdozent aufhielt. H. pflegte regen Verkehr mit Ahsberus Fritsch (s.d.) in dem nahen Rudolstadt, der ihn in seine 1673 gestiftete *geistliche fruchtbringende Jesusgesellschaft* aufnahm und als Kaiserlicher Pfalzgraf 1674 mit dem Dichterlorbeer krönte. H. wurde 1676 Subkonrektor der Schule in Rudolstadt und 1681 Rektor der Schule in Frankenhausen. Er schrieb eine große Menge kleiner Abhandlungen theologischen, philosophischen, topographischen und genealogischen Inhalts. Neben lateinischen Hymnen dichtete H. auch viele deutsche Lieder und verfaßte verschiedene Schauspiele. Von seinen 48 geistlichen Liedern, von denen Fritsch mehrere in seine erbaulichen Traktate aufgenommen hat, seien genannt *Nichts als Jesu süßer Name und sein Wort, der Lebenssame, soll mir stets im Herzen sein,* das Passionslied *Was für Marter, Spott und Hohn...* und das Osterlied *Triumpf, Triumpf, Viktoria!*

Werke: Geistl. Schulharfe, Langensalza 1867.

Lit.: Johann Caspar Wetzel, Hymnopoeographia oder Hist. Lebensbeschreibung der berühmtesten Liederdichter I, Herrnstadt 1719, 450 ff.; – Ders., Analecta hymnica, das ist: Merkwürdige Nachlesen z. Lieder-Historie II, Gotha 1756, 304 f.; – Ludwig Friedrich Hesse, Verz. schwarzburg. Gelehrter u. Künstler, 1810, 9 ff.; – Ko IV, 65 f.; – ADB XII, 596.

Ba

HOFFMANN, Ludwig Friedrich Wilhelm, Theologe, * 30.10.1806 in Leonberg als 1. Sohn des Pietisten Gottlieb H. (s.d.) aus der 2. Ehe mit Friederike, geb. Löffler, + 28.8.1873 in Berlin. – H.s Eltern ermöglichten ihrem Sohn eine umfangreiche humanistisch-theologische Ausbildung, gleichzeitig erlebte dieser zu Hause ein sehr inniges Verhältnis zum Gemeinschaftschristentum. Im Seminar zu Schöntal freundete er sich mit Christoph Blumhardt (s.d.) an, die Freundschaft hielt lebenslang; im Stift zu Tübingen besaß er als Studienfreunde D. F. Strauß, F. T. Vischer und G. Pfizer. Hier vertiefte er seine Kenntnisse durch naturwissenschaftliche Studien, wobei es ihm die Geographie besonders angetan hatte. Während er später erwähnte, daß er aus theologischer Sicht seinen Tübinger Lehrern herzlich wenig verdankte, hebt er stets lobend den Einfluß hervor, den Schleiermacher (s.d.) durchgehend und in ihm ausgeübt habe. – Die kirchliche Laufbahn begann er als Vikar in Heumaden; sein Sohn Carl erzählt, daß er hier, gerade mitten in einer Religionsstunde, "seine" innere Bekehrung erfuhr: Alles Irdische wollte er fortan ins Licht des Reiches Gottes stellen und mit ihm durchdringen. – So nahm er, nach einer nur kurzen Tätigkeit als Diakon in Winnenden, gerne den Ruf zum Missionsinspektor in Basel an. Gerade im Missionsbereich erschien ihm nämlich die Erfüllung seiner Gedanken am ehesten möglich. Unter seiner fürsorglichen Hand wurde die Ausbildung der Missionare der "Basler Mission" (sie ging auf eine Initiative aus Korntal und auf seinen Vater Gottlieb zurück) verbessert, H. erweiterte ihre Tätigkeitsbereiche auf Afrika, Indien, Kanada und die USA, er setzte sich persönlich auf Missionsfesten in ganz Deutschland für die Gedankenwelt der Basler Mission ein und blieb so durch den engen Kontakt mit allen Gemeinden ein weltoffener Priester, nicht nur der anerkannt ungemein wirksame theologische Schriftsteller. Für diesen unermüdlichen Einsatz spricht auch, daß H. über 13 Jahre hinweg das »Basler Missions-Magazin« redigierte, daß er seit 1843 als a. o. Professor an der Universität lehrte. Der Wendepunkt in H.s Leben kam im Jahr 1850: Eine schwere gesundheitliche Krise erfaßte ihn, sie verschärfte sich durch innere Zweifel. Um die vermeintliche gesundheitliche Überbelastung durch allzu umfassende Arbeitsgebiete zu mindern, wollte sich H. rein auf die akademische Tätigkeit beschränken. Nach überstandener Krankheit nahm er einen Ruf zum Professor der Theologie (AT) in Tübingen an, er entwickelte prompt als Stiftsephorus eine Reform, die jedoch unausgeführt blieb, daH. – eigentlich entgegen seinen 2 Jahre zuvor geäußerten Absichten – bereits 1852 dem Drängen des preußischen Königs Friedrich Wilhelm IV. nachgab und als dessen Hof- und Domprediger nach Berlin übersiedelte. Hier erlebte er einen raschen Aufstieg, wurde Mitglied des Oberkirchenrates, Generalsuperintendent der Kurmark, Ephorus des Domkandidatenstifts, 1854 Staatsrat und damit der wichtigste Mann in der preußischen Kirchenregierung. Obwohl er manche kirchliche Ziele Friedrich Wilhelms nicht billigte, verband ihn doch eine enge Freundschaft mit dem König. Auch unter seinem Nachfolger, Wilhelm I., blieb der Einfluß H.s geltend, eine Erscheinung, die Bismarck ungern sah und mehrmals beim König offen kritisierte. – In seinen Predigten und Schriften erkannte und bekämpfte H. die Gefahr, die der Kirche durch die Erstarrung des religiösen Lebens, vor allem aber durch die Verweltlichung des Staates erstand. Sein Ideal, das er nicht erreichen, nie erreichen konnte, war das einer deutschen evangelischen Nationalkirche neben einer katholischen. So trat er in seinen beiden letzten Lebensjahrzehnten dem von Hengstenberg, Stahl und dem preußischen Kultusminister Raumer protegierten Konfessionalismus und auch dem Protestantenverein entgegen, setzte sich für eine Verbindung synodaler und konsistoraler Form ein. H.s Verdienst besteht vor allem in seiner positiven Menschenführung, die in seinen Predigten in der ständigen Ermahnung ein Leben sets ausgerichtet an den christlichen Maximen zu führen, ihren Ausdruck fand.

Werke: Beschreibung der Erde..., 1832-1842; Das Leben Jesu, krit. bearb. von David Friedrich Strauß, geprüft von W. H., 1836; 11 Jahre in der Mission, 1853; Die Epochen der Kirchengeschichte Indiens, 1853; Die chr. Lit. als Werkzeug der Mission, 1853; Predigtsammlungen (aus seiner früheren Berliner Zeit): Ruf zum Herrn, 8 Bde., 1854-1858; später: Die Haustafel, 1859-1863; Über die Erziehung des weibl. Geschlechts in Indien, Aus der Mission unter den Nestorianern, Abbeokuta oder Sonnenaufgang zwischen den Wendekreisen, 1859; Encyclopädie der Erd-, Völker- und Staatenkunde, 1862-1868; Deutschland Einst und Jetzt im Lichte des Reiches Gottes, 1868; Dtld. und Europa im Lichte der Weltgesch., 1869; Franz Xavier, Ein weltgeschichtl. Missionsbild, 1869; von 1861-1864 Hrsg. der Zeitschrift: Die Posaune Dtld.s; Erinnerung an die Jubiläumsfeier d. Gemeinde Korntal, 1869 (zus. mit a.); Dtld., eine periodische Schrift, 1870-1872; Friedrich Wilhelm IV., Ein gesch. Charakterbild (aus dem Nachlaß), 1875.

Lit.: Carl Hoffmann, Leben und Wirken des D. W. H., 1878-1880; – W. Schlatter, Gesch. der Basler Mission 1815-1915 I, 1916, 144-216; – Hermelink II, 251, 359, 588; – Martin Leube, Das Tübinger Stift 1770-1950, 1954, 177-184, 275-279, 282-299; – Wilhelm Bieder, Vom Missionsinspektor zum Oberhofprediger, Der trag. Weg L. W. F. H.s, in: Ev. Missionsmagazin 109, 1965; – CKL I, 871; – ADB L, 417-424; – NDB IX, 394; – RE VIII, 227-229; – RGG III, 414.

Ha

HOFFMANN, Richard Adolf, ev. Theologe, * 22.6.1872 in Königsberg als Sohn eines Klempnerobermeisters, + 28.4.1948 in Wien. – H. wurde 1897 Privatdozent und 1907 ao. Professor für Neues Testament in Königsberg. Seit 1915 lehrte er als o. Professor in Wien. – Als Wissenschaftler war H. Theologe mit ausgeprägt philologischem Einschlag.

Werke: Die Abendmahlsgedanken Jesu Christi. Ein bibl.-theol. Vers, 1896; Was versteht man unter wiss. Bibelforsch.?, 1897; Das Mk.ev. u. seine Qu. Ein Btr. z. Lösung der Urmarcusfrage, 1904; Das Selbstbewußtsein Jesu nach den drei ersten Evv., 1904; Kant u. Swedenborg, 1909; Die Erlös.gedanken des geschichtl. Christus, 1911; Besitz u. Recht in der Gedankenwelt des Urchristentums, in: Rel. u. Sozialismus. Festschr. z. 100j. Jubelfeier der ev.theol. Fak. in Wien, Berlin 1921; – Das Geheimnis der Auferstehung Jesu, 1921; Die Freiheit Gottes. Ein rel.-philos. Vers., 1923; Parapsychisches bei Paulus, in: Zschr. f. Parapsychologie, 1928; Die Entstehung des Christentums, in: Die Rel.en der Erde, 1929; Das Gottesbild Jesu, 1934; Richtlinien für ein schlichtes deutsches prot. Bekenntnis, 1934, in: Dt. Akademiertzg. in Wien v. 30.3.1934; Der Glaubensbegriff des NT, 1938.

Lit.: Josef Bohatec, Dt.-östr. Btr. z. ev.-theol. Wiss., 1935; – Bielitz, R. A. H., in: Neue ev. Kirchenztg. 56, 1940, Nr. 6; – R. A. H., in: Amt u. Gemeinde 2, Wien 1948, 68; – R. A. H., in: Gemeindebote f. das ev.-luth. Wien 27, 1948; – NDB IX, 436 f.; – ÖBL II, 378 f.

Ba

HOFFMANN, Wilhelm, ev. Theologe, * 30.10.1806 in Leonberg (Württemberg) als Sohn des Bürgermeisters Gottlieb Wilhelm Hoffmann (s.d.), + 28.8.1873 in Berlin. – H. wuchs in einem pietistischen Elternhaus auf, in dem am 30.11.1816 der erste Hilfsverein für die Missionsgesellschaft in Basel gegündet wurde. Auf dem Niederen Seminar in Schöntal schloß er Freundschaft mit Johann Christoph Blumhardt (s.d.) und bezog im Herbst 1824 das Theologische Stift in Tübingen. Ende 1829 wurde H. Vikar in Heumaden bei Stuttgart und drang hier zur Heilsgewißheit und zu einem freudigen Glaubensleben durch: « *Als ich in Heumaden in die regelmäßige Verkündigung des Evangeliums eintrat, fand ich bald, in welch bedenklicher Stellung gegen Gott und Menschen ein unbekehrter Prediger sei. Ich konnte mir nicht verhehlen, daß ich in dieser Lage mich befinde, und da erst in dem schmerzlichen Kampf, den die Predigt des Lebenswortes mit einem noch nicht vom Tod zum Leben hindurchgedrungenen Herzen verursachte, fand ich den Heiland also, daß er mir wurde, er mir bis jetzt ist und ewiglich bleiben soll: mein Licht, meine Stärke und mein Trost* ».Eine Zeitlang war H. Repetent am Tübinger Stift und dann Stadtvikar in Stuttgart. 1834 wurde er Diakonus in Winnenden und 1839 Missionsinspektor in Basel. H. förderte die Missionssache durch sorgfältig und wissenschaftlich ausgearbeitete Werbeschriften, so daß die

Mission, die anfangs von einzelnen *Stillen im Lande* gepflegt und dann von den Gemeinschaften getragen wurde, nun auch in der Kirche wachsende Anteilnahme fand. So wurde das *Missionsbüchlein* von 1842 (128 Seiten stark) in 40 000 Exemplaren unentgeltlich verbreitet und in mehrere fremde Sprachen übersetzt. Auf H.s Anregung erschienen in hoher Auflage auch Missionstraktate und Kindermissionstraktate; sie wollten weite Kreise mit der Missionsarbeit bekannt machen und Sinn und Liebe für die Mission wecken. H. rief 1841 zur Gründung von Frauenmissionsvereinen auf. Fräulein Amalie von Stein, die in Berlin für die Mission tätig war, wurde für diesen Plan gewonnen und auf ihre Anregung von Berliner und ostpreußischen Frauen im Dezember 1842 der *Frauenverein für christliche Bildung des weiblichen Geschlechts im Morgenland* (jetziger Name: Morgenländische Frauenmission) gegründet. H. erschloß neue Missionsfelder in Afrika und Indien und knüpfte enge Beziehungen mit England. Im Februar 1846 eröffnete er in Basel in einem Gebäude in der Nähe des Missionshauses unter dem Lehrer Christian Kolb (s.d.) von Dagersheim eine Präparandenanstalt, die die Schüler so vorbereiten sollte, daß sie besser dem theologischen und sprachlichen Unterricht im Seminar folgen könnten. Seit 1843 war H. zugleich ao. Professor der Theologie. Nachdem er schwere Krankheits- und bittere Leidenszeiten durchgemacht hatte, folgte H. 1850 der Aufforderung seines Landesherrn und wurde in Tübingen Professor der Theologie und Ephorus am Theologischen Stift. Zwei Jahre später gab er der dringenden Bitte des preußischen Königs Friedrich Wilhelm IV., der ihn durch eine Predigt in Hechingen kennengelernt hatte, nach und ging als Hofprediger nach Berlin. H. wurde 1853 zugleich Generalsuperintendent der Kurmark und Mitglied des Evangelischen Oberkirchenrats und 1871 Oberhofprediger. Er war bedeutsam als kirchenpolitischer Ratgeber Friedrich Wilhelms IV. und auch noch Wilhelms I. 1854 rief H. das Domkandidatenstift in Berlin ins Leben, dessen Ephorus er bis zu seinem Tod war, und gründete 1859 die *Neue evangelische Kirchenzeitung.* Er war unionsfreundlich und trat dem lutherischen Konfessionalismus und dem *Deutschen Protestantenverein* mutig entgegen. H. stand dem Pietismus nahe, hatte aber auch lebhaftes Interesse für das öffentliche und politische Leben. Er wirkte als Prediger und Seelsorger, aber auch durch zahlreiche schriftstellerische Arbeiten.

Werke: Beschreibung der Erde, nach ihrer natürl. Beschaffenheit, ihren Erzeugnissen, Bewohnern u. deren Wirkungen u. Verhältnissen, wie sie jetzt sind. Ein Hand- und Lesebuch f. jeden Stand, 1832-42; Das Leben Jesu, krit. bearb. v. David Friedrich Strauß. Geprüft f. Theologen u. Nichttheologen, 1836; Missionsfragen, 1847; Missionsstunden u. Vortrr. I, 1847; II, 1851; III, 1853; Elf J. in der Mission. Ein Abschiedswort an den Kreis der Ev. Missionsges. Mit einem Anh. v. in Tübingen geh. Missionsstunden u. Predigten, 1853; Die Epochen der KG Indiens, 1853; Die christl. Lit. als Werkzeug der Mission, 1853; Ruf z. Herrn. Zeugnisse aus dem Amte in einer fortlaufenden Reihe v. Predigten, 8 Bde., 1854-58; Die Erziehung des weibl. Geschlechts in Indien u. anderen Heidenländern, 1859 (1873³ völlig umgearb.); Die Haustafel. Zeugnisse aus dem Amte in einer fortlaufenden Reihe v. Predigten u. Betrachtungen, 4 Bde., 1859-63; Enz. der Erd-, Völker- u. Staatenkunde, 1859-64; Ein J. der Gnade in Jesu Christo. Predigten, 3 Bde., 1864; Lebensabriß des entschlafenen Dr. Carl Immanuel Nitzsch, 1868; Dtld. einst u. jetzt im Lichte des Reiches Gottes, 1868; Dtld. u. Europa im Lichte der Weltgesch., 1869; Erinnerung an die Jub.feier der Gemeinde Korntal, 1869; Franz Xavier. Ein weltgeschichtl. Missionsbild (mit H. Venn), 1869; – Gab heraus: Die Posaune Dtld.s, 1861-64.

Lit.: – Wilhelm Bauer, Nekrolog. in: Neue Ev. Kirchenztg. 1873, Nr. 43-49; – Karl Hoffmann (H.s Sohn), Leben u. Wirken des Dr. Ludwig Friedrich W. H. I, 1878; II, 1880; – Wilhelm Schlatter, Gesch. der Basler Mission 1815-1915. I, 1916, 144-216; – Martin Leube, Das Tübinger Stift. 1770-1950, 1954, 177-184. 275-279. 282-299; – Werner Bieder, L. F. W. H. Vom Missionsinsp. z. Oberhofprediger. Der trag. Weg L. F. W. H.s, in: EEM 109, 1965, 198-211; – Gerhard Besier, Preußische Kirchenpolitik in der Bismarckära, 1980 (= Veröff. der Histor. Kommission zu Berlin 49); – DLL VII, 1397 f.; – Hermelink II, 251. 359. 588; – ADB 50, 417-424; – NDB IX, 394; – RE VIII, 227; – RGG III, 414 f.

Ba

HOFFMEISTER, Johannes, Augustinereremit, einer der entschiedensten Gegner der Reformation, * Ende 1509 oder Anfang 1510 in dem jetzt württembergischen Oberndorf am Neckar (in der damaligen Grafschaft Zimmern), † 21.8.1547 in Günzburg (Donau). – H. kam schon in frühester Jugend in das Augustinerkloster in Colmar (Oberes Elsaß), um sich auf seinen künftigen Beruf vorzubereiten. Die Obern schickten ihn um 1526 zur weiteren Ausbildung nach Mainz. Von dort begab er sich Ende 1528 nach Freiburg (Breisgau). Nach seiner Priesterweihe kehrte H. in das Elsaß zurück und wurde 1533 Prior im Kloster in Colmar. Er übernahm keine leichte Aufgabe. Das Kloster befand sich seit langem in einem traurigen Zustand. Die Einkünfte waren gering, zumal seit dem Bauernkrieg. Das Leben der Mönche gab zu berechtigten Klagen Anlaß. Der Magistrat mischte sich in die Verwaltung des Klosters ein. Colmar war fast ganz von evangelischem Gebiet umschlossen, und die lutherische Lehre drang selbst in die Klostermauern ein. H. führte wieder eine strenge Zucht ein, wenn auch deswegen der eine oder andere Mönch ihn verließ. Die Rechte und Freiheiten seines Klosters verteidigte er hartnäckig gegen den Rat und geriet deswegen zeitweilig in schwere Konflikte mit ihm, ohne jedoch viel zu erreichen. Dem immer drohender werdenden Ansturm der lutherischen Lehre trat H. in Wort und Schrift energisch entgegen. Er war der Ansicht, daß die sorgfältige Verwaltung des Predigtamts eines der Hauptmittel zur Heilung der kirchlichen Schäden sei, und begann darum, den Einwohnern der Reichsstadt Colmar in einfacher und volksnaher Predigtweise das Buch Tobias, dann die Pastoralbriefe und das Matthäusevangelium auszulegen. 1538 veröffentlichte H. *Dialogorum libri duo* als seine erste Schrift gegen die Lutheraner und ein Jahr später eine *Widerlegung der Schmalkaldischen Artikel* Martin Luthers (s.d.). Die Religionsgespräche in Hagenau im Juni 1540, in Worms vom November 1540 bis zum Januar 1541 und in Regensburg im April und Mai 1541 veranlaßten ihn zu einer Schrift über die *Augsburgische Konfession* von 1530, die aber erst 1559 gedruckt wurde. Nach dem am 25.11.1542 erfolgten Tod des Provinzials der rheinisch-schwäbischen Augustinerprovinz Konrad Träger (s.d.) wählte man in Hagenau auf Wunsch des Verstorbenen H. zu dessen Nachfolger. H. bemühte sich als Provinzial, die trostlosen Zustände in seinem Orden zu ändern und für die noch übriggebliebenen Klöster den Schutz Karls V. (s.d.) zu erlangen. Am 18. 5.1545 wurde ihm in Worms der kaiserliche Schutzbrief ausgestellt, der ihm aber nicht viel nützte, weil, wie H. klagt, *die christliche kaiserliche Majestät kaum so viel Gewalt im Römischen Reiche habe wie irgendein Dorfschulze über seine Bauern.* Am 9.7.1546 ernannte ihn der Ordensgeneral zum Generalvikar über alle deutschen Augustinerklöster und gebot ihm, sein besonderes Augenmerk der Erziehung der Novizen zuzuwenden. — H. hat um den Bestand und die Rechte seines Ordens mannhaft gerungen, als ein entschiedener Gegner der lutherischen Reformation in seinen Predigten und polemischen Schriften einen erbitterten Kampf gegen die *Neuerer* und ihre Lehre geführt und in seinem Wissen um die Verderbnis und Reformbedürftigkeit der Kirche durch seine biblisch bestimmten Predigten und seine zahlreichen exegetischen, homiletischen und apologetischen Schriften auf eine Erneuerung des Katholizismus in Klerus und Volk stark gewirkt.

Werke: Dialogorum libri duo, quibus aliquot ecclesiae catholicae dogmata Lutheranorum et verbis et sententiis roborantur, Freiburg 1538 (Ingolstadt 1546[2]; Venedig 1554[3]); Wahrhaftige Entdeckung u. Widerlegung deren Artikeln die M. Luther auf das Concilium zu schicken u. darauff zu beharren furgenommen (Widerlegung der Schmalkald. Artikel), o. O. u. J. (Kolmar 1539); neu hrsg. v. Hans Volz, in: CCath 18, 1932, XXII ff. 116 ff.; — Canones sive claves aliquot ad interpretandum sacras Bibliorum scripturas (gg. die prot. Schr.ausl.), Mainz 1545; Verbum Dei carnem factum h. e. Jesus Christus servatorem nostrum ecclesiae suae unicum propiciatorium ac perpetuum esse sacrificium assertio (polem. Schr. über die Messe, Kard. Otto Truckseß v. Waldburg gewidmet), ebd. 1545; — Articuli conciliati inter prioris doctrinae novos ministros ab Anno domini 1519 usque ad annum praesentem, scilicet 1546 (Kritik der prot. Lehre v. 1519 bis 1546), Ingolstadt 1546; Loci communes Rerum theologicarum, quae hodie in controversia agitantur, ad regulam et consensum verae, catholicaeque Ecclesiae, e S. Patrum sententiis confecti (Apologie auf Grund einer umfangreichen Zus.stellung v. Stellen aus den Kirchenvätern, Erasmus gewidmet), ebd. 1547 u. ö.; Predigt über die Suntägl. Evv. des gantzen Jars (v. H. selbst nur die Predigten v. Advent bis Pfingsten, der Rest von der Weihbisch. Leonhard Haller in Eichstätt aus H.s lat. Predigtwerk übertr.), ebd. 1548 (zuletzt Wesel 1847); Judicium de articulis confessionis fidei anno MDXXX Caesar. M. Augustae exhibitis, quantenus scilicet a Catholicis admittendi sunt aut rejiciendi (Beurteilung der Augsburg. Konfession v. 1530), Mainz 1559 (dt. Konstanz 1597); Commentaria in Marcum et Lucam Evangelistas, 1562 u. ö., zahlr. exeget. Schrr.

Lit.: A. Höhn, Chronologia provinciae Rheno-Suevicas ordinis Fratrum Eremitarum S. Augustini, Wirceburgi 1744; — Johann Felix Ossinger, Bibliotheca Augustiniana historica, critica et chronologica, Ingolstadt u. Augsburg 1768, 445-450; — Heinrich Rocholl, Einf. in der Ref. in Kolmar, 1876; — August v. Druffel, Der Elsässer Augustinermönch J. H. u. seine Korr. mit dem Ordensgen. Hieronymus Seripando, 1878, 135 ff. (192 ff.: Bibliogr.); — Ders., Nachträgl. Bem. über den Augustiner J. H., in: ZKG 3, 1879, 485 ff.; — Eugen Waldner, Vier Briefe v. J. H., in: ZGORh 45 (NF 6), 1891, 172 ff.; — Nikolaus Paulus, Der Augustinermönch J. H. Ein Lb. aus der Ref.zeit, 1891 (dazu Gustav Kawerau, in: ThLZ 15, 1892, 97 ff.); — Ders., J. H. in prot. Beleuchtung (gg. Gustav Bossert), in: HPBl 111, 1893, 589 ff.; — Ders., Luthers Lebensende, 1898, 10 ff.; — A. Bellesheim, Eine Biogr. des Augustiners J. H., ebd. 109, 1892, 269 ff.; — Gustav Bossert, J. H., ein dt. Francesco Spiera, 1893; — Ders., Zur Frage über J. H.s Ende, in: Bll. f. württemberg. KG 9, 1894, 70 f.; — Ders., Zur Biogr. des Augustiner-Provinzials J. H., ebd. 10, 1895, 72; — Joseph Schlecht, Der Augustiner J. H., als Dichter, in: Katholik 77, 1897, II, 188 ff.; — Ders., Kilian Leibs Briefwechsel u. Diarien, 1909, 49. 53 ff. 60; — Hubert Jedin, Girolamo Seripando. Sein Leben u. Denken im Geisteskamp des 16. Jhs.s I: Werdezeit u. erster Schaffenstag. II: Vollendung, 1937, I, 216-220; II, 667; — Ders., Gesch. des Konzils v. Trient I, 1951; II, 1957; — Adolar Zumkeller, Die Lehrer des geistl. Lebens unter den dt. Augustinern in: S. Augustinus vitae spiritualis Magister II, 1959, 333-335; — Ders., Mss. v. Werken der Autoren des Augustiner-Eremiten-Ordens, 1966, 243 f.; — Ders., Urkk. u. Regg. z. Gesch. der Augustinerklöster Würzburg u. Männerstadt I, 1966, 395-398; — A. F. Vermeulen, Der Augustiner Konrad Treger, in: AnAug 24, 1961; 25, 1962; — Schottenloher I, Nr. 8488-8501a; V, Nr. 46849 f.; — ADB XII, 617; — NDB IX, 441; — Dictionnaire de Biographie des hommes célebres de l'Alsace I, 1909, 792-793; — Kosch, KD 1676 f.; — Kosch, LL II, 1030; — DLL VII, 1409 f.; — HN II, 1437-1440; — Wetzer-Welte VI, 146-148; — DThC VII, 10; — EC VI, 1455; — LThK V, 415 f.; — RE VIII, 229; — RGG III, 415.

Ba

HOFHAIMER, Paul, Organist und Komponist, * 25.1.1459 in Radstadt (Tauern) als Sohn eines Salzmagazinverwalters und Organisten, + um 1537 in Salzburg. — H. lernte das Orgelspielen bei seinem Vater und erhielt daneben noch Orgelunterricht von dem Salzburger Hoforganisten Jacob von Graz. 1478/79 diente er am Hofe Friederichs III. in Graz. Ein Jahr später berief ihn Erzherzog Sigismund von Tirol nach Innsbruck als Kammerorganisten. Sein Ruhm wuchs schnell. 1489 erhielt er von Beatrice von Neapel das Angebot, die Nachfolge des Hoforganisten Danielle anzutreten. Er lehnte aber ab, da ihn Maximilian I., der die Nachfolge von Erzherzog Sigismund angetreten hatte, übernahm. Von nun an folgte er dem Kaiser auf seinen Reisen, der ihm stets ein Gönner war. Dies war eine Zeit, von der H. später einmal sagte, daß er "wie ein Zigeuner habe durchs Land ziehen müssen". 1509 übersiedelte er nach Augsburg, nachdem er vorher zeitweilig zusammen mit Isaac und Schlick am Hofe Friedrichs des Weisen in Torgau tätig war. In Augsburg veröffentlichte er auch zahlreiche Kompositionen. Nach dem Tode Maximilians I. ließ H. sich 1521 in Salzburg nieder. Hier vertonte er noch die Horazoden, über denen er 1537 starb. — H. war einer der bekanntesten Organisten seiner Zeit. Als Komponist spezialisierte er sich auf die Komposition mehrstimmiger deutscher Lieder, wobei er mit einer Ausnahme keine Volkslieder sondern Hofweisen bearbeitete. Sein umfassendes Talent stellte er daneben noch als Orgenkonstrukteur und -bauer unter Beweis.

Wi

Werke: 91 Tonsätze P. H.s u. seines Kreises. Hrsg. v. Hans Joachim Moser, Stuttgart 1929 (Nachdr. Hildesheim 1966).

Lit.: Hans Joachim Moser, Paul H. Ein Lied- u. Orgelmeist. des dt. Humanismus. 2. erg. u. verb. Aufl. Mit 24 Abb., zahlr. Notenbeispielen u. als Anh. H.s ges. Tonwerke (Nachdr. der Ausg. Stuttgart 1929), Hildesheim 1966; — Ders., u. Fritz Heitmann, in: Frühmeister dt. Orgelkunst I, Leipzig 1930 (Neudr. Wiesbaden 1954); — Ders., H.iana, in: ZfMw 15, 1932/33, 127-138; — Ders., in: Musikerziehung 12, 1958/59, 199 ff.; — Gotthold Protscher, Gesch. des Orgelspiels u. der Orgelkomposition I, 1935; — Walter Senn, Musik u. Theater am Hof zu Innsbruck. Gesch. der Hofkapelle v. 15. Jh. bis zu deren Auflösung im J. 1748, Innsbruck 1954; — O. Wessely, Neue H.iana, in: Anzeiger der phil.-hist. Kl. der Österr. Akad. der Wiss.en 120, 1955, Nr. 16; — Renate Federhofer-König, Neue Funde zu P. H., in: KmJb 1958; — H. Klein, Das H.haus in Radstatt, in: Mitt. der Ges. f. Salzburger Landeskunde 99, 1959; — Lothar Hoffmann-Erbrecht, P. H. in Salzburg, in: Festschr. Heinrich Besseler, 1961; — Willi Apel, Gesch. der Orgel- u. Klaviermusik bis 1700, 1967; — Karl Wagner, H. und Salzburg, in: Österr. Musikzs. 25, 1970, 398-399; — Cesar Bresgen, P. H. 1459-1537. Adel durch Musik, in: In Salzburg geboren. Lbb. aus 7 Jhh. Hrsg. v. August Stocklausner, Salzburg 1972, 13-17; — Othmar Costa, P. H. - Heinrich Isaac-Ludwig Senfl, in: Tausend Jahre Österreich. Eine biogr. Chronik, hrsg. v. Walter Pollak, I, 1973, 175-177; — Günther Jontes, P. H. als Orgelbauer in Eisenerz 1513. Ein Bttr. z. steirischen Musikgesch. der frühen Renaissance, in: Bll. f. Heimatkunde 54, 2 (Graz 1980), 43-48; — MGG VI, 551-557; — Riemann I, 811 f.; ErgBd. I, 540 f.; — Eitner V-VI, 169-172 (unter Hoffheimer); — Grove IV, 316 f.; — The New Oxford History of Music III (1960), 287 f., 433-437; — ADB XII, 569-571 (unter Hoffheymer); — NDB IX, 442 f.

Ba

HOFMANN, Georg, Jesuit und Kirchenhistoriker, * 1.11.1885 in Friesen (Bamberg), + 9.8.1956 in Rom. —

H. studierte in Rom und erhielt am 28.10.1912 die Priesterweihe. Er war Professor für orientalische Kirchengeschichte und griechisch-lateinisches Schriftwesen am päpstlich-byzantinischen Institut in Rom. Außerdem war er Verfasser mehrerer Aufsätze in der Zeitschrift »Orientalia Christiana« und Herausgeber der Zeitschrift »Concilium Florentium«.

Werke: Der hl. Josaphat, 1923; Ruthenica, 1925; Athos e Roma 1925; Rom u. Athosklöster, 1926; Il Beato Bellarmino e gli Orientali, 1927; Sinai u. Rom, 1927; Patmos u. Rom, 1928; Samuel Kapasoules, Patriarch v. Alexandrien u. Papst Klemens XI., 1928; Erstes Gutachten d. Lateiner über das Fegefeuer, 1929; Zweites Gutachten d. Lat. über d. Fegefeuer, 1930; Patriarch Athanasios Patellasos, 1930; Patriarch Kyrrillos Kontaris von Berröa, 1930; Denkschr. d. Card. Cefarini über das Symbolum, 1931; Photius et Eccl. Romana, Dok. collegit et notis ill, 1932; G. H., Vescovadi cattolici della Grecia, 1934; Il vicarialo Apostolico di Constantinopoli 1453-1830; 1935; Epistolae pontificae ad Conc. Flor. spectantes, 1940; Acta camerae apostolocae e civitatum venetiarum Ferrariae, Florentiae, Ianuae de Conc. Flor., 1950; Fragmenta protocolli diaria privata, sermones, 1951; Rom u. d. Athos, Briefwechsel mit Missionaren, 1954; St. Andreas de Sancta Cruce, Acta Latina, 1955. Gab heraus: Concilium Florentinum, 1940-46; Predigten d. Johannes Temler, 1961; Orientalim documenta minora, mit Th. O.' Shangenessy u. Ioanne Simon, 1953; Orientalia Christiana periodica, 1935 ff.

Lit.: OrChr P 21, 1955, 7-14; – Ebd., 22, 1956, 389-392; – LTK V, 426; – Catholicisme V, 819 f.

Ba

HOFMANN, Johann Christian Konrad von (seit 1857), ev. Theologe, * 21.12.1810 in Nürnberg als Sohn eines Dosenmachers, aus Bauern- und Gärtnerfamilie, + 20.12.1877 in Erlangen. – H. besuchte das Gymnasium seiner Vaterstadt und bezog im Herbst 1827 die Universität Erlangen. Christian Krafft (s.d.) und Karl von Raumer (s.d.) übten starken Einfluß auf ihn aus. Er setzte 1829 sein Studium der Geschichte und Theologie in Berlin fort, wo ihn vor allem Leopold von Ranke fesselte. H. war 1832 - 40 Gymnasiallehrer in Erlangen, wo er 1835 Repetent bei der Theologischen Fakultät, 1838 Privatdozent und 1841 ao. Professor wurde. 1842 folgte H. dem Ruf nach Rostock als o. Professor für Altes und Neues Testament und kehrte 1845 nach Erlangen zurück als o. Professor für neutestamentliche Exegese, Ethik und Enzyklopädie. Er war 1863 - 69 auch politisch tätig als Mitglied der "Bayrischen Fortschrittspartei" und als Landtagsabgeordneter für Erlangen und Fürth. – H. ist der Hauptvertreter der Erlanger Schule. Er stellt dem alten Rationalismus die Heilige Schrift entgegen, nicht als Lehrbuch, sondern als Niederschlag einer Heilsgeschichte Gottes mit den Menschen. Das Alte Testament ist in seiner Geschichte weissagend auf Christus hin, der es erfüllt; Christus ist weissagend in seiner Geschichte auch die einstige Vollendung seiner Gemeinde.

Werke: Gesch. des Aufruhrs in den Cevennen unter Ludwig XIV., 1837; Lehrb. d. Weltgesch. f. Gymnasien, 1839, 1842²; – Weissagung u. Erfüllung im A u. NT, I, 1841; II, 1844; Der Schr.beweis, 3 Bde., 1852-56 (1857-60²); Schutzschrr. f. eine neue Weise, alte Wahrheit zu lehren, 4 Hh., 1856-59; Die HS NT zus.hängend unters., I-VIII, 1862-78; IX-XI, hrgs. v. Wilhelm Volck; Theol. Ethik, 1878; Zus.fassende Unters. der einzelnen nt. Schrr., 1881; Die bibl. Gesch. des NT, 1883; Bibl. Theol. des NT, 1886; Vermischte Aufss., hrsg. v. Heinrich Schmid, 1878; Enz. der Theol., hrsg. v. Hugo Johannes Bestmann, 1879; Bibl. Hermeneutik, hrsg. v. Wilhelm Volck, 1880; Theol. Briefe, hrsg. v. dems., 1891.

Lit.: Wilhelm Volck, Zur Erinnerung an J. C. K. v. H., 1878; – Rudolf Grau, Vilmar u. H. Erinnerungen, 1879; – Maximilian Albert Landerer, Neueste DG, 1881, 235 ff.; – Christoph Ernst Luthard, Erinnerungen

aus vergangenen Tagen, 1891², 76 ff.; – Johannes Haußleiter, Grundlinien der Theol. J. C. K. v. H.s in seiner eigenen Darst.; 1910; – Philipp Bachmann, J. C. K. v. H.s Versöhnungslehre u. der über sie geführte Streit. Ein Btr. z. Gesch. der neueren Theol., 1910; – Bernhard Steffen, H.s u. Ritschls Lehren über die Heilsbedeutung des Todes Jesu, 1910; – Johannes Kunze, Frank u. H., 1910; – Theodor v. Zahn, J. C. K. v. H. Rede z. Feier seines Geb., 1910 (= Altes u. Neues in Vortrr. u. kleinen Aufss. f. weitere Kreise. 1. Smlg., 1927, 190 ff.); – Paul Wapler, J. v. H. Ein Btr. z. Gesch. der theol. Grundprobleme, der kirchl. u. polit. Bewegung im 19. Jh., 1914; – Hermann Jordan, in: Btrr. z. Bayer. KG 29, 1922, 129 ff. (Bibliogr.); – Joachim Wach, Das Verstehen. Grundzüge einer Gesch. der hermeneut. Theorie im 19. Jh. II: Die theol. Hermeneutik v. Schleiermacher bis H. (Diss. Heidelberg, 1930), 1929, 357 ff.; – Ders., Die Gesch.philos. des 19. Jh.s u. die Theol. der Gesch., in HZ 142, 1930, 1 ff.; – Gustav Weth, Die Heilsgesch. Ihr universeller u. ihr individueller Sinn in der offenbarungsgeschichtl. Theol. des 19. Jh.s, 1931; – Martin Schellbach, Theol. u. Philos. bei v. H. (Diss. Halle), 1935; – Günther Flechsenhaar, Das Gesch.problem in der Theol. J. v. H.s (Diss. Gießen), 1935; – Otto Wolff, Die Haupttypen der neueren Lutherdeutung, 1938, 9-62; – Christian Preuß, The contemporary relevance of v. H.s hermeneutical principles, in: Interpretation 4, Richmond/Virginia 1950, 311 ff.; – Holsten Fagerberg, Bekenntnis, Kirche u. Amt in der dt. konfessionellen Theol. des 19. Jh.s, Uppsala 1952; – Max Geiger, Gesch.mächte oder Ev.? Zum Problem theol. Gesch.schreibung u. ihrer Methode, eine Unters. zu Emanuel Hirschs »Gesch. der neueren ev. Theol.«, in: ThST (B) 37, 1953, 90 ff.; – Ernst-Wilhelm Wendebourg, Die heilsgeschichtl. Theol. J. C. K. v. H.s krit. unters. als Btr. z. Klärung des Problems der »Heilsgesch.« (Diss. Göttingen), 1953; – Die heilsgeschichtl. Theol. J. C. K. v. H.s in ihrem Verhältnis z. romant. Weltanschauung, in: ZThK 52, 1955, 64-103; – Georg Merz, Das bayr. Luthertum, 1955; – Max Keller-Hüschemeyer, Das Problem der Gewißheit bei J. C. K. v. H. im Rahmen der »Erlanger Schule«, in: Gedenkschr. f. D. Werner Elert. Btrr. z. hist. u. system. Theol., hrsg. v. Friedrich Hübner in Verb. mit Wilhelm Maurer u. Ernst Kinder, 1955, 288-295; – Christoph Senft, Wahrhaftigkeit u. Wahrheit. Die Theol. des 19. Jh.s zw. Orthodoxie u. Aufklärung, 1956, 87 ff.; – Eberhard Hübner, Schr. u. Theol. Eine Unters. z. Theol. J. C. K. v. H.s (Diss. Basel), München 1956; – Robert Charles Schultz, Gesetz u. Ev., 1958, 110 ff.; – Friedrich Konrath, Exegese u. Inspiration bei J. C. K. v. H. (Diss. Leipzig), 1958; – Wilhelm Müller, Die Idee der heilschaffenden Gerechtigkeit in der prot. Theol. v. Martin Luther bis zu J. C. K. v. H. (Diss. Marburg), 1958; – Karl Gerhard Steck, Die Idee der Heilsgesch. H., Schlatter, Cullmann, Zürich 1959; – Matthias Simon, J. v. H., in: Ll. aus Franken VI, 1960, 179 ff.; – Friedrich Wilhelm Kantzenbach, Die Erlanger Theol. Grundlinien zu ihrer Entwicklung im Rahmen der Gesch. der Theol. Fak. 1743-1877, 1960, 179 ff.; – Ders., J. v. H. u. der polit. Liberalismus, in: Luth. Mhh. 4, 1965, 587-593; – Ders., Gestalten u. Typen des Neuluthertums, 1968, 243 ff.; – Ders., Theodor Zahns wiss. Anfänge im Spiegel v. Briefen Johannes v. H., in: Jb. f. fränk. Landesforsch. 31, 1971, 229-237; – Walter v. Loewenich, Zur neueren Beurteilung der Theol. H.s, in: ZBKG 32, 1963, 315-331; – A. Baumann, in: Darst. u. Qu. z. Gesch. der dt. Einheitsbewegung im 19. u. 20. Jh. Hrsg. v. Kurt Stephenson, Alexander Scharff u. Wolfgang Klötzer, VI, 1965, 65-72 (mit Bibliogr.); – Wolfgang König, Universitätsreform in Bayern in den Revolutionsjahren 1848/49, 1977, 233; – Siegfried Wagner, Franz Delitzsch, Leben und Werk, 1978; – Otto W. Heick, In memory of K. v. H., 1810-1877, in: Consensus a Canadian Lutheran Journal of Theology 6, 1980; – Barth, PrTh² 553 f.; – ADB XII, 631 f.; – NDB IX, 454 f.; – RE VIII, 234 ff.; XIII, 653; – EKL II, 181 f.; – RGG III, 420 ff.; – LThK V, 426; – DLL VII, 1419.

Ba

HOFMANN, Melchior, Täufer, * Ende des 15. Jahrhunderts in Schwäbisch Hall, + 1543 in Straßburg. – H. betrieb in Waldshut das Kürschnerhandwerk. Schon früh vertiefte er sich in die Schriften der Mystiker, besonders in die »Deutsche Theologie«. 1523 kam H. nach Livland. Dort hatte das Luthertum bereits Eingang gefunden. Da es an tüchtigen evangelischen Predigern fehlte, trat er in diese Lücke. H. wirkte als Prediger zuerst in Wolmar, konnte sich aber nur kurze Zeit halten. Er hat » viel Verfolgung erlitten « und wurde auch ins Gefängnis geworfen und schließlich des Landes verwiesen. H. zog nach Dorpat und entfaltete dort eine rege Tätigkeit. Sein Eifern gegen die Heiligenbilder führte am 10.1.1525 zu einem Bildersturm. Seiner Verhaftung durch den bischöflichen Vogt widersetzte sich das Volk. Nach kurzem Aufenthalt in Riga reiste H. nach Wittenberg, um Martin Luthers (s.d.) Bestätigung seines Predigerberufs einzuholen. Mit einem Empfehlungsschreiben Luthers versehen, kehrte er im Spätsommer 1525 nach Dorpat zurück, konnte sich aber trotzdem dort nicht lange halten. Im Herbst 1525 begab sich H. nach Reval. Dort war die Reformation bereits eingeführt, und die Predigerstellen waren besetzt. Die lutherischen Prediger bezichtigten ihn der Ketzerei, weil er neben dem Glauben die Notwendigkeit der Heiligung des Lebens betonte. Auch wich seine Auffassung vom Abendmahl von der lutherischen Lehre ab. H. wurde vertrieben und zog nach Schweden. Die deutsche Gemeinde in Stockholm übertrug ihm das Predigeramt. Anfang 1526 übernahm er es und verheiratete sich. Während seiner Wirksamkeit in Stockholm veröffentlichte H. drei Schriften, die sich auf die Wiederkunft Christi beziehen. König Gustav I. Wasa (1496 - 1560) fürchtete, das stürmische Wesen des jungen Predigers möchte seiner Regierung Ungelegenheiten bereiten, und legte ihm darum in einem Brief vom 13.1.1527 nahe, seine Predigttätigkeit einzustellen. Von Schweden aus wandte sich H. wiederum nach Deutschland. Vorübergehend weilte er in Lübeck und entzog sich durch die Flucht der Verhaftung. So kam H. mit seiner Frau und Kind in das holsteinische Gebiet, das damals dänisch war. Im Mai 1527 begab er sich zum zweitenmal nach Wittenberg und besuchte auf der Hinreise Nikolaus von Amsdorf (s.d.) in Magdeburg. Amsdorf hatte bei Luther angefragt, wie er den » Propheten « empfangen solle, und den Rat erhalten, ihm die Tür zu weisen und ihm zu sagen, er solle wieder zu seinem Kürschnerhandwerk zurückkehren. Amsdorf befolgte Luthers Rat. Auch in Wittenberg wurde H. abgewiesen. Auf der Rückreise warf man ihn in Magdeburg ins Gefängnis und beraubte ihn seiner Habseligkeiten. Aus der Haft entlassen, zog er über Hamburg nach Holstein. König Friedrich I. von Dänemark wies ihm Kiel als Wohnsitz an mit der Erlaubnis zur Predigt in ganz Schleswig-Holstein. Wegen seiner apokalyptisch-enthusiastischen Predigt konnte sich H. nicht lange halten. Er geriet mit von Amsdorf in erbitterten literarischen Streit, und im Land selbst trat ihm dessen Schüler Marquard Schuldorp entgegen. Zur Beilegung des Streites, bei dem es hauptsächlich um die Abendmahlslehre ging, berief der König eine Disputation ein, die am 8.4.1529 in der Kirche des Barfüßerklosters stattfand. 400 Personen waren zugegen, darunter der Adel und die Geistlichkeit des Landes. Die lutherische Partei hatte als ihren Führer Johann Bugenhagen (s.d.) herbeigerufen. Den Vorsitz bei der Disputation führte der Kronprinz, Herzog Christian von Holstein. H. leugnete die leibliche Realpräsenz Christi im Abendmahl, gestand aber einen geistigen Genuß im Glauben zu. Am folgenden Tag wurde unter dem Vorsitz des Königs das Urteil gefällt. Es lautete auf Verbannung aus dem Reich. Innerhalb dreier Tage mußten H. und seine Gesinnungsgenossen das Land verlassen. H. wandte sich nach Ostfriesland, dann nach Straßburg, wo er Ende Juni 1529 als Vorkämpfer für die Abendmahls-

lehre Zwinglis (s.d.) mit offenen Armen aufgenommen wurde. H. entfaltete eine rege schriftstellerische Tätigkeit. Die Freundschaft mit den Straßburger Predigern dauerte nicht lange, da sie H.s Anschauungen bezüglich der Wiederkunft Christi nicht zustimmen konnten. Inzwischen war H. mit den Täufern in Berührung gekommen, aber dem Täufertum noch nicht beigetreten, als er im April 1530 in einer Eingabe an den Rat die Überlassung einer Kirche für die Täufer verlangte. H. forderte nicht nur Duldung für das Täufertum, sondern volle Gleichberechtigung mit der Staatskirche. Wegen dieses Gesuchs und der in seiner Auslegung der Offenbarung des Johannes enthaltenen Majestätsbeleidigung erließ der Rat den Haftbefehl gegen H., dem er aber am 23.4.1530 sich durch die Flucht entzog. H. begab sich nach Ostfriesland. Als Luther davon hörte, warnte er in schärfster Weise vor ihm. H. trat im Juni 1530 in Emden als Prediger auf und verschaffte sich durch seine hinreißende Beredsamkeit einen großen Anhang. Wahrscheinlich wurde er von Melchior Rinck (s.d.) getauft, der vor ihm in Emden wirkte. Im August 1530 taufte H. in Emden 300 Personen. Man kann ihn als Gründer der Täufergemeinde in Emden bezeichnen. Nun schritt die Obrigkeit ein und zwang ihn, die Stadt zu verlassen. H. wandte sich abermals nach Straßburg, hielt sich aber dort nur ganz verborgen auf und zog noch im Jahr 1530 nach Holland, wo er ein ganzes Jahr für das Täuferwerk warb. H. hat die Täuferbewegung nach Holland verpflanzt und ihr dort Eingang und Duldung verschafft. Als die Obrigkeit in Amsterdam einen Haftbefehl gegen ihn erließ, konnte er sein Leben nur durch die Flucht retten. Im Dezember 1531 traf H. zum drittenmal in Straßburg ein, mußte aber wegen eines neuen Haftbefehls gegen ihn die Stadt wieder verlassen. Als apostolischer Herold und Prophet durchzog er Ostfriesland und Holland und verkündigte das Hereinbrechen des Königreichs Christi, rief aber seine Anhänger nicht dazu auf, es mit Gewalt herbeizuführen. Im Frühjahr 1533 kehrte H. nach Straßburg zurück und wurde im Mai gefangengesetzt. Er lebte in der Überzeugung, diese Stadt werde das neue Jerusalem und die Hochzeitsstätte des Lammes sein. Da alle Versuche ihn zu bekehren vergeblich waren, blieb er 10 Jahre, bis an sein Lebensende, im Kerker. — H. hat das durch Verfolgungen ermattete Täufertum neu belebt durch seine eschatologische Erwartung des himmlisch-irdischen Jerusalem in Straßburg. Die Erwartung des nahen jüngsten Tages beherrschte völlig seine Gedankenwelt und Verkündigung. Er ist der geistige Vater des Täuferreichs in Münster; der Bäcker Jan Matthys (s.d.) aus Haarlem gehörte zu den Anhängern H.s. In seiner dem König von Dänemark gewidmeten Auslegung der Offenbarung des Johannes entwickelte H. seine Eschatologie. Er gliedert die Kirchengeschichte in drei Zeitalter: das 1. von der Zeit der Apostel bis zur Herrschaft des Papstes, das 2. die Zeit der unumschränkten Macht der Päpste, das 3. das durch Johann Hus (s.d.) vorbereitete und mit der Reformation angebrochene Zeitalter. Es kostet noch einen gewaltigen Kampf zwischen Buchstaben und Geist, Papisten und Spiritualisten, ehe Christus zum Endgericht und zur Umgestaltung von Himmel und Erde erscheint. Luther, der der »Apostel des Anfangs« war, ist zum Judas geworden, der die Gläubigen verfolgt. In der Christologie vertrat H. die Anschauung, daß Christus nicht aus der Jungfrau Maria Fleisch angenommen habe, da er sonst aus dem sündigen Samen Adams stammen würde, sondern daß das ewige Wort Gottes selbst in dem Leib der Maria durch einen besonderen göttlichen Schöpfungsakt Fleisch geworden sei. Durch Predigten und zahlreiche Schriften verbreitete H. seine Gedanken. Durch die Katastrophe von Münster und die Enttäuschungen darüber, daß H.s eschatologische Zeitangaben und Prophezeiungen sich nicht erfüllten, nahm die Schar seiner Anhänger, der Melchioriten, beträchtlich ab. Sie ging allmählich in anderen täuferischen Gruppen auf oder kehrte zur Kirche zurück. H.s Christologie wirkt deutlich bei Menno Simons (s.d.) nach.

Werke: Formaninghe, 1526; Ausl. des 12. c. Dan, 1526; Ausl. des Ev. v. 2. Advent, 1526; Das Niclas Amsdorff der Magdeburger Pastor ein lugenhaftiger falscher nasengeist sey, öff. bewiesen durch M. H., 1528 (Faks.-Nachdr., hrsg. v. Gerhard Ficker, 1926); Dialogus, 1529 (Darst. des Flensburger Rel.gesprächs); Ausl. der Offb. Joh., 1530; Ordonnantie Gottes, 1530; Ausl. des Röm.briefs, 1533.

Lit.: Handlung, in dem öff. Gespräch zu Straßburg jüngst im Synodo gehalten, gg. M. H. durch die Pr. daselbst v. vier vornehmen Stücken christl. Lehre u. Haltung, Straßburg 1533; – Barthold Nicolaus Krohn, Gesch. der Fanat. u. Enthusiast. Wiedertäufer vornehml. in Norddtld. M. H. u. die Secte der Hofmannianer, Leipzig 1758; – Carl Adolf Cornelius, Gesch. des Münster. Aufruhrs. II: Die Wiedertaufe, 1860, 75 ff. 282 ff.; – W. J. Leendertz, M. H., Haarlem 1883; – Friedrich Otto zur Linden, M. H., ein Prophet der Wiedertäufer, ebd. 1885; – Fr. Amelung, M. H. in Livland u. die Einf. der Ref. in den Landkirchspielen Dorpat u. Müggen im J. 1525, in: SB der gelehrten esthn. Ges. 1901/02, 196 ff.; – G. Faust, Einige Bem. zu M. H.s Dialogos, in: Schrr. des Ver. f. schleswigholsteinische KG II/3, 1903/05, 96 ff.; – E. B. Bax, Rise and Fall of the Anabaptists, London 1903, 95 ff.; – Abr. Hulshof, Geschiedenis van de Doopsgezinden te Straatsburg van 1525 tot 1527, Amsterdam 1905, 106 ff.; – Samuel Cramer, Die Ordonnantie Godts. Door M. H., in: Bibliotheca Reformatoria Neerlandica V, 1909, 125 ff.; – Ders., M. H. Verclaringe van den geuangenen ende vrien wil, ebd. 171 ff.; – Ders., Handelinge van de disputacie in Synodo te Straesburch teghen M. H. door de predicanten derseluer stadt. Anno 1533, ebd. 199 ff.; – E. Kübler, M. H., in: Doopsgezinde Bijdragen, Amsterdam 1919, 124 ff.; – L. Knappert, Het ontstaan en de vestiging van het Protestantisme in de Nederlanden, 1924, 180 ff.; – W. J. Kühler, Geschiedenis van de Nederlandse Doopsgezinden in de zestiende Eeuw I, Haarlem 1932, 52 ff.; – Ernst Feddersen, KG Schleswig-Holsteins II, 1938, 47 ff.; – F. Wendel, L'eglise de Strasbourg. La constitution et son organisation 1532-35, Paris 1942; – S. H. Smith, The Story of the Mennonites, 1950; – Hans-Joachim Schoeps, Vom himml. Fleisch Christi. Eine dogmengeschichtl. Unters., 1951, 37 ff.; – Wilhelm Wiswedel, Bilder u. Führergestalten aus dem Täufertum III, 1952, 60 ff.; – F. H. Littell, The Anabaptist View of the Church, 1952; – Stephan Hirzel, Heimliche Kirche. Ketzerchron. aus den Tagen der Ref.; 1952; – Peter Kawerau, M. H. als rel. Denker (mit fast vollst. Werke-Verz.), Haarlem 1954; – Ders., Zwei unbek. Wiedertäuferdrucke, in: ZKG 69, 1958, 121 ff.; – Qu. z. Gesch. der Täufer, bearb. v. Manfred Krebs u. Hans-Georg Rott, VII: Elsaß I, 1959; VIII: Elsaß II, 1960, 508 f.; – E. Kohls, Ein Sendbrief M. H.s aus dem J. 1534, in: ThZ 17, 1961, 356 ff.; – M. Schwarz-Lausten, M. H. og de lutherske praedikanten i Sleswig-Holsten 1527-29, in: Kirkehistoriske Samlinger 7. R. 5, Kopenhagen 1963/64; – W. Keeney, Concept of Restitution in the Anabaptism of Northwestern Europe, in: Mennonite Quarterly Rv. 44, Goshen/Indiana 1970, 141 ff.; – G. Wunder, Über die Verwandtschaft des Wiedertäufers M. H., in: Der Haalquell. Bll. f. Heimatkunde des Haller Landes 23, 1971, 21 ff.; – James M. Stayer, M. H. and the Sword, in: Mennonite Quarterly Rv. 45, Goshen/Indiana 1971, 265 ff.; – Ders., Reflections and Retractions on »Anabaptists and the Sword«, in: ebd, 51, 1977, 196 ff.; – Klaus Deppermann, M. H.s letzte Schrr. aus dem J. 1534, in: ARG 63, 1972, 72 ff.; – Ders., M. H.s Weg v. Luther z. den Täufern, in: Umstrittenes Täufertum, 1525-1975. Neue Forsch., hrsg. v. Hans-Jürgen Goertz, 1975, 173 ff.; – Ders., W. O. Packull u. J. M. Stayer, From Monogenesis to Polygenesis: The Historical Discussion of Anabaptist Origins, in: Mennonite Quarterly Rv. 49, Goshen/Indiana 1975, 83 ff.; – Ders., M. H. and Strasbourg Anabaptism, in: The Origins and Characteristics of Anabaptism, ed. Marc Lienhard, The Hague 1977, 216 ff.; – Ders., M. H. à Strasbourg, in: Straßbourg au coeur religieux du XVIe siècle, hommage a Lucien Febvre: actes du colloque internat. de Straßbourg (25. - 29.5.1975), réunis et

pres. par George Livet, Francis Rapp, textes revus par Jean Rott, Straßbourg 1977, 501 ff.; – Ders., M. H. Soz. Unruhen u. apokalyptische Visionen im Zeitalter der Ref., Göttingen 1979 (mit Werke-Verz. u. ausführlicher Bibliogr.); – M. A. Noll, Luther Defends M. H., in: Sixteenth Century Journal 4, St. Louis/ Miss. 1973, 47 ff.; – Günther List, Chiliastische Utopie u. radikale Ref.: Die Erneuerung der Idee v. tausendj. Reich im 16. Jh., München 1973, 187 ff.; – Richard van Duelmen, Ref. als Rev.: soz. Bewegung u. rel. Radikalismus in der dt. Ref., München 1977, 236 ff.; – C. A. Pater, M. H.s Explication of the Song of Songs, in: ARG 68, 1977, 173 ff.; – C. Koenig, Fermentation des exprits et visions de fin du monde à Straßbourg vers 1533. Un texte sur M. H., in: Grandes figures de l'humanisme alsacien: courants, milieux, destins. Introd. par Francis Rapp, conclusion par Georges Livet, Straßbourg 1978, 123 ff.; – I. B. Horst u. D. Visser, Een tractaat van M. H. iut 1531, in: Doopsgezinde Bijdragen, Niewe Reeks 4, Amsterdam 1978, 66 ff.; – Hans-Jürgen Goertz (Hrsg.), Radikale Reformatoren: 21 biographische Skizzen v. Thomas Müntzer bis Paracelsus, München 1978; – J. A. Oosterbaan, Een doperse christologie, in: NedThT 35, 1981, 32 ff.; – Schottenloher I, Nr. 8517-8530; V, Nr. 46859; – ADB XII, 636 f.; – NDB IX, 389 f.; – RE VIII, 222; – EKL II, 192; – RGG III, 422 f.; – LThK V, 426; – MennLex II, 326 ff.; – MennEnc II, 778 ff.

Ba

HOFMANNSTHAL, Hugo v., österreichischer Dichter, * 1.2.1874 als einziges Kind des Bankdirektors Dr. jur. Hugo v. H. in Wien, + 15.7.1929 in Rodaun bei Wien. – Von 1884 bis 1892 besuchte H. das Akademische Gymnasium in Wien. Schon während seiner Schulzeit hatte er Kontakt zu zahlreichen Dichtern (Schnitzler, George) und veröffentlichte auch einige Gedichte. Sein dramatischer Erstling »Gestern« (1891) fand große Beachtung. 1892 nahm er ein Jurastudium auf und schloß dieses 1894 mit dem 1. Staatsexamen ab. Während jener Zeit prägte ihn eine Freundschaft mit Stefan George. Vom Herbst 1894 an verbrachte er ein Freiwilligenjahr beim k. u. k. Dragonerregiment Göding. Anschließend begann H. ein Studium der romanischen Philologie, das er 1899 mit einer Dissertation »Über den Sprachgebrauch bei den Dichtern der Plejade« abschließt. Im Mai 1901 reichte er seine Habilitationsschrift zur Erlangung der venia legendi an der Universität ein. Sechs Monate später zog er sie jedoch wieder zurück, um, wie er sagte, keine Doppelexistenz führen zu müssen. Im selben Jahr heiratete er Gertrud Schlesinger und siedelte nach Rodaun bei Wien über. Hier begann für H. eine ganz neue Schaffensperiode, und hier blieb er auch bis zu seinem Tode wohnen. In Auseinandersetzung mit der griechischen Tragödie entstanden die Dramen »Elektra« (1903), »Ödipus« und »Die Sphinx« (1906). Max Reinhardt und Richard Strauß waren seine künstlerischen Begleiter. In der Zeit bis zum 1. Weltkrieg erschienen neben einigen Lustspielen und anderen Werken noch »Jedermann« (1906) und »Der Rosenkavalier« (1910) mit der Musik von Richard Strauß. 1914 wurde H. als Landsturmoffizier nach Pisino in Istrien einberufen. Während der Kriegszeit entstanden einige Tanzspiele. Nach Kriegsende litt H. unter großer materieller Not, die ihn aber nicht vor emsiger Arbeit abhielt. Sein einziges Gegenwartsstück, das Lustspiel »Der Schwierige« entstand in dieser Zeit. Von 1922-1927 gab er die Zeitschrift "Neue Deutsche Beiträge" heraus. 1925 erschien die erste Fassung des Trauerspiels »Der Turm«. Im selben Jahr widmet sich H. auch der Verfilmung des »Rosenkavaliers«, zu dem er das Drehbuch geschrieben hatte, und der im Januar 1926 der

Öffentlichkeit vorgestellt wurde. 1928 kam »Der Turm« in seiner zweiten Fassung in München zur Uraufführung, ebenso »Die ägyptische Helena« in Dresden. H. starb am 15.7.1929 am Begräbnistag seines Sohnes, der Selbstmord verübt hatte, an einem Schlaganfall. – H. war ein Dichter seiner Zeit, der sich vom Lyriker zum Dramatiker entwickelt hat. Er ist schlecht einer Epoche zuzuordnen und steht zwischen Naturalismus und Expressionismus.

Werke: Theater in Versen, 1899; Der Turm, ein Trauerspiel in 5 Aufzügen, 1925 (Neue veränderte Fassung 1927), Neudr. der ersten Fassung mit einem Nachwort v. Gerhard Meyer-Sichting, 1952; Die Berührung der Sphären, 1931; Das Bergwerk zu Falun, ein Trauerspiel, 1933 (Neuausg. 1955); Briefwechsel zw. George u. H., hrsg. v. Robert Boehringer, 2. erg. Aufl. 1953; H. v. H. – Eberhard v. Bodenhausen, Briefe der Freundschaft, hrsg. v. Dora v. Bodenhausen, 1953; H. v. H. – Rudolf Borchardt, Briefwechsel, hrsg. v. Marie Luise Borchardt u. Herbert Steiner, 1954; H. v. H. – Carl J. Burckhardt, Briefwechsel, hrsg. v. Carl J. Burckhardt, 1958; H. v. H. – Arthur Schnitzler, Briefwechsel, hrsg. Therese Nickel u. Heinrich Schnitzler, 1964; H. v. H. – Helene v. Nostitz, 1965; H. v. H. – Edgar Karg v. Bebenburg, Briefwechsel, hrsg. v. Mary E. Gilbert, 1966; H. v. H. – Joseph Redlich, Briefwechsel, hrsg. v. Helga Fussgänger, H. v. H. – Richard Beer-Hofmann, Briefwechsel, hrsg. v. Eugene Weber, 1972; H. v. H. – Ottonie Gräfin Degenfeld, Briefwechsel, hrsg. v. Marie Therese Miller Degenfeld unter Mitwirkung v. Eugene Weber, eingel. v. Theodora v. der Möhll, 1974; H. v. H. – Richard Strauß, Briefwechsel, hrsg. v. Willi Schuh, 5. erg. Aufl. 1978; H. v. H., Rainer Maria Rilke, Briefwechsel 1899-1925, hrsg. v. Rudolf Hirsch u. Ingeborg Schnack, 1978; Briefwechsel, hrsg. v. Heinz Kindermann mit einem Anh.: Max Mell über H. v. H., 1982; H. v. H. u. Max Mell, Briefwechsel 1907-1929, hrsg. v. Margarete Dietrich u. Heinz Kindermann, 1982; H. v. H., Briefwechsel mit dem Inselverlag 1901-1929, hrsg. v. Gerhard Schuster, in: Arch. f. die Gesch. des Buchwesens 25, 1984; – GW, Bd. 1-6, 1924; GW, Bd. 1-3, 1934; GW in Einzelausg., hrsg. v. Herbert Steiner, 1943-1959; Sämtliche Werke. Krit. Ausg., hrsg. v. Heinz Otto Burger, Rudolf Hirsch u. a., 1975 ff.; – H. v. H., Bibliogr. des Schrifttums 1892-1963, bearb. v. Horst Weber, 1966; Horst Weber, H. v. H. Bibliogr., 1972. Die H. Collection in the Houghton Library, 1974; H. v. H. Bibliogr. 1964-1976, bearb. v. Hans-Albert Koch u. Uta Koch, 1976; Clemens Köttelwesch, H.-Bibliogr. 1979-1981, in: H.-Bll. 23/24, 1980/81, 119-134; Ders., H.-Bibliogr. 1981-1982, in: H.-Bll. 26, 1982, 126-134; Ders., H.-Bibliogr. 1983-1984, in: H.-Bll. 29, 1984, 61-76.

Lit.: Max Brod, Mira. Ein Roman um H., 1958; – Edgar Hederer, H. v. H., 1960; – William H. Rey, Weltentzweiung u. Weltversöhnung in H.s griech. Dramen, 1962; – Egon Schwarz, H. u. Calderon, 1962; – Helmut A. Fichter, H. v. H. Der Dichter im Spiegel der Freunde, 2. veränd. Aufl. 1963; – Richard Exner, H. v. H.s »Lebenslied«. Eine Stud., 1964; – Ders., Erinnerung – Welch ein merkwürdiges Wort. Gedanken z. autobiographischen Prosadichtung H. v. H.s, in: Modern Austrian Lit. 7, 1974, 152-171; – Ders., Index Nominum zu H. v. H.s GW, 1976; – Ders., H. heute?, in: Modern Austrian Lit. 10, 1977, 9-30; – Ders., Bezauberung u. »eigentümliche Scheu«. Z. Briefwechsel H. – Rilke, in: Die Neue Rundschau 89, 1978, 485-488; – Michael Hamburger, H. v. H., 1964; – Tebbe Hans Kleen, Elemente v. H.s dramatischen Stil in seinen ersten Dramen (Diss. Bonn), 1964; – Gotthardt Wunberg, Der frühe H. Schizophrenie als dichterische Struktur (Bibliogr.), 1965; – Ders. (Hrsg.), H. im Urteil seiner Kritiker. Dokumente z. Wirkungsgesch. H. v. H.s in Dtld., 1972; – Erika Kaufmann, Wiederkehr u. Abwandlung als Gestaltungsprinzip H. v. H.s Dramen (Diss. Freiburg), 1966; – Waltraud Stiegele, H. v. H.s »Ariadne auf Naxos. Zu spielen nach dem Bürger als Edelmann des Molière«. Entstehungsgesch. u. Metamorphosen (Diss. München), 1966; – Lothar Wittmann, Sprachthematik u. dramatische Form im Werke H.s, 1966; – Richard Alewyn, Über H. v. H., 4. verm. Aufl., 1967; – Günther Erken, H.s dramatischer Stil. Unterss. z. Symbolik u. Dramaturgie, 1967; – Frederick Ritter, H. u. Östr., 1967; – Rudolf H. Schäfer, H. v. H.s Arabella, 1967; – Werner Volke, H. v. H., 1967; – Sybille Bauer (Hrsg.), H. v. H., 1968; – Annemarie Chelius-Göbbels, Formen mittelbarer Darst. im dramatischen Werk H. v. H.s, 1968; – Manfred Hoppe, Literatentum, Magie u. Mystik im Frühwerk H. v. H.s, 1968; – Ders., Das »musikalische Gespräch« in der Bürger als Edelmann. Ein »richtiges Gedicht« H.s?, in: Modern Philology 81, 1983, 159-167; – Eva-Maria Nüchtern, H.s »Alkestis«, 1968; – Gerhart Pickerodt, Zu Dramen H. v. H.s Analysen ihres hist. Gehalts (Diss. Göttingen), 1968; – Karl Gerhard Esselborn, H. u. der antike Mythos 1969; – Jürgen Haupt, Konstellationen H. v. H.s Harry Graf Kessler, Ernst Stadler, Bertolt Brecht. Mit einem Essay »H. u. die Nachwelt«. v. Hans Mayer, 1970; – Erwin Kobel, H. v. H., 1970; – Ders., Magie u. Ewigkeit. Überlegungen zu H.s Gedicht »Vor Tag«, in: Jb. der dt. Schillerges. 21, 1977, 352-392; – Ralf Tarot, H. v. H. Daseinsformen u. dichterische Struktur, 1970; – Jakob Knaus, H.s Weg z. Oper »Die Frau ohne Schatten«.

Rücksichten u. Einflüsse auf die Musik, 1971; – Benno Rech, H.s Komödie. Verwirklichte Konfigurationen, 1971; – Hermann Rudolph, Kulturkritik u. konservative Rev. Z. kulturell-politischen Denken H.s u. seinem problemgeschichtl. Kontext, 1971; – Rosalind Dépas, H. v. H. u. die engl. Lit. des 19. Jhs, 1972; – Eva-Maria Lenz, H. v. H. mythologische Oper »Die ägypt. Helena« (Diss. Frankfurt), 1972; – David H. Miles, H.s Novel »Andreas«. Memory and Self, 1972; – Gabriele Luise Aino Schnetzer, H. »Der Unbestechliche« (Diss. Zürich), 1972; – Willi Schuh (Hrsg.), H. v. H., Richard Strauß. Der Rosenkavalier. Fassungen, Filmszenarium, Briefe, 1972²; – H. Jürgen Meyer-Wendt, Der frühe H. u. die Gedankenwelt Nietzsches, 1973; – Ekkehard Pohlmann, Gestalten im Werk H. v. H.s, dargest. an ihrem Verhältnis z. Sprache (Diss. Berlin), 1972; – Jürgen Prohl, H. v. H. u. Rudolf Borchardt, Stud. über eine Dichterfreundschaft, 1973; – Hermann Broch, H. u. seine Zeit. Eine Stud., 1974; – Donald G. Daviau, The Correspondance of H. v. H. and Raoul Auernheimer, in: Modern Austrian Lit. 7, 1974, 209-307; – Leonhard M. Fiedler, Drama u. Regie im gemeinsamen Werk v. H. v. H. u. Max Reinhardt, in: Modern Austrian Lit. 7, 1974, 184-208; – Ders., H. v. H.s Molière-Bearb. Die Erneuerung der Comédieballet auf Max Reinhardts Bühnen, 1974; – Peter Michelsen, Zeit u. Bindung. Z. Werk H. v. H.s, in: Euphorion 68, 1974, 270-285; – Hartmut Zelinsky, Brahman u. Basilisk. H. v. H.s poetisches System u. sein lyrisches Drama »Der Kaiser und die Hexe«, 1974; – Ders., H. v. H. u. Asien, in: Fin de Siècle. Zu Lit. u. Kunst der Jahrhundertwende, hrsg. v. Roger Bauer u. a., 1977, 508-566; – Marianne Burkhard, H.s Reitergesch. – ein Gegenstück z. Chandosbrief, in: Amsterdamer Btrr. z. neueren Germanistik Bd. 4, 1975, 27-53; – Ulrich Heimrath, Innerlichkeit u. Moral. Ein Btr. z. Charakterisierung des Erzählwerkes H. v. H.s (Diss. Bochum), 1975; – Oswalt v. Nostitz, H. v. H. u. Edward Gorden Craig, in: Jb. des freien dt. Hochstifts, 1975, 409-430; – Arthur Schnitzler, H. v. H., Charakteristik aus den Tgb. Mitgeteilt u. kommentuert v. Bernd Urbem, 1975; – Benjamin Bennett, Kleist's Puppets in Early H., in: Modern Language Quarterly 37, 1976, 151-167; – Michael Böhler, Soziale Einheit u. hermeneutische Universalität bei H., in: H.-Bll. 15, 1976, 139-151; – Jürgen Kramer, Körper, Geist, Sprache. Über den Zshg. v. Kleists Dialog »Über das Marionettentheater« u. H.s »Brief des Lord Chandos«, in: Diskussionen Dt. 7, 1976, 164-175; – Wolfgang Nehring, H. u. der Wiener Impressionismus, in: ZdPh 94, 1975, 481-498; – Thomas G. Plummer, Flight and Doom, The Antithetical Restructuring of Sindbad's Tale in H.'s »Reiselied«, in: Modern Language Notes 91, 1976, 559-565; – Steven P. Sondrup, H. and the French Symbolist Tradition, 1976; – Othmar Wessely, Richard Strauß u. H. v. H., in: Musikerziehung 30, 1976/77, 147-152; – Marianne Billeter-Ziegler, H. u. Claudel, in: H.-Bll. 17/18, 1977, 311-325; – E. F. Block, H.s »Ein neues Wiener Buch« Reconsidered, in: Germanic Rv. 52, 1977, 194-204; – René Breugelmans, Z. H.-Forsch. 1969-1975, in: Wirkendes Wort 27, 1977, 342-358; – Anastasia Despotowa-Zender, Geo Mileus Reisebuch zu »Elektra« v. H. v. H., in: Maske u. Kothurn 23, 1977, 31-49; – Lore Muerdel Dormer, Die Truggestalt der Kaiserin u. Oscar Wildes. Z. Metaphysik in H.s Drama »Der Kaiser u. die Hexe«, in: ZdPh 96, 1977, 579-586; – Dies., »Goethe auf der Schulbank« zu den Gesalten des Wahnsinnigen u. des jungen Dichters, in H.s Drama »Das kleine Welttheater«, in: Études germaniques 38, 1983, 342-351; – Roland Haltmeier, Zu H.s Rede »Das Schrifttum als geistiger Raum der Nation«, in: H.-Bll. 17/18, 1977, 298; – Rudolf Hirsch, »Paracelsus u. Dr. Schnitzler«, in: Modern Austrian Lit. 10, 1977, 163-167; – Werner Kraft, Der Chandos-Brief u. a. Aufss. über H., 1977; – Iwan Kruschelnytzky, Gespräche mit H., in: H.-Bll. 17/18, 1977, 251-273; – Wolfram Mauser, H. u. Konfliktbewältigung in. Werkstruktur. Eine psychosoziologische Interpretation, 1977; – Ders., Östr. u. das Östr. in H.s der Schwierige, in: Recherches germaniques, 1982, Nummer 12, 109; – Freny Mistry, On H.s »Die unvergleichliche Tänzerin«, in: Modern Austrian Lit. 10, 1977, 31-42; – Ders., The Concept of Asia in H.'s Prose Writings, in: Seminar 13, 1977, 227-256; – Peter Mollenhauer, Wahrnehmung u. Wirklichkeitsbewußtsein in H.s »Reitergeschichten«, in: German Quarterly 50, 1977, 283-297; – Manfred Pape, Entstehung u. Mißlingen v. H.s »Andreas«, in: Études germaniques 32, 1977, 420-436; – Ders., Vers. einer geschichtlichen Darst. H.s letzter Romanplan »Philipp II. u. Don Juan d'Austria«, in: H.-Bll. 17/18, 1977, 274-284; – Ders., Die Vita des Herrn Ferschengelder. Z. Vorgesch. u. genealogischen Konzeption v. H.s Andreas, in: Études germaniques 37, 1982, 25-33; – Jürgen Rothenberg, »Durch Reden kommt ja alles auf der Welt zustande«. Z. Aspekt des Komischen in H.s Lustspiel »Der Schwierige«, in: Jb. der dt. Schiller-Ges. 21, 1977, 393-417; – Adalbert Schmidt, Anachronistisches in H.s Lustspiel »Der Schwierige«, in: Dichter zw. den Zeiten, FS f. Rudolf Henz z. 80. Geb., hrsg. v. Viktor. Suchy, 1977, 158-166; – Max See, H. u. die Musik, in: Musik + Medizin 9, 1977, 79-81; – Martin Stern, Böcklin-George-H., in: H.-Bll. 17/18, 1977, 103-128; – Ders., Zwei Briefe H.s an Karl Gombrich, in ebd., 295-297; – Ders., Der Briefwechsel H. – Fritz Mauthner, in: H.-Bll. 19/20, 1978, 21-38; – Ders., Wann entstand u. spielt »Der Schwierige«?, in: Jb. der Schiller-Ges. 23, 1979, 350-365; – Erich Unglaub, Vier Briefe H.s an Otto Julius Bierbaum, in: H.-Bll. 17/18, 1977, 285-294; – W. E. Yales, Der Schwierige. The Comedy of Discretion, in: Modern Austrian Lit. 10, 1977, 1-17; – Ders., H. and Austrian Comic Tradition, in: Colloquia Germanica 15, 1982, 73-93; – Norbert Altenhofer, H. v. H. u. Gustav Landauer. Eine Dokumentation, in: H.-Bll. 19/20, 1978, 43-72; – Karoli Csúri, Die frühen Erzz. H. v. H., 1978; – Günther Fetzer, »... mit den ihnen beliebenden Kürzungen«. Der Briefwechsel zw. H. v. H. u. Ludwig Ganghofer, in: Jb. der dt. Schiller-Ges. 22, 1978, 154-204; – Ders., Der Briefwechsel H. v. H.s, 1980; – Wolfgang Frühwald, Die sprechende Zahl. Datensymbolismus in H. v. H.s Lustspiel »Der Schwierige«, in Jb. der dt. Schiller-Ges. 22, 1978, 572-588; – Matthew Anatole Gurewitsch, The Maker's and the Beholder's Art, Serendipity in Ariadne auf Naxos, in: Germanic Rv. 53, 1978, 137-146; – Stefan Janson, H. v. H.s »Jedermann« in der Regiebearb. durch Max Reinhardt, 1978; – Gustav Landauer, Drei Dramen u. ihre Richter, in: H.-Bll. 19/20, 1978, 73-80; – Ders., H.s Ödipus, ebd., 81-90; – Fritz Mauthner, Das gerettete Venedig. Schauspiel in 5 Akten v. H. v. H., in: H.-Bll. 19/20, 1978, 39-42; – Katharina Mommsen, H. u. Fontane, 1978; – Rudolf Pannwitz, H.s Komödien, in: H.-Bll. 19/20, 1978, 16-20; – Sherill Hahn Pantle, Die Frau ohne Schatten by H. v. H. and Richard Strauß. An Analysis of Text, Music, and their Relationship, 1978; – Heinz Politzer, Zwei kaiserliche Botschaften. Zu den Texten v. H. u. Kafka, in: Modern Austrian Lit. 11, 1978, 105; – Heinz Rölleke, Mittelhochdeutsche Lieder in H. v. H.s »Jedermann«, in: Jb. des freien dt. Hochstifts, 1978, 488-497; – Ders., Nochmals z. Rätsel der 672. Nacht bei H., in: Germ.-roman. Mschr. 33, 1983, 344 f.; – Ada Schmidt, H. v. H.s »Terzinen«, in: Modern Austrian Lit. 11, 1978, 19-33; – B. Urban, H., Freud u. die Psychoanalyse. Quellenkundliche Unterss., 1978; – Andrew W. Barker, The Triumph of Life in H.'s »Märchen der 672. Nacht«, in: Modern Language Rv. 74, 1979, 341-348; – Klaus Bohnen, Georg Brandes im Briefwechsel mit Gerhart Hauptmann u. H. v. H., in: Jb. der dt. Schiller-Ges. 23, 1979, 51-83; – Karl-Peter Braeger, Das Visuelle u. das Plastische. H. v. H. u. die bildende Kunst, 1979; – Francis Claudon, H et la France, 1979; – Augustinus P. Derrick, Epiphany Shared. An Interpretation of H.s »Raoul Richter, 1896«, in: Modern Language Rv. 74, 1979, 349-360; – Marion Faber, H. and the Film, in: German Life and Letters 32, 1979, 187-195; – Marietta Kleiß, Der frühe H. – eine Ausstellung, in: Börsenbl. f. den dt. Buchhandel 35, 1979, 248-250; – Herbert Kollenz, Ironie als Form relativistischer Lebensauffassung. Zu Szondis These einer Kronisierung der Treue in H.s Einakter »Der weiße Fächer«, in: Acta Germanica 11, 1979, 113-126; – Werner Pfister, H. u. die Oper (Diss. Zürich), 1979; – Franz Richter, Momentaufnahmen eines Schwierigen. Zu H. v. H.s 50. Todestag am 15.7.1978, in: Neue dt. Hh. 26, 1979, 315-327; – Ulrike Weinhold, Das Universum im Kopf. De Sade u. der junge H., in: Neophilologus 63, 1979, 108-119; – Dorrit Cohn, Als Traum erzählt. The Case for a Freudian Reading of H.'s »Märchen der 672. Nacht«, in: DVfLG 54, 1980, 284-305; – Helen Frink, The Hunting Motif in H.'s Work, in: Modern Language Notes 95, 1980, 685-693; – Dies., H. v. H.s Jagdengeschichten, in: Modern Austrian Lit. 17, 1984, 33-47; – Anna Giubertoni, L'ombra tra H. e Strauß. in: Nuova rivista musicale Italiana 2, 1980, 205-215; – Dies., H. – Strauß. Le diversità elettive, in: Belfagor 35, 1980, 67-72; – Juliette Spering, Scheitern am Dualismus. H.s Lustspielfragment »Timon der Redner« (Diss. Bonn), 1980; – Ferenc Szász, H. v. H. u. Rainer Maria Rilke in Ungarn, 1980; – David E. Wellbery, Narrative Theory and Textual Interpretation. H.s »Sommerreise« as Test Case, in: DVfLG 54, 1980, 306-333; – Wolfgang Baschata, Die Entwicklung der dramatischen Technik' y. Form in H. s lyrischen Dramen (Diss. Innsbruck), 1981; – A. Guth, À propos de la femme sans ombre. La conjuration des ésprits d'après la correspondance H. – Pannwitz, in: Rv. d'Allemagne 13, 1981, 299-312; – H. u. das Theater. Die Vortrr. des H. Symposiums Wien 1979, hrsg. v. Wolfram Mauser, 1981; – Wilfried Kuekartz, H. als Erzieher, 1981; – Heinz Lunzer, H. politische Tätigkeit in den Jh. 1914-1917, 1981; – Karen Forsyth, »Ariadne auf Naxos« by H. v. H. and Richard Strauß. Its Genesis and Meaning, 1982; – Jerry Glenn, H., George an Nietzsche. »Herrn Stefan George / einem der vorübergehet.«, in: Modern Language Notes 97, 1982, 770; – Glenn A. Guidry, H.s der Schwierige. Language vs. Speechacts, in: German Studies 5, 1982, 305-314; – Martina Lauster, Die Objektivität des Innenraums. Stud. z. Lyrik Georges, H.s u. Rilkes, 1982; – Jürg Mathes, Überlegungen z. Verwendung der Zahlen in H.s Erzz. – »Die 672. Nacht«, in: Germ.-roman. Mschr. 32, 1982, 202; – Henry H. H. Remak, Novellistische Struktur. Der Marshall v. Bassompierre u. die schöne Krämerin, 1982; – Joachim W. Storck, Nachbarschaft u. Polarität – Überlegungen z. Hintergrund des Briefwechsels H. v. H. u. Rainer Maria Rilke, in: Modern Austrian Lit. 15, 1982, 337; – Herta Dengler-Bangsgaard, Wirklichkeit als Aufgabe. Eine Unters. zu Themen u. Motiven in H. v. H.s Erzählprosa, 1983; – V. Fantuzzi, »Jedermann« die H. in campidoglio, in CivCat 134, 1983, 57-61; – Dietmar Grieser, Die Schriftstellererben, in: Börsenbl. f. den dt. Buchhandel 39, 1983, 2036-2041; – Frank L. Hudson, »Böser Dinge hübsche Formel« some Thoughts on H.'s Judgement of Aestheticism, in: German Studies Rv. 6, 1983, 59-74; – Eva Philipphoff, Der schweigsame Weg. H.s Verknüpfung mit dem Sozialen, in: Recherches germaniques 13, 1983, 87-102; – Michael Winkler, H., George, and Poems by Baudelaire: »Herrn Stefan George / einem der vorüber-

geht.«, in: Modern Austrian Lit. 16, 1983, 37-45; – Georgina A. Clark, Max Reinhardt and the Genesis of H. v. H.'s der Turm, in: Modern Austrian Lit. 17, 1984. 1-34; – Swantje Ehlers, Die Psychologisierung der Leseerfahrung. H. v. H. »Das Erlebnis des Marshalls v. Basompierre«, in: Germ.-roman. Mschr. 34, 1984, 177-182; – Thomas A. Kovach, Die Frau ohne Schatten. H.'s Response to the Symbolist Dilemma, in: German Quarterly 57, 1984, 377-391; – Hanna B. Lewis, The Arabian Nights and the Young H., in: German Life and Letters 37, 1984, 186-196; – Jan F. Roe, H. – Grillparzer – Goethe. Elective Affinities?, in: German Life and Letters 37, 1984, 354-366; – RGG III, 423 f.; – LThK V, 426 f.; – NDB IX, 464-467; – ÖBL II, 385-387; – MGG VI, 565-574; – Lexikon der Weltlit. im 20. Jh. I, 918-929.

Wi

HOFMEISTER, Ernst, ev. Missionar und Märtyrer auf Borneo. – Die Rheinische Missionsgesellschaft in Barmen begann 1838 mit ihrer Arbeit auf Borneo. Zwei Missionare wurden nach dieser Großen Sundainsel ausgesandt und ließen sich dort am Pulupetakstrom nieder. Hier lebten im Urwald zerstreut die wilden Dajak, die wegen ihrer Schädeljagd berüchtigt waren. Der Anfang war für die beiden Missionare nicht leicht; aber nach und nach fanden sie doch einigen Eingang. Es kam Verstärkung aus der Heimat, und hier und da bildeten sich kleine Gemeinden. Anfang 1859 bestanden auf Borneo außer der Station Bandjermasin, dem Sitz der holländischen Kolonialregierung, noch weitere sieben Missionsstationen, auf denen neun Missonare arbeiteten. Die Zahl der Getauften belief sich auf etwa 260. Im Blick auf die weitere Entwicklung der Missionsarbeit auf Borneo war man zu mancherlei Hoffnungen berechtigt. Da brach über die Gemeinden auf Borneo der Sturm der Verfolgung herein, der in wenigen Tagen das Missionswerk völlig vernichtete. Am 7.5.1859 fielen auf der Station Tanggohan am Kapuas dem Aufstand der Dajak zum Opfer die Missionare Ferdinand Rott (s.d.) mit seinem Töchterchen Mariechen, Friedrich Wilhelm Kind mit seiner Frau und Friedrich Eberhard Wigand mit seiner Frau und seinem Kind. Am 9.5.1859 wurden auf der Station Pendaalai am Kahaian Missionar H. und seine Frau von den Dajak ermordet. – Am 14.5. fuhr ein Dampfschiff mit einem Offizier, einem Zivilbeamten und einigen Soldaten von Pulupetak zum Kahaisn. Dort angekommen, fanden sie in Pendaalai alle Häuser der Dajak leer. Das Missionshaus war vollständig ausgeraubt und von der Familie des Missonars H. niemand zu sehen. Im Haus fanden sie eine große Blutlache. Man ging den Spuren nach und entdeckte ein frisches Grab nahe bei dem Grab des vor kurzem verstorbenen Kindes der Missionarsfamilie. Im Beisein des Beamten wurde das Grab geöffnet, und man fand darin die Leichen H.s mit seiner Frau, doch ohne Köpfe. Auf einem Brett im Haus stand mit Kreide geschrieben: »Missionar Hofmeister und seine Frau sind durch Leute von Kalangan getötet worden. Es sind 125 hier gewesen. Raden und Singa towä wollten den Missionaren helfen; aber sie wurden bedroht, geschlachtet zu werden, wenn sie helfen würden«. Es konnte nur noch ermittelt werden, daß die vier Kinder H.s von den Leuten mit in den Wald genommen worden seien. Das Dampfschiff kehrte nach Pulupetak zurück. Ein dajakischer Christ brachte von dort die Trauerkunde den Missionaren in Bandjermasin.

Den unermüdlichen Bemühungen der Missonare und Beamten gelang es nach zwei Monaten, die Kinder H.s wiederaufzufinden und in Sicherheit zu bringen. Sie waren verwahrlost und halbverhungert, aber unversehrt. Von den geretteten Kindern und von Eingeborenen erfuhren die Missionare Näheres über die Ermordung H.s und seiner Frau. Die Gerüchte vom Aufstand waren auch bis nach dem Kahaian gedrungen. Am 9.5. wußte aber H. noch nicht, was schon am 7. in Tanggohan geschehen war. Da kam ein Dajak zu ihm und erzählte ihm davon; weiter berichtete er, die Mörder seien soeben gekommen, um auch ihn und seine Frau umzubringen. H. wollte der Erzählung zuerst keinen Glauben schenken. Dann aber ging er ins Dorf zu dem Häuptling Singa towä, um nähere Erkundigungen einzuziehen. Dieser bestätigte die Aussagen des Dajak. »Willst du mir helfen, damit ich nicht ermordet werde, sondern freien Abzug erhalte?« »Ich weiß es nicht«, antwortete der Häuptling. Auch er war durch die mohammedanischen Anführer so eingeschüchtert worden, daß er gegen ihren Willen nichts zu tun wagte. Eilig begab sich H. wieder nach Hause. Da sprang unter der Treppe seines Hauses ein Mann hervor und traf mit seinem Schwert des Missionars linkes Ohr und die linke Schulter. Schwerverwundet stürzte H. zu seiner Frau ins Zimmer. Nach kurzer Zeit trat er mit seiner Frau auf die Veranda. Das Haus war dicht von Menschen umgeben. Vergeblich wandte sich der Blutende an ihr Gewissen. Hohngelächter war die einzige Antwort. Als er sah, daß keine Rettung mehr möglich war, kniete H. mit seiner Frau nieder und betete noch einmal in dajakanischer Sprache für sich und seine Familie und auch für die Mörder. Die vier kleinen Kinder klammerten sich angstvoll an die Eltern. Die Dajak schossen auf H., lange vergeblich, bis eine Kugel ihn traf. Er sank zusammen. Seine Frau warf sich mit einem lauten Schrei über ihn. Da stürmten die Mörder herein, rissen die Kinder von den Eltern weg und schlugen diesen den Kopf ab. Unter lautem Triumpfgeheul trugen sie die Köpfe davon. In der folgenden Nacht gingen zwei junge Männer, die im Taufunterricht standen, in das verlassene Missionshaus, holten die Leichen und begruben sie.

Lit.: Hermann Sundermann, Getreu bis in den Tod. Ein Bl. der Erinnerung auf das Grab der vor 50 J. auf Borneo ermordeten Missionsgeschwister, 1909.

Ba

HOFMEISTER (Oeconomus), Sebastian, Bahnbrecher der Reformation in Schaffhausen, * 1476 in Schaffhausen als Sohn eines Wagners (darum früher irrtümlich »Wagner« genannt), + 26.9.1533 in Zofingen. – H. trat früh in das Barfüßerkloster seiner Vaterstadt ein und war nicht mehr ganz jung, als er auf seiner Obern »geheiß und gehorsamkeit in fremde land verschickt« wurde. Die Reise des Barfüßers fand in Frankfurt zunächst für längere Zeit ihren Abschluß. Mehrere Jahre studierte er in Paris und erwarb sich eine gründliche Bildung, besonders im Hebräischen und in den klassischen Sprachen. Als Doktor der Heiligen Schrift kehrte H. in die Heimat zurück und wurde 1520 in Zürich Lesemeister bei den dortigen Barfüßern. Mit Begeisterung schloß er sich Huldrych Zwingli (s.d.) an und blieb zeitlebens mit ihm verbunden. Noch in demselben Jahr wurde H. als Lesemeister nach Konstanz versetzt, wo er immer deutlicher die Notwendigkeit der Reformation erkannte. H. korrespondierte mit Zwingli und trat auch in briefliche Verbindung mit Martin Luther (s.d.), Joachim Vadia (s.d.) und Oswald Myconius (s.d.). Anfang 1522 kam er nach Luzern. Am 29.1. 1523 erklärte H. auf der ersten Zürcher Disputation öffentlich, daß er als Lesemeister der Barfüßer in Luzern nach seinem »bermögen und Flyß gepredigt« habe »nit anders denn das Wort Gottes der göttlichen geschrifft«. Darum verklagten ihn die Luzerner als Ketzer bei dem Bischof von Konstanz. Die Anklage auf Ketzerei beantwortete H. mit einer verlorengegangenen Rechtfertigungsschrift, mußte aber Luzern verlassen. Ende Mai oder Anfang Juni 1522 kehrte er in das Barfüßerkloster seiner Vaterstadt zurück. Dem Kreis der Lutherfreunde um Michael Eggenstorfer, den reformationsfreundlichen letzten Abt von Allerheiligen, gesellte sich H. von Anfang an bei und wurde dessen geistiger Führer, der an Gelehrsamkeit alle anderen überragte. Er verkündigte, wie vorher den Luzernern, nach bestem Vermögen das schlichte Wort Gottes und nahm den Kampf auf gegen die Verehrung der Heiligen und das Anrufen der Nothelfer und der »Mutter Gottes«, gegen römisch-katholische Autorität und Tradition. Der Kleine Rat aber war in seiner Mehrheit konservativ. Darum gelang es nicht, in einem Anlauf die Reformation in Schaffhausen durchzuführen. Schon Ende 1522 war die Opposition recht stark. Zum Pfarrer am Münster und zum Verteidiger des alten Glaubens gegen H. berief man Erasmus Ritter (s.d.) aus Bayern. Um H. mit den gleichen Waffen bekämpfen zu können, studierte Ritter die Heilige Schrift. So kam es, daß der Mann, der zur Bekämpfung der Reformation nach Schaffhausen gerufen worden war, von einem Verteidiger des Papsttums zu einem überzeugten Freund des Evangeliums und der Reformation wurde.H. wandte sich vor allem gegen die Messe und die Bilder. Er wohnte der ersten Zürcher Disputation vom 29.1.1523 bei und führte am ersten Tag der zweiten Zürcher Disputation vom 26. bis 28.10. 1523 den Vorsitz. 1524 wurde H. Leutpriester an St. Johann, der städtischen Hauptkirche von Schaffhausen. Konrad Grebel (s.d.), der Führer der Zürcher Täufer, hielt sich von Januar bis zum März 1525 in Schaffhausen auf. Zwei der am 21.1.1525 aus Zürich vertriebenen Täuferprediger, Wilhelm Röubli (s.d.) und Johann Brötli (s.d.), kamen in die Landschaft Schaffhausen. Auch der andere Führer der Zürcher Täufer, Felix Manz (s.d.), traf in Schaffhausen ein. Trotz all ihrer Bemühungen gelang es ihnen nicht, H. für ihre Sekte zu gewinnen. Bei dem Rat von Schaffhausen fand H. nicht die nötige Unterstützung für sein Reformationswerk. Während und nach den Bauernunruhen von 1524/25 errang in Schaffhausen die altgläubige Partei die Oberhand. Am 9.8.1525 brach in der Stadt ein Aufstand der Rebleute aus, weil ihre der der Bauern ähnliche Eingabe an den Rat nicht beantwortet worden war. Die katholisch gesinnte Mehrheit des Kleinen Rats war nun entschlossen, H. aus Schaffhausen zu verdrängen. In den Augen seiner Gegner war er der Unruhestifter, der Urheber und Förderer aller freiheitlichen und reformatorischen Bestrebungen. Am 10.8.1525 setzten »burgermeister und rat der stat Schaffhausen« ein Schreiben auf an »den erwürdigen hoch unnd wolgelerten Herren Rector gemainer loblichen universitet inn der stat Basel unsern besonders lieben Herren und gutenn Fründenn«. Sie schrieben, H., der Überbringer des Briefes, habe öffentlich gesagt, die Messe sei vom Teufel erdacht und die Priester, die Messe halten, gäben sich ab mit »Götzenbrot, Abgötterei und Teufelswerk«; sie seien »schelmen und böißwicht«; auch die Kindertaufe sei nichts nütze. Da andere Prädikanten das Gegenteil sagen, herrsche unter den Leuten große Verwirrung. Darum habe der Rat H. eidlich verpflichtet, nach Basel zu gehen, um sich vor den dortigen Herren zu verantworten. Diese möchten dem Rat von Schaffhausen ihre Meinung über H. mitteilen in einem verschlossenen, mit dem Universitäts- und Staatssiegel versehenen Brief. Der Rat von Schaffhausen verschwieg aber in seinem Schreiben nach Basel, daß H. hatte schwören müssen, nur dann nach Schaffhausen zurückzukehren, wenn er die versiegelte Urkunde bei sich habe und drei Meilen von der Stadt entfernt auf eine Nachricht des Rats warten zu wollen. Verschwiegen war ebenfalls, daß man H. für die Beibringung des Basler Gutachtens nur eine Frist bis zum 12.8. gewährt habe. Am 11. reiste H. nach Basel; man stellte ihm ein Pferd und einen Knecht zur Verfügung. In Basel lagen die Verhältnisse ähnlich wie in Schaffhausen. H. gab den Brief ab und bat um eine Disputation mit den Basler Gelehrten. Man ging aber auf seine Bitte nicht ein, sondern vertrieb ihn aus der Stadt, »damit er keinen bösen Samen sähe«. Als H. nach Waldshut kam, schickte er das ihm geliehene Pferd zurück und berichtete dem Bürgermeister von Schaffhausen seine Erlebnisse in Basel. Vergeblich wartete H. auf die erbetene Antwort des Rats. Dann wanderte er der Heimat zu. In dem Dorf Beringen, drei Meilen von Schaffhausen entfernt, blieb H. und sandte von dort an den Rat eine Bittschrift. Die katholisch gesinnten Ratsherren aber verweigerten ihm das von ihm angerufene Recht und Gericht und verhängten über ihn die endgültige Verbannung. Diese war bei H. noch dadurch verschärft, daß er hatte Urfehde schwören müssen: mindestens drei Meilen von der Stadt Schaffhausen zu bleiben. Wer ein solches Gelübde brach, war des Meineids schuldig und der Todesstrafe verfallen. H. wandte sich nach Zürich und wurde Prediger am Fraumünster. Er war ein ausgezeichneter Disputator und spielte darum bei den Täufergesprächen in Zürich eine hervorragende Rolle. H. leitete als einer der Präsidenten die Disputationen vom 6. bis 8.11.1525 und nahm als Abgeordneter von Zürich am 7.1.1526 in Ilanz (Kt. Graubünden) an dem Religionsgespräch zwischen den Alt- und Neugläubigen teil, dessen Verhandlungen er bearbeitete und im Druck herausgab. Am 24.4.1526 bat H. brieflich um Aufhebung der Verbannung und Erledigung der Urfehde, damit er als Zürcher Pfarrer das ganze Zürcher Gebiet betreten könne. Die Bitte wurde ihm abgeschlagen. Als Zürcher Vertreter reiste H. 1528

mit anderen zur Berner Disputation, die vom 7. bis 26.1. stattfand und durch das Reformationsmandat vom 7.2. gekrönt wurde. Am 2.2.1528 erfolgte seine Berufung nach Bern als Professor der hebräischen Sprache und Katechetik auf der St. Michaels-Insel in der Aare, das durch die Reformation in ein Spital umgewandelt wurde. Die erste feierliche Abndmahlsfeier nach evangelischem Ritus fand in Bern am Osterfest (12.4.)1528 statt. Im Mai 1528 wurde H. Prediger in Zofingen. »Ich habe eine kleine Gemeinde; aber in ihr sind sehr unruhige Geister«, schrieb er an Zwingli. Ohne Zweifel meint er damit Täufer, aber auch Anhänger des alten Glaubens. Sein Wirken war nicht erfolglos. Das alte Chorherrenstift Zofingen wurde aufgehoben. H. blieb verbannt, obwohl die Eidgenossen von Zürich am 20.12.1529 und von Bern am 2.12.1529 sich für die Aufhebung der Verbannung einsetzten. Auf Wunsch des Berner Rats nahm H. am 19.4.1531 an der Disputation mit den Täufern in Bern teil. Seine Unterredung mit Hans Pfistermeyer (s.d.) von Aarau, dem bedeutendsten Täufer des Aargaus, endete mit dessen Rücktritt vom Täufertum. Vom 1. bis 9.7.1532 fanden weitere Täufergespräche in Zofingen statt. H.s reformatorisches Wirken fand im September 1533 sein Ende: er wurde während der Predigt auf der Kanzel vom Schlag getroffen und sterbend nach Hause getragen.

Werke: Ain Treüwe Ermanung an die Strengen, Edlen, Festen, Frommen u. weisen Eidgenossen, daß sy nit, durch ire falschen propheten verfüert, sich wider die lere Christi setzend, 1523; Akten z. Rel. gespräch in Ilanz, 1526, neu hrsg. z. Gallicusfeier 1904 v. den rel.freisinnigen Vereinigungen der Kt. Graubünden u. der Stadt Chur, Chur 1904; Antwort uff die ableinung doctor Eckens von Ingolfstatt, gethan uff die widergeschrifft Huldrychs Zwinglis, uff sei missigen an ein lobliche Eydgnoschafft, o. O. u. o. J.: Vier Briefe H.s an Zwingli sind angedr. in: Huldreich Zwinglis Werke. Erste vollst. Ausg. durch Melchior Schuler u. Johannes Schultheß, 8 Bde., Zürich 1828-42 (1861 erw. um Supplementorum fasciculus v. Georg Schultheß u. Kaspar Marthaler).

Lit.: Melchior Kirchhofer, Sebastian Wagner gen. H. Ein Btr. z. schweizer Ref.gesch., Zürich 1808; — C. Mägis, Die Schaffhauser Schr.steller v. der Ref. bis z. Ggw., Schaffhausen 1869, 22 f.; — U. Kuczynski, Theosaurus libellor. historiam reformationis illustrantium, Leipzig 1870, Nr. 1042-1045; — G. E. v. Haller, Bibl. der Schweizer Gesch., 2 Bde., Bern 1875, Nr. 1570; — H. G. Sulzberger, Gesch. der Ref. des Kt. Schaffhausen, 1876; — Karl Brunner, Das alte Zofingen u. sein Chorherrenstift, Aarau 1877, 58 f.; — R. Stähelin, Huldreich Zwingli, 2 Bde., Basel 1895-97; — C. A. Bächtold, Die Schaffhauser Widertäufer in der Ref. zeit, 1900; — Th. Enderis, Die Ref. in Schaffhausen, in: Festschr. des Kt. Schaffhausen z. Bundesfeier, 1901; — Heiz, Täufer im Aargau, in: Taschenbuch der hist. Ges. des Kt. Aargau f. das J. 1902; — Jakob Wipf, S. H., der Reformator Schaffhausens, in: Btrr. z. Vaterländ.Gesch. 9. Schaffhausen 1918, 1 ff.; — Ders., Präsidialrede z. Eröffnung der schweizer. ref. Pr.versmlg. in Schaffhausen, 8.9.1925: Verhh. 1925 (enthält die Dokumente z. Verbannung H.s); — Ders., Ref.gesch. der Stadt u. Landschaft Schaffhausen, Zürich 1929, 99 ff.; — Fritz Schoder, Aus dem Leben u. Wirken S. H.s, des Reformators v. Zofingen, in: Zofinger Neuj.bl. 22, 1937, 40 ff.; — Karl Schib, Gesch. der Stadt Schaffhausen. Z. 90j. Bestehen der Stadt Schaffhausen, hrsg. v. Hist. Ver. des Kt. Schaffhausen, Thayngen/Schaffhausen 1945; — Schottenloher I, Nr. 8533-8540; V, Nr. 46861 f.; — HBLS IV, 266; — ADB XII, 643 f.; — NDB IX, 470; — MennLex II, 335; — RE VIII, 241 f.; — RGG III, 424.

Ba

HOFSTÄTTER, Heinrich, Bischof, * 16.2.1805 in Aindling (Oberbayern), † 12.5.1875 in Passau. — H. studierte zunächst, bis zum Staatskonkurs, Jura in Passau; er war mit Brentano befreundet und, angespornt durch seine Beziehung zum Görreskreis, entschloß er sich 1828, Priester zu werden. 1833 erhielt er die Priesterweihe und von 1836-39 war er Domkapitular in München. Noch im selben Jahr ernannte ihn König Ludwig II. zum Bischof von Passau, eine Position, die er bis zum Lebensende beibehielt. Ein Angebot, als Erzbischof nach München zu gehen, schlug er aus. Er sorgte dafür, daß die Redemptoristen sich in Altötting niederlassen konnten, seinem Gesuch wurde von König Ludwig am 14.3.1841 entsprochen. – H. zählt als entschiedener Gegner des Liberalismus und des Protestantismus. Der protestantischen Königswitwe Karoline beispielsweise, die sich durch ihre Wohltätigkeit und sittliche Gesinnung ausgezeichnet hatte, verweigerte er zu ihrem Tode Meßopfer und Gebet. Während seiner Amtszeit durften für verstorbene Protestanten gegen Bezahlung nur die Friedhofsglocken, nicht aber die Kirchenglocken geläutet werden. Eine seiner Grundsätze war die schuldbewußte Unterordnung unter die jeweils höchste Lehrautorität, seine Loyalität gegenüber dem Papst war von herausragender Unterwürfigkeit. 1872 fungierte er als Werber für das Heer des Papstes während des Italienfeldzuges. Durch besondere Besteuerung der Priester und Spenden finanzierte er den Ausbau von Klerikal- und Knabenseminaren. Die Bauernvereine, das katholische Kassino und der allgemeine Verein kath. Deutschland, die um ihre Selbständigkeit kämpften, litten unter der Autorität des Bischofs. Er wandte sich gegen die revolutionäre Gesinnung dieser Vereine, war auch massiver Gegner der altkatholischen Bewegung und Döllingers. Besonders auffällig waren seine aggressiven Blitzaktionen gegen diese Gruppierungen, wegen derer er teilweise als geistesgestört eingeschätzt wurde.

Lit.: J. W. Hauptmann, Heinrich, Bischof von Passau, 1875; – Felix Zacher, Heinrich von Hofstätter, 1940; – Hermelink 74, 1949, 480 ff.; – ADB XII, 648 ff.; – LThK V, 97; – RGG III, 425.

Ba

nügt und somit auch tugendhafte Heiden selig werden müssen. Demgegenüber betont H. die Notwendigkeit der Offenbarung zur Erlangung der Seligkeit und versucht zudem nachzuweisen, daß das Leben zahlreicher Heiden - u.a. das des Sokrates - keineswegs tugendhaft gewesen sei. Folge von H.s Äußerungen war ein wissenschaftlicher Streit - der sogenannte sokratische Krieg -, in dessen Verlauf sich H. mit C. Nozemann, A. A. van der Mersch und J. A. Eberhard auseinandersetzte, die seine Thesen über das nicht tugendhafte Leben berühmter Heiden heftig kritisiert hatten. Im Rahmen dieses Streits gab H. seine vormals von weitgehender Toleranz gegenüber liberalen Theologen gekennzeichnete Haltung auf und kritisierte die seiner Meinung nach oft schädlichen Ansichten unter den Remonstranten. H.s Kampf gegen eine zu weitgehende kirchliche Freizügigkeit spiegelt sich auch wider in seinen Beiträgen zu der von kirchlich-orthodoxer Seite herausgegebenen Zeitschrift »De Nederlandsche Bibliotheek«.

Werke: Pseudo-Studiosus Hodiernus, sive Theologus Groninganus Detectus et Refutatus, dat is: Hedendaagsche Naamstudent of Groninger Godsgeleerde ontdekt en wederlegt, 1737 (anon. veröff., 1738[2] u. fortges.); De Waarheid, in Friesland tegens de aanslagen v. kettery verdedigt, 1742; Bloemen, gestrooid op het graf van Willem Carel Hendrik Friso, 1752; Godgeleerde en Historische Verhandeling, 1760 (veröff. u. d. Pseud. Irenicus Reformatus); Byzonderheden over de HS, 3 Bde., 1766-75; De Belisarius van den Heer Marmontel beoordeld 1769 (1769[3] u. dt.); Beoordeling der nieuwe Verklaaring over Salomos Hooglied, 1774; Oost-Indische Kerkzaken, 2 Bde., 1779-80 (Christianisierungsplan der ostind. Kolonien); Het leven van den Geleerden en Wijdvermaarden Janus Vlegelius, luth. Koster en Schoolleeraar te's Gravenhage, 1781 (anon. veröff.).

Lit.: C. Sepp, Joh. Stinstra en zin tijd, 2 Bde., Amsterdam 1865-66; – J. Hartog, De Oranjepredikanten en hunne tegenstanders, in: Geloof en Vrijheid 9, Rotterdam 1875, 135 ff. 176; – S. D. van Veen, Iets over de studie der theologie te Groningen en de eerste helft der achtiende eeuw, in: Hist. Avonden, hrsg. v. der histor. Ges. z. Groningen, Groningen 1896, 242 ff.; – J. P. de Bie, Het leben en de werken van P. H. (Diss. Rotterdam), 1899 (in Beil. A: Bibliogr. der Werke H.s samt der Streitschrr. gg. H.); – BWGN IV, 138 ff.; – NNBW IV, 762 ff.; – RE VIII, 242 ff.

Ba

HOFSTEDE, Petrus, holländischer Theologe, * 16.4. 1716 in Zuidlaren als Sohn des Pfarrers J. Hofstede, + 27.11.1803 in Rotterdam. – Nach dem Studium der Theologie in Groningen und Franeker sowie einer anschließenden zehnjährigen Pfarrtätigkeit erhielt H. 1749 einen Ruf an die Universität Rotterdam, an der er auch nach seiner Eremitierung im Jahre 1770 weiterhin Vorlesungen in den Fächern Kirchengeschichte und Archäologie hielt. H. vertrat eine zunehmend orthodox-calvinistische Haltung im Rahmen der Auseinandersetzungen um den politischen Roman »Bélisaire« von J. F. de Marmontel, der 1767 in Paris erschien und 1768 ins Holländische übersetzt wurde. Marmontel hatte in seinem Roman für völlige Religionsfreiheit plädiert und die Auffassung vertreten, daß nicht ein besonderer Glaube für die Beurteilung eines Menschen entscheidend sei, sondern dessen tugendhaftes Leben. In seiner Schrift »De Belisarius van den Heer Marmontel beoordeld« bezeichnete H. den französischen Autor zwar nicht als Atheisten, bezichtigte ihn aber doch bedingt des Sozinianismus und verwarf Marmontels Ansicht, nach der allein die Vernunft zur Seligkeit ge-

HOFSTEDE de Groot, Petrus, holländischer Theologe, * 8.10.1802 in Leer/Ostfriesland, + 5.12.1886 in Groningen. – H., seit 1819 an der Universität Groningen eingeschrieben, nahm 1821 das Theologiestudium auf. Nach der Promotion 1826 wurde er im selben Jahr Pfarrer der reformierten Gemeinde Ulrum bei Groningen. 1829 wurde ihm eine Professur im Fach Theologie an der Universität Groningen übertragen, die er 1872 aus Altersgründen niederlegte. Zusammen mit H. van Oordt und L. G. Pareau gilt H. als Begründer der Groninger Schule, deren Vertreter ihre Anschauungen in der seit 1837 erscheinenden Zeitschrift »Waarheid in liefde« publizierten. H. plädierte für die Lehrfreiheit in der Niederländischen Reformierten Kirche, trat für die freie Auslegung des Evangeliums ein und verwahrte sich gegen jeglichen Bekenntniszwang. Da H., in dessen Lehre die Person Jesu Christi im Vordergrund stand und der eine authentische Rückbesinnung auf die Aussage der Bibel forderte, in einigen Fragen in Opposition zur offiziellen Kirchenlehre stand, wurde er das Opfer wachsender Kritik. So protestierten 1842 orthodoxe Anhänger der Niederländischen Reformierten Kirche aus Den Haag bei der Synode gegen die Lehren H.s und der Groninger Schule, wobei jedoch dieser Protest erfolglos blieb und die Synode sich auf die Seite von H. stellte. In seinem weiteren Wirken hat sich H. den Grundsätzen der modernen Theologie, als deren Wegbereiter die Groninger Schule bezeichnet werden kann, nicht angeschlossen. Er kritisierte deren extreme Ausprägungen und Exponenten, besonders J. H. Scholten (s.d.) und arbeitete folglich zunehmend stärker mit den gemäßigt Orthodoxen zusammen.

Werke: Disputatio qua epistola ad Hebraeos cum Paulinis epistolis comparatur, 1825; Disputatio de Clemente Alexandrino, philospho Christiano (Diss.), 1826; Hugo Grotius, Adnotationes in NT, aufs neue hrsg., 1826-34; Geschiedenis van de Broederenkerk te Groningen, 1832; Gedachten over de beschuldiging tegen de leeraars der Ned. Hervormde Kerk in deze dagen openlijk ingebragt, 1834 (1834²); Institutiones Theologiae Naturalis, sive Disquisitio philosophia de Deo hominisque cum Deo conjunctione, 1834 (1861⁴); Instutiones Historiae Ecclesiae Christianae, 1835 (1852² unter dem Titel: Lineamenta Historiae Ecclesiae Christianae); Die Unruhen in der Ndrl.-Ref. Kirche während der Jahre 1833 bis 1839, 1840 (hrsg. v. J. C. L. Gieseler); Compendium Dogmatices et Apologetices Christianae, 1840 (1848³); Encaclopaedia Theologi Christani, hrsg. mit L. G. Pareau, 1840 (1851³); Voorlezingen over de geschiedenis der opvoeding des menschdoms door God tot op de Komst van Jezus Christus, 2 Bde., 1846 (1861⁴), 1885, Bd. 3: Godsopenbaring de bron van Godsdienst en Wijsbegeerte voor het menschdom); De berichten omtrent de Groninger Godsgeleerde School van I. da Costa toegelicht, 1848; Een word aan de Hervormde Gemeente te's Gravenhage, 1851 (1851⁸); Opleiding tot zelfstandig inzicht in het Christendom, 1852; De Groninger Godsgeleerden in hunne eigenaardigheid, 1855 (dt. Übers. Gotha 1863); Beantwoording van J. H. Scholten, 1859; Iets over de Evangelische Alliantie, 1866; De moderne theol. in Nederland, volgens de hoofdwerken harer boeremdste voorstanders, 1870 (dt. Übers. v. W. Kraft, Bonn 1870); Vijftig jaren in de theologie, 1872; De Oud-Katholieke beweging in het licht der Kerkgeschiedenis, 2 Bde., 1877; viele Art. in »Waarheid in Liefde«, Gelegenheitsschrr. u. umfangreiche Btrr. zu den Groninger akadem. Hdb.

Lit.: H. G. Braam, Levensbericht van P. H. de Gr., in: Geloof en Vrijheid 21, Rotterdam 1887, 253 ff.; – J. B. F. Heerspink, Dr. P. H. de Gr.s leven en werken, Groningen 1898; – J. Offerhaus, P. H. de Gr., in: Geloof en Vrijheid 32, Rotterdam 1898, 268 ff.; – G. P. Marang, De Zwijndrechtsche Nieuwlichters (Diss. Dordrecht), 1909, 255 ff.; – J. M. Boon-Hofstede de Groot, Het Leven van P. H. de Gr., Rotterdam 1914; – P. J. van Leeuwen, Schleiermacher in Nederland. Zijn invloed op de theologengeneratie van 1840: P. H. de Gr., J. H. Scholten, J. J. van Oosterzee, D. Chantepie de la Saussaye en daarna de ethisch-moderne theol., in: NedThT 23, 1968-69, 108 ff.; – BWGN III, 373 ff.; – NNBW II, 530 ff.; – RGG III, 425 f.; – RE VIII, 245 ff.

Ba

HOHENLANDENBERG, Hugo von, Bischof, * 1457 Schloß Hegi bei Winterthur, + 7.1.1532 in Meersburg. – H. stammte aus dem Ministerialgeschlecht Landenberg und war 1484 zunächst Probst in Erfurt. 1486-92 war er Domherr in Basel und Chur. Am 6.1.1492 erfolgte seine Ernennung zum Domdekan. Im Mai 1496 stand fest, daß er Bischof von Konstanz werden sollte, und so wurde er am 18.7.1496 zunächst zum Priester und schließlich, am 18.12.1496, zum Bischof geweiht. Durch die Auseinandersetzungen mit Zwingli (s.d.) kam der Bischof zunehmend in Schwierigkeiten. Als Zwingli am 2.7.22 sein schriftlich abgefaßtes Postulat zur Freigabe der Priesterehe und der freien, schriftgemäßen Predigt dem Bischof vorlegte, zeigte dieser sich jeder Reform abgeneigt, denn die Freigabe der Priesterehe hätte der Kirche einen finanziellen Verlust von jährlich etwa 5000-7500 Gulden eingebracht. Bei der Bekämpfung der schriftgemäßen Predigt jedoch hatte der Bischof nicht genügend Rückendeckung von seiten sei-

nes Kapitels, so daß die Neugläubigen zunehmend an Einfluß gewannen. Die Bischöfe von Lausanne, Basel und Konstanz beschlossen zwar am 1.4.1524 das sogenannte »eidgenössische Glaubenskonkordat«, ein großangelegtes Programm zur Klärung der Reformfrage, jedoch distanzierte H. sich schon bald davon, weil ihm klar wurde, daß die zwischen altem und neuem Glauben schwankende Stadt Konstanz sich nicht von der kirchlichen Obrigkeit zur Umkehr und Besinnung bringen lassen würde. So erreichten die Neugläubigen in immer größerem Maß ihre Ziele, als erste schweizerische Stadt wurde am 12.4.1525 in Zürich die traditionelle Messe abgeschafft. 1526 flohen Bischof und Kapitel nach Meersburg. H. legte sein Amt am 5.1.1529 nieder, mußte aber 1531 bis zu seinem Tode als Nachfolger Merklins die Amtsgeschäfte wieder übernehmen.

Lit.: Oskar Vasella, Reform und Gegenref. i. d. Schweiz, 1958; – A. Braun, der Klerus des Bistum Konstanz, 1938; – Alfred Vögeli, Bischof H. v. H., v. d. Anfängen bis z. Beginn d. Reformation, 34793. 111, 1973, S. 5-19; – M. Krebs, Die Protokolle des Konstanzer Domkapitels 1487-1526, in: ZGORh, 100-102 u. 106; – Schottenloher 30931a-30945; – FreibDiözArch 46, 1919, 120-322, 355 ff., – LTK V, 430.

Ba

HOHENLOHE, Alexander, Prinz zu H.-Waldenburg-Schillingsfürst, katholischer Geistlicher, * 17.8.1794 in Kupferzell als Sohn von Fürst Karl Albrecht II. (1742-96), + 14.11.1849 in Böslau bei Wien. – H. studierte zunächst am Theresianum und am Priesterseminar in Wien, anschließend in Bern, Tyrnau und Ellwangen. 1815 wurde er zum Priester geweiht, im März 1816 trat er dem Johanniterorden bei. Nach der Rückkehr von einer Romreise mit einer Audienz beim Papst wurde H. 1817 zum Vikariatsrat und 1821 zum Kapitular von Bamberg ernannt. Im gleichen Jahr versuchte sich H., der sein Halsleiden von dem fränkischen Bauern Martin Michel kuriert glaubte, in Würzburg, Bamberg und Brückenau selbst als Wunderheiler. Papst Pius VII. untersagte ihm jedoch jegliche öffentlichen Heilungsversuche und auch die bayerischen Behörden machten ihm zur Auflage, seiner Tätigkeit nur unter polizeilicher Aufsicht nachzugehen. Als Folge der Wirren um seine Person ging H. 1822 nach Wien und trat 1824 eine ihm durch Kaiser Franz verliehene Domherrnstelle im ungarischen Großwardein an. Dort wurde er 1839 ebenfalls zum Großprobst ernannt und 1844 machte ihn Papst Gregor XVI. (s.d.) zum Titularbischof von Sardika. Während der Revolution von 1848 wurde H. aus Ungarn vertrieben und ging über Innsbruck und Wien nach Böslau zu seinem Neffen, dem Grafen Fries, auf dessen Gut er im folgenden Jahr verstarb.

Werke: Predigten f. die hl. Charwoche, 1819; Was ist der Zeitgeist? Adventrede, 1819; Sacerdos catholicus in oratione et contemplatione, 1821; Des kath. Priesters Beruf, Würde u. Pflicht, 1821; Mirakelbüchlein, 1822 (hat uns viele seiner Gebete erhalten); Der nach dem Geiste der kath. Kirche betrachtende Christ, 2 Bde., 1823 (versch. Aufl.); Wanderschaft einer Gott suchenden Seele od. der Palast der Wiss. des Heils. Eine allegorisch-moralische Erz., 1830; Cura infirmorum et agonizantium (lat. u. dt.), 1831; Das entstellte Ebenbild Gottes in dem Menschen durch die Sünde. Fastenpredigten, 1836; Lichtblicke u. Ergebnisse aus der Welt u. dem Priesterleben, ges. in den J. 1815-33, 1836; Die Segnungen des kath. Christentums. Fastenvortrr., 1838; Über das hl. Sakrament der Buße. Kanzelvortrr., 1839; Über den Unglauben unserer Tage. Kanzelreden, 1840; Erinnerungen f. Seelsorger am Krankenbette, 1843; Rundschreiben an die röm. - kath. Geistlichkeit Dtld.s, 1845; V. der Selbstprüfung der Christen i. Geschäfte der Buße, 1847; Des kath. Christen Wandel vor Gott. 7 Fastenpredigten, 1848; Predigten u. Andachten, hrsg. v. Sebastian Brunner, 4 Bde., 1851.

Lit.: Carl Gf. Scharold, Lebensgesch. A.s Fürsten v. H. bis ins J. 1822, 1822; – Ders., Briefe aus Würzburg, 1823; – G. M. Pachtler, Biogr. Notizen zu A. zu H.-W.-Sch., 1850; – Ludwig Sebastian, Fürst A. v. H.-Sch. u. seine Gebetsheilungen, 1918 (mit Verz. der Schrr. H.s); – Sebastian Merkle, A. H. W.-Sch., in: Ll. aus Franken I, 1919; – Ders., Z. Beurteilung des Wundertäters A. v. H., in: HJ 55, 1935; – Hubert Bastgen, Der Hl. Stuhl u. A. v. H.-Sch. Nach Akten des Vatikan. Geh.-Arch., 1938; – K. Reichert, Prinz A. v. H. Ein »Wunderdoktor« z. Beginn des 19. Jh.s Ein Btr. z. Med.gesch. Frankens (Diss. Würzburg), 1955; – Alfred Wendehorst, Der »Wundertäter« Fürst A. v. H.-Sch., in: Ders., Das Bist. Würzburg 1803-1957, 1965, 31 ff.; – ADB XII, 638 f.; – NDB IX, 486 f.; – Kosch, KD 1700; – RE VIII, 250 f.

Ba

HOHENLOHE-SCHILLINGSFÜRST, Chlodwig, Fürst zu H.-Schillingsfürst, Prinz von Ratibor und Corvey, Reichskanzler und bayrischer Ministerpräsident, * 31. 3.1819 in Rotenburg/Fulda als Sohn von Fürst Franz zu H.-Schillingsfürst (1787-1841), + 6.7.1901 in Ragaz (Schweiz).

– Nach dem Studium der Rechtswissenschaft trat H. 1842 in den preußischen Staatsdienst ein, um eine Laufbahn im diplomatischen Dienst aufzunehmen. Beendet wurde dieses Vorhaben 1846 durch die Übernahme des mittelfränkischen Familienbesitzes, der durch die Heirat mit einer Prinzessin Sayn-Wittgenstein noch um russische Ländereien vergrößert wurde. Als Mitglied der bayrischen Kammer der Reichsräte und seit 1848 im diplomatischen Dienst der Frankfurter Zentralverwaltung vertrat H. eine gemäßigt liberale politische Haltung. Er sprach sich für die preußisch-kleindeutsche Lösung aus und votierte in der Verfassungsfrage für den Entwurf Dahlmanns; sein Hauptanliegen während der 48er Revolution war die Herstellung der deutschen Einheit. So plädierte er auch 1870 im bayrischen Reichsrat für den Anschluß Bayerns ans Reich. Im gleichen Jahr mußte H. von dem 1866 übernommenen Amt des bayrischen Ministerpräsidenten und Außenministers zurücktreten, da sein Bemühen, durch ein liberales Schulgesetz den kirchlichen Einfluß auf das Schulwesen zu unterminieren, auf ebenso heftige Kritik stieß wie sein - von Ignaz v. Döllinger (s.d.) unterstütztes - Vorgehen gegen das päpstliche Unfehlbarkeitsdogma. Zwischen 1871 und 1881 war H. als Abgeordneter der Reichspartei Mitglied des Reichstages, zeitweilig auch dessen 1. Vizepräsident. Im Rahmen des Kulturkampfes stimmte H. dem Gesetz über die obligatorische Zivilehe, dem Kanzelparagraphen und dem Jesuitenverbot zu. Seiner Ernennung zum Botschafter in Paris 1874 und der Tätigkeit als deutscher Bevollmächtigter auf dem Berliner Kongreß 1878 folgte 1885 die Einsetzung als Statthalter von Elsaß-Lothringen, das er durch seine Politik ins Reich zu integrieren versuchte. 1894 wurde H. als Nachfolger Caprivis Reichskanzler und preußischer Ministerpräsident. In der Außenpolitik verfolgte er eine Annäherung an Rußland, die Förderung der Flottenbaupolitik und den Ausbau des deutschen Kolonialbesitzes. Innenpolitisch spitzten sich die Auseinandersetzungen mit Sozialdemokraten und Zentrum wegen der Zuchthausvorlage zu; das allgemeine Wahlrecht wertete H. als

möglichen Ausgangspunkt bewaffneter innenpolitischer Konflikte. Am 17.10.1900 trat H. im Alter von 81 Jahren zurück und starb im folgenden Jahr.

Lit.: Denkwürdigkeiten des Fürsten Ch. zu H.-Sch., hrsg. v. Friedrich Curtius, 2 Bde., 1906-07; Bd. 3, hrsg. v. Karl Alexander v. Müller, 1931 (Neudr. 1967). (Rez. v. A. Chroust, in: Hochland 29, 1932, 220 ff.; v. F. Hartung, in: FBPG 44, 1932, 471 f.; v, J. Ziekursch, in: HZ 146, 1932, 359 ff.); – Hermann Rust, Reichskanzler Fürst Ch. zu H.-Sch. u. seine Brüder Hzg. v. Ratibor, Card. H. u. Prinz Constantin H., 1897; – Otto Frhr. v. Völderndorff, Vom Reichskanzler Fürst H. Erinnerungen, 1902; – Georg Frhr. v. Hertling, Fürst H.-Sch. u. seine Memoiren, in: Hochland 4, 1906/07, 679 ff.; – O. Pfülf, H. als Ankläger des Jesuitenordens, in: StML 72, 1907, 1 ff.; – E. Salzer, Fürst Ch. zu H.-Sch. u. die dt. Frage, in: HV 11, 1908; – Karl Alexander v. Müller, Bayern im J. 1866 u. die Berufung des Fürsten H. Eine Stud. (Hist. Bibl., Bd. 20), München 1909; – Ders., Der 3. Reichskanzler. Bem. zu den »Denkwürdigkeiten der Reichskanzlerzeit des Fürsten Ch. zu H.-Sch.«, in: SAM 1931/32, 3; – Johannes Baptist Kissling, Gesch. des Kulturkampfes im Dt. Reiche, 3 Bde., Freiburg i. Br. 1911-16, I 476 (Reg.), II 488 (Reg.); – A. O. Meyer, Fürst H. u. die Krügerdepesche, in: Arch. f. Politik u. Gesch. 2, Berlin 1924; – Prinz Alexander H. (Sohn), Aus meinem Leben, hrsg. v. Gottlob Anhäuser, 1925; – Wilhelm Seydler, Fürst zu H.-Sch. als Statthalter im Reichslande Elsaß-Lothringen 1885-1894, Frankfurt a. M. 1929; – E. Meisner, Der Kanzler H. u. die Mächte seiner Zeit, in: PrJ 230, 1932; – B. Gf. v. Hutten-Czapski, 60 J. Politik u. Ges., 2 Bde., 1936; – Franz Joseph Erbprinz zu H.-Sch., Ahnentaf. des Reichskanzlers Fürsten Ch. zu H.-Sch. Eingel. v. Johannes Hohlfeld, Leipzig 1937; – G. Blieffert, Die Innenpolitik des Reichskanzlers H. (Diss. Kiel), 1950; – G. Franz, Kulturkampf. Staat u. kath. Kirche in Mitteleuropa, München 1954, 353 (Reg.); – Heinz Gollwitzer, Die Standesherren. Die polit. u. gesellschaftl. Stellung der Mediatisierten 1815-1918. Ein Btr. z. dt. Sozialgesch., 1957; – Franz Xaver Kraus, Tagebücher, Hrsg. v. Hubert Schiel, Köln 1957; – Helmut Rogge, Holstein u. H. Neue Btrr. zu Friedrich v. Holsteins Tätigkeit als Mitarb. Bismarcks u. als Ratgeber H.s. Nach Briefen u. Aufzeichnungen aus dem Nachlaß des Fürsten Ch. v. H.-Sch. 1874-1894, Stuttgart 1957; – Werner Frauendienst, Das Dt. Reich v. 1890 bis 1914. Tl. 1. Kanzlerschaft Caprivi u. H., Konstanz 1959 (Hdb. der dt. Gesch., neu hrsg. v. Leo Just, Bd. 4/1); – Friedrich Kracke, Prinz u. Kaiser. Wilhelm II. im Urteil seiner Zeit, München 1960; – Odo Poppinger, Die bayr.-östr. Beziehungen v. Königgrätz bis Versailles (1866-1871) (Diss. Wien) 1960; – J. Grisar, Die Cirkulardepesche des Fürsten H. v. 9. April 1869 über das bevorstehende Vatikanische Konzil, in: Bayern, Staat u. Kirche, Land u. Reich. Forsch. z. bayr. Gesch. vornehmlich im 19. Jh. Wilhelm Winkler z. Gedächtnis, hrsg. v. den staatlichen Arch. Bayerns, München 1961, 216 ff.; – Manfred Nussbaum, V. Kolonialenthusiasmus z. Kolonialpolitik der Monopole, Z. dt. Kolonialpolitik unter Bismarck, Caprivi, H., Berlin/Ost 1962 (Stud. z. Kolonialgesch. u. Gesch. der nat. u. kolonialen Befreiungsbewegung Bd. 8); – Manfred Todt, Die Beurteilung der dt. Politik 1894-1900 u. ihrer leitenden Persönlichkeiten durch schweizer. Diplomaten (Diss. Zürich), Tübingen 1964; – Ernst Deuerlein, Dt. Kanzler v. Bismarck bis Hitler, München 1968; – Manfred Günther Plachetka, Die Getreide-Autarkiepolitik Bismarcks u. seiner Nachf. im Reichskanzleramt. Darst. u. Auswirkungen insbes. während des 1. Weltkrieges (Diss. Bonn), 1968; – Das kaiserl. Dtld. Politik u. Ges. 1870-1918. Hrsg. v. Michael Stürmer, 1970; – Neuentdeckte Briefe des Ignaz v. Döllinger an Ch. v. H. Veröff. u. eingel. v. Georg Denzler, in: RQ 67, 1972, 212 ff.; – Jürgen Wilhelm Schaefer, Kanzlerbild u. Kanzlermythos in der Zeit des »Neuen Curses«. Das Reichskanzleramt 1890-1900 u. seine Beurteilung in der zeitgenössischen dt. Presse (Diss. Heidelberg), Paderborn 1973; – Hans Ulrich Wehler, Das Dt. Kaiserreich 1871-1918, 1973; – J. David Fraley, Gouv. by Procrastination: Chancellor H. and Kaiser William II., 1894-1900, in: Central European Hist. 7, Atlanta/Georgia 1974; – Hartmut Weber, Die Fürsten v. H. im Vormärz. Politische u. soz. Verhaltensweisen württembergischer Standesherren in der ersten Hälfte des 19. Jh. (Diss. Tübingen), Schwäbisch Hall 1977 (Forschungen aus Württembergisch Franken 11); – BJ VII, 410; – NDB IX, 487 ff.; – Kosch, KD 1699; – RGG III, 426 f.; – EC VI, 1456 f.; – LThK V, 430 f.

Ba

HOHENLOHE-SCHILLINGSFÜRST, Gustav-Adolf, Prinz zu H.-Schillingsfürst, Bruder von Chlodwig H.-Schillingsfürst (s.d.), Kardinal, * 26.2.1823 in Rotenburg/Fulda, + 30.10.1896 in Rom.

– H. studierte Theologie in Breslau und München und stand dabei unter dem Einfluß seines Lehrers Ignaz v. Döllinger (s.d.). 1846 wurde H. Mitglied der Academia Ecclesiastica in Rom. Der Priesterweihe 1849 folgte bald die Ernennung zum päpstlichen Großalmosenier; 1857 wurde H. Titularbischof von Edessa. Pläne zur Übernahme eines deutschen Bistums ließen sich nicht verwirklichen. 1866 schließlich ernannte ihn Pius IX. zum Kardinal. Wie sein Bruder Chlodwig und Döllinger gehörte H. auf dem Vatikanischen Konzil 1869-70 zu den Gegnern der Lehre von der päpstlichen Unfehlbarkeit; er akzeptierte aber das Dogma, nachdem es von der Mehrheit des Konzils befürwortet worden war. Nach der Auflösung des Kirchenstaates 1870 ging·H. nach Deutschland. Bismarcks Versuch, ihn 1872 zum deutschen Botschafter im Vatikan zu ernen, scheiterte an der Opposition der Kurie. 1878 wurde H. Erzpriester von S. Maria Maggiore und 1879 Kardinalbischof von Albano. Differenzen mit der Kurie führten aber dazu, daß H. sein Bischofsamt 1883 aufgab. H., der sich im Kulturkampf um einen Ausgleich zwischen Kirche und Staat bemüht hatte, verbrachte seinen Lebensabend in der Villa d'Este in Tivoli.

Lit.: C. Zandotti, Cenni storici del Card. Principe G. d'H., Rom 1896; – Hermann Rust, Reichskanzler Fürst Ch. zu H.-Sch. u. seine Brüder Hzg. v. Ratibor, Card. H. u. Prinz Constantin H., 1897, 837 ff.; – v. Kobell, Fürst Ch. u. Kard. Prinz Adolf zu H.-Sch., in: Dt. Rv. über das gesamte nat. Leben der Ggw. 22, Berlin 1897; – Johannes Baptist Kissling, Gesch. des Kulturkampfes im Dt. Reiche II: Die Kulturkampfgesetzgebung 1871-1874, 1913, 99 ff.; III: Der Kampf gg. den passiven Widerstand. Die Friedensverhh., 1916, 225 ff.; – G. Franz, Kulturkampf. Staat u. kath. Kirche in Mitteleuropa, München 1954, 353 (Reg.); –Die Vorgesch. des Kulturkampfes. Qu.-Veröff. aus dem dt. Zentralarch., bearb. v. A. Constabel, Berlin 1956, 243.249; – Franz Xaver Kraus, Tagebücher, hrsg. v. Hubert Schiel, Köln 1957; – E. Deuerlein, Bismarck u. die Reichsvertretung b. Hl. Stuhl. Im Vorfeld des Kulturkampfes. Der »Fall H.-Sch.«, in: StZ 164, 1958-59, 203 ff. 256 ff.; – H. Philippi, Btrr. z. Gesch. der diplomatischen Beziehungen zw. dem Dt. Reich u. dem Hl. Stuhl 1872-1909, in: HJ 82, 1963, 219 ff.; – H. Jedin, Gustav H. u. Augustin Theiner 1850-1870, in: RQ 66, 1971, 171 ff.; – BJ I, 449 ff.; – NDB IX, 490; – Kosch, KD 1697; – RGG III, 426 f.; – EC VI, 1457; – LThK V, 341.

Ba

HOHENWART, Sigismund Anton, Graf von, Fürst-Erzbischof von Wien, * 2.5.1730 in Kolovec (Krain), + 30.6.1820 in Wien. – H. trat 1746 in den Orden der Ges. Jesu ein. In den Jahren 1749-51 studierte er Theologie in Graz. Ab 1752 erteilte er für ein Jahr Grammatikunterricht in Triest. Danach unterrichtete er ab 1754 Poesie und Rhetorik in Laibach, 1758 konnte er sein Studium der Theologie abschließen. 1759 erhielt er die Priesterweihe und wurde ein Jahr später Seelsorger im Herzogtum Steiermark. 1761 lehrte er an der theresianischen Akademie, 1768 wurde er Rektor des nordischen Stiftes seines Ordens in Linz. 1777 ernannte ihn Maria Theresia zum Lehrer für Religion und Geschichte für die vier ältesten Prinzen des Großherzogs von Toskana, der spätere Franz II und seine Brüder. So ging er nach Florenz, blieb dort 13 Jahre und machte in dieser Zeit Herders Bekanntschaft. 1790 folgte er seinen Schülern nach Wien, 1791 erhielt er das Bistum Triest und 1794 wurde er Bischof von St. Pölten, ausserdem Heeresvikar. 1803 ernannte Franz II. seinen ehemaligen Religionslehrer H. zum Erzbischof von Wien. 1806 wurde er noch Vorsitzender der Hofkom-

mission in deutschen Schulangelegenheiten und 1808 Ordensprälat und Großkreuz des kaiserlichen Leopoldinen-Ordens. – Wirkungsvoll waren seine Initiativen zur Förderung des erzbischöflichen Alumnate, die den Priesternachwuchs gewährleisten sollten. Außerdem erreichte er die Zulassung der Redemptoristen und Mechitaristen in Österreich, nachdem diese Triest nach der Säkularisierung am 11.11.1810 verlassen mußten. Napoleon gegenüber nahm er eine ablehnende Haltung ein. Er weigerte sich in seiner Eigenschaft als Bischof, das Volk zum Gehorsam gegen Napoleon aufzufordern, wie es von ihm verlangt wurde. Bis zu seinem Tode im Alter von 91 Jahren war er ein aktiver Mann der Kirche.

Werke: Praeter plura ad Clerum et populum typo emissa prostat speciatim, 1794; Epistola ad Clerum sacularem et regularem diocesis San Hypolitanae et Archidioecesis Viennensis, 1794; Sunt ejus Inscriptiones IV perelegantes stilo lapidari in Exequiis Leopoldo II, 1792; Homilica italica, dum Franciskus I. Augustus post mortem 1792.

Lit.: Nekrolog, Intelligenzblatt, 1820, 74-76; – Gubitz, der Gesellschafter, 1837, S. 419; – Bernhard Wagner, S. A. Gr. v. H., Biographie denkwürdiger Priester u. Prälaten, 1846; – Sebastian Brunner, C. M. Hofbauer und seine Zeit, 1858; – A. Kerschbaumer, Gesch. d. Bist. St. Pölten, 1876; – J. Schlecht, S. A. v. H., Erzbischof v. Wien, 1912; – Ders., Kirchengesch. Österr.-Ung., 1909; – Wurzbach IX, 208 f.; – S. H. Sommervogel IV, 1893; – J. Schlecht, Buchbergers Kirchl. Handlex. I, 1907; – B. Duhr, Gesch. d. Jesuiten IV, 1928; – Kosch KD I, 1702 f.; – ÖBL II, 397.; – Tomek III, 317 f.; 537 ff. 585 ff.

Ba

HOHLFELDT, Christoph Christian, ev. religiöser Dichter, * 9.8.1776 in Dresden, + daselbst 7.8.1849. – H. lebte in seiner Vaterstadt als Rechtskonsulent und Armenadvokat. Wir verdanken ihm das Lied »Mit dem Herrn fang alles an! Kindlich mußt du ihm vertrauen«. Genannt sei auch die Liedstrophe »Verlaß mich nicht, o du, zu dem ich flehe«.

Werke: Horatii libri I. carmen I. in linguam nobis vernaculum translatum et illustratum, 1794; Urania die Jüngere zur Befestigung des Glaubens an Gott und Unsterblichkeit, 1810; Die jungen Horen, 1811; Darstellung der bei dem 3. Reformations-Jubelfeste in Dresden stattgefundenen Feierlichkeiten. Aus authentischen Quellen gesammelt, 1818; A Popes Gedicht Der Mensch, deutsch, 1820; Harfenklänge, 1823 (2. verm. u. verb. Aufl. 1836); Neuere lyrische Gedichte, 1830; Die Einführung der Reformation in Dresden im Jahre 1539, nebst Darstellung der wichtigsten kirchlichen Ereignisse während des 16. Jahrhunderts in dieser Stadt. Zur dreihundertjährigen Jubelfeier derselben im Jahre 1839, 1839; Die dritte Säkularfeier der Einführung der Reformation in Dresden den 6. Julius 1839, nach authentischen Mitteilungen geschildert, 1839; Die Schicksale der Dresdener Elbbrücke seit vier Jahrhunderten, nach glaubwürdigen, zum Theil archivarischen Nachrichten bearbeitet, 1844.

Lit.: Ch. G. Ernst am Ende, Advokat Hohlfeldt. Sächs. Dichter u. Geschichtsschreiber, 1873; – Präsident Jame A. Garfields, Lebens- und Leidensgeschichte, Cleveland, o., 1881; – Kosch, LL II, 1045; – Meusel XVIII, 198; XXII², 822; – Goedecke VII, 285 f.; – Kosch, LL IV, 1045; – DLL VIII, 18-19.

Ba

HOLBEIN Hans der Ältere, Maler, * um 1465 in Augsburg als Sohn des Gerbermeisters Michel H., + 1524 am Oberrhein. – Aus H.s früher Zeit ist wenig bekannt. Die Malerei lernte er nicht in seiner Heimatstadt Augsburg, sondern in Ulm, wahrscheinlich bei Bartholomäus Zeitblom. 1490 erhielt er den Auftrag, für das Augsburger Kloster St. Ulrich ein Retabel anzufertigen.

1494 kehrte er mit dem Bildhauer Gregor Erhart nach Augsburg zurück, nachdem er zuvor zusammen mit Michel Erhart einen Altar für das Kloster Weingarten geschaffen hatte. Zwei Jahre später kaufte er ein Haus am vorderen Lech. Eine seiner größten Arbeiten, der Altar der Dominikanerkirche in Frankfurt a. M., vollendete er 1501. 1502-1504 fertigte er zusammen mit dem Kunstschreiner Adolph Dauchert und Gregor Erhart den Hochaltar des Zisterzienserklosters von Kaisheim bei Donauwörth. In den folgenden Jahren waren seine Werke weitestgehend Auftragsarbeiten der Stadt Augsburg, u. a. der Frontaltar des Doms, der allerdings später dem Bildersturm zum Opfer fiel. Um 1516 verließ H. Augsburg in Richtung Oberelsaß. Ob, wie vermutet wurde, Schulden der Anlaß dafür waren, ist aber fraglich. Wahrscheinlich war die konkrete Veranlassung ein Auftrag des Klosters Isenheim. 1517 ging er mit seinem Sohn Hans nach Luzern. Bei ihm hat er wohl auch seine letzten Lebensjahre verbracht, in denen er noch zahlreiche Werke schuf. H. war in seinen Bildern ganz der spätgotischen Tradition verhaftet, wobei später jedoch noch niederländische und italienische Renaissenceelemente hinzutraten. Während seiner letzten Schaffensphase glichen seine Bilder so sehr denen seines Sohnes, daß es häufig zu Verwechselungen kam.

Wi

Werke: Basilica di Maria S. Maggiore, 1499 (Augsburg, Bayer. Staatsgem.smlg.en); Basilica di S. Paolo, 1503-04 (ebd.); v. Katharinenaltar, 1512: linker Flügel innen »Enthauptung der hl. Katharina«, außen »Kreuzigung des hl. Petrus«, rechter Flügel innen »Die Hll. Ulrich u. Konrad«, außen »Hl. Anna selbdritt (Der erste Schritt)«; v. »Weingartener Altar«, 1493. Linker Flügel innen »Tempelgang Mariä«, außen »Opfer Joachims«; rechter Flügel innen »Darbringung im Tempel«, außen »Geburt Mariä« (ebd., Dom S. Maria); »Schwarz-Votivbild«, um 1508 (ebd., Städtische Kunstsmlg.en). — »Maria mit Kind«, um 1495 (Bad Oberdorf bei Hildelang im Allgäu, Kath. Kirche). — v. »Afra-Altar«, 1490. Linker Flügel innen »Tod Mariä«; v. »Dominikaner-Altar«, 1500-1501. Rechter Innenflügel innen unten »Tod Mariä« (Basel, Kunstmus.). — »Trauernde Maria«, um 1495 (Berlin, Staatl. Museen Stiftung (West), Gem.galerie). — »Martyrium der hl. Afra«, um 1505 (Bremen, Kunsthalle). — »Tod Mariä«, um 1485-90 (Budapest, Magyar Szepmüveszeti Muzeum). — v. »Afra-Altar«, 1490. Rechter Flügel innen »Krönung Mariä«; beide Flügel außen »Begräbnis der hl. Afra« (Eichstätt, Bischöfl. Residenz, Hauskapelle). — »Kreuztragendes Christuskind auf der Weltkugel«, um 1495 (Essen, Kruppsche Gem.smlg.). — v. »Dominikaner-Altar«, 1500-1501. Linker Außenflügel innen oben »Gefangennahme Christi«, unten »Ecce Homo«, außen »Stammbaum Christi« i. rechter Aussenflügel innen oben »Dornenkrönung«, unten »Auferstehung Christi«, außen »Stammbaum der Dominikaner«; linker Innenflügel außen oben »Christus vor Pilatus«, unten »Kreuztragung«; rechter Innenflügel aussen oben »Geißelung Christi«, unten »Grablegung Christi« (verschollen); 4 Predellenteile: »Einzug Christi in Jerusalem«, »Vertreibung der Wechsler aus dem Tempel«, »Fußwaschung des hl. Petrus«, »Christus am Ölberg« (Frankfurt am Main, Städelsches Kunstinstitut). — v. »Dominikaner-Altar«, 1500-1501. Linker Innenflügel innen unten »Darbringung im Tempel« (Hamburg, Kunsthalle). — »Christus u. Maria auf Golgotha·« (Hannover, Niedersächs. Landesgalerie). — »Tempelgang Mariä«, 1519 (Lissabon, Museu Nacional de Arte Antiga). — v. »Kaisheimer Altar«, 1502: Linker Flügel innen oben links »Tempelgang Mariä«, rechts »Verkündigung Maria«, unten links »Beschneidung Christi«, rechts »Anbetung der Könige«, außen oben links »Christus am Ölberg«, rechts »Gefangennahme Christi«, unten links »Dornenkrönung«, rechts »Ecce Homo«; rechter Flügel innen oben links »Heimsuchung Mariä«, rechts »Geburt Christi«, unten links »Darbringung im Tempel«, rechts »Tod Mariä«, außen oben links »Christus vor Pilatus«, rechts »Geißelung Christi«, unten links »Kreuztragung Christi«, rechts »Auferstehung Christi« (München, Alte Pinakothek). — Sebastiansaltar, 1516. Mitteltafel »Martyrium des hl. Sebastian«; linker Flügel innen »Hl. Barbara«, außen »Engel der Verkündigung«; rechter Flügel innen »Hl. Elisabeth mit drei Bettlern«, außen »Maria der Verkündigung« (ebd.). — »Maria mit Kind u. zwei Engeln«, 1499 (Nürnberg, German. Nat.mus.). — v. »Hohenburger Altar«, um 1509. Linker Flügel innen oben »Die Hll.

Sebastian, Lucia u. Katharina« und unten »Tod Mariä«, außen »Die Hll. Thomas und Augustinus«; rechter Flügel innen oben »Die Hll. Barbara, Apollonia u. Rochus«; u. unten »Wunder u. Gebet der Hl. Ottilie um Erlösung ihres Vaters Hzg. Adalrich«, außen »Die Hll. Ambrosius u. Margareta« (Prag, Narodni Galerie). — »Maria mit Kind«, um 1512 (Wien, Kunsthist. Mus.). — »Christus als Schmerzensmann«, um 1505 (Zürich, Schweizer. Landesmus.).

Lit.: Curt Glaser, H.H. d.Ä., 1908; — Ders., Urkundl. über H. H. d. Ä. in: Kunstchron. Maschr. f. Kunstwiss., Mus.wesen u. Denkmalpflege NF 27, 1915/16; — Peter Zoege v. Manteuffel, H. H., der Maler, 1920; — Heinrich Ernst Bucher, Zum Werk H. H.s d. Ä., in: Bttr. z. Gesch. der dt. Kunst, hrsg. v. dems. u. Karl Feuchtmayr. II. Augsburger Kunst der Spätgotik u. Renaissance, 1928, 133-158; — Ludwig Baldaß, Ndrl. Bildgedanken im Werk des älteren H., ebd. 159-171; — Alfred Schmid, in: Zeitschr. f. Kunstgesch. 10, 1941/42; — Peter Strieder, Der Ältere H. H., 1947; — Ders., H. H. d. Ä. u. die dt. Wiederholungen des Gnadenbildes v. Santa Maria del Popolo, in: Zschr. f. Kunstgesch. 22, 1959, 252-267; — Ders., H.H.d.Ä. im Spätgotik u. Renaissance, in: Pantheon. Internat. Zschr. f. Kunst 19, 1961, 98 ff.; — Ders., H. H. d. Ä. u. die Kunst der Spätgotik, in: Kunstchron. 18, 1965, 293-297; — Karl Feuchtmayr, Martin Saffner u. H. H. d. Ä., in: Festschr. f. Hans Vollmer, Leipzig 1957, 131 ff.; — Hanspeter Landoldt, H.H. d. Ä. u. die Renaissance, in: Zschr. f. Schweizer, Archäologie u. Kunstgesch. 18, 1958, 167 ff.; — Das Skizzenbuch H. H.s d. Ä. im Kupferstichkabinett Basel. Hrsg. v. dems., Olten-Lausanne-Freiburg/Breisgau 1960; — Hans Reinhard, Das Abendmahl nach Leonardo da Vinci in der Basler Kunstsmlg., ein Werk H. H.s d. Ä., in: Zschr. f. Schweizer. Archäologie u. Kunstwiss. 18, 1958; — F. Schilling, Ein Gem.ausschnitt H. H.s d.Ä. u. Gedanken zu seiner Werkstatt, in: Festschr. f. Friedrich Winkler, 1959, 157 ff.; — Christian Beutler u. Gunther Thiem, H. H. d. Ä. Die spätgot. Altar- und Glasmalerei (veränd. Diss), Augsburg 1960; — Kat. der Ausst. »Die Malerfamilie H. in Basel« (Kunstmus.), 2. Bde., Basel 1960, 61 ff.; — Alfred Stange, Dt. Malerei der Gotik VIII, 1957, 57 ff.; — Norbert Lieb u. Alfred Stange, H. H. d. Ä., 1960; — Heinz Klotz, H.s »Leichnam Christi im Grabe«, in: Öff. Kunstsmlg. Basel. Jber. 1964-66, 111 ff.; — Hannelore Müller, Zum Leben H. H.s d Ä., in: Kat. der Ausst. »H. H. d. Ä. u. die Kunst der Spätgotik«, Rathaus, Augsburg 1965; — Bruno Bushart, Karl Franz Reinking u. Hans Reinhard, H. H. d. Ä., 1966; — Ders., Kostbarkeiten aus den Kunstsmlg.en der Stadt Augsburg, 1967; — Ders., Der Lebensbrunnen v. H. H. d. Ä., in: F. Piel u. J. Traeger (Hrsg.), Festschr: Wolfgang Braunfels, Tübingen 1977, 45 ff.; — Kurt Löcher, Stud. z. oberdt. Bildnismalerei d. 16. Jhs., in: Jber. d. staatl. Kunstsmlg.en in Baden-Württemberg 4, 1967, 31 ff.; — Sankt Peter in Lindau. Wandmalereien v. H. d. Ä. Von Isolde Rieger (u.a.). Fotos v. Werner Stuhler, 1968; — Alfred Weitnauer, Wandmalereien H.s d. Ä. in der Lindauer Peterskirche, in: Die sieben Schwaben, 18, 1968; — Bernhard Rupprecht, Licht, Dunkel u. Farbe bei H. H. d. Ä., in: Kunstchron. 21, 1968, 409 ff.; — Ders., Farbe, Licht und Dunkel bei H. H. d. Ä., in: Jb. der Staatl. Kunstsmlg.en in Baden-Württemberg 7, 1970, 57-76; — KML III, 261-268; — ADB XII, 7 NDB IX, Dunkel bei H. H. d. Ä., in: Jb. der Staatl. Kunstsmlg.en in Baden-Württemberg 7, 1970, 57-76; — J. M. Cordeiro de Sousa, A »Fonte da Vida« do Musen das Janelas Verdes (Lisboa), in: Boletim do Musen nacional de Arte antiga 5, 1969, 5 f.; — Colin Eisler, Aspects of H. the Elder's heritage, in: Festschr. G. v. d. Osten, 1970, 149 ff.; — Louise S. Richards, A silverpoint drawing by H. H. the Elder, in: Bull of the Cleveland Museum of Art 58, 1971, 200 ff.; — J. Christian, Early German sources for Prehaphaelite design, in: Art Quarterly 36, 1973, 56 ff.; — Katalog d. Kupferstichkabinetts Basel, bearb. v. Falk u. Tilman I: Die Zeichnungen d. 15. u. 16. Jh.s., 1979, — KML III, 261-268; — ADB XII, 7 NDB IX, 513-515; — LThK V, 442 f.; — Thieme-Becker XVII, 333 ff..

Ba

HOLBEIN, Hans der Jüngere, Maler, * Ende 1497 / Anfang 1498 in Augsburg als Sohn von H. H. dem Älteren, + zwischen 7.10. und 29.11.1543 in London. — H. hat das Malen von seinem Vater gelernt. Sein erstes Werk fertigte er 1515 in Basel an. Ein Jahr später trat er als Geselle in die Werkstatt des Meister Herbst ein, der ihn schon als Achtzehnjährigen Portraits bedeutender Persönlichkeiten malen ließ. 1517 folgte H. seinem Vater nach Luzern, wo er die Hausfassade des Schultheißen bemalte und dessen Sohn Benedict portraitierte.

1519 kehrte er nach Basel zurück und trat in die Malerzunft "Zum Himmel" ein. Ein Jahr darauf erhielt er
durch Heirat das Basler Bürgerrecht und die Ausmalung
des Rathaussaales wurde ihm angetragen. Vor 1524 begab er sich mit Erasmus, der sich zu dieser Zeit ebenfalls in Basel aufhielt und den er zweimal portraitiert
hatte, auf eine Frankreichreise. Ohne direkte äußere
Veranlassung fuhr H. im Herbst 1526 nach England,
ausgestattet mit einem Empfehlungsschreiben von Erasmus an Thomas Morus, dessen ganzen Freundeskreis er
u. a. malte. 1528 ging er wieder nach Basel und erwarb
von dem in England verdienten Geld ein Haus in der
St. Johannisvorstadt. Als es im Februar 1529 in Basel
zum Bildersturm kam, wurde ein großer Teil der Bilder
H.s zerstört. In dieser Zeit arbeitete er viel als Buchillu-
strator (Bibel und wissenschaftliche Werke). 1532 ging
er wieder nach England, wo er zunächst deutsche Kaufleute in London portraitierte. Vier Jahre später trat er
in den Dienst Heinrich VIII. 1538 besuchte er noch
einmal Basel, wo man ihn mit großzügigen Angeboten
zu halten suchte, da seine Arbeit »me wert, denn als sy
an alte murren und hüser vergüttet werden sollte«, aber
H. lehnte ab und blieb nur einige Wochen. Obwohl am
Hofe immer häufiger Personen in Ungnade fielen, blieb
sein Verhältnis zum König konstant, für den er zahlreiche Auftragsarbeiten erfüllte. Im Spätherbst des Jahres
1543 erlag H. der in London grassierenden Pest. – H.
war als Künstler ein Beobachter, der, anders als etwa
Dürer, mit dem er oft verglichen wird, Distanz zum
Objekt wahrt. Klarheit und nicht Stimmung war das
Ziel seiner Arbeit. Dennoch sind seine Bilder keinesfalls gefühllos, wie etwa das Gemälde seiner Familie
von 1528 zeigt.

Wi

Werke: »Ein Schulmeister erklärt zwei des Lesens u. Schreibens unkun-
digen Gesellen ein Schr.stück, das sie unterzeichnen sollen«, 1516 (Basel, Kunstmus.); – »Der Basler Bürgermeister Jakob Meyer zum Hasen
u. seine Frau Dorothea Kannengießer«, 1516 (ebd.); – »Hans Herbster«,
1516 (ebd.); – »Adam und Eva«, 1517 (ebd.); – 5 Szenen aus der Passion Christi« nach 1518: »Das Abendmahl, im Hintergrund die Fußwaschung«, »Christus am Ölberg u. der Verrat des Judas«, »Gefangennahme Christi«, »Die Handwaschung des Pilatus«, »Geißelung Christi«
(ebd.); – »Der Basler Rechtsgelehrte Bonifacius Amerbach«, 1519
(ebd.); – »Der tote Christus im Grabe«, 1521-22 (ebd.); – »schrei-
bende Erasmus v. Rotterdam«, 1523 (ebd.); – »Abendmahl«, um 1525
(ebd.); – 4 Taf. eines Flügelaltars mit 8 »Szenen aus der Passion Christi«, um 1525 (ebd.); v. der Orgelflügeln aus dem »Basler Münster«, zw.
1522 u. 1528. Linker Flügel » Kaiser Heinrich II. u. seine Gemahlin Kunigunde«; rechter Flügel »Maria mit Kind u. den beiden älteren Kindern«, 1528 (?) (ebd.); – »Der Kaufmann Georg Gisze«, 1532 (Berlin,
Staatl. Museen (West), Gem.Galerie); – »Hermann Hildebrandt We-
digh« (ebd.); – »Madonna des Basler Bürgermeisters Jakob Meyer zum
Hasen (Darmstädter Madonna)«, um 1528 (ebd., Schloß); – »Unbekannte Frau«, um 1530 (Den Haag, Mauritshuis); – »Robert Ghese-
man«, 1533 (ebd.); – »Edelmann mit einem Falken«, 1542 (ebd.); –
»Thomas Godsalve mit seinem Sohn John«, 1528 (Dresden, Gem.Gale-
rie); – »Charles de Solier, Sieur de Morette«, 1534-35 (ebd.); – »Sir
Richard Southwell«, 1536 (Florenz, Galleria degli Uffizi); – »Selbstbildnis«, 1542 (ebd.); – »Simon George of Quocote«, um 1542 (Frank-
furt/Main, Städelsches Kunstinstitut); – v. »Oberried-Altar«, 1521-22.
Linker Flügel innen »Geburt Christi u. Verkündigung an die Hirten«;
rechter Flügel innen »Anbetung der Kge.« (Freiburg/Breisgau, Münster,
Univ.Kapelle). – »Kreuztragung Christi«, 1515 (Karlsruhe, Kunsthalle);
– »Die Gesandten«, 1533 (London, National Gallery); – »Christine v.
Dänemark«, 1538 (ebd.); – »Erasmus in der Stube mit dem Renaissan-
cepilaster«, 1523 (Longford Castle (Whitshire), Smlg. Earl of Radnorz);
– »Heinrich VIII.«, 1537 (Lugano, Smlg. Thyssen-Bornemisza); – »Sir
Thomas More«, 1527 (New York, Frick Collection); – »Junker Bene-
dict v. Hertenstein«, 1517 (ebd.) Metropolitan Musum of Art); – »Dirk
Berck v. Köln«, 1536 (ebd.); – »Johannes Zimmermann gen. Xilotex-

tus«, 1520 (Nürnberg, German. Nat.mus.); – »Erasmus v. Rotterdam
am Schreibpult«, 1523 (Paris, Musee National de Louvre); EB »William
Warham«, 1527 (ebd.); – »Nikolaus Kratzer«, 1528 (ebd.); – »Anna
v. Cleve«, 1539 (ebd.); – »Heinrich VIII.«, 1540 (Rom. Gallaeria Nazionale, Palazzo Barberini); – »Madonna v. Solothurn (Altarbild des Basler Stadtschreibers Johann Gerster)«, 1522 (Solothurn, Mus. der Stadt);
– »Jane Seymour«, 1536 (Wien, Kunsthist.Mus.).

Lit.: Alfred Woltmann, H. u. seine Zeit. Des Künstlers Familie, Leben u.
Schaffen, 1873-76²; – Heinrich Alfred Schmid, Die Gem. v. H.H.d.J.
im Basler Großratsaale, in: Jb. der Kgl. Preuß. Kunstsmlg.en, 1896, 73
ff.; – Die Malereien H. H.s d. J. am Hertensteinhause in Luzern, 34,
1913, 173 ff.; – Ders. H. H. d. J. Sein Aufstieg z. Meisterschaft u. sein
engl. Stil, Textbd. 1948; Taf.bd. 1945; – Alexander Goette, H.s Totentanz
u. seine Vorbilder, 1897; – A.B. Chamberlain, H.H. the Younger,
London 1903; – G.S. Davies, H.H. the Younger, ebd. 1903; – Paul
Ganz, Die Handzeichnungen H.H.s d. J., 1911-37; – Ders. H.H. d. J.,
1912 (1919²); – Handzeichnungen, in Ausw. hrsg. v. dems., Basel
1943; – H.H. d. J. Die Gem. Eine GA v. demselben, ebd. 1950; – Ders.,
Weihnachtsdarstellung H.H.s d. J. Die Flügel d. Oberried-Altars in der
Univ.-Kapelle d. Münsters zu Freiburg i.Br. Hrsg. v. Münsterbauver, Freiburg i.Br., Augsburg 1923; – Ulrich Christoffel, H. H. d. J., 1926
(1950²); – Wilhelm Stein, H., 1929; – Werner Cohn, Der Wandel der
Architekturgestaltung in den Werken H. H.s d. J. Btr. z. H.-Chronologie,
1930; – A. K. Bruce, Erasmus and H., London 1936; – Hermann
Knackfuß, H. d. J., 1938⁷; – H.H. d. J. Mit einer Einf. u. Bildertexten
v. Walter Ueberwasser, 1958; – Wilhelm Wätzold, H. d. J., Werk u.
Welt, 1938; – H. H. d. J. Text v. dems. 1958; – Jos. Gantner, Gedenkrede, geh. am 30.10.1943. Akad. Feier z. 400 Todestag H. H.s d. J., Basel 1943; – J. M. Clark, The Dance of Death by H. H., 1947; – H. T.
Parker, Die Zeichnungen H. H.s in Windsor, London 1947; – H. H.
1497-1543. Text v. Tristan Klingsor, Paris 1951 (Text in frz., eng. u. dt.
Sprache); – Wilhelm Pinder, Vom Wesen u. Werden dt. Formen. Geschichtl. Betrachtungen. IV: H. H. J. u. das Ende der altdt. Kunst, 1951
(1952²); – Leo Bruhns, Die Meisterwerke. Eine Gesch. der Kunst (2.
neu bearb. Ausg.). IV: Europ. Malerei des 15. bis 17. Jh.s. Von Eyck bis
H. Das Jh. Rembrandts, 1955; – Ders., Eine Bildnisminiatur v. H. H.,
in: Pantheon. Internat. Zschr. f. Kunst 27, 1969, 21-23; – Jan Weerda,
H. u. Calvin. Ein Bildfund, 1955; – Hans Werner Grohn, H. H. d. J. als
Maler, Leipzig 1955; – Bildzeichnungen. Ausgew. u. eingel. v. dems.,
Dresden 1956 (Ausg. 1957); – Basteigalerie der großen Maler. Nr. 16.
H. H. Von dems., 1967; – H.s Bilder des Todes (Ein Totentanz), hrsg.
v. Paul Liebe, 1957; – Walter Überwasser, H.s »Christus im Grab-
nische«, in: Stud. z. Kunst des Oberrheins. Festschr. f. Werner Noack,
1958, 125-130; – H.H.d.J. Mit einer Einf. u. Bildertexten v. dems.,
1958; – Günther Grundmann, Die Darmstädter Madonna. Der Schick-
salsweg des berühmten Gem. v. H.H.d.J., 1959; – Die Gesandten. Einf. v.
Carl Georg Heise, 1959; – Herbert v. Einem H.s »Christus im Grabe«,
1960; – Kat. der Ausst. »Die Malerfamilie H. in Basel«. (Kunstmus.),
Basel 1960; – Erika Billeter-Schulze, Zum Einfluß der Graphik von Dürer und H. in der frz. Kunst d. 16. Jh.s, Phil. Diss. Basel 1964, auch in:
Basler Zschr. f. Gesch. u. Altertumskunde 62, 39, 66 und 63, 5 ff; –
Frantis Dvorak. (D. v Lise Scheuerrova), Prag 1965; – H. H. d. J. Bil-
der des Todes (Totentanz), 1965 (Inselbücherei 221. 89-93 Tsd.);
– Tadao Kaizu, Todesbewußtsein in der Kunst, in: Zschr. f. Ästhetik u.
allg. Kunstwiss. 11, 1966, 170-173; – Kunstbetrachtung. Anregungen z.
Betracht.en v. Kunstwerken. Hrsg. v. Ernst Strassner. 52: H.H. d. J., H.s
Ehefrau mit Kindern, 1967; – Roy Strong, The Paul Mellon Founda-
tion for British Art. H. and Henry VIII, London 1967; – Ders., H. H.
Das Gesamtwerk, 1979 (Ullstein Tb); – Christus im Grabe. Einf. v.
Heinrich Klotz, 1968; – Gert Krevtenberg, H.H. Die Wandgem. in Bas-
ler Ratsaal, in: Zschr. des Dt. Ver. f. Kunstwiss. 24, 1970, 77-100; –
W. Hugelshofer, H.s Familienbild, in: Kunstgeschichtl. Ges. zu Berlin.
Sitzungsber. 19, 1970-71, 6 ff; – Th. Brachert, Die Solothurner Madonna v. H. H. aus dem J. 1522, in: Maltechnik, Restaurr. Internat. Zschr.
f. Farbe z. Maltechniken, Restaurrierung u. Naturwiss. der Kunstwerke.
Hrsg. v. Ernst Berger. 78, 1972, 6-22; – Gunther Franz, Huberinus-Rhegius-H. Bibliographische und drucke-
schichtliche Untersuchung der verbreitetsten Trost- und Erbauungs-
schriften d. 16. Jhs.s (Bibliotheca Humanistica et Re-
formatorica. 7); – C. Klemm, Die Orgelflügel. Eine alte Bildgattung und
ihre Ausstattung bei H., in: Das Münster. 26, 1973, 357 ff – H.H. d.J.
Images of the Old Testament. English and french ed. Pref. by M. Malo-
ney. Bern, Frankfurt/Main, Toronto 1973; – Das gemalte Gesamtwerk
v. H. H. Einf. Roberto Salvini, Anh. Wiss. Hans Werner Grohn (Dt.spra-
chige Ausg. unter der Leitung v. Louis Hertig), 1974; – H.H.d.J. The
dance of death. Les simulacres et historiées facies de la mort. Designed
by H.H. and cut in wood by Hans Lützelburger. Introductory essays by
P. Hofer and Turner Montagne. Boston 1974; – L. Wüthrich, Zwei Arbeiten von H.H. d. J. für die Basler Safranzunft in: Zschr. f. schweizer.
Archäologie u. Kunstgesch. 32, 1975, 232 ff.; – Karl Heinz Klingenburg, H.s »Bilder des Todes« in ihrem Bezug z. frühbürgerl. Rev.; in:
Bildende Kunst, Dresden 1975, 142-146; – Hans Reinhardt. Ein unbekannter Holzschnitt H. H.s d. J. v. 1536 u. H.s Melanchthons-Bildnis,
in: Zschr. f. schweizer. Archäologie u. Kunstgesch. 32, Zürich 1975,

135-140; – Ders., H.H. le Jeune et Grünewald, in: Cahiers Alsaciens d'Archaeologie, d'Art et d'Histoire, 19, 1975-76, 157 ff.; – Ders., H.H. »Civis Basileensis«, in: Apollo, 104, London 1976, 461 ff; – Ders., Einige Bemerkungen zum graph. Werk H. H.s d. J., in: Zschr. f. schweizer. Archäologie u. Kunstgesch., 34, 1977, 229 ff; – Ders., Erasme et son portraitiste H.H. le Jeune, in: J. Lefebure, L'humanisme allemand (1480–1540). 18e Collogue international de Tours. Tours, Paris 1975; – K. Hoffmann, Die Gesandten, in: Festschr. f. G. Scheja, Sigmaringen, 1975; – H. Langdon, H., Oxford 1976; – E. H. Dahl, A Map Attributed to Holbein, in: Racar, Revue d'art canadienne, Québec, 5, 116 f.; – E. Lucie Smith, The Objective Man, in: Art and Artists, London, 13, 1978-1979, 16 ff.; – J. O. Hand, The portrait of Sir Brian Tuke by H.H. the Younger, in: Studies in History of Art, Washington, 9, 1979, 33 ff.; – Holbein's Portraits of the Steelyords merchants: an investigation, in: The Metropolitan Museum of Art Journal, 14, 1979, 139 ff.; – D. Schaff, The Manchester Portrait of Henry VIII. by H.H. the Younger, in: Art International (Lugano), 23, 1979-80, 44 ff.; – J. Rowlands, Terminus, the device of Erasmus of Rotterdam: a paintin by Holbein, in: Ball of the Cleveland Museum of Art, 67, 198o, 50-54; – G. Norman, The bargain Holbein - or is it a Holbein? In: Art News, 80, 1981, 134; – D. Starkey, Holbein's Irish sitter? In: The Burlington Magazine (London), 123, 1981, 300 ff; – KML III, 269-285; – ADB XII, 715; – NDB IXm 515-520; – DNB XXVII, 106 ff; – HBLS IV, 274 f; – EBrit VIII, 990 f. (15. Ed.); – Thieme-Becker XVIIm 335 ff.; – RGG III, 431 f.; – EKL II, 190 f.; – LThK V, 443.

Ba

HOLDEN, Henry, katholischer Theologe, * 1596 in Chaigley (Lancashire), + März 1662 in Paris. – Am 18. 9.1618 begann H. ein Studium der Philosophie und Theologie an dem berühmten Kolleg Douai, einem wichtigen Glied in der Kette der englischen Bildungs- und Missionsstätten. Ab 1623 studierte er an der Pariser Sorbonne weiter, wo er schließlich promovieren konnte. Nach seiner Habilitation war er dort für kurze Zeit Professor der Theologie, bis er 1631 nach Rom ging. Außerdem war er auch Generalvikar von Paris und Seelsorger in der Kirche St. Nicolas du Chardonnet. In Rom vertrat er die Interessen der englischen Katholiken, deren Stellung zu Katholiken anderer Nationen problematisch war, weil sie keine eigenen Bischöfe hatten. 1647 richtete er eine Petition an das englische Parlament, in welcher er zu mehr Toleranz gegenüber seiner Kirche aufforderte. Auch gegenüber Rom verteidigte er die besonderen Interessen der englischen Katholiken. »Wenn der Papst uns keine Bischöfe gibt, dann wird es ohne ihn getan werden müssen«, sagte er 1651 in Rom zu dieser Frage. 1661 reiste er nach England und zog sich während der rauhen Überfahrt bei der Rückreise ein heftiges Fieber zu, welchem er Anfang 1662 erlag. – Sein Hauptwerk, »Divinae fidei analysis«, bietet in knapper Form eine Zusammenstellung der katholischen Glaubenslehre, die möglichst unberührt von den herrschenden Auseinandersetzungen formuliert werden sollte.

Werke: Divinae fidei analysis, 1652; 2 Ausg. 1655 mit Anhang: Tractatus de usura; Vindication of the Church of England against criminal Schism, 1654; Visoclarissimo Feret S. Nicolai de Cardinebo Pastori, Illust. Pariensis Archiepiscopi Vicasio Generale, Henricus Holden S.d., 1656. Viso Sapientissimo Antonio Arnaldo, Doctori Sorbonico, Henrieus Holden, S.D. 1656. Dr. Holdens Letter to a friend of his..., 1657; Novum I, Christi Testamentum, brevibus annotationibus illustratum 1660; Henrici Holdeni Theologi Parsiensis Epistola brevis ad illustrissimum D.D.N.N. ... a facultate theologica Duacena damnatis, sententiam suam dicit., 1661; A Letter to Mr. Graunt: De Medio Animarum Statu agitata, judicium suum declarat, 1661; (engl. + latein.) A check; or enquisy into the late act of the Roman Inquisition, busily and pressingly dispersed over all England by the Jesuits, 1662; In: Migne VI, 791-878; Übersetzung 1658 von William Graunt. Ausg. seiner Briefe: Robert Pugh, Blackloes Cabal, 2 Ausg. 1680.

Lit.: J. G. Alger, Palatine Notebook II, 56; – NBG XXIV, 735 f.; – DNB XXVII, 119 ff.; – DThC VII, 31 f.; – LTK V, 443; – Bibliographical Dictionary of the english catholics, III, 1962, 332-38.

Ba

HOLKOT, Robert, Dominikaner, + 1349 in Northampton. – H., der in der Philosophiegeschichté als Schüler Wilhelm Ockhams gilt, war wahrscheinlich Student der Rechte oder Rechtsanwalt, bevor er dem Dominikanerorden beitrat. Später lehrte er Theologie in Oxford und Cambridge und gehörte zu einem Kreis von Theologen um Richard von Bury, dem Bischof von Durham. H. starb an der Pest. – Großes Ansehen unter den Theologen seines Jahrhunderts genoß H. für seine Bibelkommentare. In seinen theoretischen Schriften stellte er Theologie und Philosophie einander gegenüber, indem er die Geltung der aristotelischen Logik nur bedingt für den Bereich des Glaubens akzeptierte.

Werke: Praelectiones in librum Sapientiae, 1448; Opus super Sapientiam Salomonis, 1481 u. ö.; Super wuattor libros sententiarum quaestitiones (gedr. zus. mit: Quaedam Conferentiae, De imputabilitate peccati, Determinationes quarundam aliarum quaestionum), 1497 u. ö. (Nachdr. Frankfurt 1967); Super librum Ecclesiastici, 1509; In Cantica Canticorum, 1509; Explanationes Proverbiorum Salomonis, 1510 u. ö.; De origine, definitione et remedio peccatorum, 1517; Moralizationum historiarum liber unus, 1586. – Ungedr. Schrr.: Zahlr. Quodlibeta; Moralizationes scripturae pro evangelizantibus verbum Dei; De praedicatoris officio; De praescientia et praedestinatione; De fautoribus, defensoribus, et receptoribus haereticorum libri XIV; Determinatio Oxoniensis; Dictionarium quoddam; De motibus naturalibus; De effectibus stellarum; De ludo scaccorum libri IV; In XII Prophetas minores; In quatuor Evangelia.

Lit.: A. Lang, Die Wege der Glaubensbegründung b. den Scholastikern des 14. Jh., Münster 1931, 159 ff.; – P. Glorieux, La litterature quodlibetique II, Paris 1935, 858-261; – Friedrich Stegmüller, Repertorium Commentariorum in Sentations Lombardi I, 1947, Nr. 737-741; – Ders., Repertorium biblicum V, 1955, Nr. 7409-7427; – J. C. Wey, The sermo finalis of R. H., in: MS 11, 1949, 219 ff.; – A. Messner, Gotteserkenntnis u. Gotteslehre nach dem engl. Dominikaner-Theologen R. H., Limburg 1953; – B. Smalley, in: AFP 26, 1956, 5 ff.; – Ders., English Friars and Antiquity in the Early Fourteenth Century, Oxford 1960; – M. Dal Pra, Linguaggio e conoscenza assertiva nel pensiero di R. H., in: Riv. critica di storia della filosofia 11, 1956, 15 ff.; – L. Thorndike, A New Work by R. H., in: Archives Internat. d'Hist. des Sciences 10, Paris 1957, 227 ff.; – P. W. Damon, in: Speculum 32, 1957, 99 ff.; – F. T. Muckle, in: MS 20, 1958, 127 ff.; – P. Molteni, R. H. Dottrina della grazia e della giustificazione (Diss. Bonn), 1962; – J. Beumer, Zwang u. Freiheit in der Glaubenszustimmung nach R. H., in: Scholastik 37, 1962, 514 ff.; – H. Obermann, »Facientibus quod in se est Deus non denegat gratiam«, R. H., O. P., and the Beginning of Luther's Theology, in: HThR 55, 1962, 317 ff.; – Ders., (Hrsg.), Forerunners of the Ref.: The Shape of Late Medieval Thoughts, Illustrated by Kly Documents, New York 1966, 123 ff.; – Fritz Hoffmann, R. H. – die Logik in der Theol., in: Die Metaphysik im MA. Vortr. des 2. internat. Kongresses. f. ma. Philos., Berlin 1963, 624 ff.; – Ders., Der Satz als Zeichen der theol. Aussage b. H., Crathorn u. Gregor v. Rimini, in: Der Begriff der Repräsentation im MA. Stellvertretung, Symbol, Zeichen, Bild. Hrsg. v. Albert Zimmermann, Berlin - New York 1971, 296 ff.; – Ders., Die theol. Methode des Oxforder Dominikanerlehrers P. H., 1972; – Ders., Thomas-Rezeption b. R. H.?, in: ThPh 49, 1974, 236 ff.; – E. A. Moody, A Quodlibet Question of R. H., O. P., on the Problem of the Objects of Knowledge and Belief, in: Speculum 39, 1964, 53 ff.; – D. Gray, Two Middle English Quatrains and R. H., in: Notes and Queries, NS 15, 1968, 125; – J. B. Allen, The Library of a Classicizer. The Sources of R. H.s Mythographic Learning, in: Arts libéraix et Philos. au Moyen Age. IVe Congrès internat. de philos. médiévale, Montreal 1967. Paris 1969, 721 ff.; – H. Schepers, H. contra dicta Crathorn, in: PhJ 77, 1970, 320 ff.; – R. E. Gillespie, R. H.s Quodlibeta, in: Tratitio 27, 1971, 480 ff.; – Ders., Gratis Creata and Acceptatio Divina in the Theology of R. H., O. P.: a Study of Two Unedited Quodliberal Questions (Diss. Berkeley), 1974; – P. A. Streveler, R. H. von Future Contingencies: A Preliminary Account, in: Studies in Medieval Culture 8-9, 1976, 163 ff.; – R. A. Pratt, Some Latin Sources of the Nonnes Preest on Dreams. Chancer's Use of the Works on Dreams of R. H. and Others, in:

Speculum 52, 1977, 538 ff.; – W. J. Courtenay, The Lost Mathew Commentary of R. H., O. P., in: AFP 50, 1980, 103 ff.; – DNB XXVII, 113 ff.; – Catholicisme V, 822; – DThC VII, 30 f.; – LThK VIII, 1339 f.

Ba

HOLL, Karl, evangelischer Kirchenhistoriker, * 15.5. 1866 in Tübingen, + 23.5.1926 in Berlin. – Nach dem Studium der Philosophie und Theologie in Tübingen, Studienreisen nach Berlin, Gießen und Marburg, auf denen er Adolf von Harnack, Karl Müller und Adolf Jülicher kennenlernte, und kurzem Vikariat in der württembergischen Kirche, während dem er zum Doktor der Philosophie und Lizentiaten der Theologie promovierte, wurde H. 1891 Repetent am Tübinger Stift. 1894 berief ihn Adolf von Harnack als wissenschaftliche Hilfskraft in die Berliner Akademie der Wissenschaften, wo er sich 1896 an der Theologischen Fakultät habilitierte und in welche er 1915 auch als ordentliches Mitglied eintrat. Die erste Arbeit, die er für die Kirchenväterkommission jener Akademie leistete, war die Untersuchung der »Sacra parallela des Johannes von Damaskus«. Es folgten Arbeiten zur Geschichte des griechischen Mönchtums, zur Trinitätslehre des 4. Jahrhunderts, zur Liturgie, und zahlreiche Studien und Editionen zu fast allen Gebieten und Problemen der Kirchengeschichte. 1900 wurde H. als außerordentlicher Professor nach Tübingen und 1906 als ordentlicher Professor nach Berlin berufen. H. zeigte die besondere Fähigkeit, sich in fremdes Wissen und Wesen einarbeiten zu können. Z. B. lernte er russisch, um der russischen Kirche seiner Zeit näher zu kommen und 1913 »Die religiösen Grundlagen der russischen Kultur« veröffentlichen zu können. Ein Schwerpunkt seines Schaffens war die Reformation, vor allem Martin Luther, den er unter neuen Gesichtspunkten deutete und darstellte. Als H. 1921 seine acht Lutheraufsätze gesammelt herausgab, wuchs seine Beachtung in Fach- und Studentenkreisen sprunghaft an, stellte seine Position für seine Schüler zunehmend eine befreiende Überwindung der Gegensätze "positiv" und "liberal" dar und beschritt er damit einen eigenen Weg zwischen damaligen theologischen Lagern. – Als seinen einzigen Lehrer hat H. den Begründer der "Tübinger Schule", F. Chr. Baur, bezeichnet. Dennoch schien er weder von dieser, noch von einer anderen Schule abhängig zu sein, sondern besetzte innerhalb der Theologie einen eigenen Platz. H. legte das Bild der Theologie Luthers von der melanchthonischen Übermalung frei und verstand Luther von dessen inneren Nöten, Gewissensentscheidungen und Gotteserfahrungen her. Von der Substanz der Rechtfertigungslehre erfüllt, überwand H. mit seiner Lutherinterpretation den liberalen Subjektivismus, ohne jedoch auf die Freiheit strenger Bibelkritik verzichten zu müssen. Kritisiert wurde er unter anderem von Seiten der dialektischen Theologie, die ihm theologiegeschichtlich-schulmäßige Gebundenheit vorhielt und seinen spezifisch historischen Ansatz verwarf. Diesen geschichtlichen Ansatz verband H. durchaus mit systematischer Perspektive, wenn er z. B. fragte: "Was hat die Rechtfertigungslehre dem modernen Menschen zu sagen?". Die Grenzen des

Historischen wurden von seiner Schule allerdings leicht übersehen. Unbestritten ist die neue Erkenntnisstufe bezüglich der Reformation, welche die Wissenschaft durch H. gewonnen hat und die befruchtende Wirkung die von seinen Forschungen ausging.

Werke: Die Sacra Parallela des Johannes Damascenus, 1897; Enthusiasmus u. Bußgewalt beim griech. Mönchtum, u. Stud. zu Symeon d. Neuen Theologen, 1898; Fragmente vornicänischer Kirchenväter aus den Sacra Parallela, 1899; Amphilochius von Ikonium in s. Verhältnis zu den großen Kappadoziern, 1904; (Nachdr. 1969); Die geist. Übungen des Ignatius v. Loyola. Eine psycholog. Stud., 1905; Die Rechtfertigungslehre im Licht der Gesch. des Protestantismus, 1906; Was hat die Rechtfertigungslehre dem modernen Menschen zu sagen?, 1907; Der Modernismus, 1908; Johannes Calvin, Rede zur Feier der 400. Wiederkehr des Geburtstages Calvins, 1909; Die handschriftliche Überlieferung des Epiphanius, 1910; Thomas Chalmers (+ 1847) u. die Anfänge der kirchl.-soz. Bewegung, 1913; Der Kirchenbegriff des Paulus in seinem Verhältnis zu dem der Urgemeinde, 1921; Ges. Aufss. z. KG. I: Luther (1. Was verstand Luther unter Rel.? 2. Rechtfertigungslehre in Luthers Vorlesung über den Röm.brief mit bes. Rücks. auf die Frage der Heilsgewißheit. 3. Der Neubau der Sittlichkeit. 4. Die Entstehung v. Luthers Kirchenbegriff. 5. Luther u. das landesherrl. Kirchenregiment. 6. Luthers Urteile über sich selbst. 7. Luther u. die Schwärmer. 8. Die Kulturbedeutung der Ref. 9. Luthers Bedeutung f. den Fortschritt der Auslegungskunst), 1921 (1948[7]); Augustins innere Entwicklung, 1923; Urchristentum u. Rel.-gesch., 1924 (1927[2]); Die Entstehung der vier Fastenzeiten in der griech. Kirche, 1924; Christl. Reden, 1926; Ges. Aufs. z. KG. II. Der Osten 1927/28 (1932[2]; Nachdr. 1964); III: Der Westen 568 ff.; Gedächtnisrede v. Hans Lietzmann (SAB 1927, 86 ff.); 578 ff.: Bibliogr. (146 Nrr.), 1928 (1932[2], Nachdr. 1965); – Gab heraus: die Werke des Apiphanus v. Salamis (+ 403) Ancoratus u. Panarion har I, 1915; II, 1922; III, hrsg. v. Hans Lietzmann, 1933.

Lit.: E. Hirsch, H.s Lutherbuch, Besprechung, in: ThLZ, 1921, 318; – Wilhelm Walter, in: NKZ 34, 1923, 50 ff., 668 ff.; – Friedrich Gogarten, Theol. z. Wiss., Grundsätzl. Bemerkungen zu H.s »Luther«, in: ChW, 1924; – Adolf v. Harnack u. Hans Lietzmann, K. H. »Zwei Gedächtnisreden«, 1926; – Adolf Jülicher, K. H., in: ChW 40, 1926,627 ff.; – Erich Seeberg, K. H. in memoriam, in: ThBl 5, 1926, 165 ff.; – Hajo Holborn, K. H., in: DVfLG 5, 1926, 413 ff.; – Emanuel Hirsch, K. H. Ein Kranz auf seinem Grab, in: ZW 2, 1926, 91 ff.; – Ders., H.s Lutherbuch, in: Der Durchbruch der reformator. Erkenntnis bei Luther. Hrsg. v. Bernhard Lohse (Wege der Forsch. 123), 1968, 96 ff.; – Hanns Rückert, K. H. in: Luth. Vjs. der Lutherges. 8, 1926, 34 ff.; – Ders., K. H., in: Tendenzen der Theol. im 20. Jh. Eine Gesch. in Porträts. Hrsg. v. Hans Jürgen Schultz, 1966, 103 ff.; – Heinrich Bornkamm, Christus u. d. 1. Gebot in Anfechtung bei Luther, in: ZSTh 4, 1927, 453 f.; – Ders., Luther im Spiegel d. dt. Geistesgesch., 1955, 77 ff., 388 ff.; – Hans Lietzmann, Gedächtnisrede auf K. H., in: H., Ges. Aufss. z. KG III, 1928, 568-577; – Karl Thieme, Zu K. H.s Auffassung v. Luthers Christologie, in: ThBl 7, 1928, 151 ff.; – O. Wolff, Die Haupttypen der neueren Lutherdeutung, in: TSSTh 7, 1938, 321; – J. Rathje, Die Welt des freien Protestantismus, 1952, 353; – K. A. v. Müller, Reiter - H. - Kiem, in: Schönere Heimat. Erbe u. Ggw. 49, München 1960, 228 ff.; – Hans Lietzmann, Gedächtnisrede auf K. H. in: Ders., Kleine Schrr., hrsg. v. Kurt Aland, III, 1962, 289 ff.; – Walter Bodenstein, K. H. als Pr., in: Wahrheit u. Glaube, Festschr. f. Emmanuel Hirsch z. seinem 75. Geb., hrsg. v. H. Gerdes, Itzehoe 1963, 42 ff.; – Ders., Die Theol. K. H.s im Spiegel des antiken u. reformator. Christentums, Berlin 1968; – Hermann Fischer, Luther u. s. Reformation in der Sicht Ernst Troeltschs, in: NZSTh 5, 1963, 132 ff.; – Joachim Iwand, Rechtfertigung u. Christusglaube, 1966[3]; – H. Karpp (Hrsg.), K. H. (1866-1926). Briefwechsel mit Adolf v. Harnack, 1966; – R. Stupperich, K. H. als Lutherforscher, in: Luther 37, 1966, 112-121; – Ders., Briefe K. H.s auf Adolf Schlatter, in: ZThK 64, 1967, 169 ff.; – Ders., K. H.s Oststud u. ihr Einfluß auf sein polit. Denken, in: HZ 215, 1972, 345 ff.; – Günther Heidtmann, Kirchenhistoriker unter sich. Biographisches u. Berufliches v. Harnack (1851-1930), H. (1866-1926) u. Overbeck (1837-1905), in: Kirche in der Zeit. Ev. Kirchenztg. 22, 1967, 425 ff.; – Paul Schattenmann, Briefe v. K. H. 1914-1921, in: ZKG 79, 1968, 77 ff.; – K. Schwabe, Wiss. u. Kriegsmoral. Die dt. Hochschullehrer u. d. polit. Grundfragen d. 1. Weltkrieges, 1969, 70, 186 u. ö.; – Kurt Aland, Aus der Blütezeit der Kirchenhistorie u. Berlin. Die Korr. Adolf v. Harnacks u. K. H.s mit Hans Lietzmann, in: Saeculum 21, 1970, 235 ff.; – O. W. Heick, Just shall Live by Faith, in: Concordia Theoliclal Monthly 43, 1972, 579 ff.; – W. Huber, Kirche u. Öffentlichkeit, 1973, 156, 160 ff., 168 ff. u. ö.; – W. Härle, Analytische u. synthetische Urteile in der Rechtfertigungslehre, in: NZSTh 16, 1974, 17 ff.; – B. Köster, Kommunikation u. zeitlichen Ansatz des reformatorischen Durchbruchs b. Martin Luther, in: ZKG 86, 1975, 208 ff.; – G. Ebeling, Das Leben – Fragen u. Vollendung: Luthers Auffassung v. Menschen im Verhältnis z. Schol. u. Renaissance (Antrittsrede v. H. Rückert), in: ZThK 72, 1975, 310 ff.; –

W. F. Bense, Eastern Christianity in the thought of K. H., in: The Unitarian Universalist Christian 31, 1976, 5-27; – M. Honecker, Das Problem der Eigengesetzlichkeit, in: ZThK 73, 1976, 92 ff.; – W. Ullmann, Wort u. Stunde oder Ereignis u. Epoche, in: ThLZ 101, 1976, 241 ff.; – J. Wahlmann, K. H. u. seine Schule, in: ZThK 1978, Beih. 4, 1 ff.; – L. Siegele-Wenschkewitz, Z. K. H.s wiss. Bildungsgang, in: ebd. 112 f.; – Raymund Kottje / Bernd Moeller (Hrsg.), Ökumenische KG III, 1979², 261, 176; – KJ 53, 698 f.; – EKL II, 191 f.; – RGG III, 432 f.; – Catholicisme V, 822; – LThK V, 444; – NDB IX, 532 f.

Ue

HOLLAZ (Hollatz), David, luth. Theologe,

HOLLAZ (Hollatz), David, luth. Theologe, * 1648 in Wulkow bei Stargard (Pommern) als Sohn eines Amtsmanns und Pächters, + 17.4.1713 in Jakobshagen (Pommern). – H. verlor seinen Vater schon im 4. Lebensjahr und wuchs in ärmlichen Verhältnissen auf. Er besuchte die Schulen in Stargard und Landsberg an der Warthe und studierte in Erfurt die klassischen Sprachen und Hebräisch und in Wittenberg Theologie bei Abraham Calov (s.d.), Johann Andreas Quenstedt (s. d.) und Thomas Kirchmeyer (s.d.). H. promovierte zum Magister und wurde 1670 Prediger in Pützerlin bei Stargard und 1681 zugleich Prediger in Stargard, 1683 nach Aufgabe seines Pfarramts in Pützerlin zugleich Konrektor in Stargard und 1684 Rektor des Lyzeums in Kolberg und Prediger an St. Martin. Seit 1692 wirkte er als Pastor und Probst in Jakobshagen. – H. ist bekannt als der letzte große Dogmatiker der lutherischen Orthodoxie. Sein »Examen theologicum acroamaticum«, das er für seine Schüler in Kolberg geschrieben hat, ist die letzte orthodoxe Dogmatik.

Werke: Examen theologicum acroamaticum universam theologiam thetico-polemicam complectens, 1707 (Leipzig 1763⁸, hrsg. v. Romanus Teller mit dogmat. u. polem. Zusätzen u. Verbb.); Scrutinium veritatis in mysticorum dogmata, 1711 (weist darin in 15 Hauptpunkten die Abweichungen der »myst. Neulinge« v. der Kirchenlehre nach); Ein gottgeheiligt dreifaches Kleebl. (9 Passions-, 4 Buß- u. 3 Krönungspredigten), 1713; Ev. Himmelsweg (Erkl. der Sonntagsevv.).

Lit.: J. A. Hiltebrandt, Verz. der Hirten... in der Stadt Neu-Stargardt, Stargardt 1724, 45. 53 f. 65. 72; – Amandus Karl Vanselow, Gelehrtes Pommern, ebd., 1728, 143 f.; – J. Sagebaum, Lorbeer- u. Cypressenbaum des Jacobshagenschen Synodi, ebd. 1786, 26; – G. Falbe, Gesch. des Gymnasiums u. der Schulanstalt z. Stargardt, ebd. 1831, 31 f.; – Isaak August Dorner, Gesch. d. prot. Theol., 1867, 536 ff. 543 ff. 567 ff. 581 ff. (Heilsordnung); – H. Riemann, Gesch. der Stadt Colberg, Colberg 1873, 489; – H. Petrich, Stargarder Skizzenbuch, Stargard 1877, 50; – Johannes Reinhard, Die Prinzipienlehre der luth. Dogmatik v. 1700-1750, 1906; – J. Hohn, Dogmhistoriska studier til H., 1907; – Otto Schaudig, Aufbau u. Handeln der Kirche nach der alten luth. Orthodoxie des 17. Jh.s (Diss. Erlangen, 1938), 1939; – Wilhelm Gaß, Gesch. der prot. Dogmatik II, 1854, 495 ff.; – Gustav Frank, Gesch. der prot. Theol. II, 1862, 214; – Carl Heinz Ratschow, Luth. Dogmatik zw. Ref. u. Aufklärung I, 1964; II, 1966; – Ritschl IV, 166 ff. 223 ff. 229 f.; – Hirsch II, 327 f. (Lehre v. der Kirche); – ADB XII, 754; – NDB IX, 540; – RE VIII, 279 f.; – EKL II, 192 f.; – RGG III, 433 f.

Ba

HOLLAZ, David, Erbauungsschriftsteller,

HOLLAZ, David, Erbauungsschriftsteller, * 1704 in Güntersberg bei Zachan (Pommern) als Pfarrerssohn und Enkel des David Hollaz (s.d.), + daselbst 14.6. 1771. – H. wirkte seit 1730 als Pfarrer in Güntersberg. Seine zahlreichen Erbauungsschriften, die auch in fremde Sprachen übersetzt wurden und im 19. Jahrhundert zum Teil noch Neuauflagen erlebten, waren in den pietistischen Kreisen, vor allem in der Brüdergemeine, der er theologisch nahestand, beliebt, während

die Vertreter der Orthodoxie vor ihnen warnten, da ihr Verfasser in verschiedenen Punkten von der Kirchenlehre abweiche.

Werke: Beschreibung der Wiedergeburt u. des geistl. Lebens, 1737; Ev. Gnadenordnung 1744 (Basel 1894), Gnadenspuren 1746, Verherrlichung Christi in seinem teuren u. unschätzbaren Blute 1746 (Basel 1894 u. d. T.: Kraft des Blutes Christi); Gebahnte Pilgerstraße nach dem Berge Zion, 1747 (Basel 1866), Anweisung z. rechten Gebet, 1747. – Sämtl. erbaul. Schrr. H.s, 2 Bde., Görlitz 1772/73; Frankfurt 1782.

Lit.: Constantin Große, Die alten Tröster. Ein Wegweiser in die Erbauungslit. der ev.-luth. Kirche des 16. bis 18. Jh.s, 1900, 414 ff.; – ADB XII, 754 f.; – RE VIII, 280 f.

Ba

HOLLEN, Gottschalk,

HOLLEN, Gottschalk, Augustinereremit, Prediger, theologischer Schriftsteller, * um 1411 in Körbecke bei Soest, + 1481 in Osnabrück. – H. studierte ab 1435 in Perugia und Siena, spätestens seit 1457 war er Lektor der Theologie und Prediger im Konvent von Osnabrück. 1465 wurde er Distriktvikar seines Ordens für Westfalen. – H., ein Vertreter der via antiqua, war in seiner wissenschaftlichen Tätigkeit an praktischen Fragen orientiert, er wandte sich besonders dem Kirchenrecht und der Kirchengeschichte zu. Große Bedeutung hatte für ihn die seelsorgliche Praxis. Seine Predigten, in denen er auch Kritik an kirchlichen Mißständen übte, sind gekennzeichnet von einer bildhaften, lebensnahen Anschaulichkeit.

Werke: Praeceptorium divinae legis, Köln 1481 u. ö.; Sermonum opus exquisitissimum, 2 Bde., 1517. 1519/20; Sermones dominiales, 1520; Sermones de beata virgine, 1520. – Hss.: Tractatus de septem sacramentis; Tractatus de officio missae; Quinque quaestiones de indulgentiis, hrsg. v. Willigis Eckermann, in: AnAug 32, 1969, 323 ff.; Tractatus de articulis fidei; Sermones de Oratione Dominica; De sacramento eucharistiae in Blomenberge; Tractatus de septem peccatis mortalibus; Tractatus de novem peccatis alienis.

Lit.: Florenz Landmann, Das Predigtwesen in Westfalen in der letzten Zeit des MA, 1900, 31 ff. u. ö.; – H. Crohns, Ein ma. Pr. über Liebe u. Liebeswahn, in: Öfversigt af Finska Vetenskaps-Societetens Förhandlingar XLIX, Nr. 14 (1906-1907), Helsingfors 1907, 1 ff.; – F. Stegmüller, Rep. commentariorum in sententias Petri Lombardi, 2 Bde., Würzburg 1947 (Rez. v. M. Cappuyns, in: RHE 47, 1952, 301; v. A. Pelzer, in: ebd. 50, 1955, 360); – J. M. del Estal, Precursores ortodoxos de Lutero desde dos siglos ante de la Reforma, in: La Ciudad de Dios 172, 1959, 531 ff. (Rez. v. R. Winterswyl, in: HJ 81, 1962, 477); – Adolar Zumkeller, Die Lehrer des geistl. Lebens unter den dt. Augustinern, in: S. Augustinus vitae spiritualis Magister II, 1959, 290 ff.; – Ders., Das Ungenüge der menschl. Werke bei den Pr. des Spät-MA, in: ZKTh 81, 1959, 265 ff. bes. 296 ff. (Rez. v. D. Olivier, in: RevÉAug 8, 1962, 406); – Ders., Mss. v. Werken der Autoren des Augustiner- und Eremitenorden, 1966, 119 ff. 557; – Alois Schröer, Die Kirche in Westfalen v. der Ref. Verfassung u. geistliche Kultur, Mißstände u. Reformen, 2 Bde., Münster 1967 (Rez. v. E. Hegel, in: ZSavRGkan 56, 1970, 492 ff.; v. H. Tüchle, in: ThRv 66, 1970, 215 f.);) Willigis Eckermann, G. H. OESA. Leben, Werke u. Sakramentenlehre (Diss. Freiburg/Breisgau), Würzburg 1967 (Rez. v. A. Zumkeller, in: Augustinianum 8, 1968, 559 ff.; v. A.-C. de Veer, in: RevÉAug 14, 1968, 336; v. D. C. Steinmetz, in: ZKG 80, 1969, 411 ff.); – ADB XII, 758; – VerfLex II, 480 ff.; – NDB IX, 541; – DThC VII, 32 f.; – DSp VII, 588 f.; – LThK V, 450.

Ba

HOLLERMAYER, Athanasius,

HOLLERMAYER, Athanasius, Kapuzinermönch, Missionar, * 16.2.1860 in Egelsee (Niederbayern), + 26.2. 1945 San Hosé de la Mariaquina (Chile). – H. wurde 1885 Priester und begann 1896 seine Arbeit in der araukischen Mission. Neben seinen seelsorgerischen Aufgaben als Missionar war er ein begeisterter Pflanzenforscher und seine wichtigsten Forschungsergebnisse haben in den botanischen Museen Berlins und München♦Verwendung gefunden.

Lit.: Archiv d. bayr. Kapuziner, Altötting; – Revista universitaria 17, Santiago de Chile, 1932; – Revista Chihua de Hist. Natural, 39, Santiago de Chile 1935; – Gunckel-Lueer, Hugo, El Muy Rev. Padre Atanasio Hollermayer. Su viola y su obra, Tonuco 1945; – LThK V, 457.

Ba

HOLWECK, Josef, Kanonist, * 16.1.1854 in Pfaffenhofen (Oberpfalz) als Sohn eines Kramers und Seidensieders, + 10.3.1926 in Eichstätt. – H. studierte Philosophie und Theologie am Lyceum in Eichstätt. Dort wurde er nach der Priesterweihe 1879 und einer anschließenden seelsorgerischen Tätigkeit 1885 Assistent am bischöflichen Seminar. 1890 promovierte H. im Fach Theologie und bekleidete zwischen 1892 und 1920 die Professur für Kirchenrecht am Eichstätter Lyceum, wo er auch Vorlesungen in Homiletik, Katechetik, Patrologie und Kirchengeschichte hielt. 1906 wurde er zum Domkapitular gewählt. – H.s Forschungstätigkeit galt hauptsächlich der Systematisierung des kirchlichen Strafrechts; auf Vorschlag der deutschen Bischöfe wurde er deshalb 1909 Mitglied der Kommission für die Kochfizierung des kanonischen Rechts.

Werke: Das Bischöfl. Seminar in Eichstätt, 1888; Der Apostol. Stuhl u. Rom. Eine Unters. über die rechtl. Natur der Verbindung des Primates mit der Sedes Romana, 1895; Das kirchl. Bücherverbot. Ein Komm. z. Constitution Leos XIII »Officiorum ac munerum«, 1897[2] (verm. u. verb.); Die kirchl. Strafgesetze. Zus.gest. u. komm., 1899; Das Civileherecht des Bürgerl. Gesetzbuches, dargest. im Lichte des kanon. Eherechts, 1900; Das Testament der Geistl. nach kirchl. u. bürgerl. Recht, 1901; Staat u. Kirche, 1904 (Vortr. im kath. Kasino Augsburg v. 22.9.1904); Lehrb. des kath. KR, 1905.

Lit.: M. Rackl, in: Jber. der Bischöfl. Phil.-theol. Hochschule Eichstätt, 1926; – L. Bruggaier, in: AkathKR 107, 1927, 656-661; – NDB IX, 545 f.; – Catholocisme V, 822 f.; – LThK V, 456.

Ba

HOLMQUIST, Hjalmar Fredrik, schwedischer Kirchenhistoriker, * 28.4.1873 in Sunnemo, + 1.2.1945 in Lund. – H. wurde 1903 Dozent in Uppsala und war von 1909 bis 1939 Professor in Lund. Der Schwerpunkt seiner Forschungstätigkeit lag auf der zusammenfassenden Kirchengeschichtsschreibung; dabei fanden die bedeutenden religionsgeschichtlichen Persönlichkeiten sein besonderes Interesse. Zu seinen Spezialgebieten zählten das Zeitalter der Reformation, die angelsächsische Kirchengeschichte und das Toleranzproblem.

Werke: Johannes Matthiae Gothus, 1903; De svenska domkapitlen 1571-1686, 1908; Luther, Loyola, Calcin, 1912 (1926[3]); Fran Svedenborgs naturvetenskapliga och naturfilosofiska period, 1913; Den senare medeltidens kyrkohistoria, 1914; Den lutherska reformationens historia, 1915; Engelsk högkyrka lagkyrka och frikyrka 1559-1689, 1916; Den 31 oktober 1517. Tal om uppsatter till lutherminnet 1917, 1918; Den religiösa toleransens historia 1800-1920, 1920; Bilder ur kyrkohistorien, religions- och missionshistorien, 1920 u. ö.; Pavedömets historia 1800-1920, 1920; Motreformationens och barockens konst, 1921; Martin Luther, 1924[5] (in mehrere Sprachen übers.); Lärobook i kyrkohistoria, 1924 u. o.; Kyrkohistoria I-III, 1922-27 (erw. dän. Aufl. 1925-27); Die schwed. Ref. (Schrr. des Ver. f. Rel.gesch.), 1925; Den ryska kyrkan under bolsjivikväldet, 1926; Tvang, tolerans, samverkan, 1929. – Bibliogr. in: Festschr. f. h. L.: Fraon skilda tider, 1938, 609 ff.

Lit.: F. Rodhe, Svenska kyrkan omkring sekelskiftet, Stockholm 1930; – C. H. Martling, Nattvardskrisen i Karlstads stift under 1800-talets se-

nare hälft. Mit einer dt. Zusammenfassung: Die Abendmahlskrise im Bist. Karlsbad in der 2. Hälfte des 19. Jh., Lund 1958 (Bibliotheca theologiae practicae 9); – R. Ekström, Gudsfolk och folkkyrka, Lund 1963 (1964[2]); – C. H. Hessler, Statskyrkodebatten, Stockholm 1964 (mit einer engl. Zusammenfassung); – L. Eckerdal, Skriftermal som nattvardsberedelse. Allmänt skriftermal i svenska kyrkans gudstjänstliv fran 1811 ars till 1942 ars kyrkohandbok. Mit einer dt. Zusammenfassung: Beichte als Abendmahlsvorbereitung, Lund 1970 (Bibliotheca theologiae practicae 23); – A. Tergel, Ungkyrkomännen, arbetarfragan o nationalismen 1901-1911, Stockholm 1969; – C. E. Normann, H. F. H., in: Svenskt Biografiskt Lexikon XIX, Stockholm 1973, 281 ff.; – RGG III, 434.

Ba

HOLSTEIN, Günther, evangelischer Staats- und Kirchenrechtler, * 22.5.1892 in Berlin als Sohn des Apothekers Arthur H., + 11.1.1931 in Kiel. – H. studierte in München und Berlin Rechtswissenschaften. Obwohl er aus dem 1. Weltkrieg verwundet heimkehrte, habilitierte er sich schon 1921 für öffentliches Recht in Bonn. Ein Jahr zuvor hatte er die Generalstochter Hilde Bokmayer geheiratet. 1922 erhielt H. als Privatdozent zunächst die Vertretung eines Ordinariats in Greifswald. Zwei Jahre später wurde er zum ordentlichen Professor für öffentliches Recht ernannt. 1928 verfaßte er als sein kirchenrechtliches Hauptwerk die »Grundlagen des evangelischen Kirchenrechts«, das eine große Resonanz erfuhr. Kurz vor seinem Tod wechselte er 1930 von Greifswald auf einen Lehrstuhl nach Kiel über. – H. versuchte dem während der Weimarer Republik vorherrschenden Rechtspositivismus aus einer national-konservativen Grundhaltung heraus entgegenzuwirken und das Recht auf einen geisteswissenschaftlich untermauerten Rechtsidealismus zu gründen. Von daher suchte H. engen Anschluß an Theologie, Philosophie und Soziologie zu finden. Stark geprägt wurde er durch Luther, Schleiermacher und Gierke, was unter anderem zu einer hohen Stellung des Kirchenrechts bei ihm führte.

Wi

Werke: Die Lehre v. der öff.-rechtl. Eigentumsbeschreibung, 1921; Die Staatsphilos. Schleiermachers, 1823; Die Theorie der Verordnung im frz. belg. Verwaltungsrecht, in: Bonner Festg. f. Ernst Zitelmann z. 50j. Dr. jub., 1923, 307-372; Stiftungsvermögen u. Selbstverwaltungsrecht der Univ. Greifswald, 1925; Luther u. die dt. Staatsidee, 1926; Elternrecht, Reichsverfassung u. Schulverwaltungssystem, in: AÖR NF 12, 1927, 187-254; Die Grdl.n des ev. KR, 1928; Reichsverfassung u. Staatsrechtswiss., 1929; Gesch. der Staatsphilos., 1931.

Lit.: Rudolf Smend, G. H., in: AÖR NF 20, 1931, 1-6; – G. H. Erinnerung, Nachrufe v. Greifswalder Kollegen u. Schülern, 1931; – Hermann Wolfgang Beyer, G. H., in: Wartburg. Dt. ev. Mschr. 30, 1931, 35-41; – Walther Schönfeld, G. H., in: Logos. Internat. Zschr. f. Philos. u. Kultur 20, 1931, 286-305; – NDB IX, 352 f.; – RGG III, 434 f.

Ba

HOLSTEN, Karl, ev. Theologe, * 31.3.1825 in Güstrow (Mecklenburg-Schwerin) als Sohn eines Aktuars, + 26.1.1897 in Heidelberg. – H. besuchte die Domschule seiner Vaterstadt und studierte seit 1843 Theologie und Philosophie, zunächst zwei Semester in Leipzig und zwei Semester in Berlin, dann seit 1845 in Rostock. Er bestand im Herbst 1849 das 1. und im Frühjahr

1852 das 2. theologische Examen und promovierte 1853 zum Dr. phil. »Nach dem 2. theologischen Examen stand nun zur Frage, ob er um eine Pfarre sich bewerben solle«, heißt es in H.s handschriftlichen Aufzeichnungen. »Nun hatte seit einer Reihe von Jahren das Kliefothsche Regiment in Mecklenburg (s. Kliefoth, Theodor) ein starres Bekenntnisluthertum zur ausschließlichen Herrschaft gebracht und jeden Widerstand dagegen mit der Hilfe der Staatsregierung niedergeschlagen. In der Voraussicht, daß er mit diesem Regiment sofort in Streit geraten und in diesen Streit auch die Gemeinde hineinziehen werde, entsagte er seinem ursprünglichen Lebensideal und trat in den Schuldienst«. Von Ostern 1852 bis 1870 wirkte H. an der »Großen Stadtschule« (=Gymnasium) in Rostock als Lehrer für Religion, Deutsch und Griechisch. Auch als ihm das Pfarramt an der dortigen Marienkirche angeboten wurde, blieb er dem Schuldienst treu und lehnte ab, um nicht Unfrieden und Streit in eine Gemeinde zu tragen. Seine Freizeit verwandte H. auf neutestamentliche Studien und erwarb sich durch seine Veröffentlichungen das Vertrauen der Führer der theologischen Reformbewegung in der Schweiz. Auf ihre Anregung erfolgte 1870 seine Berufung nach Bern zum Lehrer am Gymnasium und ao. Professor an der Universität. 1871 wurde für ihn dort eine o. neutestamentliche Professur geschaffen. Von 1876 an bis zu seinem Tod lehrte er in Heidelberg. Die Studenten schätzten ihn als ausgezeichneten Lehrer und väterlichen Freund. – H. war Vertreter der historisch-kritischen Forschung und bezeichnete sich selbst neben Adolf Hilgenfeld (s.d.) als den letzten »Tübinger«. Bestimmenden Einfluß auf seine wissenschaftliche Entwicklung hat Ferdinand Christian Baur (s.d.) gehabt. Die paulinische Theologie, die synoptischen Evangelien und die Religionsphilosophie waren H.s Arbeits- und Forschungsgebiet. Kirchenpolitisch war er zielbewußter Vorkämpfer des Deutschen Protestantenvereins.

Werke: Zum Ev. des Paulus u. Petrus. Altes u. Neues, 1868 (»Ferdinand Christian Baur, dem gestorbenen, aber nicht toten« gewidmet; darin u. a. die wichtigen Arbeiten: Die Bedeutung des Wortes sarx im Lehrbegriff des Paulus, 1855; Inhalt u. Gedankengang des Briefes an die Galater, 1859; Die Christusvision des Paulus u. die Genesis des paulin. Ev., 1861); Z. Erkl. v. 2 Ko XI, 4-6 mit Rücksicht auf die Deutungen Beyschlags, Hilgenfelds, Klöppers, in: ZWTh 17, 1874, 1 ff.; Der Brief an die Philipper, in: JpTh 1, 1875, 425 ff.; Zur Unechtheit des 1. Briefes an die Thess. u. zur Abfassungszeit der Apokalypse, in: ebd. 3, 1877, 731 f.; Gedankengang des Röm Kapitel I-XI, in: ebd. 5, 1879, 95 ff. 314 ff. 680 ff.; Das Ev. des Paulus I, 1880; II, aus dem Nachlaß hrsg. v. Paul Mehlhorn (seinem »Freund u. Testamentsvollstrecker«), 1898 (XI ff.: Zum Gedächtnis K. H.s); Die prot. Kirche u. die theol. Wiss. 54 Thesen, f. den 13. Protestantentag aufgestellt, 1881; Die drei urspr. noch ungeschr. Evv. Zur synopt. Frage, 1883; Wie ward Luther Reformator? Rede z. 400 j. Geb. Luthers, 1884; Die synopt. Evv. nach der Form ihres Inhaltes, 1885; Ursprung u. Wesen der Rel., 1886; Ist die Theol. Wiss.?, 1887; Z. Entwicklung u. Entstehung des Messiasbewußtseins Jesu, in: ZWTh 34, 1891, 385 ff.; aus H.s Vorlesungen nach seinem Tod veröff. v. O. Herrigel: Die Ergebnisse der hist. Kritik am nt. Kanon, in: ZWTh (NF) 8, 1900, 212 ff.; Einl. in die Korintherbriefe, ebd. 9, 1901, 324 ff. – Bearb. den Galaterbrief f. die »Protestantenbibel«, 1872 (1874², 701 ff.).

Lit.: Paul Mehlhorn, Zum Gedächtnis K. H.s, in: Protestant 1, 1897, 215 ff. 238 ff. 248 ff.; – W. Hönig, Rede am Sarge v. K. H., in: PrM 1897, 77 ff.; – Nachrufe v. O. Veeck u. v. H. Rapp; in: PrBl 1897, Nr. 6 u. 10, u. v. R. Meincke, in: Wegweiser (Kal. des Protestantenver.), 1898, 71 ff.; – Adolf Hausrath, K. H. Worte der Erinnerung, gesprochen bei der Gedächtnisfeier am 29.1.1897 in der Aula der Univ. zu Heidelberg, 1897; – Ders., K. H., in: BJ II, 1898, 4 ff.; – Ders., K. H.,

in: BadBiogr V, 1905, 311 ff.; – Heinrich Julius Holtzmann, H.s Paulin. Lehrbegriff, in: PrM 1898, 161 ff.; – ADB 50, 450; – RE VIII, 281; XXIII, 655.

Ba

HOLSTENIUS, Lukas, Humanist, Bibliothekar und Geograph, * 17./27.9.1596 in Hamburg als Sohn eines Färbers, + 2.2.1661 in Rom. – H. nahm 1616 das Studium der klassischen Sprachen und der Theologie im holländischen Leiden auf. Verschiedene Reisen führten ihn in den folgenden Jahren nach Italien, Kopenhagen, England und schließlich nach Frankreich, wo er 1624 in Paris Kontakt mit einer Gruppe von Humanisten um den jüngeren de Thou aufnahm. Im selben Jahr trat H. angesichts der Auseinandersetzungen zwischen den holländischen Protestanten und aufgrund seiner stärkeren Zuwendung zu den Kirchenvätern vom lutherischen Bekenntnis zum Katholizismus über. Er konvertierte bei den Jesuiten Jacques Sirmond und Denis Pateau und wurde anschließend Sekretär des Parlamentspräsidenten Henri II. de Mesmes. Auf Empfehlung des Humanisten Nicolas Claude Fabri de Peiresc war H. ab 1627 als Sekretär von Kardinal Francesco de Barberini und ab 1636 als dessen Bibliothekar tätig. Urban VIII. (s.d.) ernannte ihn zum päpstlichen Konsistorialsekretär und Apostolischen Protonotar. Da H. wegen des Kriegsgeschehens ihm zugesprochene geistliche Benefizien in Norddeutschland nicht übernehmen konnte, übertrug ihm der Papst 1643 ein Kanonikat an der Peterskirche in Rom. Unter Innozenz X. (s.d.) wurde H. 1653 Leiter der Vatikanischen Bibliothek. – H., ein Kritiker des gegen Galilei angestrengten Verfahrens, unternahm zwischen 1629 und 1655 verschiedene Missionen im Rahmen seiner diplomatischen Tätigkeit für die päpstliche Kurie. Diese Reisen nutzte er auch zum Ausbau seines umfangreichen wissenschaftlichen Schriftverkehrs und zur Weiterführung seiner Forschungstätigkeit; er beschäftigte sich unter anderem mit Geographie, dem Neuplatonismus, der Papstgeschichte und griechischer Patristik. Den von ihm 1640 entdeckten Liber Diurnus durfte er wegen der darin enthaltenen Verurteilung des Honorius (s.d.) nicht veröffentlichen. Zahlreiche Gläubige konvertierten bei H. zum Katholizismus, zu den bekanntesten gehören der spätere Kardinal und Fürstbischof von Breslau, Landgraf Friedrich von Hessen-Darmstadt und Königin Christine von Schweden.

Werke: In nuptias Thaddaei Barberini et Annae Columnae hendecasyllabi, 1627; Dissertatio de vita et scriptis Porphyrii, 1630 (z. H.s Ed. der „Vita Pythagorae“ v. Porphyrios); Demophili, Democratis et Secundi... Sententiae morales ..., 1638 (1670³); Cod. Regularum, quas Sancti Patres Monachis et Virginibus Sanctomonialibus servandas praescripsere, collectus elim a S. Benedicto Anuanensi Abbate..., hrsg. v. L. Albaci, 1661 (hrsg. v. L. Billaine, 1663, v. M. Brockie 1759); Collectio Romana bipartita veterum aliquot Historiae Ecclesiasticae Monumentorum..., hrsg. v. F. Barberini, 1662; Passio Sanctarum Perpetuae et Felicitatis..., hrsg. v. P. Pussines, 1663; Arinotationes in Geographiam Sacram Cardi a S. Paulo, Italiam Antiquam Cluverii, et Thesaurum Geographicum Ortelli: Quibus accedit Dissertatio duplex de Sacramento Confirmationis apud Graecos, hrsg. v. F. Barberini, 1666; Capitulatio Caroli Magni de Partibus Saxoniae, Ex antiquissimo Ms. Palatino Bibliothecae Vaticanae, in: Simon Paulli, Miscella Antiquae Lectionis... II, 1670, 55 ff. Vetus pictura nymphaeum referens commentariolo explicata..., 1676; Epistulae ad diversas, hrsg. v. J. F. Boissonade, Paris 1817.

Lit.: N. Wilkens, Leben des gelehrten L. H., Hamburg 1723; – Franz Xaver Glasschröder, Des L. H. Smlg. v. Papstleben, in: RQ 4, 1890, 125 ff.; – Lettres de Peiresc, hrsg. v. Ph. Tamizey, 7 Bde., 1888-1898, bes. V, 1894, 245 ff.; – Walter Friedensburg, L. H. u. die Familie Lambeck. Nach ungedr. Briefen, in: Ztg. f. Lit., Kunst u. Wiss., Beil. des Hamburg. Correspondenten, 1901, 89 ff.; – Ders., Petrus Lambecus an L. H. über die Errichtung der Hamburger Stadtbibl. u. den Stand der Gelehrsamkeit in Hamburg 1651, in: ZBlfBibl 19, 1902, 321 ff.; – Ders., Z. Lebensgesch. des L. H., in: Zschr. des Ver. f. Hamburgische Gesch. 12, 1908, 95 ff.; – F. Wagner, Aus dem Leben des L. H., in: ebd. 11, 1903, 388 f.; – T. Schrader, L. H., in: Mitt. des Ver. f. Hamburgische Gesch. 8, Hamburg 1905, 507; – Friedrich Noack, Das Dt.tum in Rom seit dem Ausg. des MA, 2 Bde., 1927; – R. Almagira, L'opera geografica di L. H., Citta del Vaticano 1942; – vaterländ. Gesch. u. Altertumskunde 101-102, 1953, 313 f. 386 ff.; – Liber Diurnus Romanorum Pontificum, GA v. Hans Foerster, Bern 1958, 9 ff. – K. Repgen, in: QFIAB 39, 1959, 342 ff.; – L. Hammermayer, Marianis Brockie u. Oliver Legipont, in: StMBO 71, 1961; – Ders., Neue Btrr. z. Gesch. der »Bibliotheca Palatina« in Rom, in: RQ 56, 1961, 150 f.; – Andreas Kraus, Das päpstl. Staatssekretariat unter Urban VIII. 1623-44, 1964; – J. Neufville, Les éditeurs des »Regulae Patrum«: St. Benoit d'Aniane et L. H., in: RBén 76, 1966, 327 ff.; – Alphonse Dain, L. H. et la »collection romaine« des tracticiens grecs, in: Annales de la Faculte des lettres de Bordeaux. Rv. des études anciennes 71, Bordeaux 1969, 338 ff.; – J. Coppoleschia-Somers, Bibliografia »Luca Holstenio«, in: Mededelingen van het Nederlandse Hist. Instituut te Rome. Reeks 3, Den Haag 1971, 45 ff.; – Klaus Jockenhövel, Eine Denkschr. des L. H. über die Rekatholisierung Hamburgs, in: RQ 66, 1971, 78 ff.; – Räß V, 186 ff.; – DACL IX, 273 ff.; – ADB XII, 776 f.; – NDB IX, 548 ff.; – RE VIII, 287 f.; – RGG III, 435; – EC VI, 1566; – LThK V, 456.

Ba

HOLTHUSEN, Hans Egon, deutscher Dichter, * 15.4. 1913 in Rendsburg/Schleswig-Holstein als Sohn eines Pfarrers. – H. besuchte das Gymnasium in Hildesheim und studierte Germanistik, Geschichte und Philosophie in Tübingen, Berlin und München. Er promovierte 1937 mit einer Arbeit über Rilkes »Sonette an Orpheus«. Im selben Jahr wurde H. Lektor für ausländische Studenten an der Universität und der deutschen Akademie in München. Von 1939 bis 1944 war er Soldat. Nach Ende des 2. Weltkrieges lebte H. als freier Schriftsteller in München und unternahm mehrere Vortragsreisen durch Amerika. 1953 erhielt er den Literaturpreis des Kulturkreises im Bundesverband der deutschen Industrie. Ebenfalls wurde er Mitglied der Berliner Akademie der Künste. 1956 erhielt er den Literaturpreis der Stadt Kiel. 1961 ging H. nach Amerika und war 3 Jahre lang Programmdirektor des Goethehauses in New York. 1963 las er das Poetik-Kolleg an der Universität München. 1968 wurde H. Präsident der bayerischen Akademie der schönen Künste und blieb dies 6 Jahre lang. Im selben Jahr übernahm er eine Professur an der Northwestern University in Evanston/USA, die er bis 1981 innehielt. H. wurde 1983 der Jean Paul Preis und ein Jahr später der Kunstpreis des Landes Schleswig-Holstein verliehen. – H.s Lyrik war in ihrer ersten Phase ganz von Rilke geprägt, während später T. S. Elliot den Hintergrund bildet, und H. als erster in Deutschland die Lyrik in einen internationalen Rahmen stellt. Dabei behält er aber ein konventionelles, christlich metaphysisch-existentielles Vokabular bei, getragen von einer konservativen Grundhaltung.

Werke: Rilkes »Sonette an Orpheus«, 1937; Hier in der Zeit, 1949; Die Welt ohne Transzendenz, Essay über Thomas Mann, 1949; Der unbehauste Mensch, Motive u. Probleme der modernen Lit., 1951; Labyrinthische J., Neue Gedichte, 1952; Ja u. Nein. Neue krit. Verss., 1954; Das Schiff, 1956; Das Schöne u. das Wahre, Neue Stud. z. modernen

Lit., 1958; R. M. Rilke in Selbstzeugnissen u. Dokumenten, 1958; Krit. Verstehen. Neue Aufss. z. Lit., 1961; Avantgardismus u. die Zukunft der modernen Kunst, 1964; Plädoyer f. den Einzelnen, 1967; Indiana Campus. In amer. Tgb., 1969; Eduard Möricke, 1971; Kreiselkompass. Krit. Verss. z. Lit. der Epoche, 1976; Chorführer der neuen Aufklärung. Über den Lyriker Hans-Magnus Enzensberger, in: Merkur 34, 1980, 896-912; Geburtstagsgruß an Erich Heller z. 27. März 1981, in: Merkur 35, 1981, 340-342; Chicago-Metropolis am Michigansee, 1981; Hans-Magnus Enzensberger, in: Die dt. Lyrik, 1981, 331-343; Pastor a. St. Andreas Nord, in: Pfarrerkinder, 1982, 82-99; Abschied v. den siebziger Jahren. Z. Krise der Neuen Aufklärung im Lit. der Ggw., in: Jb. Wissenschaftskolleg 1981/82, 165-184; Sartre in Stammheim. 2 Themen aus den J. der großen Turbulenz / Utopie u. Katastrophe: Der Lyriker Hans-Magnus Enzensberger 1957-1978, 1982; W. H. Auden 75 J. (21.2.82), in: Neue Dt. Hh. 29, 1982, 212-217; Zauber u. Sachlichkeit, in: Ensemble 13, 1982, 173-188; Kontrapunktisches Denken. Zu Friedrich Senglers »Biedermeierzeit«, in Merkur 37, 1983, 332-337; Opus 19: Reden u. K-Widerreden aus 25 J., 1983; G. Benn, Leben, Werk, Widerspruch 1886-1922, 1986.

Lit.: G. C. Andrews, Two German War Poets: R. Hagelstange, H. E. H., in: German Life and Letters NS 4, 1951, 115-122; – H. de Haas, H. E. H.s Lyrik, in: Merkur 5, 1951, 776-787; – Ders., Lit. Kritik u. Ideenkritik, in: Das geteilte Atelier, 1958, 85-99; – Ders., Labyrinthische J., ebd., 100-113; – K. Ihlenfeld, Poeten u. Propheten, 1951, 214-222; – E. Hock, H. E. H., in: Der Morgen. Interpretationen moderner Lyrik, 1954, 90-99; – Ders., Zeitgenössische Lyrik im Unterricht der Oberstufe, Marie-Luise Kaschnitz u. H. E. H., in: Wirk. Wort, Sammelbd. 4, 1962, 207-214; – Ders., H. E. H.: »Der Morgen«, in: Interpretationen moderner Lyrik, 1968, 90-99; – P. Demetz, Der Kritiker H. Wandlungen u. Motive, in: Merkur 14, 1960, 277-283; – Erich Heller, Geburtstagsbrief an H. E. H., in: Merkur 27, 1973, 500-502, mit einem Nachspruch v. Hans Paeschke, ebd., 502 f.; – John Joseph Rock, Toward Orientation. The Life and Work of H. E. H. (Diss. Pennsylvenia State University), 1980; – Fritz Usinger, H. E. H. – Max Kommerell, in: Ders., Miniaturen, 1980, 125-133; – Rudolf Hagelstange, Vettern-Salut, in: Ders., Menschen u. Gesichter, 1982, 195-197; – Albert v. Schirnding, Glauben gibt Antwort, in: Merkur 37, 1983, 337-343; – Werner R. Lehmann, »Zu Ehren H.«, in: Neue dt. Hh., 31, 1984, 790-795; – Hdb. der dt. Gegenwartslit. I, 324 f.

Wi

HOLTMANN, Johannes, Senior des Hauses der »Brüder vom gemeinsamen Leben« in Münster, Humanist, * um 1465 in Ahaus (Westfalen), + 1.12.1540 in Niesink bei Münster (Westfalen). – H. empfing schon früh humanistische Bildung; das Memorienbuch bezeichnet ihn als »vir graece et latine doctissimus«. Er war 1526-39 Senior des Hauses der »Brüder vom gemeinsamen Leben« in Münster und wurde dann Leiter des Schwesternhauses Marienthal in Niesink. Am 7. und 8.8.1523 verteidigte H. bei der Disputation auf dem Rathaus in Münster gegen den Wiedertäufer Bernhard Rothmann (s.d.) die Kindertaufe. Die Schwesternchronik erwähnt von ihm mehrere Schriften, von denen aber nur »Van waren geistliken levene eyn korte underwijsinge« erhalten ist. 1539/40 verfaßte er sie auf Anregung der dem Schwesternhaus von 1500-41 als Mater vorstehenden Elisabeth von Drolshagen. Durch diese Schrift wollte H. fromme, aber unbefriedigte Seelen, die zwar die kirchlichen Gebote erfüllten, denen aber die »mynne godz« und »ernstlike begerte geistliges vortganges« noch fehlt, in ihrem Heilstand fördern. Darin behandelt er den Glauben, die Zehn Gebote, das Vaterunser und die Sakramente. H. schreibt als Seelsorger im Geist innerer Brüdermystik; er dringt auf Verinnerlichung und Vertiefung des Glaubens, hält aber im wesentlichen an der mittelalterlichen Kirchenlehre fest. Doch macht sich hier und da in seiner Schrift reformatorischer Einfluß bemerkbar: unsere guten Werke »maken uns nicht orsprunklike salich«, nur allein der Glaube der Seele an die Liebe Gottes; er verläßt sich allein auf »den geloven in Christo unsen verlozer«, »dorch welckeren geloven wiy altiyt rechtverdich seyn«; von den sieben Sakramenten seien nur Taufe, Beichte und Kommunion »besunderen nodich tor salicheit«, er ist gegen die Kommunion ohne Erteilung des Kelchs und hofft, »dat ment anders wederrumme ordineirt na der eirsten insate«.

Werke: Van waren geistliken levene eyn korte underwijsinge, 1539-40 (ungedr.).

Lit.: Gedächtniss-Buch des Fraterhauses zu Münster, hrsg. v. H. E. Erhard, in: Zschr. f. Vaterländ. Gesch. u. Altertumskunde 6, 1843; – Hermann Grutkamp, J. H. u. sein Buch »Van waren geistliken levene eyn korte underwijsinge« (Diss. Münster), 1912 (s. Bespr. v. Klemens Löffler, in: HJ 34, 1913, 414); – Franz Jostes, J. H. v. Ahaus, Ein münster. Theologe der Wiedertäuferzeit, in: Zschr. f. vaterländ. Gesch. u. Altertumskunde Westfalens 70, 1912, I, 272. 229; – K. Löffler, Nochmals J. H. Z. Abwehr gg. Jostes, in: ebd. 70, 1912, 291 ff.; – ThJber 32/I, 1912, 677 f.; – LitHandw 50, 1912, 551 ff.; – Ludwig Schmitz-Kallenberg, in: Westfalen 4, 1912; – W. Kohl, Die Schwesternhäuser der Augustinerregel, in: Germania Sacra NF 3, Das Bist. Münster I, 1968; – NDB IX, 555; – RE III, 488 ff.; XXIII, 260 ff.; – RGG III, 436; – NDB IX, 555; – LThK V, 456 f.

Ba

HOLTZHAUSEN, Johann Christoph, Pietist, * 19.12. 1640 in Herford als Sohn eines Chirugen, begraben am 7.8.1695 in Frankfurt/Main. – H. studierte in Jena, Hamburg, Rostock und Güstrow. Bevor er 1682 Pfarrer in Frankfurt wurde, hatten beständige Differenzen mit seinen Vorgesetzten einen häufigen Wechsel der Pfarrstellen zur Folge gehabt; so war er vorher in Schildesche, Herford, Berlin, Wittenberg, Lemgo, Hildesheim, Hamburg und Ippenburg tätig gewesen. H. verfaßte Schriften gegen Separatisten und Reformierte; in einer Polemik gegen den Quäker Robert Barclay (s. d.) bemühte er sich, den Pietismus von mystischem und spiritualistischem Gedankengut abzugrenzen. Die Ansichten Jakob Böhmes (s.d.) verwarf er als spekulativ und als nicht mit dem Gehalt der Bibel vereinbar. H. arbeitete eng mit Philipp Jakob Spener (s.d.) zusammen, der ihm die Schrift »Sieg der Wahrheit und der Unschuld« widmete.

Werke: Öff. Anrede an den Autoren des Discurses, ob die Auserwählten verpflichtet seien, sich notwendig zu einer heutigen großen Gemeinde u. Rel. in Sonderheit zu bekennen oder zu halten, 1684; Lehre v. Gottes Wesen u. Eigenschaften, 1685; Die Lehre der luth. Kirche v. der Gnadenwahl, 1691; Dt. Anti-Barclaius der ganzen Quackerei u. Apologie Roberti Barclaii, im Anh. Anm. über Jakob Böhmes Auroram, 1691; Capistratus Bohmicolarum, 1692.

Lit.: Philipp Jakob Spener, Sieg der Wahrheit u. der Unschuld, 1692; – Ders., Rettung der gerechten Sache künftiger Hoffnung besserer Zeiten, entgegengesetzt Pfeiffers sog. »gerechten Sache«, 1696, 260 ff.; – Ders., Theol. Bedenken III, 1702, 944; – Johann Georg Walch, Hist. u. theol. Einl. in die Streitigkeiten, welche sonderl. außer der Ev.-luth. Kirche entstanden IV, 1736, 1119 f. 1127 f.; – NDB IX, 559.

Ba

HOLTZMANN, Apollonius, Theologe und Franziskaner, * 1681 in Rieden (Schwaben), + 9.2.1753 in Lenzfried. – H. ist bekannt durch seine Werke; das eine davon ist die »Theologica moralis«, welche eine intensive theoretische Aufarbeitung seiner theologischen Position bietet. Das zweite Werk, »Ius canonicum«, bezieht sich auf die im Hochmittelalter (besonders die von Gregor IX. 1234 verfaßte Sammlung »corpus iuris canonici«) und stellt an Hand von 347 Beispielen dar, in welcher Weise der Papst an ihn gerichtete Rechtsfragen interpretierte.

Werke: Theologica moralis, 2 Bde., 1743; – Ius canonicum, 1762.

Lit.: LThK V, 457; – Schulte III/I 166; – AFranc VIII 517 f.

Ba

HOLTZMANN, Heinrich Julius, ev. Theologe, * 17.5. 1832 in Karlsruhe als Sohn eines Gymnasiallehrers, + 4.8.1910 in Baden-Lichtenthal. – H. besuchte die Schule in Karlsruhe und Heidelberg, wo sein Vater seit 1847 als erster Stadtpfarrer an der Heiliggeistkirche wirkte. Im Herbst 1850 bezog er die Universität Heidelberg und setzte im Winter 1851/52 und im Sommer 1852 das Studium in Berlin fort. Bleibende Anregungen erhielt H. durch Wilhelm Vatke (s.d.); später hat Richard Rothe (s.d.) auf ihn stark eingewirkt. Den beiden letzten Semestern im Predigerseminar in Heidelberg folgten im Herbst 1854 das theologische Examen und daran anschließend eine dreijährige Tätigkeit als Pfarrvikar in Badenweiler. Da sich H. in die badische Kirchenpolitik unter Leitung von Karl Ullmann (s.d.) und Karl Bähr (s.d.) nicht finden konnte, entschloß er sich für die akademische Laufbahn. Auf Grund der lateinischen dogmengeschichtlichen Abhandlung »De corpore et sanguine Christi quae statuta fuerint in ecclesia examinantur« promovierte H. am 5.3.1858 in Heidelberg »summa cum laude« zum Lic. theol., erlangte nach Verteidigung von 10 Thesen am 17.4. die »venia docendiae« und begann im Winter 1858/59 mit Vorlesungen. H. wurde 1859 Lehrer am Predigerseminar und 1861 ao. Professor für Neues Testament. Die Evangelisch-Theologische Fakultät in Wien verlieh ihm 1862 ehrenhalber die Doktorwürde. 1865 erfolgte seine Ernennung zum o. Professor und 1874 seine Berufung an die Kaiser-Wilhelm-Universität in Straßburg, die ihm 1878/79 das Rektorat übertrug. Die philosophische Fakultät ernannte ihn 1897 zum Ehrendoktor. Im Herbst 1904 legte er sein Lehramt nieder und siedelte 1906 nach Baden-Baden über. – H. war einer der bedeutendsten Vertreter der historisch-kritischen Bibelwissenschaft und Vorkämpfer eines liberalen Protestantismus. Seine Lebensarbeit galt dem Neuen Testament. Schon in einem seiner ersten Werke, »Die synoptischen Evangelien, ihr Ursprung und geschichtlicher Charakter« (1863), entwickelte er überzeugend die »Zweiquellentheorie«: das Markusevangelium ist das älteste und liegt neben einer Sammlung von Herrenworten dem Matthäus- und Lukasevangelium zugrunde. Das Johannesevangelium kommt für ihn weder als Apostelschrift noch als nutzbare Quelle für das Leben Jesu in Frage, sondern stellt eine Lehrschrift mit stark hellenistisch-philosophischem Einschlag dar. In der Beurteilung der Paulusbriefe war er positiver als Ferdinand Christian Baur (s.d.) und die

»Tübinger Schule«. H. ist Mitbegründer des »Handkommentars« zum Neuen Testament (1889 ff.), für den er selbst die Synoptiker, die Apostelgeschichte und die johanneischen Schriften bearbeitete. Den Ertrag seiner Gesamtarbeit auf neutestamentlichem Gebiet enthalten die beiden großen Lehrbücher der historisch-kritischen Einleitung in das Neue Testament (1885) und der neutestamentlichen Theologie (1896/97). H. entfaltete eine fruchtbare literarische Tätigkeit, die sich nicht auf das Neue Testament beschränkte, sondern das Ganze der Theologie umfaßte. Das Verzeichnis seiner Werke zeigt, wie sehr ihn die Praktische Theologie interessierte. Auch auf dem Gebiet der Kunst und Kunstgeschichte war er produktiv.

Werke: Kanon u. Tradition. Ein Btr. z. neueren DG u. Symbolik, 1859; Die synopt. Evv., ihr Ursprung u. geschichtl. Charakter, 1863; Luther als Pr., 1864; Predigten, geh. im akadem. Gottesdienst zu Heidelberg, 1865; Die Gesch. des Volkes Israel u. die Entstehung des Christentums (gemeinsam mit dem Historiker Georg Weber, seinem Schwiegervater), 2. Tl.: Judentum u. Christentum im Zeitalter der apokryph. u. nt. Lit., 1867; Denkmäler der Rel.gesch. auf dem Gebiet der it. Kunst, 1869; Kritik der Eph.- u. Kol.briefe auf Grund einer Analyse ihres Verwandtschaftsverhältnisses, 1872; Akadem. Predigten, 1873; Die Ansiedlung des Christentums in Rom, 1874; Über Recht u. Pflicht der bibl. Kritik, 1874; Die Pastoralbriefe, krit. u. exeget. behandelt, 1880; Erkl. des 1. Thess.briefs, in: ZprTh 2, 1880; 4, 1882; 6, 1884; 8, 1884 (mit H.s eigenen Verbb. neu hrsg. u. mit einem Vorw. vers. v. Eduard Simons, 1911); Die ersten Christen u. die soz. Frage, 1882; Zur Entwicklung des Christusbildes der Kunst, in: JpTh 10, 1884, 71 ff.; Lehrbuch der hist.-krit. Einl. in das NT, 1885 (1886² erg. durch das Schlußkap. über »Die Apokryphen des NT«, 1892³); Das Problem der Gesch. der Ausl., 1886; HNT I/1: Synoptiker, 1889 (1901³); I/2: Apg, 1891 (1901³); IV/1: Ev. des Joh., 1891 (1908³, hrsg. v. Walter Bauer); IV/2: Briefe u. Off. des Joh., 1891; Ges. Predigten, 1891 (neue Ausg. 1900); Prakt. Verwertung des Hebr.briefs, in: ZprTh, 1891; Die Katechese der alten Kirche, in: Theol. Abhh., Carl v. Weizsäcker gewidmet, 1892; Straßburger Katechismen aus der Ref.zeit, in: ZprTh 17, 1895; Lehrb. der nt. Theol., 2 Bde., 1896/97 (1911², hrsg. v. Adolf Jülicher u. Walter Bauer); Das NT u. der röm. Staat, 1897; Die Katechese u. die Kirche des MA, in: ZprTh 20, 1898; Richard Rothes spekulatives System, 1899; Mailand. Ein Gang durch die Stadt u. ihre Gesch., 1899; Der Katechismus als Memorierstoff, in: PrM 1901, 453 ff.; Die Behandlung des Wunders im Rel.-unterricht, ebd. 1902, 373 ff.; Die Entstehung des NT, 1904 (erw.: Rel.geschichtl. Lehrbücher I/11, 1905 (1911²); Die Zukunftsaufgaben der Rel. u. der Rel.wiss., in: Kultur der Ggw. I/4, 1906 (1909²); Das messian. Bewußtsein Jesu. Ein Btr. z. Leben-Jesu-Forsch., 1907. – Bearb. gemeinsam mit Richard Otto Zöpffler das » Lex. Theol. u. Kirchenwesen«, 1882 (1888², 1895³); bearb. f. d. »Vollst. Bibelwerk f. die Gemeinde« des Christian Karl Josias Frhr. v. Bunsen (9 Bde., 1858-70) die Bde. IV. VI-IX; IV: Übers. u. Erkl. der Bücher des Neuen Bundes, 1864; IX: Bibelgesch. Das ewige Reich Gottes u. das Leben Jesu, 1865; VIII: Gesch. der Bücher des Neuen Bundes, VII: Die apokryph. Bücher, 1869; VI: Die Gesch. der jüngeren Propheten u. deren Schr., 1870; arbeitete mit an dem »Kurzen Bibelwb.« v. Hermann Guthe, 1903; an dem »Bibel -Lex. Realwb. z. Handgebrauch f. Geistl. u. Gemeindeglieder«, hrsg. v. Daniel Schenkel, 5 Bde., 1869-75; bearb. f. die »Protestantenbibel«, hrsg. v. Paul Wilhelm Schmidt u. Franz v. Holtzendorff, 1872, die synopt. Evv., Eph, Kol, Phlm«; lieferte die Übersichten über nt. Verf. in: Veröff. v. 1891-99 f. den »ThJber«; gab v. H. 1892-99 (Bd. 12-19; seit 1895 gemeinsam mit Gustav Krüger); gab heraus: Friedrich Bleek, Synopt. Erkl. der drei ersten Evv., 2 Bde., 1862; Richard Rothe, Theol. Ethik III-V², 1870/71; Alfred Krauß, Lehrb. der prakt. Theol. II, 1893.

Lit.: Theol. Abhh. Eine Festg. z. 17.5.1902 f. H. J. H., 1902; – Adolf Jülicher, H. H.s Bedeutung f. die nt. Wiss., in: PrM 1902, 165 ff.; – Heinrich Bassermann, H. H. als theol. Theologe, ebd. 172 ff.; – W. Hönig, H. H. u. sein Heimatland, ebd. 184 ff.; – Rudolph Ehlers, H. H., in: MkPr 1902, 184 ff.; – Julius Websky, H. H., in: PrM 1910, 298 ff.; – Oskar Rühle, Der theol. Verlag v. J. C. B. Mohr (Paul Siebeck), 1926, 28 ff.; –Otto Baumgarten, Meine Lebensgesch., 1929, 52 ff.; – Ders., H. H., in: ChrW 46, 1932, 435 ff.; – Erich Klostermann, H. J. H., in: BadBiogr VI, 1932, 579 ff.; – Walter Bauer, H. J. H., ein Lb., 1932; – E. Kuck, H. H., in: PrBl 65, 1932, 307 ff.; – Kurt Breysig, Gesch. bild im Sinn der entwickelnden Gesch.forsch., 1944, 84 ff.; – Albert Schweitzer, Gesch. der Leben-Jesu-Forsch., 1951⁶ (=1913²), 201 f. 587 f.; – Jean Hering, De H. J. H. a Albert Schweitzer, in: Ehrfurcht vor dem Leben. Albert Schweitzer. Eine Freundesg. zu seinem 80. Geb., Bern 1954, 21 ff.; – Werner Georg Kümmel, Das NT. Gesch. der Er-

forsch. seiner Probleme, 1958 (1970² überarb. u. erg.), 185 ff. 239 ff.; – Karl G. Steck, H. J. H.s Btr. z. Kontroverse über Schr. u. Tradition, in: Hören u. Handeln. Festschr. f. Ernst Wolf z. 60. Geb., München 1962, 372 ff.; – Walter Bauer, Aufss. u. kleine Schrr. (T.smlg.). Hrsg. v. Georg Strecker, 1967; – Hermann Erbacher, Bibliogr. der Fest- u. Gedenkschrr. f. Persönlichkeiten aus ev. Theol. u. Kirche, 1881-1969, Neustadt a. d. Aich 1971 (Veröff. der Arbeitsgemeinschaft f. das Arch.- u. Bibl.wesen in der ev. Kirche 8); – H. H. Stoldt, Gesch. u. Kritik der Mk. hypothese, Göttingen 1977; – H. Rollmann, H., v. Hügel and Modernism, in: The Downside Rv. 97, Oxford 1979, 128 ff. 221 ff.; – KJ 38, 659 f.; – NDB IX, 560 f.; – RE XXIII, 655; – EKL II, 196 f.; – RGG III, 436 f.; – LThK V, 457; – DBS IV, 112-116.

Ba

HOLZHAUSER, Bartholomäus, Priester und Stifter der Batholomäer, * (wahrscheinlich) 24.8.1613 in Laugna (Schwaben) als Sohn eines Schuhmachers, + 20.5.1658 in Bingen. – Trotz seiner Herkunft konnte H. durch Freistellen die Lateinschulen von Augsburg und Neuburg an der Donau besuchen. 1633 begann er Philosophie und Theologie an der Universität Ingolstadt zu studieren. 1636 erlangte er den Doktor der Philosophie, 1639 den Bachelaurus der Theologie. Im selben Jahr wurde er zum Priester geweiht. Das Licentiat der Theologie erhielt er im Sommer 1640. Während des Studiums war H. durch die Erfahrungen der dreißigjährigen Kriegs zu der Einsicht gelangt, der Klerus sei geistlich und sittlich zu erneuern. Nach seinen Vorstellungen sollte dies durch eine Weltpriestergemeinschaft, die in Kommunitäten lebt, realisiert werden. Unterstützung fand H. beim Bischof von Chiemsee Johann Christoph von Lichtenstein. Am 1.8.1640 erhielt er ein Canoniciat am Collegstift in Tittmang. Zahlreiche Priester folgten ihm dorthin und es sollte die erste Niederlassung der Batholomäer werden. 1642 wurde H. zum Pfarrer und Dekan von St. Johann im Leukental (Tirol) ernannt. Ein Jahr später gründete er ein Seminar in Salzburg, das 1649 nach Ingolstadt verlegt wurde. 1647 wurde die Gemeinschaft von Innocenz X. anerkannt, was dazu führte, daß auch die Diözesen Mainz und Würzburg Bartholomäer aufnahmen. H. selbst wurde 1655 von Kurfürst Philipp von Schönborn ins Erzstift Mainz gerufen und als Pfarrer von Bingen eingesetzt. Zwei Jahre später erfolgte die Ernennung zum Dekan des Landcapitels Algenheim, bevor er am 20. Mai 1658 im Alter von 44 Jahren starb. Während seiner gesamten Priestertätigkeit verfaßte H. zahlreiche, meist visionäre und asketische Schriften. – Obwohl H. schon zu Lebzeiten fast wie ein Heiliger verehrt wurde, konnten sich die Bartholomäer nur sporadisch durchsetzen. Versuche, die am Ende des 18. Jahrhunderts aufgelöste Gemeinschaft im 19. Jahrhundert wiederzubeleben, blieben mehrfach erfolglos.

Wi

Werke: »Dtld., wach auf!« (Expositio visionum (Ausz., dt.)). Die berühmte prophet. Bußpredigt an Dtld. des hl. mäßigen Binger Dekans. Hrsg. u. eingel. v. Friedrich Ritter v. Lama, 1953. i Constitutiones cum exerciitis Clericorum, 1662 u. ö., Tractatus de humilitate, 1663 (dt. 1848); Synopsis Instituti, 1684; Tractate de discretione spirituum, 1737 (dt. 1832); Interpretatio Apocalypsis usque ad c. 15. v. 5, 1784 u. ö. (dt. 1827 u. ö.); Visiones, 1797 (dt. 1797); Opuscula ecclesiasti, Rom 1684 (Neuausg. v. J. P. L. Gaduel, Orleans u. Paris 1861).

Lit.: Ludwig Glarus (Pseud. f. Wilhelm Volck), B. H.s Lebensgesch. u. Gesichte nebst dessen Erkl. der Offb. des hl. Johannes, 2 Bde., 1849; – Albert Werfer, Lebensgesch. des B. H., Schaffhausen 1853; – Anton Joseph Weidenbach, Das Leben des ehrw. Dieners Gottes B. H., 1858; J. P. L. Gaduel, Vie du venerable serviteur de Dieu B. H., Orleans 1861 (dt. Lebens des ehrw. Dieners Gottes B. H., 1862); – Johannes May, B. H., 1913; – Heinrich Wildanger, Der ehrw. B. H. u. sein Weltpriesterinstitut (Lebensgesch. des B. H.). Nach Albert Werfers Bearb. hrsg. Regensburg 1916³); – A. Schuchert, Die Ikonogr. des ehrw. Dieners Gottes B. H., in: Festg. Prof. G. Leonhart, 1939, 149-171; – Karl Böck, B. H., in: Lb. aus dem Bauer. Schwaben V, 1956, 221-238; – M. Arneth, B. H. u. sein Weltpriesterinstitut, in: GuL 31, 1958, 198-211. 276-292. 352-368 (Sonderdr. Würzburg 1959); – Ders., H. - Erinnerungen in Laugna. Z. 300. Todestag eines großen Sohnes des bayr. Schwabenlandes. 20.5.1958, in: Jb. des Hist. Ver. Dillingen a. d. Donau 59-60, Dillingen a. d. Donau 57-58, 78 ff.; – Benno Hubensteiner, V. Geist des Barock. Kultur u. Frömmigkeit im alten Bayern, München 1967; Ders., B. H., in: Bavaria sancta 1, Regensburg 1970, 349 ff.; – W. Fragner, Bayr. Propheten, in: Bayerland 72, 1970. H. 6., 33 f.; – S. Hofmann, Ein bisher unbek. Porträt B.s im Ingolstädter Stadtmus., in: Ingolstädter Heimat-Bll. 39, 1976, 5 ff.; – Heimbucher III², 452-457; – ADB 50, 456-458; – NDB IX, 574 f.; – Wetzer-Welte II, 183-196; – DHGE VI, 1039 ff.; – LThK V, 458.

Ba

HOLZHAY, Johann (Nepomuk), bedeutender süddeutscher Orgelbauer, * 26.2.1741 in Rappen bei Mindenheim (Schwaben), + 17.9.1809 in Ottobeuren. – H. war der Sohn des Ortsvorstehers Joseph Holzhay aus Rappen und der Maria, geb. Nett aus Eiberg. Über H.s Jugend ist nichts bekannt. Vermutlich hat er bei seinem Onkel Alexander Holzhay, welcher 1754 die Orgelbauwerkstätte seines Schwiegervaters Augustin Simnacher übernommen hatte und hauptsächlich bei Karl Joseph Riepp gelernt. H. weilte in Ottobeuren, als dort die beiden weltberühmt gewordenen Chororgeln errichtet wurden. Seiner ersten Ehe mit Cäcilie, der Tochter des Orgelbauers Joseph Zettler, entsproß der Sohn Johann Nepomuk Raphael, mit seiner zweiten Frau Walburga, geb. Stempfle hatte H. vier Töchter und sieben Söhne. Klangstilistisch an den Barockorgelbauer Joseph Gabler angelehnt und durch die Schule des K. J. Riepp beeinflußt, brachte H. den schwäbischen Orgelklassizismus hervor und vollzog damit den Wandel von der Spätbarockorgel zum strengen Klassizismus. Als ab 1803 fast der gesamte oberschwäbische Orgelbau durch die Säkularisation lahmgelegt worden war, verbrachte H. seine letzten Lebensjahre als Reparaturtischler.

Ue

Werke: Wichtigste noch existierende Orgeln in Ursberg (II Manuale/20 Register, veränd.), um 1775; Obermarchtal (III/40), um 1784 (restauriert v. Reiser-Biberach/R., 1964 ff.); Weißenau (III/40), ca. 1790 (restauriert durch Weigle/Echterdingen/Stuttgart); Oberelchingen, Chororgel (I/14), ca. 1790 (rest. 1968/69 durch Sandtner, Dillingen); Rot an der Rot, Westorgel (III, 36), um 1792, Chororgel (I/14), um 1792; Eldern (II, 19), 1795 (Gehäuse steht heute in Ummendorf); Neresheim (III, 47), voll. 1797 (heute stark veränd.); Schießen, ca. 1798 (später umgebaut).

Lit.: Josef Wörsching, Der Orgelbauer Karl Riepp (1710-75). Ein Btr. z. Gesch. der süddt. Orgelbaukunst des 18. Jh.s, 1940; – Walter Supper u. Hermann Meyer, Barockorgeln in Oberschwaben, 1941; – Der Barock, seine Orgeln u. seine Musik in Oberschwaben. Hrsg. v. Walter Supper, 1952; – A. Layer, J. N. H., Orgelbauer (1741-1809), in: Der Landkreis Mindelheim in Vergangenheit u. Ggw., Mindelheim 1968, 704 f.; – MGG VI, 663 ff.; – Riemann I, 821; – NDB IX, 575.

Ba

HOLZMEISTER, Urban, Jesuit, Gelehrter, * 8.4.1877 in Tulpmes (Südtirol), + 15.11.1953 in Innsbruck. – H. stammte aus einer kinderreichen Familie; 1895 trat er in den Orden ein. Er war ein Schüler P. Foncks (s.d.) an der Universität Innsbruck und wurde 1907 Privatdozent und nach seiner Habilitation 1915 Professor für Neues Testament an der Universität Innsbruck. 1918/19 und 1926/27 war er jeweils Dekan der theologischen Fakultät. Von 1920-26 war er Schriftleiter des »Verbum Domini« des römischen Bibelinstituts. Ab 1929 war er am päpstlichen Bibelinstitut in Rom beschäftigt, obwohl er seine Heimat Tirol ungern verließ. Seine Arbeit dort konzentrierte sich auf zeitgeschichtliche Forschung mit Schwerpunkt auf neutestamentlichem Judentum. H. war ein begeisterter Sammler historischen Materials und die Theologische Fakultät Innsbruck verdankt ihm unzählige wertvolle Diapositive zur neutestamentlichen Quellenkunde. Auch seine Werke zeichnen sich durch die große Menge von Materialien und Quellenangaben aus, besonders aus der patristischen Literatur. Mit seiner kindlichen Heiterkeit und den von ihm selbst nicht bemerkten lapsus linguae, die sich in seine Vorträge und Gespräche hineinstreuen, brachte er seine Zuhörer oft zum Lachen. 1949 erlitt er einen Schlaganfall und verbrachte die Zeit bis zu seinem Tode in geistiger Verwirrung.

Werke: 2 Cor 3, 17. Dominus autem Spiritus est. Exeg. Untersuchung mit einer Übers. über die Gesch. der Erklärung dieser Stelle, 1908; Oratione liturgicae meditationibus Exercitiorum, 1912; Summa introductionis in Novum Testamentum, 1924; Historia Aetatis Novi Testamenti, 1932; Commentarius in Epistolas ss. Petri et Judae Apostolorum, 1937; De Sancto Joseph quaestiones bibliocae, 1945. – Außerdem ca. 125 Beiträge in versch. Zeitschriften, v. a. in: ZKTh 36-39 u. 46-48; Bibl 12-14 u. 19, 20; VD 14-28.

Lit.: LTK V, 458; – ZKTh 75, 1953, 506 f.

Ba

HOMBURG, Ernst Christoph, Gerichtsaktuar, evangelischer Kirchenlieddichter, * 1.3.1607 in Mihla bei Eisenach als Sohn des Pfarrehepaars Berthold und Ottilie, + 27.6.1681 in Naumburg. – H. studierte nachweislich ab 1632 in Wittenberg (vermutlich früher, aber hierfür fehlen die Beweise), ganz eingebunden in die tiefe Religiosität seines Elternhauses. Lediglich die Wahl der Rechtswissenschaften dürfte nicht den Wünschen seines Vaters entsprochen haben. Daher verfaßte er zunächst rein weltliche Gedichte: Oden, Sonetten, Epigramme sind überliefert, sie wurden ihrem anakreontischen Stil nach geprägt durch die Mode der damaligen Leipziger Studentenschaft. Ab 1635 hielt sich H. in Naumburg auf, unternahm von dort aus eine Reise in die Niederlande, ließ sich 1638 in Dresden, zwei Jahre später in Jena nieder. Diese unruhige Wanderzeit beendete er erst 1642 in Naumburg, hier fand er eine endgültige Anstellung als Gerichtsaktuar und Rechtskonsulent, heiratete im gleichen Jahr. Eine schwere Erkrankung im Jahr 1659 führte dazu, daß sich H. nunmehr geistlichen Liedern zuwandte. Aus dieser Zeit stammen später so weit verbreitete Lieder wie »Kommst du, kommst du, Licht der Heiden«, das Passionslied »Jesu, meines Lebens Leben«, oder das Himmelfahrtslied »Ach, wundergroßer Siegesheld«. H.s geistliche Lieder sind im traditionellen protestantischen Geist gehalten, sie lassen aber oft auch die in dieser Zeit häufige melancholische Grundstimmung aufklingen. – H., seit 1648 Mitglied der "Fruchtbringenden Gesellschaft", wird meist nicht als schöpferischer, sondern eher als nachgestaltender Dichter, wenn nicht gar als "Übersetzer" bezeichnet; dies wertet aber seine Bedeutung nicht herab, da er damit durchaus den Gepflogenheiten seiner Zeit entsprach. Der Mangel an eigener Kreativität muß aber berücksichtigt werden, er ist vielleicht mit ein Grund dafür, daß seine Lieder im heutigen evangelischen Kirchengesang fast vollständig verschwunden sind.

Werke.: Schimpff- und Ernsthafte Clio, 1642²; Tragico-Comoedia, Von der verliebten Schäfferin Dulcimunda, 1645²; J. Cats Selbststreit, neu gedr. in einer dt. Gesamtausgabe der Werke Cats, 1710; D. Nicolai Vigelii Gerichts-Büchlein, vermittelt und verb. von E. C. H., 1649; Wann ein Turtel-Täubelein traurig sitzet in den matten, 1658; Geistl. Lieder, 1. Teil, mit 2stg. Melodeyen gezieret von Werner Fabricio, 1659; Geistl. Lieder, 2. Teil, mit 3stg. Melodeyen von Paul Beckern, 1659; Verzeichnis der Lieder in: C. v. Faber du Faur, German Baroque Lit., 2 Bde., 1958-69; Gerhard Dünnhaupt, Bibliographisches Handbuch der Barockliteratur. 100 Personalbibliographien dt. Autoren des 17. Jh.s, 3 Bde., Stuttgart 1980-81, II, 913 ff.

Lit.: Johann Kaspar Wetzel, Hymnopeographia oder Hist. Lebensbeschreibung der berühmtesten Liederdichter I, Herrnstadt 1719, 454; II, ebd. 1721, 306; – Karl Heinrich Jördens, Lex. der dt. Dichter u. Prosaisten II, Leipzig 1807, 459 f.; – Elf Bücher dt. Dichtung. Von Sebastian Brant (1500) bis auf die Ggw. Aus den Qu. Mit biogr.-literar. Einl.en u. mit Abweichungen der ersten Drucke, ges. u. hrsg. v. Karl Goedeke, I, 1849, 304 ff.; – J. Bolte, Verdeutschungen v. Jakob Cats' Werken, in: Tijdschrift voor Nederlandsche taal- en letterkunde 16, Leiden 1897, 241 ff.; – S. Schröter, J. Cats' Beziehungen z. dt. Lit. (Diss. Heidelberg), 1905; – Max Crone, Qu. u. Vorbilder E. Chr. H.s. Ein Btr. z. Lit.gesch. des 17. Jh.s (Diss. Heidelberg), 1911; – Günther Müller, Gesch. des dt. Liedes v. Zeitalter des Barock bis z. Ggw., 1925 (Nachdr. Darmstadt 1959); – Paul Hankamer, Dt. Gg.reform. u. dt. Barock. Die dt. Lit. im Zeitraum des 17. Jh.s, 1964³; – Friedrich Wilhelm Bautz, ... lobten Gott am Mitternacht. Liederdichter in Not u. Anfechtung, 1966, 225 ff.; – De Boor V: Helmut de Boor u. Richard Newald, Gesch. der dt. Lit. v. den Anfängen bis z. Ggw. V: De Boor V: Die dt. Lit. v. Späthumanismus z. Empfindsamkeit, 1570-1750, 1967⁶; – v. Winterfeld II, 476; – Koch III, 388; – Fischer-Tümpel IV, 283; – Goedeke III, 77 f.; – Kosch, LL II, 1056 f.; – Hdb. z. EKG II/1; – ADB XIII, 43 f.; – XVII, 795; – NDB IX, 588; – RGG III, 437, – CKL I, 881.

Ha

HOMILIUS, Gottfried August, bedeutender Komponist der Dresdener Kreuzkantatoren, * 2.2.1714 in Rosenthal bei Königstein (Sachsen), + 2.6.1785 in Dresden. – H. verbrachte seine Jugend in Porschendorf bei Lohmen, wo sein Vater Gottfried Abraham Homilius seit dem Sommer 1714 Pfarrer war. 1735 ging H. an die Universität Leipzig. Hier wurde er bei J. S. Bach und dem Organisten J. Schneider ausgebildet. Nach einer erfolglosen Bewerbung um die Organistenstelle an St. Petri in Bautzen 1741 wurde H. im Mai 1742 Organist an der Frauenkirche in Dresden. 1755 bekam er die Stelle des Kantors an der Dresdner Kreuzschule und wurde Musikdirektor der drei Hauptkirchen, Kreuz-, Frauen-, und Sophienkirche. Aus dieser Zeit stammen seine ersten sicher datierbaren Motetten. Nach der Zerstörung der Kreuzkirche 1760 durch die Preußen wurde die Frauenkirche der Mittelpunkt seines Tätigkeitsbereiches. Wenige Jahre vor seinem

Tod komponierte er einen Jahrgang Kirchenkantaten. 1784 widmete er dem Rat von Dresden zwölf Magnificat und eine lat. Motette und disponierte als Orgelfachmann die Orgel für die neue Kreuzkirche. – Während andere Künstler in dieser geschichtlichen Übergangszeit schon den Weg zum freien Künstlertum anbahnten, standen H.s Leben und Schaffen ganz im Dienst seines kirchlichen Amtes. Sich selbst die Erbauung der Gläubigen zum Ziel gesetzt, schenkte er auch der Pflege des Kirchenliedes seine Aufmerksamkeit. Die Aufführungen seiner Passionen in den 1760er Jahren in Berlin machten ihn überregional bekannt. Zu seinen Schülern zählten A Hiller, J. F. Reichardt und D. G. Türk.

Ue

Werke: Passions-Cantate, 1775; Die Freude der Hirten, 1777; 6 dt. Arien, 1786. – Im Ms. sind erhalten: eine Passion nach Markus, ein Jg. Kirchenkantaten, viele Motetten, Kantaten, figurierte Choräle, eine Generalbaßschule, 3 Choralbücher, Präludien u. Choralvorspiele f. Orgel.

Lit.: Autobiogr., in: Hans Michael Schletterer, Johann Friedrich Reichardt. Sein Leben u. seine musikal. Tätigkeit, 1865⁵; – Johann Adam Hillers Vorbereitung z. gedr. Passionskantate v. G. A. H., 1776, in: MfM 21, 1889, 128 f.; – K. Held, das Kreuzkantorat zu Dresden, ebd. 10, 1894, 330-357; – W. Müller, Johann Adolf Hasse als Kirchenkomponist (Diss. Leipzig), 1910, 40 f.; – Rudolf Steglich, Carl Philipp Emanuel Bach u. der Dresdner Kreuzkantor G. A. H. im Musikleben ihrer Zeit, in: Bach-Jb. XII, 1915, 39-145; – Walter Lott, Zur Gesch. der Passionskomposition v. 1650-1800, in: AfMw 3, 1921, 285-320; – Heinrich Miesner, Ph. E. Bach in Hamburg (Diss. Berlin), 1929, 77 (Neudr.1969); – Btrr. zu seiner Biogr. u. z. Musikgesch. seiner Zeit; – Reinhold Sietz, Die Orgelkompositionen des Schülerkreises um Johann Sebastian Bach, in: Bach-Jb. 32, 1935. 72-74; – Gotthold Fritscher, Gesch. des Orgelspiels u. der Orgelkomposition II, 1936, 1067 ff.; – Arnold Schering, Musikgesch. Leipzig III, 1941; – H. Löffler, Die Schüler J. S. Bachs, in: Bach-Jb. 40, 1953, 21; – Richard Engländer, Die Dresdner Instr.-Musik in der Zeit der Wiener Klassik, Uppsala - Wiesbaden 1956, 132 f.; – Hans John, G. A. H. u. die ev. Kirchenmusik Dresdens im 18. Jh. (Diss. Halle/Saale), 1973; – Ders., Zum kompositorischen Werk von G. A. H., in: Btrr. z. Musikwiss. 19, 1977, 99-106; – Ders., Der Dresdner Kreuzkantor und Bach-Schüler G. A. H.: Ein Beitr. z. Musikgesch. Dresdens im 18. Jh. (Biogr. mit Werkverz.), Tutzing 1980; – R. E. Snyder, The Choral Music of G. A. H., 2 Bde., Diss. Univ. of Iowa 1970; – D. Held, Eighteenth-century chorale preludes for organ and solo instrument, in: Church Music (St. Louis) 1978, 14-15; – Larry Lee Cortner, Thirteen Chorale Preludes for Organ and obligato Instrument, Leipzig Poel. Mus. Ms. 364/2, (Diss. Rochester) 1978; – ADB XIII, 53-57; – NDB IX, 590 f.; – Riemann I, 822; Erg.Bd. I, 547; – Brockhaus Riemann Musiklexikon I (1978), 561; – Grove IV, 342; – Eitner V-VI, 197 f.; – Répertoire International des Sources Musicales IV, Kassel, Basel, Tours, London 1974, 381 f.; – MGG VI, 672-681.

Ba

HOMMER, Josef v., Bischof v. Trier, * 4.4.1760 in Koblenz als Sohn des kurfürstlichen trierischen Geheimrates und Archivdirektors Joh. Friedr. v. H., + 11. 9.1836 in Trier. H. besuchte zunächst das Jesuitenkolleg und von 1776 bis 1778 das Diözesanseminar in Trier. Es schlossen sich juristische Studien in Heidelberg an, seit 1780 auch die praktische juristische Tätigkeit in Wetzlar und Koblenz. Von 1781 bis zu seinem Tode befand sich H. in kirchlichen Diensten. Nach der Aufnahme in das Kapitel von St. Castor zu Trier 1781 erhielt er 1783 die Priesterweihe und die Pfarrei Wellersheim bei Trier. Seit 1784 als Assessor, Sekretär und schließlich Geheimer Rat (1786) im erzbischöflichen Vikariat und im Offizialat tätig, nahm H. 1786 an den

Emser Verhandlungen teil. 1794 mußte er als Vertrauter des Kurfürsten vor den einrückenden Franzosen über den Rhein fliehen. Nach seelsorgerlicher Tätigkeit als Pfarrer in Schöneberg im Westerwald wurde H. 1802 vom EB als Pfarrer nach Ehrenbreitstein berufen, seit 1816 war er päpstlich approbierter (1817) Generalvikar des Domkapitels für die rechts des Rheins gelegenen Pfarreien des Bistums. 1821 wurde das Bistum unter preußischer Herrschaft neu gebildet und H. auf Vorschlag Friedr. Wilh. III. v. Preußen 1824 zum Bischof von Trier berufen (inthronisiert 12.9.1824), nachdem das Bistum zehn Jahre lang unbesetzt gewesen war. Neben seinem Interesse für das Archivwesen im Bistum war es H.s besonderes Anliegen, das Niveau der geistlichen Ausbildung zu verbessern und eine Fortbildung der Geistlichen in aufgeklärtem Geiste zu fördern. Der beim Volke sehr beliebte Bischof wandte u. a. für diese Zwecke auch seine persönlichen Einkünfte auf. Bei der Neuordnung des Priesterseminars wurden vor allem Anhänger der Theologie des G. Hermes (s.d.) in den Lehrkörper berufen und damit der Hermesianischen Theologie ein breiter Einfluß in Trier verschafft. War dieses schon nicht ohne örtliche Widerstände erfolgt, so wurde H. noch mehr in kirchenpolitische Streitfragen hineingezogen, als er der *Berliner Konvention* von 1834 zur Mischehenfrage zwischen dem EB von Köln, F.A. Gf. von Spiegel (s.d.), und dem preußischen Gesandten in Rom, Chr. K. J. v. Bunsen beitrat. H. bereute diesen Schritt auf dem Sterbebett und gab seinen Rücktritt von der geheimgehaltenen Konvention nach Rom bekannt, wodurch Gregor XVI. (s.d.) schon früh über deren Entstehung und Inhalt unterrichtet war.

Werke: Artikel in: Ehrenbreitsteiner Anzeiger u. Nassauisches Intelligenzbl. (Wiesbaden), (vor 1824); Chronik d. Diözese Trier (1828-1833); Ehrenbreitsteiner Gesangbuch, 1827; Geschichte d. hl. Rockes, 1834; Dokumentensmlg. über d. Pfarreien d. Erzbistums Trier rechts d. Rheins, 3 Bde., 1810-1815 (Mss. Bistumsarchiv Trier); Dokumentensmlg. über d. Pfarreien d. Bistums Trier, 15 Bde., 1824-1836 (Mss. ebd.); Einige Ansichten btr. d. Vikariatsj. d. jungen Geistlichen, in: Tübinger theol. Quartalschr., 1828, 36 ff., separat 1828; Meditationes in vitam meam peractam. Eine Selbstbiogr. Hrsg., übers. u. Komm. v. Alois Thomas. Mainz 1976 (Qu. u. Abhh. z. mittelrhein. KG 25).

Lit.: Johann Jakob Wagner, J. v. H., Bisch. v. T., 1917; − Ders., Coblenz-Ehrenbreitstein. Biogr. Nachrr., 1923, 89-101; − J. Heckel, Bischof H. v. T. u. die Mischehenfrage, in: ZSavRGkan 17, 1928; − A. Schnütgen, Das rel.-kirchl. Leben im Rheinland unter den Bisch. Gf. Spiegel u. v. H., in: AHVNrh 119, 1931, 121-163; − J. Grisar, Die Allokution Gregors XVI. v. 10.12.1837, in: Gregorio XVI. Miscellanea commemorativa II, Rom 1948, 441-500; − Alois Thomas, Bisch. H. u. seine Stellung z. Mischehenfrage, in: TThZ 58, 1949, 76-90. 358-373; − Ders., Archival. u. hist. Arbb. im Bist. Trier unter Bisch. J. v. H., in: AMrhKG 1, 1949, 183-208; − Ders., Wilhelm Arnold Günther, 1763-1843, Staatsarchivar in Koblenz, Gen.vikar u. Weihbisch. in Trier, 1957; − Ders., Die liturg. Erneuerungsbewegung unter Bisch. v. H., in: AMrhKG 15, 1963; − Ders., Die Sorge um das Gotteshaus unter Bisch. J. v. H., in: Festschr. f. Willy Weyres, 1963; − Ders., Prof. Franz Xaver Schole. ...Btr. z. Biogr. Bisch. H.s, besonders in seinen Bemühungen um die Ausbildung des Klerus, seine Stellung im Hermesianismus u. seine Widerruf in der Mischehenfrage, ebd. 19, 1967; − Ders., Die christl. Reformbestrebungen im Bist. Trier unter Bisch. J. v. H., in: Die Kirche im Wandel der Zeit. Festschr. Joseph Kard. Höffner, 1971, 111-127; − Ders., Bischof J. v. H. (1760-1836) als Schüler, Lehrer u. Freund der Jugend. Festschr. Regino-Gymn. 1977, 178-192; − H. Schiel, in: TThZ 63, 1954, 151-173. 206-231; − Leo Just, Bisch. H. u. der junge Marx, in: Universitas. Dienst an Wahrheit u. Leben. Festschr. f. Bisch. Dr. Albert Stohr, 1960; − J. Schiffhauer, Das Wallfahrtswesen im Bist. Trier unter Bisch. J. v. H., in: Festschr. f. Alois Thomas. Archäolog., kirchen- u. kunsthist. Btrr., 1967; − Eduard Lichter, Volksfrömmigkeit u. Wissenschaft unter Bisch. v. H. Im Spiegel der Arbeiten des Trierer Klerus, dargest. am Beispiel d. Pfarrers Philipp Lichter (1796-1870), in: AMrhKG 21, 1969,

179-227; − Andreas Heinz, Das Tagebuch des Trierer Bischofs J. v. H. (1760-1834), in: Trierer Theolog. Zschr. 1978, 313-316; − ADB XIII, 9-63; − NDB IX, 592 f.; − LThK V, 466; − Kosch KD I, 1726.

Ba

HOMNIUS, Festus, calvinistischer Theologe, * 10.2. 1576 in Jelsum, Friesland, + 5.6.1641 in Leiden. − Nach einem Studium der Theologie in Franeker und La Rochelle wurde H. 1599 Pfarrer in Dokkum und 1602 Pfarrer in Leiden, wo er auch Vorsteher des Staatenkollegiums für Theol. stud. war. In den Theologischen Streitgesprächen, die schließlich zur Dordrechter Nationalsynode führten, stand er auf Seiten Gomarus und der sogenannten Gomaristen, die davon ausgingen, daß Gott a priori eine Elite von Gläubigen zum ewigen Leben auswählt, während der Rest zur ewigen Verdammnis vorbestimmt ist. 1604 wurden erstmals Streitschriften über entgegengesetzte Standpunkte zur Prädestination schriftlich niedergelegt, wodurch die Auseinandersetzung zwischen den Gomaristen (später Contra-Remonstranten) und den Anhängern Arminius (s.d.) (Remonstranten) ganz zum Ausbruch kam. In diesem Zusammenhang verfaßte H. ein Referat »specimen controversarium belgicarum« zur Vorbereitung der Dordrechter Nationalsynode, welche den Konflikt auf nationaler Ebene austragen helfen sollte. Dabei war von vornherein eine Verurteilung der »staatsgefährlichen und glaubenszersetzenden« Kräfte geplant, das Ergebnis der Synode war die Entfernung der Remonstranten aus allen kirchlichen Ämtern. H. fungierte auf der Dordrechter Nationalsynode vom 13.11.1618 - 9. 5.1619 als Protokollant, die Chronik darüber ist 1620 nach seinen Unterlagen angefertigt worden. Auf private Initiative hin übersetzte er die »Confessio belgica« ins Lateinische, sein größtes Werk ist die lateinische Übersetzung und Revision der »Staatsbijel«, die 1637 erschien und sehr lange gebraucht wurde, bis sie 1952 von der »Nieuwe Vertaling« abgelöst wurde.

Werke: Acta Synodi nationalis Dortrechti habitae, Dordrecht 1620; Disputationes LXX, adversus pontificios, seu Collegium Anti-Bellarminianum. Spec. Controversaris Belgicarum; De bello Libros III, in usum militium; Tabulas exegeticas in Catechese Ecclesiarum Palatinarum et Belgicarum; Declarationem Collationis Delphensis. Übers.: Niederländische Staatenbijbel, 1637; Confessio Belgica, 1623.

Lit.: P. J. Wyminga, Festus Homnius, 1899; − BWGN IV, 198 ff.; − RGG III, 441.

Ba

HOMOBONUS, Kaufmann und Heiliger, wurde in Cremona als Sohn mittelständischer Kaufleute geboren, das Datum seiner Geburt ist unbekannt. Er starb am 13.11.1197 in Cremona während der Frühmesse. − Die Bezeichnung H. läßt sich zunächst vom Wortsinn her mit »guter Mensch« übersetzen. H. war jedoch mehr als das, als Vertreter der Laienbewegung des 12. Jahrhunderts verkörperte er das Ideal des christlichen Bürgers. Er besaß einen starken religiösen und kirchlichen Ausdruckswillen, ohne dabei jedoch die Unterordnung des Laientums unter die Kirchenleitung in Frage zu stellen. Er war ein regelmäßiger Kirchgänger und versäumte, wie erzählt wird, weder die Mitternachts- noch die Morgenmessen. H. führte ein mustergültiges Familienleben und galt als besonders wohltätig, skrupellos ehrlich, leidenschaftslos und beherrscht. Nach seinem Beispiel bildeten sich nach seinem Tode zahlreiche Bruderschaften von Kaufleuten und Handwerkern, die den Liebesdienst an Armen und Kranken und die Förderung der religiösen Unterweisung besonders innerhalb der Familie zum Ziel hatten. Ein Jahr nach seinem Tod, am 22.12.1198 wurde H. durch Papst Innozenz III. heiliggesprochen. Am 25. Juni 1357 wurden seine Reliquien in die Kathedrale gebracht, sein Kopf allerdings ruht in der Aegidiuskirche St. Giles. H. ist der Patron der Kaufleute, Händler, Schmiede und Schneider, außerdem der Schutzpatron von Cremona, Lyon und Modena. Seine Heiligenattribute sind das bürgerliche Kleid, umgeben von Bettlern und Kranken.

Lit.: Syrius Laurentius, Vita Homobonus, in: de probatis sanctorum historiis, 1570; – U. Gualazzoni, Archivo storico lombardo II, 1937, 43-47; – E. Brocchieri, Sicardo die Cremona a la sua opera letteraria, 1958, 19 ff.; – Mart.Rom, 1940, 520 f.; – Stadler, vollst. Heiligenlex. II, 758; – Doye I, 522; – Jakob Torsy, Lex. d. dt. Hl., 1960, 242; – Dom Baudot, Dict. d'Hagiographie, 1925, 339; – Buchberger, 1907, 344; – Holweck, 1924, 488; – Dietrich H. Kerler, die Patronate der Heiligen, 1905, S. 57, 187; – LTK V, 466.

Ba

HONORATUS, heilig, Bischof von Amiens, * in Portle-Grand im 6. Jahrhundert, + ca. 690. – H. war Bischof von Amiens zur Zeit Papst Pelagius II. (577-596) und Zeitgenosse König Childberts II. von Austrasien (575-96) und Kaiser Mauritius (582-602), was jedoch nur ungefähre Schlüsse über seine Lebenszeit zuläßt. Über sein Leben ist wenig bekannt. Seine Reliquien befinden sich in der St. Firmiuskirche. 1204 wurde ihm zu Ehren in Paris eine Kirche erbaut, nach ihm lauten ein Vorort und eine Straße von Paris. Er ist der Schutzpatron der Bäcker, da er selbst Bäcker gewesen sein soll, bevor er zum Bischof ernannt wurde. Weiterhin schützt er die Blumenhändler, Lichterzieher und Ölmüller. Außerdem kann er für oder gegen Regen angerufen werden, 1060 führte man eine Prozession mit seinem Reliquienschrein gegen die große Dürre in Guy durch, im Mai 1663 gegen den Dauerregen ebd. Die Städte Perpignan, Toledo und Toulon stehen unter seinem Schutz.

Lit.: H. Josse, la legende de S. Honore eveque d'Amiens, 1879, 55-61; – V. de Beauville, Recueil de documents inedits concernant la Picardie, 1879, III, 181-91; – J. Corblet, Hagiographie d'Amiens, 5-8 siecle, III, 38; – Petin, Dictionaire hagiographic, 1850, I, 1365; – L. Duchesne, Fastes de l'ancienne Gaule, 1907, III, 125 ff., 147 f.; – AS III, 609-13; – Catholicisme, 919; – BHL I, 3972 f.; – LTK V, 472; – Doye, 522; – Dom Baudot, dict. hagiographic, 1925, 340; – Stadler, vollst. Hl.-Lex., II, 763; – Holweck, 489; – D. H. Kerler, die Patronate d. Hl., 1905, 21, 45, 265, 289.

Ba

Honoratus, Bischof von Arles, Heiliger, * 2. H. 4. Jh. im belgischen Gallien, + 16.1.429 oder 430. Aus einer Konsulsfamilie gebürtig und mit einer entsprechenden Bildung versehen, bekehrte sich H. als Jüngling zum Christentum. Gegen alle Widerstände des Vaters beschloß er, unter Aufgabe seines Vermögens zusammen mit seinem von ihm ebenfalls bekehrten Bruder Venantius nach Griechenland auszuwandern, um dort in einer Wüste als Einsiedler unter der Anleitung des Eremiten Caprasius zu leben. Als Venantius in Griechenland starb, kehrte H. zusammen mit Caprasius wieder nach Gallien zurück. Nach einem Eremitenleben in den Bergen bei Fréjus und nach der Priesterweihe durch den Bischof Leontinus von Fréjus siedelte er sich zusammen mit Caprasius auf der wüsten und unbewohnten Inselgruppe von Lérins (Lerinum) in Küstennähe an. Das dort von H. gegründete Kloster, wo nach orientalischem Vorbild sowohl Anachoreten wie Könobiten lebten, entwickelte sich zu einem geistigen Zentrum Galliens mit stark asketischer Prägung, auch zu einem theologischen Ausgangspunkt für den Semipelagianismus in Gallien. Hier wurden ausgebildet oder hielten sich vorübergehend auf z. B. Maximus (s.d.) und Faustus (s.d.) v. Reji, Caesarius v. Arles (s.d.), Eucherius v. Lyon (s.d.), Vinzenz v. Lérins (s.d.), Salvianus v. Marseille (s.d.), Augustinus v. Canterbury (s.d.). Auch Hilarius (s.d.), der uns in seiner Lobrede Kenntnis von H.'s Leben gibt, ist hier erzogen worden. Gegen seinen Willen wurde H. 426 zum Bischof von Arles erhoben, wo er nach einem kurzen Episkopat voll tätiger Nächstenliebe an Entkräftung starb.

Lit.: Lobrede des Hilarius v. Arles auf H., in: MPL 50, 1250-1271; – Honoratus, Bischof v. Arles; – P. Goux, Lérins au Ve siècle, Paris 1856-1857; – Vollständiges Heiligen-Lexikon..., hrsg. v. J. E. Stadler II, Augsburg 1861, 761 f.; – Raymond Férand, La vida de Sant Honorat (leggenda in versi provenzali), ed. A. Sardou, Nizza 1874; – P. Meyer, La vie latine de s. H., in: Romania 8, Paris 1879, 481-508; – Carl Franklin Arnold, Caesarius v. Arelate u. die gall. Kirche seiner Zeit, 1894, 37 ff. 509 ff.; – Dietrich Heinrich Kerler, Die Patronate der Hll., 1905, 289-377; – A. C. Cooper-Mardin, The History of the Islands of the Lerins, Cambridge 1913, 128 ff. 311 ff.; – F. Bonnard, St. H. de Lerins, Tours 1914; – S. Cavallin, Vitae SS H. et Hilarii episcoporum Arelatensium, Lund 1952; – B. Axelson, in: VigChr 10, 1956, 157 ff.; – P. Cousin, Précis d'Histoire monastique, Paris 1956, 120-127; – E. Griffe, La Gaule chrétienne à l'époque romaine II, Paris 1957, 193-196; – Lennart Hakanson, Some critical notes on the Vitae Honorati et Hilarii, in: VigChr 31, 1977, 55-59; – ASS Ian. II, 379-390; – Catholocisme V, 918 f.; – LThK V, 472 f.; – RGG III, 444; – Bardenhewer IV, 571 f.; – RE XI, 400; – Chevalier I, 2171 f.; – NBG XXV, 77 f.; – BS IX, 1202 f.

Ba

HONORATUS, heilig, Bischof v. Vercelli, Datum der Geburt unbekannt, + am 28/29.10. nach 397. – Zunächst wird über H. berichtet, daß er mit Eusebius v. Vercelli in der Verbannung gelebt hat. 395 trat er die Nachfolge des Bischofs Lidmenius an, der bis dahin Bischof in Vercelli gewesen war. Der heilige Ambrosius von Mailand war in dieser Sache sein Fürsprecher. Am 4.4.397 gab H. ihm in Mailand die letzte Ölung.

Lit.: AS XII, 1884, 577-82; – MartRom 482 f.; – LTK V, 473; – F. Savio, Cli antichi vescovi d'Italia dalle origini al 1300 descritti per regione Lombardia, 1913 I, 142; – Ders., ...per regioni Piemonte, 1898, 421 f.; – F. Lanzoni, le diocesi d'Italia dalle origini al principio del secolo VII, 1927, 1039.

Ba

HONORATUS *von Biala* (Honoratus von Nowe Miasto), Kapuziner, * 16.10.1829 in Biala, + 16.12.1916 in Nowe Miasto (Diözese Siedlce). – 1848 trat H. dem Kapuzinerorden bei. Anschließend studierte er Theologie und wurde 1852 zum Priester geweiht. Er war nicht nur Seelenführer und Prediger seiner Gemeinde, sondern auch Stifter bzw. Mitstifter vieler Ordens-Gesellschaften und religiöser Institutionen. Von 1895 bis zu seinem Tod war er Provinzkommissar. Am 13.4.1941 wurde die Seligsprechung eingeleitet.

Lit.: Ernest-Marie de Beaulieu, Un heros de la Pologne moderne: Le P. H. de Biala, Capuc., 1932; – AnCap 33 (1917), 144 ff., 46 (1930), 188-196, 65 (1949), 188 ff.; – LexCap, 769; – LThK V, 473.

Ar

HONORATUS I., Heiliger, 7. Bischof v. Marseille, + 494. – H. verfaßte die Vita von S. Hilarii und war außerdem dessen Schüler. Er schrieb noch verschiedene Homilien, die aber verloren gegangen sind. Seine herausragenden Fähigkeiten lagen in Wort und Schrift. In seiner Diözese führte er die Bittage ein.

Werke: Vita S. Hilarii episcopi Arelatensis. Ausg.: PL (Migne) 50, 1219-1246.
Lit.: O. Bardenhewer, Geschichte d. altkirchl. Literatur, IV, 1924, 571 f.; – Samuel Cavallin, Vitae SS. H. et Hilarii episcoporum Arelatensium, 1952; – B. Axelson, in: VigChr (Virgiliae christianae) B. Altaner-Patrologie, 1978, 1956, 157 ff., S. 455; – Holweck 490; – Stadler, vollst. Heiligenlex. II, 765; – Doye I, 523; – LTK V, 473.

Ba

HONORATUS *von Paris* (Honoré de Champigny), Klosterreformer, Kapuziner, * 18.1.1566 in Paris als Sohn von Charles Bochart de Champigny, + 26.9.1624 in Chaumont. – H. hatte neun Geschwister, von denen vier Priester waren. Sein Vater war Berater am Hof des Parlaments in Paris und mit Kardinal Richelieu verwandt. Im Jahr 1587 trat H. dem Kapuzinerorden bei. Nach seinem Gelübde am 15. September 1588 studierte er zusammen mit Benedikt von Canfield zunächst Theologie in Rom und anschließend in Venedig, wo er durch die Erziehung von Laurentius von Brindisi geprägt wurde. Ende des Jahres 1592 kehrte er nach Frankreich zurück. Um 1595 empfing er die Ordination zum Priester. Er wurde Vorsteher der Novizinnen in Verdun, anschließend in Nancy. Dieselben Funktionen übte er auch anderswo aus. Mehrere Male war er Generalkommissar. Unter anderem lebte er in Orleans, Paris, Chaumont und Langres. H. gründete zahlreiche Klöster und war maßgeblich an der Reform des Klosters in Montmartre und der Nonnenklöster von Paris und Val de Graces beteiligt. Er verfaßte eine Abhandlung über die Geistlichkeit mit dem Titel »L'Académie évangélique«, die am 30.12.1621 erschien. Seine Schrift zeichnete sich durch eine klare Gliederung, reiche Abbildungen und eine methodisch genaue Arbeit aus. Er starb in Chaumont, wo er auch begraben wurde. Das Volk verehrte ihn als Heiligen, weil aufgrund seiner Fürbitten Wunder geschehen sein sollen. Durch Intervention von Ludwig XIII. und Ludwig XIV. und durch die Hochschätzung von Urban VIII. wurde sofort nach seinem Tod ein Seligsprechungsprozeß eingeleitet, der noch nicht entschieden ist.

Werke: L'Académie évangélique, 1621 (neue Ausg. v. Pater Flavien de Blois, Le Mans 1894.
Lit.: Henri de Calais, La vie et les miracles du Ven P. Honore Bochart, 1650, 1864; – Documents historiques sur les T. R. P. H., 1863; – Mémoire sur la cause de béatification et de canonisation du Vénérable P. Honore de Paris, o. J.; – P. Bonaventure, Le tombeau du T. R. P. Honoré de Paris, 1865; – F. Mazelin, Hist. di vénérable serviteur de Dieu, le P. H. de P., 1882; – L. Prunel, Sebastian Zamet, 1912, 360-364; – Henri Bremond, Hist. littéraire du sentiment relig. en france II, 1921; – Le Vénérable, P. H. de P. 1566-1624, 1950; – Roussel, Le diocèse de Langres, I, 148, 157, II, 86, 89, 343; – Peter Lechner, Leben der Heiligen aus dem Orden der Kapuziner III; – Johann E. Stadler, Vollständiges Heiligen-Lex., 1975, II, 765 (Nachdr. v. 1861); – DBF VI, 744; – AnCap 3 (1887), 3-5, 13 (1897), 145-149, 61 (1941), 61; – LexCap, 771 f.; – Catholicisme V, 921; – LThK V, 473.

Ar

HONORIUS (Augustodunensis, v. Autun), 1. Hälfte 12. Jh., Scholastiker, Prediger. Vom Leben des H. ist wenig bekannt. Gegen seine Lokalisierung in Autun sprechen Verweise in seinem Werk auf Regensburg, das der wichtigste Ort seiner Tätigkeit gewesen zu sein scheint. Er war wohl Mönch oder Rekluse am St. Jakobs-Kloster in Regensburg, wohin er mit Bischof Kuno gekommen sein mochte. Ob er unmittelbarer Schüler Anselms v. Canterbury (s.d.) war, ist ungewiß, jedoch machte er den Kontinent in seinen Traktaten mit der rationalen Methode Anselms bekannt. Auch H.'s Name und bestimmte Briefanreden verweisen auf Beziehungen nach England. Sein umfangreiches Werk befaßt sich mit dogmatischen Fragen, Welt- und Literaturgeschichte, Bibelexegese, Liturgie und Kirchenpolitik. Besonders weite Verbreitung fand sein Erstlingswerk *Elucidarium*, dogmatischen Inhalts in katechetisch-systematischer Form, das später ins Englische und andere Sprachen übersetzt wurde. Mit *Clavis physicae* machte er in Deutschland in Exzerpten mit dem Werk des Johannes Scotus Eriguena (s.d.) bekannt, ohne dessen pantheistische Tendenzen zu übernehmen. In den dogmatischen Schriften zeigt sich der erkenntnistheoretische Realismus H.'s, im übrigen vertritt er augustinische und platonische Gedanken. Wie mit seinen anderen, wollte H. auch in seinen exegetischen und liturgischen Werken (z.B. *Hexameron, Expositio, Speculum ecclesiae*) vor allem homiletische und praktische Hilfen geben und das Niveau der theologischen Bildung im Klerus und bei den Laien heben. H.'s Vorliebe für allegorische, symbolische und zahlenmystische Beziehungen machen diese Schriften zu einer hervorragenden Quelle für das Verständnis von Werken der romanischen Kunst. Wohl im Dienste seines Bischofs Kuno nahm H. auch zu kirchenpolitischen und disziplinären Fragen im Sinne der gregorianischen Kirchenreform Stellung (z.B. in *Summa gloria* und *Offendiculum*). Daß das Werk H.' weithin durch Kompilation, Synthese und auch Vereinfachung gekennzeichnet ist, mag anderseits Bedingung für die große publizistische Effektivität seiner popularisierenden Bemühungen gewesen sein, von der die Fülle der bes. im bayerischen und österreichischen Raum erhaltenen Hss. (ca. 500) zeugt.

Werke: Elucidarium; Eucharistion; Quaestiones octo de angelo et homine; Liber duodecim quaestionum; Inevitabile seu de libero arbitrio; De libero arbitrio; De imago mundi; Clavis physicae; Summa totius de omnimoda historia; De luminaribus ecclesiae; De anima et de deo quaedam ex Augustino excerpta sub dialogo exarata; De animae exilio et patria; Scala caeli maior de gradibus visionum; Cognitio vitae. – Offendiculum seu de incontinentia sacerdotum; Utrum sit peccatum nubere vel carnes comedere; Summa gloria de Apostolico et Augusto; De apostatis; De vita claustrali; Utrum monachis liceat praedicare. – Gemma animae; Speculum ecclesiae; Scala caeli minor seu de gradibus charitatis opusculum. – Hexameron (Neocosmos); Expositio totius psalterii; Sigillum S. Mariae; Expositio in cantica canticorum. – Ausgg.: MPL 172, 115-1270; 40, 1005-1042; 168, 1195-1306; 170, 609-664; 193, 1315-1372; 194, 485-730; MGH Liblit III, 34-80; Y. Lefévre, Paris 1954 (»Elucidarium«); R. D. Crouse, Phil. Diss. Harvard 1970 (»De neocosmos«); P. Lucentini, Rom 1974 (»Clavis physicae«); M. O. Garrigues, Recherches Augustiniennes 12, 1977, 212-278 (»De anima et de deo«).

Lit.: R. Heinzel (Hrsg.), Heinrich v. Melk, 1867, 103-153; – Joseph Bach, DG des MA II, 1875 (Nachdr. 1966), 289-298 ff.; – O. Dederentz, Die Erd- und Völkerkunde in der Weltchron. des Rudolf v. Ems, in: ZdPh 12, 1881, 257-301. 387-454; 13, 1882, 29-57. 165-223; – E. Schröder, Das Anegenge, Qu. u. Forsch. z. Sprach- u. Kulturgesch. d. german. Völker 44, 1881; – Karl Schorbach, Stud. über das dt. Volksbuch »Lucidarius« u. seine Bearbb. in fremden Spachen (Qu. u. Forsch. z. Sprach- u. Kulturgesch. der german. Völker 74), Straßburg 1894; – NKZ 8, 1897, 704 ff.; – Joh. v. Kelle, Über H. A. u. das »Elucidarium«, in: SAW 143, 1901, 8; – Joseph Anton Endres, Das St. Jakobsportal in Regensburg u. H. A. Btr. z. Ikonogr. u. Lt.gesch. des 12. Jh.s, 1903; – Ders., H. A. Btr. z. Gesch. des geist. Lebens im 12. Jh., 1906, 45-49; – F. Baeumker, D. Lehre d. hl. Anselmus v. Canterbury u. d. H. v. Willen u. d. Gnade, 1911; – J. Sauer, Symbolik des Kirchengebäudes u. seiner Ausstattung in d. Auffassung d. MAs, 1924²; – G. Baesecke, Die altdt. Beichten, in: BGDSL 49, 1925, 268-355; – Chr. V. Langlois, La vie en France au moyen age de la fin du XIIe au milieu du XIVe siecle, III, Paris 1927; – M. de Boüard, Encyclopedies medievales sur la connaissance de la nature et du monde au moyen age, in: Revue des Questions Historiques 112, 1930, 258-304; – W. Matz, Die altdt. Glaubensbekenntnisse seit H., 1932; – G. Glogner, Der mhd. Lucidarius, 1937; – E. Rooth, Kleine Btrr. z. Kenntnis d. sogen. H... in: Studia Neophilologica 12, 1939, 120-135; – G. Mellbourn (Hrsg.), Speculum Ecclesiae. Eine frühmhd. Predigtsmlg. Lunder germanist. Forsch. 12, 1944; – Martin Grabmann. Eine stark erw. u. komm. Redaktion des »Elucidarium« des H. A., in: Miscellanea G. Mercati II. Citta del Vaticano 1946, 220-258; – E. M. Sandford, H. Presbyterier u. Scholasticus, in: Speculum 23, 1948, 397-427; – J. de Ghellinck, Le mouvement theologique du XIIe siecle, Brüssel-Paris 1948²; – Yves Lefévre, L'Elucidarium et les Lucidaires, Paris 1954; – Romuald Bauerreiß, H. v. Canterbury (Augustodunensis) u. Kuno I., der Raitenburger, Bischof v. Regensburg, 1126-1136, in: StMBO 67, 1956, 306-313; – A. D. Van den Brincken, Stud. z. lat. Weltchronistik..., 1957, 339 ff.; – H. Schipperges, H. u. d. Naturkunde d. 12 Jh.s, in: Sudhoffs Arch. 42, 1958, 71-82; – P. Rousset, A propos de L'Elucidarium d'H., in: ZSKG 52, 1958, 223-230; – Hermann Menhardt, Der Nachlaß des H. A., in: ZDADL 89, 1958/59, 23-69; – Ders., Die Mandragora im Millst. Physiologus, bei H. u. im St. Trudperter Hohenliede, in: Festschr. L. Wolff, 1962, 173-194; – F. W. Wodtke, D. Allegorie d. Inneren Paradieses bei Bernhard v. Clairvaux, H... Gottfried v. Strabburg u. in d. dt. Mystik, in: Festschr. J. Quint, 1964; – Roger E. Reynolds, Further evidence of the Irish Origin of H. A., in: Vivarum. A Journal fpr medieval philosophy and the intellectual life of the middle ages 7, Assen 1969, 1-7; – Valerie I. J. Flint, Some Notes on the Early Twelfth Century Commentaries of the Psalms, in: Recherches de thèologie ancienne et mèdieval 38, 1971, 80-88; – Dies., The chronology of the works of H. A., in: RBen 82, 1972, 215-247; – Dies., The career of H. A., ebd. 63-86; – Dies., The Commentaries of H. A. on the Song of Songs, ebd. 84, 1974, 196-211; – Dies., The Sources of the »Elucidarium« of H. A., ebd. 85, 1975, 190-198; – Dies., The »Elucidarius« of H. A. and reform in late eleventh century England, ebd. 178-189; – Dies., The place and purpose of the works of H., in: RBen 87, 1977, 97-127; – Marie-Odile Garrigues, H. et la Summa Gloria, in: Position de thèses, Ecole Nationale des Chartres, Paris 1967, 39-46; – Dies., Qui etait H. A.?, in: Angelicum 50, 1973, 20-49; – Bref tè moignage sur la vie monastique du 12e siècle, in: StM 16, 1974, 45-53; – Dies., Quelques recherches sur l'oeuvre d'H. A., in: RHE 70, 1975, 388-425; – Dies., »De anima et de Deo, quaedam ex Augustino excerpta sub dialogo exarata«, in: Recherches augustiniennes 12, 1977, 212-278; – Dies.. H. était-il bénédictin?, in: StM 19, 1977, 27-46; – Dies.. A la recherche de la »Reflectio mentium«, in: StM 20, 1978, 65-70; – H. Freytag, Kommentar z. frühmhd. Summa theologiae. Medium aevum 19, 1970; – Ders., Die Theorie der allegor. Schriftdeutung u. d. Allegorie in dt. Texten bes. d. 11. u. 12. Jh.s, in: Bibliotheca Germanica 24,

1981; – Ders., »Summa Theologiae«, Strophe 9 u. 10: Der Mensch als Mikrokosmos, in: Studien z. frühmhd. Lit., hrsg. v. L. P. Johnson u. a., 1974, 74-82; – D. R. McLintock, »Himmel u. Hölle«: Bemerkungen z. Wortschatz, ebd., 83-102; – R. D. Crouse, H.: The Arts as »Via ad patriam«, in: Arts liberaux et philosophie au moyen age, Actes du IVe Congrès international de Philos. medieval, Montrèal/Paris 1969, 531-539; – Ders., H. disciple of Anselme?, in: Analecta Anselmiana 4, 1975, 131-139; – Ders., Intentio Moysi: Bede, Augustine, Eriugena and Pfato in the »Hexameron« of H., in: Dionysius 2, 1978, 137-157; – G. Cames, Allègories et symboles dans l'Hortus deliciarum, Leiden 1971; – C. Gellinek, Die dt. Kaiserchronik, 1971; – V. Mertens, Das Predigtbuch d. Priesters Konrad, in: Münchner Texte u. Unterss. z. dt. Lit. d. MAs 33, 1971; – Wolfgang Beinert, Die Kirche - Gottes Heil in der Welt, in: BGPhMA 13, 1973; – Heinz Meyer, Mos Romanorum, Zum typolog. Grund der Triumphmetapher in »Speculum ecclesiae« des H.A., in: Verbum u. Signum. Friedrich Ohly z. 60. Geb. I, 1975, 45-58; – Barbara Maurmann, Die Himmelsrichtungen im Weltbild des MA: Hildegard v. Bingen, H. A. u. a. Autoren, 1976; – Paolo Lucentini, La »Clavis physicae« di H. et la tradicione eriugeniana nel Secolo XII. in: Jean Scot Erigène et l'histoire de la philosophie. Colloques internationaux du centre national de la recherche scientifique 561, 1977, 405-414; – Ders., L'adaption provencale de l'Elucidarium d'H. d'Autun et le Catharisme, in: Cahiers d'etudes cathares 28, 1977, 3-34; – H. W. Goetz, Die »Summa Gloria«, in: ZKG 89, 1978, 307-353; – D. N. Bell, The basic source of the scala coeli major of H., in: RBen 88, 1978, 163-170; – Hans W. Goetz, Die »Summa Gloria«. Ein Beitrag zu d. polit. Vorstellungen H., in: ZKG 89, 1978, 307-353; – G. Dummer, Zur Summa totius d. H. A., in: Philologus 123, 1979, 80-85; – V. Honemann, Die »Beichte« d. H. - eine Rückübersetzung aus d. Deutschen?, in: BGDSL 102, 1980, 155-159; – Manitius III, 57 u. 364; – KLL II, 2016-2018 (Das Erleuchtungsbuch); III. 2440 f. (Das Bild der Welt); – DThC VII, 138-158; – Catholicisme V, 929-932; – LThK V, 477 f.; – ADB XIII, 74-78; – NDB IX, 601 f., – RE VIII, 327 ff.; XXIII, 660 f.; – RGG III, 446; – Hauck IV, 445 ff.; – Seeberg III, 173 ff., – VerfLex V, 621-629; – VerfLex (2. Aufl.) IV, 122-131; – Kosch LL VIII, 95.

Ba

HONORIUS, 5. Erzbischof von Canterbury

HONORIUS, 5. Erzbischof von Canterbury, Heiliger, Datum der Geburt nicht bekannt, + 30.9.653. – H. war römischer Herkunft und wurde im Jahr 596 zunächst Augustiner-Mönch. Er war Schüler Gregors des Großen und wurde 601 gemeinsam mit dem heiligen Augustinus als Missionar nach England gesendet. Dort wirkte er zunächst in der Grafschaft Kent, bis er 628 in Lincoln von Paulinus, Bischof von York die Bischofsweihe erhielt. Er wurde Nachfolger des am 10.11.627 verstorbenen Erzbischofs Justus von Canterbury. 631 weihte er den heiligen Felix zum Bischof von Dunwich, ihn konnte er mit ostangelsächsischen Mission betrauen. Erst 669 allerdings konnte in Dunwich ein Bischofssitz errichtet werden. 634 übersendete Honoris II. ihm und Bischof Paulinus das Pallium nach England. Damit war verbunden, daß der jeweils überlebende Erzbischof den Nachfolger des Verstorbenen zu bestimmen hatte. 644 weihte H. den heiligen Ithamar zum Bischof von Rochester. Nach seinem Tod wurde H. in der St. Peter und Pauls Kathedrale in Canterbury beigesetzt. – Seine 25-jährige Amtszeit trug entschieden zur endgültigen Missionierung der heidnischen Festlandsgermanen bei, die seit etwa 450 dabei waren, Britannien zu erobern. Sie markiert die Anfänge der Evangeliumsverkündigung auf den britischen Inseln, die allgemein als angelsächsische Mission bezeichnet wird, und 596 von Gregor dem Großen eingeleitet wurde.

Lit.: Capgravius, Nova Legenda Anglie, 1516, 181-82; – Dictionary of Nat. Biography XXVII, 1891, 249; – William of Malmesbury, Gesa Pontiff, 134, 49-51; – AS VIII, 1762, 698-711; – A. Zimmermann, Kalendarium Benedictinum, 1933, III, 118-20; – Baudot et Chaussin, vies de Saints et de Bienhereux selon l'ordre du calendrier, 1935, IX, 640 ff.;

– Catholicisme V, 928 f.; – Doye, I, 524; – Dom Baudot, dictionaire d'Hagiographie, 1925, S. 340; – Stadler, vollst. Heiligenlex., II, 766; – Bede, Historia Ecclesiastica, 1969, II, 15-18; III, 14-25, V. 19; – LTK V, 478.

Ba

HONORIUS, Flavius, weströmischer Kaiser, * 9.9.384 in Konstantinopel, + 15.8.423 in Ravenna. H. ist der 2. Sohn des Theodosius des Großen und folgte in jungen Jahren seinem Vater auf den Thron. Das von Theodosius vereinigte Römerreich wurde nach dessen Tod (395) unter den Söhnen geteilt. H. erhielt Westrom, Arkadius Ostrom. H. regierte nach des Vaters Tod unter der Leitung des Heermeisters Stilicho, der 398 sein Schwiegervater wurde. Die Hauptstadt des Westreiches wurde Ravenna. Durch die Teilung des Reiches entwickelten sich beide Teile rapide auseinander, die Einigkeit der Mittelmeerwelt zerbrach. Diese Spaltung zwischen Ost und West nutzten die Westgoten, ihr erster Überfall in Italien wurde zwar von Stilicho noch zurückgeschlagen, doch schon nach Stilichos Ermordung (408) gelang es Alarich, bis nach Rom vorzudringen. H. rettete sich in das durch Sümpfe geschützte Ravenna, während 410 Alarich Rom einnahm. Die Beschränkung der Westgoten auf Gallien und die erfolgreiche Politik des Konstantinus, der des Kaisers Schwester Placidia heiratete, stellten das Gleichgewicht wieder her. Im kirchlichen Bereich sorgte H. dafür, daß die Gesetze seines Vaters, der die katholische Lehre zur Staatsreligion erklärte, eingehalten wurden. H. bestätigte 395 alle den Christen eingeräumten staatlichen Rechte, erklärte Häresie für ein Verbrechen und schritt mit schweren Strafen gegen die Anhänger des Manichäismus und Pelagianismus ein, überließ aber den Bischöfen das Richteramt in kirchlichen Dingen. Nach dem Tode von Stilicho wurden Nichtkatholiken vom Palastdienst ausgeschlossen. Nach der strittigen Papstwahl von 418 anerkannte H. zunächst den Eulalius, entschied sich dann aber für Bonifatius, nachdem Eulalius gegen das kaiserliche Verbot, Rom nicht zu betreten, bis zur Entscheidung des Streits durch eine Synode, verstoßen hatte. Im Streit zwischen Rom und Konstantinopel um die Jurisdiktion über die Diözesen Illyriens intervenierte H. erfolgreich zugunsten des Papstes.

Lit.: G. R. Sievers, Stud. z. Gesch. d. Röm. Kaiser, Berlin 1870; Th. Birt, »De moribus Christianis quantum Stilichonis aetate in aula imperatoria occidentali valuerint disputatio«, Progr. Marburg 1885; J. Koch, »Claudian und die Ereignisse d. Jahre 395 bis 398«, RheinMus 44, 1889, 579-612; – S. Dill, Roman Society in the last century of the western empire[2], London 1899; – Th. Momsen, »Stilicho und Alarich«, Hermes 38, 1903, 101-115; – O. Seeck, Gesch. d. Untergangs d. antiken Welt, Bd. V, Stuttgart 1913[2]; – J. B. Bury, History of the later Roman Empire, London 1923; – R. Laqueur, Das Kaisertum und d. Ges. d. Reiches, in R. Laqueur/H. Koch/W. Weber, Probleme d. Spätantike, Stuttgart 1930, 1-38; – R. Delbrück, Spätantike Kaiserportraits, Berlin 1933; – L. K. Born, The Perfect Prince according to the Latin Panegyrists, AJP 55, 1934, 20-35; – Fliche-Martin IV, 15 ff.; – F. Christ, Die röm. Weltherrschaft in d. antiken Dichtung. Tüb. Beitrag z. Altertumswiss. 31, 1938; – S. Mazzarino, La politica religiosa di Stilicone, Rendiconti dell'Istituto Lombardo, 1938, 235; – E. Kornemann, Röm. Gesch. II, Stuttgart 1939; – J. Straub, Vom Herrscherideal in d. Spätantike, Stuttgart 1939; – F. Lot, Histoire du Moyen Age I, Paris 1940, 24-51; – S. Mazzarino, Stilicone: la crisi imperiale dopo Teodosio, Rom 1942; – W. Hartke, Röm. Kinderkaiser, Berlin 1951; – E. Demougeot, De l'unité à la division de l'Empire romain 395-410: essay sur le pouvoir impérial,

Paris 1951; – W. Barr, The panegyrics of Claudian on the third and fourth consulates of Honorius, Diss. London, 1952; – A. Alföldi, A conflict of ideas in the late Roman Empire, Oxford 1952; – Georg Ostragorski, Gesch. d. byz. Staates, 1952[2], 44 ff.; – E. Stein / J. R. Palanque, Histoire du Bas-Empire I, Paris, 1959[2], 218-311; – A. Momigliano, The conflict between paganism and Christianity in the fourth century, Oxford 1963; – J. Straub, Vom Herrscherideal in d. Spätantike, Stuttgart 1939, repr. Darmstadt 1964; – A. H. M. Jones, Later Roman Empire, Oxford 1964; – Albert C. de Veer, Une mesure de tolerance de l'empereur H., in: REByz 24, 1966, 189-195; – M. A. Wes, Das Ende d. Kaisertums im Westen d. röm. Reiches, Gravenhage 1967; – A. Cameron, Theodosius the Great and the regency of Stilicho, in: Harvard Studies in Classical Philology 73, Cambridge/Mass. 1969, 247-280; – A. Heuss, Röm. Gesch., Braunschweig 1971[3]; – F. G. Maier, Die Verwandlung d. Mittelmeerwelt, Frankfurt a. M. 1973 (Fischer Weltgeschichte Bd. 9); – A. Lippold, Theodosius d. Große und seine Zeit, Stuttgart 1968 (Kohlhammer TB); – G. Molisani, Un miliare di Arcadio e Onario nel Museo Epigrafico di Atene, in: Studi Classici e Orientali, XXVI, 1977, 307-312, Pisa Libr. Goliardica Ed.; – Y. M. Duval, Julien d'Eclane et Ruffin d'Aquilée. Du concile de Rimini à la répression pélagienne. L'intervention impériale en matière religieuse, in: RevÉAug XXIV 1978, 243-271; – F. Martelli, Onorio, Ravenna e la presa di Roma del 410, in: Rivista storica dell'Antichita, XI, Bologna 1981, 215-219; – Alan Cameron, Claudian, Poetry and Propaganda at the Court of Honorius, Oxford 1970; – Pauly-Wissowa VIII, 1913, 2277-2291; – NE VIII, 332; – LThK V, 478; – Dictionaire des Biographies publié par Pierre Grimal, I, Paris 1958, 726; – Kl. Pauly II, 1212 f.; – Chalkedou II, 436-440; – Webster's Biographical Dictionary, Springfield/Mass. 1974, 725; – New Catholic Encyclopedia, VII, 128.

Lo

HONORIUS I., Papst v. 3.11.625 bis 12.10.638. Aus einer vornehmen kampanischen Familie stammend, setzte er als Nachfolger Bonifatius' V. (s.d.) die kirchenpolitischen Bestrebungen Gregors d. Gr. (s.d.) fort. Es gelang ihm, das in Istrien und Venetien bestehende Schisma zu beseitigen, indem der Schismatiker Fortunatus vom erzbischöflichen Stuhl von Aquileja-Grado vertrieben wurde. Er setzte nach anfänglichen Rückschlägen mit Hilfe der katholischen Königin Gundeberga die Bekehrung der arianischen Langobarden fort. Unter Inanspruchnahme der oströmischen Reichsgewalt suchte er die Disziplin des Klerus in Sardinien zu verbessern und ansonsten die Rechte und Privilegien des hl. Petrus zu erhalten. Eine erfolgreiche Patrimonialverwaltung scheint reiche Einkünfte gebracht zu haben, denn in H.' Pontifikat wurden mehrere Kirchen in Rom neu gebaut, restauriert oder ausgeschmückt, wie St. Peter, S. Agnese fuori le mura und S. Pancrazio. Auch die Christianisierung der Angelsachsen konnte weiterverfolgt werden. Als König Edwin von Northumberland sich taufen ließ, schickte H. ihm 634 herzliche Ermahnungen und auf Ansuchen Edwins erhielten die Metropoliten Honorius v. Canterbury und Paulinus v. York das Pallium. Zwar gelang es H. nicht, die Iren zur Angleichung ihres Ostertermins zu bewegen, dafür betrieb der von ihm gesandte Birinus von Dorchester aus die Christianisierung in Wessex. Als H. nach einem fast dreizehnjährigen Pontifikat starb, wurde dieses von den Zeitgenossen als ein erfolgreiches gerühmt. Umstritten wurde H. erst einige Zeit später, und zwar infolge seines Eingreifens in die monotheletischen Streitigkeiten. Mit der in Ägypten, Syrien und Palästina bestehenden monophysitischen Opposition gegen Konstantinopel bemühte sich Kaiser Heraklius (610-641) um einen Ausgleich. Der Patriarch Sergius von Konstantinopel begünstigte in diesem Sinne die Auffassung, der aus zwei Naturen bestehende Gottmensch habe mit einer gottmenschlichen Energie gewirkt. Dem widersprach der gelehrte Mönch Sphronius, auch noch in seiner Inthronisationsanzeige, als er 634 zum Patriarchen von Jerusalem erhoben wurde. Der bedenkliche Sergius legte auch H. diese Frage und ihre Hintergründe in Briefen vor und schlug vor, künftig die Redeweise von ein oder zwei Energien zu vermeiden und von einem Willen in Christus zu sprechen. In seiner Antwort bezeichnete H. den Streit im wesentlichen als eitles Wortgezänk. »Wir haben nämlich nicht aus der Schrift gelernt, daß Christus, unser Herr, und sein heiliger Geist eine oder zwei Energien hat, sondern wir haben erkannt, daß er vielgestaltig wirkt«. Im übrigen bekennt H. einen Willen in Christus. Er bekräftigte diese Haltung noch einmal, als er das vorsichtig gehaltene Inthronisationsschreiben des Sophronius empfing und 638 verbot Kaiser Heraklius in einem von Sergius verfaßten Glaubensedikt die Ausdrücke »ein oder zwei Energien in Christus« und lehrte stattdessen einen Willen in Christus. Schon zwischen den folgenden Päpsten und den konstantinopolitanischen Patriarchen und Kaisern schwelte der Streit um diesen Monotheletismus. Nachdem die Lehre schon auf den Lateransynoden 649 und 680 verworfen worden war, wurde sie auf dem 6. ökumenischen Konzil v. Konstantinopel 681 endgültig und unter Teilnahme päpstlicher Legaten als häretisch verurteilt und ihre Vertreter, darunter H., anathematisiert. Auch Leo II. bestätigte beim Antritt seines Pontifikats 682 schriftlich diese Verdammung. Diese Verurteilung des H. wurde noch auf mehreren Konzilien wiederholt und fand sogar Eingang in das von den Päpsten wohl bis zum 11. Jh. bei der Stuhlbesteigung gesprochene Glaubensbekenntnis. Im weiteren Verlauf des MAs wurde dieser Angelegenheit nicht mehr gedacht, später wurden hin und wieder Versuche unternommen, die Verdammung des H. bzw. ihr Zustandekommen als auf Fälschungen beruhend zu erweisen. In aller Breite wurde die sogen. H.frage auf dem Vaticanum von dem Rottenburger Bischof K. J. Hefele (s.d.) im Zusammenhang mit seiner Argumentation gegen die Lehre von der päpstlichen Unfehlbarkeit wieder aufgerollt.

Werke: Die erhaltenen Briefe in MPL 80, 467-494, 601-607; MPL Suppl. IV 1658-1659; Mansi XI, 537-544; Die beiden Briefe des H. an Sergius v. Konstantinopel sind kritisch ediert bei G. Kreuzer, Die H.-frage im MA und in der Neuzeit, 1975, 32-53.

Lit.: Combéfis, Historia monothelitarum, in: Ders., Auctiorium novissimum, 1648; – J. B. Tamagnigni, Celebris historia monothelitarum atque H. controversia, 1678; – Fr. Mancherius, Clypeus fortium sive vindiciae H. papae, 1680; – Chr. W. F. Walch, Entwurf einer vollständigen Historie der römischen Päpste, 1758[2]; – Th. Holtzclau, H. I., summus pontifex, fidelis et innocens, sive dissertatio theologica qua H. in causa fidei contra monothelitas ab omni haeresi, mala oeconomia et neglentia nova methoda vindicatur, 1762; – F. Fischer, De H. papa in synodo generali VI vere et iuste condemnato, 1767; – C. J. v. Hefele, Das Anathem über Papst H., in: ThQ 39, 1857, 3-61; – Ders., Causa H. papae, 1870; – Ders., Conciliengeschichte, 1873 ff.; – J. J. I. v. Döllinger, Die Papstfabeln des MA, 1863; – P. Bittalla, Pope H. before the tribunal of reason and history, 1868; – Ders., The orthodoxie of the pope H., in: Dublin Review 1872, 85-103; – R. Bauer, Die H.-frage, eine kritische Beurteilung der Schrift [des C. J. v. Hefele], 1870; – [J. Fabj], Pro H. in sede apostolica, contra J. C. de Hefele, 1870; – P. Bélet, La chûte du pape H., 1870; – G. Andrullo, Onorio I. e la scuola Italiana, in: La Scienza e la fide, tom X 177-197, 1870; – E. Rückgaber, Die Irrlehre des H. und das vatikanische Decret über die päpstliche Unfehlbarkeitsfrage, 1871; – Oswepian, Die Entstehungsgeschichte des Monotheletismus, nach ihren Quellen geprüft und dargestellt, 8897; – J. Chapman O. S. B., The condemnation of pope H., in: Dublin Review 1906, 129-154 u. 1907, 42-72; – W. Plannet, Die H.-frage auf dem Vatikanischen Konzil (Diss. Marburg), 1912; – L. F. Ranke, Bilder aus der Geschichte des Papsttums, 1924; – K. Hirsch, Papst H. und die VI. allgemeine Konzil, Festschr. der 57. Versammlung dt. Philologen zu Salzburg, 1929, 158-179; – Seppelt II[2], 47-58; – Caspar II, 530-542; – Fliche-Martin V, 120-124 u. 397-400; – H. G. Beck, Kirche und theol. Lit. im byz. Reich, 1959; – H. Jedin, Kleine Konziliengeschichte, 1960; – R. Bäumer, Die Wiederentdeckung der H.-frage im Abendland, in: RQ 56, 1961, 200-214; – C. W. Mönnich, Geding der vrijheid, 1967, 229-254; – P. Stockmeier, Die »causa Honorii« und Karl Josef v. Hefele, in: ThQ 148, 1968, 405-428; – P. Conte, Der Fall des Papstes H. und das Erste Vatikanische Konzil, in: G. Schwaiger (Hg.), 100 Jahre nach dem Ersten Vatikanischen Konzil, 1970, 109-130; – Ders., Chiese e primato nelle lettre dei Papi del secolo VII, 1971; – Ders., Il significato del primato papale nei padri del VI. concilio ecumenico in: Arch. Hist. Pont. 15, 1977, 7-111 (insbes. 80-103); – L. Magi, La sede romana nelle corrispondenze degli imperatori e patriarchi byzantini (VI-VII sec), 1972, 198-204; – F. Murphy, Constantinople II et Constantinople III, 1973; – G. Kreuzer, Die H.-frage im Ma und in der Neuzeit, 1975; – G. Schwaiger, Die H.-frage, zu einer Untersuchung des alten Falles, in: ZKG 88, 1977, 85-97; – RE VIII[3], 313-315; – DThC VII, 93-132; – LThK V, 474-475; – Catholicisme V, 923 ff.; – EBrit XI, 5722; – RGG III[3], 445; – ODCC, 663; – The New Internat. Dictionary of Christian Church, 1974, 480-481; – Grote Winkler Prins Encyclopedie, IX[7], 547-548; – New Catholic Encyclopedia VII, 123-125; – Dizionario patristico e di antichità christiane, II, 2483-2484.

Ty

HONORIUS II., Papst v. 15.12.1124 bis 13.2.1130.

Lambert aus Fiagnano bei Imola entstammte einer einfachen Familie. 1117 wurde er Kadinalbischof von Ostia und nahm in dieser Eigenschaft an der Wahl Gelasius' II. (s.d.) teil. Mit diesem Papst floh er vor der gewalttätigen Politik der römischen Frangipiani und Kaiser Heinrichs V. in das französische Exil, wo er mit zu den Wählern Calixt' II. (s.d.) gehörte. Zu diesem Papst stand Lambert in einem nahen Verhältnis und wurde in schwierigen Missionen eingesetzt, z. B. beim Abschluß des Wormser Konkordates. Vielleicht wegen dieser Tätigkeit wurde er von dem kaiserlich gesinnten Robert Frangipiani 1124 gegen den bereits gewählten Cölestin II. zum Papst ausgerufen. Als Lambert diese tumultuarische Wahl nicht annehmen wollte, gewann er auch die Gegenpartei und übernahm die Leitung der Kirche. Nach Kaiser Heinrichs Tod verband ihn gutes Einvernehmen mit König Lothar III., dessen Gesuch um Bestätigung der Königswahl H. gern folgte und mit einer Exkommunikation des Gegenkönigs Konrad v. Hohenstaufen und dessen Anhang belohnte. Auch anderweitig wußte H. die kirchlichen Interessen erfolgreich zur Geltung zu bringen. In England und Dänemark wirkten päpstliche Legaten, ein Streit mit König Ludwig VI. v. Frankreich wurde friedlich beigelegt und einige Grafen der Campagna mit Hilfe der Frangipiani wieder der päpstlichen Oberhoheit unterworfen. Allerdings gelang es ihm nicht, das Herzogtum Apulien als erledigtes Lehen dem Grafen Roger von Sizilien gewaltsam zu entreißen, weil König Lothars Hilfe so lange auf sich warten ließ. H. bestätigte 1126 den Prämonstratenser-Orden. Während in Rom sich der Parteienzwist erneut erhob, starb H. nach einem fünfjährigen Pontifikat in einer Frangipiani-Burg.

Lit.: Wilhelm Bernhardi, Lothar v. Supplinburg, 1879; – Erich Caspar, Roger II. (1101-1154) u. die Gründung der normann.-sicil. Monarchie, Innsbruck 1904, 61-88; – Ders., in: QFIAB 7, 1904. 189-219; – Georg Schreiber, Kurie u. Kloster im 12. Jh. I, 1910, 419; – P. Adamczyk, Die Stellung des Papstes H. II. zu den Klöstern (Diss. Greifwald) 1912;

– Johannes Bachmann, Die päpstl. Legaten in Dtld. u. Skandinavien (1125-1159), 1913, 5-21; – U. Balzani, Italia, papato e impero, Messina 1930; – Hans-Walter Klewitz, Kg.tum, Hofkapelle u. Domkapitel im 10. u. 11. Jh., in: AUF 16, 1939 (Nachdr. Darmstadt, 1960); – Ders., Reformpaßttum u. Kard.kolleg, 1957, 209-259; – P. F. Palumbo, Lo scisma del MCXXX, Rom 1942; – P. Brezzi, Roma e l'impero medievale, Bologna 1947, 304-310; – P. Gritti, Osservazioni sull' elezione papale del 1124 (Onorio II), (Diss. Mailand), 1970; – Robert Somerville, Pope H. II, Conrad of Hohenstaufen, and Lothar III, in: Archivum historiae Pontificiae 10, 1972, 341-346; – F. Porta, Rapporti di Onorio II con le correnti monastiche e con le communita di chierici viventi in commune, (Diss. Mailand), 1973; – A. F. Lenzi, Lamberto, cardinale vescovo d'Ostia, nel periodo precedente al suo pontificato, (Diss. Mailand), 1973; – Uta-Renate Clumenthal, The text of a lost letter of Pope H. II, in: Bulletin of Medieval Canon Law 4, 1974, 64-66; – H. Stoob, Zur Königswahl Lothars v. Sachsen i. J. 1125, in: H. Beumann (Hrsg.), Histor. Forsch. f. W. Schlesinger, 1974, 438-461; – George J. Schiro, The career of Lamberto da Fagnano - H. II (1035?-1130) and the Gregorian Reform, (Diss. New York), 1975; – Francesco V. Lombardi, La bolla di Papa Onorio II a Pietro vescovo di Montefeltro (anno 1125), in: Studi Montefetrani 4, 1976, 57-100; – F. Geldner, Kaiserin Mathilde, die deutsche Königswahl von 1125 und das Gegenkönigtum Konrads III., in: Zschr. f. Bayer. Landesgesch. 40, 1977, 3-22; – Watterich II, 157-173; – Hauck IV, 114-136; – Hefele-Leclercq V, 645-675; – Fliche-Martin IX, 42-51; – Haller III, 24-34. 485 ff.; – Seppelt III, 165-171; – MPL 166, 1217-1320; – Jaffe I, 823-839; II, 755; – LibPont II, 327 ff. 329; – III. 136 ff. 170 f.; – Wetzer-Welte VI, 258-260; – RE VIII, 316 ff.; – RGG III, 445; – DThC VII, 132-135; – EC IX, 141; – LThK V, 476.

Ba

HONORIUS II., Gegenpapst v. 28.10.1061 bis 1072.

Nach dem Tod Papst Nikolaus' I. (s.d.) hatte der Archidiakon Hildebrand als Führer der Reformpartei in Rom schleunigst Anselm v. Lucca als Alexander II. (s. d.) wählen und inthronisieren lassen. Die Reaktion des dabei nicht beteiligten deutschen Königshofes war, daß in Basel unter dem Einfluß des lombardischen Episkopates Bischof Cadalus v. Parma, aus einer vornehmen Veroneser Familie stammend, zum Gegenpapst mit dem Namen H. erhoben wurde, ohne allerdings in der Folgezeit von der Kaiserin Agnes unterstützt zu werden. Nachdem es H. aus eigenen Kräften und mit Hilfe Bischof Benzos v. Alba gelungen war, sich vorübergehend in Rom festzusetzen, verwies Herzog Gottfried v. Lothringen Papst und Gegenpapst in ihre Bistümer, um die Entscheidung des deutschen Königs abzuwarten. Der zwölfjährige Heinrich IV. war aber inzwischen von Erzbischof Anno v. Köln (s.d.), einem Anhänger der Reformpartei, in seine Gewalt gebracht worden. Eine Augsburger Synode im Oktober 1062 beauftragte den Neffen Annos, Bischof Burchard von Halberstadt, mit der Überprüfung der Rechtmäßigkeit der Wahl Alexanders. Nach einem Reinigungseid wurde Alexander mit Hilfe Gottfrieds nach Rom zurückgeführt. H. gelang es 1063 nicht, mit eigenen Kräften in den Lateran einzuziehen und 1064 wurde er von einer Synode in Mantua mit dem Bann belegt. Obwohl er in der Lombardei weiterhin über einen gewissen Anhang verfügte und zäh seinen Anspruch von Parma aus behauptete, hat er bis zu seinem Tode keine besondere Rolle mehr gespielt.

Lit.: P. Cenci, in: Archivio storico per le Prov. Parmensi 23, 1923, 185-223; 24, 1924, 309-344; – Neuere Forsch., Studi Gregoriani per la storia di Gregorio VII racolta da G. B. Borino, bisher 5 Bde., Rom 1947-1960; – F. Herberhold, Die Angriffe des C. v. P. auf Rom 1062 u. 1063, ebd. II, 477-503; –Ders., Die Beziehungen des Cadalus von Parma (Gegenpapst H. II.) zu Deutschland, in: HJ 54, 1934, 84-104; – Karl Bihl-

meyer u. Hermann Tüchle, KG II, 1951[13], 148 f.; – G. Violante, La pataria milanese et la riforma eccl. I, Rom 1955; – Georg Jenal, EB Anno II. von Köln und sein polit. Wirken, Stuttgart 1974/75; – Tilmann Schmidt, Alexander II. (1061-1073) und die röm. Reformgruppe seiner Zeit, 1977, 104-133; – Fliche-Martin VIII, 22 ff.; – Haller II, 338 ff.; – Seppelt III, 51-56; – RE VIII, 315 f.; – RGG III, 445; – EC III, 267 (unter Cadalo); – DHGE XI, 53-99; – LThK II. 689 (unter Cadalus v. Parma).

Ba

HONORIUS III., Cencius Savelli, Papst v. 18.7.1216

bis 18.3.1227, kam erst in gebrechlichem Alter zur Leitung der Kirche, so daß sein Geburtsjahr etwa um 1150 anzusetzen ist. Cencius wurde im Kloster erzogen, war Kanonikus an S. Maria Maggiore und seit 1188 Kämmerer der Römischen Kirche. In dieser Eigenschaft stellte er zusammen mit Kardinal Albinus (s.d.) den »Liber censuum Romanae ecclesiae« zusammen. Dieses nach Kirchenprovinzen geordnete Steuer- und Zinsregister verzeichnete außerdem Bistums- und Klosterexemtionen, Privilegien, Verträge u. ä.. Das Werk ist die wichtigste Quelle für die Geschichte der päpstlichen Einkünfte und Besitzungen im MA. Mit seiner Hilfe konnte die finanzielle Unabhängigkeit der päpstlichen Verwaltung verbessert werden. Auch nach seiner Ernennung zum Kardinal setzte H. seine Verwaltungstätigkeit fort. Als er zum Nachfolger des herrschgewaltigen Innozenz III. (s.d.) gewählt wurde, spielte vermutlich auch die Absicht eine Rolle, einen milderen und evtl. auch leichter von den Kardinälen zu beeinflussenden Papst zu bekommen. Obwohl kränklich, setzte H. sich mit Eifer für die Durchführung des schon auf dem 4. Laterankonzil beschlossenen Kreuzzuges ein. Zwar gelang es ihm in langen Bemühungen, einen Ausgleich in den französisch-englischen Thronstreitigkeiten im Frieden von Kingston 1217 zu vermitteln, nicht aber, den verschiedenen Unternehmungen des 5. Kreuzzuges einen einheitlichen Charakter zu geben. Auch als 1218 ein Angriff auf Ägypten zunächst erfolgreich begonnen wurde, wurde dieses Unternehmen gerade infolge des Starrsinns des päpstlichen Legaten Pelagius, der die eigenen Kräfte überschätzte und günstige Verhandlungsangebote des Sultans El Kamil ablehnte, zu einem vollständigen Fehlschlag. Infolgedessen war H. sehr auf einen Ausgleich mit Kaiser Friedrich II. bedacht, ohne dessen Machtmittel und Führung die Befreiung der heiligen Stätten nicht durchführbar schien. Dieser aber schob die Ausführung seines wiederholt abgegebenen Kreuzzugsversprechens immer wieder hinaus, weil er erst seine Herrschaft in Deutschland, Oberitalien und Sizilien gesichert sehen wollte. H. kam dabei Friedrich weiter entgegen als sein Vorgänger und Nachfolger, aber ein gemeinsames Vorgehen wurde immer wieder behindert durch den Interessengegensatz von Kaiser und Papst in Italien, wo das Papsttum von einer Vereinigung des staufischen mit dem sizilischen Reich und einer Unterwerfung der lombardischen Städte seiner Unabhängigkeit beraubt zu werden drohte. Andere Zwistigkeiten ergaben sich aus der Verletzung kirchlicher Rechte in der Mark Ancona, im Herzogtum Spoleto und in Sizilien. Als Friedrich endlich nach Jerusalem aufbrach, lebte H. nicht mehr. Auch anderen kreuzzugsähnlichen Unternehmen wandte H. seine Aufmerksamkeit zu, z. B. missionarischen Unternehmungen in Preußen, Livland und Estland und dem Krieg gegen die Albigenser, den König Ludwig VIII. in Übereinstimmung mit H. führte. Weil für derlei Kriegszüge gleiche Ablässe gewährt wurden wie für die Befreiung der heiligen Stätten, wurde die eigentliche Kreuzzugsbewegung dadurch geschwächt und H.' Aufrufe zur Milde fanden in der Realität kaum Beachtung. Erfolglos waren H.' Bemühungen, Peter v. Courtenay das Kaisertum von Konstantinopel zu verschaffen. Eine größere Bedeutung kommt H.' Entscheidungen auf innerkirchlichem Gebiet zu. So bestätigte er 1216 und 1217 die augustinische Regel des Dominikanerordens und förderte dessen sich schnell ausbreitende Tätigkeit. Er bestätigte den Kardinal Hugo v. Ostia als Protektor der franziskanischen Genossenschaft, für die er ein einjähriges Noviziat einführte und deren Regel er 1223 ebenso bestätigte wie die Regel des Karmeliterordens 1226. Eine authentische Sammlung seiner Dekretalen und Konstitutionen, die »compilatio quinta«, ließ er durch Tankred von Bologna (s. d.) direkt an die Rechtsschulen senden.

Werke: Liber Censuum Romanae Ecclesiae, 1192; Provinciale Romanum; Catalogus Romanorum pontificum et imperatorum seu Cronica Romanorum pontificum et de persecutionibus eorundem; Ordo Romanus de consuetudinibus et observantiis presbyterio vel scholari, et aliis ecclesiae Romanae in praecibuis sollemnitatibus; Compilatio decretalium, 1226; S. Gregorii VII. vita; Sermones per totius anni circulum. Sermones de sanctis; Honorii III opera, hrsg. v. C. A. Horoy, in: Medii aevi bibliotheca patristica, 5 Bde., Paris 1879-83; Regesta Honorii, hrsg. v. P. Pressutti, 2 Bde., 1888-95, ND Hildesheim 1978; Briefe, in: MG Epp I, 1-260; Acta Honorii III e Gregorii IX., hrsg. v. A. L. Tautu, Rom 1950; MG Const. II; Leonard E. Boyle, The Compilatio quinta and the registers of H. III. Reprinted, with original pagination, from Bulletin of Medieval Canon Law, nos. 8, 1978.

Lit.: A. Tardif, Note sur une bulle d'H. III relative à l'enseignement du droit romain dans l'Université de Paris, in: Revue historique de droit français étranger 4, 1880, 291-294; – Marcel Fournier, L'eglise et le droit romain au XIIIe siècle à propos de l'interpretation de la bulle »Super Speculum« d'H. III., qui interdit l'enseignement du droit romain à Paris, in: ebd. 14, 1890, 80-119; – J. Clausen, Papst H. III. Eine Monogr., 1895; – W. Knebel, Kaiser Friedrich II et le H. III (Diss. Münster), 1905; – N. Mengozzi, Papa Onorio III e le sue relazioni col Regno di Inghilterra, Siena 1911; – Adalbert Keutner, Papsttum u. Krieg unter dem Pontifikat des Papstes H. III. (1216-1227), (Diss. Münster), 1935; – Ernst Kantorowicz, Kaiser Friedrich d. Zweite, 1936⁴, ND 1973; – Stephan Kuttner, Papst H. III. u. das Stud. des Zivilrechts, 1952; – Onorio III et Federico II, in: Studi Romani 11, 1963, 142-159; – Demetrio Mansilla, La documentación pontifica de Honorio III (1216-1227), Rom 1965. (Monumenta Hispaniae vaticana, Seccion: Registros, 2); – Peter Herde, Audientia litterarum contradictarum. Unterss. über die päpst. Delegationsgerichtsbarkeit v. 13. bis zum Beginn d. 16 Jhs. Tübingen 1970; – Paulus Rabikauskas, »Auditor litterarum contradictarum« et commission de juges délégués sous le pontificat d'H. III, in: Bibliothèque de l'Ecole des chartes 132, 1974, 214-244; – James M. Powell, The adventure of three manuscripts: the sermons of Pope H. III (1216-1227), in: Manuscripta 21, 1977, 21; – Ders., Pastor bonus: some evidence of H.III's use of the sermons of Pope Innocent III, in: Speculum 52, 1977, 522-537; – Ders., H. III and the leadership of the crusade, in: CHR 63, 1977, 521-536; – Ders., The prefatory letters of the sermones of Pope H. III and the reform of preaching, in: RSTI 33, 1979, 95-104; – Leonard E. Boyle, The Compilatio quinta and the registers of H. III, in: Bull. of Medieval Canon Law 8, 1978, 9-19; – M. Ferraboschi, L' equità secondo Onorio III e Paolo VI, in: La norma en el derecho canónico. Actas del III Congreso Internacional de Derecho Canónico (1976), Pamplona 1979, I, 1041-1044; – Richard Kay, The Albigensian twentieth of 1221-3: an early chapter in the history of papal taxation, in: Journal of Medieval History 6, 1980, 307-315; – Fliche-Martin X, 291-304; – Hauck IV, 777-803; – LibPont IV, 435; – Potthast I, 468 ff.; – Haller IV, 1-46; – Seppelt III, 390-411. 614; – Wetzer-Welte VI, 260-265; – EC IX, 141 ff.; – RE VIII, 318; XXIII, 660; – RGG III, 445 ff.; – LThK V, 476 f.

HONORIUS IV., Papst v. 2.4.1285 bis 3.4.1287, * 1210 in Rom, stammte wie sein Großonkel H. III. aus dem Geschlecht der Savelli und trug vorher den Namen Jakob. Er hatte in Paris studiert und wurde 1261 unter Urban IV. Kardinaldiakon. In Perugia als ein gebrechlicher, von der Gicht nahezu gelähmter Mann zum Papst gewählt, übernahm er ein schwieriges Erbe von den vorhergehenden französischen Päpsten, insbes. von seinem Vorgänger Martin IV. (s.d.). Dessen proangiovinische Politik war bis Oktober 1285 völlig gescheitert. Es war nicht gelungen, dem vertriebenen Karl v. Anjou die auf päpstlicher Lehensvergabe beruhende Königsherrschaft in Sizilien wieder zu verschaffen, das Peter III. von Aragon zwecks Durchsetzung von Erbschaftsansprüchen besetzt hatte. Auch der noch von Martin unterstützte Krieg gegen Aragon war bis November 1285 völlig fehlgeschlagen und hatte die Finanzen des Papstes ruiniert. In dieser Situation verfolgte H. die Politik seines Vorgängers im Grundsatz weiter, ohne sich aber in die gleiche Abhängigkeit von den Angiovinen zu begeben. Er unterstützte einerseits englische Vermittlungsbemühungen um einen Frieden zwischen Frankreich und Aragon, verbot aber dem in Sizilien gefangengehaltenen Sohn Karls v. Anjou, auf diese Insel zu verzichten und sich auf den Besitz des Festlandes zu beschränken, was Jakob, ein Sohn Peters v. Aragon und dessen Nachfolger in Sizilien, als Voraussetzung für die Freilassung forderte. Für den festländischen Teil des Königsreiches erließ H. eine Konstitution, die ein ähnlich tyrannisches Regiment wie dasjenige Karls v. Anjou in Zukunft verhindern sollte, indem u. a. die Rechte des Königs beschränkt und die Appellation nach Rom ermöglicht wurde. In der Stadt und in der Romagna regierte H. mit Hilfe fähiger und zuverlässiger Verwandter. Er trat auch in Verhandlungen mit König Rudolf v. Habsburg, um durch dessen Krönung in Rom das Kaisertum zu erneuern. Der Plan scheiterte 1287 auf einem Konzil in Würzburg, teils am Ungeschick des zusätzliche Zehnten fordernden päpstlichen Legaten, wahrscheinlich auch an der Befürchtung der Kurfürsten, daß ein Erbkönigtum aufgerichtet werden könnte. H. verbot 1286 die einem radikalen Armutsideal nachstrebenden und von apokalyptischen Gedanken beeinflußten Apostoliker des Gerhard Segarelli, ist aber kein Feind der Bettelorden gewesen.

Lit.: Maur. Prou, Registres d'H. IV, in: Bibliotheque francaise d'Athenes et de Rome, Athen 1888; – Bernhard Pawlicki, Papst H. IV. Eine Monogr. (Diss. Münster), 1896 (dazu Rez. v. Karl Hampe in: HZ 80, 1898, 490); – Oswald Redlich, Rudolf v. Habsburg. Das dt. Reich nach dem Untergange des alten Kaisertums, Innsbruck 1903; – E. Jordan, Les origines de la domination angevine en Italie, Paris 1909; – G. v. Gaisberg-Schöckingen, Das Konzil u. der Reichstag zu Würzburg 1287, Marburg 1928; – Borwin Rusch, Die Behörden u. Hofbeamten der päpst. Kurie des 13. Jhs (Diss. Königsberg), 1936; – Otto Herding, Das Röm.-dt. Reich in dt. u. it. Beurteilung v. Rudolf v. Habsburg u. Heinrich VII. (Diss. Erlangen), 1937; – Friedrich Bock, Reichsidee u. Nationalstaaten. Vom Untergang des alten Reiches bis z. Kündigung des dt.-engl. Bündnisses im J. 1341, 1944, 24 ff.; – J. Richard, Le debut des relations entre la papaute et les Mongols de Perse, in: Journal Asiatique 237, Paris 1949, 291-297; – J. R. Strayer, The Crusade against Aragon, in: Speculum 28, 1953, 102-113; – A. M. Dal Pino, Bolle di Onorio IV e di Nicola IV ai conventi e all'ordine dei Servi di Maria, in: Studi storici dell'Ordine dei Servi di Maria 5, Rom 1953, 254-287; – L. Kern, A propos des lettres d'indulgence collectives concedées au concile de Wurzbourg de 1287, in: Schweizer Bttr. z. allg. Gesch. 13, Bern 1955, 111-129; – St. Runciman, The Sicilian Vespers, London 1958 (aus dem

Ba

Engl. übertr. ins Dt. v. Peter de Mendelssohn, 1959); – Haller V, 72-76. 343 ff.; – Potthast II, 1795-1825; – Wetzer-Welte VI, 265-267; – EC IX, 143; – RE VIII, 324 ff.; XXIII, 660; – RGG III, 446; – Seppelt III, 565-574. 620 f.; – LThK V, 477.

Ba

HONTER(US), Johannes, Humanist und Reformator der Sachsen in Siebenbürgen, * 1498 in Kronstadt als Sohn eines Lederers, † daselbst 23.1.1549. – König Geisa II. von Ungarn (1141-61) rief um 1150 deutsche Siedler herbei zum Schutz der Krone und zur Urbarmachung des öden Landes zwischen den Flüssen Mieresch und Alt. Es kamen vor allem Franken aus den Gegenden des Rheins und der Mosel. Mittelpunkte ihres Siedlungsgebietes wurden im südwestlichen Siebenbürgen wurden Hermannstadt und Schäßburg. Gleichzeitig siedelten sich deutsche Einwanderer an in der Gegend von Bistritz im Nösnergau, im Nordosten Siebenbürgens. Zum Schutz gegen die Einfälle der heidnischen Kumanen wurde 1211 der Deutsche Ritterorden von Andreas II. (1205-35) gerufen. Er besiedelte das Burzenland, den südöstlichen Teil Siebenbürgens, mit Kronstadt als Mittelpunkt, wurde aber 1225 mit Waffengewalt wieder vertrieben. Andreas II. erließ 1224 das »Privilegium Andreanum«, das die rechtliche und politische Sonderstellung der Siebenbürger Sachsen begründete. Diese bildeten neben den Szeklern und dem magyarischen Adel eine der drei in der Union von 1437 zusammengeschlossenen »Nationen« mit einem Sachsengrafen an der Spitze der eigenen Behörden, der »Nationsuniversität«. Der Reformator der Sachsen in Siebenbürgen und Begründer der siebenbürgisch-sächsischen Gelehrtenschule ist H., ein Humanist von umfassender Gelehrsamkeit, die er sich zum Teil als Student in Wien seit 1515 erworben hat. Nach etwa zehnjährigem Aufenthalt in Wien kehrte H. als Magister in die Heimat zurück. Es war eine politisch bewegte Zeit. Der 20jährige König Ludwig II. von Ungarn erlitt am 29.8. 1526 in der Schlacht bei Mohacs an der Donau gegen den Sultan Suleiman II. eine völlige Niederlage und ertrank auf der Flucht. Auf Grund des Wiener Erbvertrages von 1515 wurde der Habsburger Ferdinand I., der Schwager Ludwigs II., zum König von Böhmen und Ungarn gewählt. Aber ein Teil des ungarischen Adels erhob Johann Zapolya, der seit 1511 Woiwode Statthalter von Siebenbürgen war, am 10.11.1526 zum Gegenkönig von Ungarn. Der Krieg um die Krone tobte besonders heftig in Siebenbürgen. Es standen sich die »deutsche Partei« Ferdinands, der sich H. mit ungeteiltem Herzen anschloß, und die »ungarische Partei« Zapolyas gegenüber. Mit Hilfe der Türken brachte Zapolya 1529 den östlichen Teil des Landes mit Ofen in seinen Besitz. Als die Kronstädter nach dreijährigem verlustvollem Kampf für Ferdinand von Österreich sich den beiden Woiwoden der Walachai, Verbündeten Zapolyas, ergeben mußten, blieb H. nichts anderes übrig, als fluchtartig die Heimat zu verlassen. Auf seinen »Irrfahrten« kam er 1530 nach Krakau und lehrte an der dortigen Ritterakademie, einer Erziehungsstätte für Söhne von Edelleuten. Für seine Schüler gab H. eine lateinische Grammatik heraus und veröffentlichte die seinen »teuren Siebenbürgern« gewidmete Prosafassung seiner

»Grundzüge der Weltbeschreibung« = »Rudimentorum cosmographiae libri duo«. Von Krakau zog er über Nürnberg und Augsburg nach Basel und traf dort Ende 1530 ein. Während seines Aufenthalts in Basel wurde H. in seiner humanistischen Bildung nachhaltig gefördert und in seinem religiösen und kirchlichen Denken von Johannes Ökolampad (s.d.), dem Reformator der Basler Kirche, stark beeinflußt. Zwei Sternkarten und die erste Karte der von Sachsen bewohnten Teile Siebenbürgens, die er »dem an Ehren reichen Rat von Hermannstedt« widmete, gab H. 1532 in Basel heraus. 1533 wurde er nach Kronstadt zurückberufen, in die Hundertmannschaft und später in den engeren Rat der Stadt gewählt und zu Neujahr 1534 und anläßlich seiner Hochzeit im Sommer 1535 mit kostbaren Geschenken geehrt. Da er sich in Basel auch Kenntnisse in der Buchdruckerkunst erworben hatte, errichtete H. in Kronstadt die erste Druckerei Siebenbürgens, deren Druckerzeugnisse hauptsächlich Lehrbücher waren, durch die eine Reform des gesamten Unterrichts in die Wege geleitet wurde, aber auch andere Schriften, u.a. 1542 die wertvolle, neubearbeitete und erweiterte Ausgabe seiner Weltbeschreibung in lateinischen Hexametern mit 16 eigenen Kartenholzschnitten. Obwohl er zweifellos schon in Basel durch Ökolampad für die Reformation gewonnen worden war, gab H. sich erst in den 1539 erschienenen Vorreden zu zwei von ihm herausgegebenen Schriften des Kirchenvaters Augustinus (s.d.) als Anhänger der Reformation zu erkennen. in seinen Vorreden zu »Sententiae ex omnibus operibus divi Augustini decerptae« und »Divi Aurelii Augustini Hipponensis episcopi Haereseon catalogus« trat H. für klare Reformen ein, wollte aber nicht mit dieser seine Reformation im Sinn Martin Luthers (s. d.) und der »Confessio Augustana« von 1530 in die Wege leiten, weil nach seiner Meinung die Durchführung der von ihm als notwendig erkannten Reformen innerhalb der katholischen Kirche möglich sei. Die nächsten Jahre dienten zur Klärung seiner Erkenntnisse und Überzeugungen. Noch war die Zeit nicht gekommen zum Durchbruch der reformatorischen Bewegung im sächsischen Siedlungsgebiet. Georg Utiesenovic, genannt Martinuzzi, Bischof von Großwardein, betrieb eifrig die Aussöhnung Zapolyas mit Ferdinand I. und brachte am 24.2.1538 den Friedensschluß von Großwardein zustande, der zwar Zapolya die königliche Würde für seine Person und seinen Anteil an Ungarn sicherte, aber nach dessen Tod das ungarische Königtum dem Habsburger zusprach. Am 22.7.1540 starb Zapolya und hinterließ außer seiner Gattin als seinen einzigen Sohn Johann Siegmund im Alter von zwei Wochen. Dessen Vormund Martinuzzi erreichte, daß der Landtag von Torda 1542 trotz des Großwardeiner Vertrags von 1538 Isabella, die Witwe Zapolyas, als Königin anerkannte. In Kronstadt wurde Johannes Fuchs, der Führer des reformatorisch gesinnten Bürgertums, 1541 Stadtrichter. Als sein sachkundiger Berater und im Zusammenwirken mit Valentin Wagner (s.d.), der im Herbst 1542 von einem zweiten Studienaufenthalt in Wittenberg nach Kronstadt zurückkehrte, führte H. in seiner Vaterstadt die Reformation durch nach seiner »Formula reformationis ecclesiae Coronensis ac

Carcensis totius provinciae« = »Entwurf einer Kirchenverbesserung für Kronstadt und das ganze Burzenland«. Im Oktober 1542 wurde in Kronstadt »Gott und seinem heiligen Namen zu Ehren« die Messe abgeschafft und durch das Abendmahl unter beiderlei Gestalt ersetzt. Alle Still- und Winkelmessen wurden untersagt und von den Nebengottesdiensten nur die Mette und Vesper beibehalten. Im Dezember 1542 erfolgte die Neuordnung in den Landgemeinden des Burzenlandes. Jenen Entwurf gab H. als »Reformatio ecclesiae Coronensis ac totius Barcensis provinciae« 1543 neu heraus. Martinuzzi, der das Amt des Kanzlers innehatte, wollte die Kronstädter Reformationsbewegung unterdrücken und lud darum H. vor den Landtag in Weißenburg (jetzt: Karlsburg). Die Kronstädter aber ließen ihn nicht ziehen, sondern sandten nach Weißenburg Johannes Fuchs als Vertreter des Stadtrats und der Bürgerschaft, ihren Prediger Jeremias Jekel und noch andere. Die Abgeordneten Kronstadts, denen H. eine Verteidigungsschrift, die »Apologia reformationis«, mitgab, überreichten sie im Juni 1543 dem Landtag in Weißenburg und verteidigten mannhaft und erfolgreich in einem Streitgespräch H.s Reformationswerk »wider die papistischen Gesellen«. Durch diesen Ausgang ermutigt, erwog Matthias Ramser, seit 1536 Stadtpfarrer in Hermannstadt, ernsthaft den Plan, die Reformation durchzuführen. Er wandte sich darum an Luther um Rat und sandte ihm zugleich H.s Reformationsbüchlein. Luther, Philipp Melanchthon (s.d.) und Johann Bugenhagen (s.d.) äußerten sich zustimmend zu H.s Reformationswerk und seinem Büchlein. Luther schrieb an Ramser: »Alles, was du von mir erfragst, wirst du in diesem Büchlein besser niedergelegt finden, als ich es schreiben kann. Es hat mir über die Maßen gefallen, so gelehrt, so rein, so treu ist es geschrieben. Lies dies Büchlein und nimm Fühlung mit den Dienern der Kronstädter Kirche. Sie werden dir die nützlichsten Helfer bei der Reformation deiner Kirche sein«. Melanchthon gab 1543 H.s Reformationsbüchlein in Wittenberg neu heraus und verfaßte dazu eine eigene Vorrede. Ramser führte die Reformation in Hermannstadt durch. Es folgten bald die übrigen sächsischen Städte Mediasch, Schäßburg und Bistritz. Am 3. Weihnachtstag 1543 verpflichtete sich der neugewählte Stadtrat und die Hundertmannschaft in Kronstadt durch eidliches Gelübde für alle Zukunft auf H.s Reformationsbüchlein. Am 22.4. 1544 wurde H. zum Stadtpfarrer von Kronstadt gewählt als Nachfolger Jekels, der dem Ruf nach Tartlau gefolgt war. Trotz der Bilderstürmer und Schwarmgeister, die auch in Kronstadt eindrangen und mit ihren radikalen Forderungen und Reformen sich durchzusetzen bemühten, baute H. sein Reformationswerk besonnen und zielsicher weiter aus und befestigte es, so daß die Reformation in Kronstadt von nennenswerten Erschütterungen verschont blieb. Obwohl er vom Humanismus und von Gedanken und Anschauungen der Schweizer Reformatoren ausgegangen war, schloß sich H. bei der Durchführung der Reformation doch Wittenberg an. In seinem Reformationsbüchlein von 1543 beruft sich H. bei den Weisungen über die Taufe auf die »Wittenberger Ordnung« und in seiner Apologie zur Rechtfertigung seiner Reform des Meßgottesdien

stes auf die Schriften Melanchthons. Seine Hinwendung zum Luthertum bezeichnet den Abschluß seiner inneren Entwicklung von 1539 bis 1543. Der in der Wittenberger Schule ausgebildete Theologe Wagner hat als Mitarbeiter des H. am Reformationswerk auf ihn Einfluß ausgeübt und die Beziehungen zwischen Luther und H. geschaffen, so daß die reformatorische Bewegung in Kronstadt von Wittenberg her maßgeblich gelenkt wurde. H. stand mit Luther, Melanchthon und Bugenhagen in brieflichem Verkehr und gab 1545 Luthers »Kleinen Katechismus« heraus, ein Beweis für H.s lutherische Gesinnung in der Frage der Abendmahlslehre. Auch in diesem Punkt stimmte er mit Wagner überein, der in seinem bereits 1544 druckreifen, aber erst 1550 erschienenen Katechismus zum Abendmahlstreit im lutherischem Sinn Stellung nahm. 1547 gab H. eine »Agende für die Seelsorger und Kirchendiener in Siebenbürgen« heraus. Mit der Durchführung der Reformation 1542/43 erfolgte auch die Begründung der siebenbürgisch-sächsischen Gelehrtenschule in Kronstadt, des später nach ihm genannten Honterusgymnasiums, im Dezember 1544 auf Grund der von ihm 1543 mit Billigung des Rats verfaßten und veröffentlichten »Kronstädter Schulordnung«: »Constitutio scholae Coronensis«. Wagner, dessen griechische Grammatik bereits 1539 in Kronstadt erschienen war, wurde erster Rektor des Gymnasiums und später H.s Nachfolger im Stadtpfarramt. Auch auf dem Gebiet der Rechtswissenschaft leistete H. Beachtliches durch sein »Compendium juris civilis, in usum civitatum ac sedium collectum« von 1544. Dieses »Handbuch des bürgerlichen Rechts« ist für die sächsische Rechtsentwicklung der Folgezeit bedeutsam; denn H. lieferte damit eine Vorarbeit für das »Eigenlandrecht der Sachsen in Siebenbürgen« von 1583. Auf der Synode in Mediasch am 17.5.1545, die den Zusammenschluß aller Evangelischen des siebenbürgischen Sachsenlandes vollzog, wurde auf dem Gebiet der kirchlichen Gerichtsbarkeit und Verwaltung die Einheit verwirklicht. Die Nationsuniversität als oberste politische Vertretung der Sachsen berief einen Ausschuß, der auf Grund des Reformationsbüchleins von H. eine für das gesamte sächsische Siedlungsgebiet geltende Kirchenordnung ausarbeiten sollte. So erschien 1547 in der Druckerei H.s in lateinischer Sprache und deutscher Übersetzung die »Reformatio ecclesiarum Saxonicarum in Transylvania« = »Kirchenordnung aller Deutschen in Siebenbürgen«. Sie wurde im April 1550 von der Nationsuniversität zum Gesetz erhoben. Am 6.2.1553 wählte die Synode den Hermannstädter Stadtpfarrer Paul Wiener (s.d.) zum ersten evangelischen Bischof. Daß die Sachsen als eine in sich geschlossene Einheit (Ecclesia Dei nationis Saxonicae) dem Luthertum erhalten blieben, als Franz Davidis (s.d.) der Vorkämpfer calvinischer Lehre in Siebenbürgen wurde, ist das Werk ihres zweiten Bischofs, des Matthias Hebler (s.d.). Die Mitglieder der am 2. und 3.5.1572 in Mediasch versammelten Synode beschworen und unterschrieben die »Confessio Augustana«. Darauf wurde die von Lukas Ungleich (s.d.) verfaßte »Formula pii consensus«, eine Auslegung der »Confessio Augustana« für siebenbürgische Verhältnisse, am 22.6. dem Fürsten Stephan Bathori als Bekennt nis überreicht, das er am 4.7.1572 der »in Christus geeinten Kirche des gesamten sächsischen Volkes« bestätigte und mit Gesetzeskraft versah.

Werke: De Grammatica, Libri duo, 1532; Rudimenta Cosmographiae Libri II, 1534; Rudimenta cosmographica Libris IV. distincta cum annotationibus Bernardi Fromerii ac Tabulis geographicis..., 1535; Rudimenta cosmographica cum vocabulis rerum, 1541; Fabulae duae in Aratum Solensem cum Ejusdem versione, 1535; Compendium Grammatices latinae Libri II, 1535; Rudimenta praeceptorum Dialectices ex Aristotele et aliis collecta und: Compendium Rhetorices ex Cicerone et Quintiliano, 1539; Compendium Rhetorices, 1539; Sententiae ex Libris Pandectarum juris civilis decerptae, 1539; Sententiae ex omnibus operibus divi Augustini excerptae, 1539; Divi Aurelii Augustinii Hipponensis Episcopi Hierseon Catalogus, 1539; Mimi Publicani Enchiridion Xisti Pythagorici. Dicta Sapientium ex Graecis, 1539; Epitome Adagiorum graecorum et latinorum juxta seriem Alphabeti Ex Chiliadibus Erasmi Roterodami, 1541; Sententiae cathol. Nili Monachi graeci, 1540; Geographia universalis, una cum imaginibus Constellationum; Formula Reformationis Ecclesiae Coronensis et Barcensis totius Provinciae, 1542; Apologia Reformationis a Mag. Joh. Hontero conscripta anno domini 1543. Coronae, ad Comitia generalia data; Phil. Melanchtonis de Controversis Stancari Scripta, 1543; Compendium Juris Civilis, in usum Civitatum ac Sedium Saxonicarum in Transylvania collectum, 1544; Districta Novi testamenti, 1545; Agenda, für die Seelsorger u. Kirchendiener in Siebenbürgen, 1547; Enchiridion cosmographicum, 1547; Odae cum Harmoniis ex diversis Poetis in usum Ludi literarii Coronensis decerptae, 1548; Libellus graecae Gramaticae Philippi Melanchtonis adjectis Tabulis flexionum quarundam; P. Terentii Aphri Comediae sex cum argumentis Philippi Melanchtonis; D. O. M. Constitutio Scholae Coronensis..., 1543; Tabula chorographica Sedium Saxonicalium in Transsylvania. Ausgg.: J. H.s ausgew. Schrr., hrsg. v. Oskar Netoliczka, Wien und Hermannstadt, 1898; Schrr., dt. v. J. Gross, 1927.

Lit.: Johann Seivert, Nachr. v. siebenbürg. Gelehrten u. ihren Schrr., Preßburg 1875, 170 ff.; – Joseph Dück, Gesch. des Kronstädter Gymnasiums, Kronstadt 1845; – Georg Daniel Teutsch, Die Ref. im siebenbürg. Sachsenland, ebd. 1852, durchges. u. erg. v. Friedrich Teutsch, Hermannstadt 1929[10]; – Ders., Gesch. der Siebenbürger Sachsen, 1858 (1899[3]); – Ders., UB der ev. Landeskirche A.B. in Siebenbürgen I, 1862; II (Synodalverhh. der ev. Landeskirche bis 1600), 1883; – Ders., Über H. u. Kronstadt zu seiner Zeit. Vortr., in: Arch. des Ver. f. siebenbürg. Landeskunde NF 13, Hermannstadt 1876, 77,93 ff.; – Schr.steller-Lex. oder biogr.literär. Denkbll. der Siebenbürger Dt.en v. Joseph Trauch II, Kronstadt 1870, 197 ff.; IV v. Friedrich Schuller, Hermannstadt 1902, 207 ff.; – Qu. z. Gesch. der Stadt Kronstadt in Siebenbürgen, 7 Bde. u. Erghh. 1886 ff.; – Heinrich Neugeboren, J. H., der Reformator der Sachsen in Siebenbürgen, 1887 (1888[2]); – H.sche Schulordnurig, in: MG Päd. hrsg. v. Karl Kehrbach, VI, 1888; – Theobald Wolf, J. H., der Apostel Ungarns, Kronstadt 1894; – Johannes Höchsmann, J. H., der Reformator Siebenbürgens u. des sächs. Volkes, Wien 1896; – Ders., Siebenbürg. Gesch. im Zeitalter der Ref., in: Arch. des Ver. f. siebenbürg. Landeskunde 35, 1908, 336 ff.; 36, 1909, 5 ff.; – Siegmund Günter, J. H., der Geograph Siebenbürgens, in: Mitt.en der k. u. k. Geogr. Ges. in Wien 41, 1898, 643 ff.; – Lutz Korodi, Die H-Jubelfeier u. die sächs. Ver.tage in Kronstadt 19.-23.8.1898. Ein Festber., Kronstadt 1898; – Aus der Zeit der Ref. Vortrr., geh. im Auditorium des ev. Gymnasiums A. B. in Kronstadt in den J. 1897 u. 1898. Festschr. z. H.-Feier, ebd. 1898; – Friedrich Teutsch, J. H., in: ChW 12, 1898, 387 ff.; – Ders., Gesch. der ev. Kirche in Siebenbürgen I (1550-1699), Hermannstadt 1921, 207 ff.; – Ders., Kirche u. Schule der Siebenbürger Sachsen in Vergangenheit u. Ggw., ebd. 1923; – Oskar Netoliczka, J. H. Ein Gedenkbüchlein z. Feier seiner Geburt, Kronstadt 1898 (1898[2]); – Ders., H. – Probleme u. Tatsachen, in: Btrr. z. Gesch. der ev. Kirche in Siebenbürgen. Bisch. D. Friedrich Teutsch z. 70. Geb., Hermannstadt 1922, 155 ff.; – Ders., Btrr. z. Gesch. des J. H. u. seiner Schrr. Festg. der ev. Stadtpfarrgemeinde Kronstadt, Kronstadt 1930; – Ders., H. u. Zürich, in: Zwingliana 6, 1934. 85 ff.; – Ders., H. als Prediger. in: Siebenbürg. Vjschr. 60, Hermannstadt 1937, 304 f.; – Richard Schuller, J. H., der Reformator des Siebenbürger Sachsenlandes, in: Die Grenzboten 58, 1899, IV, 535 ff.; – Walther Koehler, Über den Einfluß der dt. Ref. auf das Werk des J. H., insbes. auf seine Gottesdienstordnung, in: ThStKr 73, 1900, 563 ff.; – Richard Csaki, Vorber. zu einer Gesch. der dt. Lit. in Siebenbürgen. Hermannstadt 1920, 34 ff.; – Adolf Schullerus, Zur Qu.kunde der siebenbürg. Ref.gesch., in: Btrr. zur Gesch. der ev. Kirche in Siebenbürgen. Bisch. D. Friedrich Teutsch z. 70. Geb., ebd. 1922, 73 ff.; – Ders., Luthers Sprache in Siebenbürgen. Forsch. z. siebenbürg. Geistes- u. Sprachgesch. im Zeitalter der Ref., 1923; – Heinz Brandsch, Die siebenbürg.-sächs. Dorfschulen im Ref.jh., in: Arch. des Ver. für siebenbürg. Landeskunde 44, 1927, 425 ff.; – Karl Reinerth, Die ref.geschichtl. Stellung des J. H. in den Vorreden zu Augustins Sentenzen u. Ketzerkat., in: Korr.bl. des Ver. für siebenbürg. Landeskunde 52, Hermannstadt 1929, 97 ff.; – Ders., Btrr. z. Gesch. des Gottesdienstes in der siebenbürg.-sächs. Kirche, ebd. 53, 1930, 211 ff.; – Ders., H.

zw. luth. u. kath. Rechtfertigungslehre, in: Kirchl. Bll. 22, Hermannstadt 1930, 225 ff. 238 ff.; – Ders., H., Wittenberg u. Basel, ebd. 406 ff.; – Ders., H.forsch. Neue Btrr. z. Kenntnis des siebenbürg. Reformators u. seiner Schrr., in: Vjschr. des Ver. f. Siebenbürg. Landeskunde 54, 1931, 26 ff.; – Ders., Aus der Vorgesch. der siebenbürg.-sächs. Ref., Hermannstadt 1940; – Ders., Die Ref. der siebenbürg.-sächs. Kirche, 1956; – Ders., H.probleme, in: Südostdt. Arch. 11, 1968, 170-180; – Ders., Zu Oskar Wittstocks neuestem H.bild, in: Südostdt. Arch. 14, 1971, 38-46; – Ders., Die Gründung der evangel. Kirchen in Siebenbürgen, Köln.Wien 1979; – Hans Wagner, Die Rechtfertigungslehre in den reformator. Schrr. des J. H., in: Kirchl. Bll. 22, 1930, 181 ff.; – Ders., H., Wittenberg u. Basel, ebd. 309 ff.; – Karl Kurt Klein, H.-Forsch., in: Vjschr. des Ver. f. Siebenbürg. Landeskunde 54, 1931, 33 ff. 107 ff.; – Ders., Der Humanist u. Reformator J. H. Unterss. z. siebenbürg. Geistes- u. Ref.gesch., Hermannstadt u. München, 1935; – Hermann Tontsch, Die H.presse in 400 J., Kronstadt 1933; – Richard Huss, Die Ref. in Siebenbürgen, Bistritz 1936; – Erich Roth, Der Durchbruch der Ref. in Siebenbürgen (Diss. Göttingen), 1943; – Ders., Die Ref. in Siebenbürgen (Hab.Schr., Göttingen), 1944; – Ders., Die Gesch. des Gottesdienstes der Siebenbürger Sachsen, 1954; – Ders., Die Ref. in Siebenbürgen. Ihr Verhältnis zu Wittenberg, Tl. 1: Der Durchbruch, 1962; Tl. 2: Von H. z. Augustana, 1964; – Paul Philippi, Ref. unter dem Vollmond, in: Die ev. Diaspora 25, 1954, 92 ff.; – Karl Göllner, J. H. Bukarest 1960; – Adolf Menschendörfer, Sommersonne u. H.fest, in: Der europ. Osten 12, 1966, 158-163; – Jenö Solyom »Disticha Novi Testamenti«.Ein didakt. Buchdr. des siebenbürg. Reformators J. H., in: Gesch.wirklichkeit u. Glaubensbewährung. Festschr. f. Bisch. Friedrich Müller. Hrsg. v. Franklin Clark, 1967, 192-203; – Oskar Wittstock, Die H.forsch. auf neuen Wegen, in: Südostdt. Bll. 16, 1967, 32-37; – Ders., J. H., der Siebenbürger Humanist u. Reformator. Der Mann, das Werk, die Zeit, 1970; – Gedeon Borsa, Die Ausgg. der »Cosmographia« v. J. H., in Essays in honour of Victor Scholderer, 1970, 90-105; – Stephan Juhasz, Von Luther zu Bullinger, der theolog. Weg i. d. protest. Kirche in Rumänien, in: ZKG 81, 1970, 308-333; – Paul Binder, J. H.' Karten u. Beschreibungen der rumän. Länder, in: Revue roumaine d'histoire 12, Bukarest 1973, 1037-1065; – Ludwig Binder, J. H. u. d. Ref. im Süden Siebenbürgens mit bes. Berücksichtigung d. Schweizer u. Wittenberger Einflüsse, in: Zwingliana 13, 1973, 645-687; – Aurel Cotu, O carte rara: J. H.: »Rudimenta cosmographiae« (1530), in: Transilvania 2, 1973, 48 f.; – Gernot Nussbächer, J. H. Sein Leben u. Werk im Bild dargestellt, ebd. 1973 (1974[2] verb. u. verm.); – Ders., Date noi privind viata si activitatea umanistului J. H., in: Cumidava. Muzeul judetean Brasov si muzeul Bran 7, 1973, 287-291; – Ders., Noue Ergebnisse in der H.-Forschung, in: Revue roumaine d'histoire 15, Bukarest 1976, 305-311; – Arnold Huttmann, Die Medizin in der Lateinischen Kosmographie des Humanisten J. H., in: Humanistica Lovaniensia 23, 1974, 128-144; – Schottenloher I, Nr. 8900-8924; V, Nr. 46912-46936a; – Jöcher II, 1695; – ADB XIII, 78-81; – NDB IX, 603; – RE VIII, 333; – RGG III, 446 f.; – LThK V, 478 f.

Ba

HONTHEIM, Johann Nikolaus v. (Pseud.: Febronius, Justinus), Historiker, Weihbischof, * 27.1.1701 in Trier, + 2.9.1790 in Montquintin (Luxemburg). H. erhielt schon als Zwölfjähriger die Anwartschaft auf ein Kanonikat am Kollegiatsstift St. Simeon in Trier. Dort studierte H. 1719 bis 1722 Rechtswissenschaft und Theologie, danach in Löwen und Leiden. In Löwen war er Schüler des gallikanisch-jansenistischen Kanonisten Zeger Bernhard van Espen (s.d.). 1724 wurde er in Trier zusammen mit seinem Bruder Joh. Wolfgang v. H. zum Dokter beider Rechte promoviert und betrieb 1726 bis 1727 einen Rechtsstreit seines Stiftes in Rom. Von dort nach Trier zurückgekehrt, empfing er die höheren Weihen, wurde Konsistorialassessor und 1733 Professor des Röm. Rechts in Trier, ohne sich in dieser Eigenschaft einen bemerkenswerten wissenschaftlichen Ruf zu erwerben. Bis 1748 gab er das Breviarium Trevirense und das Rituale für die Erzdiözese neu heraus. 1738 wurde er von Kurfürst und EB F. G. v. Schönborn (s.d.) zum Offizial in Koblenz, 1748 zum Weihbischof v. Trier ernannt. Dieses Amt versah er dreißig Jahre lang gewissenhaft und mit Erfolg. Eine gelehrte Reputation erwarb sich der arbeitsame Mann in dieser Zeit durch seine Werke zur triererischen Geschichte und führte im übrigen ein frommes und kirchentreues Leben. Die weit über Deutschland hinausreichende Bekanntheit H.s unter dem Pseudonym Justinus Febronius beruht auf dem Buch »De statu ecclesiae«. Durch dieses Werk wurde H. zu dem wichtigsten Vertreter des reichskirchlichen Episkopalismus in Deutschland und ähnlicher Bestrebungen in anderen Ländern im 18. Jh. Historisch an spätmittelalterliche Widerstände gegen den päpstlichen Absolutismus, an die Konzilien von Konstanz und Basel, an den Wormser Reichstag v. 1521 und verschiedene Konkordate anknüpfend und zu staatskirchlichen Tendenzen in anderen Ländern in Beziehung stehend, richtete der Episkopalismus sich konkret u.a. gegen den päpstlichen Jurisdiktionsprimat und die Eingriffe der päpstlichen Nuntien in verschiedene Belange der Bistumsverwaltung und -besetzung. Damit verband sich seit der Reformation auch die Hoffnung auf eine Überwindung der konfessionellen Spaltung. Mit episkopalistischen Bestrebungen war H. in Trier in Berührung gekommen, wo sie durch Schönborn in seinem Kampf gegen die päpstliche Nuntiaturgerichtsbarkeit vertreten wurden, und in der lothringischen und luxemburgischen Nachbarschaft wurden staatskirchliche Praktiken anschaulich vorgeführt. Nachdem der Episkopalismus kichenrechtlich-theologisch in Deutschland vor allem durch Joh. Kaspar Barthel (s.d.) in Würzburg und durch den nach Trier geholten Georg Chr. Neller (s.d.) vertreten worden war, nahm er hier, durch Zusammenarbeit H.s mit Neller und dem konvertierten kurtriererischen Wahlbotschafter J.G. v. Spangenberg (s.d.) die verschärfende Wendung zum sogen. Febronianismus. In dem erwähnten, v. a. aus Augustin, Bossuet, Petrus de Marca, van Espen, Barthel und Neller kompilierten Werk reduziert H. den Primat des Papstes auf einen Ehrenvorrang. Der Papst hat die Selbständigkeit der bischöflichen Jurisdiktion zu schützen und in Glaubensstreitigkeiten zu entscheiden. Unfehlbarkeit kommt nur der Kirche und dem Allgemeinen Konzil unter dem Beistand des Hl. Geistes zu, welches damit über dem Papst steht. Trotz grundsätzlicher Anerkennung gegenseitiger Unabhängigkeit tendiert das Werk in der Konsequenz dazu, eine Überlegenheit der weltlichen über die geistliche Gewalt zu begünstigen. Ohne direkt nationalkirchliche Tendenzen wird eine Stärkung der Reichsgewalt in der Hoffnung auf eine zukünftige Vereinigung der Konfessionen erstrebt, während andererseits eine Idealisierung urkirchlicher Zustände mit hineinspielt. Als das Werk 1763 erschien, hatte es vor allem wegen der Aktualität verschiedener Streitigkeiten mit der Kurie in Deutschland eine große Wirkung. Trotz seiner Indizierung am 27.2.1764 verbreitete es sich in der Folgezeit über das ganze katholische Europa und rief Befürworter und Gegner auf den Plan. Als dem Nuntius Oddi die Identifizierung des Verfassers gelang und H. von dem Trierer Kurfürsten Clemens Wenzeslaus bedrängt wurde, gab H. die bis dahin hartnäckig geleugnete Verfasserschaft 1778 zu und verstand sich zu einem förmlichen Widerruf, den er in der Folgezeit durch weitere Schriften aber wieder stark abschwächte. Die letzten Gründe für

das eigentümlich schwankende Verhalten H.s, der sich vorher wahrscheinlich in Voraussicht der um sein Buch sich entzündenden Streitigkeiten vergeblich um einen Bischofssitz in den österreichischen Niederlanden bemüht hatte, sind bis jetzt nicht geklärt.

Werke: Dissertatio juridica inauguralis de jurisprudentia naturali et summo imperio, 1724; Historia Trevirensis diplomatica, 3 Bde., 1750; Prodromus Historiae Trevirensis, 2 Bde., 1757; De statu Ecclesiae et de legitima potestate Romani Pontificis I, 1763; II-IV, 1770-74; Justini Febronii Buch v. d. Zustand der Kirche u. d. rechtmäßigen Gewalt d. Röm. Papstes, die in d. Rel. widriggesinnten Christen zu vereinigen, aus d. Lateinischen in e. getreuen Auszug übers., 1764; Justinus Febronius abbreviatus et emendatus..., 1777; Justini Febronii IC. ti Commentarius in suam Retractionem Pio VI... Kalendis Novemb. An. MDCCLXXVIII submissam, 1781; Niklas Vogt, Briefwechsel zw. Kf. v. Trier, Clemens Wenzeslaus u. Weihbischof N. v. H. üb. d. Buch Justini Febronii de statu Ecclesiae et legitima Romani Pontificis potestate, 1813; V. Conzemius, Le testament de Mgr. de H., in: T'Hemecht 11, 1958, 85-99.

Lit.: L. Mergentheim, Die Wurzeln d. Febronianismus, in: HPBL 139, 1907, 180-192; – Ders., Die Quinquennalfakultäten pro foro externo. Ihre Entstehung u. Einführung in dt. Bistümern. Zugl. e. Beitr. z. Technik d. Gegenref. u. z. Vorgesch. d. Febronianismus, 2 Bde. 1908, ND 1965; – Otto Mejer, Febronius, Weihbisch. J. N. v. H. u. sein Widerruf, 1880 (1885²); – J. Kuntziger, F. et le Febronianisme = Memoires de l'Academie royale des scienes, des lettres et des beaux arts Bruxelles 44, 1891; – Dietrich Gla, Systematisch geordnetes Repertorium der kath. theol. Lit., welche in Dtld., Östr. u. der Schweiz seit 1700 bis z. Ggw. (1900) erschienen ist, I/2, 1904, 549 ff.; – J. Zillich, F. (Diss. Halle), 1906; – L. Rechenmacher, Der Episkopalismus des 18. Jh.s in Dtld. u. seine Lehren über das Verhältnis v. Kirche u. Staat, 1908; – F. Stümper, Die kirchenrechtl. Ideen des F., 1908; – Hermann Keussen, Weihbisch. H. u. die Univ. Köln, in: Trierer Zschr. 5, 1930; – H. Petersen, Febronianismus u. Nationalkirche (Diss. Straßburg), 1942; – Leo Just, Zur Entstehungsgesch. des F., in: Jb. f. das Bist. Mainz 5, 1950; – Ders., H., in: AMrhKG 4, 1952, 204-216; – Ders., Der Widerruf des F. in der Korr. des Abbe Franz Heinrich Beck mit dem Wiener Nuntius Giuseppe Garampi, 1960; – Heribert Raab, Damian Friedrich Dumeiz u. Kard. Oddi. Zur Entdeckung des F. u. z. Aufklärung im Erzstift Mainz u. in der Reichsstadt Frankfurt, in: AMrhKG 10, 1958, 217-240; – Ders., Neller u. F., edd. 11, 1959, 185-206; – Ders., Clemens Wenzeslaus v. Sachsen u. seine Zeit (1739-1812) I: Dynastie, Kirche u. Reich im 18. Jh., 1962. Zugl. Hab.-Schr. Mainz; – Ders., Der reichskirchl. Episkopalismus v. der Mitte des 17. bis z. Ende des 18. Jh.s, in: Hdb. der KG, hrsg. v. Hubert Jedin. V: Die Kirche im Zeitalter des Absolutismus u. der Aufklärung. Von Wolfgang Müller (u.a.), 1970; – Ders., J. N. v. H., in: Rhein. Lb. V, 1973, 23-44; – F. Vigener, Bischofsamt u. Papstgewalt, Göttingen 1964², 39 ff.; 42 ff.; – G. Leclercq, Zeger Bernard van Espen (1648-1728) et l'autoritee ecclesiastique, 1964; – M. Nuttinck, La vie et l'oeuvre de Zeger Bernard van Espen, 1969; – R. Duchon, De Bossuet à Febronius, in: RHE 65, 1970, 375-442; – Erwin Mühlhaupt, Rhein. Kirchengesch., 1970, 259 ff.; – Hans Schneider, Der Konziliarismus als Problem der neueren kathol. Theologie: die Gesch. d. Konstanzer Dekrete v. F. bis z. GGw., (Diss. Göttingen), Berlin, New York 1972; – Volker Pitzer, Kircheneinheit u. Papstgewalt. Justinus Febronius als Ireniker (Diss. Heidelberg, 1974), Göttingen 1976 (u. d. T.: J. F. Das Ringen um kath. Ireniker im Zeitalter der Aufklärung); – Peter Frowein u. Edmund Janson, J. N. v. H. – Justinus Febronius. Zum Werk u. seinen Gegnern, in: AMrhKG 28, 1976, 129-153; – ADB XIII, 83; – NDB IX, 604 f.; – RE VIII, 340 ff.; – RGG III, 447 f.; – DThC V, 2115-2124; – EC VI, 1473; – Catholicisme IV, 1129 f.; V, 993; – LThK V, 479 f.; – DLL VIII, 97 f.

Ba

HOOGSTRAATEN, (Hochstraten), Jakob von, Dominikaner, * 1460 in Hoogstraeten (Provinz Antwerpen), + 27.1.1517 in Köln. – H. studierte in Löwen Philosophie und promovierte dort 1485 zum Magister der freien Künste. Bald darauf trat er in den Dominikanerorden ein und widmete sich nach Empfang der Priesterweihe 1496 dem theologischen Studium an der Universität Köln. H. wurde 1498 Lehrer der Theologie an der Kölner Ordensschule und 1500 Priester in Antwerpen. 1504 promovierte er in Köln zum Dr. theol. und wurde 1505 zum Regens der Kölner Ordensschule ernannt. Mit diesem Amt war zugleich eine Universitätsprofessur verbunden. 1510 wurde H. Prior des Kölner Dominikanerklosters und hatte als solcher nach altem Herkommen das Amt eines päpstlichen Inquisitors für die Kirchenprovinzen Köln, Mainz und Trier zu versehen. 1502 war der niederländische Humanist Hermann van Rijswijk wegen seines Unglaubens zu lebenslänglichem Kerker verurteilt worden. Nachdem er der Haft entronnen war, begann er von neuem, seine Ketzereien zu verkündigen und sie auch in Schriften zu verbreiten. Er wurde als »haereticus relapsus« verurteilt und am 14. 12.1512 in Den Haag verbrannt. – Der getaufte Jude Johann Pfefferkorn (s.d.), ein fanatischer Gegner des Judentums, beantragte in Verbindung mit den Kölner Dominikanern bei Maximilian I. die Vernichtung der rabbinischen Literatur, da sie voller Schmähungen gegen das Christentum sei. In dem vom Kaiser eingeforderten Gutachten stimmte Johannes Reuchlin (s.d.) der Vernichtung der antichristlichen Schmähschriften der Juden zu, trat aber für die Erhaltung ihrer philosophischen und religiösen Literatur ein. Das zog ihm den Haß der Kölner Dominikaner zu, die ganz auf seiten Pfefferkorns standen, während die Humanisten für Reuchlin Partei ergriffen. So entbrannte der Streit zwischen den beiden Parteien mit aller Heftigkeit. H. lud im September 1513 Reuchlin vor sein Ketzergericht in Mainz. Dieser erschien nicht zum Termin, sondern legte durch seinen Sachverwalter Berufung an den Papst ein. Leo X. (s.d.) übertrug dem Bischof von Speyer die Sache zur Entscheidung. Das Urteil des bischöflichen Gerichts vom 29.3.1514 sprach Reuchlin frei, verurteilte H. zur Zahlung der Prozeßkosten und gebot ihm ewiges Stillschweigen. Bevor das Urteil gefällt worden war, hatte H. durch seinen Prokurator in Speyer, den Kölner Dominikaner Johann Host (s.d.), an den Papst appellieren lassen und reiste nun mit ihm nach Rom. Reuchlin veröffentlichte in seinem Streit mit Pfefferkorn und den Kölner Dominikanern 1514 eine Anzahl zustimmender Äußerungen und Aufmunterungsschreiben seiner Freunde unter dem Titel »Claorum virorum Epistolae«. Als Gegenstück dazu erschienen aus dem Kreis der Humanisten die »Epistolae obscurorum virorum«. Diese Sammlung erdichteter Briefe von Anhängern der Kölner Theologen an Ortwin Gratius (s.d.), deren erster Teil durch Crotus Rubeanus (s.d.) und deren zweiter Teil durch Ulrich von Hutten (s.d.) 1517 herausgegeben wurde, ist eine drastische Verspottung der Dominikaner in treffender Satire. Während seines dreijährigen Aufenthaltes in Rom bemühte sich H. in dem Prozeß gegen Reuchlin um ein entscheidendes Urteil, erreichte aber nur ein päpstliches »mandatum de supersedendo«: die Entscheidung wurde vertagt. H. gab die Bemühungen um die Verurteilung Reuchlins nicht auf und setzte den literarischen Kampf gegen ihn fort. Da erstand Reuchlin ein mächtiger Beschützer in Franz von Sickingen, der am 26.7.1519 den Dominikanerorden und besonders H. aufforderte, Reuchlin fortan in Ruhe zu lassen, sonst werde er so handeln, daß Reuchlin endlich Ruhe erhalte. Auf sein erneutes Schreiben und die Drohung, die Fehde gegen sie zu be-

ginnen, verhandelte der Provinzial der Dominikaner mit ihm und einigte sich mit ihm auf ein Schiedsgericht. Es trat im Mai 1520 in Frankfurt zusammen und beschloß: der Provinzial solle vom Papst die Unterdrükkung des Streits und ewiges Stillschweigen für beide Teile erbitten. Das Dominikanerkapitel enthob außerdem H. seiner Ämter als Prior und als Inquisitor. H. aber trug in diesem langwierigen Prozeß den Sieg davon: Leo X. erklärte am 23.6.1520 die Entscheidung des bischöflichen Gerichts von Speyer für ungültig, rehabilitierte H. und verurteilte Reuchlin zur Zahlung der gesamten Kosten des Prozesses. – Der berühmte Lehrer beider Rechte Petrus von Ravenna (s.d.) hielt 1498 - 1503 in Greifswald, dann in Wittenberg und 1506 - 08 in Köln Vorlesungen. Er behauptete, daß die deutschen Obrigkeiten, die die Leichname der hingerichteten Missetäter am Galgen hängenließen, gegen natürliches und göttliches Recht handelten und somit eine Todsünde begingen. Gegen diese These verteidigte H. in mehreren Schriften die deutschen Behörden. – H. war einer der frühesten literarischen Gegner Martin Luthers (s.d.). Er beteiligte sich an der Verurteilung der beiden Augustinermönche Johann Esch (s.d.) und Heinrich Voes (s.d.), die am 1.7.1523 als die ersten Märtyrer der Reformation auf dem Markt in Brüssel verbrannt wurden. Im Juli 1525 leitete H. eine gerichtliche Untersuchung gegen den Küfer Willem Dircksz (s. d.) aus Utrecht, der am 10.7.1525 als der erste Märtyrer der Reformation in den nördlichen Niederlanden verbrannt wurde.

Werke: Defensorium fratrum mendicantium contra curatos illos qui Privilegia fratrum iniuste impugnant, signaturis doctorum utriusque Iuris de alma universitate studii Coloniensis egregie permunitum (zugunsten der Mendikantenorden), 1509; Iustificatorium principum Alamaniae (gg. Petrus v. Ravenna), 1508; – Defensio scholastica principum Alamaniae in eo quod sceleratos detinent insepultos in ligno, 1508; Contra quaerentes auxilium a maleficis (gg. die Hexen), 1510; Protectorium principum Alamaniae de maleficis non sepeliendis, 1511; Erronee assertiones in Oculari Speculo I. Reuchlin verbatim posite et comprobatae (gg. Reuchlin), 1517; Acta Iudoiciorum inter P. Jacobum Hochstraten et Johannem Reuchlin, 1518; Apologia, 1518; Apologia secunda, 1519; Margarita moralis philosophiae in duodecim redacta libros (Moralphilos.), 1521; Cum Divo Augustino colloquia contra enormes atque perversos M. Lutheri errores (Widerlegung Luthers in Form eines Zwiegesprächs; Stellen aus Augustins Schrr. bilden die Antwort auf die Frage, was v. Luthers Lehre zu halten sei), 2 Te., 1521/22; Dialogus de veneratione et invocatione sanctorum, contra perfidiam Lutheranam (unter dem Pseud. Philaletes; gg. Johann Lonicerus, einen früheren Augustiner, der sich im Frühjahr 1523 in Eßlingen aufhielt), 1524; Epitome de fide et operibus, adversus chimeriacam illam atque monstrosam Martini Lutheri libertatem, quam ipse falso ac perdite Christianam appellat, 1525 (die drei letztgenannten Schrr. neu hrsg. v. Fredrik Pijper, in: Bibliotheca reformatoria Neerlandica III, 1905); Dialogus adversus pestiferum Lutheri tractatum de christiana libertate (gg. Luthers Schr. »Von der Freiheit eines Christenmenschen«), 1526; Catholicae aliquot disputationes. Contra Lutheranos. Scopus totius operis: Opera bona non iusticant, sed hominem beatificant (gg. die luth. Rechtfertigungslehre u. ein Büchlein des luth.gesinnten Gf. Wilhelm v. Isenburg), 1526.

Lit.: H. Cremans, De Jacobi Hochstrati vita et scriptis. Commentatio historica (Diss. Bonn), 1869; – Ludwig Geiger, Johannes Reuchlin, sein Leben u. seine Werke, 1871, 205 ff.; – Paul Fredericq, Corpus documentorum inquisitionis haereticae pravitatis Neerlandica I, Gent - 's Gravenhage 1889, 498 ff. (Hermann van Rijswijk); – Wilhelm Heidenheimer, Petrus Ravennas in Mainz und sein Kampf mit den Dunkelmännern, in: Westdt. Zeitschrift für Geschichte und Kunst 16, 1897, 223 ff.; – Nikolaus Paulus, Die dt. Dominikaner im Kampfe gg. Luther (1518-1563), 1903, 87-107; – Ders., Zur Biographie H.s, in: Der Katholik 82, 1902, 22-40; – A. Mortier, Histoire des maitres généraux de l'ordre des Fréres precheurs, Bd. V, Paris 1911, 392-399; – H. de Jong, L'ancienne faculté de théologie de Louvain, Löwen 1911; – Friedrich Paulsen, Gesch. des gelehrten Unterrichts auf der dt. Schulen u. Univer. v. Ausgang des MA bis z. Ggw. Mit bes. Rücksicht auf den klass. Unterricht I, 1919³, 52 f.; – Hermann Keussen, Die Matrikel der Univ. Köln II. 1919. 407; – Epistolae obscurorum virorum, hrsg. v. Aloys Bömer, I, 1924, 33 ff.; – Hubert Jedin, Des Johannes Cochlaeus Streitschr. de libero arbitrio hominis (1525), Btr. z. Gesch. der vortridenin. Theol., 1927, 17-47; – Ders., Gesch. des Konzils v. Trient I², 1951, 153 u. ö.; II, 1957, 120 u. ö.; – Joseph Lortz, Die Ref. in Dtld. I³, 1949, 55 u. ö.; II³, 1949, 106; – Quétif-Echard II, 62-72; – Schottenloher I, Nr. 8436-8430; V, Nr. 46832-46836; – Goedeke I, 449 ff.; – Kosch, KD 1731 f.; – ADB XII, 527-529 (unter Hochstraten); – NDB IX, 605 f. (unter Hoogstraeten); – Bnat Belg X, 77-80 (unter Hoogstraeten); – DLL VII, 1282 (unter Hochstraten); – RGG III, 387; – LThK V, 480; – EC VI, 1476-1477; – RE VIII, (unter Reuchlin), 680-688.

Ba

HOOKER, Richard, anglikan. Theologe, * 1554 in Heavitree, Exeter, als Sohn des Verwalters Roger Hooker, + 2.11.1600 in Bishopbourne. Nachdem Richards Begabungen durch den Schulmeister von Exeter bemerkt worden waren, ermöglichte es ihm die Unterstützung durch seinen Onkel John Hooker und den Bischof Jewel (s.d.), das Corpus Christi College in Oxford zu besuchen, wo er sich seinen Unterhalt aber auch teilweise selbst verdienen mußte. Am College unter dem Einfluß evangelischer Reformer stehend, konnte er hier doch auch eine ausgedehnte Kenntnis römisch-katholischer und humanistischer Literatur erwerben. 1574 wurde H. Bachelor, 1577 Master of Arts, 1579 Mitglied am College. Nach seiner Ordination übernahm er 1584 die Pfarrei von Drayton-Beauchamp. Auf Empfehlung von EB Sandys (s.d.) wurde H. 1585 an die Londoner Tempel-Kirche berufen, wo er zusammen mit dem extremen Puritaner Walter Travers (s.d.) zu predigen hatte. Hieraus ergab sich eine auch literarisch geführte Auseinandersetzung, da H. z. B. die Meinung vertrat, daß bei aller Hochschätzung Calvins auch dessen Lehren nicht als endgültig anzusehen seien und daß man auch Rom Gehör schenken solle. Auf eigenen Wunsch wurde H. 1591 von EB Whitgift (s.d.) in das Kirchspiel Boscombe versetzt und wechselte 1595 nach Bishopbourne, um hier Ruhe und Zeit für eine gründliche literarische Auseinandersetzung mit den aufgeworfenen Fragen zu finden, während Whitgift den Abschluß seiner seit 1572 geführten Auseinandersetzung mit dem Calvinisten Thomas Cartwright (s.d.) durch H. als einen dazu besonders geeigneten Mann erhoffen konnte. H. erhielt außerdem eine Präbende und wurde Subdiakon an der Kathedrale von Salisbury. In dem Arbeitsergebnis dieser Zeit, der »Ecclesiastical Polity«, verteidigt und begründet H. die anglikanische Kirchenordnung. Die ersten fünf Bücher wurden 1594 und 1597 veröffentlicht, die Entwürfe für die letzten drei (z. T. unecht) postum 1648 und 1662. Seinem milden Charakter entsprechend und ohne die polemische Schärfe der theolog. Kontroversliteratur seiner Zeit, setzte sich H. v. a. mit den Angriffen der Puritaner auf die episkopale Kirchenverfassung auseinander. Mehr noch von philosophischen als theologischen Gedanken ausgehend, unter Berufung auf Aristoteles und die griechische Philosophie, die Kirchenväter und Thomas v. Aquin, rechtfertigt H. aus einem tiefgehenden historischen Verständnis heraus die Veränderbarkeit

von kirchlichen Rechten und Ordnungen im Rahmen dessen, was die Schrift und die Vernunft gebietet. Bezüglich der Kirchenverfassung bezieht er eine zwischen den anglikanischen Reformern und ihren puritanischen Kritikern vermittelnde Position. Gegen eine alleinige Orientierung am wörtlichen Schriftsinn nimmt bei H. die Vernunft die erste Stelle ein, die als göttliche die natürlichen Gesetze und Ordnungen des Universums bestimmt, während die Schrift Zugang zu den übernatürlichen Geheimnissen bietet. Mit den Streitigkeiten um die verschiedenen Formen des Kultus und des Ritus setzte er sich dergestalt auseinander, daß er fundamentale und ursprüngliche Prinzipien aufzuspüren suchte, auf die sie zurückzuführen sind. »Ecclesiastical Polity« ist eines der wichtigsten Werke englischer Kirchenliteratur und das erste dieser Art in englischer Sprache. Die stilistische Qualität der latinisierten Syntax seiner Prosa setzte neue Maßstäbe und wird mit der Bacons verglichen. John Locke berief sich in seiner Theorie des Sozialvertrages vor allem auf H.

Werke: Answer to the Supplication that Mr. Travers made to the Council, 1612; A Learned Discourse of Justification, Works show the Foundation of Faith is overthrown, on Habak. 1, 1612; A Learned Sermon of the Nature of Pride, on Habak. 2, 1612; A Remedy against sorrow and Fear, delivered in Funeral Sermon, 1612; A Learned and Comfortable Sermon of the Certainty and Perpetuity of Faith in the Elect; especially of the Prophet Habbakuk's Faith, 1612; Two sermons upon part of S. Judes Epistle, 1614; Treatise of the Laws of Ecclesiastical Polity. T. 1-5. London 1594-97; aus dem Nachlaß vervollst. GA v. J. Gauden, London 1662 (1809⁹); hrsg. v. John Keble, 3 Bde., Oxford 1836 (1888⁷, revised by R. W. Church u. W. Paget; dt. 1868 v. Karl Heinrich Sack, R. H. »Von den Gesetzen des Kirchenregiments im Ggs. zu den Forderungen der Puritaner«. Ein Btr. z. Gesch. der anglikan. Kirche u. Theol. im 16. Jh.). – Ecclesiastical Polity, the fifth book, hrsg. v. Ronald Bayne, 1902 (darin das berühmte »Fragment« (Fragments of an Answer to the Letter of certain English Protestants), mit wertvoller Einl. des Hrsg.); Of the Laws of Ecclesiastical Polity (selec.), ed. by A. S. McGrade and Brian Vickers, London 1975.

Lit.: E. Paget, An Introduction to the Fifth Book of H.'s »Treatise of the Laws of Ecclesiastical Polity«, Oxford 1899 (ern. 1907); – Cambridge History of English Literature III, 1909, 399-417; – E. Schrack, R. H. u. seine Stellung in der Entwicklung der engl. Geistesgesch. im 16. Jh. (Diss. Halle), 1923; – Paul Schütz, Rel. u. Politik in der Kirche v. England, 1925; – Ders., R. H., der grundlegende Theologe des Anglikanismus. Eine Monogr. z. Ref.gesch. u. zu den Anfängen der Aufklärung (Diss. Halle, 1922), Göttingen 1952 (Mikrokopie); – L. S. Thornton, R. H. A Study of His Theology, London 1924; – Hans Leube, Ref. u. Humanismus in England, 1920, 9 ff.; – R. Houk, H.'s »Ecclesiastical Polity« Book 8, New York 1931; – A. Passerin d'Entrèves, H. et Locke (Un contributo alla storia del contratto sociale), in: Studi filosofici-giuridici dedic. a. G. Del Vecchio, Bd. 2, Modena 1931, 228-250; – Ders., R. H. Contributo alla teoria e alla storia del diritto naturale, Turin 1952; – Ders., The medieval contribution to political thought (Thomas, Marsilius u. H.), London 1960²; – Gottfried Michaelis, R. H. als polit. Denker. Btr. z. Gesch. der naturrechtl. Staatstheorien in Engl. im 16. u. 17. Jh., 1933; – Joseph Koenen, Die Bußlehre R. H.s Der Ver. einer anlikan. Bußdisziplin (Diss.) 1940; – E. T. Davies, The political Ideas of R. H., London 1946; – C. F. Dirksen, A critical Analysis of R. H.'s theory of the relation of church and state, Notre Dame 1947; – F. J. Shirley, R. H. and the Contemporary Political Ideas, ebd. 1949; – C. R. Amelungen, Die staatskirchenrechtl. Ideen R. H.s in der Entwicklung des Etablishments (Diss. Münster), 1950; – P. Munz, The place of H. in the history of thought, 1952; – C. Morris, Political Thought in England: Tyndale to H., 1953; – G. Hillerdal, Reason and Relevation in R. H., Lund 1962; – J. S. Marshall, H. and the Anglican Tradition, A Historical and Theological Study of H.s »Ecclesiastical Polity«; The books on power, in: Journal of the history of ideas 24, Lancaster/Pennsylvania 1963, 163-182; – Egil Grislis, The role of consensus in R. H.'s method of theological inquiry, in: The heritage of Christian thought. Essays in honor of Robert Lowry Calhoun. Edited by Robert E. Cushman and Egil Grislis, New York 1965, 64-88; – R. K. Faulkner, Reason and relevation in H.'s ethics, in: American political sciene review 59, Menasha/Wisconsin 1965, 680-690; – A. Pollard, R. H., London 1966; – W. Euchner, Locke zwischen Hobbes u. H. Zu neuen Interpretationen d. Philos. J. Lockes, in: Archives europeennes de sociologie 7, 1966, 127-157; – Martin Schmidt, Die Rechtfertigungslehre bei R. H., in: Geist

u. Gesch. der Ref. Festg. Hanns Rückert z. 65. Geb. Hrsg. v. Heinz Liebing u. Klaus Scholder, 1966, 377-396; – Paul Surlis, Natural law in R. H., in: IThQ 35, 1968, 173-185; – Ward Allen, H. and the utopians, in: English Studies, Journal of English letters and philology 51, Amsterdam 1970, 37-39; – W. Speed Hill, The authority of H.s Style, in: Studies in philology 67, Chapel Hill/North Carolina 1970, 328-338; – Ders., R. H. A descriptive bibliography of the early editions, 1593-1724, Cleveland 1970; – Ders., (Hrsg.), Studies in R. H. Essays preliminary to an edition of his works, Cleveland, London 1972; – E. Grislis und W. S. Hill, R. H. A selected bibliography, Pittsburg 1971; – Laetitia Yeandle, An autograph manuscript of R. H., in: Manuscripta 18, Saint Louis/Missouri, 1974, 38-41; – Olivier Loyer, Hooker et la doctrine eucharistique de l'église anglicane, in: RSPhTh 58, 1974, 213-241; – Ders., Contrat social et consentement chez R. H., in RSPhTh 59, 1975, 369-398; – Ders., L'anglicanisme de R. H., (Diss. Paris), 1977, Lille 1979; – W. D. J. Cargill, The source of H.'s knowledge of Marsilius of Padua, in: JEH 25, 1974, 75-81; – Arthur B. Ferguson, The historical perspective of R. H. A Renaissance paradox, in: The Journal of medieval and renaissance studies 3, Burham/North Carolina 1975, 17-50; – John K. Luoma, Restitution or Reformation: Cartwright and H. on the Elizabethan Church, in: Historical Magazine of the Protestant Episcopal Church 46, 1977, 85-106; – Ders., Who owns the Fathers: H. and Cartwright on the authority of the primitive church, in: Sixteenth century Journal 8, 1977, 45-60; – Robert Eccleshall, R. H.'s Synthesis and the Problem of Allegiance, in: Journal of the History of Ideas 37, 1976, 111-124; – P. Rossi, Francis Bacon, R. H. e le leggi della natura, in: Rivista critica di storia della filosofia 32, 1977, 72-77; – Richard Bauckham, Travers and the Church of Rome, in: JEH 29, 1978, 37-50; – Arthur S. McGrade, Repentance and spiritual power: Book VI of R. H.'s »Of the Laws of ecclesiastical Polity«, in: ebd. 163-176; – Rudolph P. Almasy, The purpose of R. H.'s polemic, in: Journal of the History of Ideas 39, 1978, 251-270; – Ders., R. H.'s address to the Presbyterians, in: Anglican Theological Review 61, 1979, 462-474; – Erwin R. Gane, Exegetical methods of some sixteenth-century Anglican preachers: Latimer, Jewel, H., and Andrewes, in: Andrews University Seminary Studies 17, 1979, 23-38 u. 169-188; – Charles W. Brockwell, Answering » the known men«: Bishop Reginald Pecock and Mr. R. H., in: ChH 49, 1980, 133-146; – Marianne H. Micks, R. H. as theologian, in: Theology Today 36, 1980, 560-563; – Timothy F. Sedgwick, Revisioning Anglican moral theology, in: AThR 63, 1981, 1-20; – Paul Avis, R. H. and John Calvin, in: JEH 32, 1981, 21-36; – KLL V, 850-58 (Von den Gesetzen der KO); – EBrit XIII, 672 ff.; – DNB XXVII, 289 ff.; – EKL II, 200 f.; – WKL 564; – RGG III, 448 f.; – ERE VI, 772-776; – The New Schaff-Herzog Encyclopedia of Religions Knowledge V, 360 f.; – LThK V, 480 f.; – Catholocisme V, 935 ff.

Ba

HOOKER, Thomas, Gründer der Kolonie von Connecticut, * wahrsch. 1586 in Markfield, Leicestershire, + in Hartford, Conn., am 7.7.1647. Aus einfachen Verhältnissen stammend, besuchte H. die Schule im Market Bosworth und dann das Queen's College und das Emmanuel College in Cambridge, wo er 1608 Bachelor und 1611 Master of Arts wurde. Von 1609 bis 1618 war er Mitglied des College. Während seiner Tätigkeit als Pfarrer in Esher, Surrey, seit 1620 verstärkte sich H.'s Neigung zum Puritanismus, und als er 1626 in Chelmsford Prediger an St. Mary wurde, zog er sich nicht nur eine wachsende Zahl von Anhängern, sondern auch die Mißbilligung William Lauds (s.d.) zu. Nachdem H. den Posten aufgegeben und eine eigene Schule gegründet hatte, entzog er sich 1630 der Aufforderung, vor der »High Commission«, dem von Laud beherrschten kirchlichen Gericht, zu erscheinen durch die Flucht nach Holland. Dort predigte er in Delft, Amsterdam und Rotterdam, bis er zusammen mit John Cotton (s. d.) und Samuel Stone (s.d.) beschloß, nach Amerika auszuwandern. Von London aus erreichten sie Boston am 4.9.1633. In der Kongregation von Newtown wurde er zum Pastor gewählt. Während H.'s Einfluß ständig zunahm, ergaben sich Streitigkeiten und Rivalitäten

mit dem Nachbarort Boston, so daß H. 1636 mit einem Großteil seiner Gemeinde in das Tal von Connecticut übersiedelte und dort den Ort Hartford gründete. Dadurch wurde er ein Mitbegründer des späteren Staates Connecticut. Trotz der vorhergegangenen Zwistigkeiten kehrte er 1637 nach Boston zurück, um die Synode mitzuleiten, auf der die antinomianischen Lehren der Anne Hutchinson (s.d.) verurteilt wurden. Bei dem Gouverneur von Massachusetts, Winthrop, regte er 1639 eine Konförderation der Kolonien von New England zum Schutz gegen Holländer, Franzosen und Indianer an, die vier Jahre später als erstes Beispiel dieser Art in Amerika verwirklicht wurde. H. vertrat sehr weitgehende demokratische Grundsätze, die 1639 auch in die »Fundamental Order« von Connecticut eingingen. Die Einladung der parlamentarischen Independenten, als ihr Abgesandter zur Westminsterversammlung zu reisen, lehnte er ab. Auf einer Synode 1643 wurden H. und J. Davenpoort (s.d.) bestimmt, die kongregationalistische Kirchenverfassung schriftlich zu verteidigen. H. verfaßte »A survey of the Summe of Church-discipline«. Das Vorwort hat als knappe Zusammenfassung kongregationalistischer Prinzipien in Amerika eine breite und richtungweisende Wirkung gehabt.

Werke: The Soules Preparation for Christ, 1632; The Soules Implantation, 1637; The Soules Ingrafting into Christ, 1637; The Soules Exaltation, 1638; The Soules Humiliation, 1638; The Soule's Vocation, or effectual calling to Christ, 1638; An Exposition of the Principles of Religion, 1640; The Danger of Desertation: or a farewell Sermon, 1641; The Faithful Covenanter: a Sermon, 1644; A briefe Exposition of the Lord's Prayer, 1645; Heaven's Treasury opened in a fruitfull Exposition of the Lord's Prayer, 1645; The Saint's Guide, in three Treatises, 1645; A Survey of the Summe of Church Discipline, London, 1648; The Covenant of Grace opened: wherein... infants baptisme is fully proved and vindicated, 1649; The Saints Dignitie and Dutie ... Delivered in severall Sermons, 1651; The Application of Redemption by the effectual work of the Word and Spirit of Christ, for the bringing home of lost sinners to God. The ninth and tenth books, 1656; The poor doubting Christian drawn to Christ..., 1684; – Ausg.: Writings in England and Holland, 1626-1633. Ed. with introd. essays by George H. Williams u. a. 1975 (Harvard theolog. Studies 28, mit Bibliogr.).

Lit.: B. Trumbull, Complete History of Connecticut, 1818; – C. Mather, Magnalia Christi Americana, ed. Th. Robbins, 1853; – W. B. Sprague, Annals of the American Pulpit I, 1857; – G. L. Walker, Th. H., 1891; – W. Walker, The Creeds and Plattforms of Congregationalism, 1893; – Ders., in: American Church History Series III, 1894; – Ders., New England leaders, 1901; – A. E. Dunning, Congregationalists in America, 1894, 120-150; – Harry Clark Wolley, T. H., bibliography (complete as known to date) together with a brief sketch of his life, Hartford 1932; – Everett H. Emerson, Th. H. The Puritan theologian, in: AThR 49, 1967, 190-203; – J. T. Frederick, Literary art in Th. H.'s The poor doubting christian, in: American literature. A journal of literary history, criticism, and bibliography 40, Durham/North Carolina 1968, 1-9; – Winfried Herget, Preaching and publication - chronology and the style of Th. H.'s sermons, in: HThR 65, 1972, 231-239; – David L. Parker, Petrus Ramus and the puritans: The »logic« of preparationist conversion doctrine, in: Early American Literature 8, 1973, 140-162; – Norman Pettit, H.'s Doctrine of Assurance: A critical phase in New England spiritual thought, in: New England Quarterly 47, 1974, 518-534; – Four new works by Th. H. Identity and significance, in: Resources for American literary study 4, Athens/Georgia 1974, 3-26; – Sacran Bercovitch, Colonial Puritan Rhetoric and the discovery of an American identity, in: Canadian Review of American Studies 6, 1975, 131-150; – Frank Shuffelton, Th. H., 1586-1647, Princeton 1977; – Sarah Williams Bosman, Road to constitutional Government in Connecticut, in: Daughters of the Am. Revolution Magazine 113, 1979, 502-504, 526, 543; – Phyllis M. Jones, Puritan's progres: the order of the soul's salvation in the early New England sermons, in: Early American Literature 15, 1980, 14-28; – DAB IX, 199 f.; – DNB (Neudr. 1949/50) IXd 1189 f.; – The New Schaff-Herzog Encyclopedia of Religions Knowledge V, 361; – RGG III, 449.

Ba

HOOPER, John, Bischof von Gloucester, Begründer der puritanischen Bewegung in England, protestantischer Märtyrer, * ca. 1495 in Somersetshore, + 9.2.1555 in Gloucester. – Nach dem Studium in Oxford verbrachte H. einige Zeit als Zisterziensermönch im Kloster. Geprägt von der Beschäftigung mit Werken Zinglis und Bullingers, geriet er in Konflikt mit der katholischen Kirche und mußte 1539 unter Bischof Gardiner von Winchester nach Straßburg fliehen. Hier bekam er Kontakt zu Bucer. Zum 29.3.1547 nach Basel übergesiedelt, widmete er sich dem Studium der Theologie und griff in den Kampf der Reformation ein, bis er am 24.3.1549 nach England zurückkehrte und Hofprediger des Herzogs Edward Grey von Somerset wurde. Leidenschaftliche Bekämpfung der katholischen Lehre und gewandtes Predigen ließen ihn rasch bekannt werden. Vor seiner Ernennung zum Bischof von Gloucester am 8.3. 1551 entbrannte ein heftiger Streit, in dessen Verlauf H. kurzzeitig inhaftiert war. Er weigerte sich die Meßgewänder anzulegen, dem Metropoliten den kanonischen Eid zu leisten und eine andere kirchliche Autorität außer der Heiligen Schrift anzuerkennen. Im Gefängnis erweicht und von Bucer und Cranmer gedrängt, willigte er schließlich in einen Kompromiß ein und konnte vereidigt werden. Nach der Vereinigung der Bistümer von Gloucester und Worcester für einen großen Bereich zuständig, wurde seine Tätigkeit als Prediger, Seelsorger und Aufseher über die Schulen sehr geachtet. In der Handhabung der Kirchenzucht verfuhr er konsequent und unerschrocken. H. starb 1555 auf dem Scheiterhaufen als eines der ersten Opfer der katholischen Reaktion unter Maria Tudor.

Ue

Werke: GA, hrsg. v. der Parker Society, 2 Bde., Cambridge 1843-47 (1852³).

Lit.: A. a Wood, Athenae Oxonienses, London 1813; – J. Strype, Ecclesiastical Memorials, 3 Bde., London 1821; – J. Stoughton, The Pen, the Palm and the Pulpit, London 1855; – J. C. Ryle, J. H., His Times, Life, Death and Opionions, London 1868; – Ders., Bishops and Clergy of other Days, London 1868; – S. R. Gairdner, The English Church in the 16 th. century, London 1903; – Ders., Bishop Hooper's visitation of Gloucester, 1551, 1904, 98-121; – C. H. Smyth, Cranmer and the Reformation under Edward VI., 1926, 95 ff.; – G. Baskerville, Elections to convocation in the diocese of Gloucester under Bishop Hooper, 1929, 1-32; – August Lang, Puritanismus u. Pietismus. Stud. zu ihrer Entwicklung von Martin Butzer bis z. Methodismus, 1941, 38 ff.; – John Opie, The anglicizing of J. H., in: ARG 59, 1968, 150-177; – J. H. Primus, The role of the covenant doctrine in the Puritanism of J. H., in: NAKG 48, 1968, 182-196; – DNB (Neudr. 1949/50) IX. 1198 ff.; – RE VIII. 349; – RGG III. 449; – EBrit 11, 1962, 731; – Chamber's Encyclopaedia, neu bearb. Aufl. 1963, VII, 212.

Ba

HOORNBEEK, Johannes, niederländischer ref. Theologe, * 4.11.1617 in Haarlem, + 23.8.1666 in Leiden. H. stammte aus einer Kaufmannsfamilie. Seine Großeltern waren aus konfessionellen Gründen aus Flandern ausgewandert. Am 15.4.1633 begann er das Theologiestudium in Leiden, wo Anth. Thysius (s.d.), Dan. Heinsius (s.d.) und Ant. Walaeus (s.d.) seine Lehrer waren. Vor der Pest floh er 1635 nach Utrecht, wo er seine Studien bei G. Voetius (s.d.) fortsetzte, mit dem

ihn auch später eine Gesinnungsgemeinschaft und Freundschaft verband. Im Sept. 1636 kehrte er nach Leiden und 1637 beim Tod des Vaters nach Haarlem zurück. Am 1.3.1639 wurde er Pfarrer der Gemeinde unter dem Kreuz in Mülheim a. Rh., von wo er 1643 nach Haarlem zurückkehrte. Nach seiner Promotion zum Dr. theol. in Utrecht am 2.12.1643 konnte er unter vier verschiedenen Berufungen auswählen. Er nahm das Angebot der Universität Utrecht an und wurde dort im Juli 1644 Professor, 1645 noch zusätzlich Prediger. Von 1654 bis zu seinem Tod war er Prof. in Leiden. H., bei seinen Zeitgenossen z. T. einseitig als Polemiker berühmt, war ein sehr gelehrter orthodox-reformierter Theologe mit ausgeprägtem historischen Interesse als Alttestamentler und Dogmatiker. Differenzierend führte er den Nachweis, daß die Utrechter Remonstranten Sozianer seien und legte in der »Summa controversarum religionis« ein konfessionskundliches Kompendium zur Verteidigung der orthodox-reformierten Kirche vor, welches ihn vor allem als gelehrten Polemiker berühmt gemacht hat. Als Verteidiger der kirchlichen Tradition (z. B. des 4. Gebots) griff er die neue Theologie seines Kollegen Joh. Coccejus (s.d.) an und stritt gegen das Eindringen cartesianischer Gedanken in die theologische Fakultät. In den »Institutiones theologiae ex optimis auctoribus concinnatae« (1658), welche nur aus Zitaten der angesehensten niederländischen Theologen bestehen, versuchte er, die Übereinstimmung von biblischer und calvinistischer Dogmatik, von göttlicher und kirchlicher Autorität zu beweisen. Mit H.s großer Gelehrsamkeit und scholastischer Methode verband sich sein Eifer für die »Praxis Pietatis« und für die christliche Moral. In der »Theologia practica« behandelte er nach dem Vorbild englischer Moralisten die einzelnen Tugenden und Laster und betonte die christliche Friedenspflicht über den einzelnen theologischen Streitfragen. In anderen Werken setzte er sich für die Heiden- und Judenmission ein.

Werke: Summa controversarum religionis cum infidelibus, haereticis, schismaticis, 1653; Theologia practica, 1663; De conversione Indorum et gentilium, 1669. – Verz. der Schrr., in: A. J. van der Aa, Biographisch Woordenboek der Nederlanden VI. 1867, 381 ff.

Lit.: Wilhelm Goeters, Die Vorbereitung des Pietismus in der ref. Kirche der Niederlande bis z. Labadist. Krisis 1670, 1911; – J. W. Hofmeyr, J. H. as polemikus, (Diss. Kampen), 1975; – Ritschl III. 451 ff.; – BWGN IV. 277 ff.; – RE VIII. 350; – RGG III. 449 f.

Ba

HOPFENSACK, Johann Christian Wilhelm August, ev. Dichter geistlicher Lieder, * 1.10.1801 als Pfarrerssohn in Schloßvippach (Sachsen-Weimar-Eisenach), + 6.3. 1874 in Kleve (Niederrhein). – H. besuchte das Gymnasium in Erfurt, wo sein Vater als Diakonus und Professor wirkte, und später die Lateinschule der Franckeschen Stiftungen (s. Francke, August Hermann) in Halle (Saale). Er studierte 1817-20 in Leipzig Theologie und Philologie, promovierte in Halle zum Dr. phil. und vollendete in Bonn seine theologischen Studien. 1821 kam H. als Oberlehrer an das Gymnasium in Duisburg. Er wurde 1830 Oberlehrer und 1838 Professor am Gymnasium in Kleve. Als Religionslehrer gewann H.

auf seine Schüler einen nachhaltigen und gesegneten Einfluß. Er war 1847-54 Mitglied der Kreis- und Provinzialsynode. 1857 trat H. in den Ruhestand. – Eine Anzahl seiner mehr als 400 Lieder erschien in der Zeitschrift der Düsseltaler Rettungsanstalt »Der Menschenfreund«, Jg. 1839-43, in Albert Knapps (s.d.) »Christoterpe«, Jg. 1840 und 1843, und in Friedrich Wilhelm Krummachers (s.d.) »Palmblätter«, Jg. 1846. Knapp nahm 21 Lieder H.s in seinen »Evangelischen Liederschatz« auf. Durch das Reichsliederbuch wurde bekannt »Warum quält dich spät und frühe, armes Herz, des Lebens Last?«.

Werke: 40 alte u. neue Lieder f. Kirche, Schule u. Haus, 1832; Erinnerungskranz aus Cleve, 1840; Taschenb. neuer geistl. Lieder f. alle Tage des ev. Kirchenj. (GA), 1853.

Lit.: Otto Kruas, Geistl. Lieder im 19. Jh., 1879²; 250 ff.; – Koch VII, 267 ff.; – Kosch, LL II, 1059; – ADB XIII, 104.

Ba

HOPKINS, Gerard-Manley, englischer Lyriker und Jesuit, * 28.7.1844 als Sohn eines britischen Konsuls in Stratford/Essex, + 8.6.1889 in Dublin. – H. war das älteste von neun Kindern. Er besuchte die Highgate Grammar School und gewann dort schon einen Dichterpreis. 1863 ging er an das Balliol College in Oxford und studierte klassische Philologie. Unter dem Einfluß der Oxford-Bewegung und John Henry Newmans, dem späteren Kardinal, konvertierte H. zum Katholizismus. 1868 trat er in den Jesuiterorden ein und entsagte für sieben Jahre der Dichtkunst. 1874 ging er an das S. Benno College in Nordwales und studierte Theologie. Ein Jahr später schrieb er im Auftrag seines Ordens sein Hauptwerk »The Wreck of the Deutschland«, das kurz danach in der Jesuitenzeitung "Month" erschien. 1877 wurde er zum Priester geweiht. Darauf war H. zunächst als Seelsorger tätig. 1884 erhielt er einen Ruf als Professor für klassische Philologie an die Universität Dublin, wo er bis zu seinem Tode blieb. Seine späteren Gedichte, die früheren hatte er beim Eintritt in den Orden verbrannt, übergab er seinem Freund, dem Dichter Robert Bridges, der sie aber erst 1918 veröffentlichte. – H., der bei seinen Zeitgenossen keine größere Beachtung gefunden hatte, war von großem Einfluß auf die englische Lyrik des 20. Jahrhunderts.

Werke: The Correspondance of G. M. H. and R. W. Dixon, ed. C. C. Abbot, 1955²; The Letters of G. M. to Robert Bridges, ed. C. C. Abbot, 1955²; The Journals and Papers of G. M. H., ed. H. House, 1959; The Sermons and Devotional Writings of G. M. H., ed. C. Devlin S. J., 1959; Poems of G. M. H., 4th Ed., ed. W. H. Gardner and N. H. MacKenzie, 1967; Gedichte, hrsg. v. I. Behn, 1948; Gedichte, Schrr., Briefe, hrsg. v. H. Rinn u. U. Clemen, 1954; Engl. Sonette, dt. G. Kranz, 1970; G. M. H.: A Comprehensive Bibliography, by Tome Dunne, 1976; A. H. Bibliogr. 1974-1977, in: H. Quarterly 5, 1978, 88-122.

Lit.: G. Karp, German Formgefühl bei H., 1949; – K. Ronninger, Metrische Theorien H.s (Diss. Wien), 1941; – John Pick, Priest and Poet, (1942) 3. Aufl., 1946; – I. Heilsam, Die Oxfordbewegung u. ihr Einfluß auf H. (Diss. Wien), 1950; – Mary Adorita Hart, The Christocentric Theme in G. M. H.'s »The Wreck of the Dtld.« (Diss. Washington), 1952; – David Morris, The Poetry of G. M. H. and T. S. Elliot in the Light of the Donne Tradition: A Comparative Study (Diss. Bern), 1953; – H. H. Schaumberg, H.'s Naturauffassung, 1957; – Yvor Winters, The Poetry of G. M. H., in: Ders., The Function of Criticism: Problems and Exercises, 1957, 101-156; – Jean-Georges Ritz, Robert Bridges and G. H., 1863-1889; A literary Friendship, 1960; – Ders., Le poète G. M. H., S. J. (1844-1889): Sa vie et son oeuvre, 1963; – Annette Claire Schreiber, H.'s »The Wreck of the Dtld.« (Diss. Cornell University), 1960; – Robert Boyle, Metaphor in H., 1961; – Gerhard Müller-Schwefe, H. – der

Victorianer, in: FS f. Theodor Spira, hrsg. H. Viebrock, W. Erzgräber, 1961, 233-239; – Romano Guardini, Ästhetisch-theol. Gedanken zu G. M. H.'s Sonett »Der Turmfalke«, in: Sprache – Dichtung – Deutung, 1962, 84-90; – J. Hillis Miller, G. M. H., in: The Disappearance of God. Five Nineteenth-Century Writers, 1963, 270-359; – Maria Fischer, Die rel. Dichtung J. H. Newmans, G. M. H.'s, C. Patmores u. F. Thompsons. Ein Vgl. (Diss. Tübingen), 1964; – R. Zinnhobler, Die Aufnahme des dichterischen Werkes v. H. im dt. Sprachraum, 1964; – John F. McKinney, The Poetry of G. M. H., 1965; – Todd K. Bender, G. M. H. The Classical Background and Critical Reception of his Work, 1966; – R. Billimoria, Notes on H.'s Poetry and Prose, 1967; – K. R. Jankowsky, Die Versauffassung bei H., 1967; – Edward Louis Francis Proffitt, The Structure of Experiece. Explications of the Mature Poems of G. M. H. (Diss. Columbia), 1967; – Wendell Stacy Johnson, G. M. H.: The Poet as Victorian, 1968; – Norman H. Mackenzie, H. (Bibliogr.), 1968; – Ders., A Reader's Guide to G. M. H., 1981; – Ders., G. M. H. – an Unrecognized Translation: »Not kind! To Freeze me with Forecast«, in: Classical and Modern Literature 5, 1984, 7-11; – Donald McChesney, A H. Commentary. An Explanatory Commentary on the Main Poems, 1876-1889, 1968; – Peter Milward, A Commentary on G. M. H. »The Wreck of the Dtld.«, 1968; – Ders., Commentary on the Sonnets of G. M. H., 1970; – Ders., Landscape and Inscape. Vision and Inspiration, H.s Poetry, 1975; – Charles Joseph Scheve, The Prosodic Practice of G. M. H. in »The Wreck of the Dtld.« (Diss. Catholic University of America), 1968; – Peter Pasch, Wort u. Sicht. G. M. H.s visuelle Konzeption (Diss. Tübingen), 1968; – Elisabeth W. Schneider, The Dragon in the Gate. Studies in the Poetry of G. M. H., 1968; – Alfred Borello, A Concordance of the Poetry in English of G. M. H., 1969; – Eleanor Ruggles, G. M. H. A Life, 1969; – H. C. Sherwood, The Poetry of G. M. H., 1969; – Alfred Thomas, H. the Jesuit. The Years of Training, 1969; – Ders., G. M. H. »The Windhover«, Sources, »Underthought« and Significance, in: Modern Language Rv. 70, 1975, 497-508; – Ders., G. M. H. An unrecorded Printing of »The Blessed Virgin Compared to the Air we Breathe«, in: The Library 30, 1975, 247 f.; – Mario M. DiCicco O. F. M., G. M. H. and the Mystery of Christ (Diss. Case Western Reserve University), 1970; – Robert J. Dilligan/Tod K. Bender, A Concordance to the English Poetry of G. M. H., 1970; – Paul L. Mariani, A Commentaty on the Complete Poems of G. M. H., 1970; – Margaret Cleveland Patterson, The H.'s Handbock (Diss. Florida), 1970; – J. E. J. Russel, A Critical Commentary on G. M. H.'s »Poems«, 1971; – James Finn Cotter, Inscape. The Christology and Poetry of G. M. H., 1972; – Howard W. Fulweiler, Letters from the Darkling Plain. Language and the Grounds of Knowledge in the Poetry of Arnold and H., 1972; – G. F. Laley, G. M. H., 1972; – Gerhard Schäfer, Das rythmische Leitmotiv als strukturbildendes Element in zwei Sonetten G. M. H.'s, in: FS f. Kurt Herbert Halbach z. 70. Geb., hrsg. v. Rose Beate Schäfer-Maulbach u. a., 1972, 453-466; – Allison G. Sulloway, G. M. H. and the Victorian Temper, 1972; – Leinard Joseph Bowman, The Religious Tradition behind the Imagery of G. M. H. (Diss. Fordham), 1973; – Elizabeth Ostweiler Dunlap, The Wreck of the Dtld. (Diss. South Carolina), 1973; – C. Küper, Walisische Traditionen in der Dichtung v. H., 1973; – Robert Kelsey Thornton, G. M. H. The Poems, 1973; – Ders. (Hrsg.), All my Eyes See: The Visual World of G. M. H., 1975; – Bernard E. Dold, Wrecks, Racks, Rohrschach. The Poetry of G. M. H., 1974; – N. Gladding, A Study of G. M. H. from his Writings, 1974; – Seamus Heaney, The Fire i' the Flint. Reflections on the Poetry of G. M. H., in: Proceedings of the British Academy 60, 1974, 413-429; – Kent Bayette, Grace and Times as latent Structures in the Poetry of G. M. H., in: Texas Studies in Language and Literature 16, 1975, 705-722; – Margaret Bottrall (Hrsg.), G. M. H., 1975; – Arline Golden, Hardy H. and the Sonnet Sequence. The Influence of Modern Love, in: Arch. f. das Studium der neueren Sprachen u. Literaturen Bd. 212, 2, 1975, 328-332; – John F. Harriot sen., H. the Victorian, in: Month 236, 1975, 346-348; – Francis Noël Lees, G. M. H., Scholar and the Matter of Imagery, in: British Journal of Aesthetics 15, 1975, 159-171; – Ronald Marken »Each Tucked String Tells.« H. and the Word, in: Mosaic 9, 1975/76, Nummer 3, 41-55; – Vinod Shanker Dubey, A Stylistic Approach to G. M. H. »Pied beauty«, in: Indian Journal of Applied Linguistics 2, 1976, 10-19; – Kristina Kapituka, Structural Principles of G. M. H. Poetry, 1976; – K. E. Smith, G. M. H. Poetry and Prose, 1976; – Bernnard Bergonzi, G. M. H., 1977; – R. Gallet, La construction de »The Wreck of the Dtld.« et la notion de »Correspondance«, in: Etudes Anglaises 30, 1977, 303-313; – John E. Keating, G. M. H., 1977; – Jacob Korg, H.'s Linguistic Deviations, in: Publications of the Modern Language Association of America 92, 1977, 977-986; – James Milroy, The Language of G. M. H., 1977; – Michael David Moore, H. and Newman. A Study in personal and Literary Influence (Diss. Kingston (Canada)), 1977; – Mary Lou Motto, Assent and Recurrence in the Poetry of G. M. H.'s (Diss. Rochester), 1977; – C. J. Tweedy, A Note on G. M. H.: »The Windhover«, in: Critical Quarterly 19, 1977, 88 f.; – Stephan Walliser, That Nature Is a Heracletian Fire and of the Comfort of the Resurrection. A Case Study in G. M. H.'s Poetry, 1977; – Shirley Home Wilson, G. M. H. in Relation to Victorian Society. A Study of Influence and Reflection (Diss.

Texas Woman's University), 1977; — Rudolf Bremer, G. M. H. The Sonnets of 1865 (Diss. Groningen), 1978; — Luisa Conti Camaiora, H. in Ireland, in: Rivista di Letteratura moderne a conparate 31, 1978, 204-224; — Stanley R. Hooper, The »Terrible Sonnets« of G. M. H. and the »Confessions« of Jeremiah, in: Semeia 13, 1978, 29-74; — Valerie A. Moffett, Notes on the Poetry of G. M. H., 1978; — John Robinson, In Extremity, A Study in G. M. H., 1978; — Warren Leamon, Prayer in the Age of Criticism. The H. Problem, in: South Carolina RV. 12, 1979, 36-43; — Ivol G. Parker, The Poetic Theory of G. H. (Diss. Louisville), 1979; — Phyllis Zagano, R. S. Thomas and G. M. H. Priest Poets (Diss. New York), 1979; — Leo M. van Hoppen, The Critical Reception of G. M. H. in the Netherlands and Flanders, 1908-1979 (Bibliogr. der ndrl. u. flämischen Lit.) / H. en France par R. Gallet (Bibliogr. der frz. Lit.), 1980; — Ders., G. M. H. The Wreck of the Dtld. (Diss. Groningen), 1980 (Bibliogr.); — Jeffrey B. Loomis, Chatter with a Just Lord. H. Final Sonnets of Quiscent Terror, in: H. Quarterly 7, 1980, 47-64; — Ders., As Margaret Mourns. H., Goethe and Schaffer on »Eternal Light«, in: Cithara 22, 1982, 22-38; — Manuel Lineares Megias, Camino de Perfección de G. M. H. (1844-1889), in: Manresa 52, 1980, 319-350; — Michael Sprinkler, A Counterpoint of Dissonance. The Aesthetics and Poetry of G. M. H., 1980; — Penelope Tzougros, »The Selfless Self of Self« in H.'s two Beautiful Young People, in: H. Quarterly 7, 1980, 5-8; — Robert S. Corrington, The Christhood of Things, in: The Drew Gateway 52, 1981, 41-47; — Graham Storey, A Preface to H., 1981; — Paul G. Arakelian, A Winter and Warm. The Shape of »The Wreck of the Dtld.«, in: Studies in Engl. Lit. 22, 1982, 659-673; — Joseph J. Feeney, Grades, Academic Reform and Manpower. Why H. never Completed his Course in Theology, in: H. Quarterly 9, 1982, 21-31; — William Folz, Further Correspodence of G. M. H., in: H. Quarterly 9, 1982, 51-77; — David A. Harris, Inspirations Unbidden. The »Terrible Sonnets« of G. M. H., 1982; — Robert A. Greenberg, H. Portraits and Human Nature, in: Papers on Language and Lit. 18, 1982, 115-131; — Michael E. Allsopp, Peter Gallwey and G. M. H. An Unrecorded Influence, in: An Irish Quarterly Rv. 72, 1983, 242-251; — Robert Atwell, The Grandeur of God, in: Theology 86, 1983, 358-362; — David Anthony Downes, The Great Sacriface. Studies in H., 1983; — Naomi B. Sockloff, H. »Windhover« and Tchernichowsky's »Eagle! Eagle!«, in: Prooftexts 3, 1983, 189-203; — Jerome Bump, Influence and Intertxtuality. H. and the School of Dante, in: Journal of English and Germanic Philology 83, 1984, 355-379; — H. J. Hammerton, The two Vocationes of G. M. H., in: Theology 87, 1984, 186-189; — J. J. Popova, The Word in G. M. H. Poetics, in: Vestnik Moskovskogo Universiteta 9, 1984, 58-64; — Charles Lock, H. as a Decadent Poet, in: Essays in Critiscism 34, 1984, 129-154; — Yves Denis, Lumière Newmanienne sur H., in: BLE 86, 1985, 198-214; — Michael L. Rapposa, Boredom and the Religious Imagination (Bibliogr.), in: Journal of the American Academy of Rel. 53, 1985, 75-91; — RGG III, 450; — LThK V, 481 f.; — Koch, JL 829; — EBrit XI, 737 f.; — Lexikon der chr. Weltlit., 557-564.

Wi

HOPKINS, Samuel, nordamerikanischer calvinistischer Theologe, * 17.9.1721 in Waterbury, Connecticut, + 20.12.1803 in Newport (Rode Iseland). — H. wuchs auf der Farm seines Vaters auf und studierte später in Yale bis 1741. 1742 wurde er Mitglied der Fairfield East Association und 1743 ging er als ordinierter Pastor nach Great Barrington. 1769 mußte er diese Gemeinde allerdings wieder verlassen, weil der Ernst und die Trübheit seiner Predigten keine Begeisterung unter den Gläubigen schaffen konnte. 1770 ging er als Pfarrer nach Newport, verließ es aber 1774 wieder für 4 Jahre, solange es von den Briten belagert wurde. Bei seiner Rückkehr 1780 fand er eine zersplitterte, desorganisierte Gemeinde vor, die er nun wieder aufbauen mußte. 1799 erlitt er einen Schlaganfall, von dem er sich nur schwer wieder erholte. — H. war der erste Verteidiger seiner Kongregation, der sich offen gegen die Sklaverei aussprach, was ein mutiger Schritt war, denn Newport war eines der Zentren der Sklavenhalterei und viele Mitglieder seiner Kirche waren Sklavenhändler oder sonst wirtschaftlich daran beteiligt. H. wird oft als Vater der Sklavenbefreiung bezeichnet. 1773 forderte er

die Ausbildung farbiger Missonare für Afrika, 1774 formulierte er ein Gesetz, welches den weiteren Import von Sklaven verbieten sollte. Alle Kinder, die nach 1785 geboren wurden, sollten Freie sein. Seine Theologie war von großem Einfluß, man spricht vom »Hopkinsianismus«. Darin bilden Gut und Böse ein System der Vollkommenheit, wobei das Gute aber triumphiert; Sündhaftigkeit und Frömmigkeit gehen ausschließlich vom Individuum aus, niemand sonst könne dafür verantwortlich gemacht werden. Innerhalb dieses Systems von Gut und Böse sollte jeder Gläubige den ihm von Gott zugedachten Platz einnehmen, sogar bereit, unter den Verdammten zu sein, wenn Gott dies verlange. Diese sogenannte »willing-to-be-damned-doktrin« hat von allen heftige Kritik hervorgerufen.

Werke: The Works of S. H., 3 Bde., 1852.

Lit.: St. West, Sketches of the Life of S. H., 1805; — J. Ferguson, Memoir of the life a. charakter of S. H., 1830; — W. A. Patton, Reminicenses of S. H., 1843; — E. A. Park, Memoir of S. H., 1852; — W. B. Sprague, Annals of the American Pulpit I, 1857; — F. B. Dexter, Sketches of Graduates of Jale College, 1701-45, 1885; — W. Walker, Ten New England Leaders, 1901, 362-405; — Ders., American Church History-Series, III, 288-355, 1894; — A. E. Dunning, Congregationalists in America, 1894, 278-328; — L. W. Bacon, The Congregationalists i. New Engl., 1904, 157; — DAB IX, 217 f.; — RGG III, 450; — RE VIII, 350-53; — The New Schaff-Herzog Encyclopedia of Religions Knowledge, 1953, V, 363-64; — The national encyclopedia of American Biography, VII, S. 154 f., 1930.

Ba

HOPPE, Theodor, ev. Bahnbrecher der deutschen Krüppel- und Taubstummblindenfürsorge, * 14.1.1846 in Wusterwitz (Pommern) als Sohn eines Lehrers, + 28. 12.1934 in Nowawes (jetzt: Babelsberg) bei Potsdam. — H. besuchte seit 1859 das Marienstiftgymnasium in Stettin, studierte 1865-68 in Halle Theologie und wurde Hauslehrer in Blumerode, Carwitz und Groß-Bunsow. Er legte die Prüfungen für den Kirchen- und höheren Schuldienst ab und war bis 1874 Lehrer an der Mittelschule in Havelberg, bis 1878 an einer Privatschule in Berlin. Nach kurzem Hilfspredigerdienst an St. Jakobi in Berlin wurde H. 1879 Pfarrer und Direktor des Oberlinhauses in Nowawes, das 1874 als Seminar für Kleinkinderschullehrerinnen gegründet worden war. Er wandelte es um in ein großes Diakonissen- und Krankenhaus, das von 1886 an als die erste Anstalt der freien Liebestätigkeit die Versorgung und Ausbildung der Krüppel und von 1906 an auch die der Taubstummblinden übernahm. H. war ein rechter Diakonissenvater. Er wurde 1910 in den Vorstand der Generalkonferenz der Diskonissenmutterhäuser berufen und 1914, als der langjährige Vorsitzende Georg Fliedner sein Amt niederlegte, zum Vorsitzenden der Kaiserswerther Konferenz gewählt, die von Anfang an nicht nur die reichsdeutschen, sondern auch die ausländischen Diakonissenhäuser umfaßt. Auf seinen Vorschlag schlossen sich 1915 die reichsdeutschen Mitglieder der Generalkonferenz zu dem Kaiserswerther Verband deutscher Diakonissenmutterhäuser zusammen, und H. übernahm die verantwortliche Leitung der Generalkonferenz und des Kaiserswerther Verbandes. 1928 trat er in den Ruhestand und verlebte ihn an der Stätte seines Wirkens.

Werke: Dt. Krüppelheime in Wort u. Bild, 1914; Die Taubstummenblinden in Wort u. Bild, 1914; Die Idee der Heilsgesch. bei Paulus mit bes. Berücks. des Röm.briefes, 1926; Das Oberlinhaus. fünf Jahrzehnte Diakonissenarbeit, 1930.

Lit.: Wilhelm Hochbaum, Th. H., Vater der Krüppel u. Taubstummblinden. Lb., 1935; – NDB IX, 618 f.

Ba

HORB (Horbe, Horbius), Johann Heinrich, Pietistischer Pfarrer, * 11.6.1645 in Colmar (Obere Elsaß) als Sohn eines Arztes, † 26.1.1695 in Schleems bei Hamburg, beigesetzt in der Kirche in Steinbeck bei Hamburg. – Während seines Studiums in Straßburg seit 1661 stand H. unter dem Einfluß von Johann Konrad Dannhauer (s.d.) und Philipp Jakob Spener (s.d.). Er promovierte 1664 zum Magister und besuchte dann noch die Universitäten Jena und Leipzig, auch Wittenberg, Helmstedt und Kiel. Darauf begleitete H. einige reiche junge Leute auf ihren Reisen nach Holland, England und Frankreich und widmete sich außer philologischen besonders dogmenhistorischen und patristischen Studien. Er wurde 1671 Hofprediger in Bischweiler und noch in demselben Jahr Inspektor und Pfarrer in Trarbach an der Mosel und heiratete eine Schwester Speners. Da er in seinem Haus Privatandachten hielt und die »Pia desideria« seines Schwagers verteidigte, geriet H. mit seinem Amtsbruder Arnoldi in Streit und wurde wegen falscher Lehre verklagt und am 1.2.1678 vom Amt suspendiert. Im Januar 1679 folgte H. dem Ruf nach Windsheim (Franken), wo er im Segen wirkte als Superintendent und Pastor, obwohl die von Arnoldi beeinflußten Amtsbrüder gegen ihn als einen Irrlehrer auftraten und der Prediger Georg Konrad Dilfeld von Nordhausen ihn und seinen Schwager in der »Theosophia Horbio-Speneriana« angriff. Auf Empfehlung des Pastors Johannes Winckler (s.d.) an St. Michaelis in Hamburg wurde H. am 29.12.1684 zum Pastor (= Hauptpastor) an der dortigen St. Nikolaikirche gewählt, obwohl das von der Theologischen Fakultät in Straßburg erbetene Gutachten über seine Lehre nicht günstig lautete. Im Frühjahr 1685 trat er das neue Amt an und entfaltete eine ausgedehnte und erfolgreiche Wirksamkeit, hatte aber auch von Anfang an viele Widersacher. Von den fünf Hauptpastoren waren Samuel Schultz (s. d.) und Johann Friedrich Mayer (s.d.) entschiedene Gegner des Pietismus, während Winckler und Abraham Hinckelmann (s.d.) auf H.s Seite standen. Am Silvesterabend 1692 verteilte H. das Büchlein »Die Klugheit der Gerechten, die Kinder nach den wahren Gründen des Christentums von der Welt zu dem Herrn zu erziehen«. Er kannte den Verfasser dieses französischen Traktats nicht; es war Pierre Poiret (s.d.). H. hatte die ihm aus Stade übersandte deutsche Übersetzung mit der von ihm verfaßten, aber nicht unterzeichneten Vorrede drucken lassen. Die Herausgabe und Verbreitung dieser Schrift durch H. veranlaßten Mayer in seinem Haß gegen Mayer, gegen H. einen heftigen Streit zu entfachen, der auf der Kanzel und in etwa 200 kleineren und größeren Schriften erbittert geführt wurde und damit endete, daß in einer tumultuarischen Versammlung der Bürgerschaft am 24.11.1693 beschlossen

wurde, daß H. abgesetzt werden und die Stadt und ihr Gebiet verlassen solle. H. zog sich nach Schleems, einem holsteinischen Ort im Kirchspiel Steinbeck, zurück. Obwohl das Kirchenkollegium zu St. Nikolai H.s Absetzung nicht anerkannte, gelang es doch nicht, ihn wieder in sein Amt zurückzuführen. Berufungen in ein anderes Amt nahm H. nicht an.

Werke: Erfordertes Bedenken auf D. Phil. Jac. Speneri Pia desideria... in der Ausg. ders., 1676, 163-314; Der gründl. Wortverstand des kleinen Catechismi D. Lutheri... samt einer Vorrede D. Phil. Jac. Speneri, 1683. 1686; Der ev. Lehre göttl. Gewißheit u. Kraft z. Heiligung der Herzen..., v. D. Ph. J. Spener mit einer Vorrede ausgegeben, 1688. 1731; Apologia oder Gründl. u. schr.gemäße Verantwortung, welche er auf Befehl des Raths der Stadt Hamburg... am 27.6. v. sich gegeben, 1693; Das vielfältige u. schmerzl. Leiden unseres Heilandes Jesu Christi... samt Vorrede J. Winckleri, 1700. – Gab heraus: P. Poiret (aus dem Frz. übers. v. Backhof), Die Klugheit der Gerechten, die Kinder nach den wahren Gründen des Christentums v. der Welt zu dem Herrn zu erziehen..., 1692 u. 1693. – Horbii Streitschr., 4 Bde., 1693 f.

Lit.: Acta Hamburgensia, 2 Bde., 1694/95; – Philipp Jakob Spener, Wahrhaftige Erz. dessen, was wegen des Pietismi in Dtld. vorgegangen, 1697, 118-125; – Johann Moller, Cimbria litterata II, 1744, 355-372; – Christian Wilhelm Schirmer, Gesch. Windsheim u. seiner Nachbarsorte, 1848, 195 f.; – Max Göbel, Gesch. des christl. Lebens in der rhein.-westf. Kirche II, 1852, 591 ff.; – Hans Schroeder, Lex. der Hamburg. Schr.steller III, 1857, 357-365; – Johannes Geffcken, Johannes Winckler u. die Hamburg. Kirche seiner Zeit, 1861; – K. J. W. Wolters, in: Hamburg vor 200 J., hrsg. v. Th. Schrader, 1892, 161-194; – Johann Heinrich Höck, Bilder aus der Gesch. der Hamburg. Kirche seit der Ref., 1900, 79-102; – Ernst Schütz, Trarbach in alter Zeit, 1909, 154-157; – W. Korndörfer, J. H. H. - ein sehr umstrittener Mann seiner Kirche, in: Windsheimer Ztg., 1964; – O. T. Müller, J. H. H., ein tragisches Pfarrerschicksal, in: Mbh. f. evangel. Kirchengesch. d. Rheinlandes, 15, 1966; – DLL VIII, 111 f.; – ADB XIII, 120-124; – NDB IX, 621 f.; – RE VIII, 353; – RGG III, 450 f.

Ba

HORCHE, Heinrich, ref. Mystiker und Separatist, * 12. 12.1652 in Eschwege an der Werra, als Sohn eines Hofbäckers, † 5.8.1729 in Kirchhain bei Marburg (Lahn). – H. studierte seit 1670 in Marburg und Bremen, wo Theodor Untereyck (s.d.) entscheidenden Einfluß auf ihn ausübte. Er wurde 1683 Diakonus in Heidelberg und 1685 Hofprediger in Kreuznach. Die Theologische Fakultät Heidelberg verlieh ihm 1686 die Doktorwürde. 1687 kehrte H. nach Heidelberg zurück als dritter Prediger an der Kirche zum Heiligen Geist. Die deutschreformierte Gemeinde in Frankfurt am Main berief ihn 1689 zu ihrem Prediger. Seit 1690 wirkte er als Pfarrer und Professor der Theologie in Herborn. Wegen seiner radikalen antikirchlichen Einstellung, für die ihn der Separatist Balthasar Christoph Klopfer (s.d.) gewonnen hatte, wurde H. 1697 von dem Grafen von Nassau-Dillenburg suspendiert und am 15.2.1698 seiner Ämter entsetzt, weil er - neben den im Reich anerkannten drei Konfessionen - »quartam speciem religionis christianae fovire«. H. zog als Wanderprediger und Chiliast durch das Land, sammelte die Separatisten und gründete in Nassau und Hessen philadelphische Gemeinden. Auf den aus Bern vertriebenen schweizerischen Spitalprediger Samuel König (s.d.), Eva von Buttlar (s. d.) und viele andere übte er starken Einfluß aus. H. wurde mehrfach eingesperrt, aber von dem Wittgensteiner Hof in Marburg und dem Landgrafen Karl in Kassel geschützt. Er war zeitweise von religiösem Wahnsinn befallen und in der Irrenanstalt. H. ließ sich 1708 in Kirchhain nieder. Er verfaßte zahlreiche mystische

1055

1056

Schriften und arbeitete mit an der sog. Marburger Bibel von 1712, einer »mystischen und prophetischen Bibel«, »welche den verborgenen Kern aus der Schale des Buchstabens herausholt und dem Begierigen zu genießen fürlegt«, der Vorläuferin der Berleburger Bibel von 1726-42 (s. Haug, Johann Friedrich).

Werke: Klagrede über das Absterben Frauen Maria, Pfalzgräfin am Rhein, 1688; Ein Büchlein Myrrhen, oder Predigten über auserlesene Stellen der heiligen Schrift, 1690; Herbornsche Bibelübung, d. i. Christus in Schatten und Körper, 1691; Wahrheit und Friedensschule, 1695; Das A und O oder Zeitrechnung der ganzen heiligen Schrift, 1697; Sendschreiben an seine hinterlassenen Zuhörer, 1698; Kampf mit dem Thiere, im Geheimniß der Ungerechtigkeit verborgen, oder Vertheidigung des vorigen Sendschreibens, 1698; Sendschreiben von der Art des Gottesdienstes, 1698; Beruf, Glauben und Wandel in der Gemeinde Gottes, 1699; Schreiben an seine Frau, 1699; Maranatha oder Zukunft des Herren zu Gericht und seiner herrlichen Reiche, 1700; Sendschreiben aus seinem Exilio, 1702; Mystische und prophetische Artikel, d. i. die ganze heilige Schrift aufs neue nach dem Grund verbessert, 1712; Filadelfia d. i. Bruderliebe, dem heiligen Abendmahl der Gnadenwahl, 1712; Mystisches Chaos der zukünftigen Welt, 1715; Die Filadelfische Versuchungsstunde, in Ansehung des ewigen Evangelius, 1715; Gegensatz des ewigen Lichts und der ewigen Finsternis, 1716; Prophetischer Uhrzeiger des Mahomedanischen Reichs, 1717; Der unter dem Zeugniß Jesu verstellete Weissagungsgeist, 1718. Verz. bei J. Schepp, Vita J. H. Horchii, in: Bibliotheca Hagana I, 1768, 357 ff.

Lit.: Karl Franz Hubert Haas, Lebensbeschreibung des berühmten Dr. H. H.ens aus Hessen (mit Urkk.), Kassel 1769; — Max Goebel, Gesch. des christl. Lebens in der rhein.-westf. ev. Kirche II, 1852, 741 ff.; — C. W. H. Hochmuth, Gesch. H. H.s u. die philadelph. Gemeinden in Hessen. Ein Btr. z. Gesch. des christl. Lebens in der ev. Kirche, 1876; — Ders., Entwicklung der philadelph. Gemeinden, in: ZHTh 29, 1865, 171-299; — Heinz Renkewitz, Hochmann v. Hochenau (1670-1721). Qu.stud. z. Gesch. des Pietismus (Diss. Breslau), 1935; — N. Thune, The Behemists or the Philadelphians, 1948, 15-17. 126 f.; — H. Beck, H. H. Gelehrter u. Mystiker, in: H. Beck, Eschwege - Heimat u. Welt, 1956, 44-49; — Norbert Fehringer, »Teufel«, der Beginn der H.schen Streitigkeiten, in: Jb. der hess. kirchengeschichtl. Ver. 21, 1970, 137-141; — Ders., Philadelphia und Babel. Der hess. Pietist H. H. u. das Ideal d. wahren Christentums (Diss. Marburg), 1971; — Ders., »Bleibet fest in der brüderlichen Liebe!« Der Eschweger H. H. und die Anfänge d. Philadelphentums in Hessen, in: Hessische Heimat NF 24, 1974, 160-164; — ADB XIII, 124 f.; — NDB IX, 623 f.; — DLL VIII, 113 f.; — RE VIII, 355 f.; — RGG III, 451.

Ba

HORMISDAS, Papst vom 20.7.514 bis 6.8.523, * in Frosinone (Kampanien). — H. war unter Papst Symmachus (s.d.) Diakon gewesen und hatte als dessen Nachfolger zunächst die Anhänger des Gegenpapstes Laurentius aus dem Schisma von 498 wieder in die Kirche zu integrieren, was ihm auch gelang. Für den Osten bestand die Aufgabe, das Schisma des Acacius von Konstantinopel (s.d.) zu überwinden. 515 und 517 schickte H. Gesandtschaften nach Konstantinopel, die die Einheit der Kirche wiederherstellen sollten, aber am Widerstand des Kaisers Anastasius scheiterten. Erst als 518 auf Anastasius Justin I. folgte und der monophysitisch gesinnte Patriarch Timotheus durch die orthodoxen Patriarchen Johannes von Kappadokien und Epiphanius abgelöst wurde, konnte 519 das Schisma überwunden werden. Die von H. entworfene Glaubensformel löste das von Acacius an die Stelle der Bestimmungen des Konzils von Chalkedon gesetzte Henotikon ab, und die letzten fünf Patriarchen wurden aus den Diptychen getilgt. Dabei sind auch einige Formulierungen in der Andeutung eines Vorranges Roms von Bedeutung: Dort sei die Religion immer ohne Befleckung gewahrt worden. ("In Sede apostolica citra maculam semper est catholica servata religio ... In qua est integra et verax christianae religionis et perfecta soliditas.") Die H.-Formel wurde vom Patriarchen von Konstantinopel und noch 869 von den Teilnehmern des 4. Konzils von Konstantinopel unterschrieben und fand Eingang in die Konstitution "Pater aeternus" des Vatikanischen Konzils. Die Widerstände im Osten des Reiches (Thessaloniki, Alexandria, Antiochia) konnten dadurch allerdings nicht überwunden werden. — Im sogenannten "Theopaschistischen Streit" hatte H. sich mit den skythischen Mönchen in Konstantinopel auseinanderzusetzen, die im Interesse der kirchlichen Einheit die Formel favorisierten "Einer aus der Trinität hat im Fleisch gelitten". Sie wurden des Monophysitismus angeklagt und wandten sich an Rom, wo sie aber von H. abgewiesen wurden, ohne daß er ihre Formel ausdrücklich verwarf. Da die skythischen Mönche auch über die von den Pelagianern aufgeworfenen Probleme diskutierten, bezog er hier klar im Sinne von Augustinus Stellung, dem die katholische Kirche in Fragen der Gnade und des freien Willens folge. — In H.s Auftrag fertigte Dionysius Exiguus (s.d.) eine Übersetzung der griechischen Konzilskanones an.

Werke: MP 63; CSEL 35.

Lit.: Walter Haacke, Die Glaubensformel des Papstes H. im Acacian. Schisma (Diss. Rom), ebd. 1939; — S. Martin (Glaubensformel), in: Revista Espanola de Teologia, Madrid 1941, 767-812; — Bartholomäus Rubin, Das Zeitalter Justinians I, 1960, 72; — Altaner 464; — Caspar II, 129-192; — Haller I, 244-254; — Seppelt I, 244-252; — Chalkedon II, 73-94. 144 f ; — RE VIII, 356 f.; — RGG III, 451; — LThK V, 483 f.

Ba

HORN, Johann, (tschechisch: Jan Roh), einer der Führer der Böhmischen Brüderunität, * zwischen 1485 und 1490 in Taus (Böhmen), + 11.2.1547 in Jungbunzlau. — H.s Handwerk war die Leineweberei. Seine Erziehung erhielt er in den Schulen der Brüder. H. wurde Diakon im Brüderhaus in Leitomischl und empfing am 15.8.1518 in Brandeis an der Adler die Priesterweihe. Während seines Aufenthaltes in Leitomischl kamen drei Mönche dorthin und schlossen sich der Unität an: Michael Weiße (s.d.), Johann Zeising und Johann Mönch, die wegen ihrer lutherischen Gesinnung aus Breslau vertrieben worden waren. H. las eifrig Martin Luthers (s.d.) Schriften und entschloß sich Anfang Mai 1522 zu einer Reise nach Wittenberg, um Luther persönlich kennenzulernen. Er reiste vielleicht mit Weiße, jedenfalls mit einem Begleiter; denn anders als zu zweit durften die Brüderpriester nicht reisen. 1524 wurden H. und Weiße nach Wittenberg gesandt, es war die fünfte Gesandtschaft der Brüder an Luther. Nach dem Tod des Lukas (s.d.) von Prag (+ 11.12.1528) besaß die Unität nur noch einen Bischof, Martin Skoda (s.d.). Auf der Synode zu Brandeis am 21.9.1529 wurde die Vierzahl der Bischöfe, die durch die Verfassung von 1500 festgesetzt war, wiederhergestellt. Bei der Wahl fielen 32 Stimmen auf H., je 29 auf Wenzel Bily und Andreas Cyklovsky. Demnach wäre H. an die zweite Stelle nach Skoda gekommen, und über die Reihenfolge der beiden anderen Brüder hätte das Los bestimmen müssen. Aber Skoda erklärte, daß Bily unter den dreien die erste Stelle nach ihm innehaben sollte.

So wurde H. der dritte unter den vier Bischöfen mit dem Sitz in Jungbunzlau. Schon einen Monat nach der Synode von 1529 starb Cyklovsky, und Bily wurde 1530 wegen eines unbekannten Vergehens ausgeschlossen und nach seiner Buße als einfacher Priester angestellt. Auf der Synode zu Brandeis am 14.4.1532 übergab Skoda, »da er alt war«, an H. das »Richteramt«, das Amt des leitenden Bischofs der Brüderunität. Die Vierzahl der Bischöfe wurde durch Wahl vervollständigt. Einer der neuen Bischöfe war Johann Augusta (s. d.) mit dem Sitz in Leitomischl. H. gab 1544 »samt zweien seiner Mitbrüder« eine neue »Sonderlich vom Sakrament des Nachtmahls gebesserte und erweiterte Ausgabe des Gesangbuchs der Brüder in Behemen und Mehreren, die man aus Haß und Neid Pickharden, Waldenser usw. nennt« heraus. Es erschien in Nürnberg und ist die zweite Auflage des ersten deutschsprachigen Gesangbuchs der Böhmischen Brüder, das Michael Weiße 1531 in Jungbunzlau herausbrachte. H.s Gesangbuch enthält insgesamt 181 Lieder: 149 aus dem von 1531 und 32 neue. Vier Lieder aus dem Gesangbuch von Weiße hatte man weggelassen und manche Texte verbessert. Das war nötig, weil die Brüder inzwischen in der Lehre vom Abendmahl Huldrych Zwinglis (s.d.) Anschauungen aufgegeben und sich der lutherischen Abendmahlslehre seit 1531 immer mehr genähert hatten. Ob die 32 neuen Lieder aus dem Nachlaß Weißes stammen oder von H. oder anderen Brüdern verfaßt worden sind, läßt sich nicht mehr entscheiden. Als ihr Dichter kommt in erster Linie in Frage Michael Thamm (s.d.), der Nachfolger Weißes in der Leitung der Gemeinden Landskron und Fulnek. H.s Kenntnis der deutschen Sprache hätte nach seinem eigenen Zeugnis wohl kaum dazu ausgereicht, die 32 Lieder zu dichten. Erst das Brüdergesangbuch von 1639 schreibt sie H. zu. Das bekannteste ist das Lied vom Kampf und Sieg der Kirche »Lob Gott getrost mit Singen, frohlock, du christlich Schar!« (EKG 205). Genannt sei auch das Lied »von der Menschwerdung Christi«:» Gottes Sohn ist kommen uns allen zu Frommen«(EKG 2). H. verfaßte mit Augusta die Konfession von 1535. Er stand bis kurz vor seinem Tod völlig unter lutherischem Einfluß. Auf der Synode zu Jungbunzlau 1546 kehrte man ohne Luthers Lehre preiszugeben, in die »Disziplin« zu Lukas von Prag (s.d.) zurück. Nach H.s Tod übernahm Augusta das »Richteramt« in der Unität.

Werke: Redigierte 1531 das erste, deutsche, von U. Weiße hrsg. Gesangbuch der Böhm. Brüder; Hrsg. u. Bearb. d. 2. Aufl. Nürnberg 1544 ("Ein Gesangbuch der Brüder in Behemen und Merherrn...").

Lit.: Rudolf Wolkan, Das dt. Kirchenlied der böhm. Brüder im 16. Jh., Prag 1891; – Ders., II. Ausgew. Texte, 1891; – Ders., III. Gesch. der dt. Lit. in Böhmen bis z. Ausgange des 16. Jh.s, ebd. 1894; – Joseph Theodor Müller, Hymnolog. Hdb. z. Gesangbuch der Brüdergemeine, 1916, 13 ff.; – Ders., Gesch. der Böhm. Brüder II, 1931, 1 ff. 192 ff.; – Friedrich Jehle, in: MGkK 23, 1918, 110; – L. Gerheuser, Jakob Schleifel (Diss. München), Augsburg 1931; – Hans Joachim Moser, Die mehrst. Vertonung des Ev. I, 1931, 47 ff. 68 ff.; – Ders., Corydon, d. ist: Gesch. des mehrst. Gesangbuch-Liedes u. des Quodlibets im dt. Barock I, 1933. 50-57; – John H. Johansen, Moravian hymnody, in: The Hymn 30, 1979, 230-239; – Hdb. z. EKG II/1; – RE X, 428 f.; – RGG III, 451; – Goedeke II, 235; – DLL VIII, 124; – ADB 50, 466-469; – NDB IX, 629.

Ba

HORN, Wilhelm, Dichterbischof der Evangelischen Gemeinschaft in Amerika, * 1839 in Oberfischbach bei Siegen (Westfalen), + 1917 in Cleveland (Ohio). – H. wanderte als junger Mann mit seinen Eltern nach Amerika aus, wo sich die Familie im Staat Wisconsin niederließ. Er wurde Volksschullehrer, später Reiseprediger der Evangelischen Gemeinschaft und 1879 Herausgeber der Monatsschrift »Evangelisches Magazin«, die er in kürzester Zeit zu hoher Blüte brachte. H. war 1883-91 Hauptschriftleiter des »Christlichen Botschafters«, des deutschsprachigen Hauptkirchenblattes der Evangelischen Gemeinschaft in Amerika. 1891-1915 wirkte er in reichem Segen als Bischof. Wir verdanken H. die Lieder »Vater, stärke unsre Kräfte, Jesu, gib uns deinen Sinn, wenn wir deines Reichs Geschäfte heute in Beratung ziehn« und »Was hat uns denn verbunden in diesen schönen Stunden, wo wir in Jesu Namen vergnügt zusammenkamen?«

Werke: Der goldene Wegweiser. Ein Führer zu Glück und Wohlstand, 1881; Life of Bishop John Seybert, Stuttgart 1894; Evangelical Association of North America. Gebet- u. Danklieder, Nr. 2. Pür Erweckungs- u. Gebetsversammlungen. Text redigiert von W. H. 26. Aufl., 1894; Evangelische Schlachtopfer, in: Das Evangelische Magazin f. d. Sonntagsschule u. d. Familienkreis, 28, 1896; Life of Bishop John J. Escher, Cleveland, O., 1907; Wegeblüthen, 1907; Autobiography of Bishop W. H., 1839-1917. (Cleveland) Priv. print. for the members of his family, 1920.

Lit.: The New Schaff-Herzog Encyclopedia of Religious Knowledge V, 366, Michigan 1953.

Ba

HORNECK, Anton, anglikanischer Theologe, * 1641 in Bacherach/Rhein, + 31.1.1697 in London. – H. studierte von 1659 bis 1661 in Heidelberg Theologie, u. a. bei F. Spanheim und dem Orientalisten J. H. Hottinger (s.d.). Aus unbekannten Gründen ging H. nach England. Am 24. Dezember 1663 wurde er Mitglied des Queen's College und dann Pfarrer in Oxford. Durch Vermittlung des Herzogs v. Albemarle erhielt H. 1670 eine Pfründe in Exeter. Nach einem Besuch in Deutschland wurde er 1671 Prediger an der Londoner Savoykirche. In dieser Eigenschaft zog H. Zuhörer auch aus dem weiteren Umkreis an, die seine pathetische Redeweise schätzten. Persönlich einen sehr einfachen Lebensstil führend, scheute er auch nicht vor mahnenden Worten an hochgestellte Persönlichkeiten zurück, was eine raschere Karriere H.s möglicherweise behindert hat. 1681 erhielt er in Cambridge den Doktortitel, wurde 1689 einer der acht Hofkapläne König Wilhelms III. und erhielt 1693 eine Pfründe an der Westminsterabtei. – H.s Bedeutung für die Kirchengeschichte Englands liegt vor allem darin, daß er als Seelsorger einen erheblichen Einfluß auf die adlige Jugend gewann, der er in festen Zusammenkünften bei der Bestimmung ihrer Lebensziele und in dem Bemühen um eine Intensivierung des persönlichen Glaubenslebens zur Seite stand. Die Gruppen erhielten Regeln, die aber keine Abspaltung vom kirchlichen Leben beabsichtigten, sondern die regelmäßige Teilnahme daran gerade als Mittel der Heiligung empfahlen. Auch jede Polemik oder reformatorischer Anspruch lag diesen Gruppen fern. Die so gegründeten »Religious Societies« entfalteten in der Folgezeit auch wichtige praktische Aktivitäten, wie die Gründung von Armenschulen, Kranken- und Gefangenenfürsorge, Seelsorge, Verbreitung von Erbauungsliteratur und schließlich die Mission in den englischen Kolonien, so daß sie die Erweckungsbewegung und Gemeinschaftsbildung des Methodismus vorbereiteten und dabei auch in Beziehung zum deutschen Pietismus standen. Die Schriften H.s dienten vor allem der Erbauung, Gewissenserforschung und Andacht, nicht der Polemik oder gelehrten Ausführungen. Sie wurden zum Teil bis zur Mitte des 19. Jahrhunderts neu aufgelegt.

Werke: The Great Law of Consideration ... wherein the nature, usefulness, and absolute necessity of Consideration, in order to a ... religious life, are laid open, 1676; Letter to a Lady, revolted from the Romish Church; The happy Ascetick, or the Best Exercise ..., to which is added, A Letter to a Person of Quality concerning the Holy Lives of the Primitive Christians, 1681; Delight and Judgement, or the Great Assize..., 1683; The Fire of the Altar, or certain Directions how to raise the Soul into holy Flames before, at, and after the receiving of the ... Lord's Supper, 1683; The Exercise of Prayer, 1685; First Fruits of Reason, 1685; The Crucified Jesus, or a full account of the ... Sacrament of the Lord's Supper, 1686; Questions amd Answers concerning the two Religions, 1688; Advice to Parents, 1690; An Answer to the Soldier's Question; Several Sermons upon the Fifth of St. Matthew, being part of Christ's Sermon on the Mount, 1706.

Lit.: Richard Kidder, Lord Bishop of Bath and Wells, Life of A. H., Late Preacher of the Savoy, 1698; − J. Woodward, An Account of the Rise and Progress of the Religious Societies in the City and of their Endeavours for Ref. of Manners, 1698 (1724⁵); − R. V. Hone, Lives of Eminent Christians II, 1850⁵, 275-330; − G. V. Portus, Caritas Anglicana, or a Historical Inquiry into those Religious and Philanthropical Societies that flourished in England between the years 1678 and 1740, 1912; − Martin Schmidt, Das Grab eines Dt.en in der Westminsterabtei, in: Der Londoner Bote. Gemeindebl. der dt. ev. Kirchengemeinden in London 6, 1954, 35-37; − Ders., A. H. aus Bacharach (1641-97) u. seine Bedeutung für die KG Englands, in: Mhh. f. ev. KG des Rheinlandes 16, 1967; − DNB (Neudr. 1949/50) IX, 1261 f.; − NDB IX, 635-637; − RGG III, 452.

Ba

HORNECK, Melchior, Benediktinerabt, * unbekannt, + 1540 im Kloster Schüttern, stammt aus einem Adelsgeschlecht, das auf der Burg Hornberg bei Calw seinen Sitz hatte. − H. war von 1531 - 1540 Abt des Benediktinerklosters in Gengenbach (Ortenau). Nach handschriftlichen Chroniken soll er sich 1540 kurz vor seinem Tod zum Luthertum bekannt haben. Er veranlaßte auch, daß im Kloster die neue Lehre gepredigt wurde. Da H· von Landgraf Wilhelm von Fürstenberg in sein Amt lanciert worden war, geriet das Kloster ganz in die Abhängigkeit Wilhelms, der in seinem Gebiet die Sache der Reformation förderte. H.s Lebenswandel und seine Haushaltpolitik führten zu etlichen Klagen von Seiten des Priors Friedrich von Keppenbach. Schließlich erreichte dieser zusammen mit Bischof Wilhelm von Straßburg in H.s Todesjahr dessen Absetzung.

Lit.: Urkunden des Klosters Gengenbach, Karlsruher Landesarch. Nummer 1242; − Martin Gerbert, Hist. sylvia nigrae II, 1788, 342; − J. B. Kolb, Hist.-sta.-topographisches Lexikon von der Ghzgt. Baden I, 1813, 363; − K. F. Vierodt, Gesch. der ev. Kirche im Ghzgt. Baden I, 1847, 317; − W. Frank, Z. Gesch. der Benediktinerabtei der Reichsstadt Gengenbach, in: Freiburger Diözesenarch. 6, 1871, 1-26 u. Freiburger Diözesenarch. 7, 1873, 81-105; − P. Ruppert, Btrr. z. Gesch. des Klosters Gengenbach, in: Zschr. f. die Gesch. des Oberrheins 33, 1880, 128-159; − J. G. Mayer (Hrsg.), Btrr. z. Gesch. des Klosters Gengenbach, in: Freiburger Diözesenarch. 16, 1883, 159-215; − Fritz Baumgarten, Aus dem Gengenbacher Klosterleben, in: Zschr. f. die Gesch. des Oberrheins NF

8, 1893, 436-493, 658-702; − Manfred Krebs, Politische u. kirchliche Gesch. der Ortenau, in: Die Ortenau 16, 1929, 95-216; − Werner Thoma, Die Kirchenpolitik der Grafen v. Fürstenberg im Zeitalter der Glaubenskämpfe, in: RGST 87, 1967, 16-29; − Peter Bläsi, Die Ref. in Gengenbach, in: Die Ortenau 57, 1977, 196-227; − Martin Brecht, Hermann Ehmer, Südwestdeutsche Reformationsgesch., 1984, 182 f.; − RGG III, 452.

Wi

HORNEJUS, Konrad, lutherischer Theologe und Philosoph, * 25.11.1590 in Braunschweig, + 26.9.1649 in Helmstedt. − Nach erster Unterrichtung durch seinen Vater, einen Landprediger in Ölper, erwarb sich H. an der Katharinenschule in Braunschweig eine gründliche Kenntnis der griechischen und lateinischen Sprache. 1608 begann er das Studium der Philologie, Philosophie und Theologie in Helmstedt, wo er insbesondere Schüler des Humanisten Joh. Caselius (s.d.) und des lutherischen Aristotelikers Cornelius Martini (s.d.) wurde, die beide Vertreter eines gemäßigten melanchtonischen Geistes an dieser Universität waren. 1612 habilitierte er sich bei Martini, wurde 1619 außerordentlicher Professor der Logik und Ethik und 1622 Martinis Nachfolger gegen streng orthodoxen Widerstand in Helmstedt und Wolfenbüttel. Nachdem er vorübergehend in Braunschweig Schutz vor den Wirren des Dreißigjährigen Krieges gesucht hatte, erhielt er 1628 neben seinem ehemaligen Studiengefährten Georg Calixt (s.d.) die zweite theologische Professur in Helmstedt. − Als Philosophieprofessor hatte sich H. vor allem durch seine Erklärung des Aristoteles, durch Vorlesungen und vielbenutzte Lehrbücher über Logik, Ethik, Naturphilosophie und Metaphysik verdient gemacht. Als ein auf konfessionellen Ausgleich bedachter Theologieprofessor und als Mitstreiter Georg Calixts wurde er dann in die dogmatischen Streitigkeiten seiner Zeit hineingezogen. Mit Calixt war H. den heftigen Angriffen und Vorwürfen des hannoverschen Pastors Statius Büscher und der kursächsischen Theologen ausgesetzt, besonders wegen seiner Befürwortung eines eigenständigen Wertes der Philosophie in der Theologie (gegen Petrus Ramus (s.d.)), wegen der Hinwendung zur Lehre der Alten Kirche als einer überkonfessionellen Glaubensbasis und wegen der Betonung der guten Werke. So wurde H. voll in den sogenannten synkretistischen Streit hineingezogen, in den sich auch die jeweiligen Landesherren einschalteten, und des Kryptopapismus verdächtigt. Die Verdammung vieler seiner Lehrsätze durch den kursächsischen »Consensus repetitus fidei vère Lutheranae« 1649 hat der von diesen Auseinandersetzungen empfindlich getroffene H. nicht mehr erlebt.

Werke: Disputationes ethicae depromptae ex Ethica Aristotelis ad Nicomachum, 1617 (1648², 1667⁷); Compendium Naturalis Philosophiae, 1618; Exercitationes Logicae, 1621; Dialecticae succinctum et proverbe, 1623; Philosophia naturalis sive Civilis doctrina de Moribus libri IV, 1624; Conclusiones methaphysicae, 1648; Disputationes et tractatus aliquot, de necessitate studii Pieatis, si quis salvus esse per Christum velit, 1648; Kurtzer Bericht, Gesprächsweise auffgesetzet und entgegengestellet denen unwahrhafftigen Aufflagen, womit die Professores Theologiae auf der Fürstlichen ... Julius Universität in Helmstet zu Ungebühr beschweret werden, 1650; Compendium Theologiae ..., 1655. − Werkeverz., bei H. Witte (n) Memoriae Theologorum clarissimorum decas sexta, 1675, 744 f.

Lit.: Ernst Ludwig Theodor Henke, Georg Calixt u. seine Zeit, 2 Bde., 1853-60; − Friedrich Koldewey, Gesch. der klass. Philologie auf der Univ. Helmstedt, 1895; − Peter Peterson, Gesch. der aristotel. Philos. im prot. Dtld., 1921, 180 f.; − Paul Zimmermann, Album academiae Helmstadiensis I, 1926, 384 ff.; − Rolf Volkmann, Professor Konrad Hornejus. Philosoph u. prot. Theologe an d. Univ. Helmstedt, in: Aus unserer Heimat (Helmstedt) Nr. 7/8, 1974, 6; Nr. 9/10, 2; − Inge Mager, Reformator. Theologie u. Reformationsverständnis an d. Univ. Helmstedt im 16. u. 17. Jh., in: Jb. d. Ges. f. niedersächs. Kirchengesch. 74, 1976, 11-33; − DLL VIII, 133 f.; − ADB XIII, 148 f.; − NDB IX, 637 f.; − RGG III, 452; − RE VIII, 357.

Ba

HORNER, Anton, Missionar (»vom hl. Geist«), * 20. 6.1827 in Schöneburg (Elsaß), + 8.5.1850 in Cannes. − H., ein Angehöriger der Kongregation vom »hl. Geist und dem unbefleckten Herzen Maria«, die 1848 speziell für die Missionsarbeit gegründet worden war, ging 1854 zunächst als Missionar an die Heidenmission St. Denis auf Reunion, nachdem 1665 die Vincentiner dort gescheitert waren. 1863 ging H. zur Heidenmission auf Sansibar über, eine Mission, in der viele Nationalitäten vertreten waren, und die gerade neu gegründet worden war. Nachdem um 1800 die afrikanische Mission einen nahezu vollständigen Zusammenbruch erlebt hatte, stand natürlich auch die Mission in brit.-Ostafrika noch ganz in den Wiederanfängen. Sie konnte sich zunächst nur auf Afrika umgebenden Inseln ausbreiten. H. gilt als einer der Pioniere seiner Mission, weil es ihm 1868 gemeinsam mit Bauer gelang, die Festlandstation Bagamoyo zu gründen. Trotzdem wagte sich die neubelebte Afrikamission zunächst nicht tiefer als 50 km ins Landesinnere. 1873 hatte man sich an der Küste und auf Sansibar soweit etabliert, daß das bis dahin apostolische Vikariat gebliebene Sansibar zur Präfektur erhoben wurde. H. wurde damit 1. apostolischer Präfekt seiner Mission. Die von H. neu gesetzten Akzente und seine Initiative trugen wesentlich zum Gelingen der Missionsarbeit auf Sansibar und dem Festland bei.

Werke: Reisen in Zanguebas 1867-1870, 1873.

Lit.: Bulletin Général Cssp 11 (1877-81), 796-808; − Gebhard Schneider, Die kath. Miss. in Zanguebar, Tätigkeit u. Reisen d. P. Horner, 1877; − J. Simon, P. Horner, C. S. Sp., Erster Apost. Mission. Ostafrikas, 1934; − Ananias Denis, De eerste Miss. van Oost-Afr., Pat. A. H., in: Africa Christo 56, 1960, 9-14; − Anton Freitag, Wege d. Heils, 1960, 117; − BiblMiss XVII, 795 f.; − LTK V, 486.

Ba

HORNIG, Ernst, Pfarrer und Bischof der Evangelischen Kirche von Schlesien, * 25.8.1894 in Kohlfurt/Schlesien, + 5.12.1976 in Folge eines Unfalls. − Nach Studium in Halle und Breslau wurde H. 1923 Pfarrvikar in Waldenburg. Am 25.7.1923 ordiniert, bekam er am 1.4.1924 eine Pfarrstelle in Friedland. Vom 1.4.1928-4.12.1946 war er Pfarrer der St.-Barbara-Kirche von Breslau. 1933 wurde H. Vorsitzender des schlesischen Pfarrernotbundes und 1934 Mitglied des schlesischen und preußischen Bruderrates sowie des Rates der Bekennenden Kirche Schlesiens. H. hatte neben Hans Büttner als schlesischer Vertreter an der von Pfarrer Martin Niemöller initiierten Gründungsversammlung des Pfarrernotbundes teilgenommen. Nach politischer Verfol-

gung durch die Machthaber, wiederholter Inhaftierung und etlichen Gerichts- und Strafverfahren, wurde er 1938 aus Berlin und der Provinz Brandenburg ausgewiesen. Am 4.5.1945 war H. der Sprecher der Abordnung der Evangelischen und Katholischen Kirche, die mit dem Festungskommandanten von Breslau, General Niehoff, wegen der Übergabe der eingeschlossenen Stadt verhandelte. Von 1945-1946 war er Vorsitzender der Kirchenleitung der Evangelischen Kirche von Schlesien. Nach der Ausweisung aus Breslau siedelte er in das schlesische Gebiet westlich der Neiße, nach Görlitz, über. 1946 wurde er Bevollmächtigter des Hilfswerks der Evangelischen Kirche von Schlesien, Mitglied des Rates der Evangelischen Kirche der Union und der Kirchenkonferenz der EKD. Am 23.7.1946 von der Synode der Evangelischen Kirche von Schlesien zum Bischof berufen, weilte er von Anfang 1947 bis zum 31.12.1963 als Bischof in Görlitz. 1955 wurde er Ehrendoktor der Universität Kiel. Nachdem er 1964 in Bad Vilbel-Heilsberg in Ruhestand getreten war, widmete er sich hauptsächlich Studien und Veröffentlichungen zur schlesischen Kirchengeschichte und zum Kirchenkampf.

Ue

Werke: Bericht über die Evangel. Kirche v. Schlesien östl. der Neisse, in: Junge Kirche 10, 1949, 283-285; Aus der schles. Kirche, in: Ev.-luth. Kirchenztg. 3, 1949, 55-56; Der Weg der Weltchristenheit. Eine Einführung in d. ökumen. Bewegung, Berlin 1952; Die schles. Kirche bald nach dem 2. Weltkrieg, in: Jb. f. schles. Kirchengesch. 48, 1969, 102-191; Die schles. Kirche i. d. Nachkriegszeit 1945-1951, in: ebd. 51, 1972, 108-135; Der Una-Sancta Kreis in Breslau im 2. Weltkrieg, in: ebd. 52, 1973, 163-166; Ökumen. Beziehungen der Evangel. Kirche v. Schlesien nach dem 2. Weltkrieg (1945-1963), in: ebd. 53, 1974, 148-166; Breslau 1945. Erlebnisse in der eingeschl. Stadt, 1975; Das schles. Kulturgut in d. Festungszeit Breslaus im Frühjahr 1945, in: Schlesien 20, 1975, 97-100; Die Kapitulation Breslaus 1945, in: Geschichte. Histor. Magazin Nr. 23, 1978, 4-12; Nr. 24, 1978, 50-54. − Gab heraus: Rundbriefe d. Rates d. Bekennenden Kirche Schlesiens (1934-45); Rundbriefe 1946-49 (Quell-Verlag, Stuttgart); Die Evangel. Kirche in Schlesien 1945-1947. Augenzeugen berichten. Jb. f. Schles. Kirchengesch. Beih. 2, 1969; Die bekennende Kirche in Schlesien 1935-1945. Gesch. u. Dokumente (Arbeiten z. Gesch. d. Kirchenkampfes. Erg.reihe, Bd. 10) Göttingen 1977.

Lit.: Gerhard Ehrenforth, Chronist d. schles. Kirchenkampfes i. d. nationalsozialist. Zeit, in: Jb. f. schles. Kirchengesch. 42, 1963, 101-128; − Die schles. Kirche im Kirchenkampf 1932-1945, Geleitwort v. E. H., (Arbeiten z. Gesch. d. Kirchenkampfes. Erg.reihe Bd. 4), Göttingen 1968; − Eberhard Günter Schulz, Ein Zeuge des Unverlierbaren. In memoriam Altbisch. D. E. H., in: Schlesien. Vjschr. f. Kunst, Wiss. u. Volkstum 22, Nürnberg 1977, 63 f.

Ba

HORNING, Friedrich Theodor, Vorkämpfer des Luthertums im Elsaß, * 25.10.1809 als Pfarrerssohn in Eckwersheim bei Vendenheim, + 21.1.1882 in Straßburg (Elsaß). − H. wurde 1833 Vikar in Ittenheim und 1836, nachdem sein Vater ihn und seinen Bruder Wilhelm 1835 zum Predigtamt ordiniert hatte, Pfarrverweser und 1837 Pfarrer in Grafenstaden. Er gehörte der damals herrschenden Richtung, einem gemäßigten Rationalismus, an, trat aber, als er 1846 nach langen Wahlkämpfen zum Pfarrer an Jung St. Peter in Straßburg ernannt wurde, überraschend auf die Seite der konfessionellen Lutheraner und wurde ein leidenschaftlicher Kämpfer für das Recht und die Geltung des lutherischen Bekenntnisses. In den regen Beziehungen der beiden Kirchen untereinander und zu den pietistischen Kreisen in Basel sah H. eine Unionsgefahr und erklärte jede Gemeinschaft und Arbeit von Lutheranern mit Reformierten als Abfall von der Kirche. H. bekämpfte die Basler Mission als »Mischungsmission« und die Beteiligung an ihr als Verrat an der lutherischen Kirche und gründete mit seinem Bruder Wilhelm und seinen Gesinnungsgenossen die Evangelisch-lutherische Missionsgesellschaft zur Unterstützung der Leipziger und Hermannsburger Missionsgesellschaft. Er verwarf das Diakonissenwerk des Franz Heinrich Härter (s.d.) und bekämpfte aufs heftigste die zur Förderung der Inneren Mission von Härters Freunden gegründete Gesellschaft, die sich unter H.s Einfluß am 13.12.1847 als Evangelische Gesellschaft der Kirche Augsburgischer Konfession konstituierte, aber auf Drängen der pietistischen Richtung am 24.8.1849 zu ihrem Grundsatz zurückkehrte, »nicht eine Sonderkirche, sondern das Reich Gottes zu fördern«. Von 1841 an gehörte H. der von der Pastoralkonferenz mit der Revision des bisherigen Gesangbuches beauftragten Kommission an, trat aber 1850 aus, weil er das neue Gesangbuch ablehnte, da es Unionscharakter trug und zahlreiche tiefgreifende textliche Veränderungen aufwies. Mit einem Freund arbeitete er ein neues Gesangbuch aus, das nach langem Widerstreben 1863 vom Oberkonsistorium zu fakultativer Einführung genehmigt wurde. Eine große opferbereite Personalgemeinde aus allen Teilen der Stadt sammelte sich um H.. Für die in liberalen Gemeinden lebenden lutherischen Christen erstritt er Parochialfreiheit. H. pflegte seine Gemeinde mit großer Treue und übte strenge Kirchenzucht, predigte volkstümlich und weckte die Liebe zu den alten lutherischen Liedern und den liturgisch reichen Gottesdiensten, versammelte am Sonntagabend im Pfarrhaus Männer und Frauen zu Katechismusbesprechungen und gab Neuauflagen von Schriften für den Jugendunterricht und die Erbauung der Gemeinde heraus. Auch außerhalb Straßburgs gewann er unter den Pfarrern einige rege Mitarbeiter. So entstand 1850 in Mülhausen (Oberelsaß) eine lutherische Gemeinde. H. hat in weiten Kreisen das kirchliche Bewußtsein wieder geweckt, aber durch seine leidenschaftliche Polemik manches Ärgernis gegeben und im Lager der Gläubigen Spaltung hervorgerufen.

Werke: Ev.-luth. Kirche (Smlg. v. Traktaten u. Flugbl.), 1848-81; Predigten, 1884. 1887. 1898. 1911. 1913. − Gab heraus Le grand catechisme, Le petit Catechisme de Martin Luther, 1854; Die alte Straßburger Kinderbibel, 1854; J. F. Lentz, Geheiligter Kinder Gottes Bet-Kämmerlein, 1858; J. Quirsfeld, Allersüßester Jesus-Trost, 1865; Kirchenbl. f. Christen Augsburg. Confession, 1868-70. Die ev.-luth. Erweckung in der Landeskirche Augsburg. Konfession 1848-80. Aus dem Nachlaß hrsg. v. Wilhelm Horning (H.s Sohn), 1914.

Lit.: Wilhelm Horning, 14 Biograph. elsäss. Theologen a. d. 16., 17., 18. u. 19 Jh., 1883; − Ders., F. Th. H., Lb. eines Straßburger ev.-luth. Bekenners...; − Ders., F. Th. H., Lb. eines Straßburger ev.-luth. Bekenners im 19. Jh., 1885⁴; − R. Reuss, Histoire de Strasbourg depuis ses origines jusqu' a jours, 1922; − Henri Strohl, Le protestantisme en Alsace, 1950; − D. Metz, Franz Heinrich Haerter (Diss. Strasbourg) 1965; − NDB IX, 639 f.; − RE VIII, 359 f.; − RGG III, 452 f.

Ba

HORSLEY, Samuel, anglikanischer Theologe, Bischof, * 15.9.1733 als Sohn des Pfarrers John H. in London, + 4.10.1806 in Brighton. − Nach der vornehmlich durch seinen Vater erfolgten Erziehung begann H. 1751 das Studium der Theologie an der Universität Cambridge. Wie manch anderer seiner Zeitgenossen beschränkte er sich aber nicht allein auf dieses Fach, sondern widmete sich in besonderem Maße der Mathematik; einer Vorliebe, die ihn 1773 zum Sekretär der "Royal Society" in London aufsteigen ließ. 1774 zeichnete ihn die Universität Oxford mit dem Titel eines "Doctor of Common Law" aus, H. dankte ihr dadurch, daß er zahlreiche Veröffentlichungen an der ihr eigenen Druckerei mit ausdrücklicher Widmung erscheinen ließ. Nachdem er bereits seit 1759 Priester der Pfarrei Newington Butts (Surrey) war, erhielt er 1781, von ihm sehr erstrebt, das Archidiakonat von St. Albans. Hier profilierte er sich als energischer, oft auch als überzogen polemischer Vertreter der anglikanischen Staatskirche. Entschieden setzte er sich zunächst für die Wirkung einer "gläubigen Predigt" ein, errang dann endgültig Ansehen durch die Verteidigung der Trinitätslehre im Sinne ihrer bisherigen Auslegung durch die anglikanische Kirche. Die Kritiker dieser vertraten eine Position, die in ihren Grundzügen mit der des Arianismus identisch ist. Ihr Protagonist, Dr. Priestley (s.d.), Professor der Chemie, behauptete, selbst die Apostel, die nächsten Vertrauten, hätten Christus nur als Menschen gesehen. H.widerlegte diese Thesen, indem er die Unwissenschaftlichkeit, die Schwächen und die Irrtümer seiner Gegner aufzeigte. Dadurch erwarb er sich das Vertrauen der Anhänger der vom englischen Monarchen vertretenen Position und stärkte dessen Stellung; seine provozierende Art, die Auseinandersetzung überzogen persönlich auszutragen, lassen aber Zweifel an der inneren Überzeugungskraft seiner Argumente nicht verstummen. Seine beiden Hauptschriften »Letters in reply to Dr. Priestley« (Oxford 1784) und »Remarks on Dr. P.s second letters« (Oxford 1786) sprechen für diesen Stil. Unübersehbar positiv hingegen ist sein ständiger Einsatz für eine generelle religiöse Freiheit zu werten. Die Katholiken Englands verdanken ihm eine Minderung einer Vielzahl von gesetzlichen Benachteiligungen, die Duldung der schottischen Episkopalkirche förderte er nachhaltig während seiner Bischofzeit und dank seines großen Einflusses im englischen Parlament. Seit 1788 Bischof von St. Davids (Wales), ab 1793 von Rochester und ab 1802 von St. Asaph (Wales) zeichnete er sich bei der Verwaltung und geistlichen Betreuung dieser Ämter aus. Berühmt wurde seine Predigt am Jahrestag der Hinrichtung Karls I. von England. Sie erhielt eine besondere Brisanz dadurch, daß wenige Tage zuvor Ludwig XVI. in Paris hingerichtet worden war. H. beharrte in seiner Predigt am 30.1.1793 vor dem Oberhaus darauf, daß "der Herrscher, überhaupt jede rechtmäßig eingesetzte Gewalt von Gott gewollt sei, demnach hätten alle Untertanen diesen Autoritäten bedingungslos zu folgen".

Werke: Apollonii Pergaei Inclinationum libri II, 1770; − Providence and free Agency, 1778; J. Newtonii Opera, illust., 1779-85; Analogy between Inspiration and Learning, 1787; Apology for the Liturgy and Clergy, 1790 (alle in Oxford); Sermons, Neudruck Dundee 1839²; H.s Theological Works, 8 Bde., Zusammenfassung seiner »Sermons, Charges, Psalms and Bibl. Criticism.«, London/Oxford 1845[2].

Lit.: Gentleman's Magazine II, 1806, 987 ff.; – Chalmers Gen. Biogr. Dic., 1814, Bd. XVIII, 181 ff.; – Wallace, Antitrinity Biogr. III, 1850, 461; – Stanley, Hist. Memorials of Westminster Abbey, 1868, 474 ff.; – The "Times", 21. 7. 1876; – J. Stoughton, Religion in Engl. under Queen Anne etc., 1879, Bd. II; – Hunt und Leslie Stephen, Hist. of Religious Thought in the 18th c., 1882; – H. H. Jebb, H., A great bishop of a hundred years ago, 1909; – DNB XXVII, 383 ff.; – RE VIII, 362 ff.; – RGG III, 454.

Ha

HORT, Fenton John Anthony, Theologe, bedeutender Vertreter der neutestamentalen Textkritik im 19. Jahrhundert, * 23.4.1828 in Dublin, + 30.11.1892 als Professor der anglikanischen Theologie in Cambridge. – Bereits mit 9 Jahren kam H. aus Irland an die Schule Rugby in England. Prägend wurden für ihn die Jahre an der Universität zu Cambridge, er blieb dieser seit seinem Eintritt 1846 bis zu seinem Lebensende eng verbunden. Seine ersten Studienjahre widmete er einem umfassenden Spektrum aller Wissenschaften, der Mathematik, der klassischen Philologie, der Philosophie, Theologie, besonders der Botanik. Nachdem er aber 1851 mit dem Universitätspreis für Moralphilosophie ausgezeichnet worden war, wandte er sich immer mehr der Theologie zu, wohl stark beeinflußt durch Brooke Foss Westcott (s.d.), einem Studienfreund und späterem Bischof. Zusammen mit diesem plante er ab 1853 eine kritische Neuausgabe des Neuen Testaments. 1856 zum Priester geweiht, heiratete er im Jahr darauf Fanny Dyson Holland und trat eine Stelle als Vikar von St. Ippolyt's (Herdfordshire) an, die er deshalb annahm, weil sie unweit von Cambridge lag. H. litt während dieser Zeit nach eigenen Angaben darunter, daß er, der Theoretiker, nicht so vertraut mit seinen Kirchenmitgliedern wurde, wie er es für wünschenswert hielt. Ihre Achtung errang er aber durch seinen unermüdlichen Einsatz, so z. B. bei einer Scharlachepidemie. Unermüdlich arbeitete er ferner an seiner wissenschaftlichen Forschung, bereits seit 1854 erschien in Zusammenarbeit mit Joseph B. Lightfoot (s.d.) und J. E. Mayor das »Journal of Classical and Sacred Philology«. Nachdem dieses 1859 aus diversen Gründen beendet wurde, gelang es H. neun Jahre später ein neues »Journal of Philology« zu gründen, dem nunmehr ein größerer Erfolg zuteil wurde. – Die Herausgabe des Neuen Testaments, H.s größte Publikation, begann am 12.5.1871 mit dem ersten, dem Textband. H. hat dies stets als sein Lebenswerk angesehen, in der Tat, diese später als »Westcott-Hort« bezeichnete Ausgabe des Neuen Testaments war für das 19. Jahrhundert bahnbrechend, wenn auch in unserer Zeit Zweifel angemeldet werden, ob H. sich nicht in der Auffassung überschätzt habe, allein die Wirkung des reinen Textes sei für die Gläubigen entscheidend. Seine textkritische Leistung, besonders die diffizile Darstellung der Überlieferung des griechischen Textes des Neuen Testaments, ist hingegen unumstritten. 1881 erschien der zweite und letzte Band, zahlreiche Neuauflagen folgten. Zu diesem Zeitpunkt hielt H. bereits seit 10 Jahren Vorlesungen über Theologie an der Universität Cambridge, die Ergebnisse seiner erst 1875 durch den Doktorgrad gewürdigten Forschungen

hielt er in zahlreichen Schriften fest. Dabei und das wirft ein bezeichnendes Licht auf H.s eher zurückhaltende, aber stets wohlwollende Art, vergaß er nie die Aktivitäten seiner Studenten und Freunde nachhaltig zu fördern.

Werke: Two dissertations, I: ΜΟΝΟΓΕΝΣ ΘΕΟΣ in Scripture and Tradition, II: The Constantinopolian Creed and other Creeds, London 1876; The Way, the Truth, the Life, Hulsean lectures for 1871, Cambridge und London 1893; Judaistic Christianity, 1894; Prolegomena to St. Paul's Epistles to the Romans and the Ephesians, 1895; The Ante-Nicene Fathers, 1895; The Christian Ecclesia, 1897; The First Epistle of St. Peter I, 1 - II, 17, 1898; Notes Introductory to the Study of the Clementine Recognitions, 1901; Book VII of the Stromateis of Clement of Alexandria, zus. mit J. B. Mayor, 1902; The Apocalypse of St. John 1-3, 1908; The Epistle of St. James I, 1-4, 7, 1909 (alle posthum und in London veröffentlicht).

Lit.: Arthur F. Hort, F. H., His Life and Letters, 2 Bde., London 1896; – Dazu: A. F. Hort ... reviewed by William Sanday, in: AmJoTh 1, 1897, 95-117; – T. B. Strong, F. H., in: JThS 1, 1900, 370-386; – Kirsopp u. Silvia Lake, De Westcott et H. au Père Lagrange et au-delà, RB XXXXVIII, 1939, 497-505; – Werner Georg Kümmel, DAS NT, Geschichte der Erforschung seiner Probleme, 1958, 231 ff.; – Catholicisme V, 956; – DNB Suppl. II, 443-447; – LThK V, 487; – RE VIII, 368-371; – RGG III, 454; – NCathEnc VII, 152-153.

Ha

HORTON, Franz, Dominikaner, bekannt als Pater Titus, * 9.8.1882 in Elberfeld, + 25.1.1936 in Oldenburg. – H. studierte Theologie und Philosophie unter anderem in Rom. 1909 trat er dem Dominikanerorden bei und erhielt 1915 die Priesterweihe. Er war Generalprokurator der Chinamission. Daneben war er in der Mission Vechta tätig, die neben unzähligen anderen katholischen Missionen zu dieser Zeit finanzielle Transaktionen durchführte, die zur Erhaltung der Mission beitragen sollten. Deswegen wurde H. gemeinsam mit L. Siemer 1935 im Zuge der Devisenprozesse verhaftet. Die Anklage lautete auf gemeinsam begangene Devisenzuwiderhandlungen in Höhe von 72000 Reichsmark. Die Gefangenen wurden zunächst in das Untersuchungsgefängnis Köln und später nach Oldenburg gebracht. Der im November 1935 durchgeführte Strafprozeß war einer der wenigen außerhalb Berlins durchgeführten Prozesse, die in der Öffentlichkeit großes Aufsehen erregten. Ein von der nationalsozialistischen Propaganda bewußt kirchenfeindlich gestalteter Schauprozeß, in dem das Strafmaß gegen die angeklagten Geistlichen wegen ihres »Sonderberufs« besonders hoch bemessen wurde. In einer späteren Berufungsverhandlung wurde H. zwar freigesprochen, er war jedoch als ein kindlichunbeholfener, gutgläubiger und etwas naiver Mensch den harten Haftbedingungen nicht gewachsen und erlag 1936 den Folgen von Isolierhaft und schlechter Kost im Gefängnislazarett Oldenburg, ohne die Freiheit wiedererlangt zu haben. Sein Freispruch war einer von insgesamt nur drei Freisprüchen dieser Prozeßserie. Den hohen Zuchthaus- und Gefängnisstrafen, die aus den meisten Urteilen hervorgingen, erlagen viele betagte Geistliche. 1948 wurde für H. ein Seligsprechungsverfahren eingeleitet.

Lit.: Akten des Reichsjustizministeriums R 22/4057; – Devisensache XXV, 27-28; – Akte DD, Devisenprozeßakten, Causa SD Horten OP, Archiv d. Dominikanerprovinz Teutonia, Köln, 2 Bde.; – T. H., Briefe (Vechta), 1937; – Laurentius Siemer, Aufzeichn. und Briefe, 1958, 70-100; – Ernst Hoffmann, Hubert Jansen, Die Wahrheit über die Ordensdev.-proz. 1967, S. 173, 199; – Madeleine Rapp, Die Devisenprozesse gg. kath. Ordensangehörige u. Geistliche im 3. Reich, Bonn 1981, Diss., S. 86; – LTK V, 488.

Ba

HOSCH, Wilhelm Ludwig, pietistischer Pfarrer, * 20.9. 1750 als Pfarrerssohn in Hornberg bei Calw, + 10.8. 1811 in Aidlingen bei Böblingen. – H. besuchte die Lateinschule in Urach und die Klosterschule in Blaubeuren und Maulbronn und bezog 1768 die Universität Tübingen. Er wurde in Hornberg seines Vaters Vikar und nach dessen Tod 1778 Pfarrverweser. H. wirkte als Pfarrer seit 1781 in Gächingen-Lonsingen bei Urach und seit 1800 in Aidlingen. Er gehörte der Schule Johann Albrecht Bengels (s.d.) an. – In Gächingen bekämpfte H. das wüste Wirtshausleben und den Bettel durch Gründung eines Bürgervereins und einer Leihkasse. Weit mehr noch lag ihm die geistliche Erneuerung der Gemeinde am Herzen. Es gelang ihm, eine lebendige, kirchlichgesinnte Gemeinschaft zu gründen, der sich auch nach und nach die Separisten anschlossen, die er bei seinem Amtsantritt als bittere Feinde von Kirche und Pfarramt angetroffen hatte. Von seinen Vikariatsjahren an stand H. in ununterbrochenem Briefwechsel mit Johann Friedrich Flattich (s.d.) in Münchingen bei Leonberg, der ihm ein väterlicher Freund war und ihn in allerlei theologischer, pastoralen und pädagogischen Fragen beriet. Das Hauptmittel für die Arbeit an der Gemeinde war ihm die Predigt. Er predigte ebenso einfach wie eindringlich. Er redete die Sprache des Volkes und verfügte über einen Schatz von Bildern, Gleichnissen und Sprüchen. Mit besonderem Eifer und Geschick nahm sich H. der Jugend an. Er dichtete auch einige geistliche Lieder, von denen auch der Liedersammlung des Christian Gottlob Pregizer (s. d.) »Ich will nicht alle Morgen« in das Württembergische Gesangbuch aufgenommen worden ist.

Werke: Katechismus f. Nachdenkende o. Fragen ohne Antwort über d. Rel.-Unterr. Ein Geschenk f. Konfirmanden, 1801; Werdet gute Rechner u. Denker! oder kurzer Unterr. i. Fragen u. Beisp., 1804.

Lit.: Wilhelm Claus, Württemberg. Väter II³, 1933, 106 ff.; – Koch VII, 403 f.; – ADB XIII, 176; – Meusel XIV, 193.

Ba

HOSEA (Osee), Prophet, Sohn des Beeri, lebte im 8. Jahrhundert vor Christi. – Über den Propheten H. bestehen viele, zeitbedingte Unklarheiten. Dies betrifft sowohl seine Herkunft wie auch sein Leben, über das er und vermutlich auch die mitarbeitenden Jünger in seinem Buch zwar einiges erzählen, doch ist hier vieles symbolisch zu verstehen. H. ist aber der einzige nicht aus Juda stammende Prophet, er gehörte wohl der Bildungsschicht des Nordreiches an, ohne daß ihn seine Aussagen als Priester erkennen lassen. Heute wird allgemein anerkannt, daß H. in der Blütezeit des Königreiches Israel unter Jerobam II. (787-747) lebte, die Überschrift seines Buches besagt dies, doch lassen die weiteren Angaben schon hierin Vermutungen offen. Da viele der Sprüche des Buches H. sich auf die Wirren beziehen, die nach Jerobams Tod das Nordreich erschütter-

ten, hat H. noch die Zeit des sogenannten syrisch-ephraimitischen Krieges erlebt. Auch die massive Bedrohung durch das Reich der Assyrer kannte H., er war aber nach der Mehrzahl der bisherigen Erkenntnisse zur Zeit der Einnahme Samarias (722/21) durch die Assyrer bereits gestorben. – Das Buch H. ist zum größten Teil schlecht und stark beschädigt überliefert, oft fragmentartig, manche Sprüche sind inhaltlich und zeitlich schwer einzuordnen. Dies betrifft vor allem den chronologischen Aufbau. Man neigt heute dazu, daß das Buch sowohl von H. selbst wie auch, unmittelbar nach seinem Tode, von seinen Jüngern zusammengestellt wurde. Offensichtlich hat man es, in der auf uns überkommenen Form, auch überarbeitet, die Änderungen bleiben aber bedingt durch die minimale Quellenlage schwer durchsichtlich. – H.s Stil ist knapp gehalten, er wählt gerne eine bilderreiche Sprache, deren Deutung Probleme aufwirft. Gelegentlich komplizieren heftige Gefühlsausbrüche zusätzlich die Interpretation. Obwohl H. unverblümt und beißend die Mißstände im Reich Israel geißelt, brechen doch immer wieder Segensverheißungen hervor, die die Sorge und Zuneigung zu seinem Volk kundtun. – Das Buch H. zerfällt in zwei Teile, die ersten drei Kapitel behandeln seine Ehe mit Gomer, die Kapitel 4-13 enthalten Sprüche, in denen H. den sittlichen und religiösen Verfall des Nordreichs brandmarkt, ferner Prophezeihungen über die Folgen dieses Abfalls von Gott. Trotz dieser unterschiedlichen Gewichtung betrachtet man aber das Buch als einheitliches Ganzes, gerade in Hinblick auf die Botschaft und Form beider Teile. – Die Probleme, die H. mit seiner Ehegeschichte aufwirft, sind umstritten; eine exakte Auslegung wird kaum je möglich sein, zumal sich hier ein Eigen- und ein nachträglicher Fremdbericht erkennen lassen. H. erzählt im 1. Kapitel in der 3. Person, er habe auf Gottes Befehl eine Dirne geheiratet, um "Dirnenkinder" zu zeugen. Diesen gab er symbolische Namen, wie Jesaja. Im 3. Kapitel erzählt er in der Ich-Form: "Der Herr sagte zu mir: Geh noch einmal hin und liebe die Frau, die einen Liebhaber hat und Ehebruch treibt. Liebe sie so, wie der Herr die Söhne liebt..." Dies interpretierten diverse Gelehrte so, daß die Heirat mit Gomer symbolischen Charakter habe. Wie Gomer sei das Volk Israels treulos gegenüber seinem Gemahl, Gott, geworden. Da aber Gott sein Volk immer noch liebe, sei die Verstoßung eine Strafe, die die Hoffnung auf ein erneutes glückliches Zusammenleben erst wieder ermögliche. Andere schließen, H. habe bewußt die Dirne Gomer geheiratet, um durch diese unverständliche Handlung auf seine Prophezeihungen aufmerksam zu machen, Gomers Treulosigkeit sei damit der Anstoß zu H.s Berufung. Kapitel 2 enthält den Schlüssel zu H.s Botschaft: Das Volk Israel, das sich heidnischen Götzen (Baal) hingegeben habe, müsse wieder, wie einst, in der Wüste geläutert werden, dann würde sein Gott mit ihm einen neuen, segensreichen Bund schließen. Diese Aussage findet sich durchgehend auch im 2. Teil des Buches. H., der unerbittlich vor den Folgen des ausschweifenden Lebens mahnt, der Sitte und Moral in allen Volksschichten verkommen sieht, der die Priester der Korruption zeiht, sieht nirgendwo irgendeine Bußfertigkeit. Anstatt dem großmütigen Gott wie ein treues

Weib zu folgen, verfällt Israel in ein götzendienerisches, ehebrüchiges Leben. Daher beschwört H. immer wieder den nahen Untergang Israels. Daraus aber in H. einen düsteren Propheten zu erkennen, wäre fehl, denn bei all seinen beklemmenden Voraussagen vergißt H. nie Trost zu spenden mit Hinweisen auf die unerschöpfliche Gnade Gottes, die einst auch wieder über das restliche Volk Israel leuchten wird.

Lit.: Quellen: 5. Jh.: Julian von Eclanum, MPL 21; – 11. Jh.: Theophylakt, MPG 126; – 12. Jh.: Guibert von Nogent, MPL 156; – 16. Jh.: Leo de Castro, Salamanca, 1581; – 17. Jh.: Andreas Rivetus, Rotterdam 1652; – 18. Jh.: Franciscus Vavassor, Amsterdam 1709; – Kommentare: August Wünsche, Der Prophet H., übers. u. erkl., 1868; – C. F. Keil, Komm. zu den 12 kleinen Proph., 1866 u. 1880 (engl.); – T. K. Cheyne, H. with Notes and Introduction, Cambridge Bible 1884; – J. J. P. Valeton, Amos en H., 1894 u. 1898 (dt.); – R. F. Horton, The Minor Prophets, H.-Micah, New Century Bible, 1904; – A. van Hoonacker, 1908; – Johannes Lippl, 1937; – Theodor H. Robinson, in: HAT I, 14, 1938 und Ders., H., 1954²; – A. Fernández, Paris 1938; – H. S. Nyberg, Uppsala 1941; - Friedrich Nötscher, 1948; – M. Schumpp, 1950; – Oswald Eißfeldt, 1956², 467 ff.; – Artur Weiser, 1959; – Giovanni Rinaldi, 1960; – G. A. F. Knight, 1960; – Hans Walter Wolff, in: BK 1961; – E. Jacob, Neuchatel 1965; – Interpretationen: J. Brewer, The Story of H.s Marriage, in: AJSL 22, 1906, 120-130; – Karl Budde, Der Schluss des Buches H., in: Toy-Festschrift, 1912, 205-211; – Ders., Der Abschnitt Hosea 1-3, in: TSK 96/97, 1925, 1-89; – Ders., Zu Text und Auslegung des Buches H., in: JBL 45, 1926, 280-297; – A. Heermann, Ehe und Kinder des Propheten H., in: ZAW 40, 1922, 287-312; – Henrik S. Nyberg, Studien zum Hoseabuch, 1935; – Herbert Gordon May, An Interpretation of the Names of H.s Children, in: JBL 55, 1936, 285-291; – A. van den Born, Prophetie Metterdaad, Roermond-Maaseik 1947, 49-55; – Georg Fohrer, Neue Lit. z. atl. Prophetie, in: ThR NF 19, 1951, 309-313, 20, 1952, 250-256; – Ders., Umkehr und Erlösung beim Propheten H., in: ThZ 11, 1955, 161-189; – Ders., Die Propheten des AT, 7 Bde., 1974-1977; – Hans Walter Wolff, H., in: EvTh 1952/1953, 78 ff. u. 533 ff.; – Ders., H.s geistige Heimat, in: ThLZ 1956, 83-94; – N. H. Snaith, Mercy and Sacrifice, A Study of the Book of H., London 1953; – Fidelis Buck, Die Liebe Gottes beim Propheten Osee (Diss. Rom), 1953; – B. W. Anderson, The Book of H., in: Interpretation 8, 1954, 290-303; – J. Bergdolt, H., Jo, Am, Stuttgarter Bibelhefte 1955; – G. Östborn, Yahweh and Baal, Lund 1956; – Artur Weiser, Das Buch der 12 Kleinen Propheten I, AID 24², 1956; – Harold Henry Rowley, The Marriage of H., in: Bull. of the John Rylands Lib. XXXIX, 1956, 200-233; – Helmuth Frey, Das Buch des Werbens Gottes um seine Kirche, Die Botschaft des AT 23 II, 1957; – E. H. Maly, Messianism in O., in: CBQ 19, 1957, 213-225; – R. Adames, Pecado y conversion en Oseas, Rom 1958; – Georg Farr, The Concept of Grace, in: ZAW 70, 98-107; – E. Jacob, L'heritage cananéen dans le livre du prophète O., 1963, 250-259; – Ders., Der Prophet H. und die Geschichte, in: EvTh 24, 1964, 281-290; – Josef Scharbert, Die Propheten Israels bis 700 v. Chr., 1965; – E. M. Good, H. and the Jacob Tradition, in: VT 16, 1966, 137-161; – Ders., The Composition of H., in: Svensk. Exeg. Arsb. 31, 1966, 21-63; – J. M. Ward, H., New York 1966; – M. Buss, The Prophetic Word of H., in: BZAW 111, 1969; – Willibald Kuhnigk, Nordwestsemitische Studien zum H.-Buch, Rom 1974; – Stefan Bitter, Die Ehe des Propheten H., 1975; – Klaus Koch, Die Profeten, 1978/1980; – BL, 1274-1275; – CBL I, 546-547; – DThC XI, 1629-1652; – DBVS VI, 926-940; – EKL II, 202-203; – LThK V, 1260-1261; – RE VIII, 371-376; – RGG III, 454-457.

Ha

HOSEA, Sohn des Ela, König, er regierte von 732-724 vor Christi. – H., der Sohn des unbekannten Ela, ist der letzte König des Nordreiches Israel. Er gelangte auf sehr unrühmliche Art zum Thron, was seine innere Stellung von Beginn an unterminierte: Als die Assyrer seinen Vorgänger Pekah angriffen, inszenierte H. eine Palastrevolution. Er selbst hat Pekah ermordet. Dies geschah im Einvernehmen mit Tiglatpilesar III., der sich rühmte, "er habe H. zum König bestellt". Bis zum Jahre 727 mußte Israel infolgedessen an die Assyrer Tribut zahlen. Als er starb, meinte H., vermutlich unterstützt durch ägyptische Hilfsversprechungen, er könne die Lage zu einer Abschüttelung des assyrischen Jochs benutzen. Der Bericht im Alten Testament, 2 Kön 17,1 ff., zu den folgenden Geschehnissen läßt Mißdeutungen zu, nach den assyrischen Quellen zog Salmanassar V. nur einmal gegen H., der sich sogleich ergab und erneuten Tribut anbot. Salmanassar jedoch kannte keine Gnade, er ließ H. nach Assyrien verschleppen. Dort verliert sich jede weitere Spur über sein Schicksal.

Lit.: Eduard Meyer, Gesch. des Altertums, Neudruck 1953-58, Bd. III; – Julius Wellhausen, Israel u. jüd. Gesch., 1894, 81; – Herbert Gordon May, The Deportation of Israel, in: BA VI, 1943, 57-60; – Albrecht Alt, Kl. Schriften zur Gesch. des Volkes I., 1953, Bd. II, 188 ff.; – William F. Albright, New Light from Egypt on the Chronicle of Israel and Judah, in: Basor 130, 1953, 4-11; – Georg Ernest Wright, Biblical Archaeology, 1957, 160-163; – ANET 284, 492; – DB IV, 1905 ff.; – LThK VII, 1261; – RGG III, 454; – RE VIII, 370-371.

Ha

HOSIUS [Hozius, Hozjus], Stanislaus, Kardinal. * 5.5. 1504 in Krakau, + 5.8.1579 in Capranica bei Rom, als Bischof von Ermland, Kardinal der römischen Kirche und Groß-Pönitentiar des Papstes. H. war Sohn des Ulrich Hos (Hosz) aus Pforzheim, dem Procurator von Schloß und Stadt Wilna im Dienste des polnischen Königs. Erzogen zu religiösem Gehorsam, widmete H. sich besonders den humanistischen Studien in Krakau, Padua und Bologna (hier 1532 Dr. beider Rechte). Durch seine Lehrer - unter ihnen so berühmte Männer wie Hugo Boncompagni (der spätere Papst Gregor XIII), der spätere Kardinal Reginald Pole, I. Truchseß, Waldburg und C. Madruzzo - nahm er teil an der literarisch-religiösen Bewegung Italiens, die als Nachwirkung der deutschen Ereignisse die bestehenden kirchlichen Verhältnisse kritisch beurteilte. Dennoch blieb H. von der Vollkommenheit und alleinigen Berechtigung der römischen Kirche überzeugt. Unter seinem Gönner Tomicki, Bischof von Krakau und polnischer Vizekanzler und unter dessen Nachfolger wurde H. Geheimsekretär des polnischen Königs. 1543 empfing H. die Priesterweihe, 1549 wurde er Bischof von Kulm und polnischer Gesandter bei Karl V. und Ferdinand I.. 1551 wurde er Bischof von Ermland. 1558 ereilte ihn der Ruf nach Rom, von wo er wegen des Trienter Konzils und der religiösen Krisis Maximilian II. 1560 als Nuntius nach Wien zu Ferdinand I. gesandt wurde. Von 1561 bis 1563 hielt sich H. als Kardinal und päpstlicher Legat in Trient auf, wo er maßgeblich an den Beschlüssen des Konzils mitwirkte. Danach kehrte er 1564 in seine Diözese zurück. Hier setzte er zusammen mit G. F. Commendone auf dem polnischen Reichstag zu Parców 1564 die Anerkennung der tridentischen Beschlüsse durch. Im gleichen Jahr berief H. auch die SJ nach Braunsberg (Anfänge des Lyceum Hosianum). 1565 hielt er General visitation und Synode. 1569 kehrte er als ständiger Vertreter des polnischen Königs nach Rom zurück, wo er 1573 als Groß-Pönitentiar besonders mit den Angelegenheiten des Nordens (Rekatholisierung Schwedens) betraut wurde. Seine Hauptaufgabe sah H. darin, durch Bekämpfung und Belehrung der Anhänger und Verfechter der Reformation die Alleinherrschaft der römischen Kirche wiederherzustellen. Zu diesem Zweck organisierte er die Abwehrarbeit der polnischen Bischöfe, verfaßte zahlreiche Predigten in deutscher, lateinischer und polnischer Sprache, die er durch hervorragende geistliche Redner vortragen ließ, führte einen außerordentlich weitreichenden Briefwechsel und wurde so praktisch und literarisch der bedeutsamste Repräsentant der Gegenreformation in Ermland und Polen. Um dieser Sache willen bediente sich H. einer äußerst scharfen Polemik, die an dogmatische Intoleranz grenzte und ihn zu einem fanatischen Missionar für einen reinen Kurialismus tridentinischen Typs unter Betonung der Einheit der Kirche werden ließ. Seine »Confessio catholicae fidei christianae« (1552/53, erlebte zu Lebzeiten mehr als 30 Auflagen und Übersiridungen) bildet den Abschluß der katholischen Enchiridien-Literatur vor P. Canisius und dem katholischen Rom. H. war ein großer Seelsorger und Kirchenmann, mehr Missionar als Theologe.

Werke: Opera omnia Hosii, 2 Bde., Köln 1584 (wo I, 1-419 die kontrovers-theol. Werke wiederabgedruckt sind, von denen »Confessio catholicae fidei christianae« 1551 am häufigsten aufgelegt u. in fremde Sprachen übers. wurde); Vorrede zur Schrift d. Bischofs von Plock, Andreas Krzycki: De ratione et sacrificio missae, 1529, in: Pastoralblatt f. d. Diözese Ermland 5, 1873, 68; Epistolae (bis 1558) et Orationes, hrsg. v. Franz Hipler u. V. Zakrzweski, Krakau 1879 u. 1889; Dt. Predigten u. Katechesen der ermländ. Bischöfe H. u. Kromer, hrsg. v. Franz Hipler, Köln 1888.

Lit.: Paul Nestler, Widerlegunge etlicher losen hinderlistigen vnd betrieglichen furgaben Stanislaoi Hosei, dadurch er die von Elbingen von d. erkanten warheit vnd d. rechten gebrauch d. Sacraments d. Altars ab zuwenden sich vnterstanden, o.O. 1557; − Stanislaus Rescius, Stanislai Hosii, Cardinalis, Majoris Poenitentiarii et Episcopo Varmiensis Vita, Rom 1587 (neu hrsg. v. J. Smoczynski, 1937); − Jakob Andreae, Refutatio pia et persicua criminationum, calum naiarum et mendaciorum, quibus St. H. non solum prolegomena Joannis Brentii, verumetiam universam vere piam doctrinam contaminare conatus est. Una cum praefatione Joannis Brentii, Frankfurt 1560; − Grundtliche vnd ausführliche Beschreibung d. Geschichten ganzen Lebens vnd Sterbens d. grossen Lehrers vnd Verfechters Cathol. Kirchen Stanislai Hosii, Cardinals. Durch Stanislav Rescken in lat. Sprache erstl. beschriben, nochmals durch Johann Baptista Ficklern i. Deutsche Sprach transferiert, Ingolstadt 1591; − Joh. Georg Schelhorn, St. H.s Brief an Friedrich Staphylum (13. Sept. 1557), in: J. G. Schelhorn, Ergötzlichkeiten 1, 1762, 123-127; − Georg Thood. Strobel, Der Kard. H. war nicht aus Polen, sondern aus Dtld. gebürtig, in: G. Th. Strobel, Neue Beyträge z. Litt., bes. d. 16. Jhs. 4, 1793, I, 202; − Anton Eichhorn, der ermländ. Bisch. u. Card. St. H. Vorzügl. nach seinem kirchl. u. literar. Wirken geschildert, 2 Bde., 1854/55, besprochen v. Lilienthal in: Neue Preuss. Provinzial-Blätter, II, 7, 1855; − E. Reimann, Hat H. Maximilian II. z. kath. Kirche zurückgeführt? Vortragsausz. in: 43. Jahresber. d. Schles. Gesellsch. f. vaterl. Cultur, 1865/66, 161 f.; − Ders., Krit. Beiträge z. dt. Gesch. d. 16. Jhs. Über die Relatio Hosii, in: Forschungen z. Dt. Gesch. 8, 1868, 186-191; − Franz Hipler, Die Biographien des St. H., in: Zschr. f. Gesch. u. Altertumskunde Ermlands 7, 1879-81, 113 ff.; − Theatrum virtutum St. H., Rom 1580, neu ed. u. hrsg. v. Th. Treter, Braunsberg 1871; − A. Reusch, St. H., in: Zschr. des Westpreuß. Gesch.vereins 2, 1880, 1 ff.; − Cardinal H.s dreihundertj. Todestag, in: Katholik GO, 1880, II, 296-307; − Belleshéim, Die Briefsammlg. d. Card. H., in: Katholik GO, 1880, 434-442 und: HPBL. 87, 1881, 239-242; 110, 1892, 257-270; − Franz Hipler, Die dt. Predigten u. Katechesen d. ermländ. Bischöfe H. u. Kromer, Köln 1885, in: Görres-Gesellschaft, Festschr. 4; − Literaras a Truchsessio ad Hosium annis 1560 el 1561 datas ex cod. Ang. Primum ed atque annotationibus illustr. A. Weber, Regensburg 1892; − Domin Korioth, Namensregister z. Eichhorns St. H., in: Zschr. f. d. Gesch. u. Altertumskunde Ermlands, 11, 1894-97, I-XXII; − F. W. E. Roth, Ein Brief d. St. H. Bischof v. Warschau, 1558, in: Zentralbl. f. Bibliothekswesen 11, 1894, 125 f.; − Paul Simson, St. H., in: Preuß. Jbb. 89, 1897, 326-347; − Nuntiarberr. a Dtld., II, Abt., Bd. I, hrsg. v. Steinherz, 1897; − K. Estreicher, Bibliogr. Polska 18, Krakau 1901, 277-294; − Petri Canisii, Epistulae et acta bes IV., hrsg. v. Otto Braunsberger, 1905; − Joseph Susta, Die röm. Kurie u. das Konzil v. Trient unter Pius IV. Aktenstücke z. Gesch. des Konzils v. Trient, H., Wien 1909; − Bruno Elsner, Der ermländ. Bisch. St. H. als Polemiker (Diss. Königsberg), 1911; − Jos. Kolberg, Ein Brief d. H. vom Jahre 1538 (an Bisch. Joh. Dantiscus 8. Sept. 1538), in: Zschr. f. d. Gesch. u. Altertumskunde Ermlands

19, 1914-16, 473-475; − Kasimir v. Miaskowski, Jugend- u. Studj. des ermländ. Bisch. u. Kard. St. H., in: Zschr. f. Gesch. u. Altertumskunde Ermlands 19, 1914-16, 329 ff.; − J. Bielowski, Z dzialności publiczny St. H. 1534-1549. (Über die öffentl. Tätigkeit d. St. H. 1534-1549), in: Atheneum Kaplanskie 21, 1928, 48-59; 149-164; 248-263; 371-381. 22, 1929, 32-53; 137-152; 253-266; − J. Uminski, Korrespondentia Hozjusza z Cat 1558-79, in: Pamietnik v Zjadzdu History ków Polskirch w warszawie, 1930, 310-28; −Karl Völker, KG Polens, 1930; − Joseph Lortz, Kard. St. H. Btrr. z. Erkenntnis der Persönlichkeit u. des Werkes. Gedenkschr. z. 350. Todestag, Braunsberg, 1931; − Ludwik Bernacki, La doctrine de l'eglise le cardinal H., 1930; − S. Frankel, Doctrine H. de notis ecclesiae, 1934; − J. Smoczynski, Bibliographia Hosiana, Pelplini, 1937; − G. M. Grabka, Cardinalis H. doctrina de Corpore Christi mystico, 1945; − F. J. Zdrodowski, The Concept of Heresy according to Cardinal H., Washington 1947; − Ernst Manfred Wermter, Kard. St. H., Bisch. v. Ermland, u. Hzg. Albrecht v. Preußen. Ihr Briefwechsel über d. Konzil v. Trient (1560-1562), Münster 1957, Rez. v. Odilo Engels, in: HJ 57, 1958, 445; E. W. Zeeden, in: ARG 51, 1960, 282 f.; − F. Zaorski, Doctrina cardinalis St. H. de coelibatu ecclesiastico, 1957; u. in: Studia warminskie 7, 1970, 141-151; − L. Bourdon, Jeronimo Osario et St. H. (1565-1578), in: Boletim da biblioteca da Universictad da Coimbra 23, 1958, 1-105; − H. D. Wojtyska, Card. H. Legate to the Council of Trent, 1967, 273-386 (64 Briefe aus den J. 1560-1563); − Ders., Ideal bishop according to St. H. (doctrine and practice), in: Studia warminskie 7, 1970, 189-225 (in poln. Sprache mit engl. Zus.fassung); − Ders., The genesis of the election of St. H. as a legate to Council of Trente, ebd. 119-139 (in poln. Sprache mit engl. Zus.fassung); − Ders., Explicatio Salutionis angelicae Stanislai Hosii in eiusdem Confessione Catholicae fidei Christiana, ebd. 327-340 (in poln. Sprache mit lat. Zus.fassung); − Marian Borzyskowski, Die Ideale des christl. Renaissancehumanismus des Kard. St. H., in der philos. Auffassung Gottes u. des Menschen, ebd. 141-151 (in poln. Sprache mit dt. Zus.fassung); − Ders., Materialien z. dichter. Schaffen u. Hrsg.tätigkeit des Kard. St. H., ebd. 305-233 (in poln. Sprache mit dt. Zus.fassung); − Jan Oblak, Zur Frage der seelsorgerl. Betreuung der Bevölkerung in Ermland in der 2. Hälfte des 16. Jh.s (Bes. Verdienste des Bisch. St. H. auf diesem Gebiet), ebd. 89-118 (in poln. Sprache mit dt. Zus.fassung); − Ludwig Nadolski, Die Lehre des Kard. St. H. v. der Einheit der Kirche, ebd. 10, 1973, 5-37 (in poln. Sprache mit dt. Zus.fassung); − Barbara Otwinowska, Polski Dwugkos o jezyku narodowym w kosciele (Hozjusz = Frycz), in: Andrej Frycz-Modrzewski i problemy kultury polskiego Odrodzenia, Wroclaw 1974, 131-163; −Klaus Ganzer, Zur Frage d. Ökumenizität d. Konzils v. Trient. Eine Auseinanders. zw. Stanislaus Orzechowski u. St. H., in: Konzil u. Papst, Festg. f. Herrmann Tüchle, hrsg. v. Georg Schwaiger, München u. a. 1975, 357-372; − Jan Wladyslaw Wos, Stanislao Reszka segretario del Card. St. H. e ambasciatore del re di polonia a roma e a napoli (n. 1544 - m. post 1600), in: Annali della scuola di lettere e filosofia, 1978, 8, 187-202; − Schottenloher I, 8973-8985; V, Nr. 46947-46971a; − ADB XIII, 180-184; − NDB IX, 650 f.; − RE VIII, 382 ff.; XXIII, 662; − RGG III, 458; − Hagiografia Polska I, 375-401; − Catholocisme V, 959 ff.; − LThK V, 490 f.; − Wetzer-Welte 6, 1889², 295-302.

Ba

HOSIUS [Hozius, Ossius], Bischof von Cordoba * um etwa 257 in Spanien, vermutlich in Cordoba, + um 357/58 in Cordoba. Über sein frühes Leben liegen keine Zeugnisse vor. Um 296 wurde H. zum Bischof geweiht. Als Bekenner hatte er unter der Verfolgung durch Maximilian (303-305) zu leiden. Gesichert ist die Teilnahme Bischof H.s an der Synode von Elvira (306?). Von 312 bis 326 diente H. als kirchenpolitischer Ratgeber am Hof Konstantins des Großen. Dieser sandte ihn 324 als kaiserlichen Legaten in den Osten, mit der Aufgabe, eine Schlichtung des arianischen Streites herbeizuführen. Ende 324 nahm H. an der hierzu einberufenen örtlichen Synode in Alexandrien und Anfang 325 an der Provinzialsynode in Antiochien teil, auf der er den Vorsitz führte. Im Sommer 325 präsidierte er das 1. ökumenische Konzil in Nikäa, wo er das Ergebnis der Beratungen stark zugunsten der Orthodoxie und des Homoousios beeinflußte. 342/43 leitete H. die Synode von Serdika, auf der er die meisten Kanones veranlaßte, unter anderem den Kanon für Rom als oberste kirchliche Appellationsinstanz. Weil H. sich entschieden gegen die Versuche, Konstantius II., von den westlichen Bischöfen die Verurteilung des Athanasios zu erreichen, einsetzte und in einem berühmt gewordenen Brief an den Kaiser die Einmischung in die Angelegenheiten der Kirche verurteilte, wurde er 356 an den Hof zitiert und 1 Jahr lang in Sirmium gefangengehalten, bis sein Widerstand gebrochen war und er die streng arianische 2. Sirmitische Formel unterschrieb (357). Danach durfte er in seine Diözese zurückkehren. Die spanische Synode verurteilte jedoch H.s Handlungsweise und bestrafte ihn damit, daß sein Name nicht in die Diptychen der Kirche von Cordoba aufgenommen wurde. Während H. bei den Griechen heute als Heiliger verehrt wird, haben ihn die westlichen Kirchen bis jetzt nicht in ihre Martyrologien aufgenommen. Als Verfasser theologischer Schriften scheint H. keine besondere Bedeutung gehabt zu haben.

Werke: Brief an Konstantius v. 356, in: MPL 8, 1327-1332; Kanones v. Sardica, ebd. 1317-1327; krit. Ausg. v. G. H. Turner, in: Ecclesiae occid mon. iuris antiquissima, I. ser. II/3, Oxford 1930, 452-486; Professio fidei Ossii et Protogenis, mit einem Brief an Julius I., in: MPL 56, 839-848; ed. G. H. Turner, ebd., 644-653; Mehrere Synodalschreiben v. Sardica, in: MPL 10, 557-564. 632-643; CSEL 65, 103-129. 181-184.

Lit.: R. Ceillier. Histoire générale des auteurs sacrés et ecclésiastiques IV, Paris 1733, 521-530; — H. Florez, Espana sagrada X, Madrid 1753, 159-208; — A. W. Ernesti, P. Ch. Grenz, Disputatio historicocritica, qua Hosium concilio Nicaeno non praesedisse ostenditur. Diss. Leipzig, 1758; — Michael Jos. Maceda, S. J., Hosius vere Hosius h.e. vere innocens, vere sanctus, 2 Diss., Bonn 1790; — Pius Bonifatius Gams, KG v. Span. II/1, 1864, 137-309; III/2, 1879, 484 ff.; — T. D. C. Marse, A. Hosius, in: Dchr B III, 1882, 162-174; — O. Seeck, Untersuchungen z. Gesch. d. Nicäischen Konz., in: ZfKG XVII, 1897, 1-71 u. 319-362; — Zacharias Carcia-Villada, Historia ecclesiastica de Espana, 3 Bde., Madrid 1926-36; I/2, 11-43; — H. Yaben, Barcelona 1945; — Victor C. De Clercq, Ossius of Cordova, Washington 1954; — U. Dominguez del Val, in: RET 18, 1958, 141-156. 261-281; — Henry Chadwick, O. and the Presidency of the Council of Antioch 325, in: JThS 9, 1958, 292-304; — B. Llorca, El Problema de la Caida de O., in: EE 33, 1959, 39-56; — M. Aubineau, La vie grecque de »saint« O. de Cordue, in: AnBoll 78, 1960, 356-361; — Klaus Martin Girardet, Kaiser Konstantius 2. als »Episcopus episcoporum« u. d. Herrscherbild d. kirchl. Widerstandes. [Ossius v. Cordoba u. Lucifer v. Calaris], in: Historia 26, 1977, 95-128; — Bardenhewer III, 393 ff.; — RE VIII, 376-382; — LThK VII, 1269 f. (unter Ossius); — RGG III, 457 f.; — Enciclopedia Cattolica IX, 1962, 406 f.; — Enciclopedia universal ilustrada XL, o. J., 854-856; — Tillemont, Memoires VII, 300-321 u. 711-716; — Wetzer-Welte VI, 1889², 290-295.

Ba

HOSPINIAN, Rudolf [Pseudonym für Rudolf Wirth], * 7.11.1547 in Altdorf/Kt. Zürich, als Sohn des Pfarrers und Dekans Adrian Wirth, + 11.3.1626 in Zürich. H. studierte Theologie in Zürich, Marburg und Heidelberg. 1568 wurde er ordiniert. Danach war er in verschiedenen Zürcher Landgemeinden als Pfarrer tätig (1568 Weiach, Hirzel, 1576 Schwamendingen). 1576 wurde H. zum Rektor der Schola Carolina in Zürich ernannt. 1588 erhielt er seine Berufung als Archidiakon und Chorherr am Großmünster in Zürich. 1594 wurde er Pfarrer am Zürcher Fraumünster, wo er 1623 resignierte. H. war Verfasser verschiedener theologischer Schriften, die sich besonders gegen die katholische Sakramentenlehre richteten, aber auch der innerprote-

stantischen Polemik galten. Daneben widmete er sich zahlreichen kirchengeschichtlichen Studien, die 1670 als »opera omnia« herausgegeben wurden.

Werke: De origine et progressu Rituum et Ceremoniarum Ecclesiasticarum, 1585; De templis, hoc est de origine, progressu et abusu templorum, ac omniorerum amonium ad templa pertinentium, 1587; Origo errorum, 1587; De Monachis, seu de origine et progressu Monachatus ac Ordinum Monasticorum, Equitum militatirum tam sacrorum quam saecularum omnium, 1588; De Festis Judaeorum et Ethnicorum, hoc est de origine, progressu, ceremoniis et ritibus festorum dierum Christianorum, 2 Bde., 1592/ 93; De origine progressu ceremoniis et ritibus festorum dierum Judaeorum, Graecorum, Romanorum et Turcarum, 3 Bde., Zürich 1593; Festa Christianorum, Zürich 1593, Genf 1612; Historia sacramentaria I, 1598; II: De origine et progressu Controversiae, de coena Domini inter lutheranos et orthodoxos, quos Zwinglianos et Calvinistas vocant, exortae ab anno Christi Salv. 1517 usque ad annum 1602, 1603; Lobgesang d. hl. Jungfrauen Mariae, gepredigt u. ausgelegt, 1600; Der verlohre Sohn (Predigt), 1605; Concordia discors, seu de origine et progressu formulae concordiae Bergensis, 1607; Historia Jesuitica, 1619; Der Reyche mann u. Arme Lazarus (Predigt), o. J.; — GA Opera Hospiniani (mit Biogr. v. Johann Heinrich Heidegger), 7 Bde., Genf 1669-81.

Lit.: Kurt Guggisberg, Das Zwinglibild des Prot. im Wandel der Zeiten, 1934; — Emanuel Dejung u. Willy Wuhrmann, Zürcher Pfr.buch, 1519-1952, Zürich 1953, 621; — RE VIII, 392 ff.; — RGG III, 458; — LThK V, 491; — HBLS VII, 1934, 566 (unter Wirth); — Jöcher II, neue Aufl., 1961, 1725 f.

Ba

HOSSBACH, Peter Wilhelm, ev. Pfarrer, * 20.2.1784 in Neustadt (Dosse) als Sohn eines Volksschullehrers, + 7.4.1846 in Berlin. — H. besuchte seit 1797 das Gymnasium in Neuruppin und studierte seit 1803 in Halle (Saale) und Frankfurt (Oder). Er wurde 1806 Hauslehrer in einer Kaufmannsfamilie in Hamburg und 1808 Erzieher im Haus des Grafen von Arnim-Boitzenburg in der Uckermark, 1810 Konrektor am Gymnasium in Prenzlau und noch in demselben Jahr Pfarrer in Plänitz bei Neustadt. Seine freie Zeit verwandte H. zu Studien und vertiefte sich in Friedrich Schleiermachers (s.d.) Schriften, von denen besonders dessen Jugendwerk »Über die Religion. Reden an die Gebildeten unter ihren Verächtern« auf ihn einwirkte. 1815 wurde er Kadettenhausprediger in Berlin. Es begann nun ein persönlicher Verkehr mit Schleiermacher und seinen Schülern und Freunden, der immer vertrauter wurde. Seit 1821 wirkte H. als Pfarrer an der damals noch vereinten Neuen und Jerusalemer Kirche in Berlin. In Anerkennung seiner Arbeit über Philipp Jakob Spener (s. d.) verlieh ihm die Theologische Fakultät in Göttingen 1830 die Doktorwürde. Er wurde 1830 Superintendent der Friedrich-Werderschen Diözese und war seit 1839 auch Mitglied des Konsistoriums der Mark Brandenburg. In den innerkirchlichen Kämpfen nahm er eine vermittelnde Stellung ein.

Werke: Johann Valentin Andrea u. sein Zeitalter, 1819; Philipp Jakob Spener u. seine Zeit. Eine kirchenhist. Darst., 1828 (1853²; 1861³; 1847); Predigten I, 1822; II, 1824; III, 1827; IV, 1831; V, 1837; VI, 1843; VII (mit biogr. Vorw. v. Friedrich August Pischon), 1848.

Lit.: Paul Grünberg, Philipp Jakob Spener III, 1906, 67 ff.; — RE VIII, 396 f.; — ADB XIII, 185-188.

Ba

HOSSBACH, Theodor, ev. Pfarrer, * 1.7.1834 in Berlin als Sohn des Pfarrers Peter Wilhelm Hoßbach (s.d.), + 11.8.1894 in Berlin-Lichterfelde. — H. besuchte das

Friedrich-Wilhelm-Gymnasium in Berlin und studierte seit Ostern 1852 in seiner Vaterstadt vier Semester Theologie. In Bonn empfing er die nachhaltigsten Anregungen durch Friedrich Bleek (s.d.). Im März 1856 und im Herbst 1857 legte H. in Koblenz seine theologischen Prüfungen ab und promovierte zwischen beiden zum Lic. theol.. Er wurde im Sommer 1858 Pfarrvikar in der nur 150 Seelen zählenden Diasporagemeinde Altenberg-Moresnet bei Aachen und widmete sich hier neben seinem Amt eifrig theologischen Studien. H. rang nach Klarheit; seine theologische Gedankenwelt war noch in vollem Fluß. Er wußte nur, was er nicht sein könne: nie und nimmer ein orthodoxer Pfarrer. Im Sommer 1861 kam H. als Früh- und Hilfsprediger an die Neue und Jerusalemer Kirche in Berlin. Er vertiefte sich in die »Christliche Glaubenslehre nach protestantischen Grundsätzen« von Alexander Schweizer (s.d.) und in die »Geschichte Jesu von Nazara« von Karl Theodor Keim (s.d.). Seine Anschauungen klärten und verfestigten sich zu denen der liberalen Theologie. H. schloß sich der Partei der Freunde der »Protestantischen Kirchenzeitung« an, nahm mit Heinrich Krause (s.d.), Karl Leopold Adolf Sydow (s.d.), Emil Gustav Lisco (s.d.) und anderen an der Gründung des »Deutschen Protestantenvereins« regsten Anteil und zog im Sommer 1865 mit vielen Gesinnungsgenossen nach Eisenach zum ersten deutschen Protestantentag. »Wir schreiben die Gleichberechtigung der verschiedenen Richtungen auf unsere Fahne und kämpfen für ihre Anerkennung gegen alles hierarchische und unduldsame Wesen. Wir rufen alle Gleichgesinnten auf, sich mit uns zu vereinigen, um diesen Geist der Duldsamkeit in der Kirche zur Herrschaft zu verhelfen. Wir wollen nicht in den Fehler unserer Gegner verfallen, Anschauungen, weil sie nicht die unsrigen sind, zu verketzern, sondern wir sind stets bereit zum Frieden, sobald wir in unserem Recht anerkannt werden. Wir wollen nicht zerstören, sondern bauen. Darum kann uns nichts darin liegen, große Massen zu gewinnen, die sich an unsere Fersen heften, aus Lust am Skandal, aus Freude am Zerstören«. 1867 wurde H. zum Magistrat zum zweiten Prediger an der Andreaskirche gewählt. Es blieb ihm in diesem Amt noch Zeit zu umfangreichem Wirken für die kirchlich-liberalen Bestrebungen. Er trat 1873 in dem Apostolikumstreit mit anderen Berliner Pfarrern für Sydow ein. Am 13.5.1877 hielt H. in der Jakobikirche eine Gastpredigt über die Einigkeit im Geist (Eph 4.3), die das Recht der modernen Weltanschauung auf der Kanzel forderte, aber doch eine versöhnliche Predigt war. H. wurde zum Pfarrer an der Jakobikirche gewählt. Nach der Wahl brach eine wahre Sturmflut von Protesten und Angriffen in der Presse auf ihn los. Beim Brandenburgischen Konsistorium wurde Einspruch gegen H.s Wahl erhoben. Es versagte ihr die Bestätigung. Wilhelm I. verlangte vom Präsidenten des Evangelischen Oberkirchenrats, Emil Herrmann (s.d.), daß gegen H. eine Untersuchung eingeleitet und auf Amtsentsetzung angetragen werde. Der Oberkirchenrat bestätigte den Spruch des Konsistoriums gegen H.: er wurde nicht an St. Jakobi berufen, durfte aber an St. Andreas weiter amtieren. Die Berliner Stadtsynode wählte ihn im Herbst 1877 zu ihrem zweiten

Vorsitzenden. Seit 1881 wirkte H. als Pfarrer an der Neuen Kirche in Berlin.

Werke: Friedrich Daniel Ernst Schleiermacher, Sein Leben u. Wirken, Berlin 1968; Der Pietismus in der ev. Kirche, 1869; Wie steht es mit dem Glauben in der modernen Orthodoxie u. in dem angeblich ungläubigen Protestant.ver.?, 1870; Das Gebet, 1872; Das Christentum der Urgemeinde, 1877; Die Aufgaben des Protestantenver., 1878; Warum bleiben wir in der Landeskirche?, 1879; Sind wir noch Protestanten?, 1882; Die revidierte Bibel, 1884.

Lit.: Aktenstücke betr. die Wahl des Predigers Lic. H. (H.s Wahlpredigt, seine Rechtfertigungsschr. an das Konsistorium u. seine Beschr. an den Ev. Oberkirchenrat), 1877/78; — Julius Burggraf, Th. H. Zur Erinnerung an sein Leben u. Wirken, 1895.

Ba

HOST, Johann, Dominikaner, Bekämpfer der Reformation, * um 1480 auf dem Hof Romberg bei Kierspe in Westfalen (daher oft Johann Romberg oder Romberch genannt), † Ende 1532 oder Anfang 1533. — Mit etwa 16 Jahren wurde H. in Köln Dominikanermönch und wirkte dort nach Empfang der Priesterweihe 1505 - 14 als Prediger. In dem Prozeß gegen Johannes Reuchlin (s.d.) um die Erhaltung oder Vernichtung der jüdischen Literatur (s. Pfefferkorn, Johann) vertrat H. als Prokurator den Inquisitor Jakob von Hoogstraeten (s. d.) vor dem bischöflichen Gericht in Speyer, dem Leo X. (s.d.) die Entscheidung übertragen hatte, und appellierte im Auftrag Hoogstraetens an den Papst, bevor am 29.3.1514 das Urteil gefällt wurde. Beide Mönche reisten nach Rom, um dort für ihre Sache erfolgreicher wirken zu können. Während des zweijährigen Aufenthaltes in Rom widmete sich H. dem theologischen Studium unter Silvester Prierias (s.d.) und begab sich zu seiner weiteren Ausbildung 1516 nach Bologna, wo er drei Jahre blieb. Dann ging H. nach Venedig als Seelsorger der Deutschen, besonders der Jerusalempilger, und gab dort verschiedene Werke heraus. Ende 1520 kehrte er nach Deutschland zurück und wirkte seit 1523 als Prediger und Professor der Theologie an der Universität in Köln. H. entfaltete eine rege schriftstellerische Tätigkeit als Bekämpfer der Reformation und Herausgeber von Werken anderer Gegner der lutherischen Lehre. Erfolglos trat er 1526 in Lippstadt und 1531 in Soest auf als Verteidiger des alten Glaubens gegen die reformatorische Bewegung. An dem Prozeß gegen Adolf Clarenbach (s.d.) war H. beteiligt.

Werke: Congestorium Artificiose Memorie, Venedig 1520 (eine schon 1513 in Dtld. f. seinen Freund Johann Grevenbroch verf. Menemonik); Anleitung z. Beichte (in dt. Sprache), Köln 1531; Ein kurtz Underrichtung v. lutheran. predicanten nit zulassen zu predigen npch zu disputieren v. d. luth. leer, 1531; Christl. Regell J. Romberch v. Kirspe üb. alle Gottes u. d. Menschen Gebotter u. Gesetz, 1531; Von d. mißbrauch d. Romscher kirchen Christl. antwordt auf d. Anwysung d. mißbruch durch dye predicanten zu Munster i. Westphalen alda übergebenn, 1532; Enchiridion sacerdotum, ebd. 1532 (Anleitung z. Beichte f. die Beichtväter); Gg.schr. gg. Andreas Bodenstein gen. Karlstadt, Justus Jonas, Otto Brunfels u. Bernhard Rottmann; Epistola Johannis Romberch Kyrspensis theologi atque divini verbi praeconis: Ad R. P. et D. Johannem Ingenwynckell, Praepositum Xanctens. etc. In qua narratur universa tragoedia de incarceration, examinatione, condemnatione, causes ac rationibus mortis Adolphi Clarenbach una cum Petro Flysteden nuper Coloniae exusti, Köln 1530, v. Nikolaus Paulus 1896 gefunden, neu hrsg. v. E. Bratke u. A. Carsted: Neuentdeckter Ber. des Inquisitors J. H. v. Romberch über seine Verhh. mit den ev. Märtyrern Adolph Clarenbach u. Peter Flysteden, in: Theol. Arbb. aus dem rhein. wiss. Prediger-Ver. NF 2, 1898, 15 ff.; 2 akadem. Reden: De imdoneo verbi ministro, Köln 1532; Determinatio miscellanea Theologicae quaestionis, in qua disseritur ex SS. eloquiis de lege evangelica, de libertate christiana, de fide catholica, de operatione necessaria, ebd. 1532; De in vocatione sanctorum, o. J.; De libero hominis arbitrio, o. J. – Gab heraus: die um 1290 verf. Descriptio Terrae Sacrae des Burchard v. Barby, Venedig 1519; v. Albertus Magnus, In Ethica Aristoteles commentaria, ebd. 1520; v. Johann v. Jandun, Komm. zu Aristoteles, ebd. 1520; v. Erasmus v. Rotterdam, De duplici copia verborum, ebd. 1520; v. Johannes Gabri, Malleus in haeresim Lutheranam, Köln 1524; v. Johann Eck, Enchiridion locorum communium adversus Lutheranos, ebd. 1525; v. dems., Antilogiarum M. Lutheri Babylonia, ebd. 1530; v. Konrad Wimpina, Farrago miscellaneorum, ebd. 1531; v. Dionysium dem Kartäuser, Commentariorum opus in Psalmos, ebd. 1531; v. Johann Mensing, De Ecclesiae Christi sacerdotio libri duo, ebd. 1532.

Lit.: Epistola Adolphi Clarenbach nuper Coloniae exusti, e vinculis scripta ad R. P. F. Iohannem Kirspensen Monachum Coloniensem praedicatorii odinis, de quibusdam fidei articulis (1530), in: Zschr. des Berg. Gesch.ver. 9, 1873, 128 ff.; – Theol. Arbb. aus den rhein. wiss. Prediger-Ver. 5, 1882, 93 ff.; – Nikolaus Paulus, J. H. v. Romberg, Ein Dominikaner des 16. Jh.s, in: Katholik 75, 1895, II, 481 ff.; – Ders., Die verloren geglaubte Schr. v. J. H. über Clarenbach, ebd. 76, 1896, I, 473 ff.;– Ders., Die dt. Dominikaner im Kampfe gg. Luther (1518-1563), 1903, 134-153; – Hermann Heussen, Die Matrikel der Univer. Köln II, Bonn 1919, 859; – Angelus Walz, Compendium historiae Ordinis Praedicatorum, Rom 1948², 472. 476; – P. F. Wolfs, Das Groninger »Religespräch« (1523) u. seine Hintergründe (Diss. Nijmegen), Utrecht 1959; – Quetif-Echard II, 88; – Schottenloher I, Nr. 8990-8993a; V, Nr. 46972 f.; – ADB XIII, 102; – NDB IX, 653 f.; – LThK V, 495; – Kosch LL VIII, 1981³, 153; – Jöcher II, 1727.

Ba

HOTTINGER, Johann Heinrich, Schweizer ref. Theologe und Orientalist, * 10.3.1620 in Zürich als Sohn eines Zunftmeisters der Schiffsleute, + 5.6.1667 bei Zürich. – H. studierte in seiner Vaterstadt am »Carolinum« Theologie. Der Rat sandte ihn 1638 zur Vollendung seiner Studien in das Ausland. Nach kurzem Aufenthalt in Genf zog er nach Frankreich und von dort in die Niederlande. In Groningen setzte H. seine theologischen Studien unter Franziskus Gomarus (s.d.) und Johann Heinrich Alting (s.d.) fort und widmete sich in Leiden unter Jakob Golius den orientalischen Wissenschaften. 1642 folgte er nach einem Besuch Englands dem Ruf nach Zürich und wirkte dort als Professor für Kirchengeschichte, orientalische Sprachen, Rhetorik und Katechetik. Auf Bitten des Kurfürsten Karl Ludwig von der Pfalz erhielt H. 1655 vom Zürcher Rat Urlaub zur Neuaufrichtung der Theologischen Fakultät der Universität Heidelberg, deren Rektor er 1656 wurde. H. stellte das »Collegium Sapientiae«, eine theologische Studienanstalt mit Konvikt, wieder her und verschaffte der Universität eine neue Blütezeit. Auch unterstützte er den Kurfürsten, der ihn 1656 zum Kirchenrat ernannt hatte, in seinen Einigungsbestrebungen zwischen Reformierten und Lutheranern. Im November 1661 trat H. in Zürich wieder ein und wirkte nun als Rektor des Gymnasiums. Berufungen nach Amsterdam und Deventer, Bremen und Marburg lehnte er ab, nahm aber mit Zustimmung des Rats den Ruf nach Leiden an. Vor der Abreise in die Niederlande wollte H. noch einiges auf seinem Landgut an der Limmat ordnen und fuhr mit seiner Frau und drei Kindern, einer Magd und zwei Freunden auf einem Boot dorthin. An einem vom hochgehenden Wasser verdeckten Flußwehr unterhalb Zürich kenterte das Boot. H. und einer seiner Freunde erreichten schwimmend das Ufer, ertranken aber beim Versuch, die anderen zu retten.

Auch die drei Kinder gingen in den Fluten der Limmat unter, während die übrigen sich an dem Boot festhalten konnten und gerettet wurden. – H. war mit den beiden Buxtorf (s.d.) in Basel zu seiner Zeit in der Schweiz der bedeutendste Orientalist und Begründer der orientalischen Philologie, besonders der arabischen und samaritischen. Sein handschriftlicher Nachlaß befindet sich in der Zürcher Zentralbibliothek: Thesaurus Hottingerianus, 52 Bände.

Werke: Exercitationes Anti-Morinae, 1644 (Verteidigung des hebr. Textes gg. den Oratorianer Johann Morinus); Wegweiser, 3 Bde., Zürich 1647-49; Erotematum linguae sanctae, 1647 (kleine hebr. Grammatik z. Schulgebrauch); Thesaurus philologicus seu clavis scripturae, 1649 (1659²) (1696³); gewissermaßen eine Einl. in das AT; Historia orientalis, 1651 (1660²); Historia ecclesiastica, 9 Bde., 1651-67 (als Qu.smlg. noch heute wertvoll u. bes. wegen der Dokumente der Schweizer Gesch. unentbehrlich); Analecta historico-theologica, o. O. 1652; Dissertationum Miscellanearum Pentas, Zürich 1654; Methodus legendi historias Helvetivas, 1654 (vollst. ·Übersicht über die schweizer. hist. Lit.); Juris Hebraeorum Leges 261, 1655; Grammatica quattuor linguarum hebr., chald., syr. et arab. harmonica, 1658; Promtuarium sive Bibliotheca Orientalis, Heidelberg 1658; Smegma orientale u. Promptuarium sive Bibl. Orientalis, Zürich 1658; Primitiae Heidelbergenses, Heidelberg 1659; Historia Orientalis, Zürich 1660; Ethymologicum orientale, Frankfurt 1661; Enneas Dissertationum philologico-theologicarum Heidelberg - Zürich 1662; Etymologia orientalis, 1662; Schola Tigurinorum Carolina cum Bibl. Orientalis, 1664; Speculum Helvetico-Tigurinum, Zürich 1665; Krisis Exaëmeros Historicae creationis Examen theologico-phililogicum, Heidelberg 1669. – Thesaurus Hottingerianus, 52 Bde., (Zürich, Zentralbibl.).

Lit. Johann Heinrich Heidegger, Historia de vita et obitu J. H. H., 1667 (abgedr. in H.s Historia eccleciastica IX); – Leonhard Meister, Berühmte Züricher II, 1782, 10 ff.; – Alexander Schweizer, Die theol.-eth. Zustände in der 2. Hälfte des 17. Jh.s in der zürcher. Kirche, Zürich 1857; – Georg v. Wyß, Gesch. der Historiogr. in der Schweiz, hrsg. v. Gerold Meyer v. Knonau, 1859, 259 f.; – Otto Fridolin Fritzsche, J. H. H., in: ZWTh. 11, 1868, 237 ff.; – Ludwig Diestel, Gesch. des AT in der christl. Kirche, 1869; – Heinrich Steiner, Der Zürcher Prof. J. H. H. in Heidelberg 1655-1661, 1886; – H. Escher, D. Bibliothecarius quadripartitus d. J. H. H., in: Zentralbl. f. Bibliothekswesen 51, 1934; – Ernst Gagliardi, Hans Nabholz u. J. Strohl, Die Univer. Zürich 1833-1933 u. ihre Vorläufer. Festschr., 1938; – L. Forrer, Großer Schweizer, 110 Bildnisse z. eidgenöss. Gesch. u. Kultur. Unter Mitarb. v. Gerold Ermatinger u. Ernst Winkler, hrsg. v. Martin Hürlimann, I, Zürich 1938; – Richard Feller u. Edgar Bonjour, Gesch.schreibung der Schweiz u, Spät-MA z. Neuzeit I, Basel - Stuttgart 1962 (Bibliogr.); – Gustav Adolf Benrath, Ref. KG.schreibung an der Univ. Heidelberg im 16. u. 17. Jh. (Diss. Heidelberg), Speyer 1963; – Robert J. Alexander, Acht Schriftstücke v. Isaac Clauß an Prof. J. H. H., in: Zs. f. d. Gesch. d. Oberrheins 127, 1979, 281-294; – ADB XIII, 192 f.; – NDB IX, 656 f.; – RE VIII, 399; – RGG III, 460; – Jöcher II, 1719; – HBLS IV, 296 f.; – Kosch VIII, 1981³, 156.

Ba

HOTTINGER, Johann Henrich (oder Heinrich), pietistischer Theologe und Orientalist. * 5.12.1681 in Zürich, + 7.4.1750 in Heidelberg. – H. studierte Theologie und orientalische Sprachen in Zürich, Genf und Marburg. 1704 wurde er als außerordentlicher Professor, 1705 als ordentlicher Professor in die Philosophische Fakultät in Marburg aufgenommen. 1710 wurde H. ordentlicher Professor an der Theologischen Fakultät. Hier hielt er Vorlesungen über alttestamentliche Archäologie und Exegese. – Ab 1708 geriet H. in schwere Streitigkeiten mit dem Hugenotten Professor Theologe Thomas Gautier (s.d.), der sich zur calvinistischen Orthodoxie bekannte und vor dem Mißbrauch der Vernunft in Glaubensdingen warnte, während H. sich dagegen für Heinrich Horche (s.d.), den Anhänger der cartesianischen Philosophie und geistige Haupt der

Pietisten in Hessen einsetzte. Auch nach Gautiers Tod (1709) setzten sich die Auseinandersetzungen um H. fort: Als sich Johann Ulrich Gietzentanner, Lehrer am von H. mitbegründeten reformierten Waisenhaus in Marburg, 1715 in einer Predigt als Anhänger der pietistisch Inspirierten bekannte, wurde H. von der Regierung in Kassel aufgefordert, seine eigene Haltung zu den Pietisten offenzulegen. Zu seinen »Theologischen Bedenken« bekannte sich H. zu der Möglichkeit außerordentlicher Offenbarungen, die allerdings nicht die Grundwahrheiten des Glaubens ausmachen, und der Lehre der Heiligen Schrift nicht widersprechen dürften. Der daraufhin gegen ihn erhobene Vorwurf der Heterodoxie führte 1717 zu seiner Entlassung aus seiner Lehrtätigkeit in Marburg. – 1717-1721 hielt sich H. als Prediger in Frankental auf. 1721 wurde er als Professor Theologie und Prediger an der Peterskirche nach Heidelberg gerufen. Auch hier setzte H. sich für praktizierte christliche Nächstenliebe im Sinne des Pietismus ein. – 1740 wurde H. zum Primarius der theologischen Fakultät ernannt. Er verwaltete dieses Amt bis zu seinem Tod.

Werke: Typus doctrinae christianae seu integrum systema didacticum, 1714; Christl. Barmherzigkeit..., 1715 (betr. Waisenhaus Marburg); Typus vitae christianae delineans Theologiam morum specialim de inspectione seu ipsius, 1717 (anonym); Theologia morum generalis, 1715; Historia facti oder kurtze u. wahrhaffte Erz., was sich mit J. H. H. ... zugetragen, 1717; Christl. Manual oder Anleitung, wie ein Christ den ganzen Tag vor Gott wandeln soll, Büdingen, 1724; Typus studiosi Theologiae, 1739; Lazarus oder christl. Unterricht v. den Pflichten der Armen, 1740; Typus pastoris evangelici, 1741; Predigten, 1746.

Lit.: Heinrich Heppe, Gesch. des dt. Volksschulwesens I, 1858, 314 ff.; – Ders., Gesch. der theol. Fac. zu Marburg, 1873, 10 f. 42; – Ders., KG beider Hessen II, 1876, 235 ff.; – Franz Gundlach, Catalogus professorum Marburgensis academiae. Die akadem. Lehrer der Philipps-Univ. in Marburg v. 1527-1910, 1910, Nr. 44, S. 28 f.; – Heinrich Hermelink u. Siegfried A. Kaehler, Die Philipps-Univ. zu Marburg 1527-1927, 327-330; – Strieder VI, 204-223; – ADB 50, 479-483; – NDB IX, 657 f.; – Jöcher II, 2157; – HBLS IV, 297; – Kosch VIII, 1981³, 157.

Ba

HOUBIGANT, Charles-Francois, Oratorianer, * 1686 in Paris, + daselbst 31.10.1783. – H. wurde 1704 Oratorianer und blieb dies für 24 Jahre. Bevor er 1722 an das Seminar St. Magloire berufen wurde, war er in Juilly, Marseille und Soissons Lehrer für Literatur. 1718 unterschrieb er einen Aufruf gegen die Bulle Unigenitus. Durch Überanstrengung in seiner Funktion am Seminar in St. Magloire erlitt H. eine Krankheit, die es ihm nur noch erlaubte, sich mit dem Hebräischen und der Heiligen Schrift zu beschäftigen. Er hatte die Notwendigkeit erkannt, den hebräischen Bibeltext zu überarbeiten. So erschien 1753 seine Ausgabe der Bibel in Hebräisch und Latein, die er mit kritischen Anmerkungen und Erklärungen zu den größten Schwierigkeiten der wichtigsten Texte versah. Für dieses Werk erhielt H. von Benedikt XIV. (s.d.) zwei Goldmedaillen. Im Verlauf der nächsten Jahre verfaßte er zahlreiche exegetische Werke, die er, da er die Notwendigkeit der Verbesserung des Masoretischen Textes erkannte, durch eine Reihe von textkritischen Emendationen ergänzte.

Werke: Racines heraiques sans points-voyelles, 1732; Prolegomena in Scripturam sacram, 1746; Psalmorum versio vulgara et nova ad Hebraicum verritatem facta, 1746; Psalmi hebr. mendis quam plurimis expur-

gati, 1748; Conférences de Metz, 1750; Biblia Hebraica cum notis criticis et versione latina ad notas criticas facta, 4 Bde., 1753 f.; Veteris Testamenti versio nova, 5 Bde., 1753 f.; Notae criticae in universos Veteris Testamenti cum hebraice, tum graece scriptes, 1777.

Lit.: G. W. Meyer, Geschichte der Schrifterklärung IV, Göttingen, 1805, 154 ff. .. 264 ff. .. 465 f.; – J. F. Adry, Notice sur la vie et les œuvres du P. H., in: Magasin encyclopédique, mai 1806, 123 ff.; – Ingold, Essai de bibliographie oratorienne, Paris 1880; – Wetzer-Welte VI, 314 f.; – Lichtenberger VI, 386 ff.; – The New Schaff-Herzog Encyclopedia of Tel. Knowledge V, 378; – DBV III, 765 f.; – LThK V, 497 f.; – Catholicisme V, 988 f.; – EC VI, 1485 f.; – Jöcher II, 2161 f.; – CKS I, 888.

Ba

HOUTIN, Albert, kath. Theologe, * 4.10.1867 in La Fleche (Department Sarthe) als Sohn armer Eltern, + 30.7.1926 in Paris. – H. erhielt seine humanistische Bildung in dem Kleinen Seminar in Angers (Department Maine-et-Loire) und widmete sich in dem dortigen Großen Seminar den philosophischen und theologischen Studien. Während eines Besuch der nahe gelegenen Benediktinerabtei Solesmes erwachte in ihm der Wunsch, dort als Novize einzutreten. Etwa ein halbes Jahr verbrachte er in Solesmes, durfte aber die Gelübde nicht ablegen und kehrte darum in das Seminar zu Angers zurück. H. empfing 1891 die Priesterweihe und wurde im Kleinen Seminar zu Angers zunächst Studienpräfekt, dann Dozent für Geschichte und Deutsch. Seine Studien über die Anfänge der französischen Bischofssitze führten zu der Erkenntnis, daß die bisherige Annahme ihrer apostolischen Gründung geschichtlich unhaltbar sei. H. geriet 1901 mit seinem Bischof in Konflikt, weil er auf Grund seiner Forschungen zur Geschichte der Diözese Angers erklärte, die Tradition von ihrem apostolischen Ursprung und die Behauptung, der heilige Renatus wäre Bischof von Angers gewesen, sei nur eine Legende und Fabel. H. mußte seine Lehrtätigkeit aufgeben, erreichte aber, daß ihm gestattet wurde, mit einem Celebret, der Erlaubnis zum Messelesen, sich für sechs Monate zu seinen Eltern nach Paris zurückzuziehen. Er wurde 1902 Hilfsprediger, pretre habitue, des Pfarrers von St. Sulpice in Paris, verlor aber nach drei Monaten diese Stelle wegen seines 1902 erschienenen Buches über die Bibelfrage bei den französischen Katholiken im 19. Jahrhundert, dessen Lektüre den Priestern und Gläubigen der Diözesen Paris und Angers verboten wurde. Vergeblich bemühte sich H. um Aufnahme in den Dienst der Diözese Versailles und um Erneuerung seines Celebrets. Mit der Regierung Pius' X. (s.d.) setzte der eigentliche Kampf gegen den Reformkatholizismus und den Modernismus ein: 5 bibelkritische Werke von Alfred Loisy (s.d.) und 3 Bücher H.s kamen 1903 auf den »Index librorum prohibitorum«. H. ließ sich dadurch in seiner wissenschaftlichen Arbeit und schriftstellerischen Tätigkeit nicht hemmen. 1912 legte er zum Ausdruck seines endgültigen Bruchs mit der Kirche das geistliche Gewand ab und arbeitete seit 1913 am »Musee pedagogique«, dessen Direktor er 1919 wurde. – H. ist neben Alfred Loisy Hauptvertreter des französischen Modernismus. Seine Schriften sind eine äußerst wertvolle Geschichtsquelle für das Studium der modernistischen Bewegung innerhalb der katholischen Kirche und des Reformkatholizismus.

Werke: Dom Couturier, abbé de Solesmes, 1899; La controverse de l'apostolicite des eglises de France au XIXe siecle, 1900 (1903^3); Les origines de l'eglise d'Angers: la legende de Saint Rene, 1901; Un dernier Gallican: Henri Bernier, chanoine d'Angers (1795-1859), 1901 (1904^2); La question biblique chez les catholiques de France au XIXe siécle, 1902 (1902^2); Mes difficultes avec mon eveque, 1903; L'Américanisme, 1903 (1904^2); La question biblique au XXe siecle, 1906 (1906^2); La crise du clergé, 1907 (1908^2), 1907 (1908^2); engl. London 1910; it. Mailand 1910); Eveques et Dioceses I, 1907 (1908^3); II, 1909; Un pretre marie: Charles Perraud, chanoine honoraire d'Autun (1831-92), 1908 (1908^2, engl. Boston 1910; it. Mailand 1910); Autour d'un pretre marie. Histoire d'une polemique, 1910; Histoire du modernisme catholique, 1913; Le Père Hyacinthe Loyson. I: Le Père Hyacinthe dans l'Eglise romaine (1827-69), 1920; II: Le Pere Hyacinthe reformateur catholique (1869-93), 1922; III: Le Père Hyacinthe pretre solitaire (1893-1912), 1924; Courte Histoire du Christianisme, 1924; Une grande Mystique: Madame Bruyère, abbesse de Solesmes (1845-1909), 1925 (1930^2); Un pretre symboliste: Marcel Hebert (1851-1916); Une vie de pretre (1867-1912), 1926 (405-465: Selbstbiogr.); Neuaufl. 1928 zus. mit einem 2. Bd.: Ma vie laique 1912-26; Documents et souvenirs, hrsg. v. F. Sartiaux; Du sacerdoce au mariage, 2 Bde., 1927 (zus. mit P. L. Couchoud); Courte histoire du celibat ecclésiastique, 1929. – Alfred Loisy, Sa vie, son oeuvre, 1960 (das Ms. H.s wurde v. F. Sartiaux fortges. u. hrsg. v. E. Poulat).

Lit.: Joseph Schnitzer, A. H., Une vie de Pretre, in: ThLZ 52, 1927, 400 f.; – G. Pioli, A. H., historien and Hero of Sincerity. A memoir, in: Contemporary review 131, 1927, 756 ff.; – P. Alfaric, A. H. historien du clerge, in: Europe 12, Paris 1928, 358 ff.; – J. Benda, A. H. Une vie de pretre, ebd. 13, 1929, 274 ff.; – A. Siouville, L'oeuvre d'A. H. ebd. 278 ff.; – F. Sartiaux, A. H. et l'eglise, ebd. 284 ff.; – Ders., A. H. et le celibat ecclésiastique, ebd. 19, 1930, 296 ff.; – J. Rivière, Le modernisme dans l'Église, Paris 1929; – Alfred Loisy, Memoires pour servir à l'histoire religieuse de notre temps, 3 Bde., ebd. 1930/31; – F. Di Pilla, Francesi e Italine nel more di una crisi [del Modernismo], in: Annali della Facoltà di Lettere e Filosofia dell' Università di Perugia, 4, 1976/ 77; – Ronald Burke, Loisy's faithlandshift i. Catholic thought, in: The Journal of Religion 60, 1980, 138-164; – Catholicisme V, 994 f.; – EC V, 994 f.; – LThK V, 497; – RGG III, 460 f.

Ba

HOWARD, John, puritanischer Pionier der Gefängnisreform, * 2.9.1726 in Hackney (Mittelengland) als Sohn eines Möbelhändlers und Tapezierers, + 20.1.1790 in Cherson (Südrußland). – Bald nach der Geburt H.s starb seine Mutter. Sein Vater führte ein einfaches, bescheidenes Leben, obwohl er sich ein stattliches Vermögen erworben hatte. Er gehörte einer puritanischen Gemeinschaft an und erzog in diesem Geist auch seinen Sohn. Auf Schulbildung legte der Vater wenig Wert, da die Puritaner zu Staatsstellungen nicht zugelassen wurden. H. kam in ein Londoner Handelshaus, gab aber seine Stelle auf, als der Vater 1742 plötzlich starb. Er ging nun auf Reisen und kehrte erst nach anderthalb Jahren in sein Vaterland zurück. Mit 25 Jahren heiratete H. aus Dankbarkeit die 52jährige Witwe Sarah Loidore (oder Lardeau), die ihn in monatelanger Krankheit gepflegt hatte. Am 10.11.1755 starb seine Gattin, und H. gab ihr Vermögen ihren Verwandten. Die Berichte über das Erdbeben, von dem Lissabon, die Hauptstadt Portugals, 1755 heimgesucht worden war, und die Schilderungen der furchtbaren Notlage der von der Katastrophe betroffenen Menschen veranlaßten ihn zu einer Reise dorthin, um zu sehen, ob und wie er den Unglücklichen helfen könnte. Das Schiff, mit dem H. fuhr, geriet in französische Kriegsgefangenschaft. Die Reisenden und die Mannschaft wurden in einem finstern, schmutzigen Raum der Festung Brest eingesperrt. Man gab ihnen tagelang nichts zu essen. Viele erkrankten und starben. So gewann H. Einblick in ein ihm bisher unbekanntes Elend, in das Los der Gefangenen. Nach zwei Monaten wurde er ausgetauscht und bemühte sich nach seinem Eintreffen in London um die Freilassung der übrigen. Auf Grund seiner Studien auf dem Gebiet der Wetterkunde wurde H. Mitglied der englischen Akademie der Wissenschaften. Am 25.4.1758 fand seine Hochzeit mit Henrietta Leeds, der Tochter eines Juristen, statt. Als Gutsbesitzer in Cardington bei Bedford kümmerte sich H. um seine Leute: er baute für die Pächter und Landarbeiter neue Einfamilienhäuser, richtete für die Kinder Schulen ein und sorgte für die Armen, Witwen und Waisen. Seine Gattin starb am 31.3.1765 bei der Geburt des ersten Kindes. H. unterbrach seine Einsamkeit in Cardington mehrmals durch Reisen nach London, an die See und im Winter 1769 nach Italien. Weil er Grundbesitzer und ein vermögender Mann war, wählte man H. zum Sheriff, zum ehrenamtlichen obersten Verwaltungsbeamten der Grafschaft Bedford. Zu seinen Amtsgeschäften gehörte auch die Verwaltung der Gefängnisse der Grafschaft. Darum besuchte er das Gefängnis in Bedford und reiste dann von Grafschaft zu Grafschaft, um sich eingehende Kenntnis über die Zustände in den Gefängnissen zu verschaffen. In alten Burgen, Toren und Kellern der Ratshäuser befanden sich die Gefängnisse. Die Gefangenen waren in Löchern tief unter der Erde untergebracht. Männer und Frauen, Kinder und Greise, Gesunde und Kranke, Schuldner und Untersuchungsgefangene, Verbrecher und Irre: alles lag durcheinander. Der Boden war naß, und das Stroh des Nachtlagers vermoderte. Ein furchtbarer Gestank drang aus den unterirdischen Verliesen durch ein Loch nach oben, das aber abends mit einer Bohle oder einer Falltür verschlossen wurde. »die Gefangenen in unserem Land leben schlimmer als Hunde oder Schweine«, heißt es in einer Zeitschrift von 1767, »sie werden viel unsauberer gehalten als diese Tiere in ihren Hütten und Koben«. So waren die Gefängnisse Höhlen des Elends und des Grauens, Brutstätten von Krankheiten und Seuchen. Die Beamten bekamen kein Gehalt, sondern waren auf die Gebühren und Gaben der Gefangenen und ihrer Angehörigen angewiesen und so der Bestechung zugänglich. Für Geld konnte man von dem Vorsteher oder den Aufsehern alles erhalten, auch alkoholische Getränke, obwohl sie verboten waren. Den reichen Gefangenen standen gegen entsprechende Bezahlung gute Betten zur Verfügung; sie konnten sogar ein besonderes Zimmer in der Wohnung des Vorstehers bekommen und durften Besuch empfangen, wann und wen sie wollten. Die Gefängnisverwaltung war gesetzlich verpflichtet, Nahrungsmittel für arme Gefangene und Schuldner zu schaffen, gab ihnen aber nichts. So mußten die Gefangenen Not leiden, wenn sie nicht Angehörige und Freunde hatten, die ihnen Geld, Kleider und Nahrungsmittel brachten. H. traf Gefangene an, die freigesprochen waren, aber in der Haft bleiben mußten, weil sie dem Gefängnisvorsteher die Gebühren nicht zahlen konnten. Untersuchungsgefangene wurden aus Sicherheitsgründen in Ketten gelegt. Wenn der Gefangene aber tüchtig zahlte, wurden ihm die Fesseln abgenommen. Arbeit gab es nicht. Die Zeit wurde mit Kartenspiel vertrieben. Wenn einer neu hinzukam, mußte er Eintrittsgeld bezahlen oder seinen Rock abgeben, der zu Geld gemacht wurde. Damit veranstaltete man ein wüstes Gelage. Es gab zwar einige Gesetze, die die Mißstände in den Gefängnissen beseitigen sollten; aber in den meisten Fällen richtete sich niemand nach den gesetzlichen Bestimmungen. Zu Anfang des 18. Jahrhunderts war eine »Society for the Promoving Christian Knowledge« gebildet worden. Ein Ausschuß sollte unter Leitung eines Bischofs die Mißstände in den Gefängnissen erforschen und Verbesserungsvorschläge machen. Seine Arbeit war aber leider vergeblich. Das Parlament forderte H. auf, ein »Sachverständigen-Gutachten« abzugeben. So wurden im Parlament zwei Entwürfe eingereicht, die im Mai 1774 Gesetz wurden. Das eine bestimmte ür die Gefängnisvorsteher feste Gehälter, das andere verlangte eine jährliche gründliche Reinigung der ganzen Anstalt. Bei seinen Besuchen der Gefängnisse wies H. auf die gesetzlichen Vorschriften hin. Ihre Durchführung konnte er nicht erzwingen, übte aber dadurch einen gewissen Druck aus, daß er seine Aufzeichnungen veröffentlichte. H. dehnte seine Gefängnisbesuche von seinem Vaterland auf Irrland und Schottland aus, dann über den Kanal auf das Festland. Er reiste nach Frankreich, Holland, Belgien und Westdeutschland. Im Gegensatz zu den englischen Gefängnissen fand H. in den Strafanstalten des Festlandes alle Gefangenen bei der Arbeit. Sie waren z.B. mit Straßenreinigung, Müllabfuhr und Wegebauten beschäftigt. In Lüneburg sah er Gefangene mit freien Arbeitern am Kalkberg bei der Zubereitung von Kalk. »Im Mannheimer Zuchthaus ist keiner müßig«, berichtet H. »Sie sitzen in einigen Räumen beisammen, manche gehen ihrem Handwerk nach, die übrigen Gefangenen weben große Tücher oder fertigen Karten an. Im Hamburger Zuchthaus wird gesponnen, gewebt und Farbholz geraspelt«. Nach seiner Rückkehr arbeitete H. seine Aufzeichnungen für den Druck aus. So erschien 1777 sein Buch »Zustand der Gefängnisse in England und Wales«. Auf Grund seiner Besuche der ausländischen Gefängnisse machte er Vorschläge zur Verbesserung des englischen Strafvollzugs. H. fordert für Strafgefangene schwere Arbeit, während Schuldner und Untersuchungsgefangene nur arbeiten sollen, wenn sie es wünschen. H. empfiehlt eine Arbeitsbelohnung für die Gefangenen und unterscheidet Hausgeld, mit dem der Gefangene sich Kostzuschläge beschaffen kann, und Rücklage, die ihm bei der Entlassung ausgehändigt wird. Auch soll dem Entlassenen ein Zeugnis über Arbeit, Fleiß und Betragen in der Anstalt gegeben werden. H. fordert die Trennung der Gefangenen: Frauen sollen von Männern gesondert und diese eingeteilt werden in Schuldner, Untersuchungs- und Strafgefangene, die letzteren in Gefängnis- und Zuchthausgefangene. H. schlägt ein Stufensystem vor. In der höheren Stufe müßte die Haft und Arbeit milder und leichter werden. Einzelhaft fordert H. für die Verbüßung ganz kurzer Freiheitsstrafen, als Disziplinarstrafe und vor allem zu Beginn der Strafzeit. H. setzt sich für regelmäßige Gottesdienste in den Gefängnissen und Religionsunterricht eifrig ein und wünscht, daß Pfarrer durch Zellenbesuche die Gefangenen seelsorgerlich betreuen. In den 17 Jahren seiner Wirksamkeit hat er siebenmal sein Vaterland verlassen, um die Gefängnisse in den Niederlanden,

Belgien, Frankreich, Spanien, Portugal, Italien, der Türkei, Rußland, Schweden, Dänemark, Österreich und Deutschland zu besuchen. Der Erfolg seiner Forschungsarbeit war das Gesetz von 1779 zur Errichtung eines staatlichen Zuchthauses und einige Gesetze der achtziger Jahre zur Errichtung von Grafschafts- und Stadtgefängnissen. Es entstanden 6 neue Gefängnisse, die mehr oder weniger den Forderungen H.s entsprechend angelegt und eingerichtet wurden. H. besuchte nicht nur Gefängnisse, sondern auch andere soziale und karikative Anstalten, besonders im Ausland, z. B. Krankenhäuser, Lazarette für Pestkranke und Quarantänelager. Seine Besichtigungen begannen in Marseille. Da die französische Regierung damit rechnete, daß H. seine Tagebuchaufzeichnungen für eine Veröffentlichung verwerten und über seine Eindrücke und Erlebnisse berichten werde, verweigerte sie ihm die Einreise und Besichtigung der Lazarette. So reiste er mit falschem Paß die Levanteküste entlang, kam nach Venedig, segelte von dort nach Malta, zur kleinasiatischen Küste und nach Konstantinopel und von dort nach Smyrna und Venedig zurück. Während seines vierzigtägigen Aufenthalts im dortigen Quarantänelage erhielt H. die Nachricht, daß sein Sohn dem Wahnsinn verfallen sei und in besondere Pflege gegeben werden mußte. Von Venedig reiste er nach Wien und hatte mit Joseph II. eine Unterredung. Über Frankfurt am Main und Holland traf H. in England wieder ein und arbeitete seine Tagebuchaufzeichnungen zur Veröffentlichung aus: »Ein Bericht der hauptsächlichen Lazarette in Europa« (1789). Bald darauf trat er eine längere Reise an. H. fühlte sich auf seinem Gut in Cardington einsam. Sein Sohn war in der Heilanstalt und blieb bis zu seinem Tod in geistiger Umnachtung. Durch Holland und Deutschland führte H.s Weg. In Rußland nahm man ihn gastlich auf. Von Petersburg ging es nach Moskau und weiter südlich in die Krim, wo die Russen mit den Türken Krieg führten. Die Lazarette waren voller Typhuskranke. Durch diese Besuche wurde er das Opfer der Seuche. – H. war der Wegweiser vom mittelalterlichen zum modernen Strafvollzug. Seine Besichtigungsberichte haben die Aufmerksamkeit der damaligen Welt auf die Probleme des Strafwesens zuerst hingewiesen. Die christliche Liebe zu den Mitmenschen war der Grund seiner Bemühungen, das Los der Gefangenen zu verbessern. 1866 wurde die »Howard Association« gegründet, deren Bestreben die Weiterführung der Reform des Strafvollzugs war. Diese Vereinigung verschmolz nach dem ersten Weltkrieg mit einer anderen zu der »Howard League for Penal Reform«, zu deren Forderungen die Abschaffung der Todesstrafe, die besondere Behandlung jugendlicher Krimineller und ein einheitlicher, humaner Strafvollzug in allen Staaten gehören.

Werke: The State of the Prisons in England and Wales, with Preliminary Observations, and an Account of some Foreign Prisons and Hospitals, Warrington 1777 (1780²; 1784³; dt. Übers. v. Köster, Leipzig 1780); Account of the Principal Lazarettos in Europe, 1789 (dt. Übers. v. Fr. Ludwig, Leipzig 1792); J. Field, Correspondance of H., London 1855.

Lit.: Anecdotes of the Life and Character of J. H., written by a Gentleman, 1790; – John Aikin (ein Freund H.s, der ihn bei der Abfassung u. Hrsg. seiner Schrr. unterstützte), A View of the Character and Public Services of the late J. H., 1792 (dt. Übers. v. Joh. Christ. Fick, Leipzig 1792); – James Baldwin Brown, Memoirs of the Public and Private Life of J. H., 1818 (1823²); – Thomas Taylor, Memoirs of H., 1836; – William Hepworth Dixon, J. H. and the Prison World of Europe, 1849 (1854[5]); – G. E. Sargent, The Philanthropist of the world; a Life of J. H., London 1849; – J. Field, Life of H., 1850; – William H. Dixon, Memoir and Records of J. H., London 1854; – C. K. True, Memoirs of J. H., the Prisoners Friend, Cincinnati 1878; – J. Stoghton, H. the Philanthropist, 1884; – R. D. R. Sweeting, Essay on the Experiences and opinions of J. H., Cincinnati 1884; – P. E. Aschrott, Strafensystem u. Gefängniswesen in England, 1887; – W. H. Render, Through Prison Bars: the Lifes of J. H. and Elizabeth Fry, Cincinnati 1894; – H. H. Scullard, J. H., Cincinnati 1899; – E. C. S. Gibson, J. H., Cincinnati 1901; – Nikolaus Hermann Kriegsmann, Einf. in die Gefängniskunde, 1912, 26 ff.; – Sidney u. Beatrice Webb, English Prisons under Local Government, 1922; – Arthur R. C. Gardner, The Place of J. H. in Penal Reform, 1926; – Helmut Rahne, J. H., der Wegweiser vom MA z. modernen Strafvollzug, 1928; – Bibliographie, hrsg. v. Leona Baumgartner, Baltimore 1939; – Rod Morgan, Divine philanthropy: J. H. reconsidered, in: The Journal of the historical association, 62, 1977, 388-410; – Albert Krebs, J. H.s Einfluß auf d. Gefängniswesen Europas - vor allem Dtlds., in: Zs. f. Strafvollzug u.Straffälligenhilfe, 27, 1978, 41-51; – DNB X, 44 ff.; – EBrit XI, 847; –Hist.-Liter. Hdb., Leipzig 1797, 281-290.

Ba

HOWARD, Philip (rel. Thomas), Dominikaner (seit 1645), Kardinal, * 21.9.1629 in London, + 17.4.1694 in Rom. – 1652 wurde H. Priester. 1657 gründete er zunächst das Kloster Bornheim in Flandern, dessen erster Prior er war, sowie 1660 gemeinsam mit seiner Cousine Antonia H. ein Dominikanerkloster in Vilvarde. Von 1662-74 war H. Hofkaplan der Königin Katharina v. Braganza, danach für kurze Zeit nochmals Prior in Bornheim, bevor er 1675 nach Rom ging, um dort im selben Jahr Kardinal zu werden. Hier errichtete er das englische Kolleg neu sowie auch eine Ordensschule, die auf sein Geheiß hin auch in Löwen entstand. 1679 wurde H. Kardinalsprotektor von England und Schottland. – Schwerpunkt seines gesamten Schaffens war die Wiedergewinnung und Erhaltung des katholischen Glaubens in England. Die englische Dominikanerprovinz sah H. nicht umsonst als ihren Erneuerer an.

Lit.: A. Touron, Hist. de hommes illustres de l'Ordre de St. Dominique V, Paris 1748, 698 ff.; – C. F. R. Palmer, The Life of P. Th. H., cardinal of Norfolk, London 1867; – W. Lescher, Life of Cardinal H., ebd. 1905; – B. Jarret, Cardinal H.s letters, in: Publ. of the Catholic Record Society 25, ebd. 1925; – B. Hemphill, The Early Vicars Apostolic of Engl., ebd. 1954; – G. Austruther, A Hundred Homelers Years, 1958; – Ders., Cardinal H. and the Engl. Court (1658-94), in: AFP 28, 315 ff.; – EC VI, 1488; – CathEnc VII, 502 f.; – DNB XVIII, 54 ff.; – LThK V, 498.; EBrit XI, 847 f.

Ba

HOWE, John, englischer Theologe, führender puritanischer Prediger, * 17.5.1630 in Lowborough (Leicestershire) als Sohn eines streng puritanischen Geistlichen, der die Staatskirche verlassen mußte, + 2.4.1705 in London. – Nach dem Studium in Cambridge und im Magdalen College in Oxford, wurde H. 1652 Pfarrer in Great Torrington (Devonshire), wo er dann auch zum Presbyterianer wurde. Von 1656-59 war er dann Hofprediger Cromwells. Im selben Jahr noch kehrte er nach Torrington zurück, wo er dann jedoch aufgrund seiner Ablehnung der Uniformitätsakte und seiner Neuordnung durch einen Bischof 1662 den Dienst aufgab. Nch einigen Jahren der Arbeit als freier Prediger, wurde H. 1670 Hauskaplan bei Lord Massareene in Irland. Ab 1672 arbeitete er an der Vereinigung der

Presbyterianer und Konkregotionalisten, zu der es kurzzeitig zwischen 1650 und 1694 auch kam. 1675 berief man ihn in die Nonkonformistengemeinde in Haverdashers Hall in London. Von dort ging er 1685 nach Utrecht, wo sich Kräfte trafen, die mit der Entwicklung in England unzufrieden waren. Nach Verkündung der Religionsfreiheit kehrte H. nach London zurück, wo er zum einen Stimmung für Wilhelm von Oranien machte und zum anderen nachhaltig für die kirchliche Arbeit der Nonkonformisten eintrat. Im Jahre 1700 kam es zu Auseinandersetzungen mit Defoe, da H. sich für die gelegentliche Konformität einsetzte. Er wollte den Nonkonformisten Zugang zu den Pfarrkirchen im Gottesdienst und bei der Sakramentsfeier gewähren. Der interkonfessionelle Verkehr wurde jedoch durch die erste Bill der Königin Anna im Jahre 1702 verboten. – Bis zu seinem Tode war H. Prediger und theologischer Schriftsteller. Seine Werke und seine Biographie wurden 1724 von Calamy herausgegeben.

Werke: The Reconcileableness of God's Presidence, 1667; The Blessednes of the Righteous, 1668; The Vanity of this Mortal Life: or, of Man, Considered only in His Present Mortal State, 1672; A Treatise of Delighting in God, 1674; The Living Temple of God, 1675; A Letter Written out of the Countrey to a Person of Quality in the City..., 1680; Thoughtfulness for the Morrow, 1681; A Discourse of Charity in Reference to Other Men's Sins, 1681; Selfdedication Discoursed in the Anniversary Thanksgiving of a Person of Honour for a Great Deliverance, 1682; The Right Use of that Argument in Preyer from the Name of God; on Behalf on the People that Profers it..., 1682; The Redeemer's Tears Wept over Lost Souls, 1684; The Case of the Protestant Dissenters, Represented and Argued, 1689; Heads of Agreement Assented to by the United Ministers in and about London: Formerly Called Presbyterian and Congregational, 1691; The Carnality of Religious Contention, 1693; Enquiry Concerning the Possibility of a Trinity in the Godhead, 1694; A Letter to a Friend, Concerning a Postscript to the Defence of Dr. Sherlock's Notion of the Trinity in Unity..., 1694; Occasional Conformity, 1701; Some Consideration of a Preface to an Anquiry Concerning the Occasional Conformity of Dissenters..., 1701; A Discours on Patience, 1705; Works, 2 Bde., hrsg. v. E. Calamy, 1724; »Nachgelassene Werke«, 5 Bde., 1726 ff.; Neuausg.: 8 Bde., hrsg. v. Hunt, 1810 ff.; 3 Bde., 1848; 12 Bde., 1862 f.; 2 Bde., 1869; eine große Anzahl v. Begräbnispredigten.

Lit.: H. Rogers, Life of J. H., 1836 u. ö.; – R. F. Horton, J. H., 1895; C. A. Haig, J. H., Cromwell's chaplain, London 1961; – A. P. F. Sell, J. H.s eclectic theism, in: United Reformed Church Hist. Society 2, 187 ff.; – DNB X, 85 ff.; – EBrit XI, 848 f.; – RGG III, 461; – The New Schaff-Herzog, Encyclopedia of Rel. Knowledge V, 381; – RE VIII, 402 f.; – CKL I, 888.

Ba

HOYA, Johann Graf v., Fürstbischof von Osnabrück (1553), Münster (1566) und Paderborn (1568), * 18.4. 1529 in Wyborg (Finnland) als Sohn des schwedischen Statthaltes Johann Graf v. H. und Neffe König Gustav I. von Schweden, + 5.4.1574 auf Schloß Ahars. – Nach dem Studium in Reval, Paris und Rom war H. zunächst Beisitzer (1552) und dann schließlich Präsident des Reichskammergerichts (1555). Am 4.10.1567 wurde er zum Priester, verkündete 1571/72 in seinen Bistümern die Beschlüsse des Konzils von Trient und trat für die kirchliche Reform ein. 1571 reformierte H. das bischöfliche Offizialat, in den Jahren 1571-73 führte er zusammen mit dem Domdechanten Gottfried von Raesfeld (s.d.) eine allgemeine Visitation der Geistlichen des Bistums Münster durch. 1572 setzte H. in Münster eine theologische Prüfungskommission ein und schrieb den Catechismus Romanus vor. Darüber hinaus führte er eine strenge Dienstordnung der Beamten ein und ließ das Hofgerecht und die Rechnungskammer errichten, um somit eine Erneuerung des Justiz- und Finanzwesens herbeizuführen.

Lit.: W. E. Schwarz, Die Akten der Visitation des Bist. Münster aus der Zeit J. v. H.s, in: Die Gesch.qu. des Bist. Münster 7, 1913; — Ders., Die Reform des bisch. Offizialats in Münster durch H. v. H., in: Zschr. f. vaterländ. Gesch. Westfalens 74, 1916; — H. Börsting, Gesch. des Bist. Münster, Bielefeld 1951, 94 f.; — Das Weltkonzil von Trient, sein Werden u. Wirken II, hrsg. v. G. Schreiber, Freiburg i. Br. 1951, 321 ff. ... 400 ff.; — Kosch, KD I, 1902 f.; — LThK V, 499; — NDB IX, 666 f.

Ba

HOYERS, Anna Ovena, Dichterin, * 1584 in Koldenbüttel/Schleswig, als Tochter des bekannten Astronomen Johann Oven, + 27.9.1655 auf Gut Sittwik bei Stockholm. — H. wurde in klassischer Bildung erzogen. Sie sprach fließend Latein und Griechisch und las Hebräisch. — Bereits als 15jährige wurde sie 1599 mit dem Landvogt H. Hoyer auf Hoyerswörth verheiratet. Nach dessen Tod 1622 wurde H. Anhängerin der Wiedertäuferbewegung, die sie durch den örtlichen Anführer der Wiedertäufer, dem Flensburger Arzt Nicolaus Teting, kennengelernt hatte. Die lokale Geistlichkeit machte H. daraufhin den Vorwurf der Schwärmerei und extremen Sektiererei. Erbitterte Colloquia zwischen den Predigern und den Anhängern der Wiedertäufer fanden statt, an deren Ende die Verbannung Tetings stand. 1632 verkaufte H. ihr Gut und zog nach Schweden, wo ihr Königin Christine von Schweden ein Landgut in der Nähe Stockholms zur Verfügung stellte. — H. war Verfasserin satirischer Gedichte und religiöser Streit- und Lehrschriften, in denen sie ihre heftige Abneigung gegen intolerante orthodoxe Predigten zum Ausdruck brachte. In vielen ihrer Gedichte zeigt sich ihre Neigung zur Mystik. H. schrieb auch geistliche und weltliche Lieder, die zu den bedeutendsten deutschsprachigen Liedern des 17. Jahrhunderts zählen. Ihrer Neigung zu Satire und Ironie verlieh sie auch in Kontrafakturen zu bekannten Gesellschaftsliedern ihrer Zeit Ausdruck.

Werke: Süßbittre Freude; o. eine wahrhafftige Historie von zwey Liebhabenden Personen, unter verdeckten Namen Euryali u. Lucretiae, Schleswig 1617; Gespräch eines Kindes mit seiner Mutter, vom Wege d. Gottseligkeit, o. O. 1628 u. Schleswig 1634; Das Buch Ruth i. Teutsche Reimen gestellet, 1634; Frauen-Pflicht zu lernen Gott u. ihren Männern zu gehorsamen, Amsterdam 1636; Zwey geistl. Lieder, Amsterdam 1644; Ein Schreiben ü. Meer gesandt, o. O. 1649; Geistliche u. weltliche Poemata, Amsterdam 1650; Unveröff. Nachlaß als Ms. ihres Schnes i. d. Kgl. Bibl. Stockholm.

Lit.: G. Arnold, Unparthey. Kirchen- u. Ketzer-Hist. III, 1729, S. 14 ff.; — J. Moller, Cimbria literata I, 1744, 263-265; — Paul Schütze, in: Zschr. der Ges. f. Schleswig-Holstein-Lauenburg. Gesch. 15, 1885, 243-299; — E. Schmidt, E. niederdt. Dichterin, in: E. Schmidt, Charakteristiken I, 1902; — Adah Blanche Roe, A. O. H., a poetess of the XVII Century (Diss.) Bryn Mawr, Pennsylvania 1915; — A. Fischer u. W. Tümpel, Das dt. W. Kirchenlied d. 17. Jhs. III, 1916, S. 291 ff.; — H. J. Schoeps, A. O. H. 1584-1655 u. ihre ungedr. schwed. Ged., in: Euphorion 46, 1952; — Ders., A. O. H., eine dt. Dichterin in Schweden, in: Zs. f. dt. Philol. 72, 1953; — J. Fries, D. dt. Kirchenlieddichtg. i. Schlesw.-Holstein im 17. Jh. (Diss.) Kiel 1962; — Dieter Lohmeier, Hoyers, A. O., in: Schlesw.-Holst. Biogr. Lexikon 3, 1974, 156-159; — Erdman Neumeister, De Poetis Germanicis, hrsg. v. F. Heiduk i. Zus. mit G. Merwald, 1978, 385; — C. Faber du Faur, German Baroque Literature, 1, New

Haven 1958, 101; — ADB XIII, 216; — NDB IX, 669; — Goedeke III, 198; — Internat. Bibliogr. z. Gesch. d. dt. Lit. v. d. Anfängen bis zur Ggw. Hrsg. v. G. Albrecht u. G. Dahlke, Bd. 1, 1969, 841; — Jöcher II, 1739; — Adelung, Geschichte d. menschl. Narrheit IV, 193 ff.; — Kosch VIII, 1981³, 170; — Bibliogr. Hdb. d. Barocklit., hrsg. v. Gerhard Dünnhaupt, Bd. 2, II, Stuttgart 1981, 919-921.

Ba

HOYLE, William, englischer Liederdichter, * 1834 in Manchester, + 1895 in Blackpool. — H. wurde 1863 Begründer der Temperenzorganisation »Lancashire and Cheshire Band of Hope and Temperence Union«, deren ehrenamtlicher Sekretär er bis zu seinem Tod war. H. schätzte den Chorgesang und leitete viele Jahre die Blaukreuzfeste in der »Free Trade Hall« in Manchester. Er hielt im Nordwesten Englands Aufklärungsvorträge über die Grundsätze der Enthaltsamkeitsbewegung. Als Baumwollspinner stand H. in regem Berufsleben und war in Kirche und Armenschule tätig. — Bekannt ist sein Lied »Do what you can for another«, das von Charlotte Blanche Levieux (1832-81), der Vorkämpferin des »Blauen Kreuzes«, ins Französische übersetzt wurde: »Non, nous ne saurions nous taire«. Nach der französischen Übersetzung entstand die freie deutsche Übersetzung von Johanna Meyer (s.d.) in den Berner Blaukreuzliedern, 1883: »Brüder, noch gilt es zu retten, manch ein umnachtetes Herz!«.

Werke: An Inquiry into the long-continued Depression in the Cotton Trade, in: A Cotton Manufacturer, 1869, (neu hrsg. unter d. Titel Our National Resources and how they are wasted, 1871); Crime i. England and Wales i. the Nineteenth Century, 1876; A Catalog of the books and the pamphlets in the library of Manchester Museum, Manchester 1895; Hymns and Songs, 1964.

Lit.: Walter Schulz, Reichssänger. Schlüssel z. dt. Reichsliederbuch, 1930, 185; — DNB XXVIII, 135.

Ba

HRABANUS Maurus, Abt von Fulda, EB von Mainz, Gelehrter, * um 780 in Mainz, + 4.2.856 ebd. Aus dem fränkischen Adel um Mainz stammend, wurde H.M. als Kind dem Kloster Fulda übergeben, wo er seinen ersten Unterricht erhielt. Nach der Diakonatsweihe 801 wurde er von Abt Ratgar zur Ausbildung in den artes liberales zu Alkuin nach Tours geschickt. Noch vor Alkuins Tod am 19.5.804 kehrte H. wieder nach Fulda zurück, wo er seine Tätigkeit als Lehrer an der Klosterschule aufnahm und 814 die Priesterweihe erhielt. Die Auseinandersetzungen zwischen dem Konvent und dem Abt (ca. 808-817) beeinträchtigten auch H.s Arbeit, bis dann unter dem neuen Abt Eigil eine Zeit ungehinderten Lehrens und literarischer Tätigkeit folgte. Nach Eigils Tod 822 wurde H. zu dessen Nachfolger gewählt. Ohne seine schriftstellerische und lehrende Tätigkeit aufzugeben, kümmerte er sich um den weltlichen Besitz und die Rechte des Klosters, den Kirchen- und Kapellenbau, förderte das Skriptorium und die Bibliothek. Obwohl sich H. von politischen Tätigkeiten fernhielt, hatte er doch Kaiser Lothar im Interesse dessen Brüder unterstützt. Nach der Niederlage Lothars gab H. sein Amt als Abt auf und zog sich auf den nahe bei Fulda gelegenen Petersberg zurück, wo er die Zeit mit intensiven Studien und literarischer Tätigkeit ausfüllte. Nach erfolgter Aussöhnung mit König Ludwig dem Deutschen wurde er 847 zum EB von Mainz erhoben, in welcher Eigenschaft er sich vor allem mit theologischen und kirchenpolitischen Streitfragen seiner Zeit befaßte. H.s höchstes Ansehen im ostfränkischen Reich und darüber hinaus beruhte zum einen auf seiner Lehrtätigkeit an der Fuldaer Klosterschule, aus der bedeutende Schüler hervorgingen wie Otfried von Weißenburg, Walahfrid Strabo und Lupus von Ferrières, zum anderen auf seiner schriftstellerischen Tätigkeit. Vom theologisch-kirchlichen Standpunkt aus befaßte er sich mit nahezu allen Wissensgebieten der Zeit. Neben Gedichten, Hymnen (am bekanntesten: »Veni creator spiritus«), Predigten und hagiographischen Schriften stehen Werke zu Fragen der Ausbildung des Klerus, der Askese, Disziplin und Dogmatik sowie eine enzyklopädische Schrift (»De rerum naturis«, vor allem auf Isidor beruhend). Insbesondere befaßte er sich mit der Widerlegung der von dem ehemaligen Fuldaer Mönch Gottschalk dem Sachsen vorgetragenen Lehre von der doppelten Prädestination (zum Heil oder zur Verdammnis). Von überragender Bedeutung und Wirkung bis in die Neuzeit sind die Bibelkommentare des H. M. zu fast allen Büchern des AT und NT, die ihn zu einem der einflußreichsten Exegeten gemacht haben. Sein Interesse richtet sich vor allem auf den historischen Sinn der Schrift, daneben bietet er oft auch einen allegorischen und tropologischen Sinn. Die Kommentare beruhen vorwiegend auf älterer, vor allem patristischer Literatur (beim AT auch jüdischer) und weniger auf selbständigen Bemerkungen H.s, so daß neben der von den mittelalterlichen Zeitgenossen hochgeschätzten, großen Gelehrsamkeit des Kompilators in neuerer Zeit auch dessen geringe Originalität bemerkt worden ist.

Werke: MPL 107-112. – Bibelkomm.: F. Stegmüller, Repertorium biblicum medii aevi V, 1955, Nr. 7019-7087. – Gedichte: Ernst Dümmler, in: MG PL II, 154 ff. – Guido Maria Dreves, in: AH 50, 1907, 180-209 (z. Teil unecht). – Briefe: MG Epp V, 379 ff. – Rabani de institutione clericorum, ed. Alois Knöpfler, 1901. – Martyrologium, ed. John McCulloh, CChr XLIV (1979). – De Computo, ed. Wesley u. Stevens, ebd.

Lit.: N. Serarius, Moguntiacarum rerum libri V, Mainz 1604; – J. Mabillon, B. Rabani Mauri Elogium Historicum, AS OSB saec. 4, p.2, Paris 1677, 20-45; – H. Canisius, J. Basnage, Thesaurus monumentorum ecclesiasticorum et historicorum sive Lectiones antique, T. II p. II, Amstelaedami 1725; – Ernst Dümmler, Reichs I², 1887; – Ders., H. stud., in: SAB 1898, 24-42; – Th. Gottlieb, Über ma. Bibliotheken, 1890 (Nachdr. 1955); – D. Thürnau, 1900; – Suitbert Birkle, H. M. Eucharistielehre, in: StMBO 23, 1902, 77-86. 339-360. 609-624; 24, 1903, 33-57; – J. A. Knaake, Die Schr. des R. M. »De institutione clericorum« nach ihrer Bedeutung f. die Homiletik, in: ThStKr, 1903, 309-327; – Gregor Richter, Neue H.lit., in: Fuldaer Gesch.bll.5, 1906, Nr. 11 u. 12; – Johann Baptist Hablitzel, H. M., Ein Btr. z. Gesch. der ma. Exegese, in: HBSt XI, 3. 1906; – Ders., in: BZ 19, 1931, 215-227; – Ders., in StMBO 57, 1939, 113-116; – Guido Maria Dreves, Hymnolog. Stud. zu Venatius Fortunatus u. R. M., 1908 (dazu NA 34, 1909, 626 ff.); – Edmund Ernst Stengel (Bearb.), Urkundenbuch des Klosters Fulda, Veröff. d. Hist. Kommission f. Hessen u. Waldeck 10, 1, 10, 1, 2, 1913-1956; – Hans Schubert, Gesch. der christl. Lehre im Früh-MA, 1921, 731 ff.; – G. Baesecke, H. M. Isidorglossierung, Walahfrid Strabus u. d. ahd. Schrifttum, in ZDADL 58, 1921; – Richard Stachnik, Die Bildung des Weltklerus im Frankenreiche v. Karl Martell bis auf Ludwig den Frommen. Eine Darst. ihrer geschichtl. Entwicklung, 1926; – E. Sievers, »Heliand«, Tatian u. H. M., in: BGDSL 50, 1927, 416 ff.; – K. Christ, Die Bibliothek des Klosters Fulda im 16. Jh. Zentralbl. f. Bibliothekswesen, Beih. 64, 1933 (Nachdr. 1968); – B. Bischoff, in: StMBO 51, 1933; – M. Henshaw, The Latinity of the Poems of H. M. (Diss. Chicago), 1936; – E. C. Reinke, The Lati-

nity of the Epistolae of H. M. (Diss. Chicago), 1936; – W. Middel, (Diss. Berlin), 1943; – C. Spicq, Esquisse d'une histoire de l'exegese latine au Moyen age, Paris 1944, 38-44; – Aloys Ruppel, H. M., in: Jb. f. das Bist. Mainz 3, Mainz 1948, 117-137; – Karl Helm, H. M. u. die Volkskunde, in: BGDSL 71, 1949, 466-470; – H. Karlen, Die Gnadenlehre des R. M. (Diss. Rom, Greg. Univ.), Rom 1950; – Paul Lehmann, Zu H. u. Fulda, in: SAM 1950, H. 9; – Ders., Zu H.s geist. Bedeutung, in: St. Bonifatius-Gedenkausgabe z. 1100. Todestag, 1954, 473-487; – Ders., Erforsch. des MA. Ausgew. Abhh. u. Aufss. III, 1960; – Konrad Lübeck, Die Fuldaer Äbte u. Fürstäbte im MA. Überblick, 1952, 35-43; – F. J. E. Raby, A History of Christian-Latin Poetry, Oxford 1953; – Karl Burkart, Der hl. R. M., ein Gottsucher aus unserer Heimat. Gedenkgabe z. 1100. Todestag, 1955; – Stephan Hilpisch, Der hl. R. M., Abt des Klosters Fulda u. EB v. Mainz, 1955; – Ders., u. Emmanuel v. Severus, in: Fuldaer Gesch.bll. 33, 1957, 72-89; – A. Hauck, Urteile über H. M., in: Fuldaer Geschbll. 31, 1955, 101 ff.; – J. Aengenvoort, H. M., Der Schöpfer d. »Veni creator spiritus«, in: Musik u. Altar 8, 1955/56, 210 ff.; – J. Huhn, Das Marienbild in den Schrr. d. H. M., in: Scholastik 31, 1956, 515 ff.; – Theodor Schieffer, H. M., in: AMrhKG 8, 1956, 9-20; – M. C. Mitterauer, Gottschalk der Sachse u. seine Gegner im Prädestinationsstreit (Diss. Wien), 1956, 118-125; – Matthäus Bernards, H. M., in: Die großen Deutschen V, 1957, 20 ff; – R. Derolez, Die »hraban.« Runen, in: ZdPh 78, 1959, 1 ff.; – Peter Bloch, Zum Dedikationsbild im Lob des Kreuzes des H. M., in: Das erste Jt. Kultur u. Kunst im werdenden Abendland an Rhein u. Ruhr, hrsg. v. Kurt Böhner, Textbd. I, 1962, 471 ff.; – E. R. Curtius, Europ. Lit. u. lat. MA, Bern-München 1963⁴, 318 f. – Hans Butzmann, Die Ez.komm. des H. M. u. seine älteste Hs., in: Bibl. u. Wiss. I, 1964, 1-22; – Josef Szövérffy, D. Annalen d. lat. Hymnendichtung I, Berlin 1964; – Ders., Weltl. Dichtung d. lat. MA I, Berlin 1970; – J. Rathofer, H. u. d. Petrusbild d. 37. Fitte im Heliand, in: Festschr. f. J. Trier, 1964, 268 ff.; – Friedrich Neumann, Lat. Reimverse H.', in: Mittellat. Jb., hrsg. v. Karl Langosch 2, 1965, 55-62; – F. G. Cremer, in: RBen 77, 1967; – Franz-Josef Holtkemper, Kompilation u. Originalität bei H. M., in: Heinrich Döpp-Vorwald z. 65. Geb., hrsg. v. dems., Päd. Bll. 1967, 58-75; – K. Forstner, Eine frühma. Interpretation d. augustin. Stillehre, in: Mittellat. Jb. 4, 1967; – H. Klingeberg, H. M.: In honorem Sanctae Crucis, in: Festschr. O. Höfler, 1968, 273 ff.; – S. Mähl, Quadriga virtutum. Die Kardinaltugenden in d. Geistesgesch. d. Karolingerzeit. AKultG, Beih. 9, 1969; – G. Bernt, D. lat. Epigramm im Übergang v. d. Spätantike z. frühen MA. Münchener Beitrr. z. Mediavistik u. Renaissance-Forschung 4, 1969; – Elisabeth Heyse, H. M.' Enz. De rerum naturis. Unterss. zu den Qu. u. z. Methode der Kompilation (Diss. München), 1969; – Burkhard Taeger, Zahlensymbolik bei H., bei Hincmar u. im Heliand, Stud. z. Zahlsymbolik im MA (Diss. München), 1971; – J. Fransen, Fragments épars du commentaire perdu d'Alcuin sur l'Epitre aux Ephèsiens, in: RBen 81, 1971, 30-59; – D. Schaller, Der junge »Rabe« am Hof Karls d. Gr. (Theodulfi carm. 27), in: Festschr. B. Bischoff, 1971, 123-141; – W. M. Stevens, Walahfrid Strabo – A Student at Fulda, in: Historical Papers 1971 of the Canadian Historical Association, hrsg. v. J. Atherton, Ottawa 1972, 13-20; – Hans-Georg Müller, H. M., De laudibus sancta crucis. Stud. z. Überl. u. Geistesgesch. mit den Faks.-Textabdr. aus Codex Reg. Lat. 124 der Vatikan. Bibl. (Diss. Münster, 1970), Ratingen - Kastellaun - Düsseldorf 1973; – Peter Zahlen, H. M. Super Matheum. Zu einem neuen Fragmentfund in der Stadtbibl. Nürnberg, in: Bibl.forum Bayern 1, 1973, 120-125; – Adolf Weis, Eine röm. Manumentalkomposition in Fulda: H. M., Carmen 61, in: RQ 68, 1973, 125-137; – Paulus Ottmar Hägele, H. M. als Lehrer u. Seelsorger. Nach dem Zeugnis seiner Briefe (Diss. Freiburg/Breisgau), 1972; – Hartwig Grubel, Die Wertung des Papsttums in der späten Karolingerzeit: unter Berücks. der Ausl. der Primatworte Mt 16, 18. 19; dargest. an den Schrr. der EB H. M. u. Hinkmar v. Reims (Diss. Rostock), 1975; – Raymund Kottje, H. M. - »Praeceptor Germaniae«, in: DA 31, 1975, 534-45; – Ders., Die Bußbücher Halitgars v. Combrai und H. M. Überlieferung u. Quellen. Beitr. z. Gesch. u. Quellenkunde des MA 8, 1980; – Ders., Zu d. Beziehungen zw. Hinkmar v. Reims u. H. M., in: Charles the Bald: Court and Kingdom, hrsg. v. M. Gibson and J. Nelson, British Archaeological Reports, Internat. Series 101, 1981, 255 ff.; – Maria Rissel, Rezeption antiker u. patr. Wiss. bei H. M. Stud. z. karoling. Geistesgesch. (Diss. Köln, 1973/74), Bern - Frankfurt/Main 1976; – H. Gneuss, Dunstan u. H. M. Zu H.' Bodleian Auctarium F. 4. 32., in: Anglia 96, 1978; – D. Geuenich, Zur ahd. Lit. aus Fulda, in: Von der Klosterbibl. zur Landesbibl., hrsg. v. A. Brall, 1978, 99-124; – K. Schmid (Hrsg.), Die Klostergemeinschaft von Fulda in den früheren MA. Münsterste MA - Schriften 8, 1978; – Bernhard Bischoff, Die südostdeutschen Schreibschulen u. Bibliotheken in d. Karolingerzeit II, 1980; – H. M. und seine Schule, Festschr. d. Rabanus-Maurus-Schule 1980, hrsg. v. W. Boehne, 1980. Darin: H. Spelsberg, Hrabanus-Maurus-Bibliographie, 210-228; – Hauck II, 638 ff.; – Manitius I, 288-302; III, 1062 f.; – Kosch, LL II, 1069; – DLL VIII, 171; – VerfLex II, 494-506; V, 423 f.; – VerfLex (2. Aufl.) IV, 166 ff.; – Wilpert I²; – KLL II, 752 f. (Über die Unterweisung des Klerus); II, 793 f. (Vom Lob des Hl. Kreuzes); – ADB 27, 66-67 (unter Rabanus); – Hauck II, 638 ff.; – NDB IX, 674-676; – RE

VIII, 403; XXIII, 662; — EKL II, 203; — RGG III, 461 f.; — DThC XIII, 1601-1620; — LThK V, 499 f.

Ba

HROMADKA, Josef L., tschechischer Theologe, * 8.6. 1889 in Hodslavice (Mähren), + 26.12.1969. — H. wurde 1907, nach dem Besuch des Gymnasiums in Valasské Mezirící, an der Wiener Theologischen Fakultät immatrikuliert. In den Jahren bis 1912 studierte er in Wien, Basel, Heidelberg und Aberdeen Theologie, in Prag Philosophie, und hörte u. a. Rudolf Knopf, Ernst Sellin, Paul Werne, Johannes Weiß, Bernhard Duhm und besonders Ernst Troeltsch. Am 8.9.1912 wurde er in seiner evangelisch-lutherischen Heimatkirche ordiniert. Nach einigen Vikarsjahren in Vsetín und einem erfolglosen Ersuchen um eine selbständige Stelle, wechselte H. als Vikar zur Salvator-Gemeinde nach Prag. Hier studierte er, parallel zu Predigertätigkeit und Bibelarbeiten, an der Philosophischen Fakultät und engagierte sich für die Vereinigung der Reformierten und der Lutherischen Kirchen. Letztere Tätigkeit fand wohl die Mißbilligung des Konsistoriums in Wien. 1918 wurde H. eingezogen und als Feldkurat nach Galazien entsandt. Nachdem er 1919 als erster Pfarrer der neu organisierten Evangelischen Kirche der Böhmischen Brüder die Gemeinde in Sonov übernommen hatte, folgte er 1920 dem Ruf der Prager Evangelisch-theologischen Hus-Fakultät und habilitierte sich für Systematische Theologie. Am 18.4.1920 wurde H. zum außerordentlichen Professor, am 1.1.1928 zum ordentlichen Professor ernannt. Im Rahmen des SCM (Student Christian Movement) arbeitete er am Dialog mit Kultur und Gesellschaft und entfaltete sein ökumenisches Engagement. Als Vorsitzender der tschechoslowakischen christlichen Studentenbewegung bereiste er Asien und nahm 1928 an der Generalversammlung des Christlichen Studentenweltbundes in Mysore teil. In den dreißiger Jahren machte er die Arbeit der Bekennenden Kirche in Deutschland an den tschechischen Hochschulen bekannt und arbeitete für die Unterstützung der Spanischen Republik und der deutschen Antifaschisten. Nach dem Einmarsch der deutschen Armee 1939 verlies H. mit seiner Familie die Tschechoslowakei, reiste nach Genf aus und bekam auf Initiative von Freunden eine Gastprofessur für Apologetik und Christliche Ethik am Theologischen Seminar in Princeton (New Jersey). Hier interpretierte H. den amerikanischen Studenten die dialektische Theologie und vermittelte Inhalte neuer europäischer Theologie. Im Sommer 1947 kehrte er in seine Heimat zurück und nahm die Lehrtätigkeit wieder auf. — Seine Positionen, insbesondere zur Februarkrise 1948 und zu den Ereignissen in Ungarn 1956, waren in der Kirche sehr umstritten. Immer wieder rief er dazu auf, die neue politische Realität, in Form des radikalen Sozialismus, ernst zu nehmen und als Gelegenheit zu Verkündung zu betrachten. Er war sich der Verwicklung des Menschen in die politischen Verhältnisse, der Krise der sogenannten christlichen Gesellschaft und der Notwendigkeit vom Fortschreiten sozialer Revolution sehr bewußt und versuchte mit aller Kraft, die Kirche von blindem Antikommu-

nismus abzubringen. Die größte Gefahr für Christen sah er in der Selbstgerechtigkeit und Selbstzufriedenheit der Kirche. H. zeichnete sich auch durch sein Engagement in der Friedensarbeit aus. Er war Mitglied des Weltfriedensrates und nach Gründung der Christlichen Friedenskonferenz 1958 deren erster Präsident. Ebenso wie die ökumenische Tätigkeit — von 1948-68 war er Mitglied des Zentralausschusses im Weltkirchenrat — war die Friedensarbeit für ihn Bestandteil der Verantwortung von Christen der Welt gegenüber und des Ringens um Integrität der Kirche. Sein Verhältnis dem tschechischen Staat gegenüber war gekennzeichnet durch kritisch-distanzierte Solidarität. Bei aller Sympathie brachte er Kritik offen zum Ausdruck und ist als ein bedeutender theologischer Interpret des Marxismus, Sozialismus und Kommunismus zu betrachten. H.s gesamtes Denken zielte hin auf Bewegung, Veränderung und Umbruch. Er predigte gegen die Erstarrung die Ergriffenheit des Herzens und die Solidarität Jesu mit dem erniedrigten, unterdrückten und sündigen Menschen.

Ue

Werke: Der Kath. u. der Kampf um das Christentum (tsch.), 1925; Christentum in Denken u. Leben (tsch.), 1931; Doom and Resurrection, Richmond/Virginia 1945 (Übertr. aus dem Engl. u. erw. Bearb. v. Rudolf Weckerling, u. d. T.: Sprung über die Mauer, Berlin 1961); Rede vor der Ersten Vollversmlg. des ökumen. Rates der Kirchen, Amsterdam am 24.8.1948, Amsterdam 1948; Kirche u. Theol. im Umbruch der Ggw. (Ein tsch. Btr. zu den ökumen. Gesprächen), 1956 (Hamburg 1961); Von der Ref. z. Morgen. Aus dem Tsch. übers. v. Kurt Sygusch, Leipzig 1959; Theol. u. Kirche zw. gestern u. morgen. Aus dem Amer. übers. v. Hans Ulrich Kirchhoff, Neukirchen-Vluyn 1960; Ev. f. Atheisten. Mit einem Nachw. v. Karl Barth, Berlin 1958 (Zürich 1969); Das Ev. auf dem Wege z. Menschen. Aus dem Tsch. übers. v. Josef Bohumil Soucek, Berlin 1961 (Witten 1963); An der Schwelle des Dialogs zw. Christen u. Marxisten (Na prahu dialogu, dt.), Berlin 1964 (Frankfurt/Main 1965); Das Ev. bricht sich Bahn. Predigten, Betrachtungen, Vortrr. u. Aufss. aus den J. 1948-1961. Aus dem Tsch. übers. mit einem Geleitw. hrsg. v. Josef Bürck Jeschke, Berlin 1968; Rettet den Menschen, Friede ist möglich. Memorandem des Präsidenten der Christl. Friedenskonferenz z. 3. Allchristl. Friedenskonferenz (Junge Kirche, Beih. 1), Dortmund 1968; Mein Leben zw. Ost u. West, übers. v. Elsie Steck, Zürich 1971; Der Gesch. ins Gesicht sehen. Ev. u. polit. Interpretationen der Wirklichkeit. Ausgew. u. hrsg. v. Martin Stöhr, 1977.

Lit.: Josef Theodor Müller, Gesch. der Böhm. Brüder I, 1922, 519-522; — Der tsch. Prot., hrsg. v. Amedeo Molnar, Prag 1954; — M. Spinka, Church in Communist Society. A Study in J. L. H.'s Theological Politics, 1954; — Gestern u. heute, hrsg. v. Ludek Broz, Prag 1966; — R. Rican, Das Reich Gottes in den böhm. Ländern. Gesch. des tsch. Prot., 1957, 11-54; — Ders., J. L. H. Leben u. Werk. Hrsg. v. der Zentralen Schulungsstätte der CDU, H. 25. Berlin 1959; — Ders., Die Böhm. Brüder, ihr Ursprung u. ihre Gesch., 1961; — Charles C. West, Communism and the Theologians, London 1958; — Ders., Ein Theologe der Auferstehung. Zur Erinnerung an J. L. H., in: Wiss. u. Praxis in Kirche u. Ges. 59, 1970, 81-84; — Josef Bürck Jeschke, Der Hirtendienst in der alten Brüderunität, in: Jeschke-Dobias, Unitas fratrum, Aufss. u. Vortrr. z. Theol. u. Rel.wiss., H. 12, 1960; — »... u. Friede auf Erden«. Dokumente der 1. Allchristl. Friedensversmlg., Prag 1961; — Ders. u. Günther Gloede, Die ev. Kirche in der Tschechoslowakei u. J. L. H., in: ÖP II, 1963, 344-348; — Dienende Gemeinde, hrsg. v. Dusan Capek, Prag 1961; — Josef Bohumil Soucek, H. als Theologe, in: Zeichen der Zeit. Ev. Mschr. 18, 1964, 306-308; — Heinz Kloppenburg, Prof. H. z. 75. Geb., in: Junge Kirche 25, 1964, 305; — Hans Ruh, Erkenntnis der Wirklichkeit. Zu einem Problem aus der Theol. H.'s, in: Zeichen der Zeit 18, 1964, 232-234; — Ders., J. L. H., in: Tendenzen der Theol. 20. Jh. Eine Gesch. in Porträts, 1966, 344-348; — Georg Wild, Christentum u. Marxismus im Denken H.'s, in: Die ev. Diaspora 6, 1966, 214-216; — Josef Smolik, Die Christenheit im Gespräch mit dem Atheismus, in: Kirchenbl. f. die ref. Schweiz, 122, Basel 1966, 37-39; — Ders., Die Gesch.philos. Karl Barth u. J. L. H., in: EvTh 29, 1969, 341-348; — Von Amsterdam nach Prag. Eine ökumen. Freundesgabe an Prof. Dr. J. L. H. Hrsg. v. dems., 1969; — Ders., »Philosophie de l'histoire« Karl Barth et J. L. H., in: Marcismusstud. 7, 137-146; — Roger Garaudy, Dialogue (du Pasteur H.) = contre revolution?, in: Christianisme social. Revue mensuelle de culture sociale et internationale 77, Paris 1969, 179-182; — Gottfried Edel,

Widmung f. J. L. H. z. Vollendung des 80. Lebensj., in: Aeropag. Politisch-literar. Forum 4, 1969, 161 f.; — Konrad Fahrner, J. L. H. z. 80. Geb., in: Stimme der Gemeinde z. kirchl. Leben, z. Politik, Wirtschaft u. Kultur 21, 1969, 323 f.; — Paul Mojzes, In memoriam J. L. H., in: Journal of ecumenical studies 7, Philadelphia/Pennsylvania 1970, 525-530; — Dorothea Neumärker, J. L. H. Polit. Theol. im Sozialismus, 1971; — Dies., J. L. H. Theol. u. Politik im Kontext des Zeitgeschehens (Diss. Münster, 1973), München - Mainz 1974; — Martin Stöhr, Gemeinsame humanist. Verantwortung v. Christen u. Marxisten. Tendenzen der Diskussion bei J. L. H. u. seiner Arbeit in der Christl. Friedenskonferenz Prag (CFK), in: Marxismusstud. 7, 1972, 105-139.

Ba

HROSWITHA von Gandersheim [Hrotsvit, Roswitha],

1. deutsche Dichterin, adlige Kanonisse im Reichsstift Gandersheim. * um 935 im Herzogtum Sachsen, + um 975 in Gandersheim. H. stammt aus einer sächsischen Adelsfamilie. Die ältere Hrotsvit (+927), die von 919 an Äbtissin in Gandersheim war, wird als Tante angesehen. Über ihr äußeres Leben ist wenig bekannt und läßt sich nur aus ihren Schriften und Dichtungen erschließen. Als junges Mädchen trat H. in das Reichsstift Gandersheim ein. Dort stand sie in engem Kontakt mit Gerberga, der Tochter Heinrich I, und wurde von ihr gefördert. Sie hatte Kontakt mit führenden Gelehrten und stand in enger Verbindung mit dem ottonischen Königshaus. H. verfaßte in lateinischer Sprache acht Legenden in leon. Hexametern, sechs Dramen in Reinprosa (die Dramen als Gegenstücke zu den Komödien Terenz), die sich in ihrer Form, nicht jedoch in der Thematik voneinander unterscheiden. Das Hauptthema dieser Schriften war stets die Entscheidung des Menschen zwischen Heil und Verdammnis (Wahrung der Keuschheit, Bekehrung zum Christentum, Mysterium). H.s Motive sind einfach und eindeutig. Das Ziel ist die exemplarische Verdeutlichung der christlichen Heilslehre, wobei als höchstes Ziel die Verwirklichung des geistlichen Lebensideals erscheint. H.s Gedichte über Otto den Großen (Gesta Ottonis) und über die Anfänge ihres Klosters (Primordia coenibii Gandeshemensis) sind wertvolle Quellen zur deutschen Frühgeschichte und verdeutlichen H. als Vertreterin der ottonischen Renaissance.

Ar

Werke: 6 Dramen: Gallicanus, Abraham, Pafnutius, Sepientia, Dulcitius, Calimachus. — 8 Hll.-Legenden in Distichen u. gereimten Hexametern: Gongolfus, Maria, De ascensione Domini, Pelagius, Theophilus, Basilius, Dionysus, Agnes. — Epen: Primordia coenobii Gandeshemensis (über die Gründung u. Anfänge ihres Klosters); Gesta Oddonis I. imperatoris (über Otto den Großen). — Ausgg. u. Überss.: Opera, hrsg. v. Conrad Celtes (mit Holzschnitten v. Albrecht Dürer), Nürnberg 1501; K. A. Barack, Die Werke der H., Nürnberg 1858; v. Paul Winterfeld, 1902; v. Karl Strecker, 1906 (1930²). Opera. Mit Einl. u. Komm. v. Helene Homeyer, 1970. — Werke. Übertr. u. eingel. v. ders., 1936 (l. dt. Gesamtübertr. der Dramen, Legenden, Epen). — Dramen. In der Übers. v. Ottomar Piltz neu hrsg., eingel. u. erg. durch Teile aus den hist. Epen v. Fritz Preißl, 1942. — Legenden, übertr. u. eingel. v. Helmut Knauer, 1964. Dulcitius - Abraham (2 Dramen). Übers. u. Nachw. v. Karl Langosch, 1964 (Nachdr. 1967). Sämtl. Dichtungen. Aus dem Mittellat. übertr. v. Otto Baumhauer u. a. Mit einer Einf. v. Bert Nagel, 1966. Werke in dt. Übertr. Mit einem Btr. z. frühma. Dichtung v. Helene Homeyer, 1973. — Roswitha v. G. Die Briefe. Übers. u. erl. v. Kurt Kronenberg, Bad Gandersheim 1978.

Lit.: Gustav Freitag, De H. poetria (Diss. Breslau), 1839; — Chr. Magnin, Theatre de H., 1845; — Franz Löher, H. u. ihre Zeit, 1858; — Joseph Aschbach, R. u. Celtes, 1867 (1968²); — Rudolf Köpke, Die älteste dt. Dichterin, Kulturgeschtl. Bild aus dem 10. Jh., 1869; — B. Zint, Über R.s »Carmen de Gestis Oddonis« (Diss. Königsberg), 1875; — Ders., H.s Maria und Pseud-Matthäus, Programm Nr. 383, Dortmund 1902, S. 3 ff.; — Ders., H. v. G., in: Neue Jbb. f. d. Klass. Altertum, Gesch. u. dt. Lit. 6, 1903, 569 ff. u. 629 ff.; — L. Simons, H. en Waltharius, in: Verslagen en mededelingen der Koninklijke Vlaamse academie for taalen letterkunde 1911, 457 ff.; — Johannes Schneiderhahn, R. v. G., die erste dt. Dichterin, 1912; — Paul v. Winterfeld, Dt. Dichter des lat. Ma. In dt. Versen. Hrsg. u. eingel. v. Hermann Reich, 1913 (1917² ; Neuaufl. 1921); — G. Frenken, Eine neue Hrotsviths., in: NA 44, 1922, 101 ff.; — O. R. Kuehne, A Study of the Thais Legend with Special Reference to H.'s »Pafnutius«, Philadelphia 1922; — B. Jarcho, Stilqu. der H., in: ZdPh 62, 1925; — Ders., Zu H.s Wirkungskreis, in: Speculum 2, 1927; — H. Menhardt, Eine unbekannte Hrotsvitha-Hs., ZDADL 62, 1925, 233 ff.; — K. Pohlheim, Die lat. Reimprosa, 1925; — Karl Plenzat, Die Theophiluslegende in den Dichtungen des MA, 1926; — A. Mayer, Der Hl. u. die Dirne, eine motivgeschichtl. Stud. z. H.s »Abraham« u. »Pafnitius«, in: Bayer. Bll. f. das Gymnasialschulwesen 67, 1931, 73-96; — M. Rigobon, Il teatro ed la latinità die H.; Padua 1932; — W. Stach, Die Gongolf-Legende bei H., in: HV 30, 1935, 361-397; — E. Newman, The Latinity of the Works of H. of G. (Diss. Chicago), 1936; — Fritz Preißl, H. v. G. u. die Entstehung des ma. Heldenbildes (Diss. Erlangen), 1939; — Rudolf Alexander Schröder, Roswitha v. G., in: Die Aufsätze und Reden I, Berlin 1939, 142 ff.; — Eva May Newnan, The Latinity of the works of Hratsvit of G., Phil. Diss. Chicago 1939; — E. Franceschini, J 'tibicines' nella poesia di Rosvita, in: Archivum Latinitatis Medii Aevi 14, 1939, 40 ff.; — Dt. Frauen, Lb. aus 2 Jt. Hrsg. v. Lotte Esau. 3. R. R. v. G., die erste Dichterin auf dt. Boden. Von Hildegard Strube, 1940, 33-48; — Edwin A. Zeydel, Knowledge of H.'s works prior to 1500, in: Modern Language Notes 59, 1944, 382-385; — Ders., The reception of H. by the German humanists after 1493, in: Journal of English and Germanic philology with annotations 44, 1945; — Ders., Where H.'s dramas performed during her lifetime?, in: Speculum 20, 1945; — Ders., Ekkehard's Influence upon H., in: Modern Language Quarterly 6, 1945, 333 ff.; — Ders., A chronological H.-Bibliography through 1700 with annotations, in: Journal of English and Germanic Philology 46, 1947, 290-294; — Ders., Zu H.s »Ego, Clamor Validus Gandeshemensis«, in: ZDADL 101, 1972, 187 f.; — Ders., H. v. G. and the Eternal Womanly, in: Studies in German Drama, Festschr. W. Silz, University of North Carolina Studies in German Drama 76, Chapel Hill 1974, 1 ff.; — Z. Haraszti, The Works of H., in: More Books. Bulletin of the Boston Public Library 20, 1945, 87-119, 139-173; — R. H. Five, H. of G., New York 1947; — Hubert Kuhn, H.s v. G. dichter. Progr., in: DVfLG 24, 1950, 181-196; — Hrotsvitha van G., Leesdrama's vertaals en ingeleid door H. J. E. Endepols, Utrecht-Brüssel 1950; — Hans Goetting, Die Anfänge des Reichsstifts G., in: Braunschweig. Jb. 31, 1950; — Ders., Das Überl. schicksal H.s Primordia, in: Festschr. f. Hermann Heimpel z. 70. Geb. III, 1972, 61-108; — Ders., Das reichsunmittelbare Kanonissenstift Gandersheim, in: Germania Sacra NF 7, 1973; — R. Figge, Die Theophilus- u. Basilius-Legende bei H. u. ihre kirchen- u. rechtsgeschichtl. Bedeutung, in: Unsere Diöz. 24, Hildesheim 1955, 38-64; — Kurt Kronenberg, R. v. G. u. ihre Zeit, 1958 (1964³); — Ders., R. v. G. Leben u. Werke, 1962; — Hugo Kuhn, H. v. G. dichter. Progr., in: Ders., 1959, 91-104; — Ders., Dichtung u. Welt im MA, 1959, 91-104; — D. Cole, Hrotvitha's most 'Comic' Play: Dulcitius, in: Studies in Philology 57, 1960, 597 ff.; — M. M. Butler, H. The Theatricality of Her Plays, New York 1960; — Birgitta zu Münster, H. v. G., die erste dt. Dichterin, in: Das Wirken der Orden u. Klöster in Dtld. II, 1964, 150-152; — R. Ten Kate, H.s Maria u. das Evangelium des Pseud.-Mt., in: Classica et Mediaevalia 22, 1961, 195 ff.; — R. Rudolf, Zur Überl. d. Dichtungen Roswithas v. G., in: Germ.-roman. Mschr. 45, 1964, 312; — Karl Langosch, Die dt. Lit. des lat. MA in ihrer geschichtl. Entwicklung, 1964; — Ders., Profile des lat. MA. Geschichtl. Bilder aus dem europ. Geistesleben, 1965; — Hanna Klose-Greger, R. v. G., 1965² ; — H. of G. Her Life, Times and Works, and a Comprehensive Bibliogr. Hrsg. v. Anne Lyon Haight, New York 1965; — Bert Nagel, H. v. G., (Bibliogr. 27-33), 1965; — Ders., The Dramas of H. v. G., in: The Medieval Drama and its Claudelian Revival (The Catholic University of America Press) 1970, S. 16 ff.; — Ders., Ego, Clamor Validus Gandeshemensis. Festrede z. Jh.feier f. R. v. G. 26.5.1973, in: German-roman. Mschr. NF 23, 1973, 450-463; — Achim Masser, Bibel, Apokryphen u. Legenden. Geburt u. Kindheit Jesu in d. relig. Epik d. dt. MAs, Berlin 1966; — Margot Schmidt, Orient. Einfluß auf die dt. Lit. Qu.geschichtl. Stud. zu »Abraham«, in: H. v. G., in: Colloquia Germanica. Internat. Zschr. f. german. Sprach- u. Lit.-wiss., Bern 1968, 152-187; — Helene Homeyer, »Imitatio« u. »aemulatio« im Werk der H. v. G., in: MS 9, 1968, 966-979; — E. Michalka, Stud. über Intention u. Gestaltung in den dramat. Werken, H.s v. G., Phil. Diss. Heidelberg 1968, Clausthal-Zellerfeld 1968; — M. Fuchs, Die niedersächs. Nachtigall. Aus der Welt R.s v. G., in: Begegnung 24, 1969; — Sandro Sticca, H.'s »Dulcitius« and Christian symbolism, in: MS 32, 1970, 108-127; — Ders., Hrotsvitha's »Abraham« and Exegetical Tradition, in: Acta Conventus Neo-Latini Lovaniensis, 1973, 633 ff.; — E. Cerulli, Le

Calife Abd ar - Rahman III de Cordoue· et le martyr Pelage dans un poème de Hrotsvitha, Studia Islamica 32, Paris 1970, 69 ff.; – Wilhelm Gundlach, Heldenlieder der dt. Kaiserzeit. Aus dem Lat. übers., an zeitgenöss. Berr. erl. u. eingel. durch Übersichten über die Entwicklung der dt. Gesch.schreibung der dt. Gesch.schreibung im 10., 11. u. 12. Jh. z. Erg. der dt. Lit.gesch. u. z. Einf. in die Gesch.wiss. I. Otto-Lied. Von H. v. G. Übers., erl. u. eingel. (Neudr. der Ausg. Innsbruck 1894), 1970; – Wolfgang Friedrich Michael, Das dt. Drama des MAs, Berlin 1971; – Marianne Schütze-Pflugk, Herrscher- u. Märtyrerauffassung bei R. v. G. (Diss. Hamburg, 1967), Wiesbaden 1972; – Bärbel Beutner, Der Traum des Abraham, in: Mittellat. Jb., hrsg. v. Karl Langosch (u.a.), 1973, 22-30; – Friedrich Neumann, Der Denkstil H.s v. G., in: Festschr. f. Hermann Heimpel z. 70. Geb. III, 1972, 61-109; – Heinrich Grimm, Des Conradus Celtis editio princeps der »Opera Hrosvite« v. 1501 u. Albrecht Dürers Anteil daran, in: Philobiblion 18, 1974, 3-25; – Dietlind Heinze, Die Praefatio zu den »Dramen«, H.s v. G., – ein Progr.? (Diss. Freiburg/Breisgau), 1973; – R. Kemper, Sodalitas litteraria a senatu romani Imperii impetrata, in: Euphorion 68, 1974, 119 ff., – K. de Luca, Hrotsvit's »Imitation« of Terence, in: Classical folia 28, Worcester Mass. 1974, 89 ff.; – David Brett-Evans, Von H. bis Folz u. Gengenbach. Eine Gesch. d. ma. dt. Dramas, Berlin 1975; – Dieter Mertens, »Sodalitas Celtica impetrata?« zum Kolophon d. Nürnberger H.-Druckes v. 1501, in: Euphorion 71, 1977, 277 ff.; – Kazunori Kitazato, H. in ihrer Zeit, in: Doitsu Bungakuronko. Forschungsberichte zur Germanistik 19, Osaka 1977, 31 ff.; – Bruce W. Hozeski, The Parallel Patterns in H. of G., a Tenth Century German Playwright and in Hildegard of Bingen, a Twelfth Century German Playwright, in: Annuale Medievale 18, 1977, 42 ff.; – David Chamberlain, Musical Learning and Dramatic Action in H.s »Pafnutius«, in: Studies in Philology 77, 319 ff.; – Dieter Schnaller, R. v. G. nach 1000 J., in: ZdPh 95, 1977, 105-114; – D. M. Kratz, The Nun's Epic: Hrotswitha on Christian Heroism, in: Wege der Worte, Festschr. W. Fleischhauer, Köln 1978, 132 ff.; – G. Vinary, Alto medioevo latino, Napoli 1978; – Fritz Wagner, Joh. Chr. Gottsched u. H. v. G., in: Mittellat. Jb. 13, 1978, 253 ff.; – Peter Hacks, Das Jahrmarktsfest zu Plundersweilern. Rosie träumt. Zwei Bearbb. nach J. W. v. Goethe u. H. v. G., Düsseldorf 1978; – Ilse Langner, Vorläuferinnen der Emanzipation? Drei Nonnen - drei Dichterinnen, in: Neue deutsche Hefte 163, 1979, 497 ff.; – KLL I, 39 f. (Abraham); I, 2039 f. (Callimachus); III, 753 f. (Taten Ottos (III.)); III, 429 f. (Gallicanus); V, 1246 f. (Pafnutius); V, 1469 f. (Passio Gongolfi); V, 1631 f. (Pelagius); VI, 785 f. (Sapientia); VI, 2579 f. (Teophilus); – Wilpert I², 745 f.; II, 7 (Abraham); – Wattenbach-Holtzmann I/1, 34-48; – Manitius I, 619-632; – Eppelsheimer 144; – ADB XXIX, 283; – NDB IX, 676-678; – RE VIII, 409; XXIII, 662; – RGG III, 462; – VerfLex II, 506 ff.; – VerfLex (2. Aufl. 1982) IV, 196 ff.; – Kosch II, 1069 f.; – DLL VIII, 174 f.; – LThK V, 500; – Goedecke I, 32.

Ba

HUBER, Fridolin, * 21.10.1763 in Hochsal, + 17.10. 1841 in Deißlingen. – Nach dem Studium der Theologie promovierte H. 1793 an der Universität Freiburg. Danach erhielt er die Priesterweihe und wirkte ab 1796 als Pfarrer in Waldmössingen. Von 1809 bis zu seinem Tode hatte er die Pfarrei in Deißlingen inne. Von 1827-1828 bekleidete er das Amt des Regens am Rottenburger Priesterseminar. Mit besonderem Engagement setzte er sich in den Jahren 1817-1820 für seinen Freund Ignatz Heinrich Freiherr von Wessenburg ein. Entgegen der päpstlichen Entscheidung verteidigte er dessen Einsetzung als Kapitularvikar in Konstanz. Dieser Auseinandersetzung ist auch ein Teil seiner Veröffentlichungen gewidmet. – H., der als bedeutender Aufklärungstheologe gilt, wirkte neben seinem Priesteramt vor allem auf theologisch-wissenschaftlichem Gebiet. Er verfaßte zahlreiche Abhandlungen sowohl zu grundsätzlichen, als auch zu sehr speziellen Fragen des praktischen Christentums.

Werke: Rede über die Annehmlichkeiten des Bauernstandes, Meersburg 1804; Bekehrungsgeschichte des Philip Fuchs, eines Gauners, welcher 1799 durch den Strang hingerichtet wurde, Freiburg 1806, Rottweil 1806²; Über die Preisfrage: Welche Ursachen sind es vorzüglich, die der heilsamen Wirksamkeit der Bußanstalten nach den Pastoralerfahrungen

Abbruch tun? Und welche Mittel sind anwendbar, um den wichtigsten Zweck ihrer Einsetzung zu befördern?, Meersburg 1806; Entwickelung der Begriffe Didaktik und Pädagogik, Rottweil 1810, Freiburg 1810²; Handbuch der christ-katholischen Religion für das erwachsene christ-katholische Volk, Meersburg 1810, 2 Bde; Ebenda 1825² (in Auszügen); Antwort an den Beurtheiler der Schrift: »Wessenberg und das päpstliche Breve«, Tübingen 1818; Wessenberg und das päpstliche Breve, Tübingen 1818; Vollständige Beleuchtung der Denkschrift über das Verfahren des römischen Hofes bey der Ernennung des Generalvikars Freyherrn v. Wessenberg zum Nachfolger im Bisthum Konstanz, und zu dessen Verwesung. Nebst einem Anhange über die Eigenschaften eines Bischofs nach Paulus I, Tim. III, 1-7, Rottweil 1918; Biographie des seligen Fr. J. Maier, Schulinspektor zu Rottweil, Rottweil 1826: Leitfaden zu dem christlichen Unterricht über den Eid, zum Gebrauch der pfarramtlichen Belehrung vor der Ablegung der Eide, Konstanz 1823, 1826²; Das Bild eines würdigen Jubelpriesters in der Person des Herrn Fr. J. Werdich bei seiner feierlichen Secundiz, Rottweil 1826; Vertheidigung der katholischen Religion gegen Angriffe neuerer Zeit, Frankfurt 1826, Trier 1850²; Was hätte eine deutsche Fürstin auf die öffentliche Nachrichten behaupten, von einem Souveran an sie gerichtete Schreiben wegen ihrem Übertritte zur katholischen Konfession antworten können?, Rottweil 1826; Trostgründe für christliche Mütter, die wegen dem Schicksal ihrer todtgeborenen Kinder in der andern Welt geängstigt werden, Rottweil 1827; Über das Verhalten des weisen Christen in unverschuldeten Leiden und Trübsalen im Bilde des heiligen Nepomuk, Augsburg 1827; De emancipatione catholicis, Hybernisibus adhuc semper degenerata. Secundum catholica principia examinata, Rottweil 1828; Die neue katholische Gottesdienstordnung für das Bisthum Rottenburg, Stuttgart 1838; Über den Rücktritt katholischer Geistlicher höherer Weihen in den Laienstand, Karlsruhe 1833; Leitfaden des christlichen religiösen Unterrichts für den Sonntagsschüler.

Lit.: B. A. Pflonz, Freimüthige Bll. über Theol. u. Kirchentum, NF 16, Stuttgart 1840, 14 ff.; – Aus dem Briefwechsel J. H. v. Wessenbergs, hrsg. v. W. Schirmer, Konstanz 1912; – A. Hagen, Die kirchliche Aufklärung in der Diöz. Rottenburg, Stuttgart 1953, 216 ff.; – M. Brandl, Die dt. kath. Theologen der Neuzeit II, Salzburg 1978, 115 f.; – Kosch, KD I, 1761; – LThK V, 502; – ADB XIII, 231.

Sf

HUBER, Johann Ludwig, ev. Jurist und Kirchenlieder- dichter, * 21.3.1723 als Pfarrerssohn in Großheppach (Württemberg), + 30.9.1800 in Stuttgart. – H. besuch- te seit 1737 die Niederen Seminare in Denkendorf und Maulbronn, studierte in Tübingen Theologie und er- warb sich 1743 die Magisterwürde. Nach dem Tod sei- nes Vaters wandte er sich dem Studium der Rechtswis- senschaft zu, promovierte 1749 zum Lizentiaten der Rechte und wurde Advokat beim Hofgericht in Stutt- gart. 1751 trat H. in den Staatsdienst. Er verwaltete bis 1756 die Vogtei Nagold, dann die Vogtei Lustnau und wurde 1762 mit dem Rang und Titel eines Regie- rungsrats Oberamtmann von Tübingen. Als der durch seine Willkürherrschaft bekannte Herzog Karl Eugen 1764 ohne Zustimmung der Landstände eine allgemei- ne Steuerveränderung durchführen und den Militärbei- trag des Landes um die Hälfte erhöhen wollte, pro- stierte H. freimütig dagegen, so daß die Tübinger Amts- versammlung die von ihr begehrte Zustimmung zu die- sem neuen Steuerplan verweigerte. Ohne daß ein Ver- hör oder eine förmliche Verurteilung stattgefunden hat- te, wurde H. im Juni 1764 seines Amts entsetzt, ver- haftet und mit dem Bürgermeister und zwei anderen angesehenen Bürgern auf die Festung Hohenasperg ge- bracht. Auf Verwendung des kaiserlichen Gesandten durfte er nach sechs Monaten nach Tübingen zurück- kehren. Da H. ohne Amt und Einkommen war, gewähr- ten ihm die Landstände eine jährliche Pension. Auf dringende Bitten seines alten Freundes, des Regierungs- präsidenten von Gemmingen, zog er 1788 nach Stutt-

1097

1098

gart. – Als Dichter hat sich H. schon auf der Universität auf weltlichem Gebiet versucht. Zu seinen geistlichen Dichtungen wurde er durch Friedrich Gottlieb Klopstock (s.d.) und Johann Andreas Cramer (s.d.) angeregt. Das Württembergische Gesangbuch von 1791 nahm fünf seiner Lieder auf. Von ihnen hat sich das 1787 erschienene Lied »Die Ernt ist da, es winkt der Halm« im Württembergischen Gesangbuch von 1853 erhalten.

Werke: Oden, Lieder u. Erzz., 1751; Vers. mit Gott zu reden, Reutlingen 1775 (1787²; Prosagebete u. v. 30 dichter. Stücken 11 geistl. Lieder); Vermischte Gedichte, Erlangen 1783; Schreiben eines Predigers an seinen Colleg. über d. hie zu Lande (Württemb. usw.) gewöhnl. Tischgebete nebst einigen neuen Tischgebeten, 1786; 4 Predigten f. Bürger u. Bauern ü. d. Klagen d. Unthertanen geg. ihre Herren, bes. wegen d. Wildprets, Frohnen, Abgab. usw., 1789; Plouquets Denkmal v. sein. Freunde. D. J. L. H., Tübingen 1790; Tamira (Melodrama) 1791; Denkmal d. Hrzgl. Wirtemb. Präs. d. Regier. Eberhard v. Semmingen, 1793; Etwas v. meinem Ll. u. meiner Muse auf der Festung, Stuttgart 1798.

Lit.: Koch VI, 375 ff.; – Kosch, LL II, 1072; – ADB XIII, 232-234.

Ba

HUBER, Johann Nepomuk (Ps. Janus), katholischer Theologe und Philosoph, * 18.8.1830 in München, + 20.3.1879 in München. – H. stammte aus ärmlichen Verhältnissen. Sein Vater war Trödel-Kleinhändler. Trotzdem konnte H. Theologie und Philosophie in München studieren, wo er 1854 zum Dr. phil. promovierte. Nach seiner Habilitation wurde H. 1855 als Privatdozent der Philosophie in München tätig. 1861 wurde er ordentlicher Professor für Philosophie und Pädagogik an der Univerität München. 1864 wurde er zum Ordinarius befördert. – Zu seinen philosophischen Ideen wurde H. besonders von E. v. Lassaulx, F. v. Baader und Oischinger angeregt. Schon als Student stritt sich H. heftig mit Felix Dahn über die Lehre L. Prantls. – H.s religiöse Entwicklung wurde von der katholischen Romantik und der Ideen des späten Schelling beeinflußt. Bestimmend für H.s christlich-scholastische Philosophie wurde Johannes Sctous Erigena. – 1859 bekannte sich H. in seiner »Philosphie der Kirchenväter« als Gegner der Neuscholastik und der Jesuiten. Dafür wurde sein Werk auf den Index gesetzt und als H. sich weigerte, sich zu unterwerfen, wurde den Theologiestudenten der Besuch seiner Vorlesungen verboten. – Im Streit um das I. Vatikanum wurde H. führendes Mitglied der altkatholischen Bewegung. Seit 1869 arbeitete er an Döllingers Zensur »Janus - Der Papst und das Konzil« mit. H. starb an einem plötzlichem Herztod, ohne den Streit mit der Kirche beigelegt zu haben.

Werke: Die Cartesian. Beweise v. Dasein Gottes (Diss. München), 1854; Über Platons Lehre v. einem persönl. Gott (Hab.-Schr. München), 1855; Über die Willensfreiheit. Eine philos. Abhh., 1858; Die Philos. der Kirchenväter, 1859; Johannes Scotus Erigena. Ein Btr. z. Gesch. der Philos. u. Theol. im MA, 1861; Die Idee der Unsterblichkeit, 1864 (1865², 1878³); Der Proletarier. Vortrr. z. soz. Frage, in: Stimmen aus der kath. Kirche, 1869; Der Papst u. der Staat. Die Freiheiten der frz. Kirche, 1870; Die Lehre Darwins krit. betrachtet, 1871; Das Verhältniß d. dt. Philosophie z. nat. Bewegung, 1871; Kl. Schrr. Biogr. Skizzen u. kulturhist. Aufss. (Lamennais, Jakob Böhme, Spinozy, Communismus u. Sozialismus. Die Nachseiten v. London. Dt. Studentenleben), 1871 (1872²); Der Jesuitenorden nach seiner Verf. u. Doktrin, Wirksamkeit u. Gesch. charakterisiert, 1873; Der alte u. der neue Glaube. Ein Be-

kenntnis v. David Friedrich Strauß krit. gewürdigt, 1873; Die eth. Frage, 1875; Die rel. Frage. Wider Eduard v. Hartmann, 1875; Zur Kritik moderner Schöpfungslehren mit bes. Rücks. auf Ernst Haeckels »natürl. Schöpfungsgesch.«, 1875; Pessimismus, 1876; Die Forsch. nach der Materie, 1877; Die Philos. der Astronomie 1878; Das Gedächtnis, 1878; Die Philos. d. Sozialdemokratie, 1887; Geschichte d. Sozialismus (unvollendet).

Lit.: B. A. Pflanz, J. N. H., in: Freimüthige Bll. üb. Theol. u. Kirchenturm, NF 16, 1840, 14-65; – Eberhard Zirngiebl, J. N. H., Gotha 1881; – Werner Ziegenfuß, Philos.-Lex. I, 1849, 558; – ADB XIII, 235-237; – NDB IX, 695 f.; – Kosch, LL II, 1072 f.; – LThK V, 502; – RGG III, 462.

Ba

HUBER, Max, Professor u. a. für Kirchenrecht, * 28. 12.1874, entstammt als Sohn des Industriellen Emil H. einer großbürgerlichen Familie, + 1.1.1960 in Zürich. – H. studierte von 1894-97 Jura in Zürich, Lausanne und Berlin, unternahm danach längere Reisen nach Amerika, Australien und Indien. Von 1502-22 war er Professor für Staats- und Völkerrecht sowie Kirchenrecht in Zürich. 1907 nimmt H. an der II. Friedenskonferenz in Haag teil. Hier entwickelte er die Idee vom »reziproken Fakultativ-Obligatorium« der Schiedsgerichtsbarkeit, die 1925 Eingang in die Locarno-Verträge fand. Von 1907-22 war H. Rechtskonsulent der Schweizerischen Regierung für internationale Fragen, wobei seine beiden Ziele zum einen die Verpflichtung der Schweiz in eine feste internationale Rechtsordnung und zum anderen die Intensivierung des Weltfriedens durch die schweizerische Neutralitätspolitik waren. Er bereitete den Eintritt der Schweiz in den Völkerbund vor und bestimmte in jenen Jahren eindeutig die Leitlinien schweizerischer Außenpolitik. H.s Rechtsauffassung wandelt sich vom Rechtspositivismus zu einem betont christlichen Rechtsethos, das durchdrungen war von der Idee der Gerechtigkeit. Er näherte sich immer mehr einer religiösen Deutung und Begründung des Rechts. Sein Streben nach Gerechtigkeit fand seinen Ausdruck in seinen verschiedenen gesellschaftlichen Tätigkeiten. Nach nur kurzer Dauer als schweizerischer Delegierter im Völkerbund, wurde H. am 14.9.1921 Mitglied des neugeschaffenen Ständigen Internationalen Gerichtshofes in Haag, dem er bis 1930 angehörte und dessen Präsident er von 1925-27 war. Von 1928-44 war er Präsident des Internationalen Roten Kreuzes, seitdem Ehrenpräsident. H. war aktiv in der Ökumenischen Bewegung tätig. 1937 nahm er als Vorsitzender der Kommission für Kirche und Staat an der Konferenz des Ökumenischen Rates der Kirchen in Oxford teil. – In den Kriegsjahren versuchte H. durch mehrere Denkschriften an die kriegführenden Mächte und die nationalen Rotkreuzgesellschaften dem völkerrechtlichen Chaos entgegenzuwirken. Die von ihm verbreiteten Grundsätze für den Schutz der Zivilbevölkerung in Kriegen sind in die Genfer Konvention von 1943 eingegangen. H. erhielt 1944 den Friedensnobelpreis, ansonsten zahlreiche Ehrendoktorate sowie die Friedensklasse des Ordens »Pour le Mérite«.

Werke: Die Staatensuccession, 1898, 1928²; Tagebuchbll. aus Sibirien, Japan, Hinter-Indien, Australien, China, Korea, 1906; Die Gleichheit der Staaten, 1909; Der schweizer. Staatsgedanke, 1915; Staatspolitik u. Ev., 1923; Die soziologischen Grundlagen des Völkerrechts, 1928; Grundlagen nat. Erneuerungen, 1934; Der Christ u. die Politik..., 1935;

Das Verhältnis der Kirche z. Politik, 1936; Die Schweiz in der Völkergemeinschaft, 1940; Der Barmherzige Samariter, 1941 u. ö.; Rotes Kreuz, Grundsätze u. Probleme, 1941; Grundsätze u. Grundlagen der Tätigkeit des Internat. Komitees v. Roten Kreuz (1939-1946), 1947; Ges. Aufss., I: Heimat u. Tradition, 1947, II: Ges. v. Humanität, 1948, III: Glaube u. Kirche, 1948, IV: Rückblick u. Ausblick, 1951; Wesen u. Würde der Jurisprudenz, 1948; V. göttlicher u. meschlischer Gerechtigkeit. Brunner-Festnummer »Zwingliana« IX/2, 1949; Natürliche Gotteserkenntnis; ein Vergleich zw. Thomas v. Aquin u. Huldrych Zwingli, 1950; Der Einzelne in der Völkerwelt. Festschr. f. Emil Brunner, 1950; Mensch u. Tier, 1951, 1959[2]; Das Internat. Rote Kreuz. Idee u. Wirklichkeit. Aus Ansprachen u. Aufss. ausgewählt u. hrsg. v. Gertrud Spörri, 1951; Staatsgesetz u. kirchliches Recht f. die zürcherische Landeskirche, in: Neue Zürcher Ztg. Nr. 1034, 11. Mai 1952; Gesch. der Mission u. Weltgesch., in: Kirchenbote f. den Kanton Zürich, Juni 1952; Kirche u. Gemeinde. 300 J. Kirche Ossingen 1652-1952, 1952; Das Völkerrecht u. der Mensch, in: Ru. Internat. de la Croix Rouge 404, 1952; Z. ersten August. Rede, geh. auf Rigi-Kaltbad am 1. Aug. 1952, 1952; Jesus Christus als Erlöser in der liberalen Theol., 1956; Laientheol. Gedanken eines alten Mannes über Probleme des Glaubens, 1960.

Lit.: Festg. f. M. H. z. 60. Geb., 28.12.1934, Zürich 1934; – V. Krieg u. v. Frieden. Festschr. der Univ. Zürich z. 70. Geb. v. M. H., Zürich 1944; – Hommage à M. H., mit Btrr. v. P. Rüegger, M. Bodmer u. a., Genf 1949; – M. Petitpierre, Prof. Dr. M. H., Amriswil 1952; – F. Wartenweiler, M. H., Zürich 1953; – M. Bodmer, In Memoriam M. H., in; Schweizer. Mhh. 39, 1959 f., 1057 ff.; – E. Kaufmann, M. H. – ein großer Rechtsgelehrter, in: Ders., Ges. Schr. III, hrsg. v. A. H. v. Scharpenberg u. a., 1960, 378 ff.; – D. Schindler, Prof. Dr. M. H., in: Zschr. f. schweizer. Recht 79, 1960, 567a f.; – W. Kägi, Prof. M. H., 1874-1960, in: ebd., 1 ff.; – Ders., Abschied v. M. H., in: Reformatio. Zschr. f. ev. Kultur u. Ethik 9, 1960, 1 f.; – G. de Reynold, M. H. u. sein Gedanke, in: ebd., 259 ff.; – W. Löffler, M. H., dem 3. Präs. des Internat. Roten Kreuzes, z. Andenken, in: Bull. der schweizer. Akademie der medizinischen Wiss. 16, 1960, 320 ff.; – H. Coursier, M. H. + Ier janvier 1960, in: Integration, Bull. internat. 7, 1960, 1 ff.; – P. Guggenheim, M. H. 28.12.1874 – 1.1.1960, in: Juristenztg. 15, 1960, 187 f.; – M. v. Asbeck, M. H. in Memoriam, in: Friedenswarte 56, 1962, 217 ff.; – S. Schmidt-Meinecke, M. H., in: Dt. Schwesternztg. 15, 1962, 10 ff.; – P. König, M. H. v. Gonzague [Fréderic] de Reynold, in: Reformatio. Zschr. f. ev. Kultur u. Ethik II, 1962, 649 ff.; – P. Vogelsanger, M. H., Recht, Politik, Humanität aus Glauben, 1967; – NDB IX, 666 ff.; – RGG III, 562 f.

Ba

HUBER, Samuel, lutherischer Theologe, * 1547 in Burgdorf/Kt. Bern, + 23.3.1624 in Osterwieck/Harz. Nach seinem Theologiestudium trat H. in den Kirchendienst ein. Wegen seiner Neigung zum Luthertum, insbesondere wegen der Ablehnung der reformierten Prädestinationslehre wurde er aus der Berner Kirche ausgeschlossen. H. zog nach Deutschland und wurde Pfarrer in Derendingen bei Tübingen. 1593 trat er eine Theologie-Professur in Wittemberg an. Hier geriet er wegen seines sehr weitgefaßten Gnadenuniversalismus bald in einen unversöhnlichen Gegensatz zu Leyser (s. d.) und Hunnius (s. d.), der 1595 zu seiner Amtsenthebung und Ausweisung aus Kursachsen führte. Nach mehreren Wanderjahren, die ihn durch ganz Deutschland führten, verbrachte er seine letzten Lebensjahre bei seinem Schwiegersohn im Harz. Nach seinem Tod löste sich die kleine Schar von Anhängern des Huberianismus rasch auf.

Werke: Carmen elegiacum, scriptum in honorem nuptiarum M. Sixti Huberi et virginis Magdalenae Schwegerlin, Nürnberg 1553, hrsg. v. Heinr. Ecardus; Theses, Jesum Christum esse mortuum pro peccatis totius generis humani, 1589 ((Ausz. 1590) 1592[2]); – Widerlegung d. Büchlins, welches Jörg Scherer, ein Jesuit, (...) hat außgehn lassen, Tübingen 1589; Widerlegung d. Büchlins, welches Jörg Scherer, ein Jesuit, von einer newen und unerhörten Monstranßen, sampt angehenckten sibenzehen Ursachen, daß man von d. Luther, das heilig Nachtmahl unsers Herrn Jesu Christ nicht empfangen solle, in jüngst verschiner Herbstmeß hat außgehn lassen, Tübingen 1584; Beweisung, daß die Heidelberger Theolog. - ihre greuliche Lehre wider d. Leiden unsers Herrn verdecken, Tübingen

1590; Ggs. der luth., calvinist. zwinglischen Lehre, Tübingen 1591; Von der Calvin. Predicanten Schwindelgeist, unnd der gerechten Gericht Gottes über dise sect, Tübingen 1591; Beständige Entdeckung d. calvin. Geistes, welcher d. Leiden Christi f. unsere Sünden verleugnet, Wittemberg 1592; Bericht von dem Büchlin, welchs an jüngstuerschiner Fastenmeß, Anno 1591 under dem Namen d. Wittemb. Studenten außgegangen, Tübingen 1592; Demonstratio fallaciarum Calvini indoctrina de coena domini, Wittemberg 1593; Protestation wider Johann Wilhelm Munk zu Zürich, D. Johann Jakob Jetzlern zu Schaffhausen, Wittemberg 1593; Beständige Bekenntnis v. der Gnadenwahl, 1595; Antwort auf Pistorii, 1596; Hist. Beschreibung des ganzen Streites zw. Hunn u. S. H., 1597; Anti-Bellarminus, (mit Selbstbiogr. im VI. T.), Goslar, 1607 ff.; Bapsts Visierung mit seinem Fegfewer, Goslar 1609; – Qu.: Acta Huberiana (den Tübinger Streit betr.), 1597/98.

Lit.: Johann Andreas Schmidt, Diss.-hist.-theologica de H. i vita, fatis et doctrina, 1708 (mit Verz. seiner Schr.); – Julius Wiggers, Beitr. z. Lebensgesch. S. H.s, in: ZHTH 14, 1844, 114-121; – Gottfried Adam, Prädestination u. luth. Orthodoxie im ausgehenden 16. Jh. (Diss. Bonn), Neukirchen-Vlyn 1970 u. d. T.: Der Streit um die Prädestination im ausgehenden 16. Jh. Eine Unters. zu den Entwürfen v. S. H. u. Ägidius Hunnius; Rune Söderlund: Löran om den universala rättfärdiggörelsen i teologihistorisk belysning, in: Svensk Teologisk Kvartalskrift, 55, 1979, 114-129; – Ritschl IV, 134-145; – ADB XIII, 248 f.; – NDB IX, 698 f.; – RE VIII, 409-412; XXIV, 775; – RGG III, 463; – LThK V, 502; – Jöcher II, 1742; – Kosch LL III, 191.

Ba

HUBER, Victor Aimé, Literaturhistoriker u. Sozialpolitiker, * 10.3.1800 in Stuttgart, + 19.7.1869 in Werningerode. – H. war Sohn des Schriftstellerehepaares Ludwig Ferdinand u. Therese H., geb. Heyne. – Nach dem frühen Tod seines Vaters wurde H. als 6jähriger zu Freunden seiner Eltern nach Hofwil geschickt. Von 1808-1816 besuchte er dort das Fellenbergsche Erziehungsinstitut. Danach nahm er ein Medizinstudium in Göttingen und Würzburg auf. 1820 promovierte er zum Dr. med. – Während mehrerer Reisen nach Frankreich, Portugal, England, Spanien und Italien widmete er sich besonders historisch-sprachwissenschaftlichen Studien. 1828 wurde er Lehrer für Geschichte und neuere Sprachen an der Handelsschule, später am Gymnasium in Bremen. 1832 wurde er Professor der neuen und abendländischen Sprachen in Rostock, 1836 in Marburg und 1843 Professor für Literaturgeschichte in Berlin. – 1845 gab er die erste konservative deutsche Zeitschrift »Janus - Jahrbuch deutscher Gesinnung, Bildung und Tat« heraus. Trotz erheblicher staatlicher Zuschüsse mußte er diese Zeitschrift 1848 aus finanziellen Gründen wieder einstellen. – In der folgenden Zeit beteiligte sich H. an der Gründung einer konservativen Partei Preußens, aus der er jedoch bereits 1851 wegen des Überwiegens feudaler Interessen und Ziele wieder austrat. Sein Interesse galt vielmehr der Wiedereingliederung der Arbeiterschaft in die bürgerliche Gesellschaft. Aus diesem Grunde gab er seine Professur in Berlin auf und widmete sich nun ausschließlich der sozialen Frage. Nach dem Vorbild der englischen Genossenschaftsbewegung setzte sich H. auch in Deutschland für ein Selbsthilfewerk von Arbeiterzusammenschlüssen mit Beteiligung der Arbeiter an den Unternehmergewinnen ein, um die Klassengegensätze und die daraus resultierenden kämpferischen Formen abzumildern. Zu diesen Ideen traf er sich teilweise mit Wicherns Innerer Mission und der liberalen Genossenschaftsideen Schulze-Delitzschs. Die politischen Vorstellungen des letzteren wollte H. jedoch nicht teilen. Seine Aufgaben und Ziele sah er mehr im christlich-sozialen Bereich. – H.s Leistung lag hauptsächlich in der Verbreitung der Genossenschaftsidee unter Sozialkonservativen und Christlich-Sozialen. Selbst von katholischer Seite (Kolping, Ketteler, Jörg) wurden einige seiner Gedanken aufgenommen und weiter verfolgt.

Werke: De lingua et osse hyoi deo pici viridis, Diss. Stuttgart 1821; Smlg. Span. Romanzen aus d. früheren Zeit, 1821; Bemerkungen über d. Gesch. u. Behandlung d. Vener. Krankheiten, Stuttgart 1825; Skizzen aus Span., 4 Bde., 1828-33; Gesch. des Cid Ruy Diaz. Campeador. Nach den Qu. bearb., 1829; Über d. Feier d. 18. Okt., 1831; Span. Lesebuch, Ausw. aus der klass. Lit. der Spanier in Prosa u. in Versen nebst kurzen biogr. u. literar. Nachr. u. einem vollst. (span.-dt.) Wb., 1832; Die neuromant. Poesie i. Frankr. u. ihr Verhältniß z. d. geist. Entwickelung d. franz. Volkes, Leipzig 1833; Handb. d. engl. Poesie, 1833; Einige Zweifel u. Bemerkungen gg. einige Ansichten über d. teutschen Univers., deren Verfall u. Reform, 1834; Beiträge z. Kritik d. neuesten Literatur, 1837; Die engl. Universitäten. Eine Vorarbeit z. engl. Litt.gesch., 2 Bde., 1839 u. 1840 (ins Engl. übers. v. Newmann); Über die Elemente, die Möglichkeit o. Notwendigkeit einer konserv. Partei i. Dtld., Marburg 1841; Die Opposition, 1842; Was wollen eigentlich die Münchener hist.-polit. Blätter f. d. kath. Dtld., 1843; Zur vergleichenden Politik I. Die engl. Verfass. u. ihr it works well, 1843; De primitiva cantilenarum popularium epicarum [vulgo Romances] apud Hispanos forma, Berlin 1844; Die Selbsthilfe der arbeitenden Klasse durch Wirtschaftsvereine u. innere Ansiedlung (anonym), 1848; Concordia. Bll. d. Berl. gemein. Baugesellschaft, Berlin 1849; Suum cuique i. d. dt. Frage, Dez. 1849; Recht, Ehre, Vortheil i. d. dt. Frage, Nov. 1850; Über die cooperativen Arbeiterassociationen in England, Berlin 1852; Bruch mit Rev. u. Ritterschaft, Berlin 1852; Reisebriefe aus Belgien, Frankr. u. Engl. i. Sommer 1854; 1855; Genossenschaftl. Briefe aus Belgien, Frankr. u. Engl. Wohlfeilere Ausg. d. Reisebriefe a. d. J. 1854, Bd. 1.2., Hamburg 1855; Concordia. Beiträge z. Lösg. d. soz. Fragen, Leipzig 1861-62; Über span. Nationalität u. Kunst i. 16. u. 17. Jh., Berlin 1852; Innere Mission u. Association, Berlin 1853; Die Machtfülle d. altpreuß. Königthums u. d. conserv. Partei, Leipzig 1862; Soziale Fragen, 6 Bde., Nordhausen 1863-67; Die Arbeiter u. ihre Rathgeber, Berlin 1863; Zur schlesw.-holst. Frage, Nordhausen 1863; Noth u. Hülfe unter d. Fabrikarbeitern aus Anlaß d. Baumwollsperre i. Engl., Hamburg 1863; Die genossenschaftl. Selbsthülfe d. arbeitend. Klassen, Elberfeld 1865; Über Arbeiterkoalitionen, Berlin 1865; Zur Reform d. Armenwesens, Schaffhausen 1867. – Ausgew. Schrr. über Sozialreform u. Genossenschaftswesen, hrsg. v. K. Munding, 1894.

Lit.: Rudolf Elvers, V. A. H. Sein Werden u. Wirken, 2 Bde., 1872-74; – F. Mühle, V. A. H.s wirtschafts- u. sozialwiss. Gedankenwelt (Diss. Jena), 1922; – E. Jäger, H., ein Vorkämpfer der soz. Reform, o. J.; – Ingwer Paulsen, V. A. H. als Sozialpolitiker. Btr. z. Gesch. christl.-konservativer Ges.- u. Wirtschaftsauffassung (Diss. 1931) (1956², 212-221: Verz. der Schrr. v. u. über H.); – Martin Gerhardt, Ein Jh. Innere Mission I, 1948, 294 ff. (Wichern u. H.); – Erich Thier, Die Kirche u. die soz. Frage. Von Wichern bis Friedrich Naumann. Eine Unters. über die Beziehungen zw. polit. Vorgängern u. kirchl. Reformen, 1950; – Helmut Faust, V. A. H. Ein Bahnbrecher der Genossenschaftsidee, 1952; – Ders., Ursprung u. Aufbruch der Genossenschaftsbewegung, 1958 (Lit.: 337-352); – Walter Bredendiek, Christl. Sozialreformer des 19. Jhs, Leipzig 1959; – Wilhelm Oswald Shanahan, Der dt. Prot. vor der soz. Frage (German protestants face the social question (dt.)) 1815-1871 (Die Übers. aus dem Amer. bes. Dieter Voll unter beratender Mitarbeit v. Wolf-Dieter Marsch), 1962, 175 ff. 336 ff. 413 ff.; – Gerhard Morgenroth, Das Bild eines Menschen, V. A. H., in: Sozialpäd. 6, 1964, 18-22; – Ernst Joseph Görlich, V. A. H. Zu seinem 100. Geb. am 19.7. 1969, in: Die Christengemeinschaft. Mschr. zu rel. Erneuerung 41, 1969, 201 f.; – ADB XIII, 249-258; – NDB IX, 688 f.; – RE VIII, 412; – EKL II, 203 f.; – RGG III, 463; - Kosch LL VIII, 1981³, 191.

Ba

HUBER, Wolfgang (Wolf), Maler, * um 1485 in Feldkirch (Vorarlberg), + 3.6.1553 in Passau, wo er in der Heiliggeistkirche beigesetzt wurde. – H. zählt mit Albrecht Altdorfer zu den führenden Köpfen der »Donauschule«. Über seine frühen Jahre, seine Lehrzeit, seine Wanderschaft und seine Anfänge in Passau liegen keine Urkunden vor. Vermutlich wurde er bereits um 1510 in Passau ansässig; der Erwerb des Bürgerrechts

sowie von Grund und Boden für einen Hausbau ist jedoch erst aus dem Jahre 1539 urkundlich bezeugt. In diese Zeit fällt auch die Übernahme des Amtes als Hofmaler und Baumeister der Passauer Bischöfe: 1540 wird er offiziell Hofmaler genannt, 1541 ausdrücklich als Stadtbaumeister bezeichnet. Als freier und unabhängiger Künstler im Dienst der Bischöfe war es H. möglich, sich den Beitrittsforderungen der Passauer Malerzunft erfolgreich zu widersetzen. – Die frühest erhaltenen Werke H.s sind Landschaftszeichnungen (ab 1505), sowie Darstellungen von Heiligen Landsknechten und Bildnisskizzen (ab 1522). Die mit schwarzer oder farbiger Tusche angefertigten Federzeichnungen, sowie Kohle-, Kreide- oder Rötelzeichnungen auf grundiertem Papier nehmen in H.s Werk zahlenmäßig den größten Raum ein. Sein frühestes Gemälde stammt aus dem Jahre 1517 und zeigt das Epitaph des Passauer Bürgermeisters Jakob Endl (Kremsmünster Benediktinerstift). Die Bildtafeln für den Altar der St. Anna-Bruderschaft in Feldkirch (1515-1521) zählen zu H.s bedeutendsten Werken. Hierin verarbeitete er Anregungen aus Dürers »Marienleben« (1511), über die er jedoch vor allem in der Gestaltung des Verhältnisses von Mensch und Natur und in der Anlage der Innenräume, die eine Mischung aus Italien und Norden, Gotik und Renaissance aufweist, weit hinausgeht. Zwischen 1525 und 1530 schuf H. eine weitere Werkgruppe, zu der zwei Bilder von einem Marienaltar (»Heimsuchung Maria« und »Flucht nach Ägypten«) zählen, sowie die Passionsbilder von St. Florian. Aus der Zeit nach 1530 sind nur wenige Gemälde erhalten, darunter das des Humanisten Jakob Ziegler (s.d.) als bedeutendstes und als krönender Abschluß des malerischen Werks H.s. Neben Zeichnungen und Gemälden schuf H. auch einige kostbare Holzschnitte. Außerdem war er als Architekt und Bausachverständiger tätig. Für seine Arbeiten am Neubau des Schlosses in Neuburg/Inn erhielt er das Schlößchen Neuvils und einen Jahressold als Gegenleistung. Zu H.s Werk findet sich ein breites Spektrum vom sakralen Bild über Landschaftszeichnungen, Porträts bis hin zu Mythologie und Allegorie als Widerspiegelung der Empfindungen und Sichtweisen einer Zeit allgemeiner Auflösung und Wandlung zwischen Spätgotik und aufgeklärtem Humanismus der Renaissance.

Werke: Christi Abschied v. Maria, 1519 (Wien, Kunsthist. Mus.); Szenen aus der Jugend Christi (Vorderseite des geschlossenen Annenaltars), 1515-21 (ebd.); Szenen aus dem Leben der hl. Anna (Innenseite der Flügel des Annenaltars), 1515-21 (ebd.); Allegorie des Kreuzes, nach 1540 (ebd.); Jakob Ziegler, 1544-49 (ebd.); Christus am Ölberg, um 1530 (München, Alte Pinakothek); Gefangennahme Christi, um 1530 (ebd.); v. einem Marienaltar, um 1525-30 (Berlin, Stiftung Staatl. Museen (West), Gem. galerie); Flucht nach Ägypten, um 1520-30 (ebd. Voralpenlandschaft (Aquarell), 1522 (geändert in 1532), (ebd) Kupferstichkabinett); Stigmatisation d. Hl. Franziskus, um 1512 (Wien, Graph. Smlg. Albertina); v. Annenaltar, 1515-21 (Feldkirch/Vorarlberg, Stadtpfarrkirche); Beweinung Christi, 1521 (ebd.); Geißelung Christi, 1525 (Florian bei Wien, Augustiner-Chorherrenstift); Dornenkrönung, 1525 (ebd.); Der Mondsee mit dem Schafberg (Federzeichnung), 1510 (Nürnberg, German. Nationalmus.); Landschaft mit Golgatha, 1522 (Erlangen, Graph. Smlg. der Univ.bibl.); Epitaph des Passauer Bürgermeisters Jakob Endl, 1517 (Kremsmünster/Oberöstr., Benediktinerstift); Frau Reuss, 1534 (Lugano, Smlg. Thyssen-Bornemisza); Ottheinrich v. der Pfalz, um 1530 (Marion/Pennsylvania, Bernes Foundation). Kreuzaufrichtung, um 1525 (ebd.); Klause am Eingang ins Pratzgau, 1552 (London, University College); Wien nach d. Türkenbelagerung 1530 (Wien, Graph. Smlg. Albertina).

Lit.: R. Riggenbach, Der Maler u, Zeichner W. H. (Diss. Basel), 1907; – Hermann Voss, Hermann Albrecht u. W. H. (Meister der Graphik 3),

1910; – Campbell Dodgson, W. H., in: C. Dodgson, Catalogue of Early German and Flemish Woodcuts in the Brit. Museum, 2, 1911, 253-260, Taf. 15; – P. Halm, Die Landschaftszeichnungen des W. H., in: Münchner Jb. der Bildenden Künste NF 7, 1930; – Martin Weinberger, W. H., 1930; – Rez. v. Pater Halm, in: DLZ III, 1933, 548-552; – Joseph Meder, Newly discovered drawings by W. H., in: Old Master Drawing, 7, 1932/33, 3-5 u. Taf. 4-11; – Joseph Meder, W. H., in: Old Master Drawing, 7, 1932/33, 3-5 u. Taf. 4-11; – Erwin Pöschel, Eine Bündner Landschaft von W. H., in: Anz. f. schweizer. Altertumskde., NF 35, 1933, 142-147; – Ders., Zum Feldkircher Altare d. W. H., in: Östr. Zschr. f. Kunst u. Denkmalspflege 5, 1951, 58 ff.; – Andreas Ulmer, Der Maler W. H. (+ 1553) u. d. Frage nach seinem Geburtsort, in: Alemania 7, 1933, 110-115; – Walter Weinzierl, Die beiden Meisterwerke W. H.s aus Feldkirch i. d. alt. Pinakothek, i. München, in: Alemania 7, 1933, 116 f.; – H. Möhle, W. H., in: Pantheon. Internat. Zschr. f. Kunst 18, 1936, 309 ff.; – A. Walzer, W. H.s Annenaltar in Feldkirch, in: Münchner Jb. der Bildenden Kunst NF 13, 1938-39, 68 ff.; – W. Hugelshofer, W. H. als Bildnismaler, in: Pantheon 24, 1939, 230 ff.; –W. H. Gedächtnisausst. z. 400. Todesj. (Passau, Oberhausmus.), Passau 1953; – Erwin Heinzle, W. H., Innsbruck 1953; – Ders., Die neu aufgefundenen acht Bildtaf. v. W. H., in: Das Münster 7, 1954, 1 ff.; – Ders., Z. Feldkircher Annenaltar d. W. H., in: Wiener Jb. f. Kunstgesch. 16, 1954, 119-128, m. Abb.; – Der Sankt-Annen-Altar des W. H. 20 farb. Taf., hrsg. v. dems., 1959 (Insel-Bücherei, 700); – Ders., Die Kunst der Donauschule. Ausst. kat. Sankt Florian am Inn, 1965, 110 ff.; – Ders., Die Weihnacht des W. H., in: Montfort. Zschr. f. Gesch.m.Heimat- u. Volkskunde Vorarlbergs 19, Bregenz 1967, 215; – Karl Oettinger, Datum u.Signatur bei W. H. u. Albrecht Altdorfer. Zur Beschriftungskritik der Donauschulzeichnungen, Erlangen 1957; – Franz Winzinger, Zum Werk W. H.s, Georg Lehmbergers u. des Meisters der Wunder v. Mariazell, in: Zschr. f. Kunstwiss. 12, 1958, 71 ff. s. auch in: Zs. f. Kunstwiss. 20, 1966, 135-142; – Ders., Der Meister der (früher W. H. 1485-1533 zugeschr. Bildtaf.) Anbetung (der Kge. um 1512 in der Smlg.) Thyssen (in Lugano), in: Festschr. Karl Oettinger. Hrsg. v. Hans Sedlmayer u. Wilhelm Messerer, 1967, 367-378; – Ders., Altdt. Meisterzeichnungen aus swgetruss. Smlg., in: Pantheon 34, 1976, 102-108; – Ders., W. H. Das Gesamtwerk, Bd. 1 Text, Bd. 2 Tafeln, München - Zürich 1979; – Ders., Zu Dürers Kaiserbildnissen (u. a. über W. H.s »Beweinung Christi«), in: Pantheon 39, 1981, 204-208; – Gert v. der Osten, Ein Ott-Heinrich-Bildnis von W. H., in: Pantheon 18, 1960, 145 ff.; – Ders., »Paracelsus« - Ein verlor. Bildnis v. W. H.?, in: Wallraf-Richartz-Jb. XXX, 1968, 201-214; – Ders., Noch ein Bildnis eines Mannes vor freiem Himmel, in: Wallraf-Richartz-Jb. 35, 1973, 207-226; – G. Künstler, W. H. als Hofmaler des Bisch. v. Passau, Gf. Wolfgang v. Salms, in: Jb. der Kunsthist. Smlg.en in Wien 58, 1962, 73 ff.; – W. Pfeiffer, Ein Wandgem. v. W. H., in: Zschr. f. Kunstgesch. 26, 1963, 37 ff.; – Alfred Stange, Die Kunst der Donauschule, 1964, 96 ff. 146 f.; – G. Poensgen, Z. Bildn. Ottheinrichs (W. H., G. Pencz), in: Ruperto-Carola 39, 1966, 189-191; – Rupert Feuchtmüller, W. H.s Ansichten d. Passauer Domes, in: Jb. d. Vorarlberger Landesmus., 1966, 56-67; – Dieter Kuhrmann, Über die neuerworb. W.-H.-Zeichnungen d. staatl. graph. Smlg. München, in: Pantheon XXV, 1967, 418-429; – Brigitte Heinzl, Der Monogrammist H. u. seine Beziehg. z. W. H., in: Jb. d. Oö. Musealver. 113, 1968, 135-140; – Christian Altgraf zu Salm, La Dé Ploration du Christ de 1524 par W. H., in: La Revue Loûvre 19, 1969, 13-20; – C. White, An early drawing of a St. Sebastian by W. H., Liber Amicorum K. G. Boon, Pays-Bas 1974, 136-41; – Patricia Anne Rose, W. H. Studies. Aspects of Renaissance thought and practice i. Danube school painting, Diss. New York 1977, u. Microfilms Internat. London 1978; – Städtelsches Kunstinstitut u. Städt. Galerie, Frankf., Graph. Smlg. Zeichnungen, Druckgraphik, in: Städel-Jb. 7, 1979, 305-313; – KML III, 331-348; – NDB IX, 700 f.; – LThK V, 502; – Schottenloher 9013-9044, 46977a-46985, 55240-55255; – Thieme-Becker 18, 21 f.; – Die gr. Enzyklopädie d. Malerei, Bd. 4, Freibg., Basel, Wien 1976, 1310-1312; – World Painting Index, Bd. 1, 1977, 580.

Ba

HUBERINUS, Caspar, lutherischer Theologe, * 21.12. 1500 in Stotzard bei Augsburg, + 6.10.1553 in Oehringen. – Über H.s Jugend liegen keine Erkenntnisse vor. Angeblich war er Mönch bzw. besaß eine Altarpfründe. – 1522 ließ er sich in Wittenberg immatrikulieren. 1525 zog er nach Augsburg, wo er Predigten im Sinne von Luthers Lehren hielt. Hier wurden auch seine ersten Schriften gedruckt. – 1528 wurde er, obwohl er kein kirchliches Amt bekleidete, zur Teilnahme an der Berner Disputation eingeladen. 1535 erreichte er zusammen mit G. Sailer (s.d.) die Beilegung des Streites zwischen Luther und der Stadt Augsburg. Danach trat H.

als Diakon in den Kirchendienst ein. Von 1542 an war er in verschiedenen Kirchen als Stiftsprediger und Superintendent nach Oehringen berufen. 1551 war er als Interimist in Augsburg. Dadurch brachte er die gesamte Bevölkerung gegen sich auf und verlor einen großen Teil seiner Anhänger, die in ihm einen Verräter sahen. 1552 kehrte H. nach Oehringen zurück, wo er noch kurz vor seinem Tod eine recht konservative evangelische Kirchenordnung verfaßte. – Besondere Wirksamkeit erlangte H. durch seine zahlreichen polemischen und erbaulichen Schriften, die in über 200 Ausgaben und Übersetzungen in sieben Fremdsprachen Verbreitung fanden. Daneben dichtete er auch einige Kirchenlieder.

Werke: Ein tröstlich Sermon v. d. Urstendt Christi den Schwachen z. Glauben nützlich zu lesen, o. J.; Trost aus d. Schrifft für eynen, der jnn angst u. nott zu Gott umb Hilfe schreiet, Wittenberg 1525; Etlich Schluszrede vom Gnadenbund Christi, das ist vom Tauff u. vom Kinderglauben, Wittenberg 1529; Vom Zorn u. der Güte Gottes, 1529; Auspurg 1531, Wittenberg 1534, mit Vorrede Luthers (Neuausg. 1860); Magdeborch 1535; Siebenzig Schlußrede odder Puncte von d. rechten Hand Gottes vnd d. Gewalt Christi, Meydeburg 1530; Von bösen falschen Zungen, 1531; Auspurg 1542; Vom wahren Erkenntnis Gottes, 1537; Streibüchlein, Auspurg 1541; Warum das haylige Creütz nutz u. gut sey, Auspurg 1542; Wie man die kranken trösten soll, Auspurg 1542; Catechismus, 1543; Der kleine Katechismus, 1544; Vom christl. Ritter, Neuburg a. d. Donau, 1545; Postilla dt., 3 Te., 1545-50; 40 kurze Predigten über den ganzen Catechismus, 1550; Latein. hrsg. v. Johann Lonicer 1554; Zehnerlei kurze Form zu predigen, 1552. – Ber. über die Vorgänge in Augsburg bis 1541 (Forsch.bibl. Gotha, Sammelbd. A 91, Bl. 53-124; Spiegel der Hauszucht, 1553.

Lit.: Johann Christian Wibel, Hohenloh. Kirchen- u. Ref.historie aus bewährten Urkk. u. Schrr. ver., I-IV, Onolzbach 1752-55 (Bibliogr.: II, 452 f.); – K. F. A. Scheller, Bücherkunde d. sassisch-niedersächs. Sprache, Braunschweig 1826; – Hermann Beck, Die Erbauungslit. der ev. Kirche Dtld.s. T. 1: Von Dr. M. Luther bis Martin Moller, 1883, 171-181; – Friedrich Roth, Augsburg Ref.Gesch. I, 1901-11²·⁴; Ders., K. H. u. das Interim i. Augsbu.⸗, in: BBKG 11, 1905, 201-218; – Peder Palladius, Oversaettelse of C. H.: Om Aegteskab og om frugtsommelige Kvinder. 1556, in: P. Palladius' Danske Skrifter 4, 1919-1920, 79-115; – Norbert Lieb. C. H., in: Lb. aus dem Bayer. Schwaben VI, 1958; – Hans Wiedemann, Augsburger Pfr.buch. Die ev. Geistl. der Reichsstadt Augsburg 1524-1806, 1962; – Gunther Franz, Visitation u. Konsistorium. Die Kirchenleitung der Gfsch. Hohenlohe im 16. Jh. (Diss. Tübingen), 1969; – Ders., Grabschr. u. Wappen des Theologen C. H. in seinen Schrr., in: Gutenberg-Jb. 1971, 138-143; – Ders., H., Rhegius, Holbein. bibliogr. u. druckgeschichtl. Unters. der verbreitetsten Trost- u. Erbauungsschr. des 16. Jh.s, Nieuwkoop 1973; – Wackernagel III, Nr. 989, 1100 ff.; – ADB XIII, 258 f.; – NDB IX, 701; – RE VIII, 415; – WA 38, 315-324; – RGG III, 463 f.; – Jöcher II, 1745; – Kosch LL 8, 1981³, 194 f.

Ba

HUBERT, Konrad, Martin Bucers (s.d.) Gehilfe, Kirchenliederdichter, * 1507 in Bergzabern (Pfalz) als Sohn eines Handwerkers, + 13. oder 23.4.1577 in Straßburg. – H. verlebte seine Schulzeit in Heidelberg und bezog 1526 die Universität Basel. Johannes Ökolampad (s.d.) gewann ihn für die reformatorische Lehre und nahm ihn als Famulus in sein Haus auf. Auf seine Empfehlung wurde H. 1531 Bucers Privatsekretär und Diakonus an St. Thomas in Straßburg. Selbständiges Auftreten und tatkräftiges Eingreifen in die kirchlichen Angelegenheiten lag ihm nicht. Darum war er mit Freuden Bucers Gehilfe. Als Bucer und der Prediger und Professor Paul Fagius (s.d.) als die entschiedensten Gegner des von dem Augsburger Reichstag im Mai 1548 angenommenen »Interims« (s. Agricola, Johann) am 1.3.1549 von dem Straßburger Rat »beurlaubt«

wurden und beide im April 1549 dem Ruf nach England folgten, brach für H. eine trübe Leidens- und Kampfeszeit voll bitterer Kränkungen an, weil er an Bucer und der »Confessio Tetrapolitana« (dem Bekenntnis der Reichsstädte Straßburg, Konstanz, Lindau und Memmingen) treu festhielt, in Straßburg aber die lutherische Richtung die Oberhand gewann. H. wurde 1562 aus dem Kirchenkonvent ausgestoßen und 1563 seines Amtes als Diakonus an St. Thomas entsetzt und zum Freiprediger ernannt, der hier und da auszuhelfen hatte. In den letzten Jahren seines Lebens bemühte sich H. um eine Gesamtausgabe der Werke Bucers, um auf diese Weise seinen großen Freund gegen die Beschuldigungen der theologischen Gegner zu rechtfertigen. Der Durchführung dieses Planes widersetzte sich mit aller Kraft und seinem ganzen Einfluß der Professor und Präses des Kirchenkonvents Johannes Marbach (s.d.), der sich zum Ziel gesetzt hatte, die Straßburger Kirche mit ihrer vermittelnden Stellung zu einem Hort strengen Luthertums umzugestalten. Bei seinen Vorbereitungsarbeiten halfen H., Joahnnes Sturm (s.d.), Rektor des Gymnasiums in Straßburg, und Edmund Grindal, seit 1562 Bischof von London, später Erzbischof von York und seit 1575 von Canterbury. Der Tod des Buchhändlers Oporinus in Basel und andere widrige Umstände verzögerten das Erscheinen der Gesamtausgabe von Bucers Werken, so daß 1577, kurz vor H.s Tod, in Basel der letzte der geplanten 10 Bände erschien: » Martini Buceri Scripta Anglicana«. Weitere Bände folgten nicht. – H. ist der bedeutendste unter den Straßburger Liederdichtern. Als ein Hauptförderer des Kirchengesangs im Elsaß hat er Bucer bei der Herausgabe des Straßburger Gesangbuchs um 1545 geholfen. Das Kirchengesangbuch von 1560 hat H. besorgt und 1572 aufs neue herausgegeben. Nur 6 Lieder sind uns von ihm überliefert. Wir verdanken ihm »Allein zu dir, Herr Jesu Christ, mein Hoffnung steht auf Erden« (EKG 166). Das Lied erschien erstmalig etwa 1540/41 in einem Einzeldruck, dann in dem Straßburger Gesangbuch von 1545 mit der Überschrift »Ein Betlied zu Christo, unserm einigen Heiland, um Verzeihung der Sünden und Mehrung des Glaubens und wahrer Liebe«. Martin Luther (s.d.) nahm es in das Bapstsche Gesangbuch von 1545 auf (s. Papst, Valentin). Das Lied wurde lange Zeit dem Pfarrer Johann Schneesing (s.d.) in Friemar bei Gotha zugeschrieben. Friedrich Spitta (s.d.) hat die Frage der Verfasserschaft dieses Liedes 1903 zugunsten H.s entschieden. Von ihm stammt ferner »O Gott, du höchster Gnadenhort, verleih, daß uns dein göttlich Wort vor Ohren so zu Herzen dring« (EKG 143). Er erschien erstmalig 1545 in »Ein neu auserlesen Gesangbüchlein«, gedruckt in Straßburg bei Wolfgang Köpfel (Capito; s.d.). Das Lied hat 1547 die Überschrift »Ein Betlied zu Gott im Glauben, Liebe und Erkenntnis«, später »Ein Betlied zu Gott, nach der Predigt«.

Werke: Lieder: Allein zu dir Herr Jesu Christ, 1540; O Gott, du höchster Gnadenort, 1545; Gab heraus: Großes Kirchengesangbuch, 1560; Straßburger Gesangbuch, 1572; Martini Buceri scripta Anglicana fere omnia, Basel 1577.

Lit.: Timotheus Wilhelm Röhrich, K. H., der vielj. Freund und Gehilfe Martin Butzers. Dargest. aus hs. Qu., in: Btrr. zu den theolog. Wiss. zu Straßburg, 4, 1852, 249 ff. (auch in: T. W. Röhrich, Mitt. aus der Gesch. der ev. Kirche des Elsasses 3, 1855, 245-274; – F. W.

Culmann, Ehrengedächtnis C. H.s, des vielj. u. treuen Helfers an der Thomaskirche zu Straßburg, Straßburg 1862; – Johann Wilhelm Baum, Capito u. Butzer, Straßburgs Reformatoren, 1860, 586 ff.; – Ch. Schmidt, Der Briefwechsel des Joh. Oporinus, in: Basler Btrr. z. vaterländ. Gesch. 13, 1893, 384 ff. (vgl. ZKG 28, 1896, 687 f.); – Friedrich Spitta, in: MGkK 8, 1903, 232 ff.; – Johannes Ficker, Thesaurus Baumianus, 1905, 95 ff.; – Ders. u. Otto Winckelmann, Hss.proben des 16. Jh.s nach Straßburger Originalen II, 1905, Bl. 67; – Gustav Anrich, K. H., in: MGkK 12, 1907, 77 ff.; – Johannes Adam, Ev. KG der Stadt Straßburg bis z. Frz. Rev., 1922, 189 u. ö.; – Ders., Ev. KG der elsäss. Territorien bis z. Frz. Rev., 1928; – A. Becker, K. H. (1507-1577. »Helfer« Martin Bucers), in: Bll. f. Pfälz. KG 18, 1951, 64; – R. Raubenheimer, K. H., in: Bll. f. Pfälz. KG 20, 1953; – Die Amerbachkorrespondenz, VI: Die Briefe a. d. J. 1544-1547, hrsg. v. Beat Rudolf Jenny, Basel 1967; – Otto Wenig, Buchdruck u. Buchhandel i. Bonn, Bonn 1968; – Martin Steinmann, A. d. Briefwechsel d. Basler Druckers Joh. Oporinus, in: Basler Zs. f. Gesch. u. Altertumskde 69, 1969, 103-203; – Ernst-Wilhelm Kohls, K. H. (1507-1577) als Schreiber der von Martin Bucer verf. Gutachten f. d. Ulmer Kirchenordnung v. 1531, in: Ulm u. O.schwaben, 39, 1970, 81-88; – Karl Reinerth, Das Älteste siebenbürgisch-dt. evangl. Gesangbuch, in: JLH 17, 1972, 221-235; – Heimatl. Gestalten aus d. ev. Namenkalender, K. H. in: Almanach évangélique, 1975, 11; – Schottenloher I, Nr. 9049-9055; V, Nr. 46989-46991; – Goedecke II, 186 f.; – Koch II, 106 ff.; – Wackernagel III, Hdb. z. EKG II/1, 75 f.; – ADB XIII, 261; – RE VIII, 417 f.; XXIII, 662; – NDB IX, 702 f.; – ThLZ 82, 1957, 91; – Jöcher 2, 1745; – RGG III, 464; – Dictionaire de Biographie des Hommes célébres de L'ALSACE, Bd. 1, 1909, 810 f.; – Dictionaire d'histoire et de géographie ecclésiastiques, Paris 1971.

Ba

HUBERTUS, Hl., Bischof von Lüttich, * um 657, + 30.5.727 in Tervueren bei Brüssel. – Die Jugendschichte H.s ist unbekannt. Wahrscheinlich war er adliger Abstammung. – Nach den Legenden soll er ein Sohn des Herzogs Bertrand von Aquitanien gewesen sein. – H. war als Schüler des Hl. Lambert, Bischof von Tongern, im mittleren Maasraum missionarisch tätig. 705/6 wurde er Nachfolger seines ermordeten Lehrers auf dem Bischofsstuhl. 718 veranlaßte H. die Überführung der Gebeine des Hl. Lambert von Maastricht nach Lüttich, wo er ihm eine bereits 714 bezeugte Stiftskirche erbaut hatte. Um 717/18 verlegte er seinen Bischofssitz ebenfalls nach Lüttich, dessen Bewohner ihn bald zum Stadtpatron erhoben. H. starb auf einer Reise in der Nähe von Brüssel. Seine Leiche wurde in der St. Peterskirche von Lüttich beigesetzt. – Am 3.11.744 erfolgte seine Elevation in Gegenwart des Hausmeiers Karlmann; ein jüngerer Zeitgenosse schrieb danach H.s Vita. – 825 wurden die Gebeine H.s in das Kloster Andagium (Ardennen) überführt. Dieses benannte sich später nach ihm St. Hubert und erblühte zu einem vielbesuchten Wallfahrtsort. 1568 wurde er bei einem Hugenottenüberfall verbrannt. Im 9. Jahrhundert verbreitete sich H.s Verehrung über Nordfrankreich, Belgien, Niederlande und am Niederrhein. Die ursprünglich dem Hl. Eustachius zugeschriebene Legende von der Erscheinung eines Hirsches mit einem strahlenden Kreuz im Geweih wurde nun auf H. übertragen. Verschiedene Stiftsorden verstärkten die Verehrung H.s. – H. ist Patron der Jäger, Schützen, Drechsler, Gießer, Kürschner, Metallarbeiter, Metzger, Optiker; für Jagdhunde (Hubertusschlüssel); gegen Hundetollwut (mal de St. Hubert), Hundebiß (Hubertusbrot) und Schlangenbiß. – Sein Fest ist der 3. November.

Lit.: Roberti, Historia S. Huberti, Luxemburg 1621, 20-71; – Kleinere Denkmäler a. d. Merowingerzeit, hrsg. v. W. Arndt, Hannover 1874, 48-70; 77-82; – Heinrich Uhlenhuth, St. H., der Schutzpatron der Jäger u.

seine Legende, 1906; − Heinrich Günter, Legendenstud., 1906, 38 ff.; − J. Coenen, Lüttich 1927; − Th. Rejalot, Le culte et les reliques de S. H., Gembloux 1928; − Gustav Mitzschke, Jagdorden aus alter u. neuer Zeit. Eine Zus.stellung des Schr.tums u. Arch.materials, 1940; − H. Carton de Wiart. Paris 1942; − L. Huyghebaert, Sint H., Patroon van de jagers, Antwerpen 1949; − Th. Lepique, Der Volkshl. H. in Kult, Legende u. Brauch (Diss. Bonn), 1951; − F. Baix, Melanges F. Rousseau, Brüssel 1958, 71-80; − Helmut Lehrkamp, Btrr. z. Gesch. des H.ordens der Hzg. v. Jülich-Berg u. verwandter Gründungen, in: Düsseldorfer Jb. 49, 1959, 3-40; − Arno Paffrath, Die Legende v. Hl. H. Ihre Entstehung u. Bedeutung f. die heutige Zeit u. f. die H.feiern. Mit 13 Abb. auf Taf. u. den Regeln des hl. H.ordens, 1961; − F. Korte, Zur Gesch. des H.ordens u. seines Gründers, des Hzg. Gerhard v. Jülich, in: Jb. des Hist. Verf. die Gfsch. Ravensberg 65, 1968; − Walter Hildebrand, St. Hubertus u. St. Eustachius, Gräfelfing 1979; − Jean-Marie Cuny, Les cultes populaires en Lorraine: saint Hubert, in: Revue Lorraine populaire, 37, 1980, 42-44; − Bächtold-Stäubli IV, 425-434; − AS Nov. I, 739-930; − AS Sept. V, 580; − AS OSB IV, 1, 293-297; − MG SS rer. Merov. VI, 471 ff.; − MG SS VII, 198; XV, 234; XXV, 42; − Künstle 311; − Braun 338; − Stadler Vollst. Hl.-Lex. 2, 774-777; − Wimmer 238; − Hauck I, 306; II, 773; − Torsy 244; − Rettberg, KG Dtlds. I, 560-62; − Friedrich, KG Dtlds. II, 335-338; − ADB XIII, 260 f.; − LThK V, 503; − RGG III, 464; − NDB IX, 702.

Ba

HUBMAIER, Balthasar, einer der Hauptführer der Täuferbewegung, * etwa 1485 in Friedberg bei Augsburg als armer Leute Kind, † (verbrannt) 10.3.1528 in Wien. − H. besuchte die Lateinschule in Augsburg und studierte seit 1503 Theologie und Philosophie in Freiburg (Breisgau), wo Johann Eck (s.d.) starken Einfluß auf ihn gewann. Da ihm die Mittel zur Fortsetzung seines Studiums fehlten, wurde er 1507 Schulmeister in Schaffhausen, kehrte aber 1508 nach Freiburg zurück und wurde 1511 unter die Dozenten der Theologischen Fakultät aufgenommen. 1512 folgte H. Eck nach Ingolstadt, promovierte zum Dr. theol. und wirkte dort als Professor der Theologie und Pfarrer an der Marienkirche. Seit Ostern 1515 leitete er als Prorektor die Geschäfte der Universität. Anfang 1516 kam H. nach Regensburg und erwarb sich als Pfarrer am Dom durch seine volkstümliche Redegabe großen Einfluß auf die Bürgerschaft in ihrem Streit mit den Juden. Er bekämpfte vor allem den Wucher der Juden und setzte 1519 ihre Ausweisung durch. H. wurde Kaplan an der Kapelle »Zur schönen Maria«, die an die Stelle der zerstörten Synagoge trat und bald als Wallfahrtskirche berühmt wurde. Wegen Streitigkeiten über das Patronat der Kapelle verließ er Regensburg und wurde im Frühjahr 1521 Prediger in dem vorderösterreichischen Waldshut. Während die reformatorische Bewegung in allen deutschen Ländern mehr und mehr Anhänger gewann und sich Geltung verschaffte, blieb H. der römischen Kirche noch treu; aber das Studium der Schriften Martin Luthers (s.d.) und der Paulinischen Briefe im Sommer 1522 führte zu einem allmählichen Wandel seiner Anschauungen herbei. Im Herbst 1522 folgte H. einem neuen Ruf nach Regensburg, kehrte aber im März 1523, vor Ablauf des vereinbarten Probejahrs, nach Waldshut zurück und bekannte sich nun, innerlich ganz für die neue Lehre gewonnen, offen zur Reformation. Er trat in enge Verbindung mit den schweizerischen Reformatoren Huldrych Zwingli (s.d.), Joachim Vadian (s.d.) und Johannes Ökolampad (s.d.) und nahm an dem zweiten Zürcher Religionsgespräch vom 26. bis 28.10.1523 teil, auf dem er sich scharf gegen Messe und Bilderverehrung aussprach. H. entfaltete in Waldshut eine einflußreiche Wirksamkeit, so daß Pfingsten 1524 amtlich die Reformation eingeführt wurde im Sinn seiner »18 das christliche Leben betreffenden Schlußreden«, die er Anfang 1524 als seine erste reformatorische Schrift veröffentlicht und über sie zu disputieren sich erboten hatte. Der Gottesdienst wurde verdeutscht, die Bilder und Statuen wurden beseitigt, die Fastengebote und der Zölibat abgeschafft. H. selbst heiratete am 13.1.1525 Elsbeth Hügline, eine Müllerstochter aus Reichenau. Die österreichische Regierung, die die reformatorische Bewegung gewaltsam zu unterdrücken suchte, verlangte immer entschiedener, aber erfolglos die Auslieferung des ketzerischen Predigers und war darum zu gewaltsamen Vorgehen entschlossen. Um der gefährdeten Stadt willen verließ H. am 1.9.1524 Waldshut und begab sich nach Schaffhausen. Die Stadt gewährte ihm Schutz und verweigerte seine von der österreichischen Regierung gewünschte Auslieferung. Während seines Aufenthaltes in Schaffhausen verfaßte H. zwei Schriften:»Von Ketzern und ihren Verbrennern« und »Schlußreden (Axiomata) an Johann Eck zu Ingolstadt«. In der ersten rechtfertigt sich H. gegen die wider ihn erhobene Anklage der Ketzerei. Für ihn sind die Ketzer, die gegen die Heilige Schrift streiten. Seine Schrift ist ein Protest gegen den Kampf wider die Wahrheit mit ungeistlichen Waffen. Sein Wahlspruch lautet:»Die Wahrheit ist untödlich«. Er spricht der Obigkeit das Recht ab, über den Glauben zu richten, und fordert völlige Duldung im religiösen Denken und Handeln. Man soll die »Ketzer« belehren, nicht verbrennen: »Selbst der Blinde muß es erkennen, daß das Verbrennen der Ketzer vom Teufel erdacht ist«. In seiner zweiten Schrift, mit der er seinen alten Lehrer zu einer Disputation herausfordert, vertritt H. die These, daß Glaubensfragen nur nach der Schrift entschieden werden dürfen. In Waldshut befürchtete man, daß die Regierung, deren bisherige Verhandlungen mit der Stadt ergebnislos verlaufen waren, nun mit Waffengewalt versuchen werde, den Widerstand zu brechen und die Reformation zu unterdrücken. Da zog Anfang Oktober eine Schar Freiwilliger aus Zürich nach Waldshut zum Schutz der bedrängten Stadt. Ende Oktober 1524 kehrte H. von Schaffhausen nach Waldshut zurück, um das dort begonnene Werk der Reformation zu Ende zu führen. Er wandte sich nun der Zürcher Bewegung der radikalen Reformer, der Täufer, zu und geriet dadurch in einen scharfen Gegensatz zu Zwingli. Mit ihm hatte sich H. schon 1523 bei einem Besuch in Zürich über die Kindertaufe besprochen:»Da hat er (Zwingli) mir recht gegeben, daß man die Kinder nicht taufen solle, ehe sie im Glauben unterrichtet seien«. Durch Prüfung der Schriftstellen und einiges theologisches Nachdenken bemühte sich H. um die rechte Auffassung von Taufe und Abendmahl. In der Lehre vom Abendmahl als Gedächtnisfeier stimmte er mit Zwingli überein; aber über die Taufe waren beide völlig verschiedener Ansicht. Am 16.1.1525 schrieb H. an Ökolampad, er verwerfe die Kindertaufe und fühle sich gedrungen, öffentlich zu lehren, daß die Kinder nicht zu taufen seien. Wohl sei die Taufe, wie Zwingli sage, ein bloßes Zeichen; aber die Bedeutung dieses Zeichens, die Verpflichtung des Glaubens bis zum Tod, sei dabei das Wesentliche. Da das bei den Kindern fehle, sei bei ihnen die Taufe ohne Gehalt. Diese Überzeugung habe er durch das Studium des Neuen Testaments gewonnen. Irre er, so sei es brüderliche Pflicht, ihn zu belehren. Anstatt der Taufe der Kinder habe er ihre feierliche Vorstellung vor der Gemeinde eingeführt; doch denen, die schwach seien, taufe er noch die Kinder bis zu besserer Einsicht. Ökolampad versuchte vergeblich, H. für eine gemäßigtere Auffassung von der Taufe zu gewinnen. Am 17.1.1525 fand im großen Saal des Rathauses in Zürich das erste öffentliche Gespräch über die Kindertaufe statt. Es endete mit einem Sieg Zwinglis, führte aber den Taufgesinnten neue Anhänger zu. Der Rat von Zürich erhob die Kindertaufe zum Staatsgesetz und bedrohte deren Gegner mit Strafe der Vertreibung aus Stadt und Gebiet. So kam es in Zürich zum Bruch der Täufer mit der Reformationskirche Zwinglis und zur Gründung einer eigenen Gemeinde. In einem Flugblatt vom 2.2. 1525 erklärte H., er könne jedem, der es wünsche, beweisen, daß die Kindertaufe ohne allen Grund göttlichen Wortes sei. Ostern 1525 ließ sich H. von dem aus Zürich ausgewiesenen Wilhelm Reuchlin (s.d.) taufen. Er trat nun in Wort und Schrift für die Taufe der Gläubigen ein und erreichte, daß Waldshut die erste größere Täufergemeinde wurde. Gegen Zwinglis Schrift »Vom Tauf, vom Wiedertauf und vom Kindertauf« vom Mai 1525 veröffentlichte H. im Juli 1525 als die klassische Darstellung und Verteidigung seiner Lehre von der Taufe das Büchlein »Von dem christlichen Tauf der Gläubigen«. Mit Nachdruck weist H. die Anklage von sich und den Seinen ab, als wollten sie Rotten und Sekten bilden; sie möchten nur nach dem Wort Gottes handeln und wollten keineswegs die Obrigkeiten abschaffen, sondern bekennten öffentlich, daß solche sein müssen und daß sie der Obigkeit in allem, was nicht wider Gott sei, gehorchen wollten. Auch tue man ihnen unrecht, sie zu beschuldigen, daß sie sich rühmen, nach der Taufe nicht mehr zu sündigen; sie wüßten wohl, daß sie nach wie vor arme Sünder seien. Auch seien sie keine Wiedertäufer. Das Wesentliche an der Taufe sei, daß sie Ausdruck des persönlichen Glaubens und Verpflichtung auf den Glauben ist. Wo im Neuen Testament von der Taufe die Rede ist, wird Erkenntnis und Verständnis der Heilswahrheit vorausgesetzt. Der Glaube müsse also der Taufe vorausgehen und darum habe die Kindertaufe keinen Grund. Man könne Kinder auf einen künftigen Glauben nicht taufen, weil niemand wisse, ob es auch mit der Zeit der Kinder Wille sein werde oder nicht. Gegen H.s Tauflehre wandte sich Zwingli in der vom 5.11.1525 datierten Schrift »Über Dr. Balthasars Taufbüchlein wahrhafte und gegründete Antwort«. Die vom 30.11.1525 datierte Gegenschrift H.s »Gespräch auf Meister Huldrych Zwinglis Taufbüchlein vom Kindertauf« erschien erst 1526 in Nikolsburg (Mähren). H. wurde in die Bewegung des Bauernkrieges hineingezogen und ist vielleicht der Verfasser der »Zwölf Artikel aller Bauernschaft«, in denen die sozialen und kirchlichen Forderungen der Bauern als »göttliches Recht« formuliert wurden. H. war Freund und Berater der Bauern, aber kein revolu-

tionärer Agitator. In seiner Schrift »Eine kurze Entschuldigung an alle christgläubigen Menschen, daß sie sich an den erdichteten Unwahrheiten, so ihm seine Mißgönner zulegen, nicht ärgern « (1526) sagt er: »Daß ich so wie ein Aufwiegler hingestellt werde, darin geht es mir wie Christus. Auch er mußte ein Aufrührer sein, und doch bezeuge ich mit Gott und mit etlichen 1000 Menschen, daß kein Prädikant in allen Gegenden, in denen ich gewesen bin, mehr Mühe und Arbeit durch Schreiben und Predigen gehabt hat als ich, damit man der Obrigkeit gehorsam wäre; denn sie ist von Gott. Was Zins und Zehnt betrifft, habe ich gesagt: Christus gab auch den dritten oder den fünften Teil. Aber wahr ist es: sie haben uns von dem Worte Gottes mit Gewalt und wider alles Recht abbringen wollen. Das ist unsere einzige Klage gewesen«. Schon im August 1524 hatten Bauern mit den Waldshutern ein Bündnis geschlossen, und die Verbindung zwischen Waldshut und den Bauern wurde im April 1525 noch enger. Die Waldshuter unterstützten die Aufständischen, obwohl es ihnen in dem ganzen Streit nicht um die Beseitigung der feudalen Lasten ginge, sondern um die freie Verkündigung und den Schutz des »reinen Evangeliums«. H. billigte die gemäßigten Forderungen zur Erleichterung der bäuerlichen Lasten, stärkte den Widerstand der Waldshuter gegen die Regierung und beteiligte sich auch an den Befestigungsarbeiten der Stadt und den Vorbereitungen zum Kampf. Die aufständischen Bauern ringsum wurden bezwungen und mußten ihren Herrschaften wieder huldigen. In der Nacht vom 5. auf den 6.12. 1525 besetzten Regierungstruppen Waldshut, und am 17.12. stellte Johannes Fabri (s.d.), Generalvikar des Bistums Konstanz, den katholischen Kultus in der Stadt wieder her. In letzter Stunde war H. aus Waldshut entflohen und hatte in Zürich bei Taufgesinnten Zuflucht gefunden, bis man ihn nach einigen Tagen entdeckte und verhaftete. Die Disputation mit Zwingli am 21.12. verlief ergebnislos. Aus Furcht, an Österreich ausgeliefert zu werden, erklärte er sich schließlich zum Widerruf bereit, verteidigte aber am 7.1.1526 im Fraumünster seine Tauflehre, statt sie zu widerrufen. Verschärfter Arrest und Angst vor der Auslieferung machten ihn mürbe und zum Widerruf willig, den H. am 6.4. leistete, aber zurücknahm, sobald er Zürich verlassen hatte. H. zog über Konstanz, Augsburg, Ingolstadt, Regensburg und Steyr (Oberösterreich) nach Mähren und traf im Juli 1526 in Nikolsburg ein, wo Leonhard von Lichtenstein den Evangelischen Duldung gewährte. Die dort sich bildende lutherische Gemeinde gestaltete H. in eine täuferische um, die durch ungewöhnliches Wachstum zu einem Mittelpunkt der Täuferbewegung wurde und deren Einfluß bis nach Tirol, Salzburg und Ober- und Niederösterreich reichte. H. vertrat ein gemäßigtes Täufertum und war frei von Spiritualismus und Mystik. Unter den Täufern in Nikolsburg gab es starke Meinungsverschiedenheiten und auch Schwarmgeister und radikale Vertreter. Bekannt ist von ihnen Hans Hut (s.d.), der ein Prophet der Endzeit zu sein behauptete und den Anbruch des Tausendjährigen Reiches für 1528 ankündigte. Auf dem Schloß in Nikolsburg fand im Mai 1527 zwischen H. und Hut ein Gespräch statt, zu dem Leonhard von Lichtenstein die

Täufer eingeladen hatte, die auch zahlreich erschienen waren. Während Hut seine chiliastischen Ideen vertrat und an seiner schroffen Stellung zur Obrigkeit festhielt, erklärte H., die Christen hätten die Pflicht, zur Verteidigung im Dienst der Obrigkeit Waffen zu tragen und Kriegssteuer zu zahlen, auch das Recht, obrigkeitliche Ämter zu bekleiden. Leonhard von Lichtenstein gab H. recht. Hut wurde gefangengesetzt, konnte aber in der Nacht entfliehen. In Nikolsburg entfaltete H. eine rege schriftstellerische Tätigkeit: in dem einen Jahr seiner Wirksamkeit in Mähren veröffentlichte er 18 Schriften, von denen er einige schon früher ganz oder teilweise verfaßt hatte. Als König Ludwig II. von Ungarn 1526 starb und Mähren österreichisches Kronland wurde, begann auch hier für die Täufer eine Zeit der Verfolgung. Unter der Anlage der Beteiligung am Bauernkrieg in Waldshut wurde H.s Auslieferung gefordert und im Juli 1527 gewährt. H. und seine Frau brachte man nach Wien und hielt sie dort einige Wochen gefangen. Dann kamen beide in das Staatsgefängnis Kreuzenstein bei Kornenburg (Niederösterreich). H. richtete an Ferdinand I. ein Bittgesuch, ihm eine Unterredung mit seinem Studiengenossen und einstigen Freund Johannes Fabri, dem Beichtvater des Königs, zu gewähren. Es wurde bewilligt. Das Gespräch fand Ende 1527 statt und dauerte mehrere Tage. Am Schluß der Unterredung erklärte H., er wolle dem König sein Glaubensbekenntnis einreichen. Am 3.1.1528 sandte H. an Ferdinand I. »Ein kurze Rechenschaft seines Glaubens«. Er hatte seine Lehransichten in den meisten Punkten so formuliert, daß sie für einen katholischen Beurteiler annehmbar waren. In den beiden wichtigsten Punkten, in der Tauf- und Abendmahlslehre, versprach H. Stillschweigen bis zum nächsten Konzil, dessen Entscheidung er sich fügen wolle. Da man von ihm einen vollständigen Widerruf erwartete und sich mit seinen Ausführungen über Taufe und Abendmahl nicht zufriedengab, behandelte er Ende Februar die beiden Artikel nochmals. Da seine Arbeit nicht den gewünschten Widerruf enthielt, wurde H. aufs neue nach Wien gebracht und vor dem Ketzergericht verhört. Da er trotz Anwendung der Folter den Widerruf seiner Tauflehre verweigerte, verurteilte man ihn zum Tod. Drei Tage später wurde seine Frau mit einem Stein um den Hals von der großen Donaubrücke gestürzt und ertränkt.

Werke: Schluszreden die B. Fridberger dem Joanni Eckio die meysterlich zu examinieren fürbotten hat, Zürich 1524; Unter dem Pseudonym Pacimontanus: Axiomata quae B. Pacimontanus Jonni Eckio examinanda proposuit, Zürich 1524; Ain Sum ains gantzen Christl. Lebens, verz. an d. drey Kirche Regespurg, Ingolstat un Fridberg, Ausburg 1525; (außer den bereits genannten): Kurzes Vaterunser, 1526; Ein einfältiger Unterricht auf die Worte: »Das ist der Leib mein« in dem Nachtmahl Christi, 1526; Grund u. Ursach, daß ein jeglicher Mensch, der in seiner Kindheit getauft ist, schuldig sei, sich recht nach der Ordnung Christi taufen zu lassen im Wasser die im Glauben Unterrichteten, 1527; Eine Form des Nachtmahls Christi, 1527; 12 Artikel des christl. Glaubens, zu Zürich im Wasserturm betweise gestellt, 1527; Von der brüderl. Strafe, 1527; Vom christl. Bann, 1527; Vom Schwert, 1527; Von der Freiheit des Willens, 1527; Das andre Büchlein v. der Freiwilligkeit des Menschen, in welchem schriftlich bezeugt wird, daß Gott durch sein gesund Wort allen Menschen Gewalt gebe, seine Kinder zu werden u. ihnen die Wahl, Gutes zu wollen u. zu tun, frei heimstelle, 1527.

Lit.: Johannes Fabri (anonym), Ursach, warum der Wiedertäufer Patron B. H. verbrannt sei, Dresden 1528; – Stephan Sprugel, Ber. über H.s Tod, in: Acta facultatis artium, vil. IV, 149b (Univ.-Arch. in Wien), abgedr. bei Mitterer, Compectus hist. Univ. Viennensis, 1724; – Balthasar Hüebmörs zwölf Artickel Christl. Glaubens zu Zürich im Wasserthurm gestellt, in: Fortges. Sammlg. v. alten u. neuen theolog. Sachen, 1746,

900-911; – Heinrich Schreiber, B. H., in: Taschenbuch f. Gesch. u. Altertum im Süddtld. I. II, Freiburg 1839/40 (bis 1525); – G. Wolny, Die Wiedertäufer in Mähren, in: AÖG 1850; – Franz Xaver Hosek, B. H. a pocatkove novo Krestenstva na Morave (= B. H. u. die Anfänge der Wiedertaufe in Mähren), Brünn 1867; – Alfred Stern, Über die 12 Artikel der Bauern, 1868, 57 ff.; – Emil Egli, Die Zürcher Wiedertäufer, 1878, 44 ff.; – August Baur, Zwinglis Theol. II, 1889, 129 ff.; – Johann Loserth, Dr. B. H. u. die Anfänge der Wiedertäufer in Mähren, Brünn 1893; – Ders., Die Stadt Waldshut u. die vorderöstr. Regierung in den J. 1523-1526, in: AÖG 77, 1 ff.; – Rudolf Stählin, Huldrych Zwingli I, 1895, 514 ff.; – J. Paukert, Kreuzenstein (in K. war H. eingekerkert u. verf. seine »Rechenschaft«), 1904; – Henry C. Vedder, B. H. The leader of the anabaptists. New York u. London 1905; – Wilhelm Stolze, Der dt. Bauernkrieg, 1908; – Wilhelm Mau, B. H. (Diss. Freiburg/Breisgau), 1912; – Carl Sachsse, D. B. H.s Anschauungen v. der Kirche, den Sakramenten u. der Obrigkeit (Diss. Bonn); 1913; – Ders., D. B. H. als Theologe, 1914 (hier genaues Verz. seiner Schrr. Neudr. Aalen 1973); – Rikard Fris, B. H., Pionier u. Märtyrer f. bibl. Christentum. Aus dem Schwed. übers. v. Thure Roos, Wien 1927; – Wilhelm Wiswedel, Die H.-Gedächtnisfeier in Wien, in: Der Wahrheitszeuge. Eine Zschr. f. Gemeinde u. Haus 50, 1928, 119 f. 127 f.; – Ders., B. H., der Vorkämpfer f. Glaubens- u. Gewissensfreiheit, 1939; – Ders., Dr. B. H., in: ZBKG 15, 1940, 129-159; – M. Rossi, in: Bilychnis 31, Rom 1928, 175-188 (Waldshuter Zeit); – J. W. Johnson, B. H. and Baptist historic Commitments, in: JR 9, 1929, 50-65; – Ders., in: ZBKG 15, 1940, 129-159; – Raphael Strauss, Die Judengemeinde Regensburg im ausgehenden MA, 1932; – Guenter Franz, Der dt. Bauernkrieg, 1933 (1957⁴); – Leonhard Theobald, B. H., in: ZBKG 16, 1941, 153-165; – P. Herder, H. B., in: Zschr. f. Bayer. Landesgesch. 22, 1959, 373 ff.; – Robert Dollinger, Das Ev. in Regensburg. Eine ev. KG, 1959; – Torsten Bergsten, B. H. Seine Stellung z. Ref. u. Täufertum 1521-1528 (Diss. Uppsala), Kassel 1961; – B. H. Schriften, hrsg. v. Gunnar Westin u. Torsten Bergsten, Gütersloh 1962; – Bibliogr. des Täufertums 1520-1630, hrsg. v. Hans Joachim Hillerbrand, 1962; – Walter Claasen, Speaking in simplicity: B. H., in: The Mennonite Quarterley Review 40, Goshen/Indiana 1966, 139-147; – Franz Lau, Luther u. B. H., in: Humanitas-Christianitas. Festschr. Walter v. Loewenich z. 75. Geb. Hrsg. v. Karlmann Beyschlag (u.a.), 1968, 63-73; – W. R. Estep, »Von ketzern u. iren verbrennen« - a Sixteenth Century Tract on Religious Liberty, in: The Mennonite Quarterly Review 43, 1969; – Ders., B. H.: Martyr Without Honor, in: Baptist History and Heritage 13, 1978, 5-10; – Ders., Anabaptist View of Salvation, in: Southwestern Journal of theology 20, 1978, 32-49; – David G. Steinmetz, Scholasticism and radical reform. Nominalist motifs in the theology of B. H., ebd. 45, 1971, 123-145; – Carl Sachse, D. B. H. als Theologe, Neudr. d. Ausg. Berlin 1914, Aalen 1973; – Werner, O. Packull, Denck's alleged baptism by Hubmaier: Its significance for the origin of South - German - Austrian anabaptism, in: Mennonite quarterly review 47, 1973, 327-338; – Christoph Windhorst, Täufer. Taufverständnis, B. H.s Lehre zw. traditioneller u. reformator. Theol. (Diss. Heidelberg), 1974 u. Leiden, 1976; – Ders., Das Gedächtnis des Leidens Christi u. Pflichtzeichen brüderl. Liebe. Zum Verständnis des Abendmahls bei B. H., in: Umstrittenes Täufertum, 1525-1975. Neue Forsch. Hrsg. v. Hans-Jürgen Goertz, 1975, 111-137; – G. R. Potter, Anabaptist extraordinary. B. H., 1480-1528, in: History Today XXVI, 1976, 377-384; – Tom. Scott: Reformation and Peasants' War in Waldshut and Environs: a structurat analysis, in: ARG 69, 1978, 82-102 u. 70, 1979, 140-169; – J. Denny Weaver: Discipleship redefined: four sixteenth century Anabaptists, in: Mennonite Quarterly Review 54, 1980, 255-279; – Schottenloher I, Nr. 46993-46998, 55259-55266a, 9057-9075; V, Nr. 46993-46998; – MennLex II, 353-363; – MennEnc II, 826 ff.; – ADB XIII, 264-267; – NDB IX, 703; – RE VIII, 418-424; – RGG III, 464 f.; – LThK V, 503 f.; – Jöcher III, 1979⁵, 436 f.

Ba

HUBRIG, Jeremias, ev. Kirchenliederdichter, * 1690 in Friedeberg (Schlesien), + 1776 in Schwerta. – H. war erst Katechat an der Kirche in Wigandstal, einer Grenzgemeinde in der Oberlausitz. Später wurde er Pastor in Schwerta. – Von seinen 365 Liedern hat Johann Jakob Rambach (s.d.) 8 in sein »Geistreiches Hausgesangbuch« von 1735 aufgenommen. In dem Hannoverschen Kirchengesangbuch von 1740 finden sich von H. das Lied von dem Vertrauen auf Gott »Gottes Mund hat uns verheißen, es soll uns aus seiner Hand weder Welt noch Teufel reißen« und das Lied vom

Jüngsten Gericht »Auf, auf mein Geist, ermuntre dich. Der Tag des Herren nahet sich«.

Werke: Geistl. poet. Betrachtungen über verschiedene Sprüche der HS, auf alle Monate u. Tage durchs ganze J., Lauban 1730; Denkmal d. Prediger i. Messersdorf, 1738, Dresden 1774.

Lit.: Johann Caspar Wetzel, Analecta hymnica, das ist: Merkwürdige Nachlesen z. Lieder-Historie I, Gotha 1752, 87; – Koch V, 449 f.

Ba

HUBY, Joseph, Jesuit (seit 1897), Exeget, * 12.12. 1878 in Châtelaudren (Côtes-du-Nord), + 7.8.1948 in Laniscat (Côtes-du-Nord). – H. lernte von 1904-07 in Jersey griechische Sprache und Literatur, begann dann in Hastings Studien über die Theologie der Scholastiker von Ore Place und wurde am 24.8.1910 Priester. 1923 war er Professor für Exegese in Ore Place, 1926-38 in Lyon-Fourvière. – Von 1917-19 wurde H. Schriftführer der »Recherche de science religieuse«. Daneben war er auch Mitarbeiter an den »Études«, mit dem Schwerpunkt auf neutestamentlichen Literaturberichten. Ab 1924 gründete und leitete H. die wissenschaftlich-geistliche Kommentarserie »Verbum Salutis«. In dieser, wie auch in den »Recherches«, den »Études« und in »Construire« veröffentlichte er Schriften und Aufsätze.

Werke: Christus j manuel d'hist. des religions, par J. H. ... avec le collaboration de A. Le Roy et L. de Grandmaison, L. Wieger ..., 1912 u. ö. (span. v. A. P. de Carvalho, 1941); La conversion, 1919; L' Évangile selon st. Marc, in: Verbum salutis, 1924; L' Évangile selon st. Luc, in: ebd., 1927; L' Évangile et les Évangiles, 1929, 1954[3] v. F.-X. Léon-Dufour (engl. v. F. Moran, 1931); Le discours après la Cène, in: Verbum salutis 1932, 1942[2]; Les mathomanes de l'Union naturalistik, in: ebd., 1933; St. Paul. Les épîtres de la captivité, in: ebd., 1937; L'Épître aux Romains, in: ebd., 1940; St. Paul, Apôtre des nations, 1944 u. ö.; Premiè re épître au Corinthiens, in: Verbum salutis, 1946; Mystique paulinienne et mystique johannique, 1946 u. ö..

Lit.: R. d'Quince, Le P. J. H., in: Études 259, 1948, 71 ff.; – H. de Lubac, In Memoriam. Le P. J. H., in: RSR 35, 1948, 320 ff.; – Catholicisme V, 1000 f.; – DSp VII, 835 ff.; – LThK V, 504.

Ba

HUBY, Vincent, * 15.5.1608 in Hennebont, + 22.3. 1693 in Vannes. – Nach Beendigung seines Studiums am Jesuitenkolleg in Rennes wurde H. am 25.12.1625 in Paris als Novize in den Orden der Jesuiten aufgenommen. In den folgenden Jahren lehrte er an mehreren französischen Jesuitenkollegien, so in Rennes, Vannes und Paris die Fächer Literatur, Rhetorik und Moraltheologie. In den Jahren 1649-53 leitete er das Kolleg in Quimper. In den folgenden Jahren wirkte er als Missionar in der Bretagne, wo er bis dato noch als Volksmissionar verehrt wird. Als sein größtes Verdienst muß jedoch zweifellos sein Wirken als Exerzitienmeister des Jesuitenordens gelten. In der Bretagne wie im übrigen Frankreich beförderte er unermüdlich die Exerzitienidee, so daß bereits zum Zeitpunkt seines Todes in nahezu jeder größeren Stadt Frankreichs eine Exerzitienstätte bestand.

Werke: Pratique de l'amour de Dieux et de Jésus-Christ, 1672; Miroir de L'âme; Le bon prêtre; La retraite de Vannes ou la façon dont la retraite se fait dans Vannes, sous la conduite des Pères de la Compagnie de Jésus et les grands biens que Dieu opère par elle, 1678; G. Lenoir-Dupare

(Hg.), Oeuvre spirituelles de Père V. H. de la Compagnie de Jésus, Paris 1755; P. Baudrant (Hg.), Oeuvres spirituelles du Père V. H., Paris 1766; J. V. Bainvel, Les écrits spiruels du Père V. H. de la Compagnie de Jésus, Paris 1931, 2 Bde.

Lit.: P. Champion, La vie des fondateurs des maisons de retraite M. de Kerlivio, le Père V. H. de la Compagnie de Jésus et Mademoiselle de Francheville, Nantes 1698, Lille 1887[2], Paris 1929[3] (J. V. Bainvel Hg.); – J. V. Bainvel, Les écrits spirituels du Père V. H. de la Compagnie de Jésus, in: Revue d'ascethique et de mystique I (1920), 161-170; 241-263; – Catholicisme V, 1001; – DE II, 359 f.; – Koch JL, 830; – Sommervogel IV, 499-505; IX, 500; XI, 751, XII, 519-522.

Sf

HUC, Évariste Régis, französischer katholischer Chinamissionar, * 1.6.1813 in Caylus (Tarn-et-Garonne), + 25.3.1860 in Paris. – H. studierte in Toulouse, trat in Paris in die St. Lazarus Vereinigung ein, wurde 1839 Priester und ging noch im selben Jahr als Missionar nach China. Zunächst hielt er sich dort in den südlichen Provinzen auf, um dann nach Peking zu gehen. 1844 startete er gemeinsam mit J. Gabet und einem konvertierten Tibetaner zu einer Forschungsreise nach Tibet. Am 29.1.1846 erreichte er Lhasa und hatte bis zu dem Zeitpunkt, als der chinesische Botschafter ihn und Gabet nach China zurückschickte, bereits eine wichtige Missionsstelle aufgebaut. Von einer Krankheit geschwächt, kehrte er 1852 nach Europa zurück. – H.s Werke sind in Deutsch, Holländisch, Spanisch, Schwedisch, Italienisch, Tschechisch und Russisch übersetzt. Über H. gibt es eine reiche Kontroversliteratur.

Werke: Souvenirs d'un voyage dans la Tartarie, le Thibet et la Chine pendant les années 1844, 1845 et 1846, 2 Bde., 1850 u. ö. (engl. 1852 u. ö., holl. 1855, schwed. 1862); L'Empire chinois, 2 Bde., 1854 (engl. 1855 u. ö., dt. 1856); Le Christianisme en Chine, en Tartarie et au Thibet, 4 Bde., 1857 f. (engl. 1857 f. u. ö.).

Lit.: M. Jones, Life and Travel in Tartary, Thibet and China; Being a Narrative of the Abbé H.s Travels in the Far East, London 1869 u. ö.; – Anonym, Notices bibliographiques sur les écrivains de la Congrégation de la Mission, Angoulême 1878, 139 ff.; – Anonym, Mémoires de la Congrégation de la Mission, in: La Chine III, Paris 1912, 407 ff.; – J. Bedier (pseud.), High Road in Tartary. An Abridged Revision of Abbé H.s Travels in Tartary, Tibet and China during the years 1844-5-6, New York 1948; – BiblMiss XII, 230 ff.; – EBrit XI, 856 f.; – LThK V, 504 f.; – EC VI, 1492; – The New Schaff-Herzog Encyclopedia of Rel. Knowledge V, 384; – Catholiciesme V, 1001.

Ba

HUCBALD von St. Armand, flämischer Mönch, Lehrer, Hagiograph und Musiktheoretiker, * 840 in Flandern, + 21.10.930 in St. Armand. H. wächst im Kloster von St. Armand unter der Obhut seines Onkels Milo (s.d.) auf, welcher dort als Lehrer tätig ist, sich aber auch als Schriftsteller profiliert. H. zeigt sich als begabter Schüler, dessen Fähigkeiten mit der Zeit an die seines Onkels heranreichen. Um der Konkurrenzsituation zu entgehen, eröffnet H. bereits im Alter von 20 Jahren eine eigene Schule in Nevers, zieht jedoch bald weiter nach St. Germain d'Auxerre, wo er bei Hericus (s.d.) studiert und Remigius (s.d.) kennenlernt, der später sein Schüler wird. Danach kehrt er ins Kloster St. Armand zurück, wo er 871 die Lehrtätigkeit seines Onkels, die Leitung der Sängerschule, übernimmt, noch bevor dieser stirbt. 883 nimmt er einen Lehrauftrag zum Wiederaufbau der Klosterschule St. Bertin an, welchen er bis 889 behält. Vier Jahre später teilt er mit Remigius die Leitung der Landgeistlichen- und Domherrenschule in Rheims unter Erzbischof Fulco. Nach dessen Tod kehrt H. im Jahre 900 abermals nach St. Armand zurück, wo er im Alter von 90 Jahren stirbt. Neben seiner Lehrtätigkeit gilt H. vor allem als Verfasser wichtiger musiktheoretischer Schriften. In Anlehnung an die alten griechischen Musiktheoretiker enthalten sie drei neue Tonschriften und die bedeutende Choraltheorie »De harmonica institutione«. Außerdem erkennt man erste Versuche zum mehrstimmigen Gesang, die als Anfänge der Choralmusik gewertet werden können, wofür wir auch heute noch den Begriff »organum« verwenden, der von H. eingeführt wurde. H. ist überdies der Verfasser der Heiligenlegenden »Vita Rictrudis« und »Vita S. Lebuini«, die er beide nach seiner zweiten Rückkehr nach St. Armand in Ruhe und Abgeschiedenheit schreiben konnte. Sie gelten als historisch besonders wertvoll. Auch Dichtungen, wie z. B. das »In laudem calvorum« auch »Ecloga de calvis« genannt, gehen auf seine Autorenschaft zurück, wobei es sich um ein Spottgedicht auf Kaiser Karl den Kahlen handelt. Die Komik liegt hier in der Verwendung von Alliteration als Stilmittel, alle Worte beginnen mit einem »c«. H.'s wichtigste Arbeiten liegen jedoch eindeutig auf dem Gebiet der Musik, welches er mit reichhaltigen theoretischen Kenntnissen beherrschte und darüberhinaus mit praktischen Fähigkeiten als Musiker zu ergänzen verstand.

Werke: Vita Rictrudis, 907; Vita S. Lebuini, 918; Edmond de Coussemaker, Scriptorum de musica medii aevi II, 1869, 74 ff. – Ausg.: M. Gerbert, Scriptores ecclesiastici de musica sacra I, 1784; Carmina, Hrsg. P. v. Winterfeld, in: MG Poetae 4, 1899; Hymne »O quam glorifica luce«, in: Hymnen (I). Die ma. Hymnenmelodien des Abendlandes, hrsg. v. Stäblein = Monumenta monodica medii aevi I, Kassel 1956. – MPL 132, 825-1050; – Gerbert I, 103-152; – Dt. Übers.: Leben d. hlg. Lebuin, Übers. v. W. Arndt, 1863.

Lit.: Edmond Coussemaker, H. moine de St. Armand et ses traites de musique. Ajoute »Memoire sur H. et sur ses traites de Musique«, Douai 1839-1841 (Nachdr. Osnabrück 1974); – G. Nisard, Hucbald, Paris 1867; – Reimund Schlecht, Musica Enchiriadis v. H., in MfM 6, 1874, 163 ff. 179 ff.; 7, 1875, l. 17. 33. 49. 65. 81; 8, 1876, 89; – A. Schubiger, Über H.s Werk »De musica«, ebd. 10, 1878, 24 ff.; – Wilhelm Brambach, Das Tonsystem u. die Tonarten des christl. Abendlandes im MA, 1881; – Ders., Die Musiklit. des MA bis z. Blüte der Reichenauer Sängerschule, 1883; – Hans Müller, H.s echte u. unechte Schr. über Musik, 1884; – Philipp Spitta, Die Musica Enchiriadis u. ihr Zeitalter, in: VfM 5, 1889, 443 ff.; – G. Morin, L'auteur de la Musica Enchiriadis, in: RBen 8, 1891, 343 ff.; 12, 1895, 394; – Utto Kornmüller, Die Musica Enchiriadis u. ihr Zeitalter, in: KmJb 7, 1892, 21 ff.; – Gustav Jacobsthal, Die chromat. Alliteration im liturg. Gesang der abendländ. Kirche, 1897; – Hugo Riemann, Gesch. der Musiktheorie, 1898 (1911²); – L. van der Essen, H. de St. Armand et sa place dans le mouvement hagiographique medieval, in: RHE 19, 1923, 333 f. 522 ff.; – Jaques Handschin, Etwas Greifbares über H., in: Acta Musicologia VII, 1935, 158; – G. Sunold, Introduction a la paleographie musique gregorienne, Paris 1935, 401 ff.; – G. Reese, Music in the Middle Ages, New York, 1940, 136 ff. 154 ff. 253 ff.; – A. Boutemy, Le scriptorium et la biblioteque de St. Armand. Scriptorium I, 1946/47, 6 ff.; – E. de Bryne, Etudes d'esthetique medievale I, Brügge 1946; – Josef Smits van Waesberghe, La place exceptionelle de l'ars musica dans le developpement des sciences au siecle des carolingiens, in: RevGreg 31, 1952, 81-104; – Ders., Neue Kompositionen des Johannes v. Metz (um 975), H.s v. St. Armand u. Sigeberts v. Gembloux?, in: Speculum musicae artis. Festschr. f. Heinrich Musmann z. 60. Geb. Hrsg. Heinz Becker u. Reinhard Gerlach, 1970; – Rembert Weakland, H. as Musician and Theorist, in: Musical Quarterly 42, New York 1956, 66-84; – Ders., The Compositions of H., in: Etudes gregorinnes III, 1959; – Henri Potiron, La notation grecque dans l'institution harmonique d'H., ebd. II, 1957; – Schmid, Die Kölner Handschr. d. Musica Enchiriadis, Köln 1958; – J. Chailley, Alia musica, Hrsg.: Inst. de musicologie der Univ. Paris, 1965; – J. Szöveerffy, Die Annalen d. lat. Hymnendichtung I, 1964; – Ders., Weltliche Dichtung d. lat. Mittelalters I, 1970; – F. Dolbeau, Passion d. S. Cassien d. Imola composée d'après Prudence par H. v. St. A., in: Revue Benedic-

tine, LXXXVII, 1977, Abbaye de Maredsons, Belgique, 238-256; – MPL 132, 825-1050; – Riemann I, 834 f.; ErgBd. I, 556; – MGG VI, 821-827; – RE VIII, 424; – RGG III, 465; – LThK V, 505; – NBG XXV, 363-367.

Ba

HUCH, Ricarda, Schriftstellerin, Dichterin und Historikerin, * 18.7.1864 in Braunschweig, † 17.11.1947 in Schönberg im Taunus. – H. lebte bis zum Niedergang des väterlichen Geschäfts 1887 im elterlichen Haus, ging dann nach Zürich, wo ihr erster Roman »Erinnerungen von Ludolf Urslleu dem Jüngeren« entstand. In Zürich holte sie das Abiturexamen nach und schloß 1892 ein Geschichtsstudium mit der Promotion ab. Sie arbeitete zunächst als Bibliothekarin in der Stadtbibliothek von Zürich, dann als Lehrerin an der städtischen höheren Mädchenschule. 1896 wandte sich H. nach Bremen, da ihr die dortige Lehrtätigkeit mehr schriftstellerische Möglichkeiten ließ. Ihr Plan, eine Schule zur Vorbereitung von Mädchen auf ein Universitätsstudium zu gründen, zerschlug sich und H. ging über Zürich nach Wien. Hier heiratete sie im Sommer 1898 den italienischen Zahnarzt Ermanno Ceconi und übersiedelte mit ihm nach Triest. 1899 wurde die Tochter Marietta geboren. H.s Leben in Triest war bestimmt von den Pflichten und Sorgen gegenüber Mann, Kind und Haushalt. Unter widrigen Umständen arbeitete sie an »Fra Celeste«, »Triumphgasse« und dem ersten Band der »Romantik«. 1900 siedelte die Familie nach München über und das Wachsen der Praxis Dr. Ceconis ließ das Leben H.s etwas angenehmer gestalten. 1905 wurde ihre Ehe gelöst, H. heiratete ihre frühe Liebe, ihren Vetter Richard Huch und lebte drei Jahre, bis zum Scheitern auch dieser Ehe, mit ihm in Braunschweig. 1911 kehrte sie nach München zurück und lebte dort bis 1927. Hier entstanden ihre geschichtlichen Werke und formten sich H.s religiöse Fragen und Ansätze. Ab 1927 lebte sie mit ihrer Tochter und deren Ehemann Dr. Franz Böhm zusammen. Aufgrund dessen beruflicher Laufbahn wohnten sie zunächst in Berlin, dann in Heidelberg, in Freiburg und zuletzt in Jena. 1933 trat H. aus Protest gegen die nationalsozialistische Gleichschaltung als erstes Mitglied aus der Preußischen Akademie der Künste aus. Trotz Anfeindung und Unterbindung der Verbreitung ihrer Bücher blieb sie in Deutschland. Nach dem Zusammenbruch 1945 gewann die Stimme der nun achtzigjährigen H. wieder öffentlichen Einfluß. Besondere Beachtung fanden ihre Neujahrsbetrachtungen 1945/1946. Der erste deutsche Schriftstellerkongreß am 5.10.1947 in Berlin, zu dem H. als Ehrenpräsidentin gewählt worden war, bot ihr die Möglichkeit zur Flucht aus Ostdeutschland. An den Anstrengungen der Flucht erkrankt, starb sie am 17.11.1947. – H. gilt als Begründerin der Neuromantik. Die geistige Verarmung des Abendlandes setzte nach ihrer Auffassung schon im 17. Jahrhundert mit dem Verlust des naiven Selbst- und Gottesbewußtseins ein. Neben lyrischen Werken und historischen Arbeiten nahmen die Beschäftigung mit religiösen Fragen und Veröffentlichungen, die diese zum Gegenstand hatten, großen Raum ein. H. arbeitete über jene Elemente in Luthers Glauben, die dem modernen Menschen am befremdlichsten erscheinen, wie sein Teufelsglaube und seine Abendmahlslehre. Nach ihrer Definition bejaht und verneint, d. h. überwindet der christliche Mensch die Welt. H. trat in Leben und Werk für Geist und Ethik des Menschen ein und stellte dem vergänglichen Materialismus die ewigen göttlichen Gesetze entgegen.

Werke: Gedichte (unter d. Pseud. Richard Hugo), 1891; Der Bundesschwur (unter d. Pseud. R. Hugo), 1891; Bernische Politik im Anfang d. 18. Jh.s, in: Sonntagsblatt der Bund, 1891, 379-381, 387-389, 396-397; Evoe! Dramat. Spiel in fünf Aufzügen, 1892; Haduvig im Kreuzgang, Novelle, 1892; Die Neutralität der Eidgenossenschaft, besonders der Orte Zürich u. Bern, während der Spanischen Erbfolgekriege, 1892; D. Hugenottin, hist. Novelle, 1893; Dornröschen, Ein Märchenspiel, 1893; Erinnerungen v. Rudolf Ursleu d. Jüngeren, Roman, 1893 (1897[2], 1920[31], Neuaufl.: 1964); Das Spiel v. den vier Zürcher Heiligen, 1895; Eine Teufelei, 1895; Der Mondreigen v. Schlaraffis, 1896; Fastnachtspossen, Ein toll u. ausgelassen Spiel v. Hans Sachsen ... Säuberlich gesammelt u. ans Licht gestellt durch Richard Hugo, 1897; Teufeleien, 1897; Symbolistik vor 100 Jahren, 1898; Über moderne Poesie u. Malerei, 1898; Über E. T. A. Hoffmann, 1899; Patatini, 1899; Fra Celeste u. andere Erzählungen, 1899; Studien z. Romantischen Schule, 1899; Blüthezeit d. Romantik, 1899; Ausbreitung u. Verfall d. Romantik, 1902; Aus der Triumphgasse, 1902; Über d. Einfluß v. Situation u. Beruf auf d. Persönlichkeit d. Frau, in: Jahresber. d. Vereins für erweiterte Frauenbildg. in Wien 15, 1903; Vita somnium breve, 1903 (dt. unter d. Titel: Michael Unger, 1946); Gottfried Keller, 1904; Von den Königen u. der Krone, 1904; Seifenblaser, Drei scherzhafte Erzählungen, 1905; Die Geschichten v. Garibaldi. In drei Teilen, 1906-1907; Neue Gedichte, 1907; Merkwürdige Menschen u. Schicksale aus d. Zeitalter d. Risorgimento, 1908; Das Leben d. Grafen Federigo Confalonieri, 1910; Der letzte Sommer, Eine Erzählung in Briefen, 1910; Der Hahn v. Quakenbrück u. andere Novellen, 1910; Der große Krieg in Deutschland, 3 Bde., 1912-1914; Natur u. Gjist als d. Wurzeln d. Lebens u. d. Kunst, 1914; Wallenstein, Eine Charakterstud., 1915; Luthers Glaube, 1916; Das Christentum u. Nietzsche, in: Die neue Rundschau 27, 1916, 1690-1698; Der Fall Deruga, 1917; Jeremias Gotthelfs Weltanschauung, 1917; Erzählungen, 2 Bde., 1919; Der Sinn d. Heiligen Schrift, 1919; Alte u. neue Gedichte, 1920; Entpersönlichung, 1921; Michael Bakunin u. d. Anarchie, 1923; Graf Mark u. d. Prinzessin v. Nassau-Usingen, 1925; (Freiherr vom) Stein, 1925; Der wiedergekehrte Christus, 1926; Im alten Reich, Lebensbilder dt. Städte, 3 Bde., 1927-1929; Alte u. neue Götter (1848), Die Revolution d. 19. Jh.s in Deutschland, 1930; Lebensbilder mecklenburgischer Städte, 1930-1931; Deutsche Tradition, 1931; Gesch. u. Krisis, 1932, 1-9; Quellen d. Lebens, 1935; Deutsche Gesch., 3 Bde., 1934-1937 u. 1949; Frühling in d. Schweiz, 1938; Weiße Nächte, 1943; Herbstfeuer, Gedichte, 1944; Mein Tagebuch, 1946; Urphänomene, 1946; Der falsche Großvater, 1947; Vom Nationalgefühl, in: Sonntag 2, 1947, 5; Eröffnungsrede z. Dt. Schriftstellerkongreß in Berlin am 4.10.1947, in: Der Autor 8, 1, 1947, 12; Ein Gedicht, Willi Graf (letzte Manuskripte), in: Die Wandlung 3, 1948, 12-16; − Gesammelte Erzählungen, 1962; Gesammelte Schriften, Essays, Reden, autobiographische Aufzeichnungen, 1964; W. Emrich (Hrsg.), Ges. Werke, 10 Bde. u. Reg.-Bd., 1966 ff.; − Else Hoppe, R. H., Weg, Persönlichkeit, Werk, 1936 (1951[2], m. Bibliogr., bearbeitet v. Hans Ruppert, 950-970); Brigitte Weber, R. H. 1864-1947, Ein Bücherverzeichnis, 1964; Helene Baumgarten, R. H. (m. Bibliogr.), 1964.

Lit.: Hans Bethge, R. H., in: Xenien 3, 1910, 1-11; − Gertrud Bäumer, R. H., in: Die Frau 21, 1914, 594-596; − Dies., R. H. als Historikerin, in: Die Frau 32, 1925, 229-232; − Dies., R. H., 1949; − Oskar Walzel, Vom Geistesleben d. 18. u. 19. Jhs., 1911, 95-134; − Elfriede Gottlieb, R. H., in Btr. z. Gesch. d. dt. Epik, 1914; − Anna Brunnenmann, R. H., Ein Wort über d. Kunst d. Erzählens, in: Neues Frauenleben 18, 1916, 138-141; − Elisabeth Krause, Lucifer, Das Problem seiner Gestalt bei R. H., Ibsen u. Immermann, 1920; − Hermann Gumbel, Über Grundlagen literarischer Stilkritik, erläutert an d. Prosawerken R. H. (Diss. Frankfurt), 1924; − Maria Krey, Weltanschauung R. H.s in ihren Frühromanen u. Novellen unter Berücksichtigung ihrer Gedichte (Diss. Frankfurt), o. J.; − Eva Grillischewski, Das Schicksalsproblem bei R. H. im Zshg. ihrer Weltanschauung, 1925 (Nachdr.: 1967); − Gertrud Kast, Romantisierende u. kritische Kunst, Stilistische Unterss. an Werken v. R. H. u. Thomas Mann (Diss. Bonn), 1928; − Gertrud Grote, Die Erzählkunst R. H.s u. im Verhältnis z. Erzählkunst d. 19. Jh.s, 1931; − Bella Birnbaum, Die bes. Art d. hist. Romans in R. H.s »Der große Krieg in Deutschland«, 1935; − Else Hoppe, R. H., Weg, Persönlichkeit, Werk, 1936 (1951[2]); − Eva-Maria Zemke, R. H.s lyrische Dichtung (Diss. Breslau), 1937; − Marie Baum, Persönliches zu d. weltanschaulichen Werken v. R. H., in: Die Frau 46, 1939, 542-544; − Dies., Die Univ. Zürich feiert R. H. zu ihrem 50. Doktorjubiläum, in: Die Frau 49, 1941-1942, 180-182; − Dies., Leuchtende Spur, Das Leben R. H.s, 1950 (1964[4]);

− Romilde Coletti, R. H., 1941; − Hildegard Schneider, Die Frauengestalten im epischen Schaffen der Dichterinnen, in: Gegenwart (Diss. Breslau), 1943; − Fritz Strich, Der Dichter u. seine Zeit, 1947; − Audrey Flandreau, R. H.s Weltanschauung as Expressed in her Philosophical Works and in her Novels (Diss. Chicago), 1948; − Hermann Maas, Ansprache am Sarge v. R. H., gehalten am 24.11.1947, 1948; − Reinhard Buchwald, Bekennende Dichtung, Zwei Dichterbildnisse, R. H. u. Hermann Hesse, 1949; − Max Bleibinhaus, R. H.s Kulturidee, 1950; − Jürgen Eyssen, R. H., Leben u. Werk, in: Weltstimmen 20, 1950/51, 489-497; − Ilse Cramer, R. H. u. d. Romantik, 1953; − Eberhard Nitschke, Bürgertum u. Zeitkritik bei R. H. (Diss. Bonn), 1953; − Ernst Gerhard Rusch, R. H. u. d. Schweiz, 1943/54; − Gottfried Guggenbühl, R. H., Paul Schweizer u. d. schweizerische Neutralität, 1957; − Karola Hensel, Die Menschgestaltung im frühen Roman d. R. H. (Diss. Bonn), 1957; − Hans Hendrik Krummacher, R. H., 18. Juli 1864 - 17. November 1947, Gedächtnisausstellung z. 10. Todestag im Schillermuseum Marbach am Neckar, 1957; − Victor Wittkowski, Ewige Erinnerungen, 1960; − Theodor Heuß, Vor der Bücherwand, 1961, 249-252; − Golo Mann, Geschichte u. Geschichten, 1961, 47-49; − Maria Meyer-Sevenich, R. H.: So lange Gott will, 1961; − Albert Soergel / Curt Hohoff, R. H., in: Dichtung u. Dichter der Zeit I, 1961, 699-710; − Herbert Ahl, Literarische Portraits, 1962, 343-348; − Gunther Helmut Hertling, Wandlung d. Werte im dichterischen Werk d. R. H. (Diss. Berkeley), 1963; − Linda L. Alssen, Die Geistlichen im Werke R. H.s, 1964; − Helene Baumgarten, R. H., Von ihrem Leben u. Schaffen, 1964; − Martin Hürlimann, R. H.s Vermächtnis, 1964; − Ina Seidel, R. H., 1964; − Dies., Frau u. Wort, 18-48; − Josef Viktor Widmann, Briefwechsel mit Henriette Feuerbach u. R. H., 1965; − I. P. C. Seadle, The Role of Nature in R. H.s Creative Prose Works, 1965; − Ida Miribung, Das Menschenbild in d. Dichtung R. H.s, 1968; − Helene Rass, Das Geschichtsbild in d. Dichtung R. H.s, 1968; − Roswitha Holler-Keller, Jugendstilelemente in R. H.s früher Prosa, 1969; − S. G. Rodowa-Sluzkaja, Zum Schaffen R. H.s, in: Weimarer Btrr. 15, 1969, 179-192; − Eleonore Dressler, Das Geschichtsbild R. H.s als Spiegel in der weltanschaulichen Entwicklung im Zeitraum v. d. Jahrhundertwende bis z. Ausbruch des 1. Weltkrieges, 1971; − Ludmila Slugocka, Der Verfall d. dt. Bürgertums in d. Romanen »Erinnerungen von Ludolf Ursleu dem Jüngeren« v. R. H. u. »Buddenbrooks« v. Th. Mann, in: Studia Germanica Posnaniensia I, 1971, 35-49; − Jutta Bernstein, »Bewußtwerdung« im Romanwerk d. R. H., 1973; − Herbert Günther, Das unzerstörbare Erbe, Dichter der Weltlit., 1973, 155-171; − Monika Plessner, R. H.s Weg z. Gesch., in: Merkur 27, 1973, 647-660; − Günther Adler, R. H., Gestaltung d. Risorgimento, in: Weimarer Btrr. 21, 1975, 156-165; − Hans-Henning Kappel, Epische Gestaltung bei R. H. (Diss. Frankfurt/Main), 1976; − Emilija Kromuva Stajčeva, Das Menschenbild in d. frühen Prosa R. H.s, 2 Bde., 1. Die Suche nach d. Menschenideal, 1976, 2. Das Rußlandbild im dichterischen Werk R. H.s, 1984; − Kürschners, LK, 1943, 475 f.; − NDB IX, 705-708; − RGG III, 465 f.; − Eichendorff Alamanch 25, 1965, 95-97; − Kürschners, LK, Nekrolog 1936-1970, 296 f.; − Taschenlex. d. dt. Lit., 72 f.; − DLL VIII, 200-204; − Rep. z. dt. Lit.-Gesch. IX, 1981, 141; − Bentin u. a., Dt. Lit.-Gesch., 1984[2], 325, 357 f. u. ö.; − Zmegac, Kl. Gesch. d. dt. Lit., 1984[2], 269.

Ue

HUEBER, Fortunat, Franziskaner, * 5.11.1654 in Neustadt an der Donau, + 12.2.1706 in München. − H. war Lektor am Ordensstudium, wurde 1671 Domprediger in Freising, 1677 Provinzial und 1679 Generaldefinitor. − H. war in seinen Schriften ein bedeutender Vertreter des bayrischen Barocks. Seine historischen Werke haben überwiegend einen kompilatorischen Charakter. Neben seiner Bedeutung als Verfasser zahlreicher historisch-pastoraler Schriften, war H. ein eifriger Förderer des Archivwesens.

Werke: Newes Wunder-Liecht u. weltberühmbter Himmelsglantz v. der seraphischen Flammen S. Francisci bestrahlet u. scheinbar ausgegossen durch die gantze ... Kirchen, im Leben, Tugend, Gnadenwahl u. Wunderwercken des H. Petri v. Alcantara..., 1669; Seraphische Lehr-Schuel der geistl. Uebungen u. wahren Andacht v. dem auserlesenen, wunderbarlichen u. verliebten Freund Gottes S. Petro v. Alcantara..., 1670; Unsterbliche Gedächtnis der Helden v. Thaurn, Andechs u. Hochenwarth, 1670; Lehrschule der geistigen Übungen, 1670; Zeitiger Granat-Apfel der allerscheinbarsten Wunderzierden U. L. Fr. z. Neukirchen, 1671; Morgenländische Perlmuschel, 1674; Ornithologia moralis, 1678; Apparatus solemnis pro felicibus ac publicis auspiciis, 1680; Sanctuarium praelatorum, 1684; Dreyfache Cronickh v. dem dreyfachen Orden des ... hl.

Francisci, 1686; Stammen-Buch aller Hll., Diener u. Dienerinnen Gottes des Ordens des hl. Franziskus, 1693; Menologium famulorum famularumque Dei ex triplici ordine S. Francisci, 1698; Menologium menonitici Instituti, 1698; hs. 14-16: Hist. archivalis 1216-1321, 1678; Chronologia 1625-1680 (der bayr. Prov.); Reisebeschreibung z. Generalkapitel Toledo, 1682.

Lit.: B. Linz, Gesch. des jetzigen Franziskanerklosters in Ingolstadt, München 1920, 123 ff.; – Ders., Gesch. der bayr. Franziskanerprov. I, ebd. 1926, 58 ff.; – SS prov. Bevariae 1625-1803, Quaracchi 1954, 55 ff.; – LThK V, 501 f.; – Catholicisme V, 1002 f.; – Kosch KD I, 1774; – ADB XIII, 282.

Ba

HÜBNER, Johannes, ev. Schulmann und Dichter, * 15. 4.1688 in Türchau bei Zittau (Oberlausitz) als Sohn eines Erbrichters, + 21.5.1731 in Hamburg. – H. erhielt seine Vorbildung auf dem Gymnasium in Zittau als Schüler des Rektors Christian Weise (s.d.) und bezog 1689 die Universität Leipzig, wo er 1691 die Magisterwürde erwarb und dann Vorlesungen über Geschichte, Geographie und Dichtkunst hielt. H. wurde 1694 Rektor des Gymnasiums in Merseburg und 1711 des »Johanneums« in Hamburg. Er war ein tüchtiger Schulmann und hat sich besondere Verdienste um den Geographie- und Religionsunterricht erworben. Seine »Biblischen Historien« mit 104 Holzschnitten und Nutzanwendungen und Schlußreimen fanden durch ganz Deutschland Verbreitung und wurden in mehrere Sprachen übersetzt. Sie sollten mehr der gemüthaften Erfassung religiöser Inhalte und der Weckung persönlicher Frömmigkeit dienen. Unterrichtsziel war weniger das Wissen, sondern lebendiges Christsein nach dem Motto Luthers: »Es steht in Büchern genug geschrieben, es ist aber noch nicht in die Herzen getrieben.« Auch unterwies H. seine Schüler in der Dichtkunst und verfaßte als Mitglied von Barthold Heinrich Brockers (s.d.) 1715 in Hamburg gestifteten »Teutschübenden Gesellschaft« weltliche Dichtungen heiterer Art, leistete aber auch Beachtliches auf dem Gebiet der geistlichen Dichtung. Aus seiner poetischen Übersetzung des Werkes »De imitatione Christi« von Thomas a Kempis (s.d.) seien die beiden Lieder genannt »Denket doch, ihr Menschenkinder, an den letzten Todestag« (zum 23. Kapitel des 1. Buches) und »Befehl du deine Wege dem Höchsten nur allein« (zum 2. Kapitel des 2. Buches).

Werke: Kurze Fragen aus der alten und neuen Geographie, 1693; Gründliche Verteidigung der kurzen Fragen..., 1696; Die Entführung der Altenburgischen beyden Prinzen Ernesti und Alberti, 1698; Fragen aus der pol. Historie, 10 Bde., 1697-1707; Kurze Fragen aus der Oratorie, 1701; Des frommen Thomas Kempis Todesbetrachtungen, 1700; cccxxxIII genealogische Tabellen zur Erl. der pol. Historie, 1708; Kurze Einleitung oder genealogische, zu den Tab. gehörige Fragen, 4 Teile, 1708; Abgenötigte Verteidigung seiner herausgegeb. Schriften, 1710; Kleiner Atlas Scholasticus, 1710; Nachricht von seinem kleinen Atlaste scholastico, 1710; Programma de Paedantismo et Galantismo duobus vitiis scholarum contratiis, 1711; Poet. Hdb., d. i. kurzgefaßte Anleitung z. dt. Poesie, 1712; Museum geographicum oder Verz. der besten Landkarten, 1712; Zweimal 52 auserles. bibl. Historien aus dem AT und NT, 1714; Centuria sententiarum vor die Anfänger in der lat. Sprache, 1715; Hamburgische Bibliotheca Historica, 10 Bde., 1715-29; Des frommen Thomas Kempis goldenes Büchlein von der Nachfolge Jesu Christi, aus dem lat. Orig. in dt. Verse übers., 1727; Die ganze Historie der Ref. in 50 kurzen Reden nebst einem Schauspiel v. d. Bekehrung der Sachsen zum

Christentum, 1730; Compendium logicum, 1732; Kurze, doch gründliche Einl. zur Sittenlehre, 1741; Vollständige Geographie, 3 Bde., 1745; Museum geographicum, 8 Bde., 1746; Allgemeine Geographie aller vier Weltteile, 1761; Curiöses und reales Natur-Kunst-Berg-Gewerk u. Handlungslexikon, 1792; Ein Hundert und vier bibl. Darst. aus dem AT und NT (Hrsg. Elise v. Königsthal), 1821; Christ Comödia (Hrsg. E. Brachmann), 1899. – Gab mit anderen heraus: Reales Staats-, Ztg.- u. Konversationslex., 1704.

Lit.: Johann Albert Fabricius (H.s Vorgänger im Rektorat am Johanneum), Vita Joannis Hübneri, Rectoris scholae Hamburgensis, 1731; – Ders., Memoriae Hamburgenses VIII, 1745, 419 ff.; – E. P. L. Calmberg, Historia Joannei Hamburgensis, 1829, 211 ff.; – Hans Schröder, Lex. der Hamburg. Schr.steller III, 1857; – F. Witte, Gesch. des Dymgymn. zu Merseburg II, 1876, 12; – Friedrich Brachmann, J. H., Johannei Rektor, 1899; – Alfred Heubaum, Das Zeitalter der Standes- u. Berufserziehung, 1905; – Koch V, 552; – ADB XIII, 267-269; – NDB IX, 583 (in Art, Homann).

Ba

HÜGEL, Friedrich, Freiherr von, Schriftsteller und Laientheologe, * 1852 in Florenz, + 1925 in London. H. studierte zunächst Rechtswissenschaften an der Universität Wien, mußte dieses Studium aber wegen einer Krankheit abbrechen. Seine Heirat mit Lady Mary Herber ermöglichte ihm den Zugang zu den katholisch-aristokratischen Kreisen Londons. Er wendete sich nun ganz der Theologie und der Schriftstellerei zu. 1871 erfolgte seine Übersiedlung nach London, wo er 1925 starb. H. war ein bedeutender englischsprachiger Schriftsteller und fortschrittlicher Laientheologe der neueren Zeit. Zusammen mit G. Tyrell (s.d.) galt er in England als der wichtigste Vertreter der römisch-katholischen Reformbewegung, des Modernismus und des Mystizismus. Somit ist er als Gegner der damaligen römischen Kirche anzusehen, wenngleich es nie zum offenen Bruch kam, denn er lehnte radikale Stellungnahmen ab und betrachtete das Leben in der Kirche als unverzichtbar für die Religiosität eines Menschen. Er blieb der katholischen Kirche treu, obwohl er deren institutionelle und geistige Mängel klar erkannte. Eine enge Freundschaft verband ihn mit A. Loisy (s.d.) in Frankreich, der später neben Le Roy (s.d.) und Tyrell von Pius X. (s.d.) hart gemaßregelt wurde. In zahlreichen Enzykliken ab 1905 wendete sich der Papst gegen den Modernismus als »das Sammelbecken aller Ketzereien«, bestätigte die Kontrolle der Kirche über die Wissenschaft und die Unfehlbarkeit der Schrift und ordnete 1910 den Antimodernismus an. H. hingegen verteidigte die neueren kritischen Bibelstudien und die Selbständigkeit der wissenschaftlichen Forschung innerhalb der Kirche. Er bemühte sich um die Verkündung eines »idealen Katholizismus«, die Vereinigung von Verstand und Glaube, nicht nur in England und um die Entfaltung einer »incarnational philosophy«, welche die mittelbare Gotteserfahrung, d. h. die konkrete Erfahrung der Gemeinschaft des erlösten Sünders mit seinem Erlöser im heiligen Geist, in den Vordergrund rückt. H. beherrschte alle internationalen Sprachen fließend und beeinflußte die moderne Theologie daher über die Grenzen Englands hinaus. Er besaß eine überzeugende Ausstrahlung und war, trotz seiner Differenzen mit Rom, ein angesehener Vertreter des katholischen Glaubens.

Werke: The Mystical Element of Religion as studied in St. Catherine of Genova (1447-1510) and her Friends, 2 Bde., 1908; Eternal Life. A Study in its Implications and Applications, 1912; The German Scoul in its Attitude towards Ethics and Addresses on the Philosophy of Religion I, 1921; II, 1926; Briefe, darunter wichtige Dokumente z. Gesch. des Modernismus: Selected Letters (1896-1924), hrsg. v. Bernard Holland, 1927; Letters from Baron v. H. to a Niece, hrsg. v. G. Greene, 1928; The Reality of God, hrsg. v. E. G. Gardner, 1931; Dt. Ausw. Briefe an seine Nichte (Selected Letters, 1896-1924). Übertr. u. eingel. v. Karlheinz Schmidthüs, 1947 (1954³); Vom Leben des Gebetes (The Facts and thruths concerning God and the soul which are of most importance in the life of prayer (dt.)). Übertr. u. eingel. v. Karlheinz Schmidthüs, 1947; Inneres Leben (The life of prayer (dt.)). Hrsg. u. übers. v. Maria Schlüter-Hermkes, 1947; Rel. als Ganzheit. Aus seinen Werken ausgew. u. übers. v. Maria Schlüter-Hermkes, 1948; Andacht z. Wirklichkeit (Werke, Ausz., (dt.)). Ausgew., übers. u. eingel. v. Maria Schlüter-Hermkes, 1952.

Lit.: Wilfried Ward, W. G. Gard and the catholic Revival, 1893, 365-375; – Albert Houtin, La question biblique au XIX° siecle, 1902, 242-261; – Paul Sabatier, Les Modernistes, 1909, XLVIII-LIII; – Giuseppe Prezzolini, Wesen, Gesch. u. Ziele des Modernismus. Übertr. v. Otto Eckehard, 1909; – Nathan Söderblom, Religionsproblemet inom katolicism och protestantism 1910, 201 ff.; – Ders., F. v. H:s andliga Sälfdeklaration, in: Studier tillägnade Magnus Pfannenstill, 1923, 168 ff.; – Cornelia Zielinski, Der Begriff der Mystik F. v. H:s Werk The Mystical Element (Diss. Jena), 1913; – Ernst Troeltsch, Der Historismus u. seine Überwindung, 1924; – Friedrich Heiler, F. v. H., in: ChW 1925, 265 ff.; – Maria Schlüter-Hermkes, Die geist. Gestalt F. v. H.s. in: Hochland 1926/27, 52 ff. 97 ff.; – Readings from v. H., hrsg. v. A. Thorold, 1928 (mit Einl. Aufs. über H:s Rel.philos.); – L. V. Lester-Garland, The Religious Philosophy of Baron F. v. H., 1933; – A. Loisy, Memoires, 3 Bde., Paris 1930; – A. H. Dakin, V. H. and the Supernatural, 1934; – M. Nedoncelle, Pa Pensee religieuse de F. v. H. (Diss. Paris), 1935 (engl.: Baron v. H. His Life and Thought, 1937); – R. Emrich, The Conception of the Church in the writings of F. v. H. (Diss. Marburg), 1936; – A. A. Cock, A Critical Examination of v. H.s Philosophy of Religion (Diss. London), 1953; – M. de La Bredoyere, The Life of Baron v. H., London 1951; – Wilhelm Dantine, F. v. H., in: Tendenzen der Theol. im 20. Jh. Eine Gesch. in Porträts, hrsg. v. Hans Jürgen Schultz, 1966, 50-55; – Jean-Francois Six, Une lettre de F. v. H., a l'Abbe Huvelin, in: Melanges de sciene religieuse 23, Lille 1966, supp. 81-87; – M. Green, Yeat's Blessings on v. H., London 1967; – J. Heaney, The modernist Crisis: v. H., Washington 1968; – Mary I. Buckley, Experience and transcendence. The experience and knowledge of God in the writings of F. v. H. (Diss. Münster), 1969 (mit dt. Zus.fassung u. d. T.: Mary I. Buckley, Erfahrung u. Transzendenz); – Joseph P. Whelan, Von H.s Letters to Martin D'Arcy, in: Month. Ed. by Ronald Moffat, 228, 1969, 23-26; – Ders., The Spiritual Doctrine of F. V. H. as Found in his Writings, London 1970; – Michael Jungo, Der Höhepunkt der modernist. Krise. Ein Briefwechsel v. H. - Gennocchi, in: Civitas. Meschr. des Schweizer. Studentenver. 25, Immensee 1970, 627-644; – L. Meulenberg, De betekenis van de frictie bij F. v. H., in: TTh 12, 1972, 61-94; – Peter Neuner, F. v. H:s Bilder der Kirche. Kirchenvorstellung im Modernismus u. moderne Kirchenreform, in: StZ 97, 1972, 25-42; – Ders., F. v. H. der ›Laienbischof‹. d. Modernisten, in: Aufbruch ins 20. Jh., zum Streit um Re.-Katholizismus u. Modernismus, Hrsg. v. Georg, 1976, S. 5-22; – Ders., Rel.-Erfahrung u. gesch. Offenbarung: F. v. H., Grundlegung d. Theol., (Diss.) München 1977; – Ders., Rel. zw. Kirche u. Mystik. F. v. H. u. der Modernismus, 1977; – Wolfgang Huber, Rel.Erfahrung bei F. v. H., in: Der Modernismus. Btrr. z. seiner Erforsch. Hrsg. v. Erika Weinzierl, Graz - Wien - Köln 1974, 83-103; – Ronald Burke, An orthodox modernist with a modern view of fruth, in: journal of religion, Bd. 57, Heft 2, 124-143, 1977; – Peter Williams, Abbé Huvelin: mediator of a tradition, Bij Aragen 42, 246-67, 1981; – James Kelly, the modernist controversy in England, in: The Downside Review, Jb. 99, 40-58, 1981; – Patrick Sherry, v. Hügels philosophy a spiritnally, in: Religeons Studies, Jb. 17, 1-18, 1981; – NDB 1922-30. 874-78; – RGG III, 466 f.; – ODCC²; – LThK V, 507; – HdKG VI/2, Freiburg 1973, 439-84; – Dictiomaise de Spiritnalité VII/1, 1968, 852-58.

Ba

HÜGLIN, Johann (Heuglin), Frühmessner in Sernatingen, Ludwigshafen/Bodensee, * in Lindau, + 10.5.1527 in Meersburg. – H. wird als Märtyrer der Reformationszeit bezeichnet. Er wurde 1527, sozusagen als verspätetes Opfer der Bauernkriege, vom in Meersburg residierenden Bischof von Konstanz verhört und verurteilt. H. erlitt den Verbrennungstod durch den Scheiterhaufen.

Lit.: Wahrhafte Historie v. dem frommen Zeugen u. Märtyrer Christi J. H. v. Lindau, so dann um christl. Wahrheit willen durch den Bisch. v. Konstanz zu Meersburg verbrannt ist worden auf den 10. Mai im 1527. o. O. u. J. (1527); – Kasimir Walchner, J. H. v. Lindau, Frühmesser zu Sernatingen. Seine Lehre u. sein Tod. Ein Btr. z. Gesch. des Bauernkrieges. u. der Ref. in der Gegend des Bodensees, in: Schrr. der Ges. f. Beförderung der Gesch.kunde zu Freiburg im Breisgau 1, 1828, 67 ff.; – Vierodt, Gesch. der ev. Kirche im Ghzgt. Baden I, 281 ff.; – Jörg Erb, Die Wolke der Zeugen II, 1954, 186-190; – ADB XII, 325.

Ba

HÜLSEMANN, Johann, Professor der Theologie in Wittenberg, * 4.12.1602 in Esens/Ostfriesland, + 13.6.1661 in Leipzig. – H. studierte in Rostock, Wittenberg und Marburg. 1629 erhielt er eine Professur in Wittenberg, für das Jahr 1631 ist seine Teilnahme am Leipziger Konvent bezeugt. Bekannt geworden ist H. durch seine Rolle während der Thorner Religionsgespräche von August - November 1645, an denen er als Geschäftsleiter der lutherischen Abteilung aus Wittenberg teilnahm. Er weigerte sich, seinen Gegner Calixt als Vorsitzenden der reformierten Partei anzuerkennen, was die Verhandlungen erschwerte. Es kam zu keiner Einigung, hingegen zu einem Bruch zwischen orthodoxen und reformierten Lutheranern. H. war gegen die synkretistischen Bestrebungen, welche als künstliche Verbindung der scharfen konfessionellen Gegensätze im Protestantismus eingeschätzt wurden. 1946 war H. Professor in Leipzig und gleichzeitig Pfarrer in St. Nicolai. Viele Reisen führten ihn nach Frankreich und den Niederlanden. Seine Werke offenbaren eine eigentümliche Denkweise und Polemik. Sie beschäftigen sich mit der Lehre von den Fundamentalartikeln und der Unio mystika, ohne jedoch die Forderung nach praktischem Christentum und lebendiger Frömmigkeit außer Acht zu lassen. Dennoch verlassen sie nicht den Boden altprotestantischer Orthodoxie, der gerade im Zeitalter des Barock mit seinen Totenschädeln und seiner aufgeschminkten Leichenblässe ein anthropologischer Pessimismus innewohnt, wonach der Mensch, wie H. es in einer Leichenpredigt auf Joh. Hopp formuliert, der auf der Höhe seiner Existenz, am Ziel seiner Wünsche ist, Gott »einen Schlag erhält, daß er wie ein Krautstengel oder eine Sonnenkrone umfällt, weggenommen und im Huy abgehauen wird; da liegt es dann alles, darauff 20, 30 Jahren großer Fleiß und Muhe ist gewendet worden.« H. galt als erster Vertreter der lutherischen Orthodoxie und vor allem als Gegner Calixts, dessen antireformierte Romantik besonders seine Kritik hervorrief. Calixt wollte die alten Symbole und Synodalbeschlüsse wieder rezipiert wissen, wogegen sich H. im calixtinischen Gewissenswurm wie folgt äußert: Es müsse »ja herzli wehe tun« wenn durch diesen Rückzug auf die alten Konzilien »niemals oder wenig möchten unterrichtet werden, was Gesetz oder Evangelium, was Buße oder Glaube oder was die Wohltaten Christi seyn.«

Werke: De ministro consecrationis et ordinationis sacerdotalis, 1630; Breviarium theologiae exhibens praecipuas fidei controversias, 1641;

Calvinismus irreconciliabilis, 1644; Dialysis apologetica, 1649; Calixt. Gewissenswurm, 1653; Freudiger u. beherzter Abschied des Joh. ..., 1654; Th. Henke, G. Calixtus u. seine Zeit, 1853; Extensio breviarii theologici, 1655. – Verz. seiner Schrr. bei H. Witten, Memoriae Theologorum, 1684, 1371 ff. u. Unschuldige Nachrr. Jg. 1721, 401 ff.

Lit.: Johann Georg Walch, Hist. u. theol. Einl. in die Rel.streitigkeiten der ev.-luth. Kirche, 1730 ff.; – August Tholuck, Der Geist der luth. Theologen Wittenbergs, 1852, 164 f.; – F. Jacobi, das liebreiche Religionsgespräch zu Thorn, in: ZKG XV, 1895; – Hans Leube, Calvinismus u. Luthertum im Zeitalter der Orthodoxie, 1928; – H. Rhode, M. Statius Buscherus, in: ZGNKG 38, 1933, 234-282; – Werner Elert, Morphologie des Luthertums (verb. Nachdr. der 1. Aufl.) I, 1952; – Ritschl IV; – ADB XIII, 332 f.; – NDB IX, 734; – RE VIII, 424; – RGG III, 467; – Kosch LL, VIII, 229; – LThK V, 507.

Ba

HÜLSEMANN, Wilhelm, ev. Kirchenliederdichter, * 7. 3.1781 in Soest (Westfalen), + 1.2.1865 in Elsey bei Iserlohn. – H. wirkte als Pfarrer in Meinerzhagen (Grafschaft Mark) und seit 1807 in Elsey. Er war 1822-56 zugleich Schulinspektor der Grafschaft Limburg und 1830-47 Superintendent und danach Assessor der Kreissynode Iserlohn. – H. dichtete viele geistliche Lieder, die in mehreren Erbauungsschriften und vor allem in seinen beiden Predigtwerken erschienen. Jeder Predigt ist ein und Festpredigten auch noch ein zweites oder drittes Lied von ihm voran- oder nachgestellt. H. ist der hauptsächlichste Mitarbeiter an der Redaktion des »Evangelischen Gesangbuchs«, das nach den Beschlüssen der Synoden Jülich, Cleve und Berg und der Grafschaft Mark 1835 (1852) in Elberfeld erschien, des sog. Rheinisch-Westfälischen Provinzialgesangbuchs. Es ist ein Unionsgesangbuch mit 681 Liedern, unter denen sich zwar eine große Anzahl älterer Kernlieder befindet, die aber mit 155 Liedern aus der Zeit der Aufklärung vermengt und mit vielen Änderungen am ursprünglichen Text versehen sind. Der Text sollte »möglichst unverändert« beibehalten werden, aber nur soweit, wie es die Rücksicht auf die »Sprachrichtigkeit, Erbaulichkeit und die bisher im Gebrauch befindlichen Rezensionen als zulässig« erscheinen ließ. Das Provinzialgesangbuch von 1835 enthält von H. 13 Lieder. Bekannt ist sein Königslied »Vater, kröne du mit Segen unsern König und sein Haus«. Alle übrigen Dichtungen H.s sind vergessen.

Werke: Ev. Postille oder christl. Betrachtungen u. Gesänge f. die häusl. Andacht u. Beförderung wahrer Frömmigkeit u. Seelenruhe, 2 Bde., Düsseldorf 1827/29; Predigten u. Gesänge über die Epp. der Sonn- u. Festtage des Kirchenj., 2 Bde., Leipzig 1838.

Lit.: C. H. E. v. Oven, Die ev. Gesangbücher in Berg, Jülich, Cleve u. der Gfsch. Mark seit der Ref. bis auf unsere Zeit, 1843; – Koch VII, 66. 107.

Ba

HÜLSKAMP, Franz, katholischer Schriftsteller, * 14. 3.1833 in Essen/Oldenburg, + 10.4.1911 in Münster. – H. besuchte, obwohl Sohn eines Webers, mit Unterstützung des Ortsgeistlichen, von 1849-52 das Katholische Gymnasium in Osnabrück. Danach studierte er in Münster, München und Bonn. H.s Wunsch war es, Priester zu werden, jedoch blieb er sein ganzes Leben lang als Hilfsgeistlicher in Münster. 1870 war H. Leiter des Heerde-Kollegiums, ein kostenfreies Schülerheim für

Gymnasiasten, und Vorsitzender verschiedener Vereine wissenschaftlicher und gemeinnütziger Zielsetzung. Außerdem war er Berater der seit 1876 bestehenden Görres-Gesellschaft. Obwohl er Mitbegründer der Zentrumspartei war und größtenteils deren Wahlkampfpropaganda gestaltete, war er nicht Inhaber offizieller politischer Ämter. 1886 war er päpstlicher Geheimkämmerer und betätigte sich später noch als Hausprälat. H. bekleidete keine höheren kirchlichen Ämter und erhielt keine Orden. – Sein erstes größeres Werk war die Umarbeitung der französischen Kirchengeschichte Rohrbachers. In seiner Funktion als Mitbegründer des Familienjournals »Hausschatz« vor allem aber des »literarischen Handweisers« wird H. als »Diktator der katholischen Literatur« bezeichnet. Der literarische Handweiser, den er gemeinsam mit Hermann Rump gründete, sollte »auf rasche, leichte, vollständige und zuverlässige Weise« den katholischen Bücherfreund über katholische und ausgewählte nichtkatholische Neuerscheinungen informieren. Neben einer Zusammenfassung des Inhalts bot der Handweiser auch eine Einschätzung und Bewertung der besprochenen Werke. Es handelte sich vor allem um Biographien, Bibliographien, literaturgeschichtliche Werke und wichtige allgemeine Nachschlagewerke und Zeitschriften. Daneben enthielt der Handweiser noch Notizen aus der Literaturwelt und war an den Bedürfnissen des Buchhandels orientiert. Er erschien mit jährlich 10 Nummern und einer Auflage von 4000 Exemplaren und kann als das Lebenswerk H.s angesehen werden.

Werke: Rohrbachers Universalgesch. der kath. Kirche (dt. Bearb.), I-III, 1860-62; Die Generalversammlung der kath. Vereine Deutschlands, 1869; Literar. Handweiser hrsg. und darin zahlr. Artikel v. H., 1862 ff.; Frankfurter zeitgemäße Broschüren hrsg. 1870-73; Papst Pius IX., 1870 (1854²); Die Siege der Kirche im 13. Jh., 1871; Die EB u. Bisch. des Dt. Reiches, 1873²; Nicolaus Copernicus, Ein Gedenkblatt, 1873, in: Literar. Handweiser f. d. Kath. Dtld.; Album der Erzbischöfe u. Bischöfe des Dt. Reichs, 1874; Deutscher Hausschatz, 1874; Kleines Piusbuch..., 1876; Deutsche Piuslieder, gesammelt z. 30-jg. Papst-Jubiläum, 1876; Jubellieder nach bek. Volksweisen, 1877; Literar. Handweiser, zunächst f. alle Katholiken deutscher Zunge, 1862-1931; Meisterwerke unserer Dichter, hrsg. in 19 Bd.en, 1879 ff.; 1000 gute Bücher, 1882 (3. Aufl. 1884); zahlr. Flugschriften.

Lit.: E. Raßmann, Nachrr. v. dem Leben u. den Schrr. münsterländ. Schr.steller des 18. u. 19. Jh.s, 1866, 160 f.; NF 1881, 103 ff.; – O. Kuckhoff, Gesch. der Unitas. Ein Btr. zur Gesch. d. kath. Studentenkorporationen Dtlds., Düsseldorf 1908; – Heinrich Finke, in: Hochland 8 II, 1910/11, 364 f.; – A. Pöllmann, in: Literar. Handweiser 49, 1911, 481 ff.; – G. Schreiber, in: Westfäl. Forsch. VIII, München 1955, 74-94; – BJ XVI, 1914, 234 ff.; – StL II⁵, 1328 ff.; – LThK V, 523; – Kosch LL, VIII, 233; – HdKG VI/2, 1973, 260; – Rheinisch-Westf. Wirtschaftsbiogr. X, 1974, 117.

Ba

HUET, Pierre Daniel, französischer Gelehrter, Philosoph und Apologet, * 8.2.1630 in Caen, + 26.1.1721 in Paris. H. wurde in einem Jesuitenkollegium in Caen geboren und erzogen. Seine Karriere begann jedoch erst 1662, als er die Akademie der Wissenschaften gründete. Im Rahmen seiner Funktion als Vorsteher derselben erhielt er von Ludwig XIV. ein bis zu seinem Tod gezahltes Jahresgehalt. 1670 wurde er von Ludwig XIV. gemeinsam mit J.-B. Bossuet (s.d.) zum Lehrer des »großen Dauphin« ernannt. Die Leitung des Unterrichtes übernahm Bossuet, während H. für den Prinzen, dem das Lernen schwerfiel, zum besseren Verständnis des dennoch sehr anspruchsvollen Unterrichtes die Klassikerausgaben vereinfachend bearbeitete. Ihre spezielle Bestimmung, nämlich einzig zum »Gebrauch des Dauphin« (ad usum Delphini) hat viele Spötter gefunden und ist als Sprichwort in die Geschichte eingegangen. 1674 wurde H. Mitglied der Académie francaise, 1678 erhielt er zur Belohnung für seine Lehrtätigkeit bei Hofe die Abtei Aulnay, nachdem er zwei Jahre zuvor die Priesterweihe entgegengenommen hatte. 1685 wurde er zum Bischof von Soissions gewählt, lehnte dieses Amt jedoch ab, um stattdessen 1692 Bischof von Averanches zu werden. 1699 erhielt er noch die Abtei Fontenay dazu. 1701 zog er sich nach Paris zurück, um sich dort intensiven Studien zu widmen. H. war ein entschiedener Gegner Descartes und des Rationalismus und Verfechter des Offenbarungsglaubens, nachdem sich die Wahrheit immer durch ein höheres Wesen, bzw. seine Mittler (Priester, Propheten u. Wahrsager) kundtat. In einem seiner bedeutendsten Werke, der »Demonstratio evangelica«, versuchte er, die Wahrheit der biblischen Schriften mathematisch zu beweisen. Außerdem vertrat er die These, daß sich alle heidnischen Religionen auf die Schriften Moses, also auf die Heilige Schrift als einzige Offenbarung der Wahrheit gründen. Nach H.s Definition ist wahr, was in der jeweiligen Zeit und danach für wahr gehalten wird und was in den Büchern geschrieben steht. Diese Überlegungen erregten damals großes Aufsehen und in manchen die Hoffnung auf eine Wiedervereinigung der römischen und protestantischen Kirche. Sein zweites großes Werk, die »Origenis Commentaria«, ist das Produkt 15-jähriger Arbeit. Sie ist die erste vollständige Sammlung der in griechischer Sprache verfaßten Kommentare des berühmten Kirchenvaters in lateinischer Übersetzung. Eins seiner Werke, »Von der Schwachheit des menschlichen Verstandes« stand vorübergehend im Index verbotener Bücher und wurde erst 1924 unter anderem Namen herausgegeben.

Werke: De interpretatione libri duo, quorum prior est de optimo genere interpretandi alter de claris interpretibus, 1661; Origeniana, 1668 u. ö.; Traité de l'Origine des romans, 1670 u. ö. (dt. 1682); Lettre touchant les expériences de l'eau purgée d'air, 1673; Demonstratio evangelica ad serenissimum Delphinum, 1679 u. ö.; Origenis commentaria in sacram Scripturam, 1679; Censura philosophiae Cartesianae, 1690 u. ö.; Alnetanae quaestiones de concordia rationis et fidei libri tres, 1690 u. ö.; Traité de la situation du Paradis terrestre, 1691 u. ö. (engl. 1694, holl. 1715, ital. 1737); Nouveaux mém. pour servir à l'hist. du cartésianisme, 1692 u. ö.; De navigationibus Salomonis, 1693; Status synodaux pour le diocèse d'Avranches, 1693 u. ö.; Recherches sur la ville de Caen et ses environs, 1702; Dissertations sur diverses matièves de rel. et de philos., 1712; Le grand trésor hist. et politique du florissant commerce des Hollandais..., 1712 u. ö. (dt. 1717, span. 1717 u. ö.); Hist. du commerce et de la navigation des anciens, 1716 u. ö. (engl. 1717, ital. 1737, span. 1793); Mém. sur le commerce des Hollandais, 1717 u. ö. (engl. 1717 u. ö.); P. D. Huetii ... commentarius de rebus ad eum pertinentibus, 1718 u.ö.; Huetiana où pensées diverses de M. H., Nachlaß H.s hrsg. v. J. T. d'Olivet, 1722; Traité philos. de la faiblesse de l'esprit humain, 1723 u. ö.; Diane de Castro, hist. nouvelle, 1728 u. ö.

Lit.: Ch. Bartholmess, H. où le Scepticisme theologique, Paris 1849; – E. de Gournay, H. évêque d'Avranches, sa vie et ses ouvrages, Paris 1854; – J. G. Travers, Le Bréviaire de P.-D. H., Caen 1858; – C. Trochon, H., évêque d'Avranches d'après des documens inédits, in: Le Correspondant 105, 869 ff.; – C. Henry, Un érucht j homme du monde, homme d'église, homme de cour ..., Paris 1879; – H. Moulin, Chapelain, H., Ménage et l'Académie de Caen, Caen 1882; – J. N. Espenberger, Die apologetischen Bestrebungen H.s, Freiburg i. Br. 1905; – A. Adamietz, Der

Skeptizismus P. D. H.s, Breslau 1910; – A. Dupont, P. D. H. et l'exégèse comparatiste au XVIIᵉ siècle, Paris 1930; – A. Kok, P.-D. H. Traité de l'origine des romans. Ed. critique, accompagnée d'un introduction et de notes, Amsterdam 1942; – A. Adam, Hist. de la litt. francaise au XVIIᵉ siècle, 1948 ff.; – L. Tolmer, in: Mém. de l'Académie nat. des sciences arts et belles-lettres de Caen 11, 1949, 718 ff.; – Ders., P.-D. H., 1950; – Q. M. Hope, H. and St. Evremont, in: Modern Language Notes 72, 1957, 575 ff.; – E. Howald, H.s Memoiren, in: Neue Zürcher Ztg., Sonntagsausg. 20.10.57, Nr. 2990; – H., P.-D.: Traité de l'origine des romans. Faks. Drucke nach der Erstausg. v. (Paris) 1670 u. der (Eberhard Werner) Hoppelschen Übers. v. (Hamburg) 1682. Mit einem Nachwort v. Hans Hinterhäuser, Stuttgart 1966; – M. T. Dougnac, Un évêque bibliophile au dix-septième siècle. H. et ses livres, in: Humanisme actif 2, 1968, 45 ff.; – J. Algulin, P.-D. H. 1600 – talskomparatist om romanens ursprung, in: Samlaven. Tidskrift för svensk litteraturhistorik forskning. Ny följd. 97, Uppsala 1976, 7 ff.; – The New Schaff-Herzog Encyclopedia of Rel. Knowledge V, 386 f.; – RE VIII, 427 ff.; – DThC VII, 199 ff.; – EC VI, 1493 f.; – Catholicisme V, 1003 ff.; – LThK V, 506; – RGG III, 468; – CKL I, 890; – EBrit XI, 863.

Ba

HÜTTENROTH, Oskar, ev. Pfarrer, * 27.8.1870 in Eschwege (Werra), + 12.2.1950 in Marburg (Lahn). – H. studierte in Berlin, Göttingen und Marburg und war seit 1900 Pfarrverweser in Wasenberg und Schrecksbach bei Treysa (Bez. Kassel). Er wirkte als Pfarrer seit 1903 in Holzhausen bei Hofgeismar und 1914-37 in Treysa. Seinen Ruhestand verlebte er in Marburg. – H. war Mitglied der Historischen Kommission für Hessen und Waldeck und hat sich als Geschichtsschreiber der kurhessischen Pfarrergeschichte um die Geschichte seiner Heimatkirche große Verdienste erworben.

Werke: Chron. v. Holzhausen am Reinhardswald nebst Umgegend, 1910; Die Reinhardswalddörfer Holzhausen, Knickhagen, Wilhelmshaven in der Vergangenheit u. Ggw., 1911; Kurhess. Pfr.gesch. I: Die Klasse Treysa, 1922; II: Die Stadt Marburg, 1927; Nachrr. aus der Vergangenheit der Stadt Treysa, 1930 ff.; Die althess. Pfr. der Ref.zeit, 1. Hälfte A-N, 1953 (Veröff. der Hist. Kommission f. Hessen u. Waldeck XXII).

Lit.: Alfred Giebel, Pfr. O. H. z. Gedächtnis, 1955.

Ba

HUFNAGEL, Wilhelm Friedrich, ev. Theologe, * 15.6. 1754 in Schwäbisch Hall als Sohn des Bürgermeisters, + 7.2.1830 in Frankfurt am Main. – Nach dem Besuch des Gymnasiums seiner Vaterstadt bezog H. 1773 die Universität Altdorf bei Nürnberg und setzte sein Studium im Herbst 1755 in Erlangen fort. Er wurde 1778 Magister und Privatdozent und 1779 ao. und 1783 o. Professor der Theologie in Erlangen und 1788 zugleich Universitätsprediger und Inspektor des Predigerseminars. Von 1791-1822 wirkte H. als Senior des geistlichen Ministeriums in Frankfurt am Main. In Verbindung mit dem Konsistorialpräsidenten Friedrich Maximilian Freiherrn von Günderode (1753-1824) hat er sich um die Neugestaltung des Schulwesens große Verdienste erworben. – H. ist bekannt als gelehrter Vertreter des Rationalismus und als der letzte Senior der Frankfurter Pfarrerschaft. Schon unter seinem Vorgänger Gabriel Christian Benjamin Mosche, der seit 1773 Senior war, hatte der Einzug der Aufklärung in Frankfurt begonnen. Unter H. gelangte der »Rationalismus vulgaris« zum Sieg und zur vollen Entfaltung.

Werke: Übers. des Buches Hi., 1781; Übers. des Hhld., 1784; Über den ersten Rel.unterricht nach den Zehn Geboten, 1784; Salomo's hohes Lied, geprüft, übers., erläutert, 1784; Hdb. der bibl. Theol., 1785. – Gab heraus: Die Schrr. des AT, nach ihrem Inhalt u. Zweck bearb., 2 Bde., 1784/98; Liturgische Blätter, 1790-96; Predigtenwürfe, ausgew. Schriftstellen d. AT f. d. chr. Feyer, 4 Bde.; Reise von Ffm. nach Carlsbad u. Franzensbrunn, in Briefen, 1799; Moseh, wie er sich selbst zeichnet in seinen fünf Büchern d. Geschichte, 1822.

Lit.: Bll. der Erinnerung an W. F. H., hrsg. v. seinem Enkel Wilhelm Stricker, 1851; –Ders., Neuere Gesch. v. Frankfurt II, 1874, 74 ff.; – Hermann Dechent, KG v. Frankfurt a. M. seit der Ref. II, 1921, 259 ff. 273 ff.; – Ders., Die Anfangszeit der Aufklärung in Frankfurt am Main. Festschr. z. 70. Geb. v. Johann Heinrich August Ebrard, 1920, 89 ff.; – Friedrich Wilhelm Kantzenbach, Die Erlanger Theol. Grundlinien ihrer Entwicklung im Rahmen der Gesch. der Theol. Fakultät 1743-1877. 1960; – ADB XIII, 301-303; – NDB X, 7; – Meusel III, 461, 2. Aufl., 1965 f.; VIV, 638; XI, 388; XIV, 206; XVIII, 231; XXII/2, 873.

Ba

HUG, Johann Leonard, katholischer Theoretiker, * 1.6.1765 in Konstanz, + 11.3.1846 in Freiburg/Breisgau. Als Sohn eines Schlossers hatte H. nach einem ungewöhnlich erfolgreichen Schulbesuch das Glück, ab 1783 von einem wohlhabenden Onkel ein weiterführendes Studium an der Universität Freiburg finanziert zu bekommen. Nach einem ausgezeichneten Abschluß bereits 1787 wollte er Inhaber des Lehrstuhls für alttestamentale Exegese werden, unterlag aber trotz sehr guter Kenntnisse und Fähigkeiten einem älteren Mitbewerber. Dafür erreichte er eine Position als Studienpräfekt im Generalseminar bis 1790, nachdem er ein Jahr zuvor die Priesterweihe erhalten hatte. Nach seiner Promotion wurde er dann 1793 zum Professor der orientalischen Philosophie und der alt- und neutestamentalen Exegese in Freiburg ernannt. 1827 wurde er Mitglied des Domkapitels, 1843 Domdekan. H. blieb sein ganzes Leben in Freiburg und widmete der Stadt und deren Universität seine ganze Schaffenskraft. Gelegentliche Forschungsreisen nach Mailand, Bologna, Rom und Neapel dienten reinen Studienzwecken. Seinen Traum, das gelobte Land zu besuchen, konnte er sich nicht erfüllen. Nach 6-monatiger Krankheit starb er 1846 in Freiburg. Seine Werke widmen sich der Erforschung von Ursprung und Entstehung der biblischen Bücher und deren wissenschaftlicher Auslegung. Sie zeigen eine kritische Haltung, sind aber dennoch positiv-apologetischen Charakters. Eine seiner Schriften über die Ursprünge der menschlichen Erkenntnis, die 1796 entstanden ist, veröffentlichte er unter dem Pseudonym Thomas Hugson und ist im Index der verbotenen Bücher aufgeführt.

Werke: Die mosaische Gesch. d. Menschen, Frankfurt 1793; Die Ursprünge d. menschl. Erkenntnis, 1796; Einl. in die Schrr. des NT, 2 Te., 1808 (1847²); De antiquitate Codicis Vaticani commentatio, 1810; Unterss. über den Mythus der berühmtesten Völker der alten Welt, vorzügl. die Griechen, 1812 (1832²); Das hohe Lied einer noch unversehrten Deutung, 1813; J. L. H., Schutzschr. f. seine Deutung des Hhld. u. dessen weitere Erl., 1815; De conjugii christiani vinculo indissolubili commentatio exegetica, 1816; De Pentateuchi versione Alexandrina commentatio, 1818; Gutachten über das Leben Jesu v. David Friedrich Strauß (1835), 2 Te., 1840-44 (1854²). – Gab heraus: Zschr. f. die Geistlichkeit der Erzdiöz. Freiburg, 1828-34; Zschr. f. Theol. (mit Johann Baptist Hirschner), 1839-49. – Schrr.verz., in: Gelehrten- u. Schr.steller-Lex. der kath. Geistlichkeit Dtld.s u. der Schweiz, hrsg. v. Franz Karl v. Borromaeo Felder u. Franz Joseph Waitzeneggers, 3 Bde., 1817-22.

Ba

Lit.: Adalbert Maier, Gedächtnisrede, 1847; – Ders., J. L. H., in: Bad-Biogr. I, 1875, 405-410; – Ernst Münch, Erinnerungen, Lb. u. Stud. aus den ersten 37 J. eines dt. Gelehrten I, 1836, 194-206; – Heinrich Schreiber, Gesch. der Stadt u. Univ. zu Freiburg im Breisgau III, 1860², 151 ff.; – K. Werner, Gesch. d. Kath. Theol. in Dtld., München 1866, 527-533; – Biogr., in: FreibDiözArch 93, 1974; – ADB XIII, 303 f.; – NDB X, 8; – RE VIII, 429; – LThK V, 507; – Kosch, LL VIII, 253; – NBG XXV, 400; – Meusel III, 464; IX, 639; XI, 388; XIV, 207; XVIII, 231; XII/2, 874.

Ba

HUGEBURG *von Heidenheim,* Benediktiner-Nonne angelsächsischer Abstammung, * in England, + Ende des 8. Jahrhunderts vermutlich in Heidenheim. – H. erhielt eine Ausbildung in England, was für Frauen zu dieser Zeit sehr verbreitet war. Danach siedelte sie, etwa um 761, in das Missionsgebiet ihres Onkels, des Eichstätter Bischofs Willibald (s.d.). Dort lebte sie als Nonne in dem 751 vom Bruder ihres Onkels, Wynnebald (s.d.), gestifteten Doppelkloster Heidenheim. Der gemeinsame Vater dieser Brüder soll der englische König Richard gewesen sein. H.s Werke beschränken sich auf die Niederschrift der Biographien ihrer Onkel. Die »Vita Willibald« ist die bedeutendere von beiden, sie berichtet von seinen Pilgerfahrten ins Heilige Land und geht allein auf seine mündliche Schilderung zurück. Auch von seiner Kindheit und seiner missionarischen Tätigkeit in Eichstätt ist die Rede, worin diese Vita mit der von Wynnebald übereinstimmt. Beide Viten setzen die im 7. Jahrhundert beginnende angelsächsische Hagiographie fort. H. ist unsicher in Flexion und Rechtschreibung, verfügt jedoch über ein anschauliches, bilderreiches, dabei oft schwülstiges Latein. Sie versucht, durch Analogie- und Neubildungen aus dem Griechischen, ihren Wortschatz zu bereichern und verwendet Alliteration als Stilmittel. Obwohl H.s Werke einen relativen Bekanntheitsgrad erreicht haben, bleibt das weitere Schicksal der "Nonne von Heidenheim" ungeklärt.

Werke: Viten der Brüder Willibald u. Wynnebald, hrsg. v. O. Holder-Egger, in: MG SS 15, 80-117.

Lit.: B. Bischoff, Wer ist die Nonne v. Heidenheim?, in: STMBO 49, 1931, 387 f.; – R. Bauerreis, Kirchengesch. Bayerns I, 1949; – A. Bauch, Biogr. d. Gründungszeit, in: Eichstätt. Stud. VIII, 1962; – Eva Gottschaller, H. v. Heidenheim: philolog. Unters. zu den Hll.biogrr. einer Nonne des 8. Jh.s (Diss. München), ebd. 1973; – NDB X, 8; – Kosch LL XIII, 254; – VerfLex IV, 2. Aufl., 1982, 222; – Bibliotheca hagiographica latina, Nr. 8931, 8996, Brüssel 1898-1911.

Ba

HUGHES, John, * 24.6.1797 als drittes von sieben Kindern einer Bauernfamilie in Annaloghan, County Tyrone, Irland, + 24.6.1864 in New York. – 1816 verließ sein Vater mit dem ältesten Sohn aufgrund politischer Wirren Irland und wanderte nach Amerika aus. 1817 folgte ihm John und 1818 der Rest der Familie. Sie siedelten sich in Chambersburg, Philadelphia an. H. arbeitete dort in den Steinbrüchen, verdingte sich als Straßenbauarbeiter und als Gärtner. Seine wiederholten Versuche, in das Priesterseminar St. Mary's aufgenommen zu werden, schlugen zunächst fehl. Ende 1819 bekommt er jedoch im Seminar eine Stelle als Gärtner und 1820 wird er als Seminarist aufgenommen. Am

1129

1130

15.10.1826 erhält er seine Priesterweihe. Er wirkt für kurze Zeit als Kaplan in Bedford, dann in den Pfarreien St. Joseph und St. Mary, beide in Philadelphia. 1832 erhielt er die neuerbaute Kirche St. John. Bereits 1830 gründete er die erste katholische Zeitschrift in Philadelphia, den »Catholic Herald«. Er schrieb zunächst unter dem Pseudonym "Cranmer". Seit 1829 wirkte er als Koadjutor im Bistum Philadelphia, ab 1833 im Bistum Cincinnati. Der Plan, ein neues Bistum in Pittsburgh zu gründen und ihn als Bischof einzusetzen, scheiterte 1836 am Einspruch Gregors XVI. (s.d.). Am 7.1. 1838 wurde er zum Bischof erhoben und erhielt das Bistum New York. In den Jahren 1839/40 hielt er sich in Europa auf. Als es 1844 in seinem Bistum zu schweren antikatholischen Ausschreitungen kam, in deren Verlauf sogar Kirchen angezündet wurden, konnte er sich mit seiner Linie, die Kirchen zu schützen, sich aber nicht zu Gewalttätigkeiten hinreißen zu lassen, durchsetzen. In New York gründete er ein Priesterseminar und ein Kolleg, das er später den Jesuiten übergab. 1850 wurde er zum Erzbischof erhoben und im gleichen Jahr begann er mit dem Bau der St. Patrick's-Kathedrale in New York. Bei der Konstituierung des Nordamerikanischen Kollegs in Rom 1859 war er maßgeblich beteiligt. Zu Beginn des nordamerikanischen Bürgerkrieges reiste H. im Auftrag Abraham Lincolns, zu dem er ein sehr freundschaftliches Verhältnis hatte, nach Europa. Es gelang ihm, Napoleon III. davon abzuhalten, die Südstaaten zu unterstützen. H. starb nach langer, schwerer Krankheit am 24.6.1864 in New York. Seine sterbliche Hülle wurde 1883 in die St. Patrick's Kathedrale verbracht. Die Fülle seiner Reden und Streitschriften erweisen H. vor allem als Kämpfernatur. Für seine Kirche scheute er Auseinandersetzungen mit Staatsmännern ebensowenig wie mit Vertretern anderer Kirchen. In der Schulfrage konnte er sich ebenso durchsetzen wie gegen laizistische Strömungen innerhalb der Kirche selbst. Sein politischer Sachverstand und seine Loyalität wurden von den Staatsmännern seiner Zeit sehr hoch geschätzt.

Werke: A sermon preached in the Church of St. Augustin, in Philadelphia, on the 31st of May 1829, Philadelphia 1829; J. H. / J. Breckingridge, A Discussion of the Question: Is the Roman Catholic Religion in any or in all its Priciples or Doctrines Inimicated to Civil or Religious Liberty? And of the Question: Is the Presbyterian Religion in any or in all its Priciples or Doctrines Inimical to Civil or Religious Liberty?, Philadelphia 1836; A letter on the moral causes that have produced the evil spirit of the times; adresses to the Honorable James Harper, mayor of New-York, New York 1844; A lecture on the antecedent causes of the Irish famine in 1847, delivered under the auspices of the General Committe for the relief of the suffering poor Ireland, New York 1847, 1847[2]; Kirwan unmasked. A review of Kirwan in six letters addressed to the Reverend Nicholas Murray, New York 1848, 1851[2]; The Decline of Protestantism and its Causes, Philadelphia 1850; The Catholic Chapter in the History of the United States. A Lecture delivered in Metropolitan Hall, before the Catholic Institute on March 8 1852, New York 1852; Reflections and suggestions in regard to what is called the Catholic press in the United States, New York 1856; Controversy Between Reverend Messrs. H. and Breckingridge on the Subject: Is the Protestant Religion the Religion of Christ?, Philadelphia 1862; Life of Archbishop H., with a full of his funeral, Bishop McCloskey's oration, and Bishop Loughlins month's mind sermon, also Archbishop H.'s sermon on Catholic emancipation an his great speaches on the school question, New York 1864; Lawrence Kehoe (Hg), The complete works of the Most Reverend J. H., Archbishop of New York. Comprising his sermons, letters speaches etc., New York 1864/65 (2 Bde.); Letters of Bishop H., in: United States Catholic Historical Society, Records and Studies XXII; Correspondence Between Archbishop H. and the Govenor Seward, in: United States Ca-

tholic Historical Society, Records and Studies XXIII (1912); Henry J. Browne (Hg), The archdiocese of New York a Century ago. A Memoir of Archbishop H., 1838-1858, in: Historical Records and Studies XXXIX - XL (1952); John T. Ellis (Hg), Documents of American Catholic History, Milwaukee 1953, 317-321, 329-335, 347-356, 370-373; Mission Abroad, 1861-1862: A Selection of Letters fróm Archbishop H., Bishop McIlwaine, W. H. Seward and Thurlow Weed, Rochester 1954; J. H. / Erastus Brooks, The Controversy Between Senator Brooks and John, Archbishop of New York, New York 1855.

Lit.: T. B. Peterson, Life of Archbishop H., New York 1864; – John R. Hassard, Life of the Most Reverend J. H., D. D. First Archbishop of New York, New York 1866, 1969[2]; – Thomas F. Meehan, Archbishop H. and the Draft Riots, in: United States Catholic Historical Society, Records and Studies I (1900); Joseph Kirlin, Catholicity in Philadelphia, Philadelphia 1909; – H. A. Brann, Most Reverend J. H., First Archbishop of New York 1912[2]; – Peter Guildby, Gaetano Bedini, an Episode in the Life of Archbishop J. H., in: United States Catholic Historical Society, Records and Studies XXIII (1912); – Constantine McGuire, Catholic Builders of the Nation V, 1923, 65-84; – Thomas Maynard, The Story of American Catholicism, New York 1946; – Joseph B. Code, Bishop J. H. and the Sisters of Charity, in: Miscellanea L. van der Essen II, 1947, 991-1038; – Theodore Roemer, The Catholic Church in the United States, St. Louis 1950; – E. M. Connors, Church-State Relationships in Education in the State of New York, Washington 1951; – Ludwig Hertling, SJ, Geschichte der katholischen Kirche in den Vereinigten Staaten, Berlin 1954, passim; – Robert D. Cross, The Emergence of Liberal Catholicism in America, Cambridge 1958, passim; – John T. Ellis, Perspectives in American Catholicism (= Benedictine Studies V), St. Paul 1963, 3 f., 100-107, 141 f., 157 f.; – James M. Lee / Louis J. Putz (Hg.), Seminary Education in a Time of Change, Notre Dame 1965, 58-67; – John T. Ellis, American Catholicism, Chicago 1969[2], passim; – Thomas T. McAvoy, A History of the Catholic Church in the United States, Notre Dame 1970, passim; – James R. Bayley, A Brief Sketch of the Early History of the Catholic Church on the Island of New York, New York 1973; – John Cogley, Catholic America, New York 1973, 255 f., passim; – Jay P. Dolan, The Immigrant Church. New York's Irish and German Catholics 1815-1865, Baltimore/London 1975, passim; – Richard Shaw, Dagger John. The Unquiet Life and Times of Archbishop J. H. of New York, New York 1977; – Henry W: Bowden, Dictionary of American Religious Biography, Westport 1977, 218 ff.; – Jay P. Dolan, Catholic Revivalism. The American Experience 1830-1900, London 1978, 34, 67; – James Hennessy, SJ, American Catholics. A History of the Roman Catholic Community in the United States, New York / Oxford, 1981; – Catholicisme V, 1005 f.; – DE 361; – EnEc IV, 402; – Dictionary of American Biography IX, 352-355; – LThK V, 510; – New Catholic Encyclopedia VII, 196-198; – The Encyclopedia Americana XIV, 535; – Union Theological Seminary Library V (Boston 1960), 477.

Sf

HUGO Candidus, (auch Hugo der Weiße oder Hugo v. Remoremont, auch Blancus oder Albus), Bischof und Politiker, * etwa 1020, + nach 1098. Gemeinsam mit seinem Bischof Bruno (s.d.) ging H. 1049 nach Rom in das Kloster San Clemente, wo er unter Leo IX. (s.d.) zusammen mit Humbert v. Silvia Candida (s.d.), Stefan IX., Sohn des Herzogs v. Lothringen (s.d.) und Hildebrand, später Papst Gregor VII. (s.d.), die Reformarbeit, d.h. die Arbeit für ein Verbot der Simonie, der Priesterehe und der Laieninvestitur, aufnahm. Leo IX. wird als der erste Reformpapst bezeichnet, und in diesen Männern sammelte er die führenden Köpfe der Reform als Berater um sich. Unter Nikolaus II. (s.d.), der die Reform weiterführte, änderte sich H.s Haltung, und er begann mit den Gegnern der Reformbewegung zu sympathisieren. So kam es, daß er 1061 gemeinsam mit Wibert v. Ravenna (später Gegenpapst Clemens III., s. d.) für Cadalus v. Parma (Gegenpapst Honorius II., s. d.) eintrat, woraufhin seine Exkommunikation erfolgte. Die weiter von Hildebrand angeführten Reformer wählten Anselm v. Lucca zum Papst Alexander II., dem sich H. 1067 schließlich unterwarf, was schon

1068 dazu führte, daß H. als päpstliches Legat nach Spanien geschickt wurde, wo er wieder für die Reform arbeitete und Synoden durchführte, die gegen das Zölibat und die für Realisierung der römischen anstelle der mozarabischen Liturgie mit großem Erfolg veranstaltet wurden. Als er 1072 ein Legat in Frankreich antrat, wurde er von den Cluniazensern der Bestechung durch die Simonisten angezeigt und daraufhin von Alexander II. 1073 verurteilt, aber aufgrund seiner Erfolge in Spanien und der Intervention Kardinal Hildebrands schnell rehabilitiert und erneut als Legat nach Spanien entsendet. Als Gegenleistung unterstützte er in erheblichem Maße die Wahl Hildebrands zum Papst Gregor VII. 1075 kam es zum offenen Bruch mit Gregor, auf Synoden in Worms und Brixen erhob H. schwere Vorwürfe gegen den Papst und trat nunmehr für dessen Absetzung ein. In der darauffolgenden Zeit trat abermals als Parteigänger des Gegenpapstes Clemens III. und Anhänger Heinrich IV. auf. Noch im selben Jahr wurde er zum 2. Mal exkommuniziert, 1078 von Gregor der priesterlichen Weihe entledigt und mit Anathema belegt. Auch nach dem Tode Gregors unterstützte H. Clemens III. gegenüber Viktor III. (1086-87, s.d.) und Urban II. (1088-99, s.d.). Zwischen 1089 und 1093 ernannte Clemens ihn zum Bischof von Preneste und 1098 nahm er an einer Versammlung schismatischer Kardinäle teil, welche das letzte Mal etwas über sein Leben bezeugte. Die widersprüchliche Biographie H.s mag dem Chronisten einige Rätsel aufgeben, jedoch kann mit einiger Sicherheit behauptet werden, daß er grundsätzlich ein Anhänger der Reformbewegung war. Er stellte jedoch, besonders nach seinem Bruch mit Gregor VII., seine außergewöhnliche politische Begabung dem Kaiser und dessen Gegenpapst Clemens III. zur Verfügung. H. hinterließ keine eigenen Werke, alle Informationen über ihn stammen von Bonizo v. Sutri (s.d.), der H. feindlich gesinnt war, wodurch die Richtigkeit der Überlieferung natürlich ungewiß wird.

Lit.: Bonizo v. Sutri, Liber ad amicum, in: MG LibLit I, 571 ff.; – Benonis et aliorum Cardinalium scripta, ebd. 396. 404 ff.; – Registrun Gregorii VII., hrsg. v. Erich Caspar, in: MG Epp I, 9. 12; II, 369 f.; – Joseph Schnitzer, Gesta Romanae Ecclesiae des Kard. Beno u. andere Streitschrr. der schismat. Päpste wider Gregor VII. (Hist. Abhh. aus dem Münchener Seminar, 2), 1892; – Wilhelm Martens, Gregor VII., Sein Leben u. Wirken, 2 Bde., 1894; – Carl Mirbt, Die Publizistik im Zeitalter Gregors VII., 1894; – H. Holtkotte, 1903; – B. Gaffrey, Greifswald 1913; – Franz Lerner, Kard. H. C. (HZ Beih. 22), 1931; – A. Fliche, La reforme gregorienne III, Paris 1937; – William Thomas Mellows (Hrsg.), The Chronicle of Hugh Candidus, a monk of Petersborough, Oxford Univ., 1949; – G. B. Borino, in: StudGreg IV, 1952, 456-466; – Catholicisme V, 1047 f.; – RE VIII, 431; – LThK V, 516; – HdKG III/1, 406. 419. 437.

Ba

HUGO Etherianis (Etterianus, Heterianus), * um 1115 in Pisa, + 1182 in Konstantinopel. – H. kam zusammen mit seinem Bruder Leo (auch Tuscus) aus der Toscana, genoß in Paris eine gründliche Ausbildung und ging 1161 an den Hof Kaiser Manuels I. Komnenos nach Konstantinopel, wohin ihm sein Bruder fünf Jahre

später folgte. Als entschiedener Gegner Demetrios von Lampe verfaßte H. nach der Synode von Konstantinopel und der Novelle des Kaisers im April 1166 drei seiner Hauptwerke, in denen er die Irrtümer der griechischen Kirche kritisiert (De sancto..., De minoritate..., Adversus Patharenos). H.'s Schriften fanden auch bei den deutschsprachigen Theologen Gerhoh von Reichersberg und Petrus von Wien Beachtung. Als Berater am Hof hatte H. Einfluß auf die kaiserliche Unionspolitik. Kurz nach der Ernennung zum »Diaconus cardinalis S. Angeli« starb H. am 7. Dezember.

Werke: De sancto et immortali Deo (od. De haresibus quas Graeci in Latinos devolvunt) 1176, neu hrsg. u. korrigiert v. J. Basnage, in: Thesaurus monumentarum ecclesiasticorum et historicorum IV, 1727, 29-80; De minoritate Filii hominis; Adversus Patharenos, Basel 1543, in d. Bibliothecis Patrum; Liber de anima corpore jam exuta sive de regressu animarum ab inferis ad clerum Pisanum, Köln 1540; Orthodoxographia, Basel 1569, Hamburg 1579, Migne PL CCII, 167-226.

Lit.: J. Hergenroether, Photii Constantinopolitani liber de spiritus Sanctis mystagogia, 1857, 138 f.; – A. Dondaine, H. E. et Léon Toscan, in: AHDL XXVII, 1952, 67-134; – P. Classen, Das Konzil v. Konstantinopel 1166 u. die Lateiner: ByZ XLVIII, 1955, 339-368; – A. Dondaine, in: HJ LXXVII, 1958, 473-483; – E. Werner, Patarenoi-Patarini, in: Forsch. z. ma. Gesch. I, 1956, 404-419; – Jöcher II, 1750, 415; – Hurter II, 171; – Beck, 312 f. 538. 621 u. ö.; – LThK V, 512 f.; – HdKG III/2, 149, 163 f., 167; – DThC VII, 308 ff.

Ba

HUGO von Amiens, Erzbischof von Rouen, OSB, * wahrscheinlich 1085 (Château voisin de Boves), + 11. 11.1164 in Rouen. – H. v. R. soll aus dem Geschlecht der Boves stammen (vgl. A. Janvier, Boves et ses seigneurs, Amiens, 1877). In jungen Jahren trat er in das Kloster zu Cluny ein, wurde Prior in Saint-Pancrace de Lewes und wurde 1125 (?) zum ersten Abt in Reading gewählt. 1130 erhielt er die Bischofsweihe. H. war Vertrauter des englischen Königs Heinrich I. und empfing am 9.5.1131 Innozenz II. in Rouen. H. setzte sich energisch für die Bekämpfung des sittlichen Verfalls des Klerus ein und verteidigte seine bischöflichen Rechte gegen den Abt Alanus von Fontenelle. H. knüpft an die Sentenzen des scholastischen Theologen und Bischofs von Paris, Petrus Lombardus (s.d.), an und erklärt unter anderem die Profeß als von Sünden freisprechende zweite Taufe.

Werke: Contra haereticos suitempories (wahrsch. eine Schr. gg. die Apologia Bernhards v. Clairvaux), 1130, Migne PL CXCII, 1255-1298; Questiones theologicae, 1125; Dialogi, 1133, ebd., 1141-1248; Vic de sanct Adjuteur de Vernon, nach 1132, ebd., 1345-1353; Tractatus in Hexameron, ebd. 1247-1256; De fide catholica et oratione Dominica, ebd., 1323-1346; Tractatus de memoria, complectens tres libros in laudem memoriae, ebd. 1299-1324; Zahlr. Briefe u. Erwiderungen in: ebd. CLXXIX, 665 f. u. 670. CXXX, 1617. CLXXXVI, 1399. 1430 ff.. CXCII, 1131-1138; Recueil des historiens des Gaules XV, Paris 1878, 693-702.

Lit.: Robert de Torigny, Abt v. Mont-Saint-Michel, Chronique, hrsg. v. Delisle, 1872, I, 183-5 u. ö.; II, 228, 239, 265 f. u. ö.; – Jaffé - Loevenfeld, Regesta pontificum romanorum, Leipzig 1885, 7481 f., 7585 f.; 9164 ff.; 9240 f. u. ö.; – Dom Pommeraye, Histoire des archevêques de Rouen, 1667, 313-43; – Gallia christiana XI, 43 ff.; – Histoire littéraire de la France XII, 647-667; – Dom Bessin, Concilia Rothomagensia II, Rouen 1717, 27-30; – Collectio Veterum Scriptorum IX, hrsg. v. Martène u. Durand, Paris, 1733; – Thesaurus novus Anecdorum V, hrsg. v. Martène, Paris; – Du Moustier, Neustria christiana, Ms. 10048, Bibliothèque nationale, Paris; – Cartulaire de l'eglise cathédrale de Rouen, Ms. 2544, Biblioth. municipale de Rouen; – Luchaire,

Études sur quelques Mss. de Rome et de Paris, in: Bibliothèque de la facuIé des lettres VIII, 52 f., 108, 118; – Herbert, Huges III d' Armiens, in: RQH XX, 1898, 325-371 (mit einer Liste unveröff. Mss.); – Jamieson B. Hurry, In Honeur of Hugh de Boves and Hugh Cook Faringdon first and last abbots of Reading, Reading 1911; – F. Bliemetzrieder, L'œvre d'Anselmede de Laon et la litterature theologique contemporaine, in: Recherches de theologie ancienne et medievale VI, 1934, 261-283. VII, 1935, 28-51; – O. Lottin, in: ebd., XII, 1940, 238 f. u. XXIV, 1957, 290; – C. Spicg, Esquisse d'une hist. de l'exégèse latine au Moyen Age, Paris 1944; – Fr. Stegmüller, Repertorium biblicum medii aevi III, Madrid 1951, 113 f.; – R. Manselli, Per la storia dell' eresia nel recolo XII, in: Bulletino ... per il medio evo LXVII, 1955, 189-264; – F. Lecomte, Un commentaire scripturaire du XII° S., le »Tractatus in Hexaemeron« de Hugues d'Amiens, Lille 1955; – C. H. Talbot, The Date and author of the »Riposte«, in: Studia anselmina XL, 1956, 72-80; – L. Spätling, Die Logation des Erzbischofs H. v. R. (1134-35) in: Antonianum XLIII, 1968, 195-216; – Constable Giles, An unpublished letter by Abbot H. of Reading..., in: Cluniac studies [Coll. Ess.], Essay XII, 1980, 17-31; –DNB XXVIII, 163 f.; – Manitius III, 814 ff. u. ö.; – DThC VII, 205-15; – A. Wilmar, in: RBén XLVI, 1934, 309-44; – D. van den Eynde, in: FS XIII, 1953, 71-118; – LThK V, 517; – Catholicisme V, 1038; – AHDL XXXIII, 227-294; – DSp VII, 1969, 896 f.

Ba

HUGO, Heiliger, Abt v. Bonnevaux, * um 1120 in Châteauneuf (Drôme), + 1194. – H. entstammte einer adligen Familie und war ein Neffe des heiligen Hugo v. Grenoble. 1138 trat er gegen den Willen seiner Familie in den Zisterzienserorden und wurde Mönch im Kloster Mazières, um 1162 zum Abt von Léoncel und 1166 zum Abt von Bonnevaux gewählt. Bekannt wurde H. dadurch, daß er bei den Vorverhandlungen zum Frieden von Venedig (1177) zwischen Friedrich I. (Barbarossa) und Papst Alexander III. vermittelte.

Lit.: AsApr. I (1675), 47 ff.; – E. Martine u. U. Durand, Thesaurus novus anecdotorum I, 885. 1847 f.; – Cist. 11 (1889), 65-74; 27 (1915), 46; 36 (1924), 25-32. 45-55. 68-72; – M.-F. Chuzel, Hist. de l'abbaye de Bonnevaux, Bourgoin 1932, 70-87; – Zimmermann II, 1-4; – EC XII, 705 f.; – Catholicisme V, 1018 f.; – LThK V, 511; – Fliche-Martin IX, 151; – J. E. Stadler (Hrsg.), Vollst. Heiligen-Lexikon II, 780 f.

Ba

HUGO V. BRETEUIL, Bischof von Langres, + 1050/51. – H. war zunächst Kanonikus von Chartres, seit 1031 Bischof von Langres. Auf der Synode von Reims 1049 erhob H. vor Papst Leo IX. Anklage gegen den seiner Diözese angehörigen Abt von Pouthieres wegen einer ausschweifenden und lasterhaften Lebensführung, so daß dieser abgesetzt wurde. Auf der gleichen Synode wurde aber H. ebenfalls unter anderem wegen Simonie, Mord, Verkauf von Weihen, Frauenmißbrauchs und Sodomie angeklagt. Zwischen den Verhandlungen floh er und wurde daraufhin exkommuniziert. 1050 wurde er vom Papst nach schwersten freiwilligen Bußübungen während einer Pilgerreise in Rom rehabilitiert. Auf der Rückreise erkrankte er. Noch bevor er kurz darauf starb, legte er das Gelübde als Benedektinermönch ab. Literarisch ist H. gegen die Abendmahlslehre Berengars mit der Schrift »De corpore et sanguine Christi« (1049) angetreten. Sie hat jedoch wegen seiner Absetzung im selben Jahr keine Geltung erlangt.

Werke: De corpore..., in: Patrologie Latine de Migne, Paris 1844 ff., 142. 1321-1334.

Lit.: Gallia christiana IV (Paris 1715), 555-559; – Manitius II, 18, 105, 115 f., 120, 122; – Hefele IV², 729 f.; – J. R. Geiselmann, Die Eucharistielehre d. Vorscholastik, 1926, 309-316; – Ders., Die Abendmahlslehre an der Wende d. christl. Spätantike zum Früh-MA, 1938, 86 u. ö.; – StGreg II, 31-41; – A. J. Macdonald, Berengar and the Reform of Sacramental Doctrine, Londress 1930, 51-53, 273-278; – Catholicisme V, 1034 f.; – DThC VII, 220 f.; – LThK V, 511.

Ba

HUGO V. CHAMPFLEURY, auch de Campo florido, * Anfang 12. Jahrhunderts, + 4.9.1175 in Paris. – H. war ein angesehener Lehrer an Pariser Schulen, von 1152-71 Kanzler von Frankreich unter Ludwig VII. und ab 1153 Bischof von Soissons. H. war Herausgeber der sogenannten Briefsammlungen von St. Victor zu Paris (1159 bis 1172).

Werke: Briefe in: Patrologia latina, hrsg. v. J. P. Migne, Paris 1878 ff., 196, 1583-88; Ausg. d. Briefsmlg.: HistLittFrance XIII, 536-541.

Lit.: NA 26 (1901), 584 f.; – Bibl. de la faculté des lettres VIII, 31 ff.; – A. Molinier – H. Hauser, Les Sources de l'hist. de France II (1906), 196 f.; – Catholicisme V, 1030 f.; – LThK V, 511.

Ba

HUGO von Cluny (Hugo der Große), 6. Abt von Cluny, * 13.5.1024 in Semur, + 28.4.1109 in Cluny. – H. war burgundischer Abstammung, seine Eltern waren Graf Dalmatius v. Semur und Aremburga v. Bergy. Seine Erziehung allerdings oblag seinem Großonkel, Hugo v. Auxerre. Zunächst tat H. Dienst bei der Armee, brach diesen aber bald ab, um schließlich, 1039, unter Odilo Novize im Kloster von Cluny zu werden. 1044 erhielt er die Priesterweihe und war schon als junger Mann Prior. Auf zahlreichen Synoden gegen die Simonie war er Vorsitzender. Das erste Mal trat er durch seine Vermittlertätigkeit im Streit zwischen den cluniazensischen Mönchen von Payerne und Heinrich III. in den Vordergrund. Am 22.2.1049, nach dem Tode Odilos, wurde er als dessen Nachfolger, als nunmehr 6. Abt von Cluny, eingesetzt. 1049 nahm er am Konzil zu Rheims teil, wo er besonders scharf gegen die Simonie und die Priesterehe auftrat. Nachdem Heinrich III. ihn wieder einmal als Vermittler, nun in einer Auseinandersetzung mit Andreas I. v. Ungarn, gebraucht hatte, hob er 1057 den kleinen Heinrich IV. aus der Taufe. H. ließ auch die weltberühmte 5-schiffige Basilika, eine der größten Kirchen in der ganzen Welt, erbauen, die 1095 fertiggestellt wurde. Nach der französischen Revolution wurde sie der Kirche enteignet und niedergerissen. Während des Investiturstreites war H. wieder als Vermittler tätig. Gemeinsam mit Mathilde v. Tuszien flehte er bei Gregor VII. um Gnade für sein im Büßergewand erschienenes Patenkind Heinrich IV. H. war der Berater von insgesamt neun Päpsten, von Leo IX. bis Rainer (Paschalis) II., er wurde in der Abtei von Cluny beigesetzt und am 6. Januar 1120 von Calixtus II. heiliggesprochen. – Der weltweite Einfluß der Cluniazenser hatte unter H. weitere Ausdehnung, besonders auf architektonischem Gebiet. Seinen internationalen Charakter und seine Macht verdankt Cluny auch den über 200 monasterischen Klöstern, die kein Wahlrecht und kein Selbstbestimmungsrecht hatten, sondern der monarchischen Stellung des Großabtes untergeordnet waren. Sie waren über Italien, Lothringen, England und Frankreich verteilt, und viele von ihnen wurden während H.s Amtszeit errichtet. Die architektonische Größe Clunies erreichte mit dem Bau der Basilika ihren Höhepunkt. Seit seiner Gründung unterstanden die cluniazensischen Klöster direkt der Gewalt des Papstes, wodurch sie von weltlicher Macht unabhängiger waren. Das erlaubte die Einführung relativ eigenständiger Riten, die 1068 von H. aufgezeichnet wurden. Die Niederschrift dieser monastischen Gebräuche (consuetudines) waren bindende Verfassung aller dem Großverband angehörenden Abteien und Priorate und stellten eine genaue Maßregelung des klösterlichen Alltags dar. Auch unter H. stand Cluny fest auf der päpstlichen Seite; seine Politik unterstützte die kirchliche Reform des Mittelalters und wendete sich gegen Laieninvestitur, Priesterehe und Simonie. Dafür war, mit Unterstützung des Papstes, die »Religio Cluniazensis« für das ganze Abendland bindend.

Werke: Briefe, in: MPL 159, 927-946; Monast. Schrr., ebd. 945-984.

Lit.: Richard Lehmann, Forsch. z. Gesch. des Abtes H. v. C., 1869; – A. L'Huillier, Vie de St. H., Solesmes 1888; – Theodor Schieffer in: MA, Ser. 3,7, 1936, 81-103; – P. David, Etudes historiques sur la Galice et le Portugal, 1947, 341 ff.; – Hermann Diener, Stud. z. Gesch. Clunys in der Zeit seines Abtes H. (1049-1109) (Diss. Freiburg/Breisgau), 1955 (Masch.); – Neue Forsch. über Cluny u. die Cluniacenser, hrsg. v. Gert Tellenbach, 1959, 435; – K. Hallinger, Clunys Bräuche z. Z. H.s d. Gr., in: ZSavRGkan 76, 1959, 99-140; – J. Leclercq, Spiritualite et culture a Cluny, in: La Spiritualita Cluniacense, Perugia 1960; – J. Becquet, St. H. sur les chemins de Moissac, in: Annales du Midi. Revue archeologique, historique et philologique de la France meridionale 75, Toulouse 1963, 365-372; – H. E. Feine, kirchliche Rechtsgeschichte, Tübingen 1963, S. 254; – A. Stacpoole, Hugh of C. and the Hildebrandine miracle tradition, in: RBen 77, 1967, 341-363; – Peter Segl, Zum Itinerar Abt. H. I. v. CC. (1049-1109), in: DA 29, 1973, 206-220; – Jean Vezin, un martyrologe copié à Cluny à la fin l'abbatiat de Sain Hugues, in: Hommages á A. Bontemy, Paris 1976, 404-12; – Frank Barlow, the canonization and the easty lives of hugh I., 6. abbot of cluny, in: analecta bollandiana, 98, 1980, Nr. 3-4, 297-334; – Wattenbach-Holtzmann I, 794 ff. (Viten); – Two studies of cluniae hist., Stud. greg. 1978, XI, 5-298; – AS Apr. III, 634-655; – Hugo v. Cluny, Vita, in: MPL 893-910. 917-928; – BHL 4007-4015; – VSB IV, 722-731; – Fliche-Martin VIII, 427-444; – RE IV, 183; – RGG III, 474 f.; – DHGE XIII, 49-56. 170; – Catholicisme V, 1019 f.; – LThK V, 511 f.

Ba

HUGO, Bischof v. Die (seit 1074), ab 1082/83 Erzbischof von Lyon. * um 1040, + 7.10.1106. – H. (auch H. v. Romans) wurde kurz nach seiner Bischofswahl von Gregor VII. zum Legaten für Frankreich ernannt, um dort das Dekret gegen die Simonie durchzuführen. Auf verschiedenen Synoden (z. B. 1077 in Autun und 1078 in Poitiers) bewirkte er die Absetzung von Simonisten und die Durchführung des Laieninvestiturverbots in Frankreich, nicht ohne Widerstand verschiedener französischer Bischöfe (z. B. Erzbischof Manasse I. v. Reims). 1079 erhielt H. die Primatswürde für Lyon. Nach der Wahl Viktors III. zum Papst erhoben die

ebenfalls als Nachfolger Gregors empfohlenen H. und Gregor Otto v. Ostia (später Urban II.) Bedenken gegen dessen Wahl. 1087 wurde H. exkommuniziert, aber bereits 1094 erneut durch Urban II. zum Legaten für Frankreich ernannt. 1095/96 begleitete H. diesen Papst auf seiner Frankreichreise (u. a. 1095 Bestätigung des Primats der Kirche von Lyon). 1099 wurde H. von seinem Freund Erzbischof Anselm v. Canterbury besucht, ein Jahr später trat H. eine mehrjährige Kreuzreise ins Heilige Land an.

Lit.: Briefe u. Legationsberichte: Patrologia Latina, hrsg. v. J. P. Migne, Paris 1878 ff., 157, 507-528; – Hugues de Flavigny, Chronikon II; – MG SS VIII; – Jaffé I²; – Chevallier I, 2201; – J. Chevalier, Recherches hist. sur Hugues, évêque de Die, Legat du pape S. Gregoire VII; – F. Liebermann, Hist. Aufsätze. G. Waitz gewidmet, Hannover 1886; – W. Lühe, H. v. Die u. Lyon; – RQH 107 (1927), 287-303. 109 (1928), 5-34. 112 (1930), 124-147; – Th. Schieffer, Die päpstl. Legaten i. Fkr., 1935, 91 f.; – Fliche-Martin VIII, 90 f., 175 f., 209 ff., 258 ff. u. ö.; – Hefele V, 111-125, 189-191, 215 f., 246 u. ö.; – Catholicisme V, 1031-33; – LThK V, 512.

Ba

HUGO v. Farfa (Farfense), Benediktiner, Abt, * April 973, + 1036 oder 1039 in Farfa. – 986 trat er in den OSB ein, wurde zehn Jahre später Abt von Farfa. In diesem Amt, das er niederzulegen erwogen hatte, wurde er durch Wiederwahlen bestätigt. H. bemühte sich um eine Ausbreitung des Ordens und gründete und erneuerte mehrere Klöster. Wie die cluniazensische Reformbewegung allgemein, genoß auch H. den Respekt Kaiser Heinrich II. und Konrad II. H. pflegte regen Kontakt mit Odilo, Abt von Cluny, der hauptsächlich den Ausbau des cluniazensischen Klosterverbandes und die Erstarkung der asketischen Bewegung vorantrieb. Die leicht veränderte cluniazensische Consuetudines, wie sie von H. eingeführt wurde, fand große Verbreitung und er verfaßte eine Klosterordnung, das Constitutum, auf die alle Äbte bis zum 13. Jahrhundert vereidigt wurden. Neben mehreren Schriften verfaßte er im Auftrag Kaiser Heinrich II. das »Breve de rebus perditis monasterii«. In seiner Schrift »Destructio...« prangert er den allgemeinen sittlichen Verfall des kirchlichen Lebens an.

Werke: Breve de rebus perditis monasterii, veröffentl. in: L. A. Muratori, Rerum italicarum scriptores ab anno aerae christianae 500 ad 1500 II/2, Mailand 1724, 447; Constitutuum; Destructio monast. Farfensis (m. Selbstbiogr.). Quellen: M. Herrgott, Vetus disciplina monastica, Paris 1725, 37-132; Migne, PL CL, 1193-1300; MG SS XI, 530-548.

Lit.: E. Sachur, Die Clunianenser bis Mitte des 11. Jhs., Halle 1892-94, I, 350 ff. II, 8 ff.; – StMBO XVIII, 1897, 547-563. XIX, 1898, 9-30; – B. Albers, Consuetudines Farfenses, 1900; – Chron. Farfense, hrsg. v. U. Balzani, 2 Bde., Rom 1903; – B. Albers, Untersuchungen zu den ältesten Mönchsgewohnheiten, München 1905, 44-47; – Millénaire de Cluny, Mácon 1910, 142-149; – Hdb. d. KG II, hrsg. v. G. Krüger, 1929, 55-61; – ECatt XII, 707.

Ba

HUGO von Flavigny, OSB, Chronist, Abt, * 1065 nahe Verdun, + um 1140. – H. war mit dem ottonischen Geschlecht nahe verwandt. Bis 1085 lebte H. im Benediktinerkloster St. Vannes bei Verdun. Weil er sich zusammen mit Abt Rudolf weigerte, den kaiserlichen Gegenpapst Clemens III. anzuerkennen, mußten sie nach Dijon fliehen. Zunächst schloß H. sich dem Erzbischof Hugo von Lyon an, geriet dann später während seiner Zeit als Abt von Flavigny (Burgund) in Auseinandersetzung mit dem Bischof Autun, in der er sich durchsetzen konnte, so daß er nach 5jähriger Amtszeit 1101 die Abtei verließ. Er schloß sich daraufhin der kaiserlichen Partei an und wurde Abt in St. Vannes, wo er ebenfalls nicht unangefochten blieb. H. verfaßte eine zweibändige Weltchronik »Chronicon Virdumense seu Flaviniacense«, die um Christi Geburt bis zum Jahr 1102 reicht. Der zweite Band behandelt die Zeit von 1059-1100 und schildert den Investiturstreit aus der Sicht der Reformpartei anhand zahlreicher Briefe, Urkunden und Synodaltexte.

Werke: Chronicon, hrsg. v. Labbeus, 1657, Paris (zus. mit anderen Chroniken); hrsg. v. G. H. Pertz, in: MG SS VIII, 288-502.

Lit.: R. Köpke, Die Quelle d. Chronik d. H. v. F., in: Archiv d. Ges. f. ältere dt. Gesch.kunde IX, 1847; – C. Erdmann, Die Anfänge d. staatl. Propaganda im Investiturstreit, in: HZ CLIV, 1936, 491-512; – Constance B. Bouchard, Changing abbatial tenure patterns in Burgundian monasteries during the twelfth century, in: RBén XC, 1980, 249-262; – Jöcher II, 1750 (1961), 1759; – Biographische Universelle XXI, hrsg. v. L. G. Michaud, Paris 1818, 39 f.; – H. Ledoyen, Bulletin d'hist. benedictine (Bibliogr.), in: RBén XC, 1980, 297-416 u. XCI, 1981, 417-504; – ADB XIII, 319 f.; – Manitius III, 1931, 512-16; – Wattenbach-Holzmann I/4, 623 ff.; – NDB X, 1975, 16; – LThK V, 513; – Kosch LL, VIII, 261.

Ba

HUGO von Fleury (auch: v. St. Maria), Benedektinermönch, + um ca. 1120. – H. war ein Schüler Ivo v. Chartres. Ausgehend von der Lehre Augustins formulierte er die Theoretische Grundlage für die Beendigung des Investiturstreites. Er stand auf Seiten des englischen Kaisers und setzte sich für eine Trennung von Kirche und Staat ein. Er anerkannte die Macht des Königs als gleichberechtigt zur kirchlichen Macht. Außerdem war er ein Befürworter der Kreuzzugsidee. – H. war ein bedeutender französischer Chronist. Er war der Verfasser einer bedeutenden Weltchronik, die bis in das Jahr 855 reichte und die im Mittelalter viel benutzt wurde. Der Traktat »De regia potestate«, der auf jeden Fall erst nach 1102 geschrieben wurde, unterstützt zwar die Position des Königs, ist aber gleichzeitig ein zur Kirche hin vermittelndes Werk.

Werke: Liber qui modernorum regum Francorum, hrsg., in: MG SS IX, 376 ff. (v. 842-1108; zeitgeschichtl. Qu.wert); Tractatus De regia potestate et sacerdotali dignitate, in: MG LibLit II, 465-494. Historia Ecclesiastica, ed. B. Rottendorf: Hugonis Floriac., in: Mon. Ben. Chron., Münster 1638; Vita des hl. Sacerdos v. Limoges, in: AS Maii II, 15 ff.; De miraculus s. Benedicti, ed. E. de Certain, Les miracles de S. Benoit, Paris 1858, 357-371.

Lit.: Böhmer, Kirche u. Staat in Engl. im 11. u. 12. Jh., 1869, 164 f.; – Ernst Bernheim, Zur Gesch. des Wormser Konkordats, 1878; – Carl Mirbt, Die Publizistik im Zeitalter Gregors VII., 1894, 73. 152. 217. 229. 573-576; – A. Wilmart, in: RBen 50, 1938, 293-305; – Alfons Becker, Stud. z. Investiturproblem in Fkr. Papsttum, Kgt. u. Episkopat im Zeitalter der gregorian. Kirchenreform (1049-1119), 1955, 151 ff.; – A. D. van den Brincken, Stud. z. lat. Weltchronistik..., 1957, 193 ff.; – Hubert Jedin, Zur Widmungsepistel der › Historia ecclesiastica‹ H. s v. F.,

in: Speculum historiale. Gesch. im Spiegel v. Gesch.schreibung u. Gesch. deutung. Johannes Spörl z. 60. Geb., 1965, 559-566; – Manitius III, 518-521; – Wattenbach-Holtzmann I, 773. 777 ff.; – DThC VII, 239 f.; – Catholocisme V, 1013; – LThK V, 514; – RE VIII, 433; – RGG III, 475.

Ba

HUGO von Fosse(s), (Fossensis, H. v. Prémontré), selig, OPraem, * wahrscheinlich 1093, + 10.2.1164. – H., im Kloster Fosses erzogen, wurde zunächst Kaplan des Bischofs Burchard von Cambrai, und war Mitglied des Kapitels der Kathedrale. Das ihm von König Ludwig angebotene Bistum Chartres lehnte er ab und schloß sich 1119 dem heiligen Norbert an, den er 1125 als Abt von Prémontré ablöste. H. hielt als Ordensgeneral das erste Ordenskapitel zu Prémontré ab und wirkte mit großem Erfolg für die Ausbreitung und Fertigung des OPraems. Wahrscheinlich ist er mit H. Farsitus identisch, der »De miraculus b. Mariae Suessionensis« (Migne PL CLXXIX, 1777-1800) schrieb. H. ist der Hersteller der Lebensgeschichte St. Norberts: »Constitutiones OPraem« und »Liber caeremoniarum OPraem«. Sein Fest findet am 10. Februar statt.

Werke: Quellen: ASS Febr. II 1658, 378 f.; Vitam Norberti, hrsg. v. Jo. Chrysost. van der Sterre, Antwerpen 1656, später in: ASS 6. Juni I, 819-859 und Migne, P. L. CLXX, 1253-1344; Brief St. Bernard an H., in: Migne, P. L. CLXXXII, 453 ff.; Ch. L. Hugo, Annales Ordinis Praemonstratensis I, 1734, 5; AAS, 1927, 316-319; G. Madelaine, St. Norbert 1886 (frz.); G. van den Elsen, St. Norbert 1890 (flämisch); C. Kirkfleet, St. Norbert 1916 (engl.).

Lit.: L. A. Goovaerts, Dictionaire bio-vivliographique des écrivains, artistes et savants de l'Ordre de Prémontré I, 1900, 400 f.; – Hugo Lamy, Vie du B. Hugues de Fosses, premier abbé de Prémontré, 1925; – A. Zák, H. v. F., Wien 1928; – F. Petit, L'ordre de Prémontré, 1927, 40; – Ders., La spiritualité des Premontres aux 12e et 13e s., Paris 1947, 43 f.; – Pl. F. Lefèvre, L'Irdinaire de Prémontré, 1941; – N. Backmund, Monasticon Praemonstratense II, 1952, 527; – Anonym, Chronicon [bibliographicum ordinis Praemonstratensis], in: Analecta Praemonstratensia LVII, 1981, 130-53; – Norbert Backmund, Das Manuskript »Res Praem« des Grégoire Ducrcq in d. Stadtbibl. Laon, in: ebd. 76-80; – Jöcher II, 1750 (1961), 1759; – Biography Universelle XXI, hrsg. v. L. G. Michaud, Paris 1818, 40 f.; – Doyé I, 527; – Stadler II, 789 f.; – Holweck, 494; – J. Braun, Trachten u. Attribute der Heiligen, 1943, 245; – VSB II, 237 f.; – Buttler's Lives of the Saints I, hrsg. v. H. Thursten, 1956, 296 f.; – Catholocisme V, 1025 f.; – Hdb. III/1, 529. III/2, 24; – LThK V, 514; – Torsy 245; – DSp VII, 1969, 879 f.;

Ba

HUGO von Fouilloy, Augustiner und geistlicher Schriftsteller, * 1100/10 in Fouilloy bei Corbie, Diözese Amiens, + 1172/73 in St. Laurent-au-Bois bei Corbie. – H. war zunächst regulierter Chorherr in der Stiftung S. Laurentii de Helliaco und ab 1153 Prior ebenda. – Seine Werke stehen unter dem Einfluß Hugo von St. Viktors. Es handelt sich zumeist um mystisch-allegorische Betrachtungen der klösterlichen Architektur, des darin zu führenden Lebens und um moralische Betrachtungen über die Stadt Jerusalem. Des weiteren geht es ihm um das körperliche Befinden des Menschen und um sein Seelenheil, in diesem Zusammenhang wendet er sich auch gegen die Fleischeslust und die Ehe. In einigen seiner Schriften versucht er sich in physiologischmoralische Zuordnungen in Tieren - Taube, Taubenräuber, Turteltauben, Spatzen und Pelikane, es folgen die Bienen und Schlangen, die Würmer und Fische. Dasselbe System versucht er auf Gewächse zu übertragen: Er vergleicht Bäume, Perlen und Edelsteine. Diese Ausführungen gipfeln in der Einschätzung des Menschen und des moralischen Wertes seiner einzelnen Körperteile.

Werke: MPL 196, 1553-1558.

Lit.: H. Peltier, H. de F., in: RMA 2, 1946, 25-44; – Charles de Clercq, H. de F., Le Liber de rota verae religionis, in: Lateinisches Archiv d. MA Nr. 29, 1959, S. 219-28 u. Nr. 30, 1960, S. 15-37; – Ders., Le role de l'image dans un manuscrit médiéval, in: Gutenberg-Jb. Nr. 37, 1962, S. 23-30, Imagier de ses propres oeuvres?, in: Revue du Nord 45, Lille 1963, 31-42; – Maria de Marco, Codici vaticani del »De claustro animae« di Ugo di F., in: SE 15 (1964 ersch.), 1965, 220-248; – R. Baron, Note sur le De claustro..., ibidem S. 249-255; – I. Gobry, De claustro anime e d.'Hugues de Fouilloy. Edition critique, Paris 1965; – J. P. Massaut, Josse Clichtore, l'humanisme I, Paris 1968, S. 321-22; – Manitius III, 226; – HistLittFrance XIII, 492-507; – LThK V, 514; – Dictionnaise de Spiritualité VII/1, 1968, 880-86; – Migne 196, 1553.

Ba

HUGO, heiliger Bischof von Grenoble, Benedektiner, * 1053 in Châteauneuf (Dauphiné), + 1. April 1132. – Als Kanonicus von Valance setzte sich H. für die Reform Gregors VII. gegen Simonie und Priesterehe ein. Dieser weihte den 27jährigen H. 1080 in Rom zum Bischof von Grenoble. Resigniert zog H. sich 1082 aus dem Kampf gegen den Sittenverfall in das Benediktiner-Kloster Chaise-Dieu zurück; doch befahl der Papst ihm, sein Amt weiter auszuüben. 1084 wies H. dem heiligen Bruno die Stätte zur Errichtung der (ersten) Großen Kartause zu und unterstützte weiterhin großzügig den Kartäuser Orden. H. betätigte sich auch als Kirchenschriftsteller und verfaßte eine Sammlung kurzer historischer Notizen; dies bemerkenswerte handschriftliche Chartularium befindet sich in der Bibliothek in Grenoble. H., der am 22.4.1134 auf dem Concil zu Pisa von Papst Innocenz (s.d.) heilig gesprochen wurde, wird bei Kopfschmerzen angerufen, unter denen er in Folge zu eifrigen Fastens und Betens litt. Er wird mit Bischofinful, Kartäuser-Kutte, drei Blumen in der Hand, Schwan und einem Engel, der vor Blitzen schützt, dargestellt. Der Patron des Bistums Grenoble wird am 1. April gefeiert.

Lit.: Vita v. Guigo v. Kastell, in: ASS April I, 1675, 37-46 u. P. L. CLIII, 760-784 (neu hrsg. v. C. Bellet, 1889); – A. du Boys, Vie de S. Hugues, évêque de Grenoble, 1837; – Marion, Chartulaire de l'Eglise de Grenoble, 1869; – Bellet, in: Bulletin Soc. Archéol. Drôme XXVIII, 1894, 5-31; – Stadler II, 778 ff.; – D. H. Kerler, Die Patronate der Heiligen, 1905, 209; – R. Pfleiderer, Die Attribute der Heiligen, 1898, 28 f., 35, 49 u 148; – BHL I, 4016; – Doyé I, 527; – Holweck 493; – Zimmermann II, 1; – VSB IV, 18-24; – Butler's Lives of the Saints II, hrsg. v. H. Thursten, 1956, 3-5; – J. Braun, Trachten u. Attribute der Heiligen in der dt. Kunst, 1943, 341; – Catholicisme V, 1022; – Torsy, 245; – HdKG III/2, 56; – LThK V, 514; – Wimmer 239; – DSp VII, 1969, 886.

Ba

Hugo *von Honau* (lat. Hugo Honaugiensis), Theologe und Philosoph, * um 1125, + nach 1180. – H. war Pfalzdiakon Kaiser Friedrichs I. Barbarossa und Scho-

lasticus des Klosters Honau (auf einer Rheininsel bei La Wanzenau, nördlich von Straßburg; 1290 aufgegeben). Er war ein Schüler Gilberts von Poitiers (= Gilbert de la Porrée) (spricht vom »praeceptore nostro Giselberto Pictaviensi episcopo«: Liber de homoysion..., II, 2.4, S. 184. 22-23; s. unten Werke I) und der Freund des Magisters Petrus von Wien. Letzterer empfahl H. dem in Konstantinopel lebenden Hugo Etherianus. Politische Missionen führten H. zweimal an den Hof Kaiser Manuels I. nach Konstantinopel (um 1171 und 1179). Gelegentlich seines Aufenthaltes in Konstantinopel erbat H. von Hugo Etherianus in Latein übersetzte Stellen aus griechischen Kirchenvätern zur Christologie. Trotz anfänglicher Zurückhaltung seitens des Hugo Etherianus (s. Brief Nr. 2 von H. an Hugo Etherianus: Editionen und Datierung s. unten Werke), überreicht dieser 1179 an H. einen Traktat über den Unterschied von Natur und Person, den er H. und Petrus von Wien, "den besten Interpreten der Theologie", widmet (s. unten Häring 1962 in Lit.). – H. gehörte zum engeren Kreis der Porretaner (= Gilbertiner), das heißt der Anhänger des Gilbert von Poitiers. Ihr deutlich bekundeter Wunsch, innerhalb der theologischen Diskussion im Westen auf Schriften griechischer Kirchenväter zurückzugreifen, hängt sicherlich mit der Hoffnung zusammen, dort die eigene Position bestätigt zu finden. Doch ist das Suchen nach geistigen Kontakten mit der byzantinischen Welt in Erkenntnis der Bedeutung griechischer Kultur (»a Graecis sapientiae totius fons emanavit«: 1. Brief an Hugo Etherianus, ed. Dondaine 1952, 140. 54 und Häring 1962a, 18.2: s. unten Werke IV und Lit.) keineswegs gering zu bewerten. Wenn Häring bedauert, daß diese schlichte Bereitschaft der Porretaner, "der Stimme des Ostens zu lauschen", unter den Lateinern nicht weiter verbreitet war und daran die Überlegung knüpft, welche Wohltaten aus solchen Kontakten hätten erwachsen können, so ist dem nur zuzustimmen (s. Lit. Häring 1962, 209).

Werke: I. »Liber de Homoysion et Homoeision«, nach 1179 und vor 1181 (Erklärung philos. u. theol. Begriffe), ed. N. M. Häring, in: AHDL 42. Jg., 1967 (erschienen 1968), 128-253 (1. Teil), ebd. 43. Jg., 1968 (erschienen 1969), 211-291, Index 292-295. II. »Liber de diversitate naturae et personae proprietatumque personalium non tam Latinorum quam ex Graecorum auctoritatibus extractus«, nach 1179, terminus ad quem 1182 (zur Trinität und Christologie; unter Benutzung des Traktats »Liber de differentia naturae et personae« von Hugo Etherianus) ed. N. M. Häring, in: AHDL 37. Jg. (Bd. 29), 1962 (erschienen 1963), 103-216 (Vorwort auch bei Dondaine 1952, 74 f.: s. unten Lit.); beachte: ein Abschnitt wurde im Prozeß des Bindens falsch eingeordnet, Korrektur in AHDL 42, 1967, 129 Anm. 5. III. H. wird auch der »Liber de ignorantia« (Definition des Begriffs, der Ursachen und moralischen Aspekte des Nichtwissens) zugeschrieben, 80er Jahre des 12. Jhs, ed. N. M. Häring, in: MS 25, 1963, 209-230. IV. Ferner haben sich zwei Briefe des H. an Hugo Etherianus erhalten. Dondaine datiert beide vor 1179, Fichtenau um 1171 (?), Häring den ersten mit 1173-76, den zweiten mit 1177-78. Editionen: Dondaine 1952, 128-31, Dokument Nr. XIV-XV: s. unten Lit.; Häring 1962a, 16-19: s. unten Lit.; Lit. zur Porretanerschule in Wilhelm Totok, Handbuch der Gesch. der Philos. II, 1973, 205; – Vgl. auch Bibl. der Schriften von N. M. Häring, in: MS 44, 1982, XI-XVI.

Lit.: Charles Homer Haskins, Studies in the history of medieval science, 1924 (Harvard Historical Studies), 210-214; – Joseph de Ghellinck, L'histoire de »persona« et d'»hypostasis« dans un écrit anonyme porrétaine du XIIᵉ siècle, in: RNPh 36, 1934, 111-127; – Werner Ohnesorge, Die Byzanzpolitik Friedrich Barbarossas, in: DA 6, 1943, Anhang 1-2, 144-149 (O. sucht hier den Verfasser des »Liber de diversitate...« im Kloster Siegburg); – Antoine Dondaine, Hugues Étherien et Léon Toscan, in: AHDL 19, 1952 (erschienen 1953), 74-75, 89-91, 128-131; – Ders., Écrits de la »Petite Ecole Porrétaine« (Conférence Albert le

Grand), Montréal-Paris 1962, 37-45; – Peter Classen, Das Konzil von Konstantinopel 1166 und die Lateiner, in: ByZ 48, 1955, 347-351, 363; – Ders., Gerhoch von Reichersberg, Wiesbaden 1960, 270 f.; – Heinrich Fichtenau, Magister Petrus von Wien (+ 1183), in: MIÖG 63, 1955, 283-297; – Nicholas M. Haring (Nikolaus M. Häring), The Porretans and the Greek fathers, in: MS 24, 1962, bes. 195 ff.; – Ders., The liber de differentia naturae et personae by Hugh Etherien and the letters addressed to him by Peter of Vienna, in: MS 24, 1962, 1-34 (mit Briefen von H.); – Catholicisme V, 1034; – NDB X, 1974, 17; – NCE VII, 191; – Verf Lex, hg. von Kurt Ruh, IV, 1983, 229-232; – Repertorium fontium historiae medii aevi. V. Fontes, Gh-H. Rom 1984, 586.

Ta

HUGO von Lincoln (v. Avalon), heiliger Bischof, * 1140 im Schloß Avalon (Burgund), + 16.11.1200 in London. – Nach seiner Erziehung im Kloster Villard-Benoît wurde H. Diakon und übernahm wenig später eine Pfarrei. Er trat nach seinem Besuch der großen Kartäuse bei Grenoble dem Kartäuser Orden bei, wo er 1165 zum Priester geweiht wurde und bald Prokurator war. Auf die Bitte Heinrichs II. hin übernahm H. 1175 den Aufbau und die Leitung der neugestifteten Kartäuser-Gründung Witham in Somerset. H. genoß das Vertrauen des englischen Königs und wurde dessen politischer Berater. 1181 wählte man H. auf den 18 Jahre lang vakant gebliebenen Bischofsstuhl in Lincoln. H. wirkte als Friedensvermittler zwischen König Johann von England und Philipp August von Frankreich. H. soll seiner bischöflichen Aufgabe hingebungsvoll und in größter Frömmigkeit nachgegangen sein und er begann den Bau der gotischen Kathedrale von Lincoln, in der er später beigesetzt wurde. H. wurde – so die Bollandisten (Mart. II. 255) – 1220 von Papst Honorius III. (s.d.) heilig gesprochen. Er wird mit einem Schwan oder einer Gans zu seinen Füßen (als Versinnbildlichung seiner Liebe zur Enthaltsamkeit) dargestellt. Sein Fest findet am 17. November statt.

Werke: Quellen: S. Hugonis episcopi Lincolnsiensis, v. Adam v. Eynsham, hrsg. v. F. J. Dimock, London 1864, Rolls Series XXXVII; Metrische Vita, v. H., hrsg. v. F. J. Dimock, Lincoln, 1860; beide teilw. in: MG SS XXVII, 316-324 und PL CLIII, 943-1114; Giraldi Opera VII, hrsg. v. F. J. Dimock, London, 1877, 83-147 (Rolls Series); Rogeri de Hoveden Historia, hrsg. v. Stubbs, London, 1870; Benedicti Gesta Regis Henrici Secundi, hrsg. v. dems., ebd. 1867; Vie de S. H. de Lincoln, Montreuil 1890 (engl. übers. z. hrsg. v. H. Thurston, London 1898).

Lit.: Life of St. H. of Avalon by the present writer, London, 1879; – Bramley, St. H.'s Day at Lincoln, 1900; – F. A. Forbes, Live of St. H., 1917; – R. M. Wooley, St. H., London 1927; – E. M. Thompson, The Carthusian Order in England, 1930; Dies., The Somerset Carthusians, 1895; – J. Clayton, St. Hugh of Lincoln, 1931; – Hist. de l'Eglise depuis les origines jusqu' à nos jours IX/2, hrsg. v. Fliche-Martin, Paris 1934 ff.; – D. Knowles, The Monastic Oeder in England, 1950, 375-391, 612 u. ö.; – R. Foreville, L'Église et la royauté en Angleterre sous Henri II Plantagenet, 1942; – J. Paul-Dubreuil, Voyageurs illustres: saint H. de Lincoln à Belley et à Arvières en 1200, in: Visages de l'Ain XXXI 156, 1978, 2-8; – R. Bruce-Mitford, The Chapter House vestibule graves at Lincoln and the body of St. H. of Avalon, in: Tribute to an antiquary (Festschr.), 1978, 127-40; – D. H. Farmer, in: Lincs. Arch. and Archaeol. Soc. Papers VI, 1956, 86-117; – Stadler II, 786 ff.; – Doyé I, 529; – J. Braun, Trachten u. Attribute d. Heiligen, 1943, 245; – Butler's Lives of the Saints IV, hrsg. v. H. Thurston, 1956, 370-374; – CathEnc VII, 519 ff.; – R. Stanton, Menology of Engl. and Wales, 1892, 552 ff.; – BHL I, 599 f. (QQ-Nachweis); – Holweck 494; – EBrit XI, 868; – DNB XXVIII, 165 ff. u. Concise Dictionary v. DNB I, 1962, 656; – VSB XI, 579-588; – Catholicisme V, 1023 f.; – Torsy 246; – LThK V, 515; – Erg. Bd. IIK, 161 f.; – HdKG III/2, 56 u. 721; – D. H. Farmer, The Oxford Dictionary of Saints, 1978, 199 f.

Ba

HUGO of Lincoln, seliger Martyrer, * ca. 1246, + 1255. – Als Kind soll H. von dem Juden Copin nach längerer Marter (zur Verhöhnung des Leidens Christi) in Lincoln gekreuzigt worden sein. Er wurde in der Nähe des Bischofs von Grosseteste in der Kathedrale beigesetzt. Auf diese Geschichte, ein häufiges Thema der englischen mittelalterlichen Dichtung, beziehen sich auch Chancer und Marlow (Jew of Malta). Es ist ungesichert, ob sich das Märtyrium des H. tatsächlich ereignet hat. H.'s Fest findet am 27. November statt.

Lit.: ASS 6. Juli, 1729, 494 f.; – Hist. Littéraire de la France XXIII, 1865, 436 ff.; – F. Michel, Recueil de ballades angelo-normandes et écossaises relatives au meurtre, 1834, 358-392; – Chronica Majora, hrsg. v. H. R. Luard, Matthew Paris, in: Sieries Rolls V, 1880, 516-19; – J. Jacobs, Little Hugh of Lincoln, London 1884; – DNB XXVIII, 161-171 und Erg. Bd. I, 1962, 656; – R. Stanton, Menology of England and Wales, 1892, 415 ff.; – Stadler II, 788; – BHL I, 600 f.; – Holweck 495; – EBrit XI, 886; – Doyé I, 529; – VSB VII, 648 f.; – LThK V, 515; – Catholicisme V, 1023 f.; – D. H. Farmer, The Oxford Dictionary of Saints, 1978, 200.

Ba

HUGO de Novocastro, Franziskaner, Theologe, Doctor scholasticus, * ca. 1280, als Geburtsort wird Newcastle/England angenommen, jedoch ist auch Neufchâtel/Lothringen in Betracht zu ziehen, + ca. 1322 in Paris. – H. studierte und lehrte in Paris. Dort las er die Sentenzen und erwarb sich den Rang eines Magister theologiae. In seinem Todesjahr war H. auf dem Generalkapitel zu Perugia, wahrscheinlich als Magister regens von Paris. H. war bei den Franziskanern als Lehrer sehr angesehen. Er war ein Vertreter des späteren Dogmas der unbefleckten Empfängnis, wobei er die Argumentation des Duns Scotus, dessen Lehren einen großen Einfluß auf ihn ausübten, aufnahm und weiterführte.

Werke: 2 redigierte Werke und ca. 25 Hss. (1307-1317), in: In IV Libros Sententiarum; De victoria Christi contra Antichristum, 1319, hrsg. in Nürnberg 1471; Collationes u. De commercio indulgentiarum sind wahrscheinl. unecht.

Lit.: L. Amorós, H. und sein Kommentar zum ersten Buch der Sentenzen, in: Franziskan. Studien 20 (1933), 177-222; – E. Anweiler, De codice commentari »In IV Libros Sententiarum« Fr. H. de Novocastro, OFM Washingtonii servato, in: AFrH 28 (1935), 570-573; – Schmaus, Der »Liber propugnatorius« des Th. Anglicus II, in: Bttr. z. Gesch. d. Philos. 29 (1930), 357 ff., 664; – O. Bonmann, Ein franziskan. Lit.katalog des XV Jh.s, in: Franziskan. Studien 23 (1936), 131 f.; – AFrH 47 (1954), 128 f.; – L. Wadding u. G. Sbaralea, Scriptores ordinis minorum, Rom 1906, 121, Erg.Bd. I, Rom 1908, 383; – Annales Minorum 1308, No. 42 u. 1322, No. 52 (beide neu hrsg. v. Quaracchi, Bd. IV, 1931, 137, 447; – HistLittFrance XXXVI, 342-349; – Catholicisme V, 1035 f.; – EDR II, 1727; – LThK V, 515 f.

Ty

HUGO *von Orléans*, genannt Primas, wandernder Scholar, Gelehrter, Dichter, * kurz nach 1086 in Orléans, + an einem 17.9., ca. 1160. – Bereits 1111 trat H. als Gelehrter in Orléans in Erscheinung, und sein gewaltiges Wissen über weltliche Literatur verschaffte ihm den Beinamen "Primas". Sein unsteter Lebenswandel führte bald dazu, daß H. als Spötter und zwielichtige Lästerzunge in Verruf geriet. Er war wohl der bekannteste der "Goliards", jener herumstreichenden, ausgehungerten Gelehrten, die sich keiner Ordnung unterwerfen wollten und ein freies Vagantenleben führten, die den Wein, das Spiel, Feste und Frauen liebten, und Gesellschaft und Kirche mit spöttischen Satiren bedachten. So finden wir H. nacheinander in Mans oder in Tours, dann in Reims (1136), Paris (1142), Beauvais und Sens (1145-1146). Stets bemühte er sich um die Gastfreundschaft der Bistümer und Klöster. H.s dichterisches Werk (lateinisch, zum Teil französisch) ist uns recht gut bekannt. In einem ausdrucksvollen und abwechslungsreichen Stil enthüllt es uns zusammen mit den Fehlern dieses kleinen, unansehnlichen und undankbaren Bettlers die Spontaneität und Frische, den tiefen Glauben, die temperamentvolle Schalkhaftigkeit und Sensibilität eines dichterischen Genies, das ihn zum Vorfahren eines Villon und eines Verlaine macht. H. war der Autor von etwa 50 weltlichen Gedichten und Satiren. Die berühmte Sequenz »Laudes crucis extollamus« wurde von ihm rekonstruiert. Seine weit über den Tod hinausreichende Berühmtheit stellte H. auf eine Stufe mit Virgil und Cassiodorus. Sein hauptsächlicher Verdienst um die Literatur ist die Wegweisung zu einer neuen, rhythmischen Gestaltung von Prosa und Ode. Seine Gedichte gestatten zudem, wie die Werke der anderen "Goliards", genauere Einblicke in Mentalität und Lebensgefühl dieses Kreises fahrender Scholaren im Mittelalter.

Werke: W. Meyer (Hrsg.), Die Oxforder Gedichte des Primas Magister H., in: Nachrichten aus Göttingen, Phil.-hist. Klasse, Göttingen 1907, 89-175; N. Weisbein (Hrsg.), Le »Laudes crucis extollamus« de maître H., in: RMAL (1947), 5-26.

Lit.: Olga Dobiache-Rojdestvensky, Les poésies des goliards, Paris 1931, 37-40; – N. Weisbein, La vie et l'oeuvre latine de maître H. dit le Primat, (Diss. Paris 1945); – J. de Ghellinck, L'essor de la littérature latine au XIIᵉ siecle, Bd. II, 1946, 270-272; – Sten Ebbesen, Miscellanea zur mittelalterl. Lyrik, zu den Oxforder Gedichten des Primas H. von Orléans, in: Mittelalterl. Jahrbuch 3 (1966), 250-253; – Heinrich Roos, Zu dem Oxforder Gedicht XVI des Primas, ebd., 253 f.; – Margarethe Billerbeck, Spuren von Donats Terenzkommentar bei H. Primas, in: Rivista di filologia e di istruzione classica 103 (1975), 430-434; – W. W. Ehlers, Zum 16. Gedicht des H. von Orléans, in: Mittelalterl. Jahrbuch 12 (1977), 77-81; – Johannes B. Bauer, Stola und Tapetum. – zu den Oxforder Gedichten des Primas, in: Mittelalterl. Jahrbuch 17 (1982), 130-133; – C. J. Macdonough, H. Primas and the Bishop of Beauvais, in: MS 45 (1983), 399-409; – Manitius III, 973-978; – Catholicisme V, 1036 f.; – EDR II, 1727.

Ty

HUGO von Schlettstedt, Franziskaner, 13. oder 14. Jahrhundert, nur wenige Daten überliefert, einzige Quelle sind die Handschriften der Sentenzenkommentare. – H. stammte aus Schlettstadt und war der Sohn wohlhabender Eltern. Seine genaue Lebenszeit ist umstritten, ältere Handschriften des Kommentars ordnen ihn dem 15. Jahrhundert zu, weil er früher noch nicht genannt wird. Er erhielt eine wissenschaftliche Ausbildung und trat danach in den Franziskaner-Orden ein. Wahrscheinlich unterrichtete er in der Franziskanerschule in Schlettstadt nach der scholastischen Methode, als ständige Aneignung und Kommentierung bereits vorhandener Erkenntnisse gedacht. Nach einem Studium der Theologie und Philosophie in Paris verfaßt

H. einen Kommentar zu den ersten beiden Büchern der Sentenzenkommentare des Petrus Lombardus. H. veröffentlichte keine eigenen wissenschaftlichen Erkenntnisse, sondern beschränkte sich auf die Wiedergabe bekannten Materials in Repetitorien. Seine Werke sind handschriftlich erhalten und stehen unter dem Einfluß vor allem Bonaventuras. H. weicht jedoch soweit ab, daß er dessen Diskussionsanregungen verkürzte und statt dessen andere Argumente und Autoritäten hinzufügte. Er führte auch neue Begriffe, nämlich »materia metaphysica« und »materia mathematica« ein, die bei Bonaventura nicht zu finden sind.

Werke: L. J. Feller, Catalogus codicum MSS.bibl. Paulinae in Ac. Lipsiensi, 1686, 179; Sletstadiensis super I. Sententiarum, idem super II Sententiarum, in: Kat. der Hss. der Univ.bibl. zu Leipzig, Abt. IV, Bd. 1, 1926, 168.

Lit.: J. Wimpfeling, Catalogus episcoporum Artentinensium (1507), 1660, 60; – L. Meier, Die Hss. des Sentenzenkomm. des Fr. H. v. S., in: AGrH 22, 1929, 181-185 (Rez. v. P. Pelster, in: Scholastik 4, 1929, 445); – Ders., H.s de S. doctrina de materia spirituali, in: Studi Francescani 27, Arezzo - Florenz 1930, 288-297; – Stegmüller, Repertorium Commentariorum Cententiarum Petri Lombardi 1, 1947, Nr. 377, S. 178 f.; – ADB XIII, 320; – NDB X, 22 f.; – DThC XIV, 1784; – LThK V, 519; – VerfLex IV, 2. Aufl. 1982, Sp. 266-67.

Ba

HUGO von St. Cher (auch: de st. Caro), Dominikaner, Kardinal, * ca. 1190 in St. Theudere/Vienne, + 19.3. 1263 in Orvieto. – Im Jahre 1224 trat H. in das Dominikanerkloster St. Jakob zu Paris ein, nachdem er in Paris zunächst Theologie und kanonisches Recht studiert hatte. Von 1227-30 und 1236-44 war er Provinzial der französischen Ordensprovinz, zwischendurch, 1230-35, Professor für Heilige Schrift und Sentenzen in Paris als Nachfolger Rolands v. Cremona und, 1240-41, auch Generalvikar des Ordens. Unter Innozenz IV. war er ab 1244 Kardinal, nach Friedrich II. Tod von 1251-53 päpstlicher Legat in Deutschland und Holland. Während dieser Zeit führte er das Fronleichnamsfest ein. Außerdem widerrief er auf Anordnung des Papstes die Karmelitenregel. Seit 1253 hielt er sich meist in Rom auf, wo er als Berater Alex IV. und Urban IV. eine Rolle spielte. H. unterhielt auch viele seelsorgerische Kontakte und war ab 1256 Großponitentiar. – Seine wichtigsten Werke sind vor allem »Sacrorum bibliorum concordantiae«, ein Stichwortverzeichnis aller in den kirchlichen Übersetzungen vorkommenden flexiblen Substantive, Adjektive und Verben mit Querverweisen auf alle Stellen, an denen sie zu finden sind. Später wurden noch die unflexiblen Wörter aufgenommen. Diese erste Bibelkonkordanz trug den Namen Conc. Jacobi, die Kapiteleinlage stammt von Stephan Langton. Weiterhin ist H. der Autor der ältesten Bibelkorrektorien, welche eine richtige Übersetzung der lateinischen Bibeltexte ermöglichen sollte. Dabei bezog er sich aber nicht nur auf die lateinischen Handschriften, sondern auch auf die ursprünglichen Texte in griechischer und hebräischer Sprache. Die Bibelkorrektorien sind erste Ansätze empirischer Erkenntnis, denn solange die Bibel handschriftlich übersetzt wurde, bestand das Bedürfnis nach einheitlicher Übersetzung, was nie erreicht wurde. Es gab lediglich viele recht heterogene Variantensammlungen zur Vulgata, die hauptsächlich in Paris entstanden. Durch seinen Rückgriff auf die älteren Quellentexte war es vor allem H., der sich um die Einbeziehung möglichst vieler Quellen und deren einheitliche Übersetzungen bemühte. Beim Aufbau der theologischen Wissenschaften an der Universität Paris, dessen wichtigste Träger Dominikaner und Franziskaner waren, steht H.s Name neben dem von Albertus Magnus, Thomas von Aquin und Bonaventura. H. war ein Gegner der Inquisition und setzte sich für die Vereinigung von Ost- und Westkirche ein.

Werke: Komm. in I-IV Sent., verf. 1229/30; ungedr.; Postillae in vetus u. novum testamentum, Venedig 1487 u. ö.; Lyon 1669; Venedig 1703; Komm. z. Historia Scolastica des Petrus Comestor (ungedr.); Bibelkonkordanz Guilibet volenti, ed. 1526; Speculum ecclesiae (expositio missae), ed. Paris 1480 u. ö., Lyon 1554. – Neu herausgegeben v. G. Sölch, in: Series Liturgica 9, München 1940; Concordantia Jacobi, Basel 1551; Correctio Senensis, Paris 1236.

Lit.: V. Justicianus, Vitae Hugonis de Theuderico ... descriptio. Köln 1621; – ALKGMA 4, 1888, 263-311. 471-601; – A. Mortier, Histoire des maitres generaux de l'ordre des freres precheurs I, Paris 1903, 366 ff.; – J. H. Saßen, H. v. St. Ch. Seine Tätigkeit als Kardinal 1244-63; 1908; – ZKTh 52, 1928, 52-64; 58, 1934, 391-400; – Angelicum 7, 1930, 39-56; – P. Glorieux, Repertoire des maitres en theologie de Paris au XIIIᵉ siecle I, Paris 1933, 43-51; – Ephrem Filthaut, Roland v. Cremona u. die Anfänge der Scholastik im Predigerorden. Ein Btr. z. Geistesgesch. der älteren Dominikaner, 1936; – RThAM 8, 1936, 389-407; 10, 1938, 123-267; 12, 1940, 136-143; – G. Sölch, H. v. St. Ch. u. d. Anfänge d. Dominikanerliturgie, Liturgiegeschichtliche Untersuchungen zum Speculum Ecclesiae, Köln 1938; – C. Spicq, Esquisse d'une Histoire d l'exegese latine au Moyen Age, Paris 1944; – Friedrich Stegmüller, Repertorium commentariorum in sentencias Petri Lombardi I, 1947, Nr. 372; – Ders., Repertorium Biblicum Medii Aevi III, Nr. 3604-3784; – Ders., in: HJ 72, 1953, 176-204 (Pariser Benefizen-Disputation); – D. Van den Eynde, Nouvelles questions de H., in: Melanges J. de Ghellinck II, Gembloux 1951, 815-835; – V. Doucet, Antonianum 27, 1952, 531-581 (Quaestiones); – J. Fischer, H. and the Development of Medieval Theology, in: Speculum 31, 1956, 57-69; – Walter H. Principe, H. of St. Cher's Stockholm, - on the sentences: An abridgment rather than a first redaction, in: MS 25, 1963, 372-376; – Johannes Gründel, H. v. St. Ch. u. die älteste Fassung seines Sentenzenkomm., in: Scholastik 39, 1964, 391-401; – Athanasio Manatic, La pericope di Lc. 10, 38-42, spiegata da Ugo di St. Ch. primo esegeta degli ordini mendicanti, in: Divinitas Pontificiae Academicae theologicae Romanae commentarii 13, Rom 1969, 715-724; – Pl. F. Lefevre, Une intervention du pape Innocent IV et du cardinal Hugues de St. Ch. a Bruxelles au milieu du XIIIᵉ siecle, in: AFP; – Reiner Haussherr, ...H. v. St. Cher u. d. Isaias-Prolog to Bitlemoralisee, in: verbum et signum 2, 1975, 347-64; – David M. Solomon, The sentence commentary of Richard Fishacre and the Apocalypse commentary of H. of St. Ch., in: AFP 46, 1976, 367-377; – Guido Hendrix, H. v. St. Ch., Question of 2 texts attribute a to the 13th. - century, in: citeaux. commentarii cistercienses abdij achel, 31, 1980, 343-56; – DThC VII, 221-239; – Catholocisme V, 1039, – LThK V, 517 f.; – RGG III, 474 f.; – RE VIII, 435 f.; – HdKG IV, 1970, 45; III/2, 1968, 229, 325-26.

Ba

HUGO Ripelin von Straßburg, Dominikaner, * ca. 1200-1210, + ca. 1268. – H. stammte aus einem alten Patriziergeschlecht des Straßburger Adels. Nach der Gründung eines Dominikanerklosters in Straßburg trat er dort ein und wurde 1232 Prior, zeitweise auch Subprior des Zürcher Predigerklosters, welches 1229 von Straßburg aus gegründet wurde. Diese Tätigkeit übte er etwa 30 Jahre lang aus. Mehrmals vermittelte er während dieser Zeit zwischen Rudolf von Habsburg und dem Probst von Fahr. 1260 kehrte er nach Straßburg zurück, wo er ab dem 3.10.1261 im dortigen Domini-

kanerkloster lebte. Der Dominikanerchronik »Colmarer Annalen« verdanken wir die Erkenntnis, daß H. das »Compendium theologicae veritatis« verfaßt hat, dessen Herkunft bis dahin durch keinen Verfassernamen geklärt war. Er zählt zu den ältesten Vertretern des deutschen Dominikanerwesens. Der Charakter des »CTV« ist nicht von Albertus Magnus geprägt, seine Position, typisch für die frühen Dominikaner, ist auch nicht von Aristoteles beeinflußt. Hingegen stützt sich H. deutlich auf die Enzyklopädie »De proprietatibus rerum« des Franziskaners Bartholomäus Anglicus, ebenso auf das »Breviloquium« Bonaventuras und auf die »Summa theologica« von Alex. von Hales, welcher insgesamt einen großen Einfluß auf die alten Dominikaner hatte. Das »CTV« ist ein Grundriß der Theologie für Studenten, Seelsorger und Prediger, besonders aber für die »Weisen und Guten«, an denen Gott besonderes Wohlgefallen hat. Das Werk war erfolgreicher als die gleichlautende Arbeit Thomas von Aquins (s.d.). Bis ins 16. Jahrhundert wurden 1000 Handschriften erstellt, im späten Mittelalter auch Übersetzungen ins niederländische, französische, isländische, armenische und italienische. Es existieren allein 15 verschiedene deutsche Übersetzungen. Das »CTV« ist eines der grossen Standardwerke der theologischen Gebrauchsliteratur.

Werke: Compendium theologicae veritatis, ca. 1260. – Ausg.: A. C. Peltier, Sancti Bonaventurae Opera omnia VIII, Paris 1866. – Übers.: A. Landgraf, zwei mhd. Übers. der CTV, in: Theologie u. Glaube 23, 1931, 790-97.

Lit.: Ludwig Pfleger, H. v. St. u. das CTV, in: ZKTh 28, 1904; – Albert Hauck, Kleinigkeiten, 2 Hh., Ripilin, in: ZKG 32, 1911; – Martin Grabmann, Zur Autorenfrage des CTV, in: ZKTh 32, 1911; – K. Schmitt, Die Gotteslehre des CTV des H. v. R. v. Str., 1940; – Friedr. Stegmüller, Repertorium Commentariorum in Sententias Lombardi I, 1947, Nr. 368-71; – Georg Boner, Über den Dominikanertheologen H. v. St., in: AFrH 24, 1954, 269-86; – Heribert Ch. Scheeben, Der Konvent der Predigerbrüder in Straßburg, in: Johannes Tauler, ein dt. Mystiker, Gedenkschr. z. 600. Todestag, 1961; – Georg Steer, Schol. Gnadenlehre in mhd. Sprache, Diss. Würzburg, überarb. München 1966; – Ders., Germanist. Scholastikforsch., in: ThPh 45, 1970, 219 f.; – Ders., H. R. v. S., zur Rezeptions- u. Wirkungsgesch. des CTV im dt. Spät-MA, 1981; – Ch. Michler, Le Somme abregiet de Theol., Diss., Würzburg 1978; – M. Wehrli-Johns, Geschichte d. Züricher Predigerkonvents, Zürich 1980; – Kaeppeli, Scriptores II, 260-269; – Grabmann MGL I, 174-185; – VerfLex III, 1080; V, 983; IV, 2. Aufl., 1982, 252-66; – DThC XIII, 2737; – LThK V, 519 f.; – NDB X, 24.

Ba

HUGO von St. Viktor, * Ende des 11. Jahrhunderts, + 11.2.1141 in Paris. – Die Herkunft H.s ist immer noch ungeklärt. Neueste Forschungen erhärten die Annahme, H. stamme aus Flandern und sei nicht, wie auch oft behauptet wird, sächsischer Herkunft. Sein erster Ausbildungsabschnitt war eine Einführung in das Lebensideal der regulierten Chorherren, welchen er in St. Pankraz/Hamersleben absolvierte. Zwischen 1115 und 1120 muß sein Eintritt in die Augustinerchorherrenabtei St. Viktor in Paris erfolgt sein, die 1108 von Wilhelm v. Champeaux gegründet wurde. H. blieb sein ganzes Leben lang in St. Viktor und widmete sich in der Zurückgezogenheit des Klosters ganz der unterrichtenden und vor allem der schriftstellerischen Tätigkeit, womit er St. Viktor zu seiner Berühmtheit verhalf. H.

war dort Propst und Vorsteher der öffentlichen Schule des Klosters. H. war ein allumfassende Kenntnisse habender und vermitelnder Geist, nach Grabmann zählt er zu den »imposantesten Theologengestalten von Anselm bis zum heiligen Thomas«. Bonaventura und Petrus Lombardus zählten zu seinen Bewunderern. Nach Bonaventura vereinigt er die drei grundlegenden Richtungen der Theologie aus der Väterzeit: Glaubenslehre, Sittenlehre und Mystik (wie sie von Augustinus, Gregorius und Dionysis vertreten worden waren) in seinem theologischen Ansatz. Die Vielfalt und Wissenschaftlichkeit seiner Werke stellen ihn einerseits in die Reihe der monastischen Humanisten, sein pädagogischer Ansatz, die übersichtliche und abgerundete Systematik seiner Darstellungen rücken ihn andererseits in die Nähe der Frühscholastik. H. galt als größter Lehrer des Klosters St. Viktor, und er war stets maßgebend für die Verbreitung und Vertiefung der neuen scholastischen Theologie, in der sich die theologische Erkenntnis nicht mehr nur über das religiöse Leben selbst offenbarte, sondern auch durch die rationale Reflexion des zur Verfügung stehenden Schrifttums. – Seine Werke enthalten Aussagen über fast alle damaligen Wissensgebiete: Geometrie, Geschichte, Philosophie, Sprache, Schriftforschung, Dogmatik, Aszetik und Mystik. Die Philosophie beispielsweise gliedert er in die Bereiche Logik, Theorie, Praxis und Mechanik. Alle seine Werke sind ein Beweis für sein hohes Niveau als Wissenschaftler und Fundamentaltheologe. – Seine Hauptwerke sind zum einen der »Didascalicon«, in dem eine Einführung in das Studium der Theologie und der freien Kunst gegeben wird, damit ist es gleichzeitig ein wichtiges Zeugnis der mittelalterlichen Kunstgeschichte. Von größter Bedeutung ist zum anderen sein »De sacramentis christianae fidei«. Es handelt sich bei dieser Arbeit um die systematische Darstellung der christlichen Glaubenslehre. Die ersten drei Bücher sind Abhandlungen über die Wissenschaften, die letzten drei präsentieren ein abgerundetes System von Theologie im Sinne der Einschätzung Bonaventuras. Nach H.s Auslegung ist die Inkarnation das Zentrum der zeitlichen Ordnung, die sich dem Menschen durch die mystischen Elemente mitteilt. Im »Chronicon« stellt H. die Heilsgeschichte, die sonst in der wissenschaftlichen Systematik des Mittelalters keinen Platz findet, als zusätzliche Dimension theologischer Erkenntnis vor. H. gilt als einer der Väter der Christenheit und seine Werke gehören zu den weitverbreitetsten kirchlichen Lehren des 12. Jahrhunderts, die von Theologiestudenten dieser Zeit als Pflichtlektüre herangezogen werden mußten.

Werke: Indiculum (hg. J. de Ghellinck, in: Recherches de sciene religieuse 1), 1910; Soliloquium De arrha animae u. De vanitate mundi (liber 1-2), hrsg. v. K. Müller, 1913; W. Oehl, dt. Musikerbriefe d. MAs 1100-1550, 1931, S. 47-54; P. Wolff, Die Viktoriner, mystische Schr., Wien 1936, S. 47-125; Ders., H. v. St. V. Mystische Schrr., 1961; MPL 175-177. Didascalicon de studio legendi, hrsg. v. C. H. Buttimer, Washinton 1939; Chronicon quae dicitur H. d. St. V. (Teiled. G. Waitz in: MG SS 24); Prolog: De tribus maximis circumstantiis (hg. W. M. Green in: Speculum 18), 1943; J. Leclercq, Grammatica, in: AHDL 14, 1943-45, 263-322; – Übers.: Das Lehrbuch. A. Freundgen, 1898, On the Sacraments of the Christian Faith. R. J. Deferrari, Cambridge/Massachusetts 1951; De contemplatione et ejus speciebus (hg. R. Baron) Paris 1954. – Krit. Verz. der Werke H.s: P. D. Lasic, Hugonis de S. Victore theologia per-

fectiva. Eius fundamentum philosophicum ac theologicum, Rom 1956, 14-32; C. Schafert, Lettre enedite aux Chevaliers du Temple, in: RM 34, 1958, 275-299; De contemplatione et eius specibus, hrsg. v. Roger Baron, Tournai-Paris 1958; Ders., Epitome in philosophia, in: Traditio 11, 1955, 91-148; Ders., Practica Geometriae, in: Osinis 12, Brügge 1956, 176-224; Ders., Textes spirituels, in: MSR 13, 1956, 176-224; Ders., De ponderibus, Diffinitiones, Mappa mundi, in: Cultura neolatina 16, Modena 1956, 109-145; Ders., Six epousculus spirituels. Introduction, texte critique, traduction et notes, in: Sources chrétiennes 155, Paris 1969; Didascalicon, lat.-engl., hrsg. v. J. Taylor, New York-London 1961; Opera propaedeutica (hg. R. Baron), 1966; Widmungsschreiben zu den ›Sententiae de divinitate‹ (hg. B. Bischoff in: MA. Stud. 2), 1967.

Lit.: E. Boehner, in Damaris 4, 1864, bes. 222-232. 261-264; – B. Haureau, Les oeuvres de Hughues de S. V., Paris 1886 (Neudr. Frankfurt/Main 1963); A. Mignon, Les origines de la scholastique d. H. v. St., 1867; – O. Schmidt, H. v. St. V. als Pädagoge, 1893; – Jakob Kilgenstein, Die Gotteslehre des H. v. St. V. nebst einer einleit. Unters. über H.s Leben u. seine hervorragendsten Werke, 1897; – Johannes Gottschick, in: ZKG 22, 1901, 378 (Hs. Versöhnungslehre); – F. Bonnard, Histoire de l'abbaye royale et de l'ordre des chanoines reguliers de S.V., I, 1904; – Heinrich Ostler, Die Psychologie des H. v. St. V., 1906; E. Barkholt, Die Ontologie H. v. St. V.s, Diss. Bonn, 1930; – Heinrich Weisweiler, Die Wirksamkeit der Sakramente nach H. v. St. V., 1932; – Ders., Die Arbeitsmethode H.s v. St. V. Ein Btr. z. Entstehung seines Hauptwerkes ›De Sacramentis‹, in: Scholastik 20-24, 1945-49, 59-87. 232-267; – Ders., H. v. St. V. ›Dialogus de sacramentus legis naturalis et scriptae‹ als frühscholast. Qu.werk, in: Miscellanea G. Mercati II, Citta del Vaticano 1946, 179-219; – Ders., in: RThAM 17, 1950, 61-78 (Komm. des Pseudo-Dionysius); – Ders., Zur Einflußpähre der ›Vorlesungen‹ H.s v. St. V., in: Melanges J. de Ghellinck II, Gembloux 1951, 527-581; – Ders., Sakrament als Symbol u. Teilhabe, in: Scholastik 27, 1952, 321-343; – Ders., Sacramentum fidei. Augustin u. Pseudo-Dianys. Glaubensauffassung H. v. St. V., in: Theol. in Gesch. u. Ggw. Michael Schmaus z. 60. Geb. Hrsg. v. Johannes Auer u. Hermann Volk, 1957, 433-456; – Wilhelm August Schneider, Gesch. u. Gesch.philos. bei H. v. St. V. Btr. z. Geistesgesch. des 12. Jhs (Diss. Münster), Münster 1933; – Eberhard Poppenberg, Die Christologie des H. v. St. V. (Diss. Hilgentrup), Hiltrup 1937; – Ludwig Ott, Unterss. z. theol. Brieflit. der Frühscholastik unter bes. Berücks. des Viktorinerkreises, 1937, 348-548; – Ders., H. v. St. V. u. die Kirchenväter, in: DTh 27, 1949, 180-208. 293-332; – E. Croyden, Notes on the Life of H. of St.V., in: JThS 40, 1939, 232-253 (H. fläm. Herkunft, war nie in Sachsen); – H. Köster, Die Heilslehre des H. v. St. V. Grdl.n u. Grundzüge, Emsdetten 1940; – J. P. Kleinz, The Theory of Knowledge of H., Washington 1944 – J. de Ghellinck, Le Mouvement theologique du XII° siecle, Brügge 1948², 185-203; – Ders., Die Arbeitsmethode H. v. St. V.s, 1949, 59-87; – Ders., Die Einflußsphäre d. Vorl. H. v. St. V., 1951, 232-267, in: Scholastik 20-25; – Artur Michael Landgraf, Einf. in die Gesch. der theol. Lit. der Frühscholastik unter dem Gesichtspunkt der Schulenbildung, 1848, 73-79 (span. Übers. Barcelona 1956, 121-133); – L. Ot, H. v. St. V. und die Kirchenväter, in: Divus Thomas 27, 1949; – E. Ivánka, Der »Apex mentis«, in: Platonismus i. d. Philosophie d. MAs, 1950, 140 ff.; – F. Minuto, Preludi di una teoria del bello in Ugo da s. Vittore, in: Aevum 26, 1952, 289-308; – H. Smalley, The Study of the Bible in the Middle Ages, 1952²; – Jean Chatillon, in: RMAL 8, 1952, 147-162; – Ders., Le »didascalicon« de H. des S. V., in: Cahiers d'histoire mondiale, Neuchatal 9, 1965-66, 539-552; – Roger Baron, in: RAM 31, 1955, 249-271 (Maria); – Ders., Notes biographiques sur H. de S. V., in RHE 51, 1956, 920-934 (fläm. Herkunft sächs. Aufenthalt); – Ders., Science et Sagesse chez H.de St. V., Paris 1957; – Ders., H. de S. V. Contribution a un nouvel examen de son oeuvre, in: Traditio 15, 1959, 233-297; – Ders., Études sur H. de S. V., Brügge 1963, 920-934; – Ders., Hugonis de Sancto Victore, opera propaedeutica, Practica geometrie, De Grammatica Epitome Devidimi in philosophicum, Paris 1966; – Ders., Six opusentes spirituels, la medition, 1969; – L. Calonghi, La scienza e la classificazione delle scienze in Ugo di S. V., Turin 1956; – Ders., Note sur le De Claustro (consacre a H. de S. V.), in: SE 15, 1964 (ersch. 1965), 249-255; – Ders., La Grammaire de H. de St. V., in: Studi medievali 7, Spoleto 1966, 835-855; – Ders., Note methodologique sur la determination d'authenticite pour l'oeuvre de H. de S. V., in: Cahiers de civilisation medievale X-XII siecles. Universite de Poitiers 9, 1966, 225-228; – Ders., La chronique de H. de St. V., in: Studia Gratiani post octava decreti saecularia. Collectanea historiae iuris canonici 12, 1968, 165-180; – Franz-Werner Witte, die Staatsphilos. des H. v. St. V. (Diss. Mainz), 1956; – Friedrich Hauß, Väter der Christenheit I, 1956, 119 f.; – D. Lasić, H. v. St. V.s theologia perfectiva, 1956; – R. Mantilla, El conocimiento natural de Dios en H. de S. V., Madrid 1957; – J. Taylor, The Origin and Early Life of H. of S. V., Notre Dame/Indiana 1957 (H. sächs. Herkunft); – R. Roques, Connaissance de Dieu et theologie symbolique d'apres l' ›In Hierarchiem coelestem sancti Dionysii‹ de H. de S. V., in: Recherches de

Philos. 3-4, 1958, 187-266; – O. Lotin, in: RThAM 25, 1958, 42-58. 248-284; 26, 1959, 177-213; – C. W. Mönnich, Overwegingen bij de ecclesiologie van H. v. St. V., in: Ecclesia. Festschr. J. N. Bakhuizen van den Brink, Den Haag 1959, 60-75; – B. Lacroix, H. de S. V. et les conditions du savoir au moyen age, in: Etienne Gilson Tribute, Milwaukee/Wisconsin 1959, 118-134; – H. de Lubac, Exegese medievale, 2 Be., 1959-64; – Heinz-Robert Schlette, Die Eucharistielehre H.s v. St. V., in: ZKTh 81, 1959, 67-100. 163-210; – Ders., Weltverständnis u. Weltverhältnis in den Schrr. H.s v. St. V. Ein Btr. z. Rel.philos des 12. Jh.s (Diss. München), 1960; – Ders., Die Nichtigkeit der Welt. Der philos. Horizont des H. v. St. V. Ein Btr. z. Geistesgesch., 1961; – Ders.,H. v. St. V., in: Die Großen der Weltgesch., hrsg. v. Kurt Fassmann, III, Zürich 1973, 377-391; – R. Javelet, Les origines de H. de S. V., in: RSR 34, 1960, 74-83; – Damian van den Eynde, Essai sur la succession et la date des ecrits de H. de S. V., Rom 1960; – Ders., Le liber magistri H., in: FrSt 23, 1963, 268-299; – Jerome Taylor, The Didascalicon of Hugo of S. V. A medieval guide to the arts, New York 1961; – P. Sheridan, Philosophy and Erudition in the Didascalicon of H. of St. V., Fribourg/Schweiz 1962; – H. Hailperin, Rashi and the Christian Scholars, 1963; – H. J. A. Allard, Die eheliche Lebens- und Liebesgemeinschaft nach H. v. St. V. Dargestellt im Zusammenhang mit den trinitarischen Strömungen seiner Zeit (Diss. München), München 1963; – Eliseo Ruffino, La dottrina teologica del »sacramentum legis naturae« in S. Bernardo e in Ugo di V., in Miscellanea: Carlo Fugini Hildephonsiana 6, Venegono Inferiore/Varese 1964, 147-174; – J. B. Schneyer, Ergg. der Sermones u. Miscellanea des H. v. St. V. aus verschiedenen Hss., in: RThAM 31, 1964, 260-286; – F. Lazzari, Il contemptus mundi nella Scuola di S. V., Neapel 1965; – H. J. Pollitt, The authorship of the commentaries on Joel and Obadiah attributed to H. of St. V., in: RThAM 32, 1965, 296-306; – Ders., Some considerations on the structure and sources of H. of St. V.'s notes on the Octateuch, ebd. 33, 1966, 5-38; – G. Busi, L'unanesimo di Ugo di D. V. e suo influsso, in: Giornale Italiano filologia 19, Neapel 1966, 215-235; – A. Mignon, Les origines de la scolastique et H. de S. V., 1967; – Ma. Mystik unter dem Einfluß des Neuplatonismus. H. v. St. V., Meister Eckhardt, Johannes Tauler. Ausgew. u. übers. v. Walter Schultz, 1967; – Christian Schütz, Deus absconditus - Deus manifestus. Die Lehre H.s v. St. V. über die Offb. Gottes (Diss. Päpst. Hochschule S. Anselmo, Rom), 1967; – The Cambridge Histoire de la Bible II, hrsg. v. G. W. H. Lampe, 1969; – J. Ehlers, »Historia«, »allegoria«, »topdogia«, exeget. Grundl. d. Geschichtskonzeption H. v. St. V.s, in: Mittelalt. Jahrbuch Nr. 7, 1970; – Reinhard Sprenger, Eruditio u. ordo discendi in H.s v. St. V. eruditiones didascalicae - eine geistesgeschichtl. Stud. z. 12. Jh. (Diss. Münster), 1970; – Peter Knauer, Hermeneut. Fundamentaltheol. Der Glaubenstraktat des H. v. St. V., in: Testimonium veritati. Philos. u. theol. Stud. zu kirchlichen Fragen der Ggw. Festschr. f. Bisch. Wilhelm Kempf in Limburg. Hrsg. v. Hans Wolter, 1971, 67-80. – Grover A. jr. Zinn, H. of St. V. and the Ark of Noah. A new look, in: ChH 40, 1971, 261-272; – Ders., The influence of H. of St. V.'s chronicon on the abbreviations chronicorum by Ralph of Diceto, in: Speculum 52, 1977, 38-61; – Jürgen Miethke, Zur Herkunft H.s v. St. V., in: AKultG 54, 1972; – Joachim Ehlers, H. v. St. V. Stud. z. Gesch.denken u. z. Gesch.schreibung des 12. Jh.s (Hab.-Schr., Frankfurt/Main 1971), Wiesbaden 1973; – Pierre Vallin, »Mechanica« et »philosofia« selon H. de St. V., in: RAM 49, 1973, 257-288; – Hans Zeimentz, Ehe nach der Lehre der Frühscholastik. Eine moralgeschichtl. Unters. z. Anthropologie u. Theol. der Ehe in der Schule Anselms v. Laon u. Wilhelms v. Campeaux, bei H. v. St. V., Walter v. Mortagne u. Petrus Lombardus (Diss. Mainz, 1973), Düsseldorf 1973; – Pierre Courcelle, Le precepte delphique dans le de contemplatione issu de S. V. de P., in: Etudes de civilisation medievale, Poitiers 1974, 169-174; – G. A. Zinn, Historia fundamentum est. The role of Hist. in the contemplative life according to H. v. St. V., in: Contemporary reflections on the medieval christian Trad., 1974; – Ders., The influence of H. v. St. V.s Chronicon on the abbreviations chronicorum by Ralph de Diceto, in: Speculum 52, 1977; – Ders., Mandala symbolism and use in the mysticism of H. v. St. V., in: History of religions, Bd. 12, Heft 4, 1979, 317-341; – Rudolf Goy, Die Überl. der Werke H.s v. St. V. Ein Btr. z. Kommunikationsgemeinschaft des MA (Diss. München, 1974), Stuttgart 1976; – John van Engen, Rupert v. Deutz u. das sog. chronicon sancti Laurentii Leodiensis. Zur Gesch. d. Investiturstreites in Lüttich, in: Dt. Archiv f. Erforschung des MAs, Bd. 35, Heft 1, 33-81; – Grabmann, SM II, 229-323; – Landgraf III/1; – ADB XIII, 320 f.; – NDB X, 19-22; – KLL II, 962 f. (Über die Sakramente des christl. Glaubens); II, 1226 f. (Didascalicon (Lehrbuch)); – Manitius III, 112-118; – Überweg II, 254, 261-267. 709; – RE VIII, 426; XXIII, 663; – RGG III, 475 f.; – Catholicisme V, 1041-1046; – DThC VII, 240-308; – LThK V, 518 f.

Ba

HUGO *von Trimberg*, auch: Hûc von Trimberg, H. de Wern(a), H. de Babenberg, fränkischer Dichter und Lehrer, * etwa 1235 in Wern(a), dem heutigen Ober- und Unterwerrn bei Schweinfurt, + bald nach 1313 in Bamberg-Theuerstadt. – H. besuchte wahrscheinlich eine Schule in Würzburg, wo er seine Kenntnisse in den sieben freien Künsten erlangte. Um 1260 kam er nach Bamberg an das Stift St. Gangolf, wo er auch als Lehrer an der Stiftsschule urkundlich erwähnt ist. Er wurde Rektor der Schule, und übte diesen Beruf bis etwa 1300 aus. H. entwickelte als Lehrer in Bamberg eine rege literarische Tätigkeit. So verfaßte er nach eigenen Angaben 7 deutsche und 5 lateinische Werke, von denen jedoch nur 3 bzw. 1 erhalten sind. In der Schulliteraturgeschichte »Registrum Multorum Auctorum«, die als die beste Arbeit auf diesem Gebiet im gesamten Mittelalter gilt, stellte H. für seine Bamberger Schüler in rhythmischen Versen die Titel von fast 100 Werken von Schulautoren sowie Hinweise auf die Autoren und deren Werk zusammen. Sein »Laurea Sanctorum«, ein Kalendergedicht in metrischer Versform, zählte als Lesebuch für den Schulunterricht die Kalenderheiligen nach ihren Festtagen auf. Im »Solsequium«, einer Sammlung von 166 »Exempla«, gab H. den Geistlichen seiner Zeit eine Sammlung von kleinen Geschichten für die Ausgestaltung ihrer Predigten an die Hand. Als bekanntestes Werk des H. gilt der »Renner«, ein enzyklopädisches Lehrgedicht in ca. 24600 Versen. Als Zeitpunkt seiner ersten Fertigstellung kann etwa das Jahr 1300 angesehen werden, doch arbeitete H. bis kurz vor seinem Tode an ständigen Ergänzungen und Nachträgen. In einfachem, eingängigen Allegorienstil gab H. hier moralische Lehren basierend auf der Schilderung der sieben Hauptsünden. Jede dieser Hauptsünden sah H. auch in der ihn umgebenden Ständegesellschaft, und so unterzog er die einzelnen Stände einer scharfen Kritik. Dem Adel warf er anmaßende Willkür und hemmungslose Ausschweifung vor, der Geistlichkeit Habsucht und Ignoranz. Am bäuerlichen Stand schließlich kritisierte er die Emporkömmlinge, die sich mit Gewalt in den Adelsstand drängten. Ritterliche, höfische Kultur verachtete er; sie spiegelte nach seiner Auffassung nur den Verfall der alten, vergangenen Weltordnung wieder. Zu H.s scharfer Kritik an der Heuchelei der gehobenen Stände gesellte sich eine Sympathie für die Armen und Machtlosen. Seinem brisanten Inhalt und der überaus lebendigen Darstellungsweise verdankte der »Renner« seine rasche und weite handschriftliche Verbreitung schon zu Lebzeiten seines Autors. Diese größte didaktische Dichtung des deutschen Mittelalters fand noch Beachtung bei J. Chr. Gottsched, Chr. F. Gellert und G. E. Lessing. H. kritisierte das hemmungslose sinnliche Lebensverlangen seiner Zeit, hierbei legte er eine große Menschenkenntnis an den Tag. Der Franke H. gibt in seinem Werk auch der Hochschätzung seiner Herkunft und seiner Mundart Ausdruck. Das positive Bild von dem Verfasser eines der bedeutendsten geistes- und kulturgeschichtlichen Dokumente für die Zeit des späten Mittelalters wird allein von dem Eifer H.s getrübt, seine Gelehrsamkeit in seinen Werken zu demonstrieren.

Werke: H. Grotefend (Hrsg.), Laurea sanctorum, Ein lat. Cisiojanus des H. von Trimberg, in: Anzeiger für Kunde der Deutschen Vorzeit NF 17 (1870), 279-284, 301-311, NF 18 (1871), 308-312, dazu: Friedrich Latendorf, ebd., 65-69; Gustav Ehrismann (Hrsg.), Der Renner von H. von Trimberg, in: Bibliothek des litterarischen Vereins in Stuttgart, Bde 247, 248, 252, 256, Tübingen 1908-1911, Neuausgabe v. Günther Schweikle, in: Deutsche Neudrucke, Reihe: Texte des MA, Bd. 4, Berlin 1971; Erich Seemann (Hrsg.), H. von Trimbergs lat. Werke, Das »Solsequium«, in: Münchner Texte 9 (1914); A. Kübler (Hrsg.), Münnerstädter Bruchstücke des Renners »X«, in: ZDADL 64 (1927), 190; Fritz Behrend (Hrsg.), Rennerbruchstücke, in: ZdPh 54 (1929), 277-283; Paul Göttsching (Hrsg.), Frankfurter Rennerbruchstück, in: ZDADL 70 (1933), 127 f.; Wilhelm Hans Braun (Hrsg.), Ein Rennerbruchstück aus Friedberg i. H., in: ZDADL 75 (1938), 172; Ders. (Hrsg.), »Der Renner«, Unbek. Bruchstücke einer mittelalterl. Dichtung im Friedberger Stadtarchiv, in: Friedberger Geschichtsblätter 13 (1938), 82-95; Karl Langosch (Hrsg.), Das »Registrum Multorum Auctorum« des H. von Trimberg, Unters. u. komment. Textausgabe, in: Germanische Studien 235 (1942), erw. Neudruck Nedeln/Liechtenstein 1969; Bernhard Bischoff (Hrsg.), Das rhythm. Nachwort H.s von Trimberg zum »Solsequium«, in: ZdPh 70 (1948/49), 36-54; Fritz Glauser (Hrsg.), Ein unbek. Fragment des »Renners« H.s von Trimberg, in: ZdPh 77 (1958), 65-67; Kurt Ruh (Hrsg.), Neue Fragmente der »Renner«-Handschrift »X«, in: Germanisch-Romanische Monatsschrift NF 13 (1963), 14-22; Herbert Wolf (Hrsg.), Wetterauer Fragmente einer unbek. Handschrift von H. von Trimbergs »Renner«, in: Hessisches Jahrbuch für Landesgeschichte 19 (1969), 124-146; Wolfgang Bührer (Hrsg.), Der kleine Renner, Untersuchungen zur spätmittelalterl. Ständesatire mit krit. Ausgabe des Textes nach der einzigen Handschrift (Diss. Heidelberg 1965), in: Bericht des Hist. Vereins Bamberg 105 (1969), 1-201; Bruno Müller (Hrsg.), Die im Jahre 1309 in Bamberg geschriebene »Renner«-Handschrift, in: Bericht des Hist. Vereins für die Pflege der Gesch. des ehem. Fürstbistums Bamberg 107 (1971), 45-51.

Lit.: Karl Janicke, Über H.s von Trimberg Leben und Schriften, in: Germania 2 (1857), 363-377; – Ders., Freidank bei H. von Trimberg, ebd. 418-424; – Ders., H. von Trimbergs Weltanschauung, in: Germania 5 (1860), 385-401; – Egon Julius Wölfel, Untersuchungen über H. von Trimberg und seinen Renner, in: ZDADL 28 (1884), 145-206; – Gustav Ehrismann, Das Handschriftenverhältnis des Renner, in: Germania 30 (1885), 129-153; – Ders., H. von Trimbergs Renner und das mittelalterl. Wissenschaftssystem, in: Aufsätze zur Sprach- und Literaturgesch., FS Wilhelm Braune, Dortmund 1920, 211-236; – Ders., Die mittelhochdt. didakt. Lit. als Gesellschaftsethik, in: Hans Teske (Hrsg.), Deutschkundliches, FS Friedrich Panzer, Heidelberg 1930, 37-43; – Ders., Geschichte der dt. Lit. bis zum Ausgang des MAs 2. Tl., Schlußband, München 1935, 337-342 (Lit.); – Anton Jäcklein, H. von Trimberg, Verfasser einer »Vita Mariae rhythmica«, in: Programm des Kgl. Neuen Gymnasiums in Bamberg 1900/1901, Bamberg 1901, 3-47; – Johannes Mallach, Der Auszug »z« des Renner von H. von Trimberg (Diss. Greifswald 1910); – Hermann Grauert, Magister Heinrich der Poet und die röm. Kurie, in: Abh. der Königl.-Bayer. Akademie der Wissenschaften, Philos.-philol. u. hist. Kl., Bd. 27, 1. u. 2. Abh. München 1912; – Paul Warlies, Der Frankfurter Druck des Renner (Diss. Greifswald 1912); – Johannes Iwer, Zur Moduslehre des Renners (Diss. Tübingen 1914); – Albert Leitzmann, Die Freidankcitate im Renner, in: Paul und Braunes Beiträge 45 (1921), 116-120; – Erich Seemann, H. von Trimberg und die Fabeln seines Renner, Eine Unters. zur Gesch. der Tierfabel im MA, in: Münchner Archiv für Philologie des MA 6 (1923), 1-53 (Diss. München 1912); – Johannes Müller, Die Bibel und der bibl. Gedankenkreis in H. von Trimbergs »Renner« (Diss. Greifswald 1924); – Leo Behrendt, The Ethical Teaching of H. of Trimberg, in: The Catholic University of America, Studies in German 1, Washington 1926; – Franz Diel, Reimwörterbuch zum »Renner« des H. von Trimberg, in: Münchener Texte, Ergänzungsreihe 7 (1926); – Walther Rehm, Kulturverfall und spätmittelhochdeutsche Didaktik, Ein Beitrag zur Frage der geschichtl. Alterung, in: ZdPh 52 (1927), 289-330; – Else Schlicht, Das lehrhafte Gleichnis im Renner des Hugo von Trimberg (Diss. Gießen 1928); – Franz Götting, Der Renner H. von Trimberg, Studien zur mittelalterl. Ethik in nachhöfischer Zeit, in: Forschungen zur dt. Sprache und Dichtung, Bd. 1, Münster/Westf. 1932; – Catherine Teresa Rapp, Burgherr and Peasant in the Works of Thomasin von Zirclaria, Freidank and H. von Trimberg, in: The Catholic University of America, Studies in German 7, Washington 1936; – Hans-Gerd von Rundstedt, Die Wirtschaftsethik des H. von Trimberg, in: Archiv für Kulturgeschichte 26 (1936), 61-72; – Erich Genzmer, H. von Trimberg und die Juristen, in: L'Europa e il diritto Romano, Studi in memoria di Paolo Koschaker, Bd. 1, Mailand 1954, 291-336; – Otto Meyer, Bambergs Heilige in H. von Trimbergs Kalendergedicht, in: Fränkische Blätter 7 (1955), 53-55; – Josef Dünninger, Altfränkisch, Problem und Problematik der Stammescharakteristik, in: FS Franz Rolf Schröder, Heidelberg 1959, 155-162; – Fritz Vomhof, Der »Renner« H. von Trimberg, Beiträge zum Verständnis der nachhöfischen dt. Didaktik (Diss. Köln 1959); – Helmut de Boor, Die dt. Lit.

im späten MA, Zerfall und Neubeginn, 1. Tl. 1250-1350, München 1962, 380-386, 403 f.; – Eva Wagner, Sprichwort und Sprichworthaftes als Gestaltungselemente im »Renner« H. von Trimbergs (Diss. Würzburg 1962); – Peter Keyser, Michael de Leone und seine lit. Sammlung, Würzburg 1966; – Bruno Müller, Die Titelbilder der illustr. »Renner«-Handschriften, in: Bericht des Hist. Vereins Bamberg 102 (1966), 271-306; – Ders., H. von Trimberg und das Bocciaspiel, in: Bericht des Hist. Vereins Bamberg 105 (1969), 202-211; – Ders., H. von Trimberg, in: Wolfgang Buhl (Hrsg.), Fränkische Klassiker, Eine Literaturgesch. in Einzeldarst. mit 225 Abb., Nürnberg 1971, 133-148, 758 f.; – Ders., Südtiroler illustr. »Renner«-Handschriften, in: Bericht des Hist. Vereins für die Pflege der Gesch. des ehem. Fürstbistums Bamberg 109 (1973), 183-236; – Ders., Illustrationen zum »Renner«-Gedicht, in: Börsenblatt für den dt. Buchhandel, Beilage a. d. antiquar. Buchhandelsgesch. 72 (1980), a325-a357; – Heinz Rupp, Zum »Renner H. von Trimbergs, in: Typologia Litterarum, FS Max Wehrli, Zürich/Freiburg i. Br. 1969, 233-259; – Bernhard Schemmel, H. von Trimberg, in: G. Pfeiffer (Hrsg.), Fränkische Lebensbilder, Bd.4, Würzburg 1971, 1-26 (Lit.); – Ders., Zur sog. Ebelingschen »Renner«-Handschrift, in: Bericht des Hist. Vereins für die Pflege der Gesch. des ehem. Fürstbistums Bamberg 108 (1972), 501-503; – Heribert A. Hilgers, Die 18 Astronomie-Strophen Heinrich von Mügelns in der Leipziger »Renner«-Handschrift, in: ZdPh 91,3 (1972), 352-373; – Dietrich Schmidtke, Die künstl. Selbstauffassung H. von Trimbergs, in: Wirkendes Wort 24,5 (1974), 325-339; – Karl Bosl (Hrsg.), Bayer. Biographie 1983, 768 f.; – Friedrich Deml, H. v. Trimberg zum 750. Geburtstag, in: Frankenland 37,10 (1985), 316-320; – ADB XXXIX, 762-765; – EDR II, 1728; – LThK V, 520; – NDB X, 24 f.; – VerfLex II, 530-535, V, 434 ff. (Lit.).

Ty

HUGOLIN von Gualdo Cattaneo

HUGOLIN von Gualdo Cattaneo (lat. Hugolinus/Ugolinus a Gualdo Captaneorum; it. Ugolino da Gualdo Cattaneo), Seliger, Augustiner-Eremit (OESA), * um 1200 in Gualdo (Umbrien), + 1.1.1260 ebd. – Laut Ludovicus Iacobilli (17. Jahrhundert), der die oben genannten Lebensdaten angibt, welchem auch die AAS (s. u.) folgten, stellt sich die vita H.s wie folgt dar: In jungen Jahren trat H. den Augustiner-Eremiten bei. Um 1258 begründete er zusammen mit Angelo da Foligno ein Priorat dieses Ordens in Gualdo, nachdem die Benediktiner ihr dortiges Haus (Kloster und Kirche) den Augustiner-Eremiten überlassen hatten. Die Kirche wurde St. Augustin geweiht. H. lebte dann bis zu seinem Tode in diesem Kloster. – Nach Hümpfner (LThK V, 520) ist H. wahrscheinlich identisch mit dem Einsiedler Hugolin Michaelis von Bevagna (14. Jahrhundert). Dieser Ansicht ist auch Sensi, der einen Irrtum Iacobillis annimmt (Bibliotheca Sanctorum XII, 786; dort auch die Argumentation). Leider ist das Archiv des erwähnten Klosters von Gualdo im 17. Jahrhundert verloren gegangen. Der Einsiedler Hugolin Michaelis von Bevagna (lat. Ugolinus Michaelis de Mevania; it. Ugolino di Bevagna) gründete ein "Oratorium S. Ioannis de Silva Uncterii" (in Onterio bei Bevagna, unweit von Gualdo). – Nach Hugolin von Gualdo Cattaneo nannte sich eine Bruderschaft, die 1568 der römischen "Sodalitas a S. Ioanne Decollato" angeschlossen wurde. Das im Jahre 1483 erlassene Statut der Stadt Gualdo legte fest, daß die Kirche von St. Augustin (H.s erster Grabstätte) jährlich 2 Pfund Wachs am Festtag des seligen H., d. h. am 1. Januar, erhalten sollte. Sein von frühen Zeiten an (ab immemorabili tempore: AAS XI, 181) bezeugter Kult wurde durch Benedikt XV. am 12.3. 1919 bestätigt. Der Festtag H.s wurde früher am 2. September, heute am 3. September gefeiert (Bibliotheca Sanctorum XII, 786).

Lit.: Ludovicus Jacobilli, Vita dei Santi e Beati dell'Umbria, I, Foligno 1647, 7-9, II, ebd. 1656, 174-177, III, ebd. 1661, 320-322; – L. Torelli, Secoli Agostiniani IV, Bologna 1675, 623, 635-637; – P. Ioseph de Assumptione, Martirologium Augustinianum I, Lissabon 1743, 2H; – F. Alberti, Notizie antiche e moderne riguardanti Bevagna, città dell'Umbria II, Venezia 1787, 85-88; – U. Federici, I monasteri di Subiaco, la biblioteca e l'archivio II, Rom 1904, XLIX; – Gualdo Cattaneo, numero unico per le feste religiose e civili, 2.-6.IX., Bevagna 1905; – AAS 11, 1919, 165, 181-184; – Analecta Augustiniana 8, 1919, 49-51; – Bollettino Storico Agostiniano 2, 1926, 50-54; – G. Boccanera, Gualdo Cattaneo, Assisi 1962, 54-58; – Vies des Saints et des Bienhereux I, 1935, 21; – LThK V, 520-521; – Bibliotheca Sanctorum XII, 784-787; – NCE VII, 199.

Ta

HUGOLIN *von Orvieto*, fälschlich Malabranca genannt (lateinisch Hugolinus de Urbe Veteri/Hugolinus Urbevetanus; italienisch Ugolino di/da Orvieto), Theologe und Philosoph aus dem Orden der Augustiner-Eremiten (OESA), * 1300 in Orvieto, + 1373 in Acquapendente. – H. trat dem Orden der Augustiner-Eremiten bei und wurde 1334 auf dem Provinzialkapitel des Ordens in Cimino zusammen mit Angelo Sassi di Roma für ein dreijähriges Studium in Paris nominiert. Auf dem Generalkapitel des Ordens in Mailand (1343) wird festgelegt, daß neben anderen Baccalaurei H. sich für die "Lesung der Sentenzen" (lectura sententiarum) in Paris bereitzuhalten habe. Um 1352 erhält H. den Magistergrad in Theologie. H. war einer der Begründer der theologischen Fakultät der Universität von Bologna (1364). Am 29. Mai 1367 wird H. in Anerkennung seiner Verdienste zum Ordensgeneral der Augustiner-Eremiten bestimmt. In dieser Eigenschaft hatte er Kontakte zur päpstlichen Kurie und Urban V. erhob H. am 10.2.1371 zum Titularpatriarchen von Konstantinopel. Für seinen Unterhalt wird ihm die Administration des Bistums Rimini übertragen. – Das Hauptwerk H.s ist sein Kommentar zu den Sentenzen des Petrus Lombardus. Willigis Eckermann, der Editor dieses Werks, geht davon aus, daß es eine Urschrift des Sentenzenkommentars nie gegeben habe (Eckermann 1980, XVII: siehe unten Werke III). Der Kommentar gehe auf einen Recollector zurück, der ein Schüler H.s war, wahrscheinlich auf Simon von Cremona. Dieser habe auf der Grundlage des Konzepts H.s und von Vorlesungsmitschriften, der sogenannten reportata, gearbeitet. Der erste Arbeitsgang (lectura notata) sei wohl 1352 anzusetzen, die Endreaktion (recollectio) 1365 abgeschlossen worden (Eckermann 1980, XVIII: siehe unten Werke III). Im Zusammenhang mit der erwähnten Gründung der theologischen Fakultät der Universität von Bologna fiel H. die Aufgabe zu, die Statuten dieser Fakultät zu redigieren. H. hat auch Aristoteles kommentiert (Lohr 1968, siehe unten Werke; Eckermann 1972, siehe unten Literatur), den er kritisierte. Er polemisierte gleichfalls gegen Ockam und dessen Anhänger. H. ist einer der bedeutendsten Vertreter des Augustinismus im späten Mittelalter. Er wurde der "doctor acutissimi ingenii" genannt (Ehrle 1932, Seite 5.16: Siehe unten Werke II).

Werke: I. 1352, »Questiones super octo libros physicorum« (Kommentar zur Physik des Aristoteles, Auszüge in Eckermann, 1972: s. u. Lit.). II. 1463, »Statuta facultatis theologie« (Statuten der theologischen Fakultät der Universität Bologna), in: Francesco Ehrle, I più antichi statuti della facoltà teologica dell'università di Bologna. Contributo alla scolastica medievale, Bologna 1932 (= Universitatis Bononiensis Monumenta, vol. I) (Einführung VII-CCXVI, Text 1-130). III. »Commentarius in quattuor libros sententiarum« (Kommentar zu den Sentenzen des Petrus Lombardus), bisher sind ediert: Willigis Eckermann, Commentarius..., I, Würzburg 1980 (= Cassiciacum, Supplementband 8); Ders., Commentarius..., II, Würzburg 1984 (= Cassiciacum, Supplementband 9) (reicht bis einschl. zur 48. distinctio). Auszüge auch in Zumkeller, 1941, 124-145, 265-391: s. u. Lit. IV. »De perfectione specierum«, ursprünglich Auszug aus dem »Commentarius in quattuor libros sententiarum« (I Sent.dist 3 q 2), ed. Francesco Corvino, in: Acme. Annali della facolta di filosofia 7, Mailand 1954, 73-105; ebd. 8, 1955, 119-204;. V. 1372, »De Deo trino« (gegen die Trinitätslehre des Joachim von Fiore gerichtet), ed. Friedrich Stegmüller, in: Annali della Biblioteca di Cremona 7, 1954, 19-57; Auszüge auch in Rousset 1930, 83-91: s. u. Lit. VI. »Sermones« sind ebenfalls überliefert, nur Hss.; D. A. Perini, Bibliographia Augustiniana II, 1931, 166-168; Adolar Zumkeller 1941: s. u. Lit.; Ders., Manuskripte von Werken der Autoren des Augustiner-Eremitenordens in mitteleurop. Bibliotheken, Würzburg 1966 (= Cassiciacum 20), 199-201, Nr. 411-414; Charles H. Lohr, Medieval Latin Aristotle commentaries, Authors G - I, in: Traditio 24, 1968, 243-244 s. v. H.; Ehrle 1932 (s. oben Werke II.), p. CLI - CLVI in Anmerk. umfangreiche Zitate mittellateinischer Quellen über H.s Leben.

Lit.: Konstanty Michalski, Les courants critiques et sceptiques dans la philosophie du XIVe siècle, in: Bulletin international de l'Académie Polonaise des sciences et des lettres, cl. de philol., de hist. et de philos., Jahrgang 1925, Krakau 1927, bes. 201 f., 209-214; – Ders., Le problème de la volonté à Oxford et à Paris au XIVe siècle, in: Studia philosophica 2, 1937, 233-366 (Teilsatz der Werke M.s in: K. Michalski, La philosophie au XIVe siècle, hrsg. v. Kurt Flasch, Frankfurt/M. 1969: Opuscula philosophica I); – Jean Rousset, H. d'O. Une controverse à la faculté de théologie de Bologna au XIVe siècle, in: Mélanges d'Archéologie et d'Histoire. École Française de Rome 47, 1930, 63-91; – Adolar Zumkeller, H. von O. und seine theologische Erkenntnislehre, Würzburg 1941; – Ders., Dionysius von Montina, Würzburg 1948, 38 f., 62 f. (s. auch Index S. 87 s. v. H. von O.); – Ders., H. von O. über Urstand und Erbsünde, in: Augustiniana 3, 1953, 35-62, 165-193; ebd. 4, 1954, 25-46; – Ders., H. von O. über Prädestination, Rechtfertigung und Verdienst, in: Augustiniana 4, 1954, 109-156; ebd. 5, 1955, 5-51; – Ders., Der Grabstein des Augustinertheologen H. von O., in: Augustiniana 6, 1956, 900-905; – Ders., Die Augustinertheologen Simon Fidati von Caseia und H. von O. und Martin Luthers Kritik an Aristoteles, in: ARG 54, 1963, 15-37; – Ders., Die Augustinertheologen des MA, in: Analecta Augustiniana 27, 1964, 225; – Salesius Friemel, Die theol. Prinzipienlehre des Augustinus Favaroni von Rom O. E. S. A., Würzburg 1950 (= Cassacium 12), passim, s. Index S. 206 s. v. H. von O.; – Damasus Trapp, Augustinian theology of the 14th century. Notes on editions, marginalia, opinions and booklore, in: Augustiniana 1256-1956, ed. Fr. Roth/N. Teeuwen, New York 1956, 146-274 (u. a. über H.: s. Index S. 273 s. v. Hugolinus ...); – Ders., Simonis de Cremona O. E. S. A. Lectura super 4 LL. Sententiarum (MS Cremona 118 ff. 1^r - 136^v), in: Augustinianum 4, 1964, 123-164 (collationes sind Florilegien aus Texten H.s von O.); – Ders., A round-table discussion of a Parisian OCist-Team and OESA-Team about AD 1350, in: RThAM 51, 1984, 206-222 (über Augustinismus an Universität, u. a. über H.); – Anneliese Maier, Zwischen Philosophie und Mechanik, Rom 1958, 331 f., 335; – Francesco Corvino, La polemica antiaristotelica di U. da O. nella cultura filosofica del sec. XIV, in: Filosofia e cultura in Umbria tra medioevo e rinascimento, Atti del IV. convegno di studi umbri Gubbio 1966, Perugia 1967, 407-458; – Ders., La nozione di »specie intelligibile« da Duns Scotus ai maestri agostiniani del secolo XIV (Gregorio da Rimini e U. da O.), in: Rivista di filosofia neo-scolastica 14, 1978, 149-178; – Heinz Dietrich, Die Trinitätslehre des Augustinereremiten H. von O., 1967 (Diss. München); – L.-B. Gillon, La grâce incréée chez quelques théologiens du XIVe siècle, in: Divinitas 11, 1967, 671-680 (u. a. über H.); – Willigis Eckermann, Der Physikkommentar H.s von O. OESA; ein Beitrag zur Erkenntnislehre des spätmittelalterl. Augustinismus, Berlin-New York 1972 (= Spätmittelalter und Reformation, Texte und Untersuchungen V); – Ders., Wort und Wirklichkeit. Das Sprachverständnis in der Theologie Gregors von Rimini und sein Weiterwirken in der Augustinerschule, Würzburg 1978 (= Cassiciacum 33), 238-253; – William J. Courtenay, Ockamism among the Augustinians: the case of Adam Wodeham, in: Scientia augustiniana. Festschr. P. Dr. theol. Dr. phil. Adolar Zumkeller O.E.S.A. zum 60. Geburtstag, Würzburg 1975 (= Cassiciacum 30), bes. 271-272; – Rudolph Arbesmann, Some notes on the 14th century history of the Augustinian order, in: Analecta Augustiniana 40, 1977, bes. 76-78; – Grabmann MGL II, 87-89, III, 372; – Friedrich Stegmüller, Repertorium commentariorum in sentensis Petri Lombardi I, 1947, 179-181; – Maurice de Wulf, Histoire de la philosophie médiévale III, 1947^6, 100-104; – Etienne Gilson, History of Christian philosophy in the middle ages, London 1955, 453-454; – Catholicisme V, 1011-1013; – LThK V, 521; – Enciclopedia filosofica VI, 1969, 660; – The Cambridge History of Later Medieval Philosophy (1100-1600), hrsg. von N. Kretzmann/ A. Kenny / J. Pinborg, 1982, 205, 666, 888.

Ta

HUGON, Eduard (Edouard), Dominikaner, Thomist, * 25. August 1867 in Lafarre (Loire, Diözese Le Puy), + 7.2.1929 in Rom. – H. wurde im Dominikaner-Kloster in Poitiers unterrichtet und 1885 Mönch des OP im niederländischen Kloster in Rijckholt. Dort arbeitete H. später als Lektor der Theologie ebenso wie in Rosary Hill (USA) und Poitiers. Der bedeutende Thomist H. wurde 1909 als Professor an das Angelicum in Rom berufen und war als Konsultor in der Sacra Congretio pro Ecclesia Orientali tätig.

Werke: Cursus philosophicus ad theologiam thomisticam propaedenticus, 6 Bde., 1902-1907 (3. Auflage 1946); Tractatus dogmatici ad modum commentarii in praecipius quest. dogm. S. Theol. D. Thomae, A., 5 Bde., 1920-27 (in 3 Bde., hrsg. 1931-1935; Frz. Übers.: La lumière et la foi (1903); Le mytère de la Sainte Trinité, 1912, (1927³); Le mystère de l'Incarnation, 1913 (1946); La sainte Eucharistie, 1916, (1924⁵); La Mère de Grâce, 1904 (1926⁵); Les voeus de religion contres les attagues actuelles, Paris 1900; Le Rosaire et la sainteté, 1900; La mistica di san Tommaso d'Aquino, Arezzo, 1924; La fête speciale de Jèsu-Christi, Roi, Paris 1925; La spiritualite de la M. Thérèse Couderc, Paris 1927; La mérite dans la vie spirituelle, 1935; Les sacraments dans la vie spirituelle, 1935; H. schrieb zahlr. Artikel in: Revue thomiste, Angelicum, Divus Thomas (Plaisance) und La vie spirituelle.

Lit.: AOP XIX, 1929/30, 126 f.; – Bulletin thomiste VI, 1929, 529 f.; – Revue thomiste XXXIV, 1929, 27-29; – Dominicana XIV, 1929, 116-119; – R. Garrigou-Lagrange, In theologien: le P.É. Hugon, Paris, 1929; – H. Hugon, Le Père H., Paris 1930; – A. Walz, Compendium historiae ordinis praedicatorum, Rom 1948², 604-622 und L'Università S. Tommaso, ebd. 1966, 26. 30. 43. 77 f. 86; – R. Laurentin, Maria, Ecclesia, Sacerdotium, Paris 1952; – EC VI, 1951, 1498; – LThK V, 521; – Catholicisme V, 1013; – DThC, 2123 f.; – DSp VII/1, 858 f.

Ba

HUGUCCIO (Ugutio, Ugvitio, Hugo), Grammatiker, Theologe, bedeutender Kanonist, * 1140 in Pisa, + 4.1210 in Ferrara. – H. studierte (u. a. bei Albertus Benevantus) und lehrte ab 1178 Theologie und kanonisches Recht in Bologna; u. a. waren Petrus Beneventanus, Petrus Hispanus und Lothar von Segna, der spätere Innozenz III., seine Schüler. Neben seinem Amt als Bischof in Ferrara, das er ab 1190 bekleidete, wurde er von der römischen Kurie mit verschiedenen Missionen betraut, u. a. das Kloster von Nonantola zu reformieren, wo er sich von 1197 bis 1201 aufhielt. H. war Berater des Innozenz III. und mehrere päpstliche Dekrete sind mit H.s Hilfe entstanden. Seine grammatischen Werke hatten großen Einfluß während des ganzen Mittelalters. Er schrieb eine Abhandlung über Deklination und ein alphabetisch-etymologisches Wörterbuch, das weit verbreitet war und auf Osbern von Gloucester und Papias (Manitius II, 191 ff.) aufbaut sowie Johannes von Genua für sein »Catholicon« als Quellentext diente; außerdem verfaßte H. ein etymologisch-theologisches Glossarium zu den Namen der Wochentage, Monate und Tagesheiligen (vgl. Fr. Gillmann, Zur

Inventisierung). Durch seine theologischen Schriften, insbesondere sein Hauptwerk »Summa in Decretum Gratiani« kommt H. eine überragende Bedeutung als Dekretist und allgemein als klassischer Kanonist zu. Dieses Werk blieb unvollendet und fehlende Teile (Causa 23-26) werden durch verschiedene Werke ergänzt; später führte der Portugiese Johannes de Deo die »Summa...« zu Ende. H.'s Hauptwerk wie mehrere seiner Glossen, die in zahlreichen Handschriften – vermischt mit Ausführungen zeitgenössischer und früherer Dekretisten – erhalten sind, zeugen von seinem enormen enzyclopädischen Wissen nicht nur auf dem Gebiet der Theologie, sondern auch bezüglich des weltlichen Rechts. Wie viele seiner Zeitgenossen trat er für eine größere Eigenständigkeit des kanonischen Rechts gegenüber der Theologie ein und beschäftigte sich ausführlich mit dem alt-römischen Recht. Er schrieb wahrscheinlich ein Dekret über das »Vaterunser«, eine Glosse »Expositio symboli apostolorum« und beschrieb als erster in der Geschichte den Ablaß als einen jurisdiktionellen Akt bezüglich der Sündenstrafen vor Gott. Er gilt das der größte der Dekretisten der kirchenrechts-wissenschaftlichen »Schule von Bologna«.

Werke: I. grammatische: 1. Tractatus de dubio accentu. 2. Rosarium (über Deklinationen). 3. Summa artis grammaticae. 4. Liber derivationum (früher 1197-1201 datiert; nach Stickler ein Jugendwerk H.s: DDC VII, 1357; s. a. in Lit.: Mercati, 1959). II. theologische: 1. Hagiographia (etymologisches Glossar zu den Namen der Wochentage, Monate und der jeweiligen Heiligen). 2. Expositio symboli apostolorum. 3. Expositio dominicae orationis. III. kanonistische: 1. Summa super Decreta (ca. 1187) (die Lücke in diesem Kommentar zu Gratian, d. h. cap. XXIII bis XXVI, wurde später durch den Portugiesen Johannes de Deo geschlossen, ca 1250). Ferner trägt eine Hs. den Titel »Vocabularius latino-germanicus Hugwiconis« (Dieffenbach, Glossarium Latino-Germanicum, 1857, XIII Nr. 5), vgl. dazu Cremascoli (1966) in den Lit. Der größte Teil der Werke H.s ist bisher noch nicht ediert worden. Folgende Ausgaben liegen vor: Giovanni Crisostomo Trombelli, Bedae et Claudii Taurinensis itemque aliorum veterum patrum opuscula, Bologna 1755 (darin II 2 unvollständig, 207-223); Auszüge von I 4 in Riessner 1965 (s. u. Lit.); Giuseppe Cremascoli, L »Expositio de symbolo Apostolorum« di U. da P., edizione critica, in: Studi medievali 14, 1973, 363-442; Ders., De dubio accentu, Agiographia, Expositio de symbolo apostolorum, in: Bibliotheca degli »Studi medievali« 10, Spoleto 1978 (Centro Italiano di Studi sull' Alto Medioevo; krit. Ed. mit Einf. und Anm.); N. M. Häring, ed. II 2, II 3, in: StG 19 (= Mélanges G. Fransen I), Rom 1976, 355-416; Schulte I, 156-170; Mauro Sarti/Mauro Fattorini, De claris archigymnasii Bononiensis professoribus a saeculo XI usque ad saeculum XIV. Zum Druck besorgt von C. Albicini/C. Malagola, Bd. I-II, Bologna 1888-1896, I 370-376 (s. auch Index Bd. II s.v. Uguccione); – Gaetano Catalano, Contributo alla biografia di U. da P., in: Il diritto ecclesiastico 65, 1954, 3-67; Giuseppe Cremascoli, U. da P.: saggio bibliografico, in: Aevum 42, 1968, 123-168 (mit Index zur Bibliogr., 161 Titel); V. Sivo, Studi sui trattati grammaticali mediolatini, in: Quaderni Medievali 11, Bari 1981, 232-244 (bibliogr. Anm. u. a. zu H.); Arts and humanities citation index 1985, May to August, Source index/Corporate index 1253 s. v. Limone, O (über 70 Verweise); Die jeweils neuesten bibliogr. Angaben sind zu finden in: Medioevo Latino, Bollettino bibliografico della cultura europea dal seculo VI al XIII, Spoleto 1980 ff., s. v. Hugutio Pisanus (Autori e opere). S. a.: Bulletin of medieval canon law 1, 1971ff. (mit Bibl.); das Bulletin of the Institute of research and study in medieval canon law vorher in: Traditio 11, 1955ff. (Bibl. ab 12, 1956) bis 26, 1970.

Lit.: Friedrich Maassen, Geschichte der juristischen Literatur des Mittelalters: die Summa des H., in: SAW, Phil.-hist. Kl. 1857, 35-46; – L. Tanon, Étude de littérature canonique, Rufin et H., in: Nouvelle Revue historique de droit français et étranger 12, 1888, 822-831 und 13, 1889, 681-728; – Paget Toynbee, Dante's obligations to the »Magnae derivationes« of U. da P., in: Romania 26, 1897, 537-554; – Ders., Dante's Latin dictionary, in: Dante studies, London 1902, 97-114; – J. Roman, Summa d' H. sur le décret de Gratien d'après le manuscrit 3891 de la Bibliothèque Nationale, in: Nouvelle Revue historique de droit français et étranger 27, 1903, 745-805; – Georg Goetz, Beiträge zur Geschichte der lateinischen Studien im Mittelalter, in: BGL Phil.-hist. Kl. 55, 1903, 121-154; – Ders., De derivationibus H., in: Corpus Glossariorum

Latinorum I, 1923, 190-196 § 52 (Hss. der Derivationes 191-192); – Franz Gillmann, Paucapalea und Paleae bei H., in: AkathKR 88, 1908, 466-479; – Ders., die simonistische Papstwahl nach H., in: ebd. 89, 1909, 606-611; – Ders., Die Abfassungszeit der Dreketglosse des Clm. 10244, in: ebd. 92, 1912, 201-224; – Ders., Die Abfassungszeit der Dekretalsumme H.s, in: ebd. 94, 1914, 233-251, 513; – Ders., Spender und äußeres Zeichen der Bischofsweihe nach H., Würzburg 1922; – Charles Homer Haskins, Guillaume de Noyon, in: Speculum 2, 1927, 477 (G. de N. war ein Fortsetzer der Derivationes); – Aristide Marigo, De H. Pisani »Derivationum« Latinitate eorumque prologo, in: Archivum Romanicum 11, 1927, 98-107; – Ders., I codici manoscritti delle »Derivationes« di U. P. Saggio di inventario bibliografico con appendice sui codici del »Catholicon« di Giovanni da Genova, Rom 1936; – V. Rossi, Per una edizione delle »Magnae Derivationes« di U. da P., in: Atti del III. congresso nazionale di studi romani, 1935, II 42-43; – H. D. Austin, Gleanings from »Dante's Latin dictionary«, in: Italica 12, 1935, 81-90; – Ders., What form of U. da P.s lexicon did Dante use?, in: Romanic Review 28, 1937, 95-98; – Ders., The source of U.s illustrative quotations, in: Medievalia et humanistica 4, 1946, 104-106; – Ders., Further gleanings from »Dante's Latin dictionary«, in: Romanic Review 38, 1947, 3-12; – Ders., Glimpses of U.s personality, in: Philosophical Quarterly 26, 1947, 367-377; – Ders., Four items from U., in: Romance Philology 1, 1947, 343-347; – Ders., Germanic words in U.s lexicon, in: Speculum 23, 1948, 273-283; – Ders., U. on the name of Y., in: Modern Language Notes 63, 1948, 50-51; – Ders., U. Miscellany, in: Italica 27, 1950, 12-17; – Stephan Kuttner, Repertorium der Kanonistik (1140-1234), Prodromus Corporis Glossarum (= StT 71) 1937, 155-160 (wichtig für Hss. der »Summa«); – Ders., Bernardus Compostellanus Antiquus, in: Traditio 1, 1943, 283; – Ders., in: Traditio 11, 1955, 435 und ebd. 13, 1957, 465 (über Vorbereitung der Edition der »Summa«); – Ders., in: Bulletin of medieval canon law 4, 1974, XI u. 13, 1983, XI (Stand der Edition der »Summa«); – Ders., Universal Pope or Servant of God's Servants: the canonists, papal titles and Innocent III., in: RDC 31, 1981, 109-149 (darin auch bisher nicht edierte Stellen von H.); – Ders., The revival of iurisprudence, in: Renaissance and renewal in the 12th century, hrsg. v. R. L. Benson, Oxford 1982, 299-323; – Nicola Del Re, I codici vaticani della »Summa decretorum« di U. da P., Rom 1938; – M. Maccarrone, Chiesa e stato nella dottrina di papa Innocenzo III., in: Lateranum 6, 1940, 68-78; – J. Holzworth, H.s »Derivationes« and Arnulfus' commentary on Ovid's Fasti, in: Transactions and Proceedings of the American philol. Association 72, 1942, 259-276; – R. Schraml, H. von P. und seine Bußlehre (Diss. Rom), 1947; – Alfons M. Stickler, Der Schwerterbegriff bei H., in: Ephemerides iuris canonici, 3, 1947, 201-242; – Ders., Problemi di ricerca e di edizione per U. da P. e nella decretistica classica, in: Congrès de droit cononique médiéval (=Bibliothèque de la RHE 33, 1959), 111-128; – Ders., in: Traditio 24, 1968, 491-492 (Stand der Editionsvorbereitung der »Summa«); – R. W. Hunt, H. and Petrus Helias, in: Medieval and Renaissance Sudies 2, 1950, 174-178 (neu abgedruckt in: The history of grammar in the middle ages. Collected papers by R. W.i Hunt = Amsterdam studies in the theory and history of linguistic studies, ser. III: studies in the history of linguistics, 5, Amsterdam 1980, 145-149); – Sergio Mochi Onory, Fonti canonistici dell' idea moderna dello stato, Mailand 1951, 141-177 (=parte terza: un momento di sintesi: U. da P.); – Othmar R. Fink, Die Lehre von der Interpellation beim Paulinischen Privileg in der Kirchenrechtsschule von Bologna, 1140-1234, in: Traditio 8, 1952, 305-365; – Gérard Fransen, Manuscrits canoniques..., in: RHE 48, 1953, 231-232, ebd. 49, 1954, 153, ebd. 51, 1956, 940 (Hss. der Summa in Spanien); – Brian Tierney, Some recent works on the political theories of the medieval canonists, in: Traditio 10, 1954, bes. 602-604, 598; – Helene Tillmann, Papst Innocenz III., Göttingen 1954; – Gabriel Le Bras, Du nouveau sur H. de P., in: RDC 5, 1955, 133-146; – Luigi Prosdocimi, La »Summa decretorum« di U. da P.: studi preliminari per una edizione critica, in: StG 3, 1955, 349-374; – Ders., I manoscritti della »Summa decretorum« di U. da P., I: Iter germanicum, in: StG 7, 1959, 251-272; – Corrado Leonardi, La vita e l'opera di U. da P. decretista, in: StG 4, 1956-1957, 39-120; – Gaetano Catalano, Impero, regni e sacerdozio nel pensiero di U. da P., Mailand 1959; – Silvio Giuseppe Mercati, Sul luogo e sulla data della compozione delle »Derivationes« di U. da P., in: Aevum 33, 1959, 490-494; – M. Rios Fernandez, El primado del Romano pontifice en el pensamiento de H. de P. decretista, in: Compostellanum 6, 1961, ebd. 7, 1962, ebd. 8, 1963, ebd. 11, 1966; – Guido Aceti, Arnoul d' Orléans et H. de P. in: Actes du congrès sur l'ancienne université d' Orléans. Recueil des conférénces prononcées les 6 et 7 mai 1961..., Orléans 1962, 9-14; – A. Mruk S. I., Duae oponiones heterodoxae circa honestatem usus matrimonii vigentes initio saeculi XIV., in: Periodica de re morali 52, 1963, 19-35 (u. a. mit Bezug auf H.); – Heinrich Heitmeyer, Sakramentenspendung bei Häretikern und Simonisten nach Huguccio. Von den "Wirkungen" besonders der Taufe und Weihe in der ersten Causa seiner »Summa super Corpore Decretorum«, Rom 1964 (Analecta Gregoriana 132); – J. Kejr, La genèse de l'apparat »Ordinaturus« au décret de Gratien,

in: Proceedings of the 2nd internat. congress of medieval canon law (Boston 1963), Vatikanstadt 1965, 45-53 (= Monumenta Iuris Canonici, series C: subsidia 1) (Beziehung zwischen H. und »Ordinaturus«); – Ders., Apparat au Décret de Gratien. »Ordinaturus« source de la »Summa decretorum« de H., in: StG 12 (= Collectanea Stephan Kuttner 2), 1967, 143-164; – Claus Riessner, Die »Magnae Derivationes« des U. da P. und ihre Bedeutung für die romanische Philologie, Rom 1965 (Temi e testi, 11); – Ders., Quale codice delle »Etimologie« di Isidoro di Siviglia fu usato da U. da P.?, in: Vetera Christianorum 13, 1976, 349-365; – John A. Watt, The theory of papal monarchy in the 13th century. A contribution of canonists, New York 1965 (u. a. mit Bezug auf H.); – Giuseppe Cremascoli, Termini del diritto longobardo nelle »Derivationes« e il presunto vocabulario latino-germanico di U. da P., in: Aevum 40, 1966, 53-74; – G. Oesterle, Dissolutio matrimonii, in: StG 9, 1966, 27-43 (u. a. mit Bezug auf H.); – E. M. Peters, Rex inutilis. Sancho II. of Portugal and 13th century deposition theory, in: StG 14 (= Collectanea Stephan Kuttner 4), 1967, 253-305 (u. a. mit Bezug auf H.); – A. Vetulani, Trois manuscris canoniques de la Bibliothèque publique de Leningrad, in: StG 12, 1967, 181-203 (auch über Hss. der »Summa«); Joseph Weitzel, Begriff und Erscheinungsform der Simonie bei Gratian und den Dekretisten, in MThS III (Kanonist. Abt.) 1967; – J. A. Brundage, The votive obligations of Crusaders. The development canon law 1, 1971, 70-73 (zeigt Hs. der »Summa« an); – A. Matina, U. nel proemio della Monarchia di Dante, in: L'Alighieri 13, 1972, 69-74; – Kenneth Pennington, The legal education of Pope Innocent III., in Bulletin of medieval canon law 4, 1974, 70-77; – G. L. Bursill-Hall, Teaching grammar of the middle ages. Notes on the manuscript tradition, in: Historiographia Linguistica 4, 1977, 1-29 (u.a. über H.: Derivationes, De dubio accentu, Rosarium); – F. Gastaldelli, Le »Sententiae« di Pietro Lombardo e l' »Expositio de symbolo apostolorum« di U. da P., in: Salesianum 39, 1977, 318-321; – B. Tierney, »Only the truth has authority«.: The problem of »reception« in the decretists and in Johannes de Turrecremata, in: Law, church and society. Essays in honor of Stephan Kuttner, Philadelphia 1977, 69-96 (u. a. mit Bezug auf H.); – Maria Gisella Colletta, Il problema della funzione culturale autonoma e della struttura interna dei lessici latini medievali (riflessioni su U. da P.), in: Annali della facoltà di lettere e filosofia dell' Università di Napoli 21:9, 1978-79, 125-137; – O. Hagender, Die Häresie des Ungehorsams und das Entstehen des hierokratischen Papsttums, in: Römische historische Mitteilungen 20, 1978, 29-47 (u. a. mit Bezug auf H.); – G. M. Gianola, Il greco di Dante. Ricerche sulle dottrine grammaticali del Medioevo, Venedig 1980 (Istituto veneto di scienze, lettere ed arti: classe di scienze morali, lettere ed arti: memorie XXXVII 3) (u. a. mit Bezug auf H.); – E. D. Hehl, Kirche und Krieg im 12. Jh., Stuttgart 1980 (u. a. mit Bezug auf H.); – Péter Erdö, L'ufficio del primate nella canonistica da Graziano a U. da P., in: Apollinaris 54, 1981, 357-398; – Ders., L'ufficio del primate nella canonistica: da Graziano alla Summa Reginensis, in: Apollinaris 55, 1982, 165-193; – Titus Lenherr, Der Begriff "executio" in der »Summa decretorum« des H., in: AkathKR 150, 1981, 5-44, 361-420; – Jana Nechutová, Z etymologického slovníku Hugutia z Pisy Liber derivationum (aus dem etymologischen Wörterbuch des H. von P. Liber derivationum), in: Studia minora facultatis philosphicae Universitatis Brunensis – series E 26, 1981, 91-96 (dt. Zusammenfassung 96); – J. Gaudemet, Le célibat ecclésiastique. Le droit et la pratique du XIe au XIIIe s., in: ZSavRGkan 99, 1982, 1-31 (u. a. mit Bezug auf H.); – H.-J. Niederehe, Der Ursprung des Wortes, Wissenschaftsgeschichtliche Bemerkungen zur mittelalterlichen Etymologie, in: Le gai savoir. Essays in linguistics, ... dedicated to the memory of M. Sandmann, ed. by H. Cranston (Potomac Studia humanitati) 1983, 69-82 (u. a. mit Bezug auf H.); – O. Limone, Liber de dubio accentu (Cod. Ambrosiano E-12-INF), in: Studi medievali 25, 1984, 317-391; – Grabmann, MGL I 70, 110; II 282; III 203, 245, 335; – Manitius III, 191-193; EI XXXIV, 622; – Aloysius van Hove, Prolegomena ad codicem iuris canonici, Mecheln/Rom 1945² (Commentarium Lovaniense in codicem iuris canonici vol. 1, tomus I) 435-436 Nr. 419; – EC XII, 720-721; – Joseph De Ghellinck, Le mouvement théologique du XIIe siècle, 1948²; – Walter Ullmann, Medieval papalism: the political theories of the medieval canonists, 1949; – Landgraf I-IV (s. Index I/2, 302 - II/2, 381 - III/2, 321 u. IV/2, 354 s. v. H.); – LThK V, 521-22; – Catholicisme V, 1014-1016; – DDC VII, 1355-1362; – NCE VII, 200-201; – Dictionary of the Middle Ages VI, 327-328.

Ta

HULL, Amelia Matilda, englische Liederdichterin, * 1825 in Marpool Hall (Exmouth), + 1882. – H. dichtete 22 Lieder für die Sammlung der Miss H. W. Soltau

»Pleasant Hymns for Boys and Girls« (1860), von denen bekannt ist »There is life for a look at the Crucified One«, deutsch von Theodor Kübler (s.d.) in der Liedersammlung des Ernst Gebhardt (s.d.) »Frohe Botschaft«, Basel 1875: »Wer Jesu am Kreuze im Glauben erblickt, wird heil zu derselbigen Stund«.

Lit.: Walter Schulz, Reichssänger. Schlüssel z. dt. Reichsliederbuch, 1930, 185; – A Dictionary of Hymnology, edited by John Julian, (1892; 1907²), I³, New York 1957, 542.

Ba

d'HULST, Maurice Lesage d'Hauteroche, Kirchenpolitiker, hoher Klerus, * 10.10.1841 in Paris, + 6.11.1896 in Paris. – H. studierte in Rom und wurde 1865 zum Priester geweiht. Er war Mitbegründer und 1876-96 neben Baudrillart berühmtester Rektor der katholischen Hochschule in Paris, an der die Fächer Jura, Orientalistik und Naturwissenschaften vertreten waren. Zwischen 1891 und 1896 war er gleichzeitig Fastenprediger in der Pariser Notre Dame. Während der Aussöhnungspolitik der Katholiken mit der Republik zwischen 1878 und 1892 war H. politisch aktiv an der sogenannten katholischen Bewegung engagiert. H. war ein Gegner der Republik, die eine Kontrolle über die Kirche, die Neutralität der Schule und die Enteignung der Kirche anstrebte. H. war aber auch gegen die Ralliementpolitik des Papstes. Leo XIII. forderte zwar eine Rechristianisierung der Gesetzgebung und der gesellschaftlichen Institutionen, war aber grundsätzlich zu einem Bündnis mit den Republikanern bereit. H. beharrte auf der Gründung einer eigenen katholischen Partei, um damit die Tradition »religiöser Defensive« fortzusetzen. Auch die Gründung eigener katholischer Hochschulen geht in diese Richtung. Gemeinsam mit Duilhe de Saint-Projet war er um eine Verwirklichung der Kongreßidee bemüht. Sie signalisierte den Nachholbedarf und die Krise der katholischen Intellektualität jener Zeit und sollte nach einem Gutachten von H. die Auseinandersetzung mit der Wissenschaft auf das zeitgenössische Niveau herbeiführen. Der erste Kongreß dieser Art fand 1888 in Paris statt, weitere folgten 1891 ebenfalls in Paris und 1894 in Brüssel mit mehr oder weniger starker Resonanz. 1897 verlor H. eine Wahl in der Bretagne gegen Hippolyte Gayraud, einem jungen, von demokratischen Ideen überzeugten Kleriker, woran zu sehen war, wie sehr auch in streng katholischen Gebieten sich die Idee der Republik gegen die Monarchie durchsetzte. – H. galt zwar als Monarchist, innerhalb des Klerus jedoch als liberaler Kirchenmann, der bemüht war, ein ausgewogenes Verhältnis zwischen kirchlichem Dogma und weltlicher Rationalität herbeizuführen. Er war ein Anhänger des sogenannten Neu-Thomismus, bildete jedoch eine Ausnahme in der Reihe konservativer Kleriker, da er die von Rationalismus, Romantik und Idealismus bestimmte katholische Erneuerungsbewegung zwar ablehnte, jedoch bestrebt war, solche Gegensätze innerhalb der Kirche zu vereinigen und so geistige Einseitigkeit zu verhindern.

Werke: De l'action indiv. dans l'éducation chrétienne, mit Coutade, 1870; Questions du jour. L'instruction obligatoire, état de la question,

1872; Vie de la mere Marie-Therese, 1872 (1883³); Les apparitions Libératrives. Panégyrique de Jeanne d'Arc, 1876; Que vont devemir Les Facultés Libres? 1880; De la crèch au calvaire, 1882; Le droit chretien et le droit moderne, 1886; L'edication superieure, 1886; Du proges en philosophie, 1887; L'Ogranisation de la societe chretienne, 1887; Melanges oratoires, 2 Bde., Vie de Just de Bréténieres, missionnaire, apost. martyrisé en Corse en 1866, 1889; 1891 (1901²); Conferences de Notre Dame, 6 Bde., 1891-96 (1923-25⁵); Melanges philosophiques, 1892 (1914³); La question biblique, 1893; M. Labbé de Broglie, 1895; Lettres de direction, 1905 (1916⁵), Nouvelles melanges oratoires, 8 Bde., 1909-1914; Pages choisies, 1926.

Lit.: R. P. Baudrillart, L'apostolat intellectuel de Mgr. d'H., in: La Quinzaine, 1. Dez. 1901, 369-392; – Ders., Vie de Mgr. d'H., 2 Bde., Paris 1912-14 (dazu Revue du Clerge francais 76, 1912, 5-21; 78, 1914, 513-524, u. Revue apologetque 27, 1919, 671-678); – Albert Houtin, La question biblique chez les catholiques de France au XIX⁵ siecle, 1902, 121 ff.; – Germain Gazagnol, Die neue Bewegung des Kath. in Fkr., 1903, 157-178; – J. Bricout, Mgr. d'H. apologiste, Paris 1919; – R. Aigrain, Les universites catholiques, ebd. 1935, 14-62; – P. Fernessole, Les conferenciers de Notre-Dame II, ebd. 1936, 237-347; – Ch. Cordonnier, ebd. 1952; – EGr VI, 1500; – Catholcisme V, 1064-1067; – LThK V, 524.

Ba

HUMANN, Johann, Jakob, Bischof von Mainz, * 7.5. 1771 in Straßburg, + 20.8.1834 in Mainz. – H. wurde 1782-1787 am königlichen Colleg in Straßburg in Rhetorik, Philosophie und Theologie unterrichtet, studierte ab 1790 im dortigen Priesterseminar und floh nach dessen Aufhebung mit dem Fürstbischof, Cardinal von Rohan, vor der französischen Revolutionsarmee nach Ettenheim Münster, wo er in der dortigen Abtei weiterhin Theologie studierte. Am 21.5.1796 wurde er in Bruchsal zum Priester geweiht, war in Franken, Mannheim und Frankfurt als Seelsorger und Hauslehrer tätig und wurde 1802 vom Mainzer Bischof J. L. Colmar zu dessen Privatsekretär, 1806 zum Generalvikar ernannt. Dieser veranlaßte H., ein »Lehr- und Gebetbuch für katholische Christen« zu schreiben. Nach Colmars Tod war H. 1819 - 1830 Bistumsverweser der Diöcese Speyer, die damals zum Bistum Mainz gehörte. Der folgende Bischof v. Mainz, Vitus Burg, starb nach dreijähriger Amtszeit und H. wurde am 16.7.1833 zum neuen Bischof der Mainzer Kirche gewählt, doch übte er dieses Amt nur wenige Monate aus.

Werke: Lehr- u. Gebetbuch für katholische Christen, 1815 (wiederholt aufgel.); Übersetzt die »Betrachtungen und Gebether für die Zeit des Jubiläums« von J. B. Bossuet, 1804; Hirtenbrief an die Gläubigen seiner Diöcese, 1834; – Predigten v. H. (m. Biographie), hrsg. v. »Freunden und Verehrern des Verewigten«, 1836.

Lit.: Rheinwald's Repertorium X, 91; – M. A. Nickel, Trauerrede, Mainz 1834; – Kirchenzeitung 1834, Nr. 144; – Schmidt's neuer Nekrolog der Deutschen XXIV/2, 1836, 627 ff.; – ADB XIII, 1881 (1969), 338; – Hurter, Nomenclator literarius V/1, 1911, 828; – Joseph Selbst, J. J. H., in: Hessische Biographien I, 1918; – Kosch KD I, 1802; – LThK.

Ba

HUMBERT (Chronebertus, Huntbertus), heilig, OSB, Abt v. Maroilles, * in Mazieres-sur-Oise (Haute Picardie), + 25.3. ca. 680. – Die Bollandisten bezeichnen H. als Gründer der Benedictiner-Abtei Maroilles in der Diözese Cambrai (Dep. Nord), an anderer Stelle wird er auch als Bischof angesprochen. Die Sage erzählt, daß das Packpferd auf einer Wallfahrt nach Rom, die er mit dem heiligen Amand und Nicasius unternahm, von einem Bären getötet wurde. Dieser trug auf H.'s Befehl hin willig ihr Reisegepäck. Die Schenkung der villa Macerices an sein Kloster 675 ist glaubhaft dokumentiert. Sein Kult soll schon im 8. Jahrhundert in Frankreich verbreitet gewesen sein, am 7. September wird H. heute in Mariolles gefeiert. H. wird mit einem Bären, das Reisebündel tragend, dargestellt oder auch mit einem Kreuz (manchmal Stern) auf der Stirn.

Lit.: L. Surius, De probatis sanctorum historiis VII, 1581, 693-695, V, 1580, 119 ff., IX, 1618, 72 f., IX, 1878, 173 ff.; – J.-M. Pardessus, (über die Schenkung der villa Macerias an H.s Kloster), (in geänderter Fassung:) NA II, Paris 1849, 155 f.; – MG SS VII, 412; – Gallia christiana (nova) III, Paris 1715 ff., 127 f.; – Jacobi Guisia, Annales Hannoniac X, 86-110 (hrsg. v. Fortia, VII, 300-372); – Legendar. Vita u. Historia translat. aus dem 11. Jh., in: AS Mart. III, 1865, 557-565 und in späterer Fassung in: AS OSB II², 768-772; – Holder-Egger, in: MG SS XV, 796-99; – Bouquet, Recueil des historiens des Gaules et de la France III, Paris 1740, 587; – J.-M. Duvosquel, La »vita« de Saint H., premier abbé de Maroilles, in: Le Moyen-Age LXXVIII, Brüssel, 1972, Nr. 1, 41-53; – L. van der Essen, Etude critique et littéraire sur les Vitae des saints mérovingiens de l'ancienne Belgique, Löwen 1906, 291-296; – Stadler II, 797 ff.; – BHL I, 601; – PL LXXXVIII, 1197; – Zimmermann I, 370 ff.; – Holweck, 495; – Dom Baudot. Dictionaire d'Hagiographie, Paris 1925, 344; – Doyé I, 530 f.; – Wimmer¹, 240; – Torsy, 246; – Albert Schütte, Die deutschen Heiligen, 1923; – LThK V, 532; – Catholicisme V, 1088.

Ba

HUMBERT (Imbert), Abt von Prully, SOCist, + 1298. – Während seiner Zeit als Abt von Preuilly (Dep. Seine-et-Marne) verfaßte der Zisterzienser mehrere nur in Handschriften enthaltene Glossen und Kommentare u. a. zur »Metaphysik« und »De anima« von Aristoteles und zu Petrus Lombardus »Sentence« und verfaßte die in vier Kapiteln gegliederte Schrift »Ars praedicandi«. H. gilt als Vater des Thomunus in der Theologie des SOCist.

Werke: Schrr.: Commentaria in universam Aristotelis metaphysicam, 1294; Commentaria in libros de anima, 1921; Ars praecandi; Questiones diversarum opinionum cum propriis rationibus; De ente et essentia utrum differant realiter vel secundum intentionem (s. u.); Commentaria succincta in quatuor libros sententiarum.

Lit.: P. Féret, La faculté de theologie de Paris et ses docteurs les plus célèbres: Moyen-âge II, Paris 1895, 583 f.; – M. Schmaus, Der Liber propugnatorius des Thomas Anglicus II, Münster 1930, 554; – D. Lottin, in: BThAM II, 1085; – P. Glorieux, Répertoire des maîtres en théologie de Paris au XIIIᵉ siècle II, 1933, 258 f.; – M. Grabmann, H. de Prulliaco, O. Cist., abbatis de Prulliaco, Questio de ente et essentia.... cum introductione historia edita, in: Angelicum XVII, 1940, 352-369; – F. Stegmüller, Repertorium commentariorum in sententius Petri Lombardi I, 1947. 381 ff.; – Jöcher II, 1750 (1961), 1770; – Bibliotheque des Ecrivains de L'ordre de St. Benoît I, 1778, 522; – HistLitFrance XXI, 86-90; – NBG XXV, 1858, 485; – LThK V, 532; – Catholicisme V, 1093.

Ba

HUMBERT von Romans, Ordensgeneral, * ca. 1200, + 14.7.1277 im Kloster Valence. – Am 30.11.1224 erfolgte der Eintritt H.s in den Dominikanerorden. Ab 1226 war er als Lektor der Theologie in Lyon tätig,

zwischen 1236-39 Prior ebenda. 1240 war er Prior des gesamten französischen Ordensprovinzials und schließlich, 1241, wurde er von der Mehrheit der Kardinäle zum Papst ausersehen. Seine Wahl scheiterte jedoch an politischen Widerständen innerhalb der römischen Regierung, besonders an der Intervention des Senators Matthäus Orsini. 1254 stieg er zum Ordensgeneral auf, eine Position, die er bis 1263 beibehalten konnte. In dieser Zeit initiierte er eine Neuregelung der Ordensliturgie und setzte sich im Ecclesiasticum Officium für eine Regulierung des Ordenslebens ein. – Er verfaßte eine Denkschrift im Auftrag Gregors X. Dieses Werk, Opus tripartitum, ist eine Verteidigungsschrift für die Kirchenreform, den Kreuzzugsgedanken und beschreibt das Verhältnis zu den Arabern. Weiterhin beschäftigt es sich mit den Ursachen und Auswirkungen des griechischen Schismas, der Wiederherstellung der christlichen Einheit und der Förderung der Heidenmission. In seinen Predigtskizzen gibt er Anleitungen zur Predigtvorbereitung und zur Kreuzpredigt und Anwendungsvorschläge für Mirakel- und Fabelliteratur. Die Lektüre seiner Werke gehörte im Mittelalter zur Pflichtlektüre studierender Dominikaner.

Werke: Opera de vira regulari, hrsg. v. J. J. Berthier, 2 Bde., Rom 1888 f. (z. T. übers. v. G. Banten, Vechta 1928); Predigtskizzen, in: MBP 25, Lyon 1677, 426 ff. MOP III, 66 ff.

Lit.: A. Mortier, Histoire des maitres generaux de l'ordre des freres precheurs I, Paris 1903, 415-664; – Karl Michel, Das opus tripartitum des H. de R. Btrr. z. Gesch. der Kreuzzugsidee u. der kirchl. Unionsbewegungen, Graz 1926²; – Karl Wenck, in: QFIAB 18, 1916, 101-170; – Fritz Heintke, H. v. R., der 5. Ordensmeister (Hist. Stud. 222), 1933; – V. Cramer, H. v. R. Traktat ü. d. Kreuzpredigt, in: Das hl. Land 79 (1935), 132-53, 80 (1936) 11-23, 43-60, 77-98, mit Textauszügen; – AFP 3, 1933, 262-267; 16, 1946, 166-181; 24, 1954, 108-144; 28, 1958, 267-270; – Angelus Walz, Compendium historiae Ordinis Praedicatorum, Rom 1948², 38 ff. 184 ff. u. ö.; – R. Creytens, Commentaire inedits d'H. de R. sur quelques points des constitutions dominicaines, in: AFP 21, 1951, 197-214; – Claude Carozzi, H. de R. et l'Histoire, L'Année Charniere, Paris 1974, 849-62; – Ders., Le monde Laic suivant, H. d. R., ebd. 1977, 233-60; – Robert Taylor-Vaisey, Regulations for the operations of a medieval Library, by H. d. R., in: The Library, London 1978, XXIII, 1, 47-50; – Quetif-Echard I, 141-148; – Grabmann, MGL O, 156. 162 ff.; – DThC VII, 310 f.; – EC XII, 736 ff.; – LThK V, 533; – RGG III, 484; – VerfLex IV, 2. Aufl. 1982, Sp, 298-301; – HdKG III/2, 220-222, 260, 284, 361.

Ba

HUMBERT von Silva Candida, Kardinal und Theoretiker, * etwa 1010, + 5.5.1061. H. war burgundischer Abstammung, wurde im Kloster Moyenmoutier erzogen und war schon als Kind für den Ordensstand vorbestimmt. Seit 1015 war er Oblate in Moyenmoutier, bis ihn Leo IX. (s.d.) 1049 nach Rom rief. Dort war er Berater Leos und entschiedener Gegner der Simonie, der Besetzung kirchlicher Ämter durch Personen mit weltlicher Macht. H. galt als einflußreicher Vertreter der cluniazensischen Reformbewegung. Ein Jahr später wurde er Erzbischof von Sizilien, dann 1051 Bischof von Silvia Candida und Kardinal. 1054 wurde er vom Kardinal Leo als Vorsitzender einer päpstlichen Gesandtschaft zusammen mit Friedrich v. Lothringen und Erzbischof Peter v. Amalfi (s.d.) nach Konstantinopel geschickt; aufgrund der gefährlichen militärischen Lage, des Bündnisses des oström. Kaisers mit der römischen Kirche, welches zur Schließung der Kirchen lateinischen Ritus in Konstantinopel geführt hatte, legten die päpstlichen Legaten dort am 16. Juli 1054 die römischen Bambule nieder. Daraufhin belegte der Patriarch v. Konstantinopel, Cärularius (s.d.), die Legaten mit Anathema. Leo IX. starb während dieser Mission H.s, welcher dann in die Dienste des neuen Papstes, Viktor II. (s.d.), eintrat. 1057 konnte er den Sturz des Abbés Petrus v. Monte Cassino (s.d.) verhindern und wurde nach dem Tode Viktors im gleichen Jahr von Kardinal Friedrich als dessen Nachfolger vorgeschlagen. Dieser wurde jedoch selbst zum Papst ernannt (Stephan IX., s.d.) und H. erhielt die Stellung des Bibliothecarius sanctae romanae et apostolicae sedis. Er blieb auch in Rom, nachdem Heinrich III. Gregor XIII. zum Papst ernannt hatte. Während der Amtszeit Stephans entstanden 1058 seine drei Bücher gegen die Simonisten, in denen er sich direkt gegen den Liber gratissimus von Petrus Damiani (s.d.) wendet, der, aus theologischer Sicht, die simonistischen Weihen für gültig erklärte. Die »3 adversus simoniacos« sind ganz vom Geist der Reformationsbewegung durchdrungen und als theoretische Grundlage für die Auseinandersetzung der späteren gregorianischen Partei während des Investiturstreites zu werten.

Werke. Libri 3 adversus simoniacos, in: MGLiblit I, 95-253.

Lit.: A. Pichler, Gesch. der kirchl. Trennung zw. dem Orient u. Okzident I, 1864, 258 ff.; – Hermann Halfmann, Card. H., sein Leben u. seine Werke, mit bes. Berücks. seines Traktates » Libri tres adversus Simoniacos« (Diss. Göttingen), 1883; – J. Langen, Geschichte d. röm. Kirche bis Gregor VIII, Bonn 1892; – Carl Mirbt, Die Publizistik im Zeitalter Gregors VII., 1894, 144 ff.; – A. Fliche, in: RevHist 69, 1915, 41-76; – Ders., La Reforme Gregorienne I, Louvain 1924, 265-308; – Anton Michel, H. u. Kerullarios. Qu. u. Stud. z. Schisma des 11. Jh.s I, 1924; II, 1930; – Ders., P. E. Schramm, Kaiser, Rom u. Renovatio II, 1929, 120-36; – Ders., Papstwahl u. Kg.recht oder Das Papstwahl-Konkordat v. 1059, 1936; – Ders., Die Sentenzen des Kard. H., das erste Rechtsbuch der päpstl. Reform, 1943 (Nachdr. 1952): Die folgenschweren Ideen d. Kard. Humbert u. ihr Einfluß auf Gregor VII, in: StudGreg I, 1947, 65-92; – Ders., Die Anfänge d. Kard. Humbert, in: StudGreg 3, 1948, 299-319; – Ders., H. v. S. C. bei Gratian, in: Studia Gratiana I, 1953, 83-117; – Ders., Die Ecbasis cuusdam captivi per tropologiam, ein Werk H.s, in: SAM 1957, H. 1; – Ders., Die Akten Gerhards v. Toul als Werk H.s u. die Anfänge der päpstl. Reform 1028-1050, ebd. H. 8; – H. Tritz, Die hagiogr. Qu. z. Gesch. Papst Leos IX., in: StudGreg 4, 1952, 191-364; – A. Michel, Humbert u. Hildebrand bei Nikolaus II., HJ 72, 1953, 133-61; – J. J. Ryan, Card. H.' De s. Romana ecclesia, in: MS 20, 1958, 206-238; – Henning Hösch, Die kanon. Qu. im Werk H.s v. Moyenmoutier. Ein Btr. z. Gesch. der vorgregorian. Reform (Diss. Berlin FU), Köln - Wien 1970; – Karl-Hermann Kandler, Die Abendmahlslehre des Kard. H. u. ihre Bedeutung f. das ggw. Abendmahlsgespräch (Diss. Leipzig, 1966), Berlin 1971; – RE VIII, 445; – RGG III, 484 f.; – Catholocisme V, 1090-1093; – LThK V, 532 f.; – HdKG III/1, 404-11. 413-17. 473-83. 535 f.; – HdKG III/2, 146.

Ba

HUMBOLDT, Alexander von, Naturforscher, Forschungsreisender, Geograph und Kosmograph, * 14.9. 1769 in Berlin, + 6.5. 1859 ebd. – Nach dem frühen Tod des Vaters Alexander Georg von Humboldt, 1779, erhielten die Brüder Alexander und Wilhelm sorgfältige Unterrichtung durch Hauslehrer. Die Mutter Marie Elisabeth bewegte H. zum Studium der Kameralwissenschaften, welches er 1787 für ein Semester in Frankfurt/Oder begann. Wieder in Berlin lernte er hauptsächlich bei dem Technologen Joh. Beckmann und dem

Botaniker C. L. Willdenow. 1789 studierte H. in Göttingen, unternahm botanische Exkursionen und lernte J. G. Forster kennen. Nach weiteren Semestern der Kameralwissenschaften, beendete er sein Studium 1792 bei G. A. Werner an der Bergakademie in Freiberg. Systematisch geschult war H. nur in den Bergbau- und Wirtschaftswissenschaften. Das Wissen in den anderen Bereichen, in denen er tätig wurde, eignete er sich autodidaktisch an. Von 1792-1796 war H. als Bergassessor im preußischen Staatsdienst. Seine Entwicklungen zur Arbeitssicherheit der Bergleute, die Ertragssteigerungen der von ihm betreuten Werke und seine Veröffentlichungen, Experimente und Entdeckungen ließen ihn 1794 zum Bergrat befördern werden. Aber selbst großzügige Beurlaubungen und eine weitere Beförderung 1795 konnten H. nicht im Staatsdienst halten. Nach dem Tod der Mutter 1796 bereitete er sich, mit einem Erbe von 85.000 Talern ausgestattet, auf eine große Reise außerhalb Europas vor. Von 1799-1804 bereiste H. zusammen mit A. Bonplant die Gebiete der heutigen Staaten Venezuela, Kuba, Kolumbien, Ecuador, Peru und Mexiko und bestieg den Chimborazo. Ansporn bei allen Strapazen war, wie auch bei seinen späteren Reisen, Beobachtungen und Veröffentlichungen, das Bemühen um eine Gesamtdarstellung der Wissenschaften. Nachdem er 1805 in Berlin als Kammerherr zur Beratung des Königs mit einer Pension ausgestattet worden war, lebte er bis 1827 meist in Paris und arbeitete an der Auswertung der Reise und der Herausgabe der »Voyage aux régions équinoxiales du Nouveau Continent«, des größten privaten Reisewerks der Geschichte. In ihm begründete H. am Beispiel Mexikos die Pflanzengeographie und die moderne Landeskunde. 1827 begann er mit seinen »Kosmos«-Vorlesungen an der Berliner Universität. Auf Einladung des russischen Zaren bereiste H. 1829 über das Baltikum und Moskau den Ural und befuhr das Kaspische Meer. Von 1830-1854 war H. mit diplomatischen Aufträgen, als Begleiter des Königs Friedrich Wilhelm III., ab 1840 noch stärker in Anspruch genommen von dessen Nachfolger Friedrich Wilhelm IV., oder zu Besuchen der Naturforscher- und Ärztekongresse unterwegs. Neben politischem und sozialem Engagement, z. B. gegen die Sklaverei und gegen die Judengesetze, und Unterhalten von intensiven Kontakten und Korrespondenzen zu Künstlern und Wissenschaftlern, arbeitete er bis zu seinem Tod am »Kosmos«, einem Werk seiner Jugendträume, dem Versuch einer physischen Weltbeschreibung aufgrund eigener Forschungen auf allen Gebieten und der Zusammenfassung der diesbezüglichen Literatur der Welt. Nachdem er am 21.4.1859 bettlägerig geworden war, starb H. am 6.5. in seiner Wohnung in Berlin und wurde am 11.5. im Park des Tegeler Schlosses der Familie Humboldt beigesetzt. – Aufgrund seiner vielfältigen Begabungen, seines uneigennützigen Einsatzes, wenn es um wissenschaftliches Erkennen ging, seines Fleißes, seines Schaffens bis unmittelbar zum Lebensende und seines Bestrebens, die gesamte Welt als ein durch innere Kräfte bewegtes und belebtes Naturganzes systematisch darstellen und den Geist des klassischen Idealismus mit dem der aufstrebenden Naturwissenschaft vereinigen zu wollen, hat ·H.s Lebenswerk einen so großen Umfang und unübertroffene Vielschichtigkeit, daß eine Gesamtdarstellung außerordentlich schwerfällt und eine Würdigung fragmentarisch bleiben muß. In seiner einzigartigen Universalität blieb er vielen seiner Zeit ein unerreichbares Vorbild, im aufkommenden Positivismus empfanden ihn manche Spezialforscher als hemmende Bürde.

Werke: Abh. v. Wasser im Basalt, in: Crell (Hrsg.), Chemische Annalen f. d. Freunde d. Naturlehre, Arzneygelahrtheit, Haushaltungskunst u. Manufacturen I, 1790, 414-418; Ueber d. metallischen Streifen im Unkler Basalte, in: ebd. II, 1790, 525 f.; Kurze Nachrichten, in: Römer/Usteri (Hrsg.), Mgz. f. d. Botanik 11, 1790, 185 ff.; Mineralogische Beobachtungen über einige Basalte am Rhein, 1790; Über d. Syenit oder Pyrocilus d. Alten, in: Rau, Neue Entdeckungen I, 1791, 134-138; Versuch über einige physik. u. chem. Grundsätze d. Salzwerkskunde, in: Köhler/ Hoffmann (Hrsg.), Bergmännisches Journal 5, I, 1792, 1-45 u. 97-141; Aphorismen aus d. chem. Physiologie d. Pflanzen, 1794; Versuche über d. gereizte Muskel- u. Nervenfaser, nebst Vermuthungen über d. chem. Process d. Lebens in d. Thier- u. Pflanzenwelt, 1797; Voyage aux régions équinoxiales di Nouveau Continent, fait en 1799, 1800, 1801, 1802, 1803 et 1804 par A. de H. et Aimé Bonpland, redigé par A. de H., ca. 36 Bde., Paris 1805-1834; Über d. Schwankungen d. Goldproduktion mit Rücksicht auf staatswirtsch. Probleme, in: DtVjschr., 1838; Kosmos, Entwurf e. phys. Erdbeschreibung, 5 Bde., 1845-1862; Briefwechsel A. v. H.s mit Goethe, 1876; Jugendbriefe H.s 1787-1799 (hrsg. v.: I. Jahn u. F. G. Lange), 1973; – Gesammelte Werke, 12 Bde., 1889 (15 Bde., 1903-1920); – Julius Löwenberg, A. v. H., Bibliogr. Übersicht·s. Werke, Schriften u. zerstreuten Abhh., in: Karl Bruhns, A. v. H., E. wiss. Biogr., 3 Bde., 1872 (Neudr.: 1960); A. v. H., Bibliogr. seiner ab 1860 in dt. Sprache hrsg. Werke u. d. seit 1900 erschienenen Veröffentlichungen über ihn, hrsg. v. d. Dt. Bücherei i. A. d. H.-Komitees d. Dt. Demokr. Republik, 1959; s. a.: Hanno Beck, A. v. H., Bd. II, 1961, 347-380.

Lit.: Friedrich Wilhelm v. Schütz, A. v. H.s Reisen um d. Welt u. durch d. Innere v. Südamerika, 1805; – Hermann Klencke, A. v. H., Ein biogr. Denkmal, 1851 (1852², 1859³, 1870⁶); – Hermann Kletke, A. v. H.s Reisen in Amerika u. Asien, 2 Bde., 1854-1855; – Ders., H.s Reisen im europ. u. asiat. Rußland, 2 Bde., 1861; – Wilhelm Konstantin Wittwer, A. v. H., Sein wiss. Leben u. Wirken, 1861; – Henry Stevens, The H.-Library, London 1863 (Nachdr.: 1967); – A. Bernstein, A. v. H. u. d. Geist zweier Jhh., 1869; – Alfred Dove, D. Forsters u. d. H.s, 1881; – Wilhelm Buchner, A. v. H., 1882; – Wiss. Btrr. z. Gedächtnis d. 100j. Wiederkehr d. Antritts v. A. v. H.s Reise nach Amerika am 5.6.1799, hrsg. v. d. Ges. f. Erdkde. z. Berlin, 1899; – G. Heller, D. Weltanschauungen A. v. H.s in ihren Beziehungen z. d. Ideen d. Klassizismus, 1910; – Ernst Wittich, H.s Reisen in Mexiko, 1910; – Wiss. Festschr. z. Enthüllung d. v. S. M. Kaiser Wilhelm II. dem Mexikan. Volke z. Jubiläum s. Unabhängigkeit gestifteten H.-Denkmals, 1910; – Joseph Baer, A. v. H., Kat. e. Smlg. s. Werke, Portraits u. Schriften, 1913; – Alfred Dove, D. Gebrüder v. H., 1925; – Ewald Banse, Landschaft u. Seele, 1928, 378-452; – Ruth Flad, D. Begriff d. öffentl. Meinung bei Stein, Arndt u. H., 1929; – L. Döring, Wesen u. Aufgaben d. Geogr. bei A. v. H., in: Frankfurter Geograph. Hh. V., 1, 1931; – A. Leitzmann, George u. Therese Forster u. d. Brüder H., Urkk. u. Umrisse, 1936; – Paul Binswanger, D. Brüder Wilhelm u. A., in: Ders., Wilhelm v. H., 1937, 62-66; – Walter Linden, A. v. H., Weltbild d. Naturwiss., 1940; – Rheder Heinz Carsten, A. v. H., Ein Begründer d. dt. Naturwiss., 1944; – W. v. Hagen, South America Called Them, New York 1945 (dt.: 1948); – Willy Möbus, A. v. H., D. Monarch d. Wissenschaften, 1948; – Ernst Plewe, A. v. H., 1951; – Mario Kramer, A. v. H., Mensch, Zeit, Werk, 1954; – Friedrich Muthmann, A. v. H. u. s. Naturbild im Spiegel d. Goethezeit, 1955; – Lionel Rayfred, La obra de A. v. H. en Mexico, Mexiko 1956; – Helmut de Terra, A. v. H. u. s. Zeit, 1956 (1959²); – Rudolph Žaunick, A. v. H., Kosmische Naturbetrachtung, 1958; – Hanno Beck, Gespräche A. v. H.s, hrsg. i. A. d. A. v. H.-Kommission d. Dt. Akademie d. Wiss. zu Berlin, 1959; – Ders., Dr. Caspar Garthe, Leben u. Werk d. Gründers d. Kölner Zoos, in: Freunde d. Kölner Zoo 3, 1960, 49-53; – Ders., A. v. H., 2 Bde., 1959-1961; – Ders., Thaddaeus Haenke u. A. v. H., in: Forschungen u. Fortschritte 35, 1961, 65-71; – Ders., A. v. H. u. Mexiko, 1966; – Richard Bitterling, A. v. H., 1959; – Hans Ertel, A. v. H., Gedekschr. d. Dt. Akademie d. Wiss. zu Berlin, 1959; – G. Harig (Hrsg.), A. v. H., Eine Auswahl, 1959; – Karl Fouquet, A. v. H. 1769-1859, Bildnis eines großen Menschen, 1959; – Robert Mertens, A. v. H. u. Frankfurt am Main, 1959; – Theodor Schmucker, A. v. H. z. Gedächtnis, 1959; – Franz Schnabel, A. v. H., 1959; – Joachim H. Schultze, A. v. H., Stud. zu s. universalen Geisteshaltung, 1959; – Edgar Bonjour, Briefe A. v. H.s an Johannes v. Müller, in: Schweizerische Zs. f. Gesch. 10, 1960, 422-429; – Alejandro Cioranescu, A. d. H. en Tenerife, 1960; – Johannes F. Gellert (Hrsg.), A. v. H., Vorträge u. Aufsätze anlässlich d. 100. Wie-

derkehr s. Todestages am 6.5.1959, 1960; – O. Oelser, A. v. H., 1960; – Juan A. Ortega y Medina, H. desde Mexico, Mexiko 1960; – Natalja G. Suchova, A. v. H. in d. russ. Lit., Bibliogr., 1960; – A. v. H., Seine Bedeutung f. d. Bergbau u. d. Naturforschung, in: Freiburger Forschungshefte 33, 1960; – Ensayos sobre H., hrsg. v. d. Philos. Fak. d. Univ. Mexiko, 1962; – KurtReinhard Biermann, Aus d. Vorgesch. d. Aufforderung A. v. H.s v. 1836 an d. Präsidenten d. Royal Society z. Errichtung geomagnetischer Stationen, in: Wiss. Zs. d. H.-Univ., math.-nat. R. 12, 1963, 209-227; – Ders., D. Probleme d. Schwereänderung u. d. Polhöhenschwankungen sowie Fragen d. Sterblichkeits- u. Blitzstatistik in d. Brief v. C. F. Gauß an A. v. H., in: Forsch. u. Fortschr. 39, 1965, 357-361; – Ders., C. F. Gauß im Spiegel s. Korrespondenz m. A. v. H., in: Mitteilungen Gauß-Ges. 4, 1967, 5-18; – Ders., A. v. H., Chronol. Übersicht über wichtige Daten s. Lebens, Btrr. z. A. v. H.-Forsch. 1, 1968; – Ders., D. Briefwechsel zw. A. v. H. u. C. G. J. Jacobi über d. Entdeckung d. Neptun, in: NTM 6, 1969, 61-67; – Ders., Steifichter zur geophysikal. Aktivitäten A. v. H.s, in: Gerlands Beitr. Geophysik 80, 1971, 277-291; – Ders., D. Brief A. v. H.s an Wilhelm Weber v. Ende 1831, in: Monatsber. d. Dt. Akad. Wiss. 13, 1971, 234-242; – Ders., D. »Memoiren A. v. H.s«, in: ebd., 382-389; – Ders., A. v. H. über d. Vorläufer d. programmgesteuerten Rechenautomaten, in: NTM 9, 1972, 21-24; – Ders., A. v. H.s Forschungsprogramm v. 1812 u. dessen Stellung in H.s indischen u. sibirischen Reiseplänen, in: Studia z dziejów geografii i kartografii, 1973, 471-483; – Ders., A. v. H. zu Newton in Beziehung gesetzt durch C. F. Gauß, in: Mitt. Mathem. Ges. DDR 1/2, 1974, 162-167; – Ders., Briefwechsel zw. A. v. H. u. C. F. Gauß, 1977; – Ders., Briefwechsel zw. A. v. H. u. Peter G. Lejeune Dirichlet, Btrr. z. A. v. H.-Forsch. 7, 1982; – Ders., Vier Jahrzehnte Wissenschaftsförderung, Briefe an d. preuß. Kultusministerium 1818-1859, Btrr. z. A. v. H.-Forsch. 14, 1985; – Lotte Keller, A. v. H., 1963; – Gerhard Engelmann, A. v. H.s Plan e. geograph. Zschr., in: Geograph. Zschr. 52, 1964, 317-324; – Ders., A v. H.s Abhh. über d. Meeresströmungen, in: Petermanns Geograph. Mitt. 113, 1969, 100-110; – Ursula Goetzl, A. v. H. als Geschichtsschreiber Amerikas (Diss. München), 1964; – Werner Hartke / Edgar Lehmann u. a. (Hrsg.), Btrr. z. A. v. H.-Forsch., Schriftenreihe d. A. v. H.-Kommission d. Dt. Akad. d. Wiss. zu Berlin, 1968 ff.; – Hans Hartmann u. a., D. Brüder H. heute, 1968; – Herbert Scula, A. v. H., Sein Leben u. Wirken, 1968⁶; – G. Engelmann, A. v. H. in Potsdam, 1969; – Peter Hahlbrock (Hrsg.), A. v. H. u. s. Welt, 1969; – Ilse Jahn, D. Leben auf d. Spur, D. biolog. Forsch. A. v. H.s, 1969; – Adolf Meyer-Abich, A. v. H., 1969; – Ders., D. Vollendung d. Morphologie Goethes durch A. v. H., 1970; – Charles Minguet, A. d. H., Historien et géographie de l' Amerique espagnole (Diss. Paris), 1969; – Heinrich Pfeiffer (Hrsg.), A. v. H., Werk u. Weltgeltung, 1969; – P. Schoenwaldt, D. Schicksal d. Nachlasses A. v. H.s, in: Jb. Preuß. Kulturbes., 1969; – A. v. H., Festschr. d. Dt. Akad. d. Wiss., 1969; – Herbert Wilhelmy, A. v. H., 1970; – Robert van Dusen, The Litery Ambitions and Archievements of A. v. H., 1971; – Wilhelm Richter, D. Wandel d. Bildungsgedanken, D. Brüder v. H., d. Zeitalter d. Bildung u. d. Gegenwart, Hist. u. päd. Stud. 2, 1971; – Renate Loeschner, Lateinamerik. Landschaftsdarstellungen d. Maler aus d. Umkreis v. A. v. H. (Diss. Berlin), 1976; – Kurt Müller (Hrsg.), Universalismus u. Wiss. im Werk u. Wirken d. Brüder H., 1976; – Halina Nelken, A. v. H., Bildnisse u. Künstler, 1980; – J. F. G. Grosser / F. Schmeidler, H. u. Salzburg, 1982; – Philip S. Foner (Hrsg.), On Slavery in the United States, 1984; – A. v. H.-Stiftung 1953-1983, 1984; – ADB XIII, 358; – Taschenlex. d. dt. Lit., 1953, 74; – NDB X, 33-43; – DLL VIII, 276-279; – Philos. Wb., 1982² 1, 292 f.; – Dt. Lit. Gesch., 1984², 271.

Ue

HUMBOLDT, Wilhelm von, preußischer Staatsmann, Sprach- und Kunstwissenschaftler, Vertreter des humanistischen Bildungsideals, * 22.6.1767 in Potsdam, + 8.4.1835 in Tegel. – H. entstammte als Sohn eines Offiziers dem preußischen Beamtenadel. Er wurde von Hauslehrern, u. a. von Joachim Heinrich Campe, erzogen, studierte in Frankfurt/Oder und Göttingen Rechtswissenschaft und besuchte 1789 Frankreich. Nach Ablegen der juristischen Prüfungen wurde er 1790 Referendar am Berliner Kammergericht, nahm aufgrund großer Unzufriedenheit mit der preußischen Justiz nach einem Jahr wieder seinen Abschied, heiratete Karoline von Dacheröden und zog sich zum Selbststudium auf das Gut seines Schwiegervaters nach Thüringen zurück. 1792 verfaßte er die »Ideen zu einem Versuch, die Grenzen der Wirksamkeit des Staates zu bestimmen«, in denen sich H. dafür aussprach, all jene Tätigkeiten dem Zugriff des Staates zu entziehen, die der freien, ungehemmten Wirksamkeit der Bürger entspringen. Selbst die öffentliche Erziehung wurde von H. abgelehnt, da sie darauf gerichtet ist, den Menschen in bürgerliche Formen zu drängen und Entfaltung von Individualität und Eigenart zu behindern. Nach seiner Übersiedllung nach Jena im Februar 1974 bekam H. Kontakt zu führenden Vertretern der Weimarer Klassik, wurde Mitarbeiter an Schillers »Horen« und lernte die Brüder Schlegel kennen. Nachdem er 1797 Jena verlassen hatte, unternahm er von Paris aus Reisen nach Spanien. Von 1801 bis 1808 war er als preußischer Gesandter in Rom und wurde 1809 Leiter der Sektion für Kultur und Unterricht im preußischen Innenministerium. In diesem Amt bereitete er die Gründung der Berliner Universität vor und konzipierte das neuhumanistische Gymnasium. 1810 ging er als preußischer Gesandter nach Österreich, nahm 1814/15 am Wiener Kongreß teil und wurde 1816/17 nach London geschickt. Im Januar 1819 wurde er Minister für städtische und kommunale Angelegenheiten, doch aufgrund seines Auftretens gegen die Karlsbader Beschlüsse noch im selben Jahr zum Rücktritt gezwungen. Seit 1820 lebte H. auf dem väterlichen Schloß Tegel und widmete seine letzten fünfzehn Lebensjahre der Sprachforschung und Sprachphilosophie, deren Erkenntnisse er in zahlreichen Veröffentlichungen vorlegte. Schon seit 1829 immer stärker an der Parkinsonschen Krankheit leidend gewesen, starb H. am 8. April 1835 und wurde vier Tage später neben seiner 1829 verstorbenen Frau im Familiengrab der Humboldts beigesetzt. – H.s philosophische Entwicklung war hauptsächlich von Kant, aber auch von den ästhetischen Anschauungen der Aufklärung und den Geschichtstheorien Herders, geprägt. Sein Wirken als Staatsmann mit der Bestrebung zu einer preußisch-liberalen Verfassung konnte aufgrund der konservativen Kräfte in Deutschland nicht zur vollen Geltung kommen. Mit seiner Sprachphilosophie ist H. zum Anreger der vergleichenden Sprachwissenschaft geworden. Besonders seine Gedanken einer von der Sprachanalyse ausgehenden Kulturphilosophie sind von der späteren Sprachforschung wieder aufgenommen und vertieft worden.

Werke: Ideen zu einem Versuch, die Gränzen der Wirksamkeit des Staates zu bestimmen, 1792; Ueber das Studium des Alterthums, u. die Griechischen insbesondere, 1793; Ueber den Geschlechtsunterschied u. dessen Einfluß auf die organische Natur, 1795; Ueber die männl. u. weibl. Form, 1795; Das 18. Jh., 1796/1797; Ästhetische Versuche; Das Montserrat, bey Barcelona, 1800; Latium u. Hellas oder Betrachtungen über das classische Alterthum, 1806; Gesch. des Verfalls u. Untergang der Griechischen Freistaaten, 1807/1808; Die Königsberger u. der litauische Schulplan, 1809; Über die innere u. äußere Organisation der höheren wissensch. Anstalten in Berlin, 1808/1810; Über Sprachverwandtschaft, 1812/14; Denkschrift über die künftige Verfassung Deutschlands, 1813; Über die Behandlung der Angelegenheiten des Dt. Bundes durch Preußen, 1816; Denkschrift über Preußens ständige Verfassung, 1819; Ueber die vergleichende Sprachstud. in Beziehung auf die versch. Epochen der Sprachentwicklung, 1820; Unterss. über die Urbewohner Hispaniens vermittels der bask. Sprache, 1820/21; Ueber die Aufgabe des Geschichtsschreibers, 1821; Versuch einer Analyse der Mexikan. Sprache, 1821; Über das Entstehen der grammat. Formen, u. ihren Einfluß auf die Ideenentwicklung, 1821; Über den Einfluß des versch. Charakters

der Sprachen auf Lit. u. Geistesbildung, 1821; Inwiefern läßt sich der ehem. Culturzustand der eingeborenen Völker Amerikas aus den Ueberresten ihrer Sprachen beurtheilen?, 1823; Über den Zshg. der Schrift mit der Sprache, 1823/24; Über vier Aegyptische, löwenköpfige Bildsäulen in der hiesigen Königl. Antikensammlungen, 1825; Über die unter dem Namen Bhagavad-Gítá bekannte Episode des Mahá-Bhárata, 1825/26; Über den grammat. Bau der chines. Sprache, 1826; Unterss. über die amerikan. Sprache, 1826; Ueber den Dualis, 1827; Ueber der Verwandtschaft der Griech. Plsuquamperfectum, der reduplicirenden Aoristé u. der Attischen Perfecta mit einer Sanskritischen Tempusbildung, 1828; Über die Sprachen der Südseeinseln, 1828; Über die Verwandtschaft der Ortsadverbien mit dem Pronomen in einigen Sprachen, 1829; Vorerinnerung, Ueber Schiller und den Gng seiner Geistesentw., 1830; Recension v. Goethes Zweitem römischen Aufenthalt, 1830; Über die Kawi-Sprache auf der Insel Java, nebst einer Einleitung über die Verschiedenh. des menschl. Sprachbaues u. ihren Einfluß auf die geist. Entwickl. des Menschengeschlechts, 3 Bde., 1830-1835; – Carl Brandes (Hrsg.), Ges. Werke, 7 Bde., 1841-1852; A. Leitzmann (Hrsg.), Ges. Schrr., 17 Bde., 1903-1936 (Nachdr.: 1967-1968); Flitner/Giel (Hrsg.), Werke in fünf Bde., 1960 ff.; – Karl Goedeke, Grundriß z. Gesch. der dt. Dtg. 14, 1959², 502-578, 1015-1016 (Bibliogr.); Andreas Flitner (Hrsg.), W. v. H., 1956, 145-151 (kommentierte Bibliogr.); Eberhard Kessel, W. v. H., Idee u. Wirklichkeit, 1967, 249-258 (Bibliogr.); H. Arens, Sprachwiss., 1969², 763 (Bibliogr.).

Lit.: Max Schasler, Die Elemente der philos. Sprachwiss. W. v. H.s, 1847; – Karl Ohly, W. v. H., 1848; – Rudolf Haym, W. v. H., 1856; – Heymann Steinthal, Die Sprachwiss. W. v. H.s u. die Hegel'sche Philos., 1848; – Ders., Der Ursprung der Sprache, 1851; – Otto Harnack, Goethe u. W. v. H., in: Vjschr. f. Lit.-Gesch. 1, 1888, 225-243; – Ders., W. v. H., 1913; – Richard Fester, H.s u. Rankes Ideenlehre, in: Dt. Zs. f. Gesch. Wiss. 6, 1891, 235-256; – Bruno Gebhard, W. v. H. als Gesandter in Wien, in: Dt. Zs. f. Gesch. Wiss. 12, 1894/95, 77-152; – Ders., W. v. H.s Ausscheiden aus dem Ministerium um 1810, in: Hist. Zs. 74, 1895, 44-68; – Ders., W. v. H. als Staatsmann, 2 Bde., 1896-1899 (Nachdr.: 1965); – Arturo Farinelli, G. de H. et l'Espagne, in: Revue hispanique 5, 1898, 1-218; – Otto Kittel, W. v. H.s geschichtl. Weltanschauung im Lichte der klass. Subjektivismus der Denker u. Dichter von Königsberg, Jena u. Weimar, 1901; – Maximilian Blumenthal, W. v. H. u. Varnhagen von Ense, in: Westermanns Monatsheft 96, 1904, 422-436; – Michael Glossner, W. v. H.s Sprachwiss. in ihrem Verhältnis zu den philos. Systemen seiner Zeit, in: Jb. für Philos. u. spekul. Theol. 20, 1906, 129-160; – Hermann Graef, W. v. A. v. H., 1907; – Felix Müssler, W. v. H.s pädagog. Ansichten im Lichte seiner ästhetischen Lebensauffassung, 1908; – Moritz Scheinert, W. v. H.s Sprachphilos., 1908; – Eduardt Spranger, W. v. H.s Abh. »Über die Aufgabe des Geschichtsschreibers«, in: Hist. Zs. 100, 1908; – Ders., W. v. H. u. d. Reform des Bildungswesens, 1910 (Neuausg.: 1960); – Ders., W. v. H., Zu seinem 100. Todestage am 8. April 1935, in: Der humanist. Gymn. 46, 1935, 65-77; – Ders., W. v. H., in: Die Erziehung 10, 1935, 385-391; – Adolf Harnack, Leibniz u. W. v. H. als Begründer der Königl. Preuß. Akad. der Wiss., in: Preuß. Jbb. 140, 1910, 197-208; – Meta Hübler, Die Bedeutung der Individualität in W. v. H.s Lebensauffassung (Diss. Leipzig), 1910; – Julius Schönemann, Zur neueren Lit. über W. v. H. u. seine Bedeutung für das dt. Bildungswesen, in: Jbb. f. Pädagogik 13, 1910, 549-578; – Ders., Schiller u. W. v. H., in: ebd., 273-291; – Gustav v. Struyk, W. v. H.s Ästhetik als Versuch einer Neubegründung der Sozialwiss., 1911; – Hans u. aus der Fuente, W. v. H.s Forsch. über Ästhetik, 1912; – Albert Leitzmann, W. v. H.s Sonettdichtung, 1912; – Ders., W. v. H., 1919; – Ders., Georg u. Therese Forster u. die Brüder H., 1936; – Siegfried August Kaehler, Bttr. z. Würdigung von W. v. H.s Entwurf einer ständigen Verfassung für Preußen vom Jahr 1819 (Diss. Freiburg/i. Brsg.), 1914; – Ders., W. u. A. v. H. in den Jahren der Napoleonischen Krise, in: Hist. Zs. 116, 1916, 231-270; – Ders., W. v. H.s Anfänge im diplom. Dienst, in: AKultG 13, 1917, 98-121; – Ders., W. v. H. u. der Staat, 1927 (1963²); – Ders., Individualismus u. Staatserlebnis. Zum 100. Todestag W. v. H.s, in: Neue Rundschau 46, 1936, 512-531; – Karl Schaan, Gottlieb Schick u. die Familie H., in: Preuß. Jbb. 162, 1915, 200-216; – Ders., W. v. H.s Verhältnis z. bildenden Kunst, in: Jb. der Freien Dt. Hochstifts, 1934/35, 220-292; – Friedrich Meinecke, W. v. H. u. der Staat, in: Neue Rundschau 31, 1920, 889-904; – Hans Kirchner, Erkenntnis u. Sprache (Diss. Breslau), 1921; – Julius Stenzel, Die Bedeutung der Sprachphilos. W. v. H.s für die Probleme des Humanismus, in: Logos 10, 1921/22, 261-274; – Viktor Gudenberg, Die Grundbegriffe der Historik in H.s Reden über die Aufgabe des Geschichtsschreibers (Diss. Göttingen), 1922; – Max Lamprecht, Die Einheitsschulidee bei W. v. H. u. Johann Wilhelm Suvern (Diss. Jena), 1922; – Otto Meyer, Frankreich, sein Volk u. seine Kultur im Urteile W. v. H.s (Diss. Erlangen), 1922; – Ernst Cassier, Die kantischen Elemente in W. v. H.s Sprachphilos., in: Festschr. für Paul Hensel, 1923; – Heinrich Samel, Der Sprachschulgedanke bei W. v. H. (Diss. Königsberg), 1923; – Erika Altgeld, Das Verhältnis des Einzelmenschen zum Gemeinwesen in W. v. H.s polit. Jugendschrr. (Diss. Freiburg/i. Brsg.), 1924; – Georg Lechner, Bildung u. Wirtschaft bei Pestalozzi, W. v. H. u. Fichte (Diss. Leipzig), 1925; – Karl Müller, W. v. H. u. die heutige Schulreform, 1926; – Werner Schultz, Die rel. Motive in der Sonettdichtung W. v. H.s, in: ZThK 7, 1926, 219-239; – Ders., Das Problem der hist. Zeit bei W. v. H., in: DVfLG 6, 1928, 293-316; – Ders., Das Erleben der Individualität bei W. v. H., in: DVfLG 7, 1929, 654-681; – Ders., W. v. H. u. der Faustische Mensch, in: Jb. der Goethe-Ges. 16, 1930, 1-38; – Ders., Die Rel. W. v. H., 1932; – Ders., W. v. H.s Erleben der Natur als Ausdruck seiner Seele, in: DVfLG 12, 1934, 572-599; – Annelise Mendelsohn, Die Sprachphilos. u. die Ästhetik W. v. H.s als Grundlage für die Theorie der Dichtung (Diss. Hamburg), 1928; – Ruth Flad, Stud. zur polit. Begriffsbildung in Dtld. während der preußischen Reform, 1929; – Otto Rudolf Brosius, W. v. H.s Rel. (Diss. Berlin), 1929; – Paul Hensel, W. v. H., 1930; – Arthur H. Hughes, W. v. H.s Influence on Spielhagens Esthetics, in: Germanic Review 5, 1930, 211-224; – Hans Eberl, W. v. H. u. die dt. Klassik, 1932; – Lina Haarbeck, Die Familie H., 1932; – Jutta Jahrmarkt, Freiheit u. Notwendigkeit bei W. v. H. (Diss. Leipzig), 1932; – Robert Leroux, G. de H., La formation de sa pensée jusque'en 1794, Paris 1932; – Ders., G. de H. et John Stuart Mill, in: Étude Germaniques 6, 1951, 262-274; – Ders., L'Anthropologie comparée de G. de H., Paris 1958; – Ders., Les spéculations philosophiques de Schiller jugées par G. de H., in: Études Germaniques 14, 1959, 352-362; – O. Quelle, W. v. H. u. seine Beziehungen zur span. Kulturwelt, in: Ibero-amerikan. Archiv 8, 1934/35, 339-349; – Kurt Grube, W. v. H.s Bildungsphilos., 1935; – Ders., W. v. H. u. das Problem der päd. Charakterologie, in: Das humanist. Gymnasium 46, 1935, 77-91; – Ders., W. v. H. u. die weltanschauliche Entscheidung, 1937; – R. H. Grutzmacher, W. v. H. u. die geist. Situation der Ggw., in: Prj 240, 1935, 31-44; – Albrecht Haushofer, Die Brüder H., in: Dt. Rundschau 243, 1935, 131-137; – G. M. S. Kranenburg Hoen-Schmidt, W. v. H. in Rome, in: Tijdschr. voor Geschiedenis 50, 1935, 225-240; – Horst Rüdiger, W. v. H.s Bildungsidee, in: Neue Jbb. f. Wiss. u. Jugendbildung 11, 1935, 193-213; – Ders., W. v. H. als Übersetzer, in: Imprimatur 7, 1936/37, 79-96; – Wilhelm Stolze, Der junge W. v. H. u. der preuß. Staat, in: FBPG 47, 1935, 161-171; – Friedrich Kreis, W. v. H. u. d. Bibll., in: ZBlfBibl 53, 1936, 196-209; – Wilhelm Lammers, W. v. H.s Weg zur Sprachforsch. 1785-1801, 1936; – Rudolf Pfeiffer, W. v. H., der Humanist, in: Die Antike 12, 1936, 35-48; – Paul Binswanger, W. v. H., 1937; – Fritz Kraus, W. v. H. in seinem Verhältnis zu Goethe, in: Goethe-Kalender auf d. J. 1937, 30. Jg., 109-134; – Otto Friedrich Bollnow, W. v. H.s Sprachphilos., in: Zs. für dt. Bildung 14, 1938, 102-112; – Johann-Albrecht v. Rantzau, W. v. H., 1939; – Helmut Schenk, Seelische Ganzheit bei W. v. H. (Diss. Leipzig), 1939; – Heinrich Frhr. v. Massenbach, Ahnentafel der Brüder W. u. A. v. H., 1942; – Marianne Goerdeler, Die Reichsidee in den Bundesplänen 1813/15 u. ihren geist. Hintergrund (Diss. Leipzig), 1943; – Ernst Howald, W. v. H., 1944; – Ders., Dt.-frz. Mosaik, 1962; – Justo Garate, El Viaje espanol de G. de H., Buenos Aires 1946; – Agnes Bellm, Der dt. Gedanke bei W. v. H. während der Befreiungskriege u. auf dem Wiener Kongreß (Diss. Heidelberg), 1947; – Otto Burchard, Der Staatsbegriff W. v. H.s (Diss. Hamburg), 1948; – Eberhard Kessel, W. v. H.s Abh. über die Aufgabe des Geschichtsschreibers, in: StudGen 2, 1949, 285-295; – Ders., W. v. H. u. die dt. Univ., in: StudGen 8, 1955, 409-425; – Ders., W. v. H., 1967; – Margarete Staniek, Der Dt. Bund im Urteil Goethes, H.s Steins u. der Menschen ihres Umkreises (Diss. Jena), 1949; – Paul Ortwin Rave, W. v. H. u. das Schloß zu Tegel, 1950; – Felix M. Wassermann, Nine Unpublished Sonnets by W. v. H., in: Germanic Review 26, 1951, 268-278; – Adolf Bohlen, Die Sprachtheorie W. v. H.s u. der Bildungswert des Englischen, 1952; – Gebhard Kerckhoff, Stud. z. inneren Lebensgesch. W. v. H.s (Diss. Freiburg/i. Brsg.), 1952; – Friedrich Sbhaffstein, W. v. H., 1952; – Ders., Friedrich Carl v. Savigny u. W. v. H., in: ZSavRGgerm 72, 1955, 154-176; – Wilhelm Siegler, Die Völkercharakterologie W. v. H.s (Diss. Tübingen), 1952; – Helmut Flenner, W. v. H. u. die Schwermut (Diss. Frankfurt//Main), 1953; – Leo Weisgerber, Zum Energeia-Begriff in H.s Sprachbetrachtung, in: Wirkendes Wort 4, 1953/54, 374-377; – Otto Vossler, W. v. H.s Idee d. Univ., in: HZ 178, 1954, 251-268 (Nachdr.: 1967); – José María Velarde, G. de H. y la filosofia de lenguaje, Madrid 1955; – Siegbert Waldmann, Die Bedeutung des römischen Aufenthaltes für W. v. H.s geist. u. wiss. Entwicklung (Diss. München), 1955; – Franz Bertram, Ist der »Nachsommer« Adalbert Stifters eine Gestaltung der H.schen Bildungsideen? (Diss. Frankfurt/Main), 1957; – Heinz Mühlmeyer, H. u. Kerschensteiner im Lichte des gegenwärtigen Bildungsdenkens (Diss. Köln), 1957; – Birgit Benes, W. v. H., Jacob Grimm, August Schleicher (Diss. Basel), 1958; – Gottfried Garbe, Übers. u. Auffassung griech. Dichtung bei W. v. H. (Diss. München), 1958; – Lothar Kelkel, Réflexions sur la philos. du language de W. v. H., in: Études Philosophiques 13, 1958, 477-485; – Udo Müllges, Das Verhältnis von Selbst u. Sache in der Erziehung (Diss. Bonn), 1959; – Peter Bruno Stadler, W. v. H.s Bild der Antike, 1959; – Heinrich Deiters, W. v. H. als Gründer der Univ. Berlin, in: Forsch. u. Wirken Bd. I, 1960, 15-39; – Heinrich Holzapfel (Hrsg.), Philos. u. polit. Bildung an den höheren Schulen, 1960, 75-88; – Karl Ernst Nipkow, Die Individualität als päd. Problem bei Pestalozzi, H. u. Schleiermacher, 1960; – Jean Charier, La

dernière oeuvre linguistique de W. v. H., in: Études Germaniques 16, 1961, 248-252; – Werner Gembuch, Ein Gutachten W. v. H.s z. Emanzipation der Juden in Preußen, in: Gesellschaft, Staat, Erziehung 6, 1961, 119-127; – Dietrich Spitta, Die Idee der differenzierten Einheitsschule bei W. v. H., in: Erziehungskunst 25, 1961, 161-169; – Walter Horace Bruford, The Idea of »Bildung« in W. v. H.s »Briefe an eine Freundin«, in: Stoffe, Formen, Strukturen, 1962, 261-273; – Gerhard Dunken, Zur Geschichte der Herausgabe der »Gesammelten Schriften W. v. H.s«, 1962; – Siegfried Seidel (Hrsg.), Der Briefwechsel zwischen Friedrich Schiller u. W. v. H., 2 Bde., 1962; – Eric Ashmore, W. v. H.s Ideas of the Formation of Character through Education, in: Paedagogica Hist. 3, 1963, 5-26; – George Kotowski, W. v. H. u. die dt. Univ., in: Universitätstage, 1963; – Clemens Menze, Sprechen, Verstehen, Antworten als anthropologische Grundphänomene in der Sprachphilos. W. v. H.s, in: Päd. Rundschau 17, 1963, 475-489; – Ders., Über den Zsh. v. Sprache u. Bildung in der Sprachphilos. W. v. H.s, in: ebd. 18, 1964, 768-785; – Ders., W. v. H.s Lehre u. Bild des Menschen, 1965; – Ders., W. v. H. u. Christian Gottlob Heyne, 1966; – Ders., Die Bildungsreform W. v. H.s, 1975; – Erich Ruprecht, Die Sprache im Denken W. v. H.s, 1963; – Emil Staiger, W. v. H., in: Berliner Geist, 1963, 83-106; – Gerd Evers, W. v. H., Ideen zu Staat u. Recht (Diss. Köln), 1964; – John Hennig, W. v. H. u. John Charles Stapleton, in: AKultG 46, 1964, 127-132; – W. Welzig, W. v. H. u, Frk., in: Revue de littérature comparée 30, 1964, 497-512; – Helmut Gipper, W. v. H. als Begründer der modernen Sprachforsch., in: Wirkendes Wort 15, 1965, 1-19; – Edith Lenel, Bathold Georg Niebuhr u. W. v. H.: Briefe im Nachlaß v. Franz Lieber, in: HZ 200, 1965, 328-331; – Ewald Schankweiler, Zum Wesen u. Ursprung der Sprache bei Jacob Grimm u. W. v. H., in: WZ Berlin 14, 1965, 455-462; – Fulvio Tessitore, I fondamenti della filosofia di H., Neapel 1965; – Karl-Heinz Weimann, Vorstufen der Sprachphilos. H.s bei Bacon u. Locke, in: ZdPh 84, 1965, 498-508; – Cora Lee Price, The Relationship between Schiller and W. v. H. (Diss. Stanford Univ.), 1966; – Dies., W. v. H. u. Schillers »Briefe über die ästhetische Erziehung der Menschen«, in: Jb. der Dt. Schillerges. 11, 1967, 358-373; – Roger Langham Brown, W. v. H.s Conception of Linguistic Relativity, 1967; – Charlotte B. Evans, W. v. H.s Auffassung vom Ursprung der Sprache (Diss. Ohio State Univ.), 1967; – Dies., W. v. H.s Sprachtheorie, in: Germ. Quarterly 40, 1967, 509-517; – Ralph Fiedler, H.s Bildungsgedenken u. die Gesellsch., in: PädR 21, 1967, 823-839; – Ilse Foerst-Crato, W. v. H. an Karoline v. Beulwitz über den Tugendbund (1789), in: Dt. Vjschr. 41, 1967, 192-201; – Klaus Giel, Die Sprache im Denken W. v. H.s, in: ZP 13, 1967, 509-517; – Robert E. Goldsmith, The Early Development of W. v. H., in: GermRev 42, 1967, 30-48; – Werner Hartke/Henny Maskolat (Hrsg.) W. v. H., 1767-1967, Erbe – Gegenwart – Zukunft, 1967; – Joachim Heinrich Knoll, W. v. H., Politiker u. Pädagoge, 1967; – Ders., W. v. H., Politik u. Bildung, 1969; – Ulrich Muhlack, Das zeitgenössische Fkr. in der Politik H.s, 1967; – Kurt Müller-Vollmer, Poesie u. Einbildungskraft, 1967; – Jürgen Pleines, Das Problem der Sprache bei H., in: Gadamer (Hrsg.), Das Problem der Sprache, 1967; – Guram Ramischvili, Zum Verständnis des Begriffes der Sprachform bei W. v. H., in: WZ Jena 16, 1967, 555-556; – Hans Reiss, Justus Möser u. W. v. H., in: Po Polit. Vjschr. 8, 1967, 23-39; – Herbert Seidler, Die Bedeutung v. W. v. H.s Sprachdenken f. die Wiss. v. d. Sprachkunst, in: ZdPh 86, 1967, 434-451; – Hans Hartmann, Die Brüder H. heute, 1968; – B. Liebrucks, W. v. H.s Einsicht in die Sprachlichkeit des Menschen, 1968; – Robert L. Miller, The Linguistic Relativity Principle and H.ian Ethnolinguistics, 1968; – Martin Schmidt, Rel. u. Christt. bei W. v. H., in: Humanitas-Christianitas, 1968; – Andreas B. Wachsmuth, Goethe u. die Brüder v. H., in: A. Schaefer (Hrsg.), Goethe u. seine großen Zeitgenossen, 1968, 53-85; – Historische Leistung u. gegenwärtige Bedeutung W. v. H.s, in: WZ Berlin 17, 1968, 315-373; – Karl-Wilhelm Eigenbrodt, Der Terminus »Innere Sprachform« bei W. v. H., 1969; – Irmgard Kawohl, W. v. H. in der Kritik des 20. Jhs., 1969; – Peter Berglar, W. v. H., 1970; – Marion Jung, W. v. H.s akademischer Bildungsanspruch (Diss. Hamburg), 1970; – Pavel Petkov, W. v. H. u. die moderne Theorie der sprachl. Zwischenwelt zur Kritik des linguist. Positivismus, 1971; – Wilhelm Richter, Der Wandel des Bildungsgedankens, Die Brüder v. H., das Zeitalter der Bildung u. der Gegenwart, 1971; – Herbert Scurla, W. v. H., Werden u. Wirken, 1976; – Klaus Hammacher (Hrsg.), Universalismus u. Wiss. im Werk u. Wirken der Brüder H., 1976; – Hans-Werner Scharf, Chomskys H.-Interpretation (Diss. Düsseldorf), 1977; – Arnold Ibing, Neuorientierung des Staatsbewußtseins (Diss. Berlin), 1979; – Alfons Reckermann, Sprache u. Metaphysik, 1979; – Hans-Michael Droescher, Grundlagenstud. z. Linguistik, 1980; – Tilman Borsche, Der Begriff der menschlichen Rede in der Sprachphilos. W. v. H.s, 1981; – John Leschkas, Zur Staatslehre W. v. H.s, 1981; – Jutta Leppin, Übers. u. Bildung, Eine Stud. z. Übersetzungslehre W. v. H.s (Diss. Köln), 1981; – Sche Yen Chien, Das Verhältnis von Mensch u. Welt als Grundproblem der Bildungstheorien von H., Fink u. Chuang Tzu, 1982; – Horst Rosenfeldt, W. v. H. – Bildung u. Technik, 1982; – Ulrich Hübner, W. v. H. u. die Bildungspolitik, 1983; – Antoine Berman, L'Épreuve de l'étranger, Culture et traduction dans l'Allemagne romantique, 1984; – Wendelin Sroka, Die Bildungskonzeption W. v. H.s in der DDR, 1984; – Günther Wohlfahrt, Denken der Sprache, Sprache u. Kunst bei Vico, Hamann, H. u. Hegel, 1984; – Klaus D. Dutz/Ludger Kaczmarek (Hrsg.), Rekonstruktion u. Interpretation, Problemgeschichtl. Stud. z. Sprachtheorie v. Ockham bis H., 1985; – ADB XIII; – Taschenlex. d. dt. Lit., 1953, 73 f.; – NDB X, 43-51; – Lex. d. Päd. II, 1972, 261 f.; – DLL VIII, 279-284; – Philosophenlex., 1983, 404-407; – Philos. Wb., 293; – Dt. Lit. Gesch., 1984², 134, 154 ff., 170 u. ö.; – Kl. Gesch. d. dt. Lit., 1984², 124.

Ue

HUMBURG, Paul, Präses der Rheinischen Bekennenden Kirche, * 22.4.1878 in Köln-Mülheim als Sohn des Inhabers einer Eisenhandlung, + 21.5.1945 in Detmold. – H. wuchs auf in einem pietistischen Elternhaus mit ausgesprochen reformierter Prägung. Sein Vater war durch das Zeugnis eines Schuhmachers zum lebendigen Glauben durchgedrungen. Seine Mutter, die Schwester des Fabrikanten Walther Alfred Siebel (s.d.), stammte aus Freudenberg (Siegerland). H.s Eltern hielten sich mit ihren Kindern als Gäste zur Freien evangelischen Gemeinde und hatten Beziehungen zur Rheinischen Mission, zur Brüdergemeine, zur belgischen Missionskirche bis hin zu den Waldernsern. »Uns Kindern wurde es von vornherein eingeprägt, daß unsere Heimat sein müßte bei denen, die den Herrn Jesus liebhaben«. Die Ansprache eines alten Oberförsters bei der Silvesterfeier des Jahres 1891 im Jünglingsverein und das einige Tage später geführte seelsorgliche Gespräch eines einfachen Schuhmachermeisters mit den Brüdern Paul und Fritz Humburg brachten für beide die entscheidende Wandlung ihres lebens. Im Rückblick auf jene Tage sagte H. 1937 bei der Beerdigung seines Bruders Fritz: »Vor 45 Jahren hat uns beide in einer Woche der Herr in seine Nachfolge berufen«. H. bezog 1898 die Universität Halle und wurde Schüler Martin Kählers (s.d.). Im Sommer 1898 nahm er teil an der ersten Weltbundtagung der Deutschen Christlichen Studentenvereinigung (DCSV) in Eisenach und begegnete dort John Mott (s.d.), von dem er später bekannte: »Er ist einer von den Männern, denen ich für mein inneres Leben am meisten verdanke«. In Erlangen wurde Ernst Friedrich Karl Müller (s.d.) H.s Lehrer. Dann zog er zur Universität Bonn, deren Theologische Fakultät ihm später die Ehrendoktorwürde verlieh. Nach dem ersten theologischen Examen setzte H. sein Studium in Utrecht fort und kam nach dem zweiten als Vikar nach Viersen, dann als Hilfsprediger nach Unterbarmen. Er wurde 1906 Pfarrer in Dhünn im Bergischen Land. Von Beginn seiner Gemeindearbeit an lag ihm die Klarheit der Botschaft am Herzen. Darum mußte er die Menschen in ihrer Sicherheit der natürlichen, kirchlich geprägten Frömmigkeit erschüttern und sie in die Entscheidung für Christus rufen. »Mir war es in meiner ersten Gemeinde ein großer Kampf, mich dazu durchzuringen, diesen feinen, anständigen Bauern die Entscheidung zwischen Seligwerden und ewiger Verdammnis zu bezeugen. Wenn man aber diesen Teil der Wahrheit wegläßt, so kann man nicht sagen: Das Wort wird seine Wirkung tun. Dann fehlt etwas am Wort«. Es war ihm vergönnt, in Dhünn im Anschluß an eine Evangelisation eine Erweckung zu erleben. In einem Bericht über seine Einführung in den Dienst an der reformierten Gemeinde Elberfeld im Advent 1809 heißt es: »Sein erstes Zeugnis vor der Gemeinde war ein entschiedenes Bekenntnis von dem gekreuzigten Christus«. Im Auftrag der DCSV widmete sich H. als Feldprediger bei der Ostarmee von Juli 1915 bis zum Ende des Weltkrieges dem Aufbau und der Leitung der Soldatenheimarbeit. In Libau entstand das erste Soldatenheim. Die Arbeit dehnte sich immer mehr aus. Diese alkoholfreien Heime boten den Soldaten in ihrer Freizeit Erholung und gute, christliche Geselligkeit und vermittelte ihnen auch geistige Anregung durch Vorträge, musikalische Darbietungen und andere Veranstaltungen kultureller Art. Die Hauptsache aber war für H., durch die Heime Möglichkeiten zu schaffen für seelsorgliche Beratung und die Verkündigung des Wortes Gottes. In jedem Heim fand wöchentlich eine Bibelstunde statt, in den großen Heimen an jedem Abend eine öffentliche Andacht. Im Herbst 1918 gab es im Osten in sieben Bezirken mehr als 200 Soldatenheime. Im August 1919 wurde H. auf der Sommerkonferenz der DCSV in Bad Oeynhausen (Westfalen) zum Generalsekertär der DCSV berufen, der er seit 1899 als studentisches Vorstandsmitglied und später als Mitglied des älteren Vorstandes, schließlich als 2. Vorsitzender angehörte. Anfang August 1920 nahm H. an einer Vorstandssitzung des Studentenweltbundes in St. Beatenberg am Thuner See in der Schweiz teil. Er ging dorthin »aus Gehorsam gegen den Willen Gottes, um für die Reinheit der Botschaft des Evangeliums in unserer Bewegung zu kämpfen«. Im Rückblick auf jene Tagung und seinen Vortrag über »Unsere Botschaft« schreibt H.: »Ich habe damals mit den allerschärfsten Patronen geschossen und dem Idealismus gegenüber die Frage gestellt: Wie werde ich gerettet? Der oft so sehr der innersten Frage ausweichenden Formel vom »lebenden Christus« stellte ich das Wort vom Kreuz gegenüber«. Seit Frühjahr 1921 wirkte H. als Bundeswart des Westdeutschen Jungmännerbundes. Viele Treffen, Bundesfeste und Freizeiten berichten davon, wie Gott durch das Zeugnis dieses Mannes neues Leben geweckt hat. Durch die schlichte Auslegung des Wort Gottes und die eindringliche Art, es zu verkündigen, wurde H. vielen jungen Männern zum Segen. Es ging ihm immer und überall um eine klare Entscheidung für Jesus. Mit heiliger Entschiedenheit bezeugte er, daß man sich dem Herrn Jesus ganz ergeben müsse: »Gott krönt kein geteiltes Herz«. »Der Inhalt unseres Zeugnisses muß klar sein. Darum haben wir so oft nicht die erwünschte Frucht bei unserer Arbeit, daß Gottes Geist die Herzen ergreifen und erfüllen kann, weil unser Zeugnis nicht klar ist, sondern wir die Seelen hinhalten in ungewissen Redensarten, in Andeutungen, mit Stimmungen und Empfindungen. Sagt doch klar, um was es geht, ihr Brüder: gerettet sein oder verlorengehen. Das ist das Zeugnis, daß Gottes Geist fordert«. Am 1.5.1929 legte H. sein Amt als Bundeswart des Westdeutschen Jungmännerbundes nieder und wurde Pfarrer der reformierten Gemeinde Gemarke in Wuppertal-Barmen. Im Sommer 1933 bildeten sich gegen den Vormarsch der »Deutschen Christen« die ersten kleinen Widerstandszentren. In der rheinischen Pfarrbruderschaft schloß sich eine Schwar zusammen, aus der dann die Bekennende Kirche im Rheinland hervorging. Auf der ersten »Freien evangelischen Synode im Rheinland« vom 18./19.2.1934 wurde H. in den Bruderrat und auf der dritten vom 13.8.1934 zum Präses der Rheinischen Kirche berufen. Er war wie wenige geeignet zur Leitung einer Kirche im Kampf für das Evangelium. In den immer neuen Bedrängnissen und Auseinandersetzungen zeigte sich seine geistliche Kraft und Klarheit. Sein Wort hatte in der Bekennenden Kirche ein besonderes Gewicht. Bekannt ist sein kraftvolles Zeugnis »Wahrheit wider Irrlehre« vom 18.3.1934 auf dem ersten »Rheinisch-Westfälischen Gemeindetag unter dem Wort« in der Westfalenhalle in Dortmund. Vom Ende 1934 bis Anfang 1936 war H. Mitglied der »Vorläufigen Leitung der Deutschen Evangelischen Kirche«. Das Doppelamt als Präses und Gemeindepfarrer in den Jahren des Kirchenkampfes und des zweiten Weltkriegs verzehrten seine Kraft und Gesundheit, so daß er 1942 sein Amt als Präses niederlegen und 1943 in den Ruhestand treten mußte.

Werke: Aus der Qu. des Wortes. Bibl. Aufss. u. Ansprachen, 1917 (1922²); Frühlingstage der Gemeinde. Apg. 2-6, 1922/23 (1925²); Der nationale Gedanke im ev. Jungmännerwerk, 1923; Ewige Erwählung 1924 (1962⁴); Auf der Seite des Siegers. Bibl. Aufss., 1924 (1963³); Deine Wunder laß uns sehn! Bibl. Aufss., 1924; Der stille Weg. Bibl. Aufss., 1925; Der Gesang des Herrn. Bibl. Aufss., 1926; Von Grund aus edel. Betrachtungen über Dan 6, 1926; Allerlei Reichtum, Ges.Aufss. über at. Texte, 1929; Wahrheit wider Irrlehre, 1934; Im Anfang. Ein Ruf Gottes an unsere Zeit aus den ersten Büchern der Bibel. 20 Reden (geh. 1931-32) an die Gemeinde, 1935; Der einige Trost. Einf. in den Heidelberger Katechismus, 1935; Die hart Gebundnen macht er frei. Nt. Reden, 1935 (1956³ überarb.); Die ganz große Liebe. 28 schlichte Betrachtungen f. verlorene Leute über das Gleichnis v. den verlorenen Söhnen, 1936 (1957³); Die Versöhnung durch das Kreuz Christi, 1936 (1956: 9.-13. Tsd.); Jesus u. seine Jünger. 15 nt. Reden, 1937; Abschied u. Vermächtnis. 3 Predigten, 1946; Von der bleibenden Bedeutung des Heidelberger Katechismus (Aus Ref. Jb. 1925/26), 1952; Allerlei Reichtum. Bibl. Betrachtungen. Ausgew. u. bearb. v. Karl-Werner Bühler u. Gerhard Eugen Stoll, 1961.

Lit.: Harmannis Oberndiek, D. P. H. Der Zeuge. DieBotschaft. Ein Wort des Gedenkens. Die Botschaft, dargeboten aus seinen Schrr., 1947 (1949²); – Ders., P. H., in: Lb. aus der bekennenden Kirche. Hrsg. v. Wilhelm Niemöller, 1949, 54-62; – Hanns Lilje, P. H., in: Begegnungen, hrsg. v. dems., 1949, 35-45; – Robert Steiner, P. H. u. das nation. Bewußtsein, in: Mhh. für ev. KG des Rheinlandes 24, 1976, 65-110; – NDB X, 51 f.; – RGG III, 488.

Ba

HUME, David, bedeutendster Philosoph der englischen Aufklärung, Historiker und Diplomat, * 7.5.1711 in Edingburgh als Sohn eines schottischen Landadeligen, + 25.8.1776 ebd. – H. studierte zuerst Jurisprudenz, gab dies aber, seines Interesses an Philosophie, Geschichte und Politik wegen, bald wieder wieder auf und unternahm, nach kurzer kaufmännischer Tätigkeit in Bristol, in den Jahren 1734-1737 eine Studienreise nach Frankreich, bei der er sich meist in der Nähe von Rheims und bei La Fleche in Anjou aufhielt. Hier enstand seine Abhandlung über die menschliche Natur, welche er 1738 in London drucken ließ. Die Abhandlung fand kaum Aufmerksamkeit, so daß H. zu weiterer Arbeit nach Frankreich zurückkehrte. Bekannt und beachtet

wurde H. aufgrund seiner 1741 erschienenen »Moralisch-politischen Essays«. Fünf Jahre später, die er z. T. als Erzieher des Marquis von Annaldale, z. T. als Sekretär des Generals St. Clair verbracht hatte, bewarb er sich 1746 um die Professur für Moralphilosophie an der Universität von Edingburgh. Seine skeptisch-toleranten religionsphilosophischen Auffassungen stießen bei der Geistlichkeit aber auf Ablehnung, so daß seine Bewerbung erfolglos blieb. 1747 begleitete H. den General St. Clair auf eine Gesandtschaftsreise an die Höfe nach Wien und Turin. 1748 erschien sein Werk »Untersuchung über den menschlichen Verstand«, welches ihn in Kürze zum bekanntesten europäischen Philosophen machte. 1749 wieder nach Schottland zurückgekehrt, hatte er von 1752-1757 eine Stelle als Bibliothekar an der Universität von Edingburgh inne und somit die Möglichkeit zu intensiven historisch-politischen Studien, aus welchen dann später die »Geschichte von Großbritannien« hervorging. Von 1763-1766 war H. in diplomatischem Dienst des Gesandten Lord Hertford in Paris. Hier unterhielt er Beziehungen zu Diderot, d'Alembert und Helvétius und machte Bekanntschaft mit Rousseau, mit welchem er sich bald zerstritt. 1767 wurde H. Unterstaatssekretär des Auswärtigen, ging 1769, um sich seinen Studien zu widmen, nach Edingburgh zurück und verstarb dort nach langer Krankheit. – Menschliches Denken und Erkennen ist nach H. begrenzt durch die menschliche Sinneserfahrung. Ausgehend von der Unterscheidung der Wahrheiten ("impressions") und Vorstellungen ("ideas") kommt er zu einer Theorie der Erfahrungen, die ausschließlich auf dem Prinzip der Assoziation basiert. Es gibt keine Erkenntnis aus Vernunft bzw. a priori, sondern alle Begriffs- und Gesetzesbildung gründet in gewohnheitsmäßiger Vorstellungserwartung ("belief"). Unzulässig ist nach H. der Schluß von etwas empirisch Gegebenem auf Transzedentes. Die Gottesidee entsteht, wie alle Ideen, aus der grenzenlosen Steigerung menschlicher Eigenschaften. Religion wird bei H. "natürlich", d. h. psychologisch und historisch erklärt. Religiöse Wahrheit kann nur geglaubt, nie gewußt werden. In der Ethik ist H. Determinist. Kein Handeln geht aus bloßem Denken hervor, sondern ist durch unsere Dispositionen bestimmt, entspringt Neigungen und Leidenschaften. H. glaubte fest, daß sich Tugenden wie Humanität, Wohlwollen und Freundlichkeit über Gewalt und Willkür behaupten würden. Mit seinen Arbeiten zur Volkswirtschaftslehre erwies sich H. als Vorläufer für die Freihandelstheorien von Smith und Ricardo. Sein Skeptizismus gegenüber der Mjtaphysik und seine aufklärerischen Ideen hatten über Immanuel Kant Einfluß auf die deutsche Philosophie. H.s Erkenntnistheorie mit der Analyse des Kausalitätsbegriffs, seine Moralphilosophie mit metaphysikfreier Normenbegründung und seine, von Ironie durchzogene, religionsphilosophische Skepsis finden immer wieder Eingang in die heutige Diskussion.

Werke: Treatise concerning human understanding, 2 Bde., London 1739-1940; Essays moral and political, 2 Bde., 1741 (1742², 1748³); Account of Stewart, 1748; Philosophical essays concerning human understanding (späterer Titel: Enquiry concerning human understanding), 1748 (1750²); An enquiry concerning the principles of morals, 1751; Political discourses, 1752 (1752², 1754³); Scotticismus, 1752; The history of Great Britain, 1754 (1757²); Four dissertations, 4 Bde., 1757; Letter to the authors of the Critical Review, 1759; Dispute with Rousseau, 1766; Two essays on suicide and immortality, 1777; The life of D. H. written by himself, 1777; Dialogues concerning natural religion, 1779 (1779²); GA der philos. Werke hrsg. v. T. H. Green u. T. H. Grose, 4 Bde., London 1874 (Neudr.: 1964); T. W. Jessop, A bibliography of D. H. and of D. H. and of Scottish philosophy from Francis Hutcheson to Lord Balfour, New York 1966, 3-42.

Lit.: Fr. H. Jacobi, Über den Glauben oder Idealismus und Realismus, 1787; – C. Fr. Ständlin, Geschichte u. Geist des Skeptizismus, 1794: – Fr. Jodl, D. H.s Lehre von der Erkenntnis, 1871; – H. Goebel, Das philosophische in H.s Geschichte von England, 1897; – K. Groos, Hat Kant H.s »Treatise« gelesen?, Kant-Studien 5, 1900, 177-181; – M. Klemme, Die volkswirtschaftlichen Anschauungen D. H.s (Diss. Halle), 1900; – G. Lechartier, D. H. moraliste et sociologue, 1900; – P. Linke, D. H.s Lehre vom Wissen (Diss. Leipzig), 1901; – A. Lüers, D. H.s religionsphilosophische Anschauungen (Diss. Berlin), 1901; – A. Prehn, Die Bedeutung der Einbildungskraft bei H. und Kant für die Erkenntnistheorie (Diss. Halle), 1901; – Sally Daiches, Über das Verhältnis der Geschichtsschreibung D. H.s zu seiner praktischen Philosophie (Diss. Leipzig), 1903; – J. Goldstein, Die empirische Geschichtsauffassung D. H.s, 1903; – Otto Quast, Der Bjgriff des Belief bei D. H., 1903 (Nachdr.: 1980); – J. Zimels, D. H.s Lehre vom Glauben und ihre Entwicklung vom »Treatise« zur »Inquiry«, 1903; – E. A. Cook, H.s Theorie über die Realität der Außenwelt (Diss. Halle), 1904; – R. Hönigswald, Über die Lehre H.s von der Realität der Außendinge (Diss. Berlin), 1904; – Ders., Geschichte der Philosophie von der Renaissance bis Kant, 1923; – H. Nathansohn, Der Existenzbegriff H.s (Diss. Berlin), 1904; – R. Richter, Der Skeptizismus in der Philosophie, 1904; – C. Hedvall, H.s Erkenntnistheorie kritisch dargestellt, 1906; – Felix Müller, D. H.s Stellung zum Deismus (Diss. Leipzig), 1906; – C. J. W. Francken, D. H., 1907; – A. Böhme, Die Wahrscheinlichkeitslehre bei D. H., 1909; – A. Bilharz, Descartes, H. und Kant, 1910; – R. Salinger, H.s Kritik des Kausalbegriffs und ihre erkenntnistheoretische Bedeutung, 1911; – A. Thomsen, D. H., sein Leben und seine Philosophie, 1912; – K. Fahrion, H.s Lehre von der Substanz, 1914; – P. Thormeyer, Die großen englischen Philosophen Locke, Berkeley, H., 1915; – H. Hasse, Das Problem der Gültigkeit in der Philosophie D. H.s, 1919; – Margarete Merleker, H.s Begriff der Realität, 1920 (Neudr.: 1981); – F. Dehn, Die Ethik D. H.s (Diss. Bonn), 1926; – Rudolf Metz, D. H.: Leben und Philosophie, 1929 (Neudr.: 1968); – Ders., Unveröffentlichte Briefe D. H.s, in: Engl. Stud. 63, 1929, 337-388; – Ders., Eine neuentdeckte Schrift H.s, in: BdtPh 12, 1939, 405-415; – Ders., Englandhaß, Frankophilie und Deutschlandbild bei H., in: Neuphilologische Monatsschrift 14, 1943, 8-19; – C. Winkler, D. H., Untersuchungen über die Prinzipien der Moral, 1929 (Neudr.: 1972); – M. S. Kuypers, Studien in the Eighteenth-Century Background of H.s Empiricism, 1930 (Neudr.: 1966); – J. Laird, Knowledge, Belief and Opinion, 1930 (Neudr.: 1972); – Ders., H.s Philosophy of Human Nature, 1932 (Neudr.: 1967); – Ders., H. D., in: Chambers's Encyclopaedia, 1950; – L. Berkovits, H. und der Deismus (Diss. Berlin), 1933; – R. W. Church, H.s Theory of the Understanding, 1935 (Neudr.: 1968); – Ders., H.s Theory of Philosophical Relations, in: Phil. Rev. 50, 1941, 353-367; – N. Kemp Smith, H.s Dialogues Concerning Natural Religion, 1935 (1947², Neudr.: 1962); – W. Wallenfels, Die Rechtsphilosophie D. H.s (Diss. Göttingen), 1938; – Fritz H. Heinemann, D. H., 1940; – E. C. Mossner, The Forgotten H., 1943 (Neudr.: 1967); – Ders., Philosophy and Biography: The case of D. H., in: Phil. Rev. 59, 1950, 184-201 (Neudr.: 1966); – Ders., The Life of D. H., 1954 (Neudr.: 1970); – Ders., D. H., 1963; – Ders., H.s »Of Criticism«, 1967; – D. S. Miller, H.s Deathblow to Deductivism, 1949 (Neudr.: 1975); – J. A. Passmore, H.s Intentions, 1952 (Neudr.: 1968); – A.-L. Leroy, D. H., 1953; – Ders., Studi su H., 1968; – J. E. Heide, Entwertung der Kausalität?, 1957; – A. H. Basson, D. H., 1958; – A. C. MacIntyre, H. on »Is« and »Ought«, in: Phil. Rev. 68, 1959, 451-468; – Ders., H.s Ethical Writings, 1965; – Ders., A Short History of Ethics, 1967, 168-177; – Leonhard Wenzel, D. H.s politische Philosophie in ihrem Zusammenhang mit seiner gesamten Lehre, 1959; – J. Zabeeh, H.s Scepticism with Regard to Deductive Reason, 1960; – Ders., H., Precursor of Modern Empiricism, 1960; – Ders., Vindication of H., in: Theoria 29, 1963, 290-303; – Ders., H. on Pure and Applied Geometry, in: Ratio 6, 1964, 185-191; – W. T. Blackstone, H. and Ritschlian Theology, in: The Personalist 42, 1961, 561-570; – A. Flew, H.s Phil. of Belief, 1961; – Ders., Miracle and History, in: Listener 65, 1961, 963 f.; - Ders., H. on Human Nature and the Understanding, 1962; – Ders., An Introduction to Western Philos., 1971; – Ders., Natural Necessities and Causal Powers, in: H. Stud. 2, 1976, 86-94; – E. B. Lehmann-Leander, H. und Kant, das Erkenntnisproblem, 1961; – A. Schaefer, Erkenntnis, menschl. Natur u. Bild des polit. Menschen in der Philos. D. H.s (Diss. Berlin), 1961; – Ders., D. H., Philos. und Politik, 1963; – M. Blaug, Economic Theory in Retrospect, 1962 (1968²); – P. Krauser, H.s Problem in kybernetischer Perspektive, in: Philosophia Natura-

lis 7, 1962, 451-474; – L. Nelson, Fortschritte und Rückschritte der Philos. von H. und Kant bis Hegel und Fries, 1962; – V. C. Chappell, The Philos. of D. H., 1963; – Ders., H.: A collection of critical essays, 1966; – C. W. Hendel, Stud. in the Philos. of D. H., 1963; – Ram Adhar Mall, H.s Bild vom Menschen (Diss. Köln), 1963; – Ders., H.s Prinzipien- und Kants Kategoriensystem, in: Kant-Stud. 62, 1971, 319-334; – Ders., Experience and Reason, 1973; – Ders., Naturalismus und Kritizismus, in: Akten des 4. Intern. Kant-Kongresses 2/1, 1974, 30-41; – Ders., Der Induktionsbegriff. H. u. Husserl, in: ZphF 29, 1975, 34-62; – Ders., Der operative Begriff des Geistes, 1984; – D. F. Pears, D. H.: A Symposium, 1963; – Ders., B. Russel and the British Tradition in Philos., 1967; – John B. Steward, The Moral and Political Philos. of D. H., 1963; – Dieter Jürgen Löwisch, I. Kant und D. H.s Dial. con. Nat. Rel. (Diss. Bonn), 1964; – Ders., Kants Kritik d. reinen Vernunft und H.s Dial., in: Kant-Stud. 56, 1966, 170-207; – M. Belgion, D. H., 1965; – Laurence L. Bongie, D. H., Prophet of the Counter-revolution, 1965; – Oliver Brunet, Philos. et esthétique chez D. H., Paris 1965; – P. S. Ardal, Passion and Value in H.s Treatise, 1966; – Anders Jeffner, Butler and H. on Religion, 1966; – A. P. Cavendish, D. H., New York 1968; – G. Gawlick, D. H., Dialoge über natürliche Religion, neu bearb., 1968; – L. Menzel, Kant und H., 1968; – J. V. Price, D. H., 1968; – R. G. Swinburne, The Argument from Design, in: Philos. 43, 1968, 199-212; – Ders., The Conzept of Miracle, 1970; – I. W. Beck, Lambert und H. in Kants Entwicklung vor 1769-1772, in: Kant-Stud. 60, 1969, 123-30; – Henri Lauener, H. und Kant, 1969; – H. Hoppe, Kants Antwort auf H., in: Kant-Stud. 62, 1971, 335-350; – Ders., Handeln und Erkennen. Zur Kritik des Empirismus am Bsp. der Philos. D. H.s, 1976; – Wolfgang Jäger, Polit. Partei und parlament. Opposition, 1971; – R. Brandt, Eigentumstheorien von Grotius bis Kant, 1974, 104-144; – D. Forbes, H.s Philosophical Politics, 1975; – E. G. Howells, H. and teleology (Diss. Stanford), 1975; – Elena Panova, The Main Principles of D. H.s Epistemology as a Source of Contemporary Positivism, in: Revolutionary World 11, 1975, 218-227; – U. Voigt, D. H. und das Problem der Geschichte, 1975; – Günther Schenk u. Achim Toepel (Hrsg.), D. H. – Anläßlich seines 200. Todestages, in: Wissenschaftl. Beiträge der Martin-Luther-Universität Halle/Wittenberg 15, 1976; – J. C. A. Gaskin, H.s Philos. of Religion, 1978; – Roland Hall, Fifty Years of H. Scholarship, A Bibliographical Guide, 1978; – E. Craig, D. H., Eine Einführung in seine Philos., 1979; – N. Hoerster, D. H.: Existenz u. Eigenschaften Gottes, in: J. Speck (Hrsg.), Grundprobleme d. großen Philosophen. Philos. d. Neuzeit I, 1979, 240-275; – Willi Zimmermann, Vom Bewußtsein zum Diskurs (Diss. München), 1979; – A. J. Ayer, Oxford 1980; – John Leslie Mackie, H.s Moral Theory, London 1980; – Michel Malherbe, Kant ou H. ou la raison et le sensible, Paris 1980; – Richard Timothy Murphy, H. and Husserl, 1980; – John Passmore, H.s Intentions, London 1980; – Paul Richter, D. H.s Kausalitätstheorie, 1980 (Nachdr. d. 1. Aufl. 1893); – Robert M. Burns, The Great Debate on Miracles, 1981; – Jonathan Harrison, H.s Theory of Justice, 1981; – Louis E. Loeb, From Djscartes to H., 1981; – Topitsch/Streminger, H., 1981; – Christopher J. Berry, H., Hegel and Human Nature, 1982; – Gilbert Boss, La différence des philosophies: H. & Spinoza, 1982; – Lothar Kreimendahl, H.s verborgener Rationalismus, 1982; – David Fate Norton, D. H., Common-scence Moralist, Sceptical Methaphysician, Princeton 1982; – Gertrud Zimmermann, Die Soziologie D. H.s als Ergebnis der Egoismus-Altruismus-Debatte (Diss. Mannheim), 1982; – John P. Wright, The Sceptical Realism of D. H., Manchester 1983; – Filadelfo Lineares, Das polit. Denken von D. H., 1984; – David Miller, Philos. and Ideology in H.s Political Thought, Oxford 1984; – Gianluigi Palombella, Diritto e artificio in D. H., Milano 1984; – Wolfgang H. Schrader, Ethik und Anthropologie in der engl. Aufklärung, 1984; – Sascha Talmor, The Rhetoric of Criticism, Oxford 1984; – Jean-Pierre Cléro, La Philosophie des passion chez D. H., Paris 1985; – Antonius Gerardus Vink, Philo's Slotconclusie in de dialogues concerning natural religion van D. H. (Diss. Leiden), 1985; – Encyclopedia of Morals, 229-237; – Handwörterbuch d. Sozialwissenschaften, 1956, 160-163; – Enciclopedia Filosofica, 1957, 1128-1144; – LThK V, 533 f.; – The Encyclopedia of Philos. II, 56-66; IV, 74-90; V, 385-387; VII, 449-461; VII, 194-206; – Intern. Encycl. of the Social Sciences VI, 1968, 546-550; – EBrit VIII, 1191-1194; – Philos. Wb., 1982²¹, 293 f.

Ue

HUMILITAS (eig. Rosane oder Rosanese), heilig, OSB, Abtissin, * 1226 in Faenza in der Romagna, + 22.5.1310 in Florenz. — Entgegen ihrem Wunsch, Nonne werden zu wollen, heiratete H. 1241 Ugolotto. Da dieser an einer angeblich tödlichen Geschlechtskrankheit litt, die nur durch sexuelle Enthaltsamkeit zu heilen sei, ging er in ein Kloster und gestattete H. in das Chorfrauenstift der hl. Perpetua bei Farenza einzutreten (1250). Zwei Jahre später wurde sie Rekluse bei den Vallombrosanern von S. Apollonair, bis sie sich – der Aufforderung des Vallombrosaner-Generals, ihre Abgeschiedenheit zu verlassen, folgend – ca. 1267 den Aufbau des neugegründeten Klosters St. Maria novella alla Malta widmete. Ab 1282 stand sie dem von ihr gegründeten Kloster San Giovanni in der Nähe von Florenz als Abtissin vor, wo sie 1310 starb. Ihre wenigen, mystischen Sermone und Predigten wurden 1884 von T. Sala herausgegeben. Ihre Reliquien befanden sich ab 1584 im Kloster San Salvi und wurden später nach San Spirito di Varburga gebracht. Im Department Florenz, Faenza und Modigliana wird H. am 22. Mai gefeiert. Sie wird mit einem Lammfell über dem Schleier dargestellt und trockenen Fußes einen Fluß durchschreitend.

Werke: Sermones S. Humilitatis de Faventia, hrsg. v. T. Sala, Florenz 1884, 13-38.

Lit.: AS Mai V, 1685, 205-212 (3. Ausgabe 207-14); – Martyrologium der Vallombrosaner (unter: »Stifterin der Klosterfrauen«); – M. E. Pietromarchi, S. Umiltà Negustani, nobile faetina, 1935; – P. Zama, Il monastero ed ducandato di S. Umiltà; – Ders., 1943; – BHL I, 602; – Stadler II, 802 ff.; – P. Reinelt, Hl. Frauen u. Jungfrauen, 1910; – A. B. C. Dunbar, A Dictionary of Saintly Women I, 1904, 395 f.; – Zimmermann II, 209; – P. Schöning, Heilige u. Seelige des Karmeliterordens, Regensburg o. J.; – Holweck, 496; – Dom Baudot, Dict. d'Hagiographie, Paris 1925, 344 f.; – Doyé I, 531; – Butler's Lives of the Saints II, hrsg. v. H. Thurston u. D. Attwater, 1956, 368 f.; – LThK V, 535.

Ba

HUMMELAUER, Franz von, Jesuit, Exeget, * 14.8. 1842 in Wien als Sohn des Diplomaten Karl v. H., + 12.4.1914 in s'Heerenberg (Niederlande). – Nach der schulischen Ausbildung in St. Gervais-Lüttich und an der Stella Matutina in Feldkirch wurde H. 1860 Mitglied des Jesuitenordens. Er studierte – vornehmlich Exegese – in Münster und in Maria Laach. Ab 1877 lebte er als exegetischer Schriftsteller in Ditton Hall (England), Tervieren (bei Brüssel) und von 1895 bis 1908 in Valkenburg, anschließend in Berlin und s'Heerenberg. – H. war Sachbearbeiter für biblische und altorientalische Fragen der »Stimmen aus Maria Laach«. 1884 war er Mitbegründer und in der Folgezeit auch Mitarbeiter des »Cursus Scripturae Sacrae«. 1903 wurde er Konsultor der päpstlichen Bibelkommission. Seine Anschauungen zur Bibelauslegung wurden erst später von der katholischen Exegese aufgenommen; zu seiner Zeit waren sie Opfer heftiger Kritik. Dies hatte zur Folge, daß H. sich von der exegetischen Forschung zurückzog.

Werke: Im CSS kommentierte H.: 1Sam u. 2Sam, 1886; Ri u. Ruth, 1888; Gen, 1895; Ex u. Lev, 1897; Num, 1899; Dtn, 1901; Jos, 1903; Paralipomenon I, 1905. – Der bibl. Schöpfungsber., 1877; Meditationum et contemplationum S. Ignatii de Loyola puncta, 1896 (1925[3]; dt. hrsg. v. M. Schmid, Saarbrücken 1938); Nochmals der bibl. Schöpfungsber., 1898 (auch frz. u. it.); Das vormosaische Priestertum, 1899; Exegetisches z. Inspirationsfrage, 1904. – Verf. v. 24 Abhh. in: StML, 1873-1882.

Lit.: F. X. Kugler, P. F. v. H., in: Mitt. aus der dt. Prov. 7, 76 ff.; – »Reichspost. Ztg. f. das christliche Volk« (Wien) v. 17.4.1914; – ÖBL III, 10; – Kosch, KD 1803 f.; – Heimbucher II, 243; – Koch, JL 833; – EC VI, 1508 f.; – DBVS IV, 144 f.; – Catholicisme V, 1103; – LThK V, 535.

Ba

HUMPHREY, Laurence, englischer puritanischer Theologe, * 1527 in Newport Pagnel (Buckinghamshire), + 1.2.1590 in Oxford. – H. studierte in Cambridge und Oxford; als Vertreter fortschrittlicher protestantischer Ansichten verließ er nach dem Regierungsantritt Marias (s.d.) 1553 seine Heimat und ging nach Basel und Zürich, wo er mit Parkhurst, Jewel und anderen im Exil lebenden Protestanten in Verbindung stand. Nach Marias Tod ging H. zurück nach England und wurde 1860 Professor in Oxford, im folgenden Jahr erfolgte seine Wahl zum Präsidenten des Magdalen College. 1571 wurde er Dekan in Gloucester, 1580 in Winchester. – Als vielseitiger Gelehrter verfügte H. auch besonders in klassischer Philologie und auf dem Gebiet der Patristik über umfangreiche Kenntnisse. Wegen seiner strikt ablehnenden Haltung gegenüber der katholischen Kirche wurde er auch »Papistomastix« genannt.

Werke: Eine Entgegnung auf »The Displaying of the Protestantes and Sundry their Practises« v. Miles Huggarde, 1556 (verf. mit Robert Crowley); Epistola de Graecis Literis et Homeri Lectione et Imitatione ad praesidem et socios collegii Magdalen. Oxon., in: Κέρας Ἀμαλθείας, ἡ ὠκεανός τῶν ἐξεγήσεων Ὁμερικῶν, ἐκ τῶν τοῦ Εὐσταθείου παρεκβολῶν συνηρμοσμένων..., Basle, 1558; De ratione interpretandi authores, 1559; De religionis conservatione et reformatione vera; deque primatu regum et magistratuum, et obedienta illis, ut summis in terra Christi vicariis, praestanda, liber, 1559; Optimates, sive de nobilitate eiusque antiqua origine, natura, disciplina, ..., libri tres, 1560 (englisch 1563); Origenis tres dialogi de recta fide contra Marcionistas, in: Origenis Opera, Basel 1571; Oratio Woodstochiae habita ad illustriss. R. Elizab., 31. Aug. 1572, 1572; Joannis Juelli Angli, Episcopi Sarisburiensis, vita et mors, eiusque verae doctrinae defensio cum refutatione quorundam objectorum..., 1573; Oratio in Aula Woodstoc. habita ad illustriss. R. Elizab. an. 1575, 1575; Jesuitismi pars prima..., 1581; Pharisaismus vetus et novus, sive de fermento Pharisaeorum et Jesuitarum vitando..., 1582; Jesuitismi pars secunda..., 1584; Apologetica Epistola ad Academiae Oxoniensis Cancellarium, 1585; Seven Sermons against Treason, on 1Sam. XXVI. 8, 9, 10, 11, ... 1588; Consensus patrum de justificatione (o. J.). – Gab heraus: John Shepreve, Summa et synopsis Novi Testamenti distichis ducentis sexaginta comprehensa, 1586; Edd. u. Überss. v. Philo u. Origenes.

Lit.: DNB XXVIII, 238 ff.; – EBrit XI, 888; – RGG III, 490.

Ba

HUNDESHAGEN, Karl-Bernhard, Professor und Theologe der deutschen reformierten Kirche, * 10.1.1810 in Friedewald/Hessen, + 2.6.1872 in Bonn. – Bereits im Alter von 15 Jahren studierte H. Philologie an der Universität Gießen, bald darauf Theologie mit dem Schwerpunkt auf Kirchengeschichte. 1829 ging er vorübergehend nach Halle, um sein Studium dort zu beenden. Er war in Gießen wegen seiner Beziehung zur Burschenschaft, die seit der Ermordung des Dichters Kotzebue 1819 verboten war, zwangsexmatrikuliert worden. 1830 kehrte er jedoch als Privatdozent wieder dorthin zurück. Nach seiner Habilitation erhielt er 1834 einen Lehrstuhl als Professor für Kirchen- und Dogmengeschichte an der neugegründeten Universität Bern, die er ab 1841 auch leitete. Von 1847-67 war er dann Professor für Kirchengeschichte und Neues Testament in Heidelberg. Abschließend, von 1867 bis zu seinem Tode, lehrte er an der Universität Bonn, wo er 5 Jahre später verstarb. – H. identifizierte sich mit den Normen der 1821 durch staatlichen Einfluß zustandegekommenen badischen Union; man akzeptierte den Heidelberger und den Lutherischen Katechismus, solange sie mit den Grundaussagen der Heiligen Schrift und den allgemeinen Bekenntnissen der gesamten Christenheit übereinstimmten. Trotzdem blieb das wesentliche Problem der Union, sobald sie mit den reformierten und nachreformierten Bekenntnissen konfrontiert wurde, ihr theologisches Selbstverständnis - etwa in Bezug auf die Frage der freien Schriftforschung - mit der sich H. auseinandersetzte. Er war mit der Union der Auffassung, daß die evangelische Kirche nicht »aus Angst vor der freien Schriftforschung entsprungen ist, sondern aus der freudigen Zuversicht zu ihr«. Für die evangelische Kirche postulierte er Unabhängigkeit von staatlicher Macht und eine Abkehr von der reaktionären Politik. Andererseits betonte er die Autorität der Kirchenhierarchie, deren Entscheidungen er in allen rechtlichen Auseinandersetzungen als bindend betrachtete. – H. hinterließ eine Reihe von Werken, von denen besonders seine Arbeiten über Calvin und Zwingli beachtet worden sind. Seine Auseinandersetzung mit Zwingli gilt als wichtigste Arbeit über die Zürcher Reformation, deren Hauptfehler seiner Einschätzung nach in ihrer theokratischen Organisation bestand. Darüber hinaus beschäftigen sich seine Werke mit Kirchenverfassungsgeschichte, ihren institutionellen und sozialen Auswirkungen. Sein anonym veröffentlichtes Werk: »Der deutsche Protestantismus ...« erregte großes Aufsehen. Es ist eine der wenigen theologischen Arbeiten, die über das spezielle Gebiet der professionellen Theologie hinaus kulturelle Bedeutung erlangten. Es ist der Versuch, die Verflochtenheit religiöser und gesellschaftlicher Existenz darzustellen, woraus sich ergibt, daß die ungünstigen Bedingungen beider im Deutschland dieser Zeit nur in Anerkennung dieser Wechselwirkung verändert werden können.

Werke: Das Partheiwesen i. d. Bernischen Landeskirche v. 1532-58, in: Btrr. z. Gesch. d. Schweizerisch-reform. Kirche, S. 3-109, 2. Jg., 1841; Epistolae aliquot ineditae Martini Buceri, Joannis Calvini, Theodori Bezae aliorumque historiam exxlesiasticam Magnae Britanniae pertinentes, in: Progr. d. Univ. Bern, S. 3-55, 1840/41; Ueber d. Einfl. d. Calvinismus auf d. Ideen v. Staat z. staatsbürgerl. Freiheit, Rede, Bern 1842; Die Konflikte d. Zwinglianismus, Luthertums u. Calvinismus in der bern. Landeskirche v. 1532-1558, Bern 1842; Der Communismus u. d. ascet. Socialref. i. Laufe d. christl. Jahrhdte., in: Thed. Stud. u. Kritiken, Jg. 18, S. 535-607, 821-72, 1845; Der dt. Prot., seine Vergangenheit u. seine heutigen Lebensfragen im Zus.hang der gesamten Nationalentwicklung beleuchtet v. einem dt. Theologen (Karl Bernhard Hundeshagen), 1847 (1850³); Der Weg zu Christo. Vortrr. im Dienste der Inneren Mission, 1853 (1854²); Zur Charakteristik K. Zwinglis u. seines Reformationswerkes unter Vergleichung mit Luther u. Calvin, in: Theol. Stud. u. Kritiken, Jg. 35, S. 631-99, 1862; Btrr. z. Kirchenverfassungsgesch. u. Kirchenpolitik insbes. des Prot. I, 1864 (Neudr. Frankfurt/Main 1963). – Ausgew. kleinere Schrr. Nach seinen hs. Verbb. u. Ergg. neu hrsg. v. Theodor Christlieb, 2 Bde., 1874 (I: Zur christl. Kultur- u. immern dt. Zeitgeসch., II: Zur Gesch., Ordnung u. Politik der Kirche); Calvinismus u. staatsbürgerl. Freiheit, hrsg. v. Laure Wyss, 1946.

Lit.: Ferdinand Christian Baur, Krit. Stud. über das Wesen des Christentums, in: ThJb 6, 1847, 506-581; – Theodor Christlieb, K. B. H., in: Dt. Bll., Nov. u. Dez. 1872; – Eduard Riehm, Zur Erinnerung a. K. B.

H., in: ThStKr 47, 1874, 7-104; – Ders., K. B. H., in: BadBiogr I, 1875, 411-419; – Wilhelm Baur, K. B. H., in: Lb. K. B. H., in: Ders., Lb. aus der Gesch. der Kirche u. des Vaterlandes, 1887, 333-375; – Friedrich Nippold, Hdb. der neuesten KG III/1, 1890³, bes. 277 ff.; – Willibald Beyschlag, Aus meinem Leben, 2 Bde., 1896-99 (bes. II, 71 ff.); – Adolf Hausrath, Richard Rothe u. seine Freunde II, 1906, 212 ff. 231 ff. u. ö.; – Karl Bauer, Adolf Hausrath, Leben u. Zeit I, 1933; – Heinrich Hermelink, K. B. H., in: LB. aus Kurhessen u. Waldeck V, 1955, 149; – Gerhard Weihrauch, der »dt. Theologe« K. B. H. Seine theol. u. kirchl. Wirksamkeit u. deren Bedeutung, mit bes. Berücks. seiner Freundschaft mit dem verfolgten Jugendfreund Peter Gustav Schweitzer (Diss. Halle), 1959; – Manfred Wichelhaus, KG.schreibung u. Soziologie im 19. Jh. u. bei Ernst Troeltsch, 1965 (Diss. Heidelberg, Überarb.); – Thomas Nipperdey, C. B. H. Ein Btr. z. Verhältnis v. Gesch.schreibung, Theol. u. Politik im Vormärz, in: Festschr. f. Hermann Heimpel z. 70. Geb. I, 1971, 368-409; – Martin Schmidt, K. B. H.s theol.-polit. Diagnose der Zeit im Vormärz, in: Heidelberger Jbb. 15, 1971, 20-56; – Hermelink II, 477 ff.; – ADB XIII, 406-410; – NDB X, 63; – RE VIII, 450; – RGG III, 490.

Ba

HUNDHAUSEN, Ludwig Joseph, katholischer Exeget, * 29.8.1835 in Gau-Algesheim, + 7.1.1900 in Mainz. – H. besuchte das Gymnasium in Worms und studierte ab 1852 zunächst Medizin in Tübingen und Gießen. 1854 entschied er sich jedoch für den Eintritt in den geistlichen Stand und wurde Mitglied des Mainzer Priesterseminars. 1858 wurde er zum Priester geweiht. Ab 1864 war er Professor für neutestamentliche Exegese am Priesterseminar in Mainz, wo er bis 1877 und – nach einer Unterbrechung wegen der Schließung des Seminars im Kulturkampf – dann wieder ab 1887 lehrte. 1890 wurde er bischöflicher Geistlicher Rat und 1892 päpstlicher Hausprälat. 1891 übernahm er nach dem Tod von Johann Baptist Heinrich (s.d.) dessen Lehrstuhl für Dogmatik. – Neben den Forschungen zur Exegese befaßte sich H. besonders mit der Geschichte des Protestantismus.

Werke: Das Luthermonument z. Worms im Lichte der Wahrheit, 1868 (1883⁴, neu bearb. u. anonym veröff. u. d. T.: Kirche oder Prot.? Dem dt. Volke z. vierhundertj. Lutherjub. gewidmet v. einem dt. Theologen); Komm. zu 1 Petr u. 2. 2 Petr, 1873/78; Geist u. Charakter des Weltapostels, in: Katholik, Jg. 1877 (im Jg. 1880 ein Art. über Melchior Canus); Edd. des nt. Textes u. Schrr. z. nt. Textkritik seit Lachmann, in: Lit Handw, Jg. 1882; – Btrr. in: Wetzer-Welte².

Lit.: J. Schäfer, L. J. H., Mainz 1900; – Franz Falk, Bibelstud., Bibelhss. u. Bibeldrucke in Mainz, ebd. 1901, 308 f.; – BJ V, 303; – Kosch, KD, 1808; – LThK V, 536.

Ba

HUNNIUS, Ägidius, lutherischer Theologe, * 21.12. 1550 in Winnenden (Württemberg), + 4.4.1603 in Wittenberg. – H. studierte Theologie in Tübingen bei Jakob Andreä (s.d.), Heerbrand (s.d.), J. Brenz (s.d.) und Schnepf (s.d.), wurde schon 1567 Magister und 1574 Diakon in Tübingen, bis man ihn 1576 als Theologie-Professor berief. H. führte als lutherisch-orthodoxer Theologe an den hessischen Universitäten, an denen eine unionistische Einstellung vorherrschte, zahlreiche Kontroversen. Der württemberger Theologe konnte an der Universität Gießen der lutherischen Lehre Geltung verschaffen, in Nordhessen dagegen setzte sich eine reformierte Einstellung durch. H. schätzte das Torgische Buch, verwarf das Corpus Philippicum, stritt für die Luther - Brenzsche Ubiquitätslehre und die Concordienformel. Er war für den Bruch zwischen Ober- und Niederhessen auf der Synode von 1578 mitverantwortlich. 1592 rief Herzog Wilhelm Friedrich H. nach Wittenberg, wo die ebenfalls bedeutenden lutherischen Theologen Polykard Leyser (s.d.) und Leonhard Hutter (s.d.) lehrten. Mit Hutter verfocht H. die Prädestinationslehre der Konkordienformel, verteidigte als Homiletiker die lutherische Kanzelpolemik und machte beim Regensburger Reichstag 1594 seinen Einfluß auf Herzog W. Friedrich geltend, daß die beiden Texte der Augsburger Konfession nicht gleichgestellt würden. 1601 beteiligte er sich in Regensburg am Religionsgespräch, wobei er heftige Kontroversen mit den Jesuiten Adam Tanner (s.d.) und Jakob Gretser (s.d.) führte. In zahlreichen lateinischen und deutschen Streitschriften argumentierte H. gegen das Reformiertentum ebenso wie gegen den unorthodoxen Lutheraner Daniel Hoffmann (s.d.), den Ireniker Parens (s.d.) und Huber (s.d.). Die erste der von H. verfaßten geistlichen Komödie Joseph (1584) wurde bekannt und beeinflußte die deutsche Dramatik seiner Zeit. In seiner Bedeutung umstritten, ist H. als wichtiger Repräsentant der lutherischen Frühorthodoxie und Polemik anzusprechen, der zeitgenössische Vertreter des altprotestantischen Konfessionskirchentums an Scharfsinn und Gründlichkeit der Argumentation übertraf.

Werke: Comoediarum libellus (Josephus, Ruth), 1586; Josephus, Comedia Sacra, o. J.; Confessio v. der Person Christi, 1577, gedr. 1609; Libelli IV de persona Christi, 1585; Calvinus judaizans, 1593; Bibl. Komm. – GA der lat. Schrr., hrsg. v. Helvicus Gartius (H.' Schwiegersohn), 5 Bde., Wittenberg 1607-09; Cygnea cautio od. christl. Sterbensgedanken gesangsweise dargestellt, 1615.

Lit.: Salomon Gesner, Leichenpredigt auf A. Hunnius, nebst dessen Lebenslauf, Wittenberg 1603; – Leonhard Hutter, Threnologia de vita, rebus gestis et obitu A. Hunnii, Wittenberg 1603; – Johann Mulmann, Hyperaspistes pro divo A. Hunnio, Leipzig 1608; – Johann G. Neumann, Programma de vita A. Hunnii, Wittenberg 1704; – Wilhelm Herbst, Das Regensburger Rel.gespräch von 1601, geschichtl. dargest. u. dogmengeschichtl. beleuchtet, 1928, 114 f. u. ö.; – Otto Weber, Grdl. der Dogmatik I, 1955; – H. Weißberger, Ä. H. in Marburg, in: Jb. der Hess. kirchengeschichtl. Vereinigung 6, 1955, 1-89; – Gottfried Adam, Prädestination u. luth. Frühorthodoxie im ausgehenden 16. Jh. (Diss. Bonn), 1968, Neukirchen-Vluyn 1970 u. d. T.: Der Streit um die Prädestination im ausgehenden MA. Eine Unters. zu den Entwürfen v. Samuel Huber u. Ä. H.; – Ritschl I, 160-164. 392-396 u. ö.; IV, 143 ff. 293 ff. u. ö.; – Strieder VI, 213 ff.; – Allgem. Enz. der Wiss. u. Künstle, 2 Tl., hrsg. v. J. S. Ersch u. J. G. Gruber, 1818-89, XII, 109; – Elert I, 1965³, 193 f. 263 f.; – Ersch-Gruber II, 12. 109; – Jöcher II, 1961², 1775 ff.; – Goedecke II, 141. 199; – Weber I, 138. II, 148 u. ö.; – W. Kosch, Dt. Theater Lex.I, 1953, 863; – Kosch, LL VIII, 1981³, 297 f.; – ADB XIII, 415 f.; – NDB X, 67 f.; – RE VIII, 455-459; – RGG III, 490 f.; – EKL II, 217 f.; – LThK V, 540.

Ba

HUNNIUS, Monika Adele Elisabeth, Schriftstellerin, * 14.7.1858 in Narva als Tochter des Pfarrers Constantin H., + 30.12.1934 in Riga. H. erhält eine Gesangsausbildung zunächst in Riga dann in Frankfurt/Main, wo sie u.a. von Julius Stockhausen unterrichtet wurde. War befreundet mit Brahms, Clara Schumann u. Amalie

Schneeweiß. M. H. lehrte ab 1884 Gesang u. Deklamation in Riga, ab 1917 z. Zt. d. Bolschewikenherrschaft beschrieb sie eigene Erlebnisse u. Ereignisse jener Zeit. 1919-24 schrieb M. H. »Meine Weihnachten« u. »Menschen, die ich erlebte« in Königsfeld (Schwarzwald) u. begann das Werk »Mein Weg zur Kunst«. 1924 kehrte H. ins Baltikum zurück u. litt zunehmend unter Lähmungserscheinungen. H. Hesse regte sie zu ihrem Erstlingswerk »Mein Onkel Hermann« an. Die Werke H.s, die zu den bekanntesten dt. Autorinnen des Baltikums im 20. Jh. gehören, enthalten reizvolle Beschreibungen jener Zeit.

Werke: Bilder aus der Zeit der Bolschewikenherrschaft v. 3.1. bis 22.5. 1919, 1921 (1938: 24. - 26. Tsd.); Meine Weihnachten, 1922 (1975: 181. - 185 Tsd.); Mein Onkel Hermann. Erinnerung an Alt-Estland, 1922 (1965: 96. - 100 Tsd.); Menschen, die ich erlebte, 1922 (1962: 87. - 90. Tsd.); Mein Weg z. Kunst, 1925 (1953: 87. - 89. Tsd.); Balt. Häuser und Gestalten, 1926 (1935: 19. - 20. Tsd.); Aus Heimat und Fremde, 1928; Jugendtage einer Deutsch-Baltin, 1929; Balt. Frauen v. einem Stamm, 1930 (1941: 22. - 29. Tsd.); Das Lied von der Heimkehr, 1932; Mein Elternhaus. Erinnerungen, 1935 (1960: 51. - 55. Tsd.); Briefwechsel mit einem Freunde. Hrsg. v. Sophie Gurland, 1935 (1955: 25. - 28. Tsd.); Wenn die Zeit erfüllet ist ... Briefe u. Tgb.bll. Hrsg. v. Anne-Monika Glasow, 1937 (1959⁴); Johannes, 1948 (1948: 6. - 10. Tsd.).

Lit.: Erik Thomson, M. H. Schmerzenswege sind Segenswege, 1956; – M. Rudolph, Rigaer Theater- u. Tonkünstler Lex., 1890, 108; – Grundriß einer Gesch. d. baltischen Dichtung, hrsg. v. Arthur Behrsing, 1928, 106; – Dt. Geschlechterbuch 79, 200; – Kürschner, LK, Nekr. (1901-1935) 1936; – Lex. d. Frau I, 1953-54, 1439; – Baltische Briefe. Nschr. 2, 1949, 8; 13, 1958, 11 f.; – Ostdt. MHh. 25, 1958/59; – Jb. d. baltischen Deutschtums, 1959, 111 f.; – NDB X, 69; – Baltisches Biogr.Lex. 1710-1960, hrsg. v. Wilhelm Lenz, 1970, 349; – Kosch LL, 3. Aufl. 1981, 298 f.; Bibliogr. Hdb. d. dt. Lit.wiss., hrsg. v. Cl. Köttel VIII, Wesch II, 808.

Ba

HUNNIUS, Nikolaus, lutherischer Theologe, * 11.7. 1585 in Marburg/Lahn als Sohn des Theologen Ägidius H. (s.d.), + 12.4.1643 in Lübeck.. – H. nahm 1600 das Studium an der Universität Wittenberg auf und wurde 1604 Magister und Adjunkt der Philosophischen Fakultät. In den folgenden Jahren besuchte er die Universitäten in Marburg und Gießen und las Theologie und Philosophie in Wittenberg. 1612 ernannte ihn der Kurfürst von Sachsen zum Prediger und Superintendenten in Eilenburg. 1617 erhielt er als Nachfolger Leonhard Hutters eine theologische Professur in Wittenberg. 1623 wurde H. Hauptpastor an St. Marien in Lübeck, 1624 erfolgte die Ernennung zum Superintendenten der Lübecker Kirche. – H. setzte sich mit Reformierten, Sozianern und Anhängern Jakob Böhmes (s.d.) und Valentin Weigels auseinander. Daneben widmete er sich der praktischen Tätigkeit. So wollte er durch Vereinigung der Ministerien der Städte Lübeck, Hamburg und Lüneburg zu einem »ministerium tropilitanum« das Luthertum gegen enthusiastisch-mystische Bewegungen abgrenzen. Ebenfalls beabsichtigte er, ein »Collegium irenicum seu pacificatum« einzurichten, das die theologischen Streitigkeiten in der lutherischen Kirche schlichten sollte.

Werke: Demonstratio Ministerii Lutherani, 1614 u. ö.; Capistrum Hunnio paratum..., 1617 (eine Erwiderung auf die gg. H.s »Demonstratio Ministerii Lutherani« gerichtete Schr. des Augustiners Heinrich Lancelot v. Mechseln: Capistrum Hunnii seu Apologeticus contra illegitimam Missionem Ministrorum Lutheranorum, Antwerpen 1617); Disputatio theologica de Baptismi Sacramento Photinianis erroribus oppos., 1618; Principia theologiae fanaticae, quam Theophrastus Paracelsus genuit, Weigelius interpolavit... Pro Impetrando gradu in theologiae summe Valentino Legdaeo, 1619; Examen errorum Photinianorum ex verbo Dei institutum, 1620; Canones logici, ... Nunc vero secundum editi, 1621; Christliche Betrachtung der neuen Paracelsischen u. Weigelianischen Theol. ..., 1622; Epitome credendorum oder Inhalt christlicher Lehre, 1625 u. ö. (auch holl., schwed., poln. u. lat.; Neudr. 1844); X theologica de fundamentali dissensu doctrinae Evangelicae Lutheranae et Calvinianae seu Reformatae. Cum praemissa consideratione Calvinianae Dordrechtana Synodo proditae, 1626; Erkl. des Katechismi D. Lutheri aus den Hauptsprüchen des göttlichen Wortes z. Unterricht f. junge u. einfältige Leute gestellt, 1627; Offenblicher Beweisz dasz D. Martinus Luther zu desz Bapstumbs Ref. rechtmessig von Gott sey beruffen worden..., 1629; Necessaria Depulsio Duarum gravissimarum Accusationum quibus Jesuital Augustanae confessionis Ecclesias calumniose onerare non erubescunt:..., 1630; Ecclesia Romana probatur non esse Christiana, quia deum veneratur cultu a vero Christianissmo alieno, 1630; Innocentia lutheranorum, in puncto injuriarum, ex asserto Romani pontificis antichristianismo, in Rom. Imperium, Imperatorem ac status catholicos redundantium, nec non violatae pacificationis religiosae: ..., 1631; Apostasia Romanae ecclesiae, ab antiqua apostolica, vereque Christiana puritate salutaris doctrinae, fidei, cultus et religionis: ex propria ipsius confessione, unice, lucunter tamen, demonstrata, 1632; Consultatio oder wohlmeinendes Bedenken, ob u. wie die ev.-luth. Kirchen die jetzt schwebenden Rel.streitigkeiten entweder friedlich beilegen oder durch christliche u. bequeme Mittel fortstellen u. endigen mögen, 1632; Nedder-Sächsisches Handtbouck, 1633; Ausführlicher Ber. v. der neuen Propheten (die sich Erleuchtete, Gottesgelehrte u. Theosophos nennen) Rel., Lehr u. Glauben, 1634 (1708² u. d. T.: Mataeologia fanatica); Anweisung z. rechten Christentum f. junge u. einfältige Leute im Haus u. Schulen z. gebrauchen, aus göttlichem Wort gestellt, 1637; Pellis ovina Romanae Ecclesiae detracta: Oder Christliches vnd wolgegruendetes Examen vnd Beantwortung alles Ruhms vnd Scheinheiligkeit damit die Roem. Kirche (als jhrer Rel. Grundfeeste) faelschlich pranget vnd Einfaeltige z. betriegen sich vnterstehet..., 1637; Nothwendige vnd gründliche Beantwortung der fürwitzigen vngereumbten vnd dem Christentumb oberaus schimpfflichen Frage: Woher vnd aus welchem Kennzeichen die Lutherischen gewiss sein können dass sie die Heilige Schrifft recht verstehen..., 1640; Ministerii ecclesiastici Lubecensis theologica Consideratio interpositionis, seu pacificatoriae transactionis, inter religionem Lutheranam ex una, et Reformatam ex altera parte profitentes, abs. D. Johanne Duraeo, ecclesiaste Britanno, his temporibus tentatae (1677 veröff. durch Samuel Pomarius).

Lit.: Michael Sircks, Hirtenschule, d. i. Christliche Predigt v. dreierlei Hirten, Leichenpredigt auf N. H., Lübeck 1643; – S. Meier, in: H. Witte, Memoriae theologorum, Frankfurt 1674, 580 ff.; – Casp. Heinrich Starck, Der Stadt Lübeck Kirchenhistorie V, Hamburg 1724, 741 ff.; – Joh. Moller, Cimbria literata II, Kopenhagen 1744, 376 ff.; – L. Heller, N. H. Sein Leben u. Wirken, 1843; – H. Leube, Die Reformideen... z. Z. der Orthodoxie, 1924; – Ders., Calvinismus u. Luthertum I, 1928, 139 ff.; – W. Jannasch, Gesch. des luth. Gottesdienstes in Lübeck... 1522-1633, 1928, 152 ff.; – H. Weimann, Zwei Sup., Lübecker Volksu. Sittenspiegel 1640 bis 1700, in: Jb. des St.-Marien-Bauver. 2, 1955/56, 32 ff.; – ADB XIII, 416 ff.; – NDB X, 68; – Ritschl IV, 306 ff.; – RE VIII, 459 ff.; – The New Schaff-Herzog Encyclopedia of Religious Knowledge V, Grand Rapids/Michigan 1953, 410; – CKL I, 897; – RGG III, 491.

Ba

HUNOLD, Michael, ev. Kirchenliederdichter, * 25.10. 1621 in Leipzig an der Freiberger Mulde (Sachsen) als Sohn eines Stadtmusikers, + 1672 in Rochlitz (Sachsen). – H. besuchte die Schule in Altenburg und studierte seit 1642 in Leipzig und Jena. Er wurde 1646 Hauslehrer in Leisnig, dann Rektor der Schule in Rochlitz an der Mulde und 1649 Diakonus an der dortigen St. Kunigundenkirche und 1655 Archidiakonus. – Von seinen 16 Liedern, die erst gegen Ende des 17. Jahrhunderts und Anfang des 18. Jahrhunderts zur Verbreitung kamen, sind u.a. bekannt »Nichts Betrübtes ist auf Erden, nichts kann so zu Herzen gehn, als wenn

arme Witwen werden« und »Mein Jesus kommt, mein Sterben ist vorhanden«. Über dieses Sterbelied auf die Sieben Worte Jesu am Kreuz hat Pastor Paul Christian Hilscher in Dresden erbauliche Betrachtungen geschrieben:» Sterbekunst«, Dresden 1716.

Werke: Disp. de statu exinanitionis, Christi ad Phil. II, 5-8, 1656.

Lit.: Paul Christian Hilscher, Die Sterbekunst, nach Anleitung der letzten Worte Christi, in dem Liede: Mein Jesu kommt, mein Sterben ist vorhanden, Dresden 1716; – Samuel Gottlieb Heyne, Hist. Beschreibung der alten Stadt u. Gfsch. Rochlitz, Leipzig 1719, 192; – Johann Caspar Wetzel, Hymnopoeographia oder Hist. Lebensbeschreibung der berühmtesten Liederdichter I, Herrnstadt 1719, 461; – Ders., Analecta hymnica, das ist: Merkwürdige Nachlesen z. Lieder-Historie II, Gotha 1754, 306 ff.; – Koch III, 404 f.; – Bl. f. Hymnol. 1886, 85; – Jöcher II, 1787, 2197; Goedecke III, 179; – Fischer-Tümpel IV, 29 f.; – Jordens II, 2197; – ADB XIII, 421 f.; – Kosch, LL VIII (3. Aufl.), 302.

Ba

HUNOLT, Franz, Jesuit, * 31.3.1691 in Siegen, + 12. 9.1746 in Trier. – H. besuchte das Jesuitenkolleg seiner Vaterstadt und studierte Philosophie in Köln. Zwischen 1724 und 1743 war er Domprediger in Trier; vorher hatte er in Köln und Aachen gelehrt. 1723 war ihm in Koblenz eine Professur im Fach Logik übertragen worden. – H.s Predigten, in denen das Gebiet des christlichen Lebens umfassend behandelt werden sollte, kennzeichnet ein schlichter und einfacher Sprachstil sowie die lebensnahe und an der Heiligen Schrift orientierte Darstellung.

Werke: Christliche Sittenlehre über die ev. Wahrheiten, 6 Bde., 1740-48 u. ö.; 24 Bde., 1842-48 u. ö.; Auserlesene Predigten, 2 Bde., 1836-37 (1840-48³, 4 Bde.).

Lit.: N. Scheid, F. H., S. J. Ein Pr. aus der ersten Hälfte des 18. Jh.s, Regensburg 1906; – J. Kramp, Ein rhein. Volkspr. des 18. Jhs, in: BZThS 3, 1926, 218 ff.; – ADB XIII, 421; – Sommervogel IV, 524 ff.; – Duhr IV, 175 ff.; – Heimbucher II, 219.250; – Kosch KD, 1811 ff.; – Koch JL, 833 f.; – Catholicisme V, 1104; – DSp VII, 1192 f.; – LThK V, 541.

Ba

HUNT, William Holman, englischer Maler, * 2.4.1827 in London, + 7.9.1910 in London. – H. studierte ab 1845 an der Royal Academy, wo er sich mit Millais befreundete. Ab 1846 beschickte er mehrere Ausstellungen und war von den »Modern Paiters« um Ruskin beeindruckt, deren Kritik nicht Raffael, sondern dessen Nachfolgern galt. Mit Millais und Rosetti stellte H. die programmatische Forderung nach Rückkehr zur Naturwahrheit der vorraffaelischen Epoche auf. Die Kunst solle aus dem realen Leben schöpfen – für dieses Programm, das eine Reaktion auf einen manieriert gewordenen Akademismus war, prägte H. den Namen »Pre-Raphaelitismus«. 1848 wurde die »Pre-Raphaelite Brotherhood« gegründet. 1856 erhielt H. für sein Bild »Claudio und Isabella« den »Liverpool-Preis«. Zunächst malte H. Bilder aus der Dichtung und Sage, später religiöse Gegenstände. Didaktisch-moralisierende Elemente (Licht der Welt), ein oft peinlich genauer Naturalismus und eine symbolistische Neigung (Der

Sündenbock) sind für H. kennzeichnend. Nach einem 3jährigen Italien-Aufenthalt reiste er 1869 nach Jerusalem und blieb bis 1873 in Palästina, wo er »Schatten des Todes« vollendete und »Der Triumph der Unschuld« begann, das von Ruskin als das bedeutendste religiöse Bild seiner Epoche bewertet wurde. Während seiner zahlreichen Jerusalem-Aufenthalte entstanden eine Reihe von Aquarellen mit religiösen Inhalten und Landschaftsdarstellungen. H. formulierte 1886 seine Kunstauffassung in einer Aufsatzreihe und veröffentlichte 1905 eine Darstellung der Geschichte der Pre-Raphaelitischen Bewegung in England: »The Pre-Raphaelite Brotherhood«. H.s Verbindung von Naturalismus und Pietismus machten ihn zu einem populären Maler seiner Zeit, jedoch stand die anglikanische Hochkirche ihm wegen seines Realismus kritisch gegenüber.

Werke: The Eve of St. Agnes, 1847-48 (London, Guildhall Art Gallery); Befreiung Sylvias durch Proteus, 1851 (Birmingham, City Art Gallery); My beautiful Lady, Radierung, in: The Gern 1, 1850; Der gedungene Hirt, ca. 1853 (Manchester, City Art Gallery); Claudio and Isabella, 1853 (London, Tate Gallery); Das Licht der Welt, 1854 (Oxford, Keble College); Der Sündenbock, 1854 (Port Sunlicht/Cheshire, Lady Lever Art Gallery); 6 Illustrationen zu Poems by Alfred Tennyson (Edit. Moxon, 1857); Der 12 j. Jesus im Tempel, 1854-60 (Birmingham, City Art Gallery); London Bridge, 1863 (Oxfort, Taylor Buildings Gallery); The Festival of St. Swithin, ca. 1865 (ebd.); Ponte Vecchio, Aquarell, ca. 1868 (Victoria and Albert Mus.); Der Schatten des Todes, 1869-73 (Manchester, City Art Gallery); Selbstbildnis, 1875 (Florenz, Pal. Pitti); The Ship, 1875 (London, Tate Gallery); Der 12j. Jesus unter den Schriftgelehrten, Aquarell, ca. 1882 (Vorlage f. ein Mosaikgemälde der Kapelle von Clifton College); Der Maitag auf dem Magdalenenturm, 1890 (Oxford, Magdalen College, Studie in Birmingham, City Art Gallery); Wunder und Verteilung des hl. Feuers in der Glaubenskirche zu Jerusalem (1899 in d. New Gallery ausgest.); The Lady of Shalott, 1886-1905 (Hartford/Connecticut, Wadsworth Atheneum); Theoretische Werke: The P. R. B.: A Fight for Art (Aufs.R.), in: Contemporary Rev., 1886; Pre-Raphaelitism and the Pre-Raphaelite Brotherhood, 2 Bde., London 1905.

Lit.: John Ruskin, Modern Painters, 1843-53; – F. G. Stephens, H. H. and his Works, 1860; – Ders., W. H. H., in: The Portfolio, 1871, 33-39; – Ders., The Triumph of the Innocents. ebd. 1885, 80 ff.; – Ders., Notes on the Pictures of Mr. H. H., London 1886; – C. Gurlitt, Die Praeraffaeliten, in: Westermanns Mhh., April 1892; – P. H. Bate, The Pre-Raphaelite Painters, 1899; – Robert de La Sizeranne, Die zeitgen. engl. Malerei (Übers. a. d. Französ.), 1899; – W. M. Rossetti, Pre-Raphaelite Diaries and Letters, 1900; – G. C. Williamson, H. H., 1902; – W. Bayliss, Five Great Painters of the Victorian Era, 1902; – O. v. Schleinitz, W. H. H., Künstler-Monographie LXXXVIII, hrsg. v. H. Knackfuß, 1907; – Mary L. Coleridge, H. H., 1908; – H. W. Shrewsburry, Brothers in Art (Millais u. H.), 1920; – A. C. Gissing, W. H. H. A biography, 1936; – Präraffaeliten, Ausst. kat. Staatl. Kunsthalle, Baden-Baden 1973; – Georg P. Landow, W. H. H.s »The Shadow of Death«, in: Bull. of the John Rylands Library Manchester LV, 1972, 197-239; – Ders., ›Your good Influence on me‹: the Correspondence of John Ruskin and W. H. H., ebd. LIX, 1976, 95-126, 367-396; – Harvey P. Suchsmith, Dickens among the Pre-Raphaelites: Mr. Merdle and H. H.s ›The Light of the World‹, in: The Dickensian LXXII, 1976, 159-163; – R. Muther, Gesch. d. Malerei im XIX. Jh., 1893/4, II, 492 ff.; – Ders., Gesch. d. engl. Malerei, 1903; – H. W. Singer, Der Prae-Raphaelitismus in Engl., 4 Bde., 1912; – Burlington Magaz., XVIII, 1910, 4; – The Art Journal 1910, 316; – Allgem. Künstler-Lex., hrsg. v. H. W. Singer II, 1921, 219 f.; – Thieme-Becker XVIII, 1925, 146-148; – Benezit V, 1976, 674. – Internat. Hdb. aller Maler u. Bildhauer des 19. Jh.s, hrsg. v. J. Busse XIX, 1977, 610.

Ba

HUNTER, William, methodistischer Liederdichter, * 26.5.1811 in der Nähe von Ballymoney (County Antrim, Irland), + in Alliance (Stark Country, Ohio). – H. kam schon 1817 nach Amerika. Er wurde 1855 Professor des Hebräischen am Alleghany College und später Prediger der Bischöflichen Methodistenkirche in Alliance. Von seinen mehr als 125 Liedern ist bekannt »The Great Physician now is near«. Das Lied erschien 1859 in des Dichters »Songs of Devotion«, deutsch in der Liedersammlung »Frohe Botschaft« von Ernst Gebhardt (s.d.), Basel 1875, und in den »48 Liedern« des Dr. Ed. Blösch, Bern 1875: »Der große Arzt ist jetzt uns nah, der liebe, teure Jesus«.

Werke: Songs of Devotion, 1859.

Lit.: Ernst Gebhardt, Frohe Botschaft in Liedern (aus engl. Qu. übertr.), Basel 1875 (1921[85]).

Ba

HUNTINGTON, De Witt Clinton, amerikanischer methodistischer Liederdichter, * 1830 in Townsens (Vermont), + 1912 in Lincoln (Nebraska). – H. wirkte 21 Jahre als Methodistenprediger in Vermont und im Staat New York. Dann kam er nach Lincoln, wo er der wesleyanischen Universität als Präsident vorstand. H. war ein bedeutender Führer auf dem Gebiet der christlichen Erziehung. – Bekannt ist sein Lied, das er kurz nach dem Tod seiner ersten Gattin gedichtet haben soll: »Oh think of the home over there«, deutsch von Ernst Gebhard (s.d.) in seiner Liedersammlung »Frohe Botschaft«, Basel 1875: »Meine Heimat ist dort in der Höh, wo man nichts weiß von Trübsal und Weh«.

Lit.: Who was who in: America I, 1943, 609 f.; – Walter Schulz, Reichssänger, Schlüssel z. dt. Reichsliederbuch, 1930, 186; – The Twentieth Century Biogr. Dictionary of Notable Americans, 1904 (1968).

Ba

HUNTPICHLER, Leonhard, Dominikaner, * in Brixental (Nordtirol), + 1478. – H. lehrte ab 1426 an der Wiener Artisten-Fakultät; danach studierte er Theologie in Köln. Im Anschluß an seine Rückkehr nach Wien war er als Magister der Theologie tätig. An der Theologischen Fakultät der Universität Wien bekleidete er verschiedene Male das Amt des Dekan. – H. verfaßte zahlreiche – handschriftlich überlieferte – Abhandlungen, u. a. über die Ablässe und die Prädestination. In Wien hielt er erstmalig Vorlesungen über die »Summa Theologiae« des Thomas von Aquin (s.d.).

Lit.: J. Aschbach, Gesch. der Wiener Univ. I, Wien 1865, 535 f.; – V. Laporte, in: A. Mortier, Hist. des maîtres généraux de l'ordre des Frères Precheurs IV, Paris 1909, 459 ff.; – C. Jellouschek, in: DTh 7, 1920, 107 ff. (darin ein Abh. H.s über die Prädestination); – A. Walz, Compendium hist. Ordinis Praedicatorum, Rom 1948[2], 72 f. 239; – C. Vansteenkiste, Codici tomistici della biblioteca Domenicana di Vienna, in: Angelicum 38, 1961, 160 f.; – Isnard Wilhelm Frank, L. H. O. P. (* 1478). Theol.prof. u. Ordensreformer in Wien, in AFP 36, 1966, 313 ff. (mit Verz. der Schrr. H.s); – Ders., Ein antikonziliarer Traktat des Wiener Dominikaners L. H. v. 1447/48, in: FZThPh 18, 1971, 36 ff.; – Ders., Der antikonziliaristische Dominikaner L. H. Ein Btr. z. Konziliarismus der Wiener Univ. im 15. Jh., Wien 1976; – LThK V, 541.

Ba

HUNZINGER, August Wilhelm, ev. Theologe, * 27.3.

1871 in Dreilützow (Mecklenburg), + 13.11.1920 in Hamburg, – H. studierte 1891-94 in Greifswald und Rostock und wurde 1890 Pfarrverweser und 1901 Vereinsgeistlicher für Innere Mission in Rostock, 1906 Privatdozent und 1907 ao. Professor in Leipzig und 1909 o. Professor der Systematischen Theologie in Erlangen. Seit 1912 wirkte er als Hautpastor in Hamburg. Während H. als wissenschaftlicher Apologet anfangs die streng lutherische Lehre verfocht, trat er später, in der Kriegs- und Revolutionszeit, in Gegensatz zu den kirchlich-konservativen Kreisen.

Werke: Die Bühne als moral. Anstalt, 1902; Persönl. Leben, 1902; Lutherstud., 1906; Der Glaube Luthers u. das rel.-geschichtl. Christentum der Ggw., 1907; Zur apologet. Aufgabe der ev. Kirche in der Ggw., 1907; Probleme u. Aufgaben der ggw. systemat. Theol., 1909; Der Glaube Luthers u. das relig.-geschichtl. Christentum d. Ggw.; Gott, Welt, Mensch, 1909; Der apologetische Vortrag, seine Methodik u. Technik, 1909; Die rel. Krisis der Ggw., 1910; Theol. u. Kirche, 1912; Das Wunder, 1912; Kriegspredigten, 1914 ff.; Hauptfragen der Lebensgestaltung, 1916; Das Christentum im Weltanschauungskampf der Ggw., 1910³; Lebensgeist (Predigtsmlg.), 1921.

Lit.: Hamburger Nachrichten 13. u. 26.3.1921; – Max Jaeger, H., ein Porträt, 1923; – Hdb. f. das kirchl. Amt, hrsg. v. M. Schian, 1928, 264; – Lutheran Cyclopedia, hrsg. v. E. L. Lueker, 1954, 490; – Elert II, 46; – DBJ II, 749.

Ba

HUONDER, Anton, Jesuit und Missionsschriftsteller, * 15.12.1858 in Chur (Schweiz) als Sohn des Dichters Johann Anton Huonder, + 23.8.1926 in Bonn. – 1875 trat H., nach Beendigung der Gymnasialstudien bei Benediktinern in Disentis und Engelberg und bei Jesuiten in Feldkirch, der Gesellschaft Jesu bei. Es folgten Jahre der philosophischen und theologischen Ordensstudien in England und Holland. 1889 wurde er Mitarbeiter der Zeitschrift "Die katholischen Missionen". Von 1902-1912 und 1916-1918 war er Hauptschriftleiter dieses Blattes. 1913 erschien sein vierbändiges Erbauungswerk »Zu Füßen des Meisters«. Es wurde in zwölf Sprachen übersetzt und übte großen Einfluß auf viele Priester und Ordensleute dieser Zeit aus. H. war ein geschätzter Exerzitienmeister und Priesterseelsorger. – H. gilt als führend in der Bedeutung für die deutsche Missionsbewegung. Sprachlich begabt und aufnahmebereit für Fragen der Zeit, konnte er sowohl durch Erzählungen »Aus fernen Landen« den Missionsgedanken verbreitern helfen, als auch durch Bearbeitung wichtiger Fragestellungen, wie die Frage nach der Bedeutung des Einsatzes von Laien, Fragen der Missonsmethode und der missionarischen Akkomodation und Adaption, bahnbrechend und richtungsweisend wirken. Besonders in seinem Auftreten gegen den Europäismus im Missionsbetrieb zeigte er sich dem Problembewußtsein seiner Zeit weit voraus. H. muß zu denjenigen gerechnet werden, die der katholischen Missionswissenschaft den Weg zur theologischen Disziplin ebneten.

Ue

Werke: Dt. Jesuitenmönche des 17. u. 18. Jh.s; Der seelige Johann Gabriel Perboyre. Ein Märtyrerbild aus dem 19. Jh., in: Die kath. Missionen XVIII, 1890; Ein Blick in die Reduktionen von Paraguay, in: Kath. Flugschr. zur Lehr u. Wehr 98/99, 1895; Pfotenhauer u. die Erziehungs-

grundsätze der Jesuiten in Paraguay, ebd. 104/105, 1896; Die kath. Heidenmission, in: Kirchliches Hdb. f. das kath. Dtld., hrsg. v. H. U. Krose, 1907-1908, 64-94; Die Missionspflicht der dt. Katholiken, 1909; Der einheimische Klerus in den Heidenländern, 1909; Kath. u. prot. Missionsalmosen, in: Die kath. Missionen, 1910; Die Mission auf der Kanzel, 3 Bde., 1912-15; Der Verein der Glaubensverbreitung, 1913; Bannerträger des Kreuzes, 2 Bde., 1913-15; Zu Füßen des Meisters. Kurze Betrachtung f. vielbeschäftigte Priester, 1914 (1922¹¹⁻¹²); II. Die Leidensnacht, 1925 (1926⁴⁻⁶); III. Der Verklärungsmorgen, 1929 (1930²); IV. Die Morgendämmerung, 1930; Z. Gesch. des Missionstheaters, 1918; Der Europäismus im Missonsbetrieb, 1921; Der chines. Ritenstreit, 1921; Der hl. Ignatius v. Loyola u. der Missionsberuf der Ges. Jesu. Bttr. zu seinem Charakterbild, 1922 (hrsg. v. Balthasar Wilhelm, 1932); Die Verdienste der kath. Heidenmission um die Buchdruckerkunst in überseeischen Ländern v. 16.-18. Jh., 1923. – Erz. in der Smlg.: Aus fernen Landen: VI, Vater Rene's letzte Fahrt, 1894; XI, Die weiße Rose: Hadra, die kleine Bekennerin. Eine Erz. aus Algerien, 1896; XXIII, Der Findling von Hongkong u. a. Geschichten, 1907; XXIV, Der »heilige Brunnen« von Chitzen-Itza. Eine Erz. aus Alt-Yukatan, 1908; Die Rache des Mercedariers. Eine Erz. aus dem MA, 1910 (1960: 37.-41. Tsd.); XXVII, Die Tasse des weißen Bonzen. Eine Erz. aus Japan, 1912; XXIX, Gil u. Blas od. mit Nagellan um die Welt herum, 1914; Der Schwur des Huronenhäuptlings. Eine Erz. aus der Missionsgesch. Kanadas, 1923 (1054²¹). – Zahlr. Bttr. in: Die kath. Missionen; StML; Sermon and Lectures on the Missions, hrsg. v. A. H., engl. übers. v. Cornelius Pekari, 1918.

Lit.: E. Vachelin, Der Jesuitenorden u. die Schweiz, 1923; – Robert Streit (Hrsg.), Die kath. dt. Missionslit., 1925 I, 47, 83, 90, 91, 94, 97, 116, 160; – Bernard Arens, Jesuitenorden u. Weltmission, 1937; – Koch, JL 384 f.; – Kosch, LL, 3. Aufl. 1981, 305; – HBLS IV, 325; – LThK V, 542; – NDB X, 71 f.

Ba

HUPFELD, Hermann, ev. Theologe, * 31.3.1796 als Pfarrerssohn in Marburg (Lahn), + 24.4.1866 in Halle (Saale). – H. wurde im Haus seines Großvaters geboren, wohin sich die Mutter, eine Pfarrerstochter, von Dörnberg bei Holzappel vor den französischen Soldaten geflüchtet hatte. Er verlebte seine Kindheit in Dörnberg und seit 1802 in Melsungen. Den ersten Unterricht erteilte ihm der Vater. Mit 13 Jahren kam H. zu dem Bruder seiner Mutter, einem Pfarrer in einem württembergischen Grenzdorf bei Heilbronn, der zwei Jahre die Studien seines Neffen leitete und überwachte. Nach 1 1/2jährigem Besuch des Gymnasiums in Hersfeld bezog er die Universität Marburg und widmete sich 4 1/2 Jahre eifrig philologischen und theologischen Studien. 1817 promovierte H. zum Dr. phil. und setzte im Winter 1817/18 in dem niederhessischen Städtchen Spangenberg, wohin sein Vater 1814 versetzt worden war, seine Arbeiten fort. Nach kurzer Tätigkeit als zweiter Major der Stipendiatenanstalt in Marburg wurde er Ostern 1819 Lehrer am Gymnasium in Hanau, legte aber im Herbst 1822 seiner Gesundheit wegen dieses Amt nieder und kehrte in das Elternhaus nach Spangenberg zurück. H. habilitierte sich im Herbst 1824 in Halle in der Philosophischen Fakultät und wurde in Marburg Ostern 1825 Privatdozent, nach einem halben Jahr ao. Professor der Theologie, im Frühjahr 1827 o. Professor der orientalischen Sprachen und im Herbst 1830 o. Professor der Theologie. Die Theologische Fakultät der Universität Halle verlieh ihm 1834 die Ehrendoktorwürde. Im Herbst 1843 folgte er dem Ruf nach Halle und entfaltete hier eine tiefgreifende Wirksamkeit. – H. war ein namhafter Exeget des Alten Testaments und ist bekannt als Förderer der

Pantateuchkritik und Begründer der »neueren Urkundenhypothese«: er unterschied die elohistische »Urschrift«, eine weitere elohistische und eine jahwistische Schrift, außerdem den Redaktor, der die Quellen planmäßig zusammengearbeitet hat.

Werke: Animadversiones philologicae in Sophoclem, Marburg 1817; Einige anonyme Aufss., in: Anzeiger der Deutschen 1820 u. 1821, in: Allg. (Darmstädter) Kirchen-Ztg., 1826; Exercitationes aethiopicae, 1825; Commentatio de emendanda ratione lexiographicae Semiticae, 1827; Ausführl. hebr. Gramm., 1828 (nur 5 Bogen), 1841 (um 3 Bogen verm., unvollst.); Recension v. Ewalds hebr. Grammatik, in: Hermes XXXI, 1; Über Theorie u. Gesch. der hebr. Grammatik, in: ThStKr 1, 1829, H.3; Über den grammatisch-hist. Werth der bessern dt. Volksmundarten, in: Jahns Jb. f. Philolog. u. Pädag., 1829, H. 3; Von der Natur u. den Arten der Sprachlaute, als physiolog. Grundlage der Grammatik, ebd. H. 4; Ein Nachwort zu Bickell's Schrift: Über die Reform der prot. Kirchenverfassung in bes. Beziehung auf Kurhessen, Marburg 1831; Krit. Beleuchtung einiger dunkeln u. mißverstandenen Stellen der at. Textgesch., in: ThStKr 3, 1830, H. 2 bis 3; 1837, H. 4. Die Qu. der Genesis u. die Art ihrer Zus.setzung, v. neuem unters., 1853; Gutachten ü. die Rechtmäßigkeit u. Ratsamkeit frommer Privat-Gemeinschaften u. Zusammenkünfte innerhalb der prot. Kirche, mit bes. Rücksicht auf Kurhessen, in: Allg. (Darmstädter) Kirchen-Ztg. 1837, Nr. 29-32; System der Semitischen Demonstrativbildung, in: Zschr. f. Kunde des Morgenlandes II, 1838, 124-163 u. 427-482; Die Lehrartikel der Augsburgischen Konfession, 1840 (Aufsätze dazu in: Hanauer ev. Kirchenboten (hrsg. v. J. Carl) 1840-41); Über Begriff u. Methode der sog. bibl. Einl., 1844; De rei grammaticae apud Judaeos..., 1846; Commentatio de antiquioribus Judaeos, 2 Te., 1846 f.; Die Krisis des Gustav-Adolph-Vereins, 1847; Zur Gesch. d. Jüd. Sprachforschg., in: Hallisch L.Z., 1848, Nr. 199-202; Gutachten üb. die beabsichtigte Gründung eines dt. Kirchenbundes u. die deshalbigen Beschlüsse der Wittenberger Versammlung, in: Volksbl. f. Stadt u. Land, -1849, Nr. 44; Die Stellung u. Bedeutung des Buches Hiob im AT, in: ZWL 1850, Nr. 35-37; Commentatio de primitiva et vera festorum apud Hebraeos ratione, 4 Te., 1851-65; Die Pss. übers. u. ausgel., 4 Bde., 1855-61 (1867-71², hrsg. v. Eduard Riehm; 2 Bde., 1888³ stark umgearb. v. Wilhelm Nowack); Noch ein Wort üb. den Begr. der sog. bibl. Einl., 1861; Die heutige theosoph. oder mytholog. Theol., u. Schr.erkl., 1861; Die Politik der Propheten des AT, in: Neue ev. Kirchenztg., 1862, Nr. 22; Lb. des Bremer Pastors Dr. Friedrich Ludwig Mallet (1793-1865), 1865; – Selbstbiogr., in: Strieder 19 u. 20; – Zahlr. pol. Aufss. bes. 1847-51, u. a. in: Volksbl. f. Stadt und Land; – Nachlaß: Univ.- u. Landesbibl. Halle; – Staatsarchiv Marburg; – W. A. Nommsen, Die Nachlässe in den dt. Arch., 1971, Nr. 1815; – Gelehrten- u. Schriftstellernachlässe in den Bibl. der DDR I, Nr. 305.

Lit.: Eduard Riehm, D. H. H., Lebens- u. Charakterbild eines dt. Prof., 1867; – Ernst Barnikol, Karl Schwarz (1812-85) in Halle vor u. nach 1848 u. das Gutachten der Theol. Fak., Theologen u. Min. der Restaurations- u. Reaktionszeit, in: WZ Halle 10, 1961, H. 2 (Erstveröff. der wichtigsten Fak.- u. kirchenpolit. Gutachten H.s; 613-618: Exkurs: Die polit. Verurteilung der Märzrev. ... durch H. u. das ihm v. dem Min.präs. drohende Verfahren, Juli 1848; H.s Stellungnahme gg. die polit. u. kirchl. Reaktion nach 1848); – K. W. Justi, Hessische Gelehrten-Schriftsteller - Künstler - Gesch., 1831, 285 u. 832; ebd., 1863 (hrsg. v. Otto Gerland), 306 (m. Schr.); – ADB XIII, 423-426; – NDB X, 72 f.; – RE VIII, 462 ff.; – Kraus², 227 ff. u. ö.; – Kosch LL, VIII, 1981, 307.

Ba

HURTER, Friedrich (Emanuel) v., Historiker, * 19.3.1787 in Schaffhausen, + 27.8.1865 in Graz, entstammte altem Schaffhauser Patriziergeschlecht. H. studierte 1804-06 Theologie in Göttingen, wurde zunächst Landpfarrer und seit 1824 Pfarrer in Schaffhausen, wo er ab 1835 Antistes (Vorsteher der Geistlichkeit) war. H. setzte sich im Aargauer Klosterstreit für die Erhaltung der Abtei Nuri ein, geriet in Konflikt mit seinen Amtsbrüdern, trat 1841 von allen Ämtern zurück und konvertierte 1844 in Rom. 1846 berief ihn Metternich als Historiograph und Hofrat nach Wien, entließ ihn 1848. 1852 wurde H. erneut eingesetzt und zugleich geadelt. Neben seinen zahlreichen Darstellungen, insbesondere

aus der Zeit der Gegenreformation, schrieb H. Erzählungen und redigierte von 1816-36 die Zeitung »Allgemeiner Schweizer Correspondent«.

Werke: Geschichte des ostgotischen Königs Theoderich und seiner Regierung, 2 Bde., 1807 f.; Roxane, 1815; Frau (Barbara Juliana) Krudener in der Schweiz, 1817; Ein Tag auf Küssenberg. Zur Erinnerung, 1818; Die Silvester-Nacht. Ein Wort für Jedermann, 1821; Gesch. Papst Innozenz III. u. seiner Zeitgenossen, 4 Bde., 1834-42 (I-III, 1838²); Ausflug nach Wien u. Preßburg im Sommer 1839, 1840; Denkwürdigkeiten aus dem letzten Decennium des 18. Jh.s, 1840; Der Antistes F. v. H. von Schaffhausen und sogen. Amtsbrüder, 1840; Die Befreiung der kath. Kirche in der Schweiz seit den Jahre 1831, 2 Tle., 1842 f.; Reden und Predigten, 1844; Kleinere Schriften, 1844; Geburt u. Wiedergeburt. Erinnerungen aus meinem Leben in Blick auf die Kirche (begründet darin seinen Übertritt), 3 Bde., 1845 (1847⁴); Gesch. Kaiser Ferdinands II. u, seiner Eltern bis zu dessen Krönung in Frankfurt, 11 Bde., 1850-64; Philipp Lang, Kammerdiener Kaiser Rudolphs II. Eine Criminal-Geschichte aus dem Anfang des 17. Jh.s, 1851; Btr. z. Gesch. Wallensteins, 1855; Bild einer christl. Fürstin. Maria, Erzherzogin zu Österr., 1860; Wallensteins vier letzte Lebensj., 1862.

Lit.: J. J. Buergli, Kurze Skizze der Verdienste des Antistes und Decanus H., nebst Widerlegung einiger Verdächtigungen, ebd. 1840; – Sebastian Brunner, H. vor dem Tribunal der Wahrheitsfreunde, 1850; – D. Schenkel, Die confessionellen Zerwürfnisse in Schaffhausen und F. H.s Übertritt zur römisch-kath. Kirche, 1844; –Luzian Pfleger, in: AElsKG 3, 1928, 311-322; – G. Wolf, in: Zschr. f. schweizer. Gesch. 9, Zürich 1929, 276-325. 385-443; – Heinrich Hurter, F. v. H., 2 Bde., 1876-77; – Briefe K. L. v. Hallers an David Hurter u. Fr. v. H., hrsg. v. P. E. Scherer, 1914/15; – Briefe v. K. Siegwart-Müller an F. v. H., hrsg. v. dems., 1924/25; – Peter Vogelsanger, F. H.s geist. Entwicklung im Rahmen der romant. (Diss. Zürich), Zürich 1954 u. d. T.: Weg nach Rom. F. H.s Konversionsbewegung; – R. Amschwand, in: AElsKG 9, 1958, 211-227 (Briefe v. Räß an H.); – Briefe v. Theodor Scherer an F. v. H., 1824-64, hrsg. v. dems., 1959; – Antistes F. v. H. im Briefw. mit s. Sohne Heinrich H., 1840-45, hrsg. v. E. Steinmann, 1969; – Wurzbacher IX, 442-447; – Koch, JL, 835; – Catholocisme V, 1106; – Goedeke X, 259; – ADB XIII, 431-444; – HBLS IV, 325; – NDB X, 77; – LThK V, 543; – Kosch, LL (1981³) VIII, 311 f.

Ba

HURTER, Hugo v., Jesuit, Dogmatiker (seit 1845 kath.), * 11.1.1832 in Schaffhausen, als Sohn des Friedrich v. H. (s.d.), + 10.12.1914 in Innsbruck. H. studierte ab 1845 in Rom, wo Papst Georg XVI. ihm einen Freiplatz angeboten hatte und konvertierte im selben Jahr zum katholischen Glauben. Nach Beendigung seiner humanistischen Studien und des Besuchs des Collegium Germanicum, erhielt H. 1855 die Priesterweihe und promovierte zum Dr. theol.. H.s zweitem Ersuch, in die Gesellschaft Jesu eintreten zu dürfen, kam Papst Pius IX. 1857 nach. 1857/58 war H. im Noviziat in Baumgarten (Österr.), setzte es während seiner Zeit als Professor der Dogmatik in Innsbruck (ab 1858) fort bis zum feierlichen Ordensprozeß 1867. 1887-1890 war er Rektor des Innsbrucker Jesuitenkollegs. Noch bis 1913 verblieb H. als Honorarprofessor an der theologischen Fakultät Innsbruck, deren Dekan er zeitweise war. Der belesene Theologe, Anhänger der Neuscholastik, würdigte insbesondere Scheeben in seinen Dogmatiken und seine gründliche Kenntnis der patristischen Literatur prägte seine Werke.

Werke: Nomenclatur literarius recentioris theologiae catholicae theologos exhibens, qui inde a concilio Tridentino floruerunt, aetate, natione, disciplinis distinctos, 5 Bde., in 6, 1871-1886; I (aetas prima), 1926⁴ (v. Franz Pangerl); II (1109-1563), 1906³; III (1564-1663), 1907³; IV (1664-1763), 1910³; V/1 (1764-1869), 1911³; V/2 (1870-1910), 1913³; Theologiae dogmaticae compendium in usum studiosorum theologiae, 3

Bde., 1876-78 (1907-09[12]); gekürzt: Medulla theologiae dogmaticae, 1880 (1908[8]); Über die Rechte der Vernunft u. des Glaubens, Innsbruck 1863 (span. 1875). – Gab heraus: SS Patrum opuscula ad usum studiosorum theologiae, 54 Bändchen, 1858-92. – L. Lessius, De summo bono, 1869. – Thomas v. Aquin, Sermones, 1874. – S. Storchenau, Der Glaube d. Christen, wie er sein soll, 1895.

Lit.: Korr.bl. der Priester-Gebetsver. im Theol. Konvikte zu Innsbruck, Jan. 1912; Jan. 1915; – Joseph M. Hillenkamp, H. v. H. Ein Charakter-Lb., Innsbruck 1917; – Franz Lakner, Die dogmat. Theol. an der Univ. Innsbruck 1857-1957, in: ZKTh 80, 1958, 104. 110 ff.; – Schmaus I/1, 24, 128, 379; III/1, 81; – Koch, JL, 835; – Barth, KD I, 65; II, 384; – Scheeben VII (1957), 5, 25, 189; – DThC VII, 332 f.; – LThK V, 543; – NDB X, 77 f.

Ba

HURTER, Johann Georg, schweizerischer Pietist, + 28.5.1721 in Schaffhausen. – H. wurde 1696 Pfarrer in Beggingen und wirkte 1704-17 als Pfarrer auf der Steig in Schaffhausen. – Nach dem Vorbild August Hermann Franckes (s.d.) in Halle (Saale) begann H. 1708 in der Wachstube auf der Steig eine Armenschule, aus der ein Waisenhaus wurde, in das er 1714 bereits 17 verwaiste Kinder aufnehmen konnte. Während der Ausführung dieses Werkes hatte er in Verbindung mit Salomon Peyer, der seit 1708 Frühprediger am Münster in Schaffhausen war, damit begonnen, sonntägliche Erbauungsstunden für wenige Gleichgesinnte zu halten. Diese wurden 1709 verboten. Nach und nach gesellten sich noch mehrere junge Prediger zu ihnen, Matthäus Jezler, Kaspar Deggeller(s.d.), Johann Rudolf Hurter und Johann Konrad Ziegler (s.d.). Sie erneuerten 1716 jene Erbauungsstunden zur Stärkung für sich und zur Förderung für andere. Das erregte schon bitteren Unmut gegen sie. Als aber der frühere württembergische Pfarrer Eberhard Ludwig Gruber (s.d.) aus der Gemeinde der Inspirierten in Schwarzenau, der prophetenartige Ansprachen hielt, einige Tage bei ihnen verweilt hatte, brach der Sturm gegen die Prediger und Kandidaten dieser Privatversammlungen los. Sie wurden vor den Konvent und den Kleinen Rat geladen. Die längeren Verhandlungen hin und her endeten damit, daß sie ihrer Stellen entsetzt und aus dem geistlichen Ministerium ausgeschlossen wurden. Von diesen Männern, die in der Stille unter der Jugend und unter denen in Stadt und Land, die nach einem ersteren Christentum verlangten, den Samen des Gotteswortes ausstreuten, ging eine mehr und mehr sich ausdehnende Erweckung aus. In den Kreisen dieser Erweckten bildete sich teils durch eigene Dichtungen, teils durch Liedersammlungen ein zum starren Kirchentum der damaligen reformierten Kirche im Gegensatz stehendes freies und reges Liederleben, das zuletzt der ganzen schweizerischen Kirche und besonders der Schaffhauser Landeskirche zugute kam.

Lit.: Johann Konrad Ziegler, Zeugnis der Wahrheit v. den sechs abgesetzten Predigern u. Kandidaten zu Schaffhausen, Zug 1721; – Erinnerungen aus der Gesch. der Stadt Schaffhausen II, Schaffhausen 1836, 63 ff.; – Schaffhausener Schr.steller, von der Ref. bis z. Ggw. biogr.-bibliogr. dargestellt v. C. Mägis 107, 1869, 8; – Bibliogr. d. Schweizer Landeskunde I, hrsg. v. Graf, 1896, 11; – ebd. V/10, hrsg. v. E. u. H. Anderegg, 1900, 634; – ebd. V/5, hrsg. v. F. Heinemann, 1907-09, 230; – Koch VI, 85 ff.

Ba

HUS (Huß), Johann, Führer der tschechischen kirchenpolitischen Reformbewegung zu Beginn des 15. Jahrhunderts, * um 1369 in Husinec (Südböhmen) als Sohn armer tschechischer Bauern, + (verbrannt) 6.7.1415 in Konstanz. – H. besuchte die Lateinschule in dem benachbarten Prachatitz und studierte seit 1386 in Prag. Er promovierte 1396 zum Magister und empfing 1400 die Priesterweihe. H. wurde 1401 Dekan der Philosophischen Fakultät und 1402 Rektor der Universität und verwaltete seit 1402 das Amt eines tschechischen Predigers an der 1391 gestifteten Bethlehemskapelle in Prag. Er wurde mit den Lehren des John Wiclif (s.d.) bekannt durch Hieronymus von Prag (s.d.) und tschechische Adelige, die seit der Vermählung der Schwester des Königs Wenzel mit Richard II. von England (1382) die Universität Oxford zum Studium aufsuchten und von dort Wiclifs Schriften nach Prag brachten, zuerst die philosophischen, später auch die theologischen und kirchenpolitischen. H. ging auf Wiclifs Gedanken ein und entfachte durch sie eine große tschechische Bewegung, da die tschechischen Universitätsmitglieder Wiclifs Lehre ebenso einmütig annahmen, wie die deutschen sie ablehnten. Er protestierte 1403 aufs schärfste gegen die Verdammung der 45 Sätze aus Wiclifs Schriften, die das Prager Domkapitel der Universität zur Meinungsäußerung vorgelegt hatte, und führte schließlich 1408 den vermittelnden Beschluß herbei, niemand dürfe diese Sätze in ketzerischem Sinn lehren. H. genoß anfangs unter dem Erzbischof Sbynko von Hasenburg großes Ansehen, so daß dieser ihn mehrfach zum Synodalprediger bestimmte. Er rügte scharf die Habsucht und das Lasterleben des Klerus, was ihm eine Anklage bei Sbynko eintrug, so daß er ihn 1408 seiner Stellung als Synodalprediger enthob. Als die Universität zum Papstschisma Stellung nehmen mußte, war H. der Wortführer der Tschechen. Sie erklärten sich mit König Wenzel für die Neutralität, während die Deutschen mit Sbynko an Gregor XII. (s.d.) festhielten. H. war von fanatischem Deutschenhaß beseelt und erreichte 1409, daß Wenzel die Universitätsverfassung änderte, um in dem Streit um die Anerkennung des Konzils von Pisa die Mehrheit der Universität für die Neutralität zu gewinnen: Wenzel billigte den Tschechen drei Stimmen zu, dagegen den Bayern, Polen und Sachsen zusammen nur eine. Darauf verließen 5000 Studenten mit ihren Professoren Prag und veranlaßten die Gründung der Universität Leipzig. H. wurde im Oktober 1409 erster Rektor der nun rein tschechischen Universität und erfreute sich der Gunst des Hofes und des Volkes. Er kämpfte leidenschaftlich um die Reform der verweltlichten Kirche und des entarteten Klerus. An Sbynko hatte H. einen erbitterten Gegner. Um der Reformbewegung Herr zu werden, unterwarf sich der Erzbischof von Prag dem Konzilspapst Alexander V. (s.d.) und erlangte von ihm eine Bulle, die die Abgabe der Schriften Wiclifs und den Widerruf seiner Lehren forderte und das Predigen außerhalb der Pfarrkirchen verbot. Als die Bulle am 9.3.1410 veröffentlicht wurde, appellierte H. an den Papst. Er setzte seine Predigttätigkeit fort, obwohl Sbynko im Juli 1410, nachdem er über 200 Handschriften Wiclifs hatte verbrennen lassen, über ihn und seine Anhänger den Bann aussprach. H.

1193

1194

gab den Kampf nicht auf, als Johann XXIII. (Gegenpapst, s.d.) ihn im Februar 1411 bannte und Sbynko Prag mit dem Interdikt belegte. Als Johann XXIII. 1412 auch in Böhmen gegen König Ladislaus von Neapel, einen Anhänger Gregors XII. (s.d.), den Kreuzzug predigen und Ablaß verkaufen ließ, entwickelte H. eine leidenschaftliche Agitation gegen die Kreuzzugs- und Ablaßbulle des Papstes und bekämpfte nun prinzipiell das Papsttum. Die Theologische Fakultät erklärte sich gegen H., Wenzel rückte von ihm ab, und der Papst verhängte den großen Bann über ihn und das Interdikt über jeden Ort, an dem er verweilen würde. H. zog sich auf die Burg Kozy Hradek bei Usti zurück, wirkte von hieraus rastlos und erfolgreich für die Verbreitung seiner Lehre und verfaßte seine bekannteste Schrift »De ecclesia«. Kirche ist für ihn die Gemeinschaft der Prädestinierten, der mystische Leib des Herrn, dessen Haupt nur Christus ist. In der Kirche gilt das göttliche Gesetz, d.h. die Heilige Schrift. Stellt sich ein Papst in Gegensatz zum Gesetz Gottes, dann ist er vor Gott nicht mehr Priester, wenn er es auch nach der Meinung der Welt noch ist, sondern ein Diener des Antichrists, dem man die Anerkennung verweigern muß. Weil das derzeitige Papsttum tatsächlich im Widerspruch zu Gottes Gesetz steht, kündigt H. dem Papst wie der Hierarchie den Gehorsam auf. Die Einigungsversuche Wenzels auf der Synode zu Prag am 6.2.1413 verliefen ergebnislos. Johann XXIII. wiederholte auf einer Synode zu Rom am 8.2.1413 die Verdammung Wiclifs. Wenzels jüngerer Bruder, Sigismund von Ungarn, der 1410 die Regierung des deutschen Reiches übernommen hatte und dem, als Erben der böhmischen Krone daran lag, in der Kirche dieses Landes Ordnung zu schaffen, forderte H. auf, sich auf dem allgemeinen Konzil, das am 1.11.1414 in Konstanz zusammentreten werde, öffentlich zu rechtfertigen. H. erklärte sich dazu bereit und bat um den vom König versprochenen Geleitsbrief für freie Hin- und Rückreise. Sigismund stellte ihn am 18.10. aus. H. aber wartete nicht darauf, sondern brach bereits am 11.10. auf und kam am 3.11. in Konstanz an. Wegen Fluchtverdachts setzte man ihn am 28.11. in der Wohnung eines Domherrn und am 6. 12. in einem finsteren Gelaß des Dominikanerklosters gefangen. Darüber war Sigismund, der erst am 24.12. eintraf, erzürnt, konnte aber daran nichts ändern, weil man ihm auf seine Drohungen, das Konzil zu verlassen, erwiederte, daß es dann aufgelöst wäre. Nachdem Johann XXIII., als dessen Gefangener H. galt, am 20./21. 3.1415 aus Konstanz geflohen war, wurde H. dem Bischof von Konstanz übergeben und in dessen Burg Gottlieben am Rhein gebracht, wo er eine drangvolle Zeit verlebte, tags gefesselt und nachts mit den Händen an die Wand gekettet, schlecht genährt und von Krankheit gepeinigt wurde. Das Konzil verdammte am 4.5. Wiclif und seine Lehre. H. kam am 5.6. in das Franziskanerkloster, wo er die letzten Wochen seines Lebens zubrachte und am 5., 7. und 8.6. im Refektorium vor dem Konzil verhört wurde. Man gewährte ihm nicht die Möglichkeit einer eingehenden Rechtfertigung, sondern verlangte von ihm öffentlichen Widerruf und Abschwörung seiner Irrtümer. H. lehnte es ab und blieb auch standhaft, als man bis Ende des Monats

noch mehrfach versuchte, ihn zum Widerruf zu bewegen. Er wurde am 6.7.1415 in feierlicher Vollversammlung des Konzils im Dom als Ketzer zum Feuertod verurteilt auf Grund seiner Lehre von der Kirche als der unsichtbaren Gemeinde der Prädestinierten und auf dem Brühl, zwischen Stadtmauer und Graben, verbrannt, worauf man seine Asche in den Rhein streute. – H. war kein selbständiger Denker, sondern von Wiclif derart abhängig, daß sich in seinen lateinischen Schriften und tschechischen Traktaten nicht ein Gedanke findet, der nicht von Wiclif stammt. Oft hat er seine Ausführungen dessen Werken wörtlich entnommen. H. ging nicht so weit wie Wiclif, sondern hielt noch fest an der Messe und der Lehre von der Transsubstantiation, am Fegfeuer und an der Fürbitte der Maria und der Heiligen.

Werke: Tsch. Werke ges. aus den ältesten Qu., hrsg. v. K. J. Erben, 3 Bde., Prag 1865-68. – Die Werke des Magister J. H., hrsg. v. V. Flajshans u. M. Kominkova, mit dt. Einl.en u. Anm., 8 Bde., Prag 1903-07 (Bd. 1: Expositio decalogi. Bd. 2: De corpore Christi. Bd. 3: De sanguine Christi. Bd. 4-6: Super sententiarum. Bd. 7 u. 8: Sermones de sanctis). – Sermones in Betlehem, 1410-1411, 5 Bde., hrsg. v. V. Flajshans, Prag 1938-42. – Ges. Schrr. mit tsch. Einl.en u. Anm. hrsg. v. V. Flajshans, Prag 1904 ff.; – Opera omnia, hrsg. v. F. M. Bartos, Prag 1959 ff. (auf 25 Bde. berechnet). – Briefe, hrsg. v. H. B. Workman u. R. M. Pope, 1904. – Tractatus responsivus. Erstausg. v. S. H. Thomson, Princeton/New Jersey 1927. – Tractatus de ecclesia, hrsg. v. S. H. Thomson, Cambridge/Massachusetts 1956. – Postila aneb vylozenie svatych cteni nedelnich (tsch.: Postille oder Aus. der hll. Lesungen z. Sonntag), entstanden 1413, ersch. Nürnberg 1563; ins Dt. übetr. v. J. Novotny, Görlitz 1855 (unvoll.). – Vyklad viery, Desatera Boziho prikazanie a modlitby pane (tsch.: Ausl. des Glaubensbekenntnisses, der Zehn Gebote u. des Vaterunsers), ersch. 1520. Prag 1865. Übers. (Ausz.), in: Schrr. z. Glaubensreform u. Briefe der J. 1414-15 (dt.), hrsg. u. eingel. v. Walter Schamschula, 1969 (sammlung insel. 49), 94-102. – Orthographia Bohemica (tsch.), entstanden 1406 oder 1412. Ausgg.: Ortografie ceska, hrsg. v. A. V. Sembera, in: Slaw. Bibl. Hrsg. v. E. Miklosich u. J. Fiedler, 2 Bde., 1851-58; Neuausg., Wiesbaden 1968, in: Johann Schröpfer, Hussens Traktat ›Orthographia Bohemica‹. Die Herkunft des diakrit. Systems in der Schreibung slav. Sprachen u. die älteste zus. hängende Beschreibung slav. Laute (Diss. Heidelberg, 1964). – Documenta Magistri) Joannis Hus. Vitam, doctrinam, causam in Constantiensi concilio actam et controversias de religione in Bohemia annis 1403-1418 motas illustrantia... ex ipsis frontibus hausta, hrsg. v. Frantisek Palacky, 1869 (Nachdr. Osnabrück 1966). – Joachim Dachsel, J. H. Ein Bild seines Lebens u. Wirkens. – (J. H.:) Briefe (dt.) v. Herbst 1414 bis z. Juli 1415. Ins Dt. übers. in Zus.arbeit mit Frantisek Potmesil, Berlin 1964. – Renate Riemeck, J. H. Ref. 100 J. vor Luther (im Anh. die drei Reden, die H. in Konstanz nicht halten durfte), 1966. – Erik Turnwald, Vom unteilbaren Frieden. Sermo de pace: Konstanzer Friedensrede des Mag. J. H., übers. v. Gerhard Messler, Kirnbach über Wolfach/Schwarzwald 1970. – De spegel der sunder dat bokeken von dem repe. Dat uthlegg ouer den louen. Aus dem Tsch. ins Niederdt. übertr. v. Johann v. Lübeck. Mit einer Einl. v. Amadeo Molnar. Nachdr. der Ausg. Lübeck um 1480, Hildesheim - Olms 1971. – Sermones de tempore, qui Collecta dicuntur, hrsg. v. A. Schmidtova, Prag 1959 (Bd. VII der neuen GA). – Passio Domini nostri Jesu Christi, hrsg. v. A. Vidmanovci-Schmidtova, Prag 1973 (Bd. VIII ders. GA). – Postilla adumbrata, hrsg. v. Amadeo Molnar, Prag 1975 (Bd. XIII der GA). – Výklady [Les traités de prieres principales], hrsg. v. dems., Prag 1975 (Bd I der GA). – The Letters, übers. v. Matthew Spinka, Manchester, 1973. –

Lit.: Historia et monumenta Joannis H. atque Hiernonymi Pragensis, confessorum Christi, 2 Bde., Nürnberg 1558 (Neuausg. 1715); – Johann Loserth, H. u. Wiclif. Zur Genesis der hussit. Lehre, 1884 (1925²); – Otto v. Schaching (d. i. Viktor Martin Denk), J. H. u. seine Zeit, 1914; – Jakob Sedlak, J. H. (beste tsch. Biogr.), Prag 1915; – Albert Hauck, Stud. z. J. H., 1916; – V. Novotny, J. H. Zivot adilo (J. H. Leben u. Werk), 2 Bde., Prag 1919-21; – V. Kybal, J. H. Uceni, 3 Bde., Prag 1923-31; – A. Baldewein, Wiklif u. H., 1926; – Franz Strunz, J. H. Sein Leben u. sein Werk. Mit einer Ausw. aus seinen pastoralen Schrr. u. Predigten, 1927; – Karl Kaspar, H. u. die Früchte seiner Wirksamkeit, 1927 (1929²); – Johann Kvacala, Wiklef a Hus ako filosofi, in: JGPrÖ 48, 1927, 213 ff.; – Ders., H. u. sein Werk, in: Jb. f. die Kultur u. Gesch. der Slawen NF 8, 1932, 58-82, 121-142; – O. Odlozilik, Wiclif and Bohemia, 1932; – Armin Stein (d. i. Hermann Nietschmann), J. H. Ein Zeit- u. Charakterbild aus dem 15. Jh., 1934; – Eduard Winter, 1000 J. Geisteskampf im Sudetenraum. Das rel. Ringen zweier Völker, Salzburg

1938[1,2] (1955[3] unv.); – Melchior Vischer, J. H. Sein Leben u. seine Zeit, 2 Bde., 1940 (Neubearb. u. d. T.: J. H. Aufruhr wider Papst u. Reich, 1955); – M. Spinka, J. H. and the Czech Reform, 1941; – Ders., J. H.' Concepet of the Church. Princeton/New Jersey 1966; – F. M. Bartos, Co vime noveho o Husovi, Prag 1946; – Ders., Cechi v. dobe Husove, ebd. 1947; – Ders., Literarni cinnost M. Jana Husi, ebd. 1948; – P. Eoubiczek u. J. Kalmer, Warrior of God. The Life and Death of J. H., 1947; – B. Ryba, Stolustu M. Jana Husi / 100 Briefe des Magisters Jan Hus, Prag 1949; – Walter Nigg, Das Buch der Ketzer, Zürich 1949, 298 ff.; – Ingeborg Walter-Amler, Die geschichtl. Beurteilung des J. H. bei den dt. u. tsch. Historikern des 19. u. beginnenden 20. Jh.s (Diss. Jena, 1951), 1950; – Milan Machovec, Husovo uceni a vyznam v tradici ceskeho naroda, Prag 1953; – Jörg Erb, Die Wolke der Zeugen II, 1954, 155-163; – Friedrich Hauß, Väter der Christenheit I, 1956, 135-137; – Carl Heinz Kurz, J. H. Ein Vorkämpfer der Ref., 1956 (1975[4] u. d. T.: Der böhm. Aufschrei. Stationen im Leben des J. H.); – Ferdinand Seibt, J. H. u. der Abzug der dt. Studenten aus Prag 1409, in: AKultG 39, 1957, 63-80; – Ders., H. u. die Hussiten in der tsch. wiss. Lit. seit 1945, in: Zschr. f. Ostforsch. Länder u. Völker im östl. Mitteleuropa 7, 1958, 566-590; – Ders., H. u. wir Dt., in: Kirche im Osten. Stud. z. osteurop. KG u. Kirchenkunde 13, 1970, 74-103; – Ders., Nullus est dominus..., in: Gesch. in der Ges. Festschr. f. Karl Bosl, 1974, 393-408; – Paul de Vooght, in: RSR 45, 1957, 558-565; – Ders., L'heresie de Jean H., Louvain 1960; – Ders., J. H. et ses juges, in: Das Konzil v. Konstanz. Btrr. zu seiner Gesch. u. Theol. Festschr., hrsg. v. August Franzen u. Wolfgang Müller, 1964; 152-173; – Ders., H. im Lichte des 2. Vatikan. Konzils, in: Kirchenbibl. f. die ref. Schweiz 121, Basel 1965, 340-341; – Ders., J. H. beim Symposium Hussanium Pragense (August 1965), 114, 1966, 81-95; – Ders., J. H. a l'heure de l'oecumenisme, in: Irenikon 42, 1969, 293-313; – Ders., Obscurites anciennes autour de J. H., in: RHE 66, 1970, 137-145; – Ders., J. H., aujord'hui, in: Nohemia. Jb. des Collegium Carolinum 12, München - Wien 1971 (ersch. 1972), 34-52; – Ders., Un classique de la litterature spiritualite: La »Decerka« de J. H., in: Rev. d'Hist. de la Spirituellé 48, 1972, 275-314; – Ders., L'hérésie de J. H., 2 Bde., Louvain - Nauwelaerts, 1976. – Amadee Molnar, Die Friedensrede des J. H., in: Ruf und Antwort. Festg. f. Emil Fuchs z. 90. Geb., Leipzig 1964, 519-530; – Ders., Das Ringen um die Wahrheit bei H., in: DtPfrBl 65, 1965, 385-386; – E. C. S. Molnar, The liturgical reforms of J. H., in: Speculum 41, 1966, 297-303; – Walter Kampe, J. H. - Ketzer u. Bekenner, in: Klerusbl. Organ der Diözesepriestervereine Bayerns 45, 1965, 303-304; – Bernhard Maurer, Marginalien z. Fall H., in: DtPfrBl 65, 1965, 503-507; – Ingetraut Ludolphi, J. H., in: Luther, Zschr. f. die Lutherges. 36, 1965, 97-107; – Symposium Hussianum Pragense, 1965; – Eberhard Schulz, Die Verbrennung des Magisters H. Am Ende des MA: Das Konstanzer Konzil, in: Bodensee-Hh. 16, 1965, 33-37; – Rudolf Pfister, J. H., in: Kirchenbl. f. die ref. Schweiz 121, 1965, 212-214; – Wolfgang Müller, Der Tod des J. H., in: Oberrhein. Pastoralbl. 66, 1965, 193-205; – Eduard Schaper, Das Feuer Christi. Leben u. Sterben des J. H. in 17 dramat. Szenen, 1965; – Ders., J. H. - Ketzer oder Märtyrer? Ein erdachtes Gespräch, in: Schweizer Mhh. 45, Zürich 1965-66, 947-962; – Franz Machilek, H. in Konstanz. Zu einer dt. Übers. der Relatio de Magistro J. H. des Pater v. Madonovic, in: ZRGG 18, 1966, 163-170; – Alfons Rosenberg, Die Bedeutung der Ref. f. die Welt v. morgen. XVIII: J. H., Reformator u. Märtyrer, in: DtPfrBl 67, 1967, 621-623; – Ders., J. H., Reformator u. Märtyrer, in: Die Bedeutung der Ref. f. die Welt v. morgen. 22 Btrr. v. 20 Ländern, hrsg. v. Reiner Schmidt, 1967, 86-95; – Ders., J. H. - Ketzer oder Reformator?, in: Die Besinnung 22, Nürnberg 1967, 166-171; – Ders., Wiclif u. H., in: Die Wahrheit der Ketzer. Hrsg. v. Hans Jürgen Schultz, 1968, 89-98. 268-276; – Ernst Werner, Der Kirchenbegriff bei H., Jakoubek v. Mies, Jan Zelivsky u. den linken Taboriten, 1967; – Gordon Leff, Wiclif and H. A. doctrinal comparison, in: Bulletin of the John Rylands Library Manchester 50, Manchester 1967-68, 387-410; – Oskar Sakrausky, J. H. Luther heute, Kirnbach über Wolfach/Schwarzwald 1969; – Hermann Schmidt, H. u. Hussitismus in der tsch. Lit. des XIX. u. XX. Jh.s (Diss. München), 1969; – Das hussit. Denken im Lichte seiner Qu. Hrsg. v. Robert Kalivoda u. A. Kolesnyk. Mit einer Einl. v. R. Kalivoda, übers. v. Manfred Becker u. a., Berlin 1969; – Jan Kuoba, J. H. u. das Geistl. Lied. Ein Lit.ber., in: JLH 14, 1969 (ersch. 1970), 190-196; – Walter Delius, Luther u. H., in: LuJ 38, 1971, 9-25; – Alfred Langer, H., die Hussiten u. die Dt., in: Mähr.-schles. Heimat 16, 1971, 244-249; – Jaroslav Kadlek, J. H. in neuem Licht, in: Arch. f. KG v. Böhmen-Mähren-Schlesien 2, 1971, 173-180; – K. Hagen, H.' »Dotanism«, in: Augustianum 11, Ròm 1971, 541-547; – Jan Smolik, Die Wahrheit in der Gesch. Zur Ekklesiologie v. J. H., in: EvTh 32, 1972, 268-276; – Zdenek Trtik, J. H. als philos. Realist, in: ThZ 28, 1972, 263-275; – Helmut Riedlinger, Ekklesiologie u. Christologie bei J. H. Die Gnadenfülle Christi u, die Kirche in seinem Komm. z. Distinctio XIII des 3. Buchs der Sentenzen, in: Von Konstanz nach Trient. Btrr. z. Gesch. der Kirche v. dem Reformkonzilien bis z. Tridentinum. Festg. f. August Franzen. Hrsg. v. Remigius Bäumer, 1972, 47-55; – Richard Friedenthal, Ketzer u. Rebell. J. H. u. das Jh. der Rev.Kriege,

1972, (dtv 1235), 1977; – L. P. Lapteva, J. H. v ruské historiografii v. 19. a na počátku 20. století, in: Slovenské historické studie 9, 1972, 37-90; – Gerhard Wehr, J. H., Ketzer u. Christuszeuge, in: Die Kommenden. Eine unabhängige Zschr. f. geist. u. soziale Erneuerung 27, Nr. 3, 1973, 17 f.; – Jiri Danhelka, J. H. in der Tradition des tsch. Volkes, in: Die Welt der Slaven 18, 1973, 38-58; - William R. Cook, John Wiclif and Hussite Theol. 1415-1436, in: ChH XLII, 1973, 335-349; – Ders., The Eucharist in Hussite Theol., in ARG 66, 1975, 23-35; – Nikoslav Kanak, John Vikley. Zivot adtlo anglickéko Husova predchudce. [John Wiclif. Sicht u. Werk der engl. Anhänger J.H.s], 1973; – Josef Macek, J. H. et les traditions hussites XV-XIX émes siecles, 1973; – Anezka Vidmanová, Autorität und Wiclif in H.s homiletischen Schrr., in: Antiqui u. moderni, 1974, 383-393; – Dies., Husovo leccionarium bipartitum ve svetle textové kritiky, in: leity filologické, Praha, 98, 1975, 199-207; – Dies., České perikopy v husové leccionariu bipartitu nuncupatis occurentes, ebd. 99, 1976, 164-171; – Scott H. Hendrix, »We are all Hussites«. H. and Luther revisited, in: ARG 65, 1974, 134-161; – Friedrich Heer, J. H., in: Die Großen der Weltgesch., hrsg. v. Kurt Fassmann, IV, Zürich 1974, 148-169; – Jean Boulier, J. H., Paris 1975; – Robert Kalivoda, Rev. u. Ideologie des Hussitismus, 1976; – Josef Mühlberger, Adalbert Stifter u. J. H., in: Sudetenland 18, 1976, 95-96; – W. Schamschula, De ablatine temporalium a dericis. Ein Btr. z. H.-Bibliogr., in: ZslPh 39, 1976-77, 166-172; – Stanislav Sousedík, H. et doctrine eucharistique »remanentiste«, in: Divinitas, Citta del Vaticano 21, 1977, 383-407; – Miloslav Kanak, Der Ketzer v. Oxford. Leben u. Wirkungen (aus dem Tsch. übertr. v. Kurt Sygusch), Berlin 1977; – Frantisek Graus, Der Wandel des H.-Bildes seit dem 15. Jh., Konstanzer Bll. f. Hochschulfragen 17, 1979; – KLL V, 1118-1121 (Orthographia Bohemica); V, 2383 f. (Postille oder Ausl. der hll. Lesungen z. Sonntag); VII, 902 f. (Ausl. des Glaubensbekenntnisses); – RE VIII, 472-489; XXIII, 663 f.; – EKL II, 218 f.; – RGG III, 492 f.; – WKL 569 f.; – EC VI, 1513-1516; – LThK V, 543-545; – Gesch. der Erziehung II, hrsg. v. Schmid, 1889, 161-164.

Ba

HUSCHKE, Eduard, ev. Jurist, Direktor des Breslauer Oberkirchenkollegiums der »Evangelisch-lutherischen Kirche in Preußen«, * 26.6.1801 in Hanoversch-Münden als Sohn eines Kaufmanns, + 7.2.1886 in Breslau. – H. besuchte das Gymnasium in Gotha und die Klosterschule in Ilfeld am Harz und bezog 1817 als Student die Universität Göttingen. Er bearbeitete mit bestem Erfolg eine von der Juristischen Fakultät gestellte Preisaufgabe und promovierte am 21.12.1820 zum Doktor beider Rechte. H. ging dann noch nach Berlin, um bei Friedrich Karl von Savigny (1779-1861), dem damals berühmtesten Rechtslehrer, seine Fachkenntnisse zu vertiefen. Im August 1822 habilitierte er sich in Göttingen und wurde im Mai 1824 o. Professor der Rechte in Rostock. Hier kam H. in einen Kreis erweckter, lebendiger Christen. Besonders viel hatte er der innigen Freundschaft mit Jasper von Örtzen (1801-1874; s.d.), dem späteren mecklenburgischen Ministerpräsidenten, zu verdanken. 1826 unternahmen die beiden Freunde gemeinsam eine Ferienreise über Holland und England nach Paris, von der H. reiche religiöse Anregungen und bleibende Beziehungen zu Christen aus allen Konfessionen mit nach Haus nahm. Im Herbst 1827 folgte er dem Ruf nach Breslau als Professor für römisches Recht. Die Philosophische Fakultät verlieh ihm 1828 die Ehrendoktorwürde. Gemeinschaft fand H. in dem Kreis um den Pfarrer und Professor der Theologie Johann Gottfried Scheibel (s.d.). Der Kampf gegen die neue preußische Agende von 1822 und die von Friedrich Wilhelm II. in seinem Aufruf vom 27.9. 1817 gewünschte und allmählich durchgeführte Union war Scheibel Gewissenssache. Schon in seiner Predigt am 2.11.1817 hatte er sich, von der Überzeugung der Unvereinbarkeit der lutherischen und reformierten Abendmahlslehre durchdrungen, für die lutherische Abendmahlslehre und gegen die geplante Union ausgesprochen. Gegen die Einführung der Unionsagende in Schlesien gab Scheibel 1828 ein entschiedenes Votum ab und zog sich dadurch des Königs Ungnade zu. Die 300jährige Jubelfeier der »Augsburger Konfession« am 25.6.1830 sollte gemäß den Kabinettsorden vom 4. und 30.4.1830 dazu benutzt werden, durch eine gemeinsame Abendmahlsfeier der Lutheraner und Reformierten und durch allgemeine Annahme des Unionsritus des Brotbrechens auch in Schlesien die Union zu vollenden. Damit die Unionsfeier ungestört stattfinden könne, wurde Scheibel sechs Tage vor dem Jubelfest auf 14 Tage vom Amt suspendiert. Um ihn sammelten sich Hunderte von Gemeindegliedern, die nach vollzogener Union der Kirche der Väter treu bleiben wollten, u.a. H., der Naturphilosoph und damalige Rektor der Universität Henrik Steffens (s.d.) und der Oberlandesgerichtsassessor (seit 1831: -rat) von Haugwitz. Man wählte gemäß dem Allgemeinen Landrecht XI § 159 Repräsentanten. Die erste Bittschrift an den König vom 27.6.1830 erbat nicht nur Aufhebung der Suspension Scheibels und Gebrauch der lutherischen Agende, sondern »Anerkennung einer besonderen von der allgemeinen evangelischen getrennten lutherischen, mit ihrer eigentümlichen Verfassung versehenen und zur Anstellung von Lehrern ihres Sinnes berechtigten Kirche«. Die zweite Eingabe vom 26.7.1830 wiederholte diese Bitte. In der dritten Bittschrift vom 30.8.1830 wurde die Zahl derer, »die sich ausdrücklich gegen die Union und für das Fortbestehen einer evangelischlutherischen Kirche mit eigenem Gottesdienst und eigener Gemeindeverfassung unaufgefordert erklärt hätten«, mit mehr als 1000 angegeben. Die vierte Eingabe ist vom 1.11.1830 datiert. Lange Zeit blieben die Bittschriften der Breslauer Lutheraner unbeantwortet. Auch eine Reise Scheibels und H.s nach Berlin war vergeblich: Die erbetene Audienz beim König wurde abgeschlagen. Die ablehnende Antwort vom 24.12.1830 auf die Bittschriften bezeichnete das Bestreben, eine von den übrigen evangelischen Gemeinden abgesonderte altlutherische Gemeinde zu gründen, als separatistisch: »Der Absonderungsgeist der Petenten, der den Charararakter des kühnen Auflehnens gegen das, was zur allgemeinen Ordnung gehört, unzweideutig ankündigt und in der gegenwärtigen Zeit mehr als je bedenklich erscheint, darf nicht begünstigt werden«. Gegen den Vorwurf des Aufruhrs und der Separation verwahrte sich am 5.1.1831 Scheibel mannhaft vor dem Konsistorium. Erneute Bittschriften an den König und den Minister Karl Freiherrn von Stein zum Altenstein (s.d.) sowie eine nochmalige Reise Scheibels und des Repräsentanten Kaufmann Grempler nach Berlin waren vergeblich. Der Ministererlaß vom 13.6.1831 gebot ihm den Gebrauch der Agende, widrigenfalls er mit Geldbuße und Dienstentlassung zu rechnen habe. Da nach den letzten Verhandlungen der Breslauer Lutheraner mit dem Minister im Frühjahr 1832 keinerlei Hoffnung auf Anerkennung einer nicht unierten lutherischen Kirche mehr bestand, verließ Scheibel am 15.4.1832

Breslau, wo ihm jede Amtstätigkeit und auch jede literarische Wirksamkeit für die lutherische Kirche verboten waren, und zog nach Dresden. Er veröffentlichte H.s »Votum eines Juristen in Sachen der Berliner Hof- und Domagende« und förderte durch Wort und Schrift die Bewegung der schlesischen Lutheraner. Ihr geistiger Führer wurde H., nachdem Steffens 1832 nach Berlin versetzt worden war. Auch an anderen Orten Schlesiens lehnten Pfarrer und Gemeindeglieder die Union und die neue Agende ab. Die königliche Kabinettsorder vom 28.2.1834 sollte beruhigend wirken: »Die Union bezweckt und bedeutet kein Aufgeben des bisherigen Glaubensbekenntnisses; auch ist die Autorität, welche die Bekenntnisschriften der beiden evangelischen Konfessionen bisher gehabt, durch sie nicht aufgehoben worden. Durch den Beitritt zu ihr wird nur der Geist der Mäßigung und Milde ausgedrückt, welcher die Verschiedenheit einzelner Lehrpunkte der anderen Konfession nicht mehr als den Grund gelten läßt, ihr die äußerliche kirchliche Gemeinschaft zu versagen«. Sie schloß aber mit den Worten: »Am wenigsten aber - weil es am unchristlichsten sein würde - darf gestattet werden, daß die Feinde der Union im Gegensatz zu den Freunden derselben als eine besondere Religionsgesellschaft sich konstituieren«. Die Pfarrer in Hermannsdorf, Eduard Keller (s.d.) in Hönigern und Biehler in Kaulwitz, vier Kandidaten und 39 Gemeinderepräsentanten folgten H.s Einladung nach Breslau zur ersten Synode der separierten Lutheraner und erklärten in einer Eingabe vom 4.4.1834, daß sie sich mit der Konzession lutherischer Amtshandlungen nicht begnügen könnten, sondern selbst eine abgesonderte Kirche mit eigener Behörde bilden müßten. Der Staat suchte nun mit Gewalt und Strafmaßnahmen den Widerstand gegen die Union und Agende zu brechen und die »altlutherische« Bewegung zu ersticken. Als die Pastoren Berger, Kellner und Biehler sich weigerten, die neue Agende zu gebrauchen, wurden sie trotz des Protestes ihrer Gemeinden suspendiert. Die gottesdienstlichen Versammlungen der Lutheraner wurden mit Polizeistrafen belegt, die Amtshandlungen ihrer Pfarrer für ungültig erklärt und die trotz Verbots amtierenden Pastoren mit Gefängnis bestraft. Die Repräsentanten der Gemeinde Hönigern (Kreis Namslau) verweigerten dem Landrat die Auslieferung der Kirchenschlüssel, als ein unierter Prediger den Dienst für den am 11.9.1834 suspendierten Pfarrer Kellner antreten wollte. Die Gemeinde bewachte Tag und Nacht singend und betend ihr Gotteshaus und hielt in Bretterhütten vor dem Eingang der Kirche Gottesdienst. Da alle Aufforderungen der Behörden, dem unierten Prediger die Kirche zu öffnen und ihn ungehindert seines Amtes walten zu lassen, vergeblich waren, befahl der König die Anwendung militärischer Gewalt. Am 24.12.1834 rückten 400 Mann Infanterie, 50 Kürasserie und 50 Husaren heran. Sie trieben die Leute vor dem Eingang der Kirche auseinander und sprengten die Tür, damit das Weihnachtsfest nach der Unionsagende gefeiert werden konnte. Die Gemeinde wurde dann sechs Wochen lang mit Einquartierung bestraft, bis sie sich willig zu fügen versprach. Die Lutheraner gewannen in ihrem Ringen um die staatliche Anerkennung ihrer Kirchengemeinschaft wegen des scharfen Vorgehens gegen sie in weiten Kreisen an Sympathie; mehrere Pfarrer schlossen sich jetzt der »altlutherischen« Bewegung an. Die Pastoren und Gemeindevertreter des rechten Oderufers versammelten sich am 19. 2., die des linken am 3.3.1835 zu einer Generalsynode, die eine Zentralbehörde als Mittelpunkt für die vorhandenen und noch sich sammelnden Gemeinden schuf. Sie ernannte zu »Synodalbevöllmächtigten« die Pastoren Kellner und Berger, ferner H., den Kaufmann Grempler und den Regierungskanzlisten Platz. Die Seele des Ganzen und der eigentliche Leiter dieser Kommission war H. Am 26.8.1835 benachrichtigte das Oberlandesgericht von Schlesien den Rektor und Senat der Universität Breslau, daß gegen H. eine Untersuchung »Wegen Verdachtes der Beförderung des Aufstandes zu Hönigern durch Ratgeben, Anfertigen von Schriften und Leistung von Geldbeiträgen« eingeleitet sei. Am 3.9.1835 machte der Universitätskurator dem Minister von Altenstein von der eingeleiteten Kriminaluntersuchung Mitteilung und legte ihm in diesem Schreiben die Frage vor, ob es nicht angezeigt sei, bis zum Austrag der Sache H. von seinen Ämtern als Professor und Dekan der Juristischen Fakultät zu suspendieren. An demselben Tag benachrichtigte der Kurator den Rektor der Universität von der Eröffnung der Kriminaluntersuchung gegen H.. Am 24.8.1836 meldete das Gericht dem Kultusminister von Altenstein, daß der Kriminalsenat in seiner Sitzung vom 2.8.1836 für Recht erkannt hat, daß Kellner wegen Hauptanstiftung des 1834 in Hönigern stattgefundenen Aufruhrs mit einer dreijährigen Festungsstrafe und H. wegen Beförderung des Aufruhrs mit einer einjährigen Festungsstrafe zu belegen sind. Unter dem 18.9.1836 fragte der Universitätskurator beim Kultusminister an, ob es nicht an der Zeit sei, H. zu suspendieren. Unter dem 3.10. 1836 antwortete das Ministerium, daß es mit einer Suspension noch bis zur rechtskräftigen Entscheidung der Sache warten wolle. H. beschritt den Instanzenweg und wurde auf diesem am 23.11.1837 völlig freigesprochen. Inzwischen ging eine neue Denunziation gegen H. beim Gericht ein »wegen Teilnahme an der von einer unbefugten Person vorgenommenen Taufe des Kindes des Regierungskanzlisten Platz«. Am 7.2. 1838 wurde H. zu einer Geldbuße von 5 Talern oder im Unvermögensfalle mit einer achttägigen Gefängnisstrafe belegt. Die Bedrückung und Verfolgung der Lutheraner nahm zu; aber ihr Widerstand war nicht zu brechen. Mit großem Opfermut walteten die suspendierten Pfarrer in Nacht und Nebel ihres gefährlichen Amtes. Den Gendarmen wurde ein Fanggeld von 50 Talern für einen lutherischen Pfarrer ausgesetzt. Nach einer Verfügung vom 12.2.1838 sollten Gemeindeglieder, die sich weigerten, die Namen der amtierenden lutherischen Pastoren anzugeben, mit drei Monaten Gefängnis bestraft werden. Trotz verbüßter Strafe behielt man die Pfarrer weiterhin in Haft, wenn sie die von ihnen geforderte Verpflichtung des Verzichts auf die Ausübung ihres Amtes verweigerten. Viele Gemeindeglieder verloren durch hohe Geldstrafen und wiederholte Pfändungen ihre ganze Habe. Um dem Druck der Verfolgung zu entgehen, entschlossen sich zahlreiche

Familien zur Auswanderung. Unter der Führung der Pastoren Kavel und Fritzsche verließen 1838 weit über 1000 Lutheraner, besonders aus Schlesien, die Heimat, um als Bauern sich in Südaustralien anzusiedeln. Der wegen seines Widerstandes gegen die preußische Union und die Einführung der Agende wiederholt mit Gefängnis bestrafte Johann Andreas August Grabau, Pastor an St. Andreas in Erfurt, wanderte im Herbst 1839 nach Nordamerika aus mit etwa 1000 Anhängern aus Erfurt, Magdeburg und Umgegend, von denen die meisten sich in Buffalo (New York) niederließen, und gründete 1845 die »Synode der aus Preussen eingewanderten Lutheraner«, die sich später »Buffalo-Synode« nannte. Obwohl der Justizminister von Mühler und der Minister des Innern von Rochow sich für die Aufhebung der Strafbestimmungen gegen die Lutheraner und die Anerkennung ihrer Kirchengemeinschaft aussprachen, konnte sich der König dazu nicht entschließen. So blieben die Zwangsmaßregeln gegen die renitenten lutherischen Prediger weiterhin ohne jede Milderung in Kraft. Am 14.5.1840 starb Minister von Altenstein und am 7.6.1840 Friedrich Wilhelm III. Den Thron bestieg Friedrich Wilhelm IV., der schon als Kronprinz warm für die verfolgten Lutheraner eingetreten war. Die gefangenen und verbannten Pastoren durften zu ihren Gemeinden zurückkehren. Am 15.9. 1841 tagte die erste ordentliche Generalsynode der Lutheraner in voller Öffentlichkeit und gab sich nach wochenlangen, eingehenden Beratungen eine synodale Verfassung, die im wesentlichen das Werk H.s war. Nach längeren Verhandlungen wurde vom König am 23.7.1845 die Generalkonzession erlassen, die »den von der evangelischen Landeskirche sich getrennt haltenden Lutheranern« das Recht der Bildung öffentlich anerkannter Gemeinden und der Anstellung anerkannter Pfarrer gewährte, ferner das Recht der freien, vom Staat in keiner Weise beeinflußten Selbstverwaltung ihrer Angelegenheit. Die sog. Spezialkonzession vom 7. 8.1847 erkannte das auf Grund der Synodalbeschlüsse von 1841 eingerichtete Oberkirchenkollegium in Breslau an als die Zentralbehörde der »Evangelisch-lutherischen Kirche in Preußen« und gewährte 21 Gemeinden in den Provinzen Schlesien, Brandenburg, Pommern, Preußen, Posen und Sachsen die Korporationsrechte. Direktor des Oberkirchenkollegiums wurde H., der 1845/46 Rektor der Universität Breslau war. 1847 erfolgte seine Ernennung zum Geheimen Justizrat. Die Universität Erlangen verlieh ihm ehrenhalber die theologische Doktorwürde. Die »Evangelisch-lutherische Kirche in Preußen« hatte 1847/48 bedeutenden Zuwachs zu verzeichnen: mehrere Pfarrer und Gemeinden in Pommern und Brandenburg schlossen sich ihr an, u.a. Julius Nagel (s.d.), Wilhelm Friedrich Besser (s.d.) und Hermann Alexander Pistorius (s.d.). Die Jahre 1858 bis 1864 brachten innere Auseinandersetzungen über das Recht des Kirchenregiments, die die »Evangelisch-lutherische Kirche in Preußen« stark erschütterten und zu einer Absplitterung führten. Es ging um die Frage, ob das Kirchenregiment menschlichen oder göttlichen Rechts, »iuris humani« oder »iuris divini«, sei; ob man dem Kirchenregiment nur um der Liebe und der Ordnung willen oder auch um Gottes

Willen Gehorsam schuldig sei. H. vertrat die Lehre vom göttlichen Recht des Kirchenregiments: »Es ist nicht etwas Willkürliches, Zufälliges, sondern etwas der Kirche Notwendiges, ein Kirchenregiment zu haben«. Pastor J. Diedrich in Jabel bei Wittstoch (Dosse) warf die Frage auf, wie denn das Breslauer Oberkirchenkollegium seine Berechtigung als gottverordnete Obrigkeit begründen wolle, und erklärte im Verlauf des Kampfes, es sei eine völlig unlutherische Neuerung, eine kirchliche Aufsichtsbehörde als nötig zu bezeichnen, da es in der Kirche nur ein Amt geben könne, das Predigtamt, aber unmöglich eine kirchliche Obrigkeit als Aufsichtsamt über dem Pfarramt. Er übte scharfe Kritik an den Synodalbeschlüssen und der Kirchenordnung und beschuldigte das Oberkirchenkollegium falscher Lehre. Bereits auf der Generalsynode von 1860 zeigte es sich, wie tief schon der Riß ging; aber man traf noch keine Entscheidung in den strittigen Lehrpunkten. Auch die Verhandlungen einer Kommission, die auswärtige lutherische Theologen zur Beratung hinzuzog, führten zu keiner Verständigung. Die gegenseitige Polemik nahm an Heftigkeit zu, und der Riß wurde von Jahr zu Jahr klaffender. So kam es zur Absplitterung: am 21.7.1864 schlossen sich insgesamt sieben Pfarrer unter Führung Diedrichs und Ehlers, des bisherigen Kirchenrats im Oberkirchenkollegium, zu einer besonderen Kirchengemeinschaft, der »Immanuelsynode«, zusammen. Ihre Wiedervereinigung mit der »Evangelisch-lutherischen Kirche in Preußen« erfolgte am 12.6.1904.

Werke: Cicerinis iratio pro Tullio, in J. G. Huschkes Analcety literaria, 1826; Incerti auctoris magistratuum P. R. expositiones ineditae, 1829; Studien des römischen Rechts I, Breslau 1830; Theol. Votum eines Juristen in Sachen der preuß. Hof- und Dom-Agende, hrsg. v. Johann Gottfried Scheibel, 1832; Ders., Aktenmäßige Gesch. der neuesten Unternehmungen unter Union II, 1834, 95 ff. 115 ff. (darin: 2. u. 3. Bittschr. der Breslauer Lutheraner an Friedrich Wilhelm III. v. 26.7. u. 30.8.1930); Die Verfassung des Königs Servius Tullius, 1838; Flavius Syntrophus, Instrumentum donationis, hrsg. v. E. H., 1838; Über den z. Zt. der Geburt Jesu gehaltenen Census, 1840; Über das Recht des Nerum und das alte römische Schuldrecht, 1846; Über den Census und die Steuerverfassung der früheren römischen Kaiserzeit, 1847; Wort u. Sakarament die Faktoren der Kirche, 1849; Gaius, Btrr. zur Kritik u. zum Verständnis seiner Institutionen, 1855; Die oskischen u. sabellischen Sprechdenkmäler, 1856; Die Igurischen Tafeln nebst den kleineren umbrischen Inschriften, 1859; Was lehrt Gottes Wort über die Ehescheidung?, 1860; Jurei prudentiae antejustinianae quae supersunt, 1861; Vorläufige Schutzwehr wider die neue Lehre des Pastor Diedrich u. seines Anh., 1861; Die streitigen Lehren v. der Kirche, dem Kirchenamt, dem Kirchenregiment u. den KO.en, 1863; Justitiana institutionum libri IV, 1968; Römische Studien I, Breslau 1869; Das alte römische Jahr und seine Tage, 1869; Das Recht der Publikanischen Klage, 1874; Zur Pandektenkritik, 1875; Letztes Wort über die Ehescheidungsfrage, 1875; Die Multa u. das Sakramententum in ihren verschiedenen Anwendungen. Zugl. in ihrem grundlegenden Zus.hange mit dem röm. Criminal- u. Civil-Prozesse dargest., 1874 (Neudr. Osnabrück 1968); Die Lehre von den verbotenen Verwandtschaftsgraden der Eheschließung, 1877 (1904); Die jüngst aufgefundenen Bruchstücke aus Schrr. röm. Juristen, 1880; Die Lehre vom röm. Recht des Darlehens, 1882; Theol. u. kirchenpol. Schrr. im altluth. Sinne, 1882.

Lit.: Henrik Steffens, Wie ich wieder Lutheraner wurde, 1831; – Ders., Was ich erlebte X, 1844, 198 ff.; – Johann Gottfried Scheibel, Letzte Schicksale der luth. Parochien in Schlesien, 1834; – Ders., Arch. f. hist. Entwicklung u. neueste Gesch. der luth. Kirche, 1841; – Eduard Kellner, Gottes Führen u. Regieren z. Erhaltung der luth. Kirche, (1863³); – Joh. Nagel, Die Errettung der ev.-luth. Kirche in Preußen v. 1817-1845 (1905⁴); – Ders., Die Erhaltung der luth. Kirche in Preußen, 1869; – J. Diedrich, Wert u. Wesen des Kirchenregiments, 1858; – Ders., Kurze Beantwortung der Schutzwehr, 1861; – L. Feldner, Die Verhh. der Kommission z. Erörterung der Prinzipien der Kirchenverfassung (die in Berlin vom 26.9. bis 3.10.1861 stattgefunden hatten), 1862; – Hermann Theodor Wangemann, Kirchenstreit unter den getrennten Lutheranern, 1862; – Julius Nagel, Öff. Erkl. wegen der streitigen Lehren v. der Kirche, dem Kirchenregiment u. den KO.en, 1864 (verf. I. A. des Oberkirchenkollegiums zu Breslau u. gerichtet gg. die »Immanuelsynode«); – Georg Froböß, 50 J. luth. KG, 1896; – Ders., Drei Lutheraner an der Univ. Breslau, Die Prof. Scheibel, Steffens, H. in ihrer rel. Entwicklung, 1911; – Hellmut v. Örtzen, Das Leben u. Wirken des Staatsmin. Jasper v. Örtzen (mit H. eng befreundet), 1905; – Gottfried Nagel, Unsere Heimatkirche, 1917 (1924²); – Ders., Der Kampf um die luth. Kirche in Preußen. Eine Jub.denkschr., 1930; – Adolf Schnieber, Georg Philipp E. H. Ein Lb., 1927; – Martin Kiunke, Johann Gottfried Scheibel u. sein Ringen um die Kirche der luth. Ref., 1941; – Ders., Die Ev.-luth. Kirche Altpreußens, in: Ulrich Kunz, Viele Glieder - Ein Leib, 1953, 17 ff. (1860², 11 ff.); – Was glauben die Andern? 56 Selbstdarst., hrsg. v. der Arbeitsgemeinschaft der Kirchen u. Rel.ges. en in Berlin, 1954, 98 ff.; – H. Beyer, Der Breslauer Jurist Ph. E. H. u. die Grundprobleme einer luth. Kirchenverfassung, in: H. J. (Festschr. B. Altane) 77, 1958, 270-297; – Jobst Schöne, Kirche u. Kirchenregiment im Wirken u. Denken G. Ph. E. H.s (Diss. Münster, 1969), Berlin u. Hamburg 1969; – Lex. d. Nieders. Schriftsteller, bearb. v. R. Eckart, 1891 (Neudr. 1974), 98; – Elert I, 297; – Lutheran Cyclopedia, hrsg. v. E. L. Lueker, 1954, 490 f.; – ADB 50, 515-520; – NDB X, 81 f.; – RE VIII, 467-472; – XII, 2; – RGG III, 491 f.; – Bibliogr.: Hdb. dt. Lit.wiss., hrsg. v. Cl. Köttelwesch I, 1973, 1691.

Ba

HUSSAREK *von Heinlein*, Max Freiherr, österreichischer Ministerpräsident und Kultusminster, Kirchenrechtslehrer, * 3.5.1865 in Preßburg (Slowakei) als Sohn des Ritters Johann H. v. H. (1819-1907), + 6.3.1935 in Wien. – H. studierte von 1883 bis 1888 Rechtswissenschaft an der Universität Wien und promovierte 1889 zum Dr. jur. 1888 wurde er Konzeptpraktikant bei der niederösterreichischen Finanzlandesdirektion, 1890-92 hielt er als Juristenpräfekt am Theresianum kirchenrechtliche Kolloquien ab. Gleichzeitig wurde er Erzieher von Prinz Abbas Hilmi, dem zukünftigen Khediven von Ägypten. 1892 nahm er seine Tätigkeit im Ministerium für Kultur und Unterricht auf. Im gleichen Jahr wurde er Privatdozent und 1895 ao. Professor für Kirchenrecht an der Rechtsfakultät der Universität Wien. Hier führte H. – neben den systematischen – eigene rechtshistorische Vorlesungen ein und wurde dadurch zum Begründer der modernen Wiener Kirchenrechtsschule. 1897 übernahm er im Ministerium die Leitung der Abteilung für Angelegenheiten des katholischen Kultus und 1907 wurde er Leiter des Kultusamtes. Daneben vertrat er nach dem Tod von Karl Gross den Lehrstuhl für Kirchenrecht. 1911 wurde H. Minister für Kultus und Unterricht. In seine bis 1917 dauernde Amtszeit fallen u. a. die Anerkennung der Professoren der evangelischen theologischen Fakultät als Universitätsprofessoren, die Reform der rechts- und staatswissenschaftlichen Studien und die Anerkennung der Islamiten nach hanefitischem Ritus als Religionsgesellschaft. 1918 wurde H. o. Professor für Kirchenrecht an der Universität Wien und am 25. Juli des gleichen Jahres übernahm er das Amt des Ministerpräsidenten. Als Vertreter einer föderalistischen Politik war er bemüht, die kroatische Frage gemäß den Vorstellungen des 1914 ermordeten Erzherzogs Franz Ferdinand und Kaiser Karls I. zu lösen; Kroatien und Dalmatien sollten mit Bosnien - Herzegowina zu einem einheitlichen Glied der Monarchie vereinigt werden. Am 15.10.1918 stellte H. beim Kronrat den Antrag auf eine bundesstaatliche Reform der Monarchie durch die Bildung von Nationalstaaten, scheiterte jedoch damit. Am 27.10.1918 trat er vom Amt des Ministerpräsidenten zurück. Ab 1921 hielt H. – Mitglied der Akademie der bildenden Künste, Ehrendoktor der Universität Lemberg und der Hochschule für Bodenkultur sowie seit 1912 wirklicher Geheimer Rat – wieder Vorlesungen im Fach Kirchenrecht an der Universität Wien. 1927 wurde er Professor für die Enzyklopädie der Rechts- und Staatswissenschaften an der Konsularakademie, im gleichen Jahr Honorarprofessor an der Juristischen Fakultät der Universität Wien und 1930 Kurator und Vorsitzender des Kuratoriums am Theresianum.

Werke. Die bedingte Eheschließung, 1892; Die familienrechtliche Alimentation nach östr. Recht, 1893; Die rel. Erziehung der Kinder, 1895; Kirchenvermögen, Kirchengebäude u. Baulast, kirchliche Aufzüge u. Wallfahrten, in: Ostr. Staatswb. Hdb. des gesamten östr. öff. Rechtes, hrsg. v. E. Mischler u. J. Ulbrich, 2 Bde., 1895-97; Rel.fonds, in: ebd., 2. Aufl., 4 Bde., 1905-09; Grdr. des Staatskirchenrechts, 1897 (1908²); Eherechtliche Fragen des östr. Altkatholiken, in: Allgemeine Östr. Gerichtsztg. 1902; Z. Ausl. des Art. neun des östr. interconfessionellen Gesetzes, in: Grünhut-Zschr. 29, 1902; Leitsätze u. krit. Betrachtungen z. Schulreform in Östr., 1920; Die Verhh. des Konk. v. 18.8.1855, 1922; Z. Tatbestand des landesfürstlichen Nominations- u. Bestätigungsrechts f. Bistümer in Östr. 1848 bis 1918, in: ZSavRGkan 16, 1927; Die kirchenpolitische Gesetzgebung der Republik Östr., in: Der Kath. in Östr., 1931; Die Krise u. die Lösung des Konk. v. 18.8.1855, 1932. – Gab heraus: Östr. Zschr. f. öff. Recht, zus. mit Edmund Bernatzik, Heinrich Lammasch, Adolf Menzel; red. v. Hans Kelsen, 1.-3. Jg., Wien 1914 ff.

Lit.: A. Frhr. v. Czedik, Z. Gesch. d. k. k. östr. Ministerien 1861-1916, 4 Bde., 1917-20; – F. v. Wieser, östr.s Ende, 1919; – Karl u. Mathilde Uhlirz, Hdb. der Gesch. Östr.s u. seiner Nachbarländer Böhmen u. Ungarn, 4 Bde., Graz - Wien - Leipzig 1927-1944; – Das Jb. der Wiener Ges. Biographische Btrr. z. Wiener Zeitgesch., hrsg. v. Franz Planer, Wien 1929; – J. Redlich, Östr.s Regierungen u. Verw. im Weltkrieg, 1935; – ZSavRGkan 24, 1935, 434; – R. Köstler, in: Zschr. f. Östr. Rechtsgesch. 15, Wien 1935, 161 f. (mit Verz. der Werke H.s); – »Neues Wiener Tagebl.« v. 7., 8. u. 10.3.1935; – »Reichspost. Ztg. f. das Christliche Volk« (Wien) v. 7. u. 12.3.1935; – »Wiener Ztg.« v. 7. u. 8. 3.1935; – »Neue freie Presse« (Wien) v. 7. u. 10.3.1935; – Zschr. f. öff. Recht 15, 1935, 162 f.; – »Die Furche« v. 19.10.1946; – H. Hantsch, Die Gesch. Östr.s II, 1950, 523. 557 f.; – F. Funder, V. Gestern ins Heute, 1952; – W. M. Plöchl, in: ÖAKR 5, 1954, 78 ff.; – Schicksalsjahre Östr.s 1908-1919. Das politische Tagb. Josef Redlichs, hrsg. v. F. Fellner, 1954; – A. Spitzmüller, ... u. hat auch Ursach es z. lieben, 1955; – H. Rumpler, M. H., Nationalitäten u. Nationalitätenpolitik in Östr. im Sommer des J.s 1918, 1965; – ÖBL III, 16 f.; – NDB X, 86; – Kosch, KD, 1816 f.; – LThK V, 545.

Ba

HUSSEN, Tileman von, evangelischer Bischof von Schleswig, * 1497 im Herzogtum Kleve, + 14.5.1551 in Schleswig. – Nach seinem Studium der Theologie in Löwen, einem Aufenthalt in Hamburg und der Verleihung der theologischen Doktorwürde in Wittenberg 1537 rief der dänische König Christian III. den reformierten Theologen als Professor an die neueröffnete Universität Kopenhagen, wo er gemeinsam mit Bugenhagen (s.d.) ab 8.9.1537 lehrte. Neben seinem Amt als Rektor der Universität (1539-41) bekleidete H. die Stelle des Hofmeisters und -predigers bei Prinzessin Anna, bis er nach dem Erlaß der Schleswig-Holsteinischen Kirchenordnung vom 9.3.1542 zum Nachfolger des verstorbenen (1541) letzten katholischen Bischofs gewählt wurde. H., erster evangelischer Bischof, erhielt die Weihe von Bugenhagen, der zuvor dieses Amt abge-

lehnt hatte. H. war bekannt für seine guten Kenntnisse des Hebräischen und der alten Sprachen und widmete sich gewissenhaft und engagiert seinen bischöflichen Aufgaben.

Lit.: O. F. Arends, Gejstligheden i Slesvig og Holsten fra Reformationen til 1864. I, Kopenhagen 1932, 370 f.; – A. Dahl, Sonderjüllands Bispehistorie, 1933, 20 f.; – Ernst Feddersen, KG Schleswig-Holsteins. II (1517-1721), 1936-38, 91. 103. 114-117; – W. Jensen, Der Abschluß der Ref. in Schleswig-Holstein, in: Zschr. der Ges. f. Schl.-Holst. Gesch. 70/71, 1943; – J. Skovgaard, Slesvig Bispedomme 948-1791, in: Slesvigs delte Bispedomme. Festskrift, Kopenhagen 1949, 54-56; – Otto Scheib, Die Ref.diskussion in der Hansestadt Hamburg 1522-1528. 1976/77; – DBL XI, 13 f.; – NDB X, 87; – RGG III, 493; – P.: auf dem Epitaph im Schleswiger Dom; dazu: D. Ellger, Die Kunstdenkmäler d. Stadt Schleswig II, 1966, 414 f., Abb. 415.

Ba

HUSSERL, Edmund, Philosoph, * am 8.4.1859 in Prossnitz/Mähren, aus einer teilweise jüdischen Familie, jedoch evangelisch getauft, + am 27.4.1938 in Freiburg i. Br. – H. ging in Wien und Olmütz zur Schule, wo er 1876 die Reifeprüfung ablegte. Im selben Jahr nahm er das Studium in Leipzig auf und besuchte Vorlesungen zu Mathematik, Physik, Astronomie und Philosophie. Er hörte Fr. Paulsen und W. Wundt, dessen "Institut für experimentelle Psychologie" einen tiefen Eindruck bei dem studierenden H. hinterließ. 1878 setzte H. sein Studium in Berlin fort, wo er die Vorlesungen der berühmten Mathematiker Kronecker und Weierstrass besuchte. Nach einer kurzen Asisstentenzeit bei Weierstrass verließ H. Berlin, um sein Studium in Wien zu beenden. Während seiner Wiener Zeit übte Franz Bretano, bei dem er zwischen 1884 und 1886 studierte, mit seinem Versuch einer beschreibenden Psychologie als Voraussetzung einer Philosophie als ernste Wissenschaft einen prägenden Einfluß auf H. aus. Den Gedanken der Gegenstandsbezogenheit der psychologischen Probleme übernahm H. von seinem Lehrer Bretano. H. promovierte 1883 über »Beiträge zur Variationsrechnung«. Bretano empfahl ihm ein weiteres Studium in Halle, wo er als Privatdozent Vorlesungen zu verschiedenen philosophischen Disziplinen hielt. 1887 habilitierte er sich über »den Begriff der Zahl, psychologische Analyse«. Aus dieser Schrift entstand 1891 die »Philosophie der Arithmetik« als Versuch einer Analyse des psychologischen Ursprungs der arithmetischen Grundbegriffe. In Halle traf H. auch Carl Stumpf, von dessen philosophisch-psychologischer Arbeit er teilweise beeinflußt wurde. 1901 legte H. nach langen Studien über die Grundlagen der Mathematik und der Logik sein erstes philosophisches Hauptwerk, die »Logischen Untersuchungen« vor. Diese gelten als grundlegendes Werk der Phänomenologie und begründeten den wissenschaftlichen Ruhm H.s. Seine Gedanken fanden großen Anklang und bereitwillige Aufnahme. Der erste Band der »Logischen Untersuchungen« stellt eine Auseinandersetzung mit dem Psychologismus in der Logik dar. Der zweite Band erforscht den phänomenologischen Ursprung der logischen Begriffe und Gesetze. Bedingt durch die starke Resonanz auf dieses Werk folgte noch im selben Jahr eine Berufung als außerordentlicher Professor nach Göttingen. 1906 erhielt H. eine ordentliche Professur an dieser Universität. In seiner Göttinger Zeit entwickelte H. das Lehrgebäude der Phänomenologie. Als »Philosophie des Erlebten« sollte sie die Bruchstelle markieren, an der die Philosophie aus dem vorwissenschaftlichen Zustand übergeht in den wissenschaftlichen. H. entwickelte jedoch seine Philosophie mit zunächst ausgeprägt erkenntnistheoretisch-methologischem Charakter zu einer Transzendentalphilosophie weiter, die den »Rückgang von der formalen Logik auf ihre konstitutiven Ursprünge« zur Aufgabe macht. 1916 folgte H. dem Ruf nach Freiburg i. Br., wo er als ordentlicher Professor die Nachfolge H. Rickerts antrat. Hier versuchte er die Formulierung einer Systematik seiner Philosophie. In seinem Spätwerk »Die Krisis der europaeischen Wissenschaften...« wendete er sich konsequent gegen den Objektivismus, und postuliert eine »transzendentale Bewußtseinsphilosophie«. Gesellschaft und Geschichte, die bislang kein Bestandteil seiner Reflexion waren, nehmen in seinem Spätwerk einen breiteren Raum ein. Seit 1928 war H. emeritiert. 1933 wurde H. wegen seiner jüdischen Abstammung vom Lehrbetrieb ausgeschlossen, zunehmend isoliert, und bei der Veröffentlichung seiner Arbeiten behindert. Er starb 1938 vereinsamt. »Erfahrung und Urteil« konnte nur unter großen Schwierigkeiten noch 1938 in Prag erscheinen. H. ist als Logiker entscheidend bestimmt von Leibnitz und dem Prager Philosophen Bernhard Bolzano, der entgegen dem Subjektivismus »Wahrheiten an sich« lehrte. Als Erkenntnistheoretiker ist H. von Kant beeinflußt. In H. kommen subjektiv-idealistische und objektiv-idealistische Momente zur Verschmelzung; sein philosophisches Werk ist geprägt von einem vordringlichen Streben, die Philosophie als strenge Wissenschaft zu etablieren. Mit der Idee der Befreiung der Erkenntnis »von den Kleidern der Ideen« hat er der philosophischen Analyse eine neue Richtung aufgezeigt, die im Gegensatz zu jedem Systemdenken steht. Die Phänomenologie H.s will die Begriffe und Gesetze aller Erkenntnis klären. Durch solche Vielschichtigkeit läßt sich H.s Einfluß auf die Philosophie des 20. Jahrhunderts herleiten. Die Lehre H.s wurde von vielen seiner Schüler aufgenommen und weitergeführt. Auf der Grundlage seiner phänomenologischen Philosophie entstanden die deutschen und französischen Existentialphilosophen. H. war korrespondierendes Mitglied der Bayerischen Akademie der Wissenschaften, der Aristotelian Society of London, der Akademie des Westens (Boston/USA), sowie des Institut de France (Paris). Neben seinen wissenschaftlich relevantesten Werken ist er Verfasser umfangreicher Einzelanalysen. H. hinterließ etwa 45.000 unveröffentlichte Manuskriptseiten.

Werke: Philosophie der Arithmetik, Halle 1891, neu hrsg. in Husserliana Bd. XII; Philosophie als strenge Wissenschaft, Logos Bd. I, 1910/11, 289-341, neu hrsg. v. W. Szilasi, Frankfurt a. M. 1965; Logische Untersuchungen, Bd. I, Bd. II, 1, Bd. II, 2, Halle 1928⁴; Erneuerung, Ihr Problem und ihre Methode, in: Japanische Zeitschrift Kaizo, 1922, 84-92; Idee einer philosophischen Kultur, in: Japanisch-Deutsche Zeitschrift für Wissenschaft und Technik, Bd. I, 1923, 45-51; Vorlesungen zur Philosophie des inneren Zeitbewußtseins, hrsg. v. M. Heidegger, in: Jahrbuch für Philosophie und phänomenologische Forschung, Bd. IX, 1928, neu hrsg. in Husserliana Bd. X; Formale und transzendentale Logik, in: Jahrbuch für Philosophie und phänomenologische Forschung, Bd. X, 1929; Erfahrung und Urteil, Untersuchungen zur Genealogie der Logik, Prag 1938; Phänomenologie und Anthropologie, in: Philosophy and Phenomenological Research, Bd. II (1941); Husserliana, Gesammelte Werke, veröff. v. Husseral-Archiv (Louvain), 1950 ff.: Bd. I, Cartensianische Meditationen und Pariser Vorträge, hrsg. v. S. Strasser, Den Haag 1950, Bd. II: Die Idee der Phänomenologie, hrsg. v. W. Biemel, Den Haag 1950, Bd. III: Ideen zu einer reinen Phänomenologie und phänomenologischen Philosophie, Bd. 1, hrsg. v. W. Biemel, Den Haag 1950, Bd. IV, Ideen usw., Bd. 2, 1952, Bd. V, Ideen usw., Bd. 3, 1952, Bd. VI, Die Krisis der europaeischen Wissenschaften und die transzendentale Phänomenologie, hrsg. v. W. Biemel 1954, Bd. VII, Erste Philosophie, Teil 1, hrsg. v. R. Boehm, Den Haag 1956, Bd. VIII, Erste Philosophie, Teil 2, hrsg. v. R. Boehm, Den Haag 1959, Bd. IX, Phänomenologische Psychologie, hrsg. v. W. Biemel, Den Haag 1962, Bd. X, Zur Phänomenologie des inneren Zeitbewußtseins, hrsg. v. R. Boehm, Den Haag 1966, Bd. XI, Analysen zur passiven Synthesis, hrsg. v. M. Fleischer, Den Haag 1966, Bd. XII, Philosophie der Arithmetik mit ergänzenden Texten (1890-1901), hrsg. v. L. Eley, Den Haag 1970, Bd. XIII-XV, Zur Phänomenologie der Intersubjektivität, hrsg. v. Iso Kern, Den Haag 1973, Bd. XVI, Ding und Raum, Vorlesungen 1907, hrsg. v. Ulrich Claesgen, Den Haag 1973, Bd. XVII, Formale und transzendentale Logik, hrsg. v. Paul Janssen, Den Haag 1974, Bd. XVIII, 1975, Bd. IXX, 1984, Bd. XX-XXIV, 1984. Bibliogr.: Horace S. Fries (Hrsg.), H.s Unpublished Manuscrīpts, in: The Jorunal of Philosophy 36 (1939), 238-239; Jan Patocka, H. Bibliography, in: Revue internationale de philosophie 1 (1939), 374-397; H. L. Van Breda, Bibliographie der bis zum 30. Juni 1959 veröffentlichten Schriften E. H.s, in: E. H., 1859-1959, Den Haag 1959, 289-306; Gerhard Maschke, H., Bibliographie, in: Revue internationale de philosophie 19 (1965), 153-202; Jeffner Allen, H., Bibliography of English Translations, in: The Monist 59 (1975), 133-137.

Lit.: H. Wagner, Kritische Betrachtungen zu H.s Nachlaß, in: PhR I, 1953/54, 1-22, 93-123; – Ders., H.s zweideutige Wissenschaftstheorie, in: Ders. (Hrsg.), Kritische Philosophie Würzburg 1980; – T. W. Adorno, Zur Metakritik der Erkenntnistheorie, Frankfurt a. M. 1956; – S. Bachelard, La logique de H., Paris 1957; – Alois Roth, H.s Ethische Untersuchungen, Den Haag 1960; – Enzo Paci, Tempo e verità nella fenomenologia di H., Bari 1961; – Lothar Eley, Die Krise des Apriori in der transzendentalen Phänomenologie E. H.s, Den Haag 1962; – Hubert Hohl, Lebenswelt und Geschichte, Grundzüge der Spätphilosophie E. H.s, Freiburg, München 1962; – René Toulemont, L'Essence de la société selon H., Paris 1962; – Jan M. Broekman, Phänomenologie und Egologie, Faktisches und transzendentales Ego bei H., Diss. Göttingen 1963; – Ulrich Claesges, E. H.s Theorie der Raumkonstitution, Diss. Köln 1963; – Hermann Drüe, E. H.s System der phänomenologischen Psychologie, Berlin 1963; – Klaus Held, Lebendige Gegenwart, Diss. Köln 1963; – Heinz Hülsmann, Zur Theorie der Sprache bei E. H., München 1964; – Iso Kern, H. und Kant, Den Haag 1964; – Paul Janssen, Geschichte und Lebenswelt, Diss. Köln 1964; – Ders., E. H., Einführung in seine Phänomenologie, Freiburg 1976; – J. N. Mohanty, E. H.s Theory of Meaning, Den Haag 1964; – Ders., Readings on E. H.s Logical Investigations, Den Haag 1977; – Ders., Consciosness and Existence, Remarks on the Relation between H. and Heidegger, in: Man and World, Vol. 11,3 (1978), 324-335; – Ders., H. and Frege, Bloomington 1982; – Ernst Wolfgang Orth, Bedeutung, Sinn, Gegenstand, Diss. Mainz 1964; – Robert Sokolowski, The Formation of H.s Concept of Constitution, Diss. Louvain 1964; – Alwin Diemer, Versuch einer systematischen Darstellung der Philosophie E. H.s, Meisenheim/Glan 1965; – Theodore de Boer, The Development of H.s Thought, Diss. Utrecht 1966; – Ders., Die Begriffe "absolut" und "relativ" bei H., in: ZphF 27 (1973), 514-533; – Ramon Castilla Lazaro, Zu H.s Sprachphilosophie und ihren Kritikern, Diss. Berlin 1966; – Yrjö Reenpää, Über die Lehre vom Wissen, Helsinki 1966; – Roman Ingarden, Probleme der H.schen Induktion, in: Analecta Husserliana 4 (1976), 1-72; – Ders., on the Motives which Led H. to Transcendental Idealism, Den Haag 1975; – Ders., Moje wspomnienia o Edmundzie Husserlu, in: Studia Filosoficzne Vol. 2 (1981), 3-24; – Pasquale Pantaleo, La direzione coscienza intenzione nella filosofia di Kent e H., Bari 1967; – Antonio F. Aguirre, Natürlichkeit und Transzendentalität, Der skeptisch-genetische Rückgang auf d. Erscheinung als Ermöglichung der Epoche bei E. H., Diss. Köln 1968; – Ders., Genetische Phänomenologie und Reduktion, Den Haag 1970; – Ders., Die Phänomenologie H.s im Licht ihrer gegenwärtigen Interpretation und Kritik, Reihe: Erträge der Forschung, Bd. 175, Darmstadt 1982; – In Suk Cha, Eine Untersuchung über den Gegenstandsbegriff in der Phänomenologie E. H.s, Diss. Freiburg 1968; – Hartmut Melenk, Entwicklung und Kritik des H.schen Phänomenbegriffs, Diss. Würzburg 1968; – Meinolf Wewel, Die Konstitution des transzendenten Etwas im Vollzug des Sehens, Diss. Mainz 1968; – Geirgo Baratta, L'Idealismo fenomenologico di E. H., Urbino 1969; – Wolfgang Nikolaus Krewani, Der unbeteiligte Zuschauer, Über die Begründung der theoretischen Einstellung in H.s Spätphilosophie, Diss. Köln 1969; – Boris Abba, Vor- und Selbstbezeitigung als Versuch der Vermenschlichung in der Phänomenologie

H.s, Diss. Freiburg i. Br. 1970; – Antoine George Khourry, E. H.s Auseinandersetzung mit dem Psychologismus, Diss. Hannover 1970; – Manfred Paul Lück, Der Realismus der phänomenologischen Philosophie, Diss. Aachen 1970; – Maria Manuela Saraiva, L'Imagination selon H., Den Haag 1970; – E. Tugendhat, Der Wahrheitsbegriff bei H. und Heidegger, Berlin 1970; – Gerd Brand, Welt, Geschichte, Mythos und Politik, Berlin 1978; – Ders., Die Lebenswelt, Berlin 1971; – Eugen Fink, Reflexionen zu H.s phänomenologischer Reduktion, in: Tijdschrift voor filosofie, Vol. 33, 3, 340-558; – E. Kuypers, Die Wissenschaften von Menschen und H.s Theorie von zwei Einstellungen, in: Analecta Husserliana 1 (1971), 186-196; – Günther Patzig, Kritische Bemerkungen zu H.s Thesen über das Verhältnis von Wahrheit und Evidenz, in: Neue Hefte für Philosophie, Vol. 1 (1971), 12 f.; – Heinz Röttges, Evidenz und Solipsismus in H.s »Cartensianischen Meditationen«, Frankfurt a. M. 1971; – Karl Schuhmann, Die Fundamentalbetrachtung der Phänomenologie, Zum Weltproblem in der Philosophie E. H.s, Den Haag 1971; – Ders., H. über Pfänder, Den Haag 1973; – Ders., Reine Phänomenologie und phänomenologische Philosophie, Den Haag 1973; – Ders., H.-Chronik, Den Haag 1977; – Ders., Ein Brief H.s an Theodor Lipps, in: Tijdschrift voor Filosofie, Vol. 39 (1977), 141-150; – Elisabeth Ströker, Das Problem der Epoche in der Philosophie E. H.s, in: Analecta Husserliana 1 (1971), 186-196; – Dies., H.s Evidenzprinzip, Sinn und Grenzen einer methodischen Norm der Phänomenologie als Wissenschaft, Für Ludwig Landgrebe zum 75. Geburtstag, in: ZphF 32, 1 (1978), 3-30; – Dies., Internationalität und Konstitution, Wandlungen des Internationalitätskonzepts in der Philosophie H.s, in: Dialectica, Vol. 38, fasc. 2-3, 191-208; - Bernhard Waldenfels, Das Zwischenreich des Dialogs, Den Haag 1971; – William H. Werkmeister, H. and Hegel, in: Akten des internationalen Kongresses für Philosophie in Wien, Bd. 6 (1971), 553-558; – Guido António de Almeida, Sinn und Inhalt in der phänomenologie E. H.s, Diss. Freiburg 1972; – Arno Anzenbacher, Die Intentionalität bei Thomas von Aquin und E. H., Wien, München 1972; – Friedrich-Wilhelm von Herrmann, Lebenswelt und In-der-Welt-sein, Zum Ansatz des Weltproblems bei H. und Heidegger, in: Weltaspekte der Philosophie, Amsterdam 1972, 123-141; – Elmar Hollenstein, Phänomenologie der Assoziation, Diss. Löwen 1972; – Ders., Linguistik, Semiotik, Hermeneutik, Frankfurt a. M. 1976; – Hermann Lübbe, Bewußtsein in Geschichten, Freiburg i. Br. 1972; – Kurt Rainer Meist, Vernunft und Philosophiegeschichte, Diss. Bochum 1972; – Ders., Monadologische Intersubjektivität, Zum Konstitutionsproblem von Welt und Geschichte bei H., in: ZphF 34, 4 (1980), 561-589; – Ante Oazanin, Wissenschaft und Geschichte in der Phänomenologie E. H.s, Diss. Köln 1972; – Hans Schermann, H.s II. Logische Untersuchung und Meinongs Hume-Studien I, in: Rudolf Haller (Hrsg.), Jenseits von Sein und Nichtsein, Graz 1972, 103-115; – Denise Souche-Dagues, Le Development de l'intentionalité dans la phénoménologie Husserlienne, Den Haag 1972; – A. T. Boczoriszwili, Problem intuicji w fenomenologii Edmunda Husserla, in: Studia filosoficzne, Warschau 1973, 57-64; – Dorian Cairns, Guide for Translating H., Den Haag 1973; – Ders., Conversation with H. and Fink, Den Haag 1976; – Nestor A. Corona, En torno a »Philosophie als strenge Wissenschaft« de H., in: Sapienta Vol. 28 (1973), 221-224; – David Carr, H.s »Fifth Meditation« and H.s Cartensianism, in: Philosophy and Phenomenological Research, Vol. 34 (1973), 14-35; – Guillermo Ernesto Rosado Haddock, E. H.s Philosophie der Logik und Mathematik im Lichte der gegenwärtigen Logik und Grundlagenforschung, Diss. Bonn 1973; – Rafael Angel Herra–Rodriguez, Unmittelbare Vermittlung der Leiblichkeit, Diss. Mainz 1973; – Barry Hindess, Transcendentalism and History, The Problem of the history of Philosophy and Science in the Later Philosophy of H., in: Economy and Society, Vol. 2, 3 (1973), 309-342; – S. Y. Kuroda, H., Grammaire générale et raisonnée and Anton Marty, in: Foundations of Language, Vol. 10 (1973), 169-195; – Ders., Phenomenology and Grammar, A Consideration of the Relation Between H.s Logical Investigations and Wittgenstein's Later Philosophy, in: Analecta Husserliana 8 (1979), 89-107; – Ram Adhar Mall, Experience and Reason, The Phenomenology of H. and its Relation to Hume's Philosphy, Den Haag 1973; – Eduard Marbach, Ichlose Phänomenologie bei H., in: Tijdschrift voor Filosofie 35 (1973), 518-539; – Ders., Das Problem des Ich in der Phänomenologie H.s, Diss. Louvain 1974; – Ders., H.s reine Phänomenologie und Piagets genetische Psychologie, in: Tijdschrift voor Filosofie 37 (1977), 81-103; – Hermann Noack, E. H., Darmstadt 1973; – Henry Pietersma, H. and Heidegger, in: Philosophy and Phenomenological Research, Vol. 40 (1979), 194-211; – Ders., Intuition and Horizon in the Philosophy of H., ebd., Vol. 34 (1973), 95-101; – Bernhard Rang, Kausalität und Motivation, Untersuchungen zum Verhältnis von Perspektivität und Objektivität in der Phänomenologie H.s, Diss. Freiburg i. Br. 1973; – Ders., Repräsentation und Selbstgegebenheit, in: Der Idealismus und seine Gegenwart, 378-379; – William F. J. Ryan, Intentionality in E. H. and Bernard Lonergan, in: International Philosophical Quarterly, Vol. 13, 2 (1973), 173-190; – Donn Welton, Intentionality and Language in H.s Phenomenology, in: Review of Metaphysics, Vol. 27,2 (1973), 260-297; – Ders., The Origing of Meaning, Den Haag 1983; – Hendrik Johann Adriaanse, Zu den Sachen

selbst, Versuch einer Konfrontation der Theologie Karl Barths mit der phänomenologischen Philosophie E. H.s, Mouton 1974; – Severin Müller, System und Erfahrung, Metaphysische Aspekte am Problem der Gegebenen bei E. H., Diss. München 1974; – Ders., Vernunft und Technik, die Dialektik der Erscheinung bei E. H., Freiburg i. Br., München 1976; – Richard T. Murphy, The Transcendental »A Priori« in H. and Kant, in: Analecta Husserliana 3 (1974), 66-79; – Pentzopoulou-Valalas, Réflexions sur le fondement du rapport entre l'a priori et l'eidos dans la phénoménologie de H., in: Kant-Studien, Vol. 65, 2 (1974), 135-151; – Antonio Ponsetto, Die Tradition in der Phänomenologie H.s, Diss. Köln 1974; – Mario Sancipriano, The Activity of Consciousness: H. and Bergson, in: Analecta Husserliana 3 (1974), 161-167; – Souche-Dagues, Le Platonisme de H., in: ebd., 335-360; – George J. Strack, H.s Concept of Persons, in: Idealistic Studies, Vol. 4, 3 (1974), 267-275; – Richard Stevenson, James and H., Den Haag 1974; – René Verdensal, La sémiotique de H.: La logique des signes, in: Etudes philosophiques 4 (1974), 553-564; – Yung Han Kim, H. and Nantorp, Diss. Heidelberg 1974; – R. M. Zaner, Special Contribution to the Debate: Passivity and Activity of Consciousness in H., in: Analecta Husserliana 3 (1974), 199-226; – Jeffner Allen, Teleology and Intersubjectivity, in: ebd. 9 (1979), 213-219; – Ders., What is H.s First Philosophy, in: Philosophy and Phenomenological Research, Vol. 42, 4 (1982), 601 ff.; – John B. Bennet, H.s »Crisis« and Whitehead's Process Philosophy, in: The Personalist, Vol. 56, 3 (1775), 289-300; – John B. Brough, H. on Memory, in: The Monist 59, 1975, 40-62; – John J. Drummont, H. on the Way to the Performance of the Reduction, in: Man and World 8 (1975), 47-69; – Ders., On the Nature of Perceptual Appearances, Or: Is H. an Aristotelian?, in: New Scholasticism, Vol. 52 (1978), 1-22; – J. N. Findlay, H.s Analysis of the Inner Time-Consciousness, in: The Monist, Vol. 59 (1975), 3-30; – Ross Harrison, The Concept of Prepredicative Experience, in: Phenomenology and Philosophical Understanding, Cambridge 1975, 93-107; – David Hemmendinger, H.s Concept of Evidence and Science, in: The Monist 59 (1975), 81-97; – Fred Kersten, The Occasion and Novelty of H.s Phenomenology of Essence, in: Phenomenological Perspectives, Den Haag 1975, 61-92; – Leszek Kolakowski, H. and the Search for Certitude, New Haven 1975; – Hans Kunz, Die Verfehlung der Phänomene bei E. H., in: Helmut Kuhn (Hrsg.), Die Münchner Phänomenologie, Den Haag 1975, 39-62; – Ders., Die partielle Verfehlung der Phänomene in H.s Phänomenologie, in: Zeitschrift für klinische Psychologie und Psychotherapie, Vol. 25, 2 (1977), 107-135; – David Michael Levin, H.s Notion of Self-Evidence, in: Edo Pivcevic (Hrsg.), Phenomenology and Philosophical Understanding, Cambridge 1975, 53-77; – Ronald McIntyre, H.s Phenomenological Identificationn of Meaning and Noema, in: The Monist 59 (1975), 115-132; – Ders., H.s Phenomenological Conception of Intentionality and its Difficulties, in: Philosophia, Philosophical Quarterly of Israel, Vol. 11, 3-4 (1982), 223 ff.; – Alexandre Métraux, E. H. and Moritz Geiger, in: Helmut Kuhn (Hrsg.): Die Münchner Phänomenologie, Den Haag 1975, 139-157; – Thomas Nemeth, H. and Soviet Marxism, in: Studies in soviet Thought, Vol. 15, 3 (1975), 183-196; – N. V. Motroshilova, The Problem of the Cognitive Subject as Viewed by H. and Ingarden, in: Dialectics and Humanism, Vol. 2, 3 (1975), 17-32; – T. I. Ojzerman, E.a H.a filozofia filozofii, in: Studia Filozoficzne 10 (1975), 45-54; – Frederick A. Olafson, H.s Theory of Intentionality in Contemporary Perspective, in: Nous 9 (1975), 73-84; – M. M. van de Pitte, H. literature, in: Archiv für Geschichte und Philosophie Berlin, Bd. 57 (1975), 36-53; – Ders., The Idealistic »malgré lui«, in: Philosophy and Phenomenological Research, Vol. 37 (1976), 70-78; – Josef Seifert, Über die Möglichkeiten einer Metaphysik, Die Antwort der Münchner Phänomenologen auf H.s Transzendentalphilosophie, in: Helmut Kuhn (Hrsg.), Die Münchner Phänomenologie, Den Haag 1975; – Richard Stevens, Spatial and Temporal Models in H.s »Ideen«, in: Cultural Hermeneutics, Vol. 3 (1975-76), 105-117; – Juan Alfredo Causabón, La experiencia humana y la intencionalidad constituyente del H. idealista, in: Sapienta 31 (1976), 29-46; – Edward S. Casey, The Image/Sign – Relation in H. and Freud, in: Review of Metaphysics, Vol. 30, 2 (1976-77), 207-225; – Renate Christensen, Einige Bemerkungen zur Problematik von Intentionalität und Reflexion bei E. H., in: Wiener Jahrbuch für Philosophie 9 (1976), 73-87; – Suzanne Cunningham, Language and the Phenomenological Reductions of E. H., Den Haag 1976; – Bernard P. Dauenhauer, H.s Phenomenological Justification of Universal Rigorous Science, in: International Philosophical Quarterly, Vol. 16 (1976), 63-80; – Ders., The Teleology of Consciousness of H. and Merleauponty, in: Analecta Husserliana 9 (1979), 149-168; – Wolfgang Walter Fuchs, Phenomenology and the Metaphysics of Presence, Den Haag 1976; – Hans Friedrich Fulda, H.s Wege zum Anfang einer transzendentalen Phänomenologie, in: Ute Guzzoni (Hrsg.): Der Idealismus und seine Gegenwart, Hamburg 1976, 147-165; – Jacob Golomb, Psychology from the Phenomenological Standpoint of H., in: Philosophy and Phenomenological Research, Vol. 36, 4 (1976), 451-471; – Michael Hempolinski, Epistemologie und Metaphysik bei H. und Ingarden, in: Deutsche Zeitschrift für Philosophie (Ost Berlin), Vol. 24, 12, 1546-1555; – Sang Ki Kim, The Problem of the Contingency of the

World in H.s Phenomenology, Amsterdam 1976; – Mary Jeanne Larrabee, H.s Static and Genetic Phenomenology, in: Man and World 9 (1976), 163-174; – Dies., The One and the Many: Jogācāra Buddhism and H., in: Philosophy East and West, Vol. 31 (1881), 3 ff.; – Dies., Things and God, On Infinity and Transcendence in H., in: New Scholastism, Vol. 56, 3 (1982), 323-339; – Douglas R. McGaughey, H. and Heidegger on Plato's Cave Allegory: A Study of Philosophical Influence, in: International Philosophical Quarterly, Vol. 16, 3 (1976), 331-348; – Efraim Shmueli, Consciousness and Action, H. and Marx on Theory and Praxis, in: Analecta Husserliana 5 (1976), 343-382; – Guillermo Hoyos Vásquez, Intentionalität als Verantwortung, Diss. Köln 1976; – Camilla Warnke, H.s Transcendental Subject, in: Dialectics and Humanism, Vol. 3 (1976), 103-110; – Dies., Wissenschaft – Lebenswelt – Transzendentale Intersubjektivität zur gesellschaftlichen Bestimmtheit von H.s Spätphilosophie, in: Deutsche Zeitschrift für Philosophie, Vol. 30 (1982), 77; – Karl Ameriks, H.s Realism, in: The Philosophical Review, Vol. 86, 4 (1977), 498-519; – B. Grünewald, Der phänomenale Ursprung des Logischen, Kastellaun 1977; – Reuben Guilead, Le concept de monde selon H., in: Revue de Métaphysique et de morale, Vol. 82, 3 (1977), 345-364; – Marius Köppel, Zur Analyse von H.s Welt-Begriff, Diss. Zürich 1977; – James C. Morrison, H.s »Crisis«, in: Philosophy and Phenomenological Research, Vol. 37, 3 (1977), 312-330; – André de Muralt, La notion de acte fondé dans les rapports de la raison et de la volonté selon les »Logische Untersuchungen« de H., in: Revue de métaphysique et de morale, Vol. 82, 4 (1977), 511-527; – U. Neemann, H. und Bolzano, in: Allgemeine Zeitschrift für Philosophie 2 (1977), 52-66; – Jan Patocka, Erinnerungen an H., in: Schweizer Monatshefte für Politik, Wirtschaft und Kultur, Vol. 57, 4 (1977), 266-276; – Gerold Prauss, Zum Verhältnis innerer und äußerer Erfahrung bei H., in: ZphF 31 (1977), 79-84; – Klaus Rosen, Evidenz in H.s deskriptiver Transzendentalphilosophie, Meisenheim/Glan 1977; – Quentin Smith, On H.s Theory of Consciousness in the Fifth Logical Investigation, in: Philosophy and Phenomenological Research, Vol. 37, 4 (1977), 482-497; – Ders., H.s Theory of the Phenomenological Reduction in the Logical Investigations, ebd., Vol. 39, 3 (1979), 433-437; – Roger Waterhouse, H. and Phenomenology, in: Radical Philosophy 16 (1977), 27-38; – Dallas Willard, Four Essays published by E. H. in the 1890's, in: The Personalist 58, 4 (1977), 295 ff.; – Ders., H.s Critique of Extensionalist Logic, in: Idealistic Studies, Vol. 9,2 (1979), 143-164; – Ders., H. on a Logic that failed, in: The Philosophical Review 89 (1980), 46-64; – Heidi Aschenberg, Phänomenologische Philosophie und Sprache, Tübingen 1978; – Rudolf Bernet, Endlichkeit und Unendlichkeit in H.s Phänomenologie der Wahrnehmung, Vol. 40, 2, 251-269; – Ders., Perception as a Teleological Process of Cognition, in: Analecta Husserliana 9 (1979), 119-132; – Hilmar Brauner, Die Phänomenologie E. H.s und ihre Bedeutung für soziologische Theorien. Meisenheim/Glan 1978; – Adele Canilli, Fenomenologie del linguaccio: H. e la linguistica strutturale, in: Studi italiani di linguistica teorica ed applicanta, Vol. 7, 3 (1978), 305-358; – Gary Gutting, H. and Scientific Realism, in: Philosophy and Phenomenological Research, Vol. 39 (1978), 42-56; – Ute Kocka, Phänomenologische Konstitution und Lebenswelt, Untersuchungen zu E. H.s »Ideen II«, Diss. Heidelberg 1978; – Erazim Kohák, Idea and Experience, E. H.s Project of Phenomenology in »Ideas I«, Chicago 1978; – Ludwig Landgrebe, The Problem of Passive Constitution, in: Analecta Husserliana 7 (1978), 23-36; – William Jon Lenkowski, What is H.s Epoche?, in: Man and World, Vol. 11, 3-4 (1978), 299-323; – Emmanuel Levinas, Théorie de l'intuition dans la phenomenologie de H., Paris 1978; – Ders., En découvrant l'existence avec H. et Heidegger, Paris 1982; – Mario A. Preses, Leiblichkeit und Geschichte bei H., in: Tijdschrift voor Filosofie 40 (1978), 111-127; – Nathan Rothenstreich, Evidence and the Aim of Cognitive Activity, in: Analecta Husserliana 7 (1978), 245-248; – Marie-Luise Schubert-Kalsi, Alexius Meinong on Objects of Higher Order and H.s Phenomenology, Den Haag 1978; – Gui Hyun Shin, Die Struktur des inneren Zeitbewußtseins, Diss. Basel 1978; – Reinhold Nikolaus Smid, »Mein reines Ich« und die Probleme der Subjektivität, Diss. Köln 1978; – Józef Tischner, Im Kreise des Denkens H.s, in: Archiwum Historii filozofii c Myśli Spoeczney, Warschau 1978, 215-236; – M. R. Barral, Teleology and Intersubjectivity in H., in Analecta Husserliana 9 (1979), 221-233; – Franco Bosio, The Teleology of »Theoresis« and »Praxis« in the Thought of H., ebd., 85-90; – Elio Constantini, Metaphysics of Beginning and Metaphysics of Foundations, ebd., 367-379; – Bianca Maria Cuomo d'Ippolito, The Theory of the Object and the Teleology of History in E. H., ebd., 271-274; – Jacques Derrida, Die Stimme und das Phänomen, Ein Essay über das Problem des Zeichens in der Philosophie H.s, Frankfurt a. M. 1979; – Ders., E. H.s Origins of Geometry, New York 1978; – Enrico Garulli, The Crisis of Science as a Crisis of Teleological Reasons, in: Analecta Husserliana 9 (1979), 91-104; – Harrison Hall, Intersubjective Phenomenology and H.s Cartensianism, in: Man and World 12 (1979), 13-20; – A. L. Kelkel, History as Teleology and Eschatology: H. and Heidegger, in: Analecta Husserliana 9 (1979), 381-411; – Hiroshi Kojima, The Potential Plurality of the Transcendental Ego of H. and its Relevance to the Theory of Space,

ebd., 55-61; – Yoshiro Nitta, H.s Manuscript »A Normal Conversation«, ebd., 21-36; – Robert O'Connor, Ortega's Reformulation of H.ian Phenomenology, in: Philisophy and Phenomenological Research, Vol. 40, 1 (1979), 53-63; – Aurelio Rizzacasa, The Epistelomogy of the Sciences of Nature in Relation to the Teleology of Research in the Thought of the Later H., in: Analecta Husserliana 9 (1979), 73-83; – Paola Ricci Sindoni, Teleology and Philosophical Historiography: H. and Jaspers, ebd., 281-299; – Romano Romani, »Erlebnis« and »Logos« in H.s Crisis of the European Sciences, ebd., 105-114; – Rosalina Salemi, Bibliography of H.ian Studies in Italy, ebd., 463-484; – Stephan Strasser, History, Teleology and God in the Philosophy of H., ebd., 317-333; – Pierre Troitgnon, The End and Time, ebd., 301-315; – Ichiro Yamaguchi, Passive Synthesis und Intersubjektivität bei E. H., Diss. München 1979; – C. Struyker-Boudier, H.s bijdrage aan de logika en de genealogie van de vraag, in: Tijdschrift voor Filosofie, Vol. 41, 2 (1979), 217-259; – Dieter Bergner, H. und die neuere bürgerliche Philosophie, in: Deutsche Zeitschrift für Philosophie (Berlin-Ost), Vol. 28, 3 (1980), 346-356; – Max Deutscher, H.s Transcendental Subjectivity, in: Canadian Journal of Philosophy, Vol. 10 (1980), 21-46; – Ulrich Melle, Das Wahrnehmungsproblem und seine Verwandlung in phänomenologischer Einstellung, Diss. Heidelberg 1980; – Ders., H.s Phänomenologie der Mathematik, in: Tijdschrift voor Filosofie, Vol. 45, 3 (1983), 475 f.; – Richard T. Murphy, Hume and H., Den Haag 1980; – Roger Schmit, H.s Philosophie in der Mathematik, Bonn 1980; – Didier Franck, Chair et corps, Sur la phénoménologie de H., Paris 1981; – Peter Hutcheson, Solipsistic and Intersubjective Phenomenology, in: Human Studies 4, 2 (1981), 165-178; – Ders., H. and Private Languages, in: Philosophy and Phenomenological Research, Vol. 42, 1 (1982), 111 f.; – James R. Mensch, The Question of Being in H.s Logical Investigations, Den Haag 1981; – Lee Regis Snyder, The Concept of Evidence in E. H.s Genealogy of Logic, in: Philosophy and Phenomenological Research, Vol. 41, 4 (1981), 547 ff.; – Furman Stout, Die Msuik Georges J. Gurdjieffs und Bewußtseinsbefreiung, Eine Untersuchung basierend auf der Bewußtseinsphilosophie E. H.s, in: Neuland, Ansätze zur Musik der Gegenwart, Bd. 2, Bergisch-Gladbach 1981-82, 29-34; – Michael Tovuzzi, On H.s Conception of Metaphysics, in: Angelicum 58, fasc. 3, 1981, 285-311; – Michael Thomas, E. H.s Begründung einer phänomenologischen Philosophie, Diss. Berlin 1981; – Reiner Winter, Gegenstand und Identität, Eine Untersuchung zur Grundlegung der Logik bei H., Diss. Marburg 1981; – Robert d'Amico, H. on the Foundational Structures of Natural and Cultural Sciences, in: Philosophy and Phenomenological Research, Vol. 42, 1 (1982), 5 ff.; – Richard E. Aquila, On Intensionalizing H.s Intentions, in: Nous, Vol. 16, 2 (1982), 209 ff.; – Ders., H. and Frege on Meaning, in: Journal of the History of Philisphy, Vol. 12, 3 (1982), 377-383; – Angela A. Bello, La teologia in un i nedito H.iano, in: Aquinas, Ephemerides Thomisticae..., Vol. 25, 2 (1982), 349-356; – G. Gómez Cambres, H., Heidegger, Zubiri, in: Estudio Augustiniano, Vol. 17,2 (1982), 277 ff.; – J. Galarowicz, Zarys fenomenologii świadomości u E. H.a, in: Studia Philosophiae Christianae 18 (1982), 105 ff.; – David Farrel Krell, Phenomenology of Memory from H. to Merleau-Ponty, in: Philosophy and Phenomenological Research, Vol. 42, 4 (1982), 492 f.; – Grazyna Luka, H.owska Krytyka historyzmu jakokrytyka faktyczności, in: Studia Filozoficzne 1982, 57-76; – William R. McKenna, H.s Introductions to Phenomenology, Interpretation and Critique, Den Haag 1982; – Philipp J. Miller, Numbers in Presence and Absence, A Study of H.s Philosophy of Mathematics, Den Haag 1982; – Gisela Müller, Die Struktur der vorprädikativen Erfahrung und das Problem einer phänomenologischen »Ursprungserklérung« des Erkenntniswillens'", Diss' Mainz gischen »Ursprungserklérung« des Erkenntniswillens'", Diss' Mainz gischen »Ursprungserklärung« des Erkenntniswillens..., Diss. Mainz 1982; – Tom Tockmore, H.ian Phenomenology, Soviet Marxism and Philosophic Dialogue, in: Studies in Soviet Thought, Vol. 24, 4 (1982), 249 ff.; – Serge Valdinoci, Les Fondements de la phénoménologie H.ienne, Den Haag 1982; – David Woodrow Smith, H. and Intentionality, Dordrecht 1982; – Klaus Wüstenberg, Kritische Analysen zu den Grundproblemen der transzendentalen Phänomenologie H.s, Diss. Aachen 1982; – Lawrence Baron, Discipleship and Dissent, Theodor Lessing and E. H., in: Proceedings of the American Philosophical Society, Vol. 127 (1983), 32-49; – George Heffernan, Bedeutung und Evidenz bei E. H., Bonn 1983; – Josef Klein, »Denken« und »Sprechen«, Diss. Stuttgart 1983; – Herman Philipse, De fundering van de logica in H.s »Logische Untersuchungen«, Diss. Leiden 1983; – Andrzej Poltawski, Aletejologia E.a H.a, in: Studia Filozoficzne 1983, 85-134; – Timothy J. Stapleton, H. and Heidegger, New York 1983; – Krystina Świecicka, Racjonalizm Zblakany, H.owska Krytyka Objektywizmu, in: Studia Filozoficzne 1983, 288-294; – Gerhard Arlt, Subjektivität und Wissenschaft, Diss. München 1984; – Herzy Bukowski, An Attempt at Reconciliation of Intersubjectivity with Transcendental Idealism in E. H., in: Studia Filozoficzne 1984, 101-114; – Robert Hanna, The Relation of Form and Stuff in H.s Grammar of Pure Logic, in: Philosophy and Phenomenological Research, Vol. 44, 3 (1984), 323 ff.; – Keel-Woo Lee, Subjektivität und Intersubjektivität, Diss. Bonn 1984; – Richard W.

Lind, Microphenomenology and Numerical Relations, in: The Monist, Vol. 67, 1 (1984), 29 ff.; – D. A. Matesz, E. H.: Founding Phylosophy as Rigorous Science, in: Indian Philosophical Quarterly, Vol. 11 (1984), 67-86; – Klaus Wiegerling, H.s Begriff der Potentialität, Bonn 1984; – Bibliograph. d. Lit.: F. M. Lapointe, E. H. and his Critics, An International Bibliography, Bowling Green/Ohio 1980; – weiterhin: Herbert Guerry (Hrsg.), A Bibliography of Philosophical Bibliographies, Westport/London 1977, 78 f.; – Catholicisme V, 111 f.; – LThK V, 546 ff.; – NDB X, 87 ff.; – RGG III, 493 ff.; – The Encyclopedia of Philosophy IV, 98 ff.; – EncF IV, 328 ff.; – Dictionnaire des Philosophes I, 1276-1281; – Dictionary of Philosophy and Religion 237 ff.; – Philosophenlexikon, 569 ff.

Ty

HUT, Hans, Täufer, * 1490 in Hain bei Römhild (Franken), als Sohn eines Bauern, + 6.12.1527 in Augsburg. – In Bibra bei Meiningen war H. vier Jahre (wahrscheinlich 1520-24) Kirchner oder Küster der Reichsritter Hans und Georg von Bibra zu Schwebenheim und seiner Vettern. Dort besaß er ein Anwesen, auf dem er auch Kornbranntwein herstellte. Daneben war H. als Buchbinder tätig und verstand auch das Schreiner- und Schlosserhandwerk. Als wandernder Händler von Flugschriften, die jene bewegte Zeit der Reformation in großer Menge hervorbrachte, kam er weit durch das Land: nach Würzburg, Bamberg, Nürnberg und Passau, bis nach Österreich. So erschien H. als »Buchführer« oft in Wittenberg und benutzte dann den dortigen Aufenthalt auch dazu, die Gottesdienste der Reformatoren zu besuchen und sogar ihre Vorlesungen zu hören. Er traf wahrscheinlich 1524 in Weißenfels (Sachsen) mit Gegnern der Kindertaufe zusammen. Mit einem Müller, einem Schneider und einem Tuchmacher disputierte H. über die Taufe. Ihm kamen Bedenken und Zweifel, ob die Kindertaufe biblisch begründet sei, und suchte darum in Wittenberg Belehrung und Klarheit über die Taufe. Die Auskunft, die man ihm dort gab, befriedigte ihn nicht. Um diese Zeit wurde ihm ein Kind geboren. Er weigerte sich, es taufen zu lassen, da ihm die Prediger nicht aus der Heiligen Schrift hätten beweisen können, daß die Kindertaufe notwendig sei. Die Herren von Bibra erklärten, H. solle entweder sein Kind binnen acht Tagen taufen lassen oder seine Güter verkaufen und fortziehen. Er wählte das letztere und wanderte mit seiner Frau und seinen fünf Kindern in die Fremde, nachdem man ihn gegen Urfehde aus dem Gefängnis entlassen hatte. Wahrscheinlich begab sich H. nach Nürnberg, wo er mit Hans Denck (s.d.) zusammentraf, und brachte seine Familie in einem Dorf zwischen Bamberg und Lichtenfels unter. H. setzte sein unstetes Wanderleben fort: Flugschriften vertreibend, zog er durch die Lande. Als er im Frühjahr 1525 von Wittenberg nach Erfurt kam, geriet auch H. in die große Bauernbewegung in Sachsen und Thüringen unter Leitung des politischen Agitators Thomas Müntzer (s.d.). H. begab sich nach Frankenhausen, wo der Haupthaufe der Bauern lagerte. Man nahm ihn gefangen, weil man ihm wegen der Schriften von Martin Luther (s.d.), die er mit sich führte und zum Kauf anbot, nicht traute. Erst Müntzer, der am 5.12.1525 in das Lager kam, bewirkte seine Freilassung. Während der Entscheidungsschlacht am 15.5. verließ H. das Bauern-

heer und zog nach Frankenhausen. Hessische Reiter griffen ihn auf, ließen ihn aber wieder laufen, als sie seine Wittenberger Schriften sahen. Trotz der Vernichtung des Bauernheeres suchte H. überall, wohin er kam, die radikalen Ideen Müntzers zu verbreiten. Ende Mai erschien H. in Bibra. Das Schloß seiner ehemaligen Herren war von dem Bauernhaufen niedergebrannt worden. Der Prediger von Jüchsen bei Bibra, Jörg Haug, forderte ihn auf, von der Taufe zu predigen; denn »man dringe dieserhalb stark in ihn und wolle ein Wissen von ihm haben«. H. kam dieser Aufforderung gern nach und legte in seiner Predigt am 31.5.1525 in Bibra seine Auffassung »von der Taufe, von dem Sakrament, von der Abgötterei und von der Messe« dar. Nach den Gerichtsakten vom 20.11.1527 soll er sich nicht nur gegen die Pfaffen gewandt haben, sondern auch die Hörer zum Kampf gegen die Obrigkeit aufgerufen haben: »es sei jetzt die Zeit, daß sie alle sollten erschlagen werden, denn die Bauern hätten jetzt die Gewalt«. Als das Kriegsvolks der verbündeten Fürsten herannahte und Meiningen am 6.6. kapitulierte, mußte H. abermals seine Heimat verlassen und wandte sich nach Franken. Im Mai 1526 weilte er als Gast im Haus des Hans Denck, der sich nach seiner Vertreibung aus Nürnberg in Augsburg niedergelassen hatte. Denck gewann H. für die täuferische Gemeinschaft und taufte ihn am 26.5.1526 in einem kleinen Haus vor dem Heiligenkreuztor. Nun traten die sozial-revolutionären Ideen Müntzers bei H. immer mehr zurück. Er wirkte erfolgreich für die Ausbreitung der neuen Bruderschaft und fand besonderes im Handwerkerstand sehr viele Anhänger. Unermüdlich zog H. in Bayern, Schwaben, Franken und Österreich von Ort zu Ort, verkündete mit feuriger, volkstümlicher Beredsamkeit die Lehre des Täufertums, taufte die Gewonnenen und sandte einzelne von ihnen wieder als Apostel aus. H. behauptete, ein Prophet der Endzeit zu sein, und kündigte den Anbruch des Tausendjährigen Reiches für 1528 an. Ende 1526 kam er nach Nikolsburg (Mähren) und traf dort mit Balthasar Hubmaier (s.d.) zusammen, der die lutherische Gemeinde Nikolsburg zu einer täuferischen umgestaltet und zu einem Mittelpunkt der Täuferbewegung gemacht hatte. Aus allen Gegenden Deutschlands, der Schweiz und Österreichs strömten hier die Täufer zusammen. Schon vor H. waren einige Täufer gekommen, die radikale Ansichten vertraten und mit den gemäßigten Anschauungen Hubmaiers nicht übereinstimmten. Sie wollten die Gütergemeinschaft einführen und verwarfen das »Schwert«. Unter »Schwert« verstand man die Stellung zur Obrigkeit, zum Krieg, Gerichtswesen, Zinsgeben und -nehmen. Da die Türkengefahr große Rüstungen erforderte, mußten sich die Täufer klar entscheiden in der Frage, ob ein Christ das Schwert tragen und brauchen dürfe und verpflichtet sei, Kriegssteuer zu zahlen. H. verneinte diese Frage und war somit ein entschiedener Gegner Hubmaiers. Die Einheit der Täufergemeinde in Nikolsburg war gefährdet. Man stritt sich darüber, was recht sei und wie man sich zu verhalten habe. Die Gesetze des Landes, dessen Schutz die Täufer genossen, geboten ihnen, die geforderte Kriegssteuer zu entrichten; ihre religiöse Überzeugung verbot ihnen aber, Krieg und Blutvergiessen zu unterstützen, ja überhaupt Steuern, Zölle und Zinsen zu zahlen. Hubmaier suchte den Streit unter den Täufern durch ein Religionsgespräch beizulegen. Das erste im Pfarrhaus zu Bergen bei Nikolsburg verlief ergebnislos. Das zweite fand im Mai 1527 zwischen Hubmaier und H. auf dem Schloß in Nikolsburg statt. Leonhard von Lichtenstein hatte die Täufer dazu eingeladen, die auch zahlreich erschienen. H. vertrat seine chiliastischen Ideen und hielt an seiner schroffen Stellung zur Obrigkeit fest; Hubmaier dagegen erklärte, die Christen hätten die Pflicht, zur Verteidigung im Dienst der Obrigkeit Waffen zu tragen und Kriegssteuer zu zahlen, auch das Recht, obrigkeitliche Ämter zu bekleiden. Leonhard von Lichtenstein gab ihm recht. H. wurde gefangengesetzt, konnte aber in der Nacht entfliehen: »Einer aber, der dem Hut wol hat gewöllt, vnd sorg für ihn getragen, hat in bey nacht in einem Hasengarn durch ein Fenster vber die Mauer abgelassen«. Er begab sich nach Wien, von dort nach Melk und dann nach Steyr. Als der Rat der Stadt den Befehl gab, ihn zu verhaften, gelang es ihm zu entkommen. H. flüchtete zu Taufgesinnten in Freistadt und zog dann nach Gallneukirchen, Linz, Passau, Schärding, Braunau, Laufen und Salzburg. Im August 1527 kam eine größere Anzahl von Führern der Täufer zu Verhandlungen in Augsburg zusammen, darunter auch H.. Der Magistrat ging nun energisch gegen die Täufer vor. H. wurde am 15.9. gefangengenommen und am Tag darauf zum erstenmal verhört. Es folgten noch mehrere gütliche und peinliche Verhöre. Genaue Erkundigungen über sein Vorleben in Bibra, Nürnberg, Salzburg, Mähren, Franken und Österreich wurden eingezogen. Der berühmte Rechtsgelehrte Konrad Peutinger (s.d.) leitete den Prozeß. Trotz Verhör und Folterung blieb H. fest. Über sein Ende gibt es zwei ganz verschiedene Berichte. Nach dem ersten suchte H. sich der Gefangenschaft durch die Flucht zu entziehen. Er brachte, wie ein gleichzeitiger Chronist erzählt, »ein Butzen oder Licht zuwege, wickelte es in Hadern, verursachte einen großen Rauch und begann zu schreien in der Meinung, der Eisenmeister, der dies sehe, werde die Ketten öffnen. Dann wollte er ihm die Schlüssel nehmen und sich selber helfen«. Der Kerkermeister erschien zu spät; er fand H. fast erstickt. An den Folgen dieses Fluchtsuches sei er acht Tage später gestorben. Der zweite Bericht findet sich in den Geschichtsbüchern der Wiedertäufer und geht auf die Äußerung von H.s Sohn Philipp zurück. Danach wurde H. nicht weniger als dreizehnmal auf die Folter gespannt. »Fünf Folterknechte mißhandelten ihn zuletzt so grauenhaft, daß er wie ein Toter liegenblieb, gingen dann weg und liessen ein Licht bei dem Strohlager stehen. Das Stroh entzündete sich später, und der Gefangene, wenn er nicht schon durch die Folter getötet war, erstickte in Rauch und Flammen«. Das Stadtgericht wollte den toten H. vor sich sehen. So wurde der Leichnam in einen Sessel gesetzt und vor das Gericht getragen, das H. zum Feuertod verurteilte. »Unter Läuten der Sturmglocke wurde er alsdann zum Galgen geführt und daselbst zu Asche verbrannt«. – Eine Tochter H.s starb am 25.1. 1527 als täuferische Märtyrerin: sie wurde in Bamberg ertränkt.

Werke: Rathsbüchl. (1526/27) neu abgedr.: Zschr. des hist. Ver. f. Schwaben u. Neuburg XXVII, 1900, 38-40; Ausl. der Offb. des Johannes; Nikolsburger Art. v. 1527; Lieder: 1. der Hymnus »Danksagung«, »die wir bei des Herren Abendmhal die Gedächtnuß singen«: »Wir danksagen dir, Herr Gott der Ehren, der du uns alle tust ernähren«, erstmalig gedr. 1533, neu abgedr.: Wackernagel III, 507; 2. »O, allmächtiger Gott, wie gar lieblich« (in Augsburg im Gefängnis gedichtet), 1583 aufgenommen in »Außbund etlicher schöner Geseng, wie die in der gefängniß zu Passau im Schloß v. den Schweizern u. auch v. andern rechtgläubigen Christen hin u. her gedichtet worden«, v. neuem wieder aufgelegt, Basel 1809; abgedr. v. Wackernagel III, 508; 3. Psalmenlied: »O Herre Gott in Ewigkeit, wie ist dein Name so wunderlich«, zuerst 1538, abgedr. v. Wackernagel III, 511; 4. »Laßt uns v. hertzen singen all, laßt uns loben mit fröhlichem Schall« (A solis ortus cardine), zuerst ersch. 1533, neu abgedr.: Wackernagel, Das dt. Kirchenlied v. Martin Luther bis auf Nicolaus Hermann u. Abroisius Blaurer, 1841, 661 f. 2 Traktate: Von der geheimniß der tauf...; Ein christl. underricht, wie göttliche geschrift vergleicht u. geurteilt solle werden, beide hrsg. v. Lydia Müller, Glaubenszeugnisse oberdt. Taufgesinnter, 1938, 10-37.

Lit.: Urbanus Rhegius, Ein Sendbrief H. H.s, etwa eines fürnehmen Vorstehers im Wiedertäuferorden, verantwortl, Augsburg 1528; – Georg Andreas Will, Btrr. z. fränk. Kirchenhistorie in einer Gesch. der Wiedertäufer, welche Frankenland u. Nürnberg beunruhigt haben, Nürnberg 1770, 48 ff.; – Heinrich Wilhelm Bensen. Gesch. des Bauernkrieges in Ostfranken, 1840; – Joseph Edmund Jörg, Dtld. in der Rev.-periode, 1851, 677 ff.; – Carl Adolf Cornelius, Gesch. des Münster. Aufruhrs. II: Die Wiedertaufe, 1860, 39 ff. 251 ff. 279 ff.; – Christian Meyer, Die Anfrage des Wiedertäufertums in Augsburg, in: Zschr. des Hist. Ver. f. Schwaben u. Neuburg 1, 1874, 207-253 (mit Verhörsprotokollen); – Wilhelm Frhr. v. Bibra, Gesch. der Familie des Frhr. v. Bibra, 3 Bde., 1879-88; – Friedrich Roth, Augsburg. Ref.gesch., 1881, 199 ff.; – Josef Beck, Die Gesch.bücher der Wiedertäufer in Östr.-Ungarn, in: Fontes Rerum Austriacarum. Östr. Gesch. qu., 2 Abt. Diplomataria et Acta. 43. Bd., Wien 1883, 34 f.; – Heinrich Hartmann, Der Marktflecken Bibra, 1892; – Alexander Nicoladoni, Johannes Bünderlin v. Linz u. die oberöstr. Täufergemeinden in den J. 1525-1531, 1893; Chron. der dt. Städte. Augsburg, XXIII, 1894, 191 ff. (über H.s Ende); J. Jäckel, Zur Gesch. der Wiedertäufer in Oberöstr. u. spez. in Freystadt, in: 47. Ber. des Francisco Carolinum, Linz 1899, 30 ff. (biogr. Skizze H.s); 63 ff. (Ausz. aus den Akten des Freystädter Arch.); – Paul Wappler, Die Täuferbewegung in Thüringen v. 1526-1584, 1913, 26 ff. – Wilhelm Neuser, H. H. Leben u. Wirken bis z. Nicolsburger Rel.gespräch (Diss. Bonn), 1913; – Karl Schottenloher, Philipp Ulhart, ein Augsburger Winkeldrukker u. Helfershelfer der »Schwärmer« u. »Wiedertäufer« (1523-1529), 1921, 60 ff. (Johann Landtsperger u. H. H.); –W. Sch., H. H. u. die Täuferbewegung in Franken, in: Der Wahrheitszeuge 49, 1927. 352 f. 359 ff.; – Wilhelm Wiswedel, Bilder u. Führergestalten aus dem Täufertum I, 1928, 125 ff.; – Qu. z. Bilder u. Führungsgestalten aus dem Täufertum I, 1928, 125 ff.; – Qu. z. Gesch. der Täufer II.III, 1934; V, 1951; – Grete Mecenseffy, Die Herkunft des oberöstr. Täufertums, in: ARG 47, 1956, 252-259; – Ders., Qu. z. Gesch. der Täufer XI, 1: Östr., 1964; – Johann Friedrich Gerhard Goeters, Ludwig Hätzer, Spiritualist u. Antitrinitarier, Eine Randfigur der frühen Täuferbewegung, Gütersloh 1957 (Diss. Zürich, gekürzt). – H. Klassen, Life and Teachings of H. H., in: Mennonite quarterly review 39, 1959; – Hans Joachim Hillerbrand, Bibliogr. 1520-1630, in: Qu. z. Gesch. der Täufer X, 1962, 76. 126-128 (Rez. v. M. v. Hase, Börsenbl. XIX, 1963, 1119-21); – E. Gordon Rupp, Thomas Münzer, H. H. and the »Gospel of all Creatures«, in: Bull. of the John Rylands Library Manchester XLIII, 1961, 492-519; – Walter Klaassen, H. H. and Thomas Münzer, in: The Baptist Quarterly XIX, 1962, 209-227; – H. J. Hillerbrand, The origin of 16th cent. Anabaptism, in: ARG LIII, 1962, 152-180; – J. Szöverffy, Die Hutterischen Brüder u. d. Vergangenheit, in: 2 d Ph LXXXII, 1963, 338-62; – H. Friese, Gloria sei dir gesungen. Liederdichter aus d. Zt. M. Luthers, 1963; – R. Wolkan, Die Lieder d. Wiedertäufer. Ein Br. z. dt. u. niederdt. Lit. u. KG VII (1903), 1965; – James H. Stayer, H.s doctrine of the sword, an attempted solution, in: Mennonite quarterly review 39, 1965, 181-191; – Wolfgang Schäufele, Das missionar. Bewußtsein u. Wirken der Täufer. Dargest. nach oberdt. Qu. (Diss. Heidelberg), Neukirchen-Vluyn 1966; – Robert Friedmann, Die Nikolsburger Art. v. 1527, in: JGPrÖ 62, 1966; – Hans-Dieter Schmid, Das H.sche Täufertum. Ein Btr. z. Charakterisierung einer täufer. Richtung aus der Frühzeit der Täuferbewegung, in: HJ 91, 1971, 327-344; – Ders., Täufertum u. Obrigkeit in Nürnberg (Diss. Tübingen), 1972; – Gottfried Seebass, A recently discovered Hutterite codes of 1573, in: Mennonite quart. rev. 48, Goshen Ind., 1974, 255-264; – Ders., Das Zeichen der Erwählten. Zum Verständnis der Taufe bei H. H., in: Umstrittenes Täufertum, 1525-1975. Neue Forsch. Hrsg. v. Hans-Jürgen Goertz, 1975, 138-164; – Werner Packull, Gottfried Seebass on H.: A Diskussion, in: Mennonite quart. rev. 49, 1975, 57-67; – Georg G. Gerner, Der Gebrauch der HS in der oberdt. Täuferbewegung (Diss. Heidelberg), 1973; – Fränk. Lebensbilder VI, hrsg. v. A. Wendehorst u. G. Pfeiffer, 1975, 108 u. ö.; – Claus Peter

Clasen, The anabaptist leaders, in: Mennonite quart. rev. 49, 1975, 122-164; – Ders., The anabaptists in South and Central Germany, Switzerl. and Austria. A statistical study, in: ebd. 52, 1978, 5-38; – Václav Bok, Zur Zeitkritik im Liedschaffen der dt. Wiedertäufer in Mähren (Huterer) im 16. Jh., in: Studien u. d. sozial- u. ideologiegesch. Grundlagen europ. Nationallit., hrsg. v. R. Weimann, W. Lenk, J. J. Slomka, Berlin, 1976, 229-40; – Richard v. Dühnen, Ref. als Revolution, 1977; – Ders., Münzers Anhänger im oberdt. Täufertum, in: ZBLG 39, 1976, 883-91; – Schottenloher I, Nr. 91379142; V, Nr. 47017 f.; – Goedeke II, 244; – ADB XIII, 459; – NDB X, 91; – MennLex II, 370-375; – MennEnc II, 846-850; – RE VIII, 489; – RGG III, 495. – Bibliogr. Hdb. d. Lit.wiss. I, hrsg. v. Cl. Köttelwesch, 1973, 1362 (m. Bibliogr. z. Täuferbewegung); – Kosch, LL VIII, 1981, 318.

Ba

HUTCHESON, Francis, schottischer Moralphilosoph, * 8.8.1694 in Drumalig (Grafschaft Down/Ulster), + 1746 in Glasgow. – H. war der Sohn eines angikanischen Geistlichen schottischer Abstammung. Ulster, wohin er 1719 als Prediger noch einmal zurückkehren sollte, muß er bald verlassen haben, ab 1710 studiert er in Glasgow Philosophie, klassische Sprachen und Theologie. Er beendet diese Studien um, nach dem bereits erwähnten Predigeramt, ab 1719 eine sehr erfolgreiche Privatakademie in Dublin aufzubauen. Dennoch nahm er 1729 gerne den Ruf zum Professor der Moralphilosophie in Glasgow an, zeitlebens behielt er diese Stellung inne. Hier entstanden seine wichtigsten Werke, in ihnen zeigt sich H. beeinflußt von John Locke (s.d.), setzt er sich mit den Gedanken Anthony Ashley Cooper Shaftesbury's auseinander, entwickelt sie in manchen Bereichen weiter. Berühmt wurde H.s Hauptwerk »A System of Moral Philosophy«. Darin besitzt nach H.s Sicht jeder Mensch eine Vielfalt an Gefühlen, diese sind ausgesetzt inneren wie äußeren Einflüssen, direkten wie reflexiven. Aus ihnen wählte H. das sittliche Gefühl (moral sense) als das wichtigste aus, es allein ermöglicht nach seiner Lehre die Tugend, aus ihr ergeben sich dann wiederum mögliche Wertmaßstäbe. – H.s Thesen und Lehren gaben den Anstoß zu fruchtbaren Diskussionen. Sein Grundprinzip »The greatest happiness for the greatest number« erlangte Weltgeltung. H. gilt in vielem als Wegbereiter des englischen Utilitarismus, doch nicht nur hier wirkten seine Ansichten fort (z. B. bei Jeremy Bentham), auch Immanuel Kant verdankt ihm unverkennbare Denkanstöße. H. seinerseits wirkte bis zum Lebensende als ein zwar von Zweifeln geplagter (belegt ist eine schwere Glaubenskrise 1738), aber dennoch ungemindert populärer Prediger.

Werke: Inquiry into the origin of our ideas of beauty and virtue, 1725, dt. 1762; Essay on the nature and conduct of the passions and affections, 1728, dt. 1760; Philosophiae moralis institutio compendiaria, 1745; A system of moral philosophy, 1755 aus dem Nachlaß, dt. von Lessing, 1756; Works, 1772.

Lit.: Thomas Fowler, Shaftesburry und H., 1882; – W. R. Scott, Francis H., London 1900; – William Albee, History of Engl. Utilitarianism, 1902; – D. Raphael, The Moral Sense, 1947; – C. Reto, Die Problematik des Moral Sense in der Moralphilosophie H.s, 1950; – Chambers, Biogr. Dict., 677; – EBrit (Micropaedia) VI, 1985¹⁵, 174; – DNB XXVIII, 333-335; – Rudolf Eisler, Philosophen-Lex., 1912, 287; – LThK V, 549; – Ludwig Noack, Hist.-biogr. Hdb. zur Gesch. der Philosophie, 1879, 421-422; – Überweg III, 389 ff., 690; – Werner Ziegenfuß, Philosophen-Lex., 1949, 576.

Ha

HUTCHINSON, John, englischer theologischer Denker und Schriftsteller, * 1674 in Spennithorne (Yorkshire), + 28.8.1737. – H. diente als Haushofmeister in verschiedenen angesehenen Familien, u. a. beim Herzog von Somerset. Dieser verschaffte ihm eine Sinekure, so daß H. sich seinen Studien in Naturwissenschaften und Hebräisch widmen konnte. – H. vertrat die Ansicht, daß in der Bibel nicht nur wahre Religion, sondern auch vernünftige Philosophie enthalten sei. Das Hebräische in seiner unverfälschten Form ermöglichte seines Erachtens ein Erkennen der Wahrheit und mystischen Bedeutung des Alten Testaments. H.s Theorien hatten u. a. Einfluß auf Duncan Forbes, William Jones of Nayland und die Bischöfe George Horne und S. Horsley.

Werke: Moses' Principia, 2 Bde., 1724-1727; Essay Towards a Natural Hist. of the Bible, 1725; Moses' Sine Principio, 1730; The Confusion of Tongues and the Trinity of the Gentiles, 1731; Power Essential and Mechanical ... in which the Design of Sir I. Newton and Dr. S. Clarke is Laid Open, 1732; Glory in Gravity, or Glory Essential and the Cherubim Explained, 1733/34; The Hebrew Writings Perfect, Being a Detection of the Forgeries on the Jews, 1735 (?); The Religion of Satan, or Natural Religion, 1736; Data of Christianity I, 1736. – Mss.: Data of Christianity II; The Human Frame; Glory mechanical... with a Treatise on the Columns Before the Temple; Tracts (mit den »Observations« v. 1706). – GA: hrsg. v. R. Spearman u. J. Bate, 12 Bde., 1748/49; im Ausz. v. R. Spearman, 1753; Biographie v. R. Spearman, 1760 (auch als Bd. 13 der Werke, 1765).

Lit.: John Nichols, Literary Anecdotes of the 18th Century, 9 Bde., London 1812-1815, I, 421 f., III, 154; – L. Stephen, Hist. of English Thought in the Eighteenth Century, London 1880, I, 389 ff.; – DNB XXVIII, 342 f.; – EBrit XI, 945; – The New Schaff-Herzog Encyclopedia of Religious Knowledge V, Grand Rapids/Michigan 1953, 421; – RGG III, 495.

Ba

HUTER, Jakob, Führer und Organisator des Tiroler Täufertums, * in Moos bei St. Lorenzen, in der Nähe von Bruneck im Pustertal (Tirol), + (verbrannt) 25.2. 1536 in Innsbruck. – H. erlernte in Prag das Hutmacherhandwerk und ließ sich nach längerer Wanderschaft in Spittal an der Drau (Kärnten) nieder. In Klagenfurt wurde er vielleicht zuerst mit der Lehre der Täufer bekannt. Nachdem er »den Gnadenbund eines guten Gewissens in christlicher Taufe, mit rechter Ergebung nach göttlicher Art zu wandeln, angenommen und die Gaben Gottes reichlich bei ihm verspürt worden waren, ward er zum evangelischen Dienst erwählt und bestätigt«. Als Prediger durchzog H. zunächst das Pustertal. Eine der ersten Täufergemeinden, denen er vorstand, war die kleine dortige Gemeinde Welsperg. Hier versammelten sich seine Anhänger im Haus seines Verwandten Balthasar Huter oder im Hof des Sensenschmiedes Andreas Planer. Anfang Mai 1529 erfuhr die Regierung von diesen Zusammenkünften. Am 26.5. drang der Pfleger von Toblach mit seinen Knechten in Planers Hof, in dem sich die Täufer zur Abendmahlsfeier versammelt hatten, und nahm 14 der anwesenden Brüder und Schwestern gefangen. Einige konnten entkommen, unter ihnen auch H. Nun brach über die Täufer in Tirol die Verfolgung herein. Da erinnerte sich die Gemeinde in Welsperg, »daß Gott im Markgrafentum Mähren, in der Stadt zu Austerlitz, ein Volk auf seinen Namen gesammelt, in einem Herzen, Sinn und Gemüt zu wandeln, daß sich der eine um den anderen in Treue annehmen solle«. So sandten die Ältesten H. und noch einige Brüder dorthin, um Erkundigungen einzuziehen. Da diese günstig lauteten, beschlossen die Täufer in Tirol, sich mit der mährischen Gemeinde zu vereinigen. Eine Anzahl von Geschwistern zog nach Mähren. H. schickte eine Schar nach der anderen dorthin, während er in Tirol blieb und trotz aller Gefahren von Tal zu Tag zog, um die Glaubensgenossen mit »dem verbotenen Wort Gottes« zu versorgen. Seine Anhänger bewahrten ihn vor der Gefangenschaft; denn trotz grausamster Folter verriet niemand H.s jeweiligen Aufenthaltsort. Heftiger Streit zwischen der neugegründeten Gemeinde in Auspitz und der Gemeinde in Austerlitz wegen ordnungswidriger Handhabung der Satzungen führte im Winter 1530 zu einer Spaltung der Täufer in zwei feindliche Lager. H. zog im Januar 1531 nach Mähren, wohin man ihn gerufen hatte, und schlichtete den Streit. Nun gelangte das Täufertum in Mähren zu vollem Gedeihen. Aus Schlesien, Schwaben und der Pfalz kam reicher Zuzug, und aus Tirol schickte H. viel Volk nach Mähren. Die Verfolgung der Täufer in Tirol erreichte 1533 ihren Höhepunkt. Die im Juni 1533 im Guffidauner Bezirk versammelten Täufer beauftragten H., nach Mähren zu gehen, um ihnen dort eine neue Heimat zu bereiten. Am 11.8. traf H. mit einigen Brüdern in Auspitz ein. Da der Zuzug aus Tirol immer stärker wurde, entstand in Schäckowitz, südlich von Auspitz, eine neue Täufergemeinde. Unter den Täufern in Mähren war es zu neuen Streitigkeiten und Spaltungen gekommen. H. gelang es aber, die Ordnung wieder herzustellen und eine Organisation zu schaffen, »welche die mährischen Gemeinden dem drohenden Verfall entriß und seinen Namen bis auf den heutigen Tag im Gedächtnis der Brüder erhalten hat«. H. gründete gemeinsame Siedlungen unter Verwirklichung eines christlichen Kommunismus, die sog. Haushaben oder Bruderhöfe. Der Mährische Landtag, der in der Fastenzeit 1535 in Znaim zusammentrat, bewilligte auf Wunsch des anwesenden Königs Ferdinand I. die Ausweisung aller Täufer. Sie zerstreuten sich darauf in alle umliegenden Länder. Ein Augenzeuge berichtet: »Jakob Huter, als ihr Diener am Wort, nahm sein Bündel auf den Rücken. Desgleichen taten seine Gehilfen und alle Brüder und Schwestern samt ihren Kindern und zogen paarweise miteinander hinaus, dem Jakob, ihrem Hirten, nach. Wurden also wie eine Herde Schafe ins Feld getrieben. Gleichwohl wollte man sie an keinem Ort lagern lassen, bis sie endlich auf dem Grund des Herrn von Lichtenstein bei Tracht angelangt waren. Da legten sie sich auf die weite Heide unter dem lichten Himmel mit vielen elenden Witwen und Waisen, Kranken und unerzogenen Kindlein«. H. schrieb an den Landeshauptmann Kuna von Kunstadt-Lukow einen Brief, um die Lage seiner Glaubensgenossen zu verbessern. Der Brief hatte nur eine Verschlimmerung der Lage H.s zur Folge. Man forschte nach ihm und suchte ihn, aber überall vergebens. Die Gemeinde bat ihn dringend, nach Tirol zu gehen. So übertrug er sein Amt in Mähren Hans Amon und nahm von den Geschwistern Abschied. In Verbindung mit ihnen aber blieb er durch zahlreiche Sendschreiben. H. wurde verfolgt; aber er fürchtete sich nicht vor Haft, Marter und Tod. Als er am 30.11.1535 mit seiner Frau, die ein Kind erwartete, in Klausen (Tirol) im Haus des früheren Mesners Hans Steiner jenseits der Eisackbrücke übernachtete, wurde H. zur Nachtzeit in aller Stille von dem fürstbischöflichen Pfleger auf Seben und dem Stadtrichter überfallen, niedergeworfen und mit seiner Frau, »dann einer fremden Dirn« und der altenMesnerin gefangen und auf die nächst Klausen gelegene bischöfliche Feste Brandzoll gebracht. Am 9.12. schaffte man H. nach Innsbruck. Wiederholt wurde er verhört. Der Stadtpfarrer von Hall und andere Theologen sowie gelehrte Laien bemühten sich vergeblich, ihn zum Widerruf zu bewegen. Am 24.12. traf die königliche Entschließung ein: »Wir sind der Zuversicht, daß die Gefangennahme Huters nicht wenig zur Ausrottung der wiedertäuferischen Sekte beitragen werde. Darum wir auch endlich entschlossen seien, gedachten Huter, ob er gleichwohl von seinem Irrtum abstehen, widerrufen und Buße tun wollte, in keinem Wege zu begnaden, sondern gegen ihn als den, der in unseren Landen und an mehr Orten viele Personen verführt, sie in Abfall unseres wahren, heiligen, christlichen Glaubens zur Verlierung ihrer Seelen Seligkeit, auch um ihr Leib und Gut gebracht hat, mit der Strafe, welche er hoch und vielfältig verschuldet hat, vorgehen zu lassen«. Da er weder widerrief noch seine Brüder verriet, unterzog man ihn peinlichen Verhören, ohne jedoch etwas zu erreichen. In der »Abscheidung des lieben und getreuen Bruders Jakob Huter in kurzem verfaßt« heißt es: » Da mußte er grausame Marter und Pein erdulden, nämlich also: erstlich setzten sie ihn in ein gefrorenes Wasser, zogen ihn wiederum heraus und taten ihn in eine warme Stube. Darauf schnitten sie ihm auf seinen Rücken Wunden, gossen darein Branntwein, zündeten den an und ließen es also in seinen Wunden brennen. Aber sie konnten mit einer solchen greulichen Tat noch nicht satt werden, sie hatten keine Ruhe, bis sie ihn von der Erde brachten. So verurteilten sie ihn zum Feuertode und verbrannten ihn lebendig. Also besiegelte und bekräftigte er diesen seinen Glauben recht als ein christlicher Held und Heerführer, Ritter und Kämpfer der Wahrheit zu einem rechten Exempel, Beispiel und Reizung oder Nachfolgung aller wahren gläubigen, gottergebenen Menschen«. H.s Gattin war inzwischen in Brandzoll verhört worden, verharrte aber auf ihrer »verfluchten einfältigen Meinung«. Sie wurde nach Guffidaun gebracht, konnte aber von dort entkommen. Zwei Jahre später fiel sie abermals in die Hände der Obrigkeit und wurde auf Schöneck gerichtet. Alle haben H. das Verdienst zuerkannt, »die unter den mährischen Täufern locker gewordene Zucht und Ordnung wiederhergestellt, die vielfach durchbrochene Gemeinschaft den einreißenden Sondergelüsten gegenüber befestigt, die Gemeinde von unreinen Elementen gesäubert und den Mißbräuchen, die andernorts die Auflösung der Gemeinden nach sich zogen, gesteuert zu haben«. Seine Anhänger, die »Hutterischen Brüder«, wurden 1622 durch die Gegenreformation aus Mähren vertrieben, hielten sich in Ungarn und Siebenbürgen, gaben 1685 die Gütergemeinschaft auf, mußten 1733 ihre Kinder nach katholischem Ritus taufen lassen und gingen allmählich in die katholische Kirche auf. Reste der »Hutterischen Brüder« aus Siebenbürgen flüchteten 1781 in die Ukraine und 1874 nach Montana, Süddakota und Kanada, wo heute 120 Bruderhöfe mit etwa 10 000 Seelen bestehen.

Werke: 8 Sendschreiben: verz. v. Robert Friedmann, Die Schrr. der H.ischen Täufergemeinschaften. Gesamtkat. ihrer Ms.bücher, ihrer Schreiber u. ihrer Lit. (1529-1667), in: Denkschr. der Östr. Akad. der Wiss., Phil.-hist. Klasse 86, 1695, 118 f.; teilw. veröff. v. Lydia Müller, Glaubenszeugnisse oberdt. Taufgesinnter, in: QFRG 20, 1938, 148-190; ganz, allerdings in modernem Dt. wiedergegeben v. Hans Fischer, J. H. Leben, Frömmigkeit, Briefe, in: Mennonite Historical Series 4, 1956.

Lit.: Josef Beck, Die Gesch.bücher der Wiedertäufer in Östr.-Ungarn, in: Fontes Rerum Austriacarum, Östr. Gesch.qu., 2. Abt. Diplomataria et Acta. 43 Bd., Wien 1883; – Johann Loserth, Der Anabaptismus in Tirol v. seinen Anfängen bis z. Tode J.s (1526-1536), in: AÖG 78, 1892; – Der Anabaptismus in Tirol v. 1536 bis zu seinem Erlöschen, ebd. 79, 1893; – Ders., Der Communismus der mähr. Wiedertäufer im 16. bis 17. Jh. Btrr. zu ihrer Gesch., Lehre u. Verfassung, ebd. 81, 1895, 61 ff.; – Rudolf Wolkan, Die Hutterer, Wien 1918; – Gesch.-Buch der Hutter. Brüder, hrsg. v. dems., ebd. 1923; – Robert Liefmann, Die kommunist. Gemeinden in Nordamerika, 1922; – C. H. Smith, The Story of the Mennonites, 1920 (1950³); – Lydia Müller, Der Kommunismus der mähr. Wiedertäufer, 1927; – Dies., Glaubenszeugnisse oberdt. Taufgesinnter, in: QFRG 20, 1938, 148-190; – Bertha W. Clark, Die Hutter. Gemeinschaften. Aus dem Engl. übers. v. der Leitung der Schulgemeinde des Bruderhofes Neuhof (Fulda), 1929; – Wilhelm Wiswedel, Bilder u. Führergestalter aus dem Täufertum II, 1930, 201 ff. (J. H., ein Felsenmann unter den Täufern); – A. J. F. Zieglschmid, Unpublished 16th Century Letters of the Hutterian Brethren, in: Mennonite Quarterly Review, April 1941; – Ders., Die älteste Chron. der H.ischen, 1943; – Ders., Das Klein-Gesch.buch der Hutter.Brüder, 1947; – E. Widmoser, Das Tiroler Täufertum, in: Tiroler Heimat 15, 1951, 45-90; 16, 1952, 103-128; – Grete Mecenseffy, Gesch. des Prot. in Östr., 1956; – Hans Fischer, J. H. Leben, Frömmigkeit u. Briefe, Newton 1957; – Victor John Peters, A History of the Hutterian Brethren 1528-1958 (Diss. Göttingen), 1960; – Ders., All Things commun. The Hutterian Way of Life, Minneapolis 1965; – Hans Joachim Hillerbrand, Bibliogr. des Täufertums 1520-1630, in: Qu. z. Gesch. der Täufer X, 1962, 76; – Hans Petri, Die Hutter.Brüder in Südosteuropa u. Südrußland, in: Ostdt. Wiss. 11, 1964, 181-208; – Ders., Württemberg u. die Hutter.Brüder, in: Bll. f. württemberg. KG, 1966-67, 296-311; – Robert Friedmann, Hutterite Studies, hrsg. v. Mennonite historical Review, 1961; – Ders., J. H.'s epistle concerning the schisme in Moravia in 1533, in: Mennonite quarterly review 38, 1964. 329-343; – Ders., Hutterite worship and preaching, ebd. 40, 1966, 5-25; – Ders., A Hutterite census for 1969: H. growth in one century, ebd. 44, 1970, 100-105; – Herta Hartmannshenn, Die Hutter.Brüdergemeinden in Kanada, in: Mennon. Gesch.bll. 23, 1966, 12-18; u. in: Zschr. f. Kulturaustausch 16, 1966, 36-39; – Wolfgang Schäufele, Das missionar. Bewußtsein u. Wirken der Täufer. Dargest. nach überdt. Qu. (Diss. Heidelberg), Neukirchen-Vluyn 1966; – Hans Knübel, Die Huttersiedlungen in Mittelkanada, in: Geogr. Rdsch. Zschr. f. Schulgeogr. 19, 1967, 61-63; – Patricia Sawka, The Hutterian way of life, in: Canadian geographical journal 77, Montreal 1968, 127-131; – Ugo Gastoldi, Le communisme de Freres Hutterites, in: Revue reformee 25, St. Germain-en-Laye 1973, 74-95; – Hertha Wolf-Beranek, Die ›Huter.Brüder‹. Gesch. der christ.-kommunist. Habaner im alten Östr., in: Damals, Zschr. f. geschichtl. Wissen 1974, 457-470; – MennLex II, 375; – MennEnc II, 851-854; – ADB XIII, 460; – NDB X, 91 f.; – RGG III, 495 f.; – Hdb. d. KG IV, 189; – Biogr. Lex. z. Gesch. d. böhm. Länder I, hrsg. v. H. Sturm, 1976; – Kosch, LL VIII, 1981³, 319.

Ba

HUTTEN, Christoph Franz von, Fürstbischof von Würzburg, * 19.1.1673, + 25.3.1729 in Würzburg. – H. wurde 1716 Domdekan und 1720 – gegen den kaiserlichen Bewerber Friedrich Karl von Schönborn – als Nachfolger von Johann Philipp Franz von Schön-

born zum Fürstbischof von Würzburg gewählt. Während seiner Amtszeit förderte er Künste und Wissenschaften.

Lit.: W. Fleckenstein, Gesch. des Hochstifts Würzburg unter H. (Diss. masch. Würzburg), 1924; – NDB X, 98; – LThK V, 550.

Ba

HUTTEN, Moritz von, Bischof von Eichstätt, * 26.11. 1503 in Arnstein (Unterfranken) als Sohn eines Amtmanns, + 6.12.1552 in Eichstätt. – H. studierte zwischen 1518 und 1520 in Leipzig, Wittenberg und Ingolstadt, 1523/24 in Padua, 1529/30 in Freiburg i. Br. und 1530 in Würzburg. 1532 wurde er in Eichstätt zum Domkapitel zugelassen und 1526 vom Domkapitel Würzburg zum Domprobst gewählt. Im Juni 1539 erfolgte seine Wahl zum Fürstbischof von Eichstätt. 1543 war H. Teilnehmer des Konzils von Trient; das Regensburger Religionsgespräch tagte 1546 unter seinem Vorsitz. – H. war tolerant gegenüber den Protestanten und setzte sich für eine sittliche Erneuerung der Geistlichkeit ein. Mit Aufträgen förderte er Bildhauer der Frührenaissance – Loy Hering und Peter Oell d. Ä. – und bemühte sich um das literarische Erbe seines Vetters Ulrich von Hutten (s.d.), dessen Dialog »Arminius« auf sein Bestreben hin veröffentlicht wurde.

Lit.: Arminius, Dialogus Huttenicus, Quo homo patriae amantissimus Germanorum laudem celebravit, 1529 (mit Leitgedicht v. Eobanus Hessus); – T. Henner, Denkmal der Brüder Fürstbisch. M. u. Ritter Philipp v. H. in der Kirche Maria-Sondheim b. Arnstein, in: Altfränkische Bilder 5, 1899, 3 f.; – Die Kunstdenkmäler des Kgr.s Bayern, Unterfranken: VI Bezirksamt Karlstadt, 1912, 30. 34 u. ö.; – J. Hollweck, 1539 Eichstätt. Der Canonicus am Willibaldschor Leonhard Angermair gibt auf Anordnung des Fürstbisch. M. v. H. einen Ber. über Leben u. Wirken des Fürst-Bisch. Gabriel v. Eyb, in: Sammelbl. des Hist. Ver. Eichstätt 30, 1915, 93 ff.; – AKultG 12, 1916, 380 ff.; – K. Ried, in: Btrr. z. Gesch. der Renaissance u. Ref., Festg. f. J. Schlecht, Freising 1917, 281 ff.; – Ders., Der Bart des Fürstbisch. M. v. H., in: Das Bayerland 31, 1919-20, 347 ff.; – Ders., M. v. H., Fürstbisch. v. Eichstätt u. die Jesuiten, in: HPBl 166, 1920, 496 ff.; – Ders., M. v. H., Fürstbisch. v. Eichstätt u. die Glaubensspaltung, Münster 1925; – Ders., in: Hist. Bll. f. Eichstätt, 1952; – C. F. Gebert, Eine erfundene Eichstätter Bildmünze v. 1542, in: Bll. f. Münzfreunde 51-54, 1916-1919 (1919), 295; – A. Hirschmann, M. v. H., Fürstbisch. v. Eichstätt, in: Gelbe Hh. Hist. u. politische Zschr. f. das kath. Dtld. I, 1924-25, 1057 ff.; – J. B. Goetz, Kal.notizen des Bisch. M. v. H., in: Sammelbl. des Hist. Ver. Eichstätt 50/51, 1935-36, 86 ff.; – G. Schreiber (Hrsg.), Das Weltkonzil v. Trient, sein Werden und Wirken, 2 Bde., Freiburg i. Br. 1951, II, 583 (Reg.); – J. Benzing, Ulrich v. H. u, seine Drucker, 1956, 13. 115 ff.; – G. Schmidt, Ztg. aus India, in: Mainfränkisches Jb. f. Gesch. u. Kunst 12, 1960; – NDB X, 98; – Thieme-Becker XVI, 468 ff.; – Schottenloher Nr. 30056-30064. 51234; – LThK V, 550.

Ba

HUTTEN, Ulrich von, Humanist, Publizist, Politiker, * 21.4.1488 Burg Steckelberg b. Schlüchtern (Hessen), + 29.8.1523 Insel Ufenau im Zürichsee. H. entstammte einem alten fränkischen Reichsrittergeschlecht, Sohn des Fuldaer Rats Ulrich v. H. (1458-1522) und der Ottilie (+ 1523), Tochter des Philipp von Eberstein (+ 1473), hanauer Amtmann zu Steinau. H. vom Vater für den Fuldaer Prälatenstand bestimmt, besuchte seit 1498 die Klosterschule Fulda, erhielt das Biennium Studii für Erfurt, wo er bis 1505 als Mentor blieb, studierte in Mainz, Köln und Greifswald und war 1506 Magister in Frankfurt/Oder. Dort erwarb er den artistischen Backaler und zählte zum literarischen Kreis des Bischofs Dietrich v. Bülow. 1508 bis 1509 las er in Leipzig über Humanoria und schrieb in seiner darauffolgenden Zeit in Rostock Gedichte. H. geriet in Streit mit dem Greifswalder Lötz und setzte sich mit seinen »Querelen gegen die Lötz« (1510) als lateinischer Dichter durch. Nach seinem Aufenthalt 1511 in Wien bei J. Vadian, wo er mit dem national gesinnten Humanismus in Berührung kam, studierte H. 1512/13 in Pavia und Bologna Jura, wurde später aus materieller Not Landsknecht und schrieb Epigramme an Maximilian I., denen ghibellinische Vorstellungen von Kaiser und Reich zugrunde liegen. Hier liegen Anfänge seiner antipäpstlichen Publizistik. 1514 kehrt H. nach Deutschland zurück und wurde von seinem ehemaligen Kommilitonen auf Frankfurt Mgf. Albrecht von Brandenburg (später Kf. und Erzbischof von Mainz) aufgenommen. Dieser ermöglichte H. die Fortsetzung seines Studiums 1516/17 in Rom bei Hummelberg und Corycius und in Bologna bei Domherr Jakob v. Fuchs und Joh. Cochlaeus. Schon 1514 kam H. mit dem mittel- und oberrheinischen Humanismus in Berührung, verteidigte kämpferisch mit dem Gedicht »Triumphus Capinionis« (gedr. 1518) und durch Betrachtungen zu den Dunkelmännerbriefen J. Reuchlin, den die deutschen Dominikaner wegen seines Eintretens für die Erhaltung jüdischer Schriften verfolgten. H. lernte Erasmus kennen, der ihn als lateinischen Dichter schätzte und setzte sich für eine moralische Kirchenreform und ein nationales Reich ein. H. wendete sich trotz seiner breiten antiken Bildung aktuellen Themen, der »vita activa« und Ereignissen seiner Zeit zu. 1516 schrieb er in Bologna den Zweitband der »Epistolae Obscurorum Vivorum«, den er mit Crotus Rubenus geplant hatte und der sich nicht gegen Glaube und Kirche sondern ein veraltetes Bildungssystem wendete. 1517 entstand der sich stilistisch an Lukian anlehnende Dialog »Phalarius«, in dem er Herzog Ulrich v. Württemberg, der Mörder H.s Vetter Hans v. H., anprangerte. Seine fünf forensischen Reden gegen den württembergischen Herzog stärkten den politischen Widerstand gegen das Territorialfürstentum. Maximilian I., H. wegen der italienischen Feldepigramme verbunden, krönte ihn 1517 auf dem Reichstag zu Augsburg zum poeta laureatus, verlieh ihm die Würde eines Dr. legum und »Eques auratus« und ernannte ihn zum kaiserlichen Orator. Als Sondergesandter des Erbischofs Albrecht von Mainz ging er bis Januar 1518 an den französischen Königshof und kam in Berührung mit dem französischen Humanismus. Als ständiger Hofrat stand H. im Dienst Albrechts, der Mainz zu einem »Main-Florenz der Wissenschaften« ausbauen wollte. In literarischen Dialogen und Streitschriften griff H. Rom erneut und schärfer an, gab Laurentius de Vallas Schriften über die Konstantinische Schenkung mit einer höhnischen Vorrede an Leo X. neu heraus und rief im Augsburger Reichstag 1518 Kaiser und Fürsten in der Exhortatio ad wincipes Germaniae, das ein reichspolitisches Reformprogramm beinhaltete, zum Türkenkrieg auf. Zusammen mit Franz

von Sickingen nahm er 1519 an der Vertreibung des württembergischen Herzog Ulrich teil und der Kaiserwahl in Frankfurt. H. versuchte vergeblich, seine Reichsreformpläne, die vom Reformkatholizismus geprägt waren und einen Nationalstaat mit gestärkter kaiserlicher Zentralgewalt und Begrenzung der Macht des Territorialfürstentums beabsichtigten, gegen die Kurie durchzusetzen. H. wurde von Albrecht seines Dienstes enthoben und baute, jetzt im Dienst Erzherzog Ferdinands in Brüssel, von dem er sich die Unterstützung seiner Reformpläne erhoffte, systematisch eine nationale Opposition auf. Nach der Leipziger Disputation sah H. Luther als die größte politische Kraft für eine Befreiung von Rom an, ohne aber dessen Anhänger zu werden; vielmehr wollte er die lutherische Bewegung für eigene politische Zielsetzungen nutzen. Bis 1521 schrieb H. weitere Streitschriften gegen Rom (Febris I und II, Inspicientes, Trias Romana), wegen der die Kurie H., der kein Ketzer war, mit dem Kirchenbann belegte. Von der Inquisition verfolgt, flüchtete H. 1520 auf die Ebernburg zum politisch aufsteigenden Franz v. Sickingen und verfaßte zahlreiche Schriften - jetzt auch wie Luther in deutscher Sprache - gegen Rom, die Kurie und weltliche Fürsten (Bulla vel Bullicida, Monitor I und II, Gesprächsbüchlein, Reimgedichte, Invekturen). Seine in hoffränkischem Deutsch abgefaßten Aufrufe richteten sich an das breite Volk und forderten es zum Aufruhr gegen die Geistlichkeit und die mit ihr verbündeten Landesfürsten auf. Sie erreichten eine politische Bewegung, die beim Wormser Reichstag 1521 einen wirksamen Faktor darstellte. H.'s Humanismus, vom vatinalen Humanismus Italiens geprägt, verband den Nationalbegriff mit dem humanistischen Bildungsbegriff. Sein politisches Anliegen war nicht neu, sondern unterstrich und verbreitete die Klagen deutscher Nationen gegen das politische Papsttum und prangerte die politische Verpflichtung von Kurie und Landesfürstentum als Gefahr für Reich und Nation an. Kaiserliche und päpstliche Diplomatie vermochten H. nicht von seinem politischen Handeln abbringen und der Kaiser sah sich genötigt, H.s und Sikkingens Reformforderungen anzunehmen. Als sich dies im Wormser Edikt, das H. isolierte, als taktischer Schachzug kaiserlicher Politik erwies, brach H. mit dem Kaiser und eröffnete aus dem Untergrund seinen eigenen »Pfaffenkrieg«. Die »Trierer Fehde« war der Versuch einer gewaltsamen Änderung der Zustände im Reich, die jedoch fehlschlug und damit das Ende H.s großer politischer Reformkonzeption bedeutete. Zuvor auf Burg Diemstein (bis November 1521) dann auf Burg Wartenberg (bis Mai 1522) versteckt, floh H. im Herbst 1522 von Burg Landstuhl nach Basel zu Erasmus, der H. jedoch abwies. H. erwiderte dies mit seiner Schrift »Expostu latio Erasmo« (1523), auf die Erasmus mit »Sponiga adversus aspergines Hutteni« antwortete. Zwingli nahm H. schließlich auf und bot ihm Ufenau im Züricher See als Zufluchtsort an, wo H. starb. Aus dem Nachlaß erschien 1529 der Dialog- »terminus«, ein ungebrochener, vehementer Angriff auf das deutsche Territorialfürstentum. H. war der meistgelesene und -gedruckte deutsche Humanist. Weniger wegen seiner deutschen Schriften als wegen der lateinischen Publikationen, die eine langdauernde Wirkung auf die politische, kulturelle und literarische Entwicklung Deutschlands hatten, kommt H. als Literat eine hervorragende Bedeutung zu. In seinen politischen kulturkritischen und polemischen Schriften, die aktuelle Zeitfragen behandelten, brachte er Forderungen des Individualismus zum Ausdruck und schaffte für Deutschland erstmalig eine Synthese von Humanismus und Nationalismus. Sein politisches Handeln galt der Verwirklichung einer auf dem Recht beruhenden Lebens- und Staatsordnung der Nation in allen ihren Gliedern.

Werke: De arte versificandi. Liber unus herioco carmine, 1511; Ad divum Maximilianum Caesar, 1512; Epistolae obscurorum virorum. Briefe von Dunkelmännern, 1515?; 2 Bde., 1556; Ad Bilibaldum Pirckheymer patricium norimbergensem epistola vitae suae rationem exponens, 1518; Ad principes Germaniae ut bellum Turcis inuehant, 1518; Aula dialogus, 1518; Ex clamitio, 1518; Hoc in volumine haec continentur, n. d.; U. de Hutten ad Caesarem Maximil. ut bellum in Venetos coeptum prosequatur ex hortatium, 1519; De guaiaci medicina, 1519; Clag und Vormanug gegen übermäßigen unchristlichen Gewalt des Bapsts zu Rom, 1520; De schismate extinguendo, 1520; Hoc in libello haec continentur, 1520; Ad Carolum Idperatorum, 1520; Dialogi, 1520; Eine treue Warnung, 1520; Ain Clag über den Brandt der Luterischen Bücher, 1521; Ein Klag über den Luterischen Brandt zu Mentz, 1521; Concilia, wie man die halten sol, 1521; Gespräch-büchlein, 1521; Hrsg. v. K. Kleinschmidt, 1957; Ulrich ab Hutten cum Erasmo roterrdamo, presbytero, theologo, expostulatio, 1523; Ars versificatoria, 1528; Arminis dialogus, 1529; De morbo galico, 1533; Commentarius in Artem versifacatoriam, 1535; Kurzer Auszug wie böslich die Bebste gegen den Deutschen Keisern jemals gehandelt, 1545; Lebendige ab contrafactur dess gantzen Bapstthumbes, 1546; De unitate Ecclesiae conservanda a schismate, 1562; Epistola qua et vitae suae rationem et temporum in quae aetas ipsius incidit conditionem luculenter descripsit, 1717; Gedichte, 1810; Querelarum libri duo, hrsg. v. G. Mohnike, 1816; Opera quae extant omnia, hrsg. v. E. Münch, 6 Bde., 1821-27; Equitis germani opera quae extant omnia, hrsg. v. E. J. Herman, 5 Bde., 1822-25, 1963; Jugendschr. - Dichtungen didakt.-biogr. u. satyr-epigrammatt. Inhalts. Zum erstenmal vollst. übers. u. erl., hrsg. v. E. Münch, 1832 (1850²); Epistolae, 1842; Ulrichi Hutteni, equitis germani, opera, quae reperiri potuerunt omni (teilweise mit dt. Übers.), 5 Bde. u. 2 ErgBde. (mit den Epistolae obscurum virorum). Hrsg. v. Eduard Böcking, 1859-1870; U.s v. H. dt. Schrr., hrsg. v. Siegfried Szamatolski, Straßburg 1891; Die deutschen Dichtungen, 1890-91, (Nachdr. Stuttgart 1974); Epistolae obscurorum virorum, hrsg. v. Aloys Böhmer, 2 Bde., 1924; Ich hab's gewagt! H. ruft Dtld., hrsg. v. K. Eggers, 1939, übers. v. K. Eggers, 1940; Arminius, ein Totengespräch, 1940; Sendbriefe; Die Freiheit der dt. Nation, 1943; Beklagung der Freistette dt. Nation, 1969. Ausg.: Auserlesene Werke, hrsg. v. E. Münch, 3 Bde., 1822-23. - Ausgewählte Gespräche und Briefe, hrsg. v. O. Stöckel, 1859, 1869. - Werke von Hutten, Müntzer, Luther, ausgewählt v. S. Streller, 2 Bde., 1970. - Dt. Schrr., hrsg. v. Peter Ukena, 1970. - Dt. Schrr., ausgewählt u. hrsg. v. Heinz Mettke, 2 Bde., 1972-74.

Lit.: Bibliogr.: Eduard Böcking, Index bibliographicus Huttenianus. Verz. der Schrr. U. s v. H., 1858; - C. A. Werner, Verz. der dt. Schrr. H.s, in: Stud. über die dt. Stil (Diss. Greifswald), 1922, 19 ff. - David Friedrich Strauß, 3 Bde., 1858-60; Neu hrsg. v. Otto Clemen, 1938³; - M. Rindell, Luther, Crotus u. U. v. H., 1890; - Joseph Deckert, U. v. Hs. Leben und Wirken. Eine hist. Skizze, Wien 1901; - Walther Brecht, Die Verfasser d »Epistolae obscurorum virorum«, 1904; - G. Voigt, U. v. H. in der dt. Lit. (Diss. Leipzig), 1905; - W. Lucke, Die dt. Smlg. der Klagesschrr. U. v. H.s, 1906; - G. F. Jordan, U. v. H., 1908; - Otto Harnack, U. v. H., in: Im Morgenrot der Ref., hrsg. v. Julius v. Pflugk-Hartung, 1910; - Arnold Knellwolf, Der weltl. Reformator U. v. H. Eine Charakterbezeichnung, Zürich 1917; - A. Bauer, Der Einfluß Lukians v. Samosota auf U. v. H., in: Philologus 75, 1918, 437-462; 76, 1920, 192-207; - Paul Kalkoff, U. v. H. u. die Ref. Eine krit. Gesch. seiner wichtigsten Lebenszeit u. der Entscheidungsj. der Ref. (1517-1523), Leipzig 1920 (Nachdr. New York - London 1971); - Ders., H.s Vagantenzeit u. Untergang. Der geschichtl. U. v. Hutten u. seine Umwelt, 1925; - Ders., H. als Humanist, in: ZGOth 81, 1928, 3-67; - Alois Börner, Ist U. v. H. am ersten Teil der »Epistolae obscurorum virorum« nicht beteiligt gewesen?, in: Aufss. F. Milkan gewidmet, 1926; - W. G. Abb, 1921, 10-18; - Paul Merker, der Verfasser »Eccius dedolatus« u. anderer Ref.dialoge, 1923; - Olga Gewerstock, Lucian u. H. Zur Gesch. des Dialogs im 16. Jh., 1924; - Wilhelm Kaegi, H. u. Erasmus, in: HV 30, 1925, 200-278. 461-514; - Fritz Walser, Die polit. Entwicklung U.s

v. H.. während der Entscheidungsj. der Ref., 1928; - Paul Held, U. v. H. Seine rel.-geist. Auseinandersetzung mit Kath., Humanismus, Ref., 1928; - Otto Flake, U. v. H., 1929 (1930⁹); - Hajo Holborn, U. v. H. 1929 (engl.: U. v. H. and the German reformation, New Haven/Connecticut - London 1937; Erw. dt. Neuausg. 1968); - D. Cantimori, H. ed i rapporti tra Rinascimento e Riforma, Pisa 1930; - Willy Krogmann, Das Arminiusmotiv in der dt. Dichtung, 1933; - Helmut Röhr, U. v. H. u. das Werden des dt. Nationalbewußtseins (Diss. Hamburg), 1937; - Karl Eggers, U. v. H., Der junge H., 1938; - Ders., H. v. H., 1939; Heinrich Grimm, Lehrj. an der Univ. Frankfurt/Oder u. seine Jugenddichtungen. Eine qu.krit. Btr. z. Jugendschr. des Verfechters dt. Freiheit, 1938; - Ders., U. V. H. u. die Pfefferkorn-Drucke, in: Zschrr. f. Rel. u. Geistesgesch. 8, 1956; - Ders., U. v. H.s prsönl. Beziehungen zu den Druckern... Schöffer... Schott... u. Köbel, in: Festschr. J. Benzing, 1964; - Ders., U. v. H. Wille u. Schicksal, 1971; - Fritz Otto Hermann Schulz, H. Ein Kampf um Reich, 1940 (1944⁴); - Harald Drewinc, Vier Gestalten aus dem Zeitalter des Humanismus. Entwicklung, Höhe u. Krisen einer geist. Bewegung, St. Gallen 1946, 215-284; - Die Freundschaft zw. H. u. Erasmus. Brief des Erasmus an U. v. H. über Thomas Morus, lat. u. dt. hrsg. v. Karl Büchner, 1948; - R. H. Fife, U. v. H. as a Lit. Problem, in: GermRev 23, 1948; - Hans Gustav Keller, H.s Tod, Bern 1848; - Ders., H. u. Zwingli (Habil.-Schr. Bern), Aarau 1952; - R. Kühnemund, »Arminius« or the Rise of a National Symbol in Literature, Chapel Hill/North Carolina 1953; - Heinrich Fechter, U. v. H. Ein Leben f. die Freiheit, 1954; - Ernst Sommer, Das Leben ist die Fülle, nicht die Zeit. Eine Porträtsstud. U. v. H.s, 1955; - Karl Kleinschmidt, U. v. H. Ritter, Humanist u. Patriot, 1955; - Josef Benzing, U. v. H. u. seine Drucker. Eine Bibliogr. der Schrr. H.s im 16. Jh., 1956; - Michael Seidlmayer, U. v. H., in: Die Großen Dt.en, hrsg. v. Hermann Heimpel, Theodor Heuss, Benno Reifenberg, I, 1956, 449-463; - Ders., Wege u. Wandlungen des Humanismus Stud. zu seinen polit. eth., rel. Problemen. Hrsg. v. Hans Barion, 1965; - Lippische Bibliogr. Hrsg. v. Wilhelm Hansen, 1957, 1466-1492; - Gerhard Ritter, U. v. H. u. die Ref., in: Ders., Die Weltwirkung der Ref., 1959²; - F. Gundolf, U. v. H., in: Ders., Dem lebendigen Geist, 1962; - Richard Newald, Probleme u. Gestalten des dt. Humanismus (T.smlg.). Stud., Hrsg. v. Hans-Gert Roloff, 1963, 151-368; - T. W. Best, U. v. H.s Humor (Diss. Indiana), 1965; - Ders., The Humanist U. v. H., Chapel Hill, 1969; - F. E. Walker, Rhetorial and Satirical Elements in U. v. H.s Gesprächsbüchlein (Diss. Harvard), 1970; - Heinrich Rogge, H. ein Leben f. die Freiheit, 1970; - Georg R. Spohn, Widmungsexemplare U. v. H.s, in: AMrhKG 23, 1971, 141-146; - Emil E. Ploss, Akzente politischer Dichtung, in: Dichtung, Sprache u. Gesellschaft, Frankfurt/M., 1971, 163-168; - Günther Rudolf, U. v. H.s sozialökonomische Anschauungen, in: DZPh 20, 1972, H. 12, 1474-1493; - Marianne Burkhard, Die Entdeckung der Form in »H.s letzte Tage«, in: Arch. f. das Studium der Neueren Sprachen u. Lit. 209, 1972, H. 2, 259-272; - Rudolph Klawiter, To be comic or not to be comic is that the question?, in: Moreana 33, 1972, 15-22; - Peter Ukena, Marginalien zur Auseinandersetzung zw. U. v. H. und Herzog Ulrich von Württemberg, in: Wolfenbütteler Btrr., Frankfurt/M., Bd. 1, 1972, 45-60; - Ders., Dt.sprachige populäre H.-Lit. im 19. u. 20. Jh. Eine bibliogr. Übersicht, in: Daphnis. Zschr. f. mittlere dt. Lit. 2, 1973; 166-183; - in: Daphnis. Zschr. f. mittlere dt. Lit. 2, 1973; - H. Scheuer, U. v. H., in: Daphnis. Zschr. f. mittlere dt. Lit. 2, 1973; - H. Tüchle, Vor tausend Jahren: U. v. H., in: Schwäbische Heimat. Zeitschr. z. Pflege v. Landschaft, Volkstum, Kultur 24, 1973, H. 2, 89-94; - Ria Stambaugh, Die »Lücke« mit U. v. H.s »Ausschreiben gegen den Kurfürsten v. der Pfalz«, in: Daphnis 2, 1973, 192-194; - Clemens Neutjens, Friedrich Gundolfs H.-Bild, in Daphnis 2, 1973, 133-157; - Annemarie Deegen, Die H.-Bildnisse der Herzog August Bibl., in: Daphnis 2, 1973, 158-166; - Volker Press, U. v. H., Reichsritter u. Humanist, in: Nassauische Annalen 85, 1974, 71-86; - Josef Leinweber, U. v. H. - Ein Fuldaer Mönch? Ein Btr. z. Biographie des jungen U. v. H. u. z. Gesch. des Klosters Fulda im Spät-MA, in: Würzburger Diözesangeschichtsbll. 37-38, 1975, 541-556; - Monika Asztalos u. J. Janson, H. correctus: an Example of Humanist Editorial Practice, in: Eranos 76, 1978, 65-69; - Jaque Ridé, U. v. H. contre rome. Motivations et arrière-plans d'une polémique, in: Recherche et architecture 9, 1973, 3-17; - Gesch. der Erziehung II, hrsg. v. Schmid, 1889, 97 f.; - Schottenloher I, Nr. 9157-9301; Nr. 666, Nr. 1609, Nr. 1837, Nr. 2567, Nr. 5725-5726, Nr. 9812; II, Nr. 12697-12698, 12149, Nr. 13564; V, Nr. 47021-47042c; - KLL I, 943 f. (Arminius); II, 2215 (Epistolae obscurorum virorum); III, 721-723 (Gespräch-Büchlein); - Goedeke II, 227-233; - ADB XIII, 464-475; - NDB X, 99-102; - RE VIII, 491; - EKL II, 221 f.; - RGG III, 496 f.; - EC VI, 1517 f.; - Catholocisme V, 1113 f.; - LThK V, 549 f.; - Gesch. d. Autobiogr. IV, hrsg. v. Georg Misch, 1969, 680 f.; - Kosch LL, 3. Aufl. VIII, 1981, 323-325.

Ba

HUTTER, Elias, Orientalist, * 1553 in Görlith, + zwi-

schen 1605 und 1609. – Nach dem Studium der orientalischen Sprachen in Jena begann H. in Leipzig zu lehren. 1577 wurde er Professor für Hebräisch. 1578 gab er ein hebräisch-deutsches Wörterbuch heraus, woraufhin ihn der Kurfürst August von Sachsen als Hebräischlehrer an seinen Hof nach Dresden holte. Auf der Suche nach Geldmitteln für seine Vorhaben, der Verbreitung des Hebräischen und der Bibel in mehrsprachigen Ausgaben, ging H. 1583 nach Lübeck und 1585 nach Hamburg. Hier veröffentlichte er 1586/87 das gesamte Alte Testament in der Ursprache, allerdings mit so geringem Erfolg, daß seine Geldgeber ihm weitere Unterstützung versagten. 1594 in Naumberg und 1597 in Nürnberg versuchte er sich als Buchdrucker und -händler. In den Jahren 1598-1603 gelang es ihm, jedes Jahr eine mindestens viersprachige Bibelausgabe oder ein Wörterbuch herauszubringen. Stark verschuldet mußte er 1604 Nürnberg verlassen. Kurzzeitig hielt er sich in Frankfurt/Main auf. Über sein weiteres Leben ist nichts bekannt. – H.s hohe Ziele lagen nicht nur in der Verbreitung der Heiligen Schrift, sondern auch in Entwicklungen auf linguistisch-pädagogischem Gebiet. Am Hebräischen gewonnene morphologische Erkenntnisse übertrug er auf andere Sprachen und entwickelte eine neuartige Sprachlehrmethode. Beispielsweise stellte er einem hebräischen Satz spaltenweise die lateinische, griechische und deutsche Übersetzung nebenan, wobei er, ausgehend von der dreiradikaligen Wurzel der hebräischen Wörter, die sich entsprechenden Wortteile durch gleiche Farben anschaulich machte. Er scheute dabei nicht vor Abänderungen des überlieferten Textes zurück, wenn eine genaue Wortentsprechung so zu erreichen war, wodurch seine Bibelpolyglotten stark beeinträchtigt wurden.

Ue

Werke: Cubus alhabeticus sanctae linguae hebraeae, Hamburg 1586 f.; Die Hamburger Polyglotte: die von H. hrsg. hebr. Bibel, 1587, erw. 6 Bde., hrsg. v. David Wolder (in 4 Sprachen der griech. Text des A u. NT; Die Vulgata; Die lat. Übers. des AT v. Santes Pagninus u. das NT v. Theodor v. Beza; die dt. Übers. v. Martin Luther), 1596; – Die Nürnberger Polygotte: 1. das AT in 6 Sprachen (hebr., chald., griech., lat., dt., slav., Jos, Ri, Ruth frz. statt slav., auch it. oder oft plattdt.), 1599 (unvoll; bricht mit Ruth ab); 2. der Psalter in 4 Sprachen (hebr., griech., lat. u. dt.), 1602; 3. das NT in 12 Sprachen (syr., it., hebr., span., griech., frz., lat., engl., dt., dän., böhm., poln.), 2 Te., 1599. – Ausg. einzelner Propheten in 4 u. einzelner Ev. in 12 Sprachen. – Bibliogr.: Johannes Moller, Cimbria litterata, 1744, 392 ff.

Lit.: Unschuldige Nachrichten v. alten u. neuen theol. Sachen ... auf das J. 1716, 392-400 (Bibliogr.: 580 ff.); – Johann Georg Walch, Bibliotheca theologica selecta IV, 1765, 36 ff.; – H. Kunstmann, Slavisches um die Nürnberger Bibeldrucke E. H.s, in: Welt der Slaven 3, Wien 1958, 166-179; – Hans Arens, Sprachwiss. Der Gang ihrer Entwicklung v. der Antike bis z. Ggw., 1969², 76; – Will II, 213; VI v. Christian Konrad Nopisch, 1805, 147; – Otto II/1, 202 ff.; III/1, 740; Suppl. 186. 567; – Jöcher II, 1789 f.; – J. G. Otto's Lex. der Oberlausitzschen Schriftsteller u. Künstler 1802-21, II/1, 202; III/2, 740; IV, 186; – Lex. d. hamburg. Schriftsteller III, 1857, hrsg. v. H. Schröder, 1764; – ADB XIII, 475 f.; – NDB X, 103 f.; – RE III, 102; VIII, 496 f.; XV, 533 f.; – RGG III, 497; – LThK V, 591.

Ba

HUTTER, (Hütter), Leonhard, luth. Theologe, * im Januar 1563 als Pfarrerssohn in Nellingen bei Ulm, +

23.10.1616 in Wittenberg. – H. besuchte die Schule in Ulm, wohin sein Vater 1565 versetzt worden war, und studierte seit 1581 in Straßburg Philologie und Philosophie, später Theologie. Er promovierte 1583 zum Magister und setzte seine Studien an den Universitäten Leipzig, Heidelberg und Jena fort. In Jena erwarb H. 1594 die theologische Doktorwürde und hielt Privatvorlesungen und Disputationen. 1596 wurde er in Wittenberg Professor der Theologie und entfaltete eine rege und umfassende Wirksamkeit als akademischer Lehrer, viermaliger Rektor der Universität, Inspektor der kurfürstlichen Alumnen und »assessor sonsistorii« sowie als fruchtbarer theologischer Schriftsteller. Mit Ägidius Hunnius (s.d.), Polykarp Leyser (s.d.) und anderen lutherischen Theologen brachte H. die lutherische Orthodoxie gegenüber dem früheren kursächsischen Philippismus endgültig zum Sieg. Er ist der Prototyp der orthodox-lutherischen Dogmatik und Polemik, der orthodoxeste unter allen orthodoxen Lutheranern. Sein Hauptwerk ist das auf Veranlassung des Kurfürsten Christian II. verfaßte, zur Verdrängung der »Loci communes« von Philipp Melanchthon (s.d.) aus den sächsischen Lehranstalten bestimmte »Compendium locorum theologicorum«. Es wurde das offizielle dogmatische Lehrbuch und blieb lange im Gebrauch. In seinen von der Wittenberger Theologischen Fakultät nach seinem Tod herausgegebenen »Loci communes theologici«, die die gelehrte Ausführung und weitere Begründung dessen enthalten, was das Kompendium in kürzester Fassung bietet, bekämpft H. scharf Melanchthon. Der Konkordienformel erkannte er den Charakter der Theopneustie zu und verteidigte sie in seiner »Concordia concors« gegen die 1607 in Zürich erschienene »Concordia discors« des Schweizer Rudolf Hospian (s.d.). H. bekämpfte die Calvinisten und Katholiken sowie jeden Versuch, die Reinheit der lutherischen Bekenntnisse zu trüben oder eine Einigung der beiden protestantischen Bekenntnisse anzubahnen. Der 1613 erfolgte Konfessionswechsel des Kurfürsten Johann Sigismund von Brandenburg (s.d.) veranlaßte ihn zu Streitschriften gegen den Versuch, »die verdammte Calvinisterei in die Kur- und Mark Brandenburg einzuschieben«. Man nannte ihn »malleus Calvinistarum«. Johann Sigismund ließ die Konkordienformel aus der Zahl der landeskirchlichen Symbole streichen und verbot der brandenburgischen Jugend den Besuch der Universität Wittenberg. Den irenischen Bestrebungen des Heidelberger David Pareus (s.d.), der in seiner Schrift »Irenicum sive de unione et synodo evangelicorum liber votivus« (1614) sich um Verständigung zwischen Calvinismus und Luthertum bemühte, trat H. entgegen und warnte ernstlich vor dem »Synkretismus« seines Gegners. Seine Zeit verehrte ihn als »Lutherus redonatus«. Karl August von Hase (s.d.) hat seine kompendiarische Darstellung der lutherischen Schultheologie mit Recht »Hutterus redivivus« (1829; 1887) genannt.

Werke: Analysis methodica Augustanae Confessionis articulorum XXIV. disputt. comprehensa, 1594; Sadeel elenchomenus s. tractatio pro majestate humanae naturae Christie, 1600; Theologia de unita, rebus gestis et obitu A. Hunnii, Wittenberg 1603; Disputt. de persona Christie, 1607/08; Libri Christianae Concordia explicatio, 1608; Der Bericht vom ordentl. u. apostolischen Beruf, Ordination u. Amt d. luth.-ev. Prediger, 1609; Epitome biblica, kurzer Begriff aller und jeder Kapitel d. ganzen heiligen Schrift, 1609; Collegium theologicum sive 40 disputationes de articulis Confessionis Augustanae et libri Christianae Concordiae, 1610; Compendium locorum theologicorum ex Scripturis Sacris et libro Concordiae collectum, 1610 (dt. 1613; Neuausg. v. K. v. hase, 1824; v. W. Trillhaas, 1961); Disputationes XX de verbo Dei scripto et non scripto contra Bellarminum, 1610; Calvinista aulico-politicus, 1610; Meditatio crusis Christi sive homiliae academicae in historiam Passionis et mortis Christi, 1612; Calvinista aulico-politicus alter (gg. Johann Sigismund v. Brandenburg), 1614; Concordia concors de origine et progressu Formulae Concordiae ecclesiarum Augustiniae Confessionis (gg. Hospinian), 1614; Problema theologica an syncretismus fidei, 1615; Questionum octo controversiarum, de pace et unione Lutheranorum et Calvianorum, 1615; Beständige u. gründliche Widerlegung des heillosen u. verworrenen Gesprächs Harminii de Mosa, 1615; Epist. apologet. et monitoria de loco quodam ex annalibus Belg. Em. a Metern in concordia concorde R. Hospiniani nugis et crimin. falsi nuper opposita a se citato, 1615; Lectiones evangeliorum et epist. anniversariae ebr., graec. lat. germ. harmonice et symmetrice, 1615; Problema theologica An Syncretismus Fidei, 1615; Irenicum vere Christianum sive tractatus de synodo et unione Evangelicorum non fucata concilianda, 1616; Quaestiones duae de fundamento fidei, 1616; Loci communes theologici ex sacris literis diligentur eruti, veterum Patrum testimoniis passim roborati et conformati ad methodum locorum Melanchthonis locorum, 1619; Formulae concionandi, 1635; Succincta explicatio epistolae Pauli ad Galatas, 1635; – Bibliogr. bei H. Witten, Memoria theologorum, Frankfurt 1684, 89 ff.

Lit.: J. G. Walch, Histor. u. theol. Einleitung in d. Religionsstreitigkeiten d. Ev.-luth. Kirche IV, 1733, 54, 223, 249 u. ö.; – Ebd. V, 769, 808 u. ö.; – Ders., Hist. u. theol. Einl. in d. Religionsstreitigkeiten außerhalb d. Ev.-luth. Kirche III, 1737, 160, 496 ff., 1066 u. ö.; Nachrr. von Gelehrten, Künstlern u. a. merkwürdigen Personen, hrsg. v. A. Weyermann, 1798, 335-43 (m. Werke Verz.); – K. v. Hase, Hutterus redivivus, oder Dogmatik d. Ev.-luth. Kirche, 1828 (1836³, 1883¹²); – Heinrich Schmidt, Die Dogmatik d. Ev.-luth. Kirche. Dargest. u. aus den Quellen belegt, 1843 (neu hrsg. v. Horst Georg Pöhlmann, 1979); – W. Gaß, Gesch. d. prot. Dogmatik I, 1854, 246 ff.; – G. Frank, Gesch. d. prot. Theol. I, 1862, 330-332; – C. E. Kuthardt, Die Lehre vom freien Willen u. s. Verh. zur Gnade, 1863, 286 f.; – J. A. Dorner, Gesch. d. prot. Theol., 1867, 530 f.; – W. Friedensburg, Gesch. d. Univ. Wittenberg, 1917; – Holl I; – Ersch-Gruber, 2. Sec. XIII, 222-229; – Elert I, verb. Nachdruck. 1952; – Weber I, 128; 138 u. ö.; II, 652 f. u. ö.; – Hans-Werner Gensichen, Damnanus. Die Verwerfung v. Irrlehre bei Luther u. im Luthertum des 16. Jh.s (Diss. Göttingen u. Hab.Schrift 1951), Berlin 1955, 129 ff. u. ö.; – R. Friedmann, H.s Epistle Concerning the Schism..., in: Mennonite Quarterly Rev. 38, 1964; – Carl Heinz Ratschow, Luth. Dogmatik zw. Ref. u. Aufklärung, T. 1, 1964, T. 2, 1966 (mit Bibliogr.); – Ritschl I.IV; – EuG II/13, 222 ff.; – Jöcher II, 1750, 1790 f.; – Hist. Crit. Nachrichten von Gelehrten II, hrsg. v. Johann G. W. Dunkels, 1755, 1100; – Barth, KD I/2, 310 u. ö.; II/2, 86; – ADB XIII, 476-479; – NDB X, 104 f.; – RE VIII, 497-500; – EKL II, 222; – RGG III, 468; – LThK V, 551; – Adam II, 404 f.; – Kosch, LL VIII, 1981, 326; – Friedrich Mildenberger, Grundwissen d. Dogmatik, 1983², 90, 174 ff.; – Kirchl. Handlex.³, 407-409; – Kupf. v. M. Haffner, in: Th. Spitzel, Templum honoris reseratum, 1673, Abb. in: J. Jordan u. O. Kern, Die Univ. Wittenberg-Halle, 1917; mehrere Kupf. (Dresden, Kupf.kab.).

Ue

HYACINTHUS *von Casale*, Kapuziner, * 21.1.1575 in Casale Monferrato, + daselbst 17.1.1627. – H. studierte in Pavia, Salamanca und Bologna. Bevor er im Jahre 1600 Kapuziner wurde, war er am Hofe des Grafen Montra. Ab 1606 war H. als Prediger und Diplomat in Italien und Deutschland tätig und wirkte 1613 auf dem Regensburger Reichstag mit. Er wurde besonders von Gregor XI. (s.d.) gefördert. Besonderen Anteil hatte H. an der Kurübertragung auf Maximilian I. von Bayern, scheiterte jedoch an dem Versuch, eine katholische Einheitsfront zu errichten, vor allen Dingen an Richelieu (s.d.). Den »Ritterorden von der Passion« gründete H. in Belgien und führte dort auch die Oratorianer ein. H. verfaßte eine Reihe von aszetischen Schriften.

Werke: Orazione panegirica in lode di S. Carlo Borromeo, recitata nella metropolitana di Milano li 4 nov. 1612; Preparazione alla buona morte, o. J. (dt. 1829); Avvisi importanti e necessarii a diversi stati e gradi di persone, 1617 (frz. 1629); Trattato della poverta religiosa, 1622 (frz. 1645, lat. 1656); Mirabili considerazioni per aborrire il peccato, accomodate per i giorni della settimana, 1626; Il censore cristiano, 1626 (frz. 1629).

Lit.: Venanzio da Lagosanto, Apostolo e diplomatico, il P. Giacinto..., Mailand 1886; – Davide da Portogruaro, Il P. Giacinto ... e la sua opera attraverso i dispacci ambasciatori veneti (1621-1627), Venedig 1929; – A. Mercati, Della corrispondenza di Fra Giacinto da Casale, in: Bolletino francescano storico - bibliografico 2, 1931, 129 ff.; – Placido da Pavullo, Delle prediche di Fra Giacinto ... in Piacenza, ebd. 8, 1936, 3 ff.; – G. da Cittadella, P. Giacinto conte Natta da Casale nella sua predicazione, Verona 1948; – D. Albrecht, Die dt. Politik Papst Gregor XV., München 1956; – LexCap, 777 f.; – DSp VII, 1208 f.; – Catholicisme V, 1120 f.; – LThK V, 553; – EC VI, 308.

Ba

HYACINTHUS *von Polen*, Dominikaner, Missionar, Heiliger, * um 1180 in Großstein (Herzogtum von Oppeln), + 15.8.1257 in Krakau. – H. entstammt wahrscheinlich dem Ordensgeschlecht der Odrowaz. Er studierte in Krakau, Prag und Bologna, wo er dann auch Doktor für kanonisches Recht und Theologie war. 1218 trat H. in Rom in den Dominikanerorden ein, um dann 1222 in Krakau und 1227 in Danzig jeweils ein Dominikaner-Konvent zu gründen. Von 1229-1233 lebte er in Kiew, wo auf sein Geheiß das dortige Kloster errichtet wurde. Die Ordensprovinz Polonia, die sich im Osten von Rußland bis nach Preußen im Westen erstreckte, wurde von H. geschaffen. Insgesamt war H. in Pommern, Litauen, Dänemark, Schweden und Rußland als Missionar tätig. Er trat auch in Preussen als Missionsprediger auf, jedoch verhinderte dort der Orden der Deutschritter durch kriegerische Mission seine Bemühungen. Die bedeutendste Quelle für H.s Leben ist die nach 1352 verfaßte Vita des Stanislaus v. Krakau (s.d.). H. wurde 1594 heiliggesprochen. Sein Fest ist der 17. August.

Lit.: L. Cwiklinski, Hrsg., De vita et miraculis S. Jacchonis, in: Monumenta Poloniae historica 4, 1884, 818 ff.; – D. Bertolotti, Vita di S. Giacinto, 2 Bde., Monza 1903; – B. Altaner, Die Dominikanermissionen des 13. Jh.s, Habelschwerdt 1924, 196 ff.; – J. Woroniecki, Sw. Jacek Odrowaz i wprowadzenia zakono kaznodziejow do Polski, Kattowitz 1947; – R. J. Loenertz, Les origines de l'ancienne historiographie dominicaine en Pologne. I Abraham Bzowski, in: AFP 19, 1949, 49 ff.; – Ders., La vie de S. H. du lecteur Stanislas envisagée comme source historique, ebd. 27, 1957, 5 ff.; – J. Zathey, Zycie i Myol 2, Posen 1951, 274 ff.; – J. Kloczowski, Dominikanie polscy na Slasku w 13-14 wieku, Lublin 1956, 148 ff. u. ö.; – D. Flavigny, San Giacinto e i sui tempi, Rom 1957; – J. Gottschalk, in: ASKG 16, 1958, 60 ff.; – A. Seidel, ebd., 99 ff.; – P. Birkner, ebd., 111 ff.; – G. M. Gieraths, Der hl. H. – ein Vorkämpfer im Osten, in: Wort u. Antwort 18, 1961, 120 ff.; – G. Schmitt, Die Dominikaner i. Schlesien, St. H. u. Ceslaus, in: Hedwigs-Kalender 9, 1962, 100 ff.; – A. Jaworski, Sub signo sancti H. ..., Ottawa 1963; – J. Reiter, Towarzystwo Oswiaty na Slaskv in. sw. Jacka, Opole 1968; – Catholicisme V, 1121 f.; – LThK V, 553 f.; – RE IV, 776; – ADB XIII, 487; – EC, 307.

Ba

HYDATIUS *von Emeritia*, Bischof, + vor 392. – H. verklagte die Priscillianisten bei Damasus I. (s.d.) und 380 vor der Synode von Saragossa. Gegen den Widerstand des eigenen Klerus erreichte er durch Kaiser Gratian (s.d.) ein Reskript gegen sie und veranlaßte, nachdem er Priscillianus (s.d.) der Zauberei und des Manichäismus angeklagt hatte, dessen Hinrichtung.

Lit.: K. Künstle, Antipriscilliana, Freiburg 1905, 1 ff.; – E. Soys, in: RHE 21, 1925, 530 ff.; – Z. Garcia Villada, Hist. eccl. de Espana I, 2, Madrid 1929, 95 ... 97 ... 255 ... 388; – A. d' Alès, Priscillien et l'Espagne chrétienne à la fin du IXᵉ siècle, Paris 1936, 30 f. ... 38 ff.; – Sulpicio Severo, Hist. sacra II, 46 ff.; – Bardenhewer III, 403 ff.; – Catholicisme V, 1170 f.; – LThK V, 554; – EC VI, 1554 f.

Ba

HYGINUS, C. Julius, Gelehrter, Autor, * ca. 64 vor, + 17 nach Christi. H. ist wohl spanischer Herkunft, vielleicht auch aus Alexandrien. Er kam als Sklave nach Rom und wurde dort von Augustus 47 vor Christi freigelassen. Er wurde Präfekt der palatinischen Bibliothek und Schüler des Alexander Polyhistor. Durch die enge Beziehung zu Ovid und Claudius Licinius verlor H. die kaiserliche Gunst. H. ist Autor von biographischen und topographischen Werken, so schrieb er ein genealogisches Werk über römische Familien, eine geographische Studie über die Topographie Italiens. Weiterhin schrieb er ein Werk über Landwirtschaft, eines über Bienenzucht und einige historische Studien. Ebenfalls wird von einem Kommentar zum »Propemptikon« des Helvius Lima und einem Band mit kritischen Erläuterungen zum Gesamtwerk des Vergil berichtet. Diese Werke von H. werden von alten Schriftstellen erwähnt, sie sind nicht bzw. nur als Fragmente erhalten. Überliefert sind ferner einer astronomische Schrift mit Grundbegriffen der Astronomie und ein mythologisches Handbuch mit Mythen aus verschiedenen Sagenkreisen von einem Hyginus, jedoch soll dieser nicht identisch mit H. sein.

Lit.: Christian Bernhard Bunte, Diss. de Cass. J. Hygini, Augusti liberti, Vita et Scriptis, Marburg 1846; – E. Chatelain et P. Legendre, in Bibl. de l'Ecole des Hautes Études, Paris 1909; – Schanz II, 511-526; – George Sarton, Introduction to the history of science, Washington 1947³; – The General Biographical Dictionary, Revised and enlarged by Alexander Chalmers London 1814, 409; – Dictionaire Biographique des Auteurs, Paris 1957, I, 684; – Webster-s Biographical Dictionary, Springfield/Mass. 1974, 753; – RGG III, 498.

Lo

HYGINUS, Papst, + 142. – In der Sukzessionsliste des Eurenaios von Lyon war H. der 8. Papst. Er war von 138-142 auf dem apostolischen Stuhl. Nach LibPont war H. Athener und Philosoph, es ist wenig über ihn überliefert, sein kirchliches Wirken geschichtlich nicht faßbar. Während seiner Amtszeit kamen die Gnostiker Valentinos und Kerdon nach Rom, um sich den Schein der Verbindung mit dem kirchlichen Oberhaupt zu geben. Jedoch wurden sie auf Grund ihrer Irrlehren zweimal, Valentinos sogar dreimal, von der Kirche ausgeschlossen. Obwohl H. als Märtyrer gilt, bestätigt dies keine Quelle. Sein Fest ist der 11. Januar.

Lit.: Vollst. Heiligen Lex. II, hrsg. v. Joh. Evang. Stadler, 1861, 814; – Lippsius, Chronologie d. röm. Bisch., Kiel 1869, 169, 263; – Jaffé I, 659; – ASS I, 665; – Holweck, 498; – Caspar I, 8; – Fliche-Martin I, 375; – MartRom 15; – Hans Kühner, Lex. d. Päpste, 1960, 19; – Lib Pont I, 131; – Harnack, Lit II/1, 144 f.; – Seppelt I, 18; – Kirch, 1923

(1966⁹), 99. 126. 546; – Mirbt I, 1967⁶, 21; – Horst Fuhrmann, Von Petrus zu Joh. Paul II., 1980, 81; – RE VIII, 500 f.; – EC VI, 1956 f.; – DThC VII, 355 f.; – LThK V, 555 f.; – RGG III, 498.

Lo

HYLLER, Sebastian, Benediktiner, * 5.2.1667 in Pfullendorf, + 10.5.1730 in Weingarten. – Nach dem Studium an der Benediktiner-Universität Salzburg wurde H. dort Professor der Philosophie. 1697 wurde er Abt von Weingarten. Daneben war er Präses der schwäbischen Benediktiner-Kongregation, des schwäbischen Reichsprälatenkollegiums und der Universität Salzburg. – H. war der Bauherr der Kirchen von Hofen, Krumbach, Thünngen (Vorarlberg) und Weingarten.

Lit.: A. Schmitt, Die Benediktinerabtei Weingarten. Ein Btr. z. 200j. Gedenkfeier der Kirchweihe, Ravensburg 1924; – Festschr. z. 900-J.-Feier des Kloster 1056-1956, Weingarten 1956, 120 ff.; – G. Spahr, Ein weiterer Planentwerfer der Basilika in Weingarten, in: Montfort, Zschr. f. Gesch., Heimat- u. Volkskunde Voralbergs 14, 1962, 24 ff.; – LThK V, 558.

Ba

HYMMEN, Johannes, Theologe, * 28.12.1878 in Barmen, + 18.3.1951 in Bonn. – H. wurde 1904 ordiniert und war zunächst als Privatdozent in Münster tätig. 1905 kam er als Pfarrer in die Diasporagemeinde Otzenrath (Niederrhein). H. übernahm die Leitung des 1911 in Soest (Westfalen) gegründeten und 1920 nach Witten (Ruhr) verlegten Landeskirchlichen Diasporaseminars, in dem junge Männer mit Primarreife zum Pfarrdienst in den deutschen evangelischen Gemeinden in Brasilien und in der La-Plata-Synode ausgebildet wurden. 1916-18 war er Feldprediger an der Ostfront, 1923 - 25 Pfarrer in Blankenstein (Ruhr) und gleichzeitig Geschäftsführer der Inneren Mission in Westfalen. H. wurde 1926 Konsistorialrat in Münster und hielt auch Vorlesungen an der Universität. Die Theologische Fakultät verlieh ihm ehrenhalber die Doktorwürde. H. wurde 1932 Oberkonsistorialrat und 1934 in den Evangelischen Oberkirchenrat nach Berlin berufen, wo er seit 1936 die Geschäfte des Geistlichen Vizepräsidenten wahrnahm. Seit 1945 lebte er im Ruhestand in Bonn.

Lit.: August Krieg, In piam memoriam D. H., in: DtPfrBl 51, 1951. 386 ff.

Ba

HYPATIA *von Alexandrien*, * unbekannt, + 415. Sie war die Tochter des Mathematikers Theon von Alexandria, von dem sie auch ihre Ausbildung erhielt. Die Annahme, sie sei darüber hinaus an dessen mathematischen Abhandlungen beteiligt gewesen, konnte jedoch nicht nachgewiesen werden. Vielmehr wandte sich H. recht bald dem Studium der Philosophie zu. Ihre philosophischen Abhandlungen, die von Suidas erwähnt werden, sind jedoch verschollen. Als Philosophin wird sie der neuplatonischen Schule zugerechnet. Sie lebte und lehrte in Alexandria und war weithin als Philosophin und Ratgeberin bekannt und geschätzt. Auch Orestes, der Stadthalter von Alexandria, zählte sie zu seinen Beratern. Darin ist wohl auch der Grund für ihre Ermordung im Jahr 415 zu suchen, wenngleich die näheren Umstände nie geklärt werden konnten. Nach Angaben des Socrates soll sie auf Betreiben und unter Mitwirkung des Bischofs Cyrillus (s.d.) grausam gefoltert und ermordet worden sein, ihren Leichnam sollen jene anschließend zerstückelt und verbrannt haben. Als Grund für diese Bluttat gibt Socrates die Befürchtung des Cyrillus an, H. wolle seine Versöhnung mit Orestes hintertreiben. Andere Quellen nennen die sogenannten Parabolanen, eine Vereinigung der alexandrinischen Krankenpfleger, als ihre Mörder. – H., die zeitlebens nicht zum Christentum übergetreten ist, gilt vor allem als sittenstrenge Frau. Trotz ihres hohen Ansehens und ihrer legendären Schönheit blieb sie zeitlebens unverheiratet. Sie gilt allgemein als ein Vorbild an Keuschheit und Tugendhaftigkeit.

Lit.: Socrates, Eccl. hist. VII, 15; – Toland, Hypatia, London 1720; – Richard Hoche, Hypatia, die Tochter Theons, in: Philologus XV (1860), 435-474; – Wolf, H., die Philosophin von Alexandrien, Wien 1879; – Joseph Kopallik, Cyrillus v. Alexandrien. Eine Biography, Mainz 1881; – Wolfgang Meyer, H. von Alexandrien, ein Beitrag zur Geschichte des Neuplatonismus, Heidelberg 1886; – Hans v. Schubert, H. von Alexandria in Wahrheit und Dichtung, in: PrJ CXXIV (1906), 42-60; – Joseph Geffken, Der Ausgang des griechisch-römischen Heidentums, Heidelberg 1920, 196, 199 ff.; – Biographie Universelle, Ancienne et moderne XXI (Paris 1818), 133 ff.; – DCB III, 185; – LThK V, 574; – Pauly-Wissowa IX, 242-249; – ThJber I (1882), 76; – Wetzer-Welte VI, 552-555.

Sf

HYPATIOS von Ephesos, Bischof, + nach 537/38 und vor 552. – H. war einer der bedeutendsten Bischöfe der Ostkirche. Von 531-536 führte er die katholischen Bischöfe gegen die Monophysiten. Bei Johannes II. (s. d.) erreichte H. 533 die Anerkennung der theopaschitischen Formel. Auf der Synode von Konstantinopel (536) war er der Sprecher der anwesenden Bischöfe. – Ein Erlaß H.s über die christliche Begräbnispflicht wurde 1904 in einer Inschrift von 35 Zeilen in Ephesos gefunden. Es wird angenommen, daß er einen Kommentar zu den Psalmen und zu den 12 Kleinen Propheten geschrieben hat. Fraglich hingegen ist die Abfassung eines Kommentars zum Lukasevangelium.

Lit.: F. Diekamp, Analecta Patristica, Rom 1938, 109 ff.; – M. Richard, in: MSR 3, 1946, 156 ff.; – P. J. Alexander, H. v. Ephesus. A note on image worship in the sixth century, in: HThR 45, 1952; – Altaner[7], 511; – Catholicisme V, 1142; – LThK V, 574.

Ba

HYPERIUS (eigentl. Gheeraerdts, Gerhard), Andreas, reformierter Theologe, * 16.5.1511 in Ypern (Flandern), + 1.2.1564 in Marburg. – Nach längeren Studienaufenthalten in Frankreich (Paris), Holland, Deutschland und England kam er durch Johann Sturm mit dem Humanismus in Berührung und stand in seiner reformierten Glaubenshaltung Calvin (s.d.) und M. Bucer (s.d.) nahe. 1542 übernahm H. den Lehrstuhl für Theologie von Gerhard Geldenhausen in Marburg, wo er Vorlesungen über historische, systematische und praktische Theologie abhielt. In seinem Werk »De recto reformando theologiae studio« fordert H. neben der Exegese und Dogmatik die wissenschaftliche Beschäftigung mit dem praktischen kirchlichen Leben und begründet damit die praktische Theologie als wissenschaftliche Disziplin, wie sie auch in heutigen theologischen Fakultäten Bestandteil der Theologie ist. H. gilt als Vater der wissenschaftlichen Homiletik, und er entwirft in »Deformandis concionibus sacris« ein fünfteiliges Predigtschema, das die orthodoxen Lutheraner im 17. Jahrhundert weiterentwickelten und differenzierten. H. setzte zusammen mit Nikolaus Rodingus (s.d.) M. Bucers Bemühungen um eine Neuordnung der hessischen Kirche fort, wobei er in seiner Kirchenordnung, die nach seinem Tod 1566 erschien, eine Vermittlung zwischen Luthertum und Calvinismus anstrebte (der »hessische Melanchthon«). Die hessischen Lutheraner kritisierten H. heftig, da sowohl seine Fassung der Gebote als auch die Sakramentenlehre der reformierten Tradition entsprachen. Die Verwirklichung seiner Kirchenordnung blieb aufgrund der veränderten kirchlichen Verhältnisse in Hessen nach dem Tod Philipps (1567) aus. H.s bleibende Bedeutung liegt in der Begründung der praktischen Theologie als wissenschaftliche Disziplin.

Werke: De formandis concionibus sacris seu de interpretatione Scripturarum populari libri II (Homiletik), Marburg 1553; De recte formando theologiae studio libri IV, Basel 1556; De Sacrae Scripturae lectione ac meditatione quotidiana libri II, ebd. 1561; Methodi theologiae sive praecipuorum christianae religionis locorum communium libri III (Dogmatik), Basel 1566; Elementa christianae (Katechismus), Marburg 1563 (neu hrsg. mit einer Abh. »Über die Bestrebungen des A. H. auf dem Gebiete der prakt. Theol.« v. Walter Caspari, 1901); De catecheci, 1570; Topica, 1573; – Opuscula I u. II, 1570 (Neuausg. 1901). – Die Homiletik u. Katechetik des A. H. verdt. u. mit Einl.en vers. v. Ernst Christian Achelis u. Eugen Sachse, 1901. – Briefe 1530-1563, hrsg. übers. u. kommentiert v. Gerhard Krause, BHTh 64, 1981; Theses theologicae de trinitate, 1564; Methodi theologiae, 3 Bde., hrsg. u. mit einem Beitr. v. D. W. Orthii (Oratione de vita et obitu A. H.), 1568; Varia opuscula, 1570. 1571 (1580).

Lit.: Illustrium et clarorum vivorum Epistolae Selevtiores, superiore saeculo scriptae vel a Belgis, vel ad Belgas, 1617, Nr. VII (m. eigenen biograph. Angg. d. H.); – W. Mangold: A. G. H., in: Dt. Zschr. f. christl. Wiss. u. christl. Leben, 1854, Nr. 30-32; – A. Wolters, Ref.gesch. der Stadt Wesel, 1868; – Ernst Friedrich Karl Müller, A. H. Ein Btr. z. seiner Charakteristik, 1895; – Martin Schian, Die Homiletik des A. H. in ihre wiss. Bedeutung u. ihr prakt. Wert, in: ZprTh 18, 1896, 289 ff.; 19, 1897, 27 ff. 120 ff.; – Walter Caspari, Die Bestrebungen des A. H. auf dem Gebiet der prakt. Theol. Eine Stud. z. Gesch. des kirchl. Lebens, in: Festschr. ... dem Prinzregenten Luitpold v. Bayern z. 80. Geb. dargebr. v. der Univ. Erlangen. I: Theol. Fak., 1901, 83 ff.; –E. Chr. Achelis/ E. Sachsse: Die Homiletik u. die Katechetik d. A. H., 1901; – Paul Drews, Die Univ. Gießen II, 1907, 247 ff.; – Fritz Hermann, Hess. Ref.büchlein, 1904, 78 f.; – Oskar Hüttenroth, Die althess. Pfr. der Ref.zeit. 1. Hälfte (A-N), 1953; – J. Hovius, Hs. geschrift de synodis annuis (van de jaarlijkse synoden), 1958; – Friedrich Wilhelm Kantzenbach, in: Jb. der hess. kirchengeschichtl. Ver. 9, 1958, 55-82 (m. Bibliogr.); – Peter Kawerau, Die Homiletik des A. H., in: ZKG 71, 1960, 66-81; – Dieter Frielinghaus, Ecclesia u. vita. Eine Unters. z. Ecclesiologie des A. H. (Diss. Göttingen, 1956), Neukirchen-Vluyn 1966; – Gerhard Krause, A. H. in der Forsch. seit 1900, in: ThR 34, 1969, 262-280; –Dietfried Gewalt, Zwei wiederdeckte Abendmahlsgutachten v. A. H., in: Jb. der Hess. kirchengeschichtl. Ver. 23, 1972, 33-54; – E. Sehling, Die ev. Kirchenordnungen d. 16. Jh.s VIII, 1965; – Jöcher II, 1798 f.; – Strieder VI, 293-312 (vollst. Biogr. u. Schrr.); – Barth, KD I/2, 581; IV/1,

57; – Weber I, 494; – MGPäd XXVIII, 21 f.; – Schottenloher Nr. 9311-17, Nr. 55311-15; – ADB XIII, 490-492; – NDB X, 108 f.; – RE VIII, 501-506; – EKL II, 227 f.; – RGG III, 502 f.; – LThK V, 575.

Ba

I

IAMBLICHUS, Begründer des syrischen Neuplatonismus, * wahrscheinlich um 250 in Chalkis (Koilesyrien), + wahrscheinlich um 330 nach Christi. – I. war Schüler des Porphyrius, von dem er sich jedoch später distanzierte. Er lehrte in Apameia, wo er möglicherweise eine eigene Schule gründete. Von seinen Schriften sind Teile des Hauptwerkes über Pythagoreische Philosophien erhalten; nicht mehr umtritten ist seine Verfasserschaft von »De mysteriis«; verlorengegangen sind u. a. die Schriften über die Götter und über die Seele sowie Kommentare zu Plato und Aristoteles. – Die Lehre des I. besteht in einer Fortführung des Plotinischen Systems. Er vermehrt die Zahl der Hypostasen, wobei dem Triadischen besondere Bedeutung zukommt. Mit Hilfe pythagoreisch-chaldäischer Elemente gelingt ihm die Umformung des hypostasischen Stufenbaus zu einem griechisch-orientalischen Pantheon. Zentrale Bedeutung kommt bei I. der Theurgie zu; Mantik und Magie finden ihre theoretische Begründung. Der bis dahin mehr oder weniger willkürlichen Platointerpretation gibt er eine exegetische Methode an die Hand. – I. hat entscheidenden Anteil an der Entwicklung des Neuplatonismus. Gestützt auf seine synkretistisch-theurgische Theologie suchte Kaiser Julian die Restauration des Heidentums durchzusetzen. I.s Einfluß reicht über Proklos bis zu Dionysios Arepapita. In der Renaissance wird er durch Marsilio Ficino wiederentdeckt.

Werke: Von seinem Hauptwerk in 10 Bdn. sind erhalten die Bde. 1, 2, 3, 4, 7: De vita Pythagorica liber, ed. L. Deubner, Leipzig 1937, überarb. Ausg. U. Klein, Stuttgart 1975, übers. M. v. Albrecht, Zürich/Stuttgart 1963; Adhortatio ad philosophiam (Protrepticus), ed. H. Pistelli (Leipzig 1888) Stuttgart 1967, übers. O. Schönberger 1984; De communi mathematica scientia liber, ed. N. Festa, Leipzig 1891; In Nicomachi arithmeticam introductionem liber, ed. H. Pistelli, Leipzig (1894) 1904, überarb. Ausg. U. Klein, Stuttgart 1975; Theologumena arthmeticae, ed. V. de Falco, Leipzig 1922, überarb. Ausg. U. Klein, Stuttgart 1975; darüber hinaus sind erhalten: De mysteriis Aegyptorum, ed. G. Panthey (1857) 1965, Les Mystères d'Egypte (griech./frz.), ed. u. übers. E. des Places, 1966; J. de Chalcis, exégète et philosophe, testimonia et fragmenta exegetica, ed. B. Dalsgaard Larsen, 1972; In Platonis dialogos commentariorum fragmenta (griech./angl.), ed. m. Übers. u. Komm. J. M. Dillon, Leiden 1973.

Lit.: K. Kasche, De I. libri qui inscribitur de mysteriis auctore (Diss. Münster), 1911; – R. Asmus, Der Alkibiades-Komm. des I. als Hauptquelle für Kaiser Julian, SHAW 1917; – J. Bidez, I. et son école, in: REG 32 (1919) 29-40; – R. Cadiou, A travers le Protreptique de I., in: REG 63 (1950) 58-73; – André Jean Festugière, La révélation d'Hermès Trismégiste 3 (1953) 177-264; – Ders., Traité de l'âme, 1953; – Martin Sicherl, Die Hss., Ausg. u. Übers. v. I.s De mysteriis, 1957; – Ders., BYZ 53 (1960) 8-19; – Ph. Derchain, Pseudo-I. Chronique d'Egypte 38 (1963) 220ff.; – Elmar Habrich, I. Babyloniacorum reliquiae, 1964; – Friedrich W. Cremer, Die chaldäischen Orakel und I. de

mysteriis (Diss. Köln), 1969; – Peter Crome, Symbol und Unzulänglichkeit der Sprache. I., Plotin, Porphyrios, Proklos, 1970; – H. D. Saffrey, Plan de libres I et II du De mysteriis de I. Zetesis. Festschr. f. E. de Stracker (1973) 281-295; – De I. à Proclus. 9 exposés suivis de discussions. Entretiens prep. et présidés par Heinrich Dörrie (1974), 1975; – Stephen Gersh, From I. to Eriugend, 1978; – Bartel Leendert van der Waerden, Die gemeinsame Quelle der erkenntnistheoretischen Abhandlungen von I. und Proklos, 1980; – Clemens Zintzen, Bemerkungen z. Aufstiegsweg der Seele in I.s De mysteriis, in: Platonismus und Christentum, Festschr. f. Heinrich Dörrie, hrsg. Horst-Dieter Blume u. Friedrich Mann = JAC Erg.bd. 10 (1983), 312-328; – Kl. Pauly II, 1305 f.; – LThK V, 588 f.; – Pauly-Wissowa XVII, 646-651; – RGG III, 528 f.

Bo

IBAS, syrisch Yehiba, meist verkürzt Hiba (lateinisch Donatus), Bischof von Edessa (syrisch Urhai, heute: Urfa) von 435 bis 457, + 28.10.457. – I. war Presbyter und Vorstand an der theologischen Schule von Edessa. Durch seine Übertragungen der Schriften des Aristoteles, des Theodor von Mopsuestia (+ 428) und des Diodor von Tarsus (+ 394) erhielt er den Beinamen "der Übersetzer". Mit seinem Bischof Rabbula nahm er am 3. ökumenischen Konzil von Ephesus (431) teil, wo beide auf einem Gegenkonzil Johannes von Antiochien gegen die Anathematismen Cyrills, der Nestorius verurteilt hatte, zur Seite standen. Als Rabbula kurz darauf antitheodorisch wurde und die Christologie Cyrills förderte, widersetzte sich I. seinem Bischof und wurde daraufhin 433 aus Edessa ausgewiesen. Wahrscheinlich verfaßte er in dieser Zeit seinen berühmt gewordenen Brief an den befreundeten Bischof Mari (Mares) von Hardaschir (Seleukia), in dem er Cyrill des Apollinarismus (nach Apollinaris von Laodicea, + 385/95) beschuldigte und Nestorius vor der Häresie des Samosateners (nach Paulus von Samosata, um 260 Bischof von Antiochia) warnte. Obwohl die von I. vertretene, gemäßigt antiochenische Christologie bereits an Einfluß verlor, war es wohl der Kraft seiner Persönlichkeit zu verdanken, daß er dennoch 435 als Nachfolger Rabbulas zum Bischof von Edessa gewählt wurde. Seine Gegner beschuldigten in der Folgezeit den "kecken und ungeistlichen" Bischof (Dioskur) der Simonie und des Nepotismus sowie der Unterschlagung kirchlichen Eigentums. Zudem wurde er mehrfach als Nestorianer der Häresie angeklagt und vor Gericht zitiert, ohne jedoch schuldig gesprochen zu werden. Dioskur, der Nachfolger Cyrills, ließ auf der 449 in Ephesus tagenden "Räubersynode" die bedeutendsten antiochenischen Theologen, darunter auch I., absetzen. Auf dem 4. ökumenischen Konzil von Chalkedon (451) wurde der Nestorianismus zwar verurteilt, I. aber zusammen mit den anderen Antiochenern rehabilitiert und wieder in sein Amt eingesetzt. Bis zu seinem Tode am 28.10.457 hatte I. mit großen Anfeindungen zu kämpfen, denn die Auseinandersetzungen zwischen Mono- und Dyophysiten verschonten auch Edessa nicht. Ein Jahrhundert später wurde I.'s Brief an Mari im sogenannten Dreikapitelstreit durch ein Edikt des Kaisers Justinian (544) und durch das 5. ökumenische Konzil von Konstantinopel (553) als zweites der drei Kapitel wegen vermeintlich nestorianischer Christologie anathematisiert, die Orthodoxie des I. blieb aber unangetastet, da ihm die Verfasserschaft abgesprochen wurde. – I. v. E. war als Vertreter der antiochenischen Schule eine einflußreiche Persönlichkeit mit eigenständigem Urteilsvermögen und machte sich als Übersetzer und als Bischof über die Grenzen der Stadt Edessa hinaus einen Namen. Der von Dioskur überlieferte polemische Satz, den er I. in den Mund legt, »Ich fühle keinen Neid gegen Christus, daß er Gott geworden ist, denn auch ich kann es werden, wenn ich will« verzerrt den gemäßigten Nestorianismus des Schülers Theodor von Mopsuestias in eine extrem adoptianische Christologie. Der Brief an Mari, in dem er sowohl Cyrill als auch Nestorius kritisiert, erweist sich als wichtiges Dokument von antiochenischer Seite in den christologischen Auseinandersetzungen des 5. Jahrhunderts.

Werke: Brief des Ibas an den persischen Bischof Mari: ACO II 1, 3, 32-34.

Lit.: Rubens Duval, Histoire politique, religieuse et littéraire d'Edesse jusq'à la première croisade, 1892; – Ders., La Litérature syriaque, 1900; – Ludwig Hallier, Untersuchungen über die edessenische Chronik, in: TU IX, 1, 1892, 1-170; – J. B. Chabot, L'École de Nisibe, in: JA 25, 1896; – Johannes Flemming, Die Akten des Ephesinischen Konzils vom Jahre 449, 1917; – Paulus Peeters, La vie de Rabboula, in: RSR 18, 1928, 178-203; – E. R. Hayes, L'École d'Edesse, 1930; – Adhémar d'Ales, La lettre d'Ibas à Marès le Persan, in: RSR 22, 1932, 5-25; – Luise Abramowski, Der Streit um Diodor und Theodor zwischen den ephesinischen Konzilien, in: ZKG 67, 1955/56, 252-287; – Vahan Inglisian, Die Beziehungen des Patriarchen Proklos von Konstantinopel und des Bischofs Akakios von Melitene zu Armenien, in: OrChr 11, 1957, 35-50; – Ortiz de Urbina, Patrologia Syriaca, 1958, 91 ff.; – Ernst Kirsten, Art. Edessa, in: RAC 6, 1966, 552-597; – Judah Benzion Segal, Edessa »the blessed City«, 1970; – Hendrik J. W. Drijvers, Old Syriac (Edessean) Inscriptions. 1972; – Ders., Art. Edessa, in: TRE IX, 1982, 277-288; – RE³ VIII. 611 f.; – Bardenhewer² IV, 410 f.; – Chalkedon III, 932; – LThK V. 590; – RGG³ III, 552; – ODCC, 674; – Altaner⁷, 347 f.; – ACO II, 1, 3, 7-11 (Zu: Chalkedon, 451); – ACO IV, 1, 240-242 (Zu: Dreikapitelstreit); – EC VI, 1533; – Baumstark, 101.

Hal

IBN al-Fadl, vollständiger Name Abu 'l-fath Abdallah ibn al-Fadl ibn Abdallah al-Mutran al-Antaki, melchitscher Diakon, theologischer Schriftsteller, Übersetzer, * ca. 1000-1020, weitere Lebensdaten sind unbekannt. – Die einzige Quelle einer Biographie des I. sind die Überschriften seiner Werke. So wurde er in Antiochien geboren, sein Großvater war dort Bischof. I. wurde als Anhänger der Reichskirche Diakon in der Metropole des syrischen Christentums. Der Zeitraum seiner schriftstellerischen Tätigkeit kann nur sehr schwer festgelegt werden, einzelne Werke sind jedoch fest in das Jahr

1052 datiert. So kann zumindest ein Teil seines Schrifttums der Mitte des 11. Jahrhunderts zugeordnet werden. Neben seinen zahlreichen Übersetzungen griechischer Texte und seinen Exzerpten, Kompilationen und Sammlungen zu biblischen Stoffen verfaßte der in der profan-antiken und patristischen Literatur äußerst belesene I. theologische Schriften lehrhafter Art. Der größte Verdienst I.s liegt in der Überlieferung wichtigen Studienmaterials für die theologische Bildung aus dem griechischsprachigen Raum an die arabischen Christen. I. gilt als der fruchtbarste aller chalcedonensisch denkenden Schriftsteller seiner Zeit.

Werke: Psalmen, Evangelien u. Paulusbriefe, hrsg. Aleppo 1706 u. ö.; Homilien des Johannes Chrysostomos zu Genesis, Matthäus und Johannes, hrsg. Beirut/Damaskus 1863; Übers. d. 88 Homilien des J. Chrysostomos zum Johannesevangelium, Tafsir bicharat al-qiddis Yuhanna alinchili at-ta-ulugus (Erklärung der Verkündigung des hl. Johannes, des Evangelisten, des Theologen), 1. Bd., Hom. 1-25, hrsg. v. Gabriel Gabrus, Suwair 1836, vollst. Ausg. Kairo 1885; Übers. d. 90 Homilien des J. Chrysostomos zum Matthäusevangelium, Tafsir bicharat al-fadil Matta rasul Yasu al-Masih (Erklärung der Verkündigung des ehrwürdigen Matthäus, des Apostels Jesu Christi), 2 Tle., Kairo 1884-85; Ma'ani nafi'a lin-nafs (für die Seele nützliche Gegenstände), hrsg. v. Paul Pbath, in: Vingt Traités, Kairo 1929, 131-148; Widerlegung der Astrologen in philosophischer Betrachtungsweise, hrsg. u. übers. v. Georg Graf, in: Orientalia NS 6 (1937), 337-346; – Übers. d. 34 Homilien des J. Chrysostomos zum Hebräerbrief mit einer Vorrede u. Glossen des Übersetzers, z. Tl. hrsg. v. Ignatius Ephräm I., in: al-Machalla al batriyarkiya as-suryaniya 6 (1939), 31-42.

Lit.: L. Saiho, in: Al Machriq 9 (1906), 886-890, 944-953; – C. Bacha, S. Jean Chrysostomos dans la littérature arabe, in: Chrysostomiká I, Rom 1908, 172-187; – Georg Graf, Psychological Definitionen aus dem »Großen Buch des Nutzens« von Abdallah I., in: Studien zur Geschichte der Philosophie, FS Clemens Bäumker, BGPhMA suppl., Münster/Westf. 1913, 55-77; – ThQ 95 (1913), 186-192; – Graf II, 52-64; – LThK V, 590 f.

Ty

IBN at-Tajjib, vollständiger Name Abu'l Farag Abdallah ibn at-Taiyib al Iraqi, nestorianischer Mönch, Schriftsteller, Philosoph, Arzt, Priester, * gegen Ende des 10. Jahrhunderts, + im Oktober 1043 in Bagdad. – Nach seinem Studium der Medizin wirkte I. um 1015 als Arzt in dem nach seinem Gründer Adud ad-Daula benannten Hospital al-Adudiya in Bagdad. Um den Arzt und Lehrer I. sammelte sich mit der Zeit eine zahlreiche Schülerschar. I. leitete die Wahlsynode der syrisch-nestorianischen Kirche, welche Elias I. zum Katholikos erhob. Als dessen Sekretär fertigte er im Jahre 1028 die kirchliche Approbation für den Bericht des Elias von Nisibis über seine »Sieben Sitzungen« an. Unter dem Katholikos Yuhanna ibn Nazuk trat I. als Patriarchatsekretär auf. I. schrieb in arabischer Sprache zahlreiche dogmatische, exegetische und kanonistische Werke, sowie Übersetzungen aus dem Syrischen. Jedoch ist von seinem literarischen Werk nur ein Bruchteil erhalten. I. verfaßte zahlreiche Lehr- und Erläuterungsschriften zu den naturwissenschaftlichen und medizinischen Werken des Hippokrates und des Galenus, ferner zu den logischen und metaphysischen Schriften des Aristoteles. Als sein Hauptwerk auf theologischem Gebiet gilt der Kommentar zur ganzen Bibel »Firdaus annasraniya« (Paradies der Christenheit), das größte exegetische Sammelwerk in der christlichen arabischen Literatur. Weitere exegetische Werke sind sein Psalmkommentar »Arraud an-nadir fi tafsir al-mazamir« (Der blühende Garten – Erklärung der Psalmen) mit einer einführenden Abhandlung über Einteilung, Ursprung und Zweck des Psalters und über den Vortrag und die sprachlichen Eigenheiten der Psalmen, eine Übersetzung und Erklärung des Tetraevangeliums sowie mehrere kleinere exegetische Kommentare. Als bedeutendstes unter den dogmatischen, ethischen und kanonistischen Werken gilt I.s apologetisches Kompendium »Al-usul ad-diniya ar-rabbaniya« (Die Grundlagen der Religion des Herrn). In der Rechtssammlung »Fiqu an-Nasraniya« (Das Recht der Christenheit) übersetzte und kompilierte I. alte syrische Kanonessammlungen und Rechtskompendien, die er zu einem Sammelwerk vereinigte. I. gilt beim aktuellen Stand der Forschung als der Übersetzer des syrischen Diatessaron des Tatian ins Arabische. Die kirchenhistorische Bedeutung des vielseitig begabten und gelehrten Nestorianers I. wird begründet durch sein reiches und vielseitiges schriftstellerisches Werk auf naturwissenschaftlichem, philosophischem, theologischem und kirchlichem Gebiet. Sein großes tradierendes und lehrendes Interesse steht stellvertretend für die Nestorianer als eifrige Vermittler griechischer Wissenschaft, Philosophie und Theologie an die Araber.

Werke: Diatessaron, hrsg. v. Augustinus Ciasco, Rom 1888; Firdaus annasranija (Paradies der Christenheit), z. Tl. hrsg. v. fransis Miha'il, Kairo 1898, 49, 236-240; Ar-Raud an-nadir fi tafsir al-mazamir (Der blühende Garten – Erklärung der Psalmen), z. Tl. hrsg. v. Yusuf Manqurius u. Habib Girgis, Kairo 1902; Tafsir al-machriqi, hrsg. v. Yusuf Manqurius, Bd. 1, Kairo 1908, Bd. 2, ebd. 1910; Maqala fi 'l-'ilm wal-muchiza (Abhandlung über die Wissenschaft und das Wunder), hrsg. v. Paul Sbath, Vingt Traités, Kairo 1929, 179 f.; Fiqu an-Nasraniya (Das Recht der Christenheit), hrsg. v. W. Hoenerbach u. O. Spies, in: CSCO 161-162 (1956), 167-168 (1957).

Lit.: G. Chr. Storr, Dissertatio..... de evangeliis arabicis, Tübingen 1775, 44-47; – Paul de Lagarde, Die vier Evangelien, Leipzig 1864, 16 f.; – Karl Georg Bruns u. Eduard Sachau, Syrisch-römisches Rechtsbuch aus dem 5. Jh., Bd. II, Leipzig 1880, 176 ff.; – Ignazio Guidi, Le traduzioni degli Evangelii in arabo e in etiopico, Rom 1888, 14, 19, 23 f.; – Ernst Sellin, in: Theodor Zahn (Hrsg.), Forschungen zur Geschichte des neutestamentl. Kanons und der altkirchlichen Literatur IV, Leipzig 1891, 243-245; – O. Braun, Das Buch der Synhados, Stuttgart 1900, 315 ff.; – Arthur Hjelt, Die altsyrische Evangelienübersetzung und Tatians Diatessaron, in: Theodor Zahn (Hrsg.), Forschungen zur Geschichte des neutestamentlichen Kanons und der altkirchl. Literatur VII, Leipzig 1903, 68 f.; – Georg Graf, Die Philosophie und Gotteslehre des Jahja ibn 'Adi und späterer Autoren, Münster/Westf. 1910, 48-51; – Eduard Sachau, Syrische Rechtsbücher, Bd. 2, Berlin 1908, 23, 190-204, Bd. 3, Berlin 1914, 16 f., 289-344; – A. J. B. Higgings, The Arabic Version of Tatians Diatessaron, in: JThS 45 (1944), 187-199; – Brockelmann I, 482, I², 635, Suppl. I, 884; – Graf I, 152 ff.; II, 162-176; – DThC XI, 276 ff.; – LThK V, 591.

Ty

IBN DAUD, Abraham, oder Abraham ben David ha-Levi, abgekürzt RABaD I. bzw. d. Ä., identisch mit Avendauth, jüdischer Geschichtsschreiber, Philosoph und Astronom, * um 1110 in Córdoba, + um 1180 wahrscheinlich als Märtyrer in Toledo. – Von I.s Leben bis 1160 ist wenig bekannt. Fest steht, daß er als Enkel des Isaac ben Baruch Albalia seine Jugendzeit im Haus des Bruders seiner Mutter, Baruch ben Isaac Albalia, in Granada verbrachte. Bei diesem erhielt er eine umfassende Ausbildung: I. war vertraut mit der jüdischen Tradition, griechischer, arabischer und jüdischer Philosophie, Astronomie, dem Koran und dem Neuen Testament. Wahrscheinlich infolge der Almohadeninvasion ließ sich I. in Toledo nieder. I. übertrug dort zusammen mit dem bekannten Übersetzer Dominicus Gundissalinus arabische wissenschaftliche und philosophische Werke ins Lateinische. Um 1160/61 verfaßte er sein Geschichtswerk »Sefer ha-Kabbalah« (Buch der Überlieferung) zusammen mit den beiden Anhängen »Dibre malkej Jisra el be-Bajjit schnej« (Geschichte der Könige Israels zur Zeit des zweiten Tempels) und »Zikron dibre Romij« (Gedächtnis der Geschichte Roms). Die Historiographie »Sefer ha-Kabbalah« gibt einen Überblick über die Geschichte Israels und führt die ununterbrochene Reihe der Träger der jüdischen Überlieferung bis in die Zeit des Autors auf. Gegen die Karäer, die bedeutendste jüdische Sekte, die die in Mischna und Talmud kodifizierte mündliche Tradition des rabbinischen Judentums scharf ablehnten, wies I. in dem Werk nach, daß die Kette der jüdischen Tradition niemals unterbrochen wurde. Deutlich erkennbar ist das weniger historiographische Interesse des Verfassers, der hier versuchte, die Geschichtsschreibung in den Dienst seiner polemischen Argumentation in der Auseinandersetzung mit der Traditionskritik der Karäer zu stellen. In dem Anhang »Zikron dibre Romij« griff I. in scharfer Form die Christen an, indem er behauptete, das Neue Testament sei eine Fälschung Konstantins. Ebenfalls um 1160 entstand das religionsphilosophische Werk »Al-aqida al-Rafi'a« (Der erhabene Glaube). I. versuchte hier den Nachweis einer Vereinbarkeit von Glauben und Wissen. Das Werk gilt als der erste an dem arabischen Aristotelismus orientierte philosophische Entwurf im Umkreis des Judentums. Der Aristotelismus, der in den philosophischen Schulen des Islam bereits vorherrschend war, bekam erst mit I. entscheidenden Einfluß auf die jüdische Philosophie, die bis dahin noch vom Neuplatonismus bestimmt war. Das aristotelische Modell des Gottesbeweises wurde von I. ergänzt: In seiner Konzeption ging er von der Kontingenz allen Seins mit Ausnahme der Existenz Gottes aus. Jede kontingente Wesenheit muß nun ihren Ursprung in etwas haben, das aus sich selbst heraus notwendig existiert. Von dieser Gottesvorstellung des islamischen Aristotelismus leitete I. die Einheit und Einzigartigkeit Gottes ab. Zwischen der wahren Philosophie und der Torah sah er eine völlige Übereinstimmung, da die Torah alle Wahrheiten umschließt. Das astronomische Werk des I. ist verloren. Zwar kann I. als der erste jüdische Aristoteliker bezeichnet werden, aber seine Schrift wurde bald durch das klassische Werk des jüdischen Aristotelismus, den »Dalalat al-Chairin« (Führer der Schwankenden) des Maimonides verdrängt. I. kann dennoch als einer der rationalistischsten jüdischen Philosophen seiner Zeit betrachtet werden. Seine religionsphilosophische Schrift kennzeichnet die Wende zum Aristotelismus in der jüdischen Philosophie des Mittelmeerraumes. Das »Buch der Überlieferung« hatte noch bis ins 19. Jahrhundert hinein Einfluß auf die jüdische Geschichtsschreibung. Seine Bedeutung liegt weniger in seiner historischen Darstellung als in seinem Zeugnis jüdischen Lebens und Denkens im Spanien des 12. Jahrhunderts.

Werke: Al-aqida al-rafi'a (Der erhabene Glaube), ins Hebr. übers. v. Samuel ibn Motot: »Ha-Emunah ha-nissa'ah«, 1391, neu hrsg. u. ins Dt. übers. v. Simson Weil, »Sefer ha-Emunah ha-rama«, Frankfurt a. M. 1852, Neudr. 1967; Sefer ha-Kabbalah (Buch der Überlieferung), ed. prima Mantua 1519, krit. hrsg. v. A. Neubauer, in: Mediaeval Jewish Chronicles I (1887), 47-84, hrsg., engl. übers. u. kommentiert v. Gerson David Cohen, Philadelphia 1967.

Lit.: J. Guggenheimer, Die Religionsphilosophie des Abraham ben David ha-Levi, Augsburg 1850; – D. Kaufmann, Geschichte der Attributenlehre in der jüdischen Religionsphilosophie des MA von Saadja bis Maimuni, 1877, 241-252, 341-360; – Jacob Guttmann, Die Religionsphilosophie des I. aus Toledo, Göttingen 1879; – Ders., Die Beziehungen der maimonidischen Religionsphilosophie zu der des I., in: Judaica, FS Hermann Cohen, Berlin 1912, 135-144; – Wilhelm Bacher, Die Bibelexegese der jüdischen Religionsphilosophen des MA vor Maimuni, 1892, 137-155; – D. Neumark, Geschichte der jüdischen Philosophie des MA, Bd. 1, 1907, 510-523, 566-576; – S. Horovitz, in: Jahresbericht des jüd.-theol. Seminars Breslau 1912, 212-286; – Ismar Elbogen, I. als Geschichtsschreiber, FS Jakob Guttmann, Leipzig 1915, 186-205; – J. Bagen, Sefer ha-Kabbalah de R. A.-Levi b. Daud, Granada 1922; – Marie-Thérèse d'Alverny, Avendauth?, Homenaje a Millás – Vallicrosa, Barcelona 1954, 19-43; – Milton Arfa, I. and the Beginnings of Medieval Jewish Aristotelianism, Ann Arbor/Michigan 1954; – Gerson David Cohen, The Story of the Four Captives, in: PAAJR 29 (1960/61), 55-131; – Jerome Gellmann, The Philosophical »Hassagot« of Rabad on Maimonides »Misnch Torah«, in: New Scholasticism 58, 2 (1984), 145-170; – EJud I, 438 ff.; – EncJud VIII, 1159-1163; – LThK I, 60 f.; – RGG³ III, 552; – TRE I, 388 f.; – UJE V, 523.

Ty

IBN ESRA, Abraham ben Meir, oder Abraham Judaeus, Avenezra, Avenare, arabisch Ibraham abu Ishak ibn al-Majid ibn Ezra, abgekürzt RABa', jüdischer Exeget, Philosoph, Astrologe, Astronom, Grammatiker und Dichter, * wahrscheinlich 1089 in Toledo, + am 28.1. 1164. Der Ort seines Ablebens ist nicht bekannt, es wird jedoch angenommen, daß I. kurz vor seinem Tode noch nach Israel zog, wo er dann auch starb. – Das Leben des I. wird in der Geschichtsschreibung traditionell in zwei Abschnitte unterteilt: Vor 1140 und nach 1140, bzw. sein Leben in Spanien und seine Zeit als in ganz Europa umherziehender Gelehrter. Bei dieser Unterteilung muß jedoch berücksichtigt werden, daß I. möglicherweise bereits in der ersten Phase seines Lebens Marokko, Algerien, Tunis und vielleicht auch Ägypten besucht hat. Über diesen ersten Lebensabschnitt ist wenig bekannt. Die Nachrichten aus seinem Leben zu dieser Zeit beschränken sich auf die Tatsachen, daß I. sich nach einer intensiven und umfangreichen Ausbildung einen Namen als Dichter und Gelehrter unter den spanischen Juden machte, und bedeutenden jüdischen Zeitgenossen seiner Umgebung, wie Josef ibn Zaddiq und Jehuda ha-Levi, bekannt war. I. hatte offensichtlich fünf Kinder, von denen jedoch vier in jungen Jahren starben. Sein fünfter Sohn Isaak verließ Spanien kurz vor oder gleichzeitig mit seinem Vater, und ging als Dichter nach Bagdad. Im Jahre 1140 verließ I. Spanien und machte sich auf den Weg nach Rom. Fünf Jahre später finden wir ihn in Lucca, der Hauptstadt der Toscana. Von dort zog I. über Mantua und Verona (1145-46) nach Narbonne in die französische Provence. Der Weg seiner Wanderung läßt sich über Béziers, Rouen und Dreux bis hinauf nach England verfolgen. 1158 kam I. nach London, von dort kehrte er zurück nach Norbonne, wo er schließlich im Jahre 1161 eintraf. Alle wichtigen Werke I.s sind in den mehr

als zwei Jahrzehnten seiner Wanderschaft dieser zweiten Lebensphase entstanden. Eine herausragende Stellung innerhalb seines Werkes nehmen die exegetischen Kommentare ein. I. verfaßte Kommentare zum Pentateuch, zu den Geschichtsbüchern Jesaja, den zwölf Propheten, dem Psalter, Hiob und Daniel. Es wird angenommen, daß I. auch zu anderen Büchern des Alten Testamentes exegetische Kommentare verfaßt hat, die jedoch verloren sind. Bei seiner Bibelauslegung schloß sich I. nicht der zu seiner Zeit weit verbreiteten Methode an, die Texte Vers für Vers allegorisierend auszulegen, sondern er versuchte, den literarischen Sinn zu erfassen, indem er großen Wert auf ausführliche etymologische und grammatikalische Erklärungen legte. I.s grammatikalische Lehrwerke gaben den europäischen Gelehrten seiner Zeit erstmalig die Möglichkeit, durch ihre Ausführlichkeit und Verständlichkeit mehr als nur rudimentäre Kenntnisse der hebräischen Sprache zu erlangen. Die Philosophie des I. ist zwar noch vom Neuplatonismus geprägt, jedoch sind bereits aristotelische Züge, abweichend von der Linie Issak ben Salomon Israelis, festzustellen. Weiterhin befaßte sich I. in seinem Schrifttum mit der Astronomie, der Astrologie, sowie mit mathematischen und kalendarischen Arbeiten. Schließlich verfaßte er einige Prosaschriften und zahlreiche weltliche und religiöse Gedichte. Durch sein vielschichtiges und umfangreiches literarisches Werk gilt I. als hervorragende Gestalt in der Geschichte des mittelalterlichen jüdischen Denkens. Ein großer Teil seiner religiösen Dichtung wurde in die synagogale Liturgie übernommen, seine Bibelkommentare wurden zu Standardwerken, und noch lange nach seiner Zeit galt der überaus bedeutende spanisch-jüdische Sprachwissenschaftler I. als "Vater der hebräischen Sprache". Auch seine astrologischen und astronomischen Werke hatten einen weitreichenden Einfluß. Sie gehören zu den wichtigsten Quellen algebraischer und trigonometrischer Kenntnisse in der Renaissancezeit. In zahlreichen volkstümlichen Legenden wurde I. als äußerst bescheidener Mann beschrieben, der es stets ablehnte, Gefälligkeiten von anderen anzunehmen, der über seine eigene Armut scherzte, und durch seine große Weisheit vielen, die ihn um Rat fragten, eine große Hilfe war.

Werke: Wolf Benjamin Heidenheim (Hrsg.), Abraham I., Mo'zne leschon ha-Qodesch, Offenbach 1791; Gabriel Hirsch-Lippmann (Hrsg.), Sefer sahut, Fürth 1827; Miqra'ot gedolot, 5 Bde., Wien 1859, Neudr. Jerusalem 1958/59; Michael Friedlaender (Hrsg.), Heteq perusch ha-Ra'aba al ha-Torah, in: Ders., Essays on the Writings of I., London 1877; Jacob Egers (Hrsg.), Diwan des Abraham I. mit seiner Allegorie »Hei ben mezik«, Berlin 1886; Jehuda Leb Fleischer (Hrsg.), Sefer I., le-Sefer schemot, Wien 1926, Neudr. Tel Aviv 1970; José Maria Millás Vallicrosa (Hrsg.), El libro de los fundamentos de las Tablas astronómicas de R. Abraham I., Madrid/Barcelona 1947; Hajjim Schirmann (Hrsg.), Abraham I., ha-Schirah ha-Ivrijt bi-Sfarad ubap Provence, Jerusalem ¹1954 = ²1961, 569-623; Kitbe R. Abraham I., 5 Bde., Jerusalem 1970-72; Bibliogr. in: EJud VII, 350 f.

Lit.: S. D. Luzzatto, in: Kerem Hemed 4 (1839), 132 ff.; – Abraham Geiger, Jüd. Dichtungen der span. und ital. Schule, Leipzig 1856; – Wilhelm Bacher, I.s Einleitung zu seinem Pentateuchkommentar, Wien 1876; – Ders., I. als Grammatiker, Straßburg 1882; – Ders., in: Ozar tov 18 (1891), 1-51, 19 (1892), 55-108; – Michael Friedlaender, Essays on the Writings of I., London 1877; – D. Kaufmann, in: MGWJ 33 (1884), 327-332; – D. Rosin, Reime und Gedichte des I., Breslau 1885-1894; – Ders., Die Religionsphilosophie des Abraham I., in: MGWJ 42 (1898), 43 (1899); – L. Orschansky, Abraham I. als Philosoph, Breslau 1900; – R. Levy, The Astrological Works of I., London 1927; – Ders.,

F. Cantera, The Beginning of Wisdom, An Astrological Treatise by Abraham I., London 1939; – D. Herzog, Bemerkungen zu I., dem "Historiker", in: MGWJ 81 (1937), 422-438; – José Maria Millàs, The Works of Abraham I. in Astronomy, in: Tarbiz 9 (1938), 306-322; – Ders., Sobre la autenticidad de una obra astronómicas de R. Abraham I., in: Sefared 8 (1948), 136-139; – G. Vadja, Introduction à la pensée juive du moyen âge, Paris 1947, 109 ff.; – N. Ben Menahem, in: Sinai 10 (1942), 267-287, 11 (1942), 370, 20 (1947), 237-240, 24 (1949), 68-71, 230-235, 29 (1951), 271-317, 41 (1957), 19-36; – Ders., in: Arashet (1944), 361-371; – Ders., Mi-Ginzei Yisrael be-Italyah, 1954 f.; – Ders., in: Sefer ha-Bescht (1960), 107-111; – Ders., in: Fourth World Congress of Jewish Studies Papers 2 (1968), 51 ff.; – Leo Prijs, Die grammatikalische Terminologie des Abraham I., Basel 1950; – P. R. Weiss, in: Meliah 1 (1944), 35-53, 2 (1946), 121-124, 3/4 (1950), 188-203; – A. M. Habermann, in: Jewish Book Annual 24 (1966/67), 61-64; – Ders., in: Sefer Hayyim Schirmann (1970), 79-91; – Ascher Weiser, RABa'ke-Farsin, in: Sinai 62 (1967/68), 113-126; – H. R. Rabinowitz, in: Shanah be Shanah 9 (1968), 207-217; – Israel Levin, Abraham I., ha-Jjav we-Schirato, Tel Aviv 1969; – Hermann Greive, Glaube und Einsicht, Jehuda ha-Levi und Abraham I., in: Emunah 7 (1972), 184-189; – Ders., Studien zum jüd. Neuplatonismus, Die Religionsphilosophie des Abraham I., Berlin 1973 (Lit.); – Ders., Jehuda ha-Levi und die philos. Position des Abraham I., in: Judaica 29,4 (1973), 141-148; – Etan Levine, Codex Vaticanus hebraicus 38: I.s Pentateuchal Commentary, in: Manuscripta 19,2 (1975), 116-119; – Winter-Wünsche II, 185-190, 289-306; – EC VI, 1534 f.; – EDR II, 1756; – ERE VII, 67 f.; – JewEnc VI, 520-524; – LThK I, 61; – RGG³ III, 552; – TRE I, 389-392; – UJE V, 523-525.

Ty

IBN ESRA, Mose ben Jakob ha-Salah, oder **Abu Harun Musa**, spanisch-jüdischer Dichter, Linguist und Philosoph, * ca. 1055 in Granada, + nach 1135. – I. gehörte einer der prominentesten Familien seiner Zeit in Spanien an. In seiner Jugend wurde ihm als Schüler des Isaak ibn Ghayyat in Lucena eine sehr umfassende Ausbildung zuteil. In seiner frühen Zeit als Dichter in Granada förderte I. den jungen Jehuda ha-Levi, und legte damit den Grundstein für eine feste und dauerhafte Freundschaft. Jener herausragende jüdische Dichter des Mittelalters widmete I. mehrere seiner Werke. Die Einnahme Granadas durch die Almohaden im Jahre 1090 bedeutete für I. einen tiefen Einschnitt in seinem Leben. Seine Familie kam entweder um oder wurde in alle Himmelsrichtungen zerstreut, I. selbst gelang es, in den christlichen Teil Spaniens zu fliehen. Die nun folgenden Jahre waren für ihn angefüllt mit Unglück und bitteren Enttäuschungen. I. durchzog fast den gesamten christlichen Teil der iberischen Halbinsel, doch konnte er sich nirgends in das eher einfache Leben seiner Glaubensgenossen integrieren. Schließlich war I. gezwungen, die Unterstützung freigiebiger Gönner zu suchen, für die er für Lohn und Unterkunft schmeichelnde Loblieder dichtete. I. starb fern von seinem Geburtsort. Die Lebensfreude, die I. in seinem dichterischen Werk zum Ausdruck brachte, steht in krassem Gegensatz zu den äußeren Umständen seines Lebens, insbesondere in den späteren Jahren. I.s Gedichte zeichnen sich besonders durch ihren Gedankenreichtum und durch ihren äußerst komplexen Aufbau aus. Neben seinem poetischen Werk untersuchte I. die theoretischen Grundlagen der Dichtkunst und der Rhetorik. Einige seiner Dichtungen können als lehrhafte Muster dieser Literaturgattungen bezeichnet werden. Das philosophische Werk I.s tritt demgegenüber in den Hintergrund. Charakteristisch für seinen neoplatonischen Ansatz ist die Konzeption des Menschen als Mikrokosmos, der durch sein Menschsein die ihm innewohnende Seele daran hindert, Gott klar zu erkennen. I.s weltliche Dichtungen können als die sinnlichsten der jüdisch-spanischen Schule bezeichnet werden, er selbst gilt als fähiger Linguist, kraftvoller Poet und unumstrittener Meister der hebräischen Dichtkunst im Spanien des Mittelalters.

Werke: M. Steinschneider, Catalog der hebr. Hss. in der Stadtbibliothek zu Hamburg, Hamburg 1878, 105 f.; Sefer ha-Arnak, hrsg. v. David Guenzburg, Berlin 1886; Kitab al-Muhadara wa al-Mudhakara, hrsg. v. P. Kokowzoff, 1895, hebr. übers. u. hrsg. v. B. Z. Halper, Shirat Yisrael, Leipzig 1924; H. N. Bialik, H. Rawnitzky (Hrsg.), Shirei Moshe I., Bd. 1, 1928; Al-Maqala bij al-Hadiqa fi Ma'na al-Majaz wa al-Haqiqa, hrsg. v. D. Sassoon; in: Ohel Dawid, Descriptive Catalogue of the Hebrew and Samaritan Manuscripts in the Sassoon Library, London 1932, 410 ff.; H. Brody, S. De Collins Cohen (Hrsg.), Selected Poems of Moses I., Philadelphia 1934; Hajjim Schirmann (Hrsg.), Shirim Haddaschim min ha-Genizah, 1966.

Lit.: L. Dukes, Moses I. aus Granada, Hamburg/Altona 1839; – S. D. Luzzatto, in: Kerem Hemed 4(1939), 85 ff.; – M. Sachs, Die religiöse Poesie der Juden in Spanien, Berlin 1845, 276 ff., – L. Zunz, Literaturgeschichte der synagogalen Poesie, Berlin 1865, 202 ff.; – Wilhelm Bacher, Die Bibelexegese der jüdischen Religionsphilosophen des MA vor Maimuni, 1892, 95-805; – A. Harkavy, in: MGWJ 43 (1899), 133-136; – Saul ben Abdallah Joseph, Mishbezzet ha-Tarsish, 1926; – H. Brody, in: JQR 24 (1933/34), 309 ff.; – Simon Bernstein, New Poems from Spain and France, in: Tarbiz 10 (1939), 1-29; – Benjamin Klar, Titles of Four Books, in: Kiryath Sefer 16 (1939/40), 241-258; – Diez Macho, Mose I., como poeta y preceptista, 1953; – Shlomo Pines, in: Tarbiz 27 (1957/58), 218-235; – Hajjim Schirmann, in: Sefared 1 (1959), 25-37; – D. Yarden, Sefunei Shirah, 1967, 25-37; – A. M. Habermann, Toledot ha-Piyyut we ha-Shirah 1970, 180-182; – D. Pagis, Shirat ha-Hol we Torat ha-Shir le-Mosche I. u-wenei Doro, 1970; – N. Allony, The Reaction of Moses I. to the Arabiyya, in: Tarbiz 42 (1973), 97-112; – EDR II, 1756; – ERE VII, 68; – JewEnc VI, 525 f.; – RGG³ III, 552; – UJE V, 525 f.

Ty

IBN TUFAIL (Abu Bakr Muhammed ben Abd al-Malik ben Muhammed ben Muhammed ben Tufail al-Kaysi), westarabischer Philosoph, Arzt, Mathematiker und Astronom, * 1100 in Wadi-Asch (Guadix) bei Granada, + 1185 in Marrakesch. – I. T., von den christlichen Scholastikern Abubacer (die Latinisierung seines arabischen Namens Abu Bakr) genannt, gehörte dem arabischen Stamm Kays an. Er war zunächst als Arzt in Granada und als Sekretär des dortigen Statthalters tätig, wurde 1154 Sekretär beim Statthalter von Ceuta und Tanger, und schließlich Leibarzt beim Sultan Abu Yakub Yusuf (1163-1184) und bei dessen Nachfolger Abu Yusuf Yakub. Er benutzte seine einflußreiche Stellung, um seinen Freund, den arabischen Philosophen und Aristoteles-Kommentator Averroes (s.d.) bei Hof einzuführen. Als I. T. 1185 starb, wohnte der Sultan dem Begräbnis persönlich bei. – I. T. war als Schüler Avempaces (+ um 1139) mystischer Neuplatoniker. Er wurde berühmt durch sein Hauptwerk, den philosophischen Entwicklungsroman »Hayy Ibn Yagzan« (= Der Lebende, Sohn des Wachsenden (d. h. Gottes), 1671 ins Lateinische übersetzt unter dem Titel »Philosophus autodidactus«). In der Einleitung zu diesem Werk (Untertitel »Die Geheimnisse der illuminativen Philosophie«) bezeichnet I. T. die intuitive Vereinigung mit Gott als den eigentlichen Zweck der Philosophie. Zur Veranschaulichung dieser These schildert der Verfasser dann die geistige Entwicklung eines von Kindheit an auf einer einsamen Insel lebenden Menschen, der allein mittels seiner Vernunft und ohne Offenbarungen von den einfachsten Beobachtungen der Natur über die Philosophie bis zur mystischen Gottesschau gelangt. Die Philosophie des »Hayy« erweist sich bei einem späteren Gespräch mit einem Mohammedaner als identisch mit der islamischen, während die Frömmigkeit »Hayys« als transzendent-mystische Auslegung der geoffenbarten Religionen zu beurteilen ist. Die Philosophie manifestiert in Form des Begriffs auf dem Weg der Schlußfolgerungen, was die mystische Religion in Form der Vorstellung mittels Intuition offenbart. Der Roman war in der Aufklärung weit verbreitet und könnte D. Defoes »Robinson Crusoe« beeinflußt haben.

Werke: E. Pococke, Philosophus autodidactus sive Epistola Abi Jaafar ebn Tophail, de Hai Ebu Yokdhân, 1671 (1700) [arab./lat.]; Léon Gauthier, Hayy ben Yaqdhân, roman philosophique d'Ibn Thofail, 1936 [arab./fr.]; Angel González Palencia, Ibn Tufayl. El filosofo autodidacto, 1948 [span.]; Lenn Evan Goodman, Ibn Tufayl's Hayy Ibn Yaqzân, 1971 [engl.].

Lit.: T. J. de Boer, Geschichte der Philosophie im Islam, 1901; – Duncan Macdonald, Development of Muslim Theology, Jurisprudence, and Constitutional Theory, 1903 (1965), 252-256; – Léon Gauthier, Ibn Thofail, sa vie, ses oeuvres, 1909; – Baronin Cay von Brockdorff, Eine Thomas Hobbes zugeschriebene Handschrift und ihr Verfasser. Spinozas Verhältnis zur Philosophie des Ibn Tophail, 1932; – Baron Carra de Vaux, Les penseurs de l'Islam, 1921-1926; – Ders., Art. Ibn Tufail, in: Enzyklopädie des Islam, 1927, 2, 451-453; – Omar Farrukh, Ibn Tufayl, 1946; – Abdul Hamid Khawaja, The Philosophical Significance of Ibn Tufail's Haiy Ibn Yaqzân, in: Islamic Culture 22, 1948, 50-70; – Pierre Jean Menasce, Arabische Philosophie, 1948, 39; – C. A. Nallino, Raccolta di scritti editi e inediti VI, 1948, 218-256; – Ahmad Amin (Hrsg.), Hayy Bin Yaqzân lī Ibn Sīnā, Ibn Tufayl wa-l-Suhrawardī, 1952; – Youhanna Qumayr, Ibn Tufayl, 1956; – B. H. Siddiqi, The Philosophy of Hai Ibn Yaqzân, in: Pakistan Philosophical Journal 2, 1960, 69-75; – Ders., From Hayy bin Yaqzân to the Children of Light, in: Pakistan Philosophical Journal 8, 1963; – Ders., Art. Ibn Tufail, in: A History of Muslim Philosophy, ed. M. M. Sharif, 1963, I, 533; – J. Saliba/K. Ayyad, Hayy Bin Yaqzân lī Ibn Tufayl al-Andalusī, 1962; – Abd al-Halim Mahmoud, Falsafat Ibn Tufayl wa risālat Hayy Bin Yaqzân, 1964; – K. Nabhani, Ibn Tofaïl, philosophie maghrebin, in: Confluent 39, 1964, 254-268; – Hans-Joachim Kress, Die islamische Kulturepoche auf der iberischen Halbinsel. Eine kulturgeographische Studie, 1968; – Sāmī S. Hāwī, Islamic Naturalism and Mysticism, A philosophic study of Ibn Tufayl's Hayy bin-Yaqzān, 1974; – ERE 7, 72-74; – EItal XVIII, 684 f.; – RSO X, 434-440; – EncF II, 1593 ff.; – Brockelmann I, 460, II, 704; – S II, 831; – EC I, 147 f.; – EI 451-453; – Brockhaus Enzyklopädie I, 77; – Islam Ansiklopedisi 5, II, 829-831; – Überweg II, 312 f., 722; – LThK V, 591.

Hal

IBSEN, Henrik, norwegischer Dramatiker, * 20.3.1828 in Skien als Sohn des Kaufmanns Knud I. und seiner Ehefrau Marichen, geb. Altenburg, + 23.5.1906 in Oslo. – Die ersten sechs Jahre seiner Kindheit verlebte I. in seinem Geburtsort, einer kleinen Handelsstadt an der norwegischen Südküste. Als sein Vater als Grossist Konkurs anmelden mußte, zog die Familie 1835 mit den vier Kindern auf den Hof Venstøp, nördlich von Skien. H.s Mutter versuchte den sozialen Abstieg in ihrer melancholischen Frömmigkeit zu überwinden, während der Vater nun täglich um das materielle Überleben kämpfen mußte. Geprägt von den Folgen der Deklassierung, war I. ein sehr introvertiertes Kind, das sich am liebsten zum Lesen – besonders der Bibel – zurückzog und davon träumte, Maler zu werden. Nach Abschluß der Bürgerschule in Skien kam I. auf eine kleine Privatschule, da der Vater kein Geld für die weiterführende Lateinschule besaß. Anfang der 40er Jahre vermittelte ihm eine dänische Gastspielgruppe die ersten Eindrücke vom Theater. Nach Beendigung der Schule im Frühjahr, wurde I. am 1.10.1843 konfirmiert. Am 3. Januar 1844 trat I., der nun selbst für sich sorgen mußte, seinen Dienst als Apothekerlehrling in Grimstad an. Aus der Liebe zu einem Dienstmädchen ging ein Kind hervor, für das I. 14 Jahre Unterhalt zahlen mußte. Die enge Bürgerlichkeit in Grimstad motivierte ihn aber, sich aus eigenen Kräften den Weg in eine bessere Zukunft zu bahnen. Nach Dienstschluß las er medizinische Examensliteratur und nebenbei Schriftsteller wie Scott, Voltaire und Kierkegaard. Als 20jähriger verfaßte I. seinen ersten dichterischen Versuch, das Drama »Catilina«, das 1850 unter dem Pseudonym Brynjolf Bjarme veröffentlicht wurde und die seelischen Spannungen und Widersprüche behandelte. Im selben Jahr ließ sich I. in Christiania, dem heutigen Oslo, nieder, um sich auf sein Examen vorzubereiten. Hier wurde sogleich sein zweites Stück »Das Hünengrab« vom Christiania-Theater aufgeführt. Im Abitur erlangte er im Fach Deutsch "Sehr gut", während er sich in Arithmetik und Griechisch Nachprüfungen zu stellen hatte, die er jedoch nie ablegte. Die Jahre 1851-57 sahen I. als Theaterdichter, Bühnendirektor und Regisseur am norwegischen Nationaltheater in Bergen. Es waren I.s Lehrjahre, denn hier gewann er die Erfahrungen und das Handwerkszeug, die die Grundlage seines späteren Werkes und seines Weltruhms werden sollten. Aus seiner vertraglichen Verpflichtung, Stücke zu verfassen, entstanden »Frau Inger auf Östrot« (1854), »Das Fest auf Solhaug« (1855) und »Olaf Liljekrans« (1856), also die frühen Werke I.s, die von der Kritik völlig abgelehnt wurden. Im Sommer 1857 wechselte er als künstlerischer Leiter ans Norwegische Theater nach Christiania. Am 18. Juni 1858 heiratete er in Bergen Suzannah Thoresen, die theaterbegeisterte, emotionale und weltoffene Tochter eines Dompropstes, die viele seiner Frauengestalten beeinflussen und prägen sollte, und ihm am 23.12.1859 den Sohn Sigurd gebar. Das 1858 abgeschlossene Stück »Die Helden auf Helgeland« (Nordische Heerfahrt) bezeichnete eine Zäsur in I.s Schaffen. Einerseits wurde diese psychologische Deutung des Nibelungenthemas sein erster Achtungserfolg, und formal war die retrospektive Dramaturgie hier erstmals konsequent durchgeführt. Andererseits geriet der Dichter in eine tiefe Identitätskrise, der er in dem Gedichtzyklus »Auf den Höhen« (1859) Ausdruck verlieh. Wie der dänische Theologe Sören Kierkegaard erkannte I., daß alles Ästhetische mit dem Ethischen unvereinbar wäre. In der 1862 vollendeten, von allen Seiten verworfenen »Komödie der Liebe« bezweifelte er die Beständigkeit von Gefühlen, während die 1864 von ihm selbst inszenierten »Kronprätendenten« die Legitimität der Berufung in Frage stellten. Als der Dichter im selben Jahr die finanziellen Mittel für einen Auslandsaufenthalt bewilligt bekam, sollte diese Reise, die ihn über Kopenhagen und Berlin nach Italien führte, der 27 Jahre währende Abschied von Norwegen sein. Wenn I. auch emotional mit seinem Heimatland verbunden blieb, so hatte ihn sein Publikum doch schon zu lange eingeengt, enttäuscht und mißverstanden. Daß er hier im Süden endlich die Luft der Freiheit, die er zum Leben und Arbeiten brauchte, atmete, zeigte sich sogleich an dem dramatischen Gedicht »Brand« (1865): Die konsequente Ethik der Hauptfigur, des Priesters Brand, besiegt alles Ästhetische und Persönliche, scheitert aber ihrerseits am unrealistisch-irrationalen Rigorismus. Mit »Peer Gynt« (1867) erreichte I. die sozialpsychologische Phase in seinem Schaffen und sprengte auch in formaler Hinsicht alle Fesseln des traditionellen Theaters: Der wirtschaftliche Bankrott des Vaters in einer ökonomischen Umbruchzeit bewirkt den ödipalen Komplex des Titelhelden, der als Poet vor der Wirklichkeit flieht und erst durch die den christlichen Liebesgedanken repräsentierende Solvejg den Wunsch nach Umkehr verspürt. Die "Mitte der Ibsenschen Dramenproduktion" (G. E. Rieger) bildete das 1873 erschienene Schauspiel »Kaiser und Galiläer«, in dem der Kaiser Julian Apostata an dem Versuch einer Synthese zwischen Antike und Christentum scheitert. Inzwischen nach München übergesiedelt – 1868-75 hatte I. in Dresden gewohnt –, beschrieb er in dem Gegenwartsdrama »Die Stützen der Gesellschaft« (1877) die Bindung einer Gemeinschaft in einer geschichtlichen Übergangsphase an überkommene Konventionen und Traditionen, die jeglichen Fort-schritt verhindern. Bezeichnenderweise begann gerade mit diesem Stück I.s Bühnenerfolg in Deutschland. Seinen Weltruhm aber begründete er mit »Ein Puppenheim« (1879), dem in Deutschland unter dem Titel »Nora« bekanntgewordenen Schauspiel, das den Rollenkonflikt und die Emanzipation zum Thema hat. Die Jahre 1880-85 verbrachte die Familie I. in Rom. Hier entstand das Stück »Gespenster« (1881), das einerseits zum Skandal wurde, weil I. tabuisierte Themen wie Syphilis, Euthanasie und Inzest berührte, andererseits aber wie kein anderes Stück den deutschen Naturalismus beeinflußte. Nach »Ein Volksfeind« (1882) schrieb der Dichter das Familiendrama »Die Wildente« (1884), das die darwinistischen Tendenzen der Gesellschaft offenbart. Nach dem Seelendrama »Rosmersholm« (1886) und dem tiefenpsychologischen Stück »Die Frau vom Meere« (1888) behandelt das 1890 abgeschlossene Drama »Hedda Gabler« die Macht der Konventionen und das Scheitern der Selbstverwirklichung. 1891 kehrte I. ins heimatliche Norwegen zurück. In seinen letzten Stücken »Baumeister Solness« (1892), »Klein Eyolf« (1894) und »John Gabriel Borkman« (1896) kehrte I. thematisch zu dem Problem der Spannung zwischen Berufung und sozialer Selbstverwirklichung zurück. Nach dem von ihm selbst so bezeichneten »Epilog«, dem Drama »Wenn wir Toten erwachen« (1899), erkrankte I. und starb schließlich nach zwei weiteren Schlaganfällen am 23. Mai 1906 in Oslo. Norwegen ehrte einen seiner größten Söhne, der aber nicht nur im eigenen Land teils mißverstanden, teils verkannt worden war, mit einem Staatsbegräbnis. – I. war der Wegbereiter besonders des deutschen Naturalismus (G. Hauptmann, A. Holz, L. Anzengruber) und der "Ahnvater des modernen Dramas". In formaler Hinsicht war seine analytische Dramaturgie – die gegenwärtige Handlung ist das Ergebnis einer Vorgeschichte, die langsam aufgedeckt wird – bahnbrechend und revolutionär. Aus dem traditionellen historischen Drama entwickelte er das prosaisch-analytische Gegenwartsdrama, die Tragödie der Idee, die am Ende keine fertigen Antworten anbietet, sondern zumeist mit einem Fragezeichen schließt. Für den Zuschauer beginnt das eigentliche Drama erst dann, wenn auf der Bühne der letzte Vorhang gefallen ist. Inhaltlich sprach I. als erster tabuisierte Themen wie die sogenannte soziale Frage, Frauenemanzipation, Darwinismus und die gesellschaftlichen Aporien des Bürgertums an. Das eine große Thema seines Werkes ist der Widerspruch zwischen Ethik und Ästhetik, die Spannung zwischen Wille und Möglichkeit, zwischen individueller Freiheit und den gesellschaftlichen Pflichten und Zwängen. Seine Stücke tragen stets stark autobiographische Züge, sie sind aus einer konkreten geschichtlichen Situation entstanden und erweisen sich immer im Sinne Hegels als Beispiele übergeschichtlicher, sozialpsychologischer Konflikte und Ideen. I.s Gesamtwerk, das sich durch einen bis ins Detail reichenden Symbolismus auszeichnet, weist in seiner Konzentration auf das eine reformatorische Thema – nämlich das entfremdete, unfreie, von äußeren Mächten gefangene Ich – den großen norwegischen Dichter als tief religiösen und genuin christlichen Schriftsteller aus.

Werke: H. Is. Sämtliche Werke in deutscher Sprache. Durchgesehen und eingeleitet von Georg Brandes, Julius Elias, Paul Schlenther. Vom Dichter autorisiert. 10 Bde., 1898-1904; H. Is. Nachgelassene Schriften in vier Bänden, hrsg. v. Julius u. Halvdan Koht, (= Sämtliche Werke, Zweite Reihe), 1909; Samlede verker. Hunreårsutgave, hrsg. v. Francis Bull, Halvdan Koht, Didrik Arup Seip, 21 Bde., 1928-57; The Oxford I., ed. by James Walter McFarlane, 8 Bde., 1960-77; Briefe, Ausw., Übers. u. Nachwort v. Anni Carlsson, 1967; H. I., Teil I-II, Übertr. u. hrsg. v. Verner Arpe, 1972; Schauspiele, Übertr. v. Hans Egon Gerlach. Mit einem Vorwort v. Joachim Kaiser, 1968 (³ 1977); Dramen, Aus dem Norwegischen übers. v. Bernhard Schulze, Mit einem Nachwort v. Horst Bien, 1977; – F. Meyen, I.-Bibliographie, 1928; Hjalmar Pettersen, H. I., Bedømt af samtid og eftertid, 1928; Ingrid Tedford, I. bibliography 1928-1957, 1961; Ibsenårbok, 1962 ff (Jahresbibliogrr. seit 1954!); Robert Fallenstein/ Christian Hennig, Rezeption skandinavischer Lit. in Dtld. 1870-1914, Quellenbibliogr. H. I., in: Skandinavistische Stud. Bd. 7, 1977, 162-254.

Lit.: Auguste Ehrhard, H. I. et le théâtre contemporain, 1892; – Henrik Jaeger, H. I., Ein litterarisches Lebensbild, 1897; – Lou Andreas-Salomé, H. I.s Frauengestalten. Nach seinen Familiendramen, ² 1906; – George Bernhard Shaw, The quintessence of Ibsenism. Now completed to the death of I., 1913; – Monty Jacobs, H. I.s Bühnentechnik, 1920; – Georg Brandes, Das I.-Buch, 1923; – Ders., H. I., o. J.; – Roman Wörner, I., 2 Bde., 1900/1910 (³ 1923); – Marianne Thalmann, H. I., ein Erlebnis der Deutschen, 1928; – S. Holm, Moral og religion hos H. I., in: Kirken og Tiden 22, 1946, 1-9; – Brian W. Downs, I.: The intellectual background 1946; – Ders., A study of six plays by I., 1950; – Rosemarie Zander, Der junge Gerhart Hauptmann und H. I., 1947; – Bergliot Ibsen, De tre. Erindringer om H. I., Suzannah I., Sigurd I., 1948; – P. F. D. Tennant, I.'s dramatic technique, 1948; – Ludwig Binswanger, H. I. u. das Problem der Selbstrealisation in der Kunst, Schriften der Psyche 2, 1949, – Clara Stuyver, I.s dramatische Gestalten. Psychologie u. Symbolik, 1952; – Kurt Wais, H. I.s Sinnbilder u. die Krise seines Jh.s, in: Edda 56, 1956, 303-323; – Daniel Haakonsen, H. I.s realisme, 1957; – Rolf Fjelde (Hrsg.), I. A collection of critical essays, 1965; – Ders. Contemporary approaches to I., Bde. 1-5 (Ibsenårbok 1965/66, 1970/71, 1975/76, 1978, 1983/84), 1966/71/77/79/85; – David F. R. George, H. I. in Dtld. Rezeption u. Revision, Palaestra 251, 1968; – Raymond Williams, Drama from I. to Brecht, 1968; – Hans Heiberg, I. A portrait of the artist, 1969; – Åse Hiorth Lervik, I.s verskunst i Brand, 1969; – Fritz Paul, Symbol u. Mythos. Stud. zum Spätwerk H. I.s, 1969; – Ders. (Hrsg.), H. I., Wege der Forschung 487, 1977; – James McFarlane (Hrsg.), H. I. A critical anthology, 1970; – Horst Bien, H. I.s Realismus. Zur Genesis u. Methode des klassischen kritisch-realistischen Dramas, Neue Beiträge zur Literaturwissenschaft Bd. 29, 1970; – Orley I. Holtan, Mythic patterns in I.s last plays, 1970; – Harald Noreng, Die soziale Struktur in I.s Gegenwartsdramen, in: Skandinavistik 1, 1971, 17-38; – Michael Egan (Hrsg.), I. The critical heritage, 1972; – Charles R. Lyons,

H. I. The divided consciousness, 1972; – John Northam, I. A critical study, 1973; – Anneliese Biörnstad-Herzog, H. I.s Bühnenkunst. Stud. zu seinem Dramenbau, (Diss. Zürich), 1974; – Willy Dahl, I., 1974; – Wilhelm Friese (Hrsg.), I. auf der dt. Bühne. Texte zur Rezeption, 1976; – Gerd Enno Rieger, Hedda Gabler – Satisfaktion wird nicht gegeben, in: Skandinavistik 6, 1976, 127-143; – Ders., Noras Rollenengagement, in: Orbis Litterarum 32, 1977, 50-73; – Ders., I., 1981; – Arne Røed, »Right to the pow« –?, in: Ibsenårbok 1977, 122-179; – Knut Brynhildsvoll, Über Rolle u. Identität u. ihr gegenseitiges Verhältnis in Peer Gynt, in: Edda 78, 1978, 95-105; – Ders., Die Antinomie von Drinnen u. Draußen als strukturbildendes Prinzip in den Dramen H. I.s, in: Skandinavistik 9, 1979, 81-104; – Charles Leland, In defense of pastor Manders, in: Modern drama 21, 1978, 405-420; – Jan Kott, Der Freud des Nordens. I. – neu gelesen, in: Theater heute, Heft 12, Dezember 1979, 35-49; – David Thomas, All the plays of the world: reality and myth in »When we dead awaken«, in: Scandinavica 18, 1979, 1-19; – Chiyomi Hara, I., sa vie et son oeuvre, 1980; – Matthias Strässner, I.s analytische Dramatik, in: Ders., Analytisches Drama, 1980, 170-222; – Norbert Glas, Schicksalsmotive im dramatischen Schaffen I.s, 1981; – Richard Hornby, Patterns in I.'s middle plays, 1981; – Renate Mangold, H. I.s Frauengestalten, 1981; – Vera Ingunn Moe, Deutscher Naturalismus u. ausländische Literatur. Zur Rezeption der Werke von Zola, I. u. Dostojewski durch die dt. naturalistische Bewegung (1880-1895), 1981, 7-10, 87-108; – Otto Oberholzer, Nachwort, in: I., H., Dramen, Bd. 2, 1981, 753-796; – Angela B. Edwards, Water in the landscape symbolism of I.'s late outdoor plays, in: Ibsenårbok 1981/82, 23-46; – Wolfgang Butt, Der moderne Durchbruch u. die Zeit bis zur Jh.wende, in: Fritz Paul (Hrsg.), Grundzüge der neueren skandinavischen Literaturen, Bd. 41, 1982, 172-194; – Errol Durbach, I. the romantic: analogues of Paradise in the later plays, 1982; – Ders., I.'s Liberated Heroines and the Fear of Freedom, in: Ibsenårbok 1983/84, 11-23; – Katherine Hanson, I.'s women characters and their feminist contemporaries, in: Theatre History Studies 2, 1982, 83-91; – Christer Westling, Hundert Jahre I.forschung, in: Die nordischen Literaturen als Gegenstand der Literaturgeschichtsschreibung, 407-413; – Astrid Saether, The Female Guilt Complex, in: Ibsenårbok 1983/84, 39-47; – RGG³ III, 553.

Hal

IDA von Boulogne (auch: Ide d'Ardenne, Ide de Lorraine), Selige, * um 1040 in Bouillon, † 13.4.1113. – Die Tochter Gottfrieds des Bärtigen von Lothringen und Nichte Friedrichs von Lothringen (Papst Stephan IX., 1057-1058) heiratete um 1057 den Grafen Eustach von Boulogne. Die Kreuzfahrer Gottfried von Bouillon (s.d.) und Balduin (s.d.), der spätere König von Jerusalem, gingen als Kinder aus dieser Ehe hervor. Nach dem Tod ihres Gatten tat sich I., die in dem berühmten Anselm von Canterbury (s.d.) einen persönlichen Ratgeber hatte, durch reiche Stiftungen an Kirchen und Klöster – besonders an die Abtei St. Vaast (siehe Vedantus) – hervor. An diesem Ort wurde sie auch beigesetzt. Ihr Festtag in der katholischen Kirche ist der 13. April.

Lit.: F. Ducatel, Vie de Sainte Ide de Lorraine, comtesse de Boulogne, 1900; – Franz Diekamp, Die lothringischen Ahnen Gottfrieds von Bouillon, in: Gymnasialprogramm Osnabrück, 1904; – AS Apr IV, 139-150; – Thurston-Attwater II, 85; – Zimmermann II, 52; IV, 37; – BS 636 f.; – Catholicisme V, 1171; – Réau III, 670 f.; – BHL I, 615; – AnBoll XVII, 255; – Torsy, 247; – LThK V, 599.

Hal

IDA von Herzfeld, Heilige, † 4.9.825 oder 813. – I. stammte aus einer sozial hochgestellten Familie (zwei ihrer Brüder wurden Äbte). Mit ihrem Mann, dem Sachsenherzog Ekbert, einem Lehensmann Karls des Großen, gründete sie in Herzfeld im Bistum Münster nach einer Vision eine Kirche, bei der sie später als Witwe

ein sehr zurückgezogenes und frommes Leben führte. 980 wurden ihre Überreste erhoben und es gab Wallfahrten zu ihrem Grab. Besonders verehrt wurde I. von Schwangeren.

Lit.: AS Septembris II, 1748, 260-270; – MG SS II (unv. Neudr. Stuttgart, New York, 1963), 569-576; – M. Strunk, W. Giefers, Westphalia sancta II, 1855 f., 84; – Franz Leisert, Die Hl. I. in ihrer edlen Abstammung, ihrem Leben u. in ihrer ruhmvollen Nachkommenschaft, 1859; – R. Wilmanns, Kaiser-Urkk. der Provinz Westfalen I, 1867, 293, 470-488; – A. Hüsing, I. v. H., 1880; – Ders., WZ 38, 1880, 1-21; – A. Tibus, Gründungsgesch. der Kirchen u. Klöster des Bisthums Münster, 579-586; – Albert Schütte, Die ht. Hl., 1923, 178; – I. Hellinghaus, Die hl. I. v. H., 1925; – J. Herold, St.-I.-Buch, 1925; – Franz v. Sales Doyé, Hll. u. Selige der Röm.-Kath.-Kirche I, 1929, 548; – Johannes Walterscheid, Dt. Hll. Eine Gesch. des Reiches im Leben dt. Hll., 1934, 131; – Klara u. Maria Faßbinder, Der hl. Spiegel. Müttergestalten durch die Jhh., 1941, 102; – Braun, 357; – J. Schakmann, Paulus u. Luidger, 1948, 71-79; – Otto Wimmer, Hartmann Melzer, Lexikon der Namen u. Hll., Innsbruck etc. 1984²; – Wetzer-Welte VI, 569-572; – LThK V, 599-600; – Torsy, 247; – New Catholic Encyclopedia VII, New York etc. 1967, 335.

Co

IDA von Leeun, * zu Beginn des 13. Jahrhunderts in Leeuwen, Brabant, † 1260. Im Alter von 13 Jahren trat I. in das Zisterzienserkloster Rameige ein. Sie widmete sich dort besonders den Wissenschaften, auf ihr Betreiben hin wurde im Kloster eine Schreibstube eingerichtet. I. wurden seherische Fähigkeiten nachgesagt.

Lit.: Vita, Hs., in der Königlichen Bibliothek v. Belgien, codd. 8895 f.; – A. Miraeus, Chronikon Cisterciensis Ordinis, Köln 1614; – G. Molano, Natales Sanctorum Belgii, Douai 1616; – A. Raissius, Auctarium ad natales sanctorum Belgii Molani, Douai 1626; – C. Henriquez, Menologium Cistercience, Antwerpen 1630; – Th. Ploegaerts, Les moniales dans l'ancien Roman pays de Brabant II, Brüssel 1925; – J. M. Canvivez, L'ordre de Viteaux en Belgique, Scourmont 1926, 191 f.; – Herman Bader, Alle Heiligen und Seligen d. röm.-kath. Kirche, Wasserburg 1959², 135; – BS VII, 638 f.; – Catalogus Codicum Hagiographicum I (Brüssel 1886), 222-226; – Catholicisme V, 1173; – Doyè I, 548; – LThK V, 600; – New Catholic Encyclopedia VII, 335; – RHE XXIX (1943), 342-378; – Zimmermann III, 235 f.

Sf

IDA von Löwen, auch I. von Rosendael, Zisterzienserin, Selige, * ca. 1210 im belgischen Löwen (Leuven), † ca. 1290 in Rosendael an der Nethe bei Mecheln. – I. trat um 1233 dem Zisterzienserinnenkloster Rosendael bei, wo sie durch tägliche Kommunion die Eucharistie verehrte. Grundlage ihrer Seligsprechung ist die durch Aufzeichnungen ihres Beichtvaters belegte Stigmatisierung bereits vor ihrem Eintritt in den Orden. Auf ihr Gebet hin verschwanden die Leidensmale Jesu, die sich auf ihrem Körper gezeigt hatten, wieder. I. wird in ihrem Orden sowie in der Diözese Löwen in einem jährlichen Fest verehrt (13.4.).

Lit.: J. d'Assignies, Les vies et faits remarquables de plusieurs saints ..... du Sacré Ordre de Cysteaux, Mons 1603; – A. Miraeus, Chronicon Cisterciensis Ordinis, Köln 1614; – C. Henriquez (Hrsg.), Vita beatae Idae Lovaniensis, in: Quinque prudentes virgines, Anversa 1630, 298-439; – D. Papenbroch (Hrsg.), Vita venerabilis Idae Lovaniensis (Aufzeichnungen ihres Beichtvaters, des Zisterziensers Hugo), in: ASS April II, Paris 1866, 156-189; – G. van Caster, Waelhem et l'abbaye du Val-des-Roses, in: Bulletin du cercle archéologique de Malines II, 1891, 231-270; – H. Nimal, Fleurs cisterciennes en Belgique, Liège 1898, 56-82; – V. Chevalier, Répertoire des sources hist. du moyen âge I, Biobibliogr. 1, Paris 1905, 2239 f.; – Joseph-Marie Canivez, L'ordre de Cîteaux en Belgique, Chimay 1926, 232 f.; – A. Zimmermann, Kalendarium Benedictinum,

Bd. II, Wien 1934, 49 ff.; – J. Leclercq, Saints de Belgique, Brüssel 1942; – S. Roisin, L'efflorescence cistercienne et le courant féminin de pieté au XIIIe siècle, in: RHE 33 (1943), 342-378; – Ders., L'hagiographie cistercienne dans le diocèse de Liège au XIIIe siècle, Löwen/Brüssel 1947; – Otto Wimmer, Hartmann Melzer, Lexikon der Namen und Heiligen, Innsbruck, Wien, München [4]1982, 387; – BS VII, 639 f.; – Catholicisme V, 1173; – EC VI, 1553; – LThK V, 600.

Ty

IDA *von Nivelles*, * 1190 in Nivelles, Belgien, * 11.12. 1231. 1206 trat I. in die Beginen-Abtei Kerkhem bei Louvain ein, ging jedoch 1215 mit ihrer Ordensgemeinschaft in das Zisterzienserkloster La Ramée. I. gilt als wundertätig, vor allem aber als Wohltäterin der Armen.

Lit.: Vita, Hs. in der Königlichen Bibliothek v. Belgien, codd, 8895 f., 8609-20; – C. Henriquez, Quinque prudentes virgines, Antwerpen 1630, 199-297; – S. Roisin, L'Hagiographie cistercienne dans la diocèse de Liège au XIII siècle, Louvain 1947, 54-59; – Herman Bader, Alle Heiligen und Seligen der röm.-kath. Kirche, Wasserburg 1959[2], 135; – BS VII, 640 ff.; – DE II, 377; – Doyè I, 549; – HistLittFrance XXI, 582 f.; – LThK V, 600.

Sf

IDA *von Toggenburg*, auch: Idda, Itha, Itta, Ydda, Judith und Gutta, Benediktinerin (?), Heilige, * ca. 1140, + ca. 1226 in Fischingen i. d. Schweiz. – In der 1481 von Albrecht von Bonstetten verfaßten Vita I. wird sie als die Tochter des Grafen von Kirchberg und Gemahlin des Grafen von Toggenburg dargestellt. Da dieser den Verdacht ehelicher Untreue gegen sie hegte, stürzte er I. nach der Schilderung Albrechts aus dem Fenster des Schlosses Toggenburg. Durch ein Wunder überlebte sie den Sturz. I. deutete dies als göttlichen Beweis ihrer erwiesenen Unschuld, und beschloß, fortan als fromme Einsiedlerin zu leben. Für diese Vorfälle existieren außer der o. g. Lebensbeschreibung keine weiteren Quellen. Von diesem Zeitpunkt an verbrachte I. ihr Leben entweder als Angehörige des Benediktinerinnen-Klosters Fischingen bei Kirchberg/St. Gallen im Laienstand, oder zumindest in Klausur bei diesem Orden. Hier wurde sie nach ihrem Ableben auch bestattet. I.s Verehrung als Heilige ist schon vor 1410 nachweisbar, die Bestätigung des Kultes erfolgte 1724. Als Patronin des entlaufenen Viehs wird I. bis heute in der Diözese Basel verehrt.

Lit.: A. Gemperlin, Histori von der heiligen Gräfin Y., Fribourg 1590; – M. v. Cochen, I., Gräfin oder die wunderbare selige Einsiedlerin, oder der Todessturz von 400 Ellen hohen Felsen, Passau 1840; – ASS Nov. II/1, Paris 1894, 102-124; – E. Stückelberg, Die schweizerischen Heiligen des MAs, Zürich 1903, 61-63; – L. M. Kern, Die I. von T. - Legende, Fribourg 1928 (Bibliogr.); – Ders., Thurgauer Beiträge zur vaterländ. Gesch., Bde 64 u. 65, Frauenfeld 1928; – AnBoll XLVII, 1929, 444-446; – R. Henggeler, Professbuch Fischingen, Zug 1931, 412 f.; – H. Delahaye, Subsidia Hagiograph. 21, Brüssel 1934; – Cl. Hecker, Die Kirchenpatronizien des Archidiakonates Aargau im MA, in: ZSKG 16, 157 ff.; – Otto Wimmer, Hartmann Melzer, Lexikon der Namen und Heiligen, Innsbruck, Wien, München [4]1982, 387 f.; – BS VII, 637; – Catholicisme V, 1172; – EC VI, 1553 f.; – EDR II, 1761; – LThK V, 600.

Ty

IGNATIUS *von Antiochien*, Bischof im syrischen Antiochien, wird zu den Apostolischen Vätern gerechnet;

+ unter der Herrschaft Trajans zwischen 110 und 117. – In Eusebes Kirchengeschichte (III, 36) wird von einer kurzzeitigen allgemeinen Christenverfolgung zur Zeit Trajans in Antiochien berichtet, bei der I. gefangengenommen und zum Tod in der Zirkusarena Roms verurteilt wurde. Auf dem Landweg wurde I. durch Kleinasien transportiert, wo er in Smyrna mit Vertretern verschiedener kleinasiatischer Gemeinden zusammentraf. Von Smyrna und Troas aus schrieb er sieben allgemein als echt anerkannte Briefe an die Gemeinden von Ephesus, Magnesia, Tralles, Philadelphia, Smyrna, Rom und an Polykarp von Smyrna, welcher von der Weiterfahrt und dem Tod des I. berichtet. – Die I.-Briefe vom Beginn des 2. Jahrhunderts sind eine wichtige Quelle für die Kirchen- und Dogmengeschichte. Sie bezeugen die frühe Verbreitung christlicher Gemeinden in Kleinasien und mahnen diese zur Einheit, die I. durch das von ihm vertretene und theologisch begründete monarchische Episkopat gewährleistet sieht. In diesen Briefen formuliert I. in Auseinandersetzung mit doketischen und judaisierenden Häretikern Bekenntnisse zu Jesus Christus, die in präzisen Begriffen das wirkliche Menschsein Jesu festhalten, um ihn gleichzeitig in antithetischen Bestimmungen als Gott zu bezeichnen.

Werke: 7 Briefe, in: BKV[2] XXXV, 1918, 107-156; G. Krüger, Briefe des I. u. Polykarp, in: Hennecke, 518-540; Die apostolischen Väter, ausgesucht u. übers. v. H. Ristow, Berlin 1964; Patrum apostolicorum opera II, 2, hrsg. v. O. v. Gebhardt, A. Harnack, Th. Zahn, 1876-1878; The Apostoloc Fathers Part. II, 1-3: S. I.. S. Polykarp. A Revised Text with Introductions, Notes, Dissertations and Translations by Joseph B. Lightfood, London 1889[2]. (Nachdr. Hildesheim, New York 1973); Die apostolischen Väter 1, hrsg. v. Joseph A. Fischer, 1956, 111-225; G. Crone, I. v. A.: Briefe, 1958[2]; The Apostolic Fathers IV, hrsg. v. Robert M. Grant etc., New York 1966; Th. Camelot, SC X, 1968[4]; Die apostolischen Väter, Neubearbeitung der Funkschen Ausgabe v. Karl Bihlmeyer, hrsg. v. Wilhelm Schneemelcher (SQS II,1), 1970[3], 82-114; Wilhelm Schneemelcher (Hrsg.), Bibliographia Patristica, 1956 ff.

Lit.: Richard Rothe, Die Anfänge der christlichen Kirche u. ihre Verfassung I, 1-3 nebst einer Beil. über die Echtheit der ignatianischen Briefe, 1837, (Nachdr. 1964); – Christian C. J. Bunsen, I. v. A. u. seine Zeit. Sieben Sendschreiben an Dr. A. Neander, 1847; – Ferdinand Ch. Baur, Die ignatianischen Briefe u. ihre neuesten Kritiker, 1848; – William Cureton, Corpus Ignatianum, London 1849; – Theodor Zahn, I. v. A., 1873; – Heinrich J. Holtzmann, Das Verhältnis des Johannes zu I., in: ZWTh 20, 1877, 187-214; – Adolf v. Harnack, Die Zeit des I. u. die Chronologie der antiochenischen Bischöfe bis Tyrannus nach Julius Africanus u. den späteren Historikern, 1878; – Ders., Das Zeugnis des I. über das Ansehen der römischen Gemeinde, in: SAB 1896, 111-136; – Ders., Lit. I, 1, 75-86, II, 1, 381-406; – Ders., Miss. 212-218; – Ders., DG I, 168 f., 406 ff., 481 ff.; – Joseph Nirschel, Die Theologie des hl. I., 1880; – Franz Xaver Funk, Die Echtheit der ignatianischen Briefe aufs neue verteidigt, 1883; – Ders., Der Primat der römischen Kirche nach I. u. Irenäus, in: Ders., Kirchengeschichtliche Abhh. I, 1897, 1-23; – Jean Réville, Etudes sur les origines de l'épiscopat. La valeur du témoignage d'Ignace d'Antioche, in: RHR 22, 1890, 1-26, 123-160, 267-288; – Daniel Völter, Die ignatianischen Briefe auf ihren Ursprung untersucht, 1892; – Ders., Polykarp u. I. u. die ihnen zugeschriebenen Briefe neu untersucht, Leiden 1910; – J. van Loon, De Kritiek der Ignatiana in onze dagen, in: Theol. Tijdschr. 27, 1893, 275-303; – William Mitchel Ramsay, The Church and the Roman Empire, London 1893, 311-319; – Albert Ehrhard, Die altchristliche Lit. u. ihre Erforschung seit 1880, in: Strassburger Theol. Stud. I, 1894, 394-403; – Ders., Die altchristliche Lit. u. ihre Erforschung v. 1884-1900, in: Strassburger Theol. Stud. Suppl. I, 1900, 86-100; – Eduard v. der Goltz, I. v. A. als Christ u. Theologe, TU 12, 3, 1894; – E. Bruston, Ignace d'Antioche. Ses épitres, sa vie, sa theologie, Thèse, Montauban 1897; – Arthur Stahl, Ignatianische Unterss. I. Die Authentie der sieben I.-Briefe (Diss. Greifswald), 1899; – Ders., Patristische Unterss. II. I. v. A., 1901, 121 ff.; – Adolf Hilgenfeld, Ignatii Antiocheni et Polycarpi Smyrnaei epistulae et martyria, 1902; – Ders., Die I.-Briefe u. die neueste Verteidigung ihrer Echtheit, in: ZWTh 46, 1903, 439-456; – P. Dietze, Die Briefe des Joh., in: ThStKr 78, 1905, 563-603; – Bardenhewer I[2], 131-158, IV, 270 ff.; – H. J. Bardsley, The Testimony of I. and Polycarp to the writings of St. John, in: JThs 14, 1913, 207-220; – Ders., The Testimony of I. and Polycarp to the Apostelship of St. John, in: JThS 14, 1913, 489-499; – Michael Rackl, Die Christologie des hl. I. v. A., 1914; – Walter Bauer, Die Apostolischen Väter. Die Briefe des I. v. A. u. der Polycarpbrief, 1920; – Ders., Rechtgläubigkeit u. Ketzerei, 1964², 65-98; – Seeberg I, 124 ff., 169 f., 184 ff.; – Rendel Harris, Alphonse Mingana, Genuin and Apocryphal Works of I. of Antioch, in: Bulletin of the John Rylands Library Manchester 11, Manchester 1927, 117-124, 204-231; – Heinrich Schlier, Religionsgeschichtliche Unterss. zu den I.-Briefen, BZNW 8, 1929; – Johannes v. Walter, I. v. A. u. die Entstehung des Frühkath., in: Festschr. Reinhold Seeberg 2, 1929, 105-118; – J. Moffatt, Two Notes on I. and Justin Martyr, in: HThR 23, 1930, 153-159; – Ders., I. of Antioch – a Study in Personal Religion, in: JR 10, 1930, 169-185; – Ders., An Approach to I., in: HThR 29, 1936, 1-38; – F. A. Schilling, The Mysticism of I. of Antioch, Thesis, Philadelphia 1932; – Franz Joseph Dölger, Christophorus als Ehrentitel für Märtyrer u. Heilige im christlichen Altertum, in: AuC 4, 1933, 73-80; – Ders., Theoû Phōné Die "Gottes-Stimme" bei I. v. A., Kelsos u. Origenes, in: AuC 5, 1936, 218-223; – Cyril C. Richardson, The Christianity of I. of Antiochien, New York 1935; – Ders., The Church in I. of Antiochien, JR 17, 1937, 428-443; – Hans v. Campenhausen, Die Idee des Martyriums in der alten Kirche, 1936, 34 ff.; – Ders., Das Bekenntnis im Urchristentum, ZNW 63, 1972, 210-253; – Ders., Kirchliches Amt u. geistliche Vollmacht in den ersten drei Jhh., 1963² ; – Lietzmann I², 253-266; – Thomas Preiss, La mystique de l'imitation du Christ et l'unité chez Ignace d'Antiochie, in: RHPhR 18, 1938, 197-241; – Hans-Werner Bartsch, Gnostisches Gut u. Gemeindetradition bei I., BFChTH II, 44, 1940; – Leonhard Stählin, Christus praesens, BEvTh 3, 1941; – Othmar Perler, I. v. A. u. die röm. Christengemeinde, in: DTh 22, 1944, 413-451; – Ders., Das vierte Makkabäerbuch, I. u. die ältesten Märtyrerakten, in: RivAC 25, 1949, 47-72; – Ders., Der Bischof als Vertreter Christi nach den Dokumenten der ersten Jhh., in: Y. Congar (Hrsg.), Das Bischofsamt u. die Weltkirche, 1964, 35-73; – Ders., Die Briefe des I. v. A. Frage der Echtheit, neue arab. Übers., in: Freiburger Zeitschrift für Philos. u. Theol. 18, 1971, 381-396; – Christian Maurer, I. u. das Joh., AThANT 18, 1949; – Ders., Ein umstrittenes Zitat bei I. v. A. (Smyrn. 3, 2), in: JGPrÖ 67, 1951, 165-170; – Henry Chadwick, The Silence of Bishops in I., in: HThR 43, 1950, 169-172; – Thomas Rüsch, Die Entstehung der Lehre v. Hl. Geist bei I. v. A., Theophilus v. Antiochia u. Irenäus v. Lyon, SDGSTh 2, 1952; – Rudolf Bultmann, I. u. Paulus, in: Ders., Studia Paulina, 1953, 37-51; – Ders., Theol. des NT, 1984⁹, 541 ff., 555 f.; – H. Katzenmayer, I. ad Rom 4, 3, in: IKZ 43, 1953, 65-72; – Franz H. Kettler, Enderwartung u. himmlischer Stufenbau im Kirchenbegriff des nachapostolischen Zeitalters, in: ThLZ 79, 1954, 385-392; – Joseph H. Crehan, A New Frgm. of I. ad Polycarpum, in: StP I, (TU 63), 23-32; – Werner Bieder, Das Abendmahl im christlichen Lebenszusammenhang bei I. v. A., in: EvTh 16, 1956, 75-97; – Ders., Zur Deutung des kirchlichen Schweigens bei I. v. A., in: ThZ 12, 1956, 28-43; – Karl Hörmann, Das Geistreden des hl. I. v. A., in: Mystische Theol. 2, 1956, 39-53; – Kurt Niederwimmer, Grundriß der Theol. des I. v. A. (Diss. Wien), 1956; – Heinrich Rathke, Die Benutzung der Paulusbriefe bei I. (Diss. Rostock), 1956; – Ders., I. v. A. u. die Paulusbriefe, TU 99, 1967; – Ernest J. Tinsley, The "imitatio Christi" in the Mysticism of St. I. of Antiochia, in: StP II, 553-560; – Heinz Köster, Synoptische Überl. bei den Apostolischen Vätern, TU 65, 1957; – Ders., Gesch. u. Kultus im Joh. Ev. u. bei I. v. A., ZThK 54, 1957, 56-69; – Ders., History and Cult in the Gospel of John and in I. of Antioch, in: Journal for Theologie and Church I, New York 1969, 111-123; – Ders., Einf. in das NT, 1980, 717-726; – Peter Meinold, Schweigende Bischöfe. Die Gegensätze in den kleinasiatischen Gemeinden nach den Ignatianen, in: Festg. Joseph Lortz II, 1958, 467-490, u. in: Ders., Studien zu I. v. A., 1979, 19-36; – Ders., Die Ethik des I. v. A., in: HJ 77, 1958, 50-62, u. in: Ders., Studien zu I. v. A., 1979, 67-77; – Ders., Episkope-Pneumatiker – Märtyrer. Zur Deutung der Selbstaussagen des I. v. A., in: Saeculum 1963, 308-324, u. in: Ders., Studien zu I. v. A., 1979, 1-18; – Ders., Die geschichtstheol. Konzeption des I. v. A., in: Kyriakon, Festschr. Johann Quasten I, 182-191, u. in: Ders., Studien zu I. v. A., 1979, 37-47; – Ders., Christologie u. Jungfrauengeburt bei I. v. A., in: Studia mediaevalia et mariologica P. Cardo Balic dicata, Rom 1971, 465-476, u. in: Ders., Studien zu I. v. A., 1979, 48-56; – Ders., Die Anschauung des I. v. A. v. der Kirche, in: Wegzeichen. Festg. Hermenegild Biedermann, 1-13, u. in: Ders., Studien zu I. v. A., 1979, 57-66; – Ders., Studien zu I. v. A., 1979, – Virginia Corwin, St. I. and the Christianity in Antioch, New Haven, London 1960; – J. W. Hannah, The setting of the Ignation long rezension, in: JBL 79, 1960, 221-238; – Norbert Brox, Zeuge u. Märtyrer. Unterss. zur frühchristlichen Zeugnis-Terminologie, StANT 5, 1961; –, Ders., Zeuge seiner Liebe. Zum Verständnis der Interpolation Ign. Rom. II, 2, in: ZKTh 85, 1963, 218-220; – Ders., Pseudo-Paulus u. Pseudo-I.. Einige Topoi altchristlicher Pseudepigraphie, in: VigChr 30, 1976, 181-188; – Jean Colson, Agapè (charité) chez saint Ignace d'Antiochie, Paris 1961; – John A. Lawson, A Theological and Historical Introduction to the Apostolic Fathers, New York 1961; – A. A. Mc Arthur, The Office of Bishop in the Ignatian Epistles and in the Didascalia Apostolorum

compared, in: StP IV, 1961, 298-304; – Harald Riesenfeld, Reflections on the Style and the Theologie of St. I. of Antioch, in: StP IV, 312-322; – John S. Romanides, The Ecclesiology of St. I., in: The Greek Orthodox Theological Review 7, Brookline (Mass.) 1961/62, 53-77; – HdKG I, 165; – Rudolf Padberg, Geordnete Liebe – Amt, Pneuma u. kirchliche Einheit bei I. v. A., in: Unio Christianorum. Festschr. L. Jäger, 1962, 201-217; – Ders., Vom gottesdienstlichen Leben in den Briefen des I. v. A., in: ThGl 53, 1963, 331-347; – Ders., Das Amtsverständnis der I.-Briefe, in: ThGl 62, 1972, 47-54; – Jean Louis Vial, I. v. A., 1962; – Leslie William Barnard, The Background of St. I. of Antioch, in: VigChr 17, 1963, 193-206; – Milton P. Brown, The Authentic Writings of I. A Study of Linguistic Criteria, Durham 1963; – Martin Elze, Überlieferungsgeschichtliche Unterss. zur Christologie der I.-Briefe, (Habilitationsschr. Tübingen) 1963; – Robert M. Grant, Scripture and Tradition in St. I. of Antioch, in: CBQ 25, 1963, 322-355; – Ders., Hermeneutics and Tradition in I. of Antioch: A Methodological Investigation, in: Ermeneutica, Rom 1963, 183-201; – Guy Fritz, The Lord's Day in the Letter of I. to the Magnesians, in: Andrews University Seminary Studies 2, Berrien Springs (Michigan) 1964, 1-17; – Joachim Rogge, Hénósis u. verwandte Begriffe in den I.-Briefen, in: ... und fragten nach Jesus, Festschr. Ernst Barnikol, Berlin 1964, 45-51; – William R. Schoedel, A Blameless Mind "Not on Loan" but "By Nature" (I., Trall. 1,1), in: The Journal of Theological Studies 15, London 1964, 308-316; – Ders., I. and the Archives, in: HThR 71, 1978, 97-106; – Ders., Theological Norms and Social Perspectives in I. of Antioch, in: E. P. Sanders, Jewish and Christian Self-Definition, London 1980, 30-56; – A. v. Haarlem, De kerk in de briefen von I. van Antiochie, in: NedThT 19, 1965, 112-135; – Jacques Liébaert, Christologie, in: HDG III, 1a, 1965, 25-27; – Sibinga Smit, I. and Matthew, in: NovTest 8, 1965/66, 263-283; – Altaner, 47-50; – Bihlmeyer-Tüchle I, 175-176; – Wilfred F. Bunge, The Christology of I. of Antioch, (Diss. Cambridge Mass.), 1966; – S. M. Gibbard, The Eucharistic in the Ignatian Epistles, in: StP VIII, 1966, 214-218; – Fairy v. Lilienfeld, Zur syrischen Kurzrezension der Ignatianen. V. Paulus zur Spiritualität des Mönchtums in der Wüste, in: StP VII, 1966, 233-247; – Philippe Samrani, Ignace d'Antioche et ses lettres, Beyrouth 1966; – J. F. Mc Cue, Bishops, presbyters and priests in I. of Antioch, in: La Terra Santa 28, Gerusaleme 1967, 828-834; – Alfred Niebergall, Zur Entstehungsgesch. der christlichen Eheschließung. Bemerkungen zu I. an Polycarp V, 2, in: Glaube, Geist, Gesch. Festschr. Ernst Benz, 1967; – Olavi Tarvainen, Glaube u. Liebe bei I. v. A., Joensuu 1967; – B. Basile, Un ancien témoin arabe des lettres d'Ignace d'Antioche, in: Melto 4, 1968, 107-191; – Ders., Une autre version arabe de la lettre aux Romains de S. Ignace d'Antioche, in: Melto. Recherches orientales 5, 7, 1969, 269-287; – Wolfgang Lackner, Zu einem bislang unbekannten Bericht über die Translation der I.-Reliquien nach Antiochien, in: VigChr 22, 1968, 287-294; – Loofs, 1968⁷, 73-77; – G. F. Snyder, The text and syntax of I. Pròs Ephesíous 20, 2c, in: VigChr 22, 1968, 8-13; – Reinoud Weijenborg, Les lettres d'Ignace d'Antioche. Étude de critique littéraire et de théologie, Leiden 1969; – Einar Molland, The Heretics Combatted by I. of Antioch, 1954, in: Ders., Opuscula Patristica, Oslo 1970, 17-23; – P. Penning de Vries, Vrouwen op I. weg, in: Bijdragen 31, 1970, 72-85; – Peter Stockmeier, Zum Begriff der katholikḗ ekklesía bei I. v. A., in: Festschr. J. Döpfner, 63-74; – Ekkart Sauser, Tritt der Bischof an die Stelle Christi? Zur Frage nach der Stellung des Bischofs in der Theologie des hl. I. v. A., in: Festschr. Franz Loidl I, 1970, 325-339; – Carl Andresen, Die Anfänge christlicher Lehrentwicklung, in: Ders., Handbuch der Dogmen- und Theologiegesch. I, 1982, 52 ff.; – Ders., Die Kirchen der alten Christenheit, 1971, 27-31, 44-48; – Roger Berthouzoz, Le Pere, le Fils et le Saint Esprit d'apres les Lettres d'Ignace d'Antioche, in: Freiburger Zeitschr. für Philos. u. Theol. 18, 1971, 397-418; – Peder Borgen, Ein tradisjonshistorisk analyse av materialet om Jesu fødsel hos I., in: TTK 42, 1971, 37-44; – J. P. Martin, La pneumatologia en Ignacio de Antioquia, in: Salesianum 33, 1971, 379-454; – Joseph M. Mc Carthy, Ecclesiology in the Letters of St. I. of Antioch: A Textual Analyses, in: ABR 22, 1971, 319-325; – J. Stead, I. of Antioch, Unifier of Christians, in: Downside Review 89, Downside Abbey 1971, 269-273; – D. E. Aune, The Cultic Setting of Realized Eschatology in the Early Christianity, NovTest Suppl. XXVIII, Leiden 1972, 136-165; – J. A. Woodhall, The Eucharist Theology of I. of Antioch, in: Communio 5, Granada (Span.) 1972, 5-21; – Ludwig Bieler, St. I. of Antioch and his concept of the Christian Church, in: Grazer Beiträge 1, 1973, 5-13; – John Norman D. Kelly, Altchristl. Glaubensbekenntnisse, Gesch. und Theol., 1973, 71-74; – Kurt Stalder, Apostol. Sukzession u. Eucharistie bei Clemens Romanus, Irenäus I. v. A., in: The imitatio Christi in the Ignatian letters, in: VigChr 27, 1973, 81-103; – Albano Vilela, Le Presbytérium selon saint Ignace d'Antioch, in: BLE 74, 1973, 161-186; – Klaus Berger, Apostelbrief u. apostolische Rede. Zum Formular frühchristlicher Briefe, in: ZNW 65, 1974, 190-231; – R. A. Bower, The meaning of epitügchánō in the Epistles of St. I. of Antioch, in: VigChr 28, 1974, 1-14; – Ernst Dassmann, Zur Entstehung des Monoepiskopats, in: JAC 17, 1974, 74-90; – Adelbert Davids, Irrtum u. Häresie. Clemens – I. v. A. – Justinus, in: Festschr. Endre Iránka, Salzburg 1974, 165-187; – Robert Zollitsch, Amt u. Funktion des Priesters, 1974, 178-193; – Charles Kingsley Barret, Jews and Judaizers in the Epistles of I., in: Jews, Greeks and Christians. Festschr. W. D. Davies, 1975, 220-244; – Albert Frank, Studien zur Ekklesiologie des Hirten, II. Klemens, der Didache u. der I.-Briefe unter bes. Berücksichtigung der Idee einer präexistenten Kirche (Diss. München), 1975; – Jo Hermans, Bischofsambt en eredienst in de ecclesiologie v. I. van Antiochè, in: Tijdschrf. voor liturgie 59, Afflighem-Hekolgem 1975, 136-154; – K. Remmers, Das Verständnis des Martyriums bei I. v. A. (Diss. Regensburg), 1975; – Vasilios Remoundos, The Ecclesiology of Saint I. of Antioch, in: Diakonia 10, 1975, 173-185; – Philipp Vielhauer, Gesch. der urchristl. Lit., 1975, 540-552; – Karin Bommes, Weizen Gottes. Unterss. zur Theol. des Martyriums bei I. v. A., 1976; – Stevan L. Davies, The predicament of I. of Antioch, in: VigChr 30, 1976, 175-180; – Raymond Johanny, Ignace d'Antioche, in: L'eucharistie des premiers chretiens, Paris 1976, 53-74; – Ders., I. of Antioch, in: W. Rordorf (Hrsg.), The Eucharist of the early Christians, New York 1978; – F. W. Norris, I., Polycarp and Clement. Walter Bauer reconsidered, in: VigChr 30, 1976, 23-44; – Reinhart Staats, Die martyrologische Begründung des Romprimats bei I. v. A., in: ZThK 73, 1976, 461-470; – Alfred Schindler, Gott als Vater in Theol. u. Liturgie der christlichen Antike, in: Das Vaterbild im Abendland I, 55-69; – Paul J. Donahue, Jewish Christianity in the letters of I. of Antioch, in: VigChr 32, 1978, 81-93; – Henning Paulsen, Studien zur Theol. des I. v. A., FKDG 29, 1978; – Ders., I. v. A., in: Martin Greschat (Hrsg.), Gestalten der Kirchengesch. I, 1984, 38-50; – Ders., Die Briefe des I. v. A. u. der Polycarpbrief. 2. neubearb. Aufl. der Auslegung v. Walter Bauer, 1985; – Hermann J. Sieben, Die Ignatianen als Briefe. Einige formkritische Bemerkungen, in: VigChr 32, 1978, 1-18; – Hermann Joseph Vogt, I. v. A. über den Bisch. u. seine Gemeinde, in: ThQ 158, 1978, 15-27; – Tashio Aono, Die Entwicklung des paulinischen Gerichtsgedankens bei den Apostolischen Vätern, Bern-Frankfurt 1979; – Andreas Lindemann, Paulus im ältesten Christentum. Das Bild des Apostels u. die Rezeption der paulinischen Theologie in der frühchristlichen Theologie bis Markion, BHTh 58, 1979, 199-221; – Alois Grillmeier, Jesus der Christus im Glauben der Kirche I, 1979, 198-201; – Roger Gryson, Les lettres attribués a Ignace d'Antioche et l'apparation de L'episcopat monarchique, in: Revue théologique de louvain 10, 1979, 446-453; – Robert Joly, Le dossier d'Ignace d'Antioche. Reflexions methodologiques, in: Problemes d'Histoire du Christianisme 9, Bruxelles 1980, 31-44; – Joseph Rius-Camps, The four authentic letters of I., the martyr. A critical study based on the anomalies contained in the textus receptus, Christianismos 2, Rom 1979; – Cullen I. K. Story, The text of I.' Letter to the Trallians 12, 3, in: VigChr 33, 1979, 319-323; – Ders., The Christology of I. of Antioch, in: Evangelical Quarterly 56, Exeter 1984; – Theofried Baumeister, Die Anfänge der Theol. des Martyriums, 1980; – A. Davids, Frühkatholizismus op de helling. Rand de brieven v. I., in: TTh 20, 1980, 188-191; – C. Munier, A propos d'Ignace d'Antioche, in: RevSR 54, 1980, 55-73; – Ders., A propos d'Ignace d'Antioche. Observations sur la liste épiscopale d'Antioche, in: RevSR 55, 1981, 126-131; – Cristine Trevett, I. and his opponents in the divided church of Antioch, Thesis, Sheffield 1980; – Dies., The much-maligned I., in: Expository Times 93, 1982, 299 ff.; – Dies., Prophecy and Anti-Episcopal Activity: A third Erros Combatted by I.?, in: JEH 34, 1983, 1-13; – Dies., Approaching Matthew from the Second Century: The Under-Used Ignatian Correspondence, in: Journal for the Study of the New Testament 20, Sheffield 1984, 59-67; – Dies., Anomaly and Consistency: Joseph Rius-Camps on I. and Matthew, in: VigChr 38, 1984, 165-171; – Raymond Winling, A propos de la datation des Lettres d'Ignace d'Antioche, in: RevSR 54, 1980, 259-265; – Kurt Aland, Von Jesus bis Justinian, 1981, 62-66; – Michael Mees, I. v. A. über das Priestertum, in: Lateranum 47, Città del Vaticano 1981, 53-69; – Pierre Smulders, Der echte I.?, in: Bijdragen 42, 1981, 300-308; – C. P. H. Bammel, Ignatian Problems, in: JThS 33, 1982, 62-97; – Karlmann Beyschlag, Grundriß der DG Bd. 1, 1982, 90-99; – G. Carlozzo, L'ellissi in Ignazio di Antiochia e la questione dell'autenticità della recensione lunga, in: Vetera Christianorum 19, Bari 1982, 239-256; – Bernard Dupuy, Aux origines des Lettres d'Ignace d'Antioche et le ministère d'unite, in: Istina 27, Paris 1982; – Issa A. Saliba, The Bishop of Antioch and the Heretics: A Study of a Primitive Christology, in: Evangelical Quarterly 54, 1982. 65-76; – André de Halleux, "L'Eglise catholique" dans la Lettre ignacienne aux Smyrniotes, in: EThLov 58, 1982, 5-24; – F. W. Schlatter, The Restoration of Peace in I., in: JThs 35, 1984, 465-470; – DThC III, 209-223; – RE IX, 49-55; – RGG III, 665-667; – LThK V, 611 f.; – RAC IV, 1062-1065; – TRE VI, 655-656, XIII, 401-402; TRE, Art. I. (in Vorbereitung).

Co

IGNATIUS *von Azevedo*, * 1528 in Porto, Portugal, + 15.7.1570. Am 28.11.1548 trat I. dem Orden der Je-

suiten bei. Er wurde Rektor am Kolleg von Lissabon und von Braga, 1558 war er bereits Vizeprovinzial von Portugal. Im Jahr 1566 wurde er vom heiligen Franz von Borgia (s.d.), dem General des Jesuitenordens als Visitator nach Brasilien geschickt. Dort gründet er im folgenden Jahr das Kolleg von Rio de Janeiro. 1569 kehrte er nach Rom zurück, um über die brasilianische Mission Bericht zu erstatten und neue Missionare zu werben. Mit 70 neuen Missionaren tritt er im Juni 1570 die Reise nach Brasilien an. Sein Schiff trennt sich jedoch bei den Kanarischen Inseln von der Flotille und I. samt seinen 39 Begleitern fällt in die Hände von Seeräubern. Sämtliche Gefangene werden nach schweren Mißhandlungen am 15.7.1570 getötet und ins Meer geworfen. I, gilt als Märtyrer und wurde am 11.5.1854 von Papst Pius IX. seliggesprochen. Sein Fest wird am 15.7. gefeiert.

Lit.: C. Lucchesini, Narrazione della vita del vice provinciale I. d'Azevedo e della morte del medesimo e di 39 altri della Compagnia di Gesù, Rom 1702; – G. Cordara, Istoria della vita e gloriosa morte del beato I. de A. e di altri beati martiri della Compagnia di Gesù, Rom 1743; – Piscalar, Der sel. I. v. A. u. seine Gefährten, 1856; – Alphons Mulders, Missionsgeschichte, Regensburg 1960; – BS III, 388-391; – Delacroix, 238 ff.; – Doyè I, 556; – Koch, JL, 144 f.; – LThK I, 878.

Sf

IGNATTIUS *von Konstantinopel*, * 797 (oder 798) als jüngster Sohn des Kaisers Michael I. Rhangabe in Konstantinopel, + am 23.10.877 in Konstantinopel. Als Prinz trug er den Namen Nicetas. 813 stürzte Leo der Armenier Kaiser Michael und verbannte diesen und seine Söhne Theophylactus und Nicetas in je verschiedene Klöster. Um die Kaiserfamilie als Thronrivalen auszuschalten, wurden die Söhne entmannt. Nicetas kam in das Kloster Porti bei Konstantinopel und nahm den Namen I. an. Er wurde bald Abt und unter seiner Leitung gewann das Kloster so viele Mitglieder, daß er auf den sogenannten Prinzeninseln drei weitere Klöster gründen konnte, denen er ebenfalls vorstand. Seine Priesterweihe empfing er vom Bischof Basilius von Paros. Am 4.7.847 ernannte ihn Kaiserin Theodora zum Patriarchen, ohne jedoch vorher eine Wahlsynode einzuberufen. Als Patriarch enthob er auf der Synode zu Konstantinopel, 854, den Erzbischof von Syrakus, Gregor Asbesta, sowie Eulampius von Apamea und Petrus von Sardos ihrer geistlichen Ämter. Diese apellierten an Papst Leo IV. (s.d.), doch bevor noch der Papst entscheiden konnte, wurde I. auf Betreiben des Ministers Bardas, den er wegen blutschänderischen Lebenswandels exkommuniziert hatte, am 23.11.858 aus der Stadt vertrieben. Kaiser Michael III. setzte Photius (s. d.) als Patriarchen ein, der von Gregor Asbestus die Weihe empfing. I. zog sich in das Kloster auf der Insel Terebinthos zurück, nachdem er längere Zeit in verschiedenen Gefängnissen festgehalten worden war. 860 kehrte er wieder nach Konstantinopel zurück. Um die Rechtmäßigkeit seiner Absetzung zu klären, wurde 861 eine Synode nach Konstantinopel einberufen. Die beiden römischen Legaten sprachen sich jedoch für Photius aus. Obwohl Papst Nikolaus I. (s. d.) sich wiederholt für die Restituierung I.s einsetzte, sollte ihm diese für 10 Jahre versagt bleiben. Als 867 der Macedonier Basilius Michael III. ermorden ließ und selbst Kaiser wurde, restituierte er I: (23.11.867), was sowohl auf der Synode in Rom 868, als auch auf dem 8. allgemeinen Konzil in Konstantinopel (5.10.869-28.2.870) von Papst Hadrian II. (s.d.) feierlich bestätigt wurde. Gegen Ende seines erneuten Patriarchats geriet I. jedoch mehr und mehr in Gegensatz zu Rom. Der Grund dafür war I.s Engagement in Bulgarien. Nachdem Bulgarien zum Christentum bekehrt worden war, beanspruchte Rom die Eingliederung dieses Landes unter seine geistliche Hoheit. I. jedoch schickte einen Erzbischof sowie zahlreiche Priester und Mönche nach Bulgarien, um seine Oberhoheit über das christliche Bulgarien zu demonstrieren. Der Brief, in dem Papst Johannes VIII. (s.d.) I. das Ultimatum stellte, binnen 30 Tagen seine Ansprüche zu revidieren, andernfalls er exkommuniziert werde, erreichte I. nicht mehr. Er starb am 23.10.877 in Konstantinopel. Sein großer Gegenspieler Photius, mit dem er sich wieder versöhnt hatte, soll ihm zu Ehren das Mosaikportrait in der Hagia Sophia gestiftet haben. I., dem Wundertätigkeit nachgesagt wird, wird vor allem wegen seines heiligen Lebenswandels verehrt. Er gilt außerdem als großer Wohltäter. Gewisse Bedeutung kommt auch seinem Eintreten für die Bilderfreunde im Bilderstreit zu.

Lit.: J. Hergenröther, Photius, Patriarch v. Konstantinopel. Sein Leben, seine Schriften und das griechische Schisma. Nach handschriftlichen u. gedruckten Quellen, Regensburg 1867 (3 Bde.); – A. Vogt, Basile Ier, empereur de Bycance et la civilisation bycantine a la fin du IXe siècle, Paris 1908; – J. Pargoire, Les monastères de Saint I. e les cinq plus petits ilôts de l'archipel des Princes, in: Izvestija russkago archeol. Instituta v Konstantinoplê VII (1902), 59-91; – V. Grumel, Les regestes des actes du patriarcat de constantinopel, 1935, 64-71, 95-100; – Ders., La genese du schisme photien, in: Studii Bizantini V (1939), 177-185; – P. Stéphanu, La violation du compromis entre Photius et les Ignaties, in: EO XXXIX (1940/42), 257-267; – Ders., Le schisme de Grégoire de Syracuse, in: EO XXXIX (1940/42); – Francis Dvornik, The Photien Schism, Cambridge 1948; – Ders., Le schisme de Photius. Histoire et légende, Paris 1950; in ital. Übers. Rom 1953; – Ders., Der Patriarch Photius im Lichte neuerer Forschungen, in: Una Sancta XIII (1958), 274-280; – Berichte zum XI. internationalen Byzantinistenkongreß III, München 1958; – Francis Dvornik, Byzanz und der römische Primat, Stuttgart 1966; – Ders., Photian and Byzantine ecclesiastical studies, London 1974; – BS VII, 665-672; – DE II, 379; – Doyé I, 558; – BHG I, 262; – Byz (B) XXIV, 461-478; – Hefele IV², 228 ff., 360 ff., 384 ff.; – Hefele-Lerclercq IV/1, 254 ff., 452 ff., 481 ff.; – LThK V, 612 f.; – DThC VII, 713-722; – RE IX, 56 f.

Sf

IGNATIUS *von Laconi*, OFM Cap., + 17.12.1701 in Laconi (Provinz Nuoro, Sardinien), +11.5.1781 in Cagliari. – Francesco Ignatio Vincenzo ist das zweite von sieben Kindern der Bauersleute Mattia und Anna Maria Peis. Schon der Knabe zeichnet sich aus durch Fleiß, Sittenstrenge, Buß- und Fastenübungen, durch große Frömmigkeit und Gottesfurcht, so daß man ihn den "santo giovane" nennt. Lesen und Schreiben hat er nicht gelernt. Mit 20 Jahren tritt er in das Kapuzinerkloster S. Benedetto in Cagliari als Laienbruder ein und legt am 17.11.1721 die Professur ab. Bald wechselt er in das Kapuzinerkloster S. Antonio di Buoncammino in Cagliari, wo er 20 Jahre lang in der Kleiderkammer tätig ist. Ab 1741 bis zu seinem Tod ist er für dieses

Kloster als bescheidener Bettelmönch tätig. Seine Frömmigkeit und Einfachheit, sein Opfergeist, seine Mildtätigkeit gegen die Armen und Kranken sowie seine übernatürlichen Fähigkeiten erringen ihm große Beliebtheit beim Volk. Man sagt ihm Propheten- und Wundergabe nach; noch heute gilt er als einer der großen Thaumaturgen der Kirchengeschichte. Mit 80 Jahren stirbt er, fast erblindet, im Kloster Buoncammino, hochverehrt von der gesamten Bevölkerung Cagliaris. Pius XII. spricht ihn am 16.6.1940 selig, am 21.10.1951 heilig. Fest: 11. Mai.

Lit.: S. C. Rites, Positiones super causa beatificationis et canonizationis servi Dei I. A. L., 1854-69; – Giorgio di Riano, Vita del Venerato I. d. L., 1929, 1951²; – Ders., Compendio della Vita di I. da L., 1951; – AAS 32, 1940, 203-206; 207-209; 479-484; ebd. 34, 1942, 380-81; ebd. 43, 1951, 753-58; ebd. 44, 1952, 491; – Samuele da Chiaramonte, Il Beato I. d. L., 1940, 328; – Arcangelo da Castiglion Fiorentino, Compendio della vita del B. da L., 1940, 110 ff.; – S. Cultera, Il Beato I. da L., 1941, 323; – R. Branca, Il primo sardo canonizzato, in Ecclesia 10, 1951, 580-83; – U. Cabras Loddo, San I. da L., 1951; – C. F. Bibliographia, VII, 1940-46, 309-310; – Lex. Cap., 1951, 800-801; – Enciclopedia Ecclesiastica, V, 1953, 400-401; – DE II, 1955, 379; – LThK V, 1960, 613; – Catholicisme V, 1962, 1195.

Ed

IGNATIUS *von Loyola* (Iñigo López de Loyola), Ordensgründer, Heiliger, * 1491 (vermutlich 31.5. oder 1.6.) auf Schloß Loyola (span. Provinz Guipúzcoa) als letzter Sohn des aus altem baskischen Adel stammenden Grafen Beltran Yánez de Onaz y Loyola und der Marina Sáenz di Licona y Balda, + 31.7.1556 in Rom. Obwohl I. bereits als Knabe ein Familienoffizium und die Tonsur erhalten hatte, schlug er die weit höher eingeschätzte militärische Laufbahn ein. Nach seiner überaus weltlichen Erziehung beim Großschatzmeister von Kastilien, Juan Velásquez, trat er 1518 in den Dienst des Herzogs von Nájera und gleichzeitigen Vizekönigs von Navarra. Als dessen Offizier war er maßgeblich daran beteiligt, daß Pamplona ob der unwürdigen Bedingungen nicht den Franzosen übergeben wurde. Bei der Belagerung der Stadt am 20.5.1521 erlitt er so schwere Verletzungen, daß eine weitere Kriegslaufbahn völlig ausschied. Großmütig und unerwartet ließ der französische Befehlshaber den Verwundeten, dessen linkes Bein zerschmettert war, ins Schloß Loyola bringen. Dort las I. während der nur langsam fortschreitenden Genesung die spanische Übersetzung des »Lebens Christi« des Ludolf von Sachsen und ebenfalls als spanische Übersetzung die »Heiligenleben« des Jakobus von Voragine. Diese Lektüre verschaffte ihm innere Ruhe, bald sehnte er sich danach, anstatt kriegerischer Heldentaten *Heldentaten im Dienste Gottes* zu leisten. Im Laufe des Jahres 1522 und des Frühjahres 1523 erfolgte I.s endgültige mystische Umformung. Er legte im Kloster Montserrat eine Generalbeichte ab, hing Dolch und Degen vor dem Gnadenbild Mariens auf. Im benachbarten Manresa hatte er zunächst mit Visionen zu kämpfen, die er als teuflische Einwirkung erkannte und durch übermäßige Buße und stundenlanges Gebet zu überwinden trachtete. Neue Visionen brachten ihm jedoch Klarheit über die von ihm angestrebten Glaubensmysterien, diese Visionen sollten später sein ganzes Tun prägen. Anläßlich einer Pilgerfahrt, die er 1523 nach Palästina unternahm, wollte er sich dort niederlassen, das verwehrte ihm jedoch der Kustos des Heiligen Landes. In Barcelona begann I. dann nach seiner Rückkehr ein Lateinstudium, widmete sich in Alcalá ganz traditionell den *artes*. Doch I. fiel immer wieder durch neue, als aufrührerisch geltende Gedanken auf. Prompt brachten ihn seine Versuche Frauenseelsorge zu treiben als *alumbrado* vors bischöfliche Gericht; in Salamanca, wohin I. nach dem unerwarteten Freispruch überwechselte, traten sofort wieder diese Schwierigkeiten auf. Deshalb ging I. 1528 nach Paris. Erstmals nannte er sich dort *Ignatius*. Seinen Lebensunterhalt bestritt er durch Bettelfahrten, die ihn nach Flandern, sogar bis nach England führten. Nachdem er zum *Magister artium* promoviert hatte, gelobte I., zusammen mit 6 Gefährten, Armut und Keuschheit einzuhalten, ferner eine weitere Wallfahrt nach Jerusalem. Dies scheiterte kläglich in Venedig an einem Überfahrtsverbot, I. aber wurde hier, am 24.6.1537 zum Priester geweiht. Er übersiedelte, da ihn der Gedanke einer Ordensgründung nicht mehr losließ, 1538 nach Rom, lebte hier fortan seit November 1538. Die im Frühjahr 1539 endgültig beschlossene Ordensgründung stieß auf Widerstand. Vornehmlich konservative Kardinäle bezichtigten ihn der Häresie und lediglich durch die Hilfe des Kardinals Contarini gelang es I., dem Papst seine »Formula Instituti« vorzulegen. Zu Bedenken gab hier vermutlich die Idee, außer den Gelübden der Armut und der Keuschheit das des unbedingten Gehorsams gegenüber dem Papst abzulegen. Dieser, Paul III. (s.d.), stand dem Orden wohlwollend gegenüber, am 27.9.1540 bestätigte er ihn durch die Bulle »Regimini militantis ecclesiae«, wobei das dritte Gelübde dahingehend erweitert wurde, daß alle Ordensmitglieder allen *zum Heil der Seelen und zur Verbreitung des Glaubens* erfolgten Anweisungen des Papstes *sine ulla tergiversatione aut excusatione* folgen sollten. Nachdem am 8.4.1541 I. zum Ordensoberen gewählt worden war und alle weiteren Mitglieder am 22.4. in St. Paul in Rom die erweiterten Gelübde abgelegt hatten, widmete sich I. der Ausarbeitung seiner Konstitutionen und seiner geistlichen Werke, vornehmlich der »Exercitien«. Neben dem Kirchlein S. Maria della Strada bezog der Orden ein Profeßhaus, beraten von seinem ersten Ordensfreund Lainez, seinem Mitarbeiter Nadal und seinem Sekretär Polanco, arbeitete I. seine Konstitutionen dort aus. I. studierte dazu die Regeln der alten, monastischen Orden und der spätmittelalterlichen Bettelorden, er besprach sich vielmals mit seinen Gefährten, arbeitete die erste Redaktion von 1541 vollständig um und führte die zweite Redaktion 1550 probeweise ein. Obwohl I. nochmals Verbesserungen vornahm, war bei seinem Tod die Ordensregel wohl endgültig abgeschlossen. 1558 setzte sie die Generalkonkregation in Kraft. Die »Konstitutionen« spiegeln I.s Ideen wider: Der Orden war strikt monarisch organisiert, die durchweg ans militärische Reglement erinnernden Regeln entsprangen den Jugendjahren des I. Alle Mitglieder des Ordens mußten sich einem strengen Zentralismus beugen. Der *Praepositus generalis* wurde von der Generalkongregation auf Lebenszeit gewählt (Vorbild: Papst), ihm steht eine uneingeschränk-

te Regierungsgewalt zu. Er allein ernennt die Ordensoberen. I. gab diesen Oberen besonderes Gewicht, denn nach seiner Ansicht spricht *Gott selbst aus den Oberen*. Den General unterstützen bei der Ordensleitung von ihm ernannte Assistenten, denen jeweils mehrere Provinzen zugewiesen werden. Sie, ein lediglich für die Übergangszeit gewählter Generalvikar, die Provinzialen und je zwei gewählte Vertreter jeder Provinz bilden die Generalkongregation, die allein für die Wahl des neuen Generals gebildet wird. Völlig neu war, daß I. keine eigene Ordenstracht annahm, daß er das übliche allgemeine Chorgebet, auf das noch kein Orden verzichtete, nicht in seinen Regeln berücksichtigt hatte. I.s letzte Lebensjahre waren geprägt durch schwere Gallenleiden, wohl mitbedingt durch ständige Auseinandersetzungen mit Papst Paul IV. (s.d.), der, aus einer von Venedig herrührenden Abneigung dem Ordensgründer manche Änderungen seiner Konstitutionen aufzwang. Schwerer dürfte es gerade I., eingedenk seiner Handlungen während der Studienzeit, gefallen sein, auf die 1545 erfolgte Gründung eines weiblichen Zweiges seines Ordens zu verzichten. Bereits am 1.10.1546 machte er ihn rückgängig. Die Ursachen für diesen Entschluß sind bis heute umstritten, I. selbst schrieb an seine ehemalige Wohltäterin Isabel Roser aus Barcelona, die ihn zu dieser Gründung gedrängt hatte: *Ich bin zu der Einsicht gekommen, in Übereinstimmung mit meinem Gewissen, daß es mit den Aufgaben dieser unserer Gesellschaft nicht vereinbar ist, daß sie sich ausdrücklich mit der Leitung von Frauenpersonen, die das Gelübde des Gehorsams ablegen, abgibt.* Dennoch wirkten I.s Konstitutionen auch auf Frauen, nahm doch rund 60 Jahre später, 1611, Maria Ward (s.d.) seine Regeln als Vorbild für ihre damals revolutionäre Ordensgründung. I. widmete sich in seinen letzten Jahren besonders seinem geistlichen Anliegen, den »Exerzitien«, die am 31.7.1548 die päpstliche Approbation nach langwierigen Prüfungen erhielten. Obwohl ihr Name nicht originell war, viele vor ihm hatten »Exerzitien« herausgegeben, stellen sie durchaus persönliche Gedanken des I. dar, die zudem durch die Erfahrungen seines Lebens bereichert werden. So ist nach I. der Mensch nur zu dem Ziel geschaffen, daß er innerhalb der streitenden Kirche gegen den Satan kämpft. Nur in innigem Verbund mit dieser kann er in die Ewigkeit eingehen. Als I. am 31.7.1556 unerwartet starb, waren sowohl er, wie auch sein Lebenswerk, nicht unumstritten. Papst Paul IV. (s.d.) suchte den Orden, wohl aus persönlicher Abneigung gegen alles Spanische, wo immer es ging, zurückzudrängen. Gravierender wurde, daß I., dessen unbestreitbare Absicht die innere Erneuerung der Kirche war, in den Ruf geriet, einen Kampforden gegen den Protestantismus gestiftet zu haben. Wenn auch spätere Ordensgeneräle, die ganz in barockem Handeln die Lebensgeschichte des I. in ihrem Sinn entstellen und glorifizieren ließen, diesem Kampf gedient haben, so kann man I. gewiß nicht als *Antiluther* bezeichnen. Dafür spricht, daß I. sicher keines der Werke Luthers, wohl schon aus sprachlichen Gründen, kannte. I.s Bedeutung liegt vielmehr darin, daß er einen Orden schuf, dessen Ideal es sein sollte, den Aposteln hinsichtlich ihrer missionarischen Tätigkeit gleichzukommen, daß sich seine Mitglieder ganz auf eine Welt bezogen, die Christus gehören sollte. Der Vorwurf einer hierarchischen Weltbeherrschung, einer Organisation, die den Geist ihrer Mitglieder töte, kann ihm nicht gemacht werden. Seine Seligsprechung erfolgte früh, am 3.12.1609 durch Paul V. (s.d.), die Kanonisation am 12.3.1622 durch Gregor XV. (s.d.), beides stark begünstigt durch die unerwartet angewachsene Macht des neuen Ordens. Sein Fest wird am 31. Juli gefeiert, seit 1922 gilt er zusätzlich als Patron aller Exerzitien (25.7.).

Werke: Monumenta Ignatiana, series prima, S. Ignatii de Loyola epistolae et instructiones, Rom[2] 1964-68; series secunda, Exercitia spiritualia S. I. de L. et de S. J. initiis, Rom 1943-60; Vgl. dazu: series tertia, Constitutiones Societatis Jesu, Rom 1934-36; series quarta, Fontes narrativi de S. I. de L. et de S. J. initiis, Rom 1943-60; Vgl. dazu: Briefe des S. I. v. L., in: MHSI, Epistolae I-XI, Madrid 1903-1911; Die Konstitutionen des I. v. L., in: MHSI, Const. I-IV, Rom 1934-48; Jgnacio Iparraguirre, Obras completas de S. I. de L., Madrid 1952; Weisungen zu den Exerzitien, in: MHSI, Exercitiones II, Rom 1955; Burkhard Schneider (übers.), Der Bericht des Pilgers, 1956; Hugo Rahner (Hrsg.), I. v. L., Geistliche Briefe, 1956[3]; Ders., (übers.), Briefwechsel mit Frauen, 1956; Adolf Haas und Peter Knauer (übers.), Das geistl. Tagebuch des I. v. L., 1961; Hans Urs von Balthasar (Hrsg.), Die Regeln des hl. I., in: Die großen Ordensregeln, 1962[2]; A. Haas (übers.), Geistl. Übungen, 1967; A. Carayon, Bibliogr. historique de la Compagnie de Jésus, Paris 1864; Heimbucher II, 130-138; A. de Backer u. Chr. Sommervogel, Bibliothèque des écrivains de la Compagnie de Jésus, Paris[2] 1890-1932; MHSI, Bibliogr. zum hl. I. v. L. und die seines Ordens, Rom, fortlaufend seit 1932; Jean-Francois Gilmont u. Paul Daman, Bibliothèque Ignatienne (1894-1957), Paris-Louvain 1958; Ignacio Iparraguirre, Orientaciones bibliográficas sobre san I. d. L., Rom 1965[2]; Manuel Ruiz Jurado, Orientaciones bibliográficas sobre san I. d. L. (1965-1976), Rom 1977; László Polgár, Bibl. zur Gesch. der Gesellschaft Jesu, Rom 1967.

Lit.: Juan Alonso Polanco, Vita S. Ignatii Loyolae et rerum Soc. Jesu historica, Madrid 1894/97; – Ders., Complementa zur vorgen. Ausgabe. Madrid 1916/17 (beides Neuausgaben zahlreicher alter, oft mangelhafter Ausgaben); – Pedro Ribadeneira, Vita S. I. de L., Neapel 1572; – G. P. Maffei, Vita S. I. de L., Rom 1585; – D. Bartoli, Vita S. I. de L., Rom 1659; – Johannes Susta, I. v. L.s Selbstbiographie, in: MIÖG 26, 1905, 45-106; – Heinrich Boehmer, Stud. zur Gesch. der Gesellschaft Jesu, 1914; – Ders., I. v. L. und die dt. Mystik, 1921; – Ders., I.v. L., Neuausgabe hrsg. v. H. Leupe, 1941; – H. D. Sedgewick, I. L., London 1923; – Karl Holl, Die geistl. Übungen des I. v. L., in: Ges. Aufsätze zur Kirchengesch. III, 1928; – V. Kolb, Das Leben des hl. I. v. L., 1931; – A. Huonder, Ignatius, Beiträge zu seinem Charakterbild, 1932; – P. Dudon, S. Ignace de L., Paris 1934; – Pietro de Leturia, La Conversión de S. I., in: AHSI 5, 1936, 1-35; – Ders., La devotio moderna en el Montserrat de S. I., in: RF 111, 1936, 371-386; – Ders., Origine e senso sociale dell'apostolato di s. I. di L. in Roma, in: Misc. Pio Paschini II, Rom 1949; – El gentil ombre I. Lopez de Loyola, Barcelona 1949[2]; – Ders., Estudios Ignacianos, Rom 1957; – Erich Przywara, Deus semper maior, 1938-40; – Ders., Ignatianisch, 1956; – I. Casanova, S. I. de L., Barcelona 1944[2]; – H. Pinard de la Boullyaye, Les étapes de rédaction des Exercices de st. I., Paris 1945; – Hugo Rahner, I. v. L. und das geschichtl. Werden seiner Frömmigkeit, 1949[2]; – Ders., I.v. L., Briefwechsel mit Frauen, 1956; – Ders., I. v. L., in: GuL 31, 1958, 117-131; – Ders., I. der Theologe, in: Festschr. für E. Przywara, 1959; – Ders., Das Dynamische in der Kirche, 1960[2], 74-148; – Ders., I. v. L. als Mensch und Theologe, 1964; – I. Ortiz de Urbina, St. I. y los Orientales, Madrid 1950; – J. de Guibert, St. I. mystique, Toulouse 1950; – Ignacio Iparraguirre, Práctica de los Eiercicios de s. I. de L. en vida de su autor 1522-56, Rom-Bibao 1956; – Ders., Estudios ignacianos, Rom 1957; – Friedrich Wulf (hrsg.), I. v. L., Seine geistl. Gestalt und sein Vermächtnis, 1556-1956, 1956; – AHSI (hrsg.), Commentarii Ignatiani, 1956; – J. Brodrick, I. de L., London 1956; – P. Blet, Les fondements de l'obéssance Ignatienne, in: AHSI 25, 1956, 514-538; – G. Fessard, La dialectique des exercices spirituels de st. I., Paris 1956-66; – K. D. Schmidt, Die Jesuiten, 1957; – Theodor Baumann, Die Berichte über die Vision des hl. I. bei Storta, in: AHSI 27, 1958, 181-208; – Alain Guillermon, St. I. de L. et la Compagnie de Jésus, Paris 1960, dt.: Hamburg 1962; – Riccardo García Villoslada, I. de L., 1961[2]; – Ders., St. I. de L. y Erasmo de Rotterdam, in: EE 16, 1942; – M. Batllori, Montserrat i la Companyia de Jesus, in: Misc. ans. Albareda I, Montserrat, 1962; – J. Granero, San I. de L., Madrid 1967; – Raymund Schwager, Das dramatische Kirchenverständnis bei I. v. L., 1970; – Ders., Freiheit und Erfahrung, I. v. L., 1970; – Karl Rahner, Paul Imhof, Helmuth Nils Loose, I. v. L., 1978; – Josef Stierli, I. v. L.; Gott suchen in allen Dingen,

1981; – André Ravier, I. v. L. gründet die Gesellschaft Jesu, dt. Bearb. von Josef Stierli, 1982; – Manfred Barthel, Die Jesuiten, 1982, 21-53; – BS IV, 894-909; – Catholicisme V, 1650-1658; – DThC VII, 722-731; – Die Gr. der WG; – EC VI, 1602-1606; – HdKG IV, 465-473; – Koch JL, 838-853; – LThK V, 613-615; – RE VIII, 742 ff.; – RGG IV, 460-462; – Wimmer, 390-393.

Ha

IHMELS, Ludwig, evangelischer Theologe, erster Landesbischof von Sachsen, * 29.6.1858 in Middels/Ostfriesland als Sohn des Pastors Hieronymus I. und dessen Frau Henriette, + 7.6.1933 in Leipzig. – Im Jahre 1878 inscribierte sich I. als Student der evangelischen Theologie an der Leipziger Universität. Er setzte sein Studium in Erlangen und Göttingen fort, und wurde 1883 nach bestandenen Examina nacheinander Pfarrer auf Baltrum, in Nesse und Dethern. Elf Jahre darauf wurde I. Studiendirektor des Predigerseminars in Loccum. Im Jahre 1898 nahm er als Nachfolger Franz Hermann Reinhold Franke dessen Lehrstuhl für systematische Theologie in Erlangen ein, 1902 kam er einem Ruf an die Leipziger Universität nach. I. war ein Vertreter der sogenannten "Offenbarungstheologie". Seine existentielle Begründung der Glaubensgewißheit in Inkarnation und Passion, in Kreuz und Auferstehung Christi als Tatoffenbarung Gottes bildet den Kern seines systematischen Entwurfs. Im Jahre 1907 wurde I. zum Vorsitzenden der Allgemeinen evangelisch-lutherischen Konferenz berufen, 1922 erfolgte seine Wahl zum Landesbischof von Sachsen. Der Neulutheraner I. trug zur Ausgestaltung der sächsischen Kirchenverfassung von 1922 bei und begründete mit dem Studiendirektor Martin Doerne 1927 das Predigerseminar Lückendorf.

Werke: Die Rechtfertigung des Sünders vor Gott, Braunschweig 1881; Die christl. Wahrheitsgewissheit, Leipzig 1901; Die Selbständigkeit der Dogmatik gegenüber der Religionsphilosophie, ebd. 1901; Theonomie und Autonomie im Lichte der christl. Ethik, ebd. 1902; Wer war Jesus – was wollte Jesus?, ebd. 1905; Die Auferstehung Jesu Christi, Leipzig, Erlangen 1906; Centralfragen der Dogmatik in der Gegenwart, Leipzig 1910; Der Krieg im Lichte der christl. Ethik, ebd. 1914; Der Krieg und die Jünger Jesu, aus der Kirche, ihrem Lehren und Leben, ebd. 1914; Der Katechismus als Lebensbuch, 1915; Das Evangelium von Jesus Christus in schwerer Zeit, Berlin 1916; Welche Aufgabe hat die Bekenntniskirche für die Erziehung ihrer getauften Glieder?, 1919; Weshalb und wie ist in den gegenwärtigen Wirren am Bekenntnis der Kirche festzuhalten?, 1919; Ich glaube an eine heilige christl. Kirche, 1921; Aus der Zeit für die Ewigkeit, 1922; Selbstbiogr. in: Erich Stange (hrsg.), Die Religionswissenschaft der Gegenwart in Selbstdarstellungen, Bd. 1, Leipzig (1925).

Lit.: L. J. Morehead, Bischof I., ev.-luth. Kirchenführer, in: Eiche 21 (1915); – Robert Jelke (Hrsg.), Das Erbe Martin Luthers und die gegenwärtige theol. Forschung, FS Ludwig I., Leipzig 1928, Bibliogr. der Schriften I.s, 451-463; – A. Leidhold, I., Gottesmann und Bischof, 1938; – Diethardt Roth, Der Prediger Ludwig I., Diss. Göttingen 1972; – NDB X, 127; – RGG V[3], 1273 ff.

Ty

ILDEPHONS (Hildefonsus), Metropolitenbischof von Toledo und Heiliger, * um 607 in Toledo, + 23.1.667. I., der von seinem Oheim, dem späteren Heiligen Eugenius zur Schule des Heiligen Isidor von Sevilla geschickt wurde, folgte schon bald dem Beispiel des Oheims und trat als Mönch in das bekannte Kloster Agali bei Toledo ein. Durch Helladius noch im Kloster zum Diakon geweiht, gründete er mit seinem geerbten Vermögen ein Jungfrauenkloster. Als Abt nahm er 653 am Achten, 655 am Neunten und 656 am Zehnten Konzil von Toledo teil. 657-67 war I. Erzbischof von Toledo. I., dessen Leben nur durch die Beschreibung seines Nachfolgers Julian, sowie durch die legendenhafte Erzählung des Erzbischofs Cixila von Toledo (770-83) bekannt ist, tritt besonders durch seine Schriften hervor, die von ihm in vier Bänden zusammengestellt wurden. Darunter befinden sich Abhandlungen über die eigene Schwachheit, über die Eigentümlichkeiten der Personen des Vaters, des Sohnes und des Heiligen Geistes, Bemerkungen über tägliche Verrichtungen, über heilige Dinge, Briefe, Meßformulare, Hymnen, Predigten, Epitaphien und Sinngedichte. I., über dessen bischöfliche Tätigkeit Wunderdinge erzählt werden, war schon zu Lebzeiten wegen seiner Verdienste um die Ehre Mariens, die er in Schrift und Gesang verherrlichte, und die ihm selbst erschienen sein soll, in der spanischen Kirche gefeiert.

Werke: De cognitione baptismi; de hospitio a parentibus; de itinere deserti; de progressu spiritalis deserti; de virginitate perpetua sanctae Mariae contra tres infideles; de virginitate beatae Mariae; de viris illustribus; liber in cognitione baptismi unus; liber responsionum ad quendam rusticum de interrogatis quaestionibus; missa beatae Mariae; opusculum de partu virginis; plebs deo dicata pollens; puer hic sonat Joannes; sanctissimae leocadiae; sermoiin die s. Mariae; zwei Briefe an Bischof Quricus von Barcelona.

Lit.: Julian von Toledo (gest. 690). elogium auf I. (als Anhang zu dessen viri illustribus); Cixila von Toledo, Vita. 8. Jh., Alfonso Martinez de Toledo, Vita, 15. Jh., Mayans y Siscar, Vida de San Ildefonso, Valencia 1727; – Florez, Espana Sagrada V. Madrid 1750, 275 ff. 470 ff.; – Hildefonsi Toletani episcopi opera, ed. Lorenzana, Sanctorum patrum Toletanorum quotquot extant opera. I. Madrid 1782, 94-451; – Ildefonsus arciepiscopus Toletanis. opera omnia, 1851; – Helfferich, Der westgotische Arianismus, 1860, 62 ff.; – Thomas Tamayo de Vargas, De S. Ildephonso archiepiscopo Toletano in Hispania, in: AS III. Brüssel 1863, 150-153; – Antonio Restori, Ildefonso. Alcuni appunti su la chiesa di Toledo nel secolo XIII, in: Atti della reale academia delle scienze di Torino, XXVIII, 1893, 54-68; – Gustav Dzialowski, Isidor u. Ildefons als Litterarhistoriker, in: Kirchengesch. Studien IV, 2, 1898, 125 ff.; – G. Bareille, Ildefonse, évêque de Tolède, in: DThC VII, 1922, 740-743; – Alfred Schroll, Saint I. of Toledo in History and Legend, Unpublished master's dissertation in the Mullen Library of The Catholic University of America, Washington D. C. 1936; – Blanco Garcia Vicente, San Ildefonso. De virginitate Beatae Mariae, Madrid 1937; – Athanasius Braegelmann, The Life and Writings of Saint I. of Toledo, Washington 1942; – José Madoz y Moleres, Vidas de San I. y San Isidoro, Madrid 1952; – Juan Maria Cascante Dávila, Doctrina mariana de S. I. de Toledo, Barcelona 1958; – John Coulson, Dictionnaire historique des Saints, Paris 1964, 200; – J. Ferreiro Alemparte, Las versiones Latinas de la legenda de San I. y su reflejo en Berceo, in: Boletin de la real Academia espanola, L, Madrid 1970, 233-276; – Tomas Marin Martinez/ Jose Vives Gatell, Diccionario de Historia Eclasiastica de Espana, Madrid 1972, 1888-1889; – M. Alvar Ezquerra, Concordancias e indicés lexicos de la Vida de San I., Malaga 1980; – Lexikon der Namen und Heiligen, 1982, 393; – AS II, Sp. 535-539; – DCB III, 222-224; – Weltzer-Welte VI, Sp. 600-603; – BHL 3917-3926, Suppl. 3919-3926; – RE IX, 59-61; – LThK III, 671; – AnBoll XCIV, 235-244.

Gr

ILGEN, Karl David, evangelischer Theologe, Rektor, * 26.2.1763 in Sehna/Thüringen, † 17.9.1834 in Berlin. – Bereits in seiner Jugend entwickelte I. ein großes Interesse an den Sprachen des Altertums. Zunächst bei einem benachbarten Pfarrer, später dann an der Domschule zu Naumburg lernte er besonders eifrig Hebräisch, Griechisch und Latein. Im Jahre 1783 begann I. das Studium der evangelischen Theologie an der Leip-

ziger Universität. Bereits zwei Jahre später wurden seine ersten kleineren altphilologischen Arbeiten veröffentlicht. 1788 erlangte er den akademischen Rang eines Magisters und übernahm im Dezember des darauffolgenden Jahres das Rektorat der Stadtschule in Naumburg. Im Jahre 1794 erfolgte sein Ruf an die Universität Jena, wo er über die orientalischen Sprachen, die Erklärung des Pentateuch, des Psalters, der Schriftpropheten, der Apokryphen und des Neuen Testaments las. Unter seinen zahlreichen Veröffentlichungen aus dieser Zeit ist vor allem die Schrift »Die Urkunden des Jerusalemer Tempelarchivs in ihrer Urgestalt« (1. Tl. 1798) zu nennen, in der die sogenannte »Urkundenhypothese« eine wesentliche Erweiterung und Vertiefung erfuhr. Der Gedanke, daß in den mosaischen Büchern verschiedene, in ihrer Urgestalt voneinander unabhängige Urkunden zu unterscheiden seien, ging bereits auf den Franzosen Jean Astruc zurück, der aus den verschiedenen Bezeichnungen für die Gottheit (Jahwe/Elohim) in scheinbar willkürlicher Weise im Buch Genesis die Existenz zweier selbständiger »Urkunden« schloß (1753). I. ermittelte nun innerhalb der »elohistischen Urkunde« wiederum zwei Schichten, die sich voneinander durch ihr Alter unterscheiden. Grundlage seiner Beobachtungen war die Annahme eines "Jerusalemischen Tempelarchivs", in dem die Urkunden der Schrift gesammelt und geordnet worden waren. I. glaubte, durch eine wissenschaftlich exakte Neuordnung der in der Endgestalt des Buches Genesis vermischten, verschiedenen Urkunden deren Alter, Intention und Verfasserschaft ermitteln zu können. Das eigentlich Innovative an dieser Vorgehensweise war die Absicht I.s, mit der Scheidung der verschiedenen Quellen die Voraussetzungen zur Klärung historischer Fragen zu schaffen. Nach dem Tode des bisherigen Rektors wurde I. am 31.5.1802 von der Regierung in Dresden mit der Leitung von Schulpforta beauftragt. Im Zuge der durch den Wiener Kongreß im Jahre 1814 beschlossenen Neuordnung Europas wurde auch Sachsen geteilt: Pforta kam unter preußische Regierung, die sächsische Fürstenschule, deren Rektor I. war, wurde in ein preußisches Gymnasium umgewandelt. I. arrangierte sich bald mit der neuen Administration, führte durchgreifende Veränderungen und Verbesserungen des preußischen staatlichen Schulwesens herbei, und wurde schließlich im Jahre 1828 für seine Verdienste mit dem "roten Adlerorden" ausgezeichnet. Aufgrund seines fortgeschrittenen Alters bat I. im Jahre 1830 um Entlassung aus dem Schuldienst, und siedelte im April des darauffolgenden Jahres nach Berlin über. I. erblindete, und erlag bald darauf einem Schlaganfall. Neben I.s verdienstvoller Tätigkeit als Rektor sind besonders seine alttestamentlichen Forschungen zu würdigen. I.s Zielsetzung bei der Klärung der literarkritischen Fragen bei der Erforschung des Alten Testaments bildete die Grundlage der weiteren Arbeit der bedeutenden Alttestamentler K. H. Graf und J. Wellhausen.

Werke: Poeseos Leoniti Tarentini specimen, Leipzig 1785; De choro Graecorum, Leipzig 1788; De Jobi antiquissimi carminis Hebraici natura et virtutibus, Leipzig 1788; De notione tituli filii Dei Messiae hoc est uncto Jovae in libris sacris tributi, Diss. Jena 1794; Opuscula varia philologica, Jena 1797; Scholia Graecorum, Jena 1798; Die Urkunden des

Jerusalemischen Tempelarchivs in ihrer Urgestalt als Beitrag zur Berichtigung der Gesch. der Religion und Politik, 1. Teil: Genesis, Halle 1798; Die Gesch. Tobi's nach drei versch. Originalen übers. und mit Anm., auch einer Anleitung vers., Halle 1800; Animadversiones ad Vergilii Copam, Halle 1820.

Lit.: J. Ch. Kraft, Vita I., Cum effigie, Altenburg 1837; – Rudolf Kittel, Die Alttestamentl. Wissenschaft, Leipzig 1929[5], 91; – Emanuel Hirsch, Gesch. der neueren evang. Theologie, Gütersloh 1949, Bd. 5, 46; – F. Heyer, W. v. Humboldt und Rektor I. von der Schulpforte, in: Gymnasium 61 (1954), 442-448; – Hans Joachim Kraus, Gesch. der hist.-krit. Erforschung des AT, Neukirchen-Vluyn 1982[3], 154 f.; – ADB XIV, 19 ff.; – RGG III[3], 676 f.

Ty

ILLGEN, Christian Friedrich, Philosophie- und Theologieprofessor, * 16.9.1786 in Chemnitz, + 4.8.1844 in Leipzig. – Nach seinem Studium der Philosophie und Theologie in Leipzig habilitierte sich I. an dieser Universität als Privatdozent und wurde 1818 zum außerordentlichen Professor der Philosophie ernannt. 1823 folgte die Ernennung zum außerordentlichen, zwei Jahre darauf zum ordentlichen Professor der Theologie. I. ist der Verfasser mehrerer kleinerer Arbeiten auf den Gebieten der Philosophie und Theologie. Im Jahre 1814 gründete I. die "historisch-theologische Gesellschaft", und gab in Verbindung mit dieser Gesellschaft die "Zeitschrift für die historische Theologie" heraus. Von dieser Zeitschrift erschienen 45 Ausgaben, bis sie am 4.6.1875 infolge der Auflösung der historisch-theologischen Gesellschaft eingestellt wurde.

Werke: Vita Laelii Socini, 1814; Symbola ad Vitam et doctrinam Laelii Socini illustrandam, 1826; Ueber den Werth der christl. Dogmengesch., 1817; Memoria utriusque catechismi Lutheri, 1829-30; Collegium philobiblicum, 1836 f.; Predigtsammlung: Die Verklärung des irdischen Lebens durch das Evangelium, 1823.

Lit.: Bruno Lindner, Erinnerungen an Dr. I., in: ZHTh 14 (1845), 3 ff.; – ADB XIV, 23.

Ty

ILTUT (Illtud, Ulltyd), Heiliger, * um 450 in der Bretagne, + 530/35. I., Sohn adliger Eltern, die aus Britannien in die Bretagne geflohen waren, kam etwa 470 nach Wales, wo er Mönch wurde und das Kloster Caerwogan, westlich von Cardiff (später nach ihm Llantilltyd oder Ltantwit Major genannt) gründete, das zum intellektuellen und religiösen Zentrum des südlichen Gallien wurde. Nach der Vita des Paulus Aurelianus leitete er auch die klösterliche Niederlassung auf Caldey Island. Paulus, Gildas, David von Menevia, Samson von Dol gelten als seine Schüler.

Lit.: W. J. Rees, Lives of the Cambro-British Saints, Bristol 1853; 158-182; – A. W. Wade-Evans, Welsh Christian Origins, 1934, 132-136; – G. H. Doble, Cardiff 1944; – E. G. Bowen, I., in: Antiquity IX. Gloucester 1945, 175-186; John Coulson, Dictionnaire historique des Saints, Paris 1964, 200-201; – Otto Wimmer/Hartmann Melzer, Lexikon der Namen und Heiligen, 1982, 394; – BHL I, 4268 f.; – LThK III, Sp. 628.

Gr

IMBERT, Laurent-Joseph Marius, Martyrer, selig, * 23.3.1796 in Mariagne (Aix-en-Provence), + 21.9.1839

in Sainam-hte (Seoul)[1]. – I. tritt im Oktober 1818 in das Seminar der "Mission étrangères de Paris" ein, wird im Dezember des folgenden Jahres zum Priester geweiht und im März 1820 als Missionar nach China geschickt. Politische Schwierigkeiten halten ihn in Singapur, Pinang und Tonking fest, so daß er erst 1825 die Missionsstation in Sezuan (Westchina) erreicht, wo er die nächsten 12 Jahre wirkt. 1836 wird er zum 2. apostolischen Vikar von Korea ernannt, und es gelingt ihm und zweien seiner Mitbrüder, dem sel. Peter Maubant und Jean Chastan, in Korea einzudringen und das Missionswerk der M. E. P. zu beginnen. Innerhalb von 20 Monaten zählt die rasch aufblühende Mission etwa 10.000 Christen. Bei der 1839 ausbrechenden Christenverfolgung werden viele seiner Mitarbeiter gefoltert und getötet, unter ihnen die selige Agathe Kim und der selige John Ri. Bei dem Versuch, die eingeborenen Christen zu retten, liefert sich Bischof I. zusammen mit seinen Mitbrüdern Maubant und Chastan aus und finden nach der Tortur den Tod durch Enthauptung. In den Jahren zwischen 1839 und 1847 fallen insgesamt 81 Katholiken dieser Christenverfolgung zum Opfer. Papst Pius XI. spricht I. und weitere 79 Mitglieder des M. E. P. im Heiligen Jahr 1925 selig. Fest: 22. September.[2]

1. Nach Enc. Eccl. gest. 20.9.
2. Nach Dic. of Cath. Biogr. Fest am 22.9.

Lit.: A. Launay, Mémorial de la Société des Missions Étrangères, II, 1916, 318-320; – Ders., Missions Étrangères de Paris, Martyrs francais et coréens, 1838-1846, I LXXIX, 1925; – Bibl. Miss., X, 1916-1955, 406 ff. u. ö.; ebd. XII, 694; – Baudot et Chaussin, Vies des Saints et des Bienheureux selon l'ordre du calendrier avec l'historique des fêtes, XII vol., 1935-1956, 439-443; – Enciclopedia Ecclesiastica IV, 1950, 469; – Catholicisme III, 1952, 184; – LThK V, 1960, 628; – Dictionary of Catholic Biography, 1961, 586.

Ed

IMELDA, * 1321 in Bologna, + 1333. I. entstammt dem gräflichen Geschlecht der Lambertini. Im Alter von 10 Jahren tritt sie in das Kloster der Heiligen Maria Magdalena in Val di Pietra bei Bologna ein. Dort starb sie unmittelbar nach dem Empfang der Ersten heiligen Kommunion. I., die 1824 seliggesrpochen wurde, gilt als Patronin der Erstkommunikanten, was von Papst Leo XII. am 20.12.1826 bestätigt wurde.

Lit.: G. B. Melloni, Atti o Memorie degli Uomini illustri in Santita nati o morti in Bologna II, Bologna 1779, 62-109; – Tomasso Alfonsi, La Beata I. Lambertini, Bologna 1927; – A. Walz, L'epigraphe Imeldina del 1591 o del 1601?, in: Rivista di Storia della Chiesa in Italia I (1947), 94; – T. Conti, La Beata I. Lambertini vergine domenicana, con studio critico e documenti inediti, Florenz 1955; – L. Boyle, Blessed I. Lambertini, in: Doctrine and Life VI (1957), 48-56; – Margit Amsee, Die kleine I., München 1963; – P. Burchi, Catalogus Processuum, Rom 1966, 119; – DE II, 389; – Doyè I, 559; – BS VII, 1076 f.; – LThK V, 629; – New Catholic Encyclopedia VII, 374.

Sf

IMMA (auch: Emma, Imina, Emmina). Über I. ist sehr wenig bekannt. Sie war die Tochter des letzten Thüringerherzogs Hetan II. Sie gilt als Gründerin des Benediktinerklosters Burgberg, später Marienburg, in Würzburg. Dieses Kloster, dessen Äbtissin sie lange Zeit war, übergab sie dem heiligen Burkhard (s.d.) und lebte daraufhin in Karsburg bei Würzburg, wo sie um das Jahr 750 starb. Am 27.10.1236 wurden ihre Reliquien in den Würzburger Dom verbracht.

Lit.: J. B. Stamminger, Franconia Sancta, Würzburg 1881, 193-196; – F. Stein, Geschichte Frankens, Schweinfurt 1884, 24-29, 230; – B. Hanftmann, in: Archiv des Historischen Vereins Unterfranken LXX (1956), 5-23; – Romuald Bauerreis, Kirchengeschichte Bayerns I, St. Ottilien 1958², 135; – BS VII, 788; – A Dictionary of Christian Biography, Literature, Sects and Doctrines During the First Eight Centuries III, 227; – Doyè I, 559; – Holweck, 504; – LThK V, 629; – New Catholic Encyclopedia VII, 377; – Zimmermann III, 354.

Sf

IMMER, Albert Heinrich, * 1804 in der Kleinstadt Unterseen im Kanton Bern/Schweiz als Sproß einer Pfarrersfamilie, + 23.3.1884. – I. soll ebenfalls Pfarrer werden, doch lernt er, nachdem am theologischen Examen gescheitert ist, zunächst u. a. in Lyon und Lausanne das Buchbinderhandwerk. 1829 läßt sich I. in Thun als Buchbinder nieder, jedoch wendet er sich infolge einer grüblerischen Grundhaltung und einem göttlichen »Erweckungserlebnis« 1835 erneut der Theologie zu. Sein Vorbild ist J. L. Samuel Lutz, Theologe an der Universität Bern, der tiefe Frömmigkeit mit Forscherdrang verbindet. 1838 tritt I. als erstes geistliches Amt das Predigeramt als Gehilfe an. Schon bald, 1840, führen ihn weitere theologischen Studien nach Berlin und Bonn. Nach seiner Rückkehr wird er Vikar in Burgdorf, dann, im Jahre 1845, Pfarrer von Büren an der Aare. In diesem Jahr heiratet er auch. – I. weiterer Lebensweg führt ihn 1850 an die Universität von Bern, indem er einem Ruf als Professor der Neutestamentlichen Exegese und Dogmatik folgt. Dreimal wird er in der Folgezeit der Hochschule als Rektor vorstehen, 1852 zum ersten Mal. 1860 wird I. in Basel zum Doktor der Theologie promoviert. Die Theologie I.s ist formal durch Hegel, inhaltlich durch Schleiermacher bestimmt; er fordert die Aufhebung der Bekenntnisschranken, zugleich den Dienst an Wissenschaft wie Kirche: Theologische Wissenschaft und kirchliches Leben bilden eine Einheit. I. kann zwar viele Anhänger unter seinen Studenten gewinnen, trifft aber auf die Opposition orthodoxer Kräfte, denen Bekenntnisglauben und Frömmigkeit eins sind. In Zeitungsartikeln wird I. und seine Lehre angegriffen, wodurch er sich zu Rechtfertigungsschriften veranlaßt sieht. 1866 kommt in der Schweiz mit der Reformpartei eine Gruppierung an die Regierung, die von Theologen und Klerus die Verbreitung wissenschaftlicher Ergebnisse im Volke fordert und sich polemisch gegen die bestehende Kirchenlehre wendet. Als I. sich warnend von dieser Partei distanziert, muß er sich die Verletzung eigener Prinzipien vorwerfen lassen. Bestimmend für seinen Widerspruch sind seine im Grunde doch konservative Grundhaltung sowie sein Gottes- und Offenbarungsbegriff, die von denen der Partei abweichen. – I. wirkt auch einige Jahre als Religionslehrer an der Berner Kantonsschule, zeitweilig als deren Leiter. 1881 zieht sich I. vom Lehramt zurück, und am 23. März 1884 stirbt er im Alter von 80 Jahren.

Werke: Rechtfertigungsschriften: Die theol. Fakultät und ihre Gegner, 1864; Was wir glauben und lehren, eine Verwahrung gegen Mißverständnisse, 1864; Gedruckte Vorträge: Schleiermacher als religiöser Charakter, Vortr. in Bern 1859, 1859; Samuel Lutz als Lehrer und Prediger, Vortrag, gehalten in Bern, 1861; Die Apokalypse, 1862; Das Gewissen, seine Gesundheit und Krankheit, 1866; Der Conflict zwischen dem Staatskirchentum und dem methodistischen Dissertertthum im Jahre 1829 in Bern, 1870; Die Geschichtsquellen des Lebens Jesu, in: Protestantische Vorträge, Bd. 5, H. 7, 1873; Der Unsterblichkeitsglaube im Licht der Gesch. und der gegenwärtigen Wissenschaft, Akademischer Vortrag in Bern, 1868²; Hauptwerke: Hermeneutik des NT, 1873; Theologie des NT, 1877; Neutestamentl. Theologie, 1878; Johann Bunyan, ein Lebensbild, nebst einer Blumenlese einiger seiner Gedanken und Aussprüche, 1871 (1905²).

Lit.: E. Müller, Grabrede, in: Volksblatt für die ref. Kirche der Schweiz, 1884, 105 ff.; – R. Steck, Nachruf in der Protestantischen Kirchenzeitung, 1884, Nr. 17; – R. Rüetschi, in: ThZsSchw I, 1884, 359 ff.; – F. Trechsel, Der Gottesgelehrte A. H. Immer, 1899; – W. Hagedorn, Kirchengeschichte der ref. Schweiz, 1909, 284; – Sammlung Bernischer Biographien IV; – RE³ IX, 68 f.; – RGG¹ III, 448; – RGG² III, 197; – GV 1700 - 1910 LXIX, 192; – HBLexSch IV, 341.

Pet

IMMER, Karl, reformierter Theologe, * 1.5.1888 in Manslagt im Kreis Emden, + 6.6.1944 in Meinsberg an der Lippe. – I.s Vater, K. Eduard Immer, wirkte als Missionar in Afrika und als Pastor in Manslagt. 1914 ehelicht I. Annette Tabea, Tochter des Pastors Albertus Smidt. Aus der Ehe gehen vier Töchter und drei Söhne hervor, unter ihnen Karl Immer, der 1971 Präses der Evangelischen Kirche im Rheinland wird. – Am 19.4.1925 tritt I. sein Amt als Pastor in Rysum, Ostfriesland, an. Schon bald danach wird er Direktor des Erziehungsvereins Neukirchen/Niederrhein bei Moers. Ab 1927 wirkt I. als Pastor der Reformierten Gemeinde in Barmen-Gemarke. In dieser Zeit gibt er u. a. den Jugendfreund-Kalender heraus; von 1928-1932 ist er Schriftleiter der "Jugendkraft". Schon vor Beginn des Kirchenkampfes ist er aktives Mitglied des Pastorengebetbundes, von 1934-1936 Mitglied des Reichsbruderrates, von 1934-1944 Mitglied des Altpreußischen Bruderrates. Im Kirchenkampf erkennt I. von Anfang an, daß Bibel und reformatorisches Bekenntnis die Teilnahme an der Bekennenden Kirche zwingend gebieten. Konsequent wendet er sich gegen die Deutschen Christen, die von den Nationalsozialisten unterstützt werden. Kompromißlos und ganz aus eigener Initiative gibt er Gemeinde und Pastoren Anweisungen aus der Heiligen Schrift. Als die Nationalsozialisten versuchen, kirchliche Nachrichten in ihrem Sinne zu manipulieren und schließlich ganz zu verhindern, reagiert I. mit der Herausgabe der Coetus-Briefe, um darin die Eingriffe des Staates und der Partei in das Kirchenleben zu beschreiben und bekannt zu machen und um durch sie zum aktiven Bekenntnis anzuregen. Diese Briefe finden in ganz Deutschland Verbreitung. I. ist Initiator des Biblischen Wochenblattes "Unter dem Wort", das 1936 von den Nationalsozialisten verboten wird. 1934 kommt vor allem durch seine Tatkraft eine erste freie reformierte Synode in Barmen-Gemarke zustande. Unter ihren Teilnehmern ist auch K. Barth. In einer Rede spricht I. über das »rechte Verständnis der reformatorischen Bekenntnisse in der Deutschen Evangelischen Kirche der Gegenwart«. In der Folgezeit finden dann weitere Synoden statt, deren Berichte I. als Flugschriften herausgibt. I. nimmt den prophetischen Auftrag der Kirche sehr ernst; daher setzt er sich für eine theologische Weiterbildung von Pastoren und Ältesten ein. 1937 wird I. verhaftet und nach Berlin abtransportiert. In der Haft erleidet er einen Schlaganfall, von dem er sich nicht mehr erholt. Verhaftung und Gefängnis schildert er im «Strahlenbrief».

Werke: Heimatlicht auf den Weg junger Menschen, 1934 (1961[10]); Predigt über die Offenbarung 3, 7-13, gehalten auf dem 1. Rheinischen Gemeindetag "Unter dem Wort" in Saarbrücken, den 25. Oktober 1936. 1936; Konfirmationspredigt am Sonntag, dem 14. März 1937 in der Gemarkener Kirche, 1937; Jesus Christus und die Versuchten. Ein Beitr. zur Christologie des Hebräerbriefes, Diss. 1943; Erzähltes Evangelium. Aus dem Sondergut des Lukas T. 1, 1956 = Biblische Studien H. 11; Begegnungen mit Ernst Lohmann, in: Unter dem Wort (10.5.1936), 1936; J. Beckmann (Hrsg.), Die Briefe des Coetus Reformierter Prediger: 1933-1937. Präses lic. Karl Immer zum 60. Geburtstag, 1976; Herausg.: Der Neukirchener Jugendfreund, 1929, 1933, 1950, 1952-1955 (Abreißkalender); Bekenntnis-Synode der Deutschen Evangelischen Kirche Barmen 1934. Vorträge und Entschließungen, Wuppertal-Barmen 1934 (= Freie Reformierte Synode zu Barmen − Gemarke am 3. u. 4. Januar 1934), 1934; Bekennende Gemeinde im Kampf, Westfälische Provinzial-Synode und Westfälische Bekenntnis-Synode Dortmund, den 16. März 1934. Rheinisch-Westfälischer Gemeindetag "Unter dem Wort" am 18. März 1934, Westfalenhalle Dortmund. Vorträge, Berichte, Entschließungen, 1934; Evang. Kirche der Altpreußischen Union/Bekenntnis-Synode (1, 1934, Barmen); Bekenntnis-Synode der Deutschen Evang. Kirche Barmen 1934. Vorträge und Entschließungen, Wuppertal-Barmen 1934; Die Kirche vor ihrem Richter. Bibl. Zeugnisse auf der Bekenntnis-Synode der Deutschen Evang. Kirche Barmen 1934, Wuppertal-Barmen 1934; Gemeinde in der Versuchung. Vorträge (zur Lehre und Ordnung der Kirche) auf eine Rüstzeit von Pastoren und Ältesten, Wuppertal 1934; Wehr und Waffe. Gespräch zwischen einem "Deutschen Christen" und einem "christlichen Deutschen", Wuppertal-Barmen 1934; Vierte Tagung der Evang. Bekenntnis-Synode im Rheinland zu Barmen − Gemarke vom 28.-30. April 1935, Wuppertal-Barmen 1935; Dritte Bekenntnis-Synode der Evang. Kirche der Altpreußischen Union in Augsburg vom 4.-6.5.1935. Verhandl., Reden und Beschlüsse vom Rheinisch-Westfälischen Gemeindetag "Unter dem Wort", Augsburg 1935; Evang. Kirche der Altpreußischen Union/Bekenntnis-Synode (3, 1935, Berlin): Dritte Bekenntnis-Synode der Evang. Kirche der Altpreußischen Union in Berlin-Steglitz vom 23.-26. September 1935, Wuppertal-Barmen 1935; Reformation oder Restauration. Vorträge auf einer Richtwoche der Bekennenden Kirche in Deutschland, Wuppertal-Barmen 1935; Die Lebensordnungen einer nach Gottes Wort erneuerten Kirche. Vorträge, Wuppertal-Barmen 1935; Entchristlichung der Jugend. Eine Materialsammlung, Wuppertal-Barmen 1936; Evang. Kirche der Altpreußischen Union/Bekenntnis-Synode (4, 1936, Oeynhausen): Vierte Bekenntnis-Synode der Deutschen Evang. Kirche, Bad Oeynhausen, 17.-22. Februar 1936, Wuppertal-Barmen, 1936.

Lit.: H. Obendiek, Karl Immer, in: Lebensbilder aus der Bekennenden Kirche, 1949, 63-73; − M. u. M. Albertz, Unsere Begegnung mit Karl Immer, in: RKZ 98, 1957, 196-201; − RGG³ III, 679 f.; − NDB X, 158 f.; − GV 1911-1965 LXIII, 163 f.; − Junge Kirche 1935-1936, passim.

Pet

INCHOFER, Melchior, S. J., Theologe, * um 1585 in Wien (nach anderen in Günz/Ungarn), + 28.9.1648 in Mailand. − 1607 tritt I. in Rom der Gesellschaft Jesu bei und geht nach vollendetem Noviziat nach Messina, wo er längere Zeit Philosophie, Mathematik und Theologie lehrt. Hier veröffentlicht er 1629 die Schrift »Epistolae B. Mariae V. ad Messanenses veritas vindicata«, welche er auf Veranlassung der Kongregation des Index in Rom revidiert, um sie in einer neuen, modifizierten Version 1631 in Viterbo herauszugeben. Während dieses Romaufenthalts verfaßt er den »Tractatus Syllepchismo«, eine Schrift gegen Kopernicus. Der Bibliothekar der Vatikana, Leo Allatius, Freund Inchhofers, gibt die Schrift 1633 in Rom heraus. Von 1634-36 bekleidet Inchofer nochmals die Professur in Sizilien, dann wird er nach Rom zurückberufen, um sich ausschließlich wissenschaftlichen Studien zu widmen. Von besonderer Bedeutung sind die »Annales ecclesiastici regni Hungariae«, deren erster Teil 1644 in Rom erscheint und bis zum Jahr 1059 reicht. Der 2. Teil ist nur als Manuskript vorhanden. Bemerkenswert ist ferner seine Schrift gegen die Verwendung von Kastraten als Sänger, »Symmicta«, bei L. Allatius 1653 in Köln erschienen. Andere polemische Schriften verfaßt er unter dem Pseudonym Eugenius Lavanda Ninevensis (Anagramm von Viennensis-Wien), die er 1638-41 herausgibt. Auf persönlichen Wunsch wird I. 1646 in das Kolleg zu Macerata, dann nach Mailand versetzt, wo er v. a. an der Ambrosiana seine Arbeit fortsetzt, aber schon 2 Jahre darauf stirbt. Berühmt geworden ist er jedoch durch ein ihm fälschlicherweise zugeschriebenes Werk, eine scharfe Polemik gegen den Jesuitenorden und dessen Gepflogenheiten, »Lucii Cornelii Europaei Monarchia Solipsorum«. Die Satire erscheint erstmals 1645 in Venedig und wird sehr bald auf deutsch, italienisch und französisch übersetzt. In Wahrheit stammt das Werk von dem Exjesuiten Julius Graf von Scotti aus Piacenza, welcher die Ausgabe von 1652 unter dem Namen I.s veröffentlicht.

Werke: Epistolae B. Mariae V. ad Messanenses veritas vindicata ac plurimus gravissimorum scriptorum testimoniis et rationibus illustrata, Messina 1629; Korrigierte Ausgabe: De epistola B. M. ad Messanenses conjectatio plurimis rationibus et verosimilibus locuples, Viterbo 1631²; Tractatus Syllepchismo, Rom 1633; Historia sacrae latinitatis, Messina 1635; Tres magi evangelici, Rom 1639; Annales ecclesiastici Regni Hungariae, I, Rom 1644; II nicht in Ms; Symmicta, Köln 1653, 393-413.

Lit.: J. P. Nicéron, Mémoires pour servir à l'histoire des hommes illustres dans la république des lettres..., 3 Teile, Paris 1726, neugedruckt und fortgesetzt von Oudin, J. B. Michauld u. Gojet, XXV, 322-346, XXXIX, 165-230; − Kneschke, De auctoritate libelli de Monarchia Solipsorum, Zittauer Progr. 1811; − C. Sommervogel, Bibl. de la comp. de Jés. IV, 1893, 561 ff.; − Ders., Dict. des ouvrages anonymes et pseudon., 1884, 528; − H. Hurter, Nomenclator literarius theologiae catholicae. Theologos exhibens aetate, natione, disciplines distinctos, VI vol, 1903-13³; I, 1926⁴, hrsg. v. F. Pangerl; − De Backer, Analecta Bollandiana II, 991; − Reyna, Notitia historica urbis Messanae, II, 9; − Wetzer und Weltes Kirchenlex. 1889², 629-31; − RE IX, 1901, 75-76; − LThK V, 1960, 642; − EnEc IV, 1950, 501.

Ed

INDY, Paul-Maria-Theodore-Vincent d', französischer Komponist, Organist und Chorleiter, * 27.3.1851 in Paris, + 2.12.1931 ebd. − I., der einer südfranzösischen Adelsfamilie entstammte, studierte in Paris, zuletzt bei C. Franck. Er begeisterte sich für R. Wagner, Bach, Liszt)dem er 1873 in Weimar begegnete) und für die französische Musik des 17. und 18. Jahrhunderts. 1876 wurde sein erstes Werk, die Ouverture des Piccolomini in Paris aufgeführt. 1890 übernahm I. den Vorsitz in der Société Nationale de Musique, an deren Gründung er 1871 beteiligt gewesen war. 1896 gründete er die Schola Cantorum, die entscheidend von ihm geprägt wurde. 1912 wurde er Lehrer am Conservoire. Seine Bedeutung in der Bearbeitung von Opern J. Ph. Rameaus und C. Monteverdis, sowie in der Erstellung eines Lehrbuches »Cours de Composition musicale« 1903-09, und den Biographien über C. Franck, R. Wagner und Beethoven. Sein von R. Wagner angeregtes, stark sinfonisch bestimmtes Werk besteht in der Hauptsache aus Orchester-, Kammer- und Klaviermusik. Daneben stehen Bühnenwerke, geistliche und weltliche Lieder und Chorwerke. Charakteristisch ist die komplexe kontrapunktische Fraktur, die auf der Auseinandersetzung mit dem Gregorianischen Choral beruht. Bis zu seinem Tod widmete sich I. sowohl Orchesterleitung und Komposition, wie auch der Lehre.

Werke: Orchesterwerke, Kammermusik, Klaviermusik. – Ouv. des Piccolomini, Paris 1874; Antoine et Cléopatre, op. 6, ebd. 1877; Wallenstein, op. 12, 3 sinf. Ouv., ebd. 1887; Tableaux de Voyage op. 3, Orch. Suite in 6 Tln., Le Havre 1892; Marche du 76ème Régiment d'Infanterie op. 54, Brüssel 1903; Menuet sur le nom de Haydn op. 65, Paris 1909; Les Yeux de l'Aimée für Gsg. u. Kl., op. 58, 1912; La Légende de Saint-Christophe op. 67, Paris 1918; Sinfonia brevis de bello gallico op. 70, ebd. 1919; Poème des rivages op. 77, sinf. Suite in 4 Tln., Paris 1921; Quintette f. Kl., 2 V., Br. u. Vc., op. 81, ebd. 1925; Six chants populaires francais, op. 90; Slg., ebd. 1927; La Vengeance du Mari op. 105, Chans. f. 3 Solost. m. Chor u. Orch., 1931, unveröff., Theoretisches Werk: La Musique religieuse et la Schola, 1897; Cours de Composition mus., 3 Bde., I 1903, II 1909, III 1933; César Franck, 1906; Beethoven, 1911; Franz Liszt en 1873, 1911; Richard Wagner, 1930.

Lit.: R. Rolland, V. d'I., in: ders., Musiciens d'aujourd'hui, Paris 1908; – L. Borgex, V. d'I., ebd., 1914; A. Serieyx, V. d'I., ebd. 1914; L. Saint-Saens, Les idées de V. d'I., ebd. 1918; – M. M. de Fraguier, V. d'I., Souvenirs d'un élève. accompagnés de lettres inéd. du maître, ebd. 1933; – M. Montgomery, A Comparative Analysis of V. d'I.s Cours de Composition mus., 7 Bde., (Diss. Rochester), New York 1946; – L. Vallas, V. d'I., 2 Bde., Paris 1946-50; – R. R. Guenther, V. d'I., 3 Bde., (Diss. Rochester), New York 1948; – J. Canteloube, V. d'I., Paris 1951; N. Demuth, V. d'I. Champion of Classicism, London 1951; – E. W. Blom, V. d'I. Enigma, in: ders. Classics Major and Minor, ebd. 1958; – Robert Anedis, Hagopian, The d'I. and Wukas piano sonates, (Diss. Indiana) 1975; – Arthur Hoérée, Lettres des V. d'I. a Roussel, in: Cahiers Albert Roussel I, 1978, 42-48; – Ray Luck, An analysis of three variation sets for piano by Bizet, d'I. and Pierné (Diss. Indiana), 1979; – MGG VI, Sp. 1199-1210.

Gr

INGE, William Ralph, anglikanischer Theologe und Religionsphilosoph, * 6.6.1860 in Crayke/Yorkshire, + 21.2.1954 in Wallingford/Berkshire. – I. erhält seine Erziehung in Eton und am King's College in Cambridge, bekleidet 1884 das Amt eines Assistant Masters in Eton, 1886 das eines Fellows am King's College und 1889 das eines Fellows und Tutors am Hertford College in Oxford. 1905 wird er zum Vikar der All Saints' Knightsbridge ernannt, 1905 zum Professor in Cambridge (Lady Margareth Professor of Divinity). Von 1911-34 ist er Dekan der St. Paul's Cathedral in London. In dieser Zeit verfaßt I. kritische Aufsätze über den Geist des weltlichen Optimismus, beschäftigt sich mit dem Zusammenhang von christlicher Ethik und zeitgenössischen Problemen sowie mit Moralfragen der Zeit. Durch seine provokanten, mit scharfer Feder formulierten Aufsätze, viele von ihnen im »Evening Standard« veröffentlicht, erhält er den Beinamen "The Gloomy Dean – der düstere Dekan". In theologischer Hinsicht verficht I. den christlichen Platonismus. Unter dem Einfluß von Plotinus und den deutschen Mystikern betont er den spekulativ-mystischen Gehalt der christlichen Religion. Er ist einer der herausragenden Theologen und Literaten seiner Zeit.

Werke: Christian Mysticism, 1899; Faith and Knowledge, 1904; Studies of English Mystics, 1906; Truth and Falsehood in Religion, 1906; Personal Idealism and Mysticism, 1907; Speculum Animae, 1911; The Philosophy of Plotinus – The Gifford Lectures of St. Andrews, 1917-18, 2 vol., 1918[1], 1929[3]; Outspoken Essays, 3 vol., 1919-24; Faith and its Psychology, 1919; Personal Idealism an Mysticism, The Paddock Lectures for 1906, delivered at the General Seminary New York, 1924; Personal Religion and the Life of Devotion, 1924; The Platonic Tradition in English Religious Thought, 1926; England, 1926; The Church in the World, coll. Essays, 1927; Christian Ethics and Modern Problems, 1930; God and the Astronomers, cont. the Warburton Lectures 1931-33, 1933; Vale (Autobio.), 1934[2]; Origen, Annual Lecture on a Master Mind, in: Proceedings of the British Academy 32, 1946; Mysticism and Religion, 1947; The End of an Age, 1948; Diary of a Dean, 1949.

Lit.: J. Marchant, Wit and Wisdom of Dean Inge, 1927; – M. Nédoncelle, La philosophie religieuse en Grande-Bretagne de 1850 à nos jours, 1934, 143-179. 200-201; – Senta Frauchinger, Der engl. Modernismus in seinen neuzeitl. Auswirkungen nach den Werken von Dean Inge, 1937; – Contemporary British Philosophy, Personal Statements, ed. J. H. Muirhaed, 1. Serie, 1953[2]; – C. C. J. Webb in JThS NS 5, 1954, 188-194; – W. R. Mathews, W. R. Inge 1860-1954, 1955; – Geoghegan William Davidson, Platonism in recent religious thought, 1958; – Adam Fox, Dean Inge, 1960; – R. M. Helm, The Gloomy Dean: The Thought of W. R. Inge, 1962; – Robert Baird Shuman, Inge William, 1965; – Sidney Dark, Five Deans, John Colet, John Donne, Jonathan Swift, Arthur Penrhyn Stanley, W. R. Inge, 1969; – LThK V, 1960, 669; – Catholicisme V, 1962, 1623; – New Catholic Encyclopedia VII, 1981[2], 513-514.

Ed

INGEMANN, Bernhard Severin, dänischer Dichter, * 1789, + 1862. – Während seines Studiums wurde der junge I. in hohem Maße von der deutschen sentimentalen Romantik beeinflußt. Eine Auslandsreise nach Deutschland und Italien übte einen bleibenden Einfluß auf I.s weitere persönliche Entwicklung aus. Im Jahre 1822 begann er seine Tätigkeit als Lektor für dänische Sprache und Literatur an der neugestifteten Universität zu Sorø. In dieser Position begann I. auch sein Wirken als Schriftsteller. Seine Ehe mit der tief, fast schwärmerisch religiösen Malerin Lucia F. Mandix trug in hohem Maße zur Vertiefung seiner Schriftstellertätigkeit bei. Unter Beeinflussung durch seinen Freund N. F. S. Grundtvig begann er nun, literarische Romane zu schreiben, die eine große Bedeutung für die Entwicklung des dänischen Nationalbewußtseins bekamen. Trotz einigen geschichtlichen Unstimmigkeiten zeichnen sich diese Werke durch ihre lebendige Darstellung und große Ausdruckskraft aus. Getragen werden sie von einer Lebenshaltung, deren Grundlagen in der tiefen Verwurzelung im christlichen Glauben bestehen. Hiernach wurde selbst in Zeiten der Bedrängnis ein Volksgeist beschworen, der zu neuem Handeln zu erwecken vermochte. Die geistliche Dichtkunst nahm einen bedeutenden Platz in seinem Werk ein. 1822-23 erschienen die erste Sammlung seiner Psalmdichtungen, 1844 eine vollständige Ausgabe. Wichtig sind seine Morgen- und Abendgesänge (1837-39), mit Melodien von Weyse. Sie spiegeln eine tiefe, doch naive Frömmigkeit wieder. Seine religiösen Anschauungen kreisen um einen naturbestimmten Gegensatz zwischen ewigem Licht und Finsternis. 1854 wurde I. auf dem Konvekt von Roskilde die Aufgabe übertragen, ein Psalmbuch für Kirche und Gemeinde zu verfassen. I.s Schrifttum umfaßt neben den religiösen Gedichten auch volkstümliche Lieder. In den »Morgen- und Abendgesängen«

brachte er in vollendeter Form dänische Natur und dänisches Lebensgefühl zum Ausdruck.

Werke: Valdemar der Große u. seine Weggefährten (Valdemar den Store og hans Maend), Kopenhagen 1824; Valdemar Seier, ebd. 1826; König Erik u. die Geächteten (Kong Erik og de Fredløse), ebd. 1833; Morgen- und Abendgesänge (Morgen- og Aftensange), 1837-39, neu hrsg. v. Søren Holm, Kopenhagen 1944; Psalmbuch für Kirche und Haushalte (Psalmebog für Kirke- og Husandagt); Lebensbuch (Levnetsbog) 1-2, Kopenhagen 1862.

Lit.: Grundtvig (Hrsg.), Grundtvig og I., Brevvexling 1821-1859, Kopenhagen 1882; – K. Galster, I.s historiske Romaner og Digte, Kopenhagen 1922; – Ders., I. og Atterbom, En Brevveskling, ebd. 1924; – F. Rønning, I., Liv og Digtning, ebd. 1927; – Jørgen Breitenstein, I. og Tasso, in: Danske Studier 59 (1964), 67 ff.; – M. Østerby, B. S. I.s slaviske Mytologi »Grundtraek tilen nordslavisk og vendisk Gudelaere«, in: Danske Studier 71 (1976), 118-126; – NTL II, 31-33; – RGG³ III, 750.

Ty

INGOLSTETTER, Andreas J. (andere Schreibweise: Ingolstätter), Kirchenliederdichter, Gelehrter, Kaufmann, * 9.10. oder 19.4.1633 in Nürnberg, + nach langer Krankheit am 7.6.1711 im Alter von 78 Jahren ebd. – I.s große Begabung als Kaufmann brachte ihm bald die Stellung des Marktvorstehers in Nürnberg ein. Hier gewann er in hohem Maße Ansehen und Einfluß; schließlich erhielt er den Titel eines fürstlich württembergischen Rates. Neben seiner Arbeit als Kaufmann zeigte J. ein starkes Interesse an den Wissenschaften und der Dichtkunst. Er beherrschte mehrere alte und zeitgenössische Sprachen, auch betrieb er private Studien in Mathematik und Astronomie. I.s Bemühungen um die schöpferische Wissenschaft in Beobachtung und Experiment waren typisch für das gebildete Europa seiner Zeit. 1672 wurde I. Mitglied des Blumenordens, dort führte er den Namen "Poliander". Zwei Jahre darauf wurde er durch Sigmund v. Birken mit dem Dichterlorbeer gekrönt. 1674 trat auch I.s Frau Helene unter dem Namen "Philinde" dem Blumenorden bei. Innerhalb des Ordens zeichnete sich I. nicht nur durch seine Dichtkunst aus. Er unterstützte die Arbeit einiger Künstler und Wissenschaftler, was ihm wachsende Popularität einbrachte. Auch stiftete er der Universität Altdorf wertvolle astronomische Instrumente und der Stadt Nürnberg eine Armenkinderschule; mehrere junge Studenten wurden durch ihn gefördert. Zwar war I. als Dichter bekannt und beliebt, hielt jedoch selbst seine weltlichen Dichtungen für zu schlecht, um sie veröffentlichen zu lassen. So ist dieser Teil seines Werkes verloren. Einige seiner geistlichen Lieder wurden in die katholischen Gemeindegesangbücher aufgenommen. Der Angehörige des Nürnberger Dichterkreises zeichnete sich neben seinen Verdiensten als Kirchenliederdichter besonders durch seine Wohltätigkeit aus. Sein Leben war geprägt von Freigiebigkeit und Demut. In der Person I.s spiegeln sich die geistigen Tendenzen seiner Epoche wieder: Der Forscherdrang des freien Geistes neben einem schwärmerischen Streben nach naturhafter Frömmigkeit.

Werke: (Lieder) Hinab geht Christi Weg; Ich bin mit (in) dir, mein Gott, zufrieden; O Tiefe, wer kann dich ergründen, in: Poetischer Andachtsklang, 1673; Ich klage, großer Gott, dir meine große Not, in: Nürnbergisches Gesangbuch 1677; August Jakob Rambach, Antologie christl. Gesänge aus allen Jahrhunderten der Kirche, Bd. 3, 354 f.

Lit.: Johann Herdegen (unter dem Namen "Amarantes"), Historische Nachricht von des löblichen Hirten- und Blumenordens Anfang, Nürnberg 1744, 417 ff., 446, 590; – Johann Caspar Wetzel, Hymnopoeographia, historische Lebensbeschreibung der berühmtesten Liederdichter, Tl. 2, 1751, 1 ff.; – Koch III, 498 ff.; – ADB XIV, 68 f.; – A. F. W. Fischer, Kirchenliederlexikon I, Hildesheim 1967, 321 f.

Ty

INGRES, Jean-Auguste-Dominique, französischer Maler und Zeichner, * 29.8.1780 in Montauban, + 14.1.1867 in Paris. I. bekam seine erste musikalische und zeichnerische Ausbildung von seinem Vater Joseph I. vermittelt. 1791 besuchte er die Akademie in Toulouse, ab 1797 arbeitete er in Davids Atelier in Paris. 1801 erhielt er für sein Werk »Archill empfängt die Abgesandten Agamemnons« den Großen Rompreis. 1806-20 weilte I. in Rom, 1820-24 in Florenz, 1824-34 wieder in Paris, nachdem sein Gemälde »Gelübde Ludwigs XIII.« zu einem Erfolg geworden war. Über Anfeindungen verärgert, übernahm er ab 1834 die Leitung der französischen Akademie in Rom, zog aber 1841 wieder nach Paris. I. entwickelte in Italien am Vorbild der Antike und Raffaels seinen persönlichen Stil und löste sich endgültig von seinem Lehrer David. Er verband die durch die Linie bestimmte Form mit eingehender Naturbeobachtung, wobei er keine realistische Wiedergabe anstrebte, sondern eine ideale Natur darstellen wollte. I., der als einer der größten französischen Maler gilt, beschäftigte sich umfassend mit dem Portrait, für das der elegante, sinnliche, ernste, psychologische und sentimentale Zug bezeichnend ist, dem weiblichen Akt, bei dem er die Schaffung des schönen Ideals anstrebte, mit mythologischen und historischen Darstellungen. In seiner Malerei folgte er streng akademisch-klassizistischer Linearität, wodurch er in den schärfsten Gegensatz zum malerischen Stil Delacroixś geriet.

Werke: Archill empfängt die Abgeordneten Agamemnons, 1801 (Paris, Musée de l'Ecole Nationale Superieure des Beaux-Arts); Napoleon als Erster Konsul, 1803-1904 (Lüttich, Musée); Selbstbildnis, 1804 (Chantilly, Musée Condê); Philibert Rivière, 1805 (Paris, Louvre); Marie-Francoise Rivière, 1805 (ebd.); La belle Zélie, 1806 (Rouen, Musée); Napoleon I. auf dem Thron, 1806 (Paris, Musée de l'Armée); Ödipus und die Sphinx, 1808 (ebd. Louvre); Monsieur Marcotte d'Argenteuil, 1810 (Washington D.C., National Gallery of Arts); Jupiter und Thetis, 1811 (Aix-en-Provence, Musée Granet); Der Maler Francois-Marius Granet, 1811 (ebd.); Monsieur Cordier, 1811 (Paris, Louvre); Cécile Pauckoucke, 1811 (ebd.); Vergil liest Augustus die Aeneis vor, 1812 (Toulouse, Musée); Raffael und La Fornarina, 1814 (Cambridge, Havard University); Marie de Senonnes, 1814 (Nantes, Musée des Beaux-Arts); Die große Odaliske, 1814 (Paris, Louvre); Francesca da Rimini und Paolo Malatesta, 1819 (Chantilly, Musée Condê); Rüdiger befreit Angelika, 1819 (Paris, Louvre); Christus übergibt Petrus die Schlüssel zum Himmelreich, 1817/20 (ebd.); Lorenzo Bartolini, 1820 (ebd.); Papst Pius VII. wohnt einer Messe in der Sixtinischen Kapelle bei, 1820 (ebd.); Das Gelübde Ludwigs XIII., 1824 (Montauban, Cathêdrale); Marquis de Pastoret, 1826 (Paris, Privatsammlung); Apotheose Homers, 1827 (ebd., Louvre); Louis-Francois Bertin, 1832 (ebd.); Comte Molé, 1834 (ebd.); Matyrium des hl. Symphorian, 1834 (Autun, Cathêdrale); Stratonike, 1840 (Chantilly, Musée Condé); Herzog von Orléans, 1842 (Paris, Sammlung de Paris); Die kleine Odaliske, 1842 (Baltimore=Maryland, Walters Art Gallery); Das Goldene Zeitalter, 1843/47 (Dampierre, Château); Comtesse d'Houssonville, 1845 (New York, Frick Collection); Venus Anadyomene, 1848 (Chantilly, Musée Condé); Die Hostienmadonna, 1854 (Paris, Lvre); Jeanne d'Arc bei der Krönung Karls VII., 1854 (ebd.); Die hl. Germana von Pibrac, 1856 (Montauban, Église de Sapiac); Die Quelle, 1856 (Paris, Louvre); Das türkische Bad, 1862 (ebd.); Der zwölfjährige Jesus unter den Schriftgelehrten, 1862 (Montauban, Musée Ingres).

Lit.: Olivier Merson, I., sa vie et ses oeuvres, Paris 1867; – Charles Blanc, I., sa vie et ses oeuvres, Paris 1870; – Henry Delaborde, I., sa vie, ses traveaux, sa doctrine d'après les notes manuscripts ęt les lettres du maître, Paris 1870; – Amaury Pineu Duval, L'Atelier d'I., Paris 1878; – Jules Momméja, la jeunesse d'I., in: Gazette des Beaux-Arts XX, 1898, 89-106, 188-208; – Ders., Biographie critique, Paris 1903; – Henry Lapauze, Les dessins de J. A. D. I. du Musée de Montauban I-VIII, Paris 1901; – Ders., I., sa vie et son ouevre, Paris 1911; – Ders., Les faux I., in: La Renaissance de l'Art francais I., 1918, 341 ff.; – Kat. der Ausstell. I. (Galerie Georges Petit), Paris 1911; – Kat. der Ausstell. I., (Musée du Petit-Palais), Paris 1921; – Lili Fröhlich-Blum, I., sein Leben und sein Stil, Wien 1924; – Ernst Wuertenberger, I., Eine Darstellung seiner Form und seiner Lehre, Basel 1925; – Walter Friedlaender, Eine Sekte der Primitiven um 1800 in Frankreich und die Wandlung des Klassizismus bei I., in: Kunst und Künstler XXVIII, 1930, 281-286, 320-326; – R. Longa, I., inconnu, Paris 1942; – Edward S. King, I. as Classicist, in: The Journal of the Walters Art Gallery, Baltimore 1942, 69-113; – Louise Burroughs, Drawings by I., in: Bull. of the Metropolitan Museum of Art, New York 1946, 156-161; – Jean Casson, I., Brüssel 1947; – Pierre Courthion, David, I., Gros, Géricault, Genf 1947; – Agnes Mongau, I. and the Antique, in: Journal of the Warburg and Courtauld Institutes X, 1947, 1-13; – Karl Scheffer, I., Bern 1949; – Jean Alazard, I. et l'ingrisme, Paris 1950; – Georges Wildenstein, The Paintings of I., London 1952; – Ders., I., Paris und London 1954; – Daniel Ternois/Paul Mesplé, I. et ses maîtres, de Roques à David, Toulouse, Musée de Augustins und Montauban, Musée I., 1955; – Norman Schlenhoff, I., sources littéraires, Cahiers littéraires inédits, Paris 1956; – Kat. der Ausstell. I., Drawings from the Musée I., Montauban, London 1957; – Kat. der Ausstell. Vedute di Roma di I., Rom 1958; – Kat. der Ausstell. I. – Zeichnungen aus dem I.-Museum in Montauban, 1961; – Hans Naef, I. – Rom I, Zürich 1962; – Ders., Schweizer Künstler in Bildnissen von I., Zürich 1963; – Ders., I. und die Familie Stamaty, Zürich 1967; – Karl Fassmann (Hg.), Briefe der Weltliteratur, 1964, 41 ff., – Dario Durbé, I., Mailand 1965; – Robert Irwin/Kenneth Price, An exhibition org. by the Los Angeles Country Museum of Art in cooper. with the Museums Contemporary Art Council, Los Angeles, Lytton Gallery 1966; – Caetan Picon, Joseph I., Étude biographique et crittique, Genf 1967; – Ders., I., Genf 1981; – Robert Rosenblum, I., London 1967; – Emilio Radius, Das Ges. Werk von I., Luzern 1968; – Marie-Louise Weber, Das Element der Mode in der Malerei von J.-D. David und I., Zürich 1968; – Michael Broetje, I. (Diss. Gießen), 1969; – Ulrike Gauss, Von I. bis Picasso, 1969; – Daniel Ternois/Ettore Camesasca, I., tout l'ouevre peint d'I., Paris 1971; – J. H. Connolly, I. and the erotic intellect, in: Art News USA 1972, 17-31; – Ausstell. Kat. Rome vue par I., Musée Montauban 1973; – Walter Pach, I., New York 1973; – E. Pansu, I., dessins, Paris 1977; – V. Kaposy, Une étude de I. pour le Voeu de Louis XII., in: Acta Art Hungr. 1978, 373-381; – Patricia Condon/Debra Edelstein, I. in pursuit of perfection. The Art of I., Kent 1983-1984; – Hélène Toussaint, Les Portraits d'I. Peintures des Musées Nationaux, Paris 1985: KML III, 378-391; Thieme-Becker XIX, 2-9.

Gr

INGRID, Elovsdotter, Heilige, * Mitte des 13. Jahrhunderts in Ostergötland, + 2.9.1282 in Skennige. – I., die einer der wenigen großen Adelsgeschlechter Schwedens der damaligen Zeit entstammte, gilt als die Wegbereiterin, zumindest Vorläuferin der heiligen Brigitta (s. d.). Nachdem I. um 1280 in das Dominikanerkloster zu Skennige eingetreten war, unternahm sie kurz darauf zusammen mit ihrer Schwester Christina und mit Margherita, der Enkelin des Königs Magnus Ladulås eine Pilgerfahrt ins Heilige Land. Sie wurde bereits nach ihrer Rückkehr zur Priorin des Klosters Skennige ernannt, bald nach ihrem frühen Tod setzte eine rege Verehrung der noch nicht kanonisierten Heiligen ein (diese erfolgte vermutlich, bedingt durch die sehr schlechte Aktenlage nach dem Konstanzer Konzil), die erst zu Beginn des 16. Jahrhunderts abklang.

Lit.: Jarl Galén, in: AFP VII, 1937, 5-40; – Ders., La province da Dacie de l'ordre des frères prêcheurs, Helsingfors, 1946; – Andre Duval, in: Catholicisme VI, coll. 1632-33; – Ingvar Andersson, Schwed. Gesch., 1950; – Trygve Lundén, Sankta Ingrid av Skännige, Credo 1951; – BS VII, 816-817; – LThK V, 672-673; – Kultur Historisk Lexikon for Nordisk Middel Alder VII, 406-407.

Ha

ININGER, Johannes Baptista, OESA, * um 1660 in München, + daselbst 18.2.1730. – I. trat 1677 in den Augustinerorden ein; zwei Jahre später nahm er als freier Clerikus das Studium in Ingolstadt auf, wo er 1685 zum Lektor der Philosophie ernannt wurde. Das Kapitel von 1691 unter Leitung des Provinzials Augustin Hoefler wählte I. zum vierten Definitor und bestellte ihn zum Lektor der Theologie in München. Gleichzeitig übernahm I. das Amt des "Socius Provincialis" (Provinzsekretär). Ab 1697 ging I. für drei Jahre als Prior und Bibliothekar nach Ramsau bei Haag. Bedingt durch den spanischen Erbfolgekrieg und den damit verbundenen Unruhen konnte erst zu einem verhältnismäßig späten Termin das Provinzkapitel nach München einberufen werden. Hier wurde am 13. Juli 1703 I. als einer der fähigsten Männer der Provinz einstimmig zum neuen Provinzial gewählt. In seiner ersten Amtsperiode ("Triennium") erließ das Kapitel unter anderem folgende Dekrete: das Chorgebet sollte in allen Konventen gleich sein; alle Mitbrüder sollten einmal im Jahr eine "recollectio spiritualis" halten; das Studium der Philosophie sollte fortan zwei und das der Theologie drei Jahre dauern. Mit anderen Augustiner-Eremiten der bayerischen Provinz reiste I. nach Rom, um dem am 27. Mai 1705 beginnenden Generalkapitel beizuwohnen. I. wurde, inzwischen zum Magister der Theologie promoviert, noch zweimal zum Provinzial gewählt, und zwar für die Amtszeit vom 15. April 1712 bis 1715 und vom 12. Mai 1724 bis 1727. Dazwischen hatte der zum Vicarius Generalis et Apostolicus bestellte bisherige Generalprokurator Franciscus Querni I. zum Praeses ernannt. Nach seiner dritten Amtsperiode blieb I. im Münchener Kloster und betreute bis zu seinem Tode als Custos die Maria-Trost-Bruderschaft. – I. wird beschrieben als ein frommer Ordensmann, der wegen seiner Gelehrsamkeit als Philosoph, Theologe, Astronom und Musiker von den bayerischen Kurfürsten sehr geschätzt wurde. Er war Mitglied der bayerischen Musengesellschaft, die das renommierte Journal »parnassus boicus« herausgab. Dem Münchener Kloster verschaffte I. eine recht ungewöhnliche Einnahme: Prior I. bebaute den gesamten Komplex hinter dem Kloster mit Mietgebäuden und verpachtete diesen "Augustinerstock" an Bürger der Stadt. I. war ein Verehrer des Nikolaus von Tolentino; bei einem Generalkapitel hatte er vom Papst Clemens XI. eine wertvolle Reliquie des Heiligen erhalten.

Werke: Conclusiones philos. S. Augustini authoritate firmatae, 1688; Quaestiones ex secunda secundae, et tertia D. Thomae Doctoris Angelici, München 1697; Planisphaerium versatile, praemissa sphaere Mundi, quam repr., partium et circulorum non minus utili, (...), München 1718; Tolentium miraculorum solem, id est breve compendium miraculorum, quibus S. Nicolaus de Tolentino in vita, et post mortem ecclesiam Dei illustravit, in lingua Germanica, München ³1737. (Die Choralbearbeitungen gelten als verschollen.)

Lit.: Johann Felix Ossinger, Bibliotheca Augustana, 1768, 472-473; – Klement Alois Baader, Das gelehrte Bayern, oder Lexikon aller Schriftsteller, welche Bayern im 18. Jh. erzeugte oder ernährte, 1. Bd. 1804, Sp. 563-564; – Pleickhard Stumpf, Denkwürdige Bayern, 1865; – Josef Hemmerle, Gesch. des Augustinerklosters in München, 1956; – Ders., Die Klöster der Augustiner Eremiten in Bayern, 1958 (Bay. Heimatforsch. 12); – Adalbero Kunzelmann, Gesch. der Dt. Augustiner-Eremiten. 6. Teil: Die bayr. Provinz vom Beginn der Neuzeit bis zur Säkularisation, 1975 (Cassiciacum 26); – Kirchenlexikon ²VI, 718; – LThK ¹V, 400; – LThK ²V, 673.

Te

INNITZER, Theodor, Erzbischof und Kardinal von Wien, * 25.12.1875 in Neugeschrei-Weipert (heute: Vejprty, CSSR) im böhmischen Erzgebirge als Sohn eines Fabrikarbeiters, + 9.10.1955 in Wien (Stephansdom). – I. wuchs in ärmlichen Verhältnissen auf und mußte nach dem Besuch der Pflichtschule als Lehrling in eine Textilfabrik gehen, um gemeinsam mit seinen beiden Geschwistern den Lebensunterhalt der Familie zu sichern. Mit der Unterstützung des Dechanten von Weipert, der die Begabung des jungen Knaben erkannt hatte, konnte er jedoch 1890 das Communal-Gymnasium besuchen, von wo er 1892 auf das Staatsgymnasium in Kaaden (Eger) überwechselte und dort 1898 die Matura ablegte. In jenem Jahr trat I. in das Wiener Priesterseminar ein und nahm das Studium der Theologie an der Wiener Universität auf, das er 1902 mit der Bestnote abschloß. I. empfing am 25.7.1902 die Priesterweihe und trat eine Stelle als Kaplan in Preßbaum nahe Wien an. Nachdem er 1903 wieder in das Priesterseminar zurückgekehrt war und dort als Studienpräfekt wirkte, führte er seine wissenschaftlichen Studien fort und promovierte mit einer Dissertation über das Verwandtschaftsverhältnis zwischen Epheser- und Kolosserbrief 1906 zum Dr. theol. Zwei Jahre später nahm die Wiener Universität seine Schrift »Johannes der Täufer nach der Hl. Schrift und der Tradition« als Habilitation an und rief I. 1911 an den Lehrstuhl für Neutestamentliche Bibelwissenschaft. Über zwei Jahrzehnte lang blieb er der Theologischen Fakultät in Wien verbunden, dreimal wurde er zum Dekan gewählt, von 1928-29 bekleidete er das Amt des Rektors. I. konnte sich in dieser Zeit einen ausgezeichneten Ruf als neutestamentlicher Exeget in der Fachwelt verschaffen. Er verband historisch-kritische Methodik mit präziser philologischer Analyse und bezog in seine Studien sowohl die Tradition der Kirchenväter als auch die Ergebnisse der modernen biblischen Hilfswissenschaften mit ein. So verwendete I. als erster seines Faches bei der Auslegung der Leidensgeschichte Gutachten medizinischer Fachgelehrter. Hieraus entstand sein mehrfach aufgelegtes wissenschaftliches Hauptwerk, der »Kommentar zur Leidens- und Verklärungsgeschichte«. Zuvor hatte er die vier Evangelienkommentare seines Lehrers und Lehrstuhlvorgängers Pölzl mit strenger Sorgfalt neu überarbeitet und neu aufgelegt. – I. widmete sein Talent und seine Arbeitskraft jedoch nicht nur allein der Wissenschaft, er trug auch entscheidenden Anteil an der kirchlich-kulturellen Arbeit des österreichischen Katholizismus. So redigierte er die Zeitschrift »Der Seelsorger« und die »Christlich-pädagogischen Blätter« und war Herausgeber der »Theologischen Studien der Leo-Gesellschaft«. In dieser Gesellschaft versah er dann ab 1923 das Amt des Generalsekretärs. Bundeskanzler Schober berief den sozial engagierten Professor 1929 schließlich als Bundesminister für soziale Verwaltung in sein Kabinett. Hierbei erwirkte I. gerade für die durch die Inflation besonders betroffenen Kleinrentner und -pächter materielle Erleichterungen, auch im Wohnungswesen und in der Jugendfürsorge setzte er soziale Akzente. Durch den Sturz des Kabinetts Schober im September 1930

wurde eine Politik des Ausgleichs jedoch verhindert, und es zeichnete sich eine tiefe Staatskrise ab. Auf dem Höhepunkt der Krise wurde I. als Nachfolger von Pfiffl zum Erzbischof von Wien ernannt (19.9.1932), nur wenige Monate später erfolgte die Erhebung zum Kardinal (13.3.1933). I. und der Episkopat standen der autoritären Umgestaltung der demokratischen Republik Österreich in einen Ständestaat durch Kanzler Dollfuß, der sich dabei auf die Idee der Berufsständischen Ordnung der Sozialenzyklika »Quadragesimo anno« (1931) berief, insgesamt wohlwollend gegenüber. Diese Haltung wurde durch den Abschluß des lang ersehnten Konkordats zwischen Österreich und Rom (5.6.1933) entscheidend mitbeeinflußt. I. versuchte in den Jahren des Ständestaats durch den verstärkten Ausbau der Caritas und die Neubewertung der Laienarbeit in der Katholischen Aktion den kirchlichen Beitrag zur Linderung der sozialen und gesellschaftlichen Krise zu erhöhen. Als das Ende des österreichischen Staates durch den gewaltsamen "Anschluß" an Hitler-Deutschland gekommen war (15.3.1938), irritierte der Kardinal das In- und Ausland mit seiner naiven Hoffnung auf ein leichtes und sogar gewinnbringendes Arrangement mit den neuen Machthabern. Noch am 15.3.1938 stattete I. dem in Wien weilenden Hitler einen Höflichkeitsbesuch ab. Wenige Tage später unterzeichneten I. und der Episkopat eine von Gauleiter Bürckel verfaßte "Feierliche Erklärung" (21.3.1938), in der die Bischöfe die Verdienste der NS-Politik würdigten und es dem österreichischen Volk zur "nationalen Pflicht" machten, bei der anstehenden Volksabstimmung für den "Anschluß" zu votieren. Die anfängliche Euphorie I.s, die auch in Rom Befremden hervorrief, sollte alsbald durch die kirchenfeindlichen Maßnahmen des NS-Regimes ernüchtert werden. Am 8.10.1938 erstürmten Mitglieder von SA und HJ das erzbischöfliche Palais und bedrohten den Kardinal und seine Mitarbeiter; bald darauf wurden kirchliche Presse und Vereine verboten und die Konkordatsbestimmungen – ähnlich wie in Deutschland – für nichtig erklärt. I. und dem Episkopat gelang es jedoch, den kirchlichen Binnenraum weitgehend intakt zu halten und darüber hinaus den besonders Verfolgten des NS-Regimes, den Juden, Hilfe zu gewähren. I. richtete für diese Gruppe in seinem Palais 1940 die "Erzbischöfliche Hilfsstelle für nichtarische Katholiken" ein und rettete damit zahlreichen Menschen das Leben. Außer in politischen Kämpfen hatte I. auch in bedeutenden innerkirchlichen Auseinandersetzungen zu bestehen. Denn er war ein gewichtiger Fürsprecher der liturgischen Erneuerung in der katholischen Kirche und geriet hierbei mit dem Freiburger Erzbischof Gröber in Fragen um die Liturgie Anfang der 40er Jahre in Konflikt. Allerdings standen dann mit dem Jahre 1945 die ganz praktischen Fragen des Überlebens und des Wiederaufbaus im Zentrum. I. gab daher seinem Klerus die strikte Weisung, nicht zu weltlichen oder politischen Fragen Stellung zu nehmen, sondern Caritas und Seelsorge in den Vordergrund zu rücken. Um den Wiederaufbau der beschädigten und zerstörten Kirchen zu beschleunigen, ließ er nun eigens ein erzbischöfliches Bauamt einrichten. 1948 feierte I. zusammen mit der begeisterten Wiener Bevölkerung die Wiedereröffnung des Stephansdoms. – Es war dennoch nicht übersehbar, daß I. zu einer umstrittenen Figur geworden war. Seine allzu schwankende und politisch naive Haltung besonders zu Anfang des NS-Regimes gegenüber dem Nationalsozialismus wie auch seine unkritische Einstellung zum Dollfuß-Ständestaat hatten ihn großen Teilen der Öffentlichkeit entfremdet. Auch in der heutigen Forschung werden die Stellungnahmen I.s kontrovers diskutiert. Jedenfalls stellte der Vatikan 1950 dem Kardinal den dynamischen Dr. Franz Joachym als Koadjutor zur Seite, der nunmehr de facto die Diözese leitete. Das letzte wichtige Ereignis vor I.s Tod war dessen Teilnahme am 1. Allgemeinen Österreichischen Katholikentag, wo er als päpstlicher Legat auftrat. I. starb am 9.10.1955 in Wien und wurde unter großer Teilnahme der Bevölkerung im Stephansdom beigesetzt.

Werke: Johannes der Täufer. Nach der Hl. Schrift und der Tradition dargestellt, Wien 1908; Die Parabeln der Evangelien, Wien 1909; Kurzgefaßter Kommentar zu den vier hl. Evangelien. Begr. v. F. X. Pölzl, fortges. v. Th. I., 5 Bde., Graz-Wien 1912 ff., ⁴1928/48; Hofrat Dr. F.-X. Pölzl, Graz 1915; Was ist uns die Bibel? = Studienhefte. Relig.wiss. Reihe 3, Wien 1920, Kurzgefaßter Kommentar zur Leidens- und Verklärungsgeschichte Jesu Christi, Graz 1924; Zusammen mit H. Balsz u. F. Wilke, Die Religionen der Erde in Einzeldarstellungen, = Wissenschaft und Kultur der Erde 2, Leipzig-Wien 1929; (Hrsg.) Der Seelsorger 7/8, Wien 1931/32; Die sozialen Aufgaben der Schule, = Schriften d. päd. Inst. d. Stadt Wien 3, Wien-Leipzig 1935; Glaubensbrief, 3 Hefte, Wien 1939/40; Die Stimme der Kirche zur sozialen Frage, = Schriftenreihe d. Wiener Kath. Akademie 1, Wien 1946; (Hrsg.) Psalterium Breviarii Romani secundum novam e textibus primigeniis interpretationem Latinam Papae Pii XII. auct..., Wien 1946; Kommentar zur Leidens- und Verklärungsgeschichte Jesu Christi, Wien 1948; Er ist auferstanden! Wien 1949; (Hrsg.) Der Stephansdom bittet Österreich und die Welt, Wien 1950; Was tun wir selbst? I. und F. Jachym rufen zur Hilfe für junge Familien, Wien 1951.

Lit.: Albert H. Rügenau, Dr. Th. I. Wiens neuer Kardinal, 1933; – Bernhard Birk, Unser Kardinal. Eines Priesters und Menschen Weg, 1935; – Kard. I., hrsg. v. Verlag d. Wiener Kirchenblatts; – Theol. Fragen der Gegenwart, Festgabe f. Kard. I., hrsg. v. d. Kath. Theol. Fak. Wien, 1952; – F. Jachym, in: Wiener Kirchenblatt v. 16.10.1955; – Kard. Th. I. zum Gedächtnis, in: Wiener Diözeseanblatt 12, 1955; – W. Lorenz, C'est l'amour seul qui compte, in: Wort und Wahrheit 10, 1955, 881-884; – Eb. Th. I., o. V., 1956; – R. Hacker, Kard. I. (= Schriftenreihe d. Sudetendeutschen Priesterwerkes Königstein/Taunus 4), 1956; – Karl Mühldorf (Hrsg.), EB. Dr. Th. I., unser Kardinal. Ein Erinnerungsbuch, 1956; – I. Gampl, Kard. I. als Diözesegesetzgeber, in: ÖAKR 8, 1957, 161-184; – R. Hacker, Der Sendbote des Herzens Jesu, 1957, 272-275; – Ladislaus Klener, Das Wiener Seelsorgeinstitut u. Seelsorgeamt. Ihr Wirken f. d. Fortbildung des Klerus unter Kard. I., 1957; – Erika Weinzierl, Die österr. Konkordate v. 1855-1933, 1960, 181-249; – J. E. Mayer, in: Kirche in Österreich 1918-1965, 1966, Bd. 1, 88-96; – Viktor Reimann, I. – Kard. zwischen Hitler und Rom, ²1967; – Franz Groß/Franz Loidl, Insultation Kard. I. durch Radikal-Nationalsozialisten Anfang Juli 1939 (= Miscellanea 6), 1976; – Kard. I. Fürbitten für Todeskandidaten. Helfer zum Kriegsende (= Miscellanea 29), 1977; – Lothar Groppe, Die erzbischöfl. Hilfsstelle für nichtarische Katholiken in Wien (= Miscellanea 64), 1978; – Martin Krexner, Th. Kard. I., Vorläufige Biographie in Daten (= Miscellanea 41), 1978; – Josef Kremsmair, Der Weg zum österr. Konkordat von 1933/34, Diss. 1880; – Franz Loidl, I. – Populär und umstritten, in: Jahrbuch der Erzdiözese Wien 1980, 206-209; – Theodor Maas-Ewerd, Die Krise der liturgischen Bewegung in Deutschland und Österreich, 1981; – Maximilian Liebmann, Kard. I. und der Anschluß, 1982; – Franz Loidl, Geschichte des Erzbistums Wien, 1983, 325-331; – Franz Loidl/Martin Krexner, Wiens Bischöfe und Erzbischöfe, 1983, 86-88; – Erwin Gatz, Die Bischöfe der deutschsprachigen Länder 1785/1803 - 1945. Ein biograph. Lexikon, 1983, 339-343; – LThK V, 685; – NDB X, 174-175; – NÖB XX, 20-28.

Wit

INNOZENZ I., Papst, Heiliger, * 21.12.402, + in Rom 12.3.417. – I. ist wahrscheinlich der Sohn seines Vorgängers Anastasius I. Neben Siricius, Leo I. und Gelasius I. der bedeutendste Papst des 4. und 5. Jh., baute I. zielstrebig das römische Primat in der Gesamtkirche aus und setzte sich u. a. für die Ausrichtung der abendländischen Kirchendisziplin nach römischem Vorbild ein. I. wurde zum Begründer des päpstlichen Vikariats von Thessalonike; er forderte nicht nur oberstes Verordnungs- und Aufsichtsrecht, sondern beanspruchte auch das Recht zur Lehrentscheidung, bekämpfte wiederholt Häretiker und setzte sich für eine strenge Disziplin ein. Im Streit zwischen Theophilus von Alexandrien und dem abgesetzten Johannes Chrysostomos griff I. zugunsten des letzteren ein, weshalb es zum vorübergehenden Bruch mit Alexandrien und Konstantinopel kam. Von ihm sind etwa 36 Briefe erhalten. – I. gilt als Heiliger. Sein Fest ist der 28. Juli.

Werke: Briefe bei: Mansi, Conc. III, 1020sq.; – Schönemann, Epist. Pontif. I; – CSEL 35, 41 ff. (Collectio Avellana); – MPL 20, 463-636; – Jaffé² I, 44-49, II, 692-734.

Lit.: H. Gebhardt, Die Bedeutung I.s I. für die Entwickl. der päpstl. Gewalt (Diss. Leipzig), 1901; – Caspar I, 296 ff.; – Seppelt I², 135-145, 303 f.; – Haller I², 100-123, 134 ff.; – W. Marschall, Karthago und Rom, Stuttgart 1971, 238; – Kirchenlex. oder Encyclopädie der kath. Theologie und ihrer Hülfswissenschaften IV, Freiburg i. Br. 1889², 722; – DThC VII, 1941 ff.; – RE IX, 106 f.; – RGG III, 764 f.; – LThK V, 685 f.; – H. Jedin (Hrsg.), Handb. der Kirchengesch. II, 1, Freiburg 1973, 447; – Karl Heussi, Kompendium der Kirchengesch., Tübingen 1976¹⁴, 125.

Ho

INNOZENZ II., Papst. * 14.2.1130 in Rom, + daselbst 24.9.1143. – I., vorher als Gregor tituliert und aus der römischen Familie Papareschi stammend, wurde formal unrechtmäßig gegen Anaklet II. gewählt; er floh nach Frankreich, gewann jedoch die Unterstützung der kirchlichen Reformkreise um Bernhard von Clairvaux und Norbert von Xanten. Auch Lothar III., Heinrich II. von England und Ludwig VI. ergriffen Partei für ihn; durch König Lothar III., der von I. am 4.6.1133 im Lateran zum Kaiser gekrönt wurde, wurde er nach Rom zurückgeführt, mußte aber nach dem Abzug des Kaisers Rom erneut verlassen. Erst nach Anaklets II. Tod im Jahre 1138 konnte sich I. in der gesamten Kirche durchsetzen. Durch das zweite Laterankonzil von 1139 wurde das Schisma endgültig beendet; mit Sizilien, Frankreich und Rom lag I. allerdings fortan im Streit.

Werke: Briefe bei: Watterich II, 174-275; MPL 179, 26 ff., Jaffé I², 840 ff.

Lit.: R. Zoepffel, Die Doppelwahl des J. 1130, Berlin 1871; – E. Mühlbacher, Die streitige Papstwahl des J. 1130, Innsbruck 1876; – W. Bernhardt, Lothar v. Supplinburg, 1879, 269-348; – Ders., Stud. zum Schisma d. J. 1130, 1961; – G. Schreiber, Kurie und Kloster II, 1910; – H. W. Klewitz, Das Ende des Reformpapsttums, 1939, 371-412; – P. Kehr, Die Belehnung des süditalien. Normannenfürsten, in: AAB I, 1934; – P. F. Palumbo, Lo scisma del 1130, Rom 1942; – Fliche-Martin IX, 51-70 u.ö.; – Haller III², 25 ff.; – Seppelt III², 171-187 u.ö.; – F. J. Schmale, Die Bemühungen I.s II. um seine Anerkennung in Dtld., in: ZKG 65, 1954, 240-269; – Ders., Stud. zum Schisma des J. 1130, 1961; – R. Foreville, Latran I, II, III et Latran IV, Paris 1965; – Hefele V², 406 ff.; – Hefele-Leclercq V/1, 676-746; – Kirchenlex. oder Encyklopädie der kath. Theologie und ihrer Hülfswissenschaften VI, Freiburg i. Br. 1889², 725 f.; – Hauck IV⁸ passim; – RGG III, 765; – LThK V, 686; – Karl Heussi, Kompendium der Kirchengesch., Tübingen 1976¹⁴, 208.

Ho

INNOZENZ III. (Lothar von Segni), Papst, einer der bedeutendsten des Mittelalters, * Ende 1160 oder zu Beginn 1161 auf Kastell Gavignano bei Segni (Mittelitalien) als Sohn des in der Kampagna begüterten Grafen Trasimund von Segni und der römischen Patrizierin Claricia Scotti, + 16.7. 1216 in Perugia. — I. besuchte in Rom die Schule des St. Andreasklosters, seine theologischen Studien begann er in Paris. Die damals dort vorherrschende konservative Tendenz findet sich später in vielen seiner Gedanken. Peter von Corbeil (s.d.), der wohl herausragendste seiner Lehrer, wurde später unter I.s Pontifikat zu hohen kirchlichen Würden berufen, wie manche andere der Lehrer I.s. Prägende Spuren hinterließen ferner die juristischen Studien, die I. in den Jahren 1178-1187 in Bologna betrieb. Zwischen dem 18. und dem 20.11. 1187 wurde I. zum Subdiakon geweiht, zwei Jahre später folgte der Aufstieg zum Kardinaldiakon von SS. Sergius und Bacchus in Rom. Aus dieser Zeit stammt seine Schrift »De misera condicione hominis«, die in ca. 500 Handschriften überliefert ist. I. befaßt sich in ihr, bereits vor seinem Pontifikat, mit der Frage: "Was ist der Mensch, was der Papst?" Sein Fazit läßt seine spätere Selbsteinschätzung erkennen; denn: "Der Mensch ist ein elendes und ganz auf die Gnade Gottes angewiesenes Geschöpf, der Papst jedoch ist geringer als Gott, aber größer als der Mensch." Noch als Kardinaldiakon verfaßte I. ferner die später programmatischen Schriften »De quadripartita specie nuptiarum« und »De missarum mysticis«. Nach der am 8.11. 1198 im 2. Wahlgang einstimmig erfolgten Wahl widmete er sich in erster Linie der juristischen Festigung des Papsttums. Als "Vater der Urkundenlehre" erließ er eine allgemein gültige kirchliche Gebühren- und Geschäftsordnung, selbst Regeln zur Überprüfung der Echtheit einer Urkunde stammen aus seiner Hand. Seine erste, authentische Dekretalensammlung, die »Compilatio III«, förderte maßgeblich das römische Dekretalenrecht. Die politischen Wirren der Zeit ermöglichten es I., daß er, der sich stets als "vicarius Christi" (seit I. d. III. fester Titel aller Päpste) bezeichnete, das Papsttum endgültig als weltliche Macht etablieren konnte und es gleichzeitig ins mittelalterliche Staaten- und Machtgefüge einordnete. Unter ihm verdoppelte sich der päpstliche Territorialbesitz, durch "Rekuperationen" dehnte I. den Kirchenbesitz bis zur Adria aus. Von diesen "Wiederinbesitznahmen" profitierten erheblich Mitglieder seiner Familie. Begünstigt wurde I.s Vorgehen durch die Doppelwahl 1198 zwischen Philipp von Schwaben

und Otto IV. I.s mit bedeutendste Dekretale »Venerabilem« erklärte zu diesem Vorgang, daß "die deutschen Fürsten das Recht und die Vollmacht hätten, einen König zu wählen, der dann Kaiser werde; dem Papst aber stehe die Prüfung dieser Person zu, da er allein ihn salbe, weihe und kröne." I.s Verhalten gerade in dieser umstrittenen Angelegenheit jedoch war schwankend; aus taktischen Erwägungen begünstigte er zunächst Otto von Braunschweig, mußte dann aber 1208 mit dem siegreichen Philipp Frieden schließen, krönte nach dessen Ermordung Otto zum Kaiser, bannte ihn aber kurz darauf, als der neue Kaiser Sizilien angriff. Die schon zu I.s Zeiten fast mißbrauchten, da zu häufig angewendeten Maßnahmen des Banns und des Interdikts, begründete er mit dem Grundsatz, "auch die Könige unterstünden dem päpstlichen Gericht über die Sünde und somit auch der kirchlichen Strafgewalt." Ähnlich rigoros wie gegen Otto IV. ging I. gegen den englischen König Johann ohne Land vor. Dieser hatte durch die Besetzung des Erzbischofsstuhls von Canterbury mit Stephan Langton (s.d.) einen alten prinzipiellen Konflikt ausgelöst, den I. zunächst durch Bann und Interdikt, letztlich durch die ultimative Drohung verschärfte, er, I., werde Johanns Untertanen von ihrem Treueeid entbinden und ihn zu einem Feind der Kirche erklären. Der von seinen eigenen Untertanen und dem französischen König bedrohte Johann ohne Land mußte daher nicht nur in der kirchlichen Streitfrage nachgeben, er unterstellte zudem auch sein englisch-irisches Reich der Lehnsoberhoheit der römischen Kirche. Als die deutschen Fürsten im Dezember 1212 Friedrich, dessen Mutter Konstanze Sizilien bis zu seiner Mündigkeitserklärung dem Papst unterstellt hatte, zum deutschen König wählten, da konnte sich I. als Oberlehnsherr von Sizilien, Aragon, Leon, Portugal, Bulgarien, England, möglicherweise auch von Ungarn bezeichnen. Manche Hoffnungen aber erwiesen sich als nichtig, so die erhoffte Union mit der armenischen Kirche und vor allem die mit der griechischen, die die Eroberung von Byzanz 1204 durch von I. unterstützte Kreuzfahrer gänzlich zunichte gemacht hatte. Dagegen ließ die Wahl seines Schutzbefohlenen Friedrich einen weitreichenden Einfluß auf die deutsche Politik erwarten. Diese politischen Handlungen verdecken fast I.s pastorales Wirken, dem er sich jedoch während seiner ganzen Regierungszeit nachhaltig widmete. Um die Einheit der Kirche zu wahren, ging er gegen die Ketzerbewegungen vor, zunächst gemäßigt, als es jedoch den Fürsten mißlang, diese im Kern ausfernden

Reformideen einzudämmen, veranlaßte er gegen die Albigenser in Südfrankreich einen "Ketzerkreuzzug". Dieser entartete unter dem päpstlichen Legaten Arnaldus Amalrici und dem Heerführer Simon von Montfort, sein Verlauf wirft kein günstiges Licht auf I. Positiv dagegen hebt sich seine glückliche Hand bei der Förderung mancher Orden ab. Außer den päpstlichen Begünstigungen für die Trinitarier und die Hospitaliter vom Heiligen Geist trifft dies vor allem auf den neuen Orden des heiligen Franz von Assisi (s.d.) zu. I. erkannte 1210 dessen erste Regel an, er sah, daß das von Franz geforderte Leben der Armut, der Caritas und der Predigt das innere Gewicht seines Pontifikats aufwerten und die Ketzerbewegungen auffangen konnte. Ähnlich eifrig unterstützte er die ähnlich gearteten Bemühungen des heiligen Dominikus (s.d.). I.s Lebenswerk fand seinen überragenden Abschluß in einem von ihm immer gewünschten allgemeinen Konzil, das, an die alten Großkonzile anknüpfend, bleibende Reformen beschließen sollte. In der Tat gingen von diesem 4. Laterankonzil (11.11. -30.11. 1215) gravierende Folgen für das Kirchenrecht aus. Seine, in 70 Kanones die niedergelegten Beschlüsse befaßten sich mit der Transsubstantionslehre, also der Lehre von der Wesenswandlung der eucharistischen Gestalten. Sodann wurden die Thesen, die Joachim von Fiore (s.d.) hinsichtlich der Trinität verbreitete, verurteilt und in diesem Zusammenhang erweiterte Vorschriften gegen Ketzerbewegungen erlassen. Es folgten die eigentlichen Reformmaßnahmen. So wurden neue Orden verboten, eine Vorschrift, die I.s Nachfolger jedoch bald ignorierten. Der 21. Kanon behielt für den Bereich der katholischen Kirche bis in unsere Zeit eine oft umstrittene Geltung. Er besagte, daß alle volljährigen Gläubigen jährlich zumindest einmal eine Beichte beim zuständigen Priester ablegen und zu Ostern die Altarsakramente zu empfangen hätten. Vorausblickend wandte sich in diesem Zusammenhang ein weiterer Kanon gegen eine zu häufige Ablaßerteilung. Zwei Maßnahmen fallen etwas aus diesem Rahmen. Von I. befürwortet legte das Konzil den Juden eine bestimmte Kleidervorschrift auf. Diese Regelung war vermutlich nur eine Legalisierung von manchen bereits umlaufenden Vorschriften, ihre fatalen Folgen konnte I. noch nicht erahnen. Gänzlich scheiterte des Papstes innerstes Anliegen, nämlich einen neuen Kreuzzug auszurufen und diesen ausschließlich unter eine geistliche Leitung zu stellen (in Erinnerung an den ins Gegenteil verkehrten Kreuzzug 1204 diesmal ohne weltliche Führung, wohl aber mit deren Beteiligung). Das Konzil plante zwar einen weiteren Kreuzzug, I. vermochte ihn aber in der ihm noch verbleibenden kurzen Lebensspanne nicht mit Leben zu füllen. Er starb überraschend während einer Reise nach Perugia und wurde dort in St. Laurentius beigesetzt, erst Leo XIII. (s.d.) ließ seine Gebeine nach Rom bringen. I. hätte durchaus die Bezeichnung der "Große" verdient, ihn jedoch als "Verwandler des Jahrhunderts", wie dies englische Chronisten taten, zu bezeichnen, wäre zu übertrieben. I. bleibt vielmehr ein Papst, der unübersehbar in die politischen Konflikte seiner Zeit eingebunden war, der aber - trotz manchem Überbrodelns - weder theoretisch noch praktisch eine päpstliche Weltherrschaft erstrebte, dessen oft verkanntes Lebensziel hingegen stark von bleibenden Reformmaßnahmen bestimmt war.

Werke: De misera humanae conditionis (De misera condicione hominis), neu ed. Michele Maccarone, Lugano 1955; Opuscula, PL 217, 691-762; De missarum mysticis (de sacro altaris mysticis), PL 217, 763-946; Dekretalen: bei E. Friedberg, Quinque compilationes antiquae, 1812; Sermones, PL 217, 309-690; Briefe, verteilt über die Bde. 214-217 PL 214-217; Louis Delisle, Lettres inédites d'Innocent III., in: BECh: 334, 1873, 397-419; Acta Innocentii pp III, ed. Th. Haluscynskyi Rom 1944; Regestum Innocentii III papae super negotio Romani imperio, ed. Friedrich Kempf, MHP 12, Rom 1947; Selected letters of Pope Innocent III concerning England, ed. Christopher R. Cheney, London 1953; Ders., The letters of Pope Innocent III concerning England and Wales, Oxford 1967; Potthast, Regesta Pontificium Romanorum 1198-1304, 2 Bde., Neudruck 1957; Die Register Innozenz' III., 1. Pontifikatsjahr 1198/99, ed. Othmar Hageneder, Graz 1964; Ders., Die Register Innozenz' III., 2. Pontifikatsjahr 1199/1200, Rom 1979; Constitutiones Concilii quarti Lateranensis una cum Commentariis glossatorum, ed. Antonio Garcia y Garcia, Rom 1981.

Lit.: Gesta Innocentii III., PL 214, 15-228; — Friedrich Hurter, Gesch. I. d. III. und seiner Zeitgenossen, 4 Bde., 1841-42; — Achille Luchaire, Innocent III., 6 Bde., Paris 1904-1908; — A. Beckmann, Papst Innozenz' III. Ansichten über Krieg und Frieden, Frieden und Krieg, (Diss. Freiburg), 1924; — Johannes Haller, I. III. und Otto IV., in: Papsttum und Kaisertum, Festschr. für Paul Kehr, 1926; — Vincenz Fuchs, Der Ordinationstitel von seiner Entstehung bis auf I. III., 1930; — Karl Burdach, Der Kampf Walters v. d. Vogelweide gegen I. III. und das IV. Laterankonzil, in: ZKG 55, 1936; — Michele Maccarone, Chiesa e Stato nella dotrina di papa I. III, in: Lateranum, NS 6, 1940; — Ders., I. III prima del pontificato, in: Arch. Rom. stor patr. 66, 1943, 59-134; — Ders., Studi sull' Innocenzo III, Padua 1972; — Ders., Sacramentalità e indissolubilità del Matrimonio nella dotrina di I. III in: Lateranum NS 44, 1978, 449-514; — Friedrich Kempf, Die Register I. III., eine paläogr.-dipl. Untersuchung, 1945; — Ders., Papsttum und Kaisertum bei I. III., die geistl. und rechtl. Grundlagen seiner Thronstreitpolitik,

1954); — Augustin Fliche, I. III et la réforme de l'eglise, in: RHE 44, 1949;— M.-Y. Lefèvre, Papa I. III, in: MAH 61, 1949, 242-245; — Helene Tillmann, Zur Frage des Verhältnisses von Kirche und Staat in Lehre und Praxis I.'s III., in: DA 9, 1951; — Dies., Papst I. III., 1954; — Giovanni Barbero, La dotrina eucaristica negli scritti di I. III, Rom 1953; — Walter Wili, Humanismus, Mystik und Kunst in der Welt des MA, hrsg. v. J. Koch, 1953; — Othmar Hageneder, Die äußeren Merkmale der Originalregister I.'s III., MIÖG 65, 1957, 296-339; — Ders., Quellenkritisches zu den Originalregistern I.'s III., MIÖG 68, 1960, 128-139; — Ders., Studien zur Dekretale »Vergentis«. Ein Beitrag zur Häretikergesetzgebung I.'s III., in: ZRG kan. Abt. 49, 1963, 138-173; — Marcel Pacaut, La Théocratie, Paris 1957; — Herbert Grundmann, Religiöse Bewegungen im MA, 1961²; — Horst Fuhrmann, Das Reformpapsttum und die Rechtswissenschaft, in: Vortr. u. Forsch., hrsg. vom Konstanzer Arbeitskreis für ma. Gesch., 17, 1963; — Leo Santifaller, Bericht über die Ausgabe der Register I.'s III., in: Anzeiger der phil.-hist. Klasse der Österr. Akademie der Wiss. 102, 1965, 138-149; — B. Murchland, Two Views of Man, Pope I. III., On the Misery of man / Gianozzo Manetti, On the Dignity of Man, New York 1966; — Ludwig Buisson, Exempla und Traditio bei I. III., in: Festschr. Gerd Tellenbach, 1968, 458-476; — Helmut Roscher, Papst I. III. und die Kreuzzüge, 1969; — A. Cutler, I. III. and the Distinctive Clothing of Jews and Muslims, in: StMedCult 3, 1970, 92-116; —— Klaus Schatz, Papsttum und partikularkirchliche Gewalt bei I. III., in: AHP 8, 1970, 62-111; — Georg Denzler, Das Papsttum und der Amtszölibat, Bd. 1, 1973, 95-101; — Christopher R. Cheney, I. III. (1198-1216) and England, 1976; — Donald E. Queller, The fourth Crusade, 1978; Manfred Laufs, Politik und Recht bei I. III., 1980 (Kölner hist. Abhh. 26) — Alfonso Prieto-Prieto, I. III. y el Sacro-Romano-Imperio, Leon 1982; — Wilhelm Imkamp, Das Kirchenbild I.'s III., 1983; — Haller III, 296-480; — Seppelt III, 319-389; — Catholicisme V, 1650-1658; — DThC VIII, 1961-1981; — Lexikon der Heiligen und Päpste, 175-76; — LThK V, 688-689; — EC VII, 10-12; — Die Gr. der Weltgeschichte III, 548-570; — RE IX, 112-122; — RGG III, 765; TRE 16, 175-182.

Michael Hanst

INNOZENZ III., Gegenpapst, * und + unbekannt. — I., besser bezeichnet als Kardinal Lando v. Sezze (Landus Sitinus), entstammte vermutlich einer deutschen Adelsfamilie. Dafür spricht, daß er durch den Gegenpapst Victor IV. (s.d.), der den Staufern nahestand und allerdings unter entwürdigenden Umständen zum Thron gelangte, zum Kardinal erhoben wurde. Victors Bruder überließ I. in Palumbara (Süditalien) einen befestigten Wohnturm, der I. offenbar während seiner kurzen Regierungszeit (29.9. 1179 -Jan. 1180) als ständiger Sitz diente. Papst Alexander III. (s.d.), dem I. ausgeliefert wurde, ließ diesen auf Lebenszeit im Kloster La Cava (Un-

teritalien) inhaftieren und beendete damit ein 21 Jahre lang währendes Schisma.

Lit.: Jaffé II², 431; — Paolo Brezzi, Roma e l'imperio medievale, Bologna 1947; — Haller III³, 243; — Seppelt III, 272, 608 ff.; — EC VII, 886; — Lexikon der Heiligen und Päpste, 175; — LThK V, 687; — RE IX, 111; — RGG III, 765.

Michael Hanst

INNOZENZ IV. (Sinibald Fieschi), Papst, * Ende des 12. Jahrhunderts in Genua als Sohn des Grafen von Lavagna, + 7.12. 1254 in Neapel. — I., aus dem Reichsadel der Grafen Lavagna, dem mehrere kaisernahe Ghibellinen angehörten, begann unter der Obhut eines väterlichen Onkels in Bologna Studien, die vornehmlich den Rechtswissenschaften galten. Dort war I. dann zunächst auch als Lehrer der Rechte tätig, 1226 ging er nach Rom, trat in den Dienst der Kurie und vermittelte zusammen mit dem Kardinal Hugo von Ostia den Frieden zwischen Pisa und seiner Heimatstadt Genua. Diesem Kardinal, der 1227 nach seiner Wahl den Namen Gregor IX. (s.d.) annahm, verdankte er bereits ein Jahr später seinen Aufstieg zum Kardinal und Vizekanzler der römischen Kirche. In der Folgezeit entwickelte, was nahezu alle Chronisten hervorheben, besonders nach der Ernennung zum Rektor der Mark Ancona (1235), sich bei ihm eine ausgesprochene Herrschernatur. Dem Tode Gregors IX. folgte eine zweijährige Vakanz, äußere Umstände und vor allem innere Streitigkeiten erschwerten die Wahl eines neuen Papstes, erst am 25.6. 1243 einigte man sich im Zufluchtsort Anagni auf Sinibald Fieschi als neuen Papst, der, gleichsam als Programm den Namen Innozenz wählte. Kaiser Friedrich II., zu dieser Zeit gebannt, glaubte im Ghibellinen I. einen Freund zu erkennen, doch schon geraume Zeit später mußte er erfahren, daß I. konsequent gewillt war, die Politik seiner Vorgänger fortzusetzen. Wie kein Papst vorher, so entwickelte I. - wohl ausschließlich geprägt durch seine juristischen Studien - die Vorstellung eines Papsttums, das sowohl theoretisch wie auch praktisch unnahbar über allen weltlichen Gewalten stehen sollte. I. nahm erstmals, wie nur wenige Päpste nach ihm, für sich in Anspruch, Kaiser allein nach seinem Gutdünken abzusetzen. Ausdruck dieser Machtherrlichkeit ist die Bulle »Eger, cui lenia«, in der I. die Überordnung der geistlichen über die weltliche Gewalt in einer überaus zugespitzten Ausführung der umstrittenen »Zwei-Schwerter-Theorie« hervorhebt. So scheiterten die Friedensverhandlungen zwischen I. und Friedrich II. vornehmlich an der beiderseitigen Maßlosigkeit. Aus realpolitischen Erwägungen konnte Friedrich II., wollte er sein Reich nicht grundlegend gefährden, den Forderungen des Papstes nach Freigabe aller »Freunde und Anhänger der Kirche", also vor allem der gegen ihn in hartnäkkiger Opposition stehenden Lombarden, nicht folgen. Auch der gegen alles, was staufisch hieß, haßerfüllte Kardinal Rainer von Viterbo (s.d.) blockierte die Friedensverhandlungen, indem er in seiner Heimatstadt einen Volksaufruhr gegen den Kaiser initiierte. Das Verhalten des Papstes im Jahr 1244 erscheint undurchsichtig, zum einen ließ er die Friedensbedingungen mit Friedrich II. beschwören, obwohl deren Formulierung noch gar nicht feststand, zum anderen ernannte er 12 neue, zumeist stauferfeindliche Kardinäle. Die Mehrzahl der neuen Kardinäle (5) kam aus dem französischen Königreich. Im Oktober des gleichen Jahres floh I. schließlich zunächst in seine Heimatstadt Genua; verließ diese aber, um ins sichere Lyon, außerhalb des staufischen Machtbereichs, überzuwechseln. Das dorthin einberufene 13. allgemeine Kirchenkonzil, das 1. zu Lyon (26.6.-17.7. 1245), das der geplanten Abrechnung des Papstes mit dem Kaiser dienen sollte, war nur schwach besucht. Seine Beschlüsse betrafen zunächst die kirchliche Disziplin und das Rechtsverfahren (also Fortsetzung der Ideen des 4. Laterankonzils), die projektierte Hilfe für das lateinische Kaiserreich in Konstantinopel wie die Planung eines erneuten Kreuzzugs verhallten ohne Wirkung; im Gegenteil, das Scheitern des Kreuzzuges, den Ludwig IX. von Frankreich (s.d.) 1248 unternahm, war mitbedingt durch den hemmungslosen Kampf, den I. gegen Friedrich II. führte. Ausdruck des uneingeschränkten Machtgefühls des Papstes war der Höhepunkt der Konzilsbeschlüsse, die erstmals ausgesprochene Absetzung eines Kaisers. Als Begründung führte man die notorischen Vergehen Friedrichs gegen die Kirche an, sie wurde, nicht nur von des Kaisers Vertretern als fadenscheinig zurückgewiesen. I., der in Lyon verblieb, schürte den nun erneut aufflammenden Kampf, der, wie vor allem diverse Propagandaschriften belegen, für beide Seiten entwürdigende Formen annahm, durch die Unterstützung der Gegenkönige Heinrich Raspe (1246-47) und Wilhelm von Holland (1247-56). Auch nach Friedrichs Tod setzte I. seinen Kampf gegen die Staufer fort. Karl von Anjou, den ehrgeizigen Bruder des französischen Königs, belehnte er schließlich mit Sizilien; die tragischen Folgen dieser Belehnung

konnte I., der 1254 in Neapel verstarb, nicht mehr erleben. Außer dieser rein weltlichen Tätigkeit, die berechtigten Anlaß zu steter Kritik gibt, widmete sich I. erfolgreich der Missionsarbeit. Mag sein Plan, die Mongolenherrscher für das Christentum zu gewinnen und sie gegen den Islam einzusetzen (I. erkannte wohl die Gefahr, die die 1241 bis Schlesien vorgedrungenen Mongolen für Europa darstellten) utopisch klingen, so war die unter seiner regen Führung begonnene Missionierung Litauens überaus erfolgreich. Sein Legat Wilhelm von Modena teilte das von den Rittern des Deutschen Ordens eroberte Preußen 1243 in vier Bistümer ein. Bei all diesen Missionsaufgaben begünstigte I. stets die neuen Orden der Franziskaner und Dominikaner, zahlreiche ihrer Mitglieder betraute er mit organisatorischen und pastoralen Tätigkeiten; der Franziskaner Johannes von Pian di Carpine reiste in seinem Auftrag bis ins Karakorum, wo er Vorarbeit für das bereits erwähnte Mongolenprojekt leisten sollte. I.s Bedeutung für die Kirchengeschichte liegt in seiner umfangreichen Gesetzgebung. Seine kanonistischen Kenntnisse gelangten in seinem Dekretalenkommentar »Apparatus in quinque libros decretalium« souverän zum Ausdruck. Einzig sein fast modern anmutendes Dekretale zur Papstwahl erlangte durch den Widerstand der Kardinäle keine Gesetzeskraft.

Werke: Les Registres d'Innocent IV, ed Elie Berger, Paris 1882-1896, 4 Bde.; Briefe, in: MGH Epistolae saec. XIII ecc., II; G. Abate, Littere secrete di I. IV, in: MFr 55, 1955, 317-378; Potthast, R II, 943-1285, 2110-2124.

Lit.: Nicola da Calvi, Vita I. IV papae, in: Ris III; — Matteo Paris, Chronicon, in: MGH, Scriptores XXVIII, 107-389; — Elie Berger, St. Louis et Innocent IV., Paris 1887; — A. Folz, Kaiser Friedrich II. und Papst Innocenz IV., Straßburg 1905; — Elisabeth v. Westenholz, Kard. Rainer v. Viterbo, (Diss. Heidelberg) 1912; — I. Uminskis, Nievzpieczenstwo Tatariske w Polowie XIII. w i Papiez Innocenty IV., Lwowie 1922; — P. Pelliot, Les Mongols et la Rapauté, in: ROC 24, 1924, 225-235; — Bernhard Sütterlin, Die Politik Kaiser Friedrichs II. und die röm. Kardinäle (1239-1250), 1929; — F. Bernini, I. IV. et II suo parentado, in: Nuova Rivista storica, 24, 1940, 178-197; — Peter Josef Keßler, Unters. über die Novellengesetzgebung I. IV., in: ZSavRGkan 31, 1942, 142-320 u. in 32, 300-383; — Bertrandus Kurtscheid/F. A. Wilches, Historia juris canonici I, Rom 1943, 259; — Paolo Brezzi, Roma e l'Impero medievale, Bologna 1947, 443 ff.; — H. Marc-Bonnet, Le St. Siège et Charles d'Anjou sous I. IV. et Alexander IV., in: RH 200, 1948, 38-65; — P. L.Pisanu, L'attivitá politica d'I. IV. ei Francescani, in: Ann. dell'Inst. superiore die scienze lettere St. Chiara, Neapel 1957; — Wilhelm de Vries, I. IV. und der chr. Osten, in: OstKst 12, 1963, 113-131; — Schulte II, 91-94; — Catholicisme V, 1658-1661; — DDC VII, 1029-1062; — Haller IV, 163-272; — Bihlmeyer-Tüchle II, 268-271; — Hauck IV, 842-886 u. V, 3-17; — Seppelt III,

452-487 u. 616 f.; — Lexikon der Heiligen und Päpste, 176-177; — LThK V, 689-690; — EC VII, 12-14; — RE IX, 122-130; — RGG III, 766; — TRE 16, 183-186.

Michael Hanst

INNOZENZ V., Papst, + 22.6. 1276. — Pierre de Tarentaise (jetzt Moutiers/Savoyen) war Magister der Theologie in Paris, 1265 Ordensprovinzial für Frankreich. Zusammen mit Albertus Magnus und Thomas von Aquin verfaßt I. die Ordnung des Ordensprovinzials. I. wird 1272 Erzbischof von Lyon und 1273 Kardinalbischof von Ostia. Am 1. Konklavetag wurde I. in Arezzo als Nachfolger des Gregor X. gewählt. Politisch unterstützte I. Karl von Anjou, er bestätigte diesen als Senator von Rom und als Vikar in Tuscien. Diese Bindung belastete sein Verhältnis zu Rudolf von Habsburg, den er zur Aufschiebung der Romfahrt veranlaßte. Seine Hauptsorge galt den in Ghibellinen und Guelfen geteilten oberitalienischen Städten, eine Aussöhnung gelang ihm zwischen Pisa und Lucca. — I. war früh in den Dominikanerorden getreten, mit ihm wurde zum ersten Mal ein Dominikaner Papst. I. galt als vorzüglicher Theologe und hat in der Wissenschaft tiefere Spuren als im Papsttum hinterlassen. In seinen scholastischen und exegetischen Schriften zeigt sich schon der Übergang vom Augustinismus zum Aristotelismus. I. wurde 1898 seliggesprochen.

Werke: In quattuor libros sententiarum commentaria, 4 Bde., Toulouse 1652; Acta romanorum Pontificum ab Innocentio V ad Benedictum XI (1276-1303) e regestis vaticanis aliisque fontibus collegerunt Ferdinandus M. Delorme e Aloysius L. Tátu. Città del Vaticano 1554: Typis Poygl. Vat. XVI, 295.

Lit.: R. P. Mothon, Vie du bienhereux I. V. (Pierre de Tarentaise), archevêque de Lyon, Rom 1896; — Turinaz, Un pape savoisien, Nancy 1900; — Ders., La patrie et la famille de Pierre de Tarentaise, pape sous le nom d'I. V., Nancy 1882; — H. Denifle, Die abendländ. Schriftausleger bis Luther, 1906, 144-152; — O. Lottin, Pierre de Tarentaise a-t-il remainé' son commentaire sur Les Sentences? Recherches de théologie ancienne et médiévale 2, 1930, 420-433; — H. K. Mann und J. Hollinsteiner, The Lives of the Popes in the M. A., London 1932, 1-22; — A. Ferrero, B. I. V., primo papa domenicano, Chieri 1942; — P. Simonin, Les ecrits de Pierre de Tarentaise, 1943; — K. Renner, Die Christologie des Petrus von Tarentaise, Rom 1941; — M. Grabmann, Hs. Mitt. über Abbrevationen des Sentenzenkommentares des Papstes I. V., in: DTh, Friburg, 1946, 109-112; — M. h. Laurent, Apercus sur le pontificat d'I. V., Rom 1943; — Ders., Le bienheraux I. V. et son temps, Rom 1947 (StT 129); — Beatus Innocentius PP. V. (petrus de Tarentaise OP), Studia et documenta, Rom 1943; — F. Bernhard, Sur les

origines de Pierre de Tarentaise ou du Pape I. (1225-76) in Annales Savoisiennes I, 1949, 52-55; — L. v. Matt u. h. Kühner, Die Päpste, Eine Papstgesch. in Bild u. Wort, 1963, 95; — Seppelt III, 535-538; — HdKG III², 261; — DThC VII², 1996; — EC VII, 14-16; — RGG III, 766; — LThK V, 690; — NewCathEnc VII, 525.

Kristina Lohrmann

INNOZENZ VI., Papst, + 12.9. 1362. — Stephan Albert (od. Aubert), gebürtig aus Mont b. Beyssac (Limoussin), studierte die Rechte und war später Professor für Zivilrecht in Toulouse, anschließend bekleidete er das Amt des Großrichters der Landvogtei Toulouse. I. wurde Bischof von Nismes (1337), von Noyon (1338) und von Clermont (1340). 1345 wurde I. zum Kardinal ernannt. 1345 führte er als Gesandter einen Waffenstillstand zwischen den sich bekriegenden Königen von Frankreich und England herbei. 1352 wurde er Kardinalbischof von Ostia und Velletri und Großpönitentiar der römischen Kirche. Als Nachfolger Clemens' IV. wurde I. am 28.12. 1352 in Avignon gewählt. Zur Wahl stellten die Kardinäle erstmals eine Wahlkapitulation auf, die I. 1353 für nichtig erklärte. Er führte Reformen des gesamten päpstlichen Hofes durch, beschnitt selbst die Privilegien der Kardinäle und verminderte die Ausgaben des Hofes. — Zur Neufestigung der päpstlichen Herrschaft, und um die Rückkehr der Päpste nach Italien vorzubereiten, entsandte er den überragenden Kardinal Ägidius Albornoz, dies gelang diesem im Verlauf von 4 Jahren. Die »Constitutiones Aegidianae« wurden Grundlage der Rechtssprechung und Administration im ganzen Kirchenstaat. — Zu Karl IV. hatte I. gute Beziehungen und ließ ihn 1355 in Rom durch einen Legaten krönen. I. erhob keinen Protest, als die Goldene Bulle (1356) das päpstliche Bestätigungsrecht der deutschen Königswahl und das Reichsvikariat für Italien nicht erwähnte. — Im hundertjährigen Krieg vermittelte I. zwischen Frankreich und England den Frieden von Bretigny (1360). I. förderte die französische Herrschaft in Unteritalien. In Konstantinopel bemühte er sich vergeblich um Union und Kreuzzug. I. war ein sittenstrenger und sparsamer Papst, hielt sich aber nicht frei von Nepotismus (er bevorzugte Verwandte und Landsleute). Bei der Ordensreform ging er gegen Spirituale und Fratizellen streng vor. I. galt als ein Freund der Gelehrten, er schätzte Petrarca und rief ihn an seinen Hof. I. stand im Rufe großer Rechtschaffenheit, seine Hauptaufgabe sah er mehr in der Wiederherstellung von Ruhe, Ordnung und Frieden.

Werke: (Teilausgabe): Bullas y cartas secretas de Innocentio VI (1352-1362). Ed.: José Zunzunegui Aramburu. Roma: Inst. Espanol de Historia Eclesiastica 1970 XXXI, 496.

Lit.: E. Werunsky, Die ital. Politik I. VI. und Kaiser Karl IV. 1353/54, Wien 1878; — Ders., Gesch. Kaiser Karls IV., Bd. II, Innsbruck 1892; — LibPont II, 492; — V. u. G. Daumet, I. VI. et Blanche de Bourbon, Lettres, Paris 1899; — K. Zeuner, Die Goldene Bulle Kaiser Karls IV., Weimar 1908; — E. Déprez, Lettres closes, patentes et curiales se rapportant à la France, Paris 1909; — G. Mollat, Les papes d'Avignon, Paris 1912; — E. Baluze, Vitae Paparum Avenionensium, ed. G. Mollat, Paris 1914, 309 ff.; — W. Scheffler, Karl IV. und I. VI., Beiträge zur Gesch. ihrer Beziehungen, Berlin 1912; — K. H. Schäfer, Die Ausgaben der apost. Kammer unter I. VI., 1914; — P. Guidi, L coronazione di I. VI. (Festschr. für P. Kehr), 1926, 571-590; — E. Filippini, Il card. Egidio Alboroz, Bologna 1933; — E. Dupré, I papi d'Avignone, Florenz 1939, 108; — F. Bock, Einf. in das Registerwesen des Avignonesischen Papsttums (QFUAB, 31), 1941, 7; — H. Hoberg, Die Inventare des päpstl. Schatzes in Avignon, 1314-1376 (StT 111), 1944, 117; — Ders., Die Einnahmen der apostol. Kammer unter I. VI., 1955; — M. Ginsti, I Registri Vaticani (StT 165), 1952, 404; — G. Despy, Lettres d'I. VI., 1352-1355, Brüssel 1953; — T. Maijac, Die apost. Pönitentiare im 14. Jh., RQ 50, 1955, 129-177; — P. Gasnault/M. H. Laurent, Lettres secrètes et curiales d'I. VI. B. I/I, Paris 1959; — C. Pastor, I., 77 ff.; — Seppelt IV, 147-157; — L. v. Matt u. Kühner, Die Päpste. Eine Papstgesch. in Bild und Wort, 1963, 115; — RGG III, 766-767; — DThC ²VII, 197-2001; — LThK V, 690-691; — NewCathEnc VII, 525-526.

Kristina Lohrmann

INNOZENZ VII., Cosimo dei Migliorati, der spätere I., * um 1336 in Sulmona, + 1.11. 1406. — Nach dem Studium der Rechte lehrte er als Professor an den Universitäten in Perugia und Padua. Der Zeitpunkt seines Eintritts in den geistlichen Stand ist unbekannt. 1387 wurde Cosimo Erzbischof von Ravenna, 1389 Erzbischof von Bologna. Im gleichen Jahr wurde er in das Kardinalskollegium aufgenommen, von Urban V. wurde er als Kollektor nach England und später als Legat nach Oberitalien entsandt. Bereits vor seiner Wahl am 17.10. 1404 hatte er sich die Beendigung des Schismas zur Aufgabe gemacht. Jedoch lehnte er spätere Einigungsvorschläge seines Gegenpapstes Benedikt XIII. ab. Auf Drängen Königs Rupprecht berief er für den 1.11. 1405 eine Einigungssynode ein, die jedoch nicht zustande kam. Während seiner Amtszeit kam es in Rom zu Aufständen, die er mit Hilfe des neapolitanischen Königs Ladislaus

beizulegen versuchte. Als jedoch sein eigener Neffe in einen Mordfall verwickelt wurde, floh I. nach Viterbo. Erst im Sommer 1406 konnte er nach Rom zurückkehren, wo er am 1.11. des gleichen Tages starb. - Während seines nur kurzen Pontifikats gelang ihm zwar nicht die Beilegung des Schismas, wohl aber eine zukunftsweisende Neuorganisation der Universität in Rom. Er schuf einen Lehrstuhl für griechische Sprache und erwies sich durch die Berufung etlicher Humanisten an die Universität als durchaus liberaler und aufgeschlossener Papst.

Lit.: A. Kneer, Zur Vorgesch. I. VII., in: HJ XII, 1891, 347-351; — H. Finke, Zum Konzilsprojekt I. VII., in: RQ VII, 1893, 483 ff.; — P. Brandt, Studi e documenti di storia di diritto, Rom 1900; — Celidonio Gius, Di alcuni fatti riguardanti Innocenzi VII., Casalbordino 1900; — P. Passchini, Roma e il Rinascimento, Bologna 1940; — A. Tautu, Acta Urbani, P. P. VI. (1378-1389), Bonifacii P. P. VII. (1389-1404), Innocenti P. P. VII (1404-1406) et Gregorii P. P. XII. (1406-1415), Rom 1970; — DE II, 443; — Dictionary of Catholic Biography, 590; — DThC XIV, 1468-1492; — EnEc IV, 589; — LThK V, 691-692; — NewCathEnc VII, 526; — Seppelt ²IV, 224 ff.; — RepGerm II, 1933-1938; — Wetzer-Welte VI, 747.

Franz Seiffer

INNOZENZ VIII., Giovanni Battista Cibo, der spätere I., * 1432 in Genua, + 26.7. 1492. — Nach dem Studium in Rom und Padua lebte er zunächst am arogonesischen Hof. Aus dieser Zeit hatte er zwei uneheliche Kinder, die er auch anerkannte. 1467 wurde er Bischof von Savona. 1472 verließ er Savona und übernahm das Bistum Molfetta. Am 7.5. 1473 wurde er als Kardinal von Molfetta in das Kardinalskollegium aufgenommen. Seit 1476 blieb Cibo als Legat seines Vorgängers Sixtus IV. in Rom zurück. Seine Wahl zum Papst am 29.8. 1484 war stets heftig umstritten, es soll zu Manipulation und Bestechung gekommen sein. Die bereits zu Zeiten Sixtus IV. sehr hohe Verschuldung des heiligen Stuhls hatte die Praxis des Ämterkaufs allzu stark überhandnehmen lassen. I. stand damit vor den beiden großen Aufgaben, den päpstlichen Haushalt zu sanieren und die seit langem geforderten Reformen durchzuführen. Aber obwohl er sich durch die Wahl seines Namens bewußt in die Reihe der Päpste des Großen Schismas stellte, unternahm er keinerlei Schritte zur anstehenden Reform. Im italienischen Baronenkrieg stellte I. sich auf die Seite der Barone gegen König Ferrante von Neapel, der ihm den Lehenszins verweigert hatte. Sein Hilferuf an

Frankreich, ihm gegen die überlegene Partei Ferrantes beizustehen, blieb ohne Erfolg, so daß I. im August 1486 mit Ferrante einen Frieden eingehen mußte. Ferrante brach diesen Frieden, worauf I. ihn der Krone für verlustig erklärte. Den erneut ausgebrochenen Krieg konnte I. erst 1492 durch die Doppelheirat seines Sohnes mit einer Medici und seiner Enkelin mit einem Onkel Ferrantes beilegen. Gewisse Berühmtheit erlangte seine Bulle »Summis desiderantes affectibus« vom 5.12. 1484, die ein starkes Auffllakkern der Hexenpogrome vor allem in den deutschen Ländern auslöste. Während seines gesamten Pontifikats war I. vornehmlich mit seinen Geldnöten beschäftigt. Das Unwesen der Simonie nahm immer stärker zu und I. sah sich zeitweilig genötigt, Mitra und Tiara, sowie Teile des päpstlichen Kronschatzes zu verpfänden. In Rom selbst wurde eine von päpstlichen Beamten betriebene Fälscherwerkstatt ausgehoben. Auch die guten Beziehungen I.s zur Hohen Pforte verdankten sich einzig finanziellen Interessen. I. hielt gegen großzügige Geschenke des Sultans Bajasid dessen Bruder Dschem in Gefangenschaft. Außer Gold bekam I. dafür auch die Heilige Lanze zum Geschenk. — I., der in der Nacht vom 25. auf den 26.7. 1492 nach langer Krankheit starb, gilt vor allem als schwacher und unselbständiger Papst, was wohl nur zum Teil seiner sehr schwachen Gesundheit zuzuschreiben ist.

Lit.: Serdonati, Vita e fatti d'Innocenzo VIII, Mailand 1829; — P. Fedele, La pace del 1486 tra Ferdinandio d'Aragona e Innocenzo VIII., in: Archivio storico per la provincie Napoletane XXX, 1905, 48-503; — E. Martinori, Annali della Zecca di Roma. Sisto IV, Innocenzo VIII., Rom 1918; — F. Samarelli, Giambattista Cibo, Molfetta 1929; — P. Palmarocchi, La politica italiana di Lorenzo de Medici. Firenze nella guerra contro Innocenzo VIII., in: Biblioteca storico Toscana VIII, 1933; — H. Pfeffermann, Die Zusammenarbeit der Renaissancepäpste mit den Türken, 1946; — E. Pontieri, L'attaggiamento di Venezia nel conflitto tra papa Innocenzo VII. e Ferrante I. d'Aragona, 1483-1492, in: Archivio storico Napoletano LXXXI, 1962; — C. F. Kumaniekki, Philippi Callimachi ad Innocentium VII. de bello turcis inferendo oratio, Warschau 1964; — DE II, 443 f.; — Dictionary of Catholic Biography, 590; — EC VII, 18 f.; — EnEc IV, 589 ff.; — Gesch. d. Päpste III/1, 207-313; — Hefele-Leclercq IV/2, 1274 ff.; — HdKG III/2, 657 ff.; — NewCath VII, 526 f.; — LThK V, 692 f.; — Seppelt IV, 369-378; — Wetzer-Welte VI, 747 f.

Franz Seiffer

INNOZENZ IX., * 20.7. 1519 als Giovanni Antonio Facchinetti in Bologna, + 30.12. 1591. —

Nach dem Studium der Rechte promovierte er 1544 und trat in die Dienste des Kardinals Alessandro Farnese, des späteren Papstes Paul III. (s.d.). Kardinal Farnese schickte ihn für vier Jahre als Vikar nach Avignon. 1560 ernannte ihn Papst Pius IV. (s. d.) zum Bischof und gab ihm das Bistum Nicastro in Kalabrien. Im folgenden Jahr war er maßgeblich am Konzil von Trient beteiligt. In Nicastro gründete er ein Seminar und erbaute dem Schutzheiligen seiner Heimatstadt, Petronius, eine Kirche. Aus gesundheitlichen Gründen ist er jedoch gezwungen, Nicastro wieder zu verlassen. Von Papst Pius V. (s.d.) wurde er 1566 für längere Zeit als Nuntius nach Venedig geschickt, wo er den Abschluß der Heiligen Liga gegen die Türken maßgeblich beförderte. Von Venedig kehrte er 1575 nach Rom zurück, wo er Mitglied der Konsulta und der Inquisition wurde. Am 12.11. 1576 wurde er zum Patriarchen von Jerusalem ernannt, und am 12.12. 1583 erhob ihn Papst Gregor XIII. (s.d.) zum Kardinal. Bereits während des Patronats seines Vorgängers Gregor XIV. (s.d.) engagierte er sich sehr entschieden auf der Seite Spaniens und Italiens gegen den protestantischen Heinrich IV. von Frankreich. Am 29.10. 1591 wurde er nach nur zweitägigem Konklave als Kandidat der spanisch-italienischen Partei zum Papst gewählt. I., der bereits als kranker Mann sein Amt antrat, starb am 30.12. 1591. Obwohl sein Pontifikat lediglich zwei Monate währte, konnte I., der bereits während des Pontifikats seines Vorgängers zu den maßgeblichen Männern im Vatikan gezählt werden muß, erstaunlich viel leisten. Gleich zu Beginn seines Pontifikats teilte er das päpstliche Staatssekretariat in drei Abteilungen, eine für Italien und Spanien, eine für Frankreich und Polen und eine für Deutschland. Obwohl er nach wie vor auf Seiten der Liguisten gegen Heinrich IV. stand, trat er für eine politische, statt einer militärischen Lösung der Auseinandersetzung ein. Aus diesem Grund und zur Schonung des Kronschatzes kürzte er die Ausgaben für das päpstliche Heer in Frankreich. Verdient machte er sich vor allem auch um die Bevölkerung Roms. Ihm gelang eine spürbare Eindämmung des Banditenwesens in und um Rom, und er sorgte für niedrige Lebensmittelpreise. Er ließ den Hafen von Ancona neu anlegen und die Kuppel des Petersdomes fertigstellen. — I. gilt als sehr sittenstreng und asketisch. Zeitlebens befaßte er sich mit wissenschaftlichen und philosophischen Studien. Er verfaßte zahlreiche Abhandlungen, die jedoch nicht ediert sind.

Werke: (Hss.): Moralia quaedam theologica; Adversus Macchiavellem; Nonulla in libros politicorum Aristotelis; Notae in Platonis opera; De recta gubernandi ratione.

Lit.: Leopold v. Ranke, Die röm. Päpste in den letzten vier Jh.n XXXVIII, Leipzig 1881-1891, 149 f.; — Paul Herre, Papsttum und Papstwahl im Zeitalter Philipps II., Leipzig 1907, 551-590; — DE II, 444; — DThC VII/2, 2005; — Jedin IV/1 passim, IV/2 passim; — LThK V, 692; — NewCathEnc VII, 527 f.; — RE IX, 139 f.; — Seppelt V², 212; — v. Pastor X, 574-587 u. passim; — Wetzer-Welte VI, 750 f.

Franz Seiffer

INNOZENZ X., Papst, eigentlicher Name Giambattista Pamfili, * 6.5. 1574 in Rom als Sohn des Camillo P. und der Flamina de Bubalis, + 7.1. 1655 in Rom. — Die Familie Pamfili stammte ursprünglich aus Subbio (Umbrien), siedelte später jedoch nach Rom über. Hier begann der zukünftige Papst P. das Studium der Rechte. Nach mehreren Studienaufenthalten an anderen italienischen Universitäten erlangte P. 1594 den Titel eines Baccalaureus der Rechte. Fünf Jahre darauf finden wir ihn als Jurist an den römischen Gerichtshöfen. 1621 machte ihn Gregor XV. zum Legaten in Neapel, er übte dieses Amt jedoch nur für kurze Zeit aus. Im Jahre 1625 begleitete P. den Kardinal Francesco Barberini als Datar auf dessen Legationsreise nach Frankreich und Spanien. 1626 wurde er Nuntius in Madrid. 1629 ernannte Urban VIII. P. zum Kardinalspresbyter. P. verdankte seine Aufnahme ins Kardinalskollegium jedoch nicht allein seinen Verdiensten um die Kurie, sondern auch der Protektion durch den einflußreichen Barberini. Nach dem Tod Urbans VIII. traten die Kardinäle am 9.9. 1644 zu einer Konklave zusammen, in der die gegensätzlichen Interessen innerhalb der Kirchenführung aufeinanderprallten. Die französische Partei wollte keinen mit Spanien sympathisierenden, die zu Spanien Neigenden unter der Führung des Kardinals Medici keinen Frankreich ergebenen Mann. Nach einer langen und kontrovers geführten Konklave wurde P. als Innozenz X. im Alter von fast 72 Jahren am 15.10. 1644 zum Papst gewählt. Ausschlaggebend für seine Wahl trotz seiner offensichtlichen Sympathie für Spanien war die Befürchtung der französischen Partei, nur durch ihre Zustimmung die Wahl eines noch eifrigeren Anhängers der spanischen Krone verhindern zu können. Der Einspruch Kardinal Mazarins, der nach dem Tod Richelieus für den noch minderjährigen Louis XIV. als leitender Minister die

französischen Staatsgeschäfte führte, erreichte Rom erst nach vollzogener Wahl. Obwohl in seiner Laufbahn durch Francesco Barberini unterstützt, ging I. X. bald nach seiner Wahl gegen die einflußreichen, aber in Rom wegen ihres Machthungers verhaßten Barberini vor. Er setzte eine Untersuchungskommission ein, die den Verdacht auf Veruntreuung kirchlicher Gelder durch die Familie Barberini überprüfen sollte. Antonio Barberini, der Neffe des verstorbenen Papstes, setzte sich daraufhin nach Frankreich ab. I. X. verordnete nun in einer Bulle vom 21.12. 1646, daß Besitz und Einkünfte aller Kardinäle, die Rom ohne seine Genehmigung verließen, nach einer Frist von sechs Monaten einzuziehen und ihm zu übereignen seien. So wurde der Besitz des geflüchteten Kardinals beschlagnahmt, seine Ämter anderweitig vergeben. In Frankreich jedoch fand Barberini tatkräftige Hilfe durch Kardinal Mazarin. Dieser unterstützte ihn durch massiven politischen Druck auf den Papst. Die französischen Truppen, die Mazarin nach erfolglosen Drohungen nach Italien entsandte, erleichterten I. X. schließlich die Entscheidung, Barberini vollständig zu rehabilitieren. In scharfem Kontrast zu seinem Vorgehen gegen die Barberini stand, daß I. X. bald selbst begann, seine Verwandten an kirchlichen Ämtern und Gunstbeweisen profitieren zu lassen. Die Witwe seines älteren Bruders, Donna Olimpia Maidalchini aus Viterbo, bekam im Zuge des Nepotismus, der unter I. X. fast exzessive Formen annahm, einen immer größeren Einfluß auf ihn. I. X. geriet zunehmend in ihre Abhängigkeit, bald unternahm er nichts Wichtiges mehr, ohne vorher ihren Rat eingeholt zu haben. Die habgierige und herrschsüchtige Donna Olimpia nutzte ihre Stellung zur persönlichen Bereicherung aus. Bald wurde die »papessa« (so Pasquino) zur mächtigsten Person an der Kurie. Sämtliche kirchliche Würdenträger bemühten sich um die Gunst dieser raffiniert und skrupellos intrigierenden Frau. Ein unsittliches Verhältnis zwischen I. X. und Donna Olimpia Maidalchini, wie es Gualdi in seiner »Vita di Donna Olimpia Maidalchini« schilderte, scheint jedoch unhistorisch. Die Calvinisten beuteten diesen Verdacht einer unsittlichen Beziehung zwischen dem Papst und seiner Schwägerin in Predigten, Schriften und selbst auf Medaillen als Paradebeispiel der Sittenlosigkeit des Vatikans aus. Am 24.10. 1648 wurde nach jahrelangen, zähen Verhandlungen der Westfälische Friedensschluß unterzeichnet. Der Friede von Osnabrück und Münster bedeutete für die katholische Kirche außer gewaltigen materiellen Verlusten auch die faktische Anerkennung der protestantischen Säkularisation. Er brachte die Gegenreformation für immer zum Stillstand. Der päpstliche Nuntius Fabio Chigi, der spätere Papst Alexander VII. legte gegen die für Rom inakzeptablen Bedingungen des Friedensschlusses, Protest ein. I. X. wiederholte diesen Protest in seinem Breve »Zelus domus Dei« vom 26.11. 1648, und erklärte die Bestimmungen für null und nichtig. Der Einspruch I.s X. hatte jedoch eher symbolische Bedeutung, da abzusehen war, daß er ohne jede praktische Wirkung bleiben würde. Dem König Johann IV. von Portugal verweigerte I. X. den Empfang einer Gesandtschaft, die dem Papst die Obedienzerklärung des neu gegründeten Königreiches überbringen sollte, und damit de facto die Anerkennung der Selbständigkeit Portugals. Auch bestritt er Johann IV. das Recht, Kandidaten für die neu zu besetzenden portugiesischen Bistümer vorzuschlagen. Die Haltung I.s X. in dieser Frage ging hauptsächlich auf den Einfluß der spanischen Gesandten in Rom zurück. Aus diplomatischer Rücksicht entschied I. X. gegen Portugal, das 1640 seine Unabhängigkeit von Spanien erklärt hatte. Die wichtigste und folgenschwerste Entscheidung des Pontifikats I.s X. war der lehramtliche Beschluß über den Jansenismus. Grundanliegen dieser nach dem Löwener Professor Cornelius Jansen benannten Lehre war die Erneuerung der Theologie und des ganzen religiös-sittlichen Lebens im Geist der heiligen Schrift und der Lehren des Augustinus. Der Jansenismus griff in scharfer Form die Jesuiten an, er wollte eine Reform der kirchlichen Gnadenlehre. Nach gründlichen Beratungen erfolgte am 31.5. 1653 die Verurteilung von fünf Sätzen aus Jansens Hauptwerk "Augustinus" durch die Bulle »Cum occasione impressionis libri«. Der Streit um den Jansenismus konnte jedoch hierdurch nicht beendet werden, sondern durch die päpstliche Entscheidung entflammte der Streit um die Lehre des Bischofs von Ypern aufs Neue. Die Ereignisse um den Tod des I. X. spiegeln den Verfall wieder, in dem das Papsttum dieser Epoche begriffen war. Während I. X. im Sterben lag, begann seine Schwägerin Donna Olimpia Maidalchini zusammen mit der Prinzessin von Rossano, der Gattin eines Papstnepoten, die päpstlichen Gemächer zu plündern. Als sie jedoch ersucht wurde, die Beerdigungskosten für I. X. zu übernehmen, antwortete sie, sie sei nur eine arme Witwe. I. X. wurde schließlich ohne jede Feierlichkeiten, fast ärmlich, bestattet. Der Nachfolger des Papstes verbannte Donna Olimpia für immer aus der Stadt. Seit I. X. ging der

politische Einfluß des Papsttums unaufhörlich zurück. Durch unentschlossene, wankelmütige und trotz allem Mißtrauen von seiner machtgierigen Schwägerin beherrschten Führung seines Pontifikats erscheint I. X. im Spiegel der Kirchengeschichtsschreibung hauptsächlich als von Donna Olimpia und dem Kardinalskollegium gelenkter, schwacher und unselbständiger Greis. Jedoch darf nicht sein großer Eifer für die Reinerhaltung des Glaubens vergessen werden, mit dem er gegen den Jansenismus vorging. I. X. unterstützte die katholischen Irländer gegen die Engländer. Er war, obschon nicht von der Prunksucht seiner Amtsvorgänger, ein großzügiger Förderer der Künste. Das realistische Portrait, daß der Maler Diego Velazquez 1650 von I. X. malte, stellt ihn als einen mißtrauischen Mann mit durchdringendem, strengem Blick dar.

Werke: Cherubini, Magnum bullar. Rom., Tl. IV, 237 ff., Tl. V, 466-468; Ciaconius, Vitae et res gestae Pontific. Rom., in der Ausg. des Aug. Oldoisus, Tl. IV, Rom 1677, 641 ff.; Barozzi u. Berchet, Relazioni degli stati Europei lette al Senato dagli Ambasciatori Veneti, Ser. III, Italia, Relazioni di Roma, vol. II, Venedig 1878; Epistolae I.X. ad principes, Rom 1891.

Lit.: A. Tauretto, Vita I. X., Bologna 1644; — Bank, Roma triumphalis, Seu actus inaugurationis et coronatis I. X., Franeker 1645; — H. Conring, Comment. histor. de electione Urbani VIII. et I. X., Helmstedt 1651; — Roßtäuscher, Hist. I. X., Wittenberg 1674; — Palatius, Gesta Pontif. Ro., Tl. IV, Venedig 1688, 571 ff.; — Heidegger, Hist. papatus, Amstelaedami 1698, 392 ff.; — J. Ciampi, I. X. Pamfili e la sua corte, Imola 1878; — H. Coville, Étude sur Mazarin et ses démêlés avec le pape I. X., Paris 1904; — W. Friedensburg, I. X., in: QFIAB 4, 1902, 236-285, 5, 1903, 60-124, 6, 1904, 146-173, 7, 1905, 121-138; — Ders., Regesten zur deutschen Geschichte aus der Zeit des Pontifikats I. X.s, ebd., 5, 1902, 6, 1903; — K. Federn, Mazarin, München 1922; — V. Tornetta, I. X., La politica del Mazzarino verso il papato, in: AstIt 99, 1941, 86-116, 100, 1942, 95-134; — Lucien Ceyssens, I. X., in: RHE 49, 1954, 90-115; — Ders., I. X., in: Jansenistica III, Mecheln 1957, 7-110; — K. Repgen, I. X., in: HJ 75, 1956, 94-122; — Georg Schwaiger, I. X., in: Martin Greschat (Hrsg.), Das Papsttum II, Reihe: Gestalten der Kirchengeschichte, Bd. 12, Stuttgart/Berlin/Köln/Mainz 1984, 122-126; — Seppelt V², 239, 281, 297, 302-324, 339, 346 f., 370, 395, 408; — V. Pastor XIV, 13-299 (Bibliogr.); — Catholicisme V, 1669 f.; — DThC VII, 2005 f.; — EC VII, 19-22; — EDR II, 1810; — LThK V, 692 f.; — RE IX, 140-143; — RGG³ III, 767 f.; — Wetzer-Welte VI, 751-753.

Michael Tilly

INNOZENZ XI., Papst, eigentlicher Name Benedetto Odescalchi, * 19.5. 1611 in Como in der

Lombardei als Sohn des aus einer altangesehenen Patrizierfamilie stammenden Kaufmannes und Bankiers Livio O. und seiner Gemahlin Paola Castelli, + 12.8. 1689 im Alters von 79 Jahren in Rom. — B. O. wurde zunächst von den Jesuiten in Como erzogen. 1637 begann er das Studium der Rechte und der Theologie in Rom, später begab er sich zur Fortführung seiner Studien nach Neapel. Unter Urban VIII. bekleidete er die Ämter eines apostolischen Pronotars und Präsidenten der apostolischen Kammer, wenige Zeit später hatte er die Stellung eines Generalkommissars in Macareta inne. Innozenz X. ernannte B. O. 1645 im ungewöhnlich jungen Alter von 34 Jahren zum Kardinaldiakon von St. Cosmas und Damian. Schon während dieser Zeit zeichnete sich der spätere Papst durch seine äußerst bescheidene und anspruchslose Lebensführung aus. 1648 schickte Innozenz X. den Kardinal B. O. als Legaten nach Ferrara, 1650 wurde ihm das Bistum Novara übertragen. Besonders hier machte er sich rasch durch seine Mildtätigkeit und Fürsorge gegenüber den Bedürftigen einen Namen als "Vater der Armen". Nach dem Tode des Clemens X. wurde B. O. nach einer Sedisvakanz von zwei Monaten am 21.9. 1676 zum Papst gewählt. Frankreich, das ihn als Kandidaten in der Konklave von 1670 abgelehnt hatte, erteilte nun seine Zustimmung. So begann B. O. sein Pontifikat am 4.10. 1676 als I. XI. Mit der Namenswahl brachte er seine Dankbarkeit Innozenz X. gegenüber zum Ausdruck, durch den er so jung zum Kardinal ernannt worden war. Ganz im Gegensatz zu seinen Vorgängern kam es unter I. XI. zu rigorosen Sparmaßnahmen im Kirchenstaat, die tatsächlich die Finanzen der hoch verschuldeten Kurie bald wieder in Ordnung brachten. An der Kunstförderung war I. XI. vollkommen uninteressiert, die bildenden Künste waren dem sittenstrengen Papst sogar anstößig. Auch verabscheute er jeden Nepotismus und versuchte, die willkürliche Vergabe von kirchlichen Ämtern einzudämmen. I. XI. erneuerte die im Verfall begriffene Kirchenzucht in Rom durch Behörden- und Klösterreformen sowie durch eine Reihe von Maßnahmen zur sittlichen Restauration der Bevölkerung Roms. Die Leitung des Staatssekretariats vertraute I. XI. dem Kardinal Alderano Cibo an. Dieser war jedoch nicht unbestechlich. In einer Reihe von Maßnahmen erwies sich I. XI. als Streiter für die Reinerhaltung des katholischen Glaubens. So ließ er 1679 durch ein Dekret des Heiligen Offiziums den Laxismus verurteilen. Ebenso wurde der Gründer der quietistischen Bewegung, der spanische Priester Miguel Molinos, am 18.7. 1685 von der Inquisition gefangengesetzt. Nachdem dieser am 3.10. desselben Jahres feierlich seine Irrtümer bekannte, und zu lebenslanger Haft begnadigt wurde, ließ I. XI. nur 47 Tage darauf in seiner Bulle »Coelestis pastos« 68 Sätze aus den Schriften des quietistischen Ketzers verurteilen. Die Hauptprobleme des Pontifikats I. XI. waren die Abwehr des drohenden Einfalls der Türken in Europa und das Verhältnis des Kirchenstaates zu Frankreich. Der Streit zwischen Frankreich und I. XI. entfachte sich an der Frage des sogenannten "Regalienrechtes". Das jus regaliae bezeichnete das Recht des französischen Königs, in bestimmten Diözesen während der Sedisvakanz freiwerdende Pfründen zu besetzen und bischöfliche Einkünfte zu verwalten. Ludwig XIV. dehnte dieses Recht 1673 auf sämtliche 120 Diözesen Frankreichs aus. Nach Bekanntwerden dieser offensichtlichen Usurpation kirchlicher Rechte durch den Sonnenkönig forderte I. XI. ihn in drei energischen Breven auf, das Edikt zurückzunehmen. Ludwig XIV. widersetzte sich dieser Aufforderung, und ließ seinerseits am 3.2. 1683 den gallikanischen Klerus zu einer Generalversammlung zusammenkommen, in der ganz nach seinem Wunsch die Ausdehnung des Regalienrechtes auf alle Bistümer des Reiches gebilligt wurde. Am 19.3. 1682 bereits hatte die Kirche Frankreichs eine feierliche Erklärung über die Grenzen der päpstlichen Gewalt, die sogenannten gallikanischen Artikel beschlossen. Sie mußten als Reichsgesetz im Unterricht aller Schulen gelehrt werden. I. XI. gab seiner strikten Ablehnung der gallikanischen Artikel Ausdruck, indem er sämtlichen von Ludwig XIV. ernannten Bischofskandidaten die Anerkennung verweigerte. Der Jesuitenorden in Frankreich geriet durch die kontroversen Interessen des Sonnenkönigs und der Kurie in eine schwierige Situation. Weder wollten die Jesuiten mit dem Papst brechen noch den König erzürnen. So manövrierte sich die Gesellschaft Jesu in immer stärkerem Maße in den Mittelpunkt der Auseinandersetzungen, bis I. XI. ihr schließlich 1684 verbot, Novizen aufzunehmen. Diese Bestimmungen wurden erst 1686 wieder vollständig aufgehoben. Im Oktober 1685 anulierte Ludwig XIV. das Edikt von Nantes, womit jegliche calvinistische Religionsausübung in ganz Frankreich verboten wurde. Seine Absicht war hierbei, den Eindruck eines besonders eifrigen Vertreters des katholischen Glaubens zu erwecken, um so den Papst zur Billigung des Regalienrechts und der gallikanischen Artikel zu bewegen. Jedoch brachte Ludwigs XIV. Vorgehen gegen die Hugenotten nicht den gewünschten Erfolg - die Grausamkeit der Verfolgungen stieß den Papst eher ab. Am 12.5. 1687 hob I. XI. das Asylrecht der ausländischen Gesandten in Rom auf. Frankreich weigerte sich, diese Verfügung anzuerkennen. Der Papst verhängte daraufhin den Bann über die zukünftige Inanspruchnahme des Asylrechts. Bei der Neubesetzung des Erzbistums Köln bestätigte I. XI. den bayerischen Prinzen Joseph Clemens gegen den von Ludwig XIV. gewünschten Kandidaten Wilhelm Egon von Fürstenberg. Die päpstliche Entscheidung vom 18.10. 1688 bedeutete für Frankreich eine empfindliche Beschneidung seiner Machtinteressen. Die Differenzen zwischen Paris und Rom standen nun auf ihrem Höhepunkt. Im April des folgenden Jahres wurde der päpstliche Botschafter aus Paris abberufen, einen Monat später mußte der päpstliche Nuntius Frankreich verlassen. Ludwig XIV. drohte I. XI. mit dem Einrücken von Truppen in den Kirchenstaat, der Papst drohte dem Sonnenkönig mit der Exkommunikation. Alle Vermittlungsversuche scheiterten; bis zum Ende des Pontifikats I. XI. waren alle Differenzen zwischen Rom und Frankreich noch ungelöst. Den größten Verdienst I.s XI. sieht die Kirchengeschichtsschreibung bis heute in seinem Bemühen um die Abwendung der drohenden Türkengefahr. Seine Versuche, die christlichen Fürsten für seinen Plan einer großen Liga zum Kampf gegen die Türken zu gewinnen, wurden durch den permanenten Zwist der europäischen Mächte zunächst blockiert. Auf sein Betreiben kam es am 31.3. 1683 ungeachtet der Bemühungen Frankreichs, den Pakt zu verhindern, um von der Schwächung der anderen europäischen Mächte durch ihren Kampf gegen die Türken zu profitieren, endlich zu einem Defensivbündnis zwischen dem Polenkönig Johann Sobieski und Leopold I. von Österreich. I. XI. wendete etwa 1 Million Gulden zur Unterstützung Leopolds I., eine weitere halbe Million für Johann Sobieski auf. Am 12.9. 1683 erfolgte schließlich die Befreiung Wiens von der türkischen Belagerung; das Heer Kara Mustaphas wurde vernichtend geschlagen und weit nach Ungarn zurückgedrängt. Die Befreiung Wiens stellte die Rettung Europas vor dem Ansturm des Islam dar; der große Kirchenhistoriker Hubert Jedin nannte I. XI. zu Recht den "Verteidiger des christlichen Abendlandes". I. XI. gilt als beispielhafte Gestalt des Papsttums. — Durch sein schlichtes Auftreten, seinen streng sittlichen Lebenswandel, durch seine Gewissenhaftigkeit und Festigkeit zeichnete er sich als der bedeutendste und würdigste Papst seines Jahrhunderts aus. Diese Wesensmerkmale, sowie sein Eifer als entschiedener Reformer und Bekämpfer jeglicher Mißbräuche und Eingriffe in die katholische Lehre führten dazu, daß bereits Klemens XI. seine Seligsprechung einleitete. Diese wurde durch den massiven Widerspruch Frankreichs unter Benedikt XIV. eingestellt und erst unter Pius XII. wieder aufgenommen. Am 7.10. 1956 wurde I. XI. feierlich seliggesprochen.

Werke: Palatius, Gesta Pontific. Rom., Tl. 5, Venedig 1690,1 ff.; Index librorum prohibitorum I. XI. iussu ed. usque ad annum 1681, Rom 1704; Guarnaccius, Vitae et res gestae pontific. Rom., Rom 1751, 105 ff.; Analecta juris pontificii 11, 1872, 271-327, 20, 1881, 35-37, 1132-1134; Barozzi und Berchet, Relazioni degli stati Europei lette al Senato dagli Ambasciatori Veneti, Ser. III, italia, Relatzioni Roma, Vol. II, Venedig 1878, 409 ff.; Monumenta Vaticana historiam regni Hungarici illustrantia, Bd. II/2, Budapest 1886; J. J. Berthier (Hrsg.), I. XI., Epistolae ad principes, 2 Bde., Rom 1891-1896; F. de Bojani (Hrsg.), I. XI., Sa correspondance avec ses nonces 1676-1684, 3 Bde., Rom 1910-1912.

Lit.: Michael Wright, An Account of his Excellency Roger Earl of Castelmaines Embassy, Rom 1688; — Vita di I. undecimo, Venedig 1890; — Bonamici, De vita et rebus gestis I. XI., Rom 1776, Frankfurt/Leipzig 1791 (dt. Übers.); — E. Michaud, Louis XIV. et I. XI., Vol. 4, Paris 1882/83; — M. Immisch, Nuntiaturberichte aus Wien und Paris 1685-1688, Heidelberg 1898; — Ders., Papst I. XI., Berlin 1900; — W. Fraknói, Papst I. XI. und die Befreiung Ungarns von der Türkenherrschaft, Freiburg i.Br. 1902; — M. Dubruel, I. XI. et l'extension de la Régale, Paris 1906; — J. L.Jansen, Geschichte und Kritik im Dienst des "Minus - probabilis", Paderborn 1906; — R. Theis, Papst I. XI. und die Türkengefahr im Jahre 1683, (Diss. Breslau 1912); — E. Freiherr von Danckelmann, Zur Frage der Mitwisserschaft Papst I. XI. an der oranischen Expedition, in: QFIAB 18, 1926, 311-333; — L. O'Brien, I. XI. and the Revocation of the Edict of Nantes, Berkeley (Calif.) 1930; — E. Papa, I. XI. tra Francia ed Impero durante il 1688-1689, in: CivCatt 99, 1948, 608-624; — J. Orcibal, Louis XIV. contre I.XI. 1688, Paris 1949; — P. Gauxotte, Ludwig XIV., Frankreichs Aufstieg in Europa, München 1951, 192 ff.; — J. Berteloot, La révolution anglaise de 1688, in: RHE 48, 1953, 122-140; — F. Claeys, Bossuet, in: EThLov 29, 1953, 419-444; — A.-G. Martimort, Le Gallicanisme de Bossuet, Paris 1953; — W. Sturminger, Bibliogr. und Ikonograph. der Türenbelagerungen Wiens 1529 und 1683, Graz/Köln 1955; — A. Latreille, I. XI. Pape "janseniste", directeur de conscience de Louis XIV., in: Cahiers d'histoire 1, 1956, 9-39; — Ders., La révocation de l'édit de Nantes vue par les nonces d. I. XI., in: BSHPF 103, 1957, 229-236; — A. Martini, Papa I. XI. verso di onori degli altari, in: CivCatt 96, 1956, 369-381; — B. Matteucci, Storia di un processo e storiografia su I. XI., in: Humanitas 11, 1956, 114-123; — C. Miccinelli, Il grande pontefice I. XI., Rom 1956; — G. Papàsagli, I. XI., Rom 1956; — W. de Vries, Der selige I. XI. und die Christen des nahen Ostens, in: OrChrP 23, 1957, 33-57; — D. W. R. Bahlmann, The Moral Revolution of 1688, London 1958; — A. M. Trivellini, Il Card. F. Buonvisi, Florenz 1958; — R. d'Apprieu, I. XI. et le jansénisme en Savoie, in: ÉFranc NS

9, 1959, 161-186, 10, 1959/60, 16-34, 142-162; — Lucien Ceyssens, G. Gabrielis à Rome 1679-83, Épisode de la lutte entre rigorisme et laxisme, in: Antonianum 34, 1959, 73-110; — Ders., Le pape I. XI. et Gilbert de Choiseul, évêque de Tournai, in: Archivum historiae pontificae 4, 1966, 247-253; — O.W. Furley, The Pope-Burning Processions of the Late XVII.th Century, in: History 44, 1959, 16-23; — M. Ghibellini, Per quale forma morbosa e con quale sindrome venne a morte papa I. XI.?, in: Rivista di storia della medicina 9, 1965, 23-33; — Hubert Jedin, I. XI. - Verteidiger des christl. Abendlandes, in: Ders. (Hrsg.), Kirche des Glaubens - Kirche der Geschichte, Bd. 1, Freiburg i. Br. 1966, 287-291; — Bruno Neveu, Jacques II., Médiateur entre Louis XIV. et I. XI., in: Mélanges d'archéologie et d'histoire 79,2, 1967, 699-764; — Ders., Episcopus et Princeps Urbis, I. XI. réformateur de Rome d'après des documents inedits 1676-89, in: E. Gatz (Hrsg.), Röm. Kurie, Kirchl. Finanzen, Vatikan. Archiv, Studien zu Ehren von H. Holberg, 2. Tl., Rom 1979, 597-633; — Friedrich Heer, Die Rettung Wiens, in: Bruno Moser (Hrsg.), Das Papsttum, Berlin/Darmstadt/Wien 1983, 304-317; — Agostino Borromeo, Le direttrici della politica antiottomana della santa sede durante il pontificato di I. XI., in: Röm. hist. Mitteilungen 26, 1984, 303-330; — Josef Gelmi, I. XI., in: Martin Greschat (Hrsg.), Gestalten der Kirchengeschichte, Bd. 12, Das Papsttum II, Stuttgart/Berlin/Köln/Mainz 1984, 133-136; — Winfried Hahn, Die Gründung der bayerischen Benediktinerkongregation durch den seligen Papst I. XI., in: Studien und Mitteilungen zur Geschichte des Benediktinerordens und seiner Zweige, Bd. 95, 3-4, 1984, 378-430; — Bibliograph. in: S. Monti, Bibliografia di papa I. XI. ..... fino al 1927, Como 1957; — Seppelt V², 346-371, 373-376, 451, 534-537 (Lit.); — V. Pastor XIV, 669-1043; — Catholicisme V, 1670 ff.; — DThC VII, 2006 ff.; — EC VII, 22-25; — EDR II, 1810 f.; — EKL II, 333; — LThK V, 693 ff.; — RE IX, 143-148; — RGG³ III, 768; — Wetzer-Welte VI, 753-758.

Michael Tilly

INNOZENZ XII., Papst, * 13.6. 1615 in Neapel als Antonio Pignatelli, aus einer der ältesten und verdienstvollsten Familien Neapels, + 27.9. 1700 in Rom. Nachfolger des am 1.2. 1691 verstorbenen Alexanders VIII. — P. wurde zu Rom im Jesuitenkollegium erzogen; 1635 Ernennung zum Prolegaten von Urbino durch Urban VIII. Unter Innozenz X. Nuntius in Florenz, danach Legat Alexanders VII. in Polen. Dessen Nachfolger, Clemens IX., verlieh ihm die Nuntiatur in Wien. Innozenz XI. schließlich ernannte ihn 1681 zum Kardinal und später zum Erzbischof von Neapel. Zehn Tage nach dem Tode Alexanders VIII. traten die Bischöfe zur Konklave zusammen, wobei sich bezüglich des Kandidaten ein Konflikt zwischen der spanisch-kaiserlichen und der französischen Partei einstellte. P. wurde im Rahmen eines Kompromisses zwischen den Kardinälen am 12.7. 1691 auf den Stuhl Petri

erhoben. In seiner Benennung lehnte sich P. bewußt an Innozenz XI. an, als dessen geistlicher Nachfolger er sich verstand. Das Pontifikat I.s XII. war zunächst geprägt vom Versuch einer Reformation des Kirchenstaates. So erließ er 1692 die Bulle »Romanum decet Pontificem« mit dem Ziel der Einschränkung der Ausstattung von päpstlichen Verwandten mit Ämtern, Geld und Titeln. In seinem Bestreben nach geordneten und sicheren Verhältnissen im Kirchenstaat führte I. XII. eine entscheidende Verschärfung der gerichtlichen Bestrafung in Rom herbei. Weiterhin zeigte er Bestrebungen nach Erneuerung der heruntergekommenen Disziplin in den Klöstern. Dies stieß im Mönchtum auf heftige Kritik. I. XII. zentralisierte die römischen Behörden und Gerichte, indem er die Curia Innocentiana errichten ließ. Bei der Bevölkerung wurde I. XII. als "Vater der Armen" populär, da er einen Teil der kirchlichen Gelder für soziale und karitative Zwecke einsetzte. 1693 wurde auf Bestreben des I. XII. durch Ludwig XIV. der Widerruf der Vorrechte der gallikanischen Kirche durch die französischen Bischöfe anberaumt. Die Neubegründung eines guten Einvernehmens mit Frankreich durch I. XII. wurde zum Teil dadurch bedingt, daß die Beziehungen der Kurie zum habsburgischen Haus durch politische Ungeschicklichkeiten Österreichs angespannt waren. 1694 begann I. XII. eine objektivere Kirchenpolitik gegenüber den Jansenisten, die diese als Begünstigung ihrer Lehre interpretierten, erklärte jedoch 1696 die Fortführung der Haltung seines Vorgängers in diesem Punkt. 1699 entschied I. XII. gegen die quietistische Mystik Fenelons, aus dessen Werk "Explication des maximes des Saints sur la vie intérieure" er 23 Sätze verdammte. I. XII. riet Karl II. von Spanien zur Bestimmung des Herzogs von Anjou, des Enkels Ludwigs XIV. als Erben seines Reiches. Hierdurch wurde nach dem Tode Karls II. der sogenannte spanische Erbfolgekrieg ausgelöst. In dem Streit über unorthodoxe liturgische Formen in den jungen Gemeinden der Mission, und über das Moralsystem des Probabilismus schob I. XII. Entscheidungen, die an ihn herangetragen wurden, bis zu seinem Tode auf. Das Pontifikat des I. XII. zeichnet sich in kirchenhistorischer Hinsicht durch seine gravierenden Reformen klerikaler Mißstände aus; weiterhin wurde das Verhältnis Roms zu Frankreich neu definiert. Seine Person ist insbesondere für die Betrachtung der auslösenden Faktoren des spanischen Erbfolgekrieges von Bedeutung.

Werke: Bullarium I. XII., Rom 1967; Relazione di Domenico Contarini ambasciatore ordinario ad Alessandro VIII. ed. Innocenzo XII., Ausg. v. Barozzi et Berchet, Relazioni degli stato Europei lette al senato dagli Ambasciatori Veneti, Serie III, Italia, Relazioni di Roma, vol. II, Venezia 1878, 433 ff.

Lit.: Guarnaccius, Vitae et res gestae Pontif. Rom. I, Rom 1751, 389 ff.; — Sandidus, Vitae Pontif. Rom., pars II, Ferrariae 1763,689 ff.; — Archibald Bower, Unpart. Historie der röm. Päpste, 10. Tl., 2. Abschnitt, ausgearb. von Rambach, Magdeburg und Leipzig 1780, 207 ff.; — Schroeckh, Christl. Kirchengesch. seit der Reformation, 6 Tl., Leipzig 1807, 350 ff.; — Petrucelli della Gattina, Historie diplomatique des Conclaves, vol. 3, paris 1865, 351 ff.; — F. Ranke, Geschichte, 4. Bd., Leipzig 1869, 79 ff., 108 ff.; — Ders., Die röm. Päpste in den letzten vier Jh.n, 3. Bd., Leipzig 1874, 118 ff.; — Gerin, Recherches historiques sur l'assemblée du clergé de France de 1682, Paris 1869, 435 ff.; — Reumont, Gesch. der Stadt Rom, 3. Bd., 2. Abteilung, Berlin 1870, 640 ff.; — Gaillardin, Historie du régne de Louis XIV., 5. Bd., Paris 1875, 455 ff.; — Heppe, Gesch. der quietistischen Mystik, Berlin 1875; — Liboroux, Controverse entre Bossuet et Fénelon au sujet du quietisme de Madame de Guyon, 1876; — O. Klopp, Der Fall des Hauses Stuart, Wien 1877-1879, V. 328 ff., VI. 8 f., 180 ff., 224 ff., VII. 66 f., 126, VIII. 504 ff.; — Brosch, Gesch. des Kirchenstaates, 1. Bd., Gotha 1880, 450 ff.; — J. v. Döllinger/H. Reusch, Gesch. der Moralstreitigkeiten in der röm.-kath. Kirche I. 1889, 120 ff.; — J. Zie-Kursch, August der Starke und die kath. Kirche, ZKG 24, 1903, 86-135, 232-280; — Concordia, Theol. Monthly, Vol. II. 1,2, St. Louis 1931, 482 ff.; — I. Vazquez, Origen histórico de breve »In excelsa« de Innocencio XII. sobre la immaculudo conceptión, in: Antoniaum, Periodicum philosophico-theologicum trimestre, fasc. 1-2, Rom 1970, 98-144; — V. Pastor XIV², 1073-1166; — Seppelt V², 374-385, 408, 537 f.; — DE II, 445; — DThC VII², 2013; — LThK V, 695; — RE IX, 148 f.; — RGG III, 768 f.; — Thraskeutikae kai ethicae encaclopaideia, VI.Bd., Athen 1965, 907.

Michael Tilly

INNOZENZ XIII., Papst, * 13.5. 1655 in Poli bei Palestrina, + 7.3. 1724. — Michelangelo dei Contiaus aus altadeliger Familie wurde nach dem Studium in Ancona und Rom an der Gregoriana unter Papst Alexander VIII. päpstlicher Ehrenkämmerer; unter Innozenz XII. trat er in die Prälatur ein. 1695 wurde er Titularerzbischof von Tarsus und Nuntius in Luzern, 1698 in Lissabon, am 17.5. 1706 Kardinal, danach Bischof von Osimo (1709) und von Viterbo (1712-1719). Nach wechselvollem Konklave und 50 Tage nach dem Tode Clemens XI. wurde er einstimmig am 8.5. 1721 zum Papst gewählt; er gab sich den Namen I. nach seinem Vorfahren, Innozenz III. Der kurze, ruhige Pontifikat verlief ohne Ereignisse von größerer Bedeutung. Am 9.6. 1722 erklärte I. der Generalkongregation, daß er Kaiser Karl VI. mit dem Königreich Nea-

pel und Sizilien belehnen werde; er konnte jedoch nicht verhindern, daß Karl VI. weiterhin die "Monarchia sicula" beanspruchte, d. h. die Herrscher Siziliens bestehen seit 1098 auf das Recht, in ihrem Land auch in kirchlicher Hinsicht Herr zu sein. Dieses Privileg führte zu ständigen Konflikten zwischen den Päpsten und den Königen von Sizilien. — In den heftigen Kontroversen um den Jansenismus, einer Bewegung, die ursprünglich eine Reform der nachtridentischen Theologie bezweckte, hielt I. wie sein Vorgänger an der Bulle »Unigenitus« fest: die von Clemens XI. auf Drängen Ludwigs XIV. verfaßte Bulle verurteilte die Lehrsätze des P. Quesnel, des französischen Anhängers der jansenitischen Lehre. — Den Jesuiten stand I. ablehnend gegenüber; von ihnen verlangte er im "Ritenstreit" unwiderruflich die Anerkennung der päpstlichen Dekrete.

Lit.: Leben Papstes Innocentii des 13., Köln 1724; — Max von Mayer, Die Papstwahl I., Wien 1874; — E. Michaud, La fin de Clément XI et le commencement du pontificat d'I., in: RITh V, 1897, 42-60, 304-331; — L. Wahrmund, Die kaiserl. Exklusive im Konklave I., in: SAW, Phil.-hist. Klasse, Wien 170, 1912; — Anton Haidacher, Gesch. der Päpste in Bildern, Heidelberg 1965, 530, 662-663; — Pastor XV, 391-460; — Seppelt V, 1959², 402-422; — RGG³ III, 769; — LThK¹ V,418; — LTh² V, 695-696.

Reinhard Tenberg

INSTANTIUS. Über Herkunft, Geburtsort und -jahr des spanischen Bischofs I. ist nichts bekannt. Ebensowenig läßt sich sagen, welchem Bistum I. vorstand. Im Jahr 380 wurde I. durch die Synode von Saragossa exkommuniziert und von Kaiser Gratian daraufhin verbannt. Zusammen mit den Bischöfen Salvian und Priscilian begab er sich daraufhin nach Rom, wo er weder von Papst Danmasius, noch von Ambrosius von Mailand empfangen wurde. Es gelang ihm jedoch durch Bestechung des magister officorum, Macedonius, die Reskription seiner Kirche, und damit die Möglichkeit der freien Heimreise zu erwirken. — Im Jahr 384 enthob ihn die Synode von Bordeaux erneut seines Bischofsamtes und verbannte ihn auf die Scilly-Inseln bei England. I. gilt als Anhänger und Förderer des Priscillianismus.

Werke: Liber ad Damasum, in: CSEL XVIII, 34-43 (wird I. zugeschrieben).

Lit.: Sulpicius Severus, Chron. II, in: CSEL I; — Altaner⁵, 366; — Coleccion de Canones de la Iglesia Espanola II, Madrid 1849, 123 ff.; — DCB III, 252; — De II, 452; —

EnEc V, 6 f.; — HdKH II, 136-140; — Hefele I, 744; — HJ VIII, 238-251; — LThK V, 430; — RBen XXX, 153-173.

Franz Seiffer

INSTITORIS, Heinrich, OP, * um 1430 in Schlettstadt, + um 1505 in Brünn oder Ölmütz. — Aus den frühen Lebensjahren des I. (Heinrich Krämer) ist wenig bekannt; wahrscheinlich hat er die Verbrennung des Waldenserbischofs Fr. Reiser in Straßburg 1458 gesehen. 1474 predigte er den Kreuzzug gegen König Georg Podiebrad von Böhmen. In diesem Jahr ist I. urkundlich bezeugt als artium magister et theologie lector; gleichzeitig beförderte ihn das Generalkapitel des Dominikaner-Ordens zum Praedicator generalis. 5 Jahre später, im Dezember 1479, promovierte ihn in Rom der Ordensgeneral zum Dr. theol. Bereits einige Monate früher hatte Papst Sixtus IV. I. zum Ketzerinquisitor ("heretice pravitatis inquisitor") für die Provinz Alemania superior ernannt. Kurz nach seiner Rückkehr aus Rom 1480/81 verfaßte I. im Schlettstädter Konvent die Flugschrift »Epistola contra quendam conciliistam archiepiscum videlicet Crainensem« gegen den Titular-Erzbischof Andreas Zamometic von Krayn (Albanien). Diese älteste der erhaltenen Schriften I.'s ist in 2 Kodices (Rom und Wien) sowie in 2 Einblattdrucken (Hain 9235, 9236) überliefert. Nachdem Papst Innozenz VIII. I. zusammen mit Jakob Sprenger zum Generalinquisitor für die Diözesen Mainz, Köln, Trier, Salzburg und Bremen ernannt und ihm die Hexenbulle »Summis desiderantes affectibus« überreicht hatte, führte I. zahlreiche Hexenprozesse, unter anderem in Ravensburg und 1485 in Innsbruck. Hier allerdings teilte ihm Fürstbischof Georg Golser zweimal mit, er habe sich aus seiner Diözese zu entfernen, denn "seine Geistesschwäche tritt in seiner Praktika offen an den Tag" (Brief an den Pfarrer von Innsbruck). Von etwa 1485 bis 1487 kompilierten I. und Jakob Sprenger die Schrift »Malleus maleficarum« (»Hexenhammer«), die als kasuistischer Kommentar den Rang eines kirchlichen »Hexengesetzbuches« für Strafrichter annahm. In Augsburg wirkte I. seit 1488; hier entwarf er zugunsten der wundertätigen Hostie im Heiligen Kreuz den »Tractatus novus de miraculoso eucaristie sacramento«, der zuerst 1493 im Druck erschien (Hain 9234). Eine ebenfalls aus der Augsburger Zeit stammende Abhandlung (Druck 1495, Hain 9233) richtete sich vornehmlich gegen häretische Bewegungen. Als Lektor der heiligen Schrift lehrte und predigte I. in

Salzburg. 1496 in Venedig und 1497 in Rohr bei Regensburg. Auf Veranlassung von Papst Alexander VI. bekämpfte I. als Censor fidei von 1500 bis zu seinem Tode die Böhmischen Brüder und prozessierte gegen Hexen- und Zauberwesen in Böhmen und Mähren. Als eine literarische Fundierung ist sein Werk gegen die häretischen Bewegungen der Pickarden und Waldenser, erschienen 1501 in der Offizin von C. Baumgarten (Olmütz), anzusehen. — I. war ein begabter, aber eigenwilliger Prediger, der ungeachtet der häufigen Konflikte mit der Kurie und der Ordensleitung seine Position zu behaupten wußte. Einen bleibenden Namen verschaffte er sich als exzentrischer Bekämpfer der Ketzer und besonders der Hexen. — Sein Hauptwerk, der »Malleus maleficarum«, erzielte über Jahrhunderte eine beträchtliche Wirkung. Seit der Synode von Toulouse 1229 wurden die kirchlichen Inquisitionsgerichte durch berufene, außerordentliche Ketzerrichter institutionalisiert. Neben die Form des üblichen Anklageverfahrens trat damit der Inquisitionsprozeß. In Deutschland konnte eben mit dem "M." die Verfolgung und das Inquisitonsverfahren endgültig Fuß fassen. Seine Quellen sind das Alte Testament, Kirchenväter und klassische und scholastische Autoritäten wie Ps.-Dionysios Areopagita, Thomas von Aquin, Bonaventura. Beeinflußt wurde das Buch vor allem durch das »Directorium inquisitorum« (1376) des spanischen Großinquisitors Nicolaus Eymericus und durch Johannes Niders »Formicarius« (1437). Es ist ungeklärt, ob die beiden Dominikaner- Inquisitoren I. und Jakob Sprenger gemeinsam als Verfasser verantwortlich zeichneten. Vorgelegt wurde eine Art systematischer Hexenenzyklopädie, der durch die Beifügung der päpstlichen Bulle und der gefälschten Approbation einiger Kölner theologischer Professoren der Anschein einer Empfehlung für weltliche Richter gegeben wurde. Ausgehend von einer nahezu durchgängigen Verderbtheit des weiblichen Geschlechts kodifiziert der Hexenhammer die Erfassung hexerei-verdächtiger Personen. Um die Schuldigen zu erkennen, zu inhaftieren und zu bestrafen, wird in drei Abschnitten unter wissenschaftlicher Beweisführung die Anleitung zum Verfahren geliefert. Der erste Teil fragt nach der Rolle des Teufels und nennt die Voraussetzungen der Hexerei; der zweite Teil verzeichnet die verschiedenen Malefizien der Hexen wie Luftfahrt und Teufelspakt, Hostienfrevel und sexuelle Andersartigkeit. Die Unterweisung für profane und geistliche Inquisitoren enthält der dritte Teil. Sobald ein Verdächtiger für schuldig befunden wurde, bevollmächtigte der Inquisitor ein Profangericht, das Urteil zu verkünden und die Strafe zu vollziehen. — Der "M." (Hain 9238-9246) wurde zuerst bei Johann Prüß (?) in Straßburg gedruckt. Rasch folgten noch weitere zwölf Inkunabel- und Postinkunabelausgaben sowie sechzehn Drucke bis zum Jahr 1669. Der Hexenhammer, der eine autoritative Geltung besaß, gehört zu den vielgedruckten Werken der Frühzeit des Buchdrucks; zudem wird er als das geschichtsmäßigste der Hexenbücher angesehen. — Man schätzt, daß zwischen 1500 und 1700 etwa 1 Million Hexen verbrannt wurden; einige Forscher gehen sogar von einer doppelt so hohen Zahl aus. — Der "M." übertrifft an Brutalität und Grausamkeit alles Frühere. Seit der Aufklärung und besonders durch den Pastor Johann Moritz Schwager mehrten sich empörte Stimmen gegen den Hexenhammer.

Werke: Epistola contra quendam conciliistam archiepiscopum videlicet Crainensem, Schlettstadt 1482; Malleus maleficarum, Straßburg 1487; Tractatus novus de miraculoso eucaristie sacramento..., Augsburg 1493; Tractatus varii cum sermonibus plurimis contra quattuor errores novissime exortos adversus divissimum eucharistie sacramentum ..., Nürnberg 1495, Opusculum in errores Monarchie, Venedig 1499; Sancte Romane ecclesie fidei defensionis clippeus adversus Waldensium seu Pickardorum heresim, Olmütz 1501; Übersetzungen des "M." Der Hexenhammer. Zum ersten Male ins Dt. übertr. u. eing. von J. W. R. Schmidt, 1906 (Tb. 1982); "M." Transl. with an introduction, bibliography and notes by M. Summers, 1928; Le marteau de sorcières, présenté et traduit par A. Danet, 1973; Il martello delle streghe, La sessualità femminile nel transfert degli inquisitori. Introd. di A. Verdiglione, 1977.

Lit.: Johannes Trithemius, Catalogus illustrium virorum Germaniae, 1495; — Johann Heinrich Zedler, Großes vollst. Universal-Lexikon, Bd. 14, 1735, 760; — Johann Moritz Schwager, Versuch einer Geschichte der Hexenprozesse, 1784; — Ludwig Hain, Repertorium bibliographicum, 1826, Bd. 1, Nr. 9232-9246; — Ludwig Rapp, Die Hexenprozesse und ihre Gegner aus Tirol, 1874; — Georg Längin, Religion und Hexenprozeß. Zur Würdigung des 400-jg. Jubiläums der Huxenbulle und des Hexenhammers sowie der neuesten kath. Geschichtsschreibung auf diesem Gebiet, 1888; — Sigmund von Riezler, Gesch. der Hexenprozesse in Bayern, 1896; — Joseph Hansen, Der Malleus maleficarum, seine Druckausgaben und die gefälschte Approbation vom J. 1487, in: Westdt. Zs f. Gesch. und Kunst 17, 1897, 119-168; — Ders., Zauberwahn, Inquisition und Hexenprozeß im MA und die Entstehung der großen Hexenverfolgung, 1900; — Ders., Quellen und Unters. zur Gesch. des Hexenwahns und der Hexenverfolgung im MA, 1901; — H. Crohns, Die Summa theologica des Antonin v. Florenz und der Schätzung des Weibes im Hexenhammer, 1903; — J. Schlecht, Andrea Zaometic und der Basler Konzilsversuch, 1903; — Joseph Hansen, H. I., der Verf. des Hexenhammers und seine Tätigkeit an der Mosel im J. 1488, in: Westdt. Zs für Gesch.

und Kunst 26, 1907, 110-118; — Ders., Der Hexenhammer, seine Bedeutung und die gefälschte Kölner Approbation vom J. 1487, in: Westdt. Zs für Gesch. und Kunst 26, 1907, 372-404; — Nikolaus Paulus, Ist die Kölner Approbation des Hexenhammers eine Fälschung?, in: Hist. Jb. 28, 1907, 871-876; — Joseph Hansen, Die Kontroverse über den Hexenhammer und seine Kölner Approbation von J. 1487, in: Westdt. Zs. für Gesch. und Kunst 27, 1908, 366-372; — Nikolaus Paulus, Zur Kontroverse über den Hexenhammer, in: Hist. Jb. 29, 1908, 559-574; — H. Amman, Eine Vorarbeit des H. I. für den Malleus maleficarum, in: MIÖG Erg.Bd. 8, 1909, 461-504; — K. O. Müller, H. I., der Verf. des Hexenhammers und seine Tätigkeit als Hexeninquisitor in Ravensburg im Herbst 1484, in: Württ. Vjshefte für Landesgesch. NF 18, 1810, 397-417; — H. Wibel, Neues zu H. I., in: MIÖG 34, 1913, 121-125; — B. Reichert, Registrum litterarum, 1914; — A. Königer, Ein Inquisitionsprozeß in Sachen der tägl. Kommunion, 1923; — L. von Pastor, Gesch. der Päpste im Zeitalter der Renaissance II, [8]1925, 580-586; — K. Eckermann, Stud. zur Gesch. des monarchischen Gedankens im 15. Jh., 1933; — W. E. Peuckert, Die große Wende, 1948; — F. R. Goff, The Library of Congress Copy of the »Malleus maleficarum«, 1487, in: Libri 13, 1963/64, 137-141; — H. R. Trevor-Roper, Der europ. Hexenwahn des 16. und 17. Jh.s, in: Ders., Reformation und sozialer Umbruch, 1970, 95-179; — Hans-Christian Klose, Die angebl. Mitarbeit des Dominikaners Jakob Sprenger am Hexenhammer nach einem alten Abdinghofer Brief, in: Paderbornensis Ecclesia. Beitr. zur Gesch. des Erzbistums Paderborn. FS Lorenz Kardinal Jaeger, 1972, 197-205; — M. Gianni, Il »Malleus maleficarum« e il »De pytonicis mulieribus«, in: Studi sul medioevo Cristiano offerti a R. Morghen ..., 1974, I. 407-426; — W. Brückner, Volkserzählung und Reformation, 1974; — C. Gérest, Le démon dans le paysage théologique des chasseurs de sorcières, in: Concilium 103, 1975, 55-70; — Helmut Brackert, Der »Hexenhammer« und die Verfolgung der Hexen in Deutschland, in: Philologie und Geschichtswissenschaft. Hrsg. von Heinz Rupp, 1977, 106-116; — Sydney Anglo, Evident authority a. authoritative evidence: the »Malleus maleficarum«, in: Ders., The damned art. Essays in the lit. of witchcraft, 1977, 1-31; — ADB XV, 29 f.; — NDB X, 175 f.; — Kirchenlexikon [2]VI, 808-810; — Kindlers Literaturlex. IV, 1913-1917; — Bächtold-Stäubli III, 1838-18342; — Verf.-Lex. [1]V, 1062-1064; — Verf.Lex. [2]IV, 408-415; — LThK [1]V, 430; — LThK [2]V, 713; — HRG II, 145-148.

Reinhard Tenberg

IOSIF *von Volokolamsk*, russischer Abt und Kirchenpolitiker, * um 1439/40 in Jazvisce, + 15.9. 1515 in Volokolamsk. — I. - eigentlich Ivan Grigor'evich Sanin - entstammte einer alten Adelsfamilie. Mit 20 Jahren trat er in das um 1445 gegründete Borovskij Kloster ein. Nachhaltig prägte ihn hier die asketische Lebensführung des Abtes Pafnutij: harte körperliche Arbeit in allen Wirtschaftszweigen des Klosters sowie lange Gottesdienste bestimmten das tägliche Leben der Mönche. Nachdem I. 18 Jahre lang an der Seite Pafnutijs gestanden hatte, wurde er nach dessen Tod 1477 Abt des Klosters Borovskij; ob durch Wahl der Bruderschaft oder auf Verordnung des Großfürsten von Moskau, Iwan III., ist unklar. Als nach kurzer Amtszeit I. mit seinen strengen Klostervorschriften auf den Widerstand der pafnutischen Mitbrüder stieß, sah er sich gezwungen, den Konvent zu verlassen. So führte ihn eine Pilgerreise zu verschiedenen Klöstern im Norden und Westen Rußlands. Da ihn diese Lebensweisen enttäuschten, beschlossen I. und vier weitere Getreue, in der Stadt Volok Lamskij (Bezirk Moskau) ein Kloster zu gründen (1479). Boris, der Bruder des Großfürsten, protegierte Is. Vorhaben. Umfangreiche Stiftungen führten rasch zu materiellem Wohlstand; bereits 1486 konnte eine Steinkirche, die unter anderem mit den Wandmalereien des Ikonographen Dionisij ausgeschmückt wurde, errichtet werden. In wenigen Jahren baute I. das Kloster zu einem Zentrum der Gelehrsamkeit aus, die Bibliothek verzeichnete bis zum Jahre 1545 mindestens 755 Handschriften und gilt damit als eine der größten im Rußland des 16. Jahrhunderts. Im Kloster Volokolamsk schrieb I. seine Werke. I.s Klosterregel »Duchovnaja gramota« (»Geistiges Testament«) macht seine sittliche und asketische Anschauung deutlich: Die klösterliche Schulung der Mönche zielt nicht primär auf die geistige Vervollkommnung der Seele und des Willens, sondern auf das äußerliche, gute Benehmen der Mönche. I. - einer der konsequentesten Vertreter des strengen Koinobitentums - regelt bis ins Detail das Leben der Mönche. Ungeachtet etwa der individuellen Konstitution der Mitbrüder bestimmt I. ausführlich Zeit und Maß der Mahlzeiten; er verwirft jegliches Privateigentum und verwehrt "bartlosen Jünglingen" und Frauen (auch seiner Mutter) den Zutritt. Die Regel verordnet weiterhin, daß die Hauptaufgabe des Klosters die Sorge um die Erziehung der kirchlichen Hierarchie sei; diese Aufgabe könne nur dann erfüllt werden, wenn es für seine Bruderschaft Lebensverhältnisse realisierte, die die Mönche von den Sorgen um die Existenz befreien könne. Die Persönlichkeit der Mönche habe das Kloster hingegen zu nivellieren, denn "aller Leidenschaften Mutter ist die eigene Meinung. Die Meinung ist der 2. Sündenfall". Neben der Sorge um das Wohlbefinden der Mitbrüder trat I.s gesellschaftliches Engagement. Er wies einen Teil des Klostervermögens für soziale Zwecke an. So errichtete er neben der Klosteranlage eine Schule für verlasssene Kinder und ein Asyl für Kranke und Obdachlose; während der Hungersnot konnte er täglich über 700 Menschen Nahrung anbieten. Hervorzuheben ist, daß die Regel nur Vorschriften für die Klosterdisziplin enthält, nicht aber die Gottesdienstordnung erwähnt. — In seinen etwa 20 Briefen fundamentiert I. unter anderem die Grundzüge seiner Morallehre sowie seine Auffassung über häretische Gruppen. Seine Hauptschrift »Prosvetitel« (»Der Aufklärer«) ist eines der bedeutendsten Werke des altrussischen kirchlichen Schrifttums. Der Traktat ist überwiegend eine Antwort auf die Irrtümer der Judaisierenden, einer häretischen Bewegung in Novgorod und Moskau. nach I. ist der Jude S'acharia schuld am Aufkommen dieser Sekte. Die Lehre der Judaisierenden - so I.s Argumentation - wird vor allem dadurch bestimmt, daß sie die christlichen Zentraldogmen, die Menschwerdung und Auferstehung Christi, leugneten, das Dreifaltigkeitsdogma zurückwiesen und die Verehrung der Mutter Gottes und der Bilder ablehnten. In Anlehnung an die spanische Inquisition förderte I., daß die weltliche Obrigkeit Maßnahmen gegen die Häretiker zu treffen habe. Dabei habe die höchste kirchliche Autorität, der "orthodoxe Zar", weder die grausamste Folter noch die Todesstrafe zu scheuen. Im Kampf gegen die Ungläubigen verschmilzt bei I. Kirche und Staat zu einer strafenden Gewalt. Zahlreiche Mönche mißbilligten I.s Rigorismus. Besonders der Starze Nil Sorskij und seine Anhänger, die Uneigennützigen (Nestjazateli), bekämpften die Iosiflianer, bis das Konzil von Moskau (1508) die Lehrmeinung I.s als wahr und richtig anerkannten. Der Sieg I.s war von epochemachender Wirkung. Bereits wenige Jahre nach seinem Tod - er starb in seinem Kloster - wurden die Iosiflianer zur einflußreichsten Gruppe der russischen Kirche. Bis auf geringe Ausnahmen kamen die russischen Bischöfe des 16. Jahrhunderts aus dem Volokolamskij Kloster. Als Vertreter des Iosiflianentums wirkten sie für den monarchistischen Absolutismus in Rußland. Diese Richtung verschmolz mit dem Gedankenkreis, der unter dem Namen "Moskau das dritte Rom" bekannt wurde. Etwa 30 Jahre nach I.s Tod setzte auch eine schriftliche Verehrung ein. Bekannt sind drei Viten aus den 40er Jahren des 16. Jahrhunderts. Den Abschluß der Hagiographie bildet das Volokolamks-Väterbuch, in dem der Mönch Dosifei Toporkov um 1548 in 29 Erzählungen die Entstehungsgeschichte des Volokolamskij Klosters niederschrieb. — I. wurde am 20.12. 1578 örtlich und 1591 für das gesamte russische Reich kanonisiert.

Werke: Duchovnaja gramota (Klosterregel), hrsg. v. Markarij, in: Velikija Minei Cetii ((Die große Sammlg. der Menologion-Lesungen), Sept.-Bd., 1868, 499-615; The monastic rule of Josif Volotsky. Ed. and transl. by David M. Goldfrank, 1983; Poslanija Josifa Volockogo (Briefe). Hrsg. v. A. A. Zimin und Ja S. Luré, 1959; Prosvetitel. Hrsg. v. der Kazan Geistl. Akademie, 1857.

Lit.: M N. A. Bulgakov, Prepodobnyi Iosif Volokolamskij (Der Hl. Iosif von V.), 1865; — Velikija Minei Cetii, 1883, 455-498; — N. Bonwetsch, Kirchengeschichte Rußlands, 1923; — Donet Oljancyn, Aus dem Kultur- und Geistesleben der Ukraine. I. Was ist die Häresie der "Judaisierenden"?, in: Kyrios I, 1936, 1876-189; — E. Behr-Sigel, Nil Sorskij et Joseph de Volokolamsk, in: Irénikon 14, 1937, 363-377; — G. Florovskij, Puti russkago bogoslavija, 1937; — Igor Smolitsch, Das altrussische Mönchtum (11.-16. Jh.), Gestalter und Gestalten, 1940; — Irene Holzwarth, Der »Prosvetitel« des J. v. V. (Diss. Berlin), 1944; — Marc Raeff, An early theorist of absolutism: Josef of Volokolamsk, in: The American Slavic and East European Review 8, 1949, 77-89; — J. L. I. Fennell, The attitude of the Josephians and the Trans-Volga Elders to the Heresy of the Judaisers, in: Slavonic and East European Review 29, 1951, 486-509; — Igor Smolitsch, Russ. Mönchtum. Entstehung, Entwicklung und Wesen 988-1917, 1953; — N. A. Kazakova und Ja S. Luré, Antifeodal'nye ereticeskie dvizenijo na Russia XIV - nacala XVI veka (Die anti-feudalen häretischen Bewegungen in Rußland vom 14. Jh. bis zum Beginn des 16. Jh.s), 1955; — J. Meyendorff, Les biens ecclésiastiques en Russie..., in: Irénikon 28, 1955, 396-405; — Thomas Spidlik, S. J. Joseph de Volokolamsk. Un chapitre de la spiritualité russe. Orientalia christiana Analecta, (Rom) 1956; — Iwan Kologriwow. Das andere Rußland. Versuch einer Darst. des Wesens und der Eigenart russ. Heiligkeit, 1958; — F. von Lilienfeld, J. Volockij und Nil Sorskij, in: Zs für Slavistik 3, 1958, 786-801; — Marc Szeftel, Joseph Volotsky's political ideas in a new historical perspectives, in: Jbb. für Gesch. Osteuropas 13, 1965, 19-29; — Heresies in Russia, in: Great Soviet Encyclopedia 9, 1975, 239; — David M. Goldfrank, Josif Volotskii, in: Modern Encyclopedia of Russian and Soviet history 14, 1979, 229-232 (mit zahlr. Lit.-Ang. in russ. Sprache); — Nikolai Dejevski, Josifo-Volokolamskii Monastery, in: The modern Encyclopedia of Russian and Soviet history 14, 1979, 226-229; — Josef L. Wieczynski, Josephites, in: The modern Encaclopedia of Russian and Soviet history 15, 1980, 140-141; — DSp VIII, 1408-1411; — RGG III, 871; — LThK [2]V, 1137.

Reinhard Tenberg

IRELAND, John, * 11.9. 1838 in Burnchurch, Killkenny/Irland, + 25.9. 1918. — 1849 wanderte I. mit seinen Eltern nach Amerika aus. Über die Stationen New York, Boston, Chicago kam I. im Frühjahr 1853 nach St. Paul, Minnesota. Er besuchte dort die Pfarrschule. Bischof Cretin schickte den begabten jungen I. in das Seminar Meximieux in Frankreich. Im Anschluß daran besuchte I. das Seminar Montbel. Nach seiner

Rückkehr nach St. Paul erhielt er dort am 21.12. 1861 die Priesterweihe. Gleich nach seiner Ordination nahm er als Feldkaplan am Sezessionskrieg teil. 1863 kehrte er jedoch verwundet nach St. Paul zurück. Nach mehrjähriger Tätigkeit als Koadjutor von St. Paul wurde I. 1875 zum Bischof geweiht. Im gleichen Jahr wurde er zum apostolischen Vikar für Nebraska ernannt. Mit der Erhebung seines Bistums zum Erzbistum wurde I. 1888 Erzbischof von St. Paul. — Ebenso berühmt wie umstritten wurde I. durch seine Schulpolitik. Sein Eintreten für die Staatsschule und den freiwilligen, vom Staat nicht bezahlten Religionsunterricht brachte ihm die Gegnerschaft vor allem der katholischen Deutsch-Amerikaner ein. 1892 billigte Leo XIII. (s.d.) jedoch I.s Schulpolitik (»tolerari protest«). — I.s Grundgedanke der Einheit vom amerikanischen Staat und Katholizismus brachte ihn jedoch immer stärker in Gegensatz zu Rom. Er forderte die Amerikanisierung aller Nachkommen katholischer Einwanderer, sowie Suspendierung aller Geistlichen, die der Landessprache nicht mächtig seien. Seine proamerikanische Haltung, die er zusammen mit Father Isaac Hecker vertrat, gipfelte in Wahlreden für die Republikanische Partei, 1894, und heftigen Angriffen gegen die Gewerkschaftsbewegung. I.s »Amerikanismus«, der von seinen Gegnern als Häresie bezeichnet wurde, fand 1895 die ausdrückliche Mißbilligung Leos XIII. (s.d.) Dennoch wurde I. auf Wunsch Roms 1898 als Vermittler zwischen den Vereinigten Staaten und Spanien tätig. 1899 distanzierte I. sich öffentlich vom »Amerikanismus«. 1901 hatte er eine Gastprofessur der Rechte an der Yale University inne. I., um den es nach der Jahrhundertwende sehr still geworden war, starb am 25.9. 1918.

Werke L'Eglise et la Siècle, Paris 1894; The Church and Modern Society. Lectures and Adresses, Chicago 1896, 1897[2], St. Paul 1905[3] (2 Bde.), Reden I.s in: Souvenir. Great Events in the History of the Catholic Church in the United States III. Detroit 1890[2], 82 ff.

Lit.: Journal of Proceedings and Adresses at St. Paul, Topeka 1890, 179-199; — Peter Rosen, Erzbischof I., wie er tatsächlich ist, St. Paul 1897; — Joseph P. Conway, The Question of the Hour: a Survey of the Position and Influence of the Catholic Church in The United States, New York 1911; — Claude D'Habloville, Monseigneur I., in: Grandes figures de l'eglise contemporaine, Paris 1925; — David D. Reilly, The School Controversy 1891-1893, Washington 1943 (enth. Briefe I.s); — H. Moynihan, Archbishop I. and the Spanish-American War. Some Original Data, in: Ireland-America Review V (1942/43); — Cuthbert Soukus, The Public Speaking of Archbishop John I., St. Cloud/Immesota 1948; — Edwin O'Hara/Richard Purcell, Archbishop I.: Two Appreciations, St. Paul 1949; — H. Moynihan, The Life of Archbishop John I., New York 1953; — L. Hertling, Gesch. der Kath. Kirche i. den Vereinigten Staaten, Berlin 1954; — Thomas T. Mc Avoy, The Great Crisis in American Catholic History, 1895-1900, Chicago 1957; — Nelson R. Burr, A Critical Bibliography of Religion in America, Princeton 1961, 488; — J. F. Wilson, Church and State in American History, Boston 1965; — John T. Ellis, Document of American Catholic History, Milwaukee 1962 (enth. 1 Brief, 1 Interview I.s); — David J. O'Brien, American Catholics and Social Reform, New York 1968; — Thomas .T. Mc Avoy, A History of the Catholic Church in the United States, London 1970²; — DAB IX, 494 ff.; — Henry Bowden/Edwin Ganstad (Hrsg.), Dictionary of Amerian Religious Biography, 225 ff.; — Catholic Historical Review XXXI/II, 158 ff.; — Catholic Historical Review XXXII/II, 33 ff.; — Dictionary of Catholic Biography (1961), 592; — EC VII, 191 f.; — LThK V, 588.

Franz Seiffer

IRENÄUS *zu Chiusi*, Märtyrer, Heiliger, + 275. — I. war Diakon zu Chiusi in Toskana. Er wurde bei der Beisetzung des heiligen Felix in Sutri festgenommen, eingekerkert, gemartert und soll außerhalb der Stadtmauern begraben worden sein. Sein Fest ist der 3. Juli.

Lit.: Acta SS Jul. I, 1719, 638-641; — BHL 4455 f.; — MartRom 268; — F. G. Holweck, A Biographical Dictionary of the Saints, St. Louis 1924; — J. Baudot, Dictionnaire d'hagiographie, Paris 1925; — LThK V, 748; — Johann Stadler (Hrsg.), Vollst. Heiligenlex. III, 1975, 622.

Cornelia Hoß

IRENÄUS *von Lyon*, bedeutendster Theologe des 2. Jahrhunderts, * ungefähr 140, + um 200. — I. verbrachte seine Jugend in Smyrna in Kleinasien, wo er Schüler des Bischofs Polycarp v. Smyrna (+ 156) war. Während der Regierungszeit Marc Aurels war I. Presbyter in der Gemeinde von Lugdunum (Lyon), von der er 177 mit einem Brief als Gesandter nach Rom geschickt wurde. In der römischen Gemeinde sollte er für eine maßvolle Reaktion gegenüber einer neuen von Kleinasien ausgehenden christlichen Bewegung - den Montanisten, die von Askese, Prophetie und enthusiastischer Naherwartung geprägt waren - eintreten. Bei seiner Rückkehr wurde er Nachfolger des Bischofs Pothinus von Lyon, der bei einer Verfolgung während I.s Abwesenheit das Martyrium erlitten hatte. Bei einem Streit um den Ostertermin zwischen Rom und kleinasiatischen Gemeinden tritt I. zusammen mit anderen Bischöfen gegen die autoritäre Reaktion Victors von Rom auf, der, da keine schiedliche Einigung auf einen gemeinsamen Termin in Sicht war, die kleinasiatischen Gemeinden aus der Kirchengemeinschaft ausschloß. Über den Tod des I. sind keine historisch zuverlässigen Nachrichten bekannt, der Bericht über sein Martyrium ist eine Legende. — Von den Werken des I., die er in Griechisch verfaßte, sind nur die »Entlarvung und Widerlegung der fälschlich sogenannten Gnosis« (gewöhnlich zitiert als Adversus Haereses) in lateinischer Übersetzung und die »Darstellung der apostolischen Verkündigung« (zitiert als Epideixis) in armenischer Übersetzung vollständig überliefert; hinzu kommen noch einige Fragmente seiner Briefe. In der Auseinandersetzung mit den gnostischen Sekten des 2. Jahrhunderts hat I. ein umfangreiches Wissen gezeigt, das durch den Fund gnostischer Handschriften in Nag Hammadi als überraschend objektive Quellen bestätigt wurde. Zur Unterscheidung von kirchlichen und gnostischen Lehren benutzte I. die Bibel, die durch die Sukzession gesicherte Tradition und die Glaubensregel (Canon veritatis). Hiermit legte er die formalen Fundamente für die Festigung und Abgrenzung von Kirche und Theologie der nachfolgenden Zeiten.

Werke: Adversus Haereses, in: MPG VII,in: William W. Harvey, Sancti irenaei episcopi Lugdunensis libros quinque adversus haereses, 2 Bde., Cambridge 1857 (Nachdr. Farnborough, Frankfurt 1965), in: SC 263-264 (Buch I), 293-294 (Buch II), 34 u. 210-211 (Buch III), 100 (Buch IV), 152-153 (Buch V), in: BKV² III-IV; Epideixis, in: PO 12,5, in: K. Ter-Mekerttschian, E. Ter-Minassiantz, Des hl. I. Schr. zum Erweise der Apostol. Verkündigung, 1908², in: SC 62, in: BKV² IV; Wilhelm Schneemelcher (Hrsg.), Bibliographia Patristica, 1956 ff.

Lit.: Johann Ludwig Duncker, Des hl. I. Christologie im Zshg. mit dessen theol u. anthropol. Grundlehren, 1843; — Albrecht Ritschl, Die Entstehung der altkath. Kiche, 1857², 312 ff., — Richar A. Lipsius, Die Zeit des I. und die Entstehung der altkath. Kirche, in: HZ, 1872, 241-295; — Ders., Die Qu. der ältesten Ketzergesch., 1875, 36 ff.; — Edouard Montet, La légende d'Irénée et l'introduction du christianisme à Lyon, Genève 1880; — Josef Langen, Die Geschichte der röm. Kirche bis zum Pontifikate Leos I, 1881, 170-174; — Franz X. Funk, Die ältesten Zeugnisse für den röm. Primat, in: HPBl 89, 1882, 729-747; — Ders., Der Primat der röm. Kirche nach Ignatius und I., in: Ders., Kirchengeschichtl. Abhh., 1897, 1-23; — Reinhold Seeberg, Der Begriff der christl. Kirche I, 1885, 16 ff.; — Seeberg I, 34 f., 401-413, 431 ff., 457 ff., 466 ff.; — Friedrich Loofs, Die Hss. der lat. Übers. des I. und ihre Kapiteleinteilung, in: Kirchengeschichtl. Stud., Festschr. H. Reuter, 1888, 1-93; — Ders., Theophilus v. Antiochien und die anderen theol. Qu. bei I., TU 46, 1930; — Loofs, 1968⁷, 106-16; — Johannes Werner, Der Paulinismus des I., eine kirchen- und dogmengeschichtl. Unters. über das Verhältnis des I. zu der paulinischen Briefsammlung und Theol., TU 6, 2, 1889; — Victor Courdaveaux, St. Irénée, in: RHR 21, 1890, 149-175; — Fernand Cabrol, La doctrine de St. Irénée et la critique de M. Courdaveaux, in: La sciene catholique V, 1881, 97-117, 241-256, 304-315; — Johannes Kunze, Die Gotteslehre des I., 1891; — Theodor Zahn, Zur Biographie des Polycarpus und I., FGNK IV, 1891, 275-283; — Ders., Sendschreiben des I. an Viktor von Rom, in: FGNK IV, 1891, 283-308; — Ders., Apostel und Apostelschüler in der Provinz Asien, in: FGNK VI, 1900, 27-40,53-94; — Adolf v. Harnack, Das Zeugnis des I. über das Ansehen der röm. Kirche, in: SAB 1893, 939-955; — Harnack, Lit I, 1, 263-288, II, 1, 320-333, 517-522, II, 2, 226 ff.; — Harnack, DG I; — L. Lévèque, Le martyre de St. Irénée, in: La science catholique 7, 1893, 791-801; — Albert Ehrhard, Die altchristl. Lit. und ihre Erforschung seit 1880, in: Straßburger Theol. Stud. I, 1894, 98-100; — Ders., Die altchristl. Lit. und ihre Erforschung von 1884-1900, in: Straßburger Theol. Stud. Suppl. I, 1900, 262-275; — Johannes Haußleiter, Analekten zur gesch. der alten Kirche 1. Ein paar neue Frgm. des griech. I., in: ZKG 14, 1894, 69-73; — Ernst Klebba, Die Anthropologie des hl. I. Eine dogmenhist. Stud., Kirchengeschichtl. Stud. 2, 3, 1894; — J. Chapman, Le temoignage de St. Irénée en faveur de la primauté romaine, in: RBén 12, 1895, 49-64; — Otto Hierschfeld, Zur Gesch. des Christentums in Lugdunum von Konstantin, in: SAB 19, 1895, 393 ff.; — Gustav Krüger, Gesch. der altchristl. Lit. in den ersten drei Jhh., 1895; — Henry M. Gwatkin, I. on the fourth gospel, in: The Contemp. Review 1897, 221-26, — Bardenhewer I, 399-430; — Hugo Koch, Die Sündervergebung bei I., in: ZNW 9, 1908, 35 ff.; — Francis E. Hitchcock, I. of Lugdunum. A study of his Teaching, Cambrai 1914; — Wilhelm Bousset, Der jüd.-christl. Schulbetrieb in Alexandria und Rom. Literarische Unterss. zu Philo und Clemens von Alexandria, Justin und I., 1915 (Nachdr. 1975); — Josef Hoh, Die Lehre des I. über das NT, 1919; — B. Kraft, Die Evv.-Zitate des hl. I., 1924; — Nathanael Bonwetsch, Die Theol. des I., BFChTh 2, 9, 1925; — Martin P. Charlesworth, Trade-Routes und Commerce o the Roman Empire, Cambridge 1926 (Nachdr. New York 1970); — Ladislaus Spikowski, la doctrine de l'Eglise dans S. Irénée, (Diss. Straßbourg)1926; — Walther v. Loewenich, Das Joh.-Verständnis des 2. Jh., 1932, 115-141; — Jan N. Bakhuizen van den Brink, Invarnatie en verlossing bij I., Gravenhagen 1934; — Wolfgang Schmidt, Die Kirche bei I., Helsingfors 1934; — J. L. Koole, De Abendmaalsbeschouwing van den kerkvader I., in: GThT 37, 295-303; — B. Przybilski, De mariologia S. Irenaei, Paris 1937; — Karl Prümm, Zur Terminologie und zum Wesen der christl. Neuheit bei I., in: Pisciculi, Münster 1939, 129-219; — Ders., Göttl. Planung und menschl. Entwicklung nach I. adversus haereses, in: Scholastik 13, 206-224, 342-366; — E. Scharl, Der Rekapitulationsbegriff des hl. I. und seine Anwendung auf die Körperwelt, Rom 1940; — Ders., Recapitulatio mundi. Der Rekapitulationsbegriff des hl. I., 1941; — W. Hunger, Der Gedanke der Weltplaneineit und der Adameinheit in der Theol. des hl. I., Scholastik17, 1942, 161-177; — Sven Lundström, Stud. zur lat. I. -Übers., Lund 1943; — Ders., Neue Stud. zur lat. I.-Übers, Lund 1948; — Ders., Das Katenenfrgm. mit I. Adv. haer. V, 24, 2 ff., in: ZKG 69, 1958; — Ders., Odoratio et adspiratio, in: Eranos 56, Göteborg 1958, 183-187; — Ders., Observations critiques sur le quatrième livre de St. I., Lund 1969; — Gustave Bardy, La

theologique de l'Eglise de s. I. au concile de Nicée, paris 1947; — Jean Daniélou, Saint Irénée et les origines de la théologie de l'histoire, in: RSR 34, 1947, 227-231; — Ders., Gesch. der Kirche von den Anfängen bis zum Konzil v. Nicäa, in: L. J. Rogier u. a. (Hrsg.), Gesch. der Kirche I, 1963, 130-132; — F. Sagnard, La gnose valentinienne et la témoignagne de s. I., Paris 1947; — John Lawson, The Biblical Theology of St. I., London 1948; — Thomas Rüsch, Die Entstehung der Lehre vom hl. Geist bei Ignatius, Theophilus von Antiochien und I., SDGSTh 2, Zürich 1951; — André Benoit, Le baptême au 2ᵉ siècle, 1953; — Ders., Saint Irénée. Introduction à l'étude de sa théologie, Paris 1960; — Ders., Écriture et Tradition chez Saint Irénée, in: RHPhR 40, 1960, 32-43; — Ders., Irénée Adversus Haereses IV, 17, 1-5 et les Testimonia, in: StP IV, 1961, 20-27; — Ders., Irénée et l'hérésie. Les conceptions hérésiologiques de l'évêque de Lyon, in: Augustinianum 20, Rom 1980, 55-67; — Hans v. Campenhausen, Kirchl. Amt und geistl. Vollmacht in den ersten drei Jhh., 1953, 185 ff.; — Ders., Griech. Kichenväter, 1961³, 24-32; — Ders., I. und das NT, in: ThLZ 90, 1965, 1-8; — Ders., Die Entstehung der christl. Bibel, 1968, 213 ff.; — Ders., Die Entstehung der Heilsgesch. Der Aufbau des christl. Geschichtsbildes in der Theol. des ersten und zweiten Jh.s, in: Saeculum 21, 1970, 189-212; — Ders., Ostertermin oder Osterfasten? Zum Verständnis des I.-Briefes an Victor (Euseb. Hist. eccl. 5,24, 12-17), in: VigChr 28, 1974, 114-138 und in: Ders., Urchristl. und Altkirchl., 1979, 300-330; — Lietzmann II, 206-218; — Ders., Der Jenaer I.-Papyrus, in: Ders., Kleine Schrr. I, 1958, 370-409; — Pierre Nautin, Patristica I, 1954; — Ders., Irénée »Adversus haereses« III, 3, 2. Eglise de Rome au Eglise universelle?, in: RHR 151, 1957, 37-78; — Ders., Lettres et écrivains, 1961, 92-104; — Ders., Irénée et la canonicité des Epîtres pauliniennes, in: RHR 182, 1972, 113-130; — W. Leuthold, Das Wesen der Häresie nach I., (Diss. Zürich) 1954; — Bruno Reynders, Lexique comparé du texte grec et de evrsions latine, arméniene et syriaque de l'Adv. haer. de Saint Irénée, 1954; — Ders., Optimisme et théocentrisime chez S. I., in: RThAM 8, 225-252; — Ders., Vocabulaire de la »Demonstration« et des fragments de S. Irénée, Cheretogne 1958; — Carl Schneider, Geistesgesch. des antiken Christentums I, 1954, 270-279 (Register!); — Albert Houssiou, la christologie de S. I., Louvain 1955; — Michel Aubineau, Incorruptibileté et divinisation, in: RSR 44, 1956, 25-52; — Bernard Botte, Saint Irénée et l'Epître de Clement, in: RevÉAug 2, 1956, 67-71; — Ders., A propos de l'Adversus haereses III, 3, 2 de saint Irénée, in: Irénikon 30, 1957, 156-163; — Léon M. Froideaux, Sur trois textes cités par Saint Irénée, in: RSR 44, 1956, 408-421; — Ders., Irénée de Lyon. Demonstration de la prédication apostolique, Paris 1959; — Ch. Perrat, A. Audin, S. Irénée. L'histoire et la légende, in: Cahiers d'histoire 3, Lyon 1956, 227-251; — L. S. Thornton, St. I. and Contemporary Theology, in: StP II, 317-330; — Martin Widmann, Der Begriff im Werk des I. und seine Vorgesch. (Diss. Tübingen) 1956; — Ders., I. und seine theol. Väter, in: ZThK 54, 1957, 156-173; — Alfred Bengsch, Heilsgesch. und Heilswissen. Eien Unters. zur Struktur und Entfaltung des theol. Denkens im Werk »Adversus haereses« des hl. I. v. Lyon, 1957; — Jean Mambrino, »Les Deux Mains de Dieu« dans l'oeuvre de saint Irénée, in: NRTh 79, 1957, 355-370; — August Strobel, Ein Katenenfrgm. mit I. Adv. Haer. V, 24, 2 f., in: ZKG 68, 1957, 139-143; — bengt

Hägglund, Die Bedeutung der »regula fidei« als Grundlage theol. Aussagen, in: StTH 12, 1958, 1-44;— Henri Marrou, Lyon et l'histoire ancienne du christanisme. Association G. Budé, Congrès de Lyon 1958, in: Actes du Congres, Paris 1960, 318-329; — Ders., Irénée. Le témoignagne de Saint Irénée sur l'eglise de Rome, in: Studi in onore di Alberto Pincherle, SMSR 38, 1967, 343-349; — Pierre Smulders, A Quotation of Philo in I., in: VigChr 12, 1958, 154-156; — Erik Peterson, L'homme, image de Dieu chez saint Irénée, in: VS 100, 1959, 584-594; — William R. Schoedel, Philosophy and Rhetoric in the Adversus haereses of I., in: VigChr 13, 1959, 22-32; — Ders., Theological Method in I., in: JThS 35, 1984, 31-49; — Dominicus J. Unger, Sancti Irenaei Lugdunensis Episcopi doctrina de maria Virgine matre, socia Jesu Christi filii sui ad opus recapitulationis, in: Maria ert ecclesia. Acta Congresso mariologici - mariani in civitate Lourdes, 1958, celebrati IV, Rom 1959; — Gustaf Wingren, Man and the Incarnation. A study in the biblical Theol. of I., Philadelphia 1959; — D. E. Lanne, La vision de Dieu dans l'oeuvre de saint Irénée, in: Irénikon 33, 1960, 311-320; — Hampus Lyttkens, Guds pedagogi hos I., in: SvTK 36, 1960, 13-37; — Otto Reimhers, I. and the Valentinians, in: The Lutheran Quarterly 12, Gettysburg 1960, 55-59; — A. W. Ziefler, Das Brot von unseren Feldern. Ein Btr. zur Eucharistielehre des hl. I., in: Pro mundo vita, Festschr. zum eucharist. Weltkongreß 1960, hrsg. von der Theol. Fak. der Ludwig-Maximilians Univ. München, 1960; — V. Hahn, Schrift, Tradition und Primat bei I., in: TThZ 70, 1961, 233-243, 292-302; — Bertrand Hemmerdinger, Les hexaples et saint Irénée, in: VigChr 16,1962; — Ders., Saint Irénée évêque en Gaule ou en Gelatie?, in: REG 77, 1964, 291-292; — Ders., Notes surdeux fragments grecs de S. Irénée, in: REG 78, 1965, 620-622; — Ders., Observations critique sur Irénée, IV (Sources 100) ou les mésaventures d'un philoloque, in: JThS 17, 1966, 308-326; — Marcel Pichard, Bertrand Hemmerdinger, Trois noveaux fragments grecs de l'Adversus Haereses de Saint Irénée, in: ZNW 53, 1962, 252-255; — HdKG I, 241 ff.; — Willem c. van Unnik, Der Ausdruck »in den letzten Zeiten« bei I., in: Neotestamentica et Patristica, Festschr. Oscar Cullmann, Leiden 1962; — Ders., Two notes on I., in: VigChr 30, 1976, 201-213; — Ders., The Authority of the Presbyters in I.'s Works, in: God's Christ and his people. Studies in honour of Nilfs Alstrup Dahl, Oslo 1977, 248-260; — Ders., An interesting document of second century theological discussion (I., Adv. haer. I, 10.3), in: VigChr 31, 1977, 196-228; — M. F. Berrouard, Servitude de la loi et liberté de l'évangile selon S. Irénée, in: Lumière et vie 61, St. Alban-Leysse 1963, 41-60; — F. H. Borsch, The Son of Man, in: AThR 45, 1963, 174-190; — H. M. Diepen, L'"Assumptus homo" patrisque I. »L'Homme du Seigneur Jésu Christ« (Saint Irénée), in: RThom 63, 1963, 225 ff.; — Robert M. Grant, The Fragments of the Greek Apologist and I., in: Biblical and Patristic Studies. In memory of Robert P. Casey, 1963, 179-218; — G. Joussard, Le »Signe de Jonas« dans le livre IIIᵉ de L'Adversus haereses de S. Irénée, in: L'homme devant Dieu. Mélanges Henri de Lubac I, Paris 1963, 235-246; — J. Kürzinger, I. und sein Zeugnis zur Sprache des Mt, in: NTS 10, 1963, 108-114; — Barclay Newmann, The Fallacy of the Domitian Hypothesis: Critique of the I. Source as a Witness for the Contemporary Historical Approach to the Interpretation of the Apocalypse, in: NTS 10, 1963, 133-138; —

Amable Audin, Sur les origines de l'église de Lyon, in: L'homme devant Dieu I, 1964, 223-234; — Norbert Brox, Charisma veritatis certum (Zu I. Adv. haer. IV, 26, 2), in: ZKG 75, 1964, 327-331; — Ders., Juden und Heiden bei I., in: MThZ 16, 1965, 89-106; — Ders., Justin-Zitat oder Sprichwort bei I., in: ZKG 77, 1966, 120-121; — Ders., Offenbarung, Gnosis und gnostischer Mythos bei I. von Lyon. Zur Characteristik der Systeme, Salzburg 1967; — Ders., zum literarischen Verhältnis zwischen Justin und I., in: ZNW 58, 1967, 121-128; — Ders., Ein vermeintliches I.-Fragment, in: VigChr 24, 1970, 40-44; — Ders., Rom und »jede Kirche« im 2. Jh. (In I., Adv. haer. III, 3, 2), in: Festg. Hubert Jedin, 1975, 42-78; — Ders., Probleme einer Frühdatierung des röm. Primats, in: Kairos 18, 1976, 81-99; — Ders., I., in: H. Fries, G. Kretschmar (Hrsg.), Klassiker der Theol. I, 1981, 11- 25; — Ders., I., in: Martin Greschat (Hrsg.), Gestalten der Kirchengesch. I, 1984,82-96; — J. Colin, Saint Irénée était-il évêque de Lyon?, in: La tomus. Revue d'etudes latines 23, bruxelles 1964, 81-85; — W. J. Elzey, The Meaning of the Goodness of God in the Major Writings of three Early Church Fathers (I., Clem. Alex., Tertullian), (Diss. Boston) 1963; — Charlotte Hörgl, Die göttl. Erziehung des Menschen nach I., in: Nuovo Didascalia 13, Catania 1963, 1-28; — Louis Ligier, Le »charisma veritatis certum« des évêques: Ses attaches liturgiques, patristiques et bibliques, in: L'homme devant Dieu I, 1964, 247-268; — Juan Ochagavia, Visibile Patris Filius. A Study of I.'s Teaching on Revelation and Tradition, Rom 1964; — Fritz Übel, Zum Jenaer I.-Papyrus. Vorläufige Mitt., in: ThLZ 88, 1963, 395-396; — Ders., Der Jenaer I.-Papyrus. Ergebnisse einer Rekonstruktion und Neuausgabe des Textes, in: Nakladeltství Ceskoslovenské Akademie Ved, Praha 1964, 51-109; — P. Hefner, Theological methodology in St. I., in: JR 44, 1964, 294-309; — José M. Arroniz, La salvación de la carne en S. ireneo, in: Scriptorium Victoriense 12, 1965, 7-29; — Ders., El hombre »imagen y semojanza de Dios« (Gen 1, 26) en S. Ireneo, in: Scriptorium Victoriense 23, 1976, 275-305; — Ders., Categorias christologicas en Ireneo de Lyon, in: Scriptorium Victoriense 30, 1983, 196-202; — Pier C. Bori, Attualità di S. Ireneo (su varie recenti edizioni), in: Studium 62, Rom 1965, 582-593; — Louis Doutreleau, A propos d'Irénée, Adversus Haereses, livre IV, in: Studies in Religion/Sciences Religieuses. Revue canadienne, Waterloo (Ontario) 1965, 589-599; — Ders., Le Salmanticensis 202 et le texte latin d'Irénée, in: Orpheus 2, Catania 1981, 131-156; — Johannes Petrus de Jong, Der ursprüngl. Sinn von Epiklese und Mischungsritus nach der Eucharistielehre des Hl. I., in: ALW 9, 1, 1965, 28-47; — Godehard Joppich, Salus carnis. Eine Unters. in der Theol. des hl. I. von Lyon, 1965; — Jacques Liébaert, Christologie, in: HDG III, 1a, 1965, 30-34; — Vincenzo Loi, L'uso di »principari« et la datazione dell' Ireneo latino, in: Annali d'Instituto orientale Napoli, Sez. Linguistica 6, 1965, 145-149; — Richard Norris, God and World in Early Christian Theology. A Study in Justin Martyr, I., Tertullian and Origen, New York 1965, London 1966; — Ders., The Transcendence and Freedom of God: I., the Greek Tradition and Gnosticism, in: Early Christian Literature and the classical intellectual tradition. In honorem Robert M. Grant, Paris 1979, 87-100; — Ders., I. and Plotinus Answer the Gnostics: A Note on the Relation Between Christian Thought and

Platonism, in: Union Seminary Quarterly Review 36, New York 1980, 13-24; — Antonio Orbe, Homo nuper factus (En torno a. S. Reneo, »Adv. haer.« IV, 38, 1), in: Gregorianum 46, 1965, 481-544; — Ders., S. Ireneo y el conocimiento natural de Dios, in: Gregorianum 47, 1966, 441-471, 710-747; — Ders., El sueno y el Paraiso (Iren, Epid. 13), in: Gregorianum 48, 1967, 346-349; — Ders., San Ireneo y la primera Pascus del Salvador, in: EE 44, 1969, 297-344; — Ders., Antropología de San Ireneo, Madrid 1969; — Ders., S. Ireneo y el discurso de Nazaret (Lk 4, 18 f. = Jes 61, 1 f.), in: Scriptorium Victoriense 17, 1970, 5-33, 202-219; — Ders., La revelacíon del Hijo por el Padre según S. Ireneo (Adv. haer. IV, 6). Para la exegesis prenicena de Mt 11, 27, in: Gregorianum 51, 1970, 5-86; — Ders., Ipse tuum calcabit caput (San Ireneo y Gen 3, 15), in: Gregorianum 52, 1971, 95-150, 215-271; — Ders., San Ireneo y la parábola de los obreros de la vina: Mt 20, 1-16, in: EE 46, 1971, 35-62, 183-206; — Ders., Parabolas evangélicas en San Ireneo I, II, Madrid 1972; — Ders., Supergrediens angelos (San Ireneo, Adv. haer. V, 36, 3), (Span. mit engl. Zusammenfassung), in: Gregorianum 54, 1973, 5-59; — Ders., San Ireneo y la creación de la materia, in: Gregorianum 59, 1978, 71-127; — Ders., Errores de los ebionitas (Análisis de Ireneo, Adversus haereses V, 1, 3), in: Mar 41, 1979, 171-198; — Ders., San Ireneo y la doctrina de la reconciliación, in: Gregorianum 61, 1980, 5-50; — Ders., Cinco exegesis ireneanas de Gen 2, 17b adv. haer. V, 23, 1-2, in: Gregorianum 62, 1981, 75-113; — Ders., Visión del Padre e incorruptela según san Ireneo, in: Gregorianum 64, 1983, 199-241; — Ders., A propósito de dos citas de Pláton en San Ireneo, Adv. haer. V, 24, 4, in: Orpheus 4, Catania 1983, 253-285; — Marcel Richard, La Lettre de Saint Irénée au Pape Victor, in: ZNW 56, 1965, 260-281; — Ders., Un faux dithélite - La traité de S. Irénée au Diacre Démétrius, in: Polychronicon, 1966, 431-440; — D. E. Jenkins, The Make-up of Man according to St. I., in: StP VI, 91-95; — Veronica Marcham, The Idea of Reparation in St. I. and his Contemporaries, in: StP VI, 141-146; — Maurice Bévenot, Clement of Rome in I.'s Successionslist, in: JThS 17, 1966, 98-107; — Bihlmeyer-Tüchle I, 183 f.; — G. w. Clarke, Notes and Observations: I. Adv. Haer. IV, 30, 1, in: HThR 59, 1966, 95-97; — Marie Louise Guillaumin, A la recherche des manuscrits d'Irénée, in: StP VII, 1966, 65-70; — P. Wuilleumier, Le martyre chrétien de 177, in: Mélanges d'archéologie d'épigraphie et d'histoire offerts à Jérôme Carcopino, 1966, 987-990; — D. Alberti, Problemi di origine in S. Irene, in: Divinitas 11, Rom 1967, 95-116; — P. Evieux, La théologie de l'accoutumance chez S. Irénée, in: RSR 55, 1967, 5- 54; — G. Leroux, Mythe et mystère du péché origine chez saint Irénée de Lyon, Montreal 1967; — Peter Meinhold, Gesch. der kirchl. Historiographie I, 1967, 50-55; — Adelius L. Peretto, Studio critico delle citazioni di Rom. 1-8 nell' »Adversus haereses« di S. Ireneo, (Diss. Roma) 1967; — Paolo Siniscalco, La parabola del figlio prodigo (Lk 15, 11-32) in Ireneo, in: Studi in onore di Alberto Pincherle, SMSR 38, 1967, 536-553; — Robert L. Wilken, The Homeric cento in I. »Adversus haereses I, 9, 4«, in: VigChr, 1967, 25-33; — D. F. Wright, Clement and the Roman Succession in I., in: JThS 18, 1967, 144-154; — J. Bentivegna, Pauline Elements in the Anthropology of St. I., in: Studia Evangelica V, TU 103, 1968, 229-233; — D. Farkasfalvy, Theology of Scripture in St. I., in: RBên 78, 1968, 319-333; — J. I. Gonzáles Faus, Creación y progresso

en la teologia de san Ireneo, Barcelona 1968; — Jan Tjeerd Nielsen, Adam and Christ in the Theology of I. of Lyons. An examination of the function of the Adam-Christ typology in the »Adversus haerese« of I., against the background of the Gnosticism of his time, Assen 1968; — Ders., I. en de kinderdopp, in: NedThT 23, 1968/69, 266-270; — Elio Peretto, De citationibus ex Rom. 1-8 in »Adversus haereses« Sancti Irenaei, in: VD 46, 1968, 105-108; — Ders., La lettera ai Romani, cc. 1-8, nell' Adversus haereses d'Ireneo, Bari 1971; — Ders., La Epideixis di ireneo. Il rudi dello Spirito nella formulazione delle argomentazioni, in: Augustinianum 20, Rom 1980, 559-580; — Sil kim Dai, The Doctrine of Man in I. of Lyons, (Diss. Boston) 1969; — J. I. Gonzales Faus, Carne de Dios. Significado salvador de la Encarnación en la teología de San Ireneo, Barcelona 1969; — M. O'Rourke Boyle, I. millenial hope. A polemical weapon, in: RThAM 36, 1969, 5-16; — M. Verbeek, De mens, Gods beeld en gelijkenis, in het werk van I., (Diss. Louvain) 1969; — K. Ward, Freedom and the Irenean Theodicy,in: JThS 20, 1969, 249-254; — A. Wood, Eschatology of I., in: Evangelical Quarterly 91, London 1969, 30-41; — A. J. Bandstra, Paul and an Ancient Interpretor: A Comparison of the Teaching of Redemption in Paul and I., in: Calvin Theological Journal 5, Grand Rapids (Michgian) 1970, 43-63; — J. Hick, Freedom and the Irenean theodicy again, in: JThS 21, 1970, 419-422; — G. Jossa, Regno di Dio e Chiesa. Ricerche sulla concezione escatologica ad ecclesiologica dell' Adversus haereses di Ireneo di Lione, Napoli 1970; — J. Plagnieux, La doctrine mariale de S. Irénée, in: RevSR 44, 1970, 179-181; — Luis N. Rivera, Unity and Truth: The Unity of God, Man, Jesus Christ and the Church of I., (diss. Yale), 1970; — Carl Andresen, Die Kirchen der alten Christenheit, 1971, 54 ff., 97 ff.; — Ders., Gesch. des Christentums I, 1972, 25; — Ders., Die Anfänge christl. Lehrentwicklung, in: Ders., Hdb. der Dogmen- und Theologiegesch. I, 1982, 79-98; — W. H. Chapps, Motif-Research in I., Thomas Aquinas and Luther, in: StTH 25, 1971, 133-159; — G. M. Lee, Note on I., in: VigChr 25, 1971, 29-30; — Adelin Rousseau, La doctriné de Saint Irénée sur la préexistence du fils de Dieu dans Dém 43, in: Muséon 84, 1971, 5-42; — Dies., L'éternité des peines de l'enfer et l'immortalité naturelle de l'âme selon saint Irénée, in: NRTh 99, 1977, 834-864; — Guiseppe Bentivegna, The matter as milieu divin in St. I., in: Augustinianum, 12, 1972, 543-548; — Ders., Economia di slvezza e creazione nel pensiero di s. Ireneo, Rom 1973; — Henry Chadwick, Die Kirche in der antiken Welt, 1972, 42-46, 87-91; — D. Composta, Il diritto naturale in S. ireneo, in: Apollinaris 45, 1972, 599-612; — Vittorino Grossi, Regula Veritatis e narratio battesimale in sant'Ireneo, in: Augustinianum 12, Rom 1972, 437-463; — Ders., San Ireneo: la funcion de la »Regula Veritatis« en la basqueda de Dios, in: Semanas de Estudios Trinitarios 7, Salamanca 1973, 109-139, 183-211; — P. Lebeau, Koinonia, La signification du salut selon saint Irénée, in: Epektasis. Mélanges Jean Danielou, 1972, 121-127; — Eginhard P. Meijering, Die phys. Erlösung in der Theol. des I., in: NAGK 53, 1972, 147-159; — Ders., Some observationes on I.'s polemics against the Gnostics, in: NedThT 27, 1973, 26-33; — Ders., I.'s relation to philosophy in the light of his concept of free will, in: W. den Boer etc. (Hrsg.), Romanitas et Christianitas, Amsterdam, London, 1973, 221-232; — Ders., God being history. Studies in

Patristic philosophy, Amsterdam, Oxford, 1975; — F. van de Paverd, The meaning of in the Regula fidei of St. I., in: OrChrP 38, 1972, 454-466; — Manuel Ruiz Jurado, El concepto de mundo en S. Ireneo: La fe de la Iglesia como norma, in: EE 47, 1972, 205-226; — Donald R. Schultz, the Origin of Sinin I. and Jewish Apocalyptic Literature, (Diss.) 1972; — Ders., The Origin of Sin in I. and Jewish Pseudoepigraphical Literature, in: VigChr 32, 1978, 161-190; — Kurt Stalder, Apostol. Sukzession u. Eucharistie bei Clemens Romanus, I., und Ignatius von Antiochien, in: IKZ 62, 1972, 231-244, IKZ 63, 1973, 100-128; — Hans Blumenberg, Der Prozeß der theor. Neugierde, 1973, 81-84; — L. Gallinari, Filosofia e pedagogia in Ireneo di Lione, Rom 1973; — H. B. Timothy, The early Christian Apologists and Greek philosophy exemplified by I., Tertullian and Clement of Alexandria, Assen 1973; — A. M. Clerici, La storia della salvezza in Ireneo, in: Revista di storia e letteratura religiosa 10, Firenze 1974, 3-41; — Emmanuel Ianne, La d'Abraham dans l'ouevre d'Irénée. Aux origines du thème monastique de la peregrinatio, in: Irénikon 47, 1974, 163-187; — Ders., La nom de Jésus Christ et son invocation chez saint Irénée de Lyon, in: Irénikon 48, 1975, 447-467, Irénikon 49, 1976, 34-53; — Ders., l'église de Rome »a gloriosissimis duobus apostolis Petro et Paulo Romae fundate et constituate ecclesiae« (Adv. Haer. III, 3, 2), in: Irénikon 49, 1976, 275-322; — Ders., La règle verité. Aux sources d'une expression de S. Irénée, in: Lex orandi, Lex credendi. Miscellanea in onore di Cipriano Vagaggi I, Rom 1980; — henry Lassiat, Promotion de l'homme en Jésus Christ d'apres Irénée de Lyon, Paris 1974; — Ders., et Paul Lasiat, Dieu veut-il des hommes libres? La catéchès de l'Eglise des Martyrs d'apres Irénée de Lyon, Paris 1976; — Ders., L'anthropologie Irénée, in: NRTH 100, 1978, 399-417; — E. H. Pagels, Conflicting versions of Valentinian eschatology. I.'s treatise vs. the excerpts from Theodotus, in: HThR 67, 1974, 35-53; — Alberto Pincherle, Su Ireneo, Adversus haereses III, 3, 1-2, in: Revista di storia e letteratura religiosa 10, 1974, 305-318; — Ders., Tre noterelle, in: Paradoxos politeia. Studi patristici in onore di Guiseppe Lazzati, Milano 1980, 501-506; — P. Prigent, In principio. Apropos d'un livre recént, in: RHPhR 54, 1974, 391-397; — Jeffrey G. Sobosan, The role of the Presbyter,: An investigation into the Adversus Haereses of Saint I., in: SJTh 27, 1974, 129-146; — F. Altermath, The purpose of the Incarnation according to I., in: StP 13, 1975, 63-68; — P. M. Bräuning, Die principalitas der röm. Gemeinde nach I., (Diss. Halle) 1975; — R. F. Brown, On the necessary imperfection of creation: I.'s Adversus Haereses IV, 38, in: SJTh 28, 1975, 17-25; — Nicolas Gendle, St. I. as Mystical Theologian, in: The Thomist 39, Washington 1975, 185-197; — S. G. Hall, Praxeas and I., in: StP 14, 1975, 145-147; — Helmut Moll, Die Lehre von der Eucharistie als Opfer. Eine dogmengeschichtl. Unters. vom NT bis I. von Lyon, 1975; — The Pauline basis of the concept of Scriptual form in I., Protocol of the eight coloque 4 November 1973, by John S. Coolidge, Berkeley 1975; — D. Powell, Ordo presbyterii, in: JThS 26, 1975,290-328; — D. Unger, St. I. on the Roman Primacy, in: Laurentianum 16, Rom 1975,431-445; — Luise Abramowski, u. bei Hegesipp, in: Zkg 87, 1976, 321-327; — Dies., I. Adv. Haer. III, 3, 2. Ecclesia Romana and omnis ecclesia; and ibid. 3, 3. Analectus of Rome, in: JThS 28, 1977, 101-104; — B. Czesz, Notio civitatis Dei apud sanctum Irenaeum (Adv. Haer. V, 35, 2).

Excerptum ex dissertatione ad doctoratum, Rom 1976; — Ders., La parabola del ricco epulone in S. Ireneo, in: Augustinianum 17, Rom 1977, 107-111; — Ders., La continua presenza delle Spirito santo nei tempi del Vecchio e del Nuovo Testamento secondo S. ireneo (Adv. haer. IV, 33, 15), in: Augustinianum 20, 1980, 580-586; — Adalbert Hamman, Irénée de Lyon, in: L'eucharistie des premiers chrétiens, Paris 1976, 89-99; — Ders., I. of Lyons, in: The Eucharist of the early Christians, New York 1978; — Joseph Hochstaffl, Negative Theol. Ein Versuch zur Vermittlung des patristischen Begriffs, 1976, 549-65, 90-98; — H. J. Jaschke, Der Hl. Geist im Bekenntnis der Kirche, 1976; — Dai Sil Kom, I. of Lyons and Teilhard de Chardin. A comparative study of »Recapitulation« and »Omega«, in: Journal of Ecumenical Studies 13, Pittsburgh 1976; — Ph. Parkin, I. and the Gnostica. Rhetoric and Composition in Adversus Haereses Book One, in: VigChr 30, 1976, 193-200; — Ch. Renoux, Crucifié dans la création entière (Adversus haereses V, 18, 3). Nouveaux fragments arméniens d'Irénée de Lyon, in:BLE 77, 1976, 119-122; — A. L. Townsley, St. I.'s knowledge of presocratic philosophy, in: Revista di storia e letteratura religiosa, Firenze 1976, 374-379; — Gregorio Celada, Ministerió y tradición en San Ireneo, in: Teología del Sacerdoncio 9, Burgos 1977, 119-162; — Mary Ann Donovan, I.'s teaching on the unity of God and his immediacy to the material world in the relation to the Valentinian gnosticism, (Diss.) 1977; — John Friesen, A study of the influence of confessional bias on the interpretations in the modern era of I. of Lyons, (Diss. Evanston) 1977; — G. G. Gamba, La testimonianza di S. Ireneo in Adversus haereses III, 1 e la data di composizione dei quattro Vangeli canonici,in: Salesianum 39, Torino 1977, 545-585; — M. Guarducci, Epimetron, in:Revista di Filología Classica, Torino 1977, 313-320; — Dies., Il primato della chiesa di Roma (Ireneo, Adversus Haereses III, 1-2), in: Revista di Filología e d'Istruzione Classica 105, Torino 1977, 240-243; — Augusto Guida, ireneo, Contra haereses III, 11, 8-9, in: VigChr 31, 1977, 240-243; — Hans Joachim Jaschke, Der Hl. Geist im Bekenntnis der Kirche. Eine Stud. zur Pneumatologie bei I. v. Lyon im Ausgang von altchristl. Glaubensbekenntnis, 1977; — Ders., Das Joh. und die Gnosis im Zeugnis des I. v. Lyon, in: MThZ 29, 1978, 337-376; — Enrico Norelli, S. Ireneo e la fine di Gerusalemme, in: Studi Classici e Orientali 17, Pisa 1977, 343-354; — Ders., Il duplice rinnovamento del mondo nell'escatologia di S. Ireneo, in: Augustinianum 18, Rom 1978; — Réal Trembley, La liberté selon saint Irénée de Lyon, in: Studia Moralia 15, Rom, Paris etc. 1977, 421-444; — Ders., la Manifestion et la vision de Dieu selin saint Irénée de Lyon, Münster 1978; — Ders., La signification D'Abraham dans l'ouevre d'Irénée de Lyon, in: Augustinianum 18, Rom 1978, 435-457; — Ders., Le martyre selon saint Irénée de Lyon, in: Studia Moralia 16, Rom, Paris etc. 1978, 167-189; — Ders., Irénée de Lyon. L'empreinte des doigts de Dieu, Rom 1979; — Anselm Walker, The recapitulation theme in St. I., in: Diakonia 12, 1977, 244-256; — Altaner, 1978[8], 110-117; — Hans Urs v. Balthasar, Gloria. Una estetica teologia II: Stili ecclesiastici. Ireneo, Agostino, Dionigi, Anselmo, Bonaventura, trad. di M. Fiorillo, Milano 1978; — F. T. Fallon, The prophets of the OT and the Gnostics. A note on I., Adversus haereses I, 30, 10-11, in: VigChr 32, 1978, 192-194; — Karl Suso Frank, Maleachi 1, 10 ff. in der frühen Väterdeutung. Ein Btr. zur Opferterminologie und Opferverständnis der Alten Kirche, in: ThPh 53, 1978, 70-78; — G. Jossa, Storia della salvezza escatologia nell' Adversus haereses di Ireneo di Lione, in: Augustinianum 18, Rom 1978, 107-125; — E. Lupieri, Agostino e Ireneo, in: Vetera Christianorum 15, 1978, 113-115; — Bernhard Sesboué, Prière eucharistique selon saint Irénée, in: Christus 100, paris 1978, 468-473; — Ders., La preure par les Ecritures chez saint Irénée. A propos d'un texte difficile du livre III de l'Adversus Haereses, in: NRTh 103, 1981, 872 ff.; — Philippe Bacp, De l'ancienne à la nouvelle Alliance selon S. Irénée: unité du livre IV de l'adversus haereses Préf. de A. Rousseau, Paris 1978; — Donna Singles, Le salut de l'homme chez Saint Irénée. Essai d'interprétation symbolique, Lyon 1978; — J. van der Straten, Saint Irénée fut-il martyr?, in: Les martyrs de Lyon ..., Paris 1978, 145-153; — J. N. Sanders, The fourth gospels in the early Church. Its origins and influence on Christian Theology up to I., Ann Arbor (Mich.) 1978; — Robert Turcan, Les religions de l'Asie dans la valleé du Rhone, Leiden 1978; — barbara Aland, Fides und Subiecto. Zur Anthropologie des I., in: Kerygma und Logos. Festschr. für Carl Anresen zum 70. Geb., 1979, 9-28; — Ernst Dassmann, Der Stachel im Fleisch. Paulus in der frühchristl. Lit. bis I., 1979; — Gianfranco Ferrarese, Il Concilio di Gerusalemme in ireneo di Lione; ricerche sulla storia dell'esegesi di Atti 15, 1-29)(e Galati 2, 1-10) nei II secolo, Brescia 1979; — M. Arduini, Alla ricerca di un Ireneo medievale, in: Studi medievali 21, Spoleto 1980, 269-299; — Roger Berthouzoz, liberté et grâce suivant la théologie d'Irénée de Lyon:le débat avec la gnose aux origines de la théologie chrétienne, Fribourg 1980; — Lorenzo Dattrino, La dignità dell'uomo in Guistino martire e Ireneo di Lione, in: Lateranum 46, Rom 1980, 209-249; — Albert Ebneter, Die »Glaubensregel« des I. als ökumenisches Regulativ, in: Unterwegs zur Einheit. Festschr. Heinrich Stirnimann, Freiburg (Schweiz) 1980, 588-608; — K. Gamber, Das Eucharistiegebet als Epiklese und ein Zitat bei I., in:OstKSt 29, 1980, 301-305; — B. Reicke, The inauguration of catholic martyrdom according to St. John the Divine, in: Augustinianum 20, Rom 1980, 275-283; — Willy Rordorf, Was heißt: Petrus und Paulus haben die Kirche in Rom »gegründet«? Zu I. Adv. haer. III, 1, 1; 3,2.3, in: Unterwegs zur Einheit. Festschr. Heinrich Stirnimann, Freiburg (Schweiz) 1980, 609-616; — R. Schwaiger, Der Gott des AT und der Gott des Gekreuzigten. Eine Unters. zur Erlösungslehre bei Marcion und I., in: ZKTh 102, 1980, 289-313; — Hermann Josef Vogt, Die Geltung des AT bei I. v. Lyon, in: ThQ 160, 1980, 17-28; — Ders., »Teilkirchen-Perspektive« bei I.?, in: ThQ 164, 1984, 52-54; — Malio Simonetti, Pertypica ad vera: Note sull'esegesi di Ireneo, in: Vetera Christianorum 18, Bari 1981, 357-382; — Ysabel de Andia, La résurrection de la chair selon les valentiniens et Irénée de Lyon, in: Les Quatre Fleures 15/16, Paris 1982, 59-70; — C. Baseri, La generazione eterna di Christo nei Ps 2 e 110 secondo s. Giustino e S. Ireneo, in: Augustinianum 22, 1982, 135-148; — Carmelo Granado, Actividad del Espíritu Santo en la Historia de la Salvasión según San Ireneo, in: Communio 15, Sevilla 1982, 27-45; — Manuel Guerra, Análisis filológico de S. ireneo »Adversus haereses« 3, 3, 2b, in: Scripta Theologica 14, Pamplona 1982, 9-58; — Raymond Winling, Le Christ - Didascale et les didascales gnostiques et chrétiens d'apres l'ouevre d'Irénée, in: RevSR 57, 1983, 261-272; — Ders.,

Une facon de dire le salut: la formale »Etre avec Dieu, être avec Jésus Christ« dans les écrits de saint Irénée, in: RevSR 58, 1984, 105-135; — Ph. Ferlay, Irénée de Lyon exégète du quatrieme évangile, in: NRTh 106, 1984, 222-234; — DCB III, 253-279; — RE IX, 401-411; — RAC VIII, 891-894; — RGG III, 891-892; — DSp VII, 2, 1923-1969; — Catholicisme VI, 81-86; — TRE XIII, 402-405.

Norbert Collmar

IRENÄUS *von Sirmium*, Heiliger, war als wahrscheinlich verheirateter Mann mit Kindern Bischof von Sirmium in Pannonien. — Er erlitt während der diokletianischen Verfolgung am 6.4.304 das Martyrium. Sein Verhör vor dem Präfekten Probus, die verhängten Qualen· und sein Tod sind in den Acta Irenaei aufgezeichnet, die ein Dokument von anerkanntem historischen Wert darstellen.

Lit.: Acta Irenaei, in: Th. Ruinart, Acta oprimorum martyrum, Paris 1689, Nachdr. Regensburg 1859, 401-403; — AS, Mart 3, 1736, 555-557; — O. v. Gebhardt (Hrsg.), Acta martyrum selecta. Ausgewählte Märtyrerakten und andere Ukk. aus der Verfolgungszeit der christl. Kirche, 1902, 162-165; — R. Knopf, G. Krüger, Ausgewählte Märtyrerakten, 1929, 103-105; — MartHier, 176 f.; — MartRom, 112; — Herbert Musurillo, The Acts of the Christian Martyrs, Oxford 1972, 294-301; — Harnack, Lit I/2, 822, II/2, 477; — Bardenhewer II, 695; — Gerhard Krüger, Hdb. der KG für Studierende I, 1923², 140; — Franz v. Sales Doyé,Hll. und Selige der Röm.-Kath. Kirche I, 1929, 621; — M. Simonotti, Studi agiografici, Rom 1955, 55-75; — B. Mariani (Hsg.), Breviarum Syriacum, 1956, 34; — HdKG I, 447; — Bihlmeyer-Tüchle I, 66; — Otto Wimmer, Hartmann Melzer, Lexikon der Namen und Hll., 1982⁴, 398; — DCB III, 279-280; — RE IX, 407; — BS VII, 899-900; — LThK III, 775; — Dizionario Patristico e di Antichità christiane II, Rom 1984, 1815-1817.

Norbert Collmar

IRENÄUS *von Tyros*, auch I. Comes genannt, + um 450. — Im altkirchlich-christologischen Streit über die Einheit der Gottheit und Menschheit in Jesus Christus erscheint I. auf Seiten der »antiochenischen Theologie«, die in Nestorius ihr Haupt hat. Die Antiochener wollen die göttliche und menschliche Natur Christi nicht vermischen und arbeiten mit der Vorstellung eines »angenommenen Menschen« im Gegensatz zu ihrer Kontrahentin, der alexandrinischen Theologie vom fleischgewordenen Wort. Auf der Synode von Ephesus (431), an der I. als Anhänger des Nestorius teilnimmt, prallen beide Positionen aufeinander. Die antiochenische Minderheit schickt I. nach ihrer Niederlage in Ephesus und der Verbannung des Nestorius nach Konstantinopel an den Hof Theodosius' II., um dort Einfluß auf sie zu nehmen. 435 wird I., nachdem er kurzzeitig am Hof Erfolg hatte, als nestorianischer Parteigänger verbannt und aller Ämter enthoben. Später erkennt I. die Union von 433 an, die der antiochenischen Lehre nahekommt, und er wird in den 40er Jahren zum Bischof von Tyros gewählt. Als 448 die Alexandriner erneut einflußreicher werden, wird er von seinem Bischofsstuhl in Tyros verdrängt. — In seiner Tragödie beschrieb I. die Geschichte des Streites um Nestorius. Sie ist nur in lateinischer Übersetzung und in einer Uminterpretation überliefert. Sein Brief an die Antiochener in Ephesus 431 ist in den Konzilsakten verwertet worden.

Werke: Brief an die Antiochener, in: Mansi IV, 1391-1394; Mansi V, 787-789; MPG 84, 613-616; Tragoedie, in: Mansi V, 731-1022; MPG 84, 551-864; ACO I, 1, 140-164.

Lit.: Tillemont V, 250-254; — Hefele II², 181, 215, 217, 315 f., 386; — G. Hoffmann, Verhandlg. der Kirchenversammlung zu Ephesus, 1873; — Wilhelm Moeller, Lehrb. der KG I, 1902, 657, 664 ff.; — Louis M. Duchesne, Histoire ancienne de l'Église III, Paris 1910, 344, 384, 388, 395, 400-402, 419; — Harnack, DG II, 375, 385; — K. Günther, Theodoret v. Cyros, 1913, 26-31; — Ed. Schwartz, Konzilsstudien, Straßburg 1914, 20 ff.; — Ders., Neue Aktenstücke zum ephesinischen Konzil v. 431, 1920, 107 ff.; — Gerhard Krüger, Hdb. der KG für Studierende I, 1923², 174; — Bardenhewer IV, 252-254; — Karl Müller, KG I,1, 1941², 647; — Pierre-Thomas Camelot, Ephesus und Chalcedon, 1962, 40; — Altaner⁸, 248; — DCB III, 280-282; — Pauly-Wissowa V, 2, 2126-2128; — DThC VII/2, 2533-2536; — RE V, 638-639, 643; XIX, 611; — LThK III, 775; — RGG III, 892; — EC VII, 192; — Dizionario Patristico e di Antichità christiane II, Rom 1984, 1817.

Norbert Collmar

IRENÄUS, Christoph, lutherischer Theologe, * 1522 in Schweidnitz (Schlesien), + wohl 1595 in Buchenbach/Jagst. — I. war Schüler Valentin Trotzendorfs in Goldberg und studierte seit 1544 in Wittenberg, wo er auch Melanchton (s.d.) traf. 1545 wurde er Rektor in Bernburg, danach in Aschersleben. Hier wurde er 1552 Diakonus und 1559 Archidiakon. 1562 ging I. nach Eisleben als Pfarrer, dort schloß er sich den Flacianern an. 1566 wurde er Hofprediger des Herzogs Johann Wilhelm von Sachsen, der selbst in den innerlutherischen Kämpfen Partei für die Flacianer ergriff. I. verfaßte die »Confutation ...«, mit der Johann Wilhelm von Sachsen die flacianischen Anschauungen durchsetzte. Ebenso war er am Altenburger Kolloquium be-

teilt und 1570 an der Visitation der fürstlichen Kirchen im Frankenland. I. bekämpfte die lutherischen Einigungsbestrebungen des Jakob Andreä, Folge war seine Versetzung 1570 als Superintendent nach Neustadt an der Orla. 1571 mußte I. nach Weimar fliehen und begann nach Kollision mit dem Konsistorium 1572 ein Wanderleben. 1580 bekommt er Asyl in Österreich und wird 1582 Pfarrer in Horn. Dort wird I. 1584 wieder entlassen und bis 1590 siebenmal vertrieben. — I.s Radikalität und Kanzelpolemik verstärkte die allgemeine Ablehnung des flacianischen Gezänks. In der Erbsündenlehre war I. einer der letzten Gesinnungsgenossen des Flacius und kam dabei in bedenkliche Nähe zum Manichäismus.

Werke: Symbolum Apostolikum ... ausgelegt, 3 Bde., 1562 f.; Kirche, Gemeinde des Hl., Vergebung der Sünden, 1563; Auferstehung des Fleisches, 1565; Recept für die Verfolger, 1566; Wasser-Spiegel, 1566; Warnung und ursachen das man nicht in e. Amnestiam u. Stilschweigen d. Irthumer u. Corrupteln ... willigen soll, 1569; Erzelung, wie d. Rel.streit Victorini in Thüringen geschlichtet worden sey, o. J.; Spiegel d. ewigen Lebens, 1572; Beweis v. d. Menschen Zustande n. d. Fall, 1572; Ernste Erinnerung u. Straffschr. an Mencelium, Fabricium, Roth, 1674; Censuren u. Urteil d. hl. Propheten, Christi u. d. Apostel üb. d. Lehre v. d. Erbsünde, 3 Tl., 1574, 1579; Apostasie od. Abfall v. d. wahren Lehre, 1575; Spiegel d. Höllen u. Zustand d. Verdammten, 1579, 1588; Merkliche Partikel... Formel Concordien, 1580; Examen d. ersten Artickels d. Formulae Concordiae, 1581; Vordrab u. Wirbel-Geist, ..., 1581; Contrafet u. Spiegel d. Menschen..., 1582; Wächterhörnlein, u. trewe Warnung f. ...d. Concordisten od. Accidenschwermer, 1583; Gründl. Ber. auf d. Examen wieder d. Articul v. d. Erbsünde, 1583; Von d. neuen Dogmate d. todten Erbsünder..., 1583; Christl. Lehre u. Ber. vom Bilde Gottes, ..., 1585; De Monstris, 1585; Spiegel d. Höllen u. d. Verdammten, 1588; Spiegel d. Ewigen Lebens u. d. Seligen, 1589, 1595; Postilla, 1590; Eine christl. u. rechte Form u. Weise d. Beichte..., 1592; Ev. Gnaden-Spiegel wieder d. schreckl. Zorn-Spiegel d. Gesetzes, 1593.

Lit.: H. Heppe, Gesch. d. dt. Prot. in d. J. 1555-1581, II, 1883, 205-231, 277-288, 315-330; — R. Herrmann, Thüringische KG II, 1947; — RGG III³, 892; — ADB XIV, 582; — RE IX, 411; — NDB X, 178.

Kristina Lohrmann

IRENE (Eirene), byzantinische Kaiserin, + 9.8. 803 in der Verbannung auf Lesbos; Geburtsdaten sind nicht überliefert (als Hauptquelle über I. liegt lediglich die Chronographia von Theophanes Confessor [ed. de Boor, Leipzig 1883] vor), Heilige. — Am 17.12. 769 heiratet die gebürtige athenische Prinzessin I. den byzantinischen Monarchen Leo IV. Chazaras (s.d.) und wird gleichzeitig zur Kaiserin gekrönt. Nach Leos frühem Tod (8.9. 780) regiert sie zehn Jahre an des unmündigen Thronfolgers Konstantin VI. (s.d.) statt. Ein erster Versuch, ihre Alleinherrschaft (Frühjahr - Dezember 790) zu zementieren, scheitert, I. wird zur Abdankung gezwungen. Doch auch Konstantins Regentschaft ist nur von kurzer Dauer; außenpolitische und militärische Rückschläge zwingen ihn, auf Druck des Militärs, I. 792 als Mitregentin einzusetzen. Um drohenden Usurpationen zuvorzukommen, läßt I. im gleichen Jahr Leos Brüder blenden und die Zunge abschneiden. Dasselbe Schicksal der Blendung ereilt Konstantin als Folge der möchianischen Streitigkeiten am 15.8. 797, nachdem ihn die Truppen in den Themen zum Alleinherrscher ausgerufen hatten. Fortan regiert I. allein, gestützt auf den schwachen Patriarchen Tarasios sowie ihre Ratgeber und Eunuchen Staurakios und Aetios. Außenpolitisch nicht ungeschickt, vermochte I. den militärisch blamablen Araberkampf (782) und einen Slavenfeldzug (783) als Erfolge verbuchen. I.s Herrschaft endet am 31.10. 802 mit ihrer Verbannung nach dem geglückten Putsch des Logotheten des Genikon, Nikephoris. — Theologiegeschichtlich ist I.s Herrschaft von dreifacher Bedeutung. 1. Nach dem Tode des Patriarchen Paulos (784) erhebt sie ihren Sekretär Tarasios (* um 730, + 806) zu dessen Nachfolger, um mit ihm (zum Teil gegen ihren Sohn) die von Leo IV. begonnene ikonenfeindliche Politik gegen zelotische Mönchskreise fortzuführen. Aus politischen Gründen zu Kompromissen gezwungen, findet ihre vermittelnde Position ihren Niederschlag in den Beschlüssen des II. Nicaenischen Konzils (787), das die bilderfeindlichen Entscheidungen des Konzils von Hiereia (754) revidiert und das Problem der Simonie thematisiert (Kanon 7). Von daher wird verständlich, daß die orthodoxe Kirche I. als Heilige verehrt. 2. Mit I. wankt das byzantinische Kaiserideal. I. versteht sich nicht als Kaiserin oder Kaiserswitwe (basilissa), die bis zur Mündigkeit des Thronfolgers interimistisch regiert, sondern als weiblicher Kaiser (basileus). Dementsprechend zeichnet sie auch Regesten; zu ihren nachwirkenden Entscheidungen gehört die Eidesfrage: unter ihrer Regentschaft wird der Schwur auch aus der weltlichen Prozeßordnung eliminiert. 3. (U. a.) wegen I.s monarchischem Selbstverständnis vollzieht sich der endgültige Bruch zwischen Ost- und Westrom. 788 löst I. das Verlöbnis ihres Sohnes mit Rotrud, der Tochter Karls des Großen und initiiert somit den sogenannten möchianischen Streit.

Die Hintergründe der Kaiserkrönung Karls (25.12. 800) sucht I. zum letztmaligen Versuch zu nutzen, die Reichshälften zu einen, doch ihre angestrengten pragmatischen Heiratspläne scheitern mit ihrem Sturz 802.

Lit.: F. Dölger, Regesten der Kaiserurkunden des oströmischen Reiches. CGU.A1, München/Berlin 1924; — A. Michel, Die Kaisermacht in der Ostkirche, Darmstadt 1959; — G. Ostrogorsky, Gesch. des Byzant. Staates, HAW 12.1.2, München 1963³, 142-152; — W. Ohnsorge, Das Kaisertum der Eirene und die Kaiser-Krönung Karls des Großen, in: Saeculum 14, 1963, 221-247; — G. Ostrogorsky, Gesch. des Byzant. Staates, München 1965, 141 ff.; — HKG(J) 3.1, 38-48; — H.-G. Beck, Das byzant. Jahrtausend, München 1978; — H. Hunger, Die hochsprachliche profane Literatur der Byzantiner, HAW 12.5. 2, München 1978, II, 434; — LCI VII, 4 f.

Klaus-Gunther Wesseling

IRENE *von Portugal*, Märtyrerin, Heilige, + 653. — I. (auch Irenaea, spanisch und portugiesisch Iria) ist wahrscheinlich identisch mit Irene unter Diakletian (284-305) in Thessalonike. Sie lebte in der Nähe des Städtchens Thomar (Nabentia) in einer Art Jungfrauenkloster und wurde von einem Meuchelmörder getötet, welcher von einem vornehmen Jüngling gesandt war, der sich in Leidenschaft gegen sie verzehrt hatte, von ihr aber abgewiesen wurde, weshalb er ihren Tod anordnete. In Scalabis (heute Santerèm, Portugal), wo ihr eine Basilika erbaut wurde, sah man sie allmählich als Lokalmärtyrin an. I. wird dargestellt mit einer Märtyrerpalme. Ihr Fest ist der 20. Oktober.

Lit.: P. David, Études hist. sur la Galice et le Portugal, Lissabon-Paris 1947, 207 f.; — J. P. Vidal, Revista de Dialectologia 4, Madrid 1948, 518-569; — Flórez XIV, 201; — Acta SS Oct. VIII, 1853, 909-912; — Martyrologium Romanum (Cum propriis ordinum), Ratisbonae 1874 und Das römische Martyrologium, Regensburg 1916; — F. G. Holweck, A Biographical Dictionary of the Saints, St. Louis 1924; — J. Baudot, Dictionnaire d'hagiographie, Paris 1925; — Franz von Sales Doyé, Heilige und Selige der Röm.-Kath. Kirche I, 1929, 624; — LThK V, 748; — Johann Stadler (Hrsg.), Vollst. Heiligenlex. III, 1975, 55; — Wimmer⁴ 398.

Cornelia Hoß

IRENE *von Rom*, Witwe, + um 288 (Lebensdaten sind ungesichert). — Die Legende überliefert, I., Witwe des Märtyrers Castulus, habe den pfeildurchbohrten heiligen Sebastian gesundgepflegt. I. wird als Patronin der Kranken verehrt. — Gedenktag 22.1.

Lit.: Doyé I, 623; — LThK V, 758 f.; — LCI VII, 5 f.; — O. Wimmer/H. Melzer, Lexikon der Namen und Heiligen, Innsbruck/Wien/München 1982, 398.

Klaus-Gunther Wesseling

IRENE *von Rom*, Jungfrau, Heilige, + 379. — Noch nicht ganz zwanzigjährig verstirbt I., aus wohlhabendem Hause stammend. Ihr Vater, offenbar spanischer Abstammmung, war der Kirchenbeamte Antonius, ihre Mutter hieß Laurentia. I.s Bruder, Papst Damasus, widmet ihr ein Epigramm; fragmentarisch ist das Epitaph noch erhalten. Auszuschließen ist, daß Damasus' verschollenes Werk »De virginitate« (Hieron., ep. 22,9) I. zu Ehren verfaßt ist. Die nach dem Epigramm von Tamajo de Salazar 1651 verfaßte Vita ist als Fälschung historisch wertlos. — Beigesetzt ist I. in der Nähe von St. Marcus und Marcellianus in Rom. — Gedenktag 21.2.

Lit.: AS Febr. III, 1658, 244 f.; — J. J. Schmauss, Ausführl. Heiligen-Lexicon (...), Cölln/Franckfurt 1719, 1121; — Doyé 623; — A. Ferrua, Epigrammata Damasiana, Rom 1942, 7 ff., 107-111; — J. Quasten, Patrologia III, Casale Monferrato 1978, 260 ff.; — O. Wimmer/H. Melzer, Lexikon der Namen und Heiligen, Innsbruck/Wien/München 1982, 398; — BHL 4468; — LThK V, 748 f.

Klaus-Gunther Wesseling

IRENE *von Thessalonike* (Saloniki), Jungfrau, Märtyrerin, Heilige, + um 305. — Über das Leben I.s ist lediglich bekannt, daß sie, eine christliche Jungfrau aus Aquileia, zusammen mit ihren Schwestern Agape und Chionia in der Zeit der diokletianischen Verfolgungen nach Saloniki verschleppt wurde und dort den Märtyrertod auf dem Scheiterhaufen erlitt, nachdem sie zuvor mit Pfeilen durchschossen wurde (vgl. Delehaye PM 141-145). I. wird als Patronin gegen Blitz und Feuergefahr verehrt; ikonographische Darstellung mit Palmenzweig, Scheiterhaufen und Pfeil. — Gedenktag 14., ostkirchlich 5., 16. 4., 22.12.

Lit.: P. F. de' Cavalieri, Nuove Note Agiografiche I (Studi e Testi 9), Rom 1902; — Doyé I, 623; — Braun 388; — O. Wimmer/H. Melzer, Lexikon der Namen und Heiligen, Innsbruck/Wien/München 1982, 398 f.

Klaus-Gunther Wesseling

IRENICUS, Franciscus (Friedlieb, Franz), Historiker und Theologe, * 1495 in Ettlingen (Baden), + 1569 oder 1565 in Gemmingen. — I. besuchte die Lateinschule des Georg Simmler in Pforzheim, studierte in Tübingen u. a. mit Melanchton und A. Blarer. Er lernte wohl auch Reuchlin kennen. 1517 wurde I. Rektor des Katharinenkontuberniums in Heidelberg. Durch Luthers Disputation vom 26.4. 1518 kam I. zur Reformation und wurde bald einer ihrer bedeutendsten Verfechter im südwestdeutschen Raum. I. war Mitglied der Philosophischen Fakultät, dann 1522 Stiftsherr und Hofprediger des Markgrafen Philipp I. von Baden. I. begleitete seinen Herrn nach Eßlingen zum Reichsregiment 1524 und heiratete dort ein Jahr später. 1526 ging er als Berater des Markgrafen mit nach Speyer. 1531 schied I. aus Philipps Diensten und wurde von Wolf von Gemmingen zum Pfarrer und Leiter der Lateinschule nach Gemmingen berufen. I. nahm an der Heidelberger Disputation teil, sowie am Sakramentenstreit 1532, wobei er für die lutherische und gegen die zwinglianische Seite eintrat. — I. soll eine Geschichte des Markgrafen Philipp von Baden in zwei Büchern und die Geschichte des Klosters Odilienberg im Elsaß geschrieben haben. Außerdem lateinische Noten zu Horaz' Epistel an die Pisionen, diese gab sein Sohn 1567 heraus. Eine lateinische Grammatik wurde 1569 gedruckt. Sein Jugendwerk »Germaniae exegeseos volumina duodecim« ist ein bedeutendes Erzeugnis lateinischer Geschichtsschreibung, wurde allerdings wegen mangelnder Ordnung und flüchtiger Bearbeitung auch von den Zeitgenossen kritisch aufgenommen.

Werke: Germaniae exegeseos volumina duodecim, 1518; Oratio protreptica, in amorem Germaniae, 1518; Totius Germaniae descripto, 1570.

Lit.: K. F. Vierodt, Gesch. der Ev. Kirche in dem Großherzogtum Baden, I, Karlsruhe 1847; — A. Horawitz, Gesch.schreibung im 16. Jh., HZ, XXV, 66-101, München 1871; — F. X. v. Wegele, Gesch. der dt. Historiographie seit dem Auftreten des Humanismus, Gesch. der Wissenschaften im Dtld., neuere Zeit, XX, München und Leipzig 1885; — P. Joachimsen, Gesch.auffassung und Gesch.schreibung im Dtld. unter dem Einfluß des Humanismus, I, Beiträge zur Kulturgesch. des MA und der Renaissance, VI, Leipzig und Berlin 1910; — W. Steinhauser, Eine dt. Altertumskunde aus dem Anfang des 16. Jh.s, ZDADL hg. Edward Schröder, LXVI, 25-30, Berlin 1929; — R. Buschmann, Das Bewußtsein der dt. Gesch. bei den dt. Humanisten, Diss. Göttingen, 1930; — H. Riess, Motive des patriotischen Stolzes bei den dt. Humanisten, Diss. Freiburg, 1934; — G. Kattermann, Die Kirchenpolitik Mgf. Philipps I. v. Baden (1515-1533), Veröff. d. Ver. für KG in der ev. Landeskirche Badens, XI, Lahr 1936; — G. Strauss, The image of Germany in the sixteenth centur, Germ. Rev, XXXIV, 223-234, 1959; — G. Cordes, Die Qu. der Exegesis Germaniae d. F. I. und sein Germanenbegriff, Diss. Esslingen, 1966; — ADB XIV, 582; — NDB X, 178; — RGG III, 893; — CKL I, 1936, 969.

Kristina Lohrmann

I., Weißenborn 1981; — P. Stockmeyer, Die sel. I. von Frauenchiemsee und dem Christentum zw. Inn und Salzach, in: Beiträge z. altbayerischen KG XXXV (1984); — Bauerreiß I², 136; — BS VII, 904 f.; — LThK V, 758; — ZimmermannII, 460.

Franz Seiffer

IRMENGARD, * in den Jahren zwischen 831 und 833 als Tochter Kaiser Ludwigs des Deutschen, + 16.7. 866. — Ihre Erziehung genoß sie im Benediktinerkloster Buchau am Federsee in Württemberg. Sie nahm dort den Schleier und blieb einige Jahre im Kloster Buchau. Die lange vertretene Ansicht, sie sei Äbtissin dieses Klosters gewesen, trifft jedoch nicht zu. 857 übernahm sie das um 770 von Tassilo III. gegründete Kloster Frauenwörth im Chiemsee. Die neue Äbtissin fand das Kloster in einem verwahrlosten und halb verfallenen Zustand, und es gelang ihr, es in kurzer Zeit wieder aufzubauen. I. gilt daher als zweite Stifterin des Klosters. Ihr Verdienst liegt darüber hinaus in der Pflege und Förderung der sakralen Kunst, was besonders im Ausbau des Klosters Frauenwörth seinen Niederschlag fand. — Der Irmengardstag wird am 17.7. gefeiert. Ihr Symbol ist das Herz in der Hand. Pius XI. erkannte am 19.12. 1928 den Kult der seligen I. an, am 17.7. 1929 wurde sie seliggesprochen.

Lit.: Das Geschichtsbuch des Peter Frank, Frauenchiemsee 1473 (Hauptstaatsarchiv München); — E. Geiß, Gesch. des Benedictiner-Nonnenklosters Frauenchiemsee, in: Beyträge zur Gesch., Topographie und Statistik des Erzbisthums München und Freysing I, München 1850; — J. Doll, Frauenwörth im Chiemsee, eine Studie zur Gesch. des Benediktinerordens, München/Freiburg 1912; — J. Schlecht, Die sel. I. vom Chiemsee, HPBL (1921), 125 f., 212 ff.; — Walburga Baumann, Die sel. I. v. Chiemsee, München 1922 (enthält S. 140 ff. »Das Kränzlein der sel. I.« als Faksimile des handgeschr. Gebetsbuches von 1711). Die sel. I. v. Chiemsee, hrsg. v. den Benediktinerinnen der Abtei Frauenwörth, München o. J. (1929); — H. Decker-Hauff, Die Ottonen und Schwaben, in: Zschr. f. württembergische Landesgesch. XIV (1955), 366; — V. Milojcíc, Bericht über die Ausgrabungen u. Bauuntersuchungen in der Abtei Frauenwörth auf der Fraueninsel im Chiemsee 1961-1964, in: AAM N. F. LXV A-C (1966); — Irmengard Schuster, Die sel. I. vom Chiemsee, München 1966; — Hermann Tüchle, Lebensraum u. Lebenskreis der sel. I., Bad Buchau o. J. (1966); — Peter v. Bomhard, Die sel. I. vom Chiemsee, in: Bavaria Sancta. Zeugen christl. Glaubens in Bayern III, Regensburg 1973; — F. Graus, Sozialgeschichtl. Aspekte der Hagiographie d. Merowinger- u. Karolingerzeit. Die Viten d. Hll. der südalemannischen Raumes und der sog. Adelshll., in: Vorträge u. Forschungen XX, Sigmaringen 1974; — H. Dannheimer, Torhalle auf Frauenchiemsee. Zeugnisse z. Frühgesch. d. Klosters Frauenwörth, München/Zürich 1981²; — Hans Pörnacher, Sankt

IRMGARD *von Köln* (Irmingarda, Irmingardis, Erm(in)gardis; auch: Irmtraud, Irmentruth, Yrmenthrudis, Erminthrudis) (auch: I. von Aspel, I. von Süchteln), Äbtissin, Heilige. — I.s Lebensdaten sind nicht gesichert; sie wird um das Jahr 1000 als Tochter des wohlhabenden Godizo von Aspel und Heimbach (+ ca. 1011) geboren worden sein; die Mutter ist namentlich nicht bekannt. Von 1013 an ist I. urkundlich als regierende Gräfin von Aspel bezeugt. Da aber Aspel mit den Kirchspielen Rees und Haldern sowie den linksrheinischen Gebieten Niedermörmter und Hönnepel Allod (Herrschaft) und nicht Grafschaft, I. aber als Gräfin beurkundet ist, muß I. die Gattin des Grafen Kadalo, eine Bruders von Erzbischof Pilgrim von Köln (1021-1036) gewesen sein. Im 4. Grad mit Heinrich III. (1039-1056) verwandt, wird sie 1041 mit den Orten Herve, Vaels, Epen und Valkenberg (Provinz Limburg) belehnt. Nach angeblich drei Pilgerreisen nach Rom verbringt I. ihre letzten Jahre in Köln und stirbt an einem 5.2. in dem letzten Viertel des 11. Jahrhunderts. (Oediger; 19.2. vor 1065 [Torsy]; um 1080 [Künstle]). Sie wird im Kölner Dom beigesetzt: 1319 werden I.s Gebeine in den neuen Chor (Agneskapelle) überführt. Gedenktag 4.9., Erhebung der Gebeine 10.11. — Viel Legendäres rankt sich um I.s Person. Da I. eine große Wohltäterin der Kirche war, wurde öfter versucht, zwischen der Gräfin I. und I., Jungfrau und Einsiedlerin von Süchteln zu unterscheiden, zum Teil durch Konstruktion verwandtschaftlicher Verhältnisse zwecks einer stärkeren hagiographischen Konturierung von I.s Biographie, doch dürften diese spirituellen Präjudizien historisch kaum haltbar sein. — Nach 1040 (unter Anno [1056-1067]?) übertrug I. das Stift Rees der Kölner Kirche (im Gegenzug privilegierte 1142 Erzbischof Arnold von Köln die Reeser Kaufleute), wahrscheinlich zur selben Zeit gehen die Burg Boch-Aspel und der Süchteler Forst in Kirchenbesitz über; auch Schenkungen an St. Pantaleon werden mit I. in Verbindung gebracht. Die Ikonographie versieht I. die Pilgerin vor dem Kreuz mit Stab und blutigem Handschuh als Attributen und reflektiert somit die Schenkung von Märtyrererde

Schenkung von Märtyrererde vom Grab der heiligen Ursula an den Papst; als Gegengabe soll I. das Haupt des heiligen Silvester erhalten haben. Der historische Gehalt dieser Überlieferung dürfte eher mager sein, da die Silvesterreliquie Rom nie verließ. Unsicher ist auch die Rückführung eines Hospitals an der Hachtpforte (Domplatz) zu Köln auf I.

Lit.: As Septemb. II, Antwerpen 1748, 290 ff.; — J. J. Sluyter, Gräfin I. von Aspel, Sonntagsbeil. zur Rhein-Westfäl. Volkszeitung 1891 Nr. 47 und Niederrhein. Gesch.freund, Kempen 1880, Nm. 12 ff.; — P. Norrenberg, Die hl. I. von Süchteln, Bonn 1894; — J. Kleinermanns, Die hl. I. von Aspel und ihre Beziehungen zu Rees, Süchteln/Köln 1900; — J. Hundhausen/H. Neu, Frauengräber im Kölner Dom, Krefeld 1948, 4-8; — F. W. Oediger, Die ältesten Urkunden des Stiftes Rees und die Gräfin I., in: AHVNRh 148, 5-31; — R. Pfleiderer, Die Attribute der Heiligen, Ulm 1898, 16. 128; — Künstle II, 354 ff.; — Doyé I, 624; — H. Hümmeler, Helden und Heilige (Juli-Dezember), Bonn 1934, 114; — A. Schütte, Handb. der dt. Heiligen, Köln 1941, 181; — Torsy, 284; — O. Wimmer/H. Melzer, Lexikon der Namen und Heiligen, Innsbruck/Wien/München 1982, 399; — LThK V, 758; — LCI VII, 6 f.

Klaus-Gunther Wesseling

IRMHART OSER (Öser) (urkundlich auch belegt: Irinhart, Yrmhard; sprachlich fraglich Varianten mit anlautenden F) ist gebürtiger Augsburger (1. Viertel des 14. Jahrhunderts). — Belegt ist seine Immatrikulation 1335 in Bologna (»97, 15. 1335. d. Irmenhardus dictus Öser de Augusta pro se et d. Heinrico de Herbipoli, magistro suo, XXXVI solidos«). Wegen der Beziehungen Augsburgs zur Erzdiözese Salzburg wird I. zunächst Pfarrer von St. Marein am Straden (Südsteiermark), übernimmt jedoch schon 1340 die Pfarrei Straßgang bei Graz. 1358 überträgt ihm die päpstliche Kurie in Avignon ein Augsburger Kanonikat. In dem vom 8.4. 1358 datierten entsprechenden Antrag von Johann von Neuburg wird I. als Licentiat des kanonischen Rechts tituliert, und eine Urkunde vom 23.8. 1358 bezeichnet I. gar als professor iuris canonici. Über I.s akademische Laufbahn ist nichts bekannt, doch widerspricht sie nicht einer gleichzeitigen Beurkundung als Gemeindepfarrer, da die parochiale Versorgung durchaus an Leutpriester delegierbar war. Nach 1358 verliert sich I.s Spur; mangels nekrologischer Evidenz wird anzunehmen sein, daß I.s Tod zwischen 1350 und 1370 fällt. — Hervorgetreten ist I. nicht als Kirchenjurist, sondern als Übersetzer der Apologie des Christentums eines Rabbi

Samuel aus dem Lateinischen ins Deutsche. Die Schrift, ein Brief eines bekehrten Rabbiners Samuel in Marokko an einen Synagogenvorsteher Isaak über die Wiederkunft des wahren Messias entstand um 1070 und wurde in der Übertragung aus dem Arabischen 1339 durch Alphonsus Bonhominis OP wegen ihres judenfeindlichen Charakters rasch populär.

Lit.: G. C. Knod, Dt. Studenten in Bologna 1289-1562 (Berlin 1899) 391; — H. Maschek, Zur dt. Übersetzungslit. des 14. Jh.s, in: BGDSL 60, 1936, 320-325 (Quellen!); — LThK V, 758.

Klaus-Gunther Wesseling

IRMINA (Irma, Ermina, Hermine, Ymena) *von Trier*, OSB, Äbtissin, + 24.12. vor 710. — Der Legende zufolge soll I. Tochter König Dagoberts I. sein, die ihren Verlobten am Tage vor der Hochzeit verliert und daraufhin den Schleier nimmt. Faktisch läßt sich rekonstruieren, daß I. dem fränkischen Adelsgeschlecht der Theodarden entstammt. Ob ihr Vater zugleich der Fürst Theotar war, läßt sich nicht mit Sicherheit ausmachen; verheiratet war sie vermutlich mit dem Seneschall Hugbertus. Dieser Ehe entstammen die heilige Adela (Adula) von Pfalzel (Kreis Trier), Crodelindis, Regentrudis, heilige Plektrudia von Köln (Gattin Pippias II.) und Hugbertus von Lüttich. Nach dem Tod ihres Gatten leitet I. als 2. Äbtissin das von Bischof Modoald gegründete Kloster zur Oeren in Trier, das später nach ihr benannt wird. Durch Schenkung ihres Anteils an der Villa Echternach (697/698) schafft sie neben Willibrod die Voraussetzungen für die Gründung der ersten angelsächsischen Missionszentrale auf dem Kontinent. I.s Leib ist im Kloster Weißenburg, einer Stiftung ihrer Familie, beigesetzt, ihr Haupt in Sponheim. I.s ikonographische Attribute sind Buch, Kirche oder Äbtissinenstab, seltener ist eine Krone zu ihren Füßen. — Gedenktag 24.(30.)12.

Lit.: C. Wampach, Gesch. der Grundherrschaft Echternach im Früh-MA, Luxemburg 1929-1931, bes. I/1, 113-135 (Lit.!); — Doyé I, 624; II, 685; — A. Schütte, Handbuch der dt. Heiligen, Köln 1941, 182; — O. Wimmer/H. Melzer, Lexikon der Namen und Heiligen, Innsbruck/Wien/München 1982, 400; — LThK V, 758 f.; — LCI VII, 7 f.

Klaus-Gunther Wesseling

IRVING, Edward, Erweckungsprediger und frühes, wichtiges Mitglied der "Katholisch-Apostolischen Gemeinde" ("Irvingianer"), * 4.8. 1792 in Annan, Dumfriesshire, Südschottland, + 7.12. 1834 in Glasgow. — I., der als Sohn eines Gerbers aufwuchs, zeigte schon früh neben seinen mathematischen und theologischen Interessen eine Vorliebe für extreme Presbyterianer. Als 13jähriger begann er sein Studium an der Universität Edingburgh, schloß es 1809 ab und war seit 1810 in Haddington als Lehrer und seit 1812 in Kirkaldy als Schuldirektor tätig. Hier lernte er Thomas Carlyle kennen, mit dem er freundschaftlich verbunden blieb. 1815 erhielt er seine Predigterlaubnis, arbeitete aber noch drei Jahre als Lehrer, bis er 1818 nach Edinburgh zu weiteren Studien ging und 1819 eine Predigthelferstelle bei Th. Chalmers in Glasgow annahm. Durch dessen Vermittlung kam er 1822 als Pfarrer der nationalschottischen Gemeinde nach Hatton Garden, London, wo er als Volksprediger großen Erfolg und Zulauf hatte. Unter dem Eindruck allgemeinen Wiederauflebens enthusiastisch-religiöser Gefühle und prophetisch-apokalyptischer Tendenzen sowie der Begegnung mit dem prophetisch orientierten Henry Drummund und seines Kreises übersetzte er 1826/27 das 1823 erschienene Werk des spanischen Jesuiten Lacunza, das dieser unter dem Pseudonym Juan Josaphat Ben-Esra veröffentlicht hatte, und in dessen Reden von der baldigen Wiederkunft Christi I. seine eigenen Ansichten bestätigt fand. Er begegnete Samuel Taylor Coleridge, dessen mystischen Spekulationen ihn faszinierten. 1828 hielt er selbst apokalyptische Vorträge unter großem Zulauf. 1830 hörte er, zunächst bei privaten Gebetstreffen, von Mary Champbell die Zungenrede, die er als Parallele zur apostolischen Glossalalie deutete und seit dem 16.10. 1831 auch in seiner Kirche erlaubte und unterstützte, worauf ihn die schottische Generalsynode für ein Jahr (1832) suspendierte und das Londoner Presbyterium ausschloß. Dabei berief man sich vor allem auf seine Schrift »The Orthodox and Catholic Doctrine of Our Lord's Human Nature«, 1830, worin er die Sündhaftigkeit der menschlichen Natur Jesu vertrat. Das Annaner Presbyterium enthob ihn seines Amtes als Pfarrer der Church of Scotland im März 1833 endgültig. I. hatte sich seit 1832 der von seinen Freunden gegründeten Katholisch-Apostolischen Kirche angeschlossen, deren Anhänger mit seinem Namen auch "Irvingianer" genannt werden. I. nahm hier jedoch nur einen unteren Rang als "Engel" ein, starb auch bald darauf und wurde in der Krypta der Glasgower Kathedrale beigesetzt.

Werke: For the oracles of God, 1823; For judgement to come, 1823; Missionaries after the apostolic school, 1825; Babylon and infidelity foredoomed of God: a discourse on the prophecies of Daniel and the Apocalypse..., 1826; Lacunza (Übers.), The coming of the Messiah in Glory and Majesty, 1827; Homilies on the Sacrament, 1828; The last day..., 1828; A letter to the King, 1828; Dialogues on prophecy, 1828/29; The church and state responsible to Christ and one another, 1829; The Orthodox and Catholic Doctrin of Our Lord's Human nature, 1830; Exposition of the book of Revelation in a seriesof lectures, 1831; The day of Pentecost, or: The baptism with the Holy Ghost, 1831; The Christian's cure for the cholera, 1832; The collected Writings of E. I., 5 Bde., hrsg. von G. Carlyle, London 1864/65.

Lit.: William Hazlitt, Spirit of the Age, 1825; — Thomas Carlyle, Death of E. I., (1835), in: The Carlyle, Critical and miscellaneous Essay, 1872/1873, III, 297-300; — Ders., Fraude, 1882/1884; — Ders., Reminescences, 1887, I, s. Reg,II, 1-220; — M. Hohl, Bruchstücke aus dem Leben und den Schriften E. I.s, 1840; — W. Wilks, E. I., an ecclesiastical and literary biography, 1854; — O. w. Oliphant, The life of E. I., 1864, 1864²;— Th. Kolde, E. I., in: NKZ 1900, 468 ff., 518 ff.; — A. L. Drummond, E. I. and his circle, 1938; — H. C. Whitely, Blinded Eagle. An Introduction to the Life and Teaching of E. I., 1955; — D. Chambers, Doctrinal attitudes in the church of Scotland in the pre-disruption era: The age of Joan Macleod Campbell and E. I., in: The Journal of Religious History 8, 1974, 159-181; —DNB XXIX, 52 ff., bzw. DNB² X, 489 ff.; — RE IX, 425-437; — New Century Cyclopedia of Names II, 1954, 2136; — RGG III, 901 f.; — ODCC², 714; — EBrit XII, 691.

Gunda Wittich

ISAAC, Heinrich, flämischer Komponist, * um 1450 in Flandern, + 26.3. 1517 in Florenz. — I.s Geburtsdatum und -ort sind nicht bekannt; in seinem dritten Testament (1516) hat I. mit der Nennung »Ugonis de Flandria« seine flämische Herkunft bezeugt. Ebenso liegen keine Quellen vor, die Aufschlüsse über seine musikalische Ausbildung geben könnten. Die erste gesicherte Nachricht über I., der sich in Innsbruck - offenbar auf der Durchreise nach Italien - befand, liegt in einem Zahlungsvermerk vom 15.9. 1484 vor: "Hainrichen ysaac Componisten an Mittwochen nach Exaltacionis Crucis durch bevelch Maister hannsen Fuchsmagen von ganden wegen. Jnnhalt seiner quittung vi gulden" (Stachelin II, 19). In Florenz wirkte I. als Sänger u. a. am Dom Santa Maria Del Fiore und am Hof des Lorenzo dei Medici "Il Magnifico". (Aufgrund einer Verwechslung mit dem ebenfalls von den Medici protegierten Orgelbauer Isaak Argyropoulos bieten ältere Arbeiten einige Fehlinformationen; in der jüngeren Forschung gilt es als gesichert, daß H. I. weder Schüler bei Squarcialupi noch Organist am Florentiner Dom war.) Nach der Vertreibung der Medici (1494) und wohl bedingt durch das Auftreten des Dominikaners Savonarola trat I. mit seiner Frau Bartolomea Bello - gewiß auf Verordnung Maximilians - die Reise nach Wien an. Von 1497-1514 war I. Hofkomponist im Dienste des Kaisers. Weil I. nicht verpflichtet war, ständig in der Habsburger Residenz zu verweilen, konnte er sich längere Aufenthalte, besonders in Florenz, erlauben. In der Zeit von 1497-1499 ist I. auch am Hof des sächsischen Kurfürsten Friedrich dem Weisen nachgewiesen. Im Frühjahr 1500 hielt sich I. wieder in Innsbruck auf, anschließend im süddeutschen Raum und zwei Jahre später erneut in Florenz. Nach weiteren Reisen (u. a. Konstanz, Florenz) lebte I. ab etwa 1510 überwiegend in Oberitalien; hier erhielt er auf Beschluß der maximilianischen Hofhaltung Güter im Val Policella bei Verona. Die mittlerweile nach Florenz zurückgekehrten Medici, namentlich Papst Leo X., setzten sich 1514 für die Zuweisung einer Art Ehrensold an den Musiker ein. Ab Herbst 1514 blieb I. ausschließlich in der Arnostadt. Wie ein Dokument zeigt, liegt die Vermutung nahe, daß I. dort in diplomatischer Mission für Maximilian tätig war: "daz Er vnns zu florenz nuzer dann an vnnserem Hof ist" (Brief Kaiser Maximilians). Nach kurzer Krankheit starb I. in Florenz; er selbst hatte seine Grablegung in S. Maria dei Servi verfügt. — I. gilt als einer der vielseitigsten und fruchtbarsten Musiker seiner Zeit. Neben Josquin gehört I. zu den Schöpfern des polyphonen Satzes; seine Komposition umfaßt niederländische Chansons, italienische Frottole sowie deutsche Lieder. Neben dem bekannten Tenorlied »Mein freud allein in aller Welt« sind insbesondere die Sätze über »Innsbruck, ich muß dich lassen« hervorzuheben, die als realer Abschied aus der Stadt aufgefaßt werden können. Mit diesem Lied ist I. in Deutschland recht früh volkstümlich und vor allem berühmt geworden. Zu den Hauptwerken seines musikalischen Schaffens gehören die zahlreichen Motetten sowie die Messen, u. a. »Misse H. Izac«, »Missa carminum«. Berücksichtigt man den Umfang seines Ordinarienwerks, so steht I. mit einem Bestand von erhaltenen 36 Messen und 13 Credo-Kompositionen an der Spitze seiner Generation. Die meisten Quellen zu I.s Messen stammen aus dem deutschen Gebiet. Besonders reich vertreten sind die alternierend angelegten Messen über chorale

Ordinariumsmelodien zum Proprium de tempore (= der für die Sonntage und beweglichen Feste jeweils vorgeschriebene liturgische Text) und Commune Sanctorum und die selbständigen Credo-Aufsätze. Aufsehen erregte der 1550-1555 zu Nürnberg gedruckte, in drei Bänden von I.s Lieblingsschüler Ludwig Senfl herausgegebene und erweiterte »Choralis Constantinus«, eine Sammlung von polyphonen Offizium de tempore-Motetten. Die Zusammenstellung in Band 2 kann in der Konstanzer Zeit entstanden sein, während die anderen Kompositionen des Werks für Wien bestimmt sein dürften. Diese Propriensammlung zählt zu den beeindruckenden, nachhaltig wirkenden Leistungen der katholischen Kirchenmusik.

Werke: H. I., Choralis Constantinus. 1. Teil hrsg. von Emil Bezecny und Walter Rabl, Wien 1898. 2. Teil bearb. von Anton v. Webern, Wien 1909. 3. Teil transcribed from the Formschneider first edition (Nürnberg 1555) by Louise Cuyler, Ann Arbor 1950; H. I., Weltl. Werke. Bearb. v. Johannes Wolf, Wien 1907; H. I., Missa carminum. Hrsg. v. Reinhold Heyden, Wolfenbüttel 1930; Officium Epiphaniae Domini. Hrsg. von Walther Lipphardt, Kassel 1948; H. I., Five polyphonic masses. Transcribed and ed. from the Formschneider first edition (Nürnberg 1555) by Louise Cuyler, Ann Arbor 1956; H. I., Introiten zu 6 Stimmen. Hrsg. von Martin Just, Wolfenbüttel 1960 und 1973; H. I., Messe. Trascrizione di Fabio Fano, Mailand 1962; H. I., Messen. Aus dem Nachlaß von Herbert Birtner hrsg., revidiert und ergänzt von Martin Staehelin, Mainz 1971; H. I., Missa »Salva nos« 4 vocum, Wien 1972; H. I., Messen. Aus dem Nachlaß von Herbert Birtner hrsg., revidiert und ergänzt von Martin Staehelin, Mainz 1973; Henricus Isaac, Opera omnia. Hrsg. von Edward R. Lerner, Rom 1974 ff.

Lit.: Johann Nicolaus Forkel, Allg. Gesch. der Musik, Bd. II, 1801, 670-685; — Ernst Luswig Gerber, Neues hist.-biogr. Lexikon der Tonkünstler II, 1812, 811-815; — François Joseph Fétis, Mémoire sur cette question »Quels ont été les mérites du Neerlandais dans la musique, principalement aux 14e, 15e et 16e siècles?«, Amsterdam 1829; — Ders., Biographie universelle des musiciens et bibliographie générale de la musique, IV, 1862, 399-403; — August Wilhelm Ambros, Gesch. der Musik III, 1868, 380-389; — Edmond Vander Straeten, La musique aux Pays-Bas avant le XIXe siècle. Documents inédits et annotés, VI, 1882, 81 ff.; — G. Milanesi, Maestro Arrigo Isach, in: Revista Critica della letteratura Italiana III, 1886, 187-188; — Franz Waldner, H. I., in: Zs. des Ferdinandeums für Tirol und Vorarlberg, 3. Folge, 48, 1904, 173-201; — Peter Wagner, Gesch. der Messe. T. 1: bis 1600, Leipzig 1913, 280-312; — Heinrich Rietsch, H. I. und das Innsbrucklied, in: Jb. der Musikbibl. Peters 24, 1917, 19-37; — Paul Blaschke, Der Choral in H. I.s Choralis Constantinus. ein Beitrag zur Gesch. der Cantus Firmus-Technik, Diss. Breslau 1926; — Ders., H. I.s Choralis Constantinus, in: KmJb 1931, 32-50; — Hertha Schweiger, Archivalische Notizen zur Hofkantorei Maximilians I., in: ZfM 14, 1931/32, 363-374; — Otto zur Nedden, Zur Gesch. der Musik am Hofe Kaiser Maximilians I. Literatur- und Quellenber.,in: ZfM 15, 1932/33, 24-32; — Karl Erich Roediger, Die geistl. Musikhandschr. der UB Jena, Jena 1935; — Helmut Osthoff, Die Niederländer und das dt. Lied, Berlin 1938, 49-984; — Robert Wagner, Die Choralverarbeitung in H. I.s Offizienwerk Choralis Constantinus. Eine stilanalyt. Unters., Diss. München 1950; — Alfred Krings, Unters. zu den Messen mit Choralthemen von Ockeghem bis Josquin des Pres., Diss. Köln 1951; — Werner Heinz, I.s und Senfls Propriums-Kompositionen in Hss. der Bayerischen Staatsbibliothek München, Diss. Berlin 1952; — Alfred Krings, Zu H. I.s Missa Virgo Prudentissima 6 v, in: KmJb 36, 1952, 13-21; — Robert Machold, H. I. Darstellung seiner Kompositionstechnik an Hand der choralpolyphon alternierender Messen, Diss. München 1954; — Gustav Reese, Music in the Renaissance, London 1954; — Gerhard-Rudolf Pätzig, Liturgische Grundlagen und handschriftl. Überlieferung von H. I.s »Choralis Constantinus«, Diss. Tübingen 1956; — Fritz Feldmann, Divergierende Überlieferungen in I.s »Petrucci-Messen«. Als Beitrag zum Wort-Ton-Verhältnis um 1500, in: Collectanea historiae musicae 2, 1957, 203-225; — Hans-Joachim Rothe, Alte dt. Volkslieder und ihre Bearbeitungen durch I., Senfl und Othmayr, Diss. Leipzig 1957; — Martin Just, Studien zu H. I.s Motetten, Diss. Tübingen 1960; — Ders., H. I.s Motetten in ital. Quellen, in: Analecta Musicologica 1, 1963, 1-19; — Frank A. D'Accone, H. I. in Florence: new and unpublished documents, in: Musical Quarterly 49, 1963, 464-483; — Martin Bente, Neue Wege der Quellenkritik und die Biographie Ludwig Senfls, Wiesbaden 1968; — William Peter Mahrt, The Missae ad organum of H. I., Diss. Standford Univ. 169; — Albert Dunning, Die Staatsmotette 1480-1555, Utrecht 1969; — Saul Novack, Fusion of design and tonal order in mass and motet, Josquin Desprez and H. I., in: The Music Forum 2, 1970, 187-263; — Christine K. Mather, Cadential structure in the Lieder of H. I., Diss. Univ. of Michigan 1971; — Louise Cuyler, The Emperor Maximilian I. and music, New York 1973; — Allan Atlas, H. I.' »palle, palle«: a new interpretation, in: Studien zur ital.-dt. Musikgeschichte 9, 1974, 17-25; — Martin Staehelin, Die Messen H. I.s, 3 Bde., Stuttgart 1977; — Manfred Schuler, Zur Überlieferung des »Choralis Constantinus« von H. I., in: AfMw 36, 1979, 68-76 u. 146-154; — Anthony Cummings, Bemerkungen zu I.s Motette »Ave ancilla trinitatis« und Senfls Lied »Wohlauf, wohlauf«, in: Die Musikforschung 34, 1981, 180-182; — Hdb. der Musikwissenschaft X (s. Reg.); — New Oxford history of musik III (s. Reg.); — ADB XIV, 590-608; — NDB X, 184-185; — RGG[3] III, 902; — MGG VI, 1417-1434; — Brockhaus-Riemann Musiklexikon I, 595-596; — Alg. Muziek-Encyclopedie III, 564-565; — Eitner[2] V, 248-250; — LThK[1] V, 609; — LThK[2] V, 772.

Reinhard Tenberg

ISAAK, Johann Levita (Jochanan Isaak ha-Levi Germanus), bedeutender Hebraist der frühen Neuzeit, * 1515 in Wetzlar, + 1577 in Köln. — I. wirkte zunächst als Rabbiner in seiner Geburtsstadt. 1536 heiratete er Anna Wagner. Aus dieser Ehe stammten vermutlich zwei Söhne. I. ließ sich 1547 mit seinem Sohn Stephan in Mar-

burg taufen und schloß sich nach anfänglichen Sympathien mit der protestantischen Richtung ein Jahr später dem Katholizismus an. Im selben Jahr wurde er Professor für Hebräisch in Löwen. Erst jetzt ließ sich auch seine Frau zur Taufe bewegen. Zum letzten Mal wechselte I. mit seiner Familie 1551 seinen Wohnort und wurde Professor in Köln. Sein Sohn Stephan, der im Alter von fünf Jahren getauft worden war, wurde katholischer Priester. Nach einem öffentlichen Angriff auf die katholische Bilderverehrung, konvertierte Stephan 1586 zum Calvinismus. — I.s Bedeutung lag vor allem in der Neubearbeitung einer hebräischen Grammatik. In einer religiös bewegten Zeit begründete er die Beschäftigung mit der hebräischen Sprache durch den Wert der ursprünglichen Bibel und wandte sich gegen die Behauptung ihrer jüdischen Verfälschung.

Werke: Mebo Imre Schefer: Indroductio ad verba elegantia, 3 Bücher, Köln 1553; De astrologia Rabbi Mosis filii Maimon epistola elegans, Köln 1555; Hegjonot: Meditationes hebraicae in artem grammaticam per integrum librum Ruth explicatum, una C. aliarum rerum nonnullis accessionibus etc., Köln 1558; Defensio veriatis hebraearum sacrarum scripturarum, Köln 1558; Hegjonot: Meditationes hebraicae in artem grammaticam per integrum librum Ruth explicatum, Köln 1558; Scholia in Grammaticam Hebraeam, Paris 1564; Grammatica Hebrea absolutissima, 2 Bücher, Antwerpen 1564; Tabulae in grammaticam hebraeam Nicolai Clenardi, Köln 1571.

Lit.: Franz Delitzsch, Wissenschaft, Kunst, Judentum: Schilderungen u. Kritiken, 1838; — Ludwig Geiger, Das Studium der hebr. Sprache in Deutschland vom Ende des 15. Jh.s bis zur Mitte des 16. Jh.s, 1870, 136 ff.; — Jöcher, 1750; — EuG II, Bd. 24, 215; — Wetzer-Welte VI, 937 f.; — Fürst, Bibl. Jud. II, 94; — EJud X, 893 f.; — RGG III,903 f.; — LThK V, 775.

Ulrich Reis

ISAAK, Samuel Reggio (Reggio, Isaak Samuel), italienisch-österreichischer Rabbiner und Gelehrter, * 15.8. 1784 in Görz (Gorizia) als Sohn des Rabbiners Abramo Vita Reggio, + 29.8. 1855 in Görz. — I. erhielt eine umfassende Ausbildung durch seinen Vater, einem bedeutenden Talmudforscher. So erlernte I. neben seiner italienischen Muttersprache Französisch, Deutsch, Latein und Hebräisch. In seiner ersten Veröffentlichung befaßte er sich mit einem mathematischen Problem, widmete sich dann aber der Pädagogik, der Philosophie und einem gründlichen und kritischen Studium des Talmuds. Nach seiner Heirat 1808, die ihn aller finanziellen Sorgen entledigte, wurde er in der Zeit der französischen Besetzung als Professor für Literatur, Geschichte und Geographie an das Görzer Lyzeum (1810-1813) berufen. Er verlor seine Stelle wieder, nachdem Illyria österreichische Provinz geworden war. Seit dieser Zeit arbeitete er als Privatgelehrter. Erst 1842 trat I. die Nachfolge seines Vaters als Rabbiner an. Nach seinem Tod hinterließ er außer vielen ungedruckten Manuskripten und Gedichten in hebräischer und italienischer Sprache auch über 200 Zeichnungen und Gemälde, die er selbst angefertigt hatte. — I. gilt als wichtiger Vertreter der jüdischen Aufklärung in Österreich und Italien. In direkter Anlehnung an die Berliner Aufklärer Mendelssohn und Wessely versuchte er in seinem wichtigsten Werk »Ha-Torah ve-ha-Filosofiah« (1827) Religion, Philosophie und Wissenschaft mit der Thora in Einklang zu bringen. Damit stieß er auf Widerstand unter den traditionellen deutschen Rabbinern. Die durch I.s Schriften angeregte Gründung des ersten modernen Rabbiner-Kollegs in Padua 1829 (Instituto Conuitto Rabbinico) war wegweisend, zu Lebzeiten I.s aber nicht unumstritten.

Werke: Ma'amar torah min ha-samayim (Vom himmlischen Ursprung der Torah, Wien 1818; La Legge di Dio ossia il Pentateuco (ital. Übers. des Pentateuch mit hebr. Kommentar), 5 Bde., Wien 1821; Riflessioni d'un Israelita ... sopra un articolo del Decreto di S.M.I.R.A. ... risguardante la nomina de' futuri rabbini in tutti gli stati eredetarj della Monarchia, Austriaca, 1822; Ha-Torah ve-ha-Filosofiah (Tora und Philosophie), Wien 1827; Il libro d'Isaia. Versione poetica fatta sull'original testo ebraico, Wien 1831; Behinat ha-Dat 'im Pérush we'arot, Wien 1833 (Komm. zu: El. del Medigo, Über das Wesen des Judenthums, Basel 1629); Iggerot YaShaR (Briefe u. Abhandl. Rs.), 1834-1836; Mafteah 'el megillat Ester (Schlüssel zur Esterrolle), Wien 1841; Mazkeret YaShaR (Rs. Autobiographie), Wien 1839; Behinat ha-Kabbalah (Prüfung der Tradition), Gorizia 1852; Yalkut YaShaR (Sammlg. von Abhandlungen), Gorizia 1854; Bikkurei-ha Ittim ha-Hadashim (unter d. Pseudonym: YaShaR veröffentl.); Elia Delmedigo, Behinat ha-dat (Prüfung der Religion), 1833, hrsg. u. komm. v. R.; A Guide for the Religions Instruction of Jewish Youth, London 1855 (engl. Übers. einer seiner zahlr. pädagog. Abhandlungen); Religionstheoret. Abhandlungen in dt. Sprache in: Jost, Isr. Annalen, 4, Frankfurt/Main 1839.

Lit.: B. Wachstein, Die hebr. Publizistik in Wien 1 (= Quellen und Forschungen zur Gesch. der Juden in Dt. Österreich 9), 1930, 179 ff.; — J. L. Landau, Short Lectures on Modern Hebrew Literature,1938, 142 ff.; — S. W. Baron, The Revolution of 1848 and Jewish Scholarship, in: Proceedings of the American Acad. for Jewish Research 20, 1951, 52 ff.; — G. Hugues, Di alcuni illustri semitisti e orientalisti della Venezia Giulia II; — I. S. R., in: Studi Goriziani 24, 1958, 43 ff.; — JüdLex IV, 1300 f.; — JewEnc X, 360 ff.; — EncJud III, 670; — S. Wininger, Große Jüd. National-Biogr. 5, 159 f.;

— Bibl. Judaica 3, 1863; — Wurzbach, 132 ff.; — Fürst, Bibl. Jud. 3, 138 ff.; — Österr. Biogr. Lex., 41. Lief. (19834), 18; — Rassegna Mensile di Israel (RMI) 30, 107 ff.; — RMI XXXII, 130; — RMI XXXV, 270; — A. Milano, Bibliotheca Historica Italo-Judaica, 194.

Ulrich Reis

ISAAK, Stephan J., katholischer Priester, dann reformierter Theologe, Hebraist, * 1542 in Wetzlar als Sohn des Johannes I., + 1598 in Bensheim/Bergstraße. — Zwei Söhne des I. sind bekannt. I. wurde als Kind jüdischer Eltern zusammen mit seinem Vater 1546 in Marburg durch Johannes Draconites lutherisch getauft. 1548 trat I. zusammen mit seinen Eltern in Löwen zum Katholizismus über, nachdem sein Vater als Professor des Hebräischen an die dortige Universität berufen wurde. 1551/52 kam jener nach Köln, wo I. bis 1557 zur Schule ging. Bis 1559 setzte I. seine schulische Ausbildung in Zwolle fort, danach nahm er in Köln das Studium auf. 1561 erwarb I. den Grad eines Magister artium. Darauf konzentrierten sich seine Studien auf die Medizin. Dieses Fach setzte I. im gleichen Jahr in Löwen fort. Dort vertrat er zeitweise den Professor des Hebräischen. 1564 bekam I. den Ruf an den Lehrstuhl des Hebräischen und Chaldäischen an der Universität Duay, wo er auch als Arzt praktizierte. 1565 berief der Kölner Stadtrat I. als Professor des Hebräischen nach Köln; weiterhin wurde ihm ein Kanonikat am Kollegialstift St. Ursula verliehen. I. ließ sich zum Priester weihen und konzentrierte sich nun auf die Erweiterung seiner Kenntnisse der Theologie. I. wurde Licentiat der Theologie und seine Predigten erfreuten sich ständig steigender Beliebtheit beim Volk. 1572 wurde er zum Pfarrer an der vom St. Ursula-Stift anhängigen Pfarre St. Maria-Ablaß ernannt. Hinzu kam ein Vikariat am Dome. I. setzte seine Predigttätigkeit auch als Pfarrer fort, und seine Popularität stieg insbesondere durch sine Judenbekehrungen und Kontroverspredigten gegen die Protestanten weiterhin an. Im Laufe seiner Beschäftigung mit Protestantismus und Judentum wurde I. immer kritischer gegenüber dem Katholizismus. Im Oktober 1583 wurden die zwei Predigten des I. wider die katholische Bilderverehrung als Götzendienst zum Anlaß eines gespannten Verhältnisses zu seiner kirchlichen Obrigkeit. Die Auseinandersetzung gipfelte in einem Predigtverbot. Am 24.4. 1584 legte I. seine Ämter nieder und verließ Köln, womit er einem Verhör durch das geistliche Gericht unter Androhung kanonischer Strafen entging. I. ging nach Heidelberg, wo er bis 1591 reformierter Pfarrer an St. Peter war. Hier veröffentlichte er zur Rechtfertigung und Verteidigung seiner Entscheidungen in Köln seine »Wahre und einfältige Historia Stephani I.«, sowie eine weitere Schrift, in der er seinen offenen Übertritt zum Calvinismus bezeugte. 1591 erhielt I. eine Stelle als Superintendent zu Bensheim a. d. Bergstraße, die er bis zu seinem Tode innehatte. Von hier aus trat er abermals gegen den Kölner Klerus auf: An den Calvinisten Johannes von Münster richtete er einen Sendbrief gegen den Kölner Jesuiten Peter Michael, genannt Brilmacher, den dieser wiederum zum Anlaß nahm, I. der heimlichen Rückkehr zum Judentum zu beschuldigen. Dieser Verdacht ist unter Bezugnahme auf die Selbstbiographie des I. zu verwerfen. I. ist von Interesse bei der Beurteilung der von der Gegenreform geprägten Kirchengeschichte des ausgehenden 16. Jahrhunderts. Hier sind besonders seine Streitpredigten wider die Evangelischen von Bedeutung.

Werke: Malachias Propheta, hebraice et latine interpretatus, 1563; Wahre und einfältige Historie St. I., 1586, Teildr. in: Dt. Lit., Reihe Dt. Selbstzeugnisse, V., 1932 (Nachdr. 1964), 75-92; Carmina amicorum in honorem nuptiarum Rev.viri St. I., verbi div. apud Heidelbergenses ministri, Heidelberg 1587; Sendbriff an den edlen und erenvesten Junker Johann von Münster, dt. u. lat., Bremen 1592; sowie: Georg Berbig (Hrsg.), Quellen u. Darstellungen aus d. Gesch. des Reformationsjahrhunderts, Bd. 14, Leipzig 1910.

Lit.: Josef Hartzheim, Bibliotheka Coloniensis, Köln 1747, 276 f., 288 f.; — Friedrich Everhard von Mering, Zur Gesch. d. Stadt Köln a. Rh., III. Bd., Köln 1839, 234 f.; — Leonard Ennen, Zur Gesch. d. Stadt Köln, V. Bd., Köln 1868, 421 ff.; — A. G. Stein, Die Pfarre zur hl. Ursula in Köln, Köln 1880; — W. Rotscheidt, St. I., Ein Kölner Pfarrer und Hess. Superintendent im Reformationsjahrhundert, Leipzig 1910; — L. v. Winterfeld, Ein Empfehlungsschreiben für St. I., in: Monatsh. f. rhein. Kirchengesch., VI. Bd., 1912, 365 ff.; — W. Diehl, Reformationsbuch d. evang. Pfarreien d. Großherzogtums Hessen, in: Hess. Volksbücher, 31-36, Friedberg 1917, 435 f.; — Ders., Hassia sacra, III. Bd., Darmstadt 1928, 333 f.; — R. Kunz, in: Der Odenwald, XIV. Bd., 1967, 42-52; — ADB XIV, 609 f.; — JewEnc VI, 623; — Wetzer-Welte VI, 938 f.; — NDB X, 185; — RGG III, 903 f.

Michael Tilly

ISAAK I. KOMNENOS, byzantinischer Kaiser (1057-59), + 1061 in Konstantinopel. — I., als Sohn des Manuel Komnenos unter Kaiser Basilius II. ausgebildet, zeigte als Vertreter des kleinasiatischen Militäradels die Befähigung zum Feldherrn, so daß er unter Kaiserin Theodo-

ra Befehlshaber der Truppen wurde. Nach ihrem Tod (1056) enthob ihn der neue Kaiser Michael Stratiotikos dieses Amtes. Stratiotikos war, zwar betagt und untauglich zu regieren, gestützt von der herrschenden "zivilen" Partei. Das Militär, geführt von I. und Katakalon Kekaumenos, lehnte den Kaiser ab, erhob sich und rief am 8.6. 1057 I. als Gegenkaiser aus. Am 1.9. 1057 wurde I., nachdem er das Heer des Stratiotikos geschlagen und die Oppositionspartei in Konstantinopel auf seine Seite gebracht hatte, vom Patriarchen Michael Kerullarios zum Kaiser gekrönt. I. entwickelte eine große Regentenkraft und war in der Lage, in kurzer Zeit das Reich militärisch zu festigen. Um die finanzielle Situation der Staatskasse in den Griff zu bekommen, schreckte I. vor einer Kürzung der Militärgehälter und vor Güterkonfiszierung, auch von Kirchenbesitz, nicht zurück. Der so angelegte Konflikt mit Kerullarios veranlaßte I. den Kirchenfürst zu verbannen. Die Erbitterung des Volkes über dieses Handeln, die Opposition der Beamtenaristokratie, die Feindschaft der Kirche und die Überredungskünste seines Beraters Psellos bewegten den mittlerweile schwer erkrankten I., im Dezember 1059 die Kaiserkrone abzulegen und den Konstantin Dukas als Nachfolger zu bestimmen. I. zog sich als Mönch in das Studitenkloster zurück und verwaltete dort noch für fast zwei Jahre das Amt eines Klosterpförtners. Seine Frau Katharina, Tochter des Königs Samuel von Bulgarien, ging mit der gemeinsamen Tochter Maria ebenfalls in ein Kloster.

Lit.: Johannes Zonaras, Corpus scriptorum historae Byzantinae, ed. v.: M. Pinder, 1844; — Ed. v. Muralt, Essai de chronographie byzantine de 395 à 1057, 1855; — Bury, Roman Emperors from Basil II to Isaac Komnenos, in: EHR 4, 1889, 41-64, 251-285 (= Selected Essays, 1930, 126-214); — Heinrich Mädler, Theodora, Michael Stratiotikos, I. K., 1894; — Carl Neumann, Die Weltstellung d. byz. Reiches vor d. Kreuzzügen, 1894 (Neuausgabe: 1959), 73-76; — B. Wassiliewsky/V. Jernstedt, Cecaumeni strategicon et incerti scriptoris de officiis regiis libellus, 1896; — H. Gelzer, Abriß d. byz. Kaisergesch., in: karl Krumbacher, Gesch. d. byz. Lit. 1897², 1005 f.; — Gustave Schlumberger, L'épopée byzantine à la fin du 10mᵉ siècle III, Paris 1905 (Neudruck: 1969), 749-830; — Emile Renauld, Neuausgabe m. frz. Übers. v.: Michel Psellos, Chronographie ou Histoire d'un siècle de Byzance, 2 Bde., Paris 1926, 1928 (engl.: v. E. R. A. Sewter, London 1953); — ByZ 42, 1943-49, 361; — A. A. Vasiliev, History of the Byzantine Empire 324-1453, 1952, 352-358; — H. Grégoire, in: Byz. 23, 1953, 469-530; — Ders., Nicéphore Bryennios, Les quatre livres des Histoires, in: Byz. 25/27, 1955/57, 881-926; — Ders., Michael Attaleiates, Historia, in:Byz. 28, 1958, 325-362; — H.-G. Beck, Vademecum d. byz. Aristokraten. Das sogen. Strategikon d. Kekaumenos, in: Byz. Geschichtsschreiber V, 1956; — J. M. Hussey, Church and Laerning in the byzantine Empire 867-1185, 1963, 123 ff. u. ö.;— George Ostrogorsky, Gesch. d. byz.

Staates, in: HAW III/1, 2., 279-289; — Herbert Hunger, Reich d. neuen Mitte, 1965, 278 f.; — E. Stanescu, Les réformes d'Isaac Comnène, in: Revue des Études Sud-Est Européennes 4, 1966, 35-69; — Johannes Skylitzes, Synopsis historiarum, ed.: J. Thurn, in: Corpus Fontium Historiae Byzantinae V, 1973, 479-500; — Günther Weiß, Oström. Beamte im Spiegel d. Schriften d. Michael Psellos, in: Miscellanea Byzantina Monacensia 16, 1973, 92-98 u. ö.; — Stephen Arnold Kramer, Emperors and Aristocrats in Byzantium 976-1081 (Diss. Cambridge), 1983, 334-354, — Michael Angold, The Byzantine Empire 1025-1204, 1984, 48-57 u. ö.; — Allg. Enzyklopädie d. Wissenschaften u. Künste (begr. v. J. S. Ersch u. J. G. Gruber) II/24, 1844, 203; — LThK V, 774.

Thomas Uecker

ISAAK II., byzantinischer Kaiser 1185-1195 und 1203-1204, + 1204. — I. entstammte nicht einer alten, byzantinischen Adelsfamilie, sondern war ein Enkel des Konstantin Angelos, der der Mann der jüngsten Tochter Alexios I. geworden war. Zum Kaiser wurde I. erhoben, nachdem der Feudaladel über Andronikos Komnenos gesiegt hatte. Von Beginn seiner Herrschaft an hatte er sich mit äußeren Feinden auseinanderzusetzen. Am 2.11. 1185 gelang es seinem Feldherrn Alexios Branas, die Normannen entscheidend zu schlagen. Mit dem Ungarnkönig Bela III. schloß er einen Freundschaftsvertrag und heiratete dessen zehnjährige Tochter Margarete. Im Sommer 1186 rückte I. mit seinem Heer in Bulgarien ein, um einen Aufstand niederzuschlagen. Nach der Zerstreuung der Aufständischen kam es jedoch wieder zu neuen Unruhen, und I. suchte den Ausgleich mit den Aufständischen. Den Durchzug des Kreuzfahrerheers des 3. Kreuzzugs unter Friedrich Barbarossa versuchte er durch ein Bündnis mit Saladin zu verhindern, mußte sich aber schließlich der Übermacht des deutschen Kaisers beugen. 1190 wurde Stephan Nemanja geschlagen und ein Friedensvertrag mit Serbien geschlossen. Während eines erneuten Feldzugs gegen die Bulgaren wurde er am 8.4. 1195 von seinem Bruder der Kaiserkrone beraubt und geblendet. 1203 wurde I. nach der Einnahme Konstantinopels durch die Kreuzfahrer auf dem Thron restituiert. Sein Sohn, Schützling der Kreuzfahrer, erhielt die Mitkaiserkrone. I. geriet zwischen die Fronten der Kreuzfahrt und der byzantinischen Bevölkerung. Ende Januar 1204 kam es zum Aufstand. I. wurde verhaftet und starb kurz darauf im Gefängnis. — Unter I. traten die Schwächen des byzantinischen Staates, Mißwirtschaft in Provinzial- und Zentralverwaltung, deutlich zutage, Ämterkauf und Bestechlichkeit nahmen

die krassesten Formen an. Gewiß war I. kein großer Staatsmann, aber er verteidigte doch das byzantinische Reich nach besten Kräften, wenn auch wenig glücklich. Kirchenpolitisch wirkte I. durch eine Neuordnung der Kirchenrangliste und mehrere Verordnungen zur Kirchenzucht.

Lit.: Karl Krumbacher, Gesch. der byz. Lit., 1898[2], 1032-1035; — W. Norden, Das Papsttum und Byzanz, 1903, 108-122; — F. Cognasso, Un imperatore bizantino della decadenza: I. II. Angelo, in: Bessarione 19, 1915, 29-60; — Regesten der Kaiserurkunden des oström. Reiches v. 563-1453, bearb. v. Franz Dölger, 2 Tle., Regesten v. 1025-1204, 1925, 1567-1527; — M. Bachmann, Die Rede des Johannes Syropulos an den Kaiser I. II. Angelos (Diss. München), 1935; — V. Laurent, Une lettre dogmatique de l'empereur I. l'Ange au primat de Hongrie, in: EP 39, 1940, 59-77; — Abenteurer auf dem Kaiserthron. Die Regierungszeit der Kaiser Alexios II., Andronikus u. I. Angelos (1185-1190) aus dem Geschichtswerk des Niketas Choniates, übers., eingel. u. erkl. v. Franz Grabler, 1965[8]; — Charles M. Brand, The Byzantines and Saladin, 1185-1192: Opponents of the Third Crusade, in: Speculum 37, 1962, 167-181; — Ders., Byzantium confronts the West, 1180-1204, 1968; — Georg ostrogorsky, Gesch. des byz. Staates, 1963[3], 331-345; — W. Hecht, Byzanz und die Armenier nach dem Tode Kaiser Manuels I. 1180-1196, in: Byz(B) 37, 1967, 60-74; — Hans-Georg Beck, Byzanz u. der Westen im 12. Jh., in: Vortrr. u. Forsch. 12, 1969, 227-241; — J. Herrin, The Collapse of the Byzantine Empire in the Twelfth Century: A Study of Medieval Economy, University of Birmingham Historical Journal 12, 1970, 188-203; — Ders., Realities of Byzantine Provincial Government: Hellas and the Peleponnesos 1180-1205, Dumbarton Oaks Papers 29, 1975, 253-284; — B. Ebels-Hoving, Byzantium in Westernse Ogen 1096-1204, 1971; — Ralph-Johannes Lilie, Byzanz u. die Kreuzfahrerstaaten, 1981; — Michael Anhold, The Byzantine Empire 1025-1204, 1984; — LThK V, 774; — EC VII, 233; — Catholicisme VI, 123 f.

Bernhard Wildermuth

ISAAK der Große (auch Sahak I.), Katholikos von Armenien, Heiliger, * um 340/350, + 7.9. 439 in Aschtischat. — I., der Sohn des Katholikos Nerses des Großen und Ur-Enkel des Bischofs Gregorios des Erleuchters, studierte und heiratete in Konstantinopel. Nach dem Tod seiner Frau beschloß I., Mönch zu werden. Im Jahre 387 (Teilung Armeniens zwischen Ostrom und Persien) wurde I. zum Katholikos ("allgemeiner Bischof") erhoben. In seiner fast 50-jährigen Amtszeit als kirchliches Oberhaupt setzte I. die bereits von seinem Vater eingeleiteten Reformen fort; er beabsichtigte, die Ordnung der armenischen Kirche die der byzantinischen anzugleichen. Er verbot den Ehestand der Bischöfe, ließ Klöster, Schulen und Krankenhäuser einrichten und die von Persern zerstörten Kirchen wieder aufbauen. Dadurch, daß I. byzantinische und griechische Werke (u.a. die Bibel) übersetzte bzw. die Übertragung in die Volkssprache maßgeblich förderte, gilt er als der Begründer der armenischen Literatur. In der 1. Synode von Wagharschapat (405) setzte I. kulturelle Reformen durch, die 2. Synode (428) hielt er ab, um kirchliche Gesetze und Rechtsverhältnisse zu regulieren. Nachdem um 430 der Perserkönig I. abgesetzt hatte, mußte er sich in den Westen des Landes zurückziehen, wo er vom byzantinischen Kaiser Theodosius II. beschützt und unterstützt wurde. Nach wenigen Jahren des Exils kehrte I. - mit Erlaubnis Persiens - an seinen Bischofssitz zurück. Aufgrund seines hohen Alters konnte I. nicht am Konzil von Ephesus teilnehmen, aber auf der Synode von Aschtischat (435) übernahm er die Beschlüsse dieses 3. ökumenischen Konzils. — Die ihm zugeschriebenen Kanones, eine Liturgie und einige Hymnen sind unecht.

Lit.: Victor Langlois, Collection des historiens anciens et modernes de l'Arménie, 2 Bde, Paris 1867/69 (s. Reg.: Sahag); † Fred C. Conybeare, The Armenian Canons of St. Sahak Catholicos of Armenia (390-439 A. D.), in: The American Journal of Theology II, 1898, 828-848; — Henri François Tournebize, Histoire politique et religieuse de l'Arménie, 1900, 499 ff.; — Simon Weber, Die kath. Kirche in Armenien, Freiburg 1903, 384-42; — Petrus Ferhat, Die angebliche Liturgie des hl. Katholikos Sahak, in: OrChr III, 1913, 16-31; — Aristaces Vardanian, Ein Briefwechsel zwischen Proklos und Sahak, in: WZKM XXVII, 1913, 415-441; — Vahan Inglisian, Die Beziehungen des Patriarchen Proklos von Konstantinopel und des Bischofs Akakios von Melitene zu Armenien, in: OrChr XXXXI, 1957, 35-50; — G. Garitte, La vision de S. Sahak en grec, in: Muséon LI, 1958, 255-278; — Bardenhewer V, 195-197; — Thurston-Attwater III, 512-513; — Holweck 510-511; — BS VII, 916-918; — EC X, 1616; — LThK ¹V, 612; — LThK ²V, 774; — DSp VII,2, 2007-2010.

Reinhard Tenberg

ISAAK BEN ABRAHAM (auch: I. Troki), karäischer Gelehrter, * um 1533 in Troki (Litauen), + daselbst 1594. — I. wuchs in Troki auf, dem besonders im 16. und am Anfang des 17. Jahrhunderts berühmten religiösen und kulturellen Zentrum des Karäertums in Litauen und Polen. Bereits mit 20 Jahren wurde er Sekretär der Gesellschaft der Karaiten. Aufgrund fundierter Sprachkenntnisse konnte er mit zahlreichen christlichen Theologen unterschiedlicher Konfession wissenschaftliche Streitgespräche führen. Als karäischer Gelehrter bekannte I. sich

dabei nicht zur Autorität des Talmuds, sondern einzig zu der der Heiligen Schrift. I. baute die bereits bestehenden, starken Beziehungen zwischen Karäern und Protestanten aus; so nahm er an der Redaktion der polnischen Protestantenbibel teil, die 1572 von Szymon Budny herausgegeben wurde. Ausgelöst durch die Missionsarbeit von katholischen Geistlichen begann I. im Jahre 1593 eine Zusammenfassung seiner Religionsgespräche zu bieten und gleichzeitig eine Apologetik des Judentums zu verfassen. Dieses zweibändige handschriftliche Fragment mit dem Titel »Hizzuk Emunah« (Befestigung des Glaubens) fand - nach Abschluß durch I. s Schüler Joseph Malinowski- große Aufmerksamkeit. Seine ersten 50 Kapitel enthalten eine Verteidigung des jüdischen Glaubens, in weiteren 50 Kapiteln deckt I. Widersprüche und Irrtümer im neuen Testament auf und wendet sich in polemisch-ironischer Form gegen das Christentum. — Aus Angst vor der Zensur wurde I.s Werk anfänglich nicht gedruckt; es zirkulierte in zahlreichen, zum Teil entstellten handschriftlichen Versionen. Eine solche fehlerhafte Vorlage benutzte der Hebraist Johann Christoph Wagenseil für seine Sammlung »Tela ignea Saanae« (Die feurigen Pfeile des Satans). An diesem Erstdruck (1681) orientierten sich die weiteren Ausgaben und Übersetzungen. Eine deutsche Übersetzung, die sich auf einen revidierten hebräischen Text berief, erschien 1865. — Die »Befestigung des Glaubens« erregte in der christlichen Welt großes Aufsehen; besonders schätzte er Voltaire in seinen satirischen Invektiven gegen das Christentum. — Weitere Werke I. s (»Über die Weihe des Neumonds«; »Schlachtungsregeln«; »religiöse Lieder«; »Briefe«) werden überwiegend in der ÖB Leningrad aufbewahrt.

Werke: Joh.-Chr. Wagenseil, Tela ignea Satanae, Altdorf 1681; H. E., Amsterdam 1705; Chizzuk Haemunah, hrsg. u. übers. von David Deutsch, Sohrau 1865.

Lit.: Joh. Chr. Wolf, Bibliotheca hebraea. T. I, 1715, 641-643, T. III, 1727, 544-547. T. IV, 1733, 639-645; — Abraham Geiger, Isaak Troki. Ein Apologet des Judenthums am Ende des 16. Jh.s, in: Breslauer Jb. für das Jahr 5614. Breslau 1853 (Abdr. in: Abraham Geiger's nachgel. Schriften. Hrsg. von Ludwig Geiger, III, 1876, 178-223); — A. Kraushar, Historya Zydów w Polsce (Gesch. der Juden in Polen), II, 1866, 266-267; — Julis Fürst, Gesch. des Karäertums von 1575-1865 der gewöhnl. Zeitrechnung, III, 1869, 30 ff.; — Simon Dubnow, Weltgesch. des jüd. Volkes, in 10 Bd.n, Bd. VI: Die Gesch. des jüd. Volkes in der Neuzeit, 1927, 380-383; — Hanna Emmrich, Das Judentum bei Voltaire, 1930, 221-224; — Meyer Waxmann, A History of Jewish Literature, II, 1933, 449-451; — Jacob Mann, Text and studies in

Jewish history and literature (Ndr. 1972), auch Textabdruk-
ke; — Simon Szyszman, Die Karäer in Ost-Mitteleuropa, in:
Zs. für Ostforschung 6, 1957, 24-54; — EJud (Jerusalem)
XV, 1403-1404; — The univ. Jewish Enc. X, 311; — Jüd.
Lex. V, 1058-1059; — LThK¹V, 611; — LThK ²V,773.

Reinhard Tenberg

ISAAK, Abt in Konstantinopel, Heiliger, +
wahrscheinlich 424 oder 425. — Um 378 zog I.
von Syrien nach Konstantinopel. Hier warnte er
wiederholt den arianisch gesinnten Kaiser Valens und kündigte ein großes Unglück an, das
sich erfüllte: Kaiser Valens wurde in der
Schlacht von Adrianopel (378) geschlagen und
getötet. Unter dem Nachfolger Theodosius, der
I. sehr verehrte, lebte I. zuerst in einer armseli-
gen Zelle vor den Toren der Stadt, bis er das
erste orthodoxe Kloster in Konstantinopel gründete (381/382), das nach seinem Schüler und
Nachfolger Dalmatos benannt wurde. In der Folge sind dann weitere Klöster entstanden; zu Beginn des 5. Jahrhunderts sollen bereits 100 Mönche I. als ihr Oberhaupt gewürdigt haben. Fest:
27. März bzw. 30. Mai oder 3. August.

Lit.: AS Mai VII, 246-260; — MPG XLVII, 21 B u. 29 C;
— Sozomenus Kirchengeschichte, hrsg. von Joseph Bidez,
Berlin 1960 (s. Reg.: Jokíoq); — J. Pargoire, Date de la mort
de Saint I., in: EO II, 1898/99, 138-145; — Ders., Les débuts
du monachisme à Constantinople, in: RQH NFXXI, 1899,
67-143; — Raymond Janin, La géographie ecclésiastique de
l'Empire byzantin. T. III: Les églises et les monastères, Paris
1953, 145; — Hans-Georg Beck, Kirche und theologische
Literatur im byzantinischen Reich, München 1959; — Gilbert Dagron, Les moines et la ville: le monachisme à Constantinople jusqu'au concile de Chalcédoine (451), in: Travaux et Memoires, Centre de recherche d'histoire et civilisation byzantines, IV, 1970, 229-276; — Hans-Georg Beck
(Hrsg.), Studien zur Frühgeschichte Konstantinopels, München 1973 (s. Reg.: vita Isaacii); — Gilbert Dragon, Naissance d'une capitale. Constantinople et ses institutions de 330 à
451, Paris 1974; — Vollständiges Heiligen-Lexikon. Hrsg.
von Johann Stadler, 1869, III, 61; — Dom Baudot, Dictionnaire d'hagiographie, 1925, 352; — Thurston-Attwater II,
423-424; — Holweck 510; — BHG ³II, 43-44; — Doyé I,
625-626; — BS VII, 920-921; — HdKG II, 384;— Cartho-
licisme VI, 117-118; — EC VII, 232; — LThK ¹V, 613; —
LThK ²V, 774-776.

Reinhard Tenberg

ISAAK, Abt auf dem Monte Luco, Heiliger, +
um 550. — Vor dem Monophysitismus fliehend,
verließ I. sein Geburtsland Syrien. In Spoleto
(Umbrien) angekommen, betete er - der Legende nach - ununterbrochen drei Tage und Nächte

in einer Kirche. Anschließend lebte er sechs
Jahre als Einsiedler auf dem Monte Luco bei
Spoleto. Hier hatte er eine Vision der Mutter
Gottes, die ihn zur Ausbildung von Schülern
aufforderte. Er rief darauf hin eine Gemeinschaft von Mönchen nach dem Vorbild der morgenländischen Lauren ins Leben. Seine Bereitschaft, Kranken und Besessenen zu helfen, seine
gottesfürchtige Lebensweise und seine Gabe, zu
prophezeien, machten I. rasch berühmt, und
dennoch, so schrieb Papst Gregor der Große,
war an ihm ein Punkt, »den man hätte tadeln
können. Er war nämlich so fröhlich, daß niemand, wenn man es nicht gewußt hätte, an die
Fülle seiner Gnaden geglaubt haben würde«
(Funk, S. 130). — I.s Reliquien werden in S.
Ansano (Spoleto) aufbewahrt. Fest: 11. bzw. 15.
April. Die 63 Sermones, die ihm zugeschrieben
werden, stammen wahrscheinlich von Isaak von
Antiochien.

Lit.: AS Apr. II 1675, 27-30; — Gregor der Gr., Dialogi III
14, in: MPL LXXVII, 244-249 (Übers. Joseph Funk, Des hl.
Papstes und Kirchenlehrers Gregor d. Gr. vier Bücher Dialoge. Dt. Übers. München 1933.BKV II. Reihe, Bd. III); —
P. F. Kehr, Italia pontificia, 1909; IV, 11; — C. D'Angela,
Le vicende del sarcofago spoletino di S. Isacco, in: Spoleti-
num 22/23, 1981, 84-92; — Letizia Pani Ermini, Gli insedia-
menti monastici nel ducato di Spoleto fino al secolo IX, in:
Il ducato di Spoleto. Atti del 9° congresso intern. di studi
sull'alto medioevo, T. II, 1983, 541-577 u. Taf. VI-VIII; —
Vollst. Heiligen-Lexikon. Hrsg. v. Johann Stadler, 1869, III,
60; — Holweck, 509-510; — Doyé I, 625; — Thurston-Attwater II, 71; — BS VII, 921-922; — EC VII, 232; — BHL,
4475; — Zimmermann II, 45; — LThK ¹V, 614; — LThK
²V, 775.

Reinhard Tenberg

ISAAK *von Ninive* (auch: I. der Syrer), syrischer
Theologe des 7. Jahrhunderts, * in Beit' Katraja
(Quatraje) am persischen Golf. — I. wurde 661
als Mönch Bischof von Ninive, legte aber nach
nur fünf Monaten sein Amt nieder und zog sich
als Eremit ins Bergland von Chuzistan (dem
persischen Suziana) zurück. Später lebte er im
Kloster Rabban Sabor, wo er erblindet vom
streng asketischen Leben und vom übermäßigen
Studium im hohen Alter starb. — I., der oft mit
Isaak von Antiochien, dem syrischen Theologen
des 4. Jahrhunderts, verwechselt wurde, gehörte
zu den ersten Theoretikern christlicher Mystik.
Er war abhängig von Euagrios und beeinflußte -
obwohl Nestorianer - Jakobiten und Katholiken,
in besonderer Weise aber Symeon den Jüngeren
(s.d.) und I. W. Kirsewskij (s.d.). I.s Themen
waren insbesondere Gericht, Versuchung, die

Mysterien Gottes und alle Probleme christlicher Aszetik und Spiritualität. Da seine Schriften früh übersetzt wurden, darf I.s Einfluß und seine Bedeutung besonders im Mittelalter nicht gering geschätzt werden.

Werke: Das umfangreiche Schrifttum ist im Original nur z. T. hrsg.: P. Bedjan (Hrsg.), De perfectione religiose, 1909. Übers.: N. Theotokios, [2]1895 (griech.); Paul Sbath, 1934 (arab.); MPG 86/1, 811-886 (lat.); Arent Jan Wensinck, 1923 (engl.); BKV 38, 273-408 (dt.); M. Dietz, Kleine Philokalie, 1956, 75-86 (dt.).

Lit.: J.-B. Chabot, De Saint I. N. vita, scriptis et doctrina, 1892; — Ders. (Hrsg.), Jésusdenah, évêque de Baçra, le livre de la chasteté, 1896; — Ders.,in: Muséon 59, 1946, 345-351; — Ortiz de urbina, Patrologia Syriaca, 1958, 135 f.; — RE [3]IX, 438; — Schaff-Herzog VI, 35; — DCB III, 291 f.; — RGG[3], 903; — HO III/2-3, 1954, 181; — GCAL I, 436 ff.; — DThC VIII, 10-12; — EC VII, 233; — Altaner, 350; — ODCC, 703; — Baumstark, 223-225; — BiOr I, 446-459, 461; III, 1, 104; — Graf I, 436-442; — LThK V, 775 f.

Traugott Bautz

ISAAK, Patriarch, späte Bronzezeit (17./13. Jahrhundert) in Südpalästina. — Der Name I. ist wohl die Kurzform für die gemeinsemitische Namensbildung jishaq'el (= "Gott lacht", "Gott möge lächeln") und wird volksetymologisch vom ungläubigen Lachen Saras (Gen 18,12 ff.) oder Abrahams (Gen 17,17) oder der Leute (Gen 21,6 b) oder dem dankbaren Lachen Saras (21,6a) abgeleitet. — Obwohl von einer ursprünglich selbständigen mündlichen I.-Überlieferung in der Genesis nur noch Reste erhalten sind (hauptsächlich Kap. 26), ist von einer historischen Einzelperson mit zumindest regionaler Bedeutung zur Zeit vor der Einwanderung israelitischer Sippen ins Kulturland auszugehen. Die Erzählungen spiegeln die Lebensbedingungen des Halbnomaden wieder und erwähnen Begebenheiten wie Weidewechsel, Grenzverträge und Brunnenrechte. Biographische Informationen zu I. sind ihnen selbstverständlich nicht zu entnehmen. Der Ursprung der I.-Tradition liegt im südlichen Palästina und ist mit den Orten Beer-Lahai-Roi (Gen 24,62; 25,11) und Beerseba (Gen 21,14; 26,23.33) verbunden, wobei ersterer ansonsten wie Kultheiligtum der Ismaeliten gilt (vgl. Gen 16,7 ff. u. 21, 9 ff.) und auf eine Verschmelzung zweier Verehrungen und Traditionen schließen läßt. Als am Heiligtum von Beerseba seßhaft gewordener Träger der I.-Überlieferung kommen der Stamm Simeon (vgl. A. Alt; Zimmerli, 1932) oder Teile der späteren Josephstämme (vgl. Jepsen, 1953/54) in Frage.

Die I.-Erzählung in ihrer heutigen Gestalt ist mit den Überlieferungen von Abraham einerseits und Jakob andererseits eng verknüpft. Während die Verbindung mit Jakob nach der Einwanderung der Josephstämme in Mittelpalästina erfolgt zu sein scheint, kam es zu der Verknüpfung mit der Abrahamsüberlieferung wahrscheinlich unter dem Einfluß judäischer Kreise. Die Erzählungen von I. als dem verheißenden Sohn Abrahams (Gen 17 f.; 21 f.), als dem Vater von Jakob und Esau (Gen 25 u. 27) und die Geschichte von der Werbung um Rebekka gehörten ursprünglich nicht zur I.-Tradition. Viele Motive der I.-Überlieferung - Gefährdung der Ahnfrau (Gen 26,6-11), Brunnensagen (Gen 26) und Vertrag mit Abimelech (Gen 26,26-31) - haben Aufnahme in den Abrahamerzählungen gefunden und werden dort parallel berichtet (Gen 12,9 ff.; 20,1 ff.; 21,24 f.), während Reste der Kultsage von Beerseba (Gen 26,24 f.) auch in die Jakobstradition eingewachsen sind (Gen 46,1; vgl. Gen 21,33). Die Hypothese Albrecht Alts von der »Vatergottreligion«, bei welcher der Name der Person, der die Gottheit erschienen war, zum Bestandteil des Gottesnamens, in unserem Fall pahadjishaq (Gen 31,42.53) geworden war, wird in jüngerer Forschung (vgl.: Diedner, 1975; Vorländer, 1975; Van Seters, 1980) bestritten. Zur Zeit der genealogischen Verknüpfung der drei Erzväter und der Sammlung der Vätergeschichten war die religiöse und politische Bedeutung der I.-Tradition für eine gemeinisraelitische Überlieferung wohl so gering, daß sich das erzählerische Interesse mehr auf Abraham und Jakob konzentrierte. Im Zuge literarischer Sammlung und Ausformung und theologischer Akzentuierung und Prägung der Patriarchentradition durch Jahwist und Elohist wurden die Motive von I. als dem verheißenden Sohn und Empfänger des Abrahamsegens (Gen 26,2 ff.; 24 f.) verklammert, während die Priesterschaft, unter Verzicht auf alte I.-Traditionen, mit chronologischem Interesse bearbeitet. — Die drei Erzväter werden im Judentum (vgl.: Jub 32,21-26 und 4 Esr 6,8-10) und im NT als Symbol für das in Erbschaft der Verheißung treu zum Bund mit Gott stehenden Volk gebraucht. Das Motiv der Opferung I.s (Gen 22,2-14) - ursprünglich wohl als Begründung für die Ablösung der Opferung der menschlichen Erstgeburt durch ein Tier - findet, unter Hervorhebung des bedingungslosen Gehorsams Abrahams (vgl.: Jak 2,21), bis in heutige Zeit vielfach Aufnahme in Literatur und Kunst.

Lit.: Kommentare zur Genesis: Friedrich Tuch, 1838 (1871[2]); — Franz Delitzsch, 1852 (1860[3]); — August Knobel, 1852; — John Peter Lange, Edinburgh 1868; — Karl Friedrich Keil, 1870 (1878³); — Abraham Kuenen, 1872; — August Dillmann, 1875³ (1882⁴, 1896⁶); — Heinrich Holzinger, 1898; — Hermann Gunkel, 1901 (1910³, 1964⁶); — Erik Stave, Uppsala 1903; — S. R. Driver, London 1904 (1954¹⁵); — Eduard Sievers, 1904/05; — B. D. Eerdmans, 1908; — J. Skinner, 1910 (1930³); — Eduard König, 1919; — J. Morgenstern, New York 1919 (1965²); — Otto Procksch, 1924; — Paul Heinisch, 1930; — B. Jacob, New York o. J. (Neudr.: Berlin 1934); — J. Chaine, Paris 1948/49; — Hubert Junker, 1949 (1955²); — R. de Vaux, 1951 (1962²); — C. A. Simpson, New York 1952; — A. Clamer, Paris 1953; — Gerhard v. Rad, 1953 (1967³, 1972⁹, 1981¹¹); — F. Nötscher, 1955; — Frank Michaeli, Neuchatel 1957; — Berend Gemser, 1958; — Charles Henry Mackintosh, 1959¹¹; — S. H. Hooke, Edinburg 1962; — J. de Fraine, 1963; — E. A. Speiser, 1964; — Derek Kidner, 1967; — P. E. Testa, Turin 1969; — W. Gunther Plant, New York 1974; — Wilhelm Rosenhoefft, 1974; — Klaus Westermnn, 1975; — Alexandrinus Didymus, Paris 1976; — George W. Coats, 1983; — Werner Berg u. a., 1985; — Weitere Lit.: C. Steuernagel, Die Einwanderung der israelit. Stämme in Kanaan, 1901; — H. Greßmann, Sage u. Geschichte in den Patriarchenerzählungen, in: ZAW 390, 1910, 1-34; — Otto Eißfeldt, Religionshistorie u. Religionspolemik im AT, in: Festschr. H. H. Rowley, 1935, 94-102 (= Kl. Schr. III, 359-366); — Ders., Die Genesis der Genesis, 1958 (1961²); — Ders., Jahwe, der Gott der Väter, in: ThLZ 88, 1963, 481-490 (= Kl. Schr. IV, 79-91); — Ders., Der kanaanäische El als Geber der den israelit. Erzvätern geltenden Nachkommenschafts- u. Landbesitzverheißungen, in: WZ Halle 17, 1968, 45-53 (= Kl. Schr. V, 50-62); — Ders., Palestine in the Time of the Nineteenth Dynasty (a) The Exodus and the Wanderings, Cambridge 1975³, 307-330; — G. Hölscher, Zur jüd. Namenskunde, in: Festschr. K. Marti, BZAW 41, 1925, 148-157; — Martin Noth, Der israelit. Personennamen im Rahmen der gemeinsaemit. Namensgebung (BWANT 46), 1928; — Ders., Überlieferungsgesch. d. Pentateuch, 1948, 112-127; — Noth, 115, 118 f.; — Albrecht Alt, Der Gott der Väter (BWANT 12), 1929 (= Kl. Schr. I, 1-78); — Ders., Erwägungen über die Landnahme der Israeliten in Palästina, in: PJ 35, 1939, 8-63 (= Kl. Schr. I, 126-175); — Walter Zimmerli, Gesch. u. Tradition von Beerseba im AT, 1932; — Ders., Grunriß der alttestamentl. Theol., 1978³, 21; — H. J. Schoeps, The Sacrifice of I. in Paul's Theol., in: JBL 65, 1946, 385-392; — Robert de Vaux, Les Patriarches Hébreux et les découvertes modernes, in: RB 53, 1946, 321-347; 55, 1948, 321-347; 56, 1949, 5-36 (= dt.: Die hebr. Patriarchen und die modernen Entdeckungen, 1959); — Ders., Les Patriarches Hébreux et l'Histoire, in: Studi Biblici Franciscani Liber anuus 13, 1962/63, 287-297 (= Bible et Orient, Paris 1967, 175-1865); — Ders., Histoire Ancienne d'Israel I, Paris 1971; — H. H. Rowley, Recent Discovery and the Patriarchal Age, in: The Bulletin of the John Rylands Library 32, 1949/50, 44-79 (= The Servant of the Lord and Other Essays on the OT, Oxford 1965², 283-318); — David Lerch, I.s Opferung christl. gedeutet, 1950; — J. J. Stamm, Der Name I., in: Festschr. H. Schädelin, Bern 1950, 33-38; — A. Jepsen, Zur Überlieferungsgesch. der Vätergestalten, in: WZ Leipzig 3, 1953/54, 265-281 (= Der Herr ist Gott, 1978, 46-75); — W. F. Albright, Northwest-Semitic Names in a List of Egyptian Slaves from the Eighteenth Century B. C., in: JAOS 74, 1954, 222-233;— Ders., Yahweh and the Gods of Canaan, London 1968; — C. H. Gordon, The Patriarchal Narratives, in: JNES 13, 1954, 56-69; — Ders., Geschichtl. Grundlagen des AT, 1956, 113 ff.; — C. A. Keller, Über einige Heiligtumslegenden, in: ZAW 67, 1955, 148-168; — J. Hoftijzer, Die Verheißungen an die drei Erzväter, 1956; — B. Gemser, Vragen rondom de Patriarchenreligie, 1958; — V. Maag, Der Hirte Israels. Eine Skizze von Wesen und Bedeutung der Väterreligion, in: Schweiz. Theol. Umschau 28, 1958, 2-28; — L. Rost, Die Gottesverehrung d. Patriarchen im Licht der Pentateuchquellen, in: VTS 7, 1960, 346-359; — S. Mowinckel, »Rahelstämme« u. »Lehastämme«, in: Festschr. Otto Eißfeldt, BZAW 77, 1961², 129-150; — J. C. C. Gibson, Light from Mari on the Patriarchs, in: JSS 7, 1962, 44-62; — M. Haan, The Religion of the Patriarchs, in: Annual of the Swedish Theol. Inst. of Jerusalem 4, 1965, 30-55; — J. Bright, Gesch. Israels, 1966; — Rolf Rendtorff, Väter, Könige, Propheten, 1967, 15-25; — Ders., Das AT. Eine Einführung, 1983, 8, 144-146; — Henning Graf, Opfere deinen Sohn, in: BSt 53, 1968; — H. Weidmann, Die Patriarchen u. ihre Religion im Licht der Forsch. seit Julius Wellhausen, 1968; — G. Wallis, Die Tradition von den drei Ahn-Vätern, in: ZAW 81, 1969, 18-40; — J. K. Stark, Personal Names in Palmyrene Inscriptiones, Oxford 1971; — P. Diepold, Israels Land, 1972; — Nahum M. Sarna, Understanding Gen, New York 1972; — J. Scharbert, Patriarchentradition u. Patriarchenreligion, in: BhEvTh 19, 1974, 2-22; — Thomas L. Thompson, The Historicity of the Patriarchal Narratives, in: BZAW 133, 1974; — B. Diebner, Die Götter des Vaters. Eine Kritik der »Vatergott«-Hypothese Albrecht Alts, in: Dielheimer Blätter zum AT 9, 1975, 21-51; — W. H. Stiebing Jr., When was the Age of the Patriarchs?, in: Bibl Arch Rev 1, 1975, 17-21; — H. Vorläufer, Mein Gott. Die Vorstellung vom persönl. Gott im Alten Orient und im AT, 1975; — E. Ruprecht, Die Religion der Väter. Hauptlinien der Forschungsgesch., in: Dielheimer Blätter zum AT 11, 1976, 2-29; — W. G. Denver/W. M. Clark, The Patriarchal Tradition, in: J. H. Hayes/J. M. Miller (Hrsg.), Israelite and Judean History II, 1977; — Horst Seebass, Die Stämmeliste von Dtn XXXIII, in: VT 27, 1977, 158-169; — Ders., Landverheißungen an die Väter, in: EvTh 37, 1977, 210-229; — H. H. Ben-Sasson (Hrsg.), Gesch. des jüd. Volkes I, 1978; — Rudolf Smend, Die Entstehung des ATs, 1978, 97; — Antonius H. J. Gunneweg, Gesch. Israels bis Bad Kochba, 1979³, 18 f., 29; — Otto Kaiser, Einleitung in d. AT, 1979⁴, 71-113; — Werner H. Schmidt, Alttestamentl. Glaube in seiner Gesch., 1979³, 18-26; — S. Herrmann, Gesch. Israels in alttestamentl. Zeit, 1980²; — W. Leineweber, Die Patriarchen im Licht d. archäolog. Entdeckungen, 1980; — J. Van Seters, The Religion of the Patriarchs in Gen, in: Bibl 61, 1980, 220-233; — Leo Trepp, Das Judentum, 1982³, 19 f., 39, 161, 205; — Hans Jochen Boecker u. a., AT, 1983, 81, 90, 93, 95 f., 99, 288, 296; — Erhard Blum, Die Komposition der Vätergesch., 1984; — Hdwb. des bibl. Altertums I, 1893, 791 f.; — Sev. Luegs, Bibl. Realkonkordanz I, 1928, 730 f.; — ThW III, 191 f.; — EKL II, 392 f.; — Bibl. Hist. Hdwb. II, 775 f.; — RGG III, 902 f.; — LThK V, 7756 f.; — The Enc. of Rel. (Ed.: Mirces Eliade) VII, New York 1986, 287 f.

Thomas Uecker

ISAAK BEN SALOMON ISRAELI, auch Israeli der Ältere, arabisch Abu Jaqub Is'hak ibn Suleiman al Israili, bei den Scholastikern Isaak Judaeus, orientalischer Arzt und Philosoph, erster bekannter jüdischer Neuplatoniker, * 840/850 in Ägypten, + 940/950 in Kairwan/Tunesien. I. blieb unverheiratet. Die Lebensdaten basieren auf der Mehrzahl der arabischen Quellen und der Biographie des Sanah ibn Sa'id al Kurtubi. — I. studierte Naturgeschichte, Medizin, Mathematik und Astronomie in Kairo. Zwischen 875 und 904 war er nahe Kairo als Augenarzt tätig, wobei er einen ausgezeichneten Ruf erlangte. Er siedelte daraufhin als Leibarzt des letzten aghlabidischen Prinzen, Zijadat Allah, nach Kairwan über, wo er auch bei Is'hak ibn Amran al Baghdadi seine Kenntnisse der allgemeinen Medizin vertiefte. 909 trat I. in den Dienst des Begründers der Dynastie der Fatimiden, Ubaid Allah al Mahdi. Als Arzt an dessen Hofe zog I. viele Schüler an, deren prominenteste Abu Ja'far ibn al Jazar und Dunach ibn Tamim waren. I. ist der Verfasser einer großen Anzahl medizinischer Werke, ferner Autor einer Reihe philosophischer Schriften. Er war ein Zeitgenosse des Saadiah Gaon, mit dem er sich in Briefwechsel befand. Das medizinische Werk des I. blieb im ganzen Mittelalter weit über den arabischen Kulturkreis hinaus von Bedeutung. als beste unter seinen acht medizinischen Schriften gilt die 5 Bücher umfassende über das Fieber (Kitab al Hummajat); in den weiteren behandelt er die Lehre von den Elementen, die Melancholie, die Wassersucht, u. a. Die Werke des I. wurden in das Hebräische und Spanische übertragen, 1087 wurden die medizinischen Schriften von dem Mönch Konstantin von Karthago unter seinem eigenen Namen in lateinischer Übersetzung herausgegeben. Erst 1515 wurde das Plagiat vom Herausgeber der gedruckten »Opera omnia Isaaci Judaei« entdeckt, wobei I. jedoch irrtümlich noch weitere, fremde medizinische Werke zugeschrieben wurden. Direkte Folge der lateinischen Übersetzung durch Konstantin von Karthago war die Tradierung seiner Lehren durch die Schule von Salerno. Das philosophische System des I. vermischt Neuplatonismus, aristotelische und biblische Gedanken. So übernahm er die Konzeptionen und Gedanken des Plotin bezüglich der Problematik der Schöpfung und der menschlichen Seele. Moses ibn Esra, Joseph ibn Saddiq und Avicebron sind in ihren philosophischen Ansätzen wahrscheinlich von ihm abhängig. Auch von scholastischen Autoren wurde I. in der lateinischen Übersetzung des Gerard von Cremona oft zitiert. Die Bedeutung des I. liegt auf medizinhistorischer Ebene in ihrer durch die Vielfalt der Übersetzungen in die Kultursprachen des Mittelmeerraumes bezeugten Popularität seines Werkes. Auf philosophiegeschichtlicher Ebene sind seine Einflüsse auf die neuplatonische Bewegung in der mittelalterlichen jüdischen Philosophie zu berücksichtigen. I. kann als der "Vater des jüdischen Neuplatonismus" angesehen werden.

Werke: (Philos.) Buch der Definitionen, neue hebr. Ausg., vorbereitet v. S. M. Stern, Fragment: JJS 8, 1957, 232-242; lat. Übers.: AHDL 12, 1938, 299-340; Buch der Elemente, hebr. Übers., ed. S. Fried, Drohobycz 1900; Kapitel über die Elemente (hebr.), JJS 7, 1956, 30-57; Buch der Substanzen (arab.), ebd. 13-29; Garten der Weisheit (über Metaphysik); Einführung in die Logik, neue hebr. Ausg., vorbereitet v. s. M. Stern; Kommentar z. Buch Jezirah, ed. v. M. Großberg, 1922; Buch des Geistes und der Seele, ed. M. Steinschneider, in: Ha-Karmel, 1871, 400-405, (med.) Manhig ha-Rofeim, dt. Übers. v. David Kaufmann, Propädeutik für Ärzte, Berliners Magazin, XI, 1884, 97-112; — Lat. GA v. A. Turinus, Opera omnia Isaaci Judaei, Lyon 1515.

Lit.: Abi al Latif, Relation de l'Egypte, übers. v. De Sacy, Paris 1810; — Maimonides, Iggerot ha-Rambam, Leipzig 1859, 28 f.; — Ibn Abi Usaibi'a Uyun al Anba', II. Bd., Bulak 1882, 36 f.; — M. Steinschneider, Die hebr. Übersetzungen des MA.s, Berlin 1893, Neudr. Graz 1956, 223-228, 479; — D. Neumark, Gesch. d. jüd. Philos. des MA.s, I. Bd., Berlin 1907, 412-429, II. Bd., Berlin 1928, 155-181; — J. Guttmann, Die philos. Lehren des I., Mulhouse 1911; — Ders., Die philos. Lehren des I., in: MGWJ, 69, 1919, 156-164; — Ders., Die Philos. d. Judentums, Monaco 1933, 96-102; — P. Erlanger, I. Judaeus, Diss. Tübingen 1922; — H. A. Wolfson, I. on the International Senses, in: Jewish Studies, New York 1935, 583-598; — E. Gilson, La philosophie du moyen-age, 1947, 368 ff.; — G. Vajda, Introduction a la pensée juive du moyen-age, Parigi 1947, 66-68, 222; — A. Altmann, Probleme d. jüd. Neuplatonismus, in: Tarbiz, Jerusalem 1957-1958, 501-507; — Ders., S. M. Stern, I., A Neoplatonic Philosopher of the Early Tenth Century, 1958, 95-105, 114-117; — S. M. Stern, I. and Moses ibn Esra, JJS 8, 1957, 83-89; — Ders., in: Orient, 13-14, 1961, 58-120; — Plessner, in: Kirjath Sepher, 35, 1960, 457-459; — Josef v. Hammer-Purgstall. Literaturgesch. d. Araber, IV. Bd., unv. Nachdr., Graz 1963, 376 ff.; — Landau, Gesch. d. jüd. Ärzte, 1895; — Campbell, Arabian Medicine, 1926; — Sprenger, Gesch. d. Arzneikunde, II. Bd., 270; — H. Friedenwald, Jews and Medicine, III, 1967², 86-88; — Encaclopedic Dictionary of Religion II, 1837 f.; — EJud IX, 1063; — Catholicisme VI, 124 f.; — JewEnc VI, 670; — JüdLex III, 75; — LThK V, 773; — Überweg II, 328, 333 f., 725; — UJE V, 619.

Michael Tilly

ISAAK *von Stella*, * 1110/20 in England, + ca. 1168/69 in Stella (Etoile) bei Poitiers in Frankreich. — I. ist Zisterziensermönch, Theologe,

Philosoph und gebildeter Kenner klassischer Autoren. Die Person I.s bleibt geheimnisvoll; sein Lebenslauf ist unter den Gelehrten umstritten, seine Herkunft und vielleicht adelige Familie sind unbekannt. Wenige Überlieferungen informieren über das Leben I.s. Im Laufe seines Lebens begegnete er möglicherweise dem heiligen Bernhard von Clairvaux; er kennt u. a. Thomas Becket, Alcher von Clairvaux, Jean de Bellême und Gilbert de la Porée, die beiden letzteren Bischöfe von Poitiers. Möglich ist ein Aufenthalt in Canterbury, bevor I. seine Heimat verläßt, um nach Frankreich zu gehen. Ein Studium in Chartres ist nicht gesichert; I.s Lehrer sind unbekannt. — Ab ca. 1145 ist I. als Mönch in Cîteaux, ca. 1147/48 wird er Abt des 1124 gegründeten Klosters Stella in der Diözese Poitiers. Um 1150/51 unternimmt er gemeinsam mit Jean de Trizay, selbst Zisterzienserabt, die auf lange Sicht erfolglose Gründung eines Klosters auf der Insel Ré bei La Rochelle. — Hauptwerk I.s sind die in Latein verfaßten Sermones, von denen 54 überkommen sind. Davon sind 41 wohl in Ré gehalten (?) worden, die übrigen 13, soweit echt, in Stella. Außerdem entsteht 1162 die »Epistola de anima«, eine Art Abriß der Psychologie, die den Einfluß des Augustinus deutlich verrät. In ihr legt I. seine Auffassung von der Natur der Seele und der Erkenntnis nieder. Die Schrift »De spiritu et anima« des Alcher von Clairvaux geht auf diese Epistola zurück. Ein weiteres Werk I.s ist die »Epistola de officio missae« (ca. 1167). — I. beschäftigt sich mit Dogmatik, etwa der Dreifaltigkeit, der Prädestination und anderem. Die Irradationslehre des Augustinus verbindet er mit der Abstraktionstheorie des Aristoteles. Nach I.s Auffassung existieren zur Unterweisung des Menschen sechs Mittel: die göttliche Weisheit, der erschaffene Geist, die sichtbare Welt, das Alte Testament, das fleischgewordene Wort und das Evangelium. Seine Lehre erinnert insgesamt an die des Anselm von Canterbury und Hugo und Richard von Saint-Victor. I.s Mariologie ist ekklesiologisch; Maria ist Vorbild für die Kirche. Das originelle Werk I.s zeigt, daß er ein Kind des 12. Jahrhunderts ist, in dem allenthalben ein neues kritisches Bewußtsein erwacht. Seine Sermones beweisen pädagogisches Geschick und rhetorische Erfahrung. Sie analysieren subtil und scheinen sich an ein gebildetes, gesellschaftlich hochstehendes Publikum zu wenden. Ein inhaltlich homogenes Lehrbuch bilden sie nicht, da sie ohne festes System verfaßt sind. I. verarbeitet Einflüsse von Kirchenvätern wie Origenes, Augustinus und anderen. Am stärksten muß ihn

jedoch Augustinus beeindruckt haben (Dreifaltigkeit, Anthropologie, Erbsünde, Prädestination und Gnade, mystische Verkörperung). I. muß sich aber auch mit Platon und Boethius auseinandergesetzt haben. In I.s Werk entsteht eine Synthese zwischen der Theologie der verschiedenen zeitgenössischen Schulen und der mönchischen Theologie, die sich enger an die der Kirchenväter anschließt als jene. Komplette Originalschriften existieren nicht. I.s Schriften werden von Kompilatoren überliefert; daher stammen nicht alle erhaltenen Texte wörtlich überein. Keiner davon ist wirklich verläßlich, und manche sind unvollständig.

Werke: 54 Sermones; Epistola de anima (1162); Epistola de officio missae (ca. 1167); unsicher die Zuweisung anonymer Glossen zum Hl. in der Bibl. Nat. Paris lat. 1252 fol. 13-42.

Lit.: G. Tilmannus, Allegoriae simul et Tropologiae in locos utriusque Testamenti, 1551; — Wisch, Bibliotheca scriptorum s. ordinis cisterciensium, 1656, 225; — B. Tissier, Bibliotheca Patrum Cisterciensium, 1664, 1; — Ders., Gallia christiana 2, 1720, col. 1352; — C. Oudin, Commentarius de scriptoribus ecclesiasticis 2, 1723, col. 1485; — Ders., HLF 12, 1763, 678; — J.-P. Migne, PL 194, 1855, col. 1689-1896 (Sermones und beide Epistel); — C. Bourgain, La chaire francaise au XIIᵉ siècle d'après les manuscrits, 1879; — A. Fanz, Die Messeim dt. MA, 1902, 438 ff.; — F. Bliemetzrieder, Jahrb. Phil Spek Theol 18, 1904, 1 ff.; — F. Hurter, Nomenclatur 2, 1906, col. 155 f.; — F. Bliemetzrieder, StMBCO 29, 1908, 433 ff.; — G. Lacombe, Arch Hist Doct Litt MA 5, 1930, 133 ff.; — T. M. Kaeppeli, Divus Thomas 9, 1931, 309 ff.; — F. Bliemetzrieder, Rech theol anc med 4, 1932; — W. Meuser, Die Erkenntnislehre des Isaac von Stella, 1934; — E. Mersch, Le corps mystique de Christ 2, 1936, 150 ff.; — P. A. Fracheboud, COCR 9, 1947, 328 ff.; — Ders., COCR 10, 1048, 19 ff.; — Ders., COCR 11, 1949, 1 ff., 264 ff.; — Ders., COCR 12, 1950, 5 ff.; — F. Mannarini, COCR 16, 1954, 137 ff., 207 ff.; — J. Beumer, MThZ 5, 1954, 48 ff.; — L. Bouyer, la spiritualité de Cîteaux, 1955, 195 ff.; — A. Forst/F. van Steenberghen/M. de Gandillac, Histoire de l'Église 13, 1956, 149 f. (A. Forest); — P. Künzle, Das Verhältnis der Seele zu ihren Potenzen, 1956, 64 ff.; — R. Collini, Studi su Isaaco della Stella, 2 Bde., ungedruckte Diss., Mailand 1956-57; — R. de Ganck/A. van den Bosch, CitNed 8, 1957, 203 ff. (mit Lit.); — P. A. Fracheboud, COCR 19, 1957, 133 ff.; — M. R. Milcamps, COCR 20, 1958, 175 ff. (mit Lit.); — H. de Lubac, Exegèse médiévale. Les quatre sens de l'Écriture, 1959; — J. Debray/Mulatier, CitNed 10, 1959, 178 ff.; — L. Gaggero, COCR 22, 1960, 21 ff.; — R. Javelet, CitNed 11, 1960, 252 ff.; — Ders., Rev Asc Myst 37, 1961, 273 ff., 429 ff.; — F. Stegmüller, RB 3, 1950, 470 Nr. 5155 f.; — Ders., Repertorium Biblicum Medii Aevi 7, Commentaria Anonyma P-Z, 1961, 218 ff., Nr. 10731-10783, 225; — J. François, Bibliothèque générale des écrivains de l'ordre de S. Benoît 2, 1777 und 1961; — G. Raciti, Cit Ned 12, 1961, 281 ff.; — A. Cappelletti, Origen y grados del conocimiento segun Isaac de Stella, Philosophia 1961; — G. Raciti, CitNed 13, 1962, 18 ff., 132 ff., 205 ff.; — J. A. Fabricius, Bibliotheca latinae mediae et infimae latinitatis 4, 1858, 463 (unver. Neudruck 1962); — P. Courcelle, Les confessions de Saint Augustin dans la tradition littéraire, Antécédents et postérité, 1963, bes. 290 f.; — A. Hoste, COCR 25, 1963, 256 f.; — M. M. Davy, Initiation à la symbolique romanae, XIIe siècle, 1964, 42, 45, 72 ff., 143; — J. Leclercq, Rev Asc Myst 40, 1964, 277 ff.; — F. Ueberweg/B. Geyer, Grundriß der Gesch. der Philosophie 2, 1928[11] und Neudr. 1967, 258 ff.,708; — A. Hoste/G. Salet, Isaac de l'Étoile, Sermons 1, 1967; — W. Beierwaltes (Hrsg.), Platonismus in er Philosophie des MA.s, 1969, 144, 152 ff., 157 ff. (E. v. Ivanka); — DThC VIII. 1, 14; — DSpir III, 337 ff., 1411; — LThK ²V (neu bearb. Aufl.), 614 f.; — LThK ²V (völlig neu bearb. Aufl.), 777 f.;— ECatt VII, 234; — Theol. Woordenboek II, 2431 f.

Regina Peters

ISABELLA die Katholische, Königin von Spanien, * 22.4. 1451 in Madrigal de las Altas Torres (Avila), + 26.11. 1504 in Medina del Campo. — I., die Tochter Johanns II., König von Kastillien, und seiner zweiten Frau, Isabella von Portugal, heiratete im Oktober 1469 den Thronerben von Aragón, Ferdinand den Katholischen, wodurch die Vereinigung zweier spanischer Königreiche angebahnt und letztendlich der Grundstein des spanischen Nationalstaates gelegt wurde. Nach dem Tod ihres Halbbruders Heinrich IV. wurde im Jahre 1474 I. zur Königin von Kastillien proklamiert, und fünf Jahre später wurde sie an der Seite ihres Mannes auch Königin von Aragón. Die "Katholischen Könige" - so ihr offiziell von Papst Alexander VI. verliehener Titel - stärkten die Macht der Monarchie gegenüber dem Adel und dem Episkopat, reformierten das Ordensleben und führten die Inquisition ein, die sie bald als Mittel der Staatspolitik zur zwangsweisen Wiedereingliederung der marranos (scheinbar bekehrte Juden) einsetzten. Gemeinsam eroberten I. und Ferdinand das letzte maurische Königreich: nach elfjährigem Kampf mußte Granada am 2.1. 1492 kapitulieren. Indem sie Kolumbus unterstützte, leitete I. die Gründung des spanischen Kolonialreiches ein. Die Erbtochter I.s und Ferdinands, Johanna die Wahnsinnige, wurde mit dem Habsburger Philipp dem Schönen vermählt. Nach dem Tod I.s zog Ferdinand den Erzbischof von Toledo, Ximenes de Cisneros, als Berater heran. — Die Herrschaft von Ferdinand und I. markiert den Anfang des "Goldenen Jahrhunderts" in Spanien.

Lit.: W. H. Prescott, History of the reign of Ferdinand and Isabella the Catholic, 3 Bde, Boston 1838; — Reinhold Baumstark, Isabella von Castilien und Ferdinand von Aragonien, die "kath. Herrscher" Spaniens, Freiburg 1874; —

William Thomas Walsh, Isabella of Spain, London 1931; — Cesar Silio Cortes, Isabel la Catholica, Valladolid 1938; — Joseph Calmette, La formation de l'unité Espagnole, Paris 1946, 113-121; — Luis Suarez Fernandez, Politica internacional de Isabel la Catholica. Estudio y documentos, 2 Bde., Valladolid 1965/66; — Paul Stewart, Military command and the development of the viceroyalty under Ferdinand and Isabella, in: The journal of medieval and renaissance studies V, 1975, 223-242; — EC VII, 226; — Catholicisme VI, 127-128; — LThK ¹V, 615-616; — LThK ²V, 778.

Reinhard Tenberg

ISAI, Vater Davids. — Nach Ruth 4, 17, 22 und 1 Chr 2, 12, ist Obed, der Sohn der Naemi und des Boas, der Vater I.s, der wiederum der Vater Davids ist. Diese Geschlechterfolge liegt auch der Salbungsgeschichte Davids, 1 Sam 16, 11 ff., zugrunde. Nach Jes 11, 1 ff. wird der Messias als Schößling aus der Wurzel I. (Jesse) hervorgehen. Hieran knüpfen die Vorstellungen von Maria und Christus als Blüten am Baume I. an, die ein beliebtes Motiv in der Ikonographie und der christlichen Kunst darstellen.

Lit.: J. Corblet, Études iconographiques sur l'arbre de Jesse, in: Rv. Artchret 4, 1860, 49-61, 113-125, 169-181; — A. Watson, The early Iconography of the Tree of Jesse, 1934; — Catholicisme VI, 130,728; — LThK V, 778; — DBV III, 936-940; — Künstle I, 296 f.; — BL, 749; — Réau II/2, 129-140; — Lex. der christl. Ikonographie, Bd. III, 1972, 129-140.

Bernhard Wildermuth

ISAI *der Jüngere*, monophysitischer Mönch, der im 5. Jahrhundert im ägyptisch-palästinischem Raum lebte, + 11.8.488. — I., in Ägypten geboren, war Mönch in der skythischen Wüste. nach dem Konzil von Chalkedon ist er 451 nach Palästina ausgewandert. Zunächst ließ er sich in der Wüste in der Nähe von Eleutheropolis nieder. Später zog er sich in die Umgebung von Gaza zurück, wo er ein Kloster gründete. I. wurde häufig von den unterschiedlichsten Leuten aufgesucht, denn er war ein gefragter Ratgeber. Zu seinen Besuchern gehörte u. a. das Königshaus von Konstantinopel. 482 unterzeichnete I. das Henotikon des Kaisers Zenon, in dem das Chalcedonense zwar nicht mit ausdrücklichen Worten aber de facto beseitigt war. Dies tat er, obwohl er sehr eng mit dem Monophysiten Petrus v. Iberien befreundet war. Sein Schüler war Petrus der Ägypter. In der neuen Forschung ist es seit Draguet umstritten, ob es nicht zwei Mönche mit Namen I. gegeben hat. Einen, dessen

Leben Zacharius Rhetor beschreibt, und einen Verfasser asketisch-monastischer Schriften. — I. war Charismatiker und wirkte für die Sache des Monophysitismus. Er war jedoch um eine Vermittlung mit den Chalkedonikern bemüht. Besondere Bedeutung erlangten I.s Schriften im 16. Jahrhundert im Jesuitenorden bei der Novizenausbildung.

Werke: 29 Orationes, MPG 40, 1105-1206, hrsg. v. Augustin, Jerusalem 1911; syr. Übers.: R. Draguet, Les cinq recensions de l'Ascvetion syriaque d'abba I., CSCO 289-290 und 293-294, 1968; kopt. Übers.: A. Guillauent, La recension copte de l'Asceticon de l'abbe I., in: Coptic Studies in honor of W. E. Crum, 1950, 49-60; Ders., L'Asceticon copte de l'abbé I. Fragments sahidique édités et traduits, 1956; arab. Übers.: G. Graf, Gesch. der christl. arab. Lit., Bd. 1, coll. Studi e Testi 118, 1944, 402-403; J. M. Sauget, Les fragments de l'Asceticon de l'abbé I. du Vatican arabe 71, in: OrChr 48, 1964, 235-259; Ders., La double recension arabe Préceptes aux novices de l'abbé I. de Scété, in: Mél E. Tisserant, Bd. 3, coll. Studi e Testi 233, 1964, 299-336; armen. Übers.: Les Vies des Péres, Bd. 2, 1855, 507-533, 571 f.; Praecepta seu consilia Abbates I., MPL 103, 427-434.

Lit.: A. Kugener, Observations sur la vie de l'ascète I. et sur les vies de Pierre l'Ibérien et de Théodore d'Antinoè par Zachrie le Scolastique, in: ByZ 9, 1900, 464-470; — S. Vailhe, Un mystique monophysite, le moine I., in: EO 9, 1906, 81-91; — Vitae I. Monachi, auctore Zacharia scholstico interpretatus E. w. Brooks, CSCO SS Syri Ser. III, 25, 1907, 1-16 (dt. K. Ahrens/G. Krüger, Die sog. KG des Zacharias Rhetor, 1898, 263-274); — Hermann Keller, L'abbé I.-le-Jeune, in: Irénikon 16, 1939, 13-126; — M. Viller/K. Rahner, Aszese und Mystik in der Väterzeit, 1939, 109; — A. Guillaumont, Une notice syriaque inédite sur la vie de l'Abbé I., in: AnBoll 67, 1949, 350-360; — Chalkedon II, 273 f.; — F. Graffin, Un inédit de l'abbé I. sur les Étapes de la vie Monastique, in: OrChrP29, 1963, 449-454; — J. Kirchmeyer, A propos d'un texte du Pseudo-Athanase (MPG 28, 1410-1420), RAM 40, 1964, 311-313; — Paul Devos, Quand Pierre l'Ibère vint-il à Jérusalem? Appendice: Quand est mort l'abbé S. I. de Scéte, in: AnBoll 86, 1968, 350; — R. Draguet, Notre édition des recensions syriaque de l'Asceticon d'Abba I., in: RHE 63, 1968, 843-857; — Ders., Paralléles macariens syriaques des logoi I et III de l'Ascéticon i.en syriaque, in: Muséon 83, 1970, 483-496; — S. I.as, abbé de Scété, Recueil ascétique. Introduction et traduction francaise per les moines des Solesmes, in: Spiritualité orientale 7, 1970, 316 ff.; — L. Regnault, I. de Scété ou de Gaza? Notres critiques en marge d'une introduction au probleme i.en, in: RAM 46, 1970, 33-44; — D. Chitty, Abba I., in: JThS 22, 1971, 47-72; — M. Matthei/e. Contreres/F. Ribeiro, Selecciones del »Ascetion« del Abad I., Cuadernos Monasticos 9, 1974, 589-7623; — LThK V, 782; — DThC VIII, 79-81; — Catholicisme VI, 148; — Bardenhewer IV, 95-97; — EC VII, 244 f.; — DSp VII, 2083-2095.

Bernhard Wildermuth

ISO ^{C} DAD(H) *von Merw* (Mar'i, Mero oder Meru) im heutigen russischen nördlichen Chorassan ist um 850 nach Christi nestorianischer Bischof von Hed(h)atâ südöstlich von Mossulam Tigris. Besonders hervorgetreten ist I. durch seine Kommentare zum Alten und Neuen Testament, welche exegetisch eine Reihe von Werken älterer Schriftsteller und Kleriker vor allem aus Syrien verarbeiten. Selbst persischer Herkunft, schreibt I. in Syrisch, der liturgischen Sprache der nestorianischen Kirche. Seine Kommentare sind nicht streng dogmatisch im Sinne nestorianischer Theologie sondern berücksichtigen auch eine allegorische Interpretation, die in die sonst von den Nestorianern bekämpfte jakobitische Richtung geht. I. kennt zumindest den jakobitischen Paulos von Tella (7. Jahrhundert nach Christi), dessen Werke er benutzt. Die Kommentare zum Neuen Testament sind in nestorianischen Kreisen weit verbreitet, diejenigen zum Alten Testament anscheinend in geringerem Maße, so daß schon ^{C}Abdiso von Nisibis (+ 1318) nur noch einen Teil davon zu kennen scheint. Unter den älteren Schriftstellern zitiert I. häufig Theodoros von Mopsuestia, gegen den er sich letztlich aber wendet. Trotz einer Reihe von Auszügen aus Theodoros' Schriften werden dessen Arbeiten von I. fast nirgends ausdrücklich als Quelle benannt. I. verwendet, zum Teil aus zweiter Hand (?), außerdem Henàna von Adiabene (6. Jahrhundert nach Christi) und Isocbar Nun, benutzt Schriften des Heiligen Johannes Chrysostomos, Mar Narsai, Babhais des Persers, Theophilos' des Persers, Johannes' von Ninive, Ephraims des Syrers, des Heiligen Gregor von Nyssa, Origenes und des antiochenischen Märtyrers Lucianus. Theodoros seinerseits hatte bereits ältere Quellen benutzt, z. B. den Minos des Epimenides. — I. selbst wird im 12. und 13. Jahrhundert weitgehend von den Jakobiten Dionysos bar Salîbî und Barhebraeus rezipiert. Für den Kirchenhistoriker werfen seine Werke Licht auf die Geschichte der Bibelinterpretation.

Werke: Kommentare zum AT und NT.

Lit.: G. Sionita, Le Psautier syriaque, 1625; — J. S. Assemani, Bibliotheca Orientalis III. 1, 1725, 211; — P. Martin, Introduction à la critique textuelle du Nouveau Testament, 1882-83, 99; — Th. C. Hall, JBL10, 1891, 153 ff.; — R. J. H. Gottheil, JBL 11, 1892, 68 ff.; — H. Goussen, Apocal. S. Joh. versio sahidica, 1895; — R. Harris, Fragments of the Commentaries of Ephrem S. upon the Diatessaron, 1895, 10ff.; — G. Diettrich, I.s Stellung in der Auslegungsgesch. des AT, 1902; — A. Baumstark, OrChr 2, 1902, 377 f., 451 ff.; — J. Schliebitz, Komm. zum Buche Hiob, 1907, vgl. Theol Lit Z 1907, 484 ff.; — M. D. Gibson (Hrsg.), The

Commentaries of I. of M., Bishop of Hadatha (ca. 850 a.D.) in Syriac and English; mit einem Vorwort von R. Harris, 1911-1916 (= Horae Semiticae 5-7 und 10-11); — A. Baumstark, OrChr (2. Serie) 1, 1911, 1 ff.; — J.-M. Vosté, RB 37, 1928, 221 f.,386 ff.; — Ders., RB 38, 1929, 382 ff.; — Ders., Bibl 25, 1944, 261 ff.; — Ders., Bibl 26, 1945, 182 ff.; — Ders., Muséon 59, 1946, 319 ff.; — W. de Vries, Sakramenttheologie bei den Nestorianern, 1947; — J.-M. Vosté, Bibl 29, 1948, 1 ff., 169 ff., 313 ff.; — Ders., Bibl 30, 1949, 1 ff.; — Angelicum 19, 1942, 193 ff.; — J. M. Vosté/C. van den Eynde, CSCO 67, 1950; — C. van den Eynde, CSCO 75, 1955;— Ders., CSCO 80, 1958; — I. Ortiz de Urbina, Patrologia Syriaca, 1965², 203 f.; — C. van den Eynde, CSCO 97, 1963; — S. Euringer, OrChr (3. Serie) 7, 1932 und 1964, 49-74 (= Festschr. für A. Baumstark zum 60. Geburtstag, 1932); — A. Baumstark, Gesch. der syr. Lit. mit Anschluß der christl.-palestin. Texte, 1968², 186 ff.; — C. van Eynde, CSCO 128, 1969; — Ders., CSCO 129, 1969; — Ders., CSCO 146, 1972; — Ders., CSCO 147, 1972; — DThC XI. 1, 276 (s. v. Nestorienne, L'Église, Littérature); — DThC XIII. 1, 347 (s. v. Primauté d'après les Nestoriens); — DThC, Tables générales 1, 2336; — LThK ²V (neu bearb. Auflage), 621; — LThK ²V (völlig neu bearb. Auflage), 783 f.; — The Oxford Dictionary of the Christian Church, 705; — The Oxford Dictionary of the Christian Church², 716 f.

Regina Peters

ISCHO'DENAH, nestorianischer Metropolit von Bosra, 9. Jahrhundert. — I. schrieb eine dreiteilige Kirchengeschichte, von der nur kurze Zitate erhalten sind, sowie in der Mitte des 9. Jahrhunderts das »Buch der Keuschheit«, ein Abriß der mesopotanisch-persischen Asketengeschichte. Lediglich bezeugt sind Homilien, Leichenreden und ein Kommentar zur Logik. Überliefert ist die poetische Bearbeitung der Legende des Heiligen Januan, eines Klostergründers am Euphrat aus dem 4. Jahrhundert.

Lit.: Arthur Vööbus, History of the School of Nisibis, Louvain 1965, CSCO 266; — Baumstark 234; — LThK ¹V, 621; — LThK ²V, 784.

Reinhard Tenberg

ISCHO'JAHB I., nestorianischer Patriarch, * in Bet 'Arabaje, + 596 in Bet Qusi. — Nach dem Studium in Nisibis war I. von 569-571 Leiter der Schule von Nisibis, anschließend Bischof von Arzon. 581 (oder 582) wurde er zum Katholikos ("allgemeiner Bischof") erwählt. Auf der Flucht vor Chosrau II., dem persischen Herrscher aus dem Haus der Sassaniden, ist I. gestorben. Bezeugt sind 31 Kanones der Synode zu Seleukeia (585/586), in der er die Schriften des Theodorus von Mopsuestia anerkannte. Weiterhin hinter-

ließ er 20 Kanones in einem Schreiben an Bischof Jakob von Darai, eine »Abhandlung über das Trishagion« und ein »Glaubensbekenntnis«.

Lit.: Oscar Braun, Das Buch der Synhados. Nach einer Hs. des Museo Borgiano, Stuttgart 1900, 190-277; — J. B. Chabot, Syndicon Orientale, Paris 1902, 130-192; — Arthur Vööbus, History of the School of Nisibis, Louvain 1965 (s.Reg.), CSCO 226; — Jan Maurice Fiey, Jalons pour une histoire de l'église en Iraq, Louvain 1970, CSCO 310; — Ders., Nisibe, métropole syriaque orientale et ses suffragants des origines à nos jours, Louvain 1977 (s. Reg.: Isoyaw), CSCO 3988; — Sarhad Y. Hermiz Jammo, La structure de la messe chaldéenne du début jusqu' à l'Anaphore, Rom 1979; — LThK¹V, 621; — LThK ²V, 784.

Reinhard Tenberg

ISCHO'JAHB II., nestorianischer Patriarch, * Gedala in Bet Arabaje, + 643/644 oder 645/646. — Während seiner Schulzeit gehörte I. zu den Studierenden, die in Opposition zu Henâna Nisibis verließen. Er wurde Lehrer und - obgleich verheiratet - Bischof von Balad, 628 folgte die Wahl zum Katholikos. Als persischer Gesandter traf er in Aleppo ein, wo er dem oströmischen Kaiser Herakleios ein Glaubensbekenntnis vorlegte, das Zugeständnisse an die chalkedonische Orthodoxie enthielt, was ihm von Seiten der Nestorianer strenge Vorwürfe einbrachte. Später zog er sich vor den Arabern nach Karka de Bet Selok zurück. Sein literarischer Nachlaß besteht aus Geschichten hagiographischen Inhalts, Dichtungen, Briefen und einem Psalmenkommentar.

Lit.: G. Gismondi, Maris, Amri et Slibae de patriarchis Nestorianorum commentaria, Rom 1896, 53 f.; — I. Ortiz de Urbina, Patrologia Syrica, Rom 1958, 132 f.; — Arthur Vööbus, History of the School of Nisibis, Louvain 1965, CSCO 266; — Jean Maurice Fiey, Jalons pour une histoire de l'église en Iraq, Louvain 1970, CSCO 310; — Ders., Nisibe, métropole syriaque orientale et ses suffragants des origins à nos jours, Louvain 1977 (s. Reg.: Isoyaw), CSCO 388; — Baumstark 195-196; — HO 1. Abt., 8, 2. 227; — LThK ¹V, 621-622; — LThK²V, 784.

Reinhard Tenberg

ISCHO'JAHB III., nestorianischer Patriarch, + 647/648 oder 657/658. — I., Sohn des vornehmen Persers Bastuhmag zu Kuplana, wurde unter Ischo'jahb I. in Nisibis wissenschaftlich gebildet und von Ischo'jahb II. zum Bischof von Ninive-Mosul erhoben; später wurde er Metropolit von Arbela und 650/651 Katholikos. I. versuchte - wohl mit geringem Erfolg - vor allem arabische Stämme im Gebiet der Euphratmündung sowie in 'Oman und Bahrain von einem Übergang zum Islam abzuhalten. Sein Vorhaben, auch unter der neuen mohammedanischen Herrschaft in dem Kloster Bet 'Abe eine theologische Schule zu gründen, scheiterte daran, daß die Mönche seine wissenschaftlichen Bestrebungen ablehnten. I. verfaßte zahlreiche Briefe, antihäretische Schriften, (Leichen-) Predigten, liturgische Formulare sowie die Biographie eines Mönches, der 620 als Zeuge des Sasanidenreiches gestorben war.

Lit.: Iso'yahb Patriarchiae III liber epistolarum. Lat. Übers. von R. Duval, Louvain 1905, CSCO 11; — I. Ortiz, Patrologia Syrica, Rom 1958, 134; — Arthur Vööbus, History of the School of Nisibis, Louvain 1965, CSCO 266; — Jean Maurice Fiey, Jalons pour une histoire de l'église en Iraq, Louvain 1970, CSCO 310; — Ders., Nisibe, métropole syriaque orientale et ses suffragants des origines à nos jours, Louvain 1977 (s. Reg.: Isoyaw), CSCO 388; — Sarhad Y. Hermiz Jammo, La structure de la messe chaldéenne du début jusqu' à l'Anaphore, Rom 1979; — Baumstark 197-198; — Graf II, 134; — HO 1. Abt., 8.2. 144; — LThK ¹V, 622; — LThK ²V, 784.

Reinhard Tenberg

ISENBERG, Karl Wilhelm, evangelischer Missionar, * 5.9. 1806 in Barmen, + 10.10. 1864 in Korntal. — I. faßte früh den Entschluß, Missionar zu werden. Zuerst jedoch sollte er - auf Wunsch der Eltern - eine Klempnerlehre absolvieren (1820), ehe er am 8.12. 1824 nach Basel zog, um die Ausbildung für den Missionsdienst zu beginnen. In dieser Zeit erlernte er als Autodidakt die englische, lateinische und griechische Sprache. Nach einem dreijährigen Studium in Berlin stellte das Basler Missionshaus I. zunächst als einstweiligen Lehrer des Griechischen ein, bis er im Anschluß an eine Pilger- und Studienreise in Jerusalem und Ägypten als Missionar der englischen, evangelischen Kirche in Abessinien seine Aufgabe wahrnahm. Mit seiner Frau Henriette ließ sich I. zuerst in der abessinischen Provinz Adoa nieder, später (mit Blumenberg und Krapf) in Schoa. Im Jahre 1840 trat I. die Rückreise nach Europa an, um die Drucklegung seiner Werke (Bücher über die amharische Sprache und Kultur) in London zu überwachen. Eine zweite Reise ins nördliche Afrika war von kurzer Dauer; äthiopische Fürsten untersagten ihm jegliche Missionstätigkeit. Am 8.12. 1843 traf er bei seiner Familie in Barmen ein. Einige Monate später zog I. mit seiner Frau nach

Bombay; hier arbeitete er als Missionar und Lehrer. Im Mai 1845 übernahm er die Leitung der Money-Schule in Bombay, zeitweilig übte er zudem die Aufsicht über 17 Volksschulen aus. Als Sekretär der kirchlichen Gesellschaft setzte sich I. für eine organisierte Missionstätigkeit in Bombay ein. Für vier Jahre gab er die Monatsschrift »Bombay Record« (1848-1851) heraus. Nach einem kurzen Genesungsurlaub in Deutschland setzte I. ab 1854 den weiteren Aus- und Aufbau der Mission in Bombay und ab 1860 in Scharanpur fort. Auf Anraten indischer Ärzte beschloß I. die Rückreise nach Europa. Nach langer, schwerer Krankheit starb I. in Korntal zu Stuttgart.

Werke: A small vocabulary of the Dankali language, London 1840; Über die Mission in Schoa in Abyssinien, in: Monatsbericht über die Verh. der Gesellschaft für Erdkunde, Berlin 2, 1840/41, 88-92; I.s und Krapfs Reise nach Schoa, in: Annalen der Erd-, Völker- und Staatenkunde 11, 1841, 66-70; Abstract of a journal kept by the Rev. Messr. I. and Krapf, on their route from Cairo ..., in: Journal of the Roy. Georgr. Soc. 10, 1841, 455-468; Dictionary of the Amharic language, London 1841; Regni Dei in terris historia Amharice, London 1841; Adumbratio historiae mundi amharice, London 1842; Vocabulary of the Galla language. By the Rev. J. L. Krapf and I., London 1842; Grammar of the Amharic Language, London 1842; Journals of the Rev. Mssrs. I. and Krapf, missionaries of the Church missionary, society, detailing their proceedings in the kingdom of Shoa (...), London 1843; Abessinien und die ev. Mission. Erlebnisse in Aegypten auf und an dem rothen Meere, dem Meerbusen von Aden (...), Bonn 1844; Reise in Abyssenien von Zeylah, im Hintergrund des Meerbusens von Aden ..., in: Ausland. Wochenschrift für Erd- und Völkerkunde 21, 19848, 904-908.

Lit.: Erinnerung an Missionar C. W. I., in: Ev. Missionsmagazin NF 10, 1866, 129-145, 177-190, 225-235, 257-279; — Sven Rubenson, The survival of Ethiopian independence, London 1976, 71-76; — Burkhardt, Kleine Missionsbibliothek II, 43 ff. u. III, 198; — ADB XIV, 614-618.

Reinhard Tenberg

ISENBIEHL, Johann Lorenz, katholischer Theologe und Aufklärungsschriftsteller, * 20.12. 1744 in Heiligenstadt (Eichsfeld), + 26.12. 1818 in Oestrich (Rheingau). — I. studierte in Mainz Theologie und wurde 1769 zum Priester geweiht. In Göttingen als Seelsorger der katholischen Gemeinde angestellt, setzte er mit Gutheißung des Kurfürsten Emmerich Joseph von Breidenbach seine Studien fort und hörte bei J. D. Michaelis orientalische Sprachen. 1773 wurde er vom Kurfürsten zum ordentlichen Professor ernannt und hielt in Mainz grammatikalische und exegetische Vorlesungen über das Alte und Neue Testament. Für seine 140 Thesen zum Matthäus-Evangelium wurde ihm, wegen Verdacht auf Deismus, vom geistlichen Bücherzensor St. A. Würdtwein und der theologischen Fakultät die Druckerlaubnis verweigert. Nach dem Regierungsantritt des neuen Kurfürsten Friedr. K. Joseph von Erthalim Juli 1774 wurde I. vom Dienst suspendiert und angewiesen, sich zwei Jahre im erzbischöflichen Seminar "zur rechtgläubigen Auslegung der Schrift" weiterzubilden. In dieser Zeit arbeitete I. eine Abhandlung über Jesaja 7, 14 aus. Er bestritt darin den messianischen Charakter dieser Stelle, lehnte deren Bezug auf Christus und Maria, sowohl im buchstäblichen als auch im figürlichen und mystischen Sinn, ab und stellte sich damit gegen die Lehre der Kirchenväter. 1777 als Professor zum Lehramt der griechischen Sprache an der Mittelschule in Mainz zugelassen, verkaufte er das Manuskript seiner Abhandlung an den Buchdrucker Huber in Koblenz. Mit einem Vorwort vom 27.10. 1777 erschien es unter dem Titel: »Neuer Versuch über die Weissagung von Emmanuel«. Als Reaktion darauf wurde I. am 13.12. 1777 erneut suspendiert und in das Vikariatsgefängnis gebracht. Am 9.3. 1778 wurde das Buch durch eine kurfürstliche Verordnung verboten und I., nachdem er das Glaubensbekenntnis abgelegt hatte, am 13.3. 1778 ins Kloster Eberbach (Rheingau) abgeführt. Es folgten, zum Teil sehr scharfe, Gutachten von einigen theologischen Fakultäten und am 2.7. 1778 auch vom Reichshofrat das Verbot des Buches. Nach einem mißglückten Fluchtversuch vom 31.7. 1778 wieder im Vikariatsgefängnis, und nach einem verurteilenden Breve von Papst Pius VI. vom 2.9. 1779, durch welches das Lesen des Buches mit Exkommunikation bedroht war, da es ketzerische Sätze enthalte, unterwarf sich I. dem päpstlichen Urteil, unterzeichnete am 25.12. 1779 eine schriftliche Selbstverurteilung und wurde aus der Haft entlassen. Im Mai 1780 erhielt er ein Kanonikat in Amöneburg, welches er später in Folge der Säkularisierung wieder verlor. Von 1783 an bekam I. eine kleine Pension ausgezahlt und 1788 wurde er zum Vikar von St. Alban in Mainz ernannt. — In den Jahren 1779 und 1780 hatte sich ein regelrechter theologischer Flugschriftenkampf um die I.sche Angelegenheit entwickelt, in dem eine Reihe aufgeklärter Theologen und Kirchenmänner auf seiten des Angeklagten standen. Besonders bei Carl Theodor v. Dalberg fand I. starken Rückhalt, während sein literarisch eifrigster Gegner der Exjesuit Hermann Goldhagen war.

Werke: Beobachtungen von dem Gebrauch der syr. Puncti diacritici bei den Verbis, 1771; Chrestomathia patristica Graeca, 1774; Corpus decisionum dogmaticarum Ecclesiae Catholicae, 1777; Neuer Versuch über die Weissagung von Emmanuel, 1778; De rebus divinis tractatus introducentes in universam Veteriac Novi Testamenti scripturam et theologiam christanam I, 1787.

Lit.: Kath. Betrachtungen über die zu Mainz, Heidelberg u. Straßburg... herausgebrachten theol. Censuren..., 1778; — Christ. W. Fr. Walch, Neueste Religionsgeschichte VIII, 1781, 7 ff.; — J. Wille, August Graf v. Limburg-Stirum, Fürstbischof v. Speyer, 1913, — Joh. Rößler, Die kirchl. Aufklärung unter d. Speierer Fürstbischof August v. Limburg-Stirum (Diss. Würzburg), 1914, 21 f.; — J. Gass, Straßburger Theologen im Aufklärungszeitalter, 1917, 33-59; — v. Pastor XVI/3, 142 f., 351-354; — A. Ph. Brück, Die Mainzer Theol. Fak. im 18. Jh., 1955, 43 f., 46 ff., 57 ff.; — H. Raab, Das Mainzer Interregnum v. 1774, in: AMrhKG 14, 168-193; — HdKG V, 495, 578; — F. R. Reichert, Johann Gertz (1744-1824), Ein kath. Bibelwissenschaftler d. Aufklärungszeit im Spiegel s. Bibl., in: AMrhKG 18, 41-104; — Ders., Trier u. s. Theol. Fak. im I.schen Streit (1773-1779), in: Verführung z. Gesch., Festschrift z. 500. Jahrestag d. Eröffnung e. Univ. in Trier, 1973, 276-301; — P. Fuchs, Der Pfalzbesuch d. Kölner Nuntius Bellisomi v. 1778 u. d. Affäre Seelmann in d. Korr. d. kurpfälz. Gesandten in Rom, Tomaso marchese Antici, in: AMrhKG 20, 167-226; — Algemeine Enzyklopädie d. Wissenschaften u. Künste (begr. v. J. S. Ersch u. J. G. Gruber) II/24, 1844, 339 f.; — ADB XIV,618 ff.; — Wetzer u. Weltes' Kirchenlex. VI, 1889², 960 ff.; — EC VII, 248; — NDB X, 191 f.; — RGG III, 905; — LThK V, 785.

Thomas Uecker

ISENMANN, Johann (Eisenmenger), Abt von Anhausen, * ca. 1495 in Schwäbisch-Hall, + 1574. — I. wurde 1524 zum Pfarrer von Hall berufen. Gemeinsam mit seinem Freund und Landsmann Brenz, ebenfalls Prediger in Hall, trieb er 24 Jahre lang die Sache der Reformation voran; als Superintendent nahm I. 1542 die Leitung der Haller Geistlichkeit ein. In große Bedrängnis gerieten I. und Brenz durch das Interim, so daß sich I. im Juli 1549 nach Württemberg wandte und alsbald zum Pfarrer in Urach, Anfang 1551 dann zum Prediger in Tübingen und zum Generalsuperintendenten über den südwestlichen Teil des Landes ernannt wurde. 1558 wurde I. zum Abt in Anhausen bestellt, wo er bis zu seinem Tode wirkte.

Lit.: G. Bossert, Das Interim in Württ., 1895; — Ders., J. I., in: Blätter f. württ. KG 5, 1901, 141-158; — Fischlin, memoria theol. hist. 1, 53; — Pressel, Anecdota Brentiana, CR II; — E. Bizer, Confessio Virtembergica, 1952; — ADB 14, 634; — RE XX, 443 f.; — RGG III, 905.

Cornelia Hoß

ISFRIED, Bischof von Ratzeburg, OPraem, Heiliger, * 15.6. 1204. — im Jahr 1159 wurde I. Probst im Praemonstratenserstift Jerichow (Altenmark bei Berlin). Nach dem Tod (1178) des heiligen Evermond, Bischof von Ratzeburg, wurde I. als dessen Nachfolger vorgeschlagen. Durch Wahlstreitigkeiten trat eine zweijährige Sedisvakanz ein. Erst 1180 gelang es dem Welfen Heinrich dem Löwen, den Bischofsstuhl mit dem ihm treu verbundenen I. zu besetzen; es war der letzte Erfolg des Herzogs in Nordelbingen vor seiner Ächtung. Selbst nach der Absetzung Heinrichs des Löwen leistete I. den Treueschwur und er gelobte ihm die Gefolgschaft. Nach der Teilung Sachsens verlangte Herzog Bernhard von Askanien von I. unter Gewaltandrohung den Lehnseid. I. verweigerte die Huldigung mit den Worten, daß er bereits Heinrich dem Löwen einen Eid gegeben habe. Ihm stand der Ratzeburger Bischof bis zuletzt bei. I. kam nach Braunschweig, um Heinrich die Beichte abzunehmen, er erteilte ihm die Absolution und gab ihm die Sterbesakramente (6.8. 1195). — I. trat für einen verbesserten Aufbau in seiner Diözese (Dombau, Pfarreigründungen) ein; er gründete neue Kolonien im Wendenland und baute die Beziehungen zum Orden aus. — Fest: 15. Juni.

Lit.: AA SS Juni II, 1089 f.; — Franz Winter, Die Praemonstratenser des 12. Jh.s und ihre Bedeutung für das nordöstl. Dtld., Berlin 1865; — H. Stoppel, Die Entwicklung der Landesherrlichkeit der Bischöfe von Ratzeburg bis zum Ausgang des 14. Jh.s, in: Mecklenburger-Strelitzer Geschichtsblätter III, 1927, 109-176; — Norbert Backmund, Monasticon Praemonstratense, Straubing, Bd. I, 1949, 241-242; — Ders., Der Dom zu Ratzeburg. Acht Jh. Hrsg. von Hans Henning Schreiber, Ratzeburg 1954; — Ders., Die ma. Geschichtsschreiber des Praemonstratenserordens, Averbode 1972; — Karl Jorden, Heinrich der Löwe. Eine Biographie, München 1979; — Vollst. Heiligen-Lex., hrsg. v. Johann Stadler III, 1869, 72; — Wimmer 247; — BS VII, 952; — Holweck 513; — Doyé I, 628; — LThK ¹V, 623-624; — LThK ²V, 785.

Reinhard Tenberg

ISHIHARA, Ken, Kirchenhistoriker, * 1.8. 1882 in Tokio. — Nach dem Studium in Tokio und Heidelberg (beim evangelischen Kirchenhistoriker Hans von Schubert) lehrte I. das Fach Kirchengeschichte, seit 1952 als Professor an der Aoyama Gakuin Universität in Tokio. Seine Leistung besteht vor allem darin, das Christentum für Japan wissenschaftlich erforscht und die Verbindung zu Theologen in Deutschland aufrecht erhalten zu haben.

Werke: (In jap. Sprache): (Vorwort zu der jap. Ausgabe von) Hans von Schubert, Die weltgeschichtl. Bedeutung der Reformation, Tokio 1931; Geschichte des Christentums, Tokio 1934; Einführung in das NT, Tokio 1935; Grundlagen der Religion und Philosophie, Tokio 1954; Die Aufgabe der Theologie in Japan, Tokio 1962; Abhandlungen der christl. Geschichte in Japan, Tokio 1967; Das Christentum und Japan, Tokio 1976.

Lit.: Katsuji Kosugi, Eine Studie über die Rezeption der Theologie Dietrich Bonhoeffers in Ostasien. Am Beispiel des Nchkriegsprotestantismus in Japan und Korea von 1945-1975, Diss. Hamburg 1984.

Reinhard Tenberg

ISIDOR *von Alexandrien*, Heiliger, + um 404 in Konstantinopel. — Im Martyrologium des Ado (9. Jahrhundert) wird ein Isidor für den 15. Januar erwähnt. "Item beati Isidori sanctitate vitae, fide ac miraculis praeclari." Bei Usuard (9. Jahrhundert) heißt es, ebenfalls für den 15. Januar: "Item sancti Isidori, in sanctitate vitae, fide ac miraculis praeclari." Diese Angaben sind später auf den von Palladius erwähnten Priester I. bezogen worden, der dem Hospiz in Alexandrien vorstand: Isídoros ho presbyteros xenodóchos. Der heilige Athanasius, Patriarch von Alexandrien, hatte I. zum Priester geweiht. Streitigkeiten mit Theophilus, einem der Nachfolger Athanasius' auf dem Patriarchenstuhl, erzwangen I.s Fortgang aus Ägypten. Schließlich suchte I. Zuflucht beim heiligen Johannes Chrysostomus. — I. hatte schon in jungen Jahren unter Asketen in der nitrischen Einöde gelebt, wohin er sich auch später zeitweilig zurückzog. Den asketischen Hintergrund hat I. gemeinsam mit Isidor von Scete, der in den Apophtegmata patrum erwähnt wird. Der von Palladius xenodóchos genannte Isidor trägt in der Palladius-Ausgabe C. Butlers die Nr. 1, Isidor von Scete die Nr. 2 (Butler, S. 185 Anm. 7). Zur Identität dieser und anderer Isidori äußerte sich bereits Tillemont folgendermaßen: "Bollandus semble croire qu' Isidore, que Rufin dit avoir vu à Sceté etc. est le mesme que celui qui estoit Prestre et Hospitalier d'Alexandrie, et qui devint si celebre par les persecutions de Theophile, lequel veritablement avait demeuré à Nitrie:" (Tillemont VIII, S. 787). — Tillemont hält beide für verschieden (op. c., 787-788). Beider Isidori Fest fällt auf den 15. Januar. Stadler gibt als Todesjahr des I. von Scete "einige Zeit" vor 391, Chevalier nach 385, VSB das Jahr 397. Wetzer-Welte, LThK Buchberger und LThK nennen I., den Vorsteher des Hospizes, nicht heilig, sondern selig.

Werke: Quellen (für beide Isidori): Palladius, Historia Lausiaca 1, 3, 19 (s. u. Butler in Lit.); Ders., Dialogus de vita S. Ioannis Chrysostomi VI (= MPG 47, 22-23); Sozomenus, Historia ecclesiastica VIII, 2,16 ff.; VIII, 3,3; VIII, 12,1 ff.; VIII, 13,1 f. (s. a. Reg. der Ed. v. Joseph Bidez = GCS 50, 455); Apophthegmata patrum, De abbate Isidoro (= MPG 65, 220-221); Cassianus, Conlationes XVIII, 15,3,7; XVIII 16,3 (CSEL 13; SC 64); Rufinus, Historia ecclesiastica II, 4,8 (= MPL 21, 511, 517); Ado, Martyrologium, 15. Jan. (= MPL 123, 216 A); Usuardus, Martyrologium, 15. Jan. (= Subsidia 40, 161; ältere Ed. in MPL 123, col. 654 D); Martyrologium Romanum. Gregorii XIII. Pont. Max. iussu editum, et Urbani VIII. auctoritate recognitum. Antverpiae 1635, 17; AS Ianuarii I, 1643, 1015-1017.

Lit.: Caesar Baronius, Annales ecclesiatici. Ed. Augustinus Theiner, VI. Barri-Ducis 1866, 307-312 (zum Jahr 400); — Tillemont, VIII. Edition 2. Revue et corrigée, Paris 1713, 440-444, 787-788; — Ders., XI. Paris 1706, 443-445, 460, 464-465, 469, 477-478, 505, 631-632; — Cuthbert Butler, The Lausiac history of Palladius. 2: The Greek text edited with introduction and notes (TSt VI 2), Cambridge 1904, S. 185 Anm. 7-8, s. a. S. 266 s v. Isidore (auf S. XCVIII Karte des "Monastic Egypt. 400 A.D."); — Stephan Schiwietz, Das morgenländ. Mönchtum. I. Mainz 1904, 334; — Chrysostomus Baur, Der hl. Johannes Chrysostomus und seine Zeit. II. München 1930, 10-11, 21, 167 ff., 221; — Jan-Claude Guy, Recherches sur la tradition grecque des Apophthegmata patrum (Subsidia 36), Bruxelles 1962, s. Index s. v. Isidore, Isidore le Prêtre; — Ders., Le centre monastique de Scété dans la litterature du Ve siècle, in: OrChrP 30, 1964, 129-147; — Ders., Le centre monastique de Scété au IVe et au début du Ve siècle, prosopographie et histoire, Roma: P. Univ. Greg. 1964; — Pierre Nautin, La lettre de Théophile d'Alexandrie à l'église de Jérusalem et la réponse de Jean de Jérusalem (juin-juillet 396), in: RHE 69, 1974, 365-394; — NGB XXVI, 56-57; — J. Fr. Michaud, Biographie universelle. Ancienne et moderne. XX, 401-402; — Joh. Evang. Stadler, Vollst. Heiligen-Lex. III. Augsburg 1869, 74, 75, Nr. 4. 5; — Wetzer-Welte VI, 1889, 963; — BHL I, 664; — Chevalier I, 1905, 2279, 2283; — Enciclopedia universal ilustrada europeo-americana. XXVIII 2. Barcelona 1926, 2064; — Doyé I, 629; — LThK ed. Michael Buchberger, V, 1933, 624; — VSB I, 1935, 299-300, 301-303; — EC VII, 1951, 252; — LThK V, 1960, 787; — Dictionary of Catholic Biography, London 1962, 595; — Threskeutike kai ethike egkuklopaideia. VI. Athen 1965, 1011-1012; — BS VII, 1966, 957-959; — Catholicisme VI, 1967, 150; — Dizionario patristico e di antichità cristiane. II, 1984, 1832-1833; — Otto Wimmer/Hartmann Melzer, Lex. der Namen und Heiligen, bearb. und erg. v. Josef Gelmi, Innsbruck-Wien 1988[6], 403.

Udo Tavares

ISIDOR *von Cordoba*, + 1122, Schriftsteller des 4. und 5. Jahrhunderts und Bischof von Còrdoba, der als nicht existent nachgewiesen werden konnte, obwohl ihm das Mittelalter verschiedene Werke zugewiesen hat. Im christlichen Alter-

tum noch unbekannt, taucht sein Name erstmalig bei Sigebert von Gembloux auf.

Lit.: G. Morin, Isidore de Cordoue et ses œuvres d'après un manuscrit de l'abbaye de Maredsous, in: RQH, Paris 1885, 536-547; — Ders., études, textes, découvertes I, Maredsous 1913, 64 f.; — DThC VIII, 92-84; — Bardenhewer III, 441; — LThK V, 624.

Karin Groll

ISIDOR, Erzbischof von Sevilla, Heiliger, * um 560 in Cartagena, + 4.4. 636 un Sevilla. — I. entstammte einer vornehmen Familie, die in der Mitte des 6. Jahrhunderts aus Cartagena (Südostspanien) nach Sevilla übersiedelte; wahrscheinlich erfolgte die Ausweisung auf Veranlassung byzantinischer Behörden. I.s älterer Bruder Leander war Bischof im westgotischen Sevilla, sein zweiter Bruder Fulgentius Bischof von Astigi, seine Schwester Florentina wurde Nonne. Als Nachfolger seines Bruders Leander wurde I. um 599/601 Metropolit von Sevilla. Bis zu seinem Tod förderte I. die asketische und wissenschaftliche Ausbildung der Geistlichen und die Gründung entsprechender bischöflichen Schulen (in Sevilla, Toledo, Saragossa u. a.), die er mit reichen Bibliotheken ausstattete. Des weiteren beeinflußte er die spanische Geschichte maßgeblich; sein Vorsitz beim 4. Reichskonzil zu Toledo (633) gibt davon ein eindrucksvolles Zeugnis. Vor allem aber erreichte I. mit seinem umfangreichen schriftstellerischen Schaffen eine außergewöhnliche Bedeutung. In seinen Werken - überliefert in über tausend Handschriften und zahlreichen Drucken - behandelt I. naturwissenschaftliche, grammatische, historische und theologische Themen. Die bedeutendste Schrift in der Reihe der naturwissenschaftlichen Werke ist die für König Sisebut geschriebene »Etymologiae« (auch »Origines« genannt; um 630 abgeschlossen), die I.s Schüler und Freund Braulio in zwanzig Bücher einteilte und herausgab. Diese »Etymologiae« fassen als eine Art Realenzyklopädie das gesamte weltliche und geistliche Wissen der Zeit zusammen; sie bieten die systematische Aufarbeitung der septem artes liberales und einen Abriß der bis dahin bekannten Weltgeschichte. Das »Grundbuch des ganzen Mittelalters« (E. R. Curtius), aus vielerlei Vorlagen kompiliert, erläutert Naturphänomene wie Sonnen- und Mondfinsternis, Tag und Nacht, Erdbeben usw. und bietet Erklärungen für nahezu alle Bereiche der menschlichen Existenz, wie etwa Sprache und Grammatik, Rechte und Pflichten. Aber auch auf Entlegeneres weitet I. das Blickfeld aus: so verurteilt er z. B. strengstens das Theaterwesen. Wie in den »Etymologiae« nimmt I. auch in der Sisebut dedizierten Schrift »De natura rerum« eine knappe Darstellung der Naturereignisse vor. In gewisser Hinsicht wird diese Arbeit ergänzt durch »De ordine creaturarum«, ein Werk, das ebenfalls ausführlich auf die Welt des Geistigen und der materiellen Sphäre eingeht. Dabei wird allerdings das Naturwissenschaftliche zugunsten des Lebens nach dem Tod (Fegefeuer, Paradies, Jüngstes Gericht) eher marginal behandelt. Anhand der Methode der Begriffsherleitung ist I. den Sinngehalt wichtiger, zentraler Begriffe klarzulegen bemüht. In der Etymologie sieht I. eine der Lehrweisen, um über die Sprache den Weg zur Erkenntnis zu finden. Diesen Ansatz wählte I. auch für das grammatische Werk »Differentiae«, dessen Buch I und II in alphabetischer Folge eine Gruppe von Wortarten zum entsprechenden Begriff stellt. Anders als der Titel »Synonyma« vermuten läßt, werden hier nicht Lexeme subsummiert; vielmehr beklagt eine sündige Seele das menschliche Elend, und zwar in jeder Redeeinheit mit synonymen Ausdrücken. Dieses zweibändige, weitgehend philologisch orientierte Werk verbindet- unter häufigen zeitkritischen Einschüben - das Pädagogisch-Philologische mit dem Ethisch-Religiösen. In den geschichtlich ausgerichteten Schriften stellt I. historische Persönlichkeiten vor. So wird in »De viris illustribus« biographisches und hagiographisches Material über vornehmlich afrikanische und spanische Schriftsteller des 6.-7. Jahrhunderts geboten. Für diese frühe christliche Literaturgeschichte benutzte I. als Quelle das gleichnamige Werk von Hieronymus und Gennodius von Marseille; manches aber erhielt er auch von Papst Gregor den Großen, den I. als »papa Romanae sedis apostolicae praesul« (De viris, cap. 40) würdigt. Über die Herrscher dreier Völker seit dem 4. Jahrhundert berichtet I. in der »Historia deregibus Gothorum, Vandalorum et Sueborum«, wobei sich alleine 70 der in 92 Kapitel eingeteilten Schrift auf die Goten beziehen. In der Weltchronik, der »Chronika maiora«, weist I. in Anlehnung an die Augustinische Lehre von den sechs Weltzeitaltern warnend auf das »residuum saeculi tempus« hin. In erster Linie aber schreibt I. als Theologe. Mit seinen dogmatischen und exegetischen Werken beeinflußte I. maßgeblich die Glaubens- und Sittenlehre bis in späte Mittelalter. Sein theologisches Hauptwerk, die als Handbuch konzipierte, moraltheologisch ausgerichtete Schrift »Sententiarum libri tres«, befaßt sich mit der Kirchenlehre,

dem christlichen, ethischen Handeln und der kirchlichen Organisation. Besonders stellt sie die karitative Aufgabe des Klerikers in den Vordergrund (Gebot der Nächstenliebe). Als Vorlage fungierten hier die »Moralia in Job« Gregors des Großen. Der kirchlichen Lehre und Praxis widmen sich die Schriften »De haeresibus« und »Indiculus de haeresibus«. Juden und Heiden, die vom christlichen Glauben Abgewichenen, werden streng verurteilt, doch die Anwendung physischer Gewalt zur Zwangsbekehrung lehnt I. entschieden ab. Weiterhin gehören zu den Schriften, die die praktische Theologie beinhalten, die zwei Bände »De ecclesiasticis officiis« (neben Klerikern wird auch Jungfrauen, Witwen und Verehelichten besondere Aufmerksamkeit geschenkt) und die Mönchsregel »Regula monachorum«. I. nimmt darin eine augenfällige Einschränkung vor: Mönche haben ungeachtet ihrer klerikalen Aufgabe auch Handarbeit zu verrichten, hingegen sei die grobe Arbeit von Klostersklaven zu leisten. Ihnen wiederum wird ausdrücklich die wirtschaftliche Versorgung im Monasterium zugesichert. Eine Exegese biblischer Texte unternimmt I. in den »Questiones in vetus testamentum«; ein Lehrer stellt Fragen zu biblischen Gegenständen. Dabei orientiert sich I. vornehmlich an Autoritäten wie Origines und besonders an Gregor den Großen. Biographisches Material zu 86 Personen der Bibel stellt I. in der Arbeit »De ortu et obitu patrum« zusammen, wobei I. für die Hauptgestalten des Alten Testaments die Möglichkeiten ihrer typologischen Deutung aufzuzeigen beabsichtigt. Die Schrift »De fide catholica ex veteri et novo testamento contra Judaeos«, der Schwester Florentina gewidmet, weist in den Texten des Alten Testaments typologische Entsprechungen Christi nach. Diese Arbeit I.s ist - um nun kurz die Wirkungsgeschichte zu umreißen - bereits im 8. Jahrhundert ins Althochdeutsche übertragen worden. Bei der Übersetzung, die in zwei Handschriften vorliegt (Bibl. Nat., Paris; Nationalbibl. Wien) handelt es sich um Ab- bzw. Umschriften von bilinguen Vorlagen; die Schriften dieser sogenannten "Isidor-Gruppe" sind die ältesten Zeugnisse einer theologischen Übersetzungsliteratur in deutscher Sprache aus dem 8./9. Jahrhundert. Der (unbekannte) Übersetzer ist im Kreis um Alkuin zu vermuten; der Dialekt läßt sich nicht exakt bestimmen, man bezeichnet ihn daher als "Isidorsprache". I. hat auf die folgenden Jahrhunderte eine immense Wirkung ausgeübt. Seine Leistungen als "letzter abendländischer Kirchenvater" sowie seine Ausstrahlung auf die Welt des Mittelalters sind ohne

Zweifel von nicht zu unterschätzender Bedeutung. In Anerkennung seiner Verdienste um die Festigung der Macht der spanischen Könige und um die Einigkeit der frühchristlichen Kirche pries bereits das 8. Toletanum (653) I. als "nostri saeculi doctor egregius, catholicae ecclesiae novissimum decus" (s. v. Schubert, 183). I.s Schriften fanden schon früh Verbreitung. In Irland wird um 650 die Benutzung seiner Werke bezeugt. Von hier aus ging ein großer Teil des isidorischen œuvres ins übrige Europa. In der Zeit des 15./16. Jahrhunderts klang dann das Interesse an I.s Schriften ab. — Ferdinand von Kastilien und Léon (1035-1065) ließ I.s Reliquien von Sevilla nach Léon (Nordspanien) überführen; später wurde hier die Stiftskirche San Isidore errichtet. Zusammenfassend kann I.s Wirken und Bedeutung wie folgt umrissen werden: er verknüpfte das frühe Mittelalter mit der Bibelwissenschaft und der Theologie der Patristik; er hat zum Verständnis der antiken Überlieferung erheblich beigetragen und schließlich hat er erfolgreich das System der septem artes liberales tradiert. — I. wurde 1598 heilig gesprochen und 1722 zum Kirchenlehrer ernannt. Er wird dargestellt als Bischof in weißem Gewand mit Buch und Federkiel.

*Werke:*CPL 1186-1215; MPL 81-83; I. iunioris episcopi Hispalensis Historia Gothorum Vandalorum, Sueborum. Hrsg. von Theodor Mommsen, Hannover 1894 (MG AA 11), 267-303; I. iunioris episcopi Hispalensis Chronica maiora. Hrsg. von Theodor Mommsen, Hannover 1894 (MG AA 11), 424-488; I. Hispalensis episcopi etymologiarum sive originum libri XX. Hrsg. von Wallce M. Lindsay, Oxford 1911; I., Traité de la nature. Hrsg. von Jacques Fontaine, Bordeaux 1960; The letters of St. I. Hrsg. von Gordon B. Ford, Amsterdam ²1970; I. Etymologies. Engl. - Lat., Paris. Bisher: Buch II, hrsg. von Peter K. Marshall, 1983; Buch IX, hrsg. von Marc Reydellet, 1984; Buch XII, hrsg. von Jacques André, 1986; Buch XVII, hrsg. von Jacques André, 1981; George A. Hench, Der althochdeutsche I. Faksimile-Ausgabe des Paris Codes ..., Straßburg 1893; Der althochdeutsche I. Nach der Pariser Handschrift und den Monseer Fragmenten neu hrsg. von Hans Aggers, Tübingen 1964.

Lit.: Gustav von Dzialowski, I. und Ildefons als Litterarhistoriker. Eine quellenkrit. Unters. der Schriften »De viris illustribus«, Münster 1898; — Arno Schenk, De I. Hispalensis de natura rerum libelli fontibus, Diss. Jena 1909; — Ernest Brehaut, An encyclopedist of the dark ages: I. New York 1912; — Charles Henry Beeson, I.-Studien, München 1913; — Otto Probst, I.s Schrift »De medicina«, in: Archiv f. Gesch. der Medizin 8, 1915, 22-38; — Karl Sudhoff, Die Verse I.s auf dem Schrank der medizinischen Werke seiner Bibliothek, in: Mitt. zur Gesch. der Medizin 15, 1916, 200-204; — Hans von Schubert, Gesch. der christl. Kirche im Früh-MA, Tübingen 1921; — Johann Sofer, Lateinisches u. Romanisches aus den Etymologiae des I., Göttingen 1930; — Berthold Altaner, Der Stand der Isidorforschung, in:

Miscellanea Isidoriana, Rom 1936, 1-32; — Ernst Robert Curtius, Europ. Literatur und lat. MA, München 1948, ⁷1969, 447-452; — Wilibald Gurlitt, Zur Bedeutungsgesch. von musicus und cantor bei I., in: Akademie der Wissenschaften und der Literatur Mainz, Geistes- u. Sozialwiss. Klasse, 1950, H. 7, 539-558; — Alban Dolf und Johannes Duft, Die älteste irische Handschriften-Reliquie der Stiftsbibl. St. Gallen mit Texten aus I.s Etymologien, Beuron 1955; — Jacques Fontaine, I. et la culture classique dans l'Espagne visigothique, Paris 1959; — Hans Eggers, Vollst. latein-althochdeutsches Wörterbuch zur althochdeutschen I.-Übersetzung, Berlin 1960; — Y. M.-J. Congar, Saint I. et la culture antique, in: Revue des siences religieuses 1961, 49-54; — Bernhard Bischoff, Die europ. Verbreitung der Werke I.s, in: Isidoriana, Léon 1961, 317-344; — Jocelyn N. Hillgarth, The position of Isidorian studies: a critical review of the literature since 1935, in: ebd., 11-74; — Jacques Fontaine, Problèmes de méthode dans l'étude des sourcesisidoriennes, in: ebd., 115-131; — Bettina Kirschstein, Sprachl. Unters. zur Herkunft der althochdeutschen Isidorübersetzung, in: Beitr. zur Gesch. der Deutschen Sprache und Literatur (PBB, Tübingen) 84, 1962, 5-122; — Jacques Fontaine, La diffusion de l'oeuvre d'Isidore de Séville dans les scriptora helvétiques du haut moyen âge, in: Schweizer Zs. für Gesch., 12, 1962, 305-327; — Justo Pérez de Urbel, I. Sein Leben, sein Werk, seine Zeit, Köln 1962 (span. 1945); — William D. Sharpe, I.: the medical writings,in: Transactions of the American Philosophical Society, NF 54, 1964, 75 S.; — Arno Borst, Storia e lingua nell'enciclopedia di I., in: Bolletino dell'Istituto storico italiano per ilmedio evo e Archivio Muratoriano 77, 1965, 1-20; — Jacques Fontaine, I., auteur »ascetique«: les énigmes du Synonyma, in: Studi medievali, 3. série,VI, 1, 1965, 163-195; — Arno Borst, Das Bild der Gesch. in der Enzyklopädie I.s, in: DA 22, 1966, 1-62; — Heinrich Kraft, Kirchenväterlexikon, München 1966, 321-324; — Eduard Arthur Thompson, The Goths in Spain, Oxford 1969; — Gerhard Köbler, Verzeichnis der Übersetzungsgleichungen der althochdeutschen Isidorgruppe, Göttingen 1970; — Klaus Matzel, Unters. zur Verfasserschaft, Sprache und Herkunft der althochdeutschen Übers. der Isidor-Sippe, Bonn 1970; — Hans-Joachim Diesner, Kirche, Papsttum und Zeitgesch. bei I., in: Theol. Literaturztg. 96, 1971, 81-90; — Ders., I. und seine Zeit, Stuttgart 1973; — Wolfgang Haubrichs, Zum Stand der Isidorforschung, in: Zs. für Deutsche Philologie 94, 1974, 1-15; — Altaner 8. Aufl., 1978, 494-497; — Hans Joachim Diesner, I. und das westgotische Spanien, Trier 1978; — Kurt Ostberg, The old High german I. in its relationship to the extant manuscrits (8.-11. Jh.) of Isidorus De fide catholica, Göppingen 1979; — Roger E. Reynolds, The »Isidorian« Epistula ad Leudefredum. An eary medieval epitome of the clerical duties, in: MS 41, 1979, 252-330; — Marc Reydellet, la royauté dans la littérature latine de Sidoine Apollinaire à I., Rom 1981; — Cornelia Bertram, Unters. zur Einwirkung der »Etymologien« des I. auf die althochdeutsche Übers. des Traktats »De fide catholica ex veteri et novo testamento contra Judaeos«, Diss. München 1981; — Roger Collins, Early medieval Spain. Unity in diversity, 400-1000, London 1983; — Wolfgang Schweikard, »etymologia est origo vocabulorum«: zum Verständnis der Etymologiedefinition I.s, in: Historiographia linguistica 12, 1985, 1-25; — Theol. Realenzyklopädie. Hrsg. von Gerhard Müller, Berlin 1977 ff., XVI, 1987, 310-315; — Alfred R. Wedel, Syntagmatische und paradigmatische Mittel zur Angabe der aspektuellen Differenzierung: die Wiedergabe des lat. Perfekts im ahd. »I.« und »Tatian«, in: Neuphilolog. Mitt. 88, 1987, 80-89; — Vollst. Heiligen-Lex., hrsg. von Johann Stadler, III, 1869, 76-77; — Holweck, 513-514; — Doyé I, 630; — Catholicisme VI, 154-166; — DS VII, 2, Sp. 2104-2116; — DThC VIII, 98-111; — EC VII, 254-258 (mit Abb.); — BS VII, 973-981; — Bardenhewer V, 401-416; — RGG ³III, 906; — EKL ²II, 393-394; — Wimmer, 404; — VerfLex ¹II, 558-560; — VerfLex ²I, 296-303; — LThK ¹V, 626-628; — LThK ²V, 786-787.

Reinhard Tenberg

ISIDOROS BUCHIRAS

ISIDOROS BUCHIRAS, Bischof von Monembasia und Patriarch von Konstantinopel, * in Thessaloniki, + Februar/März 1350. — I. wurde 1342 zum Bischof von Monembasia geweiht, dann aber auf Grund seiner engen Freundschaft mit Gregorios Palamatas auf einer Synode von Konstantinopel 1344 abgesetzt und exkommuniziert. Am 17.5. 1347 wurde I. mit Hilfe des hesychastisch gesinnten Kaisers Johannes VI. Kantakuzenos zum Patriarchen von Konstantinopel erklärt. I. benutzte sein Amt, um Gregorios Palamas zum Erzbischof von Thessaloniki zu erklären und um dem Palamatismus förderlich zu sein. Eine bedeutende Rolle spielten dabei seine Hauptgegner Barlaam und Gregorios Akindynos, zwei Mönche.

Werke: Sein Testament mit mehreren Dekreten und Synodalkonstitutionen in MPG 152, 1283-1302.

Lit.: M. Jugie, Theologia dogmatica christianorum orientalium I, Paris 1926, 436, 448; — H. G. Beck, Kirche und theol. Literatur im byzant. Reich, 1959, 723, 725, 730; — J. Meyendorff, Introduction â l'étude de Grégoire Palamas, Paris 1959; — BHG³, 962; — LThK V, 788.

Karin Groll

ISIDOROS von Chios

ISIDOROS *von Chios*, + um 251 auf Chios, Heiliger und Märtyrer; Fest; 15. Mai (Venedig: 16. April). Nach der Legende (es liegen mehrere, z.T. abweichende Fassungen vor) soll I., ein Proviantmeister im römischen Heer, mit der Flotte von Alexandrien nach Chios gekommen sein, wo er, des christlichen Glaubens verdächtigt, unter Decius enthauptet wurde. Bereits im 6. Jh. hatte er auf der Insel Chios eine eigene Grabbasilika. Um 1125 überführten Kaufleute seine Gebeine in die S. Marco Kirche (Venedig), in der im 14. Jh. die St. Isidor-Kapelle mit Altar und Grabmal errichtet wurde. Weitere Reliquien befinden sich u. a. in Zara und in Martonello,

Katalonien. I. ist der Patron von Venedig und Chios und der Seeleute.

Lit.: P. Saccordo, La cappella di S. Isidoro nella basilica di San Marco, con la storia del santo martire di Chio... Venedig 1897; — AS Mai III, 1680, 445-452; — BHG ³II, 45-46; — BHL I, 664; — EC VII, 252-253 u. Taf. XVIII; — Catholicisme VI, 151; — Doyé I, 630; — BS VII, 960-968 (mit zahlr. Abb.); — LThK ¹V, 624; — LThK ²V, 788.

Reinhard Tenberg

ISIDOROS GLABAS

ISIDOROS GLABAS, Metropolit von Thessalonike, * 1342, + 1396. — Den Namen Isidor nahm der auf den Namen Johannes Getaufte 1375 mit seinem Eintritt in den Mönchsstand an. 1380 wurde I. zum Metropoliten von Thessalonike erhoben. Auseinandersetzungen mit dem Patriarchen Nilus - man warf I. Insubordination und Verlassen des Postens während der türkischen Belagerung Thessalonikes vor - führten schließlich 1384 zur Suspendierung I.s, der allerdings die Rehabilitierung folgte. Im Zusammenhang mit der erwähnten türkischen Belagerung unternahm I. Verhandlungen in Kleinasien zugunsten der fortgeführten Gefangenen seiner Diözese. Die Predigten und Briefe I.s geben einige wichtige Hinweise auf die Zeitgeschichte. Ehrhard sah in den Marienpredigten I.s die byzantinische Rhetorik ein letztes Mal in ihrem ganzen Prunk aufleuchten.

Werke: Predigten: 1) Vier Marienpredigten (In nativitatem, In praesentationem, In annuntiationem, In dormitionem, = MPG 139, col. 11-164); 2) Basileios Laourdas, Isidorou, archiepiskopou Thessalonikes, homilia peri tes harpages ton paidon kai peri tes mellouses kriseos. (Hellenika. Parartema 4. = Prosfora eis Stilpona P. Kuriakiden), 1953, 389-398; 3) Ders., Isidorou archiepiskopou Thessalonikes homiliai eis tas heortas tou hagiou Demetriou. Ekdosis kai eisagoge. (Hellenika. Parartema 5), 1954; 4) Konstantinos N. Tsirpanles (Tsirpanlis), Sumbole eis ten historian tes Thessalonikes. Duo anekdotoi homiliai Isidorou archiepiskopou Thessalonikes, in: Theologia 42, 1971, 548-558; 5) Ders., Two unpublished homilies of Isidore Glabas, Metropolitan of Thessalonica (1342-1396), in: The Patristic and Byzantine Review 1, 1982, 184-210; Ebd. 2, 1983, 65-83. Briefe: 1) Spur. P. Lampros, Isidorou metropolitou Thessalonikes okto epistolai anekdotoi, in: Neos Hellenomnemon 9, 1912, 343-414 (s. a. Indexband dieser Zschr., Ed. G. Charitakes, Athen 1930, 232 s. v. Glabas, Isidoros). Kanonisches: 1) Manouel Ioannes Gedeon, Kanonikai diataxeis. Epistolai, luseis, thespismata ton hagiotaton patriarchon Konstantinoupoleos. I. Konstantinopel 1888, 21-26.

Lit.: Casimirus Oudinus, Commentarius de scriptoribus ecclesiae antiquis. III. Leipzig 1722, 1229-1230; — Michael Le Quien, Oriens Christanus. II. Paris 1740, 56-57; — Robertus Gerius, Appendix ad historiam litterariam. Edd. Henricus Wharton, Robertus Gerius, Basel 1744, 104, in: Guilielmus Cave, Scriptorum ecclesiasticorum historia litteraria, a Christo nato usque ad saeculum XIV. Editio novissima. II. Basel 1745; — E. Legrand, Lettres de l'empereur Manuel Paléologue, Paris 1893, 105-108 (Trauerrede auf I.); — Krumbacher 1897, 175-176; — Louis Petit, Les évêques de Thessalonique. [2], 94-95 Nr. 72, in: EO 5, 1901-1902, 90-97; — Ders., Le Synodicon de Thessalonique, 249-250, in: EO 18, 1916-1919, 236-254; — O. Tafrali, Thessalonique au quatorzième siècle, Paris 1913, s. Reg. 299; — Ders., Thessalonique des origines au XIVe siècle, Paris 1919, 295, 302-303; — N. A. Bees, Paschaliai epigrafai tou hagiou Demetriou Thessalonikes kai ho metropolites autes Isidoros Glabas (+ 1396), in: Byzantinisch-Neugriechische Jahrbb. 7, 140-160; — Vitalien Laurent, La liste épiscopale du synodicon de Thessalonique. Texte grec et nouveaux compléments, 302 Nr. 59 in: EO 32, 1933, 300-310; — Ders., Note additionelle. La liste de présence de la lettre aux Hagiorites, in: RÉByz 6, 1948, 187-190 (zu Loenertz' Artikel); — Albert Ehrhard, Überlieferung und Bestand der hagiograph. und homilet. Lit. der griech. Kirche. Teil 1: Die Überlieferung. Band 3/1. (TU 52), Leipzig 1943, 709-713 (s. jedoch Dennis 1960, S. 17 Anm. 55); — Martin Jugie, La mort et l'assomption de la Sainte Vierge. Étude historico-doctrinale. (StT 114) Città del Vaticano 1944, 333-334; — Ders., L'immaculée conception dans l'Écriture sainte et dans la tradition orientale (Bibliotheca immaculatae conceptionis. Textus et disquisitiones 3), Romae 1952, 263-275; — Raymond-J. Loenertz, Isidore Glabas, métropolite de Thessalonique (1380-1396), in: RÉByz 6, 1948, 181-187; — L. Mangini, L'assunzione di Maria secondo tre teologi bizantini, Gregorio Palamas, Nicolao Cabasilas e Isidoro Glabas, in: Sapienza 3, 1950, 441-454; — Basileios Laourdas, Egkomia eis ton hagion Demetrion kata ton dekaton tetarton aiona, in: Epeteris Hetaireias Buzantinon spoudon 24, 1954, 275-290; — Beck, 777; — A. E. Bakalopoulos, Hoi demosiomenes homilies tou archiepiskopou Thessalonikes Isidorou hos historike pege gia ten gnose tes protes tourkokratias ste Thessalonike (1387-1403), in: Makedonika 4, 1955-1960, 20-34; — George T. Dennis, The reign of Manuel II Palaeologus in Thessalonica, 1382-1387 (OrChrA 159), Romae 1960, bes. 16-18, 89-95; — Ders., The letters of Manuel II Palaeologus. Text, translation and notes. (Corpus fontium historiae Byzantinae 8. Series Washingtonensis = Dumbarton Oaks Texts 4), Washington 1977, XLIII, XLVI, XLIX, 226-227 Brief des Theodor Potamios an I.; — B. Ch. Christophorides, He cheirographe paradose ton suggramaton tou archiepiskopou Thessalonikes Isidorou, in: Epistemonike Epeteris Theologikes Scholes Panepistemiou Athenon 25, 1980, 427-443; — C. Astruc, Isidore de Thessalonique et la reliure á monogramme du Parisinus graecus 1192, in: Revue française d'histoire du livre 51/36, 1982, 261-272; — Joannes Albertus Fabricius, Bibliotheca Graeca sive notitia scriptorum veterum Graecorum. Editio nova. X. Hamburg 1807, 498-499 (s. a. Reg. dieser Edition, Leipzig 1838, 57 s. v. I., Thessalon. Archiepiscopus); — S. F. W. Hoffmann, Bibliograph. Lex. der gesammten Lit. der Griechen. II. Leipzig 1839, 470; — Chevalier I, 1905, 2285; — Megale Hellenike Egkuklopaideia VIII, Athen 1929, 448 s. v. Glabas Nr. 3; — LThK ed. Michael Buchberger, V, 1933, 625; — DThC VIII, 1947, 111; — BHG III, 1957 (Subsidia 8a), s. Reg. 258; — Novum Auctarium Bibliothecae Hagiographicae Graecae. Par François Halkin (Subsidia 65) 1984, s. Reg. 386; — LThK V,

1960, 788; — Threskeutike kai ethike egkuklopaideia VI, Athen 1965, 1018-1019; — Catholicisme VI, 1967, 166-167; — DSp VI, 1967, 418; — Tusculum-Lexikon griech. und lat. Autoren des Altertums und des MA.s, Zürich-München 1982, 291-292.

Udo Tavares

ISIDOROS *von Kiew*, Metropolit von Kiew und ganz Rußland, * 1380/90 wahrscheinlich in Monembasia, + 13.4. 1463 in Rom. — I. studierte in Konstantinopel, war Mönch in Monembasia und später Abt des Demetrios-Klosters in Konstantinopel. 1434 beteiligte er sich als "Rhetor" der griechischen Gesandtschaft am Baseler Konzil, um das zukünftige Unionskonzil vorzubereiten. 1437 wurde er Metropolit in Kiew, 1438 traf I. in Ferrara ein. Nachdem er am 17.8. 1439 zum Legaten ernannt worden war, beförderte man ihn am 18.12. 1439 zum Kardinalbischof von Siena. Als Legat besuchte er Polen, Litauen und Kiew und machte im März 1441 die Union in Moskau bekannt. Nach einer Anklage der Ketzerei wurde er gefangengehalten, bevor er sich am 11.7. 1443 nach Siena wenden konnte. Während eines Griechenlandaufenthaltes in den Jahren 1444-48 verfaßte er einen Brief über die dortige Lage. 1452 verkündete er als päpstlicher Legat die Union in Konstantinopel, wurde aber bei der Belagerung der Stadt verwundet und gefangengenommen, bevor er als Sklave nach Kleinasien fliehen konnte. I. verzichtete 1458 in Rom auf sein Bistum und wurde 1459 durch Papst Pius II. zum Patriarchen von Konstantinopel ernannt. I., der als Anhänger der Union mit der lateinischen Kirche gilt, war eine humanistisch gebildete Persönlichkeit, die über ein bedeutendes Wissen und große Beredsamkeit verfügte.

Lit.: P. Pierling, la Russie et le St. Siège I, Paris 1896; — Giovanni Mercati, Scritti d'I. il cardinale Ruteno e codici a lui appartenuti nella vaticana in studi e testi, Rom 1926; — M. Jugie, Theologia dogmat. christianorum orient. III, Paris 1930, 288, 295; — A. W. Ziegler, I. de Kiew, apôtre de l'union florentine, in: Irenikon 13, 1936, 393-410; — Ders., Die Union des Konzils von Florenz in der russ. Kirche 1939; — Ders., Unveröffentl. Briefe I.'s von K., in: OrChrP XXI, 1955, 321; — G. Hofmann, Ein Brief des Kardinals I.'s von K. an den Kardinal Bessarion, ebd. XIV, 1948, 405; — Ders., Quellen zu I. von Kiew, in: OrchP 18, 1952, 143-157; — Ders., I., in: I studi Bizantini e Neoellerici, Rom 1957; — V. Laurent, Vier griech. Briefe I.'s von K., in: ByZ 44, 1951, 570-577; — F. Grabler/G. Stöckl, Europa im 15. Jh. von Byzantinern gesehen, 1954; — G. Stöckl (Hrsg.), Reisebericht eines unbekannten Russen, Wien 1954; — G. H. Beck, Kirche und theol. Lit. im byzant. Reich, München 1959; — J. Gill, Personalities of the Council of Florence, in: Unitas

11, New York 1964, 65-78; — Otto Kresten, Eine Sammlung von Konzilsakten aus dem Besitze des Kardinals I. von Kiew, Wien 1976; — Wetzer-Welte VI, 976-979; — LThKV, 625; — NewCathEnc 1967, 672-673.

Karin Groll

ISIDOROS *von Pelusium,* griechischer Schriftsteller und Heiliger, * um 360 in Alexandria, + nach 431 (sicher vor 451). — I. war zunächst Presbyterier, dann Mönch in der Nähe von Pelusion, östlich des Nildeltas. Sein Zeuge Severos von Antiochia berichtet von fast 3000 Briefen des I., von denen etwa 2000 erhalten geblieben sind. In einfachem und klarem Briefstil geschrieben, spiegeln sie die klassische Bildung des Heiligen. I. nimmt in ihnen Stellung zur beständigen Dauer und Unüberwindlichkeit der Kirche, zum Vorzug des geistlichen ausübenden Lebens vor der bloßen Lehrwissenschaft, er empfiehlt die Demut, spricht sich für den Gebrauch der Bilder in den Kirchen aus, für die Ehrung der Märtyrer und erkennt die Gegenwart Christi im Sakrament. Weisungen und Mahnungen, sowie Hilfeleistungen für alle gesellschaftlichen Schichten, sind ebenso darin enthalten, wie moralisch-asketische Aspekte. Während viele Briefe exegetische Einzelprobleme erläutern und eine enge Beziehung des Verfassers zur Bibel zeigen, ist sein Interesse an spekulativen Fragen zur Theologie zurückhaltend. I. lehnt den Arianismus ebenso entschieden ab, wie manichäische und apollinaristische Tendenzen. I., der Johannes Chrystostomos nahesteht, weist die Vereinigung, sowie die Vermischung der beiden Naturen zurück.

Lit.: A. Morel, Synodicon adversus Tragaediam Irenaei, in: MPG 84, 550-864; — Henschenius, Comment. histr. de S. I. Pelusiota, in: AS IV, 3-14; — Heumann, De Isidoro Pelusiota et ejus operibus (Diss. Göttingen), 1937; — Hermann Niemeyer, De I. P. vita, scriptis et doctrina, Halle 1825; — Glueck, I. P. summa doctrina moralis, 1848; — L. Bober, De arte hermeneutica S. I. P., Krakau 1878; — B. Lundström, De I. P. epistolis recensendis praelusiones, in: ErJb 1897, 67-80; — C. H. Turner, The lettres of Pelusium, in: JThs VI, 70-86; — K. Lake, Further notes on the mss. of I. of P., ebd., 270-284; — René Aigrain, quarante-neuf lettres de Saint I. de P. 49 Briefe in lat. Übers., Paris 1911; — L. Bayer, I. v. P. klassische Bildung, 1915; — Adam Diamantopoulos, I.'s de P., in: Nea Sion, Jerusalem 1926, 99-115, 288-302, 449-467, 610-628, 665-675; — A. Schmidt, Die Christologie I.'s von Pelusium, Fribourg 1948; — MPG LXXVIII; — Bardenhewer IV, 100 ff.; — Chalkedon I, 192 f.; — HThR[5] 47, 205-210; — RGG III, 905 f.; — LThK V, 789; — BHG[3], 2209; — Altaner[5], 238.

Karin Groll

ISLA, José Francesco de, Jesuitenpater und einer der bedeutendsten spanischen Schriftsteller des 18. Jahrhunderts, * 25.4. 1703 in Vidanes als Sohn einer Adelsfamilie, + 2.11. 1781 in Bologna. — I.s Erziehung lag zunächst in den Händen seiner Mutter, anschließend in denen des Jesuitenordens. Mit 15 Jahren trat er in den Orden ein, und mit 16 wurde er Novize in Villagarcia. Nach dem Noviziat studierte I. Theologie und Philosophie in Salamanca. 1729 beginnt er seine Tätigkeit als Priester und Lehrer der Theologie. Seine Arbeitsstationen sind Segovia, Santiago de Campostella, Pamplona und San Sebastian. 1750 kehrt I. nach Valladolid zurück und läßt sich vom Predigerdienst befreien, um sich ganz der Seelsorge, sowie der Übersetzung eines achtzehnbändigen, französischen Andachtswerkes zu widmen. In dieser Zeit entsteht auch das Buch »Historia del Fray Gerundio«, das eine massive Kritik an der damaligen barocken Predigtweise, der "geistlichen Beredsamkeit", darstellt. 1759 erkrankt I. und zieht sich nach Santiago zurück, wo er 1761 die Erlaubnis erhält, sich endgültig in Pontevedra niederzulassen. Als Karl III. 1767 die Jesuiten in Spanien auswies, ging I. nach Bologna zu dem Grafen Tedeschi ins Exil. Die folgenden 14 Jahre bis zu seinem Tod waren durch äußere und innere Not gekennzeichnet. — I.s große Bedeutung liegt in seiner Kritik an der barocken Predigt begründet, an deren Ende er maßgeblich mitgewirkt hat. Dies brachte ihm zwar in breiten Kreisen Unterstützung ein, aber auch Mißfallen innerhalb der Kirchenhierarchie, was schließlich dazu führte, daß seine »Historia Fray Gerundio« auf den Index gesetzt wurde. Die Indexierung des Buches wurde erst 1900 wieder aufgehoben.

Werke: Sermones, 6 Bde., 1792-1793; Historia del famosa predicador Fray Gerundio di Campazas, alia Zotes, 2 Bde., 1758-1768 (Überss.: engl. 1885, dt. 1773); Cartas familiares, 4 Bde., 1785-1786, 6 Bde., 1790-1796; Cartas inéditas de Padre I., eingel. und hrsg. v. L. Fernandez, 1957; José Simón Díaz, Manuel de Bibliografía de La Literatura Espanola 1980[3].

Lit.: A. Baumgartner S. J., Der spanische Humorist P. J. F. de I. S. J., in: StML 68, 1905, 82-92, 182-205, 299-315; — R. Gonzales Merchant Gerundianismo, 1907; — R. S. Boggs, Folklore Elements in »Fray Gerundio«, in: Hispanic Rv. 4, 1936, 159-169; — N. Alonso Cortéz, El P. I., in: Sumandos biográficos, 1939, 71-90; — C. Eguía Ruiz, El autor de »Fr. Gerundio« expulsado de Espana, 1767, in: Hispania 8, 1948, 434-455; — Ders., El Padre I. en Córega, ebd., 597-611; — R. Ezquerra Abadiá, Obras y papeles del Padre I., in: Estudios dedicados a Menéndez Pidal VII/1, 1957, 417-446; — H. v. B., Textos euskéricos en cartas y escritos del padre I., in: Boletín de la Real Sociedad Vascongada de Amigos del País 18, 1962, 332 f.; — J. Gutiérrez Sesma, la Medicina y los médicos en la vida y en la obra literaria del P. J. F. de I., in: Revista de la Universidad de Madrid 12, 1964, 976-978; — Conrado Pérez Picón, El P. I., vascófilo. Un epistolario inédito, in: Miscelánea Comillas 42, 1964, 183-301; — Ders., El Padre I., un gran desconocido, in: RF 203, 1981, 458-482; — J. A. de Carvalho, El monstruo del púlpilo portugués criticado en »Fr. Gerundio de Campazas«, in: Archivum 18, 1968, 349-376; — A. Garcia Abad, Correcciones y nuevos datos sobre la biografia del P. I. (1703-1781), in: Revista de Literatura 35, 1969, 39-54; — E. Helman, El P. I. y Goya, in: Jovellanos y Goya, 1970, 201-217; — Anneliese Raetz, F. J. de I., (Diss. Köln), 1970; — J. L. Palmer, Elements of Social Satire in P. I.s »Fray Gerundio de Campazas«, in: Kentucky Romance Quarterly 18, 1971, 195-205; — J. I. Tellechea Idígoras, El P. F. de I. Salmanticensis 20, 1973, 85-97; — F. Yndurain, Fray Gerundio, dos siglos después, in: De lector a lector, 1973, 45-50; — José Martínez de la Escalera, Primeros escritos del Padre I. (1721-1731) y un catálogo de sus obras (1774), in: Miscellanea Comillas 39, 1981, 149-181; — José Jurado, La refundición final en el »Fray Gerundio de Campazas«, in: Boletín de la Real Academia Espanola 61, 1981, 123-140; — Sommervogel IV, 655-686; — LThK V, 790; — Catholicisme VI, 170 f.; — HLW IV, 217 f.; — Koch JL, 89 ff.

Bernhard Wildermuth

ISMAEL BEN ELISCHA, Tanaite (rabbinischer Lehrer, der in der Mischna zu Wort kommt) der jüngeren Gruppe der zweiten Generation, * um 50 nach Christi, + um 135 nach Christi, lebte im Süden Palästinas. — I., gewöhnlich schlechthin Rabbi I. und nicht zu verwechseln mit dem gleichnamigen Hohepriester der ersten Tannaitengeneration, stammte wohl aus priesterlichem Geschlecht und wurde als Knabe von Rabbi Josus ben Chananja aus römischer Gefangenschaft freigekauft. Wieder in der Heimat, waren außer Rabbi Josua auch Rabbi Nechunja ben ha-Kane und Rabbi Elieser ben Hyrkanos seine Lehrer. Selbst lehrte er im Synedrion zu Jabne und diskutierte mit Rabbi Tarfon und Rabbi Eleasar ben Asarja. Nach der Verlegung des Kollegiums nach Uscha galt er auch dort als einer der größten Lehrer. Einigen Quellen zufolge fand I. den Märtyrertod während der hadrianischen Verfolgungen; der Text der Mischna aber läßt auf einen friedlichen Tod schließen. — I. gilt neben Rabbi Akiba als das führende Tannaitenhaupt seiner Generation und war einer der wichtigsten Mitwirkenden bei der Festlegung der Gesetzesgrundregeln von Jabne und Uscha. Er und Rabbi Akiba wurden als "Väter der Welt" bezeichnet. Ähnlich dessen Lehrweise stellte I. 13 hermeneutische Regeln

(Sifra, Einleitung) auf und lieferte mit ihrer Hilfe einen engen Bezug zwischen überlieferten halachischen Bestimmungen und der Schrift. In großer Kontroverse stand er zu Rabbi Akiba bei der Deutung von scheinbar überflüssigen Worten oder Buchstaben der Tora, indem er behauptete: »Die Tora spricht in der Sprache der Menschen«, und sich damit gegen zuviel Spekulation bei der Textauslegung wandte. Bezeichnend für seine Auffassung ist seine Erklärung von Jos 1,8. Er lehnte eine buchstäbliche Deutung ab und ging davon aus, daß der Mensch neben der Tora seinen Beschäftigungen nachgehen müsse. I. war für Milde und Menschenfreundlichkeit bekannt und derentwegen auch bei seinen Kontrahenten beliebt und geachtet. Sehr großen Wert legte er auf das Studium des Zivilrechts. Bei der Bearbeitung von Rechtsstreitigkeiten galt er als Vorbild an Gewissenhaftigkeit. Seine bedeutendsten Schüler waren Rabbi Josija und Rabbi Jonathan. Die Midraschim Mechilta und Sifre zu Num benutzen viele Quellen aus der Schule I.s und eine Reihe von älteren Lehrsätzen wurden in den Talmuden als "man lehrte im Hause des I." zitiert.

Lit.: Zacharias Frankel, The Ways of the Mishnah (hebr.), 1859, 105-111; — Joseph Derenbourg, Essay sur l'histoire et la géographie de la Palestine, Paris 1867, 386-395; — Jakob Brüll, Einleitung in die Mischnah I, 1871, 103-116; — D. Hoffmann, Einleitung in die halachinischen Midraschim, 1887; — Wilhelm Bacher, Agada d. Tannaiten I, 1884, 240-271; — Marcus Petuchowski, Der Tanna Rabbi I., 1894; — M. Cazarus, Ethis des Judentums, 1898, 220, — Emil Schürer, Geschichte des jüd. Volkes im Zeitalter Jesu Christi II, 1901[4], 440-442; — Heinrich Graetz, Gesch. der Juden IV, 1908, 56-58; — Aaron Hyman, Toledot tanna'im II, 1910 (Neudr. Jerusalem 1964), 817-824; — J. Z. Lauterbach, Mekhilta de Rabbi Ishmael, Philadelphia 1933; — Jacob N. Epstein, Introduction to Tannaitic Literature (hebr.), Jerusalem 1957; — Ders., Introduction to the Text of the Mishnah (hebr.), Jerusalem 1964; — Abraham J. Henschel, Theology of Ancient Judaism (hebr.), London 1962; — Solomon Schechter, Aspects of Rabbinic Theology, New York 1965; — Ben-Zion Wacholder, The Date of the Mekilta e-Rabbi Ishmael, in: Hebrew Union College Annual 39, 1968, 117-144; — Strack[6], 124 f.; — Gary G. Porton, The Artifical Dispute: Ishmael and Aqiba, in: J. Neuser (Hrsg.), Christianity, Judaism and Other Greco-Roman Cults, Leiden 1975, 18-29; — Ders., According to Rabbi Y.: An Amoraic Palestinian Form, in: W. S. Green (Hrsg.), Approaches to Ancient Judaism, Missoula 1977; — Ders., The Traditions of Rabbi Ishmael, 4 Bde., Leiden 1976-1982; — Real-Encyclopädie für Bibel u. Talmud II, 1883, 526-529; — ERE VIII, 625; — JudLex III, 58-60; — Encyclopedia Judaica VIII, Berlin 1931, 592-596, 598-601; — Ozar Yisrael, An Encyclopedia of All Maters Concerning Jews and Judaism V, London 1935, 238; — Encyclopedia of Talmudic and Geonic Literature II, Tel Aviv 1945, 599-605; — The Standard Jewish Encyclopedia, Tel Aviv 1958/59, 973; — JewEnc VI,

648-650; — Marcus Jastrow, A Dictionary of the Tergumin, the Talmud Bablu and Yerushalmi and Midrashic Literature, New York 1971; — EncJud IX,83-86; — The Encyclopedia of Religion XV, New York 1986, 516 f.

Thomas Uecker

ISNARD *von Chiampo* (I. von Vicenza), Seliger, Prior, Dominikaner, * Ende des 12. Jahrhunderts, + 19.3. 1244 in Pavia. — I. war ein persönlicher Schüler des heiligen Dominikus (s.d.), vermutlich trat er bereits 1219 zu Bologna in dessen Orden ein. I. galt als ein »vir religiosus et fervens et graciosus admodum predicator« und wurde ob dieser Eigenschaften zunächst nach Mailand geschickt, wo er zahlreiche Männer für den neuen Orden gewann. Den Respekt dieser neuen Mitglieder erlangte er durch die vorbildliche Erfüllung seiner Ordensgelübde. Ab 1230 hielt sich I. in Pavia auf; sein Freund, Bischof Reginald II. ermunterte ihn zur Gründung eines eigenen Klosters, »S. Maria von Nazareth«. Bis zu seinem Tode wirkte I. in ihm als Prior, engagierte sich aber tatkräftig bei der Bekehrung der zu dieser Zeit in Oberitalien starken Häretikerbewegungen. Viele Häretiker soll er »allein durch die Macht seiner Worte« für die Kirche zurückgewonnen haben, so jedenfalls wird in seinen Mirakeln erzählt. Der in der Lombardei seit dem Mittelalter übliche Kult wurde am 10.12. 1912 bestätigt, das offizielle Dekret erfolgte am 12.3. 1919. Fest: 22. März.

Lit.: Gérard de Frachet, Vitae fratrum OP, Lovanii 1896; — R. Maiocchi, Il b. I. da Vicenza, Pavia 1910 u. Foligno 1920 (veränderter Inhalt!); — Acta Cap. Gen. Venlonensis, Regensburg 1913, 171; — AAS 11, 1919, 184 ff.; — Giovanni Odeto, La cronaca maggiore dell' Ordine domenicano, in: Arch. FF. PP. 10, 1940, 326, 346, 370; — Silvio Negro, Un contributo alla storia del B. I. da Chiampo, in: Studi in onore di F. M. Mistrorigo, Vicenza 1958; — Baudot-Chaussin XIII, 31 f.; — Butler-Thurston-Attwater I, 659; — BS VII, 985; — EC VII, 302-303; — LThK V, 802; — Walz, 259; — Wimmer, 404.

Michael Hanst

ISO, Lehrer und Arzt, * um 830 in Thurgau, + 14.5. 871 in Münster-Granfelden. — Schon als Kind wurde I. von seinen Eltern, Erimbert und Waltarada aus freiem begütertem Thurgauer Geschlecht, der Benediktinerabtei St. Gallen übergeben. Aus dem Kloster sind zahlreiche Urkunden, die er zwischen 852 und 868 eigenhändig anfertigte, erhalten. Er war hier zuerst Lehrer der inneren (Kloster-) Schule und anschließend Vorsteher der äußeren, weltlichen Schule. Nicht zuletzt auch durch seine ausgezeichneten Schüler Bischof Salomo III. von Konstanz, Tutilo und Ratpert begründete I. den wissenschaftlichen Ruhm St. Gallens. Notker Balbulus nennt im Vorwort seines »Liber ymnorum« I. seinen Lehrer; er verdankt ihm das syllabische Grundgesetz der Sequenzdichtung: auf jeden Melodieton entfällt eine Silbe (»isonische Regel«). Während seiner Zeit als Lehrer und Arzt in der Abtei Münster- Granfelden (Burgund) wurde I. der regelmäßige Besuch in St. Gallen gestattet, wo er 864 und 867 Augenzeuge der Überführung der Gebeine des heiligen Otmar wurde. Die Reliquien-Rekognition und Translation beschrieb I. in dem zweiteiligen, neunzehn Kapitel umfassenden Bericht »Relatio de miraculis sancti Otmari«. Diese in zahlreichen Handschriften - besonders des 9.-12. Jahrhunderts - überlieferte, wahrheitsgetreue Hagiographie wurde um 1430 von Friedrich Kölner verdeutscht. I. verstand es auch, Salben und Arzneimittel herzustellen, und mit ihnen heilte er viele Kranke - nicht durch Wunder, wie in der älteren Literatur zu lesen ist, sondern durch Behandlung.

Werke: MG SS II, 47-54; G. Meyer von Knonau, St. Gallische Geschichtsquellen, in: Mitt. zur vaterländ. Gesch. 12, 1870, 114-139.

Lit.: Konrad Meyer-Ahrens, Die Ärzte und das Medizinalwesen der Schweiz im MA, in: Archiv für pathologische Anatomie und Physiologie, hrsg. von Rudolf Vorchow 24, 1862, 465-502, hier: 466-468; — Otto Scheiwiller, Der selige I., in: Die Ostschweiz 78, 1951, 222-225; — Johannes Duft, Sankt Otmar. Die Quellen zu seinem Leben, Zürich 1959, 15-17, 50-53, 83-84; — Ders., Sankt Otmar in Kult und Kunst, Bd. 1, St. Gallen 1965, 12-15; — Ders., Notker der Arzt. Klostermedizin und Mönchsarzt im frühma. St. Gallen, St. Gallen 1972, 18-24; — ADB XIV, 637; — BS VII, 985-986; — NDBX, 198; — VerfLex ²IV, 425-427; — LThK ²V, 802.

Reinhard Tenberg

ISO (Yso) *von Wölpe*, Bischof von Verden (1205-1231), * um 1170 als jüngerer Sohn des Grafen Bernhard I. v. W., + 5.8. 1231, begraben in St. Andreas zu Verden. — Zunächst Domherr in Verden (bezeugt 1180/1188) und Propst v. Bardowick ist I. spätestens seit 1197 auch Dompropst. Nach dem Tod Rudolfs (29.5. 1205) zum Bischof gewählt, erhielt er von König Philipp die Regalien. Wie seine Amtsvorgänger, die z. T. wie Rudolf auch Angehörige der königlichen Kanzlei waren, hielt er sich im Thronstreit zur staufischen Seite, wurde aber durch seinen Bruder Bernhard II. v. W. sowie den größten Machthaber der Diözese, Wilhelm v. Lüneburg, bald zu Otto IV. gezogen. 1211/1212 nahm er wohl im Auftrag des Kaisers an einem Kreuzzug nach Livland teil, wo er den dortigen Oberhirten Albert v. Bexhövede vertrat. Wohl 1213/1215 fand ein zweiter Zug statt. Nach dem Tod Ottos IV. (1218) erwarb er die Stiftsvogtei von den welfischen Untervögten. Diese Besitzrechte und der Kauf der Edelherrschaft Westen ermöglichten die Gründung von St. Andreas (1220), dem ersten (und einzigen) Kollegiatstift in Verden. Die Stadtwerdung Verdens wurde durch den Bau einer Stadtmauer und die Aufnahme der Münzprägung beschleunigt. Unter I. nahm Verden Abschied aus der Reichspolitik. Vorrang erhielt der Territorialausbau des Stifts (Einschränkung des Stiftsadels; Kolonisation im alten Land). Die kulturelle Blüte zur Zeit I.s wird durch Kunstdenkmäler (St. Andreas-Kirche; Grabplatte I.s; Silberbrakteaten) und die Autoren Ludolf v. Lüchow (Domherr in Verden) und Gervasius v. Tilbury (Propst v. Ebstorf; »Solacium imperatoris«) dokumentiert. Am Hofe I.s erschienen sein Vetter, der Hildesheimer Magister Johanns Marcus von Dorstadt, Adressat des Widmungsbriefes des »Solacium imperatoris«, und Gervasius selbst.

Werke: Quellen: W. v. Hodenberg, Verdener Geschichtsquellen 2, 1859 (S. 64-98 Urkk. und Testament); — R. Drögereit, Materialien zur Gesch. des ehemal. Bistums Verden, 1981 [Masch.] (S. 87-114 Urkk.) Chronicon episcoporum Verdensium, ed. Leibniz, SS. rer. Brunsvic. 2 (S. 218 Via); — G. Röper, Urkunden, Regesten, Nachrr. über das alte Land und Horneburg 1, 1985, Nr. 180 (Bronze-Grabplatte).

Lit.: Chr. g. Pfannkuche, Die aeltere Gesch. des vormaligen Bisthumes Verden, 1830; — C. L. Grotefend, Der Streit zw. dem Erzbischof Gerhard II. von Bremen und dem Bischof Iso von Verden wegen der geistl. Gerichtsbarkeit über das Schloß Ottersberg im Jahre 1226, in: Zs. d. Hist. Ver. f. Nieders. 1871, 3-45; — A. Siedel, Untersuchungen über die Entwicklung der Landeshoheit und der Landesgrenze des ehemal. Fürstbistums Verden, 1915; — W. Schäfer, Kl. Verdener Stiftsgesch., 1970; — M. Nistahl, Die Anfänge des St. Andreasstifts zu Verden, in: Stader Jb. 1987, 29-49; — Hucker, Kaiser Otto IV. (Schrr. d. MGH 34, 1989), Kap. G Nr. 99; — ADB XIV, 636; — NDB X, 198.

Bernd Ulrich Hucker

ISOARD, Joachim-Xavier, * 23.10. 1766 in Aix (Provence), + 8.10. 1839 in Paris. — I. ging 1803 nach Rom, wo er Auditor Sacra Romana

Rota wurde, d. h. er nahm das Amt eines Richters am ordentlichen päpstlichen Gericht für die Berufung in kirchlichen Prozessen an. 1809 begleitete er Papst Pius VII. (s.d.), den Kaiser Napoleon verhaften ließ, in die Gefangenschaft (Grenoble u. Savona). I., bereits seit 1827 Kardinal, erhielt 1829 das einflußreiche und begehrte Erzbistum Auch (Aquitanien).

Lit.: André Latreille, L'église catholique et la révolution française. T. 2: 1800-1815. Paris 1970; — LThK ^{2}V, 802.

Reinhard Tenberg

ISOLANI, Isidor, Dominikaner, ein literarisch ungemein fruchtbarer Theologe, * um 1480 in Mailand, + Mai oder Juni 1528 als Prior des dortigen Klosters. — Das Jahr seines Eintritts in das Dominikanerkloster »S. Maria delle Grazie« ist unbekannt, aus dieser Zeit erwähnt I. lediglich seinen Lehrer Thomas von Mailand. Seine Redekunst und literarische Beschlagenheit ließen ihn bald zu einem bedeutenden Ordensmitglied aufsteigen, so wirkte er 1513 in Pavia, 1515 in Mailand, 1519 in Cremona, stets als Lektor der Theologie; 1521-22 leitete er das Generalstudium seines Ordens an der Universität Bologna. Während dieser Zeit gehörte I. zu den ersten italienischen Dominikanern, die polemisch gegen Martin Luther agierten. Seine 1519 zunächst anonym in Cremona erschienene Schrift »Revocatio Martini Lutheri augustiniani ad S. Sedem« besitzt aber lediglich historischen Wert, wie überhaupt I.s Werke schnell in Vergessenheit gerieten. Außer gegen Martin Luther trat I. gegen die Averroisten auf, er verurteilte ihre Lehre in seinem gegen die Philosophen gerichteten Buch »De immortalitate humani animi«. — Nach seiner Rückkehr ins Stammkloster widmete er sich eher beschaulichen Themen, seine besondere Neigung galt der Verehrung des Ziehvaters Joseph, dessen Kult er vor allem in der Lombardei nachhaltig förderte.

Werke: Opus de veritate Conceptionis Immac. Virg. Mariae, Mailand 1510; In Averroistas de aeternitate mundi, Pavia 1513; Disputationes catholicae, u. a.: De igne Inferni, De Purgatorio, De dispositione dantis et recipientis indulgentias, Mailand 1517; Inexplicabilis mysterii gesta B. Veronicae virg. monas. s. Marthae, Mailand 1518; De imperio militantis ecclesiae libri quatuor, Mailand 1518, ff.; Summa de donis S. Josephi, Pavia 1522 u. Avignon 1861 (ins frz. übers.) u. Madrid 1953, in: Bibl. de auctores christianos (ins span. übers.).

Lit.: A. Rovetta, Bibliotheca chron. illustrium virorum prov. Lombardiae OP, Bologna 1691, 108-109; — Friedrich Lauchert, Die ital. lit. Gegner Luthers, 1912, 200-215; — Lucio Bianchi, in: L'Osservatore Romano vom 19.3. 1950; — N. Defendi, La »Revocatio M. Lutherii ad S. Sedem«, in: Arch. storico Lombardo VIII, 1953, 67-132; — Biographie Universelle IV, 95-96; — Catholicisme VI, 188; — DThC VIII, 112-115; — EC VII, 304-305; — Hurter II, 122-123; — LThK V, 802-803; — Quétif-Échard II, 43, 50, 336.

Michael Hanst

ISRAEL (Izrael), Georg, Senior und Richter der "Unität", * 1505 in Ungarisch Brod, + 1588 in Leipnik (beides in Mähren). — I. gehörte den "Böhmischen Brüdern" an. Diese bestanden bereits seit der Mitte des 15. Jahrhunderts. I. zählt daher zu den sogenannten "späteren Böhmischen Brüdern", die 1542 nach der Verständigung mit Martin Luther dessen Lehre der Rechtfertigung allein aus dem Glauben übernahmen. 1548 übersiedelte I. nach Marienwerder, doch zu diesem Zeitpunkt wurde in Preußen die Unität nicht mehr geduldet. Deutsche Bürger und polnische Adelige bekundeten in Polen hingegen großes Interesse. Zusammen mit Matthias Crevenka konnte I. dort einen neuen Zweig der Unität aufbauen. Ab 1550 wirkte er in Posen als Senior der Böhmischen Brüder, dann, seit 1558, als deren Richter für Polen, wenig später als Richter der gesamten Gemeinschaft. Der polnische Adel errang jedoch bald einen größeren Einfluß an der Kirchenleitung als vorgesehen, den I. nicht befürwortete. 1579 zog er sich nach Mähren zurück, die Einheit aller Brüder galt ihm bis ans Lebensende als höchstes Ziel.

Lit.: R. Kruske, G. I., (Diss. Breslau), 1894; — W. Bickerich, Ev. Leben unter dem weißen Adler, 1925; — Johann Th. Müller, Geschichte der Böhm. Brüder, 1922-1931; — J. Bidlo, Die Brüderunität in ihrem ersten Exil, 1900-1932; — Rudolf Rican, Das Reich Gottes in den böhm. Ländern, Stuttgart 1957; — V. L. Tapié, L'Unité des frères, Paris 1934; — Herbert Achterberg, Zeugen des Evangeliums, 1987, 229-230; — RGG III, 947.

Michael Hanst

ITHAMAR (Eadmer), Heiliger, Bischof, OSB, * vermutlich in Kent, + 10.6. 655/656. — Die Erinnerung an I. wäre ganz verschollen, hätte ihn nicht Beda (s.d.) in seiner »Historia Ecclesiastica Gentis Anglorum« als einen Mann erwähnt, der sich durch große Kenntnisse der Wissenschaft, aber auch durch Frömmigkeit ausgezeichnet habe. — I.s Bedeutung liegt darin, daß er als erster Angelsachse am 10.10. 644 von Honorius von Canterbury (s.d.) zum Bischof in Rochester (Kent) geweiht wurde. Er folgte damit auf den ebenfalls heiliggesprochenen Paulinus von York (s.d.). Erst im 12. Jahrhundert tauchte eine Liste von I.s Mirakeln auf, sie war wahrscheinlich Grundlage seiner terminlich nicht bekannten Heiligsprechung. Fest: 10. Juni.

Lit.: T. D. Hardy, Catalogue for British History I, London 1862, 252-253; — Charles Plummer, Hist. Eccl. Gentis Angl. di Beda, Oxford 1896; — P. Grosjean, La date du Colleque de Whitby, in: Anal. Boll. LXXVIII, 1960, 235, 237, 245; — Baudot-Chaussin VI, 177; — BS VII, 988-989; — Butler-Thurston-Attwater III, 518; — DicCatBiogr.,596; — LThK V, 822; — Wimmer, 405; — Zimmermann II, 297 ff.

Michael Hanst

ITTENBACH, Franz, * 18.4. 1813 in Königswinter, + 1.12. 1879 in Düsseldorf. — Nach einer kurzen Ausbildung in der Schule des Malers Franz Katz bezog I. die Düsseldorfer Malerschule (am 16.12. 1831), die unter ihrem Direktor Wilhelm von Schadow zu einem Zentrum der nazarenischen Kunstrichtung mit der Thematik »religiöse Historienmalerei« wurde. In ihrem Auftrag malte I. 1839 den in Minden inhaftierten Kölner Erzbischof Clemens August Droste zu Vischering. Bedeutender als seine Porträts, vor allem für den rheinisch-westfälischen Adel, waren jedoch seine religiösen Wandmalereien, Andachts- und Altarbilder. Im Anschluß an einen dreijährigen Studienaufenthalt in Rom (u.a. mit Schadow) konnte er sich mit der Freskotechnik bei der Ausschmückung der Münchener Bonifatiuskirche vertraut machen. In der Folge, von 1844-1849, malten I. und andere »Nazarener« die Fresken in der neu errichteten Kirche auf dem Apollinarisberg bei Remagen. Danach unterrichtete I., der mehrere Auszeichnungen erhielt, in der Meisterklasse der Düsseldorfer Kunstakademie.

Lit.: Heinrich Finke, Der Madonnenmaler F. I. Köln 1898; — Friedrich Schaarschmidt, Zur Geschichte der Düsseldorfer Kunst, insb. im 19. Jh. Düsseldorf 1902; — Peter Joseph Kreuzberg, F. I., des Malers Leben und Kunst. Mönchengladbach 1911; — Wilhelm Neuß, F. J.s künstlerische Entwicklung, in: Kunstgabe des Vereins für christliche Kunst im Erzbistum Köln, 1929. S. 5-20; — Angelico Adolf Koller, Das nazarenische Kunstideal der Meister der Apollinariskirche. (Diss. Bonn 1935) Emsdetten 1935; — Die Düsseldorfer Malerschule. Ausstellungskatalog. Hrsg. von Wend von Kalnein. Düsseldorf 1979; — Religiöse Graphik aus der Zeit des Kölner Dombaus 1842-1880. Ausstellungskatalog. Erzbischöfliches Diözesan-Museum Köln. Köln 1980; — ADB XIV, 644-645; — Kosch KD I, 1843; — LThK ¹V, 664; — LThK ²V, 824.

Reinhard Tenberg

IVETTA (auch: Juvena, Juetta, Jueta, Jutta oder Jutha), Zisterzienserinnenreklusin, Selige, * 1158 in Huy bei Lüttich/Belgien, + 13.1. 1228 ebd. — Im Alter von 18 Jahren verrichtete I. nach dem Tod ihres Mannes barmherzige Pflegedienste in einem Aussätzigenspital in Huy. Nachdem bereits ihre beiden Söhne dem Zisterzienserorden beigetreten waren, wurde auch I. selbst Reklusin bei diesem Orden (ca. 1186). I. wurde die Gabe der Beschauung und der Herzenskenntnis zugeschrieben.

Lit.: Hugo di Floreffe, Vita I., in: C. Henriquez, Lilia Cistercii II, Douai 1633, 6-85; — BHL 4620; — J. Steele, Anchoresses of the West, London 1903; — Franz von Sales-Doyé, Heilige und Selige der röm.-kath. Kirche, Bd. 1, Leipzig 1929, 653 f.; — Zimmermann I, 69 ff. (Lit.); — Otto Wimmer, Hartmann Melzer, Lexikon der Namen und Heiligen, Innsbruck, Wien, München 1982[4], 405; — EC VII, 532; — LThK V, 825.

Michael Tilly

IVO (Yves) Hélory de Kermartin, St. Yves de Bretones, I. Trecorensis, Heiliger, * 17.10. 1253 in Minihy-Tréguir (Bretagne), + 19.5. 1303. — Seine vermögenden Eltern ermöglichten I. das Studium der Philosophie und Theologie in Paris und später in Orleans, wo er bei Wilhelm von Blaye und Petrus de la Chapelle römisches und kanonisches Recht studierte. Er wurde zunächst Advokat und kirchlicher Offizial im Laienstand in Rennes und Tréguir. Um 1284 wurde I. Priester. Als Pfarrer wirkte er in Trédrez, später in Louannec. Hier ließ er ein Spital errichten und widmete sich in außergewöhnlicher Weise der Armenpflege und der Verteidigung Hilf- und Mittelloser vor Gericht. Um 1298 zog sich I. auf den väterlichen Landsitz Kermartin zurück. Bereits drei Jahrzehnte nach seinem Tod wurde I.s Kanonisierungsprozeß eingeleitet und 1347 unter Clemens VI. vollendet. I. wurden zahlreiche Wundertaten zugeschrieben. Er ist 2. Landespatron der Bretagne, Patron der juristischen Universität Nantes, der Armen, Drechsler, Gerichtsdiener, Juristen, Ministerialbeamten, Notare, Pfarrer, Priester, Rechtsanwälte und Waisen. Die in Frankreich, Belgien, Italien und Brasilien bestehenden Standesorganisationen für den Rechtsschutz der Armen tragen seinen Namen.

Lit.: ASS Maii IV (1865), 537-608; — Lobineau, Vie des Saints de la Bretagne, Rennes 1725, 245 ff.; — A. de la Borderie, Monuments orginnaux de l'histoire de St. Y., St.-Brieuc 1887; — F. Delorme, Documents sur St. Y., in Studi francescani 33 (1936), 164-169; — H. C. Heinerth, Die Heiligen und das Recht, Freiburg i. Br. 1939, 198; — F. Falc'hun, Les noms bretons de St. Y., Rennes 1943; — Alexandre Masseron, Saint Y. d'apres les témoins de su vie, Paris 1952; — Anne Queinnec, Saint Y., Paris 1955; — Louis Duval-Arnould, Note chronologique sur Saint Y. de Tréguir, in: AnBoll 92 (1974), 409-424; — Potthast B II, 1412 f.; — Thurston-Attwater II, 351 f.; — BHL 4625-4637; — Braun, 397 f.; — BS VII, 997-1002, 1025; — EC VII, 536; — EDR II, 1854; — NBG 46, 916 f.; — LThK V, 826; — Franz von Sales Doyé, Heilige und Selige der röm.-kath. Kirche, Bd. 1, Leipzig 1929, 654; — Wetzer-Welte VI, 1143 f.; — Otto Wimmer, Hartmann Melzer, Lexikon der Namen und Heiligen, Innsbruck, Wien, München 1982[4], 406.

Michael Tilly

IVO, + im 7. Jh. in England, Heiliger. — Nach der Legende des Hagiographen Goscelinus (von Canterbury), der wiederum eine vom Abt Andreas Whitman von Ramsey verfaßte Lebensbeschreibung zur Vorlage nahm, soll im 7. Jh. der historisch nicht nachweisbare I. mit drei Gefährten aus Persien gekommen sein, um in Huntingdonshire den christlichen Glauben zu predigen. Auch ist anzunehmen, daß die im Jahre 1001 aufgefundenen und ins Kloster Ramsey übertragenen Gebeine nicht I., sondern einem anderen, namentlich nicht bekannten Bischof gehören. Fest: 24. April, 10. Juni.

Lit.: G. H. Doble, St. Ivo, Bishop and Confessor, Patron of the Town of St. Ives, in: Laudate XII, 1934. S. 149-156; — BHL I, 685; — Thurston-Attwater II, 157-158; — BS VII, 997; — LThK [1]V, 736-737; — LThK [2]V, 826.

Reinhard Tenberg

J

JABLONSKI, Daniel Ernst, Bischof, geb. am 20.11. 1660 in Nassenhuben bei Danzig. Gestorben am 25.5. 1741 in Berlin. Sein Vater Peter Figulus war Prediger und stammte aus Jabloni/Böhmen; seine Mutter Elisabeth, geb. Comenius, war Tochter des Brüderbischofs und Pädagogen Joh. Amos Comenius. — J. besuchte das berühmte Gymnasium der polnischen Brüderunität in Lissa, studierte Theologie in Frankfurt/O (1677) und Oxford (1680-1683), 1683 wurde er reformierter Pfarrer und Feldprediger in Magdeburg, 1686 Pfarrer in poln. Lissa und Rektor des dortigen Gymnasiums, 1691 ref. Hofprediger in Königsberg und seit 1693 bis zu seinem Tod Hofprediger am Berliner Dom. 1699 wurde J. Senior der Brüderunität und zum Bischof geweiht. Er weihte 1735 den Herrnhuter David Nitschmann und 1737 den Grafen Nicolaus v. Zinzendorf zu Bischöfen. Damit verband er die alte böhmisch-mährische Brüderkirche (Unitas fratrum) mit der Herrnhuter Brüdergemeine. J. war ein geschätzter Prediger, Seelsorger und bedeutender Gelehrter (Orientalist). Zusammen mit G. W. Leibniz bemühte er sich um eine innerevangelische Ökumene in Verbindung mit der auf der apostolischen Sukzession der Bischöfe gegründeten Kirchenverfassung der Kirche von England. Er war 1700 Mitbegründer der Berliner Akademie der Wissenschaften, deren Präsident von 1733-1741. J. gehörte zu den bedeutenden Theologen und Gelehrten seiner Zeit

Werke: Bedencken u. hierdurch veranlaßte Zufällige Gedancken über Simon Wolff Brandes Schutz-Juden in Berlin so genannte Entdeckung der geheimen Weissagung Davids im XXI. Psalm, Cölln 1971; Betrachtungen v. dem Göttlichen Ursprung Der Heil. Schrifft so die Bibel genannt wird, Berlin 1741; Einweihungs-Predigt, da die von Sr. Kön. Majestät in Preussen und in dero Residentz Friedrichstadt neuerbaute H. Dreyfaltigkeits' Kirche... 1739 eingeweihet ward, Berlin 1739; Christl. Gedächtnis Predigt auf Levin Schardius, Cölln 1699; Gott, das ewige Licht seiner Kirche... in einer Leichen-Predigt Freyherrn Pauli von Fuchs... vorgetragen, Berlin 1704; Historia Consensus Sendomiriensis, inter evangelicos Regni Poloniae et M.D. Lithvaniae, Berlin 1731; Huldigungspredigt bei geschehener Erbhuldigung an Friedrich, König von Preussen, Berlin 1740; Jura et libertates dissidentium in religione Christiana in regno Poloniae et M.D. Lithuaniae, Berlin 1708; 2. erw. Aufl. Berlin 1718; dt. Stargard 1714; Christl. Predigten Uber verschiedene auserlesene Sprüche Heiliger Schrifft erstes Zehend, Berlin 1716 (insgesamt 8 Zehend 1716-1727, mehrere Aufl.); Das betrübte Thorn oder die Geschichte so sich zu Thorn von dem 2. Jul. 1724 bis auf gegenwärtige Zeit zugetragen, Berlin 1725; Ad Virum Pl. Rev. et Eruditissimum Dn. Paulum Aemilium de Mauclere... Epistola Apologetica, Berlin 1731; Die Letzten Worte Salomons, im XII. Capitel seines Predigers, verzeichnet, Und in verschiedenen Betrachtungen Der Christlichen Dohm-Gemeine allhie vorgetragen, Berlin 1733 (auch als 9. und 10. Zehend seiner Predigten gezählt). — Gutachten und Briefe (sind in folgenden Werken abgedruckt): Darlegung der im vorigen Jh. wegen Einf. der engl. Kirchenverfassung in Preußen gepflogenen Unterhandlungen, Leipzig 1842; Johann Erhard Kapp, Sammlung einiger Vertrauter Briefe, welche zwischen... Gottfried Wilhelm von Leibnitz, und... Daniel Ernst Jablonski, auch andern Gelehrten... gewechselt worden, Leipzig 1745; Jan Kvacala, D.E. Jablonsky's Briefwechsel mit Leibniz nebst anderem Urkundlichen zur Geschichte des geistigen Lebens in Berlin unter Friedrich III. und Friedrich Wilhelm I., Jurjew 1897f (Acta et Commentationes univ. imp. Jurjew); Ders., Neue Beitr. zum Briefwechsel zwischen D.E. Jablonsky und G.W. Leibniz, Jurjew (Acta et Comm.); The Liturgy Used in the Churches of the Principality of Neufchatel With a Letter From the Learned Dr. Jablonski, Concerning the Nature of Liturgies, London 1712; Christoph Matthäus Pfaff, Origines juris ecclesiastici, Tübingen 1756 (enthält Jablonskis »De ordine et successione episcopali in unitate fratrum« von 1717, 309-328); Friedrich Samuel Gottfried Sack, Über die Vereinigung der beiden prot. Kirchenparteien in der Preußischen Monarchie, Berlin 1812; Thomas Sharp, Life of John Sharp, Archbishop of York, 2. Bd., London 1825.

Lit: Ernst Benz, Bischofsamt u. apostolische Sukzession im dt. Protestantismus, Stuttgart 1953; — J. B. Capek, Daniel Arnost Jablonsky, kulturní a politicky pokracovatel komenského: Archiv pro badani o zivote a dele J. A. Komenskeho (Acta Comeniana), XIX/II, 1960; — Catalogus librorum viri summe reverendi D. D. E. Jablonski, Berlin 1742; — Hermann Dalton, Daniel Ernst Jablonski. Eine preuß. Hofpredigergestalt in Berlin vor zweihundert Jahren, Berlin 1903; — Walter Delius, D.E. Jablonski. Ein Streiter für die Union: Ökumen. Profile. Hg. v. G. Gloede, Stuttgart, I 1961, 110-118; — Adolf Harnack, Geschichte der königl. preuß. Akademie der Wiss. zu Berlin, Berlin 1900; — Friedrich Ludwig Kölbing, Nachricht v. dem Anfange der bischöflichen Ordination in der erneuerten ev. Brüderkirche, Gnadau 1835; — Jan Kvacala, D. E. Jablonsky a Frant. Rákóczy II.: Sborník Mus. Slov. spol. 1909; — Ders., D. E. Jablonsky u. Großpolen: Zs. der Hist. Ges. für die Provinz Posen 15/16, 1900/1901; — Ders., Fünfzig Jahre im preuß. Hofpredigerdienste (D. E. Jablonsky): Acta et Commentationes imper. univ., Jurjew 1895; — A. Ritschl, Geschichte d. Pietismus, 1886, III, 302 ff; — R. Rouse/S. Ch. Neill, Geschichte der Ökumen. Bewegung, Göttingen, I, S. 159-164, 1963; — Norman Sykes, D. E. Jablonsky and the Church of England, London 1950; — Rudolf von Thadden, Die brandenburgisch-preuß. Hofprediger im 17. und 18. Jh., Berlin 1959; — Eduard Winter, D. E. Jablonsky u. die Berliner Frühaufklärung: ZfG 9 (1961) 849-863 (= Zs. für Slavistik 6 <1961> 434-439); — RGG, 3. Aufl. Bd. III, Sp. 507-508 (M. Schmidt); — TRE, Bd. 15, S. 433f..

Joachim Heubach

JABOTINSKY, Wladimir Zeev, * 1880 in Odessa, + 1940 in den USA, 1965 beigesetzt auf dem Mount Herzl bei Jerusalem; Gründer der Jüdischen Legion im 1. Weltkrieg, Leiter der zionistischen »Betar« (Trumpeldor-Bund); Literat, Dichter, charismatischer Rhetor, häufig als »geistiger Vater« des israelischen Ministerpräsidenten Menachem Begin (1977-1983) bezeichnet. — J. studierte Jurisprudenz in Bern und Rom. Er wurde Anhänger eines »ökonomischen Sozialismus«, lehnte aber den Marxismus als mechanistische, das Individuum mißachtende Weltanschauung ab. Seine Propagierung eines »synthetischen Zionismus« sah schon Mitte der 20er Jahre die Errichtung eines jüdischen Staates in Palästina diesseits und jenseits des Jordans wie auch politische Aktivität und pädagogisches Engagement in der Diaspora vor, um sowohl gegen jüdische Assimilierungsbestrebungen als auch gegen einen Kultur- und Territorial-Nationalismus (z.B. des »Bund«, des »Algemeyner Yidischer Arbeter Bund in Liteve, Poyln un Rusland«" anzugehen. Konsequent trat er dafür ein, daß die Juden »im Lande ihrer Väter« einen eigenen Staat errichteten, auch wenn das Widerspruch und Feindschaft der arabischen Welt und der britischen Mandatsmacht kosten sollte; an der »eisernen Mauer« des jüdischen Staates werde auf lange Sicht jeder Widerstand zerbrechen. — Mit dieser Zielvorstellung J.s verband sich die 1925 in Paris gegründete »Welt-Union Zionistischer Revisionisten«. In zunehmender Schärfe geriet sie unter Wortführung J.s in Gegensatz zum Arbeiter-Zionismus David Ben Gurions und zum bürgerlich-liberalen Zionismus Chaim Weizmanns, die darauf aus waren, eine nationale jüdische Heimstatt durch Aufbau und kontinuierliche Entwicklung des Landes unter Rücksichtnahme auf die dort lebende arabische Bevölkerung zu errichten. — Nach 1933 setzte sich J. für einen totalen Boykott Hitler-Deutschlands ein; gleichzeitig suchte er, wenn auch letztlich ohne konkreten Erfolg, nach Verständigung und Zusammenarbeit mit seinen ideologischen Gegnern im Zionismus (bes. in der Histadrut). Als es zu einer Einigung nicht kam, gründete J. auf einem Kongreß in Wien 1935 die NZO (Neue Zioninistische Organisation); er wurde zu ihrem Präsidenten gewählt. Von nun an setzte J. alle seine Möglichkeiten ein, um die Einwanderung europäischer Juden nach Palästina auch mit illegalen Methoden zu beschleunigen und sowohl die britische Mandatspolitik als auch den wachsenden arabischen Widerstand gegen die jüdische Besiedlung Palästinas aktiv zu bekämpfen; seine Anhänger

gründeten zu diesem Zweck die »Nationale Militärorganisation« (»Irgun Zeva 'i Le 'umi«). Im Februar 1940 reiste er in die USA, um Hilfe für den Aufbau einer jüdischen Armee im Verband der Alliierten zu suchen. Auf dieser Reise starb er an einem Herzanfall. Testamentarisch hatte er verfügt, daß seine sterblichen Überreste »nur auf Weisung einer jüdischen Regierung« nach Israel überführt werden sollten. Das geschah 25 Jahre nach seinem Tode.

*Werke:*Übersetzungen ins Hebräische: Edgar Allan Poe's »The Raven«; 10 Gesänge aus Dantes »Inferno«; »Targumim«, eine Sammlung französischer, englischer und italienischer Poesie; in Russisch: die Schauspiele »Krov« (»Blut«), »Ladno« (»Alles Recht«) und »Chuzbinah« (»Auf fremdem Boden«); »Bednaja Charlotta« (ein Buch über Charlotte Corday); »Massa Nemirow« (Übersetzung Bialiks); eine andere Übersetzung von Liedern und Gedichten des großen polnischen Dichters erlebte in 2 Jahren 7 Auflagen. J.s Erzählung »Samson the Nazarite« von 1926, in der er seine Sicht jüdischen Lebens und Denkens darstellt, wurde ins Hebräische, Englische und Deutsche übersetzt. 1936 erschien seine Novelle »Pyatero«, eine Autobiographie über seine Heimat Odessa. In Jiddisch verfaßte J. viele Artikel in Warschauer und New Yorker Zeitungen (z.B. »Haynt«, »Der Moment«, »Jewish Morning Journal«). Gemeinsam mit S. Perlman veröffentlichte er 1925 einen ersten hebräischen Atlas; 1930 erschien in Tel Aviv »Ha-mivta ha-Ivri«, eine Arbeit über die moderne hebräische Sprache; seine Grammatik eines latinisierten Hebräisch (»Taryag Millim«) wurde erst 1949 in Südafrika und 1950 in Israel veröffentlicht. — J.s Sohn Eri publizierte 1947-1959 eine 18bändige Sammlung von Schriften, Reden und Briefen seines Vaters.

Lit.: O. K. Rabinowicz, V.J.s Conception of a Nation, 1946; — J. B. Schechtmann, V.J. Story, 2 Bände, 1956-1961; — Ders. J., V. in: Encyclopaedia Judaica, 1971, Band 9, S. 1178 ff.; — N. Orland, Israels Revisionisten. Die geistigen Väter Menachem Begins, 1978; — S. Katz, Tage des Feuers. Das Geheimnis der Irgun, 1981; — L. S. Eckmann/G. Hirschler, Menachem Begin. Vom Freiheitskämpfer zum Staatsmann, 1979; M. Bar-Zohar, David Ben Gurion. 40 Jahre Israel. Die Biographie des Staatsgründers, 1988; — F. Schreiber/M. Wolffsohn, Nahost. Geschichte und Struktur des Konflikts, 1988 (Lit.verz. S. 323 ff.).

Paul Gerhard Aring

JACK, Walter Ludwigowitsch, reformierter Pastor und Missionsinspektor, * 15.8. 1878 in Magdeburg als Sohn des Steuerinspektors Christian Louis Jack und der Emilie geb. Conrad, + 7.1. 1939 in Werningerode (Harz). — J.s Vorfahren waren Hugenotten und hatten ursprünglich den Namen Jacques, der dann in Deutschland in Jack umgeformt wurde. Seine Jugendzeit verbrachte er in Halberstadt, wo sein Vater als Steuerinspektor arbeitete. J. studierte Theologie und wurde Lehrer an der Schule von Pastor Jellinghaus in Lichtenrode. Als Student wandte er sich nach hartem Kampf von der liberalen Theologie seiner Zeit ab und fand eine neue Heimat in der Gemeinschaftsbewegung. Nach seiner Berufung zum Dienst des Evangeliums unter dem russischen Volk, ließ er sich 1906 durch Pastor Dr. Lepsius von der Orientmission nach Rußland aussenden. J. arbeitete unter den russischen Molokanen, die sich zum größten Teil zum Islam bekannten und unter deutschstämmigen Mennoniten in der Ukraine. Er arbeitete intensiv mit dem Aufbau eines Predigerseminars (eröffnet am 15.8. 1907), in dem russische Prediger für die Arbeit im Reich Gottes ausgebildet wurden, um die Arbeit möglichst bald in die Hände der Einheimischen geben zu können. Seit 1908 war J. verheiratet mit Anna geb. Sudermann (geb. 12.4. 1878, gest. 17.8. 1926). Eines der Kinder starb in Rußland. Nach der Verbannung 1914 wirkte J. als Divisionspfarrer in Rußland und kehrte erst 1919 aus der Kriegsgefangenschaft zurück. Danach wurde er in Werningerode Missionsinspektor. Der von "heiliger Unruhe und heiligem Frieden" getriebene J. betonte stets das Verbindende und verstand sich als Brücke zu den Landeskirchen, mit denen er sich bis zum Lebensende treu verbunden wußte. Er war aber auch hochgeachtet in der Allianzbewegung und gab dort viele wichtige Impulse. Der Missionsbund "Licht im Osten", der Zweigniederlassungen in Schweden, der Schweiz und in Holland hat, nimmt Glieder aller Konfessionen auf und arbeitet mit allen Kirchen zusammen, die um Hilfe bitten. Er versteht sich als unpolitische und übernationale Vereinigung. Diesem Ziel diente auch das Russische Missionsseminar. Kurz vor seinem Tode wurde J. 1938 Ehrensenior der Evangeliumschristen, die im Zusammenhang mit der sozialistischen Revolution und den daraus resultierenden Verfolgungen der Kirchen, in große Bedrängnis gekommen waren. Der Unterstützung dieser Christen widmete er sein Leben. J. arbeitete eng mit der Britischen und ausländischen Bibelgesellschaft zusammen.

Lit.: Achtzehn Briefe aus der Zeit von 1906-1907 (Archiv Rennstich; — Dein Reich komme. Vierteljahreshefte, herausgegeb. von "Licht dem Osten". Missionsbund zur Ausbreitung der evangel. Wahrheit unter den Völkern des Ostens (1920-1939).

Karl Rennstich

JACOB, siehe Jacobus, Jakob, Jacobus

JACOBI, Friedrich Heinrich, Philosoph, Literat, Kaufmann, Präsident der bayerischen Akademie der Wissenschaften zu München, * am 25.1. 1743 als zweiter Sohn des Düsseldorfer Kaufmanns und Fabrikanten Johann Konrad J. und dessen Frau Marie, geb. Fahlmer, + am 10.3. 1819 in München. — Nach einer kurzen Zeit als Kaufmannslehrling in Frankfurt a.M. wurde J. 1759 von seinem Vater zur weiteren Ausbildung nach Genf geschickt. Hier wurde er von dem Mathematiker G.L. Lesage als Mentor betreut. J. lernte die Werke Rousseaus und Bonnets kennen. Nach drei Jahren kehrte er nach Düsseldorf zurück, um dort 1764 das väterliche Handelshaus zu übernehmen. Im selben Jahr heiratete J. Betty v. Clermont, die Tochter eines reichen Aachener Kaufmanns. Auf seinem Landsitz Pempelfort bei Düsseldorf begegnete J. bedeutenden Intellektuellen des 18. Jh.s, so unter anderem auch Goethe, Herder und Hamann, deren Ideen prägend für sein weiteres Werk wurden. In zunehmendem Maße widmete sich J. nun der Philosophie und der Literatur. 1775 veröffentlichte er sein erstes größeres Werk "Aus Eduard Allwills Papieren", zwei Jahre später seinen Roman "Woldemar". Beide Romane waren erfolgreich. 1772 wurde J. Mitglied des Hofkammerrats des Herzogtums Jülich-Berg, 1779 Geheimrat und Referent für das Zollwesen im bayerischen Innenministerium. J. scheiterte in dieser Stellung jedoch nach kurzer Zeit mit seiner liberalen Freihandelslehre im Sinne des schottischen Ökonomen Adam Smith. 1785 veröffentlichte J. seine Korrespondenz mit Moses Mendelssohn über die Frage, ob C.F. Lessing Anhänger der Philosophie Spinozas war. Weiterhin setzte er sich in zahlreichen Schriften und in eifriger Korrespondenz kritisch mit den zeitgenössischen Philosophen, insb. mit den Schriften Kants und den Idealisten auseinander. 1794 wich J. vor den anrückenden französischen Revolutionstruppen von Düsseldorf nach Holstein aus. Er fand zunächst Asyl bei M. Claudius in Wandsbek. 1795 ließ er sich, seiner Besitztümer beraubt, in Eutin nieder. Am 30.1. 1805 wurde J. feierlich in die Bayerische Akademie der Wissenschaften aufgenommen und zwei Jahre später zum 1. Präsidenten der Akademie ernannt. J.s Schrift "Von den göttlichen Dingen" (1811) provozierte einen heftigen Disput mit F.W.J. Schelling. Der daraus entstehende Streit um seine Philosophie und auch das Bekanntwerden seiner Kontakte mit den Freimaurern und den Illuminaten Adam Weishaupts führten am 18.9. 1812 seine Versetzung in den Ruhestand herbei. J. entwickelte seine Philosophie aus seiner subjektiven Lebenserfahrung heraus. Er verfocht das apriori des Glaubens, der jegliche objektivierende Betrachtung ausschließt. Der philosophische Ansatz J.s antizipierte die Grundgedanken der Existenzphilosophie des 20. Jh.s: "Nie war es mein Zweck, ein System für die Schule aufzustellen; meine Schriften gingen hervor aus meinem innersten Leben, sie erhielten eine geschichtliche Folge, ich machte sie gewissermaßen nicht selbst, nicht beliebig, sondern fortgezogen von einer höheren, mir selbst unwiderstehlichen Gewalt."

Werke: F.H.J.s Werke, 6 Bde. Leipzig 1812-1827, repr. Darmstadt 1968; F. v. Roth (Hrsg.), F.H.J.s auserlesener Briefwechsel, 2 Bde., Leipzig 1825-1827, repr. Bern 1970; R. Zoeppritz (Hrsg.), Ungedruckte Briefe von und an J., 2 Bde., Leipzig 1869; F. Mauther (Hrsg.), J.s Spinoza-Büchlein nebst Replik und Duplik, München 1912; H. Scholz (Hrsg.), Die Hauptschriften zum Pantheismusstreit zwischen J. und Mendelssohn, Berlin 1916; H. Nicolai (Hrsg.), Eduard Allwills Papiere, Stuttgart 1962; W. Weischedel (Hrsg.), Von den göttlichen Dingen und ihrer Offenbarung: Streit um die göttlichen Dinge, Darmstadt 1967, 91-356; H. Nicolai (Hrsg.), Woldemar, Stuttgart 1969; M.Brüggen, S.Sudhoff (Hrsg.), F.H.J.s Briefwechsel, Stuttgart/Bad Cannstadt 1981ff.; N. Henrichs, H. Weeland (Hrsg.), Briefwechsel deutschsprachiger Philosophen 1750-1850, Bd. II, München / London / New York / Oxford / Paris 1987, 327-329.

Lit.: J. Kuhn, J. und die Philosophie seiner Zeit, Mainz 1834; — F. Deycks, F.H.J. im Verhältnis zu seinen Zeitgenossen, Frankfurt a.M. 1848; — F. Zirngiebl, F.H.J.s Leben, Dichten und Denken, Wien 1867; — L. Lévy-Bruhl, La philosophie de J., Paris 1894; — N. Wilde, F.H.J., New York 1894; — R. Kuhlmann, Die Erkenntnislehre F.H.J.s, eine Zweiwahrheitentheorie, dargestellt und kritisch untersucht, Leipzig 1906; — F.A. Schmid, F.H.J., Heidelberg 1908; — Th.C. v. Stockum, Spinoza, J., Lessing, Groningen 1916; — R. Schreiner, Der Begriff des Glaubens bei J., Diss. Erlangen 1921; — Th. Boussert, F.H.J. und die Frühromantik, Diss. Gießen 1926; — O. Heraeus, F.J. und der Sturm und Drang, Heidelberg 1928; — B. Magnino, La filosofia mistica di F.H.J., in: Giornale critico della filosofia italiana 12 (1931), 381-398.457-479; 13 (1932), 57-70.03-116; — O.F. Bollnow, Die Lebensphilosophie F.H.J.s, Stuttgart 1933; — H. Hartmanshenn, Jean Pauls "Titian" und die Romane F.H.J.s, Diss. Marburg 1934; — F. Kinder, Natürlicher Glaube und Offenbarungsglaube, München 1935; — H. Hölters, Der spinozistische Gottesbegriff bei M. Mendelssohn und F.H.J., Diss. Bonn 1938; — J. Wilden, Das Haus J., Düsseldorf 1943; — B. Croce, Discorsi di varia filosofia I, Bari 1945; — R. Pannikar, F.H.J. y la filosofia del sentimiento, Buenos Aires 1948; — M -M. Cottier, Foi et surnaturel chez F.H.J., in: RThom 54 (1954), 337-373; — G. Fischer, J.M. Sailer und F.H.J., Freiburg i.Br. 1955; — A. Hebeisen, F.H.J.: Seine Auseinandersetzung mit Spinoza, Bern 1960; — R. Kroner, Von Kant bis Hegel, Tübingen ² 1961, 303-315; — R. Knoll, J.G. Hamann und F.H.J., Diss. Heidelberg 1963; — V. Verra, F.H.J., Goethezeit, Frankfurt a.M. 1971, 165-197; — Ders., Nouvelles recherches sur J., in: Archives de philosophie 34 (1971), 281-286.495-502; — Ders., F.H.J.s "All-

will" and F.M.Dostojevskij's "Dämonen", in: Russian Literature 4 (1973), 51-64; — K. Homann, F.H.J.s Philosophie der Freiheit, Freiburg i.Br./München 1973; — S. Müller, F.H.J.: Allwills Papiere, in: Recherches Germaniques 3 (1973), 16-29; — J. Göres (Hrsg.), Veränderungen 1774: 1794, Goethe, J. und der Kreis von Münster, Eine Ausstellung des Goethemuseums Düsseldorf, Düsseldorf 1974; — Ders., Veränderungen 1774: 1794, Goethe, J. und der Kreis von Münster, in: P. Berglar (Hrsg.), Staat und Gesellschaft im Zeitalter Goethes, FS H. Tümmler, Köln/Wien 1977, 273-284; — H. Timm, Gott und die Freiheit, Bd. 1, Die Spinozarenaissance, Frankfurt a.M. 1974; — W. Müller-Lauter, Nihilismus als Konsequenz des Idealismus, F.H.J.s Kritik an der Transzendentalphilosophie und ihre philosophiegeschichtlichen Folgen, in: A. Schwan (Hrsg.), Denken im Schatten des Nihilismus, FS W. Weischedel, Darmstadt 1975, 113-163; — F. Poggiolini, Die gesellschaftliche Kultur in den Romanen F.H.J.s, Diss. Zürich 1975; — W. Focke, J.-Tage in Düsseldorf, in: Mitteilungen der westdeutschen Gesellschaft für Familienkunde 64 (1976), 215-216; — F. Rizzo, La filosofia di F.H.J. nell'interpretazione di Benedetto Croce, in: Rivista di studi crociani 13 (1976), 357-372; — J. Straetmans-Benl, "Kopf und Herz" in J.s "Woldemar", in: Jahrbuch der Jean-Paul- Gesellschaft 12 (1977), 137-174; — S. Sudhoff, Die Bibliothek F.H.J.s, in: Das Tor 46 (1980), 43-45; — F. Wolfinger, Denken und Transzendenz, zum Problem ihrer Vermittlung, Frankfurt a.M./Bern 1981 .- L. Guillermit, Les Réalisme de F.H.J., Marseille 1982; — C.Ciancio, Friedrich Schlegel e J., in: Giornale di metafisica 5 (1983), 281 -315; — M. van den Bossche, De ambivalentie van de anti-verlichtingsgedachte bij F.H.J., in: Tijdschrift voor de studie van de verlichting 14-15 (1986/87), 457 .- K. Christ, Das Ende des Gottesbeweises, Diss. Aachen 1986; — Ders., J. und Mendelssohn, Würzburg 1988; — P.P. Schneider, Die "Denkbücher" F.H.J.s, Stuttgart 1986; — S. Zac, F.H.J. et le probleme de l'imagination chez Kanz, in: Archives de philosophie 49 (1986), 453-482; — G. Falke, Hegel und J., in: Hegel-Studien 22 (1987), 129 .- T. Horst, Konfigurationen des unglücklichen Bewußtseins, Zur Theorie der Subjektivität bei J. und Schleiermacher, in: H. Bachmaier, T. Rentsch (Hrsg.), Poetische Autonomie ?, Stuttgart 1987, 185-206; — D.F. Snow, F.H.J. and the Development of German Idealism, in: Journal of the History of Philosophy 25 (1987), 397; — M. Buhr (Hrsg.), Enzyklopädie zur bürgerlichen Philosophie im 19. und 20. Jh., Köln 1988, 33-36.55.66-69.91.94.166.168.172; — ADB XIII, 577-584; — Dictionnaire des philosophes I, 1318-1324; — EC VII, 546-548; — FDR II, 1858f; — FF III, 1129-1133; — FKL II, 229f; — Encyclopedia of Philosophy IV, 235-238; — Hirsch I, 177; III, 140; IV, 131.180.221.256.407.539f.; V,6.358; — LThK² V, 831f.; — Metzler Philosophenlexikon, 388-390; — NDB X, 222-224; — NewCathEnc 7, 793; —RGG³ III, 508-509; TRE XVI, 434-438; — Überweg III, 616-619; — Wetzer-Welte VI, 1182-1187; — Ziegenfuss Philosophenlexikon I, 582f.

Michael Tilly

JACOBI, Justus Ludwig, evangelischer Kirchenhistoriker, * 12.8. 1815 in Burg (bei Magdeburg), + 31.5. 1888 in Halle. — Der Sohn eines Landwirts verbrachte seine Kindheit und Jugend in kargen Verhältnissen. Einzig mit Hilfe von Verwandten konnte J. in Berlin das Joachimsthaler Gymnasium besuchen, das er 1834 — 19jährig — verließ, um in Halle Theologie zu studieren. Doch erst der Wechsel auf die Berliner Universität (1835) eröffnete ihm — besonders durch den hier lehrenden August Neander — den Zugang zur theologischen Wissenschaft. J. hörte bei Neander neben Kirchengeschichte auch Dogmatik, Ethik und Exegese. Neben der wissenschaftlichen Bindung an seinen Lehrer — J. übernahm die romantische und erbauungsgeschichtliche Interpretation Neanders auch in seine Arbeiten — knüpfte sich auch eine enge persönliche Beziehung, so daß J. Eingang in den Gelehrtenkreis um Neander fand. Hier traf er auf den tief religiösen Baron von Kottwitz, der mit seinem christlich-sozialen Fürsorgeprogramm einen starken Einfluß bei J. hinterließ. Als Hauptschüler Neanders schlägt er schließlich die Universitätslaufbahn ein. Nach der Habilitation in Berlin (1842) erscheint noch im selben Jahr seine erste Schrift: »Die Lehre des Pelagius«. Die biographische und antirationalistische Methodik, wie sie J. hier ganz im Geiste seines Lehrers vorstellt, bleibt charakteristisch für seine späteren Werke. Nachdem er 1847 zum Extraordinarius befördert wurde, gründet er — nach dem Revolutionsjahr 1848, in dem er auf der Seite der Königstreuen stand — mit der Tochter des Pastors Hertzberg seinen Hausstand. 1850 erscheint der erste (und einzige) Band seines Hauptwerks, das »Lehrbuch der Kirchengeschichte«. Daß es unvollendet bleibt, liegt in der besonderen Beziehung J.s zu Neander. Als dieser 1850 stirbt, widmet sich J. mit großer Energie der Ordnung und Herausgabe des Nachlasses seines Lehrers. So erscheint 1857 die zweibändige Dogmengeschichte Neanders, die J. mit wertvollen Fußnoten ergänzte. Seine wissenschaftliche Karriere führte ihn unterdessen von Berlin weg nach Königsberg (1851) und nach Halle (1855). Hier wird er zum entschiedenen Vertreter der Vermittlungstheologie und des Unionsgedankens. Daß J. auch dem praktischen Christentum verpflichtet war, belegt die Einrichtung des Diakonissenhauses in Halle, das er zusammen mit der Frau Rätin Tholuck 1856 gründete. Obgleich sich J. seit den Ereignissen des Jahres 1848 aus der Tagespolitik zurückgezogen hatte, nahm er während des Kulturkampfes in mehreren Schriften gegen Windthorst und die Zentrumspartei Stellung. Bereits im Alter verfaßt J. zwei biographische Skizzen, in denen er seine beiden Vorbilder,

Neander und von Kottwitz, würdigt. Er stirbt am 31. Mai 1888 in seinem Diakonissenhaus in Halle.

Werke: Die Lehre des Pelagius'. Ein Beitrag zur Dogmengeschichte, 1842; Kirchliche Lehre von der Tradition und Hl. Schrift in ihrer Entwicklung, mit bes. Berücks. der theol. Controversen von Dr. Daniel, 1847; Lehrb. der Kirchengeschichte, Erster Theil, 1850; (Hrsg.), August Neander, Christl. Dogmengeschichte, 2 Bde., 1857; Die Lehre der Irvingiten oder der sog. apostol. Gemeinde verglichen mit der Hl. Schrift, 1868[2]; Prof. Schlottmann, die Hallesche Fakultät und die Zentrumspartei, 1883[2]; Streiflichter auf Religion, Politik und Universitäten der Zentrumspartei, 1883[2]; Erinnerungen an D. Aug. Neander, 1882; Erinnerungen an den Baron Ernst von Kottwitz, 1882; Der Nuntius in Berlin, 1885; Offener Brief an den Pfarrer Woker in Halle, 1887.

Lit.: J. Jacobi, J. und die Vermittlungstheologie seiner Zeit, 1889; — Horst Stephan/Martin Schmidt, Geschichte der ev. Theol. in Dtld. seit dem Idealismus, 1973[3], 179 f.; — ADB L, 602-606; — RE VIII, 514-516. Wichtig für den Hintergrund: Walter Nigg, Die Kirchengeschichtsschreibung. Grundzüge ihrer hist. Entwicklung, Kap. Die romantische Kirchengeschichtsschreibung, 1934, 149-175.

Rainer Witt

JACOBINI, Lodovico, päpstlicher Diplomat, Kardinal, * 6.1. 1832 in Genzano (Latium), + 28.2. 1887 in Rom. — J. entstammte einer wohlhabenden Familie, die ihm eine hervorragende Ausbildung gewähren konnte. So besuchte er das Theologische Seminar von Albano und betrieb anschließend juristische Studien in Rom. J. tritt danach in den Dienst der Kurie ein, wo er die Ämterhierarchie schnell durchläuft. 1862 wird er Sekretär der 1. Kommission zur Redaktion des Syllabus von Pius IX., kurz darauf Sekretär der vorbereitenden Kommission für die Kirchendisziplin zum 1. Vatikanum. Als während des 1. Vatikanums der 1. Konzilssekretär, Joseph Feßler, erkrankt, tritt J. seine Nachfolge an. Diese Position ermöglicht ihm, in kürzester Zeit tiefe Einblicke in die weitverzweigte Struktur der Weltkirche zu bekommen. Am 24. März 1874 wird J. zum Nuntius in Wien ernannt. Obgleich er kaum Auslandserfahrung hat, beweist er außergewöhnliches diplomatisches Geschick. so gelingt ihm ein Ausgleich zwischen der Kurie und Österreich-Ungarn, das 1870 das Konkordat gekündigt hatte und 1874 in drei Gesetzesvorlagen die Vormundschaft über die Kirche erringen wollte. Bedeutender aber noch ist seine Rolle bei der Beilegung des Kulturkampfes mit Preußen und dem Deutschen Reich gewesen. J., der

der deutschen Zentrumspartei sehr zugeneigt war, leistete in seinen Gesprächen mit Windthorst (Dezember 1878) und Bismarck (September 1879) wichtige Vermittlungsarbeit. Leo XIII. stattete J. daraufhin mit mehr Machtfülle aus — 19. September 1879 Ernennung zum Kardinal, 16. Dezember 1880 Ernennung zum Staatssekretär —, damit J. die eingeleitete Entspannung im Kulturkampf weiterführen konnte. Doch trotz Erfolgen bildete sich im Vatikan eine Opposition gegen J., die großen Einfluß auf den Papst hatte, so daß sich J.s Position mehr und mehr schwächte. Im Sommer 1886 erkrankt J. schwer und zieht sich nach Genzano zum Stammsitz seiner Familie zurück. Obgleich schnell Spekulationen über seine Ablösung und Nachfolge emporkommen, steht J. im Januar 1887 wieder mitten im kirchenpolitischen Geschehen. Es ging dabei um die Bewilligung des Heeresetats für sieben Jahre im deutschen Reichstag (Septennat), die das Zentrum — gegen die Wünsche der Kurie — nicht geben wollte. In zwei berühmt gewordenen Noten griff J. direkt in den sogenannten Septennatsstreit zwischen Zentrum und Kurie ein. Die 1. Jacobinische Note vom 3.1. 1887 rief das Zentrum dazu auf, dem Septennat zuzustimmen, während die 2. Jacobinische Note vom 21.1. 1887 die Notwendigkeit des Fortbestandes der Zentrumspartei (und damit ihr Recht auf unbeschränkte Aktionsfreiheit) betonte. Damit ebnete J. den Weg zur Verständigung zwischen Kurie, Zentrum und Reichsregierung. Doch sollte er diesen Erfolg nicht mehr miterleben, J. starb am 28.2. 1887 in Rom.

Lit.: Henri Des Houx, Souvenirs d'un journaliste francais à Rome, 1886 (5. Aufl.), 50-53; — Johannes Heckel, Die Beilegung des Kulturkampfes in Preußen, in: Zschr. der Savigny-Stiftung für Rechtsgeschichte, Kanon. Abt. 29 (1930), 215-353 (= Ders., Das blinde, undeutl. Wort "Kirche". Gesammelte Aufs., 1964, 454-571); — Eduardo Soderini, Leo XIII. und der dt. Kulturkampf, Bd. 3, 1935; — Friedrich Engel-Janosi, Österreich und der Vatikan, 2 Bde., 1958/60; — Erich Schmidt-Volkmar, Der Kulturkampf in Dtld. 1871-1890, 1962; — Rudolf Lill, Vatikan. Akten zur Geschichte des dt. Kulturkampfes, 1970; — Christoph Weber, Kirchliche Politik zwischen Rom, Berlin und Trier 1876-1888, 1970; — Rudolf Lill, Die Wende im Kulturkampf. 1. Teil, in: QFIAB 50 (1971), 227-283, 2. Teil, ebd. 52 (1972), 657-730; — Christoph Weber, Quellen und Studien zur Kurie und zur vatikan. Politik unter Leo XIII., 1973 (mit reicher Bibliogr.); — Hans-Georg Aschoff, Rechtsstaatlichkeit und Emanzipation. Das polit. Wirken Ludwig Windthorsts, 1988; — DE II, 508; — HdKG VI, 2, 24 ff.; — LThK V, 832; — NewCathEnc VII, 793 f.; — RGG III, 509 f.

Rainer Witt

JACOB, siehe Jacobus, Jakob, Jacobus

JACOBUS de Benefactis, * in Mantua, + 19.11. 1328 oder 1322. — J. trat früh in den Dominikanerorden ein und wurde ein berühmter Priester. Er war Magister der Theologie in Paris, dann Berater und Sekretär von Papst Benedict XI., der ihn 1304 zum Bischof von Mantua ernannte, war um die Reinhaltung des Glaubens bemüht und kämpfte gegen Häresie. Sein Einsatz für die Armen brachte ihm den Namen "Vater der Armen". J. wurde 1859 seliggesprochen, sein Fest ist der 26. November.

Lit.: A. Touron, Histoire des hommes illustres de l'ordre de Saint Dominique II, 134-136, Paris 1745; — Année Dominicaine II, 841 ff., Lyon 1909; — J. Taurisano, Catalogues Hagiographicus, OP Rom 1918, 28; — A. Walz, Compendium historiae Ordinis Praedicatorum, Rom 1948, 203; — D. Mortier, Histoire des maitres généraux de l'ordre des frères Prêcheurs II, Paris 1905, 448, IV, Paris 1909, 667 ff.; — Baudot-Chaussin, Vies des Saints et des Bienhereux (par les PP. Bénédictus de Paris) XI, Paris 1935, 902; — DHGE VII, 1293; — EC II, 1330; — LThK V, 837; — Catholicisme VI, 267; — NewCatEnc VII, Washington 1967, 810.

Kristina Lohrmann

JACOBUS de Blanconibus (Bianconi) *von Mevania*, auch: Jakobus von Bevagna; sel., OP, * 7.3. 1220, + 22. (oder 23.) 8. 1301 in Mevania. J., Sohn des Johannes Bianconi von Mevania (Umbrien), trat 1236 dem Dominikanerorden zu Spoleto bei. Nach dem Studium der septem artes liberales und der Theologie gründete er ein Dominikanerkloster in Bevagna. In seiner Heimat wirkte er als Professor der Theologie und auch als beredter Prediger, wobei er vor allem die Nikolaiten, das sind die nicht im Zölibat lebenden Kleriker, erfolgreich bekämpfte, . J. verfaßte zwei bedeutende Schriften. Im »Speculum humanitate salvatoris Christi« schilderte er das Leben Jesu; über Sünden und das Jüngste Gericht schrieb er in »De ultimo iudicio universalis sive speculum peccatorum«. Weiterhin ist eine beträchtliche Zahl von handschriftlich überlieferten Predigten bekannt (»Sermones per annum«). Am 18.8. 1672 bestätigte Papst Clemens X. (s.d.) den J.-Kult. Fest: 23. August.

Lit.: Ludovicus Iacobilli, Vita del b. Giacomo da Bevegna, Foligno 1644; — F. A. Becchetti, Vita del b. Giacomo di Bevagna, Bevagna 1865; — Thomas Kaeppeli, Scriptores Ordinis Praedicatorum medii aevi, Vol. II, Rom 1975, 331-332; — Quétif-Échard I, 492; — AS Aug. IV, 1739, 719-737; — BS III, 175-177; — EC II, 1544; — LThK V[1], 261;

— LThK V², 837; — Dizionario biogr. degli Italiano X, 248-249.

Reinhard Tenberg

JACOBUS de Cerretanis (Cerretanus), * unbek., + Juli 1440. Vor dem Konstanzer Konzil scheint J., der 1414 als Litterarum apostolicarum scriptor erwähnt wird, als Sekretär an der päpstlichen Kurie an den Verhandlungen zwischen Papst Johannes XXII. (s.d.) und König Sigismund beteiligt gewesen zu sein; dieser verlieh ihm zudem in Pontestura die Pfalzgrafenwürde (1414). Während der Konzilszeit (1414-1418) wurde J. in den Aufzeichnungen oft als Sänger an der Kirche von Turin bezeichnet. Er protokollierte die Verhandlungen über die Absetzung Benedikts XIII. (s.d.) und er verfaßte eine Art Tagebuch (»Liber omnium gestorum...«), das neben den offiziellen Aktensammlungen zum Konstanzer Konzil auch reichhaltiges, privates Material zum Reformkonzil bietet. Dabei vertritt J. deutlich den italienischen und den kurialen Standpunkt. Das Interesse an den Verhandlungen wird J. nach der Abwahl des Papstes Johannes XXIII. (s.d.) verloren haben. Um 1419 ernannte ihn Papst Martin V. (s.d.) zum päpstlichen Kollektor in der Diözese Asti, wenig später zum Nuntius, der die Synode von Siena mit vorzubereiten hatte, und 1423 zum Registrator in der Kurie. Von 1429 bis zu seinem Tod war J. Bischof von Teramo (Abruzzen, Mittelitalien).

Lit.: Heinrich Finke, Acta concilii constanciensis, Bd. II Münster 1923, 9-12, 171-348; — The council of Constance. The unification of the church. Transl. by Louise Ropes Loomis, New York 1961, 466-531; — Das Konzil von Konstanz. Festschrift Hermann Schäufele. Hrsg. von August Franzen und Wolfgang Müller, Freiburg 1964 (s. Reg.); — Remigius Bäumer, (Hrsg.), Das Konstanzer Konzil, Darmstadt 1977 (s. Reg.); — LThK V¹, 258; — LThK V², 838.

Reinhard Tenberg

JACOBUS Cini de Senis, OP, * um 1312 in Siena, Stadtteil von St. Andrea, + 1378. — Nach dem Studium war J. Lektor der Philosophie und Baccalaureus in Rom (1344-1345), anschließend Prior in Viterbo (1356). In Florenz wirkte er als Magister der Theologie, bis er von 1364-1368 Provinzial der römischen Provinz wurde. Vom 3.9. 1372 bis zu seinem Tod war er Bischof von Termoli. J. unterrichtete an mehreren Ordensstudien und hatte sich einen Namen als gesuchter Prediger gemacht.

Werke: Commentarium in IV libros sententiarum; Alphabetum novum etymologiarum Isidori Hispalensis, Gregorio XI. dicatum; Sermones dominicales; Sermones quadragesimales, (alle Werke handschr. überliefert).

Lit.: Johann Baptist Schneyer, Repertorium der lat. Sermones des MA.s, Bd. III, Münster 1971, 162-165; — Thomas Kaeppeli, Scriptores Ordinis Praedicatorum medii aevi. Vol. II, Rom 1975, 338-339; — Quétif-Échard I, 681-682; — C. Eubel, Hierarchia catholica medii aevis, I², 484; — AFP 29, 1959, 130; — AFP 30, 1960, 267; — LThK II¹, 969; — LThK V², 846.

Reinhard Tenberg

JACOBUS Cinti de Cerqueto, sel., OESA, * Ende des 13. Jh, (1284?) in Cerqueto (Umbrien), + 17.4. 1367 in Perugia. Bereits als Jugendlicher soll J. dem Orden der Augustiner Eremiten beigetreten sein. Sein langes monastisches Leben wurde vor allem durch seine Predigten geprägt. Nach der Legende hat J. dabei - wie viele Eremiten seiner Zeit - auch Macht über Tiere besessen. Im hohen Alter starb J. in der St. Augustinus Kirche in Perugia. Aufgrund der vielen Wunder, die sich an seinem Grab ereigneten, veranlaßte Horatius, Bischof von Perugia, daß seine Gebeine in einer Prozession durch die Stadt geführt wurden; anschließend fand die feierliche Erhebung statt (1754). Der J.-Kult wurde im Juni 1895 von Papst Leo XIII. (s.d.) bestätigt.

Lit.: Confirmationis cultus ab immemorabili tempore praestiti servo Dei Jacobo a Cerqueto sacerdoti professo Ordinis Eremitarum S. Augustini beato nuncupato, in: Analecta ecclesiastica III, 1895, 253-254; — A. Rotelli, Il beato Giacomo da Cerqueto, Perugia 1895; — Doyé I, 542; — Holweck 522; — Baudot 356; — Thurston-Attwater II, 117; — LThK V¹, 257; — LThK V², 838.

Reinhard Tenberg

JACOBUS *von Corella*, OFMCap, * 1657 in Corella (Navarra), + 4.11. 1699 in Los Arcos. — Am 22.1. 1673 trat J. dem Kapuziner-Orden bei. Er war Lektor und päpstlicher Missionar und von 1693-1696 Provinzial. Als der spanische König Karl II. von seiner Beredsamkeit erfuhr, ernannte er J. zum königlichen Prediger. J. war Anhänger des Probabilismus, d.h. der katholischen Sittenlehre, die es erlaubte, daß das Gewissen in zweifelhaften Fällen von einer dogmatischen moraltheologischen Norm abweichen darf. J. hinterließ zahlreiche Schriften, die in mehreren Auflagen erschienen sind; sein Hauptwerk, die »Practica de el Confessionario« wurde auf apostolische Verfügung in den Index der verbotenen Bücher aufgenommen (1710).

Werke: Practia de el Confessionario, y explicacion de las 65 Proposiciones Condenadas por la Santidad de N. SS. P. Inocencio XI., Barcelona 1686-1689; Suma de la Theologia Moral, Pamplona 1687; Sermon de la Feria Segunda despues de la Dominica Tercera de Quaresma, Pamplona 1687; Noticia, censura, impugnación. .. Mexico 1694; Sermon que en la festividad de la aparición de la Santa Imagen de Nuestra Senora de Araceli, Pamplona 1695; Oracion funebre en las Solemnes Exequias ..., Pamplona 1696.

Lit.: Valentin de Soto, Jaime de Corella y su teologia moral, Diss. Rom 1953; — LexCap 784; — DThC VIII, 295-296; — DSp VIII, 32-33; — LThK V², 839.

Reinhard Tenberg

JACOBUS Magdalius, auch: J. Gaudensis, Gudanus, Dominikanermönch, Theologe und Dichter, * um 1470 in Gauda/Belgien, + vor 1520 in Köln. - Als Angehöriger des dortigen Predigerordens wurde J. 1490 Baccalaureus an der Kölner Artistenfakultät. Neben der griechischen beherrschte J. auch die hebräische Sprache, welche er von zwei jüdischen Konvertiten erlernt hatte. Ganz im Gegensatz zu seinem Zeitgenossen Johann Reuchlin lehnte J. das jüdische Schrifttum ab. Im Reuchlinstreit stand er auf Seiten Johann Pfefferkorns, eines getauften Juden und Freundes der Kölner Dominikaner, welcher die Vernichtung des rabbinischen Schrifttums anstrebte. J.s literarisches Werk zeichnet sich aus durch den kundigen Umgang mit den biblischen Texten, die zugleich Grundlage wie auch Grenzsteine seines Schaffens bildeten.

Werke: Correctorium Bibliae cum difficilium quarundam dictionum luculenta interpretatione, Köln 1500; Aerarium aureum poetarum, ebd. 1502; Naumachia ecclesiastica, ebd. 1503; Passio magistralis D.N.J. Christi ex diversis ss. Ecclesiae doctorum sententiis postillata cum glossa interlineari b. Alberti M., ebd. 1506; Compendium Bibliae, in quo continenture 257 versus, quibus totus fere Bibliae textus comprehenditur, Köln 1508, Wittenberg 1517; Dichterische Schriften in: Quétif-Échard II, 44 f.

Lit.: J. H. a Seelen, De Magdalii J.i Gaudensis laboribus biblicis corrigendae in primis versioni latinae Vulgatae impensis, Lübeck 1728; — H. Keussen, Die Matrikel der Univ. Köln II, Bonn 1928, 268; — AFP XVIII (1948), 281-302; — LThK V, 842; — Wetzer-Welte VIII, 450 f.

Michael Tilly

JACOBUS de Marchia (J. Picenus, della Marca,

von der Mark), franziskanischer Volksprediger, Heiliger, * 1394 in Montepadrone/Mittelitalien, + 28.11. 1476 in Neapel. — Im Jahre 1416 trat J. dem Franziskanerorden bei und wurde Schüler des späteren Generalvikars der Observanten, Bernhardin von Siena. Von 1426 an wirkte er als Volksprediger und gründete mehrere Darlehnskassen gegen den Wucher, sog. "Montes piatatis". 1437 wurde J. Inquisitor und Ordenskommissar in Ungarn und Bosnien, wo er energisch gegen die Hussiten einschritt. Calixtus III. erteilte ihm 1455 den Auftrag, die Einheit des Franziskanerordens, der sich in Observanten und Minoriten gespalten hatte, wiederherzustellen. Seine diesbezüglichen Bemühungen blieben jedoch erfolglos. 1462 brachte J. in seiner Osterpredigt unter anderem vor, Christi am Kreuz vergossenes und auf die Erde hinabgefallenes Blut sei am Auferstehungstag nicht wieder mit seinem Leib vereinigt worden. Diese Aussage stieß bei dem Dominikaner Jacobus von Brescia auf heftige Opposition, und noch am selben Tag wurde sie von den Dominikanern für häretisch erklärt. J. berief sich darauf auf die Schriften des angesehenen Franziskaners Franz von Mayronis, um seine Anschauung zu rechtfertigen. Was als mönchische Disputation begonnen hatte, eskalierte nun zusehends: beide Orden beschuldigten sich gegenseitig der Ketzerei, auch das Volk ergriff Partei. Papst Pius II. versuchte zu Weihnachten 1463 die Steitfrage in einer Disputation zwischen beiden Vertretern beider Orden zu klären. Die Entscheidung wurde jedoch aus politischen Gründen hinausgeschoben. 1475 ging J. auf Geheiß Sixtus IV. nach Neapel, wo er auch am 28.11. 1476 starb und beigesetzt wurde. J. war ein Mann von außergewöhnlicher Frömmigkeit und Güte, die nur noch von seiner Tatkraft und Energie übertroffen wurde. Unter Benedikt XIII. wurde J. 1726 heilig gesprochen.

Werke: A. Crivellucci, I Codici della libreria da S. G.d.M. nel convento di S. Maria delle grazie presso Monteprandone, Livorno 1890; L. Oliger (Hrsg.), De dialogo contra Fraticellos S. J. de Marchia, in: AFrH 4 (1911), 3-23; G. Caselli, Alcuni codici della libreria di S.G.d.M. esistenti nella Bibl. Vaticana, Monalto 1934; Dion Pacetti (Hrsg.), Sermones dominicales di S.G.d.M. in un codice autografo, del convento francescano di Falconera, in: CollFr 11 (1941), 7-34, 185-222; Ders. (Hrsg.), Le prediche autografe di S.G.d.M., in: AFrH 35 (1942), 296-337, 36 (1943), 75-97; Ders. (Hrsg.), I Sermoni quaresimali di S.G.d.M. contenuti nel codice 187 della Bibl. Angelica, in: AFrH 46 (1953), 302-340; R. Lioi, Rassegna bibliografica di S.G.d.M. dalla vita da Fr. Venanzio, in: Studi francescani 41 (1944), 183-189; G. Pagnini, Alcunio codici della libreria di S.G.d.M. scoperti recentemente, in: AFrH 45 (1952), 171-192, 48 (1955), 131-146; Tractatus contra bosnae haereticos, in: AFrH 53 (1960),

111-127; C. Delcorno, Due prediche vulgari di J. della Marca recitate a Padova nel 1460, in: Atti dell' Instituto veneto 128 (1969/70), 135-205; Quétif- Échard I, 822-825; Vgl.: Gobelinus, Commentarii Pii II., Frankfurt 1614, 278-292.

Lit.: Vita et res J., Lyon 1641; — G. Nicolai, Vita storica di St. G. della M., Bologna 1876; — M. Faloci Pulignati, Per la storia di S.G.d.M., in: MFr 4 (1889), 65-78; — G. Caselli, S.G.d.M. el monti di pietà, in: La Verna 8 (1911), 461 ff., 529 ff., 592 ff., 655 ff.; — Ders., Studi su S.G.d.M., 2 Bde., Ascoli Piceno 1926; — N. Dai Gal, De excellentia ordinis S. Francisci, in: AFrH 4 (1911), 304-313; — K. Hefele, Der hl. Bernhardin von Siena und die franziskanische Wanderpredigt in Italien während des XV. Jh.s, Freiburg i. Br. 1912; — P.Theod. Somigli, Vita de S.G. d.M. scrita da Fra Venanzio da Fabriani, in: AFrH 17 (1924), 378- 414; — D. Doucie, The nature and the Effect of the Herey of the Fraticelli, Manchester 1932, 231, 241-243; — Joh. Hofer, Johannes von Capestrano, Ein Leben im Kampf um die Reform der Kirche, Innsbruck, Wien 1936; — M. Sgattoni, Note bibliografiche intorno a S.G.d. M., in: Bolletino di studi bernardiani 5 (1939), 191-213; — Ders., La vita di S.G.d.M. per Fra Venanzio da Fabriano, Zara 1940; — Dion Pacetti, L'importanza dei »Sermones« di S.G.d.M., in: Studi francescani 39 (1942), 125-168; — G. Fabiano, S.G.d.M. e Ascoli, ebd. 20 (1948), 30-49; — Al. Ghinato, Apostolato religiso e sociale di S.G.d.M. in Terni, in: AFrH 49 (1956), 106-142, 352-390; — P. Cel. Piana, Silloge di Documenti dell'antico archivio di S. Francesci di Bologna, in: AFrH 49 (1956), 61-76; — Ang. Sacchetti-Sassetti, G.d.M. paciere à Rieti, in: AFrH 50 (1957), 75-82; — A. Mataniç, De duplici activitate S.J.d.M. in regno et vicaria francisc. Bosnae, in: AFrH 53 (1960), 78-100; — S. Nessi, La Confraternita di S. G.d.M. in Perugia, in: MFr 67 (1967), 78-115; — D. Lasic, Definizione degli scritti di S.G.d.M., in: Picenum seraphicum 6 (1969), 34-40; — Umberto Franca, Un »introito« ed una »sequenza« in onore di S.G.d.M., Annatazioni per la storia del suo culto nei secoli, in: AFrH 72 (1979), 505-513; — V. G. Mascia, S. Bernardini da siena in due sermoni di S.G.d.M., in: Studi e ricerche francescane 9 (1980), 99-166; — BS II, 1315, IV, 867, 963, V, 474, 655, 1103,VI, 388, 652, VIII, 736, 913; — Catholicisme VI, 268 f.; — DSp VIII, 41- 45 (Bibliogr. d. Hss.); — EC VI, 327 f.; — Franz von Sales Doyé, Heilige und Selige der röm.-kath. Kirche, Bd. 1, Leipzig 1929, 543; — Otto Wimmer, Hartmann Melzer, Lexikon der Namen und Heiligen, Innsbruck, Wien, München 1982⁴; — LThK V, 843; — Wetzer-Welte VI, 1153 (Art.: J. v. Brescia).

Michael Tilly

nehmen die Hilfe seines Ordens an. Zurück in Frankreich, werden J. Klagen über den Orden mitgeteilt und nach weiterer Denunzierungen ließ der König ihn am 13.10. 1307 verhaften, ebenso die übrigen französischen Templer. Durch strenge Verhöre und wohl auch Folter wurden viele Geständnisse erzwungen (u. a. Verleugnung und Bespeiung des Kreuzes, Aufforderung zur Sodomie). Auch J, legte Ende Oktober ein Geständnis ab und rief in einem Rundschreiben Ordensgenossen auf, die Wahrheit zu gestehen. Darauf erteilte der Papst den Befehl, die Templer in allen Ländern gefangen zu nehmen. J. wiederrief das Geständnis, wohl aus Taktik, da er eine Zusammenkunft mit dem Papst erhoffte, bei der er seine Unschuld beweisen könnte. Diese fand jedoch nicht statt. Im Mai 1310 wurden die ersten Templer hingerichtet und im Oktober 1310 fand in Wien ein Konzil statt, bei dem eine Untersuchungskommission eingesetzt wurde. Der Widerruf von Geständnissen wurde durch Drohung mit dem Feuertod verhindert, dies erklärt das Schwanken von J. bei späteren Verhören. J. selbst wurde im März 1314 zu ewigem Gefängnis verurteilt. Darauf wiederrief J. seine durch Einschüchterung erpreßten Geständnisse und wurde als rückfälliger Ketzer verbrannt. Die neuere Beurteilung von J. sieht keine Unschuld als erwiesen.

Lit.: J. Besson, Étude sur de Molay, Besancon 1877; — J. Michelet, Procès des templiers, 2 Bde., Paris 1891; — P. Dugueyst, Essai sur Jacques de Molay, Paris 1906; — H. Finke, Papsttum und Untergang des Templerordens, Münster 1907; — P. Viollet, Les interrogatoires de Molay, Paris 1909; — G. Lizeraud, J. de Molay, 1913; — A. Trunz, Zur Geschichte des letzten Templermeisters (Diss. Freiburg), 1920; — St. Baluze-G. Mollat, Vitae paparum Avenionensium III, Paris 1921, 145-154; — G. Mollat, Les Papes d'Avignon, Paris 1949⁹, 562-565; — Haller V, 272-275; — W. Schwarz, Die Schuld des J. v. M., des letzten Großmeisters der Templer, in: Die Welt als Geschichte 17, 1957, 259-277; — G. Bordonore, Les Templiers, Paris 1963; — EC VI, 329; — LThK V, 843 ff.; — Catholicisme IX, 482 ff.; — NewCatEnc VII, 798; — HdKG III², 376.

Kristina Lohrmann

JACOBUS *von Molay*, letzter Großmeister der Templer, * 1254 in Molay (Diözese Besancon), + 18.3. 1314 in Paris. — J. trat 1262 in den Templerorden ein, war beteiligt an Kämpfen um christliche Stützpunkte in Palästina und übersiedelte 1291 auf Cypern, um die Templer dort einzubürgern. 1293 ist J. als Visitator in England. Anfangs unterhält J. gute Beziehungen zu König Philipp IV. und Bonifatius VIII. und bietet so auch Clemens V. für ein Kreuzzugsunter-

JACOBUS SALOMONIS oder J. *von Venedig*, Dominikaner, * 1231 in Venedig, + 31.5. 1314 in Forli. — J. stammt aus einer vornehmen Familie der Salomonii und tritt mit 17 Jahren in den Predigerorden ein, nachdem er sein Erbe an die Armen verteilt hatte. 1252 kam er nach Forli, wo er in der Erziehung der jungen Mitbrüder tätig war. Seine Tätigkeit in Forli wurde unterbrochen, als er Subprior in Faenza, San Severino und Ravenna wurde. Seine Sorge für die Armen, sein Vorbild ließ seine Anhängerschaft rasch wachsen, so wurde er "Vater der Armen" genannt. J. wurde 1526 selig gesprochen. J. ist Schutzpatron von Forli, Reliquien und Grab befinden sich dort in der Ordenskirche.

Lit.: ASS May VII, 450-456; — AnBoll XII, 367-370; — Année Dominicaine, May II, 815-824, Lyon 1891; — AFP X, 109; — Baudot-Chaussin, Vies de Saints et des Bienhereux (par les PP. Bénédictius de Paris) I, 763; — A. Walz, Compendium historiae Ordinis Praedicatorum, Rom 1948, 203; — EC X, 1696; — LThK V, 846.

Kristina Lohrmann

JACOBUS (Palladini) de Teramo, Bischof, Kanonist, * 1349 in Teramo (Abruzzen), + vor dem 16.5. 1417. — Nach dem Studium des kanonischen Rechts in Padua wurde J. Kanonikus in seiner Heimatstadt Teramo, danach Archidiakon in Aversa. In den folgenden Jahren übte J. an der Kurie in Rom verschiedene kirchliche Verwaltungsaufgaben aus. 1391 finden wir ihn als Bischof in Monopoli, 1400 in Tarent, 1401 in Florenz und 1410 schließlich in Spoleta. J. war auf dem 1. Reformkonzil in Pisa (Juni 1409) an der Wahl Alexanders V. als Nachfolger Gregors XII. und Benedikts XIII. beteiligt.

Werke: Consolatio peccatorum seu lis Christi et Belial coram Salome iudice, versa 1382; Tractatus de monarchia papae, ungedruckt.

.: Th. Muther, Zur Geschichte der Rechtswissenschaft, Jena 1876, 192 ff.; — A. Mercati, in: RSTI 2 (1948), 157-165; — H. Munsterberg, Mss., in: Boston Public Library Qarterly 6 (1954), 150-159; — Chevalier BB II, 3478; — RQ 10, (1896), 163-169; — LThK V, 848.

Michael Tilly

JACOBUS STREPA (Strzemie), Franziskanermönch, Missionar, Erzbischof von Halicz, selig, * um 1340, + 1409. — J. wirkte als Generalvikar der Franziskanermission, der "Societas pro Christo peregrinantium", in Galizien, Podolien und Wolhynien, von 1385-1388 auch als Vorsteher des Kloster zu Lemberg (Lwow), bevor er 1391 Erzbischof der Diözese Halicz (Slowakei) wurde. J. genoß das Vertrauen der polnischen Könige. Während seiner Amtszeit wurden in dem Bistum Halicz viele neue Pfarreien gegründet. J. residierte in Lemberg. Nach seinem Tod im Jahre 1409 wurde der Sitz des Bistums Halicz nach Lemberg verlegt. Am 11.10. 1790 wurde seine Verehrung als Seliger von Papst Pius VI. bestätigt, seit 1795 befinden sich seine Gebeine in der Lemberger Kathedrale. Der Tag seines Gedächtnisses ist der 21. Oktober.

Lit.: J. Skrobiszewski, Vitae Archiepiskoporum Haliciensium et Leopoliensium,. Leopoli 1621; — B. Kedskierski, Zycie bl. Slugi Bozego J. Strzemie, Lemberg 1778; — Acta S.S. Octobris VIII., Brüssel 1853, 814; — K. Reifenkugel, Die Gründung der röm.-kath. Bisthümer in den Territorien Halicz und Wladimir, Wien 1874; — W. Abraham, J. Strepa arcybiskup halicki 1391-1409, Krakau 1908; — Circa Exuviarum visitationem B. J. de Strepa ord. Minorum ... relationes et documenta, in: AOFM XXX (1911); — O. Stanovsky, Die Heiligen und Seligen des Königreichs Galizien, Wien 1914, 77-101, — Fr. v. Sales Doyé, Heilige und Selige der röm.-kath. Kirche, Bd. 1, Leipzig 1929, 539; — O. Halecki, Collectanea Theologica 18, Lemberg 1937, 477-532; — O. Wimmer/H. Melzer, Lex. der Namen und Heiligen,. Innsbruck, Wien 1988[6], 410; — BS VI, 419-421; — LThK[2] V, 847 f.

Michael Tilly

JACOBUS a Voragine, Dominikaner, Erzbischof von Genua, Heiliger, * 1228/30 in Varazze bei Genua, + 14.7. 1298 in Genua. — J. soll in Bologna und Paris studiert haben. Wie Thomas von Aquin trat er 1244 in den Predigerorden ein. Er besaß den Ruf eines hervorragenden Kanzelredners und wurde 1252 Professor der Theologie. J. war Prediger seit 1260 in Genua und anderen italienischen Städten, er lehrte in den Ordensschulen und unternahm auch weite Reisen als Wanderprediger. In den Jahren 1267-1278 und 1281-1286 war J. Provinzial der Lombardei. 1286 sandte Papst Honorius IV. J. nach Genua, um bei den inneren Zwistigkeiten der Stadt versöhnend zu wirken. In Genua herrschte ständiger Parteikampf zwischen Guelfen und Ghibbelinen (hier Rempini und Mascarati genannt). J. gelang es, Frieden zu stiften, allerdings flackerten die Kämpfe bald erneut auf. 1286 wurde J. zum Erzbischof von Genua gewählt, aber erst 1292 trat er dieses Amt an. Über die Grenze hinaus wurde J. durch sein Werk »Legenda aurea« bekannt. Es entstand im 7. Jahrzehnt des 13. Jahrhunderts. Der Titel stammt nicht vom Autor, er gab dem Werk keinen Titel, sondern von den Lesern. Die »Legenda aurea« ist ein beinahe so umfangreiches Werk wie die Bibel; es ist eine Weiterentwicklung der biblischen Grundgedanken in den Gebieten der Kosmologie, Christologie, Angelologie, Menschenlehre, Probleme des Bösen etc. Ein Hauptteil der »Leganda« behandelt die Lebens- und Todesgeschichten der Heiligen. Die

Wirkung der »Legenda« ist sichtbar an der heute noch vorhandenen Anzahl von Abschriften, im ganzen Mittelalter wurde außer der Bibel kein anderes Buch so oft abgeschrieben und in die verschiedenen Sprachen übersetzt wie die »Legenda«. Schon zu J.s Lebenszeit gab es wohl ca. 100 Abschriften. Die »Legenda« beeinflußte auch sehr stark Schriftsteller (z. B. Geoffrey Chauser, Gustave Flaubert, Selma Lagerlöf u. a.), aber auch die bildenden Künste (hier vor allem Giotto). Zu erwähnen sind auch die Predigten des J., die er selbst gesammelt und aufgezeichnet hat. Wichtiger noch ist seine »Chronik der Stadt Genua«, die J. während seiner Zeit als Erzbischof verfaßte. Die wissenschaftliche und literarische Qualität der »Chronik« zeigt sich darin, daß sie in die große Ausgabe der Serie »Fonti per la Storia d'Italia« (Rom 1941) aufgenommen wurde. Der Wunsch von J. war, dem lebendigen Wort zu dienen, Vorbilder für gelebtes Christentum zu vermitteln, dabei entfernte er sich oft vom Boden der Realität, was Humanisten und Reformatoren stark kritisierten. 1816 wurde J. um seiner Verdienste willen als "Friedensstifter" selig gesprochen.

Werke: Jacobi a Voragine, Legenda aurea, rec. Dr. Th. Graesse, Leipzig 1864; Jacobus de Voragine, Legenda aurea, deutsch v. Richard Benz, Jena 1925; M. Pellechet, Jacques de Voragine, Liste des Editions de ses ouvrages, publiés auXVe siècle, Paris 1895.

Lit.: Douhet (comte de), Dictionnaire des légendes du christanisme, 3. Encyclopédie théologique de l'abbée Migne, Petit-Montrouge, J.-P. Migne, t. XIV, 1855; i T. De Wizena, Introduction à la Légende dorée, Paris 1902; i E. v. Steinmeyer, Die Historia apocrypha der Legenda aurea, in: Münchner Museum für Philologie des Ma. und der Renaissance 3 (1918), 155-166; i M. de Waresquiel, Vita del Beato Giacomo di Varazze, Turin 1925; i W. Hug, Quellengeschichtl. Studie zur Petrus- u. Pauluslegende der Legenda aurea, in: HJ 49 (1929), 623; i P. Saintyves, En marge de la Légende dorée; songes, miracles et survivances; essai sur la formation de quelques thèmes hagiographiques, E. Nourry, Paris 1930, 596; i E. C. Richardson, Materials for a Life of Jacopo da Voragine, New York 1935; i J. J. A. Zuidweg, De werkwijze van Jacobus de Voragine, Amsterdam 1941; i Giovanni Monleone, Jacopo da Voragine e la sua Cronaca di Genova, delle Origini al MCCXCVII, Rom 1941; i R. Aigrain, L'Hagiographie, Bloud et Gay, Paris 1953, 416; i Angelo Ferrero, I primi due papi dominicani e II B. Giacomo da Varazze 1963; i M. M. Vicaire, Dominique et ses prêcheurs, préface du père M. D. Chenu, o. p. Éditions universitaires- éd. du Cerf, Fribourg-Paris 1977, XXXIX, 444; i Ders., Histoire de saint Dominique, Le Cerf, Paris 1957, 2 vol.; i Gisbert Kranz, Europas christl. Lit. von 500-1500, Paderbom 1968, 192 f.; i Maria von Nagy und N. Christoph de Nagy, Die Legenda aurea und ihr Verfasser J. de V., Francke, Bern 1971; i G. Huot-Girard, »La justice immanente in der Légende dorée«, Cahiers d'études médiévales, I, 1975, 135-147; i E. Delaruelle, la Piéte' populaire au Moyen Age, Botega d'Erasmo, Turin 1975, XXVIII-573; i M. C. Pouchelle, »Représentation du corps dans la Légende dorée«, Ethnologie francaise, 6, 1976, 293-308; i G. Phillipart, Les Légendiers latins et autres manuscrits hagiographiques, Typologie des sources du Moyen Age occidental 24- 25, coll. Brepols, Turnhout, 1977; i K. Kunze, »J. a. V.«, in: Die dt. Lit. d. MA.: Verfasserlex., de Gruyter, Berlin-New York 1981, t. III, 448-466; i A. Boureau, Le prêcheur et les marchands, Ordre divin et désordres du siècle dans la Chronique de Gênes de J. V. (1297) »Mediévales«, 1983, 102-112; i Ders., La Légende dorée, Le système narratif de J. V., Paris 1984; i Joachim Knape, Die »Historia apocrypha« der »Legenda aurea«, in: Bamberger Hochschulschr. Heft 11, Bamberg 1985; i EC VI, 332; i Catholicisme VI, 270; i LThK V, 849-850, i Dictionary of catholic Biography v. J. Delaney und J.Tobin, London 1962, 601.

Kristina Lohrmann

JACOBUS, Gaetani Stefaneschi, Kardinal aus der Familie Gaetani, * um 1270 in Rom als Sohn des Pietro di S. und der Perna Orsini, + 23.6. 1343 in Avignon. — J. studierte und lehrte an der Pariser Universität. Unter Papst Bonifatius VIII. (s.d.), auch einem Gaetani, am 17.12. 1295 zum Kardinal ernannt, war J. diesem eng verbunden und blieb auch in den Tagen des Aufruhrs in Anagni im September 1303 an seiner Seite. Bei den Wahlverhandlungen des in Perugia stattfindenden Konklaves war er ein Verfechter der Kandidatur Bertrand de Gots, dem späteren Papst Clemens V. (s.d.). Als König Philipp IV. von Frankreich die posthume Verurteilung von Bonifatius anstrebte, trat J., ungeachtet der Angriffe von Seiten Wilhelms von Nogaret, des Anführers des Komplotts von Anagni, als Bonifitianer auf. Aufgrund seiner ghibellinischen Haltung politisch in Opposition zu Clemens V. und Johannes XXII. (s.d.) stehend, hatte J. in Avignon nur geringen Einfluß. — J.s in drei Teilen fertiggestelltes »Opus metricum« ist als Augenzeugenbericht über die Ereignisse vom Tode Nikolaus' IV. (s.d.) bis zum Ende des Pontifikats Clemens' V. besonders wertvoll. Eine wichtige Quelle für das Studium des pästlichen Hofes im 14. Jahrhundert ist J.s Wiedergabe des pästlichen Hofzeremoniells.

Werke: Opus metricum, 1315, ed. Fr. X. Seppelt, Monumenta Coelestiniana, Paderbom 1921; Liber de centesimo sive Iubileo anno, gedr. in: Bibliotheca maxima veterum Patrum XXV, Lyon 1677; ed. D. Quattrocchi, in: Bessarione 7 (1900), 299-317; Vita St. Georgii mart., um 1316 (Arch. capit. St. Pietro, Rom, Ms. 129 C); Historia di miraculo Marie facto Avinione, um 1320 (Bibl. nat. Paris, Lat. 5931, fol. 95r-102r); Le cérémonial romain (Bibl. Avignon, Ms 1706).

Lit.: J. Mabillon, Museum Italicum II, Paris 1687, 241-443; — Fr. Ehrle, Zur Geschichte des päpstlichen Hofceremoniales im XIV. Jahrhundert, in: ALKGMA 5 (1889), 565-602; — L. H. Labande, Le cérémonial romain de Jacques Cajétan, in: Bibliothèque de l'Ecole des Chartes 54 (1893), 45-74; — A. de Angeli, in: Celestino V, Aquila 1894, 381-416; — D. Quattrocchi, in: Bessarione 7 (1900), 291-298; — J. Hösl, Kardinal J.G.S. Ein Beitrag zur Literatur- und Kirchengeschichte des beginnenden 14. Jh., Berlin 1908; — C. Eubel, Hierarchina Catholica medii I², 1913, 12; — C. Fisher, L'Ordinaire de la chapelle papale et le cardinal Jacques G. S., in: EphLiturg 39 (1925), 230-260; — Ders., Un Ordo de la Curie romaine au XIVe siècle, in: BLE 35 (1934), 104-124; — Guglielmo Mollat, Miscellanea Avenionensia, in: Mélamges d'archéologie et d'histoire 44 (1927), 1-5; — R. Morghen, II cardinale Jacopo Gaetano S. e l'edizione del suo Opus metricum, in: Bullettino dell' Istituto storico Italiano e Archivio Muratoriana 46 (1930), 1-39; — E. Müller, Das Konzil von Vienne, Münster 1934, 671-678; — M. Andrieu, Le Pontifical romain au moyen âge II, Rom 1940, 284-294; — A. Frugoni, in: Bullettino dell'Istituto storico Italiano e Archivio Muratoriana 61 (1949), 163-172; 62 (1950), 1-121; — Ders., La figura e l'opera del cardinale Jacopo S. (1270-1343), in: Atti dell' Accademia nazionale dei Lincei, 8. ser., 5 (1950), 397-424; — Ders., Celestiana, in: Studi storici 6/7 (1954), 69-124; — L. Gatto, in: Bullettino dell'Istituto storico Italiano e Archivio Muratoriana 69 (1957), 303-317; — EItal XXXII, 656 f.; — EC XI, 1297 f.; — LThK V, 847; — NewCathEnc VII.

Thomas Uecker

JACOBY, Carl Johann Herrmann, evangelischer Theologe, * 30.12. 1836 in Berlin, + 18.5. 1917 in Königsberg, Sohn des Oberlehrers Johannes J. und der Dorothea Goetzke. — J. studierte 1854/57 in Berlin Theologie, besuchte 1858/59 das Predigerseminar in Wittenberg, arbeitete von 1859-1863 als Gymnasiallehrer in Landsberg a. W. und von 1863-1864 in gleicher Position in Stendal. 1866 war J. Diakon auf Schloß Heldrungen und wurde 1868 ordentlicher Professor für praktische Theologie an der Albertus-Universität in Königsberg. Seit 1871 bekleidete er zugleich das Amt des Universitätspredigers und war als Konsistorialrat tätig. 1896/97 wurde J. Rektor der Universität Königsberg. Seit 1912 lebte er in Königsberg im Ruhestand. — Als Vertreter der praktischen Theologie war J. in erster Linie darauf bedacht, protestantische Theorie und Praxis effektiv miteinander zu verknüpfen (Die Gestalt des evangelischen Hauptgottesdienstes 1879, Das bischöfliche Amt und die evangelische Kirche 1887, Allgemeine Pädagogik auf Grund der christlichen Ethik 1883). Daneben war er Mitherausgeber der homiletischen Zeitschrift »Dienet einander« - Monatsschrift für praktische

Theologie und Religionsunterricht der Schule - und Mitarbeiter an der »Realencyclopädie für protestantische Theologie und Kirche«.

Werke: Vier Vorträge zum Verständnis der Reden des Herrn im Evangelium des Lukas, 1863; Zwei evang. Lebensbilder aus der kath. Kirche, 1864; Vier Beiträge zum Verständnis der Reden des Herrn im Evangelium des Lukas, 1868; Beiträge zur christl. Erkenntnis in Predigten, 1871; Die Grenzen der weiblichen Bindung, 1871; Jesus Christus und die irdischen Güter. Vortrag, geh. auf der Pastoral-Conferenz zu Barmen, 1875; Staatskirche, Freikirche, Landeskirche, 1875; Die Liturgik der Reformatoren. 2. (Schluß=) Ed. Liturgik Melanchtons, 1876; Das geistige Leben Königsbergs in der Zeit der 30-jährigen Kriegs, 1877; Die Gestalt des evang. Hauptgottesdienstes. Vortrag geh. auf der Pastoral-Conferenz zu Königsberg in Pr. am 23. Okt. 1878, 1879; Allgemeine Pädagogik auf Grund der christl. Ethik, 1883; Christl. Tugenden. Predigten, 1883; Luthers vorreformatorische Predigt, 1512-1517, 1883; Das bischöfl. Amt und die evang. Kirche. Vortrag, geh. in der Pastoral-Conferenz zu Königsberg Pr. am 2. Nov. 1886, 1887; Der erste Brief des Apostels Johannes, in Predigten ausgelegt, 1891; Die innere Mission, ihre Aufgaben und ihre Geschichte, 1892; Großen Frieden haben, die dein Gesetz lieben. Predigt, 1894; Predigt zur Universitäts-Jubelfeier über Psalm 119, 165, geh. zur 350-jährigen Feier der Albertus-Universität in der Domkirche zu Königsberg am 26. Juli 1894, 1894; — Neutestamentl. Ethik, 1899; Die weibliche Diakonie in ihrer geschichtl. Entwicklung. Deutsch-Evang. Blätter 25. 306-333, 1900; Gedächtnisrede über Jes. 28, 29 auf den Oberpräsidenten der Provinz Ostpreußen und Kurator der Albertus- Universität, Herrn Grafen Dr. jur. Wilhelm v. Bismarck-Schönhausen. In der Aula der Universität am 26. Juni 1901 geh. 1901; Lectiones cursorias, quas... Otto Procksch Phil., Dr. Theol. Lic. »Über den Sinn des menschl. Lebens nach den Psalmen« ad docendi facultatem rite impetrandam die XIII m. Novembris..., habebit, indicit, 1901; Die Evangelien des Markus und Johannes. Homilet. Betrachtungen, 1903; Die Autorität und der Protestantismus (Vortr.), 1912.

Lit.: Julius N. Weisfert, Biographisch-litterarisches Lexikon für die Haupt- und Residenzstadt Königsberg und Ostpreußen, 1897, 1975², 108-109; — Deutsches Biogr. Jahrbuch, Bd. II, 1917-1920, 1928, 659 (NL); — RGG III, 1929², 6; — Neue Deutsche Biographie X, 1974, 254; — Deutsches Biogr. Archiv, 1985, 595/273.

Ursula Hoffacker

JACOBY, Ludwig Sigismund, * 21. Okt. 1813 in Alt-Strelitz, Mecklenburg, + 20. Juni 1874 in St. Louis, Missouri/USA, ist einer der Gründer der Evangelisch-methodistischen Kirche im konti nentalen Europa. Seine Eltern Samuel Jacoby und Henriette geb. Hirsch waren fromme Mitglieder der jüdischen Gemeinde. Sie erzogen ihre sechs Kinder, unter denen L.S. das fünfte war, in ihrer Tradition. L.S.J. mußte auf eine akademische Ausbildung verzichten. Er trat

1828 in Hamburg eine kaufmännische Lehre an. Etwa 1835 siedelte er aus der Hansestadt nach Leipzig über. In seinem 23. Lebensjahr(?) wurde er in Sachsen lutherisch getauft. 1838 reiste er nach England (Nottingham) und wanderte wenig später nach Amerika aus. Zunächst war er in Cincinnati/Ohio als Lehrer tätig. Durch methodistische Verkündiger fand er zum Glauben an Jesus Christus. Danach wurde er Laien-Mitarbeiter in der Gemeinde und fing bald an zu predigen. Schon 1841 stellte ihn die Methodistenkirche vollzeitlich an und übertrug ihm eine missionarische Arbeit unter Deutschen. Vorher hatte er sich 1840 mit Amalie Therese Nuelsen (*1. 10. 1815 +7.4. 1897) verheiratet. Sie war aus Nörten bei Göttingen nach Amerika gekommen und gehörte ursprünglich der röm.-kath. Kirche an. L.S.J. wirkte unter den Deutschen, gründete Schulen und bildete Gemeinden. 1844 berief ihn die Kirche zum Superintendenten. 1844 und 1848 war er Delegierter der verfassunggebenden Generalkonferenz der Methodist Episcopal Church. — Infolge der Revolution von 1848 (Religionsfreiheit!) wurde L.S.J. als Missionar nach Deutschland gesandt. 1849 nahm er in Bremen seine Arbeit auf und wirkte von hier aus mit strategischer Weitsicht bis in die Schweiz und nach Frankreich. Er suchte Kontakte zu den aus England herüberwirkenden Wesleyanern (Chr.G.Müller, Winnenden und Dr.Charles Cook, Lausanne). 1871 kehrte er nach USA zurück, wirkte dort im St. Louis-Distrikt als Prediger und Superintendent, bis er nach längerer Krankheit am 20.6. 1874 starb. — L.S.J. war der erste Missionar der Bischöflichen Methodistenkirche in Deutschland. Er suchte von Anfang an Kontakte zu Organisationen (z.B. Kirchentag, Innere Mission, Ev. Allianz) und Personen (z.B. Fr. Mallet, Georg G. Treviranuns in Bremen sowie Johannes Ev.Goßner, Eduard Theodor Wilhelm Kuntze, Prof.August Neander u.a. in Berlin), die der Erweckungsbewegung nahestanden. Die Amerikanische Bibelgesellschaft und die Amerik. Traktatgesellschaft halfen zu eigenen Bibeldrucken in Deutschland und zur Anstellung von Kolporteuren, die Londoner Traktatgesellschaft unterstützte die Herausgabe von Zeitschriften. In den norddeutschen Hafenstädten organisierte L.S.J. Auswandererberatung. 1858 richtete er in Bremen ein Predigerseminar ein. L.S.J. tat seinen Dienst mit bischöflicher Weitsicht und legte den organisatorischen Grund für die methodistische Kirche in Deutschland.

Werke: Kurzgefaßte deutsche Grammatik, USA 1839;- Eine kurze Verteidigung der Methodisten gegen verschiedene ungerechte Beschuldigungen, 1850[1,] 1857[2];- Christliche Geschichten zum Unterricht, 4 versch.Teile, ab 1851[1]; 1857[2];-Handbuch des Methodismus (Lehre, Kirchenregiment, eigentümliche Bräuche), 1853[1], 1855[2];-Kurzer Inbegriff der christl. Glaubenslehre, 1855[2],1862[3];- Auserlesene Bibelstellen zur Glaubenslehre o.J.;- Das Leben und Wirken Johann Wesleys, 1857;- Letzte Stunden oder die Kraft der Religion Jesu Christi im Tode, 1873;- Geschichte des Methodismus, seiner Entstehung und Ausbreitung in den versch. Erdteilen, 2 Bde, 1870;- Aus dem Brieftagebuch von L.S.J., in MITTEILUNGEN der Studiengemeinschaft für Geschichte des Methodismus, 1962, S. 17-19;-HERAUSGEBER: J.W.Fletcher, Betrachtungen über die Wiedergeburt, 1850;- J. Wesley, Der wahre Christ, 1850;- ders., Der Methodismus, 1850;- ders., Die freie Gnade, 1850;- —ZEITSCHRIFTEN: Der Evangelist (Sonntagsblatt der Methodistenkirche) 1850-1871;- Der Kinderfreund ab 1853;-

LIT.: A. Miller, Experience of German Methodist Preachers, USA 1859;-Fr. Kopp, Charakter-Bilder aus der Geschichte des Methodismus, USA 1881;- Heinrich Mann, L.S.J., 1892;- Friedrich Wunderlich, Brückenbauer Gottes, 1963, S.45-73;- L.S.J., in: Nolan B. Harmon, Encyclopedia of World Methodism II, 1972,S. 1252f;- K.H.Voigt, Warum kamen die Methodisten nach Deutschland?, 1975[1], 1984[4];- ders., Auswanderer-Fürsorge der methodistischen Kirche in der Mitte des 19. Jahrhunderts, in: Hospitium Ecclesiae, Bd. 10. S. 147-157, 1976;-W. Klaiber/M.Weyer, 125 Jahre Theologisches Seminar der Evangelisch-methodistischen Kirche, 1983;- K. Steckel (Hg), Geschichte der Evangelischmethodistischen Kirche, 1984;-K.H.Voigt, Ludwig S. Jacoby, 1978

Karl Heinz Voigt

JACOPONE *von Todi*, Franziskanerbruder, Seliger, * 1228/30, + 25.12. 1306. — Jacopo de Benedetti gehörte einer der vornehmsten Familien der Stadt Todi an, die zu seiner Zeit 5000 Einwohner zählte. Nach manchen, schwer nachprüfbaren Zeugnissen studierte er in Bologna die Rechte und übte danach in seiner Heimatstadt den Beruf eines Advokaten aus; wenn man den über ihn verfaßten, sehr legendenhaften Viten glauben will als ein Advokat, der keine Skrupel kannte, der alles Geld, das er verdienen konnte, an sich raffte. Belegt hingegen ist seine späte Heirat im Jahr 1267 mit Vanna, einer Gräfin Coldimezzo, einer nahen Verwandten. Bereits ein Jahr später starb sie; die geschilderten Umstände, daß sie als einzige bei einem Tanzfest durch einen zusammenbrechenden Boden zu Tode kam, daß sie unter dem Prunkgewand ein häarenes Büßerhemd trug, verraten allzu tendenziöse Absichten seiner Biographen, die J.s Heiligsprechung dadurch erleichtern wollten. — In diesem Moment erkannte J. jedenfalls die

Geringfügigkeit seines bisherigen Lebens, er verschenkte - beeinflußt von den Gedanken des heiligen Franz von Assisi (s.d.) sein Vermögen unter die Armen. "Jacopone" nannten ihn seither spöttisch seine Zeitgenossen, auch die Nachfolger des heiligen Franz nahmen ihn nicht sogleich auf. J. besaß zuviele Eigenheiten, die absolute Unterordnung fiel ihm schwer. Erst 1279 trat er als Bruder in den III. Orden, später in den Hauptorden ein. Während dieser Zeit entstanden seine »Lauden« (Lobgesänge). J. verfaßte sie in umbrischem Dialekt, sie offenbaren einen leidenschaftlichen Gottessucher, der, ganz wie sein Vorbild die Freuden der Welt mißachtet, der vor allem sich selbst mißachtet. Doch J. neigt sich nicht wie Franz liebevoll zur Natur hinab, er schreit verzweifelt nach Liebe, aber er fürchtet ihren unberechenbaren Überschwang. So bilden seine »Lauden« ein einmaliges Beispiel für realistisches Erkennen manch sinnlosen Tuns der damaligen Menschen, sie lassen aber auch Grenzen erkennen, die mystischem Erleben im Hochmittelalter gesetzt waren. Doch kennzeichnet nicht nur beschauliches Leben J.s späte Zeit: Der Franziskanerorden hatte sich gespalten, die "Konventualen" wollten die strenge Ordensregel in gewissen Bereichen mildern, die "Spiritualen" sie in aller Härte fortführen. Zunächst bevorzugte Papst Coelestin V. (s. d.) die letzteren, J. verfocht ihre Ansichten unnachgiebig. Die Wende trat mit der Wahl Bonifatius' VIII. (s.d.) ein, der nun die "Konventualen" begünstigte. J. richtete scharfe Satiren an die Person des neuen Papstes; sie könnten ebenso wie einige lateinische Gedichte, die J. zugeschrieben werden, in seinem Nachlaß vorhanden sein, dieser wurde bisher aber noch nicht publiziert. Letztlich setzte J. seine Unterschrift unter ein Manifest der römischen Patrizierfamilie Colonna (s. d.), die des Bonifatius' Wahl anfochten. Als deren Anhänger exkommunizierte der Papst 1298 J. und verurteilte ihn zu lebenslangem Kerker. Erst nach dem Tod des machtbesessenen Bonifatius' kam er frei, erhielt die Absolution und wanderte ähnlich ruhelos wie vor 35 Jahren durch Umbrien. Er starb dort 1306 im Kloster S. Chiara in Collazone, wurde später, 1433, zu S. Fortunato in Todi beigesetzt. — Man hat ihm lange Zeit das »Stabat Mater« zugesprochen, heute aber erkennt man ihm aufgrund induktiver Nachweise diese Urheberschaft ab. Er bleibt dennoch eine schillernde Persönlichkeit, deren Tun auf Seiten der Amtskirche unterschiedlich beurteilt wurde. Dafür spricht, daß über Jahrhunderte hinweg versucht wurde, J.s Heiligsprechung zu erreichen, daß jedoch seine heiligmä-

ßige Verehrung vor allem in Umbrien bisher nie die kirchliche Sanktionierung fand. Sein Fest als Seliger wird am 25.12. gefeiert.

Michael Hanst

Werke: Laude di frate J. d. T., hrsg. von F. Bonaccorsi, Florenz 1490 (editio princeps); Nachdruck dieser Florentiner Ausgabe hrsg. von G. Ferri, Bari 1915 und hrsg. von S. Caramella, Bari 1930; Lauden, italienisch mit deutscher Übertragung von Hertha Feermann, 1923, 1967; Laude a cura du Franco Mancini, 1974; Le Laude, a cura de Luigi Fallacara, 1976; Le satire di frate J. d. T., hrsg. von B. Brugnoli, 1914; Bibliographie in: N. Sapegno, Frate J., 1926; V. Sancini: Bibliographia iacoponica, 1933.

Lit.: A. d'Ancona, J. d. T. Il guillare di Dio, 1814; — Evelyn Underhill, J. d. T., poet and mystic, 1228-1306, a spiritual biography, 1919, Reprint 1972; — E. d'Ascoli, Il misticismo nei canti spirituali di Frate J., 1925; — F. Novati, Freschi e mini del Dugento, 1925; — N. Sapegno, Frate J., 1926; — Emil Winkler, J. d. T., in: AKultG 28, 1938, 16-43; — Domenico Giuliotti, J. d. T., 1939; — J. Steiger, J. d. T., (Diss. Zürich) 1945; — M. Apollonio, J. d. T. e la poetica delle confraternite religiose nella cultura pneumanistica, 1946; — Francesco d'Orsi, J. d. T., 1951; — F. Maccarini, J. d. T. e i suoi cantici, 1952; — Walther Nigg, Der christliche Narr, 1956, 63 ff.; — Ferdinando di S. Maria, Un mistico del Duecenti, in: Revista di Vita spirituale 11, 1957, 69-90; — P. Lamanna, Sulla fortuna di J., in: Letterature moderne 8, 1958, 470-481; — S. Macken, J. d. T. franciscaans dichter en mysticus, in: Alter Christus 13, 1958, 51-63; — Giacomo Vaifro Sabatelli, La prima traduzione spagnola di laudi Iacoponiche, in: Studi Franc. 55, 1958, 3-34; — J. e Il suo tempo, Todi 1959; — G. Contini, Poeti del Duecento, 1960; — Franco Mancini, La prigiona di Iacopone e l'»empiosto« di fra gentile, Rassegna della Letteratura Italiana 64, 1960, 47-49; — Ders., Saggio per un'aggiunta di due laude estravaganti alla vulgata iacoponica, in: Rassegna della Letteratura Italiana VII, 69, 1965, 238-353; — Ders., Il codice Oliveriano 4 e l'antica tradizione manoscritta delle laude Jacoponiche, 1967; — Lorenzo da Fara, Natura e grazia nella dovozione mariana di Iacopo d. T., in: Itali franc 36, 1961, 161-169; — Mario Pericoli, Escatologia nella laude jacoponica, 1962; — Ders., J. agli amici, 1976; — Mario Mastelli, Per l'interpretazione di una lauda di J. d. T., in: Belfaçor. Rassegna di varia umanità 18, 1963, 381-402; — Ders., Ciello e terra in una lauda di J. d. T., in: Giornale storico della letteratura italiana 141, 1964, 161-185; — Rosanna Bettarini, Laude sconosciute di J. d. T. dal Laudario della Fraternità di Santa Croce d'Urbino, in: Paragone 15, 1964, 39-55; — Dies., J. e Il Laudario Urbinate, 1969; — Franca Brambilla Ageno, Sull'invettiva di Iacopone d. T. contra Bonifazio VIII., in: Lettere Italiane 16, 1964, 373-414; — Alma Novella Marani, J. d. T., 1964; — Silvestro Nessi, J. d. T. al vaglio della critica moderna, in: MFr 64, 1964, 404-432; — Ders., Dante e J. poeti della spiritualita medievale, in: MFr 65, 1965, 369-393; — Ders., Contributo per una nuova biografia di J. d. T., in: MFr 79, 1979, 371-391; — Paolo Toschi, Il valore attuale ed eterno della poesia di J., 1964; — Mario Fiorini, Dante e J., 1965; — Giorgio Petrocchi, La letteratura religiosa, in: Storia della Letteratura Italiana I, Le crigeni e II Duecento, 1965, 625-685; — S. Sticca, The literary genesis of the »Planctus Mariae«, in: Claṣsica et Mediaevalia 27, 1966-69, 296-309; — Giovanni Getto, II realismo di Iacopone d. T., in: Ders., Letteratura religiosa dal Due al Novecento, 1967; — Alvaro Bizziccari, L'Amore mistico nel canzoniere di J. d. T., in: Italica, Quarterly bulletin of the American Association of Teachers of Italian 45, 1968, 1-27; — Pietro Cudini, Contributo ad uno studio di siciliane nelle laude di J. d. T., in: Giornale Storico Letteratura italiana 145, 1968, 561-572; — André Pézard, Fausses couleurs dans les Laudi de J., Romania 89, 1968, 433-456; — Renzo Giacchieri, La Passione nella Poesia e nella Tradizione (da Iacopone d. T. ai nostri giorni), 1969; — Francesco Grisi, la protesta di J. d. T., 1969; — Mario Longatti, Laudi Jacoponiche in un codice della Bibliotheca communale di Como, in: Como 1969, III, 31-41; — Neri Pagliaresi, Rime sacre di certa o probabile attributzione, a cura di Giorgio Varani, 1970; — Guiseppe Vecchi, Dalla Lauda franciscana al canto settecentesco, in: Doctor Seraph. 18, 1971, 19-21; — J. d. T., Storia e legenda, 1975; — Mario Martins, Laude de Frei J. a S. Francisco, in: Itiner 22, 1976,311-322; — Lina Bernardi, J. d. T., Un Revisionismo di una singolarissima figura, 1977; — Enrico Menestro, II »Tractatus utilissimus« attribuito a Iacopone d. T., in: Studi Medievali III 18, 1977, 261-314; — Ders., Le prose latine attribuite a J. d. T., 1979; — E. Robaud, II tema mariane nella poesia di J. d. T., in: Responsabilità del sapere, 1978; — Arzenio Frugoni, J. francescano, in: Ders., In carti nel Medio Evo, 1979, 39-60; — Truggve Lundén, Jungfrau Maria sâson corredemptrix eller medåterlösdrinna, in: Kyrkohist. Arschrift 1979, 32-60; — Sergio Cristalsi, J. d. T. e la provertà francescana, in: Atti dell'Accademia Nazionale dei Lincei. Rediconti Classe Sc. Morali, Storiche e Filologiche VII 35, 1980, 353-370; — Giovanni Papini, J. d. T., 1980; — George T. Peck, The fool of God: J. d. T., 1980; — Todi per J., Mostra documentaria della iniziative, delle rappresentazione e della celebrazione iacoponiche tenuk a Todi dal 1906 al 1980, 1980; — RE VIII, 515-519; — EItal XVIII, 636 f.; — DSp VIII, 20-26; — Catholicisme VI, 249-251; — LThK V, 850; — RGG III, 510.

Gunda Wittich

JACQUELOT (oder Jaquelot), Isaac, reformierter Theologe und Prediger, * 16.12. 1647 in Vassy (Frankreich), + 20.10. 1708 in Berlin. — Seit 1668 Prediger der reformierten Gemeinde seines Geburtsortes ging J. nach Aufhebung des Edikts von Nantes durch Ludwig XIV. im Jahre 1685 nach Heidelberg und 1686 nach Den Haag. Von 1689-1701 war er durch die Ritterschaft der Staaten von Holland als außerordentlicher Prediger der französischen Kirche angestellt. 1702 folgte er einem Ruf König Friedrichs I. nach Berlin, wo er bis zu seinem Tod Hofprediger und Pfarrer an der französischen Kirche war. — Als feuriger Redner der rationalistischen Apologetik seiner Zeit folgend, griff er durch sein »Examen de la théologie de Bayle« in die Auseinanderset-

zungen um Bayles »Dictionnaire« ein und bestritt diesem die Vereinbarkeit von Wissenschaft und Glaubenslehre. In der Kritik an der Prädestinationslehre stimmte J. mit Bayle überein und wurde diesbezüglich von Philipp Naudé scharf angegriffen. Aufgrund seiner arminianischen Gesinnung geriet er in Konflikt mit Pierre Jurieu (s.d.), einem führenden hugenottischen Theologen, und den wallonischen Synoden von Leiden (1691). J.s »Dissertation sur l'existence de Dieu« richtete sich gegen Spinoza (s.d.).

Werke: Dissertation sur l'existence de Dieu, Den Haag 1679; Lettres à M. M. les prélats de l'église gallicane, Den Haag 1698-1700; Conformité de la foi et de la raison, Amsterdam 1705; Examen de la théologie de Bayle, Amsterdam 1706; Sermons sur divers textes de l'Ecriture Sainte, Amsterdam 1710; Traité de la vérité et de l'inspiration des livres du V. et du N. Testament, Rotterdam 1715 (Den Haag 1716, Amsterdam 1752).

Lit.: O. Zöckler, Geschichte der Apologie des Christentums, 1907; — NNBW II, 633; — BWGN IV, 529 ff.; — RGG III, 510 f.

Thomas Uecker

JACQUIER, Eugène-Jacques, katholischer Exeget, * 15.4. 1847 in Vienne, + 7.2. 1932 in Lyon. — Nach seiner Ordination zum Priester 1871 war J. zuerst Vikar in S. Alban de-Roche (1872) und Bourgoin (1876), danach Pfarrer in Vabrencin (1878) und Sérézin-du-Rhone (1888). Er promovierte 1891 an der theologischen Fakultät von Lyon und war dort von 1894-1927 Professor für Neues Testament. Als solcher führte er an der Fakultät die für Frankreich noch neue wissenschaftliche Exegese ein. Mit seinen Schriften hinterließ er ein gut fundiertes und solides Werk.

Werke: La doctrine des douze apôtres et ses enseignements, 1891; Notre Seigneurs Jésus-Christ d'apres les saints Évangiles, 1900; Histoire des livres du NT, 1902; La Resurrection de Jésus Christ, 1911; Le Nouveau Testament dans l'eglise chrétienne, 1911-1913; La crédibilité des Évangiles, 1913; Etudes de critique et de philologie du Nouveau Testament, 1915; Les actes des Apôtres, 1926; La parole de Dieu, 1929; Artikel in: L'Université catholique, RB, RevSR, DBV, DAFC.

Lit.: Bulletin de Facultés catholiques de Lyon 54, 1932; — LThK V, 851; — Catholicisme VI, 287.

Gunda Wittich

JACUT (Jakob), Abt und Bekenner, Heiliger, * 1. Hälfte des 5. Jahrhunderts in Großbritannien

(Wales), + 8.2., 1. Hälfte des 6. Jahrhunderts, in Frankreich. — Seine Eltern Fracan, Cousin des bretonischen Königs Catoui, und Alba (Given) flüchteten zusammen mit ihm und seinem Zwillingsbruder Weithnoc (auch Guethnoc) um 460 vor den Sachsen nach Armorique in die Gegend von Saint-Brieuc (Bretagne). Dort wurde als drittes Kind der Bruder Winwalvë (Guénolé) geboren. Fracan vertraute Jacut und Weithnoc dem heiligen Rudoc in der monastischen Niederlassung Lavré an, um sie in handwerklichen Arbeiten, Gebet und Bußübungen heranzubilden. In Sehnsucht nach einer noch vollkommeneren Einsamkeit begründeten sie bei Landoac eine Einsiedelei, aus der später die Benediktinerabtei Saint Jacut-de-la-Mer (818-1791) hervorging. Sie bekehrten die Bevölkerung der Umgebung und lehrten sie das Land urbar zu machen. Das Kloster selber wuchs vor allem durch Einwanderer aus Großbritannien nach Armorique. Nach einer in der Abtei bewahrten Überlieferung verließ Weithnoc gegen Lebensende seinen Bruder aus unbekanntem Grunde mit unbekanntem Ziel und Ende. Jacut selbst blieb in Landoac und wurde nach einem Leben voller Verdienste in der Klosterkirche bestattet, aus der die sterblichen Überreste beim Normanneneinfall um 878 an einen unbekannten Ort übertragen wurden, vielleicht an einem 5. Juli (2. Fest zu Ehren des Heiligen). Die Pfarrei zum Heiligen-Jacut-sur-Ars in der Nähe von Redon glaubt aus unvordenklichen Zeiten Reliquien von ihm zu besitzen. Mönche von Landoac könnten einen Teil ihres Schatzes hier hinterlassen haben. Bekannt ist das Priorat und die kunsthistorisch wichtige Kirche St.-Saveur in Dinan. Seine Verehrung ist durch liturgische Bücher bezeugt (vgl. F. Duine in »Bréviaires et missels bretons«), ebenso durch die Pfarrei Besné (Diözese Nantes) und das Patrozinium in zwei alten Pfarreien der Diözese Quimper.

Lit.: La Vie de saint Jacut procède de la Vie de son frère, saint Guennolé (voir 3 mars), dont l'auteur anonyme écrivait au XII⁰ siècle; — Comme travaux plus récents, voir F. Duine, Questions d'hagiographie, Paris 1914; — G. Lobineau, Les vies des saints de Bretagne, Rennes 1725, 47-48; — J. Gaultier du Mottay, Essai d'iconographie et d'hagiographie bretonne, Saint-Brieuc 1869, 50; — P. Sébillot, Petite légende dorée de Haute Bretagne, Nantes 1897, 24-27, 146-151; — BHL I, 612, Nr. 4113 f.; — J. Loth, Les noms des saints bretons, Paris 1910, 54 f., 68 f.; — A. Lemasson, Saint Jacut, son histoire, son culte, sa légende, Saint-Brieuc 1912; — Vies de Saints, Paris 1936, II, 178 f.; — Bibliotheca Sanctorum, Rom 1965, VI, 433 f.; — LThK V, 851.

Karl Mühlek

JAEGEN, Hieronymus, Ingenieur, Bankdirektor und Mystiker, * 23.8. 1841 in Trier als Sohn eines Lehrers, + 26.1. 1919 in Trier. — J. studierte sechs Semester technische Wissenschaften, Maschinenlehre, Bauwesen und Hüttenkunde in Berlin, trat 1863 als Konstrukteur in die Trierer Maschinenfabrik Laeis ein und war dort - unterbrochen von Militärdienstzeiten 1864-1866 - bis zum Jahre 1879 in der Geschäftsführung tätig. Wegen seines öffentlichen Eintretens gegen die sogenannten Maigesetze der Kulturkampfzeit wurde der im Preußisch-Österreichischen Krieg 1866 zum Second-Leutnant beförderte J. am 7.5. 1873 aus dem Militärverhältnis entlassen, eine Maßnahme, die in ganz Deutschland Aufsehen erregte. Am 28.12. 1879 wurde er zum Vorstandsmitglied der neugegründeten Trierer Volksbank bestellt und führte dieses Institut in 19 Jahren zu Erfolg und Prosperität. Seit 1898 aus Gesundheitsgründen nur mehr im Aufsichtsrat tätig, vertrat er durch zwei Wahlperioden 1899-1908 den Wahlkreis Wittlich-Bernkastel im Preußischen Landtag. Der spätere Reichskanzler Wilhelm Marx rühmte seine fleißige und stille Arbeit in der Finanzkommission. 1908 verzichtete er auf eine weitere Kandidatur und widmete sich nur noch seinem ehrenamtlichen Einsatz in katholischen Instituten und Vereinen sowie seinen Publikationen. Der unverheiratet gebliebene J. zeichnete sich durch eine zielbewußte Förderung des katholischen Vereinswesens und durch breitgefächertes soziales und karitatives Engagement aus. Aus der täglichen geistlichen Lesung, der Meditation und der Einübung der Tugenden erwuchs eine Publikation für Laien als Anleitung zur vollkommenen Tugend inmitten der Welt, »Der Kampf um die Krone«, die von Edith Stein 1934 als Handbuch für das Laienapostolat bezeichnet wurde. Aus dem Erlebnis persönlicher Erfahrung mystischer Gnadengaben entstand das theologisch bedeutsame Werk »Das mystische Gnadenleben«, nach Martin Grabmann eine weltmännische Form des innigsten und höchsten Gebetsverkehrs mit Gott mitten in einem praktischen Beruf. Der auf Ordnung bedachte Geist des Verfassers äußert sich in zuchtvoller, klarer Sprache, wobei der Katechismus und das Trierer Diözesangesangbuch von 1871 manche Wendungen und Sätze geprägt haben oder auch als Vorlage dienten. Das Werk J.s wurde furchtbar gemacht durch die 1931 in Trier gegründete Jaegen-Gesellschaft, die unter den nationalsozialistischen Angriffen 1935 ihre Arbeit einstellte, deren Anliegen aber von dem im Jahre 1948 gegründeten Hieronymus-Jaegen-Bund wieder aufgegriffen wurden. Der Informativprozeß zur Seligsprechung wurde 1939 eröffnet. Zwanzig Jahre später wurden die Gebeine J.s vom Trierer Hauptfriedhof in die Pfarrkirche St. Paulus überführt. Der Seligsprechungsprozeß ist in Rom anhängig; die Gültigkeit des Informativ-Prozesses wurde mit Dekret vom 9.3. 1983 anerkannt.

Werke: Der Kampf um die Krone. Prakt. Anleitung zur vollkommenen Tugend inmitten der Welt. Von Julius Mercator (d. i. Hieronymus Jaegen). Den kath. Männervereinen, namentl. den kath. kaufm. Vereinen Deutschlands, gewidm. von dem Verf., einem Vereinsgenossen, Dülmen 1883, 1908⁴, weitere im Text veränd. Aufl. bis 1938, ab der 3. Aufl. unter Verzicht auf Pseudonym u. d. T. Der Kampf um das höchste Gut; Das mystische Gandenleben, Trier 1911, 1949⁴, franz. Übers. Saint Cénère 1970, serbokroatische. Übers., Split 1983; Menschenfurcht, in: Sanct-Paulinus-Blatt für das dt. Volk 3 (1877), Ausgabe Nr. 28 vom 15.7. 1877, 289 f.; Ursachen des modernen Unglaubens, in: Sanct-Paulinus-Blatt für das dt. Volk 3 (1877), Ausgabe Nr. 38 vom 23.9. 1877, 389 f.

Lit.: Franz Peter Hamm, Bankdirektor und Landtagsabgeordneter J., in: Marienburg, Monatsschr. für kath. Männervereine 10 (1919), 49-56, 97-103, 116-122; — Ders., Lebensprogramm des Trierer Abgeordneten H. J., in: Marienburg 10 (1919), 157-159; — Ders., Der Feldzugplan unseres geistigen Kampfes. Eine Belehrung von Landtagsabg. und Bankdirektor J., Trier, in: Marienburg 11 (1929), 43-48; — Karl Wild, Das mystische Gnadenleben nach H. J., in: Zeitschrift für Aszese und Mystik 7 (1932), 289-318; — H. J. Ein heiligmäßiger Bankdirektor, hrsg. von der Jaegengesellschaft, 1934; Neuntägige Andacht für die Seligsprechung des frommen Herrn H. J., des Apostels der heiligsten Dreifaltigkeit und des Weltvorbildes der Kath. Aktion, 1935; — Bankdirektor H. J. Ein treuer Zeuge Jesu. (Von einer Unbeschuhten Karmelitin aus Köln-Lindenthal.), 1935; — Anton Pummerer, Innenleben eines Weltmannes, in: Stimmen der Zeit 66 (1936), 433-448; — Neuntägige Andacht in wichtigen Anliegen der Seele und des Leibes im Geiste und in geistlicher Gemeinschaft mit dem im Jahre 1919 gottselig verstorbenen Bankdirektors H.J., 1938; — Francis Delvaux, Un Saint de la banque, Jérôme J., 1939; — Matthias Hallfell, Die Wende zu Christus im Leben des Dieners Gottes H. J., in: Divus Thomas 20 (1942), 253-277, 380-408; — Otto Wulff, H. J. der heiligmäßige Bankdirektor, 1948; — Ignaz Backes, H. J. Ein heiligmäßiger Ingenieur, Bankdirektor und Abgeordneter des Landtags, 1958, o. J.²; — Romuald Kestens, H. J., politicus en bankier, 1958; — Eberhard Moßmaier, H. J. Ein heiligmäßiger Ingenieur, Bankdirektor und Abgeordneter, 1959; — Ders., Heilige unter uns, 1960, 83-110; — Hilda C. Graef, Mystiker unserer Zeit. Zehn moderne Mystiker der katholischen Kirche, Luzern 1964, 165-185; — Albert Mathieu, La Vie de Jérôme J. Ingénieur, banquier, député, 1973; — Franz Rudolf Reichert, H. J. (1841-1919), Bankdirektor und Mystiker, in: Kurtrierisches Jahrbuch 25 (1985), 131-147; — Ders., Sammlung H. J. Zusammengestellt. nach dem Jaegen-Archiv. 1. Unselbständig erschienene Literatur über J. 2. Besprechungen zu Schriften von und über Jaegen. Quellen und Hinweise zur Jaegen-Verehrung, 1985 (ungedr. Manuskript in der Bibl. des Bischöfl. Priester-

seminars Trier); — LThK ²V, 852; EC VII 549; — DSp VIII 67-68; — NewCathEnc VII 799.

Martin Persch

JAEGER, P. Albert (Josef), Benediktiner, Historiker, Begründer des "Instituts für österreichische Geschichtsforschung", * 8.12. 1801 in Schwaz (Tirol) als Sohn eines Bäckermeisters, + 10.12. 1891 in Innsbruck. - J.s Kindheit fiel in die bewegte Epoche der Freiheitskriege und schon früh hatte der Knabe selbst unmittelbare Berührung mit den aufwühlenden Ereignissen seiner Heimatgeschichte, deren bedeutender Historiograph er werden sollte. Im Jahre 1809 hatte sich das Tiroler Volk gegen die bayerische und französische Fremdherrschaft erhoben, wobei auch J.s Heimatort Schwaz Schauplatz des Befreiungskrieges wurde. Während den Kämpfen war ein Brand ausgebrochen (15./16. Mai), der den Ort zum Großteil vernichtete und auch das Elternhaus J.s zerstörte. Zwar zog wenige Tage später Andreas Hofer in Schwaz ein, der von der Bevölkerung - darunter auch der Knabe J. - als Held und Befreier jubelnd empfangen wurde, doch mit dem Verlust des Hauses war die Bäckersfamilie J. ruiniert worden. Deshalb schickten die Eltern ihren Sohn 1811 zu einem Onkel nach Bozen, der fortan die Fürsorge übernahm. Der Knabe besuchte die Schule in Bozen, wobei er die letzten Schuljahre von 1815-1817 in Rovereto zubrachte, um die italienische Sprache zu erlernen. Unter seinen dortigen Lehrern befand sich auch der Hofmeister Don Francesco Guareschi, der in J. die Begeisterung für das Lesen und die Geschichte entfacht hatte, weshalb er, nachdem er nach Bozen zu seinem Onkel zurückgekehrt war, wo er das Bäckerhandwerk erlernen sollte, die Lehre bald abbrach und im Alter von 18 Jahren das humanistische Franziskanergymnasium in Bozen besuchte. J. absolvierte das sechsklassige Gymnasium in nur vier Jahren und verdiente sich seinen Unterhalt durch eine Hauslehrertätigkeit im Hause des Bozeners Merkantilkanzlers Giovanelli, der eine geistige Führungsrolle innerhalb der Tiroler Landstände einnahm und ein Liebhaber der Heimatgeschichte war. Hier wurden J. wichtige Impulse für seine späteren Forschungen über das Ständewesen und die politische Geschichte Tirols gegeben. Vier Jahre verbrachte er im Hause Giovanelli, bis er im November 1825 als Novize in das Benediktinerstift Marienberg (Vinschgau) eintrat. J. verband damit seinen Wunsch Priester zu werden mit seinem Interesse an der Geschichte, denn das Stift Marienberg stand in jener Tradition benediktinischer Gelehrsamkeit, nach der besonders die historisch-philologischen Fächer gepflegt wurden. J. traf im Stift mit dem Schriftsteller und Historiker Beda Weber und dem Graezisten Pius Zingerle zusammen, die dem angehenden Priester und Gelehrten eine anspornende intellektuelle Arbeitsatmosphäre verschafften, als "Dreigestirn von Marienberg" genossen sie später hohes wissenschaftliches Ansehen. Insbesondere der Graezist P. Basilius Raas aber nahm sich der Ausbildung des Novizen an, wobei er ihm besonders die Erforschung der tirolischen Geschichte ans Herz legte. So verwunderte es nicht, daß J., als er 1826 sein Theologiestudium in Brixen aufnahm, sich auf die geschichtlichen Fächer konzentrierte. Während er bei Jakob Probst Bibelstudium und Altes Testament in der Methode der historischen Theologie studierte, vermittelte ihm Prof. Sinnacher die Kirchengeschichte. Nachdem er sein Studium beendet und am 2.8. 1829 die Priesterweihe empfangen hatte, wirkte er zwei Jahre als Seelsorger in Platt i. Passeier, er wurde aber bald von seinem Stift als Professor an das Benediktinergymnasium nach Meran berufen, wo er von 1831 bis 1841 unterrichtete. In diesen Jahren begann J. mit seinen ersten eigenständigen Geschichtsforschungen. Noch auf Raas' Anleitung hin hatte er sich mit dem Gründergeschlecht von Marienberg befaßt, dabei war es ihm gelungen, die Grafen von Montfort als die eigentlichen Gründer zu identifizieren, was er in einem 1829 veröffentlichten Aufsatz darlegte. J. begann mit dem Quellenstudium über den Engadiner Krieg 1499, worüber er 1838 eine Studie vorlegte. 1841 erschien schließlich eine Arbeit über »Kaiser Sigmund von Tirol«. — Das Jahr 1841 bedeutete eine wichtige Zäsur im Leben J.s, denn der Statthalter von Tirol, Graf Clemens von Brandis, rief ihn zu sich nach Innsbruck, wo er als Erzieher und Hauslehrer der beiden Söhne des Grafen tätig wurde. J. bot sich damit die Gelegenheit, seine Studien im Innsbrucker Statthaltereiarchiv, dem wichtigsten Archiv Österreichs neben den Wiener Archiven, fortzusetzen. Nach intensiver Archivarbeit legte er 1844 sein erstes Hauptwerk vor, das den Verfasser mit einem Schlage berühmt machte und ihm eine glänzende Karriere eröffnete. »Tirol und der bayerisch-französische Einfall im Jahre 1703« erinnerte die Zeitgenossen an die erfolgreiche Vertreibung der bayerischen Invasionstruppen unter Kurfürst Max Emanuel aus Tirol, J. hatte damit nicht nur eines der besten Werke des Vormärz überhaupt geschrieben, sondern auch einen wichtigen psychologischen Dienst am Tiroler Volk geleistet, das nach der Niederlage von 1809/1810 nach positiven Identifikationsmöglichkeiten mit der eigenen Geschichte suchte. Schon ein Jahr später berief man J. zur Vertretung an die Innsbrucker Lehrkanzel für Universal- und österreichische Staatengeschichte, am 6. Juni 1846 wurde er zum ordentlichen Professor ernannt, ohne daß man von ihm die übliche Eignungsprüfung abverlangte. Seine Aufnahme in die kaiserliche Akademie der Wissenschaften zu Wien erfolgte 1847. Jedoch mußte der gelehrte Benediktiner seine akademische Arbeit jäh unterbrechen, da ihn der Marienberger Abt für den Ausbau des Meraner Gymnasiums - im Rahmen der Thun'schen Studienreform - als Lehrer dringend benötigte. Nur widerwillig kehrte J. im Sommer 1849 nach Meran zurück. Auch nach dem Vollzug der Studienreform wollte der Abt den Professor in Meran behalten, aber sowohl der Unterrichtsminister Graf Leo von Thun wie auch der Tiroler Statthalter unterstützten J. in seinem Bestreben, an die Universität zurückzukehren. Nachdem J. am 10. Juni 1851 die kaiserliche Ernennungsurkunde für die Wiener Geschichtsprofessur erhalten hatte, einigte man sich mit dem Abt auf einen Kompromiß: ein Exklaustrierungsantrag in Rom sollte J. die Möglichkeit geben, Benediktiner zu bleiben, aber den Marienberger Ordensverband verlassen zu können. Im März 1852 kam der positive Bescheid des Papstes, J. unterstellte sich nun direkt dem Bischof von Brixen und konnte endlich seine Wiener Professur annehmen. Neben den Vorlesungen über österreichische Geschichte erwartete ihn in Wien eine andere wichtige Aufgabe. Die 1848 von Graf Leo von Thun eingeleitete Universitätsreform wollte auch den Geschichtsunterricht in Österreich reformieren, um sowohl das deutsche Bildungsniveau zu erreichen als auch der deutschen historischen Schule ein österreichisches Gegengewicht zu geben. J. erhielt nun den Auftrag, Statuten für ein zu gründendes österreichisches Geschichtsinstitut auszuarbeiten, das nach dem Vorbild der Pariser Ecole de Chartres gestaltet werden sollte. Am 20.10. 1854 wurde das "Institut für österreichische Geschichtsforschung" gegründet, das mit J. als Direktor und alleinigem Lehrer 1855 seine Arbeit aufnahm. Noch im Herbst 1855 konnte er den jungen Paläographen Theodor Sickel als Lehrer für das Institut gewinnen, mit dessen Eintritt sich jedoch das Institut immer mehr auf die geschichtlichen Hilfswissenschaften konzentrierte, was den ursprünglichen Absichten, hier eine Plattform für österreichische

Nationalgeschichtsschreibung zu schaffen, nicht ganz entsprach. So kam es immer wieder zu Spannungen zwischen J. und Sickel, die jedoch den Aufstieg und das Ansehen des Instituts nicht gefährdeten. J., der eine Vielzahl von Ämtern an der Universität bekleidete, so war er 1854/1855 zum Dekan der Philosophischen Fakultäten gewählt worden, von 1864-1867 war er Mitglied des Unterrichtsrates und zuvor, 1865-1866, hatte er das Amt des Rektors inne, legte 1869 wegen Arbeitsüberlastung sein Amt als Institutsdirektor nieder. Vor allem seine - für ihn selbst überraschende und anfangs nicht sehr willkommene - Wahl in den Tiroler Landtag und den Wiener Reichsrat, wo er von 1867-1870 als Abgeordneter der konservativ-kirchlichen Fraktion wirkte, zwang ihn hierzu. Während er als Abgeordneter strikter Verfechter der kirchlichen Interessen war, was er vor allem während des Kulturkampfes in Tirol unter Beweis stellte, als er sowohl gegen die liberale Gesetzgebung der Regierung Beust (1867) und die staatlichen Schulgesetze von 1869 votierte, besaß J. als Historiker genügend Objektivität. So überraschte er viele, als er in seinem zweiten Hauptwerk, dem 1861 erschienenen »Der Streit des Cardinals Nicolaus v. Cusa mit dem Herzoge Sigmund v. Tirol«, nicht den kirchlichen, sondern den landesherrlich-tirolischen Standpunkt einnahm. Mit hohen Auszeichnungen geehrt, so war J. von Pius IX. 1868 der Titel des päpstlichen Ehrenkämmerers (Monsignore) verliehen worden, während er 1872 von Kaiser Franz Joseph den Orden der Eisernen Krone III. Klasse wegen der Verdienste um die Heimat Tirol erhalten hatte, zog sich der international anerkannte Historiker in den 70iger Jahren nach Innsbruck zurück und widmete sich seinen Forschungen, die er mit seinem Lebenswerk, der monumentalen »Geschichte der landständischen Verfassung Tirols« (1881-1885), krönend zum Abschluß bringen konnte. Aus konstitutionellem Geist geschrieben, demonstrierte J. hier noch einmal eindrücklich, auf welcher Höhe die österreichische Geschichtsschreibung mittlerweile stand. Für dieses Niveau war J. und seine Institutsgründung, auf die er in seinem letzten Aufsatz 1889 als 88jähriger rückblickte, zu einem großen Teil ausschlaggebend gewesen. Er starb am 10.12. 1891 in Innsbruck und wurde in seinem Heimatort Schwaz begraben.

Werke: Über die Grafen von Taraspo, eine Unters., ob die Gründer des Benedictinerstifts Marienberg Taraspe oder Montforte waren, in: Zeitschrift. d. Ferdinandeums 5, 1829; Der Engadiner Krieg im Jahre 1499, in: Neue Zeitschrift d. Ferdinandeums 4, 1838; Kaiser Sigmund in Tirol, eine krit. Unters., ebd. 7, 1841; Der Auflauf im Burggrafenamte 1762, ebd. 8, 1842; Cardinal Hadrian in Tirol, Lösung des Räthsels, ob Kaiser Maximilian I. im Ernste Papst werden wollte, ebd. 9, 1843; Tirol und der baierisch-französische Einfall im Jahre 1703, Innsbruck 1844; Die alte ständische Verfassung Tirols, Innsbruck 1848; Über die den Cardinal und Bischof von Brixen, Nicolaus v. Cusa, betreffenden Geschichtsquellen in den Tiroler Archiven, in: Sitzungsber. d. kaiserl. Akademie 5, 1850; Regesten... über das Verhältnis des Card. Nicolaus v. Cusa zum Herzog Sigmund, in: Arch. f. Kunde österr. Geschichtsquellen 4, 1850, u. 7, 1851; Über Leistungen auf dem Gebiete der Alterthumsforschung in Tirol, in: Sitzungsber. d. kaiserl. Akademie 7, 1851; Zur Vorgeschichte des Jahres 1809 in Tirol, ebd. 8, 1852; Über das Verhältnis Tirols zu den Bischöfen von Chur und dem Bündnerlande, ebd. 10, 1853; Über Kaiser Maximilians I. Verhältnis zum Papstthum, ebd. 12, 1854; Die Wiedervereinigung Tirols mit Österreich in den Jahren 1813-1816, in: Almanach d. kaiserl. Akademie, Wien 1857; Die Fehde der Brüder Vigilius und Bernhard Gradner gegen Herzog Sigmund von Tirol, in: Sitzungsber. d. kaiserl. Akademie 26, 1858 (= Denkschriften d. kaiserl. Akademie 9); Der Streit des Cardinals Nicolaus von Cusa mit dem Herzoge Sigmund von Österreich als Grafen von Tirol, 2 Bde., Innsbruck 1861; Über das rhätische Alpenvolk der Breuni oder Breonen, in: Sitzungsber. d. kaiserl. Akademie 42, 1863; Francesco Petrarca's Brief von Kaiser Karl IV. über das österr. Privilegium vom Jahre 1058, in: Arch. f. Kunde österr. Geschichtsquellen 38, 1867; Kaiser Joseph II. und Leopold II. Reform und Gegenreform 1780-1792, Wien 1867 (= Österr. Geschichte für das Volk XIV); Die Priesterverfolgung in Tirol von 1806-1809, Innsbruck 1868; Die Tiroler Landesvertheidigung im Reichsrathe und Landtage 1868 und 1869, Innsbruck 1869; Das Steuerbewilligungsrecht der alten Stände Tirols, 1870; Tirols Rückkehr unter Österreich und seine Bemühungen zur Wiedererlangung der alten Landesrechte von 1813-1816, Wien 1871; Der Streit der Tiroler Landschaft mit Kaiser Friedrich III. wegen der Vormundschaft über Herzog Sigmund von Österreich von 1439-1446, in: Arch. f. Kunde österr. Geschichtsquellen 49, 1872; Beiträge zur Geschichte der Verhandlungen über die erbfällig gewordene gefürstete Grafschaft Tirol nach dem Tode des Erzherzogs Ferdinand von 1595-1597, in: ebd. 50, 1873; Beitrag zur Geschichte des Passauischen Kriegsvolkes, soweit es Tirol und die österr. Vorländer berührte, in: ebd. 51, 1873; Der Übergang Tirols und der österr. Vorlande von dem Erzherzoge Sigmund an den röm. König Maximilian von 1478-1490, in: ebd. 51, 1873; Die Denkschrift der Abgeordneten aus dem ital. Theile der Provinz Tirol, vom hist., staatsrechtl. und ökonom. Standpunkte beleuchtet, 1874; Beitrag zur tirolisch-salzburgischen Bergwerksgeschichte, in: Arch. f. Kunde österr. Geschichtsquellen 53, 1875; Über eine angebliche Urkunde K. Konrads II. von 1028, in: ebd. 55, 1876; Die Genesis des modernen kirchenfeindlichen Zeitgeistes, in: Zeitschrift f. kath. Th., 1877; Das Eindringen des modernen kirchenfeindl. Zeitgeistes in Österreich, in: ebd., 1878; Kirchliche Reaction gegen den kirchenfeindlichen Zeitgeist in Österreich, in: ebd., 1879; Über den Ausstellungsort einer Urkunde Kaiser Heinrichs IV., in: Arch. f. Kunde österr. Geschichtsquellen 59, 1880; Geschichte der landständischen Verfassung Tirols, 2 Bde., Innsbruck 1881-1885; Graf Leo Thun und das Institut für österr. Geschichtsforschung, in: Österr.-Ungar. Revue, N.F. 8, 1889/90.

Lit.: Theodor v. Sickel, Das k. k. Institut für österr. Geschichtsforschung, in: MIÖG 1, 1880, 1-18; — Ottokar Lorenz, Prof. A. J., in: Die Presse (Wien), Nr. 347 vom 18.12. 1891; — Alfons Huber, Nekrolog A. J., in: Almanach d. kaiserl. Akademie der Wissenschaften (Wien) 42, 1892, 226-233; — H. v. Zeissberg, Nekrolog A. J., in: MIÖG 13, 1892, 222-224; — O. V., Nekrolog A. J., in: HJ 13, 1892, 422; — Josef Eduard Wackernell, Beda Weber und die tirolische Literatur 1800-1848, 1903; — Alois Lanner (Hrsg.), Tiroler Ehrenkranz. Männergestalten aus Tirols letzter Vergangenheit, 1925; — Hermann Wopfner, Von der Ehre und Freiheit des Tiroler Bauernstandes I, 1934; — Otto Brunner, Das österr. Institut für Geschichtsforschung und seine Stellung in der dt. Geschichtswissenschaft, in: MIÖG 52, 1938, 385-398; — Leo Santifaller, Das Institut für österr. Geschichtsforschung. Festgabe zur Feier d. 200-jährigen Bestandes d. Wiener Staatsarchivs, 1950; — Alphons Lhotsky, Geschichte des Instituts für österr. Geschichtsforschung 1854-1954, 1954 (= MIÖG-Erg. Bd. 17); — Nikolaus Grass, Österr. Historiker-Biographien, 1. Folge, 1957; — Ders., Benediktinische Geschichtswissenschaft und die Anfänge des Instituts für österr. Geschichtsforschung, in: MIÖG 68, 1960, 470-484; — Ders., A. J., in: Stifte und Klöster. Entwicklung und Bedeutung im Kulturleben Südtirols, hrsg. v. Südtiroler Kulturinstitut 1962, 317-330 (= Jahrbuch des Südtiroler Kulturinstituts, Bd. 2); — Hans Lentze, Die Universitätsreform des Ministers Leo Thun-Hohenstein, 1962; — Gerhard Oberkofler, Die geschichtl. Fächer an der Universität Innsbruck 1850-1945, in: Veröffentlichungen der Universität Innsbruck 39, 1969, 9-17; — Eva-Maria Höck, Tiroler Kleriker als Geschichtsforscher über die Geschichte Tirols, Diss. Innsbruck 1972; — Hans Kramer, Tiroler Mittelschulprofessoren als Geschichtsforscher und -schreiber, in: Veröffentl. des Tiroler Landesmuseums Ferdinandeum 58, 1978, 121-130; — Othmar Parteli, Die Benediktiner und die tirolische Geschichtswissenschaft im 19. Jh., in: Der Schlern 54, 1980, 363-383; — Josef Gelmi, Kirchengeschichte Tirols, 1986 (mit reicher Bibliographie über weiterführende Lit.); — ADB L, 623 ff.; — Kosch KD I, 1850 f.; — NDB X, 272 f.; — NÖB V, 162 ff.; — ÖBL III, 53; — LThK V, 853; — Wurzbach X, 33 ff.

Rainer Witt

JÄGER, Johann Wolfgang, lutherischer Theologe, * 17.3. 1647 in Stuttgart als Sohn einer württembergischen Gelehrtenfamilie, + 20.4. 1720 in Tübingen. — Nach dem Besuch des Gymnasiums in Stuttgart und Klosterschulen in Hirschau und Bebenhausen kam J. als 13jähriger nach Tübingen an das theologische Stift und an die Universität, wo er sein Studium der Philologie, Philosophie und Theologie 1669 abschloß. Auf fürstlichen Befehl übernahm er die Stelle eines Informators der Söhne Eberhard III. am Stuttgarter Hof, Maximilian und Georg Friedrich, die er zunächst als Erzieher an die Universität Tübingen, dann als Reise- und Feldprediger begleitete. 1680 kehrte er an die Universität Tü-

bingen als außerordentlicher Professor für Geographie und Latein zurück. In den folgenden Jahren übernahm er verschiedene Ämter: 1681 war er ordentlicher Professor für Griechisch, 1684 Lehrer für praktische Philosophie und Ephorus des theologischen Stifts, 1688 unterrichtete er Logik und Metaphysik und wurde Schulvisitator für Ober-Württemberg, 1689 Licentiat. Seit 1690 gehörte er auch der theologischen Fakultät an, 1692 wurde er Doktor und Superintendent des Stifts, 1698 war er Abt und Generalsuperintendent des Klosters Maulbronn. 1699 erhielt er die Stiftspredigerstelle, war Visitator an der Universität und wurde Konsistorialrat in Stuttgart. Von dort kehrte er 1702 als Kanzler an die Tübinger Universität zurück, wurde 1704 erster Ordinarius für Theologie und Propst an der St. Georgenkiche. 1709 wurde er Abt zu Adelberg und Superintendent des Landes. Er starb am 20.4. 1720 in Tübingen. — J. wandte sich vor allem gegen mystische Spiritualisten und Chiliasten wie Madame de Bourignon, P. Poiret, Jakob Böhme, Gottfried Arnold und Johann W. Peterson. Spener gegenüber blieb er grundsätzlich kritisch eingestellt, auch wenn er ihn persönlich schätzte. Er bekämpfte in Württemberg alle mystischen und pietistisch-separatistischen Bestrebungen, wobei ihm seine guten Beziehungen zum Stuttgarter Hof von Nutzen waren. Verdient machte er sich dadurch, daß er dem erstarrten orthodoxen Luthertum neue Wege zeigte. Beeinflußt von Pufendorfs »Ius feciale divinum« (1695) und vom Stiftspropst Chr. Wölflin entwickelte er ein System der Föderaltheologie, brachte die heilsgeschichtliche Methode dem Luthertum nahe und bereitete den coccejanischen Einfluß vor, den sein Schüler Bengel ausarbeitete. Daneben lehnte er sich aber stark an das rationalistische Naturrechtssystem des Hugo Grotius an. Seine Lehrbücher und Kompendien, die in Württemberg Lehrbücher von Hafenreffer und Sigwart ablösten, fanden auch über Württemberg hinaus große Beachtung.

Werke: De iustitia vindicativa, 1684; De iustitia, 1687; De iustitia et iniustitia ludi, 1687; De dependentia voluntatis ab intellectu, 1688; De peccatis eorum inter se comparatione, 1688; Historia ecclesiastica cum parallelissimo profanae, 1692/1693; Ius Dei forderale, 1698; Examen theologiae novae et maximae celeberrimae Dn Poireti..., 1708; Examen theologiae mysticae veteris et novis..., 1709; Disputatio theologica de vexata quaestionee..., 1709; Historia ecclesiastica saeculi decimi septimi, 1709-1717; Franciscus Cyperus..., 1710; Hugonis Grotii libres tres, 1710; Spinocismus..., 1710; De simonia Curiae Romanae, 171; Tractatio de foedere gratiae, 1712; De cultu Dei in veteri Testamento per sacrificia varia..., 1713; Gallia discorps, in causa pietistico mystica, 1714; Systema theologicum, 1715; Systema theologicum dogmatico-polemicum, 1724/1725; Compendium theologicum, ed. Joh. Dav. Frisch, 1740; s. a. Jöcher II, 1828; Werkeverzeichnis in: Württembergische Nebenstunden I, 1718, 1-72.

Lit.: C. v. Weizsäcker, Lehrer und Unterrichter an der ev.-theol. Fakultät der Univ. Tübingen, 1877, 81 ff.; — Chr. Kolb, Die Anfänge des Pietismus und Seperatismus in Württemberg, 1902, 28 ff., 70 ff.; — Ders., in: Bll. für Württembergische KG, s. Reg.; — G. Schrenk, Gottesreich und Bund im älteren Protestantismus, (BFChTh II,5) 1923; — A. F. Stolzenburg, Die Theol. des J. F. Buderus und des Chr. M. Pfaff, 1926, s. Reg.; — H. Hermelink, Geschichte der ev. Kirche in Württemberg, 1949, s. Reg.; — W. Angerbauer, Das Kanzleramt an der Univ. Tübingen und seine Inhaber 1520-1817, 1971; — Jöcher II, 1828; — ADB XIII, 651; — NDB X, 269; — RGG III, 511.

Gunda Wittich

JAEGER, Lorenz, Ökumeniker, Bischof, * 23.9. 1892 in Halle/Saale, + 1.4. 1975 zu Paderborn. — J. studierte Theologie in Paderborn und München. Nach der Priesterweihe im Jahr 1922 war er vor allem als Religionslehrer tätig. Im zweiten Weltkrieg war er zunächst Divisionspfarrer, bis er 1941 zum Erzbischof von Paderborn ernannt wurde. — Schon früh erwachte bei J. das Interesse an ökumenischen Fragen. Innerhalb der Bischofskonferenz regte er verschiedene ökumenische Aktivitäten an, u. a. die Gründung eines »Ökumenischen Seminars«. Bereits damals, d. h. noch vor Ende des Krieges, arbeitete er mit so bedeutenden Theologen wie K. Rahner und R. Guardini über ökumenische Fragestellungen zusammen. Nach dem Krieg leitete er zusammen mit W. Stählin einen Arbeitskurs evangelischer und katholischer Theologen, den sogenannten »Jaeger-Stählin-Kreis«. Diesen Arbeitskreis gibt es, wenn auch unter anderem Namen, bis heute. 1957 gründete er das »Johann-Adam-Möhler-Institut für Konfessions- und Diasporakunde«, bis heute eine führende Einrichtung zur Behandlung ökumenischer Fragen innerhalb der katholischen Kirche Deutschlands und darüber hinweg. Wenig später war er an der Einrichtung des Sekretariats für die Förderung der Einheit der Christen (»Einheitssekretariat«) beteiligt. Im Verlauf des zweiten Vatikanischen Konzils brachte er immer wieder ökumenische Perspektiven ein. Am 15.1. 1965 wurde J. zum Kardinal ernannt.

Werke: Das ökumenische Konzil, die Kirche und die Christenheit, Paderborn 1960; (Zus. mit J. Beckmann), Dialog in Köln, in: Protestantische Texte 1965/66, 25-30; Das Konzilsdekret über den Ökumenismus, Paderborn 1965; Die Zukunft der Kirche und die Situation der katholischen Theologie, in: Entscheidung (Theologisches), Nr. 12; Christuszeugnis und Einheitsproblem im Weltkirchenrat, in: Cath 25, 1971, 169-178; — Ansprache am Sarg, in: Augustin Kardinal Bea, 1972, 316-318; Soziale Arbeit unter ökumenischen Aspekten, Kommende Dortmund - Brackel (als Heft 1972); Einheit und Gemeinschaft, Stellungnahmen zu Fragen der christl. Einheit, Paderborn 1972; Einführung über das Dekret »Über den Ökumenismus«, in: Cath 19, 1965, 3-13; Die Saat ist aufgegangen. Zehn Jahre Ökumenismusdekret, in: KNA 51/52, 1974, 7-11.

Lit.: J. Link/J. A. Slominski, Kardinal J., 1966; — Presse- und Informationsstelle im Erzbischöfl. Generalvikariat, Paderborn 1972; — Ökumene-Lexikon 587; — Pro Veritate. Ein theol. Dialog (= FS für L. J. und W. Stählin, hrsg. v. E. Schlink und H. Volk), Kassel-Münster 1963; — Zahllose Gesamtwürdigungen in kirchlichen Zeitschriften anl. versch. Jubiläen von J. und nach seinem Tod.

Harald Wagner

JAEGER, Paul Martin, D. Dr., evangelischer Pfarrer und Theologe, religiöser Volksschriftsteller, * 5.10. 1869 in Wennungen b. Freyburg a. Unstrut (Thüringen) als Sohn eines Pfarrers, + 20.2. 1963 in Nußloch bei Heidelberg. — J. entstammte einem ländlichen Pfarrerhaushalt, wo er mit fünf Geschwistern in bescheidenen Verhältnissen aufwuchs. 1881 wurde er Schüler des Alumnats im Klostergymnasium »Unser Lieben Frauen« in Magdeburg, das im 19. Jahrhundert zu den bedeutendsten humanistischen Gymnasien Norddeutschlands zählte. Nach dem frühen Tod des Vaters (1882), der die materielle Situation der Familie erheblich verschlechterte, ermöglichte ein Stipendium des Klosters das Verbleiben des Jungen an der höheren Schule. Hier unterrichtete seit 1886 der Albrecht Ritschl-Schüler Wilhelm Bornemann, dessen rationalistisch-ethisches, auf Kant und Schleiermacher zurückgreifendes Verständnis von Theologie einen tiefen Eindruck beim Schüler J. hinterließ: das spätere Bekenntnis J.s zur liberalen Weltanschauung und zur liberalen Theologie fußte maßgeblich auf Kant, Schleiermacher und der Philosophie des englischen Rationalismus. Das Abitur legte er 1888 ab, um danach sofort das Theologiestudium in Halle a. d. S. aufzunehmen, wo er in Erich Haupt, Friedrich Loofs und Emil Kautzsch Lehrer fand, die den modernen Strömungen innerhalb der evangelischen Theologie - insbesondere zu Harnack und Ritschl - sehr aufgeschlossen waren. Nach dem 1. Theologischen Examen im Dezember 1892 unterbrach J. seine Studien und nahm eine Stelle in Frankfurt a. M. als Hilfsredakteur bei der »Christlichen Welt« (ChW) an, die ihm Bornemann vermittelt hatte. Die ChW, die 1886 von den vier Freunden Martin Rade, Bornemann, Loofs und Paul Drews gegründet worden war, verstand sich als eine über dem theologischen Parteienstreit dieser Jahre stehende Zeitschrift, die sich an Nichttheologen wandte und den Gegensatz zwischen Bildung und Christentum, d. h. die Kluft zwischen gebildetem Bürgertum und Kirche, die sich Ende des 19. Jahrhunderts in verschärftem Maße aufgetan hatte, aufheben wollte. Der Mitarbeiter- und Freundeskreis der ChW wie die Zeitschrift selbst wurden dabei nicht nur zum entscheidenden Impuls für J.s innere Entwicklung, sondern stellten geistige Heimat und publizistische Plattform zugleich dar. Bis zu ihrer - unfreiwilligen - Auflösung im Jahre 1941 veröffentlichte J. in der ChW zahlreiche Artikel und Rezensionen, auch viele seiner Andachten und Erzählungen sind - bevor sie in Buchform vorlagen - hierin abgedruckt worden. Als J. im März 1894 das Haus von Martin Rade verließ, in dem er während seines Frankfurtaufenthaltes gelebt hatte, waren viele Kontakte zu wichtigen Persönlichkeiten des protestantischen Geisteslebens entstanden, wobei besonders die lebenslange Freundschaft zu Rade selbst und zu Friedrich Naumann, der J. vor allem auf die brennende Problematik der sozialen Frage und den noch zu formulierenden Beitrag des Protestantismus hierzu aufmerksam gemacht hatte, hervorzuheben sind. Aber auch zu Max Weber oder Paul Göhre, der sich um die Evangelischen Arbeitervereine verdient gemacht hatte und später selbst zur Sozialdemokratie überwechselte, unterhielt J. fortan freundschaftliche Beziehungen. — Das Angebot, für ein Jahr lang in England zu leben und als Deutschlehrer zu arbeiten, hatte J.s Weggang aus Frankfurt motiviert. Bis im Frühjahr 1895 lebte er in Folkestone und nutzte die Gelegenheit, das Land, dessen Sprache, Kultur und Philosophie er hoch schätzte, kennenzulernen; seine späteren Rezensionen in der ChW, seine Übersetzertätigkeit wie auch seine eigenen Werke machen J.s Bemühen deutlich, die Errungenschaften der englischen Kultur auch dem deutschen Publikum zugänglich zu machen. Im Dezember 1895 schloß J. dann mit dem 2. Theologischen Examen sein Studium in Magdeburg ab. Er nahm darauf eine Hauslehrerstelle in der Mark bei Frankfurt a. O. an, während der er nebenher an der Übersetzung der Lebenserinnerungen von Thomas Carlyle arbeitete, deren 1. Band 1897 erschien. Seine eigent-

liche Pfarrerlaufbahn begann am 1. Februar 1898, als J. eine Hilfspredigerstelle in Ichtershausen bei Arnstadt antrat, ab 1899 war er Pfarrer in Seebergen (Gotha). Die Bekanntschaft mit der Karlsruher Pfarrerstochter Marie Wachs, die er 1901 heiratete und mit der er drei Kinder hatte, bewog J. schließlich, seine Heimat Thüringen zu verlassen und sich bei der badischen Landeskirche um ein Pfarramt zu bewerben. Nach einem Vikarsjahr in Freiburg 1905, wirkte er vier Jahre lang in Karlsruhe, wo er sich insbesondere um die, meist von der Kirche abgefallene Arbeiterschaft bemühte; seine im Arbeiterdiskussionsclub gehaltenen Vorträge sind in der 1914 veröffentlichten Schrift »Wege zur inneren Freiheit. Kant und die Arbeiter« in einer Auswahl abgedruckt. 1910 wird J. wieder nach Freiburg an die Ludwigskirche gerufen, wo er bis zu seiner Pensionierung 1934 die Gemeinde betreute. In seiner Freiburger Zeit entfaltete J. nun seine volle schriftstellerische Tätigkeit. Im Zentrum seines umfangreichen Werkes steht dabei nicht so sehr die theologisch-wissenschaftliche Auseinandersetzung, sondern der einfache, am Glauben zweifelnde Mensch des 20. Jahrhunderts, wie ihn J. aus der Gemeindepraxis kennengelernt hatte. Er setzte damit seine glänzende Fähigkeit, die komplexen Phänomene der Theologie und des Alltags in einer einfachen, bildhaft klaren Sprache jedermann verständlich zu machen, genau am richtigen Platz ein. J. erweiterte damit gewissermaßen das Programm der ChW: nicht die nichttheologischen Gebildeten, sondern die einfachen Gemeindemitglieder wollte er mit seinen Schriften ansprechen. So besteht z. B. seine Schrift »Evangelische Einfachheit« von 1937 aus Briefen an einen Bahnarbeiter und eine Hausfrau. J. versuchte darin, die Frage des Sozialphilosophen John Ruskin, ob es möglich sei, die christliche Botschaft in solche Worte zu fassen, daß sie ein schlichter Mensch auch verstehen könne, eindeutig positiv zu beantworten und beispielhaft eine Möglichkeit zu weisen. Nicht nur aber in seinen Schriften, sondern auch als aktives Mitglied des »Evangelisch-Sozialen Kongresses« und der »Kirchlich- Liberalen Vereinigung« Badens suchte er sozialreformerisch zu wirken. - Der Theologe J. zentrierte seine Überlegungen um den Begriff der »Gotteskindschaft«, womit er ausdrückte, daß einzig das unbedingte und gehorsame Vertrauen in den göttlichen Willen, wie er biblisch niedergelegt ist, Grundlage des menschlichen Lebens sein müsse. Da J. als liberaler Theologe darüber hinaus keine Bekenntnisse oder Aussagen über den außerbiblischen, also politischen Bereich aussprechen wollte, da dies dem liberalen Prinzip der evangelischen Freiheit widersprochen hätte, geriet er nach 1933 zu einem überzeugten Befürworter der nationalsozialistischen Führerideololgie. Wie die »Kirchlich-liberale Vereinigung«, die sich 1933 aufgelöst hatte und großteils zu den »Deutschen Christen« (DC) übergewechselt war, sympathisierte auch J. mit den DC und wurde schließlich DC-Mitglied. Während des Krieges übernahm er zahlreiche Urlaubs- und Krankheitsvertretungen. Im Jahre 1947 erteilte die badische Kirchenleitung J. ein Vertretungsverbot, da er auch nach dem Kriege an der liberalen Theologie festhielt, obwohl die Landeskirche nach 1945 einen bekenntnisgebundenen Pfarrerstand erwünschte, was eine Absage an die liberale Theologie bedeutete. J. zog sich daraufhin nach Heidelberg (1949) zurück, wirkte aber weiterhin als Schriftsteller. — Im hohen Alter von 93 Jahren verstarb J. am 20.2. 1963 in Nußloch bei Heidelberg.

Werke: Thomas Carlyle, Lebenserinnerungen, übers. aus dem Engl. von P. J., 2 Bde., 1897/1901; Zur Überwindung des Zweifels, Lebensfragen, 1906; (P. J. u. a.), Morgenandachten für das ganze Jahr, dargeboten von den Freunden der ChW, 1908; Liberale Weltanschauung, Bekenntnisse und Fragezeichen, 1909; Lex. Art.: »Balfour«, »Germanisierung des Christentums«, »Hilty«, »Oeser«, »Rade«, »Steffensen«, in: RGG (1. und 2. Aufl.), 1909 ff.; (P. J., Hrsg.), Mannhaft und frei. Predigten von Dr. Adolf Hasenclever, 1910; Goethes Religion, in: Die Religion Schillers und Goethes. Zwei Vorträge v. Karl Bornhausen und P. J., 1910; Gottfinden und Überwinden, Krankenbetrachtungen, 1911; Lichtspuren. Auf der Wanderung im Nebellande, 1911; Unterwegs. Wanderungen zum ewigen Quell, 1911; Bekenntnis und Freiheit. Ein Wort zum Frieden, 1914; »Ich glaube keinen Tod...«. Stille Gedanken beim Heimgang unserer Lieben, 1914; Meine Freude. Ein Konfirmationsbüchlein für Mädchen, 1914; Wege zur inneren Freiheit. »Kant und die Arbeiter« und andere Vorträge im Arbeiterkreis, 1914; Unser Kaiser. 27. Januar 1915, Festpredigt, 1915; Meine Wehr und Waffe. Ein Geleitwort, 1916; Zwei Schicksalfragen. 1. Vom Schicksal der Werte, 2. Vom Wert des Schicksals, 1916; Innseits. Zur Verständigung über die Jenseitsfrage, 1917 (2. Aufl. 1926 u. d. T. Innseits und Jenseits); Vom Sinn des Lebens. Briefe an einen Konfirmanden, 1919; Briefwechsel zwischen Hermann Oeser und Dora Schlatter, hrsg. v. H. Oeser und D. Schlatter, mit Einleitung von P. J., 1920; Gottesfragen. Drei Volkshochschulvorträge: Atheismus-Theismus-Christlicher Theismus, 1921; Aus dem akadem. Festgottesdienst zur Feier des 50-j. Bestehens des Deutschen Reiches. Predigt, 1921; Unverloren. Ein Büchlein von der unendlichen Nähe, 1922; Freude zuvor. Krankenbetrachtungen, 1922; Festland. Wege zur Wirklichkeit, 1922; Festland II. Wege zu Christus, 1923; Müssen wir katholisch werden? Eine evang. Antwort, 1923; Vom Grunde der Freude. Reden und Aufsätze, 1923; Vorsehung. Beiträge zur Schicksalsfrage, 1923; Evangelische Freiheit. Gesammelte Blätter aus dem Meinungskampfe der Gegenwart, 1926 (= 2. und vermehrte Aufl. von »Bekenntnis und Freiheit«, 1914); Ahnung und Gewißheit, 1927; Lieber Freund! (= Martin Rade), in: 40 Jahre Christl. Welt, Festgabe für Martin Rade, zusammengest. von Hermann Mulert, 1927, 201-205; Weihnachtspräludien, 1929; Das schöne Morgenlicht. Weihnachtsgeschichten, 1929; Christsonne. Weihnachtsgeschichte, 1930; Heimatleuchten. Adventsgeschichten, 1931; Im Arbeiterdiskussionsclub, in: Kreuz und Lorbeer. Karl Hesselbacher zum 60. Geburtstag, 1931; Das Notlicht Gottes. Ein Wegweiser für Freudlose, 1932; Die rettende Stund. Adventsgeschichten, 1934; Vom unerschöpften Lichte. Weihnachtsgeschichten, 1935; Das verschüttete Wort. Geschichten um Weihnachten und den Alltag, 1936; Durchsonnter Werktag. Der Sinn von Christi Himmelfahrt, 1936; Evangelische Einfachheit. Briefe an einen Bahnarbeiter und an eine schwäbische Hausfrau, 1937; Am geheimen Webstuhl Gottes: Bd. 1: Jugenderinnerungen, 1937; Bd. 2: Wanderjahre, 1938; Bibelkrise, 1940 (= Sonderdruck aus »Der deutsche Christ«, 1940); Zuversicht, 1940; Der Sternenhimmel, 1943 (= Die Bibel erlebt. Zeugnisse und Erfahrungen, Heft 8); Wölfleins Heimruf, 1960; Das Gebot der Freude, 1961; Der feste Standort, 1961; Wie ein Kind. Eine Weihnachtserzählung, 1961; Mehr Licht. Von der Gottesfreude, 1962; Vater unser - Andachtsbüchlein, 1962; Adventspräludium bei alten Doktor, o.J; Vom unvergänglichen Wesen. Weihnachtserzählung, o.J..

Lit.: Hans Stempel, P. J., in: ChW 38, 1924, 882-889; — Georg Weiß, P. J., in: MPTh 22, 1926, 3-14; — Friedrich Hindelang, Aus dem Schaffen badischer Pfarrer: P. J., in: Kirche und Heimat, Festgabe zum Deutschen Evang. Pfarrertag in Karlsruhe 1928, 1928, 257 f.; — Heinrich Neu, Pfarrerbuch der evang. Kirche Badens von der Reformation bis zur Gegenwart, Teil II, 1939, 294 f.; — Johannes Rathje, Die Welt des freien Protestantismus. Ein Beitrag zur deutsch-evang. Geistesgeschichte, 1952; — Albrecht Wolfinger, Nekrolog P. J., in: Chronik der Ev. Landeskirche Baden 1963, in: Badische Heimat. Ekkhardt, Jahrbuch für das Badner Land 33, 1964, 181-183; — Die Ludwigskirche zu Freiburg i. Br. Eine Chronik 1829-1979, hrsg. v. d. Pfarreien der Ludwigskirche, 1979, 15-19; — Traugott Mayer, Kirche in der Schule. Ev. Religionsunterricht in Baden zwischen 1918-1945, 1980; — Ernst Schulin, Geschichte der Ev. Kirchengemeinde Freiburg 1807-1982, 1983, 20-25; — Brigitte Haug, P. J. und die Kirchlich-Liberale Vereinigung, 1987 (unveröff. Seminararbeit, Universität Heidelberg); — Kürschner, LK 1963, 309; — RGG (nur 2. Aufl.) III, 6 f.

Rainer Witt

JÄNNICKE, Johannes (ursprünglich Jenjk), Prediger und Gründer der ersten Missionsschule in Deutschland, * 1748 als Sohn einer böhmischen Weberfamilie, + 21.7. 1827 in Berlin. — J. war zuerst Webergeselle, begann dann unter dem Eindruck seiner »Bekehrung« durch einen Brüderprediger eine Lehrerlaufbahn in Dresden, studierte in Leipzig, erhielt 1878 seine Anstellungserlaubnis und war in Barby als Lehrer tätig.

Er wurde 1779 als zweiter und 1792 als erster Geistlicher an die böhmische lutherische Bethlehemsgemeinde in Berlin gerufen, wo er bis zu seinem Tod als angesehener Prediger und Seelsorger wirkte und auch sozial tätig war, indem er z. B. eine »Suppenanstalt« gründete. Gemeinsam mit dem der Brüdergemeine nahestehenden und von der Londoner Missionsgesellschaft zum »Direktor der Mission« ernannten Friedrich von Schirnding eröffnete er, zunächst mit sieben Schülern, am 1.12. 1800 die erste deutsche Missionsschule, an der etwa 80 Missionare ihre erste Ausbildung erhielten, bevor sie von verschiedenen Missionsgesellschaften übernommen wurden. Aus dieser Missionsschule ging 1823 unter seinem Nachfolger und Schwiegersohn Rückert die »Berliner Missionsgesellschaft« hervor. 1805 gründete J. die »Biblische Gesellschaft« und regte die 1814 daraus entstehende »Preußische Hauptbibelgesellschaft« mit an. Seine Bemühungen um die Verteilung von Traktaten in mehreren europäischen Sprachen veranlaßten ihn 1811/12 zur Gründung eines Traktatvereins, aus dem 1816 der Berliner »Hauptverein für christliche Erbauungsschriften in den preußischen Staaten« wurde.

Lit.: E. Strümpfel, J. J., in: AMZ 27, 1900, 308-315; — Julius Richter, Geschichte der Berliner Missionsgesellschaft 1824-1924, 1924; — RGG III, 513.

Gunda Wittich

JÄSCHKE, Heinrich August, Missionar und bedeutendster Sprachforscher der Brüdergemeine, übersetzte das Neue Testament in das Tibetische, * 17.5. 1817 in Herrnhut als Sohn eines Bäckermeisters, + 24.9. 1883 ebd. — J. wuchs in der von tiefer Frömmigkeit und materieller Bescheidenheit geprägten Gemeinschaft von Herrnhut, dem Stammort der evangelischen Brüderkirche, auf. Da der Knabe eine außergewöhnliche Begabung hatte und schon an der Herrnhuter Bürgerschule seinen Lehrern aufgefallen war, gewährte ihm die Gemeinschaft - auf Anraten des Predigers Steengard - eine Freistelle am Pädagogikum (= Gymnasium) der Gemeinde in Niesky. Hier nahm er in allen Fächern und Klassen den Primusplatz ein, besondere Leistungen aber vollbrachte er auf den Gebieten der Sprachen und der Musik. Seine ungewöhnliche Fähigkeit, sehr schnell und perfekt eine fremde Sprache zu erlernen, stellte er etwa während seines zweijährigen Studienaufenthaltes am theologischen Seminar in Gnadenfeld

(Oberschlesien) unter Beweis; in kürzester Zeit beherrschte J. die polnische Sprache sowie den polnischen Dialekt, der in der Gegend bei Gnadenfeld gesprochen wurde. Als er 1837 eine Stelle als Institutslehrer im Knaben-Erziehungsheim in Christiansfeld (Nordschleswig) annahm, eignete sich J. mühelos die Sprache der dänischen Nachbarn an und erlernte während einer sechswöchigen Schwedenreise auch diese Sprache perfekt. Im Alter von 25 Jahren wurde J. an seine ehemalige Schule, dem Pädagogikum in Niesky, berufen, wo er von 1842-1856 als Lehrer - für alte und neue Sprachen -, Hausgeistlicher und Seelsorger wirkte. In diesen Jahren vervollkommnete er seine Sprachkenntnisse und begann sich intensiv mit dem Arabischen, Persischen und dem Sanskrit auseinanderzusetzen; am Ende seiner Lehrertätigkeit in Niesky 1856 beherrschte das Sprachgenie J. insgesamt 14 Sprachen. 1856, als die Missionsdirektion der Gemeine ihn für die Heidenmission im Himalaya berief, tat sich für J. ein völlig neues Aufgabenfeld und damit ein neuer Lebensabschnitt auf. Die Gemeine, die sich von jeher als Missionskirche verstand, hatte seit 1850 das buddhistische China und Tibet ins Blickfeld christlicher Mission gestellt. Doch war den Missionaren Heyde und Pagell der Zutritt in diese Länder verwehrt worden, weshalb sie an der Westgrenze zu Tibet, im Himalayagebiet in Kyelang (Provinz Lahoul) 1854 eine Missionsstation der Gemeinde errichtet hatten. Mit doppeltem Auftrag war J. nach halbjährlicher Reise am 23.5. 1857 in Kyelang zu ihnen gestoßen. Während ihn seine erste Aufgabe, die Leitung der Missionsstation im Himalaya, völlig überforderte - J. besaß einen ausgeprägten Sonderlingscharakter, was einen kollegialen Umgang mit Heyde und Pagell sehr erschwerte, zudem führten seine übertriebene Sparsamkeit und Askese immer wieder zu Spannungen zwischen den Missionaren, so daß er sich 1863 von der Leitung der Mission befreien ließ -, meisterte J. seine zweite Aufgabe, die Erlernung des Tibetischen und die Bibelübersetzung, glänzend. Nachdem ihm die bereits vorhandenen Wörterbücher und Grammatiken keine sehr große Hilfe geboten hatten, gelang J. über die Bekanntschaft mit dem jungen Lama Stobgyes der entscheidende Durchbruch zum Verständnis des Tibetischen: mit dessen Hilfe erlernte er das klassische Tibetisch. Damit war aber auch die Basis geschaffen, die tibetische Volkssprache sowie die in den Seitentälern des Himalaya gesprochenen Sprachen Bunan, Tinan und den Ladakh-Dialekt zu lernen. In rascher Folge entstand nun das umfangreiche Schrifttum J.s, das sich in drei Gruppen gliedern läßt. Die erste Gruppe umfaßt dabei die Schulbücher und Erbauungsschriften, die J. für den unmittelbaren Missionsalltag verfaßt hatte; die zweite Gruppe beinhaltet die wissenschaftlichen Abhandlungen über das Tibetische, die ab 1865 in den Monatsberichten der Berliner Akademie erschienen, sowie das Wörterbuch und die Grammatik, die beide heute noch unverändert Gültigkeit besitzen; als letzte Gruppe muß die Bibelübersetzung selbst verstanden werden, die J. zuletzt, als er sich im Tibetischen wirklich sicher glaubte, in Angriff nahm. J. versuchte dabei, keine ganz neuartige Terminologie zu schöpfen, sondern die Begriffe so eng wie möglich an die buddhistischen Begriffe anzulehnen, um die größtmögliche Verständlichkeit zu erreichen. Den Begriff »Gott«, der dem Buddhismus völlig fremd ist, übersetzte J. dann mit einem Ausdruck, der in der tibetischen Volkssprache sehr bekannt war: »das kostbare Ding«. Doch die anstrengende und mühevolle Arbeit in dem rauhen Klima des Himalaya, gepaart mit der sich selbst gegenüber schonungslosen Arbeitsweise, wie sie dem Asket J. eigen war, forderte bald ihren Tribut: ein Rheuma- und Nervenleiden zwang den Sprachforscher nach 12-jähriger Missions- und Übersetzungsarbeit 1868 zur Rückkehr nach Herrnhut. J. gönnte sich nur eine kurze Ruhepause, um sogleich an der Verbesserung und Neuausgabe seines Hauptwerkes, dem »Handwörterbuch der tibetischen Sprache« zu arbeiten. Ab 1878 jedoch erlaubte sein verschlimmerter Gesundheitszustand keine Schreibarbeiten mehr. Die letzten Jahre seines Lebens überwachte er noch den Neudruck seiner Neuen Testament-Übersetzung; nach längerem Leiden verstarb J., der wohl bedeutendste Sprachforscher der Brüdergemeine, am 24.9. 1883 im Alter von 66 Jahren.

Lit.: A short periodical grammar of the Tibetan Language with special reference to the spoken dialects, Kyelang 1865; A Romanized Tibetan and English Dictionary, Kyelang 1866; Handwörterbuch der tibetischen Sprache, 1871 (= Tibetisch-deutsches Lexikon, Gnadau 1876); Tibetan-English Dictionary, London 1881; Tibetan Grammar, London 1883; NT in klassischem Tibetisch, Berlin 1885; Aufsätze: Kleinere Artikel über die Phonologie und Grammatik des Tibetischen in den Monatsberichten der Berliner Akademie der Wissenschaften, 1860, 1865, 1866, 1867; Probe aus dem tibet. Legendenbuch: die 100 000 Gesänge des Milaraspa, in: Zeitschrift d. Dt. Morgenländ. Gesellschaft 23 (1869), 543-558; (Mit J. E. T. Aitchison) Lahoul, its flora and vegetable products, in: The Journal of the Linnean Society of London, Botany, 10 (1869); Aus den Liedern des Milaraspa, in: August Hermann Francke, Geistesleben in Tibet, 1925.

Lit.: M Theodor Reichelt, Lebensskizze des Missionars J., in: Das Ausland 57 (1884), 104-108; — H. G. Schneider, Missionsbild aus dem westl. Himalaya, 1887; — Theodor Reichelt, Die Himalaya- Mission der Brüdergemeine, 1896; — August Hermann Francke, Bemerkungen zu J.s tibetischer Bibelübers., in: Zeitschrift der Dt. Morgenländ. Gesellschaft 51 (1897), 647-657; — Ders., Bruder J. und die tibet. Sprache, in: Die Brüder. Aus Vergangenheit und Gegenwart der Brüdergemeine, hrsg. v. Otto Uttendörfer und Walther E. Schmidt, 1914, 321 ff.; — Theodor Bechler, Kulturarbeit der Brüdergemeine in Himalaya 1914; — Gerhard Heyde, 50 Jahre unter Tibetern, 2 Bde., 1921/27; — Theodor Bechler, H. A. J., der geniale Sprachforscher der Mission der Brüdergemeine, 1930; — Adolf Schulze, 200 Jahre Brüdermission, Bd. II: 1834-1932, 1932; — Heinz Renkewitz (Hrsg.), Die Brüder-Unität, 1967 (= Kirchen der Welt, Bd. V); — Lexikon zur Weltmission, hrsg. v. Stephen Neill u. a., 1975, 238; — Hartmut Beck, 250 Jahre Mission der Brüdergemeine, 1981; — ADB L, 632 f.; — NDB X, 289 f.; — RGG III, 7 (nur 2. Auflage).

Rainer Witt

JAGIELLO, in modernem Litauisch Jogaila, Großfürst von Litauen und polnischer König, * um 1351, + 1.6. 1434 in Gródek (Woiwodschaft Bialystok). — J. war seit 1377 Großfürst von Litauen, er schloß 1385 mit Polen die Union von Krewo, in der er sich verpflichtete, mit seinem gesamten Volk das römische Christentum anzunehmen. Im Gegenzug dafür heiratete er 1386, nach seiner Taufe, die polnische Königin Hedwig und wurde als Wladislaw II. König von Polen. Er führte vier Kriege gegen den Deutschen Orden (1409-11, 1414, 1422, 1433- 35). Bedeutend war sein Sieg von Tannenberg 1410, der den Deutschen Orden zum I. Thorner Frieden 1411 und damit zur Rückgabe des 1398 eroberten Schamaiten zwang. Ebenso bemühte er sich nach dem Vertrag von Krewo um die Ausbreitung des Christentums in Litauen, unter anderem durch die Gründung der Bistümer Wilna und Miedniki. In Krakau erneuerte er 1400 die nach ihm benannte Jagiellonische Universität, die älteste Universität Osteuropas.

Lit.: Anton Prochaska, Codes epist. Vitoldi, 1882; — Ders., Król Wladyslaw J., 2 Bde., 1908; — O. Halecki, Dzieje unii Jaegiellonskiej, 2 Bde., 1919-20; — L. Kolankowski, Dzieje wielkiego ksiestwa Liteskiego za Jagiellonów, 1930; — Ders., Polska Jagiellonów. Dzieje polityczne, 1936; — Akta unji Polski z Litwa, ed. St. Kutrzeba/W. Semkowicz, 1932; — Z. Ivinskis, Jogaila, Lietuviu Enciklopedija IX, 1956; — Irena Sutkowska-Kurasiowa, Dokumenty Królewskie i ich funkcja w pánszwie polskim zu Andegawenów i pierswszych Jagiellonów 1370-1444, 1977; — Manfred Hellmann, Das Großfürstentum Litauen bis 1509, in: Hdb. der Geschichte Rußlands I, 1983; — Ders., Daten zur poln.

Geschichte, 1985, 48-60; — Wetzer u. Weltes Kirchenlex. VI, 1200 ff.; — LThK V, 854; — Brockhaus-Enzykl. IX, 360; — Meyers neues Lex. VII, 71; — Meyers enzykl. Lex. XIII, 24; — Larousse grand encyclopedie XI, 6593.

Roland Böhm

JAHBALLAHA III. (auch Jab Allaha, Yahballaha), nestorianischer Patriarch, * 1244/45 in Kuoseng (China) als Sohn eines nestorianischen Periodeuten (Visitators) von uigurischer Abstammung, + 13.11. 1317. — J. folgte dem Nestorianermönch Bar Çauma, mit dem er eine Pilgerfahrt in das Heilige Land und zum Zentrum der nestorianischen Kirche unternahm. 1280 wurde er Metropolit von China, 1282 mit Rücksicht auf den Mongolen-Khan Patriarch. 1287/88 schickte J. den Bar Sauma im Einvernehmen mit dem Ilkhan Augun in die Zentren des europäischen Westens, u. a. nach Rom, Paris und London. 1304 sandte J. ein Glaubensbekenntnis an Benedikt XI., in dem er den Primat des Papstes anerkannte. — J. konnte durch seine Beziehungen zu den mongolischen Herrschern die Ausbreitung der nestorianischen Kirche erreichen und selbst als die Ilkhane 1295 den Islam annahmen, die Unterdrückung der Christen mildern. Er zeigte sich anderen christlichen Bekenntnissen gegenüber tolerant, so daß z. B. Ricoldo de Monte Croce frei in der nestorianischen Kirche predigen konnte. Das Christentum hat nach J. niemals wieder eine vergleichbare Position in Asien innegehabt.

Lit.: Od. Raynaldus, Annales ecclesiastici z. J. 1304, Bd. 14, 1648; — Joseph Simon Assemanus, Bibliotheca Orientalis Clementino-Vaticaca, III, 2, 129, 1719 (1975²); — Bar Hebräus, Chronicon Ecclesiasticum, ed. trad. J. B. Abbeloos et Th. J. Lamy, 2, 451 ff., 471 ff., 1877; — Histoire de Mar Jab Alaha, Patriarche, et de Rabban Sauma, ed. Paul Bedjan, 1895²; — Jean Baptiste Chabot, Histoire du patriarche J. et du moine Rabban Çauma, in: Revue de l'Orient latin, 1, 1893, 567-610, 2, 1894, 73-142, 235-300, 566-643 (franz. Übers.); — R. Duval, Le patriarche mar J. et les princes Mongoles de l'Adherbaidjan, in: Journal Asiastique VIII, 13, 1889,313-354; — Ders., La littérature syriaque, 1899 (1900²); — C. E. Bonin, Note sur les anciennes chrétientés nestoriennes de l'Asie centrale, in: Journal Asiatique IX, 15, 1900, 584-592; — François Nau, L'expansion nestorienne en Asie, in: Ann. du Musee Guimet, 40, 1913, 193-388; — James Allen Montgomery, The History of Yaballaha III., 1927 (1966²); — Ernest Alfred Budge, The Monks of Kublai Khan, Emperor of China or the History of the Life and Travels of Rabban Sawma and Markos who as Mar Yahbh-Allaha became Patriarch, 1928 (1973²); — Kenneth Scott Latourette, A History of christian Missions in China, 1929 (1967²); — J. Vosté, Memra en l'honneur de J., in: Le Muséon 43, 1929, 168-176; — A. C. Moule, Christians in China before 1550, 1930; — Bertold Spuler, Die Mongolen in Iran. Politik, Verwaltung und Kultur der Ilchanzeit 1220-1350, 1939 (1968³); — Jean Richard, Le début des relations entre la papauté et les Mongoles de Perse, in: Journal Asiatique 234, 1949, 293-297; — Peter Kawerau, Die Jakobitische Kirche im Zeitalter der Syrischen Renaissance (1150-1300), 1955 (erw. Aufl. 1960²); — Ders., Christl. arab. Chrestomathie aus hist. Schriftstellern des MA. 2, in: CSCO 385, 1977; — Athanasios Arbanites, Historia tes assyriakes nestorianikes ekklesias, in: Bibl. tes en Athenais Philekpaideutike Hetaireias 50, 1968; — Jean Maurice Fiey, Chrétiens syriaques sous les Mongols, in: CSCO 362, 1975; — DThC XI, 213-218; — RE VIII, 523-524; — LThK V, 854.

Heike Mierau

JAHN, Gustav Wilhelm (Gustav Frisch), Volksschriftsteller, Dichter und Mitarbeiter der Inneren Mission, * 23.2. 1818 in Sandersleben als Sohn eines Weißgerbermeisters, + 29.3. 1888 in Züllchow bei Stettin. — J. trat nach dem Besuch der Volksschule in den väterlichen Betrieb ein, den er nach dem Rückzug des kranken Vaters als Meister selbständig weiterführte, bis ihn mangelnde Rentabilität 1846 zum Verkauf des Betriebs veranlaßte. Er baute anschließend eine größere Landwirtschaft auf, deren Grundkapital die 600 Taler bildeten, die Friedrich Wilhelm IV. ihm zur »Aufmunterung und Sicherstellung des künftigen Lebensberufes« 1845 überstellt hatte. 1852 wurde J. zum Bürgermeister seiner Vaterstadt Sandersleben ernannt. Nach dem Tod seiner ersten Frau Anna Wapler, mit der er vom 21.2. 1848 bis zum 10.8. 1854 verheiratet war, heiratete er am 26.8. 1855 Dora von Dieskau, die ihm im Herbst 1858 mit den beiden ersten der späteren sieben Kinder nach Züllchow bei Stettin folgte. J. war zum Hausvater des dortigen Knabenrettungshauses und Vorsteher der Brüderanstalt ernannt worden. Es gelang ihm, für diese Einrichtungen der Inneren Mission im Laufe der Zeit die ökonomische Unabhängigkeit durch ausgedehnte »industrielle« Einrichtungen (Gärtnerei/Christbaumschmuck) zu erreichen. Außerdem war er maßgeblich an der Errichtung der Züllchower Kirche beteiligt. Nach dem Tod Dora von Dieskaus am 12.6. 1971 heiratete er am 27.8. 1872 in dritter Ehe die pommersche Pfarrerstochter Ulrike Strecker. — J. trat schon frühzeitig literarisch in Erscheinung, angeregt und beeinflußt durch die Lektüre des »Wandsbecker Boten«. 1842 wurden unter dem Pseudonym Gustav Frisch seine ersten »Vermischten Gedichte« veröffentlicht. Seine patriarchalische, aber dennoch derb-humorvolle Frömmigkeit, die stets gegen den anders gearteten Zeitgeist gerichtet war, dokumentiert sich in der stetigen Mitarbeit am (Halleschen) »Volksblatt für Stadt und Land«, das zur »Wiederaufrichtung des durch eine negative Litteratur gefährdeten Volksgeistes auf christlicher Grundlage« dienen sollte. Hier verfaßte J. unter dem Pseudonym Gottlieb Schulze nach dem Vorbild von Math. Claudius fiktive Briefe an einen Vetter, in denen er sich kritisch zu Pressefreiheit, Judenemanzipation, Ehescheidung, Sonntagsbeteiligung, Volksvergnügen u. a. die Zeit bewegende Fragen des christlichen Gemeinschaftslebens äußerte und die später als »Gesammelte Schriften« Band I und II, 1847, Band III 1849 veröffentlicht wurden. — J.s Lebensgeschichte läßt ihn einerseits als tatkräftigen und ideenreichen Organisator/Verwalter erscheinen, andererseits als einen seine Zeit kritisierenden, christlich-konservativ denkenden Literaten und als einen populärwissenschaftlichen Geschichtsschreiber.

Werke: Das Hohelied. In Liedern: 1. Gnadenführung: Das Werk im Glauben, 1845; 2. Gnadenführung: Die Arbeit in der Liebe, 1845; 3. Gnadenführung: Die Bewährung in der Gnade, 1847; Dass., GA 1848[2] (1852[2], 1860[4], 1895[6]); (Pseud. Gottlieb Schulze), Gesammelte Schriften, Bd. I-III, 1847-1849; Der Gratulant, 1849 (1850[2]); Ders., Erzählungen fürs Volk. 1. Die Geschichte vom lahmen Friedrich, 1850[2] (1858[3], 1895[6]); 2. Die Geschichte vom stieren Otte, 1850[2] (1863[3], 1895[5]); 3. Die Geschichte vom brennenden Pudding, 1850 (1853[2], 1874[3]); 4. Gott zeichnet die Sünder, 1850 (1862[2], 1893[4]); Die deutschen Freiheitskriege 1813-1815, 1850 (1886[6], 1893[7]); Kamerad Hechel. Ein Lebensbild aus den Befreiungskriegen, 1854 (1892[6]); Ders., Neuer Frühling. Brautlieder, 1856 (1868[2]); Die Natur im Lichte der göttlichen Offenbarung und die Offenbarung Gottes in der Natur. Vortrag auf einer Veranstaltung des evang. Vereins für kirchliche Zwecke 9.3. 1857, 1857; Flick- und Stückwerk aus den Tagebüchern des Schneidergesellen Franz Schwertlein aus Zittau und des Tischlergesellen Ernst Tiesner aus Heiligenstadt, 1861; Der deutsche Krieg und Preußens Sieg im Jahre 1866, dem Volk erzählt, 1867, 1867[2] (1869[3], 1891 ND); Gerstäcker und die Mission. Ein Gespräch über den Roman aus der Südsee »die Missionäre« von Friedr. Gerstäcker, allen Freunden der Wahrheit zur Verständigung mitgeteilt, 1869; Das schöne Luisele, oder dreimal verlobt, 1870; Der Krieg von 1870 und 1871. Dem deutschen Volk erzählt, 1871/72; Die Geschichte der franz. Revolution v. 1789-1794. Ein Spiegel für das dt. Volk, 1891[6] (1898[7]).

Lit.: Adolf Hinrichsen, Das Literarische Deutschland, 1887, 336-337; — Franz Jahn, Daheim, 1868, 523-526; — Allgemeine conservative Monatsschrift, 3/1890, 225-227; — Bilder aus dem Kirchliche Leben, Bd. II o. J., 1-42; — Fritz Jahn, Kurze Geschichte der Züllchower Anstalten, 1892, 27-54; — Bartel, Dt. Nationallitteratur, o. J., 241/518; — Franz Brümmer, Lexikon der dt. Dichter und Prosaisten von Beginn des 19. Jh.s bis zur Gegenwart, 1913[6] (1974 Rp.), Bd. 2, 336-337; — Allgemeine dt. Biographie, Bd. 50, 1971 (Rp.

v. 1905), 626-627; — Deutsches Biographisches Archiv, 1985, 598, 52-54.

Ursula Hoffacker

JAHN, Martin, Johann, katholischer Theologe, Orientalist, * 18.6. 1750 in Taswitz (Mähren), + 16.8. 1816 in Wien. — Nach dem Besuch des Gymnasiums von Znaim studierte J. in Olmütz Philosophie und ab 1772 Theologie in dem Prämonstratenserstift Bruck. Hier legte er 1774 das Gelübde ab. nach kurzer Pfarrtätigkeit in Mislitz wurde er als Lehrer für orientalische Sprachen und biblische Hemeneutik in den Stift zurückgerufen. Der Erlangung der theologischen Doktorwürde im Jahre 1872, und der Tätigkeit als ordentlicher Professor in Olmütz folgte 1789 die Berufung zum Professor für orientalische Sprachen, biblische Archäologie und Dogmatik nach Wien. Hier entfaltete er große Wirksamkeit, stieß aber auch auf starke Kritik. Den ersten Anstoß erregte seine »Einleitung in das Alte Testament« von 1792. J. entwickelte hierin eigene Ansätze und stellte sich stellenweise in Gegensatz zur herkömmlichen Bibeldeutung. Besonders das Herausarbeiten der Bücher Hiob, Jonas, Judith und Tobias als Lehrgedichte veranlaßte den Kardinal Miagazzi, eine Klageschrift gegen J. bei Kaiser Frank II. einzureichen. Von einer eingerichteten Kommission wurde J. aufgefordert, die umstrittenen Lehrsätze zu modifizieren und sich künftig solcher Äußerungen zu enthalten. Obwohl er sich diesen Anweisungen entsprechend verhielt, und er in Gelehrtenkreisen zunehmend Beachtung fand, wuchs die Kritik von offizieller Seite an seiner Lehrtätigkeit, und er wurde 1806 durch Ernennung zum Kanonikus des Wiener Metropolitankapitels gezwungen, seine Professur niederzulegen. Die beiden lateinischen Lehrbücher J.s wurden per Dekret verdammt, und er selbst in den folgenden Jahren immer wieder als »Ketzer und Jugendverführer« heftig angegriffen. In seiner Arbeit so gehemmt, schreckte er des öfteren vor weiteren Veröffentlichungen zurück, obwohl er von ihm loyal gesinnten Kreisen zu solchen durchaus aufgefordert wurde. — Trotz dahingehenden Unterstellungen von Seiten der offiziellen katholischen Kirche, war die Intention der J.schen Arbeiten keineswegs auf ein Brechen mit der herkömmlichen Kirchenlehre hin ausgelegt. In einer Zeit, in welcher mit dem Aufkommen historisch-kritischer Forschung, besonders in der protestantischen Theologie, große Teile des kirchlichen Lehrgutes als unhaltbar überholt angesehen wurden, sah er seine Aufgabe vielmehr durchaus in der kritischen Prüfung solcher Ergebnisse. In diesem Sinne äußerte er sich als ein orthodoxer Theologe, welcher vor der Aneignung und Anwendung neuerer Methoden nicht zurückschreckte, sich die Stoßrichtung seiner Forschungen nicht vorschreiben lassen wollte. Diese Mittelstellung zwischen offizieller Kirchenlehre und dem Primat voraussetzungsloser Wissenschaft ist ein Kennzeichen seiner Arbeiten, welche insofern wegbereitend wurden. Seine philologischen Werke dienten in mannigfaltiger Weise den in katholischen Schulen und Universitäten benutzten Lehrbüchern als Vorlage.

Werke: Einleitung in die göttl. Bücher des alten Bundes, Wien 1792 (2. Aufl.: 1802/03; lat.: Introductio in libros sacros veteris foederis in compendium redacta, 1804); Hebräische Sprachlehre für Anfänger, Wien 1792; Aramäische oder Chaldäische und Syrische Sprachlehre für Anfänger, Wien 1793; Arabische Sprachlehre, Wien 1796; Bibl. Archäologie, 5 Bde., Wien 1797-1805 (2. Aufl.: 1807-1815; lat.: Archaeologia biblica in compendium redacta, 1805); Elementarbuch der hebr. Sprache, Wien 1799 (lat.: Grammatica linguae hebraicae, Wien 1809); Chaldäische Chrestomathie, Wien 1800; Arab. Chrestomathie, nebst einem Lex. arabico-latinum, Wien 1802; Biblia hebraica digessit et graviores lectionum varietates adjecit, 4 Bde., Wien 1806; Enchiridion hermeneuticae generalis tabularum vet. et novi Testamenti, Wien 1812; Appendix ad hermeneuticam generalem, Fasc. 1 et 2, Vaticinia de Messia, Wien 1813/15; Specimen hermeneuticae veteris Testamenti, Wien 1813; Nachträge zu J. J.s theol. Werken, von ihm anvertraut einem seiner Freunde im Ausland, Tübingen 1821.

Lit.: Joh. Jak. Heinrich Czikann, Die lebenden Schriftsteller Mährens, Brünn 1812, 77; — Sebastian Brunner, Clemens Maria Hoffbauer und seine Zeit, Wien 1850, 16; — Meusel III, 511; X, 13; XI, 394; XIV, 225; XVIII, 254; XXIII, 18; — Österr. National-Encyklopädie III, 11; — Wurzbach X, 42-47; — EuG 2. Sec. XIV, 191-197; — Wetzer-Welte VI, 1208-1210; — ADB XIII, 665; — DThC VIII, 315.

Thomas Uecker

JAIS, Aegidius, Benediktiner, Seelsorger und katechetischer Schriftsteller, * 17.3. 1750 im oberbayerischen Mittenwald als Sohn einer Geigenbauerfamilie (Taufname Joseph), + 4.12. 1822 in Benediktbeuern. — Nach der schulischen Ausbildung, die J. in Benediktbeuern und am Münchener Jesuitengymnasium absolvierte, trat er 1769 in die oberbayerische Benediktinerabtei Benediktbeuern ein und verbrachte das Probejahr im Gemeinsamen Noviziat der Bayerischen Benediktinerkongregation im Kloster Scheyern. Bei der Ordensprofeß am 11.11. 1770

erhielt er den Namen Aegidius. Nach philosophischen und mathematischen Studien in St. Emmeram zu Regensburg und der theologischen Ausbildung im Heimatkloster wurde J. am 23.3. 1776 zum Priester geweiht. Im Anschluß war er von 1777 bis 1788 als Beichtvater und Gymnasiallehrer in Maria Plain bzw. Salzburg tätig, dann von 1788 bis 1792 als Dorfpfarrer in der Gemeinde Jachenau; in der Salzburger Zeit setzte seine schriftstellerische Tätigkeit ein. 1792 wurde J. zum Novizenmeister der Bayerischen Benediktinerkongregation berufen; dieses Amt übte er bis 1802 in der Abtei Rott aus. Nach der Säkularisation der bayerischen Klöster 1803 wirkte J., im selben Jahr zum Doktor der Theologie promoviert, bis 1806 als Professor für Moral und Pastoral an der Benediktiner-Universität Salzburg (1805/06 Rektorat). 1806-1814 war J. in Würzburg und Florenz Erzieher der Kinder des Kurfürsten Ferdinand von Toskana. 1814 zog er sich nach Benediktbeuern zurück, wo er bis zu seinem Tod pastoral und schriftstellerisch tätig blieb. — Die Bedeutung J.s liegt vor allem in seinem reichen literarischen Schaffen auf dem Gebiet von Katechetik, Homiletik, Pastoral und Pädagogik. Unter seinen Schriften, die zum Großteil zahlreiche Auflagen erlebt haben, ragen neben anderen der Volkskatechismus »Guter Samen auf gutes Erdreich« und seine »Bemerkungen über die Seelsorge« sowie das Spätwerk »Jesus Christus« hervor. Die stark auf die seelsorgliche Praxis und katechetische Unterweisung ausgerichteten Werke (teilweise als offizielle Lehrbücher verwendet) haben besonders im süddeutsch-österreichischen Raum viel zur religiösen Bildung und Vertiefung des Volkes zu Beginn des 19. Jahrhunderts beigetragen. Hervorzuheben ist auch das Wirken J.s in der Priesterausbildung; er stand in der Neuorientierung der Seelsorge von der aufklärerischen Anthropozentrik zu einer neuen Theo- und Christozentrik seinem Zeitgenossen J. M. Sailer nahe.

Werke: Lesebuch für meine Schüler zur Bildung ihres Herzens, 1783 (1813[4]); Das Wichtigste für Eltern, Erzieher und Aufseher der Jugend, 1786 (1873[7]) in späteren Aufl. Titel leicht verändert); Guter Samen auf ein gutes Erdreich, ein Lehr- und Gebetbuch sammt einem Hausbüchlein für gut gesinnte Christen, bes. fürs liebe Landvolk, 1792 (1863[9]); Lehr- und Bethbüchlein für die lieben Kinder, das wohl auch Erwachsene brauchen können, 1792 (1853[18]); Schöne Geschichten und lehrreiche Erzählungen zur Sittenlehre für Kinder und wohl auch für Erwachsene, 2 Bde., 1792 (I 1863[33], II 1852[16]); Katechismus der christkath. Glaubens- und Sittenlehre, 1807 (1811[2], übers. ins It. 1808); Unterricht in der christkath. Glaubens- und Sittenlehre. Mit einer Vorerinnerung über den Rel.unterricht 1807 (1821[2] mit erw. Titel, übers. ins It. 1807); Hdb. zum Unterricht in der christkath. Glaubens- und Sittenlehre. Als Noth- und Hülfsbüchlein zu seinem Katechismus, bes. für Eltern, 1813; Bemerkungen über die Seelsorge, bes. auf dem Lande, 1817 (1850[6], neu hrsg. von Franz König 1938), erschien auch als Hdb. des Seelsorgers für Amt und Leben, bearb. von Franz Joseph Köhler, 4 Bde., 1870-1876; Jesus Christus, unser lebendiges, heiliges Evangelium. Ein Lehr- und Gebethbuch für kath. Christen, 1820 (1838[3]); Predigten, die Alle verstehen, und die Meisten brauchen können. Seinen ehemaligen Schülern zur freundschaftlichen Erinnerung, gutgesinnten Christen zur erbaulichen Lesung, 2 Bde., 1821 (posthum auf 4 Bde. erw. 1845[4]); Stoff zu nützlichen Betrachtungen und Predigten. Ein Erbauungsbuch für nachdenkende und gutgesinnte Christen aus jedem Stande, 1823; Gast- und Gelegenheitspredigten, die Alle verstehen, und die Meisten brauchen können, 1824 (weitere Ausgg. bis 1848). — Bibliographie zu J. bei Erich Müller, A. J., 1979 (s. u. Lit.), 479-492 bzw. 522-544.

Lit.: Anon. (Maurus Dietl), P. A. J. nach Geist und Leben geschildert von einem seiner Freunde, München und Regensburg 1826; — August Lindner, Die Schriftsteller und die um Wiss. und Kunst verdienten Mitglieder des Benediktiner-Ordens im heutigen Königreich Bayern vom Jahre 1750 bis zur Gegenwart, Bd. I, Regensburg 1880, 143-147; — Alfons Maria Scheglmann, Geschichte der Säkularisation im rechtsrhein. Bayern, Bd. III/1, 1906, 313-316; — Adalbert M. Salberg, P. A. J. von Benediktbeuern, in: St. Benediktsstimmen 33 (1909), 26-36; — Pirmin Lindner, Profeßbuch von Benediktbeuern, 1910, 100-106; — Paul Regner, P. A. J. als Pädagog, 1928; — Ders., P. A. J. von Benediktbeuern. Ein Benediktinerwirken in der Aufklärungszeit, in: BM 12 (1930), 21-27; — Wilhelm Fink, Beitr. zur Geschichte der bayer. Benediktinerkongreg. (StMBO Erg.bd. IX), 1934, bes. 120-132; — Hildebrand Dussler, P. A. J. von Benediktbeuern (1750-1822) nach dem Lebensbild des Dr. Magnus Jocham, in: StMBO 69 (1958), 214-235; — Romuald Bauerreiß, KirchenGeschichte Bayerns, Bd. VII, 1970 (Nachdr. 1977), 276-278; — Erich Müller, A. J. (1750-1822), in: Kath. Theologen Dtld.s im 19. Jh., hrsg. von Heinrich Fries und Georg Schwaiger, Bd. I, 1975 (Sonderausg. 1980), 114-128 (mit Lit.); — Ders., A. J. (1750-1822). Sein Leben und sein Beitrag zur Katechetik (Freiburger theol. Stud. 108), 1979 (zugl. Diss. Freiburg 1976), mit Werkverz. und Lit.; — Konrad Baumgartner, A. J. (1750-1822), in: Christenleben im Wandel der Zeit, hrsg. von Georg Schwaiger, Bd. I: Lebensbilder aus der Geschichte des Bist.s Freising, 1987, 343-351; — Meusel III, 512; X, 14; XI, 394; XIV, 225; XVIII, 255; XXIII, 20; — Wurzbach X, 50-54; — ADB XIII, 688 f.; — Wetzer-Welte VI, 1211 f.; — HN V, 1060 f.; — Goedeke IV/1[3] (1916), 233; — EnEc V, 244; — Kosch, LL II, 1133; — DLL VIII, 485; — LThK V, 858; — RGG III, 517; — LexPäd(F) II, 803; — LexPäd(F) (neue Ausg. 1970/71) II, 326; — Lex. der Kinder- und Jugendlit. (1975 ff.) II, 52; — Bosls bayer. Biographie (1983), 390.

Stephan Haering

JAJUS, Claudius (Le Jay), SJ, katholischer Kontroverstheologe, * 1500 oder 1504 in Mieussy (Hochsavoyen), + 6.8. 1552 in Wien. — J. studierte in La Roche, lernte dort Petrus Faber kennen und wurde 1528 Priester und Leiter des Kollegs Faverges. 1534 folgte er einer Einladung Fabers und ging zu weiteren Studien nach Paris, wurde dort Magister artium, schloß sich der Gemeinschaft des Ignatius von Loyola an und legte am 16.8. 1535 die Gelübde ab. Nach seelsorgerlichem Wirken in Rom und Ferrara und Teilnahme an den Gründungsberatungen des Jesuitenordens im Jahre 1539 wurde er zusammen mit Bobadilla und Faber von Papst Paul III. nach Deutschland geschickt. Von diesen drei Jesuiten gingen die ersten erfolgreichen Versuche einer katholischen Reform in Deutschland aus. J. nahm am Reichstag von Speyer teil und arbeitete in Regensburg, Dillingen, Ingolstadt und Salzburg. Anläßlich des Reichstages in Worms traf er mit Petrus Canisius zusammen. Im Dezember 1545 ging er als Prokurator des Kardinals Truchseß von Regensburg zum Konzil von Trient, wo er an besonderen und allgemeinen Kongregationen teilnahm, theologische Gutachten verfaßte und seelsorgerlich tätig war. Er folgte dem Konzil nach Bologna, weilte auf Wunsch des Papstes 1548 in Ferrara und wurde 1549 auf Antrag des Herzogs Wilhelm IV. von Bayern wieder nach Ingolstadt geschickt. Hier sollte er mit Petrus Canisius und Petrus Salmeron die Gründung eines Jesuitenkollegs vorantreiben. Doch der Plan König Ferdinands, ein Kolleg in Wien einzurichten und die dortige Universität zu reformieren, veranlaßte die Versetzung J.s in Gemeinschaft mit elf anderen Jesuiten nach Wien. Hier wurde er 1551 erster Oberer des Jesuitenordens und hielt Vorlesungen an der Universität. — Neben der Beachtung und dem Ansehen, welches sich J. aufgrund seines seelsorgerlichen Engagement und der Bemühungen um die Förderung der katholischen Reform verdiente, ist besonders seine Tätigkeit auf dem Tridentinum hervorzuheben. Schon auf der ersten Theologenkongregation leistete er durch das Herausstellen der Unterscheidung zwischen dogmatischen und allen übrigen Traditionen entscheidende Arbeit. Die Vulgatarevision wollte er in die Hand des Konzils legen. In der Debatte um die Erbsünde lehnte er die augustinische Lehre von der Verdammnis ungetauft gestorbener Kinder ab. Zusammen mit dem Dominikaner Pelargus vertrat er in der Sakramentendebatte die Ansicht, daß nicht alle Sakramente von Christus eingesetzt sind.

Werke: Epistolae P. Broëti, C. J., in: MHSI (1903), 265-405; Theol. Schriften (unveröff.) vgl.: Epistolae Canisii I, ed. O.

Braunsberger, 1896, 415 ff.; Speculum, Praesulis für Kardinal Truchseß, ed. J. Gretser, in: Opera XVII/2 (1742), 145.

Lit.: J. Prat, Le Père Claude le Jay un des premiers compagnons de st Ignace de Loyola, Lyon 1874; — P. Boero, Vita del Servo di Dio P. Claudio Jaio, Florenz 1878; — H. Travernier, Le P. C. J., sa patrie et sa famille, in: Revue Savoisienne 35 (1894), 79-94; — Bernhard Duhr, R. Vauchop und J., in: ZKTh 21 (1897), 593-621; — Duhr I, 15-24, 36, 45-54, 103, 194, 205 f., 239-241, 273, 386, 449, 453, 490, 509, 851; — C. Schlesinger, Jesuitenporträts, 1907, 204-209; — H. Fouqueray, Histoire de la Compagnie de Jésus en France des origines à la suppression 1528-1762, I, 1910, 55; — Koch JL, 1090; — P. Tacchi Venturi, Storia d. Comp. d. Gesù in Italia II, Rom 1950, 114-120, 256-261; — Jedin I, 361; II, 15, 47, 49, 62, 73, 112, 119, 322, 325, 408, 450, 458, 504, 507; III, 54, 55, 70, 86, 421, 429, 434; IV/2, 73; — G. Schurhammer, Franz Xaver I, 1955, 248 ff.; — Karl Sommervogel, Bibliothèque e la Compagnie de Jésus IV, 765; — EC VI, 1529; — LThK V, 858 f.; — New CathEnc VIII, 625.

Thomas Uecker

JAJUS, Guy-Michael (auch: Guy Michel Le Jay), * 1588 in Paris, + 10.7. 1675 ebd. Der Parlamentsadvokat und in hohem Alter zum Priester geweihte J. war der finanzielle Förderer und Herausgeber der Pariser Polyglotte (»vielsprachige Bibel«), die von 1629-1645 unter der Leitung des Oratorianers J. Morinus in 10 Bde. gedruckt wurde. Die Pariser Polyglotte fügt dem Inhalt der ihr vorausgegangenen Antwerpener Polyglotte hinzu: den Samaritischen Pentateuch samt Targum (aramäische Übersetzung), die Peschitta (syrische Übersetzung des At) und eine arabische Übersetzung. Die Antwerpener Edition wiederum beruht auf der wichtigsten Polyglotte, der »Complutensischen«, die 1514-1517 von Erzbischof Francisco Ximenez in Alcalá de Henares bearbeitet wurde. Die Pariser Ausgabe, die Vorlage für die Londoner Polyglotte (Walton 1657), besitzt trotz prachtvoller Ausstattung nur einen geringen wissenschaftlichen Wert.

Lit.: Ernst Würthwein, Der Text des AT. Eine Einführung in die Biblia Hebraica. 4. Aufl. Stuttgart 1973; — DE II, 631; — LThK V¹, 250; — LThK V², 859.

Reinhard Tenberg

JAKOB, siehe auch Jacobus, Jakobos, Jakobus

JAKOB ben Ascher, oder Ascheri, nach seinem Hauptwerk »Arba'ah Turim« auch »Ba'al ha-Turim«, bedeutender jüdischer Gelehrter, Schriftsteller und Systematiker der Talmudwissenschaft, * 1269 möglicherweise in Köln als dritter Sohn des Ascher ben Jechiel, + 1343 in Toledo. — J. wurde von seinem Vater in der jüdischen Lehre unterrichtet. 1303 wanderte J. mit seiner Familie nach Spanien aus, wo er zunächst in Barcelona lebte. Dort betrieb er seine Studien in großer Armut. J. ließ sich später in Toledo nieder, wo er bis zu seinem Lebensende blieb. Bereits als junger Mann begann J. auf der Grundlage des Werkes seines Vaters mit der Auslegung und Deutung des jüdischen Rechts. J. war wahrscheinlich Geldverleiher; er hatte nie eine rabbinische Stellung inne. In J.s erstem Werk über die Halacha Sefer ha-Remazim (o. Kizzur Piske ha-Rosch) finden sich Auszüge aus den Entscheidungen seines Vaters. Das um 1340 verfaßte Hauptwerk des J., die »Arba'ah Turim«, eine Darstellung des gesamten jüdischen Rechts, bezieht sich in seinem Titel auf die vier Reihen Edelsteine im Brustschild des Hohepriesters (vgl. Ex 39, 10). Diese umfassende Sammlung aller rechtlichen und rituellen Vorschriften des Judentums gliedert sich in vier Hauptteile: Im ersten Abschnitt, Orach Chajjim, (Weg des Lebens) behandelt J. Gebete, Segen, den Sabbat und weitere Festtage. Der zweite Abschnitt, Joreh Deah (Lehrer der Erkenntnis), beschreibt weitere kultische Gebräuche und Riten. Im dritten Teil, Eben ha-Ezer (Stein der Hilfe), werden die Frau und die Ehe betreffende Gesetze behandelt. Der vierte Abschnitt, Choschen ha-Mischpat (Brustschild des Rechts) schließlich nennt und erklärt weitere gesetzliche Bestimmungen der Halacha. Die Gliederung des Buches, sein leicht verständlicher Stil und der Umfang seines Inhaltes machten es zu einem grundlegenden Werk der nachtalmudisch-jüdischen Gesetzesauslegung. Weiterhin verfaßte J. den Pentateuchkommentar »Peruschah ha-Torah«, dessen allegorisierende Einleitungen seiner einzelnen Teile 1500, bereits 40 Jahre vor der Herausgabe des gesamten Werkes, veröffentlicht wurden, und die Anordnung des Gebetbuches »Derech ha-Chajjim«. Sonstige Werke des J. sind die Tabellen zur Gedächtnisausübung über den Pentateuch, »Parperaoth al ha-Torah«, und die Abhandlung über die Symbolik der Zahlen, »Ba'al ha-Turimah al ha-Torah«. Das Gesamtwerk des J. bezeugt eine Synthese der französischen, deutschen und spanischen rabbinischen Traditionen, und machte seinen Verfasser in der ganzen jüdischen Welt bekannt. Der hierbei maßgeblich beteiligte Gesetzescodex Arba'ah Turim bewirkte den nachhaltigen Ruhm des J. bei allen seinen Glaubensgenossen. So ist die Bedeutung des J., dessen letzter Wille auch seinen hohen ethischen Stand anzeigt, in seinem bilanzierenden und klärenden Einfluß auf die abendländisch-jüdische Interpretation der Halacha zu sehen.

Werke: Sefer ha-Remazim, Konstantinopel 1557; Arba'ah Turim, Pieve di Sacco 1475; Peruschah ha-Torah, Zolkiew 1806, Konstantinopel 1500, 1514 (in Auszügen); Derech ha-Chajjim, Mantua 1476, Parperaoth al ha-Torah, Fürth 1752; Ba'al ha-Turimah al ha-Torah, Konstantinopel 1500.

Lit.: W. Buchholz, in: MGWJ XIII, 1864, 253 f.; — S. M. Chones, Toledot ha-Posekim, 1910, 270-274; — A. Freimann, in: Jahrbuch der jüd.-lit. Gesellschaft, Bd. XII, 1919, 286, 301-308; — Ders., ebd., Bd. XIII, 1921, 160 ff.; — E. Baneth, in: Festschr. zum 50-jährigen Bestehen der Hochschule für die Wissenschaft des Judentums zu Berlin, 1922, 49-100, — J. H. Weiss, Dor, V. Bd., 1924, 118-128; — H. Tschernowitz, Toledot ha-Posekim, II, 1947, 199-220; — G. Bartolocci, Biblioth. Rabbin., I, 131; — Conforte, Kore ha-Doroth, 26a; — A. Geiger, Bibl. Jud., II, 14-16; — Michael, Or ha-Chajjim, Nr. 1060; — M. Steinschneider, Cat. Bodl. cols., 1181-1192; — EJud VIII, 809 f.; — EncJud IX, 1214 f.; — Graetz IV, 87 f.; VII, 298 ff.; — JewEnc VII, 27 f.; — JüdLex III, 521; — UJE VI, 10 f.

Heike Mierau

JAKOB *von Baden*, Kurfürst und Erzbischof von Trier, * 6.6. 1471 als erstgeborenes von 15 Kindern des Markgrafen Christoph von Baden, + 27.4. 1511 in Köln. — J. studierte in Bologna und Rom, wurde 1491 Domizellar (Anwärter auf ein Kanonikat) in Trier und begegnet uns 1490 bis etwa 1500 als Propst des Stiftes St. Paulin (Trier) sowie 1497/98 als Domkanoniker in Mainz und Augsburg. Er ist auch als Speyerer Kleriker und königlicher Kammerrichter bezeugt. Mit Zustimmung eines Teils des Trierer Domkapitels vom 27.12. 1499 amtierte er seit dem 16.1. 1500 als Koadjutor cum iure successionis seines Großonkels Erzbischofs Johann von Baden und wurde nach dessen Tod am 9.2. 1503 zum Erzbischof gewählt. Praktisch hatte aber Johann von Baden dem Großneffen bereits seit 1501 die Regierung überlassen. Die Stadt Trier erkannte aber dessen Ernennung zum Koadjutor nicht an und stand auch nach J.s Regierungsübernahme zusammen mit einem Teil des Domkapitels, des Adels und der Landstände in Opposition. Diese Opposition erlosch allerdings bald, nachdem König Maximilian sowie Papst Alexander VI. den Erzbischof anerkannt hatten und J. am 28.1. 1504 in Trier zum Bischof geweiht worden war. Er besaß eine ausgezeichnete Bildung und verfügte über ausgeprägte ireni-

sche Fähigkeiten, so daß er häufig mit der Beilegung von Streitigkeiten im Reich beauftragt wurde, so in Landshut, Worms und Köln. Durch kluge politische, finanzielle und wirtschaftliche Maßnahmen konsolidierte er das finanziell in Unordnung geratene Erzstift und löste eine Reihe verpfändeter Ämter und Burgen wieder aus. Die Universität Trier, 1473 eröffnet, besaß in ihm einen besonders eifrigen Förderer. Das Bruderschaftswesen wurde unter J. wieder belebt. Früh und überraschend in Köln bei einem Schlichtungsversuch zwischen dem Rat und der Bürgerschaft verstorben, wurde er in der Kirche St. Florin in Koblenz beigesetzt. Der Sarg mit dem Denkmal wurde am 25.6. 1808 nach der Profanisierung der Kirche (man wollte in ihr ein Schlachthaus einrichten) vom Großherzog von Baden in die Familiengruft überführt.

Lit.: Gesta Trevirorum ed. J. H. Wyttenbach et M. F. J. Müller, vol. II., Augustae Trevirorum 1838, 351-353; — Rhein. Antiquarius I, 4 (1856), 178-189; — Johann Leonardy, Geschichte des Trierischen Landes und Volkes, 1877, 593-595; — M. Holtz, Das Nachspiel der Bopparder Fehde. Darstellung der Streitigkeiten im Erzstift Trier bei Gelegenheit der Coadjutorwahl des Markgrafen Jacob (II.) von Baden, in: Jahresbericht des Realgymnasiums zu Stralsund Ostern 1893, 1893, 7-20; — Wilhelm Kisky, Die Domkapitel der geistlichen Kurfürsten in ihrer persönlichen Zusammensetzung im 14. und 15. Jh., 1906, 116; — Carl Stenz (Hg.), Die Trierer Kurfürsten, 1937, 51; — Handbuch des Bistums Trier XX, 1952, 41; — Sophie-Mathilde zu Dohna, Die ständischen Verhältnisse am Domkapitel von Trier vom 16. bis zum 18. Jh., 1960, 96; — Emil Zenz (Hg.), Die Taten der Trierer. Gesta Treverorum, 1962, 42; — Ferdinand Pauly, Aus der Geschichte des Bistums Trier, Teil 2: Die Bischöfe bis zum Ende des MA., 1969, 134; — Franz-Josef Heyen, Das Stift St. Paulin vor Trier (= Germania sacra N. F. Bd. 1), 1972, 605 f.; — Bernhard Gondorf, Verwandtschaftliche Beziehungen der Erzbischöfe und Kurfürsten zueinander, in: Archiv für Sippenforschung 51 (1985), 211; — ADB XIII, 548 f.

Martin Persch

JAKOB BARADAIOS (syr.: Ja'qôb Bûrde'anā, d. h. der Filzene, der Zerlumpte) * um 490 in Gamawa nördl. Tella, + 30.7. 578 im Romanos-Kloster von Kaison. — J. ist der Begründer und Organisator der monophysitischen (westsyrischen) Kirche. Als Priester und Mönch des Klosters Pesiltā (Izla-Gebirge) kam er um 527 nach Konstantinopel, um die monophysitische Lehre zu verkünden. Der Monophysitismus, die vorchalkedonische Ein-Natur-Lehre (Einheit von Gott und Mensch in Christus), breitete sich rasch aus; so waren um 490 die Stühle zu Jerusalem,

Alexandria und Antiochia monophysitisch besetzt. Als nach erneut einsetzenden Verfolgungen der Monophysiten und nach christologischen Streitigkeiten das Patriarchat von Antiochia chalkedonensisch wurde (518), sah sich die monophysitische Glaubensrichtung zu einem neuen Zusammenschluß unter einer selbständigen geistlichen Führung gezwungen. Das Verdienst des J. ist es, für die Erneuerung des Monophysitismus unermüdlich gewirkt und eine dauernde kirchliche Organisation geschaffen zu haben. Mit heimlicher Unterstützung von Kaiser Justinians Gemahlin Theodora (s.d.) und auf Verlangen des Gassaniden Fürsten al-Härit b Gabala wurde er 542 zum Bischof von Syrien mit Zuständigkeit für Armenien und Kleinasien geweiht. Als Bettler verkleidet, zog J. mit anderen Glaubensbrüdern durch den Orient, um monophysitische Patriarchen, Bischöfe und Priester zu ordinieren. Als direkter Nachfolger des im Exil verstorbenen Patriarchen von Antiochia, Severus, segnete er seinen Freund Sergios von Tella ein; damit verband J. den rechtmäßigen Anspruch auf dieses Patriarchat, obwohl der Stuhl von der byzantinischen (chalkedonensischen) Kirche besetzt blieb. J. hatte die Kirche so gefestigt, daß bereits um 850 etwa 60 Bistümer feststellbar sind. Auf J. geht die Bezeichnung »Jakobiten« zurück, die Monophysiten Syrien, Mesopotamiens und Babyloniens gegenüber den Kopten, den Monophysiten Ägyptens. Mit etwa 12 Metropoliten hatte die jakobitische Kirche ihre größte Ausdehnung im 12. Jh.; heute wird die Zahl ihrer Gläubigen mit rund 100 000 angegeben.

Lit.: Jan Pieter Land, Anecdota Syriaca II., Leiden 1862-1875, 364-383; — Carl Heinrich Cornill, Das Glaubensbekenntnis des J. in äthiopischer Übersetzung, in: ZDMG 30, 1876, 417-466; — Hendrik Gerrit Kleyn, J., de Stichter der syrische monophysitische Kerk, Leiden 1882; — W. G. von Douwen und Jan Pieter Land, Joh. Ephesini commentarii de beatis orientalibus, Amsterdam 1889, 203-215; — M.-A. Kugener, Récit de mar cyriaque racontant comment le corps de J. Baradée fut enlevé du convent de Casion et transporté au convent de Phesiltha, in: ROC VII, 1902, 196-217; — Anton Baumstark, Festbrevier und Kirchenjahr der syrischen Jakobiten, Paderborn 1910 (s. Reg.: Ja'qûß Bûrde'ânâ); — William A. Wigram, The seperation of the Monophysites, London 1923; — Bertold Spuler, Die Gegenwartslage der Ostkirchen in ihrer völkischen und staatlichen Umwelt, Wiesbaden 1948, 132-138; — Ernest Honigmann, Evêques et évêchés monophysites d'Asie antérieure au VIᵉ siècle, Löwen 1951 (CSCO 127), 168- 177; — Bertold Spuler, Die west-syrische (monophysitische) Kirche unter dem Islam, in: Saeculum 9, 1958, 322-344; — Peter Kawerau, Die Jakobitische Kirche im Zeitalter der syr. Renaissance, Berlin 1960; — Wolfgang Hage, Die syrisch-jakobitische Kirche in frühislamischer Zeit nach orientalischen Quellen, Wiesbaden 1966; — W. H. C. Frend, The rise of the monophysite movement. Chapters in the history of the church in the fifth and sixth centuries, Cambridge 1972 (s. Reg.: James Bar'Adai); — HO III, 2-3 (1954), 182; — Catholicisme I, 1238; — RGG ³III, 520-521; — LThK V¹, 255; — LThK V², 836.

Reinhard Tenberg

JAKOB (Petri) *von Brescia*, OP, + um 1470. — J. wurde um 1450 zum Inquisitor für die Diözesen Bergamo und Brescia bestellt, 1456 erwarb er den Titel »Magister der Theologie«; seit 1469 wirkte er als Generalinquisitor. J. löste die heftig geführte Kontroverse zwischen den Dominikanern und den Franziskanern durch sein Einschreiten gegen den Minoriten Jakob von Marchia aus. In der Osterpredigt 1462 hatte Jakob behauptet, das während der 3 Tage der Passion verflossene Blut Christi sei der Verehrung unwürdig, da von der Göttlichkeit seiner Person getrennt (Hypostatische Union). J. verurteilte diese Lehre als häretisch. Zur Schlichtung ließ Papst Pius II. (s.d.) zu Weihnachten eine öffentliche Disputation mit und vor zahlreichen Gelehrten abhalten. Neben J. trugen die Dominikaner Gabriel von Catalanum und Vercellinus von Vercelli ihre theologischen Argumente gegen die der Franziskaner vor, zusammengestellt im »Tractatus de divinitate sanguinis Christi«. Eine Entscheidung konnte jedoch nicht erzielt werden. Pius II. verschob das Deklarationsdekret auf eine unbestimmte Zeit und untersagte weitere Streitigkeiten über das Dogma vom Passionsblut.

Lit.: Georg Voigt, Enea Silvio de Piccolomini, als Papst Pius der Zweite und sein Zeitalter, 3. Bd., Berlin 1863, 591-593; — Thomas Kaeppeli, Scriptores ordinis praedicatorum medii aevi, Bd. II, Rom 1975, 335-336; — Wetzer-Welte VI, 1153-1154; — DTHC VIII, 291-292; — LThK V¹, 256-257; — LThK V², 837.

Reinhard Tenberg

JAKOB *von Certaldo*, OSBCam., + 12. (oder 13.) 4. 1292. — J., in Certaldo bei Florenz geboren, verbrachte sein Leben in Volterra; hier, in S. Guisto, trat er 1230 dem Kamaldulenser-Orden bei, wo er als Pfarrer an der Klosterkirche wirkte. Erst nach der 3. Aufforderung nahm er - und dann nur kurzfristig - die Abtwürde an. Fest: 13.4.; Reliquien in S. Guisto.

Lit.: Vita in: AS Apr. II, 1675, 153-155; — Thurston-Attwater II, 85-86; — Holweck 521; — Zimmermann II, 50, 52; — LThK V¹, 527; — LThK V², 838.

Reinhard Tenberg

JAKOB *von Cessoles*, OP, Ende 13./Anf. 14. Jh. — Bis Mitte des 20. Jhs. lagen unterschiedliche, z.T. widersprüchliche biographische Daten über J. vor. So wurde ihm eine Theologieprofessur in Reims um 1250 zugewiesen, und neben Spanien wurde vor allem Frankreich als sein Herkunftsland proklamiert. Seit Thomas Kaeppeli hingegen in seiner Studie den bis dahin kaum beachteten Dokumenten neu aufgefundene Urkunden hinzufügen konnte, gilt es als gesichert, daß J. zwischen 1288 und 1322 und als Dominikaner im Kloster San Domenico, Genua, nachweisbar ist. Weiterhin läßt ein Testament vermuten, daß J.s Beiname auf das Dorf Céssole (Provinz Asti) zurückgeführt werden kann. Wahrscheinlich um oder kurz vor 1300 verfaßte J. das Buch »Liber de moribus hominum et de officiis nobilium ac popularium super ludo scaccorum« (auch zitiert als »Solacium ludi scaccorum sive liber de moribus hominum«). Sein Prosatraktat ist eine allegorische und moralisierende Auslegung des Schachspiels; die hierarchisch gestaffelten Figuren werden als Repräsentanten der (weltlichen) Stände interpretiert. Mit seiner Kompilation von »exempla« und »sententiae«, von Betrachtungen und Lehren, hat J., wie er im Prolog unterstreicht, anhand moralisch-didaktischer Mittel beabsichtigt, u.a. das Problem zu erörtern, wie ein tyrannischer König zu bessern sei. Seine Exempelsammlung, die auf »De regimine principum« des Aegidus Romanus basiert und vermutlich auch den Fürstenspiegel »Policratius« des Johannes Saresberiensis als Quelle genutzt haben könnte, erfreute sich außergewöhnlicher Beliebtheit. Davon zeugen nicht nur die zahlreichen Handschriften und frühen Drucke (zuerst: Utrecht 1473), sondern auch die rasch einsetzenden Bearbeitungen in den Volkssprachen. Zwei der Übersetzungen ins Französische stammen von Jean de Vignay und Jean Farron und sind auf die Mitte des 14. Jhs. zu datieren; die englische Version von William Caxton erschien zuerst in Brüssel, 1474. Für das deutschsprachige Gebiet liegen mehrere poetische Übersetzungen und Prosafassungen vor. Heinrich von Beringen, Kanonikus in Augsburg und Dompropst in Brixen, war der erste deutsche Bearbeiter. Sein Schachbuch, wohl 1320/30 geschrieben, umfaßt 10843 Verse und ist gegenüber der Vorlage relativ frei. Konrad von Ammenhausen aus dem

Benediktinerkloster Stein am Rhein hingegen, der einen glossierten Text vorfand, glich sein »Schachzabelbuch« mit 19336 Versen recht genau dem lateinischen Text an, wobei er allerdings durch eigene und fremde Erzählungen das Schachbuch des J. beträchtlich erweiterte.

Ausg. und Lit.: Felix Lajard, J. d. C., in: Histoire littéraire de la France 25, 1869, 9-41; — Liber de moribus hominum ac officiis mobilium super ludo scaccorum. Hrsg. von Ernst Köpke, Brandenburg 1879 (Mitth. aus den Handschriften der Ritterakademie zu Brandenburg. Beig. dem XXIII. Jahresbericht, Progr. Nr. 59); — Das Schachgedicht Heinrichs von Beringen. Hrsg. von Paul Zimmermann, Tübingen 1883; — Ferdinand Vetter, Das Schachzabelbuch Konrats von Ammenhausen, Mönchs und Leutpriesters zu Stein am Rhein. Nebst den Schachbüchern des J. d. C. und des Jakob Mennel, Frauenfeld 1892; — Ferdinand Holzner, Die deutschen Schachbücher in ihrer dichterischen Eigenart gegenüber ihrer Quelle, dem lat. Schachbuche des J. d. C. I. Konrad von Ammenhausen. Programm Pilsen 1895; — Francesco Novati, Una data certa per la biografia de frate Jacopo de Cessulis, in: Il libro e la stampa. Bolletino officiale della Società Bibliografica Italiana, Milano N. S. Anno III, Fasc. II, III Marco, Giugno 1909, 45-50; — Harold James R. Murray, A history of chess, Oxford 1913 (Nachdr. 1962); — Jean Rychner, Les traductions françaises de la moralisatio super ludum scaccorum de J. d. C., in: Recueil de travaux offert à M. Clovis Brunel, Paris, Bd. II, 1955, 480-493; — Libellus de moribus hominum et officiis nobilium ac popularium super ludo scaccorum. Hrsg. von Marie Anita Burt. Diss. Univ. of Texas 1957; — Thomas Kaeppeli, Pour la biographie de J. d. C., in: AFP 30, 1960, 149-162; — Das Schachzabelbuch des J. d. C. O.P. in mittelhochdeutscher Prosaübersetzung. Hrsg. von Gerard F. Schmidt, Berlin 1961; — Heinz-Jürgen Kliewer, Die mittelalterliche Schachallegorie und die deutschen Schachzabelbücher in der Nachfolge des J. d. C. (Diss. Heidelberg), 1966; — Raymond Di Lorenzo, The collection from and the art of memory in the libellus super ludo schachorum of J. d. C., in: Mediaeval studies 35, 1973, 205-221; — Thomas Kaeppeli, Scriptores ordinis praedicatorum medii aevi, Bd. II, Rom 1975, 311-318; — J. d. C., The game of chess. Translated and printed by William Caxton, c. 1483. Repr. in facsimile... with an introduction by N. F. Blake, London 1976; — Quétif I, 471; — Wetzer-Welte VI, 1154-1155; — LThK V¹, 257; — LThK V², 839; — VerfLex III² (1981), 696-699; — VerfLex V² (1985), 136-139.

Reinhard Tenberg

JAKOB ben Chajjim ben Isaak ibn Adonijah, * um 1470 in Tunis, + 1538 in Venedig; Masoret, Korrektor und Apostat. — Wegen der Judenverfolgung zu Beginn des 16. Jhs. aus Tunis vertrieben, zog J. zuerst nach Rom und Florenz, ehe er sich 1520 in Venedig niederließ. Hier wirkte er neben hunderten von jüdischen und nichtjüdischen Mitarbeitern als Korrektor in der Offizin des Daniel Bomberg. J. war verantwortlich für die Massora (d. i. die von jüdischen Gelehrten verfaßten textkritischen Anmerkungen zum hebräischen Text des AT) in der 2. Ausgabe der sog. »Rabbinerbibel« (4 Bde, 1524-1525). Nicht zuletzt aufgrund seiner Einleitung zum massoretischen Teil und seiner Anmerkungen zu abweichenden Lesarten von Handschriften, die J. kollationiert hatte, wurde diese auch »Bombergiana« genannte Bibel die für ihre Zeit bedeutendste und bis ins 20. Jh. maßgebende gedruckte Ausgabe, die das hebräische AT enthält. J. überwachte die »editio princeps« zahlreicher Werke, u. a. die Ausgabe des Jerusalemer Talmuds (1523) und des »Mischne Tora« (1524). Zum anderen verfaßte J. eine - umstrittene - Abhandlung über das Targum (aramäische Übersetzung der Bibel), die der Pentateuch- Ausgabe von 1527 und 1543-1544 beigegeben ist. Seinem Vorgänger in Bombergs Druckerei, Felix Pratensis, der sich dem Orden der Augustiner Eremiten anschloß, folgend, konvertierte J. später - der Zeitpunkt ist nicht bekannt - zum Christentum.

Lit.: Christian D. Ginsburg, Introduction to the Massoreticocritical edition of the Hebrew Bible. London 1897, bes. 956-976; — Paul E. Kahle, The Cairo Geniza. 2. Aufl. Oxford 1959; — Ernst Würthwein, Der Text des AT. Eine Einführung in die Biblia Hebraica. 4. Aufl. Stuttgart 1973, 42-44, 170-171 (mit Abb.); —Wetzer-Welte VI, 1155-1156; — EJud VIII, 811-812; — EJud IX (Jerusalem, 1971), 1217-1218; — LThK ¹V, 256; — LThK ²V, 837.

Reinhard Tenberg

JAKOB *von Edessa*, Beiname ’Mafshekonoh Dachtobeh (der Bücherausleger), Bischof von Edessa, berühmter syrischer Schriftsteller und Theologe, * um 640 in En-Deba bei Antiochien, + 5.6.708 im Kloster Tell’Adda. — J. trat schon in jungen Jahren dem Kloster Quenneschre in Antiochien bei. Als Schüler des Severos Sebokt erwarb er sich dort ausgedehnte Kenntnisse in der griechischen und hebräischen Sprache, in der Bibelwissenschaft, Philosophie und auch Grammatik. J. setzte seine Studien in Alexandrien fort. 684 wurde er Bischof in Edessa. Dort schuf er sich durch seine Strenge und Konsequenz in der Durchführung der kirchlichen Kanones bald viele Gegner. 688 legte J. ein Bischofsamt schließlich enttäuscht nieder. Ein alter Mönch namens Habib wurde zu seinem Nachfolger gewählt. J. zog sich zuerst in das Jakobuskloster in Kaisum bei Edessa zurück, und lehrte dann 11 Jahre im Eusebonakloster bei Antiochien. Nach Streit mit den dortigen Mön-

chen ging er in das Kloster Tell’Adda, wo er sich weitere 9 Jahre mit dem Studium der Schriften des Alten Testaments beschäftigte. 706 trat J. als Monophysit bei einer von dem jakobitischen Patriarchen Julian einberufenen Synode in Erscheinung. Nach Habibs Tod bestieg J. auf Bitten der Gemeinde von Edessa wieder den dortigen Bischofsstuhl, starb aber bereits 4 Monate danach in Tell’Adda, als er von dort seine Bibliothek nach Edessa bringen lassen wollte. Das Werk des J. war im wesentlichen philologisch ausgerichtet. Er ist der Verfasser einer großen Anzahl philosophischer, grammatischer und historischer Arbeiten. In seinen Briefen legte J. exegetisches Material nieder. Diese Briefe befassen sich mit literarischen, liturgischen, kanonistischen und orthographischen Problemen. Von den weiteren exegetischen Arbeiten des J. ragt seine um 705 vollendete Textrevision des Alten Testaments heraus, für die er eine Kapiteleinteilung schuf, und diese mit Anmerkungen, Varianten und Aussprachebezeichnung der einzelnen Worte versah. Sein »Hexaemeron« gilt als der erste christlich-syrische Genesiskommentar. Im »Engcheiridion« klärt J. die Begriffe "Wesen", "Hypostase", "Natur" usw. auf. Auch als Übersetzer machte J. sich einen Namen. So rezensierte und übertrug er das Kirchengesangbuch des Severus, sowie weitere liturgische Abhandlungen und Akten. Die vitae J. bezeugt seinen leidenschaftlichen und entschiedenen Charakter und Eifer um die Reinheit der kirchlichen Lehre. J., einer der bedeutendsten und vielseitigsten Schriftsteller der Jakobiten, kann als der hervorragendste Vertreter des christlichen Hellenismus in der westsyrischen Theologie betrachtet werden.

Werke: Übers. d. AT, hs., in: Brit. Mus. Add., I, 429; Specimina exegetica e commentariis Jacobi Edesseni, in: Adler, Linguae syriacae institutio, Altonae 1784, 50 ff.; Canones, hrsg. v. Lamy, in: Dissertatio de Syrorum fide etc., Lovanii 1859, 98 ff.; Scholia on passages of the Old Testament, by Mar Jacob, bishop of Edessa, The Syriac text with English translation an notes by Dr. G. Phillips, London 1864; Canones, hrsg. u. übers. v. C. Kayser, Die Kanones J.s, Leipzig 1866; Le Edizioni ed i manoscritti elle Versioni Siriache del V. Test., in: Memorie del R. Istituto Lombardo XI, 1869, 27; G. Philipps, A Letter by Mar Jacob, Bishop of Edessa, on the Syriac Orthography, London 1869; Briefe, hrsg. u. übers. v. R. Schrötes, in: ZDMG 24, 1870, 261-300; Hymnus, in: ZDMG 31, 1877, 400; — Nestle, J. über den Schem ha-Mephorasch und andere Gottesnamen, in: ZDMG 32, 1878, 465 f.; De fide adversus Nestorium, ed. et latin. don. Mar. Ugolini, Ammaggio giubilare della Bibliotheca Vaticana al sommo Pontifice Leone XIII, Rom 1888; Briefe, hrsg. u. übers. v. F. Nau, in: ROC 5 (1900), 583-596, 6 (1901), 115-131, 512-531, 10 (1905),197-208, 258-282, 14 (1909), 427-440;

Chronik, hrsg. u. übers. v. E. W. Brooks, in: CSCO SS, Syr.
Ser., III, 4 (Chronica minora), 192-255, 261-327; Homilien,
hrsg. u. übers. v. M. Brière, in: PO IV, VIII, XII f., XXV f.,
1907; Kirchengesangbuch, hrsg. u. ins Engl. übers. v. E. W.
Brooks, in: PO VI, 1-179, VII, 593-802, 1907; Engcheiri-
dion, ital. Übers. v. G. Furlani, II manualetto di Giacomo, in:
Studi e materiali di Storia della religione I, 1925, 262-282;
Hexaemeron, in: CSCO 92, 1928, lat. übers. v. A. Vaschalde,
ebd. 97, 1932; A. Rücker, LiturgieGeschichte Quellen, IV,
Münster 1923; Wright, Catal. of the Syriac Ms. in the Brit.
Mus. III, 1924.

Lit.: Martin, Jacques d'Edesse et les Voyelles Syriennes, in:
Journ. asiat., VI. Sér., XIII, 1869, 447 ff.; — Ders., Jacobi
Edesseni episcopi Epistola, Paris 1869; — Ders., Histoire de
la ponctuation de la Massore chez la Syriens, Paris 1875; —
A. Hjelt, Etudes sur l'Hexaeméron de Jacques d'Edesse, Ch.
I, Helsingfors 1892, 1-8; — R. Duval, La Litterature syriaque, Paris 1907, 374-376; — A. Rahlfs, Septuaginta - Studien III, Göttingen 1911, 48-50; — A. Baumstark, Geschichte d. syr. Lit., Bonn 1922, 248-256; — Ders., in: HO, Abt. I,
3/2.3, Leiden 1954, 191 f.; — J. B. Chabot, Littérature
syriaque, Paris 1934, 84-88; — C. Bravo, Un commentario
de J. al Gen 1, 1-7 atribuido a S. Efrén, in: Biblica, vol. 31,
Rom 1950, 390-401; — J. Ortiz de Urbino, Patrologia Syriaca, Rom 1958, 166-171; — L. Schlimme, Die Lehre J. vom
Fall des Teufels, in: Oriens Christianus, Bd. 61, 1977, 41-58;
— Catholicisme VI, 275 ff.; — DThC VIII, 286-291; —
Graf I, 454 ff.; — RE VIII, 551 f., XXIII, 665 f.; — RGG III,
286-291; — Graf I, 454 ff.; — RE VIII, 551 f., XXIII, 665
f.; — RGG III, 521; — LThK V, 839 f.; — Wetzer-Welte VI,
1156 f.

Michael Tilly

JAKOB *von Eltz*, Kurfürst und Erzbischof von
Trier, * 1510 auf Burg Eltz bei Cochem/Mosel
aus moselländischem Adelsgeschlecht, + 4.6.
1581 in Trier. — J. wurde 1523 unter die Domi-
zellare (Anwärter auf ein Kanonikat) des Domkapitels in Trier aufgenommen und studierte in
Heidelberg, Löwen und Freiburg i. Br. sechs
Jahre lang Rechtswissenschaft und Theologie.
Am 7.12. 1535 wurde er Domkapitular, am 30.6.
1547 Domkantor und am 13.10. des gleichen
Jahres Domdechant. In diesem Amt hatte er
maßgeblichen Anteil an der Verwaltung des
Kurstaates und wuchs unter zwei kränklichen
Kurfürsten in die Leitung der Regierungsgeschäfte hinein. In streng altkirchlicher Einstellung erwies er sich auf dem Reichstag zu Regensburg 1555 und zwei Jahre später bei dem
Wormser Religionsgespräch in seiner Eigenschaft als Gesandter des Erzstifts als entschiedener Gegner der evangelischen Seite. An der Unterdrückung des Reformationsversuches von
Casper Olevian in Trier (1559) hatte er den entscheidenden Anteil. In den Jahren 1565/66 am-

tierte der den 1560 unter Erzbischof Johann von
der Leyen nach Trier berufenen Jesuiten freundlich gesonnene J. als Rektor der unter dem Einfluß der Gesellschaft Jesu stehenden Trierer
Universität und setzte auch dort den Standpunkt
der katholischen Sache durch (Professio fidei
von allen Professoren und Studenten 1565 gemäß der Bulle Pius' IV.). Mit seiner Wahl zum
Erzbischof am 7.4. 1567 kam in ihm der "verkörperte Geist der Gegenreformation" (Alois
Thomas) im Erzbistum Trier zum Zuge. Seit
1550 Priester und von nachgewiesener sittlich
einwandfreier Lebensführung, vollzog er häufig
liturgische Funktionen im Dom zu Trier, unterzog sich am 15.5. 1567 als erster der deutschen
Bischöfe dem von Rom im Anschluß an das
Trienter Konzil geforderten Informativprozeß,
erhielt am 17.4. 1569 in Koblenz aus der Hand
der Bischöfe von Speyer, Lüttich und des Trierer
Weihbischofs Gregor von Virneburg die Bischofsweihe, setzte die Dekrete des Tridentinums in Kraft, veranlaßte im gleichen Jahr eine
allgemeine Visitation des Erzbistums, reformierte zahlreiche Klöster und berief reformfreu-
dige Geistliche in geistliche Spitzenpositionen.
Der glänzenden Dotierung des Jesuitenkollegs
in Trier 1570 folgte ein Jahrzehnt später die
Berufung des Jesuitenordens nach Koblenz. Mit
allen Mitteln versuchte J. zielbewußt, die Beibehaltung des katholischen Glaubens durchzusetzen. Lediglich im Gebiet der Grafschaft Saarbrücken wurde die Augsburgische Konfession
im Jahre 1575 durch Graf Philipp III. von Nassau-Saarbrücken eingeführt. Kirchen- und terri-
torialpolitisch bedeutsam war die in der Forschung nicht unkritisch bewertete Verhinderung
eines eigenen, von Trier losgelösten Bistums
Luxemburg sowie die Inkorporation der alten
Reichsabtei Prüm 1576 in den Kurstaat. Dieser
bedeutendste territoriale Zuwachs Triers seit
dem Mittelalter bewirkte gleichzeitig den Erhalt
des alten Glaubens in dem neugewonnenen Gebiet. Die Ansprüche der Abtei St. Maximin und
der Stadt Trier auf Reichsunmittelbarkeit wurden 1570 und 1580 vom Reichskammergericht
bzw. von Kaiser Rudolf II. zurückgewiesen.
Trier als eine der Landeshoheit des Kurfürsten
unterstellte Stadt erhielt durch J. eine bis zum
Jahre 1794 gültige, streng auf den Kurfürst bzw.
seinen Statthalter zugeschnittene Rechtsordnung, die sogenannte Eltziana. Positiven Ergeb-
nissen in der Finanz- und Wirtschaftspolitik stehen unter J.s Regierungszeit umfassende Reformen der weltlichen und geistlichen Rechtspflege und der Verwaltung zur Seite; Schwachpunkt
seiner Regierung ist eine intolerante und zum

Teil erpresserische Judenpolitik. Da dem Kurfürsten außenpolitische Erfolge versagt blieben (der von Trier erstellte originelle Plan eines Zusammenschlusses aller katholischen Reichsstände und Spaniens, besonders durch den kurtrierischen Kanzler seit 1568, Johann Wimpfeling, in großzügiger Werbepolitik vorangetrieben, blieb wirkungslos), liegt seine politische Bedeutung darin, daß er die territoriale Einheit des Kurstaates bewahrte und dem Umfang nach vollendete. In religiöser Hinsicht hat er mit großem persönlichem Engagement das kirchliche Reformwesen im Erzbistum in die Wege geleitet und die Strukturen für die Reformen festgelegt. Unter seiner Regierung wurden auch die Grundlagen zu einem "gemilderten geistlichen Absolutismus" (Viktor Conzemius) geschaffen. J.s Grabaltar im Trierer Dom gilt als kunstgeschichtlich bedeutsam (Hans Ruprecht Hoffmann und Josef Walter).

Lit.: Antiquitatum et annalium Trevirensium libri XXV... auctoribus Christophoro Browero et Jacobo Masenio, Bd. 2, Lüttich 1670; — Aktenstücke zu der Geschichte der kirchlichen u. polit. Unruhen, welche unter der Regierung der Churfürten Johann VI. (von der Leyen) und J. III. (von Elz) in Trier obwalteten, in: Chronik der Diözese Trier 1 (1828), 761-765; Gesta Trevirorum ed. J. H. Wyttenbach et M. F. J. Müller, vol. III., Augustae Trevirorum 1839; — Rheinischer Antiquarius I, 2 (1853), 295-308; — Johann Leonardy, Geschichte des Trierischen Landes und Volkes, 1870, passim; — Josef Hulley, Die Huldigung der Dörfer des Niederambts Trier vor dem Kurfürsten J. v. E., in: Trierische Chronik 1 (1905), 185-190; — Gottfried Kentenich, Eine Episode aus dem Leben des Trierer Kurfürsten J. v. E., in: Trierische Chronik 1(1905), 65-70; — Ders., Wie Kurfürst J. v. E. von der Stadt Trier Besitz ergriff, in: Trierische Chronik 8 (1912), 1-8, 72-75, 137-140, 180-183 u. 9 (1913), 23-28; — Ders., Joseph zum goldenen Schwan. Ein Beitrag zur Geschichte des Trierer Kurfürsten J. v. E., in: Trierische Chronik 17 (1921), 23-24; — Gertrud Müller, J. III. von E., Kurfürst von Trier (1567-1581), in: Trierer Heimatbuch. Festschrift zur rheinischen Jahrtausendfeier, 1925, 1-18; — Dies., J. III. v. E., Kurfürst von Trier, in: Trierer Zeitschrift f. Geschichte und Kunst des Trierer Landes und seiner Nachbargebiete 1 (1926), 101-124; — Hermann van Ham, Vier Kurfürsten, in: Paulinuskalender 3 (1925), 87-98; — Anton Cordie, J. III. v. E., Kurfürst von Trier, als Administrator von Prüm, in: Eifelkalender 1 (1926), 106-107; — Nikolaus Irsch, Der Dom zu Trier, Düsseldorf 1931, 223-226; — Jakob Becker, Erneuerung des kath. Lebens im Erzstift Trier im Geiste des Tridentinums unter J. III. v. E. (1567-1581) und Johann VII. von Schönenberg (1581-1599), unveröffentl. Manuskript Trier 1935; — Carl Stenz (Hg.), Die Trierer Kurfürsten, 1937, 63; — Alois Thomas, J. v. E., in: Handbuch des Bistums Trier XX, 1952, 42 f.; — Viktor Conzemius, J. III. v. E. Erzbischof von Trier 1567-1581. Ein Kurfürst im Zeitalter der Gegenreformation (= Veröff. des Instituts für europäische Geschichte Bd. 12), 1956; — Ders., Trier und Hessen zum Abfall des Dietkirchener Stiftsherrn

Johannes Löber (Loer) im Jahre 1574, in: AmrhKG 10 (1958), 356-365; — Ders., Akten zur Wahl J. v. E.s (1510-1581) zum Domdekan und zum Erzbischof von Trier, in: AmrhKG 8 (1956), 285-294; — Ders., J. III. v. E., Erzbischof und Kurfürst von Trier (1510-1581), in: Rhein. Lebensbilder 2 (1966), 93-108; — Peter Neu, Die Abtei Prüm im Kräftespiel zwischen Rhein, Mosel und Maas vom 13. Jh. bis 1576, in: Rhein. Vierteljahrsblätter 26 (1961), 255-285; — Emil Zenz (Hg.), Die Taten der Trierer. Gesta Treverorum Bd. 6, 1962, 71-87; — Hansgeorg Molitor, Kirchliche Reformversuche der Kurfürsten und Erzbischöfe von Trier im Zeitalter der Gegenreformation, 1967, passim; — Ferdinand Pauly, Aus der Geschichte des Bistums Trier. 3. Teil: Die Bischöfe von Richard von Greiffenklau (1511-1531) bis Matthias Eberhard (1867-1876), 1973, 26-29; — Otto Münster, Die Errichtung von Eichämtern in Bernkastel und Wintrich im Jahre 1573 durch Kurfürst J. III. v. E., in: Jahrbuch für den Kreis Bernkastel- Wittlich 2 (1978), 163-164; — Richard Laufner, Vor 400 Jahren. 1581 das Jahr zweier Trierer Erzbischöfe und Kurfürsten (J. v. E., Johann von Schönenberg), in: Kreis Trier-Saarburg. Ein Jahrbuch zur Information und Unterhaltung 12 (1981), 132-135; — Karl Emerich Krämer, Rhein. Erzbischofsgeschichte, Wiesbaden-München 1985, 248-271; — Bernhard Gondorf, Verwandtschaftl. Beziehungen der Erzbischöfe und Kurfürsten zueinander, in: Archiv für Sippenforschung 51 (1985), 306 f.; — Heribert Raab, Gegenreformation und katholische Reform im Erzbistum und Erzstift Trier von Jakob von Eltz zu Johann Hugo von Orsbeck (1567-1711), in: Römische Quartalschrift für christliche Altertumskunde und Kirchengeschichte 84 (1989) 160-194; — RE VIII, 552-556; — ADB XIII, 549 f.; — LThK ¹III, 647; — NDB X, 316 f.; — LThK ²III, 837 f.

Martin Persch

JAKOB *von Jüterborg*, auch Jacobus Carthusiensis, J. Charatumba, J. de Clusa, J. de Cracovia, J. de Erfordia, J. de Polonia, J. Junterburgiensis oder J. Palma de Paradiso, Prediger und theologischer Reformschriftsteller, * 1381in einem Dorf bei Jüterbog als Sohn armer bäuerlicher Kolonisten, + 30.4. 1465 in Erfurt. — J. trat 1401 in das Zisterzienserkloster Paradies bei Meseritz ein. Sein Abt Paul sandte ihn 1420 zum Studium der Theologie nach Krakau, wo er in der Abtei Mogila (Charatumba) wohnte. 1423 promovierte J. zum Magister artium, 1432 zum Magister theologiae. Bis 1441 hatte er das Amt des Universitätspredigers und eines Lektors der Theologie inne. Ob J. in dieser Zeit als Abt Jakobus III. dem Kloster Meseritz vorstand, ist unsicher. Aufgrund seiner Bemühungen um eine Kirchenreform nahm J. als Stellvertreter des Abtes von Mogila und im Auftrag der Krakauer Universität am Konzil von Basel teil. Anfang 1443 trat er aus Unzufriedenheit und Enttäuschung über seinen Orden den strengeren Kartäusern in Erfurt bei. 1452 wurde er an der dortigen Universität Assessor der juristischen Fakultät und Professor des kanonischen Rechtes, 1454 Dekan, und 1456 schließlich Rektor der Universität Erfurt. Als Vikar (Subprior) in der Erfurter Kartause verbrachte J. die letzten Jahre seines Lebens. Er ist der Verfasser von ca. 150 Titeln mit asketischen, dogmatischen, moraltheologischen und kanonistischen Themen. Als seine wichtigsten Schriften sind die moraltheologischen und reformatorischen Werke zu nennen. Letztere drücken den Wunsch des entschiedenen Konziliaristen J. nach Reformation des klösterlichen und kirchlichen Lebens aus. Hierbei unterstrich J. in seinem 1449 verfaßten Werk »De septem ecclesiae statibus in Apocalypsi descriptis seu de auctoritate ecclesiae ejusque reformatione« die besondere Gewichtigkeit nicht des Papstes, sondern des die Kirche repräsentierenden Konzils. J. war ein gründlicher Erforscher und Kenner der heiligen Schrift, ein vorzüglicher Lehrer, und in literarischer Beziehung einer der bedeutendsten Männer des 15. Jahrhunderts. Obwohl traditioneller Scholastiker und Dogmatiker, zeichnete sich J. in seinem Werk als tatkräftiger Streiter um eine Neuordnung des kirchlichen Lebens im Geiste der heiligen Schrift aus.

Werke: De bono morali et remediis contra peccata, hs. i. d. Freiburger Universitätsbibliothek, Cod. 252; Tractatus multarum passionum, praecipue iracundiae, et remediis earundem, hrsg. v. B. Pez, Biblioth. ascet., VII. Bd., Ratisbonae 1725, 389 ff.; De negligentia praelatorum, hrsg. v. C.W. F. Walch, Moniment. inedit. medii aevi ex Biblioth. regia Hannoverana, Bd. I, fasc. 1 u. 2, Göttingen 1757, 67 ff.; De septem ecclesiae statibus in Apocalypsi descriptis seu de auctoritate ecclesiae ejusque reformatione, ebd., Bd. II, fasc. 2; Tractatus de indulgentiis, ebd., Bd. II, fasc. 2, 167 ff.; Petitiones religiosorum pro reformatione sui status, hrsg. v. E. Klüpfel, Vetus Biblioth. eccles., Friburgi Brisg. 1780, 146 ff.; Werkeverzeichnis bei Benedetto Tromby, Storia critico-cronologia e diplomatica del Patriarca S. Brunone e del suo ordine Cartusiano, Bd. VI, Neapel 1773; L. Meier, Die Werke des Erfurter Kartäusers J. in ihrer handschriftlichen Überlieferung, in: BGPhMA 37, Heft 5, Münster 1955.

Lit.: Fr. J. Arnoldi, Nova collectio chronicae Carthusiae montis s. Salvatoris, Erfurt 1610; — F. W. Kampschulte, Die Universität Erfurt, 1. Bd., Trier 1858, 15 f.; — H. Kellner, Jakob v. Jüterbogk, in: ThQ 48, Tübingen 1866, 322 ff. (mit Verzeichnis der älteren Lit.); — W. Ullmann, Reformationen vor der Reformation, I. Bd., 1866, 194 f.; 230 f.; — J. Fijalek, Mistrz Jakóbz Paradyza i Uniwersytet Krakowski w okresie soboru Bazylejskiego, 2 Bde., Krakau 1900; — G. Oergel, Mitteilungen d. Vereins f. d. Geschichte u. Altertumskunde von Erfurt, XXII. Bd., 1901, 139-145; — T. Brieger, in: ZKG 24, 1903, 136-150; — F. Schillmann, in: ZKG 35, 1914, 64-76; — H. Hurter, Nomenclatur literarius

theologiae catholicae, Bd. II, Innsbruck 1926, 963 ff.; — W. Massa, Die Eucharistiepredigt am Vorabend der Reformation, theol. Diss. Bonn 1965, 47, 235 f.; — P. Assion, Zur deutschen Überlieferung von J.s »De animabus exutis«, in: Leuvense bijdragen, Tijdschrift voor moderne Philologie, Bd. 55, Leuven 1966, 176-180; — D. Mertens, Jacobus Carthusiensis, Untersuchungen zur Rezeption der Werke des Karthäusers Jakob von Paradies, Göttingen 1976; — W. Stammler, Dt. Lit. d. MA., II. Bd., 568 ff.; — ADB XIII, 318 f.; — Catholicisme VI, 277 f.; — DThC VIII, 297 f.; — LThK V, 841 f.; — NDB X, 318 f.; — Polski Slowenik Biograficzny X, 363 f.; — RE VIII, 556 f.; — RGG III, 521; — VerfLex II, 568 ff.; — V. Pastor II, 41-45, 87, 98; — Wetzer-Welte VI, 1166 ff.

Michael Tilly

JAKOB *von Lausanne*, französischer Theologe, Lektor und Prediger, * um 1270 in Lausanne, + im Januar 1322 in Saintonge. — Die frühesten Nachrichten aus dem Leben des J. stehen im Zusammenhang mit seiner Nennung unter den Dominikanern von St. Jaques zu Paris im Verlauf einer Auseinandersetzung Philipps des Schönen mit Papst Bonifatius VIII. Im Jahre 1311 promovierte J. zum Baccalaureus theologiae, in den darauffolgenden Jahren las er die Sentenzen an St. Jaques. 1314 gehörte J. der Kommission an, die Durandus verurteilte. Seiner Ernennung zum Magister theologiae im Jahre 1317 folgte 1318 ein Provinzialamt in Lyon, welches er bis zu seinem Tode innehatte. J. ist der Verfasser einer größeren Anzahl von Postillen zu vielen Büchern der heiligen Schrift und eines aus den Werken des Durandus und des Petrus de Palude kompilierten Sentenzenkommentares. Letzterem steht J. inhaltlich wohl am nächsten. J. war bekannt unter seinen Zeitgenossen als ein einfallsreicher und volkstümlicher Prediger. Bis heute stellt er eine wichtige und zuverlässige Quelle der Predigtweise zu Beginn des 14. Jahrhunderts dar.

Werke: Compendium, Limoges 1528; Opus Moralitatum praeclari fratris Jacobi de Lausanna cunctis verbi Dei concionatoribus pro declamandis sermonibus perquam maxime neccessarium, Limoges 1528 (Postillen und Glossen); Sermones dominicales et festivales per totum anni circulum, per rev. fr. Jacobum de Laosanna, ord. fr. Praedicat. declamati, impressioni mandati per quemdam professorem ordinis Minorum regularis observantiae, Paris 1530 (Sermone und Quaestiones über die Sentenzen); Articuli in quibus deviat Petrus de Palude a Thoma extracti per fratrem Jacobus de Lausanna, in: AFP II, 1932, 490 f., XII, 1942, 305 f., XIII, 1943, 103-108; F. Stegmüller, Repertorium biblicum medii aevi, Bd. III, Madrid 1951, 3887-3969/198-209; Ders. (Hrsg.), Repertorium commentariorum in sententibus Petri Lombardi, Bd. 1, Würzburg 1947, 386 f.; J. B. Schneyer,

Repertorium der lat. Sermones des MA.s, Münster 1971, 54-157; Ders., Eine Sermonesliste des J., in: RThAM 27, 1960, 67-132; A, Maier (Hrsg.), Codices Burghensiani, Rom 1952, 269 f.; Codices Vaticani Latini, cod. 1135-1266, ed. M. H. Laurent, Rom 1958, 335-357, 481-489; Eine Sermonesliste der 1. Hälfte des 14. Jh.s aus dem Dominikanerkonvent von Avignon (cod. Uppsala Univ. C 276), in: Scriptorum XXV, 1971, 52-62.

Lit.: B. Hauréau, Notices et extraits de quelques manuscrits, II, 152 ff., III, 99, 110 f., 118-121, 123, 126-132, 153, 343, IV, 182 f., 185, V, 65 f., 296-289, Paris 1891 f.; — J. T. Welter, L'Exemplum dans la litterature religieuse et didactique du moyen Age, Paris, Toulouse 1927, 349 f.; — M. Grabmann, Die echten Schriften des hl. Thomas v. Aquin, in: BGPhMA XXII, 1-2, 64 ff.; — A. De Guimarães, Herve Noel, in: AFP VIII, 1938, 23, 30, 34-37, 62, 70; — Denifle, Chartularium Universitatis Parisiensis, II. Bd., 102, 148, 167, 172, 206 f.; — J. B. Schneyer, in: RThAM 27, 1960, 67-132; — M. P. Manello, Per una edizione critica del sermoniaro di Giacomo di Losanna: Il sermone »Mitto angelum meum«, in: Salesianum 39, 1977, 389-429; — HistLittFance XXXIII, 459-479; — Quétif-Échard I, 547-549; — ALKGMA II, 216; — Catholicisme VI, 278; — DThC VIII, 289 f.; — DSp VIII, 45 f.; — EC VI, 327; — Grabmann GkTh, 98; — LThK V, 842; — NBG XXVI, 264 f.; — Überweg II, 537, 771.

Michael Tilly

JAKOB *von Lilienstein*, Dominikanermönch, Theologe, um 1500. — J. verfaßte neben einem Traktat gegen die böhmischen Brüder (»Tractatus contra Waldenses fratres«) ein umfassendes scholastisch-mystisches Werk, welches er dem Ungarnkönig Wlasislav VII. widmete. Letzteres läßt vermuten, daß der Verfasser an der philosophisch-theologischen Akademie zu Budapest gewirkt ht. Die in fünf Bücher eingeteilte, zitatenreiche Schrift ist eine Zusammenstellung der Hauptfragen der Scholastik, in ihr werden göttliches Wirken und Weisheit sowie die menschliche Erkenntnis behandelt. In der Morgendämmerung der Reformation stellte J.s »De divina sapienta« eine zusammenfassende Summe der scholastischen Theologie dar, zeugt von humanistischer Belesenheit des Verfassers und der Innigkeit und Innerlichkeit der deutschen Mystik.

Werke: De divina sapienta (1504/05), Clm. 26827; Tractatus contra Waldenses fratres erroneos quos vulgus vocat Pickardos fratres (1505), AFP 25 (1955), 91.

Lit.: Martin Grabmann, Beiträge zur Geschichte der Renaissance und Reformation, FS J. Schlecht, Freising 1977, 114-140; — Grabmann MGL II, 585-602; — EC VI, 326 f.; — LThK V, 842.

Michael Tilly

JAKOB *von Mailand* (Jacobus de Capellis), Ordenspriester, Theologe und wahrscheinlich Inquisitor, * um 1200, das Sterbedatum ist unbekannt. - J. verfaßte um 1240 eine »Summa contra haeretico« gegen die Katharer der Lombardei, die zu dieser Zeit einen Kernpunkt der größten mittelalterlichen Sekte in Oberitalien darstellten. In diesem Zusammenhang schrieb er auch die »52 Conciones Quadragesimales«. Bis heute steht die Kirchengeschichte vor dem Problem, Quellenmaterial über J. von Angaben zu dem gleichnamigen Mystiker und Verfasser des »Stimulus amoris« zu trennen.

Werke: 52 Conciones Quadragesimales, hs. in: Bibliotheca Ambrosiana di Milano; Summa contra haereticos u. 52 Conciones, hrsg. v. C. Molinier, Etudes sur quelques mss des bibl. d. italie concernant L'Inquisition et les croyances hérétiques du XIIᵉ au XVIIᵉ siècle, Paris 1887; hrsg. v. J. v. Döllinger, Beiträge zur Sektengeschichte des MA.s, II, München 1890,, 273-279; hrsg. v. D. Bazzochi, L'eresia catara, Disputationes nonullae adversus haereticos, Bologna 1920.

Lit.: C. Molinier, Rapport sur une exécutée en Italie, in: Archives des missions scientif. et litter., 3ᵃ serie, 14 (1888), 150-153; — Gairaud, Hist. de l'Inquisition au Moyen Age I, Paris 1935; — CollFr 10 (1940), 66-82; — Borst 17 f.; — DHGE XI, 852; — EC VI, 328 f.; — LThK V, 842.

Michael Tilly

JAKOB *von Mailand*, (Giacomo Capelli), einflußreicher Mystiker des 13. Jahrhunderts, * vor 1200, weitere Lebensdaten fehlen. — Der dem Mailänder Franziskanerkonvent zugehörige J. verfaßte unter dem Namen Bonaventuras den »Stimulus amoris (minor, I)«; dieser wurde im 14. Jahrhundert von einem unbekannten Verfasser erweitert zum »Stimulus amoris (major, II)«. Das in Anlehnung an die spirituelle Tradition des St. Bonaventura geschriebene Werk wurde rasch populär und in vielen Übersetzungen verbreitet. Angaben über Leben und Werk des J. müssen kritisch daraufhin geprüft werden, ob sie nicht dem aus der gleichen Zeit stammenden und gleichnamigenm Verfasser der »Summa contra haereticos« zuzurechnen sind.

Werke: Stimulus amoris, hrsg. v. J. M. Canal, El Stimulus amoris de Santiago de Milan y la meditatio in salve regina, in: FrSt 26 (1966), 174-188; Toscanisch hrsg. v. A. Levasti, I mistici del XII e XIII, Mailand 1925; altenglisch hrsg. v. C. Kirchberger, London 1952; mittelhochdeutsch übers. v. Johannes v. Neumarkt, hrsg. v. J. Klapper, Berlin 1930.

Lit.: L. Wadding, Scriptores ordinis Minorum, Bd. III, Rom 1650, 15 f.; — C. Douais, De l'auteur du »Stimulus amoris« publié parmi les opuscules de saint Bonaventurae, in: Annales de philosophiae chrétienne XI (1885), 301-379, 457-470; — B. Haureau, Notices et extraits de quelques manuscrits latins de la Bibliotheque Nationale, III, Paris 1891, 308 f., V, Paris 1892, 173 f.; — Wadding-Sbaralea, Supplementum.... ad scriptores trium Ordinum S. Francisci II, Rom 1921, 93 f.; — P. M. Sevesi, Martyriologicum Fr. Minorum Provinciae Mediolanensis, Saronno 1929, 56 f.; — Catholicisme VI, 279; — DSp VIII, 48 f.; — EC VI, 329; — EDR II, 1863; — LThK V, 842 f.

Michael Tilly

JAKOB *von Metz*, französischer Dominikanertheologe, * um 1260, weitere Lebensdaten sind sehr spärlich, das Sterbedatum unbekannt. — J. begann um 1295 das Studium der Theologie in Paris. Dort hörte er den Magister Rambert von Bologna, einen persönlichen Schüler des Thomas von Aquin. J. wurde Baccalaureus sententiarius, und las zwischen 1302 und 1304 - vermutlich in einem französischen Dominikanerkonvent außerhalb von Paris - zweimalig über die Sentenzen des Petrus Lombardus. Dabei übte er als einer der ersten innerhalb des Dominikanerordens Kritik an der thomistischen Theologie. In seinem Sentenzenkommentar »Quaestiones in libros sententiarum« stellte J. deutlich kontroverse Thesen zur thomistischen Lehre auf, gleichwohl diese in seinem Werk einen breiten Raum einnimmt. Die aristotelische Schule in der Philosophie stellte für J. eine weitere Säule seines Lehrgebäudes dar. Die orthodoxen Thomisten lehnten J. ab. Ein »Correctorium fratris Iacobi Metensis« von Herveus Natalis kritisiert 42 Punkte, in denen er von Thomas abweicht. J. dient als Beleg und Quelle einer zeitgenössischen, ordensinternen Kritik an der offiziellen Philosophie der Dominikaner zu Beginn des 14. Jahrhunderts.

Werke: Quaestiones in libros Sententiarum, hs. in: Bibliotheca Vaticana (Borghese cod. 122) od. hs. in: Biblioth. Troyes (cod. 992); neu bearb. v. T. W. Köhler, in: Der Begriff der Einheit und ihr ontologisches Prinzip nach dem Sentenzenkommentar des J., Rom 1971; Additiones in primum librum Sententiarum, hrsg. v. P. Glorieux, in: Repertoire des Maitres en théologie de Paris au XIIIᵉ siècle, 1, 197 f.; vgl. Herveus Natalis, Correctorium fratris Iacobi Metensis, hs. in: Le Mans ms. 231.

Lit.: R. M. Martin, La controverse sur le péché originel au début du XIVᵉ siècle, in: SSL 10 (1930), 185-214; — J. Koch, J., der Lehrer des Durandus de S. Porciano, AHDL 4 (1929/30), 169-232; — Ders., Bulletin Thomiste 8, Paris 1931, 327-333; — A. Emmen, J., in: DTh 46 (1943), 385-400; — E. Gilson, La philosophie au M. A., Paris 1944, 622 ff.; — F. Stegmüller, Rep. Comm. in Sententias Petri Lombardi I, 1947, 186 f.; — P. Stella, Zwei unedierte Artikel

des Johannes von Neapel über das Individuationsprinzip, Freiburg/Brsg. 1951, 129-166; — O. Lottin, Psychologie et morale aux XIIᵉ et XIIIᵉ siècles, Gembloux 1949 (III. Bd.) u. 1954 (IV. Bd.); — L. Hödl, Die Grundfragen der Sakramentenlehre nach Herveus Natalis, München 1956; — L. Ullrich, Fragen der Schöpfungslehre nach J., Leipzig 1966; — B. Becker, Die Gotteslehre des J., hrsg. v. R. Haubst, Münster 1967; — K. Plotnik, Herveus Natalis and the Controversies over the Real Presence and Transsubstantiation, München 1970; — T. W. Köhler, Der Begriff der Einheit und ihr ontologisches Prinzip nach dem Sentenzenkommentar des J., Rom 1971; — Ders., Wissenschaft und Evidenz, Beobachtungen zum wissenschaftstheoretischen Ansatz des J., in: Ders. (Hrsg.), Sapientiae procerum amore, Mélanges médiévistes offers à Dom. J. P. Müller O.S.B. à l'occasion de son 70'eme anniversaire, Studia Anselmiana, Fasc. 63, Rom 1974, 369-414; — Grabmann GkTh 98, 308; — Grabmann MGL 1, 404-410; — Hauck V, 103, 260; — Überweg II, 518 ff.; — Catholicisme VI, 278 f.; — EC VI, 328; — EDR II, 1863; — NDB X, 319; — LThK V, 842; — RGG III, 522.

Michael Tilly

JAKOB *von Mies*, tschechisch: Jakoubek ze Striba, wegen seiner kleinen Statur auch Jakobellus genannt, führender Theologe der Hussiten, * ca. 1372 in Wickau bei Mies, + am 9.8. 1429 in Prag. — J. ging zum Studium an die Prager Universität, wo er Johann Huß als seinen Kommilitonen kennenlernte. Im Jahre 1397 wurde J. Magister, drei Jahre später Baccalaureus theologiae. Die Priesterweihe folgte im Jahre 1402. J. erhielt 1407 nach Huß die Pfarre St. Michael in Prag-Altstadt; durch den Vorgänger und persönlichen Freund wurde seine Predigt und Lehre nachhaltig beeinflußt. So wirkte er seit 1408 öffentlich in Prag für klerikale Sittenreform und John Wyclifs (s.d.) Remanenzlehre. In einer öffentlichen Disputation verteidigte er am 28.7. 1410 den Dekalog Wyclifs gegen die erzbischöfliche Verurteilung des Traktats. In immer stärkerem Maße wurde er nun Verfechter der Lehren Huß': Im Februar 1413 reichte J. bei einer Provinzialsynode in Prag ein Gutachten ein, worin er die Schlichtungsbestrebungen König Wenzels zwischen Huß und der böhmischen Kirche provokant ablehnte. Kernpunkt der reformatorischen Bemühungen J.s war die Einführung der »Communio sub utraque forma«. In Joh 6, 54-57 sah er den Schriftbeweis für das Abendmahl unter beiden Gestalten als ausdrückliche Anordnung Christi. Nach Hussens Abreise zum Konzil von Konstanz ergriff J. die Initiative: Er fing an, als Pfarrer von St. Michael den Kelch allen Kommunikanten zu reichen. 1417 entschied er sich in einer Disputation gegen Simon von Tischnow für die Kinderkommunion. Drei

Jahre später vertrat er in einer an der Prager Universität abgehaltenen, öffentlichen Disputation seine Interpretation des Abendmahls mit solchem Erfolg, daß sofort mehrere Pfarrgemeinden der Stadt ihrerseits den Laienkelch einführten. Gegen die Spendung des Kelches an die Laien erging kurz darauf ein Verbot des erzbischöflichen Ordinariats. J. forderte die Verantwortlichen auf, ihr Vorgehen zu begründen. Als Reaktion darauf wurde über ihn der kirchliche Bann verhängt. Im Laufe der Eskalation des Streites zwischen den verfeindeten Seiten erlangte die Lehre des Ultraquismus wachsende Popularität und gewann neue Anhänger. So griff durch den von J. getanen Schritt die hussitische Reform in das Gebiet des Kultus ein. In den zwanziger Jahren des 15. Jahrhunderts galt J., der neben Hieronymus von Prag (s.d.) eifrigster Anhänger des Johann Huß war, als einer der angesehendsten Theologen der Utraquisten. Auch sein Werk spiegelt die Intensität und Vehemenz wieder, mit der er die kirchliche Lehre vom heiligen Abendmahl zu reformieren suchte. Die kirchengeschichtliche Bedeutung J.s liegt in seiner entscheidenden Anteilnahme an der weiteren geistigen Entwicklung der Hussiten, deren Lehre und Kultus er maßgeblich beeinflußte.

Werke: Tractatus Magistri Jacobi de Misa contra doctorem Brodam, de communione utriusque speciei, hrsg. v. H. v. d. Hardt, in: Res concilii oecumenici Constantiensis, Tl. II, Frankfurt u. Leipzig 1698, 416-585; — Apologia pro Communione plebis sub utraque contra conclusiones doctorum in Constantiensi Concilio editas, ebd., 591-647; — Tractatus M. Jacobi de Misa, theologi profundi, de existentia vera corporis Christi in sacramento altaris, catholice conscriptus, 884-932; — De purgatorio animarum post mortem, hrsg. v. C. W. F. Walch, Moniment. inedit. medii aevi ex Biblioth. regia Hannoverana, Bd. I, fasc. 3, Göttingen 1757, 1-25; — Gutachten hrsg. v. Palacky, in: Documenta Mag. Joannis Hus vitam - illustrantia, Prag 1869, 493.

Lit.: Cochlaeus, Historiae Hussitarum, lib. XII, Mainz 1549; — J. C. Martini, Dissertatio inauguralis historico-ecclesiastica, qua Jacobus de Misa, vulgo Jacobellus, primus Eucharistici calicis per ecclesias Bohemiae vindex... publice disputandus proponitur, Altdorfii Noricorum 1753; — F. M. Pelzel, Über das Vaterland des Jacobus de Misa, in: Abhandlungen einer Privatgesellschaft in Böhmen, Tl. VI, Prag 1784, 223-312; — Höfler, Geschichtsschreiber der hussit. Bewegung in Böhmen, in: Fontes rerum austriacarum, II.5 u. 6, Wien 1856-1866; — Palacky, Documenta..., Prag 1869; — J. Sedlák, Husuv pomocnik v evangeliu, in: Studie a texty k nábozenskym dejunám ceskym, Olomouc 1913, 362-428; — E. Amann, Jacobel et les débuts de la controverse utraquisme, Miscellanea Francesco Ehrle I, Studi e testi 37, Rom 1924, 375-387; — F. M. Bartos, Die literarische Tätigkeit des Mag. J., Prag 1925 (tschech.); — Ders., Mag. J., der zweite Gründer des Hussitismus, Jihocensky sborník histor. 12, 1939, 1-14 (tschech.); — W. Wostry, Mag. J., Festschrift der Bergstadt Mies, 1931, 58-73; — F. Borecky, Literámní cinnost M. J. ze Striba, Prag 1945; — Bihlmeyer-Tüchle II, 461 f.; — Catholicisme VI, 246; — DThC VIII, 235 ff.; — EDR II, 1858; — K. Heussi, Kompendium der Kirchengeschichte, Tübingen 1956, 69 i; — LThK V, 843; — RE VIII, 558 f.; — RGG III, 522; — Wetzer-Welte VI, 470 f.

Michael Tilly

JAKOB *von Nisibis*, Bischof, Heiliger, + 338. — J., dessen Herkunft, dessen erster Lebensabschnitt im Dunkeln liegen, zählt zu den großen Eremiten des frühchristlichen Orients. In den kurdischen Bergen führte er zusammen mit Eugen, dem Gründer des persischen Mönchtums, ein höchst asketisches Leben. Wohl ob dieser Haltung wurde er 309 zum Bischof von Nisibis gewählt; ein Amt, das er zwar ungern, aber doch aus Verantwortung gegenüber den schwierigen politischen Zeitumständen annahm. Sieben Jahre lang ließ er in der Folgezeit in Nisibis die berühmte "große Kirche" bauen, die seinen Namen trug, die in ihren Ruinen noch heute sein Grab enthält. Auf dem 1. allgemeinen Konzil zu Nicäa verfocht J. die von Kaiser Konstantin des Großen begünstigte Lehre des Athanasius (s.d.), die des Arius verdammte er. Es bleibt umstritten, ob Ephraem (s.d.), der J. als seinen Lehrer bezeichnet, zusammen mit diesem in Nicäa weihlte, die zeitlichen Umstände, vor allem das jugendliche Alter Ephraems sprechen dagegen. Nach dem Konzil pilgerte J. nach Jerusalem, er nahm dort an der Einweihung der 1. Grabeskirche teil. Nach seiner Rückkehr verbrachte er seine letzten Lebensjahre in der steten Sorge, seine Stadt Nisibis gegen den Ansturm der persischen Sassaniden zu verteidigen. Während der ersten Belagerung scheint er im Jahr 338 gestorben zu sein; die Legende, er habe Nisibis wundersam vor Schapur II. gerettet, beruht offensichtlich auf einer Verwechslung der dritten Belagerung (350) mit der ersten. — Vermutlich erlangte J. seine Berühmtheit in späterer Zeit durch falsche Zuweisungen (siehe obige Legende!), er gilt heute auch nicht mehr als der Gründer der Theologenschule zu Nisibis. Armenische Quellen wiesen ihm zudem manche Werke zu, die viel eher dem Wirkungskreis des persischen Mönches Afrahat (s.d.) entsprangen. J. wird von unterschiedlichen Glaubensgruppen an diversen Terminen verehrt, von der griechisch-orthodoxen Kirche und den Kopten wird sein Fest am 13. Januar gefeiert, von der katholischen am 15. Juli, von der armenischen am 15. Dezember.

Lit.: Gustav Bickell, hrsg., Die Carmina Nisibena 13-16 des Ephräm, 1866; — Paul Bedjan, hrsg., Acta Martyrum IV, 1894, 262 ff.; — Die Chronik von Edessa, in: TU 9/1, 95; — Chronik von Arbela, in: AAB 1915, n. 6, 15; — Paulus Peeters, La Légende de St. J. de N., in: AnBoll 38, 1920, 283-373; — Baumstark, 31, 34, 44; — Stephan Schiwietz, Das morgenländ. Mönchtum III, 1938, 74 ff.; — Arthur Vööbus, History of Ascetism in the Orient I, in: CSCO 184, 143 ff.; — BHO², 405-411; — BHG³, 769; — DThC VIII, 292-295; — DCB III, 325 ff.; — LThK V, 844; — RGG III, 522; — RE VIII, 559; — Wimmer, 409/410.

Michael Hanst

JAKOB, Patriarch, Ahnherr des Volkes Israel, späte Bronzezeit (17./13. Jahrhundert) in Mittelpalästina. — Der Name J., eine gebräuchliche, westaramäische Kurzform von ja'qo-el (= "Gott möge schützen", "Gott schützt") wird volksetymologisch von 39ªqeb (= "Ferse", Gen 25,26) und von 'qb (= "betrügen", Gen 27,36) abgeleitet. — Das Bild, das die J.-Erzählungen der Genesis (Kap. 25-50) von J. zeichnen, ist durch Vereinigung zahlreicher Traditionselemente aus vorliterarischen Überlieferungsschichten und literarischer Sammlung, Ordnung und Bearbeitung, durch hauptsächlich Jahwist, Elohist und Priesterschrift, entstanden und bietet somit keine historische Zuverlässigkeit, sondern spiegelt die anthropologischen und theologischen Akzente der einzelnen Stadien wieder. Obwohl das Zusammenwachsen dieser Traditionselemente und der historische Hintergrund im einzelnen nicht mehr rekonstruierbar sind, so lassen sich doch verschiedene Schichten erkennen und Rückschlüsse ziehen. J. scheint eine historische Einzelperson aus der Zeit, in der die israelitischen Stämme noch als Halbnomaden außerhalb des Kulturlandes lebten, zu sein. Daß man im Sinne der Hypothse von Albrecht Alt mit einer Vätergottreligion einer bestimmten nomadischen Gruppe, bei welcher der Name des Ahnherrn, in unserem Fall J. (vgl.: Gen 43,23; 49,24; Ex 3,6.15 u. ö.), dem diese Gottheit zuerst erschienen ist, als Kennzeichen diente, rechnen muß, wird in jüngerer Forschung (vgl.: Diedner, 1975; Vorländer, 1975; Van Seters, 1980) bestritten. Der geographische Schwerpunkt der wahrscheinlich ältesten J.-Tradition liegt im Ostjordanland und findet seinen Niederschlag in den J.-Esaugeschichten (Gen 27, 1 ff.), im Bericht vom Grenzvertrag auf dem Gilead (Gen 31, 44 ff.), in den Lokaltraditionen von Machanajim (Gen 32,2 f.), Sukkoth (Gen 33,17) und Pnuel (Gen 32,23-33) und in dem Rest einer älteren Grabtradition (Gen 50,5.10 f.). Als Träger dieser

Tradition kommen in Betracht der Stamm Ruben (vgl. Jepsen, 1953/54), Ephraim (vgl.: Noth) oder auch Manasse (vgl.: Nielsen, 1955). Obwohl J. als Nomade dargestellt wird, ist er auch mit bestimmten Orten in Verbindung gebracht worden. Außer den o. g. noch im Westjordanland mit Bet-El (Gen 28,10-22; 35,1-15) und Sichem (Gen 33,18-20). Auch ist er schon in ältester Überlieferung der Träger des Segens, durch den ihm und seinen zahlreich werdenden Nachkommen das Kulturland zum Eigentum verheißen wird (Gen 28,13 u. ö.). Während sich in dem J.-Sagenkranz das Übergangsstadium zwischen nomadischer und seßhafter Lebensform widerspiegelt, deuten die hinzugewachsenen Lokaltraditionen auf Seßhaftwerdung hin. — In der uns heute vorliegenden Gestalt erzählt die Genesis J.s Werdegang etwa folgendermaßen: Rebekka gebiert dem 60-jährigen Isaak das Zwillingspaar Esau und J. Der jüngere J. erkauft von seinem Bruder das Erstgeburtsrecht (25,19 ff.). Nachdem er sich, unter Anleitung seiner Mutter, den väterlichen, Esau zugedachten, Segen erschlichen hat (Kap. 27), flieht J. vor dem Zorn seines Bruders zu Laban, dem Bruder seiner Mutter, nach Syrien (28,1-9). Unterwegs hat er in Bet-El im Traum eine Gotteserscheinung (28,10 ff.). Bei Laban freundlich aufgenommen, dient er sieben Jahre um dessen Tochter Rahel, erhält aber nach Ablauf dieser Zeit die andere Tochter Lea, worauf er weitere sieben Jahre um Rahel dient (29,1-30). Während Rahel zunächst unfruchtbar ist, zeugt J. mit Lea die Söhne Ruben, Simeon, Levi, Juda, Isaschar, Sebulon und die Tochter Dina, mit Bilha, der Magd Rahels, Dan und Naphtali, mit Silpa, Leas Magd, Gad und Asser und schließlich auch mit Rahel den Joseph (29,31-30,24) und den Benjamin (35,16.18). Nach Josephs Geburt will J. mit seiner Familie zurück in die Heimat ziehen, schließt aber auf Labans Zureden hin einen neuen Vertrag mit diesem und kommt durch List zu großem Reichtum (30,25 ff.). Von Laban und seinen Söhnen angefeindet, macht sich J. heimlich mit all seinem Hab und Gut auf den Heimweg, wird auf dem Gebirge Gilead von Labans Truppe eingeholt und schließt nach anfänglichem Streit ein Bündnis mit ihm (Kap. 31). Wieder auf dem Weg Richtung Heimat bekommt J. Angst vor dem möglichen Zorn Esaus, schickt diesem Geschenke zur Versöhnung entgegen, trifft weitere Vorsorgemaßnahmen und hat jenen bedeutungsvollen Kampf mit der Gottheit, bei welchem er den Namen Israel erhält (Kap. 32). Nach einer freundlichen und liebevollen Aussöhnung mit seinem Bruder zieht J.

über Sukkoth nach Sichem und kauft dort ein Grundstück, auf dem er einen Altar errichtet (Kap. 35). Nach der Vergewaltigung Dinas durch Bewohner Sichems, rächen ihre Brüder sie mit einem Blutbad unter den Sichemiten, wofür J. sie rügt (Kap. 34) und auf Gottes Geheiß hin mit seiner Sippe nach Bet-El, dem Ort der ersten Gotteserscheinung, zieht, auch dort einen Altar baut und abermals den Namen Israel verliehen bekommt. Von dort zieht er weiter zu seinem Vater Isaak (Kap. 35). Auch nach dessen Tod bleibt J. als Fremdling in Kanaan (37,1). Aus Neid wird J.s Lieblingssohn von seinen Brüdern verkauft und als verunglückt angegeben (Kap. 37). Als eine Hungersnot in Kanaan ausbricht, schickt J. seine Söhne zum Getreideeinkauf nach Ägypten (Kap. 42). Dort war Joseph mittlerweile zu großer Macht gelangt. Nach einer Prüfung (Kap. 44) gibt sich Joseph seinen Brüdern zu erkennen (Kap. 45). J. siedelt mit seinem Stamm nach Ägypten über (Kap. 46) und erhält vom Pharao das Land Gosen (Kap. 47, 1-12). Hier lebt er noch siebzehn Jahre, gibt kurz vor seinem Tod noch Anordnungen und Weissagungen an seine Söhne und stirbt im Alter von 147 Jahren (Kap. 47, 27-49,33). Sein Leichnam wird einbalsamiert und seinem Wunsch entsprechend in Kanaan, auf Abrahams Grundstück Machpela begraben (Kap. 50,1-14). — Im Judentum (vgl. Jub 32,21-26 und 4 Esr 6,8-19) und im Neuen Testament werden die drei Erzväter Abraham, Isaak und J. als Symbol für das in Erbschaft der Verheißung treu zum Bund mit Gott stehenden Volk gebraucht. Stellenweise wird die Bedeutung J.s als eigentlicher Ahnvater Israels hervorgehoben. Bei Hosea wird J.s Verhalten stark kritisiert (Hos. 12,4-8.13).

Lit.: Kommentare zur Genesis: Friedrich Tuch, 1838 (1871[2]); — Franz Delitzsch, 1852 (1860[3]); — August Knobel, 1852; — John Peter Lange, Edinburgh 1868; — Karl Friedrich Keil, 1870 (1878[3]); — Abraham Kuenen, 1872; — August Dillmann, 1875[3] (1882[4], 1892[6]); — Heinrich Holzinger, 1898; — Hermann Gunkel, 1901 (1910[3], 1964[6]); — Erik Stave, Uppsala 1903; — S. R. Driver, London 1904 (1954[15]); — Eduard Sievers, 1904/05; — B. D. Eerdmanns, 1908; — J. Skinner, 1910 (1930[3]); — Eduard König, 1919; — J. Morgenstern, New York 1919 (1965[2]); — Otto Proksch, 1924; — Paul Heinisch, 1930; — B. Jacob, New York o. J. (Neudr.: Berlin 1934); — J. Chaine, Paris 1948/49; — Hubert Junker, 1949 (1955[2]); — R. E. Vaux, 1951 (1962[2]); — C. A. Simpson, New York 1952; — A. Clamer, Paris 1953; — Gerhard v. Rad, 1953 (1967[3], 1972[9], 1981[11]); — F. Nötscher, 1955; — Frank Michaeli, Neuchatel 1957; — Berend Gemser, 1958; Charles Henry Mackintosh, 1959[11]; — S. h. Hooke, Edinburgh 1962; — J. de Fraine, 1963; — E. A. Speiser, 1964; — Derek Kidner, 1967; — P. E. Testa, Turin 1969; —

W. Gunther Plant, New York 1974; — Wilhelm Resenhoefft, 1974; — Klaus Westermann, 1975; — Alexandrinus Didymus, Paris 1976; — George W. Coats, 1983; — Werner Berg u. a., 1985; — Weitere Lit.: H. Zimmern, Der J.-Segen u. der Tierkreis, in: ZA 7, 1982, 161-172; — W. Staerk, Stud. z. Religions- und Sprachgeschichte d. AT, I, 1899, 21-53 u. 77-83; II, 1899, 1-13; — C. Steuernagel, Die Einwanderung der israelit. Stämme in Kanaan, 1901; — E. Meyer, Die Israeliten u. ihre Nachbarstämme, 1906, 271-287; — H. Greßmann, Sage u. Geschichte in den Patriarchenerzählungen, in: ZAW 30, 1910, 1-34; — Hermann Gunkel, J., in: PrJ 176, 1919, 339-362; — Otto Eißfeldt, Stammessage u. Novelle in den Geschichten von J. u. seinen Söhnen, in: Festschr. für Hermann Gunkel, 1923; — Ders., Religionshistorie u. Religionspolemik im AT, in: Fetschr. H. H. Rowley, 1935, 94-102 (= Kl. Schr. III, 359-366); — Ders., D. Gen d. Gen, 1958 (1961[2]); — Ders., Jahwe, der Gott der Väter, in: ThLZ 88, 1963, 481-490 (= Kl. Schr. IV, 79-91); — Ders., J.s Begegnung mit El u. Moses Begegnung mit Jahwe, in: OLZ 88, 1963, 325-331 (= Kl. Schr. IV, 92-98); — Ders., J.-Lea u. J.-Rahel, in: Festschr. H.-W. Hertzberg, 1965, 50-55 (= Kl. Schr. IV, 170-175), — Ders., Der kanaanäische El als Geber der den israelit. Erzvätern geltenden Nachkommenschafts- u. Landbesitzverheißungen, in: WZ Halle 17, 1968, 45-53 (= Kl. Schr. V., 50-62); — Ders., Renaming in the OT, in: Festschr. des Winton Thomas, New York 1968, 69-79 (= dt.: Umnennung im AT, Kl. Schr. V., 68-76); — Ders., Palestine in the Nineteenth Dynasty (a) The Exodus and the Wanderrings, Cambridge 1975[3], 307-330; — G. Hölscher, Zur jüd. Namenskunde, in: Festschr. K. Marti, BZAW 41, 1925, 148-157; — Martin Noth, die israelit. Personennamen im Rahmen der gemeinsemit. Namengebung (BWANT 46), 1928; — Ders., Überlieferungsgeschichte des Pentateuch, 1948, 58-62, 86-111, 216-219; — Ders., Mari u. Israel. Eine Personennamenstudie, in: Festschr. Albrecht Alt, BHTh 16, 1953, 127-152; — Noth, 55, 65, 76 f., 81, 83 f., 115, 118 ff., 135, 147; — Albrecht Alt, Der Gott der Väter (BWANT 12), 1929 (= Kl. Schr. I., 1-78); — Ders., Erwägungen über die Landnahme der Israeliten in Palästina, in: PJ 35, 1939, 8-63 (= Kl. Schr. I., 126-175); — M. Naor, J. u. Israel, in: ZAW 49, 1931, 317-321; — W. Caspari, Der Name J. in israelit. Zeit, in: Festschr. G. Jacob, 1932, 24-36; — Walter Zimmerli, Geschichte u. Tradition von Beerseba im AT, 1932; — Ders., Grundriß der alttestamentl. Theol., 1978[3], 21, 167, 193; — G. Jacob, Der Name J., in: Litterae Orientales 54, 1933, 16-19; — C. H. Gordon, The Story of J. and Laban in the Light of the Nuzi Tablets, in: BASOR 66, 1937, 25-27; — Ders., The patriarchal Narratives, in: JNES 13, 1954, 56-59; — Ders., Geschichtl. Grundlagen des AT, 1956, 113 ff.; — E. Eising, Formgeschichtl. Untersuchung zur J.-Erzählung der Gen, 1940; — Th. C. Vriezen, La tradition de J. dans Osee XII, in: OTS 1, 1942, 64-78; — A. Goetze, Diverse Names in an Old-Babylonian Pay-List, in: BASOR 95, 1944, 18-24; — Robert de Vaux, Les Patriarches Hébreux et les découvertes modernes, in: RB 53, 1946, 321-347; 55, 1948, 321-347; 56, 1949, 5-36 (= dt.: Die hebräischen Patriarchen u. die modernen Entdeckungen, 1959); — Ders., Les Patriarches Hébreux et l'Histoire, in: Studii Biblici Franciscani Liber annuus 13, 1962/63, 287-297 (= Bible et Orient, Paris 1967, 175-185); — Ders., Histoire Ancienne d'Israel I, Paris 1971; — H. H. Rowley, Recent Discovery and the Patriarchal Age, in: The Bulletin of the John Rylands Library 32, 1949/50,

44-79 (= The Servant of the Lord and Other Essays on the OT, Oxford 1965², 283-318); — K. Elbinger, Der J.-Kampf am Jabbok, in: ZThK 48, 1951, 1-31; — A. Jepsen, Zur Überlieferungsgeschichte der Vätergestalten, in: WZ Leipzig 3, 1953/54, 265-281 (= Der Herr ist Gott, 1978, 46-75); — W. F. Albright, Northwest-Semitic Names in a List of Egyptian Slaves from the Eighteenth Century B. C., in: JAOS 74, 1954, 222-233; — Ders., Jahweh and the Gods of Canaan, London 1968; — J. Schildenberger, J.s nächtlicher Kampf mit dem Elohim am Jabbok, in: Festschr. B. Ubach, Montserrat 1954, 69-96; — C. A. Keller, Über einige Heiligtumslegenden, in: ZAW 67, 1955, 148-150, 162-168; — E. Nielsen, Shechem, 1955 (1959²), 222-241; — J. Hoftijzer, Die Verheißungen an die drei Erzväter, 1956; — V. Maag, J. - Esau - Edom, in: ThZ 13, 1957, 418-429; — Ders., Der Hirte Israels. Eine Skizze von Wesen und Bedeutung der Väterreligion, in: Schweiz. Theol. Umschau 28, 1958, 2-28; — B. Gemser, Vragen rondom de Patriarchenreligie, 1958; — L. Sabourinm, La lutte de J. avec Elohim, in: Sciences Eccl. 10, 1958, 77-89, 256 f.; — F. van Trigt, La signification de la lutte de J. près di Yabboq Gen 32, 23-33, in: OTS 12, 1958, 280-309; — S. Yeivin, YA'QOB'EL, in: JEA 45, 1959, 16-18; — L. Rost, Die Gottesverehrung der Patriarchen im Lichte der Pentateuchquellen, in: VTS 7, 1960, 346-359; — S. Mowinckel, »Rahelstämme« u. »Lehastämme«, in: Festschr. otto Eißfeldt, BZAW 77, 1961², 129-150; — J. C. C. Gibson, Light from mari on the Patriarchs, in: JSS 7, 1962, 44-62; — D. R. Ackroyd, Hosea and J., 1963; — D. N. Freedman, The Original Name of J., in: LEJ 13, 1963, 125 f.; — J. O. Lewis, An analysis of Literary Forms in the J. Narratives (Diss. Louisville), 1964; — G. Wallis, Die Geschichte der J.-Tradition, in: WZ Halle 13, 1964, 427-440; — Ders., die Tradition von den drei Ahnvätern, in: ZAW 81, 1969, 18-40; — M. Haran, The Religion of the Patriarchs, in: Annual of the Swedish Theol. Inst. of Jerusalem 4, 1965, 30-55; — H. B. Huffmon, Amorite Personal names in the mari Texts, Baltimore 1965; — J. Bright, Geschichte Israels, 1966, 51-89; — E. M. Good, Hos and the J.-Tradition, in: VT 16, 1966, 137-151; — W. L. Holladay, Chiasmus, the Key of Hos XII 3-6, in: ebda., 53-64; — Horst Seebass, Der Erzvater Israel u. die Einführung der Jahweverehrung in Kanaan, in: BZAW 98, 1966; — Ders., Die Stämmeliste von Dtn XXXIII, in: VT 27, 1977, 158-169; — Ders., Landverheißungen an die Väter, in: EvTh 37, 1977, 210-229; — Rolf Rendtorff, Väter, Könige, Propheten, 1967, 15-25; — Ders., Das AT. Eine Einführung, 1983, 7 f., 144-147; — W. Richter, Das Gelübde als theol. Rahmen der J.-Überlieferungen, in: BZNW 11, 1967, 21-52; — W. Gross, J., der Mann des Segens. Zu Traditionsgeschichte u. theol. der priesterl. J.-Überlieferungen, in: Bibl 49, 1968, 321-344; — H. Weidmann, Die Patriarchen u. ihre Religion im Licht der Forsch. seit Julius Wellhausen, 1968; — J. M. Heuschen, J. of de genadevolle uitverkiezing, in: EThLov 45, 1969, 335-358; — J. G. Mitchell, A Study of J. Tradition in the OT, 1970; — L.Ruppert, Herkunft u. Bedeutung der J.-Tradition bei Hos, in: Bibl 52, 1971, 488-504; — J. K. Stark, Personal Names in Palmrene Inscriptions, Oxford 1971; — L. Wächter, Israel u. Jeschurun, in: Festschr. A. Jepsen, 1971, 58-64; — P. Diepold, Israels Land, 1972; — T. E. Fretheim, The J.-Tradition, in: Int 26, 1972, 419-436; — Nahum M. Sarna, Understanding Gen, New York 1972; — J. Scharbert, Patriarchentradition u. Patriarchenreligion, in: BhEvTh 19, 1974, 2-22; — Thomas L. Thompson, The Historicity of the Patriarchal Narratives, in: BZAW 133, 1974; — P. Weimar, Aufbau u. Struktur d. priesterschriftl. J.-Geschichte, in: ZAW 86, 1974, 174-203; — B. Diebner, Die Götter des Vaters. Eine Kritik der »Vatergott«-Hypothese Albrechts Alts, in: Dielheimer Blätter zum AT 9, 1975, 21-51; — M. Oliva, J. en Betel: Visión y Voto (Gen 28,10-22), Institución San Jerónimo 3, Valencia 1975; — A. de Pury, Promesse divine et légende culturelle dans le cycle de J.: Gen 28 et les traditions patriarcales, I-II, Paris 1975; — W. H. Stiebing Jr., When was the Age of the Patriarchs?, in: Bibl Arch Rev 1, 1975, 17-21; — H. Vorländer, Mein Gott. Die Vorstellung vom persönl. Gott im Alten Orient u. im AT, 1975; — Eckart Otto, J. in Bethel. Ein Beitrag zur Geschichte der J.-Überlieferung, in: ZAW 88, 1976, 165-190; — Ders., J. in Sichem. Überlieferungsgeschichtl. archäolog. u. territorialgeschichtl. Stud. zur Entstehungsgeschichte Israels (BWANT 110), 1979; — E. Ruprecht, Die Religion der Väter. Hauptlinien der Forschungsgeschichte, in: Dielheimer Blätter zum AT 11, 1976, 2-29; — W. G. Denver/W. M. Clark, The Patriarchal Tradition, in: J.H. Hayes/J. M. Miller (Hrsg.), Israelite and Judean History II, 1977; — L. Schmidt, Überlegungen zum Jahwisten, in: EvTh 37, 1977, 230-247; — H. H. Ben-Sasson (Hrsg.), Geschichte des jüd. Volkes I, 1978; — Rudolf Smend, Die Entstehung des AT.s, 1978, 97; — Antonius H. J. Gunneweg, Geschichte Israels bis Bar Kochba, 1979³, 18-22, 28, 38, 45, 51; — Werner H. Schmidt, Alttestamentl. Glaube in seiner Geschichte, 1979³, 18-26; — S. Herrmann, Geschichte Israels in alttestamentl. Zeit, 1980²; — W. Leineweber, Die Patriarchen im Licht der archäolog. Entdekkungen, 1980; — J. Van Seters, The Religion of the Patriarchs in Gen, in: Bibl 61, 1980, 220-233; — Anneliese Butterweck, J.s Ringkampf am Jabbok, 1981; — Leo Trepp, Das Judentum, 1982³, 20, 125, 133, 205, 226; — Hans Jochen Boecker u. a., AT, 1983, 6, 17 f., 20-26, 87, 93-99, 156, 236 f., 240, 257 f.; — Hdwb. des bibl. Altertums I, 1893, 673-676; — Sev. Luegs, Bibl. Realkonkordanz I, 1928, 688 f.; — ThW II, 957 f.; III, 191 f.; — ThWAT III, 752-777, 1002 f., 1005 f., 1072 ff.; IV,739-743; — EKl II, 231-233; — Bibl. Hist. Hdwb. II, 797 f.; — RGG III, 517-520; — RE VIII, 543-547; — The Enc. of Rel. (Ed.: Mircea Eliade) VII, New York 1986, 503 f.

Thomas Uecker

JAKOB *von Sarug* (Serugh), syrischer Kirchenschriftsteller, Bischof, * um 451 in Kurtam am Euphrat, 29.(?)11. 521. — Obwohl J. in seinen Werken über seinen späteren Lebenslauf durchaus mitteilsam ist, verhält er sich hinsichtlich seiner Herkunft bedeckt. Aufgrund seiner theologischen Auffassungen und seiner Standpunkte, wie auch der literarischen Ausdrucksweise, läßt sich erschließen, daß er die damals berühmte Schule von Edessa durchlaufen hat. In Edessa hat er wohl auch zunächst als Priester gewirkt. Popularität erlangte J. durch die Bekämpfung der Beschlüsse des 4. ökumenischen Konzils von Chalkedon. Dieses hatte als Dogma den Dyophysitismus festgelegt, den im Orient weit verbreiteten Monophysitismus (Einheit von Gott und Mensch in Christus in einer kreatürlichen Natureinheit) hingegen verdammt. J. stellte in all seinen Werken die Trinität und die Inkarnation in den Mittelpunkt. Umstritten ist seine Lehre hinsichtlich Marias. Sie ist für ihn die jungfräuliche Mutter Jesu, aber nicht frei von Sündhaftigkeit. Davon befreite sie erst die Empfängnis des Herrn, ihre Mutterschaft hatte Anteil am Heilswerk Jesu. Moderne Autoren interpretieren seine Ansichten unterschiedlich, ihrer Auslegung sind aber Grenzen gesetzt dadurch, daß J.s Werke nicht sonderlich originalgetreu überliefert sind. Noch dazu soll J. zeitweilig fast 70 Schreiber beschäftigt haben, die Stoffe des Alten Testaments und Neuen Testaments sowie Heiligenleben mit ihm zusammen bearbeiten. Seine Reden (»Memre«) redigierte man später nachweislich für den katholischen Gottesdienst, die Echtheit dreier Anaphoren sowie eines Taufrituals steht nicht fest, vermutlich haben sie Schüler oder noch später Kirchentheoretiker untergeschoben. Einzig J.s Briefe hielten bisher jeder Kritik stand, auch seine für die syrische Kirche typischen dramatischen Gedichte und Hymnen tragen J.s Prägung. Im Verlauf der Jahre 502/503 wurde J. zum Periodeuten von Haura erhoben. In dieser, nur im Orient gebräuchlichen Funktion, war er ein vom Bischof der Stadt zur Visitation und pastoralen Betreuung besonders hervorgehobener Priester. Gegen sein Lebensende scheint J. noch zum Bischof von Batna gewählt worden zu sein, resignierte aber bereits ein Jahr später aus bisher nicht erschlossenen Gründen. Sein Gedächtnis feiern Jakobiten und Maroniten am 29.7. bzw. am 29.12.

Werke: Pius Zingerle, 6 Osterhomilien des J. v. S. in dt. Übers., 1867; Erich Schröter, Trostschreiben des J. v. S., in: ZDMG 31, 1877, 360-399, in dt. Übers.: Paul Bedjan (ed.), Memre, 5 Bde., Paris-London 1905-1910, in Bd. I (131-143) und IV (650-665) sind zusätzlich kurze biogr. Schriften J.s enthalten; Gedichte, in: BKV² 6, 1912; Briefe, in: CSCO 45, 1937 und 110, 1952 (J. Sarugensis epistolae, quotquot, supersunt); C. Vona, Die mariologische Memre in dt. Übersetzung, 1953; Arthur Vööbus, Handschriftl. Überlieferung der memre-Dichtung des J. v. S., Teil I Die Handschriften, in: CSCO 344, 1973; Ders., Teil II Der Bestand, in: CSCO 345, 1973; Frédéric Rilliet (ed.), Jacobus episcopus Homiliae, syr. und frz., Turnhout 1986.

Lit.: J. B. Abbeloos, De vita et scriptis S. J. Batnarum Sarugi in Mesopotamia episcopi, Lovan 1867, 22-198; — Baumstark, 148 ff.; — Ders., in: HO III/2-3, 1954, 184 (Werke/Lit.); — Paulus Peeters, in: AnBoll 66, 1948, 134-198 (zur Frage des Monophysitismus); — Paul Krüger, Die Frage der Erbsündigkeit der Gottesmutter im Schrifttum des J. v. S., in: OstKST 1, 1952, 187-207; — Ders., u. ebd. 5, 1956, 158-176, 225-242 (Rechtgläubigkeit J.s); — Ders., u. ebd. 8,

1959, 184-201 (Untersuchungen über die Form der Einheit in Christus nach den Briefen des J. v. S.); — Ders., u. ebd. 22, 1973, 188-196 (zur Problematik der Memra über den Glauben des J. v. S.); — Ders., u. ebd. 23, 1974, 39-105, (die sog. Philoxenosvita und die Kurzvita des J. v. S.); — C. Vona, in: Virgo immaculata IV, 1955, 133-144; ebd. in Bd. XII, Ignatius Ortiz de Urbina, Dignitas regiae Mariae; — Ders., Patrologia Syriaca, 1958, 97-101; — Francois Graffin, Mimro de J. d. S. sur la vision de J. à Béthel, in: L'Orient Syrien 18, 1960, 225-246; — Ders., u. ebd. 21, 1961, Mimro de J. de S. sur les deux oiseaux, 51-66; — T. Jasma, in: OrSyr 4, 3-42, 129-162, 253-284; — Arthur Vööbus, Die Bedeutung neu entdeckter Handschriften für die Sammlungen der Memre des J. v. S., in: OstKSt 21, 1972, 46-50; — Bardenhewer IV (Nachdr. 1962), 412-416; — GCAL I, 444 ff. (arab.); — Catholicisme VI, 281-283; — DThC VIII, 300-305; — LThK V, 846; — RE VIII, 559-560; — RGG III, 522.

Michael Hanst

JAKOB *von Sierck*, Kurfürst und Erzbischof von Trier, * zwischen August 1398 und März 1399 als Sohn des Arnold von Sierck aus dem Geschlecht der nach Burg Sierck an der Obermosel in Lothringen benannten ritterbürtigen Adelsfamilie, + 20. oder 28.5. 1456 in Pfalzel bei Trier. — J. war um 1414 als Domizellar (Anwärter auf ein Kanonikat) in das Trierer Domkapitel aufgenommen worden, hatte auch ein Metzer Kanonikat inne und studierte in Heidelberg, Florenz und Rom kanonisches Recht. Er wurde 1418 Domkapitular und 1423 Domscholaster in Trier. Bereits 1430 von der Mehrheit des Kapitels zum Erzbischof gewählt, verzichtete er gegen eine namhafte Entschädigung, als Papst Martin V. weder ihn noch den gegen ihn erhobenen Kölner Domdechanten Ulrich von Manderscheid im Amt bestätigte, sondern den Speyerer Bischof Rhaban von Helmstadt ernannte. Dieser erbat sich im Frühjahr 1439 vom Papst den inzwischen u. a. als Kanzler und Rat des Herzogs von Lothringen (bis 1438) und Dompropst in Würzburg sowie Utrecht zu hoher diplomatischer und kurialer Reputation gelangten J. als Nachfolger. Am 19.5. 1439 von Papst Eugen IV. bestätigt, erhielt er am 30.8. 1439 in der Kapelle der seiner Familie gehörenden Burg Mensberg die Bischofsweihe. Diplomatisch geschult und staatsmännisch begabt, nahm er regen Anteil an der Reichs- und allgemeinen Kirchenpolitik. J. betrieb als Reichskanzler (seit 1441) unter König Friedrich III. (1440-1493) zwischen diesem, dem Papst und dem französischen König Karl VII. als Wortführer der neutralen Gruppe im Schisma des Baseler Konzils eine nicht ungefährliche Politik, die ihn im Jahre

1445 dazu veranlaßte, den letzten Gegenpapst in der Geschichte der katholischen Kirchen, Felix V., anzuerkennen. Papst Eugen IV. (+ 23.2. 1447) antwortete mit der Absetzung des Trierers Erzbischofs, die in Trier und bei den anderen Kurfürsten allerdings ohne jede Auswirkung blieb. Unter Papst Nikolaus V. kam es bald zu einer Einigung: Am 9.9. 1447 setzte er J. wieder in sein Amt ein. Auf dem Reichstag zu Neustadt war er 1445 Führer der antikaiserlichen Reichsreformpartei, die sehr auf Reformmaßnahmen zur Stärkung des Reiches bedacht war. Vergeblich versuchte er, den Anfall Luxemburgs an Burgund (1441) zu verhindern und das Bistum Metz für sich zu gewinnen (1455 lediglich Koadjutor in temporalibus). J. hat als Kurfürst und Erzbischof seine großen Vorhaben alle nicht durchsetzen können,auch seine mit Energie begonnenen innerkirchlichen Reformversuche (u. a. Reformstatuten für Trierer und Koblenzer Kollegiatstifte. Unterstützung der Bursfelder Kongregation, Reform der Franziskanerklöster, Gründung einer Universiöät in Trier) bleiben hinter den Leistungen seiner Vorgänger zurück und haben zum Teil erst unter seinen Nachfolgern Früchte gezeitigt. Seine Jahre als Erzschof waren geprägt von ungeheurer Aktivität, wobei er sich phasenweise auf den verschiedensten politischen Feldern gleichzeitig bewegte, wodurch diese Agilität bisweilen in Hektik und Aktionismus umschlugen; ein zuweilen blinder Nepotismus und eine fast als krankhaft zu bezeichnende Raffgier gehörten zu seinen auch von den Zeitgenossen getadelten Schattenseiten. Die Verdienste "einer der eindruckvollsten Gestalten unter den Kurfürsten des 15. Jahrhunderts" (Ignaz Miller) bleiben demnach umstritten. J. starb nach monatelanger Agonie; die Trierer Bistumschronik Gesta Treverorum deutet die lange und schmerzvolle Krankheit als Strafe Gottes. Der begabte Regent und Staatsmann wurde im Chor der Liebfrauenkirche in Trier beigesetzt; sein Grab wurde 1949 wieder aufgefunden. Die Grabplatte zum Sarkophag ist das erste datierte Werk (1462) keines Geringeren als Nikolaus Gerhardt von Leydens.

Lit.: Gesta Trevirorum ed. J. M. Wyttenbach et M. F. J. Müller, vol. II., cap. 274 seq., Augustae Treverorum 1838; — Rhein. Antiquarius II, 4 (1854), 187-213; — Adam Goerz, Regesten der Erzbischöfe zu Trier von Hetti bis Johann II., 814-1503. 1. Abt., 1859, 171-204; — Johann Leonardy, Geschichte des Trierischen Landes und Volkes, 1877, passim; — J. Florange, Histoire des seigneurs et comtes de Sirk en Lorraine, 1895, 105-130; — Johann Christian Lager, J. v. S., Erzbischof und Kurfürst von Trier, in Trierisches Archiv 2 (1899), 1-40, 3 (1899), 1-38, 5 (1900), 1-36; — Fr. Grim

me, Der Trierer Erzbischof J. v. S. und seine Beziehungen zur Metzer Kirche, in: Jahrbuch der Gesellsch. für Lothring. Geschichte und Altertumskunde 21 (1909), 108-131; — Carl Stenz (Hg.), Die Trierer Kurfürsten, 1937, 47; — H. Bunjes/N. Irsch/G. Kentenich/F. Kutzbach/H. Lückger, Die kirchlichen Denkmäler der Stadt Trier mit Ausnahme des Domes, 1938, 187-191; — Handbuch des Bistums Trier XX, 1952, 40; — Helmut Weigel, Kaiser, Kurfürst und Jurist. Friedrich III., Erzbischof J. v. Trier und Dr. J. v. Lysura im Vorspiel zum Regensburger Reichstag vom April 1454, in: Aus Reichstagen des 15. und 16. Jh.s, 1958, 80-115; — Emil Zenz (Hg.), Die Taten der Trierer. Gesta Treverorum, Bd. 6, 1962, 28-31; — Ferdinand Pauly, Aus der Geschichte des Bistums Trier. Zweiter Teil: Die Bischöfe bis zum Ende des MA.s, 1969, 129-131; — Morimichi Watanabe, The episcopal election of 1430 in Trier and Nicholas of Cusa, in: Church History 39 (1970), 299-316; — Ignaz Miller, J. v. S., 1398/99-1456 (= AQmrhKG 45), 1983; — Ders., Der Trierer Erzbischof J. v. s. und seine Reichspolitik, in: Rhein. Vierteljahrsblätter 48 (1984), 86-101; — Bernhard Gondorf, Verwandtschaftl. Beziehungen der Erzbischöfe und Kurfürsten zueinander, in: Archiv für Sippenforschung 51 (1985), 208 f.; — Michael Hollmann, Das Mainzer Domkapitel im späten Mittelalter (1306-1476), Mainz 1990 (= Quellen und Abhandlungen zur mittelrheinischen Kirchengeschichte Bd. 64); — ADB XIII, 546-548; — LThK ^{1}V, 262; — LThK ^{2}V, 847.

Martin Persch

JAKOB *von Soest*, J. de Susato, de Sweve, Dominikanermönch, Theologe, Schriftsteller, Inquisitor, Prediger, * um 1360 in Sweve bei Soest, + nach 1438 in Soest. — Um 1377 trat J. als Novize in den Dominikanerkonvent zu Soest ein. Zwei Jahre darauf finden wir ihn als Student in Minden, später an der Prager Universität. Hier wurde J. 1394 Baccalaureus; 1395 las er die Sentenzen des Lombarden. Um 1399 wurde er Magister der Theologie. 1400 folgte seine Ernennung zum Praedicator generalis der Dominikanerprovinz Saxonia. Spätestens 1405 verließ J. Prag, um an der Kölner Universität als Professor der Theologie sowie als Beichtvater des Kölner Erzbischofs Friedrich v. Saarwerden und seines Nachfolgers Dietrich II. zu wirken. 1407 wurde er Dekan der Kölner theol. Fakultät; ein Amt, in dem man ihn erst nach einer erstaunlich langen Zeitspanne von 10 Jahren ablöste. Nach seiner Ernennung zum Inquisitor des Gegenpapstes Johannes XXIII. für die Diözesen Köln, Utrecht, Münster, Osnabrück, Minden, Bremen und Paderborn leitete J. zwei Prozesse gegen vermeintliche Häretiker, den Anhänger der röm. Obedienz Johann Malkow aus Preussen (1411-16), und einen lokalen Kritiker der Ordensprivilegien, Johann Palborne d. J. (1420-21). Im Jahre 1422 kehrte J. nach Soest zurück. Bis zu seinem Tod hielt er sich überwiegend im dortigen Dominikanerkloster auf, und widmete sich einer reichen schriftstellerischen Arbeit, von deren Erträgen ein großer Teil bis auf den heutigen Tag erhalten ist. Die ca. 50 vorliegenden Handschriften J.s, zumeist Autographen, weisen einen einfachen und klaren Stil auf. Der kompilatorische Charakter eines Teils seiner schriftstellerischen Arbeit ist typisch für die Literatur des beginnenden 15. Jh.s Das Werk J.s, des wohl fruchtbarsten westfälischen Schriftstellers des Spätmittelalters, kann, unbeschadet des Fehlens einer besonderen Originalität, als wichtiges Dokument der universitären Bildung und des Predigtwesens des frühen 15. Jh.s gelten.

Werke: Vorlesungen über die Sentenzen um 1395, Univ.Bibl. Münster/Westf. Cod. 156, 157; Distinctiones breviores pro sermonibus, um 1395, Univ.Bibl. Münster/Westf. Cod. 161-163; De regimine principum, vor 1400, Stadtbibl. Soest. Cod. 36; Promptuarium collectoris, vor 1400. Univ. Bibl. Münster/Westf. Cod. 351; Distinctiones longiores pro arte praedicandi, um 1400, Univ.Bibl. Münster/Westf. Cod. 374-390; Lectiones super Matthaeum um 1400, Univ. Bibl. Münster/Westf. Cod. 165; De origine et unitate ecclesie, Anfang 15. Jh., Stadtbibl. Soest Cod. 9; Matthaeuskommentar (unvollst.), um 1400. Univ. Bibl. Münster/Westf. Cod. 166-168, 169; Tractatus de hora mortis Christi, 1406, Stadtbibl. Frankfurt a.M. Cod. Praed. 197, Univ. Bibl. Basel Cod. A VIII 9; Postilla super epistolam b. Pauli ad Titum, 1407-1411, 2 Bde., Univ. Bibl. Münster/Westf. Cod. 197; Erklärung der hl. Messe, 1412, Univ. Bibl. Münster/Westf. Cod. 199; Historia discipulorum Iesu, 1412, Stadtbibl. Soest Cod. 34; De concepcione Marie, vor 1414, Univ. Bibl. Münster/Westf. Cod. 369; Ordenschronik, 1417-27, nachweisl. schriftl. Hauptquelle der »Brevis et compendiosa Cronica de magistris generalibus et viris illustribus ordinis predicatorum...« des Albertus de Castello, Venedig 1504, 1506, 1516; Exposicio super Mare magnum iuris canonici de privilegiis ordinis fratrum predicatorum, 1421, Staatsarchiv Münster/Westf. Ms. VII 9; Predigtsammlungen, Univ.Bibl. Münster/Westf. Cod. 161, 404, 405, 420, 421, 433, 461, 462, Stadtbibl. Soest Cod. 29, 36, Staatsarchiv Münster/Westf. Ms. VII 6115; Akten des Prozesses gegen J. Palborne d.J., Staatsarchiv Münster/Westf. Ms. VII 9.

Lit.: J.D. v. Steinen, Die Quellen der westphälischen Historie, Lemgo 1741, 82; — J. Hartzheim, Bibliotheca Coloniensis, Köln 1747, 154f.; — J.S. Seibertz, Quellen der westfälischen Geschichte, Bd. I, Arnsberg 1857, 161-220; — J. Evelt, Mitteilungen über einige gelehrte Westfalen, vornehmlich aus der ersten Hälfte des 15. Jh.s, in: Zeitschrift für vaterländ. Geschichte 21 (1861), 241ff.; — F. Jostes, Zur Geschichte der mittelalterl. Predigt in Westfalen, in: Zeitschrift für Geschichte u. Altertum 44 (1886), 10; — H. Finke, Zur Geschichte J.s und Hermanns von Schildesche, in: Zeitschr, für vaterländ. Geschichte 46 (1888), 188-201; — P. Wilmans, Zur Geschichte der röm. Inquisition in Deutschland während des 14. u. 15. Jh.s, in: HZ 41 (1897); — E. Landmann, Das Predigtwesen in Westfalen, Münster/Westf. 1900, 17-25, Verz. d. HSS 222ff.; — F. Bünger,

Studentenverzeichnisse der Dominikanerprovinz Saxonia, in: ZKG 44 (1925), 489-504; — J.H. Beckmann, Studien zum Leben und lit. Nachlaß J.s, Leipzig 1929; — Ders., Aktenstücke zur Geschichte der Inquisition und der Kompetenzstreitigkeiten zwischen Pfarrklerus und Mendikanten in Westfalen, in: Westfäl. Zeitschrift 87 (1930), 109-131; — Ders., J., in: Westfäl. Lebensbilder, Bd. 3, Münster/Westf. 1934, 1-10; — H. Ch. Scheeben, J. und seine Chronik des Predigerordens, in: HJ 50 (1930), 233-236; — Ders., Handschriften II, in: Archiv der dt. Dominikaner 2 (1939 W, 134-214; — P.Auer, Ein neuaufgefundener Kat. der Dominikanerschriftsteller, Paris 1933, 26f., 61f.; — Ag. de Guimaraes, Autour de la chronique de J. et de ses éditions, in: AFP 7 (1937), 290-304; — H.-D. Simonis, Notes de bibliographie dominicaine, 1. La Tabula de Stams et la chronique de J., in: AFP 8 (1938), 193-214; — G. Löhr, Die Kölner Dominikanerschule vom 14. bis 16. Jh., Köln 1948, 71-73, 119; — E. Stegmüller, Rep. biblicum medii aevi 3, Madrid 1949, Nr. 3990-3992; — R. Creytens, Les dominicains dans la chronique d'Albert de Castello, in: AFP 30 (1960), 227-313; — C. Bauer, Das Rentkauf-Gutachten der Konstanzer 14er Kommission, in: E. Iserloh, K. Repgen (Hrsg.), Reformata Reformanda, FS H. Jedin, Bd. 1, Münster/Westf. 1965, 196-213; — N. Eickermann, Miscellanea Susatensia II, in: Soester Zeitschrift 86 (1974), 27-34; ADB XIII, 556-558; — Catholicisme VI, 283; — DLL VIII, 489f.; — LThK² V, 847; — NDB X, 319f.; — Quétif-Échard I, 774; — VerfLex II, 571-574, ²II, 488-494.

Michael Tilly

JAKOB *von Thérines* (fälschl. de Thermes, de Tharmes, de Chérines), Zisterziensermönch, Schriftsteller, Theologe, * in Thérines im Bezirk Songeons (Oise), + am 18.10. 1321. — Vor 1305 ist die Mitgliedschaft J.s im Zisterzienserorden in Châles bei Ermenonville belegt. Bald nach seinem Eintritt in den Orden ging er zum Studium nach Paris. Dort lehrte J. zwischen 1306 und 1309 als Magister regens theologiae. Erhalten aus seiner Disputationstätigkeit sind zwei scholastische Fragesammlungen (Quodlibeta). In seiner Eigenschaft als Magister theologiae wurde J. im Mai 1308 bezügl. der Templer, im Jahr darauf (11.4. 1309) im Prozeß gegen Marguerite Portette zu Rate gezogen. Im Jahre 1309 ernannte man ihn zum Abt seines Klosters in Châlis. Bis 1317 stand J. jenem Kloster vor. J. nahm an dem Konzil von Vienne (1311/12) teil. Hier setzte er sich in einer Reihe von Schriften erfolgreich für die Exemtion seines Ordens ein, als die Privilegien, Rechte und Vollmachten der Kollegien, Stifte und Orden durch die römischen Prälaten, die ihre Machtbefugnisse auf sämtliche kirchlichen Körperschaften auszuweiten beabsichtigten, bedroht wurden. Zwischen August 1317 und Juni 1318 richtete er sich an Papst Johannes XXII., um seiner abwartenden Haltung bezüglich einer etwaigen Ordensreform sowie einer Beteiligung an den Kreuzzügen Ausdruck zu verleihen. Vor dem 11.6. 1318 wurde J. Abt von Pontigny, wo er bis zu seinem Lebensende verweilte. Er wurde in der Abteikirche beigesetzt. Die Lehre des eher unbedeutenden und bald nach seinem Tode nahezu in Vergessenheit geratenen theol. Schriftstellers J. gründete sich auf Aristoteles umd Augustin. Hingegen ist keine Beeinflussung durch den Aquinaten oder durch Bonaventura zu erkennen. Als Zeuge der Konflikts um das mittelalterliche Ordenswesen ist J. ein wertvoller Zeuge, der in einem klaren umd prägnanten Argumentationsstil seinen theol.-philos. umd auch kirchenrechtl. Überzeugungen Ausdruck verlieh.

Werke: Von den von J. verfaßten Kommentaren zu den bibl. Büchern ist als einziger erhalten: Collationes super Apocalypsim (um 1307); Aus dem Streit um die Exemtion des Ordens sind überliefert: Compendia tractatus; Quaestio de exemptionibus; Responsio ad quaedam quae petebant praelati in praejudicium exemtorum; Tractatus contra impugnatores exemptorum (alle 1311/12); P. Glorieux (Hrsg.), Quodlibeta I (Dez. 1306), II (1307), Textes Philos. du moyen-âge VII, Paris 1958.

Lit.: H.S. Denifle, E. Chatelain, Chartularium univ. Paris, Bd. II, Paris 1891, 121, 217; — P. Féret, La faculté de théologie de Paris et ses docteurs les plus célèbres: Moyenâge, Bd. 3, Paris 1896, 567-570; — N. Valois, J., in: Bibl. École des chartes (1908), 359-368; — Ders., J., in: Hist Litt France VI, 179-2 19; — P. Glorieux, La littérature quodlibétique, Bd. 1, Kain 1925, 211ff.; — Ders., Repertoire des maîtres en theologie de Paris au XIIIᵉ siècle, Bd. 2, Paris 1933, n. 367; — F. Stegmüller, Repertorium biblicum medii aevi, Bd. 2, Madrid 1953, n. 3993; — Catholicisme VI, 283f.; — Dictionnaire des auteurs cisterciens I, 393f.; — NBG XXVI, 264; — LThK² V, 848.

Michael Tilly

JAKOB *Griesinger von Ulm*, J. Teutonicus, Tedesco, de Aleman(n)ia, Giacomo Alemanno, Glasmaler, Dominikanerlaienbruder, Seliger, * 1407 in Ulm, + am 11.10. 1491 in Bologna. — Im Alter von 25 Jahren verließ der zweite Sohn des reichen Ulmer Kaufmanns Dietrich Griesinger seine Heimat, um eine Pilgerfahrt nach Rom zu unternehmen. Auf dem Rückweg ließ er sich bei Neapel als Söldner für das Heer Alfons V. von Aragon-Sizilien anwerben, und verbrachte vier Jahre in dessen Diensten. Später trat J. als Hausverwalter in den Dienst eines prominenten Juristen in Capua. Um 1438 faßte er den spontanen Entschluß, als Novize dem Dominikanerkloster San Domenico in Bologna beizutreten.

Der Laienbruder J. trat in dem Orden als überaus begabter und geschickter Glasmaler hervor. So vollendete er 1463 die sechs großen Rundbogenfenster des Mittelschiffs von San Petronio und das Rundbogenfenster der Fassade von San Domenico in Bologna. 1464-66 schuf J. das kunstvolle, bis auf den heutigen Tag noch erhaltene Fenster der Cappella dei Notai in San Petronio. Zu den Schülern J.s gehörte auch sein nachmaliger Biograph, Ambrogio da Soncino. Bald nach seinem Tod wurde J. als Seliger verehrt. Legendarisch zugeschrieben wurde ihm die unbeabsichtigte Entdeckung des Silbergelbs. Die offizielle Seligsprechung J.s erfolgte 1825 durch Papst Leo XII.. J., dessen Reliquien sich unter dem Altar von San Domenico in Bologna befinden, gilt als der Patron der Glasmaler und Glaser. Sein Kult wird in der Diözese Bologna und auch in Maria-Aufhofen/Württemberg gepflegt.

Lit.: Ambrogio da Soncino, Vita e conversazione sancta nel beato J., Bologna 1501, 1613, lat. Übers. durch Isidor v. Mailand in AS. Octobris, V, Paris 1886, 790-803; — G. Melloni, Atti o memorie degli uomini illustri in santità nati o morti in Bologna, Bd. VI, Bologna 1780, 224-282; — V. Marchese, Memorie dei più insigni pittori, scultori e architetti domenicani, Bd. I, Bologna ⁴1878, 453-467; — J.N. Sepp, J., Patron der Glasmaler, in: Münsterblätter 5 (1888), 37-51; — A. Michel, Histoire de l'art, Bd. II.1, Paris 1906, 393; — F. Filippini, Il beato Fra J., domenicano, maestro di vetrate, in: Il VIIᵉ centenario di S. Domenico, Bologna 1921, 279-282; — H. Wilms, Der selige J. aus Ulm, Dülmen 1922; — I. Taurisano, Cat. hag. Ord. Praed., Rom 1916, 46f.; — J.L. Fischer, Handbuch der Glasmalerei, Leipzig ²1937, 203f.; — I.B. Supino, L'Arte nelle Chiese di Bologna, Bd. 2, Bologna 1938, 133f.; — U. Beseghi, Chiese di Bologna, Bologna ²1956, 22; — V. Alce, Der Ulmer Glasmaler J. in Bologna, in: Ulm und Oberschwaben 36 (1962), 39-45; — F. v. Sales-Doyé, Heilige und Selige, Bd. 1, Leipzig 1929, 542; — O. Wimmer, H. Melzer, Lexikon der Namen und Heiligen, Innsbruck, Wien ⁶1988, 412f.; — ADB IX, 667-669; — Catholicisme VI, 267f.; — EC VI, 1166; — LThK² V, 848; — NDB VII, 65f.; — EDR II, 1863; — Thieme-Bekker XV, 23f. (Lit.); — Torsy 259.

Michael Tilly

JAKOB Pérez *von Valencia*, OESA, Bischof und Exeget, * gegen 1408 in Ayora (Valencia), + 30.8. 1490 in Valencia. — Am 30.5. 1436 legte J. im Augustiner-Konvent von Valencia die Ordensgelübde ab. Als Professor am Stidum generale (Universität) von Valencia hatte er bis 1459 den Lehrstuhl für kanonisches Recht inne, danach bis 1479 den Lehrstuhl für die Erklärung der Sentenzen des Petrus Lombardus. Schon während dieser Zeit nahm er verschiedene Aufgaben in seinem Orden und in der Diözese von Valencia wahr. 1455 wurde er Provinzial, 1465 Prior des Augustiner-Konventes von Valencia. Drei Jahre später wurde er zum Titularbischof von Christopolis (in Thrazien) und zum Hilfsbischof von Valencia ernannt; der Erzbischof von Valencia, Kardinal Rodrigo de Borja, der spätere Papst Alexander VI. (1492-1503), überließ ihm die Leitung des Bistums Valencia und, nach 1482, auch von Caragena. Die katholischen Könige beriefen ihn zum Inquisitor des Königreiches Valencia. J. starb im Ruf der Heiligkeit. — Durch gelehrte Kommentare zur Heiligen Schrift (Psalmen, Hohes Lied) suchte er den Glauben zu stärken und den Angriffen der Juden zu begegnen; die Psalmen und das Hohe Lied sprechen nach seiner Auffassung ganz von den Mysterien Christi und der Kirche.

Werke: 1) Commentum in psalmos David, Valencia 1484, 1493 (?), Barcelona 1506; 2) Vier oposcula, Valencia 1485; Tractatus contra iudaeos (Verteidigung seines Psalmenkommentars), Expositio in cantica officialia seu ferialia (= cantica Veteris Testamenti), Expositio in canticum Ambrosii et Augustini (Te Deum), Expositio super cantica evangelica. 3) Expositio in cantica canticorum Salomonis, Valencia 1486. — Diese Werke erlebten im 16. Jh. mehrere Gesamtausgaben: Paris 1507, 1509, 1512, 1515, 1518, 1521, 1533, 1548, Lyon 1512, 1514, 1517, 1518, 1521, 1525, 1525/26, 1530/31, 1533, 1540/41, Venezia 1526, 1568, 1581, 1586. Die letzte Gesamtausgabe, von M. Galván, erschien in Madrid 1749. Die in den Ausgaben von Lyon 1521, in den Venezianer Ausgaben und in der von Madrid 1749 mitenthaltene Expositio super symbolum Athanasianum ist nicht von P. J., sondern von Pelbartus de Temesvar OM. — Siehe zu den Hss. und Drucken: G. de Santiago Vela, Ensayo de una Biblioteca Ibero-Americana de la Orden de San Agustin VI, Madrid 1922, 286-309; Hain-Copinger n. 12591-12599, Suppl. n. 4672-73; A. Palau y Dulcat, Manual del librero... XIII, p. 127-130, n. 222612-645; F. Stegmüller, Repertorium Biblicum Medii Aevi III, 1951, n. 3982-86; K. tReinhardt/H. Santiago Otero, Biblioteca Biblica Ibérica Medieval, 1986, 172-179.

Lit.: A. V. Müller, Giacomo Pérez di Valenza O.S.a. ... e la teologia di Lutero, in: Bilychnis 9, 1920, 391-403; — H. Riedlinger, Die Makellosigkeit der Kirche in den lateinischen Hoheliedkommentaren des MA.s, 1958, 373-375; — P. L. Suárez, Jacobi P. de V. in Magnificat commentarium, in: Ephemerides mariologicae 8, 1958, 473-487; — Ders., El matrimonio y la paternidad de san José en el J. P., in: Estudios josefinos 13, 1959, 245-255; — W. Werbeck, J. P. von V. Untersuchungen zu seinem Psalmenkommentar, 1959; — A. Zárate Vallejo, Jaime P. de V. Figura histórica y escritos. Justicia primitiva y pecado original, Diss. Rom 1959; — M. Alborg, Dominguez, J. P. de V., figura clave de los dos planteamientos hermenéuticos de la Biblia en el siglo XV, in: Actas del I Congreso de historia del país valenciano del 14 al 18 de abril de 1971, II, 1980, 793-802; — M. Peinado Munoz, J. P. de V., un importante teólogo agustino valenciano del siglo XV, in: Confrontación de la Teologia y

la Cultura. Actas del III Simposio de Teologia histórica, 7-9 mayo 1984, Valencia 1984, 195-200; — K. Reinhardt, Die christolog. Auslegung des Psalmes »Miserere« im Kommentar des Augustiners J. P. de V. (+ 1490), in: TThZ 96, 1987, 207-226; — LThK V, 848-849; — RGG V, 219; — Diccionario de Historia Eclesiástica de Espana III, 1972-73; — DSp XII/1, 1072-1073.

Klaus Reinhardt

JAKOB *von Viraggio*, de (a) Voragine, da Varazzo, Erzbischof von Genua, Kirchenschriftsteller, Seliger, * um 1230 in Viraggio bei Genua, + 14.7. 1298 in Genua. — Im Alter von 14 Jahren trat J. dem Dominikanerorden bei Genua bei. Er wurde bald vom Predigerorden mit Lehraufgaben betraut, und zwar zwischen 1252 und 1260 als Professor der Theologie in Ordensschulen tätig. Nach 1260 wirkte J. als Prediger in Genua und anderen italienischen Städten, und bekleidete während dieser Zeit zweimal das Amt des Provinzials der Lombardei (1267-1268, 1281-1286), bis er schließlich im Jahre 1286 zum Erzbischof von Genua ernannt wurde. J. nahm dieses Amt erst 1292 auf Befehl des Papstes an. Nikolaus IV. wollte ihm persönlich die Bischofsweihe erteilen, starb jedoch kurz nach J.s Eintreffen in Rom, so daß dessen Weihe in die Sedisvakanz fiel. Bereits 1288 war J. als Provinzialdefinitor auf dem Ordenskapitel zu Lucca vertreten. Während seiner Amtszeit bemühte er sich sehr um einen Frieden zwischen den beiden Adelsparteien der Ghibellinen und Guelfen in Genua, trug jedoch nur in geringerem Maße zu einer Beilegung des Konfliktes zwischen den verfeindeten Anhängern des Kaisertums und der Kirche bei. Vor 1265 verfaßte J. neben mehreren erbaulichen und apologetischen Schriften eine Sammlung von Heiligenlegenden, die »Legenda aurea« (von ihm selbst als »Legenda Sanctorum« bezeichnet). Trotz, vielleicht auch besonders wegen ihres kritiklos-märchenhaften Charakters wurde das Werk zu einem äußerst beliebten Volksbuch. In abenteuerlicher, zuweilen auch geschmackloser Weise wurden hier die verschiedensten Legenden aneinandergereiht, miteinander verbunden allein durch den eher unbeholfenen Sprachstil und die jeder Legende vorangehende Etymologie des Heiligennamens, die in allen Fällen jeglicher Begründung entbehrt. Die »Legenda aurea« wurde rasch vorbereitet. Bis 1500 sind bereits mehr als 70 lateinische Handschriften bekannt. Das Werk wurde in mehrere europäische Sprachen übersetzt, auch Ignatius von Loyola gehörte zu seinen Lesern. Die »Legenda aurea« hatte einen nicht zu unterschätzenden Einfluß auf die deutschen Legenden des ausgehenden Mittelalters, und ist eine hervorragende Quelle für das Verständnis des mittelalterlichen Aberglaubens. J.s Verehrung als Seliger begann bereits kurz nach seinem Tod und wurde 1816 durch Pius VII. bestätigt.

Werke: Sermones de sanctis, Lyon 1494, Pavia 1500, Venedig 1580; Predigten, Venedig 1497, Mainz 1630, Augsburg 1760; Mariale sive sermones de B. Maria Virgine, Venedig 1493, Paris 1503, Mainz 1616; Sermones de tempore et quadragesimales,2 Bde., Paris 1500, Venedig 1589; Defensiorium contra impugnantes Fratres Praedicatores, quo non vivant secundus vitam apostolicam, Venedig 1504; Sermones de dominicis, Venedig 1544; Legenda aurea vulgo historia lombardica dicta ad eptt. libb. fidem recens Dr. Th. Graesse, 2 Bde., Dresden, Leipzig 1846 (lat.), dt. übers. v. R. Benz, 2 Bde., Jena 1917-1921, 1955², engl. übers. u. hrsg. v. Brenda Dunn-Cardeau u. a., Montreal 1986; Chronicon Januense, hrsg. v. G. Monleone, 3 Bde., Rom 1941; Quétif-Échard I, 454-459; wahrsch. v. J. verfaßt: Summarium virtutum et vitiorum, Basel 1497.

Lit.: Anfossi, Memorie storiche appartenenti alla vita del b. G. da V., Genua 1816; — J. B. Roze, La »Légende dorée«, in: Revue de l'art chrétien 11 (1867), 38; — R. A. Vigna, I. Domenicari illustri del convento di S.-Maria di Castello in Genova, Genua 1886; — G. Spotorno, Notizie storico-critiche dal B. J. da Varazze, Genua 1886; — M. Pellechet, J. de Voragine, liste de éditions de ses ouvrages publiés au XVᵉ siècle, in: Revue des Bibliothèques V (1895),89, 225; — A. Baudrillart, La psicologie de la »Légende dorée«, in: Minerva 5 (1902), 24-43; — M. de Waresquiel, Le B. J. de Voragine auteur de la »Légende dorée«, Paris 1902; — T. de Wizena, Introduction à la »Légende dorée«, Paris 1902; — Ders., La »Légende dorée« traduite du latin d'apres les plus anciens manuscrits, ebd. 1902; — J. C. Brouselle, Le Christ de la »Légende dorée«, ebd. 1904; — Ders., L'université catholique, ebd. 1904, 321 ff.; — Ders., Préface à la »Légende dorée«, ebd. 1907; — R. Hoornaert, Sainte Thérèse écrivain, Paris, Lille, Brügge 1922, 306-311; — a. Levasti, La »Legganda aurea«, volgarizzamento toscano del Trecento, Florenz 1924; — E. Mâle, XIIIᵉ siècle, Paris 1931, 269-333; — E. C. Richardson, Materials for a Life of J. d. V., New York 1935; — A. Pagano, Paganesimo e cristianesimo nella »Legenda aurea«, Catane 1940; — J. J. A. Zuidweg, De Werkwijze van J. de Voragine in de »Legenda aurea«, Oud-Beijerland 1941; — P. Lorenzin, Mariologia J. a Voragine, Rom 1951; — T. Gad, Legenden i Dansk Middelalder, Copenhagen 1961; — Konrad Kunze, Überlieferung und Bestand der der elsässischen »Legenda aurea«, in: ZDADL 99 (1970), 265-309; — Ders., Katalog zur Überlieferung der »Legenda aurea« des J. d. V., in: AnBoll 96 (1977), 168 f.; — Maria von Nagy, Die »Legenda aurea« und ihr Verfasser J. d. V., Bern, München 1971; — J. B. Schneyder, Repertorium der lat. Sermones des MA.s, Münster 1971, 221-283; — Baudouin de Gaiffier, La »Historia apocrypha« dans la »Légende dorée«, in: AnBoll 91 (1973), 265-272; — Geneviève Brunel, Vida de sant Frances, Versiones en langue d'oc et en catalan de la »Legena aurea«, essai de classement

des manuscrits, in: Revue d'histoire des textes 6 (1976), 219-265; — Christian Walter, Prozeß und Wahrheitsfindung in er »Legenda aurea«, Diss. Kiel 1977; — Werner Williams-Krapp, Die deutschen Übersetzungen der »Legenda aurea« des J. de V., in: BGDSL 101 (1979), 252-276; — Brigitte Derendorf, Die mittelniederdeutschen Bearbeitungen der »Legenda aurea«, in: Korrespondenzblatt des Vereins für niederdeutsche Sprachforschungen 91 (1984), 20-22; — Joachim Knappe, Zur Deutung von Geschichte in Antike und MA, Bamberg 1985; — Anezka Vidmanova, Knove literatura o ziate legende, in: Listy Filologicke 109 (1986), 118-120; — Dies., Ziata legenda J. d. V. a legendy ceskych svetcich, ebd., 40-46; — Potthast I, 634 f.; — Wattenbach II, 464-466; — Franz von Sales-Doyé, Heilige und Selige der röm.-kath. Kirche, Bd. I, Leipzig 1929, 539; — Otto Wimmer, Hartmann Melzer, Lexikon der Namen und Heiligen, Innsbruck, Wien, München 1982⁴, 410; — Quétif-Échard I, 454 ff., II, 818 (Lit. bis 18. Jh.); — Bihlmeyer-Tüchle II, 334; — BS VI, 422-425; — Catholicisme VI, 270-272; — DE II, 509 f.; DSp VIII, 62-64; — DThC VIII/1, 309-313; — EC VI, 332 f.; — EDR II, 1864 f.; — LThK V, 849 f.; — NewCathEnc VII, 813; — RE VIII, 660-662; — RGG ³III, 27; IV, 265, 461; — Wetzer-Welte VI, 11678-1182.

Michael Tilly

JAKOB *von Viterbo* (Giacomo di Cappocio), Beiname »Doctor speculativus«, Augustinereremitenmönch, Erzbischof von Neapel, Schriftsteller, Theologe, * vor 1250, + um 1308 in Neapel. — Nach seinem Studium in Paris als Schüler des Ägidius von Rom stand J. von 1283 bis 1285 der dortigen Definitio des Augustinereremitenordens vor. 1288 wurde ihm das theologische Baccalaureat übertragen, 1293 das Magistrat. Bis 1299 war J. Magister regens in Paris. 1300 finden wir J. unter den Teilnehmern auf dem Generalkapitel des Augustinereremitenordens in Neapel. Zwischen 1300 und 1302 war J. Primus lector zu Neapel. Gegen Ende des Jahres 1302 erhob man ihn zum Erzbischof von Benevento, drei Monate später zum Erzbischof von Neapel. Er übte dieses Amt bis zu seinem Tod aus. J. verfaßte neben weiteren theologischen Schriften mit seinem Hauptwerk »de regimine christiano« das erste zusammenhängende und systematische Traktat über die Kirchenverfassung.

Werke: De regimine christianitatis ad Clementem V. libri II (1302), Bibl. nat. de Paris, ser. lat. 4229, hrsg. v. H.X. Arqulliére, Les plus ancien traité de l'Eglise: J., De regimine Christiano, Etude de sources et éd. critique, Paris 1926; Eine Verfasserschaft des J. gilt als sicher bei den bei Gandolfus (Dissertatio 188) aufgeführten Werken: Commentarius in libros quattuor sententiarum; Quaestiones de praedicamentis in divinis; Quodlibeta IV Parisii disputata; Sermones de praedicamentis in divinis.

Lit.: Gandolfus, Dissertatio historica de ducentis celeberrimis augustinianis scriptoribus, Rom 1704, 184-188; — J.F. Ossinger, Bibliotheca Augustiniana histor.-crit. et chronologica, München/Ingolstadt 1768, 202ff.; — A. Budinszki, Die Universität Paris, Berlin 1876, 192; — G. Taglialatela, II b. J., Neapel 1887; — B. Cantera, Documenti riguardanti il b. J., Neapel 1888; — Ders., Due documenti angioini, Neapel 1892; — Ders., De scriptis b. J., in: AnAug 4 (1912), 346-355; — H. Finke, Aus den Tagen Bonifaz VIII., Münster/Westf. 1902, 163-166; — R. Scholz, Die Publizistik zur Zeit Phillips des Schönen, Stuttgart 1903, 129-152; — V.T. Cogliani, Di due scrittori politici del sec. XIV: J. e Guglielmo da Villana, in: Rivista d'Italia 12 (1919), 430-455; — A. Addeo, Su un affresco rappresentante il b. J., Viterbo 1910; — O.L. Perugi, Il »De regìmìne Christiano« di J., Rom 1914; — J. Rivière, Le problème de l'Eglise et de l'Etat au temps de Phillipe le Bel, Leuven 1926; — U. Mariani, Scrittori politici agostiniani del sec. XIV, Florenz 1927, 64-99; — Ders., Chiesa e Stato nei teologi agostiniani del sec. XIV, Rom 1957, 75-88, 151-174; — M. Grabmann, Die Lehre des J. von der Wirklichkeit des göttlichen Seins, in: F.J. v. Rintelen (Hrsg.), Philosophia perennis, FS J. Geyser, Bd. 1, Regensburg 1930, 209-232; — Ders., Die Lehre des Erzbischofs und Augustinertheologen J. vom Episkopat und Primat und ihre Beziehung zum hl. Thomas v. Aquino, in: Theol. Fak. d. Univ. München (Hrsg.), Episkopus, FS M. Faulhaber, Regensburg 1949, 185-206; — J. Madoz, Una nueva redacción de los textos, seudo-patristicos sobre el Primado en J.?, in: Gregorianum 17 (1936), 562-583; — D. Ouitiérrez, De beati J. vita, operibus et doctrina theologica, Rom 1939; — N. Moccia, La relazioni in Dio, Neapel 1940; — Ét. Gilson, La philosophie au Moyen Age, Paris 1944, 548; — M. Rigobert, Un traité de l'Eglise au Moyen Age, Albi 1947; — F. Stegmüller, Repertorium Coumentarii in Sententias Petri Lombardi, Bd. 1, Madrid 1947, 187f.; — Ders., Repertorium biblicum medii aevi, Bd. 3, Madrid 1954, n. 3876-3879; — D. Anbrosi, La summa de peccatorum distinctione del b. J. dal ms. VII G. della Bibl. Naz. di Napoli, in: Asprenas 6 (1959), 47-78, 189-218; — E. Ypma, A propos d'un exposé sur J., in: Augustiniana 30 (1980), 43-45; — Catholicisme VI, 266f.; — DThC VIII, 305-309; — EC VI, 333f.; — EDR II, 1864; — HistLittFrance XXVII, 45ff; — LThK² V, 849; — NBG XXVI, 264; — RGG³ III, 522; — Überweg II, 546, 774f.; — Wetzer-Welte VI, 1176.

Michael Tilly

JAKOB *von Vitry*, Augustinerchorherr, Kardinal, * in Reims, + 1254 in Rom. — J. wirkte zunächst als Seelsorger in Brabant, als Augustinerchorherr betreute er hier die Frauen um Maria von Oignies (s.d.), die ohne ein eigenes Klostergelübde ein klosterhaftes Leben führten. 1216 erwirkte er für diese sogenanten "Beginen" die päpstliche Anerkennung. Zu dieser Zeit war J. bereits entflammt für die neuerlich durch Innozenz III. angestachelte Kreuzzugsstimmung.

J. reiste ins Heilige Land, blieb mehrere Jahre dort, er hat aber nie die Sprache der Muslims erlernt. Wenn er zu ihnen sprach - und das tat er häufig in Predigten -, benutzte er einen Dolmetscher. Die Wirkung seiner Worte dürfte dadurch geschwächt worden sein. Im Gegensatz hierzu errang er bei den Christen enormes Ansehen. Bereits im Jahr seiner Ankunft wurde er zum Bischof von Akkon ernannt. Aus dieser Zeit resultieren J.s Briefe, sie bieten ein höchst drastisches Bild der Zustände im Heiligen Land zur Zeit der späteren Kreuzzüge. J. wettert ungehalten gegen die immerwährenden Streitereien der Christen untereinander, die sich um die jeweiligen Besitzstände zanken, wobei sie ihre missionarischen Aufgaben völlig vernachlässigen. J. hadert mit der ganz und gar unchristlichen Bereicherung, die viele betreiben, er verdammt den unverantwortlichen Verfall der abendländischen Sitten. Nach seiner Ansicht finden die Adeligen hier im Heiligen Land Gefallen an der Polygamie, ihnen sagt überhaupt islamischer Lebensstil und -wandel zu. Ihr schlechtes Vorbild färbt auf alle ab, wie sollen da die von allen Seiten von Muslims bedrohten Kreuzfahrerstaaten bestehen? — J.s Verdienste liegen vornehmlich im scharfsinnigen Erkennen der geistigen Strömungen seiner Zeit, er bereicherte die Mystik des 13. Jahrhunderts durch zahlreiche Gedanken. Der Papst belohnte seine Fähigkeiten, indem er ihn 1228 zum Kardinalbischof von Tusculum erhob. Aber als man J. 12 Jahre später zum Patriarchen von Jerusalem wählte, da bestätigte Gregor IX. (s.d.) aus bisher noch ungeklärten Gründen diese Wahl nicht. J. verblieb in Rom, widmete sich seiner Predigertätigkeit und verfaßte historische Abhandlungen. Seine Historie des 5. Kreuzzuges wie auch seine Geschichte des heiligen Landes (bereits während seines Aufenthaltes dort entstanden) geben Aufschluß über ein kompliziertes Kapitel der hochmittelalterlichen Geschichte.

Werke: Sermones de Tempore, Antwerpen 1575; Orientalis et occidentalis Historia, Douai 1597; Historia Hierosolimitana, bearb.v. J. Bongars, in: Gesta Dei per Francos I, Hanau 1611, besser in der engl. Übers. v. Andrew Stewart, J. d. V., History of Jerusalem, Bd. XI, B der »Palestine Pilgrim's Text Society Library«, London 1895/96; Vita b. Mariae Oignies, AASS Iun IV, 1707, 636-666; Sermones vulgares, bearb. v. I. B. Pitra, in: Annovissima Spicilegii Solesmensis, 1888 (nur Auszüge); Frederick Crane, ed., The Exempla or Illustrative Stories from the Sermones Vulgares og J. de V., 1890; — Ein Teil seiner Briefe, hrsg. v. Reinhold Röhricht, in: ZKG 14, 1894, 97-118; ZKG 15, 1895, 568-587; ZKG 16, 1896, 72-114; Goswin Frenken, Die Exempla des J. v. V., 1914; Joseph Greven, Die Exempla aus den Sermones feriales et communes des J. v. V., in: Samml. ma. Texte IX, 1914.

Lit.: Lecoy de la Marche, La chaire francaise au XXIII, s., 1886; — PhilippFunk, J. v. V., Leben und Werke (Diss. Heidelberg), 1909, Neudruck 1973; — Joseph Greven, Die Anfänge der Beginen, 1912; — Ders., zum gleichen Thema, in: HJ 43, 1923, 15-157; — E. W. McDonnel, The Beguines and Berghards in Med. Cultures, 1954; — Adolf Waas, Geschichte der Kreuzzüge, Bd. II, 1956; — Regine Pernoud, Die Kreuzzüge in Augenzeugenberichten, 1971; — Catholicisme VI, 284/285; — LThK V, 849; — RE VIII, 562-565; — RGG III, 522/523.

Michael Hanst

JAKOB Christian Blarer *von Wartensee*, Bischof von Basel, Gegenreformator, * 11.5. 1542, + 18.4. 1608. — Nach seinem Studium an der Universität zu Freiburg/Br. wurde J. bereits im jungen Alter von 33 Jahren als Nachfolger des Melchior von Lichtenfels am 22. 6. 1575 zum Bischof von Basel gewählt. Hier traf er auf die schwierige Aufgabe, das Bistum sowohl aus seiner hohen Verschuldung zu führen, als auch die Stellung des Bischofs gegenüber der Stadt Basel zu rekonstituieren. J. machte sich bald daran, den Beschlüssen des Tridentinums in der Schweiz zur Durchführung zur verhelfen. Im September 1579 schloß er einen Bund mit den katholischen Kantonen der Eidgenossenschaft. Das Bündnis wurde im Januar 1580 von allen Beteiligten feierlich beschworen. Es garantierte den territorialen Zusammenhalt der katholischen Gebiete der Schweiz. Der Bundesvertrag sah gegenseitigen Schutz in Religionssachen und eine gemeinsame Politik zur Wiedergewinnung der abgefallenen Untertanen vor. Von nun an trat J. entschieden gegen den Protestantismus auf. Er exkommunizierte feierlich bedeutende Anhänger der Reformation, entließ protestantische Prediger und führte im Bistum den katholischen Gottesdienst wieder ein. Seit 1588 wurde J. von den Jesuiten unterstützt. Er dankte dies mit der Gründung eines Jesuitenkollegs in seiner Bischofsresidenz Pruntrut im äußersten Westen der Schweiz. In krassem Gegensatz zu seinem Verwandten Ambrosius Blarer, dem Reformator von Ulm, war J. ein entschiedener Vorkämpfer der Gegenreformation in der Schweiz. Sein Verdienst ist die Wiederherstellung und Erneuerung des Katholizismus im Bistum Basel.

Lit.: Paul Starkle, Zur Familiengeschichte der Blarer, in: ZSKG 43 (1949), 124 ff.; — Albert Bruckner (Hrsg.), Helvetia Sacra II/2, Bern 1977, 237, 367, 369, 386 f., 454, V/2, 193, 195, 254, 443, 483; — Bihlmeyer-Tüchle III, 163; — HdKG IV, 559 f.; — RE VIII, 547-551 (ältere Lit.) — RGG ³I, 905, V, 1612.

Jendris Alwast

JAKOB der Zerschnittene, J. Intercisus, J. der Perser, Märtyrer, Heiliger, + 27.11. 420 (?). — Aus vornehmem Geschlecht in der Königsstadt Beth Lapad stammend, wurde J. Hofbeamter beim König Jezdegard I. Dieser tolerierte zunächst das Christentum innerhalb seines Herrschaftsbereiches. Als jedoch einige Christen begannen, gegen die zorastrische Religion vorzugehen, welche unter den Sassanidenkönigen als Staatskirche organisiert worden war, leitete Jezdegard I. die Verfolgung der Christen in Persien ein. Angesichts dieser Situation fiel J. zunächst vom Glauben ab. Jedoch trat er bald darauf, durch Mutter und Gattin in seiner Entscheidung bestärkt, dem Sassanidenkönig gegenüber, um seinen christlichen Glauben erneut zu bekennen. Dafür verhängt Jezdegerd I. die Strafe der "neun Tode" über ihn: J. wurden nacheinander die Finger, die Zehen, die Hände, die Füße, die Arme, die Beine, die Ohren, die Nase und schließlich der Kopf abgeschlagen. Die Quellenlage für sein Martyrium ist recht unsicher. J. wurde erst im syrischen Martyriologium des 9. Jahrhunderts erwähnt, des weiteren deckt sich die Beschreibung seines Leidens stellenweise mit der des Martyriums des heiligen Peroz.

Lit.: C. Baronio, Martyriologium Romanum, Rom 1856, 534; — G. da Varazze, Legenda aurea, Leipzig 1850, 799-802; — E. Amélineau, La geographie de l'Égypte à l'époque copte, Paris 1893; — S. Vailhé, Répertoire alphabétique des monastères de Palestine, in: ROC 4, 1899, 540 f.; — BHO², 394-398; — BHG³, 772-773e; — BHL, 4100 ff.; — MartRom, 549 f.; — J. Labaurt, Le christianisme dans l'empire perse sous la dynastie sassanide, paris 1904, 112 f.,117; — H. Delahaye, Le Martyrologe de Rabban Sliba, in: AnBoll 27, 1908, 169 f.; — E. A. Wallis, The Book of the Saints of the Ethiopian Church, Bd. 1, Cambridge 1928, 293-296; — Franz von Sales Doyé, Heilige und Selige der röm.-kath. Kirche, Bd. 1, Leipzig 1929, 543; — H. Hyvenat, Acta Martyrum II, in: CSCO, Scriptores Coptici, vol. 125, 1950, 7-40; — E. Honigmann, Pierre l'Ibérien et les écrits du pseudo-Denys l'Aréopagite, Brüssel 1952; — P. Devos, Le dossier hagiographique de S. J. l'Intercis, in: AnBoll 71, 1953, 157-210, 72, 1954, 213-256; — R. Janin, La géographie ecclésiastique de l'empire byzantin I, Paris 1953, 263 f.; — G. Garitte, Le Calendrier peléstino-géorgien, Brüssel 1958, 103, 381 f., 396; — Otto Wimmer, hartmann Melzer, Lexikon der Namen und Heiligen, Innsbruck, Wien, München 1982⁴, 414; — BS VI, 356-361; — Catholicisme VI, 263; — EC VI, 325 f.; — Graf I, 504 f.; — LThK V, 850.

Michael Tilly

JAKOB I. engl. James, ab 1603 König von Großbritannien und Irland, zuvor seit 1567 als Jakob VI. König von Schottland, geb. 19.6. 1566 in Edinburgh als Sohn der schottischen Königin und verwitweten Königin von Frankreich Maria Stuart und ihres zweiten Mannes Heinrich Stuart, Lord Darnley, gest. 27.3. 1625 in Theobalds Park (Hertford). — J. wurde nach der Ermordung seines Vaters und der erzwungenen Abdankung seiner Mutter am 24.7. 1567 als Jakob VI. König von Schottland. Im selben Jahr wurde von dem Grafen Jakob von Murray, der für den minderjährigen J. regierte, die reformierte Kirche in Schottland endgültig staatsrechtlich anerkannt. Der Katholizismus wurde völlig beseitigt, auf die Feier der Messe die Todesstrafe gesetzt. In den folgenden Jahren wechselte die Regierungsführung durch fürstliche Herrscher rasch. Aus Sicherheitsgründen wurde J. in der Stirlingburg verwahrt. Einer seiner Erzieher war der Humanist und Calvinist George Buchanan. 1532 bemächtigte sich eine Gruppe presbyterianischer Fürsten des 16-jährigen J.s und hielt ihn ein Jahr lang in der Burg Ruthven gefangen. 1533 übernahm J. selbständig die Macht. Er versuchte die Position der schottischen Monarchie zu verbessern, indem er einen starken Staatsrat bildete, neue Peerswürden einrichtete, die Repräsentation unbedeutender Barone und korporierter Städte im Parlament erhöhte, das Parlament einem geschlossenen politischen Ausschuß, dem »Lords of Articles« unterwarf und die ständigen Grenzstreitigkeiten schlichtete. Aber erst 1595, nachdem zwei rebellierende katholische Earls unterworfen waren, begann die Gefahr einer königlichen Bevormundung durch Gefangennahme des Königs zu schwinden. — J. zeigte eindeutig seine protestantische Gesinnung, als er im Vertrag von Berwick 1536 sich mit Elisabeth im Kampf gegen Spanien verband. Ebenso unterstrich seine Heirat mit Anna von Dänemark diese Gesinnung, obgleich Anna später zum Katholizismus übertrat. Dennoch stand er die ganze Zeit in Auseinandersetzungen mit der protestantischen schottischen Kirche, die die königliche Oberherrschaft nicht anerkennen wollte und sich vor allem gegen den Episkopalismus wehrte, den J. gegen den presbyterialen Charakter der schottischen Kirche stärkte. J. sah im Episkopalismus ein Bindeglied zwischen Kirche und Staat und damit die Möglichkeit, die königliche Oberhoheit in der Kirche aufrecht zu erhalten. Die schottische Monarchie war noch kaum gefestigt, als J. nach dem Tode Elisabeths 1603 König von Großbritannien und Irland wurde. In England wurde er von den Anglikanern als Erbe der Tudors, von den Puritanern als Schüler John Knox' und George Buchanans und von den Katholiken als Sohn der

Maria Stuart willkommen geheißen. In seiner Schrift 'The True Law of Free Monarchies' von 1598/99 hatte er seine Theorie des »Divine Rights« der Könige dargelegt. Nach diesem göttlichen Recht war die erbliche Monarchie von Gott eingesetzt und konnte weder vom Papst noch von anderen Gewalten abgesetzt werden. Der König steht über dem Gesetz, und alle Rechte und Privilegien leiten sich von ihm ab. Entsprechend war für J. die gewohnte Rechtspflege in England bestehend aus Common Law und dem festgelegten Statute Law nichts weiter als eine fragwürdige Sammlung von Präzedenzfällen und Zufallsentscheidungen. J.s Jus-Divinum-Lehre mußte zum Konflikt mit dem Parlament führen, das seit der Tudorzeit von der Idee einer Partnerschaft zwischen Krone und Parlament getragen war und dies durch Rechtsansprüche immer mehr verwirklichte. So kam es 1604 zur »Apology of the Commons«, in der das Parlament seine Ansprüche auf eigenes und älteres Recht (»ancient and undoubted right«) zurückführte und den König zusammen mit den beiden Häusern des Parlaments als ganzen »political body« verstand, von dem der König nur das Haupt bildet und dessen Souveränität beim »King in Parliament« liegt. Für J. besaß das Parlament nur die Bedeutung des »King's Great Councell«. In seiner gesamten Regierungszeit hat er nur vier Mal das Parlament einberufen. Insgesamt tagte es in dieser Zeit knapp drei Jahre. Da er seinen theoretischen Absolutismus nur in einer Bischofskirche für möglich hielt, hat er die Katholiken anfangs milde behandelt. Als allerdings die Zahl der Katholiken rapide anstieg, hat er die alten Strafgesetz bezüglich der Katholiken neu eingeschärft. Dies hat die Katholiken so verbittert, daß einige den Plan faßten, König und Parlament in die Luft zu sprengen, in der sogenannten »Pulververschwörung« von 1605. Dieser Plan konnte allerdings rechtzeitig verhindert werden. J. stärkte nun die Episkopalordnung der Staatskirche, indem er Richard Bancroft 1604 zum Erzbischof von Canterbury machte. Bancroft hatte schon 1539 den göttlichen Ursprung und die Heilsnotwendigkeit der Episkopalordnung vertreten. So trat neben das Divine Right des Königs das Divine Right der Bischöfe. Damit wie auch mit der Bekämpfung der strengen Einhaltung der Sonntagsfeier (1613 »Book of Sports«) und der Vermählung des Thronfolgers Karl (I.) mit der katholischen Henriette Maria von Frankreich (1625) hat J. die puritanische Mehrheit des Volkes schwer verletzt. Dies hatte zur Folge, daß auch die religiösen Gegenkräfte dem Parlament zuströmten, das vom Common Law her gegen das Divine Law argumentierte und das nun immer mehr in die Rolle des Hüters der englischen Reformation gedrängt wurde. Es war nicht nur J.s Vorstellung vcm Divine Right, sondern auch seine Finanz-, Wirtschafts- und Friedenspolitik gegenüber Spanien sowie seine Günstlingswirtschaft, die ihn unpopulär machten und den Widerstand des Unter- wie Oberhauses hervorriefen. Eine Reihe grundsätzlicher Auseinandersetzungen mit gerichtlichen Klärungen führten ab 1621 zur zunehmenden Stärkung des Parlaments. In der »Great Protestation« von 1621 dehnte das Unterhaus seine Ansprüche aus. Im selben Jahr wurde der Lordkanzler Francis Bacon, der die Souveränität des Königs schützte und stärkte, gestürzt. Edward Coke, der juristische Gegenspieler von Bacon, führte den Mythos der Magna Charta ins Unterhaus ein. Danach sind die uralten parlamentarischen Privilegien durch das spätere Königtum behindert worden und müssen nun wieder zurückerobert werden. So stehen die Jahre nach 1621 im Zeichen der ersten heftigen Auseinandersetzungen zwischen Stuart-Monarchie und Parlamentarismus. — Die Bemühungen J.s, einen entwickelten Absolutismus zu etablieren, scheiterten weniger am Mangel persönlicher Fähigkeiten als an der fehlenden institutionellen Grundlage. Auf lokaler Ebene besaß die Monarchie keine Einrichtungen, da dort die Aristokratie administrative Funktionen wahrnahm. Da die Situation auf dem Lande keine Aufstände befürchten ließ, war der Adel an einer starken zentralen Gewalt nicht interessiert. Der Versuch, die institutionelle Grundlage für den Absolutismus herzustellen, erzeugte Widerstandsherde in Religion, Recht, Verwaltung und Wirtschaft. Diese Gegenkräfte konnten sich im Parlament sammeln und so wurde der Same für die Revolution gelegt. Allerdings erlaubte J.s Bündnis mit der Staatskirche die spätere Restauration der Monarchie. J.s theologische und historische Bildung machten ihn zum »britischen Salomon«, seine vorsichtige Außenpolitik brachten ihm den Ruf ein, »the wisest fool of Christendom« zu sein. Unter J. erschien 1611 die bis heute gültige offizielle englische Bibelübersetzung, die King James Version. J.s grundsätzliche Äußerungen zum Divine Right des Königs zwangen die Gegenseite zu ebenfalls grundsätzlichen Überlegungen und damit zur Klärung der parlamentarischen Rechte. Gleichzeitig bereiteten seine Gedanken zur königlichen Souveränität die späteren Vorstellungen von der Souveränität des Staates vor.

Werke: The Essay of Prentice in the Divine Art of Poesie, 1584; Demonology, 1597; The True Law of Free Monarchies, 1598; Basilikon Doron, 1599; Triplici Nodo, Triplex Cuncus, 1607. *Ausgaben einzelner Werke:* Correspondence of King James VI with Sir Robert Cecil and Others, hrsg. v. J. Bruce, 1861; The Political Works of James I, hrsg. v. C.H.McIlwain, 1918; Basilikon Doron; hrsg. v. James Craigie, Scottish Text Society, 1942; Poems of James VI of Scotland, 2 Bde., hrsg. v. James Craigie, Scottish Text Society, 1955/58. *Bibliographien:* Bibliography of British History. Stuart Period 1603-1714, bearb. v. Godfrey Davies/Mary Frear Keeler, 1970.

Lit.: Samuel R.Gardiner, Hist. of England from the Accession of James I to the Outbreak of the Civil War: 1603-1642, 10 Bde. 1883/84; — A.O.Meyer, Klemens VIII und J., 1904; — R.S.Rait/A.I.Cameron, King James' Secret, 1927; — H.Ross Williamson, King James I, 1935; — David Mathew, The Jacobean Age, 1938; — Ders., James I, 1967; — H.Witte, Die Ansichten J. von England über Kirche und Staat, 1940; — G.L.Mosse, The Struggle for Sovereignty in England. From the Reign of Queen Elisabeth to the Petition of Right, 1950; — Charles Williams, James I, 1951[2]; — D.Harris Willson, King James VI and I, 1956; — R.H.Tawney, Business and Politics under James I. Lionel Cranfield as Merchant and Minister, 1958; — G.Davies, The Early Stuarts, 1959[2]; — Conflict in Stuart England. Essays in Honour of Wallace Notestein, hg. v. W.A.Aiken/B.D.Henning, 1960; — W.C.Dickinson/G.S.Tryde, A New History of Scotland, 2 Bde. 1961/62; — G.P.V. Akrigg, Jacobean Pageant or the Court of King James I, 1962; — G.A.Ritter, Divine Right und Prärogative der englischen Könige 1603-1640, in: HZ 196, 1963, 584-625; — C.H.Carter, Gondomar: ambassador to James I, in: Historical Journal VII, 1964, 189 ff.; — Manfred Gross, Shakespeares Measure for Measure und die Politik J, 1965; — J.N.Figgis, The Divine Right of Kings, 1965[3]; — Gordon Donaldson, Scotland: James V to James VII, 1965; — J.P.Kenyon (Hg.), The Stuart Constitution: 1603-1688. Documents and Commentary, 1966; — Ders., The Stuarts, 1968; — Ders., Stuart England, 1973; — Caroline Bingham, The Making of a King. The Early Years of James VI and I, 1968; — James I by his Contemporaries. An Account of his Career and Character as Seen by Some of his Contemporaries, hrsg. v. Robert Ashton, 1969; — T.C.Smout, A History of the Scottish People 1560-1830, 1969; — M.Lee, jun., James I and Henry IV: An Essay in English Foreign Policy 1603-1610, 1970; — Manfred Ebert, J.von England (1603-25) als Kirchenpolitiker und Theologe, 1972; — Stuart Royal Proclamations. Bd.I: Royal Proclamations of King James I, hrsg. v. James F.Larkin/Paul L.Hughes, 1973; — G.R.Elton, Studies in Tudor and Stuart Politics and Government: Papers and Reviews 1946-1972, 2 Bde. 1974, 3.Bd. 1933; — Antonia Fraser, King James VI of Scotland, I of England, 1975; — Church and Society in England: Henry VIII to James I, hrsg. v. Felicity Heal/Rosemary O'Day, 1977; — Sybil M.Jack, Trade and Industry in Tudor and Stuart England, 1977; — Anthony Goodman, A History of England from Edward II to James I, 1977; — Linda Levy Peck, Northampton: Patronage and Policy at the Court of James I, 1982; — Kurt Kluxen, Geschichte Englands: von den Anfängen bis zur Gegenwart, 1985[3]; — DNB XXIX, 161-181; EBrit XII, 876ff; — New EBrit VI, 481-82.

Udo Krolzik

JAKOB II. James, 1634-1685 Duke of York, 1685-1688 König von Großbritannien und Irland, geb. 14.10. 1633 in London als zweiter Sohn Karls I. und der französischen Prinzessin Henrietta Maria, gest. 16.9. 1701 in Saint-Germain (Frankreich). — Als Herzog von York floh J. während des Bürgerkrieges 1648 zunächst in die Niederlande und dann 1649 nach Frankreich, wo er 1652 in die Armee eintrat. In dem Augenblick, als sein Bruder Karl, der spätere König Karl II., ein Bündnis mit Spanien gegen Frankreich 1656 schloß, wechselte J. die Seite und führte den rechten Flügel des spanischen Heeres 1658 in den Kampf. Nachdem sein Bruder 1660 den englischen Thron eingenommen hatte, kehrte J. nach England zurück und wurde Lord High Admiral. Er heiratete im selben Jahr die protestantische Anne Hyde, eine Tochter des Earls of Clarendon, mit der er zwei Töchter, Mary und Anna, hatte. Als er ab 1672 nicht mehr die anglikanischen Sakramente nahm, sondern nur noch die katholischen, verlor er sein Amt als Lord High Admiral aufgrund der sogenannten ersten Testakte von 1673. Nach dem Tode seiner ersten Frau heiratete er 1673 die streng katholische Maria Beatrix von Modena. 1677 heiratete seine protestantische Tochter Mary den Statthalter der Niederlande, Wilhelm III. von Oranien. Seine Tochter Anna wurde Gemahlin des Prinzen Georg von Dänemark. J.s Katholizismus und der fehlende Thronerbe, hatten im Jahr 1678 in der Öffentlichkeit ein allgemeines Klima der Hysterie geschaffen, in dem die erfundene Geschichte von einem gigantischen Jesuitenkomplott, dem sogenannten »Popish Plot«, zur Beseitigung Karls und Erhebung J.s allgemeines Gehör fand. Die allgemeine Stimmung machte sich in einer Katholikenjagd Luft. Es folgte 1678 eine zweite Testakte, die alle verbliebenen katholischen Lords aus dem Oberhaus ausschloß. Die Mordprozesse gegen Katholiken dauerten bis 1681. Drei aufeinanderfolgende Parlamente versuchten von 1679 bis 1681, J. von der Thronfolge auszuschließen. Während dieser Zeit befand sich J. im wesentlichen im Exil in Brüssel und Edinburgh. Im Parlament kämpften die »Tories« und »Whigs« um die Mehrheit. Die »Tories« waren diejenigen, die nicht an das Papistenkomplott glaubten und deshalb J. vom Thron nicht ausschließen wollten, sondern am unantastbaren Erbrecht der Dynastie und am göttlichen Herrscherrecht festhielten. Da diese Auffassung seit Jakob I. fest in der anglikanischen Tradition verwurzelt war, gehörten die strengen Anglikaner zu den Tories. »Whigs« wurden die Mitglieder des Parlaments genannt, die aufgrund des Komplotts J. von dem Thron ausschließen wollten und überzeugt waren, daß sie die protestantische Freiheit gegen absolutistische Willkür verteidigten. Die Herrschergewalt des Königs sahen sie nicht in einem göttlichen Recht, sondern in einem Vertrag zwischen Herrscher und Volk gegründet. Als durch eine Umstrukturierung der lokalen Verwaltungen der Machtkampf zwischen »Tories« und »Whigs« 1682 zugunsten der Tories entschieden war, kehrte J. aus dem Exil zurück. Nach dem Tode seines Bruders, der noch auf dem Sterbebett zum katholischen Glauben übergetreten war, wurde J. 1685 König. Die breite Zustimmung bei seinem Regierungsantritt wurde noch durch die Niederschlagung eines Aufstandes verstärkt, der Jakob, Herzog von Monmouth, einen illegitimen Sohn Karls II., auf den Thron bringen sollte. So bewilligte ihm das Parlament eine große Summe zur Verstärkung seiner Armee. Diese Einstellung änderte sich jedoch, als er zunehmend die Katholiken begünstigte und 1687 durch eine Indulgenzerklärung die Testakte von 1673 aufhob und Gewissensfreiheit für alle Sekten proklamierte. Seine Forderung 1688 die zweite Indulgenzerklärung von allen Kanzeln zu verlesen, führte zu einer Petition anglikanischer Bischöfe und brachte sie, die Tories, in einen Loyalitätskonflikt. Dieser gesteigerte Absolutismus und die Furcht vor e1neriRekatholisierung Englands aufgrund der Geburt des katholischen Kronprinzens Jakob-Edward, 1688, und der fortschreitenden Gegenreformation auf dem Festland führten dazu, daß führende Whigs und Tories gemeinsam mit J.s Schwiegersohn Wilhelm III. von Oranien Kontakt aufnahmen, um die persönliche Freiheit, die parlamentarische Kontrolle und den Schutz der anglikanischen Kirche zu sichern. Wilhelm III. nahm die Aufforderung an, da sie seiner antihegemonialen Gleichgewichts- und Einkreisungspolitk gegen Frankreich entgegenkam. Er landete nach einer intensiven Vorbereitung im November 1688 in England. Da die meisten protestantischen Offiziere J.s zum Feind überliefen, wagte J. keinen Kampf, sondern floh nach Frankreich. Die Landung Wilhelms wurde die »Glorreiche Revolution« genannt, weil sie den Rechtszustand wiederherstellte und mit der Glorie des zukünftigen Königs versehen war. Das Parlament erklärte im Februar 1689, daß J. mit der Flucht abgedankt habe und erhob Wilhelm III. und seine Frau Mary zum gemeinsamen Souverän über England. Im Mai folgte das schottische Parlament. Ein Versuch J.s über Irland mit einem französisch-irischen Heer, die Krone wiederzugewinnen, schlug fehl und so kehrte er 1690 wieder nach Frankreich zurück. Im folgenden Jahr eroberte Wilhelm III. Irland zurück. J. wurde die polnische Krone angeboten, aber er sie lehnte ab, um nicht den Eindruck zu erwecken, er habe nun wirklich als König von England abgedankt. Zurückgezogen widmete er sich fortan in Saint-Germain unter dem Einfluß seiner frommen Frau und A.-J. de Rancés frommen Übungen. Der Vertrag von Rijswijk zwischen Frankreich und England nahm ihm die letzte Hoffnung auf eine Wiederherstellung seiner Herrschaft. — J. versuchte in England einen Absolutismus nach französichem Vorbild zu errichten und ist damit gescheitert, da er die Angst vor einer Rekatholisierung Englands und die Macht der lokalen Verwaltungen unterschätzte. Es mangelte ihm auch ein Sinn für die europäische Gleichgewichtspolitik, die seiner Anlehnung an Frankreich und die Welt der Gegenreformation widersprach. Sein offener Gegensatz zur Staatskirche entzog ihm die Grundlage für seine Monarchie, wie sie von Jakob I. geschaffen worden war und von den Tories akzeptiert und unterstützt wurde. Dies führte in Großbritannien zur konstitutionellen Monarchie. J.s Maßnahmen haben die Gegner veranlaßt, eine Vertragstheorie und das damit zusammenhängende Widerstandsrecht auszuarbeiten und immer stärker die Trennung von Staat und Kirche zu fordern.

Werke: Memoirs of James II., containing an Account of the last XII Years of his Life, 1702; Original Letters of the late King James II. and others to his Friends in England,..., hrsg. v. W.Fuller, 1702; Advice to his Son, 1703; The Pious Sentiments of James II., 1704; Memoirs of the English Affairs, chiefly navel, from 1660 to 1673, written by James, Duke of York, 1729; Memoirs of James II. ... Collected from various authentic sources, 2 Bde, 1821; The Memoirs of James II. His Campaigns as Duke of York 1652-1660, hrsg. v. Sir Arthur Bryant, 1962. — Bibliography of British History. Stuart Period 1603-1714, bearb. v. Godfrey Davies/Mary Frear Keeler, 1970.

Lit.: The Life of James the Second, King of England,&c., collected out of Memoirs writ of his own Hand, togehter with the King's Advice to his Son, and his Majesty's Will, hrsg. v. Jas.Stanier Clarke, 2 Bde, 1816; — T.B.Macaulay, The History of England from the Accession of James II, 5 Bde., 1849-61; — H.Beloc, James II, 1928; — M.V.Hay, The Enigma of James II, 1930; — F.C.Turner, James II, 1948; — J.Berteloot, James II, in: RHE 46, 1951, 545-623; — Ders., James II, in: RHE 48, 1953, 122-140; — D.Ogg, England in the Reigns of James II and William III, 1955; — N.Sykes, From Sheldon to Secker: Aspects of English Church History. 1660-1762, 1959; — Vincent Buranelli, The King & the Quaker. A Study of Wiliam Penn and James II, 1962; — J.P.Kenyon (Hg.), The Stuart Constitution: 1603-1688. Documents and Commentary, 1966; — Ders., The Stuarts, 1968; — Ders., The Popish Plot, 1972; — Ders., Stuart England, 1978; — Maurice Ashley, The Glorious Revolution of 1688, 1966; dies., James II, 1977; — Ludwig Hammermayer, Restauration und »Revolution von oben« in Großbritannien (1685-1688), in: HJ 87, 1967, 26-90; — Richard E.Boyer, English Declarations of Indulgence 1687 and 1688, 1968; — James Rees Jones, The First Whigs. The Politics of the Exclusion Crisis 1678-1683, 1970; — Ders., The Revolution of 1688 in England, 1972; — ders.(Hrsg.), The Restored Monarchy 1660-1688, 1979; — J.R.Western, Monarchy and Revolution. The English State in the 1680s, 1972; — John Miller, Popery and Politics in England. 1660-1688, 1973; — Ders., The Militia and the Army in the Reign of James II, in: Historical Journal XVI, 1973; — Ders., James II. A Study in Kingship, 1977; — G.R.Elton, Studies in Tudor and Stuart Politics and Government: Papers and Reviews 1946-1972, 2 Bde. 1974, 3.Bd. 1983; — Sybil M.Jack, Trade and Industry in Tudor and Stuart England, 1977; — J.Childs, The Army: James II. and the Glorious Revolution, 1980; — Kurt Kluxen, Geschichte Englands: von den Anfängen bis zur Gegenwart, 1985[3]; — Literary and Biographical History, or Bibliographical Dictionary of the English Catholics from the Breach with Rome, in 1534, to the Present Time, hrsg. v. Joseph Gillow, Bd.III, ND 1961, 529-604; — DNB XXIX, 181-199; — New EBrit VI, 482-83.

Udo Krolzik

JAKOB I. *von Aragón*, span. Jaime el Conquistador, König von Aragón, * am 2.2. 1208 in Montpellier als Sohn des Peter II. von Aragón und der Marie von Montpellier, der Tochter Wilhelms VIII. von Montpellier, + am 27.7. 1276 in Valencia. — J. wurde im Jahre 1213 nach dem Tode seines Vaters in der Schlacht bei Muret bereits im frühen Kindesalter König von Aragón. Eine kundige Führung des Königreichs sowie günstige außenpolitische Umstände ermöglichten, daß J. in seine Machtposition hineinwachsen konnte, bis er schließlich selbständig für die Führung Aragóns Sorge zu tragen vermochte. 1227 verbot J. jedem ausländischen Schiff, in Barcelona Ladung für Nordafrikas zu übernehmen, solange in diesem Hafen ein katalanisches Schiff zur Verfügung stand. Zwischen 1229 und 1235 führte J. mehrere erfolgreiche Feldzüge gegen die Mauren durch und konnte das Territorium Aragóns beträchtlich erweitern. So gelang es ihm zwischen 1229 und 1135, die Balearen zu erobern, um damit der ständigen Bedrohung des Seehandels durch die Mauren ein Ende zu bereiten. 1238 nahmen die Truppen J.s Valencia ein. In den folgenden Jahren wurde das ganze Gebiet dieser Stadt erobert; nacheinander fielen die moslemischen Festungen Cullera, Denia und Játiva. Eine so erfolgreiche Expansionspolitik trug J. den Beinamen »Conquistador« ein. Für Aragón war der lange Küstenstreifen von Alicante bis Perpignan von immenser strategischer und wirtschaftlicher Bedeutung. J. war daher bestrebt, die Vormachtstellung Aragóns im nordwestlichen Mittelmeer auszubauen und zu behaupten. 1262 verheiratete J. seinen erstgeborenen Sohn Peter, nachmals König P. III., mit Konstanze, der Tochter des illegitimen Sohns Kaiser Friedrichs II. Manfred von Sizilien. — Hervorzuheben ist die Abfassung der Chronik seiner Regierungszeit durch J. in katalanischer Sprache. J. erließ die aragonischen Grundrechte »Fueros de Aragon« und das erste Seerechtsgesetzbuch »Libre de Consolat del Mar«. Er wurde beigesetzt im Kloster Poblet in der Nähe des heutigen Manresa.

Werke: M. Flotats, A. Bofarull (Hrsg.), Historia del rey de Aragón don J. I., escrita en lemosin por el mismo monarca, Palma 1848; P. de Bofarull y Mascaro (Hrsg.), Collectiones documentos inéditos del Archivo Ceneral de la Corona de Aragon, Barcelona 1850; A. Huici (Hrsg.), Collectión diplomática de J. I., 3 Bde., Valencia 1916-1922.

Lit.: B. Cómez Miedes, De vita et rebus gestis J. Primi Regis Aragonum, Valencia 1582; — J. Tornamira de Soto, Sumario de la vida y hazañosos hechos del rey don J. de Aragón Primero, Pamplona 1622; — A. de Bofarull Brocá, Don J. I. el Conquistador, Tarragona 1856; — Ch. de Tourtoulon, J. le r le Conquérant, Roi d'Aragón ... d'aprés les chroniques et les documents inédits, Montpellier 1863-1867. — F. Savall, Exhortacion á la instancia de la canonisacion del rey don J. I. de Aragon, llamando >el Conquistador<, Saragossa 1868; — F. Perozzini, Pero Ahones, Montpellier 1875; — A. Aulestia, Las gestas del rey don J. en lo Puig de Santa Maria, Barcelona 1877; — F. Ubach y Vinyeta, Romancer. Catalá, Barcelona 1877; — A. Balaguer y Merino, Un document inédit rélatif á la Chronique Catalane du roi J. d'Aragó, Paris 1878. — C. de Brocá, Significatión de J. I. >el Conquistador<, Barcelona 1890; — F. Darwin Swift, The Life and Times of J. the First, the Conqueror, Oxford 1894; — R. Menéndez y Pidal, Cronicas generales de España, Madrid 1898; — M. y Torrents, Historiografia de Catalunya en catalá durant l'epoca nacional, New York/Paris 1906; — L. Nicolau, J. I. y los trovadors provensals, Barcelona 1909; — J. Miret i Sans, Itinerari de J. I. el Conqueridor (1213-1276), in: Anuari de l 'Institut d'Estudis Catalans, Barcelona 1918; — P. Faustino Gazulla, J. I. de Aragon y los Estados musulmanes, Barcelona 1919; — H.J. Chaytor, A History of Aragon and Catalonia, London 1933; — J.F. Martinez Ferrando, Catálogo de ia documentacion relativa al antiguo reino dei Valencia ... J. 1., Madrid 1934; — J. Rios Samiento, J. I. de Aragón, Barcelona 1941; — M. Dominguez Barbera, Don J., Madrid 1945; — J.M. Font Rius, Origenes el régimen municipal de Cataluña, in: Anuario de Historia del Derecho Español 16 (1945); — F. Soldevila, Pere el Cran, Barcelona 1955; — Ders., Vida de J. I. el Conqueridor, Barcelona 1958; — Ders., Els primers temps de J. I., Barcelona 1968; — F. Valls Taberner, F. Soldevila, Historia de Cataluña I, Madrid/Barcelona 1955, 250ff.; — E. Palau, J. I., Crónica histo-

rica, 2 Bde., Barcelona 1958; — A. de Capmany, Memorias sobre la marina, comercio y artes de la antigua ciudad de Barcelona, 2 Bde., Barcelona 1963; — A. Collell, J. 1 i sant domènec, in: Analecta sacra Tarraconensia 46 (1973), 43-70; — M. Dexeus, Exposicion nacional conmemorativa del 7 centenario de J. 1. el conquistador en la biblioteca nacional, in: Revista de archivos 80 (1977), 897-900; — J. Mateu-Ibars, El manuscrito del »libre dels feyts«, in: Gesammelte Aufsätze zur Kulturgeschichte Spaniens 30 (1982), 146-192; — O. Engels, Reconquista und Landesherrschaft, Paderborn 1989; — Diccionario de Historia de España II, 531-534; — EDR II, 1862; — Enciclopedia de la Cultura Espanola III, 755-757; — HFC II, 939-941.943f.954f.975.980; — HKG III/2, 228.260.268f.; — LThK² V, 835; — NewCathEnc VII, 806.

Michael Tilly

JAKOB II., mit dem Beinamen "der Gerechte" (spanisch "Jaime el Justo"; katalanisch "Jaume el Just"), König von Aragón, * ca. 1264, + November 1327. — J. war der Zweitgeborene Konstanzes von Sizilien und Peters III. von Aragón. Beim Tode seines Vaters (1285) erbte J. Sizilien, sein älterer Bruder Alfons Aragón, Katalonien und Valencia. Die Ansprüche J.s auf Sizilien, das sein Vater Peter III. erst 1282 unter Ausnutzung des Aufstandes gegen die Anjou (Sizilianische Vesper), mit dem Beistand der Konstanze von Sizilien als der Tochter Manfreds von Hohenstaufen ergebenen Kreise, erobert hatte, blieben nicht unangefochten. Zwar konnte J. über seine Mutter und deren Vater Manfred, König von Sizilien (1258-1266), der wiederum ein illegitimer Sohn Kaiser Friedrichs II. war, Gründe geltend machen, doch widerstrebten die Interessen anderer, u. a. die der Anjou und des Papstes. Die Kurie hatte nach der 1245 erklärten Absetzung Friedrichs II. die Krone Siziliens als vakant betrachtet und schließlich Karl (I.) von Anjou übertragen. Im Mai 1289 krönte der Papst Nikolaus IV. den Sohn Karls I., Karl II., zum König beider Sizilien. Der Tod von J.s Bruder, Alfons III. von Aragón, im Juni 1291, schuf eine neue Lage. J. trat an die Stelle seines älteren Bruders und setzte seinen jüngeren Bruder Friedrich als Statthalter auf Sizilien ein. Die Auseinandersetzungen um Sizilien fanden 1292 mit dem Vertrag von Anagni ein vorläufiges Ende. J. gab Sizilien an den Papst zurück und erkannte die Rechte Karls, die Insel und Kalabrien betreffend, an. Weiterhin wurde vereinbart, daß J. Bianca, die Tochter Karls, heiraten und die erste Gemahlin, Isabel von Kastilien, verstoßen sollte. In einer geheimen Zusatzklausel sicherte man J. als Entschädigung

Sardinien und Korsika zu. An diesem Abkommen hatte Bonifaz VIII. einen wesentlichen Anteil. 1297 belehnte Bonifaz J. mit den beiden Inseln. Eine weitere dynastische Verbindung — J.s Schwester Violante ehelichte den Sohn Karls II., Robert Herzog von Kalabrien — beseitigte ebensowenig die nach wie vor bestehenden Konflikte. Schließlich wurde 1302 im Frieden von Caltabellotta der inzwischen von den Sizilianern zum König proklamierte Friedrich de facto als König von Sizilien anerkannt. De iure sprach der Vertrag ihm nur auf Lebenszeit den Titel eines Königs von Trinacria zu. Einerseits blieben so die Aspirationen der Angevinen auf Sizilien unerfüllt, andererseits wurde mit dem Vertrag Neapel als Königreich bestätigt und Aragón und Sizilien blieben, von zwei Linien regiert, getrennt. Seine Ansprüche auf Sardinien und Korsika vermochte J. im Kampf gegen Genua und Pisa erst sehr viel später und nie vollständig zu realisieren (1324). Als ein lebendiges Zeugnis aragonesischer Herrschaft auf Sardinien besteht noch heute die katalanische Sprachgruppe von Alghero (Westküste Sardiniens). In die Regierungszeit J.s fällt auch ein Ausgreifen Aragóns in den östlichen Mittelmeerraum. Die große Katalanische Kompanie eroberte 1311 Teile Griechenlands (Herzogtum Athen). Die Vermählung des insgesamt viermal verheirateten Königs mit Maria von Zypern wies ebenfalls in diese Richtung. — J. förderte Kultur und Wissenschaft. Im Jahre 1300 gründete er die Universität Lérida. Seinen Hofübersetzer Judah Bonsenyor beauftragte J. mit der Zusammenstellung einer Sprüchesammlung aus lateinischen, arabischen und hebräischen Quellen und deren Übersetzung in das Katalanische. Diese Anthologie trägt den Titel »Llibre de paraules e dits de savis e filosofs« (Buch der Worte und Sprüche von Weisen und Philosophen). Gleichfalls auf Anweisung J.s übersetzte J. Bonsenyor 1315 ein arabisches Werk der Medizin ins Katalanische. Die Cortes von Saragossa, der Hauptstadt Aragóns, stimmten 1325 für die Abschaffung der Folter. Unter der Herrschaft J.s bzw. in seiner Umgebung wirkten so bedeutende Geister wie Arnald von Villanova, Raimund Lull (Ramón Llull) und Ramón Muntaner.

Werke: Quellen: Chronik des Ramón Muntaner (versch. Ausgg.; engl. Übers.: The Chronicle of Muntaner. Translated... by Goodenough, London 1920-1921; ältere dt. Übers. v. K. F. W. Lanz, Leipzig 1842); Arnaldo de Vilanova ..., Ensayo histórico seguido de tres opúsculos inéditos de Arnaldo y de una colección de documentos referentes á su persona, por ... Marcelino Menéndez Pelayo, Madrid 1879 [1955] (in den opúsculos über J.); Cesare de Lollis, Ballata

alla Vergine di Giacomo II d'Aragona, in: Revue des langues romanes 31, 1887, 289-295 (zus. mit dem lat. Komm. des Arnald v. Villanova); Das Register Nr. 318 des Archivs der aragonesischen Krone in Barcelona, enthaltend die Briefe König Jakobs II von Aragón an Friedrich den Schönen und dessen Gamahlin Elisabeth sammt einigen verwandten Stükken aus den Jahren 1314-1327, hrsg. v. Heinrich Ritter von Zeissberg, Wien 1899 (SAW; Philos.-hist. Cl. 140,1); Acta Aragonensia. Quellen zur dt., it., frz., span., zur Kirchen- und Kulturgesch. aus der diplomat. Korrespondenz Jaymes II. "1291-1327", hrsg. v. Heinrich Finke, 1-3, Berlin 1908-1922; Acta Siculo-Aragonensia, II. Edd. F. Giunta, A. Giuffrida. Corrispondenza tra Federico III di Sicilia e Giacomo II d'Aragona (Documenti per servire alle storia di Sicilia; 1,28), Palermo 1972; Ältere Lit. s.: Benito Sánchez Alonso, Fuentes de la història española e hispano-americana, 1-3, Madrid 1952³, s. Reg. Bd. 3, 654 s. v. Jaime II de Aragón; The British Library General Catalogue of Printed Books to 1975, Bd. 163, London usw. 1982, 75 s. v. James II, King of Aragón.

Lit.:José Amador de los Ríos, Historia social, política y religiosa de los judíos de España y Portugal, Madrid 1973 [1875-76¹], s. Reg. 1052 s. v. Jaime II de Aragón — Conrad Eubel, Die Bischöfe, Cardinäle und Päpste aus dem Minoritenorden von seiner Stiftung bis zum Jahre 1305, 231, Nr. 82, in: RQ 4, 1890, 185-258; — Meyer Kayserling, Jehuda Bonsenyor and his Collection of Aphorisms, in: JQR 8, 1896, 632-642; — Pietro Silva, Giacomo II d'Aragona e la Toscana "1307-1309", Roma 1913; — Hans Eduard Rohde, Der Kampf um Sizilien in den Jahren 1291-1302 (AMNG 42), Berlin 1913; — Berta Wehling, Zur Charakteristik der diplom. Korrespondenz Jaymes II von Aragonien, Münster 1915; — Eugen Haberkern, Der Kampf um Sizilien in den Jahren 1302-1337 (AMNG 67), Berlin 1921; — A. Giménez Soler, La política española de Jaime II, in: Abhandlungen aus dem Gebiete der mittleren und neueren Gesch. und ihrer Hilfswissenschaften. Eine Festgabe zum 70. Geb. Heinrich Finke gewidmet ..., Münster 1925, 168-186; — Johannes Vincke, Der König von Aragón und die Ordenskapitel um 1300, in: ZSavRGkan 20, 1931, 102-122, — Ders., Staat und Kirche in Katalonien und Aragón während des MA.s, Münster 1931; — Ders., Der Kampf Jakobs II. und Alfons IV. von Aragón um einen Landeskardinal, in: ZSavRGkan 21, 1932, 1-20; — Ders., Jakob II. und Alfons IV. von Aragón und die Versorgung des Infanten Johann mit kirchl. Pfründen, in: RQ 42, 1934, 71-146; — Ders., Kirche und Staat in Spanien während des Spät-MA.s, in: RQ 43, 1935, 35-53; — Heinrich Finke, Episoden aus dem sizilischen Freiheitskampfe. Mit Benutzung des Nachlasses von H. E. Rohde, in: RQ 39, 1931, 477-505; — Mariano Gaspar Remiro, El negocio de Ceuta entre Jaime II de Aragón y Abburrebia Solaiman, sultán de Fez, contra Mohamed III de Granada (Relaciones de la corona de Aragón con los estados musulmanes de Occidente) [Madrid] 1925; — José Maria Madurell Marimón, Juan Brargunyó, embajador de Jaime II, in: AST 15, 1942, 265-289; — Jesús Ernesto Martínez Ferrando, Jaime II de Aragón. Su vida familiar, 1-2, Barcelona 1948-1950; — Ders., Els fils de Jaume II. Barcelona 1950; — Ders., Una singular carta inédita de pergamento de Jaime II de Aragón, in: Estudios dedicados a Menéndez Pidal 1, Madrid 1950, 477-488; — Ders., Jaume II o El Seny català, Barcelona

1956; — Vicente Salavert y Roca, La Isla de Cerdeña y la política internacional de Jaime II de Aragón, in: Hispania 10/39, 1950, 211-265; — Ders., El tratado de Anagni y la expansión mediterránea de la corona de Aragón, in: Estudios de la edad media de la corona de Aragón, 5, 1952, 209-360; — Robert Ignatius Burns, The Catalan Company and the European Powers, in: Speculum 29, 1954, 751-771; — Joan Ruiz i Calonja, Història de la literatura catalana, Barcelona 1954, s. Reg. 637 s. v. Jaume II; — Steven Runciman, Die Sizilianische Vesper. Eine Gesch. der Mittelmeerwelt im Ausgang des 13. Jh.s, München 1959, s. Reg. 364 s. v. Jakob II König v. Aragón; — Yitzhak Baer, A History of the Jews in Christian Spain, 1-2, Philadelphia 1961-1966, bes. Bd. 2,1-17 (s. a. Reg. Bd. 1, 458 s. v. James II of Aragon, Reg. Bd. 2, 525); — Eugenio Sarrablo, La reina que vino de oriente "María de Chipre, esposa de Jaime II, Rey de Aragón", in: Boletín de la Real Academia de la historia 148, 1961, 13-160; — Historia de España. Dirigida por Ramón Menéndez Pidal, Bd. 14, Madrid 1966, s. Reg. 628 s. v. Jaime II de Aragón, el Justo; — Joaquín Millón Rubio, Colección diplomática de Jaime II de Aragón sobre la orden de Ntra. Sra. de la Merced, in: Estudios 31/108, Madrid 1975, 87-118; 31/111, 1975, 535-546; 32/112, 1976, 97-104; — Joseph Francis O'Callaghan, A History of Medieval Spain, Ithaca-London 1975, bes. 394-406, s. a. Reg. 719 s. v. Jaime II; — F. Castillon-Cortada, Fonclara: un monasterio cisterciense fundado por Jaime I en el Valle del Cinca "Huesca", in: Yermo. Cuaderno de Història y de Espiritualidad Monásticas 14/3, Zamora 1976, 257-270 (im Anhang Urkk. J.s II); — J. Angel Sesma Muñoz, Disposiciones testamentárias inéditas de Jaime II de Aragón, in: Boletín de la Real Academia de la historia 173, 1976, 119-134; — Europäische Wirtschafts- und Sozialgesch. im MA, hrsg. v. Jan a. van Houtte (Handb. der europ. Wirtschafts- und Sozialgesch. 2), Stuttgart 1980, 367; — Martí de Riquer, Història de la literatura catalana, 1, Barcelona 1982 [1964¹] a la ciudad y reino de Murcia por Jaume II de Aragón "1296-1304". Anexo documental inédito, in: Miscelánea Medieval Murciana 9, 1983, 241-292; — Ders., Fueros y sociedad en el Reino de Murcia bajo la hegemonía de Aragón "1296-1304", in: Anales de la Universidad de Alicante. Historia Medieval 3, 1984, 99-130; — Ders., Vasallaje del señorío musulmán de Crevillente a Jaime II de Aragón, in: Sharq al-Andalus 2, 1985, 81-99; — Europa im Hoch- und Spät-MA, hrsg. v. Ferdinand Seibt (Handb. der Europ. Gesch. 2), Stuttgart 1987, s. Reg. 1219 s. v. Jakob II der Gerechte; — Werner Goez, Gesch. Italiens in MA und Renaissance, Darmstadt 1988 [1975¹], 181-186; — NBG XXVI, 1858, 259-260; — Biographie Universelle. Ancienne et Moderne. J. Fr. Michaud. XX, 601-602; — JewEnc III, 309-310 s. v. Bonsenyor, Judah; — Chevalier II, 1907, 2308; — Enciclopedia Universal ilustrada XXVIII/2, Barcelona 1926, 2408-2409; — EJud IV, 1929, 954-955 s. v. Bonsenyor, Jehuda; — Enciclopedia Italiana XVI, Milano 1932, 938; — LThK, ed. Michael Buchberger V, 1933, 253; — LThK V, 1960, 835; — New Catholic Encyclopedia VII, New York usw. 1967, 808; — EncJud IV, 1971, 1213 s. v. Bonsenyor, Judah; — Diccionari de la literatura catalana, Barcelona 1979, 340 s. v. Jaume; — EBrit VI, 1988, 485.

Udo Tavares

JAKOB III., ab 1584 Markgraf von Baden-Hochberg (ursprünglich Hachberg), * 26.5. 1562 in Pforzheim als zweiter Sohn des Markgrafen Karl II. von Baden-Durlach und seiner Frau, der Pfalzgräfin Anna von Veldenz, + 17.8. 1590 in Emmendingen. — J. wurde streng lutherisch erzogen. Am Stuttgarter Hofe Herzogs Ludwig III. von Württemberg, der mit J.s Schwester Dorothea Ursula in erster Ehe verheiratet war, wurde er im Kanzlei- und Hofdienst ausgebildet. In seiner Straßburger Studienzeit von 1578 bis 1580 erwarb er sich Kenntnisse in Logik, Dialektik und Latein. 1581 bis 82 durchreiste er Italien und Frankreich, besuchte deutsche Höfe und nahm 1582 am Augsburger Reichstag teil. Als er 1583 den zum Protestantismus übergetretenen Kurfürsten von Köln, Gebhard Truchseß, militärisch unterstützte, drohte der Kaiser ihm mit der Reichsacht. Er heiratete 1584 die als Katholikin geltende Elisabeth, einzige Tochter des Grafen Floris von Palland zu Kulenburg, mit der er einen früh verstorbenen Sohn und zwei Töchter hatte. Nachdem die Lande zwischen ihm und seinem älteren Bruder Ernst Friedrich geteilt worden waren, übernahm er 1584 Baden-Hochberg und baute Emmendingen zur Residenz aus. In dem folgenden Jahr ging er zur romtreuen Seite über und kämpfte nun unter dem Statthalter der spanischen Niederlande, Alexander Farnese, gegen Gebhard Truchseß. Für viele protestantische Höfe zeigte sich darin der beginnende Verrat am Protestantismus. Dieser Eindruck wurde durch seine Truppenanwerbungen für den katholischen Lothringer 1587/88 noch verstärkt. Es war dann aber vor allem der Einfluß Johann Pistorius, der ihn zur römisch-katholischen Kirche übertreten ließ. Johann Pistorius, der als Leibarzt und Berater in Baden-Durlach vom Luthertum zum Calvinismus wechselte, wußte 1580 und dann wieder bei der Landesteilung 1584 zu verhindern, daß Ernst Friedrich und J. die Konkordienformel unterschrieben. Als J.s Hofrat trat er 1588 zur römisch-katholischen Kirche über. Angeregt durch Pistorius setzte sich J. vor allem mit der Ubiquitätslehre und dem Kirchenverständnis auseinander und lud 1589 nach Baden-Baden zu einem Religionsgespräch über die wahre Kirche ein. Auf lutherischer Seite nahmen daran die württembergischen Theologen Jakob Andreä und Jakob Heerbrand teil, auf katholischer Seite Pistorius und der Jesuit Busaeus. Bei einem weiteren Religionsgespräch 1590 in Emmendingen mußte auf lutherischer Seite der Straßburger Professor Johannes Pappus streiten, da der Hofprediger Johannes Zehender, der bisher scharfer Gegner des Katholizismus war, kurz vorher zur römisch-katholischen Kirche übergetreten war. Auf katholischer Seite stritt nun Zehender, da Pappus es ablehnte, mit Pistorius zu diskutieren. Nach diesem Gespräch erklärte J.s die Kirche und Lehre Luthers als eine neue Erfindung und trat im Kloster Tennenbach zur römisch-katholischen Kirche über. Er ging sofort daran auch sein Land zu katholisieren, was jedoch durch seinen Tod nur einen Monat später verhindert wurde. Sein Bruder Ernst Friedrich führte wieder den Protestantismus ein und ließ J.s Sohn evangelisch taufen und seine Töchter Anna und Jacobäa evangelisch erziehen, obgleich auch J.s Frau katholisch geworden war. — J.s hat die Reihe der fürstlichen Konvertiten in Deutschland eröffnet und hätte beinahe als erster sein Land rekatholisiert. Seine von ihm einberufenen Religionsgespräche und das Buch zur Rechtfertigung seines Übertritts, das Pistorius nach Notizen von J. und Gesprächen mit ihm verfaßte, gewannen große Beachtung an den deutschen Höfen und riefen harte Kontroversliteratur hervor.

Werke: Unser ... Motifen, warumb wir ... die Lutherische Lehre verlassen, 1590 (nach Notizen von J. und Gesprächen mit ihm von Johann Pistorius verfaßt; J. hat nur den esten Druckbogen gesehen).

Lit.: Johann Pistorius, De Vita et morte J. ... orationes duae, 1591; — J.Ch.Sachs, Einleitung in die Geschichte der Markgrafschaft ... Baden, 3.u.4.T., 1770; — K.-F.Vierordt, Geschichte der evangelischen Kirche in dem Großherzogtum Baden, 1856; — K.Zell, J., in: Historisch-politische Blätter für das katholische Deutschland 38, 1856, 953-71. 1041-76. 1137-57; — A.Räß, Die Convertiten seit der Reformation, Bd. 1 u. 2, 1866; — E.Schnell, Zur Geschichte der Conversion des Markgrafen J. von Baden, in: Freiburger Diöcesan-Archiv, 1869, 89-122; — Zeitschrift für deutsche Kulturgeschichte, 1874, 755; — Arthur Kleinschmidt, J., Markgraf zu Baden-Hachberg, der erste regierende Konvertit in Deutschland, 1875; — F.V.Weech, Zur Geschichte des Markgrafen J. von Baden und Hochberg, in: ZGORh 46, 1892, 656-700; — ders., Badische Geschichte, 1896; — H.Steigelmann, Die Religionsgespräche zu Baden-Baden und Emmendingen 1589 und 1590, 1970; — ADB 13, 534-38; — NDB 10, 311-12.

Udo Krolzik

JAKOBOS Baradei, arabisch Ya'q°b Burd'ªnª, syrisch Y. Burde'aya (= der mit Lumpen bedeckte), griechisch Zanzalos, selten J. von Asien, Bischof und Organisator der westsyrischen monophysitischen Kirche, * um 500 in Gawama bei Tella, + 30.7.587 im Romanos-Kloster von

Kaison. — Als Mönch und späterer Presbyter in dem Kloster Phasilta bei Nisibis war J. Schüler des Patriarchen und führenden Theologen des Monophysitismus, Severus von Antiochien. Im Jahre 527/528 kam J. nach Konstantinopel. Da unter Justin I. nahezu alle syrischen Bischöfe gewaltsam ihres Amtes enthoben worden waren, weil diese sich geweigert hatten. die auf dem Konzil von Chalcedon gefaßten Beschlüsse anzuerkennen, gab es bald in der antiochenischen Diözese keinen monophysitischen Bischof mehr. Zum einen hatte sich J. die Gunst der Kaiserin Theodora erworben, zum anderen wurde von Seiten des Ghassinidenfürsten Harith ibn Jahballah, eines für Justinian strategisch äußerst wichtigen Verbündeten, der Wunsch laut, dieses Gebiet mit zwei monophysitischen Bischöfen zu besetzen. So wurde J. im Jahre 542 durch den Patriarchen Theodosius von Alexandrien zum Bischof von Edessa mit den Rechten eines ökumenischen Metropoliten der Monophysiten geweiht. J. durchzog als Bischof einen großen Teil Kleinasiens und gelangte bis hinunter nach Ägypten. Überall, wo er hinkam, ordinierte er Bischöfe, Priester und Diakone in stattlicher Zahl, und organisierte die monophysitischen Gemeinden. Während dieser ca. vierzigjährigen Wanderschaft war J. manchen Nachstellungen durch chalcedonisch gesinnte Verfolger ausgesetzt, so daß er zur Unkenntlichmachung seiner Person als in Lumpen gekleideter Bettler auftrat. Hieraus läßt sich auch sein Beiname "Baradai" erklären. Im Jahre 557 ordinierte J. Sergios von Tella als Patriarchen der syrischen monophysitischen Kirche. Dieser sollte nun in der Nachfolge des Severus von Antiochien die monophysitische Opposition zur chalcedonischen Orthodoxie der byzantinischen Reichskirche leiten. Nach dessen frühem und unerwarteten Tod im Jahre 564 setzte J. Paulus von Beth-Ukkame als Patriarch ein. Seine Entscheidung stieß auch auf Kritik innerhalb der westsyrischen Kirche. Es kam zu einer heftigen Auseinandersetzung um Paulus, die J. zum Eingreifen nötigte. Auf seiner zweiten Reise nach Ägypten starb J. völlig unerwartet. Seine unermüdliche Tatkraft und Beharrlichkeit garantierte den Fortbestand der monophysitischen Kirche, und so tragen denn auch die von ihm organisierten Monophysiten Syriens seinen Namen.

Lit.: Jan Pieter Nicolaas Land, J. Bischof von Ephesos, der erste syr. Kirchenhistoriker, Leiden 1856; — Hendrik Gerrit Kleyn, J. Baradeüs de Stichter der syrische monophysitische Kerk, Leiden 1882; — Rubens Duval, Histoire d'Édesse, politique, religieuse et littéraire, Paris 1802; — Ders., La Littérature syriaque, Paris 1920³, 360 ff.; — W. Wright, A

Short History of Syriac Literature, London 1894, 85-88;— Ernst von Dobschütz, Die confessionellen Verhältnisse in Edessa unter der Araberherrschaft, in: ZWTh 41, 1898, 364-392; — Emmanuel G. Rey, Les grandes écoles syriennes du VIᵉ au XIIᵉ siècle et les monatères de montagnes saintes d'Edessa et de Melitène, Paris 1898; — A. Kugener, Récit de Mar Cyriaque, racontant comment le corps de J. Baradée fut enlévé du couvent de Casion et transporté au couvent de Phesilta, in: ROC 7, 1902; — William Ainger Wigram, The Separation of the Monophysites, London 1923; — Ernest Walter Brokks, The Patriarch Paul of Antioch and the Alexandrine Schism of 575, in: Byz(B) 30, 1929/39), 468-476; — Martinus Jugie, Theologia dogmatica Christianorum Orientalum ..., Bd. 5, Paris 1935; — Albert van Roey, Les débuts de l'Église jacobite, in: Das Konzil von Chalkedon, Bd. 2, Würzburg 1953, 339-360; — Paul Goubert, Les successeurs de Justinien et le monophysisme, in: Das Konzil von Chalcedon, Bd. 2, Würzburg 1953, 179-192; — Raymond Janin, Les églises orientales et les rites orientaux, Paris 1955⁴, 365-393; — I. Ortiz de Urbina, Patrologia Syriaca, Rom 1958, 153 f.; — Donald Attwater, The Christian Churches of the East, Bd. 1, Milwaukee 1961, 147-157, Bd. 2, London 1961, 204-218; — Friedrich Heller, Die Ostkirchen, München, Basel 1971, 336-344, 550-553 (Lit.); — Clifford Frend, The Rise of the Monophysite Movement, Cambridge 1972; — Arthur Vööbus, neue handschriftl. Funde für die Biographie des J. B., in: OstKSt 23 (19734), 37-39; — David R. Bundy, J. Baradaeus, The State of Research, A Review of Sources and a New Approach, in: Museon 91, 1978, 45-86; — John Spencer Trimingham, Christianity among the Arabs in Pre-Islamic Times, London 1979; — Wilhelm de Vries, Die Patriarchen der nichtkath. syr. Kirchen, in: OstKSt 33m, 1984, 3-20; — Pauline Allen, Neo-Chalcedonism and the Patriarchs of the Late Sixth Century, in: Byz(B) 50, 1980, 5-17; — Baumstark, 174 f. (Lit.); — Bihlmeyer-Tüchle I, 289; — HdKG II/2, 37 f., 51, 55 f., 58; — EKL ²II, 233; — EDR II, 1858; ——LThK V, 836; —NewCathEnc VII, 795 f.; —RE VIII 565-571, XXIII, 666 f.; —RGG ³III, 520, 523; — TRE XVI,474-485 (bibl.); — Wetzer-Welte I, 1981, VI, 1188.

Michael Tilly

JAKOBOS der Jüngere 2), Athosmönch, Märtyrer, * in der 2. Hälfte des 15. Jahrhunderts in Kastoria/Mazedonien, + 1.11. 1519 in Didymoteichos. — Die türkischen Eroberer des byzantinischen Reiches verhafteten J. zusammen mit seinen Anhängern in der griechischen Küstenstadt Naupactos. Er wurde in den äußersten Nordosten Griechenlands verschleppt und in Didymoteichos hingerichtet. Seine Reliquien werden im Anastatia-Kloster in Thessalonike aufbewahrt.

Lit.: Akoluthia im Cod. Athous 3294 (Kutlumus 221), fol. 1-40; — Enkomion von Theophanes Anastasiotes, ebd., fol. 40ᵛ-101v; — D. Lukopulos, Akogoudia, Athen 1894; — ByZ 12 (1903), 131-135; — L. Petit, Bibliographie des anacoluthes grecques, Brüssel 1926, 106 f.; — A. Ehrhardt,

Überlieferung und Bestand der hagiographischen und homiletischen Literatur der griech. Kirche von den Anfängen bis zum Ende des 16. Jh.s, in: TU 52, II, 2, Leipzig 1952, 995 f.; — LThK V, 841.

Michael Tilly

JAKOBS, Konrad, berühmter kath. Großstadt- und Arbeiterseelsorger, * 28.12. 1874 in Theberath, Kreis Heinsberg (bei Aachen) als Sohn eines Kleinbauern und Heimarbeiters, + 24.12. 1931 in Mühlheim a. d.R. — J., einer der bekanntesten sog. »Industriepastoren«, wuchs in dem katholisch-ländlichen Milieu des Aachener Raumes auf. Sein Vater Gerhard J., der wegen einer Verletzung aus dem Krieg von 1870/71 seinen Bauernberuf nicht mehr ausüben konnte, hatte es schwer, die ständig wachsende Familie mit der schmalen Kriegsrente und den Einkünften aus seiner Heimarbeit - er fertigte Textilien für die nahegelegene Samtweberei an - zu ernähren. Deshalb waren die 14 Kinder, von denen aber nur acht überlebten, von Anfang an gezwungen, für den Lebensunterhalt der Familie mitzuarbeiten. Auf Konrad, der nach dem frühen Tod seiner beiden Schwestern das älteste Kind war, lasteten dabei die meisten Verpflichtungen. Trotz der angespannten materiellen Situation aber, verlebte er eine harmonische Kindheit in dem christlich-religiösen Elternhaus. Auf Empfehlung des Pfarrers von Rurkempen, wo J. bis zum 12. Lebensjahr die Dorfschule besucht hatte, erlaubten die Eltern dem Ältesten den Besuch der höheren Schule. Ab 1887 war er Schüler der höheren Gemeindeschule im benachbarten Heinsberg, um 1892 auf das Progymnasium in Reinbach zu wechseln. Von 1893-96 besuchte er das Kgl. Gymnasium in Münstereifel, wo er am 6. März 1896 als Primus das Abitur ablegte. — Die Entscheidung für den Priesterberuf war bei J. schon sehr früh gefallen und fand vor allem auch bei seinem Vater große Unterstützung, so daß er noch im selben Jahr als Konviktor des Erzbischöflichen Kollegiums Albertinum in Bonn das Studium der Theologie aufnahm. Obgleich J. hier auf moderne und aufgeschlossene Professoren traf, worunter der Kirchenhistoriker Schrörs (s.d.) besonders herausragte, hatte er ein gespaltenes Verhältnis zur akademischen Priesterausbildung. Für ihn stellte sie ein Relikt des 19. Jh. dar, das für die wirklichen Anforderungen und Aufgaben im modernen Priesterberuf wenig Hilfestellung gab. Er empfing am 31. März 1900 im Kölner Dom die Priesterweihe und trat sofort eine Kaplanstelle in Essen-Segeroth an. — Essen-Segeroth grenzte an die gewaltigen Gußstahlwerke von Krupp und lag inmitten des Industriereviers. Die Gemeinde war geprägt von sozialen Gegensätzen und der allgegenwärtigen Not der Industriearbeiter; J. gelang es sehr schnell in der für ihn fremden Umgebung Fuß zu fassen und den direkten Kontakt zur Arbeiterschaft, die großenteils sozialdemokratisch ausgerichtet war und der Kirche oft feindlich gegenüberstand, herzustellen. Der 'Industriekaplan', wie J. bald genannt wurde, studierte die marxistischen und sozialistischen Schriften und entfaltete eine rege Vortragstätigkeit, mit der er versuchte, die Arbeiter wieder der Kirche anzunähern. Auch in den Nachbargemeinden trug er seine Vorträge vor, in denen er die sozialen Mißstände anprangerte und sich u.a. für mehr Mitbestimmung der Arbeiter einsetzte. Vor allem aber rief J. die Arbeiter dazu auf, die ihnen bereits zustehenden politischen Rechte wahrzunehmen und sich für eine christliche, nicht aber klassenkämpferische Lösung der sozialen Frage einzusetzen. Der Kaplan wurde daher bald als Beispiel dafür angeführt, daß die oft vorgenommene Gleichsetzung von Kirche und Kapitalismus nicht mehr zeitgemäß war. — Nach fünfjähriger unermüdlicher Arbeit in Essen erkrankte J. schwer und wurde deshalb von der Erzb. Behörde an eine weniger aufreibende Wirkungsstätte versetzt, von 1905-07 übernahm er die Pfarrei St. Andreas in Köln. Er fand in der 1800- Seelen-Gemeinde Ruhe, sich zu erholen und Zeit, beim »Magazin für volkstümliche Apologetik«, das der Volksverein herausgab, mitzuarbeiten, außerdem schrieb er sein »Judas-Thaddäus-Büchlein« (1907). Nach dieser Erholungsphase ließ sich J. am 28. Dezember 1907 vom Kölner Kardinal Fischer mit der Führung des Pfarr-Rektorates St. Peter in Essen betrauen. Es war ein reines Arbeitergebiet und galt als ein für die Kirche verlorenes Viertel. Neben zahlreichen Fabriken befanden sich hier die weiten Anlagen der Rheinisch-Westfälischen E-Werke und die Zeche Victoria Matthias. Die Arbeiter - darunter viele Osteuropäer - lebten in Siedlungen und Arbeiterkolonien auf engstem Raum zusammen. Als St. Peter 1909 in eine eigenständige Pfarre umgewandelt worden war, hatte J., der seither den Titel Pastor trug, den organisatorischen Auf- und Ausbau der Gemeinde weit vorangetrieben. Denn neben Predigt und persönlichem Besuch bei den Arbeitern mußte der Pastor weitere Maßnahmen ergreifen, um in der ständig wachsenden Gemeinde, in der zudem eine starke Fluktuation herrschte, überhaupt ein Gemeinschaftsgefühl zu erzeugen und

wachzuhalten. J. baute ein Schwesternhaus und einen Kinderhort auf und erreichte, daß sich viele Lehrer und Lehrerinnen im Bezirk selbst niederließen, vor allem aber leitete er eine intensive Presse- und Aufklärungsarbeit ein. In den wöchentlich erscheinenden Kirchenblättern von Essen, Mühlheim und Oberhausen schuf J. ein Forum für die Anliegen seiner Gemeinde; zusätzlich wurden neue Organe geschaffen, die in einfacher Sprache und hoher Auflage speziell die Belange der Arbeiter behandelten. Dem Pastor gelang es damit, sowohl das Gemeinschaftsgefühl als auch den christlichen Standpunkt zur Arbeiterfrage zu vermitteln. — Der Erste Weltkrieg setzte dann eine tiefe Zäsur: die anfängliche Euphorie, die weite Volkskreise erfaßt und auch das religiöse Bewußtsein wieder gestärkt hatte, wich angesichts der katastrophalen Versorgungsnotlage mehr und mehr tiefer Depression. Mit Hilfe von Kleidersammlungen und der Einrichtung von Suppenküchen versuchte J. die ärgste Not zu lindern; seine improvisierten, aber wirkungsvollen Aktionen ließen ihn über die Grenzen des Reviers bekannt werden, so daß er in mehrere staatl. und städt. Wohlfahrtsausschüsse gewählt wurde. J. selbst hatte die für das ganze Ruhrgebiet richtungsweisende Essener Ortsgruppe des Kath. Akademiker-Verbandes gegründet, um die führenden Kreise der Gesellschaft in die Mitverantwortung für die soziale Arbeit zu gewinnen und zu verpflichten. Das Arbeitspensum und die Entbehrungen, die sich der Pastor auferlegt hatte, blieben jedoch nicht ohne ernste gesundheitliche Folgen. Im Mai 1919 stellte sich eine Nervenlähmung der linken Gesichtshälfte ein, zudem war er an Herz und Nieren erkrankt. Ein knappes halbes Jahr gönnte sich J. eine Ruhepause, um am 14. September 1919 seine neue Arbeitsstelle als Pfarrer in St. Maria in Mülheim a.d.R. anzutreten, wo er bis zu seinem Tode 1931 wirkte. Die allgemeine Nachkriegssituation, auf die später die Inflation und die alliierte Ruhrbesetzung folgten, diktierten J. in hohen Maße seine Aufgaben und Handlungsmöglichkeiten, an erster Stelle stand dabei die caritative Notlinderung. 1920 rief er daher den Caritas-Verband Mülheim ins Leben, wobei jede Pfarrei einen bestimmten Teil ihres Kirchensteuerertrages in die Verbandskasse zu entrichten hatte. Als Summe von J.s sozialkaritativen Überlegungen ist die Errichtung der berühmt gewordenen »Mülheimer Nothilfe« anzusehen, die seit 1929 täglich Tausende mit Nahrung und Kleidung versorgte. Gerade die Mülheimer Zeit von J. aber zeigt, daß sich sein Wirken nicht nur als Armenseelsorge begreifen läßt. Ein Blick in sein umfangreiches Gelegenheitsschrifttum verdeutlicht, daß der 'Industriepastor' auch um eine umfassende theologische Begründung seiner Pastoral bemüht war. In der 1928 verfaßten Abhandlung »Das Mysterium als Grundgedanke der Seelsorge« weist sich J. als ein Vertreter der Mysterientheologie aus, die in Deutschland vor allem von Odo Casel und den Mönchen von Maria Laach formuliert worden war. In Anlehnung daran ließ J. als einer der ersten die Ideen der Liturgischen Erneuerung in die praktische Seelsorge einfließen. Sichtbar wird dies vor allem an seiner Auffassung, die Gemeinde durch den regelmäßigen Kommunionempfang zur Mahlgemeinschaft zu formen, innerhalb derer das mystische Erleben Christi nur möglich sei. Auch seine Vorstellungen zur Kirchenarchitektur - trotz widriger wirtschaftlicher Umstände konnte J. den Neubau der Kirche St. Maria realisieren - verweisen auf sein neues liturgisches Verständnis: die angestrebte aktive Teilnahme der Gemeinde am Gottesdienst konnte danach nur in einer spezifischen Kirchenarchitektur, gekoppelt mit einem neuen Liturgiebewußtsein, erwachsen, die wesentlichen Gedanken hierzu finden sich in der Schrift »Das Haus Gottes«. Es war nur konsequent, daß J. in den letzten Jahren seines Lebens immer mehr zum Wegbereiter und Verfechter der Katholischen Aktion in Deutschland geworden war. Die von der Pfarrei ausgehende christliche Durchdringung der gesamten Gesellschaft, darin eingeschlossen die Behebung der sozialen Gegensätze, war für ihn zeitlebens Programm und Ziel seiner Arbeit gewesen. — Nach mehreren schweren Herzanfällen verstarb J. am 24.12. 1931 in Mülheim, wo ihn eine aus ganz Deutschland zusammengekommene Trauergemeinde am 29. Dezember beisetzte. J.'s bleibende Bedeutung ist in der Schaffung einer zeitnahen und modernen Seelsorge zu sehen.

Werke: Die sozialdemokratischen 'Eideshelfer', in: Magazin für volkstümliche Apologetik 5 (1906/07), S. 344-52; Die Apologetik in der Familie und in der Schule, in: ebenda, S. 384-92 u. 417-24; Protestantische Prinzipienfragen und Schulpraxis in Bremen, in: ebenda 6 (1907/08), S. 104-10; Judas-Thadäus-Büchlein, Köln 1907, ²1908; Das Mysterium als Grundgedanke der Seelsorge, in: BZThS 1928 (Separatdruck Düsseldorf 1936, ²1946); Seelsorge des Industrievolkes, in: Volkserziehung und Industrie, Augsburg 1930; Der Priester als Lehrer und Helfer in der gegenwärtigen sozialen Not, in: Zeitschr. f.d. Kath. Religionsunterricht an höheren Schulen, 1931; Die Gestaltung der religiösen Persönlichkeit durch die Liturgie, in: Frauenart und Frauenleben, 1931; Neues Rosenkranzbüchlein nach Dechant J., hrsg. v. Prof. Hamm, Trier 1933; Pastor J. spricht! Ein Jahresbuch der Frohen Botschaft, hrsg. v. Karl Geerling, Essen 1934; Ihr seid Christi Leib. Ein Buch von unserer Erlösung, hrsg. v. Wilhelm Cleven, Leutesdorf 1935; K. J. Von der Luft die wir atmen ..., München 1935; Pastor J. Die Pfarrgemeinde als Heimat, Recklinghausen 1937; Pastor J. Von Geschlecht zu Geschlecht. 30 Kapitel über das Pflanzen und Pflegen des christlichen Menschengewächses, Essen 1938; Pastor J. Das Haus Gottes, hrsg. v. Johannes Heinrichsbauer, Essen 1939; Ein Pastor läutet die Caritasglocken, hrsg. v. Wilhelm Cleven, Essen 1952.

Lit.: Jahrbuch d. Verbandes d. Vereine kath. Akademiker 1919, S. 67, 81 u. 110 f.; — Constantin Noppel, Die neue Pfarrei, in: StZ 131 (1936/37), S. 73-83; — Hubert Jakobs, Pastor J., sein Werden und Wirken, in: Pastor J. Von Geschlecht zu Geschlecht, Essen 1938, S. 141-174; — Maria Victoria Hopmann, Pastor J., Freiburg 1955; — Ludwig Weikl, Pastor K. J., in: ders., Sterne in der Hand des Menschensohnes. Ein Beitrag zu den pastoralen Bestrebungen unseres Jahrhunderts, Nürnberg/Eichstätt, 1963, S. 87-152; — Anzeiger f. d. kath. Geistlichkeit 74 (1965), S. 438-442; 60 Jahre Caritasverband Mülheim a.d.R., Mülheim 1980, S. 7 ff.; — LThK V, 861.

Rainer Witt

JAKOBUS der Jüngere, Apostel. — Als Sohn des Alphäus ist er nur in den Apostellisten (Mt 10,3; Mk 3,18; Lk 6,15 und Apg 1,13) und nirgends sonst im Neuen Testament genannt. Er darf nach heutiger Forschung weder mit dem Zöllner Levi, dem Sohn auch eines Alphäus (Lk 2,14), noch mit Jakobus, dem Bruder Jesu, dem Kleinen (Mk 15,40) gleichgesetzt werden. Sein Beiname erklärt sich am ehesten aus der Tatsache, daß er erst nach dem anderen Jakobus, dem Jakobus dem Älteren, von Jesus berufen wurde (vgl. Mk 1,19). Dieser ist demnach der im Rang Höherstehende, der überdies zu den drei besonderen Vertrauten Jesu gehörte, die er bei wichtigen Gelegenheiten getrennt mit sich nahm (Totenerweckung Mk 5,37; Verklärung Mt 17,1; Todesangst Mk 14,33). Daß J. zu den in Mk 9,33 ff. genannten Jüngern gehörte, die untereinander Rangstreitigkeiten austragen, kann wohl ebenso angenommen werden, wie daß er auch zu den Eifersüchtigen zählte, als die beiden Zebedäussöhne Jakobus der Ältere und Johannes mit ihrer Mutter Salome bei Jesus um besondere Ehrenplätze in seinem Reich anfragten (vgl. Mk 10,33). Seine Mutter war eine Maria (?), die unter den Frauen genannt wird, die bei der Kreuzigung Jesu zugegen waren und die in der Erzählung am Ostermorgen zum Grabe gingen, um Jesus zu salben. Sein Fest wird heute am 3. Mai gefeiert, bei den Griechen am 9. Oktober. Reliquien dieses Apostels werden verehrt in Santiago de Compostela (zusammen mit Reliquien von Jakobus dem Älteren), auf der Insel Camargue (Rhonedelta, Südfrankreich), in Forlì (südlich von Ravenna), in Ancona, in der Benediktiner-Abtei Gemblour bei Namur (Belgien), in der Apostelbasilika zu Rom, in Toulouse, Langres und Antwerpen (Jesuitenkirche). Verehrt wird er als Patron der Hutmacher, Krämer und Walker. Dargestellt wird er mit der Keule oder Tuchwalkerstange, weil er nach der Legende von der Zinne des Tempels gestürzt und mit einer Keule oder Tuchwalkerstange erschlagen wurde.

Lit.: LThK V, 834; — H. Mertens, Handb. der Bibelkunde, Düsseldorf 1984, 322; — Lexikon der Namen und Hll., Innsbruck-Wien 1988, 498; — Im weiteren siehe unter Jakobus, der Bruder Jesu.

Karl Mühlek

JAKOBUS der Ältere, Apostel. Sein Fest wird am 25. Juli gefeiert, am 12. April bei den Kopten, am 30. April bei den Griechen und am 28. Dezember bei den Armeniern. Er ist der Sohn des Zebedäus, des Fischers von Bethsaida am See Genesareth, der Sohn der Salome (vgl. Mk 15,40 mit Mt 27,56 und Mt 20,21) und der ältere Bruder des Johannes. Mit ihm zusammen wurde er von Jesus in die Nachfolge gerufen (Mk 1,19f und Mt 4,21f; vgl. Mk 1,29 und Lk 5,10). Er gehörte zur Gruppe der "Zwölf" (Mk 3,17; Mt 10,2; Lk 6,14; Apg 1,13). Von Jesus bekamen die beiden Brüder J. und Johannes wegen ihres stürmischen Eifers den Beinamen "Donnersöhne" (Mk 3,17). Mit Petrus zusammen wurden sie auch von Jesus besonders bevorzugt, und zwar als Augenzeugen bei der Auferweckung der Tochter des Jairus (Mk 9,2; Mt 17,1; Lk 9,28), bei der Verklärung auf dem Berge (Mk 9,2; Mt 17,1; Lk 9,28) und bei der Todesangst im Ölgarten (Mk 14,33; Mt 26,37). Mit Petrus und Andreas zusammen fragen sie auch nach Zeitpunkt und Zeichen der Endereignisse (Mk 13,3). Außerdem werden die Zebedäussöhne noch einige Male mit markantem Verhalten benannt (Lk 9,52-54 und Mk 10,35ff; auch Mk 10,41). Sogar ihr Martyrium wird in verschlüsselter Weise vorausgesagt (vgl. MK 10,39). Als 1. der 12 Apostel erlitt J. unter Herodes Agrippa I. um Ostern 44 (1. April ?) den Martertod durch das Schwert im Zuge einer Christenverfolgung (Apg 12,2). Nach Klemens von Alexandrien habe sich ein Henker dabei bekehrt und sei ebenfalls als Martyrer gestorben (in Eusebios HE II 9). An der vermuteten Stätte der Enthauptung wurde später in Jerusalem die J.-Kirche erbaut.

Die Legende, erst im 7. Jahrhundert auftauchend, wonach J. in Spanien gepredigt habe, dort gestorben und begraben sei (berichtet von Isidor von Sevilla), ist nach heutiger Kenntnis mit ihren Aussagen unhaltbar. Die altspanischen, altgallischen und römischen Quellen, besonders Julian von Toledo (+ um 686), der das Breviarium Apostolorum kennt und von den Schicksalen des J. erzählt, erwähnen davon nichts. Nach sehr alter Überlieferung blieben vielmehr die Apostel 12 Jahre in Jerusalem, also bis nach dem Tode des J. Röm 15,24 läßt schließen, daß damals in Spanien noch keine Kirchen gegründet waren. Außerdem stellt Innozenz I. (402-417) ausdrücklich in Abrede, daß irgendein Apostel jemals eine Gemeinde in Spanien gegründet habe. Ebenfalls gemäß einer Überlieferung wurden die Gebeine des Apostels um 70 n. Chr. von Jerusalem zum Sinai gebracht und ihnen ein Kloster erbaut (J.-Kloster). Im heutigen Sinaikloster, der heiligen Katharina geweiht, fand man tatsächlich unter den Katharinenfresken teilweise recht gut erhaltene J.-Fresken. Nach alter spanischer Tradition wurde der Leib des Apostels J., um ihn vor den Sarazenen zu retten, nach Spanien gebracht und am 25.7.816 in der erbauten J.-Kirche beigesetzt. Daraus entwickelte sich der berühmte Wallfahrtsort Santiago de Compostela (= St. Jakob vom campus stellae, weil der Bischof Theodomir von Iria Flavia durch ein wunderbares "Licht auf dem Felde" die Gebeine wieder aufgefunden habe, wie die Legende berichtet). Die Wallfahrt wurde namentlich im 10. bis 15. Jahrhundert weltberühmt. 1095 verlegte Urban II. den Bischofssitz von Iria Flavia nach Santiago de Compostela. Er machte ihn vom Metropolitansitz Braga unabhängig. Schon 1075 wurde die heutige Kathedrale begonnen, im 12. Jahrhundert durch den berühmten Pórtico de Gloria vollendet und im 18. Jhdt. durch die barocke Westfassade (Obradoiro) und die Türme erweitert. Die Frage nach der Echtheit der Reliquien unter dem Hochaltar der Kathedrale wird immer wieder neu gestellt. Im 12. Jahrhundert suchte man die Glaubwürdigkeit der J.-Tradition durch fingierte Papstschreiben zu unterstützen (so u. a. durch eine vorgebliche Bulle Alexanders III. vom 25.6. 1179). Urban VIII. fügte die J.-Tradition in das Römische Brevier ein. Leo XIII. anerkannte am 1.11. 1884 die J.-Tradition, nachdem die Ritenkongregation die Ergebnisse einer archäologischen Untersuchung des Grabes (1878/79) überprüft hatte. Außerdem bestätigte er die bestehenden Privilegien der Kathedrale. Schließlich wurden 1951 unter dem Sarkophag römische Fundamente, Heizanlagen, Mosaikfußböden u. a. gefunden. An allen Wallfahrtswegen nach Compostela und überdies an den großen Heerstraßen allgemein wurden Kirchen, Kapellen, Klöster (bes. Schottenklöster) und Hospize errichtet. Orden und Bruderschaften, Legenden und Lieder entstanden in großer Zahl. Eine üppige Legendenbildung umrankte ihn und machte ihn zeitweilig zum volkstümlichsten Apostel. In Spanien und Portugal wurde er neben dem Erzengel Michael der Schutzheilige im Kampf gegen den Islam. Er ist der Patron der Winzer und Pilger. "Jakobi" gilt als Lostag für die Witterung, als Glückstag für die Ernte, in den Alpen als Ziehtag für das Gesinde und als Festtag der Hirten. Außerdem ist er Patron der Apotheker und Drogisten, der Hutmacher und Strumpfwirker, der Kettenschmiede und Lastträger, der Krieger, Ritter und Wachszieher. Dargestellt wird er mit Buch oder Schriftrolle als Apostelattribut, ab dem 11. Jahrhundert als Pilger mit der Pilgermuschel am Hut oder auf der Brust, mit langem Pilgerstab, Reisetasche und Wasserflasche, zuweilen auch mit dem Schwert. Öfter werden auch Szenen aus der reich entwickelten Legende dargestellt. Auch drei Ordensgemeinschaften sind nach ihm benannt: der Ritterorden des heiligen Jakobus vom Schwerte (1161 in León zum Kampf gegen die Mauren gegründet, mit einer reichen Geschichte), der Ritterorden vom heiligen Jakobus von der Muschel (1290 von Graf Florentius von Holland gegründet, in der Reformation untergegangen), die Hospitaliter vom heiligen Jakobus (Jakobusbrüder; sie widmeten sich dem Brückenbau, Pilgerschutz und der Krankenpflege).

Lit.: ActaSS Jul. VI (1729), 69-144; — DACL VII, 2089-2109; — R. A. Lipsius, Die apokryphen Apostelgeschichten und Apostellegenden II/2 (Braunschweig 1884), 201-228; — H. Leclercq, L'Espagne chrét. (Paris 1906), 31-42; — DACL V, 412-417; — Bächtold-Stäubli IV, 620-629; — G. Schreiber, Deutschland und Spanien (Düsseldorf 1936), 72-129 u. ö.; — Schreiber G 445 (Reg.); — V. und H. Hell, Die große Wallfahrt (Tübingen 1984); — Klaus Herbers, Der J.-Weg (Tübingen 1986); — Heinz Malangré, Auf Pilgerfahrt nach Santiago de Compostela (Kevelaer 1987); — L. Vázquez de Parga/J. M. Lacarra/J. Uríu Ríu, Las peregrinaciones a Santiago de Compostela, 3 Bde. (Madrid 1948-49); — H. J. Hüffer, Sant'Jago (München 1957); — Klaus Herbers, Der J.-Kult des 12. Jh.s und der "Liber Sancti Jakobi" (Wiesbaden 1984); — Künstle II, 316-324; — Braun TA, 346-349; — Réau III/2, 690-702; — Hélyot II, 156-174, 503-507, IV, 611; EWNT II (Stuttgart 1981), 411-415; — LThK V (1960), 833-834; — Lex. der Namen und Hll. (Innsbruck 1988⁶), 407 f.; — H. Mertens, Handb. der Bibelkunde (Düsseldorf 1984).

Karl Mühlek

JAKOBUS, "Bruder des Herrn" (Gal. 1,19). — Gedächtnis 3. Mai (Identifikation mit dem Apostel Jakobus der Jüngere), in der griechischen Kirche 23. Oktober. Sein Haupt wird in Ancona verehrt. Die Walkerkeule ist sein Attribut. Seine Mutter Maria wohnte der Kreuzigung Jesu bei (Mk 15,40). Sein Vater ist unbekannt (verschiedentlich wird Klopas als Vater angenommen wegen Identifikation mit Jakobus dem Jüngeren). Sein Beiname "der Kleine" (Mk 15,40) ist wohl ein Hinweis auf seine kleine Statur (ferner Mk 15,47 und 16,1). Er wird neben den Brüdern Joses (Joseph), Judas und Simon als der Älteste genannt (Mk 6,3 und Mt 13,55). Mit ihnen und der ganzen Verwandtschaft stand er offenbar dem Wirken Jesu lange Zeit ziemlich verständnislos gegenüber (Mk 3,21 und 31; Mk 6,4; Mk 21,31-35; Joh 7,3-10). Die in 1 Kor 15,7 bezeugte Oster-Epiphanie hat ihn sicher bekehrt und zum Glauben bewogen (Apg 1,14). Als Herrenbruder und Osterzeuge besaß er innerhalb der Gemeinde von Jerusalem besondere Autorität, ja er wurde der Leiter nach der Flucht des Apostels Petrus (Gal 1,19; 2,9; Apg 12,17; 15,13-29; 21,18-25). Er zählte zu den drei "Säulen", zur Dreiergruppe, die der Urgemeinde vorstand: Jakobus, Kephas und Johannes. So wurde er von Paulus, nach dessen Bekehrung, besucht, obwohl dessen Besuch vornehmlich dem Petrus galt. Vor allem auf dem Apostelkonzil (Apg 15) spielte er eine bestimmende Rolle. Zwar selber streng gesetzlich lebend, trat er für die prinzipielle Gesetzesfreiheit der Heidenchristen ein, womit die Anerkennung der Heidenmission erfolgte (Apg 15,19 und 28f; Gal 2,1-10). Inwieweit sich der Eklat zwischen Petrus und Paulus in Antiochien (Gal 2,11-14) auf in seinem Auftrag Beobachtende zurückführen läßt, ist nicht genau zu sagen. Auf dem Hintergrund dieses Streitfalls ist jedoch das von Lukas erwähnte Aposteldekret zu sehen, das die Heidenchristen verpflichtete, sich von Götzenopferfleisch, Blutgenuß, Fleisch von erstickten Tieren und Unzucht zu enthalten (in Anknüpfung an Lev 17f). Es wird von Jakobus angeregt (Apg 15,19-21,28f) und auf seine Weisung hin durchgeführt worden sein. Letztlich ist er dadurch zum Mann des Ausgleichs geworden, weil er in der Zeit des Übergangs den Zusammenhang des aufsteigenden Christentums mit den jüdischen Wurzeln zu wahren verstand. Er hat weder die Übereinkunft des "Apostelkonzils" preisgegeben, noch die Freiheit der Heidenchristen zu stark eingeengt. Ob er selber kleine Missionsreisen innerhalb Palästinas unternommen hat (vgl. 1 Kor 9,5) bleibt ungewiß. Gerade ihn hat aber Paulus auf seiner dritten Missionsreise besucht, um ihm die Kollekte der Heidenmission abzuliefern (Apg 21,18-26; Röm 15,30-32). Als untadeliger Judenchrist strenger jüdischer Gesetzestreue und als angesehener Beter im Tempel erhielt er nach judenchristlicher Überlieferung den Ehrennamen "der Gerechte" (so Klemens von Alexandrien, Hegesippos, Josephus Flavius bei Eusebios HE II 1,2-5; 23,4-18.21). Die Deutung des bei Hegesippos ebenfalls noch erwähnten Beinamens "Oblias" als "Bollwerk des Volkes" oder als "Knecht Gottes und Jesu Christi, des Herrn" (Jak 1,1) ist nicht eindeutig festzulegen. Nach glaubwürdigen Angaben bei Josephus (Ant XX, 199 f) ließ der Hohepriester Ananos II. Jakobus steinigen (um 61/62), und zwar in der Zeit zwischen dem Tod des Statthalters Festus und der Ankunft des Statthalters Albinus in Judäa. Weitere Berichte über Lebensumstände und Martyrium des Herrenbruders Jakobus, besonders bei Hegesippos, gehören mehr in das Legendarische. Die Verfasserschaft des Jakobusbriefes ist jedenfalls auf ihn zu beziehen.

Lit.: K. Niederwimmer, Art. J., EWNT II (1981), 411-415; — E. Ruckstuhl, TRE XVI (1987), 485-488; — J. Blinzler, LThK V (1960), 238; — Lex. d. N. u. H., Innsbruck 1988[6], 408 f.; — H. Mertens, Handb. der Bibelkunde, Düsseldorf (1984); — M. Meinertz, Der J.-Brief und sein Verfasser (Freiburg 1905); — E. Nestle, ZNW XIV (1913), 265 f.; — G. Kittel, ZNW XXX (1931), 145-156; — K. Aland, Der Herrenbruder J. und der J.-Brief, ThLZ LXIX (1944), 97-103; — Wilh. Pratscher, Der Herrenbruder J. und die J.-Tradition (Göttingen 1987); — E. Stauffer, Zum Kalifat d. J., ZRGG IV (1952), 193-214; — Ders., Petrus und J. in Jerusalem: Begegnung der Christen (Festschr. O. Karrer) (St-F 1959), 361-372; — P. Gaechter, J. von Jerusalem, ZThK LXXVI (1954), 129-169; — M. Hengel, J. der Herrenbruder - der erste "Papst"?: Glaube und Eschatologie (Festschr. W. G. Kümmel) (Tübingen 1985), 71-104; — Ikonographie: Künstle II, 324 f.; — Réau III/2, 702 ff.

Karl Mühlek

JAMES, Mary Dagworthy, geb. Yard, 1810-1883; amerikanische Schriftstellerin, verfaßte überwiegend christliche Biographien.

Werke: U. a.: Mother Munroe. The shining path: as illustrated in the life and experience of Elizabeth Munroe, Boston 1880; The soulwinner: a sketch of facts and incidents in the life and labors of Edmund J. Yard, New York 1883.

Lit.: Joseph H. James, The life of Mrs. M. D. J., by her son Reverend J. J. J., New York 1886; — William S. Wallace, A Dictionary of North American Authors, Detroit 1968, 234.

Rainer Witt

JAMES, William, amerikanischer Philosoph und Psychologe, * 11.1. 1842 als Sohn des Philosophen Henry J. sen., + 26.8. 1910 in Chocorua (New Hampshire). — Das Leben des Vaters war durch Ruhelosigkeit und Wanderschaft gekennzeichnet. Die Stationen waren New Port, New York, Paris, London, Genf, Bologna und Bonn. Seine Kinder mußten in Amerika und Europa mehrfach die Schulen wechseln. William J. begann mit 18 Jahren eine Ausbildung als Kunstmaler, die er allerdings schon kurze Zeit später wieder aufgab, um ein Studium der Chemie, vergleichende Anatomie und Medizin in Harvard aufzunehmen. Er unterbrach sein Studium, um an einer Amazonasexpedition unter Louis Agassiz teilzunehmen. 1867/68 ging er nach Dresden und Berlin, vor allem um bei Herrmann von Helmholtz zu studieren. In diese Zeit fiel die Begegnung mit den Schriften Charles Renouviers, eines kantianischen Idealisten und Relativisten. J. geriet in eine schwere persönliche und intellektuelle Krise. 1868 schloß er sein Studium an der Harvard Medical School ab, er war aber weder physisch noch psychisch in der Lage, als Arzt zu praktizieren. J. lebte bis 1872 zu Hause. Er litt unter anderem an panischen Angstzuständen, die sich 1870 legten, als er seinen eigenen Angaben zufolge Renouvier über den freien Willen gelesen und entschieden habe, daß sein "first act of free will shall be to believe in free will". Von 1872-1876 war J. Professor für Physiologie und vergleichende Anatomie in Harvard. Seine Heirat mit Alice H. Gibbens 1878 markiert den entscheidenden Einschnitt in seinem Leben. Seine psychischen Leiden kamen fast ganz zum Verschwinden, mit Tatkraft und Energie arbeitete er auf verschiedenen Gebieten. 1890 erschienen »The Principals of Morals«, 1892 das Textbuch dazu. Danach wandte er sich religiösen Problemen zu, Fragen nach der Natur und Existenz Gottes, der Unsterblichkeit der Seele etc., die er empirisch, im Rekurs auf die religiöse Erfahrung anging. In den achtziger Jahren unterrichtete J. Ethik und Religion im Zusammenhang mit psychologischen Forschungen. 1901/02 hielt er die Gifford Lectures in Edinburgh über natürliche Religion. Seine philosophische Laufbahn hatte bereits 1898 mit einer Vorlesungsreihe an der Universität von Kalifornien begonnen, in der er seine philosophische Konzeption, seine »theory of method«, die als Pragmatismus bekannt wurde, darlegte. Vorlesungen an der Stanford Universität und in Boston folgten (1906). Letztere wurden unter dem Titel »Pragmatism: A New Name for Old Ways of Thinking« 1907 veröffentlicht.

JAMES, William

Zahlreiche weitere Aufsätze zum Thema folgten, hauptsächlich in "The Journal of Philosophy". Sie wurden nach J.'s Tod gesammelt und als »Essays in Radical Empiricism« 1912 herausgegeben. J. wurde bei seinen letzten Vorlesungen in Harvard und an der Columbia Universität gefeiert wie ein neuer Prophet. 1909 las er zum letzten Mal in Oxford. Nachdem ihm eine Reise auf den europäischen Kontinent keine Linderung seiner körperlichen Leiden gebracht hatte, kehrte er nach New Hampshire zurück, wo er 1910 starb. — J. gilt zusammen mit Pierce als Begründer des "Pragmatismus", der sich von der traditionellen europäischen Philosophie vor allem in der Wahrheitsfrage unterscheidet. Wahrheit ist hier nicht mehr auf das "Wesen" der Dinge und der "adaequatio intellectus et rei" ausgerichtet, sondern an Begriffen wie Erfolg und Nützlichkeit. Eng damit verbunden ist für J. die Ablehnung der Herleitung der Welt aus einem Prinzip. Nach ihm besteht sie vielmehr aus vielen Bereichen, die sich zum Teil widerstreiten. Darum hat der Mensch auch die Möglichkeit, mit seinem Willen und seinen Kräften die Welt zu gestalten. Auch die Religion kann keinen übergeordneten Wahrheitsbegriff für sich in Anspruch nehmen. Ihre Wurzel ist das Gefühl. Durch seinen Schüler Watson hat J. maßgeblich den Behaviorismus beeinflußt. In der amerikanischen Philosophie blieb sein Einfluß hauptsächlich durch Dewey und dessen Schule bestimmend. In Europa wurde er primär in England (Skinner) und in der philosophischen Diskussion der neueren Physik (Einstein, Russel, Bohr) rezipiert. In Deutschland wurde J.'s Werk erst durch Herms in die theologische Diskussion eingeführt.

Werke: Are we Automata?, in: Mind 1879, 1-22; On some Omissions of Introperspective Psychology, in: Mind 1884, 1-26; The Principles of Psychology, 2 Bde., 1890 (Neuausg. 1983); Psycholog. Briefer Course, 1892 (Neuausg. mit einer Einl. v. G. Murphy, 1962); The Will to Believe and other Essays in Popular Philosophy, 1897 (Neudr. 1973); Dt.: Der Wille zum Glauben u. a. popularphilos. Essays, übers. v. Theodor Lorenz, 1899; Human Immortality, Two Supposed Objections to the Doctrine, 1898; Dt.: Unsterblichkeit, übers. v. Ernst v. Aster; Talks to Teacher on Psychology and to Students on some Life's Ideals, 1899 (Neudr. 1962); Dt.: Psychologie u. Erziehung. Ansprachen an Lehrer, übers. v. F. Kiesow, (1900) 1912³; On some Life's Ideals. One Certain Blindness in Human Beings [and] What makes a Life Significant, 1900 (Neudr. 1973); The Varieties of Religious Experience, 1902 (Neuausg. ed. with an Introduction by Martin E. Marty, 1982); Dt.: Die rel. Erfahrung in ihrer Mannigfaltigkeit, übers. u. mit einer Einl. v. Georg Wobbermin, 1907 (neu hrsg., übers. u. mit einem Nachwort versehen v. Eilert Herms, 1979); Pragmatism. A New Name for some

Old Ways of Thinking, 1907; Dt.: Der Pragmatismus. Ein neuer Name für alte Denkmethoden, übers. v. W. Jerusalem (1907), mit einer Einl.hrsg. v. Klaus Oehler, 1977; The Energies of Men, in: Philosophical Rv. 16, 1907, 1-20; A Pluralistic Universe, 1909; Dt.: Das pluralistische Universum, übers. v. Julius Goldstein, 1914; The Meaning of Truth. A Sequel to »Pragmatism«, 1909 (Neudr. with an new introduction by Ralph Ross, 1970); Memories and Studies, ed. Henry J. jun., 1911 (Neudr. 1970); Some Problems of Philosophy, ed. Henry J. jun., 1911 (Neudr. 1968); Essays in Radical Empiricism and Pluralistic Universe, hrsg. v. Ralph Barton Perry, 1912 (Neuausg. mit einer Einl. v. R. J. Bernstein, 1971); Collected Essays and Reviews, ed. R. B. Perry, 1920 (Neudr. 1969), The Letters of W. J., ed. Henry J. jun., 2 Bde., 1920 (Neudr. 1969); Essays on Faith and Morals, ausgewählt v. R. B. Perry, 1949; Dt.: Essays über Glaube u. Ethik, übertr. v. Wilhelm Föttmann, 1948; The Writings of W. J., a comprehensive ed., ed. with an introduction by John J. McDermott, 1967; — GA: The Works of W. J., ed. Frederick H. Burckhardt, general ed. Fredson Bowers, textual ed. Ignas K. Skrupskelis, 1975; Ralph Barton Perry, Annotated Bibliography of the Writings of W. J., 1920; The Philosophy of W. J., ed. by Walter Robert Corti, Bibliogr. v. Charlene H. Haddock, 1976; Ignas K. Skrupskelis, W. J., A Reference Guide, 1977.

Lit.: Ch. M. Bakewell, Bespr. v.: W. J., Pragmatism, in: The Philosophical Rv. 16, 1907, 624-634; — J. Goldstein, Moderne Religionspsychologie, in: Internat. Wschr. 3, 1909, 7-26; — G. Jacoby, Der Pragmatismus. Neue Bahnen in der Wissenschaftslehre des Auslands, 1909; — K. A. Busch, W. J. als Religionsphilosoph (Phil. Diss. Erlangen), 1911; — E. Boutroux, W. J., dt. v. Bruno Jordan, 1912; — W. Bloch, Der Pragmatismus v. W. J. u. Schiller, 1913; — Horace Meyer Kallen, W. J. and Henri Bergson. A Study in Contrasting Theories of Life, (1914) neue Aufl. 1980; — Ders., The Philosophy of W. J., 1925; — H. V. Knox, The Philosophy of W.J.,1914; — Julius Seelye Bixler, Rel. in the Philosophy of W.J., 1926; — Des., The Existentialists and W.J., in: The American Scholar 28, 1958/59; — Max Scheler, Erkenntnis u. Arbeit. Eine Stud. über Wert u. Grenzen des pragmat. Motivs in der Erkenntnis der Welt, in: Die Wissensformen u. die Ges., 1926, 231-486; — C. Stumpf, W. J. nach seinen Briefen, 1928; — M. LeBreton, La personnalité de W. J., 1929; — Théodore Flournoy, Die Philos. v. W. J., 1930; — Clinton Hartley Grattan, The Three Jameses. A Family of Minds. Henry J. sen., W. J., Henry J., mit einer Einf. v. Oscar Cargill, 1932; — Ralph Barton Perry, The Thought and Character of W. J., 2 Bde., 1935 (Neudr. 1962); — Ders., In the Spirit of W. J., 1938; — Ders., Present Philosophical Tendencies. A Critical Survey of Naturalism, Idealism, Pragmatism and Realism, together with a Synopsis of the Philosophy of W.J., 1960; — A. Lappan, The Significance of J.'s Essay (scil. »Does Consciousness Exist?«), 1936; — E. Baumgarten, Der Pragmatismus. R. W. Emerson, W. J., J. Dewey, 1938; — Janette E. Newhall, Wobbermin u. W. J., in: FS Georg Wobbermin z. 70 Geb., 1939, 363-378; — Gordon W. Allport, The Productive Paradoxes of W. J., in: Psychological Rv. 50, 1943, 95-120; — Ders., W. J. and the Behavioral Sciences, in: Journal of the Hist. of Behavioral Sciences 2, 1966, 145-147; — Kurt Nassauer, Die Rechtsphilos. W. J.'s, 1943; — Joachim G. Leithäuser, W. J. u. der Barwert der Philos., in: Der Monat 1, 1949, 26-33; — M.

1525 / 1526

Knight, W. J., 1950; — Lloyd Morris, W. J., the Message of a Modern Mind, 1950; — P. Parampanthi, W. J. on Rel., in: Vedanta Kesari 42, 1955, 223-227; — Charles Herrich Compton, W. J., Philosopher and Man, 1957; — V. M. Ames, W. J. and Zen, in: Psychologia 2, 1959, 114-119; — Hermann Schmidt, Der Begriff der Erfahrungskontinuität bei W. J. u. seine Bedeutung f. den amer. Pragmatismus, 1959; — W. L. Beck, Six Secular Philosophers, 1960; — T. Manferdini, Empirismo e irrazionalismo: W. J., in: Dies., Sudi sul pensieroamericano, 1960, 255-291; — Henry B. Van Wesen, Seven Sages. The Story of American Philosophy, 1960; — Bernard P. Brennan, The Ethics of W. J., 1961; — Ders., W. J., 1968; — Johannes Linschoten, Auf dem Wege z. einer phänomenolog. Psychologie. Die Psychologie v. W. J., 1961 (engl. 1969); — Giuseppe Agostino Roggerone, J. e la crisi della cosziensa contemporenea, 1961; — W. J. on Psychical Research, ed. by G. Murphy and R. O. Ballow, 1961; — Milic Capek, La signification actuelle de la philos. de J., Rv. de Métaphysique et de Morale 67, 1962, 291-321; — Guiseppe Riconda, Un libro su J., Ediz. di »Filosofia«, 1962; — Ders., W. J., La teoria pragmatistica della conoszenza, in: Filosofia 13, 1962, 617-642; — Ders., W. J. L'individualismo etico, in: Filosofia 14, 1963, 367-386; — Ders., La filosofia della religione di W. J., in: Filosofia 15, 1964, 241-277; — Ders., L'empiriso radicale di W. J., in: Filosofia 16, 1965, 291-332; — James Deotis Roberts, Faith and Reason. A Comparative Study of Pascal, Bergson and J., 1962; — Arthur Oncken Lovejoy, W. J. as Philosopher, in: Ders., The Thirteen Pragmatism and other Essays, 1963, 79-112; — Marjoric R. Kaufmann, W. J.'s Letters to a Young Pragmatist, in: Journal of the Hist. of Ideas 24, 1963, 413-421; — William A. Mara, The Five-sided Pragmatism of W. J., in: The Modern Schoolman 41, 1963/64, 45-61; — Thomas R. Martland, The Metaphysics of W. J. and John Dewey. Process and Structure in Philosophy and Rel., 1963; — George J. Mavrodos, J. and Clifford on the »The Will to Believe«, in: The Personalist 44, 1963, 191-198; — John E. Smith, The Spirit of American Philosphy, 1963; — Ders., Radical Empericism, in: Proceedings of the Aristotelian Society, 1965, 205-218; — L. J. van Holk, Van W. J. naar Henri Bergson, in: Wijsgerg of Maatschappij en Wetenschap 5, 1964/65, 101-110; — Antonio Santucci, La filosofia del Giovane J., in: Rivista di filosofia 55, 1964, 13-53; — Heraldo Barbuy, Eficiêna e religiao, in: Convivum S. P. 7, 1965, Nr. 9, 61-67; — Walter H. Clark, W. J., Contributions to the Psychology of Religious Conversion, in: Pastoral Psychology 16, 1965, 29-36; — James M. Edie, Notes on the Philosophical Anthropology of W. J., in: An Invitation to Phenomenology, ed. with an introduction by J. M. Edie, 1965, 110-132; — Ders., Necessary Truth and Perception, W. J. and the Structure of Experience, in: New Essays in Phenomenology, ed. with an introduction by J. M. Edie, 1969, 233-255; — Ders., W. J. and Phenomenology, in: Rv. of Metaphysics 23, 1969/70, 481-526; — Ders., W. J. and the Phenomenological Thesis of the Primacy of Perception, in: Akten des XIV. Internat. Kongresses f. Philos., Wien 2.-9.9. 1969, 1970, 88-95; — Ders., The Genesis of a Phenomenological Theory of the Experience of Personal Identity. W. J. on Consciousness and the Self, in: Man and World 6, 1973, 322-340; — John F. Fischer, Santayana on J., A Conflict of Views on Philosophy, in: American Philosophical Quarterly 2, 1965, 67-73; — Edward C. Moore, W. J., 1965; — J. Thiele, W. J. u. Ernst Mach. Briefe aus den J. 1884-1904, in: Philosophia Naturalis 9, 1965/66, 298-310;

— Carlos VazFerreira, Tres filófos de la vida. Nietzsche, J., Unamuno, 1965; — J. Daniel Wild, W. J. and Existential Authenticity, in. Journal of Existentialism 19, 1965, 255 ff.; — Ders., The Radical Empiricism of W. J., 1969; — Ders., W. J. and the Phenomenology of Believe, in: New Essays in Phenomenology, ed. with an introduction by J. M. Edie; — R. W. Beard, Ein Rückblick auf J.'s »Der Wille zu Glauben«, in: Ratio 8, 1966, 154-162; — Ders., J. and the Rationality of Determinism, in: Journal of the Hist. of Philosophy 5, 1967, 149-156; — Matthew Fairbanks, Wittgenstein and J., in: The New Scholasticism, 40, 1966, 331-340; — Aron Gurwitsch, W. J.'s Theory of the »Transitive Parts« of the Stream of Consciousness, in: Ders., Studies on Phenomenology and Psychology, 1966, 301-331; — Francis J. Kenna, Ten Unpublished Letters from W. J. to Francis Herbert Bradley, in: Mind 75, 1966, 309-331; — Robert C. LeClair (Hrsg.), W. J. and Théodore Flournoy, Ten Letters, 1966; — Robert J. Roth, The Religious Philosophy of W. J., in: Thought 41, 1966, 249-281; — Gay Wilson Allen, W. J. A Biography, 1967; — Ders., Pragmatism, in: Landmarks in American Writing, ed. by H. Cohen, 1969; — Ders., W. J., 1970; — W. R. Compstock, W. J. and the Logic of Religious Belief, in: JR 47, 1967, 187-209; — Louis Farré, Unamuno, W. J. y Kierkegaard y otros ensayos, 1967; — William J. Mac Leod, J.'s »Will to believe«, in: The Personalist 48, 1967, 149-166; — Andrew J. Reck, Introduction to W. J., an Essay and selected Texts, 1967; — Ders., W. J. et l'attitude pragmatiste. Présentation, choix de textes, 1967; — Ders., The Philosophical Psychology of W. J., in: The Southern Journal of Philosophy 9, 1971, 293-312; — Ders., Dualism in W. J.'s Principles of Psychology, in: Tulane Studies in Philosophy 21, 1972, 23-38; — Ders., Epistemology in W. J.'s Principles of Psychology, in: Tulane Studies of Philosophy 22, 1973, 79-15; — Ders., Idealist Metaphysics in W. J.'s Principles of Psychology, in: Idealistic Studies 9, 1979, 213-221; — Ders., W. J. on Ultimate Reality and Meaning, in: Ultimate Reality and Meaning 2, 1979, 40-58; — Cushing Strout, Pragmatism and Retrospect. The Legacy of J. and Dewey, in: Virginia Quarterly Rv. 43, 1967, 123-134; — Ders., W. J. and the Twice-born Sick Soul, in: Daedalus 97, 1968, 1062-1082; — Ders., Pluralistic Identity of W. J., a Psychohistorical Reading of »The Varieties of Religious Experience«, in: American Quarterly 23, 1971, 135-152; — Alfred Jules Ayer, The Origins of Pragmatism. Studies in the Philosophy of Ch. S. Peirche and W. J., 1968; — Ash Gobar, Hist. of the Phenomenological Trend in the Philosphy and Psychology of W. J. (1842-1910), in: American Philosophical Yearbook 1968, 582 f.; — Ders., The Phenomenology of W. J., in: Proceedings of the American Philosophical Society 114, 1970, 294-309; — Dale Riepe, Discussion. A Note on W. J. and Indian Philosophy, in: Philosophy and Phenomenological Research 28, 1968, 587-590; — Allan Shields, On a Certain Blindness in W. J. and Others, in: Journal of Aesthetics and Art Criticism 27, 1968/69, 27-34; — Paul Russel Anderson/M. H. Fisch, Philosophy in America from the Puritans to J., 1969; — Jaako Blomberg, J. on Belief and Truth, in: Ajatus 31, 1969, 171-187; — Jean-Pierre DeConchy, La définition de la rel. chez W. J., in: Archives e sociologie des religions 14, 1969, Nr. 27, 51-70; — D. Dilworth, The Initial Formations of Pure Experience in Nishida Kitaro and W. J., in: Monumenta Nipponica 24, 1969, 93-111; — Robert R. Ehmann, W. J. and the Structure of the Self, in: New Essay in Phenomenology, ed. with an introduction by J. M. Edie,

1969, 256-270; — Sergio Sivone, Il problema della fede in Pascal e in J., in: Studi e ricerche di storia della filosofia 98, 1969, 161-288;— Fred Karten, Franz Brentano und W. J., in: Journal of the Hist. of Philosophy 7, 1969, 177-191; — John K. Roth, Freedom and the Moral Life, the Ethics of W. J., 1969; — Ders., W. J., John Dewey and the Death-of-God, in: Religious Studies 7, 1971, 53-61; — D. B. Schirmer, W. J. and the New Age, in: Science and Society 33, 1969, 434-445; — Calvin O. Schrag, Struktur u. Erfahrung in der Philos. v. J. u. Whitehead, in: Zschr. f. philos. Forsch. 23, 1969, 479-494; — Leonard Hal Bridges, American Mysticism, from W. J. to Zen, 1970; — Gary L. Chamberlain, The Drive for Meaning in W. J.'s Analysis of Religious Experience, in: The Journal of Value Inquiry 5, 1970/71, 194-206; — Howard M. Feinstein, W. J. on the Emotions, in: Journal of the Hist. of the Ideas 31, 1970, 133-142; — Ders., The »Crisis« of W. J. a Revisionist View, in: The Psychohist. Rv. 10, 1981, 71; — Ders., The sins of the Fathers, in: Psychoanalytic Rv. 70, 1983, 94-99; — R. A. McDemott, Rel. Game, Some Family Resemblances, in: Journal of the American Academy of Rel. 38, 1970, 390-400; — Robert G. Meyers, Meaning and metaphysics in J., in: Philosophy and Phenomenological Research 31, 1970/71, 369-380; — E. Gavin Reeve, W. J. on Pure Being and Pure Nothing, in: Philosophy 5, 1970, 59 f.; — Michael A. Weinstein, Life and Politics as Plural. J. and Bentley on the Twentieth Century Problem, in: The Journal of Value Inquiry 5, 1970/71, 282-291; — C. R. Eisendraht, The Unifying Moment. The Psychological Philosophy of W. J. and A. N. Whitehead, 1971; — Richard A. Hertz, J. and Moore. Two Perspectives on Truth, in: Journal of the Hist. of Philosophy 9, 1971, 213-221; — Mark L. Conkling, Consciousness and the Unconsciousness in W. J.'s Priciples of Psychology, in: Hum Inq. 11, 1971, 25-42; — Dinesh Chandra Mathur, Naturalistic Philosophy of Experience. Studies in J., Dewey and Farber against the Background of Husserl's Phenomenology, 1971; — Dies., The Historical Buddha, hume and J. on the Self. Comparisons and Evaluations, in: Philosophy East and West 28, 1978, 253-269; — William G. Murphy, W. J. on the Will, in: Journal of the Hist. of the Behavioral Sciences 7, 1971, 249-260; — Gerald E. Myers, W. J. on Time Perception, in: Philosophy of Science 38, 1971, 353-360; — Thomas Koyong Pak, The Pragmatic Theory of Truth of W. J. on Moral and Religious Truth, in: Chul Hak. Journal of Korean Philosophical Association 1971, 64-85; — D. C. Philips, J., Dewey and the Reflex Arc, in: Journal of the Hist. of Ideas 32, 1971, 555-568; — Bertrand Russel, Der Pragmatismus, in: Ders., Philos. u. polit. Aufss., hrsg. v. U. Steinvorth, 1971, 61-98; — Stuart F. Spicker, W. J. and Phenomenology, in: The Journal of the British Society for Phenomenology 2, 1971, 69-74; — Paul Tibbets, The Philosophy of Science of W. J., An Unexplored Dimenson of J.'s Thought, in: The Personalist 52, 1971, 535-556; — Robert Vanden Burgt, W. J. on Man's Creativity in the Religious Universe, in: Philosophy Today 15, 1971, 292-301; — H. Akerberg, Significance of W. J.'s Psychology of Rel. Today, in: StTh 26, 1972, 141-158, — Francesco De Aloysio, Da Dewey a J., 1972; — Kevin Culligan, W. J. and the Varities of Religious Experience. The Birthday of a Classic, in: Spiritual Life 18, 1972, 15-23; — S. T. Davis, Wishful Thinking and »The Will to Believe«, in: Transactions of the Charles Peirce Society 8, 1972, 231-245; — Deane W. Ferm, Moralism, the Will to Believe and Theism, in: Rel. in Life 41, 1972, 349-361; — Ders., Talking God

Seriously (with the Helf of W. J.), in: Christian Century 90, 1973, 596-600; — Ders., Right to Believe, in: Religious Education 71, 1976, 464-473; — A. R. Gini, Radical Subjectivism in the Thought of W. J., in: The New Scholasticism 46, 1972, 509-518; — Ders., W. J.'s Definition of Pure Experience, in: ABR 23, 138-149; — Ders., W. J. Faith, Facts and Promise, in: Thomist 37, 1973, 489-509; — Massimo Mori, L'interpretazione attivistica di J. negli seretti di Giovanni Papini, in: Rivista dei filosofia 63, 1972, 213-227; — Herbert Spiegelberg, What W. J. Knew about Edmund Husserl, in: Life - World and Consciousness. Essays to Aron Gurwisch, ed. by Lester E. Embree, 1972, 407-422; — C. C. Turner, Meaning of God in the Philosophy of W. J., in: The Drew Gateaway 43, 1972, 48 f.; — S. K. Wertz, On Wittgenstein and J., in: The New Scholasticism 46, 1972, 446-448; — L. C. Archim, W. J.'s Distinction of Philosophical Temperaments, in: Dialogue 16, 1973/74, 31-36, — William A. Clebsch, American Religious Thought. A Hist., 1973; — R. M. Gilmore, W. J. and Religious Language. Daugthers of Earth Fathers of Heaven?, in: Église et théologie 4, 1973, 359-390; — Armand A. Maurer, A Thomist Looks et W. J.'s Notion of Truth, in: The Monist 57, 1973, 151-167; — Jozef Piacek, J.'s Konzeption der Randgebiete u. Hussels Horizontbegriff, in: Zbornik Filozofickej Fakulty Komenskéko. Philophica 14/15, 1973/74, 221-228; — E. H. Sawyer, Ferm's Appeal to W. J., Use or Misuse?, in: Christian Century 90, 1973, 923 f.; — Donald H. Bishop, The Carus-J. Controversy, in: Journal of the Hist. of Ideas 35-1974, 509-520; — Patrick Kirian Dooley, Pragmatism as Humanism, the Philosophy of W. J., 1974; — Ders., The Structure of Science of Psycholog, W. J. and B. F. Skinner, in: Philosophy in Context 6, 1977, 54-69, — William J. Gavin, Harzen and J. Freedom as Radical, in: Studies in Soviet Thought 14, 1974, 213-229; — Ders., W. J. and the Importance of "the Vague", in: Cultural Hermeneutics 3, 1975/76, 245-265; — Ders., W. J. and the Indeterminacy of Language and "The Really Real", in: Proceedings of the American Catholic Philosophical Association 50, 1976, 208-218; — Ders., W. J.'s Attitude toward Death, in: Journal of Thought 11, 1976, 199-204; — Ders., W. J. on Language, in. Internat. Philosophical Quarterly 16, 1976, 81-86; — Ders., W. J.'s Philosophy of Science, in: New Scholasticism 52, 1978, 413-420; — Ders., J.'s Metaphysics, Language as the House of "Pure Experience", in: Man and World 12, 1979, 142-159; — Ders., Vagueness and Empathy. A Jamesian View, in: Journal of Medicine and Philosophy 6, 1981, 45; — Ders., The »Will to Believe« in Science and Rel., in: Internat. Journal for Philosophy of Rel. 14, 1984, 139-148; — Richard A. Hooks, Henry J. and Pragmatistic Thought. A Study in the Relationship between the Philosophy of W. J. and the Literary Art of Henry J., 1974; — Peter Kauber, The Foundation of J.'s Ethics of Believe, in: Ethics 84, 1974, 151-166; — Ders., Does J.'s Ethics of Believe Rest on Mistake?, in: Southern Journal of Philosophy 12, 1974, 201-214; — Ders./Peter H. Hare, The Right and Duty to Will to Believe, in: Canadian Journal of Philosophy 4, 1974/75, 327-343; — David W. Marcell, Progress and Pragmatism. J., Dewey, Beard and the American Idea of Progress, 1974; — J. C. Muyskens, J.'s Defense of a Believing Attitude in Rel., in: Transactions of the Charles S. Peirce Society 10, 1974, 44-54; — Israel Scheffler, Four Pragmatists. A critical Introduction to Peirce, J., Mead and Dewey, 1974; — Richard Stevens, J. and Husserl, the Foundation of Meaning, 1974; — C. Strug,

Seraph, Snake and Saint, the Subconscious Mind in J.'s Rarities, in: Journal of the American Academy of Rel. 42, 1974, 505-515, — B. H. Zedler, Royce and J. on Psychical Research, in: Transactions of the Cahrles S. Peirce Society 10, 1974, 235-252; — Don. S. Browning, W. J.'s Philosophy of the Person, the Concept of the Strenuous Life, Zygon 10, 1975, 162-174; — Ders., W. J.'s Philosophy of Mysticism, in: JR 59, 1979, 162-174; — Ders., Pluralism and Personality. W. J. and some Contemporary Cultures of Psychology, 1980; — R. Guiffreda/E. H. Madden, J. on Meaning and Significance, in: Transactions of the Charles S. Peirce Society 11, 1975, 18-36; — Bertrand P. Helm, W. J. on the Nature of Time, in: Tulane Studies in Philosophy 24, 1975, 33-47; — A. E. Johanson, The Will to Believe and the Ethics of Believe, in: Transactions of the Charles S. Peirce Society 11, 1975, 110-127; — J. E. Bailey, A Jamesian Theory of Self, in: Transactions of the Charles S. Peirce Society 12, 1976, 348-366; — Walter Corthy (Hrsg.), The Philosophy of W. J. with a Bibliogr. by Charlene H. Seigfried, 1976; — John Fizer, Ingarden's Phases, Bergson's durée réelle and W. J.'s Stream. Metaphoric Variants or Mutually Exclusive Concepts on the Theme of Time, in: Analecta Husserliana 4, 1976, 121-139; — Henry S. Levinson, W. J. and the Intelliqibility of Religious Discourse, in: American Academy of Rel., Philosophy of Rel. and Theology. Proceedings 1976, 49-73; — Ders., Science, Metaphysics and the Chance of Salvation. An Interpretation of the Thought of W. J., 1978; — Ders., The Religious Investigations of W. J., 1981; — Charles H. Long, The Opressive Element in Rel. and the Religions of the Opressed, in: HThR 69, 1976, 397-412; — E. H. Madden/C. Chakrabati, J.'s Experience versus Ayer's Weak Phenomenalism, in: Transcations of the Charles S. Peirce Society 12, 1976, 3, 17; — Robert N. Ross, W. J. - the Wider Consciousness,in:Philosophy Today 20, 1976, 134-148; — F. J. D. Scott, A Note on J.'s Aid on Peirce, in. Transcations of the Charles S. Peirce Society 12, 1976, 18-32; Stanley J. Scott, Wallace Stevens and W. J. The Poetics of Pure Experience, in: Philosophy and Literature 1, 1976/77, 183-191; — Carlene Haddock Seigfried, The Structure of Experience for W. J., in: Transactions of the Charles S. Peirce Society 12, 1976, 330-347; — Dies., Chaos and Context. A Study in W. J., 1978; — Dies., J.'s Reconstruction of Ordinary Experience, in: The Southern Journal of Philosophy 19, 1981, 499-515; — Dies., In Defenseof W. J.'s Picturesque Style. VVagueness ans Adequacy of Concepts, in: Philosophy Today 26, 1982, 357-367; — Stephen Skousgard, The Phenomenology in W. J.'s Philosophical Psychology, in: The Journal of the British Society for Phenomenology 7, 1976, 86-95; — George L. Stengren, Aquinas and W. J. on the Psychology of Faith, in: Tommaso nel suo settimo centario, Vol. III, 1976, 214-221; — James C. S. Wernham, Did J. Have an Ethics on Belief?, in: Canadian Journal of Philosophy 6, 1976, 287-297; — Ders., Ayer's J., in: Religious Studies 12, 1976, 291-302; — Herb Yarvin, The Will to Come Out All Right, in: Ebd., 303-309; — Edward G. Bozzo, J. and the Valence of Human Action, in: Journal of Rel. and Health 16, 1977, 26-43; — Daniel J. Cook, J.'s »Ether Mysticism« and Hegel, in: Journal of the Hist. of Philosophy 15, 1977, 309-320; — George R. Garrison/Edward H. Madden,w. J. - Warts and All, in: American Quarterly 29, 1977, 207-221; — Susan Haack, Pragmatism and Ontology. Peirce and J., in: RIPh 31, 1977, 377-400; — Eilert Herms, Radical Empiricism. Stud. z. Psychologie, Metaphy-

sik u. Religionstheorie W. J.'s, 1977; — Edmund G. Howells, Hume, Shaftesbury and the Peirce - J. Controversy, in: Journal of the Hist. of Philosophy 15, 1977, 449-462; — Brend Jubin, »The Spiritual Quale«. A Corrective to J.'s Radical Empericism, in: Ebd., 212-216; — Bruce Kucklick, The Rise of American Philosophy, Cambridge, Massachusets, 1860-1930, 1977; — Jakob Liszka, J.'s Psycho-Physical Parallelism and the Question of the Self in the Priciples of Psychology, in: Journal of Phenomenological Psychology 8, 1977, 66-80; — N. Pastore, W. J. A Contradiction, in: Journal of the Hist. of Behavioral Science 13, 1977, 126-130; — Timothy Riocardo, W. J. A Foundation of Rel. in the Public Schools, in: Religious Education 72, 1977, 312-322; — Sandra B. Rosenthal, Pragmatism and Phenomenology. The Significance of Wilshire's Reply, in: Transactions of the Charles S. Peirce Society 13, 1977, 56-66; — Dies., Some Reflections on A. J. Recks "W. J.", in: Ultimate Reality and Meaning 2, 1979, 73-78; — H. S. Thayer, On W. J. on Truth, in: Transactions of the Charles S. Peirce Society 13, 1977, 3-19; — Armi Vaerilae, The Swedenborgian Background of W. J.'s Philosophy, 1977; — Bruce Wilshire, J. and Heidegger on Truth and Reality, in: Manand World 10, 1977, 79-94; — Ders., Phenomenology and Pragmatism. A Reply to Rosenthal, in: Transactions of the Charles S. Peirce Society 13, 1977, 45-55; — Ders., W. J. and Phenomenology. A Study of the Principles of Psychology, 1979[2]; — Ders., W. J.'s Theory of Truth Phenomenologically Considered, in: Two Centuries of Philosophy in America, hrsg. v. Peter Caws, 1980; — Maria Rosaria Colabella, La personalità di W. J. vista da R. B. Perry e il concetto di »verita« nel pragmatismo americano, in: Filosofia oggi 1, 1978, 156-164; — Philippe Devaux, A propos du »Renouviérisme« de W. J., in: RIPh 32, 1978, 385-406;— Jerome Gellman, Religious Option is a Genuin Option, in: Religious Studies 14, 1978, 505-514; — R. High, Does J.'s Criticism of Helmholtz really Involve a Contradiction?, in: Journal of the Hist. of the Behavioral Science 14, 1978, 337-343; — Jane Roberts, The Afterdeath Journal of an American Philosopher. The World View of W. J., 1978; — Ellen Kappy Suckiel, Pragmatic and Cognitive Meaning inw. J., in: The Southern Journal of Philosophy 16, 1978, 675-686 (sic); — Dies., The Pragmatic Philosophy of W. J., 1982; — Gary T. Alexander, Psychological Foundation of W. J.'s Theory of Religious Experience, in: JR 59, 1979, 321-343; — Ders., W. J., The Sick Soul and the negative Dimension of Consciousness, in: Journal of the American Academy of Rel. 48, 1980, 191-206; — Wilhelm Baum, Wittgenstein u. W. J., in: Sprache, Logik u. Philos., Akten des 4. internat. Wittgenstein Symposiums, 1979; — Luciana Bellatalla, Uome e ragione in W. J., 1979; — Richard D. Chessick, Critique: W. J., in: American Journal of Psychotherapy 33, 1979, 139-142; — Joseph L. DeVitis, A Response to Hetenyi via J. and Dewey, in: Educational Theory 29, 1979, 149-151; — Lester Embree, The Phenomenology of Speech in the Early W. J., in: The Journal of the British Society of Phenomenology 10, 1979, 101-109; — Marcus Peter Ford, Fluralistic Pantheism?, in: The Southern Journal of Philosophy 17, 1979, 155-161; — Ders., W. J. Panpsychist and Metaphysical Realist, in: Transactions of the Charles S. Peirce Society 17, 1981, 158-170; — Ders., W. J.'s Philosophy. A New Perspective, 1982; — Henry Miller Greenspan, W. J.'s Eyes. The Thought behind the Man, in: The Psychohist. Rv. 8, 1979, 26-46; — Michael Tavuzzi, A Note on Husserl's Dependence on W. J., in: The Journal of the British Society of Phenomenology 10, 1979, 194-196, — Ruth Bernard Yeazell, An Exchange of Letters between W. and Alice J., in: The Psychohist. Rv. 8, 1979, 53-59; — J. L. Adams, Letters from Friedrich Hügel to W. J., in: The Downside Rv.98, 1980, 214-236; — Elizabeth Flower, Some Interesting Connections between the Common Sense Realiste and Pragmatists, Exapecially J., in: Two Centuries of Philosophy in America, hrsg. v. Peter Caws, 1980; — Charles Hartshorne, J.'s Empirical Pragmatism, in: American Journal of Theology and Philosophy 1, 1980, 14-20; — J. J. McDermott, The Promething Self and Community in the Philosophy of W. J., in: Rice University Studies 66, 1980, 87-101; — Henry D. Aiken, W. J. as Moral and Social Philosopher, in: Philosophic Exchange 3, 1981, 55-66; — J. Campbell, W. J. and the Ethics of Fullfillment, in: Transactions of the Charles S. Peirce Society 17, 1981, 224-240; — Laurence J. O'Conell, W. J. and the Neurophysiology of Theism, in: Louvain Studies 8, 1981, 332 ff.; — William Dean, Radical Empericism and Religious Art, in: JR 61, 1981, 168-187; — Joseph Hart, The Significance of W. J.'s. Ideas for Modern Psychotherapy, in: Journal of Contemporary Hist. 12, 1981, 88; — Alan Brinton, The Obligation to Believe, in: Religious Studies 18, 1982, 1-10; — Donald Capps, The Psychology of Petionary Prayer, in: Theology Today 39, 1982, 130-141; — Richard Cobb-Sevens, A Fresh Look at J.'s Radical Empericism, in: Phenomenology. Dialogues and Bridges, ed. by Ronald Bruzina and Bruce Wilshire, 1982, 109-121; — David R. Crownfield, Toward a Science of Rel., in: Journal of the American Academy of Rel. 49, 1982, 3-16; — Michael H. DeArmey, W. J. and the Problems of other Minds, in: The Southern Journal of Philosophy 20, 1982, 325 f.; — James J. Forsyth, Psychology, Theology and W. J., in: Soundings 65, 1982, 402-416; — Stephen L. Nathanson, Nonevidential Reasons for Belief. A Jamesian View, in: Philosophy and Phenomenological Research 42, 1982, 572; — Lewis R. Rambo, Evolution, Community and the Strenous Life, the Context of W. J.'s »Varieties of Religious Experience«, in: Encouter 43, 1982, 239-253; — Daniel N. Robinson, Toward a Science of Human Nature. Essays on the Psychologies of Mill, Hegel, Wundt and J., 1982; — Leonard Sanazaro, On the Decline of the Oracle, 1955-1957, W. J. and Sylvia Plath's Dryad Poems, in. Studia Mystica 5, 1982, 59-70; — Henry Sussmann, The Hegelian Aftermath. Readings in Hegel, Kierkegaard, Freud, Proust and J., 1982; — Jacques Barzun, A Stroll with W. J., 1983; — Daniel W. Bjork, The Compromised Scientist. W. J. in the Development of American Psychology, 1983; — G. L. Doore, W. J. and the Ethics of Belief, in: Philosophy 58, 1983, 353-364; — Richard W. Field, W. J. and the Epochal Theory of Time, in: Process Studies 13, 1983, 260-274; — James R. Home, Pure Mysticism and Twofold Typologies, the Typology of Mysticism - J. to Katz, in: The Southern Journal of Religious Studies 3, 1983, 3-14; — Michael T. Mallone, Traditionalist-Renewalist Tensions. W. J. and a Modest Concilatory Proposal, in: AThR 65, 1983, 167-176; — Bennett Ramsey, The Ineluctable Impulse, "Consent" in the Thought of Edwards, J., and Royce, in: Union Theological Sem. Quarterly Rv. 37, 1983, 303-322; — Eugene Taylor, W. J. on Exceptional Mental States. The 1896 Lowell Lectures, 1983; — Manfred Thiel, Methode VIII: J., Dewey. Der Weg der USA in die Emanzipation, 1983; — J. H. Whittaker, W. J. on "Overbelief" and "Liveoptions", in: Internat. Journal for Philosophy of Rel. 14, 1983, 203-216; — Alan Brinton, The Reasonableness of

Agnosticism, in: Religious Studies 20, 1984, 627-630; — M. Colin Grant, Smith's Discovery and the Ethics of Belief, in: Studies in Rel. 13, 1984, 461-477; — Konstantin Kolenda, The Religious Humanism of American Pragmatism, in: Religious Humanism 18, 1984, 120-126; — David Hay, Re-Review. W. J.'s »The Varieties of Religious Experience«, in: The Modern Churchman 27, 1985, Nr. 2, 45-49; — LThK V, 863; — Catholicisme VI, 303-307; — CKL I, 909 f.; — EC VII, 558 f.; — EBrit XII, 883-885.

Bernd Wildermuth

JAMMES, Francis, französischer Schriftsteller, * 2.12. 1868 in Touray Hautes-Pyrénées, + 1.11. 1938 in Hasparren (Pyrénées-Atlantiques). — Seine Schulzeit verbrachte J. in Pau und Bourdeaux. Dort las er Rousseau und betrieb Pflanzenstudien, wodurch sich seine außerordentliche Naturliebe und Beobachtungsgabe entwikkelte. In Bourdeaux war er auch kurze Zeit bei einem Rechtsanwalt als Gehilfe beschäftigt. 1888 legte er sein Examen als Baccalaureus ab und lebte von da ab zurückgezogen in der Kleinstadt Orthez. Aus ihr entfernte er sich nur zu gelegentlichen Fahrten nach Paris, sowie 1896 zu einer Algerienreise zusammen mit Gide. Bis zu dieser Reise hatte er seine ersten Gedichte »Six sonnets« (1891), »Vers« (1892-1894) und »Un jour« (1895) im Mercure de Arance veröffentlicht und mehrere literarische Freunde gewonnen. Neben Gide sollte Paul Claudel für J. wegweisend werden. Unter seinem Einfluß bekehrte er sich 1905 zum Katholizismus. In seiner Literatur trat neben seinem naturnahen Sensualismus nun noch die katholische Erbauung hervor, was ihn mit der Zeit immer mehr von Gide entfernte. 1907 heiratete er, und zehn Jahre später erhielt er den großen Literaturpreis der Acedémie Française, womit auch schon die Höhepunkte der letzten dreißig Jahre des Lebens von J., das von einer geradezu anachronistisch anmutenden Gleichförmigkeit geprägt war, berichtet sind. — J. war als Schriftsteller mehr Lyriker als Erzähler. Naturliebe und Frömmigkeit prägen sein Werk in einer Weise, die auf den heutigen Menschen künstlich wirkt und ohne Verweis auf sein einfaches ländliches Leben unverständlich bleibt. Literaturgeschichtlich ist J. dem Symbolismus zuzurechnen.

Werke: De l'Angélus de l'aube à l'Angélus du soir, 1898; Clara d'Ellebeuse, 1899 (dt.: Klara od. der Roman eines jungen Mädchens aus der alten Zeit, übertr. v. J. Hegener, 1921); Almaide d'Etrémont, 1901 (dt.: Almaide od. der Roman eines jungen Mädchens, übertr. v. Felix Grafe, 1919); Le deuil des primevères, 1901 (dt.: Die traurigen Schlüsselblumen, 1952); Le triomphe de la vie, 1902; Le roman du lièvre, 1903 (dt.: Der Hasenroman, übertr. v. J. Hegener, 1918); Pomme d' Anis, 1904 (dt.: Röslein od. der Roman eines leicht hinkenden Mädchens, übertr. v. Jakob Hegener, 1920); L'église habilée de feuilles, 1906; Rayon de miel, 1906; Clairières dans le ciel, 1906; Ma fille Bernadette 1910 (dt.: Die kleine Bernhardine, 1927); Les Géorgiques chrétiennes, 1911 (dt.: Die Gebete der Demut, übertr. v. Ernst Stadler, 1921); Le rosaire au soleil, 1916 (dt.: Der Rosenkranzroman, übers. v. J. Hegener, 1926); Monsieur le curé d'Ozeron, 1918 (dt.: Der Pfarrer v. Ozeron, übers. v. Friedrich Burshell, 1921); La Vierge et les sonnets, 1919; Le poète rustique, 1920 (dt.: Dichter ländlich, übers. v. Claire Goll, 1920); Le bon Dieu chez les enfants, 1921; De l'âge divin à l'âge ingrat, 1921; 1er, 2, 3e et 4e livres des Quatrains, 1923-1925; Les caprices du poète, 1923 (dt.: Das Kreuz des Dichters, übers. v. Helmut Bockmann u. R. v. d. Wehd, 1937); Le mariage basque, 1923 (dt.: Der baskische Himmel, übertr. v. J. Hegener, 1926); Le mariage de raison, 1924 (dt.: Marie od. die Gesch. eines jungen Mädchens v. Land, übertr. v. J. Hegener, 1926); Ma France poetique, 1926; Champeteries et méditationes, 1930; L'Antigyde, ou Élie de Nacre, 1932; Der Roman der drei Mädchen, 1933; De tout temps à jamais, 1935; Morceaux choisis, 1936; Vers et prose, 1939; Heures chrétiennes, 1947; Le patriarche et son troupeau, 1948; F. J. - André Gide, Briefwechsel 1893-1938, 1948 (dt.: 1956); Regung des Herzens. Eine Ausw. aus seinen Werken zusammengest. v. Alfred Kumpf, 1965; Oeuvres (Reimpr. de l' éd. de Paris, 1913-1926), 5 Bde., 1978.

Lit.: A. de Bersaucourt, F. J. poète chréton, 1910; — A. Schilla, F. J., unter bes. Berücks. seiner Naturdichtung (Diss. Königsberg), 1930; — A. Guidetti, F. J., 1931; — Werner Gutheil, F. J. als Symbolist u. Katholik (Diss. Marburg), 1932; — Maria Ewald, F. J. u. der franziskanische Geist, 1934; — H. Burkhardt, Natur u. Heimat bei J., 1937; — A. Bertschi, F. J., 1938; — P. Lhande, F. J. Le patriarche de hasparren, in: Études 4, 1938, 577-592; — F. Mauriac, Souvenir de F. J., in: Rv. de France 2, 1939, 422-427; — P. Messiaen, Le catholicisme franciscain de J., in: Mercure de France 289, 1939, 5-13; — A. Fiory, F. J., 1941; — J. Schomerus-Wagner, F. J., in: Die Seele 24, 1948, 349-363; — Siegfried Freiber, Epitaph auf F. J., in: Wort u. Wahrheit 4, 1949, 236-239; — Robert Mallet, F. J. (Lit.), 1950; — Ders., F. J. Sa vie, son oeuvre »1868-1938«, 1961; — Ders., F. J. Le Jammisme, 1961; — Ders., F. J., une étude. Inédits, oeuvres choisies, bibliogr., 1964; — Paul Claudel, Seize lettres à F. J., in: Mercure de France 314, 1952, 385-414; — J.-P. Inda, F. J. et le nays basque, 1952; — Ders., F. J., Du Fanne au Patriarche, 1952; — Ders., F. J. a travers sa correspondence »quotidienne«, in: Bull. Soc. Pau 4,4, 1969, 17-35; — Ders., Le Pére Michel Caivalla et F. J., in: Bull. de la Soc. des sciences, arts et belles-lettres de Pau 4e série, VI, 1971, 299-311; — Ders., F. J., par delà les images d' Épinal, 1975; — Ders., Une amitié des chrétiens dans l' épreuve F. J. et Charles de Saint-André. Correspondance et textes inédits, in: Rv. française d'hist. du livre 48, 1978, 143-187; — Ders., Bourdeaux dans la vie et dans l'oeuvre de F. J., in: Rv. française d'hist. du livre 51, 1982, 63-191; — Ders., F. J., Darius Milhaud, Pére Alexandre, »Un petit musicien de grand avenir«, in: Bull. de l' Association F. J. 2, 1983, 46-50; — Otto B. Roegele, Der Unbekehrte. Z. Briefwechsel zw. André Gide u. F. J., in: Rhein. Merkur 7, Nr. 7, 1952, 9 f.; — Binder, Lobpreis der Natur. Der Dichter F. J., in: Welt-Stim-

me 22, 1953, 264-269; — J.-P. d'Arguibel, F. J. et le manoir d'Abos, in: Études 283, Nr. 10, 1954, 35-47; — R. M. Dyson, Les Sensations et la sensibilité chez F. J., 1954; — Bruno Berger, F. J., in: Christl. Dichter der Ggw., Btrr. z. europäischen Lit., hrsg. v. H. Friedemann u. O. Mann, 1955, 91-97; — Jean Labbé, F. J. et Charles Bourdeaux, in: Rv. des deux mondes 22, 1955, 310-320; — Ders., Actualité de F. J., in: Bull. de l'Association F. J. 1, 1983, 5-7; — Monique Parent, Rhythme et versification dans la poésie de F. J., 1956; — Dies., F. J. Étude de langue et de style, 1957; — Dies., Paul Claudel et la conversion F. J., in: Claudel Studies 11, 2, 1979, 43-49; — Exposition F. J., Bibliothèque Nationale Paris, in: Bull. des bibliothèques de France 3, 1958, 938 f.; — A. Bungert, F. J., der Dichter des Baskenlandes, in: Dt. Rdsch. 84, 1958, 132-1135; — R. Ritter, Le tryptique pyrénéen de F. J., in: Demeures inspirées 3, 1958, 319-326; — A. Blanchet, L'amitié de F. J. et d'André Gide, in: Ders., La littérature et le spirituel 3, 1961, 115-131; — L. Ducla, Permanence de F. J., in: Rv. régionaliste Pyrénées, 1961, 121-132; — St. Fumet, Extence d'un »Jammisme«, in: La table ronde 166, 1961, 9-18; — H. Penau, Suer F. J. et la jammisme, in: Le bouquiiste française 41, 1961, 185-190; — G. Piroué, R. Mallet et les leçons du jammisme, in: Mercure 342, 1961, 363-365; — R. u. L. Vander-Burght, F. J., le fanne chrétien, 1961; — J.-A. Catala, On a lettres de F. J. à Tristan Derème, in: Bull. de la Soc. des bibliophiles de Guyenne 31, 1962, 9-30; — H. Charosson, Autour de F. J., in: Écrits de Paris 202, März 1962, 110-116; — M. Groves, Nature in the Works of F. J., 1962/63; — Ch. LeQuintrée, Présence de F. J., in: Le thyrse 55, 1962, 54-56; — M. Rat, F. J., in: Vie et langage 11, 1962, 481-485; — C. Bo, Nota su F. J., in: Saggai e note di una litterature, 1963, 100-105; — Ludwig Dietz, Ernst Stadlers Übertragungen aus Lyrik u. Prosa F. J.s, in: Euphorion 58, 1964, 308-316; — Maurice Martin du Gard, la comédie du poète et du philosophe. F. J. et Julien Bend en Béarn, Juillet '35, in: Éscrits de Paris 228, Juli/August 1964, 116-118; — Ders., F.- J. en liberté, in: La rv. des deux mondes, September/Oktober 1966, 491-494; — Ders., F. J. au Paradis, in: La rv. des deux mondes, Juli/August 1967, 15 f.; — L. Joassin, Lettres inédits d'Yvette Guilbert à F. J., in: Rv. générale Belge 101, Juni 1965, 41-56; — Lean Lebrou, Souvenirs sur F. J., in: Rv. littérature, hist., arts et sciences des deux mondes, Nr. 16, 1965, 154-162; — Karl Heinz Bloching, F. J., in: Ders., Die Autoren des literarischen Renouveau catholique Frk.s, 1966; — Correspondance de F. J. et de Francis Viete - Griffin (1893-1937), hrsg. v. Reinhard Kuhn, 1966; — Pierre-Jean Pénault, Images normandes de F. J., in: Le pays d' Auge 16, Oktober 1966, 11-18; — Ders., F. J., André Gide et les demoiselles de la Quartfouche, in: Le pays d' Auge, September 1973, 23-24; — Yves-Gerard Le-Dantes, F. J., in: Points et contrepoints, Juni/Juli 1968, 38-41; — Elena Fiorioli, Un poète de la nature, F. J., in: Culture française, 1968, 107-112; — Pierre de Gorsse, Allocution prononcée à l'occasion de la commémoration du centenaire de la naissance de F. J., in: Rec. Acad. Jeux Floraux, 1969, 139-145; — Bernard Robert, Henry Dérieux et F. J., Lettres inédits (1910-1938), in: Rv. de l'Université d'Ottawa 39, 1969, 298-314; — Ralph S. Fraser, E. Stadler u. F. J., in: Festschr. f. D. W. Schumann, 1970; — Jean Piérard, Tel fut F. J., in: Synthèses 285, März 1970, 74-77; — Jacques Borel, De l'Angélus de l'aube à l'Angélus du soir, in: Nouvelle Rv. Francaise, 1971, 21-29; — Maurice d'Hartoy, F. J. et »Le charpentier«. Miracle ou l'»usus naturae«?, in: le Cerf-volant

73, 1er trim. 1971, 7-11; — Mémoires, in: Mercure de France, 1971; — f. J. et Thomas braun. Correspondance (1898-1937), Texte établi et prés. v. Daniel Laroche, Einf. v. Benoît Braun 1972; — Daniel Laroche (Hrsg.), F. J. et Thomas Braun. Correspondance ..., 1972; — Lettre inédite de F. J. à Pierre Loti, in: Gilbert Ganne, Bernanos, Giraudoux etc., 249 f.; — Gisèle Marie, F. J., in: Dies., Le théâtre symboliste, 1973, 171-174; — Charles Dedévan, F. J., in: Critique de notre temps et Péguy, hrsg. v. Simone Fraisse, 1973; — André Moulis, F. J. et les honneurs, in: La nouvelle Rv. internat. ser. 15 Bd. 5, 1974, 209-218; — Ders., Pierre Loti et l'Académie Française, in: Cahiers Pierre Loti 65, Juni 1975, 23-31; — David Roe, Une »Chronique« de F. J., »La sepulture des poètes«, in: Bull. des Amis de Charles-Louis Philippe 33, Dezember 1975, 31-34; — G. Anthony et A. Lamonoie, J. et Pau; — GiancarloFasano, F. J., in: Contemporanei. Letteratura francese. Opera diretatta: Massimo Colesanti e Luigi Nardis,1976, 43-50; — Anne Honora Keily, The Spirituality of F. J., in: Diss. Abstracts Internat. 37, 1976-77; — Michel Suffran, François Mauriac et F. J. ou le dialogue avec soi-même, in: Mauriac et les grands ésprits de son temps. Actes du colloques, Sorbonnes 17.-19. Oktober 1975, 1976; — Jean-Jacques Durlin, André Gide dans sa correspondance avec les écrivains de son temps, in: P. Claudel, H. Ghéon, F. J., R. Martin du Gard, Fr. Mauriac, A. Suarès et P. Aléry. Thèse 3e cycle Univ. Paris - III, 1977, XIII, 366 ff., — Bruno Talonneau et Pascal Peron, »Les Choses« chez F. J., in: Cahiers de Poésie 4, 1978, 9-14; — Josette Anatole, Une dédicace de F. J., in: Rv. française d'hist. du livre 48, 1979, 789-791; — Claurières dans le ciel. Préface de Michel Décaudin, 1980; — De F. J. à Rosa Bailly. 9 lettres de F. J., Hasparren, 1934-1936, in: Rv. régionaliste des Pyrénées, Januar-Juni 1982, 8-20; — L.-A. Maugendre, Lettres inédits de F. J. à Madleine Lebègue, in: Rv. française d'hist. du libre n. s. 4, 1982, 193-196; — Paul Collaer, Naissance d'une amitié, in: Bull. de l'Association F. J. 2, Dezember 1983, 16-22; — Jeremy Drake, »La brébis égarée«. Quelques réflexions, in: Ebd., 34-36; — Roger Gonot, F. J. et l'exotisme, in: Bull. de l'Association F. J. 1, Juli 1983, 34-36; — Michel Haurie, J. Milhaud. 50 ans de fidélité, in: Bull. de l'Association F. J. 2, Dezember 1983, 1-2; — Marcel Mihalivici, Lettre de J. à Milhaud, in: ebd., 46-50; — Madleine Milhaud, la poète le musicien, in: ebd., 31-33; — Oeuvres de Darius Milhaud inspirées pas des poèmes de F. J. Principales recontres entre F. J. et D. Milhaud, in: Ebd., 4-9; — Heinrich Merkl, Landschaft und Geliebte. Z. »crepuscularen« Lyrik des Fin-de-siècle, in: Aspekte der Lit. des Fin-de-siècle in der Romania, hrsg. v. Angelika Corbineau-Hoffmann u. Albert Gier, 1983, 95-115; — Henri Saugel, Ma rencontre avec F. J., in: Bull. de l'Association de F. J. 2, Dezember 1983, 29-30; — Souvenirs de Madame F. J., in: Ebd., 11-15; — LThK V, 836; — Catholicisme VI, 307-309; — RGG III, 529;— Lexikon der Weltlit. im 20. Jh. I, 1960, 1031-1033; — Gisbert Kranz, Lexikon der chr. Weltlit., 1978, 567-571; — EC VII, 560 ff.

Bernd Wildermuth

JAMMY, Petrus, + 1665. — J. gehörte dem O(rdo fratrum) P(raedicatorum) an. In Toulouse trat er in den Orden ein, lehrte dort um 1632 und

später am Ordensstudium Grévesaudan (Südfrankreich). Zum Magister theologiae wurde er 1647 berufen. Mit der Edition der Werke des Albertus Magnus beauftragte man ihn 1644. Bis 1651 erschienen 21 von den geplanten 25 Bänden. Für die noch nicht gedruckten Werke bemühte sich J. um eine handschriftliche Grundlage. Im allgemeinen jedoch ließ er schon vorhandene Einzeleditionen abdrucken. Daraus erklärt sich, daß seine Edition zumeist eine schlechtere Texttradition bietet und auch mehrere unechte Werke enthält.

Lit.: Quétif-Échard II, 616; — MOP XII, 116, 217, 300 ff.; — G. G. Meersseman, die neue Kölner (1951) und die erste Lyoner (1651) Gesamtausgabe der Werke Alberts des Großen: DTh XXX (1952), 102-114; — LThK V², 864.

Werner Schulz

JAN (Johannes) van Ruysbroek (Ruusbroec, Rusbrochius), * 1293 zu Ruisbroek bei Brüssel, + 2.12. 1381 in Groenendaal, galt als größter flämischer Mystiker, auch der "Wunderbare" genannt, wurde durch päpstliches Dekret vom 9.12. 1908 für selig erklärt (liturgisches Fest am 2.12.). — J. kam 1304 als Elfjähriger nach Brüssel in das Haus seines Onkels Jan Hinckaert, eines bedeutenden Kanonikers an der Stiftsschule St. Gudula. Er besuchte hier vier Jahre lang die Stiftsschule und bereitete sich danach durch eigene Studien auf das Priesteramt vor. 1317 wurde er zum Priester geweiht und zum Kaplan von St. Gudula bestellt. In diesem Amt hat er 25 Jahre lang gewirkt und seine ersten Traktate verfaßt, darunter sein Hauptwerk »Die Chierheit der gheesteleker brulocht« (Zierde der geistlichen Hochzeit) — das schönste geistliche Werk des Mittelalters. J. stellt darin den im Volk verbreiteten quietistischen und freigeistigen Ansichten die wahre mystische Lehre entgegen. In der Osterwoche 1343 siedelte J. mit seinem Verwandten Jan Hinckaert und dem Domherrn Vrank van Coudenberg nach Groenendaal über, einem einsamen Tal im Sonienwald, zwölf Kilometer südlich von Brüssel. Sie suchten die Abgeschiedenheit und Stille des Waldes, um ungestört und ungehindert einem geistlichen Leben nachgehen zu können. So lebten sie sieben Jahre in Groenendaal, ohne ein Gelübde abzulegen und ohne Einbindung in eine anerkannte Klosterregel. Auf die Dauer konnte es aber nicht dabei bleiben, da die neue Gemeinschaft zunehmend das Bedürfnis nach einer offiziellen rechtlichen Regelung empfand. Am 10.3. 1350 erhielt Coudenberg aus der Hand des zuständigen Bischofs von Cambrai das Habit der "Augustiner-Chorherrn", tags darauf wurde er zum ersten Propst bestellt. So wurde die Kaplanei zu einer Propstei umgestaltet, die Eremiten wurden zu kirchlich anerkannten Regularen. Coudenberg hat sogleich seinen Mitbegründer J. zum ersten Prior des neuen Klosters ernannt. Dieser hat dieses Amt bis zu seinem Lebensende versehen. Wegen seiner Liebenswürdigkeit hat man ihm die Bezeichnung des "guten Priors von Groenendaal" beigelegt. — Groenendaal war von Anfang an eine autonome brabantische Gründung und hat als solche gleichartigen Neugründungen in den Niederlanden als Muster gedient. Als J. ihr Prior wurde, war er als geistlicher Ratgeber schon bekannt, weswegen auch viele Besucher um Rat und Hilfe zu ihm nach Groenendaal gekommen sind, u. a. Gerhard Grote, der Begründer der "Gemeinschaft der Brüder und Schwestern vom gemeinsamen Leben", und wahrscheinlich auch der oberrheinische Mystiker Johannes Tauler. J. war der größte flämische Mystiker. Seine tiefgründigen Werke verfaßte er in »praesentia sanctae Trinitatis«. Er hat insgesamt elf geistliche Traktate und sieben Briefe verfaßt, deren Titel nicht von ihm, sondern von Abschreibern stammen. Die am besten durchgestaltete Schrift des brabantischen Mystikers ist zweifelsohne »Die Chierheit der gheesteleker brulocht«. Zu ihrer klaren Gestaltung kommt J., indem er seine Betrachtung ganz an den vier Satzgliedern eines einzigen Verses aus dem Matthäusevangelium (Mt 25,6) ausrichtet: »Siehe, der Bräutigam kommt; geht aus, ihm entgegen!« An diesem Text wird der Gesamtverlauf des geistlichen Lebens festgemacht. J. unterscheidet drei Stadien oder Abschnitte des menschlichen Heranwachsens zu einer persönlichen Gottesbegegnung: »das tätige Leben, das innerliche Leben und das Gott-schauende Leben«. J. wurde wegen seiner Gelehrsamkeit "doctor divinus" und wegen seiner mystischen Erfahrungen auch "doctor ecstaticus" oder ein "zweiter Dionysius" genannt.

Werke: Vita: Henricus Pomerius, De origine monasterii Viridis Vallis una cum vitis B. Joannis Rusbrochii primi prioris huius monasterii et aliquot Coaetaneorum eius: AnBoll IV (1885), 273-308. — Ausg. und Übersetzungen: Gesamtausg. seiner Werke, hrsg. v. Ruysbroec-Genootschape Antwerpen, 4 Bde. (1944-48²), lat. v. L. Surius (1552), frz., 6 Bde. (1919-38), dt. (Teiledition) v. W. Verkade (1922-35) u. v. J. Kuckhoff (1938).

Lit.: W. de Vreese, De handschriften van J.s werken, 1900-1902; — Jan van Ruusbroec, Leven, Werken, hrsg. v. der Ruusbroec-Genootschap (Antwerpen), 1931; — A. Combes, Essai sur la critique de Ruysbroeck par Gerson, 4 Bde., 1945-1972; — S. Axters, Geschiedenis van de vroomheid in de Nederlanden, II De eeuw van Ruusbroec, (1953) 213-291; — Ders., Ruusbroec, gelukzalige Jan van: Nationaal Biografisch Woordenboek 1 (1964), 797-905; — A. Ampe, Kernproblemen uit de leer van R., 3 Bde. (1951-57); — Ders., Theologia mystica secundum doctrinam Beati Johannis Rusbrochii (1957); — P. Henry, La mystique trinitaire du bienhereux Jean Ruusbroec, in: RSR 40 (1951/52), 335-368, 41 (1953), 51-75; — ECatt X, 1495 ff.; — Theol. Woordenboek (1958), 4177-4181; — F. Hermans, R. l'Admirable et son école (1958); — RAM 36 (1960), 188-201, 303-322; — A. Deblaere, Art. Essentiel (superessentiel suressentiel) chez Ruusbroec, in: DSp IV (1961), 1351-1359; — Ders., Art. Giovanni Ruusbroec: Dizionario degli Istituti di Perfezione IV (1977), 1291-1296; — B. Fraling, Der Mensch und das Mysterium nach der Lehre des J. van R. (Diss. I, 1962); — Ders., Mystik und Gesch. Das "ghemeyne leven" in der Lehre des Jan van Ruusbroec, 1974; — L. Moereels, R. en het rel. Leven (1962); — J. Orcibal, Saint Jean de la Croix et les mystiques rhéno-flamands, 1966; — L. Cognet, Introduction aux mystiques rhéno-flamands, 1968; dt.: Gottes Geburt in der Seele. Einf. in die dt. Mystik, übers. v. A. Berz, 1980; — J. Alaerts, La terminologie essentielle dans l'ouevre de Jan van Ruusbroec, 1973; — P. Mommaers, Waar naartoe is nu de gloed van de liefde? Fenomenologie van de liefdegemeenschap volgens de mysticus Ruusbroec, 1973; — Ders., Was ist Mystik?, übers. v. F. Theunis, 1979; — Ders./N. De Paepe, Jan van Ruusbroec. The Sources, content and sequels of his mysticism, 1984; — Jan van Ruusbroec 1293-1381. Ausstellungskat. der Königl. Bibliothek Albert I., 1981.

Werner Schulz

JANAUSCHEK, Leopold, Zisterzienser und Historiker, * 13.10. 1827 in Brünn, + 23.7. 1898 in Baden bei Wien. — Nach seiner Schulzeit am Brünner Gymnasium trat J. 1846 in das Zisterzienserstift Zwettl in Niederösterreich ein. Nach dem Noviziat studierte er Theologie an der Ordenslehranstalt Heiligenkreuz, legte 1850 das Ordensgelübde ab und wurde ein Jahr später zum Priester geweiht. Nach zweijähriger Seelsorgertätigkeit bekam er im Herbst 1853 die Professur der Kirchengeschichte und des Kirchenrechts in Heiligenkreuz. Mit einer kurzen Unterbrechung zu weiteren Studien in Wien 1856-1859 lehrte er hier bis 1877. Das Ende seiner Lehrtätigkeit war krankheitsbedingt, er kehrte nach Zwettl zurück, wo er noch bis 1880 Archivar war. — J.s wissenschaftliches Werk, die Erforschung der Geschichte des Zisterzienserordens, wurde auch von der Fachwelt anerkannt (u. a. war er Ehrendoktor der Theologischen Fakultäten von Tübingen und Salzburg). Sein »Originum Cisterciensium« ist heute noch maßgebend.

Werke: Predigt über den Benedictiner-Orden, in: Acht Predigten, gehalten zur 700jährigen Jubelfeier des Benedictiner-Stiftes U.L.F. zu den Schotten in Wien, 1858, 21-58; Predigt über die Päpste, 1861²; Originum Cisterciensium, Bd. 1, 1877; Geschichte und Merkwürdigkeiten des Stiftes Zwettl, 1880; Der Cistercienser-Orden, Hist. Skizze, 1884; Bibliographia Bernardina, 1891; — Gab heraus: Xenia Bernardina, 5 Bde., 1891.

Lit.: Wiener Ztg. und Neue Freie Presse vom 25.7. 1898; — Benedict Hammerl, L. J., in: Cist. 10, 1898, 285-288; — Ludwig Lekai, Geschichte und Wirken der weißen Mönche, 1958, 176; — ADB L, 629 f.; — EC VII, 561; — LThK V, 864; — ÖBL III, 70.

Roland Böhm

JANAUSCHEK, Wilhelm Raphael, Redemptoristenpater und Volksmissionar, * 19.10. 1859 in Wien als Sohn eines Lebensmittelhändlers, + 30.6. 1926 ebd. — J. entstammte einer kinderreichen, aus Südmähren nach Wien zugewanderten Familie, in der besonders die Mutter auf eine sehr fromme Erziehung hinwirkte. So wurden drei ihrer Kinder Ordenspriester, wovon J. der jüngste war. Er war bereits früh zu dem "katholischen Jünglingsverein" von Pater Tendler gestoßen, der seinen Wunsch, Priester zu werden, immer wieder bekräftigt hatte. Nach dem 5. Gymnasialjahr verließ J. das berühmte Schottengymnasium und bat im Noviziatshaus des Redemptoristenordens in Eggenburg (Niederösterreich) um Aufnahme. Obwohl der damals gerade 17jährige dafür eigentlich noch viel zu jung war, nahm ihn der Novizenmeister Pater Hammerle - tief beeindruckt von der Frömmigkeit und Entschlossenheit des jungen Mannes - dennoch auf. J. studierte daraufhin in Mautern (Steiermark) Theologie und empfing am 29. August 1882 die Priesterweihe, um bald wichtige und vielfältige Aufgaben für seinen Orden zu übernehmen. Da J. der tschechischen Sprache mächtig war, lag das Zentrum seines Wirkens - neben Wien - vor allem in den böhmischen Ländern. Nachdem er 1883 als Beichtvater am heiligen Berg bei Prschibram, dem berühmten Wallfahrtsort, tätig gewesen war, leitete er zwei Jahre lang das Knabenseminar (Juvenat) seines Ordens in Loeben, wo seine Lehrer- und Erziehergabe selbst den weltlichen Behörden aufgefallen war. Anschließend weilte er als Seelsorger in Grulich und Budweis, dem dortigen Kloster leistete er als Katechet von 1888-1890 wertvolle Dienste. J., der sich in diesen wechselvollen Jahren vor allem der Mission, den Wallfahrten und den Exerzitien gewidmet hatte, und bei der Bevölkerung deshalb sehr bekannt und beliebt war, erhielt 1890 seine Berufung zum Novizenmeister der gesamten österreichischen Provinz seiner Kongregation. In den elf Jahren, die er dieses Amt versah, begleitete er über 300 Novizen auf dem Weg zum Priesterberuf. 1901 erfolgte die Ernennung zum Provinzial und da J. diese verantwortungsvolle Führungsaufgabe sehr gut bewältigte, entschlossen sich die Oberen, ihn mit der Funktion des Rektors zu betrauen. Obwohl J. in verschiedenen Kollegien seines Ordens als Hausoberer wirkte, die Stationen waren Hernals (1907-1909), Maria Stiegen (bis 1918) und Loeben (bis 1924), bekam er von überallher die gleiche zustimmende Anerkennung für seine hervorragende, nie autoritäre Führung und Leitung der Ordenshäuser. Als Provinzial und Rektor hatte sich J. wieder verstärkt der Volksmission, aber auch den Exerzitien widmen können. Dabei bildeten Böhmen-Mähren und Wien, wo er sich besonders der tschechischen Minderheit angenommen hatte, gleichermaßen sein Wirkungsfeld. Seit der Heiligsprechung seines Ordensbruders Clemens Maria Hofbauer im Jahre 1909 veranlaßte und gestaltete J. zahllose Feiern und Wallfahrten zu Ehren des neuen Heiligen. Das Charakteristikum der gesamten Tätigkeiten von J. war dabei seine Schlichtheit und Volksnähe, auch als Hausoberer hatte er niemals den Kontakt zum einfachen Volk verloren. Doch hatte diese Gefahr eigentlich kaum bestanden, denn in der Individualseelsorge, speziell aber als Beichtvater, besaß J. eine besondere Gabe, die ihn gerade bei den einfachen Menschen berühmt und beliebt gemacht hatte und die ein Grundstein für seine schon zu Lebzeiten heiligmäßige Verehrung gelegt hatte. Denn Pater J., der 1924 aus Loeben nach Wien zurückgekehrt und wegen eines Krebsleidens im Oktober 1925 in das Hartmannsspital eingeliefert worden war, wo er am 30. Juni 1926 verstarb, stand sofort nach seinem Tode im Ruf der Heiligkeit. Eine sehr große Menschenmenge hatte ihn am 3. Juli auf den Wiener Zentralfriedhof geleitet, und in der Folgezeit wurde sein Grab zu einem kleinen Wallfahrtsort. Um den Besucheranstrom besser bewältigen zu können, verlegte man 1934 seine Ruhestätte in die Kirche Maria am Gestade, wo sich auch die Gebeine des heiligen Clemens Maria Hofbauer befinden. Am 15. November 1934 wurde schließlich von Kardinal-Erzbischof Innitzer der Seligsprechungsprozeß für J. eingeleitet.

Lit.: Karl Peschl, P. W. J. Ein Lebensbild, 1931; — Adolf

Innerkofler, Der gute P.W. J., 1931; — Ders., Drei Wiener Priester, dahingeschieden im Ruf der Heiligkeit, 1934, 5-15; — Albert Köhler/Josef Sauren (Hrsg.), Kommende deutsche Heilige. Heiligmäßige Deutsche aus jüngerer Zeit, 1936, 100-106; — Eduard Hosp, P. W. J., 1940; — Adolf Missong, Heiliges Wien, 1948; — Josef Dichtl, P.W. J., in: Brünner Heimatbote 19, 1967, 52-54; — Dieter Assmann, Heiliger Florian, bitte für uns. Heilige und Selige in Österreich und Südtirol, 1977; — Fanz Loidl, Geschichte des Erzbistums Wien, 1983, 314 f.; — Biographisches Lexikon zur Geschichte der böhmischen Länder, hrsg. v. Heribert Sturm, 1984, Bd. II, 20; — LThK V, 864; — ÖBL III, 70.

Rainer Witt

JANDEL, Vinzent Alexandre, 73. Generalmeister des Dominikanerordens, * 18.7. 1810 in Gerbéville (Lothringen), + 11.12. 1872 in Rom. — J. wurde 1834 Priester. Ab 1835 war er Suberior am Knabenseminar in Pont-à-Mousson. Hier fand er Anschluß an P. Lacordaire, den berühmten Kanzelredner, der in Frankreich den Dominikanerorden wiederherstellte. 1841 trat J. in den Orden ein. Nach seinem Noviziat in La Quercia (Viterbo) ging er zunächst nach Boscop bei Alessandria (Oberitalien), wo er die französischen Fratres betreute und als Lektor tätig war. 1843 stand er als Superior dem ersten neugegründeten Konvent der französischen Provinz in Nancy vor. Danach war er Prior und Lektor in Calais, Prior in Flavigny sowie Lektor in Paris. J. wurde 1850 von Papst Pius IX. als Generalvikar des Ordens eingesetzt. Eine große Visitationsreise führte ihn 1851 durch Frankreich, England, Irland und Holland. Am 17.12. 1855 dann ernannte ihn Pius IX. zum Ordensmeister. Eine weitere Visitationsreise führte ihn 1856 durch Belgien, Holland, Österreich, Ungarn, Böhmen, Mähren, Galizien und Deutschland. 1862 wurde J. vom Generalkapitel in Rom auf 12 Jahre als Ordensmeister gewählt. — Der Predigerorden der Dominikaner verdankt J. (neben Lacordaire) seine Reform und Ausbreitung im 19. Jahrhundert. Die Ziele J.s waren — nach seinem Vorbild Raimud von Capua (+ 1399) —: Einführung der strengen Observanz (z. B. Nachtchor, Fasten, vita communis), die Gründung von Ordenskonventen in jeder Provinz sowie die Förderung der Heidenmission. In diesem Sinne revidierte er Konstitution, Studienordnung und Liturgie, den 3. Orden sowie die Rosenkranz- und Namen-Jesu-Bruderschaft. Unter dem Generalat J.s wuchs der Orden an innerer Kraft und äußerer Ausdehnung. Der Versuch, 1856 in Materborn eine Niederlassung zu gründen, die Erweiterung der Provincia Bohemia

1857, sowie — im Jahre 1860 — die Gründung der Niederlassung in Düsseldorf und das Fußfassen des Ordens in Berlin seit 1867 gehen nicht zuletzt auf J.s ständige Bestrebungen um die Wiederbelebung des Ordens zurück. Die zahlreichen Schwierigkeiten, auf die er dabei stieß, resultieren u. a. aus der mangelnden Anpassung der Konstitutionen an die lokalen Verhältnisse in Deutschland.

Werke: Manuel des Frères et Soers du Tiers Ordre, 1849; — Zahlr. Briefe in: Lohrum, M., 1971, 229, 230, 232 f., 238.

Lit.: H. M. Cormier, Vie du Révérendissime Père Alexandre J., 1890, 5 ff.; — R. Devas, The Dominican Revival in the Nineteenth Century, 1913, 4 ff.; — A. Duval, Les premiers entretiens du Père Lacordaire et de l'abbé J. sur la restauration dominicaine en France (31. octobre 1839), in: AFP 36, 1966, 493-542; — Meinolf Lohrum, Die Wiederanfänge des Dominikanerordens in Dtld. nach der Säkularisation 1856-1875, in: Walberger Studien der Albertus-Magnus-Akad., Theol. Reihe 8, 1971; — Antonin Mortier, Hsitoire des maitres généraux de l'ordre des Frères Precheurs, Bd. 7, 1914; HdKG, 425, 650 ff.; — Herders Konversations-Lex., 1905, Bd. 4, 1001; — LThK III, 487; — LThK V, 864; — Theol. Realenzyklopädie IX, 1982, 131, 134.

Karen Allihn-Schrapel

JANN (DE STANS), Adelhelm, Kapuzinermönch und Missionstheologe, * 1876, + 1945. — J. studierte in Fribourg (Schweiz). Er war ein Schüler Gustav Schürers. Bekannt wurde er durch seine zahlreichen Arbeiten auf dem Gebiet der Missionsgeschichte. Man zählt bis zu 105 Werke und Artikel. Zu seinen bedeutendsten Werken gehören die »Monumenta Anastasiana«, die vom Leben des Kapuziners Markgraf Anastasius Hartmann, Bischof von Derbe und apostolischer Vikar von Patna (Indien) berichten. - J. war daneben noch für den apostolischen Stuhl tätig.

Werke: Anastasius Hartmann, 1903 (zus. mit A. Imhof); Ursprung des königl. Patronats in den port. Kolonien, 1914; Candidus Sierro aus dem Kapuzinerorden, ein Indianer-Missionar. Ein Btr. z. brasilianischen Missionsgesch. 1915; Die kath. Missionen in Indien, China u. Japan, 1915; Der sel. Märtyrer Apollinaris Morel v. Poseit u. die feierliche Disput. seines theol. Kursus, 1933; Wegleitung des sel. Apollinaris Morel, O. Min. Cap., f. Studentenseelsorger bei Berufsberatungen, in: Via S. Francesco 23, 1934, 227-237; Monumenta Anastasiana, 5 Bde., 1939-1948 (Bibliogr.).

Lit.: P. Aurelian, A. R. P. A.us J., in: St. Fidelis 33, 1946, 67-70; — Article nécrologique, in: AnCap 64, 1948, 60-63; — Memoriae A. R. P. A. i J., O. F. M. Cap., in: Monuments Anastasiana V, 1948, IX-XXII; — W. Bühlmann, Geist u. Gesch. Gedenkschr. des Kollegiums St. Fidelis, 1959, 149-

169; — LThK V,864; — EC VII, 562 f.; — DthC XVII, 2385.

Bernd Wildermuth

JANNACCONI (Giannacconi, Janacconi), Giuseppe, italienischer Komponist, * 1741 oder 1740 in Rom, + 16.3. 1816 ebd. — Vom 9. bis zum 20. Lebensjahr besuchte er in Rom das Seminar der Kleriker an St. Peter. Er studierte zunächst bei D. Soccorso Rinaldini, anschließend (zusammen mit M. Clementi) bei G. Carpani und später bei P. Pisari. Gleichzeitig war er Sänger in der Cappella Giulia. 1779 bewarb er sich um den Posten eines Kapellmeisters am Dom zu Mailand, es wurde ihm aber Sarti vorgezogen. Anschließend lehrte er in einem Waisenhaus in Rom, wo er u. a. F. Santini unterrichtete, mit dem er bis zu seinem Lebensende eng befreundet war. In den Besitz Santinis waren schließlich auch J.s Kompositionen und Spartierungen gelangt. Als Nachfolger N. A. Zingarellis, der von den Franzosen inhaftiert worden war und nach Neapel ging, wurde J. 1811 Kapellmeister an St. Peter in Rom. Nach neueren Forschungen befindet sich heute der größte Teil seiner Werke, wenn nicht der gesamte Nachlaß, in der Santini-Sammlung in Münster i. W. J. war ein fruchtbarer Komponist kirchenmusikalischer Werke und als einer der letzten Vertreter der Römischen Schule stark an Palestrina orientiert. In seinen Kompositionen, darunter auch 16-stimmige Werke, finden sich Elemente des stile antico und des stile concertato, auch Vertonungen mit Instrumentalbegleitung. J.s Bedeutung liegt u. a. auch in der Tatsache, daß er seine Studienergebnisse hinsichtlich Palestrina an seinen Schüler G. Baini weitergegeben hat, der dann seine bekannte Palestrina-Biographie veröffentlichen konnte.

Werke: L'agonia di Gesù Cristo, Oratorium a 3 voci; ferner sind derzeit nachweisbar: 60 Messen, Messensätze und Teile aus Messensätzen, 37 Psalmen und Psalmteile, 2 Sammlungen Vesperantiphonen und 2 Marienantiphonen, 3 Offertoriensammlungen, 9 Magnificat-Vertonungen, 2 Litaneien, 5 Sequenzen, 1 Responsorium, 3 Te Deum, 83 Motetten, 9 untextierte Kompositionen und Instrumentalwerke, darunter 2 Quintette für 2 Violinen, Viola, Violoncello und Kontrabaß (vgl. K. Kindler). Erhalten sind auch einige Fugen und einige seiner zahlreichen Kanons von 4-64 Stimmen.

Lit.: Giuseppe Baini, Memorie storico-critiche della vita e delle opere di Giovanni Pierluigi da Palestrina, II, 1828, R 1966; — Joseph Killing, Kirchenmusikal. Schätze der Bibliothek des Abbate Fortunato Santini, 1910; — Karl Gustav Fellerer, Der Palestrinastil und seine Bedeutung in der voka-

len Kirchenmusik des 18. Jh.s 1929, R 1972; — Leopold M. Kantner, Aurea luce, Musik an St. Peter in Rom 1790-1850, in: Veröffentl. der Kommission für Musikforschung, H. 18, Österr. Akad. der Wiss., phil.-hist. Klasse, Sitzungsberichte, 339. Bd., 1979; — Klaus Kindler, Verzeichnis der musikal. Werke J.s (1740- 1810) in der Santinisammlung in Münster/Westfalen, in: Fontes Artis Musicae, 1981, 313-319; — MGG VI, 1682-1683; — Grove IX, 500.

Siegfried Gmeinwieser

JANNINCK, Konrad, Jesuit, Bollandist, * am 16.11. 1650 in Groningen, + am 13.8. 1723 in Antwerpen. — Im Alter von 20 Jahren trat J. am 24.11. 1670 der Gesellschaft Jesu zu Mecheln bei. Seit 1679 arbeitete er als Gehilfe der Bollandisten an der Sammlung und Edition der Heiligenleben nach der Ordnung des liturgischen Kalenders. Zwischen 1681 und 1686 studierte J. Theologie in Rom. Hier sammelte er auch hagiographisches Material für die Acta Sanctorum. J. wirkte mit an den Teilbänden Maii V (1685) und Iul. II (1721). In dem Streit um die von den Karmelitern angenommene, jedoch vom Herausgeber der Acta Sanctorum, Daniel Papebroch, angefochtene Gründung ihres Ordens durch den Propheten Elia (vgl. 1Kön 18) vertrat J. die Sache Papebrochs in Rom. Durchsetzen konnte sich J. nur zum Teil. Papebroch wurde schließlich durch die span. Dominikaner verurteilt; das Propylaeum Maii blieb bis 1900 auf dem Index librorum prohibitorum.

Lit.: P. Boschius, Elogium R.P.J., in: AS Iul. III (1723), 1-14; — H. Hurter, Nomenclator literarius theologiae catholicae, Bd. IV, Innsbruck ³1910, 1246f.; — H. Delahaye, L'œuvre des Bollandistes à travers trois siècles, Brüssel ²1959, 32, 61f., 96f.; — P. Peeters, L'œuvre des Bollandistes, Brüssel ²1961, 27-32; — Catholicisme VI, 3 12f.; — Koch JL I, 900; — LThK² V, 865; — Sommervogel IV, 739.

Michael Tilly

JANOSI, Zoltan, ung. ref. Pfarrer, Schriftsteller und Politiker, bedeutender Vertreter der rel. Sozialisten; * 14.7. 1868 in Nagyléta als Sohn eines Rechtsanwalts, + 16.9. 1942 in Füzesgyarmat (bei Debreczen). — J. erhielt seine theologische Ausbildung an der Universität Debreczen, wo er von 1890-93 auch als Dozent lehrte. Aufgrund eines Stipendiums konnte er in Zürich (1895) und Budapest (1896) philosophische und philologische Forschungen betreiben. Neben seiner wissenschaftlichen Tätigkeit hatte er bei verschiedenen Zeitschriften, u.a. bei der »Debreczeni Lapoka« (Debreczener Blätter), als Redakteur gearbeitet und war 1894 durch die Veröffentlichung seiner Dichtungen als Literat in Erscheinung getreten. Als J. mit 30 Jahren eine Seelsorgerstelle in Hajdusamson besetzte, hatte er sich bereits einen Namen im intellektuellen Leben Ungarns gemacht. 1902 wurde er Pfarrer in Debreczen, wo er sich intensiv mit den sozialen Problemen seines Landes während der damaligen liberalen Ära zu beschäftigen begann. Ende der 90-iger Jahre des 19. Jh. hatte nämlich Ungarn zwar einen mächtigen Schritt in Richtung Industrialisierung und Modernisierung getan, doch war demgegenüber die soziale und kulturelle Entwicklung nahezu stehengeblieben. Die riesige Auswanderungswelle, die Ungarn seit der Jahrhundertwende erlebte, war ein unverkennbares Votum der verarmten Massen auf diese Situation. Viele Intellektuelle und die sich formierende Arbeiterbewegung forderten deshalb eine umfassende Bodenreform und die Einführung des allgemeinen Wahlrechts. Auch J. setzte sich für diese Ziele ein und unterstützte im Landtag, in den er 1908 gewählt worden war, den Reformkurs der Milhaly-Partei. Jedoch verweigerte sich die Regierung unter Min.Präs. István Tisza, die von der offiziellen Kirchenleitung wohlwollend toleriert wurde, jegliche Reformen. In beispielsloser Weise entfaltete J. daraufhin seine Predigttätigkeit. In ihnen reklamierte er das Recht der Armen auf soziale Veränderungen und Beseitigung der ungerechten Strukturen. Im Lichte der biblischen Botschaft unterzog J. die ungarischen Zustände einer Kritik, die als Höhepunkt der Regimekritik in den 1910-er Jahren in Ungarn zu werten ist. Dabei sind in seinem theologisch-politischen Konzept die Ideen des Schweizers Hermann Kutter (s.d.), einem der Mitbegründer des religiösen Sozialismus, deutlich erkennbar. Als sich die sozialen Gegensätze in Ungarn in der Oktoberrevolution von 1918 entluden, wurde J. Mitglied des Nationalrates und bekleidete unter den Min. Präs.Milhaly und Berinkey das Amt des Staatssekretärs für innere Angelegenheiten. Während der Räterepublik zur Zeit von Bela Kun 1919 war J. Sekretär der Gewerkschaft der öffentlichen Angestellten in Debreczen. Die Niederschlagung der (Räte-)Republik durch die rumänischen Besatzungstruppen im Herbst 1919 bedeutete auch für J. die Intenierung. Er wurde zunächst in Brassov (Kronstadt), dann in Nagyvarad gefangengehalten. Danach eröffnete die Kirchenbehörde ein Diziplinarverfahren gegen J., da er die Republik aktiv unterstützt hatte. Das ref. Konventualgericht beschloß 1921 die Strafversetzung J.s nach

Füzesgyarmat, wo er von 1922 bis zu seinem Tode 1942 als Seelsorger wirkte. Ein Versuch der zahlreichen Anhänger des Pfarrers, ihn 1922 mit oppositionellem Programm in das Parlament der Horthy-Regierung zu entsenden, scheiterte am Parlament, das ihm aufgrund des kirchlichen Disziplinarverfahrens das Mandat nicht anerkannte und entzog. Im Gegensatz zu seinem geistigen Lehrer Kutter, trat J. Mitte der 30-iger Jahre in die sozialdemokratische Partei ein. Auch damit versuchte J. seinem obersten Ziel das er zeitlebens verfolgte, ein Stück näherzukommen: die Kirche aus dem Bündnis mit den rückständigen Kräften herauszureißen und sie und die christliche Botschaft als Garanten für eine gerechte und soziale Gesellschaft einzusetzen. 10 Jahre nach seinem Tode, 1952, ist J. auf Betreiben von Bischof Peter Janos von dem ref. Konventualgericht offiziell rehabilitiert worden.

Werke: Ünnepi és közönséges egyházi beszédek elö-és utóimádsagokkal együt, Debreczen 1893 (Feierliche und gewöhnliche Predigten mit Vor- und Nachgebeten); A világ vallása, Debreczen 1894 (Dichtungen); Papi dolgozatok (Pastorale Arbeiten), 10 Bde, Debreczen 1907-1917.

Lit.: Imre Kadar, Die Kirche im Sturm der Zeiten. Die Ref. Kirche in Ungarn zur Zeit der beiden Weltkriege, der Revolutionen und Konterrevolutionen, Budapest 1957 (dt. und engl. 1958); — Tamás Esze, Der Weg der Ref. Kirche Ungarns, o.O. 1964 (Hefte aus Bugscheidungen 119); — Milhály Bucsay, Kirche und Gesellschaft im Osten (KiO) 18 (1975), S. 90-108; — Tibor Bartha, Die Ref. Kirche von Ungarn, in: Karl Halaski (Hg.), Die Ref. Kirchen, Stuttgart 1977, S. 224-227 (Kirchen der Welt, Bd. XVII); — Milhály Bucsay, Der Protestantismus in Ungarn, Bd. II, 1978, S. 130-147; — RGG III, 530; — in ung. Sprache: J. Z. életmüve, Egyháztörtenet, 1959 (J.s Lebenswerk, Kirchengeschichte 1959); — Magyar IROK Elete es Munkai (Leben und Werke ung. Schriftsteller), hrsg. v. Josef Szinnyei, Bd. 5, 1897, Neudruck 1980, S. 406 f.; — Magyar Eletrajzi Lexikon, hrsg. v. Agnes Kenyeres, Bd. 1, 1967, S. 800; — Zum geistesgeschichtlichen Hintergrund vgl. Paul Ignotus, Die intellektuelle Linke im Ungarn der »Horthyzeit«, in: Südostforschungen 27 (1968), S. 148-241.

Rainer Witt

JANOW, Matthias v., gen. Magister Parisiensis, böhm. Reformprediger, Schriftsteller, Theologe, * vor 1355 in Janow bei Jungwoschitz (Südböhmen) als Sohn des böhm. Ritters Wenzel von J. (vgl. V. Kybal, J. 6-8), + am 30.11. 1393 in Prag. — Um 1373 verließ J. Böhmen nach einem kurzen Aufenthalt in Prag, um in Paris an der Sorbonne zu studieren. Hier erlangte er 1376 den akademischen Grad eines Licentiatus, und begann nur wenige Monate später als Magister

artium zu lehren. 1378 empfing J. die Priesterweihe. Während seines Aufenthalts an der Pariser Universität wurde J. mit dem Nominalismus
Ockhams bekannt, ohne jedoch ein Anhänger
dieser erkenntnistheoretischen Richtung zu werden. Nach einem neunjährigen Aufenthalt verließ J. Paris, nachdem er am 1.4. 1381 die Anwartschaft auf die Domherrnstelle an St. Veit in
Prag erlangt hatte. An 12.10. desselben Jahres
wurde er in das Prager Domkapitel aufgenommen. Der Prager Erzbischof Johann von Jenstein
ermächtigte J., an seiner Stelle an der St.Veits-
Kathedrale Beichte zu hören. Aufgrund seiner
fortgesetzten Angriffe gegen die Verehrung von
Heiligenbildern und Reliquien sowie der Forderung nach täglicher Laienkommunion wurden J.
am 18.10. 1388 auf der Herbstsynode der Prager
Erzdiözese derartige Äußerungen untersagt. J,
widerrief seine Auffassungen. Man wies ihm die
Landpfarrei in Michelsdorf bei Podersam zu,
und wiedererteilte ihm nach einem vorübergehenden Predigtverbot am 13.9. 1392 die Genehmigung zur uneingeschränkten Ausübung des
priesterlichen Amtes. In Michelsdorf entstanden
die »Regulae Veteris et Novi Testamenti«, sein
Hauptwerk in fünf lat. theol. Büchern. Die »Regulae« sind gekennzeichnet durch ihre chiliastische Prägung im Sinne eines Wiederauflebens
der eschatologischen Naherwartung, und durch
ihre scharfe Kritik an der offensichtlichen Dis-
krepanz zwischen der von J. idealisierten Urkirche und der gegenwärtigen Lage von Kirche und
Gesellschaft. Die Verehrung von Heiligenbildern und Reliquien lehnte er als Beeinträchti-
gung der ursprünglichen apostolischen Glaubensfreiheit ab. In dem abendländischen Schisma von 1378 sah der Anhänger der römischen
Obedienz das entscheidende Zeichen der bereits
angebrochenen letzten Tage des Tiers aus Apk
13. Auf die hiervon ausgehende akute Gefahr für
das Gottesvolk wollte er in seinem Werk aufmerksam machen. In J.s Forderung nach täglicher Laienkommunion spiegelt sich der Gedanke der Nachfolge Christi, der in seinem Werk
eine zentrale Stellung einnimmt. Die Forderung
nach der Kommunion sub utraque specie läßt
sich allerdings bei ihm nicht nachweisen.

Werke: Matthiae de J. dicti Magister Parisiensis Regulae
Veteris et Novi Testamenti, Bde. 1-4 hrsg. v. V. Kybal,
Innsbruck 1908-1913, Bd. 5 hrsg. v. O. Odloszilik u. V.
Kybal, Prag 1926.

Lit.: A. Zitte, Lebensbeschreibungen der drei ausgezeichnet-
sten Vorläufer des berühmten M. Johannes Hus von Husi-
necz, Prag 1786; — F. Palacky, Geschichte von Böhmen,
Bd. III,1, Prag 1844, 173ff; — Ders., J.P. Jordan, Die Vor-

läufer des Husitenthums in Böhmen, Leipzig 1846, Prag
1869; — J.A.W. Neander, Über J. als Vorläufer der deutschen Reformation und Repräsentanten des durch dieselbe in
die Weltgeschichte eingetretenen neuen Prinzips, in: AAW
(1849), 263-279; — Ders., Allg. Geschichte der christl.
Religion u. Kirche, Bd. II, Hamburg ³1856, 777ff.; — O.
Lechler, J. von Wiclif und die Vorgeschichte der Reformation, Bd. II, Leipzig 1873, 123-131; — J. Loserth, Hus und
Wiclif, Prag 1884; — W.W. Tomek, Dejpis mesta Prahy,
Bd. III, Prag 1893; — V. Kybal, J., Prag 1905; — Ders., J. a
M. Jakoubek ze Stribra, in: Cesky casopis historicky 11
(1905), 22-37; — Ders., K edici Reguli J., in: Casopis Ces-
héko Musea 88 (1914), 141, 89 (1915), 321, 413; — Z.
Nejedly, J., in: Cesky casopis historicky 12 (1906), 207ff.;
— A. Naegle, Der Prager Kanonikus J. auf Grund seiner
jüngst zum ersten Mal veröffentlichten Regulae veteris et
novi testamenti, in: Mitteilungen des Vereins für Gesch. der
Deutschen in Böhmen 48 (1910), 1-17; — F. Loskot, J., Prag
1912; — R.R. Betts, The Regulae Veteris et Novi Testamenti
of J., in: JThS 32 (1931), 344-351; — Ch. N. Gandev,
Joachimitische Gedanken im Werke des J., in: Casopis Nárd-
ního Musea 111 (1937), 1-28; — F.M. Bartos, Cechy v dobé
Husové 1378-1415, Prag 1947, 245-253; — Ders., Dva slav-
ni rodáci podblanicti, Tabor 1952; — F. Stegmüller, Reper-
torium biblicum medii aevi. Bd. 3, Madrid 1949. n. 5551; —
R. Schenk, J., Prag 1954; — P. de Vooght, L'hérésie de Jean
Hus, Leiden 1960, 21-35; — B. Töpfer, Chiliastische Ele-
mente in der Eschatologie des J., in: Ost und West in der
Geschichte des Denkens und der kulturellen Beziehungen,
FS E. Winter, Berlin 1966. 59ff; — H. Kaminsky, On the
Sources of J.'s Doctrine, in: M. Rechcigl (Hrsg.), Czechos-
lovakia Past and Present, Den Haag 1969; — J. Nechutová,
Filosofické zdroje díla J., in: Filosoficky casopis, Prag 1970,
1010-1018; — E. Valaschek, Das Kirchenverständnis des
Prager Magisters J. (Lateranum 37), Rom 1972 (Lit.); — H.
Sturm (Hrsg.), Biograph. Lexikon zur Gesch. d. böhm. Län-
der, Bd. II, München 1984, 605f.; — LThK² VII, 181; — RE
VIII, 588f.; — RGG³ III, 530f.; — Wetzer-Welte VI, 1214-
1216.

Michael Tilly

JANSENIUS, Cornelius der Ältere, bedeutender
Bibelwissenschaftler, Bischof, * 1510 in Hulst
(Flandern) + 11.4. 1576 zu Gent. Bei seinem
Studium der Philosophie und Theologie legte er
in besonderer Weise den Schwerpunkt auf die
alten (orientalischen) Sprachen. Als biblischer
Lektor in der Prämonstratenserabtei Tongerloo
arbeitete er an verschiedenen biblischen Kommentaren und einer Evangelienharmonie. Über
viele Jahre war zu zugleich Pfarrer. Nach seinem
Doktorat wurde er (1561) Professor für Exegse
in Löwen. Abgeordnet von der Universität,
nahm er an den Schlußsitzungen des Konzils
von Trient teil und veröffentlichte dessen Dekrete. Wider sein eigentliches Wollen mußte er
1568 das Bistum Gent übernehmen. Hier hielt er
1570 und 1574 Diözesansynoden ab.

Werke: Concordia evangelica, Löwen 1594; Commentarii in concordiam et totam historiam evangelicam, Löwen 1572 u.ö.; (Kommentare): In Proverbia et Ecclasiasticum, Antwerpen 1589; In omnes Psalmos Davidico, Löwen 1569; Paraphrases in ea Veteris Testamenti cantica, quae per ferias singulas totius anni usus ecclesiasticus observat, Löwen 1569; Gesamtausgabe Lyon 1578 u. ö., erweiterte Ausgabe 1586 u. ö.

Lit.: Journal hist. et litt., Liège 1837, IV, 507 ff.; — Annuaire de l'Université cath. de Louvain 1871, 288 ff.; — WWKL 6, 1216 f.; — LThK V, 869; — NNWB VII,655-665.

Harald Wagner

und ihre Bedeutung für das Denken Pascals, in: ZRGG 2, 1949-1950, 33-47; — Lucien Ceyssens, Autour de la publication de la bulle »en eminenti«, in: RHE 49, 1954, 90-115; — Ders., En zijn naaste bloedverwanten,in: Archief voor de Geschiedenis van de katholieke kerk in Nederland, Utrecht/Antwerpen, Bd. 10, 1968, 176-194; — Ders., »le Fait« dans la condamnation de J. et dans le serment Antijanséniste, in: RHE 69, 1974, 697-734; — Ders., Deux nouvelles lettres originales de C. J., ebd. 76, 1981, 81-83; — Ders., J. et le Jansénisme dans la Pays-Bas, Löwen 1982; — pastor XIII, 2, 634 ff.; — Wetzer-Welte ²VII, 1217-1235; — CE VIII, 285-294; — RE ³VIII, 589-599; — LThK ²V, 869; — Catholicisme VI, 334-343.

Karin Groll

JANSEN(IUS), Cornelius d. J., niederländischer Theologe, Bischof von Ypern und Begründer des Jansenismus, * 28.10. 1585 als Sprößling einer katholischen Familie in Accoy (Nordholland), + 6.5. 1638 an der Pest in Ypern. — I. studierte von 1602-1604 mit seinem Freund Duvergier in Löwen Philosophie, seit 1604 in Paris, bevor er zusammen mit Duvergier 1611 nach Camp-de-Pratz bei Bayonne ging, wo er 1612-1614 die Leitung des dortigen neu errichteten Kollegs übernahm. 1617 wieder in Löwen, übernahm J. bis 1624 die Leitung des holländischen Kollegs S. Pulcheria. 1618 wurde er Professor der Theologie, 1630 der Exegese und 1636 Bischof von Ypern. J., der zeitlebens für seine Überzeugng kämpfte, ist auch bekannt durch seine Polemik gegen den Calvinismus, gegen die Jesuiten und gegen die französische Außenpolitik. Als Verfasser des »Augustinus« nahm er die Ideen des Heiligen über die Gnade und die Freiheit der Worte wieder auf. Nach J.'s Erkenntnis steht der durch den Sündenfall unfrei gewordene menschliche Wille solange unter dem Einfluß des Drangs zum Bösen, wie dieser nicht durch den Wunsch zum Guten überwunden wird. Der stärkere Drang ist dabei von entscheidender Bedeutung.

Werke: Alexipharmacum civibus Sylvaeducensibus propinatum adversus ministorum fascinum, Löwen 1630; Spongia notarum quibus Alexipharmacum aspersit Gisbertus voetius, Löwen 1631; Pentatenchus sive commentarius in quinque libros Mosis, Löwen 1639; Tetratenchus seu commentarius in quatuor Evangelia, Löwen 1639; Augustinus seu doctrina S. Augustini de humanae naturae sanitate aegritude, medicina adversus pelagianos et massilienses, 3 Bde., Löwen 1640; Analecta in proverbia Salomonis, Ecclesiasten, Sapentiam, Habacuc et Sophoniam, Löwen 1644.

Lit.: A. Vandenpeerenboom, C. J., septième évêque d'Ypres, sa mort, son testament, ses épitaphes, Bruges 1882; — Jean Orcibal, Les origines du Jansénisme, Löwen/Paris 1947, 3 Bde.; — Hans Flasche, Die Erfahrung des Herzens bei C. J.

JANSSEN, Arnold, Priester, Ordensstifter, * 5.11. 1837 in Goch (Niederrhein), + 15.1. 1909 in Steyl. — J. wirkte zunächst als Lehrer an einem Gymnasium in Bocholt. Dies schien ihm aber nicht das zu ermöglichen, was er mehr und mehr als seine Lebensaufgabe begriff: Missionarisches Apostolat. So gab er den Lehrberuf auf und gründete mit St. Michael in Steyl 1875 das Mutterhaus der ersten deutschen Missionsgesellschaft. Dazu kamen im Laufe der folgenden Jahre Missionsgymnasien im deutschen Sprachraum, ein Missionspriesterseminar (St. Gabriel in Mödling bei Wien) und eigentliche Missionsstationen in Afrika, Asien und Nord- und Südamerika. J. förderte den Kult der Trinität und die Verehrung des Heiligen Geistes. Er stiftete die Gesellschaft des Göttlichen Wortes (»Steyler Missionare«), die Gesellschaft der Dienerinnen des heiligen Geistes (»Steyler Missionsschwestern«) und jene von der Ewigen Anbetung (»Steyler Klausurschwestern«). Er ist eine bahnbrechende und zentrale Figur innerhalb der Geschichte der katholischen Missionsunternehmungen.

Lit.: H. Fischer, A. J., Steyl 1919; — Ders., Vater Arnolds Getreuen, Steyl 1925; — Ders., Sämann Gottes, Steyl 1931; — Ders., Tempel Gottes seid ihr, Steyl 1932; — Ders., Ein Mensch unter Gottes Meißel, Steyl ²1959; — LThK V, 870 f.

Harald Wagner

JANSSEN, Johannes, katholischer Theologe und Historiker, * 11.4. 1829 in Xanten als Sohn des Gardepioniers und Korbmachers Gerhard J., + 24.12. 1891 in Frankfurt a. M. — Mit 14 Jahren begann J. eine Lehre als Kupferschmied. Um studieren zu können besuchte er anschließend die Reaktoratsschule in Xanten und das

Gymnasium in Recklinghausen. Nach dem Abitur studierte er zunächst Theologie in Münster und Löwen, wechselte aber 1851 zur Geschichtswissenschaft. 1853 promovierte er bei Fischer und Aschbach in Bonn. Ein Jahr darauf habilitierte er sich in Münster. 1855 erhielt er eine feste Anstellung als Professor für Geschichte am Frankfurter Gymnasium. Sein Unterrichtsgebiet umfaßte dabei die gesamte Geschichte bis zum Wiener Kongreß. Seit 1857 widmete J. sich verstärkt dem Studium des Spätmittelalters, aus dem seine »Geschichte des deutschen Volkes seit dem Ausgang des Mittelalters« hervorging. Die darin vorgenommene Abwertung der Reformation rief heftige Kritik auf evangelischer Seite hervor, prägte aber das katholische Bild von der Reformation für Jahrzehnte. 1860 wurde J. zum Priester geweiht und erhielt so die Möglichkeit im Vatikanischen Archiv zu arbeiten. Während des Kulturkampfes ließ er sich 1875 in das preußische Abgeordnetenhaus wählen. 1880 wurde er zum päpstlichen Hausprälaten ernannt. Berufungen nach Washington und Rom lehnte er ab und blieb bis zu seinem Tode in Deutschland. — J. war der bedeutendste katholische Historiker gegen Ende des 19. Jahrhunderts. Obwohl sein Geschichtsbild stark konfessionell geprägt war, gab er dennoch zahlreiche Forschungsanstöße, insbesondere auf dem Gebiet der Reformation und der Sozialgeschichte.

Werke: Wibald Stablo v. Corvey, 1854; Die Münsterischen Chron. v. Röchell, Stevermann u. Corvey, 1856; Frankreichs Rheingelüste u. deutschfeindliche Politik in früheren Jhh. (1861), 1883[3], Frankfurts Reichscorrespondenz, 2 Bde., 1863/1872; Schiller als Historiker (1863), 1879[2]; Zur Genesis der 1. Theilung Polens, 1865; J.F. Böhmers Leben. Briefe und kleinere Schrr., 3 Bde., 1868; Zeit- u. Lebensbilder, 2 Bde. (1875), 1889[4]; F. L. Graf zu Stolberg, 2 Bde., 1877; Gesch. des dt. Volkes seit dem Ausgang des MA.s, fortges. v. L. v. Pastor, 8 Bde., 1878-1894; An meine Kritiker, 1882; Zweites Wort an meine Kritiker, 1883; Drei geschichtl. Vortrr. (Karl der Große, Gustav-Adolf in Dtld., Rußland u. Polen vor 100 J.) (1890), 1891[4]; J. s Briefe, hrsg. v. L. v. Pastor, 2 Bde., 1920.

Lit.: M. Lenz, J.s dt. Gesch., in: HZ 37, 1877, 523-525; — L. v. Pastor, J. J. (1882), 1894[2]; — Ders. (Hrsg.), Aus dem Leben des Geschichtsschreibers J. J., 1929; — J. Köstlin, Luther u. J., 1883; — G. Bossert, Württemberg u. J., SVRG 5/6, 1884; — H. Delbrück, Die hist. Methode des Ultramontanismus, in: Ders., Hist. u. politische Aufss. I, 1886, 1-32; — M.Schwann, J. J. u. die Gesch. der dt. Reform., 1893; — W. Köhler, Kath. u. Ref., in: Vortr. der kath. Konferenz zu Gießen 23, 1905, 26-29; — G. Wolf, Quellenkunde I, 1915, 31 ff.; — B. Duhr, J. J. als kath. Historiker, in: Der kath. Gedanke 3, 1930, 300-311; — H. Jedin, Die Erforschung der kirchl. Reformationsgesch. seit 1876, 1931; — H. Engelskir-

chen, J. J., 1935; — Ders., J. J. u. Marianne Willemer, in: Hochland 56, 1963/64, 188 f.; — A. Herte, Das kath. Lutherbild im Bann der Lutherkommentare des Cochläus, Bd. 2, 1945; — W. Wühr (Hrsg.), L. Frhr. v. Pastor, Tagebücher, Briefe u. Erinnerungen, 1950; — R. H. Hippe, J. J. als Geschichtsschreiber (Diss. Jena), 1950; — Joachim Schoeffler, J. J. im Spiegel der Kritik. Ein Btr. z. Reformationsgeschichtsschreibung des ausgehenden 19. Jh.s (Diss. Jena), 1967; — Wilhelm Baum, Der Historiker J. J. Seine Prägung durch die Tübinger Schule u. seine Haltung z. Vatikanum I, in: ThQ 152, 1972, 314-343; — Heribert Raab, Wilhelm Hohoff u. J. J., in: Jb. f. christliche Sozialwiss. 22, 1981, 249 ff.; — Ders., J. J. u. das vatikanische Arch., in: RQ 77, 1982, 229; — Karl Josef Rivinius, Z. Darst. des hl. Geistes in menschlicher Gestalt. P. J. J. im Konflikt mit der röm. Kurie, in: Verbum SVD 23, 1982, 43-64; — LThK V, 871 f.; — Catholicisme VI, 343 f.; — CKL I, 911 ff.; — RGG III, 535 f.; — Biographisches Wb. z. dt. Gesch., 1952 ff., 392.

Bernhard Wildermuth

JANSSENS, Henri (Hendrik), Ordensname: Laurent(ius), flämischer Benediktiner, * 2.7. 1855 zu St.-Nicolas (Waes) in Belgien, † 17.1. 1925 zu Scheut-les-Bruxelles. — J. entstammte einer angesehenen Familie, besuchte das Kleine Seminar seiner Vaterstadt und das College St.-Stanislaus zu Mons; dort erhielt er seine rhetorische und musische Bildung. In St.-Nicolas studierte er zunächst Philosophie, dann Theologie an der Gregoriana in Rom (bis 1879), wo u. a. J. B. Franzelin, A. Palmieri und A. Ballerini seine Lehrer waren. 1877 in S. Giovanni in Laterano zum Priester geweiht, erfüllte er erste Aufgaben am Institut des Frères de la Doctrine chrétienne zu Gent. Von dort aus trat er in Beziehungen zur Benediktinerabtei Maredsous in der Diözese Namur. Unter dem Einfluß der Gründeräbte M. und P. Wolter begann er das Noviziat; mit dem Ordensnamen Laurent legte er 1881 das Gelübde ab. Seit 1882 dozierte er dogmatische Theologie; 1882 jedoch wurde er aus gesundheitlichen Gründen nach Prag geschickt, wo er in enger Beziehung zu den infolge des Kulturkampfes ausgewiesenen Mönchen von Beuron und deren Kunstschule (D. Lenz und G. Wüger) trat. 1885 wirkte er kurze Zeit in Seckau, ging dann jedoch als Professor für Poesie und Rhetorik nach Maredsous zurück. Zahlreiche Artikel, die er in der Revue Bénédictine veröffentlichte, zeigen sein weitgespanntes Interesse. Seine besondere Liebe galt der Liturgie und dem gregorianischen Gesang. Vom liturgischen Vollzug aus erschließt er theologisch den Sinn der Sakramente - besonders Taufe, Firmung, Eucharistie - und deutete sie für das Leben der Gläubigen in der Gemeinschaft der Kirche. Schon hier folgte er Thomas von Aquin als dem "Meister aller Meister"; den Seelsorgern wollte er eine solide Grundlage zur Unterrichtung der Gläubigen bieten, den christlichen Familien erbauende und nährende Lektüre, den Jugendlichen ein Handbuch, das, ihrer Intelligenz entsprechend, bei späterer Beschäftigung erneut anziehend und fruchtbringend sein sollte. Zu diesem Zweck vermied er eine trockene Wissenschaftssprache und entfernte aus dem Text alle sperrende Gelehrsamkeit. In der »Chronique liturgique« vermittelte er das Verständnis der wichtigsten Feiertage; auch verfaßte er zahlreiche Hymnen in lateinischer und französischer Sprache. Zugleich widmete er den drängenden Fragen der Zeit seine Aufmerksamkeit; in der Auseinandersetzung mit dem Liberalismus äußert er sich zum Thema Toleranz; wiederholt befaßt er sich mit sozialen Problemen, nachdem er durch A. J. Gruscha (Fürstbischof von Wien) auf A. Kolping und den Gesellenverein aufmerksam gemacht wurde. Mit Errichtung des College S. Anselmo in Rom durch Leo XIII. erhielt er die Berufung zum Rektor dieses Kollegs (1893-1908) und zum Professor der dogmatischen Theologie ebendort. Gemäß päpstlicher Weisung nahm er die Summa theologiae des Aquinaten zur Grundlage seiner Unterweisung; dabei war er bemüht, sie in ihren exegetischen und patristischen Voraussetzungen zu erhellen und sie auf die Probleme seiner Zeit hin neu zu bedenken. Hierzu las er Thomas stets im Kontext der übrigen scholastischen Theologen, insbesondere Anselms und Bonaventuras. Auch die Interpreten späterer und neuester Zeit zog er ausgiebig heran. Unterschiedliche Aussagen versuchte er wie in einem symphonischen Werk zu harmonisieren: Keine Stimme sollte verloren gehen, jedoch von der Einheit des Ganzen her verstanden und beurteilt werden. Seine Arbeitsweise kann daher mit Recht als synthetisch bezeichnet werden. Leider blieb das dogmatische Hauptwerk, das, in lateinischer Sprache verfaßt, gut lesbar ist, unvollendet. — Pius X. bediente sich der Fähigkeiten des Mönchs, indem er ihn zu kurialen Diensten heranzog. U. a. wurde er 1905 Sekretär der Bibelkommission; 1908 der Ordenskonkregation; 1910 jedoch trat er von seinem Amt zurück, nachdem ihn eine mißverständliche Äußerung im Zusammenhang mit dem Vatikanbesuch Roosevelts in Rom kompromittiert hatte. Benedikt XV. drängte ihn später, die unterbrochene theologische Arbeit wieder aufzunehmen. 1921 wurde er zum Titular-Erzbischof geweiht. Bis zuletzt hinterließ er mit seinem gesprochenen Wort großen Eindruck,

sowohl innerhalb und außerhalb Roms und Italiens, als auch in seinem Heimatland. Beim Besuch seiner Familie ist er dort gestorben.

Werke: Le Baptême, RBén III (1886/87), 293-300, 394-400, 491-497, 539-547; IV (1887), 71-77, 106-11; L'importance des études liturgiques, ebd. 14-22; L'Eucharistie, ebd. V (1888), 59-67, 161-169, 207-216, 250-257, 351-361; VI (1889), 4-15, 55-59, 169-181, 202-211, 245-257; Théorie et pratique du chant grégorien, ebd. V (1888), 317-322; Le chant grégorien et la musique moderne, ebd. 448-462; La Confirmation: exposé dogmatique, historique et liturgique, 1888; Droit et tolérance, in: RBén VI (1889), 342-350, 391-398; Le libéralisme et sa saine notion de la foi, ebd. VII (1890), 255-260, 386-396; Un nouveau chiliasme mitigé, ebd. VIII (1891), 70-84, 202-224; Quelques mots sur la question sociale à propos d'une visite à l'usine du Val-des-Bois, ebd. 281-284; L'encycle Rerum Novarum; ebd. 289-298, 337-342; Adolph Kolping: l'apôtre des artisants. Notice biographique, 1891; Réponse du Saint-Siège sur la question du juste salaire, in: RBén IX (1892), 241-243, 289-306; Le premier Congrès de la ligue démocratique belge, ebd. 509-516; La Prédestination d'après S. Augustin et S. Thomas, ebd. 528-544; Une broschure du R. P. Castelein, sur la question sociale, ebd. X (1893), 84-91; Les habitation ouvruères, ebd. 159-164; Le Chant sacré d'après S. Thomas, ebd. 213-225; Les monopoles industriels et commerciaux jugés par les principaux théologiens moralistes, ebd. 295-309; La doctrine catholique de l'origine du pouvoir civil, ebd. 442-455; Catholicisme et Progrès, ebd. XIV (1897), 449-469; Principes d'art religieux, ebd. XV (1898), 404-413; Les brochures du Dr. Schel, ebd. 567-570; Praelectiones de Deo uno quad ad modum commentarii in Summan theologicam Divi Aquinatis habeat in Collegio S. Anselmi de urbe L. J. Tom. I-II, 1899; Summa theologica ad modum commentarii in Aquinatis Summam praesentis aevi studiis aptatam / auctore Laurentio J., T. III. De Deo trino, 1900; Tom. IV: De Deo homine (I. Pars: Christologia.), 1901; Tom. V: De Deo-homine (II. Pars: Mariologia-Soteriologia, 1902; Tom. VI: De Deo creatore et De Angelis, 1905; Tom. VII: De hominis natura, 1918; Tom. VIII: De hominis elevatione et lapsu, 1919; Tom. IX: De gratia Dei et Christi, 1921; L'Evangile et l'Eglise, in: RBén XX (1903), 203-209; Au pays du Messie, 1921.

Lit.: Lachenmann, J., in: RGG III (1912), 257-258; (1929²), 30-31; — O. Rousseau, Sa Grandeur Mgr. J.s O.S.B., in: Revue Liturgique et Monastique X (Maredsous 1925/25), 285-292; — J. Schyrgens, La vie religieuse — MGR Henri — J. de Varebeke, O.S.B., in: Revue générale CXIV (Bruxelles 1925), 351-363; — H. Quentin, Mgr. J. Eloge, 1927; y197 Anselm Manser, J., in: LThK V (1933), 280; — L. Allevi, Disegno di storia della teologia, 1939, 387;— Edgar Hocedez, Histoire de la Théologie au XIXe siècle, Tom. III, 1947, 361; — Antonio Piolanti, J., in: ECatt VII (1951), 566-567; — Daniel Misonne, J., in: LThK V (1960²), 872.

Elmar Fastenrath

JANSSENS-ELINGA, Franziskus, OP seit 1653, Theologe und Philosoph, * um 1635 in

Brügge, + 22.11. 1715 ebd. — Er war Dozent an den Ordensschulen in Brügge, Antwerpen und Löwen, 1675 Magister theol., 1684-88 und 1696-1700 Provinzial der Germania inferior. Mehrere Schriften gegen Alva y Astorga über die unbefleckte Empfängnis Mariens, Verteidiger der päpstlichen Unfehlbarkeit.

Werke: Suprema rom. Pontificis auctoritas, Brügge 1698; Summa totius doctr. de Pontificis auctoritate et infallibilitate, ebd. 1690 und in der Neuausg. der »Summa Conciliorum« ed. B. Carranza, Löwen 1668, 1681; Forme en Wesen van de Kercke Christi, Antwerpen 1702; Veritas manifestata circa praedeterminationem physicam, ebd. 1675.

Lit.: Quétif-Echard II, 789 f.; — DThC VIII, 532 ff.; — Compendium historiae ordinis praedicatorum, ed. Walz, 481; — Enciclopedia Cattolica VII, 566; — Inventarus van het dominikaans Archief, I (1976), 92 f., 99, 151, 241, 247; — LThK V, 872.

Ludowiga Verburg

JANSSOONE, Friedrich, OFM; Missionar * 19.11. 1838 in Ghyvelde / Dünkirchen, + 4.8. 1916 in Montreal. — Im Juni 1864 trat J. dem Franziskaner-Orden bei; während des dt.-frz. Krieges 1870/71 war er Militärgeistlicher. Bevor er 1878 als Vikar des Kustos im Hl. Land wirkte, zeichnete er für die Verwaltung des Klosters in Bordeaux verantwortlich. Mit der Absicht, Almosen zu sammeln, bereiste J. von 1881-1882 Kanada; 6 Jahre später kehrte er zurück, um hier bis zu seinem Tode als Prediger und Missionar am Aufbau der kanad. Ordensprovinz mitzuarbeiten. J. hinterließ ein umfangreiches schriftstellerisches Werk. Seine zahlreichen Aufsätze und seine rund 30 Monographien, die bes. in den USA und Kanada überaus populär wurden, beschrieben vornehmlich das Hl. Land sowie das Leben biblischer oder historischer Personen. Diese Bücher, die sich mehr durch Frömmigkeit als Wissenschaftlichkeit auszeichneten, dienten vor allem der Verkündung des Glaubens und der Erbauung.

Werke: Vie de saint François d' Assise. Montreal 1894; Vie de notre Seigneur Jésus-Christ, écrite avec les paroles mêmes des quatre évangélistes. Quebec 1894; La bonne sainte Anne. Sa vie, ses miracles, ses sanctuaires. Montreal 1896; Saint Joseph. Sa vie, son culte. Quebec 1902; Le ciel, séjour des élus. Montreal 1912.

Lit.: Hugolin Lemay, Bibliographie et iconographie du serviteur de Dieu, le R. P. Frédéric J. Quebec 1932; — Romain Légaré, Un apôtre des deux mondes: le P. F. J. Montreal 1953 (engl. 1958); — Ders., Un grand serviteur de la Terre sainte: le P. F. J. Trois Rivières 1965; — Thomas F. Murphy,

Our Lady's Herald. A short Account of the Life of Father F. J. Trois Rivières 1965; — AS 32, 1940. S. 516 ff.; — LThK [2]V, 872; — DSP VIII, 154-156.

Reinhard Tenberg

JANUARIUS der Heilige (S. Gennaro), Bischof, Märtyrer und Patron von Neapel, * Mitte 3. Jahrhundert in Neapel oder Benevent, + 305 in Pozzuoli. — J. wurde als Bischof von Benevent auf Befehl Diokletians zusammen mit dem Diakon Sosius aus Misenium, Proculus und Festus, dem Lector Desiderius und den Bürgern Eutyches und Acutius enthauptet. Als Nothelfer der Goldschmiede und Patron Neapels gegen die Ausbrüche des Vesuvs, war seine Beliebtheit unter italienischen Auswanderern in den USA außergewöhnlich. Die leiblichen Überreste seines Hauptes und seines Blutes, heute in einer Seitenkapelle des Neapler Doms, wurden bereits im 5. Jahrhundert verehrt. Seit dem 12. Jahrhundert ist eine Verflüssigung des Blutes zu beobachten, sobald es in die Nähe des Kopfes kommt, ohne daß bisher eine Erklärung dafür gefunden werden konnte. Im 9. Jahrhundert kamen die Reliquien des Heiligen nach Benevent, 1497 nach Neapel zurück. In der bildenden Kunst wird J. mit Palme und geöffnetem Buch dargestellt.

Lit.: G. Mutini, Memorie della vita, miracoli e culto di S. Gennaro, Neapel 1633 (1710); — O. Bilotta, Istorico discorso sopra la patria di S. G. martire, Rom 1636; — Gottlieb Wernsdorf, Diss. de Sanguinis s. Januarii fluxtu miraculoso et inde orinudo apud Neapolitanos cultu, Wittenberg 1710; — U. Mazochius, Actorum Bononiensium S. januarii et sociorum martyrum vindiciae repetitae, Neapel 1759; — B. Passionei, Orazione in lode di S. G., vescovo e martire, ebd. 1768; — B. M. Bergervoort, Das Blut des hl. J., 1910; — Kasper Isenkrahe, Neapolitanische Blutwunder, 1912; — Sebastian Euringer, Die Passio des hl. J. und seiner Gefährten aus den Armen, übersetzt in: ThGL 1913, 369-374; — Francesco Lanzoni I, Le Diocesi d'Italia dalla origini al principio del secolo VII, Faenza 1927, 214-217, 256 f.; — Hans Achelis, Die Bischofschronik von Neapel, 1930; — Wetzer-Welte [2]VI, 1237 f.; — RE [2]VIII, 606-607; — CE VIII, 295-297; — Künstle II, 325 f.; — Doyé I, 545 f.; — AS VII, 761 ff.; — RGG [2]III, 31; — LThK [2]V, 281; — Ema und Hans Melchers (Hg.), Das große Buch der Heiligen, 1978, 597-599.

Karin Groll

JANUS, Martin (auch: Jähn, Jahn, Jan), * um 1620 in Merseburg, + um 1682 in Ohlau (Schlesien). — J. ließ sich am 14.3. 1644 an der Universität Königsberg immatrikulieren - mit hoher Wahrscheinlichkeit als bereits ausgebildeter Musiker. Hier studierte er mehrere Semester Theologie, bis er eine Anstellung als Musiker in Steinau an der Steinau (Oberschlesien) erhielt. Im Zuge der Gegenreformation flüchtete er nach Niederlausitz; an den beiden ev. Kirchen zu Sorau wurde er Musikdirektor, wohl mit Unterstützung des Freiherrn Sigismund Seifried von Promnitz. Nach dem Tod seines Gönners (30.6. 1654) wirkte er als Rektor und Kantor an der Stadtschule in Sagen (Niederschlesien), aus der er jedoch wiederum während der Konfessionswirren vertrieben wurde. Nach langem Suchen konnte er die Stelle des Kantors in Ohlau, wo die reformierte Herzogin Luise residierte, annehmen. — Von J.s Werken (viele gelten als verschollen) hat lediglich die Kirchenlieddichtung »Jesu, meiner Seele Wonne« weitere Verbreitung gefunden; sein »Passionale melicum«, das auch Texte von Andreas Gryphius (s.d.), Martin Opitz (s.d.) u.a. bietet, gilt als die »erste umfassende Sammlung ev. Passionslyrik«.

Lit.: Siegfried Fornaçon, M. J., ein schlesischer Glaubensflüchtling. In: Jb. für schlesische Kirche und Kirchengeschichte. NF 35, 1956. S. 31-43; — Lebensbilder der Liederdichter und Melodisten. Bearb. von Wilhelm Leuken. Göttingen 1957. S. 150-151; — ADB XIII, 710- 711; — MGG VI, 1671-1673; — RISM IV, 490.

Reinhard Tenberg

JANUS PANNONIUS (Johannes von Csezmicze), ungarischer Nationaldichter, * 29.8. 1443 in Csezmicze, + 27.3. 1472 Burg Medve bei Zagreb, seit 5.11. 1459 Bischof von Fünfkirchen. — Er versuchte vergeblich, König Kasimir von Polen auf den ungarischen Thron zu erheben. Bei seiner Flucht nach Kroatien starb er. Er ist Verfasser zahlreicher Gedichte und berühmter Epigramme.

Werke: Elegiarum aureum opus (W. o. J.); Sylva Panegyrica, 1518; Poemata, 1553; Mehr als 400 bekannte Epigramme. G. A. ed. S. Teleki, 2 Bde., Utrecht 1784.

Lit.: J. Abel, Beitrg. z. Gesch. des Humanismus in Ungarn, Budapest 1880; — J. Hegedüs, Guarinus und J. P., ebd. 1896; — J. Huszti, Fünfkirchen 1931; — LThK V, 873.

Winfried Verburg

JANVIER, Albert-Marie (vor seinem Ordenseintritt: Emile), Theologe und Dominikanerprediger, + 19.12. 1860 in Saint-Meén (Bretagne),

1559

+ 28.4. 1939. — 1879 trat J. in den Dominikanerorden ein. Nach seiner Profeß 1880 nahm er ein Theologiestudium im Kloster von Corbara (Korsika) auf. Als es dort zum Aufruhr kam, zog er sich zum Studium in die französische Provinz zurück. Er unterrichtete dort von 1886-1888. Ab 1895 war J. Prior des Studienkonvikts in Flavingny. 1902 kehrte das Konvikt wieder in die Rue du Faubourg-Saint-Honoré in Paris zurück und mit ihm J., der dort als Prior bis zu seinem Tode wohnen blieb. Von 1903-1924 war J. Bischof von Notre-Dame de Paris. Er predigte dort alljährlich zur Fastenzeit, 22 Jahre hindurch. Während dieser Zeit entstanden der große Kommentar zum II. Teil der Summa theologiae des Thomas von Aquin und die 22 Bände der Conférences, seiner Morallehre, am Entwurf der Summa des Thomas orientiert. Als gefragter Prediger sprach er unter anderem auch zur Einweihung des Basiliken von Montmartre, am 16.10. 1919. J. hatte zahlreiche Ämter inne. Er war "Aumier" der Körperschaft christlicher Publizisten, der Association catholique des Beaux-Arts, der Association des études catholiques und der Féderation Nationale Catholique. Mit René Bodin, Leonce de Grandmaison und dem Domherren Soulange-Bodin gründete er das Bureau catholique de presse, das von 1918 an mehrere Jahre lang die »Nouvelles religieuse« publizierte. Nach 1923 wurde J. Beigeordneter des Sekretärs der ständigen Kommission der Kardinäle und Erzbischöfe. In dieser Funktion redigierte er 1925 die berühmte Erklärung gegen den Laizismus. J. sympathisierte mit der Action francaise, unter deren Verurteilung 1926 auch er zu leiden hatte.

Werke: Exposition de la morale cath., 22 Bde., 1903-1924; L'action catholique, Discours et allocutions, 1911; La rel. catholique dans la vie humaine, Panégyriques et discours, 1911; Le passion de N. S. Jésus-Christ et la morale, 1914 (dt.: übers. v. B. Ludwig, 3 Bde., 1924-1926); Fêtes de France, 1922; L'âme dominicaine, 3 Bde., 1933.

Lit.: Y. de la Brière, Le T. R. J., Son rôle et son infuence, in: Études 239, 1939, 532-542; — L'Année dominicaine, August/September 1939, 257-301 (numero spéciale);—Memoriae domenicaine, 1939, 246-260; — A. Walz, Compendium historiae Ordinis praedicatorum, 1948, 718; — LThK V, 873; — Catholicisme VI, 347 f.; — DSp VIII, 156 f.;— DThC XVII, 2417 f.

Bernd Wildermuth

JARCKE, Carl Ernst, Jurist und politischer Schriftsteller, Mitbegründer der "Historisch-Politischen Blätter", * 10.11. 1801 als Sohn eines

1560

Kaufmanns in Danzig, + 28.12. 1852 in Wien (bis 1825 evangelisch). — J. verlebte seine Kindheit und Jugend in der geordneten, aber streng rationalen Welt des protestantischen Besitzbürgertums in Danzig. Da sein Vater den einzigen Sohn für den Kaufmannsberuf bestimmt hatte, trat er nach dem Besuch der Bürgerschule und der lateinischen Oberpfarrschule mit 14 Jahren eine Kaufmannslehre in einem Danziger Handelshaus an. Doch konnte die nüchterne Atmosphäre der Handelskomptoirs den Jüngling nicht befriedigen. Von 1817-19 besuchte J. daher das akademische Gymnasium, das er mit gutem Erfolg abschloß, um den Gelehrtenberuf zu ergreifen. Zum Wintersemester 1819 immatrikulierte er sich an der Universität Bonn für das Studium der Rechte, hörte daneben aber auch geschichtliche und philosophische Vorlesungen. Im April 1821 wechselte er nach Göttingen, wo er durch seinen Lehrer Gustav Ritter von Hugo mit den Prinzipien der historischen Rechtsschule vertraut wurde. In dieser Tradition stand auch seine 1822 in Göttingen verfaßte Dissertation über das römische Strafrecht, mit der ihn die Bonner Universität habilitierte und wo J. als Privatdozent für Strafrecht im Oktober 1822 seine Vorlesungen aufnahm. Zwei Jahre später ernannte man ihn zum außerordentlichen Professor für Strafrecht, doch war mit diesem Status kein regelmäßiges Gehalt verbunden, so daß J. neben dem Lehrberuf als Strafrichter in Köln tätig werden mußte. Die Jahre in Bonn und Köln legten aber nicht nur den Grundstein für J.s Karriere als Strafrechtler, sondern hatten ihn auch der katholischen Religion nahe gebracht. Insbesondere sein Kontakt zu dem katholischen Gelehrtenkreis um den Bonner Philosophen Karl J. Windischman, der den damals aufkommenden rationalistischen und modernistischen Tendenzen innerhalb der katholischen Kirche (besonders Hermes) vehement entgegentrat, und die Begegnung mit dem katholischen Köln hatten in J. den Entschluß reifen lassen, sich dem Katholizismus anzuschließen; im Februar 1825 vollzog er dann in Köln die Konversion. In dieses Jahr noch fiel seine Berufung als Extraordinarius für Strafrecht an die Universität Berlin, wo er u. a. den Staatsrechtler Friedrich von Savigny und den Philosophen G. W. F. Hegel kennenlernte. 1826 beauftragte dann das preußische Innenministerium den mittlerweile zum führenden Spezialisten seines Faches aufgestiegenen J. zur Mitarbeit in der Gesetzgebungskommission für die Revision des preußischen Landrechts, hierbei bearbeitete er die Artikel, die Kirche, Religion, Ehe und Sitte betraf-

fen. Daß J. nun überhaupt die christlich-katholische Lehre als elementare Grundlage allen menschlichen Zusammenlebens begriff, machte er auch in seinem in Berlin verfaßten wissenschaftlichen Hauptwerk, dem »Handbuch des gemeinen deutschen Strafrechts« (1827-30, 3 Bde.) sehr deutlich. Er setzte hierin die »Verbrechen gegen Gott und die Religion« an die erste Stelle noch vor die »Verbrechen gegen den Regenten und seine Familie«, womit J. jene Anschauung restaurierte, die von der Aufklärung aus den Staatswissenschaften verbannt worden war und welche besagte, daß alle weltliche Macht nur aus der göttlichen abgeleitet und nur durch sie allein legitimiert werden könne. Den Ausbruch der Julirevolution in Frankreich 1830 erlebte J. daher als persönliche Herausforderung und bewirkte, daß er sich nun der Politik zuwandte. In seiner 1831 anonym erschienenen Schrift »Die Französische Revolution von 1830«, die ihn mit einem Schlage als politischen Schriftsteller berühmt machte, charakterisierte er die Revolution als völlige Umkehrung der geschichtlich gewachsenen und göttlich legitimierten Ordnung und somit als eine Bedrohung für ganz Europa, die zu bekämpfen jetzt allerhöchstes Gebot sei. In der im gleichen Jahr publizierten Studie über den politischen Attentäter K. L. Sand verwob J. seine juristischen Kenntnisse mit seiner schriftstellerischen Begabung, um ein vernichtendes Urteil über die nationale Bewegung zu fällen, da sie selbst vor Mord als Mittel zum Zweck nicht zurückschreckte und daher mit der Gefahr der Revolution gleichzusetzen sei. Mit der Sorge um Recht und Staat und die traditionelle Ordnung war J. sofort auf das Interesse und Wohlwollen der altpreußischen Konservativen, die sich um die Gebrüder Gerlach versammelt hatten, gestoßen. Unter dem Motto »Nous de voulons pas la contrerévolution, mais le contraire de la révolution«, einem Worte des Grafen de Maistre, gründete man gemeinsam das "Berliner Politische Wochenblatt", um, wie es J. formuliert hatte, den Ideenkampf mit der revolutionären und nationalen Bewegung aufzunehmen. Am 8. Oktober 1831 erschien die erste Nummer, wobei J. als 1. Redakteur fungierte. Unter ihm entwickelte sich die Zeitschrift schnell zum führenden Organ der Ultrakonservativen, das die Ideen des Retaurationstheoretikers Haller aufnahm und die Wiederherstellung eines christlichen Staates propagierte. Selbst Fürst Metternich zählte zu den Lesern des Blattes und als sein politischer Berater Friedrich Gentz im Juni 1832 plötzlich verstarb, bot Metternich dessen Platz sofort J. an.

Im Oktober erhielt er die Ernennung zum k.k. Rat und Staatskanzleipublizist in der Wiener Staatskanzlei und siedelte im November 1832 nach Wien über. Der Weggang von Berlin war ihm umso leichter gefallen, da er erkannt hatte, daß er als Katholik im protestantischen Preußen keinerlei Aufstiegschancen mehr hatte und selbst seine zahlreichen Eingaben, ihn als ordentlichen Professor für Strafrecht mit einem regelmäßigen Gehalt einzustellen, immer wieder abgewiesen worden waren. In Wien schrieb J. für die Metternich-Presse und arbeitete in der Zensurstelle, wo er vor allem gegen liberal-religiöse Schriften und die Verbreitung der Literatur des Jungen Deutschland vorging. Als sich die konfessionellen Gegensätze im Vorfeld und Verlauf des Kölner Mischehenstreites von 1837 verhärteten, kündigte J. seine Mitarbeit beim "Berliner Politischen Wochenblatt" auf, da die mehrheitlich protestantische Redaktion sich auf die Seite des preußischen königs und somit gegen die katholische Seite gestellt hatte. J. verfocht nunmehr die Ansicht, daß der wahre Konservatismus nur auf die katholische Dogmatik gegründet sein könne. In diesem Geiste begründete er zusamemn mit Görres, dem wichtigsten Vertreter des politischen Katholizismus im Vormärz, 1838 in München die "Historisch-Politischen Blätter für das katholische Deutschland", jene Zeitschrift, die zum führenden Organ des Katholizismus im 19. Jahrhundert wurde. Neben seiner publizistischen Tätigkeit für Metternich und die "Historisch-Politischen Blätter" wirkte J. in kirchlich-religiösen Zeitfragen auch als Diplomat. Einen Höhepunkt hierbei bildete seine Reise nach Rom 1840, wo er im Namen der Staatskanzlei in der Frage der ungarischen Mischehen verhandelte. Die 40er Jahre standen dann ganz im Zeichen des Kampfes für die Freiheit der katholischen Kirche, weshalb J. immer wieder gegen die Fesseln des staatskirchlichen Systems in Österreich, dem Josephinismus, seine Stimme erhob und Metternich zu beeinflussen suchte. In diese Linie fällt auch seine Altersfreundschaft mit dem romantischen Dichter Eichendorff, den J. tatkräftig unterstützte und ihn zu einer aus katholischer Sicht geschriebenen Literaturgeschichte anregte, die Eichendorff dann 1847 auch herausgab. Obwohl J. seine ganze Arbeit in den Dienst des Kampfes gegen die Revolution gestellt hatte, sollte gerade er ihr Opfer werden. Als im Jahre 1848 auch in Wien die Revolution ausgebrochen war und Metternichs System stürzte, wurde J. beurlaubt. Er zog sogleich nach München und kehrte, nachdem die Revolution niedergeschlagen war, 1850

nach Wien zurück, wo durch eine kaiserliche Verordnung vom 19. April gerade das staatliche Placet in Kirchenbelangen aufgehoben worden war, was sich J. als einen Erfolg auch seiner langjährigen Bemühungen anrechnen konnte. Jedoch erlebte er das Zustandekommen des von ihm oft herbeigesehnten Konkordats, das am 13. August 1855 zwischen Österreich und dem Vatikan abgeschlossen wurde, nicht mehr. J. verstarb am 28. Dezember 1852 nach langer Krankheit in Wien. Sein Grab befindet sich auf dem Friedhof zu Maria Enzersdorf im Gebirge nahe Wien, wo auch die Gräber anderer bedeutender Gestalten des Katholizismus des 19. Jahrhunderts, von Adam Müller, Zacharias Werner und Clemens Hofbauer, zu finden sind.

Werke: Commentatio de summis principiis iuris Romani de delictis eorumque poenis ..., Göttingen 1822; Versuche einer Darst. des censorischen Strafrechts der Römer. Beiträge zur Gesch. des Criminalrechts, Bonn 1824; Bemerkungen über die Lehre vom unvollst. Beweise in Bezug auf ausserordentl. Strafen. Mit besond. Rücksicht auf die preußische Criminalordnung, Halle 1825 (= Neues Archiv des Criminalrechts, Bd. 8); Über die spätere Gesch. des deutschen Strafprozesses mit besond. Rücksicht auf Preußen, Halle 1826 (= Neues Archiv des Criminalrechts, Bd. 9); Handbuch des gemeinen deutschen Strafrechts, mit Rücksicht auf die Bestimmung der preußischen, österreichischen, baierischen und französischen Gesetzgebung, Berlin 1827-30, 3 Bde.; Die Lehre von der Aufhebung der Zurechnung durch unfreie Gemüthszustände. Zum Gebrauch für Richter und Gerichtsärzte, Berlin 1829 (= Hitzigs Zeitschrift, Heft 21, 22, 23); Beiträge zur Gesch. der Zauberei (= Hitzigs Annalen, Bd. 1); Die Französische Revolution von 1830, hist. und staatsrechtl. betrachtet in ihren Ursachen, ihrem Verlaufe und ihren wahrscheinl. Folgen, Berlin 1831 (anonym); Karl Ludwig Sand und sein an Kotzebue verübter Mord. Eine psycholog.-criminal. Erörterung aus der Gesch. unserer Zeit, Berlin 1831; Über die austrägalgerichtl. Entscheidung der Streitigkeiten unter den Mitgliedern des Deutschen Bundes, Wien 1833; Die ständische Verfassung und die deutschen Constitutionen, Leipzig 1834; Vermischte Schriften, Bd. 1-3, München 1839; Vermischte Schriften, Bd. 4, Paderborn 1854, hrsg. v. George Phillips (= Principienfragen. Politische Briefe an einen deutschen Edelmann nebst gesammelten Schriften).

Lit.: Georg Phillips, C. E. J.s Nekrolog, in: HPBl 31 (1853), 66-68, 277-290 (= ders., Vermischte Schriften, Bd. 2, 1856, 599-616; Ders., (Hrsg.), Principienfragen. Politische Briefe an einen deutschen Edelmann ... 1854, 534-551); — Robert v. Mohl, Zwölf deutsche Staatsgelehrte: J., in: Die Gesch. und Lit. der Staatswissenschaften, Bd. 2, 1856, 578-592; — D. A. Rosenthal, Konvertutenbilder aus dem 19. Jh., Bd. 1, 1865, 235-255; — Ernst Förstemann, Erinnerungen an C. E. J., in: HPBl 95 (1885), 733-749; HPBl 96 (1885), 785-805; HPBl 97 (1886), 161-177, 445-460; — Johann Jakob Hansen, Lebensbilder hervorragender Katholiken des 19. Jh.s, Bd. 3, 1905, 294-301; — G. Turba, Denkschriften Metternichs und J.s über Ungarn 1841, in: HPBl 135 (1910); — Ewald Reinhard, K. E. J. an Haller, in: HPBl 154 (1914),

402-415; — Franz Rhein, 10 Jahre Hist.-Pol. Blätter. Ein Beitrag zur Vorgeschichte des Zentrums, Diss. Bonn 1916; — Eduard Hosp, Aus K. E. J.s Leben, in: HPBl 163 (1919), 606-615, 655-668; HPBl 164 (1919), 81-93, 167-174; — Ders., Aus K. E. J.s Nachlaß, in: HPBl 165 (1920); — Edgar Fleig, Briefe C. E. J.s an Legationsrat Moritz Lieber, in: Hochland 18,2 (1921), 331-372; — Frieda Peters, C. E. J.s Staatsanschauung und ihre geistigen Quellen, Diss. Bonn 1926; — Otto Weinberger, K. E. J. Ein Beitrag zu seiner Würdigung, in: HJ 46 (1926), 563-593; — Ewald Reinhard, Joseph v. Eichendorff und K. E. J., in: Aurora. Ein romant. Almanach, Nr. 4 (1934), 88-923; — Josef Karl Mayr, Gesch. der österr. Staatskanzlei im Zeitalter Metternichs, 1935; — Ernst Michel, Aus C. E. J.s Testament, in: Hochland 33,2 (1936), 322-336; — Edgar Fleig, K. E. J.s philos. Denken in seinen Briefen an Moritz Lieber, in: ThQ 119 (1938), 118-134; — Arthur Wegener, C. E. J., in: Festschr. f. Ernst H. Rosenfeld, 1949, 65-117; — Julius Marx, Die Zensur der Kanzlei Metternichs, in: Österr. Zeitschr. f. öffentl. Recht 4 (1952), 170-237; — Ders., Die österr. Zensur im Vormärz, 1959; — Wolfgang Scheel, Das Berliner politische Wochenblatt und die pol. und soz. Revolution in Frankreich und England, 1964; — Eduard Winter, Frühliberalismus in der Donaumonarchie, 1968; — Silvester Lechner, Gelehrte Kritik und Restauration. Metternichs Wissenschafts- und Pressepolitik, 1977; — ADB XIII, 711 ff.; — NDB X, 353 f.; — ÖBL III, 80; — StL IV, 621 f.; — Wurzbach X, 95 ff.

Rainer Witt

JARICOT, Marie-Pauline, Gründerin des Kindheit-Jesu-Vereins, der Glaubensboten und des Lebendigen Rosenkranzes, * 22.7. 1799 in Lyon, + 9.1. 1862 ebd. — Schon mit 17 Jahren fand J. ihren Weg zu einem opferreichen Leben, indem sie ihr großes Vermögen an Kranke, Notleidende und Arbeiter verschenkte. Am 10.8. 1835 wurde sie am Grab der heiligen Philumena in Mugnano von einer schweren Krankheit geheilt. Ihre Bedeutung liegt in der Förderung der Mission ("Mutter der Glaubensboten"), zu deren Unterstützung sie 1819 in Lyon einen schnell wachsenden Verein gründete, der unter ihrer Leitung am 3.5. 1822 einen Zentralrat erhielt und damit weltumspannend wurde. 1826, nur vier Jahre später, gründete sie den "Lebendigen Rosenkranz". Nachdem 1845/1852 ihr großes Unternehmen, eine Erzhütte bei Apt für christliche Arbeiter, zusammengebrochen war, wurde ihr zukünftiges Leben durch Sorgen, Schmähungen und bittere Not bestimmt.

Lit.: Julia Maurin, Vie de P.-M. J., 2 Bde., Paris 1884; — Copéré, Cause de béatification et de canonisation de Mademoiselle P. J., Rom 1909; — David Lathoud, M.-P. J., Paris 1937; — Joseph Jalinon, M.-P. J., ebd. 1950; — R. P. Rambaud, P. J., ebd. 1956; — Mgr. Cristiani, M.-P. J., ebd. Lyon 1961; — R. P. Servel, Un autre visage, Paris 1961; —

Georges Corée, P. J., Une laique engagéé, ebd. 1962; — CE VIII, 323; — AAS XXII, 420-424; — LThK ²V, 285-286; — Catholicisme VI, 355-356

Karin Groll

JAROSLAW I. der Weise, Großfürst von Kiew, * um 988 als Sohn Wladimirs des Heiligen, + 20.2. 1054. — Nachdem J. Fürst von Nowgorod geworden war, versuchte er 1016 seinem älteren Bruder Swjatopolk in Kiew die Herrschaft streitig zu machen, konnte sich aber erst 1019 endgültig durchsetzen. 1036 wurde er nach dem Tod seines anderen Bruders Mstislaw Alleinherrscher über das Reich. Außer der Gründung neuer Burgstädte geht die Errichtung der Sophien-Kathedrale in Kiew auf ihn zurück. J. schuf die erste Kirchenordnung, ernannte als erster einen Ostslawen, Hilarion, zum Metropoliten von Kiew und ließ die wahrscheinlich erste Redaktion des russischen Rechts aufzeichnen.

Lit.: Georgii Vladimirovic, Kievan Russia, New Haden 1948; — Boris Dittrievic Grekov, Le début des guerres féodales dans la Russie kievienne, in: Traité d'Histoire de Russie IX-XV Bd. 1, 1953, 166-174; — Jaroslav Nikolâvic Scapov, Ustav knjazja jaroslava i voprosob ot nosenii K vizantijskomo naslediju na Rusi v seredine XI v. (le code du grand-duc J. et l'attitude en Russie envers l'héritage byzantine au milieu du XI° s.), in: Vizantijskij cremennik, Moskau 1961, 71-78; — Manfred Hellmann, Die Heiratspolitik J. d. W., in: Forschungen zur osteurop. Gesch. 62, Bd. 8, 7-25; — LThK ²V, 880-881; — Catholicisme VI, 356-357.

Karin Groll

JARRIC, Pierre du (auch: P. Dujarric), SJ, *1566 in Toulouse, + 2.3. 1617 in Saintes. — Mit der Absicht, Missionar zu werden, trat J. am 8.12. 1582 der Gesellschaft der Jesuiten bei; doch dann lebte er überwiegend in Bordeaux als Lehrer der Philosophie und Moraltheologie. Sein Hauptwerk, die häufig nachgedruckte, 3 Bände umfassende »Historie des choses plus mémorables«, zählt - ungeachtet ihres kompilatorischen Charakters - zu den bedeutenden Büchern über die Missionstätigkeit der Societas Jesu.

Werke: Histoire des choses plus mémorables advenues tant ez Indes Orientales, ... Bordeaux 1608-1614 (lat.: Thesaurus rerum Indicarum. Köln 1615; engl. Teilübers.: Akbar and the Jesuits. By father P. J., SJ. Transl. by C. H. Payne. London 1926); Le paradis de l' âme ou traite des vertus, composé en latin par Albert le Grand ... Bordeaux 1616.

Lit.: Wetzer-Welte VI, 1264-1265; — Sommervogel IV, 750-752; — BiblMiss V, 114-115; — Koch JL 912; — LThK ¹V, 286, — LThK ²V, 881.

Reinhard Tenberg

JARRIGE, Chaterine, genannt Catinon Menette, OP-Terziarin, * 3.10. 1754 in Doumis bei Mauriac, + 4.7. 1836 ebd. — Aus ärmlicher Familie stammend, arbeitete J. als Dienstmädchen und ab 1778 als Spitzenklöpplerin in Mauriac. Ihre ausschweifende Lebensfreude fand durch eine Bekehrung nach einer durchtanzten Nacht am 24.2. 1786 ein Ende. Während der Französischen Revolution arbeitete sie trotz mehrerer Einkerkerungen als Helferin der Priester und war bis zur Erschöpfung im Dienst der Nächstenliebe tätig. Nach der Revolution erneuerte sie den Dritten Orden von Mauriac. 1929 wurde ein Seligsprechungsprozeß eingeleitet, 1953 verkündete Papst Pius XII. den heroischen Tugendgrad.

Lit.: J.-B. Serres, C. J., dite Catinon Menette, Paris 1864, 1910³, dt. von Kevelaer 1912; — M. C. de Ganay, La Menette des prêtres, C. J., S. Maximin 1923; — Victor Marmoiton, La vie héroique de C. J., Toulouse 1956; — AAS 1929, 567-670; — LThK ²V, Sp. 287.

Karin Groll

JASPERS, Karl, Philosoph, * 23.2. 1883 in Oldenburg als erstes Kind des Juristen, Bankdirektors und ehemaligen Amtshauptmannes Carl Wilhelm J. und dessen Frau Henriette, geb. Tantzen, + 26.2. 1969 in Basel. — Von 1892-1901 besuchte der von früher Kindheit an kränkliche J. das humanistische Gymnasium in Oldenburg. Nach seinem Abitur inscribierte er sich zunächst an der juristischen Fakultät der Universität Freiburg i. Br. Eine erst zu diesem Zeitpunkt diagnostizierte schwere Erkrankung von Herz und Atemorganen nötigte J. zu einer äußerst regelmäßigen Lebensführung und zum Verzicht auf jegliche physische Anspannung. Nach drei Semestern brach J. sein Jurastudium, das er zunächst in München fortgeführt hatte, ab, und begann das Studium der Medizin in Berlin, das er nach einem Studienaufenthalt in Göttingen (1903-1906) im Frühjahr 1908 mit dem Staatsexamen abschloß. Er promovierte über »Heimweh und Verbrechen«, und erlangte im Februar 1909 seine Approbation als Arzt. Seit 1908 arbeitete J. als wissenschaftlicher Volontärassistent ohne Bezüge in der psychiatrischen Klinik der Heidelberger Universität. 1910 heiratete er die Jüdin Gertrud Mayer. Unter Einfluß der Philosophie Max Webers, dem er 1909 zum ersten Mal begegnet war, und herausgefordert durch die Erfahrung der vielfältigen, ungeordneten psychiatrischen Theorien und Praktiken ohne einheitliches wissenschaftliches System, verfaßte J. neben einigen kleineren psychiatrischen Arbeiten seine »allgemeine Psychopathologie« als systematische Grundlegung einer wissenschaftlichen Psychiatrie. Mit dieser Schrift habilitierte er sich im Dezember 1913 an der Philosophischen Fakultät der Ruprecht-Karls-Universität. 1916 wurde J. zum Extraordinarius, am 1.4. 1922 zum Ordinarius für Philosophie in Heidelberg berufen. Der Ordinarius J. widmete sich in den 30er Jahren neben seiner Lehrtätigkeit in vertiefter Weise dem Studium der Philosophie. Am Ende dieses Jahrzehnts erschienen mit der »geistigen Situation der Zeit« und der dreibändigen »Philosophie« die bedeutendsten Zeugnisse der Existenzphilosophie J.s. Der Grund der Philosophie liegt hiernach im "Selbstsein", in der Existenz des Menschen. Philosophie war für J. "Kümmern um uns selbst". Solches Selbstsein ist für ihn nur möglich in Kommunikation mit anderen Menschen, Kommunikation ist das schlechthin wesentliche Kriterium für die Freiheit des Menschen. Nach der Machtergreifung der Nationalsozialisten wurde J., der die von dieser Bewegung ausgehende Gefahr anfänglich unterschätzt hatte, bereits 1933 von der Universitätsverwaltung ausgeschlossen. 1937 wurde er gewaltsam in den Ruhestand versetzt. Ein Publikationsverbot wurde 1943 verhängt. Nach 1945 war J. maßgeblich am Wiederaufbau der Universität Heidelberg beteiligt. Daneben widmete er sich in zunehmendem Maße der politischen Schriftstellerei. Zusammen mit Dolf Sternberger gründete er die Zeitschrift "Die Wandlung" als Gesprächsforum einer sittlich-politischen Erneuerung. Mit der Schrift »Die Schuldfrage« und der hierin postulierten Trennung zwischen der moralischen Schuld der Verbrecher der Nazizeit und der Mitverantwortlichkeit der passiv Gebliebenen im Sinne einer politischen Haftung geriet J. in den Fokus des öffentlichen Interesses und löste heftige Diskussionen aus. Seit Juli 1947 hielt J. Gastvorlesungen an der Universität Basel. In seiner ersten dortigen Vorlesungsreihe über den »philosophischen Glauben« las er über die Begründung der menschlichen Existenz 'in der Erfahrung des Geschenktwerdens'. Dieses 'Schenken' setzt ein Schenkendes, die 'Transzendenz', gelegentlich von ihm als 'Gott' bezeichnet, voraus. Solcher Glaube an die Transzendenz war für J. Ursprung allen echten Philosophierens. Im Frühjahr 1948 nahm J. den Ruf der Univerität Basel an und verließ Heidelberg. In Basel las er bis zu seiner Emeritierung nach dem Sommersemester 1961. In den 60er Jahren ergriff J. immer häufiger in der Diskussion um politische Gegenwartsfragen das Wort. Hierbei scheute er keine Konfrontation und wurde so zu einer der umstrittensten Figuren der deutschen Politik in diesen Jahren. Während die einen über das 'Jasperletheater' spotteten, lobten ihn andere als neuzeitlichen "Praeceptor Germaniae". J. starb am 26.2. 1969, dem 90. Geburtstag seiner Frau, an den Folgen seiner lebenslangen Krankheit. Der Inhaber mehrerer Friedenspreise und zahlreicher Ehrendoktorate und Ehrenmitgliedschaften hinterließ einen unedierten wisssenschaftlichen Nachlaß von ca. 25.000 Briefen und ca. 35.000 Manuskriptseiten. Als Erich Rank bereits 1933 schrieb: "Ein für unsere Zeit unerhört reicher menschlicher Gehalt breitet sich hier in dem methodischen Prozeß eines systematischen Philosophierens aus, das der Wirklichkeit offen und der Verantwortung vor dem Anderen bewußt, in umfassender Selbstprüfung sich selbst zur Klarheit zu bringen sucht und in direktem Sichaussprechen den Anderen herausfordert", charakterisierte er in treffender Weise Werk und Persönlichkeit des Mannes, der neben Sartre und Heidegger als Begründer der Existenzphilosophie gilt, und der in seinem durch Konsequenz und Kommunikationsbereitschaft geprägten Leben, trotz aller durch das Wissen um sein Schicksal bedingten Sprödigkeit des Wesens, die Berufe des Psychiaters, des forschenden Wissenschaftlers und des Philosophen, dessen Lehren in seiner eigenen Existenz begründet ist, in nahezu vollkommener Weise in sich vereinigt hat.

Werke: Allg. Psychopathologie, Berlin 1913; Psychologie der Weltanschauungen, Berlin 1919; Strindberg und van Gogh. Versuch einer pathographischen Analyse, München 1922; Die Idee der Univ., Berlin 1923; Die geist. Situation der Zeit, Berlin 1931; Philosophie, 3 Bde., Berlin 1932; Max Weber, München 1932; Vernunft und Existenz, München 1935; Nietzsche. Einführung in ein Verständnis seines Philosophierens, Berlin 1936; Descartes und die Philosophie, Berlin 1937; Existenzphilosophie, Groningen 1937; Die Idee der Univ., Berlin 1946; Die Schuldfrage, Heidelberg 1946; Vom lebendigen Geist und vom Studieren, Heidelberg 1946; Philos. Logik I. Von der Wahrheit, Philos. Logik, München 1947; Der philos. Glaube, München 1948; Unsere Zukunft und Goethe, Zürich 1948; Vom Ursprung und Ziel der Gesch., München 1949; Einführung in die Philos., München 1950; Vernunft und Widervernunft in unserer Zeit, München 1950; Rechenschaft und Ausblick, München 1951;: Lionardo als Philosoph, Bern 1953; Wahrheit und Unheil der Bult-

mannschen Entmythologisierung, in: Schweizer. theol. Umschau 23 (1953); Die Frage der Entmythologisierung. Eine Diskussion mit Rudolf Bultmann, München 1954; Schelling. Größe und Verhängnis, München 1955; Die großen Philosophen, München 1957; Die Atombombe und die Zukunft der Menschheit. Polit. Bewußtsein in unserer Zeit, München 1958; Philosophie und Welt. Reden und Aufsätze, München 1958; Freiheit und Wiedervereinigung, München 1960; Über Bedingungen und Möglichkeiten eines neuen Humanismus, Stuttgart 1962; Der philos. Glaube angesichts der Offenbarung, München 1962; Gesammelte Schrr. zur Psychopathologie, Berlin u. a. 1963; Nikolaus Cusanus, München 1964; Hoffnung und Sorge, München 1965, Kl. Schule des philos. Denkens, München 1965; Wohin treibt die Bundesrepublik?, München 1967; Antwort. Zur Kritik meiner Schrift »Wohin treibt die Bundesrepublik?", München 1967; H. Saner (Hrsg.), Schicksal und Wille. Autobiogr. Schrr., München 1967; Ders. (Hrsg.), Aneignung und Polemik. Gesammelte Reden und Aufsätze zur Gesch. der Philosophie, München 1968; Ders. (Hrsg.), Provokationen, Gespräche und Interviews, München 1969; Ders. (Hrsg.), Chiffren der Transzendenz, München 1970; Ders. (Hrsg.), Notizen zu Martin Heidegger, München 1978; Philos. Autobiographie. Erweiterte Neuausgabe, München 1977; H. Saner (Hrsg. aus dem Nachlaß von J.), Weltgesch. der Philosophie, München/Zürich 1982; Wahrheit und Bewährung, 14 Aufsätze, München 1983; Ausführl. Bibliogr. bei G. Gefken/K. Kunert, J. Eine Bibliographie, Oldenburg 1978.

Lit.: L. Binswanger, Bemerkungen zu der Arbeit J.'s: Kausale und ««verständliche»» Zusammenhänge zw. Schicksal und Psychose bei der Dementia praecox (Schizophrenie), in: Intern. Zschr. für ärztl. Psychoanalyse 1 (1913), 383-390; — Ders., Verstehen und Erklären in der Psychologie, in: Zschr. für Neurologie und Psychiatrie 107 (1927), 655-683; — W. Baade, Vergegenwärtigung von psych. Ereignissen durch Erlebnis, Einfühlung und Repräsentation, in: Zschr. für Neurologie und Psychiatrie, Orig.-Bd. 29 (1915), 347-378; — H. Rickert, Psychologie der Weltanschauungen und Philosophie der Werte, in: Logos 9 (1920); — J. H. van der Hoop, Über die kausalen und verständlichen Zusammenhänge nach J., in: Zschr. für Neurologie und Psychiatrie 68 (1921), 9-30; — W. Wirth, Zur Kritik einer verstehenden Psychologie der Weltanschauungen, in: Archiv für Psychologie 43 (1922), 72-110; — H. Graumann, Versuch einer hist.-krit. Einleitung in die Phänomenologie des Verstehens, Diss. München 1924, 129-152; — W. Schweizer, Erklären und Verstehen in der Psychologie. Eine Kritik der Auffassung von J., Bern 1924; G. Störring, Die Frage der geisteswissenschaftl. und verstehenden Psychologie, in: Archiv für Psychologie 58 (1927), 389-448, 61 (1928), 273-354, 62 (1928), 443-480; — H. Seelbach, Verstehende Psychologie und Individualpsychologie, Gräfenhainichen 1932; — W. Ernst, Die theol. Begriffe in der mod. Existentialphilosophie, in: ZSTh 10 (1933), 589-612; — A. Messer, Das Existenz- und Freiheitsproblem bei J., in: Philos. Leben 9 (1933), 267-276; — J. Pfeiffer, Existenzphilosophie, Leipzig 1933; — Ders., Existenz und Offenbarung, Berlin 1966; — R. Winkler, Philos. oder theol. Anthropologie?, in: ZThK 14 (1933), 103-125; — M. Beck, Kritik der Schelling-J.-Heidegger'schen Ontologie, in: Phil. Hefte 4 (1934), 97-164; — J. Wahl, Le problème du choix, l'existence et le transcendance dans la philosophie de J., in: Revue de Métaphysique et de Morale 41 (1934), 405-444; —

philosophie de J., in: Revue de Métaphysique et de Morale 41 (1934), 405-444; — Ders., Le Nietzsche de J., in: Recherches philos. 6 (1936/1937), 346-362; — Ders., Études Kierkegaardiennes, Paris 1938, 477-510; Ders., La théorie de la vérité dans la philosophie de J., Paris 1950; Ders., 1848-1948, Cent années de l'histoire de l'idee d'existence, Paris 1951; — Ders., La pensée de l'existence, Paris 1951; — Ders., Les philosophes de l'existence, Paris 1954; — J. Hennig, Das neue Denken und das neue Glauben, in: ZThK 17 (1936), 3052; — F. Imle, J. als Existenzphilosoph, in: PhJ 49 (1936), 487-504, 50 (1937), 78-93, 238-251; — L. Jaspers, Der Begriff der menschl. Situation in der Existenzphilosophie von J., Diss. Münster 1936; — O. F. Bollnow, Existenzphilosophie und Gesch. Versuch einer Auseinandersetzung mit J., in: BdtPh 11 (1937/1939); — Ders., Existenzerhellung und philos. Anthropologie. Versuch einer Auseinandersetzung mit J., in: BdtPh 12 (1938/1939); — Ders., Existenzphilosophie und Pädagogik, Stuttgart 1959; — Ders., Existenzphilosophie, Stuttgart 1960[5]; — M. Horkheimer, Bemerkungen zu J.s Nietzsche, in: Zschr. für Sozialforschung 6 (1937), 407-414; — P. Wust, Ungewißheit und Wagnis, München/Kempten 1937, 273-284; — Ders., Der Mensch und die Philosophie, Münster 1947; — K. Lehmann, Der Tod bei Heidegger und J., Diss. heidelberg 1938; — J. B. Lotz, Die Transzendenz bei J. und im Christentum, in: StZ 137 (1939/1940), 71-83; — Ders., Analogie und Chiffre. Zur Transzendenz in der Scholastik und bei J., in: Scholastik 15 (1940), 39-56; — Ders., Sein und Existenz, Freiburg i. Br. u. a. 1965; — Ders., «Nachtrag» zu «Analogie und Chiffre», ebd., 290-295; — E. Te Reh, Welt in J.s Existenzphilosophie, Diss. Lengrich i. Westf. 1939, — H.-J. Miéville, Le problème de la transcendance et de la mort dans la philosophie existentielle de J., in: RThPh 28 81940), 87-111; — E. Paci, Pensiero esistenza e valore, Mailand/Messina 1940, 116-152; — L. Pareyson, La filosofia dell' esistenza e J., Neapel 1940; — Ders., Nuovi sviluppi del pensiero di J., in: Rivista filos. 39 (1948), 326-367; — Ders., Esistenza e persona, Turin 1950, 53-105; — M. Werner, Der relig. Gehalt der Existenzphilosophie, Bern/Leipzig 1943; — Ders., Die Religion bei J., Schweizer theol. Umschau 22 (1952), 73-82; — F. Rotter, Menschl. Existenz und göttl. Transzendenz. Darst. und Beurteilung der Philosophie von J. in der Sicht des krit. Realismus, Diss. Wien 1944; — R. F. Beerling, Mod. doosproblematiek. Een vergelijkende studie over Simmel, Heidegger en J., Diss. Amsterdam/Delft 1945; — R. E. Feith, Psychologismus und Transzendentalismus bei J., Bern 1945; — J. de Tonquédec, Une philosophie existentielle, l'existence d'après J., Paris 1945; — I. M. J. Bochénski, Europäische Philosophie der Ggw., Bern 1947, 186-198; — M. Dufrenne/P. Ricoeur, J. et la philosophie de l'existence, Paris 1947; — H. W. Gruhle, J. Allg. Psychopathologie, in: Der Nervenarzt 18 (1947), 1-7; — E. Mounier, Introduction aux existentialismes, Paris 1947; — P. Ricoeur, Gabriel Marcel et J., Paris 1947; — H. Arendt, Was ist Existenz-Philosophie?, in: Dies., Sechs Essays, Heidelberg 1948, 48-80; — Dies., J. Wahrheit, Freiheit und Friede, München 1958, 29-40; — F. J. Brecht, Einführung in die Philosophie der Existenz, Heidelberg 1948, 105-174; — Ders., Heidegger und J., Wuppertal 1948; — R. Jolivet, Les doctrines existentialistes de Kierkegaard à J.-P. Sartre, Abbaye Saint-Vandrille 1948, 233-304; — G. Marcel, Situation fondamentale et situations limites chez J., Paris 1948; — A. Patore, La volontà dell'assurdo, Mailand 1948, 115-158; — C. Ramming, J. und

Heinrich Rickert, Existentialismus und Wertphilosophie, Bern 1948; — W. Weischedel, Wesen und Grenzen der Existenzphilosophie, in: Frankfurter Hefte 8-9 (1948); — Ders., Der Gott der Philosophen, Bd. II, Darmstadt 1972, 126-139; — D. Brinkmann, Die Schuldfrage als philos. Problem. Eine Auseinandersetzung mit J., in: ThZ 5 (1949), 264-284; — H. Redeker, Existentialisme. Een doortocht door philosophisch frontgebied, Amsterdam 1949, 137-193; — M. Reding, Die Existenzphilosophie, Düsseldorf 1949; — B. Welte, Der philos. Glaube bei J. und die Möglichkeit seiner Deutung durch die thomist. Philosophie, in: Sym J. 2 (1949), 1-190; — E. L. Allen, The Self and Its Hazards, A Guide to the Thought of J., London 1950; — Ders., Existentialismus from Within, London 1953, 99-148; — F. Buri, Albert Schweitzer und J., Zürich 1950; — Ders., Philos. Glaube und Offenbarungsglaube im Denken von J., in: ThZ 39 (1983), 204-226; — L. Curtius, Deutsche und antike Welt. Lebenserinnerungen, Stuttgart 1950, 367-369, 370, 528; — H. Fries, Ist der Glaube ein Verrat am Menschen?. Eine Begegnung mit J., Speyer 1950; — Ders., J. und das Christentum, in: ThQ 132 (1952), 257-287; — H. Heimann, Der Einfluß J.s auf die Psychopathologie, in: Monatsschr. für Psychiatrie und Neurologie 120 (1950), 1-20; — E. Mayer, Dialektik des Nichtwissens, Basel 1950; — J. Alcorta y Echevarria, J. Lo ético en el existencialismo, La Laguna 1951; — F. Battaglia, La nuova filosofia di J., in: Giornale de Metafisica 6 (1951), 234-274; — L. Bussmann, Der Gewissensbegriff bei Heidegger und J., Diss. Würzburg 1951; — H. Freih. v. Campenhausen, Die philos. Kritik des Christentums bei J., in: ZThK 48 (1951); — G. Kahl-Furthmann, J.s "Philos. Glaube" und die traditionelle Philosophie, in: ZphF 6 (1951/1952), 411-416; — Ders., Philos. Interpretation. Ein Wort zur 3. Aufl. von J.s Schrift »Descartes und die Philosophie«, in: ZphF 14 (1960), 127-138; — A. Mitscherlich, Kritik oder Politik?, in: Psyche 4 (1951), 241-254; — N. Petruzzellis, J. e la tradizione filosofica, in: Rassegna di science filosofiche 4 (1951), 33-60, 5 (1952), 1-18, 81-102; — H. Schultz-Hencke, Zur Verteidigung der Psychoanalyse, in: Der Monat 3 (1951), 438-440; — J. L. Springer, Existentielle metaphysica. Inleiding in de metaphysica van J., Assen 1951; — J. S. Weiland, Humanitas, christianitas. A Critical Survey of Kierkegaards's and J.'s Thoughts in Connection with Christianity, Assen 1951; — H. Wittig, Das Menschenbild der J.schen Existenzphilosophie, in: Philos. Studien 2 (1951), 329-343; — E. Baechler, Situation fondamentale et situations-limites dans la philosophie de J., Neuchâtel 1952; — W. Busch, Die Relativierung des sittl. Sollens in J.s «Existenzerhellung», Diss. Innsbruck 1952; — J. Collins, The Existentialists, Chicago 1952, 80-114; — M. Crammer, Untersuchungen über J.s Philosophie, Diss. Innsbruck 1952; — L. Deimel, Die Existenzphilosophie von J., Diss. Münster 1952; — E. Günther, Das Christentum im Gesch.bilde von J., in: DtPfrBl 52/12 (1952), 65-87; — E. Hoepfner, Über die natürl. Erfahrung und die Erkenntnis Gottes, Diss. Erlangen 1952; — H. Knittermeyer, Die Philosophie von der Renaissance bis zur Ggw., Wien/Stuttgart 1952, 274-278, 323-365; — J. Mader, Problemgeschichtl. Studien zur Periechontologie J.s, Diss. Wien 1052; — Ders., Das Seinsdenken bei J., in: Wissenschaft und Weltbild 10 (1957), 50-69; — J. Paumen, Signification du premier hommage de J. à Max Weber, Brüssel 1952; — Ders., Raison et existence chez J., Brüssel 1958; — O. Pfister, J. als Sigmund Freuds Widersacher, in: Psyche 6 (1952), 241-275; — R. Schaeffler, Die Frage nach dem

Glauben im Werk von J., Diss. Tübingen 1952; — Ders., Philos. Überlieferung und polit. Ggw. in der Sicht von J., in: PhR 7 (1959), 81-109, 260-293; — M. Shows, Philosophical Faith, A Study of the Religious Implications of the Philosophy of J., Michigan 1952; — H. Bäcker, Die Frage nach Gemeinschaft bei J., Diss. Wien 1953; — C. Fabro, J. et Kierkegaard, in: RSPhTh 37 (1953), 209-252; — Ders., Dall'essere all'esistente, Brescia 1957, 187-239; — F. Flick, Die Frage nach dem Sinn geschichtl. Aneignung bei J., Marx und Gogarten, Diss. Bonn 1953; — R. Grabau, Existence and Truth in the Philosophy of J., Diss. New Haven 1953; — P. E. Grunert, Objektive Norm, Situation und Entscheidung. Ein Vergleich zw. Thomas von Aquino und J., Bonn 1953; — S. E. Lindley, The Risk of Freedom. An Introduction to the Philosophy of J., Diss. Ithaca, N.Y. 1953/1954; — G. Mann, Begegnungen mit J., in: Neue Ztg., Frankfurt/Main/Berlin, 21./22.2. 1953; — G. Masi, La ricerca della verità in J., Bologna 1953; — K. Micskey, Versuch einer strukturpsycholog. Typologie der Religiosität auf Grund einer Synthese zw. den typolog. Systemen von Ernst Kretschmer, J. und Ludwig Ferdinand Clauss, Diss. Wien 1953; — K. Piper (Hrsg.), Offener Horizont, FS J., München 1953; — Ders. (Hrsg.), J., Werk und Wirkung, München 1963; — Ders., H. Saner, Erinnerungen an J., München 1974; — U. Schmidhäuser, Allg. Wahrheit und existent. Wahrheit bei J., Diss. Bonn 1953; — J. Dresch, J. in Frankreich, in: Antares 2/4 (1954), 24-31; — H. Jonker, Over J.'s metamorphose der bijbelde religie, Amsterdam 1954; — G. Knauss, Gegenstand und Umgreifendes, Basel 1954; — Ders., Die Dialektik des Grundwissens und der Existenzerhellung bei J., in: Studium generale 21 (1968), 571-590; — A. Lichtigfeld, J.'s Metaphysics, London 1954; — Ders., Aspects of J.'s Philosophy, Pretoria 1972²; — Ders., Spinoza. A Tercentenary Reflection Based on the Philosophy of J., in: Kant-Studien 71 (1980), 117-121; — G. Lucács, Die Zerstörung der Vernunft, Berlin 1954; — W. Pannenberg, Mythos und Wort. Theol. Überlegungen zu J.s Mythosbegriff, in: ZThK 51 (1954), 167-185; — Ders., Zur theol. Auseinandersetzung mit J., in: ThLZ 83 (1958), 321-330; — J. Thyssen, J.s Buch »Von der Wahrheit«, in: APh 5 (1954), 170-224; — Ders., Die Philosophie in der ggw. geist. Krise, Bonn 1954, 37-47; — A. Bindit, La pensée et l'existence en quête de la transcendance. Étude d'après J., Diss. Genf 1955; — H. Droz, Der relig. Gehalt der Transzendenzphilosophie von J., Diss. Hamburg 1955; — R. Grimsley, Existentialist Thought, Cardiff 1955, 149-188; — H. R. Horn, Existenz, Erziehung und Bildung. Das Problem der Erziehung und Bildung bei J. und die neuere Pädagogik, Diss. Göttingen 1955; — Ders., Philos. und christl. Glaube, Essen 1961; — H. Looff, Der Symbolbegriff in der neueren Religionsphilosophie und Theologie, Köln 1955; — A. Mayer, J.s Erziehungsphilosophie, Diss. Erlangen 1955; — Ders., Bildung und Existenz. Versuch einer Klärung an J., in: Bildung und Erziehung 10 (1957), 129-142; — T. Raeber, Das "Dasein" in der Philosophie von J., Bern 1955; — J. Wanninger, Der Primat der prakt. Vernunft in der Philosophie von J., Diss. München 1955; — J. Hersch, Die Illusion, München 1956; — Dies., Le philosoph devant la politique (Vorw. zu J.s »La bombe atomique etl'avenir de l'homme«), Paris 1958, 1-20; — Dies., J. Eine Einführung in sein Werk, München 1980; — Dies., J. M. Lochman (Hrsg.), J., Philosoph, Arzt, polit. Denker, München, Zürich 1986; — W. Keilbach, Philos. Glaube und christl. Existenz, in: MThZ 7 (1956), 161-172; — G. Mende, Studien über die Existenz-

philosophie, Berlin 1956; — Ray, Punya Sloka, Die Erkenntnis vom Menschen in der Philosophie J.s, Diss. Tübingen 1956; — J. M. Spier, Filosofie van de onbekebende God. En kritische schets van het denken van J., Kampen 1956; — N. Abbagnano, Philosophie des menschl. Konflikts, Hamburg 1957; — L. Ambruster, Objekt und Transzendenz bei J., Innsbruck 1957; — A. Caracciolo, Il Problema della demitisazione nel dialogo Bultmann-Jaspers, in: Giornale della Filosofia Italiana 1957, 501-548; — Ders., Studi J.iani, Mailand 1958; — H. Fahrenbach, Philos. Existenzerhellung und theol. Existenzermittlung. Zur Auseinandersetzung zw. J. und Rudolf Bultmann, in: ThR 24 (1957/1958), 77-99, 105-135; — W. Lohff, Glaube und Freiheit. Das theol. Problem der Religionskritik von J., Gütersloh 1957; — P. A. Schilpp (Hrsg.), J., Stuttgart 1957; — O. Borrello, Il problema estetico della verità in J., in: Ricerce filos. 26 (1958), 11-42; — Kim Tyon-Ho, Existent. Dialektik und polit. Praxis, Diss. München 1958; — R. Knudsen, The Idea of Transcendence in the Philosophy of J., Kampen 1958; — A. Kress, Kolleg bei J., in: Stuttg. Ztg. vom 2.2. 1958; — G. Krüger, Grundfragen der Philosophie, Frankfurt a. M. 1958, 222-232; — E. Manasse, J. und der Ursprung des Philosophierens, in: Merkur 12 (1958), 278-284; — H. van Oyen, Der philos. Glaube, in: ThZ 14 (1958), 14-37; — K. Rossmann, J., Sein Werk, München 1958; — Ders., Dt. Gesch.philosophie von Lessing bis J., Bremen 1959; — L. H. Ehrlich, J.'s Philosophy of Science, Diss. New Haven 1959/1960; — Ders., Philosophical Faith and Mysticism, in: Bucknell Review 1969/1970, 1-21; — Ders., J. Philosphy as Faith, Amherst 1975; — Ders., Truth and Its Unity in J., in: RIPh 147 (1983), 423-439; — H. End, Existent. Handlungen im Strafrecht. Die Pflichtenkollision im Lichte der Philosophie von J., München 1959; — A. Wenzl, Motive des Glaubens und verstehende Toleranz, in: PhJ 68 (1959), 447-467; — F. Furger, Die Struktureinheit der Wahrheit bei J., in: Salzburger Jb. für Philosophie und Psychologie 4 (1960), 113-198; — Ders., Leben und Werk des Philosophen J. aus der Sicht und Erinnerung eines Theologen, in: ThZ 39 (1983), 193-203; — G. Junghänel, Der Begriff der Kommunikation bei J., Diss. Potsdam 1960; — Ders., Über den Bergriff der Kommunikation bei J., in: DZPh 9 (1961), 472-489; — W. Kamlah, Die Frage nach dem Vaterland. Betrachtungen aus Anlaß des J.-Interviews, Stuttgart 1960; — R. M. Owasley, The Moral Philosophy of J., Diss. Bloomington 1960/1961; — E. Reinitz, A Study in the Early Philosophy of J., Diss. Baltimore 1960/1961; — X. Tilliette, Sinn, Wert und Grenze der Chiffrenlehre. Reflexionen über die Metaphysik von J., in: Studia Philosophica 20 (1960), 115-131; — Ders., J., Théorie de la vérité. Métaphysique des chiffres. Foi philosophique, Paris 1960; — Ders., Cio che e vivo e cio che morto nella filosofia di J., in: CivCatt 135 (1984), 120-130; — H. Zeltner, Existent. Philosophiehistorie?. Krit. Bemerkungen zu J.s Theorie der Philosophiegesch.schreibung, in: AGPh 42 (1960), 289-303; — G. Diaz Diaz, Begriff und Problem der Stiuation. Eine Unters. im Rahmen des J.schen Denkens, Diss. Freiburg i. Br. 1961; — A. Hübscher, Von Hegel zu Heidegger, Stuttgart 1961, 201-221; — T. Litt, Mensch und Welt. Grundlinien einer Philosophie des Geistes, Heidelberg 1961²; — M. K. Malhotra, Die Philosophie J.s und die indische Philosophie, in: ZphF 15 (1961), 363-373; — H. R. Müller-Schwefe, Existenzphilosophie, Zürich 1961, 36-51, 142-149, 160-164; — J. Nedel, A teoria da verdade em J., in: Organon 5 (1961), 3-37; — E. Salin, J., in: Die Zeit. Ausg. von 4.2. 1961; — B. Tollkötter,

Erziehung und Selbstsein. Das pädagog. Grundproblem im Werke von J., Köln 1961; — Ders., Selbstsein, Bildung und geschichtl. Welt im Werke von J., in: PädR 18 (1964), 815-824; — U. Hommes, Die Existenzerhellung und das Recht, Frankfurt a. M. 1962; — H. Lutzenberger, Das Glaubensproblem in der Religionsphilosophie der Ggw. in der Sicht von J. und Peter Wust, Diss. München 1962; — F. Heinemann, Existenzphilosophie lebendig oder tot?, Stuttgart 1963³; — W. Hennig, Politik und prakt. Philosophie, Neuwied/Berlin 1963; — R. Wisser, Ein Philosoph denkt sich frei, in: ZphF 17 (1963), 284-296; — Ders., Verantwortung im Wandel der Zeit, Mainz 1967; — Ders., J. und Albert Schweitzer. Ihr philos. Denken über Probleme der heutigen Menschheit, in: Universitas 28 (1973), 497-506, — J. v. Kempski, Philosophie als Anruf, in: Ders., Berechnungen. Kritische Versuche zur Philosophie der Ggw., Hamburg 1964; — U. Galimberti, La logica filosofica di J. Verità e fede, Diss. Mailand 1965; — W. Schneiders, J. in der Kritik, Bonn 1965; — Ders., Polit. Krise und existent. Erneuerung. Zur Auffassung von Gesellschaft, Staat und Politik bei J., in: Soziale Welt 18 (1967), 124-152; — J. Schwartländer, Kommunikative Existenz und dialog. Personsein, in: ZphF 19 (1965), 53-86, — G. Simon, Die Achse der Weltgesch. nach J., Rom 1965; — B. Sutor, Der Zusammenhang von Gesch.philosophie und Politik bei J., Diss. Mainz 1965; — H. Gottschalk, J., Berlin 1966; — K. Kränzle, Anmerkungen zur polit. Philosophie von J., in: Studia Philosphica 25 (1966), 120-138; — J. Muga, El Dios de J., Madrid 1966; — H. Hagen-Schneider, Die Bedeutung des Politischen bei J., Diss. Freiburg i. Br. 1967; — A. Kremer-Marietti, J. et la scission de l'être, Paris 1967; — U. Richli, Transzendentale Reflexion und sittl. Entscheidung. Zum Problem der Selbsterkenntnis der Metaphysik bei Kant und J., in: Kant-Studien, Erg.-Heft 92 (1967); — L. Gabriel, Existenzphilosophie, Wien 1968²; — H.-M. Gerlach, Die polit. Philosophie J.s, Diss. Halle/Wittenberg 1968; — Ders., Existenzphilosophie und Politik. Krit. Auseinandersetzung mit J., Berlin (Ost) 1974; — Ders./S. Mocek, J. Eine marxist.-leninist. Auseinandersetzung mit J.s philos., polit. und medizin. Werk, Halle (Saale) 1984; — Ders., Existenzphilosophie, Berlin 1987; — C.-U. Hommel, Chiffre und Dogma. Zum Verhältnis der Philosophie zur Religion bei J., Zürich 1968; — E. T. Long, J. and Bultmann, Durham, N.C. 1968; — K. J. Newman, Wer treibt die Bundesrepublik wohin?, Köln 1968; — N. S. S. Ramann, Das Wesen der Chiffren bei J., Diss. Mainz 1968; — N. Rigali, Die Selbstkonstitution der Gesch. im Denken von J., Meisenheim/Glan 1968; — K. Salamun, Der Begriff der Daseinskommunikation bei J., in: ZphP 22 (1968), 261-285; — Ders., Philos. Glaube als kommunikative Lebenshaltung, in: Salzburger Jb. für Philosophie und Psychologie 12/13 (1968/1969), 63-76; — Ders., J. Existenzverwirklichung in der Kommunikation, in: J. Speck (Hrsg.), Grundprobleme der großen Philosophen, Philosophie der Ggw. V, Göttingen 1982, 9-48; — Ders., Zum Mythosbegriff bei J., in: Archiv für Begriffsgesch. 29 (1985), 204; — G. Blumenstock, Los alemanes y su historia en el pensamiento de J., in: Arbor 73 (1969), 5-29; — H. Glockner, Heidelberger Bilderbuch, Bonn 1969; — G. Hofmann, Politik und Ethos bei J., Diss. Heidelberg 1969; D. Rodiek, J. Lebensweg und Lebensanliegen, Wilhelmshaven 1969; — E. Young-Bruehl, Freedom and J.s Philosophy, New Haven/London o. J.; — H. A. Durfee, J. as the Metaphysician of Tolerance, in: International Journal for Philosophy and Religion 1 (1970), 201-

210; — P. Meyer-Gutzwiller, J. in Basel, in: Basler Stadtbuch 1970, 149-163; — K. Rosenthal, Die Überwindung des Subjekt-Objekt-Denkens als philos. und theol. Problem, Göttingen 1970; — G. A. van der Wal, J., Wereldvenster/Baarn 1970; — C. F. Walraff, J. An Introduction to His Philosophy, Princeton 1970; — Ders., J. in English, A Failure of Communication, in: Philosophy and Phenomenological Research 37 (1977), 537-548; — J. Habermas, J. über Schelling, in: Ders., Philos.-polit. Profile, Frankfurt a. M. 1971, 93-98; — W. Hertel, Existent. Glaube. Eine Studie über den Glaubensbegriff von J. und Paul Tillich, Meisenheim/Glan 1971; — L. T. Howe, J. and History. An Appreciation, in: Personalist 52 (1981), 692-716; — S. Samay, Reason Revisited. The Philosophy of J., Dublin 1971; — O. O. Schrag, Existence. Existence and Transcendence. An Introduction to the Philosophy of J., Pittsburgh 1971; — H. Bodensieck, Polit. Denkerziehung oder Erziehung zur Politik?, in: Neue polit. Lit. 17 (1972), 239-254; — F. Böckelmann, Die Problematik existent. Freiheit bei J., Diss. München 1972; — P. R. Coffin, Philosophical Method and the Existenz Philosophy of J., in: Personalist 53 (1972), 141-149; — M. A. Presas, Interpretación existencial de la enfermedad en J., in: Humboldt 13 (1972), 70-73; — A. Klein, Die Frage nach der Wahrheit. Zum Wahrheitsverständnis bei J., in: ThGl 63 (1973), 218-225; — Ders., Glaube und Mythos, Wien 1973; — H. Pieper, Selbstsein und Politik, J.s Entwicklung vom esoterischen zum polit. Denker, in: BZphF 28, Meisenheim/Glan 1973; — H. Saner, J. in der Diskussion, München 1973; — Ders., J.s Idee einer kommenden Weltphilosophie, in: H. Lengert (Hrsg.), Philosophie der Freiheit, Oldenburg 1983, 49-63; — Ders., J. in Selbstzeugnissen und Bilddokumenten, Reinbek bei Hamburg 1984² (Bibliogr.); — G. Wassenberg, J. und das Soldatentum — eine krit. Analyse, in: ZRGG 25 (1973), 144-158; — C. F. v. Weizsäcker, Gedenkworte für J., in: Orden "por le mérite" für Wissenschaft und Künste, Bd. 10 (1973), 37-41; — F. Jawadzki, Dzieje i egzystencja u J., in: Studia Filozoficzne 1973, 229-244; — M. Hamilton, J. and Freud, in: Memoirs and proceedings of the Manchester Literary and Philosophical Society 117 (1974/1975), 26-36, — H. Pfeiffer, Erfahrung und Erkenntnis Gottes. Versuch einer theol. Aneignung der Philosophie J.s, in: TThZ 83 (1974), 369-376; — Ders., Gotteserfahrung und Glaube, Trier 1975; — Ders., "Vom Totsein wissen wir nichts", in: MThZ 29 (1978), 396-411; — Ders., "Daß Gott ist, ist genug", in: ZKTh 101 (1979), 38-52; — H. Stierlin, J.'s Psychiatry in the Light of His Basis Philosophic Position, in: Journal of the History of the Behavioral Sciences 10 (1974), 213-226; — H. Tennen, J.s Philosophie in krit. Sicht, in: ZphF 28 (1974), 536-561; — W. Drescher, Erinnerungen an J. in Heidelberg, Meisenheim/Glan 1975; — R. Schurmann, Du luxe d'exister. J. et le Bacré, in: Cahiers Internationaux de Symbolisme 27/28 (1975), 103-120; — S.-K. Paek, Gesch. und Geschichtlichkeit, Diss. Tübingen 1976; — R. Rudzinski, Dylemati J.owskiej filozofii bytu, in: Studia Filozoficzne 1976, 95-110; — A. Schurr, Anselmo di Aosta nel giodizio nei contemporanei, in: Analecta Anselmiana 5 (1976), 195-204; — H. Holz, Philos. Glaube und Intersubjektivität. Zum Glaubensproblem bei I. Kant und J., in: Kant-Studien 68 (1977), 404-419; — E. A. Rabuske, Gesch. und Wahrheit, Diss. München 1978; — W. Stegmüller, Existenzphilosphie: J., in: Ders., Hauptströmungen der Ggw.-Philosophie, Bd. 1, Stuttgart 1978⁶, 195-245; — D. Georgovassilis, Über das Tragische, Diss. München 1979; — H. Lenk, Pragmat. Vernunft,

Stuttgart 1979; — K. Fukui, Unters.n über das Umgreifende J.s, in: The Ronso 21 (1980), 101-163; — M. Putscher, J. und Van Gogh — Oder über Krankheiten und Kunst, in: Janus 67 (1980), 157-169; — W. Schmitt, Die Psychopathologie von J. in der modernen Psychiatrie, in: U. H. Peters (Hrsg.), Die Psychologie des 20. Jh.s, Bd. X, Ergebnis für die Medizin (2), Psychiatrie, München 1980; — J. Schultheiss, Philosophieren als Kommunikation. Versuch zu J.s Apologie des krit. Philosophierens, in: MPhF 207, Königstein/Ts. 1981; — L. Schwarze, Konstrukt. Psychiatrie, Erlangen 1981; — H. Stubbe-Da Luz, J. bei den Rencontres Internationales in Genf, in: Dokumente 37 (1981), 247-260; — F.-P. Burkard, Ethische Existenz bei J., Würzburg 1982; — Ders., J. Einführung in sein Denken, Würzburg 1985; — J. F. Wyatt, J. The Idea of the University, in: Studies in Higher Education 7 (1982), 21-34; — C. S. De Beer, Eksistensiele Kommunikasie. N' beknopte Eksponisie van dieKommunikasieteorie van J., in: South African Journal of Philosophy 2 (1983), 161; — K.-E. Bühler, Der Begriff des Bewußtseins bei J. und das Verhältnis zur Psychopathologie, in: Zschr. für klinische Psychologie und Psychopathologie 31 81983), 240-246, — G. R. Carr, J. as an Intellectual Critic, Frankfurt a. M. 1983; — K. Górniak-Kocikowska, Problem racjonalizmu w filozofii J.a, in: Studia Filozoficzne 1983, 300-309; — G. Goslich, Versch. Formen indirekter Kommunikation, Aachen 1983; — J. Hereu i Bohigas, Trascendencia y relevación de Dios, Barcelona 1983; — R. Lengert (Hrsg.), Philosophie der Freiheit, Oldenburg 1983; — J. M. Lochman, Transzendenz und Gottesname. Freiheit in der Perspektive der Philosophie von J. und in bibl. Sicht, in: ThZ 39 (1983), 227-244; — S. Mocek, J., in: DZPh 31 (1983), 1339; — Y. M. Oernek, Existent. Freiheit. Ihre Bedeutung im philos. und polit. Werk von J., Diss. Mainz 1983; — G. Penzo (Hrsg.), J. Filosofia — Scienzia — Teologia, Brescia 1983; — G. A. Rauche, Das Scheitern ist das Letzte. An Essay to Commemorate the 100th Birthday of J., in: South African Journal of Philosophy 2 (1983), 170; — G. Schwingl, Die Wiedergewinnung der Wirklichkeit der Transzendenz im Denken von J., Diss. Regensburg 1983; — W. v. Baeyer, Symposium on Psychopathology to Mark the Centenary of J.'s Birth, in: Psychological Medicine 14 (1984), 457; — W. Blankenburg, Unausgeschöpftes in der Psychopathologie von J., in: Der Nervenarzt 55 (1984), 447-460; — F. Böversen (Hrsg.), Philosophie der Politik. Ein Symposium zum 100. Geb. von J., Wuppertal 1984; — A. Cesana, Werdende Existenz. Zur Gesch.philosophie von J., in: PhJ 81 (1984), 341-357; — F. J. Fuchs, Seinsverhältnis. J.s Existenzphilosophie, Frankfurt a. M. 1984; — S. R. de la Fuente, Grenzbewußtsein und Transzendenzerfahrung, Diss. München 1984; — J, Glatzel, Die Psychopathologie J.s in der Kritik, in: Der Nervenarzt 55 (1984), 1-17; — G. Huber, Die Bedeutung von J. für die Psychiatrie der Ggw., in: Der Nervenarzt 55 (1984), 1-9; — E. Hybasek, Das Menschenbild bei J., Diss. Graz 1984; — W. Janzarik, J., Kurt Schneider und die Heidelberger Psychopathologie, in: Der Nervenarzt 55 (1984), 18-24; — C. Piecuch, The Experience of Limit Situations in J.'s Conception as a Form of Authentic Life, in: Studia Filozoficzne 1984, 171-182; — A. Schwan, Existent. und polit. Freiheit. Die Existenzphilosophie von J. als geist. Grundlegung der pluralist. Demokratie, in: GWU 35 (1984), 569-585; — H. Hector, Der Satz vom Nichtsein und die christl. Selbsterkenntnis, Coburg 1985; — G. Wolandt, Philosophie und Erfahrungswissenschaften bei J., in: PhJ 92 (1985), 255-265; — A. Ales Bello, Esistenza e

trascendenza in J. nell'interpretazione di G. Penzo, in: Aquinas 29 (1986), 383; — H.-J. Braun, J,.s Beziehung zu Nietzsche im Blickfeld der Destruktion des Christentums, in: Nietzsche-Studien 15 (1986), 358-381; — P. Cattorini, Il Trascendere formale in J., Milano 1986; — G. Merlio (Hrsg.), J. Témoins de son temps, Bordeaux 1986; — F. Roehr, Die pädagog. Theorie im Denken von J., Bonn 1986; — O.Teischel, Selbstsein, Frankfurt 1986; — F. W. Veauthier, J. zu Ehren, Heidelberg 1986; — J. Zöhrer, Der Glaube an die Freiheit und der hist. Jesus, Frankfurt 1986; — M. Casanas, J.s Philosophie, in: RPhL 85 (1987), 402-405; — D. I. Lauf, Ursprung und schöpferisches Werden, Stutgart 1987; — J. Salaquarda, Art. J., in: TRE XVI (1987), 539-545; 197 R. P. Warsitz, Das zweifache Selbstmißverständnis der Psychoanalyse, Würzburg 1987; — M. Waldmüller, Die Wandlung, Marbach am Neckar 1988; — DLL VIII, 621 f.; — EDR II, 1874 f.; — LThK ^{2}V, 882 f.; — NDB X, 362-365; — RGG ^{3}III, 549 f.

Michael Tilly

JASPIS, Albert-Sigismund, Generalsuperintendent, * 15.2. 1809 in Nossen (Sachsen) als Sohn eines Justitiars, + 20.12. 1885 in Stettin, — J. verbrachte eine entbehrungsreiche Kindheit in Freiberg a. Mulde. 1827 ging er an die Universität Leipzig und studierte Theologie. 1831/32 legte er die theologischen Prüfungen ab, wobei seine homiletischen Fähigkeiten deutlich hervorstachen. Während dieser Zeit promovierte er auch im Fach Philosophie. Seinen Kirchendienst trat er 1832 als Katechet und Nachmittagsprediger in der Peterskirche in Leipzig an. Lehrer und Vorbild wurde ihm hier der Oberpfarrer Fr. Aug. Wolf. Durch diesen fand er auch den Weg von einer national geprägten Theologie zu einem innerlichen aber dennoch konfessionell-lutherischen Pietismus. Im Juli 1835 wurde J. vom Fürsten von Schönberg in das Pfarramt Lugau berufen. Drei Jahre später übernahm er das Diakonat von Lichtenstein bei Zwickau, dem gleichzeitig das Pfarramt von Rödlitz angeschlossen war. J.'s pastorale Tätigkeit war über die Grenzen der Gemeinde hinaus bekannt. Durch die Vermittlung Elberfelder Kaufleute wurde er Ostern 1845 an die evangelisch-lutherische Kirche in Elberfeld berufen. Hier gab er seinen für den kirchlichen Unterricht epochemachenden »Katechismus« heraus. 1855 wurde er zum Generalsuperintendenten von Pommern ernannt. Auch hier bildeten Predigt und Katechese und nicht Repräsentation den Schwerpunkt seines Amtes. J. entfaltete während seines gesamten Lebens eine rege, erbauliche und pastoraltheologische Schriftstellertätigkeit.

Werke: Bibelanekdoten, 1845; Erinnerungen an eine Zeit,

wo es trübe u. finster war. 14 Predigten aus den Leidensjahren 1846/47 (1848), 1888² (um 16 Predigten verm.); Der kleine Katechismus Luthers aus sich selbst wie aus der hl. Schr. namentlich ihren Geschichten erl., 1850 (Ausg. Bd. abgekürzt u. mit anderen Beill. versehen, 1854²); Lebensbilder aus der früheren Vergangenheit der ev.-luth. Gemeinde zu Elberfeld, 1852; Hilfsbüchlein f. den Unterricht in den bibl. Geschichten, 1856²; Plan f. das rel. Unterrichtsgebiet in ev. Volksschulen, 1856; Der Lehrer als Seelsorger unter seinen Kindern, 1861; Sieben Briefe über das Lesen der Bibel (1864), 1882⁴; Ein Brief an die konfirmierte Jugend, 1865; Winke zu Betrachtungen der Gesch. des Todesleidens unseres Herrn Jesu Christi nach den Evv., 1874 (mit Zusätzen 1887²); Die Seelsorge unter Konfirmanden, 1883; Bekenntnisse über mein Amtsleben, die ich heute eurem Glaubensleben vorhalte. Predigt am Gedenktage seiner 50-jährigen Amtsführung, 1885; Denkmal der Liebe. Predigten erbaut aus den hinterlassenen noch ungedr. Mss. v. seinem Sohne Johannes Sigismund J., 1888; Sieben Charfreitagspredigten, dargeboten v. seinem Sohn J. S. J., 1897; Erinnerungen an den Tag der Konfirmation, 1894⁴⁸; Zeugnisse v. Heil u. Leben in Christo, 2 Bde., o. J.

Lit.: Erinnerungen an eine Zeit wo es trübe u. dunkel ist, 1886; — Bilder aus dem kirchlichen Lebens Pommerns, Bd. I, 1895, 205-217; — Theodor Meinhold, J., in: Ev. Rundsch. f. Pommern 1, 1909, 63-66; — Hermann Petrich, A. S. J. Auch eine Jahrhunderterinnerung, in: ebd., 51-55; — Hellmuth Heyden, KG Pommerns, Bd. II, 1957; — Gerhard Besier, Preußische Kirchenpolitik in der Bismarckära, 1979, passim; — RE VIII, 608-611; — CKL I, 914; — RGG ²III, 42; — ADB L, 633 f.

Bernd Wildermuth

JATHO, Carl, Pfarrer, * 25.9. 1851 in Kassel als Sohn des Pfarrers Louis J., + 1.3. 1913 in Köln. — Nach dem deutsch-französischen Krieg, an dem J. als Freiwilliger teilgenommen hatte, studierte er in Marburg und Leipzig Theologie und war anschließend von 1874-1876 Religionslehrer in Aachen. 1876 heiratete er die aus Soest stammende Johanna Becker. Aus dieser Ehe gingen 4 Söhne hervor. Von 1876 bis zu seiner Amtsenthebung im Jahre 1911 war J. Pfarrer. Zunächst bis 1884 in der evangelischen Gemeinde in Bukarest, anschließend in Boppard und ab 1891 an der Christuskirche in Köln. Seit 1905 erhielt J. wegen seiner Lehrverkündigung Mahnungen von seiten des Generalsuperintendenten. Ihm wurde vorgeworfen, Pantheismus zu lehren und die kirchlichen Dogmen abzulehnen. Der Vorwurf stützte sich vor allem auf J.s 1906 erschienenen Predigtband. 1910 wurde ein Kirchengesetz »betreffend das Verfahren bei Beanstandungen der Lehre von Geistlichen« erlassen, auf Grund dessen J. 1911 seines Amtes enthoben wird. Das Urteil war mit 11:2 Stimmen

eindeutig. Nach seiner Amtsenthebung setzte J. seine Predigttätigkeit außerhalb der Kirche fort und hielt in ganz Deutschland Vorträge. Zwei Jahre nach seiner Amtsenthebung starb J. im Alter von 62 Jahren. — C. J. war ein Pfarrer, der durch seine Predigttätigkeit überzeugte und regen Zulauf erhielt. Sein Verhältnis zur Tradition und Dogmatik war von Skepsis gekennzeichnet. Für ihn stand die Entfaltung der Persönlichkeit als Ziel des christlichen Glaubens im Vordergrund. Seine "undogmatisch-mystische" Theologie stellt einen Versuch dar, auf die spezifische Situation des neuzeitlichen Menschen einzugehen.

Werke: Predigten, (1904) 1914⁷; Persönliche Rel. Predigten NF, (1905) 1911³; Welche Bedeutung hat f. uns das Abendmahl?, in: Praktische Fagen des modernen Christentums, (1907) 1909²; Fröhlicher Glaube, (1910) 1911⁴; Zur Freiheit seid ihr berufen. Saalpredigten, 1913; Der ewig kommende Gott, 1913⁴; Briefe, hrsg. v. C. O. J., 1913.

Lit.: Fr. Wiegand, Kirchl. Bewegungen der Ggw. I, 1908, 1 ff.; — Aktenstücke z. Fall J., 7. Jh., 1911; — A. Bonus, Wider die Irrlehre des OKR, 1911; — M. Rade, J. u. Harnack. Ihr Briefwechsel, 1911; — G. v. Rohden, Der Kölner Kirchenstreit, P. J.s Amtsenthebung im Lichte der öff. Meinung, 1911; — G. Traub, Staatschristentum u. Volkskirche, 1911; — A. v. Zahn-Harnack, Adolf v. Harnack, (1936) 1951², 303 ff.; — H. Hermelink, C. J., in: Lb. aus Kurhessen u. Waldeck IV, 1950; — Hermelink III, 571 ff.; — Johannes Rathje, Die Welt des freien Prot., 1952, 179 ff.; — Kirche, Recht u. Theol. in vier Jahrzehnten. Der Briefwechsel der Brüder Theodor u. Julius Kaftan, hrsg. u. kommentiert v. Walter Göbell, 2 Bde., 1967; — Dietrich Keller, C. J. Pr. der Liebe u. der Lebensfreude, in: Monatshh. f. ev. KG des Rheinlandes 28, 1979, 217-238; — Ders., Verantwortung der Kirche f. rechte Verkündigung, 1972; — A. Stein, Ev. Lehrordnung als Frage kirchenrechtlicher Verfahrensgestaltung, in: ZevKR 19, 1974, 253 ff.; — Wolfgang Huber, Die Schwierigkeit u. Lehrbeanstandung. Eine hist. Erinnerung aus aktuellem Anlaß, in: EvTh 40, 1980, 517-536; — Thomas Hübner, Der Maler Franz Wilhelm Seiwert u. die Kölner Familie J., in: Monatshh. f. ev. KG des Rheinlandes 31, 1982, 239-260; — CKL I, 914 f.; — RGG III, 550 f.; — NDB X, 366 f.

Bernd Wildermuth

JAUMANN, Ignaz von, * 26.1. 1778 in Wallerstein, + 12.1. 1862 in Rottenburg. — J., Sohn eines Bäckermeisters, wurde nach dem Besuch des Priesterseminars in Pfaffenhausen (bei Mindelheim) am 13. Mai 1801 zum Priester ordiniert; 1805 wurde ihm - wohl auf Vermittlung des Fürsten von Öttingen-Spielberg - die Pfarrei Großschafhausen übertragen und 1814 das Dekanat und die Stadtpfarrei in Rottenburg a.N.

Drei Jahre später nahm er hier das Amt des Generalvikariatsrat an, ehe er 1828 Domdekan des neu errichteten Kapitels Rottenburg wurde; er hatte ein gespanntes Verhältnis zum ersten Bischof der Diözese, Johann Baptist von Keller, was auch in seiner Traueransprache »Rede am Grabe« des Verstorbenen (1845) zum Ausdruck kam. Als einstimmig gewählter und vom König Wilhelm I. bestätigter Kapitularvikar leitete er von 1845-1848 das Bistum Rottenburg. Als Vertreter des Domkapitels im württembergischen Landtag von 1825- 1851 hatte sich J. das Vertrauen der Regierung erworben. Er, der als überzeugter Anhänger des aufgeklärten Staatskirchentums gilt, verfolgte zeitlebens das Ziel, die Eintracht zwischen Staat und Kirche aufrecht zu halten. Nach seinem Ausscheiden aus der aktiven Kirchenpolitik widmete sich J. der Wissenschaft und der Kunst. Als Altertumsforscher verfaßte er mehrere, z. T. umstrittene Werke über die Stadt Rottenburg während der römischen Zeit, und die Beschreibung seiner Galerie (»Geschichte einer Gemäldesammlung«, München 1855) ist zugleich Autobiographie.

Werke: Colonia Sumlocenne. Rottenburg am Neckar unter den Römern. Stuttgart 1840; Geschichte einer Gemäldesammlung. München 1855; Neuere zu Rottenburg am Nekkar aufg. Römische Alterthümer. Stuttgart 1855; (Größerer, bzw. kleinerer) Katechismus der christkatholischen Lehre. Tübingen 1834; Reise nach London und Paris im Jahre 1850. Heilbronn 1851.

Lit.: August Hagen, Die kirchliche Aufklärung in der Diözese Rottenburg. Stuttgart 1953, S. 336-402; — Ders., Geschichte der Diözese Rottenburg. Bd. 1. Stuttgart 1956 (s. Reg.); — Hubert Wolf, Johann Baptist von Keller (1774-1845). In: Rottenburger Jb. für Kirchengeschichte. III, 1984, S. 213-233; — ADB XIII, 730 - 733; — Kosch, KD, 1877-1878; — LThK ¹V, 290; — LThK ²V, 884.

Reinhard Tenberg

JAVELLI, Chrysosthomos, Dominikanermönch, * um 1470 in Casale (Piemont), + nach Juli 1538 in Bologna. — J., nach seiner Herkunft auch Casalensis genannt, wird seit 1505 im Kloster zu Bologna erwähnt. Von 1507-19 lehrte er dort, 1515 erlangte er den Magister theol. Nach 1519 nahm er Abstand von allen Ämtern, welche man ihm im Orden übertragen wollte, um sich ganz seinen Studien zu widmen. Theologisch fand er bei seinen Ordensgenossen keinen großen Beifall, da er sich nach der Weise des Semipelagianismus erklärte. Als Thomasinterpret folgte er Catjetan de Vio und Johannes Capreolus. Mit seiner Schrift »Solutiones ratio-

num animi mortalitatem probantium« versuchte J. das Werk »De immortialitate animae« seines Freundes Peter Pomponazzi, in welchem dieser die Unsterblichkeit der Seele bestritt und deshalb stark angegriffen wurde, etwas abzuschwächen. Gegen Luther verteidigte er mit molinistischem Einschlag die Prädestinationslehre. Sein Schwerpunkt lag bei der Philosophie. Der größte Teil seiner philosophischen Schriften erschien in drei Bänden gesammelt in Lyon (1567-74). Sein Todesdatum ist nicht bekannt; im Juli 1538 lebte er noch.

Werke: Solutiones rationum animae mortalium probantium, Bologna 1519 (Venedig 1525); Totius rationalis, naturalis, divinae et moralis philosophiae compendium, 3 Bde., Lyon 1567-1574 (1580², Venedig 1577): Compendium logicae (auch Paris 1573); In universam naturalem philosophiam epitome; In L. XII. metaphysicorum epitome; Tract. de transcendentibus; Inlibr. de causis commentarii duo; Quaestitiones acutissimae super VIII. libr. physices; Super librum de sensu et sensato; De memoria et reminiscentia; Quaestiones super III. libros de anima; Quaestiones super XII. libr. metaphysices (auch Cremona 1532 und Venedig 1564); In X ethicorum Libr. epitome; In VIII politicorum libr. epitome; In oeconomica; In Platonis ethicen epitome; In Platonis politica epitome; Christiana philosophia (auch Venedig 1540); Philosophiae politicae s. civilis christianae dispositio (auch Venedig 1540); Oeconomica vel familiaris Christiana disciplina (auch Venedig 1540); Super quartum meteororum quaestiones subtilissimae; Tract. de bona fortuna; Epitome super sphaerum; Tract. de animae humanae indeficientia (auch Venedig 1536); Quaestio resolutissima de conceptione b. Mariae virg.: Quaestio perpulcra et resolutissima de Dei praedestinatione et reprobatione; Kommentar zu Summa theol. Pars I, Mainz 1611.

Lit.: L. Mabilleau, Étude historique sur la philosophie de la Reanaissance en Italie, Paris 1881, 115 f.; — H. Hurter, Nomenclatur literarius theologiae catholicae II, 1903-1913³, 1209-1212; — R. Charbounel, La Pensée italienne au XIVᵉ siècle et le courant libertin, Paris 1919, 226-229; — H. Busson, Les sources et le développement du rationalisme dans la littératur francaise de la Renaissance, Paris 1922, 32-40; — N. Balthasar, J. comme exégète de St. Thomas: Philosophia perennis I, 1930, 149-158; — Grabmann, MGL II, 597, 608, III, 395 f.; — C. Giacon, La seconda scolastica I, Milan 1944, 87-90; — Ersch-Gruber, 2. Sec. 14, 472; — Quétif-Échard II, 104 f.; — MOP 9, 49, 70, 119, 143, 150, 175; — Enciclopedia universal ilustrada Europeo-Americana 28, Barcelona 1908-1930, 2611 f.; — DThC VIII, 535 ff.; — EncF IV, 1620; — LThK V, 885;— New CathEnc VII,859 f.

Thomas Uecker

JAVORSKIJ, Stephan, Bischof von Rjasan' und Murom, Exarch des Patriarchenamtes unter Peter dem Großen, * 1658 in Javor bei Lemberg, +

22.11. 1722 in Moskau. — J., der mit Zivilnamen Semen Ivanovic J. hieß, wurde als Sohn eines ukrainischen Kleinadeligen geboren. Wegen ihres orthodoxen Glaubens die Verfolgung durch die Unierten fürchtend, siedelte die Familie schon in J.s früher Jugend in die Nähe der Stadt Nezin über. Etwa 1673 trat J. in das Kiever Mogiljanische Kollegium ein, wo schon bald sein Lehrer, der Kiever Hieromonache Verlaan Jasinskij, auf ihn aufmerksam wurde. Auf dessen Anraten hin studierte J. ab 1684 auf Jesuitenkollegien in Lemberg, Lublin, Wilna und Posen Phhilosophie und Theologie. Zu diesem Zweck mußte er zum Katholizismus übertreten, wechselte aber nach Beendigung seines Studiums 1689 wieder zur orthodoxen Kirche und ging als Mönch ins Kiever Pecerskij-Kloster. Varlaan Jasinskij, seit 1690 Metropolit von Kiev, ernannte ihn in der Geistlichen Akademie zunächst zum Lehrer der Rhetorik und der Dichtkunst, 1691 zum Präfekten und zum Professor der Philosophie und später auch zum Professor der Theologie. Als Abt des Nikolskij-Pustynskij-Klosters im Gefolge eines Gesandten der Kiever Metropolie zum Patriarchen Adrian hielt sich J. Anfang 1700 in Moskau auf und erregte durch eine Grabrede die Aufmerksamkeit des Zaren Peter. Obwohl ihm an der Bischofswürde nichts lag, wurde er zum Metropoliten von Rjazan' und Murom ernannt. Nachdem J. bei der Untersuchung der Affäre Talickij, eines Verfassers vun unentgeltlich unter dem Volk verteilten Schriften, in denen Peter massiv angegriffen wurde, des Zaren Wohlwollen noch verstärkt hatte, wurde er am 16.12. 1700 zum Administrator und Verweser des durch den überraschenden Tod Adrians am 16.10. 1700 freigewordenen Patriarchenstuhls ernannt. Dem Zaren, der das Patriarchat eigentlich gern gänzlich abgeschafft hätte, den Zeitpunkt, des Krieges mit Schweden wegen, aber für ungünstig hielt, gelang es, durch die Einsetzung J.s als, mit nur sehr beschränkten Machtbefugnissen ausgestatteten, Exarchen, die Möglichkeit einer allmählichen Einmischung der Staatsgewalt in Angelegenheiten der Kirchenverwaltung zu schaffen. Da er sich auf seinem Posten immer unwohler fühlte, bat J. öfters, allerdings immer erfolglos, von seiner Amtspflicht enthoben zu werden. J.s Sympathien mit der Opposition um den 1718 hingerichteten Zarensohn Aleksej, des Zaren Bemühen, mit Hilfe eines engen Mitarbeiters, des Bischofs von Pskov, Feofan Prokopovics, die russische Kirche zu reformieren, und der immer stärker werdende Einfluß protestantischer Theologen, gegen den sich J. energisch zu wehren versuchte,

kühlten das Verhältnis zwischen Patriarchatsverweser und Zar merklich ab. Trotz wiederholter Bitten von Seiten der Bischöfe, wieder einen Patriarchen zu benennen, wurde Feofan Prokopovic vom Zar beauftragt, eine Kirchenverfassung und eine neue Organisationsstruktur der russisch-orthodoxen Kirche zu entwerfen. Anstelle des Patriarchats trat 1721 der "Heiligste regierende Synod". Obwohl J. ein entschiedener Gegner dieser Institution und ihrer engen Verflechtungen zur Staatsgewalt war, wurde er, wohl um seinen Einfluß zu neutralisieren, zu ihrem Präsidenten ernannt. Im Juni 1721 reichte er seine Denkschrift »Apologie oder ausdrückliche Verteidigung eines lauten Kommemorierens und Gedenkens der heiligen orthodoxen Patriarchen in den kirchlichen Gebeten« ein, welche gegen eine Broschüre Feofans und einen Beschluß des Synods gerichtet war. Die Denkschrift wurde verworfen und J. erhielt einen Verweis. Am 22.11. 1722 starb J. Er wurde am 27.12. 1722 in der Kathedrale von Rjazan' beigesetzt. — J.s katholische Schulung wirkte sein Leben lang auf seine theologischen Anschauungen, besonders der Lehre von der Tradition, von den guten Werken und von der Wandlung. Sie hatte Einfluß auf seine Haltung dem Protestantismus gegenüber und ließ ihn später zum Kritiker Feofans und der petrinischen Kirchenreform werden. So richtete sich sein Werk »Stein des Glaubens« in so heftigem Ton gegen modernen Einfluß und protestantische Neigungen, daß Peter die Veröffentlichung verbot und es erst 1728 posthum von Theophylakt, Erzbischof von Twer, herausgegeben werden konnte. Es rief heftige Reaktionen im In- und Ausland hervor, von denen nur die »Epistola apologetica« des Joh. Franz Buddeus genannt sei. J., der sich in seinem Amt nicht wohlfühlte, der weder den Ehrgeiz zum Karrieremachen, noch die Voraussetzungen zum "Kirchenfürst" hatte, ließ es aber an Energie und Entschlossenheit fehlen, offen mit Peter über dessen Pläne in kirchlichen Angelegenheit zu reden, der Zar schätzte solches Verhalten, um so zu einem wirklichen Mitarbeiter mit Einflußmöglichkeiten werden zu können. Es blieb bei mehr oder weniger versteckter Opposition und sofortigem Zurücknehmen von Kritik, wenn diese auf Mißbilligung stieß, wie es z. B. bei J.s Predigt vom 17.3. 1712 der Fall war. J. spielte von der Kanzel herab u. a. auf Peters Eheleben und das Nichteinhalten der orthodoxen Fastenregeln an und bezeichnete den vom Vater gemißbilligten Zarewitsch Aleksej als "unsrre einzige Hoffnung". Der Zar verbot ihm für fast drei Jahre das Predigen und J.

entschuldigte sich, indem er "mit Tränen, nicht mit Tinte schrieb". Trotz solch schwankender Haltungen ist J. unter die Stimmen zu rechnen, die auch noch nach der Einrichtung des Heiligen Synods kritische Meinungen äußerten, wenn Grundpfeiler der russisch-orthodoxen Kirche erschüttert wurden, allerdings einem Feofan Prokopovic gegenüber wenig auszurichten hatten.

Werke: Lectiones theologiae dogmaticae, Kiev 1693-97; Signa adventus Antichristie et finis mundi, 1703; L'Epistola ad doctos sorbonicos de Ecclesiarum unione, 1720; Apologija ili slovestnaja oborona o voznoseniiv molitvach cverkovnych svjatych pravoslavnych patriarchov na ulozenie pecatnoe ot svjatejsego pravitel'stvujuscego sinoda v preizjascnyi pravitel'stvujuscuj senatpodannoe, 1721; Kamen' very, Moskau 1728; Pediche, Moskau 1804-05.

Lit.: Joh. Franz Buddeus, Epistola apologetica pro ecclesia lutherana contra calumnias et obtrectationes S. J., Jena 1729; — Joh. Lorenz Mosheim, De poenis haereticorum cum S. J., Helmstedt 1731; — N. G. Ustrjalov, Istoija carstvovanija Petra Velikogo, Petersburg 1858-59, bes.: III, 535 f., VI, 512 f.; — G. Esipov, Raskol'nico dela XVIII veka, ebd. 1861, 59-84; — P. Pekarskij, nauka i literatura pri Petre Velikom I, ebd. 1862, 80-82; — F. Ternovskij, St. J. i Demitrij Tveretinov, in: Privbavlenija 21, 1862; — Ders., Roznec duchovnyi i kamen' very, in: Pravoslavnyi Sobesednik, Kazan' 1863; — Ders., Mitropolit St. J., in: Trudy Kievskoj Duchovnoj Akademii, Kiev 1864; — N. Ustrjalov, Istorija carstvovanija Petra Velikago VI, Petersburg 1863; — Cistovic, Neizdannye proizvedenija St. J., in: Christianskoe Ctenie, ebd. 1867; — A. Brückner, Peter d. Große, Berlin 1879, 303 f.; — N. S. Tichonravov, St. J., in: Russkij Vestnik 89, Petersburg/Moskau 1870; — Jurij F. Samarin, St. J. i Feofan Prekopovic, in: Socinenija V, Moskau 1880, 40 ff.; — T. V. Barsov, Sv. Sinod v ego proslom, Petersburg 1896, 207; — S. M. Solov'ev, Istorija Rossii s drevnejsich vremen IV, ebd. 1896; — S. G. Runkevic, Istorija Russkoj Cerkvipod upravleniem Sv. Sinoda I, ebd. 1900, 62-91; — S. N. Vvedenskij, Tambovskij episkop Ignatij, in: Istoricenkij Vestnik, ebd. 1902, 625 f.; — Ders., K biografij mitropolita St. J., in: Christianskoe Ctenie, ebd. 1912, 892-919; — J. Morev, Mitropolit St. J. v bor'be s protestanskimi idejami, ebd. 1905; — B. V. Titlinov, Pravitel'stvo Imperatricy Auny Ivanovny v jego otnosenijach k delam pravoslavnoj cerkvi, 1905; — A. Korolev, St. J., in: Russkij Biograficeskij Slovar', Petersburg 1909; — K. V. Charlampovic, Malorossijskoe vlijanie na velikorusskuju cerkovnaju zizn' I, Kazan' 1914; — Jugie I, 583 f.; — H. Koch, Die russ. Orthodoxie im petrinischen Zeitalter, 1929, bes.: 78 ff.; — Robert Stupperich, Feofan Prokopovic u. Joh. Fr. Buddeus, in: Zs. für osteurop. Gesch. 9, 1935, 341-362; — Ders., Staatsgedanke und Religionspolitik Peters d. Gr., 1936; — G. Florovskij, Wege der russ. Theol., Paris 1937, 82 ff.; — D. Michajluscuk, De occasione et scopo St. J. operis Petra fidei, Bohoslovia 1938/39; — A. M. Ammann, Abriß der Ostslawischen KG, Wien 1950, 371-382 u. ö.; — Ernst Benz, Die abendländ. Sendung der östl.-orthodoxen Kirche, 1950, 821; — Ludolf Müller, Die Kritik des Protestantismus in der russ. Theol., 1951, 68-79; — J. Serech, St. J. and the Conflict of Ideology in the Age of Peter the Great, in: Slavonic Review

30, 1051, 40-62; — E. Winter, Halle als Ausgangspunkt der dt. Rußlandkunde, 1953, 109 ff.; — R. Wittram, Peter d. Gr. Der Eintritt Rußlands in die Neuzeit, 1954, 52-55, 127 f.; — R. A. Klostermann, Probleme der Ostkirche, 1955, 140 ff.; — Ian Grey, Peter the Great, Emperor of all Russia, Philadelphia 1960, 189, 233, 259, 367, 379,392, 398 f., 456 u. ö.; — Igor Smolitsch, Gesch. der russ. Kirche 170-1917 I., 1964, 65, 76-103, 121 ff., 173, 186 u. ö.; — Reinhard Wittram, peter I., Czar und Kaiser, 2 Bde., 1964,I, 302, II, 174, 181 f., 192, 195,363, 369, 385, 397; — James Cracraft, The Church Reform of Peter the Great, London 1971; — H.-D. Döpmann, Die russ.-orthodoxe Kirche in Gesch. u. Ggw., 1977, 111 f.; — Helmut Dahm, Grundzüge russ. Denkens, 1979, 62; — Robert K. Massie, Peter d. Gr. Sein leben und seine Zeit, 1982, 651,672 f., 676, 715 f.; — Wilhelm Goerdt, Russ. Philos., 1984, 164 f.; — Nicholas V. Riasanovsky, The Image of Peter the Great in Russian History and T ought, Oxford 1985, 12; — Ersch-Gruber, 2. Sec., 14. Teil, 475 f.; — Opisanie dokumentovi del, chranjascichsja v archive Sv. Sinoda I, petersburg 1868, 103 f.; — Enciklopediceskij slovar' LXII, 1901, 638-641; — Polnoe sobranie zakonov Rossijskoj Imperii, Sobranie pervoe IV, Nr. 1818, V, Nr. 3239 u. ö.; — Enciclopedia teologica ortodossa VIII, Petersburg 1909, 187-193; — DThC XIV, 226 ff.; — EC VII, 570; — LThK V, 885; — RE XVII, 42 ff., 52 f., 250; — RGG III, 551 f.; — Kleine Slavische Biographie, Wien 1958, 263.

Thomas Uecker

JAVOUHEY, Anne-Marie, Kongregationsstifterin, * 10.10. 1779 in Jallanges (Côte-d'Or), + 15.7. 1851 in Paris. — J. gründete 1806/07 mit ihren drei Schwestern die Soeurs de Saint-Joseph de Cluny (Schwestern vom heiligen Joseph von Cluny), um notleidenden Bevölkerungsschichten geistliche und leibliche Hilfe zu gewähren. Unentgeltlicher Unterricht armer Mädchen und Krankenpflege bildeten ihre Schwerpunkte. 1817 sandte J. Schwestern nach Ile Bourbon und nach der formellen Errichtung der Genossenschaft im Jahre 1819 in den Senegal und bald in alle französischen Kolonien. Selbst weilte sie 1822-24 im Senegal, in Englisch-Guinea und Sierra Leone und 1828-33 und 1836-43 in Französisch-Guinea, wo sie eine Niederlassung für Kolonisten und ehemalige Negersklaven, für deren Befreiung sie erfolgreich gewirkt hatte, und ein Aussätzigenheim einrichtete. Von der französischen Regierung die Schulen und Spitäler in fast allen fanzösischen Kolonien übertragen bekommen, wirkten die Schwestern in Sansibar, auf Réunion, Madagaskar und Ceylon, auf den Seychellen, in Portugiesisch-Kongo und Vorderindien, auf Trinidat, Haiti, Martinique und S. Lucia, in Nordamerika, Peru und Neu-Kaledonien, auf Tahiti, den Marquesas- und den Viti-Inseln. — Trotz aller Anfeindungen zählte man 1.400 Schwestern in 135 Häusern, 1886 ca. 300 Häusern mit 4.000 Schwestern. J. wurde am 15.10. 1950 seliggesprochen. Sie gilt als außerordentlich in Mission und Karitas. Das Mutterhaus der Gesellschaft mit Noviziat befindet sich in Paris.

Werke: Recueil de Lettres, 4 Bde., Paris 1909-1917.

Lit.: Hélyot, Les Ordres Religieux, Paris 1859; — F.J. B. Delaplace, La R. M. J. fondatrice de la Congrégation de Saint-Joseph de Cluny, 1886; — L. Aubineau, La Révérende Mère J., 1887; — A. Fontaine, Annales historique de la Congrégation de Saint-Joseph de Cluny, Solesmes 1890; — Piolet, Les Missions francaises VI, Paris 1903, 399; — Cl.-M. Chaumont, La Vénérable A. M. J. (1779-1851), 1909; — V. Caillard, La Vénérable A.-M. J., 1909; — J. B. Cullen, Life of Venerable Mother J., Foundress of the Congregation of St. Joseph of Cluny (1779-1851), Dublin 1912; — Georges Goyau, Un grand »homme«: Mère J. apôtre des noirs, 1920; — Ders., La Mère J., in: Revue des Deux Mondes (15 janvier), Paris 1929; — Bernhard Arens, Handbuch d. kath. Missionen, 1925, 108; — Heimbucher, D. Orden u. Kongregationen d. kath. Kirche II, 1934, 510 f.; — J. L. Baudot/L. Chaussin, Vies des saints et des bienhereux selon l'ordre du calendrier avec l'historique des fêtes 13, Paris 1935 ff., 142-162; — G. Bernoville, A. M. J., Fondatrice des Soeurs de Saint-Joseph de Cluny, Paris 1942; — Ders., Une gloire de la France missionnaire, A.-M. J., 1942; — R. Plus, Une passionée de la volonte' de Dieu: La b. A.-M. J., 1951; — C. C. Martindale, Life of Mère Anne-Marie J., London 1953; — G. D. Kittler, The Woman God Loved, Garden City, New York 1959; — Knut B. Westermann/Harald v. Sicard, Gesch. d. christl. Mission, 1962, 124, 148; — R. Tramond, La merveilleuse épopée d'A.-M. J., Namur 1964; — Catholicisme VI, 363 ff.; — BS VII, 1015 ff.; — LThK V, 291; — CathEnc VIII, 329; — New Catholic Enc. VII, 860; — BiblMiss XVII, 383-386 (m. Bibl.); — AAS XXXXII, 801-806; — MissCath XXXXVIII, 311 f.

Thomas Uecker

JEAN PAUL (Ps. für Johann Paul Friedrich Richter), Schriftsteller, * 21.3. 1764 in Wunsiedel (Fichtelgebirge) als ältester Sohn eines ev. Pfarrers, + 14.11. 1825 in Bayreuth. — J. entstammte - wie viele deutsche Künstler und Intellektuelle - einem prot. Landpfarrhaus. Es war geprägt von materieller Bescheidenheit, väterlicher Strenge und großer Bildungsbeflissenheit. Der Lebensweg für Söhne war hier in der Regel vorgezeichnet: Theologiestudium und Pfarrerberuf. Der noch ganz der Orthodoxie verhaftete Vater erteilte seinem Ältesten den ersten Unterricht, der durch stupides Auswendiglernen und überzogene Härte gekennzeichnet war. In seiner - Fragment gebliebenen - 'Selberlebensbeschreibung' finden sich erschütternde Beschrei-

bungen dieses Unterrichts. Erst mit dem Umzug nach Schwarzenbach (1776), wo der Vater eine gut dotierte Patronatspfarrei übernimmt, bekommt J. einen zweiten Lehrer, den der Aufklärung nahestehenden Kaplan Völkel. Entscheidend aber wird die Bekanntschaft mit einem anderen Geistlichen, Pfarrer Vogel aus dem benachbarten Rehau. J. nannte ihn später seinen ältesten literarischen Wohltäter, denn die umfangreiche und mit der neuesten Literatur ausgestattete Bibliothek des Pfarrers wird von dem jungen J. eifrig genutzt. Sie bildet auch die Grundlage der ersten Exzerpthefte, die ab 1778 entstehen. In ihnen speichert der spätere Autor seine ersten Lesefrüchte und Selbstentwürfe. Ab 1779 besucht J. das Gymnasium in Hof, wo er u.a. seinen lebenslangen Freund Christian Georg Otto kennenlernt. Der Tod des Vaters (1779) und des Großvaters (1780) verändert die materielle Lage der Familie Richter radikal. Armut und Not werden auf Jahre hinaus das Familienleben nachhaltig prägen, und folgerichtig auch als Motive in J.s Werk eingehen (z.B. 'Siebenkäs'). Aufgrund eines Armenzeugnisses kann sich J. im Mai 1791 an der Universität Leipzig in den Fächern Theologie und Philosophie einschreiben. Doch seine Begeisterung für die Literatur - J. hat bereits seine ersten schriftstellerischen Versuche gemacht (etwa der Romanversuch 'Abelard und Heliose', noch ganz der 'Werther'-Mode verhaftet) - lassen in ihm den Entschluß reifen, den vorgezeichneten Lebensweg zu verlassen und freier Schriftsteller zu werden. So wendet sich J. seiner ersten großen Arbeit zu, den satirischen 'Grönländischen Prozessen'. Voß verlegt das zweibändige Werk 1783, doch findet dieses erfolgreiche Debüt keine Fortsetzung. Völlig verarmt muß J. im November 1784 sein Studium aufgeben und vor seinen Gläubigern fliehen. Fast 10 Jahre wird er fortan bei seiner Familie in Hof leben. Er findet schließlich als Hofmeister und Hauslehrer bei befreundeten Familien für sich und die Familie ein kärgliches Auskommen. Der Durchbruch gelingt ihm erst mit seinem Roman 'Die unsichthare Loge' (1792). Durch Vermittlung des begeisterten Karl Philipp Moritz findet der Roman einen Verleger und ein Honorar, das die Existenzsorgen vorerst vertreibt. Mit dem 'Hesperus', der 1795 erscheint, erobert sich J. das große Publikum. Gleichsam über Nacht wird er zur Berühmtheit. Als er im Juni 1796 Weimar besucht, gehört er nicht nur zu den anerkannten Autoren der deutschen Nationalliteratur, sondern zu den beliebtesten Autoren der Zeit überhaupt. Mit dem 'Siebenkäs' und 'Quintus Fixlein' festigt er seinen Ruf als Erfolgsautor. — Obwohl gefeiert, bleibt das Verhältnis zu Goethe und Schiller zwiespältig. Es sind Herder und Wieland, das sog. andere Weimar, die den Autor unterstützen. Auch die Übersiedelung nach Weimar (1793) ändert an der Situation nichts, J. bleibt der Antipode der Klassik, zu verschieden sind seine ästhetischen Auffassungen von denen der Klassiker. Auf dem Höhepunkt seines Schaffens - 1804 - als die 'Flegeljahre' und der 'Titan', J.'s Hauptwerk, vorliegen, stellt J. seine ästhetischen in der 'Vorschule der Ästehtik' explizit vor. Im Zentrum stehen die Theorie des Humors und des Witzes, flankiert von Bestimmungen der dichterischen Phantasie und Einbildungskraft. Obwohl in diesem Ansatz deutliche Einflüße der Romantik erkennbar sind, blieb J. auch zu dieser Kunsttheorie auf Distanz. Auch die Tatsache, daß er während seiner Berliner Zeit (1800/01) engen Kontakt zu den romantischen Zirkeln gepflegt hatte und u.a. Friedrich Schlegel kennenlernte, änderte daran nichts. J. begründete seine Zwitterstellung zwischen Klassik und Romantik, die er literaturgeschichtlich bis heute einnimmt, selbst. Wenn er Humor und Witz zu zentralen Kategorien seines Schaffens machte, und den Roman - in der für J. typischen Gestaltung als Satire und Idylle - zur adäquaten ästhetischen Form auswählte, so steht dahinter eine ganz spezifische und eigene Weltsicht. Sie läßt sich zum großen Teil aus seiner Biographie erklären, gemeint ist die theologisch-religiöse Grundhaltung zur Welt. Entscheidend hierfür waren - neben der Erziehung - der frühe Tod zweier Jugendfreunde (1789/90) und eine Vision des eigenen Todes, vermerkt in J.'s Tagebuch am 15.11. 1790. Als ehtische Schlußfolgerung notiert er sich, daß er 'die Menschen lieben müsse... die doch so bald mit ihrem bisgen Leben niedersinken'. Nicht nur, daß das Motiv des Scheintodes sich in zahlreichen Werken J. wiederfindet, seine Idyllen sind - trotz aller ironischen Gebrochenheit - Versuche, das Glück der Menschen darzustellen, gerade gegen eine sich entpersönlichende Welt. So konnte J. weder die Verabsolutierung der Kunst (Klassik) noch die des eigenen Ichs (Romantik), die Antworten der Zeitgenossen also auf die Frage nach dem Sinn, genügen. Er wurde schließlich Anhänger des Unsterblichkeitsgedankens. Die Argumente hierfür verarbeitete er vor allem in der Dialog-Erzählung 'Das Kampaner Thal oder über die Unsterblichkeit der Seele' (1797). Auch seine letzte Schrift beschäftigte sich - auf dem Hintergrund des Todes seines einzigen Sohnes - mit dem Unsterblichkeitsgedanken ('Selina oder

über die Unsterblichkeit' posthum 1827). In Friedrich Heinrich Jacobis (s.d.) Glaubensphilosophie suchte J. Halt. Der jahrelange Briefwechsel zwischen beiden Männern, ist ein wichtiges Dokument zum Verständnis des Menschen J. Seine Angst vor dem Atheismus, der sich seiner Meinung nach zwingend aus dem übersteigerten Subjektivismus seiner Zeitgenossen entwickeln mußte, verarbeitete er in der berühmt gewordenen 'Rede des toten Christus' (Beigabe im 'Siebenkäs' 1797, bereits aber 1789 verfaßt unter dem Titel 'Des toten Shäkespears Klage unter toten Zuhörern in der Kirche, dass kein Gott sei'). Obgleich J. in vielen seiner Werke den Kleinbürger und die Enge der Kleinstadt zur Zielscheibe seiner Satiren machte, wählte J. eben diese Existenz. Im August 1804 läßt er sich mit seiner Frau, der Beamtentochter Karoline Mayer, die er 1801 geheiratet hatte, in Bayreuth häuslich nieder. J. kehrte damit in die bayrische Heimat zurück, doch mehr als einmal mußte er den Mangel an geistigem Leben - wie er es von Berlin und Weimar her kannte - beklagen. Seine eigentliche Heimat wurde bald die 'Rollwenzelei', einer vor der Stadt gelegenen Wirtschaft. So oft es ging zog er sich hierher zurück und widmete sich seiner Arbeit. 1807 war die zweibändige 'Levana oder Erziehlehre ' erschienen. Ähnlich wie die 'Vorschule der Ästhetik' ein theoretisches Destillat seiner Poesie, nicht zuletzt aber auch ein Reflex auf die eigene Rolle als Vater (Geburt der Tochter Emma 1802). J. stellt sich hier ganz in die Tradition Rousseaus (sein Pseudonym wählte J. in Anlehnung an ihn) und Herders. Wenn er dabei die Individualität als Wurzel alles Guten beschreibt und die individuelle Freiheit als wichtigsten pädagogischen Grundsatz definiert, so berührt dies auch seine kunsttheoretischen Überlegungen: Geniethematik und Phantasiebegriff wurzeln in der Individualität. Aus materiellen Gründen sieht sich J. aber gezwungen neben den großen Werken auch kleinere Schriften zu verfassen. Das mit der napoleonischen Epoche aufblühende Genre des Journalismus mit seinen Wochen- und Monatsblättern bot sich hier an. Eine Vielzahl seiner Beitrage finden sich in Cottas Morgenblatt. Seine politischen Stellungnahmen finden insbesondere bei den patriotisch gesinnten Studenten und den Burschenschaften lebhaften Widerhall. J. wird zu einer der Leitfiguren der deutschen Burschenschaftsbewegung. Bei Besuchen in Heidelberg (1817) und Stuttgart (1819) wird er von der Studentenschaft zum 'Lieblingsdichter der Deutschen' erhoben. Doch die letzten Lebensjahre des Dichters stehen unter melancholischtragischem Vorzeichen. 1821 verstirbt sein Sohn Max. Kurz nach seinem 60. Geburtstag bricht ein Augenleiden aus, das die Ärzte als Grauen Star diagnostizieren. Selbständiges Arbeiten wird ihm damit verwehrt. Er kann sich aber nicht mehr an das Diktieren und Vorlesen gewöhnen. Als innerlich gebrochener Mensch bereitet J. die Gesamtausgabe seiner Werke vor. Über dieser Aufgabe verstirbt er am 14.11. 1825 in Bayreuth.

Werke: Grönländische Prozesse, oder Satirische Skizzen, 2 Bde., 1783; Auswahl aus des Teufels Papieren nebst einem nöthigen Aviso vom Juden Mendel, 1789; Die unsichtbare Loge. Eine Biographie (im Anhang: Leben des vergnügten Schulmeisterleins Maria Wuz in Auenthal. Eine Art Idylle), 1793; Hesperus, oder 45 Hundsposttage. Eine Lebensbeschreibung, 1795; Leben des Quintus Fixlein, aus fünfzehn Zettelkästen gezogen; nebst einem Mustheil und einigen Jus de tablette, 1796; Jean Paul's biographische Belustigungen unter der Gehirnschale einer Riesin, 1796; Blumen-, Frucht- und Dornenstücke, oder Ehestand, Tod und Hochzeit des Armenadvokaten F.St.Siebenkäs im Reichsmarktflecken Kuhschnäppel (mit Beigaben, u.a. Rede des toten Christus), 3 Bde., 1796/97; Geschichte meiner Vorrede zur zweiten Auflage des Quintus Fixlein, 1797; Der Jubelsenior. Ein Appendix, 1797; Das Kampaner Thal oder über die Unsterblichkeit der Seele; nebst einer Erklärung der Holzschnitte unter den 10 Geboten des Katechismus, 1797; Palingenesien, 1798; Jean Pauls Briefe und bevorstehender Lebenslauf, 1799; Titan, 4 Bde., 1800/03; Komischer Anhang zum Titan, 2 Bde. (in Bd.2 u.a. Des Luftschiffers Giannozzo Seebuch), 1800/01; Clavis Fichtiana seu Leibgeberiana, 1800; Das heimliche Klagelied der jezigen Männer; eine Stadtgeschichte. Die wunderbare Gesellschaft in der Neujahrsnacht, 1801; Flegeljahre. Eine Biographie, 4 Bde., 1804/05; Vorschule der Ästhetik, nebst einigen Vorlesungen in Leipzig über die Parteien der Zeit, 1804; Jean Paul's Freiheits-Büchlein, 1805; Levana oder Erziehlehre, 2 Bde., 1807; Friedens-Predigt an Deutschland, 1808; Des Feldpredigers Schmelzle Reise nach Flätz mit fortgehenden Noten; nebst der Beichte des Teufels bey einem Staatsmanne, 1809; Dr. Katzenbergers Badereise; nebst einer Auswahl verbesserter Werkchen (mit u.a. Der 17.Juli oder Charlotte Gorday), 1809; Dämmerungen für Deutschland, 1809; Herbst-Blumine, oder gesammelte Werkchen aus Zeitschriften, 3 Bde., 1810/20; Leben Fibels, des Verfassers der Bienrodischen Fibel, 1812; Museum (8 Aufsätze), 1814; Mars und Phöbus Thronwechsel im J. 1814; eine scherzhafte Flugschrift, 1814; Politische Fastenpredigten während Deutschlands Marterwoche, 1817; Über die deutschen Doppelwörter; eine gramatische Untersuchung in zwölf alten Briefen und zwölf neuen Postskripten, 1820; Der Komet, oder Nikolaus Marggraf. Eine komische Geschichte 3 Bde., 1820/22 ; Kleine Bücherschau. Gesammelte Vorreden und Rezensionen, nebst einer kleinen Nachschule der ästhetischen Vorschule, 1825. Nachgelassene Werke: Wahrheit aus Jean Paul's Leben, 8 Hefte (darin u.a. Vita-Buch), hg. v. G. Otto/E. Förster, 1826/33; Selina oder über die Unsterblichkeit, hg. v.G.Otto, 1837. — Ausgaben: Sämmtliche Werke. 65 Bde., hg. v. O.Spazier/E. Förster, 1826-38; Werke. 60

Theile, 1868-79 (Hempel'sche Ausgabe); Sämtliche Werke. Hist.-krit. Ausgabe, Abt.I-III, hg. v. E. Berend, 1927-1964; Werke, 6 Bde. (Hanser-Ausgabe), hg. v.N. Miller/G.Lohmann, 1959-63; Sämtliche Werke. Abt. I-II, hg. v. N.Miller/W.Schmidt-Biggemann, 1960-85 (mit ausführlichen Kommentaren). — Briefe: Jean Paul: Briefwechsel mit seinem Freunde Christian Otto, hg. v. E.Förster, 4 Bde., 1829-33; Briefwechsel zwischen Heinrich Voß und Jean Paul, hg. v. A.Voß, 1833; Denkwürdigkeiten aus dem Leben von Jean Paul, hg. v. F. Förster, 4 Bde., 1863; Charlotte von Kalb: Briefe an Jean Paul und dessen Gattin, hg. v. P.Nerrlich, 1882; Jean Paul: Briefwechsel mit seiner Frau und Christian Otto, hg. v. P.Nerrlich, 1902; Briefe an Albrecht Otto und Jean Paul, hg. v. K.Schreinert, 1933; Der Briefwechsel Jean Pauls und Karoline Richters mit Herder, hg. v. P.Stapf, 1959. — Bibliographie: Eduard Berend, Jean Paul-Bibliographie, 1925, (neu bearb. u. erg. v. Johannes Krogull) 1963; Eike Fuhrmann, Jean Paul-Bibliographie 1963-65, in: Jb. d. Jean Paul-Gesellschaft I (1966), S. 163-179; Renate Merwald, Jean Paul-Bibliographie 1966-69, in: ebd. 5 (1970), S. 185-219; Hendrik Birus, Über die jüngste Jean Paul-Forschung (1974-1982) u. Kommentierte Auswahlbibliographie, in: Heinz Ludwig Arnold (Hg.), Jean Paul. Sonderband Text+Kritik, [3]1983, S. 216-306; Jochen Golz, J.P. -Forschung 1970-83 in d. BRD, in: Weimarer Beiträge 33 (1987), S.663ff.

Lit.: 1. Sammelbände: Hans-Werner Seiffert/Bernd Zeller (Hg.), Festgabe für Eduard Berend zum 75. Geburtstag, 1959 (mit Biblio. d. Veröff. v. Berend); —J.P. Sonderband aus der Reihe Text+Kritik, hg. v. Heinz-Ludwig Arnold, 1970, [3]1983; —Uwe Schweikert (Hg.), J.P. (Reihe Metzler), 1970; —ders., J.P. (Wege der Forschung, Bd.336), 1974; — Peter Sprengel (Hg.), J.P. im Urteil seiner Kritiker. Dokumente zur Wirkungsgeschichte, 1980; — Kurt Wölfel (Hrg.), Sammlung der zeitgenös. Rez. v. J.P. Werken, 2 Bde. 1978/81; — Biogr.: Richard O. Spazier, J P. Ein biogr. Commentar zu dessen Werken, 5 Bde., 1833; — Paul Nerrlich, J.P. und seine Zeitgenossen, 1876; — ders., J.P. Sein Leben und seine Werke, 1889; — Eduard Berend, J.P. Persönlichkeit in Berichten der Zeitgenossen, 1913, [2]1956; - Walther Harich, J.P., 1925; — Max Kommerell, J.P., 1933, 5.Aufl. 1977; — Günter de Bruyn, Das Leben des J.P., 1975; — Uwe Schweikert, J.P. -Chronik, 1975; — Hanns-Josef Ortheil, J.P. (rororo), 1984; — Kurt Wölfel, J.P. Leben, Werk, Wirkung, in: ders., J.P. -Studien, 1989, S. 7-51 (=Deutsche Dichter, Bd.4, RUB, 1989); — Neuere Forschung: Eberhard Weigl, Aufklärung und Skeptizismus. Untersuchungen zu J.P. Frühwerk, 1980; — Eckhart Oehlenschläger, Närrische Phantasie. Zum metaphorischen Prozeß bei J.P., 1980; — Harry Verschuren, J.P. 'hesperus' und das zeitgenössische Lesepublikum, 1980; — Peter Maurer, Wunsch und Maske. Eine Untersuchung der Bildung Motivstruktur von J.P. 'Flegeljahren', 1981; — Gerhard Schulz, Zwischen Kleinstadt und Gottesstadt. Bemerkungen zu J.P. in: Walter Hinderer (Hg.), Literarische Profile, 1982, S. 67-85; — Götz Müller, J.P. Ästhetik und Naturphilosophie, 1983; —Hanns-Josef Ortheil, Der enzyklopädische Roman J.P., in: Helmut Koopmann (Hg.), Handbuch des deutschen Romans, 1983, S. 260f.; —Carl Pietzcker, Einführung in die Psychoanalyse des literarischen Kunstwerks am Beispiel von J.P. 'Rede des toten Christus', 1983; — Jörg Schönert,

Der satirische Roman von Wieland bis J.P., in: Helmut Koopmann (Hg.), Handbuch des dt. Romans, 1983, S. 204f.; — Helmut Pfotenhauer, Literarische Anthropologie. Selbstbiographie und ihre Geschichte, 1987. (Kap. V: J.P. oder die Bedenken des Romanautors vor dem Ich), S. 116-143; — Götz Müller, J.P. Exzerpte, 1988; — Kurt Wölfel, J.P. -Studien, 1989. ADB 28 (unter Richter); — DLL VIII, 531-40; — NDB X, 372-82; — Werküberblick in Manfred Kluge/Rudolf Radler (Hg.), Hauptwerke der deutschen Literatur, 1974, S. 240-249 (= Auswahl aus KLL).

Rainer Witt

JEANNE d'Anneux siehe Johannes von Annosis

JEANNE de Roquetaillade siehe Rupescissa

JEANNE d'Albret, Königin von Navarra, * 7.1. 1528 in Saint-Germain-en-Laye als Tochter von Henri d'Albret, König von Navarra und Marguerite de Valois-Angouléme, + 9.6. 1572 in Paris. — Im Alter von zwei Jahren wurde J. durch den Tod ihres jüngeren Bruders Anwärterin auf das Thronerbe ihres Vaters. Das Königreich besaß durch seine Lage zwischen Frankreich und Spanien große politische Bedeutung, und so wurde im Laufe ihrer ganzen Jugend von verschiedenen Seiten um ihre Hand angehalten, um dadurch den eigenen politischen Einfluß zu vergrößern. Ihre Mutter ließ J. gemäß der Sitte der Renaissance in Gelehrsamkeit und Wissenschaft ausbilden, und sie erlangte im Laufe ihrer Jugend einen kühlen und entschiedenen Charakter. Am 14. Juni 1541 wurde J. in Châtellerault mit Herzog Jean de Cléves verheiratet. Dieser Vermählung aus rein machtpolitischen Motiven ging ein heftiges Werben von französischer und spanische Seite voraus. J. selbst versuchte sich vergeblich gegen ihre Verheiratung zu wehren. Die Hochzeit wurde wegen ihrer Jugend nicht vollzogen, und die Ehe behielt formalen Charakter. Als Navarra 1545 Spanien erlag, wurde durch die veränderte Machtkonstellation die Verbindung wieder geschieden. Papst Paul III. löste die Ehe noch am 22.10. desselben Jahres anstandslos auf. Am 20.10. 1548 heiratete J. in Moulins den Herzog Antoine de Bourbon-Vendóme. Diese Ehe hatte nicht rein politischen Charakter, denn die Willensentscheidung J.s war Ausdruck wirklicher Zuneigung. Nach dem frühen Tod zweier Kinder gebar sie am 14.12. 1553 in Pau ihren Sohn Henri, den späteren Henri IV., König von Navarra. Am 29.5. 1555 wurde J. durch den Tod ihres Vaters Königin

von Navarra. Drei Jahre später, am 7.2. 1558, gebar sie ihre Tochter Catherine, die spätere Frau des Herzogs von Bar-Lothringen. Vornehmstes Ziel ihrer Königsherrschaft war die Reformation in Navarra. Schon ihre Mutter war der Lehre Calvins (s.d.) günstig gesinnt; auch J. erzog sie in diesem Geiste. Als Königin von Navarra räumte J. dem reformierten Glauben einen immer breiter werdenden Raum in ihrem Lande ein. Weihnachten 1560 schließlich schwor sie in Pau feierlich dem Katholizismus ab, legte ein reformiertes Glaubensbekenntnis ab und empfing zur symbolischen Bekräftigung vor versammelter Gemeinde Brot und Wein. J. wurde mehr und mehr zu einer überzeugten und energischen Anhängerin des Protestantismus, was sich in ihren privaten und öffentlichen Entscheidungen niederschlug. So waren nicht nur ihr Hofstaat und ihre eigene Lebensweise von besonderer Frömmigkeit gekennzeichnet, sondern sie ließ auch die Bilder aus den Kirchen entfernen, die Klöster in Schulen verwandeln und mit den Reichtümern der aufgelösten Klöster Schulen und Spitäler errichten. Auf ihre Anordnung wurde eine Übersetzung des Neuen Testaments in die Landessprache angefertigt, des weiteren gab sie ein Landrecht heraus. Am 17.11. 1562 erlag Antoine de Bourbon einer im Lager von Rouen erhaltenen Schußverletzung. J. konnte daraufhin die Reformation in ihrem Lande durchführen, ohne durch ihren katholischen Gatten behindert zu werden. Ein knappes Jahr später lud Papst Pius IV. sie durch eine Bulle vom 28.9. 1563 vor ein Inquisitionstribunal. Durch energischen Protest Karls IX. wurde die päpstliche Bulle wieder zurückgezogen und aufgehoben. Aufgrund von geschickter Politik blieb J.s Reich während der Religionskriege der 60er Jahre verhältnismäßig stabil. In Navarra selbst vervolgte sie eine kompromißlose Linie: 1569 verbot sie die römische Religion und verwies alle Priester und Mönche des Landes. Anfang des Jahres 1572 begab sich J. an den Hof nach Paris, um dort die geplante Heirat ihres Sohnes Henri mit Marguerite de France, der Tochter Henri II., vorzubereiten. Am 3. Juni feierte sie im Kreise von Glaubensgenossen die Eucharistie, einen Tag später erkrankte sie an Seitenstechen und heftigen Fieberanfällen. Am 9. Juni starb sie, nachdem sie ihr Testament gemacht hatte, gefaßt und betend. Es entstand das Gerücht, daß J. vergiftet worden war, und so ließ der König ihre Leiche öffnen. Die Ärzte fanden ein Geschwür am rechten Lungenflügel; das Ergebnis der Untersuchung entkräftete den Verdacht. J. war neben Catherine de Medici die bedeutendste Frau in Frankreich zur Zeit der Reformation. Ihre Energie, ihr Glaubenseifer und ihre Konsequenz bewirkten ihren großen Einfluß in den religiösen Wirren und verwickelten politischen Verhältnissen dieser Tage. J. gilt als eine der bedeutendsten Frauen ihres Jahrhunderts und hervorragende Gestalt des französischen Protestantismus.

Lit.: Vauvilliers, Histoire de J., 2 Bde., Paris 1823; — Muret, La vie de J., Paris 1862; — Rochambeau (Hrsg.), Lettres d'Antoine de Bourbon et de J., Paris 1877; — A. de Ruble, Le mariage de J., Paris 1877; — Ders., Antoine de Bourbon et J., 4 Tle., Paris 1881-1886; — Ders., J. et la guerre civile, Paris 1897; — Vgl. weiterhin Haag, La France protestante, Ed. II, Tl. 1, Paris 1877, 95; — N. de Bordenave, Histoire de Béarnet Navarre, Paris 1873; — Robert Mandrou u. a. (Hrsg.), Histoire des protestants en France, Toulouse 1977, 58 ff., 103 ff.; — DHF 520; — RE IX, 249-254.

Michael Tilly

JEANNE d'Arc, Selbstbezeichnung Jeanne la Pucelle, weitere Schreibweisen J. d'Ay, J. Darc, J. Tarc, J. Dare, J. Day, * 6.1. 1412 in Domremy/Lothringen als Tochter des Bauern und Dorfbürgermeisters Jacques Tarc, + 30.5. 1431 auf dem Scheiterhaufen in Rouen. — Geburtsdatum und -ort stützen sich auf die Prozeßprotokolle von 1431. J. hatte drei ältere Brüder und eine Schwester. Unter ihrer Mutter Isabelle genoß J. die behütete, häusliche Erziehung eines Landmädchens bescheidener, jedoch nicht ärmlicher Herkunft. Im Alter von 13 Jahren erschien J. nach ihren Prozeßaussagen der Erzengel Michael. Von diesem erhielt sie den Befehl, die Belagerung der Stadt Orléans durch die englischen Truppen aufzuheben. Sie wurde beauftragt, Robert de Baudricourt, den Stadtkommandanten der Festung Valcoleurs, um seine Hilfe bei dieser Tat zu bitten. Die Erscheinungen wiederholten sich oft, und endlich verließ J. 1428 ihr Elternhaus, um ihren Auftrag zu erfüllen. Durch Hilfe eines Vetters ihrer Mutter, Durand Laxart, gelangte sie nach Valcoleus, und versuchte sogleich, ihr Anliegen Baudricourt vorzutragen. Dieser wies sie zunächst zweimal schroff ab. In Valcoleurs verbreitete sich ein Gerücht vom wunderbringenden Wirken J.s; im Januar 1429 entschloß sich Baudricourt, J. zu empfangen. Herzog Karl von Lothringen, der ebenfalls die Kunde von ihren wunderwirkenden Kräften erhalten hatte, rief J. am 12.2. 1429 nach Nancy. Sowohl der Ruf J.s im Volk als auch der Empfang durch Karl II. veranlaßten Baudricourt, sich am nächsten Tag bereit zu

erklären, sie nach Chinon zu Karl VII. geleiten zu lassen. Am 19.2. brach J. mit einer Eskorte auf, und erreichte Chinon nach einer beschwerlichen Reise am 1.3. 1429. Sie wurde dem König vorgestellt, dem sie ihre Hilfe anbot. Karl VII. wies J. als Quartier am nächsten Tag das Schloß Couldray zu, woraus das Wohlwollen des Königs ihr gegenüber geschlossen werden kann. Gegen Ende März 1429 beschloß Karl VII. sie einer eingehenden Prüfung zu unterziehen. Am 21.3. reiste sie nach Poitiers, wo sie über einen Zeitraum von drei Wochen von einigen Geistlichen befragt und verschiedenen hochgestellten Persönlichkeiten vorgestellt wurde. Die Examination fiel günstig für J. aus; der Kronrat beschloß, ihr eine Rüstung anfertigen zu lassen und sie mit einem Gefolge nach Orléans zu schicken. Am 26.4. zog sie von Blois aus nach Orléans, wo sie am Abend des 29.4. einzog. Am 7.5. 1429 nahm J. in vorderster Linie an der Erstürmung des von den Engländern besetzten Forts de Tourelles teil, wobei sie durch einen Pfeil verwundet wurde. Trotz ihrer Verwundung verließ sie nicht das Feld, und steigerte durch ihre Ausstrahlungskraft Kampfbereitschaft und Siegeszuversicht im Heer. Am 8.5. 1429 zogen die Engländer von der aussichtslos gewordenen Stellung ab; Orléans war frei und der Krieg bekam eine für Frankreich glückliche Wendung. J.s Beteiligung an der Befreiung Orléans führte zu einer rasch steigenden Popularität im Volk und sie hatte bald den weitverbreiteten Ruf einer gottgesandten Prophetin und Kämpferin inne. Am 9.5. verließ sie Orléans, um dem König, der sich auf dem Weg von Chinon nach Tours befand, entgegenzureiten. Sie nahm an der Vertreibung der Engländer aus dem Loire-Gebiet und an der Einnahme der lezten von ihnen besetzen Burgen im Juni 1429 teil. Am 17. Juli dieses Jahres wurde Karl VII. in Reims gekrönt. Der Ruhm J.s war nun auf seinem Höhepunkt. J. wurde überall, wo sie sich zeigte, begeistert begrüßt, ihr Vater erhielt Steuerfreiheit vom König, und Frauen brachten Gebetbücher, damit sie sie berühre. Auf diesem Gipfel ihres Ruhms ließ J.s Einfluß bei Hofe wieder in zunehmendem Maße nach. Grund war die wachsende Mißgunst der königlichen Räte. Doch auch strategische Fehlentscheidungen beeinflußten die Situation J.s: Auf ihr Drängen hin entschloß sich Karl VII. im September 1429 zum Sturm auf Paris, um die geschwächten englischen Heere vollends aus Frankreich zu vertreiben. Am 8.9. 1429 begann der Sturm der königlichen Truppen auf die stark befestigte Stadt. Der Versuch der Eroberung schlug jedoch fehl. Nach solchem Mißlingen wurde J. von Karl VII. nicht mehr weiter unterstützt. Sie wurde an die Loire zurückgeführt, von wo sie im April 1430 floh, um dem belagerten Compiégne zu Hilfe zu eilen. Dort wurde sie durch Verrat am Abend des 23.5. 1430 von den Burgundern gefangengenommen. Die nächsten zwei Monate verbrachte J. in Gefangenschaft auf dem Schloß Beaulieu bei Campiégne. Unmittelbar nach ihrer Ergreifung, am 26.5., schrieb die Pariser Universität an Herzog Philip und forderte ihn auf, J. dem Generalvikar des Großinquisitors von Frankreich auszuliefern. Am 23.12. 1430 wurde J. nach Rouen gebracht und in einem der Schloßtürme von Bouvreuil in Ketten gelegt. Dort wartete sie bis zum 9.1. 1431 auf den Beginn des Prozesses "wegen ihres Aberglaubens, ihrer Irrlehren und anderer Verbrechen gegen die göttliche Majestät". In öffentlichen Sitzungen und geheimen Verhören unterlag J. trotz ihres erstaunlich gewandten und verständigen Auftretens den dialektisch und rhetorisch geschulten Klerikern und verwickelte sich in Widersprüche. In Angesicht der drohenden Todesstrafe widerrief J. am 24.5. 1431, worauf sie zu lebenslangem Kerker verdammt wurde. Bereits 4 Tage darauf wurde sie beschuldigt, erneut Männerkleidung angelegt zu haben - ihr wurde der Prozeß wegen Rückfälligkeit gemacht. Am 29.5. 1431 wurde das endgültige Urteil gefällt: Verbrennung der Ketzerin. Am Morgen des 30. Mai wurde J. auf dem Marktplatz von Rouen verbrannt. Ihre Asche wurde in den Fluß geworfen. Vor dem Hintergrund der geänderten politischen Verhältnisse in Frankreich eröffnete Karl VII. am 7.11. 1455 den Prozeß um eine Rehabilitation J.s in der Kathedrale Notre-Dame zu Paris. Am 7.7. 1456 verkündete man das Urteil, J. wurde vollständig rehabilitiert. Bei diesem Prozeß wurde vermieden, diejenigen, die den Tod verursacht hatten, zur Verantwortung zu ziehen. Der Vatikan hielt sich in der Frage um Schuld und Unschuld J.s jahrhundertelang zurück. Erst 1909 wurde J. durch Pius X. selig und am 16.5. 1920 durch Benedikt XV. heilig gesprochen. Die Jungfrau von Orléans war, wenngleich zu einem viel zu frühen Tod verdammt, angefüllt mit einem unbedingten Glauben an Gott und dem Bewußtsein der Göttlichkeit ihrer Sendung, ihr Leben war selbstlos und heroisch. Ihr Wesen erwies sich als großherzig und schlagfertig. J. gilt als eine der berühmtesten Frauen der französischen Geschichte; ihr Leben lieferte vielfach Inspiration und Material für Schriftsteller und Maler. Hauptquelle für die Geschichte der J. sind die Protokolle der Verurteilung und des Rehabilitationsprozesses. Aufgrund der starken Verflechtung von Tatsachen und Legenden, die sich um ihre Person ranken, ist es nur sehr schwer möglich, ein historisch exaktes Bild vom Leben und Wirken J.s zu erhalten.

Werke: Quellen: Procés de condamnation, in: Bibliothèque Nationale de Paris; Procés de rèhabilitation, in: Bibliothèque Nationale de Paris u. in: British Museum; Procés de condamn. et de rèhab. de J., hrsg. v. Jules Quicherat, 5 Bde., Paris 1841-1849; Chronique de la Pucelle (anonym), nach 1467, ebd.; Ruth Schirmer-Imhoff, J., Dokumente ihrer Verurteilung und Rechtfertigung 1431-1456, Köln 1956.

Lit.: Josf Zürcher, J., Vom psychol. und psychopathol. Standpunkt aus, Leipzig 1895; — Albert B. Paine, J., Maid of France, New York 1925; — Hilaire Belloc, J., London 1929; — Raymond Quenedey, Les Étapes de la vie douloureuse de J. à Rouen, Rouen 1931; — L. Bailly-Maître, L' Arrivée de la J. à Rouen, Longuyon 1932; — André Billard, J. et ses juges, Paris 1933; — J.H. Ryner, J. et sa mère, Paris 1950; — La minute francaise des interrogatoires de J., Melun 1952; — Sven Stolpe, Das Mädchen von Orléans. Das Schicksal der J., Frankfurt a. M. 1954; — J. Boussounouse, J. et ses Juges, Paris 1955; — R. Hanhart, Das Bild der J. in der franz. Historiographie vom Spät-MA bis zur Aufklärung, Basel 1955; — D.G. Wayman, The Chancellor and J., in: FrST 17 (1957), 273-305; — R. Horval, J. et ses »témoins« vénitiens, in: Revue de Sociétés savantes de Haute Normandie 19 (1960), 5-17; — J. Guitton, Problème et mystère de J., Paris 1961; — Charles W. Lightbody, The Judgement of J., London 1961; — Régine Pernoud, J. par elle-meme et par ses temoens, Paris 1962; — Dies., J. Freiburg i. Br. 1965; — E. Delaruelle, J. et la sainteté au XVᵉ siésle, in: BLE 1964, 17-33; — Ders., La spiritualité de J., ebd., 81-98; — Hans Feldmann, J. und ihre Gesch., in: Bremer Ärzteblatt, vol. 18,4 (1965), 20-30, vol. 18,5 (1965), 26-30; — Eduard von Jan, J. im Geistesleben der Ggw., in: Germanisch-romanische Monatsschrift, Bd. 15,4 (1965), 414-420; — Wolfgang Jungandreas, Die Muttersprache der J., in: Kurtrierisches Jahrbuch 5 (1965), 46-54; — Claude Desama, Le première entrevue de J. et e Charles VII. à Chinon, in: Analecta Bollandiana, vol. 84, fasc. 1-2 81966), 113-126; — Ders., J. et la diplomatie de Charles VII., in: Annales de Bourgogne, vol. 40 (1968), 290-299; — Andre Bossuat, J., Paris 1968; — Maurice David Darnac, Le dossier de Jehanne, Paris 1968; — Michael Valsan, Remarques occasionelles sur J. et Charles VII., in: Études traditionelles 412/13 (1969), 112-137; — Henri Guillemin, J., Paris 1970; — Ingvald Raknem, J., Oslo, Bergen/Tromsö 1971; — Jean Bancal, J. Princesse royale, Paris 1971; — Heinz F. Friederichs, Die Jungfrau von Orléans im Lichte neuer Forschungen, in: Genealogisches Jahrbuch, Bd. 11 (1971), 104-105; — Ders., J., Jungfrau von Orléans, Ahnenliste, ebd., 73-82; — F. E. Kenyon, The Life and Health of J., in: Practitioner, vol. 207 (1971), 835-842; — Henry Morel, La noblesse de la familie de J. au XVIᵉ siècle, Paris 1972; — Siegfried Rösch, J., Jungfrau von Orléans in genealogischer Sicht, in: Genealogie, Bd. 11 (1972), 329-331; — Etienne Weill-Raynal, Le double secret de J., révélé par des documents de l'époque, Paris 1972; — Yann Grandeau, Jeanne insultée, Procés en diffamation, Paris 1973; — Rosemonde Sanson, La Fete de J., in:

RevHistMC 20, (1973), 444-463; — John Holland Smith, J., London 1973; — Hartmut Steinbach, J., in: Günther Franz (Hrsg.), Persönlichkeit und Gesch., Bd. 78, Göttingen 1973; — J. Choux, L'authentícité de la maison de J., in: Pays Lorraine 55 (1974), 1-14; — Françoise Roth, Le culte de J. en Lorraine au-temps de la Troisiéme Republique, in: Annales de l'est, vol. 26,2 (1974), 158-167; — Walter S. Scott, J., London 1974; — Agnes Fischer-Wilbert, Die Universität von Paris im Prozeß gegen J., Diss. Bonn 1975; — Edward Lucie-Smith, J., London 1976; dt. Übers. Herrsching 1990; — Katherine Walsh, J. und "ihr" Dauphin, in: Römische hist. Mitteilungen, Heft 18 (1976), 177-180; — H. Nette, J. in Selbstzeugnissen und Bilddokumenten, in: Kurt Kusenberg (Hrsg.), Rowohlts Monographien, Bd. 253, Reinbek/Hbg. 1977; — Pierre Duparc (Hrsg.), Procés en nullité de la condamnation de J., Paris 1977; — Ders., La troisiéme procés de J., in:Comptes rendus des séances, Paris 1978, 28-41;— Michèle Lagny, L'Image de J., in: Annales de l'est 30 (1978), 25-72; — Frantisek Graus, J. als Symbol Frankreichs, Die Jungfrau von Orléans im Spiegel der Geschichsschreibung,in: Damals, Heft 4 (1980), 343-356; — Deborah Fraioli, The Literary Image of J., Prior Influences, in: Speculum 56,4 (1981), 811-830; — D. Fraioli, The Image of J. in the 15th Century in French Literature, Diss. Syracuse (USA) 1981; — Georges Peyronnet, Une série des traditions sur J., in: Mélanges de sciences religieuse, vol. 38,4 (1981), 195-206; — G. Krumeich, J. in der Geschichte. Historiographie - Politik - Kultur, Sigmaringen 1989; — Bibliogr. in Herbert Nette, J., Reinbek/Hbg. 1977, 151 ff.; G. Peyronnet, Gerson, Charles VII et J.: RHE 84 (1989), 334-370; — Catholicisme VI, 655 ff.; — DSp VIII, 851 ff.; — RGG III, 573 f.

Michael Tilly